hat er gesagt?; ***this is the ~ house*** das ist hier das Haus; ***~ size*** Originalgröße *f*

actually *adv* **1.** (*used as a filler*) ***~ I haven't started yet*** ich habe noch (gar) nicht damit angefangen **2.** (≈ *in actual fact*) eigentlich; (≈ *by the way*) übrigens; ***as you said before, and ~ you were quite right*** wie Sie schon sagten, und eigentlich hatten Sie völlig recht; ***~ you were quite right, it was a bad idea*** Sie hatten übrigens völlig recht, es war eine schlechte Idee; ***I'm going soon, tomorrow ~*** ich gehe bald, nämlich morgen **3.** (≈ *truly*) tatsächlich; ***if you ~ own an apartment*** wenn Sie tatsächlich eine Wohnung besitzen; ***oh, you're ~ in/ready!*** oh, du bist sogar da/fertig!; ***I haven't ~ started yet*** ich habe noch nicht angefangen; ***as for ~ doing it*** wenn es dann daran geht, es auch zu tun

actuary *n* INSUR Aktuar(in) *m(f)*

acumen *n* ***business ~*** Geschäftssinn *m*

acupuncture *n* Akupunktur *f*

acute *adj* **1.** akut; *embarrassment* riesig **2.** *eyesight* scharf; *hearing* fein **3.** MAT *angle* spitz **4.** LING ***~ accent*** Akut *m* **acutely** *adv* akut; *feel* intensiv; *embarrassed, sensitive* äußerst; ***to be ~ aware of sth*** sich (*dat*) einer Sache (*gen*) genau bewusst sein

AD *abbr of* ***Anno Domini*** n. Chr., A.D.

ad *n abbr of* ***advertisement*** Anzeige *f*

adage *n* Sprichwort *nt*

Adam *n* ***~'s apple*** Adamsapfel *m*; ***I don't know him from ~*** (*infml*) ich habe keine Ahnung, wer er ist (*infml*)

adamant *adj* hart; *refusal* hartnäckig; ***to be ~*** unnachgiebig sein; ***he was ~ about going*** er bestand hartnäckig darauf zu gehen **adamantly** *adv* hartnäckig; ***to be ~ opposed to sth*** etw scharf ablehnen

adapt **I** *v/t* anpassen (*to +dat*); *machine* umstellen (*to, for* auf *+acc*); *vehicle, building* umbauen (*to, for* für); *text* bearbeiten (*for* für); ***~ed from the Spanish*** aus dem Spanischen übertragen und bearbeitet **II** *v/i* sich anpassen (*to +dat*) **adaptability** *n* Anpassungsfähigkeit *f* **adaptable** *adj* anpassungsfähig **adaptation** *n* (*of book etc*) Bearbeitung *f* **adapter** *n* ELEC Adapter *m* **adaptor** *n* = ***adapter***

ADD *abbr of* ***attention deficit disorder*** ADS

Main ... in bl...

The swung dash replaces the headword in phrases

Translation appears in normal type

Part of speech labels

Explanatory material given in *italics*

Gender labels

Phrases and other expressions comprising more than one element given in ***bold italics***

Roman numerals used to differentiate parts of speech

Cross-reference to another headword

Abbreviations, acronyms and their meanings entered as part of the overall alphabetical order

Easy Read Dictionary

German – English • Englisch – Deutsch

Berlitz Publishing

New York · Munich · Singapore

Original edition edited by the Langenscheidt editorial staff

Project management: Dr. Wolfgang Walther

Lexicographical work: Horst Kopleck, Dr. Helen Galloway

Maps: Geographic Publishers GmbH & Co. KG, Munich

Book in cover photo: © Punchstock/Medioimages

This dictionary uses the new German spelling system valid as of 2006.

This dictionary has been created with the help of dictionary databases owned by HarperCollins Publishers Ltd.

Berlitz Publishing
193 Morris Avenue
Springfield, NJ 07081
USA

Printed in Germany
ISBN 978-981-268-524-7

1. 2. 3. 4. 5. 13 12 11 10 09

Contents

Preface

This dictionary has undergone a thorough process of revision. As well as the addition of new words, all of the existing entries have been checked for relevance. In total, this dictionary contains about 130,000 references, all of which have been tailored to the needs of English-speaking users. For example, labelling in English has been provided on the English-German side of the dictionary and information regarding phonetics and stress for the German headwords on the German-English side.

The editorial team has aimed above all to create an up-to-date and extremely user-friendly dictionary.

The core of the dictionary is made up of English and German words which reflect general present-day usage. However, new and up-to-date terminology from such important fields as information technology, politics and society, culture, medicine and sport has also been added. Great attention has similarly been paid to colloquial and idiomatic expressions since these are the elements which bring a language to life. Geographical names and important abbreviations have also been included.

Detailed grammatical information as well as field, semantic and register labels enable the user to understand and employ the headwords more accurately and to distinguish between the translations in a reliable way.

This dictionary uses the new German spelling system according to the official rules and DUDEN recommendations.

How to use this dictionary

Where do I find what I am looking for?

This dictionary contains about 130,000 references which are listed **in alphabetical order**. The only exceptions to this strict rule are **phrasal verbs**, which appear directly under the simple verb form. This means, for example, that **keep at**, **keep away**, **keep back**, **keep down**, **keep from**, **keep in**, **keep off**, **keep on** etc. are all listed directly under **keep**. The entry for the word **keeper** follows the phrasal verbs, although strictly speaking it ought to come alphabetically between **keep down** and **keep from**.
The letters **ä**, **ö** and **ü** are treated on the same basis as **a**, **o** and **u**. Thus the entry for **trällern**, for example, comes between **Traktor** and **Tram**.
For the **pronunciation** of German words, see the table on pages 11-12.

How do I find what I am looking for?

Each headword entry is divided up in the following way:

I Roman numerals are used to differentiate parts of speech (transitive, intransitive or reflexive verb, noun, adjective, adverb etc.);

2. Arabic numerals are used to differentiate between the different senses of a word;

; semicolons are used to differentiate nuances of meaning and also appear before a ***phrase***;

, commas are used to differentiate between the various translations of a word which are synonymous and interchangeable.

Superscript numbers are used to distinguish between words which are spelled the same but which are completely different in meaning (homonyms).

rocket[1] **I** *n* Rakete *f* **II** *v/i* (*prices*) hochschießen
rocket[2] *n* COOK Rucola *m*

What can I find under each entry?

Look at the following entry:

ạblehnen *sep* **I** *v/t* to decline, to refuse; *Angebot*, *Bewerber*, *Stelle* to turn down, to reject; PARL *Gesetzentwurf* to throw out; ***jede Form von Gewalt ~*** to be against any form of violence **II** *v/i* to decline, to refuse; ***eine ~de Antwort*** a negative answer **Ạblehnung** *f* ⟨**-, -en**⟩ **1.** refusal; (*von Antrag*, *Bewerber etc*) rejection **2.** (≈ *Missbilligung*) disapproval

This example will serve to illustrate the main elements, which are itemised and explained below:

ạblehnen	Each **headword** is written out in full and appears in **blue bold type**. The blue dot under the **a** in **ablehnen** means that the **a** is a short stressed vowel.
sep	means that the word is *separable*. For example, you would therefore say 'Du lenkst mich ab.' and not '~~Du ablenkst mich.~~' *sep* appears in front of the Roman numerals and therefore relates to both **I** and **II**.
I	Roman numerals differentiate between different parts of speech or verb forms.
v/t	The transitive verb is treated first. Transitive verbs are verbs which are followed by an object in the accusative case.
to decline, to refuse	This sense of **ablehnen** is generally translated as 'to decline' or 'to refuse'.
Angebot, *Bewerber*, *Stelle*	'to turn down' or 'to reject' are the appropriate translations when **ablehnen** is used with the objects *Angebot*, *Bewerber* or *Stelle*.
to turn down, to reject	are alternative translations which appear separated by a comma.
PARL *Gesetzentwurf*	**ablehnen** is translated by the following when it is used in the parliamentary sense, e.g. relating to a *Gesetzentwurf*.
to throw out	is the translation.
jede Form von Gewalt ~	is a common phrase which is translated as a whole. The tilde ~ replaces the headword **ablehnen**.
to be against any form of violence	is the translation of the previous ***phrase***.
II	Roman numerals differentiate between different parts of speech or verb forms.

v/i	This is where the intransitive verb is dealt with. This is a verb which is not followed by an object in the accusative case.
to decline, to refuse	is the translation. 'sie lehnte ab' would be translated as 'she declined' or 'she refused'.
eine ~de Antwort	***eine ablehnende Antwort*** is another typical phrase. Here the tilde ~ replaces the part of the word which directly corresponds with the headword **ablehnen**.
a negative answer	is the translation of this phrase.
Ablehnung	is another headword which appears in the same section as **ablehnen** because it is semantically related to **ablehnen**.
f	**Ablehnung** is feminine – it is die **Ablehnung**.
⟨-, ***-en***⟩	The genitive of **Ablehnung** does not have an ending – it is (der Zeitpunkt) der ***Ablehnung***. The plural of **Ablehnung** is ***Ablehnungen***.
1.	signifies the first sense of **Ablehnung**.
refusal	The general translation of **Ablehnung** is 'refusal'. General translations do not have indicators in brackets to specify their usage.
(*von Antrag, Bewerber etc*)	If **Ablehnung** is used with reference to an *Antrag*, a *Bewerber etc*, it is translated by 'rejection'.
rejection	is the correct translation of **Ablehnung** when it is used with reference to an *Antrag* or a *Bewerber*.
2.	signifies the second sense of **Ablehnung**.
(≈ *Missbilligung*)	When **Ablehnung** means *Missbilligung*, it is translated as 'disapproval'.
disapproval	is the translation of **Ablehnung**.

What do the italics mean?

The individual senses of the headword may also contain additional information which appears in both English and German. It is sometimes given in brackets and is written *in italics*. For example, synonyms (similar words), which appear in brackets, or possible subjects or objects are added to illustrate the *range of usage* of a particular translation. After the translation of a verb you will often find the appropriate English preposition given in *italics* followed by its German equivalent in normal type and the case label for the German preposition in *simple italics*. This is the case on both sides of the dictionary.

> **inform** **I** *v/t* informieren (*about* über *+acc*); ***to ~ sb of sth*** jdn über etw informieren; ***I am pleased to ~ you that ...***

Italics are also used to provide grammatical information, as well as to clarify the meaning and use of a word for which there is no direct translation:

> **Einspänner** *m* ⟨**-s, -**⟩ **1.** one-horse carriage **2.** (*Aus*) *black coffee served in a glass with whipped cream*

What are cross-references?

The cross-reference arrow → has several different functions. One of these is to refer the user from one headword to another which is identical in meaning but has a different spelling. The headword which the user is cross-referred to is dealt with in greater detail and includes the translation(s) and other information. Sometimes on the German-English side of the dictionary the arrow cross-refers the user from headwords given in the old spelling to those in the new spelling (**Stengel** → ***Stängel***). If the headword being cross-referred to appears as the next entry in the headword list then an equals sign = is sometimes used instead of the cross-reference arrow →.

How does the dictionary distinguish between the different registers of a word?

The following register labels *infml* = informal; *sl* = slang; *vulg* = vulgar; *elev* = elevated style; *form* = formal; *liter* = literary are used to refer to headwords and phrases in the source language and also to the corresponding translations. Register labels which appear at the beginning of an entry, a sense or a subsense refer to all phrases and senses within that entry. Register labels which occur within an entry only refer to the sense (Arabic numerals) or subsense in which they appear. As far as possible, a translation is selected which matches the register of the headword or phrase in the source language. If the register is neutral, no register label is used.

What type of grammatical information can I find in this dictionary?

All German **nouns** have gender labels. Where a German translation consists of an adjective plus a noun, the adjective is given in the indefinite form which shows the gender. Therefore no gender is given for the noun.

high court *n* oberstes Gericht

Nouns presented like this **Angestellte(r)** *m/f(m)* can either be masculine or feminine and take the same ending as adjectives.

Angestellte(r) *m/f(m)* = der Angestellte
ein Angestellt**er**
die Angestellte
eine Angestellte

Where relevant, the feminine forms are shown for all German nouns. Where the feminine noun is formed by adding '-in' to the masculine, '-in' is given in brackets and the gender is marked *m(f)*.

teacher *n* Lehrer(in) *m(f)*

Irregular **plural forms**, as well as the **genitive forms**, are given after the relevant nouns.

Meise ['maizə] *f* ⟨**-, -n**⟩ tit

Adjectives presented like this **letzte(r, s)** do not exist in an undeclined form and are only used attributively.

der letzte Versuch, ein letzter Versuch
die letzte Stunde, eine letzte Stunde
das letzte Versprechen, ein letztes Versprechen

Information on German **irregular verbs** (*essen – aß – gegessen*) and irregular comparative and superlative adjectival forms (*kalt – kälter – kälteste(r, s)*) is given under the corresponding headword. Furthermore, a list of the **German irregular verbs** which appear in the dictionary can be found in the appendix.

What do the other symbols and abbreviations mean?

You can find a guide to the symbols, register labels and abbreviations used in the dictionary at the very back of the book.

Notes on the pronunciation of German words

German headwords which are difficult to pronounce are provided with phonetics on the German-English side of the dictionary. A dot under a vowel in a German headword indicates that this vowel has a short stress. A dash indicates a long stress, and a dash is also used when the stress falls on a diphthong.

Phonetic symbols

vowels	symbol	example	as in / resembles / remarks
	[a]	matt	*French* **a** in carte
	[aː]	W**a**gen	f**a**ther
	[ɐ]	Vat**er**	lies somewhere between the *English* [ə] and [ʌ]
	[ã]	Ch**an**son	*French* **an** in ch**an**son or **en** in **en**semble
	[ãː]	Ch**an**ce	*French* **an** in ch**an**ce or **em** in ense**m**ble
	[e]	**E**tage	**e**gg
	[eː]	**e**del, F**ee**, F**eh**ler	long **e**, close to the *English* g**ay**, but with no concluding **y** sound
	[ɛ]	**ä**ndern, G**e**ld	f**ai**r
	[ɛː]	z**äh**len	long [ɛ], close to the *English* b**ea**r
	[ə]	mach**e**	**a**bove
	[ɪ]	m**i**t	p**i**t, awfull**y**
	[i]	V**i**tamin	short, otherwise like [iː]
	[iː]	Z**ie**l	p**ea**t
	[o]	M**o**dell	short, otherwise like [oː]
	[oː]	B**oo**t	long, resembles *English* **aw** in l**aw**, but more closed than this
	[õ]	F**o**ndue	short nasalized **o**
	[ɔ]	M**o**st	*English* **o** in g**o**t
	[ø]	**ö**kologisch	short, otherwise like [øː]
	[øː]	b**ö**se	long, resembles *French* **eu** in tri**eu**se
	[œ]	H**ö**lle	short, more open than [øː]
	[u]	M**u**sik	short, otherwise like [uː]
	[uː]	g**u**t	p**oo**l
	[ʊ]	M**u**tter	p**u**t
	[y]	Ph**y**sik	short, otherwise like [yː]
	[yː]	D**ü**se	*French* **u** in m**u**se
	[ʏ]	S**ü**nde	short, more open than [yː]

diphthongs	symbol	example	as in / resembles / remarks
	[ai]	w**ei**t, H**ai**fisch	*English* **i** in wh**i**le
	[au]	H**au**s	*English* **ou** in h**ou**se
	[ɔy]	n**eu**n, **äu**ßerst	falling diphthong consisting of [ɔ] and [y], similar to the *English* [ɔɪ] in b**oy**, c**oi**n

	symbol	example	as in / resembles / remarks
consonants	[b]	**B**all	**b**all
	[ç]	mi**ch**	voiceless palatal fricative, resembles **h**uman in **a h**uman being
	[f]	**f**ern	**f**ield
	[g]	**g**ern	**g**ood
	[h]	**H**and	**h**and
	[j]	**j**a, Mill**i**on	**y**et, mill**i**on
	[k]	**K**ind	**k**ind, **c**atch
	[l]	**l**inks, Pu**l**t	**l**eft, **l**ittle
	[m]	**m**att	**m**at
	[n]	**N**est	**n**est
	[ŋ]	la**ng**	lo**ng**
	[p]	**P**aar	**p**ut
	[r]	**r**ennen	**r**un
	[s]	fa**s**t, fa**ss**en	**s**it
	[ʃ]	**Ch**ef, **S**tein, **Sch**lag	**sh**all
	[t]	**T**afel	**t**ab
	[v]	**w**er	**v**ery
	[x]	Lo**ch**	the *Scottish* **ch** in lo**ch**
	[ks]	fi**x**	bo**x**
	[s]	**s**ingen	po**d**s, **z**ip
	[ts]	**Z**ahn	*English* **ts** in bi**ts**
	[ʒ]	**g**enieren	mea**s**ure

	symbol	meaning	symbol	meaning
other symbols	[ˈ]	main stress	-	long vowel or diphthong in headword
	[ˌ]	secondary stress		
	.	short vowel in headword	|	glottal stop

The German alphabet

a [aː], b [beː], c [tseː], d [deː], e [eː], f [ɛf], g [geː], h [haː], i [iː], j [jɔt], k [kaː], l [ɛl], m [ɛm], n [ɛn], o [oː], p [peː], q [kuː], r [ɛr], s [ɛs], t [teː], u [uː], v [fau], w [veː], x [ɪks], y [ˈʏpsilɔn], z [tsɛt]

German – English

A

A, a [aː] *nt* 〈**-, -** *or* (*inf*) **-s, -s**〉 A, a; ***das A und (das) O*** (*fig*) the be-all and end-all; (*eines Wissensgebietes*) the basics *pl*; ***von A bis Z*** (*fig infml*) from A to Z; ***wer A sagt, muss auch B sagen*** (*prov*) in for a penny, in for a pound (*esp Br prov*)

A *abbr of* ***Austria***

à [a] *prep esp* COMM at

@ [ɛt] IT *abbr of* ***at*** **@**

Aal [aːl] *m* 〈**-(e)s, -e**〉 eel

aalglatt (*pej*) **I** *adj* slippery (as an eel), slick **II** *adv* slickly

Aargau [ˈaːɐgau] *m* 〈**-s**〉 ***der ~*** Aargau

Aas [aːs] *nt* 〈**-es, -e** [-zə]〉 **1.** (≈ *Tierleiche*) carrion, rotting carcass **2.** *pl* ***Äser*** [ˈɛːzɐ] (*infml* ≈ *Luder*) bugger (*Br infml*), jerk (*sl*); ***kein ~*** not a single soul **Aasgeier** *m* vulture

ab [ap] **I** *adv* off, away; THEAT exit *sg*, exeunt *pl*; ***die nächste Straße rechts ab*** the next street on the right; ***ab Hamburg*** after Hamburg; ***München ab 12.20 Uhr*** RAIL leaving Munich 12.20; ***ab wann?*** from when?, as of when?; ***ab nach Hause*** go home; ***ab und zu*** *or* (*N Ger*) ***an*** now and again, now and then **II** *prep +dat* (*räumlich*) from; (*zeitlich*) from, as of, as from; ***Kinder ab 14 Jahren*** children from (the age of) 14 up; ***ab Werk*** COMM ex works; ***ab sofort*** as of now

abändern *v/t sep* to alter (*in +acc* to); *Gesetzentwurf* to amend (*in +acc* to); *Strafe, Urteil* to revise (*in +acc* to)

abarbeiten *sep* **I** *v/t Schuld* to work off; *Vertragszeit* to work **II** *v/r* to slave (away); → ***abgearbeitet***

Abart *f* variety (*auch* BIOL) **abartig** *adj* abnormal, unnatural; (≈ *widersinnig*) perverse; ***das tut ~ weh*** that hurts like hell (*infml*)

Abbau *m, no pl* **1.** (≈ *Förderung*) (*über Tage*) quarrying; (*unter Tage*) mining **2.** (≈ *Demontage*) dismantling **3.** CHEM decomposition; (*im Körper*) breakdown **4.** (≈ *Verringerung*) reduction (*+gen* of) **abbaubar** *adj* CHEM degradable; ***biologisch ~*** biodegradable **abbauen** *sep* **I** *v/t* **1.** (≈ *fördern*) (*über Tage*) to quarry; (*unter Tage*) to mine **2.** (≈ *demontieren*) to dismantle; *Kulissen, Zelt* to take down **3.** CHEM to break down **4.** (≈ *verringern*) to cut back **II** *v/i* (*Patient*) to deteriorate

abbeißen *v/t sep irr* to bite off

abbekommen *past part* ***abbekommen*** *v/t sep irr* (≈ *erhalten*) to get; ***etwas ~*** to get some (of it); (≈ *beschädigt werden*) to get damaged; (≈ *verletzt werden*) to get hurt; ***sein(en) Teil ~*** (*lit, fig*) to get one's fair share

abberufen *past part* ***abberufen*** *v/t sep irr* to recall

abbestellen *past part* ***abbestellt*** *v/t sep* to cancel

abbezahlen *past part* ***abbezahlt*** *v/t sep* to pay off

abbiegen *v/i aux sein* to turn off (*in +acc* into); (*Straße*) to veer **Abbiegespur** *f* MOT filter (*Br*) *or* turning (*US*) lane

Abbild *nt* (≈ *Nachahmung, Kopie*) copy; (≈ *Spiegelbild*) reflection **abbilden** *v/t sep* (*lit, fig*) to depict, to portray **Abbildung** *f* (≈ *das Abbilden*) depiction, portrayal; (≈ *Illustration*) illustration

abbinden *sep irr v/t* **1.** (≈ *abmachen*) to undo, to untie **2.** MED *Arm, Bein etc* to ligature

Abbitte *f* apology; ***(bei jdm wegen etw) ~ tun*** *or* ***leisten*** to make *or* offer one's apologies (to sb for sth)

abblasen *v/t sep irr* (*infml* ≈ *absagen*) to call off

abblättern *v/i sep aux sein* to flake (off)

abblenden *sep* **I** *v/t* AUTO to dip (*Br*), to dim (*esp US*) **II** *v/i* AUTO to dip (*Br*) *or* dim (*esp US*) one's headlights **Abblendlicht** *nt* AUTO dipped (*Br*) *or* dimmed (*esp US*) headlights *pl*

abblitzen *v/i sep aux sein* (*infml*) to be sent packing (*bei* by) (*infml*); ***jdn ~ lassen*** to send sb packing (*infml*)

abblocken *sep* **I** *v/t* (SPORTS, *fig*) to block; *Gegner* to stall **II** *v/i* to stall

abbrechen *sep irr* **I** *v/t* to break off; *Zelt* to take down; (≈ *niederreißen*) to demolish; IT *Operation* to abort; *Veranstaltung, Verfahren* to stop; *Streik, Suche, Mission* to call off; *Schwangerschaft* to terminate; ***die Schule ~*** to stop going to school; ***sich*** (*dat*) ***einen ~*** (*infml*) (≈ *Umstände machen*) to make a fuss about it; (≈ *sich sehr anstrengen*) to go to a lot of bother **II** *v/i aux sein* to break off; IT to abort

abbrennen *v/t & v/i sep irr* (*v/i*: *aux sein*) to burn down; *Feuerwerk, Rakete* to let off; → ***abgebrannt***

abbringen *v/t sep irr* ***jdn davon ~, etw zu tun*** to stop sb (from) doing sth; ***sich von etw ~ lassen*** to be dissuaded from sth

abbröckeln *v/i sep aux sein* to crumble away; (*fig*) to fall off

Abbruch *m, no pl* (≈ *das Niederreißen*) demolition; (*von Schwangerschaft*) termination; (*von Beziehungen, Reise*) breaking off; (*von Veranstaltung*) stopping **abbruchreif** *adj* only fit for demolition

abbuchen *v/t sep* to debit (*von* to, against) **Abbuchung** *f* debit; (*durch Dauerauftrag*) (payment by) standing order **Abbuchungsauftrag** *m* direct debit

abbürsten *v/t sep* to brush; *Staub* to brush off (*von etw* sth)

abbüßen *v/t sep Strafe* to serve

Abc [abeˈtseː, aːbeːˈtseː] *nt* ⟨**-, -**⟩ (*lit, fig*) ABC **Abc-Schütze** *m*, **Abc-Schützin** *f* (*hum*) school-beginner

abdanken *v/i sep* to resign; (*König etc*) to abdicate **Abdankung** *f* ⟨**-, -en**⟩ (≈ *Thronverzicht*) abdication; (≈ *Rücktritt*) resignation

abdecken *v/t sep* to cover; *Dach* to take off; *Haus* to take the roof off; *Tisch* to clear **Abdeckstift** *m* (*Kosmetik*) concealer, blemish stick

abdichten *v/t sep* (≈ *isolieren*) to insulate; *Loch, Leck, Rohr* to seal (up)

abdrängen *v/t sep* to push away (*von* from)

abdrehen *sep* **I** *v/t Gas, Wasser, Hahn* to turn off **II** *v/i aux sein or haben* (≈ *Richtung ändern*) to change course

abdriften *v/i sep aux sein* (*fig*) to drift off

Abdruck[1] *m, pl* ***-drücke*** imprint, impression; (≈ *Fingerabdruck, Fußabdruck*) print

Abdruck[2] *m, pl* ***-drucke*** (≈ *Nachdruck*) reprint **abdrucken** *v/t sep* to print

abdrücken *sep* **I** *v/t* **1.** *Gewehr* to fire **2.** *Vene* to constrict **II** *v/i* to pull *or* squeeze the trigger **III** *v/r* to leave an imprint *or* impression

abdunkeln *v/t sep Lampe* to dim; *Zimmer, Farbe* to darken

abduschen *v/t sep* to give a shower; ***sich ~*** to have *or* take a shower

Abend [ˈaːbnt] *m* ⟨***-s, -e*** [-də]⟩ evening; ***am ~*** in the evening; (≈ *jeden Abend*) in the evening(s); ***heute/gestern/morgen/Mittwoch ~*** this/yesterday/tomorrow/Wednesday evening, tonight/last night/tomorrow night/Wednesday night; ***guten ~*** good evening; ***zu ~ essen*** to have supper *or* dinner; ***es ist noch nicht aller Tage ~*** it's early days still *or* yet; ***man soll den Tag nicht vor dem ~ loben*** (*prov*) don't count your chickens before they're hatched (*prov*) **Abendbrot** *nt* supper, tea (*Scot, N Engl*) **Abenddämmerung** *f* dusk, twilight **Abendessen** *nt* supper, evening meal **abendfüllend** *adj Film, Stück* full-length **Abendgesellschaft** *f* soirée **Abendkasse** *f* THEAT box office **Abendkleid** *nt* evening dress *or* gown **Abendland** *nt, no pl* (*elev*) West **abendländisch** [ˈaːbntlɛndɪʃ] (*elev*) *adj* western, occidental (*liter*) **abendlich** [ˈaːbntlɪç] *adj no pred* evening *attr* **Abendmahl** *nt* ECCL Communion, Lord's Supper; ***das*** (***Letzte***) ***~*** the Last Supper **Abendprogramm** *nt* RADIO, TV evening('s) programmes *pl* (*Br*) *or* programs *pl* (*US*) **Abendrot** *nt* sunset **abends** [ˈaːbnts] *adv* in the evening; (≈ *jeden Abend*) in the evening(s); ***spät ~*** late in the evening **Abendstunde** *f* evening (hour) **Abendvorstellung** *f* evening performance; (*Film auch*) evening showing **Abendzeitung** *f* evening paper

Abenteuer [ˈaːbntɔyɐ] *nt* ⟨***-s, -***⟩ adventure **Abenteuerin** [ˈaːbntɔyərɪn] *f* ⟨***-, -nen***⟩ adventuress **abenteuerlich** [ˈaːbntɔyɐlɪç] **I** *adj* adventurous; *Erzählung* fantastic; (*infml*) *Preis* outrageous; *Argument* ludicrous **II** *adv klingen, sich anhören* bizarre; *gekleidet* bizarrely **Abenteuerlust** *f* thirst for adventure **Abenteuerspielplatz** *m* adventure playground **Abenteuerurlaub** *m* adventure holiday (*esp Br*) *or* vacation (*US*) **Abenteurer** [ˈaːbntɔyrɐ] *m* ⟨***-s, -***⟩ adventurer

aber [ˈaːbɐ] **I** *cj* but; ***~ dennoch*** *or* ***trotz-***

dem but still; ***oder ~*** or else; ***~ ja!*** oh, yes!; (≈ *sicher*) but of course; ***~ nein!*** oh, no!; (≈ *selbstverständlich nicht*) of course not!; ***~, ~!*** now, now!; ***das ist ~ schrecklich!*** but that's awful!; ***das ist ~ heiß/schön!*** that's really hot/nice **II** *adv* (*liter*) ***~ und ~mals*** again and again, time and again; → ***Abertausend*** **Aber** ['aːbɐ] *nt* ⟨***-s, -*** *or* (*inf*) ***-s***⟩ but; ***die Sache hat ein ~*** there's just one problem *or* snag

Aberglaube(n) *m* superstition; (*fig also*) myth **abergläubisch** ['aːbɐglɔybɪʃ] *adj* superstitious

aberkennen *past part* ***aberkannt*** *v/t sep or* (*rare*) *insep irr* ***jdm etw ~*** to deprive *or* strip sb of sth

abermals ['aːbɐmaːls] *adj* (*elev*) once again *or* more

Abertausend *num* thousands upon thousands of; ***Tausend und ~*** thousands and *or* upon thousands

Abf. *abbr of* ***Abfahrt*** departure, dep.

abfahren *sep irr aux sein* **I** *v/i* **1.** (*Bus, Zug, Auto, Reisende*) to leave; (SKI ≈ *zu Tal fahren*) to ski down **2.** (*infml*) ***auf jdn/etw ~*** to be into sb/sth (*infml*) **II** *v/t* **1.** *aux sein or haben Strecke* (≈ *bereisen*) to cover, to do (*infml*); (≈ *überprüfen*) to go over **2.** (≈ *abnutzen*) *Schienen, Reifen* to wear out; (≈ *benutzen*) *Fahrkarte* to use **Abfahrt** *f* **1.** (*von Zug, Bus etc*) departure **2.** (SKI ≈ *Talfahrt*) descent; (≈ *Abfahrtsstrecke*) (ski) run **3.** (*infml* ≈ *Autobahnabfahrt*) exit **Abfahrtslauf** *m* SKI downhill **Abfahrtsläufer(in)** *m*/(*f*) SKI downhill racer *or* skier **Abfahrtszeit** *f* departure time

Abfall *m* **1.** (≈ *Müll*) refuse; (≈ *Hausabfall*) rubbish (*Br*), garbage (*US*); (≈ *Rückstand*) waste *no pl* **2.** *no pl* (≈ *Rückgang*) drop (*+gen* in); (≈ *Verschlechterung*) deterioration **Abfallbeseitigung** *f* refuse *or* garbage (*US*) *or* trash (*US*) disposal **Abfalleimer** *m* rubbish bin (*Br*), garbage can (*US*) **abfallen** *v/i sep irr aux sein* **1.** (≈ *herunterfallen*) to fall *or* drop off **2.** (*Gelände*) to fall *or* drop away; (*Druck, Temperatur*) to fall, to drop **3.** (*fig* ≈ *übrig bleiben*) to be left (over) **4.** (≈ *schlechter werden*) to fall *or* drop off **5.** ***alle Unsicherheit/Furcht fiel von ihm ab*** all his uncertainty/fear left him; ***vom Glauben ~*** to break with the faith; ***wie viel fällt bei dem Geschäft für mich ab?*** (*infml*) how much do I get out of the deal?

abfällig **I** *adj Bemerkung, Kritik* disparaging, derisive; *Urteil* adverse **II** *adv* ***über jdn ~ reden*** *or* ***sprechen*** to be disparaging of *or* about sb

Abfallprodukt *nt* waste product; (*von Forschung*) by-product, spin-off **Abfallverwertung** *f* waste utilization

abfälschen *v/t & v/i sep* SPORTS to deflect

abfangen *v/t sep irr Flugzeug, Funkspruch, Brief, Ball* to intercept; *Menschen* to catch (*infml*); *Schlag* to block **Abfangjäger** *m* MIL interceptor

abfärben *v/i sep* **1.** (*Wäsche*) to run **2.** (*fig*) ***auf jdn ~*** to rub off on sb

abfassen *v/t sep* (≈ *verfassen*) to write

abfedern *sep* **I** *v/t Sprung, Stoß* to cushion; (*fig*) *Krise, Verluste* to cushion the impact of **II** *v/i* to absorb the shock; ***er ist*** *or* ***hat gut/schlecht abgefedert*** SPORTS he landed smoothly/hard

abfertigen *sep v/t* **1.** *Pakete, Waren* to prepare for dispatch; *Gepäck* to check (in) **2.** (≈ *bedienen*) *Kunden, Antragsteller, Patienten* to attend to; (*infml*: SPORTS) *Gegner* to deal with; ***jdn kurz*** *or* ***schroff ~*** (*infml*) to snub sb **3.** (≈ *kontrollieren*) *Waren, Reisende* to clear **Abfertigung** *f* (*von Paketen, Waren*) getting ready for dispatch; (*von Gepäck*) checking; (*von Kunden*) service; (*von Antragstellern*) dealing with; ***die ~ an der Grenze*** customs clearance **Abfertigungsschalter** *m* dispatch counter; (*im Flughafen*) check-in desk

abfeuern *v/t sep* to fire

abfinden *sep irr* **I** *v/t* to pay off; (≈ *entschädigen*) to compensate **II** *v/r* ***sich mit jdm/etw ~*** to come to terms with sb/sth; ***er konnte sich nie damit ~, dass*** ... he could never accept the fact that ... **Abfindung** ['apfɪndʊŋ] *f* ⟨***-, -en***⟩ **1.** (*von Gläubigern*) paying off; (≈ *Entschädigung*) compensation **2.** (≈ *Summe*) payment; (≈ *Entschädigung*) compensation *no pl*; (*bei Entlassung*) severance pay

abflauen ['apflauən] *v/i sep aux sein* (*Wind*) to drop, to die down; (*Empörung, Interesse*) to fade; (*Börsenkurse*) to fall, to drop; (*Geschäfte*) to fall *or* drop off

abfliegen *sep irr* **I** *v/i aux sein* AVIAT to take off (*nach* for) **II** *v/t Gelände* to fly over

ạbfließen *v/i sep irr aux sein* (≈ *wegfließen*) to drain *or* run away; (*Verkehr*) to flow away

Ạbflug *m* takeoff **Ạbflughalle** *f* departure lounge **Ạbflugzeit** *m* departure time

Ạbfluss *m* **1.** (≈ *Abfließen*) draining away **2.** (≈ *Abflussstelle*) drain **3.** (≈ *Abflussrohr*) drainpipe

Ạbfolge *f* (*elev*) sequence, succession

ạbfordern *v/t sep* ***jdm etw ~*** to demand sth from sb

Ạbfrage *f* IT query **ạbfragen** *v/t sep* **1.** IT *Information* to call up; *Datenbank* to query, to interrogate **2.** *esp* SCHOOL ***jdn*** *or* ***jdm etw ~*** to question sb on sth

ạbfressen *v/t sep irr Blätter, Gras* to eat

ạbfrieren *sep irr* **I** *v/i aux sein* to get frostbitten; ***abgefroren sein*** (*Körperteil*) to be frostbitten **II** *v/t* ***sich*** (*dat*) ***einen ~*** (*sl*) to freeze to death (*infml*)

Ạbfuhr ['apfuːɐ] *f* ⟨**-, -en**⟩ **1.** *no pl* (≈ *Abtransport*) removal **2.** (*infml* ≈ *Zurückweisung*) snub, rebuff; ***jdm eine ~ erteilen*** to snub *or* rebuff sb **ạbführen** *sep* **I** *v/t* **1.** (≈ *wegführen*) to take away **2.** *Betrag* to pay (*an +acc* to) **II** *v/i* **1.** ***der Weg führt hier*** (***von der Straße***) ***ab*** the path leaves the road here; ***das würde vom Thema ~*** that would take us off the subject **2.** (≈ *den Darm anregen*) to have a laxative effect **Abführmittel** *nt* laxative

ạbfüllen *v/t sep* (*in Flaschen*) to bottle; *Flasche* to fill

Ạbgabe *f* **1.** *no pl* (≈ *Abliefern*) handing *or* giving in; (*von Gepäck*) depositing **2.** *no pl* (≈ *Verkauf*) sale **3.** *no pl* (*von Wärme etc*) giving off, emission **4.** *no pl* (*von Schuss, Salve*) firing **5.** (≈ *Steuer*) tax; (≈ *soziale Abgabe*) contribution **6.** *no pl* (*von Erklärung etc*) giving; (*von Stimme*) casting **7.** (SPORTS ≈ *Abspiel*) pass **Ạbgabetermin** *m* closing date

Ạbgang *m, pl* **-gänge** **1.** *no pl* (≈ *Absendung*) dispatch **2.** *no pl* (*aus einem Amt, von Schule*) leaving; ***seit seinem ~ von der Schule*** since he left school **3.** *no pl* (THEAT, *fig*) exit **4.** (MED ≈ *Ausscheidung*) passing

ạbgängig ['apɡɛŋɪç] *adj* (*Aus* ≈ *vermisst*) missing (*aus* from)

Ạbgas *nt* exhaust *no pl*, exhaust fumes *pl* **ạbgasfrei** *adj* exhaust-free **Abgas(sonder)untersuchung** *f* AUTO emissions test

ạbgearbeitet *adj* (≈ *verbraucht*) work-worn; (≈ *erschöpft*) worn out; → ***abarbeiten***

ạbgeben *sep irr* **I** *v/t* **1.** (≈ *abliefern*) to hand *or* give in; (≈ *hinterlassen*) to leave; (≈ *übergeben*) to hand over, to deliver; (≈ *weggeben*) to give away; (≈ *verkaufen*) to sell **2.** (≈ *abtreten*) *Posten* to relinquish (*an +acc* to) **3.** SPORTS *Punkte, Rang* to concede; (≈ *abspielen*) to pass **4.** (≈ *ausströmen*) *Wärme, Sauerstoff* to give off, to emit **5.** (≈ *abfeuern*) *Schuss, Salve* to fire **6.** (≈ *äußern*) *Erklärung* to give; *Stimme* to cast **7.** (≈ *verkörpern*) to make; ***er würde einen guten Schauspieler ~*** he would make a good actor **II** *v/r* ***sich mit jdm/etw ~*** (≈ *sich beschäftigen*) to concern oneself with sb/sth

ạbgebrannt *adj pred* (*infml* ≈ *pleite*) broke (*infml*); → ***abbrennen***

ạbgebrüht ['apɡəbryːt] *adj* (*infml*) callous

ạbgedroschen ['apɡədrɔʃn] *adj* (*infml*) hackneyed (*Br*), well-worn

ạbgegriffen ['apɡəɡrɪfn] *adj* (well-)worn

ạbgehackt ['apɡəhakt] *adj Sprechweise* clipped; → ***abhacken***

ạbgehärtet ['apɡəhɛrtət] *adj* tough, hardy; (*fig*) hardened; → ***abhärten***

ạbgehen *sep irr aux sein* **I** *v/i* **1.** (≈ *abfahren*) to leave, to depart (*nach* for) **2.** (THEAT ≈ *abtreten*) to exit; ***von der Schule ~*** to leave school **3.** (≈ *sich lösen*) to come off **4.** (≈ *abgesondert werden*) to pass out; (*Fötus*) to be aborted **5.** (≈ *abgesandt werden*) to be sent *or* dispatched **6.** (*infml* ≈ *fehlen*) ***jdm geht Verständnis/Taktgefühl ab*** sb lacks understanding/tact **7.** (≈ *abgezogen werden*) (*vom Preis*) to be taken off; (*von Verdienst*) to be deducted; ***davon gehen 5% ab*** 5% is taken off that **8.** (≈ *abzweigen*) to branch off **9.** (≈ *abweichen*) ***von einem Plan/einer Forderung ~*** to give up *or* drop a plan/demand **10.** (≈ *verlaufen*) to go; ***gut/glatt/friedlich ~*** to go well/smoothly/peacefully; ***es ging nicht ohne Streit ab*** there was an argument **II** *v/t* (≈ *entlanggehen*) to go *or* walk along; MIL to patrol

ạbgekämpft ['apɡəkɛmpft] *adj* exhausted, worn-out

ạbgekartet ['apɡəkartət] *adj* ***ein ~es Spiel*** a fix (*infml*)

ạbgeklärt ['apgəklɛːɐt] *adj Mensch* worldly-wise; *Urteil* well-considered; *Sicht* detached; → ***abklären***
ạbgelegen *adj* (≈ *entfernt*) *Dorf, Land* remote; (≈ *einsam*) isolated; → ***abliegen***
ạbgelten *v/t sep irr Ansprüche* to satisfy
ạbgemacht ['apgəmaxt] **I** *int* OK, that's settled; (*bei Kauf*) it's a deal, done **II** *adj* ***eine ~e Sache*** a fix (*infml*); → ***abmachen***
ạbgemagert ['apgəmaːgɐt] *adj* (≈ *sehr dünn*) thin; (≈ *ausgemergelt*) emaciated; → ***abmagern***
ạbgeneigt *adj* averse *pred* (+*dat* to); ***ich wäre gar nicht ~*** (*infml*) actually I wouldn't mind
ạbgenutzt ['apgənʊtst] *adj Möbel, Teppich* worn; *Reifen* worn-down; → ***abnutzen***
Ạbgeordnete(r) ['apgə|ɔrdnətə] *m/f(m) decl as adj* (elected) representative; (*von Nationalversammlung*) member of parliament
Ạbgesandte(r) ['apgəzantə] *m/f(m) decl as adj* envoy
ạbgeschieden ['apgəʃiːdn] *adj* (*elev* ≈ *einsam*) secluded; ***~ wohnen*** to live in seclusion **Ạbgeschiedenheit** *f* ⟨-, *no pl*⟩ seclusion
ạbgeschlafft ['apgəʃlaft] *adj* (*infml* ≈ *erschöpft*) exhausted; → ***abschlaffen***
ạbgeschlagen ['apgəʃlaːgn] *adj* (≈ *zurück*) behind; ***weit ~ liegen*** to be way behind; → ***abschlagen***
ạbgeschlossen *adj* (*attr* ≈ *geschlossen*) *Wohnung* self-contained; *Grundstück, Hof* enclosed; → ***abschließen***
ạbgeschmackt ['apgəʃmakt] *adj* outrageous; *Witz* corny
ạbgesehen ['apgəzeːən] **I** *past part of* ***absehen***; ***es auf jdn ~ haben*** to have it in for sb (*infml*); (≈ *interessiert sein*) to have one's eye on sb **II** *adv* ***~ von jdm/etw*** apart from sb/sth
ạbgespannt *adj* weary, tired
ạbgestanden *adj Luft, Wasser* stale; *Bier, Limonade etc* flat; → ***abstehen***
ạbgestorben ['apgəʃtɔrbn] *adj Glieder* numb; *Pflanze, Ast, Gewebe* dead; → ***absterben***
ạbgestumpft ['apgəʃtʊmpft] *adj Mensch* insensitive; *Gefühle, Gewissen* dulled; → ***abstumpfen***
ạbgetan *adj pred* (≈ *erledigt*) finished *or* done with; → ***abtun***
ạbgetragen *adj* worn; ***~e Kleider*** old clothes; → ***abtragen***
ạbgewinnen *v/t sep irr* ***jdm etw ~*** (*lit*) to win sth from sb; ***einer Sache etwas/nichts ~ können*** (*fig*) to be able to see some/no attraction in sth; ***dem Meer Land ~*** to reclaim land from the sea
ạbgewirtschaftet ['apgəvɪrtʃaftət] *adj* (*pej*) rotten; *Firma* run-down; → ***abwirtschaften***
ạbgewogen *adj Urteil, Worte* balanced; → ***abwägen***
ạbgewöhnen *v/t sep* ***jdm etw ~*** to cure sb of sth; *das Rauchen, Trinken* to get sb to give up sth; ***sich*** (*dat*) ***etw ~*** to give sth up
ạbgießen *v/t sep irr Flüssigkeit* to pour off *or* away; *Kartoffeln, Gemüse* to strain
Ạbglanz *m* reflection (*also fig*)
ạbgleichen *v/t sep irr* to coordinate; *Dateien, Einträge* to compare
ạbgleiten *v/i sep irr aux sein* (*elev*) (≈ *abrutschen*) to slip; (*Gedanken*) to wander; (FIN: *Kurs*) to drop, to fall
ạbgöttisch ['apgœtɪʃ] *adj* ***~e Liebe*** blind adoration; ***jdn ~ lieben/verehren*** to idolize sb
ạbgrenzen *sep v/t Grundstück, Gelände* to fence off; (*fig*) to delimit (*gegen, von* from) **Ạbgrenzung** *f* ⟨**-, -en,** *no pl*⟩ (*von Gelände*) fencing off; (*fig*) delimitation
Ạbgrund *m* precipice; (≈ *Schlucht, fig*) abyss; ***sich am Rande eines ~es befinden*** (*fig*) to be on the brink (of disaster) **ạbgründig** ['apgrʏndɪç] **I** *adj Humor, Ironie* cryptic **II** *adv lächeln* cryptically **ạbgrundtief** **I** *adj Hass, Verachtung* profound **II** *adv hassen, verachten* profoundly
ạbgucken *v/t & v/i sep* to copy; ***jdm etw ~*** to copy sth from sb
ạbhaben *v/t sep irr* (*infml*) **1.** (≈ *abgenommen haben*) *Brille, Hut* to have off **2.** (≈ *abbekommen*) to have
ạbhacken *v/t sep* to hack off; → ***abgehackt***
ạbhaken *v/t sep* (≈ *markieren*) to tick (*Br*) *or* check (*esp US*) off; (*fig*) to cross off
ạbhalten *v/t sep irr* **1.** (≈ *hindern*) to stop, to prevent; (≈ *fernhalten*) to keep off; ***lass dich nicht ~!*** don't let me/us *etc* stop you **2.** (≈ *veranstalten*) to hold
ạbhandeln *v/t sep* **1.** *Thema* to treat, to

deal with **2.** (≈ *abkaufen*) ***jdm etw ~*** to do *or* strike a deal with sb for sth
abhandenkommen [ap'handnkɔmən] *v/i sep irr* to get lost; ***jdm ist etw abhandengekommen*** sb has lost sth
Abhandlung *f* treatise, discourse (*über +acc* (up)on)
Abhang *m* slope
abhängen *sep* **I** *v/t* **1.** *Bild* to take down; **(*gut*) *abgehangen*** *Fleisch* well-hung **2.** (*infml* ≈ *hinter sich lassen*) *jdn* to shake off (*infml*) **II** *v/i irr aux haben or* (*S Ger, Aus*) *sein* ***von etw ~*** to depend (up)on sth; ***das hängt ganz davon ab*** it all depends
abhängig ['aphɛŋɪç] *adj* **1.** (≈ *bedingt durch*) dependent; ***etw von etw ~ machen*** to make sth conditional (up)on sth **2.** (≈ *angewiesen auf*) dependent (*von* on); ***~ Beschäftigte(r)*** employee **3.** GRAM *Satz* subordinate; *Rede* indirect
Abhängigkeit *f* ⟨**-, -en**⟩ **1.** *no pl* (≈ *Bedingtheit*) dependency *no pl* (*von* on) **2.** (*euph* ≈ *Sucht*) dependence (*von* on)
abhärten *sep* **I** *v/t* to toughen up **II** *v/r* ***sich gegen etw ~*** to toughen oneself against sth; → ***abgehärtet*** **Abhärtung** *f* toughening up; (*fig*) hardening
abhauen *sep* **I** *past part* ***abgehauen*** *v/i aux sein* (*infml*) to clear out; ***hau ab!*** get lost! (*infml*) **II** *v/t, pret* ***hieb*** *or* (*inf*) ***haute ab***, *past part* ***abgehauen*** to chop *or* cut off
abheben *sep irr* **I** *v/t* (≈ *anheben*) to lift (up), to raise; (≈ *abnehmen*) to take off; *Telefonhörer* to pick up; *Geld* to withdraw **II** *v/i* **1.** (*Flugzeug*) to take off; (*Rakete*) to lift off **2.** (≈ *ans Telefon gehen*) to answer **3.** CARDS to cut **III** *v/r* ***sich gegen jdn/etw ~*** to stand out against sb/sth **Abhebung** *f* ⟨**-, -en**⟩ (*von Geld*) withdrawal
abheften *v/t sep Rechnungen* to file away
abhelfen *v/i +dat sep irr* to remedy
abhetzen *v/r sep* to wear *or* tire oneself out
Abhilfe *f, no pl* remedy, cure; ***~ schaffen*** to take remedial action
abholen *v/t sep* to collect (*bei* from); *Fundsache* to claim (*bei* from); ***etw ~ lassen*** to have sth collected
abholzen *v/t sep Wald* to clear; *Baumreihe* to fell
abhorchen *v/t sep* to sound, to listen to; *Brust auch*, *Patienten* to auscultate (*form*)
abhören *v/t sep* **1.** (*also v/i* ≈ *überwachen*) *Raum*, *Gespräch* to bug; (≈ *mithören*) to listen in on; *Telefon* to tap; ***abgehört werden*** (*infml*) to be bugged **2.** MED to sound **3.** (SCHOOL ≈ *abfragen*) ***kannst du mir mal Vokabeln ~?*** can you test my vocabulary? **Abhörgerät** *nt* bugging device **abhörsicher** *adj Raum* bug-proof; *Telefon* tap-proof
Abi ['abi] *nt* ⟨***-s, -s***⟩ (SCHOOL *infml*) *abbr of* ***Abitur*** **Abitur** [abi'tuːɐ] *nt* ⟨***-s,*** (*rare*) ***-e***⟩ *school-leaving exam and university entrance qualification*, ≈ A levels *pl* (*Br*), ≈ Highers *pl* (*Scot*), ≈ high-school diploma (*US*) **Abiturient** [abitu'riɛnt] *m* ⟨***-en, -en***⟩, **Abiturientin** [-'riɛntɪn] *f* ⟨***-, -nen***⟩ *person who is doing/has done the Abitur* **Abiturzeugnis** *nt certificate for having passed the Abitur*, ≈ A level (*Br*) *or* Highers (*Scot*) certificate, ≈ high-school diploma (*US*)
Abk. *abbr of* ***Abkürzung*** abbreviation, abbr
abkapseln ['apkapsln] *v/r sep* (*fig*) to shut *or* cut oneself off
abkassieren *past part* ***abkassiert*** *sep v/i* (≈ *großes Geld machen*) to make a killing (*infml*); ***darf ich mal (bei Ihnen) ~?*** could I ask you to pay now?
abkaufen *v/t sep* ***jdm etw ~*** to buy sth from *or* off (*infml*) sb; (*infml* ≈ *glauben*) to buy sth (*infml*)
abkehren *sep* **I** *v/t* (*elev* ≈ *abwenden*) *Blick*, *Gesicht* to turn away **II** *v/r* (*fig*) to turn away (*von* from); (*von einer Politik*) to give up
abklappern *v/t sep* (*infml*) *Läden*, *Gegend*, *Straße* to scour, to comb (*nach* for)
abklären *sep v/t Angelegenheit* to clear up, to clarify; → ***abgeklärt***
Abklatsch *m* (*fig pej*) poor imitation *or* copy
abklemmen *v/t sep* to clamp
abklingen *v/i sep irr aux sein* **1.** (≈ *leiser werden*) to die *or* fade away **2.** (≈ *nachlassen*) to abate
abklopfen *v/t sep* **1.** (≈ *herunterklopfen*) to knock off; *Teppich*, *Polstermöbel* to beat **2.** (≈ *beklopfen*) to tap; MED to sound
abknabbern *v/t sep* (*infml*) to nibble off; *Knochen* to gnaw at
abknallen *v/t sep* (*infml*) to shoot down (*infml*)

abknicken *sep* **I** *v/t* (≈ *abbrechen*) to break *or* snap off; (≈ *einknicken*) to break **II** *v/i aux sein* (≈ *abzweigen*) to fork *or* branch off; ***~de Vorfahrt*** priority for traffic turning left/right
abknöpfen *v/t sep* **1.** (≈ *abnehmen*) to unbutton **2.** (*infml* ≈ *ablisten*) ***jdm etw ~*** to get sth off sb
abknutschen *v/t sep* (*infml*) to canoodle (*Br infml*) *or* cuddle with
abkochen *v/t sep* to boil; (≈ *keimfrei machen*) to sterilize (by boiling)
abkommandieren *past part* **abkommandiert** *v/t sep* (MIL, *zu anderer Einheit*) to post; (*zu bestimmtem Dienst*) to detail (*zu* for)
abkommen *v/i sep irr aux sein* **1.** ***von etw ~*** (≈ *abweichen*) to leave sth; (≈ *abirren*) to wander off sth; ***vom Kurs ~*** to deviate from one's course; **(*vom Thema*) ~** to digress **2.** (≈ *aufgeben*) ***von etw ~*** to give sth up; ***von einer Meinung ~*** to revise one's opinion
Abkommen ['apkɔmən] *nt* ⟨**-s, -**⟩ agreement (*auch* POL)
abkömmlich ['apkœmlıç] *adj* available; ***nicht ~ sein*** to be unavailable
abkönnen *v/t sep irr* (*infml* ≈ *mögen*) ***das kann ich überhaupt nicht ab*** I can't stand *or* abide it; ***ich kann ihn einfach nicht ab*** I just can't stand *or* abide him
abkoppeln *v/t sep* RAIL to uncouple; *Raumfähre* to undock
abkratzen *sep* **I** *v/t Schmutz etc* to scratch off; (*mit einem Werkzeug*) to scrape off **II** *v/i aux sein* (*infml* ≈ *sterben*) to kick the bucket (*infml*)
abkühlen *sep* **I** *v/i aux sein* to cool down; (*fig*) (*Freundschaft etc*) to cool off **II** *v/r* to cool down *or* off; (*Wetter*) to become cool(er); (*fig*) to cool **Abkühlung** *f* cooling
abkupfern ['apkʊpfɐn] *v/t sep* (*infml*) to crib (*infml*)
abkürzen *v/t sep* (≈ *verkürzen*) to cut short; *Verfahren* to shorten; (≈ *verkürzt schreiben*) *Namen* to abbreviate; ***den Weg ~*** to take a short cut **Abkürzung** *f* **1.** (*Weg*) short cut **2.** (*von Wort*) abbreviation **Abkürzungsverzeichnis** *nt* list of abbreviations
abladen *sep irr v/t Last, Wagen* to unload; *Schutt* to dump; (*fig infml*) *Kummer, Ärger* to vent (*bei jdm* on sb) **Abladeplatz** *m* unloading area; (*für Schrott, Müll etc*) dump
Ablage *f* **1.** (≈ *Gestell*) place to put sth; (≈ *Ablagekorb*) filing tray **2.** (≈ *Aktenordnung*) filing **3.** (*Swiss*) = ***Annahmestelle***, ***Zweigstelle***
ablagern *sep* **I** *v/t* **1.** (≈ *anhäufen*) to deposit **2.** (≈ *deponieren*) to leave, to store; ***abgelagert*** *Wein* mature; *Holz, Tabak* seasoned **II** *v/r* to be deposited
ablassen *v/t sep irr* **1.** *Wasser, Luft* to let out; *Dampf* to let off **2.** *Teich, Schwimmbecken* to drain, to empty **3.** (≈ *ermäßigen*) to knock off (*infml*)
Ablauf *m* **1.** (≈ *Abfluss*) drain; (≈ *Ablaufstelle*) outlet **2.** (≈ *Verlauf*) course; (*von Empfang, Staatsbesuch*) order of events (+*gen* in) **3.** (*von Frist etc*) expiry **4.** (*von Zeitraum*) passing; ***nach ~ von 4 Stunden*** after 4 hours (have/had gone by *or* passed) **ablaufen** *sep irr* **I** *v/t* **1.** (≈ *abnützen*) *Schuhsohlen, Schuhe* to wear out; *Absätze* to wear down **2.** *aux sein or haben* (≈ *entlanglaufen*) *Strecke* to go *or* walk over; *Stadt, Straßen, Geschäfte* to comb, to scour **II** *v/i aux sein* **1.** (*Flüssigkeit*) to drain *or* run away *or* off **2.** (≈ *vonstattengehen*) to go off; ***wie ist das bei der Prüfung abgelaufen?*** how did the exam go (off)? **3.** (*Pass, Visum, Frist etc*) to expire
ablecken *v/t sep* to lick; *Blut, Marmelade* to lick off
ablegen *sep* **I** *v/t* **1.** (≈ *niederlegen*) to put down; ZOOL *Eier* to lay **2.** (≈ *abheften*) to file (away); IT *Daten* to store **3.** (≈ *ausziehen*) to take off **4.** (≈ *aufgeben*) to lose; *schlechte Gewohnheit* to give up **5.** (≈ *ableisten, machen*) *Schwur, Eid* to swear; *Gelübde, Geständnis* to make; *Prüfung* to take, to sit; (*erfolgreich*) to pass **6.** CARDS to discard **II** *v/i* **1.** (≈ *abfahren*: *Schiff*) to cast off **2.** (≈ *Garderobe ablegen*) to take one's things off
ablehnen *sep* **I** *v/t* to decline, to refuse; *Angebot, Bewerber, Stelle* to turn down, to reject; PARL *Gesetzentwurf* to throw out; ***jede Form von Gewalt ~*** to be against any form of violence **II** *v/i* to decline, to refuse; ***eine ~de Antwort*** a negative answer **Ablehnung** *f* ⟨**-, -en**⟩ **1.** refusal; (*von Antrag, Bewerber etc*) rejection **2.** (≈ *Missbilligung*) disapproval
ableiten *sep v/t* **1.** (≈ *herleiten*) to derive; (≈ *logisch folgern*) to deduce (*aus* from) **2.** *Bach, Fluss* to divert **Ableitung** *f* **1.** *no*

pl (≈ *das Herleiten*) derivation; (≈ *Folgerung*) deduction **2.** (≈ *Wort*, MAT) derivative

ablenken *sep* **I** *v/t* **1.** (≈ *ab-*, *wegleiten*) to deflect (*auch* PHYS); *Katastrophe* to avert **2.** (≈ *zerstreuen*) to distract **3.** (≈ *abbringen*) to divert; *Verdacht* to avert **II** *v/i* **1.** (≈ *ausweichen*) ***(vom Thema) ~*** to change the subject **2.** (≈ *zerstreuen*) to create a distraction **III** *v/r* to take one's mind off things **Ablenkung** *f* (≈ *Zerstreuung*) diversion; (≈ *Störung*) distraction **Ablenkungsmanöver** *nt* diversionary tactic

ablesen *v/t sep irr* **1.** (*also v/i*) to read; *Barometerstand* to take **2.** (≈ *erkennen*) to see; ***das konnte man ihr vom Gesicht ~*** it was written all over her face; ***jdm jeden Wunsch an*** *or* ***von den Augen ~*** to anticipate sb's every wish

abliefern *v/t sep* (*bei einer Person*) to hand over (*bei* to); (*bei einer Dienststelle*) to hand in (*bei* to)

abliegen *v/i sep irr* (≈ *entfernt sein*) to be at a distance; ***das Haus liegt weit ab*** the house is a long way off *or* away; → ***abgelegen***

Ablöse ['aplø:zə] *f* ⟨**-**, ***-n***⟩ (≈ *Ablösungssumme*) transfer fee **ablösen** *sep* **I** *v/t* **1.** (≈ *abmachen*) to take off; (≈ *tilgen*) *Schuld*, *Hypothek* to pay off, to redeem **2.** (≈ *ersetzen*) *Wache* to relieve; *Kollegen* to take over from **II** *v/r* **1.** (≈ *abgehen*) to come off **2.** (*a.* **einander ablösen**) to take turns **Ablösesumme** *f* SPORTS transfer fee **Ablösung** *f* **1.** (*von Hypothek*, *Schuld*) paying off, redemption **2.** (≈ *Wache*) relief; (≈ *Entlassung*) replacement; ***er kam als ~*** he came as a replacement

ABM [a:be:'|ɛm] *abbr of* ***Arbeitsbeschaffungsmaßnahme***

abmachen *v/t sep* **1.** (*infml* ≈ *entfernen*) to take off **2.** (≈ *vereinbaren*) to agree (on); → ***abgemacht*** **Abmachung** ['apmaxʊŋ] *f* ⟨**-**, ***-en***⟩ agreement

abmagern ['apma:gɐn] *v/i sep aux sein* to get thinner, to lose weight; → ***abgemagert*** **Abmagerungskur** *f* diet; ***eine ~ machen*** to be on a diet

abmahnen *v/t sep* (*form*) to caution **Abmahnung** *f* (*form*) caution

abmalen *v/t sep* (≈ *abzeichnen*) to paint

Abmarsch *m* departure **abmarschbereit** *adj* ready to move off **abmarschieren** *past part* ***abmarschiert*** *v/i sep aux sein* to move off

abmelden *sep* **I** *v/t* **1.** *Zeitungen etc* to cancel; *Telefon* to have disconnected; ***sein Auto ~*** to take one's car off the road **2.** (*infml*) ***abgemeldet sein*** SPORTS to be outclassed; ***er/sie ist bei mir abgemeldet*** I don't want anything to do with him/her **II** *v/r* ***sich bei jdm ~*** to tell sb that one is leaving; ***sich bei einem Verein ~*** to cancel one's membership of a club **Abmeldung** *f* (*von Zeitungen etc*) cancellation; (*von Telefon*) disconnection; (*beim Einwohnermeldeamt*) cancellation of one's registration

abmessen *v/t sep irr* to measure **Abmessung** *f usu pl* measurement; (≈ *Ausmaß*) dimension

abmontieren *past part* ***abmontiert*** *v/t sep* *Räder*, *Teile* to take off (*von etw* sth)

abmühen *v/r sep* to struggle (away)

abnabeln ['apna:bln] *sep* **I** *v/t* ***ein Kind ~*** to cut a baby's umbilical cord **II** *v/r* to cut oneself loose

abnagen *v/t sep* to gnaw off; *Knochen* to gnaw

Abnäher ['apnɛ:ɐ] *m* ⟨***-s***, **-**⟩ dart

Abnahme ['apna:mə] *f* ⟨**-**, ***-n***⟩ **1.** (≈ *Wegnahme*) removal **2.** (≈ *Verringerung*) decrease (+*gen* in) **3.** (*von Neubau*, *Fahrzeug etc*) inspection **4.** COMM purchase; ***gute ~ finden*** to sell well **abnehmbar** *adj* removable, detachable **abnehmen** *sep irr* **I** *v/t* **1.** (≈ *herunternehmen*) to take off, to remove; *Hörer* to pick up; *Vorhang*, *Bild*, *Wäsche* to take down; *Bart* to take *or* shave off; (≈ *amputieren*) to amputate; CARDS *Karte* to take from the pile **2.** (≈ *an sich nehmen*) ***jdm etw ~*** to take sth from sb; (*fig*) *Arbeit*, *Sorgen* to relieve sb of sth; ***jdm die Beichte ~*** to hear confession from sb **3.** (≈ *wegnehmen*) to take away (*jdm* from sb); (≈ *rauben*, *abgewinnen*) to take (*jdm* off sb) **4.** (≈ *begutachten*) to inspect; (≈ *abhalten*) *Prüfung* to hold **5.** (≈ *abkaufen*) to buy (+*dat* from, off) **6.** *Fingerabdrücke* to take **7.** (*fig infml* ≈ *glauben*) to buy (*infml*); ***dieses Märchen nimmt dir keiner ab!*** (*infml*) nobody will buy that tale! (*infml*) **II** *v/i* **1.** (≈ *sich verringern*) to decrease; (*Aufmerksamkeit*) to flag; (*Mond*) to wane; ***(an Gewicht) ~*** to lose weight **2.** TEL to answer **Abnehmer** *m* ⟨***-s***, **-**⟩, **Abneh-**

merin *f* ⟨**-, -nen**⟩ COMM buyer, customer; ***viele/wenige ~ finden*** to sell well/badly
Abneigung *f* dislike (*gegen* of); (≈ *Widerstreben*) aversion (*gegen* to)
abnicken *v/t sep* (*infml*) ***etw ~*** to nod sth through
abnorm [ap'nɔrm], **abnormal** ['apnɔrmaːl, apnɔr'maːl] **I** *adj* abnormal **II** *adv* abnormally
abnutzen, (*esp S Ger, Aus, Swiss*) **abnützen** *v/t & v/r sep* to wear out; → ***abgenutzt*** **Abnutzung** *f*, (*esp S Ger, Aus, Swiss*) **Abnützung** *f* ⟨**-, -en**⟩ wear (and tear)
Abo ['abo] *nt* ⟨**-s, -s**⟩ (*infml*) *abbr of* ***Abonnement*** **Abonnement** [abɔnə'mã, (*Swiss*) abɔnə'mɛnt, abɔn'mãː] *nt* ⟨***-s, -s*** *or* (*Sw*) ***-e***⟩ subscription; THEAT season ticket **Abonnent** [abɔ'nɛnt] *m* ⟨***-en, -en***⟩, **Abonnentin** [-'nɛntɪn] *f* ⟨***-, -nen***⟩ (*von Zeitung, Fernsehsender*) subscriber; THEAT season-ticket holder
abonnieren [abɔ'niːrən] *past part* ***abonniert*** *v/t* to subscribe to; THEAT to have a season ticket for
abordnen *v/t sep* to delegate **Abordnung** *f* delegation
abpacken *v/t sep* to pack
abpassen *v/t sep* **1.** (≈ *abwarten*) *Gelegenheit, Zeitpunkt* to wait for; (≈ *ergreifen*) to seize **2.** (≈ *auf jdn warten*) to catch; (≈ *jdm auflauern*) to waylay
abpfeifen *sep irr v/t* SPORTS ***das Spiel ~*** to blow the whistle for the end of the game **Abpfiff** *m* SPORTS final whistle
abprallen *v/i sep aux sein* (*Ball*) to bounce off; (*Kugel*) to ricochet (off); ***an jdm ~*** (*fig*) to make no impression on sb; (*Beleidigungen*) to bounce off sb
abputzen *v/t sep* to clean; ***sich*** (*dat*) ***die Nase/den Mund/die Hände ~*** to wipe one's nose/mouth/hands
abrackern *v/r sep* (*infml*) to struggle; ***sich für jdn ~*** to slave away for sb
abrasieren *past part* **abrasiert** *v/t sep* to shave off
abraten *v/t & v/i sep irr* ***jdm (von) etw ~*** to advise sb against sth
abräumen *sep* **I** *v/t Geschirr, Frühstück* to clear up *or* away; ***den Tisch ~*** to clear the table **II** *v/i* **1.** (≈ *den Tisch abräumen*) to clear up **2.** (*infml* ≈ *sich bereichern, erfolgreich sein*) to clean up
abreagieren *past part* ***abreagiert*** *sep* **I** *v/t Spannung, Wut* to work off **II** *v/r* to work it off
abrechnen *sep* **I** *v/i* **1.** (≈ *Kasse machen*) to cash up **2.** ***mit jdm ~*** to settle up with sb; (*fig*) to settle the score with sb **II** *v/t* (≈ *abziehen*) to deduct **Abrechnung** *f* **1.** (≈ *Aufstellung*) statement (*über +acc* for); (≈ *Rechnung*) bill, invoice; (*fig* ≈ *Rache*) revenge **2.** (≈ *Abzug*) deduction
Abreise *f* departure (*nach* for) **abreisen** *v/i sep aux sein* to leave (*nach* for) **Abreisetag** *m* day of departure
abreißen *sep irr* **I** *v/t* to tear *or* rip off; *Plakat* to tear *or* rip down; *Gebäude* to pull down **II** *v/i aux sein* to tear *or* come off; (*fig* ≈ *unterbrochen werden*) to break off
abrichten *v/t sep* (≈ *dressieren*) to train
abriegeln ['apriːgln] *v/t sep Tür* to bolt; *Straße, Gebiet* to seal *or* cordon off
abringen *v/t sep irr* ***jdm etw ~*** to wring sth out of sb; ***sich*** (*dat*) ***ein Lächeln ~*** to force a smile
Abriss *m* **1.** (≈ *Abbruch*) demolition **2.** (≈ *Übersicht*) outline, summary
Abruf *m* ***sich auf ~ bereithalten*** to be ready to be called (for); ***etw auf ~ bestellen/kaufen*** COMM to order/buy sth (to be delivered) on call **abrufbar** *adj* **1.** IT *Daten* retrievable **2.** FIN ready on call **3.** (*fig*) accessible **abrufen** *v/t sep irr* **1.** COMM to request delivery of **2.** *Daten, Informationen* to call up, to retrieve
abrunden *v/t sep* (*lit, fig*) to round off; ***eine Zahl nach oben/unten ~*** to round a number up/down
abrupt [ap'rʊpt, a'brʊpt] **I** *adj* abrupt **II** *adv* abruptly
abrüsten *sep v/t & v/i* MIL, POL to disarm **Abrüstung** *f, no pl* MIL, POL disarmament
abrutschen *v/i sep aux sein* (≈ *abgleiten*) to slip; (*nach unten*) to slip down; (*Wagen*) to skid; (*Leistungen*) to go downhill
ABS [aːbeː'|ɛs] *nt* ⟨**-, *no pl***⟩ AUTO *abbr of* ***Antiblockiersystem*** ABS
Abs. *abbr of* **Absatz**, **Absender**
absacken *v/i sep aux sein* (≈ *sinken*) to sink; (*Flugzeug, Blutdruck*) to drop, to fall; (*infml* ≈ *verkommen*) to go to pot (*infml*)
Absage *f* refusal; ***jdm/einer Sache eine ~ erteilen*** to reject sb/sth **absagen** *sep* **I** *v/t Veranstaltung, Besuch* to cancel **II** *v/i* to cry off (*Br*), to cancel; ***jdm ~*** to tell sb that one can't come

absägen *v/t sep* **1.** (≈ *abtrennen*) to saw off **2.** (*fig infml*) to chuck *or* sling out (*infml*)
absahnen ['apza:nən] *sep* (*fig infml*) **I** *v/t Geld* to rake in **II** *v/i* (*in Bezug auf Geld*) to clean up (*infml*)
Absatz *m* **1.** (≈ *Abschnitt*) paragraph; JUR section **2.** (≈ *Schuhabsatz*) heel **3.** (≈ *Verkauf*) sales *pl* **Absatzgebiet** *nt* sales area **Absatzlage** *f* sales situation **Absatzmarkt** *m* market **Absatzrückgang** *m* decline *or* decrease in sales **Absatzsteigerung** *f* increase in sales
absaugen *v/t sep* to suck out *or* off; *Teppich*, *Sofa* to hoover® (*Br*), to vacuum
abschaben *v/t sep* to scrape off
abschaffen *sep v/t* **1.** *Gesetz*, *Regelung* to abolish **2.** (≈ *nicht länger halten*) to get rid of; *Auto etc* to give up **Abschaffung** *f* (*von Gesetz*, *Regelung*) abolition
abschalten *sep* **I** *v/t* to switch off **II** *v/i* (*fig*) to unwind
abschätzen *v/t sep* to assess **abschätzig** ['apʃɛtsɪç] **I** *adj* disparaging **II** *adv* disparagingly; ***sich ~ über jdn äußern*** to make disparaging remarks about sb
abschauen *v/t sep* (*S Ger*, *Aus*, *Swiss*) to copy; ***etw bei*** *or* ***von jdm ~*** to copy sth from sb
Abschaum *m*, *no pl* scum
Abscheu *m* ⟨***-(e)s*** *or f* ***-***, *no pl*⟩ repulsion (*vor +dat* at); ***vor jdm/etw ~ haben*** *or* ***empfinden*** to loathe *or* detest sb/sth
abscheulich [ap'ʃɔylɪç] **I** *adj* atrocious, loathsome; (*infml*) awful, terrible (*infml*) **II** *adv behandeln*, *zurichten* atrociously; ***das tut ~ weh*** it hurts terribly
abschicken *v/t sep* to send
abschieben *v/t sep irr* **1.** (≈ *ausweisen*) to deport **2.** (*fig*) *Verantwortung*, *Schuld* to push *or* shift (*auf +acc* onto) **Abschiebung** *f* (≈ *Ausweisung*) deportation
Abschied ['apʃi:t] *m* ⟨***-(e)s, -e*** [-də]⟩ farewell, parting; ***von jdm/etw ~ nehmen*** to say goodbye to sb/sth; ***beim ~ meinte er, ...*** as he was leaving he said ... **Abschiedsbrief** *m* farewell letter **Abschiedsgeschenk** *nt* (*für Kollegen etc*) leaving present; (*für Freund*) going-away present
abschießen *v/t sep irr* to fire; *Pfeil* to shoot (off); *Rakete* to launch; *Flugzeug*, *Pilot* to shoot down
Abschirmdienst *m* MIL counterespionage service **abschirmen** ['apʃɪrmən] *sep* **I** *v/t* to shield **II** *v/r* to shield oneself (*gegen* from)
abschlachten *v/t sep* to slaughter
abschlaffen ['apʃlafn] *v/i sep aux sein* (*infml*) to flag; → ***abgeschlafft***
Abschlag *m* **1.** (≈ *Preisnachlass*) reduction; (≈ *Abzug*) deduction **2.** (≈ *Zahlung*) part payment (*auf +acc* of) **3.** GOLF tee-off **abschlagen** *v/t sep irr* **1.** (*mit Hammer etc*) to knock off; (≈ *herunterschlagen*) to knock down **2.** (≈ *ablehnen*) to refuse; ***jdm etw ~*** to refuse sb sth **3.** (*also v/i*, GOLF) to tee off; → ***abgeschlagen*** **abschlägig** ['apʃlɛ:gɪç] **I** *adj* negative; ***~er Bescheid*** rejection; (*bei Sozialamt*, *Kredit etc*) refusal **II** *adv* ***jdn/etw ~ bescheiden*** (*form*) to turn sb/sth down **Abschlag(s)zahlung** *f* part payment
abschleifen *sep irr v/t* to grind down; *Holz*, *Holzboden* to sand (down)
Abschleppdienst *m* breakdown *or* recovery service **abschleppen** *sep v/t* **1.** *Fahrzeug*, *Schiff* to tow; (*Behörde*) to tow away **2.** (*infml*) *Menschen* to drag along; (≈ *aufgabeln*) to pick up (*infml*) **Abschleppseil** *nt* towrope
abschließbar *adj* (≈ *verschließbar*) lockable **abschließen** *sep irr* **I** *v/t* **1.** (≈ *zuschließen*) to lock **2.** (≈ *beenden*) to bring to a close; *Kursus* to complete; ***sein Studium ~*** to graduate **3.** (≈ *vereinbaren*) *Geschäft*, *Vertrag* to conclude; *Versicherung* to take out; *Wette* to place **4.** (COMM ≈ *abrechnen*) *Bücher* to balance; *Konto* to settle; → ***abgeschlossen*** **II** *v/i* **1.** (≈ *zuschließen*) to lock up **2.** (≈ *Schluss machen*) to finish, to end; ***mit der Vergangenheit ~*** to break with the past **abschließend** **I** *adj* concluding **II** *adv* in conclusion **Abschluss** *m* **1.** (≈ *Beendigung*) end; UNIV degree; ***zum ~ möchte ich ...*** finally *or* to conclude I would like ...; ***etw zum ~ bringen*** to finish sth **2.** *no pl* (≈ *Vereinbarung*) conclusion; (*von Wette*) placing; (*von Versicherung*) taking out **3.** *no pl* (COMM, *der Bücher*) balancing; (*von Konto*) settlement **Abschlussball** *m* (*von Tanzkurs*) final ball **Abschlussprüfung** *f* (SCHOOL, UNIV) final exam **Abschlusszeugnis** *nt* SCHOOL leaving certificate (*Br*), diploma (*US*)
abschmecken *sep v/t* (≈ *kosten*) to taste; (≈ *würzen*) to season
abschmieren *sep v/t* TECH *Auto* to lubri-

cate

abschminken *sep* **I** *v/t* **1.** *Gesicht, Haut* to remove the make-up from **2.** (*infml* ≈ *aufgeben*) ***sich*** (*dat*) ***etw ~*** to get sth out of one's head **II** *v/r* to take off *or* remove one's make-up

abschnallen *v/i* (*sl* ≈ *nicht mehr folgen können*) to give up

abschneiden *sep irr* **I** *v/t* (*lit, fig*) to cut off; ***jdm die Rede*** *or* ***das Wort ~*** to cut sb short **II** *v/i* ***bei etw gut/schlecht ~*** (*infml*) to come off well/badly in sth

Abschnitt *m* section; MAT segment; MIL sector, zone; (≈ *Zeitabschnitt*) period; (≈ *Kontrollabschnitt*) counterfoil

abschöpfen *v/t sep* to skim off; (*fig*) *Kaufkraft* to absorb; ***den Gewinn ~*** to siphon off the profits

abschotten ['apʃɔtn] *v/r* ***sich gegen etw ~*** (*fig*) to cut oneself off from sth

abschrauben *v/t sep* to unscrew

abschrecken *sep* **I** *v/t* **1.** (≈ *fernhalten*) to deter, to put off; (≈ *verjagen*) to scare off **2.** COOK to rinse with cold water **II** *v/i* (*Strafe*) to act as a deterrent **abschreckend** *adj* (≈ *warnend*) deterrent; ***ein ~es Beispiel*** a warning **Abschreckung** ['apʃrɛkʊŋ] *f* ⟨**-, -en**⟩ MIL deterrence **Abschreckungsmittel** *nt* deterrent **Abschreckungswaffe** *f* deterrent weapon

abschreiben *sep irr* **I** *v/t* **1.** (≈ *kopieren*) to copy out; (≈ *plagiieren*, SCHOOL) to copy (*bei, von* from) **2.** COMM to deduct; (≈ *im Wert mindern*) to depreciate **3.** (≈ *verloren geben*) to write off; ***er ist bei mir abgeschrieben*** I'm through *or* finished with him **II** *v/i* SCHOOL to copy **Abschreibung** *f* COMM deduction; (≈ *Wertverminderung*) depreciation **Abschrift** *f* copy

abschrubben *v/t sep* (*infml*) *Rücken, Kleid, Fußboden* to scrub (down)

abschuften *v/r sep* (*infml*) to slog one's guts out (*infml*)

abschürfen *v/t sep* to graze **Abschürfung** *f* ⟨**-, -en**⟩ (≈ *Wunde*) graze

Abschuss *m* firing; (*von Pfeil*) shooting; (*von Rakete*) launch(ing); ***jdn zum ~ freigeben*** (*fig*) to throw sb to the wolves **abschüssig** ['apʃʏsɪç] *adj* sloping **Abschussliste** *f* (*infml*) ***jdn auf die ~ setzen*** to put sb on the hit list (*infml*)

abschwächen *sep* **I** *v/t* to weaken; *Behauptung, Formulierung, Kontrast* to tone down; *Stoß, Eindruck* to soften **II** *v/r* to drop *or* fall off; (METEO: *Hoch, Tief*) to disperse; (ST EX: *Kurse*) to weaken **Abschwächung** *f* weakening; (*von Behauptung, Formulierung*) toning down; (*von Eindruck*) softening; (METEO: *von Hoch, Tief*) dispersal

abschweifen *v/i sep aux sein* to stray; ***er schweifte vom Thema ab*** he wandered off the subject

abschwellen *v/i sep irr aux sein* to go down; (*Lärm*) to die away

abschwören *v/i sep irr* to renounce (*+dat* sth); ***dem Alkohol ~*** (*infml*) to give up drinking

Abschwung *m* COMM downward trend

absegnen *v/t sep* (*infml*) *Vorschlag, Plan* to give one's blessing to

absehbar *adj* foreseeable; ***in ~er/auf ~e Zeit*** in/for the foreseeable future **absehen** *sep irr* **I** *v/t* (≈ *voraussehen*) to foresee; ***das Ende lässt sich noch nicht ~*** the end is not yet in sight **II** *v/i* ***davon ~, etw zu tun*** to refrain from doing sth; → ***abgesehen***

abseilen ['apzailən] *sep v/r* (*Bergsteiger*) to abseil (down) (*Br*), to rappel (*US*); (*fig infml*) to skedaddle (*infml*)

abseits ['apzaits] **I** *adv* to one side; SPORTS offside **II** *prep +gen* away from; ***~ des Weges*** off the beaten track **Abseits** ['apzaits] *nt* ⟨**-, -**⟩ SPORTS offside; ***im ~ stehen*** to be offside; ***ins politische ~ geraten*** to end up on the political scrapheap **abseitshalten** *v/r sep irr* (*fig*) to keep to oneself **abseitsliegen** *v/i sep irr* to be out of the way **abseitsstehen** *v/i sep irr* (*fig*) to be on the outside; SPORTS to be offside

absenden *v/t sep* to send **Absender** *m* ⟨**-s, -**⟩, **Absenderin** *f* ⟨**-, -nen**⟩ sender

Absenz [ap'zɛnts] *f* ⟨**-, -en**⟩ (SCHOOL: *Aus, Swiss*) absence

abservieren *past part* **abserviert** *sep v/t* (*infml*) ***jdn ~*** to get rid of sb; (SPORTS *sl* ≈ *besiegen*) to thrash sb (*infml*)

absetzbar *adj Ware* saleable; ***steuerlich ~*** tax-deductible **absetzen** *sep* **I** *v/t* **1.** (≈ *abnehmen*) to take off, to remove; (≈ *hinstellen*) to set *or* put down **2.** (≈ *aussteigen lassen*) to drop **3.** *Theaterstück, Oper* to take off; *Versammlung, Termin* to cancel **4.** (≈ *entlassen*) to dismiss; *König, Kaiser* to depose **5.** MED *Medikament, Tabletten* to come off; *Behandlung* to discontinue **6.** COMM *Waren* to sell; ***sich gut ~ lassen*** to sell well **7.** (≈ *abziehen*) to deduct; ***das kann man (von der Steuer) ~*** that is tax-deductible **II** *v/r* (*infml* ≈ *weggehen*) to get *or* clear out (*aus* of) (*infml*); ***sich nach Brasilien ~*** to clear off to Brazil (*infml*) **Absetzung** *f* ⟨**-, -en**⟩ **1.** (≈ *Entlassung*) dismissal; (*von König*) deposition **2.** (*von Theaterstück etc*) withdrawal; (*von Termin etc*) cancellation

absichern *sep* **I** *v/t* to safeguard; *Bauplatz* to make safe; (≈ *schützen*) to protect **II** *v/r* (≈ *sich schützen*) to protect oneself; (≈ *sich versichern*) to cover oneself

Absicht *f* ⟨**-, -en**⟩ (≈ *Vorsatz*) intention; (≈ *Zweck*) purpose; JUR intent; ***die ~ haben, etw zu tun*** to intend to do sth; ***das war doch keine ~!*** (*infml*) it wasn't deliberate *or* intentional **absichtlich I** *adj* deliberate **II** *adv* deliberately **Absichtserklärung** *f* declaration of intent

absinken *v/i sep irr aux sein* to fall; (*Boden*) to subside

absitzen *sep irr* **I** *v/t* (≈ *verbringen*) *Zeit* to sit out; (≈ *verbüßen*) *Strafe* to serve **II** *v/i aux sein* ***(vom Pferd) ~*** to dismount (from a horse)

absolut [apzo'lu:t] **I** *adj* absolute **II** *adv* absolutely; ***ich sehe ~ nicht ein, warum ...*** I just don't understand why ...

Absolvent [apzɔl'vɛnt] *m* ⟨**-en, -en**⟩, **Absolventin** [-'vɛntɪn] *f* ⟨**-, -nen**⟩ UNIV graduate; ***die ~en eines Lehrgangs*** the students who have completed a course **absolvieren** [apzɔl'vi:rən] *past part* ***absolviert*** *v/t insep* (≈ *durchlaufen*) *Studium*, *Probezeit* to complete; *Schule* to finish, to graduate from (*US*); *Prüfung* to pass

absonderlich *adj* peculiar, strange **absondern** *sep* **I** *v/t* **1.** to separate; (≈ *isolieren*) to isolate **2.** (≈ *ausscheiden*) to secrete **II** *v/r* (*Mensch*) to cut oneself off **Absonderung** *f* ⟨**-, -en**⟩ separation; (≈ *Isolierung*) isolation; (≈ *Ausscheidung*) secretion

absorbieren [apzɔr'bi:rən] *past part* ***absorbiert*** *v/t insep* to absorb

abspalten *v/t & v/r sep* to split off; CHEM to separate (off)

Abspann ['apʃpan] *m* ⟨**-s, -e**⟩ TV, FILM final credits *pl*

absparen *v/t sep* ***sich (dat) etw vom Munde ~*** to scrimp and save for sth

abspecken ['apʃpɛkn] *sep* (*infml*) **I** *v/t* to shed **II** *v/i* to lose weight

abspeichern *v/t sep Daten* to save, to store (away)

abspeisen *v/t sep* ***jdn mit etw ~*** to fob sb off with sth (*esp Br*)

abspenstig ['apʃpɛnstɪç] *adj* ***jdm jdn/etw ~ machen*** to lure sb/sth away from sb; ***jdm die Freundin ~ machen*** to steal sb's girlfriend (*infml*)

absperren *sep v/t* **1.** (≈ *abriegeln*) to block *or* close off **2.** (≈ *abdrehen*) *Wasser*, *Strom*, *Gas etc* to turn *or* shut off **3.** (≈ *verschließen*) to lock **Absperrung** *f* (≈ *Sperre*) barrier; (≈ *Kordon*) cordon

abspielen *sep* **I** *v/t* to play; SPORTS *Ball* to pass **II** *v/r* (≈ *sich ereignen*) to happen; (≈ *stattfinden*) to take place

absplittern *v/i sep aux sein* (*Farbe*) to drip off; (*fig*: *Gruppe*) to break away

Absprache *f* arrangement **absprechen** *sep irr* **I** *v/t* **1.** ***jdm etw ~*** *Recht* to deny *or* refuse sb sth; *Begabung* to deny *or* dispute sb's sth **2.** (≈ *verabreden*) *Termin* to arrange **II** *v/r* ***sich mit jdm ~*** to make an arrangement with sb; ***die beiden hatten sich vorher abgesprochen*** they had agreed on what to do/say *etc* in advance

abspringen *v/i sep irr aux sein* **1.** to jump down (*von* from); AVIAT to jump (*von* from); (*bei Gefahr*) to bale out **2.** (≈ *sich lösen*) to come off **3.** (*fig infml* ≈ *sich zurückziehen*) to get out **Absprung** *m* jump (*auch* AVIAT)

abspülen *sep* **I** *v/t* to rinse; *Fett etc* to rinse off **II** *v/i* to wash the dishes

abstammen *v/i sep no past part* to be descended (*von* from); LING to be derived (*von* from) **Abstammung** *f* ⟨**-, -en**⟩ descent; LING origin, derivation

Abstand *m* distance; (≈ *Zeitabstand*) interval; (≈ *Punkteabstand*) gap; ***mit ~*** by far; ***~ halten*** to keep one's distance; ***mit großem ~ führen/gewinnen*** to lead/win by a wide margin; ***davon ~ nehmen, etw zu tun*** to refrain from doing sth

abstatten ['apʃtatn] *v/t sep* (*form*) ***jdm einen Besuch ~*** to pay sb a visit

abstauben *v/t & v/i sep* **1.** *Möbel etc* to dust **2.** (*infml*) (≈ *wegnehmen*) to pick up

abstechen *sep irr v/t* ***ein Tier ~*** to cut an animal's throat; ***jdn ~*** (*infml*) to knife sb (*infml*)

Abstecher ['apʃtɛçɐ] *m* ⟨**-s, -**⟩ (≈ *Aus-*

flug) excursion, trip
abstecken *v/t sep* **1.** *Gelände* to mark out; (*fig*) to work out **2.** *Kleid*, *Naht* to pin
abstehen *v/i sep irr* (≈ *entfernt stehen*) to stand away; **~de Ohren** ears that stick out; → **abgestanden**
Absteige *f* (*infml*) cheap hotel **absteigen** *v/i sep irr aux sein* **1.** (≈ *heruntersteigen*) to get off (*von etw* sth) **2.** (≈ *abwärtsgehen*) to make one's way down; (*esp Bergsteiger*) to climb down; **auf dem ~den Ast sein** (*infml*) to be going downhill **3.** (*dated*, SPORTS: *Mannschaft*) to be relegated **Absteiger** *m* SPORTS relegated team
abstellen *sep v/t* **1.** (≈ *hinstellen*) to put down **2.** (≈ *unterbringen*) to put; (AUTO ≈ *parken*) to park **3.** (≈ *ausrichten auf*) **etw auf jdn/etw ~** to gear sth to sb/sth **4.** (≈ *abdrehen*) to turn off; *Geräte*, *Licht* to switch *or* turn off; *Gas*, *Strom* to cut off; *Telefon* to disconnect **5.** (≈ *unterbinden*) *Mangel*, *Unsitte etc* to bring to an end **Abstellgleis** *nt* siding; **jdn aufs ~ schieben** (*fig*) to push *or* cast sb aside **Abstellkammer** *f* boxroom
abstempeln *v/t sep* to stamp; *Post* to postmark
absterben *v/i sep irr aux sein* to die; (*fig*) (*Gefühle*) to die; **mir sind die Zehen abgestorben** my toes have gone numb; → **abgestorben**
Abstieg ['apʃtiːk] *m* ⟨**-(e)s, -e** [-gə]⟩ descent; (≈ *Niedergang*) decline; **vom ~ bedroht** SPORTS threatened by relegation
abstimmen *sep* **I** *v/i* to take a vote; **über etw** (*acc*) **~ lassen** to put sth to the vote **II** *v/t* *Farben*, *Kleidung* to match (*auf +acc* with); *Termine* to coordinate (*auf +acc* with); **(aufeinander) abgestimmt** *Pläne*, *Strategien* mutually agreed **III** *v/r* **sich ~** to come to an agreement **Abstimmung** *f* **1.** (≈ *Stimmabgabe*) vote; **eine ~ durchführen** *or* **vornehmen** to take a vote **2.** (*von Terminen*) coordination
abstinent [apsti'nɛnt] *adj* teetotal **Abstinenz** [apsti'nɛnts] *f* ⟨-, *no pl*⟩ abstinence
Abstoß *m* FTBL goal kick **abstoßen** *sep irr* **I** *v/t* **1.** (≈ *wegstoßen*) *Boot* to push off *or* out; (≈ *abschlagen*) *Ecken* to knock off **2.** (≈ *zurückstoßen*) to repel; COMM *Ware*, *Aktien* to sell off; MED *Organ* to reject; (*fig* ≈ *anwidern*) to repulse, to repel; **dieser Stoff stößt Wasser ab** this material is water-repellent **II** *v/r* PHYS to repel; **die beiden Pole stoßen sich ab** the two poles repel each other **abstoßend** *adj* repulsive; **~ aussehen/riechen** to look/smell repulsive **Abstoßung** *f* ⟨**-, -en**⟩ PHYS repulsion; (MED: *von Organ*) rejection
abstottern *v/t sep* (*infml*) to pay off
abstrahieren [apstra'hiːrən] *past part* **abstrahiert** *v/t & v/i insep* to abstract (*aus* from)
abstrahlen *v/t sep* to emit
abstrakt [ap'strakt] *adj* abstract **Abstraktion** [apstrak'tsioːn] *f* ⟨**-, -en**⟩ abstraction
abstreifen *v/t sep* *Schuhe*, *Füße* to wipe; *Schmutz* to wipe off; *Kleidung*, *Schmuck* to take off; *Haut* to cast, to shed; (*fig*) *Gewohnheit*, *Fehler* to get rid of
abstreiten *v/t sep irr* (≈ *leugnen*) to deny
Abstrich *m* **1.** (≈ *Kürzung*) cutback; **~e machen** to cut back (*an +dat* on) **2.** MED swab; (≈ *Gebärmutterabstrich*) smear
abstrus [ap'struːs] (*elev*) *adj* abstruse
abstufen *v/t sep* *Gelände* to terrace; *Farben* to shade; *Gehälter*, *Steuern*, *Preise* to grade
abstumpfen ['apʃtʊmpfn] *sep* **I** *v/i aux sein* (*fig*: *Geschmack etc*) to become dulled **II** *v/t* *Menschen*, *Sinne* to deaden; *Gewissen*, *Urteilsvermögen* to dull; → **abgestumpft**
Absturz *m* crash; (*sozial*) ruin; (*von Politiker etc*) downfall; IT crash **abstürzen** *v/i sep aux sein* **1.** (*Flugzeug*) to crash; (*Bergsteiger*) to fall **2.** (*infml*: *sozial*) to go to ruin **3.** (*sl* ≈ *betrunken werden*) to go on a bender (*Br infml*), to go on a binge (*infml*) **4.** IT to crash
abstützen *sep* **I** *v/t* to support (*also fig*) **II** *v/r* to support oneself
absuchen *v/t sep* to search
absurd [ap'zʊrt] *adj* absurd **Absurdität** [apzʊrdi'tɛːt] *f* ⟨**-, -en**⟩ absurdity
Abt [apt] *m* ⟨**-(e)s, ¨-e** ['ɛptə]⟩ abbot
abtanzen *v/i sep aux haben* (*infml*) to dance one's socks off (*infml*)
abtasten *v/t sep* to feel; ELEC to scan
abtauchen *v/i sep aux sein* **1.** (*U-Boot*) to dive **2.** (*infml*) to go underground
abtauen *sep* **I** *v/t* to thaw out; *Kühl-*

schrank to defrost **II** *v/i aux sein* to thaw
Abtei [ap'tai] *f* ⟨**-**, ***-en***⟩ abbey
Abteil [ap'tail, 'ap-] *nt* compartment **abteilen** *v/t sep* (≈ *einteilen*) to divide up **Abteilung** [ap'tailʊŋ] *f* department; (*in Krankenhaus*) section; MIL unit, section **Abteilungsleiter(in)** *m*/(*f*) head of department
Äbtissin [ɛp'tɪsɪn] *f* ⟨**-**, ***-nen***⟩ abbess
abtragen *v/t sep irr* **1.** (*also v/i*) *Geschirr*, *Speisen* to clear away **2.** *Boden*, *Gelände* to level **3.** *Kleider*, *Schuhe* to wear out; → ***abgetragen*** **abträglich** ['aptrɛːklɪç] *adj Bemerkung*, *Kritik etc* unfavourable (*Br*), unfavorable (*US*); ***einer Sache*** (*dat*) **~ *sein*** to be detrimental *or* harmful to sth
Abtransport *m* transportation **abtransportieren** *past part* ***abtransportiert*** *v/t sep Waren* to transport; *Personen* to take away
abtreiben *sep irr* **I** *v/t Kind* to abort **II** *v/i* **1.** *aux sein* (**vom Kurs**) **~** to be carried off course **2.** (≈ *Abort vornehmen lassen*) to have an abortion **Abtreibung** ['aptraibʊŋ] *f* ⟨**-**, ***-en***⟩ abortion **Abtreibungsbefürworter(in)** *m*/(*f*) pro-abortionist **Abtreibungsgegner(in)** *m*/(*f*) anti-abortionist, pro-lifer (*infml*) **Abtreibungsklinik** *f* abortion clinic
abtrennen *v/t sep* **1.** (≈ *lostrennen*) to detach; *Knöpfe*, *Besatz etc* to remove; *Bein*, *Finger etc* (*durch Unfall*) to sever **2.** (≈ *abteilen*) to separate off
abtreten *sep irr* **I** *v/t* **1.** (≈ *überlassen* (*jdm to sb*)) *Rechte*, *Summe* to transfer (*jdm* to sb) **2.** *Teppich* to wear; ***sich*** (*dat*) ***die Füße*** *or* ***Schuhe*** **~** to wipe one's feet **II** *v/i aux sein* THEAT to go off (stage); MIL to dismiss; (*infml* ≈ *zurücktreten*) to resign **Abtretung** *f* ⟨**-**, ***-en***⟩ transfer (*an +acc* to)
abtrocknen *sep v/t & v/i* to dry
abtrünnig ['aptrʏnɪç] *adj* renegade; (≈ *rebellisch*) rebel
abtun *v/t sep irr* (*fig* ≈ *beiseiteschieben*) to dismiss; ***etw kurz*** **~** to brush sth aside; → ***abgetan***
abtupfen *v/t sep Tränen*, *Blut* to dab away; *Wunde* to swab
abverlangen *past part* ***abverlangt*** *v/t sep* = ***abfordern***
abwägen ['apvɛːgn] *pret* ***wog ab*** [voːk ap], *past part* ***abgewogen*** ['apgəvoːgn] *v/t sep irr Worte* to weigh; → ***abgewogen***
abwählen *v/t sep* to vote out (of office); SCHOOL *Fach* to give up
abwälzen *v/t sep Schuld*, *Verantwortung* to shift (*auf +acc* onto); *Arbeit* to unload (*auf +acc* onto); *Kosten* to pass on (*auf +acc* to)
abwandern *v/i sep aux sein* to move (away) (*aus* from); (*Kapital*) to be transferred (*aus* out of)
Abwärme *f* waste heat
Abwart ['apvart] *m* ⟨***-(e)s***, ***-e***⟩, **Abwartin** [-tɪn] *f* ⟨**-**, ***-nen***⟩ (*Swiss*) concierge, caretaker
abwarten *sep* **I** *v/t* to wait for; ***das Gewitter*** **~** to wait till the storm is over; ***das bleibt abzuwarten*** that remains to be seen **II** *v/i* to wait; ***eine ~de Haltung einnehmen*** to adopt a policy of wait-and-see
abwärts ['apvɛrts] *adv* down; ***den Fluss/Berg*** **~** down the river/mountain **abwärtsgehen** *v/i impers sep irr aux sein* (*fig*) ***mit ihm/dem Land geht es abwärts*** he/the country is going downhill **Abwärtstrend** *m* downwards trend
Abwasch ['apvaʃ] *m* ⟨***-s***, *no pl*⟩ ***den*** **~** ***machen*** to wash the dishes; ***... dann kannst du das auch machen, das ist (dann) ein*** **~** (*infml*) ... then you could do that as well and kill two birds with one stone **abwaschbar** *adj Tapete* washable **abwaschen** *sep irr* **I** *v/t Gesicht*, *Geschirr* to wash; *Farbe*, *Schmutz* to wash off **II** *v/i* to wash the dishes
Abwasser *nt*, *pl* ***-wässer*** sewage *no pl* **Abwasserkanal** *m* sewer
abwechseln *v/i & v/r sep* to alternate; ***sich mit jdm*** **~** to take turns with sb **abwechselnd** *adv* alternately; ***er war*** **~** ***fröhlich und traurig*** he alternated between being happy and sad **Abwechslung** ['apvɛkslʊŋ] *f* ⟨**-**, ***-en***⟩ change; (≈ *Zerstreuung*) diversion; ***zur*** **~** for a change **abwechslungsreich** *adj* varied
Abweg ['apveːk] *m* (*fig*) ***auf ~e geraten*** *or* ***kommen*** to go astray **abwegig** ['apveːgɪç] *adj* absurd
Abwehr *f*, *no pl* **1.** BIOL, PSYCH, MED, SPORTS defence (*Br*), defense (*US*); ***der*** **~** ***von etw dienen*** to give protection against sth **2.** (≈ *Spionageabwehr*) counterintelligence (service) **abwehren** *sep* **I** *v/t Gegner* to fend off; *Angriff*, *Feind* to repulse; *Flugzeug*, *Rakete* to repel; *Ball*

to clear; *Schlag* to parry; *Gefahr, Krise* to avert **II** *v/i* SPORTS to clear; (*Torwart*) to save **Ạbwehrkräfte** *pl* PHYSIOL (the body's) defences *pl* (*Br*) *or* defenses *pl* (*US*) **Ạbwehrmechanismus** *m* PSYCH defence (*Br*) *or* defense (*US*) mechanism **Ạbwehrrakete** *f* anti-aircraft missile **Ạbwehrspieler(in)** *m/(f)* defender **Ạbwehrstoff** *m* BIOL antibody

ạbweichen *v/i sep irr aux sein* (≈ *sich unterscheiden*) to differ; ***vom Kurs ~*** to deviate *or* depart from one's course; ***vom Thema ~*** to digress **Ạbweichler** ['apvaiçlɐ] *m* ⟨**-s, -**⟩, **Ạbweichlerin** [-ərɪn] *f* ⟨**-, -nen**⟩ deviant **Ạbweichung** ['apvaiçʊŋ] *f* ⟨**-, -en**⟩ (*von Kurs etc*) deviation; (≈ *Unterschied*) difference

ạbweisen *v/t sep irr* to turn down; (≈ *wegschicken*) to turn away; JUR *Klage* to dismiss **ạbweisend I** *adj Ton, Blick, Mensch* cold **II** *adv* negatively

ạbwenden *sep regular or irr* **I** *v/t* **1.** (≈ *verhindern*) to avert **2.** (≈ *zur Seite wenden*) to turn away **II** *v/r* to turn away

ạbwerben *v/t sep irr* to woo away (*+dat* from)

ạbwerfen *sep irr* **I** *v/t* to throw off; *Reiter* to throw; *Bomben, Flugblätter etc* to drop; *Geweih, Blätter, Nadeln* to shed; CARDS to throw away; SPORTS *Ball, Speer* to throw; COMM *Gewinn, Zinsen* to yield **II** *v/i* FTBL to throw

ạbwerten *sep v/t* to devalue; *Ideale, Sprache, Kultur* to debase **ạbwertend** *adj* derogatory, pejorative **Ạbwertung** *f* devaluation; (*fig*) debasement

ạbwesend ['apve:znt] *adj* absent; *Blick* absent-minded; ***die Abwesenden*** the absentees **Ạbwesenheit** ['apve:znhait] *f* ⟨**-, -en**⟩ absence; ***durch ~ glänzen*** (*iron*) to be conspicuous by one's absence **Ạbwesenheitsnotiz** *f* (*in E-Mail*) out-of-office reply

ạbwickeln *v/t sep* **1.** (≈ *abspulen*) to unwind; *Verband* to take off **2.** (*fig* ≈ *erledigen*) to deal with; *Geschäft* to conclude; (COMM ≈ *liquidieren*) to wind up **Ạbwicklung** ['apvɪklʊŋ] *f* ⟨**-, -en**⟩ (≈ *Erledigung*) completion, conclusion; (COMM ≈ *Liquidation*) winding up

ạbwiegen *v/t sep irr* to weigh out

ạbwimmeln *v/t sep* (*infml*) *jdn* to get rid of (*infml*)

ạbwinken *v/i sep* (*infml*) (*abwehrend*) to wave it/him *etc* aside; (*fig* ≈ *ablehnen*) to say no

ạbwirtschaften *v/i sep* (*infml*) to go downhill; → ***abgewirtschaftet***

ạbwischen *v/t sep* to wipe off *or* away; *Hände, Nase etc* to wipe; *Augen, Tränen* to dry

Ạbwurf *m* throwing off; (*von Bomben etc*) dropping; ***ein ~ vom Tor*** a goal throw

ạbwürgen *v/t sep* (*infml*) to scotch; *Motor* to stall

ạbzahlen *v/t sep* to pay off

ạbzählen *sep v/t* to count

Ạbzahlung *f* **1.** repayment **2.** (≈ *Ratenzahlung*) hire purchase (*Br*), HP (*Br*), installment plan (*US*)

Ạbzeichen *nt* badge; MIL insignia *pl*

ạbzeichnen *sep* **I** *v/t* **1.** (≈ *abmalen*) to draw **2.** (≈ *signieren*) to initial **II** *v/r* (≈ *sichtbar sein*) to stand out; (*fig*) (≈ *deutlich werden*) to emerge; (≈ *drohend bevorstehen*) to loom

ạbziehen *sep irr* **I** *v/t* **1.** *Tier* to skin; *Fell, Haut* to remove **2.** *Bett* to strip; *Bettzeug* to strip off **3.** *Schlüssel* to take out **4.** (≈ *zurückziehen*) *Truppen, Kapital* to withdraw **5.** (≈ *subtrahieren*) *Zahlen* to take away; *Steuern* to deduct; ***2 Euro vom Preis ~*** to take 2 euros off the price **6.** (TYPO ≈ *vervielfältigen*) to run off; PHOT *Bilder* to make prints of **II** *v/i* **1.** *aux sein* (*Rauch, Dampf*) to escape; (*Sturmtief etc*) to move away **2.** *aux sein* (*Soldaten*) to pull out (*aus* of); ***zieh ab!*** (*infml*) beat it! (*infml*)

ạbzielen *v/i sep* ***auf etw*** (*acc*) ***~*** (*Mensch*) to aim at sth; (*in Rede*) to get at sth

ạbzischen *v/i sep aux sein* (*infml* ≈ *abhauen*) to beat it (*infml*)

ạbzocken *v/t sep* (*infml*) ***jdn ~*** to rip sb off (*infml*)

Abzug ['aptsu:k] *m* **1.** *no pl* (*von Truppen, Kapital etc*) withdrawal **2.** (*usu pl*: *vom Lohn etc*) deduction; (≈ *Rabatt*) discount; ***ohne ~*** COMM net terms only **3.** TYPO copy; (≈ *Korrekturfahne*) proof; PHOT print **4.** (*am Gewehr*) trigger **ạbzüglich** ['aptsy:klɪç] *prep +gen* COMM minus, less **Ạbzugshaube** *f* extractor hood

ạbzweigen ['aptsvaign] *sep* **I** *v/i aux sein* to branch off **II** *v/t* (*infml*) to put on one side **Ạbzweigung** *f* ⟨**-, -en**⟩ turn-off; (≈ *Gabelung*) fork

ach [ax] *int* oh; ***~ nein!*** oh no!; (*über-*

rascht) no!, really!; **~ nein, ausgerechnet der!** well, well, him of all people; **~ so!** I see!, aha!; (≈ *ja richtig*) of course!; **~ was** *or* **wo!** of course not **Ach** [ax] *nt* **mit ~ und Krach** (*infml*) by the skin of one's teeth (*infml*)

Achat [a'xaːt] *m* ⟨**-(e)s, -e**⟩ agate

Achillesferse [a'xɪlɛsˌfɛrzə] *f* Achilles heel **Achillessehne** *f* Achilles tendon

Achse ['aksə] *f* ⟨**-, -n**⟩ axis; TECH axle; **auf (der) ~ sein** (*infml*) to be out (and about)

Achsel ['aksl] *f* ⟨**-, -n**⟩ shoulder; **die ~n** *or* **mit den ~n zucken** to shrug (one's shoulders) **Achselhöhle** *f* armpit **Achselzucken** *nt* ⟨**-s**, *no pl*⟩ shrug **achselzuckend** *adv* **er stand ~ da** he stood there shrugging his shoulders

Achsenbruch *m* broken axle **Achsenkreuz** *nt* MAT coordinate system

acht [axt] *num* eight; **in ~ Tagen** in a week('s time); **heute/morgen in ~ Tagen** a week today/tomorrow; **heute vor ~ Tagen war ich ...** a week ago today I was ...; → **vier**

Acht[1] [axt] *f* ⟨**-, -en**⟩ eight

Acht[2] *f* **sich in ~ nehmen** to be careful, to take care; **etw außer ~ lassen** to leave sth out of consideration; **~ geben**; → **achtgeben**

achtbar *adj Gesinnung*, *Person* worthy; *Firma* reputable; *Platzierung* respectable

Achteck *nt* octagon **achteckig** *adj* octagonal, eight-sided **Achtel** ['axtl] *nt* ⟨**-s, -**⟩ eighth; → **Viertel**[1] **Achtelfinale** *nt round before the quarterfinal*; **ein Platz im ~** a place in the last sixteen **Achtelnote** *f* quaver

achten ['axtn] **I** *v/t* to respect **II** *v/i* **auf etw** (*acc*) **~** to pay attention to sth; **auf die Kinder ~** to keep an eye on the children; **darauf ~, dass ...** to be careful that ...

ächten ['ɛçtn] *v/t* HIST to outlaw; (*fig*) to ostracize

achtenswert ['axtnsveːɐt] *adj* worthy

Achter ['axtɐ] *m* ⟨**-s, -**⟩ (*Rudern*) eight

achte(r, s) ['axtə] *adj* eighth; → **vierte(r, s)** **Achterbahn** *f* roller coaster

achtgeben *v/i sep irr* to take care (*auf +acc* of); (≈ *aufmerksam sein*) to pay attention (*auf +acc* to)

achthundert ['axt'hʊndɐt] *num* eight hundred

achtlos **I** *adj* careless, thoughtless **II** *adv durchblättern* casually; *wegwerfen* thoughtlessly; *sich verhalten* carelessly

Achtstundentag *m* eight-hour day **achttägig** *adj* week-long

Achtung ['axtʊŋ] *f* ⟨**-**, *no pl*⟩ **1.** (≈ *Vorsicht*) **~!** watch *or* look out!; (MIL: *Befehl*) attention!; **~, ~!** (your) attention please!; **„Achtung Stufe!"** "mind the step"; **~, fertig, los!** ready, steady *or* get set, go! **2.** (≈ *Wertschätzung*) respect (*vor +dat* for); **sich** (*dat*) **~ verschaffen** to make oneself respected; **alle ~!** good for you/him *etc*! **Achtungserfolg** *m* succès d'estime

achtzehn ['axtseːn] *num* eighteen **achtzig** ['axtsɪç] *num* eighty; **auf ~ sein** (*infml*) to be livid; → **vierzig**

ächzen ['ɛçtsn] *v/i* to groan (*vor +dat* with)

Acker ['akɐ] *m* ⟨**-s, ⸗** ['ɛkɐ]⟩ (≈ *Feld*) field **Ackerbau** *m*, *no pl* agriculture, arable farming; **~ betreiben** to farm the land; **~ und Viehzucht** farming **Ackergaul** *m* (*pej*) farm horse, old nag (*pej*) **Ackerland** *nt* arable land **ackern** ['akɐn] *v/i* (*infml*) to slog away (*infml*)

a conto [a 'kɔnto] *adv* COMM on account

Acryl [a'kryːl] *nt* ⟨**-s**, *no pl*⟩ acrylic **Acrylglas** *nt* acrylic glass

Actionfilm ['ɛkʃən-] *m* action film

a. D. [aː'deː] *abbr of* **außer Dienst** ret(d)

ad absurdum [at ap'zʊrdʊm] *adv* **~ führen** to reduce to absurdity

ADAC [aːdeː|aː'tseː] ⟨**-**, *no pl*⟩ *abbr of* **Allgemeiner Deutscher Automobil-Club** ≈ AA (*Br*), ≈ AAA (*US*)

ad acta [at 'akta] *adv* **etw ~ legen** (*fig*) *Frage*, *Problem* to consider sth closed

Adamsapfel *m* (*infml*) Adam's apple

Adapter [a'daptɐ] *m* ⟨**-s, -**⟩ adapter, adaptor

adäquat [adɛ'kvaːt, at|ɛ'kvaːt] **I** *adj* adequate; *Stellung*, *Verhalten* suitable **II** *adv* adequately

addieren [a'diːrən] *past part* **addiert** *v/i* to add **Addition** [adi'tsioːn] *f* ⟨**-, -en**⟩ addition

Adel ['aːdl] *m* ⟨**-s**, *no pl*⟩ nobility **adeln** ['aːdln] *v/t* to ennoble; (≈ *den Titel „Sir" verleihen*) to knight **Adelstitel** *m* title

Ader ['aːdɐ] *f* ⟨**-, -n**⟩ BOT, GEOL vein; PHYSIOL blood vessel; **eine/keine ~ für etw haben** to have feeling/no feeling for sth **Aderlass** [-las] *m* ⟨**-es, Ader-**

lässe [-lɛsə]⟩ blood-letting

ad hoc [at 'hɔk, at 'hoːk] *adv* (*elev*) ad hoc

Adjektiv ['atjɛktiːf] *nt* ⟨**-s, -e** [-və]⟩ adjective **adjektivisch** ['atjɛktiːvɪʃ, atjɛk'tiːvɪʃ] **I** *adj* adjectival **II** *adv* adjectivally

Adjutant [atju'tant] *m* ⟨**-en, -en**⟩, **Adjutantin** [-'tantɪn] *f* ⟨**-, -nen**⟩ adjutant; (*von General*) aide(-de-camp)

Adler ['aːdlɐ] *m* ⟨**-s, -**⟩ eagle **Adlerauge** *nt* (*fig*) eagle eye; ***~n haben*** to have eyes like a hawk **Adlernase** *f* aquiline nose

adlig ['aːdlɪç] *adj* ***~ sein*** to be of noble birth **Adlige(r)** ['aːdlɪgə] *m/f(m) decl as adj* nobleman/-woman

Admiral [atmi'raːl] *m* ⟨**-s, -e** *or* ***Admiräle*** [-'rɛːlə]⟩, **Admiralin** [-'raːlɪn] *f* ⟨**-, -nen**⟩ admiral

adoptieren [adɔp'tiːrən] *past part* ***adoptiert*** *v/t* to adopt **Adoption** [adɔp'tsioːn] *f* ⟨**-, -en**⟩ adoption **Adoptiveltern** *pl* adoptive parents *pl* **Adoptivkind** *nt* adopted child

Adrenalin [adrena'liːn] *nt* ⟨**-s**, *no pl*⟩ adrenalin **Adrenalinschub** *m* surge of adrenalin **Adrenalinstoß** *m* surge of adrenalin

Adressat [adrɛ'saːt] *m* ⟨**-en, -en**⟩, **Adressatin** [-'saːtɪn] *f* ⟨**-, -nen**⟩ (*elev*) addressee **Adressbuch** *nt* directory; (*privat*) address book **Adresse** [a'drɛsə] *f* ⟨**-, -n**⟩ address; ***da sind Sie bei mir an der falschen ~*** (*infml*) you've come to the wrong person **Adressenverwaltung** *f* IT address filing system **Adressenverzeichnis** *nt* IT address list **adressieren** [adrɛ'siːrən] *past part* ***adressiert*** *v/t* to address (*an +acc* to)

Adria ['aːdria] *f* ⟨**-**⟩ Adriatic (Sea)

Advent [at'vɛnt] *m* ⟨**-s, -e**⟩ Advent; ***erster/vierter ~*** first/fourth Sunday in Advent **Adventskalender** *m* Advent calendar **Adventskranz** *m* Advent wreath

Adverb [at'vɛrp] *nt* ⟨**-s, *Adverbien*** [-biən]⟩ adverb **adverbial** [atvɛr'biaːl] **I** *adj* adverbial **II** *adv* adverbially

Advokat [atvo'kaːt] *m* ⟨**-en, -en**⟩, **Advokatin** [-'kaːtɪn] *f* ⟨**-, -nen**⟩ (*Swiss*) lawyer

Aerobic [ɛ'roːbɪk] *nt* ⟨**-(s)**, *no pl*⟩ aerobics *sg*

aerodynamisch [aerody'naːmɪʃ] **I** *adj* aerodynamic **II** *adv* aerodynamically

Affäre [a'fɛːrə] *f* ⟨**-, -n**⟩ affair; ***sich aus der ~ ziehen*** (*infml*) to get (oneself) out of it (*infml*)

Affe ['afə] *m* ⟨**-n, -n**⟩ **1.** monkey; (≈ *Menschenaffe*) ape **2.** (*sl* ≈ *Kerl*) clown (*infml*); ***ein eingebildeter ~*** a conceited ass (*infml*)

Affekt [a'fɛkt] *m* ⟨**-(e)s, -e**⟩ emotion; ***im ~ handeln*** to act in the heat of the moment **Affekthandlung** *f* act committed under the influence of emotion **affektiert** [afɛk'tiːɐt] (*pej*) **I** *adj* affected **II** *adv* affectedly **Affektiertheit** *f* ⟨**-, -en**⟩ affectation

affenartig *adj* ***mit ~er Geschwindigkeit*** (*infml*) like greased lightning (*infml*) **Affenhitze** *f* (*infml*) sweltering heat (*infml*) **Affenliebe** *f* blind adoration (*zu* of) **Affentempo** *nt* (*infml*) breakneck (*Br*) *or* neck-breaking (*US*) speed (*infml*) **Affentheater** *nt* (*infml*) carry-on (*infml*), fuss **Affenzahn** *m* (*infml*) → ***Affentempo*** **affig** ['afɪç] (*infml*) *adj* (≈ *eitel*) stuck-up (*infml*); (≈ *geziert*) affected; (≈ *lächerlich*) ridiculous **Äffin** ['ɛfɪn] *f* ⟨**-, -nen**⟩ female monkey; (≈ *Menschenäffin*) female ape

Afghane [af'gaːnə] *m* ⟨**-n, -n**⟩, **Afghanin** [-'gaːnɪn] *f* ⟨**-, -nen**⟩ Afghan **afghanisch** [af'gaːnɪʃ] *adj* Afghan **Afghanistan** [af'gaːnɪstaːn, -tan] *nt* ⟨**-s**⟩ Afghanistan

Afrika ['aːfrika, 'afrika] *nt* ⟨**-s**⟩ Africa **Afrikaner** [afri'kaːnɐ] *m* ⟨**-s, -**⟩, **Afrikanerin** [-ərɪn] *f* ⟨**-, -nen**⟩ African **afrikanisch** [afri'kaːnɪʃ] *adj* African

After ['aftɐ] *m* ⟨**-s, -**⟩ (*form*) anus

Aftershave ['aːftɐʃeːv] *nt* ⟨**-(s), -s**⟩ aftershave

AG [aː'geː] *f* ⟨**-, -s**⟩ *abbr of* ***Aktiengesellschaft*** ≈ plc (*Br*), ≈ corp. (*US*), ≈ inc. (*US*)

Ägäis [ɛ'gɛːɪs] *f* ⟨**-**⟩ Aegean (Sea) **ägäisch** [ɛ'gɛːɪʃ] *adj* Aegean

Agave [a'gaːvə] *f* ⟨**-, -n**⟩ agave

Agent [a'gɛnt] *m* ⟨**-en, -en**⟩, **Agentin** [a'gɛntɪn] *f* ⟨**-, -nen**⟩ agent; (≈ *Spion*) secret agent **Agentur** [agɛn'tuːɐ] *f* ⟨**-, -en**⟩ agency

Aggregat [agre'gaːt] *nt* ⟨**-(e)s, -e**⟩ GEOL aggregate; TECH unit, set of machines **Aggregatzustand** *m* state

Aggression [agrɛ'sioːn] *f* ⟨**-, -en**⟩ aggression (*gegen* towards) **aggressiv** [agrɛ'siːf] **I** *adj* aggressive **II** *adv* aggressively **Aggressivität** [agrɛsivi'tɛːt] *f* ⟨**-, -en**⟩ aggressivity **Aggressor** [a'grɛsoːɐ] *m*

⟨*-s, -*⟩, **Aggressorin** [-'soːrɪn] *f* ⟨*-, -nen*⟩ aggressor

agieren [a'giːrən] *past part* ***agiert*** *v/i* to act

Agitation [agita'tsioːn] *f* ⟨*-, -en*⟩ POL agitation **agitatorisch** [agita'toːrɪʃ] POL *adj* agitational; *Rede, Inhalt* inflammatory; ***sich ~ betätigen*** to be an agitator **agitieren** [agi'tiːrən] *past part* ***agitiert*** *v/i* to agitate

Agrarpolitik *f* agricultural policy

Ägypten [ɛ'gʏptn] *nt* ⟨*-s*⟩ Egypt **Ägypter** [ɛ'gʏptɐ] *m* ⟨*-s, -*⟩, **Ägypterin** [-ərɪn] *f* ⟨*-, -nen*⟩ Egyptian **ägyptisch** [ɛ'gʏptɪʃ] *adj* Egyptian

aha [a'haː, a'ha] *int* aha; (*verstehend auch*) I see **Aha-Effekt** [a'haː-, a'ha-] *m* aha effect **Aha-Erlebnis** [a'haː-, a'ha-] *nt* sudden insight

ahnden ['aːndn] *v/t Übertretung, Verstoß* to punish

ähneln ['ɛːnln] *v/i +dat* to resemble; ***sich*** *or* ***einander*** (*elev*) **~** to be alike *or* similar

ahnen ['aːnən] *v/t* to foresee; *Gefahr, Tod* to have a premonition of; (≈ *vermuten*) to suspect; (≈ *erraten*) to guess; ***das kann ich doch nicht ~!*** I couldn't be expected to know that!; ***nichts Böses ~*** to be unsuspecting; **(*ach*), *du ahnst es nicht!*** (*infml*) would you believe it! (*infml*)

Ahnenforschung *f* genealogy **Ahnengalerie** *f* ancestral portrait gallery

ähnlich ['ɛːnlɪç] **I** *adj* similar (*+dat* to); ***~ wie er/sie*** like him/her; ***~ wie vor 10 Jahren*** as 10 years ago; ***sie sind sich ~*** they are similar *or* alike; **(*etwas*) *Ähnliches*** something similar **II** *adv* ***~ kompliziert/intelligent*** just as complicated/intelligent; ***ich denke ~*** I feel the same way (about it); ***jdm ~ sehen*** to resemble sb; ***das sieht ihm (ganz) ~!*** (*infml*) that's just like him! **III** *prep +dat* similar to, like **Ähnlichkeit** *f* ⟨*-, -en*⟩ similarity (*mit* to)

Ahnung ['aːnʊŋ] *f* ⟨*-, -en*⟩ **1.** (≈ *Vorgefühl*) presentiment; (*düster*) premonition **2.** (≈ *Vorstellung, Wissen*) idea; (≈ *Vermutung*) suspicion, hunch; ***eine ~ von etw vermitteln*** to give an idea of sth; ***keine ~!*** (*infml*) no idea! (*infml*); ***hast du eine ~, wo er sein könnte?*** have you any idea where he could be? **ahnungslos** **I** *adj* (≈ *nichts ahnend*) unsuspecting; (≈ *unwissend*) clueless (*infml*) **II** *adv* unsuspectingly

Ahorn ['aːhɔrn] *m* ⟨*-s, -e*⟩ maple

Ähre ['ɛːrə] *f* ⟨*-, -n*⟩ (≈ *Getreideähre*) ear

Aids [eːds] *nt* ⟨*-, no pl*⟩ Aids **aidskrank** *adj* suffering from Aids **Aidskranke(r)** *m/f(m) decl as adj* Aids sufferer **Aidstest** *m* Aids test

Aikido [ai'kiːdo] *nt* ⟨*-s, no pl*⟩ aikido

Airbag ['ɛːɐbɛg] *m* ⟨*-s, -s*⟩ AUTO airbag

Akademie [akade'miː] *f* ⟨*-, -n* [-'miːən]⟩ academy; (≈ *Fachschule*) college, school **Akademiker** [aka'deːmikɐ] *m* ⟨*-s, -*⟩, **Akademikerin** [-ərɪn] *f* ⟨*-, -nen*⟩ (≈ *Hochschulabsolvent*) (university) graduate; (≈ *Universitätslehrkraft*) academic **akademisch** [aka'deːmɪʃ] *adj* academic; ***die ~e Jugend*** (the) students *pl*; ***~ gebildet sein*** to have (had) a university education

Akazie [a'kaːtsiə] *f* ⟨*-, -n*⟩ acacia

akklimatisieren [aklimati'ziːrən] *past part* ***akklimatisiert*** *v/r* to become acclimatized (*in +dat* to)

Akkord [a'kɔrt] *m* ⟨*-(e)s, -e* [-də]⟩ **1.** MUS chord **2.** (≈ *Stücklohn*) piece rate; ***im ~ arbeiten*** to do piecework **Akkordarbeit** *f* piecework **Akkordarbeiter(in)** *m/(f)* pieceworker

Akkordeon [a'kɔrdeɔn] *nt* ⟨*-s, -s*⟩ accordion

Akkordlohn *m* piece wages *pl*, piece rate

akkreditieren [akredi'tiːrən] *past part* ***akkreditiert*** *v/t Botschafter, Journalisten* to accredit (*bei* to, at) **Akkreditiv** [akredi'tiːf] *nt* ⟨*-s, -e* [-və]⟩ FIN letter of credit

Akku ['aku] *m* ⟨*-s, -s*⟩ (*infml*) *abbr of* ***Akkumulator*** **Akkumulator** [akumu'laːtoːɐ] *m* ⟨*-s, **Akkumulatoren*** [-'toːrən]⟩ accumulator **akkumulieren** [akumu'liːrən] *past part* ***akkumuliert*** *v/t, v/i, v/r* to accumulate

akkurat [aku'raːt] **I** *adj* precise **II** *adv* precisely, exactly

Akkusativ ['akuzatiːf] *m* ⟨*-s, -e* [-və]⟩ accusative **Akkusativobjekt** *nt* accusative object

Akne ['aknə] *f* ⟨*-, -n*⟩ acne

Akontozahlung [a'kɔnto-] *f* payment on account

Akribie [akri'biː] *f* ⟨*-, no pl*⟩ meticulousness **akribisch** [a'kriːbɪʃ] (*elev*) **I** *adj* meticulous, precise **II** *adv* meticulously

Akrobat [akro'baːt] *m* ⟨*-en, -en*⟩, **Akrobatin** [-'baːtɪn] *f* ⟨*-, -nen*⟩ acrobat **akro-**

batisch [akro'baːtɪʃ] *adj* acrobatic
Akronym [akro'nyːm] *nt* ⟨**-s, -e**⟩ acronym
Akt [akt] *m* ⟨**-(e)s, -e**⟩ **1.** act; (≈ *Zeremonie*) ceremony **2.** (ART ≈ *Aktbild*) nude **3.** (≈ *Geschlechtsakt*) sexual act **Aktbild** *nt* nude (picture *or* portrait)
Akte ['aktə] *f* ⟨**-, -n**⟩ file; ***etw zu den ~n legen*** to file sth away; (*fig*) *Fall etc* to drop sth **Aktendeckel** *m* folder **Aktenkoffer** *m* attaché case **aktenkundig** *adj* on record; ***~ werden*** to be put on record **Aktenmappe** *f* (≈ *Tasche*) briefcase; (≈ *Umschlag*) folder, file **Aktennotiz** *f* memo(randum) **Aktenordner** *m* file **Aktenschrank** *m* filing cabinet **Aktentasche** *f* briefcase **Aktenzeichen** *nt* reference
Aktfoto *nt* nude (photograph)
Aktie ['aktsiə] *f* ⟨**-, -n**⟩ share; ***die ~n fallen/steigen*** share prices are falling/rising; ***wie stehen die ~n?*** (*hum infml*) how are things? **Aktienfonds** *m* equity fund **Aktiengesellschaft** *f* ≈ public limited company (*Br*), ≈ corporation (*US*) **Aktienindex** *m* FIN share index **Aktienkapital** *nt* share capital **Aktienkurs** *m* share price **Aktienmarkt** *m* stock market
Aktion [ak'tsioːn] *f* ⟨**-, -en**⟩ action; (≈ *Kampagne*) campaign; (≈ *Werbeaktion*) promotion; ***in ~ treten*** to go into action
Aktionär [aktsio'nɛːɐ] *m* ⟨**-s, -e**⟩, **Aktionärin** [-'nɛːrɪn] *f* ⟨**-, -nen**⟩ shareholder, stockholder (*esp US*)
Aktionsradius *m* AVIAT, NAUT range, radius; (*fig* ≈ *Wirkungsbereich*) scope (for action)
aktiv [ak'tiːf, 'aktiːf] **I** *adj* active; ECON *Bilanz* positive **II** *adv* actively; ***sich ~ an etw*** (*dat*) ***beteiligen*** to take an active part in sth **Aktiv** ['aktiːf] *nt* ⟨**-s,** (*rare*) **-e** [-və]⟩ GRAM active **Aktiva** [ak'tiːva] *pl* assets *pl* **aktivieren** [akti'viːrən] *past part* ***aktiviert*** *v/t* SCI to activate; (*fig*) *Mitarbeiter* to get moving **Aktivist** [akti'vɪst] *m* ⟨**-en, -en**⟩, **Aktivistin** [-'vɪstɪn] *f* ⟨**-, -nen**⟩ activist **Aktivität** [aktivi'tɛːt] *f* ⟨**-, -en**⟩ activity **Aktivkohlefilter** *f* activated carbon filter **Aktivposten** *m* (*lit, fig*) asset **Aktivurlaub** *m* activity holiday (*esp Br*) *or* vacation (*US*)
Aktmodell *nt* nude model **Aktstudie** *f* nude study
aktualisieren [aktuali'ziːrən] *past part* ***aktualisiert*** *v/t* to make topical; *Datei* to update **Aktualität** [aktuali'tɛːt] *f* ⟨**-, -en**⟩ topicality **aktuell** [ak'tuɛl] *adj Thema* topical; *Problem, Theorie* current; *Mode, Stil* latest *attr*; ***von ~er Bedeutung*** of relevance to the present situation; ***eine ~e Sendung*** a current affairs programme (*Br*) *or* program (*US*)
Akupressur [akuprɛ'suːɐ] *f* ⟨**-, -en**⟩ acupressure **akupunktieren** [akupʊŋk'tiːrən] *past part* ***akupunktiert*** *v/t* to acupuncture **Akupunktur** [akupʊŋk'tuːɐ] *f* ⟨**-, -en**⟩ acupuncture
Akustik [a'kʊstɪk] *f* ⟨**-,** *no pl*⟩ (*von Gebäude etc*) acoustics *pl* **akustisch** [a'kʊstɪʃ] **I** *adj* acoustic **II** *adv* acoustically; ***ich habe dich rein ~ nicht verstanden*** I simply didn't catch what you said (properly)
akut [a'kuːt] **I** *adj* (MED, *fig*) acute **II** *adv* acutely
AKW [aːkaː'veː] *nt* ⟨**-s, -s**⟩ *abbr of* ***Atomkraftwerk***
Akzent [ak'tsɛnt] *m* ⟨**-(e)s, -e**⟩ accent; (≈ *Betonung, fig also*) stress; ***den ~ auf etw*** (*acc*) ***legen*** to stress sth **akzentfrei** *adj, adv* without any *or* an accent
akzeptabel [aktsɛp'taːbl] *adj* acceptable **Akzeptanz** [aktsɛp'tants] *f* ⟨**-,** *no pl*⟩ acceptance **akzeptieren** [aktsɛp'tiːrən] *past part* ***akzeptiert*** *v/t* to accept
Alabaster [ala'bastɐ] *m* ⟨**-s, -**⟩ alabaster
Alarm [a'larm] *m* ⟨**-(e)s, -e**⟩ alarm; ***~ schlagen*** to give *or* raise *or* sound the alarm **Alarmanlage** *f* alarm system **Alarmbereitschaft** *f* alert; ***in ~ sein*** *or* ***stehen*** to be on the alert **alarmieren** [alar'miːrən] *past part* ***alarmiert*** *v/t Polizei etc* to alert; (*fig* ≈ *beunruhigen*) to alarm; ***~d*** (*fig*) alarming **Alarmstufe** *f* alert stage **Alarmzustand** *m* alert; ***im ~ sein*** to be on the alert
Alaska [a'laska] *nt* ⟨**-s**⟩ Alaska
Albaner [al'baːnɐ] *m* ⟨**-s, -**⟩, **Albanerin** [-ərɪn] *f* ⟨**-, -nen**⟩ Albanian **Albanien** [al'baːniən] *nt* ⟨**-s**⟩ Albania **albanisch** [al'baːnɪʃ] *adj* Albanian
albern ['albɐn] **I** *adj* silly, stupid; ***~es Zeug*** (silly) nonsense **II** *adv klingen* silly; ***sich ~ benehmen*** to act silly **III** *v/i* to fool around **Albernheit** *f* ⟨**-, -en**⟩ **1.** *no pl* (≈ *albernes Wesen*) silliness **2.** (≈ *Tat*) silly prank; (≈ *Bemerkung*) inanity
Albtraum *m* nightmare
Album ['album] *nt* ⟨**-s, Alben** ['albn]⟩ album

Alge ['algə] *f* ⟨-, **-n**⟩ alga
Algebra ['algebra] *f* ⟨-, *no pl*⟩ algebra **algebraisch** [alge'bra:ɪʃ] *adj* algebraic(al)
Algenteppich *m* algae slick
Algerien [al'ge:riən] *nt* ⟨**-s**⟩ Algeria **Algerier** [al'ge:riɐ] *m* ⟨**-s, -**⟩, **Algerierin** [-iərɪn] *f* ⟨-, **-nen**⟩ Algerian **algerisch** [al'ge:rɪʃ] *adj* Algerian
alias ['a:lias] *adv* alias, also *or* otherwise known as
Alibi ['a:libi] *nt* ⟨**-s, -s**⟩ (JUR, *fig*) alibi **Alibifrau** *f* token woman **Alibifunktion** *f* **~ *haben*** (*fig*) to be used as an alibi
Alimente [ali'mɛntə] *pl* maintenance *sg*
alkalisch [al'ka:lɪʃ] *adj* alkaline
Alki ['alki] *m* ⟨**-s, -s**⟩ (*sl*) alkie (*infml*)
Alkohol ['alkoho:l, alko'ho:l] *m* ⟨**-s, -e**⟩ alcohol; ***unter ~ stehen*** to be under the influence (of alcohol *or* drink) **alkoholabhängig** *adj* alcohol-dependent; ***~ sein*** to be an alcoholic **alkoholarm** *adj* low in alcohol (content) **Alkoholeinfluss** *m* influence of alcohol *or* drink **alkoholfrei** *adj* nonalcoholic **Alkoholgehalt** *m* alcohol(ic) content **Alkoholgenuss** *m* consumption of alcohol **alkoholhaltig** *adj* alcoholic **Alkoholiker** [alko'ho:likɐ] *m* ⟨**-s, -**⟩, **Alkoholikerin** [-ərɪn] *f* ⟨-, **-nen**⟩ alcoholic **alkoholisch** [alko'ho:lɪʃ] *adj* alcoholic **alkoholisiert** [alkoholi'zi:ɐt] *adj* (≈ *betrunken*) inebriated **Alkoholismus** [alkoho'lɪsmʊs] *m* ⟨-, *no pl*⟩ alcoholism **Alkoholkonsum** [-kɔnzu:m] *m* consumption of alcohol **Alkoholkontrolle** *f* roadside breath test **alkoholkrank** *adj* alcoholic; ***~ sein*** to be an alcoholic **Alkoholmissbrauch** *m* alcohol abuse **Alkoholspiegel** *m* ***jds ~*** the level of alcohol in sb's blood **alkoholsüchtig** *adj* addicted to alcohol **Alkoholsünder(in)** *m*/(*f*) (*infml*) drunk(en) driver **Alkoholtest** *m* breath test **Alkoholverbot** *nt* ban on alcohol **Alkoholvergiftung** *f* alcohol(ic) poisoning
All [al] *nt* ⟨**-s**, *no pl*⟩ SCI, SPACE space *no art*
allabendlich *adj* (which takes place) every evening; ***der ~e Spaziergang*** the regular evening walk
alle ['alə] **I** *pron* → ***alle(r, s)*** **II** *adv* (*infml*) all gone; ***die Milch ist ~*** there's no milk left; ***etw/jdn ~ machen*** (*infml*) to finish sth/sb off **alledem** [alə'de:m] *pron* ***trotz ~*** in spite of all that
Allee [a'le:] *f* ⟨-, **-n** [-'le:ən]⟩ avenue
Allegorie [alego'ri:] *f* ⟨-, **-n** [-'ri:ən]⟩ allegory
allein [a'lain] **I** *adj pred* alone; (≈ *einsam*) lonely; ***von ~*** by oneself/itself; ***auf sich*** (*acc*) ***~ angewiesen sein*** to be left to cope on one's own **II** *adv* (≈ *nur*) alone; ***~ schon der Gedanke*** the very *or* mere thought ...; → ***alleinerziehend, alleinstehend*** **Alleinerbe** *m*, **Alleinerbin** *f* sole heir **alleinerziehend** *adj Mutter, Vater* single **Alleinerziehende(r)** [-|ɛɐtsi:əndə] *m*/*f*(*m*) *decl as adj* single parent **Alleingang** *m*, *pl* **-gänge** ***etw im ~ machen*** to do sth on one's own **alleinig** [a'lainɪç] *adj attr* sole, only **Alleinsein** *nt* being on one's own *no def art*, solitude; (≈ *Einsamkeit*) loneliness **alleinstehend** *adj* living alone *or* on one's own **Alleinstehende(r)** [-ʃte:əndə] *m*/*f*(*m*) *decl as adj* single person **Alleinunterhalter(in)** *m*/(*f*) solo entertainer **Alleinverdiener(in)** *m*/(*f*) sole (wage) earner
allemal ['alə'ma:l] *adv* every *or* each time; (≈ *ohne Schwierigkeit*) without any problem; → ***Mal***[2]
allenfalls ['alən'fals, 'alənfals] *adv* (≈ *nötigenfalls*) if need be; (≈ *höchstens*) at most; (≈ *bestenfalls*) at best
aller- ['alɐ] *in cpds with sup* (*zur Verstärkung*) by far
alle(r, s) ['alə] **I** *indef pr* **1.** *attr* all; ***~ Anwesenden/Beteiligten/Betroffenen*** all those present/taking part/affected; ***trotz ~r Mühe*** in spite of every effort; ***ohne ~n Grund*** for no reason at all **2. alles** *sg* everything; ***das ~s*** all that; ***~s Schöne*** everything beautiful; (***ich wünsche dir***) ***~s Gute*** (I wish you) all the best; ***~s in ~m*** all in all; ***trotz ~m*** in spite of everything; ***über ~s*** above all else; (≈ *mehr als alles andere*) more than anything else; ***vor ~m*** above all; ***das ist ~s*** that's all, that's it (*infml*); ***das ist ~s andere als ...*** that's anything but ...; ***was soll das ~s?*** what's all this supposed to mean?; ***was er (nicht) ~s weiß/kann!*** the things he knows/can do! **3. alle** *pl* all; ***die haben mir ~ nicht gefallen*** I didn't like any of them; ***~ beide*** both of them; ***sie kamen ~*** all of them came; ***~ fünf Minuten*** every five minutes **II** *adv* → ***alle***
allerbeste(r, s) ['alɐ'bɛstə] *adj* very best; ***der/die/das Allerbeste*** the best of all al-

lerdings ['alɐ'dɪŋs] *adv* (*einschränkend*) though; **~!** (most) certainly! **allererste(r, s)** ['alɐ'|eːɐstə] *adj* very first

Allergen [alɛr'geːn] *nt* ⟨**-s, -e**⟩ MED allergen **Allergie** [alɛr'giː] *f* ⟨**-, -n** [-'giːən]⟩ MED allergy; (*fig*) aversion (*gegen* to); ***eine ~ gegen etw haben*** to be allergic to sth (*also fig hum*) **Allergiker** [a'lɛrgikɐ] *m* ⟨**-s, -**⟩, **Allergikerin** [-ərɪn] *f* ⟨**-, -nen**⟩ person suffering from an allergy **allergisch** [a'lɛrgɪʃ] **I** *adj* (MED, *fig*) allergic (*gegen* to) **II** *adv* ***auf etw*** (*acc*) ***~ reagieren*** to have an allergic reaction to sth

allerhand ['alɐ'hant] *adj inv* all kinds of things; ***das ist ~!*** (*zustimmend*) that's quite something!; ***das ist ja*** *or* ***doch ~!*** (*empört*) that's too much! **Allerheiligen** ['alɐ'hailɪgn] *nt* ⟨**-s**⟩ All Saints' Day **allerhöchstens** ['alɐ'høːçstns] *adv* at the very most **allerlei** ['alɐ'lai] *adj inv* all sorts *or* kinds of **allerletzte(r, s)** ['alɐ'lɛtstə] *adj* very last; (≈ *allerneueste*) very latest; ***der/das ist (ja) das Allerletzte*** (*infml*) he's/it's the absolute end! (*infml*) **allerliebste(r, s)** ['alɐ'liːpstə] *adj* (≈ *Lieblings-*) most favourite *attr* (*Br*) *or* favorite *attr* (*US*) **allermeiste(r, s)** ['alɐ'maistə] *adj* most ... of all **allerneueste(r, s)** ['alɐ'nɔyəstə] *adj* very latest **Allerseelen** ['alɐ'zeːlən] *nt* ⟨**-s**⟩ All Souls' Day **allerseits** ['alɐ'zaits] *adv* on all sides; ***guten Abend ~!*** good evening everybody **Allerwelts-** ['alɐ'vɛlts] *in cpds* (≈ *Durchschnitts-*) ordinary; (≈ *nichtssagend*) general **allerwenigste(r, s)** ['alɐ'veːnɪçstə] *adj* least ... of all; (*pl*) fewest of all, fewest ... of all

alles ['aləs] *indef pr* → ***alle(r, s)***

allesamt ['alə'zamt] *adv* all (of them/us *etc*), to a man

Alleskleber [-kleːbɐ] *m* ⟨**-s, -**⟩ all-purpose adhesive *or* glue **Allesschneider** *m* food-slicer

allgegenwärtig [al'geːgnvɛrtɪç] *adj* omnipresent

allgemein ['algə'main] **I** *adj* general; *Feiertag* public; *Regelungen, Wahlrecht* universal; *Wehrpflicht* compulsory; ***im Allgemeinen*** in general, generally; ***im ~en Interesse*** in the common interest; ***von ~em Interesse*** of general interest **II** *adv* generally; (≈ *ausnahmslos von allen*) universally; ***es ist ~ bekannt*** it's common knowledge; ***~ verständlich*** generally intelligible; ***~ verbreitet*** widespread; ***~ zugänglich*** open to all; → ***allgemeinbildend*** **Allgemeinarzt** *m*, **Allgemeinärztin** *f* ≈ general *or* (*US*) family practitioner **Allgemeinbefinden** *nt* general condition **allgemeinbildend** *adj* providing (a) general education **Allgemeinbildung** *f* general education **Allgemeingut** *nt, no pl* (*fig*) common property **Allgemeinheit** *f* ⟨**-, -en**, *no pl*⟩ (≈ *Öffentlichkeit*) general public **Allgemeinmedizin** *f* general medicine **Allgemeinmediziner(in)** *m*/(*f*) MED ≈ general practitioner, ≈ GP, ≈ family practitioner (*US*) **allgemeinverständlich** *adj* → ***allgemein*** **Allgemeinwissen** *nt* general knowledge **Allgemeinwohl** *nt* public welfare

Allheilmittel [al'hailmɪtl] *nt* cure-all

Allianz [a'liants] *f* ⟨**-, -en**⟩ **1.** alliance **2.** (≈ *NATO*) Alliance

Alligator [ali'gaːtoːɐ] *m* ⟨**-s, Alligatoren** [-'toːrən]⟩ alligator

alliiert [ali'iːɐt] *adj attr* allied; (*im 2. Weltkrieg*) Allied **Alliierte(r)** [ali'iːɐtə] *m*/*f*(*m*) *decl as adj* ally **alljährlich** ['al'jɛːɐlɪç] **I** *adj* annual, yearly **II** *adv* annually, yearly

Allmacht ['almaxt] *f* (*esp von Gott*) omnipotence **allmächtig** [al'mɛçtɪç] *adj* all-powerful; *Gott auch* almighty

allmählich [al'mɛːlɪç] **I** *adj attr* gradual **II** *adv* gradually; ***es wird ~ Zeit*** (*infml*) it's about time

allmonatlich ['al'moːnatlɪç] *adj, adv* monthly

Allradantrieb ['alraːt-] *m* AUTO four-wheel drive

Allround- ['ɔːl'raund] *in cpds* all-round (*Br*), all-around (*US*)

allseitig ['alzaitɪç] *adj* (≈ *allgemein*) general; (≈ *ausnahmslos*) universal **allseits** ['alzaits] *adv* (≈ *überall*) everywhere; (≈ *in jeder Beziehung*) in every respect; ***~ beliebt/unbeliebt*** universally popular/unpopular

Alltag ['altaːk] *m* (*fig*) ***im ~*** in everyday life **alltäglich** ['al'tɛːklɪç, 'altɛːklɪç, al'tɛːklɪç] *adj* daily; (≈ *üblich*) ordinary; ***es ist ganz ~*** it's nothing unusual **Alltags-** ['altaːks-] *in cpds* everyday

Allüren [a'lyːrən] *pl* (≈ *geziertes Verhalten*) affectations *pl*; (*eines Stars etc*) airs and graces *pl*

allwissend ['al'vɪsnt] *adj* omniscient

allwöchentlich ['al'vœçntlɪç] **I** *adj* weekly **II** *adv* every week

allzu ['altsuː] *adv* all too; **~ viele Fehler** far too many mistakes; **~ früh** far too early; **~ sehr** too much; *mögen* all too much; *sich ärgern, enttäuscht sein* too; **~ viel** too much; **~ viel ist ungesund** (*prov*) you can have too much of a good thing (*prov*)

Allzweckreiniger *m* multipurpose cleaner

Alm [alm] *f* ⟨**-, -en**⟩ alpine pasture

Almosen ['almoːzn] *nt* ⟨**-s, -**⟩ **1.** (*elev* ≈ *Spende*) alms *pl* (*old*) **2.** (≈ *geringer Lohn*) pittance

Alp [alp] *f* ⟨**-, -en**⟩ (≈ *Alm*) alpine pasture

Alpen ['alpn] *pl* Alps *pl* **Alpenland** *nt* alpine country **Alpenrose** *f* Alpine rose *or* rhododendron **Alpenvorland** *nt* foothills *pl* of the Alps

Alphabet [alfa'beːt] *nt* ⟨**-(e)s, -e**⟩ alphabet **alphabetisch** [alfa'beːtɪʃ] **I** *adj* alphabetical **II** *adv* alphabetically **alphanumerisch** [alfanu'meːrɪʃ] *adj* alphanumeric

alpin [al'piːn] *adj* alpine (*auch* SKI) **Alpinist** [alpi'nɪst] *m* ⟨**-en, -en**⟩, **Alpinistin** [-'nɪstɪn] *f* ⟨**-, -nen**⟩ alpinist

Alptraum *m* → ***Albtraum***

als [als] *cj* **1.** (*nach comp*) than; **ich kam später ~ er** I came later than he (did) *or* him **2.** (*bei Vergleichen*) **so ... ~ ...** as ... as ...; **so viel/so weit ~ möglich** as much/far as possible; **eher** *or* **lieber ... ~** rather ... than; **alles andere ~** anything but **3. ~ ob ich das nicht wüsste!** as if I didn't know! **4. damals, ~** (in the days) when; **gerade, ~** just as **5. ~ Beweis** as proof; **~ Antwort/Warnung** as an answer/a warning; **~ Kind/Mädchen** *etc* as a child/girl *etc*

also ['alzo] **I** *cj* (≈ *folglich*) so, therefore **II** *adv* so; **~ doch** so ... after all; **du machst es ~?** so you'll do it then? **III** *int* well; **~ doch!** so he/they *etc* did!; **na ~!** there you are!, you see?; **~ gut** *or* **schön** well all right then; **~ so was!** well (I never)!

Alsterwasser ['alstɐ-] *nt*, *pl* **-wässer** (*N Ger*) shandy (*Br*), radler (*US*), beer and lemonade

alt [alt] *adj*, *comp* **⸚er** ['ɛltɐ], *sup* **⸚este(r, s)** ['ɛltəstə] **1.** old; *Mythos, Griechen* ancient; *Sprachen* classical; **das ~e Rom** ancient Rome; **Alt und Jung** (everybody) old and young; **ein drei Jahre ~es Kind** a three-year-old child; **wie ~ bist du?** how old are you?; **hier werde ich nicht ~** (*infml*) this isn't my scene (*infml*); **in ~er Freundschaft, Dein ...** yours as ever ...; **~ aussehen** (*infml* ≈ *dumm dastehen*) to look stupid **2.** (≈ *dieselbe, gewohnt*) same old

Alt[1] [alt] *m* ⟨**-s, -e**⟩ MUS alto

Alt[2] *nt* ⟨**-s, -**⟩ (≈ *Bier*) *top-fermented German dark beer*

Altar [al'taːɐ] *m* ⟨**-s, Altäre** [-'tɛːrə]⟩ altar

altbacken [-bakn] *adj* **1.** stale **2.** (*fig*) old-fashioned **Altbau** *m*, *pl* **-bauten** old building **Altbauwohnung** *f* flat (*Br*) *or* apartment in an old building **Altbundeskanzler(in)** *m/(f)* former German/Austrian Chancellor **altdeutsch** *adj* old German **Alte** ['altə] *f decl as adj* (≈ *alte Frau*) old woman; (*infml* ≈ *Vorgesetzte*) boss **Alteisen** *nt* scrap metal **altenglisch** *adj* old English **Altenheim** *nt* old people's home **Altenhilfe** *f* old people's welfare **Altenpfleger(in)** *m/(f)* old people's nurse **Alte(r)** ['altə] *m decl as adj* (≈ *alter Mann*) old man; (*infml* ≈ *Vorgesetzter*) boss; **die ~n** (≈ *Eltern*) the folk(s) *pl* (*infml*) **Alter** ['altɐ] *nt* ⟨**-s, -**⟩ age; **im ~** in one's old age; **in deinem ~** at your age; **er ist in deinem ~** he's your age; **im ~ von 18 Jahren** at the age of 18 **älter** ['ɛltɐ] *adj* older; (≈ *nicht ganz jung*) elderly; **die ~en Herrschaften** the older members of the party **altern** ['altɐn] *v/i aux sein or* (*rare*) *haben* to age; (*Wein*) to mature; **~d** ageing

alternativ [altɛrna'tiːf] *adj* alternative **Alternative** [altɛrna'tiːvə] *f* ⟨**-n, -n**⟩ alternative **Alternativmedizin** *f* alternative medicine

altersbedingt *adj* age-related **Altersbeschwerden** *pl* complaints *pl* of old age **Alterserscheinung** *f* sign of old age **Altersgenosse** *m*, **Altersgenossin** *f* contemporary **Altersgrenze** *f* age limit; (≈ *Rentenalter*) retirement age **Altersgründe** *pl* **aus ~n** for reasons of age **Altersgruppe** *f* age group **Altersheim** *nt* old people's home **Altersklasse** *f* age group **Altersrente** *f* old age pension **altersschwach** *adj Mensch* old and infirm; *Auto, Möbel etc* decrepit **Altersschwäche** *f* (*von Mensch*) infirmity **Altersteilzeit** *f semi-retirement* **Altersunterschied** *m* age difference **Altersversorgung** *f* provision for (one's) old age; **betriebliche ~** ≈ company pension scheme **Altersvorsorge** *f* old-age provision

Altertum ['altɐtuːm] *nt* ⟨*-s, no pl*⟩ antiquity *no art* **altertümlich** ['altɐtyːmlɪç] *adj* (≈ *aus dem Altertum*) ancient; (≈ *veraltet*) antiquated

Ältestenrat *m* council of elders **älteste(r, s)** ['ɛltəstə] *adj* oldest

Altglas *nt, no pl* waste glass **Altglascontainer** *m* bottle bank **altgriechisch** *adj* ancient Greek **althergebracht** *adj* traditional; *Tradition* long-established **althochdeutsch** *adj* Old High German

Altistin [-'tɪstɪn] *f* ⟨*-, -nen*⟩ MUS alto

altjüngferlich [alt'jʏŋfɐlɪç] *adj* old-maidish, spinsterish **Altkanzler(in)** *m/(f)* former chancellor **altklug** *adj* precocious **Altlast** *f usu pl* (*Ökologie*) dangerous waste (*accumulated over the years*); (≈ *Fläche*) contaminated area; (*fig*) burden, inherited problem **Altmaterial** *nt* scrap **Altmetall** *nt* scrap metal **altmodisch** *adj* old-fashioned **Altöl** *nt* used oil **Altpapier** *nt* wastepaper **Altsein** *nt* being old *no art* **Altstadt** *f* old town

Altstimme *f* MUS alto

Alt-Taste *f* IT Alt key

Altweibersommer *m* Indian summer

Aludose *f* aluminium (*Br*) *or* aluminum (*US*) can, tin can **Alufolie** *f* tin *or* kitchen foil **Aluminium** [alu'miːniʊm] *nt* ⟨*-s, no pl*⟩ aluminium (*Br*), aluminum (*US*)

Alzheimerkrankheit *f* Alzheimer's (disease)

am [am] *prep* ***er war am tapfersten*** he was (the) bravest; ***am seltsamsten war ...*** the strangest thing was ...; (*als Zeitangabe*) on; ***am letzten Sonntag*** last Sunday; ***am 8. Mai*** on the eighth of May; ***am Morgen/Abend*** in the morning/evening

Amaryllis [ama'rʏlɪs] *f* ⟨*-, **Amaryllen*** [-lən]⟩ amaryllis

Amateur [ama'tøːɐ] *m* ⟨*-s, -e*⟩, **Amateurin** [-'tøːrɪn] *f* ⟨*-, -nen*⟩ amateur **amateurhaft** [ama'tøːɐ-] *adj* amateurish

Ambiente [am'biɛntə] *nt* ⟨*-, no pl*⟩ (*elev*) ambience

Ambition [ambi'tsioːn] *f* ⟨*-, -en*⟩ ambition; ***~en auf etw*** (*acc*) ***haben*** to have ambitions of getting sth

ambivalent [ambiva'lɛnt] *adj* ambivalent

Amboss ['ambɔs] *m* ⟨*-es, -e*⟩ anvil

ambulant [ambu'lant] **I** *adj* MED outpatient *attr*; ***~e Patienten*** outpatients **II** *adv* ***~ behandelt werden*** (*Patient*) to be treated as an outpatient **Ambulanz** [ambu'lants] *f* ⟨*-, -en*⟩ **1.** (≈ *Klinikstation*) outpatient department **2.** (≈ *Ambulanzwagen*) ambulance

Ameise ['aːmaizə] *f* ⟨*-, -n*⟩ ant **Ameisenbär** *m* anteater; (*größer*) giant anteater **Ameisenhaufen** *m* anthill

amen ['aːmən] *int* amen **Amen** ['aːmən] *nt* ⟨*-s, -*⟩ amen; ***das ist so sicher wie das ~ in der Kirche*** (*prov*) you can bet your bottom dollar on that (*infml*)

Amerikaner [ameri'kaːnɐ] *m* ⟨*-s, -*⟩, **Amerikanerin** [-ərɪn] *f* ⟨*-, -nen*⟩ American **amerikanisch** [ameri'kaːnɪʃ] *adj* American **Amerikanismus** [amerika'nɪsmʊs] *m* ⟨*-, **Amerikanismen*** [-mən]⟩ Americanism

Ami ['ami] *m* ⟨*-s, -s*⟩ (*infml*) Yank (*infml*)

Aminosäure [a'miːno-] *f* amino acid

Ammann ['aman] *m, pl* ***-männer*** (*Swiss*) mayor

Ammenmärchen *nt* fairy tale *or* story

Amnestie [amnɛs'tiː] *f* ⟨*-, -n* [-'tiːən]⟩ amnesty **amnestieren** [amnɛs'tiːrən] *past part* ***amnestiert*** *v/t* to grant an amnesty to

Amöbe [a'møːbə] *f* ⟨*-, -n*⟩ amoeba

Amok ['aːmɔk, a'mɔk] *m* ***~ laufen*** to run amok (*esp Br*) *or* amuck; ***~ fahren*** to drive like a madman *or* lunatic **Amokfahrt** *f* mad *or* crazy ride **Amokschütze** *m* crazed gunman

amortisieren [amɔrti'ziːrən] *past part* ***amortisiert*** *v/r* to pay for itself

Ampel ['ampl] *f* ⟨*-, -n*⟩ (≈ *Verkehrsampel*) (traffic) lights *pl* **Ampelanlage** *f* (set of) traffic lights *pl* **Ampelphase** *f* traffic light sequence

Amphetamin [amfeta'miːn] *nt* ⟨*-s, -e*⟩ amphetamine

Amphibie [am'fiːbiə] *f* ⟨*-, -n*⟩ ZOOL amphibian **Amphibienfahrzeug** *nt* amphibious vehicle

Ampulle [am'pʊlə] *f* ⟨*-, -n*⟩ (≈ *Behälter*) ampoule

Amputation [amputa'tsioːn] *f* ⟨*-, -en*⟩ amputation **amputieren** [ampu'tiːrən] *past part* ***amputiert*** *v/t* to amputate **Amputierte(r)** [ampu'tiːɐtə] *m/f(m) decl as adj* amputee

Amsel ['amzl] *f* ⟨*-, -n*⟩ blackbird

Amt [amt] *nt* ⟨*-(e)s, ¨er* ['ɛmtɐ]⟩ **1.** (≈

Stelle) post (*Br*), position; (*öffentlich*) office; ***von ~s wegen*** (≈ *aufgrund von jds Beruf*) because of one's job **2.** (≈ *Aufgabe*) duty, task **3.** (≈ *Behörde*) office; ***zum zuständigen ~ gehen*** to go to the relevant authority; ***von ~s wegen*** (≈ *auf behördliche Anordnung hin*) officially **amtieren** [am'tiːrən] *past part* **amtiert** *v/i* to be in office; ***~d*** incumbent; ***der ~de Weltmeister*** the reigning world champion; ***er amtiert als Bürgermeister*** he is acting mayor **amtlich** ['amtlɪç] *adj* official; ***~es Kennzeichen*** registration (number), license number (*US*) **Amtsantritt** *m* assumption of office **Amtsblatt** *nt* gazette **Amtsdauer** *f* term of office **Amtsgeheimnis** *nt* (≈ *geheime Sache*) official secret; (≈ *Schweigepflicht*) official secrecy **Amtsgericht** *nt* ≈ county (*Br*) *or* district (*US*) court **Amtshandlung** *f* official duty; ***seine erste ~ bestand darin, ...*** the first thing he did in office was ... **Amtshilfe** *f* cooperation between authorities **Amtsmissbrauch** *m* abuse of one's position **Amtsperiode** *f* term of office **Amtsrichter(in)** *m/(f)* ≈ county (*Br*) *or* district (*US*) court judge **Amtsschimmel** *m* (*hum*) officialdom **Amtsvorgänger(in)** *m/(f)* predecessor (in office) **Amtsweg** *m* official channels *pl*; ***den ~ beschreiten*** to go through the official channels **Amtszeit** *f* period of office

Amulett [amu'lɛt] *nt* ⟨***-(e)s, -e***⟩ amulet, charm

amüsant [amy'zant] **I** *adj* amusing **II** *adv* amusingly **amüsieren** [amy'ziːrən] *past part* **amüsiert** **I** *v/t* to amuse; ***was amüsiert dich denn so?*** what do you find so amusing *or* funny? **II** *v/r* to enjoy oneself; ***sich über etw*** (*acc*) ***~*** to find sth funny; (*unfreundlich*) to make fun of sth; ***amüsiert euch gut*** have fun **Amüsierviertel** *nt* nightclub district

an [an] **I** *prep +dat* **1.** (*räumlich*: *wo?*) at; (≈ *an etw dran*) on; ***an der Tür/Wand*** on the door/wall; ***Frankfurt an der Oder*** Frankfurt on (the) Oder; ***zu nahe an etw stehen*** to be too near to sth; ***unten am Fluss*** down by the river; ***Haus an Haus*** one house after the other; ***an etw vorbeigehen*** to go past sth **2.** (*zeitlich*) on; ***an diesem Abend*** (on) that evening; ***am Tag zuvor*** the day before, the previous day; → ***am*** **3.** (*fig*) ***was haben Sie an Weinen da?*** what wines do you have?; ***unübertroffen an Qualität*** unsurpassed in quality; ***es ist an ihm, etwas zu tun*** it's up to him to do something **II** *prep +acc* **1.** (*räumlich*: *wohin?*) to; ***etw an die Wand/Tafel schreiben*** to write sth on the wall/blackboard; ***er ging ans Fenster*** he went (over) to the window; ***bis an mein Lebensende*** to the end of my days **2.** (*fig*) ***ich habe eine Bitte/Frage an Sie*** I have a request to make of you/a question to ask you; ***an*** (***und für***) ***sich*** actually **III** *adv* **1.** (≈ *ungefähr*) ***an*** (***die***) ***hundert*** about a hundred **2.** (*Ankunftszeit*) ***Frankfurt an: 18.30 Uhr*** arriving Frankfurt 18.30 **3.** ***von heute an*** from today onwards **4.** (*infml* ≈ *angeschaltet*, *angezogen*) on; ***Licht an!*** lights on!; ***ohne etwas an*** with nothing on

Anabolikum [ana'boːlikʊm] *nt* ⟨***-s, Anabolika*** [-ka]⟩ anabolic steroid

anal [a'naːl] *adj* PSYCH, ANAT anal

analog [ana'loːk] **I** *adj* **1.** analogous (*+dat*, *zu* to) **2.** TEL analogue (*Br*), analog (*US*) **3.** IT analog **II** *adv* TEL, IT in analogue (*Br*) *or* analog format **Analogie** [analo'giː] *f* ⟨***-, -n*** [-'giːən]⟩ analogy

Analphabet [an|alfa'beːt, 'an-] *m* ⟨***-en, -en***⟩, **Analphabetin** [-'beːtɪn] *f* ⟨***-, -nen***⟩ illiterate (person) **Analphabetismus** [an|alfabe'tɪsmʊs] *m* ⟨***-***, *no pl*⟩ illiteracy

Analverkehr *m* anal intercourse

Analyse [ana'lyːzə] *f* ⟨***-, -n***⟩ analysis (*auch* PSYCH) **analysieren** [analy'ziːrən] *past part* **analysiert** *v/t* to analyze **Analyst** [ana'lʏst] *m* ⟨***-en, -en***⟩, **Analystin** [-'lʏstɪn] *f* ⟨***-, -nen***⟩ ST EX investment analyst **Analytiker** [ana'lyːtikɐ] *m* ⟨***-s, -***⟩, **Analytikerin** [-ərɪn] *f* ⟨***-, -nen***⟩ analyst; (≈ *analytisch Denkender*) analytical thinker **analytisch** [ana'lyːtɪʃ] *adj* analytical

Anämie [anɛ'miː] *f* ⟨***-, -n*** [-'miːən]⟩ anaemia (*Br*), anemia (*US*)

Ananas ['ananas] *f* ⟨***-***, ***-*** *or* ***-se***⟩ pineapple

Anarchie [anar'çiː] *f* ⟨***-, -n*** [-'çiːən]⟩ anarchy **Anarchismus** [anar'çɪsmʊs] *m* ⟨***-***, *no pl*⟩ anarchism **Anarchist** [anar'çɪst] *m* ⟨***-en, -en***⟩, **Anarchistin** [-'çɪstɪn] *f* ⟨***-, -nen***⟩ anarchist **anarchistisch** [anar'çɪstɪʃ] *adj* anarchistic

Anästhesie [an|ɛste'ziː] *f* ⟨***-, -n*** [-'ziːən]⟩ anaesthesia (*Br*), anesthesia (*US*) **An-**

ästhesịst [an|εste'zɪst] *m* ⟨**-en, -en**⟩, **Anästhesịstin** [-'zɪstɪn] *f* ⟨**-, -nen**⟩ anaesthetist (*Br*), anesthesiologist (*US*)

Anatomi̲e [anato'miː] *f* ⟨**-, -n** [-'miːən]⟩ anatomy **anato̲misch** [ana'toːmɪʃ] *adj* anatomical

ạnbahnen *sep* **I** *v/t* to initiate **II** *v/r* (≈ *sich andeuten*) to be in the offing; (*Unangenehmes*) to be looming

Ạnbau[1] *m, no pl* (≈ *Anpflanzung*) cultivation

Ạnbau[2] *m, pl* **-bauten** (≈ *Nebengebäude*) extension **ạnbauen** *sep v/t* **1.** to cultivate; (≈ *anpflanzen*) to plant **2.** BUILD to add, to build on **Ạnbaufläche** *f* (area of) cultivable land; (≈ *bebaute Ackerfläche*) area under cultivation **Ạnbaugebiet** *nt* cultivable area **Ạnbaumöbel** *pl* unit furniture **Ạnbauschrank** *m* cupboard unit

ạnbehalten *past part* **ạnbehalten** *v/t sep irr* to keep on

anbe̲i [an'bai, 'anbai] *adv* (*form*) enclosed; **~ schicken wir Ihnen ...** please find enclosed ...

ạnbeißen *sep irr* **I** *v/i* (*Fisch*) to bite; (*fig*) to take the bait **II** *v/t Apfel etc* to bite into; ***ein angebissener Apfel*** a half-eaten apple; ***sie sieht zum Anbeißen aus*** (*infml*) she looks good enough to eat

ạnbeten *v/t sep* to worship **Ạnbetung** ['anbeːtʊŋ] *f* ⟨**-,** (*rare*) **-en**⟩ worship

Ạnbetracht *m* ***in ~*** (+*gen*) in consideration *or* view of

ạnbiedern ['anbiːdɐn] *v/r sep* (*pej*) ***sich (bei jdm) ~*** to try to get pally (with sb) (*infml*)

ạnbieten *sep irr* **I** *v/t* to offer **II** *v/r* (*Mensch*) to offer one's services; (*Gelegenheit*) to present itself **Ạnbieter(in)** *m/(f)* supplier

ạnbinden *v/t sep irr* (≈ *festbinden*) to tie (up) (*an* +*Dat od Akk to*); ***jdn ~*** (*fig*) to tie sb down; → ***angebunden***

Ạnblick *m* sight; ***beim ersten ~*** at first sight; ***beim ~ des Hundes*** when he *etc* saw the dog **ạnblicken** *v/t sep* to look at

ạnblinzeln *v/t sep* **1.** (≈ *blinzelnd ansehen*) to squint at **2.** (≈ *zublinzeln*) to wink at

ạnbraten *v/t sep irr* to brown; *Steak etc* to sear

ạnbrechen *sep irr* **I** *v/t Packung, Flasche etc* to open; *Vorrat* to broach; *Ersparnisse* to break into; → ***angebrochen*** **II** *v/i aux sein* (*Epoche etc*) to dawn; (*Nacht*) to fall; (*Jahreszeit*) to begin

ạnbrennen *v/i sep irr aux sein* (*Essen*) to get burned; (*Stoff*) to get scorched; ***nichts ~ lassen*** (*infml*) (≈ *keine Zeit verschwenden*) to be quick; (≈ *sich nichts entgehen lassen*) not to miss out on anything; → ***angebrannt***

ạnbringen *v/t sep irr* **1.** (≈ *befestigen*) to fix, to fasten (*an* +*dat* (on)to); (≈ *aufstellen, aufhängen*) to put up **2.** (≈ *äußern*) to make (*bei* to); *Kenntnisse, Wissen* to display; *Argument* to use; → ***angebracht*** **3.** (≈ *hierherbringen*) to bring (with one)

Ạnbruch *m, no pl* (*elev* ≈ *Anfang*) beginning; (*von Zeitalter, Epoche*) dawn(ing)

ạnbrüllen *sep v/t* (*infml*: *Mensch*) to shout *or* bellow at

Ạndacht ['andaxt] *f* ⟨**-, -en**⟩ (≈ *Gottesdienst*) prayers *pl* **ạndächtig** ['andεçtɪç] **I** *adj* **1.** (*im Gebet*) in prayer **2.** (≈ *versunken*) rapt **II** *adv* (≈ *inbrünstig*) raptly

ạndauern *v/i sep* to continue; (≈ *anhalten*) to last **ạndauernd** **I** *adj* (≈ *ständig*) continuous; (≈ *anhaltend*) continual **II** *adv* constantly

Ạnden ['andn] *pl* Andes *pl*

Ạndenken ['andεŋkn] *nt* ⟨**-s, -**⟩ **1.** *no pl* memory; ***zum ~ an jdn*** in memory of sb **2.** (≈ *Reiseandenken*) souvenir (*an* +*acc* of); (≈ *Erinnerungsstück*) memento (*an* +*acc* from)

ạnderenfalls *adv* otherwise **ạndere(r, s)** ['andərə] **I** *indef pr* (*adjektivisch*) **1.** different; (≈ *weiterer*) other; ***das machen wir ein ~s Mal*** we'll do that another time; ***er ist ein ~r Mensch geworden*** he is a changed *or* different man **2.** (≈ *folgend*) next, following **II** *indef pr* **1.** (≈ *Ding*) ***ein ~r*** a different one; (≈ *noch einer*) another one; ***etwas ~s*** something else; (*jedes, in Fragen*) anything else; ***alle ~n*** all the others; ***ja, das ist etwas ~s*** yes, that's a different matter; ***das ist etwas ganz ~s*** that's something quite different; ***nichts ~s*** nothing else; ***nichts ~s als ...*** nothing but ...; ***es blieb mir nichts ~s übrig, als selbst hinzugehen*** I had no alternative but to go myself; ***alles ~*** (≈ *alle anderen Dinge*) everything else; ***alles ~ als zufrieden*** anything but pleased; ***unter ~m*** among other things; ***von einem Tag zum ~n*** overnight; ***eines***

besser als das ~ each one better than the next **2.** (≈ *Person*) ***ein~r/eine~*** a different person; (≈ *noch einer*) another person; ***es war kein~r als ...*** it was none other than ...; ***niemand ~s*** no-one else; ***jemand ~s*** (*S Ger*) somebody else; (*jeder, in Fragen*) anybody else; ***die ~n*** the others; ***einer nach dem~n*** one after the other **andererseits** *adv* on the other hand **andermal** ['andɐ'maːl] *adv* ***ein ~*** some other time

ändern ['ɛndɐn] **I** *v/t* to change; *Kleidungsstück* to alter; ***das ist nicht zu ~*** nothing can be done about it; ***das ändert nichts an der Tatsache, dass ...*** that doesn't alter the fact that ... **II** *v/r* to change; ***wenn sich das nicht ändert ...*** if things don't improve ...

anders ['andɐs] *adv* **1.** (≈ *sonst*) else; ***jemand ~*** somebody else; (*jeder, in Fragen*) anybody else; ***niemand ~*** nobody else **2.** (≈ *verschieden*) differently; (≈ *andersartig*) different (*als* to); ***~ denkend*** = ***andersdenkend***; ***~ als jd aussehen*** to look different from sb; ***~ ausgedrückt*** in other words; ***sie ist ~ geworden*** she has changed; ***es geht nicht ~*** there's no other way; ***ich kann nicht ~*** (≈ *kann es nicht lassen*) I can't help it; (≈ *muss leider*) I have no choice; ***es sich*** (*dat*) ***~ überlegen*** to change one's mind **andersartig** *adj no comp* different **andersdenkend** *adj attr* of a different opinion **Andersdenkende(r)** [-dɛŋkəndə] *m/f(m) decl as adj* person of a different opinion; (≈ *Dissident*) dissident, dissenter **andersgeartet** *adj* ***~ sein als jd*** to be different from *or* to sb **andersgläubig** *adj* ***~ sein*** to have a different faith **andersherum** *adv* the other way (a)round **anderslautend** *adj attr* contrary **anderswo** *adv* elsewhere **anderswohin** *adv* elsewhere

anderthalb ['andɐt'halp] *num* one and a half; ***~ Stunden*** an hour and a half

Änderung ['ɛndəruŋ] *f* ⟨**-, -en**⟩ change; (*an Kleidungsstück, Gebäude*) alteration (*an +dat* to) **Änderungsvorschlag** *m* ***einen ~ machen*** to suggest a change *or* an alteration

anderweitig ['andɐ'vaitɪç] **I** *adj attr* other **II** *adv* (≈ *anders*) otherwise; (≈ *an anderer Stelle*) elsewhere; ***~ vergeben/besetzt werden*** to be given to/filled by someone else

andeuten *sep* **I** *v/t* (≈ *zu verstehen geben*) to hint, to intimate (*jdm etw* sth to sb); (≈ *kurz erwähnen*) *Problem* to mention briefly **II** *v/r* to be indicated; (*Gewitter*) to be looming **Andeutung** *f* (≈ *Anspielung, Anzeichen*) hint; (≈ *flüchtiger Hinweis*) brief mention; ***eine ~ machen*** to drop a hint **andeutungsweise** *adv* by way of a hint; ***jdm ~ zu verstehen geben, dass ...*** to hint to sb that ...

Andorra [an'dɔra] *nt* ⟨**-s**⟩ Andorra

Andrang *m, no pl* (≈ *Gedränge*) crowd, crush; (*von Blut*) rush

andrehen *v/t sep* **1.** (≈ *anstellen*) to turn on **2.** (*infml*) ***jdm etw ~*** to palm sth off on sb

androhen *v/t sep* to threaten (*jdm etw* sb with sth) **Androhung** *f* threat; ***unter ~*** JUR under penalty (*von, +gen* of)

anecken ['an|ɛkn] *v/i sep aux sein* (*infml*) (***bei jdm/allen***) ***~*** to rub sb/everyone up the wrong way

aneignen *v/t sep* ***sich*** (*dat*) ***etw ~*** (≈ *etw erwerben*) to acquire sth; (≈ *etw wegnehmen*) to appropriate sth; (≈ *sich mit etw vertraut machen*) to learn sth

aneinander [an|ai'nandɐ] *adv* ***~ denken*** to think of each other; ***sich ~ gewöhnen*** to get used to each other; ***~ vorbeigehen*** to go past each other; ***die Häuser stehen zu dicht ~*** the houses are built too close together **aneinandergeraten** *v/i sep irr aux sein* to come to blows (*mit* with); (≈ *streiten*) to have words (*mit* with) **aneinandergrenzen** *v/i sep* to border on each other **aneinanderreihen** *sep v/t* to string together

Anekdote [anɛk'doːtə] *f* ⟨**-, -n**⟩ anecdote

anekeln *v/t sep* to disgust; → ***angeekelt***

Anemone [ane'moːnə] *f* ⟨**-, -n**⟩ anemone

anerkannt ['an|ɛɐkant] *adj* recognized; *Experte* acknowledged **anerkennen** *past part* **anerkannt** *v/t sep or insep irr Staat, König, Rekord* to recognize; *Vaterschaft* to acknowledge; *Leistung, Bemühung* to appreciate; *Meinung* to respect; (≈ *loben*) to praise **anerkennenswert** *adj* commendable **Anerkennung** *f* recognition; (*von Vaterschaft*) acknowledgement; (≈ *Würdigung*) appreciation; (*von Meinung*) respect; (≈ *Lob*) praise

anfahren *sep irr* **I** *v/i aux sein* (≈ *losfahren*) to start (up) **II** *v/t* **1.** (≈ *ansteuern*) *Ort, Hafen* to stop *or* call at **2.** *Passanten,*

Baum etc to hit; (*fig*: *ausschelten*) to shout at **Anfahrt** *f* (≈ *Weg, Zeit*) journey; (≈ *Zufahrt*) approach; (≈ *Einfahrt*) drive

Anfall *m* attack; (≈ *Wutanfall, epileptischer Anfall*) fit; ***einen ~ haben/bekommen*** to have a fit **anfallen** *sep irr* **I** *v/t* (≈ *überfallen*) to attack **II** *v/i aux sein* (≈ *sich ergeben*) to arise; (*Zinsen*) to accrue; (≈ *sich anhäufen*) to accumulate **anfällig** *adj* delicate; *Motor, Maschine* temperamental; ***für etw ~ sein*** to be susceptible to sth

Anfang ['anfaŋ] *m* ⟨**-(*e*)*s*, *Anfänge*** [-fɛŋə]⟩ (≈ *Beginn*) beginning, start; (≈ *Ursprung*) beginnings *pl*, origin; ***zu*** *or* ***am ~*** to start with; (≈ *anfänglich*) at first; ***~ fünfzig*** in one's early fifties; ***~ Juni/1998*** *etc* at the beginning of June/1998 *etc*; ***von ~ an*** (right) from the beginning *or* start; ***von ~ bis Ende*** from start to finish; ***den ~ machen*** to start *or* begin; (≈ *den ersten Schritt tun*) to make the first move **anfangen** *sep irr* **I** *v/t* **1.** (≈ *beginnen*) to start **2.** (≈ *anstellen, machen*) to do; ***damit kann ich nichts ~*** (≈ *nützt mir nichts*) that's no good to me; (≈ *verstehe ich nicht*) it doesn't mean a thing to me; ***mit dir ist heute (aber) gar nichts anzufangen!*** you're no fun at all today! **II** *v/i* to begin, to start; ***wer fängt an?*** who's going to start *or* begin?; ***du hast angefangen!*** you started it!; ***es fing zu regnen an*** it started raining *or* to rain; ***mit etw ~*** to start sth **Anfänger(in)** *m/(f)* beginner; AUTO learner; (*infml* ≈ *Nichtskönner*) amateur (*pej*) **Anfängerkurs** *m* beginners' course **anfänglich** ['anfɛŋlɪç] **I** *adj attr* initial **II** *adv* at first, initially **anfangs** ['anfaŋs] *adv* at first, initially **Anfangs-** *in cpds* initial **Anfangsbuchstabe** *m* first letter; ***kleine/große ~n*** small/large *or* capital initials **Anfangsgehalt** *nt* initial *or* starting salary **Anfangsstadium** *nt* initial stage **Anfangszeit** *f* starting time

anfassen *sep* **I** *v/t* **1.** (≈ *berühren*) to touch **2.** (≈ *bei der Hand nehmen*) ***jdn ~*** to take sb's hand; ***angefasst gehen*** to walk holding hands **3.** (*fig*) (≈ *anpacken*) *Problem* to tackle; (≈ *behandeln*) *Menschen* to treat **II** *v/i* **1.** (≈ *berühren*) to feel; ***nicht ~!*** don't touch! **2.** (≈ *mithelfen*) ***mit ~*** to lend a hand **3.** (*fig*) ***zum Anfassen*** accessible

anfauchen *v/t sep* (*Katze*) to spit at; (*fig infml*) to snap at

anfechtbar *adj* contestable; (*moralisch*) questionable (*form*) **anfechten** *v/t sep irr* (≈ *nicht anerkennen*) to contest; *Urteil, Entscheidung* to appeal against **Anfechtung** ['anfɛçtʊŋ] *f* ⟨**-, -*en***⟩ **1.** (≈ *das Nichtanerkennen*) contesting; (*von Urteil, Entscheidung*) appeal (+*gen* against) **2.** (≈ *Versuchung*) temptation

anfeinden ['anfaindn] *v/t sep* to treat with hostility **Anfeindung** *f* ⟨**-, -*en***⟩ hostility

anfertigen *v/t sep* to make; *Schriftstück* to draw up; *Hausaufgaben, Protokoll* to do **Anfertigung** *f* making; (*von Schriftstück*) drawing up; (*von Protokoll, Hausaufgaben*) doing

anfeuchten ['anfɔyçtn] *v/t sep* to moisten

anfeuern *v/t sep* (*fig* ≈ *ermutigen*) to spur on

anflehen *v/t sep* to implore (*um* for)

anfliegen *sep irr* **I** *v/i aux sein* (*a.* **angeflogen kommen**) (*Flugzeug*) to come in to land; (*Vogel, Geschoss*) to come flying up **II** *v/t* (*Flugzeug*) to approach; ***diese Fluggesellschaft fliegt Bali an*** this airline flies to Bali **Anflug** *m* **1.** (≈ *das Heranfliegen*) approach; ***wir befinden uns im ~ auf Paris*** we are now approaching Paris **2.** (≈ *Spur*) trace

anfordern *v/t sep* to request, to ask for **Anforderung** *f* **1.** (≈ *Anspruch*) requirement; (≈ *Belastung*) demand; ***hohe/zu hohe ~en stellen*** to demand a lot/too much (*an* +*acc* of) **2.** *no pl* (≈ *das Anfordern*) request (+*gen*, *von* for)

Anfrage *f auch* IT inquiry; PARL question **anfragen** *v/i sep* to ask (*bei jdm* sb)

anfreunden ['anfrɔyndn] *v/r sep* to become friends; ***sich mit etw ~*** (*fig*) to get to like sth

anfügen *v/t sep* to add

anfühlen *v/t & v/r sep* to feel

anführen *v/t sep* **1.** (≈ *vorangehen, befehligen*) to lead **2.** (≈ *zitieren*) to quote; *Einzelheiten, Grund, Beweis* to give; *Umstand* to cite **3.** ***jdn ~*** (*infml*) to have sb on (*infml*) **Anführer(in)** *m/(f)* (≈ *Führer*) leader; (*pej* ≈ *Anstifter*) ringleader **Anführungsstrich** *m*, **Anführungszeichen** *nt* quotation mark, inverted comma

Angabe ['anga:-] *f* **1.** *usu pl* (≈ *Aussage*) statement; (≈ *Zahl*, *Detail*) detail; ***~n über etw*** (*acc*) ***machen*** to give details about sth; ***laut ~n*** (+*gen*) according to; ***nach Ihren eigenen ~n*** by your own account; ***nach ~n des Zeugen*** according to (the testimony of) the witness **2.** (≈ *Nennung*) giving; ***wir bitten um ~ der Einzelheiten/Preise*** please give details/prices **3.** *no pl* (*infml* ≈ *Prahlerei*) showing off **4.** (SPORTS ≈ *Aufschlag*) service, serve

angaffen ['anga-] *v/t sep* (*pej*) to gape at

angeben ['ange:-] *sep irr* **I** *v/t* **1.** (≈ *nennen*) to give; (≈ *erklären*) to explain; (*beim Zoll*) to declare; (≈ *anzeigen*) *Preis*, *Temperatur etc* to indicate; (≈ *aussagen*) to state; (≈ *behaupten*) to maintain **2.** (≈ *bestimmen*) *Tempo*, *Kurs* to set **II** *v/i* (≈ *prahlen*) to show off **Angeber(in)** ['ange:-] *m/(f)* (≈ *Prahler*) show-off **Angeberei** [ange:bə'rai] *f* ⟨-, ***-en***⟩ (*infml*) **1.** *no pl* (≈ *Prahlerei*) showing off (*mit* about) **2.** *usu pl* (≈ *Äußerung*) boast **angeberisch** ['ange:bərɪʃ] *adj Reden* boastful; *Aussehen*, *Benehmen*, *Tonfall* pretentious **angeblich** ['ange:plɪç] **I** *adj attr* alleged **II** *adv* supposedly, allegedly; ***er ist ~ Musiker*** he says he's a musician

angeboren ['angə-] *adj* innate; (MED, *fig infml*) congenital (*bei* to)

Angebot ['angə-] *nt* offer; COMM, FIN supply (*an* +*dat*, *von* of); ***im ~*** (*preisgünstig*) on special offer; ***~ und Nachfrage*** supply and demand

angebracht ['angəbraxt] *adj* appropriate; (≈ *sinnvoll*) reasonable; → ***anbringen***

angebrannt ['angə-] *adj* burned; → ***anbrennen***

angebrochen ['angə-] *adj Packung*, *Flasche* open(ed); → ***anbrechen***

angebunden ['angə-] *adj* ***kurz ~ sein*** (*infml*) to be abrupt *or* curt; → ***anbinden***

angeekelt ['angə|e:klt] *adv* in disgust; → ***anekeln***

angegossen ['angəgɔsn] *adv* ***wie ~ sitzen*** *or* ***passen*** to fit like a glove

angegraut ['angəgraut] *adj* grey (*Br*), gray (*US*)

angegriffen ['angəgrɪfn] *adj Gesundheit* weakened; *Mensch*, *Aussehen* frail; (≈ *erschöpft*) exhausted; → ***angreifen***

angehaucht ['angəhauxt] *adj* ***links/rechts ~ sein*** to have *or* show left-wing/right-wing tendencies; → ***anhauchen***

angeheitert ['angəhaitɐt] *adj* tipsy

angehen ['ange:-] *sep irr* **I** *v/i aux sein* **1.** (*infml* ≈ *beginnen*) to start; (*Feuer*) to start burning; (*Radio*, *Licht*) to come on **2.** (≈ *entgegentreten*) ***gegen jdn/etw ~*** to fight sb/sth **II** *v/t* **1.** *aux haben or* (*S Ger*) *sein* (≈ *anpacken*) to tackle; *Gegner* to attack **2.** *aux sein* (≈ *betreffen*) to concern; ***was mich angeht*** for my part; ***was geht das ihn an?*** (*infml*) what's that got to do with him? **III** *v/i impers aux sein* ***das geht nicht an*** that's not on **angehend** *adj Musiker etc* budding; *Lehrer*, *Vater* prospective

angehören ['angə-] *past part* ***angehört*** *v/i* +*dat sep* to belong to **Angehörige(r)** ['angəhø:rɪgə] *m/f(m) decl as adj* **1.** (≈ *Mitglied*) member **2.** (≈ *Familienangehörige*) relative; ***der nächste ~*** the next of kin

Angeklagte(r) ['angəkla:ktə] *m/f(m) decl as adj* accused, defendant

angeknackst ['angəknakst] *adj Wirbel* damaged; (*infml*) *Selbstbewusstsein* weakened; → ***anknacksen***

Angel ['aŋl] *f* ⟨-, ***-n***⟩ **1.** (≈ *Türangel*) hinge; ***die Welt aus den ~n heben*** (*fig*) to turn the world upside down **2.** (≈ *Fischfanggerät*) (fishing) rod and line (*Br*), fishing pole (*US*)

Angelegenheit ['angə-] *f* matter; (*politisch*, *persönlich*) affair; ***sich um seine eigenen ~en kümmern*** to mind one's own business; ***in einer dienstlichen ~*** on official business

angelernt ['angə-] *adj Arbeiter* semi-skilled; → ***anlernen***

Angelhaken *m* fish-hook **angeln** ['aŋln] **I** *v/i* to fish **II** *v/t Fisch* to fish for; (≈ *fangen*) to catch; ***sich*** (*dat*) ***einen Mann ~*** (*infml*) to catch (oneself) a man (*infml*) *Angelpunkt m* crucial *or* central point; (≈ *Frage*) key *or* central issue **Angelrute** *f* fishing rod

Angelsachse ['aŋl-] *m*, **Angelsächsin** *f* Anglo-Saxon **angelsächsisch** *adj* Anglo-Saxon

Angelschnur *f* fishing line

angemessen ['angə-] **I** *adj* appropriate (+*dat* to, for); (≈ *adäquat*) adequate (+*dat* for); *Preis* reasonable **II** *adv* ap-

propriately
angenehm ['angə-] *adj* pleasant; ***~e Reise!*** have a pleasant journey; ***(sehr) ~!*** (*form*) delighted (to meet you)
angenommen ['angənɔmən] **I** *adj* assumed; *Kind* adopted **II** *cj* assuming; → ***annehmen***
angeregt ['angəre:kt] **I** *adj* animated **II** *adv* ***sie unterhielten sich ~*** they had an animated conversation; → ***anregen***
angeschlagen ['angəʃla:gn] *adj* (*infml*) shattered (*infml*); *Gesundheit* poor (*infml*); *Ruf* tarnished; → ***anschlagen***
angeschrieben ['angəʃri:bn] *adj* (*infml*) ***bei jdm gut/schlecht ~ sein*** to be in sb's good/bad books; → ***anschreiben***
angesehen ['angəze:ən] *adj* respected; → ***ansehen***
angesichts ['angəzɪçts] *prep +gen* in the face of; (≈ *im Hinblick auf*) in view of
angespannt ['angəʃpant] **I** *adj Nerven* strained; *Aufmerksamkeit* close; *politische Lage* tense **II** *adv zuhören* attentively; → ***anspannen***
angestellt ['angəʃtɛlt] *adj pred* ***~ sein*** to be an employee (*bei* of); → ***anstellen***
Angestelltenverhältnis *nt* ***im ~*** in non-tenured employment **Angestellte(r)** ['angəʃtɛltə] *m/f(m) decl as adj* (salaried) employee
angestrengt ['angəʃtrɛŋt] **I** *adj Gesicht* strained **II** *adv diskutieren, nachdenken* carefully; → ***anstrengen***
angetan ['angəta:n] *adj pred* ***von jdm/etw ~ sein*** to be taken with sb/sth; ***es jdm ~ haben*** to have made quite an impression on sb; → ***antun***
angetrunken ['angətrʊŋkn] *adj* inebriated; → ***antrinken***
angewiesen ['angəvi:zn] *adj* ***auf jdn/etw ~ sein*** to be dependent on sb/sth; ***auf sich selbst ~ sein*** to have to fend for oneself; → ***anweisen***
angewöhnen ['angə-] *past part* *angewöhnt* *v/t sep* ***jdm etw ~*** to get sb used to sth; ***sich*** (*dat*) ***etw ~*** to get into the habit of sth **Angewohnheit** ['angə-] *f* habit
Angina [aŋ'gi:na] *f* ⟨-, ***Anginen*** [-nən]⟩ MED tonsillitis; ***~ Pectoris*** angina (pectoris)
angleichen ['angl-] *sep irr* **I** *v/t* to bring into line (*+dat, an +acc* with) **II** *v/r* to grow closer together
Angler ['aŋlɐ] *m* ⟨**-s, -**⟩, **Anglerin** [-ərɪn] *f* ⟨**-, -nen**⟩ angler (*esp Br*), fisherman
Anglikaner [aŋgli'ka:nɐ] *m* ⟨**-s, -**⟩, **Anglikanerin** [aŋgli'ka:nɐin] [-ərɪn] *f* ⟨**-, -nen**⟩ Anglican **anglikanisch** [aŋgli'ka:nɪʃ] *adj* Anglican
Anglist [aŋ'glɪst] *m* ⟨**-en, -en**⟩, **Anglistin** [-'glɪstɪn] *f* ⟨**-, -nen**⟩ Anglicist; (≈ *Student*) student of English **Anglistik** [aŋ'glɪstɪk] *f* ⟨-, *no pl*⟩ English (language and literature) **Anglizismus** [aŋgli'tsɪsmʊs] *m* ⟨-, ***Anglizismen*** [-mən]⟩ anglicism
anglotzen ['angl-] *v/t sep* (*infml*) to gawk at (*infml*)
Angola [aŋ'go:la] *nt* ⟨**-s**⟩ Angola
angreifbar *adj* open to attack **angreifen** ['angr-] *sep irr* **I** *v/t* **1.** to attack **2.** (≈ *schwächen*) *Organismus* to weaken; *Gesundheit* to affect; (≈ *ermüden, anstrengen*) to strain; → ***angegriffen*** **3.** (*Aus* ≈ *anfassen*) to touch **II** *v/i* (MIL, SPORTS, *fig*) to attack **Angreifer** ['angraifɐ] *m* ⟨**-s, -**⟩, **Angreiferin** [-ərɪn] *f* ⟨**-, -nen**⟩ attacker (*auch* SPORTS, *fig*)
angrenzen ['angr-] *v/i sep* ***an etw*** (*acc*) ***~*** to border on sth **angrenzend** *adj attr* adjacent (*an +acc* to)
Angriff ['angr-] *m* attack (*gegen, auf +acc* on); ***etw in ~ nehmen*** to tackle sth **Angriffsfläche** *f* target; ***eine ~ bieten*** to present a target **Angriffskrieg** *m* war of aggression **angriffslustig** *adj* aggressive **Angriffswaffe** *f* offensive weapon
angrinsen ['angr-] *v/t sep* to grin at
angst [aŋst] *adj pred* ***ihr wurde ~ (und bange)*** she became worried *or* anxious **Angst** [aŋst] *f* ⟨-, ***⸗e*** ['ɛŋstə]⟩ (≈ *innere Unruhe*) anxiety (*um* about); (≈ *Sorge*) worry (*um* about); (≈ *Furcht*) fear (*um* for, *vor +dat* of); ***(vor jdm/etw) ~ haben*** to be afraid *or* scared (of sb/sth); ***~ um jdn/etw haben*** to be worried *or* anxious about sb/sth; ***~ bekommen*** *or* ***kriegen*** to get scared; (≈ *erschrecken*) to take fright; ***das machte ihm ~*** that worried him; ***aus ~, etw zu tun*** for fear of doing sth; ***keine ~!*** don't be afraid; ***jdm ~ machen*** to scare sb; ***jdn in ~ und Schrecken versetzen*** to terrify sb; ***in tausend Ängsten schweben*** to be terribly worried *or* anxious **Angsthase** *m* (*infml*) scaredy-cat (*infml*) **ängstigen** ['ɛŋstɪgn] **I** *v/t* to frighten **II** *v/r* to be afraid; (≈ *sich sorgen*) to worry **ängstlich** ['ɛŋstlɪç] **I** *adj* (≈ *verängstigt*) anx-

ious; (≈ *schüchtern*) timid **II** *adv* **~ darauf bedacht sein, etw zu tun** to be at pains to do sth **Ängstlichkeit** *f* ⟨-, *no pl*⟩ anxiety; (≈ *Schüchternheit*) timidity Angstschrei *m* cry of fear **Angstschweiß** *m* **mir brach der ~ aus** I broke out in a cold sweat **Angstzustand** *m* state of panic; **Angstzustände bekommen** to get into a state of panic

angucken ['angʊ-] *v/t sep* (*infml*) to look at

anhaben *v/t sep irr* **1.** (≈ *angezogen haben*) to have on, to wear **2.** (≈ *zuleide tun*) **jdm etwas ~ wollen** to want to harm sb; **die Kälte kann mir nichts ~** the cold doesn't bother me

anhalten *sep irr* **I** *v/i* **1.** (≈ *stehen bleiben*) to stop **2.** (≈ *fortdauern*) to last **3.** (≈ *werben*) **um die Hand eines Mädchens ~** to ask for a girl's hand in marriage **II** *v/t* **1.** (≈ *stoppen*) to stop **2.** (≈ *anleiten*) to urge, to encourage **anhaltend** *adj* continuous **Anhalter(in)** *m/(f)* hitchhiker; **per ~ fahren** to hitchhike **Anhaltspunkt** *m* (≈ *Vermutung*) clue (*für* about); (*für Verdacht*) grounds *pl*

anhand [an'hant], **an Hand** *prep +gen* **~ eines Beispiels** with an example; **~ dieses Berichts** from this report

Anhang *m* **1.** (≈ *Nachtrag*) appendix **2.** (*von E-Mail*) attachment; **im ~ finden Sie ...** please find attached ... **3.** *no pl* (≈ *Gefolgschaft*) following; (≈ *Angehörige*) family **anhängen** *sep* **I** *v/t* **1.** (≈ *ankuppeln*) to attach (*an +acc* to); RAIL to couple on (*an +acc* -to); (*fig* ≈ *anfügen*) to add (*+dat, an +acc* to) **2.** (*infml*) **jdm etw ~** (≈ *nachsagen, anlasten*) to blame sth on sb; *Verdacht, Schuld* to pin sth on sb **II** *v/r* (*fig*) to tag along (*+dat, an +acc* with) **Anhänger** *m* **1.** (≈ *Wagen*) trailer **2.** (≈ *Schmuckstück*) pendant **3.** (≈ *Kofferanhänger etc*) label **Anhänger** *m* ⟨**-s, -**⟩, **Anhängerin** *f* ⟨**-, -nen**⟩ supporter **anhänglich** ['anhɛŋlɪç] *adj* **mein Sohn/Hund ist sehr ~** my son/dog is very attached to me **Anhängsel** ['anhɛŋzl] *nt* ⟨**-s, -**⟩ (≈ *Überflüssiges, Mensch*) appendage (*an +dat* to)

anhauchen *v/t sep* to breathe on; → **angehaucht**

anhauen *v/t sep* (*infml* ≈ *ansprechen*) to accost (*um* for)

anhäufen *sep* **I** *v/t* to accumulate; *Vorräte, Geld* to hoard **II** *v/r* to accumulate

anheben *v/t sep irr* (≈ *erhöhen*) to raise

anheizen *v/t sep* **1.** *Ofen* to light **2.** (*fig infml*) *Wirtschaft* to stimulate; *Inflation* to fuel

anheuern *v/t & v/i sep* (NAUT, *fig*) to sign on *or* up

Anhieb *m* **auf ~** (*infml*) straight *or* right away; **das kann ich nicht auf ~ sagen** I can't say offhand

anhimmeln ['anhɪmln] *v/t sep* (*infml*) to worship

Anhöhe *f* hill

anhören *sep* **I** *v/t* to hear; *Konzert* to listen to; **sich** (*dat*) **etw ~** to listen to sth; **ich kann das nicht mehr mit ~** I can't listen to that any longer; **das hört man ihm aber nicht an!** you can't tell that from hearing him speak **II** *v/r* (≈ *klingen*) to sound; **das hört sich ja gut an** (*infml*) that sounds good **Anhörung** ['anhø:rʊŋ] *f* ⟨**-, -en**⟩ hearing

animalisch [ani'ma:lɪʃ] *adj* animal; (*pej also*) bestial

Animation [anima'tsio:n] *f* ⟨**-, -en**⟩ FILM animation **Animierdame** *f* nightclub hostess **animieren** [ani'mi:rən] *past part* **animiert** *v/t* (≈ *anregen*) to encourage

Animosität [animozi'tɛ:t] *f* ⟨**-, -en**⟩ hostility (*gegen* towards)

Anis [a'ni:s, (*S Ger, Aus*) 'a:nɪs] *m* ⟨**-(es), -e**⟩ (≈ *Gewürz*) aniseed

Ank. *abbr of* **Ankunft** arr.

ankämpfen ['ankɛ-] *v/i sep* **gegen etw ~** to fight sth; **gegen jdn ~** to fight (against) sb

Ankauf ['ankauf] *m* purchase

Anker ['aŋkɐ] *m* ⟨**-s, -**⟩ anchor; **vor ~ gehen** to drop anchor; **vor ~ liegen** to lie at anchor **ankern** ['aŋkɐn] *v/i* (≈ *Anker werfen*) to anchor; (≈ *vor Anker liegen*) to be anchored

anketten ['ankɛ-] *v/t sep* to chain up (*an +acc or dat* to)

Anklage ['ankl-] *f* **1.** JUR charge; (≈ *Anklagevertretung*) prosecution; **gegen jdn ~ erheben** to bring *or* prefer charges against sb; (**wegen etw**) **unter ~ stehen** to have been charged (with sth) **2.** (*fig* ≈ *Beschuldigung*) accusation **Anklagebank** *f, pl* **-bänke** dock; **auf der ~** (**sitzen**) (to be) in the dock **anklagen** ['ankl-] *v/t sep* **1.** JUR to charge; **jdn wegen etw ~** to charge sb with sth **2.** (*fig*) **jdn ~, etw getan zu haben** to accuse sb of having done sth **anklagend** **I** *adj* *Ton* accusing **II** *adv* reproachfully **Anklagepunkt** *m* charge **Ankläger(in)** ['ankl-] *m/(f)* JUR prosecutor **Anklageschrift** *f* indictment **Anklagevertreter(in)** *m/(f)* counsel for the prosecution

Anklang ['ankl-] *m, no pl* (≈ *Beifall*) approval; **~ (bei jdm) finden** to meet with (sb's) approval; **keinen ~ finden** to be badly received

ankleben ['ankl-] *sep v/t* to stick up (*an +acc or dat* on)

Ankleidekabine *f* changing cubicle

anklicken ['ankl-] *v/t* IT to click on

anklopfen ['ankl-] *v/i sep* to knock (*an +acc or dat* at, on)

anknabbern ['ankn-] *v/t sep* (*infml*) to nibble (at)

anknacksen ['anknaksn] *v/t sep* (*infml*) **1.** *Knochen* to crack; *Fuß, Gelenk etc* to crack a bone in **2.** (*fig*) *Gesundheit* to affect; → **angeknackst**

anknüpfen ['ankn-] *sep* **I** *v/t* to tie on (*an +acc or dat* -to); *Beziehungen* to establish; *Gespräch* to start up **II** *v/i* **an etw** (*acc*) **~** to take sth up

ankommen ['anko-] *sep irr aux sein* **I** *v/i* **1.** (≈ *eintreffen*) to arrive **2.** (≈ *Anklang finden*) to go down well; (*Mode*) to catch on; **mit deinem dummen Gerede kommst du bei ihm nicht an!** you won't get anywhere with him with your stupid talk! **3.** (≈ *sich durchsetzen*) **gegen etw ~** *gegen Gewohnheit, Sucht etc* to be able to fight sth; **gegen jdn ~** to be able to cope with sb **II** *v/i impers* **1. es kommt darauf an, dass wir ...** what matters is that we ...; **auf eine halbe Stunde kommt es jetzt nicht mehr an** it doesn't matter about the odd half-hour; **darauf soll es mir nicht ~** that's not the problem; **es kommt darauf an** it (all) depends; **es käme auf einen Versuch an** we'd have to give it a try **2.** (*infml*) **es darauf ~ lassen** to take a chance; **lassen wirs darauf ~** let's chance it

ankoppeln ['ankɔ-] *v/t sep* to hitch up (*an +acc* to), to couple on (*an +acc* -to); SPACE to link up (*an +acc* with, to)

ankotzen ['ankɔ-] *v/t sep* (*sl* ≈ *anwidern*) to make sick (*infml*)

ankratzen ['ankr-] *v/t sep* to scratch; (*fig*) *jds Ruf etc* to damage

ankreiden ['ankraidn] *v/t sep* (*fig*) **jdm etw ~** to hold sth against sb

ankreuzen ['ankr-] *sep v/t Stelle, Fehler, Antwort* to put a cross beside

ankündigen ['ankʏ-] *v/t sep* to announce; (*in Zeitung etc*) to advertise **Ankündigung** *f* announcement

Ankunft ['ankʊnft] *f* ⟨-, **Ankünfte** [-kʏnftə]⟩ arrival **Ankunftshalle** *f* arrivals lounge **Ankunftszeit** *f* time of arrival

ankurbeln ['ankʊ-] *v/t sep Maschine* to wind up; (*fig*) *Konjunktur* to reflate

Anl. *abbr of* **Anlage** encl.

anlächeln *v/t sep* to smile at

anlachen *v/t sep* to smile at; **sich** (*dat*) **jdn ~** (*infml*) to pick sb up (*infml*)

Anlage *f* **1.** (≈ *Fabrikanlage*) plant **2.** (≈ *Parkanlage*) (public) park **3.** (≈ *Einrichtung*) installation(s *pl*); (≈ *sanitäre Anlagen*) sanitary installations *pl* (*form*); (≈ *Sportanlage etc*) facilities *pl* **4.** (*infml* ≈ *Stereoanlage*) (stereo) system *or* equipment; (≈ *EDV-Anlage*) system **5.** *usu pl* (≈ *Veranlagung*) talent (*zu* for); (≈ *Neigung*) tendency (*zu* to) **6.** (≈ *Kapitalanlage*) investment **7.** (≈ *Beilage zu einem Schreiben*) enclosure; **in der ~ erhalten Sie ...** please find enclosed ... **Anlageberater(in)** *m/(f)* investment advisor **Anlagekapital** *nt* investment capital Anlagevermögen *nt* fixed assets *pl*

Anlass ['anlas] *m* ⟨**-es, Anlässe** [-lɛsə]⟩ **1.** (≈ *Veranlassung*) (immediate) cause (*zu* for); **welchen ~ hatte er, das zu tun?** what prompted him to do that?; **es besteht ~ zur Hoffnung** there is reason for hope; **etw zum ~ nehmen, zu ...** to use sth as an opportunity to ...; **beim geringsten ~** for the slightest reason; **bei jedem ~** at every opportunity **2.** (≈ *Gelegenheit*) occasion; **aus gegebenem ~** in view of the occasion **anlassen** *sep irr* **I** *v/t* **1.** *Motor, Wagen* to start (up) **2.** (*infml*) *Schuhe, Mantel* to keep on; *Licht* to leave on **II** *v/r* **sich gut/schlecht ~** to get off to a good / bad start

Anlasser ['anlasɐ] *m* ⟨**-s, -**⟩ AUTO starter

anlässlich ['anlɛslɪç] *prep +gen* on the occasion of

anlasten *v/t sep* **jdm etw ~** to blame sb for sth

Anlauf *m* **1.** SPORTS run-up; **mit ~** with a run-up; **ohne ~** from standing; **~ nehmen** to take a run-up **2.** (*fig* ≈ *Versuch*) attempt, try **anlaufen** *sep irr* **I** *v/i aux sein* **1.** (≈ *beginnen*) to begin, to start; (*Film*) to open **2.** (*Brille, Spiegel etc*) to mist up; (*Metall*) to tarnish; **rot/**

blau ~ to turn *or* go red/blue **II** *v/t* NAUT *Hafen etc* to put into **Anlaufphase** *f* initial stage **Anlaufstelle** *f* shelter, refuge

anläuten *v/t & v/i sep* (*dial* ≈ *anrufen*) ***jdn*** *or* ***bei jdm ~*** to call *or* phone sb

anlegen *sep* **I** *v/t* **1.** *Leiter* to put up (*an +acc* against); *Lineal* to position; ***das Gewehr ~*** to raise the gun to one's shoulder **2.** *Kartei, Akte* to start; *Vorräte* to lay in; *Garten, Bericht* to lay out; *Liste, Plan* to draw up **3.** *Geld, Kapital* to invest **4.** ***es darauf ~, dass ...*** to be determined that ... **II** *v/i* NAUT to berth, to dock **III** *v/r* ***sich mit jdm ~*** to pick a fight with sb **Anlegeplatz** *m* berth **Anleger** ['anle:gɐ] *m* ⟨***-s, -***⟩, **Anlegerin** [-ərɪn] *f* ⟨***-, -nen***⟩ FIN investor **Anlegestelle** *f* mooring

anlehnen *sep* **I** *v/t* to lean *or* rest (*an +acc* against); ***angelehnt sein*** (*Tür, Fenster*) to be ajar **II** *v/r* (*lit*) to lean (*an +acc* against); ***sich an etw*** (*acc*) ***~*** (*fig*) to follow sth **Anlehnung** *f* ⟨***-, -en***⟩ (≈ *Imitation*) ***in ~ an jdn/etw*** following sb/sth

anleiern *v/t sep* (*infml*) to get going

Anleihe *f* FIN loan

anleinen ['anlainən] *v/t sep* ***den Hund ~*** to put the dog on the lead (*esp Br*) *or* leash

anleiten *v/t sep* to teach; ***jdn zu etw ~*** to teach sb sth **Anleitung** *f* instructions *pl*; ***unter der ~ seines Vaters*** under his father's guidance

anlernen *v/t sep* to train; → ***angelernt***

anlesen *v/t sep irr* **1.** *Buch, Aufsatz* to begin *or* start reading **2.** (≈ *aneignen*) ***sich*** (*dat*) ***etw ~*** to learn sth by reading

anliefern *v/t sep* to deliver

anliegen *v/i sep irr* **1.** (≈ *anstehen*) to be on **2.** (*Kleidung*) to fit tightly (*an etw* (*dat*) sth) **Anliegen** ['anli:gn] *nt* ⟨***-s, -***⟩ (≈ *Bitte*) request **Anlieger** ['anli:gɐ] *m* ⟨***-s, -***⟩, **Anliegerin** [-ərɪn] *f* ⟨***-, -nen***⟩ neighbour (*Br*), neighbor (*US*); (≈ *Anwohner*) (local) resident; ***~ frei*** residents only **Anliegerstaat** *m* ***die ~en des Schwarzen Meers*** the countries bordering (on) the Black Sea **Anliegerverkehr** *m* (local) residents' vehicles *pl*

anlocken *v/t sep* to attract

anlügen *v/t sep irr* to lie to

anmachen *v/t sep* **1.** (*infml* ≈ *befestigen*) to put up (*an +acc or dat* on) **2.** *Salat* to dress **3.** *Radio, Licht etc* to put *or* turn on; *Feuer* to light **4.** (*infml*) (≈ *ansprechen*) to chat up (*Br infml*), to put the moves on (*US infml*); (≈ *scharfmachen*) to turn on (*infml*); (*sl* ≈ *belästigen*) to harass; ***mach mich nicht an*** leave me alone

anmalen *sep* **I** *v/t* to paint **II** *v/r* (*pej* ≈ *schminken*) to paint one's face

anmaßen ['anma:sn] *v/t sep* ***sich*** (*dat*) ***etw ~*** *Recht* to claim sth (for oneself); *Macht* to assume sth; ***sich*** (*dat*) ***~, etw zu tun*** to presume to do sth **anmaßend** *adj* presumptuous **Anmaßung** *f* ⟨***-, -en***⟩ ***es ist eine ~ zu meinen, ...*** it is presumptuous to maintain that ...

Anmeldeformular *nt* application form **Anmeldefrist** *f* registration period **anmelden** *sep* **I** *v/t* **1.** *Besuch* to announce **2.** (*bei Schule, Kurs etc*) to enrol (*Br*), to enroll (*US*) (*bei* at, *zu* for) **3.** *Patent* to apply for; *Wohnsitz, Auto* to register (*bei* at); *Fernseher* to get a licence (*Br*) *or* license (*US*) for **4.** (≈ *vormerken lassen*) to make an appointment for **5.** *Ansprüche* to declare; *Zweifel* to register; *Wünsche* to make known **II** *v/r* **1.** (*Besucher*) to announce one's arrival; ***sich bei jdm ~*** to tell sb one is coming **2.** (*an Schule, zu Kurs etc*) to enrol (*Br*) *or* enroll (*US*) (oneself) (*an +dat* at, *zu* for); ***sich polizeilich ~*** to register with the police **Anmeldung** *f* **1.** (*von Besuch*) announcement; (*an Schule, zu Kurs etc*) enrolment (*Br*), enrollment (*US*) (*an +dat* at, *zu* for); (*bei Einwohnermeldeamt*) registration; ***nur nach vorheriger ~*** by appointment only **2.** (*von Patent*) application (*von*, *+gen* for); (*von Auto*) registration

anmerken *v/t sep* (≈ *sagen*) to say; (≈ *anstreichen*) to mark; (*als Fußnote*) to note; ***jdm seine Verlegenheit*** *etc* ***~*** to notice sb's embarrassment *etc*; ***sich*** (*dat*) ***etw ~ lassen*** to let sth show; ***man merkt ihm nicht an, dass ...*** you can't tell that he ... **Anmerkung** ['anmɛrkʊŋ] *f* ⟨***-, -en***⟩ (≈ *Erläuterung*) note; (≈ *Fußnote*) (foot)note

Anmut ['anmu:t] *f* ⟨***-***, *no pl*⟩ grace; (≈ *Schönheit*) beauty **anmuten** *sep v/i* ***es mutet sonderbar an*** it seems curious **anmutig** *adj* (*elev*) graceful; (≈ *hübsch*) lovely

annähen *v/t sep* to sew on (*an +acc or dat* -to)

annähern *sep* **I** *v/t* to bring closer (*+dat*,

an +acc to) **II** *v/r* (≈ *sich angleichen*) to come closer (*+dat, an +acc* to) **annähernd I** *adj* (≈ *ungefähr*) approximate, rough **II** *adv* (≈ *etwa*) roughly; (≈ *fast*) almost; ***nicht ~ so viel*** not nearly *or* nothing like as much **Annäherung** *f* (*von Standpunkten*) convergence (*+dat, an +acc* with) **Annäherungsversuch** *m* overtures *pl*

Annahme ['anna:mə] *f* ⟨-, *-n*⟩ **1.** (≈ *Vermutung*) assumption; ***in der ~, dass ...*** on the assumption that ...; ***gehe ich recht in der ~, dass ...?*** am I right in assuming that ...? **2.** (≈ *das Annehmen*) acceptance; (*von Arbeit*) acceptance; (*von Angebot*) taking up; (≈ *Billigung*) approval; (*von Gesetz*) passing; (*von Resolution*) adoption **Annahmeschluss** *m* closing date **Annahmestelle** *f* (*für Pakete*) counter; (*für Wetten, Lotto, Toto etc*) place where bets *etc* are accepted

Annalen [a'na:lən] *pl* annals *pl*; ***in die ~ eingehen*** (*fig*) to go down in the annals *or* in history

annehmbar *adj* acceptable; (≈ *nicht schlecht*) reasonable **annehmen** *sep irr* **I** *v/t* **1.** (≈ *entgegennehmen, akzeptieren*) to accept; *Arbeit* to take on **2.** (≈ *billigen*) to approve; *Gesetz* to pass; *Resolution* to adopt **3.** (≈ *sich aneignen*) to adopt; *Gestalt, Namen* to take on; ***ein angenommener Name*** an assumed name; ***jdn an Kindes statt ~*** to adopt sb **4.** (≈ *voraussetzen*) to assume; ***wir wollen ~, dass ...*** let us assume that ...; → ***angenommen*** **5.** SPORTS to take **II** *v/r* ***sich jds ~*** to look after sb; ***sich einer Sache*** (*gen*) ***~*** to see to a matter **Annehmlichkeit** *f* ⟨-, *-en*⟩ (≈ *Bequemlichkeit*) convenience **Annehmlichkeiten** *pl* comforts *pl*

annektieren [anɛk'ti:rən] *past part* ***annektiert*** *v/t* to annex

anno ['ano] *adv* in (the year); ***~ dazumal*** in those days

Annonce [a'nõ:sə] *f* ⟨-, *-n*⟩ advertisement **annoncieren** [anõ'si:rən, anɔŋ'si:rən] *past part* ***annonciert*** *v/t & v/i* to advertise

annullieren [anʊ'li:rən] *past part* ***annulliert*** *v/t* JUR to annul

Anode [a'no:də] *f* ⟨-, *-n*⟩ anode

anöden ['an|ø:dn] *v/t sep* (*infml*) to bore stiff (*infml*)

Anomalie [anoma'li:] *f* ⟨-, *-n* [-'li:ən]⟩ anomaly

anonym [ano'ny:m] *adj* anonymous **Anonymität** [anonymi'tɛ:t] *f* ⟨-, *no pl*⟩ anonymity

Anorak ['anorak] *m* ⟨*-s, -s*⟩ anorak

anordnen *v/t sep* **1.** (≈ *befehlen*) to order **2.** (≈ *aufstellen*) to arrange **Anordnung** *f* **1.** (≈ *Befehl*) order; ***auf ~ des Arztes*** on doctor's orders **2.** (≈ *Aufstellung*) arrangement

Anorexie [an|orɛ'ksi:] *f* ⟨-, *-n* [-'ksi:ən]⟩ anorexia (nervosa)

anorganisch ['an|ɔrga:nɪʃ, an|ɔr'ga:nɪʃ] *adj* CHEM inorganic

anpacken *sep* (*infml*) **I** *v/t* **1.** (≈ *anfassen*) to grab (hold of) **2.** *Problem, Thema* to tackle **II** *v/i* (≈ *helfen*) to lend a hand

anpassen *sep* **I** *v/t* (≈ *angleichen*) ***etw einer Sache*** (*dat*) ***~*** to bring sth into line with sth **II** *v/r* to adapt (oneself) (*+dat* to); (*gesellschaftlich*) to conform **Anpassung** *f* ⟨-, *-en*⟩ adaptation (*an +Akk* to); (*an Gesellschaft*) conformity (*an +Akk* to) **anpassungsfähig** *adj* adaptable **Anpassungsschwierigkeiten** *pl* difficulties *pl* in adapting

anpeilen *v/t sep* (≈ *ansteuern*) to steer *or* head for; (*mit Funk etc*) to take a bearing on; ***etw ~*** (*fig infml*) to set *or* have one's sights on sth

anpfeifen *sep irr v/t* SPORTS ***das Spiel ~*** to start the game (by blowing one's whistle) **Anpfiff** *m* **1.** SPORTS (starting) whistle; (FTBL ≈ *Spielbeginn*) kickoff **2.** (*infml*) bawling out (*infml*)

anpflanzen *v/t sep* to plant; (≈ *anbauen*) to grow

anpöbeln *v/t sep* (*infml*) to be rude to

anprangern ['anpraŋɐn] *v/t sep* to denounce

anpreisen *v/t sep irr* to extol (*jdm etw* sth to sb)

Anprobe *f* fitting **anprobieren** *past part* ***anprobiert*** *sep* **I** *v/t* to try on **II** *v/i* ***kann ich mal ~?*** can I try this/it *etc* on?

anpumpen *v/t sep* (*infml*) ***jdn um 50 Euro ~*** to borrow 50 euros from sb

Anrainer ['anrainɐ] *m* ⟨*-s, -*⟩, **Anrainerin** [-ərɪn] *f* ⟨-, *-nen*⟩ neighbour (*Br*), neighbor (*US*)

anrechnen *v/t sep* (≈ *in Rechnung stellen*) to charge for (*jdm* sb); ***jdm etw hoch ~*** to think highly of sb for sth; ***jdm etw als Fehler ~*** (*Lehrer*) to count sth as a mistake for sb; (*fig*) to consider sth as a fault on sb's part; ***ich rechne es ihr als Verdienst an, dass ...*** I think it is greatly to her credit that ...

Anrecht *nt* (≈ *Anspruch*) right; ***ein ~ auf etw*** (*acc*) ***haben*** *or* ***besitzen*** to be entitled to sth

Anrede *f* form of address **anreden** *sep v/t* to address

anregen *v/t sep* **1.** (≈ *ermuntern*) to prompt (*zu* to) **2.** (≈ *vorschlagen*) *Verbesserung* to propose **3.** (≈ *beleben*) to stimulate; *Appetit* to sharpen; → ***angeregt*** **anregend** *adj* stimulating; ***ein ~es Mittel*** a stimulant; ***~ wirken*** to have a stimulating effect **Anregung** *f* **1.** (≈ *Vorschlag*) idea; ***auf ~ von*** *or +gen* at *or* on the suggestion of **2.** (≈ *Belebung*) stimulation

anreichern ['anraiçɐn] *sep v/t* to enrich; (≈ *vergrößern*) *Sammlung* to increase; ***hoch angereichertes Uran*** high enriched uranium

Anreise *f* (≈ *Anfahrt*) journey there / here **anreisen** *v/i sep aux sein* (≈ *eintreffen*) to come **Anreisetag** *m* day of arrival

anreißen *v/t sep irr* **1.** (≈ *einreißen*) to tear, to rip **2.** (≈ *kurz zur Sprache bringen*) to touch on

Anreiz *m* incentive

anrempeln *v/t sep* (*absichtlich*) to jostle

anrennen *v/i sep irr aux sein* ***gegen etw ~*** *gegen Wind etc* to run against sth; (*fig* ≈ *bekämpfen*) to fight against sth; ***angerannt kommen*** (*infml*) to come running

Anrichte ['anrɪçtə] *f* ⟨**-, -n**⟩ (≈ *Schrank*) dresser; (≈ *Büfett*) sideboard **anrichten** *v/t sep* **1.** *Speisen* to prepare; *Salat* to dress; ***es ist angerichtet*** (*form*) dinner *etc* is served (*form*) **2.** (*fig*) *Schaden*, *Unheil* to bring about

anrüchig ['anrʏçɪç] *adj Geschäfte*, *Lokal* disreputable

anrücken *v/i sep aux sein* (*Truppen*) to advance; (*Polizei etc*) to move in

Anruf *m* TEL (phone) call **Anrufbeantworter** [-bə|antvɔrtɐ] *m* ⟨**-s, -**⟩ answering machine **anrufen** *sep irr* **I** *v/t* **1.** TEL to phone, to call; ***kann man Sie ~?*** (≈ *haben Sie Telefon?*) are you on the phone? **2.** (*fig* ≈ *appellieren an*) to appeal to **II** *v/i* (≈ *telefonieren*) to phone; ***bei jdm ~*** to phone sb; ***ins Ausland ~*** to phone abroad **Anrufer** ['anruːfɐ] *m* ⟨**-s, -**⟩, **Anruferin** [-ərɪn] *f* ⟨**-, -nen**⟩ caller

anrühren *v/t sep* **1.** to touch; (*fig*) *Thema* to touch upon **2.** (≈ *mischen*) *Farben* to mix; *Sauce* to blend

ans [ans] = ***an das***

Ansage *f* announcement; CARDS bid; ***eine ~ auf dem Anrufbeantworter*** an answerphone message **ansagen** *sep v/t* **1.** (≈ *ankündigen*) to announce; ***jdm den Kampf ~*** to declare war on sb **2.** CARDS to bid **3.** (*infml*) ***angesagt sein*** (≈ *erforderlich sein*) to be called for; (≈ *auf dem Programm stehen*) to be the order of the day **Ansager** ['anzaːgɐ] *m* ⟨**-s, -**⟩, **Ansagerin** [-ərɪn] *f* ⟨**-, -nen**⟩ RADIO *etc* announcer

ansammeln *sep* **I** *v/t* (≈ *anhäufen*) to accumulate; *Reichtümer* to amass; *Vorräte* to build up **II** *v/r* **1.** (≈ *sich versammeln*) to gather **2.** (≈ *sich aufhäufen*) to accumulate; (*Staub*) to collect; (*fig*: *Wut*) to build up **Ansammlung** *f* (≈ *Auflauf*) gathering

ansässig ['anzɛsɪç] *adj* (*form*) resident; ***sich in London ~ machen*** to settle in London

Ansatz *m* **1.** (*von Hals etc*) base **2.** (≈ *Anzeichen*) first sign(s *pl*); (≈ *Versuch*) attempt (*zu etw* at sth); ***Ansätze zeigen, etw zu tun*** to show signs of doing sth; ***die ersten Ansätze*** the initial stages; ***im ~*** basically **Ansatzpunkt** *m* starting point

ansaugen *v/t sep* to suck *or* draw in

anschaffen *sep* **I** *v/t* (***sich*** *dat*) ***etw ~*** to get oneself sth; (≈ *kaufen*) to buy sth; ***sich*** (*dat*) ***Kinder ~*** (*infml*) to have children **II** *v/i* (*sl*: *durch Prostitution*) ***~ gehen*** to be on the game (*infml*) **Anschaffung** *f* acquisition; (*gekaufter Gegenstand*) purchase, buy **Anschaffungskosten** *pl* cost *sg* of purchase **Anschaffungspreis** *m* purchase price

anschalten *v/t sep* to switch on

anschauen *v/t sep* = ***ansehen*** **anschaulich** ['anʃaulɪç] **I** *adj* clear; (≈ *lebendig*) vivid; *Beispiel* concrete **II** *adv* clearly; (≈ *lebendig*) vividly **Anschauung** ['anʃauʊŋ] *f* ⟨**-, -en**⟩ (≈ *Meinung*) opinion **Anschauungsmaterial** *nt* illustrative material

Anschein *m* appearance; (≈ *Eindruck*) impression; ***dem ~ nach*** apparently; ***den ~ erwecken, als ...*** to give the impression that ...; ***es hat den ~, als ob ...*** it appears that ... **anscheinend** **I** *adv* apparently **II** *adj* apparent

anschieben *v/t sep irr Fahrzeug* to push
anschießen *sep irr v/t* (≈ *verletzen*) to shoot (and wound)
Anschiss *m* ⟨**-es, -e**⟩ (*infml*) bollocking (*Br sl*), ass-kicking (*US sl*)
Anschlag *m* **1.** (≈ *Plakat*) poster **2.** (≈ *Überfall*) attack (*auf +acc* on); (≈ *Attentat*) attempt on sb's life; ***einen ~ auf jdn verüben*** to make an attempt on sb's life; ***einem ~ zum Opfer fallen*** to be assassinated **3.** (≈ *Kostenanschlag*) estimate; (*bei Dateneingabe*) touch; ***200 Anschläge in der Minute*** ≈ 40 words per minute **4.** TECH stop; ***etw bis zum ~ drehen*** to turn sth as far as it will go **anschlagen** *sep irr* **I** *v/t* **1.** (≈ *befestigen*) to fix on (*an +acc* to); *Plakat* to put up (*an +acc* on) **2.** *Taste* to strike; ***eine schnellere Gangart ~*** (*fig*) to speed up **3.** (≈ *beschädigen*) *Geschirr* to chip; ***sich*** (*dat*) ***den Kopf*** *etc* **~** to knock one's head *etc*; → ***angeschlagen*** **II** *v/i* **1.** (*Welle*) to beat (*an +acc* against) **2.** (*beim Schwimmen*) to touch **3.** (*Hund*) to give a bark **4.** (≈ *wirken*: *Arznei etc*) to take effect **5.** (*infml* ≈ *dick machen*) ***bei jdm ~*** to make sb put on weight
anschleichen *sep irr v/r* ***sich an jdn/etw ~*** to creep up on sb/sth
anschleppen *v/t sep* (*infml*) (≈ *mitbringen*) to bring along
anschließen *sep irr* **I** *v/t* **1.** (≈ *verbinden*) to connect; (*in Steckdose*) to plug in **2.** (*fig* ≈ *hinzufügen*) to add; ***angeschlossen*** *Organisation etc* associated (*dat* with) **II** *v/r* ***sich jdm*** *or* ***an jdn ~*** (≈ *folgen*) to follow sb; (≈ *zugesellen*) to join sb; (≈ *beipflichten*) to side with sb; ***an den Vortrag schloss sich ein Film an*** the lecture was followed by a film **III** *v/i* ***an etw*** (*acc*) **~** to follow sth **anschließend** **I** *adv* afterwards **II** *adj* following
Anschluss *m* **1.** (≈ *Verbindung*) connection; ***den ~ verpassen*** RAIL *etc* to miss one's connection; (*fig*) to miss the boat *or* bus; ***~ bekommen*** TEL to get through; ***kein ~ unter dieser Nummer*** TEL number unobtainable (*Br*), this number is not in service (*US*) **2.** ***im ~ an*** (*+acc*) (≈ *nach*) subsequent to, following **3.** (*fig*) (≈ *Kontakt*) contact (*an +acc* with); ***~ finden*** to make friends (*an +acc* with); ***er sucht ~*** he wants to make friends **Anschlussflug** *m* connecting flight **Anschlusszug** *m* RAIL connection
anschmiegen *v/r sep* ***sich an jdn/etw ~*** (*Kind, Hund*) to snuggle up to sb/sth **anschmiegsam** ['anʃmiːkzaːm] *adj Wesen* affectionate; *Material* smooth
anschnallen *sep* **I** *v/r* AUTO, AVIAT to fasten one's seat belt; ***bitte ~!*** fasten your seat belts, please! **II** *v/t Skier* to clip on **Anschnallpflicht** *f, no pl* mandatory wearing of seat belts
anschnauzen *v/t sep* (*infml*) to yell at
anschneiden *v/t sep irr* **1.** *Brot etc* to (start to) cut **2.** (*fig*) *Thema* to touch on **3.** AUTO *Kurve* to cut; SPORTS *Ball* to cut
anschrauben *v/t sep* to screw on (*an +acc* -to)
anschreiben *sep irr* **I** *v/t* **1.** *Behörde etc* to write to; → ***angeschrieben*** **2.** (*infml* ≈ *in Rechnung stellen*) to chalk up (*infml*) **II** *v/i* (*infml*) ***sie lässt immer ~*** she always buys on tick (*Br infml*) *or* on credit
anschreien *v/t sep irr* to shout *or* yell at
Anschrift *f* address
Anschuldigung *f* ⟨**-, -en**⟩ accusation
anschwärzen *v/t sep* (*fig infml*) ***jdn ~*** to blacken sb's name (*bei* with); (≈ *denunzieren*) to run sb down (*bei* to)
anschweigen *v/t sep irr* ***sich gegenseitig ~*** to say nothing to each other
anschwellen *v/i sep irr aux sein* to swell (up); (*Lärm*) to rise
anschwemmen *sep v/t* to wash up
anschwindeln *v/t sep* (*infml*) ***jdn ~*** to tell sb fibs (*infml*)
ansehen *v/t sep irr* **1.** (≈ *betrachten*) to look at; ***sieh mal einer an!*** (*infml*) well, I never! (*infml*) **2.** (*fig*) to regard (*als, für* as); ***ich sehe es als meine Pflicht an*** I consider it to be my duty; → ***angesehen*** **3.** (***sich*** *dat*) ***etw ~*** (≈ *besichtigen*) to (have a) look at sth; *Fernsehsendung* to watch sth; *Film, Stück, Sportveranstaltung* to see sth **4.** ***das sieht man ihm an*** he looks it; ***das sieht man ihm nicht an*** he doesn't look it; ***man sieht ihm sein Alter nicht an*** he doesn't look his age; ***jeder konnte ihm sein Glück ~*** everyone could see that he was happy **5.** ***etw*** (***mit***) **~** to watch sth; ***ich kann das nicht länger mit ~*** I can't stand it any more **Ansehen** *nt* ⟨**-s**, *no pl*⟩ (≈ *guter Ruf*) (good) reputation; ***großes ~ genießen*** to enjoy a good reputation; ***an ~ verlieren*** to lose credit *or* standing **ansehnlich** ['anzeːnlıç] *adj*

(≈ *beträchtlich*) considerable; *Leistung* impressive

ạnseilen ['anzailən] *v/t sep* ***jdn/sich ~*** to rope sb/oneself up

ạnsetzen *sep* **I** *v/t* **1.** (≈ *anfügen*) to attach (*an +acc* to) **2.** (≈ *in Stellung bringen*) to place in position; ***das Glas ~*** to raise the glass to one's lips; ***an welcher Stelle muss man den Wagenheber ~?*** where should the jack be put? **3.** (≈ *festlegen*) *Kosten, Termin* to fix; (≈ *veranschlagen*) *Zeitspanne* to estimate **4.** (≈ *einsetzen*) ***jdn auf jdn/etw ~*** to put sb on(to) sb/sth; ***Hunde (auf jdn/jds Spur) ~*** to put dogs on sb/sb's trail **5.** ***Fett ~*** to put on weight; ***Rost ~*** to get rusty **6.** (COOK ≈ *vorbereiten*) to prepare **II** *v/i* (≈ *beginnen*) to start, to begin; ***zur Landung ~*** AVIAT to come in to land; ***zum Sprung/Start ~*** to get ready to jump/start

Ạnsicht *f* ⟨**-, -en**⟩ **1.** view **2.** (≈ *das Prüfen*) inspection; ***zur ~*** COMM for (your/our *etc*) inspection **3.** (≈ *Meinung*) opinion, view; ***meiner ~ nach*** in my opinion *or* view; ***ich bin der ~, dass ...*** I am of the opinion that ...; ***ich bin ganz Ihrer ~*** I entirely agree with you **Ạnsichts(post)karte** *f* picture postcard **Ạnsichtssache** *f* ***das ist ~*** that is a matter of opinion

ạnsiedeln *sep* **I** *v/t* to settle; *Tierart* to introduce; *Industrie* to establish **II** *v/r* to settle; (*Industrie etc*) to get established

ansọnsten [an'zɔnstn] *adv* otherwise

ạnspannen *v/t sep* **1.** (≈ *straffer spannen*) to tighten; *Muskeln* to tense **2.** (≈ *anstrengen*) to strain, to tax; ***alle seine Kräfte ~*** to exert all one's energy; → ***angespannt*** **Ạnspannung** *f* (*fig*) strain

Ạnspiel *nt* SPORTS start of play **ạnspielen** *sep* **I** *v/t* SPORTS to play the ball *etc* to; *Spieler* to pass to **II** *v/i* **1.** (≈ *Spiel beginnen*) to start; FTBL to kick off; CARDS to lead; CHESS to open **2.** ***auf jdn/etw ~*** to allude to sb/sth **Ạnspielung** ['anʃpiːlʊŋ] *f* ⟨**-, -en**⟩ allusion (*auf +acc* to); (*böse*) insinuation (*auf +acc* regarding)

ạnspitzen *v/t sep Bleistift etc* to sharpen

Ạnsporn *m, no pl* incentive **ạnspornen** *v/t sep* to spur (on)

Ạnsprache *f* address; ***eine ~ halten*** to give an address **ạnsprechbar** *adj* approachable; (≈ *gut gelaunt*) amenable; *Patient* responsive; ***er ist zurzeit nicht ~*** no-one can talk to him just now **ạnsprechen** *sep irr* **I** *v/t* **1.** (≈ *anreden*) to speak to; (≈ *mit Titel, Vornamen etc*) to address; ***damit sind Sie alle angesprochen*** this is directed at all of you **2.** (≈ *gefallen*) to appeal to **3.** (≈ *erwähnen*) to mention **II** *v/i* **1.** (≈ *reagieren*) to respond (*auf +Akk* to) **2.** (≈ *Anklang finden*) to go down well **ạnsprechend** *adj* (≈ *reizvoll*) attractive; (≈ *angenehm*) pleasant **Ạnsprechpartner(in)** *m/(f)* contact

ạnspringen *sep irr* **I** *v/t* (≈ *anfallen*) to jump; (*Raubtier*) to pounce (up)on; (*Hund*) to jump up at **II** *v/i aux sein* (*Motor*) to start

Ạnspruch *m* **1.** claim; (≈ *Recht*) right (*auf +acc* to); ***~ auf etw*** (*acc*) ***haben*** to be entitled to sth; ***~ auf Schadenersatz erheben*** to make a claim for damages; ***hohe Ansprüche stellen*** to be very demanding **2.** ***etw in ~ nehmen*** *Recht* to claim sth; *jds Hilfe, Dienste* to enlist sth; *Zeit, Kräfte* to take up sth; ***jdn völlig in ~ nehmen*** to take up all of sb's time **ạnspruchslos** *adj* undemanding; (*geistig*) lowbrow; ***~ leben*** to lead a modest life **ạnspruchsvoll** *adj* demanding; (≈ *wählerisch*) discriminating; *Geschmack* highbrow; (≈ *kultiviert*) sophisticated

ạnspucken *v/t sep* to spit at *or* on

ạnstacheln *v/t sep* to spur (on)

Ạnstalt ['anʃtalt] *f* ⟨**-, -en**⟩ **1.** institution; (≈ *Institut*) institute; ***eine ~ öffentlichen Rechts*** a public institution **2.** ***~en/keine ~en machen, etw zu tun*** to make a/no move to do sth

Ạnstand *m, no pl* (≈ *Schicklichkeit*) decency, propriety; (≈ *Manieren*) (good) manners *pl* **ạnständig** **I** *adj* decent; (≈ *ehrbar*) respectable; (*infml* ≈ *beträchtlich*) sizeable; ***eine ~e Tracht Prügel*** (*infml*) a good hiding **II** *adv* decently; ***sich ~ benehmen*** to behave oneself; ***jdn ~ bezahlen*** (*infml*) to pay sb well; ***~ essen/ausschlafen*** (*infml*) to have a decent meal/sleep **Ạnstandsbesuch** *m* formal call; (*aus Pflichtgefühl*) duty visit **ạnstandshalber** *adv* out of politeness **ạnstandslos** *adv* without difficulty

ạnstarren *v/t sep* to stare at

anstạtt [an'ʃtat] **I** *prep +gen* instead of **II** *cj* ***~ zu arbeiten*** instead of working

ạnstechen *v/t sep irr Fass* to tap

anstecken *sep* **I** *v/t* **1.** (≈ *befestigen*) to pin on; *Ring* to put on **2.** (≈ *anzünden*) to light **3.** (MED, *fig*) to infect; ***ich will dich nicht~*** I don't want to give it to you **II** *v/r* ***sich*** (***mit etw***) **~** to catch sth (*bei* from) **III** *v/i* (MED, *fig*) to be infectious **ansteckend** *adj* (MED, *fig*) infectious **Ansteckung** ['anʃtɛkʊŋ] *f* ⟨**-, -en**⟩ MED infection **Ansteckungsgefahr** *f* risk of infection

anstehen *v/i sep irr aux haben or* (*S Ger, Aus, Sw*) *sein* **1.** (*in Schlange*) to queue (up) (*Br*), to stand in line (*nach* for) **2.** (*Verhandlungspunkt*) to be on the agenda; ***~de Probleme*** problems facing us/them *etc*

ansteigen *v/i sep irr aux sein* to rise

anstelle [an'ʃtɛlə] *prep +gen* instead of, in place of

anstellen *sep* **I** *v/t* **1.** (≈ *anlehnen*) to lean (*an +acc* against) **2.** (≈ *beschäftigen*) to employ; → ***angestellt*** **3.** (≈ *anmachen*) to turn on; (≈ *in Gang setzen*) to start **4.** *Vermutung, Vergleich* to make **5.** (≈ *machen*) to do **6.** (*infml* ≈ *Unfug treiben*) to get up to; ***was hast du da wieder angestellt?*** what have you been up to now? **II** *v/r* **1.** (≈ *Schlange stehen*) to queue (up) (*Br*), to stand in line **2.** (*infml*) ***sich dumm/ungeschickt ~*** to be stupid/clumsy; ***stell dich nicht so an!*** don't make such a fuss!; (≈ *sich dumm anstellen*) don't act so stupid! **Anstellung** *f* employment **Anstellungsverhältnis** *nt* ***im ~ sein*** to be under contract

Anstieg ['anʃtiːk] *m* ⟨**-(e)s, -e** [-gə]⟩ (≈ *Aufstieg*) ascent; (*von Temperatur, Kosten*) rise (*+gen* in)

anstiften *v/t sep* (≈ *anzetteln*) to instigate; ***jdn zu etw ~*** to incite sb to (do) sth **Anstifter(in)** *m/(f)* instigator (*+gen, zu* of); (≈ *Anführer*) ringleader

anstimmen *sep v/t* **1.** (*singen*) to begin singing; (*Kapelle*) to strike up **2.** (*fig*) ***ein Geschrei/Proteste*** *etc* **~** to start crying/protesting *etc*

Anstoß *m* **1.** ***den*** (***ersten***) ***~ zu etw geben*** to initiate sth; ***jdm den ~ geben, etw zu tun*** to induce sb to do sth **2.** SPORTS kick-off **3.** (≈ *Ärgernis*) annoyance (*für* to); ***~ erregen*** to cause offence (*Br*) *or* offense (*US*) (*bei* to); ***ein Stein des ~es*** a bone of contention **anstoßen** *sep irr* **I** *v/i* **1.** *aux sein* ***an etw*** (*acc*) **~** to bump into sth **2.** (***mit den Gläsern***) **~** to clink glasses; ***auf jdn/etw ~*** to drink to sb/sth **3.** SPORTS to kick off **II** *v/t jdn* to knock (into); (≈ *in Bewegung setzen*) to give a push; ***sich*** (*dat*) ***den Kopf/Fuß*** *etc* **~** to bang one's head/foot *etc* **Anstößer** ['anʃtøːsɐ] *m* ⟨**-s, -**⟩, **Anstößerin** [-ərɪn] *f* ⟨**-, -nen**⟩ (*Swiss* ≈ *Anwohner*) (local) resident **anstößig** ['anʃtøːsɪç] **I** *adj* offensive; *Kleidung* indecent **II** *adv* offensively; *gekleidet* shockingly

anstrahlen *v/t sep* to floodlight; (*im Theater*) to spotlight; (≈ *strahlend ansehen*) to beam at

anstreben *v/t sep* to strive for

anstreichen *v/t sep irr* **1.** (*mit Farbe etc*) to paint **2.** (≈ *markieren*) to mark; (***jdm***) ***etw als Fehler ~*** to mark sth wrong (for sb) **Anstreicher** ['anʃtraiçɐ] *m* ⟨**-s, -**⟩, **Anstreicherin** [-ərɪn] *f* ⟨**-, -nen**⟩ (house) painter

anstrengen ['anʃtrɛŋən] *sep* **I** *v/t* **1.** *Augen* to strain; *Muskel, Gehirn* to exert; *jdn* to tire out; → ***angestrengt*** **2.** JUR ***eine Klage/einen Prozess ~*** to institute proceedings **II** *v/r* to make an effort **anstrengend** *adj* (*körperlich*) strenuous; (*geistig*) demanding; (≈ *erschöpfend*) exhausting **Anstrengung** *f* ⟨**-, -en**⟩ effort; (≈ *Strapaze*) strain; ***große ~en machen*** to make every effort; ***mit äußerster/letzter ~*** with very great/one last effort

Anstrich *m* painting; ***ein zweiter ~*** a second coat of paint

Ansturm *m* onslaught; (≈ *Andrang*) rush

Antagonismus [antago'nɪsmʊs] *m* ⟨**-, Antagonismen** [-mən]⟩ antagonism

antanzen *v/i sep aux sein* (*fig infml*) to turn up (*infml*)

Antarktis [ant'|arktɪs] *f, no pl* Antarctic **antarktisch** [ant'|arktɪʃ] *adj* antarctic

antasten *v/t sep* **1.** *Ehre, Würde* to offend; *Rechte* to infringe **2.** (≈ *berühren*) to touch

Anteil *m* **1.** *auch* FIN share **2.** (≈ *Beteiligung*) ***~ an etw*** (*dat*) ***haben*** (≈ *beitragen*) to make a contribution to sth **3.** (≈ *Teilnahme*) sympathy (*an +dat* with); ***an etw*** (*dat*) ***~ nehmen*** *an Leid etc* to be deeply sympathetic over sth; *an Freude etc* to share in sth **4.** (≈ *Interesse*) interest (*an +dat* in); ***regen ~ an etw*** (*dat*) ***nehmen*** to take a lively interest in sth **anteilig, anteilmäßig** *adv* proportionately

Ạnteilnahme [-naːmə] *f* ⟨-, *no pl*⟩ (≈ *Beileid*) sympathy (*an +dat* with) **Ạnteilschein** *m* FIN share certificate **Ạnteilseigner** [-aignɐ] *m* ⟨**-s, -**⟩, **Ạnteilseignerin** [-ərɪn] *f* ⟨**-, -nen**⟩ FIN shareholder

Antẹnne [an'tɛnə] *f* ⟨**-, -n**⟩ RADIO aerial; ZOOL feeler **Antẹnnenkabel** *nt* aerial *or* antenna (*esp US*) cable *or* lead

Ạnthrax ['antraks] *nt* ⟨-, *no pl*⟩ BIOL anthrax

Anthropologe [antropo'loːgə] *m* ⟨**-n, -n**⟩, **Anthropologin** [-'loːgɪn] *f* ⟨**-, -nen**⟩ anthropologist

Antialkoholiker(in) *m*/(*f*) teetota(l)ler **antiautoritär** *adj* anti-authoritarian **Antibabypille** *f* (*infml*) contraceptive pill **Antibiotikum** [anti'bioːtikʊm] *nt* ⟨**-s, *Antibiotika*** [-ka]⟩ antibiotic **Antiblockier(brems)system** [antiblɔ'kiːɐ-] *nt* AUTO antilock braking system **Antidepressivum** [antideprɛ'siːvʊm] *nt* ⟨**-s, *Antidepressiva*** [-va]⟩ antidepressant **Antifaschịsmus** *m* antifascism **Antifaschịst(in)** *m*/(*f*) antifascist **antifaschịstisch** *adj* antifascist **Antihistamin** *nt* antihistamine

antik [an'tiːk] *adj* **1.** HIST ancient **2.** (COMM, *infml*) antique **Antike** [an'tiːkə] *f* ⟨-, *no pl*⟩ antiquity; ***die Kunst der ~*** the art of the ancient world

Ạntikörper *m* MED antibody

Antịllen [an'tɪlən] *pl* ***die ~*** the Antilles

Antilope [anti'loːpə] *f* ⟨**-, -n**⟩ antelope

Antipathie [antipa'tiː] *f* ⟨**-, -n** [-'tiːən]⟩ antipathy (*gegen* to)

Antipode [anti'poːdə] *m* ⟨**-n, -n**⟩ antipodean

Antiquar [anti'kvaːɐ] *m* ⟨**-s, -e**⟩, **Antiquarin** [-'kvaːrɪn] *f* ⟨**-, -nen**⟩ antiquarian *or* (*von moderneren Büchern*) second-hand bookseller **Antiquariat** [antikva'riaːt] *nt* ⟨**-(e)s, -e**⟩ (≈ *Laden*) antiquarian *or* (*modernerer Bücher*) second-hand bookshop; ***modernes ~*** remainder bookshop **antiquarisch** [anti'kvaːrɪʃ] *adj* antiquarian; (*von moderneren Büchern*) second-hand **antiquiert** [anti'kviːɐt] *adj* (*pej*) antiquated **Antiquität** [antikvi'tɛːt] *f* ⟨**-, -en**⟩ *usu pl* antique **Antiquitätenhändler(in)** *m*/(*f*) antique dealer

Antisemit(in) *m*/(*f*) antisemite **antisemitisch** *adj* anti-Semitic **Antisemitịsmus** [antizemi'tɪsmʊs] *m* ⟨-, *no pl*⟩ antisemitism **antisẹptisch** *adj* antiseptic **antistatisch** *adj* antistatic **Antitẹrror-** *in cpds* antiterrorist **Antithese** *f* antithesis **Antivirenprogramm** [anti'viːrən-] *nt* IT anti-virus program, virus checker

ạntörnen ['antœrnən] *sep* (*sl*) **I** *v/t* to turn on (*infml*) **II** *v/i* ***das törnt an*** it turns you on (*infml*)

Ạntrag ['antraːk] *m* ⟨**-(e)s, *Ạnträge*** [-trɛːgə]⟩ **1.** application; (≈ *Gesuch*) request; ***einen ~ auf etw*** (*acc*) ***stellen*** to make an application for sth; ***auf ~*** *+gen* at the request of **2.** JUR petition; (≈ *Forderung bei Gericht*) claim; ***einen ~ auf etw*** (*acc*) ***stellen*** to file a petition/claim for sth **3.** PARL motion **4.** (≈ *Heiratsantrag*) ***jdm einen ~ machen*** to propose (marriage) to sb **Ạntragsformular** *nt* application form **Ạntragsteller** [-ʃtɛlɐ] *m* ⟨**-s, -**⟩, **Ạntragstellerin** [-ərɪn] *f* ⟨**-, -nen**⟩ claimant

ạntreffen *v/t sep irr* to find

ạntreiben *sep irr v/t* to drive; (*fig*) to urge

ạntreten *sep irr* **I** *v/t Reise*, *Strafe* to begin; *Stellung* to take up; *Erbe* to come into; ***den Beweis ~, dass ...*** to prove that ...; ***seine Amtszeit ~*** to take office **II** *v/i aux sein* **1.** (≈ *sich aufstellen*) to line up **2.** (≈ *erscheinen*) to assemble; (*zum Dienst*) to report **3.** (*zum Wettkampf*) to compete

Ạntrieb *m* **1.** impetus *no pl*; (*innerer*) drive; ***jdm ~ geben, etw zu tun*** to give sb the impetus to do sth; ***aus eigenem ~*** on one's own initiative **2.** (≈ *Triebkraft*) drive; ***Auto mit elektrischem ~*** electrically powered car **Ạntriebsaggregat** *nt* TECH drive unit **Ạntriebsschwäche** *f* MED lack of drive **Ạntriebswelle** *f* drive shaft

ạntrinken *v/t sep irr* (*infml*) to start drinking; ***sich*** (*dat*) ***einen ~*** to get (oneself) drunk; ***sich*** (*dat*) ***Mut ~*** to give oneself Dutch courage; → ***angetrunken***

Ạntritt *m*, *no pl* (≈ *Beginn*) beginning; ***bei ~ der Reise*** when beginning one's journey; ***nach ~ der Stellung/des Amtes*** after taking up the position/assuming office **Ạntrittsbesuch** *m esp* POL (formal) first visit

ạntun *v/t sep irr* ***jdm etw ~*** (≈ *erweisen*) to do sth for sb; (≈ *zufügen*) to do sth to sb; ***sich*** (*dat*) ***etwas ~*** (*euph*) to do away with oneself; ***tu mir das nicht an!*** don't do this to me!; → ***angetan***

Antwẹrpen [ant'vɛrpn] *nt* GEOG Antwerp

Antwort ['antvɔrt] *f* ⟨**-, -en**⟩ **1.** answer; ***etw zur ~ bekommen*** to receive sth as a response **2.** (≈ *Reaktion*) response; ***als ~ auf etw*** (*acc*) in response to sth **antworten** ['antvɔrtn] *v/i* **1.** to answer, to reply; ***auf etw*** (*acc*) ***~*** to answer sth, to reply to sth; ***jdm auf eine Frage ~*** to reply to *or* answer sb's question; ***mit Ja / Nein ~*** to answer yes / no **2.** (≈ *reagieren*) to respond **Antwortschein** *m* (international) reply coupon

anvertrauen *past part* **anvertraut** *sep* **I** *v/t* ***jdm etw ~*** to entrust sth to sb; (≈ *vertraulich erzählen*) to confide sth to sb **II** *v/r* ***sich jdm ~*** (≈ *sich mitteilen*) to confide in sb; (≈ *sich in jds Schutz begeben*) to entrust oneself to sb

anwachsen *v/i sep irr aux sein* **1.** (≈ *festwachsen*) to grow on; (*Pflanze etc*) to take root **2.** (≈ *zunehmen*) to increase (*auf +acc* to)

Anwalt ['anvalt] *m* ⟨**-(e)s, Anwälte** [-vɛltə]⟩, **Anwältin** [-vɛltɪn] *f* ⟨**-, -nen**⟩ **1.**; → ***Rechtsanwalt*** **2.** (*fig* ≈ *Fürsprecher*) advocate **Anwaltskammer** *f professional association of lawyers*, ≈ Law Society (*Br*) **Anwaltskosten** *pl* legal expenses *pl* **Anwaltspraxis** *f* legal practice

Anwandlung *f* (≈ *Laune*) mood; ***aus einer ~ heraus*** on (an) impulse; ***in einer ~ von Freigebigkeit*** *etc* in a fit of generosity *etc*

anwärmen *v/t sep* to warm up

Anwärter(in) *m/*(*f*) (≈ *Kandidat*) candidate (*auf +acc* for); SPORTS contender (*auf +acc* for) **Anwartschaft** ['anvartʃaft] *f* ⟨**-**, *no pl*⟩ candidature; SPORTS contention

anweisen *v/t sep irr* **1.** (≈ *befehlen*) to instruct **2.** (≈ *zuweisen*) to allocate; ***jdm einen Platz ~*** to show sb to a seat **3.** *Geld* to transfer; → ***angewiesen*** **Anweisung** *f* **1.** FIN payment; (*auf Konto etc*) transfer **2.** (≈ *Anordnung*) instruction; ***~ haben, etw zu tun*** to have instructions to do sth **3.** (≈ *Zuweisung*) allocation

anwendbar *adj Theorie, Regel* applicable (*auf +acc* to); ***das ist in der Praxis nicht ~*** that is not practicable **anwenden** *v/t sep auch irr Methode, Gewalt* to use (*auf +acc* on); *Theorie, Regel* to apply (*auf +acc* to) **Anwender** ['anvɛndɐ] *m* ⟨**-s, -**⟩, **Anwenderin** [-ərɪn] *f* ⟨**-, -nen**⟩ IT user **Anwendung** *f* **1.** (≈ *Gebrauch*) use (*auf +acc* on) **2.** (*von Theorie, Regel*) application (*auf +acc* to) **3.** IT application

anwerben *v/t sep irr* to recruit (*für* to)

anwerfen *v/t sep irr* TECH to start up

Anwesen *nt* (*elev*) estate

anwesend ['anveːznt] *adj* present **Anwesende(r)** ['anveːzndə] *m/f*(*m*) *decl as adj* ***die ~n*** those present; ***alle ~n*** all those present; ***~ ausgenommen*** present company excepted **Anwesenheit** ['anveːznhait] *f* ⟨**-**, *no pl*⟩ presence; ***in ~*** *+gen or* ***von*** in the presence of **Anwesenheitskontrolle** *f* (≈ *Namensaufruf*) roll call **Anwesenheitsliste** *f* attendance list

anwidern ['anviːdɐn] *v/t sep* ***jdn ~*** to make sb feel sick

Anwohner ['anvoːnɐ] *m* ⟨**-s, -**⟩, **Anwohnerin** [-ərɪn] *f* ⟨**-, -nen**⟩ resident

Anzahl *f*, *no pl* number

anzahlen *v/t sep* ***100 Euro ~*** to pay 100 euros as a deposit **Anzahlung** *f* deposit (*für, auf +acc* on); ***eine ~ machen*** to pay a deposit

anzapfen *v/t sep Fass* to broach; *Telefon, elektrische Leitung* to tap

Anzeichen *nt* sign; ***alle ~ deuten darauf hin, dass ...*** all the signs are that ...

Anzeige ['antsaigə] *f* ⟨**-, -n**⟩ **1.** (*bei Behörde*) report (*wegen* of); ***gegen jdn ~ erstatten*** to report sb to the authorities **2.** (*in Zeitung*) notice; (≈ *Relame*) advertisement **anzeigen** *v/t sep* **1.** (≈ *angeben*) to show **2.** (≈ *bekannt geben*) to announce; *Richtung* to indicate **3.** IT to display **4.** ***jdn ~*** (*bei der Polizei*) to report sb (to the police) **Anzeigenblatt** *nt* advertiser, freesheet **Anzeigenteil** *m* advertisement section **Anzeiger** *m* TECH indicator **Anzeigetafel** *f* indicator board; SPORTS scoreboard

anzetteln ['antsɛtln] *v/t sep* to instigate

anziehen *sep irr* **I** *v/t* **1.** *Kleidung* to put on; ***sich*** (*dat*) ***etw ~*** to put sth on; ***angezogen*** dressed **2.** (≈ *straffen*) to pull (tight); *Bremse* to put on; *Schraube* to tighten **3.** (*Magnet, fig*) to attract; ***sich von etw angezogen fühlen*** to feel drawn by sth **II** *v/i* (≈ *beschleunigen*) to accelerate; (FIN: *Preise, Aktien*) to rise **III** *v/r* **1.** (≈ *sich kleiden*) to get dressed **2.** (*fig, Gegensätze*) to attract **anziehend** *adj* (≈ *ansprechend*) attractive **Anziehung** *f*, *no pl* attraction **Anziehungskraft** *f* PHYS force of attraction; (*fig*) attraction **Anziehungspunkt** *m* (≈ *Attraktion*) centre (*Br*) *or* center (*US*) of attraction

Anzug *m* **1.** (≈ *Herrenanzug*) suit **2.** ***im ~ sein*** to be coming; MIL to be advancing; (*fig*) (*Gewitter, Gefahr*) to be imminent

anzüglich ['antsyːklɪç] *adj* suggestive; ***~ werden*** to start making suggestive remarks

anzünden *v/t sep Feuer* to light; ***das Haus*** *etc* ***~*** to set fire to the house *etc* **Anzünder** *m* lighter

anzweifeln *v/t sep* to question

Aorta [a'ɔrta] *f* ⟨**-,** ***Aorten*** [-tn]⟩ aorta

apart [a'part] **I** *adj* distinctive **II** *adv* (≈ *chic*) stylishly

Apartheid [a'paːɐthait] *f* ⟨**-,** *no pl*⟩ apartheid

Apartment [a'partmənt] *nt* ⟨**-s, -s**⟩ flat (*Br*), apartment **Apartmenthaus** *nt* block of flats (*Br*), apartment house (*esp US*) **Apartmentwohnung** *f* flat (*Br*), apartment

Apathie [apa'tiː] *f* ⟨**-, -n** [-'tiːən]⟩ apathy; (*von Patienten*) listlessness **apathisch** [a'paːtɪʃ] **I** *adj* apathetic **II** *adv* apathetically

aper ['aːpɐ] *adj* (*Swiss, Aus, S Ger*) snowless

Aperitif [aperi'tiːf] *m* ⟨**-s, -s** *or* **-e**⟩ aperitif

Apfel ['apfl] *m* ⟨**-s, ⸚** ['ɛpfl]⟩ apple; ***in den sauren ~ beißen*** (*fig infml*) to bite the bullet **Apfelbaum** *m* apple tree **Apfelkuchen** *m* apple cake **Apfelmus** *nt* apple purée *or* (*als Beilage*) sauce **Apfelsaft** *m* apple juice **Apfelsine** [apfl'ziːnə] *f* ⟨**-, -n**⟩ orange **Apfelstrudel** *m* apple strudel **Apfeltasche** *f* apple turnover **Apfelwein** *m* cider

Aphorismus [afo'rɪsmʊs] *m* ⟨**-,** ***Aphorismen*** [-mən]⟩ aphorism

Apokalypse [apoka'lʏpsə] *f* ⟨**-, -n**⟩ apocalypse

Apostel [a'pɔstl] *m* ⟨**-s, -**⟩ apostle **Apostelbrief** *m* epistle **Apostelgeschichte** *f* Acts of the Apostles *pl*

Apostroph [apo'stroːf] *m* ⟨**-s, -e**⟩ apostrophe

Apotheke [apo'teːkə] *f* ⟨**-, -n**⟩ (dispensing) chemist's (*Br*), pharmacy **apothekenpflichtig** [-pflɪçtɪç] *adj* available only at a chemist's shop (*Br*) *or* pharmacy **Apotheker** [apo'teːkɐ] *m* ⟨**-s, -**⟩, **Apothekerin** [-ərɪn] *f* ⟨**-, -nen**⟩ pharmacist, (dispensing) chemist (*Br*)

Apparat [apa'raːt] *m* ⟨**-(e)s, -e**⟩ **1.** apparatus *no pl*, appliance; (≈ *Gerät*) gadget **2.** (≈ *Radio*) radio; (≈ *Fernseher*) set; (≈ *Rasierapparat*) razor; (≈ *Fotoapparat*) camera **3.** (≈ *Telefon*) (tele)phone; (≈ *Anschluss*) extension; ***am ~*** on the phone; (*als Antwort*) speaking; ***bleiben Sie am ~!*** hold the line **Apparatur** [apara'tuːɐ] *f* ⟨**-, -en**⟩ apparatus *no pl*

Appartement [apartə'mãː] *nt* ⟨**-s, -s**⟩ **1.** (≈ *Wohnung*) flat (*Br*), apartment **2.** (≈ *Zimmerflucht*) suite

Appell [a'pɛl] *m* ⟨**-s, -e**⟩ **1.** (≈ *Aufruf*) appeal (*an +acc* to, *zu* for) **2.** MIL roll call

appellieren [apɛ'liːrən] *past part* ***appelliert*** *v/i* to appeal (*an +acc* to)

Appenzell [apn'tsɛl, 'apntsɛl] *nt* ⟨**-s**⟩ Appenzell

Appetit [ape'tiːt] *m* ⟨**-(e)s,** *no pl*⟩ appetite; ***~ auf etw*** (*acc*) ***haben*** to feel like sth; ***guten ~!*** enjoy your meal; ***jdm den ~ verderben*** to spoil sb's appetite **appetitanregend** *adj Speise etc* appetizing; ***~ wirken*** to stimulate the appetite **appetitlich** [ape'tiːtlɪç] *adj* (≈ *lecker*) appetizing; (*fig*) *Mädchen, Anblick* attractive **Appetitlosigkeit** *f* ⟨**-,** *no pl*⟩ lack of appetite **Appetitzügler** [-tsyːglɐ] *m* ⟨**-s, -**⟩ appetite suppressant

applaudieren [aplau'diːrən] *past part* ***applaudiert*** *v/i* to applaud **Applaus** [a'plaus] *m* ⟨**-es** [-zəs]⟩ *no pl* applause

apportieren [apɔr'tiːrən] *past part* ***apportiert*** *v/t & v/i* to retrieve

Approbation [aproba'tsioːn] *f* ⟨**-, -en**⟩ (*von Arzt*) certificate (*enabling a doctor to practise*) **approbiert** [apro'biːɐt] *adj Arzt* registered

Aprikose [apri'koːzə] *f* ⟨**-, -n**⟩ apricot

April [a'prɪl] *m* ⟨**-(s), -e**⟩ April; ***~, ~!*** April fool!; ***jdn in den ~ schicken*** to make an April fool of sb; → ***März*** **Aprilscherz** *m* April fool's trick **Aprilwetter** *nt* April weather

apropos [apro'poː] *adv* by the way; ***~ Afrika*** talking about Africa

Aquädukt [akvɛ'dʊkt] *nt* ⟨**-(e)s, -e**⟩ aqueduct **Aquajogging** ['akvadʒɔgɪŋ] *nt* aquajogging **Aquamarin** [akvama'riːn] *nt* ⟨**-s, -e**⟩ aquamarine **Aquaplaning** [akva'plaːnɪŋ] *nt* ⟨**-s,** *no pl*⟩ AUTO aquaplaning **Aquarell** [akva'rɛl] *nt* ⟨**-s, -e**⟩ watercolour (*Br*) *or* watercolor (*US*) (painting) **Aquarellfarbe** *f* watercolour

(*Br*), watercolor (*US*) **Aquarium** [a'kvaːriʊm] *nt* ⟨**-s, Aquarien** [-riən]⟩ aquarium

Äquator [ɛ'kvaːtoːɐ] *m* ⟨**-s,** *no pl*⟩ equator

Äquivalent [ɛkviva'lɛnt] *nt* ⟨**-s, -e**⟩ equivalent

Ära ['ɛːra] *f* ⟨**-, Ären** ['ɛːrən]⟩ era

Araber ['arabɐ, 'aːrabɐ, a'raːbɐ] *m* ⟨**-s, -**⟩ (≈ *Pferd*) Arab **Araber** ['arabɐ, 'aːrabɐ, a'raːbɐ] *m* ⟨**-s, -**⟩, **Araberin** [-ərɪn] *f* ⟨**-, -nen**⟩ Arab **Arabien** [a'raːbiən] *nt* ⟨**-s**⟩ Arabia **arabisch** [a'raːbɪʃ] *adj* Arab; *Ziffer, Sprache* Arabic

Arbeit ['arbait] *f* ⟨**-, -en**⟩ **1.** work; POL, ECON labour (*Br*), labor (*US*); ***Tag der ~*** Labo(u)r Day; ***bei der ~ mit Kindern*** when working with children; ***~ sparend*** labour-saving (*Br*), labor-saving (*US*); ***viel ~ machen*** to be a lot of work (*jdm* for sb); ***an** or **bei der ~ sein*** to be working; ***sich an die ~ machen*** to get down to work; ***etw ist in ~*** work on sth is in progress **2.** *no pl* (≈ *Mühe*) trouble; ***jdm ~ machen*** to put sb to trouble **3.** (≈ *Berufstätigkeit*) work *no indef art*; (≈ *Arbeitsverhältnis*) employment; (≈ *Position*) job; ***ohne ~ sein*** to be out of work; ***zur ~ gehen*** (*infml*) to go to work **4.** (≈ *Produkt*) work; (*Prüfungsarbeit, wissenschaftlich*) paper **arbeiten** ['arbaitn] **I** *v/i* to work; ***er arbeitet für zwei*** (*infml*) he does the work of two; ***die Anlage arbeitet elektrisch/mit Kohle*** the plant runs *or* operates on electricity/coal; ***~ gehen*** (≈ *zur Arbeit gehen*) to go to work **II** *v/r* ***sich krank/müde ~*** to make oneself ill/tire oneself out with work; ***sich zu Tode ~*** to work oneself to death; ***sich an die Spitze ~*** (*fig*) to work one's way (up) to the top **Arbeiter** ['arbaitɐ] *m* ⟨**-s, -**⟩, **Arbeiterin** [-ərɪn] *f* ⟨**-, -nen**⟩ worker; (*im Gegensatz zum Angestellten*) blue-collar worker; (*auf Bau, Bauernhof*) labourer (*Br*), laborer (*US*) **Arbeiterbewegung** *f* labour (*Br*) *or* labor (*US*) movement **Arbeiterklasse** *f* working class(es *pl*) **Arbeiterschaft** ['arbaitɐʃaft] *f* ⟨**-, -en**⟩ workforce **Arbeiterviertel** *nt* working-class area **Arbeitgeber(in)** *m/(f)* employer **Arbeitgeberanteil** *m* employer's contribution **Arbeitgeberverband** *m* employers' federation **Arbeitnehmer** *m* ⟨**-s, -**⟩, **Arbeitnehmerin** *f* ⟨**-, -nen**⟩ employee **Arbeitnehmeranteil** *m* employee's contribution **Arbeitnehmerschaft** ['arbaitneːmɐʃaft] *f* ⟨**-, -en**⟩ employees *pl* **Arbeitnehmervertreter(in)** *m/(f)* employees' representative **Arbeitsablauf** *m* work routine; (*von Fabrik*) production *no art* **Arbeitsagentur** *f* (State) Department of Employment **arbeitsam** ['arbaitzaːm] *adj* industrious **Arbeitsamt** *nt* job centre (*Br*), unemployment office (*US*) **Arbeitsaufwand** *m* ***mit geringem/großem ~*** with little/a lot of work **Arbeitsbeginn** *m* start of work **Arbeitsbeschaffungsmaßnahme** *f* ADMIN job creation scheme **Arbeitsbeschaffungsprogramm** *nt* job creation scheme *or* program (*US*) **Arbeitseifer** *m* enthusiasm for one's work **Arbeitseinstellung** *f* (≈ *Arbeitsauffassung*) attitude to work **Arbeitserlaubnis** *f* (≈ *Bescheinigung*) work permit **Arbeitsessen** *nt* (*mittags*) working lunch; (*abends*) working dinner **arbeitsfähig** *adj Person* able to work; (≈ *gesund*) fit for work; *Regierung etc* viable **Arbeitsfläche** *f* work surface **Arbeitsgang** *m*, *pl* **-gänge** (≈ *Arbeitsablauf*) work routine; (*von Fabrik*) production *no art* **Arbeitsgebiet** *nt* field of work **Arbeitsgemeinschaft** *f* team; SCHOOL, UNIV study group; (*in Namen*) association **Arbeitsgericht** *nt* industrial tribunal (*Br*), labor court (*US*) **Arbeitsgruppe** *f* team **arbeitsintensiv** *adj* labour-intensive (*Br*), labor-intensive (*US*) **Arbeitskampf** *m* industrial action **Arbeitskleidung** *f* working clothes *pl* **Arbeitsklima** *nt* work(ing) atmosphere **Arbeitskollege** *m*, **Arbeitskollegin** *f* colleague **Arbeitskraft** *f* **1.** *no pl* capacity for work **2.** (≈ *Arbeiter*) worker **Arbeitskräfte** *pl* workforce **Arbeitskreis** *m* team; SCHOOL, UNIV study group **Arbeitsleistung** *f* (*quantitativ*) output, performance; (*qualitativ*) performance **Arbeitslohn** *m* wages *pl*, earnings *pl* **arbeitslos** *adj Mensch* unemployed **Arbeitslosengeld** *nt* earnings-related unemployment benefit **Arbeitslosenhilfe** *f* unemployment benefit **Arbeitslosenquote** *f* rate of unemployment **Arbeitslosenunterstützung** *f* (*dated*) unemployment benefit, dole (money) (*Br infml*) **Arbeitslosenversicherung** *f* ≈ National Insurance (*Br*), ≈ social insurance (*US*) **Arbeitslose(r)**

['arbaitsloːzə] *m/f(m) decl as adj* unemployed person/man/woman *etc*; ***die ~n*** the unemployed **Ạrbeitslosigkeit** *f* ⟨**-**, *no pl*⟩ unemployment **Ạrbeitsmangel** *m* lack of work **Ạrbeitsmarkt** *m* labour (*Br*) *or* labor (*US*) market **Ạrbeitsmoral** *f* work ethic **Ạrbeitsniederlegung** *f* walkout **ạrbeitsparend** *adj* → ***Arbeit*** **Ạrbeitsplatz** *m* **1.** (≈ *Arbeitsstätte*) workplace; ***am ~*** at work **2.** (*in Fabrik*) work station; (*in Büro*) workspace **3.** (≈ *Stelle*) job; ***freie Arbeitsplätze*** vacancies **Ạrbeitsplatzabbau** *m* job cuts *pl* **Ạrbeitsplatzsicherung** *f* safeguarding of jobs **Ạrbeitsplatzteilung** *f* job sharing **Ạrbeitsproduktivität** *f* labour (*Br*) *or* labor (*US*) efficiency **Ạrbeitsprozess** *m* work process **Ạrbeitsraum** *m* workroom; (*für geistige Arbeit*) study **Ạrbeitsrecht** *nt* industrial law **ạrbeitsscheu** *adj* workshy **Ạrbeitsschutzvorschriften** *pl* health and safety regulations *pl* **Ạrbeitssitzung** *f* working session **Ạrbeitsspeicher** *m* IT main memory **Ạrbeitsstelle** *f* **1.** place of work **2.** (≈ *Stellung*) job **Ạrbeitsstunde** *f* man-hour **Ạrbeitssuche** *f* ***auf ~ sein*** to be looking for work *or* a job **Ạrbeitstag** *m* working day **Ạrbeitsteilung** *f* division of labour (*Br*) *or* labor (*US*) **Ạrbeitstempo** *nt* rate of work **Ạrbeitstier** *nt* (*fig infml*) workaholic (*infml*) **Ạrbeitsuchende(r)** [-zuːxndə] *m/f(m) decl as adj* person/man/woman *etc* looking for work *or* a job **ạrbeitsunfähig** *adj* unable to work; (≈ *krank*) unfit for work **Ạrbeitsunfall** *m* industrial accident **Ạrbeitsverbot** *nt* prohibition from employment; ***er wurde mit ~ belegt*** he has been banned from working **Ạrbeitsverhältnis** *nt* **1.** employee-employer relationship; ***ein ~ eingehen*** to enter employment **2. Arbeitsverhältnisse** *pl* working conditions *pl* **Ạrbeitsvermittlung** *f* (≈ *Amt*) employment exchange; (*privat*) employment agency **Ạrbeitsvertrag** *m* contract of employment **Ạrbeitsweise** *f* (≈ *Praxis*) working method; (*von Maschine*) mode of operation **Ạrbeitszeit** *f* working hours *pl*; ***eine wöchentliche ~ von 35 Stunden*** a working week of 35 hours Ạrbeitszeitmodell *nt* working hours model *or* scheme **Ạrbeitszeitverkürzung** *f* reduction in working hours **Ạrbeitszeugnis** *nt* reference from one's employer **Ạrbeitszimmer** *nt* study

Archäologe [arçɛo'loːgə] *m* ⟨**-n, -n**⟩, **Archäologin** [-'loːgɪn] *f* ⟨**-, -nen**⟩ archaeologist (*Br*), archeologist (*US*) **Archäologie** [arçɛolo'giː] *f* ⟨**-**, *no pl*⟩ archaeology (*Br*), archeology (*US*) **archäologisch** [arçɛo'loːgɪʃ] *adj* archaeological (*Br*), archeological (*US*)

Ạrche ['arçə] *f* ⟨**-, -n**⟩ ***die ~ Noah*** Noah's Ark

Archipel [arçi'peːl] *m* ⟨**-s, -e**⟩ archipelago

Architẹkt [arçi'tɛkt] *m* ⟨**-en, -en**⟩, **Architẹktin** [-'tɛktɪn] *f* ⟨**-, -nen**⟩ (*lit*, *fig*) architect **architektonisch** [arçitɛk'toːnɪʃ] *adj* architectural **Architektur** [arçitɛk'tuːɐ] *f* ⟨**-, -en**⟩ architecture

Archiv [ar'çiːf] *nt* ⟨**-s, -e** [-və]⟩ archives *pl* **Archivbild** *nt* photo from the archives **archivieren** [arçi'viːrən] *past part* ***archiviert*** *v/t* to archive

Areal [are'aːl] *nt* ⟨**-s, -e**⟩ area

Arena [a'reːna] *f* ⟨**-, Arenen** [-nən]⟩ arena; (≈ *Zirkusarena*, *Stierkampfarena*) ring

ạrg [ark] **I** *adj*, *comp* **⸚er** ['ɛrgɐ], *sup* **⸚ste(r, s)** ['ɛrkstə] (≈ *schlimm*) bad; *Verlust* terrible; *Enttäuschung* bitter; ***sein ärgster Feind*** his worst enemy; ***etw liegt im Argen*** sth is at sixes and sevens **II** *adv*, *comp* **⸚er**, *sup* **am ⸚sten** (≈ *schlimm*) badly; ***es zu ~ treiben*** to go too far

Argentinien [argɛn'tiːniən] *nt* ⟨**-s**⟩ Argentina **Argentinier** [argɛn'tiːniɐ] *m* ⟨**-s, -**⟩, **Argentinierin** [-iərɪn] *f* ⟨**-, -nen**⟩ Argentine, Argentinian **argentinisch** [argɛn'tiːnɪʃ] *adj* Argentine, Argentinian

Ạ̈rger ['ɛrgɐ] *m* ⟨**-s**, *no pl*⟩ **1.** annoyance; (*stärker*) anger; ***zu jds ~*** to sb's annoyance **2.** (≈ *Unannehmlichkeiten*) trouble; (≈ *Sorgen*) worry; ***jdm ~ machen*** *or* ***bereiten*** to cause sb a lot of trouble; ***~ bekommen*** *or* ***kriegen*** (*infml*) to get into trouble; ***es gibt ~*** (*infml*) there'll be trouble **ạ̈rgerlich** ['ɛrgɐlɪç] *adj* **1.** (≈ *verärgert*) annoyed; *Tonfall* angry **2.** (≈ *unangenehm*) annoying **ạ̈rgern** ['ɛrgɐn] **I** *v/t* (≈ *ärgerlich machen*) to annoy; (*stärker*) to make angry **II** *v/r* (≈ *ärgerlich sein/werden*) to be/get annoyed; (*stärker*) to be/get angry (*über jdn/etw* with sb/about sth) **Ạ̈rgernis** ['ɛrgɐnɪs] *nt* ⟨**-ses, -se**, *no pl*⟩ (≈ *Anstoß*) offence

(*Br*), offense (*US*); ~ ***erregen*** to cause offence (*Br*) *or* offense (*US*); ***wegen Erregung öffentlichen ~ses angeklagt werden*** to be charged with offending public decency

arglistig ['arklıstıç] **I** *adj* cunning, crafty; (≈ *böswillig*) malicious; ***~e Täuschung*** fraud **II** *adv* cunningly, craftily; (≈ *böswillig*) maliciously

Argument [argu'mɛnt] *nt* ⟨**-(e)s, -e**⟩ argument **argumentieren** [argumɛn'tiːrən] *past part* ***argumentiert*** *v/i* to argue

Argwohn ['arkvoːn] *m* ⟨**-s,** *no pl*⟩ suspicion **argwöhnisch** ['arkvøːnıʃ] **I** *adj* suspicious **II** *adv* suspiciously

Arie ['aːriə] *f* ⟨**-, -n**⟩ MUS aria

Arier ['aːriɐ] *m* ⟨**-s, -**⟩, **Arierin** [-iərın] *f* ⟨**-, -nen**⟩ Aryan

Aristokrat [arısto'kraːt] *m* ⟨**-en, -en**⟩, **Aristokratin** [-'kraːtın] *f* ⟨**-, -nen**⟩ aristocrat **Aristokratie** [arıstokra'tiː] *f* ⟨**-, -n** [-'tiːən]⟩ aristocracy **aristokratisch** [arısto'kraːtıʃ] *adj* aristocratic

Arithmetik [arıt'meːtık] *f* ⟨**-,** *no pl*⟩ arithmetic **arithmetisch** [arıt'meːtıʃ] *adj* arithmetic

Arktis ['arktıs] *f* ⟨**-,** *no pl*⟩ Arctic **arktisch** ['arktıʃ] *adj* arctic

arm [arm] *adj, comp* ***⸚er*** ['ɛrmɐ], *sup* ***⸚ste(r, s)*** ['ɛrmstə] poor; ***die Armen*** the poor *pl*; ***~ an etw*** (*dat*) ***sein*** to be somewhat lacking in sth; ***~ an Vitaminen*** low in vitamins; ***um 10 Euro ärmer sein*** to be 10 euros poorer; ***~ dran sein*** (*infml*) to have a hard time of it

Arm [arm] *m* ⟨**-(e)s, -e**⟩ (ANAT, TECH, *fig*) arm; (*von Fluss, Baum*) branch; (≈ *Ärmel*) sleeve; ***jdn in die ~e nehmen*** to take sb in one's arms; ***sich in den ~en liegen*** to lie in each other's arms; ***jdn auf den ~ nehmen*** (*fig infml*) to pull sb's leg (*infml*); ***jdm unter die ~e greifen*** (*fig*) to help sb out; ***mit offenen ~en*** with open arms

Armaturenbrett *nt* instrument panel; AUTO dashboard

Armband [-bant] *nt, pl* ***-bänder*** bracelet; (*von Uhr*) (watch)strap **Armbanduhr** *f* wristwatch **Armbinde** *f* armband; MED sling **Armbruch** *m* MED broken *or* fractured arm

Armee [ar'meː] *f* ⟨**-, -n** [-'meːən]⟩ (MIL, *fig*) army; (≈ *Gesamtheit der Streitkräfte*) (armed) forces *pl*

Ärmel ['ɛrml] *m* ⟨**-s, -**⟩ sleeve; ***etw aus dem ~ schütteln*** to produce sth just like that **Ärmelkanal** *m* (English) Channel **ärmellos** *adj* sleeveless

Armenien [ar'meːniən] *nt* ⟨**-s**⟩ Armenia

Armenviertel *nt* poor district

Armgelenk *nt* elbow joint **Armlehne** *f* armrest **Armleuchter** *m* **1.** chandelier **2.** (*pej infml*) twerp (*infml*)

ärmlich ['ɛrmlıç] **I** *adj* poor; *Kleidung* shabby; ***aus ~en Verhältnissen*** from a poor family **II** *adv* poorly; ***~ leben*** to live in poor conditions

Armreif *m* bangle

armselig *adj* miserable; (≈ *jämmerlich*) pathetic; ***für ~e zwei Euro*** for two paltry euros **Armut** ['armuːt] *f* ⟨**-,** *no pl*⟩ poverty **Armutsgrenze** *f, no pl* poverty line **Armutszeugnis** *nt* (*fig*) ***jdm/sich (selbst) ein ~ ausstellen*** to show sb's/one's (own) shortcomings

Armvoll *m* ⟨**-, -**⟩ armful; ***zwei ~ Holz*** two armfuls of wood

Aroma [a'roːma] *nt* ⟨**-s, Aromen** *or* **-s**⟩ **1.** (≈ *Geruch*) aroma **2.** (≈ *Geschmack*) flavour (*Br*), flavor (*US*) **Aromatherapie** *f* MED aromatherapy **aromatisch** [aro'maːtıʃ] *adj* **1.** (≈ *wohlriechend*) aromatic **2.** (≈ *wohlschmeckend*) savoury (*Br*), savory (*US*)

Arrangement [arãʒə'mãː] *nt* ⟨**-s, -s**⟩ arrangement **arrangieren** [arã'ʒiːrən] *past part* ***arrangiert*** **I** *v/t & v/i* to arrange (*jdm* for sb) **II** *v/r* ***sich mit jdm ~*** to come to an arrangement with sb

Arrest [a'rɛst] *m* ⟨**-(e)s, -s**⟩ detention

arrogant [aro'gant] **I** *adj* arrogant **II** *adv* arrogantly **Arroganz** [aro'gants] *f* ⟨**-,** *no pl*⟩ arrogance

Arsch [arʃ, aːɐʃ] *m* ⟨**-(e)s, ⸚e** ['ɛrʃə, 'ɛːɐʃə]⟩ **1.** (*vulg*) arse (*Br sl*), ass (*US sl*); ***jdm*** *or* ***jdn in den ~ treten*** to give sb a kick up the arse (*Br sl*) *or* ass (*US sl*); ***leck mich am ~!*** (≈ *lass mich in Ruhe*) fuck off! (*vulg*); (≈ *verdammt noch mal*) bugger! (*Br sl*), fuck it! (*vulg*); (*sl*: *überrascht*) fuck me! (*vulg*); ***jdm in den ~ kriechen*** (*infml*) to lick sb's arse (*Br sl*) *or* ass (*US sl*); ***am ~ der Welt*** (*infml*) in the back of beyond; ***im*** *or* ***am ~ sein*** (*sl*) to be screwed up (*sl*) **2.** (*sl* ≈ *Mensch*) bastard (*sl*) **arschkalt** *adj* (*infml*) bloody (*Br infml*) *or* damn (*infml*) cold **Arschkriecher(in)** *m*/(*f*) (*vulg*) ass-kisser (*sl*) **Arschloch** *nt* (*vulg*) **1.** (*lit*) arsehole (*Br sl*), asshole (*US sl*) **2.** = ***Arsch*** 2

Arsen [ar'zeːn] *nt* ⟨***-s***, *no pl*⟩ arsenic

Arsenal [arze'naːl] *nt* ⟨***-s, -e***⟩ (*lit, fig*) arsenal

Art [aːɐt] *f* ⟨***-, -en***⟩ **1.** kind, sort; ***diese ~ Leute/Buch*** that kind *or* sort of person/book; ***aus der ~ schlagen*** not to take after anyone in the family **2.** BIOL species **3.** (≈ *Methode*) way; ***auf diese ~ und Weise*** in this way **4.** (≈ *Wesen*) nature; ***das ist eigentlich nicht seine ~*** it's not like him; ***nach bayrischer ~*** Bavarian style **5.** (≈ *Benehmen*) behaviour (*Br*), behavior (*US*); ***das ist doch keine ~!*** that's no way to behave! **Artenreichtum** *m* BIOL diversity of species **Artenschutz** *m* protection of species

Arterie [ar'teːriə] *f* ⟨***-, -n***⟩ artery **Arteriosklerose** [arterioskle'roːzə] *f* arteriosclerosis

Artgenosse *m*, **Artgenossin** *f* (≈ *Tier/Pflanze*) animal/plant of the same species; (≈ *Mensch*) person of the same type **artgerecht** *adj* appropriate to the species

Arthritis [ar'triːtɪs] *f* ⟨***-, Arthritiden*** [artri'tiːdn]⟩ arthritis **Arthrose** [ar'troːzə] *f* ⟨***-, -n***⟩ arthrosis

artig ['aːɐtɪç] *adj Kind, Hund etc* good; ***sei schön ~*** be good!

Artikel [ar'tiːkl, -'tɪkl] *m* ⟨***-s, -***⟩ article

artikulieren [artiku'liːrən] *past part* ***artikuliert*** **I** *v/t & v/i* to articulate **II** *v/r* to express oneself

Artillerie ['artɪləriː, artɪlə'riː] *f* ⟨***-, -n*** [-'riːən]⟩ artillery

Artischocke [arti'ʃɔkə] *f* ⟨***-, -n***⟩ (globe) artichoke

Artist [ar'tɪst] *m* ⟨***-en, -en***⟩, **Artistin** [ar'tɪstɪn] *f* ⟨***-, -nen***⟩ (circus *or* (*im Varieté*) variety) performer **artistisch** [ar'tɪstɪʃ] *adj* ***eine ~e Glanzleistung*** (*in Zirkus*) a miraculous feat of circus artistry

artverwandt *adj* of the same type; BIOL species-related

Arznei [aːɐts'nai, arts'nai] *f* ⟨***-, -en***⟩ medicine **Arzneimittel** *nt* drug **Arzneimittelmissbrauch** *m* drug abuse

Arzt [aːɐtst, artst] *m* ⟨***-es, ¨-e*** ['ɛːɐtstə, 'ɛrtstə]⟩, **Ärztin** ['ɛːɐtstɪn, 'ɛrtstɪn] *f* ⟨***-, -nen***⟩ doctor; (≈ *Facharzt*) specialist; ***praktischer ~*** general practitioner, GP **Ärzteschaft** ['ɛːɐtstəʃaft, 'ɛrtstə-] *f* ⟨***-, -en***⟩ medical profession **Arzthelfer(in)** *m/(f)* (doctor's) receptionist **Ärztin** *f* → ***Arzt*** **Arztkosten** *pl* doctor's *or* medical fees *pl* **ärztlich** ['ɛːɐtstlɪç, 'ɛrtst-] **I** *adj* medical **II** *adv beraten, untersuchen* medically; ***er ließ sich ~ behandeln*** he went to a doctor for treatment **Arztpraxis** *f* doctor's practice **Arzttermin** *m* doctor's appointment **Arztwahl** *f* choice of doctor

As [as] *nt* ⟨***-es, -e***⟩; → ***Ass***

Asbest [as'bɛst] *nt* ⟨***-(e)s***, *no pl*⟩ asbestos **asbestfrei** *adj* free from *or* of asbestos, asbestos-free **asbesthaltig** *adj* containing asbestos *pred* **Asbestose** [asbɛs'toːzə] *f* ⟨***-, -n***⟩ asbestosis

Asche ['aʃə] *f* ⟨***-, -n***⟩ ashes *pl*; (*von Zigarette, Vulkan*) ash **Aschenbahn** *f* cinder track **Aschenbecher** *m* ashtray **Aschenplatz** *m* FTBL cinder pitch; TENNIS clay court **Aschenputtel** [-pʊtl] *nt* ⟨***-s, -***⟩ Cinderella **Aschermittwoch** [aʃɐ'mɪtvɔx] *m* Ash Wednesday

ASCII-Code *m* ASCII code **ASCII-Datei** *f* ASCII file

aseptisch [a'zɛptɪʃ] **I** *adj* aseptic **II** *adv* aseptically

Aserbaidschan [azɛrbai'dʒaːn] *nt* ⟨***-s***⟩ Azerbaijan

Asiat [a'ziaːt] *m* ⟨***-en, -en***⟩, **Asiatin** [a'ziaːtɪn] *f* ⟨***-, -nen***⟩ Asian **asiatisch** [a'ziaːtɪʃ] *adj* Asian, Asiatic **Asien** ['aːziən] *nt* ⟨***-s***⟩ Asia

Asket [as'keːt] *m* ⟨***-en, -en***⟩, **Asketin** [-ərɪn] *f* ⟨***-, -nen***⟩ ascetic **asketisch** [as'keːtɪʃ] **I** *adj* ascetic **II** *adv* ascetically

Askorbinsäure [askɔr'biːn-] *f* ascorbic acid

asozial ['azotsiaːl, azo'tsiaːl] **I** *adj* asocial **II** *adv* asocially **Asoziale(r)** ['azotsiaːlə] *m/f(m) decl as adj* (*pej*) antisocial person/man/woman *etc*

Aspekt [as'pɛkt] *m* ⟨***-(e)s, -e***⟩ aspect

Asphalt [as'falt, 'asfalt] *m* ⟨***-(e)s, -e***⟩ asphalt **asphaltieren** [asfal'tiːrən] *past part* ***asphaltiert*** *v/t* to asphalt

Aspik [as'piːk, as'pɪk] *m or* (*Aus*) *nt* ⟨***-s, -e***⟩ aspic

Ass [as] *nt* ⟨***-es, -e***⟩ ace

Assessor [a'sɛsoːɐ] *m* ⟨***-s, Assessoren*** [-'soːrən]⟩, **Assessorin** [-'soːrɪn] *f* ⟨***-, -nen***⟩ *graduate civil servant who has completed his/her traineeship*

Assistent [asɪs'tɛnt] *m* ⟨***-en, -en***⟩, **Assistentin** [-'tɛntɪn] *f* ⟨***-, -nen***⟩ assistant **Assistenzarzt** *m*, **Assistenzärztin** *f* junior doctor (*Br*), intern (*US*) **assistieren** [asɪsˈtiːrən] *past part* **assistiert** *v/i* to assist (*jdm* sb)

Assoziation [asotsiaˈtsioːn] *f* ⟨-, **-en**⟩ association **assoziieren** [asotsiˈiːrən] *past part* **assoziiert** (*elev*) *v/t* to associate **assoziiert** [asotsiˈiːɐt] *adj* associated; *Mitgliedschaft* associate

Ast [ast] *m* ⟨-(**e**)**s**, **¨e** [ˈɛstə]⟩ branch

Aster [ˈastɐ] *f* ⟨-, **-n**⟩ aster

Astgabel *f* fork (of a branch)

Ästhet [ɛsˈteːt] *m* ⟨**-en**, **-en**⟩, **Ästhetin** [ɛsˈteːtɪn] *f* ⟨-, **-nen**⟩ aesthete **ästhetisch** [ɛsˈteːtɪʃ] *adj* aesthetic

Asthma [ˈastma] *nt* ⟨**-s**, *no pl*⟩ asthma **Asthmatiker** [astˈmaːtikɐ] *m* ⟨**-s**, **-**⟩, **Asthmatikerin** [-ərɪn] *f* ⟨-, **-nen**⟩ asthmatic **asthmatisch** [astˈmaːtɪʃ] *adj* asthmatic

astrein *adj* **1.** (*fig infml*) (≈ *moralisch einwandfrei*) above board; (≈ *echt*) genuine **2.** (*dated sl* ≈ *prima*) fantastic (*infml*)

Astrologe [astroˈloːgə] *m* ⟨**-n**, **-n**⟩, **Astrologin** [-ˈloːgɪn] *f* ⟨-, **-nen**⟩ astrologer **Astrologie** [astroloˈgiː] *f* ⟨-, *no pl*⟩ astrology **astrologisch** [astroˈloːgɪʃ] *adj* astrological **Astronaut** [astroˈnaut] *m* ⟨**-en**, **-en**⟩, **Astronautin** [-ˈnautɪn] *f* ⟨-, **-nen**⟩ astronaut **Astronomie** [astronoˈmiː] *f* ⟨-, *no pl*⟩ astronomy **astronomisch** [astroˈnoːmɪʃ] *adj* astronomical **Astrophysik** *f* astrophysics *sg*

ASU [ˈaːzu] *f* ⟨-, *no pl*⟩ *abbr of* ***Abgassonderuntersuchung***

Asyl [aˈzyːl] *nt* ⟨**-s**, **-e**⟩ (≈ *politisches Asyl*) (political) asylum *no art*; ***jdm ~ gewähren*** to grant sb (political) asylum **Asylant** [azyˈlant] *m* ⟨**-en**, **-en**⟩, **Asylantin** [-ˈlantɪn] *f* ⟨-, **-nen**⟩ (*often pej*) asylum seeker **Asylantenwohnheim** *nt* (*often pej*) hostel for asylum seekers **Asylbewerber(in)** *m*/(*f*) asylum seeker **Asylpolitik** *f* policy on asylum **Asylrecht** *nt* POL right of (political) asylum **Asylsuchende(r)** [-zuːxndə] *m/f(m)* *decl as adj* asylum seeker

asymmetrisch [ˈazʏmeːtrɪʃ, azʏˈmeːtrɪʃ] *adj* asymmetric(al)

Atelier [ateˈlieː, atəˈlieː] *nt* ⟨**-s**, **-s**⟩ studio

Atem [ˈaːtəm] *m* ⟨**-s**, *no pl*⟩ (≈ *Atemluft*) breath; ***~ holen*** (*lit*) to take a breath; (*fig*) to get one's breath back; ***den ~ anhalten*** to hold one's breath; ***außer ~ sein*** to be out of breath; ***wieder zu ~ kommen*** to get one's breath back; ***jdn in ~ halten*** to keep sb in suspense; ***das verschlug mir den ~*** that took my breath away **atemberaubend** **I** *adj* breathtaking **II** *adv* breathtakingly **Atembeschwerden** *pl* trouble *sg* in breathing **Atemgerät** *nt* breathing apparatus; MED respirator **atemlos** *adj* (*lit, fig*) breathless **Atemnot** *f* difficulty in breathing **Atempause** *f* (*fig*) breathing space **Atemschutzmaske** *f* breathing mask **Atemstillstand** *m* respiratory standstill, apnoea (*Br*), apnea (*US*) **Atemübung** *f* MED breathing exercise **Atemwege** *pl* ANAT respiratory tracts *pl* **Atemzug** *m* breath; ***in einem/im selben ~*** (*fig*) in one/the same breath

Atheismus [ateˈɪsmʊs] *m* ⟨-, *no pl*⟩ atheism **Atheist** [ateˈɪst] *m* ⟨**-en**, **-en**⟩, **Atheistin** [-ˈɪstɪn] *f* ⟨-, **-nen**⟩ atheist **atheistisch** [ateˈɪstɪʃ] *adj* atheist(ic)

Athen [aˈteːn] *nt* ⟨**-s**⟩ Athens

Äther [ˈɛːtɐ] *m* ⟨**-s**, *no pl*⟩ ether; RADIO air **ätherisch** [ɛˈteːrɪʃ] *adj* CHEM essential

Äthiopien [ɛˈtioːpiən] *nt* ⟨**-s**⟩ Ethiopia **äthiopisch** [ɛˈtioːpɪʃ] *adj* Ethiopian

Athlet [atˈleːt] *m* ⟨**-en**, **-en**⟩, **Athletin** [atˈleːtɪn] *f* ⟨-, **-nen**⟩ athlete **Athletik** [atˈleːtɪk] *f* ⟨-, *no pl*⟩ athletics *sg* **athletisch** [atˈleːtɪʃ] *adj* athletic

Atlantik [atˈlantɪk] *m* ⟨**-s**⟩ Atlantic **atlantisch** [atˈlantɪʃ] *adj* Atlantic; ***der Atlantische Ozean*** the Atlantic Ocean

Atlas [ˈatlas] *m* ⟨**-** *or* **-ses**, **-se** *or* ***Atlanten*** [atˈlantn]⟩ atlas

atmen [ˈaːtmən] *v/t & v/i* to breathe

Atmosphäre [atmoˈsfɛːrə] *f* (PHYS, *fig*) atmosphere **atmosphärisch** [atmoˈsfɛːrɪʃ] *adj* atmospheric; ***~e Störungen*** atmospherics *pl*

Atmung [ˈaːtmʊŋ] *f* ⟨-, *no pl*⟩ breathing; MED respiration **atmungsaktiv** *adj Material, Stoff* breathable **Atmungsorgane** *pl* respiratory organs *pl*

Ätna [ˈɛːtna] *m* ⟨-⟩ GEOG Mount Etna

Atoll [aˈtɔl] *nt* ⟨**-s**, **-e**⟩ atoll

Atom [aˈtoːm] *nt* ⟨**-s**, **-e**⟩ atom **Atomantrieb** *m* ***ein U-Boot mit ~*** a nuclear-powered submarine **atomar** [atoˈmaːɐ] **I** *adj* atomic; *Drohung* nuclear **II** *adv* ***~ angetrieben*** nuclear-powered **Atomausstieg** *m, no pl* abandonment of nuclear energy **Atombombe** *f* atomic *or* atom (*esp Br*) bomb **atombombensicher** *adj* nuclear blast-proof **Atombunker** *m* nuclear blast-proof bunker **Atom-**

energie *f* nuclear energy **Atomforscher(in)** *m/(f)* nuclear scientist **Atomforschung** *f* nuclear research **atomgetrieben** [-gətriːbn] *adj* nuclear-powered **Atomgewicht** *nt* atomic weight **atomisieren** [atomi'ziːrən] *past part* ***atomisiert*** *v/t* to atomize **Atomkern** *m* atomic nucleus **Atomkraft** *f* nuclear power *or* energy **Atomkraftgegner(in)** *m/(f)* anti-nuclear (power) protester **Atomkraftwerk** *nt* nuclear power station **Atomkrieg** *m* nuclear war **Atommacht** *f* nuclear power **Atommüll** *m* nuclear waste **Atommülltransport** *m* transport of nuclear *or* radioactive waste **Atomphysik** *f* nuclear physics *sg* **Atomreaktor** *m* nuclear reactor **Atomspaltung** *f* nuclear fission **Atomsperrvertrag** *m* nuclear weapons nonproliferation treaty **Atomsprengkopf** *m* nuclear warhead **Atomstopp** *m* nuclear ban **Atomstrom** *m* (*infml*) electricity generated by nuclear power **Atomtest** *m* nuclear test **Atomteststoppabkommen** *nt* nuclear test ban treaty **Atom-U-Boot** *nt* nuclear submarine **Atomversuch** *m* nuclear test **Atomwaffe** *f* nuclear weapon **atomwaffenfrei** *adj* nuclear-free **Atomwaffensperrvertrag** *m* nuclear weapons nonproliferation treaty

Atrium ['aːtriʊm] *nt* ⟨**-s,** ***Atrien*** [-riən]⟩ ARCH, ANAT atrium

ätsch [ɛːtʃ] *int* (*infml*) ha-ha

Attacke [a'takə] *f* ⟨**-, -n**⟩ attack **attackieren** [ata'kiːrən] *past part* ***attackiert*** *v/t* to attack

Attentat ['atntaːt, atɛn'taːt] *nt* ⟨**-(e)s, -e**⟩ assassination; (≈ *Attentatsversuch*) assassination attempt; ***ein ~ auf jdn verüben*** to assassinate sb; (*bei gescheitertem Versuch*) to make an attempt on sb's life **Attentäter(in)** *m/(f)* assassin

Attest [a'tɛst] *nt* ⟨**-(e)s, -e**⟩ certificate **attestieren** [atɛs'tiːrən] *past part* ***attestiert*** *v/t* (*form*) to certify

Attraktion [atrak'tsioːn] *f* ⟨**-, -en**⟩ attraction **attraktiv** [atrak'tiːf] *adj* attractive **Attraktivität** [atraktivi'tɛːt] *f* ⟨**-,** *no pl*⟩ attractiveness

Attrappe [a'trapə] *f* ⟨**-, -n**⟩ dummy

Attribut [atri'buːt] *nt* ⟨**-(e)s, -e**⟩ attribute **attributiv** [atribu'tiːf] *adj* GRAM attributive

atypisch ['atyːpɪʃ, a'tyːpɪʃ] *adj* (*elev*) atypical

At-Zeichen ['ɛt-] *nt* At sign

ätzen ['ɛtsn] *v/t & v/i* (*Säure*) to corrode **ätzend** *adj* **1.** (*lit*) *Säure* corrosive; MED caustic **2.** *Geruch* pungent; *Rauch* choking; *Spott*, *Kritik* caustic **3.** (*infml* ≈ *furchtbar*) lousy (*infml*)

au [au] *int* ow, ouch

Aubergine [obɛr'ʒiːnə] *f* ⟨**-, -n**⟩ aubergine, eggplant (*esp US*)

auch [aux] *adv* **1.** (≈ *gleichfalls*) also, too; ***das ist ~ möglich*** that's also possible; ***ja, das ~*** yes, that too; ***~ gut*** that's OK too; ***du ~?*** you too?; ***~ nicht*** not ... either; ***das ist ~ nicht richtig*** that's not right either; ***er kommt — ich ~*** he's coming — so am I *or* me too; ***er kommt nicht — ich ~ nicht*** he's not coming — nor *or* neither am I; ***~ das noch!*** that's all I needed!; ***du siehst müde aus — das bin ich ~*** you look tired — (so) I am **2.** (≈ *sogar*) even; ***ohne ~ nur zu fragen*** without even asking **3.** (*emph*) ***so was Ärgerliches aber ~!*** it's really too annoying!; ***wozu ~?*** whatever for? **4.** (≈ *auch immer*) ***wie dem ~ sei*** be that as it may; ***was er ~ sagen mag*** whatever he might say

Audienz [au'diɛnts] *f* ⟨**-, -en**⟩ audience

Audio-CD ['audio-] *f* audio disc *or* CD **Audioguide** ['audiogaɪd] *m* ⟨**-s, -s**⟩ audio guide **Audio-Kassette** ['audio-] *f* audio cassette **audiovisuell** [audiovi'zuɛl] **I** *adj* audiovisual **II** *adv* audiovisually; *gestalten* using audiovisual aids

Auditorium [audi'toːriʊm] *nt* ⟨**-s,** ***Auditorien*** [-riən]⟩ **1.** (≈ *Hörsaal*) lecture hall; ***~ maximum*** UNIV main lecture hall **2.** (≈ *Zuhörerschaft*) audience

Auerhahn ['auɐ-] *m, pl* ***Auerhähne*** *or* (*Hunt*) **-en** capercaillie

auf [auf] **I** *prep +dat* on; ***~ einem Stuhl sitzen*** to sit on a chair; ***~ den Orkneyinseln*** in the Orkney Islands; ***~ See*** at sea; ***~ der Bank*** at the bank; ***mein Geld ist ~ der Bank*** my money is in the bank; ***~ der Straße*** on *or* in the street; ***etw ~ dem Klavier spielen*** to play sth on the piano; ***~ einem Ohr taub sein*** to be deaf in one ear; ***was hat es damit ~ sich?*** what does it mean? **II** *prep +acc* **1.** (*Ort*) on; ***etw ~ etw stellen*** to put sth on(to) sth; ***er ist ~ die Orkneyinseln gefahren*** he has gone to the Orkney Islands; ***~ sein Zimmer/die Post gehen*** to go to one's room / the post office; ***~ eine Party/eine Hochzeit gehen*** to go to a party / wedding **2.** (*Zeit*)

~ drei Tage for three days; **~ morgen/bald!** see you tomorrow/soon! **3.** (≈ *für*) **~ 10 km** for 10 km; **~ eine Tasse Kaffee** for a cup of coffee **4.** (≈ *pro*) **~ jeden kamen zwei Flaschen Bier** there were two bottles of beer (for) each **5. ~ ein glückliches Gelingen!** here's to a great success!; **~ deine Gesundheit!** (your very) good health!; **~ seinen Vorschlag/seine Bitte (hin)** at his suggestion/request **III** *adv* **1.** (≈ *offen*) open; → **auf sein**; **Mund ~!** open your mouth! **2. Helm ~!** helmets on!; **~ nach Chicago!** let's go to Chicago; **~ gehts!** let's go!; **~ und ab** up and down; **sie ist ~ und davon** she has disappeared

Auf [auf] *nt inv* **das ~ und Ab** the up and down; (*fig*) the ups and downs

aufarbeiten *v/t sep* **1.** (≈ *erneuern*) to do up; *Möbel etc* to recondition **2.** *Vergangenheit* to reappraise **3.** (≈ *erledigen*) *Korrespondenz* to catch up with **4.** PHYS *Brennelemente* to reprocess

aufatmen *v/i sep* to breathe a sigh of relief; **ein Aufatmen** a sigh of relief

aufbacken *v/t sep* to crisp up

aufbahren ['aufbaːrən] *v/t sep Sarg* to lay on the bier; *Leiche* to lay out

Aufbau *m, pl* **-bauten 1.** *no pl* (≈ *das Aufbauen*) construction; (*von Netzwerk, System*) setting up; **der ~ Ost** the rebuilding of East Germany **2.** (≈ *Aufgebautes*) top; (*von Auto, Lkw*) body **3.** *no pl* (≈ *Struktur*) structure **aufbauen** *sep* **I** *v/t* **1.** (≈ *errichten*) to put up; *Verbindung, System* to set up **2.** (*fig* ≈ *gestalten*) *Geschäft* to build up; *Zerstörtes* to rebuild; *Plan* to construct; **sich** (*dat*) **eine (neue) Existenz ~** to build (up) a new life for oneself **3.** (*fig*) *Star, Politiker* to promote; *Beziehung* to build; **jdn/etw zu etw ~** to build sb/sth up into sth **4.** (≈ *strukturieren*) to construct; *Aufsatz, Rede, Organisation* to structure **II** *v/i* (≈ *sich gründen*) to be based *or* founded (*auf +dat or acc* on) **III** *v/r* **1.** (*infml* ≈ *sich postieren*) to take up position; **sich vor jdm drohend ~** to plant oneself in front of sb (*infml*) **2.** (≈ *bestehen aus*) **sich aus etw ~** to be composed of sth **Aufbauhilfe** *f* development(al) aid *or* assistance

aufbäumen ['aufbɔymən] *v/r sep* (*Tier*) to rear; **sich gegen jdn/etw ~** (*fig*) to rebel *or* revolt against sb/sth

aufbauschen *v/t & v/r sep* to blow out; (*fig*) to blow up

Aufbaustudium *nt* UNIV course of further study

aufbegehren *past part* **aufbegehrt** *v/i sep* (*elev*) to revolt (*gegen* against)

aufbehalten *past part* **aufbehalten** *v/t sep irr Hut, Brille etc* to keep on

aufbekommen *past part* **aufbekommen** *v/t sep irr* (*infml*) **1.** (≈ *öffnen*) to get open **2.** *Aufgabe* to get as homework

aufbereiten *past part* **aufbereitet** *v/t sep* to process; *Daten* to edit; *Text etc* to work up **Aufbereitung** *f* ⟨**-, -en**⟩ processing; (*von Daten*) editing; (*von Texten*) working up

aufbessern *v/t sep* to improve

aufbewahren *past part* **aufbewahrt** *v/t sep* to keep **Aufbewahrung** *f* (≈ *das Aufbewahren*) keeping; (*von Lebensmitteln*) storage; **jdm etw zur ~ übergeben** to give sth to sb for safekeeping

aufbieten *v/t sep irr Menschen, Mittel* to muster; *Kräfte, Fähigkeiten* to summon (up); *Militär, Polizei* to call in **Aufbietung** *f* ⟨-, *no pl*⟩ **unter** *or* **bei ~ aller Kräfte ...** summoning (up) all his/her *etc* strength ...

aufbinden *v/t sep irr* **1.** (≈ *öffnen*) *Schuh etc* to undo **2. lass dir doch so etwas nicht ~** (*fig*) don't fall for that

aufblähen *sep* **I** *v/t* (*fig*) to inflate **II** *v/r* to blow out; MED to become swollen

aufblasbar *adj* inflatable **aufblasen** *sep irr* **I** *v/t Ballon* to blow up **II** *v/r* (*fig pej*) to puff oneself up; → **aufgeblasen**

aufbleiben *v/i sep irr aux sein* **1.** (≈ *nicht schlafen gehen*) to stay up **2.** (≈ *geöffnet bleiben*) to stay open

aufblenden *sep* **I** *v/i* PHOT to open up the lens; FILM to fade in; AUTO to turn the headlights on full (beam) **II** *v/t* AUTO *Scheinwerfer* to turn on full (beam)

aufblicken *v/i sep* to look up; **zu jdm/etw ~** to look up to sb/sth

aufblitzen *v/i sep* **1.** (*Licht, Augen*) to flash **2.** *aux sein* (*fig*) (*Emotion*) to flare up

aufblühen *v/i sep aux sein* **1.** (*Blume*) to bloom **2.** (*fig*) (*Mensch*) to blossom out; **das ließ die Stadt ~** it allowed the town to flourish

aufbocken *v/t sep Auto* to jack up

aufbrauchen *v/t sep* to use up

aufbrausen *v/i sep aux sein* **1.** (*Brandung etc*) to surge; (*fig: Beifall, Jubel*) to break out **2.** (*fig: Mensch*) to flare up **aufbrausend** *adj* irascible **aufbrechen** *sep irr* **I** *v/t* to break open; *Auto* to break into; *Asphalt, Oberfläche* to break up **II** *v/i aux sein* **1.** (≈ *sich öffnen*) to break up; (*Knospen, Wunde*) to open **2.** (≈ *sich auf den Weg machen*) to set off

aufbringen *v/t sep irr* **1.** (≈ *beschaffen*) to find **2.** (≈ *erzürnen*) to make angry; ***jdn gegen jdn/etw ~*** to set sb against sb/sth; → ***aufgebracht***

Aufbruch *m, no pl* departure; ***das Zeichen zum ~ geben*** to give the signal to set off **Aufbruch(s)stimmung** *f* ***hier herrscht schon ~*** (*bei Party etc*) it's (all) breaking up

aufbrühen *v/t sep* to brew up

aufbürden *v/t sep* (*elev*) ***jdm etw ~*** (*lit*) to load sth onto sb; (*fig*) to encumber sb with sth

aufdecken *sep v/t* to uncover; *Spielkarten* to show; *Verbrechen* to expose; *Schwäche* to lay bare

aufdonnern *v/r sep* (*pej infml*) to get tarted up (*Br pej infml*), to deck oneself out (*US infml*); → ***aufgedonnert***

aufdrängen *sep* **I** *v/t* ***jdm etw ~*** to impose *or* force sth on sb **II** *v/r* to impose; ***dieser Gedanke drängte sich mir auf*** I couldn't help thinking that

aufdrehen *sep* **I** *v/t Wasser etc* to turn on; *Ventil* to open; *Lautstärke* to turn up **II** *v/i* (*infml*) (≈ *beschleunigen*) to put one's foot down hard; (*fig* ≈ *loslegen*) to get going; → ***aufgedreht***

aufdringlich *adj Mensch* pushy (*infml*); *Farbe* loud; *Geruch* overpowering

Aufdruck *m, pl* ***-drucke*** (≈ *Aufgedrucktes*) imprint **aufdrucken** *v/t sep* ***etw auf etw*** (*acc*) ***~*** to print sth on sth

aufdrücken *v/t sep* **1.** ***etw auf etw*** *acc* ***~*** to press sth on sth; (≈ *aufdrucken*) to stamp sth on sth **2.** (≈ *öffnen*) *Tür etc* to push open

aufeinander [auf|ai'nandɐ] *adv* on (top of) each other; ***~ zufahren*** to drive toward(s) each other **Aufeinanderfolge** *f, no pl* sequence; ***in schneller ~*** in quick succession **aufeinanderfolgen** *v/i sep aux sein* to follow each other; ***~d*** (*zeitlich*) successive **aufeinandertreffen** *v/i sep irr aux sein* (*Gruppen etc*) to meet; (*Meinungen*) to clash

Aufenthalt ['auf|ɛnthalt] *m* stay; *esp* RAIL stop; (*bei Anschluss*) wait; ***der Zug hat 20 Minuten ~*** the train stops for 20 minutes; ***wie lange haben wir ~?*** how long do we stop for? **Aufenthaltserlaubnis** *f* residence permit **Aufenthaltsort** *m, pl* ***-orte*** whereabouts *sg or pl*; JUR abode, residence **Aufenthaltsraum** *m* day room; (*auf Flughafen*) lounge

auferlegen *past part* ***auferlegt*** *v/t sep or insep* (*elev*) to impose (*jdm* on sb)

auferstehen *past part* ***auferstanden*** *v/i sep or insep irr aux sein* to rise from the dead; ***Christus ist auferstanden*** Christ is (a)risen **Auferstehung** ['auf|ɛɐʃteːʊŋ] *f* ⟨**-, -en**⟩ resurrection

aufessen *sep irr v/t* to eat up

auffädeln *v/t sep* to thread *or* string (together)

auffahren *sep irr* **I** *v/i aux sein* **1.** (≈ *aufprallen*) ***auf jdn/etw ~*** to run into sb/sth **2.** (≈ *näher heranfahren*) to drive up; ***zu dicht ~*** to drive too close behind (the car in front) **3.** (≈ *aufschrecken*) to start; ***aus dem Schlaf ~*** to awake with a start **II** *v/t* (*infml*) *Getränke etc* to serve up; *Speisen, Argumente* to dish up (*infml*) **Auffahrt** *f* (≈ *Zufahrt*) approach (road); (*bei Haus etc*) drive; (≈ *Rampe*) ramp **Auffahrunfall** *m* (*von zwei Autos*) collision; (*von mehreren Autos*) pile-up

auffallen *sep irr v/i aux sein* (≈ *sich abheben*) to stand out; (≈ *unangenehm auffallen*) to attract attention; ***angenehm/unangenehm ~*** to make a good/bad impression; ***so etwas fällt doch nicht auf*** that will never be noticed; ***das muss dir doch aufgefallen sein!*** surely you must have noticed (it)! **auffallend** **I** *adj* noticeable; *Ähnlichkeit, Kleider* striking **II** *adv* noticeably; *schön* strikingly; ***stimmt ~!*** (*hum*) too true! **auffällig** **I** *adj* conspicuous; *Kleidung* striking **II** *adv* conspicuously; ***sich ~ verhalten*** to get oneself noticed

auffangen *v/t sep irr* to catch; *Aufprall etc* to cushion; *Verluste* to offset **Auffanglager** *nt* reception camp

auffassen *sep* **I** *v/t* (≈ *interpretieren*) to interpret; ***etw falsch/richtig ~*** to take sth the wrong way/in the right way **II** *v/i* to understand **Auffassung** *f* (≈ *Meinung*) opinion; (≈ *Begriff*) conception; ***nach meiner ~*** in my opinion **Auffassungsgabe** *f* ***er hat eine leichte*** *or* ***schnelle ~*** he is quick on the uptake

auffindbar *adj* ***es ist nicht ~*** it can't be found; ***es ist schwer ~*** it's hard to find **auffinden** *v/t sep irr* to find

auffischen *v/t sep* to fish up; (*infml*) *Schiffbrüchige* to fish out

aufflackern *v/i sep aux sein* to flare up

aufflammen *v/i sep aux sein* (*Feuer, Unruhen etc*) to flare up

auffliegen *v/i sep irr aux sein* **1.** (≈ *hochfliegen*) to fly up; (≈ *sich öffnen*) to fly open **2.** (*fig infml, Rauschgiftring*) to be busted (*infml*); ***eine Konferenz ~ lassen*** to break up a meeting

auffordern *v/t sep* to ask; (≈ *zum Tanz bitten*) to ask to dance **Aufforderung** *f* request; (*nachdrücklicher*) demand; (≈ *Einladung*) invitation

aufforsten *v/t sep Gebiet* to reafforest; *Wald* to retimber

auffressen *sep irr v/t* to eat up; ***er wird dich deswegen nicht gleich ~*** (*infml*) he's not going to eat you (*infml*)

auffrischen *sep* **I** *v/t* to freshen (up); (*fig*) *Erinnerungen* to refresh; *Kenntnisse* to polish up; *persönliche Beziehungen* to renew **II** *v/i aux sein or haben* (*Wind*) to freshen **Auffrischungskurs** *m* refresher course

aufführen *sep* **I** *v/t* **1.** *Drama, Oper* to stage; *Musikwerk* to perform **2.** (≈ *auflisten*) to list; ***einzeln ~*** to itemize **II** *v/r* to behave **Aufführung** *f* (*von Drama, Oper*) staging; (≈ *Vorstellung*) performance

auffüllen *v/t sep* **1.** (≈ *vollständig füllen*) to fill up; (≈ *nachfüllen*) to top up **2.** (≈ *ergänzen*) *Vorräte* to replenish

Aufgabe *f* **1.** (≈ *Arbeit, Pflicht*) job, task; ***sich*** (*dat*) ***etw zur ~ machen*** to make sth one's business **2.** (≈ *Funktion*) purpose **3.** (*esp* SCHOOL, *zur Übung*) exercise; (*usu pl* ≈ *Hausaufgabe*) homework *no pl* **4.** (*von Koffer, Gepäck*) registering; AVIAT checking (in); (*von Anzeige*) placing *no pl* **5.** MIL *etc* surrender **6.** (*von Geschäft*) giving up

aufgabeln *v/t sep* (*fig infml*) *jdn* to pick up (*infml*)

Aufgabenbereich *m* area of responsibility

Aufgang *m, pl* **-gänge** **1.** (*von Sonne, Mond*) rising **2.** (≈ *Treppenaufgang*) stairs *pl*

aufgeben *sep irr* **I** *v/t* **1.** *Hausaufgaben* to give; *Problem* to pose (*jdm* for sb) **2.** *Koffer, Gepäck* to register; *Fluggepäck* to check in; *Brief, Paket* to post (*Br*), to mail (*esp US*); *Anzeige, Bestellung* to place **3.** *Kampf, Hoffnung etc* to give up **II** *v/i* (≈ *sich geschlagen geben*) to give up *or* in; MIL to surrender

aufgeblasen ['aufgəblaːzn] *adj* (*fig*) self-important; → ***aufblasen***

Aufgebot *nt* **1.** ***das ~ bestellen*** to give notice of one's intended marriage; ECCL to post the banns **2.** (≈ *Ansammlung*) (*von Menschen*) contingent; (*von Material etc*) array

aufgebracht ['aufgəbraxt] *adj* outraged; → ***aufbringen***

aufgedonnert ['aufgədɔnɐt] *adj* (*pej infml*) tarted-up (*Br pej infml*), decked-out (*US infml*); → ***aufdonnern***

aufgedreht ['aufgədreːt] *adj* (*infml*) in high spirits; → ***aufdrehen***

aufgedunsen *adj* bloated

aufgehen *v/i sep irr aux sein* **1.** (*Sonne, Mond*) to come up **2.** (≈ *sich öffnen*) to open; (*Knopf etc*) to come undone **3.** COOK to rise **4.** (≈ *klar werden*) ***jdm geht etw auf*** sth dawns on sb **5.** (MAT: *Rechnung etc*) to work out **6.** (≈ *seine Erfüllung finden*) ***in etw*** (*dat*) ***~*** to be taken up with sth

aufgehoben ['aufgəhoːbn] *adj* (***bei jdm***) ***gut/schlecht ~ sein*** to be/not to be in good hands (with sb); → ***aufheben***

aufgeklärt ['aufgəklɛːɐt] *adj* enlightened; ***~ sein*** (*sexualkundlich*) to know the facts of life; → ***aufklären***

aufgekratzt ['aufgəkratst] *adj* (*infml*) in high spirits; → ***aufkratzen***

aufgelegt ['aufgəleːkt] *adj* ***gut/schlecht*** *etc* ***~*** in a good/bad *etc* mood; (***dazu***) ***~ sein, etw zu tun*** to feel like doing sth; → ***auflegen***

aufgelöst ['aufgəløːst] *adj* (≈ *außer sich*) distraught; (≈ *bestürzt*) upset; ***in Tränen ~*** in tears; → ***auflösen***

aufgeregt ['aufgəreːkt] **I** *adj* (≈ *erregt*) excited; (≈ *nervös*) nervous **II** *adv* excitedly; → ***aufregen***

aufgeschlossen ['aufgəʃlɔsn] *adj* (≈ *nicht engstirnig*) open-minded; (≈ *empfänglich*) open (*für, gegenüber* to); → ***aufschließen*** **Aufgeschlossenheit** *f* ⟨-, *no pl*⟩ open-mindedness; (≈ *Empfänglichkeit*) openness (*für, gegenüber* to)

aufgeschmissen ['aufgəʃmɪsn] *adj pred*

(*infml*) stuck (*infml*)
aufgeweckt ['aufgəvɛkt] *adj* bright; → ***aufwecken***
aufgewühlt ['aufgəvy:lt] *adj* (*elev*) agitated; *Wasser, Meer* turbulent; → ***aufwühlen***
aufgießen *v/t sep irr Kaffee, Tee* to make
aufgliedern *sep* **I** *v/t* to split up **II** *v/r* to break down (*in +acc* into)
aufgraben *v/t sep irr* to dig up
aufgreifen *v/t sep irr* **1.** (≈ *festnehmen*) to pick up **2.** *Thema, Gedanken* to take up
aufgrund [auf'grʊnt] *prep +gen* on the basis of; ***~ einer Verwechslung*** because of a mistake
Aufguss *m* brew, infusion; (*fig pej*) rehash **Aufgussbeutel** *m* (≈ *Teebeutel*) tea bag
aufhaben *sep irr* **I** *v/t* **1.** *Hut, Brille* to have on **2.** (SCHOOL: *als Hausaufgabe*) ***etw ~*** to have sth (to do) **II** *v/i* (*Laden etc*) to be open
aufhalsen ['aufhalzn] *v/t sep* (*infml*) ***jdm/sich etw ~*** to land sb/oneself with sth (*infml*)
aufhalten *sep irr* **I** *v/t* **1.** to stop; (≈ *verlangsamen*) to hold up; (≈ *stören*) to hold back (*bei* from); ***ich will dich nicht länger ~*** I don't want to hold you back any longer **2.** (*infml* ≈ *offen halten*) to keep open; ***die Hand ~*** to hold one's hand out **II** *v/r* **1.** (≈ *an einem Ort bleiben*) to stay **2.** (*bei der Arbeit etc*) to take a long time (*bei* over) **3.** (≈ *sich befassen*) ***sich bei etw ~*** to dwell on sth
aufhängen *sep* **I** *v/t* **1.** *Kleidung, Bild* to hang up; AUTO *Rad* to suspend **2.** (≈ *töten*) to hang (*an +dat* from) **II** *v/r* (≈ *sich töten*) to hang oneself (*an +dat* from) **Aufhängung** ['aufhɛŋʊŋ] *f* ⟨*-, -en*⟩ TECH suspension
aufhäufen *v/t & v/r sep* to accumulate
aufheben *sep irr* **I** *v/t* **1.** (*vom Boden*) to pick up **2.** (≈ *nicht wegwerfen*) to keep; → ***aufgehoben*** **3.** (≈ *ungültig machen*) to abolish; *Vertrag* to cancel; *Urteil* to quash; *Verlobung* to break off **4.** (≈ *beenden*) *Blockade* to lift **5.** (≈ *ausgleichen*) to offset **II** *v/r* (≈ *sich ausgleichen*) to offset each other **Aufheben** *nt* ⟨*-s, no pl*⟩ fuss; ***viel ~(s) machen*** to make a lot of fuss (*von, um* about) **Aufhebung** *f* **1.** (≈ *Abschaffung*) abolition; (*von Vertrag*) cancellation; (*von Urteil*) quashing; (*von Verlobung*) breaking off **2.** (≈ *Beendigung*) (*von Blockade etc*) lifting
aufheitern ['aufhaitɐn] *sep* **I** *v/t jdn* to cheer up **II** *v/r* (*Himmel*) to clear; (*Wetter*) to clear up
aufhellen ['aufhɛlən] *sep* **I** *v/t* to brighten (up); *Haare* to lighten; (*fig* ≈ *klären*) to shed light upon **II** *v/r* to brighten (up)
aufhetzen *v/t sep* to stir up; ***jdn zu etw ~*** to incite sb to (do) sth
aufheulen *v/i sep* to howl (*vor* with); (*Sirene*) to (start to) wail; (*Motor, Menge*) to (give a) roar
aufholen *sep* **I** *v/t* to make up; ***Versäumtes ~*** to make up for lost time **II** *v/i* to catch up
aufhorchen *v/i sep* to sit up (and take notice)
aufhören *v/i sep* to stop; (*bei Arbeitsstelle*) to finish; ***hör doch endlich auf!*** (will you) stop it!; ***mit etw ~*** to stop sth
aufkaufen *v/t sep* to buy up
aufklappen *sep v/t* to open up; *Klappe* to lift up; *Verdeck* to fold back
aufklaren ['aufkla:rən] *sep v/i* (*Wetter*) to brighten (up); (*Himmel*) to clear
aufklären *sep* **I** *v/t* **1.** to clear up; *Verbrechen, Rätsel* to solve **2.** *jdn* to enlighten; ***Kinder ~*** (*sexualkundlich*) to tell children the facts of life; ***jdn über etw*** (*acc*) ***~*** to inform sb about sth; → ***aufgeklärt*** **II** *v/r* (*Irrtum etc*) to resolve itself; (*Himmel*) to clear **Aufklärung** *f* **1.** PHIL ***die ~*** the Enlightenment **2.** (*von Missverständnis*) clearing up; (*von Verbrechen, Rätsel*) solution **3.** (***sexuelle***) ***~*** (*in Schulen*) sex education **4.** MIL reconnaissance **Aufklärungsfilm** *m* sex education film **Aufklärungsflugzeug** *nt* reconnaissance plane; (*klein*) scout (plane) **Aufklärungsquote** *f* (*in Kriminalstatistik*) percentage of cases solved **Aufklärungssatellit** *m* spy satellite
aufkleben *v/t sep* to stick on **Aufkleber** [-kle:bɐ] *m* ⟨*-s, -*⟩ sticker
aufknöpfen *v/t sep* (≈ *öffnen*) to unbutton, to undo; ***aufgeknöpft*** *Hemd* unbuttoned
aufkochen *sep* **I** *v/t* to bring to the (*Br*) *or* a (*US*) boil; (≈ *erneut kochen lassen*) to boil up again **II** *v/i aux sein* ***etw ~ lassen*** to bring sth to the (*Br*) *or* a (*US*) boil
aufkommen *v/i sep irr aux sein* **1.** (≈ *entstehen*) to arise; (*Wind*) to get up; (*Mode etc*) to appear (on the scene); ***etw ~ las-***

sen (*fig*) *Zweifel*, *Kritik* to give rise to sth **2. ~ *für*** (≈ *Kosten tragen*) to bear the costs of; (≈ *Haftung tragen*) to be liable for; ***für den Schaden ~*** to pay for the damage **3.** (≈ *auftreffen*) to land (*auf +dat* on) **Aufkommen** *nt* ⟨**-s, -**⟩ **1.** *no pl* (≈ *das Auftreten*) appearance **2.** (*von Steuern*) revenue (*aus*, *+gen* from)

aufkratzen *sep v/t* to scratch; *Wunde* to scratch open; → ***aufgekratzt***

aufkreuzen *v/i sep aux sein* (*infml* ≈ *erscheinen*) to show up (*infml*)

aufkriegen *v/t sep* (*infml*) = ***aufbekommen***

auflachen *v/i sep* to (give a) laugh

Aufladegerät *nt* → ***Ladegerät*** **aufladen** *sep irr* **I** *v/t* **1. *etw* (*auf etw* *acc*) *~*** to load sth on(to) sth; ***jdm/sich etw ~*** (*fig*) to saddle sb/oneself with sth **2.** (*elektrisch*) to charge; (≈ *neu aufladen*) to recharge; *Geldkarte* to reload; *Karte von Prepaidhandy* to top up **II** *v/r* (*Batterie etc*) to be charged; (*neu*) to be recharged

Auflage *f* **1.** (≈ *Ausgabe*) edition; (*von Zeitung*) circulation **2.** (≈ *Bedingung*) condition; ***jdm etw zur ~ machen*** to impose sth on sb as a condition **Auflage(n)höhe** *f* (*von Buch*) number of copies published; (*von Zeitung*) circulation

auflassen *v/t sep irr* (*infml* ≈ *offen lassen*) to leave open; (≈ *aufbehalten*) *Hut* to keep on; ***das Kind länger ~*** to let the child stay up (longer)

auflauern *v/i +dat sep* to lie in wait for

Auflauf *m* **1.** (≈ *Menschenauflauf*) crowd **2.** COOK (baked) pudding **auflaufen** *v/i sep irr aux sein* **1.** (*Schiff*) to run aground; ***jdn ~ lassen*** to drop sb in it (*infml*) **2.** (≈ *aufprallen*) ***auf jdn/etw ~*** to run into sb/sth **Auflaufform** *f* COOK ovenproof dish

aufleben *v/i sep aux sein* to revive; (≈ *munter werden*) to liven up; ***Erinnerungen wieder ~ lassen*** to revive memories

auflegen *sep* **I** *v/t* **1.** *Tischdecke*, *CD* to put on; *Gedeck* to set; *Hörer* to replace **2.** (≈ *herausgeben*) *Buch* to bring out **3.** FIN *Aktien* to issue; *Fonds* to set up **4.**; → ***aufgelegt*** **II** *v/i* (≈ *Telefonhörer auflegen*) to hang up

auflehnen *v/r sep* ***sich gegen jdn/etw ~*** to rebel against sb/sth

auflesen *v/t sep irr* to pick up

aufleuchten *v/i sep aux sein or haben* to light up

aufliegen *sep irr v/i* (≈ *auf etw sein*) to lie on top; (*Hörer*) to be on

auflisten ['auflɪstn] *v/t sep* to list

auflockern *sep* **I** *v/t* **1.** *Boden* to loosen (up); ***die Muskeln ~*** to loosen up (one's muscles) **2.** (≈ *abwechslungsreicher machen*) to make less monotonous **3.** (≈ *entspannen*) *Verhältnis*, *Atmosphäre* to ease; ***in aufgelockerter Stimmung*** in a relaxed mood **II** *v/r* **1.** SPORTS to limber up **2.** (*Bewölkung*) to disperse

auflodern *v/i sep aux sein* to flare up; (≈ *lodernd brennen*) to blaze

auflösen *sep* **I** *v/t* **1.** (*in Flüssigkeit*) to dissolve; → ***aufgelöst*** **2.** *Widerspruch* to clear up; *Rätsel* to solve **3.** *Wolken*, *Versammlung* to disperse **4.** (≈ *aufheben*) to dissolve (*auch* PARL); *Einheit*, *Gruppe* to disband; *Firma* to wind up; *Verlobung* to break off; *Konto* to close; *Haushalt* to break up **II** *v/r* **1.** (*in Flüssigkeit*) to dissolve **2.** (≈ *sich zerstreuen*) to disperse **3.** (*Firma*) to cease trading; (≈ *sich formell auflösen*: *esp* PARL) to dissolve **4. *sich in etw*** (*acc*) ***~*** (≈ *verwandeln*) to turn into sth **Auflösung** *f* **1.** (*in Bestandteile*) resolution; (*von Firma*) winding up; (*von Parlament*) dissolution **2.** (≈ *Lösung*) (*von Problem etc*) resolution; (*von Rätsel*) solution (*+gen*, *von* to) **3.** (PHOT, *von Bildschirm*) resolution

aufmachen *sep* **I** *v/t* **1.** (≈ *öffnen*) to open; (≈ *lösen*) to undo; *Haar* to loosen **2.** (≈ *eröffnen*, *gründen*) to open (up) **3. *der Prozess wurde groß aufgemacht*** the trial was given a big spread **II** *v/i* (≈ *Tür öffnen*) to open up **III** *v/r* (≈ *aufbrechen*) to set out **Aufmacher** *m* PRESS lead **Aufmachung** ['aufmaxʊŋ] *f* ⟨**-, -en**⟩ **1.** (≈ *Kleidung*) turnout; ***in großer ~*** in full dress **2.** (≈ *Gestaltung*) presentation; (*von Seite*, *Zeitschrift*) layout

aufmarschieren *past part* ***aufmarschiert*** *v/i sep aux sein* (≈ *heranmarschieren*) to march up; (≈ *vorbeimarschieren*) to march past

aufmerksam ['aufmɛrkza:m] **I** *adj* **1.** *Zuhörer*, *Schüler* attentive; (≈ *scharf beobachtend*) observant; ***jdn auf etw*** (*acc*) ***~ machen*** to draw sb's attention to sth; ***auf jdn/etw ~ werden*** to become aware of sb/sth **2.** (≈ *zuvorkommend*) attentive; (***das ist***) ***sehr ~ von Ihnen*** (that's) most kind of you **II** *adv zusehen* carefully; *zuhören* attentively **Aufmerksam-**

keit *f* ⟨-, **-en**⟩ **1.** *no pl* attention; ***das ist meiner ~ entgangen*** that escaped my notice **2.** *no pl* (≈ *Zuvorkommenheit*) attentiveness **3.** (≈ *Geschenk*) ***kleine ~en*** little gifts

aufmischen *v/t sep* (*infml*) (≈ *in Unruhe versetzen*) to stir up; (≈ *verprügeln*) to beat up

aufmöbeln ['aufmøːbln] *v/t sep* (*infml*) *Gegenstand* to do up (*infml*)

aufmuntern ['aufmʊntɐn] *v/t sep* (≈ *aufheitern*) to cheer up; (≈ *beleben*) to liven up; ***ein ~des Lächeln*** an encouraging smile **Aufmunterung** *f* ⟨-, **-en**, *no pl*⟩ cheering up; (≈ *Belebung*) livening up

aufmüpfig ['aufmʏpfɪç] *adj* (*infml*) rebellious

aufnähen *v/t sep* to sew on (*auf +acc* -to)

Aufnahme ['aufnaːmə] *f* ⟨-, **-n**⟩ **1.** (≈ *Empfang*) reception; ***die ~ in ein Krankenhaus*** admission (in)to hospital **2.** (*in Verein*) admission (*in +acc* to) **3.** *no pl* (*von Kapital*) raising **4.** *no pl* (*von Protokoll*) taking down **5.** *no pl* (*von Gespräch etc*) start; (*von Tätigkeit*) taking up; (*von Beziehung*) establishment **6.** *no pl* (≈ *das Filmen*) filming, shooting (*infml*); ***Achtung, ~!*** action! **7.** (≈ *Fotografie*) photo(graph); (*auf Tonband*) recording **aufnahmefähig** *adj* ***für etw ~ sein*** to be able to take sth in **Aufnahmegebühr** *f* enrolment (*Br*) *or* enrollment (*US*) fee; (*in Verein*) admission fee **Aufnahmeprüfung** *f* entrance examination

aufnehmen *v/t sep irr* **1.** (*vom Boden*) to pick up; (≈ *heben*) to lift up **2.** (≈ *empfangen*) to receive **3.** (≈ *unterbringen*) to take (in); (≈ *fassen*) to take **4.** (*in Verein, Schule etc*) to admit (*in +acc* to) **5.** (≈ *absorbieren*) to absorb; ***etw in sich*** (*dat*) ***~*** to take sth in **6.** (≈ *beginnen*) to begin; *Tätigkeit*, *Studium* to take up; *Beziehung* to establish **7.** *Kapital* to borrow; *Kredit* to take out **8.** *Protokoll* to take down **9.** (≈ *fotografieren*) to take (a photo(graph) of); (≈ *filmen*) to film, to shoot (*infml*); (*auf Tonband*) to record **10.** ***es mit jdm nicht ~ können*** to be no match for sb

aufnötigen *v/t sep* ***jdm etw ~*** to force sth on sb

aufopfern *v/r sep* to sacrifice oneself **aufopfernd** *adj Mensch* self-sacrificing; *Liebe*, *Arbeit* devoted

aufpäppeln *v/t sep* (*infml*) (*mit Nahrung*) to feed up

aufpassen *v/i sep* **1.** (≈ *beaufsichtigen*) ***auf jdn/etw ~*** to keep an eye on sb/sth **2.** (≈ *achtgeben*) to pay attention; ***pass auf!*** look, watch; (≈ *Vorsicht*) watch out **Aufpasser** ['aufpasɐ] *m* ⟨**-s**, **-**⟩, **Aufpasserin** [-ərɪn] *f* ⟨-, **-nen**⟩ (*pej* ≈ *Spitzel*) spy (*pej*); (*für VIP etc*) minder; (≈ *Wächter*) guard

aufplatzen *v/i sep aux sein* to burst open; (*Wunde*) to open up

aufplustern *sep v/r* (*Vogel*) to puff itself up; (*Mensch*) to puff oneself up

aufpolieren *past part* **aufpoliert** *v/t sep* to polish up

aufpoppen ['aufpɔpn] *v/i sep* IT *Popup-Fenster etc* to pop up

Aufprall *m* impact **aufprallen** *v/i sep aux sein* ***auf etw*** (*acc*) ***~*** to strike sth; (*Fahrzeug*) to collide with sth

Aufpreis *m* extra charge; ***gegen ~*** for an extra charge

aufpumpen *v/t sep Reifen*, *Ballon* to inflate; *Fahrrad* to pump up the tyres (*Br*) *or* tires (*US*) of

aufputschen *sep v/t* **1.** (≈ *aufwiegeln*) to rouse; *Gefühle* to stir up **2.** (*durch Reizmittel*) to stimulate; ***~de Mittel*** stimulants **Aufputschmittel** *nt* stimulant

aufraffen *v/r sep* ***sich zu etw ~*** (*infml*) to rouse oneself to do sth

aufragen *v/i sep aux sein or haben* to rise

aufräumen *sep* **I** *v/t* to tidy up; ***aufgeräumt*** *Zimmer* tidy **II** *v/i* ***mit etw ~*** to do away with sth

aufrechnen *v/t sep* **1.** ***jdm etw ~*** to charge sth to sb *or* to sb's account **2.** ***etw gegen etw ~*** to offset sth against sth

aufrecht ['aufrɛçt] **I** *adj* upright **II** *adv* upright; ***~ sitzen*** to sit up(right) **aufrechterhalten** *past part* **aufrechterhalten** *v/t sep irr* to maintain **Aufrechterhaltung** *f* maintenance; (*von Kontakten*) keeping up

aufregen *sep* **I** *v/t* (≈ *ärgerlich machen*) to annoy; (≈ *nervös machen*) to make nervous; (≈ *beunruhigen*) to agitate; (≈ *erregen*) to excite **II** *v/r* to get worked up (*infml*) (*über +acc* about); → ***aufgeregt*** **aufregend** *adj* exciting **Aufregung** *f* excitement *no pl*; (≈ *Beunruhigung*) agitation *no pl*; ***nur keine ~!*** don't get excited; ***jdn in ~ versetzen*** to get sb in a state (*infml*)

aufreiben *sep irr v/t* **1.** (≈ *wund reiben*)

Haut etc to chafe **2.** (*fig ≈ zermürben*) to wear down **aufreibend** *adj* (*fig*) wearing; (*stärker*) stressful

aufreihen *sep* **I** *v/t* (*in Linie*) to line up; *Perlen* to string **II** *v/r* to line up

aufreißen *sep irr* **I** *v/t* **1.** (*≈ aufbrechen*) to tear open; *Straße* to tear up **2.** *Tür, Fenster* to fling open; *Augen, Mund* to open wide **3.** (*infml*) *Mädchen* to pick up (*infml*) **II** *v/i aux sein* (*Naht*) to split; (*Wunde*) to tear open; (*Wolkendecke*) to break up

aufreizen *v/t sep* **1.** (*≈ herausfordern*) to provoke **2.** (*≈ erregen*) to excite **aufreizend** *adj* provocative

aufrichten *sep* **I** *v/t* **1.** *Gegenstand* to set upright; *Oberkörper* to raise (up) **2.** (*fig: moralisch*) to lift **II** *v/r* (*≈ gerade stehen*) to stand up (straight); ***sich im Bett ~*** to sit up in bed **aufrichtig I** *adj* sincere (*zu, gegen* towards) **II** *adv* sincerely; *hassen* truly **Aufrichtigkeit** *f* sincerity (*zu, gegen* towards)

aufrollen *v/t sep* **1.** (*≈ zusammenrollen*) to roll up; *Kabel* to wind up **2.** (*≈ entrollen*) to unroll; *Fahne* to unfurl; *Kabel* to unwind **3.** (*fig*) ***einen Fall/Prozess wieder ~*** to reopen a case/trial

aufrücken *v/i sep aux sein* to move up; (*≈ befördert werden*) to be promoted

Aufruf *m* appeal (*an +acc* to); ***einen ~ an jdn richten*** to appeal to sb; ***letzter ~ für Flug LH 1615*** last call for flight LH 1615

aufrufen *sep irr* **I** *v/t* **1.** to call **2.** (*≈ auffordern*) ***jdn ~, etw zu tun*** to appeal to sb to do sth; ***Arbeiter zum Streik ~*** to call upon workers to strike **3.** JUR *Zeugen* to summon **II** *v/i* ***zum Streik ~*** to call for a strike

Aufruhr ['aufruːɐ] *m* ⟨**-(e)s, -e**⟩ **1.** (*≈ Auflehnung*) rebellion **2.** (*≈ Erregung*) turmoil; ***jdn in ~ versetzen*** to throw sb into turmoil **Aufrührer** ['aufryːrɐ] *m* ⟨**-s, -**⟩, **Aufrührerin** [-ərɪn] *f* ⟨**-, -nen**⟩ rabble-rouser **aufrührerisch** ['aufryːrərɪʃ] *adj* **1.** (*≈ aufwiegelnd*) *Rede* rabble-rousing **2.** *attr* (*≈ in Aufruhr*) rebellious; (*≈ meuternd*) mutinous

aufrunden *v/t sep* to round up (*auf +acc* to)

aufrüsten *v/t sep* **1.** (*also v/i*, MIL) to arm; ***ein Land atomar ~*** to give a country nuclear arms; ***wieder ~*** to rearm **2.** TECH *Gerät, Computer* to upgrade **Aufrüstung** *f* MIL arming

aufrütteln *v/t sep* to rouse (*aus* from)

aufs [aufs] = ***auf das***

aufsagen *v/t sep Gedicht etc* to recite

aufsammeln *v/t sep* to pick up

aufsässig ['aufzɛsɪç] *adj* rebellious

Aufsatz *m* **1.** essay **2.** (*≈ oberer Teil*) top part

aufsaugen *v/t sep irr or regular Flüssigkeit* to soak up; (*fig*) to absorb; ***etw mit dem Staubsauger ~*** to vacuum sth up

aufschichten *v/t sep* to stack

aufschieben *v/t sep irr Fenster, Tür* to slide open; (*fig ≈ verschieben*) to put off

Aufschlag *m* **1.** (*≈ das Aufschlagen*) impact; (*≈ Geräusch*) crash **2.** TENNIS *etc* serve; ***wer hat ~?*** whose serve is it? **3.** (*≈ Preisaufschlag*) surcharge **4.** (*≈ Ärmelaufschlag*) cuff **aufschlagen** *sep irr* **I** *v/i* **1.** *aux sein* (*≈ auftreffen*) ***auf etw*** (*dat*) ***~*** to hit sth **2.** *aux haben or* (*rare*) *sein* (*Preise*) to go up (*um* by) **3.** TENNIS *etc* to serve **II** *v/t* **1.** (*≈ öffnen*) to crack; *Eis* to crack a hole in; ***jdm/sich den Kopf ~*** to crack open sb's/one's head **2.** (*≈ aufklappen*) to open; *Bett* to turn back; *Kragen etc* to turn up; ***schlagt Seite 111 auf*** open your books at page 111 **3.** (*≈ aufbauen*) *Zelt* to pitch, to put up; (*Nacht*)*lager* to set up **4.** COMM ***10% auf etw*** (*acc*) ***~*** to put 10% on sth

aufschließen *sep irr* **I** *v/t* (*≈ öffnen*) to unlock **II** *v/i* **1.** (*≈ öffnen*) (***jdm***) ***~*** to unlock the door (for sb) **2.** (*≈ heranrücken*) to close up; SPORTS to catch up (*zu* with); → ***aufgeschlossen***

aufschlitzen *v/t sep* to rip (open)

Aufschluss *m* (*≈ Aufklärung*) information *no pl*; ***~ über etw*** (*acc*) ***verlangen*** to demand an explanation of sth

aufschlüsseln ['aufʃlʏsln] *v/t sep* to break down (*nach* into); (*≈ klassifizieren*) to classify (*nach* according to)

aufschlussreich *adj* informative

aufschnappen *sep v/t* to catch; (*infml*) *Wort etc* to pick up

aufschneiden *sep irr* **I** *v/t* **1.** to cut open; *Braten* to carve; MED *Geschwür* to lance **2.** (*≈ in Scheiben schneiden*) to slice **II** *v/i* (*infml ≈ prahlen*) to boast **Aufschneider(in)** *m/(f)* (*infml*) boaster **Aufschnitt** *m, no pl* (assorted) sliced cold meat

aufschnüren *v/t sep* (*≈ lösen*) to untie

aufschrauben *v/t sep* to unscrew; *Flasche etc* to take the top off

aufschrecken *sep pret* **schreckte auf**, *past part* **aufgeschreckt** **I** *v/t* to startle; **jdn aus dem Schlaf ~** to rouse sb from sleep **II** *v/i, pret also* **schrak auf** *aux sein* to be startled; **aus dem Schlaf ~** to wake up with a start

Aufschrei *m* yell; (*schriller Aufschrei*) scream

aufschreiben *v/t sep irr* **etw ~** to write sth down; **sich** (*dat*) **etw ~** to make a note of sth

aufschreien *v/i sep irr* to yell out; (*schrill*) to scream out

Aufschrift *f* (≈ *Beschriftung*) inscription; (≈ *Etikett*) label

Aufschub *m* (≈ *Verzögerung*) delay; (≈ *Vertagung*) postponement

aufschürfen *v/t sep* **sich** (*dat*) **die Haut/das Knie ~** to graze oneself/one's knee

aufschütten *v/t sep* **1.** *Flüssigkeit* to pour on; **Kaffee ~** to make coffee **2.** (≈ *nachfüllen*) *Kohle* to put on (the fire)

aufschwatzen *v/t sep* (*infml*) **jdm etw ~** to talk sb into taking sth

Aufschwung *m* **1.** (≈ *Antrieb*) lift; (*der Wirtschaft etc*) upturn (+*gen* in); **das gab ihr (einen) neuen ~** that gave her a lift **2.** (*Turnen*) swing-up

aufsehen *v/i sep irr* to look up **Aufsehen** *nt* ⟨**-s**, *no pl*⟩ **~ erregend** sensational; **großes ~ erregen** to cause a sensation; **ohne großes ~** without any fuss **aufsehenerregend** *adj* sensational **Aufseher** [-zeːɐ] *m* ⟨**-s, -**⟩, **Aufseherin** [-ərɪn] *f* ⟨**-, -nen**⟩ supervisor; (*bei Prüfung*) invigilator; (≈ *Gefängnisaufseher*) warder (*Br*), guard (*US*)

auf sein *v/i irr aux sein* **1.** (≈ *aufgestanden*) to be up **2.** (≈ *geöffnet*) to be open

aufseiten [auf'zaitn] *prep* +*gen* on the part of

aufsetzen *sep* **I** *v/t* **1.** (≈ *auf etw setzen*) to put on; *Fuß* to put down; (*fig*) *Lächeln, Miene etc* to put on **2.** (≈ *aufrichten*) *Kranken etc* to sit up **3.** (≈ *verfassen*) to draft **II** *v/r* to sit up **III** *v/i* (*Flugzeug*) to touch down

aufseufzen *v/i sep* **(tief/laut) ~** to heave a (deep/loud) sigh

Aufsicht ['aufzɪçt] *f* ⟨**-, -en**⟩ **1.** *no pl* (≈ *Überwachung*) supervision (*über* +*acc* of); (≈ *Obhut*) charge; **~ über jdn/etw führen** to be in charge of sb/sth; **bei einer Prüfung ~ führen** to invigilate an exam **2.** (≈ *Aufseher*) supervisor **Aufsichtsbehörde** *f* supervisory authority

Aufsichtsrat[1] *m* (supervisory) board; **im ~ einer Firma sitzen** to be on the board of a firm

Aufsichtsrat[2] *m*, **Aufsichtsrätin** *f* member of the board

aufsitzen *v/i sep irr* **1.** *aux sein* (*auf Fahrzeug*) to get on; **aufs Pferd ~** to mount the horse **2.** *aux sein* (*infml* ≈ *hereinfallen*) **jdm/einer Sache ~** to be taken in by sb/sth

aufspalten *v/t & v/r sep* to split

aufsparen *v/t sep* to save (up)

aufsperren *v/t sep* **1.** (*infml* ≈ *aufreißen*) *Tür, Schnabel* to open wide; **die Ohren ~** to prick up one's ears **2.** (*S Ger, Aus* ≈ *aufschließen*) *Tür etc* to unlock

aufspielen *v/r sep* (*infml* ≈ *sich wichtigtun*) to give oneself airs; **sich als Boss ~** to play the boss

aufspießen *v/t sep* to spear; (*mit Hörnern*) to gore; *Fleisch* (*mit Spieß*) to skewer; (*mit Gabel*) to prong

aufsprechen *v/t sep irr* (TEL: *auf Anrufbeantworter*) to record

aufspringen *v/i sep irr aux sein* **1.** to jump up; **auf etw** (*acc*) **~** to jump onto sth **2.** (≈ *sich öffnen*: *Tür*) to burst open; (≈ *platzen*) to burst; (*Haut, Lippen etc*) to crack

aufspüren *v/t sep* to track down

aufstacheln *v/t sep* to spur (on)

aufstampfen *v/i sep* to stamp; **mit dem Fuß ~** to stamp one's foot

Aufstand *m* rebellion **Aufständische(r)** ['aufʃtɛndɪʃə] *m/f(m) decl as adj* rebel

aufstapeln *v/t sep* to stack up

aufstauen *sep* **I** *v/t Wasser* to dam; **etw in sich** (*dat*) **~** (*fig*) to bottle sth up inside (oneself) **II** *v/r* to accumulate; (*fig*: *Ärger*) to become bottled up

aufstehen *v/i sep irr aux sein* **1.** (≈ *sich erheben*) to get up **2.** (*infml* ≈ *offen sein*) to be open

aufsteigen *v/i sep irr aux sein* **1.** (*auf Berg, Leiter*) to climb (up); (*Vogel*) to soar (up); (*Flugzeug*) to climb; (*Nebel, Gefühl*) to rise; **auf ein Fahrrad/Motorrad ~** to get on(to) a bicycle/motorbike; **auf ein Pferd ~** to mount a horse **2.** (*fig*: *im Rang etc*) to rise (*zu* to); SPORTS to be promoted (*in* +*acc* to) **Aufsteiger** ['aufʃtaigɐ] *m* ⟨**-s, -**⟩, **Aufsteigerin** [-ərɪn] *f* ⟨**-, -nen**⟩ (SPORTS, *in höhere Liga*) promoted team; (**sozialer**) **~** social climber

aufstellen *sep* **I** *v/t* **1.** (≈ *aufbauen*) to put up (*auf +dat* on); *Zelt* to pitch; *Maschine* to install **2.** (*fig* ≈ *zusammenstellen*) *Truppe* to raise; SPORTS *Mannschaft* to draw up **3.** (≈ *benennen*) *Kandidaten* to nominate **4.** (≈ *erzielen*) *Rekord* to set (up) **5.** *Forderung* to put forward; *Liste* to make **II** *v/r* to stand; (*hintereinander*) to line up; ***sich im Karree/Kreis*** *etc* **~** to form a square/circle *etc* **Aufstellung** *f* **1.** *no pl* (≈ *das Aufstellen*) putting up; (*von Zelt*) pitching; (*von Maschine*) installation **2.** *no pl* (*von Truppen*) raising; (*von Mannschaft*) drawing up **3.** *no pl* (*von Kandidaten*) nominating; (*von Rekord*) setting **4.** *no pl* (*von Forderung*) putting forward; (*von Liste*) drawing up **5.** (≈ *Liste*) list; (≈ *Tabelle*) table; (≈ *Inventar*) inventory **6.** (≈ *Mannschaft*) line-up (*infml*), team

Aufstieg ['aufʃtiːk] *m* ⟨**-(*e*)*s*, *-e*** [-gə]⟩ **1.** *no pl* (*auf Berg*, *von Flugzeug*) climb **2.** (*fig*) rise; (*beruflich*, *politisch*, *sozial*) advancement; SPORTS rise; (*in höhere Liga*) promotion (*in +acc* to) **3.** (≈ *Weg*) way up (*auf etw* (*acc*) sth) **Aufstiegschance** *f* prospect of promotion **Aufstiegsrunde** *f* SPORTS qualifying round

aufstocken *sep v/t* **1.** *Haus* to build another storey (*Br*) *or* story (*US*) onto **2.** *Kapital* to increase (*um* by)

aufstoßen *sep irr* **I** *v/t* (≈ *öffnen*) to push open **II** *v/i* **1.** *aux sein* ***auf etw*** (*acc*) **~** to hit (on *or* against) sth **2.** *aux haben* (≈ *rülpsen*) to burp **3.** *aux sein or haben* ***Radieschen stoßen mir auf*** radishes repeat on me

aufstrebend *adj* (*fig*) *Land*, *Volk* aspiring; *Volkswirtschaft* rising

Aufstrich *m* (*auf Brot*) spread

aufstützen *sep* **I** *v/t Kranken etc* to prop up **II** *v/r* to support oneself

aufsuchen *v/t sep Bekannten* to call on; *Arzt*, *Ort*, *Toilette* to go to

auftakeln *v/t sep* NAUT to rig up; ***sich* ~** (*pej infml*) to tart oneself up (*Br pej infml*), to do oneself up (*esp US infml*)

Auftakt *m* (≈ *Beginn*) start; ***den* ~ *von*** *or* ***zu etw bilden*** to mark the beginning of sth

auftanken *v/t & v/i sep* to fill up; AVIAT to refuel

auftauchen *v/i sep aux sein* **1.** (*aus dem Wasser*) to surface **2.** (*fig*) to appear; (*Zweifel*, *Problem*) to arise **3.** (*sich zeigen*) to turn up

auftauen *v/t & v/i sep* (*v/i: aux sein*) to thaw

aufteilen *v/t sep* **1.** (≈ *aufgliedern*) to divide up (*in +acc* into) **2.** (≈ *verteilen*) to share out

auftischen ['auftɪʃn] *v/t sep* to serve up; ***jdm Lügen*** *etc* **~** (*infml*) to tell sb a lot of lies *etc*

Auftrag ['auftraːk] *m* ⟨**-(*e*)*s*, *Aufträge*** [-trɛːgə]⟩ **1.** *no pl* (≈ *Anweisung*) orders *pl*; (≈ *zugeteilte Arbeit*) job; JUR brief; ***jdm den* ~ *geben, etw zu tun*** to instruct sb to do sth; ***in jds* ~** (*dat*) (≈ *für jdn*) on sb's behalf; (≈ *auf jds Anweisung*) on sb's instructions **2.** COMM order (*über +acc* for); ***etw in* ~ *geben*** to order sth (*bei* from) **auftragen** *sep irr* **I** *v/t* **1.** (≈ *servieren*) to serve **2.** *Farbe*, *Schminke* to apply (*auf +acc* to) **3.** ***jdm etw* ~** to instruct sb to do sth **II** *v/i* (≈ *übertreiben*) ***dick*** *or* ***stark* ~** (*infml*) to lay it on thick (*infml*) **Auftraggeber(in)** *m/*(*f*) client; (*von Firma*) customer **Auftragnehmer** *m* ⟨***-s*, -**⟩, **Auftragnehmerin** *f* ⟨**-, *-nen***⟩ COMM firm accepting the order; BUILD contractor **Auftragsbestätigung** *f* confirmation of order **Auftragsbuch** *nt usu pl* order book **Auftragseingang** *m* ***bei* ~** on receipt of order **auftragsgemäß** *adj*, *adv* as instructed; COMM as per order **Auftragslage** *f* order situation

auftreffen *v/i sep irr aux sein* ***auf etw*** (*dat or acc*) **~** to hit sth

auftreiben *v/t sep irr* (*infml*) (≈ *beschaffen*) to get hold of; (≈ *ausfindig machen*) to find

auftrennen *v/t sep* to undo

auftreten *sep irr* **I** *v/i aux sein* **1.** (*lit*) to tread **2.** (≈ *erscheinen*) to appear; ***als Zeuge/Kläger* ~** to appear as a witness/as plaintiff; ***er tritt zum ersten Mal in Köln auf*** he is appearing in Cologne for the first time; ***gegen jdn/etw* ~** to stand up against sb/sth **3.** (*fig* ≈ *eintreten*) to occur; (*Schwierigkeiten etc*) to arise **4.** (≈ *sich benehmen*) to behave **5.** (≈ *handeln*) to act; ***als Vermittler* ~** to act as (an) intermediary **II** *v/t Tür etc* to kick open **Auftreten** *nt* ⟨***-s***, *no pl*⟩ **1.** (≈ *Erscheinen*) appearance **2.** (≈ *Benehmen*) manner

Auftrieb *m* **1.** *no pl* PHYS buoyancy (force); AVIAT lift **2.** *no pl* (*fig*) (≈ *Aufschwung*) impetus; ***das wird ihm* ~ *geben*** that will give him a lift

Auftritt *m* **1.** (≈ *Erscheinen*) entrance **2.** (THEAT ≈ *Szene*) scene

auftrumpfen *v/i sep* to be full of oneself (*infml*); **~d sagte er ...** ..., he crowed

auftun *sep irr* **I** *v/t* **1.** (*infml* ≈ *ausfindig machen*) to find **2.** (≈ *öffnen*) to open **3.** (*infml* ≈ *servieren*) **jdm etw ~** to help sb to sth **II** *v/r* to open up; (*Möglichkeiten, Probleme*) to arise

auftürmen *sep* **I** *v/t* to pile up **II** *v/r* (*Gebirge etc*) to tower up; (*Schwierigkeiten*) to mount up

aufwachen *v/i sep aux sein* to wake up

aufwachsen *v/i sep irr aux sein* to grow up

aufwallen *v/i sep aux sein* to bubble up; COOK to boil up; (*Leidenschaft etc*) to surge up

Aufwand ['aufvant] *m* ⟨**-(e)s** [-dəs]⟩ *no pl* **1.** (*von Geld*) expenditure (*an +dat* of); **ein großer ~ (an Zeit/Energie/Geld)** a lot of time/energy/money **2.** (≈ *Luxus*) extravagance; **(großen) ~ treiben** to be (very) extravagant **aufwändig** *adj, adv* = **aufwendig** **Aufwandsentschädigung** *f* expense allowance

aufwärmen *sep* **I** *v/t* to heat up; (*infml* ≈ *wieder erwähnen*) to drag up (*infml*) **II** *v/r* to warm oneself up; SPORTS to warm up

aufwärts ['aufvɛrts] *adv* up, upward(s); **mit seinen Leistungen geht es ~** he's doing better **Aufwärtstrend** *m* upward trend

Aufwasch ['aufvaʃ] *m* ⟨**-(e)s**, *no pl*⟩ (*dial*) = **Abwasch** **aufwaschen** *sep irr* (*dial*) **I** *v/t Geschirr* to wash **II** *v/i* to wash the dishes

aufwecken *v/t sep* to wake (up); (*fig*) to rouse; → **aufgeweckt**

aufweichen *sep* **I** *v/t* to make soft; *Doktrin, Gesetz* to water down **II** *v/i aux sein* to get soft

aufweisen *v/t sep irr* to show; **etw aufzuweisen haben** to have sth to show for oneself

aufwenden *v/t sep irr or regular* to use; *Zeit, Energie* to expend; *Mühe* to take; *Geld* to spend

aufwendig ['aufvɛndɪç] **I** *adj* (≈ *teuer*) costly; (≈ *üppig*) lavish **II** *adv* extravagantly **Aufwendung** *f* (≈ *Ausgaben*) **Aufwendungen** *pl* expenditure

aufwerfen *sep irr v/t Frage, Verdacht* to raise

aufwerten *v/t sep* **1.** (*also v/i*) *Währung* to revalue **2.** (*fig*) to increase the value of **Aufwertung** *f* (*von Währung*) revaluation; (*fig*) increase in value

aufwickeln *v/t sep* (≈ *aufrollen*) to roll up

auf Wiedersehen [auf 'viːdɐzeːən] *int* goodbye

aufwiegeln ['aufviːgln] *v/t sep* to stir up; **jdn zum Streik ~** to incite sb to strike

aufwiegen *v/t sep irr* (*fig*) to offset

Aufwind *m* AVIAT upcurrent; METEO upwind; **einer Sache** (*dat*) **~ geben** (*fig*) to give sth impetus

aufwirbeln *sep v/t* to swirl up; *Staub auch* to raise; **(viel) Staub ~** (*fig*) to cause a (big) stir

aufwischen *v/t sep Wasser etc* to wipe up; *Fußboden* to wipe

aufwühlen *v/t sep* (*lit*) *Erde, Meer* to churn (up); *Leidenschaften* to rouse; → **aufgewühlt**

aufzählen *v/t sep* to list **Aufzählung** *f* list

aufzehren *v/t sep* to exhaust; (*fig*) to sap

aufzeichnen *v/t sep* **1.** *Plan etc* to draw **2.** (≈ *notieren*, RADIO, TV) to record **Aufzeichnung** *f* **1.** *usu pl* (≈ *Notiz*) note; (≈ *Niederschrift*) record **2.** (≈ *Filmaufzeichnung etc*) recording

aufzeigen *v/t sep* to show

aufziehen *sep irr* **I** *v/t* **1.** (≈ *hochziehen*) to pull up; *Flagge, Segel* to hoist **2.** (≈ *öffnen*) *Reißverschluss* to undo; *Schublade* to (pull) open; *Gardinen* to draw (back) **3.** (≈ *aufspannen*) *Foto etc* to mount; *Saite, Reifen* to fit **4.** (≈ *spannen*) *Uhr etc* to wind up **5.** *Kind* to bring up; *Tier* to rear **6.** (≈ *verspotten*) **jdn ~** (*infml*) to tease sb (*mit* about) **II** *v/i aux sein* (*dunkle Wolke*) to come up; (*Gewitter*) to gather **Aufzucht** *f, no pl* rearing

Aufzug *m* **1.** (≈ *Fahrstuhl*) lift (*Br*), elevator (*US*) **2.** THEAT act **3.** *no pl* (*pej infml* ≈ *Kleidung*) get-up (*infml*)

aufzwingen *sep irr v/t* **jdm etw ~** to force sth on sb

Augapfel *m* eyeball; **jdn/etw wie seinen ~ hüten** to cherish sb/sth like life itself

Auge ['augə] *gen* **Auges**, *pl* **Augen** *nt* **1.** eye; **gute/schlechte ~n haben** to have good/bad eyesight; **er hatte nur ~n für sie** he only had eyes for her; **ein ~ auf jdn/etw (geworfen) haben** to have one's eye on sb/sth; **da blieb kein ~ trocken** (*hum*: *vor Lachen*) everyone laughed till they cried; ***große ~n machen*** to be wide-eyed; ***jdm schöne*** *or* ***verliebte ~n machen*** to make eyes at sb; ***jdm die ~n öffnen*** (*fig*) to open sb's eyes; ***so weit das ~ reicht*** as far as the eye can see; ***ein ~ riskieren*** (*hum*) to have a peep (*infml*); ***die ~n vor etw*** (*dat*) ***verschließen*** to close one's eyes to sth; ***ein ~*** *or* ***beide ~n zudrücken*** (*infml*) to turn a blind eye; ***ich habe kein ~ zugetan*** I didn't sleep a wink **2.** (*mit Präposition*) ***geh mir aus den ~n!*** get out of my sight!; ***sie ließen ihn nicht aus den ~n*** they didn't let him out of their sight; ***jdn im ~ behalten*** (≈ *beobachten*) to keep an eye on sb; ***dem Tod ins ~ sehen*** to look death in the eye; ***etw ins ~ fassen*** to contemplate sth; ***das springt*** *or* ***fällt einem gleich ins ~*** it strikes one immediately; ***das kann leicht ins ~ gehen*** (*fig infml*) it might easily go wrong; ***in den ~n der Öffentlichkeit*** in the eyes of the public; ***etw mit eigenen ~n gesehen haben*** to have seen sth with one's own eyes; ***mit bloßem*** *or* ***nacktem ~*** with the naked eye; ***jdm etw vor ~n führen*** (*fig*) to make sb aware of sth; ***vor aller ~n*** in front of everybody **3.** (≈ *Knospenansatz*) eye **4.** (≈ *Fettauge*) little globule of fat **Augenarzt** *m*, **Augenärztin** *f* ophthalmologist **Augenbinde** *f* (≈ *Augenklappe*) eye patch **Augenblick** *m* moment; ***alle ~e*** constantly; ***jeden ~*** any minute; ***einen ~, bitte*** one moment please!; ***im ~*** at the moment; ***im selben ~ ...*** at that moment ...; ***im letzten ~*** at the last moment; ***im ersten ~*** for a moment **augenblicklich** ['augnblıklıç, augn'blıklıç] **I** *adj* **1.** (≈ *sofortig*) immediate **2.** (≈ *gegenwärtig*) present **3.** (≈ *vorübergehend*) temporary **II** *adv* **1.** (≈ *sofort*) immediately **2.** (≈ *zurzeit*) at the moment **Augenbraue** *f* eyebrow **Augenfarbe** *f* colour (*Br*) *or* color (*US*) of eyes **Augenheilkunde** *f* ophthalmology **Augenhöhe** *f* ***in ~*** at eye level **Augenklappe** *f* **1.** eye patch **2.** (*für Pferde*) blinker, blinder (*US*) **Augenleiden** *nt* eye complaint **Augenlicht** *nt, no pl* (eye)sight **Augenlid** *nt* eyelid **Augenmaß** *nt, no pl* eye; ***ein ~ für etw haben*** (*fig*) to have an eye for sth **Augenmerk** [-mɛrk] *nt* ⟨***-s****, no pl*⟩ (≈ *Aufmerksamkeit*) attention; ***sein ~ auf etw*** (*acc*) ***lenken*** *or* ***richten*** to direct sb's/one's attention to sth **Augenschein** *m, no pl* **1.** (≈ *Anschein*) appearance; ***dem ~ nach*** by all appearances **2.** ***jdn/etw in ~ nehmen*** to look closely at sb/sth **augenscheinlich** ['augnʃainlıç, augn'ʃainlıç] *adv* obviously **Augentropfen** *pl* eye drops *pl* **Augenweide** *f, no pl* feast for the eyes **Augenwischerei** [-vıʃə'rai] *f* ⟨***-, -en***⟩ (*fig*) eyewash **Augenzeuge** *m*, **Augenzeugin** *f* eyewitness (*bei* to) **Augenzeugenbericht** *m* eyewitness account **Augenzwinkern** *nt* ⟨***-s****, no pl*⟩ winking **augenzwinkernd** *adv* with a wink

August [au'gʊst] *m* ⟨***-(e)s*** *or* ***-, -e***⟩ August; → ***März***

Auktion [auk'tsioːn] *f* ⟨***-, -en***⟩ auction **Auktionator** [auktsio'naːtoːɐ] *m* ⟨***-s, Auktionatoren*** [-'toːrən]⟩, **Auktionatorin** [-'toːrın] *f* ⟨***-, -nen***⟩ auctioneer **Auktionshaus** *nt* auction house

Aula ['aula] *f* ⟨***-, Aulen*** [-lən]⟩ SCHOOL, UNIV *etc* (assembly) hall

Au-pair-Mädchen *nt* au pair (girl); ***als ~ arbeiten*** to work (as an) au pair **Au-pair-Stelle** *f* au pair job

aus [aus] **I** *prep +dat* **1.** (*Herkunft*) from; ***~ guter Familie*** from a good family **2.** (*Ursache*) out of; ***~ Hass/Gehorsam/Mitleid*** out of hatred/obedience/sympathy; ***~ Furcht vor/Liebe zu*** for fear/love of; ***~ Spaß*** for a laugh (*infml*); ***~ Versehen*** by mistake **3.** (*zeitlich*) from; ***~ dem Barock*** from the Baroque period **4.** (≈ *beschaffen aus*) (made out) of **5.** ***einen anständigen Menschen ~ jdm machen*** to make sb into a decent person; ***was ist ~ ihm/dieser Sache geworden?*** what has become of him/this?; ***~ der Mode*** out of fashion **II** *adv* → ***aus sein*** **1.** SPORTS out **2.** (*infml* ≈ *zu Ende*) over; ***~ jetzt!*** that's enough! **3.** (*an Geräten*) off; ***Licht ~!*** lights out! **4.** ***vom Fenster ~*** from the window; ***von München ~*** from Munich; ***von sich ~*** of one's own accord; ***von ihm ~*** as far as he's concerned

Aus [aus] *nt* ⟨***-, -***⟩ **1.** *no pl* ***ins ~ gehen*** to go out of play; ***ins politische ~ geraten*** to end up in the political wilderness **2.** (≈ *Ende*) end

ausarbeiten *sep v/t* to work out; (≈ *formulieren*) to formulate

ausarten *v/i sep aux sein* (*Party etc*) to get out of control; ***~ in*** (*+acc*) *or* ***zu*** to degen-

erate into
ausatmen *v/t & v/i sep* to breathe out, to exhale
ausbaden *v/t sep (fig infml)* to take the rap for *(infml)*
ausbalancieren *past part* **ausbalanciert** *sep (lit, fig) v/t* to balance (out)
Ausbau *m, no pl (≈ das Ausbauen)* removal; *(≈ Erweiterung)* extension *(zu* into); *(≈ Umbau)* conversion *(zu* (in)to); *(≈ Festigung: von Position)* consolidation **ausbauen** *v/t sep* **1.** *(≈ herausmontieren)* to remove *(aus* from) **2.** *(≈ erweitern)* to extend *(zu* into); *(≈ umbauen)* to convert *(zu* (in)to); *(≈ festigen) Position* to consolidate **ausbaufähig** *adj Geschäft, Markt* expandable; *Beziehungen* that can be built up **Ausbaustrecke** *f* MOT *section of improved road*; **„Ende der ~"** ≈ "road narrows"
ausbedingen *past part* **ausbedungen** *v/t sep irr* **sich** *(dat)* **etw ~** to make sth a condition; **sich** *(dat)* **das Recht ~, etw zu tun** to reserve the right to do sth
ausbessern *v/t sep* to repair; *Fehler* to correct
ausbeulen *v/t sep* **ausgebeult** *Kleidung* baggy; *Hut* battered; TECH to beat out
Ausbeute *f (≈ Gewinn)* profit; *(≈ Ertrag einer Grube etc)* yield *(an +dat* in); *(fig)* result(s *pl)*; *(≈ Einnahmen)* proceeds *pl*
ausbeuten ['ausbɔytn] *v/t sep* to exploit
Ausbeuter ['ausbɔytɐ] *m* ⟨**-s, -**⟩, **Ausbeuterin** [-ərɪn] *f* ⟨**-, -nen**⟩ exploiter
Ausbeutung *f* ⟨**-, -en**⟩ exploitation
ausbezahlen *past part* **ausbezahlt** *v/t sep Geld* to pay out; *Arbeitnehmer* to pay off; *(≈ abfinden) Erben etc* to buy out
ausbilden *sep* **I** *v/t* to train; *(akademisch)* to educate **II** *v/r* **sich in etw** *(dat)* **~** to train in sth; *(≈ studieren)* to study sth **Ausbilder** ['ausbɪldɐ] *m* ⟨**-s, -**⟩, **Ausbilderin** [-ərɪn] *f* ⟨**-, -nen**⟩ instructor **Ausbildung** *f* training; *(akademisch)* education **Ausbildungsbeihilfe** *f* (education) grant **Ausbildungsgang** *m, pl* **-gänge** training **Ausbildungsplatz** *m* place to train; *(≈ Stelle)* training vacancy **Ausbildungszeit** *f* period of training
ausblasen *v/t sep irr* to blow out
ausbleiben *v/i sep irr aux sein (≈ fortbleiben)* to stay out; *(Schneefall)* to fail to appear; *(Erwartung)* to fail to materialize; **es konnte nicht ~, dass ...** it was inevitable that ... **Ausbleiben** *nt* ⟨**-s,** *no pl*⟩ *(≈ Fehlen)* absence; *(≈ das Nichterscheinen)* nonappearance; **bei ~ der Periode** if your period doesn't come
Ausblick *m* **1.** view *(auf +acc* of) **2.** *(fig)* prospect, outlook *(auf +acc* for)
ausbooten ['ausboːtn] *v/t sep (infml) jdn* to kick *or* boot out *(infml)*
ausbrechen *sep irr* **I** *v/i aux sein* **1.** *(Krieg, Feuer)* to break out; *(Gewalt, Unruhen, Jubel)* to erupt; **in Gelächter/Tränen ~** to burst out laughing/into tears; **in Schweiß ~** to break out in a sweat; **aus dem Gefängnis ~** to escape from prison **2.** *(Vulkan)* to erupt **II** *v/t* to break off; **sich** *(dat)* **einen Zahn ~** to break a tooth
ausbreiten *sep* **I** *v/t* to spread; *Arme* to stretch out; *(≈ ausstellen)* to display **II** *v/r (≈ sich verbreiten)* to spread; *(≈ sich erstrecken)* to extend; *(infml ≈ sich breitmachen)* to spread oneself out; **sich über etw** *(acc)* **~** *(fig)* to dwell on sth **Ausbreitung** ['ausbraitʊŋ] *f* ⟨**-, -en**⟩ spreading
ausbrennen *v/i sep irr aux sein (≈ zu Ende brennen)* to burn out; **ausgebrannt** *Brennstab* spent; → **ausgebrannt**
Ausbruch *m* **1.** escape **2.** *(≈ Beginn)* outbreak; *(von Vulkan)* eruption **3.** *(fig)* outburst
ausbrüten *v/t sep* to hatch; *(fig infml) Plan etc* to cook up *(infml)*
ausbuddeln *v/t sep (infml)* to dig up *(also fig infml)*
ausbügeln *v/t sep* to iron out
ausbürgern ['ausbʏrgɐn] *v/t sep* to expatriate **Ausbürgerung** ['ausbʏrgərʊŋ] *f* ⟨**-, -en**⟩ expatriation
ausbürsten *v/t sep* to brush out *(aus* of); *Anzug* to brush
auschecken ['austʃɛkn] *v/i sep (Flug, Hotel etc)* to check out *(aus* of)
Ausdauer *f, no pl* stamina; *(im Ertragen)* endurance; *(≈ Beharrlichkeit)* persistence **ausdauernd** *adj Mensch* with stamina; *(im Ertragen)* with endurance; *(≈ beharrlich)* tenacious; *(≈ hartnäckig)* persistent
ausdehnen *sep* **I** *v/t (≈ vergrößern)* to expand; *(≈ dehnen)* to stretch **II** *v/r* **1.** *(≈ größer werden)* to expand; *(durch Dehnen)* to stretch; *(≈ sich erstrecken)* to extend *(bis* as far as) **2.** *(fig)* to extend *(über +acc* over); → **ausgedehnt** **Ausdehnung** *f* **1.** *(≈ das Vergrößern)* expan-

sion; (*fig*, *zeitlich*) extension **2.** (≈ *Umfang*) expanse
ausdenken *v/t sep irr* ***sich*** (*dat*) ***etw ~*** (≈ *erfinden*) to think sth up; *Überraschung* to plan sth; (≈ *sich vorstellen*) to imagine sth; ***das ist nicht auszudenken*** (≈ *unvorstellbar*) it's inconceivable; (≈ *zu schrecklich etc*) it doesn't bear thinking about
ausdiskutieren *past part* **ausdiskutiert** *v/t sep Thema* to discuss fully
ausdörren *sep v/t* to dry up; *Kehle* to parch
Ausdruck[1] *m*, *pl* **-drücke** *no pl* (≈ *Gesichtsausdruck*, *Wort*) expression; (≈ *Fachausdruck*, MAT) term; ***etw zum ~ bringen*** to express sth
Ausdruck[2] *m*, *pl* **-drucke** (*von Computer etc*) printout **ausdrucken** *v/t sep* IT to print out
ausdrücken *sep* **I** *v/t* **1.** (≈ *zum Ausdruck bringen*) to express (*jdm* to sb); ***anders ausgedrückt*** in other words; ***einfach ausgedrückt*** put simply **2.** *Frucht*, *Schwamm* to squeeze out; *Tube*, *Pickel* to squeeze; *Zigarette* to stub out **II** *v/r* (*Mensch*) to express oneself **ausdrücklich** ['ausdrʏklɪç, aus'drʏklɪç] **I** *adj attr Wunsch* express **II** *adv* expressly; (≈ *besonders*) particularly **ausdruckslos** *adj* inexpressive **ausdrucksvoll** *adj* expressive **Ausdrucksweise** *f* way of expressing oneself
Ausdünstung ['ausdʏnstʊŋ] *f* ⟨-, **-en**⟩ (≈ *Geruch*) fume; (*von Tier*) scent; (*von Mensch*) smell
auseinander [aus|ai'nandɐ] *adv* apart; ***weit ~*** far apart; *Augen*, *Beine etc* wide apart; *Meinungen* very different **auseinanderbrechen** *v/i sep irr aux sein* to break up **auseinanderfalten** *v/t sep* to unfold **auseinandergehen** *v/i sep irr aux sein* **1.** to part; (*Menge*) to disperse; (*Versammlung*, *Ehe etc*) to break up **2.** (*fig*: *Ansichten etc*) to differ **3.** (*infml* ≈ *dick werden*) to get fat **auseinanderhalten** *v/t sep irr* to keep apart; (≈ *unterscheiden*) to tell apart **auseinanderleben** *v/r sep* to drift apart **auseinandernehmen** *v/t sep irr* to take apart; (*kritisch*) to tear to pieces **auseinanderschreiben** *v/t sep irr Wörter* to write as two words **auseinandersetzen** *sep* **I** *v/t* **1.** ***zwei Kinder ~*** to separate two children; ***sich ~*** to sit apart **2.** (*fig*) to explain (*jdm* to sb) **II** *v/r* ***sich mit etw ~*** (≈ *sich befassen*) to have a good look at sth; ***sich kritisch mit etw ~*** to have a critical look at sth **Auseinandersetzung** [aus|ai'nandɐzɛtsʊŋ] *f* ⟨-, **-en**⟩ **1.** (≈ *Diskussion*) discussion (*über +acc* about, on); (≈ *Streit*) argument **2.** (≈ *das Befassen*) examination (*mit* of)
auserwählen *past part* **auserwählt** *v/t sep* (*elev*) to choose **auserwählt** *adj* (*elev*) chosen; (≈ *ausgesucht*) select
ausfahrbar *adj* extendable; *Antenne*, *Fahrgestell*, *Klinge* retractable **ausfahren** *sep irr v/t* **1.** (*im Kinderwagen*, *Rollstuhl*) to take for a walk; (*im Auto*) to take for a drive **2.** (≈ *ausliefern*) *Waren* to deliver **3.** (≈ *abnutzen*) *Weg* to wear out **4.** ***ein Auto*** *etc* (***voll***) **~** to drive a car *etc* at full speed **5.** TECH to extend; *Fahrgestell etc* to lower **Ausfahrt** *f* **1.** (≈ *Spazierfahrt*) drive, ride **2.** (≈ *Autobahnausfahrt*) exit; ***„Ausfahrt frei halten"*** "keep clear"
Ausfall *m* **1.** (≈ *Verlust*, MIL) loss; TECH, MED failure; (*von Motor*) breakdown; ***bei ~ des Stroms ...*** in case of a power failure ... **2.** *no pl* (*von Sitzung etc*) cancellation **ausfallen** *v/i sep irr aux sein* **1.** (≈ *herausfallen*) to fall out; ***mir fallen die Haare aus*** my hair is falling out **2.** (≈ *nicht stattfinden*) to be cancelled (*Br*) *or* canceled (*US*) **3.** (≈ *nicht funktionieren*) to fail; (*Motor*) to break down **4.** ***gut/schlecht*** *etc* **~** to turn out well/badly *etc* **5.**; → ***ausgefallen*** **ausfallend** *adj* abusive; ***~ werden*** to become abusive
ausfechten *v/t sep irr* (*fig*) to fight (out)
ausfertigen *v/t sep Dokument* to draw up; *Rechnung* to make out; *Pass* to issue **Ausfertigung** *f* (*form*) **1.** *no pl* (*von Dokument*) drawing up; (*von Rechnung*) making out; (*von Pass*) issuing **2.** (≈ *Abschrift*) copy; ***in doppelter/dreifacher ~*** in duplicate/triplicate
ausfindig *adj* ***~ machen*** to find
ausfliegen *sep irr* **I** *v/i aux sein* (*aus Gebiet etc*) to fly out (*aus* of); ***ausgeflogen sein*** (*fig infml*) to be out **II** *v/t* AVIAT *Verwundete etc* to evacuate (by air) (*aus* from)
ausfließen *v/i sep irr aux sein* (≈ *herausfließen*) to flow out (*aus* of)
ausflippen ['ausflɪpn] *v/i sep aux sein* (*infml*) to freak out (*infml*); → ***ausge-***

flippt

Ausflucht ['ausflʊxt] *f* ⟨-, **Ausflüchte** [-flʏçtə]⟩ excuse

Ausflug *m* trip, excursion; (≈ *Schulausflug*) outing **Ausflugsdampfer** *m* pleasure steamer

Ausfluss *m* **1.** (≈ *das Herausfließen*) outflow **2.** (≈ *Ausflussstelle*) outlet **3.** MED discharge

ausforschen *v/t sep* (≈ *erforschen*) to investigate

ausfragen *v/t sep* to question (*nach* about); (*strenger*) to interrogate

ausfransen *v/t & v/i sep* (*v/i*: *aux sein*) to fray

ausfressen *v/t sep irr* (*infml* ≈ *anstellen*) ***etwas ~*** to do something wrong; ***was hat er denn wieder ausgefressen?*** what's he (gone and) done now? (*infml*)

Ausfuhr ['ausfu:ɐ] *f* ⟨**-, -en**, *no pl*⟩ (≈ *das Ausführen*) export; (≈ *Ausfuhrhandel*) exports *pl* **ausführbar** *adj Plan* feasible; ***schwer ~*** difficult to carry out **Ausfuhrbestimmungen** *pl* export regulations *pl*

ausführen *v/t sep* **1.** (*ins Theater etc*) to take out; *Hund* to take for a walk **2.** (≈ *durchführen*) to carry out; SPORTS *Freistoß etc* to take **3.** (≈ *erklären*) to explain **4.** COMM *Waren* to export **Ausfuhrgenehmigung** *f* COMM export licence (*Br*) *or* license (*US*) **Ausfuhrgüter** *pl* export goods *pl* **Ausfuhrhandel** *m* export trade **Ausfuhrland** *nt* exporting country **ausführlich** ['ausfy:ɐlɪç, (*Aus*) aus'fy:ɐlɪç] **I** *adj* detailed **II** *adv* in detail **Ausfuhrsperre** *f* export ban **Ausführung** *f* **1.** *no pl* (≈ *Durchführung*) carrying out; (*von Freistoß*) taking **2.** (≈ *Erklärung*) explanation **3.** (*von Waren*) design; (≈ *Qualität*) quality; (≈ *Modell*) model

ausfüllen *v/t sep* to fill; *Platz* to take up; *Formular* to fill in (*Br*) *or* out; ***jdn (voll or ganz) ~*** (≈ *befriedigen*) to satisfy sb (completely); ***ein ausgefülltes Leben*** a full life

Ausgabe *f* **1.** *no pl* (≈ *Austeilung*) distribution; (*von Dokumenten etc*) issuing; (*von Essen*) serving **2.** (*von Buch, Zeitung, Sendung*) edition; (*von Aktien*) issue **3.** (≈ *Ausführung*) version **4. Ausgaben** *pl* (≈ *Kosten*) expenses *pl*

Ausgang *m*, *pl* **-gänge 1.** (≈ *Weg nach draußen*) exit (*+gen*, *von* from); AVIAT gate **2.** ***~ haben*** to have the day off **3.** *no pl* (≈ *Ende*) end; (*von Roman, Film*) ending; (≈ *Ergebnis*) outcome; ***ein Unfall mit tödlichem ~*** a fatal accident **Ausgangsbasis** *f* starting point **Ausgangsposition** *f* initial position **Ausgangspunkt** *m* starting point **Ausgangssperre** *f* ban on going out; (*esp bei Belagerungszustand*) curfew

ausgeben *sep irr v/t* **1.** (≈ *austeilen*) to distribute; (≈ *aushändigen*) to issue; *Essen* to serve **2.** *Geld* to spend (*für* on); ***eine Runde ~*** to stand a round (*infml*); ***ich gebe heute Abend einen aus*** (*infml*) it's my treat this evening **3. *sich als jd/etw ~*** to pass oneself off as sb/sth

ausgebrannt *adj* (*fig*) burned-out (*infml*); → ***ausbrennen***

ausgebucht ['ausgəbu:xt] *adj* booked up

ausgedehnt ['ausgəde:nt] *adj* extensive; (*zeitlich*) lengthy; *Spaziergang* long; → ***ausdehnen***

ausgefallen ['ausgəfalən] *adj* (≈ *ungewöhnlich*) unusual; (≈ *übertrieben*) extravagant; → ***ausfallen***

ausgeflippt ['ausgəflɪpt] *adj* (*infml*) freaky (*infml*); → ***ausflippen***

ausgefuchst ['ausgəfʊkst] *adj* (*infml*) clever; (≈ *listig*) crafty (*infml*)

ausgeglichen ['ausgəglɪçn] *adj* balanced; *Spiel, Klima* even; → ***ausgleichen*** **Ausgeglichenheit** *f* ⟨-, *no pl*⟩ balance

ausgehen *sep irr aux sein v/i* **1.** (≈ *weggehen*) to go out; ***er geht selten aus*** he doesn't go out much **2.** (≈ *herrühren*) to come (*von* from); ***gehen wir einmal davon aus, dass ...*** let us assume that ... **3.** *esp* SPORTS to end; (≈ *ausfallen*) to turn out; ***gut/schlecht ~*** to turn out well/badly; (*Film etc*) to end happily/unhappily; (*Abend, Spiel*) to end well/badly; ***straffrei ~*** to receive no punishment; ***leer ~*** (*infml*) to come away empty-handed **4.** (≈ *zu Ende sein*: *Vorräte etc*) to run out; ***mir ging die Geduld aus*** I lost (my) patience; ***mir ging das Geld aus*** I ran out of money **ausgehend** *adj attr* **1. *im ~en Mittelalter*** toward(s) the end of the Middle Ages; ***das ~e 20. Jahrhundert*** the end of the 20th century **2. *die ~e Post*** the outgoing mail

ausgehungert ['ausgəhʊŋɐt] *adj* starved

ausgekocht ['ausgəkɔxt] *adj* (*pej infml*) (≈ *durchtrieben*) cunning; → ***ausko-***

chen

ausgelassen ['ausgəlasn] **I** *adj* (≈ *heiter*) lively; *Stimmung* happy; (≈ *wild*) *Kinder* boisterous **II** *adv* wildly; → ***auslassen***

ausgelastet ['ausgəlastət] *adj Mensch* fully occupied; *Maschine*, *Anlage* working to capacity; → ***auslasten***

ausgemacht *adj* **1.** (≈ *abgemacht*) agreed; ***es ist eine ~e Sache, dass ...*** it is agreed that ... **2.** *attr* (*infml* ≈ *vollkommen*) complete; → ***ausmachen***

ausgenommen ['ausgənɔmən] *cj* except; ***täglich ~ sonntags*** daily except for Sundays; → ***ausnehmen***

ausgeprägt ['ausgəprɛːkt] *adj* distinctive; *Interesse* marked

ausgerechnet ['ausgərɛçnət] *adv* ***~ du*** you of all people; ***~ heute*** today of all days; → ***ausrechnen***

ausgeschlossen *adj pred* (≈ *unmöglich*) impossible; (≈ *nicht infrage kommend*) out of the question; ***es ist nicht ~, dass ...*** it's just possible that ...; → ***ausschließen***

ausgeschnitten ['ausgəʃnɪtn] *adj Bluse*, *Kleid* low-cut; → ***ausschneiden***

ausgespielt ['ausgəʃpiːlt] *adj* ***~ haben*** to be finished; → ***ausspielen***

ausgesprochen ['ausgəʃprɔxn] **I** *adj Schönheit*, *Qualität*, *Vorliebe* definite; *Ähnlichkeit* marked; ***~es Pech haben*** to be really unlucky **II** *adv* really; → ***aussprechen***

ausgestorben ['ausgəʃtɔrbn] *adj Tierart* extinct; ***der Park war wie ~*** the park was deserted; → ***aussterben***

ausgesucht **I** *adj* (≈ *erlesen*) select **II** *adv* (≈ *überaus*, *sehr*) extremely; → ***aussuchen***

ausgewachsen *adj* fully grown; *Skandal* huge

ausgewogen *adj* balanced; *Maß* equal **Ausgewogenheit** *f* balance

ausgezeichnet **I** *adj* excellent **II** *adv* excellently; ***es geht mir ~*** I'm feeling marvellous (*Br*) *or* marvelous (*US*); → ***auszeichnen***

ausgiebig ['ausgiːbɪç] **I** *adj Mahlzeit etc* substantial; *Gebrauch* extensive **II** *adv* ***~ frühstücken*** to have a substantial breakfast; ***~ schlafen*** to have a (good) long sleep

ausgießen *v/t sep irr* (*aus einem Behälter*) to pour out; *Behälter* to empty

Ausgleich ['ausglaiç] *m* ⟨**-(e)s,** (*rare*) **-e**⟩ (≈ *Gleichgewicht*) balance; (*von Konto*) balancing; (*von Verlust*) compensation; ***zum*** *or* ***als ~ für etw*** in order to compensate for sth; ***er treibt zum ~ Sport*** he does sport for exercise **ausgleichen** *sep irr* **I** *v/t Unterschiede* to even out; *Konto* to balance; *Verlust*, *Fehler* to make good; *Mangel* to compensate for; ***~de Gerechtigkeit*** poetic justice; → ***ausgeglichen*** **II** *v/i* SPORTS to equalize **III** *v/r* to balance out **Ausgleichssport** *m* keep-fit activity; ***als ~*** to keep fit **Ausgleichstor** *nt*, **Ausgleichstreffer** *m* equalizer (*Br*), tying goal (*US*)

ausgraben *v/t sep irr* to dig up; *Grube*, *Loch* to dig out; *Altertümer* to excavate **Ausgrabung** *f* excavation

ausgrenzen *v/t sep* to exclude

Ausguss *m* (≈ *Becken*) sink; (≈ *Abfluss*) drain

aushaben *sep irr v/t* (*infml*) *Buch*, *Essen etc* to have finished; (≈ *ausgezogen haben*) to have taken off

aushaken *sep v/i* (*infml*) ***es hat bei ihm ausgehakt*** something in him snapped (*infml*)

aushalten *sep irr v/t* **1.** (≈ *ertragen können*) to bear; *Druck* to stand; ***hier lässt es sich ~*** this is not a bad place; ***das ist nicht auszuhalten*** it's unbearable; ***er hält viel aus*** he can take a lot **2.** (*infml*) ***sich von jdm ~ lassen*** to be kept by sb

aushandeln *v/t sep* to negotiate

aushändigen ['aushɛndɪgn] *v/t sep* ***jdm etw ~*** to hand sth over to sb

Aushang *m* notice **aushängen** *sep* **I** *v/t* **1.** (≈ *bekannt machen*) to put up **2.** *Tür* to unhinge **II** *v/i irr* ***am Schwarzen Brett ~*** to be on the notice (*Br*) *or* bulletin (*US*) board **Aushängeschild** *nt*, *pl* **-schilder** sign; (*fig* ≈ *Reklame*) advertisement

ausharren *v/i sep* (*elev*) to wait

aushebeln ['ausheːbln] *v/t sep* (*fig*) *Gesetz etc* to annul, to cancel

ausheben *v/t sep irr* **1.** *Tür etc* to take off its hinges **2.** *Graben*, *Grab* to dig **3.** (*fig*) *Diebesnest* to raid

aushecken ['aushɛkn] *v/t sep* (*infml*) *Plan* to cook up (*infml*)

ausheilen *sep v/i aux sein* (*Krankheit*) to be cured; (*Organ*, *Wunde*) to heal

aushelfen *v/i sep irr* to help out (*jdm* sb)

Aushilfe *f* **1.** help **2.** (*Mensch*) temporary worker; (*esp im Büro*) temp (*infml*)

Aushilfsjob *m* temporary job; (*im Büro*) temping job **Aushilfskraft** *f* temporary worker; (*esp im Büro*) temp (*infml*) **aushilfsweise** *adv* on a temporary basis
aushöhlen ['aushø:lən] *v/t sep* to hollow out; *Ufer, Steilküste* to erode
ausholen *v/i sep* (*zum Schlag*) to raise one's hand/arm *etc*; (*zum Wurf*) to reach back; ***weit ~*** (*fig*: *Redner*) to go far afield; ***zum Gegenschlag ~*** to prepare for a counterattack
aushorchen *v/t sep* (*infml*) to sound out
auskennen *v/r sep irr* (*an einem Ort*) to know one's way around; (*auf einem Gebiet*) to know a lot (*auf or in +dat* about)
ausklammern *v/t sep Problem* to leave aside
ausklappbar *adj* folding **ausklappen** *v/t sep* to open out
ausklingen *v/i sep irr aux sein* (*Lied*) to finish; (*Abend, Feier etc*) to end (*in +dat* with)
ausklopfen *v/t sep Teppich* to beat; *Pfeife* to knock out
auskochen *v/t sep* **1.** COOK *Knochen* to boil **2.** MED *Instrumente* to sterilize (*in boiling water*); → ***ausgekocht***
auskommen *v/i sep irr aux sein* **1.** (≈ *genügend haben*) to get by (*mit* on); ***ohne jdn/etw ~*** to manage without sb/sth **2.** ***mit jdm (gut) ~*** to get on (well) with sb **Auskommen** *nt* ⟨***-s**, no pl*⟩ (≈ *Einkommen*) livelihood; ***sein ~ haben/finden*** to get by; ***mit ihr ist kein ~*** she's impossible to get on with
auskosten *v/t sep* (≈ *genießen*) to make the most of; *Leben* to enjoy to the full
auskratzen *v/t sep* to scrape out
auskugeln *v/t sep* ***sich** (dat) **den Arm/die Schulter ~*** to dislocate one's arm/shoulder
auskühlen *v/i sep aux sein* to cool down; (*Körper, Menschen*) to chill through
auskundschaften *v/t sep Weg, Lage* to find out; *Versteck* to spy out
Auskunft ['auskʊnft] *f* ⟨***-, Auskünfte*** [-kʏnftə]⟩ **1.** (≈ *Mitteilung*) information *no pl*; ***jdm eine ~ erteilen*** to give sb some information **2.** (≈ *Schalter*) information desk; TEL directory inquiries *no art* **Auskunftsbüro** *nt* enquiry *or* information office
auskurieren *past part* ***auskuriert*** *sep* (*infml*) *v/t* to cure
auslachen *v/t sep jdn* to laugh at
ausladen *sep irr v/t* **1.** *Ware, Ladung* to unload **2.** (*infml*) ***jdn ~*** to tell sb not to come **ausladend** *adj Dach* projecting; *Bewegung* sweeping
Auslage *f* **1.** (*von Waren*) display; (≈ *Schaufenster*) (shop) window; (≈ *Schaukasten*) showcase **2.** *usu pl* expense
Ausland *nt, no pl* foreign countries *pl*; ***ins/im ~*** abroad; ***aus dem** or **vom ~*** from abroad; ***Handel mit dem ~*** foreign trade **Ausländer** ['auslɛndɐ] *m* ⟨***-s, -***⟩, **Ausländerin** [-ərɪn] *f* ⟨***-, -nen***⟩ foreigner; ADMIN, JUR alien **Ausländerbehörde** *f* ≈ immigration authority **ausländerfeindlich I** *adj* xenophobic; *Anschlag* on foreigners **II** *adv* ***~ motivierte Straftaten*** crimes with a racist motive **Ausländerfeindlichkeit** *f* xenophobia **Ausländergesetz** *nt* JUR law on immigrants **Ausländerpolitik** *f* policy on immigrants **ausländisch** ['auslɛndɪʃ] *adj attr* foreign **Auslandsaufenthalt** *m* stay abroad **Auslandseinsatz** *m* (*von Soldaten, Journalisten etc*) deployment abroad **Auslandsgespräch** *nt* international call **Auslandskorrespondent(in)** *m/(f)* foreign correspondent **Auslandsreise** *f* journey *or* trip abroad **Auslandsschutzbrief** *m* international travel cover **Auslandsvertretung** *f* agency abroad; (*von Firma*) foreign branch
auslassen *sep irr* **I** *v/t* **1.** (≈ *weglassen*) to leave out; (≈ *versäumen*) *Chance* to miss **2.** (≈ *abreagieren*) to vent (*an +dat* on) **3.** *Butter, Fett* to melt; *Speck* to render (down) **4.**; → ***ausgelassen*** **II** *v/r* to talk (*über +acc* about) **Auslassung** *f* ⟨***-, -en***⟩ (≈ *Weglassen*) omission
auslasten *v/t sep* **1.** *Maschine* to make full use of **2.** *jdn* to occupy fully; → ***ausgelastet***
Auslauf *m, no pl* (≈ *Bewegung*) exercise; (*für Kinder*) room to run about **auslaufen** *sep irr v/i aux sein* **1.** (*Flüssigkeit*) to run out (*aus* of); (≈ *undicht sein*) to leak **2.** (*Schiff*) to sail **3.** (*Modell, Serie*) to be discontinued **4.** (*Farbe, Stoff*) to run **Ausläufer** *m* **1.** (METEO, *von Hoch*) ridge; (*von Tief*) trough **2.** (≈ *Vorberge*) foothill *usu pl* **Auslaufmodell** *nt* discontinued model
ausleben *sep v/r* (*Mensch*) to live it up
auslecken *v/t sep* to lick out
ausleeren *v/t sep* to empty
auslegen *v/t sep* **1.** (≈ *ausbreiten*) to lay

out; *Waren etc* to display; *Kabel, Minen* to lay **2.** (≈ *bedecken*) to cover; (≈ *auskleiden*) to line; ***den Boden (mit Teppichen) ~*** to carpet the floor **3.** (≈ *deuten*) to interpret **4.** *Geld* to lend; ***sie hat die 5 Euro ausgelegt*** she paid the 5 euros **Ausleger** ['ausle:gɐ] *m* ⟨**-s, -**⟩ (*von Kran etc*) jib, boom **Auslegung** ['ausle:gʊŋ] *f* ⟨**-, -en**⟩ (≈ *Deutung*) interpretation

ausleiern *sep v/i aux sein* to wear out

ausleihen *v/t sep irr* (≈ *verleihen*) to lend (*jdm, an jdn* to sb); (≈ *von jdm leihen*) to borrow; ***sich*** (*dat*) ***etw ~*** to borrow sth (*bei, von* from)

auslernen *v/i sep* ***man lernt nie aus*** (*prov*) you live and learn (*prov*)

Auslese *f* **1.** *no pl* (≈ *Auswahl*) selection **2.** (≈ *Elite*) ***die ~*** the élite **3.** (≈ *Wein*) *high-quality wine made from selected grapes* **auslesen** *sep irr* **I** *v/t* **1.** (≈ *auswählen*) to select **2.** *Buch etc* to finish reading **II** *v/i* (≈ *zu Ende lesen*) to finish reading

ausliefern *v/t sep* **1.** *Waren* to deliver **2.** *jdn* to hand over (*an +acc* to); (*an anderen Staat*) to extradite (*an +acc* to); ***sich der Polizei ~*** to give oneself up to the police; ***jdm ausgeliefert sein*** to be at sb's mercy **Auslieferung** *f* **1.** (*von Ware*) delivery **2.** (*von Menschen*) handing over; (*von Gefangenen*) extradition **Auslieferungsantrag** *m* JUR application for extradition

ausliegen *v/i sep irr* (*Waren*) to be displayed; (*Zeitschriften, Liste etc*) to be available (to the public)

auslöffeln *v/t sep Teller* to empty; ***etw ~ müssen*** (*infml*) to have to take the consequences of sth

ausloggen ['auslɔgn] *v/r* IT to log out

auslöschen *v/t sep Feuer, Licht* to extinguish; *Erinnerung* to blot out

auslosen *v/t sep* to draw lots for; *Gewinner* to draw

auslösen *v/t sep Alarm, Reaktion* to trigger; *Bombe* to release; (*fig*) *Wirkung* to produce; *Begeisterung* to arouse **Auslöser** ['auslø:zɐ] *m* ⟨**-s, -**⟩ trigger; (*für Bombe*) release button; PHOT shutter release

Auslosung ['auslo:zʊŋ] *f* ⟨**-, -en**⟩ draw

ausloten *v/t sep* (*fig*) to plumb; ***die Sache muss ich doch mal ~*** (*infml*) I'll have to try to get to the bottom of the matter

ausmachen *v/t sep* **1.** *Feuer, Kerze* to put out; *Licht, Radio* to turn off **2.** (≈ *sichten*) to make out; (≈ *ausfindig machen*) to locate **3.** (≈ *vereinbaren*) to agree; ***einen Termin ~*** to agree (on) a time; → ***ausgemacht*** **4.** (≈ *betragen*) to come to **5.** (≈ *bedeuten*) ***viel ~*** to make a big difference; ***das macht nichts aus*** that doesn't matter **6.** (≈ *stören*) to matter (*jdm* to); ***macht es Ihnen etwas aus, wenn ...?*** would you mind if ...?

ausmalen *v/t sep* ***sich*** (*dat*) ***etw ~*** to imagine sth

Ausmaß *nt* (*von Fläche*) size; (*von Katastrophe, Liebe*) extent; ***ein Verlust in diesem ~*** a loss on this scale; ***erschreckende ~e annehmen*** to assume alarming proportions

ausmergeln ['ausmɛrgln] *v/t sep Körper etc* to emaciate; *Boden* to exhaust

ausmerzen ['ausmɛrtsn] *v/t sep* to eradicate

ausmessen *v/t sep irr* to measure (out)

ausmisten *sep v/t Stall* to muck out (*Br*), to clear (*US*); (*fig infml*) *Zimmer etc* to clean out

ausmustern *v/t sep Fahrzeug etc* to take out of service; (MIL ≈ *entlassen*) to discharge

Ausnahme ['ausna:mə] *f* ⟨**-, -n**⟩ exception; ***mit ~ von*** *or +gen* with the exception of; ***ohne ~*** without exception **Ausnahmefall** *m* exceptional case **Ausnahmezustand** *m* POL ***den ~ verhängen*** to declare a state of emergency **ausnahmslos** *adv* without exception **ausnahmsweise** *adv* ***darf ich das machen? — ~*** may I do that? — just this once **ausnehmen** *v/t sep irr* **1.** *Fisch* to gut; *Geflügel* to draw **2.** (≈ *ausschließen*) *jdn* to make an exception of; (≈ *befreien*) to exempt; → ***ausgenommen*** **3.** (*infml: finanziell*) *jdn* to fleece (*infml*)

ausnüchtern ['ausnʏçtɐn] *v/t, v/i, v/r sep* to sober up **Ausnüchterungszelle** *f* drying-out cell

ausnutzen *v/t sep* to use; (≈ *ausbeuten*) to exploit; *Gelegenheit* to make the most of **Ausnutzung** *f* ⟨**-,** *no pl*⟩ use; (≈ *Ausbeutung*) exploitation

auspacken *sep* **I** *v/t & v/i Koffer* to unpack; *Geschenk* to unwrap **II** *v/i* (*infml*) (≈ *alles sagen*) to talk (*infml*)

auspeitschen *v/t sep* to whip

auspfeifen *v/t sep irr* to boo at

ausplaudern *v/t sep* to let out
ausplündern *v/t sep Dorf etc* to pillage
ausposaunen *past part* ***ausposaunt*** *v/t sep* (*infml*) to broadcast (*infml*)
auspressen *v/t sep Zitrone etc* to squeeze
ausprobieren *past part* ***ausprobiert*** *v/t sep* to try out
Auspuff *m*, *pl* ***-puffe*** exhaust
auspumpen *v/t sep* (≈ *leeren*) to pump out
Ausputzer ['ausputsɐ] *m* ⟨***-s, -***⟩, **Ausputzerin** [-ərɪn] *f* ⟨***-, -nen***⟩ FTBL sweeper
ausquartieren ['auskvartiːrən] *past part* ***ausquartiert*** *v/t sep* to move out
ausquetschen *v/t sep Saft etc* to squeeze out; (*infml* ≈ *ausfragen*) to grill (*infml*)
ausradieren *past part* ***ausradiert*** *v/t sep* to rub out; (*fig* ≈ *vernichten*) to wipe out
ausrangieren *past part* ***ausrangiert*** *v/t sep* (*infml*) *Kleider* to throw out; *Maschine*, *Auto* to scrap
ausrasten *sep v/i aux sein* (*hum infml* ≈ *zornig werden*) to do one's nut (*Br infml*)
ausrauben *v/t sep* to rob
ausräuchern *v/t sep Zimmer* to fumigate; *Tiere*, *Bande* to smoke out
ausräumen *v/t sep* to clear out; *Möbel* to move out; (*fig*) *Missverständnisse* to clear up
ausrechnen *v/t sep* to work out; ***sich*** (*dat*) ***große Chancen ~*** to reckon that one has a good chance; → ***ausgerechnet***
Ausrede *f* excuse **ausreden** *sep* **I** *v/i* to finish speaking **II** *v/t* ***jdm etw ~*** to talk sb out of sth
ausreichen *v/i sep* to be sufficient **ausreichend I** *adj* sufficient; SCHOOL satisfactory **II** *adv* sufficiently
Ausreise *f* ***bei der ~*** on leaving the country **ausreisen** *v/i sep aux sein* to leave (the country); ***nach Frankreich ~*** to go to France
ausreißen *sep irr* **I** *v/t Haare*, *Blatt* to tear out; *Unkraut*, *Zahn* to pull out **II** *v/i aux sein* (*infml* ≈ *davonlaufen*) to run away **Ausreißer** ['ausraisɐ] *m* ⟨***-s, -***⟩, **Ausreißerin** [-ərɪn] *f* ⟨***-, -nen***⟩ (*infml*) runaway
ausreiten *v/i sep irr aux sein* to go for a ride
ausrenken ['ausrɛŋkn] *v/t sep* to dislocate; ***sich/jdm den Arm ~*** to dislocate one's/sb's arm
ausrichten *sep v/t* **1.** (≈ *aufstellen*) to line up **2.** (≈ *veranstalten*) to organize **3.** (≈ *erreichen*) to achieve; ***ich konnte bei ihr nichts ~*** I couldn't get anywhere with her **4.** (≈ *übermitteln*) to tell; ***kann ich etwas ~?*** can I give him/her *etc* a message?
Ausritt *m* ride (out)
ausrollen *v/t sep Teig*, *Teppich* to roll out; *Kabel* to run out
ausrotten ['ausrɔtn] *v/t sep* to wipe out; *Ideen* to stamp out
ausrücken *sep v/i aux sein* **1.** MIL to move out; (*Polizei*, *Feuerwehr*) to turn out **2.** (*infml* ≈ *ausreißen*) to make off
Ausruf *m* cry **ausrufen** *v/t sep irr* to exclaim; (≈ *verkünden*) to call out; *Streik* to call; ***jdn zum*** *or* ***als König ~*** to proclaim sb king; ***jdn ~ (lassen)*** (*über Lautsprecher etc*) to put out a call for sb; (*im Hotel*) to page sb **Ausrufezeichen** *nt* exclamation mark (*Br*), exclamation point (*US*)
ausruhen *v/i & v/r sep* to rest; (*Mensch*) to have a rest
ausrüsten *v/t sep* to equip; *Fahrzeug*, *Schiff* to fit out **Ausrüstung** *f* equipment; (≈ *esp Kleidung*) outfit
ausrutschen *v/i sep aux sein* to slip **Ausrutscher** ['ausrutʃɐ] *m* ⟨***-s, -***⟩ (*infml*) slip; (≈ *schlechte Leistung*) slip-up
Aussaat *f* **1.** *no pl* (≈ *das Säen*) sowing **2.** (≈ *Saat*) seed **aussäen** *v/t sep* to sow
Aussage *f* statement; (*eines Beschuldigten*, *Angeklagten*) statement; (≈ *Zeugenaussage*) testimony; ***hier steht ~ gegen ~*** it's one person's word against another's; ***nach ~ seines Chefs*** according to his boss **aussagen** *sep* **I** *v/t* to say (*über +acc* about); (≈ *behaupten*) to state **II** *v/i* JUR to give evidence; ***unter Eid ~*** to give evidence under oath
Aussätzige(r) ['auszɛtsɪgə] *m/f(m) decl as adj* leper
aussaugen *v/t sep* to suck out
ausschaben *v/t sep* to scrape out; MED to curette
ausschaffen *v/t sep* (*Swiss form*) to deport
ausschalten *v/t sep* **1.** (≈ *abstellen*) to switch off **2.** (*fig*) to eliminate
Ausschank *m* ⟨***-(e)s, Ausschänke*** [-ʃɛŋkə]⟩ (≈ *Schankraum*) bar, pub (*Br*); (≈ *Schanktisch*) bar
Ausschau *f*, *no pl* ***~ halten*** to look out
ausschauen *v/i sep* **1.** (*elev*) to look

out (*nach* for) **2.** (*dial*) = ***aussehen***
ausscheiden *sep irr* **I** *v/t* (≈ *aussondern*) to take out; PHYSIOL to excrete **II** *v/i aux sein* (*aus einem Amt*) to retire (*aus* from); (*aus Klub, Firma*) to leave (*aus etw* sth); SPORTS to be eliminated; ***das/er scheidet aus*** that/he has to be ruled out **Ausscheidung** *f* **1.** *no pl* PHYSIOL excretion **2.** SPORTS elimination **Ausscheidungskampf** *m* SPORTS preliminary (round)
ausschenken *v/t & v/i sep* to pour (out); (*am Ausschank*) to serve
ausscheren *v/i sep aux sein* (*zum Überholen*) to pull out; (*fig*) to step out of line
ausschiffen *sep* **I** *v/t* to disembark; *Ladung, Waren* to unload **II** *v/r* to disembark
ausschildern *v/t sep* to signpost
ausschlachten *v/t sep* **1.** *Tier, Beute* to dress **2.** (*fig*) *Fahrzeuge, Maschinen etc* to cannibalize **3.** (*fig infml* ≈ *ausnutzen*) to exploit
ausschlafen *sep irr* **I** *v/t Rausch etc* to sleep off **II** *v/i & v/r* to have a good sleep
Ausschlag *m* **1.** MED rash; ***(einen) ~ bekommen*** to come out in *or* get a rash **2.** (*von Zeiger etc*) swing; (*von Kompassnadel*) deflection; ***den ~ geben*** (*fig*) to be the decisive factor **ausschlagen** *sep irr* **I** *v/t* **1.** ***jdm die Zähne ~*** to knock sb's teeth out **2.** (≈ *verkleiden*) to line **3.** (≈ *ablehnen*) to turn down **II** *v/i* **1.** *aux sein or haben* (*Baum, Strauch*) to start to bud **2.** (*Pferd*) to kick **3.** *aux sein or haben* (*Zeiger, Nadel*) to swing; (*Kompassnadel*) to be deflected **ausschlaggebend** *adj* decisive
ausschließen *v/t sep irr* **1.** (≈ *aussperren*) to lock out **2.** (≈ *entfernen*) to exclude; (*aus Gemeinschaft*) to expel; SPORTS to disqualify; ***die Öffentlichkeit ~*** JUR to exclude the public; → ***ausgeschlossen***
ausschließlich ['ausʃliːslɪç, 'aus'ʃl-, aus'ʃl-] **I** *adj attr* exclusive; *Rechte auch* sole **II** *adv* exclusively **Ausschluss** *m* (≈ *Entfernung*) exclusion; (*aus Gemeinschaft*) expulsion; SPORTS disqualification; ***unter ~ der Öffentlichkeit stattfinden*** to be closed to the public
ausschmücken *v/t sep* to decorate; (*fig*) *Erzählung* to embellish
ausschneiden *v/t sep irr* **1.** to cut out **2.** IT to cut; ***~ und einfügen*** to cut and paste; → ***ausgeschnitten*** **Ausschnitt** *m* **1.** (≈ *Zeitungsausschnitt*) cutting **2.** (≈ *Kleidausschnitt*) neck; ***ein tiefer ~*** a low neckline **3.** (*aus einem Bild*) detail; (*aus einem Film*) clip
ausschöpfen *v/t sep* **1.** *Wasser etc* to ladle out (*aus* of); (*aus Boot*) to bale out (*aus* of) **2.** (*fig*) to exhaust
ausschreiben *v/t sep irr* **1.** to write out; *Rechnung etc* to make out **2.** (≈ *bekannt machen*) to announce; *Wahlen* to call; *Stellen* to advertise; *Projekt* to invite tenders for
Ausschreitung *f* ⟨**-, -en**⟩ *usu pl* riot, rioting *no pl*
Ausschuss *m* **1.** *no pl* COMM rejects *pl*; (*fig infml*) trash **2.** (≈ *Komitee*) committee **Ausschusssitzung** *f* committee meeting **Ausschussware** *f* COMM rejects *pl*
ausschütteln *v/t sep* to shake out
ausschütten *sep* **I** *v/t* **1.** (≈ *auskippen*) to tip out; *Eimer* to empty; ***jdm sein Herz ~*** (*fig*) to pour out one's heart to sb **2.** (≈ *verschütten*) to spill **3.** FIN *Dividende etc* to distribute **II** *v/r* ***sich*** **(*vor Lachen*)** ***~*** (*infml*) to split one's sides laughing
ausschweifend *adj Leben* dissipated; *Fantasie* wild **Ausschweifung** *f* (≈ *Maßlosigkeit*) excess; (*in Lebensweise*) dissipation
ausschweigen *v/r sep irr* to remain silent
aussehen *v/i sep irr* to look; ***gut ~*** to look good; (*hübsch*) to be good looking; (*gesund*) to look well; ***es sieht nach Regen aus*** it looks like rain; ***wie siehst du denn*** **(*bloß*)** ***aus?*** just look at you!; ***es soll nach etwas ~*** it's got to look good; ***es sieht so aus, als ob ...*** it looks as if ...; ***so siehst du*** **(*gerade*)** ***aus!*** (*infml*) that's what you think! **Aussehen** *nt* ⟨***-s***, *no pl*⟩ appearance
aus sein *irr aux sein* **I** *v/i* (*infml*) **1.** (*Schule*) to have finished; (*Krieg, Stück*) to have ended; (*Feuer, Ofen*) to be out; (*Radio, Fernseher etc*) to be off **2.** ***auf etw*** (*acc*) ***~*** to be (only) after sth; ***auf jdn ~*** to be after sb (*infml*) **II** *v/i impers* ***es ist aus*** **(*und vorbei*)** ***zwischen uns*** it's (all) over between us; ***es ist aus mit ihm*** he is finished
außen ['ausn] *adv* ***von ~ sieht es gut aus*** on the outside it looks good; ***nach ~ hin*** (*fig*) outwardly; ***~ stehend*** *Beobachter etc* outside *attr* **Außenantenne** *f* outdoor aerial (*Br*) *or* antenna (*esp US*) **Außenaufnahme** *f* outdoor shot **Außen-**

bahn *f* outside lane **Außenbezirk** *m* outlying district **Außenbordmotor** *m* outboard motor **Außendienst** *m* ***im ~ sein*** to work outside the office **Außenhandel** *m* foreign trade **Außenminister(in)** *m/(f)* foreign secretary *(Br)*, secretary of state *(US)* **Außenministerium** *nt* Foreign Office *(Br)*, State Department *(US)* **Außenpolitik** *f (Gebiet)* foreign politics *sg*; *(bestimmte)* foreign policy **außenpolitisch** *adj Debatte* on foreign affairs; ***~e Angelegenheiten*** foreign affairs **Außenseite** *f* outside **Außenseiter** ['ausnzaitɐ] *m* ⟨**-s, -**⟩, **Außenseiterin** [-ərɪn] *f* ⟨**-, -nen**⟩ SPORTS outsider **Außenspiegel** *m* AUTO outside mirror **Außenstände** *pl esp* COMM outstanding debts *pl* **außenstehend** *adj* → ***außen*** **Außenstelle** *f* branch **Außenstürmer(in)** *m/(f)* FTBL wing **Außentemperatur** *f* outside temperature **Außenwand** *f* outer wall **Außenwelt** *f* outside world **Außenwirtschaft** *f* foreign trade

außer ['ausɐ] **I** *prep +dat or (rare) +gen* **1.** *(räumlich)* out of; ***~ sich*** *(dat)* ***sein*** to be beside oneself **2.** (≈ *ausgenommen*) except (for); (≈ *abgesehen von*) apart from **3.** (≈ *zusätzlich zu*) in addition to **II** *cj* except; ***~ wenn ...*** except when... **außerdem** ['ausɐdeːm, ausɐ'deːm] *adv* besides; (≈ *dazu*) in addition **äußere(r, s)** ['ɔysərə] *adj* outer; *Schein, Eindruck* outward **Äußere(s)** ['ɔysərə] *nt decl as adj* exterior **außergerichtlich** *adj, adv* out of court **außergewöhnlich I** *adj* unusual **II** *adv* (≈ *sehr*) extremely **außerhalb** ['ausɐhalp] **I** *prep +gen* outside; ***~ der Stadt*** outside the town **II** *adv* (≈ *außen*) outside; (≈ *außerhalb der Stadt*) out of town; ***von ~*** from outside/out of town **außerirdisch** *adj* extraterrestrial **Außerirdische(r)** ['ausɐ|ɪrdɪʃə] *m/f(m) decl as adj* extraterrestrial **äußerlich** ['ɔysɐlɪç] **I** *adj* **1.** external; ***„nur zur ~en Anwendung!“*** for external use only **2.** *(fig* ≈ *oberflächlich)* superficial **II** *adv* externally; ***rein ~ betrachtet*** on the face of it **Äußerlichkeit** *f* ⟨**-, -en**⟩ *(fig)* triviality; (≈ *Oberflächlichkeit*) superficiality **äußern** ['ɔysɐn] **I** *v/t* (≈ *sagen*) to say; *Wunsch etc* to express; *Kritik* to voice; ***seine Meinung ~*** to give one's opinion **II** *v/r (Mensch)* to speak; *(Krankheit)* to show itself; ***ich will mich dazu nicht ~*** I don't want to say anything about that **außerordentlich** ['ausɐ'|ɔrdntlɪç] **I** *adj* extraordinary; (≈ *ungewöhnlich*) remarkable; ***Außerordentliches leisten*** to achieve some remarkable things **II** *adv* (≈ *sehr*) exceptionally **außerparlamentarisch** *adj* extraparliamentary **außerplanmäßig** *adj* unscheduled; *Defizit* unplanned **außersinnlich** *adj* ***~e Wahrnehmung*** extrasensory perception **äußerst** ['ɔysɐst] *adv* extremely **außerstande** [ausɐ'ʃtandə, 'ausɐʃtandə] *adv* (≈ *unfähig*) incapable; (≈ *nicht in der Lage*) unable **äußerste(r, s)** ['ɔysɐstə] *adj (räumlich)* furthest; *Schicht* outermost; *Norden etc* extreme; *(zeitlich)* latest possible; *(fig)* utmost; ***mein ~s Angebot*** my final offer; ***im ~n Falle*** if the worst comes to the worst; ***mit ~r Kraft*** with all one's strength; ***von ~r Dringlichkeit*** of (the) utmost urgency **Äußerste(s)** ['ɔysɐstə] *nt decl as adj* ***bis zum ~n gehen*** to go to extremes; ***er hat sein ~s gegeben*** he gave his all; ***ich bin auf das ~ gefasst*** I'm prepared for the worst **Äußerung** ['ɔysərʊŋ] *f* ⟨**-, -en**⟩ (≈ *Bemerkung*) remark

aussetzen *sep* **I** *v/t* **1.** *Kind, Haustier* to abandon; *Pflanzen* to plant out; NAUT *Boot* to lower **2.** ***jdm/einer Sache ausgesetzt sein*** (≈ *ausgeliefert*) to be at the mercy of sb/sth **3.** *Belohnung* to offer; ***auf jds Kopf*** *(acc)* ***1000 Dollar ~*** to put 1,000 dollars on sb's head **4.** (≈ *unterbrechen*) to interrupt; *Prozess* to adjourn; *Zahlung* to break off **5.** ***an jdm/etw etwas auszusetzen haben*** to find fault with sb/sth; ***daran ist nichts auszusetzen*** there is nothing wrong with it **II** *v/i* (≈ *aufhören*) to stop; *(bei Spiel)* to sit out; (≈ *versagen*) to give out; ***mit etw ~*** to stop sth

Aussicht *f* ⟨**-, -en**⟩ **1.** (≈ *Blick*) view *(auf +acc* of*)*; ***ein Zimmer mit ~ auf den Park*** a room overlooking the park **2.** *(fig)* prospect *(auf +acc* of*)*; ***etw in ~ haben*** to have good prospects of sth; ***jdm etw in ~ stellen*** to promise sb sth **aussichtslos** *adj* hopeless; (≈ *zwecklos*) pointless; ***eine ~e Sache*** a lost cause **Aussichtsplattform** *f* viewing *or* observation platform *or* deck **aussichtsreich** *adj* promising; *Stellung* with good prospects **Aussichtsturm** *m* observation *or* lookout tower

Aussiedler(in) *m/(f)* (≈ *Auswanderer*) emigrant
aussitzen *v/t sep irr Problem* to sit out
aussöhnen ['auszøːnen] *sep v/r* ***sich mit jdm/etw ~*** to become reconciled with sb/to sth **Aussöhnung** *f* ⟨**-, -en**⟩ reconciliation
aussondern *v/t sep* (≈ *auslesen*) to select; *Schlechtes* to pick out
aussortieren *past part* **aussortiert** *v/t sep* to sort out
ausspannen *sep* **I** *v/t* **1.** (≈ *ausschirren*) to unharness **2.** (*fig infml*) ***jdm die Freundin etc ~*** to steal sb's girlfriend *etc* **II** *v/i* (≈ *sich erholen*) to have a break
aussparen *v/t sep* (*fig*) to omit
aussperren *v/t sep* to lock out **Aussperrung** *f* IND lockout
ausspielen *sep* **I** *v/t* **1.** *Karte* to play; (*am Spielanfang*) to lead with **2.** (*fig*) ***jdn gegen jdn ~*** to play sb off against sb **II** *v/i* CARDS to play a card; (*als Erster*) to lead; → ***ausgespielt***
Aussprache *f* **1.** pronunciation; (≈ *Akzent*) accent **2.** (≈ *Meinungsaustausch*) discussion; (≈ *Gespräch*) talk **aussprechen** *sep irr* **I** *v/t Wort, Urteil etc* to pronounce; *Scheidung* to grant **II** *v/r* ***sich mit jdm*** (***über etw*** *acc*) ***~*** to have a talk with sb (about sth); ***sich gegen etw ~*** to declare oneself against sth **III** *v/i* (≈ *zu Ende sprechen*) to finish (speaking); → ***ausgesprochen*** **Ausspruch** *m* remark; (≈ *geflügeltes Wort*) saying
ausspucken *sep* **I** *v/t* to spit out **II** *v/i* to spit
ausspülen *v/t sep* to rinse (out)
ausstaffieren ['ausʃtafiːrən] *past part* **ausstaffiert** *v/t sep* (*infml*) to equip; *jdn* to rig out
Ausstand *m* **1.** (≈ *Streik*) strike; ***im ~ sein*** to be on strike; ***in den ~ treten*** to (go on) strike **2.** ***seinen ~ geben*** to throw a leaving party
ausstatten ['ausʃtatn] *v/t sep* to equip; (≈ *versorgen*) to provide; (≈ *möblieren*) to furnish **Ausstattung** *f* ⟨**-, -en**⟩ equipment; (*von Zimmer etc*) furnishings *pl*; THEAT décor and costumes *pl*
ausstechen *v/t sep irr* **1.** *Pflanzen* to dig up; *Plätzchen* to cut out **2.** *Augen* (*esp als Strafe*) to gouge out **3.** (*fig* ≈ *übertreffen*) to outdo
ausstehen *sep irr* **I** *v/t* (≈ *ertragen*) to endure; *Angst* to go through; ***ich kann ihn nicht ~*** I can't bear him **II** *v/i* (≈ *fällig sein*) to be due; (*Antwort*) to be still to come; (*Entscheidung*) to be still to be taken
aussteigen *v/i sep irr aux sein* to get out (*aus* of); (*fig: aus Gesellschaft*) to opt out
Aussteiger ['ausʃtaigɐ] *m* ⟨**-s, -**⟩, **Aussteigerin** [-ərɪn] *f* ⟨**-, -nen**⟩ (*aus Gesellschaft*) person who opts out; (*aus Terroristenszene, Sekte*) dropout
ausstellen *sep* **I** *v/t* **1.** (≈ *zur Schau stellen*) to display; (*in Museum etc*) to exhibit **2.** (≈ *behördlich ausgeben*) to issue; ***eine Rechnung über 500 Euro ~*** to make out a bill for 500 euros **3.** (≈ *ausschalten*) to turn off **II** *v/i* to exhibit **Aussteller** ['ausʃtɛlɐ] *m* ⟨**-s, -**⟩, **Ausstellerin** [-ərɪn] *f* ⟨**-, -nen**⟩ **1.** (*auf Messe*) exhibitor **2.** (*von Dokument*) issuer **Ausstellung** *f* **1.** (≈ *Messe*) exhibition; (≈ *Blumenausstellung etc*) show **2.** *no pl* (*von Rezept, Rechnung*) making out; (*behördlich*) issuing **Ausstellungsdatum** *nt* date of issue **Ausstellungsgelände** *nt* exhibition site **Ausstellungshalle** *f* exhibition hall **Ausstellungsstück** *nt* exhibit
ausstempeln *v/i sep* (*bei Arbeitsende*) to clock out *or* off
aussterben *v/i sep irr aux sein* to die out; → ***ausgestorben*** **Aussterben** *nt* extinction; ***im ~ begriffen*** dying out
Aussteuer *f* dowry
Ausstieg ['ausʃtiːk] *m* ⟨**-(e)s, -e** [-gə]⟩ **1.** *no pl* (*aus Bus, Zug etc*) getting off; (*fig: aus Gesellschaft*) opting out (*aus* of); ***der ~ aus der Kernenergie*** abandoning nuclear energy **2.** (*a.* **Ausstiegluke**) escape hatch
ausstopfen *v/t sep* to stuff
Ausstoß *m* (≈ *Produktion*) output **ausstoßen** *v/t sep irr* **1.** (≈ *äußern*) to utter; *Schrei* to give; *Seufzer* to heave **2.** (≈ *ausschließen*) to expel (*aus* from); ***jdn aus der Gesellschaft ~*** to banish sb from society **3.** (≈ *herausstoßen*) to eject; *Gas etc* to give off; (≈ *herstellen*) to turn out
ausstrahlen *v/t sep* to radiate; RADIO, TV to broadcast **Ausstrahlung** *f* radiation; (RADIO, TV) broadcast(ing); (*von Mensch*) charisma
ausstrecken *sep* **I** *v/t* to extend (*nach* towards) **II** *v/r* to stretch (oneself) out
ausstreichen *v/t sep irr Geschriebenes* to cross out

ausströmen *v/i sep aux sein* (≈ *herausfließen*) to stream out (*aus* of); (≈ *entweichen*) to escape (*aus* from)
aussuchen *v/t sep* (≈ *auswählen*) to choose; → ***ausgesucht***
Austausch *m* exchange; (≈ *Ersatz*) replacement; SPORTS substitution; ***im ~ für*** *or* ***gegen*** in exchange for **austauschbar** *adj* exchangeable **austauschen** *v/t sep* to exchange (*gegen* for); (≈ *ersetzen*) to replace (*gegen* with) **Austauschmotor** *m* replacement engine **Austauschstudent(in)** *m/(f)* exchange student
austeilen *v/t sep* to distribute (*unter +dat, an +acc* among); *Spielkarten* to deal (out); *Prügel* to administer
Auster ['austɐ] *f* ⟨-, **-n**⟩ oyster **Austernbank** *f, pl* **-bänke** oyster bed
austesten ['austɛstn] *v/t sep* to test; IT *Programm etc* to debug
austoben *sep v/r* (*Mensch*) to let off steam; (≈ *sich müde machen*) to tire oneself out
austragen *sep irr* **I** *v/t* **1.** *Wettkampf etc* to hold; ***einen Streit mit jdm ~*** to have it out with sb **2.** *Post etc* to deliver **3.** ***ein Kind ~*** to carry a child (through) to full term **II** *v/r* to sign out **Austragungsort** *m, pl* **-orte** SPORTS venue
Australien [aus'traːliən] *nt* ⟨**-s**⟩ Australia **Australier** [aus'traːliɐ] *m* ⟨**-s, -**⟩, **Australierin** [-iərɪn] *f* ⟨**-, -nen**⟩ Australian **australisch** [aus'traːlɪʃ] *adj* Australian
austreiben *sep irr v/t* (≈ *vertreiben*) to drive out; *Teufel etc* to exorcise
austreten *sep irr* **I** *v/i aux sein* **1.** (≈ *herauskommen*) to come out (*aus* of); (*Gas etc*) to escape (*aus* from, through) **2.** (≈ *ausscheiden*) to leave (*aus etw* sth) **3.** (≈ *zur Toilette gehen*) to go to the toilet (*esp Br*) **II** *v/t Spur, Feuer etc* to tread out; *Schuhe* to wear out of shape
austricksen *v/t sep* (*infml*) to trick
austrinken *v/t & v/i sep irr* to finish
Austritt *m* **1.** *no pl* (*von Flüssigkeit*) outflow; (≈ *das Entweichen*) escape **2.** (≈ *das Ausscheiden*) leaving *no art* (*aus etc* sth)
austrocknen *sep* **I** *v/i aux sein* to dry out; (*Fluss etc*) to dry up **II** *v/t* (≈ *trockenlegen*) *Sumpf* to drain
austüfteln *v/t sep* (*infml*) to work out
ausüben *v/t sep* **1.** *Beruf* to practise (*Br*), to practice (*US*); *Funktion* to perform; *Amt* to hold **2.** *Druck, Einfluss* to exert (*auf +acc* on); *Macht* to exercise; ***einen Reiz auf jdn ~*** to have an attraction for sb
ausufern ['aus|uːfɐn] *v/i sep aux sein* (*fig*) to get out of hand
Ausverkauf *m* (clearance) sale; ***etw im ~ kaufen*** to buy sth at the sale(s) **ausverkauft** ['ausfɛɐkauft] *adj* sold out; ***vor ~em Haus spielen*** to play to a full house
Auswahl *f* selection (*an +dat* of); (≈ *Wahl*) choice; SPORTS representative team; ***drei Bewerber stehen zur ~*** there are three applicants to choose from; ***eine ~ treffen*** to make a selection **auswählen** *v/t sep* to select (*unter +dat* from among); ***sich*** (*dat*) ***etw ~*** to select sth (for oneself)
Auswanderer *m*, **Auswanderin** *f* emigrant **auswandern** *v/i sep aux sein* to emigrate (*nach, in +acc* to) **Auswanderung** *f* emigration
auswärtig ['ausvɛrtɪç] *adj attr* **1.** (≈ *nicht ansässig*) nonlocal **2.** POL foreign; ***der ~e Dienst*** the foreign service; ***das Auswärtige Amt*** the Foreign Office (*Br*), the State Department (*US*) **auswärts** ['ausvɛrts] *adv* **1.** (≈ *nach außen*) outwards **2.** (≈ *außerhalb der Stadt*) out of town; SPORTS away; ***~ essen*** to eat out **Auswärtsniederlage** *f* SPORTS away defeat **Auswärtssieg** *m* SPORTS away win *or* victory **Auswärtsspiel** *nt* SPORTS away (game)
auswechseln *v/t sep* to change; (*esp gegenseitig*) to exchange; (≈ *ersetzen*) to replace; SPORTS to substitute (*gegen* for); ***sie ist wie ausgewechselt*** she's a different person **Auswechselspieler(in)** *m/(f)* substitute **Auswechs(e)lung** ['ausvɛks(ə)lʊŋ] *f* ⟨**-, -en**⟩ exchange; (≈ *Ersatz*) replacement; SPORTS substitution
Ausweg *m* way out; ***der letzte ~*** a last resort **ausweglos** *adj* (*fig*) hopeless
ausweichen *v/i sep irr aux sein* to get out of the way (*+dat* of); (≈ *Platz machen*) to make way (*+dat* for); ***einer Sache*** (*dat*) ***~*** (*lit*) to avoid sth; (*fig*) to evade sth; ***eine ~de Antwort*** an evasive answer **Ausweichmanöver** *nt* evasive action *or* manoeuvre (*Br*) *or* maneuver (*US*)
ausweinen *sep* **I** *v/r* to have a (good) cry; ***sich bei jdm ~*** to have a cry on sb's

shoulder **II** *v/t* ***sich*** (*dat*) ***die Augen ~*** to cry one's eyes *or* heart out (*nach* over)
Ausweis ['ausvais] *m* ⟨**-es, -e** [-zə]⟩ card; (≈ *Personalausweis*) identity card; ***~, bitte*** your papers please **ausweisen** *sep irr* **I** *v/t* (*aus dem Lande*) to expel **II** *v/r* (*mit Ausweis*) to identify oneself; ***können Sie sich ~?*** do you have any means of identification? **Ausweiskontrolle** *f* identity check **Ausweispapiere** *pl* identity papers *pl* **Ausweisung** *f* expulsion
ausweiten *sep* **I** *v/t* to widen; (*fig*) to expand (*zu* into) **II** *v/r* to widen; (*fig*) to expand (*zu* into); (≈ *sich verbreiten*) to spread
auswendig *adv* by heart; ***etw ~ können/lernen*** to know/learn sth (off) by heart
auswerfen *v/t sep irr Anker, Netz* to cast; *Lava, Asche* to throw out
auswerten *v/t sep* (≈ *bewerten*) to evaluate; (≈ *analysieren*) to analyse **Auswertung** *f* (≈ *Bewertung*) evaluation; (≈ *Analyse*) analysis
auswickeln *v/t sep* to unwrap
auswirken *v/r sep* to have an effect (*auf +acc* on); ***sich günstig/negativ ~*** to have a favourable (*Br*) *or* favorable (*US*)/negative effect **Auswirkung** *f* (≈ *Folge*) consequence; (≈ *Wirkung*) effect
auswischen *v/t sep* to wipe out; ***jdm eins ~*** (*infml, aus Rache*) to get back at sb
auswringen *v/t sep irr* to wring out
Auswuchs ['ausvu:ks] *m* ⟨**-es, Auswüchse** [-vy:ksə]⟩ (out)growth; (*fig*) product
auswuchten *v/t sep Räder* to balance
auszahlen *sep* **I** *v/t Geld etc* to pay out; *Gläubiger* to pay off; *Miterben* to buy out **II** *v/r* (≈ *sich lohnen*) to pay (off)
auszählen *sep v/t Stimmen* to count (up); (*Boxen*) to count out
Auszahlung *f* (*von Geld*) paying out; (*von Gläubiger*) paying off
Auszählung *f* (*von Stimmen etc*) counting (up)
auszeichnen *sep* **I** *v/t* **1.** *Waren* to label **2.** (≈ *ehren*) to honour (*Br*), to honor (*US*); ***jdn mit einem Orden ~*** to decorate sb (with a medal) **3.** (≈ *hervorheben*) to distinguish **II** *v/r* to stand out (*durch* due to); → ***ausgezeichnet*** **Auszeichnung** *f* **1.** (*von Waren*) labelling (*Br*), labeling (*US*); (*mit Preisschild*) pricing **2.** (≈ *Ehrung*) honour (*Br*), honor (*US*); (≈ *Orden*) decoration; (≈ *Preis*) award; ***mit ~ bestehen*** to pass with distinction
ausziehen *sep irr* **I** *v/t* **1.** *Kleider, Schuhe* to take off; *jdn* to undress; ***sich*** (*dat*) ***etw ~*** to take off sth **2.** (≈ *herausziehen*) to pull out **II** *v/r* to undress **III** *v/i aux sein* (*aus einer Wohnung*) to move (*aus* out of); ***auf Abenteuer ~*** to set off in search of adventure
Auszubildende(r) ['austsubıldndə] *m/f(m) decl as adj* trainee
Auszug *m* **1.** (≈ *das Weggehen*) departure; (*zeremoniell*) procession; (*aus der Wohnung*) move **2.** (≈ *Ausschnitt*) excerpt; (*aus Buch*) extract; (≈ *Kontoauszug*) statement **auszugsweise** *adv* in extracts
autark [au'tark] *adj* self-sufficient; ECON autarkic
authentisch [au'tɛntıʃ] *adj* authentic
Autismus [au'tısmʊs] *m* ⟨**-**, *no pl*⟩ autism **Autist** [au'tıst] *m* ⟨**-en, -en**⟩, **Autistin** [-ərın] *f* ⟨**-, -nen**⟩ autistic child/person **autistisch** [au'tıstıʃ] **I** *adj* autistic **II** *adv* autistically
Auto ['auto] *nt* ⟨**-s, -s**⟩ car; ***~ fahren*** (*selbst*) to drive (a car); ***mit dem ~ fahren*** to go by car **Autoabgase** *pl* MOT car emissions *pl* **Autoatlas** *m* road atlas **Autobahn** *f* motorway (*Br*), interstate (highway *or* freeway) (*US*); (*esp in Deutschland*) autobahn **Autobahnauffahrt** *f* motorway *etc* access road, freeway on-ramp (*US*) **Autobahnausfahrt** *f* motorway *etc* exit **Autobahndreieck** *nt* motorway *etc* merging point **Autobahngebühr** *f* toll **Autobahnkreuz** *nt* motorway *etc* intersection **Autobahnraststätte** *f* motorway service area (*Br*), rest area (*US*) **Autobiografie** *f* autobiography **autobiografisch** **I** *adj* autobiographical **II** *adv* autobiographically **Autobombe** *f* car bomb **Autobus** *m* bus; (≈ *Reiseomnibus*) coach (*Br*), bus **Autodidakt** [autodi'dakt] *m* ⟨**-en, -en**⟩, **Autodidaktin** [-'daktın] *f* ⟨**-, -nen**⟩ self-educated person **autodidaktisch** [autodi'daktıʃ] *adj* self-taught *no adv* **Autodieb(in)** *m/(f)* car thief **Autodiebstahl** *m* car theft **Autofähre** *f* car ferry **Autofahren** *nt* ⟨**-s**, *no pl*⟩ driving (a car); (*als Mitfahrer*) driving in a car **Autofahrer(in)** *m/(f)* (car) driver **autofrei** *adj* car-free **Autofriedhof** *m* (*infml*) car dump **autogen** [auto'ge:n] *adj* au-

togenous; ***~es Training*** PSYCH relaxation through self-hypnosis **Autogramm** [auto'gram] *nt, pl* ***-gramme*** autograph **Autohändler(in)** *m/(f)* car *or* automobile (*US*) dealer **Autoimmunerkrankung** *f* MED autoimmune disease **Autokino** *nt* drive-in cinema (*Br*), drive-in movie theater (*US*) **Automat** [auto'maːt] *m* ⟨***-en, -en***⟩ machine; (≈ *Verkaufsautomat*) vending machine; (≈ *Roboter*) robot; (≈ *Spielautomat*) slot machine

Automatik[1] [auto'maːtɪk] *m* ⟨***-s, -s***⟩ AUTO automatic

Automatik[2] *f* ⟨***-, -en***⟩ **1.** automatic mechanism **2.** (≈ *Gesamtanlage*) automatic system; AUTO automatic transmission **Automatikwagen** *m* automatic **automatisch** [auto'maːtɪʃ] **I** *adj* automatic **II** *adv* automatically

Automechaniker(in) *m/(f)* car mechanic **Automobilausstellung** *f* motor show **Automobilindustrie** *f* automotive industry **autonom** [auto'noːm] *adj* autonomous **Autonome(r)** [auto'noːmə] *m/f(m) decl as adj* POL independent **Autonomie** [autono'miː] *f* ⟨***-, -n*** [-'miːən]⟩ autonomy (*also fig*) **Autonummer** *f* (car) number **Autopilot** *m* AVIAT autopilot

Autopsie [autɔ'psiː] *f* ⟨***-, -n*** [-'psiːən]⟩ MED autopsy

Autor ['autoːɐ] *m* ⟨***-s, Autoren*** [au'toːrən]⟩ author

Autoradio *nt* car radio **Autoreifen** *m* car tyre (*Br*) *or* tire (*US*) **Autorennen** *nt* (motor) race **Autoreverse-Funktion** ['autorivøːɐs-, 'autorivœrs-] *f* auto-reverse (function)

Autorin [au'toːrɪn] *f* ⟨***-, -nen***⟩ author, authoress

autoritär [autori'tɛːɐ] **I** *adj* authoritarian **II** *adv* in an authoritarian manner **Autorität** [autori'tɛːt] *f* ⟨***-, -en***⟩ authority

Autoschlange *f* queue (*Br*) *or* line of cars **Autoschlosser(in)** *m/(f)* panel beater **Autoschlüssel** *m* car key **Autoskooter** ['autoskuːtɐ] *m* ⟨***-s, -***⟩ bumper car **Autosport** *m* motor sport **Autostopp** *m* hitchhiking **Autostrich** *m* (*infml*) *prostitution to car drivers* **Autostunde** *f* hour's drive **Autounfall** *m* car accident **Autoverleih** *m*, **Autovermietung** *f* car hire (*esp Br*) *or* rental (*esp US*); (≈ *Firma*) car hire (*esp Br*) *or* rental (*esp US*) firm **Autoversicherung** *f* car insurance **Autowaschanlage** *f* car wash **Au**towerkstatt *f* garage, car repair shop (*US*)

Auwald *m* riverside woods *pl or* forest

Avantgarde [a'vãːgardə, avã'gardə] *f* (*elev*) (ART) avant-garde; POL vanguard **avantgardistisch** [avãgar'dɪstɪʃ, avant-] *adj* avant-garde

Aversion [avɛr'zioːn] *f* ⟨***-, -en***⟩ aversion (*gegen* to)

Avocado [avo'kaːdo] *f* ⟨***-, -s***⟩ avocado

Axt [akst] *f* ⟨***-, ⸚e*** ['ɛkstə]⟩ axe (*Br*), ax (*US*)

Ayatollah [aja'tɔla] *m* ⟨***-s, -s***⟩ ayatollah

Azalee [atsa'leːə] *f* ⟨***-, -n***⟩ azalea

Azoren [a'tsoːrən] *pl* GEOG Azores *pl* **Azorenhoch** *nt* METEO high over the Azores

Azteke [ats'teːkə] *m* ⟨***-n, -n***⟩, **Aztekin** [-'teːkɪn] *f* ⟨***-, -nen***⟩ Aztec

Azubi [a'tsuːbiː, 'a(ː)tsubi] *m* ⟨***-s, -s*** *or f* ***-, -s***⟩ *abbr of* ***Auszubildende(r)***

B

B, b [beː] *nt* ⟨***-, -***⟩ B, b

Baby ['beːbi] *nt* ⟨***-s, -s***⟩ baby **Babyausstattung** *f* layette **Babyjahr** *nt* maternity leave (*for one year*) **Babyklappe** ['beːbi-] *f anonymous drop-off point for unwanted babies*

Babynahrung *f* baby food

Babypause *f* (*der Mutter*) maternity leave; (*des Vaters*) paternity leave; ***eine ~ einlegen*** to take *or* go on maternity/paternity leave

babysitten ['beːbizɪtn̩] *v/i insep* to babysit

Babysitter ['beːbizɪtɐ] *m* ⟨***-s, -***⟩, **Babysitterin** [-ərɪn] *f* ⟨***-, -nen***⟩ babysitter

Babytragetasche *f* carrycot (*Br*), traveling baby bed (*US*)

Bach [bax] *m* ⟨***-(e)s, ⸚e*** ['bɛçə]⟩ stream; ***den ~ heruntergehen*** (*infml*: *Firma etc*) to go down the tubes (*infml*)

Backblech *nt* baking tray (*Br*), baking pan (*US*)
Backbord *nt, no pl* NAUT port (side) **backbord(s)** ['bakbɔrt(s)] *adv* NAUT on the port side
Backe ['bakə] *f* ⟨**-, -n**⟩ **1.** (≈ *Wange*) cheek **2.** (*infml* ≈ *Hinterbacke*) buttock
backen ['bakn] *pret* ***backte*** *or* (*old*) ***buk*** ['baktə, buːk], *past part* ***gebacken*** [gə'bakn] **I** *v/t* to bake; ***gebackener Fisch*** fried fish; (*im Ofen*) baked fish **II** *v/i* to bake
Backenzahn *m* molar
Bäcker ['bɛkɐ] *m* ⟨**-s, -**⟩, **Bäckerin** [-ərɪn] *f* ⟨**-, -nen**⟩ baker; ***zum ~ gehen*** to go to the baker's **Bäckerei** [bɛkə'rai] *f* ⟨**-, -en**⟩ **1.** (≈ *Bäckerladen*) baker's (shop); (≈ *Backstube*) bakery **2.** (≈ *Gewerbe*) baking trade **backfertig** *adj* oven-ready **Backfett** *nt* cooking fat **Backform** *f* baking tin (*Br*) *or* pan (*US*) **Backhähnchen** *nt*, **Backhendl** *nt* (*S Ger, Aus*) roast chicken **Backmischung** *f* cake mix **Backobst** *nt* dried fruit **Backofen** *m* oven **Backpflaume** *f* prune **Backpulver** *nt* baking powder **Backrohr** *nt* (*Aus* ≈ *Backofen*) oven
Backslash ['bɛkslɛʃ] *m* ⟨**-s, -s**⟩ IT backslash
Backstein *m* brick **Backwaren** *pl* bread, cakes and pastries *pl*
Bad [baːt] *nt* ⟨**-(e)s, ⸚er** ['bɛːdɐ]⟩ **1.** bath; (*im Meer etc*) swim; ***ein ~ nehmen*** to have a bath **2.** (≈ *Badezimmer*) bathroom; ***Zimmer mit ~*** room with (private) bath **3.** (≈ *Schwimmbad*) (swimming) pool **4.** (≈ *Heilbad*) spa **Badeanzug** *m* swimsuit, bathing suit (*esp US*) **Badehose** *f* (swimming *or* bathing) trunks *pl* **Badekappe** *f* swimming cap **Bademantel** *m* bathrobe, dressing gown (*Br*) **Bademeister(in)** *m/(f)* (*im Schwimmbad*) (pool) attendant **baden** ['baːdn] **I** *v/i* (*in der Badewanne*) to have a bath; (*im Meer, Schwimmbad etc*) to swim; ***warm/kalt ~*** to have a hot/cold bath; ***~ gehen*** to go swimming; (*infml*) to come a cropper (*infml*) **II** *v/t* **1.** *Kind etc* to bath (*Br*), to bathe (*US*); ***in Schweiß gebadet*** bathed in sweat **2.** *Augen, Wunde etc* to bathe
Baden-Württemberg ['baːdn'vʏrtəmbɛrk] *nt* ⟨**-s**⟩ Baden-Württemberg
Badeort *m, pl* ***-orte*** (≈ *Kurort*) spa; (≈ *Seebad*) (seaside) resort **Badesachen** *pl* swimming gear **Badesalz** *nt* bath salts *pl* **Badeschaum** *m* bubble bath **Badetuch** *nt, pl* ***-tücher*** bath towel **Badewanne** *f* bath(tub) **Badewasser** *nt, no pl* bath water **Badezeug** *nt, no pl* swimming gear **Badezimmer** *nt* bathroom
Badminton ['bɛtmɪntən] *nt* ⟨**-**, *no pl*⟩ badminton
baff [baf] *adj pred* (*infml*) ***~ sein*** to be flabbergasted
BAföG ['baːføk] *nt* ⟨**-**, *no pl*⟩ *abbr of* ***Bundesausbildungsförderungsgesetz*** *student financial assistance scheme*; ***er kriegt ~*** he gets a grant
Bagatelle [baga'tɛlə] *f* ⟨**-, -n**⟩ trifle **Bagatellsache** *f* JUR petty case **Bagatellschaden** *m* minor damage
Bagger ['bagɐ] *m* ⟨**-s, -**⟩ excavator **baggern** ['bagɐn] **I** *v/t & v/i Graben* to excavate **II** *v/i* (*sl* ≈ *anmachen*) to pick up (*infml*) **Baggersee** *m artificial lake in quarry etc*
Baguette [ba'gɛt] *nt* ⟨**-s, -s** *or* *f* **-, -n**⟩ baguette
Bahamas [ba'haːmas] *pl* Bahamas *pl*
Bahn [baːn] *f* ⟨**-, -en**⟩ **1.** (≈ *Weg*) path; (≈ *Fahrbahn*) carriageway; ***~ frei!*** make way!; ***die ~ ist frei*** (*fig*) the way is clear; ***von der rechten ~ abkommen*** to stray from the straight and narrow; ***jdn aus der ~ werfen*** (*fig*) to shatter sb **2.** (≈ *Eisenbahn*) railway (*Br*), railroad (*US*); (≈ *Zug*) train; (≈ *Straßenbahn*) tram (*esp Br*), streetcar (*US*); ***mit der*** *or* ***per ~*** by train *or* rail / tram (*esp Br*) *or* streetcar (*US*) **3.** SPORTS track; (*in Schwimmbecken*) pool; (≈ *Kegelbahn*) (bowling) alley **4.** PHYS, ASTRON orbit; (≈ *Geschossbahn*) trajectory **5.** (≈ *Stoffbahn, Tapetenbahn*) length **Bahnarbeiter(in)** *m/(f)* rail worker, railroader (*US*) **bahnbrechend** *adj* pioneering **BahnCard®** [-kaːɐd] *f* ⟨**-, -s**⟩ ≈ railcard **bahnen** ['baːnən] *v/t Pfad* to clear; ***jdm einen Weg ~*** to clear a way for sb; (*fig*) to pave the way for sb **Bahnfahrt** *f* rail journey **Bahnfracht** *f* rail freight **Bahnhof** *m* (railway (*Br*) *or* railroad (*US*)) station; ***auf dem ~*** at the station; ***ich verstehe nur ~*** (*hum infml*) it's as clear as mud (to me) (*Br infml*) **Bahnhofshalle** *f* (station) concourse; ***in der ~*** in the station **Bahnhofsmission** *f charitable organization for helping needy passengers*

bahnlagernd *adj*, *adv* COMM **etw ~ schicken** to send sth to be picked up at the station (*esp Br*) **Bahnlinie** *f* (railway (*Br*) *or* railroad (*US*)) line **Bahnpolizei** *f* railway (*Br*) *or* railroad (*US*) police **Bahnsteig** [-ʃtaik] *m* ⟨**-(e)s, -e** [-gə]⟩ platform **Bahnübergang** *m* level (*Br*) *or* grade (*US*) crossing **Bahnverbindung** *f* train service

Bahrain [ba'rain, bax'rain] *nt* ⟨**-s**⟩ Bahrain

Bahre ['baːrə] *f* ⟨**-, -n**⟩ (≈ *Krankenbahre*) stretcher; (≈ *Totenbahre*) bier

Baiser [bɛ'zeː] *nt* ⟨**-s, -s**⟩ meringue

Baisse ['bɛːs(ə)] *f* ⟨**-, -n**⟩ ST EX fall; (*plötzliche*) slump

Bakterie [bak'teːriə] *f* ⟨**-, -n**⟩ *usu pl* germ; **~n** *pl* bacteria *pl* **bakteriologisch** [bakterio'loːgɪʃ] *adj* bacteriological; *Krieg* biological

Balance [ba'lãːs(ə)] *f* ⟨**-, -n**⟩ balance **Balanceakt** [ba'lãːs(ə)-] *m* balancing act **balancieren** [balã'siːrən] *past part* **balanciert** *v/t & v/i aux sein* to balance

bald [balt] *adv*, *comp* **eher** ['beːɐ], *sup* **am ehesten 1.** soon; **~ darauf** soon afterwards; **möglichst ~** as soon as possible; **bis ~!** see you soon **2.** (≈ *fast*) almost

Baldachin ['baldaxiːn, balda'xiːn] *m* ⟨**-s, -e**⟩ canopy

baldig ['baldɪç] *adj attr no comp* quick; *Antwort* early **baldmöglichst** *adv* as soon as possible

Baldrian ['baldriaːn] *m* ⟨**-s, -e**⟩ valerian

Balearen [bale'aːrən] *pl* **die ~** the Balearic Islands *pl*

Balg[1] [balk] *m* ⟨**-(e)s, ¨-e** ['bɛlgə]⟩ (≈ *Tierhaut*) pelt

Balg[2] *m or nt* ⟨**-(e)s, ¨-er** ['bɛlgɐ]⟩ (*pej infml* ≈ *Kind*) brat (*pej infml*)

balgen ['balgn] *v/r* to scrap (*um* over) **Balgerei** [balgə'rai] *f* ⟨**-, -en**⟩ scrap

Balkan ['balkaːn] *m* ⟨**-s**⟩ **der ~** the Balkans *pl*; **auf dem ~** in the Balkans **Balkanländer** *pl* Balkan States

Balken ['balkn] *m* ⟨**-s, -**⟩ **1.** beam; (≈ *Querbalken*) joist **2.** (≈ *Strich*) bar **3.** (*an Waage*) beam **Balkendiagramm** *nt* bar chart

Balkon [bal'kɔŋ, bal'koːn] *m* ⟨**-s, -s** *or* (*bei dt. Aussprache*) **-e**⟩ balcony

Ball[1] [bal] *m* ⟨**-(e)s, ¨-e** ['bɛlə]⟩ ball; **am ~ bleiben** (*lit*) to keep (possession of) the ball; (*fig*) to stay on the ball

Ball[2] *m* ⟨**-(e)s, ¨-e** ['bɛlə]⟩ (≈ *Tanzfest*) ball

Ballade [ba'laːdə] *f* ⟨**-, -n**⟩ ballad

Ballast ['balast, ba'last] *m* ⟨**-(e)s,** (*rare*) **-e**⟩ ballast; (*fig*) burden **Ballaststoffe** *pl* MED roughage *sg*

ballen ['balən] **I** *v/t Faust* to clench; *Lehm etc* to press (into a ball); → **geballt II** *v/r* (*Menschenmenge*) to crowd; (*Wolken*) to gather; (*Verkehr*) to build up

Ballen ['balən] *m* ⟨**-s, -**⟩ **1.** bale **2.** ANAT ball

Ballerina [balə'riːna] *f* ⟨**-, Ballerinen** [-'riːnən]⟩ ballerina

ballern ['balɐn] *v/i* (*infml*) to shoot; **gegen die Tür ~** to hammer on the door

Ballett [ba'lɛt] *nt* ⟨**-(e)s, -e**⟩ ballet **Balletttänzer(in)** *m/(f)* ballet dancer

Ballistik [ba'lɪstɪk] *f* ⟨**-,** *no pl*⟩ ballistics *sg* **ballistisch** [ba'lɪstɪʃ] *adj* ballistic

Balljunge *m* TENNIS ball boy **Ballkleid** *nt* ball dress **Ballmädchen** *nt* (*Tennis*) ball girl

Ballon [ba'lɔŋ, ba'loːn, ba'lõː] *m* ⟨**-s, -s** *or* (*bei dt. Aussprache*) **-e**⟩ balloon

Ballsaal *m* ballroom **Ballspiel** *nt* ball game

Ballungsgebiet *nt*, **Ballungsraum** *m* conurbation

Ballwechsel *m* SPORTS rally

Balsam ['balzaːm] *m* ⟨**-s, -e**⟩ balsam; (*fig*) balm

Baltikum ['baltikʊm] *nt* ⟨**-s**⟩ **das ~** the Baltic States *pl* **baltisch** ['baltɪʃ] *adj* Baltic *attr*

Balz [balts] *f* ⟨**-, -en**⟩ courtship display; (≈ *Paarungszeit*) mating season **balzen** ['baltsn] *v/i* to perform the courtship display

Bambus ['bambʊs] *m* ⟨**-ses** *or* **-, -se**⟩ bamboo **Bambusrohr** *nt* bamboo cane **Bambussprossen** *pl* bamboo shoots *pl*

Bammel ['baml] *m* ⟨**-s,** *no pl*⟩ (*infml*) **(einen) ~ vor jdm/etw haben** to be scared of sb/sth

banal [ba'naːl] *adj* banal **Banalität** [banali'tɛːt] *f* ⟨**-, -en**⟩ **1.** *no pl* banality **2.** *usu pl* (*Äußerung*) platitude

Banane [ba'naːnə] *f* ⟨**-, -n**⟩ banana **Bananenrepublik** *f* (POL *pej*) banana republic **Bananenschale** *f* banana skin

Banause [ba'nauzə] *m* ⟨**-n, -n**⟩, **Banausin** [-'nauzɪn] *f* ⟨**-, -nen**⟩ (*pej*) peasant (*infml*)

Band[1] [bant] *nt* ⟨**-(e)s, ¨-er** ['bɛndɐ]⟩ **1.** (≈ *Seidenband etc*) ribbon; (≈ *Maßband*,

Zielband) tape; (≈ *Haarband*) band **2.** (≈ *Tonband*) tape; ***etw auf ~ aufnehmen*** to tape sth **3.** (≈ *Fließband*) conveyor belt; (≈ *Montageband*) assembly line; ***am laufenden ~*** (*fig*) nonstop **4.** RADIO wavelength **5.** ANAT *usu pl* ligament

Band[2] *m* ⟨**-(e)s, ⸚e** ['bɛndə]⟩ (≈ *Buchband*) volume; ***das spricht Bände*** that speaks volumes

Band[3] [bɛnt] *f* ⟨**-, -s**⟩ MUS band

Bandage [ban'daːʒə] *f* ⟨**-, -n**⟩ bandage; ***mit harten ~n kämpfen*** (*fig infml*) to fight with no holds barred **bandagieren** [banda'ʒiːrən] *past part* ***bandagiert*** *v/t* to bandage (up)

Bandbreite *f* **1.** RADIO waveband **2.** (*fig*) range

Bande[1] ['bandə] *f* ⟨**-, -n**⟩ gang; (*infml* ≈ *Gruppe*) bunch (*infml*)

Bande[2] *f* ⟨**-, -n**⟩ SPORTS barrier; (*Billard*) cushion

Bänderriss *m* torn ligament **Bänderzerrung** *f* pulled ligament

bändigen ['bɛndɪɡn] *v/t* (≈ *zähmen*) to tame; (≈ *niederhalten*) to subdue; (≈ *zügeln*) to control; *Naturgewalten* to harness

Bandit [ban'diːt] *m* ⟨**-en, -en**⟩, **Banditin** [-'diːtɪn] *f* ⟨**-, -nen**⟩ bandit; ***einarmiger ~*** one-armed bandit

Bandmaß *nt* tape measure **Bandnudeln** *pl* ribbon noodles *pl* **Bandscheibe** *f* ANAT (intervertebral) disc **Bandscheibenschaden** *m* slipped disc **Bandwurm** *m* tapeworm

bang(e) [baŋ] *adj, comp* **-er** *or* **⸚er** ['bɛŋɐ], *sup* **-ste(r, s)** *or* **⸚ste(r, s)** ['bɛŋstə] *pred* (≈ *ängstlich*) scared; *Augenblicke auch* anxious **Bange** ['baŋə] *f* ⟨**-,** *no pl*⟩ (*esp N Ger*) ***jdm ~ machen*** to scare sb; ***nur keine ~!*** (*infml*) don't worry **bangen** ['baŋən] *v/i* to worry (*um* about); ***um jds Leben ~*** to fear for sb's life

Bangladesch [baŋgla'dɛʃ] *nt* ⟨**-s**⟩ Bangladesh

Banjo ['banjo, 'bɛndʒo, 'bandʒo] *nt* ⟨**-s, -s**⟩ banjo

Bank[1] [baŋk] *f* ⟨**-, ⸚e** ['bɛŋkə]⟩ (≈ *Sitzbank*) bench; (≈ *Kirchenbank*) pew; (≈ *Parlamentsbank*) bench; ***(alle) durch die ~ (weg)*** (*infml*) the whole lot (of them) (*infml*); ***etw auf die lange ~ schieben*** (*infml*) to put sth off

Bank[2] *f* ⟨**-, -en**⟩ FIN bank; ***Geld auf der ~ (liegen) haben*** to have money in the bank; ***die ~ sprengen*** to break the bank

Bankautomat *m* cash dispenser (*Br*), ATM

Bankdrücken *nt* SPORTS bench press

Bänkelsänger *m* ballad singer

Banker ['bɛŋkɐ] *m* ⟨**-s, -**⟩, **Bankerin** [-ərɪn] *f* ⟨**-, -nen**⟩ (*infml*) banker

Bankett[1] [baŋ'kɛt] *nt* ⟨**-(e)s, -e**⟩ (≈ *Festessen*) banquet

Bankett[2] *nt* ⟨**-(e)s, -e**⟩, **Bankette** [baŋ'kɛtə] *f* ⟨**-, -n**⟩ (*an Straßen*) verge (*Br*), shoulder (*US*); (*an Autobahnen*) (hard) shoulder; ***„Bankette nicht befahrbar"*** "soft verges (*Br*) *or* shoulder (*US*)"

Bankfach *nt* **1.** (≈ *Beruf*) banking **2.** (≈ *Schließfach*) safety-deposit box **Bankgebühr** *f* bank charge **Bankgeheimnis** *nt* confidentiality in banking **Bankhalter(in)** *m/(f)* (*bei Glücksspielen*) banker

Bankier [baŋ'kieː] *m* ⟨**-s, -s**⟩ banker

Bankkarte *f* bank card **Bankkauffrau** *f*, **Bankkaufmann** *m* (qualified) bank clerk **Bankkonto** *nt* bank account **Bankleitzahl** *f* (bank) sort code (*Br*) **Banknote** *f* banknote, bill (*US*) **Bankomat** [baŋko'maːt] *m* ⟨**-en, -en**⟩ (*Aus*) cash machine, ATM **Bankraub** *m* bank robbery **Bankräuber(in)** *m/(f)* bank robber

bankrott [baŋ'krɔt] *adj* bankrupt; *Mensch, Politik* discredited **Bankrott** [baŋ'krɔt] *m* ⟨**-(e)s, -e**⟩ bankruptcy; (*fig*) breakdown; ***~ machen*** to go bankrupt **bankrottgehen** *v/i sep* to go bankrupt

Banküberfall *m* bank raid **Bankverbindung** *f* banking arrangements *pl*; ***geben Sie bitte Ihre ~ an*** please give your account details **Bankwesen** *nt* ***das ~*** banking

Bann [ban] *m* ⟨**-(e)s, -e**⟩ **1.** *no pl* spell; ***im ~ eines Menschen stehen*** to be under sb's spell **2.** (HIST ≈ *Kirchenbann*) excommunication **bannen** ['banən] *v/t* **1.** (*elev* ≈ *bezaubern*) to bewitch **2.** *böse Geister* to exorcize; *Gefahr* to avert

Banner ['banɐ] *nt* ⟨**-s, -**⟩ banner (*auch* INTERNET)

Bantamgewicht *nt* bantamweight

Baptist [bap'tɪst] *m* ⟨**-en, -en**⟩, **Baptistin** [-'tɪstɪn] *f* ⟨**-, -nen**⟩ Baptist

bar [baːɐ] *adj no comp* **1.** cash; ***~es Geld*** cash; ***(in) ~ bezahlen*** to pay (in) cash; ***etw für ~e Münze nehmen*** (*fig*) to take sth at face value **2.** *attr* (≈ *rein*) *Unsinn* *auch* utter

Bar [baːɐ] *f* ⟨**-, -s**⟩ **1.** (≈ *Nachtlokal*) nightclub **2.** (≈ *Theke*) bar

Bär [bɛːɐ] *m* ⟨**-en, -en**⟩ bear; ***der Große/Kleine ~*** ASTRON Ursa Major/Minor, the Big/Little Dipper; ***jdm einen ~en aufbinden*** (*infml*) to have (*Br*) *or* put (*US*) sb on (*infml*)

Baracke [ba'rakə] *f* ⟨**-, -n**⟩ shack

Barbar [bar'baːɐ] *m* ⟨**-en, -en**⟩, **Barbarin** [-'baːrɪn] *f* ⟨**-, -nen**⟩ (*pej*) barbarian **Barbarei** [barba'rai] *f* ⟨**-, -en**⟩ (*pej*) **1.** (≈ *Unmenschlichkeit*) barbarity **2.** *no pl*: (≈ *Kulturlosigkeit*) barbarism **barbarisch** [bar'baːrɪʃ] **I** *adj* (*pej*) (≈ *unmenschlich*) barbarous; (≈ *ungebildet*) barbaric **II** *adv quälen* brutally

Barbestand *m* COMM cash; (*in Buchführung*) cash in hand

Barbiturat [barbitu'raːt] *nt* ⟨**-s, -e**⟩ barbiturate

Barcode ['baːɐkoːt] *m* barcode **Bardame** *f* barmaid **Bareinzahlung** *f* cash deposit

Bärenhunger *m* (*infml*) ***einen ~ haben*** to be famished (*infml*) **bärenstark** *adj* **1.** strapping **2.** (*infml*) terrific

barfuß ['baːɐfuːs], **barfüßig** barefooted

Bargeld *nt* cash **bargeldlos** **I** *adj* cashless; ***~er Zahlungsverkehr*** payment by money transfer **II** *adv* without using cash **Barhocker** *m* (bar) stool

bärig ['bɛːrɪç] (*Aus infml*) **I** *adj* tremendous **II** *adv* tremendously

Bariton ['baːritɔn] *m* ⟨**-s, -e** [-toːnə]⟩ baritone

Barkeeper ['baːɐkiːpɐ] *m* ⟨**-s, -**⟩ barman, bartender

Barkode ['baːɐkoːt] *m* barcode

Bärlauch ['bɛːɐlaux] *m* ⟨**-s, -e**⟩ BOT, COOK bear's garlic

barmherzig [barm'hɛrtsɪç] *adj* merciful; (≈ *mitfühlend*) compassionate **Barmherzigkeit** *f* ⟨**-,** *no pl*⟩ mercy, mercifulness; (≈ *Mitgefühl*) compassion

Barmixer *m* barman

barock [ba'rɔk] *adj* baroque; *Einfälle* bizarre **Barock** [ba'rɔk] *nt or m* ⟨**-(s),** *no pl*⟩ baroque

Barometer [baro'meːtɐ] *nt* ⟨**-s, -**⟩ barometer **Barometerstand** *m* barometer reading

Baron [ba'roːn] *m* ⟨**-s, -e**⟩ baron **Baronin** [ba'roːnɪn] *f* ⟨**-, -nen**⟩ baroness

Barren ['barən] *m* ⟨**-s, -**⟩ **1.** (≈ *Metallbarren*) bar; (≈ *esp Goldbarren*) ingot **2.** SPORTS parallel bars *pl*

Barreserve *f* FIN cash reserve

Barriere [ba'rieːrə] *f* ⟨**-, -n**⟩ barrier

Barrikade [bari'kaːdə] *f* ⟨**-, -n**⟩ barricade; ***auf die ~n gehen*** to go to the barricades

barsch [barʃ] **I** *adj* brusque **II** *adv* brusquely

Barsch [barʃ] *m* ⟨**-(e)s, -e**⟩ bass; (≈ *Flussbarsch*) perch

Barscheck *m* uncrossed cheque (*Br*), open check (*US*)

Bart [baːɐt] *m* ⟨**-(e)s, ¨-e** ['bɛːɐtə]⟩ **1.** beard; (*von Katze, Robbe etc*) whiskers *pl*; ***sich*** (*dat*) ***einen ~ wachsen*** *or* ***stehen lassen*** to grow a beard **2.** (*fig infml*) ***jdm um den ~ gehen*** to butter sb up (*infml*); ***der Witz hat einen ~*** that's an old chestnut **3.** (≈ *Schlüsselbart*) bit **bärtig** ['bɛːɐtɪç] *adj* bearded **Bartstoppeln** *pl* stubble *sg*

Barverkauf *m* cash sales *pl*; ***ein ~*** a cash sale **Barvermögen** *nt* liquid assets *pl* **Barzahlung** *f* payment in cash; (***Verkauf***) ***nur gegen ~*** cash (sales) only

Basar [ba'zaːɐ] *m* ⟨**-s, -e**⟩ bazaar; ***auf dem ~*** in the bazaar

Base *f* ⟨**-, -n**⟩ CHEM base

Baseballmütze ['beːsboːl-] *f* baseball cap **Baseballschläger** ['beːsboːl-] *m* baseball bat

Basel ['baːzl] *nt* ⟨**-s**⟩ Basle, Basel

basieren [ba'ziːrən] *past part* ***basiert*** **I** *v/i* to be based (*auf +dat* on) **II** *v/t* to base (*auf +acc* on)

Basilika [ba'ziːlika] *f* ⟨**-, *Basiliken*** [-kn]⟩ basilica

Basilikum [ba'ziːlikʊm] *nt* ⟨**-s,** *no pl*⟩ basil

Basis ['baːzɪs] *f* ⟨**-, *Basen*** ['baːzn]⟩ basis; ***auf breiter ~*** on a broad basis; ***die ~*** (*infml*) the grass roots (level) **Basisdemokratie** *f* grass-roots democracy **Basislager** *nt* base camp **Basisstation** *f* TEL base station

Baskenland *nt* Basque region **Baskenmütze** *f* beret

Basketball ['baːskət-, 'baskət-] *m* ⟨**-s,** *no pl*⟩ basketball

baskisch ['baskɪʃ] *adj* Basque

Bass [bas] *m* ⟨**-es, ¨-e** ['bɛsə]⟩ bass **Bassgitarre** *f* bass guitar

Bassin [ba'sɛ̃ː] *nt* ⟨**-s, -s**⟩ (≈ *Schwimmbassin*) pool

Bassist [ba'sɪst] *m* ⟨**-en, -en**⟩ (≈ *Sänger*) bass (singer) **Bassist** [ba'sɪst] *m* ⟨**-en,**

-en⟩, **Bassịstin** [-'sɪstɪn] *f* ⟨**-, -nen**⟩ (*im Orchester etc*) bass player **Bạssschlüssel** *m* bass clef **Bạssstimme** *f* bass (voice); (≈ *Partie*) bass (part)

Bạst [bast] *m* ⟨**-(e)s,** (*rare*) **-e**⟩ (*zum Binden, Flechten*) raffia; BOT bast

bạsta ['basta] *int* (***und damit***) **~!** (and) that's that

Bạstard ['bastart] *m* ⟨**-(e)s, -e** [-də]⟩ **1.** (*pej*) bastard **2.** (BIOL ≈ *Kreuzung*) (≈ *Pflanze*) hybrid; (≈ *Tier*) cross(breed)

Bastelei [bastə'lai] *f* ⟨**-, -en**⟩ (*infml*) handicraft **bạsteln** ['bastln] **I** *v/i* **1.** (*als Hobby*) to make things with one's hands; (≈ *Handwerksarbeiten herstellen*) to do handicrafts; ***sie kann gut ~*** she is good with her hands **2.** ***an etw*** (*dat*) **~** to make sth; (≈ *herumbasteln*) to mess around with sth **II** *v/t* to make **Bạsteln** *nt* ⟨**-s**, *no pl*⟩ handicrafts *pl*

Bastion [bas'tioːn] *f* ⟨**-, -en**⟩ bastion

Bạstler ['bastlɐ] *m* ⟨**-s, -**⟩, **Bạstlerin** [-ərɪn] *f* ⟨**-, -nen**⟩ (*von Möbeln etc*) do-it-yourselfer; ***ein guter ~ sein*** to be good with one's hands

Bataillon [batal'joːn] *nt* ⟨**-s, -e**⟩ (MIL, *fig*) battalion

Batik ['baːtɪk] *f* ⟨**-, -en** *or m* **-s, -en**⟩ batik

Batịst [ba'tɪst] *m* ⟨**-(e)s, -e**⟩ batiste

Batterie [batə'riː] *f* ⟨**-, -n** [-'riːən]⟩ battery **batteriebetrieben** [-bətriːbn] *adj* battery-powered

Bau [bau] *m* **1.** ⟨**-(e)s**, *no pl*⟩ (≈ *das Bauen*) building; ***sich im ~ befinden*** to be under construction; ***mit dem ~ beginnen*** to begin building **2.** ⟨**-(e)s**, *no pl*⟩ (≈ *Aufbau*) structure **3.** ⟨**-s**, *no pl*⟩ (≈ *Baustelle*) building site; ***auf dem ~ arbeiten*** to work on a building site **4.** ⟨**-(e)s, -ten** [-tn]⟩ (≈ *Gebäude*) building; (≈ *Bauwerk*) construction **5.** ⟨**-(e)s, -e**⟩ (≈ *Erdhöhle*) burrow; (≈ *Fuchsbau*) den; (≈ *Dachsbau*) set(t) **Bauarbeiten** *pl* building work *sg*; (≈ *Straßenbau*) roadworks *pl* (*Br*), road construction (*US*) **Bauarbeiter(in)** *m/(f)* building worker **Baubranche** *f* building trade

Bauch [baux] *m* ⟨**-(e)s, Bäuche** ['bɔyçə]⟩ **1.** (*von Mensch*) stomach; ANAT abdomen; (*von Tier*) belly; (≈ *Fettbauch*) paunch; ***ihm tat der ~ weh*** he had stomach ache; ***sich*** (*dat*) ***den ~ vollschlagen*** (*infml*) to stuff oneself (*infml*); ***ein voller ~ studiert nicht gern*** (*prov*) you can't study on a full stomach; ***einen dicken ~ haben*** (*sl* ≈ *schwanger sein*) to have a bun in the oven (*infml*); ***etw aus dem ~ heraus entscheiden*** to decide sth according to (a gut) instinct; ***mit etw auf den ~ fallen*** (*infml*) to fall flat on one's face with sth (*infml*) **2.** (≈ *Wölbung, Hohlraum*) belly

Bauchansatz *m* beginning(s) of a paunch **Bauchfell** *nt* ANAT peritoneum **Bauchfellentzündung** *f* peritonitis **bauchfrei** *adj* ***~es Shirt*** *or* ***Top*** crop(ped) top **Bauchgrimmen** [-grɪmən] *nt* ⟨**-s**, *no pl*⟩ (*infml*) tummy ache (*infml*) **Bauchhöhle** *f* abdominal cavity **Bauchhöhlenschwangerschaft** *f* ectopic pregnancy **bauchig** ['bauxɪç] *adj Gefäß* bulbous **Bauchlandung** *f* (*infml*) (AVIAT) belly landing; (*bei Sprung ins Wasser*) belly flop (*infml*) **Bauchmuskel** *m* stomach muscle **Bauchmuskulatur** *f* stomach muscles *pl* **Bauchnabel** *m* navel, bellybutton (*infml*) **Bauchpressen** *pl* SPORTS crunches *pl* **Bauchredner(in)** *m/(f)* ventriloquist **Bauchschmerzen** *pl* stomach ache; (*fig*) anguish; ***jdm ~ bereiten*** (*fig*) to cause sb major problems **Bauchspeicheldrüse** *f* pancreas **Bauchtanz** *m* belly dancing; (*einzelner Tanz*) belly dance **Bauchtänzerin** *f* belly dancer **Bauchweh** [-veː] *nt* ⟨**-s**, *no pl*⟩ stomach ache

Baudenkmal *nt* historical monument

Baud-Rate ['baut-, 'bɔːt-] *f* IT baud rate

bauen ['bauən] **I** *v/t* **1.** to build; ***sich*** (*dat*) ***ein Haus ~*** to build oneself a house; → ***gebaut*** **2.** (*infml* ≈ *verursachen*) *Unfall* to cause **II** *v/i* **1.** to build; ***wir haben neu gebaut*** we built a new house; ***hier wird viel gebaut*** there is a lot of building going on around here **2.** (≈ *vertrauen*) ***auf jdn/etw ~*** to rely on sb/sth

Bauer[1] ['bauɐ] *m* ⟨**-n** *or* (*rare*) **-s, -n**⟩ **1.** (≈ *Landwirt*) farmer; (*pej*) (country) bumpkin **2.** CHESS pawn; CARDS jack, knave

Bauer[2] *nt or m* ⟨**-s, -**⟩ (≈ *Käfig*) (bird)cage

Bäuerin ['bɔyərɪn] *f* ⟨**-, -nen**⟩ **1.** (≈ *Frau des Bauern*) farmer's wife **2.** (≈ *Landwirtin*) farmer **bäuerlich** ['bɔyɐlɪç] *adj* rural; (≈ *ländlich*) country *attr* **Bauernbrot** *nt* coarse rye bread **Bauernfänger(in)** *m/(f)* (*infml*) con man/woman (*infml*) **Bauernhof** *m* farm **Bauernregel** *f* country saying **Bauersfrau** *f* farmer's wife

baufällig *adj* dilapidated; *Decke* unsound **Baufälligkeit** *f* dilapidation **Baufirma** *f* building contractor **Baugenehmigung** *f* planning and building permission **Baugewerbe** *nt* building and construction trade **Bauherr(in)** *m/(f)* client (*for whom sth is being built*) **Bauholz** *nt* building timber **Bauindustrie** *f* building and construction industry **Bauingenieur(in)** *m/(f)* civil engineer **Baujahr** *nt* year of construction; (*von Auto*) year of manufacture; ***VW ~ 98*** 1998 VW **Baukasten** *m* building kit **Baukastensystem** *nt* TECH modular construction system **Bauklotz** *m* (building) brick **Bauland** *nt* building land; (*für Stadtplanung*) development area **Bauleiter(in)** *m/(f)* (building) site manager **baulich** ['baulıç] **I** *adj* structural; ***in gutem/schlechtem ~em Zustand*** structurally sound/unsound **II** *adv* structurally **Baulücke** *f* empty site

Baum [baum] *m* ⟨**-(e)s, *Bäume*** ['bɔymə]⟩ tree; ***auf dem ~*** in the tree

Baumarkt *m* property market; (≈ *Geschäft für Heimwerker*) DIY superstore **Baumaterial** *nt* building material

baumeln ['baumln] *v/i* to dangle (*an +dat* from)

Baumgrenze *f* tree line **baumhoch** *adj* tree-high **Baumkrone** *f* treetop **baumlos** *adj* treeless **Baumschere** *f* (tree) pruning shears *pl* **Baumschule** *f* tree nursery **Baumstamm** *m* tree trunk **Baumwolle** *f* cotton; ***ein Hemd aus ~*** a cotton shirt **baumwollen** *adj attr* cotton

Bauplan *m* building plan; (BIOL: *genetischer, biologischer etc*) blueprint **Bauplatz** *m* site (for building) **Baupolizei** *f* building control department (*Br*), Board of Works (*US*) **Bausatz** *m* kit

Bausch [bauʃ] *m* ⟨**-es, *Bäusche*** *or* **-e** ['bɔyʃə]⟩ (≈ *Wattebausch*) ball; ***in ~ und Bogen*** lock, stock and barrel **bauschen** ['bauʃn] **I** *v/r* **1.** (≈ *sich aufblähen*) to billow (out) **2.** (*Kleidungsstück*) to puff out **II** *v/t Segel, Vorhänge* to fill, to swell **bauschig** ['bauʃıç] *adj Rock, Vorhänge* full; *Watte* fluffy

bausparen *v/i sep usu inf* to save with a building society (*Br*) *or* building and loan association (*US*) **Bausparer(in)** *m/(f)* saver with a building society (*Br*) *or* building and loan association (*US*) **Bausparkasse** *f* building society (*Br*), building and loan association (*US*) **Bausparvertrag** *m* savings contract with a building society (*Br*) *or* building and loan association (*US*)

Baustein *m* stone; (*Spielzeug*) brick; (≈ *elektronischer Baustein*) chip; (*fig* ≈ *Bestandteil*) building block; TECH module **Baustelle** *f* building site; (*bei Straßenbau*) roadworks *pl* (*Br*), road construction (*US*) **Baustil** *m* architectural style **Baustoff** *m* building material **Baustopp** *m* ***einen ~ verordnen*** to impose a halt on building (projects) **Bausubstanz** *f* fabric; ***die ~ ist gut*** the house is structurally sound **Bauteil** *nt* (≈ *Bauelement*) component **Bauunternehmer(in)** *m/(f)* building contractor **Bauweise** *f* type of construction; (≈ *Stil*) style **Bauwerk** *nt* construction; (≈ *Gebäude auch*) edifice **Bauwirtschaft** *f* building and construction industry **Bauzaun** *m* hoarding, fence

Bayer ['baiɐ] *m* ⟨**-n, -n**⟩, **Bayerin** ['baiərın] *f* ⟨**-, -nen**⟩ Bavarian **bay(e)risch** ['baiərıʃ] *adj* Bavarian **Bayern** ['baiɐn] *nt* ⟨**-s**⟩ Bavaria

Bazi ['ba:tsi] *m* ⟨**-, -**⟩ (*Aus infml*) rascal

Bazille [ba'tsılə] *f* ⟨**-, -n**⟩ (*infml* ≈ *Bazillus*) bacillus; (≈ *Krankheitserreger*) germ **Bazillenträger(in)** *m/(f)* carrier

beabsichtigen [bə'|apzıçtıgn] *past part* ***beabsichtigt*** *v/t* to intend; ***das hatte ich nicht beabsichtigt*** I didn't mean it to happen; ***die beabsichtigte Wirkung*** the desired effect

beachten *past part* ***beachtet*** *v/t* **1.** (≈ *befolgen*) to heed; *Vorschrift, Verkehrszeichen* to comply with; *Regel* to follow **2.** (≈ *berücksichtigen*) ***es ist zu ~, dass …*** it should be taken into consideration that … **3.** ***jdn nicht ~*** to ignore sb; ***von der Öffentlichkeit kaum beachtet*** scarcely noticed by the public **beachtenswert** [bə'|axtnsve:ɐt] *adj* remarkable **beachtlich** [bə'|axtlıç] *adj* considerable; *Erfolg* notable; *Talent* remarkable; *Ereignis* significant **Beachtung** *f* **1.** (*von Vorschrift, Verkehrszeichen*) compliance (*+gen* with) **2.** (≈ *Berücksichtigung*) consideration **3.** ***jdm/einer Sache ~ schenken*** to pay attention to sb/sth; ***jdm keine ~ schenken*** to ignore sb

Beamer ['bi:mɐ] *m* ⟨**-s, -**⟩ TECH, OPT dig-

ital *or* LCD projector
Beamtenapparat *m* bureaucracy **Beamtenschaft** [bə'|amtnʃaft] *f* 〈-, *no pl*〉 civil servants *pl* **Beamtenverhältnis** *nt* ***im ~ stehen*** to be a civil servant **Beamte(r)** [bə'|amtə] *m decl as adj*, **Beamtin** [bə'|amtɪn] *f* 〈**-, -nen**〉 official; (≈ *Staatsbeamte*) civil servant; (≈ *Zollbeamte*) official; (≈ *Polizeibeamte*) officer
beängstigen *past part* ***beängstigt*** *v/t* (*elev*) to alarm, to scare **beängstigend** *adj* alarming
beanspruchen [bə'|anʃprʊxn] *past part* ***beansprucht*** *v/t* **1.** (≈ *fordern*) to claim **2.** (≈ *erfordern*) to take; *Aufmerksamkeit* to demand; (≈ *benötigen*) to need **3.** (≈ *ausnützen*) to use; *jds Hilfe* to ask for **4.** ***ihr Beruf beansprucht sie ganz*** her job is extremely demanding
beanstanden [bə'|anʃtandn] *past part* ***beanstandet*** *v/t* to query; ***er hat an allem etwas zu ~*** he has complaints about everything **Beanstandung** *f* 〈**-, -en**〉 complaint (*+gen* about); ***zu ~en Anlass geben*** (*form*) to give cause for complaint
beantragen [bə'|antra:gn] *past part* ***beantragt*** *v/t* to apply for (*bei* to); JUR *Strafe* to demand; (≈ *vorschlagen*: *in Debatte etc*) to move
beantworten *past part* ***beantwortet*** *v/t* to answer; ***jdm eine Frage ~*** to answer sb's question **Beantwortung** [bə'|antvɔrtʊŋ] *f* 〈**-, -en**〉 answer (*+Gen* to); (*von Anfrage, Brief auch*) reply (*+Gen* to)
bearbeiten *past part* ***bearbeitet*** *v/t* **1.** (≈ *behandeln*) to work on; *Stein, Holz* to work **2.** (≈ *sich befassen mit*) to deal with; *Fall* to handle **3.** (≈ *redigieren*) to edit; (≈ *neu bearbeiten*) to revise; *Musikstück* to arrange **4.** (*infml* ≈ *einreden auf*) *jdn* to work on **Bearbeitung** [bə'|arbaitʊŋ] *f* 〈**-, -en**〉 **1.** (≈ *Behandlung*) working (on); (*von Stein, Holz*) dressing **2.** (*von Antrag etc*) dealing with; (*von Fall*) handling **3.** (≈ *Redigieren*) editing; (≈ *Neubearbeitung*) revising; (*von Musik*) arrangement; (≈ *bearbeitete Ausgabe etc*) edition; revision; arrangement **Bearbeitungsgebühr** *f* handling charge
beatmen *past part* ***beatmet*** *v/t* ***jdn künstlich ~*** to keep sb breathing artificially **Beatmung** *f* 〈**-, -en**〉 artificial respiration
beaufsichtigen [bə'|aufzɪçtɪgn] *past part* ***beaufsichtigt*** *v/t* to supervise; *Kind* to look after
beauftragen [bə'|auftra:gn] *past part* ***beauftragt*** *v/t* **1.** (≈ *heranziehen*) to engage; *Firma* to hire; *Architekten* to commission **2.** (≈ *anweisen*) ***wir sind beauftragt, das zu tun*** we have been instructed to do that **Beauftragte(r)** [bə'|auftra:ktə] *m/f(m) decl as adj* representative
bebauen *past part* ***bebaut*** *v/t* **1.** *Grundstück* to develop **2.** AGR to cultivate; *Land* to farm
beben ['be:bn] *v/i* to shake **Beben** ['be:bn] *nt* 〈**-s, -**〉 (≈ *Zittern*) shaking; (≈ *Erdbeben*) earthquake
bebildern [bə'bɪldɐn] *past part* ***bebildert*** *v/t* to illustrate
Becher ['bɛçɐ] *m* 〈**-s, -**〉 cup; (≈ *esp aus Porzellan, mit Henkel*) mug; (≈ *Joghurtbecher etc*) carton; (≈ *Eisbecher*) tub
Becken ['bɛkn] *nt* 〈**-s, -**〉 **1.** basin; (≈ *Abwaschbecken*) sink; (≈ *Schwimmbecken*) pool; (≈ *Fischbecken*) pond **2.** ANAT pelvis; ***ein breites ~*** broad hips **3.** MUS cymbal
bedacht [bə'daxt] *adj* **1.** (≈ *überlegt*) prudent **2.** ***auf etw*** (*acc*) ***~ sein*** to be concerned about sth; → ***bedenken*** **Bedacht** [bə'daxt] *m* 〈**-s**, *no pl*〉 (*elev*) ***mit ~*** (≈ *vorsichtig*) prudently; (≈ *absichtlich*) deliberately **bedächtig** [bə'dɛçtɪç] *adj* deliberate; (≈ *besonnen*) thoughtful
bedanken *past part* ***bedankt*** *v/r* to say thank you; ***sich bei jdm*** (***für etw***) ***~*** to thank sb (for sth); ***ich bedanke mich herzlich*** thank you very much; ***dafür*** *or* ***für dergleichen wird er sich ~*** (*iron infml*) he'll just love that (*iron*)
Bedarf [bə'darf] *m* 〈**-(e)s, -e**, *no pl*〉 **1.** (≈ *Bedürfnis*) need (*an +dat* for); ***bei ~*** as required; ***alles für den häuslichen ~*** all household requirements; ***an etw*** (*dat*) ***~ haben*** to need sth; ***danke, kein ~*** (*iron infml*) no thank you **2.** (COMM ≈ *Nachfrage*) demand (*an +dat* for); (***je***) ***nach ~*** according to demand **Bedarfsgüter** *pl* consumer goods *pl* **Bedarfshaltestelle** *f* request (bus) stop
bedauerlich [bə'dauɐlɪç] *adj* regrettable **bedauerlicherweise** *adv* regrettably
bedauern [bə'dauɐn] *past part* ***bedauert*** *v/t* **1.** to regret; ***wir ~, Ihnen mitteilen zu müssen, ...*** we regret to have to in-

form you ...; **(ich) bedau(e)re!** I am sorry **2.** (≈ *bemitleiden*) to feel sorry for; ***sie ist zu ~*** one *or* you should feel sorry for her **Bedauern** [bə'dauɐn] *nt* ⟨**-s,** *no pl*⟩ regret; ***(sehr) zu meinem ~*** (much) to my regret; ***mit ~ habe ich ...*** it is with regret that I ... **bedauernswert** *adj Mensch* pitiful; *Zustand* deplorable

bedecken *past part* **bedeckt I** *v/t* (≈ *zudecken*) to cover **II** *v/r* (*Himmel*) to become overcast **bedeckt** [bə'dɛkt] *adj* **1.** (≈ *bewölkt*) overcast **2.** ***sich ~ halten*** (*fig*) to keep a low profile

bedenken *past part* **bedacht** [bə'daxt] *irr v/t* **1.** (≈ *überlegen*) to consider; ***wenn man es recht bedenkt, ...*** if you think about it properly ... **2.** (≈ *in Betracht ziehen*) to take into consideration; ***ich gebe zu ~, dass ...*** I would ask you to consider that ... **3.** (*in Testament*) to remember; → ***bedacht*** **Bedenken** [bə'dɛŋkn] *nt* ⟨**-s, -**⟩ *usu pl* (≈ *Zweifel*) doubt; ***~ haben*** to have one's doubts (*bei* about); ***ihm kommen ~*** he is having second thoughts **bedenkenlos I** *adj* **1. 2.** (≈ *skrupellos*) heedless of others; (≈ *unüberlegt*) thoughtless **II** *adv* (≈ *ohne Zögern*) unhesitatingly; (≈ *skrupellos*) unscrupulously; ***etw ~ tun*** (≈ *unüberlegt*) to do sth without thinking **bedenkenswert** *adj* worth thinking about **bedenklich** [bə'dɛŋklɪç] **I** *adj* **1.** (≈ *zweifelhaft*) dubious **2.** (≈ *besorgniserregend*) alarming; *Gesundheitszustand* serious **3.** (≈ *besorgt*) apprehensive **II** *adv* ***~ zunehmen*** to rise alarmingly; ***jdn ~ stimmen*** to make sb (feel) apprehensive **Bedenkzeit** *f* ***jdm zwei Tage ~ geben*** to give sb two days to think about it

bedeuten *past part* **bedeutet** *v/t* to mean; MAT, LING to stand for; ***was soll das ~?*** what does that mean?; ***das hat nichts zu ~*** it doesn't mean anything; (≈ *macht nichts aus*) it doesn't matter; ***Geld bedeutet mir nichts*** money means nothing to me **bedeutend I** *adj* **1.** (≈ *wichtig*) important **2.** (≈ *groß*) *Summe, Erfolg* considerable **II** *adv* (≈ *beträchtlich*) considerably **bedeutsam** [bə'dɔytza:m] *adj* **1.** (≈ *wichtig*) important; (≈ *folgenschwer*) significant (*für* for) **2.** (≈ *vielsagend*) meaningful **Bedeutung** *f* **1.** (≈ *Sinn*) meaning **2.** (≈ *Wichtigkeit*) importance; (≈ *Tragweite*) significance; ***von ~ sein*** to be important; ***ohne ~*** of no importance; ***an ~ gewinnen/verlieren*** to gain/lose in importance **bedeutungslos** *adj* **1.** (≈ *unwichtig*) insignificant **2.** (≈ *nichts besagend*) meaningless **bedeutungsvoll** *adj* = ***bedeutsam***

bedienen *past part* **bedient I** *v/t* **1.** (*Verkäufer*) to serve; (*Kellner*) to wait on; ***werden Sie schon bedient?*** are you being served?; ***damit sind Sie sehr gut bedient*** that should serve you very well; ***ich bin bedient!*** (*infml*) I've had enough **2.** (≈ *handhaben*) to operate; *Telefon* to answer **II** *v/i* (*in Geschäft, bei Tisch*) to serve **III** *v/r* (*bei Tisch*) ***bitte ~ Sie sich*** please help yourself **Bedienung** [bə'di:nʊŋ] *f* ⟨**-, -en,** *no pl*⟩ (*in Restaurant etc*) service; (*von Maschinen*) operation; ***kommt denn hier keine ~?*** isn't anyone serving here? **Bedienungsanleitung** *f* operating instructions *pl* **bedienungsfreundlich** *adj* user-friendly

bedingen *past part* **bedingt** *v/t* (≈ *bewirken*) to cause; (≈ *notwendig machen*) to necessitate; PSYCH, PHYSIOL to condition; ***sich gegenseitig ~*** to be mutually dependent **bedingt** [bə'dɪŋt] **I** *adj* **1.** (≈ *eingeschränkt*) limited **2.** (≈ *an Bedingung geknüpft*) *Straferlass* conditional **II** *adv* (≈ *eingeschränkt*) partly; ***~ tauglich*** MIL fit for limited duties; ***(nur) ~ gelten*** to be (only) partly valid **Bedingung** [bə'dɪŋʊŋ] *f* ⟨**-, -en**⟩ **1.** (≈ *Voraussetzung*) condition; ***unter der ~, dass ...*** on condition that ...; ***unter keiner ~*** under no circumstances; ***etw zur ~ machen*** to make sth a condition **2. *zu günstigen ~en*** COMM on favourable (*Br*) *or* favorable (*US*) terms **3. Bedingungen** *pl* (≈ *Umstände*) conditions *pl* **bedingungslos I** *adj Kapitulation* unconditional; *Gehorsam* unquestioning **II** *adv* unconditionally **Bedingungssatz** *m* conditional clause

bedrängen *past part* **bedrängt** *v/t Feind* to attack; (≈ *belästigen*) to plague; *Schuldner* to press (for payment); *Passanten, Mädchen* to pester; (≈ *bedrücken: Sorgen*) to beset; (≈ *heimsuchen*) to haunt

bedrohen *past part* **bedroht** *v/t* to threaten; (≈ *gefährden*) to endanger; ***vom Aussterben bedroht*** in danger of becoming extinct **bedrohlich** [bə'dro:lɪç] **I** *adj* (≈ *gefährlich*) alarming; (≈ *Unheil verkündend*) menacing **II** *adv* dangerously; ***sich ~ verschlechtern*** to deteriorate alarmingly **Bedrohung** *f* threat (+*gen* to)

bedrucken *past part* ***bedruckt*** *v/t* to print on; ***bedruckter Stoff*** printed fabric

bedrücken *past part* ***bedrückt*** *v/t* to depress; ***was bedrückt dich?*** what is (weighing) on your mind? **bedrückend** *adj Anblick*, *Nachrichten* depressing; *Not* pressing

bedürfen *past part* ***bedurft*** *v/i +gen irr* (*elev*) to need; ***das bedarf keiner weiteren Erklärung*** there's no need for any further explanation **Bedürfnis** [bə'dʏrfnɪs] *nt* ⟨***-ses, -se***⟩ need *no pl*: (≈ *Bedarf auch*) necessity; (*form* ≈ *Anliegen*) wish; ***es war ihm ein ~, ...*** it was his wish to ... **bedürftig** [bə'dʏrftɪç] *adj* needy; ***einer Sache*** (*gen*) ***~ sein*** (*elev*) to be in need of sth

Beefsteak ['biːfsteːk] *nt* steak

beeiden [bə'|aidn] *past part* ***beeidet*** *v/t Aussage* to swear to **beeidigen** [bə'|aidɪgn] *past part* ***beeidigt*** *v/t* **1.** (≈ *beeiden*) to swear to **2.** (JUR ≈ *vereidigen*) to swear in; ***beeidigte Dolmetscherin*** sworn interpreter

beeilen *past part* ***beeilt*** *v/r* to hurry (up)

beeindrucken [bə'|aindrʊkn] *past part* ***beeindruckt*** *v/t* to impress **beeindruckend** *adj* impressive

beeinflussen [bə'|ainflʊsn] *past part* ***beeinflusst*** *v/t* to influence; ***er ist schwer zu ~*** he is hard to influence **Beeinflussung** *f* ⟨***-, -en***⟩ influencing; (≈ *Einfluss*) influence (*durch* of)

beeinträchtigen [bə'|aintrɛçtɪgn] *past part* ***beeinträchtigt*** *v/t* **1.** (≈ *stören*) *Rundfunkempfang* to interfere with **2.** (≈ *schädigen*) to damage; *Gesundheit* to impair; *Appetit*, *Wert* to reduce **3.** (≈ *einschränken*) *Freiheit* to restrict **Beeinträchtigung** *f* ⟨***-, -en***⟩ **1.** (*von Rundfunkempfang*) interference (+*gen* with) **2.** (*von Appetit*) reduction (+*gen* of, in); (*von Gesundheit*, *Leistung*) impairment

beenden *past part* ***beendet*** *v/t* to end; *Arbeit etc* to finish; IT *Anwendung* to close; *Studium* to complete; ***etw vorzeitig ~*** to cut sth short **Beendigung** [bə'|ɛndɪgʊŋ] *f* ⟨*-, no pl*⟩ ending; (≈ *Ende*) end; (≈ *Fertigstellung*) completion; (≈ *Schluss*) conclusion

beengen [bə'|ɛŋən] *past part* ***beengt*** *v/t* (*lit*) *Bewegung* to restrict; (*fig*) to stifle, to inhibit **beengt** [bə'ɛŋt] **I** *adj* cramped, confined **II** *adv* ***~ wohnen*** to live in cramped conditions

beerben *past part* ***beerbt*** *v/t* ***jdn ~*** to inherit sb's estate

beerdigen [bə'|eːɐdɪgn] *past part* ***beerdigt*** *v/t* to bury **Beerdigung** *f* ⟨***-, -en***⟩ burial; (≈ *Beerdigungsfeier*) funeral

Beere ['beːrə] *f* ⟨***-, -n***⟩ berry; (≈ *Weinbeere*) grape **Beerenauslese** *f* (≈ *Wein*) *wine made from specially selected grapes*

Beet [beːt] *nt* ⟨***-(e)s, -e***⟩ (≈ *Blumenbeet*) bed; (≈ *Gemüsebeet*) patch

befähigen [bə'fɛːɪgn] *past part* ***befähigt*** *v/t* to enable; (*Ausbildung*) to qualify **Befähigung** *f* ⟨***-,*** *no pl*⟩ (*durch Ausbildung*) qualifications *pl*; (≈ *Können*, *Eignung*) capability

befahrbar *adj Weg* passable; *Fluss* navigable; ***nicht ~ sein*** (*Straße*) to be closed (to traffic)

befahren[1] [bə'faːrən] *past part* ***befahren*** *v/t irr Straße* to use; ***diese Straße wird stark/wenig ~*** this road is used a lot/isn't used much

befahren[2] *adj* ***eine stark/wenig ~e Straße*** *etc* a much/little used road *etc*

befallen [bə'falən] *past part* ***befallen*** *v/t irr* (≈ *infizieren*) to affect; (*Schädlinge*) to infest; (*Angst*) to grip

befangen [bə'faŋən] *adj* **1.** *Mensch* diffident; *Stille* awkward **2.** (*esp* JUR ≈ *voreingenommen*) prejudiced; ***jdn als ~ ablehnen*** JUR to object to sb on grounds of suspected bias **Befangenheit** *f* ⟨***-,*** *no pl*⟩ **1.** (≈ *Verlegenheit*) diffidence **2.** (≈ *Voreingenommenheit*) bias, prejudice

befassen *past part* ***befasst*** *v/r* ***sich mit jdm/etw ~*** to deal with sb/sth

Befehl [bə'feːl] *m* ⟨***-(e)s, -e***⟩ **1.** (≈ *Anordnung*) order (*an +acc* to, *von* from); IT command; ***er gab (uns) den ~, ...*** he ordered us to ...; ***auf seinen ~ (hin)*** on his orders; ***~ ausgeführt!*** mission accomplished; ***~ ist ~*** orders are orders; ***dein Wunsch ist mir ~*** (*hum*) your wish is my command **2.** (≈ *Befehlsgewalt*) command **befehlen** [bə'feːlən] *pret* ***befahl*** [bə'faːl], *past part* ***befohlen*** [bə'foːlən] **I** *v/t* to order **II** *v/i* (≈ *Befehle erteilen*) to give orders **befehligen** [bə'feːlɪgn] *past part* ***befehligt*** *v/t* MIL to command **Befehlshaber** [-haːbɐ] *m* ⟨***-s, -***⟩, **Befehlshaberin** [-ərɪn] *f* ⟨***-,***

-nen⟩ commander **Befehlston** *m, no pl* peremptory tone **Befehlsverweigerung** *f* MIL refusal to obey orders

befestigen *past part* **befestigt** *v/t* **1.** (≈ *anbringen*) to fasten (*an +Dat* to); **etw an der Wand/Tür ~** to attach sth to the wall/door **2.** *Böschung* to reinforce; *Straße* to make up **Befestigung** *f* **1.** fastening **2.** MIL fortification

befeuchten [bə'fɔyçtn] *past part* **befeuchtet** *v/t* to moisten

befinden *past part* **befunden** [bə'fʊndn] *irr* **I** *v/r* (≈ *sein*) to be; **sich auf Reisen ~** to be away **II** *v/t* (*form* ≈ *erachten*) to deem (*form*); **etw für nötig ~** to deem sth (to be) necessary; **jdn für schuldig ~** to find sb guilty **III** *v/i* (*elev* ≈ *entscheiden*) to decide; **über etw ~** to pass judgement on sth **Befinden** [bɐ'fɪndn] *nt* ⟨**-s**, *no pl*⟩ (state of) health; (*eines Kranken*) condition **befindlich** [bə'fɪntlɪç] *adj usu attr* (*form*: *an einem Ort*) situated; (*in Behälter*) contained; **alle in der Bibliothek ~en Bücher** all the books in the library

beflecken [bɐ'flɛkn] *past part* **befleckt** *v/t* **1.** (*lit*) to stain **2.** (*fig elev*) *Ruf, Ehre* to cast a slur on

beflügeln [bə'fly:gln] *past part* **beflügelt** *v/t* (*elev*) to inspire; **der Gedanke an Erfolg beflügelte ihn** the thought of success spurred him on

befolgen *past part* **befolgt** *v/t Befehl etc* to obey; *Regel* to follow; *Ratschlag* to take **Befolgung** [bə'fɔlgʊŋ] *f* ⟨**-**, *no pl*⟩ compliance (*+gen* with); (*von Regel*) following; (*von Ratschlag*) taking; **~ der Vorschriften** obeying the rules

befördern *past part* **befördert** *v/t* **1.** *Waren* to transport; *Personen* to carry; *Post* to handle **2.** (*dienstlich*) to promote; **er wurde zum Major befördert** he was promoted to (the rank of) major **Beförderung** *f* **1.** (≈ *Transport*) transportation; (*von Personen*) carriage; (*von Post*) handling **2.** (*beruflich*) promotion

befrachten [bə'fraxtn] *past part* **befrachtet** *v/t* to load

befragen *past part* **befragt** *v/t* **1.** to question (*über +acc, zu, nach* about); **auf Befragen** when questioned **2.** (≈ *um Stellungnahme bitten*) to consult (*über +acc, nach* about) **Befragung** [bə'fra:gʊŋ] *f* ⟨**-, -en**⟩ **1.** (≈ *das Befragen*) questioning **2.** (*von Fachmann*) consultation (*+gen* with *or* of) **3.** (≈ *Umfrage*) survey

befreien *past part* **befreit** **I** *v/t* **1.** to free; *Volk, Land* to liberate; *Gefangenen, Tier* to set free **2.** (*von Militärdienst, Steuern*) to exempt **3.** (≈ *erlösen*: *von Schmerz etc*) to release **4.** (*von Ungeziefer etc*) to rid (*von* of) **II** *v/r* to free oneself; (≈ *entkommen*) to escape (*von, aus* from) **Befreier** [bə'fraiɐ] *m* ⟨**-s, -**⟩, **Befreierin** [-ərɪn] *f* ⟨**-, -nen**⟩ liberator **befreit** [bə'frait] *adv* **~ aufatmen** to breathe a sigh of relief **Befreiung** [bə'fraiʊŋ] *f* ⟨**-, -en**⟩ **1.** freeing; (*von Volk, Land*) liberation; (*von Gefangenen, Tieren*) setting free **2.** (*von Militärdienst, Steuern*) exemption **Befreiungsbewegung** *f* liberation movement **Befreiungsfront** *f* liberation front **Befreiungskampf** *m* struggle for liberation **Befreiungskrieg** *m* war of liberation **Befreiungsorganisation** *f* liberation organization

befremden [bə'frɛmdn] *past part* **befremdet** *v/t* to disconcert; **es befremdet mich, dass ...** I'm rather taken aback that ... **Befremden** [bə'frɛmdn] *nt* ⟨**-s**, *no pl*⟩ disconcertment

befreunden [bə'frɔyndn] *past part* **befreundet** *v/r* **1.** (≈ *sich anfreunden*) to make *or* become friends **2.** (*fig*) **sich mit etw ~** to get used to sth **befreundet** [bə'frɔyndət] *adj* **wir/sie sind schon lange (miteinander) ~** we/they have been friends for a long time; **gut** *or* **eng ~ sein** to be good *or* close friends; **ein uns ~er Staat** a friendly nation

befriedigen [bə'fri:dɪgn] *past part* **befriedigt** **I** *v/t* to satisfy; **er ist leicht/schwer zu ~** he's easily/not easily satisfied **II** *v/r* **sich (selbst) ~** to masturbate **befriedigend** **I** *adj* satisfactory; (*als Schulnote*) fair **II** *adv* satisfactorily **befriedigt** [bə'fri:dɪçt] **I** *adj* satisfied **II** *adv* with satisfaction **Befriedigung** *f* ⟨**-, -en**⟩ satisfaction; **zur ~ deiner Neugier ...** to satisfy your curiosity ...

befristen [bə'frɪstn] *past part* **befristet** *v/t* to limit (*auf +acc* to); *Projekt* to put a time limit on **befristet** [bə'frɪstət] *adj Genehmigung* restricted (*auf +acc* to); *Anstellung* temporary; **auf zwei Jahre ~ sein** (*Visum etc*) to be valid for two years **Befristung** *f* ⟨**-, -en**⟩ limitation (*auf +acc* to)

befruchten *past part* **befruchtet** *v/t* **1.** (*lit*) *Eizelle* to fertilize; *Blüte* to pollinate; ***künstlich ~*** to inseminate artificially **2.** (*fig ≈ geistig anregen*) to stimulate **Befruchtung** [bə'frʊxtʊŋ] *f* ⟨**-, -en**⟩ fertilization; (*von Blüte*) pollination; ***künstliche ~*** artificial insemination

Befugnis [bə'fuːknɪs] *f* ⟨**-, -se**⟩ (*form*) authority *no pl*; (*≈ Erlaubnis*) authorization *no pl* **befugt** [bə'fuːkt] *adj* (*form*) ***~ sein***(, ***etw zu tun***) to have the authority (to do sth)

Befund *m* results *pl*; ***ohne ~*** MED (results) negative

befürchten *past part* **befürchtet** *v/t* to fear; ***es ist*** *or* ***steht zu ~, dass ...*** it is (to be) feared that ... **Befürchtung** [bə'fʏrçtʊŋ] *f* ⟨**-, -en**⟩ fear *usu pl*

befürworten [bə'fyːɐvɔrtn] *past part* **befürwortet** *v/t* to approve **Befürworter** [bə'fyːɐvɔrtɐ] *m* ⟨**-s, -**⟩, **Befürworterin** [-ərɪn] *f* ⟨**-, -nen**⟩ supporter

begabt [bə'gaːpt] *adj* talented; ***für etw ~ sein*** to be talented at sth **Begabung** *f* ⟨**-, -en**⟩ (*≈ Anlage*) talent; (*geistig, musisch*) gift; ***er hat ~ zum Lehrer*** he has a gift for teaching

Begattung *f* ⟨**-, -en**⟩ *esp* ZOOL mating, copulation

begeben *past part* **begeben** *irr v/r* ***sich nach Hause ~*** to make one's way home; ***sich auf eine Reise ~*** to undertake a journey; ***sich an die Arbeit ~*** to commence work; ***sich in Gefahr ~*** to expose oneself to danger **Begebenheit** [bə'geːbnhait] *f* ⟨**-, -en**⟩ occurrence, event

begegnen [bə'geːgnən] *past part* **begegnet** *v/i +dat aux sein* **1.** (*≈ treffen*) to meet; ***sich*** *or* ***einander*** (*elev*) ***~*** to meet **2.** (*≈ stoßen auf*) ***einer Sache*** (*dat*) ***~*** to encounter sth **3.** (*≈ widerfahren*) ***jdm ist etw begegnet*** sth has happened to sb **Begegnung** *f* ⟨**-, -en**⟩ **1.** (*≈ Treffen*) meeting **2.** SPORTS encounter, match

begehbar *adj Weg* passable; *Schrank, Skulptur* walk-in *attr* **begehen** *past part* **begangen** *v/t irr* **1.** (*≈ verüben*) to commit; *Fehler* to make; ***einen Mord an jdm ~*** to murder sb; ***eine Dummheit ~*** to do something stupid **2.** (*≈ entlanggehen*) *Weg* to use **3.** (*elev ≈ feiern*) to celebrate

begehren [bə'geːrən] *past part* **begehrt** *v/t* (*elev*) to desire **begehrenswert** *adj* desirable **begehrt** [bə'geːɐt] *adj* much sought-after; *Ferienziel* popular

begeistern *past part* **begeistert** **I** *v/t jdn* to fill with enthusiasm; (*≈ inspirieren*) to inspire **II** *v/r* to be enthusiastic (*an +dat, für* about) **begeistert** [bə'gaistɐt] **I** *adj* enthusiastic (*von* about) **II** *adv* enthusiastically **Begeisterung** [bə'gaistərʊŋ] *f* ⟨**-**, *no pl*⟩ enthusiasm (*über +acc* about, *für* for); ***in ~ geraten*** to become enthusiastic

Begierde [bə'giːɐdə] *f* ⟨**-, -n**⟩ (*elev*) desire (*nach* for); (*≈ Sehnsucht*) longing, yearning **begierig** [bə'giːrɪç] **I** *adj* (*≈ voll Verlangen*) greedy; (*≈ gespannt*) eager; ***auf etw*** (*acc*) ***~ sein*** to be eager for sth **II** *adv* (*≈ verlangend*) greedily; (*≈ gespannt*) eagerly

begießen *past part* **begossen** [bə'gɔsn] *v/t irr* **1.** (*mit Wasser*) to pour water on; *Blumen, Beet* to water **2.** (*fig infml*) *Ereignis* to celebrate; ***das muss begossen werden!*** that calls for a drink!

Beginn [bə'gɪn] *m* ⟨**-(e)s**, *no pl*⟩ beginning; ***zu ~*** at the beginning **beginnen** [bə'gɪnən] *pret* **begann** [bə'gan], *past part* **begonnen** [bə'gɔnən] **I** *v/i* to start; ***mit der Arbeit ~*** to start work; ***es beginnt zu regnen*** it's starting to rain **II** *v/t* to start, to begin

beglaubigen [bə'glaubɪgn] *past part* **beglaubigt** *v/t Testament, Unterschrift* to witness; *Zeugnisabschrift* to authenticate; *Echtheit* to attest (to); ***etw notariell ~ lassen*** to have sth witnessed *etc* by a notary **Beglaubigung** *f* ⟨**-, -en**⟩ (*von Testament, Unterschrift*) witnessing; (*von Zeugnisabschrift*) authentication; (*von Echtheit*) attestation **Beglaubigungsschreiben** *nt* credentials *pl*

begleichen *past part* **beglichen** [bə'glɪçn] *v/t irr* (*lit ≈ bezahlen*) to settle; (*fig*) *Schuld* to pay (off)

Begleitbrief *m* covering letter (*Br*), cover letter (*US*) **begleiten** *past part* **begleitet** *v/t* to accompany **Begleiter** [bə'glaitɐ] *m* ⟨**-s, -**⟩, **Begleiterin** [-ərɪn] *f* ⟨**-, -nen**⟩ companion; (*zum Schutz*) escort; MUS accompanist **Begleiterscheinung** *f* concomitant (*form*); MED side effect **Begleitperson** *f* escort **Begleitschreiben** *nt* covering letter (*Br*), cover letter (*US*) **Begleitumstände** *pl* attendant circumstances *pl* **Begleitung** [bə'glaitʊŋ] *f* ⟨**-, -en**⟩ **1.** *no pl* company; ***in ~ seines Vaters*** accompanied by his father; ***ich bin in ~ hier*** I'm with someone; ***ohne ~*** unaccompanied **2.** MUS accompaniment

beglücken *past part* ***beglückt*** *v/t* ***jdn ~*** to make sb happy; ***beglückt lächeln*** to smile happily **beglückwünschen** [bə'glʏkvʏnʃn] *past part* ***beglückwünscht*** *v/t* to congratulate (*zu* on)

begnadigen [bə'gnaːdɪgn] *past part* ***begnadigt*** *v/t* to reprieve; (≈ *Strafe erlassen*) to pardon **Begnadigung** *f* ⟨-, ***-en***⟩ reprieve; (≈ *Straferlass*) pardon

begnügen [bə'gnyːgn] *past part* ***begnügt*** *v/r* ***sich mit etw ~*** to be content with sth

Begonie [be'goːniə] *f* ⟨-, ***-n***⟩ begonia

begraben *past part* ***begraben*** *v/t irr* **1.** to bury **2.** *Hoffnung* to abandon; *Streit* to end **Begräbnis** [bə'grɛːpnɪs] *nt* ⟨***-ses, -se***⟩ burial; (≈ *Begräbnisfeier*) funeral

begradigen [bə'graːdɪgn] *past part* ***begradigt*** *v/t* to straighten

begreifen *past part* ***begriffen*** [bə'grɪfn] *irr* **I** *v/t* **1.** (≈ *verstehen*) to understand; ***~, dass ...*** (≈ *einsehen*) to realize that ...; ***hast du mich begriffen?*** did you understand what I said?; ***es ist kaum zu ~*** it's almost incomprehensible **2.** (≈ *auffassen*) to view, to see **II** *v/i* to understand; ***leicht/schwer ~*** to be quick/slow on the uptake; → ***begriffen*** **begreiflich** [bə'graiflɪç] *adj* understandable; ***ich habe ihm das ~ gemacht*** I've made it clear to him **begreiflicherweise** *adv* understandably

begrenzen *past part* ***begrenzt*** *v/t* to restrict (*auf +acc* to) **begrenzt** [bə'grɛntst] **I** *adj* (≈ *beschränkt*) restricted; (≈ *geistig beschränkt*) limited; ***eine genau ~e Aufgabe*** a clearly defined task **II** *adv* (*zeitlich*) for a limited time **Begrenzung** [bə'grɛntsʊŋ] *f* ⟨-, ***-en***⟩ **1.** (≈ *das Begrenzen*) (*von Gebiet, Straße etc*) demarcation; (*von Geschwindigkeit, Redezeit*) restriction **2.** (≈ *Grenze*) boundary

Begriff *m* **1.** (≈ *Bedeutungsgehalt*) concept; (≈ *Terminus*) term; ***sein Name ist mir ein/kein ~*** his name means something/doesn't mean anything to me **2.** (≈ *Vorstellung*) idea; ***sich*** (*dat*) ***einen ~ von etw machen*** to imagine sth; ***du machst dir keinen ~ (davon)*** (*infml*) you've no idea (about it) (*infml*); ***für meine ~e*** in my opinion **3.** ***im ~ sein, etw zu tun*** to be on the point of doing sth **4.** ***schwer/schnell von ~ sein*** (*infml*) to be slow/quick on the uptake **begriffen** *adj* ***in etw*** (*dat*) ***~ sein*** (*form*) to be in the process of doing sth; → ***begreifen*** **begriffsstutzig** *adj* (*infml*) thick (*infml*)

begründen *past part* ***begründet*** *v/t* **1.** (≈ *Gründe anführen für*) to give reasons for; (*rechtfertigend*) to justify; *Verdacht* to substantiate **2.** (≈ *gründen*) to establish **begründet** [bə'grʏndət] *adj* well-founded; (≈ *berechtigt*) justified; ***es besteht ~e Hoffnung, dass ...*** there is reason to hope that ... **Begründung** *f* **1.** grounds *pl* (*für, +gen* for); ***etwas zur*** *or* ***als ~ sagen*** to say something in explanation **2.** (≈ *Gründung*) establishment

begrünen *past part* ***begrünt*** *v/t Hinterhöfe, Plätze* to green up

begrüßen *past part* ***begrüßt*** *v/t* **1.** *jdn* to greet; ***jdn herzlich ~*** to give sb a hearty welcome **2.** (≈ *gut finden*) to welcome **begrüßenswert** *adj* welcome; ***es wäre ~, wenn ...*** it would be desirable if ... **Begrüßung** [bə'gryːsʊŋ] *f* ⟨-, ***-en***⟩ greeting; (*der Gäste*) welcoming; (≈ *Zeremonie*) welcome

begünstigen [bə'gʏnstɪgn] *past part* ***begünstigt*** *v/t* to favour (*Br*), to favor (*US*); *Wachstum* to encourage **Begünstigte(r)** [bə'gʏnstɪçtə] *m/f(m) decl as adj* beneficiary **Begünstigung** *f* ⟨-, ***-en***⟩ **1.** JUR aiding and abetting **2.** (≈ *Bevorzugung*) preferential treatment **3.** (≈ *Förderung*) favouring (*Br*), favoring (*US*); (*von Wachstum*) encouragement

begutachten *past part* ***begutachtet*** *v/t* to give expert advice about; *Kunstwerk, Stipendiaten* to examine; *Leistung* to judge; ***etw ~ lassen*** to get expert advice about sth

behaart [bə'haːɐt] *adj* hairy **Behaarung** [bə'haːrʊŋ] *f* ⟨-, ***-en***⟩ hairs *pl*

behäbig [bə'hɛːbɪç] *adj Mensch* portly; (*fig*) *Sprache, Ton* complacent

behagen [bə'haːgn] *past part* ***behagt*** *v/i* ***er behagt ihr nicht*** she doesn't like him **Behagen** [bə'haːgn] *nt* ⟨***-s***, *no pl*⟩ contentment; ***mit sichtlichem ~*** with obvious pleasure **behaglich** [bə'haːklɪç] **I** *adj* cosy; (≈ *bequem*) comfortable; (≈ *zufrieden*) contented **II** *adv* (≈ *gemütlich*) comfortably; (≈ *genussvoll*) contentedly **Behaglichkeit** *f* ⟨-, *no pl*⟩ cosiness; (≈ *Bequemlichkeit*) comfort; (≈ *Zufriedenheit*) contentment

behalten *past part* ***behalten*** *v/t irr* **1.** to

keep; ***jdn bei sich ~*** to keep sb with one; ***etw für sich ~*** to keep sth to oneself **2.** (≈ *nicht vergessen*) to remember **Behälter** [bəˈhɛltɐ] *m* ⟨**-s, -**⟩ container

behandeln *past part* ***behandelt*** *v/t* to treat; (≈ *verfahren mit*) to handle; *Thema*, *Problem* to deal with **Behandlung** *f* treatment; (*von Angelegenheit*) handling; ***bei wem sind Sie in ~?*** who's treating you?

beharren [bəˈharən] *past part* ***beharrt*** *v/i* (≈ *hartnäckig sein*) to insist (*auf +dat* on); (≈ *nicht aufgeben*) to persist (*bei* in) **beharrlich** [bəˈharlıç] **I** *adj* (≈ *hartnäckig*) insistent; (≈ *ausdauernd*) persistent **II** *adv* (≈ *hartnäckig*) insistently; (≈ *ausdauernd*) persistently **Beharrlichkeit** *f* ⟨**-**, *no pl*⟩ (≈ *Hartnäckigkeit*) insistence; (≈ *Ausdauer*) persistence

behaupten [bəˈhauptn] *past part* ***behauptet*** **I** *v/t* **1.** (≈ *sagen*) to claim; ***steif und fest ~*** to insist; ***es wird behauptet, dass ...*** it is said that ... **2.** *Recht* to maintain; *Meinung* to assert **II** *v/r* to assert oneself; (*bei Diskussion*) to hold one's own **Behauptung** *f* ⟨**-, -en**⟩ claim; (≈ *esp unerwiesene Behauptung*) assertion

Behausung [bəˈhauzʊŋ] *f* ⟨**-, -en**⟩ dwelling

beheben *past part* ***behoben*** [bəˈhoːbn] *v/t irr* (≈ *beseitigen*) to remove; *Mängel* to rectify; *Schaden* to repair; *Störung* to clear

beheizbar *adj* heatable; *Heckscheibe* heated **beheizen** *past part* ***beheizt*** *v/t* to heat

Behelf [bəˈhɛlf] *m* ⟨**-(e)s, -e**⟩ (≈ *Ersatz*) substitute; (≈ *Notlösung*) makeshift **behelfen** *past part* ***beholfen*** [bəˈhɔlfn] *v/r irr* to manage; ***er weiß sich allein nicht zu ~*** he can't manage alone **behelfsmäßig** **I** *adj* makeshift **II** *adv* temporarily; ***etw ~ reparieren*** to make makeshift repairs to sth

behelligen [bəˈhɛlıgn] *past part* ***behelligt*** *v/t* to bother

beherbergen [bəˈhɛrbɛrgn] *past part* ***beherbergt*** *v/t* to house; *Gäste* to accommodate

beherrschen *past part* ***beherrscht*** **I** *v/t* **1.** (≈ *herrschen über*) to rule **2.** (*fig*) *Stadtbild*, *Markt* to dominate **3.** (≈ *zügeln*) to control **4.** (≈ *gut können*) to master **II** *v/r* to control oneself; ***ich kann mich ~!*** (*iron infml*) not likely! (*infml*) **beherrscht** [bəˈhɛrʃt] *adj* (*fig*) self-controlled **Beherrschung** [bəˈhɛrʃʊŋ] *f* ⟨**-**, *no pl*⟩ control; (≈ *Selbstbeherrschung*) self-control; (*des Markts*) domination; ***die ~ verlieren*** to lose one's temper

beherzigen [bəˈhɛrtsıgn] *past part* ***beherzigt*** *v/t* to heed

behilflich [bəˈhılflıç] *adj* helpful; ***jdm*** (***bei etw***) ***~ sein*** to help sb (with sth)

behindern *past part* ***behindert*** *v/t* to hinder; *Sicht* to impede; (*bei Sport*, *im Verkehr*) to obstruct **behindert** *adj* disabled; ***geistig/körperlich ~*** mentally/physically handicapped **Behindertenausweis** *m disabled person card or ID* **behindertengerecht** *adj* ***etw ~ gestalten*** to design sth to fit the needs of the disabled **Behindertenolympiade** *f* Paralympics *pl* **Behinderte(r)** [bəˈhındɐtə] *m/f(m) decl as adj* disabled person; ***die ~n*** disabled people **Behinderung** *f* hindrance; (*im Sport*, *Verkehr*) obstruction; (*körperlich*) handicap

Behörde [bəˈhøːɐdɛ] *f* ⟨**-, -n**⟩ authority *usu pl*; ***die ~n*** the authorities

behüten *past part* ***behütet*** *v/t* to look after **behutsam** [bəˈhuːtzaːm] **I** *adj* cautious; (≈ *zart*) gentle **II** *adv* carefully; *streicheln* gently

bei [bai] *prep +dat* **1.** (*Nähe*) near; ***ich stand/saß ~ ihm*** I stood/sat beside him; ***ich bleibe ~ den Kindern*** I'll stay with the children **2.** (*Aufenthalt*) at; ***ich war ~ meiner Tante*** I was at my aunt's; ***er wohnt ~ seinen Eltern*** he lives with his parents; ***~ Müller*** (*auf Briefen*) care of *or* c/o Müller; ***~ uns zu Hause*** (*im Haus*) at our house; ***~ jdm arbeiten*** to work for sb; ***er ist*** *or* ***arbeitet ~ der Post*** he works for the post office; ***~m Friseur*** at the hairdresser's; ***hast du Geld ~ dir?*** have you any money with you? **3.** (*Teilnahme*) at; ***~ einer Hochzeit sein*** to be at a wedding **4.** (*Zeit*) ***~ meiner Ankunft*** on my arrival; ***~m Erscheinen der Königin*** when the queen appeared; ***~ Nacht*** by night **5.** (*Umstand*) ***~ Kerzenlicht essen*** to eat by candlelight; ***~ offenem Fenster schlafen*** to sleep with the window open; ***~ zehn Grad unter null*** when it's ten degrees below zero **6.** (*Bedingung*) in case of; ***~ Feuer Scheibe einschlagen*** in case of fire break glass **7.** (*Grund*) with; ***~ seinem Talent*** with his talent; ***~ solcher Hitze*** when it's as hot as this **8.** (*Einschränkung*) in spite of, despite; ***~m besten Willen*** with the best will in the world

beibehalten *past part* **beibehalten** *v/t sep irr* to keep; *Richtung* to keep to; *Gewohnheit* to keep up

beibringen *v/t sep irr* **1.** ***jdm etw ~*** (≈ *mitteilen*) to break sth to sb; (≈ *unterweisen in*) to teach sb sth; (≈ *zufügen*) to inflict sth on sb **2.** (≈ *herbeischaffen*) to produce; *Beweis, Geld etc* to supply

Beichte ['baiçtə] *f* ⟨**-, -n**⟩ confession **beichten** ['baiçtn] *v/t & v/i* to confess (*jdm etw* sth to sb) **Beichtgeheimnis** *nt* seal of confession *or* of the confessional **Beichtstuhl** *m* confessional

beide ['baidə] *pron* both; ***alle ~n Teller*** both plates; ***seine ~n Brüder*** both his brothers; ***ihr ~(n)*** the two of you; ***wer von uns ~n*** which of us (two); ***alle ~*** both (of them) **beiderlei** ['baidɐlai] *adj attr inv* both **beiderseitig** ['baidɐzaitɪç] *adj* on both sides; (≈ *gegenseitig*) *Abkommen etc* bilateral; *Einverständnis etc* mutual **beiderseits** ['baidɐ'zaits] **I** *adv* on both sides **II** *prep +gen* on both sides of **beidhändig** *adj* (≈ *gleich geschickt*) ambidextrous; (≈ *mit beiden Händen zugleich*) two-handed

beidrehen *v/i sep* NAUT to heave to

beidseitig ['baitzaitɪç] *adj* (≈ *auf beiden Seiten*) on both sides; (≈ *gegenseitig*) mutual

beieinander [bai|ai'nandɐ] *adv* together **beieinander sein** *v/i irr aux sein* (*infml*) (*gesundheitlich*) to be in good shape (*infml*); (*geistig*) to be all there (*infml*)

Beifahrer(in) *m/(f)* AUTO (front-seat) passenger; SPORTS co-driver **Beifahrerairbag** *m* AUTO passenger airbag **Beifahrersitz** *m* passenger seat

Beifall *m, no pl* (≈ *Zustimmung*) approval; (≈ *das Händeklatschen*) applause; ***~ spenden*** to applaud **beifällig** **I** *adj* approving; ***~e Worte*** words of approval **II** *adv* approvingly; ***er nickte ~ mit dem Kopf*** he nodded his head in approval **Beifallsruf** *m* cheer **Beifallssturm** *m* storm of applause

beifügen *v/t sep* (≈ *mitschicken*) to enclose (*+dat* with)

Beigabe *f* addition; (≈ *Beilage*) side dish; (COMM ≈ *Zugabe*) free gift

beige [beːʃ, 'beːʒə, 'bɛːʒə] *adj* beige

beigeben *sep irr* **I** *v/t* to add (*+dat* to) **II** *v/i* ***klein ~*** (*infml*) to give in

Beigeschmack *m* aftertaste; (*fig: von Worten*) flavour (*Br*), flavor (*US*)

Beihilfe *f* **1.** financial assistance *no indef art*; (≈ *Zuschuss*) allowance; (≈ *Studienbeihilfe*) grant; (≈ *Subvention*) subsidy **2.** JUR abetment; ***wegen ~ zum Mord*** because of acting as an accessory to the murder

Beijing [beɪ'dʒɪŋ] *nt* ⟨**-s**⟩ Beijing, Peking

beikommen *v/i sep irr aux sein* ***jdm ~*** (≈ *zu fassen bekommen*) to get hold of sb; ***einer Sache*** (*dat*) ***~*** (≈ *bewältigen*) to deal with sth

Beil [bail] *nt* ⟨**-(e)s, -e**⟩ axe (*Br*), ax (*US*); (*kleiner*) hatchet

Beilage *f* **1.** (≈ *Gedrucktes*) insert; (≈ *Beiheft*) supplement **2.** COOK side dish; (≈ *Gemüsebeilage*) vegetables *pl*; (≈ *Salatbeilage*) side salad

beiläufig **I** *adj* casual **II** *adv erwähnen* in passing

beilegen *v/t sep* **1.** (≈ *hinzulegen*) to insert (*+dat* in); (*einem Brief, Paket*) to enclose (*+dat* with, in) **2.** (≈ *schlichten*) to settle **Beilegung** ['bailеːgʊŋ] *f* ⟨**-, -en**⟩ settlement

beileibe [bai'laibə] *adv* ***~ nicht!*** certainly not; ***~ kein ...*** by no means a ...

Beileid *nt* condolence(s), sympathy; ***jdm sein ~ aussprechen*** to offer sb one's condolences **Beileidsbekundung** *f* expression of sympathy **Beileidskarte** *f* condolence card

beiliegen *v/i sep irr* to be enclosed (*+dat* with, in); (*einer Zeitschrift etc*) to be inserted (*+dat* in) **beiliegend** *adj, adv* enclosed; ***~ senden wir Ihnen ...*** please find enclosed ...

beim [baim] = ***bei dem***

beimengen *v/t sep* to add (*+dat* to)

beimessen *v/t sep irr* ***jdm/einer Sache Bedeutung ~*** to attach importance to sb/sth

Bein [bain] *nt* ⟨**-(e)s, -e**⟩ leg; ***sich kaum auf den ~en halten können*** to be hardly able to stay on one's feet; ***jdm ein ~ stellen*** to trip sb up; ***auf den ~en sein*** (≈ *in Bewegung*) to be on one's feet; (≈ *unterwegs*) to be out and about; ***jdm ~e machen*** (*infml*) (≈ *antreiben*) to make sb get a move on (*infml*); (≈ *wegjagen*) to make sb clear off (*infml*); ***mit einem ~ im Gefängnis stehen*** to be likely to end up in jail; ***auf eigenen ~en stehen***

(*fig*) to be able to stand on one's own two feet; ***wieder auf die ~e kommen*** (*fig*) to get back on one's feet again; ***etw auf die ~e stellen*** (*fig*) to get sth off the ground

beinah(e) ['baina:, 'bai'na:] *adv* almost

Beinbruch *m* fracture of the leg; ***das ist kein ~*** (*fig infml*) it could be worse (*infml*) **Beinfreiheit** *f, no pl* legroom

beinhalten [bə'|ɪnhaltn] *past part* ***beinhaltet*** *v/t insep* to comprise

Beinpresse *f* leg press

Beipackzettel *m* instruction leaflet

beipflichten *v/i sep* ***jdm/einer Sache*** (***in etw*** (*dat*)) ***~*** to agree with sb/sth (on sth)

Beiried ['bairi:t] *nt* (*Aus ≈ Rostbraten*) ≈ roast

beirren [bə'|ɪrən] *past part* ***beirrt*** *v/t* to disconcert; ***sich nicht in etw*** (*dat*) ***~ lassen*** not to let oneself be swayed in sth; ***er lässt sich nicht ~*** he won't be put off

beisammen [bai'zamən] *adv* together **beisammenbleiben** *v/i sep irr aux sein* to stay *or* remain together **Beisammensein** *nt* get-together

Beischlaf *m* JUR sexual intercourse

Beisein *nt* presence; ***in jds ~*** in sb's presence; ***ohne jds ~*** without sb being present

beiseite [bai'zaitə] *adv* aside; ***Spaß ~!*** joking aside! **beiseitelegen** *v/t sep* to put aside; (*≈ weglegen*) to put away **beiseiteschaffen** *v/t sep* ***jdn/etw beiseite schaffen*** to get rid of sb/hide sth away

Beisel ['baizl] *nt* ⟨***-s, -n***⟩ (*Aus infml*) bar

beisetzen *v/t sep* to bury **Beisetzung** ['baizɛtsʊŋ] *f* ⟨***-, -en***⟩ funeral

Beispiel *nt* example; ***zum ~*** for example; ***jdm ein ~ geben*** to set sb an example; ***sich*** (*dat*) ***ein ~ an jdm nehmen*** to take a leaf out of sb's book; ***mit gutem ~ vorangehen*** to set a good example **beispielhaft I** *adj* exemplary **II** *adv* exemplarily **beispiellos** *adj* unprecedented; (*≈ unerhört*) outrageous **beispielsweise** *adv* for example

beißen ['baisn] *pret* ***biss*** [bɪs], *past part* ***gebissen*** [gə'bɪsn] **I** *v/t & v/i* to bite; (*≈ brennen*) to sting; ***er wird dich schon nicht ~*** (*fig*) he won't bite you; ***etwas zu ~*** (*infml ≈ essen*) something to eat; ***an etw*** (*dat*) ***zu ~ haben*** (*fig*) to have sth to chew over on **II** *v/r* (*Farben*) to clash **beißend** *adj* biting; *Bemerkung* cutting; *Geruch* pungent; *Ironie* bitter **Beißzange** ['bais-] *f* (pair of) pincers *pl*; (*pej infml*) shrew

Beistand *m, no pl* (*≈ Hilfe*) help; (*≈ Unterstützung*) support; ***jdm ~ leisten*** to give sb help; to lend sb one's support

beistehen *v/i sep irr* ***jdm ~*** to stand by sb

Beistelltisch *m* occasional table

beisteuern *v/t sep* to contribute

Beitrag ['baitra:k] *m* ⟨***-(e)s, =e*** [-trɛ:gə]⟩ contribution; (*≈ Versicherungsbeitrag*) premium; (*≈ Mitgliedsbeitrag*) fee (*Br*), dues *pl*; ***einen ~ zu etw leisten*** to make a contribution to sth **beitragen** *v/t & v/i sep irr* to contribute (*zu* to) **Beitragserhöhung** *f* increase in contributions **beitragsfrei** *adj* noncontributory; *Person* not liable to pay contributions **beitragspflichtig** [-pflɪçtɪç] *adj* ***~ sein*** (*Mensch*) to have to pay contributions **Beitragszahler(in)** *m/(f)* contributor

beitreten *v/i +dat sep irr aux sein* to join; *einem Vertrag* to accede to **Beitritt** *m* joining (*zu etw* sth); (*zu einem Vertrag*) accession (*zu* to); ***seinen ~ erklären*** to become a member

Beize ['baitsə] *f* ⟨***-, -n***⟩ (*≈ Beizmittel*) corrosive fluid; (*≈ Holzbeize*) stain; (*zum Gerben*) lye; COOK marinade

beizeiten [bai'tsaitn] *adv* in good time

beizen ['baitsn] *v/t Holz* to stain; *Häute* to bate; COOK to marinate

bejahen [bə'ja:ən] *past part* ***bejaht*** *v/t & v/i* to answer in the affirmative; (*≈ gutheißen*) to approve of **bejahend I** *adj* positive **II** *adv* affirmatively

bejubeln *past part* ***bejubelt*** *v/t* to cheer; *Ereignis* to rejoice at

bekämpfen *past part* ***bekämpft*** *v/t* to fight; *Ungeziefer* to control **Bekämpfung** [bə'kɛmpfʊŋ] *f* ⟨***-,*** (*rare*) ***-en***⟩ fight (*von, +gen* against); (*von Ungeziefer*) controlling; ***zur ~ der Terroristen*** to fight the terrorists

bekannt [bə'kant] *adj* well-known (*wegen* for); ***die ~eren Spieler*** the better-known players; ***er ist ~ dafür, dass er seine Schulden nicht bezahlt*** he is well-known for not paying his debts; ***das ist mir ~*** I know about that; ***sie ist mir ~*** I know her; ***jdn mit etw ~ machen*** *mit Aufgabe etc* to show sb how to do sth; *mit Gebiet, Fach etc* to introduce sb to sth; ***sich mit etw ~ machen*** to familiarize oneself with sth; → ***bekennen***

Bekanntenkreis *m* circle of acquaintances **Bekạnnte(r)** [bəˈkantə] *m/f(m) decl as adj* friend; (≈ *entfernter Bekannter*) acquaintance **Bekạnntgabe** *f* announcement; (*in Zeitung etc*) publication **bekạnnt geben** *v/t irr* to announce; (*in Zeitung etc*) to publish **bekạnntlich** [bəˈkantlıç] *adv* ***~ gibt es ...*** it is known that there are ... **bekạnnt machen** *v/t* to announce; (≈ *der Allgemeinheit mitteilen*) to publicize; → ***bekannt*** **Bekạnntmachung** [bəˈkantmaxʊŋ] *f* ⟨***-, -en***⟩ announcement; (≈ *Veröffentlichung*) publicizing **Bekạnntschaft** [bəˈkantʃaft] *f* ⟨***-, -en***⟩ acquaintance; ***jds ~ machen*** to make sb's acquaintance; ***mit etw ~ machen*** to come into contact with sth; ***bei näherer ~*** on closer acquaintance; ***meine ganze ~*** all my acquaintances **bekạnnt werden** *v/i irr aux sein* to become known; (*Geheimnis*) to leak out

bekehren *past part* ***bekehrt*** *v/t* to convert (*zu* to) **Bekehrung** [bəˈkeːrʊŋ] *f* ⟨***-, -en***⟩ conversion

bekẹnnen *past part* ***bekạnnt*** [bəˈkant] *irr* **I** *v/t* to confess; *Wahrheit* to admit **II** *v/r* ***sich*** (***als*** *or* ***für***) ***schuldig ~*** to admit *or* confess one's guilt; ***sich zum Christentum ~*** to profess Christianity; ***sich zu jdm/etw ~*** to declare one's support for sb/sth **Bekẹnnerbrief** *m*, **Bekẹnnerschreiben** *nt* letter claiming responsibility **Bekẹnntnis** [bəˈkɛntnɪs] *nt* ⟨***-ses, -se***⟩ **1.** (≈ *Geständnis*) confession (*zu* of); ***sein ~ zum Sozialismus*** his declared belief in socialism **2.** (REL ≈ *Konfession*) denomination

beklagen *past part* ***beklagt*** **I** *v/t* to lament; *Tod*, *Verlust* to mourn; ***Menschenleben sind nicht zu ~*** there are no casualties **II** *v/r* to complain (*über +acc*, *wegen* about) **beklagenswert** *adj Mensch* pitiful; *Zustand* lamentable; *Vorfall* regrettable **Beklagte(r)** [bəˈklaːktə] *m/f(m) decl as adj* JUR defendant

beklauen *past part* ***beklaut*** *v/t* (*infml*) *jdn* to rob

bekleben *past part* ***beklebt*** *v/t* ***etw*** (***mit Plakaten*** *etc*) ***~*** to stick posters *etc* on(to) sth

beklẹckern *past part* ***beklẹckert*** (*infml*) **I** *v/t* to stain **II** *v/r* ***sich*** (***mit Saft*** *etc*) ***~*** to spill juice *etc* all down *or* over oneself; ***er hat sich nicht gerade mit Ruhm bekleckert*** (*infml*) he didn't exactly cover himself with glory

bekleidet [bəˈklaidət] *adj* dressed (*mit* in) **Bekleidung** *f* (≈ *Kleider*) clothes *pl*; (≈ *Aufmachung*) dress

beklẹmmen *past part* ***beklẹmmt*** *v/t* (*fig*) to oppress **beklẹmmend** *adj* (≈ *beengend*) constricting; (≈ *beängstigend*) oppressive **Beklẹmmung** [bəˈklɛmʊŋ] *f* ⟨***-, -en***⟩ *usu pl* feeling of oppressiveness; (≈ *Gefühl der Angst*) feeling of apprehension **beklọmmen** [bəˈklɔmən] *adj* apprehensive; *Schweigen* uneasy

beklọppt [bəˈklɔpt] *adj* (*infml*) *Mensch* mad (*infml*)

beknạckt [bəˈknakt] (*sl*) *adj Mensch*, *Idee* stupid

beknien *past part* ***bekniet*** *v/t* (*infml*) *jdn* to beg

bekọmmen *past part* ***bekọmmen*** *irr* **I** *v/t* to get; *ein Kind*, *Besuch* to have; ***ein Jahr Gefängnis ~*** to be given one year in prison; ***ich bekomme bitte ein Glas Wein*** I'll have a glass of wine, please; ***was ~ Sie dafür?*** how much is that?; ***was ~ Sie von mir?*** how much do I owe you?; ***jdn dazu ~, etw zu tun*** to get sb to do sth; ***Heimweh ~*** to get homesick; ***Hunger/Durst ~*** to get hungry/thirsty; ***Angst ~*** to get afraid; ***es mit jdm zu tun ~*** to get into trouble with sb; ***etw geschenkt ~*** to be given sth (as a present); ***Lust ~, etw zu tun*** to feel like doing sth; ***es mit der Angst/Wut ~*** to become afraid/angry; ***Ärger ~*** to get into trouble **II** *v/i aux sein +dat* (≈ *zuträglich sein*) ***jdm*** (***gut***) ***~*** to do sb good; (*Essen*) to agree with sb; ***jdm nicht*** *or* ***schlecht ~*** not to do sb any good; (*Essen*) not to agree with sb; ***wohl bekomms!*** your health! **bekọ̈mmlich** [bəˈkœmlıç] *adj Speisen* (easily) digestible; *Luft*, *Klima* beneficial

bekrạ̈ftigen *past part* ***bekrạ̈ftigt*** *v/t* to confirm; *Vorschlag* to back up

bekriegen *past part* ***bekriegt*** *v/t* to wage war on; (*fig*) to fight

bekụ̈mmern *past part* ***bekụ̈mmert*** *v/t* to worry **bekụ̈mmert** [bəˈkʏmɐt] *adj* worried (*über +acc* about)

bekụnden [bəˈkʊndn] *past part* ***bekụndet*** *v/t* to show; (JUR ≈ *bezeugen*) to testify to

belạ̈cheln *past part* ***belạ̈chelt*** *v/t* to smile at

beladen [bəˈlaːdn] *past part* ***beladen*** *irr*

v/t Schiff, Zug to load (up); (*fig: mit Sorgen etc*) *jdn* to burden

Belag [bəˈlaːk] *m* ⟨**-(e)s, ⸗e** [-ˈlɛːgə]⟩ coating; (≈ *Schicht*) layer; (*auf Zahn*) film; (*auf Pizza, Brot*) topping; (*auf Tortenboden, zwischen zwei Brotscheiben*) filling; (≈ *Zungenbelag*) fur; (≈ *Fußbodenbelag*) covering; (≈ *Straßenbelag*) surface

belagern *past part* **belagert** *v/t* to besiege **Belagerung** *f* siege **Belagerungszustand** *m* state of siege

belämmert [bəˈlɛmɐt] *adj* (≈ *betreten*) sheepish; (≈ *niedergeschlagen*) miserable

Belang [bəˈlaŋ] *m* ⟨**-(e)s, -e**⟩ importance; ***von/ohne ~ (für jdn/etw) sein*** to be of importance/of no importance (to sb/for *or* to sth); **~e** interests **belangen** *past part* **belangt** *v/t* JUR to prosecute (*wegen* for); (*wegen Beleidigung*) to sue **belanglos** *adj* inconsequential; ***das ist für das Ergebnis ~*** that is irrelevant to the result **Belanglosigkeit** *f* ⟨**-, -en**⟩ triviality

belassen *past part* **belassen** *v/t irr* to leave; ***wir wollen es dabei ~*** let's leave it at that

belastbar *adj* **1.** ***bis zu 50 Tonnen ~ sein*** to have a load-bearing capacity of 50 tons; ***weiter waren seine Nerven nicht ~*** his nerves could take no more **2.** (≈ *beanspruchbar*, MED) resilient **3.** ***wie hoch ist mein Konto ~?*** what is the limit on my account?; ***der Etat ist nicht unbegrenzt ~*** the budget is not unlimited **Belastbarkeit** [bəˈlastbaːɐkait] *f* ⟨**-, -en**⟩ **1.** (*von Brücke, Aufzug*) load-bearing capacity **2.** (*von Menschen, Nerven*) ability to cope with stress **belasten** *past part* **belastet I** *v/t* **1.** (*lit*) (*mit Gewicht*) to put weight on; (*mit Last*) to load; ***etw mit 50 Tonnen ~*** to put a 50 ton load on sth **2.** (*fig*) ***jdn mit etw ~*** *mit Arbeit* to load sb with sth; *mit Sorgen* to burden sb with sth; ***jdn ~*** (≈ *anstrengen*) to put a strain on sb; (*Schuld etc*) to weigh upon sb's mind; ***jds Gewissen ~*** to weigh upon sb's conscience **3.** (≈ *beanspruchen*) *Stromnetz etc* to put pressure on; *Atmosphäre* to pollute; MED to put a strain on; *Nerven* to strain; *Steuerzahler* to burden **4.** JUR *Angeklagten* to incriminate; ***~des Material*** incriminating evidence **5.** FIN *Konto* to charge; (*steuerlich*) *jdn* to burden; ***das Konto mit einem Betrag ~*** to debit a sum from the account; ***jdn mit den Kosten ~*** to charge the costs to sb **II** *v/r* **1.** ***sich mit etw ~*** *mit Arbeit* to take sth on; *mit Verantwortung* to take sth upon oneself; *mit Sorgen* to burden oneself with sth **2.** JUR to incriminate oneself

belästigen [bəˈlɛstɪgn] *past part* **belästigt** *v/t* to bother; (≈ *zudringlich werden*) to pester; (*körperlich*) to molest **Belästigung** *f* ⟨**-, -en**⟩ annoyance; (≈ *Zudringlichkeit*) pestering; ***etw als eine ~ empfinden*** to find sth a nuisance; ***sexuelle ~*** sexual harassment

Belastung [bəˈlastʊŋ] *f* ⟨**-, -en**⟩ **1.** (≈ *Last, Gewicht*) weight; (*in Fahrzeug, Fahrstuhl etc*) load; ***maximale ~ des Fahrstuhls*** maximum load of the lift **2.** (*fig*) (≈ *Anstrengung*) strain; (≈ *Last, Bürde*) burden **3.** (≈ *Beeinträchtigung*) pressure (+*gen* on); (*von Atmosphäre*) pollution (+*gen* of); (*von Kreislauf, Magen*) strain (+*gen* on) **4.** JUR incrimination **5.** (FIN, *von Konto*) charge (+*gen* on); (*steuerlich*) burden (+*gen* on) **Belastungsmaterial** *nt* JUR incriminating evidence **Belastungsprobe** *f* endurance test **Belastungszeuge** *m*, **Belastungszeugin** *f* JUR witness for the prosecution

belaufen *past part* **belaufen** *v/r irr* ***sich auf etw*** (*acc*) ***~*** to come to sth

belauschen *past part* **belauscht** *v/t* to eavesdrop on

beleben *past part* **belebt** *v/t* **1.** (≈ *anregen*) to liven up; *Absatz, Konjunktur* to stimulate **2.** (≈ *lebendiger gestalten*) to brighten up **belebend** *adj* invigorating **belebt** [bəˈleːpt] *adj Straße, Stadt etc* busy

Beleg [bəˈleːk] *m* ⟨**-(e)s, -e** [-gə]⟩ **1.** (≈ *Beweis*) piece of evidence; (≈ *Quellennachweis*) reference **2.** (≈ *Quittung*) receipt **belegen** *past part* **belegt** *v/t* **1.** (≈ *bedecken*) to cover; *Brote, Tortenboden* to fill; ***etw mit Fliesen/Teppich ~*** to tile/carpet sth **2.** (≈ *besetzen*) *Wohnung, Hotelbett* to occupy; UNIV *Fach* to take; *Vorlesung* to enrol (*Br*) *or* enroll (*US*) for; ***den fünften Platz ~*** to take fifth place **3.** (≈ *beweisen*) to verify **Belegschaft** [bəˈleːkʃaft] *f* ⟨**-, -en**⟩ (≈ *Beschäftigte*) staff; (*esp in Fabriken etc*) workforce **belegt** [bəˈleːkt] *adj Zunge* furred; *Stimme* hoarse; *Bett, Wohnung* occupied; ***~e Brote*** open (*Br*) *or* open-faced (*US*) sandwiches

belehren *past part* **belehrt** *v/t* to teach; (≈ *aufklären*) to inform (*über +acc* of); ***jdn eines anderen ~*** to teach sb otherwise **Belehrung** [bəˈleːrʊŋ] *f* 〈-, ***-en***〉 explanation, lecture (*infml*)

beleidigen [bəˈlaidɪgn] *past part* ***beleidigt*** *v/t jdn* to insult; (*Anblick etc*) to offend; (JUR, *mündlich*) to slander; (*schriftlich*) to libel **beleidigend** *adj* insulting; *Anblick etc* offending; (JUR, *mündlich*) slanderous; (*schriftlich*) libellous (*Br*), libelous (*US*) **beleidigt** [bəˈlaidɪçt] **I** *adj* insulted; (≈ *gekränkt*) offended; *Miene* hurt; ***jetzt ist er ~*** now he's in a huff (*infml*) **II** *adv* in a huff (*infml*), offended **Beleidigung** *f* 〈-, ***-en***〉 insult; (JUR, *mündliche*) slander; (*schriftliche*) libel

belesen [bəˈleːzn] *adj* well-read

beleuchten *past part* ***beleuchtet*** *v/t* to light up; *Straße, Bühne etc* to light; (*fig* ≈ *betrachten*) to examine **Beleuchtung** [bəˈlɔyçtʊŋ] *f* 〈-, ***-en***〉 **1.** (≈ *das Beleuchten*) lighting; (≈ *das Bestrahlen*) illumination **2.** (≈ *Licht*) light; (≈ *Lichter*) lights *pl*

Belgien [ˈbɛlgiən] *nt* 〈***-s***〉 Belgium **Belgier** [ˈbɛlgiɐ] *m* 〈***-s, -***〉, **Belgierin** [-iərɪn] *f* 〈-, ***-nen***〉 Belgian **belgisch** [ˈbɛlgɪʃ] *adj* Belgian

Belgrad [ˈbɛlgraːt] *nt* 〈***-s***〉 Belgrade

belichten *past part* ***belichtet*** *v/t* PHOT to expose **Belichtung** *f* PHOT exposure **Belichtungsmesser** *m* 〈***-s, -***〉 light meter

Belieben [bəˈliːbn] *nt* 〈***-s***, *no pl*〉 ***nach ~*** any way you *etc* want (to); ***das steht*** *or* ***liegt in Ihrem ~*** that is up to you **beliebig** [bəˈliːbɪç] **I** *adj* any; ***(irgend)eine/jede ~e Zahl*** any number at all *or* you like; ***jeder Beliebige*** anyone at all; ***in ~er Reihenfolge*** in any order whatever **II** *adv* as you *etc* like; ***Sie können ~ lange bleiben*** you can stay as long as you like **beliebt** [bəˈliːpt] *adj* popular (*bei* with); ***sich bei jdm ~ machen*** to make oneself popular with sb **Beliebtheit** *f* 〈-, *no pl*〉 popularity

beliefern *past part* ***beliefert*** *v/t* to supply

bellen [ˈbɛlən] *v/i* to bark

Belletristik [bɛleˈtrɪstɪk] *f* 〈-, *no pl*〉 fiction and poetry

belobigen [bəˈloːbɪgn] *past part* ***belobigt*** *v/t* to commend **Belobigung** *f* 〈-, ***-en***〉 (*form*) commendation

belohnen *past part* ***belohnt*** *v/t* to reward **Belohnung** [bəˈloːnʊŋ] *f* 〈-, ***-en***〉 reward; ***zur*** *or* ***als ~*** (***für***) as a reward (for)

belügen *past part* ***belogen*** [bəˈloːgn] *v/t irr* to lie to; ***sich selbst ~*** to deceive oneself

belustigen [bəˈlʊstɪgn] *past part* ***belustigt*** **I** *v/t* to amuse **II** *v/r* (*elev*) ***sich über jdn/etw ~*** to make fun of sb/sth **belustigt** [bəˈlʊstɪçt] **I** *adj* amused **II** *adv* in amusement

bemächtigen [bəˈmɛçtɪgn] *past part* ***bemächtigt*** *v/r* (*elev*) ***sich eines Menschen/einer Sache ~*** to seize hold of sb/sth

bemalen *past part* ***bemalt*** *v/t* to paint **Bemalung** [bəˈmaːlʊŋ] *f* 〈-, ***-en***〉 painting

bemängeln [bəˈmɛŋln] *past part* ***bemängelt*** *v/t* to find fault with

bemannen [bəˈmanən] *past part* ***bemannt*** *v/t U-Boot, Raumschiff* to man **Bemannung** *f* 〈-, ***-en***〉 manning

bemerkbar *adj* noticeable; ***sich ~ machen*** (≈ *sich zeigen*) to become noticeable; (≈ *auf sich aufmerksam machen*) to draw attention to oneself **bemerken** *past part* ***bemerkt*** *v/t* **1.** (≈ *wahrnehmen*) to notice **2.** (≈ *äußern*) to remark (*zu* on); ***er hatte einiges zu ~*** he had quite a few comments to make **bemerkenswert** **I** *adj* remarkable **II** *adv* remarkably **Bemerkung** [bəˈmɛrkʊŋ] *f* 〈-, ***-en***〉 remark (*zu* on)

bemessen *past part* ***bemessen*** *irr v/t* (≈ *zuteilen*) to allocate; (≈ *einteilen*) to calculate; ***reichlich ~*** generous; ***meine Zeit ist knapp ~*** my time is limited

bemitleiden [bəˈmɪtlaidn] *past part* ***bemitleidet*** *v/t* to pity; ***er ist zu ~*** he is to be pitied

bemühen [bəˈmyːən] *past part* ***bemüht*** **I** *v/t* to bother; ***jdn zu sich ~*** to call in sb **II** *v/r* (≈ *sich Mühe geben*) to try hard; ***sich um jdn ~*** (*um Kranken etc*) to look after sb; (*um jds Gunst*) to court sb; ***bitte ~ Sie sich nicht*** please don't trouble yourself; ***sich zu jdm ~*** to go to sb **bemüht** [bəˈmyːt] *adj* ***~ sein, etw zu tun*** to try hard to do sth **Bemühung** *f* 〈-, ***-en***〉 effort

bemuttern [bəˈmʊtɐn] *past part* ***bemuttert*** *v/t* to mother

benachbart [bəˈnaxbaːɐt] *adj* neighbouring *attr* (*Br*), neighboring *attr* (*US*)

benachrichtigen [bəˈnaːxrɪçtɪgn] *past part* ***benachrichtigt*** *v/t* to inform (*von* of) **Benachrichtigung** *f* ⟨**-, -en**⟩ (≈ *Nachricht*) notification; COMM advice note

benachteiligen [bəˈnaːxtailɪgn] *past part* ***benachteiligt*** *v/t* to put at a disadvantage; (*wegen Rasse, Glauben etc*) to discriminate against; ***benachteiligt sein*** to be at a disadvantage **Benachteiligung** *f* ⟨**-, -en**⟩ (*wegen Rasse, Glauben*) discrimination (*+gen* against)

benebeln [bəˈneːbln] *past part* ***benebelt*** *v/t* (*infml*) ***jdn** or **jds Sinne ~*** to make sb's head swim; ***benebelt sein*** to be feeling dazed *or* (*von Alkohol*) woozy (*infml*)

Benefizspiel *nt* benefit match **Benefizvorstellung** *f* charity performance

benehmen *past part* ***benommen*** [bəˈnɔmən] *v/r irr* to behave; ***benimm dich!*** behave yourself!; ***sich schlecht ~*** to misbehave; → ***benommen*** **Benehmen** [bəˈneːmən] *nt* ⟨**-s**, *no pl*⟩ behaviour (*Br*), behavior (*US*); ***kein ~ haben*** to have no manners

beneiden *past part* ***beneidet*** *v/t* to envy; ***jdn um etw ~*** to envy sb sth; ***er ist nicht zu ~*** I don't envy him **beneidenswert** [bəˈnaidnsveːɐt] *adj* enviable

Beneluxländer [ˈbeːnelʊks-, beneˈlʊks-] *pl* Benelux countries *pl*

benennen *past part* ***benannt*** [bəˈnant] *v/t irr* to name

Bengel [ˈbɛŋl] *m* ⟨**-s, -(s)**⟩ boy; (≈ *frecher Junge*) rascal

Benimm [bəˈnɪm] *m* ⟨**-s**, *no pl*⟩ (*infml*) manners *pl*

benommen [bəˈnɔmən] *adj* dazed; → ***benehmen*** **Benommenheit** *f* ⟨**-**, *no pl*⟩ daze

benoten [bəˈnoːtn] *past part* ***benotet*** *v/t* to mark (*Br*), to grade (*esp US*)

benötigen *past part* ***benötigt*** *v/t* to need

Benotung *f* ⟨**-, -en**⟩ mark (*Br*), grade (*esp US*); (≈ *das Benoten*) marking (*Br*), grading (*esp US*)

benutzbar *adj* usable **benutzen** *past part* ***benutzt*** *v/t* to use **Benutzer** *m* ⟨**-s, -**⟩, **Benutzerin** *f* ⟨**-, -nen**⟩ user **benutzerfreundlich** **I** *adj* user-friendly **II** *adv* ***etw ~ gestalten*** to make sth user-friendly **Benutzerfreundlichkeit** *f* user-friendliness **Benutzerhandbuch** *nt* user's guide **Benutzeroberfläche** *f* IT user interface **Benutzung** *f* ⟨**-, -en**⟩ use **Benutzungsgebühr** *f* charge

Benzin [bɛnˈtsiːn] *nt* ⟨**-s, -e**⟩ (*für Auto*) petrol (*Br*), gas (*US*); (≈ *Reinigungsbenzin*) benzine; (≈ *Feuerzeugbenzin*) lighter fuel **Benzinfeuerzeug** *nt* petrol lighter (*Br*), gasoline lighter (*US*) **Benzinkanister** *m* petrol can (*Br*), gasoline can (*US*) **Benzinpumpe** *f* AUTO fuel pump; (*an Tankstellen*) petrol pump (*Br*), gasoline pump (*US*) **Benzinuhr** *f* fuel gauge **Benzinverbrauch** *m* fuel consumption

beobachten [bəˈ|oːbaxtn] *past part* ***beobachtet*** *v/t* to observe; ***etw an jdm ~*** to notice sth in sb; ***jdn ~ lassen*** (*Polizei etc*) to put sb under surveillance **Beobachter** [bəˈ|oːbaxtɐ] *m* ⟨**-s, -**⟩, **Beobachterin** [-ərɪn] *f* ⟨**-, -nen**⟩ observer **Beobachtung** *f* ⟨**-, -en**⟩ observation; (*polizeilich*) surveillance **Beobachtungsgabe** *f* talent for observation

bepflanzen *past part* ***bepflanzt*** *v/t* to plant **Bepflanzung** *f* (≈ *das Bepflanzen*) planting; (≈ *Pflanzen*) plants *pl*

bequatschen [bəˈkvatʃn] *past part* ***bequatscht*** *v/t* (*infml*) **1.** *etw* to talk over **2.** (≈ *überreden*) *jdn* to persuade

bequem [bəˈkveːm] **I** *adj* (≈ *angenehm*) comfortable; (≈ *leicht, mühelos*) easy; ***es ~ haben*** to have an easy time of it; ***es sich*** (*dat*) ***~ machen*** to make oneself comfortable **II** *adv* (≈ *leicht*) easily; (≈ *angenehm*) comfortably **Bequemlichkeit** *f* ⟨**-, -en**, *no pl*⟩ (≈ *Behaglichkeit*) comfort

beraten *past part* ***beraten*** *irr* **I** *v/t* ***jdn ~*** to advise sb; ***jdn gut/schlecht ~*** to give sb good/bad advice **II** *v/r* (≈ *sich besprechen*) to discuss; ***sich mit jdm ~*** to consult (with) sb (*über +acc* about) **beratend** *adj* advisory; ***~es Gespräch*** consultation **Berater** [bəˈraːtɐ] *m* ⟨**-s, -**⟩, **Beraterin** [-ərɪn] *f* ⟨**-, -nen**⟩ adviser **Beratertätigkeit** *f* consultancy work **Beratervertrag** *m* consultancy contract **Beratung** [bəˈraːtʊŋ] *f* ⟨**-, -en**⟩ **1.** advice; (*bei Rechtsanwalt etc*) consultation **2.** (≈ *Besprechung*) discussion **Beratungsgespräch** *nt* consultation

berauben *past part* ***beraubt*** *v/t* to rob; ***jdn einer Sache*** (*gen*) ***~*** to rob sb of sth; *seiner Freiheit* to deprive sb of sth

berauschen *past part* ***berauscht*** **I** *v/t* to intoxicate **II** *v/r* ***sich an etw*** (*dat*) ***~*** *an Wein, Drogen* to become intoxicated with sth; *an Geschwindigkeit* to be exhilarated by sth **berauschend** *adj* intoxicating; ***das war nicht sehr ~*** (*iron*) that wasn't very enthralling

berechenbar *adj Kosten* calculable; *Verhalten etc* predictable **berechnen** *past part* **berechnet** *v/t* **1.** (≈ *ausrechnen*) to calculate; (≈ *schätzen*) to estimate **2.** (≈ *in Rechnung stellen*) to charge; ***das ~ wir Ihnen nicht*** we will not charge you for it **berechnend** *adj* (*pej*) calculating **Berechnung** *f* **1.** (≈ *das Berechnen*) calculation; (≈ *Schätzung*) estimation **2.** (*pej*) ***aus ~ handeln*** to act in a calculating manner

berechtigen [bə'rɛçtɪgn] *past part* **berechtigt** *v/t & v/i* to entitle; ***(jdn) zu etw ~*** to entitle sb to sth; ***das berechtigt zu der Annahme, dass ...*** this justifies the assumption that ... **berechtigt** [bə'rɛçtɪçt] *adj* justifiable; *Frage, Anspruch* legitimate; ***~ sein, etw zu tun*** to be entitled to do sth **Berechtigung** *f* ⟨**-, -en**⟩ (≈ *Befugnis*) entitlement; (≈ *Recht*) right

bereden *past part* **beredet** **I** *v/t* **1.** (≈ *besprechen*) to discuss **2.** (≈ *überreden*) ***jdn zu etw ~*** to talk sb into sth **II** *v/r* ***sich mit jdm über etw*** (*acc*) ***~*** to talk sth over with sb

Bereich [bə'raiç] *m* ⟨**-(e)s, -e**⟩ **1.** area **2.** (≈ *Einflussbereich*) sphere; (≈ *Sektor*) sector; ***im ~ des Möglichen liegen*** to be within the realms of possibility

bereichern [bə'raiçɐn] *past part* **bereichert** **I** *v/t* to enrich; (≈ *vergrößern*) to enlarge **II** *v/r* to make a lot of money (*an +dat* out of) **Bereicherung** *f* ⟨**-, -en**⟩ enrichment; (≈ *Vergrößerung*) enlargement

Bereifung [bə'raifʊŋ] *f* ⟨**-, -en**⟩ AUTO set of tyres (*Br*) *or* tires (*US*)

bereinigen *past part* **bereinigt** *v/t* to clear up **bereinigt** [bə'rainɪçt] *adj Statistik* adjusted

bereisen *past part* **bereist** *v/t ein Land* to travel around; COMM *Gebiet* to travel

bereit [bə'rait] *adj usu pred* **1.** (≈ *fertig*) ready **2.** (≈ *willens*) willing; ***zu Verhandlungen ~ sein*** to be prepared to negotiate; ***~ sein, etw zu tun*** to be willing to do sth; ***sich ~ erklären, etw zu tun*** to agree to do sth **bereiten** [bə'raitn] *past part* **bereitet** *v/t* **1.** (≈ *zubereiten*) to prepare **2.** (≈ *verursachen*) to cause; *Freude, Kopfschmerzen* to give; ***das bereitet mir Schwierigkeiten*** it causes me difficulties **bereithaben** *v/t sep irr* ***eine Antwort/Ausrede ~*** to have an answer/excuse ready **bereithalten** *sep irr* **I** *v/t Fahrkarten etc* to have ready; *Überraschung* to have in store **II** *v/r* ***sich ~*** to be ready **bereitlegen** *v/t sep* to lay out ready **bereitliegen** *v/i sep irr* to be ready **bereit machen** *v/t sep* to get ready **bereits** [bə'raits] *adv* already; ***~ damals/damals, als ...*** even then/when ... **Bereitschaft** [bə'raitʃaft] *f* ⟨**-, -en**, *no pl*⟩ readiness; ***in ~ sein*** to be ready; (*Polizei, Soldaten etc*) to be on stand-by; (*Arzt*) to be on call *or* (*im Krankenhaus*) on duty **Bereitschaftsdienst** *m* emergency service **Bereitschaftspolizei** *f* riot police **bereitstehen** *v/i sep irr* to be ready; (*Truppen*) to stand by **bereitstellen** *v/t sep* to get ready; *Material, Fahrzeug* to supply **Bereitstellung** *f* preparation; (*von Auto, Material*) supply **bereitwillig** **I** *adj* willing; (≈ *eifrig*) eager **II** *adv* willingly **Bereitwilligkeit** *f* willingness; (≈ *Eifer*) eagerness

bereuen *past part* **bereut** *v/t* to regret; *Schuld, Sünden* to repent of; ***das wirst du noch ~!*** you will be sorry (for that)!

Berg [bɛrk] *m* ⟨**-(e)s, -e** [-gə]⟩ hill; (*größer*) mountain; ***mit etw hinterm ~ halten*** (*fig*) to keep sth to oneself; ***über den ~ sein*** (*infml*) to be out of the woods; ***über alle ~e sein*** (*infml*) to be long gone; ***da stehen einem ja die Haare zu ~e*** it's enough to make your hair stand on end **bergab** [bɛrk'|ap] *adv* downhill; ***es geht mit ihm ~*** (*fig*) he is going downhill **Bergarbeiter(in)** *m/(f)* miner **bergauf(wärts)** [bɛrk'|auf(vɛrts)] *adv* uphill; ***es geht wieder ~*** (*fig*) things are looking up **Bergbahn** *f* mountain railway; (≈ *Seilbahn*) funicular *or* cable railway **Bergbau** *m, no pl* mining

bergen ['bɛrgn] *pret* **barg** [bark], *past part* **geborgen** [gə'bɔrgn] *v/t* **1.** (≈ *retten*) *Menschen* to save; *Leichen* to recover; *Ladung, Fahrzeug* to salvage **2.** (*elev* ≈ *enthalten*) to hold; → ***geborgen***

Bergführer(in) *m/(f)* mountain guide **Berghütte** *f* mountain hut **bergig** ['bɛrgɪç] *adj* hilly; (≈ *mit hohen Bergen*) mountainous **Bergkamm** *m* mountain crest **Bergkette** *f* mountain range **Bergmann** *m, pl* **-leute** miner **Bergnot** *f* ***in ~***

sein/geraten to be in/get into difficulties while climbing **Bergrücken** *m* mountain ridge **bergsteigen** *v/i sep irr aux sein or haben, inf and past part only* to go mountaineering; ***(das) Bergsteigen*** mountaineering **Bergsteiger** [-ʃtaigɐ] *m* ⟨***-s, -***⟩, **Bergsteigerin** [-ərɪn] *f* ⟨***-, -nen***⟩ mountaineer **Bergtour** *f* trip round the mountains **Berg-und-Tal-Bahn** *f* roller coaster

Bergung *f* ⟨***-, -en***⟩ (*von Menschen*) rescue; (*von Leiche*) recovery; (*von Ladung, Fahrzeug*) salvage **Bergungsarbeit** *f* rescue work **Bergungstrupp** *m* rescue team

Bergwacht *f* mountain rescue service **Bergwand** *f* mountain face **Bergwanderung** *f* walk in the mountains **Bergwelt** *f* mountains *pl* **Bergwerk** *nt* mine

Bericht [bəˈrɪçt] *m* ⟨***-(e)s, -e***⟩ report (*über +acc* about, on); ***der ~ eines Augenzeugen*** an eyewitness account; (***über etw*** *acc*) ***~ erstatten*** to report (on sth) **berichten** *past part* ***berichtet*** *v/t & v/i* to report; ***jdm über etw*** (*acc*) ***~*** (≈ *erzählen*) to tell sb about sth; ***gibt es Neues zu ~?*** has anything new happened?; ***sie hat bestimmt viel(es) zu ~*** she is sure to have a lot to tell us **Berichterstatter** [bəˈrɪçt|ɛɐʃtatɐ] *m* ⟨***-s, -***⟩, **Berichterstatterin** [-ərɪn] *f* ⟨***-, -nen***⟩ reporter; (≈ *Korrespondent*) correspondent **Berichterstattung** *f* reporting

berichtigen [bəˈrɪçtɪgn] *past part* ***berichtigt*** *v/t* to correct **Berichtigung** *f* ⟨***-, -en***⟩ correction

beriechen *past part* ***berochen*** [bəˈrɔxn] *v/t irr* to sniff at, to smell

berieseln *past part* ***berieselt*** *v/t* **1.** (*mit Flüssigkeit*) to spray with water *etc*; (*durch Sprinkleranlage*) to sprinkle **2.** (*fig infml*) ***von etw berieselt werden*** (*fig*) to be exposed to a constant stream of sth **Berieselungsanlage** *f* sprinkler (system)

Beringstraße [ˈbeːrɪŋ-] *f* Bering Strait(s *pl*)

Berlin [bɛrˈliːn] *nt* ⟨***-s***⟩ Berlin

Berliner[1] [bɛrˈliːnɐ] *adj attr* Berlin

Berliner[2] [bɛrˈliːnɐ] *m* ⟨***-s, -***⟩ (*a.* **Berliner Pfannkuchen**) doughnut (*Br*), donut (*US*)

Bermudadreieck [bɛrˈmuːda-] *nt* Bermuda triangle **Bermudainseln** [bɛrˈmuːda-] *pl* Bermuda *sg, no def art* **Bermudashorts** [bɛrˈmuːda-] *pl* Bermuda shorts *pl*

Bern [bɛrn] *nt* ⟨***-s***⟩ Bern(e)

Bernhardiner [bɛrnharˈdiːnɐ] *m* ⟨***-s, -***⟩ Saint Bernard (dog)

Bernstein [ˈbɛrnʃtain] *m, no pl* amber

bersten [ˈbɛrstn] *pret* ***barst*** [barst], *past part* ***geborsten*** [gəˈbɔrstn] *v/i aux sein* (*elev*) to crack; (≈ *zerbrechen*) to break; (*fig: vor Wut etc*) to burst (*vor* with)

berüchtigt [bəˈrʏçtɪçt] *adj* notorious

berücksichtigen [bəˈrʏkzɪçtɪgn] *past part* ***berücksichtigt*** *v/t* to take into account; *Antrag, Bewerber* to consider **Berücksichtigung** *f* ⟨***-, -en***⟩ consideration; ***unter ~ der Tatsache, dass ...*** in view of the fact that ...

Beruf [bəˈruːf] *m* (≈ *Tätigkeit*) occupation; (*akademisch*) profession; (*handwerklicher*) trade; (≈ *Stellung*) job; ***was sind Sie von ~?*** what do you do for a living?; ***von ~s wegen*** on account of one's job

berufen[1] [bəˈruːfn] *past part* ***berufen*** *irr* **I** *v/t* **1.** (≈ *ernennen*) to appoint **2.** (*infml*) ***ich will es nicht ~, aber ...*** I don't want to tempt fate, but ... **II** *v/r* ***sich auf jdn/etw ~*** to refer to sb/sth

berufen[2] *adj* **1.** (≈ *befähigt*) *Kritiker* competent; ***von ~er Seite*** from an authoritative source **2.** (≈ *ausersehen*) ***zu etw ~ sein*** to have a vocation for sth

beruflich [bəˈruːflɪç] **I** *adj* professional; ***meine ~en Probleme*** my problems at work **II** *adv* professionally; ***er ist ~ viel unterwegs*** he is away a lot on business; ***was machen Sie ~?*** what do you do for a living? **Berufsausbildung** *f* training; (*für Handwerk*) vocational training **Berufsaussichten** *pl* job prospects *pl* **Berufsberater(in)** *m/(f)* careers adviser **Berufsberatung** *f* careers guidance **Berufserfahrung** *f* (professional) experience **Berufsfachschule** *f* training college (*attended full-time*) **Berufsfeuerwehr** *f* fire service **Berufsgeheimnis** *nt* professional secret **Berufskrankheit** *f* occupational disease **Berufsleben** *nt* working life; ***im ~ stehen*** to be working **Berufsrisiko** *nt* occupational hazard **Berufsschule** *f* vocational school, ≈ technical college (*Br*) **Berufssoldat(in)** *m/(f)* professional soldier **Berufsspieler(in)** *m/(f)* professional player **berufstätig** *adj* working; ***~ sein*** to be working, to work **Berufstätige(r)** [-tɛːtɪgə] *m/f(m) decl as adj* working person **Berufstätigkeit** *f* occupation **berufsunfähig** *adj* occupationally disabled **Berufsverbot** *nt* ***jdm ~ erteilen*** to ban sb from a profession **Berufsverkehr** *m* commuter traffic

Berufung [bəˈruːfʊŋ] *f* ⟨-, **-en**⟩ **1.** JUR appeal; ***~ einlegen*** to appeal (*bei* to) **2.** (*in ein Amt etc*) appointment (*auf or an +acc* to) **3.** (≈ *innerer Auftrag*) vocation **4.** (*form*) ***unter ~ auf etw*** (*acc*) with reference to sth

beruhen *past part* ***beruht*** *v/i* to be based (*auf +dat* on); ***etw auf sich ~ lassen*** to let sth rest

beruhigen [bəˈruːɪgn] *past part* ***beruhigt*** **I** *v/t* to calm (down); (≈ *trösten*) to comfort; ***~d*** (*körperlich*) soothing; (≈ *tröstlich*) reassuring; ***~d wirken*** to have a calming effect **II** *v/r* to calm down; (*Verkehr*) to subside; (*Meer*) to become calm; (*Sturm*) to die down; ***beruhige dich doch!*** calm down! **Beruhigung** *f* ⟨-, *no pl*⟩ (≈ *das Beruhigen*) calming (down); (≈ *das Trösten*) comforting; ***zu Ihrer ~ kann ich sagen ...*** you'll be reassured to know that ... **Beruhigungsmittel** *nt* sedative **Beruhigungsspritze** *f* sedative (injection) **Beruhigungstablette** *f* tranquillizer (*Br*), tranquilizer (*US*), downer (*infml*)

berühmt [bəˈryːmt] *adj* famous; ***für etw ~ sein*** to be famous for sth **berühmt-berüchtigt** *adj* notorious **Berühmtheit** *f* ⟨-, **-en**⟩ **1.** fame; ***~ erlangen*** to become famous **2.** (≈ *Mensch*) celebrity

berühren *past part* ***berührt*** **I** *v/t* **1.** to touch; *Thema, Punkt* to touch on; ***Berühren verboten*** do not touch **2.** (≈ *seelisch bewegen*) to move; (≈ *auf jdn wirken*) to affect; (≈ *betreffen*) to concern; ***das berührt mich gar nicht!*** that's nothing to do with me **II** *v/r* to touch **Berührung** *f* ⟨-, **-en**⟩ touch; (≈ *menschlicher Kontakt*) contact; (≈ *Erwähnung*) mention; ***mit jdm/etw in ~ kommen*** to come into contact with sb/sth **Berührungsangst** *f usu pl* reservation (*mit* about)

besagen *past part* ***besagt*** *v/t* to say; (≈ *bedeuten*) to mean; ***das besagt nichts*** that does not mean anything **besagt** [bəˈzaːkt] *adj attr* (*form*) said (*form*)

besänftigen [bəˈzɛnftɪgn] *past part* ***besänftigt*** *v/t* to calm down; *Erregung* to soothe **Besänftigung** *f* ⟨-, **-en**⟩ calming (down); (*von Erregung*) soothing

Besatzer [bəˈzatsɐ] *m* ⟨**-s, -**⟩ occupying forces *pl* **Besatzung** *f* **1.** (≈ *Mannschaft*) crew **2.** (≈ *Besatzungsarmee*) occupying army **Besatzungsmacht** *f* occupying power

besaufen *past part* ***besoffen*** [bəˈzɔfn] *v/r irr* (*infml*) to get plastered (*infml*); → ***besoffen*** **Besäufnis** [bəˈzɔyfnɪs] *nt* ⟨**-ses, -se**⟩ (*infml*) booze-up (*infml*)

beschädigen *past part* ***beschädigt*** *v/t* to damage **Beschädigung** [bəˈʃɛːdigʊŋ] *f* ⟨-, **-en**⟩ damage (*von* to)

beschaffen[1] [bəˈʃafn] *past part* ***beschafft*** *v/t* to get (hold of); ***jdm etw ~*** to get (hold of) sth for sb

beschaffen[2] *adj* (*form*) ***mit jdm/damit ist es gut/schlecht ~*** sb/it is in a good/bad way; ***so ~ sein wie ...*** to be the same as ... **Beschaffenheit** *f* ⟨-, *no pl*⟩ composition; (*körperlich*) constitution; (*seelisch*) nature

Beschaffung *f, no pl* obtaining

beschäftigen [bəˈʃɛftɪgn] *past part* ***beschäftigt*** **I** *v/r* ***sich mit etw ~*** to occupy oneself with sth; (≈ *sich befassen*) to deal with sth; ***sich mit jdm ~*** to devote one's attention to sb **II** *v/t* **1.** (≈ *innerlich beschäftigen*) ***jdn ~*** to be on sb's mind **2.** (≈ *anstellen*) to employ **3.** (≈ *eine Tätigkeit geben*) to occupy; ***jdn mit etw ~*** to give sb sth to do **beschäftigt** [bəˈʃɛftɪçt] *adj* **1.** busy; ***mit seinen Problemen ~ sein*** to be preoccupied with one's problems **2.** (≈ *angestellt*) employed (*bei* by, at) **Beschäftigte(r)** [bəˈʃɛftɪçtə] *m/f(m) decl as adj* employee **Beschäftigung** *f* ⟨-, **-en**⟩ **1.** (≈ *berufliche Arbeit*) work *no indef art*, job; (≈ *Anstellung*) employment; ***einer ~ nachgehen*** (*form*) to be employed; ***ohne ~ sein*** to be unemployed **2.** (≈ *Tätigkeit*) activity **beschäftigungslos** *adj* unoccupied; (≈ *arbeitslos*) unemployed **Beschäftigungstherapie** *f* occupational therapy

beschämen *past part* ***beschämt*** *v/t* to shame; ***es beschämt mich, zu sagen ...*** I feel ashamed to have to say ...; ***beschämt*** ashamed **beschämend** *adj* (≈ *schändlich*) shameful; (≈ *demütigend*) humiliating **Beschämung** [bəˈʃɛːmʊŋ] *f* ⟨-, (*rare*) **-en**⟩ shame

beschatten [bəˈʃatn] *past part* ***beschattet*** *v/t* (≈ *überwachen*) to tail; ***jdn ~ las-***

sen to have sb tailed **Beschattung** *f* ⟨-, **-en**⟩ tailing

beschaulich [bəˈʃaulɪç] *adj Leben, Abend* quiet; *Charakter* pensive

Bescheid [bəˈʃait] *m* ⟨**-(e)s, -e** [-də]⟩ **1.** (≈ *Auskunft*) information; (≈ *Nachricht*) notification; (≈ *Entscheidung*) decision; ***ich warte noch auf ~*** I am still waiting to hear; ***jdm ~ sagen*** to let sb know; ***jdm ordentlich ~ sagen*** (*infml*) to tell sb where to get off (*infml*) **2.** ***~ wissen*** to know; ***ich weiß hier nicht ~*** I don't know about things around here; ***er weiß gut ~*** he is well informed

bescheiden [bəˈʃaidn] **I** *adj* modest; ***in ~en Verhältnissen leben*** to live modestly **II** *adv leben* modestly **Bescheidenheit** *f* ⟨-, *no pl*⟩ modesty; ***falsche ~*** false modesty

bescheinigen [bəˈʃainɪgn] *past part* ***bescheinigt*** *v/t* to certify; *Empfang* to confirm; ***können Sie mir ~, dass ...*** can you give me written confirmation that ...; ***hiermit wird bescheinigt, dass ...*** this is to certify that ... **Bescheinigung** *f* ⟨**-, -en**⟩ certification; (≈ *Schriftstück*) certificate

bescheißen *past part* ***beschissen*** [bəˈʃɪsn] *v/t & v/i irr* (*infml*) to cheat; → ***beschissen***

beschenken *past part* ***beschenkt*** *v/t jdn* to give presents/a present to; ***jdn mit etw ~*** to give sb sth (as a present)

Bescherung [bəˈʃeːrʊŋ] *f* ⟨**-, -en**⟩ **1.** (≈ *Feier*) giving out of Christmas presents **2.** (*iron infml*) ***das ist ja eine schöne ~!*** this is a nice mess; ***da haben wir die ~!*** what did I tell you!

bescheuert [bəˈʃɔyɐt] (*infml*) *adj* stupid

beschichten *past part* ***beschichtet*** *v/t* TECH to coat; ***PVC-beschichtet*** PVC-coated

beschießen *past part* ***beschossen*** [bəˈʃɔsn] *v/t irr* to shoot at; (*mit Geschützen*) to bombard

beschildern *past part* ***beschildert*** *v/t* to put a sign *or* notice on; (*mit Schildchen*) to label; (*mit Verkehrsschildern*) to signpost **Beschilderung** *f* ⟨**-, -en**⟩ (*mit Schildchen*) labelling (*Br*), labeling (*US*); (*mit Verkehrsschildern*) signposting; (≈ *Schildchen*) labels *pl*; (≈ *Verkehrsschilder*) signposts *pl*

beschimpfen *past part* ***beschimpft*** *v/t jdn* to swear at, to abuse; ***jdn als Nazi ~*** to accuse sb of being a Nazi **Beschimpfung** [bəˈʃɪmpfʊŋ] *f* ⟨**-, -en**⟩ (≈ *Schimpfwort*) insult

Beschiss [bəˈʃɪs] *m* ⟨**-es, -e**⟩ (*infml*) rip-off (*infml*); ***das ist ~*** it's a swindle **beschissen** [bəˈʃɪsn] (*infml*) **I** *adj* lousy (*infml*), shitty (*infml*) **II** *adv* ***das schmeckt ~*** that tastes lousy (*infml*); ***mir gehts ~*** I feel shitty (*sl*); → ***bescheißen***

Beschlag *m* **1.** (*an Koffer, Truhe*) (ornamental) fitting; (*an Tür, Möbelstück*) (ornamental) mounting; (*von Pferd*) shoes *pl* **2.** (*auf Metall*) tarnish; (*auf Glas, Spiegel etc*) condensation **3.** ***jdn/etw mit ~ belegen, jdn/etw in ~ nehmen*** to monopolize sb/sth

beschlagen[1] *past part* ***beschlagen*** *irr* **I** *v/t Truhe, Möbel, Tür* to put (metal) fittings on; *Huftier* to shoe **II** *v/i & v/r* (*Brille, Glas*) to get steamed up; (*Silber etc*) to tarnish

beschlagen[2] *adj* (≈ *erfahren*) well-versed; ***in etw*** (*dat*) ***(gut) ~ sein*** to be well-versed in sth

beschlagnahmen [bəˈʃlaːknaːmən] *past part* ***beschlagnahmt*** *v/t* (≈ *konfiszieren*) to confiscate; *Vermögen, Drogen* to seize; *Kraftfahrzeug* to impound

beschleunigen [bəˈʃlɔynɪgn] *past part* ***beschleunigt*** *v/t, v/i, v/r* to accelerate **Beschleunigung** *f* ⟨**-, -en**⟩ acceleration

beschließen *past part* ***beschlossen*** [bəˈʃlɔsn] *irr* **I** *v/t* **1.** (≈ *Entschluss fassen*) to decide on; *Gesetz* to pass; ***~, etw zu tun*** to decide to do sth **2.** (≈ *beenden*) to end **II** *v/i* ***über etw*** (*acc*) ***~*** to decide on sth

beschlossen [bəˈʃlɔsn] *adj* decided; ***das ist ~e Sache*** that's settled **Beschluss** *m* (≈ *Entschluss*) decision; ***einen ~ fassen*** to pass a resolution; ***auf ~ des Gerichts*** by order of the court **beschlussfähig** *adj* ***~ sein*** to have a quorum **beschlussunfähig** *adj* ***~ sein*** not to have a quorum

beschmieren *past part* ***beschmiert*** **I** *v/t* **1.** ***Brot mit Butter ~*** to butter bread **2.** *Kleidung, Wand* to smear **II** *v/r* to get (all) dirty

beschmutzen *past part* ***beschmutzt*** *v/t* to (make *or* get) dirty; (*fig*) *Ruf, Namen* to sully; *Ehre* to stain

beschneiden *past part* ***beschnitten*** [bəˈʃnɪtn] *v/t irr* **1.** (≈ *stutzen*) to trim; *Bäume* to prune; *Flügel* to clip **2.** MED,

REL to circumcise **3.** (*fig* ≈ *beschränken*) to curtail **Beschneidung** [bəˈʃnaidʊŋ] *f* ⟨**-, -en**⟩ MED, REL circumcision

beschnüffeln *past part* **beschnüffelt I** *v/t* to sniff at; (≈ *bespitzeln*) to spy out **II** *v/r* (*Hunde*) to have a sniff at each other; (*fig*) to size each other up

beschnuppern *past part* **beschnuppert** *v/t & v/r* = **beschnüffeln**

beschönigen [bəˈʃøːnɪgn] *past part* **beschönigt** *v/t* to gloss over

beschränken [bəˈʃrɛŋkn] *past part* **beschränkt I** *v/t* to limit, to restrict (*auf +Akk* to) **II** *v/r* (≈ *sich einschränken*) to restrict oneself

beschrankt [bəˈʃraŋkt] *adj Bahnübergang* with gates

beschränkt [bəˈʃrɛŋkt] **I** *adj* limited; ***wir sind finanziell ~*** we have only a limited amount of money **II** *adv* ***~ leben*** to live on a limited income; ***~ wohnen*** to live in cramped conditions **Beschränkung** *f* ⟨**-, -en**⟩ restriction (*auf +acc* to); ***jdm ~en auferlegen*** to impose restrictions on sb

beschreiben *past part* **beschrieben** [bəˈʃriːbn] *v/t irr* **1.** (≈ *darstellen*) to describe; ***nicht zu ~*** indescribable **2.** (≈ *vollschreiben*) to write on **Beschreibung** *f* description

beschreiten *past part* **beschritten** [bəˈʃrɪtn] *v/t irr* (*fig*) to follow

beschriften [bəˈʃrɪftn] *past part* **beschriftet** *v/t* to write on; *Grabstein* to inscribe; (*mit Aufschrift*) to label; *Umschlag* to address **Beschriftung** *f* ⟨**-, -en**⟩ (≈ *Aufschrift*) writing; (*auf Grabstein*) inscription; (≈ *Etikett*) label

beschuldigen [bəˈʃʊldɪgn] *past part* **beschuldigt** *v/t* to accuse **Beschuldigung** *f* ⟨**-, -en**⟩ accusation; *esp* JUR charge

beschummeln *past part* **beschummelt** *v/t & v/i* (*infml*) to cheat

Beschuss *m* ⟨**-es**, *no pl*⟩ MIL fire; ***jdn/etw unter ~ nehmen*** MIL to (start to) bombard *or* shell sb/sth; (*fig*) to attack sb/sth; ***unter ~ geraten*** (MIL, *fig*) to come under fire

beschützen *past part* **beschützt** *v/t* to protect (*vor +dat* from) **Beschützer** [bəˈʃʏtsɐ] *m* ⟨**-s, -**⟩, **Beschützerin** [-ərɪn] *f* ⟨**-, -nen**⟩ protector

beschwatzen *past part* **beschwatzt** *v/t* (*infml*) **1.** (≈ *überreden*) to talk over; ***sich zu etw ~ lassen*** to get talked into sth **2.** (≈ *bereden*) to chat about

Beschwerde [bəˈʃveːɐdə] *f* ⟨**-, -n**⟩ **1.** (≈ *Klage*) complaint; JUR appeal **2.** (≈ *Leiden*) **Beschwerden** *pl* trouble; ***das macht mir immer noch ~n*** it's still giving me trouble **beschweren** [bəˈʃveːrən] *past part* **beschwert I** *v/t* (*mit Gewicht*) to weigh(t) down; (*fig* ≈ *belasten*) to weigh on **II** *v/r* (≈ *sich beklagen*) to complain **beschwerlich** [bəˈʃveːɐlɪç] *adj* arduous

beschwichtigen [bəˈʃvɪçtɪgn] *past part* **beschwichtigt** *v/t* to appease

beschwindeln *past part* **beschwindelt** *v/t* (*infml* ≈ *belügen*) ***jdn ~*** to tell sb a lie *or* a fib (*infml*)

beschwingt [bəˈʃvɪŋt] *adj* elated; *Musik* vibrant

beschwipst [bəˈʃvɪpst] *adj* (*infml*) tipsy

beschwören *past part* **beschworen** [bəˈʃvoːrən] *v/t irr* **1.** (≈ *beeiden*) to swear to **2.** (≈ *anflehen*) to implore, to beseech **3.** (≈ *erscheinen lassen*) to conjure up; *Schlangen* to charm

besehen *past part* **besehen** *irr v/t* (*a.* **sich** *dat* **besehen**) to take a look at

beseitigen [bəˈzaitɪgn] *past part* **beseitigt** *v/t* **1.** (≈ *entfernen*) to remove; *Abfall, Schnee* to clear (away); *Atommüll* to dispose of; *Fehler* to eliminate; *Missstände* to do away with **2.** (*euph* ≈ *umbringen*) to get rid of **Beseitigung** *f* ⟨**-**, *no pl*⟩ (≈ *das Entfernen*) removal; (*von Abfall, Schnee*) clearing (away); (*von Atommüll*) disposal; (*von Fehlern*) elimination; (*von Missständen*) doing away with

Besen [ˈbeːzn] *m* ⟨**-s, -**⟩ broom; ***ich fresse einen ~, wenn das stimmt*** (*infml*) if that's right, I'll eat my hat (*infml*); ***neue ~ kehren gut*** (*prov*) a new broom sweeps clean (*prov*) **besenrein** *adv* ***eine Wohnung ~ verlassen*** to leave an apartment in a clean and tidy condition (for the next tenant) **Besenschrank** *m* broom cupboard **Besenstiel** *m* broomstick

besessen [bəˈzɛsn] *adj* (*von bösen Geistern*) possessed (*von* by); (*von einer Idee etc*) obsessed (*von* with); ***wie ~*** like a thing possessed; → ***besitzen*** **Besessenheit** *f* ⟨**-**, *no pl*⟩ (*mit Idee etc*) obsession

besetzen *past part* **besetzt** *v/t* **1.** (≈ *belegen*) to occupy; (≈ *reservieren*) to reserve; (≈ *füllen*) *Plätze* to fill; ***ist dieser Platz besetzt?*** is this place taken? **2.**

THEAT *Rolle* to cast; ***eine Stelle** etc* ***neu ~*** to find a new person to fill a job **3.** *esp* MIL to occupy; (*Hausbesetzer*) to squat in **besetzt** [bə'zɛtst] *adj Telefon* engaged (*Br*), busy (*esp US*); *WC* occupied, engaged; *Abteil*, *Tisch* taken; *Gebiet* occupied; (*voll*) *Bus etc* full (up) **Besetztzeichen** *nt* TEL engaged (*Br*) *or* busy (*esp US*) tone **Besetzung** [bə'zɛtsʊŋ] *f* ⟨-, -en⟩ **1.** (≈ *das Besetzen*) (*von Stelle*) filling; (*von Rolle*) casting; (THEAT ≈ *Schauspieler*) cast; (SPORTS ≈ *Mannschaft*) team, side; ***zweite ~*** THEAT understudy **2.** (MIL, *durch Hausbesetzer*) occupation

besichtigen [bə'zɪçtɪgn] *past part* ***besichtigt*** *v/t Kirche*, *Stadt* to visit; *Betrieb* to have a look (a)round; (*zur Prüfung*) *Haus* to view **Besichtigung** *f* ⟨-, -en⟩ (*von Sehenswürdigkeiten*) sightseeing tour; (*von Museum*, *Kirche*, *Betrieb*) tour; (*zur Prüfung*) (*von Haus*) viewing

besiedeln *past part* ***besiedelt*** *v/t* to settle; (≈ *kolonisieren*) to colonize; ***dicht/dünn besiedelt*** densely/thinly populated **Besied(e)lung** [bə'ziːdəlʊŋ] *f* ⟨-, -en⟩ settlement; (≈ *Kolonisierung*) colonization

besiegen *past part* ***besiegt*** *v/t* (≈ *schlagen*) to defeat; (≈ *überwinden*) to overcome

besinnen *past part* ***besonnen*** [bə'zɔnən] *v/r irr* (≈ *überlegen*) to reflect; (≈ *erinnern*) to remember (*auf jdn/etw* sb/sth); ***sich anders*** *or* ***eines anderen ~*** to change one's mind; ***ohne langes Besinnen*** without a moment's thought; → ***besonnen*** **besinnlich** *adj* contemplative; *Texte*, *Worte* reflective **Besinnlichkeit** *f* reflection **Besinnung** [bə'zɪnʊŋ] *f* ⟨-, *no pl*⟩ **1.** (≈ *Bewusstsein*) consciousness; ***bei/ohne ~ sein*** to be conscious/unconscious; ***die ~ verlieren*** to lose consciousness; ***wieder zur ~ kommen*** to regain consciousness; (*fig*) to come to one's senses; ***jdn zur ~ bringen*** to bring sb to his senses **2.** (≈ *das Nachdenken*) reflection **besinnungslos** *adj* unconscious; (*fig*) *Wut* blind

Besitz [bə'zɪts] *m*, *no pl* **1.** (≈ *das Besitzen*) possession; ***im ~ von etw sein*** to be in possession of sth; ***etw in ~ nehmen*** to take possession of sth; ***von etw ~ ergreifen*** to seize possession of sth **2.** (≈ *Eigentum*) property; (≈ *Landgut*) estate

besitzanzeigend *adj* GRAM possessive **besitzen** *past part* ***besessen*** [bə'zɛsn] *v/t irr* to possess; *Wertpapiere*, *grüne Augen* to have; → ***besessen*** **Besitzer** [bə'zɪtsɐ] *m* ⟨-s, -⟩, **Besitzerin** [-ərɪn] *f* ⟨-, -nen⟩ owner; (*von Führerschein etc*) holder; ***den ~ wechseln*** to change hands

besoffen [bə'zɔfn] *adj* (*infml*) smashed (*infml*); → ***besaufen*** **Besoffene(r)** [bə'zɔfnə] *m/f(m) decl as adj* (*infml*) drunk

besohlen *past part* ***besohlt*** *v/t* to sole; (≈ *neu besohlen*) to resole

Besoldung [bə'zɔldʊŋ] *f* ⟨-, -en⟩ pay

besondere(r, s) [bə'zɔndərə] *adj* special; (≈ *bestimmt*) particular; (≈ *hervorragend*) exceptional; ***ohne ~ Begeisterung*** without any particular enthusiasm; ***in diesem ~n Fall*** in this particular case **Besondere(s)** [bə'zɔndərə] *nt decl as adj* ***etwas/nichts ~s*** something/nothing special; ***er möchte etwas ~s sein*** he thinks he's something special; ***im ~n*** (≈ *vor allem*) in particular **Besonderheit** [bə'zɔndɐhait] *f* ⟨-, -en⟩ unusual quality; (≈ *besondere Eigenschaft*) peculiarity **besonders** [bə'zɔndɐs] *adv gut*, *teuer etc* particularly; (≈ *speziell*) *anfertigen etc* specially; ***das Essen/der Film war nicht ~*** (*infml*) the food/film was nothing special; ***wie gehts dir? — nicht ~*** (*infml*) how are you? — not too hot (*infml*)

besonnen [bə'zɔnən] **I** *adj* level-headed **II** *adv* in a careful and thoughtful manner; → ***besinnen*** **Besonnenheit** *f* ⟨-, *no pl*⟩ level-headedness

besorgen *past part* ***besorgt*** *v/t* **1.** (≈ *beschaffen*) to get; ***jdm/sich etw ~*** to get sth for sb/oneself **2.** (≈ *erledigen*) to see to **Besorgnis** [bə'zɔrknɪs] *f* ⟨-, -se⟩ anxiety, worry; ***~ erregend*** = ***besorgniserregend*** **besorgniserregend** **I** *adj* alarming **II** *adv* alarmingly **besorgt** [bə'zɔrkt] **I** *adj* anxious (*wegen* about); ***um jdn/etw ~ sein*** to be concerned about sb/sth **II** *adv* anxiously **Besorgung** [bə'zɔrgʊŋ] *f* ⟨-, -en⟩ **1.** (≈ *das Kaufen*) purchase **2.** (≈ *Einkauf*) errand; ***~en machen*** to do some shopping

bespielen *past part* ***bespielt*** *v/t Tonband* to record on

bespitzeln *past part* ***bespitzelt*** *v/t* to spy on

besprechen *past part* ***besprochen*** [bə-

'ʃprɔxn] *irr v/t* (≈ *über etw sprechen*) to discuss; (≈ *rezensieren*) to review; ***wie besprochen*** as arranged **Besprechung** [bə'ʃprɛçʊŋ] *f* ⟨-, *-en*⟩ **1.** (≈ *Unterredung*) discussion; (≈ *Konferenz*) meeting **2.** (≈ *Rezension*) review **Besprechungsraum** *m* meeting room

bespritzen *past part* ***bespritzt*** *v/t* to spray; (≈ *beschmutzen*) to splash

besser ['bɛsɐ] **I** *adj* better; ***du willst wohl etwas Besseres sein!*** (*infml*) I suppose you think you're better than other people; ***~ werden*** to improve; ***das ist auch ~ so*** it's better that way; ***das wäre noch ~*** (*iron*) no way; ***jdn eines Besseren belehren*** to teach sb otherwise **II** *adv* **1.** better; ***~ ist ~*** (it is) better to be on the safe side; ***umso ~!*** (*infml*) so much the better!; ***~*** (***gesagt***) or rather; ***sie will immer alles ~ wissen*** she always thinks she knows better; ***es ~ haben*** to have a better life **2.** (≈ *lieber*) ***das solltest du ~ nicht tun*** you had better not do that; ***du tätest ~ daran ...*** you would do better to ... **besser gehen** *v/i impers irr aux sein* ***es geht jdm besser*** sb is feeling better; ***jetzt gehts der Firma wieder besser*** the firm is doing better again now **bessergestellt** *adj* better-off **bessern** ['bɛsɐn] **I** *v/t* (≈ *besser machen*) to improve **II** *v/r* to mend one's ways **Besserung** ['bɛsərʊŋ] *f* ⟨-, *no pl*⟩ improvement; (≈ *Genesung*) recovery; (***ich wünsche dir***) ***gute ~!*** I hope you get better soon; ***auf dem Wege der ~ sein*** to be getting better **Besserverdienende(r)** [-vɛɐdiːnəndə] *m/f(m) decl as adj* ***die ~n*** *pl* those earning more *or* on higher incomes **Besserwisser** ['bɛsɐvɪsɐ] *m* ⟨***-s***, -⟩, **Besserwisserin** [-ərɪn] *f* ⟨-, ***-nen***⟩ (*infml*) know-all (*Br infml*), know-it-all (*US infml*) **besserwisserisch** ['bɛsɐvɪsərɪʃ] (*infml*) *adj* know(-it)-all *attr*

Bestand *m* **1.** (≈ *Fortdauer*) continued existence; ***von ~ sein***, ***~ haben*** to be permanent **2.** (≈ *vorhandene Menge*) stock (*an +dat* of); ***~ aufnehmen*** to take stock **beständig** [bə'ʃtɛndɪç] **I** *adj* **1.** *attr* constant; *Wetter* settled **2.** (≈ *widerstandsfähig*) resistant (*gegen* to); (≈ *dauerhaft*) lasting **II** *adv* **1.** (≈ *dauernd*) constantly **2.** (≈ *gleichbleibend*) consistently **Beständigkeit** *f* ⟨-, *no pl*⟩ **1.** (≈ *gleichbleibende Qualität*) constant standard; (*von Wetter*) settledness **2.** (≈ *Widerstandsfähigkeit*) resistance; (≈ *Dauerhaftigkeit*) durability **Bestandsaufnahme** *f* stocktaking **Bestandteil** *m* component; (*fig*) integral part; ***etw in seine ~e zerlegen*** to take sth to pieces

bestärken *past part* ***bestärkt*** *v/t* to confirm; ***jdn in seinem Wunsch ~*** to make sb's desire stronger

bestätigen [bə'ʃtɛːtɪgn] *past part* ***bestätigt*** **I** *v/t* to confirm; JUR *Urteil* to uphold; COMM *Empfang*, *Brief* to acknowledge (receipt of); ***hiermit wird bestätigt, dass ...*** this is to certify that ... **II** *v/r* to be confirmed, to be proved true **Bestätigung** *f* ⟨-, ***-en***⟩ confirmation; (JUR: *von Urteil*) upholding; (≈ *Beurkundung*) certification

bestatten [bə'ʃtatn] *past part* ***bestattet*** *v/t* to bury **Bestattung** *f* ⟨-, ***-en***⟩ burial; (≈ *Feuerbestattung*) cremation; (≈ *Feier*) funeral **Bestattungsunternehmen** *nt* undertaker's, mortician's (*US*)

bestäuben *past part* ***bestäubt*** *v/t* to dust; BOT to pollinate **Bestäubung** [bə'ʃtɔybʊŋ] *f* ⟨-, ***-en***⟩ dusting; BOT pollination

bestaunen *past part* ***bestaunt*** *v/t* to gaze at in admiration

beste; → ***beste***(***r***, ***s***)

bestechen *past part* ***bestochen*** [bə'ʃtɔxn] *irr* **I** *v/t* **1.** (*mit Geld etc*) to bribe; ***ich lasse mich nicht ~*** I'm not open to bribery **2.** (≈ *beeindrucken*) to captivate **II** *v/i* (≈ *Eindruck machen*) to be impressive (*durch* because of) **bestechend** **I** *adj Schönheit*, *Eindruck* captivating; *Angebot* tempting **II** *adv* (≈ *beeindruckend*) impressively **bestechlich** [bə'ʃtɛçlɪç] *adj* bribable, corruptible **Bestechlichkeit** *f* ⟨-, *no pl*⟩ corruptibility **Bestechung** [bə'ʃtɛçʊŋ] *f* ⟨-, ***-en***⟩ bribery **Bestechungsgeld** *nt usu pl* bribe

Besteck [bə'ʃtɛk] *nt* ⟨***-(e)s***, ***-e***⟩ **1.** (≈ *Essbesteck*) knives and forks *pl*; ***ein silbernes ~*** a set of silver cutlery (*Br*) *or* flatware (*US*) **2.** ***chirurgisches ~*** (set of) surgical instruments

bestehen *past part* ***bestanden*** [bə'ʃtandn] *irr* **I** *v/t* **1.** *Examen*, *Probe* to pass **2.** (≈ *durchstehen*) *Schicksalsschläge* to withstand; *Gefahr* to overcome **II** *v/i* **1.** (≈ *existieren*) to exist; ***~ bleiben*** (*Frage*, *Hoffnung etc*) to remain; ***es besteht die Aussicht, dass ...*** there is a prospect that ... **2.** (≈ *Bestand haben*) to continue to exist **3.** (≈ *sich zusammensetzen*) to consist (*aus* of); ***in etw*** (*dat*) **~** to consist in sth; (*Aufgabe*) to involve sth **4.** ***auf etw*** (*dat*) **~** to insist on sth; ***ich bestehe darauf*** I insist **Bestehen** *nt* ⟨***-s**, no pl*⟩ **1.** (≈ *Vorhandensein, Dauer*) existence; ***seit ~ der Firma*** ever since the firm came into existence **2.** (≈ *Beharren*) insistence (*auf +dat* on) **3.** (*von Prüfung*) passing **bestehen bleiben** *v/i irr aux sein* to last; (*Hoffnung*) to remain **bestehend** *adj* existing; *Preise* current

bestehlen *past part* ***bestohlen*** [bəˈʃtoːlən] *v/t irr* to rob; ***jdn um etw ~*** to rob sb of sth

besteigen *past part* ***bestiegen*** [bəˈʃtiːgn] *v/t irr Berg, Turm, Leiter* to climb (up); *Fahrrad, Pferd* to get on(to); *Bus, Flugzeug* to get on; *Schiff* to go aboard; *Thron* to ascend

bestellen *past part* ***bestellt*** **I** *v/t* **1.** (≈ *anfordern, in Restaurant*) to order; ***sich*** (*dat*) ***etw ~*** to order sth **2.** (≈ *reservieren*) to book **3.** (≈ *ausrichten*) ***bestell ihm (von mir), dass ...*** tell him (from me) that ...; ***soll ich irgendetwas ~?*** can I take a message?; ***er hat nichts zu ~*** he doesn't have any say here **4.** (≈ *kommen lassen*) *jdn* to send for, to summon; ***ich bin um*** *or* ***für 10 Uhr bestellt*** I have an appointment for *or* at 10 o'clock **5.** (*fig*) ***es ist schlecht um ihn bestellt*** he is in a bad way; ***damit ist es schlecht bestellt*** that's rather difficult **II** *v/i* to order **Besteller** [bəˈʃtɛlɐ] *m* ⟨**-s, -**⟩, **Bestellerin** [-ərɪn] *f* ⟨**-, *-nen***⟩ customer **Bestellkarte** *f* order form **Bestellnummer** *f* order number **Bestellschein** *m* order form **Bestellung** *f* **1.** (≈ *Anforderung*) order **2.** (≈ *Nachricht*) message **Bestellzettel** *m* order form

bestenfalls [ˈbɛstnfals] *adv* at best **bestens** [ˈbɛstns] *adv* (≈ *sehr gut*) very well; ***sie lässt ~ grüßen*** she sends her best regards **beste(r, s)** [ˈbɛstə] **I** *adj* **1.** *attr* best; ***im ~n Fall*** at (the) best; ***im ~n Alter*** in the prime of (one's) life; ***mit (den) ~n Wünschen*** with best wishes; ***in ~n Händen*** in the best of hands **2.** ***der/die/das Beste*** the best; ***ich will nur dein Bestes*** I've your best interests at heart; ***sein Bestes tun*** to do one's best; ***wir wollen das Beste hoffen*** let's hope for the best; ***das Beste wäre, wir ...*** the best thing would be for us to ...; ***es steht nicht zum Besten*** it does not look too promising; ***etw zum Besten geben*** (≈ *erzählen*) to tell sth **II** *adv* ***am ~n*** best; ***am ~n gehe ich jetzt*** I'd best be going now

besteuern *past part* ***besteuert*** *v/t* to tax **Besteuerung** *f* taxation; (≈ *Steuersatz*) tax

Bestform *f esp* SPORTS top form

bestialisch [bɛsˈtiaːlɪʃ] **I** *adj* bestial; (*infml*) awful **II** *adv* (*infml*) terribly; *stinken, zurichten* dreadfully **Bestie** [ˈbɛstiə] *f* ⟨**-, *-n***⟩ beast; (*fig*) animal

bestimmen *past part* ***bestimmt*** **I** *v/t* **1.** (≈ *festsetzen*) to determine; ***sie will immer alles ~*** she always wants to decide the way things are to be done **2.** (≈ *prägen*) *Landschaft* to characterize; (≈ *beeinflussen*) *Preis, Anzahl* to determine **3.** (≈ *vorsehen*) to intend, to mean (*für* for); ***wir waren füreinander bestimmt*** we were meant for each other **II** *v/i* **1.** (≈ *entscheiden*) to decide (*über +acc* on); ***du hast hier nicht zu ~*** you don't make the decisions here **2.** (≈ *verfügen*) ***er kann über sein Geld allein ~*** it is up to him what he does with his money **bestimmt** [bəˈʃtɪmt] **I** *adj* **1.** (≈ *gewiss*) certain; (≈ *speziell*) particular; *Preis, Tag* fixed; GRAM *Artikel* definite; ***suchen Sie etwas Bestimmtes?*** are you looking for anything in particular? **2.** (≈ *entschieden*) firm, decisive **II** *adv* **1.** (≈ *sicher*) definitely; ***ich weiß ganz ~, dass ...*** I know for sure that ...; ***er schafft es ~ nicht*** he definitely won't manage it **2.** (≈ *wahrscheinlich*) no doubt; ***das hat er ~ verloren*** he's bound to have lost it **Bestimmtheit** *f* ⟨**-**, *no pl*⟩ (≈ *Sicherheit*) certainty; ***ich kann mit ~ sagen, dass ...*** I can say definitely that ... **Bestimmung** *f* **1.** (≈ *Vorschrift*) regulation **2.** *no pl* (≈ *Zweck*) purpose **3.** (≈ *Schicksal*) destiny **Bestimmungshafen** *m* (port of) destination **Bestimmungsland** *nt* (country of) destination

Bestleistung *f esp* SPORTS best performance; ***seine persönliche ~*** his personal best **bestmöglich** *adj no pred* best possible; ***wir haben unser Bestmögliches getan*** we did our (level (*Br*)) best

bestrafen *past part* ***bestraft*** *v/t* to punish; JUR *jdn* to sentence (*mit* to); SPORTS *Spieler, Foul* to penalize **Bestrafung** *f* ⟨**-,**

-en ⟩ punishment; JUR sentencing; SPORTS penalization

bestrahlen *past part* ***bestrahlt*** *v/t* to shine on; MED to give radiotherapy to; *Lebensmittel* to irradiate **Bestrahlung** *f* MED radiotherapy; (≈ *von Lebensmitteln*) irradiation

Bestreben *nt* endeavour (*Br*), endeavor (*US*) **bestrebt** [bəˈʃtreːpt] *adj* ***~ sein, etw zu tun*** to endeavour (*Br*) *or* endeavor (*US*) to do sth **Bestrebung** *f usu pl* endeavour (*Br*), endeavor (*US*), effort

bestreichen *past part* ***bestrichen*** [bəˈʃtrɪçn] *v/t irr* (*mit Salbe, Flüssigkeit*) to spread; (*mit Butter*) to butter; (*mit Farbe*) to paint; ***etw mit Butter/Salbe ~*** to spread butter/ointment on sth

bestreiken *past part* ***bestreikt*** *v/t* to boycott; ***bestreikt*** strikebound

bestreitbar *adj* disputable, contestable

bestreiten *past part* ***bestritten*** [bəˈʃtrɪtn] *v/t irr* **1.** (≈ *abstreiten*) to dispute; (≈ *leugnen*) to deny **2.** (≈ *finanzieren*) to pay for; *Kosten* to carry

bestreuen *past part* ***bestreut*** *v/t* to cover (*mit* with); COOK to sprinkle

Bestseller [ˈbɛstzɛlɐ] *m* ⟨***-s, -***⟩ bestseller **Bestsellerautor(in)** *m/(f)* bestselling author **Bestsellerliste** *f* bestseller list

bestücken [bəˈʃtʏkn] *past part* ***bestückt*** *v/t* to fit, to equip; MIL to arm; *Lager* to stock

bestürmen *past part* ***bestürmt*** *v/t* to storm; (*mit Fragen, Bitten*) to bombard; (*mit Briefen, Anrufen*) to inundate

bestürzen *past part* ***bestürzt*** *v/t* to shake **bestürzend** **I** *adj* alarming **II** *adv hoch, niedrig* alarmingly **bestürzt** [bəˈʃtʏrtst] **I** *adj* filled with consternation **II** *adv* in consternation **Bestürzung** [bəˈʃtʏrtsʊŋ] *f* ⟨***-,*** *no pl*⟩ consternation

Bestzeit *f esp* SPORTS best time

Besuch [bəˈzuːx] *m* ⟨***-(e)s, -e***⟩ **1.** visit; (*von Schule, Veranstaltung*) attendance (*+gen* at); ***bei jdm auf*** *or* ***zu ~ sein*** to be visiting sb; ***jdm einen ~ abstatten*** to pay sb a visit **2.** (≈ *Besucher*) visitor; visitors *pl*; ***er bekommt viel ~*** he has a lot of visitors **besuchen** *past part* ***besucht*** *v/t jdn* to visit; *Schule, Gottesdienst* to attend; *Kino, Theater* to go to **Besucher** *m* ⟨***-s, -***⟩, **Besucherin** [-ərɪn] *f* ⟨***-, -nen***⟩ visitor; (*von Kino, Theater*) patron (*form*) **Besuchszeit** *f* visiting time **besucht** [bəˈzuːxt] *adj* ***gut/schlecht ~ sein*** to be well/badly attended

Betablocker [ˈbeːtablɔkɐ] *m* ⟨***-s, -***⟩ MED beta-blocker

betagt [bəˈtaːkt] *adj* (*elev*) aged

betanken *past part* ***betankt*** *v/t Fahrzeug* to fill up; *Flugzeug* to refuel

betasten *past part* ***betastet*** *v/t* to feel

betätigen *past part* ***betätigt*** **I** *v/t Muskeln, Gehirn* to activate; *Bremse* to apply; *Hebel* to operate; *Taste* to press; *Schalter* to turn on **II** *v/r* to busy oneself; (*körperlich*) to get some exercise; ***sich politisch ~*** to be active in politics; ***sich sportlich ~*** to do sport; ***sich geistig und körperlich ~*** to stay active in body and mind **Betätigung** [bəˈtɛːtigʊŋ] *f* ⟨***-, -en***⟩ **1.** (≈ *Tätigkeit*) activity **2.** (≈ *Aktivierung*) operation; (*von Muskel, Gehirn*) activation; (*von Bremsen*) applying; (*von Knopf*) pressing; (*von Schalter*) turning on

betäuben [bəˈtɔybn] *past part* ***betäubt*** *v/t Körperteil* to (be)numb; *Nerv* to deaden; *Schmerzen* to kill; (*durch Narkose*) to anaesthetize; ***ein ~der Duft*** an overpowering smell **Betäubung** *f* ⟨***-, -en***⟩ **1.** (≈ *das Betäuben*) (be)numbing; (*von Nerv, Schmerz*) deadening; (*von Schmerzen*) killing; (*durch Narkose*) anaesthetization **2.** (≈ *Narkose*) anaesthetic; ***örtliche*** *or* ***lokale ~*** local anaesthetic **Betäubungsmittel** *nt* anaesthetic; (≈ *Droge*) narcotic **Betäubungsmittelgesetz** *nt law concerning drug abuse*, narcotics law (*US*)

Bete [ˈbeːtə] *f* ⟨***-,*** (*rare*) ***-n***⟩ beet; ***Rote ~*** beetroot

beteiligen [bəˈtailɪgn] *past part* ***beteiligt*** *v/r* to participate (*an +dat* in) **beteiligt** [bəˈtailɪçt] *adj* ***an etw*** (*dat*) ***~ sein/werden*** to be involved in sth; (*finanziell*) to have a share in sth; *am Gewinn* to have a slice of sth **Beteiligte(r)** [bəˈtailɪçtə] *m/f(m) decl as adj* person involved; (≈ *Teilhaber*) partner; JUR party; ***an alle ~n*** to all concerned **Beteiligung** *f* ⟨***-, -en***⟩ (≈ *Teilnahme*) (*an +Dat* in) participation; (*finanziell*) share; (*an Unfall*) involvement

beten [ˈbeːtn] *v/i* to pray

beteuern [bəˈtɔyɐn] *past part* ***beteuert*** *v/t* to declare; *Unschuld* to protest **Beteuerung** *f* declaration; (*von Unschuld*) protestation

betiteln *past part* ***betitelt*** *v/t* to entitle

Beton [be'tɔŋ, be'tõː, *(esp Aus)* be'toːn] *m* ⟨**-s,** *(rare)* **-s**⟩ concrete
betonen *past part* **betont** *v/t* **1.** (≈ *hervorheben*) to emphasize; → **betont 2.** LING to stress
betonieren [beto'niːrən] *past part* **betoniert** *v/t* (*lit*) to concrete **Betonklotz** *m* (*pej*) concrete block **Betonmischmaschine** *f* concrete mixer
betont [bə'toːnt] **I** *adj Höflichkeit* emphatic; *Kühle, Sachlichkeit* pointed **II** *adv knapp, kühl* pointedly; ***sich ~ einfach kleiden*** to dress with marked simplicity; → ***betonen*** **Betonung** *f* ⟨**-, -en**⟩ **1.** *no pl* emphasis **2.** (≈ *Akzent*) stress
betören [bə'tøːrən] *past part* **betört** *v/t* to bewitch, to beguile
Betracht [bə'traxt] *m* ⟨**-(e)s,** *no pl*⟩ ***etw außer ~ lassen*** to leave sth out of consideration; ***in ~ kommen*** to be considered; ***nicht in ~ kommen*** to be out of the question; ***etw in ~ ziehen*** to take sth into consideration **betrachten** *past part* **betrachtet** *v/t* to look at; ***bei näherem Betrachten*** on closer examination; ***als jdn/etw ~*** (≈ *halten für*) to regard as sb/sth **Betrachter** [bə'traxtɐ] *m* ⟨**-s, -**⟩, **Betrachterin** [-ərɪn] *f* ⟨**-, -nen**⟩ observer
beträchtlich [bə'trɛçtlɪç] **I** *adj* considerable **II** *adv* considerably **Betrachtung** [bə'traxtʊŋ] *f* ⟨**-, -en**⟩ (≈ *das Betrachten*) contemplation; ***bei näherer ~*** on closer examination
Betrag [bə'traːk] *m* ⟨**-(e)s, ⸚e** [-'trɛːgə]⟩ amount **betragen** *past part* **betragen** *irr* **I** *v/t* to be **II** *v/r* to behave **Betragen** *nt* ⟨**-s,** *no pl*⟩ behaviour (*Br*), behavior (*US*)
betrauen *past part* **betraut** *v/t* ***jdn mit etw ~*** to entrust sb with sth
betrauern *past part* **betrauert** *v/t* to mourn
Betreff [bə'trɛf] *m* ⟨**-(e)s, -e**⟩ (*form*) **~:** ***Ihr Schreiben vom ...*** re your letter of ... **betreffen** *past part* **betroffen** [bə'trɔfn] *v/t irr* (≈ *angehen*) to concern; ***was mich betrifft ...*** as far as I'm concerned ...; ***betrifft*** re; → ***betroffen*** **betreffend** *adj attr* (≈ *erwähnt*) in question; (≈ *zuständig*) relevant **Betreffzeile** *f* (*in E-Mail etc*) subject line
betreiben *past part* **betrieben** [bə'triːbn] *v/t irr Gewerbe* to carry on; *Geschäft* to conduct; *Sport* to do; *Studium* to pursue; ***auf jds Betreiben*** (*acc*) ***hin*** at sb's instigation **Betreiber(in)** *m/(f)* operating authority
betreten[1] [bə'treːtn] *past part* **betreten** *v/t irr* (≈ *hineingehen in*) to enter; *Rasen, Spielfeld etc* to walk on; ***„Betreten verboten!"*** "keep off"
betreten[2] **I** *adj* embarrassed **II** *adv* with embarrassment
betreuen [bə'trɔyən] *past part* **betreut** *v/t* to look after; ***betreutes Wohnen*** assisted living **Betreuer** [bə'trɔyɐ] *m* ⟨**-s, -**⟩, **Betreuerin** [-ərɪn] *f* ⟨**-, -nen**⟩ person who is in charge of *or* looking after sb; (≈ *Kinderbetreuer*) child minder (*Br*), babysitter (*US*); (*von alten Leuten, Kranken*) nurse **Betreuung** *f* ⟨**-, -en**⟩ looking after; (*von Patienten etc*) care
Betrieb *m* **1.** (≈ *Firma*) business; (≈ *Fabrik*) factory, works *sg or pl* **2.** (≈ *Tätigkeit*) work; (*von Maschine, Fabrik*) operation; ***außer ~*** out of order; ***die Maschinen sind in ~*** the machines are running; ***eine Maschine in ~ setzen*** to start a machine up **3.** (≈ *Betriebsamkeit*) bustle; ***in den Geschäften herrscht großer ~*** the shops are very busy **betriebsam** [bə'triːpzaːm] *adj* busy, bustling *no adv* **Betriebsamkeit** *f* ⟨**-,** *no pl*⟩ bustle **Betriebsangehörige(r)** *m/f(m) decl as adj* employee **Betriebsanleitung** *f*, **Betriebsanweisung** *f* operating instructions *pl*; (≈ *Handbuch*) operating *or* user's manual **Betriebsausflug** *m* (annual) works (*Br*) *or* company (*esp US*) outing **betriebsbereit** *adj* operational **betriebsblind** *adj* blind to the shortcomings of one's (own) company **Betriebsergebnis** *nt* FIN trading result **Betriebsferien** *pl* (annual) holiday (*esp Br*), vacation close-down (*US*) **Betriebsgeheimnis** *nt* trade secret **Betriebsklima** *nt* atmosphere at work **Betriebskosten** *pl* (*von Firma etc*) overheads *pl*; (*von Maschine*) running costs *pl* **Betriebsleiter(in)** *m/(f)* (works *or* factory) manager **Betriebsleitung** *f* management
Betriebsrat[1] *m* (≈ *Gremium*) works *or* factory committee
Betriebsrat[2] *m*, **Betriebsrätin** *f* works *or* factory committee member **Betriebsstörung** *f* breakdown **Betriebssystem** *nt* IT operating system **Betriebsunfall** *m* industrial accident; (*hum infml*) accident **Betriebsversammlung** *f* company

meeting **Betriebswirt(in)** *m/(f)* management expert **Betriebswirtschaft** *f, no pl* business management

betrinken *past part* **betrunken** [bə'trʊŋkn] *v/r irr* to get drunk; → ***betrunken***

betroffen [bə'trɔfn] **I** *adj* **1.** affected (*von* by) **2.** (≈ *bestürzt*) sad **II** *adv* (≈ *bestürzt*) in consternation; (≈ *betrübt*) in dismay; → ***betreffen*** **Betroffene(r)** [bə'trɔfnə] *m/f(m) decl as adj* person affected **Betroffenheit** *f* ⟨-, *no pl*⟩ sadness

betrüben *past part* ***betrübt*** *v/t* to sadden, to distress **betrüblich** [bə'try:plɪç] **I** *adj* sad, distressing; *Zustände* deplorable **II** *adv* ***die Lage sieht ~ aus*** things look bad **betrübt** [bə'try:pt] *adj* saddened

Betrug [bə'tru:k] *m* ⟨**-(e)s**, *no pl*⟩ deceit, deception; JUR fraud **betrügen** [bə'try:gn] *pret* ***betrog*** [bə'tro:k], *past part* ***betrogen*** [bə'tro:gn] **I** *v/t* to deceive; *Freund, Ehepartner* to be unfaithful to; JUR to defraud; ***jdn um etw ~*** to cheat sb out of sth; JUR to defraud sb of sth; ***sie betrügt mich mit meinem besten Freund*** she is having an affair with my best friend **II** *v/r* to deceive oneself **Betrüger** [bə'try:gɐ] *m* ⟨**-s, -**⟩, **Betrügerin** [-ərɪn] *f* ⟨**-, -nen**⟩ (*beim Spiel*) cheat; (*geschäftlich*) swindler; JUR defrauder **betrügerisch** [bə'try:gərɪʃ] *adj* deceitful; JUR fraudulent; ***in ~er Absicht*** with intent to defraud

betrunken [bə'trʊŋkn] *adj* drunk *no adv*, drunken *attr*; → ***betrinken*** **Betrunkene(r)** [bə'trʊŋknə] *m/f(m) decl as adj* drunk **Betrunkenheit** *f* ⟨-, *no pl*⟩ drunkenness

Bett [bɛt] *nt* ⟨**-(e)s, -en**⟩ bed; ***das ~ machen*** to make the bed; ***im ~*** in bed; ***ins*** *or* ***zu ~ gehen*** to go to bed; ***jdn ins*** *or* ***zu ~ bringen*** to put sb to bed **Bettbezug** *m* duvet cover **Bettcouch** *f* bed settee (*Br*), pullout couch (*US*) **Bettdecke** *f* blanket; (*gesteppt*) quilt

Bettelei [bɛtə'lai] *f* ⟨**-, -en**⟩ begging **betteln** ['bɛtln] *v/i* to beg

Bettflasche *f* (*Aus*) hot-water bottle **Bettgestell** *nt* bedstead **bettlägerig** [-lɛ:gərɪç] *adj* bedridden **Bettlaken** *nt* sheet

Bettler ['bɛtlɐ] *m* ⟨**-s, -**⟩, **Bettlerin** [-ərɪn] *f* ⟨**-, -nen**⟩ beggar

Bettnässer ['bɛtnɛsɐ] *m* ⟨**-s, -**⟩, **Bettnässerin** [-ərɪn] *f* ⟨**-, -nen**⟩ bed-wetter **Bettruhe** *f* confinement to bed, bed rest; ***der Arzt hat ~ verordnet*** the doctor ordered him *etc* to stay in bed **Betttuch** *nt, pl* ***-tücher*** sheet **Bettvorleger** *m* bedside rug **Bettwäsche** *f* bed linen **Bettzeug** *nt, no pl* bedding

betucht [bə'tu:xt] *adj* (*infml*) well-to-do

betupfen *past part* ***betupft*** *v/t* to dab; MED to swab

Beuge ['bɔygə] *f* ⟨**-, -n**⟩ bend **beugen** ['bɔygn] **I** *v/t* **1.** (≈ *krümmen*) to bend; ***das Recht ~*** to pervert the course of justice; ***von Kummer gebeugt*** bowed down with grief; → ***gebeugt*** **2.** GRAM to decline; *Verb* to conjugate **II** *v/r* to bend; (*fig*) to submit (*+dat* to); ***sich aus dem Fenster ~*** to lean out of the window

Beule ['bɔylə] *f* ⟨**-, -n**⟩ (*von Stoß etc*) bump; (≈ *Delle*) dent

beunruhigen [bə'|ʊnru:ɪgn] *past part* ***beunruhigt*** **I** *v/t* to worry; ***es ist ~d*** it's worrying **II** *v/r* to worry (oneself) (*über +acc, um, wegen* about) **Beunruhigung** *f* ⟨**-, -en**⟩ concern, disquiet

beurkunden [bə'|u:ɐkʊndn] *past part* ***beurkundet*** *v/t* to certify; *Vertrag* to record

beurlauben *past part* ***beurlaubt*** *v/t* to give leave (of absence); ***beurlaubt sein*** to be on leave; (≈ *suspendiert sein*) to have been relieved of one's duties **Beurlaubung** [bə'u:ɐlaubʊŋ] *f* ⟨**-, -en**⟩ leave (of absence); ***seine ~ vom Dienst*** (≈ *Suspendierung*) his being relieved of his duties

beurteilen *past part* ***beurteilt*** *v/t* to judge (*nach* by, from); ***etw falsch ~*** to misjudge sth; ***du kannst das doch gar nicht ~*** you are not in a position to judge **Beurteilung** *f* (≈ *das Beurteilen*) judging; (≈ *Urteil*) assessment

Beute ['bɔytə] *f* ⟨-, *no pl*⟩ (≈ *Kriegsbeute*) spoils *pl*; (≈ *Diebesbeute*) haul; (*von Raubtieren etc*) prey; (≈ *Jagdbeute*) bag

Beutel ['bɔytl] *m* ⟨**-s, -**⟩ (≈ *Behälter*) bag; (≈ *Tragetasche*) carrier bag; ZOOL pouch **Beuteltier** *nt* marsupial

bevölkern [bə'fœlkɐn] *past part* ***bevölkert*** *v/t* (≈ *bewohnen*) to inhabit; (≈ *besiedeln*) to populate; ***schwach/stark bevölkert*** sparsely/densely populated **Bevölkerung** *f* ⟨**-, -en**⟩ population **Bevölkerungsexplosion** *f* population explosion **Bevölkerungsschicht** *f* social class **bevollmächtigen** [bəˈfɔlmɛçtɪgn] *past part* ***bevollmächtigt*** *v/t* to authorize (*zu etw* to do sth) **Bevollmächtigte(r)** [bəˈfɔlmɛçtɪçtə] *m/f(m) decl as adj* authorized representative

bevor [bəˈfoːɐ] *cj* before; ***~ Sie (nicht) die Rechnung bezahlt haben*** until you pay the bill **bevormunden** [bəˈfoːɐmʊndn] *past part* ***bevormundet*** *v/t* ***jdn ~*** to make sb's decisions (for him/her) **bevorstehen** *v/i sep irr* to be imminent; (*Winter etc*) to approach; ***jdm ~*** to be in store for sb **bevorstehend** *adj* forthcoming; *Gefahr, Krise* imminent; *Winter* approaching **bevorzugen** [bəˈfoːɐtsuːgn] *past part* ***bevorzugt*** *v/t* to prefer; (≈ *begünstigen*) to favour (*Br*), to favor (*US*) **bevorzugt** [bəˈfoːɐtsuːkt] **I** *adj* preferred; *Behandlung* preferential; (≈ *privilegiert*) privileged **II** *adv* ***jdn ~ abfertigen/bedienen*** *etc* to give sb preferential treatment **Bevorzugung** *f* ⟨**-, -en**⟩ preference (*+gen* for); (≈ *vorrangige Behandlung*) preferential treatment (*bei* in)

bewachen *past part* ***bewacht*** *v/t* to guard **Bewachung** [bəˈvaxʊŋ] *f* ⟨**-, -en**⟩ guarding; (≈ *Wachmannschaft*) guard

bewaffnen *past part* ***bewaffnet*** **I** *v/t* to arm **II** *v/r* to arm oneself **Bewaffnung** [bəˈvafnʊŋ] *f* ⟨**-, -en**⟩ **1.** *no pl* (≈ *das Bewaffnen*) arming **2.** (≈ *Waffen*) weapons *pl*

bewahren *past part* ***bewahrt*** *v/t* **1.** (≈ *beschützen*) to protect (*vor +dat* from) **2.** ***jdn/etw in guter Erinnerung ~*** to have happy memories of sb/sth **3.** (≈ *beibehalten*) to keep

bewähren *past part* ***bewährt*** *v/r* (*Mensch*) to prove oneself; (*Gerät etc*) to prove its worth; (*Methode, Fleiß*) to pay off

bewahrheiten [bəˈvaːɐhaitn] *past part* ***bewahrheitet*** *v/r* to prove (to be) well-founded; (*Prophezeiung*) to come true

bewährt [bəˈvɛːɐt] *adj* proven; *Rezept* tried and tested; ***seit Langem ~*** well-established **Bewährung** *f* JUR probation; ***eine Strafe zur ~ aussetzen*** to impose a suspended sentence; ***ein Jahr Gefängnis mit ~*** a suspended sentence of one year; ***er hat noch ~*** he is still on probation **Bewährungsfrist** *f* JUR probation(-ary) period **Bewährungshelfer(in)** *m/(f)* probation officer **Bewährungsprobe** *f* test; ***etw einer ~*** (*dat*) ***unterziehen*** to put sth to the test **Bewährungsstrafe** *f* JUR suspended sentence

bewältigen [beˈvɛltɪgn] *past part* ***bewältigt*** *v/t Problem* to cope with; *Strecke* to manage; *Erlebnis etc* to get over **Bewältigung** *f* ⟨**-,** *no pl*⟩ ***die ~ der Probleme*** coping with the problems; ***die ~ eines Erlebnisses*** getting over an experience

bewandert [bəˈvandɐt] *adj* experienced; ***in etw*** (*dat*) ***~ sein*** to be familiar with *or* well-versed in sth

Bewandtnis [bəˈvantnɪs] *f* ⟨**-, -se**⟩ reason; ***damit hat es*** *or* ***das hat eine andere ~*** there's another reason for that

bewässern *past part* ***bewässert*** *v/t* to irrigate; (*mit Sprühanlage*) to water **Bewässerungssystem** *nt* irrigation system

bewegen[1] [bəˈveːgn] *past part* ***bewegt*** **I** *v/t* **1.** to move; ***~d*** moving **2.** (≈ *bewirken, ändern*) to change **II** *v/r* **1.** to move **2.** (≈ *Bewegung haben*) to get some exercise **3.** (*fig* ≈ *variieren, schwanken*) to vary (*zwischen* between) **4.** (≈ *sich ändern*) to change

bewegen[2] *pret* ***bewog*** [bəˈvoːk], *past part* ***bewogen*** [bəˈvoːgn] *v/t* ***jdn zu etw ~*** to persuade sb to do sth **Beweggrund** *m* motive **beweglich** [bəˈveːklɪç] *adj* movable; (≈ *wendig*) agile; *Fahrzeug* manoeuvrable (*Br*), maneuverable (*US*) **bewegt** [bəˈveːkt] *adj* **1.** *Wasser, See* choppy; *Zeiten, Leben* eventful **2.** *Stimme, Worte* emotional **Bewegung** [bəˈveːgʊŋ] *f* ⟨**-, -en**⟩ **1.** movement; ***keine ~!*** freeze! (*infml*); ***in ~ sein*** (*Fahrzeug*) to be moving; (*Menge*) to mill around; ***sich in ~ setzen*** to start moving; ***etw in ~ setzen*** *or* ***bringen*** to set sth in motion **2.** (≈ *körperliche Bewegung*) exercise **3.** (≈ *Entwicklung*) progress **4.** (≈ *Ergriffenheit*) emotion **5.** POL, ART *etc* movement **Bewegungsfreiheit** *f* freedom of movement; (*fig*) freedom of action **bewegungslos** **I** *adj* motionless **II** *adv* without moving; *liegen, sitzen, stehen* motionless **bewegungsunfähig** *adj* unable to move

beweinen *past part* ***beweint*** *v/t* to mourn (for)

Beweis [bəˈvais] *m* ⟨***-es, -e*** [-zə]⟩ proof (*für* of); (≈ *Zeugnis*) evidence *no pl*; ***ein eindeutiger ~*** clear evidence; ***etw unter***

~ stellen to prove sth **Beweisaufnahme** *f* JUR hearing of evidence **beweisbar** *adj* provable **beweisen** *past part* **bewiesen** [bə'viːzn] *irr v/t* **1.** (≈ *nachweisen*) to prove **2.** (≈ *erkennen lassen*) to show **Beweisführung** *f* JUR presentation of one's case; (≈ *Argumentation*) line of argument **Beweislage** *f* JUR body of evidence **Beweismaterial** *nt* (body of) evidence **Beweisstück** *nt* exhibit

bewenden *v/t +impers* **es bei** *or* **mit etw ~ lassen** to be content with sth

bewerben *past part* **beworben** [bəvɔrbn] *irr v/r* to apply (*um* for; **sich bei einer Firma ~** to apply to a firm (for a job) **Bewerber** *m* ⟨**-s, -**⟩, **Bewerberin** [-ərɪn] *f* ⟨**-, -nen**⟩ applicant **Bewerbung** *f* application **Bewerbungsgespräch** *nt* (job) interview **Bewerbungsschreiben** *nt* (letter of) application **Bewerbungsunterlagen** *pl* application documents *pl*

bewerfen *past part* **beworfen** [bə'vɔrfn] *v/t irr* **jdn/etw mit etw ~** to throw sth at sb/sth

bewerkstelligen [bə'vɛrkʃtɛlɪgn] *past part* **bewerkstelligt** *v/t* to manage

bewerten **bewertet** *v/t jdn* to judge; *Schularbeit* to assess; *Gegenstand* to value; **etw zu hoch/niedrig ~** to overvalue/undervalue sth **Bewertung** *f* judgement; (*von Schularbeit*) assessment; (*von Gegenstand*) valuation

bewilligen [bə'vɪlɪgn] *past part* **bewilligt** *v/t* to allow; *Etat etc* to approve; *Stipendium* to award **Bewilligung** *f* ⟨**-, -en**⟩ allowing; (*von Etat*) approval; (*von Stipendium*) awarding

bewirken *past part* **bewirkt** *v/t* (≈ *verursachen*) to cause; **~, dass etw passiert** to cause sth to happen

bewirten [bə'vɪrtn] *past part* **bewirtet** *v/t* **jdn ~** to feed sb; (*bei offiziellem Besuch etc*) to entertain sb

bewirtschaften *past part* **bewirtschaftet** *v/t* **1.** *Betrieb etc* to manage **2.** *Land* to farm **Bewirtschaftung** [bə'vɪrtʃaftʊŋ] *f* ⟨**-, -en**⟩ **1.** (*von Betrieb*) management **2.** (*von Land*) farming

Bewirtung *f* ⟨**-, -en**⟩ (≈ *das Bewirten*) hospitality; (*im Hotel*) (food and) service

bewohnbar *adj* habitable **bewohnen** *past part* **bewohnt** *v/t* to live in; (*Volk*) to inhabit **Bewohner** [bə'voːnɐ] *m* ⟨**-s, -**⟩, **Bewohnerin** [-ərɪn] *f* ⟨**-, -nen**⟩ (*von Land, Gebiet*) inhabitant; (*von Haus etc*) occupier **bewohnt** [bə'voːnt] *adj* inhabited

bewölken [bə'vœlkn] *past part* **bewölkt** *v/r* to cloud over; **bewölkt** cloudy **Bewölkung** *f* ⟨**-, -en**⟩ (≈ *das Bewölken*) clouding over; **wechselnde ~** METEO variable amounts of cloud

Bewunderer [bə'vʊndərɐ] *m* ⟨**-s, -**⟩, **Bewunderin** [bə'vʊndərɪn] *f* ⟨**-, -nen**⟩ admirer **bewundern** *past part* **bewundert** *v/t* to admire (*wegen* for); **~d** admiring **bewundernswert** **I** *adj* admirable **II** *adv* admirably **Bewunderung** [bə'vʊndərʊŋ] *f* ⟨**-,** (*rare*) **-en**⟩ admiration

bewusst [bə'vʊst] **I** *adj* **1.** conscious; **sich** (*dat*) **einer Sache** (*gen*) **~ sein/werden** to be/become aware of sth; **es wurde ihm allmählich ~, dass ...** he gradually realized (that) ... **2.** *attr* (≈ *willentlich*) deliberate **3.** *attr* (≈ *besagt*) in question **II** *adv* consciously; (≈ *willentlich*) deliberately **bewusstlos** **I** *adj* unconscious **II** *adv* **jdn ~ schlagen** to beat sb unconscious *or* senseless **Bewusstlosigkeit** *f* ⟨**-,** *no pl*⟩ unconsciousness; **bis zur ~** (*infml*) ad nauseam **Bewusstsein** *nt* consciousness; **etw kommt jdm zu(m) ~** sb becomes aware of sth; **im ~, dass ...** in the knowledge that ...; **das ~ verlieren/wiedererlangen** to lose/regain consciousness; **bei ~ sein** to be conscious; **zu(m) ~ kommen** to regain consciousness; **bei vollem ~** fully conscious

bezahlen *past part* **bezahlt** **I** *v/t* to pay; *Leistung, Schaden* to pay for; **er hat seinen Fehler mit dem Leben bezahlt** he paid for his mistake with his life **II** *v/i* to pay **Bezahlfernsehen** *nt* pay TV **bezahlt** [bə'tsaːlt] *adj* paid; **sich ~ machen** to be worth it **Bezahlung** *f* payment; (≈ *Lohn, Gehalt*) pay; **gegen ~** for payment

bezaubern *past part* **bezaubert** *v/t* (*fig*) to charm **bezaubernd** *adj* enchanting

bezeichnen *past part* **bezeichnet** *v/t* (≈ *kennzeichnen*) to mark; (≈ *genau beschreiben*) to describe; **ich weiß nicht, wie man das bezeichnet** I don't know what that's called **bezeichnend** *adj* (*für* of) characteristic **Bezeichnung** *f* **1.** (≈ *Kennzeichnung*) marking; (≈ *Beschreibung*) description **2.** (≈ *Ausdruck*) expression

bezeugen *past part* **bezeugt** *v/t* to testify to; **~, dass ...** to testify that ...

bezichtigen [bəˈtsɪçtɪgn] *past part* ***bezichtigt*** *v/t* to accuse; ***jdn einer Sache*** (*gen*) ~ to accuse sb of sth

beziehen *past part* ***bezogen*** [bəˈtsoːgn] *irr* **I** *v/t* **1.** *Polster* to (re)cover; *Kissen* to put a cover on; ***die Betten frisch ~*** to change the beds **2.** (≈ *einziehen in*) *Wohnung* to move into **3.** *Posten, Stellung* to take up **4.** (≈ *erhalten*) to get **5.** (≈ *in Beziehung setzen*) ***etw auf jdn/etw ~*** to apply sth to sb/sth **II** *v/r* **1.** (*Himmel*) to cloud over **2.** (≈ *sich berufen*) ***sich auf jdn/etw ~*** to refer to sb/sth **Beziehung** *f* **1.** (≈ *Verhältnis*) relationship **2.** *usu pl* (≈ *Kontakt*) relations *pl*; ***diplomatische ~en*** diplomatic relations; ***menschliche ~en*** human relations; ***seine ~en spielen lassen*** to pull strings; ***~en haben*** to have connections **3.** (≈ *Zusammenhang*) connection (*zu* with); ***etw zu etw in ~ setzen*** to relate sth to sth; ***in keiner ~ zueinander stehen*** to have no connection **4.** (≈ *Hinsicht*) ***in einer/keiner ~*** in one/no respect; ***in jeder ~*** in every respect **Beziehungskiste** *f* (*infml*) relationship **beziehungsweise** *cj* **1.** (≈ *oder aber*) or **2.** (≈ *im anderen Fall*) and ... respectively **3.** (≈ *genauer gesagt*) or rather

beziffern [bəˈtsɪfɐn] *past part* ***beziffert*** **I** *v/t* (≈ *mit Ziffern versehen*) to number; (≈ *angeben*) to estimate (*auf +acc*, *mit* at) **II** *v/r* ***sich ~ auf*** (*+acc*) (*Verluste, Gewinn*) to amount to; (*Teilnehmer*) to number

Bezirk [bəˈtsɪrk] *m* ⟨**-(e)s, -e**⟩ (≈ *Gebiet*) district; (*von Stadt*) ≈ district; (*von Land*) ≈ region

Bezug *m* **1.** (*für Kissen etc*) cover; (*für Kopfkissen*) pillowcase **2.** (≈ *Erwerb*: *von Waren etc*) buying **3. Bezüge** *pl* (≈ *Einkünfte*) income **4.** (≈ *Zusammenhang*) = ***Beziehung*** 3 **5.** (*form* ≈ *Berufung*) reference; ***~ nehmen auf*** (*+acc*) to make reference to; ***mit*** *or* ***unter ~ auf*** (*+acc*) with reference to **6.** (≈ *Hinsicht*) ***in ~ auf*** (*+acc*) regarding **bezüglich** [bəˈtsyːklɪç] *prep +gen* (*form*) regarding, re (COMM) **Bezugnahme** [-naːmə] *f* ⟨**-, -n**⟩ (*form*) reference; ***unter ~ auf*** (*+acc*) with reference to **bezugsfertig** *adj Haus etc* ready to move into **Bezugsperson** *f* ***die wichtigste ~ des Kleinkindes*** the person to whom the small child relates most closely

bezuschussen [bəˈtsuːʃʊsn] *past part* ***bezuschusst*** *v/t* to subsidize

bezwecken [bəˈtsvɛkn] *past part* ***bezweckt*** *v/t* to aim at; ***etw mit etw ~*** (*Mensch*) to intend sth by sth

bezweifeln *past part* ***bezweifelt*** *v/t* to doubt; ***das ist nicht zu ~*** that's beyond question

bezwingen *past part* ***bezwungen*** [bəˈtsvʊŋən] *v/t irr* to conquer; SPORTS to beat; *Strecke* to do

BfA [beːǀɛfˈǀaː] *f* ⟨**-**⟩ *abbr of* ***Bundesagentur für Arbeit***

BH [beːˈhaː] *m* ⟨**-(s), -(s)**⟩ *abbr of* ***Büstenhalter*** bra

Biathlon [ˈbiːatlɔn] *nt* ⟨**-s, -s**⟩ SPORTS biathlon

Bibel [ˈbiːbl] *f* ⟨**-, -n**⟩ (*lit*) Bible; (*fig*) bible **bibelfest** *adj* well versed in the Bible

Bibeli [ˈbiːbəli] *nt* ⟨**-s, -e**⟩ (*Swiss*) (≈ *Pickel*) spot; (≈ *Mitesser*) blackhead

Bibelwort *nt*, *pl* ***-worte*** biblical saying

Biber [ˈbiːbɐ] *m* ⟨**-s, -**⟩ beaver **Biberbettuch** *nt* flannelette sheet (*esp Br*) **Biberpelz** *m* beaver (fur)

Bibliografie [bibliograˈfiː] *f* ⟨**-, -n** [-ˈfiːən]⟩ bibliography **Bibliothek** [biblioˈteːk] *f* ⟨**-, -en**⟩ library **Bibliothekar** [biblioteˈkaːɐ] *m* ⟨**-s, -e**⟩, **Bibliothekarin** [-ˈkaːrɪn] *f* ⟨**-, -nen**⟩ librarian

biblisch [ˈbiːblɪʃ] *adj* biblical; ***ein ~es Alter*** a great age

Bidet [biˈdeː] *nt* ⟨**-s, -s**⟩ bidet

bieder [ˈbiːdɐ] *adj* **1.** (≈ *rechtschaffen*) honest **2.** (*pej*) conventional

biegen [ˈbiːgn] *pret* ***bog*** [boːk], *past part* ***gebogen*** [gəˈboːgn] **I** *v/t* to bend; *Glieder* to flex; ***auf Biegen und Brechen*** (*infml*) by hook or by crook (*infml*) **II** *v/i aux sein* (*Wagen*) to turn **III** *v/r* to bend; ***sich vor Lachen ~*** (*fig*) to double up with laughter **biegsam** [ˈbiːkzaːm] *adj* flexible; *Glieder, Körper* supple; (*fig*) pliable **Biegung** *f* ⟨**-, -en**⟩ bend

Biene [ˈbiːnə] *f* ⟨**-, -n**⟩ bee **Bienenhaus** *nt* apiary **Bienenhonig** *m* real honey **Bienenkönigin** *f* queen bee **Bienenschwarm** *m* swarm (of bees) **Bienenstich** *m* COOK *cake coated with sugar and almonds and filled with custard or cream* **Bienenstock** *m* (bee)hive **Bienenvolk** *nt* bee colony **Bienenwachs** *nt* beeswax

Bier [biːɐ] *nt* ⟨**-(e)s, -e**⟩ beer; ***zwei ~, bitte!*** two beers, please; ***dunkles/helles ~***

dark/light beer; **~ *vom Fass*** draught (*Br*) *or* draft (*US*) beer; ***das ist mein*** *etc* **~** (*fig infml*) that's my *etc* business **Bierbauch** *m* (*infml*) beer belly (*infml*) **Bierdeckel** *m* beer mat (*Br*) *or* coaster (*US*) **Bierdose** *f* beer can **Bierfass** *nt* keg **Bierflasche** *f* beer bottle **Biergarten** *m* beer garden **Bierglas** *nt* beer glass **Bierkeller** *m* (≈ *Lager*) beer cellar; (≈ *Gaststätte auch*) bierkeller **Bierkrug** *m* tankard (*esp Br*); (*aus Steingut*) (beer) stein **Bierwurst** *f* ham sausage **Bierzelt** *nt* beer tent

Biest [biːst] *nt* ⟨***-(e)s, -er*** ['biːstɐ]⟩ (*pej infml*) **1.** (≈ *Tier*) creature; (≈ *Insekt*) bug **2.** (≈ *Mensch*) (little) wretch; (≈ *Frau*) bitch (*sl*)

bieten ['biːtn] *pret* ***bot*** [boːt], *past part* ***geboten*** [gə'boːtn] **I** *v/t* **1.** (≈ *anbieten*) to offer (*jdm etw* sb sth, sth to sb); (*bei Auktion*) to bid; ***diese Stadt hat nichts zu ~*** this town has nothing to offer **2.** (≈ *haben*) to have; *Problem* to present **3.** (≈ *darbieten*) *Anblick*, *Bild* to present; *Film* to show **4.** (≈ *zumuten*) ***sich*** (*dat*) ***etw ~ lassen*** to stand for sth; → ***geboten*** **II** *v/i* CARDS to bid **III** *v/r* (*Gelegenheit*, *Anblick etc*) to present itself (*jdm* to sb) **Bieter** ['biːtɐ] *m* ⟨***-s, -***⟩, **Bieterin** [-ərɪn] *f* ⟨***-, -nen***⟩ bidder

Bigamie [biga'miː] *f* ⟨***-, -n*** [-'miːən]⟩ bigamy

Biker ['baikɐ] *m* ⟨***-s, -***⟩, **Bikerin** ['baikərɪn] *f* ⟨***-, -nen***⟩ (*infml*) biker

Bikini [bi'kiːni] *m* ⟨***-s, -s***⟩ bikini

bikonvex [bikɔn'vɛks] *adj* biconvex

Bilanz [bi'lants] *f* ⟨***-, -en***⟩ **1.** (COMM ≈ *Lage*) balance; (≈ *Abrechnung*) balance sheet; ***eine ~ aufstellen*** to draw up a balance sheet; ***~ machen*** (*fig infml*) to check one's finances **2.** (*fig* ≈ *Ergebnis*) end result; ***(die) ~ ziehen*** to take stock (*aus* of) **Bilanzbuchhalter(in)** *m*/(*f*) company accountant (*who balances end-of-year accounts*) **Bilanzgewinn** *m* COMM, FIN declared profit **bilanzieren** [bilan'tsiːrən] *past part* ***bilanziert*** *v/t & v/i* to balance; (*fig*) to assess **Bilanzverlust** *m* COMM, FIN accumulated loss **Bilanzwert** *m* COMM, FIN book value

bilateral ['biːlateraːl, bilate'raːl] *adj* bilateral

Bild [bɪlt] *nt* ⟨***-(e)s, -er*** ['bɪldɐ]⟩ **1.** picture; (≈ *Fotografie* ≈ *Zeichnung*) drawing; (≈ *Gemälde*) painting; ***ein ~ machen*** to take a photo; ***ein ~ des Elends*** a picture of misery **2.** (≈ *Abbild*) image **3.** (≈ *Erscheinungsbild*) character; ***das äußere ~ der Stadt*** the appearance of the town **4.** (*fig* ≈ *Vorstellung*) image, picture; ***im ~e sein*** to be in the picture (*über +acc* about); ***jdn ins ~ setzen*** to put sb in the picture (*über +acc* about); ***sich*** (*dat*) ***von jdm/etw ein ~ machen*** to get an idea of sb/sth **Bildausfall** *m* TV loss of vision **Bildband** *m*, *pl* ***-bände*** illustrated book, coffee-table book

bilden ['bɪldn] **I** *v/t* **1.** to form; *Körper*, *Figur* to shape; ***sich*** (*dat*) ***ein Urteil ~*** to form a judgement **2.** (≈ *ausmachen*) *Gefahr etc* to constitute; ***die Teile ~ ein Ganzes*** the parts make up a whole **3.** (≈ *erziehen*) to educate **II** *v/r* **1.** (≈ *entstehen*) to form **2.** (≈ *lernen*) to educate oneself; → ***gebildet*** **III** *v/i* to be educational **bildend** *adj* ***die ~e Kunst*** art; ***die ~en Künste*** the fine arts

Bilderbuch *nt* picture book **Bilderbuch-** *in cpds* (*fig*) perfect

Bilderrahmen *m* picture frame

Bilderrätsel *nt* picture puzzle

Bildfläche *f* (*fig infml*) ***auf der ~ erscheinen*** to appear on the scene; ***von der ~ verschwinden*** to disappear (from the scene)

bildhaft **I** *adj* pictorial; *Beschreibung*, *Sprache* vivid **II** *adv* vividly

Bildhauer *m* ⟨***-s, -***⟩, **Bildhauerin** [-ərɪn] *f* ⟨***-, -nen***⟩ sculptor

Bildhauerei [bɪlthauə'rai] *f* ⟨***-***, *no pl*⟩ sculpture

bildhübsch *adj Mädchen* (as) pretty as a picture; *Kleid*, *Garten etc* really lovely

bildlich ['bɪltlɪç] **I** *adj* pictorial; *Ausdruck etc* metaphorical **II** *adv* pictorially; *verwenden* metaphorically

Bildqualität *f* TV, FILM picture quality

Bildschirm *m* TV, IT screen

Bildschirmarbeit *f*, *no pl* screen work

Bildschirmschoner [-ʃoːnɐ] *m* ⟨***-s, -***⟩ IT screen saver

Bildschirmtext *m* Viewdata® *sg*, Prestel®

bildschön *adj* beautiful

Bildstörung *f* TV interference (on the picture)

Bildung ['bɪldʊŋ] *f* ⟨***-, -en***⟩ **1.** (≈ *Erziehung*) education; (≈ *Kultur*) culture; ***höhere ~*** higher education; ***~ haben*** to be educated; ***zur ~ des Passivs*** to form the passive **2.** *no pl* (≈ *Entstehung: von Rost etc*) formation **Bildungsgang** *m, pl* ***-gänge*** school (and university) career **Bildungsgrad** *m* level of education **Bildungslücke** *f* gap in one's education **Bildungspolitik** *f* education policy **Bildungspolitiker(in)** *m/(f) politician with responsibility for education policy* **Bildungsreform** *f* educational reform **Bildungsstufe** *f* level of education **Bildungsurlaub** *m* educational holiday (*esp Br*) *or* vacation (*US*) **Bildungsweg** *m* ***jds ~*** the course of sb's education; ***auf dem zweiten ~*** through night school **Bildungswesen** *nt* education system

Billard ['bɪljart] *nt* ⟨***-s, -e*** [-də]⟩ ⟨*or* (*Aus*) ***-s***⟩ (≈ *Spiel*) billiards *sg* **Billardkugel** *f* billiard ball **Billardtisch** *m* billiard table

Billett [bɪl'jɛt] *nt* ⟨***-(e)s, -e*** *or* ***-s***⟩ (*Swiss*) **1.** (≈ *Fahrschein, Eintrittskarte*) ticket **2.** (*Swiss*) = ***Führerschein***

Billiarde [bɪ'liardə] *f* ⟨***-, -n***⟩ million billion (*Br*), thousand trillion (*US*)

billig ['bɪlɪç] *adj* cheap; *Preis* low; ***~ abzugeben*** going cheap; ***~ davonkommen*** (*infml*) to get off lightly **Billiganbieter(in)** *m/(f)* supplier of cheap goods **Billigangebot** *nt* cut-price offer

billigen ['bɪlɪgn] *v/t* to approve

Billigflagge *f* NAUT flag of convenience **Billigflieger** *m* low-cost airline **Billigflug** *m* cheap flight **Billigjob** *m* low-paid job **Billiglohnland** *nt* low-wage country

Billigung *f* ⟨***-, -en***⟩ approval; ***jds ~ finden*** to meet with sb's approval

Billion [bɪ'lioːn] *f* ⟨***-, -en***⟩ thousand billion (*Br*), trillion (*US*)

bimmeln ['bɪmln] *v/i* (*infml*) to ring

Bimsstein *m* pumice stone

binär [bi'nɛːɐ] *adj* binary **Binärcode** *m* binary code

Binde ['bɪndə] *f* ⟨***-, -n***⟩ **1.** MED bandage; (≈ *Schlinge*) sling **2.** (≈ *Armbinde*) armband; (≈ *Augenbinde*) blindfold **3.** (≈ *Monatsbinde*) (sanitary) towel *or* (*esp US*) napkin **Bindegewebe** *nt* ANAT connective tissue **Bindeglied** *nt* connecting link **Bindehaut** *f* ANAT conjunctiva **Bindehautentzündung** *f* conjunctivitis **binden** ['bɪndn] *pret* ***band*** [bant], *past part* ***gebunden*** [gə'bʊndn] **I** *v/t* **1.** (≈ *zusammenbinden*) to tie; (≈ *festbinden*) to bind **2.** *Strauß, Kranz* to make up; *Knoten etc* to tie **3.** (≈ *zubinden*) *Schal* to tie; *Krawatte* to knot **4.** (*fig*) *Menschen* to tie; *Geldmittel* to tie up; (*Versprechen, Vertrag, Eid etc*) to bind; ***mir sind die Hände gebunden*** (*fig*) my hands are tied; → ***gebunden*** **5.** *Farbe, Soße* to bind **II** *v/i* (*Mehl, Zement, Soße etc*) to bind; (*Klebstoff*) to bond; (*fig: Erlebnisse*) to create a bond **III** *v/r* (≈ *sich verpflichten*) to commit oneself (*an +acc* to) **bindend** *adj* binding (*für* on); *Zusage* definite **Bindestrich** *m* hyphen **Bindfaden** *m* string; ***ein*** (***Stück***) ***~*** a piece of string; ***es regnet Bindfäden*** (*infml*) it's sheeting down (*Br infml*), it's coming down in buckets (*US infml*) **Bindung** ['bɪndʊŋ] *f* ⟨***-, -en***⟩ **1.** (≈ *Beziehung*) relationship (*an +acc* with); (≈ *Verbundenheit*) tie, bond (*an +acc* with); (≈ *Verpflichtung*) commitment (*an +acc* to) **2.** (≈ *Skibindung*) binding **Bindungsangst** *f usu pl* fear of commitment *no pl*

Bingo ['bɪŋgo] *nt* ⟨***-(s)***, *no pl*⟩ bingo

binnen ['bɪnən] *prep +dat or* (*elev*) *+gen* (*form*) within; ***~ Kurzem*** shortly **Binnengewässer** *nt* inland water **Binnenhafen** *m* river port **Binnenhandel** *m* domestic trade **Binnenmarkt** *m* home market; ***der europäische ~*** the European Single Market **Binnenschifffahrt** *f* inland navigation **Binnenwährung** *f* internal currency

Binse ['bɪnzə] *f* ⟨***-, -n***⟩ *usu pl* rush; ***in die ~n gehen*** (*fig infml* ≈ *misslingen*) to be a washout (*infml*) **Binsenweisheit** *f* truism

Bio ['biːo] *f* ⟨***-***, *no pl*⟩ (SCHOOL *infml*) biol (*infml*), bio (*esp US infml*) **Bioabfall** *m* biological waste **bioaktiv** [bio|ak'tiːf, 'biːo-] *adj Waschmittel* biological **Biobauer** *m*, **Biobäuerin** *f* organic farmer; ***Gemüse vom ~n*** organic vegetables *pl* **Biochemie** [bioçe'miː] *f* biochemistry **biochemisch** **I** *adj* biochemical **II** *adv* biochemically **Biodiesel** ['biːo-] *m* biodiesel **biodynamisch** [biody'naːmɪʃ] **I** *adj* biodynamic **II** *adv* biodynamically **Biogas** ['biːo-] *nt* methane gas

Biograf [bio'graːf] *m* ⟨***-en, -en***⟩, **Biografin** [-'graːfɪn] *f* ⟨***-, -nen***⟩ biographer **Biografie** [biogra'fiː] *f* ⟨***-, -n*** [-'fiːən]⟩ biography **biografisch** [bio'graːfɪʃ] **I** *adj* biographical **II** *adv* biographically

Biokost *f, no pl* organic food **Bioladen** ['biːo-] *m* wholefood shop **Biologe** [bio'loːgə] *m* ⟨***-n, -n***⟩, **Biologin** [-'loːgɪn] *f* ⟨***-, -nen***⟩ biologist **Biologie** [biolo'giː]

f ⟨-, *no pl*⟩ biology **biologisch** [bio'loːgɪʃ] **I** *adj* biological; *Anbau* organic **II** *adv* biologically; *anbauen* organically **Biomasse** ['biːo-] *f, no pl* CHEM organic substances *pl* **Biomüll** ['biːo-] *m* organic waste **Biophysik** [biofy'ziːk, 'biːo-] *f* biophysics *sg*

Biopsie [biɔ'psiː] *f* ⟨-, ***-n*** [-'psiːən]⟩ MED biopsy

Biorhythmus ['biːo-] *m* biorhythm **Biosphäre** [bio'sfɛːrə, 'biːo-] *f, no pl* biosphere **Biotechnik** [bio'tɛçnɪk, 'biːo-] *f* biotechnology **biotechnisch** [bio'tɛçnɪʃ, 'biːo-] *adj* biotechnological **Bioterrorismus** *m* bioterrorism **Biotonne** ['biːo-] *f* organic waste bin **Biotop** [bio'toːp] *nt* ⟨***-s, -e***⟩ biotope

Birke ['bɪrkə] *f* ⟨-, ***-n***⟩ birch

Birma ['bɪrma] *nt* ⟨***-s***⟩ Burma **birmanisch** [bɪr'maːnɪʃ] *adj* Burmese

Birnbaum *m* (*Baum*) pear tree; (*Holz*) pear wood **Birne** ['bɪrnə] *f* ⟨-, ***-n***⟩ **1.** pear **2.** (≈ *Glühlampe*) (light) bulb

bis [bɪs] **I** *prep +acc* **1.** (*zeitlich*) until; (≈ *bis spätestens*) by; ***~ zu diesem Zeitpunkt*** up to this time; ***Montag ~ Freitag*** Monday to *or* through (*US*) Friday; ***~ einschließlich 5. Mai*** up to and including 5th May; ***~ bald/später/morgen!*** see you soon/later/tomorrow!; ***~ wann bleibt ihr hier?*** how long are you staying here?; ***~ wann ist das fertig?*** when will that be finished?; ***~ wann können Sie das machen?*** when can you do it by?; ***~ auf Weiteres*** until further notice; ***~ dahin*** *or* ***dann muss die Arbeit fertig sein*** the work must be finished by then; ***~ dann!*** see you then!; ***von ... ~ ...*** from ... to *or* through (*US*) ...; (*mit Uhrzeiten*) from ... till ... **2.** (*räumlich*) to; ***~ an unsere Mauer*** up to our wall; ***~ wo/wohin?*** how far?; ***~ dort*** *or* ***dorthin*** *or* ***dahin*** (to) there; ***~ hierher*** this far **3.** ***Kinder ~ sechs Jahre*** children up to the age of six **4.** ***es sind alle gekommen, ~ auf Sandra*** they all came, except Sandra **II** *cj* **1.** to; ***zehn ~ zwanzig Stück*** ten to twenty; ***bewölkt ~ bedeckt*** cloudy or overcast **2.** (*zeitlich*) until, till; ***ich warte noch, ~ es dunkel wird*** I'll wait until it gets dark; ***~ das einer merkt!*** it'll be ages before anyone realizes (*infml*)

Bischof ['bɪʃɔf, 'bɪʃoːf] *m* ⟨***-s, ⸚e*** ['bɪʃœfə, 'bɪʃøːfə]⟩, **Bischöfin** ['bɪʃœfɪn, 'bɪʃøːfɪn] *f* ⟨-, ***-nen***⟩ bishop

bischöflich ['bɪʃœflɪç, 'bɪʃøːflɪç] *adj* episcopal

Biscuit [bɪs'kuiːt] *nt or m* ⟨***-(e)s, -s***⟩ (*Swiss* ≈ *Keks*) biscuit (*Br*), cookie (*US*)

bisexuell [bizɛ'ksuɛl, 'biː-] *adj* bisexual

bisher [bɪs'heːɐ] *adv* until now; (≈ *und immer noch*) up to now; ***~ nicht*** not until now **bisherig** [bɪs'heːrɪç] *adj attr* (≈ *vorherig*) previous; (≈ *momentan*) present

Biskaya [bɪs'kaːja] *f* ⟨-⟩ ***die ~*** (the) Biscay; ***Golf von ~*** Bay of Biscay

Biskuit [bɪs'kviːt, bɪs'kuiːt] *nt or m* ⟨***-(e)s, -s*** *or* ***-e***⟩ (fatless) sponge **Biskuitgebäck** *nt* sponge cake/cakes **Biskuitteig** *m* sponge mixture

bislang [bɪs'laŋ] *adv* = ***bisher***

Biss [bɪs] *m* ⟨***-es, -e***⟩ bite; (*fig*) vigour (*Br*), vigor (*US*); ***~ haben*** (*infml*) to have punch

bisschen ['bɪsçən] **I** *adj inv* ***ein ~ Geld/Liebe*** a bit of money/love; ***kein ~ ...*** not one (little) bit; ***das ~ Geld*** that little bit of money **II** *adv* ***ein ~*** a bit, a little; ***ein ~ wenig*** not very much; ***ein ~ viel*** a bit much

Bissen ['bɪsn] *m* ⟨***-s, -***⟩ mouthful; (≈ *Imbiss*) bite (to eat) **bissfest** *adj* firm; *Nudeln* al dente **bissig** ['bɪsɪç] *adj* **1.** vicious; ***„Vorsicht, ~er Hund"*** "beware of the dog" **2.** (≈ *übellaunig*) waspish

Bisswunde *f* bite

Bistro ['bɪstro, bɪs'troː] *nt* ⟨***-s, -s***⟩ bistro

Bistum ['bɪstuːm] *nt* ⟨***-s, ⸚er*** [-tyːmɐ]⟩ diocese

Bit [bɪt] *nt* ⟨***-(s), -(s)***⟩ IT bit

bitte ['bɪtə] *int* **1.** please; ***~ nicht!*** no, please!, please don't!; ***ja ~?*** yes?; ***aber ~!*** please do; ***na ~!*** there you are! **2.** (*Dank erwidernd*) ***~ sehr*** *or* ***schön*** you're welcome, not at all (*Br*) **3.** (*nachfragend*) (***wie***) ***~?*** (I beg your) pardon? (*also iron*) **Bitte** ['bɪtə] *f* ⟨-, ***-n***⟩ request; (*inständig*) plea; ***auf seine ~ hin*** at his request; ***ich habe eine große ~ an dich*** I have a (great) favour (*Br*) *or* favor (*US*) to ask you **bitten** ['bɪtn] *pret* ***bat*** [baːt], *past part* ***gebeten*** [gə'beːtn] **I** *v/t* **1.** *jdn* to ask; (*inständig*) to beg; ***jdn um etw ~*** to ask/beg sb for sth; ***aber ich bitte dich!*** not at all; ***wenn ich ~ darf*** (*form*) if you wouldn't mind; ***ich muss doch*** (***sehr***) ***~!*** well I must say! **2.** (≈ *bestellen*) ***jdn zu sich ~*** to ask sb to come and see one **II** *v/i* **1.** (≈ *eine Bitte äußern*) to ask; (*inständig*) to plead, to beg; ***um etw ~*** to ask (for) *or* request sth; (*inständig*) to plead for sth **2.** (≈ *einladen*) ***ich lasse ~*** he/she can come in now

bitter ['bɪtɐ] **I** *adj* bitter; *Schokolade* plain; (*fig*) *Wahrheit, Lehre, Verlust* painful; *Zeit, Schicksal* hard; *Unrecht* grievous; *Ernst, Feind* deadly; *Spott* cruel; ***bis zum ~en Ende*** to the bitter end **II** *adv* (≈ *sehr*) *bereuen* bitterly; *bezahlen, büßen* dearly; ***etw ~ nötig haben*** to be in dire need of sth **bitterböse I** *adj* furious **II** *adv* furiously **bitterernst** *adj Situation etc* extremely serious **bitterkalt** *adj* bitterly cold

Biwak ['biːvak] *nt* ⟨**-s, -s** *or* **-e**⟩ bivouac

bizarr [bi'tsar] **I** *adj* bizarre **II** *adv* bizarrely

Bizeps ['biːtsɛps] *m* ⟨**-(es), -e**⟩ biceps

blabla [bla'blaː] *int* (*infml*) blah blah blah (*infml*)

Black-out *nt or m* ⟨**-(s), -s**⟩ blackout

blähen ['blɛːən] **I** *v/t & v/r* to swell; *Nüstern* to flare **II** *v/i* to cause flatulence *or* wind **Blähung** *f* ⟨**-, -en**⟩ *usu pl* MED wind *no pl*

blamabel [bla'maːbl] *adj* shameful **Blamage** [bla'maːʒə] *f* ⟨**-, -n**⟩ disgrace **blamieren** [bla'miːrən] *past part* ***blamiert*** **I** *v/t* to disgrace **II** *v/r* to make a fool of oneself; (*durch Benehmen*) to disgrace oneself

blanchieren [blã'ʃiːrən] *past part* ***blanchiert*** *v/t* COOK to blanch

blank [blaŋk] **I** *adj* **1.** shiny **2.** (≈ *nackt*) bare; (*infml* ≈ *ohne Geld*) broke **3.** (≈ *rein*) pure; *Hohn* utter **II** *adv scheuern, polieren* till it shines; ***~ poliert*** brightly polished

Blankoscheck *m* blank cheque (*Br*) *or* check (*US*) **Blankovollmacht** *f* carte blanche

Bläschen ['blɛːsçən] *nt* ⟨**-s, -**⟩ MED small blister **Blase** ['blaːzə] *f* ⟨**-, -n**⟩ **1.** (≈ *Seifenblase, Luftblase*) bubble; (≈ *Sprechblase*) balloon; ***~n ziehen*** (*Farbe*) to blister **2.** MED blister **3.** ANAT bladder **Blasebalg** *m* (pair of) bellows **blasen** ['blaːzn] *pret* ***blies*** [bliːs], *past part* ***geblasen*** [gə'blaːzn] **I** *v/i* to blow **II** *v/t Melodie, Posaune etc* to play **Blasenentzündung** *f* cystitis **Blasenleiden** *nt* bladder trouble *no art* **Bläser** ['blɛːzɐ] *m* ⟨**-s, -**⟩, **Bläserin** [-ərɪn] *f* ⟨**-, -nen**⟩ MUS wind player; ***die ~*** the wind (section)

blasiert [bla'ziːɐt] *adj* (*pej elev*) blasé **Blasiertheit** *f* ⟨**-, -en**⟩ (*pej elev*) blasé attitude

Blasinstrument *nt* wind instrument **Blaskapelle** *f* brass band **Blasmusik** *f* brass band music

blass [blas] *adj* **1.** *Haut, Licht* pale; ***~ vor Neid werden*** to go green with envy **2.** (*fig*) faint; ***ich habe keinen ~en Schimmer*** (*infml*) I haven't a clue (*infml*) **Blässe** ['blɛsə] *f* ⟨**-, -n**⟩ paleness; (*von Haut*) pallor

Blatt [blat] *nt* ⟨**-(e)s, ¨-er** ['blɛtɐ]⟩ **1.** BOT leaf **2.** (*Papier etc*) sheet; ***ein ~ Papier*** a sheet of paper **3.** (≈ *Seite*) page; ***das steht auf einem anderen ~*** (*fig*) that's another story; ***vom ~ singen/spielen*** to sight-read **4.** (≈ *Zeitung*) paper **5.** (*von Messer, Ruder*) blade **6.** CARDS hand; ***das ~ hat sich gewendet*** (*fig*) the tables have been turned **blättern** ['blɛtɐn] *v/i* ***in etw*** (*dat*) ***~*** to leaf *or* (*schnell*) flick through sth **Blätterteig** *m* puff pastry **Blattgemüse** *nt* greens *pl*, leaf vegetables *pl* (*form*) **Blattgold** *nt* gold leaf **Blattgrün** *nt* chlorophyll **Blattlaus** *f* greenfly **Blattsalat** *m* green salad **Blattspinat** *m* leaf spinach **Blattwerk** *nt*, *no pl* foliage

blau [blau] *adj* **1.** blue; ***Forelle*** *etc* ***~*** COOK trout *etc* au bleu; ***ein ~es Auge*** (*infml*) a black eye; ***mit einem ~en Auge davonkommen*** (*fig*) to get off lightly; ***ein ~er Brief*** SCHOOL *letter informing parents that their child must repeat a year*; (*von Hauswirt*) notice to quit; ***ein ~er Fleck*** a bruise **2.** *usu pred* (*infml* ≈ *betrunken*) drunk **Blau** [blau] *nt* ⟨**-s, -** *or* (*inf*) **-s**⟩ blue **blauäugig** [-ɔygɪç] *adj* blue-eyed; (*fig*) naïve **Blaubeere** *f* bilberry, blueberry (*esp US*) **blaublütig** *adj* blue-blooded **Blaue(s)** ['blauə] *nt decl as adj* **1.** ***das ~ vom Himmel (herunter) lügen*** (*infml*) to tell a pack of lies **2.** (*ohne Ziel*) ***ins ~ hinein*** (*infml*) at random; ***eine Fahrt ins ~*** a mystery tour **blaugrün** *adj* blue-green **Blauhelm(soldat)** *m* UN soldier, blue helmet **Blaukraut** *nt* (*S Ger, Aus*) red cabbage **bläulich** ['blɔylɪç] *adj* bluish **Blaulicht** *nt* (*von Polizei etc*) flashing blue light; ***mit ~*** with its blue light flashing **blaumachen** *sep* (*infml*) **I** *v/i* to skip work **II** *v/t* ***den Freitag ~*** to skip work on Friday **Blaumeise** *f* bluetit **Blaupause** *f* blueprint **Blausäure** *f* prussic acid **Blauwal**

m blue whale

Blazer ['bleːzɐ] *m* ⟨**-s, -**⟩, **Blazerjacke** *f* blazer

Blech [blɛç] *nt* ⟨**-(e)s, -e**⟩ **1.** *no pl* (sheet) metal **2.** (≈ *Blechstück*) metal plate **3.** (≈ *Backblech*) baking sheet **4.** *no pl* (*infml* ≈ *Unsinn*) rubbish *no art* (*infml*) **Blechdose** *f* tin container; (*esp für Konserven*) tin (*Br*), can **blechen** ['blɛçn] *v/t & v/i* (*infml*) to cough up (*infml*) **Blechinstrument** *nt* brass instrument **Blechschaden** *m* damage to the bodywork **Blechtrommel** *f* tin drum

Blei [blai] *nt* ⟨**-(e)s, -e**⟩ **1.** *no pl* lead **2.** (≈ *Lot*) plumb

Bleibe ['blaibə] *f* ⟨**-, -n**⟩ ***eine/keine ~ haben*** to have somewhere/nowhere to stay **bleiben** ['blaibn] *pret* ***blieb*** [bliːp], *past part* ***geblieben*** [gə'bliːbn] *v/i aux sein* **1.** to stay; ***unbeantwortet ~*** to be left unanswered; ***ruhig/still ~*** to keep calm/quiet; ***wach ~*** to stay awake; ***sitzen ~*** to remain seated; ***wo bleibt er so lange?*** (*infml*) where has he got to?; ***das bleibt unter uns*** that's (just) between ourselves **2.** (≈ *übrig bleiben*) to be left; ***es blieb keine andere Wahl*** there was no other choice; ***und wo bleibe ich?*** and what about me?; ***sieh zu, wo du bleibst!*** you're on your own! (*infml*) **bleibend** *adj Erinnerung etc* lasting; *Schaden* permanent **bleiben lassen** *past part* ***bleiben lassen*** *v/t irr* (*infml* ≈ *unterlassen*) ***etw ~*** to give sth a miss (*infml*); ***das wirst du ganz schön ~*** you'll do nothing of the sort!

bleich [blaiç] *adj* pale **bleichen** ['blaiçn] *v/t* to bleach **Bleichgesicht** *nt* paleface **Bleichmittel** *nt* bleach

bleiern ['blaiɐn] *adj* (≈ *aus Blei*) lead; (*fig*) leaden **bleifrei** *adj Benzin etc* unleaded **bleihaltig** *adj* containing lead; *Benzin etc* leaded **Bleikristall** *nt* lead crystal **Bleistift** *m* pencil; (*zum Malen*) crayon **Bleistiftabsatz** *m* stiletto heel **Bleistiftspitzer** *m* pencil sharpener **Bleivergiftung** *f* lead poisoning

Blende ['blɛndə] *f* ⟨**-, -n**⟩ **1.** (≈ *Lichtschutz*) shade, screen; AUTO (sun) visor; (*an Fenster*) blind **2.** (PHOT ≈ *Öffnung*) aperture **blenden** ['blɛndn] **I** *v/t* to dazzle; (≈ *blind machen*) to blind **II** *v/i* (*Licht*) to be dazzling; ***~d weiß*** dazzling white **blendend** **I** *adj* splendid; *Stimmung* sparkling **II** *adv* splendidly; ***es geht mir ~*** I feel wonderful **blendfrei** *adj* dazzle-free (*esp Br*) **Blendschutz** *m* (≈ *Vorrichtung*) antidazzle (*Br*) *or* antiglare (*US*) device

Blick [blɪk] *m* ⟨**-(e)s, -e**⟩ **1.** look; (≈ *flüchtiger Blick*) glance; ***auf den ersten ~*** at first glance; ***Liebe auf den ersten ~*** love at first sight; ***mit einem ~*** at a glance; ***~e miteinander wechseln*** to exchange glances; ***einen ~ auf etw*** (*acc*) ***tun*** *or* ***werfen*** to throw a glance at sth **2.** (≈ *Ausblick*) view; ***ein Zimmer mit ~ auf den Park*** a room overlooking the park; ***etw aus dem ~ verlieren*** to lose sight of sth **3.** (≈ *Verständnis*) ***einen (guten) ~ für etw haben*** to have an eye *or* a good eye for sth **blicken** ['blɪkn] *v/i* to look (*auf +Akk* at); (*flüchtig*) to glance (*auf +Akk* at); ***sich ~ lassen*** to put in an appearance; ***lass dich hier ja nicht mehr ~!*** don't show your face here again! **Blickkontakt** *m* eye contact **Blickpunkt** *m* ***im ~ der Öffentlichkeit stehen*** to be in the public eye **Blickwinkel** *m* angle of vision; (*fig*) viewpoint

blind [blɪnt] **I** *adj* **1.** blind (*für* to); *Alarm* false; ***~ für etw sein*** (*fig*) to be blind to sth; ***~ geboren*** blind from birth; ***ein ~er Passagier*** a stowaway **2.** (≈ *getrübt*) dull; *Spiegel* clouded **II** *adv* **1.** (≈ *wahllos*) at random **2.** (≈ *ohne zu überlegen*) blindly **3.** (≈ *ohne zu sehen*) ***~ landen*** AVIAT to make a blind landing **Blindbewerbung** *f* unsolicited *or* speculative application **Blinddarm** *m* appendix **Blinddarmentzündung** *f* appendicitis **Blindenhund** *m* guide dog **Blindenschrift** *f* braille **Blinde(r)** ['blɪndə] *m/f(m) decl as adj* blind person/man/woman *etc*; ***die ~n*** the blind; ***das sieht doch ein ~r*** (*hum infml*) any fool can see that **Blindflug** *m* blind flight **Blindgänger** [-gɛŋɐ] *m* ⟨**-s, -**⟩ MIL dud (shot) **Blindheit** *f* ⟨**-**, *no pl*⟩ blindness; ***mit ~ geschlagen sein*** (*fig*) to be blind **Blindlandung** *f* blind landing **blindlings** ['blɪntlɪŋs] *adv* blindly **Blindschleiche** [-ʃlaiçə] *f* ⟨**-, -n**⟩ slowworm **blindwütig** *adj* in a blind rage

blinken ['blɪŋkn] *v/i* (≈ *funkeln*) to gleam; (*Leuchtturm*) to flash; AUTO to indicate **Blinker** ['blɪŋkɐ] *m* ⟨**-s, -**⟩ AUTO indicator (*esp Br*), turn signal (*US*) **Blinklicht** *nt* flashing light; (*infml* ≈ *Blinkleuchte*) indicator (*esp Br*), turn

signal (*US*) **Blinkzeichen** *nt* signal
blinzeln ['blɪntsln] *v/i* to blink; (≈ *zwinkern*) to wink; (*geblendet*) to squint
Blitz [blɪts] *m* ⟨**-es, -e**⟩ **1.** lightning *no pl, no indef art*; (≈ *Blitzstrahl*) flash of lightning; ***vom ~ getroffen werden*** to be struck by lightning; ***wie vom ~ getroffen*** (*fig*) thunderstruck; ***wie ein ~ aus heiterem Himmel*** (*fig*) like a bolt from the blue; ***wie der ~*** (*infml*) like lightning **2.** (PHOT *infml*) flash **Blitzableiter** *m* lightning conductor **blitzartig I** *adj* lightning *attr* **II** *adv reagieren* like lightning; *verschwinden* in a flash **Blitzbesuch** *m* (*infml*) flying *or* lightning visit **blitzen** ['blɪtsn] **I** *v/i impers* ***es blitzt*** there is lightning **II** *v/i* (≈ *strahlen*) to flash; (*Gold, Zähne*) to sparkle; ***vor Sauberkeit ~*** to be sparkling clean **III** *v/t* (*infml: in Radarfalle*) to flash **Blitzkrieg** *m* blitzkrieg **Blitzlicht** *nt* PHOT flash(light) **blitzsauber** *adj* spick and span **Blitzschlag** *m* flash of lightning; ***vom ~ getroffen*** struck by lightning **blitzschnell I** *adj* lightning *attr* **II** *adv* like lightning; *verschwinden* in a flash **Blitzstrahl** *m* flash of lightning
Block [blɔk] *m* ⟨**-(e)s, -s** *or* **⸗e** ['blœkə]⟩ **1.** block **2.** (≈ *Papierblock*) pad; (*von Fahrkarten*) book **3.** (POL ≈ *Staatenblock*) bloc **Blockade** [blɔ'ka:də] *f* ⟨**-, -n**⟩ (≈ *Absperrung*) blockade **Blockbuchstabe** *m* block capital **Blockflöte** *f* recorder **blockfrei** *adj* nonaligned **Blockhaus** *nt* log cabin **Blockhütte** *f* log cabin **blockieren** [blɔ'ki:rən] *past part* ***blockiert*** **I** *v/t* (≈ *sperren*) to block; *Verkehr* to obstruct; *Rad, Lenkung* to lock **II** *v/i* to jam; (*Bremsen, Rad etc*) to lock **Blockschrift** *f* block capitals *pl*
blöd [blø:t] (*infml*) **I** *adj* (≈ *dumm*) stupid; *Wetter* terrible **II** *adv* (≈ *dumm*) stupidly; ***~ fragen*** to ask stupid questions **Blödelei** [blø:də'lai] *f* ⟨**-, -en**⟩ (*infml*) (≈ *Albernheit*) messing around (*infml*); (≈ *dumme Streiche*) pranks *pl* **blödeln** ['blø:dln] *v/i* (*infml*) to mess around (*infml*); (≈ *Witze machen*) to make jokes **Blödheit** *f* ⟨**-, -en**⟩ (≈ *Dummheit*) stupidity **Blödmann** *m, pl* ***-männer*** (*infml*) stupid fool (*infml*) **Blödsinn** *m, no pl* (≈ *Unsinn*) nonsense; (≈ *Unfug*) stupid tricks *pl*; ***~ machen*** to mess around **blödsinnig** *adj* (≈ *dumm*) stupid, idiotic
Blog [blɔk] *nt or m* ⟨**-s, -s**⟩ INTERNET blog
blöken ['blø:kn] *v/i* (*Schaf*) to bleat
blond [blɔnt] *adj Frau* blonde; *Mann* blond, fair(-haired) **blondieren** [blɔn'di:rən] *past part* ***blondiert*** *v/t* to bleach **Blondine** [blɔn'di:nə] *f* ⟨**-, -n**⟩ blonde
bloß [blo:s] **I** *adj* **1.** (≈ *unbedeckt*) bare; ***mit ~en Füßen*** barefoot **2.** *attr* (≈ *alleinig*) mere; *Neid* sheer; *Gedanke, Anblick* very **II** *adv* only; ***wie kann so etwas ~ geschehen?*** how on earth can something like that happen?; ***geh mir ~ aus dem Weg*** just get out of my way **Blöße** ['blø:sə] *f* ⟨**-, -n**⟩ (*elev*) bareness; (≈ *Nacktheit*) nakedness; ***sich*** (*dat*) ***eine ~ geben*** (*fig*) to show one's ignorance **bloßstellen** *sep v/t jdn* to show up; *Betrüger* to expose
Blouson [blu'zõ:] *m or nt* ⟨**-(s), -s**⟩ bomber jacket
Bluejeans ['blu: dʒi:ns] *pl* (pair of) (blue) jeans *pl*
blühen ['bly:ən] *v/i* (*Blume*) to (be in) bloom; (*Bäume*) to (be in) blossom; (*fig* ≈ *gedeihen*) to flourish, to thrive; ***das kann mir auch noch ~*** (*infml*) that may happen to me too **blühend** *adj* blossoming; (*fig*) *Aussehen* radiant; *Geschäft, Stadt* flourishing, thriving; *Fantasie* vivid; *Unsinn* absolute; ***~e Landschaften*** green pastures
Blume ['blu:mə] *f* ⟨**-, -n**⟩ **1.** flower **2.** (*von Wein*) bouquet **Blumenerde** *f* potting compost **Blumengeschäft** *nt* florist's **Blumenhändler(in)** *m/*(*f*) florist **Blumenkohl** *m, no pl* cauliflower **blumenreich** *adj* (*fig*) *Stil etc* flowery **Blumenstrauß** *m, pl* ***-sträuße*** bouquet *or* bunch of flowers **Blumentopf** *m* flowerpot **Blumenzwiebel** *f* bulb **blumig** ['blu:mɪç] *adj* flowery
Bluse ['blu:zə] *f* ⟨**-, -n**⟩ blouse
Blut [blu:t] *nt* ⟨**-(e)s**, *no pl*⟩ blood; ***er kann kein ~ sehen*** he can't stand the sight of blood; ***böses ~*** bad blood; ***blaues ~ haben*** (≈ *adelig sein*) to have blue blood; ***etw im ~ haben*** to have sth in one's blood; **(*nur*) *ruhig ~*** keep your shirt on (*infml*); ***jdn bis aufs ~ reizen*** (*infml*) to make sb's blood boil; ***frisches ~*** (*fig*) new blood; ***~ und Wasser schwitzen*** (*infml*) to sweat blood; ***~ stillend*** = ***blutstillend*** **Blutalkohol(gehalt)** *m* blood alcohol level **blutarm** *adj* anaemic (*Br*), anemic (*US*) **Blutarmut** *f* anaemia (*Br*), anemia (*US*) **Blutbad**

nt bloodbath **Blutbank** *f, pl* ***-banken*** blood bank **Blutbild** *nt* blood count **Blutdruck** *m, no pl* blood pressure **blutdrucksenkend** *adj Mittel* antihypertensive

Blüte ['blyːtə] *f* ⟨**-, -n**⟩ **1.** (*von Blume*) flower, bloom; (*von Baum*) blossom; ***in (voller) ~ stehen*** to be in (full) bloom; (*Bäume*) to be in (full) blossom; (*Kultur, Geschäft*) to be flourishing **2.** (*infml* ≈ *gefälschte Note*) dud (*infml*)

Blutegel *m* leech **bluten** ['bluːtn] *v/i* to bleed (*an +dat, aus* from); ***mir blutet das Herz*** my heart bleeds

Blütenblatt *nt* petal **Blütenstaub** *m* pollen

Bluter ['bluːtɐ] *m* ⟨**-s, -**⟩ MED haemophiliac (*Br*), hemophiliac (*US*) **Bluterguss** ['bluːt|ɛɐgʊs] *m* haematoma (*Br tech*), hematoma (*US tech*); (≈ *blauer Fleck*) bruise **Bluterkrankheit** ['bluːtɐ-] *f* haemophilia (*Br*), hemophilia (*US*)

Blütezeit *f* (*fig*) heyday

Blutfleck *m* bloodstain **Blutgefäß** *nt* blood vessel **Blutgerinnsel** *nt* blood clot **Blutgruppe** *f* blood group **blutig** ['bluːtɪç] *adj* **1.** bloody **2.** (*infml*) *Anfänger* absolute; *Ernst* unrelenting **blutjung** *adj* very young **Blutkonserve** *f* unit of stored blood **Blutkörperchen** [-kœrpɐçən] *nt* ⟨**-s, -**⟩ blood corpuscle **Blutkreislauf** *m* blood circulation **Blutorange** *f* blood orange **Blutplasma** *nt* blood plasma **Blutprobe** *f* blood test; (≈ *entnommenes Blut*) blood sample **blutrünstig** [-rʏnstɪç] *adj* bloodthirsty **Blutsauger** *m* ⟨**-s, -**⟩, **Blutsaugerin** *f* ⟨**-, -nen**⟩ bloodsucker **Blutsbruder** *m* blood brother **Blutsenkung** *f* MED sedimentation of the blood **Blutspende** *f* blood donation **Blutspender(in)** *m/(f)* blood donor **Blutspur** *f* trail of blood; ***~en*** traces of blood **blutstillend I** *adj* styptic **II** *adv* ***~ wirken*** to have a styptic effect **Blutstropfen** *m* drop of blood **blutsverwandt** *adj* related by blood **Blutsverwandte(r)** *m/f(m) decl as adj* blood relation **Bluttat** *f* bloody deed **Bluttransfusion** *f* blood transfusion **Blutübertragung** *f* blood transfusion **Blutung** ['bluːtʊŋ] *f* ⟨**-, -en**⟩ bleeding *no pl*; (*starke*) haemorrhage (*Br*), hemorrhage (*US*); (*monatliche*) period **blutunterlaufen** *adj* suffused with blood; *Augen* bloodshot **Blutvergießen** *nt* ⟨**-s**, *no pl*⟩ bloodshed *no indef art* **Blutvergiftung** *f* blood poisoning *no indef art* **Blutverlust** *m* loss of blood **Blutwurst** *f* blood sausage **Blutzucker** *m* blood sugar **Blutzuckerspiegel** *m* blood sugar level

BLZ [beː|ɛl'tsɛt] *f* ⟨**-, -s**⟩ *abbr of* ***Bankleitzahl***

BMX-Rad [beː|ɛm'|ɪks-] *nt* BMX bike

Bö [bøː] *f* ⟨**-, -en** ['bøːən]⟩ gust (of wind); (*stärker, mit Regen*) squall

Bob [bɔp] *m* ⟨**-s, -s**⟩ bob(sleigh) (*Br*), bobsled

Bock[1] [bɔk] *m* ⟨**-(e)s, ¨-e** ['bœkə]⟩ **1.** buck; (≈ *Schafsbock*) ram; (≈ *Ziegenbock*) billy goat; ***sturer ~*** (*infml*) stubborn old devil (*infml*) **2.** (≈ *Gestell*) stand; (≈ *Sägebock*) sawhorse **3.** (*sl* ≈ *Lust, Spaß*) ***null ~!*** I don't feel like it; ***~ auf etw*** (*acc*) ***haben*** to fancy sth (*esp Br infml*); ***~ haben, etw zu tun*** to fancy doing sth (*esp Br infml*)

Bock[2] *nt or m* ⟨**-s, -**⟩ bock (beer) (*type of strong beer*)

bocken ['bɔkn] *v/i* **1.** (*Pferd*) to refuse **2.** (*infml* ≈ *trotzen*) to act up (*infml*) **bockig** ['bɔkɪç] *adj* (*infml*) awkward **Bockmist** *m* (*infml*) (≈ *dummes Gerede*) bullshit (*sl*); ***~ machen*** to make a big blunder (*infml*) **Bockshorn** *nt* ***sich von jdm ins ~ jagen lassen*** to let sb upset one **Bockspringen** *nt* ⟨**-s**, *no pl*⟩ leapfrog; SPORTS vaulting **Bockwurst** *f* bockwurst (*type of sausage*)

Boden ['boːdn] *m* ⟨**-s, ¨-** ['bøːdn]⟩ **1.** (≈ *Erde*) ground; (≈ *Fußboden*) floor; (≈ *Grundbesitz*) land; ***auf spanischem ~*** on Spanish soil; ***festen ~ unter den Füßen haben*** to be on firm ground; ***am ~ zerstört sein*** (*infml*) to be devastated; ***(an) ~ gewinnen/verlieren*** (*fig*) to gain/lose ground; ***etw aus dem ~ stampfen*** (*fig*) to conjure sth up out of nothing; ***auf fruchtbaren ~ fallen*** (*fig*) to fall on fertile ground; ***auf dem ~ der Tatsachen bleiben*** to stick to the facts **2.** (*von Behälter*) bottom **3.** (≈ *Dachboden*) loft **Bodenbelag** *m* floor covering **Bodenfrost** *m* ground frost **bodengestützt** [-gəʃtʏtst] *adj Flugkörper* ground-launched **Bodenhaftung** *f* AUTO road holding *no indef art* **Bodenhaltung** *f* AGR ***„aus ~"*** "free-range" **Bodenkontrolle** *f* SPACE ground control **bodenlos** *adj* bottomless; (*infml*

≈ *unerhört*) incredible **Bodennebel** *m* ground mist **Bodenpersonal** *nt* AVIAT ground personnel *pl* **Bodenschätze** *pl* mineral resources *pl* **Bodensee** *m* ***der ~*** Lake Constance **bodenständig** *adj* (≈ *lang ansässig*) long-established; (*fig* ≈ *unkompliziert*) down-to-earth **Bodenturnen** *nt* floor exercises *pl*

Body ['bɔdɪ] *m* ⟨***-s, -s***⟩ body **Bodybuilding** ['bɔdibɪldɪŋ] *nt* ⟨***-s,*** *no pl*⟩ bodybuilding; ***~ machen*** to do bodybuilding exercises **Bodyguard** ['bɔdigaːɐt] *m* ⟨***-s, -s***⟩ (≈ *Leibwächter*) bodyguard

Bogen ['boːgn] *m* ⟨***-s, -*** *or* ***¨*** ['bøːgn]⟩ **1.** (≈ *gekrümmte Linie*) curve; (≈ *Kurve*) bend; MAT arc; MUS, SKI turn; ***einen ~ machen*** (*Fluss etc*) to curve; ***einen großen ~ um jdn/etw machen*** (≈ *meiden*) to keep well clear of sb/sth **2.** ARCH arch **3.** (≈ *Waffe, Geigenbogen*) bow; ***den ~ überspannen*** (*fig*) to go too far **4.** (≈ *Papierbogen*) sheet (of paper) **Bogengang** *m, pl* ***-gänge*** ARCH arcade **Bogenschießen** *nt* ⟨***-s,*** *no pl*⟩ archery **Bogenschütze** *m*, **Bogenschützin** *f* archer

Bohle ['boːlə] *f* ⟨***-, -n***⟩ (thick) board; RAIL sleeper

Böhmen ['bøːmən] *nt* ⟨***-s***⟩ Bohemia **böhmisch** ['bøːmɪʃ] *adj* Bohemian; ***das sind für mich ~e Dörfer*** (*infml*) that's all Greek to me (*infml*)

Bohne ['boːnə] *f* ⟨***-, -n***⟩ bean; ***dicke/grüne/weiße ~n*** broad/green *or* French *or* runner/haricot (*Br*) *or* string *or* navy (*US*) beans; ***nicht die ~*** (*infml*) not one little bit **Bohneneintopf** *m* bean stew **Bohnenkaffee** *m* real coffee; ***gemahlener ~*** ground coffee **Bohnenstange** *f* bean support; (*fig infml*) beanpole (*infml*)

bohren ['boːrən] **I** *v/t* to bore; (*mit Bohrer*) to drill **II** *v/i* **1.** to drill (*nach* for); ***in der Nase ~*** to pick one's nose **2.** (*fig*) (≈ *drängen*) to keep on; (*Schmerz, Zweifel etc*) to gnaw **III** *v/r* ***sich in/durch etw*** (*acc*) ***~*** to bore its way into/through sth **bohrend** *adj* (*fig*) *Blick* piercing; *Schmerz, Zweifel* gnawing; *Frage* probing **Bohrer** ['boːrɐ] *m* ⟨***-s, -***⟩ drill **Bohrinsel** *f* drilling rig **Bohrloch** *nt* borehole; (*in Holz, Metall etc*) drill hole **Bohrmaschine** *f* drill **Bohrturm** *m* derrick **Bohrung** *f* ⟨***-, -en***⟩ **1.** (≈ *das Bohren*) boring; (*mit Bohrer*) drilling **2.** (≈ *Loch*) bore(hole); (*in Holz, Metall etc*) drill hole

böig ['bøːɪç] *adj* gusty; (*stärker, mit Regen*) squally

Boiler ['bɔylɐ] *m* ⟨***-s, -***⟩ (hot-water) tank

Boje ['boːjə] *f* ⟨***-, -n***⟩ buoy

Bolivien [bo'liːviən] *nt* ⟨***-s***⟩ Bolivia

Bolzen ['bɔltsn] *m* ⟨***-s, -***⟩ TECH pin; (≈ *Geschoss*) bolt

Bolzplatz *m piece of ground where children play football*

bombardieren [bɔmbar'diːrən] *past part* ***bombardiert*** *v/t* to bomb; (*fig*) to bombard **Bombardierung** *f* ⟨***-, -en***⟩ bombing; (*fig*) bombardment

bombastisch [bɔm'bastɪʃ] **I** *adj Sprache* bombastic; *Aufwand* ostentatious **II** *adv* (≈ *schwülstig*) bombastically; (≈ *pompös*) ostentatiously

Bombe ['bɔmbə] *f* ⟨***-, -n***⟩ bomb; ***wie eine ~ einschlagen*** to come as a (real) bombshell **Bombenalarm** *m* bomb scare **Bombenangriff** *m* bomb attack **Bombenattentat** *nt* bomb attempt **Bombendrohung** *f* bomb threat *or* scare **Bombenerfolg** *m* (*infml*) smash hit (*infml*) **Bombengeschäft** *nt* (*infml*) ***ein ~ machen*** to do a roaring trade (*infml*) (*mit* in) **Bombenleger** [-leːgɐ] *m* ⟨***-s, -***⟩, **Bombenlegerin** [-ərɪn] *f* ⟨***-, -nen***⟩ bomber **bombensicher** *adj* **1.** MIL bombproof **2.** (*infml*) dead certain (*infml*) **Bombenteppich** *m* ***einen ~ legen*** to blanket-bomb an/the area **Bombentrichter** *m* bomb crater **Bomberjacke** *f* bomber jacket

Bon [bɔŋ, bõː] *m* ⟨***-s, -s***⟩ voucher, coupon; (≈ *Kassenzettel*) receipt

Bonbon [bɔŋ'bɔŋ, bõ'bõː] *nt or m* ⟨***-s, -s***⟩ sweet (*Br*), candy (*US*)

Bond [bɔnt] *m* ⟨***-s, -s***⟩ FIN bond; ***festverzinsliche ~s*** *pl* fixed-income bonds *pl* **Bondmarkt** *m* FIN bond market

Bonus ['boːnʊs] *m* ⟨***-*** *or* ***-ses, -*** *or* ***-se***⟩ bonus

Bonze ['bɔntsə] *m* ⟨***-n, -n***⟩ (*pej*) bigwig (*infml*)

Boom [buːm] *m* ⟨***-s, -s***⟩ boom **boomen** ['buːmən] *v/i* to boom

Boot [boːt] *nt* ⟨***-(e)s, -e***⟩ boat; ***~ fahren*** to go boating; ***wir sitzen alle in einem ~*** (*fig*) we're all in the same boat **Bootsfahrt** *f* boat trip **Bootsflüchtlinge** *pl* boat people **Bootsverleih** *m* boat hire business

Bord[1] [bɔrt] *m* ⟨***-(e)s*** [-dəs]⟩ *no pl* ***an ~*** on board; ***alle Mann an ~!*** all aboard!; ***an ~ gehen*** to go on board; ***Mann über ~!*** man overboard!; ***über~ werfen*** to throw overboard

Bord[2] *nt* ⟨**-(e)s, -e**⟩ (≈ *Wandbrett*) shelf

Bordbuch *nt* log(book) **Bordcomputer** *m* on-board computer

Bordell [bɔr'dɛl] *nt* ⟨**-s, -e**⟩ brothel

Bordfunker(in) *m/(f)* NAUT, AVIAT radio operator **Bordkante** *f* kerb (*Br*), curb (*US*) **Bordkarte** *f* boarding pass **Bordstein** *m* kerb (*Br*), curb (*US*)

borgen ['bɔrgn] *v/t & v/i* **1.** (≈ *erhalten*) to borrow (*von* from) **2.** (≈ *geben*) to lend (*jdm etw* sb sth, sth to sb)

Borke ['bɔrkə] *f* ⟨**-, -n**⟩ bark

borniert [bɔr'niːɐt] *adj* bigoted

Börse ['bœrzə, 'bøːɐzə] *f* ⟨**-, -n**⟩ (≈ *Wertpapierhandel*) stock market; (*Ort*) stock exchange; ***an die ~ gehen*** to be floated on the stock exchange **Börsenaufsicht** *f* (*Behörde*) stock market regulator **Börsenbericht** *m* stock market report **Börsengang** *m*, *pl* ***-gänge*** stock market flotation **Börsengeschäft** *nt* (≈ *Wertpapierhandel*) stockbroking; (≈ *Transaktion*) stock market transaction **Börsenkrach** *m* stock market crash **Börsenkurs** *m* stock market price **Börsenmakler(in)** *m/(f)* stockbroker **Börsenspekulation** *f* speculation on the stock market **Börsentendenz** *f* stock market trend **Börsenverkehr** *m* stock market dealings *pl* **Börsianer** [bœr'ziaːnɐ] *m* ⟨**-s, -**⟩, **Börsianerin** [-ərɪn] *f* ⟨**-, -nen**⟩ (*infml*) (≈ *Makler*) broker; (≈ *Spekulant*) speculator

Borste ['bɔrstə] *f* ⟨**-, -n**⟩ bristle **borstig** ['bɔrstɪç] *adj* bristly; (*fig*) snappish

Borte ['bɔrtə] *f* ⟨**-, -n**⟩ braid trimming

bösartig *adj Mensch, Wesen* malicious; *Tier* vicious; MED *Geschwür* malignant

Böschung ['bœʃʊŋ] *f* ⟨**-, -en**⟩ embankment; (*von Fluss*) bank

böse ['bøːzə] **I** *adj* **1.** bad; (*infml* ≈ *unartig*) naughty; *Überraschung* nasty; ***das war keine ~ Absicht*** there was no harm intended; ***~ Folgen*** dire consequences **2.** (≈ *verärgert*) angry (*+dat*, *auf +acc*, *mit* with) **II** *adv* nastily; *verprügeln* badly; ***es sieht ~ aus*** it looks bad **Böse(r)** ['bøːzə] *m/f(m) decl as adj* wicked *or* evil person; FILM, THEAT villain, baddy (*infml*) **Böse(s)** ['bøːzə] *nt decl as adj* evil; (≈ *Schaden, Leid*) harm; ***ich habe mir gar nichts ~s dabei gedacht*** I didn't mean any harm **Bösewicht** ['bøːzəvɪçt] *m* ⟨**-(e)s, -e** *or* **-er**⟩ (*hum*) villain **boshaft** ['boːshaft] **I** *adj* malicious **II** *adv grinsen* maliciously **Bosheit** ['boːshait] *f* ⟨**-, -en**⟩ malice; (*Bemerkung*) malicious remark

Bosnien ['bɔsniən] *nt* ⟨**-s**⟩ Bosnia; ***~ und Herzegowina*** Bosnia-Herzegovina **Bosnier** ['bɔsniɐ] *m* ⟨**-s, -**⟩, **Bosnierin** [-ərɪn] *f* ⟨**-, -nen**⟩ ⟨**-s, -**⟩ Bosnian **bosnisch** ['bɔsnɪʃ] *adj* Bosnian

Bosporus ['bɔsporʊs] *m* ⟨**-**⟩ ***der ~*** the Bosporus

Boss [bɔs] *m* ⟨**-es, -e**⟩ (*infml*) boss (*infml*)

böswillig **I** *adj* malicious; ***in ~er Absicht*** with malicious intent **II** *adv* maliciously

botanisch [bo'taːnɪʃ] *adj* botanic

Bote ['boːtə] *m* ⟨**-n, -n**⟩, **Botin** ['boːtɪn] *f* ⟨**-, -nen**⟩ messenger; (≈ *Kurier*) courier **Botschaft** ['boːtʃaft] *f* ⟨**-, -en**⟩ **1.** (≈ *Mitteilung*) message; (≈ *Neuigkeit*) (piece of) news **2.** (POL ≈ *Vertretung*) embassy **Botschafter** ['boːtʃaftɐ] *m* ⟨**-s, -**⟩, **Botschafterin** [-ərɪn] *f* ⟨**-, -nen**⟩ ambassador

Botsuana [bɔt'suaːna] *nt* ⟨**-s**⟩ Botswana

Bottich ['bɔtɪç] *m* ⟨**-(e)s, -e**⟩ tub

Botulismus [botu'lɪsmʊs] *m* ⟨**-**, *no pl*⟩ MED botulism

Bougainvillea [bugɛ̃'vɪlea] *f* ⟨**-, *Bougainvilleen*** [-leən]⟩ BOT bougainvillea

Bouillon [bʊl'jɔn, bʊl'jõː, (*Aus*) bu'jõː] *f* ⟨**-, -s**⟩ bouillon **Bouillonwürfel** *m* bouillon cube

Boulevard [bulə'vaːɐ, bul'vaːɐ] *m* ⟨**-s, -s**⟩ boulevard **Boulevardblatt** *nt* (*infml*) tabloid (*also pej*) **Boulevardpresse** *f* (*infml*) popular press **Boulevardtheater** *nt* light theatre (*Br*) *or* theater (*US*) **Boulevardzeitung** *f* popular daily (*Br*), tabloid (*also pej*)

Boutique [bu'tiːk] *f* ⟨**-, -n**⟩ boutique

Bowle ['boːlə] *f* ⟨**-, -n**⟩ (≈ *Getränk*) punch

Bowling ['boːlɪŋ] *nt* ⟨**-s, -s**⟩ (tenpin) bowling **Bowlingkugel** *f* bowl

Box [bɔks] *f* ⟨**-, -en**⟩ **1.** (≈ *abgeteilter Raum*) compartment; (*für Pferde*) box; (*in Großgarage*) (partitioned-off) parking place; (*für Rennwagen*) pit **2.** (≈ *Behälter*) box **3.** (≈ *Lautsprecherbox*) speaker (unit)

boxen ['bɔksn] **I** *v/i* SPORTS to box; ***gegen jdn ~*** to fight sb **II** *v/t* (≈ *schlagen*) to punch; ***sich nach oben ~*** (*fig infml*) to fight one's way up **Boxen** *nt* ⟨**-s**, *no pl*⟩ SPORTS boxing

Boxenstopp *m* pit stop

Boxer ['bɔksɐ] *m* ⟨**-s, -**⟩ (≈ *Hund*) boxer

Boxer ['bɔksɐ] *m* ⟨**-s, -**⟩, **Boxerin** [-ərın] *f* ⟨**-, -nen**⟩ (≈ *Sportler*) boxer **Boxershorts** *pl* boxer shorts *pl* **Boxhandschuh** *m* boxing glove **Boxkampf** *m* fight, bout **Boxring** *m* boxing ring

Boygroup ['bɔygruːp] *f* ⟨**-, -s**⟩ boy band, boy group (*esp US*)

Boykott [bɔy'kɔt] *m* ⟨**-(e)s, -e** *or* **-s**⟩ boycott **boykottieren** [bɔykɔ'tiːrən] *past part* ***boykottiert*** *v/t* to boycott

Brachland *nt* fallow (land) **brachliegen** *v/i sep irr* to lie fallow; (*fig*) to be left unexploited

Branche ['brãːʃə] *f* ⟨**-, -n**⟩ (≈ *Fach*) field; (≈ *Gewerbe*) trade; (≈ *Geschäftszweig*) area of business; (≈ *Wirtschaftszweig*) (branch of) industry **Branchenbuch** *nt* classified directory, Yellow Pages® *sg* **Branchenführer(in)** *m*/(*f*) market leader **Branchenverzeichnis** *nt* classified directory, Yellow Pages® *sg*

Brand [brant] *m* ⟨**-(e)s, ⸚e** ['brɛndə]⟩ **1.** (≈ *Feuer*) fire; ***in ~ geraten*** to catch fire; ***etw in ~ setzen*** *or* ***stecken*** to set fire to sth; ***einen ~ legen*** to set a fire **2.** (*fig infml* ≈ *großer Durst*) raging thirst **Brandblase** *f* (burn) blister **Brandbombe** *f* firebomb, incendiary device

branden ['brandn] *v/i* to surge (*also fig*); ***an*** *or* ***gegen etw*** (*acc*) ***~*** to break against sth

Brandenburg ['brandnbʊrk] *nt* ⟨**-s**⟩ Brandenburg

Brandfleck *m* burn **Brandgefahr** *f* danger of fire **Brandherd** *m* source of the fire; (*fig*) source **brandmarken** ['brantmarkn] *v/t insep* to brand; (*fig*) to denounce **brandneu** *adj* (*infml*) brand-new **Brandschutz** *m* protection against fire **Brandstifter(in)** *m*/(*f*) fire raiser (*esp Br*), arsonist (*esp* JUR) **Brandstiftung** *f* arson

Brandung ['brandʊŋ] *f* ⟨**-, -en**⟩ surf

Brandwunde *f* burn; (*durch Flüssigkeit*) scald **Brandzeichen** *nt* brand

Branntwein *m* spirits *pl* **Branntweinbrennerei** *f* distillery **Branntweinsteuer** *f* tax on spirits

Brasilianer [brazi'liaːnɐ] *m* ⟨**-s, -**⟩, **Brasilianerin** [-ərın] *f* ⟨**-, -nen**⟩ Brazilian **brasilianisch** [brazi'liaːnıʃ] *adj* Brazilian

Brasilien [bra'ziːliən] *nt* ⟨**-s**⟩ Brazil

Bratapfel *m* baked apple **braten** ['braːtn] *pret* ***briet*** [briːt], *past part* ***gebraten*** [gə'braːtn] **I** *v/t & v/i* to roast; (*im Ofen*) to bake; (*in der Pfanne*) to fry **II** *v/i* (*infml*: *in der Sonne*) to roast (*infml*) **Braten** ['braːtn] *m* ⟨**-s, -**⟩ ≈ pot roast meat *no indef art, no pl*; (*im Ofen gebraten*) joint (*Br*), roast; ***kalter ~*** cold meat; ***den ~ riechen*** (*infml*) to smell a rat (*infml*) **Bratensoße** *f* gravy **bratfertig** *adj* oven-ready **Bratfisch** *m* fried fish **Brathähnchen** *nt*, (*Aus, S Ger*) **Brathendl** *nt* roast chicken **Brathering** *m* fried herring (*sold cold*) **Brathuhn** *nt* roast chicken; (≈ *Huhn zum Braten*) roasting chicken **Bratkartoffeln** *pl* sauté potatoes *pl* **Bratofen** *m* oven **Bratpfanne** *f* frying pan **Bratröhre** *f* oven **Bratrost** *m* grill

Bratsche ['braːtʃə] *f* ⟨**-, -n**⟩ viola

Bratspieß *m* skewer; (≈ *Teil des Grills*) spit; (≈ *Gericht*) kebab **Bratwurst** *f*, **Bratwürstchen** *nt* (fried) sausage

Brauch [braux] *m* ⟨**-(e)s, *Bräuche*** ['brɔyçə]⟩ custom, tradition; ***etw ist ~*** sth is traditional

brauchbar *adj* (≈ *benutzbar*) useable; *Plan* workable; (≈ *nützlich*) useful **brauchen** ['brauxn] **I** *v/t* **1.** (≈ *nötig haben*) to need (*für, zu* for); ***Zeit ~*** to need time; ***wie lange braucht man, um ...?*** how long does it take to ...? **2.** (*infml* ≈ *nützlich finden*) ***das könnte ich ~*** I could do with that **3.** (≈ *benutzen, infml* ≈ *verbrauchen*) to use; → ***gebraucht*** **II** *aux* to need; ***du brauchst das nicht tun*** you don't have *or* need to do that **Brauchtum** ['brauxtuːm] *nt* ⟨**-s,** (*rare*) ***-tümer*** [-tyːmɐ]⟩ customs *pl*, traditions *pl*

Braue ['brauə] *f* ⟨**-, -n**⟩ (eye)brow

brauen ['brauən] *v/t Bier* to brew **Brauer** ['brauɐ] *m* ⟨**-s, -**⟩, **Brauerin** [-ərın] *f* ⟨**-, -nen**⟩ brewer **Brauerei** [brauə'rai] *f* ⟨**-, -en**⟩ brewery

braun [braun] *adj* brown; ***~ gebrannt*** (sun)tanned **Bräune** ['brɔynə] *f* ⟨**-,** *no pl*⟩ (≈ *braune Färbung*) brown(ness); (*von Sonne*) (sun)tan **bräunen** ['brɔynən] **I** *v/t* COOK to brown; (*Sonne etc*) to tan **II** *v/i* ***sich in der Sonne ~ lassen*** to get a (sun)tan **braungebrannt** *adj attr*; → ***braun*** **braunhaarig** *adj* brown-haired; *Frau auch* brunette **Braunkohle**

f brown coal **bräunlich** ['brɔynlɪç] *adj* brownish

Braunschweig ['braunʃvaik] *nt* ⟨**-s**⟩ Brunswick

Brause ['brauzə] *f* ⟨**-, -n**⟩ **1.** (≈ *Dusche*) shower **2.** (*an Gießkanne*) rose **3.** (≈ *Getränk*) pop; (≈ *Limonade*) (fizzy) lemonade; (≈ *Brausepulver*) sherbet **brausen** ['brauzn] *v/i* **1.** (≈ *tosen*) to roar; (*Beifall*) to thunder **2.** *aux sein* (≈ *rasen*) to race **3.** (*auch vr* ≈ *duschen*) to (have a) shower **Brausepulver** *nt* sherbet **Brausetablette** *f* effervescent tablet

Braut [braut] *f* ⟨**-, Bräute** ['brɔytə]⟩ **1.** bride **2.** (*sl* ≈ *Frau*) bird (*esp Br infml*), chick (*esp US infml*) **Bräutigam** ['brɔytɪgam, 'brɔytigam] *m* ⟨**-s, -e**⟩ (bride)groom **Brautjungfer** *f* bridesmaid **Brautkleid** *nt* wedding dress **Brautpaar** *nt* bride and (bride)groom

brav [braːf] **I** *adj* **1.** (≈ *gehorsam*) good; ***sei schön ~!*** be a good boy/girl **2.** (≈ *bieder*) plain **II** *adv* ***~ seine Pflicht tun*** to do one's duty without complaining

bravo ['braːvo] *int* well done; (*für Künstler*) bravo **Bravoruf** *m* cheer

BRD [beːǀɛr'deː] *f* ⟨**-**⟩ *abbr of* ***Bundesrepublik Deutschland*** FRG

Break [breːk] *nt or m* ⟨**-s, -s**⟩ TENNIS break

Brechbohnen *pl* French beans *pl* **Brecheisen** *nt* crowbar **brechen** ['brɛçn] *pret* **brach** [braːx], *past part* **gebrochen** [gə'brɔxn] **I** *v/t* **1.** to break; *Widerstand* to overcome; *Licht* to refract; ***sich/jdm den Arm ~*** to break one's/sb's arm **2.** (≈ *erbrechen*) to bring up **II** *v/i* **1.** *aux sein* to break; ***mir bricht das Herz*** it breaks my heart; ***~d voll sein*** to be full to bursting **2.** ***mit jdm/etw ~*** to break with sb/sth **3.** (≈ *sich erbrechen*) to be sick **III** *v/r* (*Wellen*) to break; (*Lichtstrahl*) to be refracted **Brechmittel** *nt* emetic; ***er/das ist das reinste ~ (für mich)*** he/it makes me feel sick **Brechreiz** *m* nausea **Brechstange** *f* crowbar

Brei [brai] *m* ⟨**-(e)s, -e**⟩ mush, paste; (≈ *Haferbrei*) porridge; (≈ *Grießbrei*) semolina; ***jdn zu ~ schlagen*** (*infml*) to beat sb to a pulp (*infml*); ***um den heißen ~ herumreden*** (*infml*) to beat about (*Br*) *or* around the bush (*infml*)

breit [brait] **I** *adj* broad; *Publikum, Angebot* wide; ***die ~e Masse*** the masses *pl*; ***die ~e Öffentlichkeit*** the public at large **II** *adv* ***~ gebaut*** sturdily built; ***ein ~ gefächertes Angebot*** a wide range **Breitbandkabel** *nt* broadband cable **Breitband(kommunikations)netz** *nt* TEL broadband (communications) network **breitbeinig** *adv* with one's legs apart

Breite ['braitə] *f* ⟨**-, -n**⟩ **1.** breadth; (*esp bei Maßangaben*) width; (*von Angebot*) breadth; ***in die ~ gehen*** (*infml* ≈ *dick werden*) to put on weight **2.** GEOG latitude; ***in südlichere ~n fahren*** (*infml*) to travel to more southerly climes; ***20° nördlicher ~*** 20° north **breiten** ['braitn] *v/t & v/r* to spread **Breitengrad** *m* (degree of) latitude **Breitenkreis** *m* parallel **Breitensport** *m* popular sport **breitgefächert** [-gəfɛçɐt] *adj* → **breit** **breitmachen** *v/r sep* (*infml*: *Mensch*) to make oneself at home; (*Gefühl etc*) to spread; ***mach dich doch nicht so breit!*** don't take up so much room **breitschlagen** *v/t sep irr* (*infml*) ***jdn (zu etw) ~*** to talk sb round (*Br*) *or* around (*US*) (to sth); ***sich ~ lassen*** to let oneself be talked round (*Br*) *or* around (*US*) **breitschult(e)rig** *adj* broad-shouldered **Breitseite** *f* (NAUT, *fig*) broadside **breitspurig** [-ʃpuːrɪç] **I** *adj Bahn* broad-gauge *attr*; *Straße* wide-laned **II** *adv* (*fig*) ***~ reden*** to speak in a showy manner **breittreten** *v/t sep irr* (*infml*) to go on about (*infml*)

Bremsbelag *m* brake lining

Bremse[1] ['brɛmzə] *f* ⟨**-, -n**⟩ (*bei Fahrzeugen*) brake

Bremse[2] *f* ⟨**-, -n**⟩ (≈ *Insekt*) horsefly

bremsen ['brɛmzn] **I** *v/i* **1.** to brake **2.** (*infml* ≈ *zurückstecken*) ***mit etw ~*** to cut down (on) sth **II** *v/t* **1.** *Fahrzeug* to brake **2.** (*fig*) to restrict; *Entwicklung* to slow down; ***er ist nicht zu ~*** (*infml*) there's no stopping him **Bremsflüssigkeit** *f* brake fluid **Bremskraft** *f* braking power **Bremskraftverstärker** *m* servo brake **Bremslicht** *nt* brake light **Bremspedal** *nt* brake pedal **Bremsspur** *f* skid mark *usu pl* **Bremsung** *f* ⟨**-, -en**⟩ braking **Bremsweg** *m* braking distance

brennbar *adj* inflammable **Brennelement** *nt* fuel element **brennen** ['brɛnən] *pret* **brannte** ['brantə], *past part* **gebrannt** [gə'brant] **I** *v/i* to burn; (*Glühbirne etc*) to be on; (*Zigarette*) to be alight; (*Stich*) to sting; ***in den Augen***

~ to sting the eyes; ***das Licht ~ lassen*** to leave the light on; ***es brennt!*** fire, fire!; ***wo brennts denn?*** (*infml*) what's the panic?; ***darauf ~, etw zu tun*** to be dying to do sth **II** *v/t* to burn; *Branntwein* to distil (*Br*), to distill (*US*); *Kaffee* to roast; *Ton* to fire; ***eine CD ~*** to burn a CD **brennend I** *adj* burning; *Zigarette* lighted **II** *adv* (*infml* ≈ *sehr*) terribly; *interessieren* really **Brenner** ['brɛnɐ] *m* ⟨**-s, -**⟩ TECH burner; (*für CDs*) CD burner **Brennerei** [brɛnə'rai] *f* ⟨**-, -en**⟩ distillery **Brennholz** *nt* firewood **Brennnessel** *f* stinging nettle **Brennofen** *m* kiln **Brennpunkt** *m* MAT, OPT focus; ***im ~ des Interesses stehen*** to be the focal point **Brennstab** *m* fuel rod **Brennstoff** *m* fuel **Brennstoffzelle** *f* fuel cell

brenzlig ['brɛntslɪç] *adj* (*infml*) *Situation* precarious; ***die Sache wurde ihm zu ~*** things got too hot for him (*infml*)

Bretagne [bre'tanjə] *f* ⟨**-**⟩ ***die ~*** Brittany

Brett [brɛt] *nt* ⟨**-(e)s, -er** ['brɛtɐ]⟩ **1.** board; (≈ *Regalbrett*) shelf; ***Schwarzes ~*** notice board (*Br*), bulletin board (*US*); ***ich habe heute ein ~ vor dem Kopf*** (*infml*) I can't think straight today **2.** (*fig*) **Bretter** *pl* (≈ *Bühne*) stage, boards *pl*; (≈ *Skier*) planks *pl* (*infml*) **brettern** ['brɛtɐn] *v/i aux sein* (*infml*) to race (along) **Bretterzaun** *m* wooden fence **Brettspiel** *nt* board game

Brezel ['breːtsl] *f* ⟨**-, -n**⟩ pretzel

Brief [briːf] *m* ⟨**-(e)s, -e**⟩ letter; BIBLE epistle **Briefbombe** *f* letter bomb

briefen [briːfn] *v/t* (≈ *informieren*) to brief

Brieffreund(in) *m/(f)* pen friend **Briefkasten** *m* (*am Haus*) letter box (*Br*), mailbox (*US*); (*der Post*) postbox (*Br*), mailbox (*US*); ***elektronischer ~*** IT electronic mailbox **Briefkopf** *m* letterhead **brieflich** ['briːflɪç] *adj*, *adv* by letter **Briefmarke** *f* stamp **Briefmarkensammler(in)** *m/(f)* stamp collector **Briefmarkensammlung** *f* stamp collection **Brieföffner** *m* letter opener **Briefpapier** *nt* writing paper **Brieftasche** *f* **1.** wallet, billfold (*US*) **2.** (*Aus* ≈ *Geldbörse*) purse (*Br*), wallet (*US*) **Brieftaube** *f* carrier pigeon **Briefträger** *m* postman (*Br*), mailman (*US*) **Briefträgerin** *f* postwoman (*Br*), mailwoman (*US*) **Briefumschlag** *m* envelope **Briefwaage** *f* letter scales *pl* **Briefwahl** *f* postal vote **Briefwechsel** *m* correspondence

Brigade [bri'gaːdə] *f* ⟨**-, -n**⟩ MIL brigade

Brikett [bri'kɛt] *nt* ⟨**-s, -s** *or* (*rare*) **-e**⟩ briquette

brillant [brɪl'jant] **I** *adj* brilliant **II** *adv* brilliantly **Brillant** [brɪl'jant] *m* ⟨**-en, -en**⟩ diamond **Brillantring** *m* diamond ring

Brille ['brɪlə] *f* ⟨**-, -n**⟩ **1.** OPT glasses *pl*; (≈ *Schutzbrille*) goggles *pl*; ***eine ~*** a pair of glasses; ***eine ~ tragen*** to wear glasses **2.** (≈ *Klosettbrille*) (toilet) seat **Brillenetui** *nt* glasses case **Brillenglas** *nt* lens

bringen ['brɪŋən] *pret* ***brachte*** ['braxtə], *past part* ***gebracht*** [gə'braxt] *v/t* **1.** (≈ *herbringen*) to bring; ***sich*** (*dat*) ***etw ~ lassen*** to have sth brought to one; ***etw an sich*** (*acc*) ***~*** to acquire sth **2.** (≈ *woanders hinbringen*) to take; ***jdn nach Hause ~*** to take sb home; ***etw hinter sich*** (*acc*) ***~*** to get sth over and done with **3.** (≈ *einbringen*) *Gewinn* to bring in, to make; **(*jdm*) *Glück/Unglück ~*** to bring (sb) luck/bad luck; ***das bringt nichts*** (*infml*) it's pointless **4.** ***jdn zum Lachen/Weinen ~*** to make sb laugh/cry; ***jdn dazu ~, etw zu tun*** to get sb to do sth **5.** (*Zeitung*) to print; (≈ *senden*) *Bericht etc* to broadcast; (≈ *aufführen*) *Stück* to do **6.** (*sl* ≈ *schaffen, leisten*) ***das bringt er nicht*** he's not up to it; ***das Auto bringt 180 km/h*** (*infml*) the car can do 180 km/h; ***der Motor bringts nicht mehr*** the engine has had it (*infml*) **7.** ***es zu etwas/nichts ~*** to get somewhere/nowhere; ***er hat es bis zum Direktor gebracht*** he made it to director; ***jdn um etw ~*** to do sb out of sth; ***das bringt mich noch um den Verstand*** it's driving me crazy

brisant [bri'zant] *adj* explosive **Brisanz** [bri'zants] *f* ⟨**-, -en**⟩ (*fig*) explosive nature; ***ein Thema von äußerster ~*** an extremely explosive subject

Brise ['briːzə] *f* ⟨**-, -n**⟩ breeze

Brite ['brɪtə, 'briːtə] *m* ⟨**-n, -n**⟩, **Britin** ['brɪtɪn, 'briːtɪn] *f* ⟨**-, -nen**⟩ Briton, Brit (*infml*); ***er ist ~*** he is British; ***die ~n*** the British **britisch** ['brɪtɪʃ, 'briːtɪʃ] *adj* British; ***die Britischen Inseln*** the British Isles

bröckelig ['brœkəlɪç] *adj* crumbly **bröckeln** ['brœkln] *v/i aux sein* (*Haus, Fassade*) to crumble; (*Preise, Kurse*) to tumble **Brocken** ['brɔkn] *m* ⟨**-s, -**⟩ lump, chunk; (*infml*: *Person*) lump (*infml*); ***ein paar ~ Spanisch*** a smattering of Spanish; ***ein harter ~*** (≈ *Person*) a tough cookie (*infml*); (≈ *Sache*) a tough nut to crack

brodeln ['broːdln] *v/i* to bubble; (*Dämpfe*) to swirl; ***es brodelt*** (*fig*) there is seething unrest

Brokat [bro'kaːt] *m* ⟨**-(e)s, -e**⟩ brocade

Broker ['broːkɐ] *m* ⟨**-s, -**⟩, **Brokerin** [-ərɪn] *f* ⟨**-, -nen**⟩ ST EX (stock)broker

Brokkoli ['brɔkoli] *pl* broccoli *sg*

Brom [broːm] *nt* ⟨**-s,** *no pl*⟩ bromine

Brombeere ['brɔm-] *f* blackberry, bramble

Bronchialkatarrh *m* bronchial catarrh

Bronchie ['brɔnçiə] *f* ⟨**-, -n**⟩ *usu pl* bronchial tube **Bronchitis** [brɔn'çiːtɪs] *f* ⟨**-, *Bronchitiden*** [-çi'tiːdn]⟩ bronchitis

Bronze ['brõːsə] *f* ⟨**-, -n**⟩ bronze **Bronzemedaille** ['brõːsə-] *f* bronze medal **Bronzezeit** ['brõːsə-] *f*, *no pl* Bronze Age

Brosche ['brɔʃə] *f* ⟨**-, -n**⟩ brooch

Broschüre [brɔ'ʃyːrə] *f* ⟨**-, -n**⟩ brochure

Brösel ['brøːzl] *m* ⟨**-s, -**⟩ crumb

Brot [broːt] *nt* ⟨**-(e)s, -e**⟩ bread; (≈ *Laib*) loaf (of bread); (≈ *Scheibe*) slice (of bread); (≈ *Butterbrot*) (slice of) bread and butter *no art*, *no pl*; (≈ *Stulle*) sandwich; ***belegte ~e*** open (*Br*) *or* open-face (*US*) sandwiches **Brotbelag** *m* topping (*for bread*) **Brötchen** ['brøːtçən] *nt* ⟨**-s, -**⟩ roll; (***sich*** *dat*) ***seine ~ verdienen*** (*infml*) to earn one's living **Brotkorb** *m* bread basket **Brotmesser** *nt* bread knife **Brotrinde** *f* crust **Brotzeit** *f* (*S Ger* ≈ *Pause*) tea break (*Br*), snack break (*US*)

browsen ['brauzn] *v/i* IT to browse **Browser** ['brauzɐ] *m* ⟨**-s, -**⟩ IT browser

Bruch [brʊx] *m* ⟨**-(e)s, ⸚e** ['brʏçə]⟩ **1.** (≈ *Bruchstelle*) break; (*in Porzellan etc*) crack; ***zu ~ gehen*** to get broken **2.** (*fig*) (*von Vertrag*, *Eid etc*) breaking; (*mit Vergangenheit*, *Partei*) break; (*des Vertrauens*) breach; ***in die Brüche gehen*** (*Ehe*, *Freundschaft*) to break up **3.** MED fracture; (≈ *Eingeweidebruch*) hernia **4.** MAT fraction **5.** (*sl* ≈ *Einbruch*) break-in **Bruchbude** *f* (*pej*) hovel **brüchig** ['brʏçɪç] *adj Material*, *Knochen* brittle; *Mauerwerk* crumbling; (*fig*) *Stimme* cracked **Bruchlandung** *f* crash-landing; ***eine ~ machen*** to crash-land **Bruchrechnung** *f* fractions *sg or pl* **Bruchschaden** *m* COMM breakage **Bruchstelle** *f* break **Bruchstrich** *m* MAT line (of a fraction) **Bruchstück** *nt* fragment **bruchstückhaft I** *adj* fragmentary **II** *adv* in a fragmentary way **Bruchteil** *m* fraction; ***im ~ einer Sekunde*** in a split second

Brücke ['brʏkə] *f* ⟨**-, -n**⟩ **1.** bridge; ***alle ~n hinter sich*** (*dat*) ***abbrechen*** (*fig*) to burn one's bridges **2.** (≈ *Zahnbrücke*) bridge **3.** (≈ *Teppich*) rug **Brückenkopf** *m* bridgehead **Brückentag** *m* extra day off (*taken between two public holidays or a public holiday and a weekend*)

Bruder ['bruːdɐ] *m* ⟨**-s, ⸚** ['bryːdɐ]⟩ **1.** brother; ***unter Brüdern*** (*infml*) between friends **2.** (≈ *Mönch*) friar, brother **3.** (*infml* ≈ *Mann*) guy (*infml*) **brüderlich** ['bryːdɐlɪç] **I** *adj* fraternal **II** *adv* like brothers; ***~ teilen*** to share and share alike **Brüderschaft** ['bryːdɐʃaft] *f* ⟨**-, -en**⟩ (≈ *Freundschaft*) close friendship; ***mit jdm ~ trinken*** to agree over a drink to use the familiar "du"

Brühe ['bryːə] *f* ⟨**-, -n**⟩ (≈ *Suppe*) (clear) soup; (*als Suppengrundlage*) stock; (*pej*) (≈ *schmutzige Flüssigkeit*) sludge; (≈ *Getränk*) muck (*infml*) **brühwarm** *adv* (*infml*) ***er hat das sofort ~ weitererzählt*** he promptly went away and spread it around **Brühwürfel** *m* stock cube

brüllen ['brʏlən] **I** *v/i* to shout, to roar; (*pej* ≈ *laut weinen*) to bawl; ***er brüllte vor Schmerzen*** he screamed with pain; ***vor Lachen ~*** to roar with laughter; ***das ist zum Brüllen*** (*infml*) it's a scream (*infml*) **II** *v/t* to shout, to roar **Brüller** ['brʏlɐ] (*infml*) ***ein ~ sein*** (*Witz*, *Film etc*) to be a scream (*infml*) *or* hoot (*infml*); (*Schlager*) to be brilliant *or* wicked (*Br sl*)

brummen ['brʊmən] **I** *v/i* **1.** (*Insekt*) to buzz; (*Motor*) to drone; ***mir brummt der Kopf*** my head is throbbing **2.** (*Wirtschaft*, *Geschäft*) to boom **II** *v/t* (≈ *brummeln*) to mumble, to mutter **Brummer** ['brʊmɐ] *m* ⟨**-s, -**⟩ (≈ *Schmeißfliege*) bluebottle **Brummi** ['brʊmi] *m* ⟨**-s, -s**⟩ (*infml* ≈ *Lastwagen*) lorry (*Br*), truck **brummig** ['brʊmɪç] *adj* grumpy **Brummschädel** *m* (*infml*) thick head (*infml*)

Brunch [brantʃ, branʃ] *m* ⟨**-(e)s, -(e)s** *or* **-e**⟩ brunch

brünett [bry'nɛt] *adj* dark(-haired); ***sie***

ist ~ she is (a) brunette
Brunft [brʊnft] *f* ⟨-, ⸚e ['brʏnftə]⟩ HUNT rut **Brunftschrei** *m* mating call
Brunnen ['brʊnən] *m* ⟨-s, -⟩ well; (≈ *Springbrunnen*) fountain **Brunnenkresse** *f* watercress **Brunnenschacht** *m* well shaft
brünstig ['brʏnstɪç] *adj männliches Tier* rutting; *weibliches Tier* on (*Br*) *or* in (*esp US*) heat
brüsk [brʏsk] **I** *adj* brusque, abrupt **II** *adv* brusquely, abruptly **brüskieren** [brʏs'kiːrən] *past part* ***brüskiert*** *v/t* to snub
Brüssel ['brʏsl] *nt* ⟨-s⟩ Brussels
Brust [brʊst] *f* ⟨-, ⸚e ['brʏstə]⟩ **1.** (≈ *Körperteil*) chest; ***sich*** (*dat*) ***jdn zur ~ nehmen*** to have a word with sb; ***schwach auf der ~ sein*** (*infml*) to have a weak chest **2.** (≈ *weibliche Brust*) breast; ***einem Kind die ~ geben*** to breast-feed a baby **3.** COOK breast **Brustbein** *nt* ANAT breastbone **Brustbeutel** *m* money bag (*worn around the neck*) **Brustdrüse** *f* mammary gland **brüsten** ['brʏstn] *v/r* to boast (*mit* about) **Brustfell** *nt* ANAT pleura **Brustfellentzündung** *f* pleurisy **Brustkasten** *m* (*infml*), **Brustkorb** *m* ANAT thorax **Brustkrebs** *m* breast cancer **Brustschwimmen** *nt* breaststroke **Bruststück** *nt* COOK breast **Brustton** *m*, *pl* **-töne** ***im ~ der Überzeugung*** in a tone of utter conviction **Brustumfang** *m* chest measurement; (*von Frau*) bust measurement **Brüstung** ['brʏstʊŋ] *f* ⟨-, -en⟩ parapet; (≈ *Fensterbrüstung*) breast **Brustwarze** *f* nipple **Brustweite** *f* chest measurement; (*von Frau*) bust measurement
Brut [bruːt] *f* ⟨-, -en⟩ **1.** *no pl* (≈ *das Brüten*) incubating **2.** (≈ *die Jungen*) brood; (*pej*) mob (*infml*)
brutal [bru'taːl] **I** *adj* brutal **II** *adv zuschlagen* brutally; *behandeln* cruelly **Brutalität** [brutali'tɛːt] *f* ⟨-, -en⟩ brutality; (≈ *Gewalttat*) act of brutality
brüten ['bryːtn] *v/i* to incubate; (*fig*) to ponder (*über +dat* over); ***~de Hitze*** stifling heat **Brüter** ['bryːtɐ] *m* ⟨-s, -⟩ TECH breeder (reactor); ***Schneller ~*** fast-breeder (reactor) **Brutkasten** *m* MED incubator **Brutstätte** *f* breeding ground (*+gen* for)
brutto ['brʊto] *adv* gross **Bruttoeinkommen** *nt* gross income **Bruttogehalt** *nt* gross salary **Bruttogewicht** *nt* gross weight **Bruttolohn** *m* gross wage(s *pl*) **Bruttoregistertonne** *f* register ton **Bruttosozialprodukt** *nt* gross national product, GNP
Brutzeit *f* incubation (period)
brutzeln ['brʊtsln] (*infml*) *v/i* to sizzle (away)
BSE [beː|ɛs'|eː] *abbr of* ***Bovine Spongiforme Enzephalopathie*** BSE
Bub [buːp] *m* ⟨-en, -en [-bn]⟩ (*S Ger, Aus, Swiss*) boy **Bube** ['buːbə] *m* ⟨-n, -n⟩ CARDS jack
Buch [buːx] *nt* ⟨-(e)s, ⸚er ['byːçɐ]⟩ **1.** book; ***er redet wie ein ~*** (*infml*) he never stops talking; ***ein Tor, wie es im ~e steht*** a textbook goal **2.** *usu pl* COMM books *pl*; ***über etw*** (*acc*) ***~ führen*** to keep a record of sth **Buchbesprechung** *f* book review **Buchdruck** *m*, *no pl* letterpress (printing) **Buchdrucker(in)** *m/(f)* printer **Buchdruckerei** *f* (≈ *Betrieb*) printing works *sg or pl*; (≈ *Handwerk*) printing
Buche ['buːxə] *f* ⟨-, -n⟩ (≈ *Baum*) beech (tree); (≈ *Holz*) beech(wood)
buchen ['buːxn] *v/t* **1.** COMM to enter; ***etw als Erfolg ~*** to put sth down as a success **2.** (≈ *vorbestellen*) to book
Bücherbrett *nt* bookshelf **Bücherei** [byːçə'rai] *f* ⟨-, -en⟩ (lending) library **Bücherregal** *nt* bookshelf **Bücherschrank** *m* bookcase **Bücherwand** *f* wall of book shelves; (*als Möbelstück*) (large) set of book shelves **Bücherwurm** *m* (*also hum*) bookworm
Buchfink *m* chaffinch
Buchführung *f* book-keeping, accounting **Buchhalter(in)** *m/(f)* book-keeper **Buchhaltung** *f* **1.** book-keeping, accounting **2.** (*Abteilung einer Firma*) accounts department **Buchhandel** *m* book trade; ***im ~ erhältlich*** available in bookshops **Buchhändler(in)** *m/(f)* bookseller **Buchhandlung** *f* bookshop, bookstore (*US*) **Buchladen** *m* bookshop, bookstore (*US*) **Buchmacher(in)** *m/(f)* bookmaker, bookie (*infml*) **Buchmesse** *f* book fair **Buchprüfer(in)** *m/(f)* auditor **Buchprüfung** *f* audit **Buchrücken** *m* spine
Buchse ['bʊksə] *f* ⟨-, -n⟩ ELEC socket; (TECH, *von Zylinder*) liner; (*von Lager*) bush
Büchse ['bʏksə] *f* ⟨-, -n⟩ **1.** tin; (≈ *Konservenbüchse*) can; (≈ *Sammelbüchse*) collecting box **2.** (≈ *Gewehr*) rifle,

(shot)gun
Buchstabe ['buːxʃtaːbə] *m* ⟨**-n(s), -n**⟩ letter; ***kleiner ~*** small letter; ***großer ~*** capital (letter) **buchstabieren** [buːxʃta'biːrən] *past part* ***buchstabiert*** *v/t* to spell **buchstäblich** ['buːxʃtɛːplɪç] **I** *adj* literal **II** *adv* literally **Buchstütze** *f* book end
Bucht [bʊxt] *f* ⟨**-, -en**⟩ (*im Meer*) bay; (*kleiner*) cove
Buchtitel *m* (book) title **Buchumschlag** *m* dust jacket **Buchung** ['buːxʊŋ] *f* ⟨**-, -en**⟩ COMM entry; (≈ *Reservierung*) booking **Buchweizen** *m* buckwheat **Buchwert** *m* COMM book value
Buckel ['bʊkl] *m* ⟨**-s, -**⟩ hump(back), hunchback; (*infml* ≈ *Rücken*) back; ***einen ~ machen*** (*Katze*) to arch its back; (*Mensch*) to hunch one's shoulders; ***seine 80 Jahre auf dem ~ haben*** (*infml*) to be 80 (years old) **buckelig** ['bʊkəlɪç] *adj* hunchbacked, humpbacked
bücken ['bʏkn] *v/r* to bend (down); ***sich nach etw ~*** to bend down to pick sth up; → ***gebückt***
bucklig ['bʊklɪç] *adj etc* = ***buckelig***
Bückling ['bʏklɪŋ] *m* ⟨**-s, -e**⟩ COOK smoked herring
buddeln ['bʊdln] *v/i* (*infml*) to dig
Buddhismus [bʊ'dɪsmʊs] *m* ⟨**-**, *no pl*⟩ Buddhism **Buddhist** [bʊ'dɪst] *m* ⟨**-en, -en**⟩, **Buddhistin** [-'dɪstɪn] *f* ⟨**-, -nen**⟩ Buddhist **buddhistisch** [bʊ'dɪstɪʃ] *adj* Buddhist(ic)
Bude ['buːdə] *f* ⟨**-, -n**⟩ **1.** (≈ *Bretterbau*) hut; (≈ *Baubude*) (workmen's) hut; (≈ *Verkaufsbude*) stall; (≈ *Zeitungsbude*) kiosk **2.** (*pej infml* ≈ *Lokal etc*) dump (*infml*) **3.** (*infml*) (≈ *Zimmer*) room; (≈ *Wohnung*) pad (*infml*)
Budget [bʏ'dʒeː] *nt* ⟨**-s, -s**⟩ budget
Büfett [by'fɛt] *nt* ⟨**-(e)s, -e** *or* **-s**⟩ **1.** (≈ *Geschirrschrank*) sideboard **2.** ***kaltes ~*** cold buffet
Büffel ['bʏfl] *m* ⟨**-s, -**⟩ buffalo **büffeln** ['bʏfln] (*infml*) **I** *v/i* to cram (*infml*) **II** *v/t Lernstoff* to swot up (*Br infml*), to bone up on (*US infml*)
Bug [buːk] *m* ⟨**-(e)s, ⸚e** *or* **-e** ['byːgə, 'buːgə]⟩ (≈ *Schiffsbug*) bow *usu pl*; (≈ *Flugzeugbug*) nose
Bügel ['byːgl] *m* ⟨**-s, -**⟩ **1.** (≈ *Kleiderbügel*) (coat) hanger **2.** (≈ *Steigbügel*) stirrup **3.** (≈ *Brillenbügel*) side piece **Bügelbrett** *nt* ironing board **Bügeleisen** *nt* iron **Bügelfalte** *f* crease in one's trousers (*esp Br*) *or* pants (*esp US*) **bügelfrei** *adj* noniron **bügeln** ['byːgln] *v/t & v/i Wäsche* to iron; *Hose* to press
Buggy ['bagi] *m* ⟨**-s, -s**⟩ buggy
bugsieren [bʊ'ksiːrən] *past part* ***bugsiert*** *v/t* (*infml*) *Möbelstück etc* to manoeuvre (*Br*), to maneuver (*US*); ***jdn aus dem Zimmer ~*** to steer sb out of the room
buh [buː] *int* boo **buhen** ['buːən] *v/i* (*infml*) to boo
buhlen ['buːlən] *v/i* (*pej*) ***um jdn/jds Gunst ~*** to woo sb/sb's favour (*Br*) *or* favor (*US*)
Buhmann ['buːman] *m*, *pl* ***-männer*** (*infml*) bogeyman (*infml*)
Bühne ['byːnə] *f* ⟨**-, -n**⟩ **1.** stage; ***über die ~ gehen*** (*fig infml*) to go off; ***hinter der ~*** behind the scenes **2.** (≈ *Theater*) theatre (*Br*), theater (*US*) **Bühnenanweisung** *f* stage direction **Bühnenautor(in)** *m/(f)* playwright **Bühnenbearbeitung** *f* stage adaptation **Bühnenbild** *nt* (stage) set **Bühnenbildner** [-bɪltnɐ] *m* ⟨**-s, -**⟩, **Bühnenbildnerin** [-ərɪn] *f* ⟨**-, -nen**⟩ set designer **bühnenreif** *adj* ready for the stage
Buhruf *m* boo
Bulette [bu'lɛtə] *f* ⟨**-, -n**⟩ (*dial*) meat ball; ***ran an die ~n*** (*infml*) go right ahead!
Bulgare [bʊl'gaːrə] *m* ⟨**-n, -n**⟩, **Bulgarin** [-'gaːrɪn] *f* ⟨**-, -nen**⟩ Bulgarian **Bulgarien** [bʊl'gaːriən] *nt* ⟨**-s**⟩ Bulgaria **bulgarisch** [bʊl'gaːrɪʃ] *adj* Bulgarian
Bulimie [buli'miː] *f* ⟨**-**, *no pl*⟩ MED bulimia
Bullauge ['bʊl-] *nt* NAUT porthole **Bulldogge** ['bʊl-] *f* bulldog **Bulldozer** ['bʊldoːzɐ] *m* ⟨**-s, -**⟩ bulldozer
Bulle ['bʊlə] *m* ⟨**-n, -n**⟩ **1.** bull **2.** (*pej sl* ≈ *Polizist*) cop (*infml*)
Bulletin [bʏl'tɛ̃ː] *nt* ⟨**-s, -s**⟩ bulletin
bullig ['bʊlɪç] *adj* (*infml*) beefy (*infml*)
Bumerang ['buːməraŋ, 'bʊməraŋ] *m* ⟨**-s, -s** *or* **-e**⟩ (*lit, fig*) boomerang
Bummel ['bʊml] *m* ⟨**-s, -**⟩ stroll; (*durch Lokale*) tour (*durch* of); ***einen ~ machen*** to go for a stroll **Bummelant** [bʊmə'lant] *m* ⟨**-en, -en**⟩, **Bummelantin** [-'lantɪn] *f* ⟨**-, -nen**⟩ (*infml*) **1.** (≈ *Trödler*) dawdler **2.** (≈ *Faulenzer*) loafer (*infml*) **bummeln** ['bʊmln] *v/i* **1.** *aux sein* (≈ *spazieren gehen*) to stroll **2.** (≈ *trödeln*) to dawdle **3.** (≈ *faulenzen*) to fritter one's time away **Bummelstreik** *m* go-

slow **Bummelzug** *m* (*infml*) slow train

Bums [bʊms] *m* ⟨**-es, -e**⟩ (*infml* ≈ *Schlag*) bang, thump **bumsen** ['bʊmzn] **I** *v/i impers* (*infml* ≈ *dröhnen*) ***..., dass es bumste*** ... with a bang; ***es hat gebumst*** (*von Fahrzeugen*) there's been a crash **II** *v/i* **1.** (≈ *schlagen*) to thump **2.** *aux sein* (≈ *prallen, stoßen*) to bump, to bang **3.** (*infml* ≈ *koitieren*) to do it (*infml*)

Bund[1] [bʊnt] *m* ⟨**-(e)s, ⸚e** ['bʏndə]⟩ **1.** (≈ *Vereinigung*) bond; (≈ *Bündnis*) alliance; ***den ~ der Ehe eingehen*** to enter (into) the bond of marriage; ***den ~ fürs Leben schließen*** to take the marriage vows **2.** (≈ *Organisation*) association; (≈ *Staatenbund*) league, alliance **3.** POL ***~ und Länder*** the Federal Government and the / its Länder **4.** (*infml* ≈ *Bundeswehr*) ***der ~*** the army **5.** (*an Kleidern*) waistband

Bund[2] *nt* ⟨**-(e)s, -e** ['bʊndə]⟩ bundle; (*von Radieschen, Spargel etc*) bunch

Bündel ['bʏndl] *nt* ⟨**-s, -**⟩ bundle, sheaf; (*von Banknoten*) wad; (*von Karotten etc*) bunch **bündeln** ['bʏndln] *v/t Zeitungen etc* to bundle up

Bundesagentur *f* ***~ für Arbeit*** (State) Department of Employment **Bundesanstalt** *f* ***~ für Arbeit*** Federal Institute of Labour (*Br*) *or* Labor (*US*) **Bundesausbildungsförderungsgesetz** *nt law regarding grants for higher education* **Bundesbank** *f, no pl* (*Ger*) Federal bank **Bundesbehörde** *f* Federal authority **Bundesbürger(in)** *m/(f)* (*Ger*) German, citizen of Germany **bundesdeutsch** *adj* German **Bundesebene** *f* ***auf ~*** at a national level **bundeseinheitlich** **I** *adj* Federal, national **II** *adv* nationally; ***etw ~ regeln*** to regulate sth at national level **Bundesgebiet** *nt* (*Ger*) Federal territory **Bundesgenosse** *m*, **Bundesgenossin** *f* ally **Bundesgerichtshof** *m, no pl* (*Ger*) Federal Supreme Court **Bundesgeschäftsführer(in)** *m/(f)* (*von Partei, Verein*) general secretary **Bundesgrenzschutz** *m* (*Ger*) Federal Border Guard **Bundeshauptstadt** *f* Federal capital **Bundesheer** *nt* (*Aus*) services *pl*, army **Bundeskanzler(in)** *m/(f)* **1.** (*Ger, Aus*) Chancellor **2.** (*Swiss*) Head of the Federal Chancellery **Bundesland** *nt* state; ***die neuen Bundesländer*** the former East German states; ***die alten Bundesländer*** the former West German states **Bundesliga** *f* (*Ger* SPORTS) national league **Bundesminister(in)** *m/(f)* (*Ger, Aus*) Federal Minister **Bundesmittel** *pl* Federal funds *pl* **Bundesnachrichtendienst** *m* (*Ger*) Federal Intelligence Service **Bundespräsident(in)** *m/(f)* (*Ger, Aus*) (Federal) President; (*Swiss*) President of the Federal Council **Bundesrat**[1] *m* (*Ger*) Bundesrat, *upper house of the German Parliament*; (*Swiss*) Council of Ministers **Bundesrat**[2] *m*, **Bundesrätin** *f* (*Swiss*) Minister of State **Bundesregierung** *f* (*Ger, Aus*) Federal Government **Bundesrepublik** *f* Federal Republic; ***~ Deutschland*** Federal Republic of Germany **Bundesstaat** *m* federal state **Bundestag** *m, no pl* (*Ger*) Bundestag, *lower house of the German Parliament* **Bundestagsabgeordnete(r)** *m/f(m) decl as adj* member of the Bundestag **Bundestagsfraktion** *f* group *or* faction in the Bundestag **Bundestagspräsident(in)** *m/(f)* President of the Bundestag **Bundestrainer(in)** *m/(f)* (*Ger* SPORTS) national coach **Bundesverdienstkreuz** *nt* (*Ger*) order of the Federal Republic of Germany, ≈ OBE (*Br*) **Bundesverfassungsgericht** *nt* (*Ger*) Federal Constitutional Court **Bundesversammlung** *f* **1.** (*Ger, Aus*) Federal Convention **2.** (*Swiss*) Federal Assembly **Bundeswehr** *f, no pl* (*Ger*) services *pl*, army **bundesweit** *adj, adv* nationwide

Bundfaltenhose *f* pleated trousers *pl* (*esp Br*) *or* pants *pl* (*esp US*)

bündig ['bʏndɪç] *adj* **1.** (≈ *kurz, bestimmt*) succinct **2.** (≈ *in gleicher Ebene*) flush *pred*, level

Bündnis ['bʏntnɪs] *nt* ⟨**-ses, -se**⟩ alliance; (≈ *Nato*) (NATO) Alliance; ***~ für Arbeit*** *informal alliance between employers and unions to help create jobs*, alliance for jobs **Bündnispartner** *m* POL ally

Bundweite *f* waist measurement

Bungalow ['bʊŋgalo] *m* ⟨**-s, -s**⟩ bungalow

Bungee-Jumping ['bandʒi-] *nt* bungee jumping

Bunker ['bʊŋkɐ] *m* ⟨**-s, -**⟩ MIL, GOLF bunker; (≈ *Luftschutzbunker*) air-raid shelter

Bunsenbrenner ['bʊnzn-] *m* Bunsen

-burner
bunt [bʊnt] **I** *adj* **1.** (≈ *farbig*) coloured (*Br*), colored (*US*); (≈ *mehrfarbig*) colo(u)rful; (≈ *vielfarbig*) multicolo(u)red **2.** (*fig* ≈ *abwechslungsreich*) varied; ***ein ~er Abend*** a social; (RADIO, TV) a variety programme (*Br*) *or* program (*US*) **II** *adv* **1.** (≈ *farbig*) colourfully (*Br*), colorfully (*US*); *bemalt* in bright colo(u)rs; ***~ gemischt*** *Programm* varied; *Team* diverse **2.** (≈ *ungeordnet*) ***es geht ~ durcheinander*** it's all a complete mess **3.** (*infml* ≈ *wild*) ***jetzt wird es mir zu ~*** I've had enough of this; ***es zu ~ treiben*** to overstep the mark **Buntstift** *m* coloured (*Br*) *or* colored (*US*) pencil **Buntwäsche** *f* coloureds *pl* (*Br*), coloreds *pl* (*US*)
Bürde ['bʏrdə] *f* ⟨**-, -n**⟩ (*elev*) load, weight; (*fig*) burden
Burg [bʊrk] *f* ⟨**-, -en** [-gn]⟩ castle
Bürge ['bʏrgə] *m* ⟨**-n, -n**⟩, **Bürgin** ['bʏrgɪn] *f* ⟨**-, -nen**⟩ guarantor **bürgen** ['bʏrgn] *v/i* ***für etw ~*** to guarantee sth; ***für jdn ~*** FIN to stand surety for sb; (*fig*) to vouch for sb
Bürger ['bʏrgɐ] *m* ⟨**-s, -**⟩, **Bürgerin** [-ərɪn] *f* ⟨**-, -nen**⟩ citizen; ***die ~ von Ulm*** the townsfolk of Ulm **Bürgerinitiative** *f* citizens' action group **Bürgerkrieg** *m* civil war **bürgerkriegsähnlich** *adj* ***~e Zustände*** civil war conditions **bürgerlich** ['bʏrgɐlɪç] *adj* **1.** *attr Ehe*, *Recht etc* civil; *Pflicht* civic; ***Bürgerliches Gesetzbuch*** Civil Code **2.** (≈ *dem Bürgerstand angehörend*) middle-class **Bürgerliche(r)** ['bʏrgɐlɪçə] *m*/*f*(*m*) *decl as adj* commoner **Bürgermeister(in)** *m*/(*f*) mayor **Bürgernähe** *f* populism **Bürgerpflicht** *f* civic duty **Bürgerrecht** *nt usu pl* civil rights *pl*; ***jdm die ~e aberkennen*** to strip sb of his/her civil rights **Bürgerrechtler** [-rɛçtlɐ] *m* ⟨**-s, -**⟩, **Bürgerrechtlerin** [-ərɪn] *f* ⟨**-, -nen**⟩ civil rights campaigner **Bürgerrechtsbewegung** *f* civil rights movement **Bürgerschaft** ['bʏrgɐʃaft] *f* ⟨**-, -en**⟩ citizens *pl* **Bürgersteig** [-ʃtaik] *m* ⟨**-(e)s, -e** [-gə]⟩ pavement (*Br*), sidewalk (*US*) **Bürgertum** ['bʏrgɐtuːm] *nt* ⟨**-s,** *no pl*⟩ HIST bourgeoisie (HIST)
Bürgin *f* → ***Bürge*** **Bürgschaft** ['bʏrkʃaft] *f* ⟨**-, -en**⟩ (JUR, *gegenüber Gläubigern*) surety; (≈ *Haftungssumme*) penalty; ***~ für jdn leisten*** to act as guarantor for sb
Burgund [bʊr'gʊnt] *nt* ⟨**-s**⟩ Burgundy **burgunderrot** *adj* burgundy (red)
Burma ['bʊrma] *nt* ⟨**-s**⟩ Burma **burmesisch** [bʊr'meːzɪʃ] *adj* Burmese
Büro [by'roː] *nt* ⟨**-s, -s**⟩ office **Büroangestellte(r)** *m*/*f*(*m*) *decl as adj* office worker **Büroarbeit** *f* office work **Büroartikel** *m* item of office equipment; (*pl*) office supplies *pl* **Bürobedarf** *m* office supplies *pl* **Bürogebäude** *nt* office building **Bürokauffrau** *f*, **Bürokaufmann** *m* office administrator **Büroklammer** *f* paper clip **Bürokraft** *f* (office) clerk **Bürokrat** [byro'kraːt] *m* ⟨**-en, -en**⟩, **Bürokratin** [-'kraːtɪn] *f* ⟨**-, -nen**⟩ bureaucrat **Bürokratie** [byrokra'tiː] *f* ⟨**-,** *no pl*⟩ bureaucracy **bürokratisch** [byro'kraːtɪʃ] **I** *adj* bureaucratic **II** *adv* bureaucratically **Büromaterial** *nt* office supplies *pl*; (≈ *Schreibwaren*) stationery *no pl* **Büromöbel** *pl* office furniture **Büroschluss** *m* ***nach ~*** after office hours **Bürostunden** *pl* office hours *pl* **Bürozeit** *f* office hours *pl*
Bursche ['bʊrʃə] *m* ⟨**-n, -n**⟩ (*infml* ≈ *Kerl*) fellow; ***ein übler ~*** a shady character **Burschenschaft** ['bʊrʃnʃaft] *f* ⟨**-, -en**⟩ student fraternity **burschikos** [bʊrʃi'koːs] *adj* **1.** (≈ *jungenhaft*) (tom)boyish **2.** (≈ *unbekümmert*) casual
Bürste ['bʏrstə] *f* ⟨**-, -n**⟩ brush **bürsten** ['bʏrstn] *v/t* to brush **Bürstenhaarschnitt** *m* crew cut
Bus[1] [bʊs] *m* ⟨**-ses, -se**⟩ bus
Bus[2] *m* ⟨**-, -se**⟩ IT bus
Busbahnhof *m* bus station
Busch [bʊʃ] *m* ⟨**-(e)s, ¨-e** ['bʏʃə]⟩ bush; ***etwas ist im ~*** (*infml*) there's something up; ***mit etw hinter dem ~ halten*** (*infml*) to keep sth quiet **Büschel** ['bʏʃl] *nt* ⟨**-s, -**⟩ (*von Gras, Haaren*) tuft; (*von Heu, Stroh*) bundle **Buschfeuer** *nt* (*lit*) bush fire; ***sich wie ein ~ ausbreiten*** to spread like wildfire **buschig** ['bʊʃɪç] *adj* bushy **Buschmann** *m*, *pl* ***-männer*** *or* ***-leute*** bushman **Buschmesser** *nt* machete **Buschwerk** *nt* bushes *pl*
Busen ['buːzn] *m* ⟨**-s, -**⟩ (*von Frau*) bust **Busenfreund(in)** *m*/(*f*) (*iron*) bosom friend
Busfahrer(in) *m*/(*f*) bus driver **Busfahrt** *f* bus ride **Bushaltestelle** *f* bus stop **Buslinie** *f* bus route
Bussard ['bʊsart] *m* ⟨**-s, -e** [-də]⟩ buzzard

Buße ['buːsə] *f* ⟨-, -n⟩ **1.** (REL ≈ *Reue*) repentance; (≈ *Bußauflage*) penance; **~ tun** to do penance **2.** (JUR ≈ *Schadenersatz*) damages *pl*; (≈ *Geldstrafe*) fine; ***jdn zu einer ~ verurteilen*** to fine sb **busseln** ['bʊsln], **bussen** ['bʊsn] *v/t & v/i* (*S Ger, Aus*) to kiss **büßen** ['byːsn] **I** *v/t* to pay for; *Sünden* to atone for; ***das wirst du mir ~*** I'll make you pay for that **II** *v/i* ***für etw ~*** to atone for sth; *für Leichtsinn etc* to pay for sth **busserln** ['bʊsɐln] *v/t & v/i* (*Aus*) to kiss **Bußgeld** *nt* fine **Bußgeldbescheid** *m* notice of payment due (*for traffic violation etc*) **Bußgeldverfahren** *nt* fining system

Bussi ['bʊsi] *nt* ⟨-s, -s⟩ (*S Ger infml*) kiss

Busspur *f* bus lane

Buß- und Bettag *m* day of prayer and repentance

Büste ['bʏstə] *f* ⟨-, -n⟩ bust; (≈ *Schneiderbüste*) tailor's dummy **Büstenhalter** *m* bra

Busverbindung *f* bus connection

Butan(gas) [bu'taːn] *nt* ⟨-s, -e⟩ butane (gas)

Butt [bʊt] *m* ⟨-(e)s, -e⟩ flounder, butt

Bütten(papier) ['bʏtn-] *nt* ⟨-s, *no pl*⟩ handmade paper (*with deckle edge*)

Butter ['bʊtɐ] *f* ⟨-, *no pl*⟩ butter; ***alles (ist) in ~*** (*infml*) everything is hunky-dory (*infml*) **Butterblume** *f* buttercup **Butterbrot** *nt* (slice of) bread and butter *no art, no pl*; (*infml* ≈ *Sandwich*) sandwich **Butterbrotpapier** *nt* greaseproof paper **Butterdose** *f* butter dish

Butterfly(stil) ['batɐflai-] *m* ⟨-s, *no pl*⟩ butterfly (stroke)

Butterkeks *m* ≈ rich tea biscuit (*Br*), ≈ butter cookie (*US*) **Buttermilch** *f* buttermilk **buttern** ['bʊtɐn] *v/t* **1.** *Brot* to butter **2.** (*infml* ≈ *investieren*) to put (*in +acc* into) **butterweich I** *adj Frucht, Landung* beautifully soft; (SPORTS *infml*) gentle **II** *adv landen* softly

Bypass ['baipas] *m* ⟨-(es), -es *or* ***Bypässe*** [-pɛsə]⟩ MED bypass **Bypass-Operation** ['baipas-] *f* bypass operation

Byte ['bait] *nt* ⟨-s, -s⟩ byte

bzgl. *abbr of* ***bezüglich***

bzw. *abbr of* ***beziehungsweise***

C

C, c [tseː] *nt* ⟨-, -⟩ C, c

ca. *abbr of* ***circa*** approx

Cabrio ['kaːbrio] *nt* ⟨-s, -s⟩ (AUTO *infml*) convertible

Café [ka'feː] *nt* ⟨-s, -s⟩ café

Cafeteria [kafetə'riːa] *f* ⟨-, -s⟩ cafeteria

Caipirinha [kaipi'rɪnja] *m* ⟨-s, -s⟩ caipirinha

Callboy *m* male prostitute **Callcenter** *nt* call centre (*Br*) *or* center (*US*) **Callgirl** *nt* ⟨-s, -s⟩ call girl

Camcorder ['kamkɔrdɐ] *m* ⟨-s, -⟩ camcorder

Camembert ['kaməmbeːɐ, kamã'bɛːɐ] *m* ⟨-s, -s⟩ Camembert

Camion ['kamiõː] *m* ⟨-s, -s⟩ (*Swiss*) lorry (*Br*), truck

campen ['kɛmpn] *v/i* to camp **Camper** ['kɛmpɐ] *m* ⟨-s, -⟩, **Camperin** ['kɛmpərɪn] *f* ⟨-, -nen⟩ camper **Camping** ['kɛmpɪŋ] *nt* ⟨-s, *no pl*⟩ camping *no art* **Campingartikel** *pl* camping equipment *sg* **Campingbus** *m* camper **Campinggas** *nt* camping gas **Campingplatz** *m* camp site

Campus ['kampʊs] *m* ⟨-, *no pl*⟩ UNIV campus

canceln ['kɛnsəln] *v/t Flug, Buchung* to cancel

Cannabis ['kanabɪs] *m* ⟨-, *no pl*⟩ cannabis

Cape [keːp] *nt* ⟨-s, -s⟩ cape

Capuccino [kapu'tʃiːno] *m* ⟨-s, -s⟩ cappuccino

Caravan ['ka(ː)ravan, kara'vaːn] *m* ⟨-s, -s⟩ caravan (*Br*), trailer (*US*)

Cargo ['kargo] *m* ⟨-s, -s⟩ cargo

Carport ['kaːɐpɔrt] *m* ⟨-s, -s⟩ carport

Cartoon [kar'tuːn] *m or nt* ⟨-(s), -s⟩ cartoon

Cashewnuss ['kɛʃu-] *f* cashew (nut)

Cäsium ['tsɛːziʊm] *nt* ⟨-s, *no pl*⟩ caesium (*Br*), cesium (*US*)

Casting ['kaːstɪŋ] *nt* ⟨-s, -s⟩ (*für Filmrolle etc*) casting session

Castor® ['kastoːɐ] *m* ⟨-s, -⟩ spent fuel rod container

catchen ['kɛtʃn] *v/i* to do catch *or* all-in

(*esp Br*) wrestling **Catcher** ['kɛtʃɐ] *m* ⟨**-s, -**⟩, **Catcherin** ['kɛtʃərɪn] *f* ⟨**-, -nen**⟩ catch(-as-catch-can) wrestler, all-in wrestler (*esp Br*)
Cayennepfẹffer [ka'jɛn-] *m* cayenne (pepper)
CB-Funk [tseː'beː-] *m*, *no pl* Citizens' Band, CB (radio)
CD [tseː'deː] *f* ⟨**-, -s**⟩ *abbr of* ***Compact Disc*** CD **CD-Brenner** *m* CD burner **CD-Laufwerk** *nt* CD drive **CD-Player** [-pleːɐ] *nt* CD player **CD-ROM** [tseːdeː-'rɔm] *f* ⟨**-, -s**⟩ CD-ROM **CD-Spieler** *m* CD player
CDU [tseːdeː'|uː] *f* ⟨**-**⟩ *abbr of* ***Christlich--Demokratische Union*** Christian Democratic Union
C-Dur *nt* MUS C major
Cellist [tʃɛ'lɪst] *m* ⟨**-en, -en**⟩, **Cellistin** [-'lɪstɪn] *f* ⟨**-, -nen**⟩ cellist **Cello** ['tʃɛlo] *nt* ⟨**-s, -s** *or* ***Cẹlli*** ['tʃɛli]⟩ cello
Cellophanpapier *nt* (*infml*) cellophane® (paper)
Celsius ['tsɛlziʊs] *no art inv* Celsius, centigrade
Cembalo ['tʃɛmbalo] *nt* ⟨**-s, -s**⟩ cembalo
Cent [(t)sɛnt] *m* ⟨**-(s), -(s)**⟩ cent
Cẹnter ['sɛntɐ] *nt* ⟨**-s, -**⟩ (≈ *Einkaufscenter*) shopping centre (*Br*) *or* center (*US*)
Chalet ['ʃaleː] *nt* ⟨**-s, -s**⟩ chalet
Chamäleon [ka'mɛːleɔn] *nt* ⟨**-s, -s**⟩ (*lit, fig*) chameleon
Champagner [ʃam'panjɐ] *m* ⟨**-s, -**⟩ champagne
Champignon ['ʃampɪnjɔŋ, 'ʃãːpɪnjõː] *m* ⟨**-s, -s**⟩ mushroom
Chance ['ʃãːsə, (*Aus*) ʃãːs] *f* ⟨**-, -n**⟩ **1.** chance; (*bei Wetten*) odds *pl*; ***keine ~ haben*** not to stand a chance; ***die ~n stehen nicht schlecht, dass...*** there's a good chance that... **2.** (≈ *Aussichten*) **Chancen** *pl* prospects *pl*; ***im Beruf ~n haben*** to have good career prospects; (***bei jdm***) ***~n haben*** (*infml*) to stand a chance (with sb) **Chancengleichheit** *f* equal opportunities *pl*
Chanson [ʃã'sõː] *nt* ⟨**-s, -s**⟩ (political/satirical) song **Chansonnier** [ʃãsɔ'nieː] *m* ⟨**-s, -s**⟩ singer of political/satirical songs
Chaos ['kaːɔs] *nt* ⟨**-**, *no pl*⟩ chaos; ***ein einziges ~ sein*** to be in utter chaos **Chaot** [ka'oːt] *m* ⟨**-en, -en**⟩, **Chaotin** [ka'oːtɪn] *f* ⟨**-, -nen**⟩ (POL *pej*) anarchist (*pej*); (≈ *unordentlicher Mensch*) scatterbrain **chaotisch** [ka'oːtɪʃ] *adj* chaotic; ***~e Zustände*** a state of (utter) chaos; ***es geht ~ zu*** there is utter chaos
Charakter [ka'raktɐ] *m* ⟨**-s, -e** [-'teːrə]⟩ character; ***er ist ein Mann von ~*** he is a man of character; ***der vertrauliche ~ dieses Gespräches*** the confidential nature of this conversation **Charạkterdarsteller(in)** *m*/(*f*) character actor/actress **Charạktereigenschaft** *f* character trait **charạkterfest** *adj* of strong character **charakterisieren** [karakteri'ziːrən] *past part* ***charakterisiert*** *v/t* to characterize **Charakterịstik** [karakte'rɪstɪk] *f* ⟨**-, -en**⟩ description; (≈ *typische Eigenschaften*) characteristics *pl* **charakterịstisch** [karakte'rɪstɪʃ] *adj* characteristic (*für* of) **charạkterlich** [ka'raktɐlɪç] **I** *adj* ***~e Stärke*** strength of character; ***~e Mängel*** character defects **II** *adv* in character; ***sie hat sich ~ sehr verändert*** her character has changed a lot **charạkterlos** *adj* **1.** (≈ *niederträchtig*) unprincipled **2.** (≈ *ohne Prägung*) characterless **Charạkterschauspieler(in)** *m*/(*f*) character actor/actress **Charạkterschwäche** *f* weakness of character **Charạkterstärke** *f* strength of character **Charạkterzug** *m* characteristic
Charge ['ʃarʒə] *f* ⟨**-, -n**⟩ **1.** (MIL, *fig* ≈ *Dienstgrad, Person*) rank; ***die unteren ~n*** the lower ranks **2.** THEAT minor character part
Charisma ['çaːrɪsma, 'çarɪsma, ça'rɪsma] *nt* ⟨**-s, *Charịsmen*** *or* ***Charịsmata*** [-mən, -mata]⟩ (REL, *fig*) charisma **charismatisch** [çarɪs'maːtɪʃ] *adj* charismatic
charmant [ʃar'mant] **I** *adj* charming **II** *adv* charmingly **Charme** [ʃarm] *m* ⟨**-s**, *no pl*⟩ charm
Charta ['karta] *f* ⟨**-, -s**⟩ charter; ***Magna ~*** Magna Carta
Chạrterflug *m* charter flight **Chạrtermaschine** *f* charter plane **chartern** ['tʃartɐn] *v/t* to charter
Chassis [ʃa'siː] *nt* ⟨**-, -** [-iː(s), -iːs]⟩ chassis
Chat [tʃɛt] *m* ⟨**-s, -s**⟩ (INTERNET *infml*) chat **Chatforum** *nt* chat(room) forum **Chatroom** [-ruːm] *m* ⟨**-s, -s**⟩ chatroom **chatten** ['tʃɛtn] *v/i* (INTERNET *infml*) to chat
Chauffeur [ʃɔ'føːɐ] *m* ⟨**-s, -e**⟩, **Chauffeurin** [-'føːrɪn] *f* ⟨**-, -nen**⟩ chauffeur

Chauvi ['ʃoːvi] *m* ⟨**-s, -s**⟩ (*infml*) male chauvinist pig (*pej infml*) **Chauvinismus** [ʃovi'nɪsmʊs] *m* ⟨**-, *Chauvinismen*** [-mən]⟩ chauvinism; (≈ *männlicher Chauvinismus*) male chauvinism **Chauvinist** [ʃovi'nɪst] *m* ⟨**-en, -en**⟩ (≈ *männlicher Chauvinist*) male chauvinist (pig) **chauvinistisch** [ʃovi'nɪstɪʃ] *adj* **1.** POL chauvinist(ic) **2.** (≈ *männlich-chauvinistisch*) male chauvinist(ic)

checken ['tʃɛkn] *v/t* **1.** (≈ *überprüfen*) to check **2.** (*infml* ≈ *verstehen*) to get (*infml*) **3.** (*infml* ≈ *merken*) to catch on to (*infml*) **Check-in** ['tʃɛkɪn] *nt* ⟨**-s, -s**⟩ check-in **Checkliste** *f* check list **Check-up** ['tʃɛkap] *m or nt* ⟨**-(s), -s**⟩ MED checkup

Chef [ʃɛf, (*Aus*) ʃeːf] *m* ⟨**-s, -s**⟩ boss; (*von Bande, Delegation etc*) leader; (*von Organisation*) head; (*der Polizei*) chief **Chefarzt** *m*, **Chefärztin** *f* senior consultant **Chefin** ['ʃɛfɪn, (*Aus*) 'ʃeːfɪn] *f* ⟨**-, -nen**⟩ boss; (*von Delegation etc*) head **Chefkoch** *m*, **Chefköchin** *f* chef **Chefredakteur(in)** *m*/(*f*) editor in chief; (*einer Zeitung*) editor **Chefsache** *f* ***das ist ~*** it's a matter for the boss **Chefsekretär(in)** *m*/(*f*) personal assistant

Chemie [çe'miː, (*esp S Ger*) ke'miː] *f* ⟨**-**, *no pl*⟩ chemistry **Chemiefaser** *f* synthetic fibre (*Br*) *or* fiber (*US*) **Chemikalie** [çemi'kaːliə, (*esp S Ger*) ke-] *f* ⟨**-, -n**⟩ *usu pl* chemical **Chemiker** ['çeːmikɐ, (*esp S Ger*) 'keː-] *m* ⟨**-s, -**⟩, **Chemikerin** [-ərɪn] *f* ⟨**-, -nen**⟩ chemist **chemisch** ['çeːmɪʃ] ['keː-] **I** *adj* chemical **II** *adv* chemically; ***etw ~ reinigen*** to dry-clean sth **Chemotherapie** *f* chemotherapy

chic [ʃɪk] *adj* smart; *Kleidung* chic; (*infml* ≈ *prima*) great **Chic** [ʃɪk] *m* ⟨**-s**, *no pl*⟩ style

Chicorée ['ʃɪkore, ʃiko'reː] *f* ⟨**-** *or m* **-s**, *no pl*⟩ chicory

Chiffre ['ʃɪfɐ, 'ʃɪfrə] *f* ⟨**-, -n**⟩ (*in Zeitung*) box number **Chiffreanzeige** *f* advertisement with a box number **chiffrieren** [ʃɪ'friːrən] *past part* ***chiffriert*** *v/t & v/i* to encipher; ***chiffriert*** coded

Chile ['tʃiːle, 'çiːlə] *nt* ⟨**-s**⟩ Chile **Chilene** [tʃi'leːnə, çi'leːnə] *m* ⟨**-n, -n**⟩, **Chilenin** [-'leːnɪn] *f* ⟨**-, -nen**⟩ Chilean **chilenisch** [tʃi'leːnɪʃ, çi'leːnɪʃ] *adj* Chilean

Chili ['tʃiːli] *m* ⟨**-s**, *no pl*⟩ chil(l)i (pepper)

China ['çiːna, (*esp S Ger*) 'kiːna] *nt* ⟨**-s**⟩ China **Chinakohl** *m* Chinese cabbage **Chinarestaurant** *nt* Chinese restaurant **Chinese** [çi'neːzə, (*esp S Ger*) ki-] ⟨**-n, -n**⟩ *m*, **Chinesin** *f* Chinese **chinesisch** [çi'neːzɪʃ, (*esp S Ger*) ki-] *adj* Chinese; ***die Chinesische Mauer*** the Great Wall of China

Chinin [çi'niːn] *nt* ⟨**-s**, *no pl*⟩ quinine

Chip [tʃɪp] *m* ⟨**-s, -s**⟩ **1.** (*usu pl* ≈ *Kartoffelchip*) (potato) crisp (*Br*), potato chip (*US*) **2.** IT chip **Chipkarte** *f* smart card

Chirurg [çi'rʊrk] *m* ⟨**-en, -en** [-gn]⟩, **Chirurgin** [çi'rʊrgɪn] *f* ⟨**-, -nen**⟩ surgeon **Chirurgie** [çirʊr'giː] *f* ⟨**-, -n** [-'giːən]⟩ surgery; ***er liegt in der ~*** he's in surgery **chirurgisch** [çi'rʊrgɪʃ] **I** *adj* surgical; ***ein ~er Eingriff*** surgery **II** *adv* surgically

Chlor [kloːɐ] *nt* ⟨**-s**, *no pl*⟩ chlorine **chlorfrei** *adj* chlorine-free **Chloroform** [-'fɔrm] *nt* ⟨**-s**, *no pl*⟩ chloroform **Chlorophyll** [-'fʏl] *nt* ⟨**-s**, *no pl*⟩ chlorophyll

Cholera ['koːlera] *f* ⟨**-**, *no pl*⟩ cholera

Choleriker [ko'leːrikɐ] *m* ⟨**-s, -**⟩, **Cholerikerin** [-ərɪn] *f* ⟨**-, -nen**⟩ choleric person; (*fig*) irascible person **cholerisch** [ko'leːrɪʃ] *adj* choleric

Cholesterin [çolɛstə'riːn, ko-] *nt* ⟨**-s**, *no pl*⟩ cholesterol **Cholesterinspiegel** *m* cholesterol level

Chor [koːɐ] *m* ⟨**-(e)s, ⸚e** ['køːrə]⟩ **1.** (≈ *Sängerchor*) choir; ***im ~*** in chorus **2.** THEAT chorus **3.** (ARCH ≈ *Altarraum*) chancel

Choreograf [-'graːf] *m* ⟨**-en, -en**⟩, **Choreografin** [-'graːfɪn] *f* ⟨**-, -nen**⟩ choreographer **Choreografie** [-gra'fiː] *f* ⟨**-, -n** [-'fiːən]⟩ choreography

Chorknabe *m* choirboy

Christ [krɪst] *m* ⟨**-en, -en**⟩, **Christin** ['krɪstɪn] *f* ⟨**-, -nen**⟩ Christian **Christbaum** ['krɪst-] *m* Christmas tree **Christbaumschmuck** *m* Christmas tree decorations *pl* **Christdemokrat(in)** *m*/(*f*) Christian Democrat **Christentum** ['krɪstntuːm] *nt* ⟨**-s**, *no pl*⟩ Christianity **Christkind** *nt*, *no pl* baby Jesus; (*das Geschenke bringt*) ≈ Father Christmas **Christkindl** [-kɪndl] *nt* ⟨**-s, -(n)**⟩ (*dial*) **1.** = ***Christkind*** **2.** (*esp Aus* ≈ *Geschenk*) Christmas present **christlich** ['krɪstlɪç] **I** *adj* Christian **II** *adv* like *or* as a Christian; ***~ handeln*** to act like a Christian **Christus** ['krɪstʊs] *m*, *gen* ***Christi*** ['krɪsti], *dat* - *or* (*form*) ***Christo*** ['krɪsto], *acc* - *or* (*form*) ***Christum***

['krɪstʊm] Christ; ***vor Christi Geburt*** before Christ, BC; ***nach Christi Geburt*** AD, Anno Domini; ***Christi Himmelfahrt*** the Ascension of Christ; (≈ *Himmelsfahrtstag*) Ascension Day

Chrom [kroːm] *nt* ⟨**-s,** *no pl*⟩ chrome; CHEM chromium

Chromosom [kromo'zoːm] *nt* ⟨**-s, -en**⟩ chromosome

Chronik ['kroːnɪk] *f* ⟨**-, -en**⟩ chronicle

chronisch ['kroːnɪʃ] **I** *adj* chronic **II** *adv* chronically **chronologisch** [krono'loːgɪʃ] **I** *adj* chronological **II** *adv* chronologically

Chrysantheme [kryzan'teːmə] *f* ⟨**-, -n**⟩ chrysanthemum

circa ['tsɪrka] *adv* about

City ['sɪti] *f* ⟨**-, -s**⟩ city centre (*Br*) *or* center (*US*)

clean [kliːn] *adj pred* (*infml*) clean (*infml*)

Clematis [kle'maːtɪs, 'kleːmatɪs] *f* ⟨**-, -**⟩ BOT clematis

clever ['klɛvɐ] **I** *adj* clever; (≈ *raffiniert*) sharp; (≈ *gerissen*) crafty **II** *adv* (≈ *raffiniert*) sharply; (≈ *gerissen*) craftily **Cleverness** ['klɛvɐnɛs] *f* ⟨**-,** *no pl*⟩ cleverness; (≈ *Raffiniertheit*) sharpness; (≈ *Gerissenheit*) craftiness

Clinch [klɪntʃ] *m* ⟨**-(e)s,** *no pl*⟩ (BOXING, *fig*) clinch; ***mit jdm im ~ liegen*** (*fig*) to be at loggerheads with sb

Clique ['klɪkə] *f* ⟨**-, -n**⟩ **1.** (≈ *Freundeskreis*) group, set; ***Thomas und seine ~*** Thomas and his set **2.** (*pej*) clique

Clou [kluː] *m* ⟨**-s, -s**⟩ (*von Geschichte*) (whole) point; (*von Show*) highlight; (≈ *Witz*) real laugh (*infml*)

Clown [klaun] *m* ⟨**-s, -s**⟩ clown; ***den ~ spielen*** to clown around

Club [klʊb] *m* ⟨**-s, -s**⟩; → ***Klub***

Cockpit ['kɔkpɪt] *nt* ⟨**-s, -s**⟩ cockpit

Cocktail ['kɔkteːl] *m* ⟨**-s, -s**⟩ (≈ *Getränk*, *fig*) cocktail; (≈ *Empfang*) reception **Cocktailkleid** *nt* cocktail dress **Cocktailparty** *f* cocktail party **Cocktailtomate** *f* cherry tomato

Code [koːt] *m* ⟨**-s, -s**⟩ code **codieren** [ko'diːrən] *past part* ***codiert*** *v/t* to (en)code **Codierung** *f* ⟨**-, -en**⟩ (en)coding

Cognac® ['kɔnjak] *m* ⟨**-s, -s**⟩ cognac

Coiffeur [koa'føːɐ] *m* ⟨**-s, -e**⟩, **Coiffeuse** [-'føːzə] *f* ⟨**-, -n**⟩ (*Swiss*) hairdresser

Cola ['koːla] *f or* (*Swiss*) *nt* ⟨**-, -s**⟩ (*infml*) Coke® (*infml*) **Coladose** *f* Coke® can

Collage [kɔ'laːʒə] *f* ⟨**-, -n**⟩ collage

Collier [kɔ'lieː] *nt* ⟨**-s, -s**⟩ necklet

Comic ['kɔmɪk] *m* ⟨**-s, -s**⟩ comic strip

Compact Disc [kɔm'pakt 'dɪsk] *f* ⟨**-, -s**⟩, **Compact Disk** *f* ⟨**-, -s**⟩ compact disc

Computer [kɔm'pjuːtɐ] *m* ⟨**-s, -**⟩ computer; ***per ~*** by computer **Computerarbeitsplatz** *m* computer work station **computergesteuert** [-gəʃtɔyɐt] *adj* controlled by computer **computergestützt** [-gəʃtʏtst] *adj* computer-based; ***~es Design*** computer-aided design **Computergrafik** *f* computer graphics *pl* **computerisieren** [kɔmpjutəri'ziːrən] *past part* ***computerisiert*** *v/t* to computerize **computerlesbar** *adj* machine-readable **Computerprogramm** *m* computer program **Computersatz** *m* computer typesetting **Computerspiel** *nt* computer game **Computersprache** *f* computer language **computerunterstützt** *adj Fertigung, Kontrolle* computer-aided

Conférencier [kõferã'sieː] *m* ⟨**-s, -s**⟩ compère

Container [kɔn'teːnɐ] *m* ⟨**-s, -**⟩ container; (≈ *Bauschuttcontainer*) skip; (≈ *Wohncontainer*) prefabricated hut **Containerbahnhof** *m* container depot **Containerhafen** *m* container port **Containerschiff** *nt* container ship

Contergankind *nt* (*infml*) thalidomide child

Cookie ['kʊki] *nt* ⟨**-s, -s**⟩ IT cookie

cool [kuːl] *adj* (*infml*) cool (*infml*); ***die Party war ~*** the party was (real) cool (*infml*)

Copyright ['kɔpirait] *nt* ⟨**-s, -s**⟩ copyright **Copyshop** ['kɔpiʃɔp] *m* ⟨**-s, -s**⟩ copy shop

Cord [kɔrt] *m* ⟨**-s, -e** [-də]⟩ ⟨*or* **-s**⟩ TEX cord, corduroy **Cordhose** *f* corduroy trousers *pl* (*esp Br*) *or* pants *pl* (*esp US*), cords *pl* (*infml*) **Cordjacke** *f* cord(uroy) jacket **Cordjeans** *f or pl* cord(uroy) jeans *pl*

Corner ['koːɐnɐ] *m* ⟨**-s, -**⟩ (*Aus, Swiss* SPORTS) corner

Cornichon [kɔrni'ʃõː] *nt* ⟨**-s, -s**⟩ gherkin

Corps [koːɐ] *nt* ⟨**-, -**⟩ = ***Korps***

Costa Rica ['kɔsta 'riːka] *nt* ⟨**-s**⟩ Costa Rica

Côte d'Ivoire [koːtdi'voaːɐ] *f* ⟨**-**⟩ Côte d'Ivoire

Couch [kautʃ] *f* ⟨**-, -s** *or* **-en** *or* (*Sw*) *m* **-s,**

-(*e*)*s*⟩ couch **Couchgarnitur** *f* three-piece suite **Couchtisch** *m* coffee table
Coup [kuː] *m* ⟨**-s, -s**⟩ coup; ***einen ~ landen*** to pull off a coup (*infml*)
Coupon [kuˈpõː] *m* ⟨**-s, -s**⟩ **1.** (≈ *Zettel*) coupon **2.** FIN (interest) coupon
Cousin [kuˈzɛ̃ː] *m* ⟨**-s, -s**⟩, **Cousine** [kuˈziːnə] *f* ⟨**-, -n**⟩ cousin
Couvert [kuˈveːɐ, kuˈvɛːɐ] *nt* ⟨**-s, -s**⟩ (*esp Swiss*) envelope
Cowboy [ˈkaubɔy] *m* cowboy
Crack *nt* ⟨**-**, *no pl*⟩ (≈ *Droge*) crack
Cracker [ˈkrɛkɐ] *m* ⟨**-s, -(s)**⟩ (≈ *Keks*) cracker
Crash [krɛʃ] *m* ⟨**-s, -s**⟩ (*infml* ≈ *Unfall*, IT) crash **Crashkurs** *m* crash course **Crashtest** *m* AUTO crash test
Creme [kreːm, krɛːm] *f* ⟨**-, -s**⟩ cream **Cremetorte** *f* cream gateau **cremig** [ˈkreːmɪç] **I** *adj* creamy **II** *adv* like cream; *rühren* until creamy
Creutzfeldt-Jakob-Krankheit [krɔytsfɛltˈjakɔp-] *f* Creutzfeldt-Jakob disease
Crew [kruː] *f* ⟨**-, -s**⟩ crew
Croissant [kroaˈsãː] *nt* ⟨**-s, -s**⟩ croissant
Cromargan® [kromarˈgaːn] *nt* ⟨**-s**, *no pl*⟩ stainless steel
Croupier [kruˈpieː] *m* ⟨**-s, -s**⟩ croupier
Crux [krʊks] *f* ⟨**-**, *no pl*⟩ = ***Krux***
C-Schlüssel [ˈtseː-] *m* alto clef
CSU [tseː|ɛsˈ|uː] *f* ⟨**-**⟩ *abbr of* ***Christlich-Soziale Union*** Christian Social Union
Curry [ˈkari] *m or nt* ⟨**-s, -s**⟩ curry **Currywurst** [ˈkari-] *f* curried sausage
Cursor [ˈkøːɐsɐ, ˈkœrsɐ] *m* ⟨**-s, -s**⟩ IT cursor **Cursortaste** [ˈkøːɐsɐ-, ˈkœrsɐ-] *f* cursor key
Cutter [ˈkatɐ] *m* ⟨**-s, -**⟩, **Cutterin** [ˈkatərɪn] *f* ⟨**-, -nen**⟩ editor
CVJM [tseːfaujɔtˈ|ɛm] *m* ⟨**-s**⟩ *abbr of* ***Christlicher Verein Junger Männer*** YMCA
Cyberspace [ˈsaibɐspeːs] *m* ⟨**-**, *no pl*⟩ cyberspace

D

D, d [deː] *nt* ⟨**-, -**⟩ D, d
da [daː] **I** *adv* **1.** (*örtlich*) (≈ *dort*) there; (≈ *hier*) here; ***hier und da, da und dort*** here and there; ***die Frau da*** that woman (over) there; ***da bin ich*** here I am; ***da bist du ja!*** there you are!; ***da kommt er ja*** here he comes; ***wir sind gleich da*** we'll soon be there; ***da hast du dein Geld!*** (there you are,) there's your money; ***da, nimm schon!*** here, take it! **2.** (*zeitlich* ≈ *dann, damals*) then; ***da siehst du, was du angerichtet hast*** now see what you've done **3.** (*infml* ≈ *in diesem Fall*) there; ***da haben wir aber Glück gehabt!*** we were lucky there!; ***was gibts denn da zu lachen?*** what's funny about that?; ***da kann man nur lachen*** you can't help laughing; ***da fragt man sich (doch), ob ...*** it makes you wonder if ...; ***da fällt mir gerade ein ...*** it's just occurred to me ... **II** *cj* (≈ *weil*) as, since
dabei [daˈbai, (*emph*) ˈdaːbai] *adv* **1.** (*örtlich*) with it; ***ein Häuschen mit einem Garten ~*** a little house with a garden (attached to it); ***nahe ~*** nearby **2.** (≈ *gleichzeitig*) at the same time; ***er aß weiter und blätterte ~ in dem Buch*** he went on eating, leafing through the book at the same time **3.** (≈ *außerdem*) as well; ***sie ist schön und ~ auch noch klug*** she's pretty, and clever as well **4.** (*während man etw tut*) in the process; *ertappen* at it; ***die ~ entstehenden Kosten*** the expenses arising from this/that **5.** (≈ *in dieser Angelegenheit*) ***das Schwierigste ~*** the most difficult part of it; ***wichtig ~ ist ...*** the important thing here *or* about it is ...; ***~ kann man viel Geld verdienen*** there's a lot of money in that **6.** (*einräumend* ≈ *doch*) (and) yet; ***er hat mich geschlagen, ~ hatte ich gar nichts gemacht*** he hit me and I hadn't even done anything **7.** ***ich bleibe ~*** I'm not changing my mind; ***lassen wir es ~*** let's leave it at that!; ***was ist schon ~?*** so what? (*infml*), what of it? (*infml*); ***ich finde gar nichts ~*** I don't see any harm in it; ***was hast du dir denn ~ gedacht?*** what were you thinking of? **dabeibleiben** *v/i sep irr aux sein* to stay with it; → ***dabei*** 7 **dabeihaben** *v/t sep*

irr (*infml*) to have with one **dabei sein** *v/i irr aux sein* **1.** (≈ *anwesend sein*) to be there (*bei* at); (≈ *mitmachen*) to be involved (*bei* in); ***ich bin dabei!*** count me in! **2.** (≈ *im Begriff sein*) ***~, etw zu tun*** to be just doing sth

dableiben *v/i sep irr aux sein* to stay (on)

Dach [dax] *nt* ⟨***-(e)s, ¨-er*** ['dɛçɐ]⟩ **1.** roof; ***mit jdm unter einem ~ wohnen*** to live under the same roof as sb; ***unter ~ und Fach sein*** (≈ *abgeschlossen*) to be all wrapped up **2.** (*fig infml*) ***jdm eins aufs ~ geben*** (≈ *schlagen*) to smash sb on the head (*infml*); (≈ *ausschimpfen*) to give sb a (good) talking-to **Dachboden** *m* attic; (*von Scheune*) loft **Dachfenster** *nt* skylight **Dachfirst** *m* ridge of the roof **Dachgarten** *m* roof garden **Dachgepäckträger** *m* AUTO roof rack **Dachgeschoss** *nt*, **Dachgeschoß** (*Aus*) *nt* attic storey (*Br*) *or* story (*US*); (≈ *oberster Stock*) top floor **Dachgiebel** *m* gable **Dachluke** *f* skylight **Dachpappe** *f* roofing paper **Dachrinne** *f* gutter

Dachs [daks] *m* ⟨***-es, -e***⟩ ZOOL badger

Dachschaden *m* (*infml*) ***einen*** (***kleinen***) ***~ haben*** to have a slate loose (*infml*) **Dachterrasse** *f* roof terrace **Dachverband** *m* umbrella organization **Dachwohnung** *f* attic apartment **Dachziegel** *m* roofing tile

Dackel ['dakl] *m* ⟨***-s, -***⟩ dachshund

dadurch [da'dʊrç, (*emph*) 'da:dʊrç] *adv* **1.** (*örtlich*) through there **2.** (*kausal* ≈ *auf diese Weise*) in this / that way; ***~, dass er das tat, hat er ...*** (≈ *durch diesen Umstand, diese Tat*) by doing that he ...; (≈ *deswegen, weil*) because he did that he ...

dafür [da'fy:ɐ, (*emph*) 'da:fy:ɐ] *adv* **1.** for that / it; ***der Grund ~ ist, dass ...*** the reason for that is (that) ...; ***~ stimmen*** to vote for it **2.** (*als Ersatz*) instead; (*bei Tausch*) in exchange; (*als Gegenleistung*) in return; ***... ich mache dir ~ deine Hausaufgaben*** ... and I'll do your homework in return; ***~, dass er erst drei Jahre ist, ist er sehr klug*** considering that he's only three he's very clever **3.** ***er interessiert sich nicht ~*** he's not interested in that / it; ***ein Beispiel ~ wäre ...*** an example of that would be ... **dafürkönnen** *v/t irr* ***er kann nichts dafür, dass es kaputtgegangen ist*** it's not his fault that it broke

dag (*Aus*) *abbr of* **Dekagramm**

dagegen [da'ge:gn, (*emph*) 'da:ge:gn] **I** *adv* **1.** against it; ***~ sein*** to be against it; ***etwas ~ haben*** to object; ***~ lässt sich nichts machen*** nothing can be done about it **2.** (≈ *verglichen damit*) in comparison **II** *cj* (≈ *im Gegensatz dazu*) on the other hand **dagegenhalten** *v/t sep irr* (≈ *vergleichen*) to compare it / them with **dagegensprechen** *v/i sep irr* to be against it; ***was spricht dagegen?*** what is there against it?

daheim [da'haim] *adv* (*esp S Ger, Aus, Swiss*) at home; ***bei uns ~*** back home (where I/we come from) **Daheim** *nt, no pl* (*esp S Ger, Aus, Swiss*) home

daher [da'he:ɐ, (*emph*) 'da:he:ɐ] **I** *adv* **1.** (≈ *von dort*) from there; ***von ~*** from there **2.** (≈ *durch diesen Umstand*) that is why; ***~ weiß ich das*** that's how *or* why I know that; ***~ kommt es, dass ...*** that is (the reason) why ... **II** *cj* (≈ *deshalb*) that is why **dahergelaufen** *adj* ***jeder ~e Kerl*** any Tom, Dick or Harry **daherreden** *sep* **I** *v/i* ***red doch nicht so*** (***dumm***) ***daher!*** don't talk such nonsense! **II** *v/t* ***was er alles daherredet*** the things he comes out with! (*infml*)

dahin [da'hɪn, (*emph*) 'da:hɪn] **I** *adv* **1.** (*räumlich*) there; (≈ *hierhin*) here; ***bis ~*** as far as there, up to that point; ***bis ~ dauert es noch zwei Stunden*** it'll take us another two hours to get there **2.** (*fig* ≈ *so weit*) ***~ kommen*** to come to that; ***es ist ~ gekommen, dass ...*** things have got to the stage where ... **3.** (≈ *in dem Sinne*) ***er äußerte sich ~ gehend, dass ...*** he said something to the effect that ... **4.** (*zeitlich*) then **II** *adj pred* ***~ sein*** to have gone; ***das Auto ist ~*** (*hum infml*) the car has had it (*infml*) **dahingegen** [dahɪn'ge:gn] *adv* on the other hand **dahingestellt** [-gəʃtɛlt] *adj* ***~ sein lassen, ob ...*** to leave it open whether ...; ***es bleibt*** *or* ***sei ~, ob ...*** it is an open question whether ...

dahinten [da'hɪntn, (*emph*) 'da:hɪntn] *adv* over there; (*hinter Sprecher*) back there

dahinter [da'hɪntɐ, (*emph*) 'da:hɪntɐ] *adv* behind (it / that / him *etc*); ***was sich wohl ~ verbirgt?*** I wonder what's behind that? **dahinter klemmen** *v/r* (*infml*) to get one's finger out (*infml*) **dahinter kommen** *v/i irr aux sein* (*infml*) to find

out; (≈ *langsam verstehen*) to get it (*infml*) **dahinter stecken** *v/i* (*infml*) to be behind it / that
dahinvegetieren *past part* **dahinvegetiert** *v/i sep* to vegetate
Dahlie ['da:liə] *f* ⟨**-, -n**⟩ dahlia
dalassen *v/t sep irr* to leave (here / there)
daliegen *v/i sep irr* to lie there
dalli ['dali] *adv* (*infml*) **~, ~!** on the double! (*infml*)
Dalmatiner [dalma'ti:nɐ] *m* ⟨**-s, -**⟩ (*Hund*) dalmatian
damalig ['da:ma:lɪç] *adj attr* at that time
damals ['da:ma:ls] *adv* at that time; ***seit* ~** since then
Damast [da'mast] *m* ⟨**-(e)s, -e**⟩ damask
Dame ['da:mə] *f* ⟨**-, -n**⟩ **1.** lady; ***meine ~n und Herren!*** ladies and gentlemen!; ***„Damen“*** (≈ *Toilette*) “Ladies”; ***Hundertmeterstaffel der ~n*** women's hundred metre (*Br*) *or* meter (*US*) relay **2.** (*Spiel*) draughts *sg* (*Br*), checkers *sg* (*US*); (≈ *Doppelstein*) king; CHESS, CARDS queen **Damebrett** *nt* draughtboard (*Br*), checkerboard (*US*) **Damenbart** *m* facial hair **Damenbinde** *f* sanitary towel (*Br*) *or* napkin (*US*) **Damendoppel** *nt* TENNIS *etc* ladies' doubles *sg* **Dameneinzel** *nt* TENNIS *etc* ladies' singles *sg* **damenhaft** **I** *adj* ladylike **II** *adv* in a ladylike way **Damenmannschaft** *m* SPORTS women's team **Damenschneider(in)** *m*/(*f*) dressmaker **Damentoilette** *f* (≈ *WC*) ladies' toilet *or* restroom (*US*) **Damenwahl** *f* ladies' choice **Damespiel** *nt* draughts *sg* (*Br*), checkers *sg* (*US*)
damit [da'mɪt, (*emph*) 'da:mɪt] **I** *adv* **1.** with it / that; ***was will er ~?*** what does he want with that?; ***was soll ich ~?*** what am I meant to do with that?; ***ist Ihre Frage ~ beantwortet?*** does that answer your question?; ***weißt du, was er ~ meint?*** do you know what he means by that?; ***wie wäre es ~?*** how about it?; ***das / er hat gar nichts ~ zu tun*** that / he has nothing to do with it; ***was willst du ~ sagen?*** what's that supposed to mean?; ***weg ~!*** away with it; ***Schluss ~!*** that's enough (of that)! **2. *~ kommen wir zum Ende des Programms*** that brings us to the end of our programmes (*Br*) *or* programs (*US*) **II** *cj* so that; ***~ er nicht fällt*** so that he does not fall
dämlich ['dɛ:mlɪç] (*infml*) **I** *adj* stupid **II** *adv* stupidly; ***~ fragen*** to ask dumb questions (*infml*)
Damm [dam] *m* ⟨**-(e)s, =e** ['dɛmə]⟩ **1.** (≈ *Deich*) dyke (*Br*), dike (*esp US*); (≈ *Staudamm*) dam; (≈ *Uferdamm, Bahndamm*) embankment; (*fig*) barrier **2.** (*fig infml*) ***wieder auf dem ~ sein*** to be back to normal; ***nicht recht auf dem ~ sein*** not to be up to the mark (*infml*) **dämmen** ['dɛmən] *v/t* TECH *Wärme* to keep in; *Schall* to absorb
dämmerig ['dɛmərɪç] *adj Licht* dim; *Zimmer* gloomy **Dämmerlicht** *nt* twilight; (≈ *Halbdunkel*) half-light **dämmern** ['dɛmɐn] **I** *v/i* **1. 2.** (≈ *im Halbschlaf sein*) to doze **II** *v/i impers* ***es dämmert*** (*morgens*) dawn is breaking; (*abends*) dusk is falling; ***es dämmerte ihm, dass ...*** (*infml*) he began to realize that ... **Dämmerung** ['dɛmərʊŋ] *f* ⟨**-, -en**⟩ twilight; (≈ *Halbdunkel*) half-light
Dämmung ['dɛmʊŋ] *f* ⟨**-, -en**⟩ insulation
Dämon ['dɛ:mɔn] *m* ⟨**-s, Dämonen** [dɛ'mo:nən]⟩ demon **dämonisch** [dɛ'mo:nɪʃ] *adj* demonic
Dampf [dampf] *m* ⟨**-(e)s, =e** ['dɛmpfə]⟩ vapour (*Br*), vapor (*US*); (≈ *Wasserdampf*) steam; ***~ ablassen*** to let off steam; ***jdm ~ machen*** (*infml*) to make sb get a move on (*infml*) **Dampfbad** *nt* steam bath **Dampfbügeleisen** *nt* steam iron **dampfen** ['dampfn] *v/i* to steam
dämpfen ['dɛmpfn] *v/t* **1.** (≈ *abschwächen*) to muffle; *Farbe* to mute; *Licht* to lower; *Stimmung* to dampen; *Aufprall* to deaden; → ***gedämpft*** **2.** COOK to steam
Dampfer ['dampfɐ] *m* ⟨**-s, -**⟩ steamer; ***auf dem falschen ~ sein*** *or* ***sitzen*** (*fig infml*) to have got the wrong idea
Dämpfer ['dɛmpfɐ] *m* ⟨**-s, -**⟩ ***einer Sache*** (*dat*) ***einen ~ aufsetzen*** (*infml*) to put a damper on sth (*infml*)
Dampfkochtopf *m* pressure cooker **Dampflok** *f* (*infml*) steam engine **Dampfmaschine** *f* steam(-driven) engine **Dampfreiniger** *m* (*für Teppiche etc*) steam cleaner **Dampfschiff** *nt* steamship **Dampfwalze** *f* steamroller
danach [da'na:x, (*emph*) 'da:na:x] *adv* **1.** (*zeitlich*) after that / it; ***zehn Minuten ~*** ten minutes later **2.** (*örtlich*) behind (that / it / him / them *etc* **3.** (≈ *dementsprechend*) accordingly; (≈ *laut diesem*) according to that; (≈ *im Einklang damit*)

in accordance with that/it; ***sie sieht nicht ~ aus*** she doesn't look (like) it; ***~ zu urteilen*** judging by that; ***mir war nicht ~*** (***zumute***) I didn't feel like it **4.** ***sie sehnte sich ~*** she longed for that/it; ***~ kann man nicht gehen*** you can't go by that

Däne ['dɛːnə] *m* ⟨***-n, -n***⟩ Dane

daneben [da'neːbn, (*emph*) 'daːneːbn] *adv* **1.** (*räumlich*) next to him/her/that/it *etc*; ***wir wohnen im Haus ~*** we live in the house next door **2.** (≈ *verglichen damit*) in comparison **3.** (≈ *außerdem*) besides that; (≈ *gleichzeitig*) at the same time **danebenbenehmen** *past part* ***danebenbenommen*** *v/r sep irr* (*infml*) to make an exhibition of oneself **danebengehen** *v/i sep irr aux sein* **1.** (*Schuss etc*) to miss **2.** (*infml* ≈ *scheitern*) to go wrong **danebengreifen** *v/i sep irr* **1.** (*beim Fangen*) to miss **2.** (*fig infml*: *mit Schätzung etc*) to be wide of the mark; ***im Ton ~*** to strike the wrong note; ***im Ausdruck ~*** to put things the wrong way **danebenhalten** *v/t sep irr* ***jdn/etw ~*** to compare him/her/it *etc* with sb/sth **danebenliegen** *v/i sep irr* (*infml* ≈ *sich irren*) to be quite wrong **daneben sein** *v/i irr aux sein* (*infml* ≈ *sich nicht wohlfühlen*) not to feel up to it (*infml*) **danebentreffen** *v/i sep irr* to miss

Dänemark ['dɛːnəmark] *nt* ⟨***-s***⟩ Denmark **Dänin** ['dɛːnɪn] *f* ⟨***-, -nen***⟩ Dane **dänisch** ['dɛːnɪʃ] *adj* Danish

dank [daŋk] *prep +gen or +dat* thanks to

Dank [daŋk] *m* ⟨***-(e)s***, *no pl*⟩ (*ausgedrückt*) thanks *pl*; (≈ *Gefühl der Dankbarkeit*) gratitude; ***vielen ~*** thank you very much; ***als ~ für seine Dienste*** in grateful recognition of his service; ***zum ~*** (***dafür***) as a way of saying thank you **dankbar** *adj* **1.** (≈ *dankerfüllt*) grateful; (≈ *erleichtert*) thankful; *Publikum* appreciative; ***jdm ~ sein*** to be grateful to sb (*für* for); ***sich ~ zeigen*** to show one's gratitude (*gegenüber* to); ***ich wäre dir ~, wenn du ...*** I would appreciate it if you ... **2.** (≈ *lohnend*) *Aufgabe, Rolle* rewarding **Dankbarkeit** ['daŋkbaːɐkait] *f* ⟨***-***, *no pl*⟩ gratitude **danke** ['daŋkə] *int* **1.** thank you, thanks (*infml*); (*ablehnend*) no thank you; ***nein, ~*** no thank you; ***~ schön*** *or* ***sehr*** thanks very much (*infml*); ***~ vielmals*** many thanks; (*iron*) thanks a million (*infml*) **2.** (*infml*) ***mir gehts ~*** I'm OK (*infml*) **danken** ['daŋkn] **I** *v/i* ***jdm ~*** to thank sb (*für* for); ***nichts zu ~*** don't mention it; ***na, ich danke*** (*iron*) no thank you; ***etw ~d annehmen/ablehnen*** to accept/decline sth with thanks **II** *v/t* (≈ *dankbar sein für*) ***man wird es dir nicht ~*** you won't be thanked for it **dankenswert** *adj Bemühung* commendable; *Hilfe* kind; (≈ *lohnenswert*) *Aufgabe* rewarding **Dankeschön** *nt* ⟨***-s***, *no pl*⟩ thank you **Dankschreiben** *nt* letter of thanks

dann [dan] *adv* **1.** then; ***~ und wann*** now and then; ***gerade ~, wenn ...*** just when ... **2.** then; ***wenn ..., ~*** if ..., (then); ***erst ~, wenn ...*** only when ...; ***~ eben nicht*** well, in that case (there's no more to be said); ***also ~ bis morgen*** see you tomorrow then **3.** (≈ *außerdem*) ***~ ... noch*** on top of that ...

daran [da'ran, (*emph*) 'daːran] *adv* **1.** (*räumlich*) on it/that; *lehnen, stellen* against it/that; *legen* next to it/that; *befestigen* to it/that; ***nahe*** *or* ***dicht ~*** right up against it; ***nahe ~ sein, etw zu tun*** to be on the point of doing sth; ***~ vorbei*** past it **2.** (*zeitlich*) ***im Anschluss ~, ~ anschließend*** following that/this **3.** ***ich zweifle nicht ~*** I don't doubt it; ***wird sich etwas ~ ändern?*** will that change at all?; ***~ sieht man, wie ...*** there you (can) see how ...; ***das Beste*** *etc* ***~*** the best *etc* thing about it; ***es ist nichts ~*** (≈ *ist nicht fundiert*) there's nothing in it; (≈ *ist nichts Besonderes*) it's nothing special; → ***dran*** **darangehen** *v/i sep irr aux sein* ***~, etw zu tun*** to set about doing sth **daranmachen** *v/r sep* (*infml*) to get down to it; ***sich ~, etw zu tun*** to set about doing sth **daransetzen** *sep v/t* ***seine ganzen Kräfte ~, etw zu tun*** to spare no effort to do sth

darauf [da'rauf, (*emph*) 'daːrauf] *adv* **1.** (*räumlich*) on it/that/them *etc* **2.** (*Reihenfolge*) after that; ***~ folgte ...*** that was followed by ...; ***~ folgend*** *Tag etc* following; *Wagen etc* behind *pred*; ***am Tag ~*** the next day **3.** (≈ *infolgedessen*) because of that; ***~ antworten*** to answer that; ***eine Antwort ~*** an answer to that; ***~ steht die Todesstrafe*** that carries the death penalty; ***~ freuen wir uns schon*** we're looking forward to it already **darauffolgend** *adj attr*; → ***darauf*** 2 **daraufhin** [darauf'hɪn, (*emph*) 'daːraufhɪn] *adv* **1.** (≈ *deshalb*) as a result (of that/this); (≈ *danach*) after that **2.** (≈ *im Hinblick darauf*) with regard to that/this

daraus [da'raus, (*emph*) 'daːraus] *adv* **1.** (*räumlich*) out of that/it/them **2.** ***~ kann man Wein herstellen*** you can make wine from that; ***~ ergibt sich/folgt, dass ...*** it follows from that that ...

darbieten ['daːɐ-] *v/t sep irr* (*elev*) **1.** (≈ *vorführen*) to perform **2.** (≈ *anbieten*) to offer; *Speisen* to serve **Darbietung** ['daːɐbiːtʊŋ] *f* 〈**-, -en**〉 performance

darin [da'rɪn, (*emph*) 'daːrɪn] *adv* **1.** (*räumlich*) in there **2.** (≈ *in dieser Beziehung*) in that respect; ***~ ist er ganz groß*** (*infml*) he's very good at that; ***der Unterschied liegt ~, dass ...*** the difference is that ...

darlegen ['daːɐ-] *v/t sep* to explain (*jdm* to sb) **Darlegung** ['daːɐleːgʊŋ] *f* 〈**-, -en**〉 explanation

Darlehen ['daːɐleːən] *nt* 〈**-s, -**〉 loan **Darlehensgeber(in)** *m*/(*f*) lender **Darlehensnehmer** *m* 〈**-s, -**〉, **Darlehensnehmerin** [-ərɪn] *f* 〈**-, -nen**〉 borrower

Darm [darm] *m* 〈**-(e)s, ⸚e** ['dɛrmə]〉 intestine(s *pl*), bowel(s *pl*); (*für Wurst*) (sausage) skin; (*für Saiten etc*) gut **Darmausgang** *m* anus **Darmgrippe** *f* gastric flu **Darmkrebs** *m* cancer of the intestine **Darmleiden** *nt* intestinal trouble *no art* **Darmsaite** *f* gut string **Darmspiegelung** *f* enteroscopy; (*des Dickdarms*) colonoscopy

darstellen ['daːɐ-] *v/t sep* **1.** (≈ *abbilden*) to show; THEAT to portray; (≈ *beschreiben*) to describe; ***die ~den Künste*** (≈ *Theater*) the dramatic arts; (≈ *Malerei, Plastik*) the visual arts; ***sie stellt nichts dar*** (*fig*) she doesn't have much of an air about her **2.** (≈ *bedeuten*) to constitute **Darsteller** ['daːɐʃtɛlɐ] *m* 〈**-s, -**〉 THEAT actor; ***der ~ des Hamlet*** the actor playing Hamlet **Darstellerin** ['daːɐʃtɛlərɪn] *f* 〈**-, -nen**〉 THEAT actress **darstellerisch** ['daːɐʃtɛlərɪʃ] *adj* dramatic; ***eine ~e Höchstleistung*** a magnificent piece of acting **Darstellung** ['daːɐ-] *f* portrayal; (*durch Diagramm etc*) representation; (≈ *Beschreibung*) description; (≈ *Bericht*) account

darüber [da'ryːbɐ, (*emph*) 'daːryːbɐ] *adv* **1.** (*räumlich*) over that/it/them; ***~ hinweg sein*** (*fig*) to have got over it; ***~ hinaus*** apart from this/that **2.** (≈ *deswegen*) about that/it; ***wir wollen nicht ~ streiten, ob ...*** we don't want to argue about whether ... **3.** (≈ *mehr*) ***21 Jahre und ~*** 21 years and above; ***~ hinaus*** over and above that **darüber liegen** *v/i irr* (*fig*) to be higher **darüber stehen** *v/i irr* (*fig*) to be above such things

darum [daː'rʊm, (*emph*) 'daːrʊm] *adv* **1.** (*räumlich*) (a)round that/it/him/her/them **2.** ***es geht ~, dass ...*** the thing is that ...; ***~ geht es gar nicht*** that isn't the point; ***~ geht es mir*** that's my point; ***~ geht es mir nicht*** that's not the point for me **3.** (≈ *deshalb*) that's why, because ...; ***ach ~!*** so that's why!; ***warum willst du nicht mitkommen? — ~!*** (*infml*) why don't you want to come? — (just) 'cos! (*infml*)

darunter [da'rʊntɐ, (*emph*) 'daːrʊntɐ] *adv* **1.** (*räumlich*) under that/it/them **2.** (≈ *weniger*) under that; ***Leute im Alter von 35 Jahren und ~*** people aged 35 and under **3.** (≈ *dabei*) among them **4.** ***was verstehen Sie ~?*** what do you understand by that/it?; → ***drunter***

das [das]; → ***der***

da sein *v/i irr aux sein* to be there; ***ist Post für mich da?*** is there any mail for me?; ***war der Briefträger schon da?*** has the postman (*Br*) *or* mailman (*US*) been yet?; ***voll ~*** (*infml*) to be all there (*infml*); ***so etwas ist noch nie da gewesen*** it's quite unprecedented

Dasein *nt* existence **Daseinsberechtigung** *f* right to exist

dasitzen *v/i sep irr aux haben or sein* to sit there; ***ohne Hilfe ~*** (*infml*) to be left without any help

dasjenige ['dasjeːnɪgə] *dem pron* → ***derjenige***

dass [das] *cj* that; ***das kommt daher, ~ ...*** that comes because ...; ***das liegt daran, ~ ...*** that is because ...

dasselbe [das'zɛlbə] *dem pron* → ***derselbe***

dastehen *v/i sep irr aux haben or sein* **1.** (≈ *da sein*) to stand there; ***steh nicht so dumm da!*** don't just stand there looking stupid **2.** (*fig*) ***gut/schlecht ~*** to be in a good/bad position; ***allein ~*** to be on one's own; ***jetzt stehe ich ohne Mittel da*** now I'm left with no money

Date [deːt] *nt* 〈**-(s), -s**〉 (*infml* ≈ *Verabredung, Person*) date; ***ein ~ haben*** to go out on a date

Datei [da'tai] *f* ⟨**-, -en**⟩ IT file **Dateimanager** *m* file manager **Dateiname** *m* file name **Dateiverwaltung** *f* file management

Daten ['daːtn] *pl* IT data *sg* **Datenaustausch** *m* data exchange **Datenautobahn** *f* information highway **Datenbank** *f, pl* **-banken** database; (≈ *Zentralstelle*) data bank **Datenbestand** *m* database **Dateneingabe** *f* data input **Datenerfassung** *f* data capture **Datenkompressionsprogramm** *nt* data compression program **Datenmissbrauch** *m* misuse of data **Datennetz** *nt* data network **Datensatz** *m* record **Datenschutz** *m* data protection **Datenschutzbeauftragte(r)** *m/f(m) decl as adj* data protection official **Datenschützer** [-ʃʏtsɐ] *m* ⟨**-s, -**⟩, **Datenschützerin** [-ərɪn] *f* ⟨**-, -nen**⟩ data protectionist **Datenspeicher** *m* data memory; (≈ *Speichermedium*) data storage medium **Datenträger** *m* data carrier **Datenübertragung** *f* data transmission **Datenverarbeitung** *f* data processing

datieren [da'tiːrən] *past part* **datiert** *v/t & v/i* to date (*aus* from)

Dativ ['daːtiːf] *m* ⟨**-s, -e** [-və]⟩ GRAM dative (case) **Dativobjekt** *nt* GRAM indirect object

dato *adv* **bis ~** (COMM, *infml*) to date

Dattel ['datl] *f* ⟨**-, -n**⟩ date

Datum ['daːtʊm] *nt* ⟨**-s, Daten** ['daːtn]⟩ date; ***was für ein ~ haben wir heute?*** what is the date today?; ***das heutige ~*** today's date; ***~ des Poststempels*** date as postmark; ***ein Nachschlagewerk neueren/älteren ~s*** a recent/an old reference work

Dauer ['dauɐ] *f* ⟨-, *no pl*⟩ (≈ *das Andauern*) duration; (≈ *Zeitspanne*) period; (≈ *Länge: einer Sendung etc*) length; ***für die ~ eines Monats*** for a period of one month; ***von ~ sein*** to be long-lasting; ***keine ~ haben*** to be short-lived; ***von langer ~ sein*** to last a long time; ***auf die ~*** in the long term; ***auf ~*** permanently **Dauerarbeitslose(r)** *m/f(m) decl as adj* ***die ~n*** the long-term unemployed **Dauerarbeitslosigkeit** *f* long-term unemployment **Dauerauftrag** *m* FIN standing order **Dauerbelastung** *f* continual pressure *no indef art*; (*von Maschine*) constant load **Dauerbetrieb** *m* continuous operation **Dauerbrenner** *m* (*infml*) (≈ *Dauererfolg*) long runner; (≈ *Dauerthema*) long-running issue **Dauerfrost** *m* freeze-up **Dauergast** *m* permanent guest; (≈ *häufiger Gast*) regular visitor **dauerhaft I** *adj Zustand* permanent; *Bündnis, Frieden* lasting *attr*, long-lasting **II** *adv* (≈ *für immer*) permanently **Dauerkarte** *f* season ticket **Dauerlauf** *m* SPORTS jog; (≈ *das Laufen*) jogging **Dauerlutscher** *m* lollipop **dauern** ['dauɐn] *v/i* **1.** (≈ *andauern*) to last **2.** (≈ *Zeit benötigen*) to take a while; ***das dauert noch*** (*infml*) it'll be a while yet; ***das dauert mir zu lange*** it takes too long for me **dauernd I** *adj Frieden, Regelung* lasting; *Wohnsitz* permanent; (≈ *fortwährend*) constant **II** *adv* ***etw ~ tun*** to keep doing sth **Dauerparker** [-parkɐ] *m* ⟨**-s, -**⟩, **Dauerparkerin** [-ərɪn] *f* ⟨**-, -nen**⟩ long-stay (*Br*) *or* long-term (*US*) parker **Dauerregen** *m* continuous rain **Dauerstellung** *f* permanent position **Dauerstress** *m* ***im ~ sein*** to be in a state of permanent stress **Dauerthema** *nt* long-running issue **Dauerwelle** *f* perm **Dauerwurst** *f* German salami **Dauerzustand** *m* permanent state of affairs

Daumen ['daumən] *m* ⟨**-s, -**⟩ thumb; ***am ~ lutschen*** to suck one's thumb; ***jdm die ~ drücken*** to keep one's fingers crossed for sb **Daumenlutscher(in)** *m/(f)* thumb-sucker **Daumennagel** *m* thumbnail **Daumenregister** *nt* thumb index

Daune ['daunə] *f* ⟨**-, -n**⟩ down feather; ***~n*** down *sg* **Daunendecke** *f* (down-filled) duvet (*Br*) *or* quilt

davon [da'fɔn, (*emph*) 'daːfɔn] *adv* **1.** (*räumlich*) from there **2.** (*fig*) ***es unterscheidet sich ~*** it differs from it; ***... und ~ kommt das hohe Fieber*** ... and that's where the high temperature comes from; ***das kommt ~!*** that's what you get; ***~ stirbst du nicht*** it won't kill you; ***was habe ICH denn ~?*** what do I get out of it? **3.** ***~ betroffen werden*** *or* ***sein*** to be affected by that/it/them; ***nehmen Sie doch noch etwas ~!*** do have some more! **4.** (≈ *darüber*) *hören, sprechen* about that/it/them; *verstehen, halten* of that/it/them; ***genug ~!*** enough of this!; ***nichts ~ halten*** not to think much of it; ***ich halte viel ~*** I think it is quite good **davonfahren** *v/i sep irr aux sein* (*Fahrer, Fahrzeug*) to drive away;

(*Zug*) to pull away **davonfliegen** *v/i sep irr aux sein* to fly away **davonjagen** *v/t sep* to chase off *or* away **davonkommen** *v/i sep irr aux sein* (≈ *entkommen*) to get away; (≈ *nicht bestraft werden*) to get away with it; ***mit dem Schrecken/dem Leben ~*** to escape with no more than a shock/with one's life; ***mit einer Geldstrafe ~*** to get off with a fine **davonlassen** *v/t sep irr* ***die Hände*** *or* ***Finger ~*** (*infml*) to leave it/them well alone **davonlaufen** *v/i sep irr aux sein* (≈ *weglaufen*) to run away (*jdm/vor jdm* from sb); (≈ *verlassen*) to walk out (*jdm* on sb) **davonmachen** *v/r sep* to make off **davontragen** *v/t sep irr Sieg*, *Ruhm* to win; *Schaden*, *Verletzung* to suffer

davor [daːˈfoːɐ, (*emph*) ˈdaːfoːɐ] *adv* **1.** (*räumlich*) in front (of that/it/them) **2.** (*zeitlich*) before that **3.** ***ich habe Angst ~, das zu tun*** I'm afraid of doing that; ***ich warne Sie ~!*** I warn you! **davor stehen** *v/i irr aux haben or sein* to stand in front of it/them **davor stellen** *v/r* to stand in front of it/them

DAX®, Dax [daks] *m* ⟨**-**, *no pl*⟩ *abbr of* ***Deutscher Aktienindex*** DAX index

dazu [daˈtsuː, (*emph*) ˈdaːtsuː] *adv* **1.** (≈ *dabei, damit*) with it; ***noch ~*** as well, too **2.** (≈ *dahin*) to that/it; ***er ist auf dem besten Wege ~*** he's well on the way to it; ***wie konnte es nur ~ kommen?*** how could that happen?; ***wie komme ich ~?*** (*empört*) why on earth should I?; ***... aber ich bin nicht ~ gekommen*** ... but I didn't get (a)round to it **3.** (≈ *dafür, zu diesem Zweck*) for that/it; ***ich habe ihm ~ geraten*** I advised him to (do that); ***~ bereit sein, etw zu tun*** to be prepared to do sth; ***~ gehört viel Geld*** that takes a lot of money; ***~ ist er da*** that's what he's there for **4.** (≈ *darüber, zum Thema*) about that/it; ***was sagst du ~?*** what do you say to that? **5.** ***im Gegensatz ~*** in contrast to that; ***im Vergleich ~*** in comparison with that **dazugehören** *past part* **dazugehört** *v/i sep* to belong (to it/us *etc*); (≈ *eingeschlossen sein*) to be included (in it/them); ***das gehört mit dazu*** it's all part of it; ***es gehört schon einiges dazu*** that takes a lot **dazugehörig** *adj attr* which goes/go with it/them **dazulernen** *v/t sep* ***viel/nichts ~*** to learn a lot more/nothing new; ***man kann immer was ~*** there's always something to learn **dazusetzen** *sep v/r* to join him/us *etc* **dazutun** *v/t sep irr* (*infml*) to add **Dazutun** *nt* ***ohne dein ~*** without your doing/saying anything **dazuverdienen** *v/t & v/i sep* to earn something extra

dazwischen [daˈtsvɪʃn, (*emph*) ˈdaːtsvɪʃn] *adv* (*räumlich, zeitlich*) in between **dazwischenkommen** *v/i sep irr aux sein* (≈ *störend erscheinen*) to get in the way; ***... wenn nichts dazwischenkommt!*** ... if all goes well; ***mir ist leider etwas dazwischengekommen*** something has come up **dazwischenreden** *v/i sep* (≈ *unterbrechen*) to interrupt (*jdm* sb)

DB [deːˈbeː] *f* ⟨**-**⟩ *abbr of* **Deutsche Bahn** *German Railways*

DDR [deːdeːˈ|ɛr] *f* ⟨**-**⟩ HIST *abbr of* ***Deutsche Demokratische Republik*** GDR

deaktivieren *past part* **deaktiviert** *v/t* IT to disable; *Kontrollkästchen* to uncheck

Deal [diːl] *m* ⟨**-s, -s**⟩ (*infml*) deal **dealen** [ˈdiːlən] (*infml*) **I** *v/i* ***mit etw ~*** to deal in sth **II** *v/t* to deal in; *Drogen* to push **Dealer** [ˈdiːlɐ] *m* ⟨**-s, -**⟩, **Dealerin** [ˈdiːlərɪn] *f* ⟨**-, -nen**⟩ (drug) dealer

Debakel [deˈbaːkl] *nt* ⟨**-s, -**⟩ debacle

Debatte [deˈbatə] *f* ⟨**-, -n**⟩ debate; ***etw zur ~ stellen*** to put sth up for discussion *or* (PARL) debate; ***das steht hier nicht zur ~*** that's not the issue **debattieren** [debaˈtiːrən] *past part* **debattiert** *v/t & v/i* to debate; ***über etw*** (*acc*) ***~*** to discuss sth

Debet [ˈdeːbɛt] *nt* ⟨**-s, -s**⟩ FIN debits *pl* **Debetseite** *f* FIN debit side

debil [deˈbiːl] *adj* MED feeble-minded

debitieren [debiˈtiːrən] *past part* **debitiert** *v/t* FIN to debit

Debüt [deˈbyː] *nt* ⟨**-s, -s**⟩ debut; ***sein ~ als etw geben*** to make one's debut as sth

dechiffrieren [deʃɪˈfriːrən] *past part* **dechiffriert** *v/t* to decode

Deck [dɛk] *nt* ⟨**-(e)s, -s**⟩ deck; ***alle Mann an ~!*** all hands on deck!

Deckbett *nt* feather quilt **Deckchen** [ˈdɛkçən] *nt* ⟨**-s, -**⟩ mat; (*auf Tablett*) tray cloth; (≈ *Tortendeckchen*) doily **Decke** [ˈdɛkə] *f* ⟨**-, -n**⟩ **1.** cloth; (≈ *Wolldecke*) blanket; (*kleiner*) rug; (≈ *Steppdecke*) quilt; (≈ *Bettdecke*) cover; ***mit jdm unter einer ~ stecken*** (*fig*) to be in league with sb **2.** (≈ *Zimmerdecke*) ceiling; ***an die ~ gehen*** (*infml*) to hit the roof

(*infml*); ***mir fällt die ~ auf den Kopf*** (*fig infml*) I don't like my own company
Deckel ['dɛkl] *m* ⟨**-s, -**⟩ lid; (*von Flasche*) top; ***jdm eins auf den ~ geben*** (*infml*) (≈ *schlagen*) to hit sb on the head; (≈ *ausschimpfen*) to give sb a (good) talking-to (*infml*)
decken ['dɛkn] **I** *v/t* **1.** (≈ *zudecken*) to cover; ***ein Dach mit Ziegeln ~*** to roof a building with tiles; → ***gedeckt*** **2.** *Tisch*, *Tafel* to set **3.** (≈ *schützen*) to cover; FTBL *Spieler* to mark; *Komplizen* to cover up for **4.** *Kosten*, *Bedarf* to cover, to meet; ***mein Bedarf ist gedeckt*** (*fig infml*) I've had enough (to last me some time) **5.** (COMM, FIN ≈ *absichern*) *Scheck* to cover; *Defizit* to offset **II** *v/i* to cover; (FTBL ≈ *Spieler decken*) to mark **III** *v/r* (*Interessen*, *Begriffe*) to coincide; (*Aussagen*) to correspond; (MAT: *Figur*) to be congruent **Deckenfluter** ['dɛknfluːtɐ] *m* ⟨**-s, -**⟩ torchiere (lamp) **Deckfarbe** *f* opaque watercolour (*Br*) *or* watercolor (*US*) **Deckmantel** *m* (*fig*) mask; ***unter dem ~ von ...*** under the guise of ... **Deckname** *m* assumed name; MIL code name
Deckung ['dɛkʊŋ] *f* ⟨**-**, (*rare*) **-en**⟩ **1.** (≈ *Schutz*) cover; FTBL, CHESS defence (*Br*), defense (*US*); (*Boxen*, *Fechten*) guard; ***in ~ gehen*** to take cover; ***jdm ~ geben*** to cover sb **2.** (COMM, FIN, *von Scheck*) cover; (*von Darlehen*) security; ***zur ~ seiner Schulden*** to cover his debts; ***eine ~ der Nachfrage ist unmöglich*** demand cannot possibly be met **3.** (≈ *Übereinstimmung*) congruence **deckungsgleich** *adj* MAT congruent; ***~ sein*** (*fig*) to coincide; (*Aussagen*) to agree **Deckweiß** *nt* opaque white
Decoder [de'koːdɐ] *m* ⟨**-s, -**⟩ decoder **decodieren** [deko'diːrən] *past part* ***decodiert*** *v/t* to decode
de facto [de 'fakto] *adv* de facto
Defätismus [defɛ'tɪsmʊs] *m* ⟨**-**, *no pl*⟩ defeatism
defekt [de'fɛkt] *adj Gerät etc* faulty; *Gen* defective **Defekt** [de'fɛkt] *m* ⟨**-(e)s, -e**⟩ fault; ***geistiger ~*** mental deficiency
defensiv [defɛn'ziːf] **I** *adj* defensive; *Fahrweise* non-aggressive **II** *adv* defensively **Defensive** [defɛn'ziːvə] *f* ⟨**-**, (*rare*) **-n**⟩ defensive; ***in der ~ bleiben*** to remain on the defensive
definierbar *adj* definable; ***schwer/leicht ~*** hard/easy to define **definieren** [defi'niːrən] *past part* ***definiert*** *v/t* to define **Definition** [defini'tsioːn] *f* ⟨**-, -en**⟩ definition **definitiv** [defini'tiːf] **I** *adj* definite **II** *adv* (≈ *bestimmt*) definitely
Defizit ['deːfitsɪt] *nt* ⟨**-s, -e**⟩ (≈ *Fehlbetrag*) deficit; (≈ *Mangel*) deficiency (*an +dat* of)
Deflation [defla'tsioːn] *f* ⟨**-, -en**⟩ ECON deflation
Deformation [defɔrma'tsioːn] *f* deformation; (≈ *Missbildung*) deformity **deformieren** [defɔr'miːrən] *past part* ***deformiert*** *v/t* to deform
Defroster [de'frɔstɐ] *m* ⟨**-s, -**⟩ AUTO heated windscreen (*Br*), defroster (*US*)
deftig ['dɛftɪç] *adj Mahlzeit* substantial; *Humor* ribald; *Lüge* huge; *Ohrfeige* cracking (*infml*); *Preis* extortionate
Degen ['deːgn] *m* ⟨**-s, -**⟩ rapier; SPORTS épée
Degeneration [degenera'tsioːn] *f* degeneration
degenerieren [degene'riːrən] *past part* ***degeneriert*** *v/i aux sein* to degenerate (*zu* into) **degeneriert** [degene'riːɐt] *adj* degenerate
degradieren [degra'diːrən] *past part* ***degradiert*** *v/t* MIL to demote (*zu* to); (*fig* ≈ *herabwürdigen*) to degrade **Degradierung** *f* ⟨**-, -en**⟩ MIL demotion (*zu* to); (*fig*) degradation
dehnbar *adj* elastic; (*fig*) flexible **dehnen** ['deːnən] *v/t* & *v/r* to stretch; *Laut* to lengthen **Dehnung** *f* ⟨**-, -en**⟩ stretching; (*von Laut*) lengthening
dehydrieren [dehy'driːrən] *past part* ***dehydriert*** *v/t* CHEM to dehydrate
Deich [daiç] *m* ⟨**-(e)s, -e**⟩ dyke (*Br*), dike (*esp US*)
Deichsel ['daiksl] *f* ⟨**-, -n**⟩ shaft, whiffletree (*US*) **deichseln** ['daiksln] *v/t* (*infml*) to wangle (*infml*)
dein [dain] *poss pr* your; ***herzliche Grüße, Deine Elke*** with best wishes, yours *or* (*herzlicher*) love Elke **deiner** ['dainɐ] *pers pr* of you; ***wir werden ~ gedenken*** we will remember you **deine(r, s)** ['dainə] *poss pr* (*substantivisch*) yours; ***der/die/das Deine*** (*elev*) yours; ***die Deinen*** (*elev*) your family, your people; ***das Deine*** (*elev* ≈ *Besitz*) what is yours **deinerseits** ['dainɐ'zaits] *adv* (≈ *auf deiner Seite*) for your part; (≈ *von deiner Seite*) on your part **deinesgleichen** ['dainəs'glaiçn] *pron inv* people

like you **deinetwegen** ['dainət'veːgn] *adv* (≈ *wegen dir*) because of you; (≈ *dir zuliebe*) for your sake **deinetwillen** ['dainət'vɪlən] *adv* ***um ~*** for your sake
deinstallieren *past part* ***deinstalliert*** *v/t Programm* to uninstall
Deka ['dɛka] *nt* ⟨***-(s), -***⟩ (*Aus*) = ***Dekagramm***
dekadent [deka'dɛnt] *adj* decadent **Dekadenz** [deka'dɛnts] *f* ⟨*-, no pl*⟩ decadence
Dekagramm ['deka-, 'dɛka-] *nt* decagram(me)
Dekan [de'kaːn] *m* ⟨***-s, -e***⟩, **Dekanin** [-kaːnɪn] *f* ⟨***-, -nen***⟩ UNIV, ECCL dean **Dekanat** [deka'naːt] *nt* ⟨***-(e)s, -e***⟩ (≈ *Amtssitz*) (UNIV) office of the dean; ECCL deanery
Deklaration [deklara'tsioːn] *f* ⟨***-, -en***⟩ declaration **deklarieren** [dekla'riːrən] *past part* ***deklariert*** *v/t* to declare
Deklination [deklina'tsioːn] *f* ⟨***-, -en***⟩ GRAM declension **deklinierbar** *adj* GRAM declinable **deklinieren** [dekli'niːrən] *past part* ***dekliniert*** *v/t* GRAM to decline
dekodieren [deko'diːrən] *past part* ***dekodiert*** *v/t* to decode
Dekolleté [dekɔl'teː] *nt* ⟨***-s, -s***⟩, **Dekolletee** *nt* ⟨***-s, -s***⟩ low-cut neckline **dekolletiert** [dekɔl'tiːɐt] *adj Kleid* low-cut
dekomprimieren [dekɔmpri'miːrən] *past part* ***dekomprimiert*** *v/t* IT to decompress
dekontaminieren [dekɔntami'niːrən] *past part* ***dekontaminiert*** *v/t* to decontaminate
Dekor [de'koːɐ] *m or nt* ⟨***-s, -s*** *or* ***-e***⟩ decoration; (≈ *Muster*) pattern **Dekorateur** [dekora'tøːɐ] *m* ⟨***-s, -e***⟩, **Dekorateurin** [-'tøːrɪn] *f* ⟨***-, -nen***⟩ (≈ *Schaufensterdekorateur*) window-dresser; (*von Innenräumen*) interior designer **Dekoration** [dekora'tsioːn] *f* ⟨***-, -en***⟩ **1.** *no pl* (≈ *das Ausschmücken*) decorating **2.** (≈ *Einrichtung*) décor *no pl*; (≈ *Fensterdekoration*) window-dressing; ***zur ~ dienen*** to be decorative **dekorativ** [dekora'tiːf] **I** *adj* decorative **II** *adv* decoratively **dekorieren** [deko'riːrən] *past part* ***dekoriert*** *v/t* to decorate; *Schaufenster* to dress **Dekostoff** ['deko-] *m* furnishing fabric
Dekret [de'kreːt] *nt* ⟨***-(e)s, -e***⟩ decree
Delegation [delega'tsioːn] *f* ⟨***-, -en***⟩ delegation **delegieren** [dele'giːrən] *past part* ***delegiert*** *v/t* to delegate (*an +acc* to) **Delegierte(r)** [dele'giːɐtə] *m/f(m) decl as adj* delegate
Delfin[1] [dɛl'fiːn] *m* ⟨***-s, -e***⟩ ZOOL dolphin
Delfin[2] *nt* ⟨***-s***, *no pl*⟩ (≈ *Delfinschwimmen*) butterfly (stroke)
delikat [deli'kaːt] *adj* **1.** (≈ *wohlschmeckend*) exquisite **2.** (≈ *behutsam*, *heikel*) delicate **Delikatesse** [delika'tɛsə] *f* ⟨***-, -n***⟩ (≈ *Leckerbissen*, *fig*) delicacy **Delikatessengeschäft** *nt* delicatessen **Delikatesssenf** *m* (top-)quality mustard
Delikt [de'lɪkt] *nt* ⟨***-(e)s, -e***⟩ JUR offence (*Br*), offense (*US*)
Delinquent [delɪŋ'kvɛnt] *m* ⟨***-en, -en***⟩, **Delinquentin** [-'kvɛntɪn] *f* ⟨***-, -nen***⟩ (*elev*) offender
Delirium [de'liːriʊm] *nt* ⟨***-s, Delirien*** [-riən]⟩ delirium; ***im ~ sein*** to be delirious; ***~ tremens*** the DT's
Delle ['dɛlə] *f* ⟨***-, -n***⟩ (*infml*) dent
Delphin [dɛl'fiːn] = ***Delfin***
Delta ['dɛlta] *nt* ⟨***-s, -s*** *or* ***Delten*** ['dɛltn]⟩ GEOG delta
dem [deːm] **I** *def art* to the; ***wenn ~ so ist*** if that is the way it is; ***wie ~ auch sei*** be that as it may **II** *dem pron attr* to that **III** *rel pr* to whom, that *or* who(m) ... to; (*von Sachen*) to which, which *or* that ... to
Demagoge [dema'goːgə] *m* ⟨***-n, -n***⟩, **Demagogin** [-'goːgɪn] *f* ⟨***-, -nen***⟩ demagogue **Demagogie** [demago'giː] *f* ⟨***-, -n*** [-'giːən]⟩ demagoguery **demagogisch** [dema'goːgɪʃ] *adj Rede etc* demagogic
demaskieren [demas'kiːrən] *past part* ***demaskiert*** *v/t* to unmask, to expose; ***jdn als etw ~*** to expose sb as sth
Dementi [de'mɛnti] *nt* ⟨***-s, -s***⟩ denial **dementieren** [demɛn'tiːrən] *past part* ***dementiert*** **I** *v/t* to deny **II** *v/i* to deny it
dementsprechend ['deːm|ɛnt'ʃprɛçnt] **I** *adv* correspondingly; (≈ *demnach*) accordingly **II** *adj* appropriate; *Gehalt* commensurate
Demenz [de'mɛnts] *f* ⟨***-, -en***⟩ MED dementia
demnach ['deːmnaːx] *adv* therefore; (≈ *dementsprechend*) accordingly **demnächst** ['deːmnɛːçst, deːm'nɛːçst] *adv* soon
Demo ['deːmo] *f* ⟨***-, -s***⟩ (*infml*) demo (*infml*) **Demodiskette** ['deːmo-] *f* IT demo disk **Demografie** [demogra'fiː] *f* ⟨***-, -n*** [-'fiːən]⟩ demography **demografisch**

[demo'grafɪʃ] *adj* demographic **Demokrat** [demo'kra:t] *m* ⟨**-en, -en**⟩, **Demokratin** [-'kra:tɪn] *f* ⟨**-, -nen**⟩ democrat; (*US* POL) Democrat **Demokratie** [demokra'ti:] *f* ⟨**-, -n** [-'ti:ən]⟩ democracy **demokratisch** [demo'kra:tɪʃ] **I** *adj* democratic **II** *adv* democratically

demolieren [demo'li:rən] *past part* **demoliert** *v/t* to wreck

Demonstrant [demɔn'strant] *m* ⟨**-en, -en**⟩, **Demonstrantin** [-'strantɪn] *f* ⟨**-, -nen**⟩ demonstrator **Demonstration** [demɔnstra'tsio:n] *f* ⟨**-, -en**⟩ demonstration **Demonstrationsverbot** *nt* ban on demonstrations **demonstrativ** [demɔnstra'ti:f] **I** *adj* demonstrative; *Beifall* acclamatory; *Protest* pointed **II** *adv* pointedly; **~ Beifall spenden** to make a point of applauding **Demonstrativpronomen** *nt* demonstrative pronoun **demonstrieren** [demɔn'stri:rən] *past part* **demonstriert** *v/t & v/i* to demonstrate

Demontage [demɔn'ta:ʒə] *f* dismantling **demontieren** [demɔn'ti:rən] *past part* **demontiert** *v/t* to dismantle; *Räder* to take off

demoralisieren [demorali'zi:rən] *past part* **demoralisiert** *v/t* (≈ *entmutigen*) to demoralize

Demoskopie [demosko'pi:] *f* ⟨**-,** *no pl*⟩ (public) opinion research **demoskopisch** [demo'sko:pɪʃ] *adj Daten, Erkenntnisse* opinion poll *attr*; **~es Institut** (public) opinion research institute; **eine ~e Untersuchung** a (public) opinion poll

Demut ['de:mu:t] *f* ⟨**-,** *no pl*⟩ humility **demütig** ['de:my:tɪç] **I** *adj* humble **II** *adv* humbly **demütigen** ['de:my:tɪgn] *v/t* to humiliate **Demütigung** *f* ⟨**-, -en**⟩ humiliation; **jdm eine ~ zufügen** to humiliate sb

demzufolge ['de:mtsu'fɔlgə] *adv* therefore

Den Haag [de:n'ha:k] *nt* ⟨**-s**⟩ The Hague

Denkanstoß *m* something to start one thinking; **jdm Denkanstöße geben** to give sb something to think about **Denkaufgabe** *f* brain-teaser **denkbar** **I** *adj* conceivable; **es ist durchaus ~, dass er kommt** it's very possible that he'll come **II** *adv* extremely; (≈ *ziemlich*) rather; **den ~ schlechtesten Eindruck machen** to make the worst possible impression **denken** ['dɛŋkən] *pret* **dachte** ['daxtə], *past part* **gedacht** [gə'daxt] **I** *v/i* **1.** to think; **das gibt einem zu ~** it makes you think; **solange ich ~ kann** (for) as long as I can remember; **wo ~ Sie hin!** what an idea!; **wie ~ Sie darüber?** what do you think about it?; **ich denke genauso** I think the same (way); **ich denke schon** I think so; **ich denke nicht** I don't think so **2. ~ an** to think of *or* about; **das Erste, woran ich dachte** the first thing I thought of; **daran ist gar nicht zu ~** that's (quite) out of the question; **ich denke nicht daran!** no way! (*infml*); **denk daran!** don't forget! **II** *v/t* to think; **sagen was man denkt** to say what one thinks; **was denkst du jetzt?** what are you thinking (about)?; **für jdn/etw gedacht sein** (≈ *vorgesehen*) to be intended for sb/sth; **so war das nicht gedacht** that wasn't what I/he *etc* had in mind; **wer hätte das (von ihr) gedacht!** who'd have thought it (of her)!; **ich habe mir nichts Böses dabei gedacht** I meant no harm (by it); **das kann ich mir ~** I can imagine; **das habe ich mir gleich gedacht** I thought that from the first; **das habe ich mir gedacht** I thought so; **ich denke mir mein Teil** I have my own thoughts on the matter; **sie denkt sich nichts dabei** she thinks nothing of it; → **gedacht** **Denken** *nt* ⟨**-s,** *no pl*⟩ (≈ *Gedankenwelt*) thought; (≈ *Denkweise*) thinking **Denker** ['dɛŋkɐ] *m* ⟨**-s, -**⟩, **Denkerin** [-ərɪn] *f* ⟨**-, -nen**⟩ thinker **Denkfähigkeit** *f* ability to think **denkfaul** *adj* (mentally) lazy; **sei nicht so ~!** get your brain working! **Denkfehler** *m* flaw in the/one's reasoning **Denkmal** ['dɛŋkma:l] *nt* ⟨**-s, -e** (*liter*) *or* **⸚er** [-mɛ:lɐ]⟩ (≈ *Gedenkstätte*) monument (*für* to); (≈ *Standbild*) statue **denkmalgeschützt** *adj Gebäude, Monument* listed; *Baum etc* protected; **das ist ein ~es Haus** this house is a listed building **Denkmal(s)pflege** *f* preservation of historical monuments **Denkmal(s)schutz** *m* **unter ~ stehen** to be classified as a historical monument **Denkmodell** *nt* (≈ *Entwurf*) plan for further discussion **Denkpause** *f* break, adjournment; **eine ~ einlegen** to have a break to think things over **Denkprozess** *m* thought-process **Denkschrift** *f* memo (*infml*) **Denkvermögen** *nt* capacity for thought **denkwürdig** *adj* memorable **Denkzettel** *m* (*infml*) warning; ***jdm einen ~ verpassen*** to give sb a warning

denn [dɛn] **I** *cj* **1.** (*kausal*) because **2.** (*elev*: *vergleichend*) than; ***schöner ~ je*** more beautiful than ever **3.** (*konzessiv*) ***es sei ~***, (***dass***) unless **II** *adv* (*verstärkend*) ***wann/wo ~?*** when/where?; ***warum ~ nicht?*** why not?; ***was soll das ~?*** what's all this then?

dennoch ['dɛnɔx] *adv* nevertheless

Dental(laut) [dɛn'taːl-] *m* ⟨***-s, -e***⟩ LING dental

Denunziant [denʊn'tsiant] *m* ⟨***-en, -en***⟩, **Denunziantin** [-'tsiantɪn] *f* ⟨***-, -nen***⟩ (*pej*) informer **denunzieren** [denʊn'tsiːrən] *past part* ***denunziert*** *v/t* to denounce

Deo ['deːo] *nt* ⟨***-(s), -s***⟩ *abbr of* ***Deodorant*** **Deodorant** [de|odo'rant] *nt* ⟨***-s, -s*** *or* ***-e***⟩ deodorant **Deoroller** *m* roll-on (deodorant) **Deospray** *nt or m* deodorant spray

Departement [departə'mãː] *nt* ⟨***-s, -s***⟩ (*esp Swiss*) department

deplatziert [depla'tsiːɐt] *adj* out of place

Deponie [depo'niː] *f* ⟨***-, -n*** [-'niːən]⟩ dump **deponieren** [depo'niːrən] *past part* ***deponiert*** *v/t* (*elev*) to deposit

Deportation [depɔrta'tsioːn] *f* ⟨***-, -en***⟩ deportation **deportieren** [depɔr'tiːrən] *past part* ***deportiert*** *v/t* to deport **Deportierte(r)** [depɔr'tiːɐtə] *m/f(m) decl as adj* deportee

Depot [de'poː] *nt* ⟨***-s, -s***⟩ **1.** depot; (≈ *Wertpapierdepot*) depository; (≈ *Schließfach*) safety deposit box **2.** (*Swiss* ≈ *Pfand*) deposit

Depp [dɛp] *m* ⟨***-en*** *or* ***-s, -e(n)***⟩ (*pej*) twit (*infml*)

Depression [deprɛ'sioːn] *f* depression; ***~en haben*** to suffer from depression **depressiv** [deprɛ'siːf] *adj* depressive; ECON depressed

deprimieren [depri'miːrən] *past part* ***deprimiert*** *v/t* to depress **deprimierend** *adj* depressing **deprimiert** [depri'miːɐt] *adj* depressed

der [deːɐ], **die** [diː], **das** [das] *pl* ***die*** **I** *def art*, *gen* ***des, der, des***, *pl* ***der***, *dat* ***dem, der, dem***, *pl* ***den***, *acc* ***den, die, das***, *pl* ***die*** the; ***der/die Arme!*** the poor man/woman *or* girl; ***die Engländer*** the English *pl*; ***der Hans*** (*infml*) Hans; ***der Rhein*** the Rhine; ***er nimmt den Hut ab*** he takes his hat off; ***der und der Wissenschaftler*** such and such a scientist **II** *dem pron*, *gen* ***dessen*** *or* (*old*) ***des, deren, dessen***, *pl* ***deren***, *dat* ***dem, der, dem***, *pl* ***denen***, *acc* ***den, die, das***, *pl* ***die*** (*substantivisch*) he/she/it; (*pl*) those, them (*infml*); ***der/die war es*** it was him/her; ***der/die mit der großen Nase*** the one *or* him/her (*infml*) with the big nose; ***der und schwimmen?*** him, swimming?; ***der/die da*** (*von Menschen*) he/she, that man/woman *etc*; (*von Gegenständen*) that (one); ***die hier/da*** *pl* these/those; ***die so etwas tun, ...*** those who do that sort of thing ... **III** *rel pr decl as dem pr* (*Mensch*) who, that; (*Gegenstand*, *Tier*) which, that

derart ['deːɐ'|aːɐt] *adv* (*Art und Weise*) in such a way; ***er hat sich ~ benommen, dass ...*** he behaved so badly that ...; ***ein ~ unzuverlässiger Mensch*** such an unreliable person **derartig** ['deːɐ'|aːɐtɪç] **I** *adj* such; (***etwas***) ***Derartiges*** something like that **II** *adv* = ***derart***

derb [dɛrp] *adj* **1.** (≈ *kräftig*) strong **2.** (≈ *grob*) coarse; *Sprache* crude

Derby ['dɛrbi] *nt* ⟨***-s, -s***⟩ horse race for three-year-olds, derby (*US*)

deregulieren [deregu'liːrən] *past part* ***dereguliert*** *v/t* ECON to deregulate

deren ['deːrən] *rel pr* **1.** (*sing*) whose **2.** (*pl*) whose, of whom; (*von Sachen*) of which **derentwegen** ['deːrənt'veːgn] *adv* because of whom; (*von Sachen*) because of which

dergleichen ['deːɐ'glaiçn] *dem pron inv* **1.** (*adjektivisch*) of that kind; ***~ Dinge*** things of that kind **2.** (*substantivisch*) that sort of thing; ***nichts ~*** nothing of that kind

Derivat [deri'vaːt] *nt* ⟨***-(e)s, -e***⟩ derivative

derjenige ['deːɐjeːnɪgə], **diejenige, dasjenige** *pl* ***diejenigen*** *dem pron* (*substantivisch*) the one; (*pl*) those

dermaßen ['deːɐ'maːsn] *adv* (*mit adj*) so; (*mit vb*) so much; ***ein ~ dummer Kerl*** such a stupid fellow

Dermatologe [dɛrmato'loːgə] *m* ⟨***-en, -en***⟩, **Dermatologin** [-'loːgɪn] *f* ⟨***-, -nen***⟩ dermatologist **Dermatologie** [dɛrmatolo'giː] *f* ⟨***-***, *no pl*⟩ dermatology

derselbe [deːɐ'zɛlbə], **dieselbe, dasselbe** *pl* ***dieselben*** *dem pron* the same;

noch mal dasselbe, bitte! (*infml*) same again, please; ***ein und ~ Mensch*** one and the same person

derzeit ['deːɐ'tsait] *adv* (≈ *jetzt*) at present **derzeitig** ['deːɐ'tsaitɪç] *adj attr* (≈ *jetzig*) present, current

Desaster [de'zastɐ] *nt* ⟨**-s, -**⟩ disaster

Deserteur [dezɛr'tøːɐ] *m* ⟨**-s, -e**⟩, **Deserteurin** [-'tøːrɪn] *f* ⟨**-, *-nen***⟩ deserter **desertieren** [dezɛr'tiːrən] *past part* ***desertiert*** *v/i aux sein or (rare) haben* to desert

desgleichen ['dɛs'glaiçn] *adv* (≈ *ebenso*) likewise

deshalb ['dɛs'halp] *adv, cj* therefore; (≈ *aus diesem Grunde*) because of that; ***~ bin ich hergekommen*** that is what I came here for; ***~ also!*** so that's why!; ***~ frage ich ja*** that's exactly why I'm asking

Design [di'zaɪn] *nt* ⟨**-s, -s**⟩ design **designen** [di'zaɪnən] *past part* ***designt*** [di'zaɪnt] *v/t* to design **Designer** [di'zaɪnɐ] *m* ⟨**-s, -**⟩, **Designerin** [di'zaɪnərɪn] *f* ⟨**-, *-nen***⟩ designer **Designerdroge** *f* designer drug **Designermöbel** *pl* designer furniture *sg* **Designermode** *f* designer fashion

designiert [dezɪ'gniːɐt] *adj attr* ***der ~e Vorsitzende*** the chairman elect

Desinfektion [dɛs|ɪnfɛk'tsioːn, dezɪ-] *f* disinfection **Desinfektionsmittel** *nt* disinfectant **desinfizieren** [dɛs|ɪnfi'tsiːrən, dezɪ-] *past part* ***desinfiziert*** *v/t Zimmer, Bett etc* to disinfect; *Spritze, Gefäß etc* to sterilize

Desinformation [dɛs|ɪnfɔrma'tsioːn, dezɪ-] *f* POL disinformation *no pl*

Desinteresse [dɛs|ɪntə'rɛsə, dezɪ-] *nt* lack of interest (*an +dat* in) **desinteressiert** [dɛs|ɪntərɛ'sɪːɐt, dezɪ-] *adj* uninterested; *Gesicht* bored

deskriptiv [deskrɪp'tiːf] *adj* descriptive

Desktop-Publishing ['dɛsktɔp'pabliʃɪŋ] *nt* ⟨**-**, *no pl*⟩ desktop publishing

desolat [dezo'laːt] *adj* (*elev*) desolate; *Zustand* desperate

Despot [dɛs'poːt] *m* ⟨***-en, -en***⟩, **Despotin** [-'poːtɪn] *f* ⟨**-, *-nen***⟩ despot **despotisch** [dɛs'poːtɪʃ] *adj* despotic

dessen ['dɛsn] *rel pr* whose; (*von Sachen*) of which, which ... of

Dessert [dɛ'seːɐ] *nt* ⟨**-s, -s**⟩ dessert

Dessin [dɛ'sɛ̃ː] *nt* ⟨**-s, -s**⟩ TEX pattern

destabilisieren [destabili'ziːrən, -ʃt-] *past part* ***destabilisiert*** *v/t* to destabilize **Destabilisierung** *f* ⟨**-, *-en***⟩ destabilization

destillieren [dɛstɪ'liːrən] *past part* ***destilliert*** *v/t* to distil (*Br*), to distill (*US*)

desto ['dɛsto] *cj* ***~ mehr/besser*** all the more/better; ***~ schneller*** all the faster; → ***je***

destruktiv [destrʊk'tiːf] *adj* destructive

deswegen ['dɛs'veːgn] *adv* = ***deshalb***

Detail [de'tai, de'taːj] *nt* ⟨**-s, -s**⟩ detail; ***ins ~ gehen*** to go into detail(s); ***im ~*** in detail; ***bis ins kleinste ~*** (right) down to the last detail **Detailfrage** *f* question of detail **detailgenau, detailgetreu** *adj* accurate in every detail **detailliert** [deta'jiːɐt] **I** *adj* detailed **II** *adv* in detail; ***~er*** in greater detail

Detektiv [detɛk'tiːf] *m* ⟨**-s, -e** [-və]⟩, **Detektivin** [-'tiːvɪn] *f* ⟨**-, *-nen***⟩ private investigator **Detektivroman** *m* detective novel **Detektor** [de'tɛktoːɐ] *m* ⟨***-s, Detektoren*** [-'toːrən]⟩ TECH detector

Detonation [detona'tsioːn] *f* ⟨**-, *-en***⟩ explosion **detonieren** [deto'niːrən] *past part* ***detoniert*** *v/i aux sein* to explode

Deut ['dɔyt] *m* ***um keinen ~*** not one iota

deuten ['dɔytn] **I** *v/t* (≈ *auslegen*) to interpret; ***etw falsch ~*** to misinterpret sth **II** *v/i* (***mit dem Finger***) ***auf etw*** (*acc*) ***~*** to point (one's finger) at sth; ***alles deutet darauf, dass ...*** all the indications are that ... **deutlich** ['dɔytlɪç] **I** *adj* clear; ***~ werden*** to make oneself clear; ***das war ~!*** (≈ *taktlos*) that was clear enough; ***muss ich ~er werden?*** have I not made myself clear enough? **II** *adv* clearly; ***~ zu sehen/hören*** easy to see/hear; ***jdm ~ zu verstehen geben, dass ...*** to make it clear to sb that ... **Deutlichkeit** *f* ⟨**-**, *no pl*⟩ clarity; ***etw mit aller ~ sagen*** to make sth perfectly clear

deutsch [dɔytʃ] *adj* German; ***mit jdm ~ reden*** (*fig infml*: *deutlich*) to speak bluntly with sb **Deutsch** [dɔytʃ] *nt* ⟨**-(s)**, *dat* **-**, *no pl*⟩ German; ***~ sprechend*** German-speaking; ***sich auf ~ unterhalten*** to speak (in) German; ***auf gut ~*** (***gesagt***) (*fig infml*) in plain English; **deutsch-englisch** *adj* POL Anglo-German; LING German-English **Deutsche(r)** ['dɔytʃə] *m/f(m) decl as adj* ***er ist ~r*** he is (a) German; ***die ~n*** the Germans **deutschfeindlich** *adj* anti-German **deutschfreundlich** *adj* pro-German **Deutschland** [ˈdɔytʃlant] *nt* ⟨***-s***⟩ Germany **Deutschlehrer(in)** *m/(f)* German teacher **deutschsprachig** *adj Bevölkerung, Gebiete* German-speaking; *Zeitung* German language; *Literatur* German **Deutschstunde** *f* German lesson **Deutschunterricht** *m* German lessons *pl*; (≈ *das Unterrichten*) teaching German

Deutung [ˈdɔytʊŋ] *f* ⟨***-, -en***⟩ interpretation

Devise [deˈviːzə] *f* ⟨***-, -n***⟩ **1.** (≈ *Wahlspruch*) motto **2.** FIN **Devisen** *pl* foreign exchange **Devisenbestimmungen** *pl* foreign exchange control regulations *pl* **Devisenbörse** *f* foreign exchange market **Devisengeschäft** *nt* foreign exchange dealing **Devisenhandel** *m* foreign exchange dealings *pl* **Devisenhändler(in)** *m/(f)* foreign exchange dealer **Devisenkurs** *m* exchange rate

Dezember [deˈtsɛmbɐ] *m* ⟨***-(s), -***⟩ December; → ***März***

dezent [deˈtsɛnt] **I** *adj* discreet; *Kleidung* subtle; *Einrichtung* refined **II** *adv andeuten* discreetly

dezentral [detsɛnˈtraːl] **I** *adj* decentralized **II** *adv verwalten* decentrally **Dezentralisierung** *f* decentralization

Dezernat [detsɛrˈnaːt] *nt* ⟨***-(e)s, -e***⟩ ADMIN department

Dezibel [ˈdeːtsibɛl, -ˈbɛl] *nt* ⟨***-s, -***⟩ decibel **Dezigramm** *nt* decigram(me) **Deziliter** *m or nt* decilitre (*Br*), deciliter (*US*) **dezimal** [detsiˈmaːl] *adj* decimal **Dezimalbruch** *m* decimal fraction **Dezimalstelle** *f* decimal place **Dezimalsystem** *nt* decimal system **Dezimalzahl** *f* decimal number **Dezimeter** [detsiˈmeːtɐ, ˈdeːtsimeːtɐ] *m or nt* decimetre (*Br*), decimeter (*US*) **dezimieren** [detsiˈmiːrən] *past part* ***dezimiert*** *v/t* to decimate

d. h. *abbr of* ***das heißt*** i.e.

Dia [ˈdiːa] *nt* ⟨***-s, -s***⟩ PHOT slide

Diabetes [diaˈbeːtɛs] *m* ⟨***-,*** *no pl*⟩ diabetes **Diabetiker** [diaˈbeːtikɐ] *m* ⟨***-s, -***⟩, **Diabetikerin** [-ərɪn] *f* ⟨***-, -nen***⟩ diabetic **diabetisch** [diaˈbeːtɪʃ] *adj* diabetic

Diagnose [diaˈgnoːzə] *f* ⟨***-, -n***⟩ diagnosis; ***eine ~ stellen*** to make a diagnosis **diagnostisch** [diaˈgnɔstɪʃ] *adj* diagnostic **diagnostizieren** [diagnɔstiˈtsiːrən] *past part* ***diagnostiziert*** *v/t & v/i* (MED, *fig*) to diagnose

diagonal [diagoˈnaːl] **I** *adj* diagonal **II** *adv* diagonally **Diagonale** [diagoˈnaːlə] *f* ⟨***-, -n***⟩ diagonal

Diagramm *nt, pl* ***-gramme*** diagram

Dialekt [diaˈlɛkt] *m* ⟨***-(e)s, -e***⟩ dialect **Dialektik** [diaˈlɛktɪk] *f* ⟨***-,*** *no pl*⟩ PHIL dialectics *sg or pl* **dialektisch** [diaˈlɛktɪʃ] *adj* PHIL dialectic(al)

Dialog [diaˈloːk] *m* ⟨***-(e)s, -e*** [-gə]⟩ dialogue (*Br*), dialog (*US*)

Dialyse [diaˈlyːzə] *f* ⟨***-, -n***⟩ MED dialysis **Dialysegerät** [diaˈlyːzə-] *nt* dialysis machine

Diamant [diaˈmant] *m* ⟨***-en, -en***⟩ diamond **diamanten** [diaˈmantn] *adj attr* diamond; ***~e Hochzeit*** diamond wedding

diametral [diameˈtraːl] **I** *adj* diametral; (*fig*) **II** *adv* ***~ entgegengesetzt sein*** to be diametrically opposite

Diaphragma [diaˈfragma] *nt* ⟨***-s, Diaphragmen*** [-mən]⟩ TECH, MED diaphragm

Diapositiv *nt* slide **Diaprojektor** *m* slide projector **Diarahmen** *m* slide frame

Diät [diˈɛːt] *f* ⟨***-, -en***⟩ MED diet; ***~ kochen*** to cook according to a diet; ***~ halten*** to keep to a diet; ***jdn auf ~ setzen*** (*infml*) to put sb on a diet **Diätassistent(in)** *m/(f)* dietician

Diäten *pl* PARL parliamentary allowance

Diätkost *f* dietary foods *pl*

Diavortrag *m* slide presentation

dich [dɪç] **I** *pers pr acc of* ***du*** you **II** *refl pr* yourself; ***wie fühlst du ~?*** how do you feel?

dicht [dɪçt] **I** *adj* **1.** *Haar, Hecke* thick; *Wald, Gewühl* dense; *Verkehr* heavy; *Gewebe* close; ***in ~er Folge*** in rapid succession **2.** (≈ *wasserdicht*) watertight; (≈ *luftdicht*) airtight; ***~ machen*** to seal; ***er ist nicht ganz ~*** (*infml*) he's nuts (*infml*) **II** *adv* **1.** (≈ *nahe*) closely; ***(~ an) ~ stehen*** to stand close together **2.** (≈ *sehr stark*) *bevölkert* densely; ***~ behaart*** very hairy; ***~ bewölkt*** heavily overcast; ***~ gedrängt*** closely packed; *Programm* packed **3.** ***~ an/bei*** close to; ***~ dahinter*** right behind; ***~ daneben*** close beside it; ***~ hintereinander*** close(ly) behind one another

Dichte [ˈdɪçtə] *f* ⟨***-, -n,*** *no pl*⟩ **1.** (*von Haar, Hecke*) thickness; (*von Verkehr*) heaviness **2.** PHYS density

dichten [ˈdɪçtn] **I** *v/t* to write **II** *v/i* to write poems/a poem **Dichter** [ˈdɪçtɐ] *m* ⟨***-s, -***⟩,

Dichterin [-ərɪn] *f* ⟨**-, -nen**⟩ poet; (≈ *Schriftsteller*) writer **dichterisch** [ˈdɪçtərɪʃ] *adj* poetic; (≈ *schriftstellerisch*) literary; ***~e Freiheit*** poetic licence (*Br*) *or* license (*US*)

dichtgedrängt *adj attr*; → ***dicht*** **dichthalten** *v/i sep irr* (*infml*) to keep one's mouth shut (*infml*) **Dichtkunst** *f* art of poetry; (≈ *Schriftstellerei*) creative writing **dichtmachen** *v/t & v/i sep* (*infml*) *Fabrik*, *Betrieb etc* to close down; **(*den Laden*) *~*** to shut up shop (and go home) (*infml*)

Dichtung[1] [ˈdɪçtʊŋ] *f* ⟨**-, -en**⟩ **1.** *no pl* (≈ *Dichtkunst*) literature; (*in Versform*) poetry; ***~ und Wahrheit*** (*fig*) fact and fiction **2.** (≈ *Dichtwerk*) poem; literary work

Dichtung[2] *f* ⟨**-, -en**⟩ TECH seal; (*in Wasserhahn etc*) washer **Dichtungsring** *m* seal; (*in Wasserhahn*) washer

dick [dɪk] **I** *adj* **1.** thick; *Mensch*, *Buch*, *Brieftasche* fat; ***3 m ~e Wände*** walls 3 metres (*Br*) *or* meters (*US*) thick; ***~ machen*** (*Speisen*) to be fattening; ***~ werden*** (*Mensch* ≈ *zunehmen*) to get fat; ***durch ~ und dünn*** through thick and thin **2.** (*infml*) *Fehler* big; ***das ist ein ein ~es Lob*** that's high praise; ***das ist ein ~er Hund*** (*infml* ≈ *unerhört*) that's a bit much (*infml*) **3.** (≈ *geschwollen*) swollen **4.** (*infml* ≈ *herzlich*) *Freundschaft* close **II** *adv* **1.** (≈ *reichlich*) thickly; ***etw ~ mit Butter bestreichen*** to spread butter thickly on sth; ***er hat es ~(e)*** (*infml* ≈ *hat es satt*) he's had enough of it; (≈ *hat viel*) he's got enough and to spare **2.** (*infml* ≈ *eng*) ***mit jdm ~ befreundet sein*** to be thick with sb (*infml*) **dickbäuchig** [-bɔyçɪç] *adj Mensch* potbellied **Dickdarm** *m* ANAT colon **Dicke** [ˈdɪkə] *f* ⟨**-, -n**⟩ **1.** (≈ *Stärke*, *Durchmesser*) thickness **2.** (*von Menschen*, *Körperteilen*) fatness **Dicke(r)** [ˈdɪkə] *m/f(m) decl as adj* (*infml*) fatso (*infml*) **Dickerchen** [ˈdɪkɐçən] *nt* ⟨***-s, -***⟩ (*infml*) chubby **dickfellig** [-fɛlɪç] *adj* (*infml*) thick-skinned **dickflüssig** *adj* thick, viscous (TECH) **Dickhäuter** [-hɔytɐ] *m* ⟨***-s, -***⟩ pachyderm; (*fig*) thick-skinned person **Dickicht** [ˈdɪkɪçt] *nt* ⟨***-(e)s, -e***⟩ (≈ *Gebüsch*) thicket; (*fig*) jungle **Dickkopf** *m* **1.** (≈ *Starrsinn*) obstinacy; ***einen ~ haben*** to be obstinate **2.** (≈ *Mensch*) mule (*infml*) **dickköpfig** *adj* (*fig*) stubborn **Dickköpfigkeit** *f* ⟨**-,** *no pl*⟩ stubbornness **dicklich** [ˈdɪklɪç] *adj* plump **Dickmilch** *f* COOK sour milk **Dickschädel** *m* (*infml*) = ***Dickkopf***

Didaktik [diˈdaktɪk] *f* ⟨**-, -en**⟩ didactics *sg* (*form*), teaching methods *pl* **didaktisch** [diˈdaktɪʃ] **I** *adj* didactic **II** *adv* didactically

die [diː]; → ***der***

Dieb [diːp] *m* ⟨***-(e)s, -e*** [-bə]⟩, **Diebin** [ˈdiːbɪn] *f* ⟨**-, -nen**⟩ thief; ***haltet den ~!*** stop thief! **Diebesbande** *f* gang of thieves **Diebesgut** *nt*, *no pl* stolen property **diebisch** [ˈdiːbɪʃ] *adj* **1.** thieving *attr* **2.** (*infml*) *Freude* mischievous **Diebstahl** [ˈdiːpʃtaːl] *m* ⟨***-(e)s, ⸚e*** [-ʃtɛːlə]⟩ theft; ***bewaffneter ~*** armed robbery; ***geistiger ~*** plagiarism **Diebstahlsicherung** *f* AUTO antitheft device

diejenige [ˈdiːjeːnɪgə] *dem pron* → ***derjenige***

Diele [ˈdiːlə] *f* ⟨**-, -n**⟩ **1.** (≈ *Fußbodenbrett*) floorboard **2.** (≈ *Vorraum*) hall

dienen [ˈdiːnən] *v/i* to serve (*jdm/einer Sache* sb/sth); (≈ *Militärdienst leisten*) to do (one's) military service; ***als/zu etw ~*** to serve as/for sth; ***es dient einem guten Zweck*** it serves a useful purpose; ***damit kann ich leider nicht ~*** I'm afraid I can't help you there; ***damit ist mir wenig gedient*** that's no use to me **Diener** [ˈdiːnɐ] *m* ⟨**-s, -**⟩ **1.** (≈ *Mensch*) servant **2.** (*infml* ≈ *Verbeugung*) bow **Dienerin** [ˈdiːnərɪn] *f* ⟨**-, -nen**⟩ maid **dienlich** [ˈdiːnlɪç] *adj* useful; ***jdm/einer Sache ~ sein*** to be of use *or* help to sb/sth

Dienst [diːnst] *m* ⟨***-(e)s, -e***⟩ service; ***diplomatischer/öffentlicher ~*** diplomatic/civil service; ***den ~ quittieren***, ***aus dem ~ (aus)scheiden*** to resign one's post; MIL to leave the service; ***~ mit der Waffe*** MIL armed service; ***~ haben*** (*Arzt etc*) to be on duty; (*Apotheke*) to be open; ***~ habend*** = ***diensthabend***; ***außer ~ sein*** to be off duty; ***~ nach Vorschrift*** work to rule; ***sich in den ~ der Sache stellen*** to embrace the cause; ***jdm einen schlechten ~ erweisen*** to do sb a bad turn; ***jdm gute ~e leisten*** to serve sb well; ***~ am Kunden*** customer service

Dienstag [ˈdiːnstaːk] *m* Tuesday; ***am ~*** on Tuesday; ***hast du ~ Zeit?*** have you time on Tuesday?; ***jeden ~*** every Tuesday; ***ab nächsten ~*** from next Tuesday;

~ in einer Woche a week on Tuesday; ***~ vor einer Woche*** a week (ago) last Tuesday **Dienstagabend** *m* Tuesday evening **dienstagabends** *adv* on Tuesday evenings **Dienstagmorgen** *m* Tuesday morning **Dienstagnachmittag** *m* Tuesday afternoon **dienstags** ['di:nsta:ks] *adv* on Tuesdays; ***~ abends*** on Tuesday evenings

Dienstalter *nt* length of service **dienstbeflissen** *adj* zealous **dienstbereit** *adj Apotheke* open *pred*; *Arzt* on call *pred* **Dienstbote** *m*, **Dienstbotin** *f* servant **dienstfrei** *adj* free; ***~er Tag*** day off, free day; ***~ haben*** to have a day off **Dienstgeheimnis** *nt* official secret **Dienstgrad** *m* (MIL ≈ *Rangstufe*) rank **diensthabend** *adj attr Arzt, Offizier etc* duty *attr*, on duty **Dienstherr(in)** *m/(f)* employer **Dienstleister** [-laistɐ] *m* ⟨***-s, -***⟩ (≈ *Firma*) service company **Dienstleistung** *f* service **Dienstleistungsbetrieb** *m* service company **Dienstleistungsgewerbe** *nt* services trade **dienstlich** ['di:nstlɪç] **I** *adj Angelegenheiten* business *attr*; *Schreiben* official **II** *adv* on business **Dienstmädchen** *nt* maid **Dienstplan** *m* duty roster **Dienstreise** *f* business trip **Dienstschluss** *m* end of work; ***nach ~*** after work **Dienststelle** *f* ADMIN department **Dienststunden** *pl* working hours *pl* **diensttauglich** *adj* MIL fit for duty **diensttuend** [-tuənt] *adj Arzt* duty *attr*, on duty **Dienstwagen** *m* company car **Dienstweg** *m* ***den ~ einhalten*** to go through the proper channels *pl*

dies [di:s] *dem pron inv* this; (*pl*) these; ***~ sind*** these are; ***~ und das*** this and that **diesbezüglich** (*form*) *adj* regarding this **diese** ['di:zə] *dem pron* → ***dieser***

Diesel ['di:zl] *m* ⟨***-s, -***⟩ (*infml*) diesel

dieselbe [di:'zɛlbə] *dem pron* → ***derselbe***

Dieselmotor *m* diesel engine **Dieselöl** *nt* diesel oil

dieser ['di:zɐ], **diese**, **dieses** *pl* ***diese*** *dem pron* this; (*pl*) these; ***diese(r, s) hier*** this (one); ***diese(r, s) da*** that (one); ***dieses und jenes*** this and that; ***~ und jener*** this person and that; ***am 5. dieses Monats*** on the 5th of this month; ***(nur) dieses eine Mal*** just this/that once

diesig ['di:zɪç] *adj Wetter, Luft* hazy

diesjährig *adj attr* this year's **diesmal** *adv* this time **diesseits** ['di:szaits] *prep +gen* on this side of

Dietrich ['di:trɪç] *m* ⟨***-s, -e***⟩ skeleton key

diffamieren [dɪfa'mi:rən] *past part* ***diffamiert*** *v/t* to defame **Diffamierung** *f* ⟨***-, -en***⟩ (≈ *das Diffamieren*) defamation (of character); (≈ *Bemerkung etc*) defamatory statement

Differential [dɪfərɛn'tsia:l] *nt* ⟨***-s, -e***⟩ = ***Differenzial***

Differenz [dɪfə'rɛnts] *f* ⟨***-, -en***⟩ **1.** difference **2.** *usu pl* (≈ *Meinungsverschiedenheit*) difference (of opinion) **Differenzial** [dɪfərɛn'tsia:l] *nt* ⟨***-s, -e***⟩ MAT, AUTO differential **differenzieren** [dɪfərɛn'tsi:rən] *past part* ***differenziert*** *v/i* to make distinctions (*bei* in); (≈ *den Unterschied verstehen*) to differentiate (*bei* in) **differenziert** [dɪfərɛn'tsi:ɐt] *adv gestalten* in a sophisticated manner; ***ich sehe das etwas ~er*** I think it's a bit more complex than that

diffus [dɪ'fu:s] *adj Gedanken* confused; *Rechtslage* unclear

digital [digi'ta:l] **I** *adj* digital **II** *adv* digitally **Digitalfernsehen** *nt* digital television **digitalisieren** [digitali'zi:rən] *past part* ***digitalisiert*** *v/t* to digitalize **Digitalisierung** *f* ⟨***-, -en***⟩ digitalization **Digitalkamera** *f* digital camera **Digitalrechner** *m* IT digital calculator **Digitaltechnik** *f* IT digital technology **Digitaluhr** *f* digital clock; (≈ *Armbanduhr*) digital watch

Diktat [dɪk'ta:t] *nt* ⟨***-(e)s, -e***⟩ dictation; ***ein ~ schreiben*** SCHOOL to do (a) dictation; ***etw nach ~ schreiben*** to write sth from dictation **Diktator** [dɪk'ta:to:ɐ] *m* ⟨***-s, Diktatoren*** [-'to:rən]⟩, **Diktatorin** [-'to:rɪn] *f* ⟨***-, -nen***⟩ dictator **diktatorisch** [dɪkta'to:rɪʃ] *adj* dictatorial **Diktatur** [dɪkta'tu:ɐ] *f* ⟨***-, -en***⟩ dictatorship **diktieren** [dɪk'ti:rən] *past part* ***diktiert*** *v/t* to dictate

Dilemma [di'lɛma] *nt* ⟨***-s, -s*** *or* (*geh*) ***-ta*** [-ta]⟩ dilemma

Dilettant [dilɛ'tant] *m* ⟨***-en, -en***⟩, **Dilettantin** [-'tantɪn] *f* ⟨***-, -nen***⟩ amateur **dilettantisch** [dilɛ'tantɪʃ] **I** *adj* amateurish **II** *adv* amateurishly

Dill [dɪl] *m* ⟨***-(e)s, -e***⟩ BOT, COOK dill

Dimension [dimɛn'zio:n] *f* ⟨***-, -en***⟩ dimension

Dimmer ['dɪmɐ] *m* ⟨***-s, -***⟩ dimmer

(switch)

DIN® [dɪn, diːn] *f* ⟨-, *no pl*⟩ *abbr of* ***Deutsche Industrie-Norm*** German Industrial Standard; ***~ A4*** A4

Ding [dɪŋ] *nt* ⟨***-(e)s, -e*** *or* (*inf*) ***-er***⟩ **1.** thing; ***guter ~e sein*** (*elev*) to be in good spirits; ***berufliche ~e*** professional matters; ***so wie die ~e liegen*** as things are; ***vor allen ~en*** above all (things) **2.** (*infml*) ***das ist ein ~!*** now there's a thing! (*infml*); ***ein tolles ~!*** great! (*infml*); ***das war vielleicht ein ~*** (*infml*) that was quite something (*infml*) **Dings** [dɪŋs] *nt* ⟨-, *no pl*⟩, **Dingsbums** ['dɪŋsbʊms] *nt* ⟨-, *no pl*⟩ (*infml*) (≈ *Sache*) whatsit (*infml*)

Dinkel ['dɪŋkl] *m* ⟨***-s, -***⟩ BOT spelt

Dinosaurier [dino-] *m* dinosaur

Diode [di'|oːdə] *f* ⟨***-, -n***⟩ diode

Dioxid [di|ɔ'ksiːt] *nt* ⟨***-s, -e*** [-də]⟩ dioxide

Diözese [diø'tseːzə] *f* ⟨***-, -n***⟩ diocese

Diphtherie [dɪfte'riː] *f* ⟨***-, -n*** [-'riːən]⟩ diphtheria

Diphthong [dɪf'tɔŋ] *m* ⟨***-s, -e***⟩ diphthong

Diplom [di'ploːm] *nt* ⟨***-s, -e***⟩ diploma **Diplomarbeit** *f* dissertation (*submitted for a diploma*)

Diplomat [diplo'maːt] *m* ⟨***-en, -en***⟩, **Diplomatin** [-'maːtɪn] *f* ⟨***-, -nen***⟩ diplomat

Diplomatie [diploma'tiː] *f* ⟨-, *no pl*⟩ diplomacy **diplomatisch** [diplo'maːtɪʃ] (POL, *fig*) **I** *adj* diplomatic **II** *adv* diplomatically; ***sie hat sich nicht sehr ~ verhalten*** she wasn't very diplomatic

diplomiert [diplo'miːɐt] *adj* qualified **Diplom-Ingenieur(in)** *m*/(*f*) qualified engineer **Diplom-Kauffrau** *f*, **Diplom-Kaufmann** *m* business school graduate

DIP-Schalter ['dɪp-] *m* IT dip switch

dir [diːɐ] *pers pr dat of* ***du*** to you

direkt [di'rɛkt] **I** *adj* **1.** direct; ***eine ~e Verbindung*** (*mit Zug*) a through train; (*mit Flugzeug*) a direct flight **2.** (≈ *genau*) *Antwort, Auskunft* clear **II** *adv* **1.** (≈ *unmittelbar*) directly; ***~ von/zu*** straight from/to; ***~ neben/unter*** right next to/under; ***~ übertragen*** *or* ***senden*** to transmit live **2.** (≈ *unverblümt*) bluntly; ***jdm etw ~ ins Gesicht sagen*** to tell sb sth (straight) to his face **3.** (*infml* ≈ *geradezu*) really; ***nicht ~*** not exactly **Direktflug** *m* direct flight

Direktion [dirɛk'tsioːn] *f* ⟨***-, -en***⟩ (≈ *Leitung*) management

Direktive *f* ⟨***-, -n***⟩ (*elev*) directive

Direktkandidat(in) *m*(*f*) POL candidate seeking a direct mandate

Direktmandat *nt* POL direct mandate

Direktor [di'rɛktoːɐ] *m* ⟨***-s, Direktoren*** [-'toːrən]⟩, **Direktorin** [-'toːrɪn] *f* ⟨***-, -nen***⟩ director; (*von Schule*) headmaster/-mistress (*esp Br*), principal (*esp US*) **Direktorium** [dirɛk'toːriʊm] *nt* ⟨***-s, Direktorien*** [-riən]⟩ board of directors

Direktübertragung *f* (RADIO, TV) live transmission **Direktverbindung** *f* RAIL through train; AVIAT direct flight **Direktvertrieb** *m* direct marketing

Dirigent [diri'gɛnt] *m* ⟨***-en, -en***⟩, **Dirigentin** [-'gɛntɪn] *f* ⟨***-, -nen***⟩ MUS conductor **dirigieren** [diri'giːrən] *past part* ***dirigiert*** *v/t* **1.** (*also v/i*, MUS) to conduct **2.** (≈ *leiten*) *Verkehr etc* to direct

Dirndl ['dɪrndl] *nt* ⟨***-s, -***⟩ **1.** (*a.* **Dirndlkleid**) dirndl **2.** (*Aus* ≈ *Mädchen*) girl

Dirne ['dɪrnə] *f* ⟨***-, -n***⟩ prostitute

Discjockey ['dɪskdʒɔke] *m* ⟨***-s, -s***⟩ disc jockey **Disco** ['dɪsko] *f* ⟨***-, -s***⟩ disco

Discountladen *m* discount shop

Diskette [dɪs'kɛtə] *f* ⟨***-, -n***⟩ disk **Diskettenlaufwerk** *nt* disk drive

Diskjockey *m* = ***Discjockey*** **Disko** *f* = ***Disco***

Diskont [dɪs'kɔnt] *m* ⟨***-s, -e***⟩ FIN discount **diskontieren** [dɪskɔn'tiːrən] *past part* ***diskontiert*** *v/t* FIN to discount **Diskontsatz** *m* FIN discount rate (*Br*), bank rate (*US*)

Diskothek [dɪsko'teːk] *f* ⟨***-, -en***⟩ (≈ *Tanzbar*) discotheque

diskreditieren [dɪs-] *past part* ***diskreditiert*** *v/t* (*elev*) to discredit

Diskrepanz [dɪskre'pants] *f* ⟨***-, -en***⟩ discrepancy

diskret [dɪs'kreːt] **I** *adj* discreet; (≈ *vertraulich*) confidential **II** *adv* discreetly **Diskretion** [dɪskre'tsioːn] *f* ⟨-, *no pl*⟩ discretion; (≈ *vertrauliche Behandlung*) confidentiality; ***~ üben*** to be discreet

diskriminieren [dɪskrimi'niːrən] *past part* ***diskriminiert*** *v/t* to discriminate against **diskriminierend** *adj* discriminatory **Diskriminierung** *f* ⟨***-, -en***⟩ discrimination

Diskurs [dɪs'kʊrs] *m* (*elev*) discourse

Diskus ['dɪskʊs] *m* ⟨***-, -se*** *or* ***Disken*** ['dɪskn]⟩ discus

Diskussion [dɪskʊ'sioːn] *f* ⟨***-, -en***⟩ discussion; ***zur ~ stehen*** to be under discussion **Diskussionsbedarf** *m* need for discussion **Diskussionsleiter(in)** *m/(f)* moderator **Diskussionsrunde** *f* round of discussions; (≈ *Personen*) discussion group **Diskussionsteilnehmer(in)** *m/(f)* participant (in a discussion)

Diskuswerfen *nt* ⟨***-s**, no pl*⟩ throwing the discus **Diskuswerfer(in)** *m/(f)* discus thrower

diskutabel [dɪsku'taːbl] *adj* worth discussing **diskutieren** [dɪsku'tiːrən] *past part* ***diskutiert*** *v/t & v/i* to discuss; ***über etw*** *(acc)* ~ to discuss sth; ***darüber lässt sich ~*** that's debatable

disponieren [dɪspo'niːrən] *past part* ***disponiert*** *v/i (elev)* **1.** (≈ *verfügen*) ***über jdn ~*** to command sb's services (*form*); ***über etw ~ können*** (≈ *zur Verfügung haben*) to have sth at one's disposal **2.** (≈ *planen*) to make arrangements *or* plans

Disposition [dɪs-] *f (elev)* ***zur ~ stehen*** to be up for consideration

Disput [dɪs'puːt] *m* ⟨***-(e)s, -e***⟩ *(elev)* dispute

Disqualifikation [dɪs-] *f* disqualification **disqualifizieren** [dɪs-] *past part* ***disqualifiziert*** *v/t* to disqualify

dissen ['dɪsn] *(sl) v/t* to slag off (*Br infml*), to diss (*esp US infml*)

Dissertation [dɪsɛrta'tsioːn] *f* ⟨***-, -en***⟩ dissertation; (≈ *Doktorarbeit*) (doctoral) thesis

Dissident [dɪsi'dɛnt] *m* ⟨***-en, -en***⟩, **Dissidentin** [-'dɛntɪn] *f* ⟨***-, -nen***⟩ dissident

Dissonanz [dɪso'nants] *f* ⟨***-, -en***⟩ MUS dissonance; *(fig)* (note of) discord

Distanz [dɪs'tants] *f* ⟨***-, -en***⟩ distance; (≈ *Zurückhaltung*) reserve; ***~ halten*** *or* ***wahren*** to keep one's distance; ***auf ~ gehen*** *(fig)* to distance oneself **distanzieren** [dɪstan'tsiːrən] *past part* ***distanziert*** *v/r* ***sich von jdm/etw ~*** to distance oneself from sb/sth **distanziert** [dɪstan'tsiːɐt] **I** *adj Verhalten* distant **II** *adv* ***~ wirken*** to seem distant

Distel ['dɪstl] *f* ⟨***-, -n***⟩ thistle

Disziplin [dɪstsi'pliːn] *f* ⟨***-, -en***⟩ discipline; ***~ halten*** *(Klasse)* to behave in a disciplined manner **disziplinarisch** [dɪstsipli'naːrɪʃ] **I** *adj* disciplinary **II** *adv* ***jdn ~ bestrafen*** to take disciplinary action against sb **Disziplinarstrafe** *f* punishment **Disziplinarverfahren** *nt* disciplinary proceedings *pl* **disziplinieren** [dɪstsipli'niːrən] *past part* ***diszipliniert*** *v/t* to discipline **diszipliniert** [dɪstsipli'niːɐt] **I** *adj* disciplined **II** *adv* in a disciplined manner **disziplinlos** *adj* undisciplined **Disziplinlosigkeit** *f* ⟨***-, -en***⟩ lack *no pl* of discipline

dito ['diːto] *adv* (COMM, *hum*) ditto

Diva ['diːva] *f* ⟨***-, -s*** *or* ***Diven*** ['diːvn]⟩ star

Divergenz [divɛr'gɛnts] *f* ⟨***-, -en**, no pl*⟩ divergence **divergieren** [divɛr'giːrən] *past part* ***divergiert*** *v/i* to diverge

divers [di'vɛrs] *adj attr* various; ***„Diverses"*** "miscellaneous" **diversifizieren** [divɛrzifi'tsiːrən] *past part* ***diversifiziert*** *v/t & v/i* to diversify

Dividende [divi'dɛndə] *f* ⟨***-, -n***⟩ FIN dividend **dividieren** [divi'diːrən] *past part* ***dividiert*** *v/t & v/i* to divide (*durch* by)

Division [divi'zioːn] *f* ⟨***-, -en***⟩ MAT, MIL division

DNS [deː|ɛn'|ɛs] *f* ⟨***-***⟩ *abbr of* ***Desoxyribonukleinsäure*** DNA **DNS-Code** *m* DNA code

doch [dɔx] **I** *cj* (≈ *aber*) but; ***und ~ hat er es getan*** but he still did it **II** *adv* **1.** (≈ *trotzdem*) anyway; ***du weißt es ja ~ besser*** you always know better than I do anyway; ***und ~, ...*** and yet ...; ***ja ~!*** of course!; ***nein ~!*** of course not!; ***also ~!*** so it IS/so he DID! *etc* **2.** (*als bejahende Antwort*) yes I do/it does *etc*; ***hat es dir nicht gefallen? — (~,) ~!*** didn't you like it? — (oh) yes I did! **3.** ***komm ~*** do come; ***lass ihn ~!*** just leave him!; ***nicht ~!*** don't (do that)!; ***du hast ~ nicht etwa ...?*** you haven't ..., have you?; ***hier ist es ~ ganz nett*** it's actually quite nice here; ***Sie wissen ~, wie das so ist*** (well,) you know how it is, don't you?

Docht [dɔxt] *m* ⟨***-(e)s, -e***⟩ wick

Dock [dɔk] *nt* ⟨***-s, -s*** *or* ***-e***⟩ dock

Dogge ['dɔgə] *f* ⟨***-, -n***⟩ mastiff; ***Deutsche ~*** Great Dane

Dogma ['dɔgma] *nt* ⟨***-s, Dogmen*** [-mən]⟩ dogma **Dogmatiker** [dɔ'gmaːtikɐ] *m* ⟨***-s, -***⟩, **Dogmatikerin** [-ərɪn] *f* ⟨***-, -nen***⟩ dogmatist **dogmatisch** [dɔ'gmaːtɪʃ] *adj* dogmatic

Dohle ['doːlə] *f* ⟨***-, -n***⟩ ORN jackdaw

Doktor ['dɔktoːɐ] *m* ⟨***-s, Doktoren*** [-'toːrən]⟩, **Doktorin** [-'toːrɪn, 'dɔktorɪn] *f* ⟨***-, -nen***⟩ (≈ *Arzt*) doctor; ***sie ist ~*** she has a doctorate; ***seinen ~ machen*** to do a doctorate **Doktorand** [dɔkto'rant] *m* ⟨***-en, -en*** [-dn]⟩, **Dokto-**

randin [-'randɪn] *f* ⟨-, **-nen**⟩ graduate student studying for a doctorate **Doktorarbeit** *f* doctoral *or* PhD thesis **Doktorprüfung** *f* examination for a/one's doctorate **Doktortitel** *m* doctorate **Doktorvater** *m* UNIV supervisor

Doktrin [dɔk'triːn] *f* ⟨-, **-en**⟩ doctrine

Dokument [doku'mɛnt] *nt* ⟨**-(e)s, -e**⟩ document; (*fig* ≈ *Zeugnis*) record **Dokumentarfilm** *m* documentary (film) **dokumentarisch** [dokumɛn'taːrɪʃ] **I** *adj* documentary **II** *adv* ***etw ~ festhalten*** to document sth **Dokumentation** [dokumɛnta'tsioːn] *f* ⟨-, **-en**⟩ documentation **dokumentieren** [dokumɛn'tiːrən] *past part* ***dokumentiert*** *v/t* to document **Dokumentvorlage** *f* IT template

Dolch [dɔlç] *m* ⟨**-(e)s, -e**⟩ dagger **Dolchstoß** (*esp fig*) *m* stab (*also fig*)

Dole ['doːlə] *f* (*Swiss* ≈ *Gully*) drain

Dollar ['dɔlar] *m* ⟨**-(s), -s** *or* (*nach Zahlenangaben*) **-**⟩ dollar; ***hundert ~*** a hundred dollars **Dollarkurs** *m* dollar rate **Dollarzeichen** *nt* dollar sign

dolmetschen ['dɔlmɛtʃn] *v/t & v/i* to interpret; ***jdm or für jdn ~*** to interpret for sb **Dolmetscher** ['dɔlmɛtʃɐ] *m* ⟨**-s, -**⟩, **Dolmetscherin** [-ərɪn] *f* ⟨-, **-nen**⟩ interpreter

Dolomiten [dolo'miːtn] *pl* GEOG ***die ~*** the Dolomites *pl*

Dom [doːm] *m* ⟨**-(e)s, -e**⟩ cathedral

Domäne [do'mɛːnə] *f* ⟨-, **-n**⟩ domain

dominant [domi'nant] *adj* dominant **dominieren** [domi'niːrən] *past part* ***dominiert*** **I** *v/i* to be (pre)dominant; (*Mensch*) to dominate **II** *v/t* to dominate **dominierend** *adj* dominating

dominikanisch [domini'kaːnɪʃ] *adj* GEOG ***die Dominikanische Republik*** the Dominican Republic

Domino *nt* ⟨**-s, -s**⟩ (≈ *Spiel*) dominoes *sg* **Dominoeffekt** *m* domino effect **Dominospiel** *nt* dominoes *sg* **Dominostein** *m* domino

Domizil [domi'tsiːl] *nt* ⟨**-s, -e**⟩ domicile (*form*)

Dompfaff ['doːmpfaf] *m* ⟨**-en** *or* **-s, -en**⟩ ORN bullfinch

Dompteur [dɔmp'tøːɐ] *m* ⟨**-s, -e**⟩, **Dompteurin** [-'tøːrɪn] *f* ⟨-, **-nen**⟩ trainer; (*von Raubtieren*) tamer

Donau ['doːnau] *f* ⟨**-**⟩ ***die ~*** the (river) Danube

Döner ['døːnɐ] *m* ⟨**-s, -**⟩ doner kebab

Donner ['dɔnɐ] *m* ⟨**-s,** (*rare*) **-**⟩ thunder *no indef art, no pl*; (≈ *Donnerschlag*) clap of thunder; ***wie vom ~ gerührt*** (*fig infml*) thunderstruck **donnern** ['dɔnɐn] **I** *v/i impers* to thunder; ***es donnerte in der Ferne*** there was (the sound of) thunder in the distance **II** *v/i aux haben or* (*bei Bewegung*) *sein* to thunder; ***gegen etw ~*** (≈ *prallen*) to crash into sth **donnernd** *adj* (*fig*) thunderous **Donnerschlag** *m* clap of thunder

Donnerstag ['dɔnɐstaːk] *m* Thursday; → ***Dienstag*** **donnerstags** ['dɔnɐstaːks] *adv* on Thursdays

Donnerwetter *nt* (*fig infml* ≈ *Schelte*) row; ***~!*** (*infml: anerkennend*) my word!; (***zum***) ***~!*** (*infml: zornig*) damn (it)! (*infml*)

doof [doːf] (*infml*) *adj* dumb (*infml*); ***~ fragen*** to ask a dumb question **Doofmann** *m, pl* **-männer** (*infml*) blockhead (*infml*)

dopen ['dɔpn, 'doːpn] SPORTS **I** *v/t* to dope **II** *v/i & v/r* to take drugs; → ***gedopt*** **Doping** ['dɔpɪŋ, 'doːpɪŋ] *nt* ⟨**-s, -s**⟩ SPORTS drug-taking; (*bei Pferden*) doping **Dopingkontrolle** *f* SPORTS drug(s) test **Dopingtest** *m* SPORTS drug(s) test **Dopingverdacht** *m* SPORTS ***bei ihm besteht ~*** he is suspected of having taken drugs

Doppel ['dɔpl] *nt* ⟨**-s, -**⟩ **1.** (≈ *Duplikat*) duplicate (copy) **2.** TENNIS *etc* doubles *sg* **Doppelagent(in)** *m*/(*f*) double agent **Doppelbett** *nt* double bed; (≈ *zwei Betten*) twin beds *pl* **Doppeldecker** [-dɛkɐ] *m* ⟨**-s, -**⟩ **1.** AVIAT biplane **2.** (*a.* **Doppeldeckerbus**) double-decker (bus) **doppeldeutig** [-dɔytɪç] *adj* ambiguous **Doppeldeutigkeit** *f* ⟨-, **-en**⟩ ambiguity **Doppelfehler** *m* TENNIS double fault **Doppelfenster** *nt* ***~ haben*** to have double glazing **Doppelfunktion** *f* dual function **Doppelgänger** [-gɛŋɐ] *m* ⟨**-s, -**⟩, **Doppelgängerin** [-ərɪn] *f* ⟨-, **-nen**⟩ double **Doppelhaus** *nt* semi (*Br infml*), duplex (house) (*US*) **Doppelhaushälfte** *f* semidetached house (*Br*), duplex (house) (*US*) **Doppelkinn** *nt* double chin **Doppelklick** *m* IT double click (*auf +acc* on) **doppelklicken** *v/i sep* IT to double-click (*auf +acc* on) **Doppelleben** *nt* double life **Doppelmoral** *f* double (moral) standard(s *pl*) **Doppelmord** *m* double murder **Doppelname** *m* (≈ *Nachna-*

me) double-barrelled *(Br) or* double-barreled *(US)* name **Doppelpack** *m* twin pack **Doppelpass** *m* **1.** FTBL one-two **2.** *(für doppelte Staatsbürgerschaft)* second passport **Doppelpunkt** *m* colon **Doppelrolle** *f* THEAT double role; *(fig)* dual capacity **doppelseitig** [-zaitɪç] *adj* two-sided; *Lungenentzündung* double; ***~e Anzeige*** double page spread; ***~e Lähmung*** diplegia **Doppelsieg** *m* double victory **Doppelspiel** *nt* **1.** TENNIS (game of) doubles *sg* **2.** *(fig)* double game **Doppelstecker** *m* two-way adaptor **doppelstöckig** *adj Haus* two-storey *(Br)*, two-story *(US)*; *Bus* double-decker *attr*; ***ein ~es Bett*** bunk beds *pl* **Doppelstunde** *f esp* SCHOOL double period

doppelt ['dɔplt] **I** *adj* double; *Staatsbürgerschaft* dual; ***die ~e Freude*** double the pleasure; ***~er Boden*** *(von Koffer)* false bottom; ***~e Moral*** double standards *pl*; ***ein ~es Spiel spielen*** *or* ***treiben*** to play a double game **II** *adv* double; (≈ *zweimal)* twice; ***~ so schön*** twice as nice; ***die Karte habe ich ~*** I have two of these cards; ***~ gemoppelt*** *(infml)* saying the same thing twice over; ***~ und dreifach*** *sich entschuldigen* profusely; *prüfen* thoroughly; ***~ (genäht) hält besser*** *(prov)* ≈ better safe than sorry *(prov)* **Doppelte(s)** ['dɔpltə] *nt decl as adj* double; ***um das ~ größer*** twice as large; ***das ~ bezahlen*** to pay twice as much **Doppelverdiener(in)** *m/(f)* person with two incomes; *(pl* ≈ *Paar)* double-income couple **Doppelzentner** *m* 100 kilos **Doppelzimmer** *nt* double room

Dorf [dɔrf] *nt* ⟨**-(e)s, ⸚er** ['dœrfɐ]⟩ village; ***auf dem ~(e)*** (≈ *auf dem Land)* in the country **Dorfbewohner(in)** *m/(f)* villager **Dörfchen** ['dœrfçən] *nt* ⟨**-s, -**⟩ small village **dörflich** ['dœrflɪç] *adj* village *attr*; (≈ *ländlich)* rural **Dorfplatz** *m* village square **Dorftrottel** *m (infml)* village idiot

Dorn [dɔrn] *m* ⟨**-(e)s, -en** *or (inf)* **-e** *or* **⸚er** ['dœrnɐ]⟩ **1.** (BOT, *fig)* thorn; ***das ist mir ein ~ im Auge*** *(fig)* that is a thorn in my side *(esp Br)* **2.** *pl* ⟨**-e**⟩ (≈ *Sporn)* spike; *(von Schnalle)* tongue **Dornenhecke** *f* thorn(y) hedge **dornenreich** *adj* thorny; *(fig)* fraught with difficulty **dornig** ['dɔrnɪç] *adj* thorny **Dornröschen** [-'røːsçən] *nt* Sleeping Beauty

dörren ['dœrən] *v/t & v/i (v/i: aux sein)* to dry **Dörrfleisch** *nt* dried meat **Dörrobst** *nt* dried fruit

Dorsch [dɔrʃ] *m* ⟨**-(e)s, -e**⟩ (≈ *Kabeljau)* cod(fish)

dort [dɔrt] *adv* there; ***~ zu Lande = dortzulande*** **dortbehalten** *past part* ***dortbehalten*** *v/t sep irr* to keep there **dortbleiben** *v/i sep irr aux sein* to stay there **dorther** ['dɔrt'heːɐ, dɔrt'heːɐ, *(emph)* 'dɔrtheːɐ] *adv* ***von ~*** from there **dorthin** ['dɔrt'hɪn, dɔrt'hɪn, *(emph)* 'dɔrthɪn] *adv* there **dorthinaus** ['dɔrthɪ'naus, dɔrthɪ'naus, *(emph)* 'dɔrthɪnaus] *adv* ***frech bis ~*** *(infml)* really cheeky *(Br) or* fresh *(US infml)* **dortig** ['dɔrtɪç] *adj* there *(nachgestellt)* **dortzulande** ['dɔrttsulandə] *adv* in that country

Dose ['doːzə] *f* ⟨**-, -n**⟩ **1.** (≈ *Blechdose)* tin; (≈ *Konservendose, Bierdose)* can; *(für Schmuck, aus Holz)* box; ***in ~n*** *(Konserven)* canned **2.** ELEC socket

dösen ['døːzn] *v/i (infml)* to doze

Dosenbier *nt* canned beer **Dosenmilch** *f* canned *or* tinned *(Br)* milk, condensed milk **Dosenöffner** *m* can-opener **Dosenpfand** *nt* deposit on drink cans

dosieren [do'ziːrən] *past part* ***dosiert*** *v/t Arznei* to measure into doses; *Menge* to measure out **Dosierung** *f* ⟨**-, -en**⟩ (≈ *Dosis)* dose **Dosis** ['doːzɪs] *f* ⟨**-, Dosen** ['doːzn]⟩ dose; ***in kleinen Dosen*** in small doses

Dossier [dɔ'sieː] *nt* ⟨**-s, -s**⟩ dossier

Dotcom ['dɔtkɔm] *f* ⟨**-, -s**⟩ (COMM *sl* ≈ *Internetfirma)* dotcom

dotieren [do'tiːrən] *past part* ***dotiert*** *v/t Posten* to remunerate *(mit* with); *Preis* to endow *(mit* with); ***eine gut dotierte Stellung*** a remunerative position **Dotierung** *f* ⟨**-, -en**⟩ endowment; *(von Posten)* remuneration

Dotter ['dɔtɐ] *m or nt* ⟨**-s, -**⟩ yolk **dottergelb** *adj* golden yellow

doubeln ['duːbln] **I** *v/t jdn* to stand in for; *Szene* to shoot with a stand-in **II** *v/i* to stand in; (≈ *als Double arbeiten)* to work as a stand-in **Double** ['duːbl] *nt* ⟨**-s, -s**⟩ FILM *etc* stand-in

down [daun] *adj pred (infml)* ***~ sein*** to be (feeling) down

downloaden ['daunloːdn] *v/t & v/i* IT to download

Downsyndrom ['daun-] *nt, no pl* MED Down's syndrome; ***ein Kind mit ~*** a Down's (syndrome) child

Dozent [do'tsɛnt] *m* ⟨**-en, -en**⟩, **Dozentin** [-'tsɛntɪn] *f* ⟨**-, -nen**⟩ lecturer (*für* in), (assistant) professor (*US*) (*für* of)
Drache ['draxə] *m* ⟨**-n, -n**⟩ MYTH dragon **Drachen** ['draxn] *m* ⟨**-s, -**⟩ **1.** (≈ *Papierdrachen*) kite; (SPORTS ≈ *Fluggerät*) hang-glider; ***einen ~ steigen lassen*** to fly a kite **2.** (*pej infml*) dragon (*infml*) **Drachenfliegen** *nt* ⟨**-s**, *no pl*⟩ SPORTS hang-gliding **Drachenflieger(in)** *m*/(*f*) SPORTS hang-glider
Dragee [dra'ʒeː] *nt* ⟨**-s, -s**⟩, **Dragée** [dra'ʒeː] *nt* ⟨**-s, -s**⟩ dragee; (≈ *Bonbon*) sugar-coated chocolate sweet
Draht [draːt] *m* ⟨**-(e)s, ⸚e** ['drɛːtə]⟩ wire; ***auf ~ sein*** (*infml*) to be on the ball (*infml*) **Drahtbürste** *f* wire brush **Drahtgitter** *nt* wire netting **Drahthaardackel** *m* wire-haired dachshund **drahtig** ['draːtɪç] *adj Haar, Mensch* wiry **drahtlos** *adj* wireless; *Telefon* cordless **Drahtschere** *f* wire cutters *pl* **Drahtseil** *nt* wire cable; ***Nerven wie ~e*** (*infml*) nerves of steel **Drahtseilakt** *m* balancing act **Drahtseilbahn** *f* cable railway **Drahtzaun** *m* wire fence **Drahtzieher** [-tsiːɐ] *m* ⟨**-s, -**⟩, **Drahtzieherin** [-ərɪn] *f* ⟨**-, -nen**⟩ (*fig*) wirepuller (*esp US*)
drakonisch [dra'koːnɪʃ] *adj* Draconian
drall [dral] *adj Mädchen, Arme* strapping; *Busen* ample
Drall [dral] *m* ⟨**-(e)s, -e**⟩ (*von Kugel, Ball*) spin; ***einen ~ nach links haben*** (*Auto*) to pull to the left
Drama ['draːma] *nt* ⟨**-s, Dramen** [-mən]⟩ drama **Dramatik** [dra'maːtɪk] *f* ⟨**-**, *no pl*⟩ drama **Dramatiker** [dra'maːtikɐ] *m* ⟨**-s, -**⟩, **Dramatikerin** [-ərɪn] *f* ⟨**-, -nen**⟩ dramatist **dramatisch** [dra'maːtɪʃ] **I** *adj* dramatic **II** *adv* dramatically **dramatisieren** [dramati'ziːrən] *past part* ***dramatisiert*** *v/t* to dramatize **Dramaturg** [drama'tʊrk] *m* ⟨**-en, -en** [-gn]⟩, **Dramaturgin** [-'tʊrgɪn] *f* ⟨**-, -nen**⟩ literary manager **dramaturgisch** [drama'tʊrgɪʃ] *adj* dramatic
dran [dran] *adv* (*infml*) **1.** (≈ *an der Reihe*) ***jetzt bist du ~*** it's your turn now; (***wenn er erwischt wird,***) ***dann ist er ~*** (if he gets caught) he'll be for it (*infml*) **2.** ***schlecht ~ sein*** to be in a bad way; ***gut ~ sein*** to be well off; (*gesundheitlich*) to be well; ***früh/spät ~ sein*** to be early/late; ***an den Gerüchten ist nichts ~*** there's nothing in those rumours; → ***daran*** **dranbleiben** *v/i sep irr aux sein* (*infml*: *am Apparat*) to hang on; ***an der Arbeit ~*** to stick at one's work
Drang [draŋ] *m* ⟨**-(e)s, ⸚e** ['drɛŋə]⟩ (≈ *Antrieb*) urge, impulse; (≈ *Sehnsucht*) yearning (*nach* for)
drangeben *v/t sep irr* (*infml* ≈ *opfern*) to give up
Drängelei [drɛŋə'lai] *f* ⟨**-, -en**⟩ (*infml*) pushing; (*im Verkehr*) jostling; (≈ *Bettelei*) pestering **drängeln** ['drɛŋln] (*infml*) **I** *v/i* to push; (*im Verkehr*) to jostle **II** *v/t* & *v/i* (≈ *betteln*) to pester **III** *v/r* ***sich nach vorne*** *etc* ***~*** to push one's way to the front *etc* **drängen** ['drɛŋən] **I** *v/i* to press; ***darauf ~, eine Antwort zu erhalten, auf Antwort ~*** to press for an answer; ***darauf ~, dass etw getan wird*** to press for sth to be done; ***die Zeit drängt*** time is pressing; ***es drängt nicht*** it's not pressing **II** *v/t* **1.** to push **2.** (≈ *auffordern*) to urge **III** *v/r* (*Menge*) to throng; ***sich nach vorn ~*** to push one's way to the front; → ***gedrängt*** **Drängen** *nt* ⟨**-s**, *no pl*⟩ urging; (≈ *Bitten*) requests *pl* **drängend** *adj* pressing **Drängler** *m* ⟨**-s, -**⟩, **Dränglerin** [-ərɪn] *f* ⟨**-, -nen**⟩ ⟨**-s, -**⟩ AUTO tailgater **drangsalieren** [draŋza'liːrən] *past part* ***drangsaliert*** *v/t* (≈ *plagen*) to pester; (≈ *unterdrücken*) to oppress
dranhalten *sep irr v/r* (*infml* ≈ *sich beeilen*) to get a move on (*infml*) **drankommen** *v/i sep irr aux sein* (*infml* ≈ *an die Reihe kommen*) to have one's turn **drankriegen** *v/t sep* (*infml*) ***jdn ~*** to get sb (*infml*) **drannehmen** *v/t sep irr* (*infml*) *Schüler* to ask
drapieren [dra'piːrən] *past part* ***drapiert*** *v/t* to drape
drastisch ['drastɪʃ] **I** *adj* (≈ *derb*) drastic; (≈ *deutlich*) graphic **II** *adv* (≈ *energisch*) *kürzen* drastically; (≈ *deutlich*) explicitly; ***~ vorgehen*** to take drastic measures; ***sich ~ ausdrücken*** to use strong language
drauf [drauf] *adv* (*infml*) ***~ und dran sein, etw zu tun*** to be on the verge of doing sth; → ***darauf, drauf sein*** **Draufgänger** [-gɛŋɐ] *m* ⟨**-s, -**⟩, **Draufgängerin** [-ərɪn] *f* ⟨**-, -nen**⟩ daredevil; (≈ *Mann*: *bei Frauen*) predator **draufgängerisch** [-gɛŋərɪʃ] *adj* daring; (*negativ*) reckless **draufgehen** *v/i sep irr aux sein* (*infml*) (≈ *sterben*) to bite the dust

(*infml*); (*Geld*) to disappear **draufhaben** *v/t sep irr* (*infml*) *Sprüche* to come out with; ***zeigen, was man draufhat*** to show what one is made of; ***schwer was ~*** (*sl*) to know one's stuff (*infml*) **draufkriegen** *v/t sep* (*infml*) ***eins ~*** to be told off; (≈ *geschlagen werden*) to be given a smack; (≈ *besiegt werden*) to be given a thrashing (*infml*) **drauflegen** *sep* (*infml*) **I** *v/t* ***20 Euro ~*** to lay out an extra 20 euros **II** *v/i* (≈ *mehr bezahlen*) to pay more **drauflos** [drauf'loːs] *adv* (***nur***) ***immer feste*** *or* ***munter ~!*** (just) keep at it! **drauflosgehen** *v/i sep irr aux sein* (*infml*) (*auf ein Ziel*) to make straight for it; (*ohne Ziel*) to set off **drauflosreden** *v/i sep* (*infml*) to talk away **drauflosschlagen** *v/i sep irr* (*infml*) to hit out **draufmachen** *v/t sep* (*infml*) ***einen ~*** to make a night of it (*infml*) **drauf sein** *v/i irr aux sein* (*infml*) ***schlecht/gut ~*** to be in a bad/good mood **draufsetzen** *v/t sep* (*fig infml*) ***eins*** *or* ***einen ~*** to go one step further **draufzahlen** *v/t & v/i sep* (*infml*) → ***drauflegen***

draußen ['drausn] *adv* outside; ***~ auf dem Lande/im Garten*** out in the country/in the garden; ***nach ~*** outside

Drechselbank *f, pl* ***-bänke*** wood(turning) lathe **drechseln** ['drɛksln] *v/t* to turn (*on a wood lathe*) **Drechslerei** [drɛkslə'rai] *f* ⟨***-, -en***⟩ (≈ *Werkstatt*) (wood)turner's workshop

Dreck [drɛk] *m* ⟨***-(e)s,*** *no pl*⟩ dirt; (*esp ekelhaft*) filth; (*fig* ≈ *Schund*) rubbish; ***mit ~ und Speck*** (≈ *ungewaschen*) unwashed; ***jdn wie den letzten ~ behandeln*** (*infml*) to treat sb like dirt; ***der letzte ~ sein*** (*infml*: *Mensch*) to be the lowest of the low; ***~ am Stecken haben*** (*fig*) to have a skeleton in the cupboard; ***etw in den ~ ziehen*** (*fig*) to drag sth through the mud; ***sich einen ~ um jdn/etw kümmern*** *or* ***scheren*** not to give a damn about sb/sth (*infml*) **Dreckarbeit** *f* (*infml*) dirty work **Dreckfinger** *pl* (*infml*) dirty fingers *pl* **dreckig** ['drɛkɪç] **I** *adj* dirty; (*stärker*) filthy **II** *adv* (*infml*) ***es geht mir ~*** I'm in a bad way; (*finanziell*) I'm badly off **Dreckloch** *nt* (*pej*) hole (*infml*) **Drecksack** *m* (*pej infml*) dirty bastard (*sl*) **Drecksau** *f* (*vulg*) filthy swine (*infml*) **Dreckschwein** *nt* (*infml*) dirty pig (*infml*) **Dreckskerl** *m* (*infml*) dirty swine (*infml*) **Dreckspatz** *m* (*infml*) (≈ *Kind*) grubby kid

Dreh [dreː] *m* ⟨***-s, -s*** *or* ***-e***⟩ (≈ *List*) dodge; (≈ *Kunstgriff*) trick; ***den ~ heraushaben, etw zu tun*** to have got the knack of doing sth **Dreharbeiten** *pl* FILM shooting *sg* **Drehbank** *f, pl* ***-bänke*** lathe **Drehbuch** *nt* FILM (film) script **Drehbuchautor(in)** *m/(f)* scriptwriter **drehen** ['dreːən] **I** *v/t* to turn; *Zigaretten* to roll; *Film* to shoot; (*infml* ≈ *schaffen*) to fix (*infml*); ***ein Ding ~*** (*sl*) to play a prank; (*Verbrecher*) to pull a job (*infml*); ***wie man es auch dreht und wendet*** no matter how you look at it **II** *v/i* to turn; (*Wind*) to change; ***an etw*** (*dat*) ***~*** to turn sth; ***daran ist nichts zu ~*** (*fig*) there are no two ways about it **III** *v/r* **1.** to turn (*um* about); (*sehr schnell*: *Kreisel*) to spin; (*Wind*) to change; ***sich um etw ~*** to revolve around sth; ***mir dreht sich alles im Kopf*** my head is spinning; ***sich ~ und winden*** (*fig*) to twist and turn **2.** (≈ *betreffen*) ***sich um etw ~*** to concern sth; (*um zentrale Frage*) to centre (*Br*) *or* center (*US*) on sth; ***es dreht sich darum, dass ...*** the point is that ... **Dreher** ['dreːɐ] *m* ⟨***-s, -***⟩, **Dreherin** [-ərɪn] *f* ⟨***-, -nen***⟩ lathe operator **Dreherlaubnis** *f* FILM filming permission **Drehkreuz** *nt* turnstile **Drehmoment** *nt* torque **Drehorgel** *f* barrel organ **Drehort** *m, pl* ***-orte*** FILM location **Drehschalter** *m* rotary switch **Drehscheibe** *f* **1.** RAIL turntable **2.** (≈ *Töpferscheibe*) potter's wheel **Drehstrom** *m* three-phase current **Drehstuhl** *m* swivel chair **Drehtag** *m* FILM day of shooting **Drehtür** *f* revolving door **Drehung** ['dreːʊŋ] *f* ⟨***-, -en***⟩ turn; ***eine ~ um 180°*** a 180° turn **Drehzahl** *f* number of revolutions; (*pro Minute*) revs *pl* per minute **Drehzahlmesser** *m* ⟨***-s, -***⟩ rev counter

drei [drai] *num* three; ***aller guten Dinge sind ~!*** (*prov*) all good things come in threes!; (*nach zwei missglückten Versuchen*) third time lucky!; ***sie sieht aus, als ob sie nicht bis ~ zählen könnte*** (*infml*) she looks pretty empty-headed; → ***vier*** **Drei** [drai] *f* ⟨***-, -en***⟩ three **dreibeinig** *adj* three-legged **Dreibettzimmer** *nt* three-bed room **Drei-D-** [drai'deː] *in cpds* 3-D **dreidimensional** *adj* three-dimensional **Dreieck** ['drai|ɛk] *nt* triangle **dreieckig** *adj* triangular **Drei-**

ecksverhältnis *nt* (eternal) triangle **Dreieinigkeit** *f* Trinity **Dreierkonferenz** *f* TEL three-way calling **Dreierpack** *nt* three-pack **dreifach** ['draifax] **I** *adj* triple; ***die ~e Menge*** three times the amount **II** *adv* three times; → ***vierfach*** **Dreifache(s)** ['draifaxə] *nt decl as adj* ***das ~*** three times as much; ***auf das ~ steigen*** to treble **dreifarbig** *adj* three-coloured (*Br*), three-colored (*US*) **Dreifuß** *m* tripod **Dreigangschaltung** *f* three-speed gear **dreihundert** ['drai'hʊndɐt] *num* three hundred **Dreikäsehoch** [drai'kɛːzəhoːx] *m* ⟨**-s, -s**⟩ (*infml*) tiny tot (*infml*) **Dreiklang** *m* MUS triad **Dreikönigsfest** *nt* (feast of) Epiphany **dreimal** ['draimaːl] *adv* three times **Dreimeterbrett** *nt* three-metre (*Br*) *or* three-meter (*US*) board

dreinblicken *v/i sep* ***traurig*** *etc* ***~*** to look sad *etc* **dreinreden** *v/i sep* (*infml*) (≈ *dazwischenreden*) to interrupt

Dreirad *nt* tricycle **Dreisatz** *m* MAT rule of three **Dreisprung** *m* triple jump **dreispurig** [-ʃpuːrɪç] *adj* MOT *Fahrbahn* three-lane *attr* **dreißig** ['draisɪç] *num* thirty; → ***vierzig*** **dreißigjährig** *adj* (≈ *dreißig Jahre alt*) thirty years old, thirty-year-old *attr*

dreist [draist] *adj* bold

dreistellig *adj* three-digit *attr*, with three digits

Dreistigkeit ['draistɪçkait] *f* ⟨**-, -en**, *no pl*⟩ boldness

dreistufig *adj Rakete* three-stage *attr*, with three stages **Dreitagebart** *m* designer stubble **dreitägig** *adj* three-day *attr*, three-day-long **dreiteilig** *adj Kostüm etc* three-piece *attr* **drei viertel** ['drai 'fɪrtl] *adj, adv* → ***viertel***; → ***Viertel***[1] **Dreiviertel** ['drai'fɪrtl] *nt* three-quarters **Dreivierteljahr** *nt* nine months *pl* **Dreiviertelstunde** *f* three-quarters of an hour *no indef art* **Dreivierteltakt** [-'fɪrtl-] *m* three-four time **Dreiweg-** *in cpds* ELEC three-way **Dreiwegekatalysator** *m* AUTO three-way catalytic converter **dreiwöchig** [-vœçɪç] *adj attr* three-week **dreizehn** ['draitseːn] *num* thirteen; ***jetzt schlägts aber ~*** (*infml*) that's a bit much; → ***vierzehn*** **Dreizimmerwohnung** *f* three-room flat (*Br*) *or* apartment

Dresche ['drɛʃə] *f* ⟨**-**, *no pl*⟩ (*infml*) thrashing **dreschen** ['drɛʃn] *pret* **drosch** [drɔʃ], *past part* **gedroschen** [gə'drɔʃn] *v/t* **1.** *Korn* to thresh; (*infml*) *Phrasen* to bandy; ***Skat ~*** (*infml*) to play skat **2.** (*infml* ≈ *prügeln*) to thrash

Dress [drɛs] *m* ⟨**-es, -e,** *or* (*Aus*) *f* **-, -en**⟩ SPORTS (sports) kit; (*für Fußball auch*) strip

dressieren [drɛ'siːrən] *past part* **dressiert** *v/t* to train; ***zu etw dressiert sein*** to be trained to do sth

Dressing ['drɛsɪŋ] *nt* ⟨**-s, -s**⟩ COOK dressing

Dressman ['drɛsmən] *m* ⟨**-s, Dressmen**⟩ male model

Dressur [drɛ'suːɐ] *f* ⟨**-, -en**⟩ training; (*für Dressurreiten*) dressage

dribbeln ['drɪbln] *v/i* to dribble

driften ['drɪftn] *v/i aux sein* to drift

Drill [drɪl] *m* ⟨**-(e)s**, *no pl*⟩ drill **Drillbohrer** *m* drill **drillen** ['drɪlən] *v/t & v/i* to drill; ***auf etw*** (*acc*) ***gedrillt sein*** (*fig infml*) to be practised (*Br*) *or* practiced (*US*) at doing sth

Drilling ['drɪlɪŋ] *m* ⟨**-s, -e**⟩ triplet

drin [drɪn] *adv* **1.** (*infml*) = ***darin*** **2.** (≈ *innen drin*) in it; ***er/es ist da ~*** he/it is in there **3.** (*infml*) ***bis jetzt ist noch alles ~*** everything is still quite open; ***das ist doch nicht ~*** (≈ *geht nicht*) that's not on (*infml*)

dringen ['drɪŋən] *pret* **drang** [draŋ], *past part* **gedrungen** [gə'drʊŋən] *v/i* **1.** *aux sein* to penetrate; (*fig*: *Nachricht*) to get through (*an or in +acc* to); ***an*** *or* ***in die Öffentlichkeit ~*** to leak out **2.** ***auf etw*** (*acc*) ***~*** to insist on sth **dringend** ['drɪŋənt] **I** *adj* (≈ *eilig*) urgent; (≈ *nachdrücklich*) strong; *Gründe* compelling **II** *adv* (≈ *unbedingt*) urgently; *warnen, empfehlen* strongly; ***~ notwendig*** urgently needed; ***~ verdächtig*** strongly suspected **dringlich** ['drɪŋlɪç] *adj* urgent **Dringlichkeit** *f* ⟨**-**, *no pl*⟩ urgency **Dringlichkeitsstufe** *f* priority; ***~ 1*** top priority

Drink [drɪŋk] *m* ⟨**-s, -s**⟩ drink

drinnen ['drɪnən] *adv* inside; ***hier/dort ~*** in here/there **drinstecken** *v/i sep* (*infml*) to be (contained); ***da steckt eine Menge Geld/Arbeit*** *etc* ***drin*** a lot of money/work *etc* has gone into it; ***er steckt bis über die Ohren drin*** he's up to his ears in it

dritt [drɪt] *adv* ***wir kommen zu ~*** three of us are coming together **Drittel** ['drɪtl] *nt* ⟨**-s, -**⟩ third; → ***Viertel***[1] **dritteln** ['drɪtln] *v/t* to divide into three (parts) **drittens** ['drɪtns] *adv* thirdly **Dritte(r)** ['drɪtə] *m/f(m) decl as adj* third person/man/woman *etc*; (≈ *Unbeteiligter*) third party **dritte(r, s)** ['drɪtə] *adj* third; ***Menschen ~r Klasse*** third-class citizens; → ***vierte(r, s)*** **Dritte-Welt-** *in cpds* Third World **drittgrößte(r, s)** *adj* third-biggest **dritthöchste(r, s)** *adj* third-highest **drittklassig** *adj* third-rate (*pej*), third-class **drittletzte(r, s)** *adj* third from last **Drittmittel** *pl* FIN external funds *pl* **drittrangig** [-raŋɪç] *adj* third-rate

Droge ['dro:gə] *f* ⟨-, -*n*⟩ drug **drogenabhängig** *adj* addicted to drugs; ***er ist ~*** he's a drug addict **Drogenabhängige(r)** *m/f(m) decl as adj* drug addict **Drogenabhängigkeit** *f* drug addiction *no art* **Drogenbekämpfung** *f* fight against drugs **Drogenberatung** *f*, **Drogenberatungsstelle** *f* drugs advice centre (*Br*) *or* center (*US*) **Drogenfahnder** [-fa:ndɐ] *m* ⟨-*s*, -⟩, **Drogenfahnderin** [-ərɪn] *f* ⟨-, -*nen*⟩ drugs squad officer (*Br*), narcotics officer (*US*) **Drogenhandel** *m* drug trade **Drogenhändler(in)** *m/(f)* drug trafficker *or* dealer **Drogenkonsum** [-kɔnzu:m] *m* drug consumption **Drogenmissbrauch** *m* drug abuse *no art* **Drogensucht** *f* drug addiction **drogensüchtig** *adj* addicted to drugs; ***er ist ~*** he's a drug addict **Drogensüchtige(r)** *m/f(m) decl as adj* drug addict **Drogenszene** *f* drugs scene **Drogentote(r)** *m/f(m) decl as adj* ***200 ~ pro Jahr*** 200 drug deaths per year **Drogerie** [drogə'ri:] *f* ⟨-, -*n* [-'ri:ən]⟩ chemist's (shop) (*nondispensing*), drugstore (*US*) **Drogist** [dro'gɪst] *m* ⟨-*en*, -*en*⟩, **Drogistin** [-'gɪstɪn] *f* ⟨-, -*nen*⟩ chemist, druggist (*US*)

Drohbrief *m* threatening letter **drohen** ['dro:ən] *v/i* to threaten (*jdm* sb); (*Streik, Krieg*) to be looming; ***(jdm) mit etw ~*** to threaten (sb with) sth; ***jdm droht etw*** sb is being threatened by sth; ***es droht Gefahr*** there is the threat of danger; ***das Schiff drohte zu sinken*** the ship was in danger of sinking **drohend** *adj* threatening; *Gefahr, Krieg* imminent

Drohne [dro:nə] *f* ⟨-, -*n*⟩ **1.** drone; (*fig pej also*) parasite **2.** MIL drone

dröhnen ['drø:nən] *v/i* **1.** (*Motor, Straßenlärm*) to roar; (*Donner*) to rumble; (*Lautsprecher, Stimme*) to boom **2.** (*Raum etc*) to resound; ***mir dröhnt der Kopf*** my head is ringing **dröhnend** *adj Lärm, Applaus* resounding; *Stimme* booming

Drohung ['dro:ʊŋ] *f* ⟨-, -*en*⟩ threat

drollig ['drɔlɪç] *adj* **1.** funny **2.** (≈ *seltsam*) odd

Dromedar [drome'da:ɐ, 'dro:-] *nt* ⟨-*s*, -*e*⟩ dromedary

Drops [drɔps] *m or nt* ⟨-, -*or* -*e*⟩ fruit drop

Drossel ['drɔsl] *f* ⟨-, -*n*⟩ ORN thrush

drosseln ['drɔsln] *v/t Motor* to throttle; *Heizung* to turn down; *Strom* to reduce; *Tempo, Produktion etc* to cut down

drüben ['dry:bn] *adv* over there; (≈ *auf der anderen Seite*) on the other side; ***nach ~*** over there; ***von ~*** from over there

Druck[1] [drʊk] *m* ⟨-(*e*)*s*, ⸚*e* ['drʏkə]⟩ pressure; ***unter ~ stehen*** to be under pressure; ***jdn unter ~ setzen*** (*fig*) to put pressure on sb; ***~ machen*** (*infml*) to put the pressure on (*infml*); ***durch einen ~ auf den Knopf*** by pressing the button

Druck[2] *m* ⟨-(*e*)*s*, -*e*⟩ (≈ *das Drucken*) printing; (≈ *Schriftart, Kunstdruck*) print; ***das Buch ist im ~*** the book is being printed; ***etw in ~ geben*** to send sth to be printed

Druckausgleich *m* pressure balance

Druckbuchstabe *m* printed character; ***in ~n schreiben*** to print

Drückeberger ['drʏkəbɛrgɐ] *m* ⟨-*s*, -⟩, **Drückebergerin** [-ərɪn] *f* ⟨-, -*nen*⟩ (*pej infml*) shirker; (≈ *Feigling*) coward

drucken ['drʊkn] *v/t & v/i* to print; → ***gedruckt***

drücken ['drʏkn] **I** *v/t* **1.** to press; *Obst* to squeeze; ***jdn ~*** (≈ *umarmen*) to hug sb; ***jdn zur Seite ~*** to push sb aside **2.** (*Schuhe etc*) to pinch; ***jdn im Magen ~*** (*Essen*) to lie heavily on sb's stomach **3.** (≈ *verringern*) to force down; *Leistung, Niveau* to lower; (*infml*) *Stimmung* to dampen **II** *v/i* to press; (*Schuhe etc*) to pinch; ***„bitte ~"*** "push"; ***auf die Stimmung ~*** to dampen one's mood; → ***gedrückt*** **III** *v/r* (≈ *sich quetschen*) to squeeze; (*Schutz suchend*) to huddle: (≈ *kneifen*) to shirk; (*vor Militärdienst*) to dodge; ***sich vor etw*** (*dat*) ***~*** to shirk sth; ***sich (um etw) ~*** to get out of sth **drückend** *adj Last, Steuern* heavy; *Probleme* serious; *Hitze, Atmosphäre* oppressive

Drucker ['drʊkɐ] *m* ⟨-*s*, -⟩ printer

Drücker ['drʏkɐ] *m* ⟨**-s, -**⟩ (≈ *Knopf*) (push) button; (*von Klingel*) push; ***am ~ sein** or **sitzen*** (*fig infml*) to be in a key position; ***auf den letzten ~*** (*fig infml*) at the last minute

Druckerei [drʊkə'rai] *f* ⟨**-, -en**⟩ printing works *pl*; (≈ *Firma*) printer's **Druckerschwärze** *f* printer's ink **Druckfehler** *m* misprint, typographical error **Druckkabine** *f* pressurized cabin **Druckknopf** *m* **1.** SEWING press stud **2.** TECH push button **Druckluft** *f* compressed air **Druckluftbremse** *f* air brake **Druckmesser** *m* ⟨**-s, -**⟩ pressure gauge **Druckmittel** *nt* (*fig*) means of exerting pressure **druckreif** *adj* ready for printing, passed for press; (*fig*) polished **Drucksache** *f* POST business letter; (≈ *Werbematerial*) circular; (*als Portoklasse*) printed matter **Druckschrift** *f* ***in ~ schreiben*** to print **Druckstelle** *f* (*auf Pfirsich, Haut*) bruise **Drucktaste** *f* push button **Druckverband** *m* MED pressure bandage **Druckverlust** *m* TECH loss of pressure **Druckwasserreaktor** *m* pressurized water reactor **Druckwelle** *f* shock wave

drum [drʊm] *adv* (*infml*) (a)round; ***~ (he)rum*** all (a)round; ***mit allem Drum und Dran*** with all the bits and pieces (*infml*); *Mahlzeit* with all the trimmings *pl*; → ***darum***

drunter ['drʊntɐ] *adv* under(neath); ***~ und drüber*** upside down; ***es ging alles ~ und drüber*** everything was upside down; → ***darunter***

Drüse ['dryːzə] *f* ⟨**-, -n**⟩ gland **Drüsenfieber** *nt* glandular fever

Dschungel ['dʒʊŋl] *m* ⟨**-s, -**⟩ jungle **Dschungelkrieg** *m* jungle warfare

Dschunke ['dʒʊŋkə] *f* ⟨**-, -n**⟩ NAUT junk

DTP [deːteː'peː] *nt, abbr of* **Desktop-Publishing** DTP

du [duː] *pers pr, gen* **deiner**, *dat* **dir**, *acc* **dich** you; ***mit jdm auf Du und Du stehen*** to be pals with sb; ***mit jdm per du sein*** to be on familiar terms with sb; ***du bist es*** it's you; ***du Glücklicher!*** lucky you; ***du Idiot!*** you idiot

dual [du'aːl] *adj* dual **Dualsystem** *nt* MAT binary system

Dübel ['dyːbl] *m* ⟨**-s, -**⟩ Rawlplug®; (≈ *Holzdübel*) dowel

dubios [du'bioːs] *adj* (*elev*) dubious

Dublette [du'blɛtə] *f* ⟨**-, -n**⟩ duplicate

ducken ['dʊkn] *v/r* to duck; (*fig pej*) to cringe **Duckmäuser** ['dʊkmɔyzɐ] *m* ⟨**-s, -**⟩, **Duckmäuserin** [-ərɪn] *f* ⟨**-, -nen**⟩ (*pej*) moral coward

Dudelsack *m* bagpipes *pl*

Duell [du'ɛl] *nt* ⟨**-s, -e**⟩ duel (*um* over); ***jdn zum ~ (heraus)fordern*** to challenge sb to a duel **Duellant** [duɛ'lant] *m* ⟨**-en, -en**⟩, **Duellantin** [-'lantɪn] *f* ⟨**-, -nen**⟩ dueller **duellieren** [duɛ'liːrən] *past part* ***duelliert*** *v/r* to (fight a) duel

Duett [du'ɛt] *nt* ⟨**-(e)s, -e**⟩ (MUS, *fig*) duet; ***im ~ singen*** to sing a duet

Duft [dʊft] *m* ⟨**-(e)s, ⸚e** ['dʏftə]⟩ smell **dufte** ['dʊftə] *adj, adv* (*dated infml*) great (*infml*) **duften** ['dʊftn] *v/i* to smell; ***nach etw ~*** to smell of sth **duftend** *adj attr Parfüm, Blumen etc* fragrant **duftig** ['dʊftɪç] *adj Kleid, Stoff* gossamery **Duftkissen** *nt* scented sachet **Duftmarke** *f* scent mark **Duftnote** *f* (*von Parfüm*) scent; (*von Mensch*) smell **Duftstoff** *m* scent; (*für Parfüm etc*) fragrance

dulden ['dʊldn] *v/t* to tolerate; ***ich dulde das nicht*** I won't tolerate that; ***etw stillschweigend ~*** to connive at sth **duldsam** ['dʊltzaːm] **I** *adj* tolerant (*gegenüber* of; (≈ *geduldig*) forbearing **II** *adv* tolerantly; (≈ *geduldig*) with forbearance **Duldsamkeit** *f* ⟨**-,** *no pl*⟩ tolerance; (≈ *Geduld*) forbearance **Duldung** *f* ⟨**-,** (*rare*) **-en**⟩ toleration

dumm [dʊm] **I** *adj, comp* **⸚er** ['dʏmɐ], *sup* **⸚ste(r, s)** ['dʏmstə] **1.** stupid; ***~es Zeug (reden)*** (to talk) nonsense; ***jdn für ~ verkaufen*** (*infml*) to think sb is stupid; ***das ist gar nicht (so) ~*** that's not a bad idea; ***jetzt wirds mir zu ~*** I've had enough **2.** (≈ *ärgerlich*) annoying; ***es ist zu ~, dass er nicht kommen kann*** it's too bad that he can't come; ***so etwas Dummes*** what a nuisance **II** *adv, comp* **⸚er**, *sup* ***am ⸚sten sich ~ anstellen*** to behave stupidly; ***sich ~ stellen*** to act stupid; ***~ fragen*** to ask a silly question; ***sich ~ und dämlich reden*** (*infml*) to talk till one is blue in the face (*infml*); ***jdm ~ kommen*** to get funny with sb (*infml*); ***das ist ~ gelaufen*** (*infml*) that hasn't gone to plan; ***~ gelaufen!*** (*infml*) that's life! **Dumme(r)** ['dʊmə] *m/f(m) decl as adj* (*infml*) fool; ***der/die ~ sein*** to be left to carry the can (*infml*) **dummerweise** *adv* unfortunately; (≈ *aus Dummheit*) stupidly **Dummheit** *f* ⟨**-, -en**⟩ **1.** *no pl* stupidity **2.** (≈ *dumme Handlung*) stupid thing; ***mach***

bloß keine ~en! just don't do anything stupid **Dụmmkopf** *m* (*infml*) idiot

dụmpf [dʊmpf] *adj* **1.** *Ton* muffled **2.** *Geruch etc* musty **3.** *Gefühl, Erinnerung* vague; *Schmerz* dull; (≈ *bedrückend*) gloomy **4.** (≈ *stumpfsinnig*) dull **Dụmpfbacke** *f* (*sl*) nerd (*infml*)

Dụmpingpreis ['dampɪŋ-] *m* giveaway price

Dü̱ne ['dyːnə] *f* ⟨-, **-n**⟩ (sand) dune

Dụng [dʊŋ] *m* ⟨**-(e)s**, *no pl*⟩ dung **Dụ̈ngemittel** *nt* fertilizer **dụ̈ngen** ['dʏŋən] *v/t* to fertilize **Dụ̈nger** ['dʏŋɐ] *m* ⟨**-s, -**⟩ fertilizer

dụnkel ['dʊŋkl] **I** *adj* **1.** dark; ***im Dunkeln*** in the dark; ***im Dunkeln tappen*** (*fig*) to grope (about) in the dark **2.** (≈ *tief*) *Stimme, Ton* deep **3.** (*pej* ≈ *zwielichtig*) shady (*infml*) **II** *adv* (≈ *in dunklen Farben*) in dark colours (*Br*) *or* colors (*US*); ***~ gefärbt sein*** to be a dark colo(u)r; ***sich ~ erinnern*** to remember vaguely **Dụnkel** ['dʊŋkl] *nt* ⟨**-s**, *no pl*⟩ darkness **Dụ̈nkel** ['dʏŋkl] *m* ⟨**-s**, *no pl*⟩ (*pej elev*) conceit

dụnkelblau *adj* dark blue **dụnkelblond** *adj* light brown **dụnkelbraun** *adj* dark brown **dụnkelgrau** *adj* dark grey (*Br*), dark gray (*US*) **dụnkelgrün** *adj* dark green **dụnkelhaarig** *adj* dark-haired **dụnkelhäutig** *adj* dark-skinned **Dụnkelheit** *f* ⟨**-**, (*rare*) **-en**⟩ darkness; ***bei Einbruch der ~*** at nightfall **Dụnkelkammer** *f* PHOT darkroom **dụnkelrot** *adj* dark red **Dụnkelziffer** *f estimated number of unreported/undetected cases*

dụ̈nn [dʏn] **I** *adj* thin; *Kaffee, Tee* weak; *Strümpfe* fine; ***sich ~ machen*** (*hum*) to breathe in; → ***dünnmachen*** **II** *adv bevölkert* sparsely; ***~ gesät*** (*fig*) few and far between **Dụ̈nndarm** *m* small intestine **Dụ̈nne** ['dʏnə] *f* ⟨**-**, *no pl*⟩ thinness **dụ̈nnflüssig** *adj* thin; *Honig* runny **dụ̈nnhäutig** *adj* thin-skinned **dụ̈nnmachen** *v/r sep* (*infml* ≈ *weglaufen*) to make oneself scarce **Dụ̈nnpfiff** *m* (*infml*) the runs (*infml*) **Dụ̈nnsäure** *f* dilute acid

Dụnst [dʊnst] *m* ⟨**-(e)s, ⸚e** ['dʏnstə]⟩ (≈ *leichter Nebel*) haze; (≈ *Dampf*) steam; ***jdm blauen ~ vormachen*** (*infml*) to throw dust in sb's eyes **Dụnstabzugshaube** *f* extractor hood (*over a cooker*) **dụ̈nsten** ['dʏnstn] *v/t* to steam; *Obst* to stew **Dụnstglocke** *f*, **Dụnsthaube** *f* (≈ *Nebel*) haze; (≈ *Smog*) pall of smog **dụnstig** ['dʊnstɪç] *adj* hazy **Dụnstkreis** *m* atmosphere; (*von Mensch*) society **Dụnstwolke** *f* cloud of smog

Du̱o ['duːo] *nt* ⟨**-s, -s**⟩ duo

Duplika̱t [dupli'kaːt] *nt* ⟨**-(e)s, -e**⟩ duplicate (copy) **duplizi̱eren** [dupli'tsiːrən] *past part* ***dupliziert*** *v/t* (*elev*) to duplicate

Du̱r [duːɐ] *nt* ⟨**-**, *no pl*⟩ MUS major; ***in G-~*** in G major

dụrch [dʊrç] **I** *prep +acc* **1.** through; ***~ den Fluss waten*** to wade across the river; ***~ die ganze Welt reisen*** to travel all over the world **2.** (≈ *mittels*) by; ***Tod ~ Ertrinken*** death by drowning; ***Tod ~ Herzschlag*** *etc* death from a heart attack *etc*; ***neun (geteilt) ~ drei*** nine divided by three; ***~ Zufall*** by chance **3.** (≈ *aufgrund*) due to **II** *adv* **1.** (≈ *hindurch*) through; ***es ist 4 Uhr ~*** it's gone 4 o'clock; ***~ und ~*** through and through; *überzeugt* completely; ***~ und ~ nass*** wet through **2.** (COOK *infml*) *Steak* well-done

dụrcharbeiten *sep* **I** *v/t Buch, Stoff etc* to work through **II** *v/i* to work through **III** *v/r* ***sich durch etw ~*** to work one's way through sth

dụrchatmen *v/i sep* to take deep breaths

dụrchaus [dʊrç'|aus, 'dʊrç'|aus, 'dʊrç|aus] *adv* **1.** (*bekräftigend*) quite; *korrekt, möglich* perfectly; *passen* perfectly well; ***ich hätte ~ Zeit*** I would have time; ***es ist ~ anzunehmen, dass sie kommt*** it's highly likely that she'll be coming **2.** ***~ nicht*** (*als Verstärkung*) by no means; (*als Antwort*) not at all; (*stärker*) absolutely not; ***das ist ~ kein Witz*** that's no joke at all

dụrchbeißen *sep irr* **I** *v/t* (*in zwei Teile*) to bite through **II** *v/r* (*infml*) to struggle through; (*mit Erfolg*) to win through

dụrchbekommen *past part* ***dụrchbekommen*** *v/t sep irr* (*infml*) to get through

dụrchblättern ['dʊrçblɛtɐn] *v/t sep Buch etc* to leaf through

Dụrchblick *m* (≈ *Ausblick*) view (*auf +acc* of); (*fig infml* ≈ *Überblick*) knowledge; ***den ~ haben*** (*infml*) to know what's what (*infml*) **dụrchblicken** *v/i sep* **1.** (*lit*) to look through **2.** (*fig*) ***etw ~ lassen*** to hint at sth **3.** (*fig infml* ≈ *verstehen*) to understand; ***blickst du da durch?*** do you get it? (*infml*)

durchbluten *past part* **durchblutet** *v/t insep* to supply with blood **Durchblutung** *f* circulation (of the blood) (*+gen* to) **Durchblutungsstörung** *f* circulatory disturbance

durchbohren [dʊrç'boːrən] *past part* **durchbohrt** *v/t insep Wand, Brett* to drill through; (*Kugel*) to go through; ***jdn mit Blicken ~*** (*fig*) to look piercingly at sb; (*hasserfüllt*) to look daggers at sb **durchbohrend** *adj* piercing

durchboxen *sep* (*fig infml*) *v/r* to fight one's way through

durchbraten *v/t & v/i sep irr* to cook through; → ***durchgebraten***

durchbrechen[1] ['dʊrçbrɛçn] *sep irr* **I** *v/t* (*in zwei Teile*) to break (in two) **II** *v/i aux sein* (*in zwei Teile*) to break (in two)

durchbrechen[2] [dʊrç'brɛçn] *past part* ***durchbrochen*** [dʊrç'brɔxn] *v/t insep irr Schallmauer* (*fig*) to break; *Mauer etc* to break through

durchbrennen *v/i sep irr aux sein* (*Sicherung, Glühbirne*) to blow; (*infml* ≈ *davonlaufen*) to run away

durchbringen *sep irr* **I** *v/t* **1.** (*durch Prüfung*) to get through; (*durch Krankheit*) to pull through; (≈ *für Unterhalt sorgen*) to provide for **2.** *Geld* to get through **II** *v/r* to get by

Durchbruch *m* **1.** (*von Blinddarm etc*) perforation; ***zum ~ kommen*** (*fig*) (*Gewohnheit etc*) to assert itself; (*Natur*) to reveal itself **2.** (*fig*) breakthrough; ***jdm zum ~ verhelfen*** to help sb on the road to success **3.** (≈ *Öffnung*) opening

durchdacht [dʊrç'daxt] *adj* ***gut/schlecht ~*** well/badly thought-out

durchdenken [dʊrç'dɛŋkn] *past part* ***durchdacht*** [dʊrç'daxt] *v/t sep irr* to think through

durchdiskutieren *past part* ***durchdiskutiert*** *v/t sep* to talk through

durchdrehen *sep* **I** *v/t Fleisch etc* to mince **II** *v/i* (*infml*: *nervlich*) to crack up (*infml*); ***ganz durchgedreht sein*** (*infml*) to be really uptight (*infml*)

durchdringen[1] ['dʊrçdrɪŋən] *v/i sep irr aux sein* **1.** (≈ *hindurchkommen*) to penetrate; (*Sonne*) to come through; ***bis zu jdm ~*** (*fig*) to get as far as sb **2.** (≈ *sich durchsetzen*) to get through; ***zu jdm ~*** to get through to sb

durchdringen[2] [dʊrç'drɪŋən] *past part* ***durchdrungen*** [dʊrç'drʊŋən] *v/t insep irr Materie, Dunkelheit etc* to penetrate; (*Gefühl, Idee*) to pervade; → ***durchdrungen***

durchdringend ['dʊrçdrɪŋənt] *adj* piercing; *Geruch* pungent

durchdrücken *v/t sep* **1.** (*fig*) *Reformen etc* to push through **2.** *Knie, Ellbogen etc* to straighten

durchdrungen [dʊrç'drʊŋən] *adj pred* imbued (*von* with); → ***durchdringen***[2]

durcheinander [dʊrç|ai'nandɐ] **I** *adv* mixed up **II** *adj pred* ***~ sein*** (*infml*) (*Mensch*) to be confused; (≈ *aufgeregt*) to be in a state (*infml*); (*Zimmer, Papier*) to be in a mess **Durcheinander** [dʊrç|ai'nandɐ, 'dʊrç|ainandɐ] *nt* ⟨**-s**, *no pl*⟩ (≈ *Unordnung*) mess; (≈ *Wirrwarr*) confusion **durcheinanderbringen** *v/t sep irr* to muddle up; (≈ *verwirren*) *jdn* to confuse **durcheinanderessen** *v/t sep irr* ***alles ~*** to eat indiscriminately **durcheinandergeraten** *v/i sep irr aux sein* to get mixed up **durcheinanderreden** *v/i sep* to all speak at once **durcheinandertrinken** *v/t sep irr* ***alles ~*** to drink indiscriminately **durcheinanderwerfen** *v/t sep irr* (*fig infml* ≈ *verwechseln*) to mix up

durchfahren[1] ['dʊrçfaːrən] *v/i sep irr aux sein* **1.** to go through **2.** (≈ *nicht anhalten*) to go straight through; ***die Nacht ~*** to travel through the night

durchfahren[2] [dʊrç'faːrən] *past part* ***durchfahren*** *v/t insep irr* to travel through; (*fig*: *Schreck etc*) to shoot through **Durchfahrt** *f* **1.** (≈ *Durchreise*) way through; ***auf der ~ sein*** to be passing through **2.** (≈ *Passage*) thoroughfare

Durchfall *m* MED diarrhoea *no art* (*Br*), diarrhea *no art* (*US*) **durchfallen** *v/i sep irr aux sein* **1.** to fall through **2.** (*infml* ≈ *nicht bestehen*) to fail; ***jdn ~ lassen*** to fail sb; ***beim Publikum ~*** to be a flop with the public **Durchfallquote** *f* SCHOOL *etc* failure rate

durchfeiern *v/i sep* to stay up all night celebrating

durchfinden *v/i & v/r sep irr* to find one's way through (*durch etw* sth); ***ich finde*** (***mich***) ***hier nicht mehr durch*** (*fig*) I am simply lost

durchfliegen[1] ['dʊrçfliːgn] *v/i sep irr aux sein* **1.** (*mit Flugzeug*) to fly through; (*ohne Landung*) to fly nonstop **2.** (*infml*:

durch Prüfung) to fail (*durch etw*, *in etw dat* (in) sth)
durchfliegen[2] [dʊrç'fliːgn] *past part* **durchflogen** [dʊrç'floːgn] *v/t insep irr Luft*, *Wolken* to fly through; *Strecke* to cover; (≈ *flüchtig lesen*) to skim through
durchfließen *v/i sep irr aux sein* to flow through
durchfluten [dʊrç'fluːtn] *past part* **durchflutet** *v/t insep* (*elev*) (*Fluss*) to flow through; (*fig*) (*Licht*, *Sonne*) to flood; (*Wärme*, *Gefühl*) to flow *or* flood through
durchforschen *past part* **durchforscht** *v/t insep Gegend* to search
durchforsten [dʊrç'fɔrstn] *past part* **durchforstet** *v/t insep Wald* to thin out; (*fig*) *Bücher* to go through
durchfragen *v/r sep* to ask one's way
Durchfuhr ['dʊrçfuːɐ] *f* ⟨-, **-en**⟩ transit
durchführbar *adj* feasible **Durchführbarkeit** ['dʊrçfyːɐbaːɐkait] *f* ⟨-, *no pl*⟩ feasibility
durchführen *sep* **I** *v/t* **1.** (≈ *durchleiten*) to lead through; ***jdn durch ein Haus ~*** to show sb (a)round a house **2.** (≈ *verwirklichen*) to carry out; *Gesetz* to implement; *Test*, *Kurs* to run; *Reise* to undertake; *Wahl*, *Prüfung* to hold **II** *v/i* to lead through; ***unter etw*** (*dat*) ***~*** to go under sth **Durchführung** *f* (≈ *das Verwirklichen*) carrying out; (*von Gesetz*) implementation; (*von Reise*) undertaking; (*von Kurs*, *Test*) running; (*von Wahl*, *Prüfung*) holding
durchfüttern *v/t sep* (*infml*) to feed
Durchgabe *f* announcement; (*telefonisch*) message
Durchgang *m*, *pl* **-gänge** **1.** (≈ *Weg*) way; (*schmal*) passage(way); ***~ verboten!*** no right of way **2.** (*bei Arbeit*, PARL) stage **3.** (*von Wahl*, *Sport*) round; (*beim Rennen*) heat **durchgängig** **I** *adj* universal **II** *adv* generally **Durchgangslager** *nt* transit camp **Durchgangsstraße** *f* through road **Durchgangsverkehr** *m* MOT through traffic
durchgeben *v/t sep irr* **1.** (≈ *durchreichen*) to pass through **2.** RADIO, TV *Nachricht* to announce; ***jdm etw telefonisch ~*** to let sb know sth by telephone
durchgebraten *adj Fleisch etc* well-done *attr*, well done *pred*; → **durchbraten**
durchgefroren *adj Mensch* frozen stiff
durchgehen *sep irr aux sein* **I** *v/i* **1.** to go through; ***bitte ~!*** (*im Bus*) move right down (the bus) please! **2.** (≈ *toleriert werden*) to be tolerated; ***jdm etw ~ lassen*** to let sb get away with sth **3.** (*Pferd etc*) to bolt; (*infml* ≈ *sich davonmachen*) to run off; ***seine Frau ist ihm durchgegangen*** his wife has run off and left him **4.** ***mit jdm ~*** (*Temperament*, *Nerven*) to get the better of sb **II** *v/t also aux haben* (≈ *durchsprechen etc*) to go through
durchgehend **I** *adj Straße* straight; *Zug* direct **II** *adv* throughout; ***~ geöffnet*** open 24 hours
durchgeschwitzt [-gəʃvɪtst] *adj Mensch* bathed in sweat; *Kleidung* soaked in sweat
durchgreifen *v/i sep irr* (*fig*) to resort to drastic measures **durchgreifend** *adj Maßnahme* drastic; (≈ *weitreichend*) *Änderung* far-reaching
durchhalten *sep irr* **I** *v/t* (≈ *durchstehen*) *Kampf etc* to survive; *Streik* to see through; *Belastung* to (with)stand; SPORTS *Strecke* to stay; *Tempo* to keep up **II** *v/i* to stick it out (*infml*); ***eisern ~*** to hold out grimly **Durchhalteparole** *f* rallying call **Durchhaltevermögen** *nt*, *no pl* staying power
durchhängen *v/i sep irr aux haben or sein* to sag; (*fig infml*) (≈ *deprimiert sein*) to be down (in the mouth) (*infml*) **Durchhänger** *m* (*infml* ≈ *schlechte Phase*) bad patch
durchhauen *v/t sep irr or* (*inf*) *regular* (≈ *spalten*) to split
durchkämmen ['dʊrçkɛmən] *v/t sep* (≈ *absuchen*) to comb (through)
durchkämpfen *sep v/r* to fight one's way through; (*fig*) to struggle through
durchkommen *v/i sep irr aux sein* **1.** to get through; (*Sonne etc*) to come through; (*Charakterzug*) to show through **2.** (≈ *durchfahren*) to come through **3.** (≈ *überleben*) to come through; ***mit etw ~*** *mit Forderungen etc* to succeed with sth; ***damit kommt er bei mir nicht durch*** he won't get away with that with me
durchkreuzen [dʊrç'krɔytsn] *past part* **durchkreuzt** *v/t insep* (*fig*) *Pläne etc* to thwart
durchkriechen *v/i sep irr aux sein* to crawl through
durchladen *v/t & v/i sep irr Gewehr* to reload

Durchlass ['dʊrçlas] *m* ⟨**-es, Durchlässe** [-lɛsə]⟩ (≈ *Durchgang*) passage; (*für Wasser*) duct **durchlassen** *v/t sep irr* (≈ *passieren lassen*) to allow through; *Licht, Wasser etc* to let through **durchlässig** *adj Material* permeable; (≈ *porös*) porous; *Grenze* open; ***eine ~e Stelle*** (*fig*) a leak
Durchlauf *m* **1.** (≈ *das Durchlaufen*) flow **2.** (TV, IT) run **3.** SPORTS heat
durchlaufen[1] ['dʊrçlaufn] *sep irr* **I** *v/t Sohlen* to wear through **II** *v/i aux sein* (*Flüssigkeit*) to run through
durchlaufen[2] [dʊrç'laufn] *past part* ***durchlaufen*** *v/t insep irr Gebiet* to run through; *Strecke* to cover; *Lehrzeit, Schule* to pass *or* go through; ***es durchlief mich heiß*** I felt hot all over
durchlaufend ['dʊrçlaufnt] *adj* continuous **Durchlauferhitzer** [-|ɛɐhɪtsɐ] *m* ⟨**-s, -**⟩ continuous-flow water heater
durchleben [dʊrç'leːbn] *past part* ***durchlebt*** *v/t insep* to go through
durchleiten *v/t sep* to lead through
durchlesen *v/t sep irr* to read through
durchleuchten [dʊrç'lɔyçtn] *past part* ***durchleuchtet*** *v/t insep Patienten* to X-ray; (*fig*) *Angelegenheit etc* to investigate
durchliegen *sep irr v/t Matratze, Bett* to wear down (in the middle)
durchlöchern [dʊrç'lœçɐn] *past part* ***durchlöchert*** *v/t insep* to make holes in; (*fig*) to undermine completely
durchlüften *v/t & v/i sep* to air thoroughly
durchmachen *sep* **I** *v/t* **1.** (≈ *erdulden*) to go through; *Krankheit* to have; *Operation, Entwicklung* to undergo; ***sie hat viel durchgemacht*** she has been through a lot **2.** (*infml*) ***eine ganze Nacht ~*** (≈ *durchfeiern*) to make a night of it (*infml*) **II** *v/i* (*infml* ≈ *durchfeiern*) to keep going all night
Durchmarsch *m* march(ing) through **durchmarschieren** *past part* ***durchmarschiert*** *v/i sep aux sein* to march through
Durchmesser *m* ⟨**-s, -**⟩ diameter
durchmogeln *v/r sep* (*infml*) to wangle one's way through (*infml*)
durchmüssen *v/i sep irr* (*infml*) to have to go through
durchnässen [dʊrç'nɛsn] *past part* ***durchnässt*** *v/t insep* to soak; ***völlig durchnässt*** soaking wet
durchnehmen *v/t sep irr* SCHOOL to do (*infml*)
durchnummerieren *past part* ***durchnummeriert*** *v/t sep* to number consecutively
durchpeitschen *v/t sep* to flog; (*fig*) to rush through
durchqueren [dʊrç'kveːrən] *past part* ***durchquert*** *v/t insep* to cross
durchrasseln *v/i sep aux sein* (*infml*) to flunk (*infml*)
durchrechnen *v/t sep* to calculate
durchregnen *v/i impers sep* **1.** (≈ *durchkommen*) ***hier regnet es durch*** the rain is coming through here **2.** ***es hat die Nacht durchgeregnet*** it rained all night long
Durchreiche ['dʊrçraiçə] *f* ⟨**-, -n**⟩ (serving) hatch, pass-through (*US*)
Durchreise *f* journey through; ***auf der ~ sein*** to be passing through **durchreisen** [dʊrç'raizn] *past part* ***durchreist*** *v/t insep* to travel through
durchreißen *sep irr v/t & v/i* to tear in two
durchringen *v/r sep irr* ***sich zu einem Entschluss ~*** to force oneself to make a decision; ***sich dazu ~, etw zu tun*** to bring oneself to do sth
durchrosten *v/i sep aux sein* to rust through
durchrutschen *v/i sep aux sein* to slip through
durchrütteln *v/t sep* to shake about
Durchsage *f* message; (*im Radio*) announcement **durchsagen** *v/t sep* = ***durchgeben*** 2
durchsägen *v/t sep* to saw through
Durchsatz *m* IND, IT throughput
durchschaubar [dʊrç'ʃaubaːɐ] *adj* (*fig*) *Hintergründe, Plan* clear; ***eine leicht ~e Lüge*** a lie that is easy to see through; ***schwer ~er Mensch*** inscrutable person
durchschauen *past part* ***durchschaut*** *v/t insep jdn, Spiel* to see through; *Sachlage* to see clearly; ***du bist durchschaut!*** I've / we've seen through you
durchscheinen *v/i sep irr* to shine through **durchscheinend** ['dʊrçʃainənt] *adj* transparent
durchscheuern *v/t & v/r sep* to wear through
durchschieben *sep irr v/t* to push through
durchschießen [dʊrç'ʃiːsn] *past part* ***durchschossen*** [dʊrç'ʃɔsn] *v/t insep*

irr (*mit Kugeln*) to shoot through; ***ein Gedanke durchschoss mich*** a thought flashed through my mind

durchschimmern *v/i sep* to shimmer through

durchschlafen *v/i sep irr* to sleep through

Durchschlag *m* **1.** (≈ *Kopie*) carbon (copy) **2.** (≈ *Küchengerät*) sieve **durchschlagen** *sep irr* **I** *v/t* ***etw ~*** (≈ *entzweischlagen*) to chop through sth; COOK to sieve sth **II** *v/i* **1.** *aux sein* (≈ *durchkommen*) to come through; ***bei ihm schlägt der Vater durch*** you can see his father in him **2.** *aux sein* (≈ *Wirkung haben*) to catch on; ***auf etw*** (*acc*) ***~*** to make one's /its mark on sth; ***auf jdn ~*** to rub off on sb **III** *v/r* to fight one's way through **durchschlagend** ['dʊrçʃla:gnt] *adj Sieg*, *Erfolg* sweeping; *Maßnahmen* effective; *Argument*, *Beweis* conclusive; ***eine ~e Wirkung haben*** to be totally effective

Durchschlagpapier *nt* copy paper; (≈ *Kohlepapier*) carbon paper **Durchschlagskraft** *f* (*von Geschoss*) penetration; (*fig*) (*von Argument*) decisiveness, conclusiveness

durchschleusen *v/t sep* (≈ *durchschmuggeln*) to smuggle through; ***ein Schiff ~*** to pass a ship through a lock

durchschlüpfen *v/i sep aux sein* to slip through

durchschmuggeln *v/t sep* to smuggle through

durchschneiden *v/t sep irr* to cut through; ***etw mitten ~*** to cut sth in two

Durchschnitt *m* average; ***im ~*** on average; ***im ~ 100 km/h fahren*** to average 100 kmph; ***über/unter dem ~*** above/ below average **durchschnittlich** ['dʊrçʃnɪtlɪç] **I** *adj* average **II** *adv* on (an) average; ***~ begabt/groß*** *etc* of average ability/height *etc* **Durchschnittswert** *m* average value

Durchschrift *f* (carbon) copy

durchschwimmen [dʊrç'ʃvɪmən] *past part* **durchschwommen** [dʊrç'ʃvɔmən] *v/t insep irr* to swim through; *Strecke* to swim

durchsehen *sep irr* **I** *v/i* (≈ *hindurchschauen*) to look through **II** *v/t* **1.** (≈ *überprüfen*) ***etw ~*** to look sth through **2.** (*durch etw hindurch*) to see through

durchsetzen[1] ['dʊrçzɛtsn] *sep* **I** *v/t Maßnahmen*, *Plan* to carry through; *Forderung* to push through; *Ziel* to achieve; ***etw bei jdm ~*** to get sb to agree to sth; ***seinen Willen*** (***bei jdm***) ***~*** to get one's (own) way (with sb) **II** *v/r* **1.** (*Mensch*) to assert oneself; (*Partei etc*) to win through; ***sich mit etw ~*** to be successful with sth **2.** (*Neuheit*) to be (generally) accepted

durchsetzen[2] [dʊrç'zɛtsn] *past part* **durchsetzt** *v/t insep* ***etw mit etw ~*** to intersperse sth with sth

Durchsetzung ['dʊrçzɛtsʊŋ] *f* ⟨-, *no pl*⟩ (*von Maßnahmen, Plan*) carrying through; (*von Forderung*) pushing through; (*von Ziel*) achievement

Durchsetzungsvermögen *nt*, *no pl* ability to assert oneself

Durchseuchung [dʊrç'zɔyçʊŋ] *f* ⟨-, -*en*⟩ spread of infection

Durchsicht *f* examination; ***bei ~ der Bücher*** on checking the books **durchsichtig** [-zɪçtɪç] *adj* transparent

durchsickern *v/i sep aux sein* to trickle through; (*fig*) to leak out; ***Informationen ~ lassen*** to leak information

durchspielen *v/t sep Szene* to play through; *Rolle* to act through; (*fig*) to go through

durchsprechen *sep irr v/t Problem* to talk over

durchstarten *sep* **I** *v/i* (AUTO: *beim Anfahren*) to rev up **II** *v/t Motor*, *Auto* to rev (up)

durchstechen *v/t sep irr Ohren* to pierce

durchstecken *v/t sep* to put through

durchstehen ['dʊrçʃte:ən] *sep v/t irr Zeit*, *Prüfung* to get through; *Krankheit* to pull through; *Qualen* to (with)stand; *Situation* to get through

durchstellen *v/t sep* to put through

durchstieren ['dʊrçʃti:rən] *v/t sep* (*Swiss* ≈ *durchdrücken*) to push through

durchstöbern [dʊrç'ʃtø:bɐn] *past part* **durchstöbert** *v/t insep* to rummage through (*nach* for)

durchstoßen[1] [dʊrç'ʃto:sn] *past part* **durchstoßen** *v/t insep irr* to break through

durchstoßen[2] ['dʊrçʃto:sn] *sep irr v/t* ***etw*** (***durch etw***) ***~*** to push sth through (sth)

durchstreichen *v/t sep irr* to cross out

durchstreifen [dʊrç'ʃtraifn] *past part* **durchstreift** *v/t insep* (*elev*) to roam *or* wander through

durchsuchen *past part* ***durchsucht*** *v/t insep* to search (*nach* for) **Durchsuchung** *f* ⟨**-, -en**⟩ search **Durchsuchungsbefehl** *m* search warrant
durchtrainieren *past part* ***durchtrainiert*** *sep v/t* to get fit; (***gut***) ***durchtrainiert*** *Sportler* completely fit
durchtrennen ['dʊrçtrɛnən] *v/t sep Stoff* to tear (through); (≈ *schneiden*) to cut (through); *Nerv, Sehne* to sever
durchtreten *sep irr* **I** *v/t Pedal* to step on **II** *v/i* (AUTO ≈ *Gas geben*) to step on the accelerator; (*Radfahrer*) to pedal (hard)
durchtrieben [dʊrç'tri:bn] *adj* cunning
durchwachsen [dʊrç'vaksn] *adj* **1.** *Speck* streaky; *Schinken* with fat running through (it) **2.** *pred* (*hum infml* ≈ *mittelmäßig*) so-so (*infml*)
Durchwahl *f* TEL direct dialling **durchwählen** *v/i sep* to dial direct; ***nach London ~*** to dial London direct **Durchwahlnummer** *f* dialling code (*Br*), dial code (*US*); (*in Firma*) extension
durchwandern *past part* ***durchwandert*** *v/t insep Gegend* to walk through
durchweg ['dʊrçvɛk, dʊrç'vɛk] *adv* (≈ *ausnahmslos*) without exception; (≈ *in jeder Hinsicht*) in every respect
durchweichen *sep v/t Kleidung, jdn* to soak; *Boden, Karton* to make soggy
durchwühlen [dʊrç'vy:lən] *past part* ***durchwühlt*** *insep v/t* to rummage through
durchziehen[1] ['dʊrçtsi:ən] *sep irr* **I** *v/t* **1.** to pull through **2.** (*infml* ≈ *erledigen*) to get through **II** *v/i aux sein* (≈ *durchkommen*) to pass through; (*Truppe*) to march through **III** *v/r* to run through (*durch etw* sth)
durchziehen[2] [dʊrç'tsi:ən] *past part* ***durchzogen*** [dʊrç'tso:gn] *v/t insep irr* (≈ *durchwandern*) to pass through; (*fig*: *Thema*) to run through; (*Geruch*) to fill
durchzucken [dʊrç'tsʊkn] *past part* ***durchzuckt*** *v/t insep* (*Blitz*) to flash across; (*fig*: *Gedanke*) to flash through
Durchzug *m, no pl* (≈ *Luftzug*) draught (*Br*), draft (*US*); ***~ machen*** (*zur Lüftung*) to get the air moving
durchzwängen *sep v/r* to force one's way through
dürfen ['dʏrfn] *pret* ***durfte*** ['dʊrftə], *past part* ***gedurft*** *or* (*bei modal aux vb*) ***dürfen*** [gə'dʊrft, 'dʏrfn] *v/i, modal aux* **1.** ***etw tun ~*** to be allowed to do sth; ***darf ich? — ja, Sie ~*** may I? — yes, you may; ***hier darf man nicht rauchen*** smoking is prohibited here; ***die Kinder ~ hier nicht spielen*** the children aren't allowed to play here; ***das darf doch nicht wahr sein!*** that can't be true! **2.** ***darf ich Sie bitten, das zu tun?*** could I ask you to do that?; ***was darf es sein?*** can I help you?; (*vom Gastgeber gesagt*) what can I get you?; ***ich darf wohl sagen, dass ...*** I think I can say that ...; ***man darf doch wohl fragen*** one can ask, surely?; ***das dürfte Emil sein*** that must be Emil; ***das dürfte reichen*** that should be enough
dürftig ['dʏrftɪç] **I** *adj* **1.** (≈ *ärmlich*) wretched; *Essen* meagre (*Br*), meager (*US*) **2.** (*pej* ≈ *unzureichend*) *Kenntnisse* sketchy; *Ersatz* poor *attr*; *Bekleidung* skimpy **II** *adv* (≈ *kümmerlich*) *beleuchtet* poorly; *gekleidet* scantily
dürr [dʏr] *adj* **1.** (≈ *trocken*) dry; *Boden* arid **2.** (*pej* ≈ *mager*) scrawny **3.** (*fig* ≈ *knapp*) *Auskunft* meagre (*Br*), meager (*US*) **Dürre** ['dʏrə] *f* ⟨**-, -n**⟩ drought **Dürreperiode** *f* (period of) drought; (*fig*) barren period
Durst [dʊrst] *m* ⟨**-(e)s**, *no pl*⟩ thirst (*nach* for); ***~ haben*** to be thirsty; ***~ bekommen*** to get thirsty; ***das macht ~*** that makes you thirsty; ***ein Glas über den ~ getrunken haben*** (*infml*) to have had one too many (*infml*) **dürsten** ['dʏrstn] *v/t & v/i impers* (*elev*) ***es dürstet ihn nach ...*** he thirsts for ... **durstig** ['dʊrstɪç] *adj* thirsty **durstlöschend** *adj* thirst-quenching **Durststrecke** *f* hard times *pl*
Durtonleiter *f* major scale
Dusche ['dʊʃə] *f* ⟨**-, -n**⟩ shower; ***unter der ~ sein*** *or* ***stehen*** to be in the shower **duschen** ['dʊʃn] *v/i & v/r* to have a shower; (***sich***) ***kalt ~*** to have a cold shower **Duschgel** *nt* shower gel **Duschkabine** *f* shower (cubicle) **Duschvorhang** *m* shower curtain
Düse ['dy:zə] *f* ⟨**-, -n**⟩ nozzle
Dusel ['du:zl] *m* ⟨**-s**, *no pl*⟩ (*infml* ≈ *Glück*) luck; ***~ haben*** to be lucky
düsen ['dy:zn] *v/i aux sein* (*infml*) to dash; (*mit Flugzeug*) to jet **Düsenantrieb** *m* jet propulsion **Düsenflugzeug** *nt* jet **Düsenjäger** *m* MIL jet fighter **Düsentriebwerk** *nt* jet power-unit
Dussel ['dʊsl] *m* ⟨**-s, -**⟩ (*infml*) dope

(*infml*) **dụss(e)lig** ['dʊslɪç] (*infml*) *adj* stupid; ***sich ~ verdienen*** to make a killing (*infml*); ***sich ~ arbeiten*** to work like a horse
d̲ü̲ster ['dy:stɐ] *adj* gloomy; *Miene, Stimmung* dark
Dụtzend ['dʊtsnt] *nt* ⟨**-s, -e** [-də]⟩ dozen; ***zwei/drei ~*** two/three dozen; ***~(e) Mal*** dozens of times **dụtzendfach** *adv* in dozens of ways **Dụtzendware** *f* (*pej*) ***~n*** (cheap) mass-produced goods **dụtzendweise** *adv* by the dozen
d̲u̲zen ['du:tsn] *v/t* to address with the familiar "du"-form; ***wir ~ uns*** we use "du" (to each other)
DVD [de:fau'de:] *f* ⟨**-, -s**⟩ *abbr of* ***Digital Versatile Disc*** DVD **DVD-Brenner** *m* DVD recorder *or* writer **DVD-Player** [de:fau'de:ple:ʌ] *m* ⟨**-s, -**⟩ DVD player **DVD-Rekorder, DVD-Recorder** *m* DVD recorder **DVD-Spieler** *m* DVD player
Dyn̲a̲mik [dy'na:mɪk] *f* ⟨**-**, *no pl*⟩ PHYS dynamics *sg*; (*fig*) dynamism **Dyn̲a̲miker** [dy'na:mikɐ] *m* ⟨**-s, -**⟩, **Dyn̲a̲mikerin** [-ərɪn] *f* ⟨**-, -nen**⟩ go-getter **dyn̲a̲misch** [dy'na:mɪʃ] **I** *adj* dynamic; *Renten* ≈ index-linked **II** *adv* (≈ *schwungvoll*) dynamically
Dynam̲i̲t [dyna'mi:t] *nt* ⟨**-s**, *no pl*⟩ dynamite
Dyn̲a̲mo [dy'na:mo, 'dy:namo] *m*/(*f*) ⟨**-s, -s**⟩ dynamo
Dynast̲i̲e [dynas'ti:] *f* ⟨**-, -n** [-'ti:ən]⟩ dynasty
D-Zug ['de:-] *m* express train

E

E, e [e:] *nt* ⟨**-, -**⟩ E, e
Ẹbbe ['ɛbə] *f* ⟨**-, -n**⟩ low tide; ***~ und Flut*** the tides; ***es ist ~*** it's low tide; ***in meinem Geldbeutel ist ~*** my finances are at a pretty low ebb at the moment
e̲ben ['e:bn] **I** *adj* (≈ *glatt*) smooth; (≈ *gleichmäßig*) even; (≈ *gleich hoch*) level; (≈ *flach*) flat **II** *adv* **1.** (≈ *soeben*) just; ***ich gehe ~ zur Bank*** I'll just pop to (*Br*) *or* by (*US*) the bank (*infml*) **2.** ***(na) ~!*** exactly!; ***das ist es ja ~!*** that's just it!; ***nicht ~ billig/viel*** *etc* not exactly cheap/a lot *etc*; ***das reicht so ~ aus*** it's only just enough **3.** (≈ *nun einmal, einfach*) just; ***dann bleibst du ~ zu Hause*** then you'll just have to stay at home **E̲benbild** *nt* image; ***dein ~*** the image of you; ***das genaue ~ seines Vaters*** the spitting image of his father **e̲benbürtig** ['e:bnbyrtɪç] *adj* (≈ *gleichwertig*) equal; *Gegner* evenly matched; ***jdm an Kraft ~ sein*** to be sb's equal in strength; ***wir sind einander ~*** we are equal(s) **E̲bene** ['e:bənə] *f* ⟨**-, -n**⟩ (≈ *Tiefebene*) plain; (≈ *Hochebene*) plateau; MAT, PHYS plane; (*fig*) level; ***auf höchster ~*** (*fig*) at the highest level **e̲benerdig** *adj* at ground level **e̲benfalls** *adv* likewise; (*bei Verneinungen*) either; ***danke, ~!*** thank you, the same to you! **E̲benholz** *nt* ebony **e̲benso** ['e:bnzo:] *adv* (≈ *genauso*) just as; (≈ *auch, ebenfalls*) as well; ***ich mag sie ~ gern*** I like her just as much; ***~ gut*** (just) as well; ***~ oft*** just as often; ***~ sehr*** just as much
E̲ber ['e:bɐ] *m* ⟨**-s, -**⟩ boar
E̲beresche *f* rowan
e̲bnen ['e:bnən] *v/t* to level (off); ***jdm den Weg ~*** (*fig*) to smooth the way for sb
Ẹcho ['ɛço] *nt* ⟨**-s, -s**⟩ echo; ***ein lebhaftes ~ finden*** (*fig*) to meet with a lively *or* positive response (*bei* from) **Ẹcholot** ['ɛçolo:t] *nt* NAUT echo sounder; AVIAT sonic altimeter
Echse ['ɛksə] *f* ⟨**-, -n**⟩ ZOOL lizard
ẹcht [ɛçt] **I** *adj, adv* real; *Unterschrift, Geldschein* genuine; ***das Gemälde war nicht ~*** the painting was a forgery; ***ein ~er Bayer*** a real Bavarian **II** *adv* **1.** (≈ *typisch*) typically **2.** (*infml* ≈ *wirklich*) really; ***der spinnt doch ~*** he must be out of his mind **ẹchtgolden** *adj Ring* real gold *pred* **Ẹchtheit** *f* ⟨**-**, *no pl*⟩ genuineness **ẹchtsilbern** *adj Ring* real silver *pred* **Ẹchtzeit** *f* IT real time
Ẹckball *m* SPORTS corner; ***einen ~ geben*** to give a corner **Ẹckbank** *f*, *pl* **-bänke** corner seat **Ẹckdaten** *pl* key figures *pl*
Ẹcke ['ɛkə] *f* ⟨**-, -n**⟩ **1.** corner; (≈ *Kante*) edge; ***Kantstraße ~ Goethestraße*** at the corner of Kantstraße and Goethestraße; ***er wohnt gleich um die***

~ he lives just (a)round the corner; ***an allen ~n und Enden sparen*** to pinch and scrape (*infml*); ***jdn um die ~ bringen*** (*infml*) to bump sb off (*infml*); ***~n und Kanten*** (*fig*) rough edges **2.** (*infml*) (≈ *Gegend*) corner; (*von Stadt*) area; ***eine ganze ~ entfernt*** quite a (long) way away **Eckfahne** *f* SPORTS corner flag **eckig** ['ɛkɪç] *adj* angular; *Tisch*, *Klammer* square; (≈ *spitz*) sharp **-eckig** *adj suf* (*fünf- und mehreckig*) -cornered **Ecklohn** *m* basic rate of pay **Eckpfeiler** *m* corner pillar; (*fig*) cornerstone **Eckpfosten** *m* corner post **Eckstoß** *m* SPORTS corner **Eckzahn** *m* canine tooth **Eckzins** *m* FIN base rate

E-Commerce ['iːˈkɔmɛrs] *m* ⟨-⟩ e-commerce

Economyklasse [i'kɔnəmɪ-] *f* economy class

Ecstasy ['ɛkstəzi] *nt* ⟨-, *no pl*⟩ (≈ *Droge*) ecstasy

Ecuador [ekua'doːɐ] *nt* ⟨**-s**⟩ Ecuador

Edamer (Käse) ['eːdamɐ] *m* ⟨**-s, -**⟩ Edam (cheese)

edel ['eːdl] *adj* noble; (≈ *hochwertig*) precious; *Speisen*, *Wein* fine **Edelgas** *nt* rare gas **Edelkitsch** *m* (*iron*) pretentious rubbish **Edelmetall** *nt* precious metal **Edelstahl** *m* high-grade steel **Edelstein** *m* precious stone **Edelweiß** ['eːdlvais] *nt* ⟨**-(es), -e**⟩ edelweiss

editieren [edi'tiːrən] *past part* **editiert** *v/t* to edit **Editor** ['ɛditoːɐ] *m* ⟨**-s, -en** [-'toːrən]⟩ IT editor

Edutainment [edu'teːnmənt] *nt* ⟨**-s**, *no pl*⟩ edutainment

EDV [eːdeː'fau] *f* ⟨-⟩ *abbr of* ***elektronische Datenverarbeitung*** EDP **EDV-Anlage** *f* EDP system

EEG [eː|eː'geː] *nt* ⟨**-, -s**⟩ *abbr of* ***Elektroenzephalogramm*** EEG

Efeu ['eːfɔy] *m* ⟨**-s**, *no pl*⟩ ivy

Effeff [ɛf'|ɛf, 'ɛf'|ɛf, 'ɛf|ɛf] *nt* ⟨-, *no pl*⟩ (*infml*) ***etw aus dem ~ können*** to be able to do sth standing on one's head (*infml*); ***etw aus dem ~ kennen*** to know sth inside out

Effekt [ɛ'fɛkt] *m* ⟨**-(e)s, -e**⟩ effect **Effekten** [ɛ'fɛktn] *pl* FIN stocks and bonds *pl* **Effektenbörse** *f* stock exchange **Effektenhandel** *m* stock dealing **Effektenmakler(in)** *m*/(*f*) stockbroker **Effektenmarkt** *m* stock market **Effekthascherei** [-haʃə'rai] *f* ⟨**-, -en**⟩ (*infml*) cheap showmanship **effektiv** [ɛfɛk'tiːf] **I** *adj* effective; (≈ *tatsächlich*) actual **II** *adv* (≈ *bestimmt*) actually **Effektivität** [ɛfɛktivi'tɛːt] *f* ⟨-, *no pl*⟩ effectiveness **Effektivlohn** *m* actual wage **effektvoll** *adj* effective

effizient [ɛfi'tsiɛnt] **I** *adj* efficient **II** *adv* efficiently **Effizienz** [ɛfi'tsiɛnts] *f* ⟨**-, -en**⟩ efficiency

EG [eː'geː] *f* ⟨-⟩ *abbr of* ***Europäische Gemeinschaft*** EC

egal [e'gaːl] *adj*, *adv pred* ***das ist ~*** that doesn't matter; ***das ist mir ganz ~*** it's all the same to me; (≈ *es kümmert mich nicht*) I don't care; ***~ ob/wo/wie*** no matter whether/where/how; ***ihm ist alles ~*** he doesn't care about anything

Egel ['eːgl] *m* ⟨**-s, -**⟩ ZOOL leech

Egge ['ɛgə] *f* ⟨**-, -n**⟩ AGR harrow

Ego ['eːgo] *nt* ⟨**-s, -s**⟩ PSYCH ego **Egoismus** [ego'ɪsmʊs] *m* ⟨**-, *Egoismen*** [-mən]⟩ ego(t)ism **Egoist** [ego'ɪst] *m* ⟨**-en, -en**⟩, **Egoistin** [-'ɪstɪn] *f* ⟨**-, -nen**⟩ ego(t)ist **egoistisch** [ego'ɪstɪʃ] **I** *adj* ego(t)istical **II** *adv* ego(t)istically **Egotrip** ['eːgo-] *m* (*infml*) ego trip (*infml*) **egozentrisch** [ego'tsɛntrɪʃ] *adj* egocentric

eh [eː] **I** *int* hey **II** *cj* = **ehe III** *adv* **1.** (≈ *früher, damals*) ***seit eh und je*** for ages (*infml*); ***wie eh und je*** just as before **2.** (≈ *sowieso*) anyway

ehe ['eːə] *cj* (≈ *bevor*) before

Ehe ['eːə] *f* ⟨**-, -n**⟩ marriage; ***er versprach ihr die ~*** he promised to marry her; ***eine glückliche ~ führen*** to have a happy marriage; ***die ~ brechen*** (*form*) to commit adultery; ***sie hat drei Kinder aus erster ~*** she has three children from her first marriage; ***~ ohne Trauschein*** common-law marriage **eheähnlich** *adj* (*form*) ***in einer ~en Gemeinschaft leben*** to cohabit (*form*) **Eheberater(in)** *m*/(*f*) marriage guidance counsellor (*Br*) *or* counselor (*US*) **Eheberatung** *f* (≈ *Stelle*) marriage guidance council **Ehebett** *nt* marital bed **ehebrechen** *v/i inf only* to commit adultery **Ehebrecher** *m* adulterer **Ehebrecherin** [-brɛçərɪn] *f* ⟨**-, -nen**⟩ adulteress **Ehebruch** *m* adultery **Ehefrau** *f* wife **Ehekrach** *m* marital row **Ehekrise** *f* marital crisis **Eheleute** *pl* (*form*) married couple **ehelich** ['eːəlɪç] *adj* marital; *Kind* legitimate

ehemalig ['eːəmaːlɪç] *adj attr* former; ***ein ~er Häftling*** an ex-convict; ***mein Ehemaliger/meine Ehemalige*** (*hum infml*) my ex (*infml*) **ehemals** ['eːəmals] *adv* (*form*) formerly

Ehemann *m, pl* ***-männer*** husband **Ehepaar** *nt* (married) couple **Ehepartner(in)** *m/(f)* (≈ *Ehemann*) husband; (≈ *Ehefrau*) wife; ***beide ~*** both partners (in the marriage)

eher ['eːɐ] *adv* **1.** (≈ *früher*) earlier; ***je ~, desto lieber*** the sooner the better **2.** (≈ *lieber*) rather; (≈ *wahrscheinlicher*) more likely; (≈ *leichter*) more easily; ***alles ~ als das!*** anything but that!; ***umso ~, als*** (all) the more because **3.** (≈ *vielmehr*) more; ***er ist ~ faul als dumm*** he's more lazy than stupid

Ehering *m* wedding ring **Eheschließung** *f* marriage ceremony **Ehestand** *m, no pl* matrimony

eheste(r, s) ['eːəstə] *adv* ***am ~n*** (≈ *am liebsten*) best of all; (≈ *am wahrscheinlichsten*) most likely; (≈ *am leichtesten*) the easiest; (≈ *zuerst*) first

Ehestreit *m* marital row **Ehevertrag** *m* prenuptial agreement

ehrbar *adj* (≈ *achtenswert*) respectable; (≈ *ehrenhaft*) honourable (*Br*), honorable (*US*); *Beruf* reputable **Ehre** ['eːrə] *f* ⟨-, -*n*⟩ honour (*Br*), honor (*US*); ***jdm ~ machen*** to do sb credit; ***sich*** (*dat*) ***etw zur ~ anrechnen*** to count sth an hono(u)r; ***mit wem habe ich die ~?*** (*iron, form*) with whom do I have the pleasure of speaking? (*form*); ***es ist mir eine besondere ~, ...*** (*form*) it is a great hono(u)r for me ...; ***zu ~n*** (*+gen*) in hono(u)r of **ehren** ['eːrən] *v/t* to honour (*Br*), to honor (*US*); ***etw ehrt jdn*** sth does sb credit; ***Ihr Vertrauen ehrt mich*** I am hono(u)red by your trust **Ehrenamt** *nt* honorary office **ehrenamtlich I** *adj* honorary; *Helfer, Tätigkeit* voluntary **II** *adv* in an honorary capacity **Ehrenbürger(in)** *m/(f)* honorary citizen; ***er wurde zum ~ der Stadt ernannt*** he was given the freedom of the city **Ehrendoktor(in)** *m/(f)* honorary doctor **Ehrengast** *m* guest of honour (*Br*) *or* honor (*US*) **ehrenhaft** *adj* honourable (*Br*), honorable (*US*) **Ehrenmal** *nt, pl* ***-male*** *or* ***-mäler*** memorial **Ehrenmann** *m, pl* ***-männer*** man of honour (*Br*) *or* honor (*US*) **Ehrenmitglied** *nt* honorary member **Ehrenplatz** *m* place of honour (*Br*) *or* honor (*US*) **Ehrenrechte** *pl* JUR civil rights *pl*; ***bürgerliche ~*** civil rights **Ehrenrettung** *f, no pl* retrieval of one's honour (*Br*) *or* honor (*US*) **Ehrenrunde** *f* SPORTS lap of honour (*Br*) *or* honor (*US*) **Ehrensache** *f* matter of honour (*Br*) *or* honor (*US*) **Ehrentitel** *m* honorary title **Ehrenwache** *f* guard of honour (*Br*) *or* honor (*US*) **ehrenwert** *adj* honourable (*Br*), honorable (*US*) **Ehrenwort** *nt, pl* ***-worte*** word of honour (*Br*) *or* honor (*US*); ***(großes) ~!*** (*infml*) cross my heart (and hope to die)! (*infml*) **ehrerbietig** ['eːɐ|ɛɐbiːtɪç] *adj* respectful, deferential

Ehrfurcht *f* great respect (*vor +dat* for); (≈ *fromme Scheu*) reverence (*vor +dat* for); ***vor jdm ~ haben*** to respect/revere sb; ***~ gebietend*** awe-inspiring **ehrfürchtig** [-fʏrçtɪç] *adj* reverent; *Distanz* respectful **Ehrgefühl** *nt* sense of honour (*Br*) *or* honor (*US*) **Ehrgeiz** *m* ambition **ehrgeizig** *adj* ambitious

ehrlich ['eːɐlɪç] **I** *adj* honest; *Absicht* sincere; ***~ währt am längsten*** (*prov*) honesty is the best policy (*prov*) **II** *adv* **1.** ***~ verdientes Geld*** hard-earned money; ***~ teilen*** to share fairly; ***~ gesagt ...*** quite frankly ...; ***er meint es ~ mit uns*** he is being honest with us **2.** (≈ *wirklich*) honestly; ***ich bin ~ begeistert*** I'm really thrilled; ***~!*** honestly! **Ehrlichkeit** *f* ⟨-, *no pl*⟩ honesty; (*von Absicht*) sincerity **ehrlos** *adj* dishonourable (*Br*), dishonorable (*US*) **Ehrung** ['eːrʊŋ] *f* ⟨-, -*en*⟩ honour (*Br*), honor (*US*) **ehrwürdig** ['eːɐvʏrdɪç] *adj* venerable

Ei [ai] *nt* ⟨-(*e*)*s*, -*er*⟩ **1.** egg; ***jdn wie ein rohes Ei behandeln*** (*fig*) to handle sb with kid gloves; ***wie auf Eiern gehen*** (*infml*) to step gingerly; ***sie gleichen sich wie ein Ei dem anderen*** they are as alike as two peas (in a pod) **2.** (*sl*) (≈ *Hoden*) **Eier** *pl* balls *pl* (*sl*)

Eibe ['aibə] *f* ⟨-, -*n*⟩ BOT yew

Eiche ['aiçə] *f* ⟨-, -*n*⟩ oak

Eichel ['aiçl] *f* ⟨-, -*n*⟩ **1.** BOT acorn **2.** ANAT glans **Eichelhäher** *m* jay

eichen *v/t* to calibrate

Eichenlaub *nt* oak leaves *pl*

Eichhörnchen *nt, nt* ⟨-*s*, -⟩ squirrel

Eichstrich *m* official calibration; (*an Gläsern*) line measure **Eichung** ['aiçʊŋ] *f* ⟨-, -*en*⟩ calibration

Eid [ait] *m* ⟨-(*e*)*s*, -*e* [-də]⟩ oath; ***einen ~***

ablegen *or* ***schwören*** to take *or* swear an oath; ***unter ~*** under oath
Eidechse ['aidɛksə] *f* ZOOL lizard
eidesstattlich I *adj* ***eine ~e Erklärung abgeben*** to make a declaration in lieu of an oath **II** *adv* ***etw ~ erklären*** to declare sth in lieu of an oath **Eidgenosse** ['ait-] *m*, **Eidgenossin** *f* confederate; (≈ *Schweizer Eidgenosse*) Swiss citizen **Eidgenossenschaft** *f* confederation; ***Schweizerische ~*** Swiss Confederation
eidgenössisch [-gənœsɪʃ] *adj* confederate; (≈ *schweizerisch*) Swiss **eidlich** ['aitlɪç] **I** *adj* ***~e Erklärung*** declaration under oath **II** *adv* under oath
Eidotter *m or nt* egg yolk **Eierbecher** *m* eggcup **Eierkocher** *m* egg boiler **Eierkopf** *m* (*hum infml* ≈ *Intellektueller*) egghead (*infml*), boffin (*esp Br infml*) **Eierlaufen** *nt* ⟨**-s**, *no pl*⟩ egg and spoon race **Eierlikör** *m* advocaat **Eierlöffel** *m* eggspoon **eiern** ['aiɐn] *v/i* (*infml*) to wobble **Eierschale** *f* eggshell **eierschalenfarben** [-farbn] *adj* off-white **Eierschwamm** *m*, **Eierschwammerl** *nt* ⟨**-s, -**⟩ (*Aus, Swiss* ≈ *Pfifferling*) chanterelle **Eierspeise** *f* egg dish **Eierstock** *m* ANAT ovary **Eieruhr** *f* egg timer
Eifer ['aifɐ] *m* ⟨**-s**, *no pl*⟩ (≈ *Begeisterung*) enthusiasm; (≈ *Eifrigkeit*) eagerness; ***mit ~*** enthusiastically; ***im ~ des Gefechts*** (*fig infml*) in the heat of the moment **Eifersucht** *f* jealousy (*auf +acc* of); ***aus/vor ~*** out of/for jealousy **eifersüchtig** *adj* jealous (*auf +acc* of)
eiförmig *adj* egg-shaped
eifrig ['aifrɪç] **I** *adj* eager; *Leser, Sammler* keen **II** *adv* *üben* religiously; *an die Arbeit gehen* enthusiastically; ***~ bemüht sein*** to make a sincere effort
Eigelb *nt* ⟨**-s, -e** *or* (*bei Zahlenangabe*) **-**⟩ egg yolk
eigen ['aign] *adj* **1.** own; (≈ *selbstständig*) separate; ***Zimmer mit ~em Eingang*** room with its own entrance; ***sich*** (*dat*) ***etw zu ~ machen*** to adopt sth; (≈ *zur Gewohnheit machen*) to make a habit of sth **2.** (≈ *typisch*) typical; ***das ist ihm ~*** that is typical of him **3.** (≈ *seltsam*) strange **4.** (≈ *übergenau*) fussy; ***in Gelddingen ist er sehr ~*** he is very particular about money matters **Eigenart** *f* (≈ *Besonderheit*) peculiarity; (≈ *Eigenschaft*) characteristic **eigenartig I** *adj* peculiar **II** *adv* peculiarly; ***~ aussehen*** to look strange **eigenartigerweise** *adv* strangely *or* oddly enough **Eigenbedarf** *m* (*von Mensch*) personal use; (*von Staat*) domestic requirements *pl* **Eigenbeteiligung** *f* INSUR own share, excess (*Br*) **Eigenbrötler** ['aignbrøːtlɐ] *m* ⟨**-s, -**⟩, **Eigenbrötlerin** [-ərɪn] *f* ⟨**-, -nen**⟩ (*infml*) loner; (≈ *komischer Kauz*) queer fish (*infml*) **Eigengewicht** *nt* (*von Lkw etc*) unladen weight; COMM net weight; SCI dead weight **eigenhändig I** *adj* *Brief, Unterschrift etc* in one's own hand; *Übergabe* personal **II** *adv* oneself **Eigenheim** *nt* one's own home **Eigenheit** ['aignhait] *f* ⟨**-, -en**⟩ = ***Eigenart*** **Eigeninitiative** *f* initiative of one's own **Eigenkapital** *nt* (*von Person*) personal capital; (*von Firma*) company capital **Eigenleben** *nt*, *no pl* one's own life **eigenmächtig I** *adj* (≈ *selbstherrlich*) high-handed; (≈ *eigenverantwortlich*) taken/done *etc* on one's own authority; (≈ *unbefugt*) unauthorized **II** *adv* high-handedly; (entirely) on one's own authority; without any authorization **Eigenname** *m* proper name **Eigennutz** [-nʊts] *m* ⟨**-es**, *no pl*⟩ self-interest **eigennützig** [-nʏtsɪç] *adj* selfish **eigens** ['aigns] *adv* (e)specially **Eigenschaft** ['aignʃaft] *f* ⟨**-, -en**⟩ (≈ *Attribut*) quality; CHEM, PHYS *etc* property; (≈ *Merkmal*) characteristic; (≈ *Funktion*) capacity **Eigenschaftswort** *nt*, *pl* **-wörter** adjective **Eigensinn** *m*, *no pl* stubbornness **eigensinnig** *adj* stubborn **eigenständig** *adj* original; (≈ *unabhängig*) independent **Eigenständigkeit** [-ʃtɛndɪçkait] *f* ⟨**-**, *no pl*⟩ originality; (≈ *Unabhängigkeit*) independence
eigentlich ['aigntlɪç] **I** *adj* (≈ *wirklich, tatsächlich*) real; *Wert* true; ***im ~en Sinne des Wortes ...*** in the original meaning of the word ... **II** *adv* actually; (≈ *tatsächlich, wirklich*) really; ***was willst du ~ hier?*** what do you want here anyway?; ***~ müsstest du das wissen*** you should really know that
Eigentor *nt* (SPORTS, *fig*) own goal; ***ein ~ schießen*** to score an own goal **Eigentum** ['aigntuːm] *nt* ⟨**-s**, *no pl*⟩ property **Eigentümer** ['aigntyːmɐ] *m* ⟨**-s, -**⟩, **Eigentümerin** [-ərɪn] *f* ⟨**-, -nen**⟩ owner **eigentümlich** ['aigntyːmlɪç] *adj* (≈ *sonderbar, seltsam*) strange **Eigentümlichkeit** *f* ⟨**-, -en**⟩ **1.** (≈ *Besonderheit*) charac-

teristic **2.** (≈ *Eigenheit*) peculiarity **Eigentumsdelikt** *nt* JUR *offence against property* **Eigentumsrecht** *nt* right of ownership **Eigentumsverhältnisse** *pl* distribution *sg* of property **Eigentumswohnung** *f* owner-occupied flat (*Br*), ≈ condominium (*US*) **eigenverantwortlich I** *adj* autonomous **II** *adv* on one's own authority **Eigenverantwortung** *f* autonomy; ***in ~*** *entscheiden etc* on one's own responsibility **eigenwillig** *adj* with a mind of one's own; (≈ *eigensinnig*) self-willed; (≈ *unkonventionell*) unconventional

eignen ['aignən] *v/r* to be suitable (*für, zu* for, *als* as); ***er würde sich nicht zum Lehrer ~*** he wouldn't make a good teacher; → ***geeignet*** **Eignung** ['aignʊŋ] *f* ⟨***-, -en***⟩ suitability; (≈ *Befähigung*) aptitude **Eignungstest** *m* aptitude test

Eilauftrag *m* rush order **Eilbote** *m*, **Eilbotin** *f* messenger; ***per*** *or* ***durch ~n*** express **Eilbrief** *m* express letter **Eile** ['ailə] *f* ⟨***-,*** *no pl*⟩ hurry; ***in ~ sein*** to be in a hurry; ***damit hat es keine ~*** it's not urgent; ***in der ~*** in the hurry; ***nur keine ~!*** don't rush!

Eileiter *m* ANAT Fallopian tube

eilen ['ailən] **I** *v/i* **1.** *aux sein* to rush, to hurry; ***eile mit Weile*** (*prov*) more haste less speed (*prov*) **2.** (≈ *dringlich sein*) to be urgent; ***eilt!*** (*auf Briefen etc*) urgent **II** *v/i impers* ***es eilt*** it's urgent **eilends** ['ailənts] *adv* hurriedly **eilig** ['ailɪç] *adj* **1.** (≈ *schnell*) hurried; ***es ~ haben*** to be in a hurry **2.** (≈ *dringend*) urgent **Eilpaket** *nt* express parcel **Eilsendung** *f* express delivery; ***~en*** *pl* express mail **Eiltempo** *nt* ***etw im ~ machen*** to do sth in a real rush

Eimer ['aimɐ] *m* ⟨***-s, -***⟩ bucket; (≈ *Mülleimer*) (rubbish) bin (*Br*), garbage can (*US*); ***ein ~ (voll) Wasser*** a bucket(ful) of water; ***im ~ sein*** (*infml*) to be up the spout (*Br infml*), to be down the drain (*US infml*) **eimerweise** *adv* by the bucket(ful)

ein[1] [ain] *adv* (*an Geräten*) ***Ein/Aus*** on/off; ***~ und aus gehen*** to come and go

ein[2], **eine**, **ein I** *num* one; ***~ Uhr*** one (o'clock); ***~ für alle Mal*** once and for all; ***~ und derselbe*** one and the same; ***er ist ihr Ein und Alles*** he means everything to her; → ***eins*** **II** *indef art* a; (*vor Vokalen*) an; → ***eine(r, s)***

Einakter ['ain|aktɐ] *m* ⟨***-s, -***⟩ THEAT one-act play

einander [ai'nandɐ] *pron* one another

einarbeiten *sep* **I** *v/r* to get used to the work **II** *v/t* **1.** *jdn* to train **2.** (≈ *einfügen*) to incorporate

einarmig *adj* one-armed; ***~er Bandit*** one-armed bandit

einäschern ['ain|ɛʃɐn] *v/t sep Leichnam* to cremate **Einäscherung** *f* ⟨***-, -en***⟩ (*von Leichnam*) cremation

einatmen *v/t & v/i sep* to breathe in

einäugig *adj* one-eyed

Einbahnstraße *f* one-way street

einbalsamieren *past part* ***einbalsamiert*** *v/t sep* to embalm

Einband *m, pl* ***-bände*** book cover

einbändig *adj* one-volume *attr*, in one volume

Einbau *m, pl* ***-bauten*** *no pl* (≈ *das Einbauen*) installation **einbauen** *v/t sep* to install; (*infml* ≈ *einfügen*) *Zitat etc* to work in; ***eingebaut*** built-in **Einbauküche** *f* (fully-)fitted kitchen **Einbaumöbel** *pl* fitted furniture **Einbauschrank** *m* fitted cupboard

einbegriffen ['ainbəgrɪfn] *adj* included

einbehalten *past part* ***einbehalten*** *v/t sep irr* to keep back

einberufen *past part* ***einberufen*** *v/t sep irr Parlament* to summon; *Versammlung* to convene; MIL to call up, to draft (*US*) **Einberufung** *f* **1.** (*einer Versammlung*) convention; (*des Parlaments*) summoning **2.** MIL conscription **Einberufungsbescheid** *m*, **Einberufungsbefehl** *m* MIL call-up *or* draft (*US*) papers *pl*

einbetonieren *past part* ***einbetoniert*** *v/t sep* to cement in (*in +acc* -to)

einbetten *v/t sep* to embed (*in +acc* in); → ***eingebettet***

Einbettzimmer *nt* single room

einbeziehen *past part* ***einbezogen*** *v/t sep irr* to include (*in +acc* in)

einbiegen *sep irr v/i aux sein* to turn (off) (*in +acc* into); ***du musst hier links ~*** you have to turn (off to the) left here

einbilden *v/t sep* **1.** (≈ *sich vorstellen*) ***sich*** (*dat*) ***etw ~*** to imagine sth; ***das bildest du dir nur ein*** that's just your imagination; ***bilde dir (doch) nichts ein!*** don't kid yourself! (*infml*); ***was bildest du dir eigentlich ein?*** what's got (*Br*) *or* gotten (*US*) into you? **2.** (≈ *stolz sein*)

sich (*dat*) ***viel auf etw*** (*acc*) **~** to be conceited about sth; ***darauf können Sie sich etwas ~!*** that's something to be proud of!; ***darauf brauchst du dir nichts einzubilden!*** that's nothing to be proud of; → ***eingebildet*** **Einbildung** *f* **1.** (≈ *Vorstellung*) imagination; (≈ *irrige Vorstellung*) illusion; ***das ist alles nur ~*** it's all in the mind **2.** (≈ *Dünkel*) conceit **Einbildungskraft** *f*, *no pl* (powers *pl* of) imagination

einbinden *v/t sep irr Buch* to bind; (*fig* ≈ *einbeziehen*) to integrate

einbläuen ['ainblɔyən] *v/t sep* (*infml*) ***jdm etw ~*** (*durch Schläge*) to beat sth into sb; (≈ *einschärfen*) to drum sth into sb

einblenden *sep* FILM, TV, RADIO *v/t* to insert; (*allmählich*) to fade in

Einblick *m* (*fig* ≈ *Kenntnis*) insight; ***~ in etw*** (*acc*) ***gewinnen*** to gain an insight into sth

einbrechen *sep irr* **I** *v/t Tür, Wand etc* to break down **II** *v/i* **1.** *aux sein* (≈ *einstürzen*) to fall in **2.** *aux sein or haben* (≈ *Einbruch verüben*) to break in; ***bei mir ist eingebrochen worden*** I've had a break-in **3.** *aux sein* (*Nacht*) to fall; (*Winter*) to set in **Einbrecher** *m* ⟨**-s, -**⟩, **Einbrecherin** [-ərɪn] *f* ⟨**-, -nen**⟩ burglar

einbringen *v/t sep irr* **1.** PARL *Gesetz* to introduce **2.** (≈ *Ertrag bringen*) *Geld, Nutzen* to bring in; *Ruhm* to bring; *Zinsen* to earn; ***das bringt nichts ein*** (*fig*) it's not worth it **3.** (≈ *beteiligen*) ***sich in etw*** (*acc*) **~** to play a part in sth

einbrocken ['ainbrɔkn] *v/t sep* ***jdm/sich etwas ~*** (*infml*) to land sb/oneself in it (*infml*)

Einbruch *m* **1.** (≈ *Einbruchdiebstahl*) burglary (*in +acc* in); ***der ~ in die Bank*** the bank break-in **2.** (*von Wasser*) penetration **3.** ***~ der Kurse/der Konjunktur*** FIN stock exchange/economic crash **4.** (*der Nacht*) fall; (*des Winters*) onset; ***bei ~ der Nacht/Dämmerung*** at nightfall/dusk **einbruchsicher** *adj* burglar-proof

einbürgern ['ainbʏrgɐn] *sep* **I** *v/t Person* to naturalize **II** *v/r* (*Brauch, Fremdwort*) to become established **Einbürgerung** *f* ⟨**-, -en**⟩ (*von Menschen*) naturalization

Einbuße *f* loss (*an +dat* to) **einbüßen** *sep* **I** *v/t* to lose; (*durch eigene Schuld*) to forfeit **II** *v/i* ***an Klarheit*** (*dat*) **~** to lose some of its clarity

einchecken *v/t & v/i sep* to check in (*an +dat* at)

eincremen ['ainkreːmən] *v/t sep* to put cream on

eindämmen *v/t sep Fluss* to dam; (*fig*) (≈ *vermindern*) to check; (≈ *im Zaum halten*) to contain

eindecken *sep* **I** *v/r* ***sich*** (***mit etw***) **~** to stock up (with sth) **II** *v/t* (*infml* ≈ *überhäufen*) to inundate; ***mit Arbeit eingedeckt sein*** to be snowed under with work

eindeutig ['aindɔytɪç] **I** *adj* clear; (≈ *nicht zweideutig*) unambiguous; *Witz* explicit **II** *adv* (≈ *klar*) clearly; (≈ *unmissverständlich*) unambiguously **Eindeutigkeit** *f* ⟨**-**, *no pl*⟩ clearness; (≈ *Unzweideutigkeit*) unambiguity

eindeutschen ['aindɔytʃn] *v/t sep* to Germanize

eindimensional *adj* one-dimensional

eindösen *v/i sep aux sein* (*infml*) to doze off

eindringen *v/i sep irr aux sein* **1.** (≈ *einbrechen*) ***in etw*** (*acc*) **~** to force one's way into sth **2.** (≈ *hineindringen*) ***in etw*** (*acc*) **~** to go into sth **3.** (≈ *bestürmen*) ***auf jdn ~*** to go for sb (*mit* with); (*mit Fragen, Bitten etc*) to besiege sb **eindringlich I** *adj* (≈ *nachdrücklich*) insistent; *Schilderung* vivid **II** *adv warnen* urgently **Eindringling** ['aindrɪŋlɪŋ] *m* ⟨**-s, -e**⟩ intruder

Eindruck *m*, *pl* **-drücke** impression; ***den ~ erwecken, als ob*** *or* ***dass ...*** to give the impression that ...; ***ich habe den ~, dass ...*** I have the impression that ...; ***großen ~ auf jdn machen*** to make a great impression on sb; ***er will ~*** (***bei ihr***) ***machen*** he's out to impress (her) **eindrücken** *sep v/t Fenster* to break; *Tür, Mauer* to push down; (≈ *einbeulen*) to dent **eindrucksvoll** *adj* impressive

eine ['ainə]; → ***ein***[2]; → ***eine***(***r, s***)

einebnen *v/t sep* to level

eineiig ['ain|aiɪç] *adj Zwillinge* identical

eineinhalb ['ain|ain'halp] *num* one and a half; → ***anderthalb***

Einelternteil)familie *f* single-parent family

einengen ['ain|ɛŋən] *v/t sep* (*lit*) to constrict; (*fig*) *Begriff, Freiheit* to restrict; ***jdn in seiner Freiheit ~*** to curb sb's freedom

Einer ['ainɐ] *m* ⟨**-s, -**⟩ **1.** MAT unit **2.** (≈ *Ru-*

derboot) single scull

eine(r, s) ['ainə] *indef pr* **1.** one; (≈ *jemand)* somebody; ***und das soll ~r glauben!*** *(infml)* and we're/you're meant to believe that! **2. *~s*** *(a.* **eins)** one thing; ***~s sag ich dir*** I'll tell you one thing

einerlei ['ainɐ'lai] *adj inv pred* (≈ *gleichgültig)* all the same; ***das ist mir ganz ~*** it's all the same to me **Einerlei** ['ainɐ'lai] *nt* ⟨**-s,** *no pl*⟩ monotony

einerseits ['ainɐzaits] *adv* ***~ ... andererseits ...*** on the one hand... on the other hand ...

einfach ['ainfax] **I** *adj* simple; *Fahrkarte, Fahrt* one-way, single *(Br)*; *Essen* plain; ***das ist nicht so ~ zu verstehen*** that is not so easy to understand **II** *adv* **1.** (≈ *schlicht)* simply **2.** (≈ *nicht doppelt)* once **3.** *(verstärkend* ≈ *geradezu)* simply **4.** (≈ *ohne Weiteres)* just **Einfachheit** *f* ⟨**-,** *no pl*⟩ simplicity; ***der ~ halber*** for the sake of simplicity

einfädeln *sep* **I** *v/t* **1.** *Nadel, Faden* to thread *(in +acc* through) **2.** *(infml) Intrige, Plan etc* to set up *(infml)* **II** *v/r* ***sich in eine Verkehrskolonne ~*** to filter into a stream of traffic

einfahren *sep irr* **I** *v/i aux sein* *(Zug, Schiff)* to come in *(in +acc* -to) **II** *v/t* **1.** *Fahrgestell* to retract **2.** (≈ *gewöhnen)* to break in; *Wagen* to run in *(Br)*, to break in *(US)* **3.** *Gewinne, Verluste* to make **Einfahrt** *f* **1.** *no pl* (≈ *das Einfahren)* entry *(in +acc* to); ***Vorsicht bei (der) ~ des Zuges!*** stand well back, the train is arriving **2.** (≈ *Eingang)* entrance; (≈ *Toreinfahrt)* entry; ***„Einfahrt freihalten"*** "keep clear"

Einfall *m* **1.** (≈ *Gedanke)* idea **2.** MIL invasion *(in +acc* of) **einfallen** *v/i sep irr aux sein* **1.** *(Gedanke)* ***jdm ~*** to occur to sb; ***jetzt fällt mir ein, wie/warum ...*** I've just thought of how/why ...; ***das fällt mir nicht im Traum ein!*** I wouldn't dream of it!; ***sich*** *(dat)* ***etw ~ lassen*** to think of sth; ***was fällt Ihnen ein!*** what are you thinking of! **2.** (≈ *in Erinnerung kommen)* ***jdm ~*** to come to sb; ***es fällt mir jetzt nicht ein*** I can't think of it at the moment **3.** (≈ *einstürzen)* to collapse; → ***eingefallen*** **4.** (≈ *eindringen)* ***in ein Land ~*** to invade a country **5.** *(Lichtstrahlen)* to fall **6.** (≈ *mitreden)* to join in **einfallslos** *adj* unimaginative **Einfallslosigkeit** *f* ⟨**-,** *no pl*⟩ unimaginativeness **einfallsreich** *adj* imaginative **Einfallsreichtum** *m, no pl* imaginativeness **Einfallswinkel** *m* PHYS angle of incidence

einfältig ['ainfɛltɪç] *adj* (≈ *arglos)* simple; (≈ *dumm)* simple(-minded) **Einfaltspinsel** ['ainfalts-] *m* *(infml)* simpleton

Einfamilienhaus *nt* single-family house

einfangen *v/t sep irr* to catch, to capture

einfarbig *adj* all one colour *(Br) or* color *(US)*

einfassen *v/t sep* *Beet, Grab* to border; *Kleid* to trim

einfetten *v/t sep* to grease; *Haut, Gesicht* to rub cream into

einfinden *v/r sep irr* to come; (≈ *eintreffen)* to arrive

einflechten *v/t sep irr* *(fig: ins Gespräch etc)* to introduce *(in +acc* in, into); ***darf ich kurz ~, dass ...*** I would just like to say that ...

einfliegen *sep irr* **I** *v/t* **1.** *Flugzeug* to test-fly **2.** *Proviant, Truppen* to fly in *(in +acc* -to) **II** *v/i aux sein* to fly in *(in +acc* -to)

einfließen *v/i sep irr aux sein* to flow in; ***er ließ nebenbei ~, dass ...*** he let it drop that ...

einflößen *v/t sep* ***jdm etw ~*** *Medizin* to give sb sth; *Mut etc* to instil *(Br) or* instill *(US)* sth into sb

Einflugschneise *f* AVIAT approach path

Einfluss *m* influence; ***unter dem ~ von jdm/etw*** under the influence of sb/sth; ***~ auf jdn ausüben*** to exert an influence on sb; ***darauf habe ich keinen ~*** I can't influence that **Einflussbereich** *m* sphere of influence **Einflussnahme** [-naːmə] *f* ⟨**-,** *(rare)* ***-n***⟩ exertion of influence **einflussreich** *adj* influential

einförmig *adj* uniform; (≈ *eintönig)* monotonous

einfrieren *sep irr* **I** *v/i aux sein* to freeze; *(Wasserleitung)* to freeze up **II** *v/t* to freeze; POL *Beziehungen* to suspend

einfügen *sep* **I** *v/t* to fit *(in +acc* into); IT to insert *(in +acc* in) **II** *v/r* to fit in *(in +acc* -to); (≈ *sich anpassen)* to adapt *(in +acc* to) **Einfügetaste** *f* IT insert key

einfühlen *v/r sep* ***sich in jdn ~*** to empathize with sb; ***sich in etw*** *(acc)* ***~*** to understand sth **einfühlsam** ['ainfyːlzaːm] **I** *adj* sensitive **II** *adv* sensitively **Einfühlungsvermögen** *nt, no pl* capacity for understanding, empathy

Einfuhr ['ainfuːɐ] *f* ⟨**-, -en**⟩ import; (≈ *das Einführen*) importing **Einfuhrartikel** *m* import **Einfuhrbeschränkung** *f* import restriction **einführen** *sep v/t* **1.** (≈ *hineinstecken*) to insert (*in +acc* into) **2.** (≈ *bekannt machen*) to introduce (*in +acc* into); COMM *Firma*, *Artikel* to establish; ***jdn in sein Amt ~*** to install sb (in office) **3.** (*als Neuerung*) to introduce **4.** COMM *Waren* to import **Einfuhrgenehmigung** *f* import permit **Einfuhrland** *nt* importing country **Einfuhrlizenz** *f* import licence (*Br*) *or* license (*US*) **Einführung** *f* introduction (*in +acc* to) **Einführungskurs** *m* UNIV *etc* introductory course **Einführungspreis** *m* introductory price **Einfuhrverbot** *nt* ban on imports

einfüllen *v/t sep* to pour in; ***etw in Flaschen ~*** to put sth into bottles, to bottle sth

Eingabe *f* **1.** (*form* ≈ *Gesuch*) petition (*an +acc* to) **2.** IT input **Eingabetaste** *f* IT enter key

Eingang *m*, *pl* ***-gänge*** **1.** entrance (*in +acc* to); (≈ *Zutritt*, *Aufnahme*) entry; ***„kein ~!“*** “no entrance” **2.** (COMM ≈ *Wareneingang*) delivery; (≈ *Erhalt*) receipt; ***den ~*** *or* ***die Eingänge bearbeiten*** to deal with the incoming mail **eingängig** *adj Melodie*, *Spruch* catchy **eingangs** ['aingaŋs] *adv* at the start **Eingangsdatum** *nt* date of receipt **Eingangsstempel** *m* COMM receipt stamp

eingeben *v/t sep irr* **1.** (≈ *verabreichen*) to give **2.** IT *Text*, *Befehl* to enter

eingebettet [-gebɛtət] *adj* embedded; → ***einbetten***

eingebildet *adj* **1.** (≈ *hochmütig*) conceited **2.** (≈ *imaginär*) imaginary; → ***einbilden***

eingeboren *adj* (≈ *einheimisch*) native **Eingeborene(r)** ['aingəboːrənə] *m*/*f*(*m*) *decl as adj* native

Eingebung ['aingeːbʊŋ] *f* ⟨**-, -en**⟩ inspiration

eingefallen *adj Wangen* hollow; *Augen* deep-set; → ***einfallen***

eingefleischt [-gəflaiʃt] *adj attr* (≈ *überzeugt*) confirmed; (≈ *unverbesserlich*) dyed-in-the-wool; ***~er Junggeselle*** (*hum*) confirmed bachelor

eingehen *sep irr aux sein* **I** *v/i* **1.** (*Briefe*, *Waren etc*) to arrive; (*Spenden*, *Bewerbungen*) to come in; ***~de Post/Waren*** incoming mail/goods; ***eingegangene Post/Spenden*** mail/donations received **2.** (≈ *sterben*: *Tiere*, *Pflanze*) to die (*an +dat* of); (*infml*: *Firma etc*) to fold **3.** ***auf etw*** (*acc*) ***~*** *auf Frage*, *Punkt etc* to go into sth; ***auf jdn/etw ~*** (≈ *sich widmen*) to give (one's) time and attention to sb/sth; ***auf einen Vorschlag/Plan ~*** (≈ *zustimmen*) to agree to a suggestion/plan **II** *v/t* (≈ *abmachen*) to enter into; *Risiko* to take; *Wette* to make **eingehend I** *adj* (≈ *ausführlich*) detailed; (≈ *gründlich*) thorough; *Untersuchungen* in-depth *attr* **II** *adv* (≈ *ausführlich*) in detail; (≈ *gründlich*) thoroughly

Eingemachte(s) ['aingəmaxtə] *nt decl as adj* bottled fruit/vegetables; (≈ *Marmelade*) preserves *pl*; ***ans ~ gehen*** (*fig infml*) to dig deep into one's reserves

eingemeinden ['aingəmaindn] *past part* ***eingemeindet*** *v/t sep* to incorporate (*in +acc*, *nach* into)

eingenommen ['aingənɔmən] *adj* ***für jdn/etw ~ sein*** to be taken with sb/sth; ***gegen jdn/etw ~ sein*** to be prejudiced against sb/sth; → ***einnehmen***

eingeschlossen [-gəʃlɔsn] *adj* **1.** (≈ *umgeben*) *Grundstück*, *Haus etc* enclosed **2.** (≈ *umzingelt*) surrounded, encircled **3.** ***im Preis ~*** included in the price; → ***einschließen***

eingeschnappt [-gəʃnapt] *adj* (*infml*) cross; ***~ sein*** to be in a huff; → ***einschnappen***

eingeschränkt [-gəʃrɛŋkt] *adj* (≈ *eingeengt*) restricted; ***in ~en Verhältnissen leben*** to live in straitened circumstances; → ***einschränken***

eingeschrieben [-gəʃriːbn] *adj Brief* registered; → ***einschreiben***

eingespielt [-gəʃpiːlt] *adj* ***aufeinander ~ sein*** to be used to one another; → ***einspielen***

Eingeständnis *nt* admission, confession **eingestehen** *past part* ***eingestanden*** *v/t sep irr* to admit

eingestellt ['aingəʃtɛlt] *adj* ***links/rechts ~ sein*** to have leanings to the left/right; ***ich bin im Moment nicht auf Besuch ~*** I'm not prepared for visitors; → ***einstellen***

eingetragen [-gətraːgn] *adj Warenzeichen*, *Verein* registered; → ***eintragen***

Eingeweide ['aingəvaidə] *nt* ⟨**-s, -**⟩ *usu pl* entrails *pl* **Eingeweidebruch** *m* MED hernia

eingewöhnen *past part* ***eingewöhnt*** *v/r sep* to settle down (*in +dat* in)
eingießen *v/t sep irr* (≈ *einschenken*) to pour (out)
eingleisig I *adj* single-track **II** *adv* ***er denkt sehr ~*** he's completely single-minded
eingliedern *sep* **I** *v/t Firma*, *Gebiet* to incorporate (*+dat* into, with); *jdn* to integrate (*in +acc* into) **II** *v/r* to fit in (*in +acc* -to, in) **Eingliederung** *f* (*von Firma*, *Gebiet*) incorporation; (*von Behinderten*, *Straffälligen*) integration
eingraben *sep irr* **I** *v/t Pfahl*, *Pflanze* to dig in (*in +acc* -to) **II** *v/r* to dig oneself in (*auch* MIL)
eingravieren *past part* ***eingraviert*** *v/t sep* to engrave (*in +acc* in)
eingreifen *v/i sep irr* (≈ *einschreiten*, MIL) to intervene; ***in jds Rechte*** (*acc*) ***~*** to intrude (up)on sb's rights; ***Eingreifen*** intervention **Eingreiftruppe** *f* strike force
eingrenzen *v/t sep* (*lit*) to enclose; (*fig*) *Problem* to delimit
Eingriff *m* **1.** MED operation **2.** (≈ *Übergriff*) intervention
Einhalt *m*, *no pl* ***jdm/einer Sache ~ gebieten*** to stop sb/sth **einhalten** *sep irr v/t* (≈ *beachten*) to keep; *Spielregeln* to follow; *Diät*, *Vertrag* to keep to; *Verpflichtungen* to carry out **Einhaltung** *f* (≈ *Beachtung*) keeping (*+gen* of); (*von Spielregeln*) following (*+gen* of); (*von Diät*, *Vertrag*) keeping (*+gen* to); (*von Verpflichtungen*) carrying out (*+gen* of)
einhämmern *sep v/t* ***jdm etw ~*** (*fig*) to hammer *or* drum sth into sb
einhandeln *v/t sep* to trade (*gegen*, *für* for); ***sich*** (*dat*) ***etw ~*** (*infml*) to get sth
einhändig *adj* one-handed
einhängen *sep* **I** *v/t Tür* to hang **II** *v/r* ***sich bei jdm ~*** to slip one's arm through sb's
einheimisch ['ainhaimɪʃ] *adj Mensch*, *Tier*, *Pflanze* native; *Industrie* local **Einheimische(r)** ['ainhaimɪʃə] *m/f*(*m*) *decl as adj* local
einheimsen ['ainhaimzn] *v/t sep* (*infml*) to collect
Einheit ['ainhait] *f* ⟨**-**, **-en**⟩ **1.** (*von Land etc*) unity; ***eine geschlossene ~ bilden*** to form an integrated whole; ***die*** (***deutsche***) ***~*** (German) unity **2.** (MIL, SCI, TEL) unit **einheitlich** ['ainhaitlɪç] **I** *adj* (≈ *gleich*) the same, uniform; (≈ *in sich geschlossen*) unified **II** *adv* uniformly; ***~ gekleidet*** dressed alike **Einheitlichkeit** *f* ⟨-, *no pl*⟩ (≈ *Gleichheit*) uniformity; (≈ *innere Geschlossenheit*) unity **Einheitsbrei** *m* (*pej infml*) ***es ist so ein ~*** it's all so samey (*infml*) **Einheitspreis** *m* standard price
einheizen *sep v/i* ***jdm*** (***tüchtig***) ***~*** (*infml*) (≈ *die Meinung sagen*) to haul sb over the coals; (≈ *zu schaffen machen*) to make things hot for sb
einhellig ['ainhɛlɪç] **I** *adj* unanimous **II** *adv* unanimously
einher- *pref* (≈ *entlang*) along; (≈ *hin und her*) up and down **einhergehen** *v/i sep irr aux sein* ***mit etw ~*** (*fig*) to be accompanied by sth
einholen *v/t sep* **1.** (≈ *einziehen*) *Boot*, *Netz* to pull in; *Fahne*, *Segel* to lower **2.** *Erlaubnis* to obtain; ***bei jdm Rat ~*** to obtain advice from sb **3.** (≈ *erreichen*) *Laufenden* to catch up; *Vorsprung* to make up **4.** (*also v/i*, *dial*) = ***einkaufen***
Einhorn *nt* unicorn
einhüllen *sep v/t* to wrap (up); ***in Nebel eingehüllt*** shrouded in mist
einhundert ['ain'hʊndɐt] *num* (*form*) = ***hundert***
einig ['ainɪç] *adj* **1.** (≈ *geeint*) united **2.** (≈ *einer Meinung*) agreed; ***sich*** (*dat*) ***über etw*** (*acc*) ***~ werden*** to agree on sth **einigen** ['ainɪgn] **I** *v/t* to unite **II** *v/r* to reach (an) agreement (*über +acc* about); ***sich auf einen Kompromiss ~*** to agree to a compromise
einige(r, s) ['ainɪgə] *indef pr* **1.** *sg* (≈ *etwas*) some; (≈ *ziemlich viel*) (quite) some; ***nach ~r Zeit*** after a while; ***das wird ~s kosten*** that will cost something; ***dazu gehört schon ~r Mut*** that takes some courage **2.** *pl* some; (≈ *mehrere*) several; (≈ *ein paar*) a few, some; ***~ Mal***(***e***) a few times; ***an ~n Stellen*** in some places; ***in ~n Tagen*** in a few days
einigermaßen ['ainɪgɐ'maːsn] *adv* (≈ *ziemlich*) rather; (*vor adj*) fairly; (≈ *ungefähr*) to some extent; ***wie gehts dir? — ~*** how are you? — all right
Einigkeit *f* ⟨-, *no pl*⟩ (≈ *Eintracht*) unity; (≈ *Übereinstimmung*) agreement; ***in diesem Punkt herrschte ~*** there was agreement on this point **Einigung** *f* ⟨**-**, **-en**⟩ **1.** POL unification **2.** (≈ *Übereinstimmung*) agreement; (JUR ≈ *Vergleich*)

settlement; ***über etw*** (*acc*) ***~ erzielen*** to come to an agreement on sth

einjagen *v/t sep* ***jdm einen Schrecken ~*** to give sb a fright

einjährig *adj* one-year-old; *Pflanze* annual; *Amtszeit, Studium* one-year *attr*

einkalkulieren *past part* **einkalkuliert** *v/t sep* to reckon with; *Kosten* to include

Einkauf *m* **1.** purchase; ***Einkäufe machen*** to go shopping; ***sie packte ihre Einkäufe aus*** she unpacked her shopping **2.** *no pl* (COMM ≈ *Abteilung*) buying (department) **einkaufen** *sep* **I** *v/t* to buy **II** *v/i* to shop; COMM to buy; ***~ gehen*** to go shopping **Einkäufer(in)** *m/(f)* COMM buyer **Einkaufsabteilung** *f* purchasing department **Einkaufsbummel** *m* ***einen ~ machen*** to go on a shopping spree **Einkaufskorb** *m* shopping basket **Einkaufsliste** *f* shopping list **Einkaufstasche** *f* shopping bag **Einkaufswagen** *m* shopping trolley (*Br*) *or* cart (*US*) **Einkaufszentrum** *nt* shopping centre (*Br*) *or* center (*US*) **Einkaufszettel** *m* shopping list

einkehren *v/i sep aux sein* **1.** (*in Gasthof*) to stop off (*in +dat* at) **2.** (*Ruhe*) to come (*bei* to)

einkeilen *v/t sep* to hem in

einkerben *v/t sep* to notch; (≈ *schnitzen*) to cut **Einkerbung** *f* notch

einkesseln ['ainkɛsln] *v/t sep* to encircle

einklagen *v/t sep Schulden* to sue for (the recovery of)

einklammern *v/t sep* to put in brackets

Einklang *m* **1.** MUS unison **2.** (*fig*) harmony; ***in ~ bringen*** to bring into line; ***im ~ mit etw stehen*** to be in accord with sth

einkleiden *v/t sep Soldaten* to fit out (with a uniform); ***sich neu ~*** to buy oneself a new wardrobe

einklemmen *v/t sep* (≈ *quetschen*) to jam; *Finger etc* to catch

einkochen *sep v/t Gemüse* to preserve; *Marmelade* to make

Einkommen ['ainkɔmən] *nt* ⟨**-s, -**⟩ income **Einkommensgrenze** *f* income limit **Einkommensklasse** *f* income bracket **einkommensschwach** *adj* low-income *attr* **einkommensstark** *adj* high-income *attr* **Einkommen(s)steuer** *f* income tax **Einkommen(s)steuerbescheid** *m* income tax assessment **Einkommen(s)steuererklärung** *f* income tax return

einkreisen *v/t sep* to surround; (*fig*) *Problem* to consider from all sides; POL to isolate

Einkünfte ['ainkʏnftə] *pl* income *sg*

einladen *v/t sep irr* **1.** *Waren* to load (*in +acc* into) **2.** *jdn* to invite; ***jdn zu einer Party ~*** to invite sb to a party; ***jdn ins Kino ~*** to ask sb to the cinema; ***lass mal, ich lade dich ein*** come on, this one's on me **einladend** *adj* inviting; *Speisen* appetizing **Einladung** *f* invitation

Einlage *f* **1.** (≈ *Zahneinlage*) temporary filling **2.** (≈ *Schuheinlage*) insole; (*zum Stützen*) (arch) support **3.** (≈ *Zwischenspiel*) interlude **4.** (FIN ≈ *Kapitaleinlage*) investment

einlagern *v/t sep* to store

Einlass ['ainlas] *m* ⟨**-es, ¨-e** [-lɛsə]⟩ *no pl* (≈ *Zutritt*) admission; ***jdm ~ gewähren*** to admit sb; ***sich*** (*dat*) ***~ in etw*** (*acc*) ***verschaffen*** to gain entry to sth **einlassen** *sep irr* **I** *v/t* **1.** (≈ *eintreten lassen*) to let in **2.** (≈ *einlaufen lassen*) *Wasser* to run (*in +acc* into) **II** *v/r* ***sich auf etw*** (*acc*) ***~*** to get involved in sth; ***sich auf einen Kompromiss ~*** to agree to a compromise; ***darauf lasse ich mich nicht ein!*** I don't want anything to do with it; ***da habe ich mich aber auf etwas eingelassen!*** I've let myself in for something there!; ***sich mit jdm ~*** (*pej*) to get involved with sb

Einlauf *m* **1.** *no pl* (SPORTS: *am Ziel*) finish **2.** MED enema **einlaufen** *sep irr* **I** *v/i aux sein* **1.** (≈ *hineinlaufen*) to come in (*in +acc* -to); (*durchs Ziel*) to finish **2.** (*Wasser*) to run in (*in +acc* -to) **3.** (*Stoff*) to shrink **II** *v/t Schuhe* to wear in **III** *v/r* SPORTS to warm up

einläuten *v/t sep* to ring in; SPORTS *Runde* to sound the bell for

einleben *v/r sep* to settle down (*in or an +dat* in)

Einlegearbeit *f* inlay work *no pl* **einlegen** *v/t sep* **1.** (*in Holz etc*) to inlay **2.** (≈ *hineintun*) to insert (*in +acc* in); *Film* to load (*in +acc* into) **3.** AUTO *Gang* to engage **4.** *Protest* to register; ***ein gutes Wort für jdn ~*** to put in a good word for sb (*bei* with) **5.** COOK *Heringe, Gurken etc* to pickle **Einlegesohle** *f* insole

einleiten *sep v/t* **1.** (≈ *in Gang setzen*) to initiate; *Schritte* to introduce; JUR *Verfahren* to institute; MED *Geburt* to induce **2.** (≈ *beginnen*) to start **3.** *Abwässer etc* to discharge (*in +acc* into) **einleitend** **I** *adj* introductory **II** *adv* ***er sagte ~, dass ...*** he said by way of introduction that ... **Einleitung** *f* **1.** (≈ *Vorwort*) introduction **2.** (≈ *das Einleiten*) initiation; (*von Schritten*) introduction; (*von Verfahren*) institution; (*von Geburt*) induction **3.** (*von Abwässern*) discharge (*in +acc* into)

einlenken *v/i sep* (≈ *nachgeben*) to yield

einlesen *sep irr* **I** *v/r* ***sich in ein Gebiet*** *etc* **~** to get into a subject *etc* **II** *v/t Daten* to read in (*in +acc* -to)

einleuchten *v/i sep* to be clear (*jdm* to sb); ***das will mir nicht ~*** I just don't understand that **einleuchtend** *adj* reasonable

einliefern *v/t sep Waren* to deliver; ***jdn ins Krankenhaus ~*** to admit sb to hospital **Einlieferung** *f* (*ins Krankenhaus*) admission (*in +acc* to); (*ins Gefängnis*) committal (*in +acc* to) **Einlieferungsschein** *m* certificate of posting (*Br*) *or* mailing (*esp US*)

Einliegerwohnung *f* granny annexe (*Br*) *or* flat (*Br*), in-law apartment (*US*)

einloggen ['ainlɔgn] *v/r* IT to log in

einlösen *v/t sep Pfand* to redeem; *Scheck* to cash (in); (*fig*) *Versprechen* to keep

einmachen *v/t sep Obst* to preserve **Einmachglas** *nt* bottling jar

einmal ['ainmaːl] *adv* **1.** (≈ *ein einziges Mal*) once; (≈ *erstens*) first of all, for a start; ***~ sagt er dies, ~ das*** sometimes he says one thing, sometimes another; ***auf ~*** (≈ *plötzlich*) suddenly; (≈ *zugleich*) at once; ***~ und nie wieder*** once and never again; ***noch ~*** again; ***noch ~ so groß wie*** as big again as; ***~ ist keinmal*** (*prov*) once doesn't count **2.** (≈ *früher*) once; (≈ *in Zukunft*) one day; ***waren Sie schon ~ in Rom?*** have you ever been to Rome?; ***es war ~ ...*** once upon a time there was ...; ***besuchen Sie mich doch ~!*** come and visit me some time! **3.** ***nicht ~*** not even; ***auch ~*** also, too; ***wieder ~*** again; ***die Frauen sind nun ~ so*** that's the way women are **Einmaleins** [ainmaːl'|ains] *nt* ⟨-, *no pl*⟩ (multiplication) tables *pl*; (*fig*) ABC, basics *pl*; ***das kleine/große ~*** (multiplication) tables up to/over ten **Einmalhandtuch** *nt* disposable towel **einmalig** ['ainmaːlɪç, (*emph*) 'ain'maːlɪç] *adj* **1.** *Gelegenheit* unique **2.** (≈ *nur einmal erforderlich*) single; *Zahlung* one-off *attr* **3.** (*infml* ≈ *hervorragend*) fantastic

Einmarsch *m* (*in ein Land*) invasion (*in +acc* of) **einmarschieren** *past part* **einmarschiert** *v/i sep aux sein* to march in (*in +acc* -to)

Einmeterbrett [ain'meːtɐ-] *nt* one-metre (*Br*) *or* one-meter (*US*) (diving) board

einmischen *v/r sep* to interfere (*in +acc* in) **Einmischung** *f* interference (*in +acc* in)

einmotorig *adj Flugzeug* single-engine(d)

einmotten ['ainmɔtn] *v/t sep* to mothball

einmünden *v/i sep aux sein* (*Fluss*) to flow in (*in +acc* -to); (*Straße*) to run in (*in +acc* -to); ***in etw*** (*acc*) **~** (*fig*) to end up in sth

einmütig ['ainmyːtɪç] **I** *adj* unanimous **II** *adv* unanimously **Einmütigkeit** *f* ⟨-, *no pl*⟩ unanimity

Einnahme ['ainnaːmə] *f* ⟨**-, -n**⟩ **1.** MIL seizure **2.** (≈ *Ertrag*) receipt **Einnahmen** *pl* income *sg*; (≈ *Geschäftseinnahmen*) takings *pl*; (*eines Staates*) revenue *sg*; ***~n und Ausgaben*** income and expenditure **Einnahmequelle** *f* source of income; (*eines Staates*) source of revenue **einnehmen** *v/t sep irr* **1.** *Geld* to take; (*Freiberufler*) to earn; *Steuern* to collect **2.** (MIL ≈ *erobern*) to take **3.** *Platz etc* to take (up) **4.** *Mahlzeit*, *Arznei* to take **5.** ***jdn gegen sich ~*** to set sb against oneself; → ***eingenommen***

einnicken *v/i sep aux sein* (*infml*) to doze *or* nod off

einnisten *v/r sep* (*lit*) to nest; (*fig*) to park oneself (*bei* on)

einölen *v/t sep* to oil

einordnen *sep* **I** *v/t* **1.** *Bücher etc* to (put in) order; *Akten* to file **2.** (≈ *klassifizieren*) to classify **II** *v/r* **1.** (*in Gemeinschaft etc*) to fit in (*in +acc* -to) **2.** AUTO ***sich links/rechts ~*** to get into the left/right lane

einpacken *sep* **I** *v/t* **1.** (≈ *einwickeln*) to wrap (up) (*in +acc* in) **2.** (≈ *hineintun*) to pack (*in +acc* in) **II** *v/i* to pack; ***dann können wir ~*** (*infml*) in that case we may as well pack it all in (*infml*)

einparken *v/t & v/i sep* (***in eine Parklücke***) **~** to get into a parking space

einpassen *v/t sep* to fit in (*in +acc* -to)

Einpeitscher ['ainpaitʃɐ] *m* ⟨**-s, -**⟩, **Ein-**

peitscherin [-ərɪn] *f* 〈**-, -nen**〉 POL whip (*Br*), floor leader (*US*)
einpendeln *v/r sep* (*fig*) to settle down
einpennen *v/i sep aux sein* (*sl*) to drop off (*infml*)
Einpersonenhaushalt *m* single-person household
einpflanzen *v/t sep* to plant (*in +dat* in); MED to implant (*jdm* in(to) sb)
einphasig *adj* single-phase
einplanen *v/t sep* to plan (on); *Verluste* to allow for
einpolig ['ainpo:lɪç] *adj* single-pole
einprägen *sep* **I** *v/t Inschrift* to stamp; ***sich*** (*dat*) ***etw ~*** to remember sth; (≈ *auswendig lernen*) to memorize sth **II** *v/r* ***sich jdm ~*** to make an impression on sb **einprägsam** ['ainprɛ:kza:m] *adj* catchy
einprogrammieren *past part* ***einprogrammiert*** *v/t sep Daten* to feed in
einprügeln *sep v/i* (*infml*) ***auf jdn ~*** to lay into sb
einquartieren ['ainkvarti:rən] *past part* ***einquartiert*** *sep* **I** *v/t* to quarter **II** *v/r* to be quartered (*bei* with); (*Gäste*) to stop (*bei* with) (*infml*)
einquetschen *v/t sep* = ***einklemmen***
Einrad *nt* unicycle
einrahmen *v/t sep* to frame
einrasten *v/t & v/i sep* (*v/i*: *aux sein*) to engage
einräumen *v/t sep* **1.** *Wäsche, Bücher etc* to put away; *Wohnung, Zimmer* to arrange **2.** (≈ *zugestehen*) to concede; *Recht* to give
einrechnen *v/t sep* to include
einreden *sep* **I** *v/t* ***jdm etw ~*** to talk sb into believing sth; ***er will mir ~, dass ...*** he wants me to believe that ...; ***das redest du dir nur ein!*** you're only imagining it **II** *v/i* ***auf jdn ~*** to keep on and on at sb
einreiben *v/t sep irr* ***er rieb sich*** (*dat*) ***das Gesicht mit Creme ein*** he rubbed cream into his face
einreichen *v/t sep Antrag* to submit (*bei* to); JUR *Klage* to file
einreihen *sep v/r* ***sich in etw*** (*acc*) ***~*** to join sth **Einreiher** ['ainraiɐ] *m* 〈**-s, -**〉 (≈ *Anzug*) single-breasted suit
Einreise *f* entry (*in +acc* into, to); ***bei der ~ in die Schweiz*** when entering Switzerland **Einreisegenehmigung** *f* entry permit **einreisen** *v/i sep aux sein* to enter the country **Einreiseverbot** *nt* refusal of entry; ***~ haben*** to have been refused entry **Einreisevisum** *nt* entry visa
einreißen *sep irr* **I** *v/t* **1.** *Papier, Stoff* to tear **2.** *Gebäude, Zaun* to tear down **II** *v/i aux sein* (*Papier*) to tear; (*fig infml: Unsitte etc*) to catch on (*infml*)
einreiten *sep irr v/t Pferd* to break in
einrenken ['ainrɛŋkn] *sep* **I** *v/t Gelenk* to put back in place; (*fig infml*) to sort out **II** *v/r* (*fig infml*) to sort itself out
einrichten *sep* **I** *v/t* **1.** (≈ *möblieren*) to furnish; (≈ *ausstatten*) to fit out **2.** (≈ *eröffnen*) to set up; *Konto* to open **3.** (*fig* ≈ *arrangieren*) to arrange; ***das lässt sich ~*** that can be arranged; ***auf Tourismus eingerichtet sein*** to be geared to tourism **II** *v/r* **1.** (≈ *sich möblieren*) ***sich ~*** to furnish one's house / one's flat (*Br*) *or* apartment **2.** (≈ *sich einstellen*) ***sich auf etw*** (*acc*) ***~*** to prepare oneself for sth **Einrichtung** *f* **1.** (≈ *Wohnungseinrichtung*) furnishings *pl*; (≈ *Geschäftseinrichtung etc*) fittings *pl*; (≈ *Laboreinrichtung etc*) equipment *no pl* **2.** (≈ *Eröffnung*) setting-up; (*von Konto*) opening **3.** (*behördlich*) institution; (≈ *Schwimmbäder, Transportmittel etc*) facility **Einrichtungsgegenstand** *m* item of furniture; (≈ *Geschäftseinrichtung*) fixture
einrollen *v/r sep* to roll up
einrosten *v/i sep aux sein* to rust up; (*fig: Glieder*) to stiffen up
einrücken *sep* **I** *v/t Zeile* to indent **II** *v/i aux sein* MIL **1.** (*in ein Land*) to move in (*in +acc* -to) **2.** (≈ *eingezogen werden*) to report for duty
einrühren *v/t sep* to stir in (*in +acc* -to)
eins [ains] *num* one; ***~ zu ~*** SPORTS one all; ***~ mit jdm sein*** to be one with sb; (≈ *übereinstimmen*) to be in agreement with sb; ***das ist doch alles ~*** (*infml*) it's all one; ***~ a*** (*infml*) A 1 (*infml*), first-rate (*infml*); → ***ein***[2]; → ***eine***(***r, s***); → ***vier*** **Eins** [ains] *f* 〈**-, -en**〉 one; SCHOOL *auch* A; ***eine ~ schreiben / bekommen*** to get an A *or* a one
einsacken *v/t sep* **1.** (≈ *in Säcke füllen*) to put in sacks **2.** (*infml*) (≈ *erbeuten*) to grab (*infml*); *Geld* to rake in (*infml*)
einsam ['ainza:m] **I** *adj* **1.** (≈ *allein*) lonely; (≈ *einzeln*) solitary **2.** (≈ *abgelegen*) *Haus, Insel* secluded **3.** (*infml*) ***~e Klasse*** *or* ***Spitze*** absolutely fantastic (*infml*) **II** *adv* **1.** (≈ *allein*) lonely **2.** (≈ *abgele-*

gen) isolated; **~ liegen** to be secluded **Einsamkeit** *f* ⟨-, *no pl*⟩ (≈ *Verlassenheit*) loneliness; (≈ *das Einzelnsein*) solitariness; **er liebt die ~** he likes solitude
einsammeln *v/t sep* to collect (in)
Einsatz *m* **1.** (≈ *Einsatzteil*) inset **2.** (≈ *Spieleinsatz*) stake; **den ~ erhöhen** to raise the stakes **3.** MUS entry **4.** (≈ *Verwendung*) use; *esp* MIL deployment; **im ~** in use; **unter ~ aller Kräfte** by making a supreme effort **5.** (≈ *Aktion*) operation; **im ~** in action **6.** (≈ *Hingabe*) commitment; **etw unter ~ seines Lebens tun** to risk one's life to do sth **Einsatzbefehl** *m* order to go into action **einsatzbereit** *adj* ready for use; MIL ready for action; *Rakete etc* operational **Einsatzleiter(in)** *m*/(*f*) head of operations **Einsatzort** *m* place of action; (*von Diplomat etc*) posting **Einsatzwagen** *m* (*von Polizei*) police car; (*von Feuerwehr*) fire engine
einscannen *v/t sep* to scan in
einschalten *sep* **I** *v/t* **1.** *Licht*, *Radio*, *Gerät* to switch on; *Sender* to tune in to **2. jdn ~** to call sb in **II** *v/r* to intervene; (≈ *teilnehmen*) to join in **Einschaltquote** *f* (RADIO, TV) viewing figures *pl*
einschärfen *v/t sep* **jdm etw ~** to impress sth (up)on sb
einschätzen *v/t sep* to assess; **falsch ~** to misjudge; **wie ich die Lage einschätze** as I see the situation **Einschätzung** *f* assessment; **nach meiner ~** in my estimation
einschenken *v/t sep* to pour (out)
einschicken *v/t sep* to send in (*an +acc* to)
einschieben *v/t sep irr* (≈ *einfügen*) to put in; **eine Pause ~** to have a break
einschießen *sep irr* **I** *v/t* **1.** (≈ *zertrümmern*) *Fenster* to shoot in; (*mit Ball etc*) to smash (in) **2.** *Fußball* to kick in **II** *v/i* SPORTS to score; **er schoss zum 1:0 ein** he scored to make it 1-0
einschiffen *sep v/r* to embark
einschlafen *v/i sep irr aux sein* to fall asleep; (*Bein*, *Arm*) to go to sleep; (*euph* ≈ *sterben*) to pass away; (*fig*: *Gewohnheit*) to peter out; **ich kann nicht ~** I can't get to sleep **einschläfern** ['ainʃlɛːfɐn] *v/t sep* **1.** (≈ *zum Schlafen bringen*) to send to sleep **2.** (≈ *narkotisieren*) to give a soporific **3.** (≈ *töten*) *Tier* to put down **einschläfernd** *adj* soporific; (≈ *langweilig*) monotonous
Einschlag *m* **1.** (*von Geschoss*) impact; (*von Blitz*) striking **2.** (AUTO: *des Lenkrads*) lock **3. einen südländischen ~ haben** to have more than a hint of the Mediterranean about it/him *etc* **einschlagen** *sep irr* **I** *v/t* **1.** *Nagel* to hammer in; *Pfahl* to drive in **2.** (≈ *zertrümmern*) to smash (in); *Tür* to smash down; *Zähne* to knock out; **mit eingeschlagenem Schädel** with one's head bashed in (*infml*) **3.** (≈ *einwickeln*) *Ware* to wrap up **4.** AUTO *Räder* to turn **5.** *Weg* to take; *Kurs* (*lit*) to follow; (*fig*) to pursue **II** *v/i* (**in etw** *acc*) **~** (*Geschoss*, *Blitz*) to strike (sth); **auf jdn/etw ~** to hit out at sb/sth; **gut ~** (*infml*) to be a big hit (*infml*) **einschlägig** ['ainʃlɛːgɪç] **I** *adj* appropriate **II** *adv* **er ist ~ vorbestraft** JUR he has a previous conviction for a similar offence (*Br*) *or* offense (*US*)
einschleichen *v/r sep irr* to creep in (*in +acc* -to); **sich in jds Vertrauen ~** (*fig*) to worm one's way into sb's confidence
einschleusen *v/t sep* to smuggle in (*in +acc*, *nach* -to)
einschließen *v/t sep irr* **1.** (≈ *wegschließen*) to lock up (*in +acc* in) **2.** (≈ *umgeben*) to surround **3.** (*fig* ≈ *beinhalten*) to include; → **eingeschlossen** **einschließlich** ['ainʃliːslɪç] **I** *prep +gen* including **II** *adv* **vom 1. bis ~ 31. Oktober** from 1st to 31st October inclusive
einschmeicheln *v/r sep* **sich bei jdm ~** to ingratiate oneself with sb; **~de Stimme** silky voice
einschmieren *v/t sep* (*mit Fett*) to grease; (*mit Öl*) to oil; (*mit Creme*) to put cream on
einschmuggeln *v/t sep* to smuggle in (*in +acc* -to)
einschnappen *v/i sep aux sein* **1.** (*Schloss*, *Tür*) to click shut **2.** (*infml* ≈ *beleidigt sein*) to go into a huff (*infml*); → **eingeschnappt**
einschneiden *sep irr v/t Stoff*, *Papier* to cut **einschneidend** *adj* (*fig*) drastic; *Folgen* far-reaching
einschneien *v/i sep aux sein* **eingeschneit sein** to be snowed up
Einschnitt *m* cut; MED incision; (≈ *Zäsur*) break; (*im Leben*) decisive point
einschränken ['ainʃrɛŋkn] *sep* **I** *v/t* to reduce; *Recht* to restrict; *Wünsche* to moderate; *Behauptung* to qualify; **~d**

möchte ich sagen, dass ... I'd like to qualify that by saying ...; ***das Rauchen ~*** to cut down on smoking **II** *v/r* (≈ *sparen*) to economize; → ***eingeschränkt*** **Einschränkung** *f* ⟨-, -en⟩ reduction; (*von Recht*) restriction; (*von Behauptung*) qualification; (≈ *Vorbehalt*) reservation

einschreiben *v/r sep irr* (*in Verein etc*) to enrol (*Br*), to enroll (*US*); UNIV to register; → ***eingeschrieben*** **Einschreiben** *nt* recorded delivery (*Br*) *or* certified (*US*) letter/parcel (*Br*) *or* package; ***per ~ schicken*** to send recorded delivery (*Br*) *or* certified mail (*US*) **Einschreibung** *f* enrolment (*Br*), enrollment (*US*); UNIV registration

einschreiten *v/i sep irr aux sein* to take action (*gegen* against); (≈ *dazwischentreten*) to intervene **Einschreiten** *nt* ⟨-s, *no pl*⟩ intervention

Einschub *m* insertion

einschüchtern ['ainʃʏçtɐn] *v/t sep* to intimidate **Einschüchterung** *f* ⟨-, -en⟩ intimidation

einschulen *v/t sep* ***eingeschult werden*** (*Kind*) to start school

Einschuss *m* (≈ *Einschussstelle*) bullet hole

einschweißen *v/t sep* TECH to weld in (*in +acc* -to); *Buch* to shrink-wrap

einschwenken *v/i sep aux sein* ***links ~*** MIL to wheel left; ***auf etw*** (*acc*) ***~*** (*fig*) to fall in with sth

einschwören *v/t sep irr* ***jdn auf etw*** (*acc*) ***~*** to swear sb to sth

einsehbar *adj* (≈ *verständlich*) understandable **einsehen** *sep irr* **I** *v/t* to see; ***das sehe ich nicht ein*** I don't see why; ***es ist nicht einzusehen, warum ...*** it is incomprehensible why ... **II** *v/i* **1.** ***in etw*** (*acc*) ***~*** to see sth **2.** (≈ *prüfen*) to look (*in +acc* at) **Einsehen** *nt* ***ein ~ haben*** to have some understanding (*mit, für* for); (≈ *Vernunft*) to see reason

einseifen ['ainzaifn] *v/t sep* to soap; (*infml* ≈ *betrügen*) to con (*infml*)

einseitig ['ainzaitɪç] **I** *adj* **1.** on one side; JUR, POL unilateral; ***~e Lähmung*** paralysis of one side of the body **2.** *Zuneigung, Ausbildung* one-sided; *Bericht* biased; *Ernährung* unbalanced **II** *adv* **1.** (≈ *auf einer Seite*) on one side **2.** (≈ *unausgewogen*) ***sich ~ ernähren*** to have an unbalanced diet; ***etw ~ schildern*** to portray sth one-sidedly

einsenden *v/t sep irr* to send in (*an +acc* to) **Einsender(in)** *m/(f)* sender; (*bei Preisausschreiben*) competitor **Einsendeschluss** *m* closing date **Einsendung** *f, no pl* (≈ *das Einsenden*) submission

Einser ['ainzɐ] *m* ⟨-s, -⟩ (*esp S Ger infml*) (SCHOOL) A (grade), one

einsetzen *sep* **I** *v/t* **1.** (≈ *einfügen*) to put in (*in +acc* -to) **2.** (≈ *ernennen*) to appoint; *Ausschuss* to set up; *Erben* to name **3.** (≈ *verwenden*) to use; *Truppen, Polizei* to deploy; *Sonderzüge* to put on **4.** (*beim Glücksspiel*) to stake **II** *v/i* (≈ *beginnen*) to start; MUS to come in **III** *v/r* ***sich*** (***voll***) ***~*** to show (complete) commitment (*in +dat* to); ***sich für jdn ~*** to fight for sb; ***sich für etw ~*** to support sth

Einsicht *f* **1.** (*in Akten, Bücher*) ***~ in etw*** (*acc*) ***nehmen*** to take a look at sth; ***sie legte ihm die Akte zur ~ vor*** she gave him the file to look at **2.** (≈ *Vernunft*) sense; (≈ *Erkenntnis*) insight; (≈ *Verständnis*) understanding; ***zur ~ kommen*** to come to one's senses; ***jdn zur ~ bringen*** to bring sb to his/her senses **einsichtig** ['ainzɪçtɪç] *adj* (≈ *vernünftig*) reasonable; (≈ *verständnisvoll*) understanding **Einsichtnahme** [-naːmə] *f* ⟨-, -n⟩ (*form*) inspection

Einsiedler(in) *m/(f)* hermit

einsilbig *adj* **1.** monosyllabic **2.** (*fig*) *Mensch* uncommunicative

einsinken *v/i sep irr aux sein* to sink in (*in +acc or dat* -to); (*Boden etc*) to subside

einsitzen *v/i sep irr* (*form*) to serve a prison sentence

einspannen *v/t sep* **1.** (*in Schraubstock*) to clamp in (*in +acc* -to) **2.** *Pferde* to harness **3.** (*fig* ≈ *arbeiten lassen*) to rope in (*für etw* to do sth)

Einspänner *m* ⟨-s, -⟩ **1.** one-horse carriage **2.** (*Aus*) *black coffee served in a glass with whipped cream*

einsparen *v/t sep* to save; *Posten* to dispense with **Einsparung** *f* ⟨-, -en⟩ economy; (≈ *das Einsparen*) saving (*von* of); (*von Posten*) elimination

einspeisen *v/t sep* to feed in (*in +acc* -to)

einsperren *v/t sep* to lock in (*in +acc or dat* -to); (*ins Gefängnis*) to lock up

einspielen *sep* **I** *v/r* MUS, SPORTS to warm up; (*Regelung*) to work out; ***sich aufeinander ~*** to become attuned to one another; → ***eingespielt*** **II** *v/t* FILM, THEAT to bring in; *Kosten* to recover

Einsprache *f* (*Swiss*) = **Einspruch**

einsprachig *adj* monolingual

einspringen *v/i sep irr aux sein* (*infml* ≈ *aushelfen*) to stand in; (*mit Geld etc*) to help out

einspritzen *v/t sep* AUTO, MED to inject **Einspritzmotor** *m* AUTO fuel injection engine

Einspruch *m* objection (*auch* JUR); **~ einlegen** ADMIN to file an objection; **gegen etw ~ erheben** to object to sth; **~ abgelehnt!** JUR objection overruled!

einspurig [-ʃpuːrɪç] *adj* RAIL single-track; AUTO single-lane

einst [ainst] *adv* **1.** (≈ *früher*) once **2.** (*elev* ≈ *in Zukunft*) one day

einstampfen *v/t sep Papier* to pulp

Einstand *m* **1. er hat seinen ~ gegeben** he celebrated starting his new job **2.** (*Tennis*) deuce

einstecken *v/t sep* **1.** (≈ *in etw stecken*) to put in (*in +acc* -to); *Gerät* to plug in **2.** (*in die Tasche etc*) **(sich** *dat*) **etw ~** to take sth; **ich habe kein Geld eingesteckt** I haven't any money on me **3.** (*infml*) *Kritik etc* to take; *Beleidigung* to swallow; *Geld*, *Profit* to pocket (*infml*)

einstehen *v/i sep irr aux sein* **für jdn ~** (≈ *sich verbürgen*) to vouch for sb; **für etw ~** (≈ *Ersatz leisten*) to make good sth

Einsteigekarte *f* AVIAT boarding pass **einsteigen** *v/i sep irr aux sein* **1.** (*in ein Fahrzeug etc*) to get in (*in +acc* -to); (*in Bus*) to get on (*in +acc* -to); **~!** RAIL *etc* all aboard! **2.** (*in ein Haus etc*) to climb in (*in +acc* -to) **3.** (*infml*) **in die Politik ~** to go into politics **Einsteiger** ['ainʃtaigɐ] *m* ⟨**-s, -**⟩, **Einsteigerin** [-ərɪn] *f* ⟨**-, -nen**⟩ (*infml*) beginner; **ein Modell für PC-~** an entry-level PC

einstellbar *adj* adjustable **einstellen** *sep* **I** *v/t* **1.** (≈ *hineinstellen*) to put in **2.** (≈ *anstellen*) *Arbeitskräfte* to take on **3.** (≈ *beenden*) to stop; *Suche* to call off; MIL *Feuer* to cease; JUR *Verfahren* to abandon; **die Arbeit ~** (*Kommission etc*) to stop work; (≈ *in den Ausstand treten*) to withdraw one's labour (*Br*) *or* labor (*US*) **4.** (≈ *regulieren*) to adjust (*auf +acc* to); *Wecker* to set (*auf +acc* for); *Radio* to tune (in) (*auf +acc* to) **5.** SPORTS *Rekord* to equal **II** *v/r* **1.** (*Besucher etc*, *Folgen*) to appear; (*Fieber*, *Regen*) to set in **2. sich auf jdn/etw ~** (≈ *sich richten nach*) to adapt oneself to sb/sth; (≈ *sich vorbereiten auf*) to prepare oneself for sb/sth; → **eingestellt**

einstellig [-ʃtɛlɪç] *adj Zahl* single-digit

Einstellung *f* **1.** (≈ *Anstellung*) employment **2.** (≈ *Beendigung*) stopping; MIL cessation; JUR abandonment **3.** (≈ *Regulierung*) adjustment; (*von Wecker*) setting; (*von Radio*) tuning (in); (FILM ≈ *Szene*) take **4.** (≈ *Gesinnung*) attitude; (*politisch etc*) views *pl*; **das ist doch keine ~!** what kind of attitude is that! **Einstellungsgespräch** *nt* interview **Einstellungsstopp** *m* halt in recruitment

einstempeln *v/i sep* (*bei Arbeitsantritt*) to clock in *or* on

Einstieg ['ainʃtiːk] *m* ⟨**-(e)s, -e** [-gə]⟩ **1.** *no pl* (≈ *das Einsteigen*) getting in; (*in Bus*) getting on **2.** (*von Bahn*, *von Bus*) door **Einstiegsdroge** *f* starter drug

einstig ['ainstɪç] *adj attr* former

einstimmen *v/i sep* (*in ein Lied*) to join in; (*fig* ≈ *zustimmen*) to agree (*in +acc* to)

einstimmig *adj* **1.** *Lied* for one voice **2.** (≈ *einmütig*) unanimous **Einstimmigkeit** *f* ⟨**-, -en**⟩ unanimity

einstöckig *adj Haus* one-storey (*Br*), one-story (*US*)

einstöpseln *v/t sep* ELEC to plug in (*in +acc* -to)

einstreichen *v/t sep irr* (*infml*) *Geld*, *Gewinn* to pocket (*infml*)

einstreuen *v/t sep* to sprinkle in (*in +acc* -to); (*fig*) *Bemerkung etc* to slip in (*in +acc* -to)

einströmen *v/i sep aux sein* to pour in (*in +acc* -to); **~de Kaltluft** a stream of cold air

einstudieren *past part* **einstudiert** *v/t sep Lied*, *Theaterstück* to rehearse

einstufen *v/t sep* to classify **einstufig** *adj* single-stage **Einstufung** *f* classification

einstündig ['ainstʏndɪç] *adj attr* one-hour

einstürmen *v/i sep aux sein* **auf jdn ~** MIL to storm sb; (*fig*) to assail sb; **mit Fragen auf jdn ~** to bombard sb with questions

Einsturz *m* collapse **einstürzen** *v/i sep aux sein* to collapse; **auf jdn ~** (*fig*) to overwhelm sb **Einsturzgefahr** *f* danger of collapse

einstweilen ['ainst'vailən] *adv* in the meantime; (≈ *vorläufig*) temporarily

einstweilig ['ainst'vailıç] *adj attr* temporary; **~e Verfügung** JUR temporary injunction

eintägig *adj attr* one-day **Eintagsfliege** *f* ZOOL mayfly; (*fig*) nine-day wonder

eintauchen *sep* **I** *v/t* to dip (*in +acc* in, into); (*völlig*) to immerse (*in +acc* in) **II** *v/i aux sein* (*Schwimmer*) to dive in; (*U-Boot*) to dive

eintauschen *v/t sep* to exchange (*gegen, für* for)

eintausend ['ain'tauznt] *num* (*form*) = ***tausend***

einteilen *v/t sep* **1.** (≈ *aufteilen*) to divide (up) (*in +acc* into); *Zeit, Arbeit* to plan (out); *Geld* to budget **2.** (≈ *dienstlich verpflichten*) to detail (*zu* for)

einteilig *adj Badeanzug* one-piece *attr*

Einteilung *f* **1.** (≈ *das Aufteilen*) division; (*von Zeit, Arbeit*) planning; (*von Geld*) budgeting **2.** (≈ *dienstliche Verpflichtung*) assignment

eintippen *v/t sep* to type in (*in +acc* -to)

eintönig ['aintøːnıç] **I** *adj* monotonous **II** *adv* monotonously **Eintönigkeit** *f* ⟨-, *no pl*⟩ monotony

Eintopf *m* stew

Eintracht *f, no pl* harmony **einträchtig I** *adj* peaceable **II** *adv* peaceably

Eintrag ['aintraːk] *m* ⟨**-(e)s, ⸚e** [-trɛːgə]⟩ (*schriftlich*) entry (*in +acc* in) **eintragen** *sep irr* **I** *v/t* to enter; (≈ *amtlich registrieren*) to register; ***jdm Hass ~*** to bring sb hatred; → ***eingetragen*** **II** *v/r* to sign; (≈ *sich vormerken lassen*) to put one's name down; ***er trug sich ins Gästebuch ein*** he signed the visitors' book

einträglich ['aintrɛːklıç] *adj* profitable

Eintragung ['aintraːgʊŋ] *f* ⟨**-, -en**⟩ entry (*in +acc* in)

eintreffen *v/i sep irr aux sein* **1.** (≈ *ankommen*) to arrive **2.** (*fig* ≈ *Wirklichkeit werden*) to come true

eintreiben *v/t sep irr* to collect; *Schulden* to recover

eintreten *sep irr* **I** *v/i* **1.** *aux sein* (*ins Zimmer etc*) to go/come in (*in +acc* -to); (*in Verein etc*) to join (*in etw* (*acc*) sth); ***in eine Firma ~*** to join a firm; ***in Verhandlungen ~*** (*form*) to enter into negotiations; ***bitte treten Sie ein!*** (*form*) (please) do come in **2.** ***auf jdn ~*** to kick sb **3.** *aux sein* (≈ *sich ereignen*) (*Tod*) to occur; (*Zeitpunkt*) to come; ***bei Eintreten der Dunkelheit*** at nightfall; ***es ist eine Besserung eingetreten*** there has been an improvement **4.** *aux sein* ***für jdn/etw ~*** to stand up for sb/sth **II** *v/t* (≈ *zertrümmern*) to kick in

eintrichtern ['aintrıçtɐn] (*infml*) ***jdm etw ~*** to drum sth into sb

Eintritt *m* **1.** (≈ *das Eintreten*) entry (*in +acc* (in)to); (*in Verein etc*) joining (*in +acc* of); ***seit seinem ~ in die Armee*** since joining the army **2.** (≈ *Eintrittsgeld*) admission (*in +acc* to); ***~ frei!*** admission free; ***„Eintritt verboten"*** "no admittance" **3.** (*von Winter*) onset; ***der ~ des Todes*** the moment when death occurs **Eintrittsgeld** *nt* entrance money **Eintrittskarte** *f* ticket (of admission) **Eintrittspreis** *m* admission charge

eintrüben *v/r sep* METEO to cloud over

eintrudeln *v/i sep aux sein* (*infml*) to drift in (*infml*)

einüben *v/t sep* to practise (*Br*), to practice (*US*); *Rolle etc* to rehearse

einverleiben ['ainfɛɐlaibn] *past part* ***einverleibt*** *v/t sep and insep Gebiet, Land* to annex (*dat* to)

Einvernahme *f* ⟨**-, -n**⟩ (*esp Aus, Swiss*) = ***Vernehmung*** **einvernehmen** *past part* ***einvernommen*** *v/t insep irr* (JUR: *esp Aus, Swiss*) = ***vernehmen*** **Einvernehmen** *nt* ⟨**-s, -**⟩ (≈ *Eintracht*) harmony; ***in beiderseitigem ~*** by mutual agreement **einvernehmlich** (*form*) **I** *adj Regelung, Lösung* consensual **II** *adv* consensually

einverstanden ['ainfɛɐʃtandn] *adj* ***~!*** agreed!; ***~ sein*** to agree; ***mit jdm/etw ~ sein*** to agree to sb/sth; (≈ *übereinstimmen*) to agree with sb/sth **Einverständnis** *nt* agreement; (≈ *Zustimmung*) consent; ***in gegenseitigem ~*** by mutual consent

Einwahl *f* (TEL: *ins Internet*) dial-up **einwählen** *sep v/r* TEL to dial in (*in +acc* -to); ***sich in ein Telefonnetz ~*** to dial into a telephone network; ***sich ins Internet ~*** to log onto the Internet **Einwahlknoten** *m* TEL, IT point of presence, POP

Einwand ['ainvant] *m* ⟨**-(e)s, ⸚e** [-vɛndə]⟩ objection; ***einen ~ erheben*** (*form*) to raise an objection

Einwanderer *m*, **Einwanderin** *f* immigrant **einwandern** *v/i sep aux sein* to immigrate **Einwanderung** *f* immigration (*nach, in +acc* to) **Einwanderungsland** *nt* immigration country

einwandfrei **I** *adj* **1.** (≈ *ohne Fehler*) perfect; *Benehmen* impeccable **2.** (≈ *unzweifelhaft*) indisputable **II** *adv* **1.** (≈ *fehlerlos*) perfectly; *sich verhalten* impeccably **2.** ***etw ~ beweisen*** to prove sth beyond doubt; ***es steht ~ fest, dass ...*** it is quite indisputable that ...

einwärts ['ainvɛrts] *adv* inwards

einwechseln *v/t sep Geld* to change (*in +acc, gegen* into)

Einwegflasche *f* non-returnable bottle **Einwegpfand** *nt* deposit on drink cans and disposable bottles **Einwegspritze** *f* disposable syringe

einweichen *v/t sep* to soak

einweihen *v/t sep* **1.** (≈ *eröffnen*) to open (officially); (*fig*) to christen **2.** ***jdn in etw*** (*acc*) **~** to initiate sb into sth; ***er ist eingeweiht*** he knows all about it **Einweihung** ['ainvaiʊŋ] *f* ⟨**-, -en**⟩ (official) opening

einweisen *v/t sep irr* **1.** (*in Krankenhaus etc*) to admit (*in +acc* to) **2.** (≈ *in Arbeit unterweisen*) ***jdn ~*** to introduce sb to his / her job **3.** AUTO to guide in (*in +acc* -to) **Einweisung** *f* **1.** (*in Krankenhaus etc*) admission (*in +acc* in) **2.** ***die ~ der neuen Mitarbeiter*** introducing new employees to their jobs

einwenden *v/t sep irr* ***nichts gegen etw einzuwenden haben*** to have no objection to sth; ***dagegen lässt sich ~, dass ...*** one objection to this is that ...

einwerfen *sep irr v/t* **1.** *Fensterscheibe etc* to break **2.** SPORTS *Ball* to throw in **3.** *Brief* to post (*Br*), to mail (*esp US*); *Münze* to insert **4.** (*fig*) *Bemerkung* to make; ***er warf ein, dass ...*** he made the point that ...

einwickeln *v/t sep* **1.** (≈ *einpacken*) to wrap (up) **2.** (*infml* ≈ *überlisten*) to fool (*infml*); (*durch Schmeicheleien*) to butter up (*infml*)

einwilligen ['ainvɪlɪgn] *v/i sep* to consent (*in +acc* to) **Einwilligung** *f* ⟨**-, -en**⟩ consent (*in +acc* to)

einwirken *v/i sep* ***auf jdn / etw ~*** to have an effect on sb / sth; (≈ *beeinflussen*) to influence sb / sth; ***etw ~ lassen*** MED to let sth work in **Einwirkung** *f* influence; ***unter (der) ~ von Drogen*** *etc* under the influence of drugs *etc*

einwöchig [-vœçɪç] *adj* one-week *attr*

Einwohner ['ainvoːnɐ] *m* ⟨**-s, -**⟩, **Einwohnerin** [-ərɪn] *f* ⟨**-, -nen**⟩ inhabitant **Einwohnermeldeamt** *nt residents' registration office*; ***sich beim ~ (an)melden*** ≈ to register with the police **Einwohnerschaft** ['ainvoːnɐʃaft] *f* ⟨**-,** (*rare*) **-en**⟩ population **Einwohnerzahl** *f* population

Einwurf *m* **1.** (*von Münze*) insertion; (*von Brief*) posting (*Br*), mailing (*esp US*) **2.** SPORTS throw-in **3.** (≈ *Schlitz*) slot **4.** (*fig*) interjection; (≈ *Einwand*) objection

Einzahl *f* singular

einzahlen *v/t sep* to pay in; ***Geld auf ein Konto ~*** to pay money into an account **Einzahlung** *f* payment

einzäunen ['aintsɔynən] *v/t sep* to fence in

einzeichnen *v/t sep* to draw in; ***ist der Ort eingezeichnet?*** is the place marked?

Einzel ['aintsl] *nt* ⟨**-s, -**⟩ TENNIS singles *sg* **Einzelbeispiel** *nt* isolated *or* one-off example **Einzelbett** *nt* single bed **Einzelfall** *m* individual case; (≈ *Sonderfall*) isolated case **Einzelgänger** [-gɛŋɐ] *m* ⟨**-s, -**⟩, **Einzelgängerin** [-ərɪn] *f* ⟨**-, -nen**⟩ loner **Einzelhaft** *f* solitary confinement **Einzelhandel** *m* retail trade **Einzelhandelsgeschäft** *nt* retail shop **Einzelhandelspreis** *m* retail price **Einzelhändler(in)** *m*/(*f*) retailer, retail trader **Einzelhaus** *nt* detached house (*Br*), self-contained house (*US*) **Einzelheit** ['aintslhait] *f* ⟨**-, -en**⟩ detail; ***auf ~en eingehen*** to go into detail(s); ***etw in allen ~en schildern*** to describe sth in great detail **Einzelkämpfer(in)** *m*/(*f*) **1.** MIL, SPORTS single *or* solo combatant **2.** (*fig*) lone wolf, loner **Einzelkind** *nt* only child

Einzeller ['aintsɛlɐ] *m* ⟨**-s, -**⟩ BIOL single-cell(ed) *or* unicellular organism **einzellig** [-tsɛlɪç] *adj* single-cell(ed) *attr*

einzeln ['aintsln] **I** *adj* **1.** individual; (≈ *getrennt*) separate **2.** (≈ *alleinstehend*) *Haus* single; ***~ stehend*** solitary **3.** (≈ *einige*) some; METEO *Schauer* scattered **II** *adv* (≈ *separat*) separately; (≈ *nicht zusammen*) individually; ***wir kamen ~*** we came separately **Einzelne(r)** ['aintslnə] *m*/*f*(*m*) *decl as adj* ***ein ~r*** an individual **Einzelne(s)** ['aintslnə] *nt decl as adj* ***~s*** some; ***jedes ~*** each one; ***etw im ~n besprechen*** to discuss sth in detail; ***bis ins ~*** right down to the last detail **Einzelperson** *f* single person **Einzelpreis** *m* price, unit price (COMM) **Ein-**

zelstück *nt* ***ein schönes ~*** a beautiful piece; ***~e verkaufen wir nicht*** we don't sell them singly **Einzelteil** *nt* individual part; ***etw in seine ~e zerlegen*** to take sth to pieces **Einzelzelle** *f* single cell **Einzelzimmer** *nt* single room

einziehen *sep irr* **I** *v/t* **1.** *Gummiband* to thread; (*Kopiergerät*) *Papier* to take in **2.** (≈ *zurückziehen*) *Krallen, Antenne* to retract; *Bauch* to pull in; *Periskop* to lower; ***den Kopf ~*** to duck (one's head) **3.** MIL *Personen* to conscript, to draft (*US*); *Fahrzeuge etc* to requisition **4.** (≈ *kassieren*) *Steuern* to collect; (*fig*) *Erkundigungen* to make (*über +acc* about) **5.** (≈ *aus dem Verkehr ziehen*) *Banknoten* to withdraw (from circulation); *Führerschein* to take away **II** *v/i aux sein* **1.** (*in Wohnung, Haus*) to move in; ***ins Parlament ~*** (*Abgeordneter*) to take one's seat (in parliament) **2.** (≈ *einkehren*) to come (*in +dat* to); ***Ruhe und Ordnung zogen wieder ein*** law and order returned

einzig ['aintsɪç] **I** *adj* **1.** *attr* only; ***ich sehe nur eine ~e Möglichkeit*** I can see only one (single) possibility; ***kein ~es Mal*** not once; ***das Einzige*** the only thing **2.** *pred* (≈ *einzigartig*) unique; ***es ist ~ in seiner Art*** it is quite unique **II** *adv* (≈ *allein*) only; ***die ~ mögliche Lösung*** the only possible solution; ***~ und allein*** solely; ***~ und allein deshalb hat er gewonnen*** he owes his victory solely to that **einzigartig** *adj* unique; ***die Landschaft war ~ schön*** the scenery was astoundingly beautiful **Einzige(r)** ['aintsɪgə] *m/f(m) decl as adj* ***der/die ~*** the only one; ***kein ~r wusste es*** not a single person knew

Einzimmerwohnung *f* one-room flat (*Br*) *or* apartment

Einzug *m* **1.** (*in Haus etc*) move (*in +acc* into) **2.** (≈ *Einmarsch*) entry (*in +acc* into) **3.** (*von Steuern*) collection **Einzugsbereich** *m* catchment area (*Br*), service area (*US*) **Einzugsermächtigung** *f* FIN direct debit instruction **Einzugsverfahren** *nt* FIN direct debit

Eis [ais] *nt* ⟨**-es, -**⟩ **1.** *no pl* ice; ***zu ~ gefrieren*** to freeze; ***das ~ brechen*** (*fig*) to break the ice; ***etw auf ~ legen*** (*fig infml*) to put sth on ice **2.** (≈ *Speiseeis*) ice (cream); ***~ am Stiel*** ice(d) lolly (*Br*), Popsicle® (*US*); → ***eislaufen*** **Eisbahn** *f* ice rink **Eisbär** *m* polar bear **Eisbecher** *m* sundae **Eisbein** *nt* COOK knuckle of pork (*boiled and served with sauerkraut*) **Eisberg** *m* iceberg **Eisbergsalat** *m* iceberg lettuce **Eisbeutel** *m* ice pack

Eischnee ['ai-] *m* COOK beaten white of egg

Eiscreme *f* ice (cream) **Eisdiele** *f* ice-cream parlour (*Br*) *or* parlor (*US*)

Eisen ['aizn] *nt* ⟨**-s, -**, *no pl*⟩ iron; ***~ verarbeitend*** iron-processing; ***zum alten ~ gehören*** (*fig*) to be on the scrap heap; ***man muss das ~ schmieden, solange es heiß ist*** (*prov*) one must strike while the iron is hot (*prov*) **Eisenbahn** *f* railway (*Br*), railroad (*US*); (*infml* ≈ *Zug*) train **Eisenbahner** [-baːnɐ] *m* ⟨**-s, -**⟩, **Eisenbahnerin** [-ərɪn] *f* ⟨**-, -nen**⟩ railway employee (*Br*), railroader (*US*) **Eisenbahnnetz** *nt* railway (*Br*) *or* railroad (*US*) network **Eisenbahnschiene** *f* railway (*Br*) *or* railroad (*US*) track **Eisenbahnstrecke** *f* railway line (*Br*), railroad (*US*) **Eisenbahnüberführung** *f* (railway (*Br*) *or* railroad (*US*)) footbridge **Eisenbahnunterführung** *f* railway (*Br*) *or* railroad (*US*) underpass **Eisenbahnwagen** *m* railway carriage (*Br*), railroad car (*US*) **Eisenerz** *nt* iron ore **eisenhaltig** *adj* ***das Wasser ist ~*** the water contains iron **Eisenhütte** *f* ironworks *pl or sg* **Eisenindustrie** *f* iron industry **Eisenmangel** *m* iron deficiency **Eisenoxid** *nt* ferric oxide **Eisenspäne** *pl* iron filings *pl* **Eisenträger** *m* iron girder **Eisenwaren** *pl* hardware *sg* **Eisenwarenhandlung** *f* hardware store **Eisenzeit** *f, no pl* HIST Iron Age **eisern** ['aizɐn] **I** *adj* **1.** *attr* iron; ***~e Gesundheit*** iron constitution; ***in etw*** (*dat*) ***~ sein/bleiben*** to be/remain resolute about sth **2.** *attr* (≈ *unantastbar*) *Reserve* emergency **II** *adv* resolutely; ***er schwieg ~*** he remained resolutely silent

Eiseskälte *f* icy cold **Eisfach** *nt* freezer compartment **eisfrei** *adj* ice-free *attr*, free of ice *pred* **eisgekühlt** *adj* chilled **Eisglätte** *f* black ice **Eishockey** *nt* ice hockey, hockey (*US*) **eisig** ['aizɪç] **I** *adj Lächeln, Empfang* frosty **II** *adv* (≈ *abweisend*) icily; ***~ lächeln*** to give a frosty smile **Eiskaffee** *m* iced coffee **eiskalt** **I** *adj* **1.** icy-cold **2.** (*fig*) icy; (≈ *kalt und berechnend*) cold-blooded; (≈ *dreist*) cool **II** *adv* **1.** = ***eisig*** **2.** (≈ *kalt und berechnend*) cold-blooded **Eiskappe** *f* icecap **Eiskunstlauf** *m* figure skating **Eiskunstläufer(in)** *m/(f)* figure skater **Eislauf** *m* ice-skating **eislaufen** *v/i sep irr aux sein* to ice-skate **Eisläufer(in)** *m/(f)* ice-skater **Eismeer** *nt* polar sea; ***Nördliches/Südliches ~*** Arctic/Antarctic Ocean **Eispickel** *m* ice axe (*Br*)

Eisprung ['ai-] *m* PHYSIOL ovulation *no art*

Eisrevue *f* ice show **Eisriegel** *m* ice-cream bar **Eisschießen** *nt* ⟨**-s**, *no pl*⟩ curling **Eisschnelllauf** *m* speed skating **Eisscholle** *f* ice floe **Eisschrank** *m* refrigerator **Eis(sport)stadion** *nt* ice rink **Eistanz** *m* ice-dancing **Eistee** *m* iced tea **Eisverkäufer(in)** *m/(f)* ice-cream seller; (*Mann auch*) ice-cream man (*infml*) **Eiswein** *m sweet wine made from grapes which have been exposed to frost* **Eiswürfel** *m* ice cube **Eiszapfen** *m* icicle **Eiszeit** *f* Ice Age

eitel ['aitl] *adj Mensch* vain **Eitelkeit** *f* ⟨**-, -en**⟩ (*von Mensch*) vanity

Eiter ['aitɐ] *m* ⟨**-s**, *no pl*⟩ pus **Eiterbeule** *f* boil; (*fig*) canker **eiterig** ['aitərɪç] *adj Ausfluss* purulent; *Wunde* festering **eitern** ['aitɐn] *v/i* to fester

Eiweiß ['aivais] *nt* ⟨**-es, -e** *or* **-**⟩ (egg) white; CHEM protein **eiweißarm** *adj* low in protein; ***~e Kost*** a low-protein diet **Eiweißmangel** *m* protein deficiency **eiweißreich** *adj* rich in protein; ***~e Ernährung*** high-protein diet

Eizelle *f* BIOL egg cell

Ejakulation [ejakula'tsioːn] *f* ⟨**-, -en**⟩ ejaculation

Ekel[1] ['eːkl] *m* ⟨**-s**, *no pl*⟩ disgust; (≈ *Übelkeit*) nausea; ***~ erregend*** disgusting; ***diese Heuchelei ist mir ein ~*** I find this hypocrisy nauseating

Ekel[2] *nt* ⟨**-s, -**⟩ (*infml*) obnoxious person **ekelerregend** *adj* disgusting **ekelhaft, ekelig** ['eːkəlɪç] *adj*, *adv* disgusting **ekeln** ['eːkln] **I** *v/t +impers* ***es ekelt mich vor diesem Geruch*** this smell is disgusting **II** *v/r* to be *or* feel disgusted; ***sich vor etw*** (*dat*) ***~*** to find sth disgusting

EKG [eːkaː'geː] *nt* ⟨**-s, -s**⟩ *abbr of* ***Elektrokardiogramm*** ECG

Eklat [e'kla(ː)] *m* ⟨**-s, -s**⟩ (*elev*) (≈ *Aufsehen*) sensation, stir; (≈ *Zusammenstoß*) row; ***mit großem ~*** causing a great stir *or* sensation **eklatant** [ekla'tant] *adj Fall* sensational; *Verletzung* flagrant

Ekstase [ɛk'staːzə, ɛks'taːzə] *f* ⟨**-, -n**⟩ ecstasy; ***in ~ geraten*** to go into ecstasies

Ekzem [ɛk'tseːm] *nt* ⟨**-s, -e**⟩ MED eczema

Elan [e'laːn, e'lãː] *m* ⟨**-s**, *no pl*⟩ zest

Elast(h)an [elas'taːn] *f* elastane **elastisch** [e'lastɪʃ] *adj* elastic; *Binde* elasticated **Elastizität** [elastitsi'tɛːt] *f* ⟨**-**, (*rare*) **-en**⟩ elasticity

Elch [ɛlç] *m* ⟨**-(e)s, -e**⟩ elk, moose (*esp US*) **Elchtest** *m* (*infml*) (AUTO) high-speed swerve (*to test a car's roadholding*); (*fig* ≈ *entscheidender Test*) make-or-break test

Eldorado [ɛldo'raːdo] *nt* ⟨**-s, -s**⟩ eldorado

Elefant [ele'fant] *m* ⟨**-en, -en**⟩ elephant; ***wie ein ~ im Porzellanladen*** (*infml*) like a bull in a china shop (*prov*) **Elefantenbaby** *nt* (*infml*) baby elephant (*also fig hum*) **Elefantenhochzeit** *f* (COMM *infml*) mega-merger (*infml*)

elegant [ele'gant] **I** *adj* elegant **II** *adv* elegantly **Eleganz** [ele'gants] *f* ⟨**-**, *no pl*⟩ elegance

elektrifizieren [elɛktrifi'tsiːrən] *past part* ***elektrifiziert*** *v/t* to electrify **Elektrifizierung** *f* ⟨**-, -en**⟩ electrification **Elektrik** [e'lɛktrɪk] *f* ⟨**-, -en**⟩ (≈ *Anlagen*) electrical equipment **Elektriker** [e'lɛktrikɐ] *m* ⟨**-s, -**⟩, **Elektrikerin** [-ərɪn] *f* ⟨**-, -nen**⟩ electrician **elektrisch** [e'lɛktrɪʃ] **I** *adj* electric; *Entladung*, *Feld* electrical; ***~e Geräte*** electrical appliances; ***~er Strom*** electric current; ***der ~e Stuhl*** the electric chair **II** *adv* electrically; *kochen*, *heizen* with electricity **elektrisieren** [elɛktri'ziːrən] *past part* ***elektrisiert*** *v/t* to electrify **Elektrizität** [elɛktritsi'tɛːt] *f* ⟨**-**, *no pl*⟩ electricity **Elektrizitätswerk** *nt* (electric) power station **Elektroantrieb** *m* electric drive **Elektroartikel** *m* electrical appliance **Elektroauto** *nt* electric car **Elektrobohrer** *m* electric *or* power drill **Elektrode** [elɛk'troːdə] *f* ⟨**-, -n**⟩ electrode **Elektroenzephalogramm** [elɛktro|ɛtsefalo'gram] *nt* MED electroencephalogram, EEG **Elektrogerät** *nt* electrical appliance **Elektroherd** *m* electric cooker **Elektroingenieur(in)** *m/(f)* electrical engineer **Elektrokardiogramm** [elɛktrokardio'gram] *nt* MED electrocardiogram, ECG **Elektrolyse** [elɛktro'lyːzə] *f* ⟨**-, -n**⟩ electrolysis **Elektromagnet** [elɛktroma'gneːt, e'lɛktro-] *m* electromagnet **elektromagnetisch** [elɛktroma'gneːtɪʃ, e'lɛktro-] *adj* electromagnetic **Elektromotor** *m* electric motor **Elektron** ['eːlɛktrɔn, e'lɛktrɔn, elɛk'troːn] *nt* ⟨**-s, -en** [elɛk'troːnən]⟩ electron **Elektronenblitzgerät** *nt* PHOT electronic flash **Elektronenmikroskop** *nt* electron microscope **Elektronik** [elɛk'troːnɪk] *f* ⟨**-, -en**⟩ electronics *sg*; (≈ *elektronische Teile*) electronics *pl* **elektronisch** [elɛk'troːnɪʃ] **I** *adj* electronic; ***~er Briefkasten*** electronic mailbox **II** *adv* ***~ gesteuert*** electronically controlled **Elektroofen** *m* (≈ *Heizofen*) electric heater **Elektrorasierer** [-raziːrɐ] *m* ⟨**-s, -**⟩ electric shaver **Elektroschock** *m* MED electric shock **Elektroschockbehandlung** *f* electric shock treatment **elektrostatisch** [elɛktro'ʃtaːtɪʃ] **I** *adj* electrostatic **II** *adv* electrostatically **Elektrotechnik** [elɛktro'tɛçnɪk, e'lɛktro-] *f* electrical engineering **Elektrotechniker(in)** [elɛktro'tɛçnikɐ, e'lɛktro-, -ərɪn] *m/(f)* electrician; (≈ *Ingenieur*) electrical engineer **Elektrotherapie** [elɛktrotera'piː, e'lɛktro-] *f* MED electrotherapy

Element [ele'mɛnt] *nt* ⟨**-(e)s, -e**⟩ element; ELEC cell, battery; ***kriminelle ~e*** (*pej*) criminal elements; ***in seinem ~ sein*** to be in one's element **elementar** [elemɛn'taːɐ] *adj* elementary; (≈ *naturhaft*) *Trieb* elemental **Elementarteilchen** *nt* PHYS elementary particle

elend ['eːlɛnt] **I** *adj* (≈ *jämmerlich, pej* ≈ *gemein*) wretched; ***mir ist ganz ~*** I feel really awful (*infml*); ***mir wird ganz ~, wenn ich daran denke*** I feel quite ill when I think about it **II** *adv* (≈ *schlecht*) wretchedly; ***sich ~ fühlen*** to feel awful (*infml*) **Elend** ['eːlɛnt] *nt* ⟨**-(e)s** [-dəs]⟩ *no pl* (≈ *Unglück, Not*) misery; (≈ *Armut*) poverty; ***ein Bild des ~s*** a picture of misery; ***jdn/sich (selbst) ins ~ stürzen*** to plunge sb/oneself into misery/poverty; ***es ist ein ~ mit ihm*** (*infml*) he makes you want to weep (*infml*) **elendig(lich)** ['eːlɛndɪk(lɪç), (*emph*) eː'lɛndɪk(lɪç)] *adv* (*elev*) miserably; ***~ zugrunde gehen*** to come to a wretched end **Elendsviertel** *nt* slums *pl*

elf *num* eleven; → ***vier***

Elf[1] [ɛlf] *f* ⟨**-, -en**⟩ SPORTS team, eleven

Elf[2] [ɛlf] *m* ⟨**-en, -en**⟩, **Elfe** ['ɛlfə] *f* ⟨**-, -n**⟩ elf

Elfenbein ['ɛlfnbain] *nt* ivory **elfenbeinern I** *adj* ivory **II** *adv* ivory-like **elfenbeinfarben** [-farbn] *adj* ivory-coloured (*Br*), ivory-colored (*US*) **Elfenbeinturm** *m* (*fig*) ivory tower

Elfmeter [ɛlf'meːtɐ] *m* FTBL penalty (kick); ***einen ~ schießen*** to take a penalty **Elfmeterschießen** *nt* ⟨**-s, -**⟩ FTBL penalty shoot-out; ***durch ~ entschieden*** decided on penalties

elfte(r, s) ['ɛlftə] *adj* eleventh; → ***vierte(r, s)***

eliminieren [elimi'niːrən] *past part* ***eliminiert*** *v/t* to eliminate

elitär [eli'tɛːɐ] **I** *adj* elitist **II** *adv* in an elitist fashion **Elite** [e'liːtə] *f* ⟨**-, -n**⟩ elite **Elitetruppe** *f* MIL elite troops *pl*

Elixier [elɪ'ksiːɐ] *nt* ⟨**-s, -e**⟩ tonic

Ellbogen ['ɛlboːgn] *m* = ***Ellenbogen*** **Elle** ['ɛlə] *f* ⟨**-, -n**⟩ ANAT ulna (*tech*) **Ellenbogen** ['ɛlənboːgn] *m* elbow; ***die ~ gebrauchen*** (*fig*) to use one's elbows **Ellenbogenfreiheit** *f* (*fig*) elbow room **Ellenbogengesellschaft** *f* dog-eat-dog society **ellenlang** *adj* (*fig infml*) incredibly long (*infml*)

Ellipse [ɛ'lɪpsə] *f* ⟨**-, -n**⟩ MAT ellipse **elliptisch** [ɛ'lɪptɪʃ] *adj* MAT elliptic(al)

eloquent [elo'kvɛnt] (*elev*) **I** *adj* eloquent **II** *adv* eloquently

El Salvador [el'zalvadoːɐ] *nt* ⟨**-s**⟩ El Salvador

Elsass ['ɛlzas] *nt* ⟨**-** *or* **-es**⟩ ***das ~*** Alsace **elsässisch** ['ɛlzɛsɪʃ] *adj* Alsatian **Elsass-Lothringen** ['ɛlzas'loːtrɪŋən] *nt* Alsace-Lorraine

Elster ['ɛlstɐ] *f* ⟨**-, -n**⟩ magpie; ***eine diebische ~ sein*** (*fig*) to be a thief

elterlich ['ɛltɐlɪç] *adj* parental **Eltern** ['ɛltɐn] *pl* parents *pl*; ***nicht von schlechten ~ sein*** (*infml*) to be quite something (*infml*) **Elternabend** *m* SCHOOL parents' evening **Elternbeirat** *m* ≈ PTA, parent-teacher association **Elternhaus** *nt* (parental) home; ***aus gutem ~ stammen*** to come from a good home **elternlos I** *adj* orphaned **II** *adv* ***~ aufwachsen*** to grow up an orphan **Elternschaft** ['ɛltɐnʃaft] *f* ⟨**-, -en**⟩ parents *pl* **Elternsprechtag** *m* open day (for parents) **Elternteil** *m* parent **Elternzeit** *f* (extended) parental leave

Email [e'mai, e'maːj] *nt* ⟨**-s, -s**⟩ enamel

E-Mail ['iːmeːl] *f* ⟨**-, -s**⟩ IT E-mail, e-mail **E-Mail-Adresse** ['iːmeːl-] *f* IT E-mail *or* e-mail address

Emanze [e'mantsə] *f* ⟨-, **-n**⟩ (*usu pej*) women's libber (*infml*) **Emanzipation** [emantsipa'tsio:n] *f* ⟨-, **-en**⟩ emancipation **emanzipatorisch** [emantsipa'to:rɪʃ] *adj* emancipatory **emanzipieren** [emantsi'pi:rən] *past part* ***emanzipiert*** **I** *v/t* to emancipate **II** *v/r* to emancipate oneself

Embargo [ɛm'bargo] *nt* ⟨**-s, -s**⟩ embargo

Embolie [ɛmbo'li:] *f* ⟨-, **-n** [-'li:ən]⟩ MED embolism

Embryo ['ɛmbryo] *m* (*Aus also nt*) ⟨**-s, -s** *or* **-nen** [-'o:nən]⟩ embryo **embryonal** [ɛmbryo'na:l] *adj attr* (BIOL, *fig*) embryonic

emeritieren [emeri'ti:rən] *past part* ***emeritiert*** *v/t* UNIV ***emeritierter Professor*** emeritus professor

Emigrant [emi'grant] *m* ⟨**-en, -en**⟩, **Emigrantin** [-'grantɪn] *f* ⟨-, **-nen**⟩ emigrant **Emigration** [emigra'tsio:n] *f* ⟨-, **-en**⟩ emigration; ***in die ~ gehen*** to emigrate **emigrieren** [emi'gri:rən] *past part* ***emigriert*** *v/i aux sein* to emigrate

eminent [emi'nɛnt] (*elev*) **I** *adj Person* eminent; ***von ~er Bedeutung*** of the utmost significance **II** *adv* eminently; ***~ wichtig*** of the utmost importance

Emirat [emi'ra:t] *nt* ⟨**-(e)s, -e**⟩ emirate

Emission [emi'sio:n] *f* **1.** FIN issue **2.** PHYS emission

Emmentaler ['ɛmənta:lɐ] *m* ⟨**-s, -**⟩ (≈ *Käse*) Emment(h)aler

Emoticon [e'mo:tikɔn] *nt* ⟨**-s, -s**⟩ IT, E-MAIL emoticon **Emotion** [emo'tsio:n] *f* ⟨-, **-en**⟩ emotion **emotional** [emotsio'na:l] **I** *adj* emotional; *Ausdrucksweise* emotive **II** *adv* emotionally **emotionalisieren** [emotsionali'zi:rən] *past part* ***emotionalisiert*** *v/t* to emotionalize **Emotionalität** *f* ⟨-, **-en**⟩ emotionality **emotionell** [emotsio'nɛl] *adj* = ***emotional*** **emotionsfrei** *adj, adv* = ***emotionslos*** **emotionsgeladen** *adj* emotionally charged **emotionslos** **I** *adj* unemotional **II** *adv* unemotionally

Empfang [ɛm'pfaŋ] *m* ⟨**-(e)s, ⸚e** [ɛm'pfɛŋə]⟩ reception; (*von Brief, Ware etc*) receipt; ***einen ~ geben*** to give *or* hold a reception; ***etw in ~ nehmen*** to receive sth; COMM to take delivery of sth; (***zahlbar***) ***nach/bei ~*** (payable) on receipt (of) **empfangen** [ɛm'pfaŋən] *pret* ***empfing*** [ɛm'pfɪŋ], *past part* ***empfangen*** *v/t* to receive; (≈ *begrüßen*) to greet; (*herzlich*) to welcome **Empfänger** [ɛm'pfɛŋɐ] *m* ⟨**-s, -**⟩ RADIO receiver **Empfänger** [ɛm'pfɛŋɐ] *m* ⟨**-s, -**⟩, **Empfängerin** [-ərɪn] *f* ⟨-, **-nen**⟩ recipient; (≈ *Adressat*) addressee **empfänglich** [ɛm'pfɛŋlɪç] *adj* (≈ *aufnahmebereit*) receptive (*für* to); (≈ *anfällig*) susceptible (*für* to) **Empfängnis** [ɛm'pfɛŋnɪs] *f* ⟨-, **-se**⟩ conception **empfängnisverhütend** *adj* contraceptive; ***~e Mittel*** *pl* contraceptives *pl* **Empfängnisverhütung** *f* contraception **Empfangsbereich** *m* (RADIO, TV) reception area **Empfangsbescheinigung** *f* (acknowledgment of) receipt **Empfangschef(in)** *m*/(*f*) (*von Hotel*) head porter **Empfangsdame** *f* receptionist

empfehlen [ɛm'pfe:lən] *pret* ***empfahl*** [ɛm'pfa:l], *past part* ***empfohlen*** [ɛm'pfo:lən] **I** *v/t* to recommend; (***jdm***) ***etw/jdn ~*** to recommend sth/sb (to sb); → ***empfohlen*** **II** *v/r* ***es empfiehlt sich, das zu tun*** it is advisable to do that **empfehlenswert** *adj* to be recommended **Empfehlung** *f* ⟨-, **-en**⟩ recommendation; (≈ *Referenz*) reference; ***auf ~ von*** on the recommendation of **Empfehlungsschreiben** *nt* letter of recommendation

empfinden [ɛm'pfɪndn] *pret* ***empfand*** [ɛm'pfant], *past part* ***empfunden*** [ɛm'pfʊndn] *v/t* to feel; ***etw als kränkend ~*** to find sth insulting; ***viel/nichts für jdn ~*** to feel a lot/nothing for sb **Empfinden** [ɛm'pfɪndn] *nt* ⟨**-s**, *no pl*⟩ feeling; ***meinem ~ nach*** to my mind **empfindlich** [ɛm'pfɪntlɪç] **I** *adj* **1.** sensitive; *Gesundheit, Stoff* delicate; (≈ *leicht reizbar*) touchy (*infml*); ***~e Stelle*** sensitive spot; ***gegen etw ~ sein*** to be sensitive to sth **2.** (≈ *spürbar*) *Verlust, Strafe, Niederlage* severe **II 1.** *adv* (≈ *sensibel*) sensitively; ***~ reagieren*** to be sensitive (*auf +acc* to) **2.** (≈ *spürbar*) severely; ***deine Kritik hat ihn ~ getroffen*** your criticism cut him to the quick (*esp Br*) *or* bone (*US*); ***es ist ~ kalt*** it is bitterly cold **Empfindlichkeit** *f* ⟨-, **-en**⟩ sensitivity; (*von Gesundheit, Stoff*) delicateness; (≈ *leichte Reizbarkeit*) touchiness (*infml*) **empfindsam** [ɛm'pfɪntza:m] *adj Mensch, Seele, Musik* sensitive; (≈ *gefühlvoll*) sentimental **Empfindung** [ɛm'pfɪndʊŋ] *f* ⟨-, **-en**⟩ feeling

empfohlen *adj* recommended; → ***emp-***

fehlen
emphatisch [ɛm'faːtɪʃ] (*elev*) **I** *adj* emphatic **II** *adv* emphatically
Empiriker [ɛm'piːrikɐ] *m* ⟨**-s, -**⟩, **Empirikerin** [-ərɪn] *f* ⟨**-, -nen**⟩ empiricist **empirisch** [ɛm'piːrɪʃ] *adj* empirical
Empore [ɛm'poːrə] *f* ⟨**-, -n**⟩ ARCH gallery
empören [ɛm'pøːrən] *past part* ***empört*** **I** *v/t* to fill with indignation; (*stärker*) to incense; → ***empört*** **II** *v/r* to be indignant (*über +acc* at); (*stärker*) to be incensed (*über +acc* at) **empörend** *adj* outrageous
emporkommen *v/i sep irr aux sein* (*elev*) to rise (up); (*fig*) (≈ *aufkommen*) to come to the fore **Emporkömmling** [ɛm'poːɐkœmlɪŋ] *m* ⟨**-s, -e**⟩ (*pej*) upstart
emporragen *v/i sep aux haben or sein* (*elev*) to tower (*über +acc* above)
empört [ɛm'pøːɐt] **I** *adj* outraged (*über +acc* at) **II** *adv* indignantly; → ***empören***
Empörung [ɛm'pøːrʊŋ] *f* ⟨**-,** *no pl*⟩ (≈ *Entrüstung*) indignation (*über +acc* at)
emsig ['ɛmzɪç] **I** *adj* busy; (≈ *eifrig*) eager **II** *adv* busily; (≈ *eifrig*) eagerly
Emu ['eːmu] *m* ⟨**-s, -s**⟩ emu
Emulsion [emʊl'zioːn] *f* ⟨**-, -en**⟩ emulsion
E-Musik ['eː-] *f* serious music
Endabnehmer(in) *m/(f)* end buyer **Endabrechnung** *f* final account **Endbenutzer(in)** *m/(f)* end user **Endbetrag** *m* final amount **Ende** ['ɛndə] *nt* ⟨**-s, -n**⟩ end; (≈ *Ausgang*) outcome; (≈ *eines Films etc*) ending; ***~ Mai/der Woche*** at the end of May / the week; ***~ der Zwanzigerjahre*** in the late twenties; ***er ist ~ vierzig*** he is in his late forties; ***das ~ vom Lied*** the final outcome; ***Probleme ohne ~*** endless problems; ***letzten ~s*** when all is said and done; (≈ *am Ende*) in the end; ***damit muss es jetzt ein ~ haben*** this must stop now; ***das nimmt gar kein ~*** (*infml*) there's no end to it; ***ein böses ~ nehmen*** to come to a bad end; ***... und kein ~*** ... without end; ***es ist noch ein gutes*** *or* ***ganzes ~*** (*infml*) there's still quite a way to go (yet); ***am ~*** at the end; (≈ *schließlich*) in the end; (*infml* ≈ *möglicherweise*) perhaps; ***am ~ sein*** (*fig*) to be at the end of one's tether (*Br*) *or* rope (*US*); ***mit etw am ~ sein*** to have reached the end of sth; (*Vorrat*) to have run out of sth; ***meine Geduld ist am ~*** my patience is at an end; ***zu ~*** finished; ***etw zu ~ bringen*** *or* ***führen*** to finish (off) sth; ***zu ~ gehen*** to come to an end; (*Vorräte*) to run out; ***~ gut, alles gut*** (*prov*) all's well that ends well (*prov*)
Endeffekt *m* ***im ~*** (*infml*) in the end **enden** ['ɛndn] *v/i* to end; ***es endete damit, dass ...*** the outcome was that ...; ***er endete im Gefängnis*** he ended up in prison; ***wie wird das noch mit ihm ~?*** what will become of him?; ***das wird böse ~!*** no good will come of it! **Endergebnis** *nt* final result **Endgehalt** *nt* final salary **Endgerät** *nt* TEL *etc* terminal **endgültig** **I** *adj* final; *Antwort* definite **II** *adv* finally; ***damit ist die Sache ~ entschieden*** that settles the matter once and for all; ***sie haben sich jetzt ~ getrennt*** they've separated for good **Endgültigkeit** *f, no pl* finality **Endhaltestelle** *f* terminus, final stop (*US*)
Endivie [ɛn'diːviə] *f* ⟨**-, -n**⟩ endive
Endlager *nt* (*für Atommüll etc*) permanent (waste) disposal site **endlagern** *v/t insep Atommüll etc* to dispose of permanently **endlich** ['ɛntlɪç] **I** *adv* finally; ***na ~!*** at (long) last!; ***hör ~ damit auf!*** will you stop that!; ***~ kam er doch*** he eventually came after all **II** *adj* MAT finite **endlos** **I** *adj* endless **II** *adv* forever; ***ich musste ~ lange warten*** I had to wait for ages (*infml*)
endogen [ɛndo'geːn] *adj* endogenous
Endoskop [ɛndo'skoːp] *nt* ⟨**-s, -e**⟩ MED endoscope **Endoskopie** [ɛndosko'piː] *f* ⟨**-, -n** [-'piːən]⟩ MED endoscopy
Endphase *f* final stage(s *pl*) **Endprodukt** *nt* end product **Endrunde** *f* SPORTS finals *pl* **Endsilbe** *f* final syllable **Endspiel** *nt* SPORTS final; CHESS end game **Endspurt** *m* (SPORTS, *fig*) final spurt **Endstadium** *nt* final *or* (MED) terminal stage **Endstation** *f* RAIL *etc* terminus, terminal; (*fig*) end of the line **Endung** ['ɛndʊŋ] *f* ⟨**-, -en**⟩ GRAM ending **Endverbraucher(in)** *m/(f)* end user
Energie [enɛr'giː] *f* ⟨**-, -n** [-'giːən]⟩ energy; ***~ sparend*** energy-saving; ***mit aller*** *or* ***ganzer ~*** with all one's energy **Energiebedarf** *m* energy requirement **energiebewusst** *adj* energy-conscious **Energieeinsparung** *f* energy saving **energiegeladen** *adj* full of energy **Energiekrise** *f* energy crisis **energielos** *adj* lacking in energy **Energielosigkeit** *f* ⟨**-,** *no pl*⟩ lack of energy **Energiepolitik** *f* energy policy

Energiequelle *f* energy source **energiesparend** *adj* energy-saving **Energieverbrauch** *m* energy consumption **Energieverschwendung** *f* waste of energy **Energieversorgung** *f* supply of energy **Energiewirtschaft** *f* (≈ *Wirtschaftszweig*) energy industry

energisch [e'nɛrgɪʃ] **I** *adj* (≈ *voller Energie*) energetic; *Maßnahmen* firm; *Worte* strong; **~ *werden*** to assert oneself **II** *adv dementieren* strongly; *verteidigen* vigorously; **~ *durchgreifen*** to take firm action

eng [ɛŋ] **I** *adj* **1.** narrow; *Kleidung* tight; ***im ~eren Sinne*** in the narrow sense **2.** (≈ *nah, dicht*) close; ***eine Feier im ~sten Kreise*** a small party for close friends **II** *adv* **~ *anliegend*** tight(-fitting); **~ *zusammengedrängt sein*** to be crowded together; **~ *beschrieben*** closely written; **~ *nebeneinander*** close together; **~ *befreundet sein*** to be close friends; ***das darfst du nicht so ~ sehen*** (*fig infml*) don't take it so seriously

Engagement [ãgaʒə'mãː] *nt* ⟨**-s, -s**⟩ **1.** THEAT engagement **2.** (≈ *politisches Engagement*) commitment (*für* to) **engagieren** [ãga'ʒiːrən] *past part* ***engagiert*** **I** *v/t* to engage **II** *v/r* to be / become committed (*für* to) **engagiert** [ãga'ʒiːɐt] *adj* committed

enganliegend *adj attr*; → ***eng***

Enge ['ɛŋə] *f* ⟨**-, -n**⟩ **1.** *no pl* (*von Straße etc*) narrowness; (*von Kleid etc*) tightness **2.** (≈ *Meerenge*) strait; (≈ *Engpass*) pass; ***jdn in die ~ treiben*** (*fig*) to drive sb into a corner

Engel ['ɛŋl] *m* ⟨**-s, -**⟩ angel **Engelsgeduld** *f **sie hat eine ~*** she has the patience of a saint

England ['ɛŋlant] *nt* ⟨**-s**⟩ England **Engländer** ['ɛŋlɛndɐ] *m* ⟨**-s, -**⟩ **1.** Englishman; English boy; ***die ~*** *pl* the English, the Brits (*infml*); ***er ist ~*** he's English **2.** TECH monkey wrench **Engländerin** ['ɛŋlɛndərɪn] *f* ⟨**-, -nen**⟩ Englishwoman; English girl **englisch** ['ɛŋlɪʃ] *adj* English; *Steak* rare; → ***deutsch*** **Englisch(e)** ['ɛŋlɪʃ] *nt* English; → ***Deutsch*** **Englischlehrer(in)** *m/(f)* English teacher **englischsprachig** *adj Gebiet* English-speaking; *Zeitung* English-language *attr* *Englischunterricht m* **1.** English lessons *pl* **2.** (*das Unterrichten*) teaching of English; (*Privatunterricht*) English language tuition

engmaschig [-maʃɪç] *adj* close-meshed; (*fig*) close **Engpass** *m* (narrow) pass; (*fig*) bottleneck

en gros [ã 'gro] *adv* wholesale; (*fig*) en masse

engstirnig ['ɛŋʃtɪrnɪç] *adj* narrow-minded **Engstirnigkeit** *f* narrow-mindedness

Enkel ['ɛŋkl] *m* ⟨**-s, -**⟩ grandson **Enkelin** ['ɛŋkəlɪn] *f* ⟨**-, -nen**⟩ granddaughter

Enklave [ɛn'klaːvə] *f* ⟨**-, -n**⟩ enclave

en masse [ã 'mas] *adv* en masse

enorm [e'nɔrm] **I** *adj* (≈ *riesig*) enormous; (*infml* ≈ *herrlich, kolossal*) tremendous (*infml*) **II** *adv* (≈ *riesig*) enormously; (*infml* ≈ *herrlich, kolossal*) tremendously

en passant [ã pa'sã] *adv* en passant

Ensemble [ã'sãːbl] *nt* ⟨**-s, -s**⟩ ensemble; (≈ *Besetzung*) cast

entarten [ɛnt'|artn] *past part* ***entartet*** *v/i aux sein* to degenerate (*zu* into) **entartet** [ɛnt'|artət] *adj* degenerate

entbehren [ɛnt'beːrən] *past part* ***entbehrt*** *v/t* (≈ *vermissen*) to miss; (≈ *zur Verfügung stellen*) to spare; (≈ *verzichten*) to do without; ***wir können ihn heute nicht ~*** we cannot spare him / it today **entbehrlich** [ɛnt'beːɐlɪç] *adj* dispensable **Entbehrung** *f* ⟨**-, -en**⟩ privation

entbinden [ɛnt'bɪndn] *past part* ***entbunden*** [ɛnt'bʊndn] *irr* **I** *v/t* **1.** *Frau* to deliver; ***sie ist von einem Sohn entbunden worden*** she has given birth to a son **2.** (≈ *befreien*) to release (*von* from) **II** *v/i* (*Frau*) to give birth **Entbindung** *f* delivery; (*von Amt etc*) release **Entbindungsklinik** *f* maternity clinic **Entbindungsstation** *f* maternity ward

entblöden [ɛnt'bløːdn] *past part* ***entblödet*** *v/r* (*elev*) ***sich nicht ~, etw zu tun*** to have the effrontery to do sth

entblößen [ɛnt'bløːsn] *past part* ***entblößt*** *v/t* (*form*) *Körperteil* to bare; (*fig*) *sein Innenleben* to lay bare

entdecken [ɛnt'dɛkn] *past part* ***entdeckt*** *v/t* (≈ *finden*) to discover; (*in der Ferne, einer Menge*) to spot **Entdecker** [ɛnt'dɛkɐ] *m* ⟨**-s, -**⟩, **Entdeckerin** [-ərɪn] *f* ⟨**-, -nen**⟩ discoverer **Entdeckung** *f* discovery

Ente ['ɛntə] *f* ⟨**-, -n**⟩ duck; (PRESS *infml*) canard

entehren [ɛnt'|eːrən] *past part* ***entehrt*** *v/t* to dishonour (*Br*), to dishonor (*US*); (≈

entwürdigen) to degrade; **~*d*** degrading **enteignen** [ɛnt'|aignən] *past part* ***enteignet*** *v/t* to expropriate; *Besitzer* to dispossess **Enteignung** *f* expropriation; (*von Besitzer*) dispossession **enteisen** [ɛnt'|aizn] *past part* ***enteist*** *v/t* to de-ice; *Kühlschrank* to defrost **Entenbraten** *m* roast duck **Entenei** [-|ai] *nt* duck's egg **Entente** [ã'tã:t(ə)] *f* ⟨-, -*n*⟩ POL entente **enterben** [ɛnt'|ɛrbn] *past part* ***enterbt*** *v/t* to disinherit **Enterich** ['ɛntərɪç] *m* ⟨-*s*, -*e*⟩ drake **entern** ['ɛntɐn] *v/t* (≈ *stürmen*) *Schiff, Haus* to storm **Entertainer** [ɛntɐ'te:nɐ] *m* ⟨-*s*, -⟩, **Entertainerin** [-ərin] *f* ⟨-, -*nen*⟩ entertainer **Enter-Taste** ['ɛntɐ-] *f* IT enter key **entfallen** [ɛnt'falən] *past part* ***entfallen*** *v/i irr aux sein* **1.** (*fig: aus dem Gedächtnis*) ***jdm ~*** to slip sb's mind **2.** (≈ *wegfallen*) to be dropped **3. *auf jdn/etw ~*** (*Geld, Kosten*) to be allotted to sb/sth **entfalten** [ɛnt'faltn] *past part* ***entfaltet*** **I** *v/t* to unfold; (*fig*) *Kräfte, Begabung* to develop; *Plan* to set out **II** *v/r* (*Blüte*) to open; (*fig*) to develop; ***hier kann ich mich nicht ~*** I can't make full use of my abilities here **Entfaltung** *f* ⟨-, -*en*⟩ unfolding; (≈ *Entwicklung*) development; (*eines Planes*) setting out; ***zur ~ kommen*** to develop **entfernen** [ɛnt'fɛrnən] *past part* ***entfernt*** **I** *v/t* to remove (*von, aus* from); IT to delete; ***jdn aus der Schule ~*** to expel sb from school **II** *v/r* **1. *sich*** (***von** or **aus** etw*) ***~*** to go away (from sth); ***sich von seinem Posten ~*** to leave one's post **2.** (*fig: von jdm*) to become estranged; (*von Thema*) to digress **entfernt** [ɛnt'fɛrnt] **I** *adj Ort, Verwandter* distant; (≈ *abgelegen*) remote; (≈ *gering*) *Ähnlichkeit* vague; ***10 km ~ von*** 10 km (away) from; ***das Haus liegt 2 km ~*** the house is 2 km away **II** *adv* remotely; ***~ verwandt*** distantly related; ***nicht im Entferntesten!*** not in the slightest! **Entfernung** *f* ⟨-, -*en*⟩ **1.** distance; ***aus kurzer ~*** (***schießen***) (to fire) at *or* from close range; ***in acht Kilometer(n) ~*** eight kilometres (*Br*) *or* kilometers (*US*) away **2.** (≈ *das Entfernen*) removal **Entfernungsmesser** *m* ⟨-*s*, -⟩ MIL, PHOT rangefinder **entfesseln** [ɛnt'fɛsln] *past part* ***entfesselt*** *v/t* (*fig*) to unleash **entfesselt** [ɛnt'fɛslt] *adj* unleashed; *Leidenschaft* unbridled; *Naturgewalten* raging **entfetten** [ɛnt'fɛtn] *past part* ***entfettet*** *v/t* to remove the grease from **entflammbar** *adj* inflammable **entflammen** [ɛnt'flamən] *past part* ***entflammt*** **I** *v/t* (*fig*) to (a)rouse; *Begeisterung* to fire **II** *v/i aux sein* to burst into flames; (*fig*) (*Zorn, Streit*) to flare up **entflechten** [ɛnt'flɛçtn] *past part* ***entflochten*** [ɛnt'flɔxtn] *v/t irr Konzern, Kartell etc* to break up **entfliehen** [ɛnt'fli:ən] *past part* ***entflohen*** [ɛnt'flo:ən] *v/i irr aux sein* to escape (*+dat or aus* from) **entfremden** [ɛnt'frɛmdn] *past part* ***entfremdet*** **I** *v/t* to alienate **II** *v/r* to become alienated (*dat* from) **Entfremdung** *f* ⟨-, -*en*⟩ estrangement; SOCIOL alienation **entfrosten** [ɛnt'frɔstn] *past part* ***entfrostet*** *v/t* to defrost **Entfroster** [ɛnt'frɔstɐ] *m* ⟨-*s*, -⟩ defroster **entführen** [ɛnt'fy:rən] *past part* ***entführt*** *v/t jdn* to kidnap; *Flugzeug* to hijack **Entführer(in)** *m/(f)* kidnapper; (*von Flugzeug*) hijacker **Entführung** *f* kidnapping; (*von Flugzeug*) hijacking **entgegen** [ɛnt'ge:gn] **I** *prep +dat* contrary to; ***~ allen Erwartungen*** contrary to all expectation(s) **II** *adv* (*elev*) ***neuen Abenteuern ~!*** on to new adventures! **entgegenbringen** *v/t sep irr* ***jdm etw ~*** (*fig*) *Freundschaft etc* to show sth for sb **entgegengehen** *v/i +dat sep irr aux sein* to go toward(s); ***dem Ende ~*** (*Leben, Krieg*) to draw to a close; ***seinem Untergang ~*** to be heading for disaster **entgegengesetzt** *adj* opposite; ***einander ~e Interessen/Meinungen*** *etc* opposing interests/views *etc*; → ***entgegensetzen*** **entgegenhalten** *v/t +dat sep irr* ***jdm etw ~*** (*lit*) to hold sth out toward(s) sb; ***einer Sache ~, dass ...*** (*fig*) to object to sth that ... **entgegenkommen** *v/i +dat sep irr aux sein* to come toward(s); (*fig*) to accommodate; ***jdm auf halbem Wege ~*** to meet sb halfway; ***das kommt unseren Plänen sehr entgegen*** that fits in very well with our plans **Entgegenkommen** *nt* (≈ *Gefälligkeit*) kindness; (≈ *Zugeständnis*) concession **entgegenkommend** *adj* **1.** *Fahrzeug* oncoming **2.** (*fig*) obliging **entgegenlaufen** *v/i +dat sep irr aux sein* to run toward(s) **entgegennehmen** *v/t sep irr* (≈ *empfangen*) to receive; (≈ *annehmen*) to accept **entgegensehen** *v/i sep irr* (*fig*) ***einer Sache*** (*dat*) **~** to await sth; (*freudig*) to look forward to sth; ***einer Sache ~ müssen*** to have to face sth **entgegensetzen** *v/t +dat sep* ***etw einer Sache ~*** to set sth against sth; ***dem habe ich entgegenzusetzen, dass ...*** against that I'd like to say that ...; → ***entgegengesetzt*** **entgegenstellen** *sep* **I** *v/t +dat* = ***entgegensetzen*** **II** *v/r +dat* ***sich jdm/einer Sache ~*** to oppose sb/sth **entgegentreten** *v/i +dat sep irr aux sein* to step up to; *einer Politik* to oppose; *Behauptungen* to counter; *einer Gefahr* to take steps against **entgegenwirken** *v/i +dat sep* to counteract

entgegnen [ɛnt'geːgnən] *past part* ***entgegnet*** *v/t & v/i* to reply; (*kurz, barsch*) to retort (*auf +acc* to) **Entgegnung** *f* ⟨**-, -en**⟩ reply

entgehen [ɛnt'geːən] *past part* ***entgangen*** [ɛnt'gaŋən] *v/i +dat irr aux sein* **1.** (≈ *entkommen*) *Verfolgern* to elude; *dem Schicksal, der Gefahr, Strafe* to escape **2.** (*fig* ≈ *nicht bemerkt werden*) ***dieser Fehler ist mir entgangen*** I failed to notice this mistake; ***ihr entgeht nichts*** she doesn't miss a thing; ***sich*** (*dat*) ***etw ~ lassen*** to miss sth

entgeistert [ɛnt'gaistɐt] *adj* thunderstruck

Entgelt [ɛnt'gɛlt] *nt* ⟨**-(e)s, -e**⟩ (*form*) **1.** (≈ *Bezahlung*) remuneration (*form*); (≈ *Anerkennung*) reward **2.** (≈ *Gebühr*) fee

entgiften [ɛnt'gɪftn] *past part* ***entgiftet*** *v/t* to decontaminate; MED to detoxicate

entgleisen [ɛnt'glaizn] *past part* ***entgleist*** *v/i aux sein* **1.** RAIL to be derailed **2.** (*fig: Mensch*) to misbehave **Entgleisung** *f* ⟨**-, -en**⟩ derailment; (*fig*) faux pas

entgleiten [ɛnt'glaitn] *past part* ***entglitten*** [ɛnt'glɪtn] *v/i +dat irr aux sein* to slip; ***jdm ~*** to slip from sb's grasp; (*fig*) to slip away from sb

entgräten [ɛnt'grɛːtn] *past part* ***entgrätet*** *v/t Fisch* to fillet

enthaaren [ɛnt'haːrən] *past part* ***enthaart*** *v/t* to remove unwanted hair from **Enthaarungsmittel** *nt* depilatory

enthalten [ɛnt'haltn] *past part* ***enthalten*** *irr* **I** *v/t* to contain; ***(mit) ~ sein in*** (*+dat*) to be included in **II** *v/r* ***sich einer Sache*** (*gen*) **~** (*elev*) to abstain from sth; ***sich*** (***der Stimme***) **~** to abstain

enthaltsam [ɛnt'haltzaːm] **I** *adj* abstemious; (*sexuell*) chaste **II** *adv* ***~ leben*** to be abstinent; (≈ *sexuell*) to be celibate **Enthaltsamkeit** *f* ⟨**-**, *no pl*⟩ abstinence; (*sexuell*) chastity **Enthaltung** *f* abstinence; (≈ *Stimmenthaltung*) abstention

enthärten [ɛnt'hɛrtn] *past part* ***enthärtet*** *v/t Wasser* to soften

enthaupten [ɛnt'hauptn] *past part* ***enthauptet*** *v/t* to decapitate **Enthauptung** *f* ⟨**-, -en**⟩ decapitation

entheben [ɛnt'heːbn] *past part* ***enthoben*** [ɛnt'hoːbn] *v/t irr* ***jdn einer Sache*** (*gen*) **~** to relieve sb of sth

enthemmen [ɛnt'hɛmən] *past part* ***enthemmt*** *v/t & v/i* ***jdn ~*** to make sb lose his inhibitions

enthüllen [ɛnt'hʏlən] *past part* ***enthüllt*** *v/t* to uncover; *Denkmal* to unveil; *Geheimnis* to reveal **Enthüllung** *f* ⟨**-, -en**⟩ uncovering; (*von Denkmal*) unveiling **Enthüllungsjournalismus** *m* investigative journalism

Enthusiasmus [ɛntu'ziasmʊs] *m* ⟨**-**, *no pl*⟩ enthusiasm **enthusiastisch** [ɛntu'ziastɪʃ] **I** *adj* enthusiastic **II** *adv* enthusiastically

entjungfern [ɛnt'jʊŋfɐn] *past part* ***entjungfert*** *v/t* to deflower

entkalken [ɛnt'kalkn] *past part* ***entkalkt*** *v/t* to decalcify

entkernen [ɛnt'kɛrnən] *past part* ***entkernt*** *v/t Kernobst* to core; *Steinobst* to stone

entkoffeiniert [ɛntkɔfei'niːɐt] *adj* decaffeinated

entkommen [ɛnt'kɔmən] *past part* ***entkommen*** *v/i irr aux sein* to escape (*+dat, aus* from) **Entkommen** *nt* escape

entkorken [ɛnt'kɔrkn] *past part* ***entkorkt*** *v/t Flasche* to uncork

entkräften [ɛnt'krɛftn] *past part* ***entkräftet*** *v/t* to weaken; (≈ *erschöpfen*) to exhaust; (*fig* ≈ *widerlegen*) to refute **Entkräftung** *f* ⟨**-, -en**⟩ weakening; (≈ *Erschöpfung*) exhaustion; (*fig* ≈ *Widerlegung*) refutation

entkrampfen [ɛnt'krampfn] *past part* ***entkrampft*** *v/t* (*fig*) to relax; *Lage* to ease

entladen [ɛnt'laːdn] *past part* ***entladen*** *irr* **I** *v/t* to unload; *Batterie etc* to discharge **II** *v/r* (*Gewitter*) to break; (*Schusswaffe*) to go off; (*Batterie etc*)

to discharge; (*fig*: *Emotion*) to vent itself
entlang [ɛnt'laŋ] **I** *prep +acc or +dat or* (*rare*) *+gen* along; ***den Fluss ~*** along the river **II** *adv* along; ***hier ~*** this way
entlanggehen *v/t & v/i sep irr aux sein* to walk along
entlarven [ɛnt'larfn] *past part* ***entlarvt*** *v/t* (*fig*) *Spion* to unmask; *Betrug etc* to uncover
entlassen [ɛnt'lasn] *past part* ***entlassen*** *v/t irr* (≈ *kündigen*) to dismiss; (*aus dem Krankenhaus*) to discharge; (*aus dem Gefängnis*) to release **Entlassung** *f* ⟨-, **-en**⟩ dismissal; (*aus dem Krankenhaus*) discharge; (*aus dem Gefängnis*) release
entlasten [ɛnt'lastn] *past part* ***entlastet*** *v/t* to relieve; *Verkehr* to ease; JUR *Angeklagten* to exonerate; COMM *Vorstand* to approve the activities of **Entlastung** *f* ⟨-, **-en**⟩ relief; JUR exoneration; (COMM: *von Vorstand*) approval; ***zu seiner ~ führte der Angeklagte an, dass ...*** in his defence (*Br*) *or* defense (*US*) the defendant stated that ... **Entlastungsmaterial** *nt* JUR evidence for the defence (*Br*) *or* defense (*US*) **Entlastungszeuge** *m*, **Entlastungszeugin** *f* JUR witness for the defence (*Br*) *or* defense (*US*) **Entlastungszug** *m* relief train
Entlaubung *f* ⟨-, **-en**⟩ defoliation **Entlaubungsmittel** *nt* defoliant
entlaufen [ɛnt'laufn] *past part* ***entlaufen*** *v/i irr aux sein* to run away (*+dat*, *von* from); ***ein ~es Kind*** a runaway child; ***ein ~er Sträfling*** an escaped convict; ***„Hund ~"*** "dog missing"
entledigen [ɛnt'leːdɪgn] *past part* ***entledigt*** *v/r* (*form*) ***sich jds/einer Sache ~*** to rid oneself of sb/sth; ***sich seiner Kleidung ~*** to remove one's clothes
entleeren [ɛnt'leːrən] *past part* ***entleert*** *v/t* to empty **Entleerung** *f* emptying
entlegen [ɛnt'leːgn] *adj* out-of-the-way
entlehnen [ɛnt'leːnən] *past part* ***entlehnt*** *v/t* (*fig*) to borrow (*+dat*, *von* from)
Entlein ['ɛntlain] *nt* ⟨**-s, -**⟩ duckling
entlocken [ɛnt'lɔkn] *past part* ***entlockt*** *v/t* ***jdm/einer Sache etw ~*** to elicit sth from sb/sth
entlohnen [ɛnt'loːnən] *past part* ***entlohnt*** *v/t* to pay; (*fig*) to reward **Entlohnung** *f* ⟨-, **-en**⟩ pay(ment); (*fig*) reward
entlüften [ɛnt'lʏftn] *past part* ***entlüftet*** *v/t* to ventilate; *Bremsen*, *Heizung* to bleed **Entlüftung** *f* ventilation; (*von Bremsen*, *Heizung*) bleeding
entmachten [ɛnt'maxtn] *past part* ***entmachtet*** *v/t* to deprive of power **Entmachtung** *f* ⟨-, **-en**⟩ deprivation of power
entmilitarisieren [ɛntmilitari'ziːrən] *past part* ***entmilitarisiert*** *v/t* to demilitarize **Entmilitarisierung** *f* ⟨-, **-en**⟩ demilitarization
entmündigen [ɛnt'mʏndɪgn] *past part* ***entmündigt*** *v/t* JUR to (legally) incapacitate **Entmündigung** *f* ⟨-, **-en**⟩ (legal) incapacitation
entmutigen [ɛnt'muːtɪgn] *past part* ***entmutigt*** *v/t* to discourage; ***sich nicht ~ lassen*** not to be discouraged **Entmutigung** *f* ⟨-, **-en**⟩ discouragement
Entnahme [ɛnt'naːmə] *f* ⟨-, **-n**⟩ (*form*) removal; (*von Blut*) extraction; (*von Geld*) withdrawal **entnehmen** [ɛnt'neːmən] *past part* ***entnommen*** [ɛnt'nɔmən] *v/t irr* to take (from); (*fig* ≈ *erkennen*) to gather (from)
entnerven [ɛnt'nɛrfn] *past part* ***entnervt*** *v/t* to unnerve; ***~d*** unnerving; (≈ *nervtötend*) nerve-racking
entpolitisieren [ɛntpoliti'ziːrən] *past part* ***entpolitisiert*** *v/t* to depoliticize
entpuppen [ɛnt'pʊpn] *past part* ***entpuppt*** *v/r* ***sich als Betrüger*** *etc* ***~*** to turn out to be a cheat *etc*
entrahmen [ɛnt'raːmən] *past part* ***entrahmt*** *v/t* *Milch* to skim
enträtseln [ɛnt'rɛːtsln] *past part* ***enträtselt*** *v/t* to solve; *Sinn* to work out; *Schrift* to decipher
entrechten [ɛnt'rɛçtn] *past part* ***entrechtet*** *v/t* ***jdn ~*** to deprive sb of his rights
entreißen [ɛnt'raisn] *past part* ***entrissen*** [ɛnt'rɪsn] *v/t irr* ***jdm etw ~*** to snatch sth (away) from sb
entrichten [ɛnt'rɪçtn] *past part* ***entrichtet*** *v/t* (*form*) to pay
entriegeln [ɛnt'riːgln] *past part* ***entriegelt*** *v/t* to unbolt; IT *etc* *Tastatur* to unlock
entrinnen [ɛnt'rɪnən] *past part* ***entronnen*** [ɛnt'rɔnən] *v/i +dat irr aux sein* (*elev*) to escape from; ***es gibt kein Entrinnen*** there is no escape
entrosten [ɛnt'rɔstn] *past part* ***entrostet*** *v/t* to derust **Entroster** [ɛnt'rɔstɐ] *m* ⟨**-s, -**⟩ deruster
entrückt [ɛnt'rʏkt] *adj* (*elev*) (≈ *verzückt*) enraptured; (≈ *versunken*) lost in rever-

ie

entrümpeln [ɛnt'rʏmpln] *past part* ***entrümpelt*** *v/t* to clear out

entrüsten [ɛnt'rʏstn] *past part* ***entrüstet*** **I** *v/t* to outrage **II** *v/r* ***sich ~ über*** (+*acc*) to be outraged at **entrüstet** [ɛnt'rʏstət] **I** *adj* outraged **II** *adv* indignantly, outraged **Entrüstung** *f* indignation

entsaften [ɛnt'zaftn] *past part* ***entsaftet*** *v/t* to extract the juice from **Entsafter** [ɛnt'zaftɐ] *m* ⟨***-s, -***⟩ juice extractor

entsalzen [ɛnt'zaltsn] *past part* ***entsalzt*** *v/t irr* to desalinate

entschädigen [ɛnt'ʃɛːdɪgn] *past part* ***entschädigt*** *v/t* (*für* for) to compensate; (*für Dienste etc*) to reward; (*esp mit Geld*) to remunerate; (≈ *Kosten erstatten*) to reimburse **Entschädigung** *f* ⟨***-, -en***⟩ compensation; (*für Dienste*) reward; (*mit Geld*) remuneration; (≈ *Kostenerstattung*) reimbursement

entschärfen [ɛnt'ʃɛrfn] *past part* ***entschärft*** *v/t Bombe, Krise* to defuse; *Argument* to neutralize

Entscheid [ɛnt'ʃait] *m* ⟨***-(e)s, -e*** [-də]⟩ (*Swiss form*) = ***Entscheidung*** **entscheiden** [ɛnt'ʃaidn] *pret* ***entschied*** [ɛnt'ʃiːt], *past part* ***entschieden*** [ɛnt'ʃiːdn] **I** *v/t* to decide; ***das Spiel ist entschieden*** the game has been decided; ***den Kampf für sich ~*** to secure victory in the struggle; ***es ist noch nichts entschieden*** nothing has been decided (as) yet; → ***entschieden*** **II** *v/i* (*über* +*acc*) to decide (on); ***darüber habe ich nicht zu ~*** that is not for me to decide **III** *v/r* (*Mensch*) to decide; (*Angelegenheit*) to be decided; ***sich für jdn/etw ~*** to decide in favour (*Br*) *or* favor (*US*) of sb/sth; ***sich gegen jdn/etw ~*** to decide against sb/sth **entscheidend** **I** *adj* decisive; ***die ~e Stimme*** (*bei Wahlen etc*) the deciding vote; ***das Entscheidende*** the decisive factor **II** *adv schlagen, schwächen* decisively **Entscheidung** *f* decision **Entscheidungsfreiheit** *f* freedom to decide **Entscheidungskampf** *m* decisive encounter; SPORTS deciding round/game *etc* **Entscheidungsträger(in)** *m/(f)* decision-maker **entschieden** [ɛnt'ʃiːdn] **I** *past part of* ***entscheiden*** **II** *adj* **1.** (≈ *entschlossen*) determined; *Befürworter* staunch; *Ablehnung* firm **2.** *no pred* (≈ *eindeutig*) decided **III** *adv* **1.** (≈ *strikt*) *ablehnen* firmly; *bekämpfen* resolutely; *zurückweisen* staunchly **2.** (≈ *eindeutig*) definitely; ***das geht ~ zu weit*** that's definitely going too far **Entschiedenheit** *f* ⟨***-, -en***⟩ (≈ *Entschlossenheit*) determination; ***etw mit aller ~ dementieren*** to deny sth categorically

entschlacken [ɛnt'ʃlakn] *past part* ***entschlackt*** *v/t* METAL to remove the slag from; MED *Körper* to purify

entschließen [ɛnt'ʃliːsn] *pret* ***entschloss*** [ɛnt'ʃlɔs], *past part* ***entschlossen*** [ɛnt'ʃlɔsn] *v/r* to decide (*für, zu* on); ***sich anders ~*** to change one's mind; ***zu allem entschlossen sein*** to be ready for anything; → ***entschlossen*** **Entschließung** *f* resolution **entschlossen** [ɛnt'ʃlɔsn] **I** *past part of* ***entschließen*** **II** *adj* determined; ***ich bin fest ~*** I am absolutely determined **III** *adv* resolutely; ***kurz ~*** without further ado **Entschlossenheit** *f* ⟨*-, no pl*⟩ determination **Entschluss** *m* (≈ *Entscheidung*) decision; ***seinen ~ ändern*** to change one's mind

entschlüsseln [ɛnt'ʃlʏsln] *past part* ***entschlüsselt*** *v/t* to decipher

entschlussfreudig *adj* decisive **Entschlusskraft** *f* decisiveness

entschuldbar [ɛnt'ʃʊltbaːɐ] *adj* excusable

entschulden [ɛnt'ʃʊldn] *past part* ***entschuldet*** *v/t* to free of debt

entschuldigen [ɛnt'ʃʊldɪgn] *past part* ***entschuldigt*** **I** *v/t* to excuse; ***das lässt sich nicht ~!*** that is inexcusable!; ***einen Schüler ~ lassen*** *or* ***~*** to ask for a pupil to be excused; ***ich bitte mich zu ~*** I ask to be excused **II** *v/i* ***~ Sie*** (***bitte***)***!*** (do *or* please) excuse me!, sorry!; (*bei Bitte, Frage etc*) excuse me (please), pardon me (*US*) **III** *v/r* ***sich*** (***bei jdm***) ***~*** (≈ *um Verzeihung bitten*) to apologize (to sb); (≈ *sich abmelden*) to excuse oneself **Entschuldigung** *f* ⟨***-, -en***⟩ (≈ *Grund*) excuse; (≈ *Bitte um Entschuldigung*) apology; (SCHOOL ≈ *Brief*) note; ***~!*** excuse me!; ***zu seiner ~ sagte er ...*** he said in his defence (*Br*) *or* defense (*US*) that ...; (***jdn***) ***um ~ bitten*** to apologize (to sb)

Entschwefelungsanlage *f* desulphurization plant

entschwinden [ɛnt'ʃvɪndn] *past part* ***entschwunden*** [ɛnt'ʃvʊndn] *v/i irr aux sein* to vanish (+*dat* from, *in* +*acc* into)

entsetzen [ɛnt'zɛtsn] *past part* ***entsetzt*** **I**

v/t to horrify **II** *v/r* ***sich über jdn/etw ~*** to be horrified at *or* by sb/sth; → ***entsetzt*** **Entsetzen** [ɛnt'zɛtsn] *nt* ⟨**-s**, *no pl*⟩ horror; (≈ *Erschrecken*) terror; ***mit ~ sehen, dass ...*** to be horrified/terrified to see that ... **Entsetzensschrei** *m* cry of horror **entsetzlich** [ɛnt'zɛtslɪç] **I** *adj* dreadful **II** *adv* **1.** (≈ *schrecklich*) dreadfully **2.** (*infml* ≈ *sehr*) awfully **entsetzt** [ɛnt'zɛtst] **I** *adj* horrified (*über +acc* at, by) **II** *adv* in horror; ***jdn ~ anstarren*** to give sb a horrified look; → ***entsetzen***

entseuchen [ɛnt'zɔyçn] *past part* ***entseucht*** *v/t* to decontaminate **Entseuchung** *f* ⟨**-, -en**⟩ decontamination

entsichern [ɛnt'zɪçɐn] *past part* ***entsichert*** *v/t* ***eine Pistole ~*** to release the safety catch of a pistol

entsinnen [ɛnt'zɪnən] *past part* ***entsonnen*** [ɛnt'zɔnən] *v/r irr* to remember (*einer Sache* (*gen*), *an etw* (*acc*) sth); ***wenn ich mich recht entsinne*** if my memory serves me correctly

entsorgen [ɛnt'zɔrgn] *past part* ***entsorgt*** *v/t Abfälle etc* to dispose of **Entsorgung** *f* ⟨**-, -en**⟩ waste disposal

entspannen [ɛnt'ʃpanən] *past part* ***entspannt*** **I** *v/t* to relax; (*fig*) *Lage* to ease (up) **II** *v/r* to relax; (≈ *ausruhen*) to rest; (*Lage etc*) to ease **entspannt** [ɛnt'ʃpant] *adj* relaxed **Entspannung** *f* relaxation; (*von Lage*, FIN: *an der Börse*) easing (-up); POL easing of tension (*+gen* in), détente **Entspannungspolitik** *f* policy of détente **Entspannungsübungen** *pl* MED *etc* relaxation exercises *pl*

entsprechen [ɛnt'ʃprɛçn] *past part* ***entsprochen*** [ɛnt'ʃprɔxn] *v/i +dat irr* to correspond to; *der Wahrheit* to be in accordance with; *Anforderungen* to fulfil (*Br*), to fulfill (*US*); *Erwartungen* to live up to; *einer Bitte etc* to meet **entsprechend** **I** *adj* corresponding; (≈ *zuständig*) relevant; (≈ *angemessen*) appropriate **II** *adv* accordingly; (≈ *ähnlich, gleich*) correspondingly; ***er wurde ~ bestraft*** he was suitably punished **III** *prep +dat* in accordance with; ***er wird seiner Leistung ~ bezahlt*** he is paid according to output **Entsprechung** *f* ⟨**-, -en**⟩ (≈ *Äquivalent*) equivalent; (≈ *Gegenstück*) counterpart

entspringen [ɛnt'ʃprɪŋən] *past part* ***entsprungen*** [ɛnt'ʃprʊŋən] *v/i irr aux sein* (*Fluss*) to rise; (≈ *sich herleiten von, +dat*) to arise from

entstammen [ɛnt'ʃtamən] *past part* ***entstammt*** *v/i +dat aux sein* to come from

entstehen [ɛnt'ʃteːən] *past part* ***entstanden*** [ɛnt'ʃtandn] *v/i irr aux sein* to come into being; (≈ *seinen Ursprung haben*) to originate; (≈ *sich entwickeln*) to arise (*aus*, *durch* from); ***im Entstehen begriffen sein*** to be emerging **Entstehen** *nt* ⟨**-s**, *no pl*⟩, **Entstehung** *f* ⟨**-, -en**⟩ (≈ *das Werden*) genesis; (≈ *das Hervorkommen*) emergence; (≈ *Ursprung*) origin

entsteinen [ɛnt'ʃtainən] *past part* ***entsteint*** *v/t* to stone

entstellen [ɛnt'ʃtɛlən] *past part* ***entstellt*** *v/t* (≈ *verunstalten*) *Gesicht* to disfigure; (≈ *verzerren*) to distort

entstören [ɛnt'ʃtøːrən] *past part* ***entstört*** *v/t Radio*, *Telefon* to free from interference

enttarnen [ɛnt'tarnən] *past part* ***enttarnt*** *v/t Spion* to blow the cover of (*infml*); (*fig* ≈ *entlarven*) to expose **Enttarnung** *f* exposure

enttäuschen [ɛnt'tɔyʃn] *past part* ***enttäuscht*** **I** *v/t* to disappoint; ***enttäuscht sein über*** (*+acc*)/***von*** to be disappointed at/by *or* in **II** *v/i* ***unsere Mannschaft hat sehr enttäuscht*** our team were very disappointing **Enttäuschung** *f* disappointment

entthronen [ɛnt'troːnən] *past part* ***entthront*** *v/t* to dethrone

entvölkern [ɛnt'vœlkɐn] *past part* ***entvölkert*** *v/t* to depopulate

entwaffnen [ɛnt'vafnən] *past part* ***entwaffnet*** *v/t* to disarm **entwaffnend** *adj* (*fig*) disarming

entwarnen [ɛnt'varnən] *past part* ***entwarnt*** *v/i* to sound the all-clear **Entwarnung** *f* sounding of the all-clear; (≈ *Signal*) all-clear

entwässern [ɛnt'vɛsɐn] *past part* ***entwässert*** *v/t Keller* to drain; *Gewebe*, *Körper* to dehydrate **Entwässerung** *f* drainage; CHEM dehydration **Entwässerungsanlage** *f* drainage system

entweder ['ɛntveːdɐ, ɛnt'veːdɐ] *cj* ***~ ... oder ...*** either ... or ...; ***~ oder!*** yes or no

entweichen [ɛnt'vaiçn] *past part* ***entwichen*** [ɛnt'vɪçn] *v/i irr aux sein* to escape (*+dat*, *aus* from)

entwenden [ɛnt'vɛndn] *past part* ***ent-***

wendet *v/t* (*form*) ***jdm etw/etw aus etw ~*** to steal sth from sb/sth **entwerfen** [ɛnt'vɛrfn] *past part* ***entworfen*** [ɛnt'vɔrfn] *v/t irr* **1.** (≈ *gestalten*) to sketch; *Modell etc* to design **2.** (≈ *ausarbeiten*) *Gesetz* to draft; *Plan* to devise **3.** (*fig*) (≈ *darstellen*) *Bild* to depict **entwerten** [ɛnt'veːɐtn] *past part* ***entwertet*** *v/t* **1.** (≈ *im Wert mindern*) to devalue **2.** *Briefmarke, Fahrschein* to cancel **Entwerter** [ɛnt'veːɐtɐ] *m* ⟨**-s, -**⟩ (ticket)-cancelling (*Br*) *or* (ticket-)canceling (*US*) machine

entwickeln [ɛnt'vɪkln] *past part* ***entwickelt*** **I** *v/t* to develop; *Mut, Energie* to show **II** *v/r* to develop (*zu* into); ***sie hat sich ganz schön entwickelt*** (*infml*) she's turned out really nicely **Entwickler** [ɛnt'vɪklɐ] *m* ⟨**-s, -**⟩ PHOT developer **Entwicklung** *f* ⟨**-, -en**⟩ development; PHOT developing; ***das Flugzeug ist noch in der ~*** the plane is still in the development stage **Entwicklungsdienst** *m* voluntary service overseas (*Br*), VSO (*Br*), Peace Corps (*US*) **entwicklungsfähig** *adj* capable of development **Entwicklungshelfer(in)** *m/(f)* VSO worker (*Br*), Peace Corps worker (*US*) **Entwicklungshilfe** *f* foreign aid **Entwicklungskosten** *pl* development costs *pl* **Entwicklungsland** *nt* developing country **Entwicklungsstadium** *nt*, **Entwicklungsstufe** *f* stage of development; (*der Menschheit etc*) evolutionary stage **Entwicklungszeit** *f* period of development; BIOL, PSYCH developmental period; PHOT developing time

entwirren [ɛnt'vɪrən] *past part* ***entwirrt*** *v/t* to untangle

entwischen [ɛnt'vɪʃn] *past part* ***entwischt*** *v/i aux sein* (*infml*) to get away (*+dat, aus* from)

entwöhnen [ɛnt'vøːnən] *past part* ***entwöhnt*** *v/t* to wean (*+dat, von* from)

entwürdigen [ɛnt'vʏrdɪgn] *past part* ***entwürdigt*** *v/t* to degrade **entwürdigend** *adj* degrading **Entwürdigung** *f* degradation

Entwurf *m* **1.** (≈ *Skizze, Abriss*) outline; (≈ *Design*) design; (ARCH, *fig*) blueprint **2.** (*von Plan, Gesetz etc*) draft (version); (PARL ≈ *Gesetzentwurf*) bill

entwurzeln [ɛnt'vʊrtsln] *past part* ***entwurzelt*** *v/t* to uproot

entziehen [ɛnt'tsiːən] *past part* ***entzogen*** [ɛnt'tsoːgn] *irr* **I** *v/t* to withdraw (*+dat* from); CHEM to extract; ***jdm die Rente*** *etc* ***~*** to stop sb's pension *etc*; ***dem Redner das Wort ~*** to ask the speaker to stop **II** *v/r* ***sich jdm/einer Sache ~*** to evade sb/sth; ***sich seiner Verantwortung ~*** to shirk one's responsibilities; ***sich den*** *or* ***jds Blicken ~*** to be hidden from sight **Entziehung** *f* withdrawal **Entziehungskur** *f* (*für Drogenabhängige*) cure for drug addiction; (*für Alkoholiker*) cure for alcoholism

entziffern [ɛnt'tsɪfɐn] *past part* ***entziffert*** *v/t* to decipher; *Geheimschrift, DNS-Struktur* to decode

entzücken [ɛnt'tsʏkn] *past part* ***entzückt*** *v/t* to delight **Entzücken** [ɛnt'tsʏkn] *nt* ⟨**-s,** *no pl*⟩ delight; ***in ~ geraten*** to go into raptures **entzückend** *adj* delightful

Entzug *m, no pl* withdrawal; ***er ist auf ~*** (MED *infml*) (*Drogenabhängiger*) he is being treated for drug addiction; (*Alkoholiker*) he is being dried out (*infml*) **Entzugserscheinung** *f* withdrawal symptom

entzünden [ɛnt'tsʏndn] *past part* ***entzündet*** **I** *v/t Feuer* to light; (*fig*) *Streit etc* to spark off; *Hass* to inflame **II** *v/r* **1.** (≈ *zu brennen anfangen*) to catch fire, to ignite (*esp* SCI, TECH); (*fig*) (*Streit*) to be sparked off; (*Hass*) to be inflamed **2.** MED to become inflamed; ***entzündet*** inflamed **entzündlich** [ɛnt'tsʏntlɪç] *adj Gase* inflammable **Entzündung** *f* MED inflammation **entzündungshemmend** *adj* anti-inflammatory **Entzündungsherd** *m* focus of inflammation

entzwei [ɛnt'tsvai] *adj pred* in two (pieces); (≈ *kaputt*) broken **entzweibrechen** *v/t & v/i sep irr* (*v/i: aux sein*) to break in two **entzweien** [ɛnt'tsvaiən] *past part* ***entzweit*** **I** *v/t* to turn against each other **II** *v/r* ***sich*** **(*mit jdm*)** ***~*** to fall out (with sb)

Enzephalogramm [ɛntsefalo'gram] *nt, pl* ***-gramme*** MED encephalogram

Enzian ['ɛntsiaːn] *m* ⟨**-s, -e**⟩ gentian

Enzyklopädie [ɛntsyklopɛ'diː] *f* ⟨**-, -n** [-'diːən]⟩ encyclop(a)edia **enzyklopädisch** [ɛntsyklo'pɛːdɪʃ] *adj* encyclop(a)edic

Enzym [ɛn'tsyːm] *nt* ⟨**-s, -e**⟩ enzyme

Epidemie [epide'miː] *f* ⟨**-, -n** [-'miːən]⟩ epidemic **Epidemiologe** [epidemio'loːgə] *m* ⟨**-n, -n**⟩, **Epidemiologin**

[-'lo:gɪn] *f* ⟨**-, -nen**⟩ epidemiologist **epidemisch** [epi'de:mɪʃ] *adj* epidemic

Epik ['e:pɪk] *f* ⟨-, *no pl*⟩ epic poetry **Epiker** ['e:pikɐ] *m* ⟨**-s, -**⟩, **Epikerin** [-ərɪn] *f* ⟨**-, -nen**⟩ epic poet

Epilation [epila'tsio:n] *f* ⟨**-, -en**⟩ hair removal, epilation

Epilepsie [epilɛ'psi:] *f* ⟨**-, -n** [-'psi:ən]⟩ epilepsy **Epileptiker** [epi'lɛptikɐ] *m* ⟨**-s, -**⟩, **Epileptikerin** [-ərɪn] *f* ⟨**-, -nen**⟩ epileptic **epileptisch** [epi'lɛptɪʃ] *adj* epileptic

epilieren [epi'li:rən] *v/t* to epilate **Epiliergerät** [epi'li:ɐ-] *nt* epilator

Epilog [epi'lo:k] *m* ⟨**-s, -e** [-gə]⟩ epilogue

episch ['e:pɪʃ] *adj* (*lit, fig*) epic

Episode [epi'zo:də] *f* ⟨**-, -n**⟩ episode

Epizentrum [epi'tsɛntrʊm] *nt* epicentre (*Br*), epicenter (*US*)

epochal [epɔ'xa:l] *adj* epochal **Epoche** [e'pɔxə] *f* ⟨**-, -n**⟩ epoch **epochemachend** *adj* epoch-making

Epos ['e:pɔs] *nt* ⟨**-, *Epen*** ['e:pn]⟩ epic (poem)

er [e:ɐ] *pers pr, gen* ***seiner***, *dat* ***ihm***, *acc* ***ihn*** he; (*von Dingen*) it; ***wenn ich er wäre*** if I were him; ***er ist es*** it's him

erachten [ɛɐ'|axtn] *past part* ***erachtet*** *v/t* (*elev*) ***jdn/etw für*** *or* ***als etw ~*** to consider sb/sth (to be) sth **Erachten** [ɛɐ'|axtn] *nt* ⟨**-s**, *no pl*⟩ ***meines ~s*** in my opinion

erarbeiten [ɛɐ'|arbaitn] *past part* ***erarbeitet*** *v/t Vermögen etc* to work for; *Wissen etc* to acquire **Erarbeitung** [ɛɐ'|arbaitʊŋ] *f* ⟨**-, -en**⟩ *usu sg* (*von Wissen*) acquisition

Erbanlage *f usu pl* hereditary factor(s *pl*)

erbarmen [ɛɐ'barmən] *past part* ***erbarmt*** **I** *v/t* ***jdn ~*** to arouse sb's pity; ***das ist zum Erbarmen*** it's pitiful **II** *v/r +gen* to have pity (on) **Erbarmen** [ɛɐ'barmən] *nt* ⟨**-s**, *no pl*⟩ (≈ *Mitleid*) pity (*mit* on); (≈ *Gnade*) mercy (*mit* on); ***kein ~ kennen*** to show no mercy **erbarmenswert** *adj* pitiable **erbärmlich** [ɛɐ'bɛrmlɪç] **I** *adj* wretched **II** *adv sich verhalten* abominably; (*infml* ≈ *furchtbar*) *frieren, wehtun* terribly **erbarmungslos I** *adj* pitiless **II** *adv* pitilessly

erbauen [ɛɐ'bauən] *past part* ***erbaut*** *v/t* **1.** (≈ *errichten*) to build **2.** (*fig* ≈ *seelisch bereichern*) to uplift; ***wir waren von der Nachricht nicht gerade erbaut*** (*infml*) we weren't exactly delighted by the news **Erbauer** [ɛɐ'bauɐ] *m* ⟨**-s, -**⟩, **Erbauerin** [-ərɪn] *f* ⟨**-, -nen**⟩ builder

Erbe[1] ['ɛrbə] *m* ⟨**-n, -n**⟩ heir; ***jdn zum ~n einsetzen*** to appoint sb as one's heir

Erbe[2] *nt* ⟨**-s**, *no pl*⟩ inheritance; (*fig*) heritage **erben** ['ɛrbn] *v/t* to inherit (*von* from) **Erbengemeinschaft** *f* community of heirs

erbetteln [ɛɐ'bɛtln] *past part* ***erbettelt*** *v/t* to get by begging

erbeuten [ɛɐ'bɔytn] *past part* ***erbeutet*** *v/t* (*Tier*) to carry off; (*Dieb*) to get away with; (*im Krieg*) to capture

Erbfaktor *m* BIOL (hereditary) factor **Erbfolge** *f* (line of) succession **Erbgut** *nt, no pl* BIOL genetic make-up **Erbin** ['ɛrbɪn] *f* ⟨**-, -nen**⟩ heiress; → ***Erbe***[1]

erbitten [ɛɐ'bɪtn] *past part* ***erbeten*** [ɛɐ'be:tn] *v/t irr* to ask for

erbittert [ɛɐ'bɪtɐt] **I** *adj Widerstand, Gegner* bitter **II** *adv* bitterly

Erbkrankheit ['ɛrp-] *f* hereditary disease

erblassen [ɛɐ'blasn] *past part* ***erblasst*** *v/i aux sein* to (turn) pale

Erblasser ['ɛrplasɐ] *m* ⟨**-s, -**⟩, **Erblasserin** [-ərɪn] *f* ⟨**-, -nen**⟩ person who leaves an inheritance **Erblast** *f* negative inheritance *or* heritage; (≈ *Probleme*) inherited problems *pl* **erblich** ['ɛrplɪç] *adj* hereditary; ***etw ist ~ bedingt*** sth is an inherited condition

erblicken [ɛɐ'blɪkn] *past part* ***erblickt*** *v/t* (*elev*) to see; (≈ *erspähen*) to spot

erblinden [ɛɐ'blɪndn] *past part* ***erblindet*** *v/i aux sein* to go blind **Erblindung** *f* ⟨**-, -en**⟩ loss of sight

erblühen [ɛɐ'bly:ən] *past part* ***erblüht*** *v/i aux sein* (*elev*) to bloom

Erbmasse *f* estate; BIOL genetic make-up **Erbonkel** *m* (*infml*) rich uncle

erbosen [ɛɐ'bo:zn] *past part* ***erbost*** (*elev*) **I** *v/t* ***erbost sein über*** (*+acc*) to be infuriated at **II** *v/r* ***sich ~ über*** (*+acc*) to become furious *or* infuriated about

erbrechen [ɛɐ'brɛçn] *past part* ***erbrochen*** [ɛɐ'brɔxn] *v/t, v/i, v/r irr* (***sich***) ~ MED to vomit; ***etw bis zum Erbrechen tun*** (*fig*) to do sth ad nauseam

erbringen [ɛɐ'brɪŋən] *past part* ***erbracht*** [ɛɐ'braxt] *v/t irr* to produce

Erbrochene(s) [ɛɐ'brɔxənə] *nt decl as adj, no pl* vomit

Erbschaft ['ɛrpʃaft] *f* ⟨**-, -en**⟩ inheritance; ***eine ~ machen*** *or* ***antreten*** to come into an inheritance **Erbschafts-**

steuer *f* death duties *pl*, inheritance tax (*Br*)

Erbse ['ɛrpsə] *f* ⟨-, **-n**⟩ pea **Erbsensuppe** *f* pea soup

Erbstück *nt* heirloom **Erbtante** *f* (*infml*) rich aunt **Erbteil** *nt or m* JUR (portion of an/the) inheritance

Erdachse ['eːɐt-] *f* earth's axis

erdacht [ɛɐ'daxt] *adj Geschichte* made-up

Erdanziehung *f, no pl* gravitational pull of the earth **Erdapfel** *m* (*esp Aus*) potato **Erdatmosphäre** *f* earth's atmosphere **Erdbahn** *f* earth's orbit **Erdbeben** *nt* earthquake **Erdbebengebiet** *nt* earthquake area **erdbebensicher** *adj Gebäude etc* earthquake-proof **Erdbeere** *f* strawberry **Erdbestattung** *f* burial **Erdbewohner(in)** *m*/(*f*) inhabitant of the earth **Erdboden** *m* ground; ***etw dem ~ gleichmachen*** to raze sth to the ground; ***vom ~ verschwinden*** to disappear off the face of the earth **Erde** ['eːɐdə] *f* ⟨-, **-n**⟩ **1.** (≈ *Welt*) earth, world; ***auf der ganzen ~*** all over the world **2.** (≈ *Boden*) ground; ***unter der ~*** underground; ***über der ~*** above ground **3.** (≈ *Erdreich*) soil, earth (*auch* CHEM) **4.** (ELEC ≈ *Erdung*) earth, ground (*US*) **erden** ['eːɐdn] *v/t* ELEC to earth, to ground (*US*)

erdenklich [ɛɐ'dɛŋklɪç] *adj attr* conceivable; ***alles Erdenkliche tun*** to do everything conceivable

Erderwärmung *f* global warming **Erdgas** *nt* natural gas **Erdgeschichte** *f* geological history **Erdgeschoss** *nt*, **Erdgeschoß** (*Aus*) *nt* ground floor, first floor (*US*)

erdichten [ɛɐ'dɪçtn] *past part* **erdichtet** *v/t* to invent

erdig ['eːɐdɪç] *adj* earthy **Erdinnere(s)** ['eːɐt|ɪnərə] *nt decl as adj* bowels *pl* of the earth **Erdkreis** *m* globe **Erdkrümmung** *f* curvature of the earth **Erdkugel** *f* globe **Erdkunde** *f* geography **Erdleitung** *f* ELEC earth *or* ground (*US*) (connection); (≈ *Kabel*) underground wire **Erdnuss** *f* peanut **Erdnussbutter** *f* peanut butter **Erdoberfläche** *f* surface of the earth **Erdöl** ['eːɐt|øːl] *nt* (mineral) oil; ***~ exportierend*** oil-exporting

erdolchen [ɛɐ'dɔlçn] *past part* **erdolcht** *v/t* to stab (to death)

Erdölleitung *f* oil pipeline **Erdreich** *nt* soil

erdreisten [ɛɐ'draistn] *past part* **erdreistet** *v/r* ***sich ~, etw zu tun*** to have the audacity to do sth

erdrosseln [ɛɐ'drɔsln] *past part* **erdrosselt** *v/t* to strangle

erdrücken [ɛɐ'drʏkn] *past part* **erdrückt** *v/t* to crush (to death); (*fig* ≈ *überwältigen*) to overwhelm

Erdrutsch *m* landslide **Erdrutschsieg** *m* landslide (victory) **Erdschicht** *f* layer (of the earth) **Erdstoß** *m* (seismic) shock **Erdteil** *m* continent

erdulden [ɛɐ'dʊldn] *past part* **erduldet** *v/t* to suffer

Erdumdrehung *f* rotation of the earth **Erdumkreisung** *f* (*durch Satelliten*) orbit(ing) of the earth **Erdumlaufbahn** *f* earth orbit **Erdumrundung** *f* (*durch Satelliten*) orbit(ing) of the earth **Erdung** ['eːɐdʊŋ] *f* ⟨-, **-en**⟩ ELEC earth(ing), ground(ing) (*US*)

ereifern [ɛɐ'|aifɐn] *past part* **ereifert** *v/r* to get excited (*über +acc* about)

ereignen [ɛɐ'|aignən] *past part* **ereignet** *v/r* to occur **Ereignis** [ɛɐ'|aignɪs] *nt* ⟨***-ses, -se***⟩ event, occurrence; (≈ *Vorfall*) incident; (*besonderes*) occasion **ereignislos** *adj* uneventful **ereignisreich** *adj* eventful

Erektion [erɛk'tsioːn] *f* ⟨-, **-en**⟩ PHYSIOL erection

erfahren[1] [ɛɐ'faːrən] *past part* **erfahren** *irr* **I** *v/t* **1.** *Nachricht etc* to find out; (≈ *hören*) to hear (*von* about, of) **2.** (≈ *erleben*) to experience **II** *v/i* to hear (*von* about, of)

erfahren[2] [ɛɐ'faːrən] *adj* experienced **Erfahrung** *f* ⟨-, **-en**⟩ experience; ***nach meiner ~*** in my experience; ***~en sammeln*** to gain experience; ***etw in ~ bringen*** to learn sth; ***ich habe die ~ gemacht, dass ...*** I have found that ...; ***mit dieser neuen Maschine haben wir nur gute ~en gemacht*** we have found this new machine (to be) completely satisfactory; ***durch ~ wird man klug*** (*prov*) one learns by experience **Erfahrungsaustausch** *m* POL exchange of experiences **erfahrungsgemäß** *adv* ***~ ist es ...*** experience shows ...

erfassen [ɛɐ'fasn] *past part* **erfasst** *v/t* **1.** (≈ *mitreißen*: *Auto*, *Strömung*) to catch; ***Angst erfasste sie*** she was seized by fear **2.** (≈ *begreifen*) to grasp **3.** (≈ *registrieren*) to record, to register; *Daten* to capture **Erfassung** *f* registration, re-

cording; (*von Daten*) capture
erfinden [ɛɐ'fɪndn] *past part* ***erfunden*** [ɛɐ'fʊndn] *v/t irr* to invent; ***das hat sie glatt erfunden*** she made it all up **Erfinder(in)** *m/(f)* inventor **erfinderisch** [ɛɐ'fɪndərɪʃ] *adj* inventive **Erfindung** *f* ⟨-, ***-en***⟩ invention **erfindungsreich** *adj* = ***erfinderisch*** **Erfindungsreichtum** *m* ingenuity
Erfolg [ɛɐ'fɔlk] *m* ⟨***-(e)s, -e*** [-gə]⟩ success; (≈ *Ergebnis*, *Folge*) result; ***mit ~*** successfully; ***ohne ~*** unsuccessfully; ***viel ~!*** good luck!; ***~ haben*** to be successful; ***keinen ~ haben*** to be unsuccessful; ***~ versprechend*** promising; ***ein voller ~*** a great success
erfolgen [ɛɐ'fɔlgn] *past part* ***erfolgt*** *v/i aux sein* (*form* ≈ *sich ergeben*) to result; (≈ *stattfinden*) to take place; ***nach erfolgter Zahlung*** after payment has been made
erfolglos I *adj* unsuccessful **II** *adv* unsuccessfully **Erfolglosigkeit** *f* ⟨-, *no pl*⟩ lack of success **erfolgreich I** *adj* successful **II** *adv* successfully **Erfolgsaussicht** *f* prospect of success **Erfolgserlebnis** *nt* feeling of success **Erfolgskurs** *m* ***auf ~ liegen*** to be on course for success **Erfolgsquote** *f* success rate **Erfolgsrezept** *nt* recipe for success **erfolgversprechend** *adj* → ***Erfolg***
erforderlich [ɛɐ'fɔrdɐlɪç] *adj* necessary; ***unbedingt ~*** (absolutely) essential **erfordern** [ɛɐ'fɔrdɐn] *past part* ***erfordert*** *v/t* to require **Erfordernis** [ɛɐ'fɔrdɐnɪs] *nt* ⟨***-ses, -se***⟩ requirement
erforschen [ɛɐ'fɔrʃn] *past part* ***erforscht*** *v/t* to explore; *Thema etc* to research **Erforschung** *f* (*von Thema*) researching
erfragen [ɛɐ'fraːgn] *past part* ***erfragt*** *v/t* *Weg* to ask; *Einzelheiten etc* to obtain
erfreuen [ɛɐ'frɔyən] *past part* ***erfreut*** **I** *v/t* to please; ***über jdn/etw erfreut sein*** to be pleased about sb/sth **II** *v/r* ***sich an etw*** (*dat*) ***~*** to enjoy sth **erfreulich** [ɛɐ'frɔylɪç] *adj* pleasant; *Besserung etc* welcome; (≈ *befriedigend*) gratifying **erfreulicherweise** *adv* happily
erfrieren [ɛɐ'friːrən] *past part* ***erfroren*** [ɛɐ'froːrən] **I** *v/i irr aux sein* to freeze to death; (*Pflanzen*) to be killed by frost; ***erfrorene Glieder*** frostbitten limbs **II** *v/t* ***sich*** (*dat*) ***die Füße ~*** to suffer frostbite in one's feet **Erfrierung** *f* ⟨***-, -en***⟩ *usu pl* frostbite *no pl*
erfrischen [ɛɐ'frɪʃn] *past part* ***erfrischt*** **I** *v/t* to refresh **II** *v/i* to be refreshing **III** *v/r* to refresh oneself; (≈ *sich waschen*) to freshen up **erfrischend I** *adj* refreshing **II** *adv* refreshingly **Erfrischung** *f* ⟨***-, -en***⟩ refreshment **Erfrischungsgetränk** *nt* refreshment **Erfrischungsraum** *m* cafeteria **Erfrischungstuch** *nt*, *pl* ***-tücher*** refreshing towel
erfüllen [ɛɐ'fʏlən] *past part* ***erfüllt*** **I** *v/t* **1.** *Raum etc* to fill; ***Hass erfüllte ihn*** he was filled with hate; ***ein erfülltes Leben*** a full life **2.** (≈ *einhalten*) to fulfil (*Br*), to fulfill (*US*); *Soll* to achieve; *Zweck* to serve **II** *v/r* (*Wunsch*) to be fulfilled **Erfüllung** *f* fulfilment (*Br*), fulfillment (*US*); ***in ~ gehen*** to be fulfilled
ergänzen [ɛɐ'gɛntsn] *past part* ***ergänzt*** *v/t* to supplement; (≈ *vervollständigen*) to complete; ***seine Sammlung ~*** to add to one's collection; ***einander*** *or* ***sich ~*** to complement one another **Ergänzung** *f* ⟨***-, -en***⟩ **1.** (≈ *das Ergänzen*) supplementing; (≈ *Vervollständigung*) completion **2.** (≈ *Zusatz*: *zu Buch etc*) supplement
Ergänzungsspieler(in) *m/(f)* FTBL squad player
ergattern [ɛɐ'gatɐn] *past part* ***ergattert*** *v/t* (*infml*) to get hold of
ergeben[1] [ɛɐ'geːbn] *past part* ***ergeben*** *irr* **I** *v/t* to yield; (≈ *zum Ergebnis haben*) to result in; *Betrag*, *Summe* to amount to **II** *v/r* **1.** (≈ *kapitulieren*) to surrender (+*dat* to) **2.** (≈ *sich hingeben*) ***sich einer Sache*** (*dat*) ***~*** to give oneself up to sth **3.** (≈ *folgen*) to result (*aus* from) **4.** (≈ *sich herausstellen*) to come to light
ergeben[2] [ɛɐ'geːbn] *adj* (≈ *treu*) devoted; (≈ *demütig*) humble
Ergebnis [ɛɐ'geːpnɪs] *nt* ⟨***-ses, -se***⟩ result; ***zu einem ~ kommen*** to come to a conclusion **ergebnislos I** *adj* unsuccessful **II** *adv* ***~ bleiben*** to come to nothing
ergehen [ɛɐ'geːən] *past part* ***ergangen*** [ɛɐ'gaŋən] *irr* **I** *v/i aux sein* **1.** (*form* ≈ *erlassen werden*) to go out; (*Einladung*) to be sent **2.** (≈ *erdulden*) ***etw über sich*** (*acc*) ***~ lassen*** to let sth wash over one (*Br*), to let sth roll off one's back (*US*) **II** *v/i impers aux sein* ***es ist ihm schlecht/gut ergangen*** he fared badly/well **III** *v/r* (*fig*) ***sich in etw*** (*dat*) ***~*** to indulge in sth

ergiebig [ɛɐ'giːbɪç] *adj* productive; *Geschäft* lucrative; (≈ *sparsam im Verbrauch*) economical
ergo ['ɛrgo] *cj* therefore
ergonomisch [ɛrgo'noːmɪʃ] **I** *adj* ergonomic **II** *adv* ergonomically
ergötzen [ɛɐ'gœtsn] *past part* ***ergötzt*** *v/r* ***sich an etw*** (*dat*) **~** to take delight in sth
ergreifen [ɛɐ'graifn] *past part* ***ergriffen*** [ɛɐ'grɪfn] *v/t irr* **1.** (≈ *packen*) to seize **2.** (*fig*) *Gelegenheit, Macht* to seize; *Beruf* to take up; *Maßnahmen* to take; ***von Furcht ergriffen werden*** to be seized with fear **ergreifend** *adj* (*fig*) touching (*also iron*) **ergriffen** [ɛɐ'grɪfn] *adj* (*fig*) moved **Ergriffenheit** *f* ⟨-, *no pl*⟩ emotion
ergründen [ɛɐ'grʏndn] *past part* ***ergründet*** *v/t Sinn etc* to fathom; *Ursache* to discover
Erguss *m* effusion; (≈ *Samenerguss*) ejaculation; (*fig*) outpouring
erhaben [ɛɐ'haːbn] **I** *adj* **1.** *Druck* embossed **2.** (*fig*) *Stil* lofty; *Anblick* sublime **3.** (≈ *überlegen*) superior; ***über etw*** (*acc*) **~** (***sein***) (to be) above sth **II** *adv* **~ *lächeln*** to smile in a superior way
Erhalt *m, no pl* receipt **erhalten** [ɛɐ'haltn] *past part* ***erhalten*** *irr* **I** *v/t* **1.** (≈ *bekommen*) to get **2.** (≈ *bewahren*) *Gebäude, Natur* to preserve; ***jdn am Leben*** **~** to keep sb alive; ***er hat sich*** (*dat*) ***seinen Optimismus*** **~** he kept up his optimism; ***gut*** **~** well preserved (*also hum infml*) **II** *v/r* (*Brauch etc*) to be preserved, to remain **erhältlich** [ɛɐ'hɛltlɪç] *adj* available; ***schwer*** **~** hard to come by
Erhaltung *f* ⟨-, -***en***⟩ (≈ *Bewahrung*) preservation
erhängen [ɛɐ'hɛŋən] *past part* ***erhängt*** *v/t* to hang
erhärten [ɛɐ'hɛrtn] *past part* ***erhärtet*** **I** *v/t* to harden **II** *v/r* (*fig: Verdacht*) to harden
erhaschen [ɛɐ'haʃn] *past part* ***erhascht*** *v/t* to catch
erheben [ɛɐ'heːbn] *past part* ***erhoben*** [ɛɐ'hoːbn] *irr* **I** *v/t* **1.** (≈ *hochheben*) to raise; ***den Blick*** **~** to look up **2.** *Gebühren* to charge **II** *v/r* to rise; (*Wind etc*) to arise; (≈ *sich auflehnen*) to rise (up) (in revolt); ***sich über andere*** **~** to place oneself above others **erhebend** *adj* elevating; (≈ *erbaulich*) edifying **erheblich** [ɛɐ'heːplɪç] **I** *adj* considerable; (≈ *relevant*) relevant **II** *adv* considerably; *verletzen* severely **Erhebung** *f* **1.** (≈ *Bodenerhebung*) elevation **2.** (≈ *Aufstand*) uprising **3.** (*von Gebühren*) levying **4.** (≈ *Umfrage*) survey; **~*en machen über*** (+*acc*) to make inquiries about *or* into
erheitern [ɛɐ'haitɐn] *past part* ***erheitert*** *v/t* to cheer (up) **Erheiterung** *f* ⟨-, -***en***⟩ amusement; ***zur allgemeinen*** **~** to the general amusement
erhellen [ɛɐ'hɛlən] *past part* ***erhellt*** **I** *v/t* to light up; *Geheimnis* to shed light on **II** *v/r* to brighten
erhitzen [ɛɐ'hɪtsn] *past part* ***erhitzt*** **I** *v/t* to heat (up) (*auf* +*acc* to); ***die Gemüter*** **~** to inflame passions **II** *v/r* to get hot; (*fig* ≈ *sich erregen*) to become heated (*an* +*dat* over); ***die Gemüter erhitzten sich*** feelings were running high
erhoffen [ɛɐ'hɔfn] *past part* ***erhofft*** *v/t* to hope for; ***sich*** (*dat*) ***etw*** **~** to hope for sth (*von* from)
erhöhen [ɛɐ'høːən] *past part* ***erhöht*** **I** *v/t* to raise; *Produktion* to increase; *Wirkung* to heighten; *Spannung* to increase; ***erhöhte Temperatur haben*** to have a temperature **II** *v/r* to rise, to increase **Erhöhung** *f* ⟨-, -***en***⟩ **1.** (≈ *das Erhöhen*) raising; (*von Preis, Produktion*) increase; (*von Wirkung*) heightening; (*von Spannung*) intensification **2.** (≈ *Lohnerhöhung*) rise (*Br*), raise (*US*)
erholen [ɛɐ'hoːlən] *past part* ***erholt*** *v/r* to recover (*von* from); ***du siehst sehr erholt aus*** you look very rested **erholsam** [ɛɐ'hoːlzaːm] *adj* restful **Erholung** *f* ⟨-, *no pl*⟩ recovery; (≈ *Entspannung*) relaxation; ***sie braucht dringend*** **~** she badly needs a break **erholungsbedürftig** *adj* in need of a rest **Erholungsgebiet** *nt* recreation area **Erholungspause** *f* break
erhören [ɛɐ'høːrən] *past part* ***erhört*** *v/t* to hear
erigiert [eri'giːɐt] *adj* erect
Erika ['eːrika] *f* ⟨-, ***Eriken*** [-kn]⟩ BOT heather
erinnern [ɛɐ'|ɪnɐn] *past part* ***erinnert*** **I** *v/t* ***jdn an etw*** (*acc*) **~** to remind sb of sth **II** *v/r* ***sich an jdn/etw*** **~** to remember sb/sth; ***soviel ich mich*** **~ *kann*** as far as I remember **III** *v/i* **~ *an*** (+*acc*) to be reminiscent of **Erinnerung** *f* ⟨-, -***en***⟩ memory; (≈ *Andenken*) memento; ***zur*** **~ *an*** (+*acc*) in memory of; (*an Ereignis*) in commemoration of; ***jdn in guter*** **~ *be-***

halten to have pleasant memories of sb **Erinnerungen** *pl* LIT memoirs *pl*; ***~en austauschen*** to reminisce **Erinnerungsstück** *nt* keepsake (*an +acc* from) **erkalten** [ɛɐ'kaltn] *past part* ***erkaltet*** *v/i aux sein* to cool (down *or* off), to go cold **erkälten** [ɛɐ'kɛltn] *past part* ***erkältet*** *v/r* to catch a cold **erkältet** [ɛɐ'kɛltət] *adj* **(*stark*)** ***~ sein*** to have a (bad) cold **Erkältung** *f* ⟨-, ***-en***⟩ cold **erkämpfen** [ɛɐ'kɛmpfn] *past part* ***erkämpft*** *v/t* to win; ***sich*** (*dat*) ***etw ~*** to win sth; ***hart erkämpft*** hard-won **erkennbar** *adj* recognizable; (≈ *sichtbar*) visible **erkennen** [ɛɐ'kɛnən] *past part* ***erkannt*** [ɛɐ'kant] *irr* **I** *v/t* to recognize (*an +dat* by); (≈ *wahrnehmen*) to see; ***jdn für schuldig ~*** JUR to find sb guilty; ***jdm zu ~ geben, dass ...*** to give sb to understand that ...; ***sich zu ~ geben*** to reveal oneself (*als* to be); ***~ lassen*** to show **II** *v/i* ***~ auf*** (*+acc*) JUR *auf Freispruch* to grant; *auf Strafe* to impose; SPORTS *auf Freistoß etc* to award **erkenntlich** [ɛɐ'kɛntlɪç] *adj* ***sich*** **(*für etw*)** ***~ zeigen*** to show one's gratitude (for sth) **Erkenntnis** [ɛɐ'kɛntnɪs] *f* (≈ *Wissen*) knowledge *no pl*; (≈ *das Erkennen*) recognition; (≈ *Einsicht*) insight; ***zu der ~ gelangen, dass ...*** to come to the realization that ... **Erkennung** *f* recognition **Erkennungsdienst** *m* police records department **erkennungsdienstlich** *adv* ***jdn ~ behandeln*** to fingerprint and photograph sb **Erkennungszeichen** *nt* identification; (MIL ≈ *Abzeichen*) badge

Erker ['ɛrkɐ] *m* ⟨***-s, -***⟩ bay **Erkerfenster** *nt* bay window

erklärbar *adj* explicable, explainable; ***schwer ~*** hard to explain; ***nicht ~*** inexplicable **erklären** [ɛɐ'klɛːrən] *past part* ***erklärt*** **I** *v/t* **1.** (≈ *erläutern*) to explain (*jdm etw* sth to sb); ***ich kann mir nicht ~, warum ...*** I can't understand why ... **2.** (≈ *äußern*) to declare (*als* to be); *Rücktritt* to announce; ***einem Staat den Krieg ~*** to declare war on a country; ***jdn für schuldig ~*** to pronounce sb guilty **II** *v/r* (*Sache*) to be explained; ***sich für/gegen jdn ~*** to declare oneself for / against sb; → ***erklärt*** **erklärend** *adj* explanatory **erklärlich** [ɛɐ'klɛːɐlɪç] *adj* **1.** = ***erklärbar*** **2.** (≈ *verständlich*) understandable **erklärt** [ɛɐ'klɛːɐt] *adj attr* professed; → ***erklären*** **erklärtermaßen** [ɛɐ'klɛːɐtɐ'maːsn], **erklärterweise** [ɛɐ'klɛːɐtɐ'vaisə] *adv* avowedly **Erklärung** *f* **1.** explanation **2.** (≈ *Mitteilung*) declaration; ***eine ~ abgeben*** to make a statement **erklärungsbedürftig** *adj* in need of (an) explanation **Erklärungsversuch** *m* attempted explanation

erklettern [ɛɐ'klɛtɐn] *past part* ***erklettert*** *v/t* to climb

erklingen [ɛɐ'klɪŋən] *past part* ***erklungen*** [ɛɐ'klʊŋən] *v/i irr aux sein* (*elev*) to ring out

erkranken [ɛɐ'kraŋkn] *past part* ***erkrankt*** *v/i aux sein* (≈ *krank werden*) to be taken ill (*Br*), to get sick (*esp US*) (*an +dat* with); (*Organ, Pflanze, Tier*) to become diseased (*an +dat* with); ***erkrankt sein*** (≈ *krank sein*) to be ill / diseased **Erkrankung** *f* ⟨-, ***-en***⟩ illness; (*von Organ, Pflanze, Tier*) disease

erkunden [ɛɐ'kʊndn] *past part* ***erkundet*** *v/t esp* MIL to reconnoitre (*Br*), to reconnoiter (*US*); (≈ *feststellen*) to find out **erkundigen** [ɛɐ'kʊndɪgn] *past part* ***erkundigt*** *v/r* ***sich ~*** to inquire; ***sich nach jdm ~*** to ask after (*Br*) *or* about sb; ***sich bei jdm*** **(*nach etw*)** ***~*** to ask sb (about sth); ***ich werde mich ~*** I'll find out **Erkundigung** *f* ⟨-, ***-en***⟩ inquiry **Erkundung** *f* ⟨-, ***-en***⟩ MIL reconnaissance

erlahmen [ɛɐ'laːmən] *past part* ***erlahmt*** *v/i aux sein* to tire; (*fig: Eifer*) to flag

erlangen [ɛɐ'laŋən] *past part* ***erlangt*** *v/t* to achieve

Erlass [ɛɐ'las] *m* ⟨***-es, -e*** *or* (*Aus*) ***¨-e*** [-'lɛsə]⟩ **1.** (≈ *Verfügung*) decree; (*der Regierung*) enactment **2.** (≈ *das Erlassen*) remission **erlassen** [ɛɐ'lasn] *past part* ***erlassen*** *v/t irr* **1.** *Verfügung* to pass; *Gesetz* to enact **2.** *Strafe, Schulden etc* to remit; *Gebühren* to waive; ***jdm etw ~*** *Schulden etc* to release sb from sth

erlauben [ɛɐ'laubn] *past part* ***erlaubt*** *v/t* **1.** (≈ *gestatten*) to allow; ***jdm etw ~*** to allow sb (to do) sth; ***es ist mir nicht erlaubt*** I am not allowed; ***~ Sie?*** (*form*) may I?; ***~ Sie mal!*** do you mind!; ***soweit es meine Zeit erlaubt*** (*form*) time permitting **2.** ***sich*** (*dat*) ***etw ~*** (≈ *sich gönnen*) to allow oneself sth; (≈ *sich leisten*) to afford sth; ***sich*** (*dat*) ***Frechheiten ~*** to take liberties; ***was ~ Sie sich*** **(*eigentlich*)*!*** how dare you! **Erlaubnis** [ɛɐ'laupnɪs] *f* ⟨-, (*rare*) ***-se***⟩ permission; (≈ *Schriftstück*) permit

erläutern [ɛɐˈlɔytɐn] *past part* ***erläutert*** *v/t* to explain; ***etw anhand von Beispielen ~*** to illustrate sth with examples **Erläuterung** *f* ⟨**-, -en**⟩ explanation

Erle [ˈɛrlə] *f* ⟨**-, -n**⟩ alder

erleben [ɛɐˈleːbn] *past part* ***erlebt*** *v/t* to experience; *schwere Zeiten, Sturm* to go through; *Niederlage* to suffer; ***im Ausland habe ich viel erlebt*** I had an eventful time abroad; ***etwas Angenehmes*** *etc* ***~*** to have a pleasant *etc* experience; ***das werde ich nicht mehr ~*** I won't live to see that; ***sie möchte mal etwas ~*** she wants to have a good time; ***na, der kann was ~!*** (*infml*) he's going to be (in) for it! (*infml*) **Erlebnis** [ɛɐˈleːpnɪs] *nt* ⟨***-ses, -se***⟩ experience; (≈ *Abenteuer*) adventure **erlebnisreich** *adj* eventful

erledigen [ɛɐˈleːdɪgn] *past part* ***erledigt*** **I** *v/t* **1.** *Angelegenheit* to deal with; *Auftrag* to carry out; (≈ *beenden*) *Arbeit* to finish off; *Sache* to settle; ***ich habe noch einiges zu ~*** I've still got a few things to do; ***er ist für mich erledigt*** I'm finished with him; ***das ist (damit) erledigt*** that's settled; ***schon erledigt!*** I've already done it **2.** (*infml*) (≈ *ermüden*) to wear out; (≈ *k.o. schlagen*) to knock out **II** *v/r* ***das hat sich erledigt*** that's all settled; ***sich von selbst ~*** to take care of itself **erledigt** [ɛɐˈleːdɪçt] *adj* (*infml*) (≈ *erschöpft*) shattered (*Br infml*), all in (*infml*); (≈ *ruiniert*) finished **Erledigung** *f* ⟨**-, -en**⟩ (*einer Sache*) settlement; ***einige ~en in der Stadt*** a few things to do in town; ***die ~ meiner Korrespondenz*** dealing with my correspondence

erlegen [ɛɐˈleːgn] *past part* ***erlegt*** *v/t Wild* to shoot

erleichtern [ɛɐˈlaiçtɐn] *past part* ***erleichtert*** *v/t* to make easier; (*fig* ≈ *beruhigen, lindern*) to relieve; *Gewissen* to unburden; ***jdm etw ~*** to make sth easier for sb; ***jdn um etw ~*** (*hum*) to relieve sb of sth; ***erleichtert aufatmen*** to breathe a sigh of relief **Erleichterung** *f* ⟨**-, -en**⟩ (≈ *Beruhigung*) relief

erleiden [ɛɐˈlaidn] *past part* ***erlitten*** [ɛɐˈlɪtn] *v/t irr* to suffer

erlernen [ɛɐˈlɛrnən] *past part* ***erlernt*** *v/t* to learn

erlesen [ɛɐˈleːzn] *adj* exquisite; ***ein ~er Kreis*** a select circle

erleuchten [ɛɐˈlɔyçtn] *past part* ***erleuchtet*** *v/t* to light (up), to illuminate; (*fig*) to enlighten; ***hell erleuchtet*** brightly lit **Erleuchtung** *f* ⟨**-, -en**⟩ (≈ *Eingebung*) inspiration

erliegen [ɛɐˈliːgn] *past part* ***erlegen*** *v/i +dat irr aux sein* (*lit, fig*) to succumb to; *einem Irrtum* to be the victim of; ***zum Erliegen kommen*** to come to a standstill

erlogen [ɛɐˈloːgn] *adj* not true *pred*; (≈ *erfunden*) made-up *attr*, made up *pred*; ***das ist erstunken und ~*** (*infml*) that's a rotten lie (*infml*)

Erlös [ɛɐˈløːs] *m* ⟨**-es, -e** [-zə]⟩ proceeds *pl*

erlöschen [ɛɐˈlœʃn] *pret* ***erlosch*** [ɛɐˈlɔʃ], *past part* ***erloschen*** [ɛɐˈlɔʃn] *v/i aux sein* (*Feuer*) to go out; (*Gefühle*) to die; (*Vulkan*) to become extinct; (*Garantie*) to expire

erlösen [ɛɐˈløːzn] *past part* ***erlöst*** *v/t* (≈ *retten*) to save (*aus, von* from); REL to redeem **Erlösung** *f* release; (≈ *Erleichterung*) relief; REL redemption

ermächtigen [ɛɐˈmɛçtɪgn] *past part* ***ermächtigt*** *v/t* to authorize **ermächtigt** [ɛɐˈmɛçtɪçt] *adj* authorized **Ermächtigung** [ɛɐˈmɛçtɪgʊŋ] *f* ⟨**-, -en**⟩ authorization

ermahnen [ɛɐˈmaːnən] *past part* ***ermahnt*** *v/t* to admonish; (*warnend*) to warn; JUR to caution **Ermahnung** *f* admonition; (*warnend*) warning; JUR caution

Ermangelung [ɛɐˈmaŋəlʊŋ] *f* ⟨**-,** *no pl*⟩ (*elev*) ***in ~*** *+gen* because of the lack of

ermäßigen [ɛɐˈmɛsɪgn] *past part* ***ermäßigt*** *v/t* to reduce **ermäßigt** [ɛɐˈmɛːsɪçt] *adj* reduced; ***zu ~en Preisen*** at reduced prices **Ermäßigung** *f* ⟨**-, -en**⟩ reduction

ermessen [ɛɐˈmɛsn] *past part* ***ermessen*** *v/t irr* (≈ *einschätzen*) to gauge; (≈ *begreifen können*) to appreciate **Ermessen** [ɛɐˈmɛsn] *nt* ⟨**-s,** *no pl*⟩ (≈ *Urteil*) judgement; (≈ *Gutdünken*) discretion; ***nach meinem ~*** in my estimation; ***nach menschlichem ~*** as far as anyone can judge **Ermessensfrage** *f* matter of discretion

ermitteln [ɛɐˈmɪtln] *past part* ***ermittelt*** **I** *v/t* to determine, to ascertain; *Person* to trace; *Tatsache* to establish **II** *v/i* to investigate; ***gegen jdn ~*** to investigate sb **Ermittler** *m* ⟨**-s, -**⟩, **Ermittlerin** [-ərɪn] *f*

⟨-, -nen⟩ investigator **Ermittlung** *f* ⟨-, -en⟩ *esp* JUR investigation; **~en anstellen** to make inquiries (*über +acc* about) **Ermittlungsverfahren** *nt* JUR preliminary proceedings *pl*

ermöglichen [ɛɐ'mø:klɪçn] *past part* **ermöglicht** *v/t* to facilitate; **jdm etw ~** to make sth possible for sb

ermorden [ɛɐ'mɔrdn] *past part* **ermordet** *v/t* to murder; (*esp aus politischen Gründen*) to assassinate **Ermordung** *f* ⟨-, -en⟩ murder; (*esp politisch*) assassination

ermüden [ɛɐ'my:dn] *past part* **ermüdet** *v/t & v/i* to tire **ermüdend** *adj* tiring **Ermüdung** *f* ⟨-, (*rare*) -en⟩ fatigue

ermuntern [ɛɐ'mʊntɐn] *past part* **ermuntert** *v/t* (≈ *ermutigen*) to encourage (*jdn zu etw* sb to do sth)

ermutigen [ɛɐ'mu:tɪgn] *past part* **ermutigt** *v/t* (≈ *ermuntern*) to encourage **Ermutigung** *f* ⟨-, -en⟩ encouragement

ernähren [ɛɐ'nɛ:rən] *past part* **ernährt** **I** *v/t* to feed; (≈ *unterhalten*) to support; ***gut ernährt*** well-nourished **II** *v/r* to eat; ***sich gesund ~*** to have a healthy diet; ***sich von etw ~*** to live on sth **Ernährer** [ɛɐ'nɛ:rɐ] *m* ⟨-s, -⟩, **Ernährerin** [-ərɪn] *f* ⟨-, -nen⟩ breadwinner **Ernährung** *f* ⟨-, *no pl*⟩ (≈ *das Ernähren*) feeding; (≈ *Nahrung*) food; ***falsche ~*** the wrong diet **ernährungsbewusst** *adj* nutrition-conscious

ernennen [ɛɐ'nɛnən] *past part* **ernannt** [ɛɐ'nant] *v/t irr* to appoint **Ernennung** *f* appointment (*zu* as)

erneuerbar *adj* renewable **erneuern** [ɛɐ'nɔyɐn] *past part* **erneuert** *v/t* to renew; (≈ *auswechseln*) *Öl* to change; *Maschinenteile* to replace **Erneuerung** *f* renewal; (≈ *Auswechslung*) (*von Öl*) changing; (*von Maschinenteil*) replacement **erneuerungsbedürftig** *adj* in need of renewal; *Maschinenteil* in need of replacement **erneut** [ɛɐ'nɔyt] **I** *adj attr* renewed **II** *adv* (once) again

erniedrigen [ɛɐ'ni:drɪgn] *past part* **erniedrigt** *v/t* (≈ *demütigen*) to humiliate; (≈ *herabsetzen*) to degrade **Erniedrigung** *f* ⟨-, -en⟩ humiliation; (≈ *Herabsetzung*) degradation; MUS flattening

ernst [ɛrnst] **I** *adj* serious; (≈ *ernsthaft*) *Mensch* earnest; (≈ *feierlich*) solemn; ***~e Absichten haben*** (*infml*) to have honourable (*Br*) *or* honorable (*US*) intentions; ***es ist nichts Ernstes*** it's nothing serious **II** *adv* ***es (mit etw) ~ meinen*** to be serious (about sth); ***~ gemeint*** serious; ***jdn/etw ~ nehmen*** to take sb/sth seriously **Ernst** *m* ⟨-(e)s, *no pl*⟩ seriousness; (≈ *Ernsthaftigkeit*) earnestness; ***im ~*** seriously; ***allen ~es*** quite seriously; ***das kann doch nicht dein ~ sein!*** you can't be serious!; ***mit etw ~ machen*** to put sth into action; ***damit wird es jetzt ~*** now it's serious **Ernstfall** *m* ***im ~*** in case of emergency **ernstgemeint** [-gəmaint] *adj attr*; → ***ernst*** **ernsthaft** **I** *adj* serious **II** *adv* seriously **Ernsthaftigkeit** ['ɛrnsthaftɪçkait] *f* ⟨-, *no pl*⟩ seriousness **ernstlich** ['ɛrnstlɪç] **I** *adj* serious **II** *adv* ***~ besorgt um*** seriously concerned about

Ernte ['ɛrntə] *f* ⟨-, -n⟩ **1.** (≈ *das Ernten*) harvest(ing) **2.** (≈ *Ertrag*) harvest (*an +dat* of); (*von Äpfeln, fig*) crop **Ernte(dank)fest** *nt* harvest festival **ernten** ['ɛrntn] *v/t* *Getreide* to harvest; *Äpfel* to pick; (*fig*) to reap; *Undank, Spott* to get **Erntezeit** *f* harvest (time)

ernüchtern [ɛɐ'nʏçtɐn] *past part* **ernüchtert** *v/t* (*fig*) to bring down to earth; ***~d*** sobering **Ernüchterung** *f* ⟨-, -en⟩ (*fig*) disillusionment

Eroberer [ɛɐ'|o:bərɐ] *m* ⟨-s, -⟩, **Eroberin** [-ərɪn] *f* ⟨-, -nen⟩ conqueror **erobern** [ɛɐ'|o:bɐn] *past part* **erobert** *v/t* to conquer; (*fig*) *Sympathie etc* to win **Eroberung** *f* ⟨-, -en⟩ conquest; ***eine ~ machen*** (*fig infml*) to make a conquest

eröffnen [ɛɐ'|œfnən] *past part* **eröffnet** *v/t* **1.** (≈ *beginnen*) to open **2.** (*hum*) ***jdm etw ~*** to disclose sth to sb **Eröffnung** *f* **1.** (≈ *Beginn*) opening; (*von Konkursverfahren*) institution **2.** (*hum*) disclosure; ***jdm eine ~ machen*** to disclose sth to sb **Eröffnungsfeier** *f* opening ceremony **Eröffnungsrede** *f* opening speech *or* address

erogen [ero'ge:n] *adj* erogenous

erörtern [ɛɐ'|œrtɐn] *past part* **erörtert** *v/t* to discuss (in detail)

Erosion [ero'zio:n] *f* ⟨-, -en⟩ erosion

Erotik [e'ro:tɪk] *f* ⟨-, *no pl*⟩ eroticism **erotisch** [e'ro:tɪʃ] *adj* erotic

erpicht [ɛɐ'pɪçt] *adj* ***auf etw** (acc) **~ sein*** to be keen (*Br*) *or* bent (*US*) on sth

erpressbar *adj* ***~ sein*** to be susceptible to blackmail **erpressen** [ɛɐ'prɛsn] *past part* **erpresst** *v/t* *Geld etc* to extort (*von* from); *jdn* to blackmail **Erpresser** [ɛɐ'prɛsɐ] *m* ⟨-s, -⟩, **Erpresserin** [-ərɪn]

f ⟨**-, -nen**⟩ blackmailer **Erpressung** *f* ⟨**-, -en**⟩ (*von Geld*) extortion; (*eines Menschen*) blackmail
erproben [ɛɐˈproːbn] *past part* ***erprobt*** *v/t* to test **erprobt** *adj* tried and tested; (≈ *erfahren*) experienced **Erprobung** [ɛɐˈproːbʊŋ] *f* ⟨**-, -en**⟩ *usu sg* testing
erraten [ɛɐˈraːtn] *past part* ***erraten*** *v/t irr* to guess
erregbar *adj* excitable **erregen** [ɛɐˈreːgn] *past part* ***erregt*** **I** *v/t* **1.** to excite; (≈ *erzürnen*) to infuriate **2.** (≈ *hervorrufen*) to arouse; *Aufsehen, Heiterkeit* to cause; *Aufmerksamkeit* to attract **II** *v/r* to get excited (*über +acc* about); (≈ *sich ärgern*) to get annoyed (*über +acc* at) **Erreger** [ɛɐˈreːgɐ] *m* ⟨**-s, -**⟩ MED cause; (≈ *Bazillus etc*) pathogene (*tech*) **Erregung** *f* **1.** *no pl* (≈ *Erzeugung*) arousing; (*von Aufsehen, Heiterkeit*) causing **2.** (≈ *Zustand*) excitement; (≈ *Wut*) rage; ***in ~ geraten*** to get excited / into a rage
erreichbar *adj* reachable; (≈ *nicht weit*) within reach; *Ziel* attainable; ***zu Fuß ~*** within walking distance; ***sind Sie zu Hause ~?*** can I get in touch with you at home? **erreichen** [ɛɐˈraiçn] *past part* ***erreicht*** *v/t* to reach; *Zug* to catch; *Absicht* to achieve; (≈ *einholen*) to catch up with; ***wann kann ich Sie morgen ~?*** when can I get in touch with you tomorrow?; ***wir haben nichts erreicht*** we achieved nothing
errichten [ɛɐˈrɪçtn] *past part* ***errichtet*** *v/t* to put up; (*fig* ≈ *gründen*) to establish
erringen [ɛɐˈrɪŋən] *past part* ***errungen*** [ɛɐˈrʊŋən] *v/t irr* to gain; ***ein hart errungener Sieg*** a hard-won victory
erröten [ɛɐˈrøːtn] *past part* ***errötet*** *v/i aux sein* to flush; (*esp aus Verlegenheit*) to blush
Errungenschaft [ɛɐˈrʊŋənʃaft] *f* ⟨**-, -en**⟩ achievement
Ersatz [ɛɐˈzats] *m, no pl* substitute; (*für Altes*) replacement; ***als ~ für jdn einspringen*** to stand in for sb **Ersatzbank** *f, pl* ***-bänke*** SPORTS substitutes' bench **Ersatzdienst** *m* MIL alternative service **Ersatzdroge** *f* substitute drug **Ersatzkasse** *f* state health insurance scheme **ersatzlos I** *adj* ***~e Streichung*** (*von Stelle*) abolition **II** *adv* ***etw ~ streichen*** *Stelle* to abolish sth **Ersatzreifen** *m* AUTO spare tyre (*Br*) *or* tire (*US*) **Ersatzspieler(in)** *m/(f)* SPORTS substitute **Ersatzteil** *nt* spare (part)
ersaufen [ɛɐˈzaufn] *past part* ***ersoffen*** [ɛɐˈzɔfn] *v/i irr aux sein* (*infml*) (≈ *ertrinken*) to drown; (≈ *überschwemmt werden*, AUTO) to be flooded **ersäufen** [ɛɐˈzɔyfn] *past part* ***ersäuft*** *v/t* to drown
erschaffen [ɛɐˈʃafn] *pret* ***erschuf*** [ɛɐˈʃuːf], *past part* ***erschaffen*** *v/t* to create **Erschaffung** *f* creation
erscheinen [ɛɐˈʃainən] *past part* ***erschienen*** [ɛɐˈʃiːnən] *v/i irr aux sein* to appear; (*Buch*) to come out; ***es erscheint (mir) wünschenswert*** it seems desirable (to me) **Erscheinen** [ɛɐˈʃainən] *nt* ⟨**-s,** *no pl*⟩ appearance; (*von Buch*) publication **Erscheinung** *f* ⟨**-, -en**⟩ **1.** *no pl* (≈ *das Erscheinen*) appearance; ***in ~ treten*** (*Merkmale*) to appear; (*Gefühle*) to show themselves **2.** (≈ *Alterserscheinung*) symptom **3.** (≈ *Gestalt*) figure; ***seiner äußeren ~ nach*** judging by his appearance **4.** (≈ *Geistererscheinung*) apparition **Erscheinungsform** *f* manifestation
erschießen [ɛɐˈʃiːsn] *past part* ***erschossen*** [ɛɐˈʃɔsn] *irr* **I** *v/t* to shoot (dead) **II** *v/r* to shoot oneself; → ***erschossen*** **Erschießung** *f* ⟨**-, -en**⟩ shooting; (JUR: *als Todesstrafe*) execution; ***Tod durch ~*** JUR death by firing squad **Erschießungskommando** *nt* firing squad
erschlaffen [ɛɐˈʃlafn] *past part* ***erschlafft*** *v/i aux sein* (≈ *ermüden*) to tire; (≈ *schlaff werden*) to go limp; (*Interesse, Eifer*) to wane
erschlagen[1] [ɛɐˈʃlaːgn] *past part* ***erschlagen*** *v/t irr* to kill; ***vom Blitz ~ werden*** to be struck (dead) by lightning
erschlagen[2] [ɛɐˈʃlaːgn] *adj* ***~ sein*** (*infml*) (≈ *todmüde*) to be worn out
erschließen [ɛɐˈʃliːsn] *past part* ***erschlossen*** [ɛɐˈʃlɔsn] *v/t irr Gebiet, Absatzmarkt* to develop
erschöpfen [ɛɐˈʃœpfn] *past part* ***erschöpft*** *v/t* to exhaust **erschöpfend I** *adj* **1.** (≈ *ermüdend*) exhausting **2.** (≈ *ausführlich*) exhaustive **II** *adv* exhaustively **Erschöpfung** *f* exhaustion; ***bis zur ~ arbeiten*** to work to the point of exhaustion **Erschöpfungszustand** *m* state of exhaustion *no pl*
erschossen [ɛɐˈʃɔsn] *adj* (*infml*) **(völlig) *~ sein*** to be dead beat (*Br infml*), to be beat (*esp US infml*); → ***erschießen***
erschrecken [ɛɐˈʃrɛkn] **I** *pret* ***er-***

schreckte, *past part* ***erschreckt*** *v/t* to frighten; (≈ *bestürzen*) to startle **II** *pret* ***erschreckte*** *or* ***erschrak*** [ɛɐ'ʃrɛktə, ɛɐ'ʃraːk], *past part* ***erschreckt*** *or* ***erschrocken*** [ɛɐ'ʃrɛkt, ɛɐ'ʃrɔkn] *v/i & v/r* to be frightened (*vor +dat* by); (≈ *bestürzt sein*) to be startled **erschreckend** *adj* alarming; ***~ aussehen*** to look dreadful **erschrocken** [ɛɐ'ʃrɔkn] *adj* frightened; (≈ *bestürzt*) startled

erschüttern [ɛɐ'ʃʏtɐn] *past part* ***erschüttert*** *v/t Gebäude, Vertrauen etc* to shake; ***jdn in seinem Glauben ~*** to shake sb's faith; ***über etw*** (*acc*) ***erschüttert sein*** to be shattered by sth (*infml*); ***ihn kann nichts ~*** he always keeps his cool (*infml*) **erschütternd** *adj* shattering (*infml*) **Erschütterung** *f* ⟨**-, -en**⟩ (*des Bodens etc*) tremor; (≈ *seelische Ergriffenheit*) emotion

erschweren [ɛɐ'ʃveːrən] *past part* ***erschwert*** *v/t* to make more difficult; ***es kommt noch ~d hinzu, dass ...*** to compound matters, ...

erschwinglich [ɛɐ'ʃvɪŋlɪç] *adj* ***das Haus ist für uns nicht ~*** the house is not within our means

ersehen [ɛɐ'zeːən] *past part* ***ersehen*** *v/t irr* (*form*) ***etw aus etw ~*** to see sth from sth

ersehnt [ɛɐ'zeːnt] *adj* longed-for

ersetzbar *adj* replaceable **ersetzen** [ɛɐ'zɛtsn] *past part* ***ersetzt*** *v/t* to replace

ersichtlich [ɛɐ'zɪçtlɪç] *adj* obvious; ***ohne ~en Grund*** for no apparent reason

ersinnen [ɛɐ'zɪnən] *past part* ***ersonnen*** [ɛɐ'zɔnən] *v/t irr* to devise; (≈ *erfinden*) to invent

ersparen [ɛɐ'ʃpaːrən] *past part* ***erspart*** *v/t Kosten, Zeit* to save; ***jdm/sich etw ~*** to spare sb/oneself sth; ***ihr blieb auch nichts erspart*** she was spared nothing; ***das Ersparte*** the savings *pl* **Ersparnis** [ɛɐ'ʃpaːɐnɪs] *f* ⟨**-, -se** *or* (*Aus*) *nt* **-ses, -se**⟩ **1.** *no pl* (*an Zeit etc*) saving (*an +dat* of) **2.** *usu pl* savings *pl*

erst [eːɐst] *adv* **1.** first; (≈ *anfänglich*) at first; ***mach ~ (ein)mal die Arbeit fertig*** finish your work first **2.** (≈ *bloß*) only; (≈ *nicht früher als*) not until; ***eben*** *or* ***gerade ~*** just; ***~ gestern*** only yesterday; ***~ jetzt*** only just; ***~ morgen*** not until *or* before tomorrow; ***~ später*** not until later; ***~ wenn*** only if *or* when, not until **3.** ***da fange ich ~ gar nicht an*** I simply won't (bother to) begin; ***das macht es ~ recht schlimm*** that makes it even worse

erstarren [ɛɐ'ʃtarən] *past part* ***erstarrt*** *v/i aux sein* (*Finger*) to grow stiff; (*Flüssigkeit*) to solidify; (*Zement etc*) to set; (*Blut, Fett etc*) to congeal; (*fig*) (*Blut*) to run cold; (*Lächeln*) to freeze; (*vor Schrecken etc*) to be paralyzed (*vor +dat* with)

erstatten [ɛɐ'ʃtatn] *past part* ***erstattet*** *v/t* **1.** *Unkosten* to refund **2.** (*form*) ***(Straf)Anzeige gegen jdn ~*** to report sb; ***Bericht ~*** to (give a) report (*über +acc* on) **Erstattung** *f* ⟨**-,** *no pl*⟩ (*von Unkosten*) refund

Erstaufführung *f* THEAT first performance, premiere

erstaunen [ɛɐ'ʃtaunən] *past part* ***erstaunt*** *v/t & v/i* to astonish **Erstaunen** [ɛɐ'ʃtaunən] *nt* astonishment **erstaunlich** [ɛɐ'ʃtaunlɪç] **I** *adj* astonishing **II** *adv* astonishingly **erstaunt** [ɛɐ'ʃtaunt] **I** *adj* astonished (*über +acc* about) **II** *adv* in astonishment

Erstausgabe *f* first edition **erstbeste(r, s)** ['eːɐst'bɛstə] *adj attr* ***er hat das ~ Auto gekauft*** he bought the first car he saw

erstechen [ɛɐ'ʃtɛçn] *past part* ***erstochen*** [ɛɐ'ʃtɔxn] *v/t irr* to stab to death

erstehen [ɛɐ'ʃteːən] *past part* ***erstanden*** [ɛɐ'ʃtandn] *irr v/t* (*infml* ≈ *kaufen*) to buy

ersteigen [ɛɐ'ʃtaign] *past part* ***erstiegen*** [ɛɐ'ʃtiːgn] *v/t irr* to climb

ersteigern [ɛɐ'ʃtaigɐn] *past part* ***ersteigert*** *v/t* to buy at an auction

erstellen [ɛɐ'ʃtɛlən] *past part* ***erstellt*** *v/t* **1.** (≈ *bauen*) to construct **2.** *Liste etc* to draw up

erstens ['eːɐstns] *adv* first(ly) **Erste(r)** ['eːɐstə(r)] *m/f(m) decl as adj* first; ***die drei ~n*** the first three; ***der ~ des Monats*** the first (day) of the month; ***vom nächsten ~n an*** as of the first of next month; ***er kam als ~r*** he was the first to come **erste(r, s)** ['eːɐstə] *adj* first; ***~r Stock, ~ Etage*** first floor, second floor (*US*); ***zum ~n Mal*** for the first time; ***~ Qualität*** top quality; ***Erste Hilfe*** first aid; ***an ~r Stelle*** in the first place; ***in ~r Linie*** first and foremost; → ***vierte(r, s)*** **Erste(s)** ['eːɐstə(s)] *m/f(m) decl as adj* ***das ~*** the first thing; ***als ~s*** first of all

ersticken [ɛɐ'ʃtɪkn] *past part* ***erstickt*** **I** *v/t jdn* to suffocate; *Feuer* to smother;

Geräusche to stifle; *Aufruhr etc* to suppress **II** *v/i aux sein* to suffocate; (*Feuer*) to die; ***an einer Gräte ~*** to choke (to death) on a fish bone; ***in der Arbeit ~*** (*infml*) to be up to one's neck in work (*infml*) **Erstickung** *f* ⟨-, *no pl*⟩ suffocation

erstklassig I *adj* first-class **II** *adv spielen* excellently; ***~ schmecken*** to taste excellent **Erstkläss(l)er** ['eːɐstklɛs(l)ɐ] *m* ⟨***-s, -***⟩, **Erstkläss(l)erin** [-ərɪn] *f* ⟨***-, -nen***⟩ first-year pupil (*Br*), first-grader (*US*) **erstmalig** ['eːɐstmaːlɪç] **I** *adj* first **II** *adv* for the first time **erstmals** ['eːɐstmals] *adv* for the first time

erstreben [ɛɐ'ʃtreːbn] *past part* ***erstrebt*** *v/t* to strive for **erstrebenswert** *adj* desirable

erstrecken [ɛɐ'ʃtrɛkn] *past part* ***erstreckt*** *v/r* to extend (*auf, über +acc* over)

Erstschlag *m* (*mit Atomwaffen*) first strike **Erstsemester** *nt* first-year student **Erststimme** *f* first vote

ersuchen [ɛɐ'zuːxn] *past part* ***ersucht*** *v/t* (*form*) to request (*jdm um etw* sth of sb)

ertappen [ɛɐ'tapn] *past part* ***ertappt*** *v/t* to catch; ***ich habe ihn dabei ertappt*** I caught him at it

erteilen [ɛɐ'tailən] *past part* ***erteilt*** *v/t* to give; *Lizenz* to issue; ***Unterricht ~*** to teach

ertönen [ɛɐ'tøːnən] *past part* ***ertönt*** *v/i aux sein* (*elev*) to sound

Ertrag [ɛɐ'traːk] *m* ⟨***-(e)s, ¨-e*** [-'trɛːgə]⟩ (*von Acker*) yield; (≈ *Einnahmen*) proceeds *pl*; ***~ abwerfen*** to bring in a return **ertragen** [ɛɐ'traːgn] *past part* ***ertragen*** *v/t irr* to bear; ***das ist nicht mehr zu ~*** it's unbearable **erträglich** [ɛɐ'trɛːklɪç] *adj* bearable

ertränken [ɛɐ'trɛŋkn] *past part* ***ertränkt*** *v/t* to drown

erträumen [ɛɐ'trɔymən] *past part* ***erträumt*** *v/t* to dream of; ***sich*** (*dat*) ***etw ~*** to dream of sth

ertrinken [ɛɐ'trɪŋkn] *past part* ***ertrunken*** [ɛɐ'trʊŋkn] *v/i irr aux sein* to drown **Ertrinken** [ɛɐ'trɪŋkn] *nt* ⟨***-s,*** *no pl*⟩ drowning

erübrigen [ɛɐ'|yːbrɪgn] *past part* ***erübrigt*** **I** *v/t Zeit, Geld* to spare **II** *v/r* to be superfluous

eruieren [eru'iːrən] *past part* ***eruiert*** *v/t* (*form*) *Sachverhalt* to investigate

erwachen [ɛɐ'vaxn] *past part* ***erwacht*** *v/i aux sein* to awake; (*aus Ohnmacht etc*) to come to (*aus* from); (*fig*: *Gefühle*) to be aroused; ***ein böses Erwachen*** (*fig*) a rude awakening

erwachsen [ɛɐ'vaksn] *past part* ***erwachsen*** **I** *v/i irr aux sein* (*elev*) to arise; (*Vorteil, Kosten etc*) to result **II** *adj* grown-up, adult **Erwachsenenbildung** *f* adult education **Erwachsene(r)** [ɛɐ'vaksənə] *m/f(m) decl as adj* adult

erwägen [ɛɐ'vɛːgn] *past part* ***erwogen*** [ɛɐ'voːgn] *v/t irr* to consider **Erwägung** *f* ⟨***-, -en***⟩ consideration; ***etw in ~ ziehen*** to consider sth

erwähnen [ɛɐ'vɛːnən] *past part* ***erwähnt*** *v/t* to mention **erwähnenswert** *adj* worth mentioning **Erwähnung** *f* ⟨***-, -en***⟩ mention (*+gen* of)

erwärmen [ɛɐ'vɛrmən] *past part* ***erwärmt*** **I** *v/t* to warm **II** *v/r* to warm up; ***sich für jdn/etw ~*** (*fig*) to take to sb/sth **Erwärmung** *f* ⟨***-, -en***⟩ warming; ***globale ~*** global warming

erwarten [ɛɐ'vartn] *past part* ***erwartet*** *v/t Gäste, Ereignis* to expect; ***etw von jdm/etw ~*** to expect sth from *or* of sb/sth; ***ein Kind ~*** to be expecting a child; ***das war zu ~*** that was to be expected; ***sie kann den Sommer kaum noch ~*** she can hardly wait for the summer; ***es steht zu ~, dass ...*** (*form*) it is to be expected that ... **Erwartung** *f* expectation; (≈ *Ungeduld*) anticipation; ***den ~en gerecht werden*** to come up to expectations; (≈ *Voraussetzung erfüllen*) to meet the requirements; ***hinter den ~en zurückbleiben*** not to come up to expectations **erwartungsgemäß** *adv* as expected **Erwartungshaltung** *f* expectations *pl* **erwartungsvoll** *adj* expectant

erwecken [ɛɐ'vɛkn] *past part* ***erweckt*** *v/t* (*fig*) *Hoffnungen, Zweifel* to raise; *Erinnerungen* to bring back

erweichen [ɛɐ'vaiçn] *past part* ***erweicht*** *v/t* to soften; ***jds Herz ~*** to touch sb's heart; ***sich nicht ~ lassen*** to be unmoved

erweisen [ɛɐ'vaizn] *past part* ***erwiesen*** [ɛɐ'viːzn] *irr* **I** *v/t* **1.** (≈ *nachweisen*) to prove; ***eine erwiesene Tatsache*** a proven fact **2. *jdm einen Dienst ~*** to do sb a service **II** *v/r* ***sich als etw ~*** to prove to be sth; ***es hat sich erwiesen, dass ...*** it turned out that ...

erweitern [ɛɐ'vaitɐn] *past part* **erweitert** *v/t & v/r* to widen; *Geschäft* to expand; MED to dilate; (*fig*) *Kenntnisse etc* to broaden **Erweiterung** *f* ⟨-, -**en**⟩ widening; (*von Geschäft*) expansion; MED dilation; (*fig*) (*von Kenntnissen etc*) broadening

Erwerb [ɛɐ'vɛrp] *m* ⟨-(**e**)**s**, -**e** [-bə]⟩ *no pl* acquisition; (≈ *Kauf*) purchase **erwerben** [ɛɐ'vɛrbn] *past part* **erworben** [ɛɐ'vɔrbn] *v/t irr* to acquire; *Vertrauen* to earn; *Titel, Pokal* to win; (*käuflich*) to purchase; ***er hat sich*** (*dat*) ***große Verdienste um die Firma erworben*** he has done great service for the firm **erwerbsfähig** *adj* (*form*) capable of gainful employment **Erwerbsleben** *nt* working life **erwerbslos** *adj* = ***arbeitslos*** **erwerbstätig** *adj* (gainfully) employed **Erwerbstätige(r)** *m/f(m) decl as adj* person in gainful employment **Erwerbstätigkeit** *f* gainful employment **erwerbsunfähig** *adj* (*form*) incapable of gainful employment **Erwerbung** *f* acquisition

erwidern [ɛɐ'viːdɐn] *past part* **erwidert** *v/t* **1.** (≈ *antworten*) to reply (*auf +acc* to); ***auf meine Frage erwiderte sie, dass ...*** in reply to my question, she said that ... **2.** *Feuer, Besuch* to return **Erwiderung** *f* ⟨-, -**en**⟩ (≈ *Antwort*) reply

erwirtschaften [ɛɐ'vɪrtʃaftn] *past part* **erwirtschaftet** *v/t* ***Gewinne ~*** to make profits

erwischen [ɛɐ'vɪʃn] *past part* **erwischt** *v/t* (*infml*) (≈ *erreichen, ertappen*) to catch; ***jdn beim Stehlen ~*** to catch sb stealing; ***du darfst dich nicht ~ lassen*** you mustn't get caught; ***ihn hats erwischt!*** (*verliebt*) he's got it bad (*infml*); (*krank*) he's got it; (*gestorben*) he's had it (*infml*)

erwünscht [ɛɐ'vʏnʃt] *adj Wirkung etc* desired; *Eigenschaft* desirable; ***du bist hier nicht ~!*** you're not welcome here!

erwürgen [ɛɐ'vʏrgn] *past part* **erwürgt** *v/t* to strangle

Erz [eːɐts, ɛrts] *nt* ⟨-**es**, -**e**⟩ ore

erzählen [ɛɐ'tsɛːlən] *past part* **erzählt I** *v/t* **1.** to tell; ***jdm etw ~*** to tell sth to sb; ***man erzählt sich, dass ...*** people say that ...; ***erzähl mal, was/wie ...*** tell me/us what/how ...; ***das kannst du einem anderen ~*** (*infml*) tell that to the marines (*infml*) **2.** LIT to narrate; ***~de Dichtung*** narrative fiction **II** *v/i* **1.** to tell (*von* about); ***er kann gut ~*** he's a good storyteller **2.** LIT to narrate **Erzähler** *m* ⟨-**s**, -⟩, **Erzählerin** [-ərɪn] *f* ⟨-, -**nen**⟩ narrator; (≈ *Geschichtenerzähler*) storyteller; (≈ *Schriftsteller*) narrative writer **Erzählung** *f* LIT story; (≈ *Schilderung*) account

Erzbergwerk *nt* ore mine **Erzbischof** *m* archbishop **Erzengel** *m* archangel

erzeugen [ɛɐ'tsɔygn] *past part* **erzeugt** *v/t* CHEM, ELEC, PHYS to generate; COMM *Produkt* to manufacture; *Wein etc* to produce; (*fig* ≈ *bewirken*) to cause **Erzeuger** [ɛɐ'tsɔygɐ] *m* ⟨-**s**, -⟩, **Erzeugerin** [-ərɪn] *f* ⟨-, -**nen**⟩ COMM manufacturer; (*von Naturprodukten*) producer **Erzeugerland** *nt* country of origin **Erzeugerpreis** *m* manufacturer's price **Erzeugnis** *nt* product; AGR produce *no indef art, no pl* **Erzeugung** *f* CHEM, ELEC, PHYS generation

Erzfeind(in) *m/(f)* arch-enemy **Erzherzog** *m* archduke

erziehbar *adj Kind* educable; *Tier* trainable; ***schwer ~*** *Kind* difficult; *Hund* difficult to train **erziehen** [ɛɐ'tsiːən] *past part* **erzogen** [ɛɐ'tsoːgn] *v/t irr Kind* to bring up; *Tier* to train; (≈ *ausbilden*) to educate; ***ein gut/schlecht erzogenes Kind*** a well-brought-up/badly-brought-up child **Erzieher** [ɛɐ'tsiːɐ] *m* ⟨-**s**, -⟩, **Erzieherin** [-ərɪn] *f* ⟨-, -**nen**⟩ educator; (*in Kindergarten*) nursery school teacher **erzieherisch** [ɛɐ'tsiːərɪʃ] *adj* educational **Erziehung** *f, no pl* upbringing; (≈ *Ausbildung*) education; (≈ *das Erziehen*) bringing up; (*von Tieren*) training; (≈ *Manieren*) (good) breeding **Erziehungsberatung** *f* educational guidance **erziehungsberechtigt** *adj* having parental authority **Erziehungsberechtigte(r)** [-bərɛçtɪçtə] *m/f(m) decl as adj* parent or (legal) guardian **Erziehungsgeld** *nt* ≈ child benefit **Erziehungsurlaub** *m* parental leave **Erziehungswissenschaft** *f* education

erzielen [ɛɐ'tsiːlən] *past part* **erzielt** *v/t Erfolg, Ergebnis* to achieve; *Einigung* to reach; *Gewinn* to make; *Preis* to fetch; SPORTS *Tor, Punkte* to score; *Rekord* to set

erzkonservativ *adj* ultraconservative

erzürnen [ɛɐ'tsʏrnən] *past part* **erzürnt** *v/t* (*elev*) to anger

erzwingen [ɛɐ'tsvɪŋən] *past part* **er-**

zwụngen [ɛɐ'tsvʊŋən] *v/t irr* to force; (*gerichtlich*) to enforce
es [ɛs] *pers pr, gen* ***seiner***, *dat* ***ihm***, *acc* ***es*** it; (*auf männliches Wesen bezogen*) (*nom*) he; (*acc*) him; (*auf weibliches Wesen bezogen*) (*nom*) she; (*acc*) her; ***es ist kalt/8 Uhr/Sonntag*** it's cold/8 o'clock/Sunday; ***ich hoffe es*** I hope so; ***es gefällt mir*** I like it; ***es klopft*** there's a knock (at the door); ***es regnet*** it's raining; ***es geschah ein Unglück*** there was an accident; ***es gibt viel Arbeit*** there's a lot of work; ***es kamen viele Leute*** a lot of people came
Escape-Taste [ɛs'keːp-] *f* IT escape key
Ẹsche ['ɛʃə] *f* ⟨-, *-n*⟩ ash-tree; (≈ *Holz*) ash
Esel ['eːzl] *m* ⟨*-s, -*⟩ donkey; (*infml* ≈ *Dummkopf*) (silly) ass; ***ich ~!*** silly (old) me!; ***störrisch wie ein ~*** as stubborn as a mule **Eselsbrücke** *f* (≈ *Gedächtnishilfe*) mnemonic **Eselsohr** *nt* (*fig*) dog-ear
Eskalation [ɛskala'tsioːn] *f* ⟨*-, -en*⟩ escalation **eskalieren** [ɛska'liːrən] *past part* ***eskaliert*** *v/t & v/i* to escalate
Eskapade [ɛska'paːdə] *f* ⟨*-, -n*⟩ (*fig*) escapade
Ẹskimo ['ɛskimo] *m* ⟨*-s, -s*⟩ Eskimo
Eskọrte [ɛs'kɔrtə] *f* ⟨*-, -n*⟩ MIL escort **eskortieren** [ɛskɔr'tiːrən] *past part* ***eskortiert*** *v/t* to escort
Esoterik [ezo'teːrɪk] *f* ⟨*-, no pl*⟩ esotericism **Esoteriker** [ezo'teːrikɐ] *m* ⟨*-s, -*⟩, **Esoterikerin** [-ərɪn] *f* ⟨*-, -nen*⟩ esoteric **esoterisch** [ezo'teːrɪʃ] *adj* esoteric
Ẹspe ['ɛspə] *f* ⟨*-, -n*⟩ aspen **Ẹspenlaub** *nt* ***zittern wie ~*** to shake like a leaf
Esperạnto [ɛspe'ranto] *nt* ⟨*-s, no pl*⟩ Esperanto
Esprẹsso [ɛs'prɛso] *m* ⟨*-(s), -s or Esprẹssi* [-si]⟩ espresso
Esprit [ɛs'priː] *m* ⟨*-s, no pl*⟩ wit; ***ein Mann mit ~*** a witty man
Essay ['ɛse, ɛ'seː] *m or nt* ⟨*-s, -s*⟩ LIT essay
ẹssbar *adj* edible; ***nicht ~*** inedible **Ẹssecke** *f* eating area **ẹssen** ['ɛsn] *pret* ***aß*** [aːs], *past part* ***gegẹssen*** [gə'gɛsn] *v/t & v/i* to eat; ***da isst es sich gut*** the food is good there; ***warm/kalt ~*** to have a hot/cold meal; ***sich satt ~*** to eat one's fill; ***~ Sie gern Äpfel?*** do you like apples?; ***beim Essen sein*** to be in the middle of eating; ***~ gehen*** (*auswärts*) to eat out; ***das Thema ist schon lange gegessen*** (*fig infml*) the subject is dead and buried **Ẹssen** ['ɛsn] *nt* ⟨*-s, -*⟩ (≈ *Mahlzeit*) meal; (≈ *Nahrung*) food; (≈ *Küche*) cooking; (≈ *Mittagessen*) lunch; (≈ *Abendessen*) dinner; ***das ~ kochen*** (*infml*) to cook the meal; ***jdn zum ~ einladen*** to invite sb for a meal **Ẹssen(s)marke** *f* meal voucher (*Br*) *or* ticket (*US*) **Ẹssen(s)zeit** *f* mealtime
essentiell [ɛsɛn'tsiɛl] *adj* = ***essenziell***
Essẹnz [ɛ'sɛnts] *f* ⟨*-, -en*⟩ essence **essenziell** [ɛsɛn'tsiɛl] *adj* essential
Ẹssig ['ɛsɪç] *m* ⟨*-s, -e* [-gə]⟩ vinegar **Ẹssiggurke** *f* (pickled) gherkin **Ẹssigsäure** *f* acetic acid
Ẹsskastanie *f* sweet chestnut **Ẹsslöffel** *m* (*für Suppe*) soup spoon; (*in Rezept*) tablespoon **Ẹssstäbchen** *pl* chopsticks *pl* **Ẹssstörung** *f usu pl* eating disorder **Ẹsstisch** *m* dining table **Ẹsszimmer** *nt* dining room
Establishment [is'tɛblɪʃmənt] *nt* ⟨*-s, -s*⟩ SOCIOL, PRESS establishment
Estland ['eːstlant, 'ɛst-] *nt* ⟨*-s*⟩ Est(h)onia
Ẹstragon ['ɛstragɔn] *m* ⟨*-s, no pl*⟩ tarragon
Ẹstrich ['ɛstrɪç] *m* ⟨*-s, -e*⟩ **1.** stone floor **2.** (*Swiss* ≈ *Dachboden*) attic
etablieren [eta'bliːrən] *past part* ***etabliert*** *v/r* to establish oneself **etabliert** [eta'bliːɐt] *adj* established **Etablissement** [etablɪsə'mãː] *nt* ⟨*-s, -s*⟩ establishment
Etage [e'taːʒə] *f* ⟨*-, -n*⟩ floor; ***in or auf der 2. ~*** on the 2nd *or* 3rd (*US*) floor **Etagenbett** *nt* bunk bed **Etagenheizung** *f heating system which covers one floor of a building*
Etạppe [e'tapə] *f* ⟨*-, -n*⟩ stage **Etạppensieg** *m* SPORTS stage win **etạppenweise** *adv* stage by stage
Etat [e'taː] *m* ⟨*-s, -s*⟩ budget **Etatjahr** *nt* financial year **etatmäßig** *adj* ADMIN budgetary **Etatposten** *m* item in the budget
etepetete [eːtəpe'teːtə] *adj pred* (*infml*) fussy
Ethik ['eːtɪk] *f* ⟨*-, -en*⟩ ethics *pl*; (≈ *Fach*) ethics *sg* **Ethikkommission** *f* ethics committee **Ethikunterricht** *m* SCHOOL (teaching of) ethics **ethisch** ['eːtɪʃ] *adj* ethical
ẹthnisch ['ɛtnɪʃ] *adj* ethnic; ***~e Säube-***

rung ethnic cleansing **Ethnologe** [ɛtno'loːgə] *m* ⟨***-n, -n***⟩, **Ethnologin** [-'loːgɪn] *f* ⟨***-, -nen***⟩ ethnologist **Ethnologie** [ɛtnolo'giː] *f* ⟨***-, -n*** [-'giːən]⟩ ethnology
Ethos ['eːtɔs] *nt* ⟨***-,*** *no pl*⟩ ethos; (≈ *Berufsethos*) professional ethics *pl*
Etikett [eti'kɛt] *nt* ⟨***-(e)s, -e***⟩ label **Etikette** [eti'kɛtə] *f* ⟨***-, -n***⟩ etiquette **etikettieren** [etikɛ'tiːrən] *past part* ***etikettiert*** *v/t* to label
etliche(r, s) ['ɛtlɪçə] *indef pr* **1.** *sg attr* quite a lot of; ***~ Mal*** quite a few times **2. etliche** *pl* quite a few **3. etliches** *sg* (*substantivisch*) quite a lot
Etüde [e'tyːdə] *f* ⟨***-, -n***⟩ MUS étude
Etui [ɛt'viː, e'tyiː] *nt* ⟨***-s, -s***⟩ case
etwa ['ɛtva] *adv* **1.** (≈ *ungefähr*) about; ***~ so*** more or less like this **2.** (≈ *zum Beispiel*) for instance **3.** ***soll das ~ heißen, dass ...?*** is that supposed to mean ...?; ***willst du ~ schon gehen?*** (surely) you don't want to go already!; ***sind Sie ~ nicht einverstanden?*** do you mean to say that you don't agree?; ***ist das ~ wahr?*** (surely) it's not true! **etwaig** ['ɛtvaɪç, ɛt'vaːɪç] *adj attr* possible; ***bei ~en Beschwerden*** in the event of (any) complaints
etwas ['ɛtvas] *indef pr* **1.** (*substantivisch*) something; (*fragend, verneinend*) anything; (*Teil einer Menge*) some; any; ***kannst du mir ~ (davon) leihen?*** can you lend me some (of it)?; ***~ anderes*** something else; ***aus ihm wird nie ~*** (*infml*) he'll never become anything; ***da ist ~ Wahres dran*** there is some truth in that **2.** (*adjektivisch*) some; ***~ Salz?*** some salt?; ***~ Nettes*** something nice **Etwas** ['ɛtvas] *nt* ⟨***-,*** *no pl*⟩ something; ***das gewisse ~*** that certain something
Etymologie [etymolo'giː] *f* ⟨***-, -n*** [-'giːən]⟩ etymology **etymologisch** [etymo'loːgɪʃ] *adj* etymological
Et-Zeichen ['ɛt-] *nt* ampersand
EU [eː'|uː] *f* ⟨***-***⟩ *abbr of* ***Europäische Union*** EU
euch [ɔyç] *pers pr dat, acc of* ***ihr*** you; (*refl*) yourselves; ***ein Freund von ~*** a friend of yours; ***setzt ~!*** sit (yourselves (*infml*)) down!
Eucharistie [ɔyçarɪs'tiː] *f* ⟨***-, -n*** [-'tiːən]⟩ ECCL Eucharist
euer ['ɔyɐ] *poss pr* your; ***viele Grüße, Euer Hans*** best wishes, yours, Hans; ***das sind eure Bücher*** those are your books **euere(r, s)** ['ɔyərə] *poss pr* = ***eure(r, s)***
Eukalyptus [ɔyka'lʏptʊs] *m* ⟨***-, Eukalypten*** [-tn]⟩ (≈ *Baum*) eucalyptus (tree); (≈ *Öl*) eucalyptus oil
EU-Konvent [eː'|uː-] *m* European Convention
Eule ['ɔylə] *f* ⟨***-, -n***⟩ owl
Eunuch [ɔy'nuːx] *m* ⟨***-en, -en***⟩ eunuch
euphemistisch [ɔyfe'mɪstɪʃ] **I** *adj* euphemistic **II** *adv* euphemistically
Euphorie [ɔyfo'riː] *f* ⟨***-, -n*** [-'riːən]⟩ euphoria **euphorisch** [ɔy'foːrɪʃ] *adj* euphoric
EUR *abbr of* ***Euro*** EUR, euro
eure(r, s) ['ɔyrə] *poss pr* **1.** (*substantivisch*) yours; ***der/die/das ~*** *or* ***Eure*** (*elev*) yours; ***tut ihr das ~*** *or* ***Eure*** (*elev*) you do your bit (*Br*) *or* part (*US*) **2.** (*adjektivisch*) → ***euer*** **eurerseits** ['ɔyrɐ'zaits] *adv* for your part **euresgleichen** ['ɔyrəs'glaiçn] *pron inv* people like you **euretwegen** ['ɔyrət'veːgn] *adv* (≈ *wegen euch*) because of you **euretwillen** ['ɔyrət'vɪlən] *adv* ***um ~*** for your sake
Euro ['ɔyro] *m* ⟨***-, -***⟩ (≈ *Währung*) euro; ***das kostet zehn ~*** that's ten euros; ***mit jedem ~ rechnen müssen*** to have to count every penny **Euro-City-Zug** [-'sɪtɪ-] *m* European Inter-City train **Eurokrat** [ɔyro'kraːt] *m* ⟨***-en, -en***⟩, **Eurokratin** [-'kraːtɪn] *f* ⟨***-, -nen***⟩ Eurocrat **Euroland** *nt* **1.** *no pl* (*infml* ≈ *Eurozone*) Euroland (*infml*) **2.** ⟨***-(e)s, ⁼er***⟩ (≈ *EU-Mitgliedsstaat*) euro country **Euronorm** *f* European standard
Europa [ɔy'roːpa] *nt* ⟨***-s***⟩ Europe **Europacup** [-kap] *m* European cup **Europäer** [ɔyro'pɛːɐ] *m* ⟨***-s, -***⟩, **Europäerin** [-ərɪn] *f* ⟨***-, -nen***⟩ European **europäisch** [ɔyro'pɛːɪʃ] *adj* European; ***Europäischer Gerichtshof*** European Court of Justice; ***Europäische Union*** European Union; ***Europäische Zentralbank*** European Central Bank **Europameister(in)** *m/(f)* SPORTS European champion; (≈ *Team, Land*) European champions *pl* **Europameisterschaft** *f* European championship **Europaparlament** *nt* European Parliament **Europapokal** *m* SPORTS European cup **Europapolitik** *f* policy toward(s) Europe **Europarat** *m* Council of Europe **europaweit** **I** *adj* Europe-wide **II** *adv* throughout Europe
Eurovision *f, no pl* Eurovision **Eurowäh-**

rung *f* eurocurrency **Eurozeichen** *nt* euro symbol **Eurozone** *f* euro zone

Euter ['ɔytɐ] *nt* ⟨**-s, -**⟩ udder

Euthanasie [ɔytana'ziː] *f* ⟨**-,** *no pl*⟩ euthanasia

evakuieren [evaku'iːrən] *past part* ***evakuiert*** *v/t* to evacuate **Evakuierung** *f* ⟨**-, -en**⟩ evacuation

evangelisch [evaŋ'geːlɪʃ] *adj* Protestant **Evangelist** [evaŋge'lɪst] *m* ⟨**-en, -en**⟩, **Evangelistin** [-'lɪstin] *f* ⟨**-, -nen**⟩ evangelist **Evangelium** [evaŋ'geːliʊm] *nt* ⟨**-s, *Evangelien*** [-liən]⟩ Gospel; (*fig*) gospel

Eventualität [evɛntuali'tɛːt] *f* ⟨**-, -en**⟩ eventuality **eventuell** [evɛn'tuɛl] **I** *adj attr* possible **II** *adv* possibly; ***~ rufe ich Sie später an*** I may possibly call you later

Evolution [evolu'tsioːn] *f* ⟨**-, -en**⟩ evolution

ewig ['eːvɪç] **I** *adj* eternal; *Eis, Schnee* perpetual; (*infml*) *Nörgelei etc* never-ending **II** *adv* for ever; ***auf ~*** for ever; ***das dauert ja ~, bis ...*** it'll take ages until ... (*infml*) **Ewigkeit** ['eːvɪçkait] *f* ⟨**-, -en**⟩ eternity; (*infml*) ages; ***bis in alle ~*** for ever; ***es dauert eine ~, bis ...*** (*infml*) it'll take absolutely ages until ... (*infml*)

Ex [ɛks] *m or f* ⟨**-, -**⟩ (*infml*) ex (*infml*)

exakt [ɛ'ksakt] **I** *adj* exact **II** *adv* exactly; ***~ arbeiten*** to work accurately **Exaktheit** *f* ⟨**-,** *no pl*⟩ exactness

Examen [ɛ'ksaːmən] *nt* ⟨**-s, -** *or* ***Examina*** [-mina]⟩ exam; UNIV final examinations *pl*; ***~ machen*** to do one's exams *or* finals

exekutieren [ɛkseku'tiːrən] *past part* ***exekutiert*** *v/t* to execute **Exekution** [ɛkseku'tsioːn] *f* ⟨**-, -en**⟩ execution **Exekutive** [ɛkseku'tiːvə] *f* ⟨**-, -n**⟩, **Exekutivgewalt** *f* executive

Exempel [ɛ'ksɛmpl] *nt* ⟨**-s, -**⟩ (*elev*) ***die Probe aufs ~ machen*** to put it to the test

Exemplar [ɛksɛm'plaːɐ] *nt* ⟨**-s, -e**⟩ specimen; (≈ *Buchexemplar, Zeitschriftenexemplar*) copy **exemplarisch** [ɛksɛm'plaːrɪʃ] *adj* exemplary; ***jdn ~ bestrafen*** to punish sb as an example (to others)

exerzieren [ɛksɛr'tsiːrən] *past part* ***exerziert*** *v/t & v/i* to drill

Exfrau *f* ex-wife **Exfreund(in)** *m/(f)* ex-boyfriend/girlfriend

Exhibitionist [ɛkshibitsio'nɪst] *m* ⟨**-en, -en**⟩, **Exhibitionistin** [-'nɪstɪn] *f* ⟨**-, -nen**⟩ exhibitionist

Exil [ɛ'ksiːl] *nt* ⟨**-s, -e**⟩ exile; ***im ~ leben*** to live in exile

existent [ɛksɪs'tɛnt] *adj* (*elev*) existing **Existenz** [ɛksɪs'tɛnts] *f* ⟨**-, -en**⟩ existence; (≈ *Auskommen*) livelihood; ***eine gescheiterte ~*** (*infml*) a failure; ***sich eine (neue) ~ aufbauen*** to make a (new) life for oneself **Existenzangst** *f* PHIL angst; (*wirtschaftlich*) fear for one's livelihood **Existenzberechtigung** *f* right to exist **Existenzgrundlage** *f* basis of one's livelihood **Existenzgründung** *f* **1.** establishing one's livelihood; ECON founding of a new business **2.** (ECON ≈ *neu gegründete Firma*) start-up (business) **Existenzialismus** [ɛksɪstɛntsia'lɪsmʊs] *m* ⟨**-,** *no pl*⟩ existentialism **Existenzialist** [ɛksɪstɛntsia'lɪst] *m* ⟨**-en, -en**⟩, **Existenzialistin** [-'lɪstɪn] *f* ⟨**-, -nen**⟩ existentialist **existenziell** [ɛksɪstɛn'tsiɛl] *adj* (*elev*) existential; ***von ~er Bedeutung*** of vital significance **Existenzkampf** *m* struggle for survival **Existenzminimum** *nt* subsistence level; (≈ *Lohn*) minimal living wage **existieren** [ɛksɪs'tiːrən] *past part* ***existiert*** *v/i* to exist

exklusiv [ɛksklu'ziːf] *adj* exclusive **exklusive** [ɛksklu'ziːvə] *prep +gen* excluding **Exklusivität** [ɛkskluzivi'tɛːt] *f* ⟨**-,** *no pl*⟩ exclusiveness

Exkrement [ɛkskre'mɛnt] *nt* ⟨**-(e)s, -e**⟩ *usu pl* (*elev*) excrement *no pl*

Exkursion [ɛkskʊr'zioːn] *f* ⟨**-, -en**⟩ (study) trip

Exmann *m* ex-husband

Exmatrikulation [ɛksmatrikula'tsioːn] *f* ⟨**-, -en**⟩ UNIV being taken off the university register **exmatrikulieren** [ɛksmatriku'liːrən] *past part* ***exmatrikuliert*** *v/t* UNIV to take off the university register

Exodus ['ɛksodʊs] *m* ⟨**-**⟩ (BIBLE, *fig*) exodus

Exorzist [ɛksɔr'tsɪst] *m* ⟨**-en, -en**⟩, **Exorzistin** [-'tsɪstɪn] *f* ⟨**-, -nen**⟩ exorcist

Exot [ɛ'ksoːt] *m* ⟨**-en, -en**⟩, **Exote** [ɛ'ksoːtə] *m* ⟨**-n, -n**⟩, **Exotin** [ɛ'ksoːtɪn] *f* ⟨**-, -nen**⟩ exotic animal/plant *etc*; (*Mensch*) exotic foreigner **exotisch** [ɛ'ksoːtɪʃ] *adj* exotic

Expander [ɛks'pandɐ] *m* ⟨**-s, -**⟩ SPORTS chest expander **expandieren** [ɛkspan'diːrən] *past part* ***expandiert*** *v/i* to expand **Expansion** [ɛkspan'zioːn] *f* ⟨**-, -en**⟩ PHYS, POL expansion

Expedition [ɛkspedi'tsioːn] *f* ⟨**-, -en**⟩ expedition **Experiment** [ɛksperi'mɛnt] *nt* ⟨**-(e)s, -e**⟩ experiment; ***~e machen*** to carry out experiments **Experimentalfilm** *m* experimental film **experimentell** [ɛksperimɛn'tɛl] *adj* experimental **experimentieren** [ɛksperimɛn'tiːrən] *past part* ***experimentiert*** *v/i* to experiment (*mit* with)

Experte [ɛks'pɛrtə] *m* ⟨**-n, -n**⟩, **Expertin** [-'pɛrtɪn] *f* ⟨**-, -nen**⟩ expert (*für* in) **Expertenkommission** *f* think tank **Expertenmeinung** *f* expert opinion

explizit [ɛkspli'tsiːt] (*elev*) **I** *adj* explicit **II** *adv* explicitly

explodieren [ɛksplo'diːrən] *past part* ***explodiert*** *v/i aux sein* to explode **Explosion** [ɛksplo'zioːn] *f* ⟨**-, -en**⟩ explosion; ***etw zur ~ bringen*** to detonate sth **explosionsartig** **I** *adj* explosive; *Wachstum* phenomenal **II** *adv* ***das Gerücht verbreitete sich ~*** the rumour (*Br*) *or* rumor (*US*) spread like wildfire **Explosionsgefahr** *f* danger of explosion **explosiv** [ɛksplo'ziːf] *adj* explosive

Exponent [ɛkspo'nɛnt] *m* ⟨**-en, -en**⟩ MAT exponent

exponieren [ɛkspo'niːrən] *past part* ***exponiert*** *v/t* to expose

Export [ɛks'pɔrt] *m* ⟨**-(e)s, -e**⟩ export (*an +dat* of); (≈ *Exportwaren*) exports *pl* **Exportabteilung** *f* export department **Exportartikel** *m* export **Exporteur** [ɛkspɔr'tøːɐ] *m* ⟨**-s, -e**⟩, **Exporteurin** [-'tøːrɪn] *f* ⟨**-, -nen**⟩ exporter **Exportgeschäft** *nt* export business **Exporthandel** *m* export business **exportieren** *past part* ***exportiert*** *v/t & v/i* to export **Exportkauffrau** *f*, **Exportkaufmann** *m* exporter **Exportware** *f* export **Exportzoll** *m* export duty

Expressgut *nt* express goods *pl*

Expressionismus [ɛksprɛsio'nɪsmʊs] *m* ⟨**-**, *no pl*⟩ expressionism **Expressionist** [ɛksprɛsio'nɪst] *m* ⟨**-en, -en**⟩, **Expressionistin** [-'nɪstɪn] *f* ⟨**-, -nen**⟩ expressionist **expressionistisch** [ɛksprɛsio'nɪstɪʃ] *adj* expressionist *no adv*, expressionistic **expressiv** [ɛksprɛ'siːf] *adj* expressive

extern [ɛks'tɛrn] *adj* external **Externgespräch** *nt* TEL external call

extra ['ɛkstra] **I** *adj inv* (*infml*) extra **II** *adv* (e)specially; (≈ *gesondert*) separately; (≈ *zusätzlich*) extra; (*infml* ≈ *absichtlich*) on purpose **Extra** ['ɛkstra] *nt* ⟨**-s, -s**⟩ extra

extrahieren [ɛkstra'hiːrən] *past part* ***extrahiert*** *v/t* to extract **Extrakt** [ɛks'trakt] *m* ⟨**-(e)s, -e**⟩ extract

Extratour *f* (*fig infml*) special favour (*Br*) *or* favor (*US*) **extravagant** [ɛkstrava'gant] **I** *adj* extravagant **II** *adv* extravagantly **Extravaganz** [ɛkstrava'gants] *f* ⟨**-, -en**⟩ extravagance **extravertiert** [ɛkstravɛr'tiːɐt] *adj* PSYCH extrovert **Extrawurst** *f* (*infml*) ***jdm eine ~ braten*** to make an exception for sb

extrem [ɛks'treːm] **I** *adj* extreme **II** *adv* extremely; *sich verbessern, sich verschlechtern* radically **Extrem** [ɛks'treːm] *nt* ⟨**-s, -e**⟩ extreme **Extremfall** *m* extreme (case) **Extremismus** *m* ⟨**-, *Extremismen***⟩ extremism **Extremist** [ɛkstre'mɪst] *m* ⟨**-en, -en**⟩, **Extremistin** [-'mɪstɪn] *f* ⟨**-, -nen**⟩ extremist **extremistisch** [ɛkstre'mɪstɪʃ] *adj* extremist **Extremität** [ɛkstremi'tɛːt] *f* ⟨**-, -en**⟩ extremity **Extremsituation** *f* extreme situation **Extremsport** *m* extreme sport

extrovertiert [ɛkstrovɛr'tiːɐt] *adj* PSYCH extrovert

Exzellenz [ɛkstsɛ'lɛnts] *f* ⟨**-, -en**⟩ Excellency

exzentrisch [ɛks'tsɛntrɪʃ] *adj* eccentric

Exzess [ɛks'tsɛs] *m* ⟨**-es, -e**⟩ excess; ***bis zum ~*** excessively **exzessiv** [ɛkstsɛ'siːf] *adj* excessive

Eyeliner ['ailainɐ] *m* ⟨**-s, -**⟩ eyeliner

EZB [eːtsɛt'beː] *f*, *abbr of* ***Europäische Zentralbank*** ECB

F

F, f [ɛf] *nt* ⟨**-, -**⟩ F, f

Fa̲bel ['faːbl] *f* ⟨**-, -n**⟩ fable **fa̲belhaft** **I** *adj* splendid **II** *adv* splendidly **Fa̲beltier** *nt* mythical creature **Fa̲belwesen** *nt* mythical creature

Fabri̲k [fa'briːk] *f* ⟨**-, -en**⟩ factory **Fabri̲kanlage** *f* factory premises *pl* **Fabrikạnt** [fabri'kant] *m* ⟨**-en, -en**⟩, **Fabrikạntin** [-'kantɪn] *f* ⟨**-, -nen**⟩ (≈ *Fabrikbesitzer*) industrialist; (≈ *Hersteller*) manufacturer **Fabrika̲t** [fabri'kaːt] *nt* ⟨**-(e)s, -e**⟩ (≈ *Marke*) make; (≈ *Produkt*) product; (≈ *Ausführung*) model **Fabrikatio̲n** [fabrika'tsioːn] *f* ⟨**-, -en**⟩ manufacture **Fabrikatio̲nsfehler** *m* manufacturing fault **Fabri̲kgelände** *nt* factory site **Fabri̲kverkauf** *m* (≈ *Center*) factory outlet

fabrizi̲eren [fabri'tsiːrən] *past part* **fabrizi̲ert** *v/t* (*infml*) to make; *Alibi, Lügen* to concoct

Facette [fa'sɛtə] *f* ⟨**-, -n**⟩ facet **facẹttenartig** *adj* facet(t)ed **Facẹttenauge** *nt* compound eye

Fạch [fax] *nt* ⟨**-(e)s, ¨er** ['fɛçɐ]⟩ **1.** compartment; (*in Regal etc*) shelf; (*für Briefe etc*) pigeonhole **2.** (≈ *Sachgebiet*) subject; (≈ *Gebiet*) field; (≈ *Handwerk*) trade; ***ein Mann vom ~*** an expert **Fạcharbeiter(in)** *m/(f)* skilled worker **Fạcharzt** *m*, **Fạchärztin** *f* specialist (*für* in) **fạchärztlich** *adj* specialist *attr*; *Behandlung* by a specialist **Fạchausdruck** *m* technical term **Fạchbereich** *m* (≈ *Fachgebiet*) (special) field; UNIV faculty **Fạchbuch** *nt* reference book **Fạchbuchhandlung** *f* specialist bookshop

Fạ̈cher ['fɛçɐ] *m* ⟨**-s, -**⟩ fan; (*fig*) range **fạ̈cherförmig** **I** *adj* fan-shaped **II** *adv* like a fan **fạ̈chern** ['fɛçɐn] **I** *v/t* to fan (out); (*fig*) to diversify; ***gefächert*** diverse **II** *v/r* to fan out

Fạchfrau *f* expert **Fạchgebiet** *nt* (special) field **fạchgerecht** **I** *adj* expert; *Ausbildung* specialist *attr* **II** *adv* expertly **Fạchgeschäft** *nt* specialist shop, specialty store (*US*) **Fạchhandel** *m* specialist shops *pl*, specialty stores *pl* (*US*) **Fạchhochschule** *f higher education institution* **Fạchidiot(in)** *m/(f)* (*infml*) *person who can think of nothing but his/her subject* **Fạchjargon** *m* technical jargon **Fạchkenntnisse** *pl* specialized knowledge

Fạchkraft *f* qualified employee **Fạchkräftemangel** *m* lack of qualified personnel

Fạchkreise *pl* **in ~n** among experts

fạchkundig **I** *adj* informed; (≈ *fachmännisch*) proficient **II** *adv* ***jdn ~ beraten*** to give sb informed advice

Fạchlehrer(in) *m/(f)* specialist subject teacher

fạchlich ['faxlɪç] *adj* technical; *Ausbildung* specialist *attr*; (≈ *beruflich*) professional

Fạchliteratur *f* specialist literature

Fạchmann *m*, *pl* ***-leute*** *or* (*rare*) ***-männer*** expert

fạchmännisch [-mɛnɪʃ] **I** *adj* expert **II** *adv* expertly; ***~ ausgeführt*** expertly done

Fạchoberschule *f* College of Further Education

Fạchrichtung *f* subject area

Fạchschule *f* technical college

fạchsimpeln ['faxzɪmpln] *v/i insep* (*infml*) to talk shop

Fạchsprache *f* technical terminology

Fạchwelt *f* experts *pl*

Fạchwerkhaus *nt* half-timbered house

Fạchwissen *nt* (specialized) knowledge of the/one's subject

Fạchwort *nt*, *pl* ***-wörter*** specialist term

Fạchwörterbuch *nt* specialist dictionary

Fạchzeitschrift *f* specialist journal; (*für Berufe*) trade journal

Fạckel ['fakl] *f* ⟨**-, -n**⟩ torch **fạckeln** ['fakln] *v/i* (*infml*) ***nicht lange gefackelt!*** no shillyshallying! (*esp Br infml*)

fa̲d [faːt] *adj pred* (*esp Aus, Swiss*) = ***fade***

fa̲de ['faːdə] **I** *adj* **1.** *Geschmack* insipid; *Essen* tasteless **2.** (*fig* ≈ *langweilig*) dull **II** *adv* ***~ schmecken*** to have not much of a taste

Fa̲den ['faːdn] *m* ⟨**-s, ¨** ['fɛːdn]⟩ thread; (*an Marionetten*) string; MED stitch; ***den ~ verlieren*** (*fig*) to lose the thread; ***er hält alle Fäden*** (***fest***) ***in der Hand*** he holds the reins; ***keinen guten ~ an jdm/etw lassen*** (*infml*) to tear sb/sth to shreds (*infml*) **Fadenkreuz** *nt* crosshair **Fadennudeln** *pl* vermicelli *pl* **fadenscheinig** [-ʃainɪç] *adj* (*lit*) threadbare; (*fig*) *Argument* flimsy; *Ausrede* transparent

fadisieren [fadi'ziːrən] *past part* **fadisiert** *v/r* (*Aus*) = ***langweilen***

Fagott [fa'gɔt] *nt* ⟨**-(e)s, -e**⟩ bassoon

fähig ['fɛːɪç] *adj* **1.** (≈ *tüchtig*) capable **2.** *pred* **(dazu) *~ sein, etw zu tun*** to be capable of doing sth; ***zu allem ~ sein*** to be capable of anything **Fähigkeit** *f* ⟨**-, -en**⟩ (≈ *Begabung*) ability; (≈ *praktisches Können*) skill; ***die ~ haben, etw zu tun*** to be capable of doing sth

fahl [faːl] *adj* pale **Fahlheit** *f* ⟨**-**, *no pl*⟩ paleness

fahnden ['faːndn] *v/i* to search (*nach* for) **Fahnder** ['faːndɐ] *m* ⟨**-s, -**⟩, **Fahnderin** [-ərɪn] *f* ⟨**-, -nen**⟩ investigator **Fahndung** *f* ⟨**-, -en**⟩ search

Fahne ['faːnə] *f* ⟨**-, -n**⟩ **1.** flag; ***etw auf seine ~ schreiben*** (*fig*) to take up the cause of sth; ***mit fliegenden ~n untergehen*** to go down with all flags flying **2.** (*infml*) ***eine ~ haben*** to reek of alcohol **3.** TYPO galley (proof) **Fahnenflucht** *f* desertion **Fahnenmast** *m*, **Fahnenstange** *f* flagpole

Fahrausweis *m* ticket **Fahrbahn** *f* roadway; (≈ *Fahrspur*) lane **fahrbar** *adj* mobile; ***~er Untersatz*** (*hum*) wheels *pl* (*hum*)

Fähre ['fɛːrə] *f* ⟨**-, -n**⟩ ferry

Fahreigenschaft *f usu pl* handling characteristic; ***der Wagen hat hervorragende ~en*** the car handles excellently

fahren ['faːrən] *pret* **fuhr** [fuːɐ], *past part* ***gefahren*** [gə'faːrən] **I** *v/i* **1.** (≈ *sich fortbewegen*) *aux sein* to go; (*Autofahrer*) to drive; (*Zweiradfahrer*) to ride; (*Schiff*) to sail; ***mit dem Auto/Zug ~*** to go by car/train; ***mit dem Rad ~*** to cycle; ***mit dem Aufzug ~*** to take the lift (*Br*), to ride the elevator (*US*); ***links/rechts ~*** to drive on the left/right; ***zweiter Klasse ~*** to travel second class; ***gegen einen Baum ~*** to drive into a tree; ***der Wagen fährt sehr ruhig*** the car is very quiet **2.** (≈ *verkehren*) *aux sein* ***~ da keine Züge?*** don't any trains go there?; ***der Bus fährt alle fünf Minuten*** there's a bus every five minutes **3.** ***was ist* (*denn*) *in dich gefahren?*** what's got into you?; **(*mit jdm*) *gut ~*** to get on well (with sb); **(*bei etw*) *gut/schlecht ~*** to do well/badly (with sth) **4.** (≈ *streichen*) *aux sein or haben* ***jdm/sich durchs Haar ~*** to run one's fingers through sb's/one's hair **II** *v/t* **1.** *aux haben Auto*, *Bus*, *Zug etc* to drive; *Fahrrad*, *Motorrad* to ride **2.** (≈ *benutzen*: *Straße*, *Strecke etc*) *aux sein* to take; ***ich fahre lieber Autobahn*** I prefer (driving on) motorways (*Br*) *or* freeways (*US*) **3.** (≈ *befördern*) *aux haben* to take; (≈ *hierherfahren*) to bring; *Personen* to drive; ***ich fahre dich nach Hause*** I'll take you home **4.** *Geschwindigkeit aux sein* to do; ***in der Stadt darf man nur Tempo 50 ~*** in town the speed limit is 50 km/h **III** *v/r* ***mit diesem Wagen fährt es sich gut*** it's good driving this car; ***der neue Wagen fährt sich gut*** the new car is nice to drive **fahrend** *adj* itinerant; *Zug*, *Auto* in motion

Fahrenheit ['faːrənhait] *no art* Fahrenheit

Fahrer ['faːrɐ] *m* ⟨**-s, -**⟩, **Fahrerin** [-ərɪn] *f* ⟨**-, -nen**⟩ driver **Fahrerei** [faːrə'rai] *f* ⟨**-, -en**⟩ driving **Fahrerflucht** *f* hit-and-run driving; ***~ begehen*** to fail to stop after causing an accident **fahrerflüchtig** *adj* (*form*) hit-and-run *attr* **Fahrerhaus** *nt* (driver's) cab **Fahrerlaubnis** *f* (*form*) driving licence (*Br*), driver's license (*US*) **Fahrersitz** *m* driver's seat **Fahrgast** *m* passenger **Fahrgeld** *nt* fare **Fahrgemeinschaft** *f* carpool **Fahrgestell** *nt* AUTO chassis; AVIAT undercarriage (*esp Br*)

fahrig ['faːrɪç] *adj* nervous; (≈ *unkonzentriert*) distracted

Fahrkarte *f* ticket **Fahrkartenautomat** *m* ticket machine **Fahrkartenkontrolle** *f* ticket inspection **Fahrkartenschalter** *m* ticket office **fahrlässig** ['faːɐlɛsɪç] **I** *adj* negligent (*auch* JUR) **II** *adv* negligently; ***~ handeln*** to be guilty of negligence **Fahrlässigkeit** *f* ⟨**-, -en**⟩ negligence (*auch* JUR) **Fahrlehrer(in)** *m/*(*f*) driving instructor **Fahrplan** *m* timetable (*esp Br*), schedule (*US*); (*fig*) schedule **fahrplanmäßig** **I** *adj* scheduled *attr*, *pred* **II** *adv verkehren* on schedule; ***es verlief alles ~*** everything went according to schedule **Fahrpreis** *m* fare **Fahrpreisermäßigung** *f* fare reduction **Fahrprüfung** *f* driving test **Fahrrad** *nt* bike (*infml*) **Fahrradfahrer(in)** *m/*(*f*) cyclist **Fahrradtaxi** *nt* cycle cab **Fahrradweg**

m cycle path **Fahrrinne** *f* NAUT shipping channel **Fahrschein** *m* ticket **Fahrscheinautomat** *m* ticket machine **Fahrschule** *f* driving school **Fahrschüler(in)** *m/(f)* (*bei Fahrschule*) learner (driver) (*Br*), student (driver) (*US*) **Fahrschullehrer(in)** *m/(f)* driving instructor **Fahrstuhl** *m* lift (*Br*), elevator (*US*) **Fahrstunde** *f* driving lesson **Fahrt** [faːɐt] *f* ⟨-, -en⟩ **1.** journey; ***nach zwei Stunden ~*** after travelling (*Br*) *or* traveling (*US*) for two hours; ***gute ~!*** safe journey! **2.** ***jdn in ~ bringen*** to get sb going; ***in ~ kommen*** to get going **3.** (≈ *Ausflug*) trip; ***eine ~ machen*** to go on a trip **4.** NAUT voyage; (≈ *Überfahrt*) crossing **Fahrtdauer** *f* time for the journey

Fährte ['fɛːɐtə] *f* ⟨-, -n⟩ tracks *pl*; (≈ *Witterung*) scent; (≈ *Spuren*) trail; ***auf der richtigen/falschen ~ sein*** (*fig*) to be on the right/wrong track

Fahrtenbuch *nt* (≈ *Kontrollbuch*) driver's log **Fahrtenschreiber** *m* tachograph (*Br*), trip recorder **Fahrtkosten** *pl* travelling (*Br*) *or* traveling (*US*) expenses *pl* **Fahrtrichtung** *f* direction of travel; ***entgegen der ~*** facing backwards; ***in ~*** facing the front **Fahrtrichtungsanzeiger** *m* AUTO indicator (*Br*), turn signal (*US*) **fahrtüchtig** *adj* fit to drive; *Wagen etc* roadworthy **Fahrtüchtigkeit** *f* fitness to drive; (*von Wagen etc*) roadworthiness **Fahrtunterbrechung** *f* break in the journey **Fahrtwind** *m* airstream **Fahrverbot** *nt* driving ban; ***jdn mit ~ belegen*** to ban sb from driving **Fahrwasser** *nt, no pl* **1.** NAUT shipping channel **2.** (*fig*) ***in ein gefährliches ~ geraten*** to get onto dangerous ground **Fahrweise** *f* ***seine ~*** his driving **Fahrwerk** *nt* AVIAT undercarriage (*esp Br*); AUTO chassis **Fahrzeit** *f* = ***Fahrtdauer*** **Fahrzeug** *nt, pl* ***-zeuge*** vehicle; (≈ *Luftfahrzeug*) aircraft; (≈ *Wasserfahrzeug*) vessel **Fahrzeugbrief** *m* registration document **Fahrzeughalter(in)** *m/(f)* keeper of the vehicle **Fahrzeugpapiere** *pl* vehicle documents *pl* **Fahrzeugpark** *m* (*form*) fleet

Faible ['fɛːbl] *nt* ⟨-s, -s⟩ (*elev*) liking

fair [fɛːɐ] **I** *adj* fair (*gegen* to) **II** *adv* fairly **Fairness** ['fɛːɐnɛs] *f* ⟨-, *no pl*⟩ fairness

Fäkalien [fɛ'kaːliən] *pl* faeces *pl* (*Br*), feces *pl* (*US*)

Fakir ['faːkiːɐ] *m* ⟨-s, -e⟩ fakir

Fakt [fakt] *nt or m* ⟨-(e)s, -en⟩ fact **faktisch** ['faktɪʃ] **I** *adj attr* actual **II** *adv* in actual fact **Faktor** ['faktoːɐ] *m* ⟨-s, *Faktoren* [-'toːrən]⟩ factor

Fakultät [fakʊl'tɛːt] *f* ⟨-, -en⟩ UNIV faculty **fakultativ** [fakʊlta'tiːf] *adj* (*elev*) optional

Falke ['falkə] *m* ⟨-n, -n⟩ falcon; (*fig*) hawk

Fall[1] [fal] *m* ⟨-(e)s, ⸚e ['fɛlə]⟩ (≈ *das Fallen*) fall; (*fig*) (*von Regierung*) downfall; ***zu ~ kommen*** (*lit elev*) to fall; ***über die Affäre ist er zu ~ gekommen*** (*fig*) the affair was his downfall; ***zu ~ bringen*** (*lit elev*) to trip up; (*fig*) *Menschen* to cause the downfall of; *Regierung* to bring down

Fall[2] *m* ⟨-(e)s, ⸚e ['fɛlə]⟩ **1.** (≈ *Umstand*) ***gesetzt den ~*** assuming (that); ***für den ~, dass ich ...*** in case I ...; ***für alle Fälle*** just in case; ***auf jeden ~*** at any rate; ***auf keinen ~*** on no account; ***auf alle Fälle*** in any case; ***für solche Fälle*** for such occasions; ***im günstigsten/schlimmsten ~(e)*** at best/worst **2.** (≈ *Sachverhalt*, JUR, MED, GRAM) case; ***klarer ~!*** (*infml*) you bet! (*infml*); ***ein hoffnungsloser ~*** a hopeless case; ***der erste/zweite/dritte/vierte ~*** the nominative/genitive/dative/accusative case

Falle ['falə] *f* ⟨-, -n⟩ **1.** trap; ***~n legen*** *or* ***stellen*** to set traps; ***jdm in die ~ gehen*** to walk *or* fall into sb's trap; ***in der ~ sitzen*** to be trapped **2.** (*infml* ≈ *Bett*) bed

fallen ['falən] *pret* ***fiel*** [fiːl], *past part* ***gefallen*** [gə'falən] *v/i aux sein* **1.** (≈ *hinabfallen, umfallen*) to fall; (*Gegenstand*) to drop; ***etw ~ lassen*** to drop sth; ***über etw*** (*acc*) ***~*** to trip over sth; ***durch eine Prüfung*** *etc* ***~*** to fail an exam *etc*; → ***fallen lassen*** **2.** (≈ *sinken*) to drop; ***im Kurs ~*** to go down **3.** to fall; ***gefallen*** killed in action **4.** (*Weihnachten, Datum etc*) to fall (*auf +acc* on) **5.** (*Entscheidung*) to be made; (*Urteil*) to be passed; (*Schuss*) to be fired; (SPORTS: *Tor*) to be scored **6.** (≈ *sein*) ***das fällt ihm leicht/schwer*** he finds that easy/difficult

fällen ['fɛlən] *v/t* **1.** (≈ *umschlagen*) to fell **2.** (*fig*) *Entscheidung* to make; *Urteil* to pass

fallen lassen *past part* ***fallen lassen*** *or* (*rare*) ***fallen gelassen*** *v/t irr* **1.** (≈ *aufgeben*) *Plan* to drop **2.** (≈ *äußern*) *Bemerkung* to let drop; → ***fallen***

fällig ['fɛlɪç] *adj* due *pred*; ***längst ~*** long overdue; ***~ werden*** to become due **Fallobst** ['fal|o:pst] *nt* windfalls *pl* **Fallrückzieher** *m* FTBL overhead kick

falls [fals] *cj* (≈ *wenn*) if; (≈ *für den Fall, dass*) in case; ***~ möglich*** if possible

Fallschirm *m* parachute **Fallschirmjäger(in)** *m/(f)* MIL paratrooper **Fallschirmspringen** *nt* parachuting **Fallschirmspringer(in)** *m/(f)* parachutist **Fallstrick** *m* (*fig*) trap **Fallstudie** *f* case study **Falltür** *f* trapdoor

falsch [falʃ] **I** *adj* **1.** wrong; ***wahr oder ~*** true or false; ***~er Alarm*** false alarm; ***Sie sind hier ~*** you're in the wrong place **2.** (≈ *unecht*) *Zähne etc* false; *Pass etc* forged; *Geld* counterfeit **3.** ***eine ~e Schlange*** (*infml*) a snake-in-the-grass; ***ein ~es Spiel (mit jdm) treiben*** to play (sb) false **II** *adv* (≈ *nicht richtig*) wrongly; ***alles ~ machen*** to do everything wrong; ***jdn ~ verstehen*** to misunderstand sb; ***jdn ~ informieren*** to misinform sb; ***die Uhr geht ~*** the clock is wrong; ***~ spielen*** MUS to play off key; ***~ verbunden sein*** to have the wrong number; → ***falschliegen***; → ***falschspielen*** **Falschaussage** *f* JUR ***(uneidliche) ~*** false statement **fälschen** ['fɛlʃn] *v/t* to forge; COMM *Bücher* to falsify; ***gefälscht*** forged **Fälscher** ['fɛlʃɐ] *m* ⟨**-s, -**⟩, **Fälscherin** [-ərɪn] *f* ⟨**-, -nen**⟩ forger **Falschfahrer(in)** *m/(f)* ghost-driver (*esp US infml*), *person driving the wrong way on the motorway* **Falschgeld** *nt* counterfeit money **fälschlich** ['fɛlʃlɪç] **I** *adj* false **II** *adv* wrongly, falsely **fälschlicherweise** ['fɛlʃlɪçɐ'vaizə] *adv* wrongly, falsely **falschliegen** *v/i sep irr* (*infml*) to be wrong (*bei*, *in +dat* about, *mit* in) **Falschmeldung** *f* PRESS false report **Falschparker** [-parkɐ] *m* ⟨**-s, -**⟩, **Falschparkerin** [-ərɪn] *m* ⟨**-, -nen**⟩ parking offender **falschspielen** *v/i sep* CARDS *etc* to cheat **Falschspieler(in)** *m/(f)* CARDS cheat; (*professionell*) cardsharp(er) **Fälschung** ['fɛlʃʊŋ] *f* ⟨**-, -en**⟩ forgery **fälschungssicher** *adj* forgery-proof; *Fahrtenschreiber* tamper-proof

Faltblatt *nt* leaflet **Faltboot** *nt* collapsible boat **Falte** ['faltə] *f* ⟨**-, -n**⟩ **1.** (*in Stoff, Papier*) fold; (≈ *Bügelfalte*) crease **2.** (*in Haut*) wrinkle **falten** ['faltn] *v/t & v/r* to fold **Faltenrock** *m* pleated skirt **Falter** ['faltɐ] *m* ⟨**-s, -**⟩ (≈ *Tagfalter*) butterfly; (≈ *Nachtfalter*) moth **faltig** ['faltɪç] *adj* (≈ *zerknittert*) creased; *Gesicht, Stirn, Haut* wrinkled **Faltkarte** *f* folding map

Falz [falts] *m* ⟨**-es, -e**⟩ (≈ *Kniff, Faltlinie*) fold

familiär [fami'liɛ:ɐ] *adj* **1.** family *attr* **2.** (≈ *zwanglos*) informal; (≈ *freundschaftlich*) close **Familie** [fa'mi:liə] *f* ⟨**-, -n**⟩ family; ***~ Müller*** the Müller family; ***eine ~ gründen*** to start a family; ***~ haben*** (*infml*) to have a family; ***es liegt in der ~*** it runs in the family; ***zur ~ gehören*** to be one of the family **Familienangehörige(r)** *m/f(m) decl as adj* family member **Familienangelegenheit** *m* family matter; ***dringende ~en*** urgent family business *no pl* **Familienbetrieb** *m* family business **Familienfest** *nt* family party **Familienkreis** *m* family circle **Familienmitglied** *nt* member of the family **Familienname** *m* surname, family name (*US*) **Familienpackung** *f* family(-size) pack **Familienplanung** *f* family planning **Familienstand** *m* marital status **Familienunternehmen** *nt* family business **Familienvater** *m* father (of a family) **Familienverhältnisse** *pl* family background *sg*

Fan [fɛn] *m* ⟨**-s, -s**⟩ fan; FTBL *auch* supporter **Fanatiker** [fa'na:tikɐ] *m* ⟨**-s, -**⟩, **Fanatikerin** [-ərɪn] *f* ⟨**-, -nen**⟩ fanatic **fanatisch** [fa'na:tɪʃ] **I** *adj* fanatical **II** *adv* fanatically **Fanatismus** [fana'tɪsmʊs] *m* ⟨**-**, *no pl*⟩ fanaticism

Fanfare [fan'fa:rə] *f* ⟨**-, -n**⟩ MUS fanfare

Fang [faŋ] *m* ⟨**-(e)s, ⸚e** ['fɛŋə]⟩ **1.** *no pl* (≈ *das Fangen*) hunting; (≈ *Fischen*) fishing **2.** *no pl* (≈ *Beute*) catch; ***einen guten ~ machen*** to make a good catch **3.** *usu pl* (HUNT) (≈ *Kralle*) talon; (≈ *Reißzahn*) fang **Fangarm** *m* ZOOL tentacle

Fangemeinde ['fɛn-] *f* fan club *or* community

fangen ['faŋən] *pret* ***fing*** [fɪŋ], *past part* ***gefangen*** [gə'faŋən] **I** *v/t* to catch **II** *v/i* to catch **III** *v/r* **1.** (*in einer Falle*) to get caught **2.** (≈ *das Gleichgewicht wiederfinden*) to steady oneself; (*seelisch*) to get on an even keel again **Fänger** ['fɛŋɐ] *m* ⟨**-s, -**⟩, **Fängerin** [-ərɪn] *f* ⟨**-, -nen**⟩ SPORTS catcher **Fangfrage** *f* trick question **Fangquote** *f* (fishing) quota **Fangschaltung** *f* TEL interception circuit

Fanklub ['fɛn-] *m* fan club

Fantasie [fanta'ziː] *f* ⟨**-, -n** [-'ziːən]⟩ **1.** *no pl* (≈ *Einbildung*) imagination; ***seiner ~ freien Lauf lassen*** to give free rein to one's imagination **2.** *usu pl* (≈ *Trugbild*) fantasy **fantasielos** *adj* lacking in imagination **fantasiereich** *adj, adv* = ***fantasievoll*** **fantasieren** [fanta'ziːrən] *past part* ***fantasiert*** **I** *v/i* to fantasize (*von* about); MED to be delirious **II** *v/t Geschichte* to dream up **fantasievoll I** *adj* highly imaginative **II** *adv reden, antworten* imaginatively **Fantast** [fan'tast] *m* ⟨***-en, -en***⟩, **Fantastin** [-'tastɪn] *f* ⟨**-, *-nen***⟩ dreamer, visionary **fantastisch** [fan'tastɪʃ] **I** *adj* fantastic **II** *adv* fantastically; ***~ klingen*** to sound fantastic **Fantasyfilm** ['fɛntəzi-] *m* fantasy film

Farbaufnahme *f* colo(u)r photo(graph) **Farbbild** *nt* PHOT colo(u)r photo(graph) **Farbdisplay** *nt* IT colo(u)r display **Farbdruck** *m, pl* ***-drucke*** colo(u)r print **Farbdrucker** *m* colo(u)r printer **Farbe** ['farbə] *f* ⟨**-, *-n***⟩ **1.** colour (*Br*), color (*US*); ***in ~*** in colo(u)r **2.** (≈ *Malerfarbe*) paint; (≈ *Druckfarbe*) ink **3.** CARDS suit; ***~ bekennen*** (*fig*) to nail one's colo(u)rs to the mast **farbecht** *adj* colourfast (*Br*), colorfast (*US*) **färben** ['fɛrbn] **I** *v/t* to colour (*Br*), to color (*US*); *Stoff, Haar* to dye; → ***gefärbt*** **II** *v/r* to change colo(u)r; ***sich grün/blau*** *etc* ***~*** to turn green/blue *etc* **farbenblind** *adj* colo(u)r-blind **Farbenblindheit** *f* colo(u)r--blindness **farbenfreudig, farbenfroh** *adj* colo(u)rful **farbenprächtig** *adj* gloriously colo(u)rful **Farbfernsehen** *nt* colo(u)r television **Farbfernsehgerät** *nt* colo(u)r television (set) **Farbfilm** *m* colo(u)r film **Farbfoto** *nt* colo(u)r photo(graph) **farbig** ['farbɪç] **I** *adj* coloured (*Br*), colored (*US*); (*fig*) *Schilderung* vivid **II** *adv* (≈ *in Farbe*) in a colo(u)r **Farbige(r)** ['farbɪgə] *m/f(m) decl as adj* coloured (*Br*) *or* colored (*US*) man/woman/person *etc*; ***die ~n*** colo(u)red people *pl* **Farbkasten** *m* paintbox **Farbkombination** *f* colo(u)r combination; (≈ *Farbzusammenstellung*) colo(u)r scheme **Farbkopierer** *m* colo(u)r copier **farblich** ['farplɪç] *adj* colo(u)r *attr* **farblos** *adj* colo(u)rless **Farbstift** *m* colo(u)red pen; (≈ *Buntstift*) crayon, colo(u)red pencil **Farbstoff** *m* (≈ *Lebensmittelfarbstoff*) (artificial) colo(u)ring; (≈ *Hautfarbstoff*) pigment; (*für Textilien etc*) dye **Farbton** *m, pl* ***-töne*** shade, hue; (≈ *Tönung*) tint **Färbung** ['fɛrbʊŋ] *f* ⟨**-, *-en***⟩ colouring (*Br*), coloring (*US*); (≈ *Tönung*) tinge; (*fig*) slant

Farce ['farsə] *f* ⟨**-, *-n***⟩ **1.** (THEAT, *fig*) farce **2.** COOK stuffing

Farm [farm] *f* ⟨**-, *-en***⟩ farm **Farmer** ['farmɐ] *m* ⟨***-s, -***⟩, **Farmerin** [-ərɪn] *f* ⟨**-, *-nen***⟩ farmer

Farn [farn] *m* ⟨***-(e)s, -e***⟩, **Farnkraut** *nt* fern

Fasan [fa'zaːn] *m* ⟨***-s, -e*** *or* ***-en***⟩ pheasant

faschieren [fa'ʃiːrən] *past part* ***faschiert*** *v/t* (*Aus* COOK) to mince; ***Faschiertes*** mince

Fasching ['faʃɪŋ] *m* ⟨***-s, -e*** *or* ***-s***⟩ carnival **Faschingszeit** *f* carnival period

Faschismus [fa'ʃɪsmʊs] *m* ⟨**-,** *no pl*⟩ fascism **Faschist** [fa'ʃɪst] *m* ⟨***-en, -en***⟩, **Faschistin** [-'ʃɪstɪn] *f* ⟨**-, *-nen***⟩ fascist **faschistisch** [fa'ʃɪstɪʃ] *adj* fascist

faseln ['faːzln] *v/i* (*pej*) to drivel (*infml*)

Faser ['faːzɐ] *f* ⟨**-, *-n***⟩ fibre (*Br*), fiber (*US*) **faserig** ['faːzərɪç] *adj* fibrous; *Fleisch, Spargel* stringy (*pej*) **fasern** ['faːzɐn] *v/i* to fray **Faserschreiber** *m* (≈ *Stift*) felt-tip pen

Fass [fas] *nt* ⟨***-es, ¨-er*** ['fɛsɐ]⟩ barrel; (≈ *kleines Bierfass*) keg; (*zum Gären, Einlegen*) vat; (*für Öl, Benzin, Chemikalien*) drum; ***vom ~*** *Bier* on draught (*Br*) *or* draft (*US*); ***ein ~ ohne Boden*** (*fig*) a bottomless pit; ***das schlägt dem ~ den Boden aus*** (*infml*) that beats everything!

Fassade [fa'saːdə] *f* ⟨**-, *-n***⟩ façade

fassbar ['fasbaːɐ] *adj* comprehensible; ***das ist doch nicht ~!*** that's incomprehensible!

Fassbier *nt* draught (*Br*) *or* draft (*US*) beer **Fässchen** ['fɛsçən] *nt* ⟨***-s, -***⟩ cask

fassen ['fasn] **I** *v/t* **1.** (≈ *ergreifen*) to take hold of; (*kräftig*) to grab; (≈ *festnehmen*) *Einbrecher etc* to apprehend (*form*); ***jdn beim*** *or* ***am Arm ~*** to take/grab sb by the arm; ***fass!*** seize! **2.** (*fig*) *Entschluss* to make; *Mut* to take; ***den Vorsatz ~, etw zu tun*** to make a resolution to do sth **3.** (≈ *begreifen*) to grasp; ***es ist nicht zu ~*** it's unbelievable **4.** (≈ *enthalten*) to hold **5.** (≈ *einfassen*) *Edelsteine* to set; *Bild* to frame; ***in Worte ~*** to put into words **II** *v/i* **1.** (≈ *nicht abrutschen*) to grip; (*Zahnrad*) to bite **2.** (≈ *greifen*)

an/in etw (*acc*) **~** to feel sth; (≈ *berühren*) to touch sth **III** *v/r* (≈ *sich beherrschen*) to compose oneself; → ***gefasst***

Fassette *etc* [fa'sɛtɛ] *f* ⟨**-, -n**⟩ = ***Facette*** *etc*

Fasson [fa'sõː] *f* ⟨**-, -s**⟩ (*von Kleidung*) style; (*von Frisur*) shape; ***aus der ~ geraten*** (*lit*) to go out of shape

Fassung ['fasʊŋ] *f* ⟨**-, -en**⟩ **1.** (*von Juwelen*) setting; (*von Bild*) frame; ELEC holder **2.** (≈ *Bearbeitung, Wortlaut*) version **3.** *no pl* (≈ *Besonnenheit*) composure; ***die ~ bewahren*** to maintain one's composure; ***die ~ verlieren*** to lose one's composure; ***jdn aus der ~ bringen*** to throw sb (*infml*) **fassungslos I** *adj* stunned **II** *adv* in bewilderment **Fassungsvermögen** *nt* capacity

fast [fast] *adv* almost; ***~ nie*** hardly ever; ***~ nichts*** hardly anything

fasten ['fastn] *v/i* to fast **Fastenzeit** *f* period of fasting; ECCL Lent

Fast Food [faːst'fuːd] *nt* ⟨**-,** *no pl*⟩ fast food

Fastnacht ['fastnaxt] *f, no pl* (≈ *Fasching*) *Shrovetide carnival* **Fasttag** *m* day of fasting

Faszination [fastsina'tsioːn] *f* ⟨**-, -en**⟩ fascination **faszinieren** [fastsi'niːrən] *past part* ***fasziniert*** *v/t & v/i* to fascinate (*an +dat* about); ***~d*** fascinating

fatal [fa'taːl] *adj* (*elev*) (≈ *verhängnisvoll*) fatal; (≈ *peinlich*) embarrassing

Fata Morgana ['faːta mɔr'gaːna] *f* ⟨**- -, - -s** *or* ***Morganen*** [mɔr'gaːnən]⟩ mirage

fauchen ['fauxn] *v/t & v/i* to hiss

faul [faul] *adj* **1.** (≈ *verfault*) bad; *Lebensmittel* off *pred* (*Br*), bad *pred*; *Eier, Obst, Holz* rotten; *Geschmack, Geruch, Wasser* foul **2.** (≈ *verdächtig*) fishy (*infml*), suspicious; *Ausrede* flimsy; *Kompromiss* uneasy; ***hier ist etwas ~*** (*infml*) there's something fishy here (*infml*) **3.** (≈ *träge*) lazy **faulen** ['faulən] *v/i aux sein or haben* to rot; (*Zahn*) to decay; (*Lebensmittel*) to go bad **faulenzen** ['faulɛntsn] *v/i* to laze around **Faulenzer** ['faulɛntsɐ] *m* ⟨**-s, -**⟩, **Faulenzerin** [-ərɪn] *f* ⟨**-, -nen**⟩ layabout **Faulheit** *f* ⟨**-,** *no pl*⟩ laziness **faulig** ['faulɪç] *adj* going bad; *Wasser* stale; *Geruch, Geschmack* foul **Fäulnis** ['fɔylnɪs] *f* ⟨**-,** *no pl*⟩ rot; (*von Zahn*) decay **fäulniserregend** *adj* putrefactive **Faulpelz** *m* (*infml*) lazybones *sg* (*infml*) **Faultier** *nt* sloth; (*infml* ≈ *Mensch*) lazybones *sg* (*infml*)

Fauna ['fauna] *f* ⟨**-, Faunen** ['faunən]⟩ fauna

Faust [faust] *f* ⟨**-, Fäuste** ['fɔystə]⟩ fist; ***die (Hand zur) ~ ballen*** to clench one's fist; ***das passt wie die ~ aufs Auge*** (≈ *passt nicht*) it's all wrong; (≈ *passt gut*) it's just the thing (*infml*); ***auf eigene ~*** (*fig*) on one's own initiative; *reisen* under one's own steam **Fäustchen** ['fɔystçən] *nt* ⟨**-s, -**⟩ ***sich*** (*dat*) ***ins ~ lachen*** to laugh up (*Br*) *or* in (*US*) one's sleeve **faustdick** (*infml*) **I** *adj* ***eine ~e Lüge*** a whopping (great) lie (*infml*) **II** *adv* ***er hat es ~ hinter den Ohren*** he's a sly one (*infml*); ***~ auftragen*** to lay it on thick (*infml*) **faustgroß** *adj* the size of a fist **Fausthandschuh** *m* mitt(en) **Faustregel** *f* rule of thumb **Faustschlag** *m* punch

Fauteuil [fo'tœj] *nt* ⟨**-s, -s**⟩ (*Aus* ≈ *Sessel*) armchair

favorisieren [favori'ziːrən] *past part* ***favorisiert*** *v/t* to favour (*Br*), to favor (*US*) **Favorit** [favo'riːt] *m* ⟨**-en, -en**⟩, **Favoritin** [-'riːtɪn] *f* ⟨**-, -nen**⟩ favourite (*Br*), favorite (*US*)

Fax [faks] *nt* ⟨**-, -e**⟩ fax **Faxabruf** *m* fax polling **faxen** ['faksn] *v/t* to fax

Faxen ['faksn] *pl* (*infml* ≈ *Alberei*) fooling around; ***~ machen*** to fool around

Faxgerät *nt* fax machine **Faxnummer** *f* fax number

Fazit ['faːtsɪt] *nt* ⟨**-s, -s** *or* **-e**⟩ ***das ~ war...*** on balance the result was ...; ***das ~ ziehen*** to take stock

FCKW [ɛftseːkaː'veː] *m* ⟨**-s, -s**⟩ *abbr of* ***Fluorchlorkohlenwasserstoff*** CFC **FCKW-frei** [ɛftseːkaː'veː-] *adj* CFC-free

Feber ['feːbɐ] *m* ⟨**-s, -**⟩ (*Aus*) February; → ***März*** **Februar** ['feːbruaːɐ] *m* ⟨**-(s), -e**⟩ February; → ***März***

fechten ['fɛçtn] *pret* ***focht*** [fɔxt], *past part* ***gefochten*** [gə'fɔxtn] *v/i* SPORTS to fence; (*elev* ≈ *kämpfen*) to fight **Fechter** ['fɛçtɐ] *m* ⟨**-s, -**⟩, **Fechterin** [-ərɪn] *f* ⟨**-, -nen**⟩ fencer **Fechtsport** *m* fencing

Feder ['feːdɐ] *f* ⟨**-, -n**⟩ **1.** feather; (≈ *lange Hutfeder*) plume; ***~n lassen müssen*** (*infml*) not to escape unscathed; ***raus aus den ~n!*** (*infml*) rise and shine! (*infml*) **2.** TECH spring **Federball** *m* (≈ *Ball*) shuttlecock; (≈ *Spiel*) badminton

Federbett *nt* continental quilt **federführend** *adj Behörde etc* in overall charge (*für* of) **Federgewicht** *nt* SPORTS featherweight (class) **Federhalter** *m* (dip) pen; (≈ *Füllfederhalter*) (fountain) pen **federleicht** *adj* light as a feather **Federlesen** *nt* ⟨**-s**, *no pl*⟩ ***nicht viel ~s mit jdm/etw machen*** to make short work of sb/sth **Federmäppchen** *nt* pencil case **federn** ['feːdɐn] **I** *v/i* **1.** (*Eigenschaft*) to be springy **2.** (≈ *zurückfedern*) to spring back; (*Springer*, *Turner*) to bounce **II** *v/t* to spring; *Auto* to fit with suspension **Federung** ['feːdərʊŋ] *f* ⟨**-, -en**⟩ springs *pl*; AUTO *auch* suspension **Federvieh** *nt* poultry **Federweiße(r)** *m decl as adj* (*dial*) new wine

Fee [feː] *f* ⟨**-, -n** ['feːən]⟩ fairy

Feedback ['fiːdbɛk] *nt* ⟨**-s, -s**⟩, **Feed-back** *nt* ⟨**-s, -s**⟩ feedback

Fegefeuer ['feːgə-] *nt* ***das ~*** purgatory

fegen ['feːgn] **I** *v/t* to sweep; (≈ *auffegen*) to sweep up **II** *v/i* **1.** (≈ *ausfegen*) to sweep (up) **2.** *aux sein* (*infml* ≈ *jagen*) to sweep

fehl [feːl] *adj* ***~ am Platz(e)*** out of place **Fehlanzeige** *f* (*infml*) dead loss (*infml*); ***~!*** wrong! **fehlbar** *adj* fallible; (*Swiss*) guilty **Fehlbesetzung** *f* miscasting **Fehlbestand** *m* deficiency **Fehlbetrag** *m* (*form*) deficit **Fehldiagnose** *f* wrong diagnosis **Fehleinschätzung** *f* misjudgement **fehlen** ['feːlən] **I** *v/i* **1.** (≈ *mangeln*) to be lacking; (≈ *nicht vorhanden sein*) to be missing; (*in der Schule etc*) to be absent (*in +dat* from); ***etwas fehlt*** there's something missing; ***jdm fehlt etw*** sb lacks sth; (≈ *wird schmerzlich vermisst*) sb misses sth; ***mir ~ 20 Cent am Fahrgeld*** I'm 20 cents short for my fare; ***mir ~ die Worte*** words fail me; ***der/das hat mir gerade noch gefehlt!*** (*infml*) he/that was all I needed (*iron*) **2.** (≈ *los sein*) ***fehlt dir (et)was?*** is something the matter (with you)? **II** *v/i impers* ***es fehlt etw*** *or* ***an etw*** (*dat*) there is a lack of sth; (*völlig*) there is no sth; ***es fehlt jdm an etw*** (*dat*) sb lacks sth; ***wo fehlt es?*** what's the trouble?; ***es fehlte nicht viel und ich hätte ihn verprügelt*** I almost hit him **III** *v/t* ***weit gefehlt!*** (*fig*) you're way out! (*infml*); (*ganz im Gegenteil*) far from it! **Fehlentscheidung** *f* wrong decision **Fehlentwicklung** *f* mistake; ***~en vermeiden*** to stop things taking a wrong turn **Fehler** ['feːlɐ] *m* ⟨**-s, -**⟩ **1.** mistake; SPORTS fault; ***einen ~ machen*** to make a mistake **2.** (≈ *Mangel*) fault; ***das ist nicht mein ~*** that's not my fault **fehlerfrei** *adj* perfect; *Rechnung* correct **fehlerhaft** *adj* MECH, TECH faulty; *Ware* substandard; *Messung*, *Rechnung* incorrect **fehlerlos** *adj* = ***fehlerfrei*** **Fehlermeldung** *f* IT error message **Fehlerquelle** *f* cause of the fault; (*in Statistik*) source of error **Fehlerquote** *f* error rate **Fehlersuche** *f* troubleshooting **Fehlgeburt** *f* miscarriage **Fehlgriff** *m* mistake; ***einen ~ tun*** to make a mistake **Fehlkonstruktion** *f* bad design; ***der Stuhl ist eine ~*** this chair is badly designed **Fehlleistung** *f* slip, mistake; ***freudsche ~*** Freudian slip **Fehlschlag** *m* (*fig*) failure **fehlschlagen** *v/i sep irr aux sein* to go wrong **Fehlschluss** *m* false conclusion **Fehlstart** *m* false start **Fehltritt** *m* (*fig*) (≈ *Vergehen*) slip; (≈ *Affäre*) indiscretion **Fehlurteil** *nt* miscarriage of justice **Fehlverhalten** *nt* inappropriate behaviour (*Br*) *or* behavior (*US*) **Fehlzeiten** *pl* working hours *pl* lost **Fehlzündung** *f* misfiring *no pl*; ***eine ~*** a backfire

Feier ['faiɐ] *f* ⟨**-, -n**⟩ celebration; (≈ *Party*) party; (≈ *Zeremonie*) ceremony; ***zur ~ des Tages*** in honour (*Br*) *or* honor (*US*) of the occasion **Feierabend** *m* (≈ *Arbeitsschluss*) finishing time; ***~ machen*** to finish work; ***nach ~*** after work; ***schönen ~!*** have a nice evening! **feierlich** ['faiɐlɪç] *adj* (≈ *ernsthaft*) solemn; (≈ *festlich*) festive; (≈ *förmlich*) ceremonial **Feierlichkeit** *f* ⟨**-, -en**⟩ *usu pl* (≈ *Veranstaltungen*) celebrations *pl* **feiern** ['faiɐn] **I** *v/t* **1.** *Ereignis* to celebrate; *Party* to hold; ***das muss gefeiert werden!*** that calls for a celebration **2.** (≈ *umjubeln*) to fête; → ***gefeiert*** **II** *v/i* (≈ *eine Feier abhalten*) to celebrate **Feierstunde** *f* ceremony **Feiertag** *m* holiday

feige ['faigə] *adj* cowardly

Feige ['faigə] *f* ⟨**-, -n**⟩ fig **Feigenbaum** *m* fig tree **Feigenblatt** *nt* fig leaf

Feigheit *f* ⟨**-**, *no pl*⟩ cowardice **Feigling** ['faiklɪŋ] *m* ⟨**-s, -e**⟩ coward

Feile ['failə] *f* ⟨**-, -n**⟩ file **feilen** ['failən] *v/t & v/i* to file

feilschen ['failʃn] *v/i* (*pej*) to haggle (*um* over)

fein [fain] **I** *adj* **1.** (≈ *nicht grob*) fine; *Hu-*

mor delicate; *Unterschied* subtle **2.** (≈ *erlesen*) excellent; *Geschmack* delicate; (≈ *prima*) great (*infml*); (*iron*) fine; ***vom Feinsten sein*** to be first-rate **3.** (≈ *scharf*) *Gehör, Gefühl* acute **4.** (≈ *vornehm*) refined; ***dazu ist sie sich*** (*dat*) ***zu ~*** that's beneath her **II** *adv* **1.** (≈ *nicht grob*) finely **2.** (≈ *gut*) ***~ säuberlich*** (nice and) neat **3.** (≈ *elegant*) ***sie hat sich ~ gemacht*** she's all dolled up (*infml*)

Feind [faint] *m* ⟨**-(e)s, -e** [-də]⟩, **Feindin** [ˈfaindɪn] *f* ⟨**-, -nen**⟩ enemy; ***sich*** (*dat*) ***~e schaffen*** to make enemies **Feindbild** *nt* concept of an/the enemy **feindlich** [ˈfaintlɪç] **I** *adj* **1.** MIL enemy **2.** (≈ *feindselig*) hostile **II** *adv* ***jdm ~ gegenüberstehen*** to be hostile to sb **Feindschaft** [ˈfaintʃaft] *f* ⟨**-, -en**⟩ hostility **feindselig** *adj* hostile **Feindseligkeit** *f* ⟨**-, -en**⟩ hostility

feinfühlig [-fyːlɪç] *adj* sensitive; (≈ *taktvoll*) tactful **Feingefühl** *nt, no pl* sensitivity; (≈ *Takt*) tact(fulness) **Feingold** *nt* refined gold **Feinheit** *f* ⟨**-, -en**⟩ **1.** (≈ *Zartheit*) fineness **2.** (≈ *Erlesenheit*) excellence **3.** (≈ *Schärfe*) keenness **4.** (≈ *Vornehmheit*) refinement **5. Feinheiten** *pl* niceties *pl*; (≈ *Nuancen*) subtleties *pl* **Feinkostgeschäft** *nt* delicatessen **Feinmechanik** *f* precision engineering **Feinschmecker** [-ʃmɛkɐ] *m* ⟨**-s, -**⟩, **Feinschmeckerin** [-ərɪn] *f* ⟨**-, -nen**⟩ gourmet; (*fig*) connoisseur **Feinsilber** *nt* refined silver **Feinstaub** *m* fine dust, fine particulates *pl* (*tech*) **Feinwäsche** *f* delicates *pl* **Feinwaschmittel** *nt* mild(-action) detergent

feist [faist] *adj* fat

Feld [fɛlt] *nt* ⟨**-(e)s, -er** [-dɐ]⟩ field; (*auf Spielbrett*) square; (*an Zielscheibe*) ring; ***gegen jdn/etw zu ~e ziehen*** (*fig*) to crusade against sb/sth; ***das ~ räumen*** (*fig*) to bow out **Feldarbeit** *f* AGR work in the fields; SCI, SOCIOL fieldwork **Feldflasche** *f* canteen (MIL), water bottle **Feldforschung** *f* field work *or* research **Feldhase** *m* European hare **Feldherr(in)** *m/(f)* commander **Feldmaus** *f* field mouse **Feldsalat** *m* lamb's lettuce **Feldstecher** [-ʃtɛçɐ] *m* ⟨**-s, -**⟩ (pair of) binoculars **Feldversuch** *m* field test **Feld-Wald-und-Wiesen-** *in cpds* (*infml*) run-of-the-mill **Feldwebel** [ˈfɛltveːbl] *m* ⟨**-s, -**⟩, **Feldwebelin** [-bəlɪn] *f* ⟨**-, -nen**⟩ sergeant **Feldweg** *m* track across the fields **Feldzug** *m* campaign

Felge [ˈfɛlgə] *f* ⟨**-, -n**⟩ **1.** TECH (wheel) rim **2.** SPORTS circle **Felgenbremse** *f* calliper brake

Fell [fɛl] *nt* ⟨**-(e)s, -e**⟩ **1.** fur; (*von Schaf*) fleece; (*von toten Tieren*) skin **2.** (*fig infml* ≈ *Menschenhaut*) skin; ***ein dickes ~ haben*** to be thick-skinned; ***jdm das ~ über die Ohren ziehen*** to pull the wool over sb's eyes

Fels [fɛls] *m* ⟨**-en, -en** [ˈfɛlzn]⟩ rock; (≈ *Klippe*) cliff **Felsblock** *m, pl* **-blöcke** boulder **Felsen** [ˈfɛlzn] *m* ⟨**-s, -**⟩ rock; (≈ *Klippe*) cliff **felsenfest I** *adj* firm **II** *adv* ***~ überzeugt sein*** to be absolutely convinced **felsig** [ˈfɛlzɪç] *adj* rocky **Felsspalte** *f* crevice **Felswand** *f* rock face

feminin [femiˈniːn] *adj* feminine **Feminismus** [femiˈnɪsmʊs] *m* ⟨**-,** ***Feminismen*** [-mən]⟩ feminism **Feminist** [femiˈnɪst] *m* ⟨**-en, -en**⟩, **Feministin** [-ˈnɪstɪn] *f* ⟨**-, -nen**⟩ feminist **feministisch** [femiˈnɪstɪʃ] *adj* feminist; ***~ orientiert sein*** to have feminist tendencies

Fenchel [ˈfɛnçl] *m* ⟨**-s,** *no pl*⟩ fennel

Fenster [ˈfɛnstɐ] *nt* ⟨**-s, -**⟩ window (*auch* IT); ***weg vom ~*** (*infml*) out of the game (*infml*), finished **Fensterbank** *f, pl* **-bänke**, **Fensterbrett** *nt* windowsill, window ledge **Fensterglas** *nt* window glass **Fensterladen** *m* shutter **Fensterleder** *nt* chamois *or* shammy (leather) **fensterln** [ˈfɛnstɐln] *v/i* (*S Ger, Aus*) to climb through one's sweetheart's bedroom window **Fensterplatz** *m* window seat **Fensterputzer** [-pʊtsɐ] *m* ⟨**-s, -**⟩, **Fensterputzerin** [-ərɪn] *f* ⟨**-, -nen**⟩ window cleaner **Fensterrahmen** *m* window frame **Fensterscheibe** *f* window pane **Fensterumschlag** *m* window envelope

Ferien [ˈfeːriən] *pl* holidays *pl* (*Br*), vacation *sg* (*US*, UNIV); (≈ *Parlamentsferien*, JUR) recess *sg*; ***die großen ~*** the summer holidays (*esp Br*), the long vacation (*US*, UNIV); ***~ machen*** to have *or* take a holiday (*esp Br*) *or* vacation (*US*); ***in die ~ fahren*** to go on holiday (*esp Br*) *or* vacation (*US*) **Feriendorf** *nt* holiday village **Ferienhaus** *nt* holiday home **Ferienlager** *nt* holiday (*esp Br*) *or* vacation (*US*) camp **Ferienort** *m, pl* **-orte** holiday (*esp Br*) *or* vacation (*US*) resort **Ferienwohnung** *f* holiday flat (*Br*), vacation apartment (*US*) **Ferienzeit** *f* holiday period

Fẹrkel ['fɛrkl] *nt* ⟨**-s, -**⟩ piglet; (*fig*) (*unsauber*) pig, mucky pup (*Br infml*); (*unanständig*) dirty pig (*infml*)

Fermentation [fɛrmɛnta'tsio:n] *f* ⟨**-, -en**⟩ fermentation **fermentieren** [fɛrmɛn'ti:rən] *past part* ***fermentiert*** *v/t* to ferment

fẹrn [fɛrn] **I** *adj* **1.** (*räumlich*) distant, far-away; ***~ von hier*** far away from here; ***der Ferne Osten*** the Far East **2.** (*zeitlich entfernt*) far-off; ***in nicht (all)zu ~er Zeit*** in the not-too-distant future **II** *prep +gen* far (away) from **fernạb** [fɛrn'|ap] *adv* far away **Fẹrnabfrage** *f* TEL remote control facility **Fẹrnbedienung** *f* remote control **fẹrnbleiben** *v/i sep irr aux sein* to stay away (*+dat*, *von* from) **Fẹrnbleiben** *nt* ⟨**-s**, *no pl*⟩ absence (*von* from); (≈ *Nichtteilnahme*) non-attendance **Fẹrnblick** *m* good view **Fẹrne** ['fɛrnə] *f* ⟨**-, -n**⟩ **1.** (*räumlich*) distance; ***in der ~*** in the distance; ***aus der ~*** from a distance **2.** (≈ *Zukunft*) future; ***in weiter ~ liegen*** to be a long time off **fẹrner** ['fɛrnɐ] **I** *adj* further **II** *adv* further; ***unter ~ liefen rangieren*** (*infml*) to be among the also-rans **Fẹrnfahrer(in)** *m/(f)* long-distance lorry (*Br*) *or* truck driver, trucker (*US*) **Fẹrnflug** *m* long-distance *or* long-haul flight **Fẹrngespräch** *nt* trunk (*Br*) *or* long-distance call **fẹrngesteuert** [-gəʃtɔyɐt] *adj* remote-controlled **Fẹrnglas** *nt* (pair of) binoculars *pl* **fẹrnhalten** *v/t & v/r irr* to keep away **Fẹrnlaster** *m* long-distance lorry (*Br*) *or* truck **Fẹrnlastverkehr** *m* long-distance goods traffic **Fẹrnlicht** *nt* AUTO full *or* high (*esp US*) beam **fẹrnliegen** *v/i irr* (*fig*) (***jdm***) ***~*** to be far from sb's mind; ***es liegt mir fern, das zu tun*** far be it from me to do that **Fẹrnmeldesatellit** *m* communications satellite **Fẹrnmeldetechnik** *f* telecommunications engineering; (≈ *Telefontechnik*) telephone engineering **fẹrnmündlich** (*form*) **I** *adj* telephone *attr* **II** *adv* by telephone **Fẹrnọst** ['fɛrn'|ɔst] *no art* ***aus/in/nach ~*** from/in/to the Far East **Fẹrnreise** *f* long-haul journey **Fẹrnrohr** *nt* telescope **Fẹrnschreiben** *nt* telex

Fẹrnsehansager(in) *m/(f)* television announcer **Fẹrnsehansprache** *f* television speech **Fẹrnsehantenne** *f* television *or* TV aerial *or* antenna **Fẹrnsehapparat** *m* television *or* TV set **fẹrnsehen** *v/i sep irr* to watch television *or* TV **Fẹrnsehen** *nt* ⟨**-s**, *no pl*⟩ television, TV, telly (*Br infml*); ***vom ~ übertragen werden*** to be televised; ***im ~*** on television *etc* **Fẹrnseher** [-ze:ɐ] *m* ⟨**-s, -**⟩ (*infml* ≈ *Gerät*) television, TV, telly (*Br infml*) **Fẹrnseher** [-ze:ɐ] *m* ⟨**-s, -**⟩, **Fẹrnseherin** [-ərɪn] *f* ⟨**-, -nen**⟩ (*infml* ≈ *Zuschauer*) (television) viewer **Fẹrnsehgebühr** *f* television *or* TV licence fee (*Br*) **Fẹrnsehgerät** *nt* television *or* TV set **Fẹrnsehkamera** *f* television *or* TV camera **Fẹrnsehprogramm** *nt* **1.** (≈ *Sendung*) programme (*Br*), program (*US*) **2.** (≈ *Fernsehzeitschrift*) (television) program(me) guide, TV guide **Fẹrnsehpublikum** *nt* viewers *pl*, viewing public **Fẹrnsehsatellit** *m* TV satellite **Fẹrnsehsender** *m* television transmitter **Fẹrnsehsendung** *f* television programme (*Br*) *or* program (*US*) **Fẹrnsehspiel** *nt* television play **Fẹrnsehteilnehmer(in)** *m/(f)* (*form*) television viewer **Fẹrnsehübertragung** *f* television broadcast **Fẹrnsehwerbung** *f* television advertising **Fẹrnsehzeitschrift** *f* TV guide **Fẹrnsehzuschauer(in)** *m/(f)* (television) viewer

Fẹrnsicht *f* clear view **Fẹrnsprechnetz** *nt* telephone system **Fẹrnsprechverkehr** *m* telephone traffic **fẹrnstehen** *v/i irr* ***jdm/einer Sache ~*** to have no connection with sb/sth **Fẹrnsteuerung** *f* remote control **Fẹrnstraße** *f* trunk *or* major road, highway (*US*) **Fẹrnstudium** *nt* correspondence degree course (*with radio, TV etc*), ≈ Open University course (*Br*) **Fẹrntourismus** *m* long-haul tourism **Fẹrnverkehr** *m* long-distance traffic **Fẹrnwärme** *f* district heating (*tech*) **Fẹrnweh** [-ve:] *nt* ⟨**-s**, *no pl*⟩ wanderlust **Fẹrnziel** *nt* long-term goal

Fẹrse ['fɛrzə] *f* ⟨**-, -n**⟩ heel; ***jdm (dicht) auf den ~n sein*** to be hard *or* close on sb's heels

fẹrtig ['fɛrtɪç] **I** *adj* **1.** (≈ *vollendet*) finished; (≈ *ausgebildet*) qualified; (≈ *reif*) *Mensch*, *Charakter* mature; ***mit der Ausbildung ~ sein*** to have completed one's training **2.** (≈ *zu Ende*) finished; ***mit etw ~ sein*** to have finished sth; ***mit jdm ~ sein*** (*fig*) to be finished with sb; ***mit jdm/etw ~ werden*** to cope with sb/sth **3.** (≈ *bereit*) ready **4.** (*infml*) (≈ *erschöpft*) shattered (*Br infml*), all in (*infml*); (≈ *ruiniert*) finished; (≈ *erstaunt*) knocked for six (*Br infml*) *or* for a loop (*US infml*); ***mit den Nerven ~ sein*** to be at the end of one's tether (*Br*) *or* rope (*US*) **II** *adv* ***etw ~ kaufen*** to buy sth ready-made; *Essen* to buy sth ready-prepared; ***~ ausgebildet*** fully qualified **Fertigbau** *m* BUILD *pl* ***-bauten*** prefabricated building, prefab **fertig bringen, fertigbringen** *v/t irr* (≈ *vollenden*) to get done **fertigbringen** *v/t sep irr* (≈ *imstande sein*) to manage; (*iron*) to be capable of **fertigen** ['fɛrtɪgn] *v/t* (*form*) to manufacture **Fertiggericht** *nt* ready-to-serve meal **Fertighaus** *nt* prefabricated house

Fertigkeit *f* ⟨**-, -en**⟩ skill

fertig machen, fertigmachen *v/t* **1.** (≈ *vollenden*) to finish **2.** (≈ *bereit machen*) to get ready; ***sich ~*** to get ready **fertigmachen** *v/t* (*infml*) ***jdn ~*** (≈ *erledigen*) to do for sb; (≈ *ermüden*) to take it out of sb; (≈ *deprimieren*) to get sb down; (≈ *abkanzeln*) to lay into sb (*infml*) **fertigstellen, fertig stellen** *v/t* to complete **Fertigstellung** *f* completion **Fertigung** ['fɛrtɪgʊŋ] *f* ⟨**-, -en**⟩ production **Fertigungskosten** *pl* production costs *pl*

fesch [fɛʃ] *adj* **1.** (*esp Aus*: *infml*) (≈ *modisch*) smart; (≈ *hübsch*) attractive **2.** (*Aus* ≈ *nett*) nice; ***sei ~!*** (≈ *sei brav*) be good

Fessel ['fɛsl] *f* ⟨**-, -n**⟩ fetter, shackle; (≈ *Kette*) chain **fesseln** ['fɛsln] *v/t* **1.** to tie (up), to bind; (*mit Handschellen*) to handcuff; (*mit Ketten*) to chain (up); ***jdn ans Bett ~*** (*fig*) to confine sb to (his/her) bed **2.** (≈ *faszinieren*) to grip **fesselnd** *adj* gripping

fest [fɛst] **I** *adj* **1.** (≈ *hart*) solid **2.** (≈ *stabil*) solid; *Schuhe* tough, sturdy; COMM, FIN stable **3.** (≈ *entschlossen*) firm; *Plan* firm, definite; ***eine ~e Meinung von etw haben*** to have definite views on sth **4.** (≈ *nicht locker*) tight; *Griff* firm; (*fig*) *Schlaf* sound **5.** (≈ *ständig*) regular; *Freund(in)* steady; *Stellung*, *Mitarbeiter* permanent **II** *adv* **1.** (≈ *kräftig*) *anpacken* firmly; *drücken* tightly **2.** (≈ *nicht locker*) *anziehen*, *schließen* tight; ***die Handbremse ~ anziehen*** to put the handbrake on firmly; ***er hat schon ~ geschlafen*** he was sound asleep **3.** *versprechen* faithfully; *zusagen* definitely; ***~ entschlossen sein*** to be absolutely determined **4.** (≈ *dauerhaft*) permanently; ***~ befreundet sein*** to be good friends; ***~ angestellt*** employed on a regular basis; ***Geld ~ anlegen*** to tie up money

Fest [fɛst] *nt* ⟨**-(e)s, -e**⟩ **1.** (≈ *Feier*) celebration; (≈ *Party*) party **2.** (*kirchlich*) feast, festival; (≈ *Weihnachtsfest*) Christmas; ***frohes ~!*** Merry *or* Happy (*esp Br*) Christmas! **Festakt** *m* ceremony

festangestellt *adj* → ***fest***

Festbeleuchtung *f* festive lighting *or* lights *pl*; (*infml*: *im Haus*) blazing lights *pl*

festbinden *v/t sep irr* to tie up; ***jdn/etw an etw*** (*dat*) ***~*** to tie sb/sth to sth

Festessen *nt* banquet

festfahren *v/r sep irr* (*fig*) to get bogged down **festfressen** *v/r sep irr* to seize up **Festgeld** *nt* FIN time deposit **festhalten** *sep irr* **I** *v/t* **1.** (*mit den Händen*) to hold on to **2.** (≈ *inhaftieren*) to hold, to detain **3.** ***etw schriftlich ~*** to record sth **II** *v/i* ***an etw*** (*dat*) ***~*** to hold *or* stick (*infml*) to sth **III** *v/r* to hold on (*an +dat* to); ***halt dich fest!*** (*lit*) hold tight! **festhängen** *v/i sep irr aux haben or sein* to be stuck (*an +dat* on, *in +dat* in)

festigen ['fɛstɪgn] **I** *v/t* to strengthen; → ***gefestigt*** **II** *v/r* to become stronger **Festiger** ['fɛstɪgɐ] *m* ⟨**-s, -**⟩ setting lotion **Festigkeit** ['fɛstɪçkait] *f* ⟨**-,** *no pl*⟩ (*von Material*) strength; (*fig*) steadfastness **Festigung** ['fɛstɪgʊŋ] *f* ⟨**-, -en**⟩ strengthening

Festival ['fɛstivəl, 'fɛstival] *nt* ⟨**-s, -s**⟩ festival

festklammern *sep* **I** *v/t* to clip on (*an +dat* to) **II** *v/r* to cling (*an +dat* to) **festklemmen** *sep v/t* to wedge fast; (*mit Klammer*) to clip **Festkörper** *m* PHYS solid **Festland** *nt* (*nicht Insel*) mainland; (*nicht Meer*) dry land **festlegen** *sep* **I** *v/t* **1.** (≈ *festsetzen*) to fix (*auf +acc*, *bei* for); *Regelung*, *Arbeitszeiten* to lay down **2.** ***jdn auf etw*** (*acc*) ***~*** to tie sb (down) to sth **II** *v/r* **1.** (≈ *sich verpflichten*) to commit oneself (*auf +acc* to) **2.** (≈ *sich entschließen*) to decide (*auf +acc* on)

festlich ['fɛstlɪç] **I** *adj* festive; (≈ *feierlich*) solemn **II** *adv geschmückt* festively; ***etw ~ begehen*** to celebrate sth

fẹstliegen *v/i sep irr* **1.** (≈ *festgesetzt sein*) to have been fixed **2.** (≈ *nicht weiterkönnen*) to be stuck **fẹstmachen** *sep v/t* **1.** (≈ *befestigen*) to fix on (*an +dat* -to); (≈ *festbinden*) to fasten (*an +dat* (on)to); NAUT to moor **2.** (≈ *vereinbaren*) to arrange **fẹstnageln** *v/t sep* **1.** *Gegenstand* to nail (down/up/on) **2.** (*fig infml*) *jdn* to tie down (*auf +acc* to) **Fẹstnahme** [-naːmə] *f* ⟨**-, -n**⟩ arrest **fẹstnehmen** *v/t sep irr* to arrest; ***vorläufig ~*** to take into custody; ***Sie sind festgenommen*** you are under arrest **Fẹstnetz** *nt* TEL fixed-line network; (*a.* **Festnetzanschluss**) landline **Fẹstplatte** *f* IT hard disk **Fẹstplattenlaufwerk** *nt* hard disk drive **Fẹstpreis** *m* COMM fixed price

Fẹstrede *f* speech **Fẹstredner(in)** *m*/(*f*) (main) speaker **Fẹstsaal** *m* hall; (≈ *Speisesaal*) banqueting hall; (≈ *Tanzsaal*) ballroom

fẹstschrauben *v/t sep* to screw (in/on/down/up) tight

fẹstsetzen *sep* **I** *v/t* **1.** (≈ *bestimmen*) to fix (*bei, auf +acc* at) **2.** (≈ *inhaftieren*) to detain **II** *v/r* (*Staub, Schmutz*) to collect; (*Rost*) to get a foothold

Fẹstsetzung *f* ⟨**-, -en**⟩ **1.** fixing; (*von Frist*) setting **2.** (≈ *Inhaftierung*) detention

fẹstsitzen *v/i sep irr* (≈ *klemmen, haften*) to be stuck

Fẹstspeicher *m* IT read-only memory, ROM

Fẹstspiele *pl* festival *sg*

fẹststehen *v/i sep irr* (≈ *sicher sein*) to be certain; (≈ *unveränderlich sein*) to be definite; ***so viel steht fest*** this *or* so much is certain **fẹststehend** *adj attr* (≈ *bestimmt*) definite; *Redewendung* set; *Brauch* (well-)established **fẹststellen** *v/t sep* **1.** MECH to lock (fast) **2.** (≈ *ermitteln*) to ascertain, to find out; *Personalien, Sachverhalt* to establish; *Schaden* to assess **3.** (≈ *erkennen*) to tell (*an +dat* from); *Fehler, Unterschied* to find, to detect; (≈ *bemerken*) to discover **4.** (≈ *aussprechen*) to stress, to emphasize **Fẹststelltaste** *f* (*von Tastatur*) caps lock **Fẹststellung** *f* **1.** (≈ *Ermittlung*) ascertainment; (*von Personalien, Sachverhalt*) establishment; (*von Schaden*) assessment **2.** (≈ *Erkenntnis*) conclusion **3.** (≈ *Wahrnehmung*) observation; ***die ~ machen, dass ...*** to realize that ... **4.** (≈ *Bemerkung*) remark, comment

Fẹsttag *m* **1.** (≈ *Ehrentag*) special *or* red-letter day **2.** (≈ *Feiertag*) holiday, feast (day) (ECCL)

Fẹstung [ˈfɛstʊŋ] *f* ⟨**-, -en**⟩ fortress

fẹstverzinslich *adj* fixed-interest *attr*

Fẹstwertspeicher *m* IT read-only memory

Fẹstwoche *f* festival week **Fẹstzelt** *nt* carnival marquee

fẹstziehen *v/t sep irr* to pull tight; *Schraube* to tighten (up) **Fẹstzins** *m* fixed interest

Fẹstzug *m* carnival procession

Fete [ˈfeːtə] *f* ⟨**-, -n**⟩ party

Fe̱tisch [ˈfeːtɪʃ] *m* ⟨**-(e)s, -e**⟩ fetish **Fetischịsmus** [fetɪˈʃɪsmʊs] *m* ⟨*-, no pl*⟩ fetishism **Fetischịst** [fetɪˈʃɪst] *m* ⟨**-en, -en**⟩, **Fetischịstin** [-ˈʃɪstɪn] *f* ⟨**-, -nen**⟩ fetishist

fẹtt [fɛt] **I** *adj* **1.** *Speisen* fatty **2.** (≈ *dick*) fat; TYPO bold **3.** (≈ *üppig*) *Beute, Gewinn* fat **II** *adv* **1.** ***~ essen*** to eat fatty food **2.** ***~ gedruckt*** TYPO in bold(face) **Fẹtt** [fɛt] *nt* ⟨**-(e)s, -e**⟩ fat; (*zum Schmieren*) grease; ***tierische/pflanzliche ~e*** animal/vegetable fats; ***~ ansetzen*** to get fat; ***sein ~ bekommen*** (*infml*) to get what is coming to one (*infml*) **Fẹttabsaugung** [-apzaugʊŋ] *f* ⟨**-, -en**⟩ MED liposuction **fẹttarm** **I** *adj Speisen* low-fat **II** *adv* ***~ essen*** to eat foods which are low in fat **Fẹttauge** *nt* globule of fat **Fẹttbauch** *m* paunch **Fẹttcreme** *f* skin cream with oil **Fẹttdruck** *m, no pl* TYPO bold type **fẹtten** [ˈfɛtn] *v/t* to grease **Fẹttfilm** *m* greasy film **Fẹttfleck** *m* grease spot, greasy mark **fẹttfrei** *adj* fat-free; *Milch* non-fat; *Kost* non-fatty **fẹttgedruckt** *adj attr*; → ***fett*** **Fẹttgehalt** *m* fat content **fẹtthaltig** *adj* fatty **fẹttig** [ˈfɛtɪç] *adj* greasy **fẹttleibig** [-laibɪç] *adj* (*elev*) obese, corpulent **Fẹttleibigkeit** *f* ⟨*-, no pl*⟩ (*elev*) obesity, corpulence **fẹttlos** *adj* fat-free **Fẹttnäpfchen** [-nɛpfçən] *nt* ⟨**-s, -**⟩ (*infml*) ***ins ~ treten*** to put one's foot in it (*bei jdm* with sb) **Fẹttpolster** *nt* (*hum infml*) padding *no pl* **Fẹttsack** *m* (*infml*) fatso (*infml*) **Fẹttschicht** *f* layer of fat **Fẹttsucht** *f, no pl* MED obesity **fẹttsüchtig** *adj* MED obese **Fẹttwanst** [-vanst] *m* ⟨**-(e)s, ⸚e** [-vɛnstə]⟩ (*pej*) potbelly; (≈ *Mensch*) fatso (*infml*) **Fẹttzelle** *f* PHYSIOL fat cell, adipose cell (*tech*)

Fetzen ['fɛtsn] *m* ⟨**-s, -**⟩ (*abgerissen*) shred; (≈ *Stofffetzen, Papierfetzen*) scrap; (≈ *Kleidung*) rag; **..., *dass die ~ fliegen*** (*infml*) ... like crazy (*infml*)

feucht [fɔyçt] *adj* damp; (≈ *schlüpfrig*) moist; (≈ *feuchtheiß*) *Klima* humid; *Hände* sweaty; *Tinte, Farbe* wet **feuchtfröhlich** *adj* (*hum*) merry, convivial **feuchtheiß** *adj* hot and damp, muggy **Feuchtigkeit** ['fɔyçtıçkait] *f* ⟨**-**, *no pl*⟩ **1.** dampness; (*von Klima*) humidity **2.** (≈ *Flüssigkeit*) moisture; (≈ *Luftfeuchtigkeit*) humidity **Feuchtigkeitscreme** *f* moisturizer, moisturizing cream

feudal [fɔy'daːl] *adj* **1.** POL, HIST feudal **2.** (*infml* ≈ *prächtig*) plush (*infml*); *Mahlzeit* lavish **Feudalherrschaft** *f* feudalism **Feudalismus** [fɔyda'lısmʊs] *m* ⟨**-**, *no pl*⟩ feudalism **feudalistisch** [fɔyda'lıstıʃ] *adj* feudalistic

Feuer ['fɔyɐ] *nt* ⟨**-s, -**⟩ **1.** fire; ***~!*** fire!; ***~ legen*** to start a fire; ***~ fangen*** to catch fire; ***~ frei!*** open fire!; ***das ~ einstellen*** to cease firing; ***mit dem ~ spielen*** (*fig*) to play with fire **2.** (≈ *Funkfeuer*) beacon; (*von Leuchtturm*) light **3.** (*für Zigarette etc*) light; ***haben Sie ~?*** do you have a light? **4.** (≈ *Schwung*) passion; ***~ und Flamme sein*** (*infml*) to be very enthusiastic (*für* about) **Feueralarm** *m* fire alarm **feuerbeständig** *adj* fire-resistant **Feuerbestattung** *f* cremation **Feuereifer** *m* zeal; ***mit ~ diskutieren*** to discuss with zest **feuerfest** *adj* fireproof; *Geschirr* heat-resistant **Feuergefahr** *f* fire hazard *or* risk **feuergefährlich** *adj* (highly) (in)flammable *or* combustible **Feuergefecht** *nt* gun fight, shoot-out (*infml*) **Feuerleiter** *f* (*am Haus*) fire escape **Feuerlöscher** [-lœʃɐ] *m* ⟨**-s, -**⟩ fire extinguisher **Feuermelder** [-mɛldɐ] *m* ⟨**-s, -**⟩ fire alarm **feuern** ['fɔyɐn] *v/t* **1.** *Ofen* to light **2.** (*infml*) (≈ *werfen*) to fling (*infml*); FTBL *Ball* to slam (*infml*) **3.** (*infml* ≈ *entlassen*) to fire (*infml*), to sack (*infml*) **Feuerpause** *f* break in the firing; (*vereinbart*) ceasefire **Feuerprobe** *f* (*fig*) ***die ~ bestehen*** to pass the (acid) test; ***das war seine ~*** that was the acid test for him **feuerrot** *adj* fiery red **Feuerschutz** *m* **1.** (≈ *Vorbeugung*) fire prevention **2.** (MIL ≈ *Deckung*) covering fire **Feuerstein** *m* flint **Feuerstelle** *f* campfire site; (≈ *Herd*) fireplace **Feuertaufe** *f* baptism of fire **Feuertreppe** *f* fire escape **Feuertür** *f* fire door **Feuerwache** *f* fire station **Feuerwaffe** *f* firearm **Feuerwechsel** *m* exchange of fire **Feuerwehr** *f* fire brigade (*Br*), fire department (*US*); ***~ spielen*** (*fig* ≈ *Schlimmes verhindern*) to act as a troubleshooter **Feuerwehrauto** *nt* fire engine **Feuerwehrleute** *pl* firemen *pl*, firefighters *pl* **Feuerwehrmann** *m, pl* ***-leute*** *or* ***-männer*** fireman **Feuerwerk** *nt* fireworks *pl*; (*fig*) cavalcade **Feuerwerkskörper** *m* firework **Feuerzange** *f* fire tongs *pl* **Feuerzangenbowle** *f* red wine punch **Feuerzeug** *nt, pl* ***-zeuge*** (cigarette) lighter

Feuilleton [fœjə'tõː, 'fœjətõ] *nt* ⟨**-s, -s**⟩ PRESS feature section

feurig ['fɔyrıç] *adj* fiery

Fiaker ['fiakɐ] *m* ⟨**-s, -**⟩ (*Aus*) **1.** (≈ *Kutsche*) (hackney) cab **2.** (≈ *Kutscher*) cab driver, cabby (*infml*)

Fiasko ['fiasko] *nt* ⟨**-s, -s**⟩ (*infml*) fiasco

Fibel ['fiːbl] *f* ⟨**-, -n**⟩ SCHOOL primer

Fiber ['fiːbɐ] *f* ⟨**-, -n**⟩ fibre (*Br*), fiber (*US*)

Fichte ['fıçtə] *f* ⟨**-, -n**⟩ BOT spruce **Fichtenzapfen** *m* spruce cone

ficken ['fıkn] *v/t & v/i* (*vulg*) to fuck (*vulg*); ***mit jdm ~*** to fuck sb (*vulg*)

fidel [fi'deːl] *adj* jolly, merry

Fieber ['fiːbɐ] *nt* ⟨**-s,** (*rare*) **-**⟩ temperature; (*sehr hoch*) fever; ***~ haben*** to have a temperature; to be feverish; **(*jdm*) *das ~ messen*** to take sb's temperature **Fieberanfall** *m* bout of fever **fieberfrei** *adj* free of fever **fieberhaft** **I** *adj* feverish **II** *adv* feverishly **Fieberkurve** *f* temperature curve **Fiebermittel** *nt* anti-fever drug **fiebern** ['fiːbɐn] *v/i* **1.** (*Kranker*) to have a temperature; (*schwer*) to be feverish **2.** (*fig*) ***nach etw ~*** to long feverishly for sth; ***vor Erregung*** (*dat*) ***~*** to be in a fever of excitement **fiebersenkend** *adj* fever-reducing **Fieberthermometer** *nt* (clinical) thermometer

Fiedel ['fiːdl] *f* ⟨**-, -n**⟩ fiddle

fies [fiːs] (*infml*) **I** *adj* nasty, horrible **II** *adv* (≈ *gemein*) in a nasty way; ***~ aussehen*** to look horrible **Fiesling** ['fiːslıŋ] *m* ⟨**-s, -e**⟩ (*infml*) bastard (*sl*)

Figur [fi'guːɐ] *f* ⟨**-, -en**⟩ **1.** figure; (*infml* ≈ *Mensch*) character; ***auf seine ~ achten*** to watch one's figure **2.** (≈ *Romanfigur etc*) character **figurativ** [figura'tiːf] **I** *adj* figurative **II** *adv* figuratively **figürlich**

[fi'gyːɐlɪç] *adj* figurative
Fiktion [fɪk'tsioːn] *f* ⟨-, **-en**⟩ fiction **fiktiv** [fik'tiːf] *adj* fictitious
Filet [fi'leː] *nt* ⟨**-s, -s**⟩ COOK fillet; (≈ *Rinderfilet*) fillet steak; (*zum Braten*) piece of sirloin *or* tenderloin (*US*) **filetieren** [file'tiːrən] *past part* ***filetiert*** *v/t* to fillet **Filetstück** *nt* COOK piece of sirloin *or* tenderloin (*US*)
Filiale [fi'liaːlə] *f* ⟨-, **-n**⟩ branch **Filialleiter(in)** *m/(f)* branch manager / manageress
Film [fɪlm] *m* ⟨**-(e)s, -e**⟩ film; (≈ *Spielfilm auch*) movie (*esp US*); ***in einen ~ gehen*** to go and see a film; ***zum ~ gehen*** to go into films *or* movies (*esp US*) **Filmaufnahme** *f* (*Einzelszene*) shot, take; ***~n*** *pl* shooting **Filmbericht** *m* film report **Filmemacher(in)** *m/(f)* film-maker, movie-maker (*esp US*) **filmen** ['fɪlmən] *v/t & v/i* to film **Filmfestival** *nt*, **Filmfestspiele** *pl* film festival **Filmgeschäft** *nt* film industry, movie industry (*esp US*) **filmisch** ['fɪlmɪʃ] **I** *adj* cinematic **II** *adv* cinematically **Filmkamera** *f* film *or* movie (*esp US*) camera **Filmkritik** *f* (≈ *Artikel*) film *or* movie (*esp US*) review **Filmkunst** *f* cinematic art **Filmmusik** *f* film music, movie soundtrack (*esp US*) **Filmpreis** *m* film *or* movie (*esp US*) award **Filmproduzent(in)** *m/(f)* film *or* movie (*esp US*) producer **Filmregisseur(in)** *m/(f)* film *or* movie (*esp US*) director **Filmriss** *m* (*fig infml*) mental blackout (*infml*) **Filmschauspieler** *m* film *or* movie (*esp US*) actor **Filmschauspielerin** *f* film *or* movie (*esp US*) actress **Filmstar** *m* filmstar, movie star (*esp US*) **Filmstudio** *nt* film *or* movie (*esp US*) studio **Filmverleih** *m* film *or* movie (*esp US*) distributors *pl*
Filter ['fɪltɐ] *nt or m* ⟨**-s, -**⟩ filter; ***eine Zigarette mit ~*** a (filter-)tipped cigarette **Filterkaffee** *m* filter *or* drip (*US*) coffee **filtern** ['fɪltɐn] *v/t & v/i* to filter **Filterpapier** *nt* filter paper **Filtertüte** *f* filter bag
Filterung ['fɪltərʊŋ] *f* ⟨-, **-en**⟩ filtering
Filterzigarette *f* tipped *or* filter(-tipped) cigarette
Filtrat [fɪl'traːt] *nt* ⟨**-(e)s, -e**⟩ filtrate
filtrieren [fɪl'triːrən] *past part* ***filtriert*** *v/t* to filter
Filz [fɪlts] *m* ⟨**-es, -e**⟩ **1.** TEX felt; ***grüner ~*** green baize **2.** (*infml*) (≈ *Korruption*) corruption; (POL *pej*) sleaze (*infml*) **filzen** ['fɪltsn] **I** *v/i* TEX to felt, to go felty **II** *v/t* (*infml*) (≈ *durchsuchen*) to search; (≈ *berauben*) to do over (*infml*) **Filzhut** *m* felt hat **Filzokratie** [fɪltsokra'tiː] *f* ⟨-, **-n** [-'tiːən]⟩ (POL *pej*) web of patronage and nepotism, spoils system (*US*) **Filzpantoffel** *m* (carpet) slipper **Filzschreiber, Filzstift** *m* felt(-tip) pen, felt-tip
Fimmel ['fɪml] *m* ⟨**-s, -**⟩ (*infml*) **1.** (≈ *Tick*) mania **2.** (≈ *Spleen*) obsession (*mit* about)
Finale [fi'naːlə] *nt* ⟨**-s, -s** *or* **-**⟩ MUS finale; SPORTS final, finals *pl* **Finalgegner** *m* SPORTS opponent in the final
Finanzamt *nt* tax office **Finanzbeamte(r)** *m decl as adj*, **Finanzbeamtin** *f* tax official **Finanzbehörde** *f* tax authority **Finanzbuchhalter(in)** *m/(f)* financial accountant **Finanzen** [fi'nantsn] *pl* finances *pl* **finanziell** [finan'tsiɛl] **I** *adj* financial **II** *adv* financially **finanzierbar** *adj* ***es ist nicht ~*** it cannot be funded **finanzieren** [finan'tsiːrən] *past part* ***finanziert*** *v/t* to finance, to fund **Finanzierung** *f* ⟨-, **-en**⟩ financing **Finanzierungsgesellschaft** *f* finance company **Finanzjahr** *nt* financial year **finanzkräftig** *adj* financially strong **Finanzkrise** *f* financial crisis **Finanzlage** *f* financial situation **Finanzmärkte** *pl* financial *or* finance markets *pl* **Finanzminister(in)** *m/(f)* ≈ Chancellor of the Exchequer (*Br*), ≈ Treasury Secretary (*US*), finance minister **Finanzministerium** *nt* Ministry of Finance, Treasury (*Br*), Treasury Department (*US*) **Finanzpolitik** *f* financial policy; (≈ *Wissenschaft, Disziplin*) politics of finance **finanzschwach** *adj* financially weak **finanzstark** *adj* financially strong **Finanzwelt** *f* financial world **Finanzwesen** *nt*, *no pl* financial system
finden ['fɪndn] *pret* ***fand*** [fant], *past part* ***gefunden*** [gə'fʊndn] **I** *v/t* **1.** to find; ***es ließ sich niemand ~*** there was nobody to be found; ***etwas an jdm ~*** to see something in sb; ***nichts dabei ~*** to think nothing of it; → ***gefunden*** **2.** (≈ *betrachten*) to think; ***es kalt ~*** to find it cold; ***etw gut ~*** to think (that) sth is good; ***jdn nett ~*** to think (that) sb is nice; ***wie findest du das?*** what do you think? **II** *v/i* ***er findet nicht nach Hause*** he can't find his *or* the way home; ***zu sich selbst ~*** to sort oneself out **III** *v/t & v/i* (≈ *meinen*) to

think; **~ *Sie* (*das*)?** do you think so?; ***ich finde* (*das*) *nicht*** I don't think so **IV** *v/r* **1.** (≈ *zum Vorschein kommen*) to be found; ***das wird sich* (*alles*) ~** it will (all) turn up; (≈ *sich herausstellen*) it'll all come out (*infml*) **2.** (*Mensch* ≈ *zu sich finden*) to sort oneself out **3.** (≈ *sich treffen*) (*lit*) to find each other; (*fig*) to meet **Finder** ['fɪndɐ] *m* ⟨**-s, -**⟩, **Finderin** [-ərɪn] *f* ⟨**-, -nen**⟩ finder **Finderlohn** *m* reward for the finder **findig** ['fɪndɪç] *adj* resourceful

Finesse [fi'nɛsə] *f* ⟨**-, -n**⟩ (≈ *Feinheit*) refinement *no pl*: (≈ *Kunstfertigkeit*) finesse; ***mit allen ~n*** with every refinement

Finger ['fɪŋɐ] *m* ⟨**-s, -**⟩ finger; ***mit ~n auf jdn zeigen*** (*fig*) to look askance at sb; ***jdm eins auf die ~ geben*** to give sb a rap across the knuckles; (***nimm/lass die***) ***~ weg!*** (get/keep your) hands off!; ***er hat überall seine ~ drin*** (*infml*) he has a finger in every pie (*infml*); ***die ~ von jdm/etw lassen*** (*infml*) to keep away from sb/sth; ***sich*** (*dat*) ***an etw*** (*dat*) ***die ~ verbrennen*** to get one's fingers burned in sth; ***jdm*** (***scharf***) ***auf die ~ sehen*** to keep an eye *or* a close eye on sb; ***sich*** (*dat*) ***etw aus den ~n saugen*** to dream sth up; ***keinen ~ krumm machen*** (*infml*) not to lift a finger (*infml*); ***jdn um den kleinen ~ wickeln*** to twist sb (a)round one's little finger **Fingerabdruck** *m* fingerprint; ***genetischer ~*** genetic fingerprint **Fingerfertigkeit** *f* dexterity **Fingerfood** *nt* ⟨**-(s)**, *no pl*⟩, **Finger-Food** ['fɪŋɐfu:t] *nt* ⟨**-(s)**, *no pl*⟩ finger food **Fingergelenk** *nt* finger joint **Fingerhakeln** [-ha:kəln] *nt* ⟨**-s**, *no pl*⟩ finger-wrestling **Fingerhandschuh** *m* glove **Fingerhut** *m* **1.** SEWING thimble **2.** BOT foxglove **Fingerkuppe** *f* fingertip **fingern** ['fɪŋɐn] **I** *v/i* ***an*** *or* ***mit etw*** (*dat*) **~** to fiddle with sth; ***nach etw ~*** to fumble (around) for sth **II** *v/t* (≈ *manipulieren*) to fiddle (*infml*) **Fingernagel** *m* fingernail **Fingerspitze** *f* fingertip, tip of one's finger **Fingerspitzengefühl** *nt*, *no pl* (≈ *Einfühlungsgabe*) instinctive feel; (*im Umgang mit Menschen*) tact and sensitivity **Fingerzeig** [-tsaik] *m* ⟨**-s, -e** [-gə]⟩ hint; ***etw als ~ Gottes/des Schicksals empfinden*** to regard sth as a sign from God/as meant

fingieren [fɪŋ'gi:rən] *past part* ***fingiert*** *v/t* (≈ *vortäuschen*) to fake; (≈ *erdichten*) to fabricate **fingiert** [fɪŋ'gi:ɐt] *adj* (≈ *vorgetäuscht*) bogus; (≈ *erfunden*) fictitious

Finish ['fɪnɪʃ] *nt* ⟨**-s, -s**⟩ **1.** (≈ *Endverarbeitung*) finish **2.** (SPORTS ≈ *Endspurt*) final spurt

finit [fi'ni:t] *adj* GRAM finite

Fink [fɪŋk] *m* ⟨**-en, -en**⟩ finch

Finne[1] ['fɪnə] *f* ⟨**-, -n**⟩ (≈ *Rückenflosse*) fin

Finne[2] *m* ⟨**-n, -n**⟩ Finn, Finnish man/boy **Finnin** ['fɪnɪn] *f* ⟨**-, -nen**⟩ Finn, Finnish woman/girl **finnisch** ['fɪnɪʃ] *adj* Finnish **Finnland** ['fɪnlant] *nt* ⟨**-s**⟩ Finland

Finnwal ['fɪnva:l] *m* finback

finster ['fɪnstɐ] **I** *adj* **1.** dark; ***im Finstern*** in the dark **2.** (≈ *dubios*) shady **3.** (≈ *mürrisch, düster*) grim **4.** (≈ *unheimlich*) sinister **II** *adv* (≈ *mürrisch*) grimly; ***es sieht ~ aus*** (*fig*) things look bleak **Finsternis** ['fɪnstɐnɪs] *f* ⟨**-, -se**⟩ **1.** darkness **2.** ASTRON eclipse

Firewall ['faiɐwɔ:l] *f* ⟨**-, -s**⟩ IT firewall

Firlefanz ['fɪrləfants] *m* ⟨**-es**, *no pl*⟩ (*infml*) **1.** (≈ *Kram*) frippery **2.** (≈ *Albernheit*) clowning *or* fooling around

firm [fɪrm] *adj pred* ***in einem Fachgebiet ~ sein*** to have a sound knowledge of an area

Firma ['fɪrma] *f* ⟨**-, *Firmen*** ['fɪrmən]⟩ company, firm; (≈ *Kleinbetrieb*) business

Firmament [fɪrma'mɛnt] *nt* ⟨**-s**, *no pl*⟩ (*liter*) heavens *pl* (*liter*)

Firmenchef(in) *m*/(*f*) head of the company, (company) president (*esp US*) **Firmeninhaber(in)** *m*/(*f*) owner of the company **Firmenleitung** *f* (company) management **Firmenname** *m* company name **Firmenregister** *nt* register of companies **Firmensitz** *m* company headquarters *sg or pl* **Firmenstempel** *m* company stamp **Firmenwagen** *m* company car **Firmenzeichen** *nt* trademark **firmieren** [fɪr'mi:rən] *past part* ***firmiert*** *v/i* ***als*** *or* ***mit ... ~*** (COMM, *fig*) to trade under the name of ...

Firmung *f* ⟨**-, -en**⟩ REL confirmation

Firn [fɪrn] *m* ⟨**-(e)s, -e**⟩ névé, firn

Firnis ['fɪrnɪs] *m* ⟨**-ses, -se**⟩ (≈ *Ölfirnis*) oil; (≈ *Lackfirnis*) varnish

First [fɪrst] *m* ⟨**-(e)s, -e**⟩ (≈ *Dachfirst*) (roof) ridge

Fis [fɪs] *nt* ⟨**-, -**⟩, **fis** [fɪs] *nt* ⟨**-, -**⟩ MUS F sharp

Fisch [fɪʃ] *m* ⟨**-(e)s, -e**⟩ **1.** fish; ***~e/drei ~e fangen*** to catch fish/three fish(es); ***ein großer*** *or* ***dicker ~*** (*fig infml*) a big fish; ***ein kleiner ~*** one of the small fry; ***weder ~ noch Fleisch*** neither fish nor fowl **2.** ASTROL Pisces; ***ein ~ sein*** to be Pisces *or* a Piscean **fischarm** *adj Gewässer* low in fish **Fischbecken** *nt* fishpond **Fischbestand** *m* fish population **fischen** ['fɪʃn] *v/t & v/i* to fish; **(*auf*) *Heringe ~*** to fish for herring **Fischer** ['fɪʃɐ] *m* ⟨**-s, -**⟩, **Fischerin** [-ərɪn] *f* ⟨**-, -nen**⟩ fisherman/-woman **Fischerboot** *nt* fishing boat **Fischerdorf** *nt* fishing village **Fischerei** [fɪʃə'rai] *f* ⟨**-, -en**⟩ **1.** (≈ *das Fangen*) fishing **2.** (≈ *Fischereigewerbe*) fishing industry **Fischereigrenze** *f* fishing limit **Fischereihafen** *m* fishing port **Fischernetz** *nt* fishing net **Fischfang** *m*, *no pl* ***vom ~ leben*** to live by fishing **Fischfarm** *f* fish farm **Fischfilet** *nt* fish fillet **Fischfrikadelle** *f* fishcake **Fischfutter** *nt* fish food **Fischgeschäft** *nt* fishmonger's (shop) (*Br*), fish shop (*Br*) *or* dealer (*US*) **Fischgräte** *f* fish bone **Fischgrätenmuster** *nt* herringbone (pattern) **Fischhändler(in)** *m*/(*f*) fishmonger (*Br*), fish dealer (*US*) **Fischkutter** *m* fishing cutter **Fischmarkt** *m* fish market **Fischmehl** *nt* fish meal **Fischotter** *m* otter **fischreich** *adj Gewässer* rich in fish **Fischstäbchen** *nt* fish finger (*Br*), fish stick (*US*) **Fischsterben** *nt* death of fish **Fischsuppe** *f* COOK fish soup **Fischwirtschaft** *f* fishing industry **Fischzucht** *f* fish-farming

fiskalisch [fɪs'ka:lɪʃ] *adj* fiscal **Fiskus** ['fɪskʊs] *m* ⟨**-, -se** *or* ***Fisken*** ['fɪskn]⟩ (*fig* ≈ *Staat*) Treasury

Fisolen [fi'zo:lən] *pl* (*Aus*) green beans *pl*

Fistelstimme *f* falsetto (voice)

fit [fɪt] *adj* fit; ***sich ~ halten/machen*** to keep/get fit **Fitness** ['fɪtnɛs] *f* ⟨**-**, *no pl*⟩ physical fitness **Fitnesscenter** *nt* fitness centre (*Br*) *or* center (*US*) **Fitnesslehrer(in)** *m*/(*f*), **Fitnesstrainer(in)** *m*/(*f*) fitness instructor

Fittich ['fɪtɪç] *m* ⟨**-(e)s, -e**⟩ ***jdn unter seine ~e nehmen*** (*hum*) to take sb under one's wing (*fig*)

fix [fɪks] **I** *adj* **1.** (*infml*) (≈ *flink*) quick; (≈ *intelligent*) bright, smart **2.** (*infml*) ***~ und fertig sein*** (≈ *nervös*) to be at the end of one's tether (*Br*) *or* rope (*US*); (≈ *erschöpft*) to be done in (*infml*), to be all in (*infml*); (*emotional*) to be shattered **3.** (≈ *feststehend*) fixed; ***~e Idee*** obsession, idée fixe **II** *adv* (*infml* ≈ *schnell*) quickly; ***das geht ganz ~*** that won't take long at all

fixen ['fɪksn] *v/i* (*infml* ≈ *Drogen spritzen*) to fix (*infml*), to shoot (up) (*infml*) **Fixer** ['fɪksɐ] *m* ⟨**-s, -**⟩, **Fixerin** [-ərɪn] *f* ⟨**-, -nen**⟩ (*infml*) junkie (*infml*) **Fixerstube** *f* (*infml*) junkies' centre (*Br*) *or* center (*US*, *infml*)

fixieren [fɪ'ksi:rən] *past part* ***fixiert*** *v/t* **1.** (≈ *anstarren*) ***jdn/etw*** **(*mit seinen Augen*) *~*** to fix one's eyes on sb/sth **2.** (≈ *festlegen*) to specify, to define; *Gehälter etc* to set (*auf +acc* for); (≈ *schriftlich niederlegen*) to record; ***er ist zu stark auf seine Mutter fixiert*** PSYCH he has a mother fixation **Fixierung** *f* ⟨**-, -en**⟩ PSYCH fixation

Fixing ['fɪksɪŋ] *nt* ⟨**-s**, *no pl*⟩ FIN fixing

Fixkosten *pl* fixed costs *pl*

Fixpunkt *m* fixed point

Fixstern *m* fixed star

Fjord [fjɔrt] *m* ⟨**-(e)s, -e** [-də]⟩ fiord

FKK [ɛfka:'ka:] *no art* ⟨**-**⟩ *abbr of* ***Freikörperkultur***; ***~-Anhänger(in) sein*** to be a nudist *or* naturist **FKK-Strand** [ɛfka:'ka:-] *m* nudist beach

flach [flax] **I** *adj* **1.** flat; *Abhang* gentle; ***auf dem ~en Land*** in the middle of the country **2.** (≈ *untief, oberflächlich*) shallow **II** *adv* ***~ atmen*** to take shallow breaths; ***sich ~ hinlegen*** to lie down **Flachbau** *m*, *pl* ***-bauten*** low building **Flachbildschirm** *m* TV flat screen **flachbrüstig** [-brʏstɪç] *adj* flat-chested **Flachdach** *nt* flat roof

Fläche ['flɛçə] *f* ⟨**-, -n**⟩ area; (≈ *Oberfläche*) surface **Flächenbrand** *m* extensive fire **flächendeckend** *adj* extensive **Flächeninhalt** *m* area **Flächenmaß** *nt* unit of square measure

flachfallen *v/i sep irr aux sein* (*infml*) not to come off; (*Regelung*) to end **Flachheit** *f* ⟨**-, -en**⟩ flatness; (≈ *Oberflächlichkeit*) shallowness **Flachland** *nt* lowland; (≈ *Tiefland*) plains *pl* **Flachmann** *m*, *pl* ***-männer*** (*infml*) hip flask

Flachs [flaks] *m* ⟨**-es**, *no pl*⟩ **1.** BOT, TEX flax **2.** (*infml* ≈ *Witzelei*) kidding (*infml*); (≈ *Bemerkung*) joke **flachsen** ['flaksn] *v/i* (*infml*) to kid around (*infml*)

flackern ['flakɐn] *v/i* to flicker
Fladen ['fla:dn] *m* ⟨**-s, -**⟩ **1.** COOK round flat dough-cake **2.** (*infml* ≈ *Kuhfladen*) cowpat (*Br*), cow dung **Fladenbrot** *nt* unleavened bread
Flädlisuppe ['flɛ:dli-] *f* (*Swiss*) pancake soup
Flagge ['flagə] *f* ⟨**-, -n**⟩ flag **flaggen** ['flagn] *v/i* to fly flags/a flag **Flaggschiff** ['flak-] *nt* flagship
Flair [flɛ:ɐ] *nt or* (*rare*) *m* ⟨**-s,** *no pl*⟩ (*elev*) aura; (*esp Swiss* ≈ *Gespür*) flair
Flak [flak] *f* ⟨**-, -(s)**⟩ **1.** anti-aircraft gun **2.** (≈ *Einheit*) anti-aircraft unit
Flakon [fla'kõ:] *nt or m* ⟨**-s, -s**⟩ bottle, flacon
flambieren [flam'bi:rən] *past part* ***flambiert*** *v/t* COOK to flambé
Flamingo [fla'mɪŋgo] *m* ⟨**-s, -s**⟩ flamingo
flämisch ['flɛ:mɪʃ] *adj* Flemish
Flamme ['flamə] *f* ⟨**-, -n**⟩ flame; ***in ~n aufgehen*** to go up in flames; ***in*** (***hellen***) ***~n stehen*** to be ablaze; ***etw auf kleiner ~ kochen*** to cook sth on a low flame **Flammenmeer** *nt* sea of flames **Flammenwerfer** *m* flame-thrower
Flanell [fla'nɛl] *m* ⟨**-s, -e**⟩ flannel
Flanke ['flaŋkə] *f* ⟨**-, -n**⟩ **1.** flank; (*von Bus etc*) side **2.** SPORTS flank-vault; FTBL cross
flanken ['flaŋkn] *v/i* FTBL to centre (*Br*), to center (*US*) **flankieren** [flaŋ'ki:rən] *past part* ***flankiert*** *v/t* to flank; ***~de Maßnahmen*** supporting measures
Flansch [flanʃ] *m* ⟨**-(e)s, -e**⟩ flange
flapsig ['flapsɪç] *adj* (*infml*) *Benehmen* cheeky (*Br*), fresh (*US*); *Bemerkung* offhand
Fläschchen ['flɛʃçən] *nt* ⟨**-s, -**⟩ bottle
Flasche ['flaʃə] *f* ⟨**-, -n**⟩ **1.** bottle; ***mit der ~ aufziehen*** to bottle-feed; ***eine ~ Wein/Bier*** *etc* a bottle of wine/beer *etc*; ***aus der ~ trinken*** to drink (straight) out of *or* from the bottle **2.** (*infml* ≈ *Versager*) complete loser (*infml*) **Flaschenbier** *nt* bottled beer **flaschengrün** *adj* bottle-green **Flaschenhals** *m* neck of a bottle; (*fig*) bottleneck **Flaschenkind** *nt* bottle-fed baby **Flaschenöffner** *m* bottle opener **Flaschenpfand** *nt* deposit on bottles **Flaschenpost** *f* message in a/the bottle **Flaschenwein** *m* bottled wine **Flaschenzug** *m* block and tackle
flatterhaft *adj* fickle **flattern** ['flatɐn] *v/i bei Richtungsangabe aux sein* to flutter; (*Fahne, Segel*) to flap; (*Haar*) to stream
flau [flau] *adj* **1.** *Wind* slack **2.** *Geschmack* insipid; *Stimmung* flat **3.** (≈ *übel*) queasy; (*vor Hunger*) faint; ***mir ist ~*** (***im Magen***) I feel queasy **4.** COMM *Markt* slack
Flaum [flaum] *m* ⟨**-(e)s,** *no pl*⟩ (≈ *Flaumfedern, auf Obst*) down
flauschig ['flauʃɪç] *adj* fleecy; (≈ *weich*) soft
Flausen ['flauzn] *pl* (*infml*) (≈ *Unsinn*) nonsense; (≈ *Illusionen*) fancy ideas *pl* (*infml*)
Flaute ['flautə] *f* ⟨**-, -n**⟩ **1.** METEO calm **2.** (*fig*) (COMM) lull, slack period
Flechte ['flɛçtə] *f* ⟨**-, -n**⟩ BOT, MED lichen
flechten ['flɛçtn] *pret* ***flocht*** [flɔxt], *past part* ***geflochten*** [gə'flɔxtn] *v/t Haar* to plait (*Br*), to braid (*esp US*); *Kranz, Korb* to weave; *Seil* to make
Fleck [flɛk] *m* ⟨**-(e)s, -e** *or* **-en**⟩ **1.** (≈ *Schmutzfleck*) stain **2.** (≈ *Farbfleck*) splotch; (*auf Obst*) blemish **3.** (≈ *Stelle*) spot, place; ***sich nicht vom ~ rühren*** not to move *or* budge (*infml*); ***nicht vom ~ kommen*** not to get any further; ***vom ~ weg*** right away **Fleckchen** ['flɛkçən] *nt* ⟨**-s, -**⟩ ***ein schönes ~*** (***Erde***) a lovely little spot **fleckenlos** *adj* spotless **Fleckentferner** [-|ɛntfɛrnɐ] *m* ⟨**-s, -**⟩ stain-remover **fleckig** ['flɛkɪç] *adj* marked; *Obst* blemished
Fledermaus ['fle:dɐ-] *f* bat
Flegel ['fle:gl] *m* ⟨**-s, -**⟩ **1.** (≈ *Lümmel*) lout, yob (*Br infml*); (≈ *Kind*) brat (*infml*) **2.** (≈ *Dreschflegel*) flail **Flegelalter** *nt* awkward adolescent phase **flegelhaft** *adj* uncouth **flegeln** ['fle:gln] *v/r* to loll, to sprawl
flehen ['fle:ən] *v/i* (*elev*) to plead (*um* for, *zu* with) **flehentlich** ['fle:əntlɪç] **I** *adj* imploring, pleading **II** *adv* imploringly, pleadingly; ***jdn ~ bitten*** to plead with sb
Fleisch [flaiʃ] *nt* ⟨**-(e)s,** *no pl*⟩ **1.** (≈ *Gewebe*) flesh; ***sich*** (*dat or acc*) ***ins eigene ~ schneiden*** to cut off one's nose to spite one's face; ***sein eigen ~ und Blut*** (*elev*) his own flesh and blood; ***jdm in ~ und Blut übergehen*** to become second nature to sb **2.** (≈ *Nahrungsmittel*) meat; (≈ *Fruchtfleisch*) flesh; ***~ fressend*** = ***fleischfressend***; ***~ verarbeitend*** meat-processing **Fleischbrühe** *f* (≈ *Gericht*) bouillon; (≈ *Fond*) meat stock **Fleischer** ['flaiʃɐ] *m* ⟨**-s, -**⟩, **Fleischerin** [-ərɪn] *f* ⟨**-, -nen**⟩ butcher **Fleischerei**

[flaiʃə'rai] *f* ⟨**-, -en**⟩ butcher's (shop) (*Br*), butcher (shop) (*US*) **fleischfarben** [-farbn] flesh-coloured (*Br*), flesh-colored (*US*) **fleischfressend** *adj* carnivorous; ***Fleisch fressende Tiere*** carnivores, carnivorous animals **Fleischhauer(in)** *m*/(*f*) (*Aus*) butcher **Fleischhauerei** *f* (*Aus*) = ***Fleischerei*** **fleischig** ['flaiʃɪç] *adj* fleshy **Fleischkäse** *m* meat loaf **Fleischkloß** *m* meatball **Fleischküchle** [-kyːçlə] *nt* (*S Ger*), **Fleischlaiberl** [-laɪbɐl] *nt* (*Aus*) (≈ *Frikadelle*) meatball **fleischlich** ['flaiʃlɪç] *adj attr Speisen, Kost* meat **fleischlos** **I** *adj* (≈ *ohne Fleisch*) meatless; *Kost, Ernährung* vegetarian **II** *adv* ***~ essen*** to eat no meat **Fleischpflanzerl** [-pflantsɐl] *nt* ⟨**-s, -n**⟩ (*S Ger* ≈ *Frikadelle*) meatball **Fleischsalat** *m* diced meat salad with mayonnaise **Fleischtomate** *f* beef tomato **Fleischvergiftung** *f* food poisoning (*from meat*) **Fleischwolf** *m* mincer (*Br*), meat grinder (*esp US*); ***jdn durch den ~ drehen*** (*infml*) to put sb through the mill **Fleischwunde** *f* flesh wound **Fleischwurst** *f* pork sausage

Fleiß [flais] *m* ⟨**-(e)s**, *no pl*⟩ diligence; (≈ *Beharrlichkeit*) application; (*als Charaktereigenschaft*) industriousness; ***mit ~ kann es jeder zu etwas bringen*** anybody can succeed if they work hard; ***mit ~ bei der Sache sein*** to work hard; ***ohne ~ kein Preis*** (*prov*) no pain, no gain **fleißig** ['flaisɪç] **I** *adj* **1.** (≈ *arbeitsam*) hard-working *no adv*, industrious **2.** (≈ *Fleiß zeigend*) diligent, painstaking **II** *adv* ***~ studieren/arbeiten*** to study/work hard

flektieren [flɛk'tiːrən] *past part* ***flektiert*** *v/t* to inflect (*form*); *Substantiv, Adjektiv* to decline; *Verb* to conjugate

flennen ['flɛnən] *v/i* (*pej infml*) to blub(-ber) (*infml*)

fletschen ['flɛtʃn] *v/t* ***die Zähne ~*** to bare one's teeth

flexibel [flɛ'ksiːbl] **I** *adj* flexible **II** *adv* flexibly **Flexibilität** [flɛksibili'tɛːt] *f* ⟨**-**, *no pl*⟩ flexibility

Flexion [flɛ'ksioːn] *f* ⟨**-, -en**⟩ GRAM inflection

flicken ['flɪkn] *v/t* to mend; (*mit Flicken*) to patch **Flicken** ['flɪkn] *m* ⟨**-s, -**⟩ patch **Flickenteppich** *m* rag rug **Flickwerk** *nt* ***die Reform war reinstes ~*** the reform had been carried out piecemeal **Flickzeug** *nt*, *pl* ***-zeuge*** SEWING sewing kit; (*für Reifen*) (puncture) repair kit

Flieder ['fliːdɐ] *m* ⟨**-s, -**⟩ lilac

Fliege ['fliːgə] *f* ⟨**-, -n**⟩ **1.** fly; ***wie die ~n*** like flies; ***er tut keiner ~ etwas zuleide*** (*fig*) he wouldn't hurt a fly; ***zwei ~n mit einer Klappe schlagen*** (*prov*) to kill two birds with one stone (*prov*); ***die ~ machen*** (*sl*) to beat it (*infml*) **2.** (≈ *Schlips*) bow tie **fliegen** ['fliːgn] *pret* ***flog*** [floːk], *past part* ***geflogen*** [gə'floːgn] **I** *v/i aux sein* **1.** to fly; ***die Zeit fliegt*** time flies; ***auf jdn/etw ~*** (*infml*) to be crazy about sb/sth (*infml*) **2.** (*infml*) ***von der Leiter ~*** to fall off the ladder; ***durchs Examen ~*** to fail *or* flunk (*infml*) one's exam; ***aus der Firma ~*** to get the sack (*infml*); ***von der Schule ~*** to be chucked out of school (*infml*) **3.** ***geflogen kommen*** to come flying; ***in den Papierkorb ~*** to go into the wastepaper basket **II** *v/t* to fly **fliegend** *adj attr* flying; ***~er Händler*** travelling (*Br*) *or* traveling (*US*) hawker; ***~er Teppich*** flying carpet; ***~e Hitze*** hot flushes *pl* (*Br*) *or* flashes *pl* (*US*) **Fliegenfänger** *m* (≈ *Klebestreifen*) flypaper **Fliegengewicht** *nt* flyweight **Fliegengitter** *nt* fly screen **Fliegenklatsche** [-klatʃə] *f* ⟨**-, -n**⟩ fly swat **Fliegenpilz** *m* fly agaric **Flieger** ['fliːgɐ] *m* ⟨**-s, -**⟩ **1.** (≈ *Pilot*) airman; (MIL: *Rang*) aircraftman (*Br*), airman basic (*US*) **2.** (*infml* ≈ *Flugzeug*) plane **Fliegeralarm** *m* MIL air-raid warning **Fliegerangriff** *m* MIL air raid **Fliegerin** ['fliːgərɪn] *f* ⟨**-, -nen**⟩ (≈ *Pilotin*) airwoman **Fliegerjacke** *f* bomber jacket

fliehen ['fliːən] *pret* ***floh*** [floː], *past part* ***geflohen*** [gə'floːən] *v/i aux sein* to flee (*vor +dat* from); (≈ *entkommen*) to escape (*aus* from); ***vor jdm ~*** to flee from sb; ***aus dem Lande ~*** to flee the country **fliehend** *adj Kinn* receding; *Stirn* sloping

Fliese ['fliːzə] *f* ⟨**-, -n**⟩ tile; ***~n legen*** to lay tiles **Fliesenleger** [-leːgɐ] *m* ⟨**-s, -**⟩, **Fliesenlegerin** [-ərɪn] *f* ⟨**-, -nen**⟩ tiler

Fließband *nt*, *pl* ***-bänder*** conveyor belt; (*als Einrichtung*) assembly *or* production line; ***am ~ arbeiten*** to work on the assembly *or* production line **fließen** ['fliːsn] *pret* ***floss*** [flɔs], *past part* ***geflossen*** [gə'flɔsn] *v/i aux sein* to flow; (*Tränen*) to run; ***es ist genug Blut geflossen*** enough blood has been shed **fließend** **I** *adj* flowing; *Leitungswasser* running; *Verkehr* moving; *Rede, Spra-*

che fluent; *Grenze, Übergang* fluid **II** *adv sprechen* fluently **Fließheck** *nt* fastback
flimmerfrei *adj* OPT, PHOT flicker-free **flimmern** ['flɪmɐn] *v/i* to shimmer; FILM, TV to flicker
flink [flɪŋk] **I** *adj* (≈ *geschickt*) nimble; (≈ *schnell*) quick **II** *adv arbeiten* quickly; *springen* nimbly; ***ein bisschen ~!*** (*infml*) get a move on! (*infml*)
Flinte ['flɪntə] *f* ⟨**-, -n**⟩ (≈ *Schrotflinte*) shotgun; ***die ~ ins Korn werfen*** (*fig*) to throw in the towel
Flipchart ['flɪptʃaːɐt]
Flip-Chart *f* flip chart
Flipper ['flɪpɐ] *m* ⟨**-s, -**⟩ pinball machine **flippern** ['flɪpɐn] *v/i* to play pinball
Flirt [flɪrt, fløːɐt, flœrt] *m* ⟨**-s, -s**⟩ (≈ *Flirten*) flirtation **flirten** ['flɪrtn, 'fløːɐtn, 'flœrtn] *v/i* to flirt
Flittchen ['flɪtçən] *nt* ⟨**-s, -**⟩ (*pej infml*) slut
Flitterwochen ['flɪtɐ-] *pl* honeymoon *sg*; ***in die ~ fahren/in den ~ sein*** to go / be on one's honeymoon
flitzen ['flɪtsn] *v/i aux sein* (*infml*) **1.** (≈ *sich schnell bewegen*) to dash **2.** (≈ *nackt rennen*) to streak; (***das***) ***Flitzen*** streaking
floaten ['floːtn] *v/t & v/i* FIN to float; ***~*** (***lassen***) to float
Flocke ['flɔkə] *f* ⟨**-, -n**⟩ flake; (≈ *Schaumflocke*) blob (of foam); (≈ *Staubflocke*) ball (of fluff) **flockig** ['flɔkɪç] *adj* (*lit*) fluffy; (*fig*) lively
Floh [floː] *m* ⟨**-(e)s, ⸚e** ['fløːə]⟩ ZOOL flea; ***jdm einen ~ ins Ohr setzen*** (*infml*) to put an idea into sb's head; ***die Flöhe husten hören*** (*infml*) to imagine things **Flohmarkt** *m* flea market **Flohzirkus** *m* flea circus
Flop [flɔp] *m* ⟨**-s, -s**⟩ flop (*infml*)
Flora ['floːra] *f* ⟨**-, Floren** ['floːrən]⟩ flora
Florenz [flo'rɛnts] *nt* ⟨**-' or -ens**⟩ Florence
Florett [flo'rɛt] *nt* ⟨**-(e)s, -e**⟩ (≈ *Waffe*) foil
florieren [flo'riːrən] *past part* ***floriert*** *v/i* to flourish **Florist** [flo'rɪst] *m* ⟨**-en, -en**⟩, **Floristin** [-'rɪstɪn] *f* ⟨**-, -nen**⟩ florist
Floskel ['flɔskl] *f* ⟨**-, -n**⟩ set phrase **floskelhaft** *adj Stil, Rede* cliché-ridden; *Ausdrucksweise* stereotyped
Floß [floːs] *nt* ⟨**-es, ⸚e** ['fløːsə]⟩ raft
Flosse ['flɔsə] *f* ⟨**-, -n**⟩ **1.** (≈ *Fischflosse*) fin; (≈ *Walflosse, Robbenflosse, Taucherflosse*) flipper **2.** (AVIAT, NAUT ≈ *Leitwerk*) fin
Floßfahrt *f* raft trip
Flöte ['fløːtə] *f* ⟨**-, -n**⟩ **1.** pipe; (≈ *Querflöte, Orgelflöte*) flute; (≈ *Blockflöte*) recorder **2.** (≈ *Kelchglas*) flute glass **flöten** ['fløːtn] **I** *v/i* MUS to play the flute; (≈ *Blockflöte spielen*) to play the recorder **II** *v/t & v/i* (*Vogel, fig infml*) to warble **flöten gehen** *v/i aux sein* (*infml*) to go to the dogs (*infml*) **Flötenkessel** *m* whistling kettle **Flötist** [flø'tɪst] *m* ⟨**-en, -en**⟩, **Flötistin** [-'tɪstɪn] *f* ⟨**-, -nen**⟩ piper; (*von Querflöte*) flautist
flott [flɔt] **I** *adj* **1.** (≈ *zügig*) *Fahrt* quick; *Tempo* brisk; *Bedienung* speedy (*infml*); (≈ *schwungvoll*) *Musik* lively **2.** (≈ *chic*) smart **3.** *pred* ***wieder ~ sein*** (*Schiff*) to be afloat again; (*Mensch*: *finanziell*) to be in funds again; (*Unternehmen*) to be back on its feet **II** *adv* **1.** (≈ *zügig*) quickly, speedily; ***ich komme ~ voran*** I'm making speedy progress **2.** (≈ *chic*) stylishly
Flotte ['flɔtə] *f* ⟨**-, -n**⟩ NAUT, AVIAT fleet **Flottenstützpunkt** *m* naval base
Flöz [fløːts] *nt* ⟨**-es, -e**⟩ MIN seam
Fluch [fluːx] *m* ⟨**-(e)s, ⸚e** ['flyːçə]⟩ curse **fluchen** ['fluːxn] *v/i* to curse (and swear); ***auf*** *or* ***über jdn/etw ~*** to curse sb / sth
Flucht [flʊxt] *f* ⟨**-, -en**⟩ **1.** flight (*vor +dat* from); ***die ~ ergreifen*** to take flight; ***auf der ~ sein*** to be fleeing; (*Gesetzesbrecher*) to be on the run; ***jdm zur ~ verhelfen*** to help sb to escape **2.** (≈ *Häuserflucht*) row; (≈ *Fluchtlinie*) alignment **fluchtartig** **I** *adj* hasty, hurried **II** *adv* hastily, hurriedly **Fluchtauto** *nt* escape car; (*von Gesetzesbrecher*) getaway car **flüchten** ['flʏçtn] *v/i aux sein* (≈ *davonlaufen*) to flee (*vor +dat* from); ***vor der Wirklichkeit ~*** to escape reality; ***sich in*** (***den***) ***Alkohol ~*** to take refuge in alcohol; ***sich in Ausreden ~*** to resort to excuses **Fluchtfahrzeug** *nt* escape vehicle; (*von Gesetzesbrecher*) getaway vehicle **Fluchtgefahr** *f* risk of escape, risk of an escape attempt **Fluchthelfer(in)** *m/(f)* escape helper **flüchtig** ['flʏçtɪç] **I** *adj* **1.** (≈ *geflüchtet*) fugitive; ***~ sein*** to be still at large **2.** (≈ *kurz*) fleeting, brief; *Gruß* brief **3.** (≈ *oberflächlich*)

cursory, sketchy **II** *adv* **1.** (≈ *kurz*) fleetingly, briefly; ***~ erwähnen*** to mention in passing **2.** (≈ *oberflächlich*) cursorily, superficially; ***etw ~ lesen*** to skim through sth; ***jdn ~ kennen*** to have met sb briefly **Flüchtigkeitsfehler** *m* careless mistake **Flüchtling** ['flʏçtlɪŋ] *m* ⟨***-s, -e***⟩ refugee **Flüchtlingslager** *nt* refugee camp **Fluchtversuch** *m* escape attempt *or* bid **Fluchtweg** *m* escape route

Flug [fluːk] *m* ⟨***-(e)s, ⸚e*** ['flyːgə]⟩ flight; ***im ~(e)*** in the air; ***wie im ~(e)*** (*fig*) in a flash **Flugabwehr** *f* air defence (*Br*) *or* defense (*US*) **Flugabwehrrakete** *f* anti-aircraft missile **Flugangst** *f* fear of flying **Flugbahn** *f* flight path; (≈ *Kreisbahn*) orbit **Flugbegleiter(in)** *m/(f)* flight attendant **flugbereit** *adj* ready for takeoff **Flugblatt** *nt* leaflet **Flugdatenschreiber** *m* flight recorder **Flugdauer** *f* flying time

Flügel ['flyːgl] *m* ⟨***-s, -***⟩ **1.** wing; (*von Hubschrauber, Ventilator*) blade; (≈ *Fensterflügel*) casement (*form*), side; (≈ *Lungenflügel*) lung; (≈ *Nasenflügel*) nostril; ***einem Vogel/jdm die ~ stutzen*** to clip a bird's/sb's wings **2.** (≈ *Konzertflügel*) grand piano, grand (*infml*) **Flügelhorn** *nt* MUS flugelhorn **Flügelkampf** *m* POL factional dispute **Flügelspanne** *f* wing span **Flügelstürmer** *m* SPORTS wing forward **Flügeltür** *f* leaved door (*form*); (*mit zwei Flügeln*) double door

Flugente *f* COOK muscovy duck **Fluggast** *m* (airline) passenger

flügge ['flʏgə] *adj* fully-fledged; ***~ werden*** (*lit*) to be able to fly; (*fig*) to leave the nest

Fluggepäck *nt* baggage **Fluggesellschaft** *f* airline (company) **Flughafen** *m* airport; ***auf dem ~*** at the airport **Flughafenbus** *m* airport bus **Flughafensteuer** *f* airport tax **Flughöhe** *f* AVIAT altitude **Flugkapitän(in)** *m/(f)* captain (of an/the aircraft) **Flugkörper** *m* flying object **Fluglärm** *m* aircraft noise **Fluglehrer(in)** *m/(f)* flying instructor **Fluglinie** *f* (≈ *Fluggesellschaft*) airline (company) **Fluglotse** *m*, **Fluglotsin** *f* air-traffic *or* flight controller **Flugmeile** *f* air mile **Flugnummer** *f* flight number **Flugobjekt** *nt* ***ein unbekanntes ~*** an unidentified flying object **Flugpersonal** *nt* flight personnel *pl* **Flugplan** *m* flight schedule **Flugplatz** *m* airfield; (*größer*) airport **Flugpreis** *m* air fare **Flugreise** *f* flight **Flugrettungsdienst** *m* air rescue service **Flugroute** *f* air route **Flugschein** *m* **1.** pilot's licence (*Br*) *or* license (*US*) **2.** (≈ *Flugticket*) plane *or* air ticket **Flugschreiber** *m* flight recorder **Flugschrift** *f* pamphlet **Flugschüler(in)** *m/(f)* trainee pilot **Flugsicherheit** *f* air safety **Flugsicherung** *f* air traffic control **Flugsimulator** *m* flight simulator **Flugsteig** [-ʃtaik] *m* ⟨***-(e)s, -e*** [-gə]⟩ gate **Flugstunde** *f* **1.** flying hour; ***zehn ~n entfernt*** ten hours away by air **2.** (≈ *Unterricht*) flying lesson **flugtauglich** *adj Pilot* fit to fly; *Flugzeug* airworthy **Flugticket** *nt* plane ticket **flugtüchtig** *adj* airworthy **fluguntauglich** *adj Pilot* unfit to fly; *Flugzeug* not airworthy **Flugunterbrechung** *f* stop **fluguntüchtig** *adj* not airworthy **Flugverbindung** *f* air connection **Flugverbot** *nt* flying ban **Flugverkehr** *m* air traffic **Flugzeit** *f* flying time **Flugzeug** *nt, pl* ***-zeuge*** aircraft, (aero)plane (*Br*), (air)plane (*US*); ***mit dem ~*** by air *or* plane **Flugzeugabsturz** *m* plane crash **Flugzeugbesatzung** *f* air crew, plane crew **Flugzeugentführer(in)** *m/(f)* (aircraft) hijacker, skyjacker **Flugzeugentführung** *f* (aircraft) hijacking, skyjacking **Flugzeughalle** *f* (aircraft) hangar **Flugzeugträger** *m* aircraft carrier **Flugzeugunglück** *nt* plane crash **Flugziel** *nt* destination

Fluidum ['fluːidʊm] *nt* ⟨***-s, Fluida*** [-da]⟩ (*fig*) aura; (*von Städten, Orten*) atmosphere

Fluktuation [flʊktua'tsioːn] *f* ⟨***-, -en***⟩ fluctuation (*+gen* in) **fluktuieren** [flʊktu'iːrən] *past part* ***fluktuiert*** *v/i* to fluctuate

Flunder ['flʊndɐ] *f* ⟨***-, -n***⟩ flounder

flunkern ['flʊŋkɐn] (*infml*) **I** *v/i* to tell stories **II** *v/t* to make up

Fluor ['fluːoːɐ] *nt* ⟨***-s, no pl***⟩ fluorine; (≈ *Fluorverbindung*) fluoride **Fluorchlorkohlenwasserstoff** *m* chlorofluorocarbon **fluoreszieren** [fluorɛs'tsiːrən] *past part* ***fluoresziert*** *v/i* to be luminous

Flur [fluːɐ] *m* ⟨***-(e)s, -e***⟩ corridor; (≈ *Hausflur*) hall **Flurschaden** *m damage to an agricultural area*; (*fig*) damage

Fluse ['fluːzə] *f* ⟨***-, -n***⟩ bit of fluff; (≈ *Wollfluse*) bobble

Fluss [flʊs] *m* ⟨***-es, ⸚e*** ['flʏsə]⟩ **1.** (≈ *Gewässer*) river; ***am ~*** by the river **2.** (≈ *Ver-*

lauf) flow; ***etw kommt in ~*** sth gets underway; ***im ~ sein*** (≈ *sich verändern*) to be in a state of flux **flussab(wärts)** [flʊs'|ap(vɛrts)] *adv* downstream, downriver **flussaufwärts** [flʊs'|aufvɛrts] *adv* upstream, upriver **Flussbett** *nt* riverbed **Flüsschen** ['flʏsçən] *nt* ⟨**-s, -**⟩ little river **Flussdiagramm** *nt* flow chart *or* diagram **flüssig** ['flʏsɪç] **I** *adj* **1.** (≈ *nicht fest*) liquid; *Honig, Lack* runny; (≈ *geschmolzen*) *Metall* molten **2.** (≈ *fließend*) *Stil, Spiel* fluid **3.** (≈ *verfügbar*) *Geld* available; ***ich bin im Moment nicht ~*** (*infml*) I'm out of funds at the moment **II** *adv* **1.** ***~ ernährt werden*** to be fed on liquids **2.** (≈ *fließend*) fluently; ***~ lesen/schreiben*** to read/write fluently **Flüssiggas** *nt* liquid gas **Flüssigkeit** *f* ⟨**-, -en**⟩ **1.** (≈ *flüssiger Stoff*) liquid **2.** *no pl* (*von Metall etc*) liquidity; (*von Geldern*) availability; (*von Stil*) fluidity **Flüssigkristall** *m* liquid crystal **Flüssigkristallanzeige** *f* liquid-crystal display **Flüssigseife** *f* liquid soap **Flusskrebs** *m* crayfish (*Br*), crawfish (*US*) **Flusslauf** *m* course of a/the river **Flussmündung** *f* river mouth; (*von Gezeitenfluss*) estuary **Flusspferd** *nt* hippopotamus

flüstern ['flʏstɐn] *v/t & v/i* to whisper **Flüsterpropaganda** *f* underground rumours (*Br*) *or* rumors (*US*) *pl*

Flut [fluːt] *f* ⟨**-, -en**⟩ **1.** (≈ *ansteigender Wasserstand*) incoming *or* flood tide; (≈ *angestiegener Wasserstand*) high tide; ***die ~ geht zurück*** the tide has turned *or* started to go out **2.** *usu pl* (≈ *Wassermasse*) waters *pl* **3.** (*fig* ≈ *Menge*) flood **Flutkatastrophe** *f* flood disaster **Flutlicht** *nt* floodlight **Flutwelle** *f* tidal wave

Föderalismus [fødera'lɪsmʊs] *m* ⟨**-,** *no pl*⟩ federalism **föderalistisch** [fødera'lɪstɪʃ] *adj* federalist **Föderation** [fødera'tsioːn] *f* ⟨**-, -en**⟩ federation **föderativ** [fødera'tiːf] *adj* federal

Fohlen ['foːlən] *nt* ⟨**-s, -**⟩ foal

Föhn [føːn] *m* ⟨**-(e)s, -e**⟩ **1.** (≈ *Wind*) foehn, föhn **2.** (≈ *Haartrockner*) hairdryer **föhnen** ['føːnən] *v/t* to dry

Föhre ['føːrə] *f* ⟨**-, -n**⟩ Scots pine (tree)

Folge ['fɔlgə] *f* ⟨**-, -n**⟩ **1.** (≈ *Reihenfolge*) order; (≈ *Aufeinanderfolge*) succession; MAT sequence; (≈ *Fortsetzung*) instalment (*Br*), installment (*US*); TV, RADIO episode; (≈ *Serie*) series **2.** (≈ *Ergebnis*) consequence; (≈ *unmittelbare Folge*) result; (≈ *Auswirkung*) effect; ***als ~ davon*** as a result (of that); ***dies hatte zur ~, dass ...*** the consequence *or* result of this was that ...; ***an den ~n eines Unfalls sterben*** to die as a result of an accident **3.** (*form*) ***einem Befehl ~ leisten*** to comply with an order **Folgeerscheinung** *f* result, consequence **Folgekosten** *pl* subsequent costs *pl* **folgen** ['fɔlgn] *v/i aux sein* to follow; ***auf etw*** (*acc*) **~** to follow sth, to come after sth; ***~ Sie mir (bitte)!*** come with me please; ***wie folgt*** as follows; ***können Sie mir ~?*** (≈ *verstehen*) do you follow (me)?; ***was folgt daraus für die Zukunft?*** what are the consequences of this for the future? **folgend** *adj* following; ***Folgendes*** the following; ***im Folgenden*** in the following; ***es handelt sich um Folgendes*** it's like this; (*schriftlich*) it concerns the following **folgendermaßen** ['fɔlgndɐ'maːsn] *adv* like this **folgenlos** *adj* without consequences; (≈ *wirkungslos*) ineffective **folgenreich** *adj* (≈ *bedeutsam*) momentous; (≈ *folgenschwer*) serious **folgenschwer** *adj* serious **folgerichtig** *adj* (logically) consistent **folgern** ['fɔlgɐn] *v/t* to conclude **Folgerung** ['fɔlgərʊŋ] *f* ⟨**-, -en**⟩ conclusion **Folgeschaden** *m* consequential damages **Folgezeit** *f* following period, period following **folglich** ['fɔlklɪç] *adv, cj* consequently, therefore

folgsam ['fɔlkzaːm] *adj* obedient

Folie ['foːliə] *f* ⟨**-, -n**⟩ (≈ *Plastikfolie*) film; (*für Projektor*) transparency; (≈ *Metallfolie*, COOK) foil **Folienkartoffel** *f* COOK jacket (*Br*) *or* baked potato (*baked in foil*) **Folienschreiber** *m* marker pen (*for overhead projector transparencies*)

Folklore [fɔlk'loːrə, 'fɔlkloːrə] *f* ⟨**-,** *no pl*⟩ folklore; (≈ *Volksmusik*) folk music **folkloristisch** [fɔlklo'rɪstɪʃ] *adj* folkloric; ***~e Musik*** folk music

Folsäure ['foːl-] *f, no pl* CHEM folic acid

Folter ['fɔltɐ] *f* ⟨**-, -n**⟩ torture; ***jdn auf die ~ spannen*** (*fig*) to keep sb on tenterhooks **Folterbank** *f, pl* ***-bänke*** rack **Folterer** ['fɔltərɐ] *m* ⟨**-s, -**⟩, **Folterin** [-ərɪn] *f* ⟨**-, -nen**⟩ torturer **Folterinstrument** *nt* instrument of torture **Folterkammer** *f* torture chamber **foltern** ['fɔltɐn] **I** *v/t* to torture **II** *v/i* to use torture **Folterung** ['fɔltərʊŋ] *f* ⟨**-, -en**⟩ torture **Folterwerkzeug** *nt* instrument of torture

Fon [foːn] *nt* ⟨**-s, -s**⟩ phon
Fön® [føːn] *m* ⟨**-(e)s, -e**⟩ hairdryer
Fond [fõː] *m* ⟨**-s, -s**⟩ **1.** (*elev* ≈ *Wagenfond*) back, rear **2.** (COOK ≈ *Fleischsaft*) meat juices *pl*
Fonds [fõː] *m* ⟨**-, -**⟩ **1.** (≈ *Geldreserve*) fund **2.** (FIN ≈ *Schuldverschreibung*) government bond
Fondue [fõ'dyː] *nt* ⟨**-s, -s** *or*⟩ *f* ⟨**-, -s**⟩ fondue
fönen ['føːnən] *v/t* → ***föhnen***
Fono- ['foːno-, foːno-] = ***Phono-***
Fontäne [fɔn'tɛːnə] *f* ⟨**-, -n**⟩ jet; (*elev* ≈ *Springbrunnen*) fountain
foppen ['fɔpn] *v/t* (*infml*) ***jdn*** **~** to pull sb's leg (*infml*)
forcieren [fɔr'siːrən] *past part* ***forciert*** *v/t* to push; *Tempo* to force; *Produktion* to push *or* force up **forciert** [fɔr'siːɐt] *adj* forced
Förderband *nt*, *pl* ***-bänder*** conveyor belt **Förderer** ['fœrdərɐ] *m* ⟨**-s, -**⟩, **Förderin** [-ərɪn] *f* ⟨**-, -nen**⟩ sponsor; (≈ *Gönner*) patron **Förderkorb** *m* mine cage **Förderkurs** *m* SCHOOL special classes *pl* **förderlich** ['fœrdɐlɪç] *adj* beneficial (*+dat* to) **Fördermittel** *pl* aid *sg*
fordern ['fɔrdɐn] *v/t* **1.** (≈ *verlangen*) to demand **2.** (*fig* ≈ *kosten*) *Opfer* to claim **3.** (≈ *herausfordern*) to challenge
fördern ['fœrdɐn] *v/t* **1.** (≈ *unterstützen*) to support; (≈ *propagieren*) to promote; (*finanziell*) *Projekt* to sponsor; *jds Talent* to encourage, to foster; *Verdauung* to aid; *Appetit* to stimulate **2.** (≈ *steigern*) *Wachstum* to promote; *Umsatz* to boost, to increase **3.** *Bodenschätze* to extract; *Kohle*, *Erz* to mine **Förderturm** *m* MIN winding tower; (*auf Bohrstelle*) derrick
Forderung ['fɔrdərʊŋ] *f* ⟨**-, -en**⟩ **1.** (≈ *Verlangen*) demand (*nach* for); ***~en an jdn stellen*** to make demands on sb **2.** (COMM ≈ *Anspruch*) claim (*an +acc*, *gegen* on, against) **3.** (≈ *Herausforderung*) challenge
Förderung ['fœrdərʊŋ] *f* ⟨**-, -en**⟩ **1.** (≈ *Unterstützung*) support; (*finanziell*) sponsorship; (*von Talent*) encouragement, fostering; (*von Verdauung*) aid (*gen* to) **2.** (*infml* ≈ *Förderungsbetrag*) grant **3.** (≈ *Gewinnung*) extraction
Forelle [fo'rɛlə] *f* ⟨**-, -n**⟩ trout
forensisch [fo'rɛnzɪʃ] *adj* forensic
Form [fɔrm] *f* ⟨**-, -en**⟩ **1.** form; (≈ *Gestalt*, *Umriss*) shape; ***in ~ eines Dreiecks*** in the shape of a triangle; ***aus der ~ geraten*** to lose its shape; ***feste ~ annehmen*** (*fig*) to take shape **2. Formen** *pl* (≈ *Umgangsformen*) manners *pl*; ***die ~ wahren*** to observe the proprieties; ***in aller ~*** formally **3.** (≈ *Kondition*) form; ***in ~ bleiben*** to keep (oneself) fit *or* in condition; (*Sportler*) to keep in form **4.** (≈ *Gießform*) mould (*Br*), mold (*US*); (≈ *Kuchenform*, *Backform*) baking tin (*Br*) *or* pan (*US*) **formal** [fɔr'maːl] **I** *adj* formal **II** *adv* formally
Formaldehyd ['fɔrm|aldehyːt, fɔrm|alde'hyːt] *m* ⟨**-s**, *no pl*⟩ formaldehyde
Formalie [fɔr'maːliə] *f* ⟨**-, -n**⟩ *usu pl* formality **formalistisch** [fɔrma'lɪstɪʃ] *adj* formalistic **Formalität** [fɔrmali'tɛːt] *f* ⟨**-, -en**⟩ formality
Format [fɔr'maːt] *nt* ⟨**-(e)s, -e**⟩ **1.** size; (*von Zeitung*, *Buch*) format; ***im ~ DIN A4*** in A4 (format) **2.** (≈ *Rang*) stature **3.** (*fig* ≈ *Niveau*) class (*infml*), quality **formatieren** [fɔrma'tiːrən] *past part* ***formatiert*** *v/t & v/i* IT to format **Formatierung** *f* ⟨**-, -en**⟩ IT formatting **Formation** [fɔrma'tsioːn] *f* ⟨**-, -en**⟩ formation; (≈ *Gruppe*) group **Formatvorlage** *f* IT style (sheet)
Formblatt *nt* form
Formel ['fɔrml] *f* ⟨**-, -n**⟩ formula; (*von Eid etc*) wording; (≈ *Floskel*) set phrase **Formel-1-Rennen** [fɔrml'|ains-] *nt* Formula-1 race
formell [fɔr'mɛl] **I** *adj* formal **II** *adv* (≈ *offiziell*) formally, officially
formen ['fɔrmən] *v/t* to form, to shape; *Eisen* to mould (*Br*), to mold (*US*) **Formfehler** *m* irregularity **formgerecht** *adj* correct, proper **formieren** [fɔr'miːrən] *past part* ***formiert*** *v/r* to form up **förmlich** ['fœrmlɪç] **I** *adj* **1.** (≈ *formell*) formal **2.** (≈ *regelrecht*) positive **II** *adv* **1.** (≈ *formell*) formally **2.** (≈ *regelrecht*) positively **Förmlichkeit** *f* ⟨**-, -en**⟩ **1.** *no pl* (*von Benehmen*) formality **2.** *usu pl* (≈ *Äußerlichkeit*) social convention **formlos** *adj* **1.** (≈ *ohne Form*) shapeless **2.** (≈ *zwanglos*) informal, casual **3.** ADMIN *Antrag* unaccompanied by a form/any forms **Formsache** *f* matter of form **formschön** *adj* elegant, elegantly proportioned **Formschwäche** *f* poor form; ***~n zeigen*** to be on poor form

Formtief *nt* loss of form; ***sich in einem ~ befinden*** to be badly off form
Formular [fɔrmu'laːɐ] *nt* ⟨**-s, -e**⟩ form **formulieren** [fɔrmu'liːrən] *past part* **formuliert** *v/t* to phrase, to formulate **Formulierung** *f* ⟨**-, -en**⟩ wording, formulation
Formung ['fɔrmʊŋ] *f* ⟨**-, -en**, *no pl*⟩ (≈ *Formen*) forming, shaping; (*von Eisen*) moulding (*Br*), molding (*US*) **formvollendet** *adj* perfect; *Gedicht* perfectly structured
forsch [fɔrʃ] **I** *adj* brash **II** *adv* brashly
forschen [fɔrʃn] *v/i* **1.** (≈ *suchen*) to search (*nach* for) **2.** (≈ *Forschung betreiben*) to research; ***über etw*** (*acc*) **~** to research into sth **forschend** **I** *adj Blick* searching **II** *adv* searchingly; ***jdn ~ ansehen*** to give sb a searching look **Forscher** ['fɔrʃɐ] *m* ⟨**-s, -**⟩, **Forscherin** [-ərɪn] *f* ⟨**-, -nen**⟩ **1.** researcher; (*in Naturwissenschaften*) research scientist **2.** (≈ *Forschungsreisender*) explorer
Forschheit *f* ⟨**-, -en**⟩ brashness
Forschung ['fɔrʃʊŋ] *f* ⟨**-, -en**⟩ research *no pl*; ***~ und Lehre*** research and teaching; ***~ und Entwicklung*** research and development, R&D **Forschungsauftrag** *m* research assignment **Forschungsgebiet** *nt* field of research **Forschungsprojekt** *nt* research project **Forschungsreise** *f* expedition **Forschungsreisende(r)** *m/f(m) decl as adj* explorer **Forschungssatellit** *m* research satellite **Forschungszentrum** *nt* research centre (*Br*) *or* center (*US*)
Forst [fɔrst] *m* ⟨**-(e)s, -e(n)**⟩ forest **Forstamt** *nt* forestry office **Förster** ['fœrstɐ] *m* ⟨**-s, -**⟩, **Försterin** [-ərɪn] *f* ⟨**-, -nen**⟩ forest warden **Forsthaus** *nt* forester's lodge **Forstrevier** *nt* forestry district **Forstschaden** *m* forest damage *no pl* **Forstwirtschaft** *f* forestry
Forsythie [fɔr'zyːtsiə, (*Aus*) fɔr'zyːtiə] *f* ⟨**-, -n**⟩ forsythia
fort [fɔrt] *adv* **1.** (≈ *weg*) away; (≈ *verschwunden*) gone; ***es war plötzlich ~*** it suddenly disappeared; ***er ist ~*** he has left *or* gone; ***von zu Hause ~*** away from home **2.** (≈ *weiter*) on; ***und so ~*** and so on, and so forth; ***das ging immer so weiter und so ~ und so ~*** (*infml*) that went on and on and on; ***in einem ~*** incessantly
Fort [foːɐ] *nt* ⟨**-s, -s**⟩ fort
Fortbestand *m, no pl* continuance; (*von Institution*) continued existence; (*von Gattung etc*) survival **fortbestehen** *past part* **fortbestanden** *v/i sep irr* to continue; (*Institution*) to continue in existence **fortbewegen** *past part* **fortbewegt** *sep* **I** *v/t* to move away **II** *v/r* to move **Fortbewegung** *f, no pl* locomotion **Fortbewegungsmittel** *nt* means *sg* of locomotion **fortbilden** *v/t sep* ***jdn/sich ~*** to continue sb's/one's education **Fortbildung** *f, no pl* further education; ***berufliche ~*** further vocational training **Fortbildungskurs** *m* in-service training course **fortbleiben** *v/i sep irr aux sein* to stay away **Fortbleiben** *nt* ⟨**-s**, *no pl*⟩ absence **Fortdauer** *f* continuation **fortdauern** *v/i sep* to continue **fortdauernd** **I** *adj* continuing **II** *adv* constantly, continuously **fortfahren** *sep v/i* **1.** *aux sein* (≈ *abfahren*) to leave, to go **2.** *aux haben or sein* (≈ *weitermachen*) to continue; ***~, etw zu tun*** to continue doing sth *or* to do sth **fortfallen** *v/i sep irr aux sein* to cease to exist, to be discontinued; (≈ *abgeschafft werden*) to be abolished **fortführen** *v/t sep* (≈ *fortsetzen*) to continue, to carry on **Fortführung** *f* continuation **Fortgang** *m, no pl* (≈ *Verlauf*) progress; ***seinen ~ nehmen*** to progress **fortgehen** *v/i sep aux sein* (≈ *weggehen*) to leave **fortgeschritten** *adj* advanced **Fortgeschrittene(r)** ['fɔrtgəʃrɪtnə] *m/f(m) decl as adj* advanced student **fortgesetzt** *adj* continual, constant; *Betrug* repeated; → ***fortsetzen*** **fortjagen** *v/t sep Menschen* to throw out (*aus, von* of); *Tier, Kinder* to chase out (*aus, von* of) **fortlaufen** *v/i sep irr aux sein* to run away **fortlaufend** **I** *adj Handlung* ongoing; *Zahlungen* regular; (≈ *andauernd*) continual **II** *adv* (≈ *andauernd*) continually; ***~ nummeriert*** *Geldscheine* serially numbered; *Seiten* consecutively numbered **fortpflanzen** *v/r sep* to reproduce; (*Schall, Wellen*) to travel; (*Gerücht*) to spread **Fortpflanzung** *f, no pl* reproduction; (*von Pflanzen*) propagation **Fortpflanzungsorgan** *nt* reproductive organ **Fortpflanzungstrieb** *m* reproductive instinct **fortrennen** *v/i sep irr aux sein* to race off *or* away **Fortsatz** *m* ANAT process **fortschaffen** *v/t sep* to remove **fortschreiten** *v/i sep irr aux sein* to progress; (≈ *weitergehen*) to continue **fort-**

schreitend *adj* progressive; *Alter* advancing **Fortschritt** *m* advance; *esp* POL progress *no pl*; ***gute ~e machen*** to make good progress; ***~e in der Medizin*** advances in medicine; ***dem ~ dienen*** to further progress **fortschrittlich** ['fɔrtʃrɪtlɪç] **I** *adj* progressive **II** *adv* progressively **fortschrittsfeindlich** *adj* anti-progressive **fortsetzen** *sep* **I** *v/t* to continue; → ***fortgesetzt*** **II** *v/r* (*zeitlich*) to continue; (*räumlich*) to extend

Fortsetzung ['fɔrtzɛtsʊŋ] *f* ⟨-, *-en*⟩ **1.** *no pl* (≈ *das Fortsetzen*) continuation **2.** RADIO, TV episode; (*eines Romans*) instalment (*Br*), installment (*US*); ***„Fortsetzung folgt"*** "to be continued"

Fortsetzungsroman *m* serialized novel

fortwährend I *adj no pred* constant, continual **II** *adv* constantly, continually

Forum ['foːrʊm] *nt* ⟨*-s*, ***Foren*** ['foːrən]⟩ forum

fossil [fɔ'siːl] *adj attr* fossilized; *Brennstoff* fossil *attr* **Fossil** [fɔ'siːl] *nt* ⟨*-s*, *-ien* [-liən]⟩ fossil

Foto ['foːto] *nt* ⟨*-s*, *-s*⟩ photo(graph); ***ein ~ machen*** to take a photo(graph) **Fotoalbum** *nt* photograph album **Fotoapparat** *m* camera **Fotoautomat** *m* (*für Passfotos*) photo booth **Fotofinish** *nt* SPORTS photo finish **fotogen** [foto'geːn] *adj* photogenic **Fotograf** [foto'graːf] *m* ⟨*-en*, *-en*⟩, **Fotografin** [-'graːfɪn] *f* ⟨-, *-nen*⟩ photographer **Fotografie** [fotogra'fiː] *f* ⟨-, *-n* [-'fiːən]⟩ photography; (≈ *Bild*) photo(graph) **fotografieren** [fotogra'fiːrən] *past part* ***fotografiert*** **I** *v/t* to photograph **II** *v/i* to take photos *or* photographs **fotografisch** [foto'graːfɪʃ] **I** *adj* photographic **II** *adv* photographically **Fotohandy** *nt* camera phone **Fotokopie** *f* photocopy **fotokopieren** [fotoko'piːrən] *past part* ***fotokopiert*** *v/t insep* to photocopy **Fotokopierer** *m* photocopier **Fotolabor** *nt* photo lab **Fotomodell** *nt* photographic model **Fotomontage** *f* photomontage **Fotosynthese** *f* → ***Photosynthese*** **Fototermin** *m* photo call

Fötus ['føːtʊs] *m* ⟨*-* or *-ses*, ***Föten*** or *-se*⟩ foetus (*Br*), fetus (*US*)

fotzen ['fɔtsn] *v/t* (*Aus* ≈ *ohrfeigen*) ***jdn ~*** to give sb a smack on the ear

Foul [faul] *nt* ⟨*-s*, *-s*⟩ SPORTS foul **Foulelfmeter** ['faul-] *m* FTBL penalty (kick) **foulen** ['faulən] *v/t & v/i* SPORTS to foul **Foulspiel** ['faul-] *nt* SPORTS foul play

Foyer [foa'jeː] *nt* ⟨*-s*, *-s*⟩ foyer

FPÖ [ɛf'peː'øː] *f* ⟨-⟩ *abbr of* ***Freiheitliche Partei Österreichs***

Fracht [fraxt] *f* ⟨-, *-en*⟩ freight *no pl* **Frachtbrief** *m* consignment note, waybill **Frachter** ['fraxtɐ] *m* ⟨*-s*, -⟩ freighter **Frachtflugzeug** *nt* cargo *or* freight plane **frachtfrei** *adj*, *adv* carriage paid *or* free **Frachtgut** *nt* (ordinary) freight *no pl* **Frachtkosten** *pl* freight charges *pl* **Frachtraum** *m* hold; (≈ *Ladefähigkeit*) cargo space **Frachtschiff** *nt* cargo ship, freighter **Frachtverkehr** *m* goods traffic

Frack [frak] *m* ⟨*-(e)s*, *-s* (*inf*) *or* *¨-e* ['frɛkə]⟩ tails *pl*, tail coat

Frage ['fraːgə] *f* ⟨-, *-n*⟩ question; ***jdm eine ~ stellen*** to ask sb a question; ***sind noch ~n?*** are there any further questions?; ***das steht außer ~*** there's no question *or* doubt about it; ***ohne ~*** without question *or* doubt; ***eine ~ des Geldes*** a question *or* matter of money; ***in ~ kommen/stellen***; → ***infrage*** **Fragebogen** *m* questionnaire; (≈ *Formular*) form **fragen** ['fraːgn] **I** *v/t & v/i* to ask; ***nach jdm ~*** to ask after sb; (*in Hotel etc*) to ask for sb; ***nach dem Weg ~*** to ask the way; ***er fragte nicht danach, ob ...*** he didn't bother *or* care whether ...; ***wegen etw ~*** to ask about sth; ***frag nicht so dumm!*** don't ask silly questions; ***du fragst zu viel*** you ask too many questions; ***da fragst du mich zu viel*** (*infml*) I really couldn't say; ***man wird ja wohl noch ~ dürfen*** (*infml*) I was only asking (*infml*); ***wenn ich (mal) ~ darf*** if I may *or* might ask; ***ohne lange zu ~*** without asking a lot of questions; → ***gefragt*** **II** *v/r* to wonder; ***das frage ich mich*** I wonder; ***es fragt sich, ob ...*** it's debatable *or* questionable whether *or* if ...; ***ich frage mich, wie/wo ...*** I'd like to know how/where ... **fragend I** *adj Blick* questioning **II** *adv* ***jdn ~ ansehen*** to give sb a questioning look **Fragerei** [fraːgə'rai] *f* ⟨-, *-en*⟩ questions *pl* **Fragesatz** *m* GRAM interrogative sentence; (≈ *Nebensatz*) interrogative clause **Fragestellung** *f* ***das ist eine falsche ~*** the question is wrongly formulated **Fragestunde** *f* PARL question time *no art* (*Br*) **Fragewort** *nt*, *pl* ***-wörter*** interrogative (particle) **Fragezeichen** *nt* question mark **fraglich**

['fraːklɪç] *adj* **1.** (≈ *zweifelhaft*) uncertain; (≈ *fragwürdig*) doubtful, questionable **2.** *attr* (≈ *betreffend*) in question; *Angelegenheit* under discussion **fraglos** *adv* undoubtedly, unquestionably

Fragment [frag'mɛnt] *nt* ⟨**-(e)s, -e**⟩ fragment **fragmentarisch** [fragmɛn'taːrɪʃ] *adj* fragmentary

fragwürdig *adj* dubious **Fragwürdigkeit** *f* ⟨**-, -en**⟩ dubious nature

Fraktion [frak'tsioːn] *f* ⟨**-, -en**⟩ **1.** POL ≈ parliamentary *or* congressional (*US*) party; (≈ *Sondergruppe*) group, faction **2.** CHEM fraction **Fraktionsführer(in)** *m/(f)* party whip, floor leader (*US*) **fraktionslos** *adj Abgeordneter* independent **Fraktionssitzung** *f* party meeting **Fraktionsvorsitzende(r)** *m/f(m) decl as adj* party whip, floor leader (*US*) **Fraktionszwang** *m* requirement to vote in accordance with party policy

Fraktur [frak'tuːɐ] *f* ⟨**-, -en**⟩ **1.** TYPO Gothic print; ***(mit jdm) ~ reden*** (*infml*) to be blunt (with sb) **2.** MED fracture

Franken[1] ['fraŋkn] *nt* ⟨**-s**⟩ Franconia

Franken[2] *m* ⟨**-s, -**⟩ ***(Schweizer) ~*** (Swiss) franc

frankieren [fraŋ'kiːrən] *past part* ***frankiert*** *v/t* to stamp; (*mit Maschine*) to frank

franko ['fraŋko] *adv* COMM carriage paid

Frankreich ['fraŋkraiç] *nt* ⟨**-s**⟩ France

Franse ['franzə] *f* ⟨**-, -n**⟩ (*lose*) (loose) thread **fransen** ['franzn] *v/i* to fray (out)

Franzose [fran'tsoːzə] *m* ⟨**-n, -n**⟩ Frenchman / French boy; ***die ~n*** the French **Französin** [fran'tsøːzɪn] *f* ⟨**-, -nen**⟩ Frenchwoman / French girl **französisch** [fran'tsøːzɪʃ] *adj* French; ***die ~e Schweiz*** French-speaking Switzerland; ***~es Bett*** double bed; → ***deutsch***

Fräse ['frɛːzə] *f* ⟨**-, -n**⟩ (≈ *Werkzeug*) milling cutter; (*für Holz*) moulding (*Br*) *or* molding (*US*) cutter **fräsen** ['frɛːzn] *v/t* to mill; *Holz* to mould (*Br*), to mold (*US*)

Fraß [fraːs] *m* ⟨**-es, -e**⟩ food; (*pej infml*) muck (*infml*) *no indef art*; ***jdn den Kritikern zum ~ vorwerfen*** to throw sb to the critics

Fratze ['fratsə] *f* ⟨**-, -n**⟩ **1.** grotesque face **2.** (≈ *Grimasse*) grimace; (*infml* ≈ *Gesicht*) face

Frau [frau] *f* ⟨**-, -en**⟩ **1.** woman **2.** (≈ *Ehefrau*) wife **3.** (≈ *Anrede*) madam; (*mit Namen*) Mrs; (*für eine unverheiratete Frau*) Miss, Ms **Frauenarzt** *m*, **Frauenärztin** *f* gynaecologist (*Br*), gynecologist (*US*) **Frauenberuf** *m* career for women **Frauenbewegung** *f* women's (*auch* HIST) *or* feminist movement **Frauenfeind** *m* misogynist **frauenfeindlich** *adj* anti-women *pred* **Frauenhaus** *nt* women's refuge **Frauenheilkunde** *f* gynaecology (*Br*), gynecology (*US*) **Frauenheld** *m* lady-killer **Frauenkrankheit** *f*, **Frauenleiden** *nt* gynaecological (*Br*) *or* gynecological (*US*) disorder **Frauenquote** *f* quota for women **Frauenrechtler** [-rɛçtlɐ] *m* ⟨**-s, -**⟩, **Frauenrechtlerin** [-ərɪn] *f* ⟨**-, -nen**⟩ feminist **Frauenzeitschrift** *f* women's magazine

Fräulein ['frɔylain] *nt* ⟨**-s, -** *or* (*inf*) **-s**⟩ (*dated*) **1.** young lady **2.** (≈ *Anrede*) Miss **3.** (≈ *Verkäuferin*) assistant; (≈ *Kellnerin*) waitress; ***~!*** Miss! **fraulich** ['fraulɪç] *adj* feminine; (≈ *reif*) womanly *no adv*

Freak ['friːk] *m* ⟨**-s, -s**⟩ (*infml*) freak (*infml*) **freakig** ['friːkɪç] *adj* (*infml*) freaky (*infml*)

frech [frɛç] **I** *adj* **1.** (≈ *unverschämt*) cheeky (*esp Br*), fresh *pred* (*esp US*); *Lüge* bare-faced *no adv* **2.** (≈ *herausfordernd*) *Kleidung, Texte etc* saucy (*infml*) **II** *adv lachen* impudently; *anlügen* brazenly **Frechdachs** *m* (*infml*) cheeky monkey (*Br*), smart aleck **Frechheit** *f* ⟨**-, -en**, *no pl*⟩ impudence; ***die ~ haben*** *or* ***besitzen, ... zu ...*** to have the cheek (*esp Br*) *or* impudence to ...

Fregatte [fre'gatə] *f* ⟨**-, -n**⟩ frigate

frei [frai] **I** *adj* **1.** free; ***~ von etw*** free of sth; ***die Straße ~ machen*** to clear the road; ***ich bin so ~*** (*form*) may I?; ***jdm ~e Hand lassen*** to give sb free rein; ***aus ~en Stücken*** of one's own free will; ***~er Zutritt*** unrestricted access **2.** ***~er Beruf*** independent profession; ***~er Mitarbeiter*** freelancer; ***die ~e Wirtschaft*** private enterprise; ***Mittwoch ist ~*** Wednesday is a holiday; ***Eintritt ~*** admission free **3.** (≈ *unbesetzt*) *Zimmer, Toilette* vacant; ***ist dieser Platz noch ~?*** is anyone sitting here?, is this seat free?; ***„frei"*** (*an Taxi*) "for hire"; (*an Toilettentür*) "vacant"; ***„Zimmer ~"*** "vacancies"; ***haben Sie noch etwas ~?*** (*in Hotel*) do you have any vacancies?; ***einen Platz für jdn ~ lassen*** to keep a seat for sb **II**

adv **1.** (≈ *ungehindert*) freely; *sprechen* openly; **~ *beweglich*** free-moving; **~ *erfunden*** purely fictional; ***der Verbrecher läuft immer noch ~ herum*** the criminal is still at large; **~ *laufend*** *Hunde, Katzen* feral; *Huhn* free-range; ***Eier von ~ laufenden Hühnern*** free-range eggs; **~ *stehen*** (*Haus*) to stand by itself; (≈ *leer stehen*) to stand empty; ***ein ~ stehendes Gebäude*** a free-standing building; **~ *nach*** based on **2.** (≈ *ohne Hilfsmittel*) unaided, without help; **~ *sprechen*** to speak without notes **Freibad** *nt* open-air (swimming) pool **freibekommen** *past part* ***freibekommen*** *v/t sep irr* **1.** (≈ *befreien*) ***jdn ~*** to get sb freed *or* released **2.** ***einen Tag ~*** to get a day off **Freiberufler** [-bəruːflɐ] *m* ⟨***-s, -***⟩, **Freiberuflerin** [-ərɪn] *f* ⟨***-, -nen***⟩ freelancer **freiberuflich I** *adj* freelance **II** *adv* **~ *arbeiten*** to work freelance **Freibetrag** *m* tax allowance **Freibier** *nt* free beer

Freiburg [ˈfraibʊrk] *nt* ⟨***-s***⟩ (*in der Schweiz*: *Kanton, Stadt*) Fribourg

Freier [ˈfraiɐ] *m* ⟨***-s, -***⟩ (*infml*: *von Dirne*) (prostitute's) client, john (*US infml*)

Freie(s) [ˈfraiə] *nt decl as adj* ***im ~n*** in the open (air); ***im ~n übernachten*** to sleep out in the open **Freiexemplar** *nt* free copy **Freigabe** *f* release; (*von Wechselkursen*) lifting of control (*+gen* on); (*von Straße, Strecke*) opening **Freigang** *m, pl* ***-gänge*** (*von Strafgefangenen*) day release **freigeben** *sep irr* **I** *v/t* to release (*an +acc* to); *Wechselkurse* to decontrol; *Straße, Strecke, Flugbahn* to open; *Film* to pass; ***jdm den Weg ~*** to let sb past *or* by **II** *v/i* ***jdm ~*** to give sb a holiday (*Br*), to give sb vacation (*US*); ***jdm zwei Tage ~*** to give sb two days off **freigebig** [ˈfraigeːbɪç] *adj* generous **Freigebigkeit** *f* ⟨*-, no pl*⟩ generosity **Freigepäck** *nt* baggage allowance **Freigrenze** *f* (*bei Steuer*) tax exemption limit **freihaben** *v/i sep irr* to have a holiday (*Br*), to have vacation (*US*); ***ich habe heute frei*** I have today off **Freihafen** *m* free port **frei halten** *irr v/t* **1.** (≈ *nicht besetzen*) to keep free **2.** (≈ *reservieren*) to keep **Freihandelszone** *f* free trade area **freihändig** *adj, adv Zeichnung* freehand; *Radfahren* (with) no hands **Freiheit** [ˈfraihait] *f* ⟨***-, -en***⟩ freedom *no pl*; (≈ *persönliche Freiheit als politisches Ideal*) liberty; ***in ~*** (*dat*) ***sein*** to be free; ***in ~ leben*** (*Tier*) to live in the wild; ***dichterische ~*** poetic licence (*Br*) *or* license (*US*); ***sich*** (*dat*) ***zu viele ~en erlauben*** to take too many liberties **freiheitlich** [ˈfraihaitlɪç] *adj* liberal; *Demokratie* free; ***die ~-demokratische Grundordnung*** the free democratic constitutional structure **Freiheitsberaubung** *f* ⟨***-, -en***⟩ JUR wrongful deprivation of personal liberty **Freiheitsbewegung** *f* liberation movement **Freiheitsentzug** *m* imprisonment **Freiheitskampf** *m* fight for freedom **Freiheitskämpfer(in)** *m/*(*f*) freedom fighter **Freiheitsstatue** *f* Statue of Liberty **Freiheitsstrafe** *f* prison sentence **freiheraus** [fraihɛˈraus] *adv* candidly, frankly **Freikarte** *f* free *or* complimentary ticket **freikaufen** *v/t sep* ***jdn/sich ~*** to buy sb's/one's freedom **Freiklettern** *nt* ⟨***-s***, *no pl*⟩ free climbing **freikommen** *v/i sep irr aux sein* (≈ *entkommen*) to get out (*aus* of) **Freikörperkultur** *f, no pl* nudism, naturism **Freilandhaltung** *f, no pl* ***Eier/Hühner aus ~*** free-range eggs/chickens **freilassen** *v/t sep irr* to set free, to free **Freilassung** *f* ⟨***-, -en***⟩ release **freilegen** *v/t sep* to expose; *Ruinen* to uncover; (*fig*) to lay bare **freilich** [ˈfrailɪç] *adv* **1.** (≈ *allerdings*) admittedly **2.** (≈ *selbstverständlich*) of course **Freilichtbühne** *f* open-air theatre (*Br*) *or* theater (*US*) **frei machen** *v/r* **1.** (≈ *freie Zeit einplanen*) to arrange to be free **2.** (≈ *sich entkleiden*) to take one's clothes off **freimachen** *v/t sep Brief* to stamp **Freimaurer** *m* Mason, Freemason **Freimaurerloge** *f* Masonic Lodge **Freimut** *m, no pl* frankness **freimütig** [ˈfraimyːtɪç] **I** *adj* frank **II** *adv* frankly **freinehmen** *v/t sep irr* ***einen Tag ~*** to take a day off **Freiraum** *m* (*fig*) freedom *no art, no pl* (*zu* for) **freischaffend** *adj attr* freelance **Freischaffende(r)** [-ʃafndə] *m/f(m) decl as adj* freelancer **freischalten** *v/t sep* TEL *Leitung* to clear; *Handy* to connect, to enable **Freischärler** [-ʃɛːɐlɐ] *m* ⟨***-s, -***⟩, **Freischärlerin** [-ərɪn] *f* ⟨***-, -nen***⟩ guerrilla **freischwimmen** *v/r sep irr* SPORTS *to pass a test by swimming for 15 minutes* **freisetzen** *v/t sep* to release; (*euph*) *Arbeitskräfte* to make redundant; (*vorübergehend*) to lay off **freispielen** *sep* SPORTS **I** *v/r* to get into space **II** *v/t* ***jdn ~*** to play sb clear, to create space for sb **Freisprech-**

anlage *f* hands-free (headset); (*im Auto*) hands-free (car kit) **freisprechen** *v/t sep irr Angeklagten* to acquit; ***jdn von einer Schuld ~*** JUR to find sb not guilty; ***jdn von einem Verdacht ~*** to clear sb of suspicion **Freispruch** *m* acquittal **Freistaat** *m* free state **freistehen** *v/i sep irr* (≈ *überlassen sein*) ***es steht jdm frei, etw zu tun*** sb is free *or* at liberty to do sth; ***das steht Ihnen völlig frei*** that is completely up to you; → ***frei*** **freistellen** *v/t sep* (≈ *anheimstellen*) ***jdm etw ~*** to leave sth (up) to sb **Freistil** *m* freestyle **Freistoß** *m* FTBL free kick (*für* to, for) **Freistunde** *f* free hour; SCHOOL free period

Freitag ['fraitaːk] *m* Friday; → ***Dienstag*** **freitags** ['fraitaːks] *adv* on Fridays, on a Friday

Freitod *m* suicide; ***den ~ wählen*** to decide to put an end to one's life **Freitreppe** *f* (flight of) steps (+*gen* leading up to) **Freiumschlag** *m* stamped addressed envelope, s.a.e. **Freiwild** *nt* (*fig*) fair game **freiwillig I** *adj* voluntary; (≈ *freigestellt*) *Unterricht* optional **II** *adv* voluntarily; ***sich ~ melden*** to volunteer (*zu*, *für* for) **Freiwillige(r)** [-vɪlɪgə] *m/f(m) decl as adj* volunteer **Freiwilligkeit** *f* voluntary nature, voluntariness **Freizeichen** *nt* TEL ringing tone **Freizeit** *f* spare *or* leisure time **Freizeitangebot** *nt* leisure activity **Freizeitausgleich** *m* time off in lieu (*Br*), time off instead of pay (*US*) **Freizeitbeschäftigung** *f* leisure pursuit *or* activity **Freizeitdroge** *f* recreational drug **Freizeitgestaltung** *f* organization of one's leisure time **Freizeitpark** *m* amusement park **Freizeitverhalten** *nt* recreational behaviour (*Br*) *or* behavior (*US*), recreational patterns *pl* **freizügig I** *adj* **1.** (≈ *reichlich*) liberal **2.** (*in moralischer Hinsicht*) permissive **II** *adv* **1.** (≈ *reichlich*) freely, liberally **2.** (≈ *moralisch locker*) ***~ gekleidet*** provocatively dressed **Freizügigkeit** [-tsyːgɪçkait] *f* ⟨**-**, *no pl*⟩ **1.** (≈ *Großzügigkeit*) liberality **2.** (*in moralischer Hinsicht*) permissiveness **3.** (≈ *Beweglichkeit*) freedom of movement

fremd [frɛmt] *adj* **1.** (≈ *andern gehörig*) someone else's; *Bank*, *Firma* different; ***ohne ~e Hilfe*** without help from anyone else/outside; ***~es Eigentum*** someone else's property **2.** (≈ *fremdländisch*) foreign **3.** (≈ *andersartig*, *unvertraut*) strange; ***jdm ~ sein*** (≈ *unbekannt*) to be unknown to sb; (≈ *unverständlich*) to be alien to sb; ***ich bin hier ~*** I'm a stranger here; ***sich*** *or* ***einander*** (*dat*) ***~ werden*** to grow apart; ***sich ~ fühlen*** to feel like a stranger; ***~ tun*** to be reserved **Fremdarbeiter(in)** *m/(f)* (*usu pej*) foreign worker **fremdartig** *adj* strange; (≈ *exotisch*) exotic **fremdenfeindlich** *adj* hostile to strangers; (≈ *ausländerfeindlich*) hostile to foreigners, xenophobic **Fremdenfeindlichkeit** *f* xenophobia **Fremdenführer(in)** *m/(f)* (tourist) guide **Fremdenhass** *m* xenophobia **Fremdenlegion** *f* Foreign Legion **Fremdenverkehr** *m* tourism *no def art* **Fremdenverkehrsamt** *nt* tourist office **Fremde(r)** ['frɛmdə] *m/f(m) decl as adj* (≈ *Unbekannter*) stranger; (≈ *Ausländer*) foreigner; (≈ *Tourist*) visitor **fremdgehen** *v/i sep irr aux sein* (*infml*) to be unfaithful **Fremdkörper** *m* foreign body; (*fig*) alien element **Fremdsprache** *f* foreign language **Fremdsprachenkorrespondent(in)** *m/(f)*, **Fremdsprachensekretär(in)** *m/(f)* bilingual secretary **Fremdsprachenunterricht** *m* language teaching **fremdsprachig** *adj* in a foreign language **fremdsprachlich** *adj* foreign; ***~er Unterricht*** language teaching **Fremdwort** *nt*, *pl* **-wörter** borrowed *or* foreign word

frenetisch [fre'neːtɪʃ] **I** *adj* frenetic, frenzied; *Beifall* wild **II** *adv* wildly

frequentieren [frekvɛn'tiːrən] *past part* ***frequentiert*** *v/t* (*elev*) to frequent **Frequenz** [fre'kvɛnts] *f* ⟨**-, -en**⟩ **1.** (≈ *Häufigkeit*) frequency; MED (pulse) rate **2.** (≈ *Stärke*) numbers *pl*; (≈ *Verkehrsdichte*) volume of traffic **Frequenzbereich** *m* RADIO frequency range

Fressalien [frɛ'saːliən] *pl* (*infml*) grub *sg* (*sl*) **Fresse** ['frɛsə] *f* ⟨**-, -n**⟩ (*vulg*) (≈ *Mund*) trap (*infml*), gob (*infml*); (≈ *Gesicht*) mug (*infml*); ***die ~ halten*** to shut one's trap (*infml*) **fressen** ['frɛsn] *pret* ***fraß*** [fraːs], *past part* ***gefressen*** [gə'frɛsn] **I** *v/i* to feed, to eat; (*sl*: *Menschen*) to eat; (*gierig*) to guzzle (*infml*) **II** *v/t* **1.** to eat; (≈ *sich ernähren von*) to feed *or* live on; (*sl* ≈ *gierig essen*) to guzzle (*infml*) **2.** ***Kilometer ~*** to burn up the kilometres (*Br*) *or* kilometers (*US*); ***ich habe dich zum Fressen gern***

(*infml*) you're good enough to eat (*infml*); ***jdn/etw gefressen haben*** (*infml*) to have had one's fill of sb/sth **3.** (≈ *verbrauchen*) to eat *or* gobble up; *Zeit* to take up **III** *v/r* (≈ *sich bohren*) to eat one's way (*in +acc* into, *durch* through) **Fressen** *nt* ⟨**-s**, *no pl*⟩ food; (*sl*) grub (*sl*); (*sl* ≈ *Schmaus*) blow-out (*infml*) **Fresssucht** *f* (*infml*) gluttony; (*krankhaft*) craving for food

Frettchen ['frɛtçən] *nt* ⟨**-s, -**⟩ ferret

Freude ['frɔydə] *f* ⟨**-, -n**, *no pl*⟩ pleasure; (*innig*) joy (*über +acc* at); ***~ an etw*** (*dat*) ***haben*** to get *or* derive pleasure from sth; ***~ am Leben haben*** to enjoy life; ***vor ~*** with joy; ***es ist mir eine ~, zu ...*** it's a real pleasure for me to ...; ***jdm ~ machen*** to give sb pleasure; ***jdm eine ~ machen*** to make sb happy; ***zu meiner großen ~*** to my great delight; ***aus ~ an der Sache*** for the love of it **Freudenfest** *nt* celebration **Freudensprung** *m* ***einen ~ machen*** to jump for joy **freudestrahlend** *adj*, *adv* beaming with delight **freudig** ['frɔydɪç] **I** *adj* **1.** (≈ *froh gestimmt*) joyful; (≈ *begeistert*) enthusiastic **2.** (≈ *beglückend*) happy; ***eine ~e Nachricht*** some good news; ***ein ~es Ereignis*** (*euph*) a happy event (*euph*) **II** *adv* happily, joyfully; ***~ überrascht sein*** to be pleasantly surprised **freuen** ['frɔyən] **I** *v/r* **1.** (≈ *froh sein*) to be glad *or* pleased (*über +acc* about); ***sich riesig ~*** (*infml*) to be delighted (*über +acc* about); ***sich für jdn ~*** to be glad *or* pleased for sb **2.** ***sich auf jdn/etw ~*** to look forward to seeing sb/to sth **II** *v/t +impers* to please; ***es freut mich, dass ...*** I'm pleased *or* glad that ...; ***das freut mich*** I'm really pleased

Freund [frɔynt] *m* ⟨**-(e)s, -e** [-də]⟩ **1.** friend; (≈ *Liebhaber*) boyfriend **2.** (*fig*) (≈ *Anhänger*) lover; ***ein ~ der Kunst*** an art-lover; ***ich bin kein ~ von so etwas*** I'm not one for that sort of thing **Freundeskreis** *m* circle of friends; ***etw im engsten ~ feiern*** to celebrate sth with one's closest friends **Freundin** ['frɔyndɪn] *f* ⟨**-, -nen**⟩ **1.** friend; (≈ *Liebhaberin*) girlfriend **2.** (*fig* ≈ *Anhängerin*) → ***Freund*** **2** **freundlich** ['frɔyntlɪç] **I** *adj* **1.** (≈ *wohlgesinnt*) friendly *no adv*; ***bitte recht ~!*** say cheese! (*infml*), smile please!; ***mit ~en Grüßen*** (with) best wishes **2.** (≈ *liebenswürdig*) kind (*zu* to); ***würden Sie bitte so ~ sein und das tun?*** would you be so kind *or* good as to do that? **3.** (≈ *ansprechend*) *Aussehen*, *Wetter etc* pleasant; *Farben* cheerful **II** *adv bitten*, *fragen* nicely; ***jdn ~ behandeln*** to be friendly toward(s) sb **freundlicherweise** ['frɔyntlɪçɐ'vaizə] *adv* kindly **Freundlichkeit** *f* ⟨**-, -en**⟩ **1.** *no pl* (≈ *Wohlgesonnenheit*) friendliness; (≈ *Liebenswürdigkeit*) kindness **2.** (≈ *Gefälligkeit*) kindness, favour (*Br*), favor (*US*); (≈ *freundliche Bemerkung*) kind remark **Freundschaft** ['frɔyntʃaft] *f* ⟨**-, -en**⟩ friendship; ***mit jdm ~ schließen*** to make *or* become friends with sb; ***da hört die ~ auf*** (*infml*) friendship doesn't go that far **freundschaftlich** ['frɔyntʃaftlɪç] **I** *adj* friendly *no adv* **II** *adv* ***jdm ~ verbunden sein*** to be friends with sb; ***jdm ~ gesinnt sein*** to feel friendly toward(s) sb **Freundschaftspreis** *m* (special) price for a friend **Freundschaftsspiel** *nt* SPORTS friendly game *or* match, friendly (*infml*)

Frieden ['friːdn] *m* ⟨**-s, -**⟩ peace; ***im ~*** in peacetime; ***~ schließen*** to make one's peace; POL to conclude (*form*) *or* make peace; ***sozialer ~*** social harmony; ***jdn in ~ lassen*** to leave sb in peace; ***um des lieben ~s willen*** (*infml*) for the sake of peace and quiet **Friedensappell** *m* call for peace **Friedensbewegung** *f* peace movement **Friedensinitiative** *f* peace initiative **Friedenskonferenz** *f* peace conference **Friedensnobelpreis** *m* Nobel peace prize **Friedenstaube** *f* dove of peace **Friedenstruppen** *pl* peacekeeping forces *pl* **Friedensverhandlungen** *pl* peace negotiations *pl* **Friedensvertrag** *m* peace treaty **friedfertig** ['friːtfɛrtɪç] *adj Mensch* peaceable **Friedhof** ['friːthoːf] *m* (≈ *Kirchhof*) graveyard; (≈ *Stadtfriedhof etc*) cemetery **friedlich** ['friːtlɪç] **I** *adj* peaceful; (≈ *friedfertig*) *Mensch* peaceable **II** *adv* (≈ *in Frieden*) peacefully; ***~ sterben*** to die peacefully **friedliebend** *adj* peace-loving

frieren ['friːrən] *pret* **fror** [froːɐ], *past part* ***gefroren*** [gə'froːrən] **I** *v/i* **1.** (*auch vt impers* ≈ *sich kalt fühlen*) to be cold; ***ich friere, mich friert*** I'm cold **2.** *aux sein* (≈ *gefrieren*) to freeze **II** *v/i impers* ***heute Nacht hat es gefroren*** it was below freezing last night

Fries [friːs] *m* 〈**-es, -e** [-zə]〉 ARCH, TEX frieze **friesisch** ['friːzɪʃ] *adj* Fri(e)sian; → **deutsch** **frigid** [fri'giːt], **frigide** [fri'giːdə] *adj* frigid **Frigidität** [frigidi'tɛːt] *f* 〈-, *no pl*〉 frigidity **Frikadelle** [frika'dɛlə] *f* 〈**-, -n**〉 COOK rissole **Frikassee** [frika'seː] *nt* 〈**-s, -s**〉 COOK fricassee **Frisbee®** ['frisbi] *nt* 〈**-, -s**〉 Frisbee®; **~ spielen** to play Frisbee® **Frisbeescheibe** ['frisbi-] *f* Frisbee®

frisch [frɪʃ] **I** *adj* **1.** (≈ *neu*) fresh; *Kleidung* clean; (≈ *feucht*) *Farbe* wet; **~es Obst** fresh fruit; **~e Eier** new-laid (*Br*) *or* freshly-laid eggs; **sich ~ machen** to freshen up; **mit ~en Kräften** with renewed vigour (*Br*) *or* vigor (*US*); **~e Luft schöpfen** to get some fresh air **2.** (≈ *munter*) *Wesen*, *Art* bright, cheery; *Farbe* cheerful; *Gesichtsfarbe* fresh; **~ und munter sein** (*infml*) to be bright and lively **3.** (≈ *kühl*) cool, chilly; **es weht ein ~er Wind** (*lit*) there's a fresh wind **II** *adv* (≈ *neu*) freshly; **Bier ~ vom Fass** beer (straight) from the tap; **~ gestrichen** newly *or* freshly painted; (*auf Schild*) wet paint; **~ gebacken** (*infml*) *Ehepaar* newly-wed; *Diplom-Ingenieur etc* newly-qualified; **das Bett ~ beziehen** to change the bed **Frische** ['frɪʃə] *f* 〈-, *no pl*〉 (*von Wesen*) brightness, cheeriness; (*von Farbe*) cheerfulness; (≈ *gesundes Aussehen*) freshness; **in alter ~** (*infml*) as always **Frischei** *nt* new-laid (*Br*) *or* freshly-laid egg **Frischfisch** *m* fresh fish **Frischfleisch** *nt* fresh meat **Frischhaltefolie** *f* clingfilm **Frischkäse** *m* cream cheese **Frischluft** *f* fresh air **Frischmilch** *f* fresh milk **Frischzelle** *f* MED live cell **Frischzellentherapie** *f* MED cellular *or* live-cell therapy

Friseur [fri'zøːɐ] *m* 〈**-s, -e**〉, **Friseurin** [fri'zøːɐin] [-'zøːrɪn] *f* 〈**-, -nen**〉 hairdresser; (≈ *Geschäft*) hairdresser's **Friseursalon** [fri'zøːɐ-] *m* hairdressing salon **Friseuse** [fri'zøːzə] *f* 〈**-, -n**〉 (female) hairdresser **frisieren** [fri'ziːrən] *past part* **frisiert** **I** *v/t* **1.** (≈ *kämmen*) **jdn ~** to do sb's hair **2.** (*infml* ≈ *abändern*) *Abrechnung* to fiddle; *Bericht* to doctor (*infml*); **die Bilanzen ~** to cook the books (*infml*) **3.** (*infml*) *Auto*, *Motor* to soup up (*infml*) **II** *v/r* to do one's hair

Frist [frɪst] *f* 〈**-, -en**〉 **1.** (≈ *Zeitraum*) period; **innerhalb kürzester ~** without delay **2.** (≈ *Zeitpunkt*) deadline (*zu* for); (*bei Rechnung*) last date for payment **3.** (≈ *Aufschub*) extension, period of grace **fristen** ['frɪstn] *v/t* **sein Leben** *or* **Dasein ~** to eke out an existence **fristgemäß, fristgerecht** *adj*, *adv* within the period stipulated; **fristgerecht kündigen** to give proper notice **fristlos** *adj*, *adv* without notice

Frisur [fri'zuːɐ] *f* 〈**-, -en**〉 hairstyle **Frittatensuppe** [fri'taːtn-] *f* (*Aus*) pancake soup

Fritten ['frɪtn] *pl* (*infml*) chips *pl* (*Br*), fries *pl* (*esp US infml*) **Frittenbude** *f* (*infml*) chip shop (*Br*), ≈ hotdog stand **Fritteuse** [fri'tøːzə] *f* 〈**-, -n**〉 chip pan (*Br*), deep-fat fryer **frittieren** [fri'tiːrən] *past part* **frittiert** *v/t* to (deep-)fry

frivol [fri'voːl] *adj* (≈ *leichtfertig*) frivolous; (≈ *anzüglich*) *Witz*, *Bemerkung* suggestive **Frivolität** [frivoli'tɛːt] *f* 〈**-, -en**〉 **1.** *no pl* (≈ *Leichtfertigkeit*) frivolity **2.** (≈ *Bemerkung*) risqué remark

froh [froː] *adj* happy; (≈ *dankbar*, *erfreut*) glad, pleased; **(darüber) ~ sein, dass ...** to be glad *or* pleased that ... **fröhlich** ['frøːlɪç] **I** *adj* happy, cheerful **II** *adv* (≈ *unbekümmert*) merrily **Fröhlichkeit** *f* 〈-, *no pl*〉 happiness; (≈ *gesellige Stimmung*) merriment

fromm [frɔm] *adj*, *comp* **=er** *or* **-er** ['frœmɐ], *sup* **=ste(r, s)** ['frœmstə] (≈ *gläubig*) religious; (≈ *scheinheilig*) pious, sanctimonious; **das ist ja wohl nur ein ~er Wunsch** that's just a pipe dream

frönen ['frøːnən] *v/i* +*dat* (*elev*) to indulge in

Fronleichnam [froːn'laiçnaːm] *no art* 〈**-(e)s,** *no pl*〉 (the Feast of) Corpus Christi

Front [frɔnt] *f* 〈**-, -en**〉 front; **~ gegen jdn/etw machen** to make a stand against sb/sth **frontal** [frɔn'taːl] **I** *adj no pred Angriff* frontal; *Zusammenstoß* head-on **II** *adv angreifen* MIL from the front; (*fig*) head-on; *zusammenstoßen* head-on **Frontalzusammenstoß** *m* head-on collision **Frontantrieb** *m* AUTO front-wheel drive **Frontlader** [-laːdɐ] *m* 〈**-s, -**〉 (≈ *Waschmaschine*) front loader

Frosch [frɔʃ] *m* 〈**-(e)s, =e** ['frœʃə]〉 frog;

(≈ *Feuerwerkskörper*) (fire)cracker; ***einen ~ in der Kehle haben*** (*infml*) to have a frog in one's throat **Froschlaich** *m* frogspawn **Froschmann** *m*, *pl* ***-männer*** frogman **Froschschenkel** *m* frog's leg

Frost [frɔst] *m* ⟨***-(e)s, ⸚e*** ['frœstə]⟩ frost; ***~ vertragen (können)*** to be able to stand (the) frost **frostbeständig** *adj* frost-resistant **Frostbeule** *f* chilblain **frösteln** ['frœstln] **I** *v/i* to shiver **II** *v/t +impers* ***es fröstelte mich*** I shivered **frostig** ['frɔstɪç] **I** *adj* frosty **II** *adv* ***jdn ~ empfangen*** to give sb a frosty reception **Frostschaden** *m* frost damage **Frostschutzmittel** *nt* AUTO antifreeze

Frottee [frɔ'teː] *nt or m* ⟨***-s, -s***⟩ terry towelling (*Br*), terry-cloth toweling (*US*) **Frotteehandtuch** *nt* (terry) towel (*Br*), terry-cloth towel (*US*) **frottieren** [frɔ'tiːrən] *past part* ***frottiert*** *v/t Haut* to rub; *jdn, sich* to rub down

Frucht [frʊxt] *f* ⟨***-, ⸚e*** ['frʏçtə]⟩ fruit *no pl*: (≈ *Getreide*) crops *pl*; ***Früchte*** (≈ *Obst*) fruit *sg*; ***Früchte tragen*** to bear fruit **fruchtbar** *adj* **1.** fertile **2.** (*fig* ≈ *viel schaffend*) prolific **3.** (*fig* ≈ *nutzbringend*) fruitful **Fruchtbarkeit** ['frʊxtbaːɐkait] *f* ⟨*-, no pl*⟩ **1.** fertility **2.** (*fig* ≈ *Nutzen*) fruitfulness **Fruchtbecher** *m* fruit sundae; BOT cupule (*tech*), cup **fruchten** ['frʊxtn] *v/i* to bear fruit; ***nichts ~*** to be fruitless **Früchtetee** *m* fruit tea **fruchtig** ['frʊxtɪç] *adj* fruity **Fruchtkapsel** *f* BOT capsule **fruchtlos** *adj* (*fig*) fruitless **Fruchtsaft** *m* fruit juice **Fruchtwasser** *nt*, *no pl* PHYSIOL amniotic fluid **Fruchtzucker** *m* fructose

früh [fryː] **I** *adj* early; ***am ~en Morgen*** early in the morning, in the early morning; ***der ~e Goethe*** the young Goethe **II** *adv* **1.** early; (≈ *in jungen Jahren*) young; (*in Entwicklung*) early on; ***von ~ auf*** from an early age; ***von ~ bis spät*** from morning till night; ***zu ~ starten*** to start too soon **2.** ***morgen ~*** tomorrow morning; ***heute ~*** this morning **Frühaufsteher** [-|aufʃteːɐ] *m* ⟨***-s, -***⟩, **Frühaufsteherin** [-ərɪn] *f* ⟨***-, -nen***⟩ early riser, early bird (*infml*) **früher** ['fryːɐ] **I** *adj* **1.** earlier **2.** (≈ *ehemalig*) former; (≈ *vorherig*) *Besitzer* previous **II** *adv* earlier; ***~ oder später*** sooner or later; ***ich habe ihn ~ mal gekannt*** I used to know him; ***~ war alles besser*** things were better in the old days; ***genau wie ~*** just as it/he etc used to be; ***Erinnerungen an ~*** memories of times gone by; ***ich kenne ihn von ~*** I've known him some time; ***meine Freunde von ~*** my old friends **Früherkennung** *f* MED early diagnosis **frühestens** ['fryːəstns] *adv* at the earliest **früheste(r, s)** ['fryːəstə] *adj* earliest **Frühgeburt** *f* premature birth; (≈ *Kind*) premature baby **Frühjahr** *nt* spring **Frühjahrsmüdigkeit** *f* springtime lethargy **Frühjahrsputz** *m* spring-cleaning **Frühling** ['fryːlɪŋ] *m* ⟨***-s, -e***⟩ spring; ***im ~*** in spring **Frühlingsanfang** *m* first day of spring **frühlingshaft** *adj* springlike **Frühlingsrolle** *f* COOK spring roll **Frühlingszwiebel** *f* spring onion (*Br*), green onion (*US*) **frühmorgens** *adv* early in the morning **Frühnebel** *m* early morning mist **frühreif** *adj* precocious **Frührentner(in)** *m/(f)* person who has retired early **Frühschicht** *f* early shift **Frühschoppen** [-ʃɔpn] *m* ⟨***-s, -***⟩ morning *or* (*mittags*) lunchtime drinking **Frühsport** *m* early morning exercise **Frühstück** *nt* ⟨***-s, -e***⟩ breakfast; ***was isst du zum ~?*** what do you have for breakfast? **frühstücken** ['fryːʃtʏkn] *insep* **I** *v/i* to have breakfast, to breakfast **II** *v/t* to breakfast on **Frühstücksfernsehen** *nt* breakfast television **Frühstückspause** *f* morning *or* coffee break **Frühwarnsystem** *nt* early warning system **frühzeitig** *adj*, *adv* early

Frust [frʊst] *m* ⟨***-(e)s**, no pl*⟩ (*infml*) frustration *no art* **Frustessen** *nt* (*infml*) comfort eating **Frustkauf** *m* (*infml*) retail therapy *no pl* (*infml*) **Frustration** [frʊstra'tsioːn] *f* ⟨***-, -en***⟩ frustration **frustrieren** [frʊs'triːrən] *past part* ***frustriert*** *v/t* to frustrate

Fuchs [fʊks] *m* ⟨***-es, ⸚e*** ['fʏksə]⟩ **1.** (≈ *Tier*) fox; ***er ist ein schlauer ~*** (*infml*) he's a cunning old devil (*infml*) *or* fox (*infml*) **2.** (≈ *Pferd*) chestnut **Fuchsbau** *m*, *pl* ***-baue*** fox's den **fuchsen** ['fʊksn] *v/t* (*infml*) to annoy

Fuchsie ['fʊksiə] *f* ⟨***-, -n***⟩ BOT fuchsia

fuchsig ['fʊksɪç] *adj* (*infml* ≈ *wütend*) mad (*infml*) **Füchsin** ['fʏksɪn] *f* ⟨***-, -nen***⟩ vixen **Fuchsjagd** *f* fox-hunting; (≈ *einzelne Jagd*) fox hunt **Fuchspelz** *m* fox fur **fuchsrot** *adj Fell* red; *Pferd* chestnut; *Haar* ginger **Fuchsschwanz** *m* **1.** fox's tail **2.** (TECH ≈ *Säge*) handsaw **fuchsteufelswild** *adj* (*infml*) hopping

mad (*infml*)
Fuchtel ['fʊxtl] *f* ⟨-, **-n**⟩ (*fig infml*) ***unter jds*** (*dat*) **~** under sb's thumb **fuchteln** ['fʊxtln] *v/i* (*infml*) (***mit den Händen***) **~** to wave one's hands about (*infml*)
Fudschijama [fudʒi'jaːma] *m* ⟨**-s**⟩ Fujiyama
Fug [fuːk] *m* (*elev*) ***mit ~ und Recht*** with complete justification
Fuge ['fuːgə] *f* ⟨-, **-n**⟩ **1.** joint; (≈ *Ritze*) gap, crack; ***die Welt ist aus den ~n geraten*** (*elev*) the world is out of joint (*liter*) **2.** MUS fugue **fugen** ['fuːgn] *v/t* to joint
fügen ['fyːgn] **I** *v/t* (≈ *einfügen*) to put, to place; ***der Zufall fügte es, dass ...*** fate decreed that ... **II** *v/r* (≈ *sich unterordnen*) to be obedient, to obey; ***sich dem Schicksal ~*** to accept one's fate **fügsam** ['fyːkzaːm] *adj* obedient **Fügung** ['fyːgʊŋ] *f* ⟨-, **-en**⟩ (≈ *Bestimmung*) chance, stroke of fate; ***eine glückliche ~*** a stroke of good fortune
fühlbar *adj* (≈ *spürbar*) perceptible; (≈ *beträchtlich*) marked **fühlen** ['fyːlən] **I** *v/t & v/i* to feel; *Puls* to take **II** *v/r* to feel; ***sich verantwortlich ~*** to feel responsible; ***wie ~ Sie sich?*** how are you feeling?, how do you feel? **Fühler** ['fyːlɐ] *m* ⟨**-s, -**⟩ ZOOL feeler, antenna; ***seine ~ ausstrecken*** (*fig infml*) to put out feelers (*nach* towards) **Fühlung** ['fyːlʊŋ] *f* ⟨-, **-en**⟩ contact; ***mit jdm in ~ bleiben*** to remain *or* stay in contact *or* touch with sb
Fuhre ['fuːrə] *f* ⟨-, **-n**⟩ (≈ *Ladung*) load
führen ['fyːrən] **I** *v/t* **1.** (≈ *geleiten*) to take; (≈ *vorangehen, -fahren*) to lead; ***er führte uns durch das Schloss*** he showed us (a)round the castle **2.** (≈ *leiten*) *Betrieb etc* to run; *Gruppe etc* to lead, to head **3.** ***was führt Sie zu mir?*** (*form*) what brings you to me?; ***ein Land ins Chaos ~*** to reduce a country to chaos **4.** *Kraftfahrzeug* to drive; *Flugzeug* to fly; *Kran* to operate **5.** (≈ *transportieren*) to carry; (≈ *haben*) *Namen, Titel* to have **6.** (≈ *im Angebot haben*) to stock **II** *v/i* **1.** (≈ *in Führung liegen*) to lead; ***die Mannschaft führt mit 10 Punkten Vorsprung*** the team has a lead of *or* is leading by 10 points **2.** (≈ *verlaufen*) (*Straße*) to go; (*Kabel etc*) to run; (*Spur*) to lead **3.** (≈ *als Ergebnis haben*) ***zu etw ~*** to lead to sth, to result in sth; ***das führt zu nichts*** that will come to nothing **führend** *adj* leading *attr* **Führer** ['fyːrɐ] *m* ⟨**-s, -**⟩ (≈ *Buch*) guide **Führer** ['fyːrɐ] *m* ⟨**-s, -**⟩, **Führerin** [-ərɪn] *f* ⟨-, **-nen**⟩ **1.** (≈ *Leiter*) leader; (≈ *Oberhaupt*) head **2.** (≈ *Fremdenführer*) guide **3.** (*form* ≈ *Lenker*) driver; (*von Flugzeug*) pilot; (*von Kran*) operator **Führerausweis** *m* (*Swiss*) = ***Führerschein*** **Führerhaus** *nt* cab **Führerschein** *m* (*für Auto*) driving licence (*Br*), driver's license (*US*); ***den ~ machen*** AUTO to learn to drive; (≈ *die Prüfung ablegen*) to take one's (driving) test; ***jdm den ~ entziehen*** to disqualify sb from driving
Fuhrpark *m* fleet (of vehicles)
Führung ['fyːrʊŋ] *f* ⟨-, **-en**⟩ **1.** *no pl* guidance, direction; (*von Partei, Expedition etc*) leadership; MIL command; (*eines Unternehmens etc*) management **2.** *no pl* (≈ *die Führer*) leaders *pl*, leadership *sg*; MIL commanders *pl*; (*eines Unternehmens etc*) directors *pl* **3.** (≈ *Besichtigung*) guided tour (*durch* of) **4.** *no pl* (≈ *Vorsprung*) lead; ***in ~ gehen/liegen*** to go into/be in the lead **5.** *no pl* (≈ *Betragen*) conduct **6.** MECH guide, guideway **Führungsaufgabe** *f* executive duty **Führungskraft** *f* executive **Führungsriege** *f* leadership; (*von Firma*) management team **Führungsschwäche** *f* weak leadership **Führungsspitze** *f* (*eines Unternehmens etc*) top management **Führungsstärke** *f* strong leadership **Führungsstil** *m* style of leadership; COMM *auch* management style **Führungszeugnis** *nt* → ***polizeilich***
Fuhrunternehmen *nt* haulage business **Fuhrunternehmer(in)** *m*/(*f*) haulier (*Br*), haulage contractor **Fuhrwerk** *nt* wagon; (≈ *Pferdefuhrwerk*) horse and cart
Fülle ['fʏlə] *f* ⟨-, *no pl*⟩ **1.** (≈ *Körpermasse*) portliness **2.** (≈ *Stärke*) fullness; ***eine ~ von Fragen*** a whole host of questions; ***in ~*** in abundance **füllen** ['fʏlən] **I** *v/t* to fill; COOK to stuff; ***etw in Flaschen ~*** to bottle sth; ***etw in Säcke ~*** to put sth into sacks; → ***gefüllt*** **II** *v/r* to fill up **Füller** ['fʏlɐ] *m* ⟨**-s, -**⟩, **Füllfederhalter** *m* fountain pen **füllig** ['fʏlɪç] *adj Mensch* portly; *Figur* generous **Füllung** ['fʏlʊŋ] *f* ⟨-, **-en**⟩ filling; (≈ *Fleischfüllung etc*) stuffing; (*von Pralinen*) centre (*Br*), center (*US*) **Füllwort** *nt*, *pl* ***-wörter*** filler (word)

fummeln ['fʊmln] *v/i (infml)* to fiddle; (≈ *hantieren)* to fumble; *(erotisch)* to pet, to grope *(infml)*

Fund [fʊnt] *m* ⟨**-(e)s, -e** [-də]⟩ find; (≈ *das Entdecken)* discovery; ***einen ~ machen*** to make a find

Fundament [fʊnda'mɛnt] *nt* ⟨**-(e)s, -e**⟩ foundation *(usu pl)* **fundamental** [fʊndamɛn'taːl] **I** *adj* fundamental **II** *adv* fundamentally **Fundamentalismus** [fʊndamɛnta'lɪsmʊs] *m* ⟨**-**, *no pl*⟩ fundamentalism **Fundamentalist** [fʊndamɛnta'lɪst] *m* ⟨**-en, -en**⟩, **Fundamentalistin** [-'lɪstɪn] *f* ⟨**-, -nen**⟩ fundamentalist **fundamentalistisch** [fʊndamɛnta'lɪstɪʃ] *adj* fundamentalist

Fundbüro *nt* lost property office *(Br)*, lost and found *(US)* **Fundgrube** *f (fig)* treasure trove

fundieren [fʊn'diːrən] *past part* ***fundiert*** *v/t (fig)* to back up **fundiert** [fʊn'diːɐt] *adj* sound; ***schlecht ~*** unsound

fündig ['fʏndɪç] *adj* ***~ werden*** *(fig)* to strike it lucky **Fundort** *m, pl* ***-orte der ~ von etw*** (the place) where sth was found **Fundstelle** *f* = ***Fundort***

fünf [fʏnf] *num* five; ***seine ~ Sinne beieinanderhaben*** to have all one's wits about one; → ***vier*** **Fünf** [fʏnf] *f* ⟨**-, -en**⟩ five **Fünfeck** *nt* pentagon **fünfeckig** *adj* pentagonal, five-cornered **fünffach** ['fʏnffax] *adj* fivefold; → ***vierfach*** **Fünfgangschaltung** *f* five-speed gears *pl* **fünfhundert** ['fʏnf'hʊndɐt] *num* five hundred **Fünfjahresplan** *m* five-year plan **fünfjährig** *adj Amtszeit etc* five-year; *Kind* five-year-old; → ***vierjährig*** **Fünfkampf** *m* SPORTS pentathlon **Fünfling** ['fʏnflɪŋ] *m* ⟨**-s, -e**⟩ quintuplet **fünfmal** ['fʏnfmaːl] *adv* five times **Fünfprozentklausel** *f* five-percent rule **fünftägig** *adj* five-day *attr* **fünftausend** ['fʏnf'tauznt] *num* five thousand **Fünftel** ['fʏnftl] *nt* ⟨**-s, -**⟩ fifth; → ***Viertel***[1] **fünftens** ['fʏnftns] *adv* fifth(ly) **fünfte(r, s)** ['fʏnftə] *adj* fifth; → ***vierte(r, s)*** **fünfzehn** ['fʏnftseːn] *num* fifteen **fünfzig** ['fʏnftsɪç] *num* fifty; → ***vierzig*** **Fünfziger** ['fʏnftsɪɡɐ] *m* ⟨**-s, -**⟩ *(infml)* (≈ *Fünfzigeuroschein)* fifty-euro note *(Br) or* bill *(US)*; (≈ *Fünfzigcentstück)* fifty-cent piece **fünfzigjährig** *adj Person* fifty-year-old *attr*

fungieren [fʊŋ'giːrən] *past part* ***fungiert*** *v/i* to function *(als* as a)

Funk [fʊŋk] *m* ⟨**-s**, *no pl*⟩ radio; ***per ~*** by radio

Fünkchen ['fʏŋkçən] *nt* ⟨**-s, -**⟩ ***ein ~ Wahrheit*** a grain of truth **Funke** ['fʊŋkə] *m* ⟨**-ns, -n**⟩ **1.** spark; ***~n sprühen*** to spark, to emit sparks; ***arbeiten, dass die ~n fliegen*** *or* ***sprühen*** *(infml)* to work like crazy *(infml)* **2.** *(von Hoffnung)* gleam, glimmer **funkeln** ['fʊŋkln] *v/i* to sparkle; *(Augen) (vor Freude)* to twinkle; *(vor Zorn)* to glitter **funkelnagelneu** ['fʊŋkl'naːgl'nɔy] *adj (infml)* brand-new

funken ['fʊŋkn] **I** *v/t Signal* to radio; ***SOS ~*** to send out an SOS **II** *v/i impers* ***endlich hat es bei ihm gefunkt*** *(infml)* it finally clicked (with him) *(infml)*

Funken ['fʊŋkn] *m* ⟨**-s, -**⟩ = ***Funke***

Funker ['fʊŋkɐ] *m* ⟨**-s, -**⟩, **Funkerin** [-ərɪn] *f* ⟨**-, -nen**⟩ radio *or* wireless operator

Funkgerät *nt* (≈ *Sprechfunkgerät)* radio set, walkie-talkie **Funkhaus** *nt* broadcasting centre *(Br) or* center *(US)* **Funkkontakt** *m* radio contact **Funkloch** *nt* TEL dead spot **Funkruf** *m* TEL (radio) paging **Funksprechgerät** *nt* radio telephone; *(tragbar)* walkie-talkie **Funksprechverkehr** *m* radiotelephony **Funkspruch** *m* (≈ *Mitteilung)* radio message **Funkstation** *f* radio station **Funkstille** *f* radio silence; *(fig)* silence **Funkstreife** *f* police radio patrol **Funktelefon** *nt* radio telephone

Funktion [fʊŋk'tsioːn] *f* ⟨**-, -en**⟩ function *no pl*: (≈ *Tätigkeit)* functioning; (≈ *Amt)* office; (≈ *Stellung)* position; ***in ~ sein*** to be in operation **Funktionär** [fʊŋktsio'nɛːɐ] *m* ⟨**-s, -e**⟩, **Funktionärin** [-'nɛːrɪn] *f* ⟨**-, -nen**⟩ functionary **funktionell** [fʊŋktsio'nɛl] *adj* functional **funktionieren** [fʊŋktsio'niːrən] *past part* ***funktioniert*** *v/i* to work **funktionsfähig** *adj* able to work; *Maschine* in working order **Funktionsleiste** *f* IT toolbar **Funktionsstörung** *f* MED malfunction **Funktionstaste** *f* IT function key

Funkturm *m* radio tower **Funkuhr** *f* radio-controlled clock **Funkverbindung** *f* radio contact **Funkverkehr** *m* radio communication *or* traffic

für [fyːɐ] *prep +acc* for; ***~ mich*** for me; (≈ *meiner Ansicht nach)* in my opinion *or* view; ***~ zwei arbeiten*** *(fig)* to do the work of two people; ***~ einen Deutschen ...*** for a German ...; ***sich ~ etw entschei-***

den to decide in favo(u)r of sth; ***das hat was ~ sich*** it's not a bad thing; ***~ jdn einspringen*** to stand in for sb; ***Tag ~ Tag*** day after day; ***Schritt ~ Schritt*** step by step; ***etw ~ sich behalten*** to keep sth to oneself **Für** ['fy:ɐ] *nt* ***das ~ und Wider*** the pros and cons *pl*

Furche ['fʊrçə] *f* ⟨**-, -n**⟩ furrow; (≈ *Wagenspur*) rut

Furcht [fʊrçt] *f* ⟨**-**, *no pl*⟩ fear; ***aus ~ vor jdm/etw*** for fear of sb/sth; ***~ vor jdm/etw haben*** to fear sb/sth; ***jdm ~ einflößen*** to frighten *or* scare sb; ***~ erregend*** terrifying **furchtbar I** *adj* terrible, awful; ***ich habe einen ~en Hunger*** I'm terribly hungry (*infml*) **II** *adv* terribly (*infml*), awfully (*infml*) **fürchten** ['fʏrçtn] **I** *v/t* ***jdn/etw ~*** to be afraid of sb/sth, to fear sb/sth; ***das Schlimmste ~*** to fear the worst; → ***gefürchtet*** **II** *v/r* to be afraid (*vor +dat* of) **III** *v/i* ***um jds Leben ~*** to fear for sb's life; ***zum Fürchten aussehen*** to look frightening *or* terrifying; ***jdn das Fürchten lehren*** to put the fear of God into sb **fürchterlich** ['fʏrçtɐlɪç] *adj, adv* = ***furchtbar*** **furchterregend** *adj* terrifying **furchtlos** *adj* fearless **Furchtlosigkeit** *f* ⟨**-**, *no pl*⟩ fearlessness **furchtsam** ['fʊrçtza:m] *adj* timorous

füreinander [fy:ɐ|ai'nandɐ] *adv* for each other, for one another

Furie ['fu:riə] *f* ⟨**-, -n**⟩ MYTH fury; (*fig*) hellcat (*esp Br*), termagant **furios** [fu'rio:s] *adj* high-energy, dynamic

Furnier [fʊr'ni:ɐ] *nt* ⟨**-s, -e**⟩ veneer

Furore [fu'ro:rə] *f* ⟨**-** *or nt* **-s**, *no pl*⟩ sensation; ***~ machen*** (*infml*) to cause a sensation

Fürsorge *f*, *no pl* **1.** (≈ *Betreuung*) care; (≈ *Sozialfürsorge*) welfare **2.** (*infml* ≈ *Sozialamt*) welfare services *pl* **3.** (*infml* ≈ *Sozialunterstützung*) social security (*Br*), welfare (*US*); ***von der ~ leben*** to live on social security (*Br*) *or* welfare (*US*) **fürsorglich** ['fy:ɐzɔrklɪç] *adj* caring **Fürsprache** *f* recommendation; ***auf ~ von jdm*** on sb's recommendation **Fürsprecher(in)** *m/(f)* advocate

Fürst [fʏrst] *m* ⟨**-en, -en**⟩ prince; (≈ *Herrscher*) ruler **Fürstentum** ['fʏrstntu:m] *nt* ⟨**-s, -tümer** [-ty:mɐ]⟩ principality **fürstlich** ['fʏrstlɪç] **I** *adj* princely *no adv* **II** *adv* ***jdn ~ bewirten*** to entertain sb right royally; ***jdn ~ belohnen*** to reward sb handsomely; ***~ leben*** to live like a king *or* lord

Furunkel [fu'rʊŋkl] *nt or m* ⟨**-s, -**⟩ boil

Fürwort *nt*, *pl* **-wörter** GRAM pronoun

Furz [fʊrts] *m* ⟨**-(e)s, ⸗e** ['fʏrtsə]⟩ (*infml*) fart (*infml*) **furzen** ['fʊrtsn] *v/i* (*infml*) to fart (*infml*)

Fusel ['fu:zl] *m* ⟨**-s, -**⟩ (*pej*) rotgut (*infml*), hooch (*esp US infml*)

Fusion [fu'zio:n] *f* ⟨**-, -en**⟩ amalgamation; (*von Unternehmen*) merger; (*von Atomkernen, Zellen*) fusion **fusionieren** [fuzio'ni:rən] *past part* **fusioniert** *v/t & v/i* to amalgamate; (*Unternehmen*) to merge

Fuß [fu:s] *m* ⟨**-es, ⸗e** ['fy:sə]⟩ **1.** foot; ***zu ~*** on *or* by foot; ***er ist gut/schlecht zu ~*** he is steady/not so steady on his feet; ***das Publikum lag ihr zu Füßen*** she had the audience at her feet; ***kalte Füße bekommen*** to get cold feet; ***bei ~!*** heel!; ***jdn mit Füßen treten*** (*fig*) to walk all over sb; ***etw mit Füßen treten*** (*fig*) to treat sth with contempt; ***(festen) ~ fassen*** to gain a foothold; (≈ *sich niederlassen*) to settle down; ***auf eigenen Füßen stehen*** (*fig*) to stand on one's own two feet; ***jdn auf freien ~ setzen*** to release sb, to set sb free **2.** (*von Gegenstand*) base; (≈ *Tisch-, Stuhlbein*) leg; ***auf schwachen Füßen stehen*** to be built on sand **3.** POETRY foot **4.** *pl* **-** (*Längenmaß*) foot; ***12 ~ lang*** 12 foot *or* feet long **Fußabdruck** *m* footprint **Fußangel** *f* (*lit*) mantrap; (*fig*) catch, trap **Fußbad** *nt* foot bath **Fußball** *m* **1.** *no pl*: (≈ *Fußballspiel*) football (*esp Br*), soccer **2.** (≈ *Ball*) football (*esp Br*), soccer ball **Fußballer** [-balɐ] *m* ⟨**-s, -**⟩, **Fußballerin** [-ərɪn] *f* ⟨**-, -nen**⟩ (*infml*) footballer (*esp Br*), soccer player **Fußball-Länderspiel** *nt* international football (*esp Br*) *or* soccer match **Fußballmannschaft** *f* football (*esp Br*) *or* soccer team **Fußballplatz** *m* football pitch (*esp Br*), soccer field (*US*) **Fußballspieler(in)** *m/(f)* football (*esp Br*) *or* soccer player **Fußballstadion** *nt* football (*esp Br*) *or* soccer (*US*) stadium **Fußballstar** *nt* football (*esp Br*) *or* soccer star **Fußballverein** *m* football (*esp Br*) *or* soccer club **Fußballweltmeister** *m* World Cup holders *pl* **Fußballweltmeisterschaft** *f* World Cup **Fußboden** *m* floor **Fußbodenbelag** *m* floor covering **Fußbodenheizung** *f* (under)floor heating **Fuß-**

bremse *f* foot brake **Fussel** ['fʊsl] *f* ⟨-, **-n** *or m* **-s, -**⟩ fluff *no pl*; ***ein(e)* ~** a bit of fluff **fusseln** ['fʊsln] *v/i* to give off fluff
fußen ['fuːsn] *v/i* to rest (*auf +dat* on)
Fußende *nt* (*von Bett*) foot **Fußfessel** *f* **~n** *pl* shackles *pl*; ***elektronische ~*** electronic tag **Fußgänger** [-gɛŋɐ] *m* ⟨**-s, -**⟩, **Fußgängerin** [-ərɪn] *f* ⟨**-, -nen**⟩ pedestrian **Fußgängerüberweg** *m* pedestrian crossing (*Br*), crosswalk (*US*) **Fußgängerunterführung** *f* underpass, pedestrian subway (*Br*) **Fußgängerzone** *f* pedestrian precinct *or* zone **Fußgelenk** *nt* ankle **Fußmarsch** *m* walk; MIL march **Fußmatte** *f* doormat **Fußnote** *f* footnote **Fußpflege** *f* chiropody **Fußpfleger(in)** *m/(f)* chiropodist **Fußpilz** *m* MED athlete's foot **Fußsohle** *f* sole of the foot **Fußspur** *f* footprint **Fußstapfe** *f*, **Fußstapfen** *m* footprint; ***in jds (acc) ~n treten*** (*fig*) to follow in sb's footsteps **Fußstütze** *f* footrest **Fußtritt** *m* footstep; (≈ *Stoß*) kick; ***einen ~ bekommen*** (*fig*) to be kicked out (*infml*) **Fußweg** *m* **1.** (≈ *Pfad*) footpath **2.** (≈ *Entfernung*) ***es sind nur 15 Minuten ~*** it's only 15 minutes' walk
Futter ['fʊtɐ] *nt* ⟨**-s, -**⟩ **1.** *no pl* (animal) food *or* feed; (*esp für Kühe, Pferde etc*) fodder **2.** (≈ *Kleiderfutter*) lining **Futteral** [fʊtə'raːl] *nt* ⟨**-s, -e**⟩ case **futtern** ['fʊtɐn] (*hum infml*) **I** *v/i* to stuff oneself (*infml*) **II** *v/t* to scoff (*Br infml*), to scarf *or* chow (*US infml*) **füttern** ['fʏtɐn] *v/t* **1.** to feed; ***„Füttern verboten"*** "do not feed the animals" **2.** *Kleidungsstück* to line **Futternapf** *m* bowl **Futterneid** *m* (*fig*) green-eyed monster (*hum*), jealousy **Fütterung** ['fʏtərʊŋ] *f* ⟨**-, -en**⟩ feeding
Futur [fu'tuːɐ] *nt* ⟨**-(e)s, -e**⟩ GRAM future (tense) **futuristisch** [futu'rɪstɪʃ] *adj* (≈ *zukunftsweisend*) futuristic **Futurologie** [futurolo'giː] *f* ⟨**-,** *no pl*⟩ futurology

G

G, g [geː] *nt* ⟨**-, -**⟩ G, g
Gabe ['gaːbə] *f* ⟨**-, -n**⟩ (≈ *Begabung*) gift
Gabel ['gaːbl] *f* ⟨**-, -n**⟩ fork; (≈ *Heugabel, Mistgabel*) pitchfork; TEL rest, cradle **gabeln** ['gaːbln] *v/r* to fork **Gabelstapler** [-ʃtaːplɐ] *m* ⟨**-s, -**⟩ fork-lift truck **Gabelung** *f* ⟨**-, -en**⟩ fork
Gabentisch *m table for Christmas or birthday presents*
Gabun [ga'buːn] *nt* ⟨**-s**⟩ Gabon
gackern ['gakɐn] *v/i* to cackle
gaffen ['gafn] *v/i* to gape (*nach* at) **Gaffer** ['gafɐ] *m* ⟨**-s, -**⟩, **Gafferin** [-ərɪn] *f* ⟨**-, -nen**⟩ gaper
Gag [gɛ(ː)k] *m* ⟨**-s, -s**⟩ (≈ *Filmgag*) gag; (≈ *Werbegag*) gimmick; (≈ *Witz*) joke; (*infml* ≈ *Spaß*) laugh
Gage ['gaːʒə] *f* ⟨**-, -n**⟩ *esp* THEAT fee; (≈ *regelmäßige Gage*) salary
gähnen ['gɛːnən] *v/i* to yawn; ***~de Leere*** total emptiness; ***ein ~des Loch*** a gaping hole
Gala ['gala, 'gaːla] *f* ⟨**-, -s**⟩ formal *or* evening *or* gala dress; MIL full *or* ceremonial *or* gala dress **Galaabend** *m* gala evening **Galaempfang** *m* formal reception
galaktisch [ga'laktɪʃ] *adj* galactic
galant [ga'lant] (*dated*) **I** *adj* gallant **II** *adv* gallantly
Galauniform *f* MIL full dress uniform **Galavorstellung** *f* THEAT gala performance
Galaxis [ga'laksɪs] *f* ⟨**-, *Galaxien***⟩ ASTRON galaxy; (≈ *Milchstraße*) Galaxy, Milky Way
Galeere [ga'leːrə] *f* ⟨**-, -n**⟩ galley
Galerie [galə'riː] *f* ⟨**-, -n** [-'riːən]⟩ gallery; ***auf der ~*** in the gallery
Galgen ['galgn] *m* ⟨**-s, -**⟩ gallows *pl*, gibbet; FILM boom **Galgenfrist** *f* (*infml*) reprieve **Galgenhumor** *m* gallows humour (*Br*) *or* humor (*US*)
Galionsfigur *f* figurehead
gälisch ['gɛːlɪʃ] *adj* Gaelic
Galle ['galə] *f* ⟨**-, -n**⟩ (ANAT ≈ *Organ*) gall bladder; (≈ *Flüssigkeit*) bile; BOT, VET gall; (*fig* ≈ *Bosheit*) virulence; ***bitter wie ~*** bitter as gall; ***jdm kommt die ~ hoch*** sb's blood begins to boil **Gallenblase** *f* gall bladder **Gallenkolik** *f* gallstone colic **Gallenstein** *m* gallstone
Gallier ['galiɐ] *m* ⟨**-s, -**⟩, **Gallierin** [-iərɪn] *f* ⟨**-, -nen**⟩ Gaul **gallisch** ['galɪʃ] *adj* Gal-

lic

Gallone [ga'loːnə] *f* ⟨**-, -n**⟩ gallon

Galopp [ga'lɔp] *m* ⟨**-s, -s** *or* **-e**⟩ gallop; ***im ~*** (*lit*) at a gallop; (*fig*) at top speed; ***langsamer ~*** canter **galoppieren** [galɔ'piːrən] *past part* ***galoppiert*** *v/i aux haben or sein* to gallop; ***~de Inflation*** galloping inflation

Gamasche [ga'maʃə] *f* ⟨**-, -n**⟩ gaiter; (≈ *Wickelgamasche*) puttee

Gambe ['gambə] *f* ⟨**-, -n**⟩ viola da gamba

Gameboy® ['geːmbɔy] *m* ⟨**-(s), -s**⟩ Gameboy® **Gameshow** ['geːmʃoː] *f* game show

Gammastrahlen ['gama-] *pl* gamma rays *pl*

gammelig ['gaməlɪç] *adj* (*infml*) *Lebensmittel* old; *Kleidung* tatty (*infml*) **gammeln** ['gamln] *v/i* (*infml*) to loaf around (*infml*) **Gammler** ['gamlɐ] *m* ⟨**-s, -**⟩, **Gammlerin** [-ərɪn] *f* ⟨**-, -nen**⟩ long-haired layabout (*Br*) *or* bum (*infml*)

Gamsbart *m*, *m tuft of hair from a chamois worn as a hat decoration*, shaving brush (*hum infml*) **Gamsbock** *m*, *m* chamois buck **Gämse** ['gɛmzə] *f* ⟨**-, -n**⟩ chamois

gang [gaŋ] *adj* ***~ und gäbe sein*** to be quite usual

Gang [gaŋ] *m* ⟨**-(e)s, ¨-e** ['gɛŋə]⟩ **1.** *no pl*: (≈ *Gangart*) walk, gait **2.** (≈ *Besorgung*) errand; (≈ *Spaziergang*) walk; ***einen ~ zur Bank machen*** to pay a visit to the bank **3.** *no pl* (≈ *Ablauf*) course; ***der ~ der Ereignisse/der Dinge*** the course of events/things; ***seinen (gewohnten) ~ gehen*** (*fig*) to run its usual course; ***etw in ~ bringen*** *or* ***setzen*** to get *or* set sth going; ***etw in ~ halten*** to keep sth going; ***in ~ kommen*** to get going; ***in ~ sein*** to be going; (*fig*) to be under way; ***in vollem ~*** in full swing; ***es ist etwas im ~(e)*** (*infml*) something's up (*infml*) **4.** (≈ *Arbeitsgang*) operation; (*eines Essens*) course; ***ein Essen mit vier Gängen*** a four-course meal **5.** (≈ *Verbindungsgang*) passage(way); (*in Gebäuden*) corridor; (≈ *Hausflur*) hallway; (*zwischen Sitzreihen*) aisle **6.** MECH gear; ***den ersten ~ einlegen*** to engage first (gear); ***in die Gänge kommen*** (*fig*) to get started *or* going **Gangart** *f* walk; (*von Pferd*) gait, pace; ***eine harte ~*** (*fig*) a tough stance *or* line **gangbar** *adj* (*lit*) *Weg, Brücke etc* passable; (*fig*) *Lösung, Weg* practicable

gängeln ['gɛŋln] *v/t* (*fig*) ***jdn ~*** to treat sb like a child; (*Mutter*) to keep sb tied to one's apron strings

gängig ['gɛŋɪç] *adj* (≈ *üblich*) common; (≈ *aktuell*) current

Gangschaltung *f* gears *pl*

Gangster ['gɛŋstɐ, 'gaŋstɐ] *m* ⟨**-s, -**⟩ gangster **Gangsterbande** ['gɛŋstɐ-, 'gaŋstɐ-] *f* gang of criminals **Gangstermethoden** ['gɛŋstɐ-, 'gaŋstɐ-] *pl* strong-arm tactics *pl*

Gangway ['gɛŋweːː] *f* ⟨**-, -s**⟩ NAUT gangway; AVIAT steps *pl*

Ganove [ga'noːvə] *m* ⟨**-n, -n**⟩ (*infml*) crook; (*hum* ≈ *listiger Kerl*) sly old fox

Gans [gans] *f* ⟨**-, ¨-e** ['gɛnzə]⟩ goose; ***wie die Gänse schnattern*** to cackle away **Gänseblümchen** [-blyːmçən] *nt* ⟨**-s, -**⟩ daisy **Gänsebraten** *m* roast goose **Gänsefüßchen** [-fyːsçən] *pl* (*infml*) inverted commas *pl* (*Br*), quotation marks *pl* **Gänsehaut** *f* (*fig*) goose pimples *pl* *or* flesh (*Br*), goose bumps *pl*; ***eine ~ bekommen*** *or* ***kriegen*** (*infml*) to get goose pimples *etc* **Gänseleberpastete** *f* pâté de foie gras, goose-liver pâté **Gänsemarsch** *m* ***im ~*** in single *or* Indian file **Gänserich** ['gɛnzərɪç] *m* ⟨**-s, -e**⟩ gander

ganz [gants] **I** *adj* **1.** whole, entire; (≈ *vollständig*) complete; ***~ England/London*** the whole of England/London (*Br*), all (of) England/London; ***die ~e Zeit*** all the time, the whole time; ***sein ~es Geld*** all his money; ***seine ~e Kraft*** all his strength; ***ein ~er Mann*** a real man; ***im (Großen und) Ganzen*** on the whole **2.** (*infml* ≈ *unbeschädigt*) intact; ***etw wieder ~ machen*** to mend sth **II** *adv* (≈ *völlig*) quite; (≈ *vollständig*) completely; (≈ *ziemlich*) quite; (≈ *sehr*) really; (≈ *genau*) exactly, just; ***~ hinten/vorn*** right at the back/front; ***nicht ~*** not quite; ***~ gewiss!*** most certainly, absolutely; ***ein ~ billiger Trick*** a really cheap trick; ***~ allein*** all alone; ***~ wie Sie meinen*** just as you think (best); ***~ und gar*** completely, utterly; ***~ und gar nicht*** not at all; ***ein ~ klein wenig*** just a little *or* tiny bit; ***das mag ich ~ besonders gerne*** I'm particularly *or* especially fond of that **Ganze(s)** ['gantsə] *nt decl as adj* whole; ***etw als ~s sehen*** to see sth as a whole; ***das ~ kostet ...*** altogether it costs ...; ***aufs ~ gehen*** (*infml*) to go all out; ***es geht ums ~*** everything's at stake

Ganzheit *f* ⟨-, *(rare)* **-en**⟩ (≈ *Einheit*) unity; (≈ *Vollständigkeit*) entirety; ***in seiner ~*** in its entirety **ganzheitlich** ['gantshaitlɪç] *adj* (≈ *umfassend einheitlich*) integral; *Lernen* integrated; *Medizin* holistic **ganzjährig** *adj, adv* all (the) year round **gänzlich** ['gɛntslɪç] *adv* completely, totally **ganzseitig** [-zaitɪç] *adj Anzeige etc* full-page **ganztägig** *adj* all-day; *Arbeit, Stelle* full-time; ***~ geöffnet*** open all day **ganztags** ['gantstaːks] *adv arbeiten* full-time **Ganztagsbeschäftigung** *f* full-time occupation **Ganztagsschule** *f* all-day school

gar [gaːɐ] **I** *adv* ***~ keines*** none at all *or* whatsoever; ***~ nichts*** nothing at all *or* whatsoever; ***~ nicht schlecht*** not bad at all **II** *adj Speise* done *pred*, cooked

Garage [ga'raːʒə] *f* ⟨-, **-n**⟩ garage

Garant [ga'rant] *m* ⟨**-en, -en**⟩, **Garantin** [-'rantɪn] *f* ⟨-, **-nen**⟩ guarantor **Garantie** [garan'tiː] *f* ⟨-, **-n** [-'tiːən]⟩ guarantee; *(auf Auto)* warranty; ***die Uhr hat ein Jahr ~*** the watch is guaranteed for a year; ***unter ~*** under guarantee **garantieren** [garan'tiːrən] *past part* ***garantiert*** **I** *v/t* to guarantee *(jdm etw* sb sth) **II** *v/i* to give a guarantee; ***für etw ~*** to guarantee sth **garantiert** [garan'tiːɐt] *adv* guaranteed; *(infml)* I bet *(infml)*; ***er kommt ~ nicht*** I bet he won't come *(infml)* **Garantieschein** *m* guarantee, certificate of guarantee *(form)*; *(für Auto)* warranty

Garbe ['garbə] *f* ⟨-, **-n**⟩ (≈ *Korngarbe*) sheaf

Garde ['gardə] *f* ⟨-, **-n**⟩ guard; ***die alte/junge ~*** *(fig)* the old/young guard

Garderobe [gardə'roːbə] *f* ⟨-, **-n**⟩ **1.** (≈ *Kleiderbestand*) wardrobe *(Br)* **2.** (≈ *Kleiderablage*) hall stand; *(im Theater, Kino etc)* cloakroom *(Br)*, checkroom *(US)* **3.** (THEAT ≈ *Umkleideraum*) dressing room **Garderobenfrau** *f* cloakroom *(Br) or* checkroom *(US)* attendant **Garderobenmarke** *f* cloakroom *(Br) or* checkroom *(US)* ticket **Garderobenständer** *m* hat stand *(Br)*, hat tree *(US)*

Gardine [gar'diːnə] *f* ⟨-, **-n**⟩ curtain *(Br)*, drape *(US)*; (≈ *Scheibengardine*) net *(Br) or* café *(US)* curtain **Gardinenpredigt** *f (infml)* talking-to; ***jdm eine ~ halten*** to give sb a talking-to **Gardinenstange** *f* curtain rail; *(zum Ziehen)* curtain rod

garen ['gaːrən] COOK *v/t & v/i* to cook; *(auf kleiner Flamme)* to simmer

gären ['gɛːrən] *pret* ***gor*** *or* ***gärte***, *past part* ***gegoren*** *or* ***gegärt*** *v/i aux haben or sein* to ferment; ***in ihm gärt es*** he is in a state of inner turmoil

Garn [garn] *nt* ⟨**-(e)s, -e**⟩ thread; ***ein ~ spinnen*** *(fig)* to spin a yarn

Garnele [gar'neːlə] *f* ⟨-, **-n**⟩ ZOOL prawn; (≈ *Granat*) shrimp

garnieren [gar'niːrən] *past part* ***garniert*** *v/t* to decorate; *Gericht Reden etc* to garnish

Garnison [garni'zoːn] *f* ⟨-, **-en**⟩ MIL garrison

Garnitur [garni'tuːɐ] *f* ⟨-, **-en**⟩ **1.** (≈ *Satz*) set; ***die erste ~*** *(fig)* the pick of the bunch; ***erste/zweite ~ sein*** to be first--rate *or* first-class/second-rate **2.** (≈ *Besatz*) trimming

Garten ['gartn] *m* ⟨**-s, ¨** ['gɛrtn]⟩ garden; (≈ *Obstgarten*) orchard; ***botanischer ~*** botanic(al) gardens *pl* **Gartenarbeit** *f* gardening *no pl* **Gartenbau** *m, no pl* horticulture **Gartengerät** *nt* gardening tool *or* implement **Gartenhaus** *nt* summer house **Gartenlokal** *nt* beer garden; (≈ *Restaurant*) garden café **Gartenmöbel** *pl* garden furniture **Gartenschere** *f* secateurs *pl (Br)*, pruning shears *pl*; (≈ *Heckenschere*) shears *pl* **Gartenzaun** *m* garden fence **Gartenzwerg** *m* garden gnome **Gärtner** ['gɛrtnɐ] *m* ⟨**-s, -**⟩, **Gärtnerin** [-ərɪn] *f* ⟨-, **-nen**⟩ gardener **Gärtnerei** [gɛrtnə'rai] *f* ⟨-, **-en**⟩ **1.** market garden *(Br)*, truck farm *(US)* **2.** *no pl* (≈ *Gartenarbeit*) gardening **gärtnern** ['gɛrtnɐn] *v/i* to garden

Gärung ['gɛːrʊŋ] *f* ⟨-, **-en**⟩ fermentation

Garzeit ['gaːɐ-] *f* cooking time

Gas [gaːs] *nt* ⟨**-es, -e** [-zə]⟩ gas; (AUTO ≈ *Gaspedal*) accelerator, gas pedal *(esp US)*; ***~ geben*** AUTO to accelerate; *(auf höhere Touren bringen)* to rev up **Gasbehälter** *m* gas holder, gasometer **Gasexplosion** *f* gas explosion **Gasfeuerzeug** *nt* gas lighter **Gasflasche** *f* bottle of gas, gas canister **gasförmig** *adj* gaseous, gasiform **Gashahn** *m* gas tap **Gasheizung** *f* gas (central) heating **Gasherd** *m* gas cooker **Gaskammer** *f* gas chamber **Gaskocher** *m* camping stove **Gasleitung** *f* (≈ *Rohr*) gas pipe; (≈ *Hauptrohr*) gas main **Gasmann** *m, pl* ***-männer***

gasman **Gasmaske** *f* gas mask **Gasometer** [gazo'meːtɐ] *m* gasometer **Gaspedal** *nt* AUTO accelerator (pedal), gas pedal (*esp US*) **Gasrohr** *nt* gas pipe; (≈ *Hauptrohr*) gas main

Gasse ['gasə] *f* ⟨**-, -n**⟩ lane; (≈ *Durchgang*) alley(way) **Gassenjunge** *m* (*pej*) street urchin **Gassi** ['gasi] *adv* (*infml*) **~ gehen** to go walkies (*Br infml*), to go for a walk

Gast [gast] *m* ⟨**-es, =e** ['gɛstə]⟩ guest; (≈ *Tourist*) visitor; (*in einer Gaststätte*) customer; ***wir haben heute Abend Gäste*** we're having company this evening; ***bei jdm zu ~ sein*** to be sb's guest(s) **Gastarbeiter(in)** *m/(f)* (*often pej*) immigrant *or* foreign worker **Gastdozent(in)** *m/(f)* visiting *or* guest lecturer **Gästebett** *nt* spare *or* guest bed **Gästebuch** *nt* visitors' book **Gästehandtuch** *nt* guest towel **Gästehaus** *nt* guest house **Gästeliste** *f* guest list **Gäste-WC** *nt* guest toilet **Gästezimmer** *nt* guest *or* spare room **gastfreundlich** *adj* hospitable **Gastfreundlichkeit** *f* ⟨**-**, *no pl*⟩, **Gastfreundschaft** *f* ⟨**-**, *no pl*⟩ hospitality **gastgebend** *adj attr Land, Theater* host *attr*; *Mannschaft* home *attr* **Gastgeber** *m* host **Gastgeberin** *f* hostess **Gasthaus** *nt*, **Gasthof** *m* inn **Gasthörer(in)** *m/(f)* UNIV observer, auditor (*US*) **gastieren** [gas'tiːrən] *past part* ***gastiert*** *v/i* to guest **Gastland** *nt* host country **gastlich** ['gastlɪç] *adj* hospitable **Gastlichkeit** *f* ⟨**-**, *no pl*⟩ hospitality **Gastrecht** *nt* right to hospitality

Gastritis [gas'triːtɪs] *f* ⟨**-, *Gastritiden*** [-'tiːdn]⟩ gastritis

Gastronom [gastro'noːm] *m* ⟨**-en, -en**⟩, **Gastronomin** [-'noːmɪn] *f* ⟨**-, -nen**⟩ (≈ *Gastwirt*) restaurateur; (≈ *Koch*) cuisinier, cordon bleu cook (*esp Br*) **Gastronomie** [gastrono'miː] *f* ⟨**-**, *no pl*⟩ (*form* ≈ *Gaststättengewerbe*) catering trade; (*elev* ≈ *Kochkunst*) gastronomy **gastronomisch** [gastro'noːmɪʃ] *adj* gastronomic

Gastspiel *nt* THEAT guest performance; SPORTS away match **Gaststätte** *f* (≈ *Restaurant*) restaurant; (≈ *Trinklokal*) pub (*Br*), bar **Gaststättengewerbe** *nt* catering trade **Gaststube** *f* lounge

Gasturbine *f* gas turbine

Gastwirt *m* (*Besitzer*) restaurant owner *or* proprietor; (*Pächter*) restaurant manager; (*von Kneipe*) landlord **Gastwirtin** *f* (*Besitzerin*) restaurant owner *or* proprietress; (*Pächterin*) restaurant manageress; (*von Kneipe*) landlady **Gastwirtschaft** *f* = ***Gaststätte***

Gasuhr *f* gas meter **Gasvergiftung** *f* gas poisoning **Gasversorgung** *f* (≈ *System*) gas supply (+*gen* to) **Gaswerk** *nt* gasworks *sg or pl* **Gaszähler** *m* gas meter

Gatte ['gatə] *m* ⟨**-n, -n**⟩ (*form*) husband, spouse (*form*)

Gatter ['gatɐ] *nt* ⟨**-s, -**⟩ (≈ *Tür*) gate; (≈ *Zaun*) fence; (≈ *Rost*) grating, grid

Gattin ['gatɪn] *f* ⟨**-, -nen**⟩ (*form*) wife, spouse (*form*)

Gattung ['gatʊŋ] *f* ⟨**-, -en**⟩ BIOL genus; LIT, MUS, ART genre; (*fig* ≈ *Sorte*) type, kind **Gattungsbegriff** *m* generic concept

GAU [gau] *m* ⟨**-(s)**⟩ *abbr of* ***größter anzunehmender Unfall*** MCA, maximum credible accident; (*fig infml*) worst-case scenario

Gaudi ['gaudi] *nt* ⟨**-s** *or* (*S Ger, Aus*) *f* **-**, *no pl*⟩ (*infml*) fun

Gaukler ['gauklɐ] *m* ⟨**-s, -**⟩, **Gauklerin** [-ərɪn] *f* ⟨**-, -nen**⟩ (*liter*) travelling (*Br*) *or* traveling (*US*) entertainer; (*fig*) storyteller

Gaul [gaul] *m* ⟨**-(e)s, *Gäule*** ['gɔylə]⟩ (*pej*) nag, hack

Gaumen ['gaumən] *m* ⟨**-s, -**⟩ palate

Gauner ['gaunɐ] *m* ⟨**-s, -**⟩ rogue, scoundrel; (≈ *Betrüger*) crook; (*infml* ≈ *gerissener Kerl*) cunning devil (*infml*) **Gaunerin** ['gaunərɪn] *f* ⟨**-, -nen**⟩ rascal; (≈ *Betrügerin*) crook **Gaunersprache** *f* underworld jargon

Gazastreifen ['gaːzaː-] *m* Gaza Strip

Gaze ['gaːzə] *f* ⟨**-, -n**⟩ gauze

Gazelle [ga'tsɛlə] *f* ⟨**-, -n**⟩ gazelle

geartet [gə'|aːɐtət] *adj* ***gutmütig ~ sein*** to be good-natured; ***freundlich ~ sein*** to have a friendly nature

Geäst [gə'|ɛst] *nt* ⟨**-(e)s**, *no pl*⟩ branches *pl*

Gebäck [gə'bɛk] *nt* ⟨**-(e)s, -e**⟩ (≈ *Kekse*) biscuits *pl* (*Br*), cookies *pl* (*US*); (≈ *süße Teilchen*) pastries *pl*

Gebälk [gə'bɛlk] *nt* ⟨**-(e)s, -e**⟩ timbers *pl*

geballt [gə'balt] *adj* (≈ *konzentriert*) concentrated; ***die Probleme treten jetzt ~ auf*** the problems are piling up now; → ***ballen***

Gebärde [gə'bɛːɐdə] *f* ⟨**-, -n**⟩ gesture **ge-**

bärden [gə'bɛːɐdn] *past part* **gebärdet** *v/r* to behave **Gebärdensprache** *f* gestures *pl*; (≈ *Zeichensprache*) sign language

Gebaren [gə'baːrən] *nt* ⟨**-s**, *no pl*⟩ behaviour (*Br*), behavior (*US*); (COMM ≈ *Geschäftsgebaren*) conduct

gebären [gə'bɛːrən] *pres* **gebärt** *or* (*geh*) **gebiert** [gə'biːɐt], *pret* **gebar** [gə'baːɐ], *past part* **geboren** [gə'boːrən] **I** *v/t* to give birth to; **geboren werden** to be born; **wo sind Sie geboren?** where were you born?; → **geboren II** *v/i* to give birth **Gebärmutter** *f*, *pl* **-mütter** ANAT womb, uterus **Gebärmutterhals** *m* cervix **Gebärmutterkrebs** *m* cervical cancer

Gebarung *f* ⟨**-**, **-en**⟩ (*Aus* COMM ≈ *Geschäftsgebaren*) conduct

Gebäude [gə'bɔydə] *nt* ⟨**-s**, **-**⟩ building; (*fig* ≈ *Gefüge*) structure **Gebäudekomplex** *m* building complex

gebaut [gə'baut] *adj* built; **gut ~ sein** to be well-built; → **bauen**

Gebell [gə'bɛll] *nt* ⟨**-s**, *no pl*⟩ barking

geben ['geːbn] *pret* **gab** [gaːp], *past part* **gegeben** [gə'geːbn] **I** *v/t* **1.** to give; **was darf ich Ihnen ~?** what can I get you?; **~ Sie mir bitte zwei Flaschen Bier** I'd like two bottles of beer, please; **~ Sie mir bitte Herrn Lang** TEL can I speak to Mr Lang please?; **ich gäbe viel darum, zu ...** I'd give a lot to ...; **gibs ihm** (**tüchtig**)**!** (*infml*) let him have it! (*infml*); **das Buch hat mir viel gegeben** I got a lot out of the book; → **gegeben 2.** (≈ *übergeben*) **ein Auto in Reparatur ~** to have a car repaired; **ein Kind in Pflege ~** to put a child in care **3.** (≈ *veranstalten*) *Konzert*, *Fest* to give; **was wird heute im Theater gegeben?** what's on at the theatre (*Br*) *or* theater (*US*) today? **4.** (≈ *unterrichten*) to teach; **er gibt Nachhilfeunterricht** he does tutoring **5. viel**/**nicht viel auf etw** (*acc*) **~** to set great/little store by sth; **ich gebe nicht viel auf seinen Rat** I don't think much of his advice; **etw von sich ~** *Laut*, *Worte*, *Flüche* to utter; *Meinung* to express **II** *v/i* **1.** CARDS to deal; **wer gibt?** whose turn is it to deal? **2.** (SPORTS ≈ *Aufschlag haben*) to serve **III** *v/i impers* **es gibt** there is; (*+pl*) there are; **gibt es einen Gott?** is there a God?; **es wird noch Ärger ~** there'll be trouble (yet); **was gibts zum Mittagessen?** what's for lunch?; **es gibt gleich Mittagessen!** it's nearly time for lunch!; **was gibts?** what's the matter?, what is it?; **das gibts doch nicht!** I don't believe it!; **das hat es ja noch nie gegeben!** it's unbelievable!; **so was gibts bei uns nicht!** (*infml*) that's just not on! (*infml*); **gleich gibts was!** (*infml*) there's going to be trouble! **IV** *v/r* **sich ~** (≈ *nachlassen*, *Regen*) to ease off; (*Schmerzen*) to ease; (*Begeisterung*) to cool; (*freches Benehmen*) to lessen; (≈ *sich erledigen*) to sort itself out; (≈ *aufhören*) to stop; **das wird sich schon ~** it'll all work out; **nach außen gab er sich heiter** outwardly he seemed quite cheerful **Geber** ['geːbɐ] *m* ⟨**-s**, **-**⟩, **Geberin** [-ərɪn] *f* ⟨**-**, **-nen**⟩ giver; CARDS dealer

Gebet [gə'beːt] *nt* ⟨**-(e)s**, **-e**⟩ prayer; **jdn ins ~ nehmen** (*fig*) to take sb to task; (*iron*: *bei Polizeiverhör etc*) to put pressure on sb **Gebetbuch** *nt* prayer book

gebeugt [gə'bɔykt] *adj Haltung* stooped; *Kopf* bowed; → **beugen**

Gebiet [gə'biːt] *nt* ⟨**-(e)s**, **-e**⟩ **1.** area, region; (≈ *Staatsgebiet*) territory **2.** (*fig* ≈ *Fach*) field; (≈ *Teilgebiet*) branch; **auf diesem ~** in this field **gebieten** [gə'biːtn] *pret* **gebot** [gə'boːt], *past part* **geboten** [gə'boːtn] (*elev*) **I** *v/t* (≈ *verlangen*) to demand; **jdm etw ~** to command sb to do sth **II** *v/i* **über etw** (*acc*) **~** *über Geld etc* to have sth at one's disposal; → **geboten Gebietsanspruch** *m* territorial claim **gebietsweise** *adv* in some areas

Gebilde [gə'bɪldə] *nt* ⟨**-s**, **-**⟩ (≈ *Ding*) thing; (≈ *Gegenstand*) object; (≈ *Bauwerk*) construction

gebildet [gə'bɪldət] *adj* educated; (≈ *gelehrt*) learned; (≈ *kultiviert*) cultured; → **bilden**

Gebinde [gə'bɪndə] *nt* ⟨**-s**, **-**⟩ (≈ *Blumengebinde*) arrangement; (≈ *Blumenkranz*) wreath

Gebirge [gə'bɪrgə] *nt* ⟨**-s**, **-**⟩ mountains *pl*, mountain range **gebirgig** [gə'bɪrgɪç] *adj* mountainous **Gebirgskette** *f* mountain range **Gebirgslandschaft** *f* (≈ *Gegend*) mountainous region; (≈ *Ausblick*) mountain scenery **Gebirgszug** *m* mountain range

Gebiss [gə'bɪs] *nt* ⟨**-es**, **-e**⟩ (≈ *die Zähne*) (set of) teeth *pl*; (≈ *künstliches Gebiss*) dentures *pl*

Gebläse [gə'blɛːzə] *nt* ⟨**-s, -**⟩ blower **geblümt** [gə'blyːmt] *adj* flowered **Geblüt** [gə'blyːt] *nt* ⟨**-(e)s**, *no pl*⟩ (*elev*) (≈ *Abstammung*) descent; (*fig* ≈ *Blut*) blood; ***von edlem ~*** of noble blood **gebongt** [gə'bɔŋt] *adj* (*infml*) ***das ist ~*** okey-doke (*infml*)

geboren [gə'boːrən] *adj* born; ***er ist blind ~*** he was born blind; ***~er Engländer sein*** to be English by birth; ***er ist der ~e Erfinder*** he's a born inventor; ***Hanna Schmidt ~e Müller*** Hanna Schmidt, née Müller

geborgen [gə'bɔrgn] *adj* ***sich ~ fühlen*** to feel secure **Geborgenheit** *f* ⟨**-**, *no pl*⟩ security

Gebot [gə'boːt] *nt* ⟨**-(e)s, -e**⟩ **1.** (≈ *Gesetz*) law; (≈ *Vorschrift*) rule; BIBLE commandment **2.** (*elev* ≈ *Erfordernis*) requirement; ***das ~ der Stunde*** the needs of the moment **3.** (COMM: *bei Auktionen*) bid **geboten** [gə'boːtn] *adj* (*elev*) (≈ *ratsam*) advisable; (≈ *notwendig*) necessary; (≈ *dringend geboten*) imperative; → ***bieten, gebieten*** **Gebotsschild** *nt*, *pl* ***-schilder*** sign giving orders

gebrannt [gə'brant] *adj* ***~e Mandeln*** *pl* burnt (*Br*) *or* baked (*US*) almonds *pl*; ***~er Ton*** fired clay; ***~es Kind scheut das Feuer*** (*prov*) once bitten, twice shy (*prov*)

Gebrauch [gə'braux] *m* ⟨**-(e)s, Gebräuche** [gə'brɔyçə]⟩ (≈ *Benutzung*) use; (*eines Wortes*) usage; (≈ *Anwendung*) application; (≈ *Brauch*) custom; ***von etw ~ machen*** to make use of sth; ***in ~ sein*** to be in use **gebrauchen** [gə'brauxn] *past part* ***gebraucht*** *v/t* (≈ *benutzen*) to use; (≈ *anwenden*) to apply; ***sich zu etw ~ lassen*** to be useful for sth; (≈ *missbrauchen*) to be used as sth; ***nicht mehr zu ~ sein*** to be useless; ***er/das ist zu nichts zu ~*** he's/that's absolutely useless; ***das kann ich gut ~*** I can really use that; ***ich könnte ein neues Kleid ~*** I could use a new dress **gebräuchlich** [gə'brɔyçlɪç] *adj* (≈ *verbreitet*) common; (≈ *gewöhnlich*) usual, customary **Gebrauchsanweisung** *f* (*für Arznei*) directions *pl*; (*für Geräte etc*) instructions *pl* (for use) **Gebrauchsartikel** *m* article for everyday use; (*pl*: *esp* COMM) basic consumer goods *pl* **Gebrauchsgegenstand** *m* commodity; (≈ *Werkzeug, Küchengerät*) utensil **Gebrauchsgut** *nt usu pl* consumer item **Gebrauchsmuster** *nt* registered pattern *or* design **gebraucht** [gə'brauxt] **I** *adj* second-hand; *Verpackung* used **II** *adv* ***etw ~ kaufen*** to buy sth second-hand; → ***brauchen*** **Gebrauchtwagen** *m* used *or* second-hand car **Gebrauchtwagenhändler(in)** *m/(f)* used *or* second-hand car dealer

gebräunt [gə'brɔynt] *adj* (≈ *braun gebrannt*) (sun-)tanned; → ***bräunen***

Gebrechen [gə'brɛçn] *nt* ⟨**-s, -**⟩ (*elev*) affliction **gebrechlich** [gə'brɛçlɪç] *adj* frail; (≈ *altersschwach*) infirm **gebrochen** [gə'brɔxn] **I** *adj* broken; ***~e Zahl*** MAT fraction; ***mit ~em Herzen*** broken-hearted **II** *adv* ***~ Deutsch sprechen*** to speak broken German

Gebrüder [gə'bryːdɐ] *pl* COMM Brothers *pl*; ***~ Müller*** Müller Brothers

Gebrüll [gə'brʏl] *nt* ⟨**-(e)s**, *no pl*⟩ (*von Löwe*) roar; (*von Mensch*) yelling

gebückt [gə'bʏkt] **I** *adj* ***eine ~e Haltung*** a stoop **II** *adv* ***~ gehen*** to stoop; → ***bücken***

Gebühr [gə'byːɐ] *f* ⟨**-, -en**⟩ **1.** charge; (≈ *Postgebühr*) postage *no pl*; (≈ *Studiengebühr*) fees *pl*; (≈ *Vermittlungsgebühr*) commission; (≈ *Straßenbenutzungsgebühr*) toll; ***~en erheben*** to make a charge; ***~ (be)zahlt Empfänger*** postage to be paid by addressee **2.** (≈ *Angemessenheit*) ***nach ~*** suitably, properly; ***über ~*** excessively **gebühren** [gə'byːrən] *past part* ***gebührt*** (*elev*) **I** *v/i* ***das gebührt ihm*** (≈ *steht ihm zu*) it is his (just) due; (≈ *gehört sich für ihn*) it befits him **II** *v/r* to be proper; ***wie es sich gebührt*** as is proper **gebührend** **I** *adj* (≈ *verdient*) due; (≈ *angemessen*) suitable; (≈ *geziemend*) proper **II** *adv* duly, suitably; ***etw ~ feiern*** to celebrate sth in a fitting manner **Gebühreneinheit** *f* TEL (tariff) unit **Gebührenerhöhung** *f* increase in charges **gebührenfrei** **I** *adj* free of charge; *Telefonnummer* Freefone® (*Br*), toll-free (*US*) **II** *adv* free of charge **Gebührenordnung** *f* scale of charges **gebührenpflichtig** [-pflɪçtɪç] **I** *adj* subject to a charge; *Autobahnbenutzung* subject to a toll; ***~e Verwarnung*** JUR fine; ***~e Autobahn*** toll road (*Br*), turnpike (*US*) **II** *adv* ***jdn ~ verwarnen*** to fine sb

gebunden [gə'bʊndn] *adj* tied (*an +acc* to); (*durch Verpflichtungen etc*) tied down; *Kapital* tied up; LING, PHYS, CHEM bound; *Buch* cased, hardback; *Wärme* latent; MUS legato; ***vertraglich ~ sein*** to be bound by contract

Geburt [gə'buːɐt] *f* ⟨***-, -en***⟩ birth; ***von ~*** by birth; ***von ~ an*** from birth; ***bei der ~ sterben*** (*Mutter*) to die in childbirth; (*Kind*) to die at birth; ***das war eine schwere ~!*** (*fig infml*) that took some doing (*infml*) **Geburtendefizit** *nt* birth deficit **Geburtenkontrolle** *f*, **Geburtenregelung** *f* birth control **Geburtenrate** *f* birthrate **Geburtenrückgang** *m* drop in the birthrate **geburtenschwach** *adj Jahrgang* with a low birthrate **geburtenstark** *adj Jahrgang* with a high birthrate **Geburtenüberschuss** *m* excess of births over deaths **Geburtenziffer** *f* birthrate **gebürtig** [gə'bʏrtɪç] *adj **~er Londoner sein*** to have been born in London **Geburtsanzeige** *f* birth announcement **Geburtsdatum** *nt* date of birth **Geburtshaus** *nt **das ~ Kleists*** the house where Kleist was born **Geburtshelfer(in)** *m*/(*f*) (MED ≈ *Arzt*) obstetrician; (≈ *Hebamme*) midwife **Geburtsjahr** *nt* year of birth **Geburtsname** *m* birth name; (*von Frau auch*) maiden name **Geburtsort** *m*, *pl* ***-orte*** birthplace **Geburtstag** *m* birthday; (*auf Formularen*) date of birth; ***jdm zum ~ gratulieren*** to wish sb (a) happy birthday; ***heute habe ich ~*** it's my birthday today **Geburtstagsfeier** *f* birthday party **Geburtstagskind** *nt* birthday boy/girl **Geburtsurkunde** *f* birth certificate

Gebüsch [gə'bʏʃ] *nt* ⟨***-(e)s, -e***⟩ bushes *pl*; (≈ *Unterholz*) undergrowth, brush

gedacht [gə'daxt] *adj Linie*, *Fall* imaginary **Gedächtnis** [gə'dɛçtnɪs] *nt* ⟨***-ses, -se***⟩ memory; ***etw aus dem ~ hersagen*** to recite sth from memory; ***jdm im ~ bleiben*** to stick in sb's mind; ***etw im ~ behalten*** to remember sth **Gedächtnislücke** *f* gap in one's memory **Gedächtnisschwund** *m* amnesia

gedämpft [gə'dɛmpft] *adj* **1.** (≈ *vermindert*) *Geräusch* muffled; *Farben*, *Stimmung* muted; *Optimismus* cautious; *Licht*, *Freude* subdued; ***mit ~er Stimme*** in a low voice **2.** COOK steamed; → ***dämpfen***

Gedanke [gə'daŋkə] *m* ⟨***-ns, -n***⟩ thought (*über +acc* on, about); (≈ *Idee*, *Plan*) idea; (≈ *Konzept*) concept; ***der bloße ~ an ...*** the mere thought of ...; ***in ~n vertieft sein*** to be deep in thought; ***jdn auf andere ~n bringen*** to take sb's mind off things; ***sich*** (*dat*) ***über etw*** (*acc*) ***~n machen*** to think about sth; (≈ *sich sorgen*) to worry about sth; ***etw ganz in ~n*** (*dat*) ***tun*** to do sth (quite) without thinking; ***jds ~n lesen*** to read sb's mind *or* thoughts; ***auf dumme ~n kommen*** (*infml*) to get up to mischief; ***mit dem ~n spielen, etw zu tun*** to toy with the idea of doing sth **Gedankenaustausch** *m* POL exchange of ideas **gedankenlos** *adj* (≈ *unüberlegt*) unthinking; (≈ *zerstreut*) absent-minded; (≈ *rücksichtslos*) thoughtless **Gedankenlosigkeit** *f* ⟨***-, -en***⟩ (≈ *Unüberlegtheit*) lack of thought; (≈ *Zerstreutheit*) absent-mindedness; (≈ *Rücksichtslosigkeit*) thoughtlessness **Gedankenspiel** *nt* intellectual game; (*als psychologische Taktik*) mind game **Gedankenstrich** *m* dash **Gedankenübertragung** *f* telepathy **gedanklich** [gə'daŋklɪç] *adj* intellectual; (≈ *vorgestellt*) imaginary

Gedeck [gə'dɛk] *nt* ⟨***-(e)s, -e***⟩ **1.** (≈ *Tischgedeck*) cover; ***ein ~ auflegen*** to lay (*Br*) *or* set a place **2.** (≈ *Menü*) set meal, table d'hôte **3.** (*im Nachtklub*) cover charge **gedeckt** [gə'dɛkt] *adj Farben* muted; *Tisch* set *or* laid (*Br*) for a meal; → ***decken***

Gedeih [gə'dai] *m **auf ~ und Verderb*** for better or (for) worse **gedeihen** [gə'daiən] *pret* ***gedieh*** [gə'diː], *past part* ***gediehen*** [gə'diːən] *v/i aux sein* to thrive; (*elev* ≈ *sich entwickeln*) to develop; (*fig* ≈ *vorankommen*) to make progress

gedenken [gə'dɛŋkn] *pret* ***gedachte*** [gə'daxtə], *past part* ***gedacht*** [gə'daxt] *v/i +gen irr* **1.** (*elev*) (≈ *denken an*) to remember **2.** (≈ *feiern*) to commemorate **Gedenken** [gə'dɛŋkn] *nt* ⟨***-s***, *no pl*⟩ memory (*an +acc* of); ***zum*** *or* ***im ~ an jdn*** in memory of sb **Gedenkfeier** *f* commemoration **Gedenkminute** *f* minute's silence **Gedenkmünze** *f* commemorative coin **Gedenkstätte** *f* memorial **Gedenkstunde** *f* hour of commemoration **Gedenktafel** *f* plaque **Gedenktag** *m* commemoration day

Gedicht [gə'dɪçt] *nt* ⟨***-(e)s, -e***⟩ poem; ***der Nachtisch ist ein ~*** (*infml*) the dessert is sheer poetry **Gedichtband** *pl* ***-bände*** *m* book of poems *or* poetry

gediegen [gə'di:gn] *adj* **1.** *Metall* pure **2.** (*von guter Qualität*) high-quality; (≈ *geschmackvoll*) tasteful; (≈ *rechtschaffen*) upright; *Kenntnisse* sound

gedopt [gə'ndɔpt] *adj* ***er war ~*** he had taken drugs; → ***dopen***

Gedränge [gə'drɛŋə] *nt* ⟨**-s**, *no pl*⟩ (≈ *Menschenmenge*) crowd, crush; (≈ *Drängeln*) jostling; RUGBY scrum(mage); ***ins ~ kommen*** (*fig*) to get into a fix (*infml*) **Gedrängel** [gə'drɛŋl] *nt* ⟨**-s**, *no pl*⟩ (*infml*) (≈ *Drängeln*) shoving (*infml*) **gedrängt** [gə'drɛŋt] **I** *adj* packed; (*fig*) *Stil* terse **II** *adv* ***~ voll*** packed full; ***~ stehen*** to be crowded together; → ***drängen***

gedruckt [gə'drukt] *adj* printed; ***lügen wie ~*** (*infml*) to lie right, left and centre (*Br infml*) *or* center (*US infml*); → ***drucken***

gedrückt [gə'drʏkt] *adj Stimmung* depressed; ***~er Stimmung sein*** to feel depressed; → ***drücken***

gedrungen [gə'druŋən] *adj Gestalt* stocky

Geduld [gə'dult] *f* ⟨**-**, *no pl*⟩ patience; ***mit jdm/etw ~ haben*** to be patient with sb/sth; ***ich verliere die ~*** my patience is wearing thin **gedulden** [gə'duldn] *past part* ***geduldet*** *v/r* to be patient **geduldig** [gə'duldıç] **I** *adj* patient **II** *adv* patiently **Geduldsprobe** *f* ***das war eine harte ~*** it was enough to try anyone's patience

geehrt [gə'|e:ɐt] *adj* honoured (*Br*), honored (*US*); ***sehr ~e Damen und Herren*** Ladies and Gentlemen; (*in Briefen*) Dear Sir or Madam; → ***ehren***

geeignet [gə'|aignət] *adj* (≈ *passend*) suitable; (≈ *richtig*) right; ***er ist zu dieser Arbeit nicht ~*** he's not suited to this work; ***er wäre zum Lehrer gut ~*** he would make a good teacher; → ***eignen***

Gefahr [gə'fa:ɐ] *f* ⟨**-**, **-en**⟩ **1.** danger (*für* to, for); (≈ *Bedrohung*) threat (*für* to, for); ***in ~ sein*** to be in danger; (≈ *bedroht*) to be threatened; ***außer ~*** out of danger; ***sich einer ~ aussetzen*** to put oneself in danger **2.** (≈ *Risiko*) risk (*für* to, for); ***auf eigene ~*** at one's own risk *or* (*stärker*) peril; ***auf die ~ hin, etw zu tun*** at the risk of doing sth; ***~ laufen, etw zu tun*** to run the risk of doing sth **gefährden** [gə'fɛ:ɐdn] *past part* ***gefährdet*** *v/t* to endanger; (≈ *bedrohen*) to threaten; (≈ *aufs Spiel setzen*) to put at risk **gefährdet** [gə'fɛ:ɐdət] *adj Tierart* endangered; *Ehe*, *Bevölkerungsgruppe*, *Gebiet* at risk *pred* **Gefährdung** *f* ⟨**-**, **-en**⟩ **1.** (≈ *das Gefährden*) endangering; (≈ *das Riskieren*) risking **2.** (≈ *Gefahr*) danger (+*gen* to) **Gefahrenherd** *m* danger area **Gefahrenzulage** *f* danger money **gefährlich** [gə'fɛ:ɐlıç] **I** *adj* dangerous **II** *adv* dangerously **Gefährlichkeit** *f* ⟨**-**, *no pl*⟩ dangerousness **gefahrlos** **I** *adj* safe; (≈ *harmlos*) harmless **II** *adv* safely; (≈ *harmlos*) harmlessly

Gefährte [gə'fɛ:ɐtə] *m* ⟨**-n**, **-n**⟩, **Gefährtin** [gə'fɛ:ɐtın] *f* ⟨**-**, **-nen**⟩ (*elev*) companion

Gefälle [gə'fɛlə] *nt* ⟨**-s**, **-**⟩ **1.** (*von Fluss*) drop, fall; (*von Land*, *Straße*) slope; (≈ *Neigungsgrad*) gradient; ***ein ~ von 10%*** a gradient of 10% **2.** (*fig* ≈ *Unterschied*) difference; ***das Nord-Süd-~*** the North-South divide

gefallen [gə'falən] *pret* ***gefiel*** [gə'fi:l], *past part* ***gefallen*** [gə'falən] *v/i* to please (*jdm* sb); ***es gefällt mir (gut)*** I like it (very much *or* a lot); ***das gefällt mir gar nicht*** I don't like it at all; ***das gefällt mir schon besser*** (*infml*) that's more like it (*infml*); ***er gefällt mir gar nicht*** (*infml*: *gesundheitlich*) I don't like the look of him (*infml*); ***sich*** (*dat*) ***etw ~ lassen*** (≈ *dulden*) to put up with sth

Gefallen[1] [gə'falən] *nt* ⟨**-s**, *no pl*⟩ (*elev*) pleasure; ***an etw*** (*dat*) ***~ finden*** to get pleasure from sth

Gefallen[2] *m* ⟨**-s**, **-**⟩ favour (*Br*), favor (*US*); ***jdn um einen ~ bitten*** to ask sb a favo(u)r; ***jdm einen ~ tun*** to do sb a favo(u)r

Gefallene(r) [gə'falənə] *m/f(m) decl as adj* soldier killed in action

gefällig [gə'fɛlıç] *adj* **1.** (≈ *hilfsbereit*) obliging; ***jdm ~ sein*** to oblige sb **2.** (≈ *ansprechend*) pleasing; (≈ *freundlich*) pleasant **3.** ***Zigarette ~?*** (*form*) would you care for a cigarette? **Gefälligkeit** *f* **1.** (≈ *Gefallen*) favour (*Br*), favor (*US*); ***jdm eine ~ erweisen*** to do sb a favo(u)r **2.** *no pl* ***etw aus ~ tun*** to do sth out of the kindness of one's heart **gefälligst** [gə'fɛlıçst] *adv* (*infml*) kindly; ***sei ~ still!*** kindly keep your mouth shut! (*infml*)

Gefangenenlager *nt* prison camp **Gefangene(r)** [gə'faŋənə] *m/f(m) decl as adj* captive; (≈ *Sträfling*, *fig*) prisoner

gefangen halten *v/t irr* to hold prisoner; *Geiseln* to hold; *Tiere* to keep in captivity; (*fig*) to captivate **Gefangennahme** [-naːmə] *f* ⟨-, -n⟩ capture; (≈ *Verhaftung*) arrest **gefangen nehmen** *v/t irr* to take captive; (≈ *verhaften*) to arrest; MIL to take prisoner; (*fig*) to captivate **Gefangenschaft** [gə'faŋənʃaft] *f* ⟨-, -en⟩ captivity; ***in ~ geraten*** to be taken prisoner **Gefängnis** [gə'fɛŋnɪs] *nt* ⟨-ses, -se⟩ prison, jail; (≈ *Gefängnisstrafe*) imprisonment; ***zwei Jahre ~ bekommen*** to get two years in prison **Gefängnisstrafe** *f* prison sentence; ***eine ~ von zehn Jahren*** ten years' imprisonment **Gefängniswärter(in)** *m/(f)* warder (*Br*), prison officer *or* guard **Gefängniszelle** *f* prison cell

gefärbt [gə'fɛrpt] *adj* dyed; *Lebensmittel* artificially coloured (*Br*) *or* colored (*US*); ***konservativ ~ sein*** to have a conservative bias; → ***färben***

Gefasel [gə'faːzl] *nt* ⟨-s, *no pl*⟩ (*pej*) drivel (*infml*)

Gefäß [gə'fɛːs] *nt* ⟨-es, -e⟩ vessel (*auch* ANAT, BOT); (≈ *Behälter*) receptacle

gefasst [gə'fast] **I** *adj* (≈ *ruhig*) composed, calm; *Stimme* calm; ***sich auf etw*** (*acc*) ***~ machen*** to prepare oneself for sth; ***er kann sich auf etwas ~ machen*** (*infml*) I'll give him something to think about (*infml*) **II** *adv* (≈ *beherrscht*) calmly; → ***fassen***

Gefecht [gə'fɛçt] *nt* ⟨-(e)s, -e⟩ battle; ***jdn außer ~ setzen*** to put sb out of action; ***im Eifer des ~s*** (*fig*) in the heat of the moment **gefechtsbereit** *adj* ready for battle; (≈ *einsatzfähig*) (fully) operational **Gefechtskopf** *m* warhead

gefeiert [gə'faiɐt] *adj* celebrated; → ***feiern***

gefeit [gə'fait] *adj* ***gegen etw ~ sein*** to be immune to sth

gefestigt [gə'fɛstɪçt] *adj* established; *Charakter* steady; → ***festigen***

Gefieder [gə'fiːdɐ] *nt* ⟨-s, -⟩ plumage **gefiedert** [gə'fiːdɐt] *adj* feathered; *Blatt* pinnate

Geflecht [gə'flɛçt] *nt* ⟨-(e)s, -e⟩ network; (≈ *Gewebe*) weave; (≈ *Rohrgeflecht*) wickerwork

gefleckt [gə'flɛkt] *adj* spotted; *Vogel* speckled; *Haut* blotchy

Geflügel [gə'flyːgl] *nt* ⟨-s, *no pl*⟩ poultry *no pl* **Geflügelfleisch** *nt* poultry **Geflügelschere** *f* poultry shears *pl* **geflügelt** [gə'flyːglt] *adj* winged; ***~e Worte*** standard quotations **Geflügelzucht** *f* poultry farming

Geflüster [gə'flʏstɐ] *nt* ⟨-s, *no pl*⟩ whispering

Gefolge [gə'fɔlgə] *nt* ⟨-s, -⟩ retinue, entourage; (≈ *Trauergefolge*) cortege; (*fig*) wake; ***im ~*** in the wake (+*gen* of) **Gefolgschaft** [gə'fɔlkʃaft] *f* ⟨-, -en⟩ **1.** (≈ *die Anhänger*) following **2.** (≈ *Treue*) allegiance **Gefolgsmann** *m*, *pl* **-leute** *or* **-männer** follower

gefragt [gə'fraːkt] *adj Waren, Sänger etc* in demand *pred*; → ***fragen***

gefräßig [gə'frɛːsɪç] *adj* gluttonous; (*fig elev*) voracious **Gefräßigkeit** *f* ⟨-, *no pl*⟩ gluttony; (*fig elev*) voracity

Gefreite(r) [gə'fraitə] *m/f(m) decl as adj* MIL private; AVIAT aircraftman first class (*Br*), airman first class (*US*)

gefreut [gə'frɔyt] *adj* (*Swiss* ≈ *angenehm*) pleasant

Gefrierbeutel *m* freezer bag **gefrieren** *past part* **gefroren** *v/i irr aux sein* to freeze **Gefrierfach** *nt* freezer compartment, icebox (*esp US*) **gefriergetrocknet** [-gətrɔknət] *adj* freeze-dried **Gefrierkost** *f* frozen food **Gefrierpunkt** *m* freezing point; (*von Thermometer*) zero; ***auf dem ~ stehen*** to be at freezing point/zero **Gefrierschrank** *m* (upright) freezer **Gefriertruhe** *f* freezer

Gefüge [gə'fyːgə] *nt* ⟨-s, -⟩ structure

gefügig [gə'fyːgɪç] *adj* (≈ *willfährig*) submissive; (≈ *gehorsam*) obedient; ***jdn ~ machen*** to make sb bend to one's will

Gefühl [gə'fyːl] *nt* ⟨-(e)s, -e⟩ feeling; (≈ *Emotionalität*) sentiment; ***etw im ~ haben*** to have a feel for sth; ***ich habe das ~, dass ...*** I have the feeling that ...; ***jds ~e verletzen*** to hurt sb's feelings; ***ein ~ für Gerechtigkeit*** a sense of justice **gefühllos** *adj* insensitive; (≈ *mitleidlos*) callous; *Glieder* numb **Gefühllosigkeit** *f* ⟨-, -en⟩ insensitivity; (≈ *Mitleidlosigkeit*) callousness; (*von Gliedern*) numbness **gefühlsarm** *adj* unemotional **Gefühlsausbruch** *m* emotional outburst **gefühlsbedingt** *adj* emotional **gefühlsbetont** *adj* emotional **Gefühlsduselei** [-duːzə'lai] *f* ⟨-, -en⟩ (*pej*) mawkishness **Gefühlslage** *f* emotional state **Gefühlsleben** *nt* emotional life **gefühlsmäßig I**

adj instinctive **II** *adv* instinctively **Gefühlsmensch** *m* emotional person **Gefühlssache** *f* matter of feeling **gefühlvoll I** *adj* **1.** (≈ *empfindsam*) sensitive; (≈ *ausdrucksvoll*) expressive **2.** (≈ *liebevoll*) loving **II** *adv* with feeling; (≈ *ausdrucksvoll*) expressively

gefüllt [gə'fʏlt] *adj Paprikaschoten etc* stuffed; *Brieftasche* full; ***~e Pralinen*** chocolates with soft centres (*Br*), candies with soft centers (*US*); → ***füllen***

gefunden [gə'fʊndn] *adj* ***das war ein ~es Fressen für ihn*** that was handing it to him on a plate

gefürchtet [gə'fʏrçtət] *adj* dreaded *usu attr*; → ***fürchten***

gegeben [gə'ge:bn] *adj* given; ***bei der ~en Situation*** given this situation; ***etw als ~ voraussetzen*** to assume sth; ***zu ~er Zeit*** in due course **gegebenenfalls** [gə'ge:bnən'fals] *adv* should the situation arise; (≈ *wenn nötig*) if need be; (≈ *eventuell*) possibly; ADMIN if applicable **Gegebenheit** [gə'ge:bnhait] *f* ⟨**-, -en**⟩ *usu pl* (actual) fact; (≈ *Realität*) actuality; (≈ *Zustand*) condition; ***sich mit den ~en abfinden*** to come to terms with the facts as they are

gegen ['ge:gn] *prep +acc* **1.** (≈ *wider*) against; ***X ~ Y*** SPORTS, JUR X versus Y; ***haben Sie ein Mittel ~ Schnupfen?*** do you have anything for colds?; ***etwas/nichts ~ jdn/etw haben*** to have something/nothing against sb/sth **2.** (≈ *in Richtung auf*) towards, toward (*US*); (≈ *nach*) to; ***~ einen Baum rennen*** to run into a tree **3.** (≈ *ungefähr*) round about, around; ***~ 5 Uhr*** around 5 o'clock **4.** (≈ *gegenüber*) towards, to; ***sie ist immer fair ~ mich gewesen*** she's always been fair to me **5.** (≈ *im Austausch für*) for; ***~ bar*** for cash; ***~ Quittung*** against a receipt **6.** (≈ *verglichen mit*) compared with **Gegenangebot** *nt* counteroffer **Gegenangriff** *m* counterattack **Gegenanzeige** *f* MED contraindication **Gegenargument** *nt* counterargument **Gegenbeispiel** *nt* counterexample **Gegenbeweis** *m* counterevidence *no indef art, no pl*; ***den ~ zu etw antreten*** to produce evidence to counter sth

Gegend ['ge:gnt] *f* ⟨**-, -en** [-dn]⟩ area; (≈ *geografisches Gebiet*) region; ***hier in der ~*** (a)round here

Gegendarstellung *f* reply

gegeneinander [ge:gn|ai'nandɐ] *adv* against each other *or* one another **gegeneinanderprallen** *v/i aux sein* to collide **gegeneinanderstellen** *v/t* (*fig*) to compare

Gegenfahrbahn *f* oncoming lane **Gegenfrage** *f* counterquestion **Gegengewicht** *nt* counterbalance **Gegengift** *nt* antidote (*gegen* to) **Gegenkandidat(in)** *m/(f)* rival candidate **Gegenleistung** *f* service in return; ***als ~ für etw*** in return for sth **Gegenlicht** *nt* ***bei ~ Auto fahren*** to drive with the light in one's eyes; ***etw bei*** *or* ***im ~ aufnehmen*** PHOT to take a backlit photo(graph) of sth **Gegenliebe** *f* (*fig* ≈ *Zustimmung*) approval **Gegenmaßnahme** *f* countermeasure **Gegenmittel** *nt* MED antidote (*gegen* to) **Gegenoffensive** *f* counteroffensive **Gegenpol** *m* counterpole; (*fig*) antithesis (*zu* of, to) **Gegenprobe** *f* crosscheck **Gegenrichtung** *f* opposite direction

Gegensatz *m* contrast; (≈ *Gegenteil*) opposite; (≈ *Unvereinbarkeit*) conflict; ***Gegensätze*** (≈ *Meinungsverschiedenheiten*) differences *pl*; ***im ~ zu*** unlike, in contrast to; ***einen krassen ~ zu etw bilden*** to contrast sharply with sth; ***im ~ zu etw stehen*** to conflict with sth **gegensätzlich** ['ge:gnzɛtslıç] **I** *adj* (≈ *konträr*) contrasting; (≈ *widersprüchlich*) opposing; (≈ *unterschiedlich*) different; (≈ *unvereinbar*) conflicting **II** *adv* ***sie verhalten sich völlig ~*** they behave in totally different ways

Gegenschlag *m* MIL reprisal; (*fig*) retaliation *no pl*; ***zum ~ ausholen*** to prepare to retaliate **Gegenseite** *f* other side **gegenseitig** ['ge:gnzaitıç] **I** *adj* mutual **II** *adv* each other, one another; ***sich ~ ausschließen*** to be mutually exclusive **Gegenseitigkeit** *f* ⟨**-**, *no pl*⟩ mutuality; ***ein Vertrag auf ~*** a reciprocal treaty; ***das beruht auf ~*** the feeling is mutual **Gegenspieler(in)** *m/(f)* opponent; LIT antagonist **Gegensprechanlage** *f* (two-way) intercom

Gegenstand *m* (≈ *Ding*) object, thing; (ECON ≈ *Artikel*) article; (≈ *Thema*) subject; ***~ des Gespötts*** object of ridicule **gegenständlich** ['ge:gnʃtɛntlıç] *adj* concrete; ART representational; (≈ *anschaulich*) graphic(al) **gegenstandslos** *adj* (≈ *überflüssig*) redundant, unnecessary; (≈ *grundlos*) unfounded; (≈ *hinfäl-*

lig) irrelevant; ART abstract
gegensteuern *v/i sep* AUTO to steer in the opposite direction; (*fig*) to take countermeasures **Gegenstimme** *f* PARL vote against; ***der Antrag wurde ohne ~n angenommen*** the motion was carried unanimously **Gegenstück** *nt* opposite; (≈ *passendes Gegenstück*) counterpart
Gegenteil *nt*, *no pl* opposite (*von* of); ***im ~!*** on the contrary!; ***ganz im ~*** quite the reverse; ***ins ~ umschlagen*** to swing to the other extreme **gegenteilig** **I** *adj Ansicht*, *Wirkung* opposite, contrary; ***eine ~e Meinung*** a contrary opinion **II** *adv* ***sich ~ entscheiden*** to come to a different decision
Gegentor *nt* (*esp* FTBL, SPORTS) ***ein ~ hinnehmen müssen*** to concede a goal; ***ein ~ erzielen*** to score
gegenüber [geːgnˈ|yːbɐ] **I** *prep +dat* **1.** (*örtlich*) opposite; ***er saß mir genau ~*** he sat directly opposite me **2.** (≈ *zu*) to; (≈ *in Bezug auf*) with regard to, as regards; (≈ *angesichts*, *vor*) in the face of; (≈ *im Vergleich zu*) compared with; ***mir ~ hat er das nicht geäußert*** he didn't say that to me **II** *adv* opposite; ***der Park ~*** the park opposite **Gegenüber** [geːgnˈ|yːbɐ] *nt* ⟨**-s, -**⟩ (*bei Kampf*) opponent; (*bei Diskussion*) opposite number; ***mein ~ am Tisch*** the person (sitting) opposite me at (the) table **gegenüberliegen** *v/i +dat sep irr* to be opposite, to face; ***sich*** (*dat*) ***~*** to face each other **gegenüberliegend** *adj attr* opposite **gegenübersehen** *v/r +dat sep irr* ***sich einer Aufgabe ~*** to be faced with a task **gegenüberstehen** *v/i +dat sep irr* to be opposite, to face; *jdm* to stand opposite; ***jdm feindlich ~*** to have a hostile attitude toward(s) sb **gegenüberstellen** *v/t sep* (≈ *konfrontieren mit*) to confront (*+dat* with); (*fig* ≈ *vergleichen*) to compare (*+dat* with) **Gegenüberstellung** *f* confrontation; (*fig* ≈ *Vergleich*) comparison **gegenübertreten** *v/i sep irr aux sein* ***jdm ~*** to face sb
Gegenverkehr *m* oncoming traffic **Gegenvorschlag** *m* counterproposal
Gegenwart [ˈgeːgnvart] *f* ⟨**-**, *no pl*⟩ **1.** present; ***die Literatur der ~*** contemporary literature **2.** (≈ *Anwesenheit*) presence; ***in ~*** *+gen* in the presence of **gegenwärtig** [ˈgeːgnvɛrtɪç, geːgnˈvɛrtɪç] **I** *adj* **1.** *attr* (≈ *jetzig*) present; ***der ~e Preis*** the current price **2.** (*elev* ≈ *anwesend*) present *pred* **II** *adv* (≈ *augenblicklich*) at present **gegenwartsnah** *adj* relevant (to the present)
Gegenwehr *f* resistance **Gegenwert** *m* equivalent **Gegenwind** *m* headwind **gegenzeichnen** *v/t sep* to countersign **Gegenzug** *m* countermove; ***im ~ zu etw*** as a countermove to sth
gegliedert [gəˈgliːdɐt] *adj* jointed; (*fig*) structured; (≈ *organisiert*) organized; → ***gliedern***
Gegner [ˈgeːgnɐ] *m* ⟨**-s, -**⟩, **Gegnerin** [-ərɪn] *f* ⟨**-, -nen**⟩ opponent; (≈ *Rivale*) rival; (≈ *Feind*) enemy; ***ein ~ der Todesstrafe sein*** to be against capital punishment **gegnerisch** [ˈgeːgnərɪʃ] *adj attr* opposing; (MIL ≈ *feindlich*) enemy *attr*
Gehabe [gəˈhaːbə] *nt* ⟨**-s**, *no pl*⟩ (*infml*) affected behaviour (*Br*) *or* behavior (*US*)
Gehackte(s) [gəˈhaktə] *nt decl as adj* mince (*Br*), ground meat (*US*)
Gehalt[1] [gəˈhalt] *m* ⟨**-(e)s, -e**⟩ **1.** (≈ *Anteil*) content **2.** (*fig*) (≈ *Inhalt*) content; (≈ *Substanz*) substance
Gehalt[2] *nt or* (*Aus*) *m* ⟨**-(e)s, ⸚er** [gəˈhɛltɐ]⟩ salary
gehalten [gəˈhaltn] *adj* ***~ sein, etw zu tun*** (*form*) to be required to do sth
gehaltlos *adj* (*fig*) empty; (≈ *oberflächlich*) shallow
Gehaltsabrechnung *f* salary statement **Gehaltsanspruch** *m* salary claim **Gehaltsempfänger(in)** *m*/(*f*) salary-earner; ***~ sein*** to receive a salary **Gehaltserhöhung** *f* salary increase; (*regelmäßig*) increment **Gehaltsforderung** *f* salary claim **Gehaltsfortzahlung** *f* continued payment of salary **Gehaltsliste** *f* payroll **Gehaltszulage** *f* (≈ *Gehaltserhöhung*) salary increase; (≈ *Extrazulage*) salary bonus
gehaltvoll *adj Speise* nourishing; (*fig*) rich in content
gehandicapt [gəˈhɛndikɛpt] *adj* handicapped (*durch* by)
geharnischt [gəˈharnɪʃt] *adj Brief*, *Abfuhr etc* strong; *Antwort* sharp, sharply-worded
gehässig [gəˈhɛsɪç] **I** *adj* spiteful **II** *adv* spitefully **Gehässigkeit** *f* ⟨**-, -en**⟩ spite(-fulness); ***jdm ~en sagen*** to be spiteful to sb
gehäuft [gəˈhɔyft] **I** *adj Löffel* heaped **II**

adv in large numbers; → ***häufen***

Gehäuse [gəˈhɔyzə] *nt* ⟨**-s, -**⟩ **1.** (*von Gerät*) case; (≈ *Lautsprechergehäuse*) box; (≈ *Radiogehäuse*) cabinet **2.** (≈ *Schneckengehäuse*) shell **3.** (≈ *Obstgehäuse*) core

gehbehindert [ˈgeːbəhɪndɐt] *adj* unable to walk properly **Gehbehinderte(r)** [ˈgeːbəhɪndɐtə] *m/f(m) decl as adj* person who has difficulty walking

Gehbock *m* walking frame

Gehege [gəˈheːgə] *nt* ⟨**-s, -**⟩ reserve; (*im Zoo*) enclosure; (≈ *Wildgehege*) preserve; ***jdm ins ~ kommen*** (*fig infml*) to get under sb's feet (*infml*)

geheim [gəˈhaim] **I** *adj* secret; ***seine ~sten Gedanken*** his innermost thoughts; ***streng ~*** top secret; ***im Geheimen*** in secret, secretly **II** *adv* secretly; ***~ abstimmen*** to vote by secret ballot **Geheimagent(in)** *m/(f)* secret agent **Geheimakte** *f* classified document **Geheimdienst** *m* secret service **Geheimfach** *nt* secret compartment; (≈ *Schublade*) secret drawer **geheim halten** *v/t irr* ***etw (vor jdm) ~*** to keep sth a secret (from sb) **Geheimhaltung** *f, no pl* secrecy **Geheimkonto** *nt* private *or* secret account **Geheimnis** [gəˈhaimnɪs] *nt* ⟨**-ses, -se**⟩ secret; (*rätselhaft*) mystery; ***ein offenes ~*** an open secret **Geheimniskrämerei** [-krɛːməˈrai] *f* ⟨**-, -en**⟩ (*infml*) secretiveness **Geheimnisträger(in)** *m/(f)* bearer of secrets **geheimnisvoll** *adj* mysterious; ***~ tun*** to be mysterious **Geheimnummer** *f* secret number (*auch* TEL); (≈ *PIN*) PIN (number) **Geheimpolizei** *f* secret police **Geheimtipp** *m* (personal) tip **Geheimtür** *f* secret door **Geheimzahl** *f* PIN (number)

gehemmt [gəˈhɛmt] *adj Mensch* inhibited; *Benehmen* self-conscious; → ***hemmen***

gehen [ˈgeːən] *aux sein pret* **ging** [gɪŋ], *past part* **gegangen** [gəˈgaŋən] **I** *v/i* **1.** to go; ***~ wir!*** let's go!; ***schwimmen/tanzen ~*** to go swimming/dancing; ***schlafen ~*** to go to bed **2.** (≈ *zu Fuß gehen*) to walk; ***das Kind lernt ~*** the baby is learning to walk; ***am Stock ~*** to walk with a stick; ***er ging im Zimmer auf und ab*** he walked up and down the room **3.** (*mit Präposition*) ***er ging an den Tisch*** he went to the table; ***sie gingen auf den Berg*** they went up the mountain; ***sie ging auf die Straße*** she went out into the street; ***das Fenster geht auf den Hof*** the window overlooks the yard; ***diese Tür geht auf den Balkon*** this door leads onto the balcony; ***das Bier geht auf mich*** (*infml*) the beer's on me; ***sie ging aus dem Zimmer*** she went out of the room; ***er ging bis zur Straße*** he went as far as the street; ***das geht gegen meine Überzeugung*** it's against my principles; ***geh mal in die Küche*** go into the kitchen; ***in die Industrie/Politik ~*** to go into industry/politics; ***in diesen Saal ~ 300 Leute*** this hall holds 300 people; ***in die Tausende ~*** to run into (the) thousands; ***in sich*** (*acc*) ***~*** to stop and think; ***mit jdm ~*** to go with sb; (≈ *befreundet sein*) to go out with sb; ***er ging nach München*** he went to Munich; ***über die Straße ~*** to cross the road; ***nichts geht über*** (*+acc*) ***...*** there's nothing to beat ...; ***unter Menschen ~*** to mix with people; ***zur Post ~*** to go to the post office; ***zur Schule ~*** to go to school; ***zum Militär ~*** to join the army; ***zum Theater ~*** to go on the stage **4.** (≈ *funktionieren*) to work; (*Auto, Uhr*) to go; ***die Uhr geht falsch/richtig*** the clock is wrong/right; ***so geht das*** this is the way to do it **5.** (≈ *florieren, Geschäft*) to do well; (≈ *verkauft werden*) to sell; ***wie ~ die Geschäfte?*** how's business? **6.** (≈ *dauern*) to go on; ***wie lange geht das denn noch?*** how much longer is it going to go on? **7.** (≈ *aufgehen, Hefeteig*) to rise **8.** (≈ *betreffen*) ***das Buch ging um ...*** the book was about ...; ***die Wette geht um 100 Euro*** the bet is for 100 euros **9.** (≈ *möglich, gut sein*) to be all right, to be OK (*infml*); ***Montag geht*** Monday's all right; ***das geht doch nicht*** that's not on (*Br*) *or* not OK (*infml*) **II** *v/t* ***er ging eine Meile*** he walked a mile; ***ich gehe immer diesen Weg*** I always go this way **III** *v/i impers* **1.** (≈ *ergehen*) ***wie geht es Ihnen?*** how are you?; (*zu Patient*) how are you feeling?; ***wie gehts?*** how are things?; (*bei Arbeit etc*) how's it going?; ***danke, es geht*** (*infml*) all right *or* not too bad (*infml*), thanks; ***es geht ihm gut/schlecht*** he's fine/not well; ***sonst gehts dir gut?*** (*iron*) are you sure you're feeling all right? (*iron*); ***mir ist es genauso gegangen*** it was just the same for me; ***lass***

es dir gut ~ take care of yourself **2.** (≈ *möglich sein*) ***es geht*** it is possible; (≈ *funktioniert*) it works; ***geht es?*** (*ohne Hilfe*) can you manage?; ***es geht nicht*** (≈ *ist nicht möglich*) it's impossible; (≈ *kommt nicht infrage*) it's not on; ***so geht es nicht*** that's not the way to do it; (*entrüstet*) it just won't do; ***morgen geht es nicht*** tomorrow's no good **3.** ***es geht das Gerücht*** the rumour (*Br*) *or* rumor (*US*) is going (a)round; ***es geht auf 9 Uhr*** it is approaching 9 o'clock; ***worum gehts denn?*** what's it about?; ***es geht um Leben und Tod*** it's a matter of life and death; ***es geht um meinen Ruf*** my reputation is at stake; ***darum geht es mir nicht*** (≈ *habe ich nicht gemeint*) that's not my point; (≈ *spielt keine Rolle für mich*) that doesn't matter to me; ***wenn es nach mir ginge ...*** if it were *or* was up to me ... **Gehen** *nt* ⟨***-s**, no pl*⟩ walking **gehen lassen** *past part* ***gehen lassen*** *or* (*rare*) ***gehen gelassen*** *irr v/r* (≈ *sich nicht beherrschen*) to lose control of oneself **Geher** ['geːɐ] *m* ⟨***-s, -***⟩, **Geherin** [-ərɪn] *f* ⟨***-, -nen***⟩ SPORTS walker

gehetzt [gə'hɛtst] *adj* harassed; → ***hetzen***

geheuer [gə'hɔyɐ] *adj* ***nicht ~*** (≈ *beängstigend*) scary (*infml*); (≈ *spukhaft*) eerie, creepy (*infml*); (≈ *verdächtig*) dubious; (≈ *unwohl*) uneasy; ***mir ist es hier nicht ~*** this place gives me the creeps (*infml*)

Geheul [gə'hɔyl] *nt* ⟨***-(e)s**, no pl*⟩ howling

Gehhilfe *m* ⟨***-, -n***⟩ (*Gestell etc*) walking aid

Gehilfe [gə'hɪlfə] *m* ⟨***-n, -n***⟩, **Gehilfin** [-'hɪlfɪn] *f* ⟨***-, -nen***⟩ **1.** (≈ *kaufmännischer Gehilfe*) trainee **2.** JUR accomplice

Gehirn [gə'hɪrn] *nt* ⟨***-(e)s, -e***⟩ brain; (≈ *Geist*) mind **Gehirnblutung** *f* brain haemorrhage (*Br*) *or* hemorrhage (*US*) **Gehirnerschütterung** *f* concussion **Gehirnhautentzündung** *f* MED meningitis **Gehirnschlag** *m* stroke **Gehirnschwund** *m* atrophy of the brain **Gehirntod** *m* MED brain death **Gehirntumor** *m* MED brain tumour (*Br*) *or* tumor (*US*) **Gehirnwäsche** *f* brainwashing *no pl*; ***jdn einer ~ unterziehen*** to brainwash sb

gehoben [gə'hoːbn] *adj Sprache* elevated; (≈ *anspruchsvoll*) sophisticated; *Stellung* senior; *Stimmung* elated; ***~er Dienst*** professional and executive levels of the civil service

Gehöft [gə'hœft, gə'høːft] *nt* ⟨***-(e)s, -e***⟩ farm(stead)

Gehör [gə'høːɐ] *nt* ⟨***-(e)s, -e***⟩ **1.** (≈ *Hörvermögen*) hearing; MUS ear; ***nach dem ~ singen/spielen*** to sing/play by ear; ***absolutes ~*** perfect pitch **2.** ***jdm kein ~ schenken*** not to listen to sb; ***sich*** (*dat*) ***~ verschaffen*** to obtain a hearing; (≈ *Aufmerksamkeit*) to gain attention

gehorchen [gə'hɔrçn] *past part* ***gehorcht*** *v/i* to obey (*jdm* sb)

gehören [gə'høːrən] *past part* ***gehört*** **I** *v/i* **1.** ***jdm ~*** (≈ *jds Eigentum sein*) to belong to sb, to be sb's; ***das Haus gehört ihm*** he owns the house; ***das gehört nicht hierher*** (*Gegenstand*) it doesn't go here; (*Vorschlag*) it is irrelevant here; ***das gehört nicht zum Thema*** that is off the point; ***er gehört ins Bett*** he should be in bed **2.** ***~ zu*** (≈ *zählen zu*) to be amongst, to be one of; (≈ *Bestandteil sein von*) to be part of; (≈ *Mitglied sein von*) to belong to; ***zur Familie ~*** to be one of the family; ***dazu gehört Mut*** that takes courage; ***dazu gehört nicht viel*** it doesn't take much **II** *v/r* to be (right and) proper; ***das gehört sich einfach nicht*** that's just not done

gehörig [gə'høːrɪç] **I** *adj* **1.** (*elev*) ***jdm/zu etw ~*** belonging to sb/sth **2.** *attr* (≈ *gebührend*) proper; (*infml* ≈ *beträchtlich*) good *attr*; ***eine ~e Tracht Prügel*** a good thrashing **II** *adv* (*infml* ≈ *ordentlich*) *ausschimpfen* severely; ***jdn ~ verprügeln*** to give sb a good beating; ***da hast du dich ~ getäuscht!*** you're badly mistaken

gehörlos *adj* (*form*) deaf **Gehörlose(r)** [gə'høːɐloːzə] *m/f(m) decl as adj* (*form*) deaf person

gehorsam [gə'hoːɐzaːm] **I** *adj* obedient **II** *adv* obediently **Gehorsam** [gə'hoːɐzaːm] *m* ⟨***-s**, no pl*⟩ obedience; ***jdm den ~ verweigern*** to refuse to obey sb

Gehörsinn *m* sense of hearing **Gehörsturz** *m* (temporary) loss of hearing

Gehsteig [-ʃtaik] *m* ⟨***-(e)s, -e** [-gə]*⟩ pavement (*Br*), sidewalk (*US*) **Gehversuch** *m* attempt at walking **Gehwagen** *m* walking frame **Gehweg** *m* footpath

Geier ['gaiɐ] *m* ⟨***-s, -***⟩ vulture; ***weiß der ~!*** (*infml*) God knows!

geifern ['gaifɐn] *v/i* ***gegen jdn/etw ~*** to revile sb/sth

Geige ['gaigə] *f* ⟨**-, -n**⟩ violin, fiddle (*infml*); ***die erste/zweite ~ spielen*** (*lit*) to play first/second violin; (*fig*) to call the tune/play second fiddle **geigen** ['gaign] **I** *v/i* to play the violin, to (play the) fiddle (*infml*) **II** *v/t Lied* to play on a/the violin *or* fiddle (*infml*) **Geigenbauer** *m*, *pl* **-**, **Geigenbauerin** *f*, *pl* ***-nen*** violin-maker **Geigenbogen** *m* violin bow **Geigenkasten** *m* violin case **Geiger** ['gaigɐ] *m* ⟨**-s, -**⟩, **Geigerin** [-ərɪn] *f* ⟨**-, -nen**⟩ violinist, fiddler (*infml*)

Geigerzähler *m* Geiger counter

geil [gail] **I** *adj* **1.** horny; (*pej* ≈ *lüstern*) lecherous; ***auf jdn ~ sein*** to be lusting after sb **2.** (*sl* ≈ *prima*) brilliant (*infml*), wicked (*sl*) **II** *adv* (*sl* ≈ *prima*) *spielen*, *tanzen* brilliantly; ***~ aussehen*** to look cool (*infml*)

Geisel ['gaizl] *f* ⟨**-, -n**⟩ hostage; ***jdn als ~ nehmen*** to take sb hostage; ***~n stellen*** to produce hostages **Geiseldrama** *nt* hostage crisis **Geiselnahme** [-naːmə] *f* ⟨**-, -n**⟩ hostage-taking **Geiselnehmer** *m* ⟨**-s, -**⟩, **Geiselnehmerin** [-ərɪn] *f* ⟨**-, -nen**⟩ hostage-taker

Geiß [gais] *f* ⟨**-, -en**⟩ (*S Ger*, *Aus*, *Swiss* ≈ *Ziege*) (nanny-)goat **Geißbock** *m* (*S Ger*, *Aus*, *Swiss* ≈ *Ziegenbock*) billy goat

Geißel ['gaisl] *f* ⟨**-, -n**⟩ scourge; (≈ *Peitsche*) whip **geißeln** ['gaisln] *v/t* **1.** (≈ *peitschen*) to whip **2.** (*fig* ≈ *anprangern*) to castigate

Geist [gaist] *m* ⟨**-(e)s, -er**⟩ **1.** (REL ≈ *Seele*) spirit; (≈ *Gespenst*) ghost; ***~ und Körper*** mind and body; ***seinen ~ aufgeben*** to give up the ghost; ***der Heilige ~*** the Holy Ghost *or* Spirit; ***gute/böse ~er*** good/evil spirits; ***von allen guten ~ern verlassen sein*** (*infml*) to have taken leave of one's senses (*infml*); ***jdm auf den ~ gehen*** (*infml*) to get on sb's nerves **2.** *no pl*: (≈ *Intellekt*) intellect, mind; (*fig* ≈ *Denker*, *Genie*) mind; ***das geht über meinen ~*** (*infml*) that's beyond me (*infml*); ***hier scheiden sich die ~er*** this is the parting of the ways **3.** *no pl* (≈ *Wesen*, *Sinn*, *Gesinnung*) spirit; ***in jds*** (*dat*) ***~ handeln*** to act in the spirit of sb **4.** *no pl* (≈ *Vorstellung*) mind; ***etw im ~(e) vor sich*** (*dat*) ***sehen*** to see sth in one's mind's eye; ***im ~e bin ich bei euch*** I am with you in spirit **Geisterbahn** *f* ghost train **Geisterfahrer(in)** *m/*(*f*) (*infml*) ghost-driver (*US infml*), *person driving the wrong way on the motorway* **geisterhaft** *adj* ghostly *no adv*; (≈ *übernatürlich*) supernatural **Geisterhand** *f* ***wie von ~*** as if by magic **Geisterhaus** *nt* (≈ *Spukhaus*) haunted house **Geisterstadt** *f* ghost town **Geisterstunde** *f* witching hour **geistesabwesend** **I** *adj* absent-minded **II** *adv* absent-mindedly; ***jdn ~ ansehen*** to give sb an absent-minded look **Geistesabwesenheit** *f* absent-mindedness **Geistesblitz** *m* brainwave (*Br*), brainstorm (*US*) **Geistesgegenwart** *f* presence of mind **geistesgegenwärtig** **I** *adj* quick-witted **II** *adv* quick-wittedly **geistesgestört** *adj* mentally disturbed *or* (*stärker*) deranged **Geistesgestörte(r)** *m/f(m) decl as adj* mentally disturbed *or* deranged person **geisteskrank** *adj* mentally ill **Geisteskranke(r)** *m/f(m) decl as adj* mentally ill person **Geisteskrankheit** *f* mental illness; (≈ *Wahnsinn*) insanity **Geisteswissenschaft** *f* arts subject; ***die ~en*** the arts; (*als Studium*) the humanities **Geisteswissenschaftler(in)** *m/*(*f*) arts scholar; (≈ *Student*) arts student **geisteswissenschaftlich** *adj Fach*, *Fakultät* arts *attr* **Geisteszustand** *m* mental condition; ***jdn auf seinen ~ untersuchen*** to give sb a psychiatric examination **geistig** ['gaistɪç] **I** *adj* **1.** (≈ *unkörperlich*) spiritual **2.** (≈ *intellektuell*) intellectual; PSYCH mental; ***~er Diebstahl*** plagiarism *no pl*; ***~es Eigentum*** intellectual property **3.** (≈ *imaginär*) ***etw vor seinem ~en Auge sehen*** to see sth in one's mind's eye **II** *adv* (≈ *intellektuell*) intellectually; MED mentally; ***~ behindert/zurückgeblieben*** mentally handicapped/retarded **geistlich** ['gaistlɪç] *adj* spiritual; (≈ *religiös*) religious; (≈ *kirchlich*) ecclesiastical **Geistliche** ['gaistlɪçə] *f decl as adj* woman priest; (*von Freikirchen*) woman minister **Geistliche(r)** ['gaistlɪçə] *m decl as adj* clergyman; (≈ *Priester*) priest; (≈ *Pastor*, *von Freikirchen*) minister **Geistlichkeit** *f* ⟨**-**, *no pl*⟩ clergy; (≈ *Priester*) priesthood **geistlos** *adj* (≈ *dumm*) stupid; (≈ *einfallslos*) unimaginative; (≈ *trivial*) inane **Geistlosigkeit** *f* ⟨**-, -en**⟩ **1.** *no pl* (≈ *Dummheit*) stupidity; (≈ *Einfallslosigkeit*) unimaginativeness; (≈

Trivialität) inanity **2.** (≈ *geistlose Äußerung)* inane remark **geistreich** *adj* (≈ *witzig)* witty; (≈ *klug)* intelligent; (≈ *einfallsreich)* ingenious; (≈ *schlagfertig)* quick-witted **geisttötend** *adj* soul-destroying

Geiz [gaits] *m* ⟨**-es**, *no pl*⟩ meanness (*esp Br*), stinginess (*infml*) **geizen** ['gaitsn] *v/i* to be mean (*esp Br*) *or* stingy (*infml*); (*mit Worten, Zeit*) to be sparing; ***mit etw ~*** to be mean *etc* with sth **Geizhals** *m* miser **geizig** ['gaitsıç] *adj* mean (*esp Br*), stingy (*infml*) **Geizkragen** *m* (*infml*) skinflint

Gejammer [gə'jamɐ] *nt* ⟨**-s**, *no pl*⟩ moaning (and groaning)

Gekicher [gə'kıçɐ] *nt* ⟨**-s**, *no pl*⟩ giggling; (*spöttisch*) sniggering, snickering

Gekläff [gə'klɛf] *nt* ⟨**-(e)s**, *no pl*⟩ yapping (*also fig pej*)

Geklapper [gə'klapɐ] *nt* ⟨**-s**, *no pl*⟩ clatter(ing)

Geklirr [gə'klır] *nt* ⟨**-(e)s**, *no pl*⟩ clinking; (*von Fensterscheiben*) rattling

geknickt [gə'knıkt] *adj* (*infml*) dejected; → ***knicken***

gekonnt [gə'kɔnt] **I** *adj* masterly **II** *adv* in a masterly fashion

Gekritzel [gə'krıtsl] *nt* ⟨**-s**, *no pl*⟩ scribbling, scrawling

gekühlt [gə'kyːlt] **I** *adj Getränke* chilled **II** *adv* ***etw ~ servieren*** to serve sth chilled; → ***kühlen***

gekünstelt [gə'kʏnstlt] **I** *adj* artificial **II** *adv* affectedly; ***er spricht sehr ~*** his speech is very affected

Gel [geːl] *nt* ⟨**-s, -e**⟩ gel

Gelaber [gə'laːbɐ] *nt* ⟨**-s**, *no pl*⟩ (*infml*) jabbering (*infml*), prattling (*infml*)

Gelächter [gə'lɛçtɐ] *nt* ⟨**-s, -**⟩ laughter; ***in ~ ausbrechen*** to burst into laughter

geladen [gə'laːdn] *adj* loaded; (PHYS, *fig*) *Atmosphäre* charged; (*infml* ≈ *wütend*) (hopping (*infml*)) mad; ***mit Spannung ~*** charged with tension

Gelage [gə'laːgə] *nt* ⟨**-s, -**⟩ feast, banquet; (≈ *Zechgelage*) carouse

gelagert [gə'laːgɐt] *adj* ***ähnlich ~*** similar; ***in anders ~en Fällen*** in different cases; ***anders ~ sein*** to be different; → ***lagern***

gelähmt [gə'lɛːmt] *adj* paralysed; ***er ist an beiden Beinen ~*** he is paralysed in both legs; ***vor Angst wie ~ sein*** to be petrified

Gelände [gə'lɛndə] *nt* ⟨**-s, -**⟩ **1.** (≈ *Land*) open country; (MIL ≈ *Terrain*) ground; ***offenes ~*** open country; ***schwieriges ~*** difficult terrain **2.** (≈ *Gebiet*) area **3.** (≈ *Schulgelände etc*) grounds *pl*; (≈ *Baugelände*) site **Geländefahrzeug** *nt* cross--country vehicle **geländegängig** *adj Fahrzeug* suitable for cross-country driving

Geländer [gə'lɛndɐ] *nt* ⟨**-s, -**⟩ railing(s *pl*); (≈ *Treppengeländer*) banister(s *pl*)

Geländewagen *m* cross-country vehicle

gelangen [gə'laŋən] *past part* ***gelangt*** *v/i aux sein* ***an/auf etw*** (*acc*)/***zu etw ~*** to reach sth; (≈ *erwerben*) to acquire sth; ***zum Ziel ~*** to reach one's goal; ***in jds Besitz*** (*acc*) ***~*** to come into sb's possession; ***in die falschen Hände ~*** to fall into the wrong hands; ***zu Ruhm ~*** to acquire fame; ***an die Macht ~*** to come to power

gelangweilt [gə'laŋvailt] **I** *adj* bored **II** *adv* ***die Zuschauer saßen ~ da*** the audience sat there looking bored; → ***langweilen***

gelassen [gə'lasn] **I** *adj* calm **II** *adv* calmly **Gelassenheit** *f* ⟨**-**, *no pl*⟩ calmness

Gelatine [ʒela'tiːnə] *f* ⟨**-**, *no pl*⟩ gelatine

geläufig [gə'lɔyfıç] *adj* (≈ *üblich*) common; (≈ *vertraut*) familiar; ***das ist mir nicht ~*** I'm not familiar with that **Geläufigkeit** *f* ⟨**-**, *no pl*⟩ (≈ *Häufigkeit*) frequency; (≈ *Leichtigkeit*) ease

gelaunt [gə'launt] *adj pred* ***gut/schlecht ~*** in a good/bad mood; ***wie ist er ~?*** what sort of mood is he in?

gelb [gɛlp] *adj* yellow; (*bei Verkehrsampel*) amber; ***Gelbe Karte*** FTBL yellow card; ***die Gelben Seiten***® the Yellow Pages®; ***~ vor Neid*** green with envy **Gelb** [gɛlp] *nt* ⟨**-s, -** *or* (*inf*) **-s**⟩ yellow; (*von Verkehrsampel*) amber; ***die Ampel stand auf ~*** the lights were (at) amber **Gelbe(s)** ['gɛlbə] *nt decl as adj* (*vom Ei*) yolk; ***das ist nicht gerade das ~ vom Ei*** (*infml*) it's not exactly brilliant **gelblich** ['gɛlplıç] *adj* yellowish; *Gesichtsfarbe* sallow **Gelbsucht** *f* jaundice **gelbsüchtig** *adj* jaundiced

Geld [gɛlt] *nt* ⟨**-(e)s, -er** [-dɐ]⟩ **1.** *no pl* money; ***bares ~*** cash; ***zu ~ machen*** to sell off; *Aktien* to cash in; ***(mit etw) ~ machen*** (*infml*) to make money (from sth); ***um ~ spielen*** to play for money; ***im ~ schwimmen*** (*infml*) to be rolling in it (*infml*); ***er hat ~ wie Heu*** (*infml*) he's got stacks of money (*infml*); ***mit ~ um sich werfen*** (*infml*) to chuck one's money around (*infml*); ***sie/das ist nicht mit ~ zu bezahlen*** (*infml*) she/that is priceless **2. Gelder** *pl* (≈ *Geldsummen*) money; ***öffentliche ~er*** public funds *pl* **Geldangelegenheit** *f* financial matter **Geldanlage** *f* (financial) investment **Geldautomat** *m* cash machine, ATM **Geldbetrag** *m* amount *or* sum (of money) **Geldbeutel** *m* wallet, billfold (*US*) **Geldbörse** *f* wallet, billfold (*US*); (*für Münzen*) purse (*Br*), wallet (*US*) **Geldbuße** *f* JUR fine; ***eine hohe ~*** a heavy fine **Geldeinwurf** *m* (≈ *Schlitz*) slot **Geldentwertung** *f* (≈ *Inflation*) currency depreciation; (≈ *Abwertung*) currency devaluation **Geldgeber(in)** *m/(f)* financial backer; (*esp* RADIO, TV) sponsor **Geldgeschäft** *nt* financial transaction **Geldgeschenk** *nt* gift of money **Geldgier** *f* avarice **geldgierig** *adj* avaricious **Geldinstitut** *nt* financial institution **Geldmangel** *m* lack of money **Geldmarkt** *m* money market **Geldmenge** *f* money supply **Geldmittel** *pl* funds *pl* **Geldnot** *f* (≈ *Geldmangel*) lack of money; (≈ *Geldschwierigkeiten*) financial difficulties *pl* **Geldpolitik** *f* financial policy **Geldquelle** *f* source of income **Geldschein** *m* banknote (*esp Br*), bill (*US*) **Geldschrank** *m* safe **Geldsorgen** *pl* financial *or* money worries *pl* **Geldspende** *f* donation **Geldspielautomat** *m* slot machine **Geldstrafe** *f* fine; ***jdn zu einer ~ verurteilen*** to fine sb **Geldstück** *nt* coin **Geldverlegenheit** *f* financial embarrassment *no pl*; ***in ~ sein*** to be short of money **Geldverschwendung** *f* waste of money **Geldwaschanlage** *f* money-laundering outfit **Geldwäsche** *f* money laundering **Geldwechsel** *m* exchange of money; ***„Geldwechsel"*** "bureau de change" (*Br*), "exchange counter" (*US*) **Geldwert** *m* cash value; (FIN ≈ *Kaufkraft*) (currency) value

Gelee [ʒe'leː] *m or nt* ⟨**-s, -s**⟩ jelly

gelegen [gə'leːgn] **I** *adj* **1.** (≈ *befindlich*) *Haus, Ort* situated **2.** (≈ *passend*) opportune; ***zu ~er Zeit*** at a convenient time **3.** *pred* (≈ *wichtig*) ***mir ist viel daran ~*** it matters a great deal to me **II** *adv* ***es kommt mir sehr ~*** it comes just at the right time **Gelegenheit** [gə'leːgnhait] *f* ⟨**-, -en**⟩ **1.** opportunity; ***bei passender ~*** when the opportunity arises; ***bei der ersten*** (***besten***) ***~*** at the first opportunity **2.** (≈ *Anlass*) occasion; ***bei dieser ~*** on this occasion **Gelegenheitsarbeit** *f* casual work *no pl* **Gelegenheitsarbeiter(in)** *m/(f)* casual labourer (*Br*) *or* laborer (*US*) **Gelegenheitsjob** *m* casual job **Gelegenheitskauf** *m* bargain **gelegentlich** [gə'leːgntlɪç] **I** *adj attr* occasional **II** *adv* (≈ *manchmal*) occasionally; (≈ *bei Gelegenheit*) some time (or other)

gelehrig [gə'leːrɪç] *adj* quick and eager to learn **gelehrt** [gə'leːɐt] *adj Mensch* learned, erudite; → ***lehren*** **Gelehrte(r)** [gə'leːɐtə] *m/f(m) decl as adj* scholar

Geleise [gə'laizə] *nt* ⟨**-s, -**⟩ (*elev, Aus*) = ***Gleis***

Geleit [gə'lait] *nt* ⟨**-(e)s, -e**⟩ MIL, NAUT escort; ***freies*** *or* ***sicheres ~*** safe-conduct; ***jdm das ~ geben*** to escort sb **Geleitschutz** *m* escort

Gelenk [gə'lɛŋk] *nt* ⟨**-(e)s, -e**⟩ joint; (≈ *Kettengelenk*) link **Gelenkbus** *m* articulated bus **Gelenkentzündung** *f* arthritis **gelenkig** [gə'lɛŋkɪç] *adj* agile; (≈ *geschmeidig*) supple **Gelenkigkeit** *f* ⟨**-**, *no pl*⟩ agility; (≈ *Geschmeidigkeit*) suppleness

gelernt [gə'lɛrnt] *adj* trained; *Arbeiter* skilled; → ***lernen***

geliebt *adj* dear; → ***lieben*** **Geliebte** [gə'liːptə] *f decl as adj* sweetheart; (≈ *Mätresse*) mistress **Geliebte(r)** [gə'liːptə] *m decl as adj* sweetheart; (≈ *Liebhaber*) lover

geliefert [gə'liːfɐt] *adj* ***~ sein*** (*infml*) to have had it (*infml*); ***jetzt sind wir ~*** that's the end (*infml*); → ***liefern***

gelieren [ʒe'liːrən] *past part* ***geliert*** *v/i* to gel **Geliermittel** *nt* gelling agent **Gelierzucker** *m* preserving sugar

gelinde [gə'lɪndə] *adv* ***~ gesagt*** to put it mildly

gelingen [gə'lɪŋən] *pret* ***gelang*** [gə'laŋ], *past part* ***gelungen*** [gə'lʊŋən] *v/i aux sein* (≈ *glücken*) to succeed; (≈ *erfolgreich sein*) to be successful; ***es gelang ihm, das zu tun*** he succeeded in doing it; ***es gelang ihm nicht, das zu tun*** he failed to do it; ***das Bild ist ihr gut gelungen*** her picture turned out well; → ***gelungen*** **Gelingen** [gə'lɪŋən] *nt* ⟨**-s**, *no pl*⟩ (≈ *Glück*) success

gellend *adj* piercing

geloben [gə'loːbn] *past part* ***gelobt*** *v/t*

(*elev*) to vow; ***das Gelobte Land*** BIBLE the Promised Land **Gelöbnis** [gə'lø:pnɪs] *nt* ⟨***-ses, -se***⟩ (*elev*) vow; ***ein ~ ablegen*** to take a vow

gelt [gɛlt] *int* (*S Ger, Aus*) right

gelten ['gɛltn] *pret* ***galt*** [galt], *past part* ***gegolten*** [gə'gɔltn] **I** *v/i* **1.** (≈ *gültig sein*) to be valid; (*Gesetz*) to be in force; ***die Wette gilt!*** the bet's on!; ***was ich sage, gilt!*** what I say goes!; ***das gilt nicht!*** that doesn't count!; (≈ *ist nicht erlaubt*) that's not allowed! **2.** (*+dat* ≈ *bestimmt sein für*) to be meant for **3.** (≈ *zutreffen*) ***das Gleiche gilt auch für ihn*** the same goes for him too **4.** ***~ als*** (*rare*) to be regarded as; ***es gilt als sicher, dass ...*** it seems certain that ...; ***~ lassen*** to accept; ***das lasse ich ~!*** I accept that! **II** *v/t & v/i impers* (*elev*) ***es gilt, ... zu ...*** it is necessary to ... **III** *v/t* (≈ *wert sein*) to be worth **geltend** *adj attr Preise*, *Tarife* current; *Gesetz* in force; *Meinung etc* prevailing; ***~ machen*** (*form*) to assert; ***~es Recht sein*** to be the law of the land **Geltung** ['gɛltʊŋ] *f* ⟨***-, -en***⟩ (≈ *Gültigkeit*) validity; (≈ *Wert*) value, worth; (≈ *Einfluss*) influence; (≈ *Ansehen*) prestige; ***an ~ verlieren*** to lose prestige; ***einer Sache*** (*dat*) ***~ verschaffen*** to enforce sth; ***zur ~ kommen*** to show to advantage; (*durch Kontrast*) to be set off **Geltungsbedürfnis** *nt*, *no pl* need for admiration **geltungsbedürftig** *adj* desperate for admiration **Geltungsdauer** *f* (*einer Fahrkarte etc*) period of validity

Gelübde [gə'lʏpdə] *nt* ⟨***-s, -***⟩ vow

gelungen [gə'lʊŋən] *adj attr* **1.** (≈ *geglückt*) successful **2.** (*infml* ≈ *drollig*) priceless (*infml*); → ***gelingen***

Gelüst [gə'lʏst] *nt* ⟨***-(e)s, -e***⟩ desire; (≈ *Sucht*) craving (*auf +acc*, *nach* for)

gemächlich [gə'mɛ:çlɪç] **I** *adj* leisurely; *Mensch* unhurried **II** *adv* leisurely

gemacht [gə'maxt] *adj* made; ***für etw ~ sein*** to be made for sth; ***ein ~er Mann sein*** to be made; → ***machen***

Gemahl [gə'ma:l] *m* ⟨***-s, -e***⟩ (*form*) spouse (*old*, *form*), husband **Gemahlin** [gə'ma:lɪn] *f* ⟨***-, -nen***⟩ (*form*) spouse (*old*, *form*), wife

Gemälde [gə'mɛ:ldə] *nt* ⟨***-s, -***⟩ painting **Gemäldegalerie** *f* picture gallery

gemäß [gə'mɛ:s] **I** *prep +dat* in accordance with; ***~ § 209*** under § 209 **II** *adj* appropriate (*+dat* to)

gemäßigt [gə'mɛ:sɪçt] *adj* moderate; *Klima* temperate; → ***mäßigen***

Gemäuer [gə'mɔyɐ] *nt* ⟨***-s, -***⟩ (*elev*) walls *pl*; (≈ *Ruine*) ruins *pl*

gemein [gə'main] **I** *adj* **1.** *pred no comp* (≈ *gemeinsam*) ***etw ~ mit jdm/etw haben*** to have sth in common with sb/sth; ***nichts mit jdm ~ haben wollen*** to want nothing to do with sb; ***das ist beiden ~*** it is common to both of them **2.** *attr no comp* (≈ *üblich*) common; ***das ~e Volk*** the common people **3.** (≈ *niederträchtig*) mean; *Lüge* contemptible; ***das war ~ von dir!*** that was mean of you **II** *adv behandeln* meanly; *betrügen* despicably; ***das hat ~ wehgetan*** it hurt terribly

Gemeinde [gə'maində] *f* ⟨***-, -n***⟩ **1.** (≈ *Kommune*) municipality; (≈ *Gemeindebewohner*) community **2.** (≈ *Pfarrgemeinde*) parish; (*beim Gottesdienst*) congregation

Gemeinderat[1] *m* local council

Gemeinderat[2] *m*, **Gemeinderätin** *f* local councillor (*Br*), councilman/-woman (*US*) **Gemeindewahl** *f* local election

gemeingefährlich *adj* dangerous to the public; ***ein ~er Verbrecher*** a dangerous criminal **Gemeingut** *nt*, *no pl* common property

Gemeinheit *f* ⟨***-, -en***⟩ **1.** *no pl* (≈ *Niedertracht*) nastiness **2.** (≈ *Tat*) dirty trick; ***das war eine ~*** (≈ *Bemerkung*) that was a mean thing to say

gemeinhin [gə'mainhɪn] *adv* generally **Gemeinkosten** *pl* overheads *pl* **gemeinnützig** *adj* of benefit to the public *pred*; (≈ *wohltätig*) charitable **Gemeinplatz** *m* commonplace **gemeinsam** [gə'mainza:m] **I** *adj* common; *Konto*, *Nutzung* joint; *Freund* mutual; ***sie haben vieles ~*** they have a great deal in common; ***der Gemeinsame Markt*** the Common Market; ***mit jdm ~e Sache machen*** to make common cause with sb **II** *adv* together; ***etw ~ haben*** to have sth in common **Gemeinsamkeit** *f* ⟨***-, -en***⟩ (≈ *gemeinsame Interessen etc*) common ground *no pl* **Gemeinschaft** [gə'mainʃaft] *f* ⟨***-, -en***⟩ community; (≈ *Gruppe*) group; ***in ~ mit*** jointly *or* together with **gemeinschaftlich** [gə'mainʃaftlɪç] *adj* = ***gemeinsam*** **Gemeinschaftsantenne** *f* block *or* party aerial (*Br*) *or* antenna (*esp US*) **Gemein-**

schaftsarbeit *f* teamwork **Gemeinschaftskunde** *f* social studies *pl* **Gemeinschaftspraxis** *f* joint practice **Gemeinschaftsproduktion** *f* RADIO, TV, FILM co-production **Gemeinschaftswährung** *f* common *or* single currency; (*in EU*) single European currency **Gemeinsinn** *m, no pl* public spirit **Gemeinwesen** *nt* community; (≈ *Staat*) polity **Gemeinwohl** *nt* public welfare; ***das dient dem ~*** it is in the public interest

Gemenge [gə'mɛŋə] *nt* ⟨**-s, -**⟩ (≈ *Gewühl*) bustle

Gemetzel [gə'mɛtsl] *nt* ⟨**-s, -**⟩ bloodbath

gemieden; → ***meiden***

Gemisch [gə'mɪʃ] *nt* ⟨**-(*e*)s, -*e***⟩ mixture (*aus* of) **gemischt** [gə'mɪʃt] *adj* mixed; ***mit ~en Gefühlen*** with mixed feelings; ***~es Doppel*** SPORTS mixed doubles *pl*; → ***mischen***

Gemse ['gɛmzə] *f* ⟨**-, -*n***⟩; → ***Gämse***

Gemurmel [gə'mʊrml] *nt* ⟨**-s**, *no pl*⟩ murmuring

Gemüse [gə'myːzə] *nt* ⟨**-s,** (*rare*) **-**⟩ vegetables *pl*; ***ein ~*** a vegetable **Gemüse(an)bau** *m, no pl* vegetable-growing **Gemüsebanane** *f* plantain **Gemüsebeilage** *f* vegetables *pl* **Gemüsebrühe** *f* vegetable broth; (≈ *Brühwürfel*) vegetable stock **Gemüseeintopf** *m* vegetable stew **Gemüsegarten** *m* vegetable *or* kitchen garden **Gemüsehändler(in)** *m/(f)* greengrocer (*esp Br*), vegetable salesman/saleswoman (*US*) **Gemüsesuppe** *f* vegetable soup **Gemüsezwiebel** *f* Spanish onion

gemustert [gə'mʊstɐt] *adj* patterned; → ***mustern***

Gemüt [gə'myːt] *nt* ⟨**-(*e*)s, -*er***⟩ (≈ *Geist*) mind; (≈ *Charakter*) nature, disposition; (≈ *Seele*) soul; (≈ *Gefühl*) feeling; ***sich*** (*dat*) ***etw zu ~e führen*** (*hum infml*) *Glas Wein, Speise, Buch etc* to indulge in sth **gemütlich** [gə'myːtlɪç] **I** *adj* **1.** (≈ *behaglich*) comfortable; (≈ *freundlich*) friendly *no adv*; (≈ *zwanglos*) informal; *Beisammensein etc* cosy (*Br*), cozy (*US*); ***wir verbrachten einen ~en Abend*** we spent a very pleasant evening **2.** *Mensch* pleasant; (≈ *gelassen*) easy-going *no adv* **3.** (≈ *gemächlich*) leisurely **II** *adv* **1.** (≈ *behaglich*) leisurely; *einrichten* comfortably; ***es sich ~ machen*** to make oneself comfortable **2.** (≈ *gemächlich*) leisurely **Gemütlichkeit** *f* ⟨**-**, *no pl*⟩ **1.** (≈ *Behaglichkeit*) comfort; (≈ *Freundlichkeit*) friendliness; (≈ *Zwanglosigkeit*) informality; (≈ *Intimität*) cosiness (*Br*), coziness (*US*) **2.** (*von Mensch*) pleasantness; (≈ *Gelassenheit*) easy-going nature **3.** (≈ *Gemächlichkeit*) leisureliness; ***in aller ~*** at one's leisure **Gemütsart** *f* disposition, nature **Gemütsbewegung** *f* emotion **gemütskrank** *adj* emotionally disturbed **Gemütskrankheit** *f* emotional disorder **Gemütslage** *f* mood; ***je nach ~*** as the mood takes me/him *etc* **Gemütsmensch** *m* good-natured, phlegmatic person **Gemütsruhe** *f* calmness; ***in aller ~*** (*infml*) (as) cool as a cucumber (*infml*); (≈ *gemächlich*) at a leisurely pace; (≈ *aufreizend langsam*) as if there were all the time in the world **Gemütszustand** *m* frame *or* state of mind

Gen [geːn] *nt* ⟨**-s, -*e***⟩ gene **Gen-** *in cpds* genetic; (≈ *genmanipuliert*) genetically modified *or* engineered

genau [gə'nau] **I** *adj* exact; ***Genaueres*** further details *pl*; ***man weiß nichts Genaues über ihn*** no-one knows anything definite about him **II** *adv* ***~!*** (*infml*) exactly!, precisely!; ***~ dasselbe*** just *or* exactly the same; ***~ in der Mitte*** right in the middle; ***etw ~ wissen*** to know sth for certain; ***etw ~ nehmen*** to take sth seriously; ***~ genommen*** strictly speaking; ***er nimmt es sehr ~*** he's very particular (*mit etw* about sth); ***~estens, aufs Genaueste*** (right) down to the last (little) detail; ***~ entgegengesetzt*** diametrically opposed **Genauigkeit** *f* ⟨**-**, *no pl*⟩ (≈ *Exaktheit*) exactness; (≈ *Richtigkeit*) accuracy; (≈ *Präzision*) precision; (≈ *Sorgfalt*) meticulousness **genauso** [gə'nauzoː] *adv* (*vor Adjektiv*) just as; (*alleinstehend*) just *or* exactly the same

Genbank *f, pl* **-*banken*** gene bank

Gendarm [ʒan'darm, ʒã'darm] *m* ⟨**-*en*, -*en***⟩ (*Aus*) policeman

Gendatei *f* DNA profile

genehm [gə'neːm] *adj* (*elev*) acceptable

genehmigen [gə'neːmɪgn] *past part* ***genehmigt*** *v/t* to approve; (≈ *erlauben*) to sanction; *Aufenthalt* to authorize; (≈ *zugestehen*) to grant; ***sich*** (*dat*) ***etw ~*** to indulge in sth **Genehmigung** *f* ⟨**-, -*en***⟩ (≈ *Erlaubnis*) approval; (≈ *Lizenz*) licence (*Br*), license (*US*); (≈ *Berechtigungsschein*) permit; ***mit freundlicher***

~ von by kind permission of
geneigt [gə'naikt] *adj* (*elev*) *Publikum* willing; ***~ sein, etw zu tun*** to be inclined to do sth; → ***neigen***
General [genə'raːl] *m* ⟨***-(e)s, -e*** *or* ***⸚e*** [-'rɛːlə]⟩, **Generalin** [-'raːlɪn] *f* ⟨***-, -nen***⟩ general **Generalamnestie** *f* general amnesty **Generaldirektor(in)** *m/(f)* chairman/-woman, president (*US*), CEO **Generalleutnant** *m* MIL lieutenant-general (*Br*), lieutenant general (*US*); AVIAT air marshal (*Br*), lieutenant general (*US*) **Generalmajor(in)** *m/(f)* MIL major-general (*Br*), major general (*US*); AVIAT air vice marshal (*Br*), major general (*US*) **Generalprobe** *f* (THEAT, *fig*) dress rehearsal; MUS final rehearsal **Generalsekretär(in)** *m/(f)* secretary-general **Generalstab** *m* general staff **generalstabsmäßig** *adv planen* with military precision **Generalstreik** *m* general strike **generalüberholen** *past part* ***generalüberholt*** *v/t inf, past part only* ***etw ~*** to give sth a general overhaul **Generalvertretung** *f* sole agency
Generation [genəra'tsioːn] *f* ⟨***-, -en***⟩ generation **Generationenvertrag** *m* ECON *system whereby old people receive a pension from contributions being made by current working population* **Generationskonflikt** *m* generation gap
Generator [genə'raːtoːɐ] *m* ⟨***-s, Generatoren*** [-'toːrən]⟩ generator
generell [genə'rɛl] **I** *adj* general **II** *adv* in general; (≈ *normalerweise*) normally
generieren [genə'riːrən] *past part* ***generiert*** *v/t* to generate
genesen [gə'neːzn] *pret* ***genas*** [gə'naːs], *past part* ***genesen*** [gə'neːzn] *v/i aux sein* (*elev*) to convalesce **Genesung** [gə'neːzʊŋ] *f* ⟨***-***, (*rare*) ***-en***⟩ convalescence
Genetik [ge'neːtɪk] *f* ⟨***-***, *no pl*⟩ genetics *sg* **Genetiker** [ge'neːtikɐ] *m* ⟨***-s, -***⟩, **Genetikerin** [-ərɪn] *f* ⟨***-, -nen***⟩ geneticist **genetisch** [ge'neːtɪʃ] **I** *adj* genetic; *Vater* biological **II** *adv* genetically
Genf [gɛnf] *nt* ⟨***-s***⟩ Geneva **Genfer** ['gɛnfɐ] *adj attr* Genevan; ***der ~ See*** Lake Geneva; ***~ Konvention*** Geneva Convention
Genfood *nt* GM foods *pl* **Genforscher(in)** *m/(f)* genetic researcher **Genforschung** *f* genetic research
genial [ge'niaːl] *adj* brilliant; (≈ *erfinderisch*) ingenious; ***ein ~es Werk*** a work of genius; ***das war eine ~e Idee*** that idea was a stroke of genius **Genialität** [geniali'tɛːt] *f* ⟨***-***, *no pl*⟩ genius; (*von Idee, Lösung etc*) brilliance; (≈ *Erfindungsreichtum*) ingenuity
Genick [gə'nɪk] *nt* ⟨***-(e)s, -e***⟩ neck; ***sich*** (*dat*) ***das ~ brechen*** to break one's neck; (*fig*) to kill oneself **Genickschuss** *m* shot in the neck
Genie [ʒe'niː] *nt* ⟨***-s, -s***⟩ genius
genieren [ʒe'niːrən] *past part* ***geniert*** **I** *v/r* to be embarrassed; ***~ Sie sich nicht!*** don't be shy!; ***ich geniere mich, das zu sagen*** I don't like to say it **II** *v/t* ***jdn ~*** (≈ *peinlich berühren*) to embarrass sb; ***das geniert mich wenig!*** that doesn't bother me
genießbar *adj* (≈ *essbar*) edible; (≈ *trinkbar*) drinkable **genießen** [gə'niːsn] *pret* ***genoss*** [gə'nɔs] *past part* ***genossen*** [gə'nɔsn] *v/t* **1.** (≈ *sich erfreuen an*) to enjoy; ***er ist heute nicht zu ~*** (*infml*) he is unbearable today **2.** (≈ *essen*) to eat; (≈ *trinken*) to drink; ***kaum zu ~*** scarcely edible **Genießer** [gə'niːsɐ] *m* ⟨***-s, -***⟩, **Genießerin** [-ərɪn] *f* ⟨***-, -nen***⟩ connoisseur; (≈ *Feinschmecker*) gourmet
Genitalbereich *m* genital area **Genitalien** [geni'taːliən] *pl* genitals *pl*, genitalia *pl* (*form*)
Genitiv ['geːnitiːf] *m* ⟨***-s, -e*** [-və]⟩ genitive; ***im ~*** in the genitive
Genmais *m* GM maize **Genmanipulation** *f* genetic manipulation **genmanipuliert** [-manipuliːɐt] *adj* genetically engineered *or* modified
Genom [ge'noːm] *nt* ⟨***-s, -e***⟩ genome
Genosse [gə'nɔsə] *m* ⟨***-n, -n***⟩, **Genossin** [-'nɔsɪn] *f* ⟨***-, -nen***⟩ comrade; (*pej* ≈ *Kumpan*) pal (*infml*) **Genossenschaft** [gə'nɔsnʃaft] *f* ⟨***-, -en***⟩ cooperative **genossenschaftlich** [-ʃaftlɪç] *adj* cooperative
genötigt [gə'nøːtɪçt] *adj* ***sich ~ sehen, etw zu tun*** to feel (oneself) obliged to do sth
Genozid [geno'tsiːt] *m or nt* ⟨***-(e)s, -e*** *or* ***-ien*** [-də, -diən]⟩ (*elev*) genocide
Genre ['ʒãːrə] *nt* ⟨***-s, -s***⟩ genre
Gentechnik *f* genetic engineering **gentechnikfrei** *adj Lebensmittel etc* GM-free **gentechnisch** **I** *adj Fortschritte etc* in genetic engineering **II** *adv manipulieren* genetically; *produzieren* by means of genetic engineering; ***~ verän-***

derte Organismen genetically manipulated organisms **Gentest** *m* DNA test **Gentherapie** *f* gene therapy

Genua ['geːnua] *nt* ⟨**-s**⟩ Genoa

genug [gə'nuːk] *adv* enough; ***~ davon*** enough of that; **(*von etw*) *~ haben*** to have enough (of sth); (≈ *einer Sache überdrüssig sein*) to have had enough (of sth) **Genüge** [gə'nyːgə] *f* ⟨**-**, *no pl*⟩ ***zur ~*** enough **genügen** [gə'nyːgn] *past part* ***genügt*** *v/i* **1.** (≈ *ausreichen*) to be enough *or* sufficient (+*dat* for); ***das genügt*** **(*mir*)** that's enough *or* sufficient (for me) **2.** (+*dat*) *den Anforderungen* to satisfy; *jds Wünschen* to fulfil (*Br*), to fulfill (*US*) **genügend I** *adj* **1.** *inv* (≈ *ausreichend*) enough, sufficient **2.** (≈ *befriedigend*) satisfactory **II** *adv* (≈ *reichlich*) enough **genügsam** [gə'nyːkzaːm] **I** *adj* undemanding **II** *adv leben* modestly; ***sich ~ ernähren*** to have a simple diet **Genugtuung** [gə'nuːktuʊŋ] *f* ⟨**-**, (*rare*) **-en**⟩ satisfaction (*über +acc* at); ***ich hörte mit ~, dass ...*** it gave me great satisfaction to hear that ...

Genus ['geːnʊs, 'gɛnʊs] *nt* ⟨**-**, ***Genera*** ['geːnera, 'gɛnera]⟩ BIOL genus; GRAM gender

Genuss [gə'nʊs] *m* ⟨***-es, ⸚e*** [gə'nʏsə]⟩ **1.** *no pl* (≈ *das Zusichnehmen*) consumption; (*von Drogen*) use; (*von Tabak*) smoking; ***nach dem ~ der Pilze*** after eating the mushrooms **2.** (≈ *Vergnügen*) pleasure; ***etw mit ~ essen*** to eat sth with relish **3.** *no pl* (≈ *Nutznießung*) ***in den ~ von etw kommen*** to enjoy sth; *von Rente etc* to be in receipt of sth **genüsslich** [gə'nʏslɪç] *adv* with pleasure **Genussmittel** *nt semi-luxury foods and tobacco* **genusssüchtig** *adj* pleasure-seeking

Geografie, Geographie [geogra'fiː] *f* ⟨**-**, *no pl*⟩ geography **geografisch, geographisch** [geo'grafɪʃ] *adj no pred* geographic(al)

Geologe [geo'loːgə] *m* ⟨**-n, -n**⟩, **Geologin** [-'loːgɪn] *f* ⟨**-, -nen**⟩ geologist **Geologie** [geolo'giː] *f* ⟨**-**, *no pl*⟩ geology **geologisch** [geo'loːgɪʃ] *adj no pred* geological

Geometrie [geome'triː] *f* ⟨**-**, *no pl*⟩ geometry **geometrisch** [geo'meːtrɪʃ] *adj* geometric

Geophysik *f* geophysics *sg*

geopolitisch *adj no pred* geopolitical

geordnet [gə'|ɔrdnət] *adj Zustände* well-ordered; ***in ~en Verhältnissen leben*** to live a well-ordered life; → ***ordnen***

Gepäck [gə'pɛk] *nt* ⟨**-(e)s**, *no pl*⟩ luggage *no pl* (*Br*), baggage *no pl* **Gepäckabfertigung** *f* (≈ *Vorgang*) (*am Bahnhof*) luggage *etc* processing; (*am Flughafen*) checking-in of luggage *etc*; (≈ *Stelle*) (*am Bahnhof*) luggage *etc* office; (*am Flughafen*) luggage *etc* check-in **Gepäckannahme** *f* (≈ *Vorgang*) checking-in of luggage (*Br*) *etc*; (*a.* **Gepäckannahmestelle**) (*am Bahnhof*) (*zur Beförderung*) luggage (*Br*) *or* baggage office; (*zur Aufbewahrung*) left-luggage office (*Br*), baggage checkroom (*US*); (*am Flughafen*) luggage *etc* check-in **Gepäckaufbewahrung** *f* (*a.* **Gepäckaufbewahrungsstelle**) left-luggage office (*Br*), baggage checkroom (*US*) **Gepäckausgabe** *f* (*a.* **Gepäckausgabestelle**) (*am Bahnhof*) luggage *etc* office; (*am Flughafen*) luggage *etc* reclaim **Gepäckkontrolle** *f* luggage *etc* control *or* check **Gepäcknetz** *nt* luggage *etc* rack **Gepäckschein** *m* luggage *etc* ticket **Gepäckstück** *nt* piece *or* item of luggage *etc* **Gepäckträger** *m* (*am Fahrrad*) carrier **Gepäckträger(in)** *m/*(*f*) porter (*Br*), baggage handler (*Br*) *or* carrier

Gepard ['geːpart] *m* ⟨**-s, -e** [-də]⟩ cheetah

gepfeffert [gə'pfɛfɐt] *adj* (*infml*) (≈ *hoch*) *Preise* steep; (≈ *schwierig*) *Fragen* tough; (≈ *hart*) *Kritik* biting; → ***pfeffern***

gepflegt [gə'pfleːkt] **I** *adj* **1.** (≈ *nicht vernachlässigt*) well-looked-after; *Äußeres* well-groomed; → ***pflegen*** **2.** (≈ *kultiviert*) civilized; *Atmosphäre* sophisticated; *Sprache, Stil* cultured; *Umgangsformen* refined; (≈ *angenehm*) *Abend* pleasant **3.** (≈ *erstklassig*) *Speisen*, *Weine* excellent **II** *adv* (≈ *kultiviert*) ***sich ~ unterhalten*** to have a civilized conversation; ***sehr ~ wohnen*** to live in style

Gepflogenheit [gə'pfloːgnhait] *f* ⟨**-, -en**⟩ (*elev*) (≈ *Gewohnheit*) habit; (≈ *Verfahrensweise*) practice; (≈ *Brauch*) custom, tradition

Geplänkel [gə'plɛŋkl] *nt* ⟨**-s, -**⟩ skirmish; (*fig*) squabble

Geplapper [gə'plapɐ] *nt* ⟨**-s**, *no pl*⟩ babbling

Gepolter [gə'pɔltɐ] *nt* ⟨**-s**, *no pl*⟩ (≈ *Krach*) din; (*an Tür etc*) banging

gepunktet [gə'pʊŋktət] *adj Linie* dotted;

Stoff, Kleid spotted

gequält [gə'kvɛːlt] *adj Lächeln* forced; *Miene* pained; *Stimme* strained; → ***quälen***

Gequassel [gə'kvasl] *nt* ⟨***-s****, no pl*⟩ (*pej infml*) chattering

gerade [gə'raːdə] **I** *adj* straight; *Zahl* even; (≈ *aufrecht*) *Haltung* upright **II** *adv* **1.** just; ***wo Sie ~ da sind*** just while you're here; ***er wollte ~ aufstehen*** he was just about to get up; ***~ erst*** only just; ***~ noch*** only just; ***~ noch zur rechten Zeit*** just in time; ***~ deshalb*** that's just why; ***das ist es ja ~!*** that's just it! **2.** (≈ *speziell*) especially; ***~, weil ...*** just because ...; ***sie ist nicht ~ eine Schönheit*** she's not exactly a beauty; ***warum ~ das?*** why that of all things?; ***warum ~ heute?*** why today of all days?; ***warum ~ ich?*** why me of all people? **Gerade** [gə'raːdə] *f* ⟨***-n, -n***⟩ **1.** MAT straight line **2.** (SPORTS, *von Rennbahn*) straight; (*Boxen*) straight left/right **geradeaus** [gəraːdə'|aus] *adv* straight ahead **geradeheraus** [gəraːdəhɛ'raus] *adv* (*infml*) frankly; ***~ gesagt*** quite frankly

gerädert [gə'rɛːdɐt] *adj* (*infml*) ***sich wie ~ fühlen*** to be *or* feel (absolutely) whacked (*infml*)

geradestehen *v/i sep irr aux haben or sein* ***für jdn/etw ~*** (*fig*) to be answerable for sb/sth **geradezu** [gə'raːdətsuː, gəraːdə'tsuː] *adv* (≈ *beinahe*) virtually; (≈ *wirklich*) really; ***das ist ja ~ lächerlich!*** that is absolutely ridiculous! **geradlinig** [-liːnɪç] *adj* straight; *Entwicklung etc* linear

gerammelt [gə'ramlt] *adv* ***~ voll*** (*infml*) chock-a-block (*infml*); → ***rammeln***

Gerangel [gə'raŋl] *nt* ⟨***-s****, no pl*⟩ (≈ *Balgerei*) scrapping; (*fig* ≈ *zäher Kampf*) wrangling

Geranie [ge'raːniə] *f* ⟨***-, -n***⟩ geranium

Gerät [gə'rɛːt] *nt* ⟨***-(e)s, -e***⟩ piece of equipment; (≈ *Vorrichtung*) device; (≈ *Apparat*) gadget; (≈ *elektrisches Gerät*) appliance; (≈ *Radiogerät, Fernsehgerät, Telefon*) set; (≈ *Messgerät*) instrument; (≈ *Werkzeug*) tool; (≈ *Turngerät*) piece of apparatus

geraten [gə'raːtn] *pret* ***geriet*** [gə'riːt], *past part* ***geraten*** [gə'raːtn] *v/i aux sein* **1.** ***an jdn ~*** to come across sb; ***an etw*** (*acc*) ***~*** to come by sth; ***an den Richtigen/Falschen ~*** to come to the right/wrong person; ***in Bewegung ~*** to begin to move; ***ins Stocken ~*** to come to a halt; ***in Brand ~*** to catch fire; ***in Angst/Schwierigkeiten ~*** to get scared/into difficulties; ***aus der Form ~*** to lose one's shape **2.** (≈ *sich entwickeln*) to turn out; ***ihm gerät einfach alles*** everything he does turns out well; ***nach jdm ~*** to take after sb

Geräteschuppen *m* tool shed **Geräteturnen** *nt* apparatus gymnastics *no pl*

Geratewohl *nt* ***aufs ~*** on the off-chance; (*auswählen etc*) at random

geraum [gə'raum] *adj attr* ***vor ~er Zeit*** some time ago; ***seit ~er Zeit*** for some time **geräumig** [gə'rɔymɪç] *adj* spacious, roomy

Geräusch [gə'rɔyʃ] *nt* ⟨***-(e)s, -e***⟩ sound; (*esp unangenehm*) noise **geräuscharm** *adj* quiet **geräuschlos** **I** *adj* silent **II** *adv* silently, without a sound **Geräuschpegel** *m* sound level **geräuschvoll** **I** *adj* (≈ *laut*) loud; (≈ *lärmend*) noisy **II** *adv* (≈ *laut*) loudly; (≈ *lärmend*) noisily

gerben ['gɛrbn] *v/t* to tan

Gerbera ['gɛrbera] *f* ⟨***-, -(s)***⟩ BOT gerbera

gerecht [gə'rɛçt] **I** *adj* just; ***~ gegen jdn sein*** to be fair *or* just to sb; ***jdm/einer Sache ~ werden*** to do justice to sb/sth **II** *adv* fairly; (≈ *rechtgemäß*) justly **gerechterweise** [gə'rɛçtɐ'vaizə] *adv* to be fair **gerechtfertigt** [gə'rɛçtfɛrtɪçt] *adj* justified **Gerechtigkeit** [gə'rɛçtɪçkait] *f* ⟨***-****, no pl*⟩ justice; (≈ *Unparteilichkeit*) fairness

Gerede [gə'reːdə] *nt* ⟨***-s****, no pl*⟩ talk; (≈ *Klatsch*) gossip(ing); ***ins ~ kommen*** to get oneself talked about

geregelt [gə'reːglt] *adj* regular; *Leben* well-ordered; → ***regeln***

gereizt [gə'raitst] *adj* (≈ *verärgert*) irritated; (≈ *reizbar*) irritable, touchy; (≈ *nervös*) edgy; → ***reizen*** **Gereiztheit** *f* ⟨***-****, no pl*⟩ (≈ *Verärgertheit*) irritation; (≈ *Reizbarkeit*) irritability, touchiness; (≈ *Nervosität*) edginess

Geriatrie [geria'triː] *f* ⟨***-****, no pl*⟩ geriatrics *sg*

Gericht[1] [gə'rɪçt] *nt* ⟨***-(e)s, -e***⟩ (≈ *Speise*) dish

Gericht[2] *nt* ⟨***-(e)s, -e***⟩ **1.** (≈ *Behörde*) court (of justice); (≈ *Gebäude*) court(-house), law courts *pl*; (≈ *die Richter*) court, bench; ***vor ~ aussagen*** to testify in court; ***vor ~ stehen*** to stand trial; ***mit***

etw vor ~ gehen to take legal action about sth **2.** ***das Jüngste ~*** the Last Judgement; ***über jdn zu ~ sitzen*** (*fig*) to sit in judgement on sb; ***mit jdm (scharf) ins ~ gehen*** (*fig*) to judge sb harshly **gerichtlich** [gəˈrɪçtlɪç] **I** *adj attr* judicial; ***~e Schritte gegen jdn einleiten*** to initiate legal proceedings against sb **II** *adv* ***~ gegen jdn vorgehen*** to take legal action against sb; ***~ angeordnet*** ordered by the courts **Gerichtsbarkeit** [gəˈrɪçtsbaːɐkait] *f* ⟨**-, -en**⟩ jurisdiction **Gerichtsbeschluss** *m* court decision **Gerichtshof** *m* court (of justice), law court; ***Oberster ~*** Supreme Court (of Justice) **Gerichtskosten** *pl* court costs *pl* **Gerichtsmedizin** *f* forensic medicine **Gerichtsmediziner(in)** *m/(f)* forensic doctor **Gerichtssaal** *m* courtroom **Gerichtsschreiber(in)** *m/(f)* clerk of the court (*Br*), registrar (*US*) **Gerichtsstand** *m* (*form*) court of jurisdiction **Gerichtsverfahren** *nt* court *or* legal proceedings *pl* **Gerichtsverhandlung** *f* trial; (*zivil*) hearing **Gerichtsvollzieher** [-fɔltsiːɐ] *m* ⟨**-s, -**⟩, **Gerichtsvollzieherin** [-ərɪn] *f* ⟨**-, -nen**⟩ bailiff **Gerichtsweg** *m* ***auf dem ~*** through the courts

gering [gəˈrɪŋ] **I** *adj* **1.** (≈ *niedrig*) low; *Menge, Vorrat, Betrag, Entfernung* small; *Wert* little *attr*; (≈ *kurz*) *Zeit, Entfernung* short **2.** (≈ *unerheblich*) slight; *Chance* slim; *Rolle* minor; ***das ist meine ~ste Sorge*** that's the least of my worries; ***nicht das Geringste*** nothing at all; ***nicht im Geringsten*** not in the least *or* slightest **3.** (≈ *unzulänglich*) *Kenntnisse* poor **II** *adv* (≈ *abschätzig*) ***~ von jdm sprechen*** to speak badly of sb **geringfügig** [-fyːgɪç] **I** *adj* (≈ *unwichtig*) insignificant; *Unterschied* slight; *Verletzung* minor; *Betrag* small; ***~e Beschäftigung*** part-time employment **II** *adv* slightly **gering schätzen** *v/t* (≈ *verachten*) to think little of; *Erfolg, menschliches Leben* to place little value on; (≈ *missachten*) *Gefahr* to disregard **geringschätzig** [-ʃɛtsɪç] **I** *adj* contemptuous **II** *adv* contemptuously **Geringschätzung** *f, no pl* (≈ *Ablehnung*) disdain; (≈ *schlechte Meinung*) low opinion (*für, +gen* of)

gerinnen [gəˈrɪnən] *pret* ***gerann*** [gəˈran], *past part* ***geronnen*** [gəˈrɔnən] *v/i aux sein* to coagulate; (*Blut*) to clot; (*Milch*) to curdle **Gerinnsel** [gəˈrɪnzl] *nt* ⟨**-s, -**⟩ (≈ *Blutgerinnsel*) clot **Gerinnung** *f* ⟨**-, -en**⟩ coagulation

Gerippe [gəˈrɪpə] *nt* ⟨**-s, -**⟩ skeleton **gerippt** [gəˈrɪpt] *adj* ribbed *no adv*

gerissen [gəˈrɪsn] *adj* cunning **Gerissenheit** *f* ⟨**-,** *no pl*⟩ cunning

Germ [gɛrm] *m or f* ⟨**-,** *no pl*⟩ (*Aus*) baker's yeast

Germane [gɛrˈmaːnə] *m* ⟨**-n, -n**⟩, **Germanin** [-ˈmaːnɪn] *f* ⟨**-, -nen**⟩ Teuton **germanisch** [gɛrˈmaːnɪʃ] *adj* Germanic **Germanist** [gɛrmaˈnɪst] *m* ⟨**-en, -en**⟩, **Germanistin** [-ˈnɪstɪn] *f* ⟨**-, -nen**⟩ Germanist **Germanistik** [gɛrmaˈnɪstɪk] *f* ⟨**-,** *no pl*⟩ German (studies *pl*)

Germknödel *m* (*S Ger, Aus*) doughnut (*Br*), donut (*US*)

gern [gɛrn], **gerne** [ˈgɛrnə] *adv, comp* ***lieber***, *sup* ***am liebsten*** (≈ *freudig*) with pleasure; (≈ *bereitwillig*) with pleasure, willingly; ***(aber) ~!*** of course!; ***ja, ~!*** (yes) please; ***kommst du mit? — ja, ~*** are you coming too? — oh yes, I'd like to; ***~ geschehen!*** you're welcome! (*esp US*), not at all!; ***etw ~ tun*** to like doing sth *or* to do sth (*esp US*); ***etw ~ sehen*** to like sth; ***das wird nicht ~ gesehen*** that's frowned (up)on; ***ein ~ gesehener Gast*** a welcome visitor; ***das glaube ich ~*** I can well believe it; ***ich hätte*** *or* ***möchte ~ ...*** I would like ...; ***wie hätten Sies (denn) ~?*** how would you like it?; → ***gernhaben*** **Gernegroß** [ˈgɛrnəgroːs] *m* ⟨**-, -e**⟩ (*hum*) ***er war schon immer ein kleiner ~*** he always did like to act big (*infml*) **gernhaben** *v/t sep irr* to like; ***er kann mich mal ~!*** (*infml*) he can go to hell! (*infml*), screw him (*sl*)

Geröll [gəˈrœl] *nt* ⟨**-(e)s, -e**⟩ detritus *no pl*; (*im Gebirge*) scree *no pl*; (*größeres*) boulders *pl*

Gerste [ˈgɛrstə] *f* ⟨**-, -n**⟩ barley **Gerstenkorn** *nt, pl* ***-körner*** **1.** barleycorn **2.** MED stye

Gerte [ˈgɛrtə] *f* ⟨**-, -n**⟩ switch **gertenschlank** *adj* slim and willowy

Geruch [gəˈrʊx] *m* ⟨**-(e)s, ⸚e** [gəˈrʏçə]⟩ smell, odour (*Br*), odor (*US*) (*nach* of); (*unangenehm*) stench (*nach* of); (≈ *Duft*) fragrance, perfume (*nach* of) **geruchlos** *adj* odourless (*Br*), odorless (*US*) **geruchsempfindlich** *adj* sensitive to smell **Geruchsnerv** *m* olfactory nerve **Geruchssinn** *m, no pl* sense of smell

Gerücht [gə'rʏçt] *nt* ⟨**-(e)s, -e**⟩ rumour (*Br*), rumor (*US*); ***es geht das ~, dass ...*** there's a rumo(u)r (going (a)round) that ...

geruhsam [gə'ruːzaːm] **I** *adj* peaceful; *Spaziergang etc* leisurely **II** *adv* leisurely

Gerümpel [gə'rʏmpl] *nt* ⟨**-s,** *no pl*⟩ junk

Gerundium [ge'rʊndiʊm] *nt* ⟨**-s, Gerundien** [-diːən]⟩ gerund

Gerüst [gə'rʏst] *nt* ⟨**-(e)s, -e**⟩ scaffolding *no pl*; (≈ *Gestell*) trestle; (*fig* ≈ *Gerippe*) framework (*zu* of)

gerüttelt [gə'rʏtlt] **I** *adj* ***ein ~es Maß von*** *or* ***an etw*** (*dat*) a fair amount of sth **II** *adv* ***~ voll*** jam-packed (*infml*)

gesalzen [gə'zaltsn] *adj* (*fig infml*) *Preis* steep

gesammelt [gə'zamlt] *adj Kraft* collective; *Werke* collected; → ***sammeln***

gesamt [gə'zamt] *adj attr* whole, entire; ***die ~en Kosten*** the total costs **Gesamtausgabe** *f* complete edition **Gesamtbetrag** *m* total (amount) **Gesamteindruck** *m* general impression **Gesamteinkommen** *nt* total income **Gesamtergebnis** *nt* overall result **Gesamtheit** *f* ⟨**-,** *no pl*⟩ totality; ***die ~ der ...*** all the ...; (≈ *die Summe*) the totality of ...; ***die ~*** (***der Bevölkerung***) the population (as a whole) **Gesamthochschule** *f* ≈ polytechnic (*Br*), ≈ college **Gesamtkosten** *pl* total costs *pl* **Gesamtnote** *f* SCHOOL overall mark (*Br*) *or* grade (*US*) **Gesamtschule** *f* comprehensive school **Gesamtsumme** *f* total amount **Gesamtwerk** *nt* complete works *pl* **Gesamtwert** *m* total value **Gesamtwertung** *f* SPORTS overall placings *pl* **Gesamtzahl** *f* total number

Gesandte(r) [gə'zantə] *m decl as adj*, **Gesandtin** [gə'zantɪn] *f* ⟨**-, -nen**⟩ envoy, legate **Gesandtschaft** [gə'zantʃaft] *f* ⟨**-, -en**⟩ legation

Gesang [gə'zaŋ] *m* ⟨**-(e)s, =e** [gə'zɛŋə]⟩ **1.** (≈ *Lied*) song **2.** *no pl* (≈ *das Singen*) singing **Gesangbuch** *nt* ECCL hymnbook

Gesäß [gə'zɛːs] *nt* ⟨**-es, -e**⟩ seat, bottom **Gesäßbacke** *f* buttock, cheek **Gesäßtasche** *f* back pocket

Geschäft [gə'ʃɛft] *nt* ⟨**-(e)s, -e**⟩ **1.** (≈ *Gewerbe, Handel*) business *no pl*; (≈ *Geschäftsabschluss*) (business) deal *or* transaction; ***~ ist ~*** business is business; ***wie geht das ~?*** how's business?; ***mit jdm ~e machen*** to do business with sb; ***ein gutes/schlechtes ~ machen*** to make a good/bad deal; ***dabei hat er ein ~ gemacht*** he made a profit by it **2.** (≈ *Firma*) business; (≈ *Laden*) shop (*Br*), store; (*infml* ≈ *Büro*) office; ***im ~*** at work, in the office; (≈ *im Laden*) in the shop **Geschäftemacher(in)** *m*/(*f*) (*pej*) profiteer **geschäftig** [gə'ʃɛftɪç] *adj* (≈ *betriebsam*) busy; ***~es Treiben*** hustle and bustle **Geschäftigkeit** *f* ⟨**-,** *no pl*⟩ busyness; (≈ *geschäftiges Treiben*) (hustle and) bustle **geschäftlich** [gə'ʃɛftlɪç] **I** *adj* business *attr* **II** *adv* (≈ *in Geschäften*) on business; (≈ *wegen Geschäften*) because of business; ***sie hat morgen ~ in Berlin zu tun*** she has to be in Berlin on business tomorrow; ***~ verreist*** away on business **Geschäftsabschluss** *m* business deal **Geschäftsadresse** *f* business address **Geschäftsbedingungen** *pl* terms *pl* of business **Geschäftsbereich** *m* PARL responsibilities *pl*; ***Minister ohne ~*** minister without portfolio **Geschäftsbericht** *m* report; (*einer Gesellschaft*) company report **Geschäftsbeziehungen** *pl* business connections *pl* (*zu* with) **Geschäftsessen** *nt* business lunch/dinner **geschäftsfähig** *adj* JUR capable of contracting (*form*), competent (*form*) **Geschäftsfähigkeit** *f* JUR (legal) competence **Geschäftsfrau** *f* businesswoman **Geschäftsfreund(in)** *m*/(*f*) business associate **geschäftsführend** *adj attr* executive; (≈ *stellvertretend*) acting **Geschäftsführer(in)** *m*/(*f*) (*von Laden*) manager/manageress; (*von Unternehmen*) managing director, CEO; (*von Verein*) secretary **Geschäftsführung** *f* management **Geschäftsinhaber(in)** *m*/(*f*) owner (of a business); (*von Laden, Restaurant*) proprietor/proprietress **Geschäftsjahr** *nt* financial year **Geschäftskosten** *pl* business expenses *pl*; ***das geht alles auf ~*** it's all on expenses **Geschäftslage** *f* (≈ *Wirtschaftslage*) business situation **Geschäftsleitung** *f* management **Geschäftsmann** *m, pl* ***-leute*** businessman **geschäftsmäßig** *adj, adv* businesslike **Geschäftsordnung** *f* standing orders *pl*; ***eine Frage zur ~*** a question on a point of order **Geschäftspartner(in)** *m*/(*f*) business partner; (≈ *Geschäftsfreund*) business associate **Geschäftsreise** *f* business trip; ***auf ~ sein*** to be on a business trip **geschäftsschädigend** *adj* bad for business **Geschäftsschädigung** *f* ⟨**-, -en**⟩ conduct *no art* injurious to the interests of the company (*form*) **Geschäftsschluss** *m* close of business; (*von Läden*) closing time; ***nach ~*** out of office *or* working hours / after closing time **Geschäftssitz** *m* place of business **Geschäftsstelle** *f* offices *pl* **Geschäftsstraße** *f* shopping street **Geschäftsstunden** *pl* office *or* working hours *pl*; (*von Läden*) opening hours *pl* **geschäftstüchtig** *adj* business-minded **Geschäftsverbindung** *f* business connection **Geschäftsverkehr** *m* business *no art* **Geschäftszeiten** *pl* business hours *pl*; (*von Büros*) office hours *pl*

geschehen [gə'ʃeːən] *pret* ***geschah*** [gə'ʃaː], *past part* ***geschehen*** [gə'ʃeːən] *v/i aux sein* to happen (*jdm* to sb); ***es wird ihm nichts ~*** nothing will happen to him; ***das geschieht ihm (ganz) recht*** it serves him right; ***er wusste nicht, wie ihm geschah*** he didn't know what was going on; ***was soll mit ihm/damit ~?*** what is to be done with him/it?; ***es muss etwas ~*** something must be done **Geschehen** [gə'ʃeːən] *nt* ⟨**-s,**⟩ (*rare*) ⟨**-**⟩ events *pl* **Geschehnis** [gə'ʃeːnɪs] *nt* ⟨**-ses, -se**⟩ (*elev*) event

gescheit [gə'ʃait] *adj* clever; *Mensch, Idee* bright; (≈ *vernünftig*) sensible

Geschenk [gə'ʃɛŋk] *nt* ⟨**-(e)s, -e**⟩ present, gift; ***jdm ein ~ machen*** to give sb a present; ***jdm etw zum ~ machen*** to give sb sth (as a present); ***ein ~ seiner Mutter*** a present from his mother **Geschenkartikel** *m* gift **Geschenkgutschein** *m* gift voucher **Geschenkpackung** *f* gift pack *or* box **Geschenkpapier** *nt* wrapping paper; ***etw in ~ einwickeln*** to giftwrap sth

Geschichte [gə'ʃɪçtə] *f* ⟨**-, -n**⟩ **1.** *no pl* (≈ *Historie*) history; ***~ machen*** to make history **2.** (≈ *Erzählung*) story; ***~n erzählen*** to tell stories **3.** (*infml* ≈ *Sache*) affair, business *no pl*; ***die ganze ~*** the whole business; ***eine schöne ~!*** (*iron*) a fine how-do-you-do! (*infml*) **geschichtlich** [gə'ʃɪçtlɪç] **I** *adj* (≈ *historisch*) historical; (≈ *bedeutungsvoll*) historic **II** *adv* historically **Geschichtsbuch** *nt* history book **Geschichtsforscher(in)** *m/(f)* historian **Geschichtskenntnis** *f* knowledge of history *no pl* **Geschichtslehrer(in)** *m/(f)* history teacher **Geschichtsschreibung** *f* historiography **geschichtsträchtig** *adj Ort, Stadt* steeped in history; *Ereignis* historic **Geschichtsunterricht** *f* history lessons *pl*

Geschick[1] [gə'ʃɪk] *nt* ⟨**-(e)s, -e**⟩ (*elev*) (≈ *Schicksal*) fate

Geschick[2] *nt* ⟨**-s,** *no pl*⟩ (≈ *Geschicklichkeit*) skill **Geschicklichkeit** [gə'ʃɪklɪçkait] *f* ⟨**-,** *no pl*⟩ skill, skilfulness (*Br*), skillfulness (*US*); (≈ *Beweglichkeit*) agility **geschickt** [gə'ʃɪkt] **I** *adj* skilful (*Br*), skillful (*US*); (≈ *beweglich*) agile **II** *adv* (≈ *clever*) cleverly; ***~ agieren*** to be clever **Geschicktheit** *f* ⟨**-,** *no pl*⟩ = ***Geschicklichkeit***

geschieden [gə'ʃiːdn] *adj* divorced

Geschirr [gə'ʃɪr] *nt* ⟨**-(e)s, -e**⟩ **1.** *no pl* crockery (*Br*), tableware; (≈ *Küchengeschirr*) pots and pans *pl*, kitchenware; (≈ *Teller etc*) china; (*zu einer Mahlzeit benutzt*) dishes *pl*; **(*das*) *~* (*ab*)*spülen*** to wash up **2.** (*von Zugtieren*) harness **Geschirrschrank** *m* china cupboard (*Br*) *or* cabinet (*US*) **Geschirrspülen** *nt* ⟨**-s,** *no pl*⟩ washing-up **Geschirrspüler** *m*, **Geschirrspülmaschine** *f* dishwasher **Geschirrspülmittel** *nt* washing-up liquid (*Br*), dishwashing liquid (*US*) **Geschirrtuch** *nt*, *pl* ***-tücher*** tea towel (*Br*), dishtowel (*US*)

Geschlecht [gə'ʃlɛçt] *nt* ⟨**-(e)s, -er**⟩ sex; GRAM gender; ***das andere ~*** the opposite sex **geschlechtlich** [gə'ʃlɛçtlɪç] **I** *adj* sexual **II** *adv* ***mit jdm ~ verkehren*** to have sexual intercourse with sb **Geschlechtsakt** *m* sex(ual) act **Geschlechtsgenosse** *m*, **Geschlechtsgenossin** *f* person of the same sex; ***jds ~n*** those *or* people of the same sex as sb **Geschlechtshormon** *nt* sex hormone **geschlechtskrank** *adj* suffering from a sexually transmitted disease **Geschlechtskrankheit** *f* sexually transmitted disease **Geschlechtsleben** *nt* sex life **geschlechtslos** *adj* asexual (*auch* BIOL), sexless **Geschlechtsmerkmal** *nt* sex(ual) characteristic **Geschlechtsorgan** *nt* sex(ual) organ **geschlechtsreif** *adj* sexually mature **Geschlechtsteil** *nt* genitals *pl* **Geschlechtstrieb** *m* sex(-ual) drive **Geschlechtsumwandlung** *f* sex change **Geschlechtsverkehr** *m*

sexual intercourse **Geschlechtswort** *nt*, *pl* **-wörter** GRAM article
geschliffen [gəˈʃlɪfn] *adj Manieren*, *Ausdrucksweise* polished
geschlossen [gəˈʃlɔsn] **I** *adj* closed; (≈ *vereint*) united, unified; ***in sich*** (*dat*) ***~*** self-contained; *Systeme* closed; ***ein ~es Ganzes*** a unified whole; ***~e Gesellschaft*** closed society; (≈ *Fest*) private party **II** *adv* ***~ für etw sein/stimmen*** to be/vote unanimously in favour (*Br*) *or* favor (*US*) of sth; ***~ hinter jdm stehen*** to stand solidly behind sb **Geschlossenheit** *f* ⟨**-**, *no pl*⟩ unity
Geschmack [gəˈʃmak] *m* ⟨**-(e)s, ⸗e** *or* (*hum, inf*) **⸗er** [gəˈʃmɛkə, gəˈʃmɛkɐ]⟩ taste *no pl*: (≈ *Geschmackssinn*) sense of taste; ***je nach ~*** to one's own taste; ***an etw*** (*dat*) ***~ finden*** to acquire a taste for sth; ***auf den ~ kommen*** to acquire a taste for it; ***sie hat einen guten ~*** (*fig*) she has good taste; ***für meinen ~*** for my taste; ***das ist nicht nach meinem ~*** that's not to my taste; ***über ~ lässt sich*** (***nicht***) ***streiten*** (*prov*) there's no accounting for taste(s) (*prov*) **geschmacklich** [gəˈʃmaklɪç] *adj* as regards taste **geschmacklos** *adj* tasteless **Geschmacklosigkeit** *f* ⟨**-, -en**⟩ **1.** *no pl* tastelessness, lack of taste **2.** (≈ *Bemerkung*) remark in bad taste; ***das ist eine ~!*** that is the most appalling bad taste! **Geschmacksfrage** *f* question of (good) taste **Geschmacksrichtung** *f* taste **Geschmackssache** *f* matter of taste; ***das ist ~*** it's (all) a matter of taste **Geschmackssinn** *m*, *no pl* sense of taste **Geschmacksverirrung** *f* ***unter ~ leiden*** (*iron*) to have no taste **Geschmacksverstärker** *m* CHEM, COOK flavour (*Br*) *or* flavor (*US*) enhancer **geschmackvoll** **I** *adj* tasteful **II** *adv* tastefully
geschmeidig [gəˈʃmaidɪç] *adj Leder*, *Haut*, *Bewegung* supple; *Fell* sleek; *Handtuch*, *Haar* soft
Geschnatter [gəˈʃnatɐ] *nt* ⟨**-s**, *no pl*⟩ (*lit*) cackle, cackling; (*fig*) jabber, jabbering
Geschöpf [gəˈʃœpf] *nt* ⟨**-(e)s, -e**⟩ (≈ *Lebewesen*) creature
Geschoss[1] [gəˈʃɔs] *nt* ⟨**-es, -e**⟩ projectile (*form*); (≈ *Rakete etc auch*) missile
Geschoss[2] *nt* ⟨**-es, -e**⟩, **Geschoß**[2] (*Aus*) *nt* ⟨**-es, -e**⟩ (≈ *Stockwerk*) floor, storey (*Br*), story (*US*)
Geschrei [gəˈʃrai] *nt* ⟨**-s**, *no pl*⟩ shouts *pl*, shouting; (*von Babys*, *Popfans*) screams *pl*, screaming; ***viel ~ um etw machen*** to make a big fuss about sth
Geschütz [gəˈʃʏts] *nt* ⟨**-es, -e**⟩ gun; ***schweres ~*** heavy artillery; ***schweres ~ auffahren*** (*fig*) to bring up one's big guns
geschützt [gəˈʃʏtst] *adj Winkel*, *Ecke* sheltered; *Pflanze*, *Tier* protected; → ***schützen***
Geschwader [gəˈʃvaːdɐ] *nt* ⟨**-s, -**⟩ squadron
Geschwafel [gəˈʃvaːfl] *nt* ⟨**-s**, *no pl*⟩ (*infml*) waffle (*Br infml*), blather (*infml*)
Geschwätz [gəˈʃvɛts] *nt* ⟨**-es**, *no pl*⟩ (*pej*) prattle; (≈ *Klatsch*) gossip **geschwätzig** [gəˈʃvɛtsɪç] *adj* garrulous; (≈ *klatschsüchtig*) gossipy **Geschwätzigkeit** *f* ⟨**-**, *no pl*⟩ garrulousness; (≈ *Klatschsucht*) constant gossiping
geschweige [gəˈʃvaigə] *cj* ***~*** (***denn***) let alone, never mind
Geschwindigkeit [gəˈʃvɪndɪçkait] *f* ⟨**-, -en**⟩ speed; ***mit einer ~ von ...*** at a speed of ...; ***mit höchster ~*** at top speed **Geschwindigkeitsbegrenzung** *f* ⟨**-, -en**⟩, **Geschwindigkeitsbeschränkung** *f* speed limit **Geschwindigkeitsüberschreitung** [-|yːbɐʃraitʊŋ] *f* ⟨**-, -en**⟩ speeding
Geschwister [gəˈʃvɪstɐ] *pl* brothers and sisters *pl*, siblings *pl*; ***haben Sie noch ~?*** do you have any brothers or sisters? **geschwisterlich** [gəˈʃvɪstɐlɪç] **I** *adj* brotherly/sisterly **II** *adv* in a brotherly/sisterly way **Geschwisterpaar** *nt* brother and sister *pl*
geschwollen [gəˈʃvɔlən] (*pej*) **I** *adj* pompous **II** *adv* pompously
Geschworenenbank *f*, *pl* **-bänke** jury box; (≈ *die Geschworenen*) jury **Geschworenengericht** *nt* = ***Schwurgericht*** **Geschworene(r)** [gəˈʃvoːrənə] *m/f(m) decl as adj* juror; ***die ~n*** the jury *sg or pl*
Geschwulst [gəˈʃvʊlst] *f* ⟨**-, ⸗e** [gəˈʃvʏlstə]⟩ growth
geschwungen *adj* curved; ***~e Klammer*** TYPO curly bracket
Geschwür [gəˈʃvyːɐ] *nt* ⟨**-s, -e**⟩ ulcer; (≈ *Furunkel*) boil
gesegnet [gəˈzeːgnət] *adj* (*elev*) ***mit etw ~ sein*** to be blessed with sth
Geselchte(s) [gəˈzɛlçtə] *nt decl as adj* (*S*

Ger, Aus) salted and smoked meat **Geselle** [gə'zɛlə] *m* ⟨**-n, -n**⟩ (≈ *Handwerksgeselle*) journeyman **gesellen** [gə'zɛlən] *past part* **gesellt** *v/r* ***sich zu jdm ~*** to join sb **gesellig** [gə'zɛlıç] *adj* sociable; *Tier* gregarious; ***~es Beisammensein*** social gathering **Geselligkeit** *f* ⟨**-, -en**, *no pl*⟩ sociability, conviviality; (*von Tieren*) gregariousness; ***die ~ lieben*** to be sociable **Gesellin** [gə'zɛlın] *f* ⟨**-, -nen**⟩ (≈ *Handwerksgesellin*) journeyman

Gesellschaft [gə'zɛlʃaft] *f* ⟨**-, -en**⟩ **1.** SOCIOL society; ***die ~ verändern*** to change society **2.** (≈ *Vereinigung*) society; COMM company **3.** (≈ *Abendgesellschaft*) party; ***eine erlesene ~*** a select group of people **4.** (≈ *Begleitung*) company; ***da befindest du dich in guter ~*** then you're in good company; ***jdm ~ leisten*** to keep sb company **Gesellschafter** [gə'zɛlʃaftɐ] *m* ⟨**-s, -**⟩, **Gesellschafterin** [-ərın] *f* ⟨**-, -nen**⟩ (COMM ≈ *Teilhaber*) shareholder; (≈ *Partner*) partner **gesellschaftlich** [gə'zɛlʃaftlıç] *adj* social **Gesellschaftsanzug** *m* formal dress **gesellschaftsfähig** *adj* socially acceptable **Gesellschaftsform** *f* social system **Gesellschaftsordnung** *f* social system **gesellschaftspolitisch** *adj* sociopolitical **Gesellschaftsschicht** *f* social stratum **Gesellschaftsspiel** *nt* party game **Gesellschaftssystem** *nt* social system **Gesellschaftstanz** *m* ballroom dance

gesettelt *adj* (*sl* ≈ *sesshaft, etabliert*) settled

Gesetz [gə'zɛts] *nt* ⟨**-es, -e**⟩ law; (≈ *Gesetzbuch*) statute book; (PARL ≈ *Vorlage*) bill; (*nach Verabschiedung*) act; ***nach dem ~*** under the law (*über +acc* on); ***vor dem ~*** in (the eyes of the) law; ***ein ungeschriebenes ~*** an unwritten rule **Gesetzblatt** *nt* law gazette **Gesetzbuch** *nt* statute book **Gesetzentwurf** *m* (draft) bill **Gesetzesänderung** *f* change in the law **Gesetzesbrecher** *m* ⟨**-s, -**⟩, **Gesetzesbrecherin** [-ərın] *f* ⟨**-, -nen**⟩ law-breaker **Gesetzeskraft** *f* the force of law; ***~ erlangen*** to become law; ***~ haben*** to be law **Gesetzeslage** *f* legal position **gesetzestreu** *adj Person* law-abiding **gesetzgebend** *adj attr* legislative; ***die ~e Gewalt*** the legislature **Gesetzgeber** *m* legislative body **Gesetzgebung** [-ge:bʊŋ] *f* ⟨**-, -en**⟩ legislation *no pl* **gesetzlich** [gə'zɛtslıç] **I** *adj Verpflichtung* legal; *Feiertag* statutory **II** *adv* legally **gesetzlos** *adj* lawless **gesetzmäßig** *adj* (≈ *gesetzlich*) legal; (≈ *rechtmäßig*) lawful

gesetzt [gə'zɛtst] **I** *adj* (≈ *reif*) sedate, sober; ***ein Herr im ~en Alter*** a man of mature years; → ***setzen*** **II** *cj* ***~ den Fall, ...*** assuming (that) ...

gesetzwidrig **I** *adj* illegal; (*unrechtmäßig*) unlawful **II** *adv* illegally; (≈ *unrechtmäßig*) unlawfully

gesichert [gə'zıçɐt] *adj Existenz* secure; *Fakten* definite; → ***sichern***

Gesicht [gə'zıçt] *nt* ⟨**-(e)s, -er**⟩ face; ***ein trauriges/wütendes ~ machen*** to look sad/angry; ***ein langes ~ machen*** to make a long face; ***jdm ins ~ sehen*** to look sb in the face; ***den Tatsachen ins ~ sehen*** to face facts; ***jdm etw ins ~ sagen*** to tell sb sth to his face; ***sein wahres ~ zeigen*** to show (oneself in) one's true colours (*Br*) *or* colors (*US*); ***jdm wie aus dem ~ geschnitten sein*** to be the spitting image of sb; ***das ~ verlieren*** to lose face; ***das ~ wahren*** to save face; ***das gibt der Sache ein neues ~*** that puts a different complexion on the matter *or* on things; ***etw aus dem ~ verlieren*** to lose sight of sth; ***jdn/etw zu ~ bekommen*** to set eyes on sb/sth **Gesichtsausdruck** *m* (facial) expression **Gesichtscreme** *f* face cream **Gesichtsfarbe** *f* complexion **Gesichtskreis** *m* **1.** (*dated*) (≈ *Umkreis*) field of vision; ***jdn aus dem ~ verlieren*** to lose sight of sb **2.** (*fig*) horizons *pl*, outlook **Gesichtsmaske** *f* face mask **Gesichtsmuskel** *m* facial muscle **Gesichtspackung** *f* face pack **Gesichtspunkt** *m* (≈ *Betrachtungsweise*) point of view, standpoint; (≈ *Einzelheit*) point **Gesichtsverlust** *m* loss of face **Gesichtszüge** *pl* features *pl*

Gesindel [gə'zındl] *nt* ⟨**-s,** *no pl*⟩ (*pej*) riffraff *pl*

gesinnt [gə'zınt] *adj usu pred* ***jdm freundlich/feindlich ~ sein*** to be friendly/hostile to(wards) sb; ***sozial ~ sein*** to be socially minded **Gesinnung** [gə'zınʊŋ] *f* ⟨**-, -en**⟩ (≈ *Charakter*) cast of mind; (≈ *Ansichten*) views *pl*, way of thinking; ***eine liberale ~*** liberal-mindedness; ***seiner ~ treu bleiben*** to remain loyal to one's basic convictions **Gesinnungsgenosse** *m*, **Gesinnungs-**

genossin *f* like-minded person **gesinnungslos** (*pej*) *adj* unprincipled **Gesinnungswandel** *m*, **Gesinnungswechsel** *m* conversion

gesittet [gə'zɪtət] *adj* **1.** (≈ *wohlerzogen*) well-mannered **2.** (≈ *kultiviert*) civilized

Gesöff [gə'zœf] *nt* ⟨**-(e)s, -e**⟩ (*infml*) muck (*infml*)

gesondert [gə'zɔndɐt] **I** *adj* separate **II** *adv* separately

gesonnen [gə'zɔnən] *adj* **~ sein, etw zu tun** to be of a mind to do sth

gespalten [gə'ʃpaltn] *adj Bewusstsein* split; *Zunge* forked; *Gesellschaft* divided; ***die Meinungen sind ~*** opinions are divided

Gespann [gə'ʃpan] *nt* ⟨**-(e)s, -e**⟩ **1.** (≈ *Zugtiere*) team **2.** (≈ *Pferdegespann*) horse and cart; ***ein gutes ~ abgeben*** to make a good team **gespannt** [gə'ʃpant] **I** *adj* **1.** *Seil* taut **2.** (*fig*) tense; (≈ *neugierig*) curious; ***ich bin ~, wie er darauf reagiert*** I wonder how he'll react to that; ***da bin ich aber ~!*** I'm looking forward to that; (*iron*) (oh really?) that I'd like to see! **II** *adv* intently; ***~ zuhören/zusehen*** to be engrossed with what's going on; → ***spannen*** **Gespanntheit** *f* ⟨**-**, *no pl*⟩ tension; (≈ *Neugierde*) eager anticipation

Gespenst [gə'ʃpɛnst] *nt* ⟨**-(e)s, -er**⟩ ghost; (*fig* ≈ *Gefahr*) spectre (*Br*), specter (*US*) **gespensterhaft** *adj* ghostly *no adv*; (*fig*) eerie, eery **gespenstisch** [gə'ʃpɛnstɪʃ] *adj, adv* **1.** = ***gespensterhaft*** **2.** (*fig* ≈ *bizarr, unheimlich*) eerie, eery

gespielt [gə'ʃpiːlt] *adj* feigned

Gespött [gə'ʃpœt] *nt* ⟨**-(e)s**, *no pl*⟩ mockery; (≈ *Gegenstand des Spotts*) laughing stock; ***zum ~ werden*** to become a laughing stock

Gespräch [gə'ʃprɛːç] *nt* ⟨**-(e)s, -e**⟩ **1.** (≈ *Unterhaltung*) conversation; (≈ *Diskussion*) discussion; (≈ *Dialog*) dialogue (*Br*), dialog (*US*); ***~e*** POL talks; ***das ~ auf etw*** (*acc*) ***bringen*** to steer the conversation *etc* (a)round to sth; ***im ~ sein*** to be being talked about; ***mit jdm ins ~ kommen*** to get into conversation with sb; (*fig*) to establish a dialogue (*Br*) *or* dialog (*US*) with sb **2.** (TEL ≈ *Anruf*) (telephone) call; ***ein ~ für dich*** a call for you **gesprächig** [gə'ʃprɛːçɪç] *adj* talkative; (≈ *mitteilsam*) communicative **gesprächsbereit** *adj esp* POL ready to talk **Gesprächsbereitschaft** *f esp* POL readiness to talk **Gesprächsgegenstand** *m* topic **Gesprächsguthaben** *nt* (TEL: *von Prepaidhandy*) credit minutes *pl* **Gesprächspartner(in)** *m*/(*f*) interlocutor (*form*); ***mein ~ bei den Verhandlungen*** my opposite number at the talks; ***wer war dein ~?*** who did you talk with? **Gesprächsrunde** *f* discussion(s *pl*); POL round of talks **Gesprächsstoff** *m* topics *pl*

gespreizt [gə'ʃpraitst] *adj* (*fig*) affected; → ***spreizen***

gesprenkelt [gə'ʃprɛŋklt] *adj* speckled; → ***sprenkeln***

Gespür [gə'ʃpyːɐ] *nt* ⟨**-s**, *no pl*⟩ feel(ing)

Gestalt [gə'ʃtalt] *f* ⟨**-, -en**⟩ **1.** form; ***in ~ von*** (*fig*) in the form of; ***(feste) ~ annehmen*** to take shape **2.** (≈ *Wuchs*) build **3.** (≈ *Person*) figure; (*pej* ≈ *Mensch*) character **gestalten** [gə'ʃtaltn] *past part* ***gestaltet*** **I** *v/t Text, Wohnung* to lay out; *Programm, Abend* to arrange; *Freizeit* to organize; *Zukunft, Gesellschaft, Politik* to shape **II** *v/r* (≈ *werden*) to become; (≈ *sich entwickeln*) to turn (*zu* into); ***sich schwierig ~*** (*Verhandlungen etc*) to run into difficulties **gestalterisch** [gə'ʃtaltərɪʃ] *adj* creative **Gestaltung** *f* ⟨**-, -en**⟩ (≈ *das Gestalten*) shaping, forming (*zu* into); (*von Wohnung*) layout; (*von Abend, Programm*) arrangement; (*von Freizeit*) structuring

gestanden *adj attr Fachmann etc* experienced; ***ein ~er Mann*** a mature and experienced man **geständig** [gə'ʃtɛndɪç] *adj* ***~ sein*** to have confessed **Geständnis** [gə'ʃtɛntnɪs] *nt* ⟨**-ses, -se**⟩ confession; ***ein ~ ablegen*** to make a confession; ***jdm ein ~ machen*** to make a confession to sb

Gestank [gə'ʃtaŋk] *m* ⟨**-(e)s**, *no pl*⟩ stink

gestatten [gə'ʃtatn] *past part* ***gestattet*** **I** *v/t* to allow; ***jdm etw ~*** to allow sb sth **II** *v/i* ***~ Sie, dass ich ...?*** may I ...?, would you mind if I ...?; ***wenn Sie ~ ...*** with your permission ...

Geste ['gɛstə, 'geːstə] *f* ⟨**-, -n**⟩ gesture

Gesteck [gə'ʃtɛk] *nt* ⟨**-(e)s, -e**⟩ flower arrangement

gestehen [gə'ʃteːən] *pret* ***gestand*** [gə'ʃtant], *past part* ***gestanden*** [gə'ʃtandn] *v/t & v/i* to confess (*jdm etw* sth to sb); ***offen gestanden ...*** to be frank ...

Gestein [gə'ʃtain] *nt* ⟨**-(e)s, -e**⟩ rock(s *pl*); (≈ *Schicht*) rock stratum

Gestell [gəˈʃtɛl] *nt* ⟨**-(e)s, -e**⟩ stand; (≈ *Regal*) shelf; (≈ *Ablage*) rack; (≈ *Rahmen, Brillengestell*) frame; (*auf Böcken*) trestle

gestelzt [gəˈʃtɛltst] *adj* stilted

gestern [ˈgɛstɐn] *adv* yesterday; **~ Abend** yesterday evening; (*spät*) last night; **die Zeitung von ~** yesterday's paper; **er ist nicht von ~** (*infml*) he wasn't born yesterday

Gestik [ˈgɛstɪk, ˈgeːstɪk] *f* ⟨**-**, *no pl*⟩ gestures *pl* **gestikulieren** [gɛstikuˈliːrən] *past part* **gestikuliert** *v/i* to gesticulate

gestimmt [gəˈʃtɪmt] *adj* **froh~** in a cheerful mood; → **stimmen**

Gestirn [gəˈʃtɪrn] *nt* ⟨**-(e)s, -e**⟩ heavenly body

Gestöber [gəˈʃtøːbɐ] *nt* ⟨**-s, -**⟩ (*leicht*) snow flurry; (*stark*) snowstorm

gestochen [gəˈʃtɔxn] **I** *adj Handschrift* clear, neat **II** *adv* **~ scharfe Fotos** needle-sharp photographs; **wie ~ schreiben** to write clearly

gestohlen [gəˈʃtoːlən] *adj* **der/das kann mir ~ bleiben** (*infml*) he/it can go hang (*infml*)

gestört [gəˈʃtøːɐt] *adj* disturbed; **geistig ~ sein** to be (mentally) disturbed; → **stören**

Gestotter [gəˈʃtɔtɐ] *nt* ⟨**-s**, *no pl*⟩ stuttering, stammering

gestreift [gəˈʃtraift] *adj* striped; → **streifen**

gestrichen [gəˈʃtrɪçn] **I** *adj* **ein ~er Teelöffel voll** a level teaspoon(ful) **II** *adv* **~ voll** level; (≈ *sehr voll*) full to the brim

gestrig [ˈgɛstrɪç] *adj attr* yesterday's; **unser ~es Gespräch** our conversation (of) yesterday

Gestrüpp [gəˈʃtrʏp] *nt* ⟨**-(e)s, -e**⟩ undergrowth; (*fig*) jungle

gestuft [gəˈʃtuːft] *adj* (≈ *in Stufen*) terraced; *Haarschnitt* layered; (*zeitlich*) staggered; → **stufen**

Gestüt [gəˈʃtyːt] *nt* ⟨**-(e)s, -e**⟩ stud

Gesuch [gəˈzuːx] *nt* ⟨**-(e)s, -e**⟩ petition (*auf +acc, um* for); (≈ *Antrag*) application (*auf +acc, um* for) **gesucht** [gəˈzuːxt] *adj* (≈ *begehrt*) sought after; **sehr ~** (very) much sought after; → **suchen**

gesund [gəˈzʊnt] **I** *adj, comp* **-er** *or* **⸚er** [gəˈzʏndɐ], *sup* **-este(r, s)** *or* **⸚este(r, s)** [gəˈzʏndəstə] healthy; **wieder ~ werden** to get better; **Äpfel sind ~** apples are good for you; **bleib ~!** look after yourself **II** *adv, comp* **⸚er** *or* **-er**, *sup* **am ⸚esten** *or* **-esten ~ leben** to have a healthy lifestyle; **sich ~ ernähren** to have a healthy diet; **~ essen** to eat healthily; **jdn ~ pflegen** to nurse sb back to health **Gesundheit** *f* ⟨**-**, *no pl*⟩ health; (≈ *Zuträglichkeit*) healthiness; **bei guter ~** in good health; **~!** bless you; **auf Ihre ~!** your (very good) health **gesundheitlich** [gəˈzʊnthaitlɪç] **I** *adj* **~e Schäden** damage to one's health; **sein ~er Zustand** (the state of) his health; **aus ~en Gründen** for health reasons **II** *adv* **wie geht es Ihnen ~?** how is your health? **Gesundheitsamt** *nt* public health department **Gesundheitsapostel** *m* (*iron*) health freak (*infml*) **gesundheitsbewusst** *adj* health-conscious **Gesundheitsdienst** *m* health service **Gesundheitsfarm** *f* health farm **gesundheitshalber** *adv* for health reasons **Gesundheitsminister(in)** *m/(f)* health minister, Health Secretary (*Br*), Secretary of Health (*US*) **Gesundheitspolitik** *f* health policy **gesundheitsschädlich** *adj* unhealthy **Gesundheitswesen** *nt, no pl* health service **Gesundheitszeugnis** *nt* certificate of health **Gesundheitszustand** *m, no pl* state of health **gesundschreiben** *v/t sep irr* **jdn ~** to certify sb (as) fit **gesundschrumpfen** *sep* **I** *v/t* (*fig*) to streamline **II** *v/r* to be streamlined **gesundstoßen** *v/r sep irr* (*sl*) to line one's pockets (*infml*) **Gesundung** [gəˈzʊndʊŋ] *f* ⟨**-**, *no pl*⟩ recovery; (≈ *Genesung*) convalescence, recuperation

getan [gəˈtaːn] *adj* **nach ~er Arbeit** when the day's work is done

getigert [gəˈtiːgɐt] *adj* (*mit Streifen*) striped; **~e Katze** tabby (cat)

getönt [geˈtøːnt] *adj Glas, Brille* tinted; → **tönen**[2]

Getöse [gəˈtøːzə] *nt* ⟨**-s**, *no pl*⟩ din; (*von Auto, Beifall etc*) roar

Getränk [gəˈtrɛŋk] *nt* ⟨**-(e)s, -e**⟩ drink **Getränkeautomat** *m* drinks (*Br*) *or* beverage (*US*) machine **Getränkekarte** *f* (*in Café*) list of beverages; (*in Restaurant*) wine list **Getränkemarkt** *m* drinks cash-and-carry (*Br*), beverage store (*US*)

getrauen [gəˈtrauən] *past part* **getraut** *v/r* to dare; **getraust du dich das?** (*infml*) do you dare do that?

Getreide [gəˈtraidə] *nt* ⟨**-s, -**⟩ grain **Getreide(an)bau** *m, no pl* cultivation of grain *or* cereals **Getreideflocke** *f usu pl* cereal **Getreidesilo** *nt or m*, **Getreidespeicher** *m* silo

getrennt [gəˈtrɛnt] **I** *adj* separate **II** *adv* ***~ wohnen*** not to live together; ***~ leben*** to live apart; → ***trennen***

getreu [gəˈtrɔy] **I** *adj* (≈ *entsprechend*) faithful, true *no adv* **II** *prep +dat* true to

Getriebe [gəˈtriːbə] *nt* ⟨**-s, -**⟩ **1.** TECH gears *pl*; (≈ *Getriebekasten*) gearbox **2.** (≈ *lebhaftes Treiben*) bustle **Getriebeschaden** *m* gearbox trouble *no indef art*

getrost [gəˈtroːst] *adv* confidently; ***du kannst dich ~ auf ihn verlassen*** you need have no fears about relying on him

getrübt [gəˈtryːpt] *adj* ***ein~es Verhältnis zu jdm haben*** to have an unhappy relationship with sb; → ***trüben***

Getto [ˈgɛto] *nt* ⟨**-s, -s**⟩ ghetto **Gettoblaster** [-blaːstɐ] *m* ⟨**-s, -**⟩ (*infml*) ghetto blaster (*infml*), boom box (*esp US infml*)

Getue [gəˈtuːə] *nt* ⟨**-s,** *no pl*⟩ (*pej*) to-do (*infml*)

geübt [gəˈ|yːpt] *adj Auge, Ohr* practised (*Br*), practiced (*US*); *Fahrer etc* proficient; ***~ sein*** to be experienced; → ***üben***

Gewächs [gəˈvɛks] *nt* ⟨**-es, -e**⟩ **1.** (≈ *Pflanze*) plant **2.** MED growth **gewachsen** [gəˈvaksn] *adj* **1.** (≈ *von allein entstanden*) evolved **2.** ***jdm ~ sein*** to be a match for sb; ***einer Sache*** (*dat*) ***~ sein*** to be up to sth **Gewächshaus** *nt* greenhouse; (≈ *Treibhaus*) hothouse

gewagt [gəˈvaːkt] *adj* **1.** (≈ *kühn*) daring; (≈ *gefährlich*) risky **2.** (≈ *anzüglich*) risqué; → ***wagen***

gewählt [gəˈvɛːlt] **I** *adj Sprache* elegant **II** *adv* ***sich ~ ausdrücken*** to express oneself elegantly; → ***wählen***

Gewähr [gəˈvɛːɐ] *f* ⟨**-,** *no pl*⟩ guarantee; ***keine ~ für etw bieten*** to offer no guarantee for sth; ***die Angabe erfolgt ohne ~*** this information is supplied without liability; ***für etw ~ leisten*** to guarantee sth

gewähren [gəˈvɛːrən] *past part* ***gewährt*** *v/t* to grant; *Rabatt, Schutz* to give; ***jdn ~ lassen*** (*elev*) not to stop sb

gewährleisten [gəˈvɛːɐlaistn] *past part* ***gewährleistet*** *v/t insep* (≈ *sicherstellen*) to ensure (*jdm etw* sb sth); (≈ *garantieren*) to guarantee (*jdm etw* sb sth)

Gewahrsam [gəˈvaːɐzaːm] *m* ⟨**-s,** *no pl*⟩ **1.** (≈ *Verwahrung*) safekeeping; ***etw in ~ nehmen*** to take sth into safekeeping **2.** (≈ *Haft*) custody

Gewährung *f, no pl* granting; (*von Rabatt*) giving; (*von Schutz*) affording

Gewalt [gəˈvalt] *f* ⟨**-, -en**⟩ **1.** (≈ *Macht*) power; ***die gesetzgebende/richterliche ~*** the legislature/judiciary; ***elterliche ~*** parental authority; ***jdn/etw in seine ~ bringen*** to bring sb/sth under one's control; ***jdn in seiner ~ haben*** to have sb in one's power; ***in jds ~*** (*dat*) ***sein*** *or* ***stehen*** to be in sb's power; ***die ~ über etw*** (*acc*) ***verlieren*** to lose control of sth **2.** *no pl* (≈ *Zwang, Heftigkeit*) force; (≈ *Gewalttätigkeit*) violence; ***~ anwenden*** to use force; ***höhere ~*** acts/an act of God; ***mit ~*** by force; ***mit aller ~*** (*infml*) for all one is worth **Gewaltakt** *m* act of violence **Gewaltanwendung** *f* use of force **gewaltbereit** *adj* ready to use violence **Gewaltenteilung** *f* separation of powers **gewaltfrei** *adj, adv* = ***gewaltlos*** **Gewaltherrschaft** *f, no pl* tyranny

gewaltig [gəˈvaltɪç] **I** *adj* **1.** (≈ *heftig*) *Sturm etc* violent **2.** (≈ *riesig*) colossal; *Anblick* tremendous; *Stimme* powerful; *Summe* huge **II** *adv* (*infml* ≈ *sehr*) enormously; ***sich ~ irren*** to be very much mistaken **gewaltlos** **I** *adj* non-violent **II** *adv* (≈ *ohne Gewaltanwendung*) without violence **Gewaltlosigkeit** *f* ⟨**-,** *no pl*⟩ non-violence **gewaltsam** [gəˈvaltzaːm] **I** *adj* forcible; *Tod* violent **II** *adv* forcibly, by force **Gewalttat** *f* act of violence **Gewalttäter(in)** *m/(f)* violent criminal **gewalttätig** *adj* violent **Gewalttätigkeit** *f, no pl*: (≈ *Brutalität*) violence; (≈ *Handlung*) act of violence **Gewaltverbrechen** *nt* crime of violence

Gewand [gəˈvant] *nt* ⟨**-(e)s, ¨-er** [gəˈvɛndɐ]⟩ **1.** (*elev* ≈ *Kleidungsstück*) garment; (*weites, langes*) robe, gown **2.** (*Aus* ≈ *Kleidung*) clothes *pl*

gewandt [gəˈvant] **I** *adj* skilful (*Br*), skillful (*US*); (*körperlich*) nimble; (≈ *geschickt*) deft; *Auftreten, Stil* elegant **II** *adv* elegantly

Gewässer [gəˈvɛsɐ] *nt* ⟨**-s, -**⟩ stretch of water

Gewebe [gəˈveːbə] *nt* ⟨**-s, -**⟩ (≈ *Stoff*) fabric, material; (≈ *Gewebeart*) weave; BIOL tissue; (*fig*) web **Gewebeprobe** *f* MED tissue sample

Gewehr [gəˈveːɐ] *nt* ⟨**-(e)s, -e**⟩ (≈ *Flinte*) rifle; (≈ *Schrotbüchse*) shotgun **Ge-**

wehrlauf *m* (*von Flinte*) rifle barrel; (*von Schrotbüchse*) barrel of a shotgun

Geweih [gə'vai] *nt* ⟨**-(e)s, -e**⟩ antlers *pl*; ***das ~*** the antlers

Gewerbe [gə'vɛrbə] *nt* ⟨**-s, -**⟩ trade; ***ein ~ ausüben*** to practise (*Br*) *or* practice (*US*) a trade **Gewerbeaufsicht** *f* ≈ health and safety control **Gewerbebetrieb** *m* commercial enterprise **Gewerbegebiet** *nt* industrial area; (*eigens angelegt*) trading estate (*esp Br*) **Gewerbeschein** *m* trading licence (*Br*) *or* license (*US*) **Gewerbesteuer** *f* trade tax **Gewerbetreibende(r)** [-traibndə] *m/f(m) decl as adj* trader **gewerblich** [gə'vɛrplɪç] **I** *adj* commercial; *Genossenschaft* trade *attr*; (≈ *industriell*) industrial **II** *adv* ***~ genutzt*** used for commercial purposes **gewerbsmäßig** **I** *adj* professional **II** *adv* professionally, for gain

Gewerkschaft [gə'vɛrkʃaft] *f* ⟨**-, -en**⟩ (trade *or* trades *or* labor (*US*)) union **Gewerkschafter** [gə'vɛrkʃaftɐ] *m* ⟨**-s, -**⟩, **Gewerkschafterin** [-ərɪn] *f* ⟨**-, -nen**⟩ trade *or* labor (*US*) unionist **gewerkschaftlich** [gə'vɛrkʃaftlɪç] **I** *adj* (trade *or* labor (*US*)) union *attr*; ***~er Vertrauensmann*** (*im Betrieb*) shop steward (*esp Br*) **II** *adv* ***~ organisierter Arbeiter*** union member; ***~ tätig sein*** to be active in the union **Gewerkschaftsbund** *m, pl* ***-bünde*** federation of trade *or* labor (*US*) unions, ≈ Trades Union Congress (*Br*), ≈ Federation of Labor (*US*) **Gewerkschaftsführer(in)** *m/(f)* (trade *or* labor (*US*)) union leader

Gewicht [gə'vɪçt] *nt* ⟨**-(e)s, -e**⟩ weight; ***dieser Stein hat ein ~ von 100 kg*** this rock weighs 100 kg; ***spezifisches ~*** specific gravity; ***~ haben*** (*lit*) to be heavy; (*fig*) to carry weight; ***ins ~ fallen*** to be crucial; ***nicht ins ~ fallen*** to be of no consequence; ***auf etw*** (*acc*) ***~ legen*** to set (great) store by sth **gewichten** [gə'vɪçtn] *past part* ***gewichtet*** *v/t* STATISTICS to weight; (*fig*) to evaluate **Gewichtheben** *nt* ⟨**-s**, *no pl*⟩ SPORTS weightlifting **Gewichtheber** [-heːbɐ] *m* ⟨**-s, -**⟩, **Gewichtheberin** [-ərɪn] *f* ⟨**-, -nen**⟩ weightlifter **gewichtig** [gə'vɪçtɪç] *adj* (*fig*) weighty **Gewichtsklasse** *f* SPORTS weight (category) **Gewichtsverlust** *m* weight loss **Gewichtszunahme** *f* increase in weight

gewieft [gə'viːft] *adj* (*infml*) crafty (*in* +*dat* at)

gewillt [gə'vɪlt] *adj* ***~ sein, etw zu tun*** to be willing to do sth

Gewimmel [gə'vɪml] *nt* ⟨**-s**, *no pl*⟩ swarm; (≈ *Menge*) crush

Gewinde [gə'vɪndə] *nt* ⟨**-s, -**⟩ TECH thread

Gewinn [gə'vɪn] *m* ⟨**-(e)s, -e**⟩ **1.** (≈ *Ertrag*) profit; ***~ abwerfen*** *or* ***bringen*** to make a profit; ***~ bringend*** = ***gewinnbringend***; ***etw mit ~ verkaufen*** to sell sth at a profit **2.** (≈ *Preis*) prize; (*bei Wetten*) winnings *pl* **3.** *no pl* (*fig* ≈ *Vorteil*) gain **Gewinnanteil** *m* COMM dividend **Gewinnausschüttung** *f* ⟨**-, -en**⟩ prize draw **Gewinnbeteiligung** *f* **1.** IND profit-sharing **2.** (≈ *Dividende*) dividend **gewinnbringend** **I** *adj* (*lit, fig*) profitable **II** *adv* profitably; ***~ wirtschaften*** to make a profit **Gewinnchance** *f* chance of winning; ***~n*** (*beim Wetten*) odds **gewinnen** [gə'vɪnən] *pret* ***gewann*** [gə'van], *past part* ***gewonnen*** [gə'vɔnən] **I** *v/t* **1.** to win; ***jdn*** (***für etw***) ***~*** to win sb over (to sth); ***Zeit ~*** to gain time; ***was ist damit gewonnen?*** what good is that? **2.** (≈ *erzeugen*) to produce, to obtain; *Erze etc* to mine, to extract; (*aus Altmaterial*) to reclaim **II** *v/i* **1.** (≈ *Sieger sein*) to win (*bei, in* +*dat* at) **2.** (≈ *profitieren*) to gain; ***an Bedeutung ~*** to gain (in) importance; ***an Geschwindigkeit ~*** to pick up *or* gain speed **gewinnend** *adj* (*fig*) winning, winsome **Gewinner** [gə'vɪnɐ] *m* ⟨**-s, -**⟩, **Gewinnerin** [-ərɪn] *f* ⟨**-, -nen**⟩ winner **Gewinnmaximierung** *f* maximization of profit(s) **Gewinnschwelle** *f* ECON breakeven point **Gewinnspanne** *f* profit margin **Gewinnspiel** *nt* competition; TV game show **Gewinnung** [gə'vɪnʊŋ] *f* ⟨**-**, (*rare*) **-en**⟩ (*von Kohle, Öl*) extraction; (*von Energie, Plutonium*) production **Gewinnwarnung** *f* COMM profit warning **Gewinnzahl** *f* winning number **Gewinnzone** *f* ***in der ~ sein*** to be in profit; ***in die ~ kommen*** to move into profit

Gewirr [gə'vɪr] *nt* ⟨**-(e)s**, *no pl*⟩ tangle; (*fig* ≈ *Durcheinander*) jumble; (*von Straßen*) maze

gewiss [gə'vɪs] **I** *adj* certain (+*gen* of); ***ich bin dessen ~*** (*elev*) I'm certain of it; ***nichts Gewisses*** nothing certain; ***in ~em Maße*** to some *or* a certain extent **II** *adv* (*elev*) certainly; ***eins ist*** (***ganz***) ***~*** one thing is certain; (***ja***) ***~!*** certainly, sure (*esp US*); (**aber**) ~ (**doch**)! (but) of course

Gewissen [gəˈvɪsn] *nt* ⟨**-s**, *no pl*⟩ conscience; **ein schlechtes ~** a guilty conscience; **jdn/etw auf dem ~ haben** to have sb/sth on one's conscience; **jdm ins ~ reden** to have a serious talk with sb **gewissenhaft** **I** *adj* conscientious **II** *adv* conscientiously **Gewissenhaftigkeit** [gəˈvɪsnhaftɪçkait] *f* ⟨-, *no pl*⟩ conscientiousness **gewissenlos** *adj* unscrupulous; (≈ *verantwortungslos*) irresponsible **Gewissenlosigkeit** *f* ⟨-, *no pl*⟩ unscrupulousness; (≈ *Verantwortungslosigkeit*) irresponsibility **Gewissensbisse** *pl* pangs *pl* of conscience; **~ bekommen** to get a guilty conscience **Gewissensentscheidung** *f* question of conscience **Gewissensfrage** *f* matter of conscience **Gewissenskonflikt** *m* moral conflict

gewissermaßen [gəˈvɪsɐˈmaːsn] *adv* (≈ *sozusagen*) so to speak **Gewissheit** *f* ⟨-, **-en**⟩ certainty; **mit ~** with certainty

Gewitter [gəˈvɪtɐ] *nt* ⟨**-s, -**⟩ thunderstorm; (*fig*) storm **Gewitterfront** *f* METEO storm front **gewittern** [gəˈvɪtɐn] *past part* **gewittert** *v/i impers* **es gewittert** it's thundering **Gewitterschauer** *m* thundery shower **Gewitterwolke** *f* thundercloud; (*fig infml*) storm cloud **gewittrig** [gəˈvɪtrɪç] *adj* thundery

gewitzt [gəˈvɪtst] *adj* crafty, cunning

gewogen *adj* (*elev*) well-disposed (*+dat* towards)

gewöhnen [gəˈvøːnən] *past part* **gewöhnt** **I** *v/t* **jdn an etw** (*acc*) **~** to accustom sb to sth; **an jdn/etw gewöhnt sein** to be used to sb/sth; **daran gewöhnt sein, etw zu tun** to be used to doing sth; **das bin ich gewöhnt** I'm used to it **II** *v/r* **sich an jdn/etw ~** to get used to sb/sth **Gewohnheit** [gəˈvoːnhait] *f* ⟨**-, -en**⟩ habit; **aus** (**lauter**) **~** from (sheer) force of habit; **die ~ haben, etw zu tun** to have a habit of doing sth; **sich** (*dat*) **etw zur ~ machen** to make a habit of sth **gewohnheitsmäßig** *adj* habitual **Gewohnheitsmensch** *m* creature of habit **Gewohnheitssache** *f* question of habit **Gewohnheitstäter(in)** *m*/(*f*) habitual *or* persistent offender **Gewohnheitstier** *nt* **der Mensch ist ein ~** (*infml*) man is a creature of habit **gewöhnlich** [gəˈvøːnlɪç] **I** *adj* **1.** *attr* (≈ *üblich*) usual; (≈ *normal*) normal; (≈ *durchschnittlich*) ordinary; (≈ *alltäglich*) everyday **2.** (*pej* ≈ *ordinär*) common **II** *adv* normally; **wie ~** as usual **gewohnt** [gəˈvoːnt] *adj* usual; **etw ~ sein** to be used to sth **Gewöhnung** [gəˈvøːnʊŋ] *f* ⟨-, *no pl*⟩ (≈ *das Sichgewöhnen*) habituation (*an +acc* to); (≈ *das Angewöhnen*) training (*an +acc* in); (≈ *Sucht*) habit, addiction **gewöhnungsbedürftig** *adj* **die neue Software ist ~** the new software takes some time to get used to

Gewölbe [gəˈvœlbə] *nt* ⟨**-s, -**⟩ vault **gewölbt** [gəˈvœlpt] *adj Stirn* domed; *Decke* vaulted; → **wölben**

gewollt [gəˈvɔlt] *adj* **1.** (≈ *gekünstelt*) forced **2.** (≈ *erwünscht*) desired; → **wollen**[2]

Gewühl [gəˈvyːl] *nt* ⟨**-(e)s**, *no pl*⟩ (≈ *Gedränge*) crowd, throng; (≈ *Verkehrsgewühl*) chaos, snarl-up (*Br infml*)

gewunden [gəˈvʊndn] *adj Weg, Fluss etc* winding; *Erklärung* tortuous

Gewürz [gəˈvʏrts] *nt* ⟨**-es, -e**⟩ spice; (≈ *Pfeffer, Salz*) condiment **Gewürzbord** *nt* spice rack **Gewürzgurke** *f* pickled gherkin **Gewürzmischung** *f* mixed herbs *pl*; (≈ *Gewürzsalz*) herbal salt **Gewürznelke** *f* clove

Geysir [ˈgaizɪr] *m* ⟨**-s, -e**⟩ geyser

gezackt [gəˈtsakt] *adj Fels* jagged; → **zacken**

gezahnt [gəˈtsaːnt], **gezähnt** [gəˈtsɛːnt] *adj auch* BOT serrated; TECH cogged; *Briefmarke* perforated

gezeichnet [gəˈtsaiçnət] *adj* marked; **vom Tode ~ sein** to have the mark of death on one; → **zeichnen**

Gezeiten [gəˈtsaitn] *pl* tides *pl* **Gezeitenkraftwerk** *nt* tidal power plant **Gezeitenwechsel** *m* turn of the tide

gezielt [gəˈtsiːlt] **I** *adj* purposeful; *Schuss* well-aimed; *Frage, Maßnahme etc* specific; *Indiskretion* deliberate **II** *adv vorgehen* directly; *planen* specifically; **~ schießen** to shoot to kill; **er hat sehr ~ gefragt** he asked very specific questions; → **zielen**

geziert [gəˈtsiːɐt] **I** *adj* affected **II** *adv* affectedly; → **zieren**

gezwungen [gəˈtsvʊŋən] **I** *adj* (≈ *nicht entspannt*) forced; *Atmosphäre* strained; *Stil, Benehmen* stiff **II** *adv* stiffly; **~ lachen** to give a forced *or* strained

laugh **gezwungenermaßen** [gə'tsvʊŋənɐ'maːsn] *adv* of necessity; ***etw ~ tun*** to be forced to do sth
Ghana ['gaːna] *nt* ⟨**-s**⟩ Ghana
Ghetto ['gɛto] *nt* ⟨**-s, -s**⟩ ghetto
Gicht [gɪçt] *f* ⟨**-, -en**, *no pl*⟩ MED, BOT gout
Giebel ['giːbl] *m* ⟨**-s, -**⟩ gable **Giebeldach** *nt* gabled roof
Gier [giːɐ] *f* ⟨**-**, *no pl*⟩ greed (*nach* for) **gierig** ['giːrɪç] **I** *adj* greedy; (*nach Geld*) avaricious; ***~ nach etw sein*** to be greedy for sth **II** *adv* greedily
gießen ['giːsn] *pret* ***goss*** [gɔs] *past part* ***gegossen*** [gə'gɔsn] **I** *v/t* **1.** *Flüssigkeit* to pour; *Pflanzen* to water **2.** *Glas* to found (*zu* (in)to); *Metall* to cast (*zu* into) **II** *v/i impers* to pour; ***es gießt in Strömen*** it's pouring down **Gießerei** [giːsə'rai] *f* ⟨**-, -en**⟩ (≈ *Werkstatt*) foundry **Gießkanne** *f* watering can
Gift [gɪft] *nt* ⟨**-(e)s, -e**⟩ poison; (≈ *Bakteriengift*) toxin; (*fig* ≈ *Bosheit*) venom; ***darauf kannst du ~ nehmen*** (*infml*) you can bet your life on that (*infml*) **Giftfass** *nt* toxic waste drum **giftfrei** *adj* non-toxic **Giftgas** *nt* poison gas **Giftgaswolke** *f* cloud of poison gas **giftgrün** *adj* bilious green **giftig** ['gɪftɪç] *adj* **1.** (≈ *Gift enthaltend*) poisonous; *Chemikalien* toxic **2.** (*fig*) (≈ *boshaft, hasserfüllt*) venomous **Giftmischer** [-mɪʃɐ] *m* ⟨**-s, -**⟩, **Giftmischerin** [-ərɪn] *f* ⟨**-, -nen**⟩ (*fig*) troublemaker, stirrer (*infml*); (*hum* ≈ *Apotheker*) chemist **Giftmord** *m* poisoning **Giftmüll** *m* toxic waste **Giftpilz** *m* poisonous toadstool **Giftschlange** *f* poisonous snake **Giftstoff** *m* poisonous substance **Giftzahn** *m* fang
Gigabyte ['giga-] *nt* IT gigabyte
Gigant [gi'gant] *m* ⟨**-en, -en**⟩, **Gigantin** [-'gantɪn] *f* ⟨**-, -en**⟩ giant **gigantisch** [gi'gantɪʃ] *adj* gigantic
Gilde ['gɪldə] *f* ⟨**-, -n**⟩ guild
Gin [dʒɪn] *m* ⟨**-s, -s**⟩ gin; **~ *Tonic*** gin and tonic
Ginseng ['gɪnzɛŋ, 'ʒɪnzɛŋ] *m* ⟨**-s, -s**⟩ BOT ginseng **Ginsengwurzel** ['gɪnzɛŋ-, 'ʒɪnzɛŋ-] *f* BOT ginseng root
Ginster ['gɪnstɐ] *m* ⟨**-s, -**⟩ BOT broom; (≈ *Stechginster*) gorse
Gipfel ['gɪpfl] *m* ⟨**-s, -**⟩ **1.** (≈ *Bergspitze*) peak **2.** (*fig* ≈ *Höhepunkt*) height; ***das ist der ~!*** (*infml*) that's the limit **3.** (≈ *Gipfelkonferenz*) summit **Gipfelkonferenz** *f* POL summit conference **gipfeln** ['gɪpfln] *v/i* to culminate (*in +dat* in) **Gipfelpunkt** *m* (*lit*) zenith; (*fig*) high point **Gipfeltreffen** *nt* POL summit (meeting)
Gips [gɪps] *m* ⟨**-es, -e**⟩ plaster **Gipsabdruck** *m* plaster cast **Gipsbein** *nt* (*infml*) leg in a cast **Gipsverband** *m* MED plaster cast
Giraffe [gi'rafə] *f* ⟨**-, -n**⟩ giraffe
Girlande [gɪr'landə] *f* ⟨**-, -n**⟩ garland (*aus* of)
Girokonto *nt* current account **Giroverkehr** *m* giro system; (≈ *Girogeschäft*) giro transfer (business)
Gischt [gɪʃt] *m* ⟨**-(e)s, -e** *or f* **-, -en**⟩ spray
Gitarre [gi'tarə] *f* ⟨**-, -n**⟩ guitar **Gitarrist** [gita'rɪst] *m* ⟨**-en, -en**⟩, **Gitarristin** [-'rɪstɪn] *f* ⟨**-, -nen**⟩ guitarist
Gitter ['gɪtɐ] *nt* ⟨**-s, -**⟩ bars *pl*; (*vor Türen, Schaufenstern*) grille; (*für Gewächse etc*) lattice, trellis; (≈ *feines Drahtgitter*) (wire-)mesh; ELEC, GEOG grid; ***hinter ~n*** (*fig infml*) behind bars **Gitterfenster** *nt* barred window **Gitternetz** *nt* GEOG grid **Gitterrost** *m* grid, grating **Gitterstab** *m* bar
Glace ['glaːsə] *f* ⟨**-, -n**⟩ (*Swiss*) ice (cream)
Glacéhandschuh *m* kid glove; ***jdn mit ~en anfassen*** (*fig*) to handle sb with kid gloves
Gladiator [gla'diaːtoːɐ] *m* ⟨**-s, *Gladiatoren*** [-'toːrən]⟩ gladiator
Gladiole [gla'dioːlə] *f* ⟨**-, -n**⟩ BOT gladiolus
glamourös [glamu'røːs] *adj* glamorous
Glanz [glants] *m* ⟨**-es**, *no pl*⟩ gleam; (≈ *Funkeln*) sparkle, glitter; (*von Haaren, Seide*) sheen; (*von Farbe*) gloss; (*fig, von Ruhm, Erfolg*) glory; (≈ *Pracht*) splendour (*Br*), splendor (*US*) **Glanzabzug** *m* PHOT glossy print **glänzen** ['glɛntsn] *v/i* to shine; (≈ *glitzern*) to glisten; (≈ *funkeln*) to sparkle **glänzend** **I** *adj* shining; (≈ *strahlend*) radiant; (≈ *blendend*) dazzling; (≈ *glitzernd*) glistening; (≈ *funkelnd*) sparkling, glittering; *Papier* glossy, shiny; (*fig*) brilliant; (≈ *erstklassig*) marvellous (*Br*), marvelous (*US*) **II** *adv* (≈ *sehr gut*) brilliantly; ***wir haben uns ~ amüsiert*** we had a great time (*infml*); ***mir geht es ~*** I'm just fine **Glanzlack** *m* gloss (paint) **Glanzleistung** *f* brilliant achievement **Glanzlicht** *nt* (ART, *fig*) highlight **glanzlos** *adj* dull; *Lack, Oberfläche* matt **Glanznum-**

mer *f* big number, pièce de résistance **Glanzpapier** *nt* glossy paper **Glanzstück** *nt* pièce de résistance **glanzvoll** *adj* (*fig*) brilliant; (≈ *prachtvoll*) glittering **Glanzzeit** *f* heyday

Glas [glaːs] *nt* ⟨**-es, ¨-er** [ˈglɛːzɐ]⟩ ⟨*or* (*als Maßangabe*) **-**⟩ **1.** glass; (≈ *Konservenglas*) jar **2.** (≈ *Brillenglas*) lens *sg* **Glasbläser(in)** *m*/(*f*) glass-blower **Glascontainer** *m* bottle bank **Glaser** [ˈglaːzɐ] *m* ⟨**-s, -**⟩, **Glaserin** [-ərɪn] *f* ⟨**-, -nen**⟩ glazier **Glaserei** [glaːzəˈrai] *f* ⟨**-, -en**⟩ (≈ *Werkstatt*) glazier's workshop **gläsern** [ˈglɛːzɐn] *adj* glass; (*fig* ≈ *durchschaubar*) transparent **Glasfaser** *f* fibreglass (*Br*), fiberglass (*US*) **Glasfaserkabel** *nt* optical fibre (*Br*) *or* fiber (*US*) cable **Glasfiber** *f* glass fibre (*Br*) *or* fiber (*US*) **Glasfiberstab** *m* SPORTS glass fibre (*Br*) *or* fiber (*US*) pole **Glashaus** *nt* ***wer (selbst) im ~ sitzt, soll nicht mit Steinen werfen*** (*prov*) people who live in glass houses shouldn't throw stones (*prov*) **glasieren** [glaˈziːrən] *past part* **glasiert** *v/t* to glaze; *Kuchen* to ice (*Br*), to frost (*esp US*) **glasig** [ˈglaːzɪç] *adj Blick* glassy; COOK *Kartoffeln* waxy; *Speck*, *Zwiebeln* transparent **Glaskeramikkochfeld** *nt* glass hob **glasklar** *adj* (*lit*) clear as glass; (*fig*) crystal-clear **Glasmalerei** *f* glass painting **Glasnudel** *f* fine Chinese noodle **Glasperle** *f* glass bead **Glasreiniger** *m* (≈ *Reinigungsmittel*) glass cleaner **Glasscheibe** *f* sheet of glass; (*von Fenster*) pane of glass **Glasscherbe** *f* fragment of glass; ***~n*** broken glass **Glassplitter** *m* splinter of glass **Glasur** [glaːˈzuːɐ] *f* ⟨**-, -en**⟩ glaze; METAL enamel; (≈ *Zuckerguss*) icing (*Br*), frosting (*esp US*)

glatt [glat] **I** *adj*, *comp* **-er** *or* **¨-er** [ˈglɛtɐ], *sup* ***-este(r, s)*** *or* ***¨-este(r, s)*** [ˈglɛtəstə] **1.** (≈ *eben*) smooth; *Haar* straight; MED *Bruch* clean; *Stoff* (≈ *faltenlos*) uncreased **2.** (≈ *schlüpfrig*) slippery **3.** (*fig*) *Landung*, *Ablauf* smooth **II** *adv*, *comp* **-er** *or* **¨-er**, *sup* **am -esten** *or* **¨-esten** **1.** (≈ *eben*) *bügeln*, *hobeln* (till) smooth; *polieren* highly; ***~ rasiert*** *Mann*, *Kinn* clean-shaven **2.** (≈ *problemlos*) smoothly **3.** (*infml* ≈ *einfach*) completely; *leugnen*, *ablehnen* flatly; *vergessen* clean; ***das ist doch ~ gelogen*** that's a downright lie **Glätte** [ˈglɛtə] *f* ⟨**-,** *no pl*⟩ **1.** (≈ *Ebenheit*) smoothness **2.** (≈ *Schlüpfrigkeit*) slipperiness **Glatteis** *nt* ice; ***„Vorsicht ~!“*** “danger, black ice”; ***jdn aufs ~ führen*** (*fig*) to take sb for a ride **Glatteisgefahr** *f* danger of black ice **glätten** [ˈglɛtn] **I** *v/t* (≈ *glatt machen*) to smooth out; (*esp Swiss* ≈ *bügeln*) to iron; (*fig* ≈ *stilistisch glätten*) to polish up **II** *v/r* to smooth out; (*Meer*, *fig*) to subside **glattgehen** *v/i irr aux sein* to go smoothly **glattweg** [ˈglatvɛk] *adv* (*infml*) simply, just like that (*infml*)

Glatze [ˈglatsə] *f* ⟨**-, -n**⟩ bald head; ***eine ~ bekommen/haben*** to go/be bald **Glatzkopf** *m* bald head; (*infml* ≈ *Mann mit Glatze*) baldie (*infml*) **glatzköpfig** *adj* bald(-headed)

Glaube [ˈglaubə] *m* ⟨**-ns,** *no pl*⟩ faith (*an +acc* in); (≈ *Überzeugung*) belief (*an +acc* in); ***in gutem ~n*** in good faith; ***den ~n an jdn/etw verlieren*** to lose faith in sb/sth; ***jdm ~n schenken*** to believe sb **glauben** [ˈglaubn] *v/t & v/i* to believe (*an +acc* in); (≈ *meinen, vermuten*) to think; ***jdm ~*** to believe sb; ***das glaube ich dir gerne/nicht*** I quite/don't believe you; ***d(a)ran ~ müssen*** (*infml* ≈ *sterben*) to cop it (*Br infml*), to bite the dust (*US infml*); ***das glaubst du doch selbst nicht!*** you can't be serious; ***wers glaubt, wird selig*** (*iron*) a likely story (*iron*); ***wer hätte das je geglaubt!*** who would have thought it?; ***es ist nicht*** *or* ***kaum zu ~*** it's unbelievable; ***ich glaube, ja*** I think so; ***ich glaube, nein*** I don't think so **Glaubensbekenntnis** *nt* creed **Glaubensfreiheit** *f* freedom of worship, religious freedom **Glaubensgemeinschaft** *f* religious sect; (*christliche auch*) denomination **Glaubensrichtung** *f* (religious) persuasion, religious orientation **glaubhaft** **I** *adj* credible; (≈ *einleuchtend*) plausible; ***(jdm) etw ~ machen*** to substantiate sth (to sb) **II** *adv* credibly **gläubig** [ˈglɔybɪç] *adj Katholik etc* devout **Gläubige(r)** [ˈglɔybɪgə] *m*/*f*(*m*) *decl as adj* believer; ***die ~n*** the faithful **Gläubiger** [ˈglɔybɪgɐ] *m* ⟨**-s, -**⟩, **Gläubigerin** [ˈglɔybɪgərɪn] *f* ⟨**-, -nen**⟩ COMM creditor **glaubwürdig** *adj* credible **Glaubwürdigkeit** *f* ⟨**-,** *no pl*⟩ credibility

gleich [glaiç] **I** *adj* **1.** (≈ *identisch*) same; ***der/die/das ~e ... wie*** the same ... as; ***es ist genau das Gleiche*** it's exactly the same; ***es ist mir (alles*** *or* ***ganz) ~*** it's all the same to me; ***Gleiches mit Gleichem vergelten*** to pay sb back in kind; ***ganz ~ wer/was*** *etc* no matter who/what *etc* **2.** (≈ *gleichwertig*) equal; ***zu ~en Teilen*** in equal parts; ***zwei mal zwei (ist) ~ vier*** two twos are four; ***jdm (an etw*** *dat*) ***~ sein*** to be sb's equal (in sth) **II** *adv* **1.** (≈ *ohne Unterschied*) equally; (≈ *auf gleiche Weise*) alike, the same; ***~ gekleidet*** dressed alike; ***sie sind ~ groß/alt*** they are the same size/age **2.** (*räumlich*) right, just; ***~ hinter dem Haus*** just behind the house **3.** (*zeitlich* ≈ *sofort*) immediately; (≈ *bald*) in a minute; ***ich komme ~*** I'm just coming; ***ich komme ~ wieder*** I'll be right back; ***es muss nicht ~ sein*** there's no hurry; ***es ist ~ drei Uhr*** it's almost three o'clock; ***~ danach*** straight afterwards; ***das habe ich mir ~ gedacht*** I thought that straight away; ***warum nicht ~ so?*** why didn't you say/do that in the first place?; ***wann machst du das? — ~!*** when are you going to do it? — right away; ***bis ~!*** see you later! **gleichaltrig** *adj* (of) the same age **gleichartig I** *adj* of the same kind (+*dat* as); (≈ *ähnlich*) similar (+*dat* to) **II** *adv* in the same way; similarly **gleichauf** ['glaiç'|auf] *adv esp* SPORTS equal **gleichbedeutend** *adj* synonymous (*mit* with); (≈ *so gut wie*) tantamount (*mit* to) **Gleichbehandlung** *f* equal treatment **gleichberechtigt** *adj* ***~ sein*** to have equal rights **Gleichberechtigung** *f* equal rights *sg or pl*, equality (+*gen* for) **gleich bleiben** *v/i irr aux sein* to stay the same; ***das bleibt sich gleich*** it doesn't matter **gleichbleibend** *adj Kurs* constant; *Temperatur* steady; ***~ gute Qualität*** consistent(ly) good quality **gleichen** ['glaiçn] *pret* **glich** [glıç], *past part* **geglichen** [gə'glıçn] *v/i* ***jdm/einer Sache ~*** to be like sb/sth; ***sich ~*** to be alike; ***jdm an Schönheit ~*** to equal sb in beauty **gleichermaßen** ['glaiçɐ'maːsn] *adv* equally **gleichfalls** *adv* (≈ *ebenfalls*) likewise; (≈ *auch*) also; ***danke ~!*** thank you, (and) the same to you **gleichfarbig** *adj* (of) the same colour (*Br*) *or* color (*US*) **gleichförmig** *adj* uniform **Gleichförmigkeit** ['glaiçfœrmıçkait] *f* ⟨-, *no pl*⟩ uniformity **gleichgeschlechtlich** *adj* **1.** (≈ *homosexuell*) homosexual **2.** BIOL, ZOOL of the same sex, same-sex *attr*; BOT homogamous **Gleichgewicht** *nt*, *no pl* (*lit*) balance; (≈ *seelisches Gleichgewicht*) equilibrium; ***das ~ verlieren, aus dem ~ kommen*** to lose one's balance *or* equilibrium (*also fig*); ***jdn aus dem ~ bringen*** to throw sb off balance; ***das ~ der Kräfte*** the balance of power **Gleichgewichtsstörung** *f* impaired balance **gleichgültig** *adj* indifferent (*gegen* to, towards); (≈ *uninteressiert*) apathetic (*gegenüber*, *gegen* towards); (≈ *unwesentlich*) unimportant; ***~, was er tut*** no matter what he does; ***es ist mir ~, was er tut*** I don't care what he does **Gleichgültigkeit** *f* indifference (*gegen* to, towards) **Gleichheit** *f* ⟨**-, -en**, *no pl*⟩ (≈ *gleiche Stellung*) equality; (≈ *Übereinstimmung*) correspondence **Gleichheitszeichen** *nt* MAT equals sign **gleichkommen** *v/i +dat sep irr aux sein* **1.** (≈ *die gleiche Leistung etc erreichen*) to equal (*an +dat* for), to match (*an +dat* for, in) **2.** (≈ *gleichbedeutend sein mit*) to amount to **gleichlautend** *adj* identical **gleichmäßig I** *adj* regular; *Proportionen* symmetrical **II** *adv* **1.** (≈ *regelmäßig*) regularly **2.** (≈ *in gleicher Stärke*) evenly **Gleichmäßigkeit** *f* regularity; (*von Proportionen*) symmetry **Gleichmut** *m* equanimity, serenity, composure **gleichmütig** [-myːtıç] *adj* serene, composed; *Stimme* calm **gleichnamig** [-naːmıç] *adj* of the same name **Gleichnis** ['glaiçnıs] *nt* ⟨***-ses, -se***⟩ LIT simile; (≈ *Allegorie*) allegory; BIBLE parable **gleichrangig** [-raŋıç] *adj Beamte etc* equal in rank (*mit* to); *Probleme etc* equally important **Gleichrichter** *m* ELEC rectifier **gleichsam** ['glaiçzaːm] *adv* (*elev*) as it were **Gleichschritt** *m*, *no pl* MIL marching in step; ***im ~, marsch!*** forward march! **gleichseitig** [-zaitıç] *adj Dreieck* equilateral **gleichsetzen** *v/t sep* (≈ *als dasselbe ansehen*) to equate (*mit* with); (≈ *als gleichwertig ansehen*) to treat as equivalent (*mit* to) **Gleichsetzung** *f* ⟨**-, -en**⟩ ***die ~ der Arbeiter mit den Angestellten*** treating workers as equivalent to office employees **Gleichstand** *m*, *no pl* SPORTS ***den ~ erzielen*** to draw level **gleichstellen** *v/t sep* **1.** (*rechtlich etc*) to treat as equal **2.** = ***gleichsetzen*** **Gleichstellung** *f* (*rechtlich etc*) equality (+*gen* of, for), equal status (+*gen* of, for) **Gleichstrom** *m*

ELEC direct current, DC **gleichtun** *v/t +impers sep irr* ***es jdm ~*** to equal sb **Gleichung** ['glaiçʊŋ] *f* ⟨-, ***-en***⟩ equation **gleichwertig** [-veːɐtɪç] *adj* of the same value; *Leistung, Qualität* equal (*+dat* to); *Gegner* evenly matched **gleichzeitig I** *adj* simultaneous **II** *adv* at the same time **gleichziehen** *v/i sep irr* (*infml*) to catch up (*mit* with)

Gleis [glais] *nt* ⟨***-es, -e*** [-zə]⟩ RAIL line, track, rails *pl*; (≈ *einzelne Schiene*) rail; (≈ *Bahnsteig*) platform; (*fig*) rut; ***~ 6*** platform *or* track (*US*) 6; ***aus dem ~ kommen*** (*fig*) to go off the rails (*Br infml*), to get off the track (*US infml*)

gleiten ['glaitn] *pret* ***glitt*** [glɪt], *past part* ***geglitten*** [gə'glɪtn] *v/i aux sein* to glide; (*Hand*) to slide; ***ein Lächeln glitt über ihr Gesicht*** a smile flickered across her face; ***sein Auge über etw*** (*acc*) ***~ lassen*** to cast an eye over sth **gleitend** *adj* ***~e Löhne*** *or* ***Lohnskala*** sliding wage scale; ***~e Arbeitszeit*** flex(i)time; ***~er Übergang*** gradual transition **Gleitflug** *m* glide **Gleitflugzeug** *nt* glider **Gleitklausel** *f* COMM escalator clause **Gleitkomma** *nt* floating point **Gleitmittel** *nt* MED lubricant **Gleitschirm** *m* paraglider **Gleitschirmfliegen** *nt* ⟨***-s***, *no pl*⟩ paragliding **Gleitschirmflieger(in)** *m*/(*f*) paraglider **Gleitsegeln** *nt, no pl* hang-gliding **Gleitsegler** *m* (*Fluggerät*) hang-glider **Gleitsegler(in)** *m*/(*f*) hang-glider **Gleitsichtbrille** *f* varifocals *pl* **Gleitsichtgläser** *pl* varifocals *pl*, multifocals *pl* **Gleittag** *m* flexiday **Gleitzeit** *f* flex(i)time

Gletscher ['glɛtʃɐ] *m* ⟨***-s, -***⟩ glacier **Gletscherspalte** *f* crevasse

Glied [gliːt] *nt* ⟨***-(e)s, -er*** [-dɐ]⟩ **1.** (≈ *Körperteil*) limb; (≈ *Fingerglied, Zehenglied*) joint; ***an allen ~ern zittern*** to be shaking all over **2.** (≈ *Penis*) penis, organ **3.** (≈ *Kettenglied, fig*) link **gliedern** ['gliːdɐn] **I** *v/t* **1.** (≈ *ordnen*) to structure **2.** (≈ *unterteilen*) to (sub)divide (*in +acc* into); → ***gegliedert*** **II** *v/r* (≈ *zerfallen in*) ***sich ~ in*** (*+acc*) to (sub)divide into; (≈ *bestehen aus*) to consist of **Gliederreißen** *nt* ⟨***-s***, *no pl*⟩ rheumatic pains *pl* **Gliederung** ['gliːdərʊŋ] *f* ⟨***-, -en***⟩ (≈ *Aufbau*) structure; (≈ *Unterteilung, von Organisation*) subdivision **Gliedmaßen** *pl* limbs *pl* **Gliedstaat** *m* member *or* constituent state

glimmen ['glɪmən] *pret* ***glomm*** *or* (*rare*) ***glimmte*** [glɔm, 'glɪmtə], *past part* ***geglommen*** *or* (*rare*) ***geglimmt*** [gə'glɔmən, gə'glɪmt] *v/i* to glow

Glimmer ['glɪmɐ] *m* ⟨***-s, -***⟩ MIN mica

Glimmstängel *m* (*dated infml*) fag (*Br infml*), cigarette, butt (*US infml*)

glimpflich ['glɪmpflɪç] **I** *adj* (≈ *mild*) mild, light; *Folgen* negligible **II** *adv bestrafen* mildly; ***~ davonkommen*** to get off lightly; ***mit jdm ~ umgehen*** to treat sb leniently; ***~ ablaufen*** to pass (off) without serious consequences

glitschig ['glɪtʃɪç] *adj* (*infml*) slippy (*infml*)

glitzern ['glɪtsɐn] *v/i* to glitter; (*Stern auch*) to twinkle

global [glo'baːl] **I** *adj* **1.** (≈ *weltweit*) global; ***~e Erwärmung*** global warming **2.** (≈ *pauschal*) general **II** *adv* (≈ *weltweit*) world-wide **globalisieren** [globali'ziːrən] *past part* ***globalisiert*** *v/t* to globalize **Globalisierung** *f* ⟨-, *no pl*⟩ globalization **Globalisierungsgegner(in)** *m*/(*f*) anti-globalization protester, anti-globalist **Globetrotter** ['gloːbətrɔtɐ, 'gloːptrɔtɐ] *m* ⟨***-s, -***⟩, **Globetrotterin** [-ərɪn] *f* ⟨***-, -nen***⟩ globetrotter **Globus** ['gloːbʊs] *m* ⟨- *or* ***-ses, Globen*** *or* ***-se***⟩ globe

Glöckchen ['glœkçən] *nt* ⟨***-s, -***⟩ (little) bell **Glocke** ['glɔkə] *f* ⟨***-, -n***⟩ bell; ***etw an die große ~ hängen*** (*infml*) to shout sth from the rooftops **Glockenblume** *f* bellflower, campanula **glockenförmig** *adj* bell-shaped **Glockengeläut** *nt* (peal of) bells *pl* **Glockenschlag** *m* stroke (of a/the bell); ***es ist mit dem ~ 6 Uhr*** on the stroke it will be 6 o'clock; ***auf den ~*** on the stroke of eight/nine *etc*; (≈ *genau pünktlich*) on the dot **Glockenspiel** *nt* (*in Turm*) chimes *pl*; (≈ *Instrument*) glockenspiel **Glockenturm** *m* belfry **Glöckner** ['glœknɐ] *m* ⟨***-s, -***⟩, **Glöcknerin** [-ərɪn] *f* ⟨***-, -nen***⟩ bell-ringer

Gloria ['gloːria] *nt* ⟨***-s, -s***⟩ ECCL gloria, Gloria **glorifizieren** [glorifi'tsiːrən] *past part* ***glorifiziert*** *v/t* to glorify **glorios** [glo'rioːs] *adj* glorious **glorreich** ['gloːɐ-] **I** *adj* glorious **II** *adv* ***~ siegen*** to have a glorious victory

Glossar [glɔ'saːɐ] *nt* ⟨***-s, -e***⟩ glossary

Glosse ['glɔsə] *f* ⟨***-, -n***⟩ PRESS *etc* commentary **Glossen** *pl* (*infml*) snide *or* sneering comments

Glotzauge *nt* (*usu pl*: *infml*) goggle eye

(*infml*); ***~n machen*** to gawp **Glotze** ['glɔtsə] *f* 〈**-, -n**〉 (*infml* ≈ *Fernseher*) gogglebox (*Br infml*), boob tube (*US infml*) **glotzen** ['glɔtsn] *v/i* (*pej infml*) to gawp (*auf +acc* at)

Glück [glʏk] *nt* 〈**-(e)s,** (*rare*) **-e**〉 **1.** luck; ***~/kein ~ haben*** to be lucky/unlucky; ***auf gut ~*** (≈ *aufs Geratewohl*) on the off chance; (≈ *unvorbereitet*) trusting to luck; (≈ *wahllos*) at random; ***ein ~, dass ...*** it is/was lucky that ...; ***du hast ~ im Unglück gehabt*** it could have been a great deal worse (for you); ***viel ~ (bei ...)!*** good luck (with ...)!; ***~ bei Frauen haben*** to be successful with women; ***jdm zum Geburtstag ~ wünschen*** to wish sb (a) happy birthday; ***zum ~*** luckily; ***mehr ~ als Verstand haben*** to have more luck than brains; ***sein ~ machen*** to make one's fortune; ***sein ~ versuchen*** to try one's luck; ***er kann von ~ sagen, dass ...*** he can count himself lucky that ... **2.** (≈ *Freude*) happiness

Glucke ['glʊkə] *f* 〈**-, -n**〉 (≈ *Bruthenne*) broody hen; (*mit Jungen*) mother hen **glucken** ['glʊkn] *v/i* (≈ *brüten*) to brood; (≈ *brüten wollen*) to go broody; (*fig infml*) to sit around

glücken ['glʏkn] *v/i aux sein* to be a success; ***ihm glückt alles/nichts*** everything/nothing he does is a success; ***geglückt*** successful; *Überraschung* real; ***es wollte nicht ~*** it wouldn't go right

gluckern ['glʊkɐn] *v/i* to glug

glücklich ['glʏklɪç] **I** *adj* **1.** (≈ *erfolgreich*) lucky; ***er kann sich ~ schätzen(, dass ...)*** he can count himself lucky (that ...) **2.** (≈ *froh*) happy; ***~ machen*** to bring happiness; ***jdn ~ machen*** to make sb happy **II** *adv* **1.** (≈ *mit Glück*) by *or* through luck **2.** (≈ *froh*) happily **glücklicherweise** ['glʏklɪçɐ'vaizə] *adv* luckily **glücklos** *adj* hapless **Glücksbringer** [-brɪŋɐ] *m* 〈**-s, -**〉 lucky charm **glückselig** [glʏk'zeːlɪç] *adj* blissfully happy, blissful **Glückseligkeit** *f* bliss **Glücksfall** *m* stroke of luck **Glücksfee** *f* (*fig hum*) good fairy, fairy godmother **Glücksgefühl** *nt* feeling of happiness **Glücksgöttin** *f* goddess of luck **Glückspilz** *m* lucky devil (*infml*) **Glückssache** *f* ***das ist ~*** it's a matter of luck **Glücksspiel** *nt* game of chance **Glücksspieler(in)** *m/(f)* gambler **Glückssträhne** *f* lucky streak; ***eine ~ haben*** to be on a lucky streak **glückstrahlend** *adj* beaming with happiness **Glückstreffer** *m* stroke of luck; (*beim Schießen,* FTBL) fluke (*infml*) **Glückszahl** *f* lucky number **Glückwunsch** *m* congratulations *pl* (*zu* on); ***herzlichen ~*** congratulations; ***herzlichen ~ zum Geburtstag!*** happy birthday **Glückwunschkarte** *f* greetings card

Glühbirne *f* (electric) light bulb **glühen** ['glyːən] *v/i* to glow **glühend I** *adj* glowing; (≈ *heiß glühend*) *Metall* red-hot; *Hitze* blazing; (*fig* ≈ *leidenschaftlich*) ardent; *Hass* burning **II** *adv* ***~ heiß*** scorching; ***jdn ~ verehren*** to worship sb **Glühlampe** *f* (*form*) electric light bulb **Glühwein** *m* mulled wine, glogg (*US*) **Glühwürmchen** [-vʏrmçən] *nt* glow-worm; (*fliegend*) firefly

Glukose [glu'koːzə] *f* 〈**-, -n**〉 glucose

Glut [gluːt] *f* 〈**-, -en**〉 (≈ *glühende Masse, Kohle*) embers *pl*; (≈ *Tabaksglut*) burning ash; (≈ *Hitze*) heat

glutenfrei *adj Lebensmittel* gluten-free **glutenhaltig** *adj Lebensmittel* gluten-containing, containing gluten *pred*

Gluthitze *f* sweltering heat

Glyzerin [glytse'riːn] *nt* 〈**-s,** *no pl*〉 CHEM glycerin(e)

Gnade ['gnaːdə] *f* 〈**-, -n**〉 mercy; (≈ *Gunst*) favour (*Br*), favor (*US*); (≈ *Verzeihung*) pardon; ***um ~ bitten*** to ask for mercy; ***~ vor Recht ergehen lassen*** to temper justice with mercy **Gnadenbrot** *nt, no pl* ***jdm das ~ geben*** to keep sb in his/her old age **Gnadenfrist** *f* (temporary) reprieve; ***eine ~ von 24 Stunden*** a 24 hour(s') reprieve, 24 hours' grace **Gnadengesuch** *nt* plea for clemency **gnadenlos I** *adj* merciless **II** *adv* mercilessly **Gnadenstoß** *m* coup de grâce **gnädig** ['gnɛːdɪç] **I** *adj* (≈ *barmherzig*) merciful; (≈ *gunstvoll, herablassend*) gracious; *Strafe* lenient; ***~e Frau*** (*form*) madam, ma'am **II** *adv* (≈ *milde*) *urteilen* leniently; (≈ *herablassend*) *lächeln* graciously; ***es ~ machen*** to be lenient

Gnom [gnoːm] *m* 〈**-en, -en**〉 gnome

Gnu [gnuː] *nt* 〈**-s, -s**〉 ZOOL gnu

Gobelin [gobə'lɛ̃ː] *m* 〈**-s, -s**〉 tapestry, Gobelin

Gokart ['goːkaːɐt] *m* 〈**-(s), -s**〉 go-cart

Gold [gɔlt] *nt* 〈**-(e)s** [-dəs]〉 *no pl* gold; ***nicht mit ~ zu bezahlen sein*** to be worth one's weight in gold; ***es ist nicht alles ~,***

was glänzt (*prov*) all that glitters is not gold (*prov*) **Goldader** *f* vein of gold **Goldbarren** *m* gold ingot **Goldbarsch** *m* (≈ *Rotbarsch*) redfish **golden** ['gɔldn] **I** *adj attr* golden; (≈ *aus Gold*) gold; ***die ~e Mitte wählen*** to strike a happy medium; ***~e Hochzeit*** golden wedding (anniversary) **II** *adv* like gold **Goldfisch** *m* goldfish **goldgelb** *adj* golden brown **Goldgräber** [-grɛːbɐ] *m* ⟨**-s, -**⟩, **Goldgräberin** [-ərɪn] *f* ⟨**-, -nen**⟩ gold-digger **Goldgrube** *f* gold mine **Goldhamster** *m* (golden) hamster **goldig** ['gɔldɪç] *adj* (*fig infml*) sweet **Goldklumpen** *m* gold nugget **Goldküste** *f* GEOG Gold Coast **Goldmedaille** *f* gold medal **Goldmedaillengewinner(in)** *m*/(*f*) gold medallist (*Br*) *or* medalist (*US*) **Goldmine** *f* gold mine **Goldmünze** *f* gold coin **Goldpreis** *m* gold price **Goldrand** *m* gold edge **Goldrausch** *m* gold fever **Goldregen** *m* BOT laburnum **Goldreserve** *f* FIN gold reserves *pl* **goldrichtig** (*infml*) **I** *adj* absolutely right **II** *adv* exactly right; *sich verhalten* perfectly **Goldschmied(in)** *m*/(*f*) goldsmith **Goldschnitt** *m, no pl* gilt edging **Goldstück** *nt* piece of gold; (≈ *Münze*) gold coin; (*fig infml*) treasure **Goldsucher(in)** *m*/(*f*) gold-hunter **Goldwaage** *f* ***jedes Wort auf die ~ legen*** to weigh one's words **Goldwährung** *f* gold standard **Goldzahn** *m* gold tooth

Golf[1] [gɔlf] *m* ⟨**-(e)s, -e**⟩ (≈ *Meerbusen*) gulf; ***der*** (***Persische***) ***~*** the (Persian) Gulf

Golf[2] *nt* ⟨**-s**, *no pl*⟩ SPORTS golf **Golfer** ['gɔlfɐ] *m* ⟨**-s, -**⟩, **Golferin** [-ərɪn] *f* ⟨**-, -nen**⟩ (*infml*) golfer **Golfklub** *m* golf club

Golfkrieg *m* Gulf War

Golfplatz *m* golf course **Golfschläger** *m* golf club **Golfspiel** *nt* ***das ~*** golf **Golfspieler(in)** *m*/(*f*) golfer

Golfstaaten *pl* ***die ~*** the Gulf States *pl*

Golfstrom *m, no pl* GEOG Gulf Stream

Gondel ['gɔndl] *f* ⟨**-, -n**⟩ gondola

Gong [gɔŋ] *m* ⟨**-s, -s**⟩ gong; (*bei Boxkampf etc*) bell **gongen** ['gɔŋən] **I** *v/i impers* ***es hat gegongt*** the gong has gone *or* sounded **II** *v/i* to ring *or* sound the gong **Gongschlag** *m* stroke of the gong

gönnen ['gœnən] *v/t* ***jdm etw ~*** not to (be)grudge sb sth; ***jdm etw nicht ~*** to (be)grudge sb sth; ***sich*** (*dat*) ***etw ~*** to allow oneself sth; ***das sei ihm gegönnt*** I don't (be)grudge him that **Gönner** ['gœnɐ] *m* ⟨**-s, -**⟩, **Gönnerin** [-ərɪn] *f* ⟨**-, -nen**⟩ patron **gönnerhaft** (*pej*) **I** *adj* patronizing **II** *adv* patronizingly **Gönnermiene** *f* (*pej*) patronizing air

Gonorrhö(e) [gonɔ'røː(e)] *f* ⟨**-, -en** [-'røːən]⟩ MED gonorrhoea (*Br*), gonorrhea (*US*)

Göre ['gøːrə] *f* ⟨**-, -n**⟩ (≈ *kleines Mädchen*) little miss

Gorgonzola [gɔrgɔn'tsoːla] *m* ⟨**-s, -s**⟩ gorgonzola (cheese)

Gorilla [go'rɪla] *m* ⟨**-s, -s**⟩ gorilla

Gosche ['gɔʃə] *f* ⟨**-, -n**⟩ (*pej*) gob (*sl*), mouth

Goschen ['gɔʃn] *f* ⟨**-, -**⟩ (*S Ger, Aus*: *pej*) ≈ Gosche

Gosse ['gɔsə] *f* ⟨**-, -n**⟩ gutter; ***in der ~ landen*** to end up in the gutter

Gotik ['goːtɪk] *f* ⟨**-**, *no pl*⟩ ART Gothic (style); (≈ *Epoche*) Gothic period **gotisch** ['goːtɪʃ] *adj* Gothic

Gott [gɔt] *m* ⟨**-es, =er** ['gœtɐ]⟩ **1.** god; (*als Name*) God; ***der liebe ~*** the good Lord; ***er ist ihr ~*** she worships him like a god; ***ein Anblick*** *or* ***Bild für die Götter*** (*hum infml*) a sight for sore eyes; ***das wissen die Götter*** (*infml*) God (only) knows; ***er hat ~ weiß was erzählt*** (*infml*) he said God knows what (*infml*); ***ich bin weiß ~ nicht prüde, aber ...*** God knows I'm no prude but ...; ***dann mach es eben in ~es Namen*** just do it then; ***leider ~es*** unfortunately **2.** (*in Ausrufen*) ***grüß ~!*** (*esp S Ger, Aus*) hello, good morning/afternoon/evening; ***ach*** (***du lieber***) ***~!*** (*infml*) oh Lord! (*infml*); ***mein ~!*** (my) God!; ***großer ~!*** good Lord!; ***um ~es willen!*** for God's sake!; ***~ sei Dank!*** thank God! **Götterspeise** *f* COOK jelly (*Br*), Jell-O® (*US*) **Gottesdienst** *m* ECCL service **Gotteshaus** *nt* place of worship **Gotteskrieger(in)** *m*/(*f*) religious terrorist **Gotteslästerer** [-lɛstərɐ] *m* ⟨**-s, -**⟩, **Gotteslästerin** [-ərɪn] *f* ⟨**-, -nen**⟩ blasphemer **gotteslästerlich** **I** *adj* blasphemous **II** *adv* blasphemously **Gotteslästerung** *f* ⟨**-, -en**⟩ blasphemy **Gottesmutter** *f, no pl* REL Mother of God **Gottheit** ['gɔthait] *f* ⟨**-, -en**⟩ **1.** *no pl* (≈ *Göttlichkeit*) divinity **2.** (*esp heidnisch*) deity **Göttin** ['gœtɪn] *f* ⟨**-, -nen**⟩ goddess **göttlich** ['gœtlɪç] *adj* divine **gottlob** [gɔt'loːp] *int* thank God **gottlos** *adj* godless;

(≈ *verwerflich*) ungodly **Gottvater** *m, no pl* God the Father **gottverdammt** *adj attr* (*infml*) goddamn(ed) (*infml*) **gottverlassen** *adj* godforsaken **Gottvertrauen** *nt* faith in God

Götze ['gœtsə] *m* ⟨**-n, -n**⟩ idol **Götzenbild** *nt* idol, graven image (BIBLE)

Gourmet [gʊr'mɛ, -'meː] *m* ⟨**-s, -s**⟩ gourmet

Gouverneur [guvɛr'nøːɐ] *m* ⟨**-s, -e**⟩, **Gouverneurin** [-'nøːrɪn] *f* ⟨**-, -nen**⟩ governor

Grab [graːp] *nt* ⟨**-(e)s, ⸚er** ['grɛːbɐ]⟩ grave; (≈ *Gruft*) tomb; ***er würde sich im ~e umdrehen, wenn ...*** he would turn in his grave if ...; ***du bringst mich noch ins ~!*** you'll be the death of me yet (*infml*); ***mit einem Bein im ~e stehen*** (*fig*) to have one foot in the grave; ***sich*** (*dat*) ***selbst sein eigenes ~ graben*** (*fig*) to dig one's own grave

graben ['graːbn] *pret* ***grub*** [gruːp], *past part* ***gegraben*** [gə'graːbn] **I** *v/t* to dig **II** *v/i* to dig; ***nach Gold/Erz ~*** to dig for gold/ore **III** *v/r* ***sich in etw*** (*acc*) ***~*** (*Zähne, Krallen*) to sink into sth; ***sich durch etw ~*** to dig one's way through sth **Graben** ['graːbn] *m* ⟨**-s, ⸚**['grɛːbn]⟩ ditch; MIL trench; (≈ *Burggraben*) moat **Grabenkrieg** *m* MIL trench warfare *no pl, no indef art*

Gräberfeld *nt* cemetery **Grabgewölbe** *nt* vault; (*von Kirche, Dom*) crypt **Grabinschrift** *f* epitaph **Grabkammer** *f* burial chamber **Grabmal** *nt, pl* ***-mäler*** *or* (*geh*) ***-male*** monument; (≈ *Grabstein*) gravestone **Grabrede** *f* funeral oration **Grabschändung** *f* defilement of graves **Grabstätte** *f* grave; (≈ *Gruft*) tomb **Grabstein** *m* gravestone

Grabung *f* ⟨**-, -en**⟩ ARCHEOL excavation

Gracht [graxt] *f* ⟨**-, -en**⟩ canal

Grad [graːt] *m* ⟨**-(e)s, -e** [-də]⟩ (SCI, UNIV, *fig*) degree; MIL rank; ***4 ~ Kälte*** 4 degrees below freezing; ***20 ~ Celsius*** 20 (degrees) centigrade; ***ein Verwandter zweiten/dritten ~es*** a relative once/twice removed; ***Verbrennungen ersten/zweiten ~es*** MED first-/second-degree burns; ***bis zu einem gewissen ~*** up to a certain point; ***in hohem ~*** to a great extent; ***im höchsten ~*** extremely **Gradeinteilung** *f* calibration **Gradmesser** *m* ⟨**-s, -**⟩ (*fig*) gauge (+*gen, für* of) **graduell** [gra'duɛl] **I** *adj* (≈ *allmählich*) gradual; (≈ *gering*) slight **II** *adv* (≈ *geringfügig*) slightly; (≈ *allmählich*) gradually **graduieren** [gradu'iːrən] *past part* ***graduiert*** **I** *v/t* **1.** (≈ *in Grade einteilen*) to calibrate **2.** UNIV ***graduierter Ingenieur*** engineering graduate **II** *v/i* UNIV to graduate **Graduierte(r)** [gradu'iːɐtə] *m/f(m) decl as adj* graduate

Graf [graːf] *m* ⟨**-en, -en**⟩ count; (*britischer Graf*) earl

Graffiti [gra'fiːti] *nt* ⟨**-s, -s**⟩ graffiti

Grafik ['graːfɪk] *f* ⟨**-, -en**⟩ **1.** *no pl* ART graphic arts *pl*; (≈ *Technik*) graphics *sg* **2.** (ART ≈ *Darstellung*) graphic; (≈ *Druck*) print; (≈ *Schaubild*) illustration; (≈ *technisches Schaubild*) diagram **Grafiker** ['graːfikɐ] *m* ⟨**-s, -**⟩, **Grafikerin** [-ərɪn] *f* ⟨**-, -nen**⟩ graphic artist; (≈ *Illustrator*) illustrator; (≈ *Gestalter*) (graphic) designer **grafikfähig** *adj* IT ***~ sein*** to be able to do graphics **Grafikkarte** *f* IT graphics card **Grafikmodus** *m* IT graphics mode

Gräfin ['grɛːfɪn] *f* ⟨**-, -nen**⟩ countess

grafisch ['graːfɪʃ] *adj* graphic

Grafit [gra'fiːt] *m* ⟨**-s, -e**⟩ graphite

Grafschaft ['graːfʃaft] *f* ⟨**-, -en**⟩ earldom; ADMIN county

Gram [graːm] *m* ⟨**-(e)s,** *no pl*⟩ (*elev*) grief, sorrow **grämen** ['grɛːmən] *v/r* ***sich über jdn/etw ~*** to grieve over sb/sth

Gramm [gram] *nt* ⟨**-s, -e** *or* (*nach Zahlenangabe*) **-**⟩ gram(me); ***100 ~ Mehl*** 100 gram(me)s of flour

Grammatik [gra'matɪk] *f* ⟨**-, -en**⟩ grammar **grammatikalisch** [gramati'kaːlɪʃ], **grammatisch** [gra'matɪʃ] **I** *adj* grammatical **II** *adv* grammatically

Grammel ['graml] *f* ⟨**-, -n**⟩ (*S Ger, Aus*) = ***Griebe***

Grammofon [gramo'foːn] *nt* ⟨**-s, -e**⟩ gramophone

Granatapfel *m* pomegranate

Granate [gra'naːtə] *f* ⟨**-, -n**⟩ (MIL ≈ *Geschoss*) shell; (≈ *Handgranate*) grenade **Granatsplitter** *m* shell/grenade splinter **Granatwerfer** *m* mortar

grandios [gran'dioːs] *adj* magnificent; (*hum*) fantastic (*infml*)

Granit [gra'niːt] *m* ⟨**-s, -e**⟩ granite

Grant [grant] *m* ⟨**-,** *no pl*⟩ (*infml: S Ger, Aus*) ***einen ~ haben*** to be cross (*wegen* about, *auf jdn* at sb) **granteln** ['grantln] *v/i* (*infml: S Ger, Aus*) **1.** (≈ *schlechte Laune haben*) to be grumpy **2.** (≈ *me-*

ckern) to grumble **grantig** ['grantɪç] *(infml) adj* grumpy **Grantler** ['grantlɐ] *m* ⟨**-s, -**⟩, **Grantlerin** [-ərɪn] *f* ⟨**-, -nen**⟩ *(S Ger, Aus infml, Aus)* (old) grouch

Granulat [granu'la:t] *nt* ⟨**-(e)s, -e**⟩ granules *pl*

Grapefruit ['gre:pfru:t] *f* ⟨**-, -s**⟩ grapefruit **Grapefruitsaft** ['gre:pfru:tzaft] *nt* grapefruit juice

Graphik *etc* = ***Grafik***

Gras [gra:s] *nt* ⟨**-es, ¨-er** ['grɛ:zɐ]⟩ grass; ***ins ~ beißen*** *(infml)* to bite the dust *(infml)*; ***das ~ wachsen hören*** to be highly perceptive; (≈ *zu viel hineindeuten)* to read too much into things; ***über etw*** *(acc)* ***~ wachsen lassen*** *(fig)* to let the dust settle on sth **grasbedeckt** *adj* grassy **Grasbüschel** *nt* tuft of grass **grasen** ['gra:zn] *v/i* to graze **Grasfläche** *f* grassland; (≈ *Rasen)* patch of grass **grasgrün** *adj* grass-green **Grashalm** *m* blade of grass **Grashüpfer** *m (infml)* grasshopper **grasig** ['grazɪç] *adj* grassy **Grasnarbe** *f* turf **Grassamen** *m* grass seed

grassieren [gra'si:rən] *past part* ***grassiert*** *v/i* to be rife

grässlich ['grɛslɪç] **I** *adj* **1.** hideous **2.** (≈ *unangenehm)* dreadful; *Mensch* horrible **II** *adv* **1.** (≈ *schrecklich)* horribly **2.** *(infml ≈ äußerst)* dreadfully

Grat [gra:t] *m* ⟨**-(e)s, -e**⟩ (≈ *Berggrat)* ridge; TECH burr; ARCH hip *(of roof)*

Gräte ['grɛ:tə] *f* ⟨**-, -n**⟩ (fish) bone

Gratifikation [gratifika'tsio:n] *f* ⟨**-, -en**⟩ bonus

gratinieren [grati'ni:rən] *past part* ***gratiniert*** *v/t* COOK to brown (the top of)

gratis ['gra:tɪs] *adv* free; COMM free (of charge) **Gratisprobe** *f* free sample

Grätsche ['grɛ:tʃə] *f* ⟨**-, -n**⟩ SPORTS straddle **grätschen** ['grɛ:tʃn] **I** *v/i aux sein* to do a straddle (vault) **II** *v/t Beine* to straddle

Gratulant [gratu'lant] *m* ⟨**-en, -en**⟩, **Gratulantin** [-'lantɪn] *f* ⟨**-, -nen**⟩ well-wisher **Gratulation** [gratula'tsio:n] *f* ⟨**-, -en**⟩ congratulations *pl* **gratulieren** [gratu'li:rən] *past part* ***gratuliert*** *v/i* ***jdm (zu einer Sache) ~*** to congratulate sb (on sth); ***jdm zum Geburtstag ~*** to wish sb many happy returns (of the day); ***(ich) gratuliere!*** congratulations!

Gratwanderung *f (lit)* ridge walk; *(fig)* tightrope walk

grau [grau] **I** *adj* grey *(Br)*, gray *(US)*; (≈ *trostlos)* gloomy; ***~ werden*** *(infml)* to go grey *(Br) or* gray *(US)*; ***er malte die Lage ~ in ~*** *(fig)* he painted a gloomy picture of the situation; ***der ~e Alltag*** the daily grind **II** *adv anstreichen* grey *(Br)*, gray *(US)*; *sich kleiden* in grey *(Br) or* gray *(US)*; ***~ meliert*** *Haar* greying *(Br)*, graying *(US)* **Graubrot** *nt bread made from more than one kind of flour*

Graubünden [grau'bʏndn] *nt* ⟨**-s**⟩ GEOG the Grisons

Gräuel ['grɔyəl] *m* ⟨**-s, -,** *no pl*⟩ (≈ *Abscheu)* horror; (≈ *Gräueltat)* atrocity; ***es ist mir ein ~*** I loathe it; ***es ist mir ein ~, das zu tun*** I loathe doing that **Gräuelmärchen** *nt* horror story **Gräueltat** *f* atrocity

grauen *v/i impers* ***es graut mir vor etw*** *(dat)* I dread sth; ***mir graut vor ihm*** I'm terrified of him **Grauen** ['grauən] *nt* ⟨**-s,** *no pl*⟩ horror (*vor +dat* of) **grauenerregend** *adj* atrocious **grauenhaft, grauenvoll** *adj* atrocious; *Schmerz* terrible

grauhaarig *adj* grey-haired *(Br)*, gray-haired *(US)*

gräulich[1] ['grɔylɪç] *adj* = ***grässlich***

gräulich[2] *adj* (≈ *Farbe)* greyish *(Br)*, grayish *(US)*

Graupel ['graupl] *f* ⟨**-, -n**⟩ (small) hailstone **graupelig** ['graupəlɪç] *adj Schauer* of soft hail

Graupen ['graupən] *pl* pearl barley *sg*

Graus [graus] *m* ⟨**-es** [-zəs]⟩ *no pl* horror

grausam ['grauza:m] **I** *adj* **1.** (≈ *gefühllos)* cruel (*gegen, zu* to) **2.** *(infml)* terrible **II** *adv* **1.** (≈ *auf schreckliche Weise)* cruelly; ***sich ~ für etw rächen*** to take (a) cruel revenge for sth **2.** *(infml ≈ furchtbar)* terribly **Grausamkeit** *f* ⟨**-, -en**⟩ **1.** *no pl* cruelty **2.** (≈ *grausame Tat)* (act of) cruelty; *(stärker)* atrocity

Grauschleier *m (von Wäsche)* grey(ness) *(Br)*, gray(ness) *(US)*; *(fig)* veil

grausen ['grauzn] *v/i impers* ***mir graust vor der Prüfung*** I am dreading the exam **grausig** ['grauzɪç] *adj, adv* = ***grauenhaft***

Grauton *m, pl* ***-töne*** grey colour *(Br)*, gray color *(US)* **Grauwal** *m* grey *(Br) or* gray *(US)* whale **Grauzone** *f (fig)* grey *(Br) or* gray *(US)* area

Graveur [gra'vø:ɐ] *m* ⟨**-s, -e**⟩, **Graveurin**

[-'vøːrɪn] *f* ⟨-, **-nen**⟩ engraver **gravieren** [gra'viːrən] *past part* **graviert** *v/t* to engrave **gravierend** *adj* serious **Gravierung** [gra'viːrʊŋ] *f* ⟨-, **-en**⟩ engraving **Gravitation** [gravita'tsioːn] *f* ⟨-, *no pl*⟩ gravitational pull **Gravur** [gra'vuːɐ] *f* ⟨-, **-en**⟩ engraving

graziös [gra'tsiøːs] **I** *adj* graceful; (≈ *lieblich*) charming **II** *adv* gracefully

Greencard ['griːnkaːɐd] *f* ⟨-, **-s**⟩, **Green Card** *f* ⟨- -, - **-s**⟩ green card

greifbar *adj* (≈ *konkret*) tangible; (≈ *erhältlich*) available; **~ nahe** within reach **greifen** ['graifn] *pret* **griff** [grɪf], *past part* **gegriffen** [gə'grɪfn] **I** *v/t* (≈ *packen*) to take hold of; (≈ *grapschen*) to seize, to grab; ***diese Zahl ist zu hoch/zu niedrig gegriffen*** (*fig*) this figure is too high/low; ***zum Greifen nahe sein*** (*Sieg*) to be within reach; ***aus dem Leben gegriffen*** taken from life **II** *v/i* **1.** (≈ *fassen*) ***hinter sich*** (*acc*) **~** to reach behind one; ***um sich ~*** (*fig*) to spread; ***in etw*** (*acc*) **~** to put one's hand into sth; ***zu etw ~*** *zu Pistole* to reach for sth; *zu Methoden* to turn to sth **2.** (≈ *einrasten*) to grip; (*fig*) (≈ *wirksam werden*) to take effect; (≈ *zum Ziel/Erfolg führen*) to achieve its ends; (≈ *zutreffen*) (*Gesetz*) to apply **Greifer** ['graifɐ] *m* ⟨**-s, -**⟩ TECH grab **Greifvogel** *m* bird of prey **Greifzange** *f* (pair of) tongs *pl*

Greis [grais] *m* ⟨**-es, -e** [-zə]⟩ old man **Greisenalter** *nt* extreme old age **greisenhaft** *adj* aged *attr* **Greisin** ['graizɪn] *f* ⟨-, **-nen**⟩ old lady

grell [grɛl] **I** *adj Schrei, Ton* shrill; *Licht, Sonne* dazzling; *Farbe* garish **II** *adv* (≈ *sehr hell*) *scheinen* brightly; (≈ *schrill*) shrilly; **~ *erleuchtet*** dazzlingly bright

Gremium ['greːmiʊm] *nt* ⟨**-s, Gremien** ['greːmiən]⟩ body; (≈ *Ausschuss*) committee

Grenzbereich *m* border zone; (*fig*) limits *pl*; ***im ~ liegen*** (*fig*) to lie at the limits **Grenzbewohner(in)** *m/(f)* inhabitant of the/a border zone **Grenze** ['grɛntsə] *f* ⟨-, **-n**⟩ border; (*zwischen Grundstücken*) boundary; (*fig: zwischen Begriffen*) dividing line; (*fig* ≈ *Schranke*) limits *pl*; ***die ~ zu Österreich*** the Austrian border; ***über die ~ gehen*** to cross the border; **(*bis*) *zur äußersten ~ gehen*** (*fig*) to go as far as one can; ***einer Sache*** (*dat*) ***~n setzen*** to set a limit *or* limits to sth; ***seine ~n kennen*** to know one's limitations; ***sich in ~n halten*** (*fig*) to be limited; ***die oberste/unterste ~*** (*fig*) the upper/lower limit **grenzen** ['grɛntsn] *v/i* ***an etw*** (*acc*) **~** to border on sth **grenzenlos** *adj* boundless **Grenzfall** *m* borderline case **Grenzfluss** *m* river forming a/the border *or* frontier **Grenzgänger** [-gɛŋɐ] *m* ⟨**-s, -**⟩, **Grenzgängerin** [-ərɪn] *f* ⟨-, **-nen**⟩ (≈ *Arbeiter*) international commuter (*across a local border*); (≈ *heimlicher Grenzgänger*) illegal border crosser **Grenzgebiet** *nt* border zone; (*fig*) border(ing) area **Grenzkonflikt** *m* border dispute **Grenzkontrolle** *f* border control **Grenzlinie** *f* border; SPORTS line **Grenzposten** *m* border guard **Grenzschutz** *m* **1.** *no pl* protection of the border(s) **2.** (≈ *Truppen*) border guard(s) **Grenzstadt** *f* border town **Grenzstein** *m* boundary stone **Grenzübergang** *m* (≈ *Stelle*) border crossing(-point) **grenzüberschreitend** *adj attr* COMM, JUR cross-border **Grenzübertritt** *m* crossing of the border **Grenzverkehr** *m* border traffic **Grenzverlauf** *m* boundary line (*between countries*) **Grenzwert** *m* limit **Grenzzwischenfall** *m* border incident

Greuel ['grɔyəl] *m* ⟨**-s, -**⟩; → ***Gräuel***

greulich ['grɔylɪç] *adj, adv* → ***gräulich***[1]

Griebe ['griːbə] *f* ⟨-, **-n**⟩ ≈ crackling *no indef art, no pl* (*Br*), ≈ cracklings *pl* (*US*)

Grieche ['griːçə] *m* ⟨**-n, -n**⟩, **Griechin** ['griːçɪn] *f* ⟨-, **-nen**⟩ Greek; ***zum ~n gehen*** to go to a/the Greek restaurant **Griechenland** ['griːçnlant] *nt* ⟨**-s**⟩ Greece **griechisch** ['griːçɪʃ] *adj* Greek; ***~-römisch*** Graeco-Roman, Greco-Roman (*esp US*); → ***deutsch***

Griesgram ['griːsgraːm] *m* ⟨**-(e)s, -e**⟩ grouch (*infml*) **griesgrämig** ['griːsgrɛːmɪç] *adj* grumpy

Grieß [griːs] *m* ⟨**-es, -e**⟩ semolina **Grießbrei** *m* semolina **Grießklößchen** [-kløːsçən] *nt* ⟨**-s, -**⟩ semolina dumpling **Grießnockerl** *nt* ⟨**-s, -(n)**⟩ (*S Ger, Aus* COOK) semolina dumpling

Griff [grɪf] *m* ⟨**-(e)s, -e**⟩ **1.** ***der ~ nach etw*** reaching for sth; ***der ~ nach der Macht*** the bid for power **2.** (≈ *Handgriff*) grip, grasp; (*beim Ringen*) hold; (*beim Turnen*) grip; ***mit festem ~*** firmly; ***jdn/etw im ~ haben*** (*fig*) to have sb/sth under control; ***jdn/etw in den ~ bekommen***

(*fig*) to gain control of sb/sth; (*geistig*) to get a grasp of sth; ***einen guten ~ tun*** to make a wise choice **3.** (≈ *Stiel, Knauf*) handle; (≈ *Pistolengriff*) butt **griffbereit** *adj* handy; ***etw ~ halten*** to keep sth handy

Griffel ['grɪfl] *m* ⟨**-s, -**⟩ slate pencil; BOT style

griffig ['grɪfɪç] *adj Boden, Fahrbahn etc* that has a good grip; *Rad, Sohle, Profil* that grips well; (*fig*) *Slogan* pithy

Grill [grɪl] *m* ⟨**-s, -s**⟩ grill **Grillabend** *m* barbecue *or* BBQ night

Grille ['grɪlə] *f* ⟨**-, -n**⟩ ZOOL cricket

grillen ['grɪlən] *v/t* to grill **Grillfest** *nt* barbecue party **Grillkohle** *f* charcoal **Grillparty** *f* barbecue **Grillstube** *f* grillroom

Grimasse [gri'masə] *f* ⟨**-, -n**⟩ grimace; ***~n schneiden*** to grimace

grimmig ['grɪmɪç] **I** *adj* **1.** (≈ *zornig*) furious; *Gegner* fierce; *Miene, Humor* grim **2.** (≈ *heftig*) *Kälte, Spott etc* severe **II** *adv* furiously, grimly; ***~ lächeln*** to smile grimly

grinsen ['grɪnzn] *v/i* to grin **Grinsen** *nt* ⟨**-s**, *no pl*⟩ grin

grippal [grɪ'paːl] *adj* MED ***~er Infekt*** influenza infection **Grippe** ['grɪpə] *f* ⟨**-, -n**⟩ flu **grippekrank** *adj* down with *or* having the flu **Grippekranke(r)** *m/f(m) decl as adj* flu sufferer **Grippe(schutz)impfung** *f* influenza vaccination **Grippevirus** *nt or m* flu virus **Grippewelle** *f* wave of flu

Grips [grɪps] *m* ⟨**-es, -e**⟩ (*infml*) brains *pl* (*infml*)

grob [groːp] **I** *adj, comp* **⸚er** ['grøːbɐ], *sup* **⸚ste(r, s)** ['grøːpstə] **1.** (≈ *nicht fein*) coarse; *Arbeit* dirty *attr* **2.** (≈ *ungefähr*) rough; ***in ~en Umrissen*** roughly **3.** (≈ *schlimm, groß*) gross (*auch* JUR); ***ein ~er Fehler*** a bad mistake; ***wir sind aus dem Gröbsten heraus*** we're out of the woods (now); ***~e Fahrlässigkeit*** gross negligence **4.** (≈ *brutal, derb*) rough; (*fig* ≈ *derb*) coarse; *Antwort* rude; (≈ *unhöflich*) ill-mannered; ***~ gegen jdn werden*** to become offensive (towards sb) **II** *adv, comp* **⸚er**, *sup* ***am ⸚sten*** **1.** (≈ *nicht fein*) coarsely **2.** (≈ *ungefähr*) ***~ geschätzt*** approximately, roughly; ***etw ~ umreißen*** to give a rough idea of sth **3.** (≈ *schlimm*) ***~ fahrlässig handeln*** to commit an act of gross negligence **4.** (≈ *brutal*) roughly; (≈ *unhöflich*) rudely **Grobheit** *f* ⟨**-, -en**⟩ **1.** (≈ *Beschimpfung*) foul language *no pl* **2.** (*von Material*) coarseness **Grobian** ['groːbiaːn] *m* ⟨**-(e)s, -e**⟩ brute **grobkörnig** *adj* coarse-grained **grobmaschig** [-maʃɪç] *adj* large-meshed; (≈ *grob gestrickt*) loose-knit *attr* **grobschlächtig** [-ʃlɛçtɪç] *adj* coarse; *Mensch* heavily built; (*fig*) unrefined

Grog [grɔk] *m* ⟨**-s, -s**⟩ grog

groggy ['grɔgi] *adj pred* (*infml* ≈ *erschöpft*) all-in (*infml*)

grölen ['grøːlən] *v/t & v/i* (*pej*) to bawl; ***~de Menge*** raucous crowd

Groll [grɔl] *m* ⟨**-(e)s**, *no pl*⟩ (≈ *Zorn*) anger; (≈ *Erbitterung*) resentment **grollen** ['grɔlən] *v/i* (*elev*) **1.** (≈ *dröhnen*) to rumble **2.** (≈ *böse sein*) **(*jdm*) ~** to be annoyed (with sb)

Grönland ['grøːnlant] *nt* ⟨**-s**⟩ Greenland

grooven ['gruːvn] *v/i* (MUS *sl*) ***das groovt*** it's grooving

Gros [groː] *nt* ⟨**-, -** [groːs]⟩ (≈ *Mehrzahl*) major part

Groschen ['grɔʃn] *m* ⟨**-s, -**⟩ **1.** (HIST, *Aus*) groschen **2.** (*fig*) penny, cent (*US*); ***der ~ ist gefallen*** (*hum infml*) the penny has dropped (*infml*) **Groschenroman** *m* (*pej*) cheap *or* dime-store (*US*) novel

groß [groːs] **I** *adj, comp* **⸚er** ['grøːsɐ], *sup* **⸚te(r, s)** ['grøːstə] **1.** big; *Fläche, Raum auch Packung etc* large; TYPO *Buchstabe* capital; ***die Wiese ist 10 Hektar ~*** the field measures 10 hectares; ***~es Geld*** notes *pl* (*Br*), bills *pl* (*US*); ***im Großen und Ganzen*** by and large **2.** (≈ *hochgewachsen*) tall; ***wie ~ bist du?*** how tall are you?; ***du bist ~ geworden*** you've grown **3.** (≈ *älter*) *Bruder, Schwester* big; ***mit etw ~ geworden sein*** to have grown up with sth **4.** (≈ *wichtig, bedeutend*) great; *Katastrophe* terrible; *Summe* large; *Geschwindigkeit* high; ***er hat Großes geleistet*** he has achieved great things; ***~en Durst haben*** to be very thirsty; ***ich bin kein ~er Redner*** (*infml*) I'm no great speaker; ***jds ~e Stunde*** sb's big moment; ***eine größere Summe*** a biggish sum; ***~e Worte*** big words **5.** (*in Eigennamen*) Great; ***Friedrich der Große*** Frederick the Great **II** *adv, comp* **⸚er**, *sup* ***am ⸚ten ~ gewachsen*** tall; ***~ gemustert*** with a large print; ***~ daherreden*** (*infml*) to talk big (*infml*); ***~ einkaufen gehen*** to go on a spending spree; ***~ feiern*** to have a big celebration; ***~ auf-***

gemacht elaborately dressed; ***~ angelegt*** large-scale; ***~ und breit*** (*fig infml*) at great length; ***jdn ~ anblicken*** to give sb a hard stare; ***~ in Mode sein*** to be all the rage (*infml*); ***ganz ~ rauskommen*** (*infml*) to make the big time (*infml*) **Großabnehmer(in)** *m*/(*f*) COMM bulk purchaser **Großaktionär(in)** *m*/(*f*) major shareholder **großartig I** *adj* wonderful; *Erfolg* tremendous **II** *adv* wonderfully **Großaufnahme** *f* PHOT, FILM close-up **Großbaustelle** *f* construction site **Großbetrieb** *m* large concern **Großbildschirm** *m* large screen **Großbrand** *m* major *or* big fire **Großbritannien** [groːsbri'taniən] *nt* (Great) Britain **Großbuchstabe** *m* capital (letter), upper case letter (TYPO) **Größe** ['grøːsə] *f* ⟨**-, -n**⟩ **1.** ***er hat ~ 48*** he takes *or* is size 48 **2.** *no pl* (≈ *Körpergröße*) height; MAT, PHYS quantity; ***eine unbekannte ~*** an unknown quantity **3.** *no pl* (≈ *Ausmaß*) extent; (≈ *Bedeutsamkeit*) significance **4.** (≈ *bedeutender Mensch*) important figure **Großeinkauf** *m* bulk purchase **Großeinsatz** *m* ***~ der Feuerwehr/Polizei*** *etc* large-scale operation by the fire brigade/police *etc* **Großeltern** *pl* grandparents *pl* **Großenkel** *m* great-grandchild; (≈ *Junge*) great-grandson **Großenkelin** *f* great-granddaughter **Größenordnung** *f* scale; (≈ *Größe*) magnitude; MAT order (of magnitude) **großenteils** ['groːsn'tails] *adv* mostly **Größenunterschied** *m* difference in size; (*im Wuchs*) difference in height **Größenverhältnis** *nt* proportions *pl* (*+gen* between); (≈ *Maßstab*) scale; ***im ~ 1:100*** on the scale 1:100 **Größenwahn(sinn)** *m* megalomania **größenwahnsinnig** *adj* megalomaniac(al) **Großfahndung** *f* large-scale manhunt **Großfamilie** *f* extended family **großflächig** *adj* extensive; *Gemälde, Muster etc* covering a large area **Großformat** *nt* large size **großformatig** [-fɔrmaːtɪç] *adj* large-size **großgewachsen** *adj* tall **Großgrundbesitzer(in)** *m*/(*f*) big landowner **Großhandel** *m* wholesale trade; ***etw im ~ kaufen*** to buy sth wholesale **Großhandelskaufmann** *m* wholesaler **Großhandelspreis** *m* wholesale price **Großhändler(in)** *m*/(*f*) wholesaler **Großhandlung** *f* wholesale business **großherzig** *adj* generous, magnanimous **Großherzog** *m* grand duke **Großhirn** *nt* cerebrum **Grossist** [grɔ'sɪst] *m* ⟨**-en, -en**⟩, **Grossistin** [-'sɪstɪn] *f* ⟨**-, -nen**⟩ wholesaler **Großkapitalist(in)** *m*/(*f*) big capitalist **Großkaufmann** *m* wholesale merchant **großkotzig** ['groːskɔtsɪç] (*pej infml*) *adj* swanky (*infml*) **Großküche** *f* canteen kitchen **Großkunde** *m*, **Großkundin** *f* COMM major client **Großkundgebung** *f* mass rally **Großmacht** *f* POL great power **Großmarkt** *m* hypermarket (*Br*), large supermarket **Großmaul** *nt* (*pej infml*) bigmouth (*infml*) **Großmut** *f* ⟨**-**, *no pl*⟩ magnanimity **großmütig** [-myːtɪç] **I** *adj* magnanimous **II** *adv* magnanimously **Großmutter** *f* grandmother **Großonkel** *m* great-uncle **Großraum** *m* (*einer Stadt*) ***der ~ München*** the Munich area **Großraumbüro** *nt* open-plan office **großräumig** [-rɔymɪç] **I** *adj* **1.** (≈ *mit großen Räumen*) with large rooms; ***~ sein*** to have large rooms **2.** (≈ *mit viel Platz, geräumig*) roomy **3.** (≈ *über große Flächen*) extensive **II** *adv* ***Ortskundige sollten den Bereich ~ umfahren*** local drivers should find an alternative route well away from the area **Großrechner** *m* mainframe (computer) **Großreinemachen** [-rainəmaxn] *nt* ⟨**-s**, *no pl*⟩ ≈ spring-cleaning **groß schreiben** *v/t irr* ***groß geschrieben werden*** (*fig infml*) to be stressed **großschreiben** *v/t sep irr* ***ein Wort ~*** to write a word with a capital/in capitals **Großschreibung** *f* capitalization **großsprecherisch** [-ʃprɛçərɪʃ] *adj* (*pej*) boastful **großspurig** [-ʃpuːrɪç] (*pej*) **I** *adj* flashy (*infml*) **II** *adv* ***~ reden*** to speak flamboyantly; ***sich ~ benehmen*** to be flashy **Großstadt** *f* city **Großstädter(in)** *m*/(*f*) city dweller **großstädtisch** *adj* big-city *attr* **Großstadtmensch** *m* city dweller **Großtante** *f* great-aunt **Großtat** *f* great feat; ***eine medizinische ~*** a great medical feat **Großteil** *m* large part; ***zum ~*** in the main **größtenteils** ['grøːstn'tails] *adv* in the main **größte(r, s)** *sup*; → ***groß*** **größtmöglich** *adj attr* greatest possible **großtun** *sep irr* (*pej*) **I** *v/i* to show off **II** *v/r* ***sich mit etw ~*** to boast about sth **Großvater** *m* grandfather **Großveranstaltung** *f* big event; (≈ *Großkundgebung*) mass rally **Großverdiener(in)** *m*/(*f*) big earner **Großwetterlage** *f* general weather situation; ***die politische ~*** the general political climate **Großwild** *nt* big game **großziehen** *v/t sep irr* to raise; *Tier* to rear **großzügig I** *adj* generous; (≈ *weiträumig*) spacious **II** *adv* generously; (≈ *spendabel*) magnanimously; ***~ gerechnet*** at a generous estimate **Großzügigkeit** [-tsyːgɪçkait] *f* ⟨-, *no pl*⟩ generosity; (≈ *Weiträumigkeit*) spaciousness

grotesk [groˈtɛsk] *adj* grotesque

Grotte [ˈgrɔtə] *f* ⟨**-, -n**⟩ (≈ *Höhle*) grotto

Grübchen [ˈgryːpçən] *nt* ⟨**-s, -**⟩ dimple

Grube [ˈgruːbə] *f* ⟨**-, -n**⟩ pit; (*klein*) hole; MIN mine

Grübelei [gryːbəˈlai] *f* ⟨**-, -en**⟩ brooding *no pl* **grübeln** [ˈgryːbln] *v/i* to brood (*über +acc* about, over)

Grubenunglück *nt* mining accident *or* disaster

Grübler [ˈgryːblɐ] *m* ⟨**-s, -**⟩, **Grüblerin** [-ərɪn] *f* ⟨**-, -nen**⟩ brooder **grüblerisch** [ˈgryːblərɪʃ] *adj* pensive

grüezi [ˈgryːɛtsi] *int* (*Swiss*) hello, hi (*infml*)

Gruft [grʊft] *f* ⟨**-, ⸚e** [ˈgrʏftə]⟩ tomb, vault; (*in Kirchen*) crypt **Grufti** [ˈgrʊfti] *m* ⟨**-s, -s**⟩ **1.** (*infml* ≈ *älterer Mensch*) old fogey (*infml*) **2.** (*sl* ≈ *Okkultist*) ≈ goth

grün [gryːn] **I** *adj* green; ***~er Salat*** lettuce; ***ein ~er Junge*** (*infml*) a greenhorn (*infml*); ***~es Licht (für etw) geben/haben*** (*fig*) to give/have got the green light (for sth); ***im ~en Bereich*** (*fig*) all clear; ***vom ~en Tisch aus*** from a bureaucratic ivory tower; ***~e Minna*** (*infml*) Black Maria (*Br infml*), paddy wagon (*US infml*); ***Grüner Punkt*** *symbol for recyclable packaging*; ***die ~e Tonne*** container for recyclable waste; ***~e Welle*** phased traffic lights; ***auf keinen ~en Zweig kommen*** (*fig infml*) to get nowhere; ***die beiden sind sich gar nicht ~*** (*infml*) there's no love lost between them **II** *adv gekleidet* (in) green; *streichen* green; ***sich ~ und gelb ärgern*** (*infml*) to be furious; ***jdn ~ und blau schlagen*** (*infml*) to beat sb black and blue **Grün** [gryːn] *nt* ⟨**-s, -** *or* (*inf*) **-s**⟩ green; (≈ *Grünflächen*) green spaces *pl*; ***die Ampel steht auf ~*** the light is (at (*Br*)) green; ***das ist dasselbe in ~*** (*infml*) it's (one and) the same (thing) **Grünanlage** *f* green space

Grund [grʊnt] *m* ⟨**-(e)s, ⸚e** [ˈgrʏndə]⟩ **1.** *no pl* (≈ *Erdboden*) ground; ***~ und Boden*** land; ***in ~ und Boden*** (*fig*) *sich blamieren, schämen* utterly; *verdammen* outright **2.** *no pl* (*von Gefäßen*) bottom; (≈ *Meeresgrund*) (sea)bed **3.** *no pl* (≈ *Fundament*) foundation(s *pl*); ***von ~ auf*** completely; *ändern* fundamentally; *neu gebaut* from scratch; ***den ~ zu etw legen*** to lay the foundations of *or* for sth; ***einer Sache*** (*dat*) ***auf den ~ gehen*** (*fig*) to get to the bottom of sth; ***im ~e seines Herzens*** in one's heart of hearts; ***im ~e (genommen)*** basically **4.** (≈ *Ursache*) reason; ***aus gesundheitlichen*** *etc* ***Gründen*** for health *etc* reasons; ***einen ~ zum Feiern haben*** to have good cause for (a) celebration; ***jdm ~ (zu etw) geben*** to give sb good reason (for sth); ***aus diesem ~*** for this reason; ***mit gutem ~*** with good reason; ***aus Gründen*** *+gen* for reasons of; ***auf ~ = aufgrund***; ***zu ~e = zugrunde*** **grundanständig** *adj* thoroughly decent **Grundanstrich** *m* first coat **Grundausbildung** *f* MIL basic training **Grundausstattung** *f* basic equipment **Grundbedeutung** *f* LING primary *or* basic meaning **Grundbegriff** *m* basic concept **Grundbesitz** *m* land **Grundbesitzer(in)** *m*/(*f*) landowner **Grundbuch** *nt* land register **grundehrlich** *adj* thoroughly honest **gründen** [ˈgrʏndn] **I** *v/t* to found; *Argument etc* to base (*auf +acc* on); *Geschäft* to set up; ***gegründet 1857*** founded in 1857; ***eine Familie ~*** to get married (and have a family) **II** *v/r* ***sich auf etw*** (*acc*) ***~*** to be based on sth **Gründer** [ˈgrʏndɐ] *m* ⟨**-s, -**⟩, **Gründerin** [-ərɪn] *f* ⟨**-, -nen**⟩ founder **grundfalsch** *adj* utterly wrong **Grundfarbe** *f* primary colour (*Br*) *or* color (*US*) **Grundform** *f* basic form **Grundgebühr** *f* basic charge **Grundgedanke** *m* basic idea **Grundgesetz** *nt* ***das ~*** the (German) Constitution **grundieren** [grʊnˈdiːrən] *past part* ***grundiert*** *v/t* to undercoat **Grundierfarbe** *f* undercoat **Grundierung** *f* ⟨**-, -en**⟩ (≈ *Farbe*) undercoat **Grundkapital** *nt* share capital; (≈ *Anfangskapital*) initial capital **Grundkenntnisse** *pl* basic knowledge (*in +dat* of), basics *pl* **Grundkurs** *m* SCHOOL, UNIV basic course **Grundlage** *f* basis; ***auf der ~ von*** *or* *+gen* on the basis of; ***jeder ~ entbehren*** to be completely unfounded **grundlegend I** *adj* fundamental (*für* to); *Textbuch* standard **II** *adv* fundamentally

gründlich ['grʏntlɪç] **I** *adj* thorough; *Arbeit* painstaking **II** *adv* thoroughly; ***jdm ~ die Meinung sagen*** to give sb a real piece of one's mind; ***da haben Sie sich ~ getäuscht*** you're completely mistaken there
Gründlichkeit *f* ⟨-, *no pl*⟩ thoroughness
Grundlinie *f* MAT, SPORTS baseline
Grundlohn *m* basic pay
grundlos I *adj* (*fig* ≈ *unbegründet*) unfounded **II** *adv* (*fig*) without reason
Grundmauer *f* foundation wall
Grundnahrungsmittel *nt* basic food (-stuff)
Gründonnerstag [gryːn'dɔnɐstaːk] *m* Maundy Thursday
Grundprinzip *nt* basic principle **Grundrechenart** *f* basic arithmetical operation **Grundrecht** *nt* basic *or* fundamental right **Grundregel** *f* basic rule; (*fürs Leben etc*) maxim **Grundriss** *m* (*von Gebäude*) ground *or* floor plan; (≈ *Abriss*) outline, sketch **Grundsatz** *m* principle **Grundsatzentscheidung** *f* decision of general principle **grundsätzlich** ['grʊntzɛtslɪç] **I** *adj* fundamental; *Verbot* absolute; *Frage* of principle **II** *adv* (≈ *im Prinzip*) in principle; (≈ *aus Prinzip*) on principle; ***das ist ~ verboten*** it is absolutely forbidden **Grundschule** *f* primary (*Br*) *or* elementary school **Grundschüler(in)** *m/(f)* primary (*Br*) *or* elementary(-school) pupil **Grundstein** *m* foundation stone; ***den ~ zu etw legen*** (*fig*) to lay the foundations of *or* for sth **Grundsteuer** *f* (local) property tax **Grundstock** *m* basis, foundation **Grundstoff** *m* basic material; (≈ *Rohstoff*) raw material; CHEM element **Grundstück** *nt* plot (of land); (*bebaut*) property; (≈ *Anwesen*) estate **Grundstückspreis** *m* land price **Grundstudium** *nt* UNIV basic course **Grundstufe** *f* first stage; SCHOOL ≈ junior (*Br*) *or* grade (*US*) school **Grundton** *m*, *pl* **-töne** (MUS, *eines Akkords*) root; (*einer Tonleiter*) tonic keynote **Grundübel** *nt* basic *or* fundamental evil; (≈ *Nachteil*) basic problem **Gründung** *f* ⟨-, **-en**⟩ founding; (*von Geschäft*) setting up; ***die ~ einer Familie*** getting married (and having a family) **grundverkehrt** *adj* completely wrong **grundverschieden** *adj* totally different **Grundwasser** *nt*, *no pl* ground water **Grundwasserspiegel** *m* water table **Grundwehrdienst** *m* national (*Br*) *or* selective (*US*) service **Grundwissen** *nt* basic knowledge (*in +dat* of) **Grundwortschatz** *m* basic vocabulary **Grundzug** *m* essential feature
Grüne(r) ['gryːnə] *m/f(m) decl as adj* POL Green; ***die ~n*** the Greens **Grüne(s)** ['gryːnə] *nt decl as adj* (≈ *Farbe*) green; (≈ *Gemüse*) greens *pl*; ***ins ~ fahren*** to go to the country **Grünfläche** *f* green space **Grünfutter** *nt* green fodder **Grüngürtel** *m* green belt **Grünkohl** *m* (curly) kale **grünlich** ['gryːnlɪç] *adj* greenish **Grünschnabel** *m* (*infml*) (little) whippersnapper (*infml*); (≈ *Neuling*) greenhorn (*infml*) **Grünspan** *m*, *no pl* verdigris **Grünspecht** *m* green woodpecker **Grünstreifen** *m* central reservation (*Br*), median (strip) (*US*, *Austral*); (*am Straßenrand*) grass verge
grunzen ['grʊntsn] *v/t & v/i* to grunt
Grünzeug *nt*, *no pl* greens *pl*
Gruppe ['grʊpə] *f* ⟨-, **-n**⟩ group **Gruppenarbeit** *f* teamwork **Gruppenbild** *nt* group portrait **Gruppenführer(in)** *m/(f)* group leader; MIL squad leader **Gruppenreise** *f* group travel *no pl* **Gruppensex** *m* group sex **Gruppentherapie** *f* group therapy **Gruppenunterricht** *m* group learning **gruppenweise** *adv* in groups **gruppieren** [grʊ'piːrən] *past part* **gruppiert I** *v/t* to group **II** *v/r* to form a group/groups **Gruppierung** *f* ⟨-, **-en**⟩ grouping; (≈ *Gruppe*) group; POL faction
Gruselfilm *m* horror film **gruselig** ['gruːzəlɪç] *adj* horrifying; *Geschichte, Film* spine-chilling **gruseln** ['gruːzln] **I** *v/t & v/i impers* ***mich or mir gruselt auf Friedhöfen*** cemeteries give me the creeps **II** *v/r* ***sie gruselt sich vor Schlangen*** snakes give her the creeps
Gruß [gruːs] *m* ⟨**-es, =e** ['gryːsə]⟩ **1.** greeting; (≈ *Grußgeste*, MIL) salute; ***viele Grüße*** best wishes (*an +acc* to); ***sag ihm einen schönen ~*** say hello to him (from me) **2.** (*als Briefformel*) ***mit besten Grüßen*** yours; ***mit freundlichen Grüßen*** (*bei Anrede Mr/Mrs/Miss X*) Yours sincerely, Yours truly (*esp US*); (*bei Anrede Sir(s)/Madam*) Yours faithfully, Yours truly (*esp US*) **grüßen** ['gryːsn] **I** *v/t* to greet; MIL to salute; ***grüß dich!*** (*infml*) hi! (*infml*); ***Otto lässt dich (schön) ~*** Otto sends his regards;

ich soll Sie von ihm ~ he sends his regards *etc*; ***grüß deine Mutter von mir!*** give my regards to your mother **II** *v/i* to say hello; MIL to salute; ***Otto lässt ~*** Otto sends his regards; → ***Gott*** **Grußformel** *f* form of greeting; (*am Briefanfang*) salutation; (*am Briefende*) complimentary close **Grußwort** *nt, pl* ***-worte*** greeting

Grütze ['grʏtsə] *f* ⟨-, *-n*⟩ **1.** (≈ *Brei*) gruel; ***rote ~*** *type of red fruit jelly* **2.** *no pl* (*infml* ≈ *Verstand*) brains *pl* (*infml*)

gschamig ['kʃaːmɪç] *adj* (*Aus infml*) bashful

gucken ['gʊkn] **I** *v/i* (≈ *sehen*) to look (*zu* at); (≈ *hervorschauen*) to peep (*aus* out of); ***lass mal ~!*** let's have a look **II** *v/t* (*infml*) ***Fernsehen ~*** to watch television **Guckloch** *nt* peephole

Guerilla *m* ⟨-(*s*), *-s*⟩ (≈ *Guerillakämpfer*) guerilla **Guerillakrieg** *m* guerilla war

Gugelhupf ['guːglhʊpf] *m* ⟨*-s, -e*⟩ (*S Ger, Aus*), **Gugelhopf** ['guːglhɔpf] *m* ⟨*-s, -e*⟩ (*Swiss*) (COOK) gugelhupf

Guillotine [gɪljo'tiːnə, gijo'tiːnə] *f* ⟨-, *-n*⟩ guillotine

Guinea [gi'neːa] *nt* ⟨*-s*⟩ GEOG Guinea

Gulasch ['guːlaʃ, 'gʊlaʃ] *nt or m* ⟨-(*e*)*s*, *-e or -s*⟩ goulash **Gulaschsuppe** *f* goulash soup

Gülle ['gʏlə] *f* ⟨-, *no pl*⟩ (*S Ger, Swiss*) liquid manure

Gully ['gʊli] *m or nt* ⟨*-s, -s*⟩ drain

gültig ['gʏltɪç] *adj* valid; ***~ werden*** to become valid; (*Gesetz, Vertrag*) to come into force **Gültigkeit** *f* ⟨-, *no pl*⟩ validity; (*von Gesetz*) legal force

Gummi ['gʊmi] *nt or m* ⟨*-s, -s*⟩ (≈ *Material*) rubber; (≈ *Gummiarabikum*) gum; (≈ *Radiergummi*) rubber (*Br*), eraser; (≈ *Gummiband*) rubber band; (*in Kleidung etc*) elastic; (*infml* ≈ *Kondom*) rubber (*esp US infml*), Durex® **gummiartig I** *adj* rubbery **II** *adv* like rubber **Gummiband** *nt, pl* ***-bänder*** rubber band; (*in Kleidung*) elastic **Gummibärchen** [-bɛːɐçən] *nt* ⟨*-s, -*⟩ ≈ jelly baby (*Br*), gummi bear **Gummibaum** *m* rubber plant **Gummiboot** *nt* rubber dinghy **Gummierung** *f* ⟨-, *-en*⟩ (≈ *gummierte Fläche*) gum **Gummihandschuh** *m* rubber glove **Gummiknüppel** *m* rubber truncheon **Gummiparagraf, Gummiparagraph** *m* (*infml*) ambiguous clause **Gummireifen** *m* rubber tyre (*Br*) *or* tire (*US*) **Gummisohle** *f* rubber sole **Gummistiefel** *m* rubber boot, wellington (boot) (*Br*) **Gummistrumpf** *m* elastic stocking **Gummizelle** *f* padded cell **Gummizug** *m* (piece of) elastic

Gunst [gʊnst] *f* ⟨-, *no pl*⟩ favour (*Br*), favor (*US*); ***zu meinen/deinen ~en*** in my/your favo(u)r; ***zu ~en*** = ***zugunsten***

günstig ['gʏnstɪç] **I** *adj* favourable (*Br*), favorable (*US*); (*zeitlich*) convenient; ***bei ~er Witterung*** weather permitting; ***im ~sten Fall(e)*** with luck **II** *adv kaufen, verkaufen* for a good price; ***die Stadt liegt ~ (für)*** the town is well situated (for) **günstigenfalls** *adv* at best **günstigstenfalls** *adv* at the very best

Günstling ['gʏnstlɪŋ] *m* ⟨*-s, -e*⟩ (*pej*) favourite (*Br*), favorite (*US*)

Gurgel ['gʊrgl] *f* ⟨-, *-n*⟩ throat; (≈ *Schlund*) gullet; ***jdm die ~ zuschnüren*** to strangle sb **gurgeln** ['gʊrgln] *v/i* (≈ *den Rachen spülen*) to gargle

Gurke ['gʊrkə] *f* ⟨-, *-n*⟩ cucumber; (≈ *Essiggurke*) gherkin; ***saure ~n*** pickled gherkins **Gurkensalat** *m* cucumber salad

gurren ['gʊrən] *v/i* to coo

Gurt [gʊrt] *m* ⟨-(*e*)*s*, *-e*⟩ belt; (≈ *Riemen*) strap

Gürtel ['gʏrtl] *m* ⟨*-s, -*⟩ belt; (≈ *Absperrkette*) cordon; ***den ~ enger schnallen*** to tighten one's belt **Gürtellinie** *f* waist; ***ein Schlag unter die ~*** (*lit*) a blow below the belt **Gürtelreifen** *m* radial (tyre (*Br*) *or* tire (*US*)) **Gürtelrose** *f* MED shingles *sg or pl* **Gürtelschnalle** *f* belt buckle **Gürteltasche** *f* belt bag **Gürteltier** *nt* armadillo

Gurtpflicht *f, no pl*, **Gurtzwang** *m, no pl* ***es besteht ~*** the wearing of seat belts is compulsory

Guru ['guːru] *m* ⟨*-s, -s*⟩ guru

Guss [gʊs] *m* ⟨*-es, ¨-e* ['gʏsə]⟩ **1.** METAL *no pl*: (≈ *das Gießen*) casting; (≈ *Gussstück*) cast; (***wie***) ***aus einem ~*** (*fig*) a unified whole **2.** (≈ *Strahl*) stream; (*infml* ≈ *Regenguss*) downpour **Gusseisen** *nt* cast iron **gusseisern** *adj* cast-iron **Gussform** *f* mould (*Br*), mold (*US*)

gut [guːt] **I** *adj, comp* **besser** ['bɛsɐ], *sup* **beste**(*r, s*) ['bɛstə] good; ***das ist ~ gegen Husten*** it's good for coughs; ***wozu ist das ~?*** (*infml*) what's that for?; ***würden Sie so ~ sein und ...*** would you be good enough to ...; ***dafür ist er sich zu ~***

he wouldn't stoop to that sort of thing; ***sind die Bilder ~ geworden?*** did the pictures turn out all right?; ***es wird alles wieder ~!*** everything will be all right; ***wie ~, dass …*** it's good that …; ***lass mal ~ sein!*** (≈ *ist genug*) that's enough; (≈ *ist erledigt*) just leave it; ***jetzt ist aber ~!*** (*infml*) that's enough; ***~e Besserung!*** get well soon; ***schon ~!*** (it's) all right; ***du bist ~!*** (*infml*) you're a fine one! **II** *adv, comp* ***besser***, *sup* ***am besten*** well; ***~ schmecken/riechen*** to taste/smell good; ***du hast es ~!*** you've got it made; ***das kann ~ sein*** that may well be; ***so ~ wie nichts*** next to nothing; ***es dauert ~(e) drei Stunden*** it lasts a good three hours; ***~ aussehend*** good-looking; ***~ bezahlt*** *Person, Job* highly-paid; ***~ gehend*** flourishing; ***~ gelaunt*** cheerful; ***~ gemeint*** well-meaning, well-meant; ***~ verdienend*** with a good salary; ***~ und gern*** easily; ***machs ~!*** (*infml*) cheers! (*Br*); (*stärker*) take care

Gut [guːt] *nt* ⟨***-(e)s, ⸚er*** ['gyːtɐ]⟩ **1.** (≈ *Eigentum*) property; (≈ *Besitztum*) possession **2.** (≈ *Ware*) item; ***Güter*** goods **3.** (≈ *Landgut*) estate

Gutachten ['guːt|axtn] *nt* ⟨***-s, -***⟩ report **Gutachter** ['guːt|axtɐ] *m* ⟨***-s, -***⟩, **Gutachterin** [-ərɪn] *f* ⟨***-, -nen***⟩ expert; (JUR: *in Prozess*) expert witness **gutartig** *adj Kind, Hund etc* good-natured; *Geschwulst* benign **gutaussehend** *adj* → ***gut*** **gutbürgerlich** *adj* solid middle-class; *Küche* good plain **Gutdünken** ['guːtdʏŋkn] *nt* ⟨***-s,*** *no pl*⟩ discretion; ***nach (eigenem) ~*** as one sees fit

Güte ['gyːtə] *f* ⟨*-, no pl*⟩ **1.** goodness; ***ein Vorschlag zur ~*** a suggestion; ***ach du liebe ~!*** (*infml*) oh my goodness! **2.** (*einer Ware*) quality **Güteklasse** *f* COMM grade

Gutenachtkuss [guːtə'naxt-] *m* goodnight kiss

Güterbahnhof *m* freight depot **Gütergemeinschaft** *f* JUR community of property **Gütertrennung** *f* JUR separation of property **Güterverkehr** *m* freight traffic **Güterwagen** *m* RAIL freight car **Güterzug** *m* freight train

Gute(s) ['guːtə] *nt decl as adj* ***~s tun*** to do good; ***alles ~!*** all the best!; ***des ~n zu viel tun*** to overdo things; ***das ~ daran*** the good thing about it; ***das ~ im Menschen*** the good in man; ***im ~n*** *sich trennen* amicably

Gütesiegel *nt* COMM stamp of quality **Gütezeichen** *nt* mark of quality

gut gehen *irr aux sein* **I** *v/i impers* ***es geht ihm gut*** he is doing well; (≈ *er ist gesund*) he is well **II** *v/i* to go (off) well; ***das ist noch einmal gut gegangen*** it turned out all right; ***das konnte ja nicht ~*** it was bound to go wrong **gutgehend** *adj attr*; → ***gut*** **gutgläubig** *adj* trusting **Gutgläubigkeit** *f* trusting nature **Guthaben** ['guːthaːbn] *nt* ⟨***-s, -***⟩ (FIN ≈ *Bankguthaben*) credit **gutheißen** ['guːthaisn] *v/t sep irr* to approve of; (≈ *genehmigen*) to approve **gutherzig** *adj* kind-hearted

gütig ['gyːtɪç] *adj* kind; (≈ *edelmütig*) generous

gütlich ['gyːtlɪç] **I** *adj* amicable **II** *adv* amicably; ***sich ~ einigen*** to come to an amicable agreement

gutmachen *v/t sep Fehler* to put right; *Schaden* to make good **gutmütig** ['guːtmyːtɪç] *adj* good-natured **Gutmütigkeit** *f* ⟨*-, no pl*⟩ good nature

Gutsbesitzer(in) *m/(f)* lord/lady of the manor; (*als Klasse*) landowner

Gutschein *m* voucher **gutschreiben** ['guːtʃraibn] *v/t sep irr* to credit (*+dat* to) **Gutschrift** *f* (≈ *Bescheinigung*) credit note; (≈ *Betrag*) credit (item)

Gutsherr *m* squire **Gutsherrin** *f* lady of the manor **Gutshof** *m* estate **Gutsverwalter(in)** *m/(f)* steward

guttun *v/i irr* ***jdm ~*** to do sb good; ***das tut gut*** that's good **gutunterrichtet** *adj attr*; → ***unterrichtet*** **gutwillig** *adj* willing; (≈ *entgegenkommend*) obliging; (≈ *wohlwollend*) well-meaning **Gutwilligkeit** ['guːtvɪlɪçkait] *f* ⟨***-,*** *no pl*⟩ willingness; (≈ *Entgegenkommen*) obliging ways *pl*; (≈ *Wohlwollen*) well-meaningness

GVO *abbr of* ***genetisch veränderte Organismen*** GMO

gymnasial [gʏmna'ziaːl] *adj attr* ***die ~e Oberstufe*** ≈ the sixth form (*Br*), ≈ the twelfth grade (*US*) **Gymnasiast** [gʏmna'ziast] *m* ⟨***-en, -en***⟩, **Gymnasiastin** [-'ziastɪn] *f* ⟨***-, -nen***⟩ ≈ grammar school pupil (*Br*), ≈ high school student (*US*) **Gymnasium** [gʏm'naːziʊm] *nt* ⟨***-s, Gymnasien*** [-ziən]⟩ SCHOOL ≈ grammar school (*Br*), ≈ high school (*US*)

Gymnastik [gʏm'nastɪk] *f* ⟨*-, no pl*⟩ keep-fit exercises *pl*; (≈ *Turnen*) gymnastics *sg* **Gymnastikanzug** *m* leotard **Gymnastikball** *m* exercise ball **Gymnastiklehrer(in)** *m/(f)* gymnastics teacher **gymnastisch** [gʏm'nastɪʃ] *adj* gymnastic

Gynäkologe [gynɛko'loːgə] *m* ⟨**-n, -n**⟩, **Gynäkologin** [-'loːgɪn] *f* ⟨**-, -nen**⟩ gynaecologist (*Br*), gynecologist (*US*) **Gynäkologie** [gynɛkolo'giː] *f* ⟨**-**, *no pl*⟩ gynaecology (*Br*), gynecology (*US*) **gynäkologisch** [gynɛko'loːgɪʃ] *adj* gynaecological (*Br*), gynecological (*US*)

Gyros ['gyːrɔs] *nt* ⟨**-**, *no pl*⟩ ≈ doner kebab

H

H, h [haː] *nt* ⟨**-, -**⟩ H, h

Haar [haːɐ] *nt* ⟨**-(e)s, -e**⟩ hair; ***sich*** (*dat*) ***die ~e schneiden lassen*** to get one's hair cut; ***jdm kein ~ krümmen*** not to harm a hair on sb's head; ***darüber lass dir keine grauen ~e wachsen*** don't worry your head about it; ***sie gleichen sich*** (*dat*) ***aufs ~*** they are the spitting image of each other; ***das ist an den ~en herbeigezogen*** that's rather far-fetched; ***an jdm/etw kein gutes ~ lassen*** to pull sb/sth to pieces; ***sich*** (*dat*) ***in die ~e geraten*** to quarrel; ***um kein ~ besser*** not a bit better; ***um ein ~*** very nearly **Haarausfall** *m* hair loss **haaren** ['haːrən] *v/i* (*Tier*) to moult (*Br*), to molt (*US*); (*Pelz etc*) to shed (hair) **Haaresbreite** ['haːrəsbraitə] *f inv* (**nur**) **um ~** very nearly; *verfehlen* by a hair's breadth **Haarfarbe** *f* hair colour (*Br*) *or* color (*US*) **Haarfestiger** *m* (hair) setting lotion **Haargel** *nt* hair gel **haargenau I** *adj* exact; *Übereinstimmung* total **II** *adv* exactly **haarig** ['haːrɪç] *adj* hairy **Haarklammer** *f* (≈ *Klemme*) hairgrip (*Br*), bobby pin (*US*); (≈ *Spange*) hair slide (*Br*), barrette (*US*) **haarklein** (*infml*) **I** *adj Beschreibung* detailed **II** *adv* in great detail **Haarnadelkurve** *f* hairpin bend **Haarpflege** *f* hair care **Haarriss** *m* hairline crack **haarscharf I** *adj Beschreibung* exact; *Beobachtung* very close **II** *adv treffen* exactly; *folgern* precisely **Haarschleife** *f* hair ribbon **Haarschnitt** *m* haircut **Haarspalterei** [-ʃpaltə'rai] *f* ⟨**-, -en**⟩ splitting hairs *no indef art, no pl* **Haarspange** *f* hair slide (*Br*), barrette (*US*) **Haarspliss** *m* split ends *pl* **Haarspray** *nt or m* hairspray **Haarspülung** *f* (hair) conditioner **haarsträubend** [-ʃtrɔybnt] *adj* hair-raising; (≈ *empörend*) shocking; *Frechheit* incredible **Haarteil** *nt* hairpiece **Haartönung** *f* tinting **Haartrockner** [-trɔknɐ] *m* ⟨**-s, -**⟩ hairdryer **Haarwäsche** *f* washing one's hair *no art* **Haarwaschmittel** *nt* shampoo **Haarwasser** *nt*, *pl* **-wässer** hair lotion **Haarwuchs** *m* growth of hair

Hab [haːp] *nt* **~ *und Gut*** possessions, worldly goods *all pl* **Habe** ['haːbə] *f* ⟨**-**, *no pl*⟩ (*elev*) belongings *pl* **haben** ['haːbn] *pres* **hat** [hat], *pret* **hatte** ['hatə], *past part* **gehabt** [gə'haːpt] **I** *aux* ***ich habe/hatte gerufen*** I have/had called; ***du hättest den Brief früher schreiben können*** you could have written the letter earlier **II** *v/t* **1.** to have; ***wir ~ ein Haus/Auto*** we've got a house/car; ***sie hatte blaue Augen*** she had blue eyes; ***er hat eine große Nase*** he's got a big nose; ***was möchten Sie ~?*** what would you like?; ***da hast du 10 Euro*** there's 10 euros; ***wie hätten Sie es gern?*** how would you like it?; ***Schule/Unterricht ~*** to have school/lessons; ***heute ~ wir 10°*** it's 10° today; ***wie viel Uhr ~ wir?*** what's the time?; ***was für ein Datum ~ wir heute?*** what's today's date?; ***Zeit ~, etw zu tun*** to have the time to do sth; ***was hat er denn?*** what's the matter with him?; ***hast du was?*** is something the matter?; ***ich habe nichts*** I'm all right; ***ein Meter hat 100 cm*** there are 100 cm in a metre (*Br*) *or* meter (*US*) **2.** (*mit Präposition*) ***das hat er/sie/es so an sich*** (*dat*) that's just the way he/she/it is; ***es am Herzen ~*** (*infml*) to have heart trouble; ***das hat etwas für sich*** there's something to be said for that; ***etwas gegen jdn/etw ~*** to have something against sb/sth; ***es in den Beinen ~*** (*infml* ≈ *leiden*) to have trouble with one's legs; ***das hat es in sich*** (*infml*) (≈ *schwierig*) that's a tough one; ***etwas mit jdm ~***

(*euph*) to have a thing with sb (*infml*); ***etwas von etw ~*** (*infml*) to get something out of sth; ***das hast du jetzt davon!*** now see what's happened!; ***das hat er von seinem Leichtsinn*** that's what comes of his foolishness; ***nichts von etw ~*** to get nothing out of sth; ***sie hat viel von ihrem Vater*** she's very like her father **3.** ***es gut/bequem ~*** to have it good/easy; ***es schlecht ~*** to have a bad time; ***er hat es nicht leicht mit ihr*** he has a hard time with her; ***nichts mehr zu essen ~*** to have nothing left to eat; ***du hast zu gehorchen*** you have to obey; ***etw ist zu ~*** (≈ *erhältlich*) sth is to be had; ***jd ist zu ~*** (≈ *nicht verheiratet*) sb is single; (*sexuell*) sb is available; ***für etw zu ~ sein*** to be ready for sth; ***ich habs!*** (*infml*) I've got it!; ***wie gehabt*** as before **III** *v/impers* ***damit hat es noch Zeit*** it can wait; ***und damit hat es sich*** (*infml*) and that's that **IV** *v/r* ***sich ~*** (≈ *sich anstellen, infml*) to make a fuss **Haben** ['haːbn] *nt* ⟨**-s,** *no pl*⟩ credit **Habenichts** ['haːbənɪçts] *m* ⟨**-(es), -e**⟩ have-not **Habenseite** *f* credit side **Habgier** *f* greed **habgierig** *adj* greedy

Habicht ['haːbɪçt] *m* ⟨**-s, -e**⟩ hawk

Habilitation [habilita'tsioːn] *f* ⟨**-, -en**⟩ postdoctoral lecturing qualification **habilitieren** [habili'tiːrən] *past part* ***habilitiert*** *v/r* to qualify as a professor

Habitat [habi'taːt] *nt* ⟨**-s, -e**⟩ ZOOL habitat

Habseligkeiten ['haːpzeːlɪçkaitn] *pl* belongings *pl*

Habsucht ['haːpzʊxt] *f* greed, acquisitiveness **habsüchtig** ['haːpzʏçtɪç] *adj* greedy, acquisitive

Hachse ['haksə] *f* ⟨**-, -n**⟩ COOK leg (joint); (*S Ger infml*) (≈ *Fuß*) foot; (≈ *Bein*) leg

Hackbraten *m* meat loaf

Hacke[1] ['hakə] *f* ⟨**-, -n**⟩ (*dial*, MIL ≈ *Absatz*) heel; ***die ~n zusammenschlagen*** MIL to click one's heels

Hacke[2] *f* ⟨**-, -n**⟩ (≈ *Pickel*) pickaxe (*Br*), pickax (*US*); (≈ *Gartenhacke*) hoe **hacken** ['hakn] **I** *v/t* **1.** (≈ *zerkleinern*) to chop **2.** *Erdreich* to hoe **3.** (*mit spitzem Gegenstand*) *Loch* to hack; (*Vogel*) to peck **II** *v/i* **1.** (*mit dem Schnabel*) to peck; (*mit spitzem Gegenstand*) to hack; ***nach jdm/etw ~*** to peck at sth/sb **2.** IT to hack (*in +acc* into)

Hacken ['hakn] *m* ⟨**-s, -**⟩ (≈ *Ferse*) heel

Hacker ['hakɐ] *m* ⟨**-s, -**⟩, **Hackerin** [-ərɪn] *f* ⟨**-, -nen**⟩ IT hacker

Hackfleisch *nt* mince (*Br*), ground meat (*US*); ***aus jdm ~ machen*** (*infml*) to make mincemeat of sb (*infml*); (≈ *verprügeln*) to beat sb up **Hackordnung** *f* pecking order

Hafen ['haːfn] *m* ⟨**-s, ⸚** ['hɛːfn]⟩ harbour (*Br*), harbor (*US*); (≈ *Handelshafen*) port; (≈ *Jachthafen*) marina; (≈ *Hafenanlagen*) docks *pl* **Hafenarbeiter(in)** *m/(f)* dockworker **Hafenrundfahrt** *f* (boat-)trip round the harbo(u)r **Hafenstadt** *f* port

Hafer ['haːfɐ] *m* ⟨**-s, -**⟩ oats *pl*; ***ihn sticht der ~*** (*infml*) he's feeling his oats (*infml*) **Haferbrei** *m* porridge **Haferflocken** *pl* rolled oats *pl*

Haferl ['haːfɐl] *nt* ⟨**-s, -**⟩, **Häferl** ['hɛːfɐl] *nt* ⟨**-s, -**⟩ (*Aus* ≈ *große Tasse*) mug

Haferschleim *m* gruel

Haft [haft] *f* ⟨**-,** *no pl*⟩ (*vor dem Prozess*) custody; (≈ *Haftstrafe*) imprisonment; (*politisch*) detention; ***sich in ~ befinden*** to be in custody/prison/detention; ***in ~ nehmen*** to take into custody **Haftanstalt** *f* detention centre (*Br*) *or* center (*US*) **haftbar** *adj* (*für jdn*) legally responsible; (*für etw*) (legally) liable; ***jdn für etw ~ machen*** to make sb liable for sth **Haftbefehl** *m* warrant; ***einen ~ gegen jdn ausstellen*** to issue a warrant for sb's arrest

haften[1] ['haftn] *v/i* JUR ***für jdn ~*** to be (legally) responsible for sb; ***für etw ~*** to be (legally) liable for sth

haften[2] *v/i* **1.** (≈ *kleben*) to stick (*an +dat* to); ***an jdm ~*** (*fig*: *Makel etc*) to stick to sb **2.** (*Erinnerung*) to stick (in one's mind); (*Blick*) to become fixed **haften bleiben** *v/i irr aux sein* to stick (*an or auf +dat* to)

Häftling ['hɛftlɪŋ] *m* ⟨**-s, -e**⟩ prisoner

Haftnotiz *f* Post-it® **Haftpflicht** *f* (legal) liability **haftpflichtig** [-pflɪçtɪç] *adj* liable **haftpflichtversichert** [-fɛɐzɪçɐt] *adj* ***~ sein*** to have personal *or* public (*US*) liability insurance; (*Autofahrer*) ≈ to have third-party insurance **Haftpflichtversicherung** *f* personal *or* public (*US*) liability insurance *no indef art*; (*von Autofahrer*) ≈ third-party insurance **Haftstrafe** *f* prison sentence **Haftung** ['haftʊŋ] *f* ⟨**-, -en**⟩ **1.** JUR (legal) liability; (*für Personen*) (legal) responsi-

bility **2.** (TECH, PHYS, *von Reifen*) adhesion **Hafturlaub** *m* parole
Hagebutte ['ha:gəbʊtə] *f* ⟨-, **-n**⟩ rose hip
Hagel ['ha:gl] *m* ⟨**-s,** *no pl*⟩ hail; (*von Vorwürfen*) stream **Hagelkorn** *nt*, *pl* **-körner** hailstone **hageln** ['ha:gln] *v/i impers* ***es hagelt*** it's hailing
hager ['ha:gɐ] *adj* gaunt
Häher ['hɛ:ɐ] *m* ⟨**-s, -**⟩ jay
Hahn [ha:n] *m* ⟨**-(e)s, ⸚e** ['hɛ:nə]⟩ **1.** (≈ *Vogel*) cock; ***~ im Korb sein*** (≈ *Mann unter Frauen*) to be cock of the walk; ***danach kräht kein ~ mehr*** (*infml*) no one cares two hoots about that any more (*infml*) **2.** *pl also* **-en** TECH tap, faucet (*US*) **3.** (≈ *Abzug*) trigger **Hähnchen** ['hɛ:nçən] *nt* ⟨**-s, -**⟩ chicken **Hahnenfuß** *m* BOT buttercup
Hai [hai] *m* ⟨**-(e)s, -e**⟩, **Haifisch** *m* shark
Häkchen ['hɛ:kçən] *nt* ⟨**-s, -**⟩ **1.** SEWING (small) hook **2.** (≈ *Zeichen*) tick (*Br*), check (*US*); (*auf Buchstaben*) accent
Häkelarbeit *f* crochet (work) *no indef art*; (≈ *Gegenstand*) piece of crochet (work) **häkeln** ['hɛ:kln] *v/t & v/i* to crochet **Häkelnadel** *f* crochet hook
haken ['ha:kn] **I** *v/i* ***es hakt*** (*fig*) there are sticking points **II** *v/t* (≈ *befestigen*) to hook (*an +acc* to) **Haken** ['ha:kn] *m* ⟨**-s, -**⟩ **1.** hook; ***~ und Öse*** hook and eye **2.** (*infml* ≈ *Schwierigkeit*) snag; ***die Sache hat einen ~*** there's a snag **Hakenkreuz** *nt* swastika **Hakennase** *f* hooked nose
halb [halp] **I** *adj* **1.** half; ***ein ~er Meter*** half a metre (*Br*) *or* meter (*US*); ***eine ~e Stunde*** half an hour; ***auf ~em Wege, auf ~er Strecke*** (*lit*) halfway; (*fig*) halfway through; ***zum ~en Preis*** (at) half price **2.** MUS ***eine ~e Note*** a minim (*Br*), a half-note (*US*); ***ein ~er Ton*** a semitone **3.** *inv* ***~ zehn*** half past nine; ***um fünf Minuten nach ~*** at twenty-five to; ***~ Deutschland/London*** half of Germany/London **4.** (≈ *stückhaft*) ***~e Arbeit leisten*** to do a bad job; ***die ~e Wahrheit*** part of the truth; ***mit ~em Ohr*** with half an ear; ***keine ~en Sachen machen*** not to do things by halves **5.** (*infml* ≈ *großer Teil*) ***die ~e Stadt/Welt*** half the town/world **II** *adv* half; ***~ links*** SPORTS (at) inside left; ***~ rechts*** SPORTS (at) inside right; ***~ voll*** half-full; ***~ verdaut*** half-digested; ***~ so gut*** half as good; ***das ist ~ so schlimm*** it's not as bad as all that; (*Zukünftiges*) that won't be too bad; ***~ fertig*** half-finished; IND semi-finished; ***~ nackt*** half-naked; ***~ tot*** (*lit*) half dead; ***~ lachend, ~ weinend*** half laughing, half crying; ***mit jdm ~e-~e machen*** (*infml*) to go 50/50 with sb **halbamtlich** *adj* semi-official **halbautomatisch** *adj* semi-automatic **halbbitter** *adj Schokolade* semi-sweet **Halbblut** *nt* (≈ *Mensch*) half-caste; (≈ *Tier*) crossbreed **Halbblüter** [-bly:tɐ] *m* ⟨**-s, -**⟩ crossbreed **Halbbruder** *m* half-brother **Halbe** ['halbə] *f decl as adj* (*esp S Ger*) = ***Halbe(r)*** **Halbedelstein** *m* semi-precious stone **Halbe(r)** ['halbə] *m decl as adj* half a litre (*Br*) *or* liter (*US*) (of beer) **halbfertig** *adj attr*; → ***halb*** **halbfest** *adj attr Zustand*, *Materie* semi-solid **halbfett** *adj* **1.** TYPO secondary bold **2.** *Lebensmittel* medium-fat **Halbfinale** *nt* semi-final **Halbgott** *m* demigod **halbherzig** **I** *adj* half-hearted **II** *adv* half-heartedly **halbieren** [hal'bi:rən] *past part* ***halbiert*** *v/t* to halve; (≈ *in zwei schneiden*) to cut in half; ***eine Zahl ~*** to divide a number by two **Halbinsel** *f* peninsula **Halbjahr** *nt* half-year, six months; ***im ersten/zweiten ~*** in the first/last six months of the year **Halbjahresbilanz** *f* half-yearly figures *pl* **Halbjahreszeugnis** *nt* SCHOOL half-yearly report **halbjährig** *adj attr Kind* six-month-old; *Lehrgang etc* six-month **halbjährlich** *adj* half-yearly, six-monthly **Halbkreis** *m* semicircle **Halbkugel** *f* hemisphere **halblang** *adj Kleid*, *Rock* mid-calf length; ***nun mach mal ~!*** (*infml*) now wait a minute! **Halbleiter** *m* PHYS semiconductor **halbmast** ['halpmast] *adv* at half-mast; ***~ flaggen*** to fly flags/a flag at half-mast **Halbmesser** *m* ⟨**-s, -**⟩ radius **Halbmond** *m* half-moon; (≈ *Symbol*) crescent; ***bei ~*** when there is a half-moon **halbnackt** *adj attr*; → ***halb*** **Halbpension** *f* half-board **Halbschatten** *m* half shadow **Halbschlaf** *m* light sleep; ***im ~ sein*** to be half asleep **Halbschuh** *m* shoe **Halbschwester** *f* half-sister **halbseiden** *adj* (*lit*) fifty per cent (*Br*) *or* percent (*US*) silk; (*fig*) *Dame* fast; (≈ *zweifelhaft*) dubious; ***~es Milieu, ~e Kreise*** demimonde **halbseitig** [-zaitɪç] **I** *adj Anzeige etc* half-page; ***~e Lähmung*** one-sided paralysis **II** *adv* ***~ gelähmt*** paralyzed on one side **Halbstarke(r)** *m decl as adj* young hoo-

ligan **halbstündig** [-ʃtʏndɪç] *adj attr* half-hour *attr*, lasting half an hour **halbstündlich I** *adj* half-hourly **II** *adv* every half an hour, half-hourly

halbtags ['halpta:ks] *adv* (≈ *morgens*) in the mornings; (≈ *nachmittags*) in the afternoons; (*in Bezug auf Angestellte*) part-time

Halbtagsbeschäftigung *f* half-day job

Halbtagskraft *f* worker employed for half-days only

Halbton *m*, *pl* **-töne** MUS semitone

halbtrocken *adj Wein* medium-dry

halbvoll *adj attr*; → **halb**

halbwegs ['halp've:ks] *adv* partly; *gut* reasonably; *annehmbar* halfway

Halbwelt *f* demimonde

Halbwert(s)zeit *f* PHYS half-life

Halbwissen *nt* (*pej*) superficial knowledge

Halbzeit *f* (SPORTS) (≈ *Hälfte*) half; (≈ *Pause*) half-time

Halbzeitstand *m* half-time score

Halde ['haldə] *f* ⟨**-**, **-n**⟩ (MIN ≈ *Abbauhalde*) slag heap; (*fig*) mountain; ***etw auf ~ legen*** *Ware*, *Vorräte* to stockpile sth; *Pläne etc* to shelve sth

Halfpipe ['ha:fpaip] *f* ⟨**-**, **-s**⟩ SPORTS half-pipe

Hälfte ['hɛlftə] *f* ⟨**-**, **-n**⟩ **1.** half; ***die ~ der Kinder*** half the children; ***Rentner zahlen die ~*** pensioners pay half price; ***um die ~ mehr*** half as much again; ***um die ~ steigen*** to increase by half; ***um die ~ größer*** half as big again; ***es ist zur ~ fertig*** it is half finished; ***meine bessere ~*** (*hum infml*) my better half (*hum infml*) **2.** (≈ *Mitte*: *einer Fläche*) middle; ***auf der ~ des Weges*** halfway

Halfter[1] ['halftɐ] *m or nt* ⟨**-s**, **-**⟩ (*für Tiere*) halter

Halfter[2] *f* ⟨**-**, **-n** *or nt* **-s**, **-**⟩ (≈ *Pistolenhalfter*) holster

Hall [hal] *m* ⟨**-(e)s**, **-e**⟩ echo

Halle ['halə] *f* ⟨**-**, **-n**⟩ hall; (≈ *Hotelhalle*) lobby; (≈ *Sporthalle*) (sports) hall, gym(-nasium); (≈ *Schwimmhalle*) indoor swimming pool

halleluja [hale'lu:ja] *int* halleluja(h)

hallen ['halən] *v/i* to echo

Hallenbad *nt* indoor swimming pool **Hallenturnier** *nt* SPORTS indoor tournament

hallo [ha'lo:, 'halo] *int* hello

Halluzination [halutsina'tsio:n] *f* ⟨**-**, **-en**⟩ hallucination **halluzinieren** [halutsi'ni:rən] *past part* ***halluziniert*** *v/i* to hallucinate

Halm [halm] *m* ⟨**-(e)s**, **-e**⟩ stalk; (≈ *Grashalm*) blade of grass; (≈ *Strohhalm*) straw

Halogen [halo'ge:n] *nt* ⟨**-s**, **-e**⟩ halogen

Halogen(glüh)lampe *f* halogen lamp

Halogenscheinwerfer *m* halogen headlamp

Hals [hals] *m* ⟨**-es**, **⸚e** ['hɛlzə]⟩ **1.** neck; ***jdm um den ~ fallen*** to fling one's arms (a)round sb's neck; ***sich jdm an den ~ werfen*** (*fig infml*) to throw oneself at sb; ***sich*** (*dat*) ***den ~ brechen*** (*infml*) to break one's neck; ***~ über Kopf*** in a rush; ***jdn am ~ haben*** (*infml*) to be saddled with sb (*infml*) **2.** (≈ *Kehle*) throat; ***sie hat es am*** *or* ***im ~*** (*infml*) she has a sore throat; ***aus vollem ~(e)*** at the top of one's voice; ***aus vollem ~(e) lachen*** to roar with laughter; ***es hängt mir zum ~ heraus*** (*infml*) I'm sick and tired of it; ***sie hat es in den falschen ~ bekommen*** (*infml* ≈ *falsch verstehen*) she took it wrongly; ***er kann den ~ nicht voll*** (***genug***) ***kriegen*** (*fig infml*) he is never satisfied **Halsabschneider(in)** *m*/(*f*) (*pej infml*) shark (*infml*)

Halsband *nt*, *pl* **-bänder** (≈ *Hundehalsband*) collar; (≈ *Schmuck*) necklace

halsbrecherisch ['halsbrɛçərɪʃ] *adj* dangerous; *Tempo* breakneck **Halsentzündung** *f* sore throat **Halskette** *f* necklace **Hals-Nasen-Ohren-Arzt** *m*, **Hals-Nasen-Ohren-Ärztin** *f* ear, nose and throat specialist **Halsschlagader** *f* carotid (artery) **Halsschmerzen** *pl* sore throat *sg* **halsstarrig** [-ʃtarɪç] *adj* obstinate **Halstuch** *nt*, *pl* **-tücher** scarf **Hals- und Beinbruch** *int* good luck **Halsweh** [-ve:] *nt* ⟨**-s**, *no pl*⟩ sore throat

halt[1] [halt] *int* stop

halt[2] *adv* (*dial*) → ***eben*** II3

Halt [halt] *m* ⟨**-(e)s**, **-e**⟩ **1.** (*für Festigkeit*) hold; (≈ *Stütze*) support; ***jdm/einer Sache ~ geben*** to support sb/sth; ***keinen ~ haben*** to have no hold/support; ***ohne inneren ~*** insecure **2.** (*elev* ≈ *Anhalten*) stop; ***~ machen*** = ***haltmachen***

haltbar *adj* **1.** ***~ sein*** (*Lebensmittel*) to keep (well); ***etw ~ machen*** to preserve sth; ***~ bis 6.11.*** use by 6 Nov **2.** (≈ *widerstandsfähig*) durable; *Stoff* hard-wearing; *Beziehung* long-lasting **3.** *Behauptung* tenable; *Zustand*, *Lage* tolerable;

diese Position ist nicht mehr ~ this position can't be maintained any longer **4.** SPORTS stoppable **Haltbarkeit** ['haltbaːɐkait] *f* ⟨**-**, *no pl*⟩ **1.** (*von Lebensmitteln*) ***eine längere ~ haben*** to keep longer **2.** (≈ *Widerstandsfähigkeit*) durability **3.** (*von Behauptung*) tenability **Haltbarkeitsdatum** *nt* best-before date, use-by date **Haltbarkeitsdauer** *f length of time for which food may be kept*; ***eine kurze/lange ~ haben*** to be/not to be perishable

Haltebucht *f* MOT lay-by, rest stop (*US*)

Haltegriff *m* **1.** handle; (*in Bus*) strap; (*an Badewanne*) handrail **2.** SPORTS hold

halten ['haltn] *pret* ***hielt*** [hiːlt], *past part* ***gehalten*** [gə'haltn] **I** *v/t* **1.** (≈ *festhalten*) to hold; ***etw gegen das Licht ~*** to hold sth up to the light **2.** (≈ *tragen*) ***die drei Pfeiler ~ die Brücke*** the three piers support the bridge **3.** (≈ *aufhalten*) to hold; SPORTS to save; ***die Wärme/Feuchtigkeit ~*** to retain heat/moisture; ***ich konnte es gerade noch ~*** I just managed to grab hold of it; ***haltet den Dieb!*** stop thief!; ***sie ist nicht zu ~*** (*fig*) there's no holding her back; ***es hält mich hier nichts mehr*** there's nothing to keep me here any more **4.** (≈ *behalten*) *Rekord* to hold; *Position* to hold (on to) **5.** (≈ *besitzen*) *Haustier* to keep; *Auto* to run; ***sich*** (*dat*) ***eine Geliebte ~*** to keep a mistress **6.** (≈ *erfüllen*) to keep; ***ein Versprechen ~*** to keep a promise **7.** (≈ *aufrechterhalten*) *Niveau* to keep up; *Tempo*, *Temperatur* to maintain; *Kurs* to keep to; ***das Gleichgewicht ~*** to keep one's balance; (***mit jdm***) ***Verbindung ~*** to keep in touch (with sb); ***Abstand ~!*** keep your distance!; ***etw sauber ~*** to keep sth clean; ***viel Sport hält schlank*** doing a lot of sport keeps you slim **8.** (≈ *handhaben*) ***das kannst du*** (***so***) ***~, wie du willst*** that's entirely up to you; ***wir ~ es mit den Abrechnungen anders*** we deal with invoices in a different way **9.** (≈ *veranstalten*) *Fest* to give; *Rede* to make; ***Selbstgespräche ~*** to talk to oneself; ***Unterricht ~*** to teach; ***Mittagsschlaf ~*** to have an afternoon nap **10.** (≈ *einschätzen*) ***jdn/etw für etw ~*** to think sb/sth sth; ***etw für angebracht ~*** to think sth appropriate; ***wofür ~ Sie mich?*** what do you take me for?; ***das halte ich nicht für möglich*** I don't think that is possible; ***etw von jdm/etw ~*** to think sth of sb/sth; ***nicht viel von jdm/etw ~*** not to think much of sb/sth; ***ich halte nichts davon, das zu tun*** I'm not in favour (*Br*) *or* favor (*US*) of (doing) that; ***viel auf etw*** (*acc*) ***~*** to consider sth very important **II** *v/i* **1.** (≈ *festhalten*) to hold; (≈ *haften bleiben*) to stick; SPORTS to make a save **2.** (≈ *haltbar sein*) to last; (*Konserven*) to keep; (*Frisur*) to hold; (*Stoff*) to be hard-wearing; ***Rosen ~ länger, wenn ...*** roses last longer if ... **3.** (≈ *anhalten*) to stop; ***zum Halten bringen*** to bring to a standstill; ***auf sich*** (*acc*) ***~*** (≈ *auf sein Äußeres achten*) to take a pride in oneself; (≈ *selbstbewusst sein*) to be self-confident; ***an sich*** (*acc*) ***~*** (≈ *sich beherrschen*) to control oneself; ***zu jdm ~*** (≈ *beistehen*) to stand by sb **III** *v/r* **1.** (≈ *sich festhalten*) to hold on (*an +dat* to) **2.** ***sich*** (***nach***) ***links ~*** to keep (to the) left; ***sich nach Westen ~*** to keep going westwards; ***ich halte mich an die alte Methode*** I'll stick to the old method; ***sich an ein Versprechen ~*** to keep a promise; ***sich an die Tatsachen ~*** to keep to the facts **3.** (≈ *sich nicht verändern*, *Lebensmittel*, *Blumen*) to keep; (*Wetter*) to last; (*Geruch*, *Rauch*) to linger; (*Preise*) to hold **4.** (≈ *seine Position behaupten*) to hold on; (*in Kampf*) to hold out; ***sich gut ~*** (*in Prüfung*, *Spiel etc*) to do well **5.** ***sich an jdn ~*** (≈ *sich richten nach*) to follow sb; ***ich halte mich lieber an den Wein*** I'd rather stick to wine; ***er hält sich für besonders klug*** he thinks he's very clever **Halter** ['haltɐ] *m* ⟨**-s, -**⟩ **1.** (≈ *Halterung*) holder **2.** (≈ *Sockenhalter*) garter; (≈ *Strumpfhalter*, *Hüfthalter*) suspender (*Br*) *or* garter (*US*) belt **Halter** ['haltɐ] *m* ⟨**-s, -**⟩, **Halterin** [-ərɪn] *f* ⟨**-, -nen**⟩ JUR owner **Halterung** ['haltərʊŋ] *f* ⟨**-, -en**⟩ mounting; (*für Regal etc*) support **Halteschild** *nt*, *pl* ***-schilder*** stop sign **Haltestelle** *f* stop **Halteverbot** *nt* (≈ *Stelle*) no-stopping zone; ***hier ist ~*** there's no stopping here **Halteverbot(s)schild** *nt*, *pl* ***-schilder*** no-stopping sign **haltlos** *adj* (≈ *schwach*) insecure; (≈ *hemmungslos*) unrestrained; (≈ *unbegründet*) groundless **haltmachen** *v/i sep* to stop; ***vor nichts ~*** (*fig*) to stop at nothing; ***vor niemandem ~*** (*fig*) to spare no-one **Haltung** ['haltʊŋ] *f* ⟨**-, -en**⟩ **1.** (≈ *Körperhal-*

tung) posture; (≈ *Stellung*) position; **~ annehmen** *esp* MIL to stand to attention **2.** (*fig* ≈ *Einstellung*) attitude **3.** *no pl* (≈ *Beherrschtheit*) composure; **~ bewahren** to keep one's composure **4.** *no pl* (*von Tieren*, *Fahrzeugen*) keeping

Halunke [ha'lʊŋkə] *m* ⟨**-n, -n**⟩ scoundrel; (*hum*) rascal

Hämatom [hɛma'toːm] *nt* ⟨**-s, -e**⟩ haematoma (*Br*), hematoma (*US*)

Hamburger ['hambʊrgɐ] *m* ⟨**-s, -**⟩ COOK hamburger

hamburgisch ['hambʊrgɪʃ] *adj* Hamburg *attr*

hämisch ['hɛːmɪʃ] **I** *adj* malicious **II** *adv* maliciously

Hammel ['haml] *m* ⟨**-s, -** *or* (*rare*) ⸚ ['hɛml]⟩ **1.** ZOOL wether **2.** *no pl* COOK mutton **Hammelfleisch** *nt* mutton **Hammelkeule** *f* COOK leg of mutton

Hammer ['hamɐ] *m* ⟨**-s,** ⸚ ['hɛmɐ]⟩ hammer; ***unter den ~ kommen*** to come under the hammer **hämmern** ['hɛmɐn] **I** *v/i* to hammer; (*mit den Fäusten etc*) to pound **II** *v/t* to hammer; *Blech etc* to beat **Hammerwerfen** *nt* ⟨**-s,** *no pl*⟩ SPORTS hammer(-throwing) **Hammerwerfer(in)** *m*/(*f*) SPORTS hammer-thrower

Hammondorgel ['hɛmənd-] *f* electric organ

Hämoglobin [hɛmoglo'biːn] *nt* ⟨**-s,** *no pl*⟩ haemoglobin (*Br*), hemoglobin (*US*) **Hämophilie** [hɛmofi'liː] *f* ⟨**-, -n** [-'liːən]⟩ haemophilia (*Br*), hemophilia (*US*) **Hämorrhoiden** [hɛmɔro'iːdən] *pl*, **Hämorriden** [hɛmɔr'iːdən] *pl* piles *pl*, haemorrhoids *pl* (*Br*), hemorrhoids *pl* (*US*)

Hampelmann *m*, *pl* ***-männer*** jumping jack; ***jdn zu einem ~ machen*** (*infml*) to walk all over sb

Hamster ['hamstɐ] *m* ⟨**-s, -**⟩ hamster **Hamsterkauf** *m* panic buying *no pl*; ***Hamsterkäufe machen*** to buy in order to hoard; (*bei Knappheit*) to panic-buy **hamstern** ['hamstɐn] *v/t & v/i* (≈ *ansammeln*) to hoard

Hand [hant] *gen* **Hand**, *pl* **Hände** ['hɛndə] *f* **1.** hand; ***jdm die ~ geben*** to give sb one's hand; ***Hände hoch!*** (put your) hands up!; ***~ aufs Herz*** hand on heart; ***~ breit*** = ***Handbreit*** **2.** SPORTS *no pl* (*infml* ≈ *Handspiel*) handball **3.** (*mit Adjektiv*) ***ein Auto aus erster ~*** a car which has had one previous owner; ***etw aus erster ~ wissen*** to have first-hand knowledge of sth; ***in festen Händen sein*** (*fig*) to be spoken for; ***bei etw eine glückliche ~ haben*** to be lucky with sth; ***in guten Händen sein*** to be in good hands; ***mit leeren Händen*** empty-handed; ***letzte ~ an etw*** (*acc*) ***legen*** to put the finishing touches to sth; ***linker ~, zur linken ~*** on the left-hand side; ***aus*** *or* ***von privater ~*** privately; ***das Geld mit vollen Händen ausgeben*** to spend money hand over fist (*infml*); ***aus zweiter ~*** second hand **4.** (*mit Präposition*) ***jdn an die*** *or* ***bei der ~ nehmen*** to take sb by the hand; ***an ~ von*** *or* *+gen* = ***anhand***; ***das liegt auf der ~*** (*infml*) that's obvious; ***aus der ~*** *zeichnen* freehand; ***jdm etw aus der ~ nehmen*** to take sth from sb; ***etw aus der ~ geben*** to let sth out of one's hands; ***mit etw schnell bei der ~ sein*** (*infml*) to be ready with sth; ***~ in ~*** hand in hand; ***etw in der ~ haben*** to have sth; ***etw gegen jdn in der ~ haben*** to have sth on sb; ***etw in die ~ nehmen*** to pick sth up; (*fig*) to take sth in hand; (***bei etw***) ***mit ~ anlegen*** to lend a hand (with sth); ***sich mit Händen und Füßen gegen etw wehren*** to fight sth tooth and nail; ***um jds ~ bitten*** *or* ***anhalten*** to ask for sb's hand (in marriage); ***unter der ~*** (*fig*) on the quiet; ***von ~ geschrieben*** handwritten; ***die Arbeit ging ihr leicht von der ~*** she found the work easy; ***etw lässt sich nicht von der ~ weisen*** sth is undeniable; ***von der ~ in den Mund leben*** to live from hand to mouth; ***zur ~ sein*** to be at hand; ***etw zur ~ haben*** to have sth to hand; ***jdm zur ~ gehen*** to lend sb a (helping) hand; ***zu Händen von jdm*** for the attention of sb **5.** (*mit Verb*) ***darauf gaben sie sich die ~*** they shook hands on it; ***eine ~ wäscht die andere*** you scratch my back, I'll scratch yours; ***die Hände überm Kopf zusammenschlagen*** to throw up one's hands in horror; ***alle Hände voll zu tun haben*** to have one's hands full; ***~ und Fuß haben*** to make sense; ***die ~ für jdn ins Feuer legen*** to vouch for sb **Handarbeit** *f* **1.** work done by hand; (*Gegenstand*) handmade article; ***etw in ~ herstellen*** to produce sth by hand **2.** (≈ *Nähen*, *Sticken etc*) needlework *no pl*; ***diese Tischdecke ist ~*** this tablecloth is handmade

3. (*kunsthandwerklich*) handicraft *no pl*; ***eine ~*** a piece of handicraft work **Handball** *m*, *no pl* (≈ *Spiel*) handball **Handballer** [-balɐ] *m* ⟨***-s, -***⟩, **Handballerin** [-ərın] *f* ⟨***-, -nen***⟩ handball player **Handbetrieb** *m* hand operation; ***mit ~*** hand-operated **Handbewegung** *f* sweep of the hand; (≈ *Geste*, *Zeichen*) gesture **Handbohrer** *m* gimlet **Handbohrmaschine** *f* (hand) drill **Handbreit** *f* ***eine ~*** ≈ six inches **Handbremse** *f* handbrake (*Br*), parking brake (*US*) **Handbuch** *nt* handbook; (*technisch*) manual **Händchen** ['hɛntçən] *nt* ⟨***-s, -***⟩ ***~ halten*** (*infml*) to hold hands; ***für etw ein ~ haben*** (*infml*) to be good at sth **Händedruck** *m*, *pl* ***-drücke*** handshake

Handel ['handl] *m* ⟨***-s***, *no pl*⟩ **1.** (≈ *das Handeln*) trade; (*esp mit illegaler Ware*) traffic; ***~ mit etw*** trade in sth **2.** (≈ *Warenmarkt*) market; ***im ~ sein*** to be on the market; ***etw aus dem ~ ziehen*** to take sth off the market; ***(mit jdm) ~ (be)treiben*** to trade (with sb); ***~ treibend*** trading **3.** (≈ *Abmachung*) deal

Handelfmeter *m* penalty for a handball

handeln ['handln] **I** *v/i* **1.** (≈ *Handel treiben*) to trade; ***er handelt mit Gemüse*** he's in the vegetable trade; ***er handelt mit Drogen*** he traffics in drugs **2.** (≈ *feilschen*) to haggle (*um* over); ***ich lasse schon mit mir ~*** I'm open to persuasion; (*in Bezug auf Preis*) I'm open to offers **3.** (≈ *tätig werden*) to act **4.** (≈ *zum Thema haben*) ***von etw ~***, ***über etw*** (*acc*) ***~*** to deal with sth **II** *v/r impers* **1.** ***es handelt sich hier um ein Verbrechen*** it's a crime we are dealing with here; ***bei dem Festgenommenen handelt es sich um X*** the person arrested is X **2.** (≈ *betreffen*) ***sich um etw ~*** to be about sth **III** *v/t* (≈ *verkaufen*) to sell (*für* at, for); (*an der Börse*) to quote (*mit* at) **Handeln** *nt* ⟨***-s***, *no pl*⟩ **1.** (≈ *Feilschen*) bargaining, haggling **2.** (≈ *das Handeltreiben*) trading **3.** (≈ *Verhalten*) behaviour (*Br*), behavior (*US*) **4.** (≈ *das Tätigwerden*) action **Handelsabkommen** *nt* trade agreement **Handelsbank** *f*, *pl* ***-banken*** merchant bank **Handelsbeziehungen** *pl* trade relations *pl* **Handelsbilanz** *f* balance of trade; ***aktive/passive ~*** balance of trade surplus/deficit **Handelsdefizit** *nt* trade deficit **handelseinig** *adj pred* ***~ werden/sein*** to agree terms **Handelsembargo** *nt* trade embargo **Handelsflotte** *f* merchant fleet **Handelsgesellschaft** *f* commercial company **Handelsgesetz** *nt* commercial law **Handelsgut** *nt* commodity **Handelshafen** *m* trading port **Handelskammer** *f* chamber of commerce **Handelsklasse** *f* grade; ***Heringe der ~ 1*** grade 1 herring **Handelsmarine** *f* merchant navy **Handelsmarke** *f* trade name **Handelsname** *m* trade name **Handelsniederlassung** *f* branch (of a trading organization) **Handelspartner(in)** *m*/(*f*) trading partner **Handelspolitik** *f* trade policy **Handelsrecht** *nt* commercial law *no def art*, *no pl* **Handelsregister** *nt* register of companies **Handelsreisende(r)** *m*/*f*(*m*) *decl as adj* commercial traveller (*Br*) *or* traveler (*US*) **Handelsschiff** *nt* trading ship **Handelsschifffahrt** *f* merchant shipping *no def art* **Handelsschranke** *f usu pl* trade barrier **Handelsschule** *f* commercial school *or* college **Handelsspanne** *f* profit margin **handelsüblich** *adj* usual (in the trade *or* in commerce); *Ware* standard **Handelsverkehr** *m* trade **Handelsvertreter(in)** *m*/(*f*) commercial traveller (*Br*) *or* traveler (*US*) **Handelsvertretung** *f* trade mission **Handelsware** *f* commodity **Handelszentrum** *nt* trading centre (*Br*) *or* center (*US*) **Handelszweig** *m* branch **handeltreibend** *adj attr* trading

händeringend ['hɛndərıŋənt] *adv* wringing one's hands; (*fig*) *um etw bitten* imploringly **Händetrockner** [-trɔknɐ] *m* ⟨***-s, -***⟩ hand drier **Handfeger** [-feːgɐ] *m* ⟨***-s, -***⟩ hand brush **handfest** *adj* **1.** *Essen* substantial **2.** (*fig*) *Schlägerei* violent; *Skandal* huge; *Argument* well-founded; *Beweis* solid; *Lüge* flagrant, blatant **Handfeuerwaffe** *f* handgun **Handfläche** *f* palm (of the/one's hand) **Handfunkgerät** *nt* walkie-talkie **handgearbeitet** *adj* handmade **Handgelenk** *nt* wrist; ***aus dem ~*** (*fig infml*) (≈ *ohne Mühe*) effortlessly; (≈ *improvisiert*) off the cuff **handgemacht** *adj* handmade **Handgemenge** *nt* scuffle **Handgepäck** *nt* hand luggage *no pl or* baggage *no pl* **handgeschrieben** *adj* handwritten **handgestrickt** [-gəʃtrıkt] *adj* hand-knitted; (*fig*) homespun **Handgranate** *f* hand grenade **handgreiflich** ['hantgraiflıç] *adj Streit* violent; ***~ wer-***

den to become violent **Handgreiflichkeit** *f* ⟨**-, -en**⟩ *usu pl* violence *no pl* **Handgriff** *m* **1.** (≈ *Bewegung*) movement; ***keinen ~ tun*** not to lift a finger; ***mit einem ~ öffnen*** with one flick of the wrist; ***mit ein paar ~en*** in next to no time **2.** (≈ *Gegenstand*) handle **Handhabe** ['hantha:bə] *f* (*fig*) ***ich habe gegen ihn keine ~*** I have no hold on him **handhaben** *v/t insep* to handle; *Gesetz* to implement **Handhabung** ['hantha:bʊŋ] *f* ⟨**-, -en**⟩ handling; (*von Gesetz*) implementation

Handheld ['hɛnthɛlt] *nt* **1.** IT handheld (computer) **2.** PHOT handheld camera **Handheld-PC** ['hɛnthɛlt-] *m* handheld PC

Handicap ['hɛndikɛp], **Handikap** ['hɛndikɛp] *nt* ⟨**-s, -s**⟩ handicap

Handkarren *m* handcart **Handkoffer** *m* (small) suitcase **Handkuss** *m* kiss on the hand; ***mit ~*** (*fig infml*) with pleasure **Handlanger** ['hantlaŋɐ] *m* ⟨**-s, -**⟩, **Handlangerin** [-ərɪn] *f* ⟨**-, -nen**⟩ (*fig*) dogsbody (*Br infml*), drudge (*US*); (*pej* ≈ *Gehilfe*) henchman

Händler ['hɛndlɐ] *m* ⟨**-s, -**⟩, **Händlerin** [-ərɪn] *f* ⟨**-, -nen**⟩ trader; (≈ *Autohändler*) dealer; (≈ *Ladenbesitzer*) shopkeeper (*Br*), store owner (*US*) **Händlerrabatt** *m* trade discount

handlich ['hantlɪç] *adj Gerät, Format* handy; *Gepäckstück* manageable; *Auto* manoeuvrable (*Br*), maneuverable (*US*)

Handlung ['handlʊŋ] *f* ⟨**-, -en**⟩ action; (≈ *Tat, Akt*) act; (≈ *Handlungsablauf*) plot; ***der Ort der ~*** the scene of the action **Handlungsbedarf** *m* need for action **Handlungsbevollmächtigte(r)** *m/f(m) decl as adj* authorized agent **handlungsfähig** *adj Regierung* capable of acting; JUR authorized to act; ***eine ~e Mehrheit*** a working majority **Handlungsfähigkeit** *f* (*von Regierung*) ability to act; JUR power to act **Handlungsspielraum** *m* scope (of action) **handlungsunfähig** *adj Regierung* incapable of acting; JUR without power to act **Handlungsvollmacht** *f* proxy **Handlungsweise** *f* conduct *no pl*

Handout, Hand-out ['hɛntaut] *nt* ⟨**-s, -s**⟩ handout **Handpflege** *f* care of one's hands **Handpuppe** *f* glove (*Br*) *or* hand (*US*) puppet **Handreichung** ['hantraiçʊŋ] *f* ⟨**-, -en**⟩ (≈ *Hilfe*) helping hand *no pl* **Handrücken** *m* back of the / one's hand **Handschelle** *f usu pl* handcuff; ***jdm ~n anlegen*** to handcuff sb **Handschlag** *m* **1.** (≈ *Händedruck*) handshake; ***per ~*** with a handshake **2.** ***keinen ~ tun*** not to do a stroke (of work) **Handschrift** *f* **1.** handwriting; ***etw trägt jds ~*** (*fig*) sth bears sb's (trade)mark **2.** (≈ *Text*) manuscript **handschriftlich** **I** *adj* handwritten **II** *adv korrigieren* by hand **Handschuh** *m* glove; (≈ *Fausthandschuh*) mitten, mitt (*infml*) **Handschuhfach** *nt* AUTO glove compartment **Handspiel** *nt, no pl* SPORTS handball **Handstand** *m* SPORTS handstand **Handstreich** *m* ***in*** *or* ***durch einen ~*** in a surprise coup **Handtasche** *f* handbag (*Br*), purse (*US*) **Handtuch** *nt, pl* **-tücher** towel; ***das ~ werfen*** to throw in the towel **Handtuchautomat** *m* towel dispenser **Handtuchhalter** *m* towel rail (*Br*) *or* rack (*US*) **Handumdrehen** *nt* (*fig*) ***im ~*** in the twinkling of an eye **handverlesen** *adj Obst etc* hand-graded; (*fig*) hand-picked **Handwagen** *m* handcart **Handwaschbecken** *nt* wash-hand basin **Handwäsche** *f* washing by hand; (≈ *Wäschestücke*) hand wash

Handwerk *nt* trade; (≈ *Kunsthandwerk*) craft; ***sein ~ verstehen*** (*fig*) to know one's job; ***jdm ins ~ pfuschen*** (*fig*) to tread on sb's toes; ***jdm das ~ legen*** (*fig*) to put a stop to sb's game (*infml*) *or* to sb **Handwerker** ['hantvɛrkɐ] *m* ⟨**-s, -**⟩, **Handwerkerin** [-ərɪn] *f* ⟨**-, -nen**⟩ tradesman/-woman, (skilled) manual worker; (≈ *Kunsthandwerker*) craftsman/-woman **handwerklich** ['hantvɛrklɪç] *adj Ausbildung* as a manual worker / craftsman / craftswoman; ***~er Beruf*** skilled trade; ***~es Können*** craftsmanship; ***~e Fähigkeiten*** manual skills **Handwerksberuf** *m* skilled trade **Handwerksbetrieb** *m* workshop **Handwerkskammer** *f* trade corporation **Handwerksmeister(in)** *m/(f)* master craftsman/-woman **Handwerkszeug** *nt, no pl* tools *pl*; (*fig*) tools *pl* of the trade, equipment

Handwurzel *f* ANAT carpus **Handzettel** *m* handout, leaflet

Handy ['hɛndi] *nt* ⟨**-s, -s**⟩ TEL mobile (phone), cell phone (*US*) **Handynummer** ['hɛndi-] *f* TEL mobile (phone) number, cell phone number (*US*)

Handzeichen *nt* signal; (*bei Abstimmung*) show of hands
hanebüchen ['haːnəbyːçn] *adj* (*elev*) outrageous
Hanf [hanf] *m* ⟨**-(e)s**, *no pl*⟩ hemp
Hang [haŋ] *m* ⟨**-(e)s, ⸚e** ['hɛŋə]⟩ **1.** (≈ *Abhang*) slope **2.** *no pl* (≈ *Neigung*) tendency
Hängebauch *m* drooping belly (*infml*) **Hängebrücke** *f* suspension bridge **Hängebrust** *f*, **Hängebusen** *m* (*pej*) sagging breasts *pl* **Hängematte** *f* hammock **hängen** ['hɛŋən] **I** *v/i*, *pret* **hing** [hɪŋ], *past part* **gehangen** [gə'haŋən] *aux haben or* (*S Ger, Aus, Sw*) *sein* **1.** to hang; ***die Vorhänge ~ schief*** the curtains don't hang straight; ***ihre Haare ~ bis auf die Schultern*** her hair comes down to her shoulders; ***das Bild hängt an der Wand*** the picture is hanging on the wall; ***mit ~den Schultern*** with drooping shoulders; ***den Kopf ~ lassen*** (*fig*) to be downcast; ***eine Gefahr hängt über uns*** danger is hanging over us **2.** (≈ *festhängen*) to be caught (*an +dat* on); (≈ *kleben*) to be stuck (*an +dat* to); ***ihre Blicke hingen an dem Sänger*** her eyes were fixed on the singer **3.** (≈ *sich aufhalten, infml*) to hang around (*infml*); ***sie hängt ständig in Discos*** she hangs around discos **4.** (*gefühlsmäßig*) ***an jdm/etw ~*** (≈ *lieben*) to love sb/sth; ***ich hänge am Leben*** I love life; ***es hängt an ihm, ob ...*** it depends on him whether ... **II** *v/t*, *pret* **hängte** *or* **hing**, *past part* **gehängt** *or* **gehangen** (≈ *aufhängen, henken*) to hang; ***das Bild an die Wand ~*** to hang the picture on the wall **III** *v/r* ***sich an etw*** (*acc*) ***~*** (≈ *sich festhalten*) to hang on to sth; (≈ *sich festsetzen*) to stick to sth; (*gefühlsmäßig*) to be fixated on sth; ***sich an jdn ~*** (≈ *anschließen*) to tag on to sb (*infml*); (*gefühlsmäßig*) to become attached to sb; (≈ *verfolgen*) to go after sb **Hängen** *nt* ⟨**-s**, *no pl*⟩ ***mit ~ und Würgen*** (*infml*) by the skin of one's teeth **hängen bleiben** *v/i irr aux sein* (≈ *sich verfangen*) to get caught (*an +dat* on); (≈ *nicht durch-, weiterkommen*) not to get through; (≈ *sich aufhalten*) to stay on; (≈ *haften bleiben*) to get stuck (*in, an +dat* on); ***der Verdacht ist an ihm hängen geblieben*** suspicion rested on him **hängen lassen** *past part* **hängen lassen** *or* (*rare*) **gelassen** *irr* **I** *v/t* **1.** (≈ *vergessen*) to leave behind **2.** (*infml* ≈ *im Stich lassen*) to let down **II** *v/r* to let oneself go; ***lass dich nicht so hängen!*** don't let yourself go like this! **Hängeschrank** *m* wall cupboard
Hannover [ha'noːfɐ] *nt* ⟨**-s**⟩ Hanover
Hansaplast® [hanza'plast, 'hanza-] *nt* ⟨**-(e)s**, *no pl*⟩ (sticking) plaster
Hanse ['hanzə] *f* ⟨**-**, *no pl*⟩ HIST Hanseatic League **hanseatisch** [hanze'aːtɪʃ] *adj* Hanseatic
hänseln ['hɛnzln] *v/t* to tease
Hansestadt *f* Hansa *or* Hanseatic town
Hanswurst [hans'vʊrst, 'hans-] *m* ⟨**-(e)s, -e** *or* (*hum*) **⸚e**⟩ clown
Hantel ['hantl] *f* ⟨**-, -n**⟩ SPORTS dumbbell
hantieren [han'tiːrən] *past part* **hantiert** *v/i* **1.** (≈ *arbeiten*) to be busy **2.** (≈ *umgehen mit*) ***mit etw ~*** to handle sth **3.** (≈ *herumhantieren*) to tinker about (*an +dat* with, on)
hapern ['haːpɐn] *v/i impers* (*infml*) ***es hapert an etw*** (*dat*) (≈ *fehlt*) there is a shortage of sth; ***es hapert bei jdm mit etw*** (≈ *fehlt*) sb is short of sth
Häppchen ['hɛpçən] *nt* ⟨**-s, -**⟩ morsel; (≈ *Appetithappen*) titbit (*Br*), tidbit (*US*) **häppchenweise** *adv* (*infml*) bit by bit
Happen ['hapn] *m* ⟨**-s, -**⟩ (*infml*) mouthful; (≈ *kleine Mahlzeit*) bite **happig** ['hapɪç] *adj* (*infml*) steep (*infml*)
Happy End ['hɛpɪ'|ɛnt] *nt* ⟨**-s, -s**⟩, **Happyend** *nt* ⟨**-s, -s**⟩ happy ending
Harass ['haras] *m* ⟨**-es, -e**⟩ (*Swiss* ≈ *Kasten, Kiste*) crate
Härchen ['hɛːɐçən] *nt* ⟨**-s, -**⟩ little hair
Hardcover ['haːɐdkavɐ] *nt* ⟨**-s, -s**⟩, **Hard Cover** *nt* ⟨**-s, -s**⟩ hardcover **Hardliner** ['haːɐdlaɪnɐ] *m* ⟨**-s, -**⟩, **Hardlinerin** [-ərɪn] *f* ⟨**-, -nen**⟩ POL hardliner **Hardware** ['haːɐdwɛːɐ] *f* ⟨**-, -s**⟩ IT hardware
Harem ['haːrɛm] *m* ⟨**-s, -s**⟩ harem
Harfe ['harfə] *f* ⟨**-, -n**⟩ harp **Harfenist** [harfə'nɪst] *m* ⟨**-en, -en**⟩, **Harfenistin** [-'nɪstɪn] *f* ⟨**-, -nen**⟩ harpist
Harke ['harkə] *f* ⟨**-, -n**⟩ rake; ***jdm zeigen, was eine ~ ist*** (*fig infml*) to show sb what's what (*infml*) **harken** ['harkn] *v/t & v/i* to rake
harmlos *adj* harmless; *Kurve* easy **Harmlosigkeit** *f* ⟨**-**, *no pl*⟩ harmlessness
Harmonie [harmo'niː] *f* ⟨**-, -n** [-'niːən]⟩ harmony **harmonieren** [harmo'niːrən] *past part* **harmoniert** *v/i* to harmonize

Harmonika [har'moːnika] *f* ⟨**-, -s** *or* **Harmoniken**⟩ harmonica; (≈ *Ziehharmonika*) accordion **harmonisch** [har'moːnɪʃ] *adj* MUS harmonic; (≈ *wohlklingend*) harmonious; **~ verlaufen** to be harmonious; **sie leben ~ zusammen** they live together in harmony **harmonisieren** [harmoni'ziːrən] *past part* **harmonisiert** *v/t* to harmonize **Harmonisierung** *f* ⟨**-, -en**⟩ harmonization

Harn [harn] *m* ⟨**-(e)s, -e**⟩ urine; **~ lassen** to urinate **Harnblase** *f* bladder **Harnleiter** *m* ureter **Harnröhre** *f* urethra

Harpune [har'puːnə] *f* ⟨**-, -n**⟩ harpoon

harsch [harʃ] *adj* (≈ *barsch*) harsh

hart [hart] **I** *adj, comp* **≃er** ['hɛrtɐ], *sup* **≃este(r, s)** ['hɛrtəstə] **1.** hard; *Ei* hard-boiled **2.** (≈ *scharf*) *Konturen, Formen* sharp; *Klang, Ton* harsh **3.** (≈ *rau*) *Spiel* rough; (*fig*) *Getränke* strong; *Droge* hard; *Porno* hard-core **4.** (≈ *streng, robust*) tough; *Strafe, Kritik* severe; **~ bleiben** to stand firm; **es geht ~ auf ~** it's a tough fight **II** *adv, comp* **≃er**, *sup* **am ≃esten** hard; **~ gefroren** frozen solid *pred*; **~ gekocht** *Ei* hard-boiled; **~ klingen** (*Sprache*) to sound hard; (*Bemerkung*) to sound harsh; **etw trifft jdn ~** sth hits sb hard; **~ spielen** SPORTS to play rough; **~ durchgreifen** to take tough action; **jdn ~ anfassen** to be hard on sb; **das ist ~ an der Grenze der Legalität** that's on the very limits of legality; **~ am Wind (segeln)** NAUT (to sail) close to the wind **Härte** ['hɛrtə] *f* ⟨**-, -n**⟩ hardness; (*von Aufprall*) violence; (≈ *Härtegrad*) degree (of hardness); (*von Konturen, Formen*) sharpness; (*von Klang, Akzent*) harshness; (*von Spiel*) roughness *no pl*; (*von Währung*) stability; (*von Strafe, Kritik*) severity; **soziale ~n** social hardships; **das ist die ~** (*sl* ≈ *Zumutung*) that's a bit much (*infml*) **Härtefall** *m* case of hardship; (*infml* ≈ *Mensch*) hardship case **härten** ['hɛrtn] *v/t* to harden; *Stahl* to temper **Härtetest** *m* endurance test; (*fig*) acid test **Hartfaserplatte** *f* hardboard, fiberboard (*US*) **Hartgummi** *m or nt* hard rubber **hartherzig** *adj* hard-hearted **Hartherzigkeit** [-hɛrtsɪçkait] *f* ⟨**-**, *no pl*⟩ hard-heartedness **Hartholz** *nt* hardwood **hartnäckig** ['hartnɛkɪç] **I** *adj* stubborn; *Lügner, Husten* persistent **II** *adv* (≈ *beharrlich*) persistently; (≈ *stur*) stubbornly **Hartnäckigkeit** *f* ⟨**-**, *no pl*⟩ stubbornness; (≈ *Beharrlichkeit*) doggedness **Hartweizengrieß** *m* semolina

Harz[1] [haːɐts] *nt* ⟨**-es, -e**⟩ resin

Harz[2] *m* ⟨**-es**⟩ GEOG Harz Mountains *pl*

harzig ['haːɐtsɪç] *adj Holz, Geschmack* resinous

Hasch [haʃ] *nt* ⟨**-(s)**, *no pl*⟩ (*infml*) hash (*infml*)

Haschee [ha'ʃeː] *nt* ⟨**-s, -s**⟩ COOK hash

Häschen ['hɛːsçən] *nt* ⟨**-s, -**⟩ **1.** young hare **2.** (*infml* ≈ *Kaninchen*) bunny (*infml*) **3.** (≈ *Kosename*) sweetheart

Hascherl ['haʃɐl] *nt* ⟨**-s, -(n)**⟩ (*Aus infml*) poor soul

Haschisch ['haʃɪʃ] *nt or m* ⟨**-(s)**, *no pl*⟩ hashish

Hase ['haːzə] *m* ⟨**-n, -n**⟩ hare; **falscher ~** COOK meat loaf; **sehen, wie der ~ läuft** (*fig infml*) to see which way the wind blows; **alter ~** (*fig infml*) old hand; **da liegt der ~ im Pfeffer** (*infml*) that's the crux of the matter

Haselnuss *f* hazelnut

Hasenpfeffer *m* COOK ≈ jugged hare **hasenrein** *adj* **jd/etw ist nicht (ganz) ~** (*infml*) sb/sth is not (quite) above board **Hasenscharte** *f* MED harelip **Häsin** ['hɛːzɪn] *f* ⟨**-, -nen**⟩ female hare

Hass [has] *m* ⟨**-es**, *no pl*⟩ hatred (*auf +acc, gegen* of); **Liebe und ~** love and hate; **einen ~ (auf jdn) haben** (*infml*) to be really sore (with sb) (*infml*) **hassen** ['hasn] *v/t & v/i* to hate **hassenswert** *adj* hateful **hässlich** ['hɛslɪç] **I** *adj* **1.** (≈ *scheußlich*) ugly **2.** (≈ *gemein, unerfreulich*) nasty **II** *adv* **1.** (≈ *gemein*) **sich ~ benehmen** to be nasty **2.** (≈ *nicht schön*) hideously **Hässlichkeit** *f* ⟨**-, -en**⟩ **1.** *no pl* (≈ *Scheußlichkeit*) ugliness **2.** (≈ *Gemeinheit*) nastiness **Hassliebe** *f* love-hate relationship (*für* with)

Hast [hast] *f* ⟨**-**, *no pl*⟩ haste **hasten** ['hastn] *v/i aux sein* (*elev*) to hasten (*form*) **hastig** ['hastɪç] **I** *adj* hasty **II** *adv* hastily; **nicht so ~!** not so fast!

hätscheln ['hɛtʃln] *v/t* (≈ *zu weich behandeln*) to pamper

hatschen ['haːtʃn] *v/i aux sein* (*Aus infml*) (≈ *mühsam gehen*) to trudge along; (≈ *hinken*) to hobble

hatschi [ha'tʃiː, 'hatʃi] *int* atishoo (*Br*), achoo

Hattrick ['hɛttrɪk] *m* SPORTS hat-trick; (*fig*) masterstroke

Haube ['haubə] *f* ⟨-, **-n**⟩ **1.** (≈ *Kopfbedeckung*) bonnet; (*von Krankenschwester etc*) cap; ***unter die ~ kommen*** (*hum*) to get married **2.** (*allgemein* ≈ *Bedeckung*) cover; (≈ *Trockenhaube*) (hair) dryer, drying hood (*US*); (≈ *Motorhaube*) bonnet (*Br*), hood (*US*)

Hauch [haux] *m* ⟨**-(e)s, -e**⟩ **1.** (*elev* ≈ *Atem*) breath; (≈ *Luftzug*) breeze **2.** (≈ *Andeutung*) hint **hauchdünn** *adj* extremely thin; *Scheiben* wafer-thin; (*fig*) *Mehrheit* extremely narrow; *Sieg* extremely close **hauchen** ['hauxn] *v/t & v/i* to breathe

Haue ['hauə] *f* ⟨-, **-n**⟩ **1.** (*S Ger, Aus*) (≈ *Pickel*) pickaxe (*Br*), pickax (*US*); (≈ *Gartenhacke*) hoe **2.** *no pl* (*infml* ≈ *Prügel*) ***~ kriegen*** to get a good hiding (*infml*) **hauen** ['hauən] *pret* ***haute*** ['hautə], *past part* ***gehauen*** *or* (*dial*) ***gehaut*** [gə'hauən, gə'haut] **I** *v/t* **1.** *pret also* ***hieb*** [hiːp] (*infml* ≈ *schlagen*) to hit **2.** (≈ *meißeln*) *Statue* to carve **3.** (*dial* ≈ *zerhacken*) *Holz* to chop (up) **II** *v/i*, *pret also* ***hieb*** [hiːp] (*infml* ≈ *schlagen*) to hit; ***jdm auf die Schulter ~*** to slap sb on the shoulder **III** *v/r* (*infml* ≈ *sich prügeln*) to scrap **Hauer** ['hauɐ] *m* ⟨**-s, -**⟩ ZOOL tusk

Häufchen ['hɔyfçən] *nt* ⟨**-s, -**⟩ small heap; ***ein ~ Unglück*** a picture of misery **Haufen** ['haufn] *m* ⟨**-s, -**⟩ **1.** heap; ***jdn/ein Tier über den ~ fahren*** *etc* (*infml*) to knock sb/an animal down; ***jdn über den ~ schießen*** (*infml*) to shoot sb down; ***etw*** (*acc*) ***über den ~ werfen*** (*infml*) (≈ *verwerfen*) to throw *or* chuck (*infml*) sth out; (≈ *durchkreuzen*) to mess sth up (*infml*); ***der Hund hat da einen ~ gemacht*** the dog has made a mess there (*infml*) **2.** (*infml* ≈ *große Menge*) load (*infml*); ***ein ~ Unsinn*** a load of (old) rubbish (*infml*); ***ein ~ Zeit*** loads of time (*infml*); ***ich hab noch einen ~ zu tun*** I still have loads to do (*infml*) **3.** (≈ *Schar*) crowd **häufen** ['hɔyfn] **I** *v/t* to pile up; (≈ *sammeln*) to accumulate; → ***gehäuft*** **II** *v/r* (≈ *sich ansammeln*) to mount up; (≈ *zahlreicher werden*) to occur increasingly often **haufenweise** *adv* (≈ *in Haufen*) in heaps; ***etw ~ haben*** to have heaps of sth (*infml*) **Haufenwolke** *f* cumulus (cloud) **häufig** ['hɔyfɪç] **I** *adj* frequent **II** *adv* often **Häufigkeit** *f* ⟨-, **-en**⟩ frequency **Häufung** ['hɔyfʊŋ] *f* ⟨-, **-en**⟩ **1.** (*fig* ≈ *das Anhäufen*) accumulation **2.** (≈ *das Sichhäufen*) increasing number

Haupt [haupt] *nt* ⟨**-(e)s, *Häupter*** ['hɔyptɐ]⟩ head; ***eine Reform an ~ und Gliedern*** a total reform **Hauptaktionär(in)** *m/(f)* main shareholder **Hauptakzent** *m* **1.** LING primary accent *or* stress **2.** (*fig*) main emphasis **hauptamtlich** **I** *adj* full-time; ***~e Tätigkeit*** full-time office **II** *adv* (on a) full-time (basis); ***~ tätig sein*** to work full-time **Hauptanschluss** *m* TEL main extension **Hauptarbeit** *f* main (part of the) work **Hauptattraktion** *f* main attraction **Hauptaufgabe** *f* main *od* chief task **Hauptaugenmerk** *f* ***sein ~ auf etw*** (*acc*) ***richten*** to focus one's attention on sth **Hauptausgang** *m* main exit **Hauptbahnhof** *m* main station **hauptberuflich** **I** *adj* full-time; ***~e Tätigkeit*** main occupation **II** *adv* full-time; ***~ tätig sein*** to be employed full-time **Hauptbeschäftigung** *f* main occupation **Hauptbetrieb** *m* **1.** (≈ *Zentralbetrieb*) headquarters *sg or pl* **2.** (≈ *geschäftigste Zeit*) peak period; (≈ *Hauptverkehrszeit*) rush hour **Hauptbuch** *nt* COMM ledger **Hauptdarsteller** *m* leading man **Hauptdarstellerin** *f* leading lady **Haupteingang** *m* main entrance **Häuptelsalat** ['hɔyptl-] *m* (*Aus*) lettuce **Hauptfach** *nt* SCHOOL, UNIV main subject, major (*US*); ***etw im ~ studieren*** to study sth as one's main subject, to major in sth (*US*) **Hauptfeld** *nt* (*bei Rennen*) (main) pack **Hauptfeldwebel(in)** *m/(f)* sergeant major **Hauptfigur** *f* central figure **Hauptgericht** *nt* main course **Hauptgeschäftsstelle** *f* head office, headquarters *sg or pl* **Hauptgeschäftszeit** *f* peak (shopping) period **Hauptgewicht** *nt* (*fig*) main emphasis **Hauptgewinn** *m* first prize **Hauptgrund** *m* main *or* principal reason **Haupthahn** *m* mains cock, mains tap (*Br*) **Hauptlast** *f* main load, major part of the load; (*fig*) main burden **Hauptleitung** *f* mains *pl* **Häuptling** ['hɔyptlɪŋ] *m* ⟨**-s, -e**⟩ chief(tain); (*fig, infml* ≈ *Boss*) chief (*infml*) **Hauptmahlzeit** *f* main meal **Hauptmann** *m*, *pl* ***-leute*** MIL captain; AVIAT flight lieutenant (*Br*), captain (*US*) **Hauptmenü** *nt* IT main menu **Hauptmieter(in)** *m/(f)* main tenant **Hauptnahrungsmittel** *nt* staple food **Hauptperson** *f* central figure **Hauptpostamt** *nt* main post office **Hauptquartier** *nt* headquarters *sg or pl* **Hauptreisezeit** *f* peak travelling (*Br*) *or* traveling (*US*) time(s *pl*) **Hauptrolle** *f* FILM, THEAT leading role, lead; ***die ~ spielen*** (*fig*) to be all-important; (≈ *wichtigste Person sein*) to play the main role **Hauptsache** *f* main thing; ***in der ~*** in the main; ***~, du bist glücklich*** the main thing is that you're happy **hauptsächlich** **I** *adv* mainly **II** *adj* main **Hauptsaison** *f* peak season; ***~ haben*** to have its/their peak season **Hauptsatz** *m* (GRAM, *übergeordnet*) main clause **Hauptschlagader** *f* aorta **Hauptschulabschluss** *m* ***den ~ haben*** ≈ to have completed secondary school *or* junior high (school) (*US*) **Hauptschuldige(r)** *m*/*f*(*m*) *decl as adj* person mainly to blame *or* at fault, main offender (*esp* JUR) **Hauptschule** *f* ≈ secondary school, ≈ junior high (school) (*US*) **Hauptschüler(in)** *m*/(*f*) ≈ secondary school *or* junior high (school) (*US*) pupil **Hauptspeicher** *m* IT main memory **Hauptstadt** *f* capital (city) **hauptstädtisch** *adj* metropolitan **Hauptstraße** *f* main road; (*im Stadtzentrum etc*) main street **Hauptstudium** *nt* UNIV main course (of studies) **Hauptteil** *m* main part **Haupttreffer** *m* top prize, jackpot (*infml*) **Haupttribüne** *f* main stand **Hauptverkehrsstraße** *f* (*in Stadt*) main street; (≈ *Durchgangsstraße*) main thoroughfare **Hauptverkehrszeit** *f* peak traffic times *pl*; (*in Stadt*) rush hour **Hauptversammlung** *f* general meeting **Hauptwäsche** *f*, **Hauptwaschgang** *m* main wash **Hauptwohnsitz** *m* main place of residence **Hauptwort** *nt*, *pl* ***-wörter*** GRAM noun **Hauptzeuge** *m*, **Hauptzeugin** *f* principal witness

hau ruck ['hau 'rʊk] *int* heave-ho **Haurückverfahren** *nt* ***etw im ~ tun*** to do sth in a great hurry

Haus [haus] *gen* ***Haus***, *pl* ***Häuser*** ['hɔyzɐ] *nt* house; ***mit jdm ~ an ~ wohnen*** to live next door to sb; ***~ und Hof verlieren*** to lose the roof over one's head; ***aus dem ~ sein*** to be away from home; ***außer ~ essen*** to eat out; ***im ~e meiner Schwester*** at my sister's (house); ***ins ~ stehen*** (*fig*) to be on the way; ***jdn nach ~e bringen*** to take sb home; ***bei jdm zu ~e*** in sb's house; ***bei uns zu ~e*** at home; ***sich wie zu ~e fühlen*** to feel at home; ***fühl dich wie zu ~e!*** make yourself at home!; ***er ist nicht im ~e*** (≈ *in der Firma*) he's not in; ***ein Freund des ~es*** a friend of the family; ***aus gutem/bürgerlichem ~(e)*** from a good/middle-class family; ***von ~e aus*** (≈ *ursprünglich*) originally; (≈ *von Natur aus*) naturally; ***das ~ Windsor*** the House of Windsor; ***vor vollem ~ spielen*** THEAT to play to a full house; ***Hohes ~!*** PARL ≈ honourable (*Br*) *or* honorable (*US*) members (of the House)! **Hausapotheke** *f* medicine cupboard **Hausarbeit** *f* **1.** housework *no pl* **2.** SCHOOL homework *no indef art, no pl*, piece of homework, assignment (*esp US*) **Hausarrest** *m* (*im Internat*) detention; JUR house arrest; ***~ haben*** to be in detention/under house arrest **Hausarzt** *m*, **Hausärztin** *f* GP; (*von Anstalt*) resident doctor **Hausaufgabe** *f* SCHOOL homework *sg, no indef art*; ***seine ~n machen*** to do one's homework **hausbacken** ['hausbakn] *adj* (*fig*) homespun, homely (*US*) **Hausbau** *m, no pl* (≈ *das Bauen*) building of a/the house **Hausbesetzer** [-bəzɛtsɐ] *m* ⟨***-s, -***⟩, **Hausbesetzerin** [-ərɪn] *f* ⟨***-, -nen***⟩ squatter **Hausbesetzung** *f* squatting **Hausbesitzer(in)** *m*/(*f*) house-owner; (≈ *Hauswirt*) landlord/landlady **Hausbesuch** *m* home visit **Hausbewohner(in)** *m*/(*f*) (house) occupant **Hausboot** *nt* houseboat **Häuschen** ['hɔysçən] *nt* ⟨***-s, -***⟩ (*fig infml*) ***ganz aus dem ~ sein vor...*** to be out of one's mind with ... (*infml*); ***ganz aus dem ~ geraten*** to go berserk (*infml*) **Hausdetektiv(in)** *m*/(*f*) house detective; (*von Kaufhaus*) store detective **Hauseigentümer(in)** *m*/(*f*) homeowner **Hauseingang** *m* (house) entrance **Häusel** ['hɔysl] *nt* ⟨***-s, -***⟩ (*Aus infml* ≈ *Toilette*) smallest room (*Br hum infml*), bathroom (*US*) **hausen** ['hauzn] *v/i* **1.** (≈ *wohnen*) to live **2.** (≈ *wüten*) (***übel*** *or* ***schlimm***) ***~*** to wreak havoc **Häuserblock** *m*, *pl* ***-blocks*** *or* (*rare*) ***-blöcke*** block (of houses) **Häuserflucht** *f* row of houses **Häuserreihe** *f* row of houses; (*aneinandergebaut*) terrace **Hausflur** *m* (entrance) hall, hallway **Hausfrau** *f* housewife **Hausfriedensbruch** *m* JUR trespass (*in sb's house*) **hausgemacht** *adj* home-made; (*fig*)

Problem etc of one's own making **Hausgemeinschaft** *f* household (community) **Haushalt** ['haushalt] *m* ⟨**-(e)s, -e**⟩ **1.** household; (≈ *Haushaltsführung*) housekeeping; ***den ~ führen*** to run the household; ***jdm den ~ führen*** to keep house for sb **2.** (≈ *Etat*) budget **haushalten** ['haushaltn] *v/i sep irr* ***mit etw ~*** *mit Geld, Zeit* to be economical with sth **Haushälter** ['haushɛltɐ] *m* ⟨**-s, -**⟩, **Haushälterin** [-ərɪn] *f* ⟨**-, -nen**⟩ housekeeper **Haushaltsartikel** *m* household item **Haushaltsdebatte** *f* PARL budget debate **Haushaltsdefizit** *nt* POL budget deficit **Haushaltsentwurf** *m* POL draft budget, budget proposals *pl* **Haushaltsführung** *f* housekeeping **Haushaltsgeld** *nt* housekeeping money **Haushaltshilfe** *f* domestic *or* home help **Haushaltsjahr** *nt* POL, ECON financial year **Haushaltswaren** *pl* household goods *pl* **Haushaltungsvorstand** *m* (*form*) head of the household **Hausherr** *m* head of the household; (≈ *Gastgeber*, SPORTS) host **Hausherrin** *f* lady of the house; (≈ *Gastgeberin*) hostess **haushoch I** *adj* (as) high as a house/houses; (*fig*) *Sieg* crushing; ***der haushohe Favorit*** the hot favourite (*Br infml*) *or* favorite (*US infml*) **II** *adv* ***~ gewinnen*** to win hands down; ***jdm ~ überlegen sein*** to be head and shoulders above sb **hausieren** [hau'ziːrən] *past part* **hausiert** *v/i* to hawk (*mit etw* sth); ***mit etw ~ gehen*** (*fig*) *mit Plänen etc* to hawk sth about **Hausierer** [hau'ziːrɐ] *m* ⟨**-s, -**⟩, **Hausiererin** [-ərɪn] *f* ⟨**-, -nen**⟩ hawker, peddler **Hauskatze** *f* domestic cat **Hauskauf** *m* house-buying *no art*, house purchase **Häusl** [hɔysl] *nt* ⟨**-s, -**⟩ = ***Häusel*** **häuslich** ['hɔyslɪç] **I** *adj* domestic; *Pflege* home *attr*; (≈ *das Zuhause liebend*) home-loving **II** *adv* ***sich ~ niederlassen*** to make oneself at home; ***sich ~ einrichten*** to settle in **Häuslichkeit** *f* ⟨**-**, *no pl*⟩ domesticity **Hausmacherart** *f* ***Wurst*** *etc* ***nach ~*** home-made-style sausage *etc* **Hausmacherkost** *f* home cooking **Hausmann** *m, pl* ***-männer*** househusband **Hausmannskost** *f* plain cooking *or* fare; (*fig*) plain fare **Hausmeister** *m* caretaker **Hausmittel** *nt* household remedy **Hausmusik** *f* music at home, family music **Hausmüll** *m* domestic refuse **Hausnummer** *f* house number **Hausordnung** *f* house rules *pl or* regulations *pl* **Hausputz** *m* house cleaning **Hausrat** *m, no pl* household equipment **Hausratversicherung** *f* (household) contents insurance **Haussammlung** *f* house-to-house *or* door-to-door collection **Hausschlüssel** *m* front-door key **Hausschuh** *m* slipper

Hausse ['(h)oːs(ə)] *f* ⟨**-, -n**⟩ ECON boom (*an +dat* in)

Haussegen *m* ***bei ihnen hängt der ~ schief*** (*hum*) they're a bit short on domestic bliss (*infml*) **Hausstand** *m* household; ***einen ~ gründen*** to set up house **Haussuchung** [-zuːxʊŋ] *f* ⟨**-, -en**⟩ house search **Haussuchungsbefehl** *m* search warrant **Haustier** *nt* pet **Haustür** *f* front door **Hausverbot** *nt* ***jdm ~ erteilen*** to ban sb from the house **Hausverwalter(in)** *m*/(*f*) (house) supervisor **Hausverwaltung** *f* property management **Hauswart** [-vart] *m* ⟨**-(e)s, -e**⟩, **Hauswartin** *f* ⟨**-, -nen**⟩ caretaker, janitor **Hauswirt** *m* landlord **Hauswirtin** *f* landlady **Hauswirtschaft** *f* **1.** (≈ *Haushaltsführung*) housekeeping **2.** SCHOOL home economics *sg* **Hauswurfsendung** *f* (house-to-house) circular

Haut [haut] *f* ⟨**-, Häute** ['hɔytə]⟩ skin; (≈ *Schale von Obst etc*) peel; ***nass bis auf die ~*** soaked to the skin; ***nur ~ und Knochen sein*** to be nothing but skin and bone(s); ***mit ~ und Haar(en)*** (*infml*) completely; ***in seiner ~ möchte ich nicht stecken*** I wouldn't like to be in his shoes; ***ihm ist nicht wohl in seiner ~*** (*infml*) he feels uneasy; ***sich auf die faule ~ legen*** (*infml*) to sit back and do nothing **Hautarzt** *m*, **Hautärztin** *f* dermatologist **Hautausschlag** *m* (skin) rash **Häutchen** ['hɔytçən] *nt* ⟨**-s, -**⟩ (*auf Flüssigkeit*) skin; ANAT, BOT membrane; (*an Fingernägeln*) cuticle **häuten** ['hɔytn] **I** *v/t Tiere* to skin **II** *v/r* (*Tier*) to shed its skin **hauteng** *adj* skintight

Hautevolee [(h)oːtvo'leː] *f* ⟨**-**, *no pl*⟩ upper crust

Hautfarbe *f* skin colour (*Br*) *or* color (*US*) **hautfarben** [-farbn] *adj* flesh-coloured (*Br*), flesh-colored (*US*) **Hautkrankheit** *f* skin disease **Hautkrebs** *m* MED skin cancer **hautnah I** *adj* **1.** (≈ *sehr eng*, SPORTS) (very) close **2.** (*fig infml*) *Problem* that affects us/him *etc* directly; *Darstellung* deeply affecting **II** *adv* ***~ in***

Kontakt mit jdm/etw kommen to come into (very) close contact with sb/sth; ***etw ~ erleben*** to experience sth at close quarters **Hautpflege** *f* skin care **hautschonend** *adj* kind to the skin **Hauttransplantation** *f* skin graft
Havarie [hava'riː] *f* ⟨**-, -n** [-'riːən]⟩ (≈ *Unfall*) accident; (≈ *Schaden*) damage *no indef art, no pl*
Hawaii [ha'vaii, ha'vai] *nt* ⟨**-s**⟩ Hawaii
Haxe ['haksə] *f* ⟨**-, -n**⟩; → ***Hachse***
H-Bombe ['haː-] *f* H-bomb
he [heː] *int* hey; (*fragend*) eh
Hebamme ['heːp|amə, 'heːbamə] *f* ⟨**-, -n**⟩ midwife
Hebebühne *f* hydraulic ramp
Hebel ['heːbl] *m* ⟨**-s, -**⟩ (≈ *Griff*) lever; (*fig*) leverage; ***alle ~ in Bewegung setzen*** (*infml*) to move heaven and earth; ***am längeren ~ sitzen*** (*infml*) to have the whip hand
heben ['heːbn] *pret* ***hob*** [hoːp], *past part* ***gehoben*** [gə'hoːbn] **I** *v/t* **1.** to lift; ***er hebt gern einen*** (*infml*) he likes a drink; → ***gehoben*** **2.** (≈ *verbessern*) to heighten; *Ertrag* to increase; *Stimmung* to improve; ***jds Stimmung ~*** to cheer sb up **II** *v/r* to rise; (*Nebel, Deckel*) to lift; ***da hob sich seine Stimmung*** that cheered him up **III** *v/i* SPORTS to do weightlifting
Heber ['heːbɐ] *m* ⟨**-s, -**⟩ TECH (hydraulic) jack
hebräisch [he'brɛːɪʃ] *adj* Hebrew
Hebriden [he'briːdn] *pl* ***die ~*** the Hebrides *pl*
Hebung ['heːbʊŋ] *f* ⟨**-, -en**⟩ **1.** (*von Schatz, Wrack etc*) recovery, raising **2.** *no pl* (*fig* ≈ *Verbesserung*) improvement
hecheln ['hɛçln] *v/i* (≈ *keuchen*) to pant
Hecht [hɛçt] *m* ⟨**-(e)s, -e**⟩ ZOOL pike; ***er ist (wie) ein ~ im Karpfenteich*** (*fig* ≈ *sorgt für Unruhe*) he's a stirrer (*infml*)
hechten ['hɛçtn] *v/i aux sein* (*infml*) to dive; (*beim Turnen*) to do a forward dive
Heck [hɛk] *nt* ⟨**-(e)s, -e**⟩ *pl also* **-s** NAUT stern; AVIAT tail; AUTO rear
Hecke ['hɛkə] *f* ⟨**-, -n**⟩ hedge **Heckenrose** *f* dog rose **Heckenschere** *f* hedge clippers *pl* **Heckenschütze** *m*, **Heckenschützin** *f* sniper
Heckklappe *f* AUTO tailgate **hecklastig** [-lastɪç] *adj* tail-heavy **Heckscheibe** *f* AUTO rear windscreen (*Br*) *or* windshield (*US*) **Heckscheibenheizung** *f* rear windscreen (*Br*) *or* windshield (*US*) heater **Heckscheibenwischer** *m* rear windscreen (*Br*) *or* windshield (*US*) wiper **Hecktür** *f* AUTO tailgate
Heer [heːɐ] *nt* ⟨**-(e)s, -e**⟩ army
Hefe ['heːfə] *f* ⟨**-, -n**⟩ yeast **Hefegebäck** *nt* yeast-risen pastry **Hefeteig** *m* yeast dough
Heft[1] *nt* ⟨**-(e)s, -e**⟩ **1.** (≈ *Schreibheft*) exercise book **2.** (≈ *Zeitschrift*) magazine; (≈ *Comicheft*) comic; (≈ *Nummer*) issue
Heft[2] [hɛft] *nt* ⟨**-(e)s, -e**⟩ (*von Messer*) handle; (*von Schwert*) hilt; ***das ~ in der Hand haben*** (*fig*) to hold the reins; ***das ~ aus der Hand geben*** (*fig*) to hand over control
Heftchen ['hɛftçən] *nt* ⟨**-s, -**⟩ **1.** (*pej* ≈ *Comicheftchen*) rag (*pej infml*) **2.** (≈ *Briefmarkenheftchen*) book of stamps **heften** ['hɛftn] **I** *v/t* **1.** (≈ *nähen*) *Saum, Naht* to tack (up); *Buch* to sew; (≈ *klammern*) to clip (*an +acc* to); (*mit Heftmaschine*) to staple (*an +acc* to) **2.** (≈ *befestigen*) to pin, to fix **II** *v/r* **1.** (*Blick, Augen*) ***sich auf jdn/etw ~*** to fix onto sb/sth **2.** ***sich an jdn ~*** to latch on to sb; ***sich an jds Fersen ~*** (*fig*) (≈ *jdn verfolgen*) to dog sb's heels **Hefter** ['hɛftɐ] *m* ⟨**-s, -**⟩ **1.** (loose-leaf) file **2.** (≈ *Heftapparat*) stapler
heftig ['hɛftɪç] **I** *adj* (≈ *stark*) violent; *Fieber, Frost, Erkältung* severe; *Schmerz, Abneigung Sehnsucht* intense; *Widerstand* vehement; *Regen* heavy; *Wind, Ton* fierce; *Worte* violent; ***~ werden*** to fly into a passion **II** *adv regnen, zuschlagen* hard; *kritisieren* severely; *schütteln* vigorously; *schimpfen* vehemently; *verliebt* passionately; ***sich ~ streiten*** to have a violent argument **Heftigkeit** *f, no pl* (≈ *Stärke*) violence; (*von Frost*) severity; (*von Schmerz, Abneigung*) intensity; (*von Widerstand*) vehemence; (*von Wind*) ferocity; (*von Regen*) heaviness
Heftklammer *f* staple **Heftmaschine** *f* stapler **Heftpflaster** *nt* (sticking) plaster **Heftzwecke** *f* drawing pin (*Br*), thumb tack (*US*)
Hegemonie [hegemo'niː] *f* ⟨**-, -n** [-'niːən]⟩ hegemony
hegen ['heːgn] *v/t* **1.** (≈ *pflegen*) to care for; ***jdn ~ und pflegen*** to lavish care and attention on sb **2.** *Hass, Verdacht* to harbour (*Br*), to harbor (*US*); *Miss-*

trauen to feel; *Zweifel* to entertain; *Wunsch* to cherish; ***ich hege den starken Verdacht, dass ...*** I have a strong suspicion that ...

Hehl [heːl] *nt or m* ***kein** or **keinen ~ aus etw machen*** to make no secret of sth

Hehler ['heːlɐ] *m* ⟨***-s, -***⟩, **Hehlerin** [-ərɪn] *f* ⟨***-, -nen***⟩ receiver (of stolen goods) **Hehlerei** [heːlə'rai] *f* ⟨***-, -en***⟩ receiving (stolen goods)

Heide[1] ['haidə] *f* ⟨***-, -n***⟩ moor; (≈ *Heideland*) moorland

Heide[2] ['haidə] *m* ⟨***-n, -n***⟩, **Heidin** ['haidɪn] *f* ⟨***-, -nen***⟩ heathen

Heidekraut *nt* heather **Heideland** *nt* moorland

Heidelbeere *f* bilberry, blueberry (*esp US*)

Heidenangst *f* ***eine ~ vor etw*** (*dat*) ***haben*** (*infml*) to be scared stiff of sth (*infml*) **Heidenlärm** *m* (*infml*) unholy din (*infml*) **Heidenspaß** *m* (*infml*) terrific fun

heidnisch ['haidnɪʃ] *adj* heathen

heikel ['haikl] *adj* **1.** (≈ *schwierig*) tricky **2.** (*dial*, *in Bezug aufs Essen*) fussy

heil [hail] **I** *adj* **1.** (≈ *unverletzt*) *Mensch* unhurt; *Glieder* unbroken; *Haut* undamaged; ***wieder ~ werden*** (≈ *wieder gesund*) to get better again; (*Wunde*) to heal up; (*Knochen*) to mend; ***mit ~er Haut davonkommen*** to escape unscathed **2.** (*infml* ≈ *ganz*) intact; ***die ~e Welt*** an ideal world **II** *adv* (≈ *unverletzt*) all in one piece **Heil** [hail] **I** *nt* ⟨***-s,** no pl*⟩ **1.** (≈ *Wohlergehen*) wellbeing **2.** (ECCL, *fig*) salvation; ***sein ~ in etw*** (*dat*) ***suchen*** to seek one's salvation in sth **II** *int* ***Ski ~!*** good skiing!

Heiland ['hailant] *m* ⟨***-(e)s, -e*** [-də]⟩ Saviour (*Br*), Savior (*US*)

Heilanstalt *f* nursing home; (*für Sucht- oder Geisteskranke*) home **heilbar** *adj* curable

Heilbutt *m* halibut

heilen ['hailən] **I** *v/i aux sein* (*Wunde*, *Bruch*) to heal (up); (*Entzündung*) to clear up **II** *v/t Kranke* to cure; *Wunde* to heal; ***jdn von etw ~*** to cure sb of sth

heilfroh *adj pred* (*infml*) really glad

heilig ['hailɪç] *adj* **1.** holy; ***jdm ~ sein*** to be sacred to sb; ***der ~e Augustinus*** Saint Augustine; ***Heiliger Abend*** Christmas Eve; ***der Heilige Geist*** the Holy Spirit; ***das Heilige Land*** the Holy Land; ***die Heilige Schrift*** the Holy Scriptures *pl* **2.** (*fig* ≈ *ernst*) *Eid*, *Pflicht* sacred; ***~e Kuh*** sacred cow **Heiligabend** [hailɪç'|aːbnt] *m* Christmas Eve **Heiligenschein** *m* halo **Heilige(r)** ['hailɪgə] *m/f(m) decl as adj* saint **Heiligkeit** *f* ⟨***-,** no pl*⟩ holiness **heiligsprechen** *v/t sep irr* to canonize **Heiligtum** ['hailɪçtuːm] *nt* ⟨***-s, -tümer*** [-tyːmɐ]⟩ (≈ *Stätte*) shrine; (≈ *Gegenstand*) (holy) relic; ***jds ~ sein*** (*infml*) to be sacrosanct to sb

Heilkraft *f* healing power **heilkräftig** *adj Pflanze*, *Tee* medicinal **Heilkraut** *nt usu pl* medicinal herb **heillos** *adj* unholy (*infml*); *Schreck* terrible, frightful; ***die Partei war ~ zerstritten*** the party was hopelessly divided **Heilmethode** *f* cure **Heilmittel** *nt* remedy; (≈ *Medikament*) medicine **Heilpflanze** *f* medicinal plant **Heilpraktiker** *m* ⟨***-s, -***⟩, **Heilpraktikerin** [-ərɪn] *f* ⟨***-, -nen***⟩ non-medical practitioner **heilsam** ['hailzaːm] *adj* (*fig* ≈ *förderlich*) salutary **Heilsarmee** *f* Salvation Army **Heilung** ['hailʊŋ] *f* ⟨***-,** (rare)* ***-en***⟩ healing; (*von Kranken*) curing; (≈ *das Gesundwerden*) cure

heim [haim] *adv* home **Heim** [haim] *nt* ⟨***-(e)s, -e***⟩ home; (≈ *Obdachlosenheim*) hostel; (≈ *Studentenwohnheim*) hall of residence, dormitory (*US*) **Heimarbeit** *f* IND homework *no indef art*, outwork *no indef art* **Heimarbeiter(in)** *m/(f)* IND homeworker

Heimat ['haimaːt] *f* ⟨***-, -en***⟩ home **Heimatanschrift** *f* home address **Heimatfilm** *m sentimental film in idealized regional setting* **Heimatkunde** *f* SCHOOL local history **Heimatland** *nt* native country **heimatlich** ['haimaːtlɪç] *adj* native; *Bräuche* local; *Gefühle* nostalgic; *Klänge* of home **heimatlos** *adj* homeless **Heimatlose(r)** ['haimaːtloːzə] *m/f(m) decl as adj* homeless person; ***die ~n*** the homeless **Heimatmuseum** *nt* museum of local history **Heimatstadt** *f* home town **Heimatvertriebene(r)** *m/f(m) decl as adj* displaced person, expellee

Heimbewohner(in) *m/(f)* resident (of a/the home) **heimbringen** *v/t sep irr* (≈ *nach Hause bringen*) to bring home; (≈ *heimbegleiten*) to take home **Heimchen** ['haimçən] *nt* ⟨***-s, -***⟩ ZOOL house cricket; **~ (*am Herd*)** (*pej* ≈ *Hausfrau*) housewife **heimelig** ['haiməlɪç] *adj* cosy (*Br*), cozy (*US*) **heimfahren** *v/t & v/i sep* *irr* (*v/i:aux sein*) to drive home **Heimfahrt** *f* journey home; NAUT voyage home **heimfinden** *v/i sep irr* to find one's way home **heimisch** ['haimɪʃ] *adj* **1.** (≈ *einheimisch*) indigenous (*in +acc* to); (≈ *national*) domestic; (≈ *regional*) regional **2.** (≈ *vertraut*) familiar; ***sich ~ fühlen*** to feel at home; ***~ werden*** to settle in (*an, in +dat* to) **Heimkehr** ['haimke:ɐ] *f* ⟨-, *no pl*⟩ homecoming **heimkehren** *v/i sep aux sein* to return home (*aus* from) **heimkommen** *v/i sep irr aux sein* to come home **Heimleiter(in)** *m/(f)* head of a/the home/hostel

heimlich ['haimlɪç] **I** *adj* secret; *Bewegungen* furtive **II** *adv* secretly; *lachen* inwardly; ***sich ~ entfernen*** to steal away; ***~, still und leise*** (*infml*) quietly, on the quiet **Heimlichkeit** *f* ⟨-, ***-en***⟩ secrecy; (≈ *Geheimnis*) secret **Heimlichtuer** [-tu:ɐ] *m* ⟨***-s***, -⟩, **Heimlichtuerin** [-ərɪn] *f* ⟨-, ***-nen***⟩ secretive person **Heimlichtuerei** *f* secretiveness

Heimniederlage *f* SPORTS home defeat **Heimreise** *f* journey home; NAUT voyage home **heimreisen** *v/i sep aux sein* to travel home **Heimservice** *m* home delivery service **Heimsieg** *m* SPORTS home win *or* victory **Heimspiel** *nt* SPORTS home match *or* game **heimsuchen** ['haimzu:xn] *v/t sep* to strike; (*für längere Zeit*) to plague; (*Krankheit*) to afflict; (*Schicksal*) to overtake; (*infml* ≈ *besuchen*) to descend on (*infml*); ***von Krieg heimgesucht*** war-torn **Heimtrainer** *m* exercise machine; (≈ *Fahrrad*) exercise bike

Heimtücke *f, no pl* insidiousness; (≈ *Boshaftigkeit*) maliciousness **heimtückisch** **I** *adj* insidious; (≈ *boshaft*) malicious **II** *adv überfallen, verraten* treacherously

Heimvorteil *m* (SPORTS, *fig*) home advantage **heimwärts** ['haimvɛrts] *adv* (≈ *nach Hause zu*) home; ***~ ziehen*** to go homewards **Heimweg** *m* way home; ***sich auf den ~ machen*** to set out for home **Heimweh** [-ve:] *nt* ⟨***-s***, *no pl*⟩ homesickness *no art*; ***~ haben*** to be homesick (*nach* for) **Heimwerker** [-vɛrkɐ] *m* ⟨***-s***, -⟩, **Heimwerkerin** [-ərɪn] *f* ⟨-, ***-nen***⟩ do-it-yourself *or* DIY enthusiast **heimzahlen** *v/t sep* ***jdm etw ~*** to pay sb back for sth

Heini ['haini] *m* ⟨***-s***, ***-s***⟩ (*infml*) guy (*infml*); (≈ *Dummkopf*) fool

Heirat ['haira:t] *f* ⟨-, ***-en***⟩ marriage **heiraten** ['haira:tn] **I** *v/t* to marry **II** *v/i* to get married **Heiratsantrag** *m* proposal (of marriage); ***jdm einen ~ machen*** to propose to sb **Heiratsanzeige** *f* (≈ *Bekanntgabe*) announcement of a forthcoming marriage **Heiratsschwindler(in)** *m/(f)* *person who makes a marriage proposal under false pretences* **Heiratsurkunde** *f* marriage certificate

heiser **I** *adj* hoarse **II** *adv* ***sich ~ schreien/reden*** to shout/talk oneself hoarse **Heiserkeit** *f* ⟨-, *no pl*⟩ hoarseness

heiß **I** *adj* **1.** hot; ***jdm ist/wird ~*** sb is/is getting hot; ***etw ~ machen*** to heat sth up **2.** (≈ *heftig*) heated; *Wunsch* burning **3.** (≈ *aufreizend, gefährlich*) ***jdn ~ machen*** (*infml*) to turn sb on (*infml*); ***ein ~es Eisen*** a hot potato **4.** (*infml*) ***~er Draht*** hotline; ***~e Spur*** firm lead; ***~ sein*** (≈ *brünstig*) to be on heat **II** *adv* **1.** ***etw ~ trinken*** to drink sth hot; ***~ baden*** to have a hot bath; ***~ duschen*** to take a hot shower; ***~ laufen*** (*Motor*) to overheat; (*Telefonleitungen*) to buzz **2.** (≈ *heftig*) ***~ ersehnt*** much longed for; ***~ geliebt*** dearly beloved; ***es ging ~ her*** things got heated; ***~ umkämpft*** fiercely fought over; *Markt* fiercely contested; ***~ umstritten*** *Frage* hotly debated; *Künstler etc* highly controversial

heißen ['haisn] *pret* ***hieß*** [hi:s], *past part* ***geheißen*** [gə'haisn] **I** *v/t* (≈ *nennen*) to call; ***jdn willkommen ~*** to bid sb welcome **II** *v/i* **1.** to be called (*Br*) *or* named; ***wie ~ Sie?*** what are you called?, what's your name?; ***ich heiße Müller*** I'm called *or* my name is Müller; ***wie heißt das?*** what is that called? **2.** (≈ *bestimmte Bedeutung haben*) to mean; ***was heißt „gut" auf Englisch?*** what is the English (word) for "gut"?; ***ich weiß, was es heißt, allein zu sein*** I know what it means to be alone **3.** ***das heißt*** that is; (≈ *in anderen Worten*) that is to say **III** *v/i impers* **1.** ***es heißt, dass ...*** (≈ *es geht die Rede*) they say that ... **2.** (≈ *zu lesen sein*) ***in der Bibel heißt es, dass ...*** the Bible says that ...; ***nun heißt es handeln*** now it's time to act

heißgeliebt *adj* → ***heiß*** **Heißhunger** *m* ravenous appetite; ***etw mit ~ essen*** to eat sth ravenously **heißlaufen** *v/i sep irr aux sein*; → ***heiß*** **Heißluft** *f* hot air **Heißluftballon** *m* hot-air balloon **Heiß-**

luftherd *m* fan-assisted oven **heißumkämpft** [-|ʊmkɛmpft] *adj attr*; → **heiß**

heiter ['haitɐ] *adj* (≈ *fröhlich*) cheerful; (≈ *amüsant*) amusing; (≈ *hell, klar*) bright; *Wetter* fine; METEO fair; ***das kann ja ~ werden!*** (*iron*) that sounds great (*iron*); ***aus ~em Himmel*** (*fig*) out of the blue **Heiterkeit** *f* ⟨-, *no pl*⟩ (≈ *Fröhlichkeit*) cheerfulness; (≈ *heitere Stimmung*) merriment; ***allgemeine ~ hervorrufen*** to cause general amusement

heizen ['haitsn] **I** *v/i* (≈ *die Heizung anhaben*) to have the / one's heating on; ***mit Strom*** *etc* **~** to use electricity *etc* for heating **II** *v/t* (≈ *warm machen*) to heat; (≈ *verbrennen*) to burn **Heizkessel** *m* boiler **Heizkissen** *nt* electric heat pad **Heizkörper** *m* (≈ *Gerät*) heater; (*von Zentralheizung*) radiator; (≈ *Element*) heating element **Heizkosten** *pl* heating costs *pl* **Heizkraft** *f* heating power **Heizlüfter** [-lʏftɐ] *m* ⟨**-s, -**⟩ fan heater **Heizöl** *nt* fuel oil **Heizung** ['haitsʊŋ] *f* ⟨**-, -en**⟩ heating

Hektar [hɛk'taːɐ, 'hɛktaːɐ] *nt or m* ⟨**-s, -e**⟩ hectare

Hektik ['hɛktɪk] *f* ⟨-, *no pl*⟩ (≈ *Hast*) hectic rush; (*von Großstadt etc*) hustle and bustle; (*von Leben etc*) hectic pace; ***nur keine ~*** take it easy **hektisch** ['hɛktɪʃ] **I** *adj* hectic; *Arbeiten* frantic **II** *adv* hectically; ***es geht ~ zu*** things are hectic; ***nur mal nicht so ~*** take it easy

Hektoliter [hɛkto'liːtɐ, 'hɛkto-] *m or nt* hectolitre (*Br*), hectoliter (*US*)

Held [hɛlt] *m* ⟨**-en, -en** [-dn]⟩ hero **heldenhaft I** *adj* heroic **II** *adv* heroically **Heldenmut** *m* heroic courage **Heldentat** *f* heroic deed **Heldentum** ['hɛldntuːm] *nt* ⟨**-s**, *no pl*⟩ heroism **Heldin** ['hɛldɪn] *f* ⟨**-, -nen**⟩ heroine

helfen ['hɛlfn] *pret* ***half*** [half], *past part* ***geholfen*** [gə'hɔlfn] *v/i* to help (*jdm* sb); ***jdm bei etw ~*** to help sb with sth; ***ihm ist nicht zu ~*** he is beyond help; ***ich kann mir nicht ~, ich muss es tun*** I can't help doing it; ***er weiß sich*** (*dat*) ***zu ~*** he is very resourceful; ***man muss sich*** (*dat*) ***nur zu ~ wissen*** (*prov*) you just have to use your head; ***er weiß sich*** (*dat*) ***nicht mehr zu ~*** he is at his wits' end; ***es hilft nichts*** it's no use; ***das hilft mir wenig*** that's not much help to me; ***was hilfts?*** what's the use?; ***diese Arznei hilft gegen Kopfweh*** this medicine helps to relieve headaches

Helfer ['hɛlfɐ] *m* ⟨**-s, -**⟩, **Helferin** [-ərɪn] *f* ⟨**-, -nen**⟩ helper; (≈ *Mitarbeiter*) assistant; (*von Verbrecher*) accomplice; ***ein ~ in der Not*** a friend in need **Helfershelfer(in)** *m*/(*f*) accomplice

Helgoland ['hɛlgolant] *nt* ⟨**-s**⟩ Heligoland

Helikopter [heli'kɔptɐ] *m* ⟨**-s, -**⟩ helicopter

Helium ['heːliʊm] *nt* ⟨**-s**, *no pl*⟩ helium

hell [hɛl] **I** *adj* **1.** (*optisch*) light; *Licht* bright; *Kleidungsstück* light-coloured (*Br*), light-colored (*US*); *Haar, Teint* fair; ***es wird ~*** it's getting light; ***~es Bier*** ≈ lager (*esp Br*) **2.** (*akustisch*) *Ton* high(-pitched) **3.** (*infml* ≈ *klug*) *Junge* bright **4.** *attr* (≈ *stark, groß*) great; *Verzweiflung, Unsinn* sheer, utter; *Neid* pure; ***seine ~e Freude an etw*** (*dat*) ***haben*** to find great joy in sth **II** *adv* **1.** (≈ *licht*) brightly **2.** ***von etw ~ begeistert sein*** to be very enthusiastic about sth **hellauf** ['hɛl'|auf] *adv* completely; ***~ begeistert sein*** to be wildly enthusiastic **hellblau** *adj* light blue **hellblond** *adj* very fair, blonde **helle** ['hɛlə] *adj pred* (*infml*) bright

Heller ['hɛlɐ] *m* ⟨**-s, -**⟩ HIST heller; ***das ist keinen ~ wert*** that isn't worth a brass farthing (*Br*), that's worth nothing; ***auf ~ und Pfennig*** (down) to the penny (*esp Br*)

Helle(s) ['hɛlə] *nt decl as adj* (≈ *Bier*) ≈ lager (*esp Br*) **hellgrün** *adj* light green **hellhörig** *adj* ARCH poorly soundproofed; ***~ sein*** (*fig: Mensch*) to have sharp ears **Helligkeit** *f* ⟨-, *no pl*⟩ lightness; (*von Licht*) brightness; (*von Haar, Teint*) fairness **Helligkeitsregler** *m* brightness control **helllicht** ['hɛllɪçt] *adj* ***am ~en Tage*** in broad daylight **hellrot** *adj* bright red **hellsehen** *v/i inf only* ***~ können*** to be clairvoyant **Hellseher** [-zeːɐ] *m* ⟨**-s, -**⟩, **Hellseherin** [-ərɪn] *f* ⟨**-, -nen**⟩ clairvoyant **hellwach** *adj* (*lit*) wide-awake; (*fig*) alert

Helm [hɛlm] *m* ⟨**-(e)s, -e**⟩ helmet

Hemd [hɛmt] *nt* ⟨**-(e)s, -en** [-dn]⟩ (≈ *Oberhemd*) shirt; (≈ *Unterhemd*) vest (*Br*), undershirt (*US*); ***jdn bis aufs ~ ausziehen*** (*fig infml*) to fleece sb (*infml*) **Hemdsärmel** *m* shirtsleeve; ***in ~n*** in one's shirtsleeves **hemdsärmelig** *adj* shirt-sleeved; (*fig infml*) casual

Hemisphäre [hemi'sfɛːrə] *f* hemisphere

hẹmmen ['hɛmən] *v/t Entwicklung* to hinder; (≈ *verlangsamen*) to slow down; *Wasserlauf* to stem; PSYCH to inhibit; → ***gehemmt*** **Hẹmmnis** ['hɛmnɪs] *nt* ⟨***-ses, -se***⟩ hindrance, impediment (*für* to) **Hẹmmschuh** *m* brake shoe; (*fig*) hindrance (*für* to) **Hẹmmschwelle** *f* inhibition level; ***eine ~ überwinden*** to overcome one's inhibitions **Hẹmmung** ['hɛmʊŋ] *f* ⟨***-, -en***⟩ **1.** PSYCH inhibition; (≈ *Bedenken*) scruple; ***keine ~en kennen*** to have no inhibitions; ***nur keine ~en*** don't feel inhibited **2.** (*von Entwicklung*) hindering **hẹmmungslos I** *adj* (≈ *rückhaltlos*) unrestrained; (≈ *skrupellos*) unscrupulous **II** *adv jubeln, weinen* without restraint; *sich hingeben* wantonly **Hẹmmungslosigkeit** *f* ⟨***-, -en***⟩ (≈ *Rückhaltlosigkeit*) lack *no pl* of restraint; (≈ *Skrupellosigkeit*) unscrupulousness *no pl*

Hẹndl ['hɛndl] *nt* ⟨***-s, -(n)***⟩ (*S Ger, Aus*) chicken

Hẹngst [hɛŋst] *m* ⟨***-(e)s, -e***⟩ stallion

Hẹnkel ['hɛŋkl] *m* ⟨***-s, -***⟩ handle

Hẹnker ['hɛŋkɐ] *m* ⟨***-s, -***⟩ hangman; (≈ *Scharfrichter*) executioner

Hẹnna ['hɛna] *f* ⟨***-*** *or nt* ***-(s)***, *no pl*⟩ henna

Hẹnne ['hɛnə] *f* ⟨***-, -n***⟩ hen

Hepatitis [hepa'tiːtɪs] *f* ⟨***-, Hepatitiden*** [-ti'tiːdn]⟩ hepatitis

her [heːɐ] *adv* ***von der Kirche ~*** from the church; ***~ zu mir!*** come here (to me); ***von weit ~*** from a long way off *or* away; ***~ mit dem Geld!*** hand over your money!; ***~ damit!*** give me that; ***von der Idee ~*** as for the idea; ***vom finanziellen Standpunkt ~*** from the financial point of view; ***ich kenne ihn von früher ~*** I know him from before

herạb [hɛ'rap] *adv* down; ***die Treppe ~*** down the stairs **herạbblicken** *v/i sep* to look down (*auf+acc* on) **herạblassen** *sep irr* **I** *v/t* to let down **II** *v/r* to lower oneself; ***sich zu etw ~*** to deign to do sth **herạblassend I** *adj* condescending **II** *adv* condescendingly **herạbmindern** *v/t sep* (≈ *schlecht machen*) to belittle **herạbsehen** *v/i sep irr* to look down (*auf +acc* on) **herạbsetzen** *v/t sep* to reduce; *Niveau* to lower; *Fähigkeiten, jdn* to belittle; ***zu stark herabgesetzten Preisen*** at greatly reduced prices **Herạbsetzung** [-zɛtsʊŋ] *f* ⟨***-, -en***⟩ reduction; (*von Niveau*) lowering; (*von Fähigkeiten*) belittling; (≈ *Kränkung*) slight **herạbsteigen** *v/i sep irr aux sein* to descend **herạbwürdigen** *sep* **I** *v/t* to belittle **II** *v/r* to degrade oneself **Herạbwürdigung** *f* belittling, disparagement

Herạldik [he'raldɪk] *f* ⟨***-***, *no pl*⟩ heraldry

herạn [hɛ'ran] *adv* ***bis an etw*** (*acc*) ***~*** close to sth, right by sth; (*mit Bewegungsverb*) right up to sth **herạnbilden** *v/t sep* to train (up) **herạnführen** *sep v/t jdn* to lead up; ***jdn an etw*** (*acc*) ***~*** to lead sb up to sth **herạngehen** *v/i sep irr aux sein* ***an jdn ~*** (*lit*) to go up to sb; (*fig*) *an Gegner* to set about sb; ***an etw ~*** (*fig*) *an Problem, Aufgabe* to tackle *or* approach sth **herạnkommen** *v/i sep irr aux sein* **1.** (*räumlich, zeitlich*) to approach (*an etw* (*acc*) sth) **2.** (≈ *erreichen*) ***an den Chef kommt man nicht heran*** you can't get hold of the boss **3.** (≈ *grenzen an*) ***an etw*** (*acc*) ***~*** to verge on sth **herạnmachen** *v/r sep* (*infml*) ***sich an etw*** (*acc*) ***~*** to get down to sth; ***sich an jdn ~*** to approach sb; *an Mädchen* to chat sb up (*esp Br infml*), to flirt with sb **herạnnahen** *v/i sep aux sein* (*elev*) to approach **herạnpirschen** *v/r sep* ***sich an jdn/etw ~*** to stalk up on sb/sth **herạnreichen** *v/i sep* ***an jdn/etw ~*** (*lit*) (*Mensch*) to reach sb/sth; (*Weg, Gelände etc*) to reach (up to) sth; (*fig* ≈ *sich messen können mit*) to come near sb/sth **herạnreifen** *v/i sep aux sein* (*elev*) (*Obst*) to ripen; (*fig*) (*Jugendliche*) to mature; (*Plan, Entschluss, Idee*) to mature, to ripen **herạnrücken** *v/i sep aux sein* (≈ *sich nähern*) to approach (*an etw* (*acc*) sth); (≈ *dicht aufrücken*) to move nearer (*an +acc* to) **herạnschleichen** *v/i & v/r sep irr* to creep up (*an etw* (*acc*) to sth, *an jdn* on sb) **herạntragen** *v/t sep irr* ***etw an jdn ~*** (*fig*) to take sth to sb, to go to sb with sth **herạntreten** *v/i sep irr aux sein* (*lit*) to move up (*an +acc* to); ***näher ~*** to move nearer; ***an jdn ~*** (*fig*) to confront sb; ***mit etw an jdn ~*** (≈ *sich wenden an*) to approach sb with sth **herạnwachsen** *v/i sep irr aux sein* (*elev*) to grow; (*Kind*) to grow up **Herạnwachsende(r)** *m/f(m) decl as adj* JUR adolescent **herạnwagen** *v/r sep* ***sich an etw*** (*acc*) ***~*** (*lit*) to venture near sth, to dare to go near sth; (*fig*) to venture to tackle sth **herạnziehen** *sep irr v/t* **1.** (≈ *zu Hilfe holen*) to call in; *Literatur* to consult **2.** (≈ *einsetzen*) *Arbeitskräfte* to bring in

herauf [hɛ'rauf] **I** *adv* up; ***von unten ~*** up from below **II** *prep +acc* up; ***den Berg/die Treppe ~*** up the mountain/stairs **heraufbeschwören** *past part* ***heraufbeschworen*** *v/t sep irr* **1.** (≈ *wachrufen*) to evoke **2.** (≈ *herbeiführen*) to cause **heraufbringen** *v/t sep irr* to bring up **heraufkommen** *v/i sep irr aux sein* to come up **heraufsetzen** *sep v/t Preise etc* to increase **heraufsteigen** *v/i sep irr aux sein* (≈ *heraufklettern*) to climb up **heraufziehen** *sep irr* **I** *v/t* to pull up **II** *v/i aux sein* (*Gewitter*, *Unheil etc*) to approach

heraus [hɛ'raus] *adv* out; ***~ da!*** (*infml*) get out of there!; ***~ mit ihm*** (*infml*) get him out!; ***~ damit!*** (*infml*) (≈ *gib her*) hand it over!; (≈ *heraus mit der Sprache!*) out with it! (*infml*); ***zum Fenster ~*** out of the window **herausarbeiten** *sep v/t* (*aus Stein*, *Holz*) to carve (*aus* out of); (*fig*) to bring out **herausbekommen** *past part* ***herausbekommen*** *v/t sep irr* **1.** *Fleck*, *Nagel etc* to get out (*aus* of) **2.** *Ursache*, *Geheimnis* to find out (*aus jdm* from sb) **3.** *Wechselgeld* to get back **herausboxen** *v/t sep* (*infml*) *jdn* to bail out (*infml*) **herausbringen** *v/t sep irr* **1.** = ***herausbekommen*** **2.** (*auf den Markt bringen*) to bring out; ***jdn/etw ganz groß ~*** to launch sb/sth in a big way **3.** (≈ *hervorbringen*) *Worte* to utter **herausfahren** *sep irr* **I** *v/i aux sein* (*aus* of) to come out; (*Zug*) to pull out **II** *v/t* SPORTS ***eine gute Zeit ~*** to make good time **herausfallen** *v/i sep irr* to fall out (*aus* of); (*fig, aus Liste etc*) to drop out (*aus* of) **herausfinden** *sep irr* **I** *v/t* to find out **II** *v/i & v/r* to find one's way out (*aus* of) **Herausforderer** [hɛ'rausfɔrdərɐ] *m* ⟨**-s, -**⟩, **Herausforderin** [-ərɪn] *f* ⟨**-, *-nen***⟩ challenger **herausfordern** [hɛ'rausfɔrdɐn] *sep* **I** *v/t* to challenge (*zu* to); (≈ *provozieren*) to provoke (*zu etw* to do sth); *Kritik*, *Protest* to invite; *Gefahr* to court; ***das Schicksal ~*** to tempt fate **II** *v/i* ***zu etw ~*** (≈ *provozieren*) to invite sth **herausfordernd** **I** *adj* provocative; *Haltung*, *Blick* challenging **II** *adv* (≈ *aggressiv*) provocatively; (≈ *lockend*) invitingly **Herausforderung** *f* challenge; (≈ *Provokation*) provocation **Herausgabe** *f* **1.** (≈ *Rückgabe*) return **2.** (*von Buch etc*) publication **herausgeben** *sep irr* **I** *v/t* **1.** (≈ *zurückgeben*) to return, to hand back **2.** (≈ *veröffentlichen, erlassen*) to issue; *Buch*, *Zeitung* to publish; (≈ *bearbeiten*) to edit **3.** (≈ *Wechselgeld geben*) *Betrag* to give in *or* as change **II** *v/i* (≈ *Wechselgeld geben*) to give change (*auf +acc* for); ***können Sie (mir) ~?*** can you give me change? **Herausgeber(in)** *m/(f)* (≈ *Verleger*) publisher; (≈ *Redakteur*) editor **herausgehen** *v/i sep irr aux sein* (*aus* of) to go out; (*Fleck*) to come out; ***aus sich ~*** (*fig*) to come out of one's shell (*fig*) **heraushaben** *v/t sep irr* (*infml* ≈ *begriffen haben*) to have got (*infml*); (≈ *gelöst haben*) to have solved **heraushalten** *sep irr* **I** *v/t* (≈ *nicht verwickeln*) to keep out (*aus* of) **II** *v/r* to keep out of it; ***sich aus etw ~*** to keep out of sth **herausholen** *v/t sep* **1.** (*lit*) to get out (*aus* of) **2.** *Vorteil* to gain; *Vorsprung*, *Sieg* to achieve; *Gewinn* to make; *Herstellungskosten* to recoup; ***alles aus sich ~*** to get the best from oneself **3.** (≈ *herauspauken*) to get off the hook (*infml*) **heraushören** *v/t sep* to hear; (≈ *fühlen*) to sense (*aus* in) **herauskommen** *v/i sep irr aux sein* **1.** to come out (*aus* of); ***er kam aus dem Staunen nicht heraus*** he couldn't get over his astonishment; ***er kam aus dem Lachen nicht heraus*** he couldn't stop laughing **2.** (*aus bestimmter Lage*) to get out (*aus* of); ***aus seinen Schwierigkeiten ~*** to get over one's difficulties **3.** (≈ *auf den Markt kommen*) to come out; (*Gesetz*) to come into force; ***ganz groß ~*** (*infml*) to make a big splash (*infml*) **4.** (≈ *Resultat haben*) ***bei etw ~*** to come of sth; ***und was soll dabei ~?*** and what is that supposed to achieve?; ***es kommt auf dasselbe heraus*** it comes (down) to the same thing **herauskriegen** *v/t sep* (*infml*) = ***herausbekommen*** **herauslassen** *v/t sep irr* to let out (*aus* of) **herauslesen** *v/t sep irr* (≈ *erkennen*) to gather (*aus* from) **herauslocken** *v/t sep* (*aus* of) to entice out; ***etw aus jdm ~*** to get sth out of sb; ***jdn aus seiner Reserve ~*** to draw sb out of his shell **herausnehmbar** *adj* removable **herausnehmen** *v/t sep irr* **1.** (≈ *entfernen*) to take out (*aus* of); ***sich*** (*dat*) ***die Mandeln ~ lassen*** to have one's tonsils out **2.** (*infml* ≈ *sich erlauben*) ***es sich*** (*dat*) ***~, etw zu tun*** to have the nerve to do sth (*infml*); **sich** (*dat*) **Freiheiten ~** to take liberties **herausragen** *v/i sep* = **hervorragen** **herausreden** *v/r sep* to talk one's way out of it (*infml*) **herausreißen** *v/t sep irr* **1.** (*lit*) (*aus* of) to tear out; **jdn aus etw ~** *aus Umgebung* to tear sb away from sth; *aus Schlaf* to startle sb out of sth **2.** (*infml*: *aus Schwierigkeiten*) **jdn ~** to get sb out of it (*infml*) **herausrücken** *sep* **I** *v/t* (*infml* ≈ *hergeben*) *Geld* to cough up (*infml*); *Beute*, *Gegenstand* to hand over **II** *v/i aux sein* (*infml*) **1.** (≈ *hergeben*) **mit etw ~** *mit Geld* to cough sth up (*infml*); *mit Beute* to hand sth over **2.** (≈ *aussprechen*) **mit etw ~** to come out with sth; **mit der Sprache ~** to come out with it **herausrutschen** *v/i sep aux sein* to slip out (*aus* of); **das ist mir nur so herausgerutscht** it just slipped out somehow **herausschlagen** *v/t sep irr* **1.** (*lit*) to knock out (*aus* of) **2.** (*infml* ≈ *erreichen*) *Geld* to make; *Gewinn*, *Vorteil* to get; *Zeit* to gain **herausschneiden** *v/t sep irr* to cut out (*aus* of) **herausschreien** *v/t sep irr* to shout out

heraus sein *v/i irr aux sein* (*infml*) to be out; (≈ *bekannt sein*) to be known; **aus dem Schlimmsten ~** to have got past the worst (part); (*bei Krise*, *Krankheit*) to be over the worst

herausspringen *v/i sep irr aux sein* (*aus* of) **1.** (*lit*) to jump out **2.** (≈ *sich lösen*) to come out **3.** (*infml*) **dabei springt nichts heraus** there's nothing to be got out of it

herausstellen *sep* **I** *v/t* **1.** (*lit*) to put outside **2.** (*fig* ≈ *hervorheben*) to emphasize; *jdn* to give prominence to **II** *v/r* (*Wahrheit*) to come to light; **sich als falsch ~** to prove (to be) wrong; **es stellte sich heraus, dass ...** it emerged that ...

heraussuchen *v/t sep* to pick out

herauswachsen *v/i sep irr aux sein* to grow out (*aus* of)

herauswagen *v/r sep* to dare to come out (*aus* of)

herauswinden *v/r sep irr* (*fig*) to wriggle out of it

herauswirtschaften *v/t sep* to make (*aus* out of)

herausziehen *sep irr v/t* to pull out (*aus* of)

herb [hɛrp] *adj* **1.** *Geruch Geschmack* sharp; *Wein* dry **2.** *Enttäuschung etc* bitter; *Wahrheit* cruel **3.** (≈ *streng*) *Züge*, *Gesicht* severe, harsh; *Art*, *Charakter* dour **4.** *Worte*, *Kritik* harsh

Herbarium [hɛr'baːriʊm] *nt* ⟨**-s, Herbarien**⟩ herbarium, herbary

herbei [hɛɐ'bai] *adv* (*elev*) here **herbeieilen** *v/i sep aux sein* (*elev*) to hurry *or* rush over **herbeiführen** *v/t sep* (≈ *bewirken*) to bring about; (≈ *verursachen*) to cause **herbeischaffen** *v/t sep* to bring; *Geld* to get; *Beweise* to produce **herbeisehnen** *v/t sep* to long for **herbeiströmen** *v/i sep aux sein* (*elev*) to come in (their) crowds **herbeiwünschen** *v/t sep* (**sich** *dat*) **etw ~** to long for sth

herbekommen *past part* **herbekommen** *v/t sep irr* (*infml*) to get **herbemühen** *past part* **herbemüht** *sep* (*elev*) **I** *v/t* **jdn ~** to trouble sb to come here **II** *v/r* to take the trouble to come here

Herberge ['hɛrbɛrgə] *f* ⟨**-, -n**⟩ **1.** *no pl* (≈ *Unterkunft*) lodging *no indef art* **2.** (≈ *Jugendherberge*) (youth) hostel **Herbergsmutter** *f*, *pl* **-mütter**, **Herbergsvater** *m* (youth hostel) warden

herbestellen *past part* **herbestellt** *v/t sep* to ask to come

Herbheit *f* ⟨**-**, *no pl*⟩ **1.** (*von Geruch*, *Geschmack*) sharpness; (*von Wein*) dryness **2.** (*von Enttäuschung*) bitterness **3.** (≈ *Strenge*) (*von Gesicht*, *Zügen*) severity, harshness; (*von Art*, *Charakter*) dourness **4.** (*von Worten*, *Kritik*) harshness

Herbizid [hɛrbi'tsiːt] *nt* ⟨**-(e)s, -e** [-də]⟩ herbicide

herbringen *v/t sep irr* to bring (here); → **hergebracht**

Herbst [hɛrpst] *m* ⟨**-(e)s, -e**⟩ autumn, fall (*US*); **im ~** in autumn, in the fall (*US*) **Herbstanfang** *m* beginning of autumn *or* fall (*US*) **Herbstferien** *pl* autumn holiday(s *pl*) (*esp Br*) *or* vacation (*US*) **herbstlich** ['hɛrpstlɪç] **I** *adj* autumn *attr*; (≈ *wie im Herbst*) autumnal; **das Wetter wird schon ~** autumn *or* fall (*US*) is in the air **II** *adv* **~ kühles Wetter** cool autumn *or* fall (*US*) weather **Herbstzeitlose** ['hɛrpsttsaitloːzə] *f decl as adj* meadow saffron

Herd [heːɐt] *m* ⟨**-(e)s, -e** [-də]⟩ **1.** (≈ *Küchenherd*) cooker, stove **2.** MED focus; (GEOL: *von Erdbeben*) epicentre (*Br*), epicenter (*US*)

Herde ['heːɐdə] *f* ⟨**-, -n**⟩ (*lit*) herd; (*von*

Schafen, fig elev ≈ *Gemeinde*) flock **Herdentier** *nt* gregarious animal **Herdentrieb** *m* herd instinct

Herdplatte *f* (*von Elektroherd*) hotplate

herein [hɛ'rain] *adv* in; ***herein!*** come in!; ***hier ~!*** in here!; ***von (dr)außen ~*** from outside **hereinbekommen** *past part* ***hereinbekommen*** *v/t sep irr* (*infml*) *Waren* to get in; *Radiosender* to get; *Unkosten etc* to recover **hereinbitten** *v/t sep irr* to ask (to come) in **hereinbrechen** *v/i sep irr aux sein* (*Wasser, Flut*) to gush in; ***über jdn/etw ~*** to descend upon sb/sth **hereinbringen** *v/t sep irr* **1.** to bring in **2.** (*infml* ≈ *wettmachen*) to make good **hereinfahren** *v/t & v/i sep irr* to drive in **hereinfallen** *v/i sep irr aux sein* (*infml*) to fall for it (*infml*); (≈ *betrogen werden*) to be had (*infml*); ***auf jdn/etw ~*** to be taken in by sb/sth **hereinführen** *v/t sep* to show in **hereinholen** *v/t sep* to bring in (*in +acc* -to) **hereinkommen** *v/i sep irr aux sein* to come in (*in +acc* -to) **hereinlassen** *v/t sep irr* to let in (*in +acc* -to) **hereinlegen** *v/t sep* (*infml*) ***jdn ~*** (≈ *betrügen*) to take sb for a ride (*infml*); (≈ *anführen*) to take sb in **hereinplatzen** *v/i sep aux sein* (*infml*) to burst in (*in +acc* to) **hereinregnen** *v/i impers sep* ***es regnet herein*** the rain is coming in **hereinschneien** *sep v/i aux sein* (*infml*) to drop in (*infml*) **hereinströmen** *v/i sep aux sein* to pour in (*in +acc* -to)

herfahren *sep irr* **I** *v/i aux sein* to come *or* get here; ***hinter jdm ~*** to drive *or* (*mit Rad*) ride (along) behind sb **II** *v/t* to drive here **Herfahrt** *f* journey here; ***auf der ~*** on the way here **herfallen** *v/i sep irr aux sein* ***über jdn ~*** to attack sb; (≈ *kritisieren*) to pull sb to pieces; ***über etw*** (*acc*) ***~*** *über Essbares etc* to pounce upon sth **herfinden** *v/i sep irr* to find one's way here **herführen** *v/t sep* ***was führt Sie her?*** what brings you here? **Hergang** *m, pl* (*rare*) ***-gänge*** course; ***der ~ des Unfalls*** the way the accident happened **hergeben** *sep irr* **I** *v/t* (≈ *weggeben*) to give away; (≈ *aushändigen*) to hand over; (≈ *zurückgeben*) to give back; ***wenig ~*** (*infml*) not to be much use; ***seinen Namen für etw ~*** to lend one's name to sth **II** *v/r* ***sich zu*** *or* ***für etw ~*** to be (a) party to sth **hergebracht** *adj* (≈ *traditionell*) traditional; → **herbringen** **hergehen** *sep irr aux sein* **I** *v/i* ***neben jdm ~*** to walk (along) beside sb **II** *v/i impers* (*infml*) (≈ *zugehen*) ***es ging heiß her*** things got heated (*infml*); ***hier geht es hoch her*** there's plenty going on here **hergehören** *past part* ***hergehört*** *v/i sep* to belong here **herhaben** *v/t sep irr* (*infml*) ***wo hat er das her?*** where did he get that from? **herhalten** *sep irr v/i* to suffer (for it); ***für etw ~*** to pay for sth; ***als Entschuldigung für etw ~*** to be used as an excuse for sth **herholen** *v/t sep* (*infml*) to fetch; ***weit hergeholt sein*** (*fig*) to be far-fetched **herhören** *v/i sep* (*infml*) to listen; ***alle mal ~!*** everybody listen (to me)

Hering ['heːrɪŋ] *m* ⟨***-s, -e***⟩ **1.** herring **2.** (≈ *Zeltpflock*) (tent) peg

herkommen *v/i sep irr aux sein* to come here; (≈ *sich nähern*) to come; (≈ *herstammen*) to come from; ***komm her!*** come here!; ***von jdm/etw ~*** (≈ *stammen*) to come from sb/sth **herkömmlich** ['heːɐkœmlɪç] *adj* conventional **Herkunft** ['heːɐkʊnft] *f* ⟨**-, ⸗e** [-kʏnftə]⟩ origin; (*soziale*) background; ***er ist britischer ~*** (*gen*) he is of British descent **Herkunftsland** *nt* COMM country of origin **herlaufen** *v/i sep irr aux sein* to come running; ***hinter jdm ~*** to run after sb **herleiten** *sep v/t* (≈ *folgern*) to derive (*aus* from) **hermachen** *sep* (*infml*) **I** *v/r* ***sich über etw*** (*acc*) ***~*** *über Arbeit, Essen* to get stuck into sth (*infml*); *über Eigentum* to pounce (up)on sth; ***sich über jdn ~*** to lay into sb (*infml*) **II** *v/t* ***viel ~*** to look impressive

Hermelin[1] [hɛrmə'liːn] *nt* ⟨***-s, -e***⟩ ZOOL ermine

Hermelin[2] *m* ⟨***-s, -e***⟩ (≈ *Pelz*) ermine

hermetisch [hɛr'meːtɪʃ] **I** *adj* hermetic **II** *adv* ***~ abgeriegelt*** completely sealed off

hernehmen *v/t sep irr* (≈ *beschaffen*) to get; ***wo soll ich das ~?*** where am I supposed to get that from?

Heroin [hero'iːn] *nt* ⟨***-s,*** *no pl*⟩ heroin **heroinabhängig, heroinsüchtig** *adj* addicted to heroin **Heroinabhängige(r)**, **Heroinsüchtige(r)** *m/f(m) decl as adj* heroin addict

heroisch [he'roːɪʃ] (*elev*) **I** *adj* heroic **II** *adv* heroically

Herpes ['hɛrpɛs] *m* ⟨***-,*** *no pl*⟩ MED herpes

Herr [hɛr] *m* ⟨***-(e)n, -en***⟩ **1.** (≈ *Gebieter*) lord, master; (≈ *Herrscher*) ruler (*über*

+*acc* of); ***sein eigener ~ sein*** to be one's own master; ***~ einer Sache*** (*gen*) ***werden*** to get sth under control; ***~ der Lage sein*** to be master of the situation **2.** (≈ *Gott*) Lord **3.** (≈ *Mann*) gentleman; ***4x100-m-Staffel der ~en*** men's 4 x 100m relay; ***„Herren"*** (≈ *Toilette*) "gents" **4.** (*vor Eigennamen*) Mr; **(*mein*) *~!*** sir!; ***~ Professor Schmidt*** Professor Schmidt; ***~ Doktor*** doctor; ***~ Präsident*** Mr President; ***sehr geehrter ~ Bell*** (*in Brief*) Dear Mr Bell; ***sehr geehrte ~en*** (*in Brief*) Dear Sirs (*Br*), to whom it may concern (*US*) **Herrchen** ['hɛrçən] *nt* ⟨**-s, -**⟩ (*infml: von Hund*) master

Herreise *f* journey here

Herrenausstatter [-|ausʃtatɐ] *m* ⟨**-s, -**⟩, **Herrenausstatterin** [-ərɪn] *f* ⟨**-, -*nen***⟩ gents' outfitter **Herrenbekleidung** *f* menswear **Herrendoppel** *nt* TENNIS *etc* men's doubles *sg* **Herreneinzel** *nt* TENNIS *etc* men's singles *sg* **Herrenfahrrad** *nt* man's bicycle *or* bike (*infml*) **Herrenfriseur(in)** *m*/(*f*) men's hairdresser, barber **herrenlos** *adj* abandoned; *Hund etc* stray **Herrenmode** *f* men's fashion **Herrenschneider(in)** *m*/(*f*) gentlemen's tailor **Herrentoilette** *f* men's toilet *or* restroom (*US*), gents *sg*

Herrgott *m* ***der ~*** God, the Lord (God); ***~ noch mal!*** (*infml*) damn it all! (*infml*) **Herrgottsfrühe** *f* ***in aller ~*** (*infml*) at the crack of dawn

herrichten *v/t sep* **1.** (≈ *vorbereiten*) to get ready (+*dat*, *für* for); *Tisch* to set **2.** (≈ *ausbessern*) to do up (*infml*)

herrisch ['hɛrɪʃ] *adj* imperious

herrlich ['hɛrlɪç] **I** *adj* marvellous (*Br*), marvelous (*US*); *Kleid* gorgeous, lovely; ***das ist ja ~*** (*iron*) that's great **II** *adv* ***wir haben uns ~ amüsiert*** we had a marvel(l)ous time; ***~ schmecken*** to taste absolutely delicious **Herrlichkeit** *f* ⟨**-, -*en***, *no pl*⟩ (≈ *Pracht*) magnificence

Herrschaft ['hɛrʃaft] *f* ⟨**-, -*en***⟩ **1.** *no pl* (≈ *Macht*) power; (≈ *Staatsgewalt*) rule; ***unter der ~*** under the rule (+*gen*, *von* of) **2.** *no pl* (≈ *Kontrolle*) control **3.** ***die ~en*** (≈ *Damen und Herren*) the ladies and gentlemen; **(*meine*) *~en!*** ladies and gentlemen! **herrschaftlich** ['hɛrʃaftlɪç] *adj* (≈ *vornehm*) grand **herrschen** ['hɛrʃn] **I** *v/i* **1.** (≈ *Macht haben*) to rule; (*König*) to reign; (*fig*) (*Mensch*) to dominate **2.** (≈ *vorherrschen*) to prevail; (*Betriebsamkeit*) to be prevalent; (*Nebel*, *Kälte*) to be predominant; (*Krankheit*, *Not*) to be rampant; (*Meinung*) to predominate; ***überall herrschte Freude*** there was joy everywhere; ***hier herrscht Ordnung*** things are orderly (a)round here **II** *v/i impers* ***es herrschte Schweigen*** silence reigned; ***es herrscht Ungewissheit darüber, ob ...*** there is uncertainty about whether ... **herrschend** *adj Partei*, *Klasse* ruling; *König* reigning; *Bedingungen* prevailing; *Mode* current **Herrscher** ['hɛrʃɐ] *m* ⟨**-s, -**⟩, **Herrscherin** [-ərɪn] *f* ⟨**-, -*nen***⟩ ruler **Herrschsucht** *f*, *no pl* domineeringness **herrschsüchtig** *adj* domineering

herrühren *v/i sep* ***von etw ~*** to be due to sth **hersagen** *v/t sep* to recite **hersehen** *v/i sep irr* (≈ *hierhersehen*) to look here; ***hinter jdm ~*** to follow sb with one's eyes **her sein** *v/i irr aux sein* **1.** (*zeitlich*) ***das ist schon 5 Jahre her*** that was 5 years ago **2.** ***hinter jdm/etw ~*** to be after sb/sth

herstellen *v/t sep* **1.** (≈ *erzeugen*) to produce; (*esp industriell*) to manufacture; ***in Deutschland hergestellt*** made in Germany **2.** (≈ *zustande bringen*) to establish; TEL *Verbindung* to make **Hersteller** ['heːɐʃtɛlɐ] *m* ⟨**-s, -**⟩, **Herstellerin** [-ərɪn] *f* ⟨**-, -*nen***⟩ (≈ *Produzent*) manufacturer **Herstellung** *f* **1.** (≈ *Erzeugung*) production; (*esp industriell*) manufacture **2.** (≈ *das Zustandebringen*) establishment **Herstellungskosten** *pl* manufacturing costs *pl* **Herstellungsland** *nt* country of manufacture

Hertz [hɛrts] *nt* ⟨**-, -**⟩ PHYS, RADIO hertz

herüber [hɛ'ryːbɐ] *adv* over here; (*über Fluss*, *Grenze etc*) across; ***da ~*** over/across there **herüberbringen** *v/t sep irr* to bring over/across (*über etw* (*acc*) sth) **herüberkommen** *v/i sep irr aux sein* to come over/across (*über etw* (*acc*) sth); (*infml: zu Nachbarn*) to pop round (*Br infml*), to call round **herübersehen** *v/i sep irr* to look over (*über etw* (*acc*) sth); ***zu jdm ~*** to look over/across to sb

herum [hɛ'rʊm] *adv* **1.** ***um ... ~*** (a)round; ***links/rechts ~*** (a)round to the left/right; ***oben/unten ~ fahren*** to take the top/lower road **2.** (≈ *ungefähr*) ***um ... ~*** (*Mengenangabe*) about, around; (*Zeitangabe*) (at) about *or* around; → ***herum sein*** **herumalbern** *v/i sep* (*infml*) to fool around **herụmärgern** *v/r sep (infml)* ***sich mit jdm/etw ~*** to keep struggling with sb/sth **herụmballern** *v/i sep* to fire in all directions *or* all over the place **herụmbekommen** *past part* ***herụmbekommen*** *v/t sep irr (infml) jdn* to talk round *(esp Br) or* around *(esp US)* **herụmbringen** *v/t sep irr (infml) Zeit* to get through **herụmdrehen** *sep* **I** *v/t Schlüssel* to turn; (≈ *wenden*) to turn (over) **II** *v/r* to turn (a)round; *(im Liegen)* to turn over **herụmfahren** *sep irr v/i aux sein* **1.** (≈ *umherfahren*) to go *or (mit Auto)* drive (a)round; ***in der Stadt ~*** to go/drive (a)round the town **2.** (≈ *um etw herumfahren*) to go *or (mit Auto)* drive (a)round **herụmführen** *sep* **I** *v/t* to lead (a)round *(um etw* sth); *(bei Besichtigung)* to show (a)round; ***jdn in einer Stadt ~*** to show sb (a)round a town **II** *v/i* ***um etw ~*** to go (a)round sth **herụmgehen** *v/i sep irr aux sein (infml)* **1.** (≈ *um etw herumgehen*) to walk (a)round *(um etw* sth) **2.** (≈ *ziellos umhergehen*) to wander (a)round *(in etw (dat)* sth); ***es ging ihm im Kopf herum*** it went round and round in his head **3.** (≈ *herumgereicht werden*) to be passed (a)round; (≈ *weitererzählt werden*) to go (a)round *(in etw (dat)* sth); ***etw ~ lassen*** to circulate sth **4.** *(zeitlich* ≈ *vorbeigehen)* to pass **herụmhängen** *v/i sep irr (infml)* **1.** (≈ *sich lümmeln*) to loll around **2.** (≈ *ständig zu finden sein*) to hang out *(infml)* **herụmirren** *v/i sep aux sein* to wander (a)round **herụmkommandieren** *past part* ***herụmkommandiert*** *sep (infml) v/t* to order about **herụmkommen** *v/i sep irr aux sein (infml)* **1.** *(um eine Ecke etc)* to come (a)round *(um etw* sth) **2.** (≈ *herumkönnen*) to get (a)round *(um etw* sth) **3.** (≈ *vermeiden können*) ***um etw ~*** to get out of sth; ***wir kommen um die Tatsache nicht herum, dass ...*** we cannot get away from the fact that ... **4.** (≈ *reisen*) to get (a)round *(in etw (dat)* sth) **herụmkriegen** *v/t sep (infml)* = ***herumbekommen*** **herụmlaufen** *v/i sep irr aux sein (infml)* to run (a)round *(um etw* sth); ***so kannst du doch nicht ~*** *(fig infml)* you can't go (a)round (looking) like that **herụmliegen** *v/i sep irr (infml)* to lie (a)round *(um etw* sth) **herụmlungern** *v/i sep aux haben or sein (infml)* to hang (a)round **herụmreden** *v/i sep (infml)* to talk away; ***um etw ~*** *(ausweichend)* to talk around sth **herụmreichen** *v/t sep* (≈ *herumgeben)* to pass (a)round **herụmreisen** *v/i sep aux sein* to travel (a)round **herụmreiten** *v/i sep irr (fig infml)* ***auf etw ~*** to keep on about sth **herụmschlagen** *v/r sep irr (infml)* ***sich mit jdm ~*** *(lit)* to fight with sb; *(fig)* to fight a running battle with sb; ***sich mit etw ~*** *(fig)* to keep struggling with sth **herụmschreien** *v/i sep irr (infml)* to shout out loud **herụm sein** *v/i irr aux sein (infml)* **1.** (≈ *vorüber sein)* to be past **2.** (≈ *in jds Nähe sein)* ***um jdn ~*** to be around sb **herụmsprechen** *v/r sep irr* to get (a)round **herụmstehen** *v/i sep irr aux haben or sein* **1.** *(Sachen)* to be lying around **2.** *(Menschen)* to stand (a)round *(um jdn/etw* sb/sth) **herụmstöbern** *v/i sep (infml* ≈ *suchen)* to rummage around **herụmstreiten** *v/r sep irr* to squabble **herụmtreiben** *v/r sep irr (infml)* to hang (a)round *(in +dat* in) *(infml)* **Herụmtreiber(in)** *m/(f) (pej)* tramp; (≈ *Streuner)* vagabond **herụmwerfen** *sep irr* **I** *v/t* (≈ *achtlos werfen)* to throw around *(in etw (dat)* sth) **II** *v/i (infml)* ***mit Geld*** *etc* ***~*** to throw one's money *etc* around **herụmzeigen** *v/t sep* to show (a)round **herụmziehen** *v/i sep irr aux sein* (≈ *von Ort zu Ort ziehen)* to move around

herụnter [hɛˈrʊntɐ] *adv* down; ***~!*** get down!; ***da/hier ~*** down there/here; ***vom Berg ~*** down the mountain; ***bis ins Tal ~*** down into the valley **herụnterbekommen** *past part* ***herụnterbekommen*** *v/t sep irr* = ***herunterkriegen*** **herụnterdrücken** *v/t sep Hebel, Pedal* to press down **herụnterfahren** *sep irr* **I** *v/i aux sein* to go down **II** *v/t* to bring down; IT to shut down **herụnterfallen** *v/i sep irr aux sein* to fall down; ***von etw ~*** to fall off sth **herụntergehen** *v/i sep irr aux sein* to go down; ***von etw ~*** *(infml)* to get off sth; ***auf etw*** *(acc)* ***~*** *(Preise)* to go down to sth; *(Geschwindigkeit)* to slow down to sth; ***mit den Preisen ~*** to lower one's prices **herụntergekommen** *adj Haus* dilapidated; *Stadt* run-down; *Mensch* down-at-heel **herụnterhandeln** *v/t sep (infml) Preis* to beat down; ***jdn*** *(**auf etw** acc)* ***~*** to knock sb down (to sth) **herụnterhauen** *v/t sep irr (infml)* ***jdm eine ~*** to slap sb on the side of the head **herunterholen** *v/t sep* to fetch down; (*infml*) *Flugzeug* to bring down **herunterklappen** *v/t sep* to turn down; *Sitz* to fold down **herunterkommen** *v/i sep irr aux sein* **1.** to come down; (*infml* ≈ *herunterkönnen*) to get down **2.** (*fig infml* ≈ *verfallen*) (*Stadt, Firma*) to go downhill; (*Wirtschaft*) to go to rack and ruin; (*gesundheitlich*) to become run-down **3.** (*fig infml* ≈ *wegkommen*) ***vom Alkohol ~*** to kick the habit (*infml*) **herunterkriegen** *v/t sep* (*infml*) to get down; (≈ *abmachen können*) to get off **herunterladen** *v/t sep irr* IT to download (*auf +acc* onto) **herunterleiern** [hɛˈrʊntɐlaiɐn] *v/t sep* (*infml*) to reel off **heruntermachen** *v/t sep* (*infml*) **1.** (≈ *schlechtmachen*) to run down **2.** (≈ *zurechtweisen*) to tell off **herunterputzen** *v/t sep* (*infml*) ***jdn ~*** to give sb an earful (*infml*) **herunterreichen** *sep* **I** *v/t* to pass down **II** *v/i* to reach down **herunterschrauben** *v/t sep* (*fig*) *Ansprüche* to lower **heruntersehen** *v/i sep irr* to look down; ***auf jdn ~*** (*fig*) to look down on sb **herunter sein** *v/i sep irr aux sein* (*infml*) to be down; ***mit den Nerven ~*** (*infml*) to be at the end of one's tether (*Br*) *or* rope (*US*) **herunterspielen** *v/t sep* (*infml* ≈ *verharmlosen*) to play down **herunterwirtschaften** *v/t sep* (*infml*) to bring to the brink of ruin **herunterziehen** *sep irr v/t* (≈ *nach unter ziehen*) to pull down

hervor [hɛɐˈfoːɐ] *adv* ***aus etw ~*** out of sth; ***hinter dem Tisch ~*** out from behind the table **hervorbringen** *v/t sep irr* (≈ *entstehen lassen*) to produce; *Worte* to utter **hervorgehen** *v/i sep irr aux sein* **1.** (≈ *sich ergeben*) to follow; ***daraus geht hervor, dass ...*** from this it follows that ... **2.** ***als Sieger ~*** to emerge victorious; ***aus etw ~*** to come out of sth **hervorheben** *v/t sep irr* to emphasize **hervorholen** *v/t sep* to bring out **hervorragen** *v/i sep* **1.** (*Felsen, Stein etc*) to jut out **2.** (*fig* ≈ *sich auszeichnen*) to stand out **hervorragend** **I** *adj* (*fig* ≈ *ausgezeichnet*) excellent **II** *adv* very well; ***etw ~ beschreiben*** to give an excellent description of sth; ***~ schmecken*** to taste exquisite **hervorrufen** *v/t sep irr* (≈ *bewirken*) to cause; *Bewunderung* to arouse; *Eindruck* to create **hervorstechen** *v/i sep irr aux sein* to stand out **hervortreten** *v/i sep irr aux sein* **1.** (≈ *heraustreten*) to step out, to emerge; (*Backenknochen*) to protrude; (*Adern*) to bulge **2.** (≈ *sichtbar werden*) to stand out; (*fig*) to become evident **hervortun** *v/r sep irr* to distinguish oneself; (*infml* ≈ *sich wichtigtun*) to show off (*mit etw* sth)

herwagen *v/r sep* to dare to come **Herweg** *m, no pl* way here; ***auf dem ~*** on the way here

Herz [hɛrts] *gen* **Herzens**, *pl* **Herzen** *nt* heart; (≈ *Spielkartenfarbe*) hearts *pl*; ***sein ~ schlug höher*** his heart leapt; ***im ~en der Stadt*** in the heart of the city; ***im Grund meines ~ens*** in my heart of hearts; ***ein ~ und eine Seele sein*** to be the best of friends; ***mit ganzem ~en*** wholeheartedly; ***jdm von ganzem ~en danken*** to thank sb with all one's heart; ***ein gutes ~ haben*** (*fig*) to have a good heart; ***schweren ~ens*** with a heavy heart; ***aus tiefstem ~en*** from the bottom of one's heart; ***es liegt mir am ~en*** I am very concerned about it; ***dieser Hund ist mir ans ~ gewachsen*** I have become attached to this dog; ***ich lege es dir ans ~, das zu tun*** I would ask you particularly to do that; ***etw auf dem ~en haben*** to have sth on one's mind; ***jdn auf ~ und Nieren prüfen*** to examine sb very thoroughly; ***er hat sie in sein ~ geschlossen*** he has grown fond of her; ***ohne ~*** heartless; ***es wurde ihr leichter ums ~*** she felt relieved; ***von ~en*** with all one's heart; ***etw von ~en gern tun*** to love doing sth; ***jdn von ~en gernhaben*** to love sb dearly; ***sich*** (*dat*) ***etw vom ~en reden*** to get sth off one's chest; ***sich*** (*dat*) ***etw zu ~en nehmen*** to take sth to heart; ***alles, was das ~ begehrt*** everything one's heart desires; ***jds ~ brechen*** to break sb's heart; ***hast du denn*** (***gar***) ***kein ~?*** how can you be so heartless? **Herzanfall** *m* heart attack **Herzass** *nt* ace of hearts **Herzbeschwerden** *pl* heart trouble *sg* **Herzchirurg(in)** *m/(f)* heart surgeon

herzeigen *v/t sep* to show; ***zeig*** (***mal***) ***her!*** let's see

Herzensbrecher *m* ⟨**-s, -**⟩, **Herzensbrecherin** [-ərɪn] *f* ⟨**-, -nen**⟩ (*fig infml*) heartbreaker **herzensgut** *adj* good-hearted **Herzenslust** *f* ***nach ~*** to one's heart's content **Herzenswunsch** *m* dearest wish **herzerfrischend** *adj* refreshing **hẹrzergreifend** *adj* heart-rending **hẹrzerweichend** [-ɛɐvaiçnt] *adj* heart-rending **Hẹrzfehler** *m* heart defect **Hẹrzflattern** *nt* ⟨***-s**, no pl*⟩ palpitations *pl* (of the heart) **Hẹrzflimmern** *nt* ⟨***-s**, no pl*⟩ heart flutter **hẹrzförmig** *adj* heart-shaped **Hẹrzgegend** *f, no pl* cardiac region **hẹrzhaft** *adj* **1.** (≈ *kräftig*) hearty; *Geschmack* strong **2.** (≈ *nahrhaft*) *Essen* substantial

herziehen *sep irr* **I** *v/t* ***jdn/etw hinter sich*** *(dat)* **~** to pull sb/sth (along) behind one **II** *v/i aux sein* **1.** ***vor jdm* ~** to march along in front of sb **2.** *also aux haben* ***über jdn/etw* ~** *(infml)* to knock sb/sth *(infml)*

hẹrzig ['hɛrtsɪç] *adj* sweet **Hẹrzinfarkt** *m* heart attack **Hẹrzkammer** *f* ventricle **Hẹrzklappe** *f* cardiac valve **Hẹrzklappenfehler** *m* valvular heart defect **Hẹrzklopfen** *nt* ⟨***-s**, no pl*⟩ ***ich hatte/bekam* ~** my heart was/started pounding; ***mit* ~** with a pounding heart **hẹrzkrank** *adj* **~ *sein/werden*** to have/get a heart condition **Hẹrzkranzgefäß** *nt usu pl* coronary (blood) vessel **Hẹrz-Kreislauf-Erkrankung** *f* cardiovascular disease *or* condition **hẹrzlich** ['hɛrtslɪç] **I** *adj Empfang etc* warm; *Bitte* sincere; ***mit* ~*en Grüßen*** kind regards; **~*en Dank!*** many thanks; **~*es Beileid!*** you have my sincere sympathy **II** *adv* (≈ *freundlich*) warmly; *sich bedanken* sincerely; ***jdm* ~ *gratulieren*** to congratulate and wish sb all the best; **~ *schlecht*** pretty awful; **~ *wenig*** precious little; **~ *gern!*** with the greatest of pleasure! **Hẹrzlichkeit** *f* ⟨***-**, no pl*⟩ *(von Empfang)* warmth **hẹrzlos** *adj* heartless **Hẹrzlosigkeit** *f* ⟨***-**, no pl*⟩ heartlessness *no pl* **Hẹrz-Lụngen-Maschine** *f* heart-lung machine **Hẹrzmassage** *f* heart massage **Hẹrzmittel** *nt* cardiac drug

Herzog ['hɛrtsoːk] *m* ⟨***-s, =e** or (rare)* ***-e*** ['hɛrsøːgə, -tsoːgə]⟩ duke **Herzogin** ['hɛrtsoːgɪn] *f* ⟨***-, -nen***⟩ duchess **Hẹrzogtum** ['hɛrtsoːktuːm] *nt* ⟨***-s, -tümer*** [-tyːmɐ]⟩ duchy

Hẹrzoperation *f* heart operation **Hẹrzrhythmus** *m* heart rhythm **Hẹrzrhythmusstörung** *f* palpitations *pl* **Hẹrzschlag** *m* **1.** *(einzelner)* heartbeat **2.** (≈ *Herzstillstand*) heart failure *no indef art, no pl* **Hẹrzschrittmacher** *m* pacemaker **Hẹrzschwäche** *f* a weak heart **Hẹrzstillstand** *m* cardiac arrest **Hẹrzstück** *nt (fig elev)* heart **Hẹrzversagen** *nt* heart failure **hẹrzzerreißend** **I** *adj* heartbreaking **II** *adv* **~ *weinen*** to weep distressingly

Hẹsse ['hɛsə] *m* ⟨***-n, -n***⟩, **Hẹssin** ['hɛsɪn] *f* ⟨***-, -nen***⟩ Hessian **Hẹssen** ['hɛsn] *nt* ⟨***-s***⟩ Hesse **hẹssisch** ['hɛsɪʃ] *adj* Hessian

Hete ['heːtə] *f* ⟨***-, -n***⟩ *(sl ≈ Heterosexuelle(r))* hetero *(infml)*; ***er ist eine* ~** he's straight *(infml)*

hẹtero ['heːtero, 'hɛtero, he'teːro] *adj pred (infml)* hetero *(infml)*, straight *(infml)* **heterogen** [hetero'geːn] *adj (elev)* heterogeneous **Heterosexualität** [hetero-] *f* heterosexuality **heterosexuẹll** [hetero-] *adj* heterosexual **Heterosexuẹlle(r)** [heterozɛ'ksuɛlə] *m/f(m) decl as adj* heterosexual

Hẹtz [hɛts] *f* ⟨***-**, (rare)* ***-en***⟩ *(Aus infml)* laugh *(infml)*; ***aus*** *or* ***zur* ~** for a laugh

Hẹtze ['hɛtsə] *f* ⟨***-, -n***⟩ **1.** *no pl* (≈ *Hast*) (mad) rush **2.** *no pl (pej ≈ Aufreizung)* rabble-rousing propaganda **hẹtzen** ['hɛtsn] **I** *v/t* **1.** (≈ *jagen*) to hound; ***die Hunde auf jdn/etw* ~** to set the dogs on (-to) sb/sth **2.** *(infml ≈ antreiben)* to rush **II** *v/i* **1.** (≈ *sich beeilen*) to rush; ***hetz nicht so*** don't be in such a rush **2.** *(pej ≈ Hass schüren)* to agitate; ***gegen jdn/etw* ~** to stir up hatred against sb/sth; → ***gehetzt*** **Hẹtzjagd** *f (lit, fig)* hounding *(auf +acc* of) **Hẹtzkampagne** *f* malicious campaign

Heu [hɔy] *nt* ⟨***-(e)s**, no pl*⟩ hay

Heuchelei [hɔyçə'lai] *f* ⟨***-, -en***⟩ hypocrisy **heucheln** ['hɔyçln] **I** *v/i* to be a hypocrite **II** *v/t Mitleid etc* to feign **Heuchler** ['hɔyçlɐ] *m* ⟨***-s, -***⟩, **Heuchlerin** [-ərɪn] *f* ⟨***-, -nen***⟩ hypocrite **heuchlerisch** ['hɔyçlərɪʃ] *adj* hypocritical

heuer ['hɔyɐ] *adv (S Ger, Aus, Swiss)* this year

Heuer ['hɔyɐ] *f* ⟨***-, -n***⟩ NAUT pay **heuern** ['hɔyɐn] *v/t* to hire

heulen ['hɔylən] *v/i* **1.** *(infml ≈ weinen)* to bawl *(infml)*, to wail; *(vor Schmerz)* to scream; *(vor Wut)* to howl; ***es ist einfach zum Heulen*** it's enough to make you weep **2.** *(Motor)* to roar; *(Tiere)* to howl; *(Sirene)* to wail **Heulsuse** ['hɔylzuːzə] *f* ⟨***-, -n***⟩ crybaby *(infml)*

heurig ['hɔyrɪç] *adj attr (S Ger, Aus)* this year's **Heurige(r)** ['hɔyrɪgə] *m decl as adj (esp Aus)* new wine

Heuschnupfen *m* hay fever **Heuschrecke** ['hɔyʃrɛkə] *f* ⟨**-, -n**⟩ grasshopper; (*in heißen Ländern*) locust

heute ['hɔytə] *adv* today; ***~ Morgen*** this morning; ***~ Abend*** this evening, tonight; ***bis ~*** (≈ *bisher*) to this day; ***~ in einer Woche*** a week today, today week; ***~ vor acht Tagen*** a week ago today; ***die Zeitung von ~*** today's paper; ***von ~ auf morgen*** overnight; ***die Frau von ~*** today's women; ***die Jugend von ~*** the young people of today **heutig** ['hɔytɪç] *adj attr* today's; (≈ *gegenwärtig*) contemporary; ***am ~en Abend*** this evening; ***unser ~es Schreiben*** COMM our letter of today('s date); ***bis zum ~en Tage*** to date, to this day **heutzutage** ['hɔyttsutaːgə] *adv* nowadays

Hexe ['hɛksə] *f* ⟨**-, -n**⟩ witch; (*infml* ≈ *altes Weib*) old hag **hexen** ['hɛksn] *v/i* to practise (*Br*) *or* practice (*US*) witchcraft; ***ich kann doch nicht ~*** (*infml*) I can't work miracles **Hexenjagd** *f* witch-hunt **Hexenkessel** *m* (*fig*) pandemonium *no art* **Hexenmeister** *m* sorcerer **Hexenprozess** *m* witch trial **Hexenschuss** *m* MED lumbago **Hexenverfolgung** *f* witch-hunt **Hexerei** [hɛksə'rai] *f* ⟨**-, -en**⟩ witchcraft *no pl*; (*von Zaubertricks*) magic *no pl*

Hibiskus [hi'bɪskʊs] *m* ⟨**-, *Hibisken*** [-kn]⟩ hibiscus

Hickhack ['hɪkhak] *m or nt* ⟨**-s, -s**⟩ squabbling *no pl*

Hieb [hiːp] *m* ⟨**-(e)s, -e** [-bə]⟩ **1.** blow; ***auf einen ~*** (*infml*) in one go **2. Hiebe** *pl* (*dated* ≈ *Prügel*) hiding **3.** (*fig*) dig, cutting remark **hiebfest** *adj* ***hieb- und stichfest*** (*fig*) watertight

hier [hiːɐ] *adv* (*räumlich*) here; ***das Haus ~*** this house; ***dieser ~*** this one (here); ***~ entlang*** along here; ***~ oben/unten*** up/down here; ***~ spricht Dr. Müller*** TEL this is Dr Müller (speaking); ***von ~ aus*** from here; ***~ und da*** (*zeitlich*) (every) now and then; ***das steht mir bis ~*** (*infml*) I've had it up to here (with it) (*infml*) **hieran** ['hiː'ran, hiː'ran, (*emph*) 'hiːran] *adv* ***wenn ich ~ denke*** when I think of *or* about this; ***~ erkenne ich es*** I recognize it by this

Hierarchie [hierar'çiː] *f* ⟨**-, -n** [-'çiːən]⟩ hierarchy **hierarchisch** [hie'rarçɪʃ] **I** *adj* hierarchic(al) **II** *adv* hierarchically

hierauf ['hiː'rauf, hiː'rauf, (*emph*) 'hiːrauf] *adv* on this; (≈ *daraufhin*) hereupon **hieraus** ['hiː'raus, hiː'raus, (*emph*) 'hiːraus] *adv* out of this, from here; ***~ folgt, dass ...*** from this it follows that ... **hierbei** ['hiːɐ'bai, hiːɐ'bai, (*emph*) 'hiːɐbai] *adv* **1.** (*lit* ≈ *währenddessen*) doing this **2.** (*fig*) (≈ *bei dieser Gelegenheit*) on this occasion; (≈ *in diesem Zusammenhang*) in this connection **hierbleiben** *v/i sep irr aux sein* to stay here **hierdurch** ['hiːɐ'dʊrç, hiːɐ'dʊrç, (*emph*) 'hiːɐdʊrç] *adv* **1.** (*lit*) through here **2.** (*fig*) through this **hierfür** ['hiːɐ'fyːɐ, hiːɐ'fyːɐ, (*emph*) 'hiːɐfyːɐ] *adv* for this **hierher** ['hiːɐ'heːɐ, hiːɐ'heːɐ, (*emph*) 'hiːɐheːɐ] *adv* here; (***komm***) ***~!*** come here; ***bis ~*** (*örtlich*) up to here; (*zeitlich*) up to now **hierherbringen** *v/t sep irr* to bring (over) here **hierher gehören** *v/i* to belong here; (*fig* ≈ *relevant sein*) to be relevant **hierhin** ['hiːɐ'hɪn, hiːɐ'hɪn, (*emph*) 'hiːɐhɪn] *adv* here **hierin** ['hiː'rɪn, hiː'rɪn, (*emph*) 'hiːrɪn] *adv* in this **hierlassen** *v/t sep irr* to leave here **hiermit** ['hiːɐ'mɪt, hiːɐ'mɪt, (*emph*) 'hiːɐmɪt] *adv* with this; ***~ erkläre ich ...*** (*form*) I hereby declare ... (*form*); ***~ wird bescheinigt, dass ...*** this is to certify that ...

Hieroglyphe [hiero'glyːfə] *f* ⟨**-, -n**⟩ hieroglyphic

Hiersein *nt* ***während meines ~s*** during my stay **hierüber** ['hiː'ryːbɐ, hiː'ryːbɐ, (*emph*) 'hiːryːbɐ] *adv* **1.** (*lit*) over this *or* here **2.** (*fig*) about this; ***~ ärgere ich mich*** this makes me angry **hierum** ['hiː'rʊm, hiː'rʊm, (*emph*) 'hiːrʊm] *adv* **1.** (*lit*) (a)round this *or* here **2.** (*fig*) about this **hierunter** ['hiː'rʊntɐ, hiː'rʊntɐ, (*emph*) 'hiːrʊntɐ] *adv* **1.** (*lit*) under this *or* here **2.** (*fig*) by this *or* that; ***~ fallen auch die Sonntage*** this includes Sundays **hiervon** ['hiːɐ'fɔn, hiːɐ'fɔn, (*emph*) *'hi:áfOn*] *adv* (*lit*) from this; ***~ habe ich nichts gewusst*** I knew nothing about this; ***~ abgesehen*** apart from this **hierzu** ['hiːɐ'tsuː, hiːɐ'tsuː, (*emph*) 'hiːɐtsuː] *adv* **1.** (≈ *dafür*) for this **2.** (≈ *außerdem*) in addition to this; (≈ *zu diesem Punkt*) about this **hierzulande** ['hiːɐtsulandə] *adv* in these parts

hiesig ['hiːzɪç] *adj attr* local; ***meine ~en Verwandten*** my relatives here

hieven ['hiːfn, 'hiːvn] *v/t* to heave

Hi-Fi-Anlage ['haifi-] *f* hi-fi system

high [haɪ] *adj pred* (*infml*) high (*infml*) **Highlife** ['hailaif] *nt* ⟨**-s**, *no pl*⟩ **High Life** *nt* ⟨**-s**, *no pl*⟩ high life; ***Highlife machen*** (*infml*) to live it up (*infml*) **Highlight** ['hailait] *nt* ⟨**-s, -s**⟩ highlight **highlighten** ['hailaitn] *v/t insep* IT *Textpassagen etc* to highlight **High Society** ['haiso'saiiti] *f* ⟨**-**, *no pl*⟩ high society **Hightech** [hai'tɛk] *nt* ⟨**-**, *no pl*⟩ high tech **Hightechindustrie** *f* high-tech industry

Hilfe ['hɪlfə] *f* ⟨**-**, **-n**, *no pl*⟩ help; (*finanzielle*) aid, assistance; (*für Notleidende*) relief; ***um ~ rufen*** to call for help; ***jdm zu ~ kommen*** to come to sb's aid; ***jdm ~ leisten*** to help sb; ***~ suchend*** *Mensch* seeking help; *Blick* imploring; ***ohne ~*** (≈ *selbstständig*) unaided; ***etw zu ~ nehmen*** to use sth; ***mit ~*** = ***mithilfe*** **Hilfefunktion** *f* IT help function **Hilfeleistung** *f* assistance **Hilferuf** *m* call for help **Hilfestellung** *f* support **Hilfetaste** *f* IT help key **hilflos I** *adj* helpless **II** *adv* helplessly **Hilflosigkeit** *f* ⟨**-**, *no pl*⟩ helplessness **hilfreich** *adj* helpful, useful **Hilfsaktion** *f* relief action **Hilfsarbeiter(in)** *m*/(*f*) labourer (*Br*), laborer (*US*); (*in Fabrik*) unskilled worker **hilfsbedürftig** *adj* in need of help; (≈ *Not leidend*) needy, in need *pred* **hilfsbereit** *adj* helpful, ready to help *pred* **Hilfsbereitschaft** *f* helpfulness, readiness to help **Hilfsdienst** *m* emergency service; (*bei Katastrophenfall*) (emergency) relief service **Hilfsfonds** *m* relief fund **Hilfskraft** *f* assistant; (≈ *Aushilfe*) temporary worker; ***wissenschaftliche ~*** research assistant **Hilfsmittel** *nt* aid **Hilfsorganisation** *f* relief organization **Hilfsprogramm** *nt* **1.** (*zur Hungerhilfe etc*) relief programme (*Br*) *or* program (*US*) **2.** IT utility program **Hilfssheriff** [-ʃɛrɪf] *m* ⟨**-s, -s**⟩ deputy sheriff **Hilfsverb** *nt* auxiliary *or* helping (*US*) verb **Hilfswerk** *nt* relief organization

Himalaja [hi'maːlaja, hima'laːja] *m* ⟨**-(s)**⟩ ***der ~*** the Himalayas *pl*

Himbeere ['hɪmbeːrə] *f* raspberry **Himbeergeist** *m*, *no pl* (white) raspberry brandy **Himbeersaft** *m* raspberry juice

Himmel ['hɪml] *m* ⟨**-s,**⟩ (*poet*) ⟨**-**⟩ **1.** sky; ***am ~*** in the sky; ***jdn/etw in den ~ loben*** to praise sb/sth to the skies **2.** (REL ≈ *Himmelreich*) heaven; ***im ~*** in heaven; ***in den ~ kommen*** to go to heaven; ***der ~ auf Erden*** heaven on earth; ***(das) weiß der ~!*** (*infml*) God (only) knows; ***das schreit zum ~*** it's a scandal; ***es stinkt zum ~*** (*infml*) it stinks to high heaven (*infml*); ***(ach) du lieber ~!*** (*infml*) good Heavens!; ***um(s) ~s willen*** (*infml*) for Heaven's sake (*infml*) **Himmelbett** *nt* four-poster (bed) **himmelblau** *adj* sky-blue **Himmelfahrt** *f* **1.** REL ***Christi ~*** the Ascension of Christ; ***Mariä ~*** the Assumption of the Virgin Mary **2.** (*no art* ≈ *Feiertag*) Ascension Day **Himmelfahrtskommando** *nt* (MIL *infml*) suicide squad *or* (*Unternehmung*) mission **Himmelreich** *nt*, *no pl* REL Kingdom of Heaven **himmelschreiend** *adj Unrecht* scandalous; *Verhältnisse* appalling **Himmelskörper** *m* heavenly body **Himmelsrichtung** *f* direction; ***die vier ~en*** the four points of the compass **himmelweit** (*fig infml*) **I** *adj* ***ein ~er Unterschied*** a world of difference **II** *adv* ***~ voneinander entfernt*** (*fig*) poles apart **himmlisch** ['hɪmlɪʃ] **I** *adj* heavenly **II** *adv schmecken* heavenly; *bequem* wonderfully; ***~ schön*** just heavenly

hin [hɪn] *adv* **1.** (*räumlich*) ***bis zum Haus ~*** up to the house; ***geh doch ~ zu ihr!*** go to her; ***nach außen ~*** (*fig*) outwardly; ***bis zu diesem Punkt ~*** up to this point **2.** ***~ und her*** to and fro; (≈ *hin und zurück*) there and back; ***etw ~ und her überlegen*** to weigh sth up; ***nach langem Hin und Her*** eventually; ***~ und zurück*** there and back; ***einmal London ~ und zurück*** a return *or* round trip ticket (*esp US*) to London; ***~ und wieder*** (every) now and then **3.** (*zeitlich*) ***noch weit ~*** a long way off; ***über die Jahre ~*** over the years **4.** (*fig*) ***auf meine Bitte ~*** at my request; ***auf meinen Anruf ~*** on account of my phone call; ***auf seinen Rat ~*** on his advice; ***etw auf etw*** (*acc*) ***~ prüfen*** to check sth for sth; → ***hin sein***

hinab [hɪ'nap] *adv*, *pref* = ***hinunter***

hinarbeiten *v/i sep* ***auf etw*** (*acc*) ***~*** *auf ein Ziel* to work toward(s) sth

hinauf [hɪ'nauf] *adv* up; ***den Berg ~*** up the mountain **hinaufarbeiten** *v/r sep* to work one's way up **hinaufblicken** *v/i sep* to look up **hinaufbringen** *v/t sep irr* to take up **hinaufgehen** *v/i sep irr aux sein* to go up **hinaufsteigen** *v/i sep irr aux sein* to climb up

hinaus [hɪ'naus] *adv* **1.** (*räumlich*) out; ***~ (mit dir)!*** (get) out!; ***aus dem*** *or* ***zum***

Fenster **~** out of the window **2.** (*zeitlich*) ***auf Jahre*** **~** for years to come **3.** (*fig*) ***über*** (*+acc*) **~** over and above; ***darüber*** **~** over and above this; → ***hinaus sein*** **hinausbegleiten** *past part* ***hinausbegleitet*** *v/t sep* to see out (*aus* of) **hinausfliegen** *sep irr v/i aux sein* (*aus* of) **1.** (≈ *fortfliegen*) to fly out **2.** (*infml* ≈ *hinausgeworfen werden*) to get kicked out (*infml*) **hinausgehen** *sep irr aux sein v/i* **1.** (≈ *nach draußen gehen*) to go out(side) **2.** ***auf etw*** (*acc*) **~** (*Tür, Zimmer*) to open onto sth **3.** (*fig* ≈ *überschreiten*) ***über etw*** (*acc*) **~** to go beyond sth; ***über seine Befugnisse*** **~** to overstep one's authority **hinauslaufen** *v/i sep irr aux sein* (*aus* of) **1.** (*lit*) to run out **2.** (*fig*) ***auf etw*** (*acc*) **~** to amount to sth; ***es läuft auf dasselbe hinaus*** it comes to the same thing **hinauslehnen** *v/r sep* to lean out (*aus* of); ***sich zum Fenster*** **~** to lean out of the window **hinausschmeißen** *v/t sep irr* (*infml*) to kick out (*infml*) (*aus* of) **hinaus sein** *v/i irr aux sein* (*fig*) ***über etw*** (*acc*) **~** to be past sth **hinaussteigen** *v/i sep irr aux sein* to climb out (*aus* of) **hinausstürmen** *v/i sep aux sein* to storm out (*aus* of) **hinausstürzen** *sep* (*aus* of) *v/i aux sein* (≈ *hinauseilen*) to rush out **hinauswachsen** *v/i sep irr aux sein* ***über etw*** (*acc*) **~** (*fig*) to outgrow sth; ***er wuchs über sich selbst hinaus*** he surpassed himself **hinauswagen** *v/r sep* to venture out (*aus* of) **hinauswerfen** *v/t sep irr* (*infml*) (≈ *entfernen*) to chuck out (*infml*) (*aus* of); ***das ist hinausgeworfenes Geld*** it's money down the drain **hinauswollen** *v/i sep* to want to go *or* get out (*aus* of); ***worauf willst du hinaus?*** (*fig*) what are you getting at?; ***hoch*** **~** to aim high **hinauszögern** *sep* **I** *v/t* to delay **II** *v/r* to be delayed

hinbekommen *past part* ***hinbekommen*** *v/t sep irr* (*infml*) = ***hinkriegen*** **hinbiegen** *v/t sep irr* (*fig infml*) (≈ *in Ordnung bringen*) to arrange; (≈ *deichseln*) to wangle (*infml*); ***das werden wir schon*** **~** we'll sort it out somehow **Hinblick** *m* ***im*** **~** ***auf*** (*+acc*) (≈ *angesichts*) in view of; (≈ *mit Bezug auf*) with regard to **hinbringen** *v/t sep irr* **1.** *jdn, etw* to take there **2.** = ***hinkriegen*** **hindenken** *v/i sep irr* ***wo denkst du hin?*** whatever are you thinking of!

hinderlich ['hɪndɐlɪç] *adj* **~** ***sein*** to be in the way; ***einer Sache*** (*dat*) **~** ***sein*** to be a hindrance to sth **hindern** ['hɪndɐn] **I** *v/t* **1.** *Fortschritte* to impede; *jdn* to hinder (*bei* in) **2.** (≈ *abhalten von*) to prevent (*an +dat* from), to stop **II** *v/i* (≈ *stören*) to be a hindrance (*bei* to) **Hindernis** ['hɪndɐnɪs] *nt* ⟨**-ses, -se**⟩ **1.** obstacle; (≈ *Behinderung*) hindrance; ***eine Reise mit*** **~*sen*** a journey full of hitches **2.** (SPORTS ≈ *Hürde*) hurdle **Hindernislauf** *m* ATHLETICS, **Hindernisrennen** *nt* steeplechase **Hinderung** *f* ⟨**-, -en**⟩ **1.** (≈ *Behinderung*) hindrance **2.** (≈ *Störung*) obstruction **Hinderungsgrund** *m* obstacle

hindeuten *v/i sep* to point (*auf +acc, zu* at)

Hindu ['hɪndu] *m* ⟨**-(*s*), -(*s*)**⟩ Hindu **Hinduismus** [hɪndu'ɪsmʊs] *m* ⟨**-**, *no pl*⟩ Hinduism **hinduistisch** [hɪndu'ɪstɪʃ] *adj* Hindu

hindurch [hɪn'dʊrç] *adv* through; ***dort*** **~** through there; ***mitten*** **~** straight through; ***das ganze Jahr*** **~** throughout the year; ***den ganzen Tag*** **~** all day (long)

hinein [hɪ'nain] *adv* in; ***da*** **~** in there; ***in etw*** (*acc*) **~** into sth; ***bis tief in die Nacht*** **~** far into the night **hineinbekommen** *past part* ***hineinbekommen*** *v/t sep irr* (*infml*) to get in (*in +acc* -to) **hineindenken** *v/r sep irr* ***sich in jdn*** **~** to put oneself in sb's position **hineingehen** *v/i sep irr aux sein* (≈ *hineinpassen*) to go in (*in +acc* -to); ***in den Bus gehen 50 Leute hinein*** the bus holds 50 people **hineingeraten** *past part* ***hineingeraten*** *v/i sep irr aux sein* ***in etw*** (*acc*) **~** to get into sth **hineingucken** *v/i sep* (*infml*) to look in (*in +acc* -to) **hineinklettern** *v/i sep aux sein* to climb in (*in +acc* -to) **hineinknien** *v/r sep* (*fig infml*) ***sich in etw*** (*acc*) **~** to get into sth (*infml*) **hineinkriegen** *v/t sep* (*infml*) to get in (*in +acc* -to) **hineinpassen** *v/i sep* ***in etw*** (*acc*) **~** to fit into sth; (*fig*) to fit in with sth **hineinplatzen** *v/i sep aux sein* (*fig infml*) to burst in (*in +acc* -to) **hineinreden** *v/i sep* (*lit* ≈ *unterbrechen*) to interrupt (*jdm* sb); ***jdm in seine Angelegenheiten*** **~** to meddle in sb's affairs **hineinregnen** *v/i impers sep* ***es regnet*** (***ins Zimmer***) ***hinein*** (the) rain is coming in(to) the room **hineinspielen** *v/i sep* (≈ *beeinflussen*) to have a part to play (*in +acc* in) **hineinstecken** *v/t sep* to put in (*in +acc* -to);

Geld/Arbeit etc **in etw** (*acc*) **~** to put money/some work *etc* into sth **hineinsteigern** *v/r sep* to get worked up; ***sich in seine Wut*** **~** to work oneself up into a rage **hineinströmen** *v/i sep aux sein* to flood in (*in +acc* -to) **hineinstürzen** *sep* **I** *v/i aux sein* to plunge in (*in +acc* -to); (≈ *hineineilen*) to rush in (*in +acc* -to) **II** *v/r* ***sich in die Arbeit*** **~** to throw oneself into one's work **hineinversetzen** *past part* **hineinversetzt** *v/r sep* ***sich in jdn*** *or* ***in jds Lage*** **~** to put oneself in sb's position **hineinziehen** *sep irr v/t* to pull in (*in +acc* -to); ***jdn in einen Streit*** **~** to drag sb into a quarrel

hinfahren *sep irr* **I** *v/i aux sein* to go there **II** *v/t* to drive there **Hinfahrt** *f* journey there; RAIL outward journey **hinfallen** *v/i sep irr aux sein* to fall (down) **hinfällig** *adj* **1.** *Mensch* frail **2.** (*fig* ≈ *ungültig*) invalid **hinfinden** *v/i sep irr* (*infml*) to find one's way there **hinfliegen** *v/i sep irr aux sein* to fly there **Hinflug** *m* outward flight **hinführen** *sep* **I** *v/t* ***jdn zu etw*** **~** (*fig*) to lead sb to sth **II** *v/i* to lead there; ***wo soll das ~?*** (*fig*) where is this leading to?

Hingabe *f, no pl* (*fig*) (≈ *Begeisterung*) dedication; (≈ *Selbstlosigkeit*) devotion; ***mit ~ singen*** to sing with abandon **hingeben** *sep irr* **I** *v/t* to give up; *Leben* to sacrifice **II** *v/r* ***sich einer Sache*** (*dat*) **~** *der Arbeit* to devote oneself to sth; *dem Laster, der Verzweiflung* to abandon oneself to sth; ***sich einer Illusion*** **~** to labour (*Br*) *or* labor (*US*) under an illusion **hingebungsvoll** **I** *adj* (≈ *selbstlos*) devoted; (≈ *begeistert*) abandoned **II** *adv* (≈ *selbstlos*) devotedly; (≈ *begeistert*) with abandon; *lauschen* raptly

hingegen [hɪn'geːgn] *cj* (*elev*) however

hingehen *v/i sep irr aux sein* **1.** (≈ *dorthin gehen*) to go (there); ***wo gehst du hin?*** where are you going?; ***wo geht es hier hin?*** where does this go? **2.** (*Zeit*) to pass **3.** (*fig* ≈ *tragbar sein*) ***das geht gerade noch hin*** that will just about do **hingehören** *past part* **hingehört** *v/i sep* to belong; ***wo gehört das hin?*** where does this belong? **hingerissen** **I** *adj* enraptured; ***hin- und hergerissen sein*** to be torn (*zwischen* between) **II** *adv* with rapt attention; → ***hinreißen*** **Hingucker** [-gʊkɐ] *m* ⟨**-s, -**⟩ (*infml*) (≈ *Mensch*) looker (*infml*); (≈ *Sache*) eye-catcher (*infml*) **hinhalten** *v/t sep irr* **1.** (≈ *entgegenstrecken*) to hold out (*jdm* to sb) **2.** (*fig*) *jdn* to put off **Hinhaltetaktik** *f* delaying tactics *pl* **hinhauen** *sep irr* (*infml*) **I** *v/t* **1.** (≈ *nachlässig machen*) to knock off (*infml*) **2.** (≈ *hinwerfen*) to slam down **II** *v/i* **1.** (≈ *zuschlagen*) to hit hard **2.** (≈ *gut gehen*) ***es hat hingehauen*** I/we *etc* just managed it; ***das wird schon ~*** it will be OK (*infml*) **3.** (≈ *klappen*) to work **III** *v/r* (*infml* ≈ *sich schlafen legen*) to crash out (*infml*) **hinhören** *v/i sep* to listen

hinken ['hɪŋkn] *v/i* **1.** to limp **2.** (*fig*) (*Beispiel*) to be inappropriate; (*Vergleich*) to be misleading

hinknien *v/i & v/r sep* to kneel (down) **hinkommen** *v/i sep irr aux sein* **1.** (≈ *an einen Ort hinkommen*) (**da**) **~** to get there; ***wie komme ich zu dir hin?*** how do I get to your place? **2.** (≈ *an bestimmten Platz gehören*) to go; ***wo kämen wir denn hin, wenn ...*** (*infml*) where would we be if ... **3.** (*infml* ≈ *auskommen*) to manage; ***wir kommen*** (***damit***) ***hin*** we will manage **4.** (*infml* ≈ *stimmen*) to be right **hinkriegen** *v/t sep* (*infml* ≈ *fertigbringen*) to manage; ***das hast du gut hingekriegt*** you've made a nice job of it **hinlangen** *v/i sep* (*infml* ≈ *zupacken*) to grab him/her/it *etc*; (≈ *zuschlagen*) to take a (good) swipe (*infml*); (≈ *sich bedienen*) to help oneself to a lot **hinlänglich** ['hɪnlɛŋlɪç] **I** *adj* (≈ *ausreichend*) adequate **II** *adv* (≈ *ausreichend*) adequately; (≈ *zu Genüge*) sufficiently **hinlegen** *sep* **I** *v/t* **1.** (≈ *hintun*) to put down; *Zettel* to leave (*jdm* for sb); (*infml* ≈ *bezahlen müssen*) to fork out (*infml*) **2.** (*infml* ≈ *glänzend darbieten*) to perform **II** *v/r* to lie down **hinnehmen** *v/t sep irr* (≈ *ertragen*) to take; *Beleidigung* to swallow; ***etw als selbstverständlich ~*** to take sth for granted **hinreichend** **I** *adj* (≈ *ausreichend*) adequate; (≈ *genug*) sufficient; (≈ *reichlich*) ample; ***keine ~en Beweise*** insufficient evidence **II** *adv informieren* adequately

Hinreise *f* outward journey **hinreißen** *v/t sep irr* (*fig*) **1.** (≈ *begeistern*) to thrill; → ***hingerissen*** **2.** (≈ *überwältigen*) ***jdn zu etw ~*** to force sb into sth; ***sich ~ lassen*** to let oneself be carried away **hinreißend** *adj* fantastic; *Anblick* enchanting; *Schönheit* captivating **hinrichten**

v/t sep to execute **Hinrichtung** *f* execution **hinschauen** *v/i sep* (*dial*) = ***hinsehen*** **hinschmeißen** *v/t sep irr* (*infml*) (≈ *hinwerfen*) to fling down (*infml*); (*fig* ≈ *aufgeben*) *Arbeit etc* to chuck in (*infml*) **hinschreiben** *sep irr v/t* to write; (≈ *flüchtig niederschreiben*) to scribble down (*infml*) **hinsehen** *v/i sep irr* to look; ***bei genauerem Hinsehen*** on looking more carefully **hin sein** *v/i irr aux sein* (*infml*) **1.** (≈ *kaputt sein*) to have had it **2.** (≈ *erschöpft sein*) to be exhausted **3.** (≈ *verloren sein*) to be lost **4.** (≈ *begeistert sein*) (***von etw***) ***hin*** (***und weg***) ***sein*** to be mad about sth **hinsetzen** *sep* **I** *v/t* to put *or* set down; *Kind* to sit down **II** *v/r* (*lit*) to sit down

Hinsicht *f, no pl* ***in dieser ~*** in this respect; ***in gewisser ~*** in some respects; ***in finanzieller ~*** financially **hinsichtlich** ['hɪnzɪçtlɪç] *prep +gen* (≈ *bezüglich*) with regard to; (≈ *in Anbetracht*) in view of

Hinspiel *nt* SPORTS first leg **hinstellen** *sep* **I** *v/t* **1.** (≈ *niederstellen*) to put down; (*an bestimmte Stelle*) to put **2.** (≈ *auslegen*) ***jdn/etw als jdn/etw ~*** (≈ *bezeichnen*) to make sb/sth out to be sb/sth **II** *v/r* to stand; (*Fahrer*) to park; ***sich vor jdn*** *or* ***jdm ~*** to stand in front of sb

hintanstellen [hɪnt'|an-] *v/t sep* (≈ *zurückstellen*) to put last; (≈ *vernachlässigen*) to neglect

hinten ['hɪntn] *adv* **1.** behind; ***von ~*** from the back; ***~ im Buch*** at the back of the book; ***sich ~ anstellen*** to join the end of the queue (*Br*) *or* line (*US*); ***von ~ anfangen*** to begin from the end; ***~ im Auto/Bus*** in the back of the car/bus; ***ein Blick nach ~*** a look behind; ***nach ~*** to the back; *fallen, ziehen* backwards; ***das Auto da ~*** the car back there **2.** (*fig*) ***~ und vorn*** *betrügen* left, right and centre (*Br*) *or* center (*US*); ***das stimmt ~ und vorn nicht*** that is absolutely untrue; ***das reicht ~ und vorn nicht*** that's nowhere near enough **hintenherum** ['hɪntnhɛ'rʊm] *adv* (≈ *von der hinteren Seite*) from the back; (≈ *auf Umwegen*) in a roundabout way; (≈ *illegal*) under the counter

hinter ['hɪntɐ] *prep +dat or* (*mit Bewegungsverben*) *+acc* **1.** (*räumlich*) behind; ***~ jdm/etw her*** behind sb/sth; ***~ etw*** (*acc*) ***kommen*** (*fig* ≈ *herausfinden*) to get to the bottom of sth; ***sich ~ jdn stellen*** (*lit*) to stand behind sb; (*fig*) to support sb; ***jdn weit ~ sich*** (*dat*) ***lassen*** to leave sb far behind **2.** (*+dat* ≈ *nach*) after; ***vier Kilometer ~ der Grenze*** four kilometres (*Br*) *or* kilometers (*US*) beyond the border **3.** ***etw ~ sich*** (*dat*) ***haben*** (≈ *überstanden haben*) to have got sth over (and done) with; *Krankheit, Zeit* to have been through sth; ***sie hat viel ~ sich*** she has been through a lot; ***das Schlimmste haben wir ~ uns*** we are over the worst; ***etw ~ sich*** (*acc*) ***bringen*** to get sth over (and done) with **Hinterachse** *f* rear axle **Hinterausgang** *m* back exit **Hinterbänkler** [-bɛŋklɐ] *m* ⟨**-s, -**⟩, **Hinterbänklerin** [-ərɪn] *f* ⟨**-, -nen**⟩ (POL *pej*) backbencher **Hinterbein** *nt* hind leg; ***sich auf die ~e stellen*** *or* ***setzen*** (*fig infml* ≈ *sich anstrengen*) to pull one's socks up (*infml*) **Hinterbliebene(r)** [hɪntɐ'bliːb(ə)nə] *m/f(m) decl as adj* surviving dependent; ***die ~n*** the bereaved family **hintereinander** [hɪntɐ|ai'nandɐ] *adv* (*räumlich*) one behind the other; (≈ *in Reihenfolge*) one after the other; ***~ hereinkommen*** to come in one by one; ***zwei Tage ~*** two days running; ***dreimal ~*** three times in a row **Hintereingang** *m* rear entrance **hintere(r, s)** ['hɪntərə] *adj* back; (*von Gebäude auch*) rear; ***die Hinteren*** those at the back; ***am ~n Ende*** at the far end **hinterfragen** *past part* ***hinterfragt*** *v/t insep* to question **Hintergedanke** *m* ulterior motive **hintergehen** *past part* ***hintergangen*** *v/t insep irr* to deceive **Hintergrund** *m* background; ***im ~*** in the background; ***im ~ bleiben/stehen*** to stay/be in the background; ***in den ~ treten*** (*fig*) to be pushed into the background **hintergründig** ['hɪntɐgrʏndɪç] *adj* cryptic **Hintergrundinformation** *f usu pl* background information *no pl* (*über +acc* about, on) **Hintergrundprogramm** *nt* IT background program **Hinterhalt** *m* ambush; ***jdn aus dem ~ überfallen*** to ambush sb; ***im ~ lauern*** *or* ***liegen*** to lie in wait *or* (*esp* MIL) ambush **hinterhältig** ['hɪntɐhɛltɪç] **I** *adj* devious **II** *adv* in an underhand way, deviously **hinterher** [hɪntɐ'heːɐ, 'hɪntɐheːɐ] *adv* (*räumlich*) behind; (*zeitlich*) afterwards **hinterherfahren** *v/i sep irr aux sein* to drive behind (*jdm* sb) **hinterherlaufen** *v/i sep irr* *aux sein* to run behind (*jdm* sb); ***jdm ~*** (*fig infml*) to run after sb **hinterher sein** *v/i irr aux sein* (*infml*) (*lit* ≈ *verfolgen*) to be after (*jdm* sb); ***~, dass ...*** to see to it that ... **Hinterhof** *m* back yard **Hinterkopf** *m* back of one's head; ***etw im ~ haben*** (*infml*) to have sth in the back of one's mind **Hinterland** *nt* hinterland **hinterlassen** *past part* ***hinterlassen*** *v/t insep irr* to leave **Hinterlassenschaft** [hɪntɐ'lasnʃaft] *f* ⟨**-, *-en***⟩ estate; (*fig*) legacy **hinterlegen** *past part* ***hinterlegt*** *v/t insep* **1.** (≈ *verwahren lassen*) to deposit **2.** (≈ *als Pfand hinterlegen*) to leave **Hinterlegung** [hɪntɐ'leːgʊŋ] *f* ⟨**-, *-en***⟩ deposit **Hinterlist** *f* **1.** (≈ *Tücke*) craftiness **2.** (≈ *Trick*, *List*) ruse **hinterlistig** **I** *adj* (≈ *tückisch*) crafty; (≈ *betrügerisch*) deceitful **II** *adv* (≈ *tückisch*) cunningly; (≈ *betrügerisch*) deceitfully **Hintermann** *m*, *pl* ***-männer*** person behind; (≈ *Auto*) car behind; ***die Hintermänner des Skandals*** the men behind the scandal **Hintern** ['hɪntɐn] *m* ⟨***-s, -***⟩ (*infml*) backside (*infml*); ***sich auf den ~ setzen*** (≈ *eifrig arbeiten*) to buckle down to work; ***jdm in den ~ kriechen*** to suck up to sb **Hinterrad** *nt* rear wheel **Hinterradantrieb** *m* rear wheel drive **hinterrücks** ['hɪntɐrʏks] *adv* from behind; (*fig* ≈ *heimtückisch*) behind sb's back **Hinterseite** *f* back **hinterste(r, s)** ['hɪntɐstə] *adj* very back; (≈ *entlegenste*) remotest; ***die Hintersten*** those at the very back; ***das ~ Ende*** the very end *or* (*von Saal*) back **Hinterteil** *nt* (*infml*) backside (*infml*) **Hintertreffen** *nt* ***im ~ sein*** to be at a disadvantage; ***ins ~ geraten*** to fall behind **hintertreiben** *past part* ***hintertrieben*** *v/t insep irr* (*fig*) to foil; *Gesetz* to block **Hintertreppe** *f* back stairs *pl* **Hintertür** *f* back door; (*fig infml* ≈ *Ausweg*) loophole; ***durch die ~*** (*fig*) through the back door **hinterziehen** *past part* ***hinterzogen*** *v/t insep irr Steuern* to evade **Hinterziehung** *f* (*von Steuern*) evasion **Hinterzimmer** *nt* back room

hintreten *v/i sep irr aux sein* ***vor jdn ~*** to go up to sb **hintun** *v/t sep irr* (*infml*) to put; ***ich weiß nicht, wo ich ihn ~ soll*** (*fig*) I can't (quite) place him

hinüber [hɪ'nyːbɐ] *adv* over; (*über Grenze, Fluss auch*) across; ***quer ~*** right across; → ***hinüber sein*** **hinüberführen** *sep v/i* (≈ *verlaufen*: *Straße*, *Brücke*) to go across (*über etw* (*acc*) sth) **hinübergehen** *v/i sep irr aux sein* to go across; (*zu jdm*) to go over (*über etw* (*acc*) sth) **hinüberretten** *sep v/t* to bring to safety; (*fig*) *Tradition* to keep alive **hinüber sein** *v/i irr aux sein* (*infml* ≈ *verdorben sein*) to be off; (≈ *kaputt, tot sein*) to have had it (*infml*); (≈ *ruiniert sein*) to be done for (*infml*) **hinüberwechseln** *v/i sep aux haben or sein* to change over (*zu, in +acc* to)

Hin- und Rückfahrt *f* return journey **Hin- und Rückflug** *m* return flight **Hin- und Rückweg** *m* round trip

hinunter [hɪ'nʊntɐ] *adv* down; ***ins Tal ~*** down into the valley **hinunterfließen** *v/i sep irr aux sein* to flow down **hinuntergehen** *v/i sep irr aux sein* to go down **hinunterschlucken** *v/t sep* to swallow (down) **hinunterstürzen** *sep* **I** *v/i aux sein* **1.** (≈ *hinunterfallen*) to tumble down **2.** (≈ *eilig hinunterlaufen*) to rush down **II** *v/t jdn* to throw down **III** *v/r* to throw oneself down **hinunterwerfen** *v/t sep irr* to throw down

hinweg [hɪn'vɛk] *adv* **1.** ***über jdn/etw ~*** over sb *or* sb's head/sth **2.** (*zeitlich*) ***über eine Zeit ~*** over a period of time

Hinweg *m* way there; ***auf dem ~*** on the way there

hinweggehen *v/i sep irr aux sein* ***über etw*** (*acc*) ***~*** to pass over sth **hinwegkommen** *v/i sep irr aux sein* (*fig*) ***über etw*** (*acc*) ***~*** (≈ *verwinden*) to get over sth **hinwegsehen** *v/i sep irr* ***über jdn/etw ~*** (*lit*) to see over sb *or* sb's head/sth; (*fig*) (≈ *ignorieren*) to ignore sb/sth; (≈ *unbeachtet lassen*) to overlook sb/sth **hinwegsetzen** *v/r sep* (*fig*) ***sich über etw*** (*acc*) ***~*** (≈ *nicht beachten*) to disregard sth; (≈ *überwinden*) to overcome sth **hinwegtäuschen** *v/t sep* ***jdn über etw*** (*acc*) ***~*** to mislead sb about sth; ***darüber ~, dass ...*** to hide the fact that ...

Hinweis ['hɪnvais] *m* ⟨***-es, -e*** [-zə]⟩ **1.** (≈ *Rat*) piece of advice; (≈ *Bemerkung*) comment; (*amtlich*) notice; ***~e für den Benutzer*** notes for the user **2.** (≈ *Anhaltspunkt*) indication; (*esp von Polizei*) clue **hinweisen** *sep irr* **I** *v/t* ***jdn auf etw*** (*acc*) ***~*** to point sth out to sb **II** *v/i* ***auf jdn/etw ~*** to point to sb/sth; (≈ *verweisen*) to refer to sb/sth; ***darauf ~, dass ...*** to point out that ... **Hinweisschild** *nt*, *pl* ***-schil-***

der sign

hinwerfen *sep irr v/t* **1.** to throw down; (≈ *fallen lassen*) to drop; ***jdm etw ~*** to throw sth to sb; ***eine hingeworfene Bemerkung*** a casual remark **2.** (*infml* ≈ *aufgeben*) *Arbeit* to give up **hinwirken** *v/i sep* ***auf etw*** (*acc*) **~** to work toward(s) sth **hinwollen** *v/i sep* (*infml*) to want to go **hinziehen** *sep irr* **I** *v/t* **1.** (≈ *zu sich ziehen*) to draw (*zu* towards) **2.** (*fig* ≈ *in die Länge ziehen*) to draw out **II** *v/i aux sein* to move (*über +acc* across, *zu* towards) **III** *v/r* **1.** (≈ *lange dauern*) to drag on; (≈ *sich verzögern*) to be delayed **2.** (≈ *sich erstrecken*) to stretch **hinzielen** *v/i sep* ***auf etw*** (*acc*) **~** to aim at sth; (*Pläne etc*) to be aimed at sth

hinzu [hɪn'tsuː] *adv* ***~ kommt noch, dass ich ...*** moreover I ... **hinzufügen** *v/t sep* to add (*+dat* to); (≈ *beilegen*) to enclose **hinzukommen** *v/i sep irr aux sein* ***zu etw ~*** to be added to sth; ***es kommt noch hinzu, dass ...*** there is also the fact that ... **hinzutun** *v/t sep irr* (*infml*) to add **hinzuzählen** *v/t sep* to add **hinzuziehen** *v/t sep irr* to consult

Hiobsbotschaft *f* bad tidings *pl*

Hippie ['hɪpi] *m* ⟨**-s, -s**⟩ hippie

Hipsters ['hɪpstɐs] *pl* (≈ *Hüfthose*) hipsters *pl*, hiphuggers *pl* (*US*)

Hirn [hɪrn] *nt* ⟨**-(e)s, -e**⟩ **1.** ANAT brain **2.** (*infml*) (≈ *Kopf*) head; (≈ *Verstand*) brains *pl*, mind; ***sich*** (*dat*) ***das ~ zermartern*** to rack one's brain(s) **3.** COOK brains *pl* **Hirngespinst** [-gəʃpɪnst] *nt* ⟨**-(e)s, -e**⟩ fantasy **Hirnhaut** *f* ANAT meninges *pl* **Hirnhautentzündung** *f* MED meningitis **hirnlos** *adj* brainless **hirnrissig** *adj* hare-brained **Hirntod** *m* MED brain death **hirntot** *adj* braindead **Hirntumor** *m* brain tumour (*Br*) *or* tumor (*US*) **hirnverbrannt** [-vɐbrant] *adj* hare-brained

Hirsch [hɪrʃ] *m* ⟨**-es, -e**⟩ (≈ *Rothirsch*) red deer; (*männlich*) stag; COOK venison **Hirschjagd** *f* stag hunt **Hirschkalb** *nt* (male) fawn **Hirschkeule** *f* haunch of venison **Hirschkuh** *f* hind **Hirschleder** *nt* buckskin

Hirse ['hɪrzə] *f* ⟨**-, -n**⟩ millet

Hirt [hɪrt] *m* ⟨**-en, -en**⟩ herdsman; (≈ *Schafhirt*) shepherd **Hirtin** ['hɪrtɪn] *f* ⟨**-, -nen**⟩ herdswoman; (≈ *Schafhirtin*) shepherdess

hissen ['hɪsn] *v/t* to hoist

Histamin [hɪsta'miːn] *nt* ⟨**-s**, *no pl*⟩ histamine

Historiker [hɪs'toːrikɐ] *m* ⟨**-s, -**⟩, **Historikerin** [-ərɪn] *f* ⟨**-, -nen**⟩ historian **historisch** [hɪs'toːrɪʃ] **I** *adj* historical; *Gestalt, Ereignis* historic **II** *adv* historically; ***das ist ~ belegt*** there is historical evidence for this

Hit [hɪt] *m* ⟨**-s, -s**⟩ (MUS, IT, *fig infml*) hit **Hitliste** *f* charts *pl* **Hitparade** *f* hit parade; ***in der ~*** MUS in the charts

Hitze ['hɪtsə] *f* ⟨**-, -n**⟩ **1.** heat **2.** (*fig*) passion; ***in der ~ des Gefecht(e)s*** (*fig*) in the heat of the moment **hitzebeständig** *adj* heat-resistant **hitzeempfindlich** *adj* sensitive to heat **Hitzefrei** *nt* ***~ haben*** *to have time off from school on account of excessively hot weather* **Hitzeperiode** *f* hot spell **Hitze(schutz)schild** *m*, *pl* ***-schilde*** heat shield **Hitzewelle** *f* heat wave **hitzig** ['hɪtsɪç] *adj* (≈ *aufbrausend*) *Mensch* hot-headed; (≈ *leidenschaftlich*) passionate; ***~ werden*** (*Debatte*) to grow heated **Hitzschlag** *m* MED heatstroke

HIV-negativ *adj* HIV-negative **HIV-positiv** *adj* HIV-positive **HIV-Virus** [haː|iː'fau-] *nt* HIV-virus

H-Milch ['haː-] *f* long-life milk

HNO-Arzt [haː|ɛn'|oː-] *m*, **HNO-Ärztin** *f* ENT specialist

Hobby ['hɔbi] *nt* ⟨**-s, -s**⟩ hobby **Hobbyfotograf(in)** *m*/(*f*) amateur photographer **Hobbyraum** *m* workroom

Hobel ['hoːbl] *m* ⟨**-s, -**⟩ TECH plane **Hobelbank** *f*, *pl* ***-bänke*** carpenter's *or* joiner's bench **hobeln** ['hoːbln] *v/t & v/i* TECH to plane; ***wo gehobelt wird, da fallen Späne*** (*prov*) you can't make an omelette without breaking eggs (*prov*) **Hobelspan** *m* shaving

hoch [hoːx] **I** *adj, attr* ***hohe(r, s)*** ['hoːə], *comp* ***höher*** ['høːɐ], *sup* ***=ste(r, s)*** ['høːçstə] high; *Baum, Mast* tall; *Summe* large; *Strafe* heavy; *Schaden* extensive; ***hohe Verluste*** heavy losses; ***in hohem Maße verdächtig*** highly suspicious; ***in hohem Maße gefährdet*** in grave danger; ***mit hoher Wahrscheinlichkeit*** in all probability; ***das hohe C*** MUS top C; ***das ist mir zu ~*** (*fig infml*) that's (well) above (*esp Br*) *or* over my head; ***ein hohes Tier*** (*fig infml*) a big fish (*infml*); ***das Hohe Haus*** PARL the House **II** *adv*, *comp* ***höher***, *sup* ***am***

¨sten 1. (≈ *oben*) high; **~ *oben*** high up; ***zwei Treppen ~ wohnen*** to live two floors up; ***er sah zu uns ~*** (*infml*) he looked up to us; MAT ***7~3*** 7 to the power of 3 **2.** (≈ *sehr*) *angesehen, entwickelt* highly; *zufrieden, erfreut* very; **~ *beglückt*** = ***hochbeglückt*** **3.** **~ *begabt*** = ***hochbegabt***; **~ *empfindlich*** = ***hochempfindlich***; **~ *qualifiziert*** highly qualified; ***das rechne ich ihm ~ an*** (I think) that is very much to his credit; **~ *gewinnen*** to win handsomely; **~ *hinauswollen*** to be ambitious; ***wenn es ~ kommt*** (*infml*) at (the) most; **~ *schätzen*** (≈ *verehren*) to respect highly; **~ *verlieren*** to lose heavily; ***die Polizei rückte an, 50 Mann ~*** (*infml*) the police arrived, 50 strong; **~*!*** cheers!; **~ *und heilig versprechen*** to promise faithfully **Hoch** [hoːx] *nt* ⟨**-s, -s**⟩ **1.** (≈ *Ruf*) ***ein (dreifaches) ~ für*** *or* ***auf jdn ausbringen*** to give three cheers for sb **2.** (METEO, *fig*) high **Hochachtung** *f* deep respect; ***bei aller ~ vor jdm/etw*** with (the greatest) respect for sb/sth **hochachtungsvoll** *adv* (*Briefschluss*) (*bei Anrede mit Sir/Madam*) yours faithfully (*Br*), sincerely yours (*US*); (*bei Anrede mit Namen*) yours sincerely (*Br*), sincerely yours (*US*) **Hochadel** *m* high nobility **hochaktuell** *adj* highly topical **Hochaltar** *m* high altar **hochanständig** *adj* very decent **hocharbeiten** *v/r sep* to work one's way up **hochauflösend** *adj* IT, TV high-resolution **Hochbahn** *f* elevated railway (*Br*) *or* railroad (*US*), el (*US infml*) **Hochbau** *m, no pl* structural engineering **hochbegabt** *adj attr* highly gifted *or* talented **Hochbegabte(r)** *m/f(m) decl as adj* gifted person *or* child **hochbeglückt** *adj attr* highly delighted **hochbetagt** *adj* aged *attr*, advanced in years **Hochbetrieb** *m* (*in Geschäft etc*) peak period; (≈ *Hochsaison*) high season **hochbringen** *v/t sep irr* (*infml*) **1.** (≈ *nach oben bringen*) to bring *or* take up **2.** (*infml* ≈ *hochheben können*) to (manage to) get up **Hochburg** *f* (*fig*) stronghold **hochdeutsch** *adj* standard *or* High German **Hochdeutsch(e)** *nt* standard *or* High German **Hochdruck** *m, no pl* METEO high pressure; MED high blood pressure; ***mit ~ arbeiten*** to work at full stretch **Hochdruckgebiet** *nt* METEO high-pressure area **Hochebene** *f* plateau **hochempfindlich** *adj* TECH highly sensitive; *Film* fast; *Stoff* very delicate **hochfahren** *sep irr* **I** *v/i aux sein* **1.** (≈ *nach oben fahren*) to go up; (*in Auto*) to drive *or* go up **2.** (*erschreckt*) to start (up) **II** *v/t* to take up; TECH to start up; *Computer* to boot up; (*fig*) *Produktion* to increase **hochfahrend** *adj* (≈ *überheblich*) arrogant **Hochfinanz** *f* high finance **hochfliegen** *v/i irr aux sein* to fly up; (≈ *in die Luft geschleudert werden*) to be thrown up **hochfliegend** *adj Pläne* ambitious **Hochform** *f* top form **Hochformat** *nt* vertical format **Hochfrequenz** *f* ELEC high frequency **Hochgarage** *f* multistorey car park (*Br*), multistory parking garage (*US*) **Hochgebirge** *nt* high mountains *pl* **hochgehen** *v/i sep irr aux sein* **1.** (≈ *hinaufgehen*) to go up **2.** (*infml* ≈ *explodieren*) to blow up; (*Bombe*) to go off; ***etw ~ lassen*** to blow sth up **3.** (*infml* ≈ *wütend werden*) to go through the roof **4.** (*infml* ≈ *gefasst werden*) to get nabbed (*infml*); ***jdn ~ lassen*** to bust sb (*infml*) **hochgeistig** *adj* highly intellectual **Hochgenuss** *m* special treat; (≈ *großes Vergnügen*) great pleasure **Hochgeschwindigkeitszug** *m* high-speed train **hochgesteckt** [-gəʃtɛkt] *adj* (*fig*) *Ziele* ambitious **hochgestellt** [-gəʃtɛlt] *adj attr Ziffer* superscript, superior **hochgestochen** *adj* (*pej infml*) highbrow; *Stil* pompous; (≈ *eingebildet*) stuck-up (*infml*) **hochgewachsen** *adj* tall **hochgezüchtet** [-gətsʏçtət] *adj* (*usu pej*) *Motor* souped-up (*infml*); *Tiere, Pflanzen* overbred **Hochglanz** *m* high polish *or* shine; PHOT gloss **Hochglanzpapier** *nt* high gloss paper **hochgradig** [-graːdɪç] **I** *adj no pred* extreme; (*infml*) *Unsinn etc* absolute, utter **II** *adv* extremely **hochhalten** *v/t sep irr* **1.** (≈ *in die Höhe halten*) to hold up **2.** (≈ *in Ehren halten*) to uphold **Hochhaus** *nt* high-rise building **hochheben** *v/t sep irr Hand, Arm* to lift, to raise; *Kind, Last* to lift up **hochinteressant** *adj* very *or* most interesting **hochkant** [ˈhoːxkant] *adv* **1.** (*lit*) on end; **~ *stellen*** to put on end **2.** (*fig infml*: *a.* **hochkantig**) **~ *hinausfliegen*** to be chucked out (*infml*) **hochkarätig** *adj* **1.** *Gold* high-carat **2.** (*fig*) top-class **hochklappen** *v/t sep Tisch, Stuhl* to fold up; *Sitz* to tip up; *Deckel* to lift (up) **hochkommen** *v/i sep irr* *aux sein* to come up; (≈ *aufstehen können*) to (manage to) get up; (*infml*: *beruflich*) to come up in the world **Hochkonjunktur** *f* boom **hochkonzentriert** *adj Säure* highly concentrated **hochkrempeln** *v/t sep* to roll up **hochkriegen** *v/t sep* (*infml*) = ***hochbekommen*** **hochladen** *v/t sep irr* IT to upload **Hochland** *nt* highland **hochleben** *v/i sep* ***jdn ~ lassen*** to give three cheers for sb; ***er lebe hoch!*** three cheers (for him)! **Hochleistung** *f* first-class performance **Hochleistungssport** *m* top-class sport **Hochleistungssportler(in)** *m/(f)* top athlete **hochmodern** [-modɛrn] *adj* very modern **Hochmoor** *nt* moor **Hochmut** *m* arrogance **hochmütig** ['hoːxmyːtɪç] *adj* arrogant **hochnäsig** ['hoːxnɛːzɪç] (*infml*) *adj* snooty (*infml*) **hochnehmen** *v/t sep irr* **1.** (≈ *heben*) to lift; *Kind*, *Hund* to pick *or* lift up **2.** (*infml* ≈ *necken*) ***jdn ~*** to pull sb's leg **3.** (*infml* ≈ *verhaften*) to pick up (*infml*) **Hochofen** *m* blast furnace **hochprozentig** *adj alkoholische Getränke* high-proof **hochqualifiziert** *adj attr*; → ***hoch*** **hochrechnen** *sep* **I** *v/t* to project **II** *v/i* to make a projection **Hochrechnung** *f* projection **Hochruf** *m* cheer **Hochsaison** *f* high season **hochschlagen** *sep irr v/t Kragen* to turn up **hochschnellen** *v/i sep aux sein* to leap up **Hochschulabschluss** *m* degree **Hochschulabsolvent(in)** *m/(f)* graduate **Hochschul(aus)bildung** *f* university education **Hochschule** *f* college; (≈ *Universität*) university; ***Technische ~*** technical college **Hochschüler(in)** *m/(f)* student **Hochschullehrer(in)** *m/(f)* college/university teacher, lecturer (*Br*) **hochschwanger** *adj* well advanced in pregnancy **Hochsee** *f* high sea **Hochseefischerei** *f* deep-sea fishing **Hochseeschifffahrt** *f* deep-sea shipping **hochsehen** *v/i sep irr* to look up **hochsensibel** *adj* highly sensitive **Hochsicherheitstrakt** *m* high-security wing **Hochsitz** *m* HUNT (raised) hide **Hochsommer** *m* midsummer *no art* **hochsommerlich** *adj* very summery **Hochspannung** *f* (ELEC, *fig*) high tension; „***Vorsicht ~***" "danger - high voltage" **Hochspannungsleitung** *f* high-tension line **Hochspannungsmast** *m* pylon **hochspielen** *v/t sep* (*fig*) to play up; ***etw*** (***künstlich***) ***~*** to blow sth (up) out of all proportion **Hochsprache** *f* standard language **hochspringen** *v/i sep irr aux sein* to jump up **Hochspringer(in)** *m/(f)* high jumper **Hochsprung** *m* (≈ *Disziplin*) high jump

höchst [høːçst] *adv* (≈ *überaus*) extremely, most **Höchstalter** [høːçst-] *nt* maximum age

Hochstapelei [hoːxʃtaːpə'lai] *f* ⟨**-**, ***-en***⟩ JUR fraud **Hochstapler** ['hoːxʃtaːplɐ] *m* ⟨***-s***, **-**⟩, **Hochstaplerin** [-ərɪn] *f* ⟨**-**, ***-nen***⟩ confidence trickster

Höchstbetrag *m* maximum amount **höchstenfalls** ['høːçstnfals] *adv* at (the) most **höchstens** ['høːçstns] *adv* not more than; (≈ *bestenfalls*) at the most, at best **höchste(r, s)** ['høːçstə] **I** *adj* highest; *Baum*, *Mast* tallest; *Summe* largest; *Strafe* heaviest; *Not*, *Gefahr*, *Wichtigkeit* utmost, greatest; ***im ~n Grade/Maße*** extremely; ***im ~n Fall(e)*** at the most; ***~ Zeit*** *or* ***Eisenbahn*** (*infml*) high time; ***aufs Höchste erfreut*** *etc* highly *or* greatly *or* tremendously (*infml*) pleased *etc*; ***die ~ Instanz*** the supreme court of appeal **II** *adv* ***am ~n*** highest; *verehren* most (of all); *begabt* most; *besteuert* (the) most heavily **Höchstfall** *m* ***im ~*** (≈ *nicht mehr als*) not more than; (≈ *bestenfalls*) at the most, at best **Höchstform** *f* SPORTS top form **Höchstgebot** *nt* highest bid **Höchstgeschwindigkeit** *f* top *or* maximum speed; ***zulässige ~*** speed limit **Höchstgrenze** *f* upper limit **Höchstleistung** *f* best performance; (*bei Produktion*) maximum output **Höchstmaß** *nt* maximum amount (*an +dat* of) **höchstpersönlich** ['høːçstpɛr'zøːnlɪç] *adv* personally **Höchstpreis** *m* top *or* maximum price **Höchststand** *m* highest level **Höchststrafe** *f* maximum penalty

Hochstuhl *m* highchair

höchstwahrscheinlich ['høːçstvaːɐ'ʃainlɪç] *adv* most probably *or* likely **Höchstwert** *m* maximum value **höchstzulässig** *adj attr* maximum (permissible)

Hochtechnologie *f* high technology **Hochtemperaturreaktor** *m* high temperature reactor **Hochtour** *f* ***auf ~en arbeiten*** (*Maschinen*) to run at full speed; (*Fabrik etc*) to work at full steam; ***etw auf ~en bringen*** *Motor* to rev sth up to full speed; *Produktion*, *Kampagne* to get sth into full swing **hochtourig**

[-tuːrɪç] **I** *adj Motor* high-revving **II** *adv* **~ *fahren*** to drive at high revs **hochtrabend** (*pej*) *adj* pompous **hoch treiben** *v/t irr* **1.** (≈ *hinauftreiben*) to drive up **2.** (*fig*) *Preise, Kosten* to force up **Hoch- und Tiefbau** *m, no pl* structural and civil engineering **Hochverrat** *m* high treason **Hochwasser** *nt, pl* ***-wasser*** **1.** (≈ *von Flut*) high tide **2.** (≈ *in Flüssen, Seen*) high water; (≈ *Überschwemmung*) flood; **~ *haben*** (*Fluss*) to be in flood **hochwerfen** *v/t sep irr* to throw up **hochwertig** [-veːɐtɪç] *adj* high-quality; *Nahrungsmittel* highly nutritious **Hochwild** *nt* big game **Hochzahl** *f* exponent

Hochzeit ['hɔxtsait] *f* ⟨**-, *-en***⟩ wedding; ***etw zur ~ geschenkt bekommen*** to get sth as a wedding present; ***silberne ~*** silver wedding (anniversary) **Hochzeitskleid** *nt* wedding dress **Hochzeitsnacht** *f* wedding night **Hochzeitsreise** *f* honeymoon **Hochzeitstag** *m* wedding day; (≈ *Jahrestag*) wedding anniversary

hochziehen *sep irr* **I** *v/t* **1.** *Gegenstand* to pull up **2.** (*infml* ≈ *bauen*) to throw up (*infml*) **II** *v/r* to pull oneself up

Hocke ['hɔkə] *f* ⟨**-, *-n***⟩ squatting position; (≈ *Übung*) squat; ***in die ~ gehen*** to squat (down) **hocken** ['hɔkn] *v/i* to squat, to crouch; (*infml* ≈ *sitzen*) to sit **Hocker** ['hɔkɐ] *m* ⟨***-s,*** **-**⟩ (≈ *Stuhl*) stool; ***jdn vom ~ hauen*** (*fig infml*) to bowl sb over (*infml*)

Höcker ['hœkɐ] *m* ⟨***-s,*** **-**⟩ hump; (*auf Schnabel*) knob

Hockey ['hɔki, 'hɔke] *nt* ⟨***-s,*** *no pl*⟩ hockey (*Br*), field hockey (*US*) **Hockeyschläger** *m* (field (*US*)) hockey stick **Hockeyspieler(in)** *m/*(*f*) (field (*US*)) hockey player

Hoden ['hoːdn] *m* ⟨***-s,*** **-**⟩ testicle **Hodensack** *m* scrotum

Hof [hoːf] *m* ⟨***-(e)s, ¨-e*** ['høːfə]⟩ **1.** (≈ *Platz*) yard; (≈ *Innenhof*) courtyard; (≈ *Schulhof*) playground **2.** (≈ *Bauernhof*) farm **3.** (≈ *Fürstenhof*) court; **~ *halten*** to hold court **4.** (*um Sonne, Mond*) halo

hoffen ['hɔfn] **I** *v/i* to hope; ***auf jdn ~*** to set one's hopes on sb; ***auf etw*** (*acc*) **~** to hope for sth; ***ich will nicht ~, dass er das macht*** I hope he doesn't do that **II** *v/t* to hope for; ***~ wir das Beste!*** let's hope for the best!; ***ich hoffe es*** I hope so; ***das will ich*** (***doch wohl***) **~** I should hope so **hoffentlich** ['hɔfntlɪç] *adv* hopefully; ***hoffentlich!*** I hope so; ***~ nicht*** I/we hope not **Hoffnung** ['hɔfnʊŋ] *f* ⟨**-, *-en***⟩ hope; ***sich*** (*dat*) ***~en machen*** to have hopes; ***sich*** (*dat*) ***keine ~en machen*** not to hold out any hopes; ***mach dir keine ~(en)!*** I wouldn't even think about it; ***jdm ~en machen*** to raise sb's hopes; ***jdm auf etw*** (*acc*) ***~en machen*** to lead sb to expect sth; ***die ~ aufgeben*** to abandon hope **hoffnungslos** **I** *adj* hopeless **II** *adv* hopelessly **Hoffnungslosigkeit** *f* ⟨**-,** *no pl*⟩ hopelessness; (≈ *Verzweiflung*) despair **Hoffnungsschimmer** *m* glimmer of hope **Hoffnungsträger(in)** *m/*(*f*) person on whom hopes are pinned **hoffnungsvoll** **I** *adj* hopeful; (≈ *viel versprechend*) promising **II** *adv* full of hope

Hofhund *m* watchdog

hofieren [ho'fiːrən] *past part* ***hofiert*** *v/t* (*dated*) to court

höflich ['høːflɪç] **I** *adj* polite; (≈ *zuvorkommend*) courteous **II** *adv* politely **Höflichkeit** *f* ⟨**-, *-en***⟩ **1.** *no pl* politeness; (≈ *Zuvorkommenheit*) courteousness **2.** (≈ *höfliche Bemerkung*) compliment **Höflichkeitsbesuch** *m* courtesy visit

hohe *adj* → ***hoch***

Höhe ['høːə] *f* ⟨**-, *-n***⟩ **1.** height; ***an ~ gewinnen*** AVIAT to gain height, to climb; ***in einer ~ von*** at a height of; ***in die ~ gehen*** (*fig: Preise etc*) to go up **2.** (≈ *Anhöhe*) hill; (≈ *Gipfel*) top, summit; ***sich nicht auf der ~ fühlen*** (*gesundheitlich*) to feel below par; (*leistungsfähig*) not to be up to scratch; ***das ist doch die ~!*** (*fig infml*) that's the limit! **3.** (≈ *Ausmaß, Größe*) level; (*von Summe, Gewinn, Verlust*) size, amount; (*von Schaden*) extent; ***ein Betrag in ~ von*** an amount of; ***bis zu einer ~ von*** up to a maximum of **4.** (MUS: *von Stimme*) pitch; RADIO treble *no pl*

Hoheit ['hoːhait] *f* ⟨**-, *-en***⟩ **1.** *no pl* (≈ *Staatshoheit*) sovereignty (*über +acc* over) **2.** (*als Anrede*) Highness **hoheitlich** ['hoːhaitlɪç] *adj* sovereign **Hoheitsgebiet** *nt* sovereign territory **Hoheitsgewalt** *f* (national) jurisdiction **Hoheitsgewässer** *pl* territorial waters *pl* **Hoheitsrecht** *nt usu pl* sovereign jurisdiction *or* rights *pl*

Höhenangst *f* fear of heights **Höhenflug** *m* high-altitude flight; ***geistiger ~*** intellectual flight (of fancy) **Höhenkrankheit** *f* MED altitude sickness **Höhenlage** *f* altitude **Höhenmesser** *m* ⟨**-s, -**⟩ AVIAT altimeter **Höhensonne**® *f* (≈ *Lampe*) sunray lamp **Höhenunterschied** *m* difference in altitude **Höhenzug** *m* mountain range **Höhepunkt** *m* highest point; (*von Tag, Leben*) high spot; (*von Veranstaltung*) highlight; (*von Karriere etc*) height, peak; (*eines Stücks* ≈ *Orgasmus*) climax; ***den ~ erreichen*** to reach a *or* its / one's climax; (*Krankheit*) to reach *or* come to a crisis **höher** ['hø:ɐ] **I** *adj* higher; ***~e Schule*** secondary school, high school (*esp US*); ***~e Gewalt*** an act of God; ***in ~em Maße*** to a greater extent **II** *adv* higher; ***ihre Herzen schlugen ~*** their hearts beat faster

hohe(r, s) *adj* → ***hoch***

höhergestellt *adj attr* higher, more senior **höherschrauben** *v/t sep* (*fig*) to increase; *Preise* to force *or* push up **höherstufen** *v/t sep Person* to upgrade

hohl [ho:l] *adj* hollow; ***in der ~en Hand*** in the hollow of one's hand **Höhle** ['hø:lə] *f* ⟨**-, -n**⟩ cave; (*fig* ≈ *schlechte Wohnung*) hovel **Höhlenbewohner(in)** *m*/(*f*) cave dweller, troglodyte **Höhlenforscher(in)** *m*/(*f*) cave explorer **Höhlenforschung** *f* speleology **Höhlenmensch** *m* caveman **Hohlheit** *f* ⟨**-,** *no pl*⟩ hollowness **Hohlkörper** *m* hollow body **Hohlkreuz** *nt* MED hollow back **Hohlmaß** *nt* measure of capacity **Hohlraum** *m* hollow space; BUILD cavity **Höhlung** ['hø:lʊŋ] *f* ⟨**-, -en**⟩ hollow

Hohn [ho:n] *m* ⟨**-(e)s,** *no pl*⟩ scorn, derision; ***nur ~ und Spott ernten*** to get nothing but scorn and derision; ***das ist der reine*** *or* ***reinste ~*** it's an utter mockery **höhnen** ['hø:nən] *v/i* to jeer, to sneer (*über +acc* at) **Hohngelächter** *nt* scornful *or* derisive laughter **höhnisch** ['hø:nɪʃ] **I** *adj* scornful, sneering **II** *adv* scornfully; ***~ grinsen*** to sneer

Hokuspokus [ho:kʊs'po:kʊs] *m* ⟨**-,** *no pl*⟩ (≈ *Zauberformel*) hey presto; (*fig* ≈ *Täuschung*) hocus-pocus (*infml*)

Holdinggesellschaft *f* COMM holding company

holen ['ho:lən] *v/t* **1.** (≈ *holen gehen*) to fetch, to get; ***jdn ~ lassen*** to send for sb **2.** (≈ *abholen*) to fetch, to pick up **3.** (≈ *kaufen*) to get, to pick up (*infml*) **4.** (≈ *sich zuziehen*) *Krankheit* to catch, to get; ***sonst wirst du dir etwas ~*** or you'll catch something; ***sich*** (*dat*) ***eine Erkältung ~*** to catch a cold **5. *sich*** (*dat*) ***etw ~*** to get (oneself) sth; ***bei ihm ist nichts zu ~*** (*infml*) you *etc* won't get anything out of him

Holland ['hɔlant] *nt* ⟨**-s**⟩ Holland, the Netherlands *pl* **Holländer** ['hɔlɛndɐ] *m* ⟨**-s, -**⟩ Dutchman; ***die ~*** the Dutch (people) **Holländerin** ['hɔlɛndərɪn] *f* ⟨**-, -nen**⟩ Dutchwoman, Dutch girl **holländisch** ['hɔlɛndɪʃ] *adj* Dutch

Hölle ['hœlə] *f* ⟨**-,** (*rare*) **-n**⟩ hell; ***in der ~*** in hell; ***die ~ auf Erden*** hell on earth; ***zur ~ mit...*** to hell with ... (*infml*); ***in die ~ kommen*** to go to hell; ***ich werde ihm die ~ heiß machen*** (*infml*) I'll give him hell (*infml*); ***er machte ihr das Leben zur ~*** he made her life (a) hell (*infml*) **Höllenangst** *f* (*infml*) terrible fear; ***eine ~ haben*** to be scared stiff (*infml*)

Holler ['hɔlɐ] *m* ⟨**-s, -**⟩ (*Aus* ≈ *Holunderbeeren*) elderberries *pl*

höllisch ['hœlɪʃ] **I** *adj* **1.** *attr* (≈ *die Hölle betreffend*) infernal, of hell **2.** (*infml* ≈ *außerordentlich*) dreadful, hellish (*infml*); ***eine ~e Angst haben*** to be scared stiff (*infml*) **II** *adv* (*infml*) like hell (*infml*), hellishly (*infml*)

Holm [hɔlm] *m* ⟨**-(e)s, -e**⟩ (*von Barren*) bar

Holocaust ['ho:lokaust, holo'kaust, 'hɔləkɔ:st] *m* ⟨**-(s), -(s)**⟩ holocaust

Holografie [hologra'fi:] *f* ⟨**-, -n** [-'fi:ən]⟩ holography **Hologramm** [holo'gram] *nt*, *pl* ***-gramme*** hologram

holperig ['hɔlpərɪç] *adj* **1.** *Weg* bumpy **2.** *Rede* stumbling **holpern** ['hɔlpɐn] *v/i* to bump, to jolt

Holunder [ho'lʊndɐ] *m* ⟨**-s, -**⟩ elder; (≈ *Früchte*) elderberries *pl* **Holunderbeere** *f* elderberry

Holz [hɔlts] *nt* ⟨**-es, ¨-er** ['hœltsɐ]⟩ wood; (*esp zum Bauen*) timber, lumber (*esp US*); ***aus ~*** made of wood, wooden; ***~ fällen*** to fell trees; ***~ verarbeitend*** wood-processing; ***aus hartem*** *or* ***härterem ~ geschnitzt sein*** (*fig*) to be made of stern *or* sterner stuff; ***aus demselben ~ geschnitzt sein*** (*fig*) to be cast in the same mould (*Br*) *or* mold (*US*) **Holzbearbeitung** *f* woodworking; (*im Sägewerk*) timber processing **Holzbein** *nt* wooden leg **Holzbläser(in)** *m*/(*f*) woodwind player **Holzboden** *m* (≈ *Fußboden*) wooden floor **hölzern** ['hœltsɐn] **I** *adj* wooden **II** *adv* (*fig*) woodenly, stiffly **Holzfäller** [-fɛlɐ] *m* ⟨**-s, -**⟩, **Holzfällerin** [-ərɪn] *f* ⟨**-, -nen**⟩ woodcutter, lumberjack (*esp US*) **Holzfaserplatte** *f* (wood) fibreboard (*Br*) *or* fiberboard (*US*) **holzfrei** *adj Papier* wood-free **Holzhacker(in)** *m*/(*f*) (*esp Aus*) woodcutter, lumberjack (*esp US*) **Holzhammer** *m* mallet; ***jdm etw mit dem ~ beibringen*** to hammer sth into sb (*infml*) **Holzhaus** *nt* wooden *or* timber house **holzig** ['hɔltsɪç] *adj* woody **Holzklotz** *m* block of wood, log **Holzkohle** *f* charcoal **Holzkopf** *m* (*fig infml*) blockhead (*infml*) **Holzschnitt** *m* wood engraving **Holzschnitzer(in)** *m*/(*f*) wood carver **Holzschuh** *m* wooden shoe, clog **Holzschutzmittel** *nt* wood preservative **Holzstich** *m* wood engraving **Holzstoß** *m* pile of wood **Holztäfelung** *f* wood(en) panelling (*Br*) *or* paneling (*US*) **Holzweg** *m* ***auf dem ~ sein*** (*fig infml*) to be on the wrong track (*infml*) **Holzwolle** *f* wood-wool **Holzwurm** *m* woodworm

Homebanking ['hoːmbɛŋkɪŋ] *nt* ⟨**-**, *no pl*⟩ home banking **Homepage** ['hoːmpeːdʒ] *f* ⟨**-, -s**⟩ (IT, *im Internet*) home page **Homeshopping** ['hoːmʃɔpɪŋ] *nt* home shopping **Hometrainer** ['hoːmtreːnɐ] *m* ⟨**-s, -**⟩ = ***Heimtrainer***

Homo ['hoːmo] *m* ⟨**-s, -s**⟩ (*dated infml*) homo (*dated infml*), queer (*infml*) **Homo-Ehe, Homoehe** *f* (*infml*) gay marriage **homogen** [homo'geːn] *adj* homogeneous **homogenisieren** [homogeni'ziːrən] *past part* ***homogenisiert*** *v/t* to homogenize

Homöopath [homøo'paːt] *m* ⟨**-en, -en**⟩, **Homöopathin** [-'paːtɪn] *f* ⟨**-, -nen**⟩ homoeopath **Homöopathie** [homøopa'tiː] *f* ⟨**-**, *no pl*⟩ homoeopathy **homöopathisch** [homøo'paːtɪʃ] *adj* homoeopathic

Homosexualität [homozɛksuali'tɛːt] *f* homosexuality **homosexuell** [homozɛ'ksuɛl] *adj* homosexual **Homosexuelle(r)** *m*/*f*(*m*) *decl as adj* homosexual

Honduras [hɔn'duːras] *nt* ⟨**-**⟩ Honduras

Hongkong ['hɔŋkɔŋ] *nt* ⟨**-s**⟩ Hong Kong

Honig ['hoːnɪç] *m* ⟨**-s**, *no pl*⟩ honey **Honigbiene** *f* honeybee **Honigkuchen** *m* honey cake **Honiglecken** *nt* ⟨**-s**, *no pl*⟩ (*fig*) ***das ist kein ~*** it's no picnic **Honigmelone** *f* honeydew melon **honigsüß** *adj* as sweet as honey; (*fig*) *Worte, Ton* honeyed; *Lächeln* sickly sweet

Honorar [hono'raːɐ] *nt* ⟨**-s, -e**⟩ fee; (≈ *Autorenhonorar*) royalty **Honoratioren** [honora'tsioːrən] *pl* dignitaries *pl* **honorieren** [hono'riːrən] *past part* ***honoriert*** *v/t* **1.** (≈ *bezahlen*) to pay; FIN *Wechsel, Scheck* to honour (*Br*), to honor (*US*), to meet **2.** (≈ *belohnen*) *Bemühungen* to reward

honoris causa [ho'noːrɪs 'kauza] *adv* ***Dr. ~*** honorary doctor

Hooligan ['huːlɪgən] *m* ⟨**-s, -s**⟩ hooligan

Hopfen ['hɔpfn] *m* ⟨**-s, -**⟩ BOT hop; (*beim Brauen*) hops *pl*; ***bei*** *or* ***an ihm ist ~ und Malz verloren*** (*infml*) he's a hopeless case

hopp [hɔp] *int* quick; ***mach mal ein bisschen ~!*** (*infml*) chop, chop! (*infml*) **hoppeln** ['hɔpln] *v/i aux sein* (*Hase*) to lollop **hoppla** ['hɔpla] *int* whoops, oops **hops** *adj pred* (*infml*) ***~ sein*** (≈ *verloren*) to be lost; (*Geld*) to be down the drain (*infml*) **hopsen** ['hɔpsn] *v/i aux sein* (*infml*) (≈ *hüpfen*) to hop; (≈ *springen*) to jump **hopsgehen** *v/i sep irr aux sein* (*infml* ≈ *verloren gehen*) to get lost; (*infml* ≈ *sterben*) to croak (*infml*) **hopsnehmen** *v/t sep irr* ***jdn ~*** (*infml* ≈ *verhaften*) to nab sb (*infml*)

hörbar *adj* audible **hörbehindert** *adj* partially deaf, with impaired hearing **Hörbuch** *nt* talking book

horchen ['hɔrçn] *v/i* to listen (*+dat*, *auf +acc* to); (*heimlich*) to eavesdrop **Horcher** ['hɔrçɐ] *m* ⟨**-s, -**⟩, **Horcherin** [-ərɪn] *f* ⟨**-, -nen**⟩ eavesdropper

Horde ['hɔrdə] *f* ⟨**-, -n**⟩ horde

hören ['høːrən] *v/t & v/i* **1.** to hear; ***ich höre dich nicht*** I can't hear you; ***schwer ~*** to be hard of hearing; ***du hörst wohl schwer!*** (*infml*) you must be deaf!; ***hört, hört!*** (*Zustimmung*) hear! hear!; ***das lässt sich ~*** (*fig*) that doesn't sound bad; ***na ~ Sie mal!*** wait a minute!; ***von etw/jdm ~*** to hear of sth/from sb; ***Sie werden noch von mir ~*** (*infml* ≈ *Drohung*) you'll be hearing from me; ***nie gehört!*** (*infml*) never heard of him/it *etc*; ***nichts von sich ~ lassen*** not to get in touch; ***ich lasse von mir ~*** I'll be in touch **2.** (≈ *sich nach etw richten*) to listen, to pay attention; (≈ *gehorchen*) to obey, to listen; ***auf jdn/etw ~*** to listen to *or* heed sb/sth **Hörensagen** *nt* ***vom ~*** from *or* by hearsay **Hörer** ['høːrɐ] *m* ⟨**-s, -**⟩ TEL receiver **Hörer** ['høːrɐ] *m* ⟨**-s, -**⟩, **Hörerin** [-ərɪn] *f* ⟨**-, -nen**⟩ RADIO listener; UNIV student (attending lectures) **Hörerschaft** ['høːrɐʃaft] *f* ⟨**-,** (*rare*) **-en**⟩ RADIO listeners *pl*, audience; UNIV number of students (attending a lecture) **Hörfehler** *m* MED hearing defect; ***das war ein ~*** I/he *etc* misheard it **Hörgerät** *nt*, **Hörhilfe** *f* hearing aid **hörgeschädigt** *adj* partially deaf, with impaired hearing **hörig** ['høːrɪç] *adj* dependent (+*dat* on); ***jdm (sexuell) ~ sein*** to be (sexually) dependent on sb **Hörigkeit** *f* ⟨**-,** *no pl*⟩ dependence; (*sexuell*) sexual dependence

Horizont [hori'tsɔnt] *m* ⟨**-(e)s, -e**⟩ horizon; ***am ~*** on the horizon; ***das geht über meinen ~*** (*fig*) that is beyond me **horizontal** [horitsɔn'taːl] **I** *adj* horizontal **II** *adv* horizontally **Horizontale** [horitsɔn'taːlə] *f* ⟨**-(n), -n**⟩ MAT horizontal (line)

Hormon [hɔr'moːn] *nt* ⟨**-s, -e**⟩ hormone **hormonal** [hɔrmo'naːl] **I** *adj* hormone *attr*, hormonal **II** *adv behandeln* with hormones; *gesteuert* by hormones; ***~ bedingt sein*** to be caused by hormones **Hormonbehandlung** *f* hormone treatment

Hörmuschel *f* TEL earpiece

Horn [hɔrn] *nt* ⟨**-(e)s, ¨-er** ['hœrnɐ]⟩ **1.** horn; ***sich*** (*dat*) ***die Hörner abstoßen*** (*infml*) to sow one's wild oats; ***jdm Hörner aufsetzen*** (*infml*) to cuckold sb **2.** MUS horn; MIL bugle; ***ins gleiche ~ blasen*** to chime in **Hornbrille** *f* horn-rimmed glasses *pl* **Hörnchen** ['hœrnçən] *nt* ⟨**-s, -**⟩ **1.** (≈ *Gebäck*) croissant **2.** ZOOL squirrel

Hörnerv *m* auditory nerve

Hornhaut *f* callus; (*des Auges*) cornea

Hornisse [hɔr'nɪsə] *f* ⟨**-, -n**⟩ hornet

Hornist [hɔr'nɪst] *m* ⟨**-en, -en**⟩, **Hornistin** [-'nɪstɪn] *f* ⟨**-, -nen**⟩ horn player; MIL bugler

Horoskop [horo'skoːp] *nt* ⟨**-s, -e**⟩ horoscope

horrend [hɔ'rɛnt] *adj* horrendous

Hörrohr *nt* **1.** ear trumpet **2.** MED stethoscope

Horror ['hɔroːɐ] *m* ⟨**-s,** *no pl*⟩ horror (*vor* +*dat* of) **Horrorfilm** *m* horror film **Horrorszenario** *nt* horror scenario **Horrortrip** *m* (*infml*) horror trip (*infml*)

Hörsaal *m* UNIV lecture theatre (*Br*) *or* theater (*US*) **Hörspiel** *nt* RADIO radio play

Horst [hɔrst] *m* ⟨**-(e)s, -e**⟩ (≈ *Nest*) nest; (≈ *Adlerhorst*) eyrie

Hörsturz *m* hearing loss

Hort [hɔrt] *m* ⟨**-(e)s, -e**⟩ **1.** (*elev* ≈ *Zufluchtsstätte*) refuge, shelter; ***ein ~ der Freiheit*** a stronghold of liberty **2.** (≈ *Kinderhort*) ≈ after-school club (*Br*), ≈ after-school daycare (*US*) **horten** ['hɔrtn] *v/t* to hoard; *Rohstoffe etc* to stockpile

Hortensie [hɔr'tɛnziə] *f* ⟨**-, -n**⟩ hydrangea

Hörweite *f* hearing range; ***in/außer ~*** within/out of hearing *or* earshot

Höschen ['høːsçən] *nt* ⟨**-s, -**⟩ (≈ *Unterhose*) (pair of) panties *pl* **Hose** ['hoːzə] *f* ⟨**-, -n**⟩ trousers *pl* (*esp Br*), pants *pl* (*esp US*); ***eine ~*** a pair of trousers *etc*; ***die ~n anhaben*** (*fig infml*) to wear the trousers (*Br*) *or* pants (*infml*); ***sich*** (*dat*) ***in die ~n machen*** (*lit*) to dirty oneself; (*fig infml*) to shit oneself (*sl*); ***in die ~ gehen*** (*infml*) to be a complete flop (*infml*); ***tote ~*** (*infml*) nothing doing (*infml*) **Hosenanzug** *m* trouser suit (*Br*), pantsuit (*US*) **Hosenbein** *nt* trouser (*esp Br*) *or* pant (*esp US*) leg **Hosenboden** *m* seat (of trousers (*esp Br*) *or* pants (*esp US*)); ***sich auf den ~ setzen*** (*infml*) (≈ *arbeiten*) to get stuck in (*infml*) **Hosenbund** *m*, *pl* **-bünde** waistband **Hosenschlitz** *m* flies *pl*, fly **Hosentasche** *f* trouser pocket (*Br*), pant(s) *or* trousers pocket (*US*) **Hosenträger** *pl* (pair of) braces *pl* (*Br*) *or* suspenders *pl* (*US*)

Hospiz [hɔs'piːts] *nt* ⟨**-es, -e**⟩ hospice

Host [hoːst] *m* ⟨**-s, -s**⟩ IT host

Hostess ['hɔstɛs, hɔs'tɛs] *f* ⟨**-, -en**⟩ hostess

Hostie ['hɔstiə] *f* ⟨**-, -n**⟩ ECCL host, consecrated wafer

Hotdog ['hɔt'dɔk] *nt or m* ⟨**-s, -s**⟩, **Hot Dog** *nt or m* ⟨**-s, -s**⟩ COOK hot dog

Hotel [ho'tɛl] *nt* ⟨**-s, -s**⟩ hotel **Hotelboy** *m* bellboy (*US*), bellhop (*US*) **Hotelfach** *nt*, *no pl* hotel management **Hotelfachschule** *f* college of hotel management **Hotelführer** *m* hotel guide **Hotelportier** *m* hotel porter **Hotelzimmer** *nt* hotel room

Hotkey ['hɔtkiː] *m* ⟨**-s, -s**⟩ IT hot key **Hotline** ['hɔtlain] *f* ⟨**-, -s**⟩ helpline

Hub [huːp] *m* ⟨**-(e)s, ⸚e** ['hyːbə]⟩ TECH **1.** (≈ *Kolbenhub*) (piston) stroke **2.** (≈ *Leistung*) lifting *or* hoisting capacity

Hubbel ['hʊbl] *m* ⟨**-s, -**⟩ (*infml*) bump

hüben ['hyːbn] *adv* **~ *und drüben*** on both sides

Hubraum *m* AUTO cubic capacity

hübsch [hʏpʃ] **I** *adj* pretty; *Geschenk* lovely, delightful; (*infml* ≈ *nett*) lovely, nice; ***ein ~es Sümmchen*** (*infml*) a tidy sum **II** *adv* **1.** (≈ *nett*) *einrichten, sich kleiden* nicely; ***~ aussehen*** to look pretty **2.** (*infml*) ***~ artig*** nice and good; ***das wirst du ~ bleiben lassen!*** don't you dare

Hubschrauber ['huːpʃraubɐ] *m* ⟨**-s, -**⟩ helicopter **Hubschrauberlandeplatz** *m* heliport

Hucke ['hʊkə] *f* ⟨**-, -n**⟩ (*infml*) ***jdm die ~ vollhauen*** to give sb a good thrashing (*infml*); ***jdm die ~ volllügen*** to tell sb a pack of lies **huckepack** ['hʊkəpak] *adv* piggy-back **Huckepackverkehr** *m* RAIL piggy-back transport (*US*), motorail service

hudeln ['huːdln] *v/i* (*esp S Ger, Aus: infml*) to work sloppily

Huf [huːf] *m* ⟨**-(e)s, -e**⟩ hoof **Hufeisen** *nt* horseshoe **hufeisenförmig** *adj* horseshoe-shaped **Hüferl** ['hyːfɐl] *nt* ⟨**-s, -**⟩ (*Aus* COOK: *von Rind*) haunch **Huflattich** *m* ⟨**-s, -e**⟩ BOT coltsfoot **Hufschmied(in)** *m/(f)* blacksmith

Hüftbein *nt* hipbone **Hüfte** ['hʏftə] *f* ⟨**-, -n**⟩ hip; (*von Tieren*) haunch **Hüftgelenk** *nt* hip joint **Hüfthalter** *m* girdle **hüfthoch** *adj Pflanzen etc* waist-high; *Wasser etc* waist-deep; ***wir standen ~ im Schlamm*** we stood up to the waist in mud

Huftier *nt* hoofed animal

Hüftknochen *m* hipbone **Hüftleiden** *nt* hip trouble

Hügel ['hyːgl] *m* ⟨**-s, -**⟩ hill; (≈ *Erdhaufen*) mound **hügelig** ['hyːgəlɪç] *adj* hilly

Huhn [huːn] *nt* ⟨**-(e)s, ⸚er** ['hyːnɐ]⟩ **1.** chicken; ***da lachen ja die Hühner*** (*infml*) what a joke **2.** (*fig infml*) ***ein verrücktes ~*** a strange *or* odd character; ***ein dummes ~*** a silly goose **Hühnchen** ['hyːnçən] *nt* ⟨**-s, -**⟩ (young) chicken, pullet; (≈ *Brathühnchen*) (roast) chicken; ***mit jdm ein ~ zu rupfen haben*** (*infml*) to have a bone to pick with sb (*infml*) **Hühnerauge** *nt* MED corn **Hühnerbrust** *f* COOK chicken breast **Hühnerei** [-|ai] *nt* hen's egg **Hühnerfarm** *f* chicken farm **Hühnerfrikassee** [-frikaseː] *nt* ⟨**-s, -s**⟩ chicken fricassee **Hühnerfutter** *nt* chicken feed **Hühnerhof** *m* chicken run **Hühnerklein** [-klain] *nt* ⟨**-s**, *no pl*⟩ COOK chicken trimmings *pl* **Hühnerleiter** *f* chicken ladder **Hühnerstall** *m* henhouse, chicken coop **Hühnerzucht** *f* chicken breeding *or* farming

hui [hui] *int* whoosh

huldigen ['hʊldɪgn] *v/i +dat* (*liter*) **1.** *einem Künstler, Lehrmeister etc* to pay homage to **2.** *einer Ansicht* to subscribe to; *einem Glauben etc* to embrace; *einem Laster* to indulge in **Huldigung** *f* ⟨**-, -en**⟩ (*liter* ≈ *Verehrung, Beifall*) homage; ***jdm seine ~ darbringen*** to pay homage to sb

Hülle ['hʏlə] *f* ⟨**-, -n**⟩ **1.** cover; (*für Ausweiskarten etc*) holder, case; ***die sterbliche ~*** the mortal remains *pl* **2.** ***in ~ und Fülle*** in abundance; ***Whisky/Frauen*** *etc* ***in ~ und Fülle*** whisky/women *etc* galore **hüllen** ['hʏlən] *v/t* (*elev*) to wrap; ***in Dunkel gehüllt*** shrouded in darkness; ***sich in Schweigen ~*** to remain silent

Hülse ['hʏlzə] *f* ⟨**-, -n**⟩ **1.** (≈ *Schale*) hull, husk; (≈ *Schote*) pod **2.** (≈ *Etui, Kapsel*) case; (*von Geschoss*) case **Hülsenfrucht** *f usu pl* pulse

human [hu'maːn] **I** *adj* humane **II** *adv* humanely **Humanismus** [huma'nɪsmʊs] *m* ⟨**-**, *no pl*⟩ humanism **Humanist** [huma'nɪst] *m* ⟨**-en, -en**⟩, **Humanistin** [-'nɪstɪn] *f* ⟨**-, -nen**⟩ humanist; (≈ *Altsprachler*) classicist **humanistisch** [huma'nɪstɪʃ] *adj* humanist(ic); (≈ *altsprachlich*) classical; ***~e Bildung*** classical education **humanitär** [humani'tɛːɐ] *adj* humanitarian **Humanität** [humani'tɛːt] *f* ⟨**-**, *no pl*⟩ humaneness, humanity **Humankapital** *nt* ECON human resources *pl*, human capital **Humanmedizin** *f* (human) medicine

Humbug ['hʊmbʊk] *m* ⟨**-s**, *no pl*⟩ (*infml*) humbug (*infml*)

Hummel ['hʊml] *f* ⟨**-, -n**⟩ bumblebee

Hummer ['hʊmɐ] *m* ⟨**-s, -**⟩ lobster

Humor [hu'moːɐ] *m* ⟨**-s**, (*rare*) **-e**⟩ humour (*Br*), humor (*US*); ***er hat keinen (Sinn für) ~*** he has no sense of humo(u)r; ***sie nahm die Bemerkung mit***

~ ***auf*** she took the remark in good humo(u)r **Humorist** [humoˈrɪst] *m* ⟨**-en, -en**⟩, **Humoristin** [-ˈrɪstɪn] *f* ⟨**-, -nen**⟩ humorist; (≈ *Komiker*) comedian **humoristisch** [humoˈrɪstɪʃ] *adj* humorous **humorlos** *adj* humourless (*Br*), humorless (*US*) **Humorlosigkeit** *f* ⟨**-**, *no pl*⟩ humourlessness (*Br*), humorlessness (*US*) **humorvoll** **I** *adj* humorous, amusing **II** *adv* humorously, amusingly

humpeln [ˈhʊmpln] *v/i aux sein* to hobble

Humpen [ˈhʊmpn] *m* ⟨**-s, -**⟩ tankard, mug; (*aus Ton*) stein

Humus [ˈhuːmʊs] *m* ⟨**-**, *no pl*⟩ humus **Humusboden** *m*, **Humuserde** *f* humus soil

Hund [hʊnt] *m* ⟨**-(e)s, -e** [-də]⟩ dog; (*esp Jagdhund*) hound; ***junger ~*** puppy, pup; ***wie ~ und Katze leben*** to live like cat and dog; ***er ist bekannt wie ein bunter ~*** (*infml*) everybody knows him; ***da liegt der ~ begraben*** (*infml*) (so) that's what is/was behind it all; (*Haken, Problem etc*) that's the problem; ***er ist ein armer ~*** he's a poor soul; ***auf den ~ kommen*** (*infml*) to go to the dogs (*infml*); ***vor die ~e gehen*** (*infml*) to go to the dogs (*infml*); (≈ *sterben*) to die; ***du gemeiner ~*** (*infml*) you rotten bastard (*sl*); ***du gerissener ~*** (*infml*) you crafty devil (*infml*); ***kein ~*** (*infml*) not a (damn (*infml*)) soul; ***schlafende ~e soll man nicht wecken*** (*prov*) let sleeping dogs lie (*prov*) **hundeelend** *adj* (*infml*) ***mir ist ~*** I feel lousy (*infml*) **Hundeführer(in)** *m/*(*f*) dog handler **Hundefutter** *nt* dog food **Hundehalsband** *nt* dog collar **Hundehalter(in)** *m/*(*f*) (*form*) dog owner **Hundehütte** *f* (dog) kennel **hundekalt** *adj* (*infml*) freezing cold **Hundekuchen** *m* dog biscuit **Hundeleine** *f* dog lead (*Br*) *or* leash **Hundemarke** *f* dog licence (*Br*) *or* license (*US*) disc, dog tag (*US*) **hundemüde** *adj pred adv* (*infml*) dog-tired **Hunderasse** *f* breed (of dog)

hundert [ˈhʊndɐt] *num* a *or* one hundred **Hundert** *nt* ⟨**-s, -e**⟩ hundred; ***~e von Menschen*** hundreds of people; ***zu ~en*** by the hundred **Hunderter** [ˈhʊndɐtɐ] *m* ⟨**-s, -**⟩ **1.** (*von Zahl*) (the) hundred **2.** (≈ *Geldschein*) hundred (-euro/-pound/-dollar *etc* note (*Br*) *or* bill (*US*)) **hundertfach** **I** *adj* hundredfold **II** *adv* a hundred times **hundertjährig** *adj attr* (one-)hundred-year-old **hundertmal** *adv* a hundred times **Hundertmeterlauf** *m* SPORTS ***der/ein ~*** the/a 100 metres (*Br*) *or* meters (*US*) *sg* **hundertpro** *adv* (*infml*) definitely; ***bist du dir sicher? — ~*** are you sure? — I'm positive **hundertprozentig** **I** *adj* (a *or* one) hundred per cent (*Br*) *or* percent (*US*); *Alkohol* pure **II** *adv* one hundred per cent (*Br*) *or* percent (*US*); ***Sie haben ~ recht*** you're absolutely right; ***das weiß ich ~*** that's a fact **hundertstel** [ˈhʊndɐtstl] *adj* hundredth; ***eine ~ Sekunde*** a hundredth of a second **Hundertstel** [ˈhʊndɐtstl] *nt* ⟨**-s, -**⟩ hundredth **Hundertstelsekunde** *f* hundredth of a second **hundertste(r, s)** [ˈhʊndɐtstə] *adj* hundredth **hunderttausend** *num* a *or* one hundred thousand

Hundesalon *m* dog parlour (*Br*) *or* parlor (*US*) **Hundeschlitten** *m* dog sled(ge) *or* sleigh **Hundeschnauze** *f* nose, snout **Hundestaffel** *f* dog branch **Hundesteuer** *f* dog licence (*Br*) *or* license (*US*) fee **Hündin** [ˈhʏndɪn] *f* ⟨**-, -nen**⟩ bitch **hündisch** [ˈhʏndɪʃ] *adj* (*fig*) sycophantic **hundsgemein** [ˈhʊntsgəˈmain] (*infml*) **I** *adj* shabby; (≈ *schwierig*) fiendishly difficult **II** *adv* ***es tut ~ weh*** it hurts like hell (*infml*) **Hundstage** [ˈhʊnts-] *pl* dog days *pl*

Hüne [ˈhyːnə] *m* ⟨**-n, -n**⟩ giant

Hunger [ˈhʊŋɐ] *m* ⟨**-s**, *no pl*⟩ hunger (*nach* for); (≈ *Hungersnot*) famine; (*nach Sonne etc*) yearning; ***~ bekommen/haben*** to get/be hungry; ***~ auf etw*** (*acc*) ***haben*** to feel like (eating) sth; ***~ leiden*** (*elev*) to go hungry, to starve; ***ich sterbe vor ~*** (*infml*) I'm starving (*infml*) **Hungerkur** *f* starvation diet **Hungerlohn** *m* starvation wages *pl*; (*fig also*) pittance **hungern** [ˈhʊŋɐn] **I** *v/i* **1.** (≈ *Hunger leiden*) to go hungry, to starve **2.** (≈ *fasten*) to go without food **II** *v/r* ***sich zu Tode ~*** to starve oneself to death **hungernd** *adj no comp* hungry, starving **Hungersnot** *f* famine **Hungerstreik** *m* hunger strike **Hungertod** *m* death from starvation; ***den ~ sterben*** to die of hunger *or* starvation **Hungertuch** *nt* ***am ~ nagen*** (*fig*) to be starving **hungrig** [ˈhʊŋrɪç] *adj* hungry (*nach* for); ***~ nach etw*** *or* ***auf etw*** (*acc*) ***sein*** to feel like (eating) sth

Hupe [ˈhuːpə] *f* ⟨**-, -n**⟩ horn **hupen** [ˈhuːpn] *v/i* to sound *or* hoot the horn

Hüpfburg [ˈhʏpf-] *f* bouncy castle® **hüp-**

fen ['hʏpfn] *v/i aux sein* to hop; (*Ball*) to bounce

Hupton *m, pl* ***-töne*** sound of a horn **Hupzeichen** *nt* AUTO hoot

Hürde ['hʏrdə] *f* ⟨**-, -*n***⟩ hurdle; ***eine ~ nehmen*** to clear a hurdle **Hürdenlauf** *m* (≈ *Sportart*) hurdling; (≈ *Wettkampf*) hurdles *pl or sg* **Hürdenläufer(in)** *m/(f)* hurdler

Hure ['huːrə] *f* ⟨**-, -*n***⟩ whore **Hurenbock** *m* (*vulg*) whoremonger **Hurensohn** *m* (*vulg*) bastard (*sl*), son of a bitch (*sl*)

hurra [hʊ'raː, 'hʊra] *int* hurray, hurrah **Hurraruf** *m* cheer

Hurrikan ['hʊrikan, 'harɪkən] *m* ⟨**-*s*, -*e*** *or* (*bei engl. Aussprache*) ***-s***⟩ hurricane

husch [hʊʃ] *int* **1.** (*aufscheuchend*) shoo **2.** (≈ *schnell*) quick; ***er macht seine Arbeit immer ~ ~*** (*infml*) he always whizzes through his work (*infml*) **huschen** ['hʊʃn] *v/i aux sein* to dart; (*Lächeln*) to flash, to flit; (*Licht*) to flash

hüsteln ['hyːstln] *v/i* to cough slightly **husten** ['huːstn] **I** *v/i* to cough; ***auf etw*** (*acc*) **~** (*infml*) not to give a damn for sth (*infml*) **II** *v/t* to cough; *Blut* to cough (up); ***denen werde ich was ~*** (*infml*) I'll tell them where they can get off (*infml*) **Husten** ['huːstn] *m* ⟨**-*s***, *no pl*⟩ cough; ***~ haben*** to have a cough **Hustenanfall** *m* coughing fit **Hustenbonbon** *m or nt* cough sweet (*Br*) *or* drop **Hustenmittel** *nt* cough medicine **Hustenreiz** *m* tickle in one's throat **Hustensaft** *m* cough syrup *or* mixture **hustenstillend** *adj* cough-relieving **Hustentropfen** *pl* cough drops *pl*

Hut[1] [huːt] *m* ⟨**-(*e*)*s*, ⸚*e*** ['hyːtə]⟩ hat; (*von Pilz*) cap; ***den ~ aufsetzen/abnehmen*** to put on/take off one's hat; ***~ ab!*** I take my hat off to him/you *etc*; ***das kannst du dir an den ~ stecken!*** (*infml*) you can keep it (*infml*); ***unter einen ~ bringen*** to reconcile; *Termine* to fit in; ***den*** *or* ***seinen ~ nehmen (müssen)*** (*infml*) to (have to) go; ***das ist doch ein alter ~!*** (*infml*) that's old hat! (*infml*); ***eins auf den ~ kriegen*** (*infml*) to get an earful (*infml*); ***damit habe ich nichts am ~*** (*infml*) I don't want to have anything to do with that

Hut[2] *f* ⟨**-**, *no pl*⟩ **1.** (*elev*) ***in meiner ~*** in my keeping; (*Kinder*) in my care **2. *auf der ~ sein*** to be on one's guard (*vor +dat* against) **hüten** ['hyːtn] **I** *v/t* to look after, to mind; ***das Bett ~*** to stay in bed **II** *v/r* to (be on one's) guard (*vor +dat* against); ***ich werde mich ~!*** not likely!; ***ich werde mich ~, ihm das zu erzählen*** there's no chance of me telling him that **Hüter** ['hyːtɐ] *m* ⟨**-*s*, -**⟩, **Hüterin** [-ərɪn] *f* ⟨**-, -*nen***⟩ guardian, custodian; (≈ *Viehhüter*) herdsman; ***die ~ der Ordnung*** (*hum*) the custodians of the law

Hutgeschäft *nt* hat shop, hatter's (shop); (*für Damen auch*) milliner's (shop) **Hutmacher(in)** *m/(f)* hat maker **Hutschachtel** *f* hatbox

Hütte ['hʏtə] *f* ⟨**-, -*n***⟩ **1.** hut; (*hum* ≈ *Haus*) humble abode; (≈ *Holzhütte, Blockhütte*) cabin **2.** (TECH ≈ *Hüttenwerk*) iron and steel works *pl or sg* **Hüttenindustrie** *f* iron and steel industry **Hüttenkäse** *m* cottage cheese

hutzelig ['hʊtsəlɪç] *adj Mensch* wizened **Hutzelmännchen** *nt* gnome

Hyäne ['hyɛːnə] *f* ⟨**-, -*n***⟩ hyena; (*fig*) wildcat

Hyazinthe [hya'tsɪntə] *f* ⟨**-, -*n***⟩ hyacinth

hybrid [hy'briːt] *adj* BIOL, LING hybrid **Hybride** [hy'briːdə] *f* ⟨**-, -*n*** *or m* ***-n, -n***⟩ BIOL hybrid

Hydrant [hy'drant] *m* ⟨***-en, -en***⟩ hydrant **Hydrat** [hy'draːt] *nt* ⟨**-(*e*)*s*, -*e***⟩ hydrate **Hydraulik** [hy'draulɪk] *f* ⟨**-**, *no pl*⟩ hydraulics *sg*; (≈ *Antrieb*) hydraulics *pl* **hydraulisch** [hy'draulɪʃ] **I** *adj* hydraulic **II** *adv* hydraulically **Hydrokultur** [hydro-, 'hyːdro-] *f* BOT hydroponics *sg* **Hydrolyse** [hydro'lyːzə] *f* ⟨**-, -*n***⟩ CHEM hydrolysis **Hydrotherapie** *f* MED hydrotherapy

Hygiene [hy'gieːnə] *f* ⟨**-**, *no pl*⟩ hygiene **hygienisch** [hy'gieːnɪʃ] **I** *adj* hygienic **II** *adv* hygienically

Hymne ['hʏmnə] *f* ⟨**-, -*n***⟩ hymn; (≈ *Nationalhymne*) (national) anthem

Hype [haip] *m* ⟨**-*s*, -*s***⟩ (≈ *Werbung, Täuschung*) hype *no pl*

hyperaktiv [hypɐ|ak'tiːf] *adj* hyperactive **Hyperbel** [hy'pɛrbl] *f* ⟨**-, -*n***⟩ MAT hyperbola; (*Rhetorik*) hyperbole **Hyperlink** ['haipɐlɪŋk] *m or nt* ⟨**-*s*, -*s***⟩ IT hyperlink **hypermodern** [hyːpɐ-] *adj* (*infml*) ultramodern **Hypertext** ['haipɐ-] *m, no pl* IT hypertext

Hypnose [hʏp'noːzə] *f* ⟨**-, -*n***⟩ hypnosis; ***unter ~ stehen*** to be under hypnosis **hypnotisch** [hʏp'noːtɪʃ] *adj* hypnotic **Hypnotiseur** [hʏpnoti'zøːɐ] *m* ⟨**-*s*, -*e***⟩, **Hypnotiseurin** [-'zøːrɪn] *f* ⟨**-,**

-nen⟩ hypnotist **hypnotisieren** [hʏpnoti'ziːrən] *past part* **hypnotisiert** *v/t* to hypnotize

Hypochonder [hypo'xɔndɐ, hypɔ-] *m* ⟨**-s, -**⟩ hypochondriac

Hypotenuse [hypote'nuːzə] *f* ⟨**-, -n**⟩ MAT hypotenuse

Hypothek [hypo'teːk] *f* ⟨**-, -en**⟩ mortgage; ***eine ~ aufnehmen*** to raise a mortgage; ***etw mit einer ~ belasten*** to mortgage sth **Hypothekenbank** *f, pl* **-banken** *bank specializing in mortgages* **Hypothekenbrief** *m* mortgage deed *or* certificate **hypothekenfrei** *adj* unmortgaged **Hypothekenschuld** *f* mortgage debt **Hypothekenschuldner(in)** *m*/(*f*) mortgagor, mortgager **Hypothekenzinsen** *pl* mortgage interest

Hypothese [hypo'teːzə] *f* hypothesis **hypothetisch** [hypo'teːtɪʃ] **I** *adj* hypothetical **II** *adv* hypothetically

Hysterie [hʏste'riː] *f* ⟨**-, -n** [-'riːən]⟩ hysteria **hysterisch** [hʏs'teːrɪʃ] *adj* hysterical; ***einen ~en Anfall bekommen*** (*fig*) to go into *or* have hysterics

I

I, i [iː] *nt* I, i

i [iː] *int* (*infml*) ugh (*infml*)

iberisch [i'beːrɪʃ] *adj* Iberian

ich [ɪç] *pers pr, gen* **meiner**, *dat* **mir**, *acc* **mich** I; ***immer ~!*** (it's) always me!; ***~ Idiot!*** what an idiot I am!; ***wer hat den Schlüssel? — ~ nicht!*** who's got the key? — not me!; ***~ selbst*** I myself; ***wer hat gerufen? — ~!*** who called? — (it was) me, I did!; ***~ bins!*** it's me! **Ich** [ɪç] *nt* ⟨**-(s), -(s)**⟩ self; PSYCH ego; ***mein anderes*** *or* ***zweites ~*** (≈ *selbst*) my other self; (≈ *andere Person*) my alter ego **Ich-form** *f* first person

Icon ['aikn, 'aikɔn] *nt* ⟨**-s, -s**⟩ IT icon

ideal [ide'aːl] *adj* ideal **Ideal** [ide'aːl] *nt* ⟨**-s, -e**⟩ ideal **idealerweise** [ide'alɐ'vaizə] *adv* ideally **Idealfall** *m* ideal case; ***im ~*** ideally **idealisieren** [ideali'ziːrən] *past part* **idealisiert** *v/t* to idealize **Idealismus** [idea'lɪsmʊs] *m* ⟨**-**, *no pl*⟩ idealism **Idealist** [idea'lɪst] *m* ⟨**-en, -en**⟩, **Idealistin** [-'lɪstɪn] *f* ⟨**-, -nen**⟩ idealist **idealistisch** [idea'lɪstɪʃ] *adj* idealistic **Idealvorstellung** *f* ideal

Idee [i'deː] *f* ⟨**-, -n** [i'deːən]⟩ **1.** idea; ***wie kommst du denn auf DIE ~?*** whatever gave you that idea?; ***ich kam auf die ~, sie zu fragen*** I hit on the idea of asking her **2.** (≈ *ein wenig*) shade, trifle; ***eine ~ Salz*** a hint of salt **ideell** [ide'ɛl] *adj Wert, Ziele* non-material; *Unterstützung* spiritual **ideenreich** *adj* (≈ *einfallsreich*) full of ideas; (≈ *fantasiereich*) imaginative, full of imagination

Identifikation [idɛntifika'tsioːn] *f* ⟨**-, -en**⟩ identification **identifizieren** [idɛntifi'tsiːrən] *past part* **identifiziert** **I** *v/t* to identify **II** *v/r* ***sich ~ mit*** to identify (oneself) with **Identifizierung** *f* ⟨**-, -en**⟩ identification

identisch [i'dɛntɪʃ] *adj* identical (*mit* with) **Identität** [idɛnti'tɛːt] *f* ⟨**-, -en**⟩ identity **Identitätskrise** *f* identity crisis **Identitätsnachweis** *m* proof of identity

Ideologe [ideo'loːgə] *m* ⟨**-n, -n**⟩, **Ideologin** [-'loːgɪn] *f* ⟨**-, -nen**⟩ ideologist **Ideologie** [ideolo'giː] *f* ⟨**-, -n** [-'giːən]⟩ ideology **ideologisch** [ideo'loːgɪʃ] **I** *adj* ideological **II** *adv* ideologically

Idiom [i'dioːm] *nt* ⟨**-s, -e**⟩ idiom **idiomatisch** [idio'maːtɪʃ] **I** *adj* idiomatic **II** *adv* idiomatically

Idiot [i'dioːt] *m* ⟨**-en, -en**⟩, **Idiotin** [i'dioːtɪn] *f* ⟨**-, -nen**⟩ idiot **Idiotenhügel** *m* (*hum infml*) nursery *or* beginners' slope **idiotensicher** (*infml*) **I** *adj* foolproof *no adv* **II** *adv* ***~ gestaltet sein*** to be designed to be foolproof **Idiotie** [idio'tiː] *f* ⟨**-, -n** [-'tiːən]⟩ idiocy; (*infml*) lunacy **idiotisch** [i'dioːtɪʃ] *adj* idiotic

Idol [i'doːl] *nt* ⟨**-s, -e**⟩ idol

Idyll [i'dʏl] *nt* ⟨**-s, -e**⟩ idyll; (≈ *Gegend*) idyllic place *or* spot **Idylle** [i'dʏlə] *f* ⟨**-, -n**⟩ idyll **idyllisch** [i'dʏlɪʃ] **I** *adj* idyllic **II** *adv* idyllically

Igel ['iːgl] *m* ⟨**-s, -**⟩ ZOOL hedgehog

igitt(igitt) [i'gɪt(i'gɪt)] *int* (*infml*) ugh! (*infml*)

Iglu ['iːglu] *m or nt* ⟨**-s, -s**⟩ igloo

ignorant [ɪgno'rant] *adj* ignorant **Ignoranz** [ɪgno'rants] *f* ⟨**-**, *no pl*⟩ ignorance

ignorieren [ɪgno'riːrən] *past part* ***ignoriert*** *v/t* to ignore

ihm [iːm] *pers pr dat of* ***er***, ***es*** (*bei Personen*) to him; (*bei Tieren und Dingen*) to it; (*nach Präpositionen*) him/it; ***ich gab es ~*** I gave it (to) him; ***ich gab ~ den Brief*** I gave him the letter, I gave the letter to him; ***ein Freund von ~*** a friend of his, one of his friends

ihn [iːn] *pers pr acc of* ***er*** him; (*bei Tieren und Dingen*) it

ihnen ['iːnən] *pers pr dat of* ***sie*** to them; (*nach Präpositionen*) them; → ***ihm***

Ihnen ['iːnən] *pers pr dat of* ***Sie*** to you; (*nach Präpositionen*) you; → ***ihm***

ihr [iːɐ] **I** *pers pr* **1.** *gen* ***euer***, *dat* ***euch***, *acc* ***euch*** *2nd person pl nom* you **2.** *dat of* ***sie*** (*bei Personen*) to her; (*bei Tieren und Dingen*) to it; (*nach Präpositionen*) her/it; → ***ihm*** **II** *poss pr* **1.** (*einer Person*) her; (*eines Tiers, Dinges*) its **2.** (*von mehreren*) their

Ihr [iːɐ] *poss pr sg and pl* your; ***~ Franz Müller*** (*Briefschluss*) yours, Franz Müller

ihrerseits ['iːrɐ'zaits] *adv* (*bei einer Person*) for her part; (*bei mehreren*) for their part **Ihrerseits** ['iːrɐ'zaits] *adv* for your part **ihresgleichen** ['iːrəs'glaiçn] *pron inv* (*von einer Person*) people like her; (*von mehreren*) people like them **Ihresgleichen** ['iːrəs'glaiçn] *pron inv* people like you **ihretwegen** ['iːrət'veːgn], **ihretwillen** ['iːrət'vɪlən] *adv* (*sing*) because of her; (*pl*) because of them **Ihretwegen** ['iːrət'veːgn], **Ihretwillen** ['iːrət'vɪlən] *adv* because of you

Ikone [i'koːnə] *f* ⟨-, *-n*⟩ (*also fig*) icon

illegal [ɪle'gaːl, 'ɪl-] **I** *adj* illegal **II** *adv* illegally; ***sich ~ betätigen*** to engage in illegal activities **Illegalität** [ɪlegali'tɛːt, 'ɪl-] *f* ⟨-, *-en*⟩ illegality **illegitim** [ɪlegi'tiːm, 'ɪl-] *adj* illegitimate

Illusion [ɪlu'zioːn] *f* ⟨-, *-en*⟩ illusion; ***sich*** (*dat*) ***~en machen*** to delude oneself; ***darüber macht er sich keine ~en*** he doesn't have any illusions about it **illusorisch** [ɪlu'zoːrɪʃ] *adj* illusory

Illustration [ɪlʊstra'tsioːn] *f* ⟨-, *-en*⟩ illustration; ***zur ~ von etw*** as an illustration of sth **illustrativ** [ɪlʊstra'tiːf] **I** *adj* (≈ *anschaulich*) illustrative **II** *adv* (≈ *anschaulich*) vividly **illustrieren** [ɪlʊs'triːrən] *past part* ***illustriert*** *v/t* to illustrate (*jdm etw* sth for sb) **Illustrierte** [ɪlʊs'triːɐtə] *f decl as adj* magazine

Iltis ['ɪltɪs] *m* ⟨*-ses, -se*⟩ polecat

im [ɪm] *prep* in the; ***im Bett*** in bed; ***im letzten/nächsten Jahr*** last/next year; ***etw im Liegen tun*** to do sth lying down

Image ['ɪmɪtʃ] *nt* ⟨*-(s), -s*⟩ image **Imagekampagne** *f* image-building campaign **Imagepflege** *f* image building

imaginär [imagi'nɛːɐ] *adj* imaginary

Imbiss ['ɪmbɪs] *m* ⟨*-es, -e*⟩ snack **Imbisshalle** *f* snack bar **Imbissstube** *f* café; (*in Kaufhaus etc*) cafeteria

Imitation [imita'tsioːn] *f* ⟨-, *-en*⟩ imitation **imitieren** [imi'tiːrən] *past part* ***imitiert*** *v/t* to imitate

Imker ['ɪmkɐ] *m* ⟨*-s, -*⟩, **Imkerin** [-ərɪn] *f* ⟨-, *-nen*⟩ beekeeper **Imkerei** [ɪmkə'rai] *f* ⟨-, *no pl*⟩ beekeeping

immateriell [ɪmate'riɛl, 'ɪm-] *adj Vermögenswerte* immaterial

Immatrikulation [ɪmatrikula'tsioːn] *f* ⟨-, *-en*⟩ matriculation (*form*) **immatrikulieren** [ɪmatriku'liːrən] *past part* ***immatrikuliert*** **I** *v/t* to register (*at university*) (*an +dat* at) **II** *v/r* to matriculate (*form*)

immens [ɪ'mɛns] **I** *adj* immense, huge **II** *adv* immensely

immer ['ɪmɐ] *adv* **1.** always; ***schon ~*** always; ***für ~*** for ever, for always; ***~ diese Probleme!*** all these problems!; ***~, wenn ...*** whenever ..., every time that ...; ***~ geradeaus gehen*** to keep going straight on; ***~ (schön) mit der Ruhe*** (*infml*) take it easy; ***noch ~*** still; ***~ noch nicht*** still not (yet); ***~ wieder*** again and again; ***etw ~ wieder tun*** to keep on doing sth; ***wie ~*** as usual **2.** (*+comp*) ***~ besser*** better and better; ***~ häufiger*** more and more often; ***~ mehr*** more and more **3.** ***wer (auch) ~*** whoever; ***wie (auch) ~*** however; ***wann (auch) ~*** whenever; ***wo (auch) ~*** wherever; ***was (auch) ~*** whatever **immergrün** ['ɪmɐgryːn] *adj attr* evergreen **immerhin** ['ɪmɐ'hɪn] *adv* all the same, anyhow, at any rate; (≈ *wenigstens*) at least; (≈ *schließlich*) after all

Immigrant [ɪmi'grant] *m* ⟨*-en, -en*⟩, **Immigrantin** [-'grantɪn] *f* ⟨-, *-nen*⟩ immigrant **Immigration** [ɪmigra'tsioːn] *f* ⟨-, *-en*⟩ immigration **immigrieren** [ɪmi'griːrən] *past part* ***immigriert*** *v/i aux sein* to immigrate

Immissionsschutz *m* air pollution control

immobil [ɪmo'biːl, 'ɪm-] *adj* immoveable

Immobilie [ɪmo'biːliə] *f* ⟨-, -*n*⟩ **1.** ***eine*** ~ a property **2. Immobilien** *pl* real estate *sg*; (*in Zeitungsannoncen*) property *sg* **Immobilienmakler(in)** *m*/(*f*) (real) estate agent (*Br*), Realtor® (*US*)

immun [ɪ'muːn] *adj* immune (*gegen* to) **immunisieren** [ɪmuni'ziːrən] *past part* ***immunisiert*** *v/t* (*form*) to immunize (*gegen* against) **Immunität** [ɪmuni'tɛːt] *f* ⟨-, (*rare*) -*en*⟩ immunity **Immunologe** [ɪmuno'loːgə] *m* ⟨-*n*, -*n*⟩, **Immunologin** [-'loːgɪn] *f* ⟨-, -*nen*⟩ immunologist **Immunschwäche** *f* immunodeficiency **Immunschwächekrankheit** *f* immune deficiency disease *or* syndrome **Immunsystem** *nt* immune system **Immuntherapie** *f* MED immunotherapy

Imperativ ['ɪmperatiːf] *m* ⟨-*s*, -*e* [-və]⟩ imperative

Imperfekt ['ɪmpɛrfɛkt] *nt* GRAM imperfect (tense)

Imperialismus [ɪmperia'lɪsmʊs] *m* ⟨-, *no pl*⟩ imperialism **imperialistisch** [ɪmperia'lɪstɪʃ] *adj* imperialistic **Imperium** [ɪm'peːriʊm] *nt* ⟨-*s*, ***Imperien*** [-riən]⟩ (≈ *Gebiet*) empire

impfen ['ɪmpfn] *v/t* to vaccinate **Impfpass** *m* vaccination card **Impfschein** *m* certificate of vaccination **Impfschutz** *m* protection given by vaccination **Impfstoff** *m* vaccine, serum **Impfung** *f* ⟨-, -*en*⟩ vaccination

Implantat [ɪmplan'taːt] *nt* ⟨-(*e*)*s*, -*e*⟩ implant **Implantation** [ɪmplanta'tsioːn] *f* ⟨-, -*en*⟩ MED implantation **implantieren** [ɪmpan'tiːrən] *past part* ***implantiert*** *v/t* to implant

implementieren [ɪmplemɛn'tiːrən] *past part* ***implementiert*** *v/t* (*elev*) to implement

Implikation *f* implication **implizieren** [ɪmpli'tsiːrən] *past part* ***impliziert*** *v/t* to imply **implizit** [ɪmpli'tsiːt] *adv* (*elev*) by implication

implodieren [ɪmplo'diːrən] *past part* ***implodiert*** *v/i aux sein* to implode **Implosion** [ɪmplo'zioːn] *f* ⟨-, -*en*⟩ implosion

imponieren [ɪmpo'niːrən] *past part* ***imponiert*** *v/i* to impress (*jdm* sb) **imponierend** *adj* impressive **Imponiergehabe** *nt* (*fig pej*) exhibitionism

Import [ɪm'pɔrt] *m* ⟨-(*e*)*s*, -*e*⟩ import **Importbeschränkung** *f* import quota **Importeur** [ɪmpɔr'tøːɐ] *m* ⟨-*s*, -*e*⟩, **Importeurin** [-'tøːrɪn] *f* ⟨-, -*nen*⟩ importer **importieren** [ɪmpɔr'tiːrən] *past part* ***importiert*** *v/t* to import **Importland** *nt* importing country **Importlizenz** *f* import licence (*Br*) *or* license (*US*) **Importzoll** *m* import duty *or* tariff

imposant [ɪmpo'zant] *adj* imposing; *Leistung* impressive

impotent ['ɪmpotɛnt, ɪmpo'tɛnt] *adj* impotent **Impotenz** ['ɪmpotɛnts, ɪmpo'tɛnts] *f* ⟨-, *no pl*⟩ impotence

imprägnieren [ɪmprɛ'gniːrən] *past part* ***imprägniert*** *v/t* to impregnate; (≈ *wasserdicht machen*) to (water)proof

Impression [ɪmprɛ'sioːn] *f* impression (*über +acc* of) **Impressionismus** [ɪmprɛsio'nɪsmʊs] *m* ⟨-, *no pl*⟩ impressionism **Impressionist** [ɪmprɛsio'nɪst] *m* ⟨-*en*, -*en*⟩, **Impressionistin** [-'nɪstɪn] *f* ⟨-, -*nen*⟩ impressionist **impressionistisch** [ɪmprɛsio'nɪstɪʃ] *adj* impressionistic **Impressum** [ɪm'prɛsʊm] *nt* ⟨-*s*, ***Impressen*** [-sn]⟩ imprint

Improvisation [ɪmproviza'tsioːn] *f* ⟨-, -*en*⟩ improvisation **improvisieren** [ɪmprovi'ziːrən] *past part* ***improvisiert*** *v/t & v/i* to improvise

Impuls [ɪm'pʊls] *m* ⟨-*es*, -*e*⟩ impulse; ***etw aus einem ~ heraus tun*** to do sth on impulse **impulsiv** [ɪmpʊl'ziːf] **I** *adj* impulsive **II** *adv* impulsively

imstande [ɪm'ʃtandə] *adj pred* ***~ sein, etw zu tun*** (≈ *fähig*) to be capable of doing sth

in [ɪn] **I** *prep* **1.** (*räumlich*) (*wo? +dat*) in; (*wohin? +acc*) in, into; ***in der Schweiz*** in Switzerland; ***in die Schweiz*** to Switzerland; ***in die Schule/Kirche gehen*** to go to school/church; ***er ist in der Schule/Kirche*** he's at *or* in school/church; ***er ging ins Konzert*** he went to the concert **2.** (*zeitlich*: *wann? +dat*) in; ***in diesem Jahr*** (*laufendes Jahr*) this year; ***heute in zwei Wochen*** two weeks today **3.** ***das ist in Englisch*** it's in English; ***ins Englische übersetzen*** to translate into English; ***sie hat es in sich*** (*dat*) (*infml*) she's quite a girl; → **im II** *adj pred* (*infml*) ***in sein*** to be in (*infml*)

inaktiv *adj* inactive; *Mitglied* non-active

inakzeptabel *adj* unacceptable

Inanspruchnahme [ɪn'|anʃprʊxnaːmə] *f* ⟨-, -*n*⟩ (*form*) **1.** (≈ *Beanspruchung*) demands *pl*, claims *pl* (*+gen* on) **2.** (*von Einrichtungen etc*) utilization

Inbegriff ['ɪnbəgrɪf] *m*, *no pl* perfect ex-

ample, embodiment; ***sie war der ~ der Schönheit*** she was beauty personified **inbegriffen** ['ɪnbəgrɪfn] *adj pred* included; ***die Mehrwertsteuer ist im Preis ~*** the price is inclusive of VAT
Inbetriebnahme [ɪnbə'triːpnaːmə] *f* ⟨**-, -n**⟩ commissioning; (*von Gebäude, U-Bahn etc*) inauguration
Inbrunst ['ɪnbrʊnst] *f, no pl* fervour (*Br*), fervor (*US*) **inbrünstig** ['ɪnbrʏnstɪç] **I** *adj* fervent, ardent **II** *adv* fervently, ardently
Inbusschlüssel® ['ɪnbʊs-] *m* TECH Allen key®
indem [ɪn'deːm] *cj* **1.** (≈ *während*) while **2.** (≈ *dadurch, dass*) ***~ man etw macht*** by doing sth
Inder ['ɪndɐ] *m* ⟨**-s, -**⟩, **Inderin** [-ərɪn] *f* ⟨**-, -nen**⟩ Indian; ***zum ~ gehen*** to go to an/the Indian restaurant
indessen [ɪn'dɛsn] *adv* **1.** (*zeitlich*) meanwhile, (in the) meantime **2.** (*adversativ*) however
Index ['ɪndɛks] *m* ⟨**-(es), -e** *or* **Indizes** ['ɪnditseːs]⟩ index **indexieren** [ɪndɛ'ksiːrən] *past part* **indexiert** *v/t & v/i* to index
Indianer [ɪn'diaːnɐ] *m* ⟨**-s, -**⟩, **Indianerin** [-ərɪn] *f* ⟨**-, -nen**⟩ American Indian, Native American; (*in Western*) (Red) Indian **indianisch** [ɪn'diaːnɪʃ] *adj* American Indian, Native American; (*in Western*) (Red) Indian
Indien ['ɪndiən] *nt* ⟨**-s**⟩ India
Indikation [ɪndika'tsioːn] *f* ⟨**-, -en**⟩ MED indication **Indikativ** ['ɪndikatiːf] *m* ⟨**-s, -e** [-və]⟩ GRAM indicative **Indikator** [ɪndi'kaːtoːɐ] *m* ⟨**-s, Indikatoren** [-'toːrən]⟩ indicator
indirekt ['ɪndirɛkt, ɪndi'rɛkt] **I** *adj* indirect; ***~e Rede*** indirect *or* reported speech **II** *adv* indirectly
indisch ['ɪndɪʃ] *adj* Indian; ***der Indische Ozean*** the Indian Ocean
indiskret [ɪndɪs'kreːt, 'ɪn-] *adj* indiscreet **Indiskretion** [ɪndɪskre'tsioːn, 'ɪn-] *f* indiscretion
indiskutabel [ɪndɪsku'taːbl, 'ɪn-] *adj* out of the question
Individualismus [ɪndividua'lɪsmʊs] *m* ⟨**-,** *no pl*⟩ individualism **Individualist** [ɪndividua'lɪst] *m* ⟨**-en, -en**⟩, **Individualistin** [-'lɪstɪn] *f* ⟨**-, -nen**⟩ individualist **Individualität** [ɪndividuali'tɛːt] *f* ⟨**-, -en,** *no pl*⟩ individuality **Individualverkehr** [ɪndivi'duaːl-] *m* MOT private transport **individuell** [ɪndivi'duɛl] **I** *adj* individual **II** *adv* individually; ***etw ~ gestalten*** to give sth a personal note; ***es ist ~ verschieden*** it differs from person to person **Individuum** [ɪndi'viːduʊm] *nt* ⟨**-s, Individuen** [-duən]⟩ individual
Indiz [ɪn'diːts] *nt* ⟨**-es, -ien** [-tsiən]⟩ **1.** JUR clue; (*als Beweismittel*) piece of circumstantial evidence **2.** (≈ *Anzeichen*) sign (*für* of) **Indizienbeweis** *m* circumstantial evidence *no pl* **indizieren** [ɪndi'tsiːrən] *past part* **indiziert** *v/t* MED to indicate; IT to index
Indochina ['ɪndo'çiːna] *nt* Indochina **Indonesien** [ɪndo'neːziən] *nt* ⟨**-s**⟩ Indonesia **Indonesier** [ɪndo'neːziɐ] *m* ⟨**-s, -**⟩, **Indonesierin** [-ərɪn] *f* ⟨**-, -nen**⟩ Indonesian **indonesisch** [ɪndo'neːzɪʃ] *adj* Indonesian
indossieren [ɪndɔ'siːrən] *past part* **indossiert** *v/t* COMM to endorse
industrialisieren [ɪndʊstriali'ziːrən] *past part* **industrialisiert** *v/t* to industrialize **Industrialisierung** *f* ⟨**-, -en**⟩ industrialization **Industrie** [ɪndʊs'triː] *f* ⟨**-, -n** [-'triːən]⟩ industry; ***in der ~ arbeiten*** to work in industry **Industrieabfälle** *pl* industrial waste **Industrieanlage** *f* industrial plant *or* works *pl* **Industriegebiet** *nt* industrial area; (≈ *Gewerbegebiet*) industrial estate **Industriegelände** *nt* industrial site **Industriegewerkschaft** *f* industrial union **Industriekauffrau** *f*, **Industriekaufmann** *m* industrial clerk **Industrieland** *nt* industrialized country **industriell** [ɪndʊstri'ɛl] **I** *adj* industrial **II** *adv* industrially **Industrielle(r)** [ɪndʊstri'ɛlə] *m/f(m) decl as adj* industrialist **Industriemüll** *m* industrial waste **Industriestaat** *m* industrial nation **Industriestadt** *f* industrial town **Industrie- und Handelskammer** *f* chamber of commerce **Industriezweig** *m* branch of industry
ineffektiv [ɪn|ɛfɛk'tiːf, 'ɪn-] *adj* ineffective, ineffectual
ineinander [ɪn|ai'nandɐ] *adv sein, liegen etc* in(side) one another *or* each other; ***~ übergehen*** to merge (into one another *or* each other); ***sich ~ verlieben*** to fall in love (with each other) **ineinanderfließen** *v/i sep irr aux sein* to merge **ineinandergreifen** *v/i sep irr* (*lit*) to interlock; (*fig*: *Ereignisse etc*) to overlap **ineinan-**

derschieben *v/t & v/r sep irr* to telescope
infam [ɪn'faːm] *adj* infamous
Infanterie [ɪnfantə'riː, 'ɪn-] *f* ⟨-, -n [-'riːən]⟩ infantry
infantil [ɪnfan'tiːl] *adj* infantile
Infarkt [ɪn'farkt] *m* ⟨-(e)s, -e⟩ MED infarct (*tech*); (≈ *Herzinfarkt*) coronary (thrombosis)
Infektion [ɪnfɛk'tsioːn] *f* ⟨-, -en⟩ infection **Infektionsgefahr** *f* danger of infection **Infektionsherd** *m* focus of infection **Infektionskrankheit** *f* infectious disease **Infektionsrisiko** *nt* risk of infection **infektiös** [ɪnfɛk'tsiøːs] *adj* infectious
Inferno [ɪn'fɛrno] *nt* ⟨-s, *no pl*⟩ inferno
Infinitiv ['ɪnfinitiːf] *m* ⟨-s, -e [-və]⟩ infinitive
infizieren [ɪnfi'tsiːrən] *past part* **infiziert** **I** *v/t* to infect **II** *v/r* to get infected (*bei* by)
in flagranti [ɪn fla'granti] *adv* in the act
Inflation [ɪnfla'tsioːn] *f* ⟨-, -en⟩ inflation **inflationär** [ɪnflatsio'nɛːɐ] *adj* inflationary; (*fig*) over-extensive **Inflationsrate** *f* rate of inflation
inflexibel [ɪnflɛ'ksiːbl, 'ɪn-] *adj* inflexible
Info ['ɪnfo] *f* ⟨-, -s⟩ (*infml* ≈ *Information*) info (*infml*)
infolge [ɪn'fɔlgə] *prep +gen* as a result of **infolgedessen** [ɪnfɔlgə'dɛsn] *adv* consequently, as a result
Infomaterial *nt* (*infml*) info (*infml*) **Informant** [ɪnfɔr'mant] ⟨-en, -en⟩ *m* ⟨-en, -en⟩, **Informantin** [-ərɪn] *f* ⟨-, -nen⟩ (≈ *Denunziant*) informer **Informatik** [ɪnfɔr'maːtɪk] *f* ⟨-, *no pl*⟩ informatics *sg*; (≈ *Schulfach*) computer studies *pl* **Informatiker** [ɪnfɔr'maːtikɐ] *m* ⟨-s, -⟩, **Informatikerin** [-ərɪn] *f* ⟨-, -nen⟩ computer *or* information scientist
Information [ɪnfɔrma'tsioːn] *f* **1.** information *no pl* (*über +acc* about, on); ***eine ~*** (a piece of) information; ***~en weitergeben*** to pass on information; ***zu Ihrer ~*** for your information **2.** (≈ *Stelle*) information desk **Informationsaustausch** *m* exchange of information **Informationsgesellschaft** *f* information society **Informationsmaterial** *nt* information **Informationsquelle** *f* source of information **Informationsstand** *m* **1.** information stand **2.** *no pl* (≈ *Wissensstand*) level of information **Informationstechnik** *f* **Informationstechnologie** *f* information technology **Informationszentrum** *nt* information centre (*Br*) *or* center (*US*) **informativ** [ɪnfɔrma'tiːf] *adj* informative
informell [ɪnfɔr'mɛl, 'ɪn-] **I** *adj* informal **II** *adv* informally
informieren [ɪnfɔr'miːrən] *past part* **informiert** **I** *v/t* to inform (*über +acc, von* about, of); ***da bist du falsch informiert*** you've been misinformed **II** *v/r* to find out, to inform oneself (*über +acc* about) **Infostand** ['ɪnfo-] *m* (*infml*) information stand **Infotainment** [ɪnfo'teːnmənt] *nt* ⟨-s, *no pl*⟩ infotainment **Infotelefon** *nt* information line
infrage [ɪn'fraːgə], **in Frage** *adv* ***~ kommen*** to be possible; ***~ kommend*** possible; *Bewerber* worth considering; ***das kommt (überhaupt) nicht ~!*** that's (quite) out of the question!; ***etw ~ stellen*** to question sth, to call sth into question
infrarot *adj* infrared **Infraschall** *m* infrasonic waves *pl* **Infrastruktur** *f* infrastructure
Infusion [ɪnfu'zioːn] *f* infusion
Ingenieur [ɪnʒe'niøːɐ] *m* ⟨-s, -e⟩, **Ingenieurin** [-'niøːrɪn] *f* ⟨-, -nen⟩ engineer
Ingwer ['ɪŋvɐ] *m* ⟨-s, -⟩ ginger
Inhaber ['ɪnhaːbɐ] *m* ⟨-s, -⟩, **Inhaberin** [-ərɪn] *f* ⟨-, -nen⟩ owner; (*von Konto, Rekord*) holder; (*von Scheck, Pass*) bearer
inhaftieren [ɪnhaf'tiːrən] *past part* **inhaftiert** *v/t* to take into custody **Inhaftierung** *f* ⟨-, -en⟩ (≈ *das Inhaftieren*) arrest; (≈ *Haft*) imprisonment
inhalieren [ɪnha'liːrən] *past part* **inhaliert** *v/t & v/i* (MED, *infml*) to inhale
Inhalt *m* **1.** contents *pl* **2.** (MAT ≈ *Flächeninhalt*) area; (≈ *Rauminhalt*) volume **inhaltlich** ['ɪnhaltlɪç] *adj, adv* as regards content **Inhaltsangabe** *f* summary **inhaltslos** *adj* empty; *Buch, Vortrag* lacking in content **Inhaltsverzeichnis** *nt* list *or* table of contents
inhuman [ɪnhu'maːn, 'ɪn-] *adj* inhuman; (≈ *unbarmherzig*) inhumane
Initiale [ini'tsiaːlə] *f* ⟨-, -n⟩ (*elev*) initial
initiativ [initsia'tiːf] *adj* ***~ werden*** to take the initiative **Initiative** [initsia'tiːvə] *f* ⟨-, -n⟩ initiative; ***aus eigener ~*** on one's own initiative; ***die ~ ergreifen*** to take the initiative; ***auf jds ~ (acc) hin*** on sb's initiative **Initiator** [ini'tsiaːtoːɐ] ⟨-s, Initiatoren⟩ *m* ⟨-s, -en⟩, **Initiatorin**

[iniˈtsiaːtoːʀin] [-ˈtoːrɪn] *f* ⟨-, **-nen**⟩ (*elev*) initiator **initiieren** [initsiˈiːrən] *past part* ***initiiert*** *v/t* (*elev*) to initiate

Injektion [ɪnjɛkˈtsioːn] *f* ⟨**-, -en**⟩ injection **Injektionsspritze** *f* hypodermic (syringe) **injizieren** [ɪnjiˈtsiːrən] *past part* ***injiziert*** *v/t* (*form*) to inject (*jdm etw* sb with sth)

Inkasso [ɪnˈkaso] *nt* ⟨**-s, -s** *or* (*Aus*) ***Inkassi*** [-si]⟩ FIN collection

inklusive [ɪnkluˈziːvə] *prep +gen* inclusive of

inkognito [ɪnˈkɔgnito] *adv* incognito

inkompatibel [ɪnkɔmpaˈtiːbl, ˈɪn-] *adj* incompatible

inkompetent [ɪnkɔmpeˈtɛnt, ˈɪn-] *adj* incompetent **Inkompetenz** [ɪnkɔmpeˈtɛnts, ˈɪn-] *f* incompetence

inkontinent [ˈɪnkɔntinɛnt] *adj* MED incontinent **Inkontinenz** [ˈɪnkɔntinɛnts] *f* ⟨**-, -en**⟩ MED incontinence

inkorrekt [ɪnkɔˈrɛkt, ˈɪn-] **I** *adj* incorrect **II** *adv* incorrectly; *gekleidet* inappropriately

Inkubationszeit *f* incubation period

Inland *nt, no pl* **1.** (*als Staatsgebiet*) home; ***im In- und Ausland*** at home and abroad **2.** (≈ *Inneres eines Landes*) inland; ***im ~*** inland **inländisch** [ˈɪnlɛndɪʃ] *adj* domestic; GEOG inland **Inlandsflug** *m* domestic *or* internal flight **Inlandsmarkt** *m* home *or* domestic market **Inlandsporto** *nt* inland postage

Inliner [ˈɪnlainɐ] *pl* = ***Inlineskates*** **inlinern** [ˈɪnlainɐn] *v/i* to inline-skate **Inlineskater** *m* ⟨**-s, -**⟩, **Inlineskaterin** *f* ⟨**-, -nen**⟩ in-line skater **Inlineskates** *pl* in-line skates *pl*

inmitten [ɪnˈmɪtn] *prep +gen* in the middle *or* midst of

innehaben [ˈɪnəhaːbn] *v/t sep irr* (*form*) to hold **innehalten** [ˈɪnəhaltn] *sep irr v/i* to pause

innen [ˈɪnən] *adv* inside; ***nach ~*** inwards; ***von ~*** from (the) inside **Innenansicht** *f* interior view **Innenarchitekt(in)** *m/*(*f*) interior designer **Innenarchitektur** *f* interior design **Innenaufnahme** *f* indoor photo(graph); FILM indoor shot *or* take **Innenausstattung** *f* interior décor *no pl* **Innenbahn** *f* SPORTS inside lane **Innendienst** *m* office duty; ***im ~ sein*** to work in the office **Inneneinrichtung** *f* (interior) furnishings *pl* **Innenfläche** *f* (≈ *innere Fläche*) inside; (*der Hand*) palm **Innenhof** *m* inner courtyard **Innenleben** *nt, no pl* (*infml: seelisch*) inner life **Innenminister(in)** *m/*(*f*) minister of the interior; (*in GB*) Home Secretary; (*in den USA*) Secretary of the Interior **Innenministerium** *nt* ministry of the interior; (*in GB*) Home Office; (*in den USA*) Department of the Interior **Innenpolitik** *f* domestic policy; (≈ *innere Angelegenheiten*) home *or* domestic affairs *pl* **innenpolitisch** *adj* domestic, internal; *Sprecher* on domestic policy **Innenraum** *m* **1.** ***Innenräume*** inner rooms *pl* **2.** *no pl* room inside; (*von Wagen*) interior **Innenseite** *f* inside **Innenspiegel** *m* AUTO interior mirror **Innenstadt** *f* town centre (*Br*) *or* center (*US*); (*einer Großstadt*) city centre (*Br*) *or* center (*US*) **Innentasche** *f* inside pocket **Innentemperatur** *f* inside temperature; (*in einem Gebäude*) indoor temperature

innerbetrieblich *adj* in-house **Innereien** [ɪnəˈraiən] *pl* innards *pl* **innere(r, s)** [ˈɪnərə] *adj* inner; (≈ *im Körper befindlich, inländisch*) internal; ***die ~n Angelegenheiten eines Landes*** the home *or* domestic affairs of a country; ***im innersten Herzen*** in one's heart of hearts; ***vor meinem ~n Auge*** in my mind's eye **Innere(s)** [ˈɪnərə] *nt decl as adj* inside; (*von Kirche, Wagen*) interior; (≈ *Mitte*) middle, centre (*Br*), center (*US*); ***ins ~ des Landes*** into the heart of the country **innerhalb** [ˈɪnɐhalp] **I** *prep +gen* **1.** (*örtlich*) inside, within **2.** (*zeitlich*) within **II** *adv* inside; (*eines Landes*) inland **innerlich** [ˈɪnɐlɪç] **I** *adj* **1.** (≈ *körperlich*) internal **2.** (≈ *geistig, seelisch*) inward, inner *no adv* **II** *adv* **1.** (≈ *im Körper*) internally **2.** (≈ *gemütsmäßig*) inwardly, inside; ***~ lachen*** to laugh inwardly *or* to oneself **innerparteilich** *adj* within the party **innerstaatlich** *adj* domestic, internal **innerstädtisch** *adj* urban, inner-city *attr* **innerste(r, s)** [ˈɪnɐstə] *adj* innermost, inmost **Innerste(s)** [ˈɪnɐstə] *nt decl as adj* (*lit*) innermost part, heart; (*fig*) heart; ***bis ins ~ getroffen*** deeply hurt

innert [ˈɪnɐt] *prep +gen or +dat* (*Swiss*) within, inside (of)

innewohnen [ˈɪnə-] *v/i +dat sep* to be inherent in

innig [ˈɪnɪç] **I** *adj Grüße, Beileid* heartfelt; *Freundschaft* intimate; ***mein ~ster***

Wunsch my dearest wish **II** *adv* deeply, profoundly; ***jdn ~ lieben*** to love sb dearly
Innovation [inova'tsioːn] *f* ⟨-, ***-en***⟩ innovation **innovativ** [inova'tiːf] **I** *adj* innovative **II** *adv* innovatively
Innung ['inʊŋ] *f* ⟨-, ***-en***⟩ (trade) guild
inoffiziell [ɪn|ɔfi'tsiɛl, 'ɪn-] **I** *adj* unofficial **II** *adv* unofficially
inopportun [ɪn|ɔpɔr'tuːn, 'ɪn-] *adj* inopportune
in petto [ɪn 'pɛto]; → ***petto***
in puncto [ɪn 'pʊŋkto]; → ***puncto***
Input ['ɪnpʊt] *m or nt* ⟨***-s, -s***⟩ input
Inquisition [ɪnkvizi'tsioːn] *f* ⟨-, ***-en***⟩ Inquisition
Insasse ['ɪnsasə] *m* ⟨***-n, -n***⟩, **Insassin** ['ɪnsasɪn] *f* ⟨-, ***-nen***⟩ (*von Fahrzeug*) passenger; (*von Anstalt*) inmate
insbesondere [ɪnsbə'zɔndərə] *adv* particularly, in particular
Inschrift *f* inscription
Insekt [ɪn'zɛkt] *nt* ⟨***-(e)s, -en***⟩ insect **Insektenbekämpfungsmittel** *nt* insecticide **Insektenschutzmittel** *nt* insect repellent **Insektenspray** *nt* insect spray **Insektenstich** *m* insect bite; (*von Bienen, Wespen*) (insect) sting **Insektizid** [ɪnzɛkti'tsiːt] *nt* ⟨***-s, -e*** [-də]⟩ (*form*) insecticide
Insel ['ɪnzl] *f* ⟨-, ***-n***⟩ island; ***die Britischen ~n*** the British Isles **Inselbewohner(in)** *m*/(*f*) islander **Inselgruppe** *f* group of islands **Inselstaat** *m* island state **Inselvolk** *nt* island nation *or* race *or* people **Inselwelt** *f* island world
Inserat [ɪnze'raːt] *nt* ⟨***-(e)s, -e***⟩ advertisement **Inserent** [ɪnze'rɛnt] *m* ⟨***-en, -en***⟩, **Inserentin** [-'rɛntɪn] *f* ⟨-, ***-nen***⟩ advertiser **inserieren** [ɪnze'riːrən] *past part* ***inseriert*** *v/t & v/i* to advertise
insgeheim [ɪnsgə'haim, 'ɪns-] *adv* secretly
insgesamt [ɪnsgə'zamt, 'ɪns-] *adv* altogether; (≈ *im Großen und Ganzen*) all in all; ***ein Verdienst von ~ 2.000 Euro*** earnings totalling (*Br*) *or* totaling (*US*) 2,000 euros
Insider ['ɪnsaidɐ] *m* ⟨***-s, -***⟩, **Insiderin** [-ərɪn] *f* ⟨-, ***-nen***⟩ insider **Insiderwissen** *nt* inside knowledge
insofern [ɪnzo'fɛrn, ɪn'zoːfɛrn, 'ɪn-] *adv* in this respect; ***~ als*** in so far as
insolvent [ɪnzɔl'vɛnt, 'ɪn-] *adj* COMM insolvent **Insolvenz** [ɪnzɔl'vɛnts, 'ɪn-] *f* ⟨-, ***-en***⟩ COMM insolvency
insoweit [ɪn'zoːvait, ɪnzoː'vait, 'ɪn-] *adv, cj* = ***insofern***
in spe [ɪn 'speː] *adj* (*infml*) to be
Inspekteur [ɪnspɛk'tøːɐ] *m* ⟨***-s, -e***⟩, **Inspekteurin** [ɪnspɛk'tøːrɪn] [-'tøːrɪn] *f* ⟨-, ***-nen***⟩ MIL Chief of Staff **Inspektion** [ɪnspɛk'tsioːn] *f* ⟨-, ***-en***⟩ inspection; AUTO service **Inspektor** [ɪn'spɛktoːɐ] *m* ⟨***-s, Inspektoren*** [-'toːrən]⟩, **Inspektorin** [-'toːrɪn] *f* ⟨-, ***-nen***⟩ inspector
Inspiration [ɪnspira'tsioːn] *f* ⟨-, ***-en***⟩ inspiration **inspirieren** [ɪnspi'riːrən] *past part* ***inspiriert*** *v/t* to inspire; ***sich von etw ~ lassen*** to get one's inspiration from sth
inspizieren [ɪnspi'tsiːrən] *past part* ***inspiziert*** *v/t* to inspect
instabil [ɪnsta'biːl, 'ɪn-] *adj* unstable **Instabilität** *f* instability
Installateur [ɪnstala'tøːɐ] *m* ⟨***-s, -e***⟩, **Installateurin** [-'tøːrɪn] *f* ⟨-, ***-nen***⟩ plumber; (≈ *Elektroinstallateur*) electrician; (≈ *Gasinstallateur*) gas fitter **Installation** [ɪnstala'tsioːn] *f* ⟨-, ***-en***⟩ installation **installieren** [ɪnsta'liːrən] *past part* ***installiert*** **I** *v/t* to install **II** *v/r* to install oneself
instand [ɪn'ʃtant] *adj* ***etw ~ halten*** to maintain sth; ***etw ~ setzen*** to get sth into working order **Instandhaltung** *f* maintenance **Instandsetzung** [ɪn'ʃtantzɛtsʊŋ] *f* ⟨-, ***-en***⟩ (*von Gerät*) overhaul; (*von Gebäude*) restoration; (≈ *Reparatur*) repair
Instanz [ɪn'stants] *f* ⟨-, ***-en***⟩ **1.** (≈ *Behörde*) authority **2.** JUR court; ***Verhandlung in erster/letzter ~*** first/final court case; ***er ging durch alle ~en*** he went through all the courts
Instinkt [ɪn'stɪŋkt] *m* ⟨***-(e)s, -e***⟩ instinct; ***aus ~*** instinctively **instinktiv** [ɪnstɪŋk'tiːf] **I** *adj* instinctive **II** *adv* instinctively **instinktlos** *adj Bemerkung* insensitive
Institut [ɪnsti'tuːt] *nt* ⟨***-(e)s, -e***⟩ institute
Institution [ɪnstitu'tsioːn] *f* ⟨-, ***-en***⟩ institution **institutionell** [ɪnstitutsio'nɛl] *adj* institutional
instruieren [ɪnstru'iːrən] *past part* ***instruiert*** *v/t* to instruct; (*über Plan etc*) to brief **Instruktion** [ɪnstrʊk'tsioːn] *f* ⟨-, ***-en***⟩ instruction
Instrument [ɪnstru'mɛnt] *nt* ⟨***-(e)s, -e***⟩ instrument **instrumental** [ɪnstrumɛn'taːl] *adj* MUS instrumental **Instrumen-**

tarium [ɪnstrumɛn'taːriʊm] *nt* ⟨*-s, Instrumentarien*⟩ (*lit*) equipment, instruments *pl*; MUS instruments *pl*; (*fig*) apparatus **Instrumentenbrett** *nt* instrument panel **Instrumententafel** *f* control panel

Insuffizienz ['ɪnzʊfitsiɛnts] *f* ⟨*-, -en*⟩ insufficiency

Insulaner [ɪnzu'laːnɐ] *m* ⟨*-s, -*⟩, **Insulanerin** [-ərɪn] *f* ⟨*-, -en*⟩ (*usu hum*) islander

Insulin [ɪnzu'liːn] *nt* ⟨*-s*, *no pl*⟩ insulin

inszenieren [ɪnstse'niːrən] *past part* ***inszeniert*** *v/t* **1.** THEAT to direct; (RADIO, TV) to produce **2.** (*fig*) to stage-manage; ***einen Streit ~*** to start an argument **Inszenierung** *f* ⟨*-, -en*⟩ production

intakt [ɪn'takt] *adj* intact

integer [ɪn'teːgɐ] (*elev*) *adj* ***~ sein*** to be full of integrity

integral [ɪnte'graːl] *adj attr* integral **Integral** [ɪnte'graːl] *nt* ⟨*-s, -e*⟩ integral **Integralrechnung** *f* integral calculus

Integration [ɪntegra'tsioːn] *f* ⟨*-, -en*⟩ integration **integrieren** [ɪnte'griːrən] *past part* ***integriert*** *v/t* to integrate; ***integrierte Gesamtschule*** ≈ comprehensive (school) (*Br*), ≈ high school (*US*) **Integrität** [ɪntegri'tɛːt] *f* ⟨*-, no pl*⟩ (*elev*) integrity

Intellekt [ɪntɛ'lɛkt] *m* ⟨*-(e)s, no pl*⟩ intellect **intellektuell** [ɪntɛlɛk'tuɛl] *adj* intellectual **Intellektuelle(r)** [ɪntɛlɛk'tuɛlə] *m/f(m) decl as adj* intellectual

intelligent [ɪntɛli'gɛnt] **I** *adj* intelligent **II** *adv* cleverly, ingeniously; *sich verhalten* intelligently **Intelligenz** [ɪntɛli'gɛnts] *f* ⟨*-, -en*⟩ intelligence; (≈ *Personengruppe*) intelligentsia *pl*; ***künstliche ~*** artificial intelligence **Intelligenzquotient** *m* intelligence quotient, IQ **Intelligenztest** *m* intelligence test

Intendant [ɪntɛn'dant] *m* ⟨*-en, -en*⟩, **Intendantin** [-'dantɪn] *f* ⟨*-, -nen*⟩ director; THEAT theatre (*Br*) *or* theater (*US*) manager

Intensität [ɪntɛnzi'tɛːt] *f* ⟨*-,* (*rare*) *-en*⟩ intensity **intensiv** [ɪntɛn'ziːf] **I** *adj* intensive; *Beziehungen* deep, very close; *Farbe*, *Geruch*, *Geschmack*, *Blick* intense **II** *adv* ***jdn ~ beobachten*** to watch sb intently; ***sich ~ bemühen*** to try hard; ***~ nach etw schmecken*** to taste strongly of sth **intensivieren** [ɪntɛnzi'viːrən] *past part* ***intensiviert*** *v/t* to intensify **Intensivierung** *f* ⟨*-, -en*⟩ intensification **Intensivkurs** *m* intensive course **Intensivstation** *f* intensive care unit

Intention [ɪntɛn'tsioːn] *f* ⟨*-, -en*⟩ intention, intent

interaktiv **I** *adj* interactive **II** *adv* interactively; ***~ gestaltet*** designed for interactive use **Intercity(zug)** *m* intercity (train) **interdisziplinär** [ɪntɐdɪstsipli'nɛːɐ] *adj* interdisciplinary

interessant [ɪntərɛ'sant] **I** *adj* interesting; ***zu diesem Preis ist das nicht ~ für uns*** COMM we are not interested at that price **II** *adv* ***~ klingen*** to sound interesting; ***~ erzählen*** to tell interesting stories **interessanterweise** [ɪntərɛ'santɐ'vaizə] *adv* interestingly enough **Interesse** [ɪntə'rɛsə] *nt* ⟨*-s, -n*⟩ interest; ***~ an jdm/etw haben*** to be interested in sb/sth; ***im ~*** *+gen* in the interests of; ***es liegt in Ihrem eigenen ~*** it's in your own interest(s); ***die ~n eines Staates wahrnehmen*** to look after the interests of a state **interessehalber** *adv* out of interest **interesselos** *adj* indifferent **Interessengebiet** *nt* field of interest **Interessengemeinschaft** *f* group of people sharing interests; ECON syndicate **Interessent** [ɪntərɛ'sɛnt] *m* ⟨*-en, -en*⟩, **Interessentin** [-'sɛntɪn] *f* ⟨*-, -nen*⟩ interested person *or* party (*form*); (≈ *Bewerber*) applicant **Interessenvertretung** *f* representation of interests; (≈ *Personen*) group representing one's interests **interessieren** [ɪntərɛ'siːrən] *past part* ***interessiert*** **I** *v/t* to interest (*für*, *an +dat* in); ***das interessiert mich (gar) nicht!*** I'm not (the least *or* slightest bit) interested **II** *v/r* to be interested (*für* in) **interessiert** [ɪntərɛ'siːɐt] **I** *adj* interested (*an +dat* in); ***vielseitig ~ sein*** to have a wide range of interests; ***politisch ~*** interested in politics **II** *adv* with interest; ***sich an etw*** (*dat*) ***~ zeigen*** to show an interest in sth

Interface ['ɪntɐfeːs] *nt* ⟨*-, -s*⟩ IT interface

Interimsregierung *f* caretaker *or* provisional government

Interjektion [ɪntɐjɛk'tsioːn] *f* ⟨*-, -en*⟩ interjection **interkontinental** [ɪntɐkɔntinɛn'taːl] *adj* intercontinental **Interkontinentalrakete** [ɪntɐkɔntinɛn'taːl-] *f* intercontinental missile **interkulturell** *adj* intercultural **Intermezzo** [ɪntɐ'mɛtso] *nt* ⟨*-s, -s or Intermezzi*

[-tsi]⟩ MUS intermezzo; (*fig*) interlude **intern** [ɪn'tɛrn] **I** *adj* internal **II** *adv* internally **Internat** [ɪntɐ'naːt] *nt* ⟨**-(e)s, -e**⟩ boarding school **international** [ɪntɐnatsio'naːl] **I** *adj* international **II** *adv* internationally **Internationale** [ɪntɐnatsio'naːlə] *f* ⟨**-, -n**⟩ Internationale **internationalisieren** [ɪntɐnatsionali'ziːrən] *past part* ***internationalisiert*** *v/t* to internationalize **Internationalisierung** *f* internationalization **Internatsschüler(in)** *m/(f)* boarder **Internet** ['ɪntɐnɛt] *nt* ⟨**-,** *no pl*⟩ IT Internet; ***im ~ surfen*** to surf the Internet **Internetadresse** *f* Internet address **Internetanschluss** *m* Internet connection **Internetauktion** *f* online auction **Internetcafé** *nt* Internet café **Internethandel** *m* Internet trading, e-commerce **Internetnutzer(in)** *m/(f)* Internet user **Internetprovider** *m* Internet provider **Internetseite** *f* web page **Internetzugang** *m*, **Internetzugriff** *m* Internet access **internieren** [ɪntɐ'niːrən] *past part* ***interniert*** *v/t* to intern **Internierung** *f* ⟨**-, -en**⟩ internment **Internierungslager** *nt* internment camp **Internist** [ɪntɐ'nɪst] *m* ⟨**-en, -en**⟩, **Internistin** [-'nɪstɪn] *f* ⟨**-, -nen**⟩ internist **Interpol** ['ɪntɐpoːl] *f* ⟨**-**⟩ Interpol **Interpret** [ɪntɐ'preːt] *m* ⟨**-en, -en**⟩, **Interpretin** [-'preːtɪn] *f* ⟨**-, -nen**⟩ interpreter (*of music, art etc*); ***Lieder verschiedener ~en*** songs by various singers **Interpretation** [ɪntɐpreta'tsioːn] *f* ⟨**-, -en**⟩ interpretation **interpretieren** [ɪntɐpre'tiːrən] *past part* ***interpretiert*** *v/t* to interpret **Interpunktion** *f* punctuation **Interrogativpronomen** [ɪntɐroga'tiːf-] *nt* interrogative pronoun **Intervall** [ɪntɐ'val] *nt* ⟨**-s, -e**⟩ interval (*auch* MUS) **Intervallschaltung** *f* interval switch **intervenieren** [ɪntɐve'niːrən] *past part* ***interveniert*** *v/i* to intervene **Intervention** [ɪntɐvɛn'tsioːn] *f* ⟨**-, -en**⟩ intervention **Interview** ['ɪntɐvjuː, ɪntɐ'vjuː] *nt* ⟨**-s, -s**⟩ interview **interviewen** [ɪntɐ'vjuːən, 'ɪntɐ-] *past part* ***interviewt*** *v/t* to interview (*jdn zu etw* sb about sth) **Interviewer** ['ɪntɐvjuːɐ, ɪntɐ'vjuːɐ] *m* ⟨**-s, -**⟩, **Interviewerin** ['ɪntɐvjuːɐ, ɪntɐ'vjuːɐin] [-ərɪn] *f* ⟨**-, -nen**⟩ interviewer

intim [ɪn'tiːm] *adj* intimate; ***ein ~er Kenner von etw sein*** to have an intimate knowledge of sth **Intimbereich** *m* **1.** ANAT genital area **2.** (*fig*) = ***Intimsphäre*** **Intimität** [ɪntimi'tɛːt] *f* ⟨**-, -en**⟩ intimacy; ***~en austauschen*** to kiss and pet **Intimpartner(in)** *m/(f)* (*form*) sexual partner **Intimsphäre** *f* private life; ***jds ~ verletzen*** to invade sb's privacy **Intimverkehr** *m* intimacy; ***~ mit jdm haben*** to be intimate with sb

intolerant [ɪntole'rant, 'ɪn-] *adj* intolerant **Intoleranz** [ɪntole'rants, 'ɪn-] *f* intolerance

Intranet ['ɪntranɛt] *nt* ⟨**-s, -s**⟩ IT Intranet

intransitiv *adj* intransitive

intravenös [ɪntrave'nøːs] *adj* intravenous

Intrigant [ɪntri'gant] *m* ⟨**-en, -en**⟩, **Intrigantin** [-'gantɪn] *f* ⟨**-, -nen**⟩ schemer **Intrige** [ɪn'triːgə] *f* ⟨**-, -n**⟩ scheme **intrigieren** [ɪntri'giːrən] *past part* ***intrigiert*** *v/i* to intrigue, to scheme

introvertiert [ɪntrovɛr'tiːɐt] *adj* introverted

Intuition [ɪntui'tsioːn] *f* ⟨**-, -en**⟩ intuition **intuitiv** [ɪntui'tiːf] **I** *adj* intuitive **II** *adv* intuitively

intus ['ɪntʊs] *adj* (*infml*) ***etw ~ haben*** (≈ *wissen*) to get *or* have got (*Br*) sth into one's head (*infml*); *Essen, Alkohol* to have sth down (*infml*) *or* inside one (*infml*)

Invalide [ɪnva'liːdə] *m* ⟨**-n, -n**⟩, **Invalidin** [-'liːdɪn] *f* ⟨**-, -nen**⟩ disabled person, invalid **Invalidität** [ɪnvalidi'tɛːt] *f* ⟨**-,** *no pl*⟩ disability

Invasion [ɪnvaː'zioːn] *f* ⟨**-, -en**⟩ invasion

Inventar [ɪnvɛn'taːɐ] *nt* ⟨**-s, -e**⟩ **1.** (≈ *Verzeichnis*) inventory; COMM assets and liabilities *pl*; ***das ~ aufnehmen*** to do the inventory **2.** (≈ *Einrichtung*) fittings *pl* (*Br*), equipment; (≈ *Maschinen*) equipment *no pl*, plant *no pl*; ***er gehört schon zum ~*** (*fig*) he's part of the furniture

Inventur [ɪnvɛn'tuːɐ] *f* ⟨**-, -en**⟩ stocktaking; ***~ machen*** to stocktake

investieren [ɪnvɛs'tiːrən] *past part* ***investiert*** *v/t & v/i* to invest **Investition** [ɪnvɛsti'tsioːn] *f* ⟨**-, -en**⟩ investment **Investitionsgut** *nt usu pl* item of capital expenditure; ***Investitionsgüter*** capital goods *pl* **Investment** [ɪn'vɛstmənt] *nt* ⟨**-s, -s**⟩ investment **Investmentbank** *f, pl* ***-banken*** investment bank **Invest-**

mentfonds *m* investment fund **Investmentgesellschaft** *f* investment trust **Investor** [ɪn'vestoːɐ] *m* ⟨**-s, -en**⟩, **Investorin** [-toːrɪn] *f* ⟨**-, -nen**⟩ investor

In-vitro-Fertilisation [ɪn'viːtrofɛrtilizatsioːn] *f* ⟨**-, -en**⟩ in vitro fertilization

involvieren [ɪnvɔl'viːrən] *v/t* to involve

inwendig ['ɪnvɛndɪç] *adv* (*infml*) ***jdn/etw in- und auswendig kennen*** to know sb/sth inside out

inwiefern [ɪnvi'fɛrn], **inwieweit** [ɪnvi'vait] *adv* (*im Satz*) to what extent; (*alleinstehend*) in what way

Inzest ['ɪntsɛst] *m* ⟨**-(e)s, -e**⟩ incest *no pl* **inzestuös** [ɪntsɛstu'øːs] *adj* incestuous

Inzucht *f* inbreeding

inzwischen [ɪn'tsvɪʃn] *adv* (in the) meantime, meanwhile; ***er hat sich ~ verändert*** he's changed since (then)

Ion [ioːn, 'iːɔn] *nt* ⟨**-s, -en** ['ioːnən]⟩ ion

i-Punkt ['iː-] *m* dot on the i

Irak [i'raːk, 'iːrak] *m* ⟨**-s**⟩ **(der) ~** Iraq **Iraker** [i'raːkɐ] *m* ⟨**-s, -**⟩, **Irakerin** [-ərɪn] *f* ⟨**-, -nen**⟩ Iraqi **irakisch** [i'raːkɪʃ] *adj* Iraqi

Iran [i'raːn] *m* ⟨**-s**⟩ **(der) ~** Iran **Iraner** [i'raːnɐ] *m* ⟨**-s, -**⟩, **Iranerin** [-ərɪn] *f* ⟨**-, -nen**⟩ Iranian **iranisch** [i'raːnɪʃ] *adj* Iranian

irdisch ['ɪrdɪʃ] *adj* earthly *no adv*

Ire ['iːrə] *m* ⟨**-n, -n**⟩ Irishman; Irish boy; ***die ~n*** the Irish

irgend ['ɪrgnt] **I** *adv* at all; ***wenn ~ möglich*** if it's at all possible **II** *with indef pr* ***~ so ein Tier*** some animal **irgendein** ['ɪrgnt'|ain] *indef pr* some; (*fragend, verneinend*) any; ***ich will nicht ~ Buch*** I don't want just any (old (*infml*)) book; ***haben Sie noch ~en Wunsch?*** is there anything else you would like? **irgendeine(r, s)** ['ɪrgnt'|ainə] *indef pr* (*nominal*) (*bei Personen*) somebody, someone; (*bei Dingen*) something; (*fragend, verneinend*) anybody; anything **irgendetwas** ['ɪrgnt'|ɛtvas] *indef pr* something; (*fragend, verneinend*) anything **irgendjemand** ['ɪrgnt'jeːmant] *indef pr* somebody; (*fragend, verneinend*) anybody; ***ich bin nicht ~*** I'm not just anybody **irgendwann** ['ɪrgnt'van] *adv* some time **irgendwas** ['ɪrgnt'vas] *indef pr* (*infml*) → ***irgendetwas*** **irgendwelche(r, s)** ['ɪrgnt'vɛlçə] *indef pr* some; (*fragend, verneinend*) any **irgendwer** ['ɪrgnt'veːɐ] *indef pr* (*infml*) → ***irgendjemand*** **irgendwie** ['ɪrgnt'viː] *adv* somehow (or other); ***ist es ~ möglich?*** is it at all possible?; ***kannst du dir das ~ vorstellen?*** can you possibly imagine it? **irgendwo** ['ɪrgnt'voː] *adv* somewhere (or other), someplace (*esp US infml*); (*fragend, verneinend*) anywhere, any place (*esp US infml*) **irgendwoher** ['ɪrgntvo'heːɐ] *adv* from somewhere (or other), from someplace (*esp US infml*); (*fragend, verneinend*) from anywhere *or* any place (*esp US infml*) **irgendwohin** ['ɪrgntvo'hɪn] *adv* somewhere (or other), someplace (*esp US infml*); (*fragend, verneinend*) anywhere, any place (*esp US infml*)

Irin ['iːrɪn] *f* ⟨**-, -nen**⟩ Irishwoman; Irish girl; ***sie ist ~*** she is Irish

Iris ['iːrɪs] *f* ⟨**-, -** *or* (*Opt auch*) **Iriden** [i'riːdn]⟩ iris

irisch ['iːrɪʃ] *adj* Irish **Irland** ['ɪrlant] *nt* ⟨**-s**⟩ Ireland; (≈ *Republik Irland*) Eire **irländisch** ['ɪrlɛndɪʃ] *adj* Irish

Ironie [iro'niː] *f* ⟨**-,** (*rare*) **-n** [-'niːən]⟩ irony **ironisch** [i'roːnɪʃ] **I** *adj* ironic, ironical **II** *adv* ironically

irrational [ɪratsio'naːl, 'ɪr-] **I** *adj* irrational **II** *adv* irrationally **Irrationalität** [ɪratsionali'tɛːt, 'ɪr-] *f* irrationality

irre ['ɪrə] **I** *adj* **1.** (≈ *geistesgestört*) mad; ***~s Zeug reden*** (*fig*) to say crazy things **2.** *pred* (≈ *verwirrt*) confused **3.** (*dated infml*) *Party, Hut* wild (*infml*) **II** *adv* (*dated infml* ≈ *sehr*) incredibly (*infml*); ***~ gut*** brilliant (*infml*) **Irre** ['ɪrə] *f* ⟨**-,** *no pl*⟩ ***jdn in die ~ führen*** to lead sb astray

irreal ['ɪreaːl, ɪre'aːl] *adj* unreal

irreführen *v/t sep* to mislead; ***sich ~ lassen*** to be misled **irreführend** *adj* misleading

irrelevant [ɪrele'vant, 'ɪr-] *adj* irrelevant (*für* for, to)

irremachen *v/t sep* to confuse, to muddle

irren ['ɪrən] **I** *v/i* **1.** (≈ *sich täuschen*) to be mistaken *or* wrong; ***Irren ist menschlich*** (*prov*) to err is human (*prov*) **2.** *aux sein* (≈ *umherschweifen*) to wander **II** *v/r* to be mistaken *or* wrong; ***sich in jdm ~*** to be mistaken *or* wrong about sb; ***wenn ich mich nicht irre ...*** if I'm not mistaken ...

irreparabel [ɪrepa'raːbl, 'ɪr-] *adj* irreparable

Irre(r) ['ɪrə] *m/f(m) decl as adj* lunatic **Irrfahrt** *f* wandering **Irrgarten** *m* maze, labyrinth **Irrglaube(n)** *m* heresy; (≈ *irrige Ansicht*) mistaken belief **irrig** ['ɪrɪç] *adj* incorrect **irrigerweise** ['ɪrɪgɐ'vaizə] *adv* wrongly

Irritation [ɪrita'tsioːn] *f* ⟨**-, -en**⟩ irritation **irritieren** [ɪri'tiːrən] *past part* ***irritiert*** *v/t* (≈ *verwirren*) to confuse; (≈ *ärgern*) to irritate

Irrsinn *m, no pl* madness **irrsinnig I** *adj* crazy, insane; (*infml* ≈ *stark*) terrific; ***wie ein Irrsinniger*** like a madman **II** *adv* like crazy (*infml*); ***~ viel*** a hell of a lot (*infml*) **Irrtum** ['ɪrtuːm] *m* ⟨**-s, -tümer** [-tyːmɐ]⟩ mistake; ***ein ~ von ihm*** a mistake on his part; ***im ~ sein*** to be wrong; ***~ vorbehalten!*** COMM errors excepted **irrtümlich** ['ɪrtyːmlɪç] **I** *adj attr* erroneous **II** *adv* erroneously; (≈ *aus Versehen*) by mistake **irrtümlicherweise** ['ɪrtyːmlɪçɐ'vaizə] *adv* erroneously; (≈ *aus Versehen*) by mistake **Irrweg** *m* (*fig*) ***auf dem ~ sein*** to be on the wrong track; ***auf ~e geraten*** to go astray

Ischias ['ɪʃias, 'ɪsçias] *m or nt* ⟨**-**, *no pl*⟩ sciatica **Ischiasnerv** *m* sciatic nerve

ISDN-Anlage [iː|ɛsdeː'|ɛn-] *f* TEL ISDN connection **ISDN-Netz** [iː|ɛsdeː'|ɛn-] *nt* TEL ISDN network

Islam [ɪs'laːm, 'ɪslam] *m* ⟨**-s**, *no pl*⟩ Islam **islamisch** [ɪs'laːmɪʃ] *adj* Islamic **Islamisierung** [ɪslami'ziːrʊŋ] *f* ⟨**-, -en**⟩ Islamization

Island ['iːslant] *nt* ⟨**-s**⟩ Iceland **Isländer** ['iːslɛndɐ] *m* ⟨**-s, -**⟩, **Isländerin** [-ərɪn] *f* ⟨**-, -nen**⟩ Icelander **isländisch** ['iːslɛndɪʃ] *adj* Icelandic

Isolation [izola'tsioːn] *f* ⟨**-, -en**⟩ **1.** isolation **2.** ELEC *etc* insulation **Isolationshaft** *f* solitary confinement **Isolierband** *nt, pl* ***-bänder*** insulating tape, friction tape (*US*) **isolieren** [izo'liːrən] *past part* ***isoliert*** **I** *v/t* **1.** to isolate; ***völlig isoliert leben*** to live in complete isolation **2.** *elektrische Leitungen, Fenster* to insulate **II** *v/r* to isolate oneself **Isolierkanne** *f* Thermos® flask, vacuum flask **Isolierstation** *f* isolation ward **Isoliertheit** [izo'liːɐthait] *f* ⟨**-, -en**⟩ isolatedness **Isolierung** *f* ⟨**-, -en**⟩ = ***Isolation***

Isomatte ['iːzo-] *f* foam mattress

Isotop [izo'toːp] *nt* ⟨**-s, -e**⟩ isotope

Israel ['ɪsraeːl, 'ɪsraɛl] *nt* ⟨**-s**⟩ Israel **Israeli** [ɪsra'eːli] *m/f(m)* ⟨**-(s), -(s)**⟩ Israeli **israelisch** [ɪsra'eːlɪʃ] *adj* Israeli

Istbestand ['ɪst-] *m* (≈ *Geld*) cash in hand; (≈ *Waren*) actual stock **Istzustand** *m* actual state *or* status

Italien [i'taːliən] *nt* ⟨**-s**⟩ Italy **Italiener** [ita'lieːnɐ] *m* ⟨**-s, -**⟩, **Italienerin** [-ərɪn] *f* ⟨**-, -nen**⟩ Italian; ***zum ~ gehen*** to go to an/the Italian restaurant **italienisch** [ita'lieːnɪʃ] *adj* Italian

i-Tüpfelchen ['iː-] *nt* dot (on the/an i); ***bis aufs ~*** (*fig*) (right) down to the last (little) detail

J

J, j [jɔt, (*Aus*) jeː] *nt* J, j

ja [jaː] *adv* yes; (*bei Trauung*) I do; ***ich glaube ja*** (yes,) I think so; ***wenn ja*** if so; ***ich habe gekündigt — ja?*** I've quit — really?; ***ja, bitte?*** yes?; ***aber ja!*** but of course; ***ach ja!*** oh yes; ***sei ja vorsichtig!*** be careful; ***vergessen Sie es JA nicht!*** don't forget, whatever you do!; ***sie ist ja erst fünf*** (after all) she's only five; ***das ist ja richtig, aber ...*** that's (certainly) right, but ...; ***da kommt er ja*** there he is; ***das ist es ja*** that's just it; ***das sag ich ja!*** that's just what I say; ***Sie wissen ja, dass ...*** as you know ...; ***das ist ja fürchterlich*** that's (just) terrible; ***du rufst mich doch an, ja?*** you'll give me a call, won't you? **Ja** [jaː] *nt* ⟨**-s, -(s)**⟩ yes; ***mit Ja antworten/stimmen*** to answer/vote yes

Jacht [jaxt] *f* ⟨**-, -en**⟩ yacht

Jacke ['jakə] *f* ⟨**-, -n**⟩ jacket, coat (*esp US*); (≈ *Wolljacke*) cardigan; ***das ist ~ wie Hose*** (*infml*) it's six of one and half a dozen of the other (*infml*)

Jacketkrone ['dʒɛkɪt-] *f* jacket crown

Jackett [ʒa'kɛt] *nt* ⟨**-s, -s**⟩ jacket, coat (*esp US*)

Jackpot ['dʒɛkpɔt] *m* ⟨**-s, -s**⟩ (*im Lotto etc*) rollover jackpot

Jade ['jaːdə] *m or f* ⟨**-**, *no pl*⟩ jade

Jagd [jaːkt] *f* ⟨-, **-en** [-dn]⟩ hunt; (≈ *das Jagen*) hunting; (*fig*) chase (*nach* after); ***auf die ~ (nach etw) gehen*** to go hunting (for sth); ***die ~ nach Geld*** the pursuit of money **Jagdgebiet** *nt* hunting ground **Jagdgewehr** *nt* hunting rifle **Jagdhund** *m* hunting dog **Jagdhütte** *f* hunting lodge **Jagdrevier** *nt* shoot **Jagdschein** *m* hunting licence (*Br*) *or* license (*US*) **Jagdschloss** *nt* hunting lodge **Jagdverbot** *nt* ban on hunting **Jagdwild** *nt* game **Jagdzeit** *f* hunting *or* shooting season **jagen** ['jaːgn] **I** *v/t* **1.** to hunt **2.** (≈ *hetzen*) to chase; ***jdn in die Flucht ~*** to put sb to flight; ***jdn aus dem Haus ~*** to drive sb out of the house; ***mit diesem Essen kannst du mich ~*** (*infml*) I wouldn't eat this if you paid me **II** *v/i* **1.** to hunt **2.** *aux sein* (≈ *rasen*) to race; ***nach etw ~*** to chase after sth **Jäger** ['jɛːgɐ] *m* ⟨**-s, -**⟩ **1.** hunter, huntsman **2.** (≈ *Jagdflugzeug*) fighter (plane) **Jägerei** [jɛgə'rai] *f* ⟨-, *no pl*⟩ hunting **Jägerin** ['jɛːgərɪn] *f* ⟨-, **-nen**⟩ huntress, huntswoman **Jägerschnitzel** *nt veal or pork cutlet with mushrooms and peppers*

Jaguar ['jaːguaːɐ] *m* ⟨**-s, -e**⟩ jaguar

jäh [jɛː] **I** *adj* **1.** (≈ *plötzlich*) sudden **2.** (≈ *steil*) sheer **II** *adv* **1.** (≈ *plötzlich*) suddenly; *enden* abruptly **2.** (≈ *steil*) steeply

Jahr [jaːɐ] *nt* ⟨**-(e)s, -e**⟩ year; ***ein halbes ~*** six months *sg or pl*; ***ein drei viertel ~*** nine months *sg or pl*; ***im ~(e) 1066*** in (the year) 1066; ***die sechziger ~e*** the sixties *sg or pl*; ***alle ~e*** every year; ***alle ~e wieder*** year after year; ***pro ~*** a year; ***noch nach ~en*** years later; ***nach ~ und Tag*** after (many) years; ***mit den ~en*** over the years; ***zwischen den ~en*** (*infml*) between Christmas and New Year; ***er ist zehn ~e (alt)*** he is ten years old; ***Personen über 18 ~e*** people over (the age of) 18; ***in die ~e kommen*** (*infml*) to be getting on (in years); ***in den besten ~en sein*** to be in the prime of one's life; ***mit den ~en*** as one gets older **jahraus** [jaːɐ'|aus] *adv* **~, *jahrein*** year in, year out **Jahrbuch** *nt* yearbook; (≈ *Kalender*) almanac **jahrelang** ['jaːrəlaŋ] **I** *adj attr* years of **II** *adv* for years **jähren** ['jɛːrən] *v/r* ***heute jährt sich der Tag, an dem ...*** it's a year ago today that ... **Jahresabschluss** *m* COMM annual accounts *pl* **Jahresanfang** *m*, **Jahresbeginn** *m* beginning of the year **Jahresbeitrag** *m* annual subscription **Jahresbericht** *m* annual report **Jahresdurchschnitt** *m* annual *or* yearly average **Jahreseinkommen** *nt* annual income **Jahresende** *nt* end of the year **Jahreshauptversammlung** *f* COMM annual general meeting, AGM **Jahresring** *m* (*eines Baumes*) annual ring **Jahresrückblick** *m* review of the year's events **Jahrestag** *m* anniversary **Jahreswechsel** *m* new year **Jahreszahl** *f* date, year **Jahreszeit** *f* season **Jahrgang** *m*, *pl* **-gänge 1.** year; ***er ist ~ 1980*** he was born in 1980; ***er ist mein ~*** we were born in the same year **2.** (*von Wein*) vintage **Jahrhundert** [jaːɐ'hʊndɐt] *nt* century **jahrhundertealt** *adj* centuries-old **jahrhundertelang** **I** *adj* centuries of **II** *adv* for centuries **Jahrhundertwende** *f* turn of the century **jährlich** ['jɛːɐlɪç] **I** *adj* annual, yearly **II** *adv* every year; COMM per annum; ***zweimal ~*** twice a year **Jahrmarkt** *m* (fun-)fair **Jahrtausend** [jaːɐ'tauznt] *nt* millennium **Jahrtausendwende** *f* millennium **Jahrzehnt** [jaːɐ'tseːnt] *nt* ⟨**-(e)s, -e**⟩ decade **jahrzehntelang** [jaːɐ'tseːntə-] **I** *adj* decades of; ***eine ~e Entwicklung*** a development lasting decades **II** *adv* for decades

Jähzorn *m* violent temper **jähzornig** *adj* irascible; (≈ *erregt*) furious

Jakobsmuschel *f* scallop

Jalousie [ʒalu'ziː] *f* ⟨-, **-n** [-'ziːən]⟩ venetian blind

Jalta ['jalta] *nt* ⟨**-s**⟩ Yalta

Jamaika [ja'maika] *nt* ⟨**-s**⟩ Jamaica

Jammer ['jamɐ] *m* ⟨**-s**, *no pl*⟩ (≈ *Elend*) misery; ***es wäre ein ~, wenn ...*** (*infml*) it would be a crying shame if ... (*infml*) **Jammerlappen** *m* (*sl*) wet (*infml*) **jämmerlich** ['jɛmɐlɪç] **I** *adj* pitiful; (*infml*) *Entschuldigung etc* pathetic (*infml*); *Feigling* terrible **II** *adv sterben etc* pitifully; *versagen* miserably **jammern** ['jamɐn] *v/i* to wail (*über +acc* over) **jammerschade** *adj* ***es ist ~*** (*infml*) it's a terrible pity

Janker ['jaŋkɐ] *m* ⟨**-s, -**⟩ (*esp Aus*) Tyrolean jacket; (≈ *Strickjacke*) cardigan

Jänner ['jɛnɐ] *m* ⟨**-s, -**⟩ (*Aus, Swiss*) January

Januar ['januaːɐ] *m* ⟨**-(s), -e**⟩ January; → ***März***

Japan ['jaːpan] *nt* ⟨**-s**⟩ Japan **Japaner** [ja'paːnɐ] *m* ⟨**-s, -**⟩, **Japanerin** [-ərɪn]

f ⟨**-, -nen**⟩ Japanese (man/woman) **japanisch** [ja'paːnɪʃ] *adj* Japanese

japsen *v/i* (*infml*) to pant

Jargon [ʒar'gõː] *m* ⟨**-s, -s**⟩ jargon

Jasager ['jaːzaːgɐ] *m* ⟨**-s, -**⟩ yes man **Jasagerin** ['jaːzaːgərɪn] *f* ⟨**-, -nen**⟩ yes woman

Jasmin [jas'miːn] *m* ⟨**-s, -e**⟩ jasmine

Jastimme ['jaː-] *f* vote in favour (*Br*) *or* favor (*US*) (of)

jäten ['jɛːtn] *v/t & v/i* to weed

Jauche ['jauxə] *f* ⟨**-**, *no pl*⟩ liquid manure **Jauchegrube** *f* cesspool; AGR liquid manure pit

jauchzen ['jauxtsn] *v/i* (*elev*) to rejoice (*liter*)

jaulen ['jaulən] *v/i* to howl; (*lit*) to yowl

Jause ['jauzə] *f* ⟨**-, -n**⟩ (*Aus*) break (for a snack); (≈ *Proviant*) snack

jausnen ['jausnən] *v/i* (*Aus*) to stop for a snack; (*auf Arbeit*) to have a tea (*Br*) *or* coffee (*esp US*) break

Java ['jaːva] *nt* ⟨**-s**⟩ Java **javanisch** [ja'vaːnɪʃ] *adj* Javanese

jawohl [ja'voːl] *adv*, *adv* yes; MIL yes, sir; NAUT aye, aye, sir

Jawort ['jaː-] *nt*, *pl* ***-worte jdm das ~ geben*** to say yes to sb; (*bei Trauung*) to say "I do"

Jazz [dʒɛs, jats] *m* ⟨**-**, *no pl*⟩ jazz **Jazzband** ['dʒɛs-, 'jats-] *f* jazz band **Jazzkeller** ['dʒɛs-, 'jats-] *m* jazz club

je [jeː] **I** *adv* **1.** (≈ *jemals*) ever **2.** (≈ *jeweils*) every, each; ***für je drei Stück zahlst du einen Euro*** you pay one euro for (every) three; ***ich gebe euch je zwei Äpfel*** I'll give you two apples each **II** *cj* **1.** ***je eher, desto besser*** the sooner the better; ***je länger, je lieber*** the longer the better **2.** ***je nach*** according to, depending on; ***je nachdem*** it all depends

Jeans [dʒiːnz] *pl* jeans *pl* **Jeansanzug** *m* denim suit **Jeanshose** ['dʒiːnz-] *f* = ***Jeans*** **Jeansjacke** ['dʒiːnz-] *f* denim jacket **Jeansstoff** *m* denim

jedenfalls ['jeːdn'fals] *adv* in any case; (≈ *zumindest*) at least

jede(r, s) ['jeːdə] *indef pr* **1.** (*adjektivisch*) (≈ *einzeln*) each; (*esp von zweien*) either; (≈ *jeder von allen*) every; (≈ *jeder beliebige*) any; ***~s Mal*** every time **2.** (*substantivisch*) (≈ *einzeln*) each (one); (≈ *jeder von allen*) everyone; (≈ *jeder Beliebige*) anyone; ***~r von uns*** each (one)/every one/any one of us; ***~r Zweite*** every other *or* second one; ***~r für sich*** everyone for himself; ***das kann ~r*** anyone can do that; ***das kann nicht ~r*** not everyone can do that **jedermann** ['jeːdɐman] *indef pr* everyone, everybody; (≈ *jeder Beliebige auch*) anyone, anybody; ***das ist nicht ~s Sache*** it's not everyone's cup of tea (*infml*) **jederzeit** ['jeːdɐ'tsait] *adv* at any time

jedoch [je'dɔx] *cj*, *adv* however

jegliche(r, s) ['jeːklɪçə] *indef pr* (*adjektivisch*) any; (*substantivisch*) each (one)

jeher ['jeːheːɐ, 'jeː'heːɐ] *adv* ***von*** *or* ***seit ~*** always

jein [jain] *adv* (*hum*) yes and no

jemals ['jeːmaːls] *adv* ever

jemand ['jeːmant] *indef pr* somebody; (*bei Fragen, Negation*) anybody; ***~ Neues*** somebody new; ***~ anders*** somebody else

Jemen ['jeːmən] *m* ⟨**-s**⟩ ***der ~*** Yemen

jene(r, s) ['jeːnə] *dem pron* (*elev*) **1.** (*adjektivisch*) that; (*pl*) those; ***in ~r Zeit*** at that time, in those times **2.** (*substantivisch*) that one; (*pl*) those (ones)

jenseits ['jeːnzaits, 'jɛn-] **I** *prep +gen* on the other side of; ***2 km ~ der Grenze*** 2 kms beyond the border **II** *adv* ***~ von*** on the other side of **Jenseits** ['jeːnzaits, 'jɛn-] *nt* ⟨**-**, *no pl*⟩ hereafter, next world

Jesuit [je'zuiːt] *m* ⟨**-en, -en**⟩ Jesuit

Jesus ['jeːzʊs] *m*, *gen* ***Jesu***, *dat* ***-*** *or* ***Jesu*** ['jeːzu], *acc* ***-*** *or* ***Jesum*** ['jeːzʊm] Jesus; ***~ Christus*** Jesus Christ

Jet [dʒɛt] *m* ⟨**-(s), -s**⟩ (*infml*) jet **Jetlag** ['dʒɛtlɛg] *m* ⟨**-s, -s**⟩ jetlag

Jeton [ʒə'tõː] *m* ⟨**-s, -s**⟩ chip

Jetset ['dʒɛtsɛt] *m* ⟨**-s,** (*rare*) **-s**⟩ (*infml*) jet set **jetten** ['dʒɛtn] *v/i aux sein* (*infml*) to jet (*infml*)

jetzig ['jɛtsɪç] *adj attr* present *attr*, current; ***in der ~en Zeit*** in present times

jetzt [jɛtst] *adv* now; ***bis ~*** so far; ***~ gleich*** right now; ***~ noch?*** (what) now?; ***~ oder nie!*** (it's) now or never!

Jetzt [jɛtst] *nt* ⟨**-**, *no pl*⟩ (*elev*) present

jeweilig ['jeːvailɪç] *adj attr* respective; (≈ *vorherrschend*) prevailing; ***die ~e Regierung*** the government of the day **jeweils** ['jeːvails] *adv* at a time, at any one time; (≈ *jedes Mal*) each time; ***~ am Monatsletzten*** on the last day of each month

jiddisch ['jɪdɪʃ] *adj* Yiddish

Job [dʒɔp] *m* ⟨**-s, -s**⟩ (*infml*) job **jobben** ['dʒɔbn] *v/i* (*infml*) to work **Jobsharing** [-ʃɛːrɪŋ] *nt* ⟨**-s**, *no pl*⟩ job sharing **Jobsuche** ['dʒɔp-] *f, no pl* job hunting; ***auf~ sein*** to be looking for a job

Joch [jɔx] *nt* ⟨**-(e)s, -e**⟩ yoke **Jochbein** *nt* cheekbone

Jockey ['dʒɔki] *m* ⟨**-s, -s**⟩ jockey

Jod [joːt] *nt* ⟨**-(e)s** [-dəs]⟩ *no pl* iodine

jodeln ['joːdln] *v/t & v/i* to yodel

jodiert [jo'diːɐt] *adj* ***~es Speisesalz*** iodized table salt **Jodsalz** *nt* iodized salt

Joga ['joːga] *m or nt* ⟨**-(s)**, *no pl*⟩ yoga

joggen ['dʒɔgn] *v/i aux haben or* (*bei Richtungsangabe*) *sein* to jog **Jogger** ['dʒɔgɐ] *m* ⟨**-s, -**⟩, **Joggerin** [-ərɪn] *f* ⟨**-, -nen**⟩ jogger **Jogging** ['dʒɔgɪŋ] *nt* ⟨**-**, *no pl*⟩ jogging **Jogginganzug** *m* jogging suit

Jog(h)urt ['joːgʊrt] *m or nt* ⟨**-(s), -(s)**⟩ yog(h)urt **Jog(h)urtbereiter** [-bəraitɐ] *m* ⟨**-s, -s**⟩ yog(h)urt maker

Johannisbeere *f* ***Rote ~*** redcurrant; ***Schwarze ~*** blackcurrant **Johanniskraut** *nt, no pl* St. John's wort

johlen ['joːlən] *v/i* to howl

Joint [dʒɔynt] *m* ⟨**-s, -s**⟩ (*infml*) joint (*infml*)

Joint Venture [dʒɔynt 'vɛntʃə] *nt* ⟨**- -s, - -s**⟩ COMM joint venture

Jo-Jo [jo'jo, 'joː'joː] *nt* ⟨**-s, -s**⟩ yo-yo **Jo-Jo-Effekt** *m* yo-yo effect

Joker ['joːkɐ, 'dʒoːkɐ] *m* ⟨**-s, -**⟩ CARDS joker; (*fig*) trump card

Jongleur [ʒõ'gløːɐ, ʒɔŋ'løːɐ] *m* ⟨**-s, -e**⟩, **Jongleurin** [-'gløːrɪn, -'løːrɪn] *f* ⟨**-, -nen**⟩ juggler **jonglieren** [ʒõ'gliːrən, ʒɔŋ'liːrən] *past part* ***jongliert*** *v/i* (*lit, fig*) to juggle

Jordanien [jɔr'daːniən] *nt* ⟨**-s**⟩ Jordan **Jordanier** [jɔr'daːniɐ] *m* ⟨**-s, -**⟩, **Jordanierin** [-ərɪn] *f* ⟨**-, -nen**⟩ Jordanian (man/woman) **jordanisch** [jɔr'daːnɪʃ] *adj* Jordanian

Joule [dʒuːl] *nt* ⟨**-(s), -**⟩ joule

Journal [ʒʊr'naːl] *nt* ⟨**-s, -e**⟩ COMM daybook **Journalismus** [ʒʊrna'lɪsmʊs] *m* ⟨**-**, *no pl*⟩ journalism **Journalist** [ʒʊrna'lɪst] *m* ⟨**-en, -en**⟩, **Journalistin** [-'lɪstɪn] *f* ⟨**-, -nen**⟩ journalist **journalistisch** [ʒʊrna'lɪstɪʃ] **I** *adj* journalistic **II** *adv* ***~ arbeiten*** to work as a journalist; ***etw ~ aufbereiten*** to edit sth for journalistic purposes

jovial [jo'viaːl] **I** *adj* jovial **II** *adv* jovially

Jovialität [joviali'tɛːt] *f* ⟨**-**, *no pl*⟩ joviality

Joystick ['dʒɔystɪk] *m* ⟨**-s, -s**⟩ IT joystick

Jubel ['juːbl] *m* ⟨**-s**, *no pl*⟩ jubilation; (≈ *Jubelrufe*) cheering; ***~, Trubel, Heiterkeit*** laughter and merriment **jubeln** ['juːbln] *v/i* to cheer **Jubilar** [jubi'laːɐ] *m* ⟨**-s, -e**⟩, **Jubilarin** [-'laːrɪn] *f* ⟨**-, -nen**⟩ *person celebrating an anniversary* **Jubiläum** [jubi'lɛːʊm] *nt* ⟨**-s, Jubiläen** [-'lɛːən]⟩ jubilee; (≈ *Jahrestag*) anniversary **Jubiläumsfeier** *f* jubilee/anniversary celebrations *pl*

jucken ['jʊkn] **I** *v/t & v/i* to itch; ***es juckt mich am Rücken*** my back itches; ***es juckt mich, das zu tun*** (*infml*) I'm itching to do it (*infml*); ***das juckt mich doch nicht*** (*infml*) I don't care **II** *v/r* (≈ *kratzen*) to scratch **Juckreiz** *m* itching

Jude ['juːdə] *m* ⟨**-n, -n**⟩ Jew; ***er ist ~*** he is a Jew **judenfeindlich** *adj* anti-Semitic **Judentum** ['juːdntuːm] *nt* ⟨**-s**, *no pl*⟩ **1.** (≈ *Judaismus*) Judaism **2.** (≈ *Gesamtheit der Juden*) Jews *pl* **Judenverfolgung** *f* persecution of (the) Jews **Jüdin** ['jyːdɪn] *f* ⟨**-, -nen**⟩ Jew, Jewish woman **jüdisch** ['jyːdɪʃ] *adj* Jewish

Judo *nt* ⟨**-s**, *no pl*⟩ judo

Jugend ['juːgnt] *f* ⟨**-**, *no pl*⟩ youth; ***von ~ an*** *or* ***auf*** from one's youth; ***die ~ von heute*** young people *or* the youth of today **Jugendalter** *nt* adolescence **Jugendamt** *nt* youth welfare department **Jugendarbeit** *f, no pl* (≈ *Jugendfürsorge*) youth work **Jugendarbeitslosigkeit** *f* youth unemployment **Jugendarrest** *m* JUR detention **Jugendbande** *f* gang of youths **Jugendbuch** *nt* book for young people **jugendfrei** *adj* suitable for young people; *Film* U(-certificate) (*Br*), G (*US*) **Jugendfreund(in)** *m/(f)* friend of one's youth **jugendgefährdend** *adj* liable to corrupt the young **Jugendgericht** *nt* juvenile court **Jugendgruppe** *f* youth group **Jugendherberge** *f* youth hostel **Jugendherbergsausweis** *m* youth hostelling card (*Br*), youth hostel ID (*US*) **Jugendhilfe** *f* ADMIN help for young people **Jugendjahre** *pl* days *pl* of one's youth **Jugendklub** *m* youth club **Jugendkriminalität** *f* juvenile delinquency **jugendlich** ['juːgntlɪç] **I** *adj* (≈ *jung*) young; (≈ *jung wirkend*) youthful; ***ein ~er Täter*** a young offender; ***~er Leichtsinn*** youthful frivolity **II** *adv* youthfully; ***sich ~ geben*** to appear youthful **Jugendliche(r)** ['ju:gntlıçə] *m/f(m) decl as adj* adolescent; (*männlich auch*) youth **Jugendlichkeit** *f* ⟨-, *no pl*⟩ youthfulness **Jugendliebe** *f* **1.** young love **2.** (≈ *Geliebter*) love of one's youth **Jugendmannschaft** *f* youth team **Jugendpflege** *f* youth welfare **Jugendrecht** *nt* law relating to young persons **Jugendrichter(in)** *m/(f)* JUR magistrate (*in a juvenile court*) **Jugendschutz** *m* protection of children and young people **Jugendstil** *m*, *no pl* ART Art Nouveau **Jugendstrafe** *f* detention *no art* in a young offenders' (*Br*) *or* juvenile correction (*US*) institution **Jugendsünde** *f* youthful misdeed **Jugendtraum** *m* youthful dream **Jugendzeit** *f* youth, younger days *pl* **Jugendzentrum** *nt* youth centre (*Br*) *or* center (*US*)

Jugoslawien [jugo'sla:viən] *nt* ⟨**-s**⟩ HIST Yugoslavia **jugoslawisch** [jugo'sla:vıʃ] *adj* HIST Yugoslav(ian)

Juli ['ju:li] *m* ⟨**-(s), -s**⟩ July; → ***März***

Jumbo(jet) ['jʊmbo(dʒɛt)] *m* jumbo (jet)

jung [jʊŋ] *adj*, *comp* **⸚er** ['jʏŋɐ], *sup* **⸚ste(r, s)** ['jʏŋstə] young; ***Jung und Alt*** (both) young and old; ***von ~ auf*** from one's youth; ***~ aussehen*** to look young; ***~ sterben*** to die young **Junge** ['jʊŋə] *m* ⟨**-n, -n** *or* (*dated inf*) **-ns** *or* (*inf*) ***Jungs*** [jʊŋs]⟩ boy; ***Junge, Junge!*** (*infml*) boy oh boy (*infml*); ***alter ~*** (*infml*) my old pal (*infml*) **jungenhaft** *adj* boyish **Jungenschule** *f* boys' school **Jungenstreich** *m* boyish prank **Junge(r)** *m/f(m) decl as adj* (*infml*) ***die ~n*** the young ones **jünger** ['jʏŋɐ] *adj* **1.** younger; ***Holbein der Jüngere*** Holbein the Younger **2.** *Geschichte etc* recent; ***sie sieht ~ aus, als sie ist*** she looks younger than she is, she doesn't look her age

Jünger ['jʏŋɐ] *m* ⟨**-s, -**⟩ (BIBLE, *fig*) disciple **Jüngerin** ['jʏŋərın] *f* ⟨**-, -nen**⟩ (*fig*) disciple

Junge(s) ['jʊŋə] *nt decl as adj* ZOOL young one; (*von Hund*) pup(py); (*von Katze*) kitten; (*von Wolf, Löwe, Bär*) cub; (*von Vogel*) young bird; ***die ~n*** the young **Jungfer** ['jʊŋfɐ] *f* ⟨**-, -n**⟩ ***eine alte ~*** an old maid **Jungfernfahrt** *f* maiden voyage **Jungfernflug** *m* maiden flight **Jungfernhäutchen** *nt* ANAT hymen (ANAT) **Jungfrau** *f* virgin; ASTRON, ASTROL Virgo *no art*; ***ich bin ~*** I am a virgin; ASTROL I am (a) Virgo **jungfräulich** ['jʊŋfrɔylıç] *adj* virgin **Jungfräulichkeit** *f* ⟨-, *no pl*⟩ virginity **Junggeselle** *m* bachelor **Junggesellenbude** *f* (*infml*) bachelor pad (*infml*) **Junggesellendasein** *nt* bachelor's life **Junggesellenzeit** *f* bachelor days *pl* **Junggesellin** *f* single woman **Junglehrer(in)** *m/(f)* student teacher **Jüngling** ['jʏŋlıŋ] *m* ⟨**-s, -e**⟩ (*liter, hum*) youth **jüngste(r, s)** ['jʏŋstə] *adj* **1.** youngest **2.** *Werk, Ereignis* latest, (most) recent; *Zeit, Vergangenheit* recent; ***in der ~n Zeit*** recently; ***das Jüngste Gericht*** the Last Judgement; ***der Jüngste Tag*** Doomsday, the Day of Judgement; ***sie ist auch nicht mehr die Jüngste*** she's no (spring) chicken (*infml*) **Jungtier** *nt* young animal **Jungunternehmer(in)** *m/(f)* young entrepreneur, young businessman/-woman **Jungverheiratete(r)** [-fɛɐhairatətə] *m/f(m) decl as adj* newly-wed **Jungwähler(in)** *m/(f)* young voter

Juni ['ju:ni] *m* ⟨**-(s), -s**⟩ June; → ***März***

junior ['ju:nio:ɐ] *adj* ***Franz Schulz ~*** Franz Schulz, Junior **Junior** ['ju:nio:ɐ] *m* ⟨**-s, *Junioren*** [ju:'nio:rən]⟩ **1.** junior **2.** (*a.* **Juniorchef**) son of the boss **Juniorchef** *m* boss's son, son of the boss **Juniorin** [ju:'nio:rın] *f* ⟨**-, -nen**⟩ SPORTS junior **Juniorpass** *m* RAIL ≈ young person's railcard (*Br*), ≈ youth railroad pass (*US*)

Junkfood ['dʒaŋkfu:d] *nt* ⟨**-s, -s**⟩ (*infml*) junk food **Junkie** ['dʒaŋki] *m* ⟨**-s, -s**⟩ (*infml*) junkie (*infml*) **Junkmail** ['dʒaŋkme:l] *f* junk mail

Junta ['xʊnta, 'jʊnta] *f* ⟨**-, *Junten*** [-tn]⟩ POL junta

Jupe [ʒy:p] *m* ⟨**-s, -s**⟩ (*Swiss*) skirt

Jura *no art* UNIV law

jurassisch [ju'rasıʃ] *adj* GEOL Jurassic

Jurist [ju'rıst] *m* ⟨**-en, -en**⟩, **Juristin** [-'rıstın] *f* ⟨**-, -nen**⟩ jurist; (≈ *Student*) law student **Juristendeutsch** *nt* legalese (*pej*), legal jargon **juristisch** [ju'rıstıʃ] **I** *adj* legal; ***die ~e Fakultät*** the Faculty of Law **II** *adv* legally; ***etw ~ betrachten*** to consider the legal aspects of sth **Juror** ['ju:ro:ɐ] *m* ⟨**-s, *Juroren*** [-'ro:rən]⟩, **Jurorin** [-'ro:rın] *f* ⟨**-, -nen**⟩ member of the jury **Jury** [ʒy'ri:, 'ʒy:ri] *f* ⟨**-, -s**⟩ jury *sg or pl*

Jus [juːs] *nt* ⟨-, *no pl*⟩ (*esp Aus, Swiss*) = ***Jura***
justieren [jʊsˈtiːrən] *past part* ***justiert*** *v/t* to adjust; TYPO, IT to justify **Justierung** *f* ⟨**-, -en**⟩ adjustment; TYPO, IT justification
Justiz [jʊsˈtiːts] *f* ⟨-, *no pl*⟩ (*als Prinzip*) justice; (*als Institution*) judiciary; (≈ *die Gerichte*) courts *pl* **Justizbeamte(r)** *m decl as adj*, **Justizbeamtin** *f* judicial officer **Justizbehörde** *f* legal authority **Justizirrtum** *m* miscarriage of justice, judicial error (*esp US*) **Justizminister(in)** *m*/(*f*) minister of justice, justice minister **Justizministerium** *nt* ministry of justice, ≈ Department of Justice (*US*)
Jute [ˈjuːtə] *f* ⟨-, *no pl*⟩ jute
Juwel [juˈveːl] *m or nt* ⟨**-s, -en**⟩ jewel; ***~en*** (≈ *Schmuck*) jewellery (*Br*), jewelry (*US*) **Juwelier** [juveˈliːɐ] *m* ⟨**-s, -e**⟩, **Juwelierin** [-ˈliːrɪn] *f* ⟨**-, -nen**⟩ jeweller (*Br*), jeweler (*US*); (≈ *Geschäft*) jewel(l)er's (shop) **Juweliergeschäft** *nt* jeweller's (*Br*) *or* jeweler's (*US*) (shop)
Jux [jʊks] *m* ⟨**-es, -e**⟩ (*infml*) ***etw aus ~ tun*** to do sth as a joke; ***sich*** (*dat*) ***einen ~ aus etw machen*** to make a joke (out) of sth **juxen** [ˈjʊksn] *v/i* (*infml*) to joke

K

K, k [kaː] *nt* ⟨**-, -**⟩ K, k
Kabarett [kabaˈrɛt, ˈkabarɛt, -re] *nt* ⟨**-s, -e** *or* **-s**⟩ cabaret; (≈ *Darbietung*) cabaret (show); ***ein politisches ~*** a satirical political revue **Kabarettist** [kabarɛˈtɪst] *m* ⟨**-en, -en**⟩, **Kabarettistin** [-ˈtɪstɪn] *f* ⟨**-, -nen**⟩ cabaret artist
kabbeln [ˈkabln] *v/i & v/r* (*infml*) to bicker
Kabel [ˈkaːbl] *nt* ⟨**-s, -**⟩ ELEC wire; (≈ *Telefonkabel*) cord; (≈ *Stromleitung*) cable **Kabelanschluss** *m* TV cable connection **Kabelfernsehen** *nt* cable television
Kabeljau [ˈkaːbljau] *m* ⟨**-s, -e** *or* **-s**⟩ cod
Kabelkanal *m* TV cable channel
Kabine [kaˈbiːnə] *f* ⟨**-, -n**⟩ (≈ *Umkleidekabine, Duschkabine*) cubicle; NAUT, AVIAT cabin
Kabinett [kabiˈnɛt] *nt* ⟨**-s, -e**⟩ POL cabinet **Kabinettsbeschluss** *m* cabinet decision **Kabinettsumbildung** *f* cabinet reshuffle
Kabis [ˈkaːbɪs] *m* ⟨-, *no pl*⟩ (*Swiss*) = ***Kohl***
Kabrio(lett) [ˈkabrio(ˈlɛt), (*Aus, S Ger*) kabrioˈleː] *nt* ⟨**-s, -s**⟩ AUTO convertible
Kachel [ˈkaxl] *f* ⟨**-, -n**⟩ (glazed) tile; ***etw mit ~n auslegen*** to tile sth **kacheln** [ˈkaxln] *v/t* to tile **Kachelofen** *m* tiled stove
Kacke [ˈkakə] *f* ⟨-, *no pl*⟩ (*vulg*) crap (*sl*), shit (*sl*); ***so 'ne ~*** shit (*sl*) **kacken** [ˈkakn] *v/i* (*vulg*) to crap (*sl*)
Kadaver [kaˈdaːvɐ] *m* ⟨**-s, -**⟩ carcass
Kader [ˈkaːdɐ] *m* ⟨**-s, -**⟩ MIL, POL cadre; SPORTS squad
Kadett [kaˈdɛt] *m* ⟨**-en, -en**⟩, **Kadettin** [-ɪn] *f* ⟨**-, -nen**⟩ MIL cadet
Kadi [ˈkaːdi] *m* ⟨**-s, -s**⟩ (*dated infml*) ***jdn vor den ~ schleppen*** to take sb to court
Kadmium [ˈkatmiʊm] *nt* ⟨**-s**, *no pl*⟩ cadmium
Käfer [ˈkɛːfɐ] *m* ⟨**-s, -**⟩ beetle
Kaff [kaf] *nt* ⟨**-s, -s** *or* **-e**⟩ (*infml*) dump (*infml*)
Kaffee [ˈkafe, kaˈfeː] *m* ⟨**-s, -s**⟩ coffee; ***zwei ~, bitte!*** two coffees, please; ***~ kochen*** to make coffee; ***das ist kalter ~*** (*infml*) that's old hat (*infml*); ***~ und Kuchen*** coffee and cakes, ≈ afternoon tea (*Br*) **Kaffeeautomat** *m* coffee machine *or* dispenser **Kaffeebohne** *f* coffee bean **Kaffeehaus** *nt* café **Kaffeekanne** *f* coffeepot **Kaffeeklatsch** *m, no pl* (*infml*) coffee klatsch (*US*), ≈ coffee morning (*Br*) **Kaffeelöffel** *m* coffee spoon **Kaffeemaschine** *f* coffee machine **Kaffeemühle** *f* coffee grinder **Kaffeepause** *f* coffee break **Kaffeesahne** *f* (coffee) cream **Kaffeesatz** *m* coffee grounds *pl* **Kaffeeservice** [-zɛrviːs] *nt* coffee set **Kaffeetasse** *f* coffee cup
Käfig [ˈkɛːfɪç] *m* ⟨**-s, -e** [-gə]⟩ cage
kahl [kaːl] *adj* bald; (≈ *kahl geschoren*) shaved; *Wand, Raum, Baum* bare; *Landschaft* barren; ***eine ~e Stelle*** a bald patch; ***~ werden*** (*Mensch*) to go bald; (*Baum*) to lose its leaves **Kahlheit** *f* ⟨-, *no pl*⟩ baldness; (*von Wand, Raum, Baum*) bareness; (*von Landschaft*) barrenness **Kahlkopf** *m* bald head; (≈

Mensch) bald person; ***ein ~ sein*** to be bald **kahlköpfig** *adj* baldheaded **Kahlschlag** *m* **1.** deforestation **2.** (*infml* ≈ *Abriss*) demolition

Kahn [ka:n] *m* ⟨**-(e)s, ⸚e** ['kɛ:nə]⟩ **1.** (small) boat; (≈ *Stechkahn*) punt; ***~ fahren*** to go boating/punting **2.** (≈ *Lastschiff*) barge **Kahnfahrt** *f* row; (*in Stechkahn*) punt

Kai [kai] *m* ⟨**-s, -e** *or* **-s**⟩ quay **Kaimauer** *f* quay wall

Kairo ['kairo] *nt* ⟨**-s**⟩ Cairo

Kaiser ['kaizɐ] *m* ⟨**-s, -**⟩ emperor; ***der deutsche ~*** the Kaiser **Kaiserin** ['kaizərɪn] *f* ⟨**-, -nen**⟩ empress **Kaiserkrone** *f* imperial crown **kaiserlich** ['kaizɐlɪç] *adj* imperial **Kaiserreich** *nt* empire **Kaiserschmarren** *m*, **Kaiserschmarrn** [-ʃmarn] *m* ⟨**-s, -**⟩ (*S Ger, Aus*) *sugared, cut-up pancake with raisins* **Kaiserschnitt** *m* Caesarean (section)

Kajak ['ka:jak] *m or nt* ⟨**-s, -s**⟩ kayak **Kajakfahren** *nt* kayaking

Kajalstift *m* kohl eye pencil

Kajüte [ka'jy:tə] *f* ⟨**-, -n**⟩ cabin

Kakadu ['kakadu] *m* ⟨**-s, -s**⟩ cockatoo

Kakao [ka'ka:o, ka'kau] *m* ⟨**-s, -s**⟩ cocoa; ***jdn durch den ~ ziehen*** (*infml*) (≈ *veralbern*) to make fun of sb **Kakaobohne** *f* cocoa bean **Kakaopulver** *nt* cocoa powder

Kakerlak ['ka:kɐlak] *m* ⟨**-s** *or* **-en, -en**⟩, **Kakerlake** [kakɐ'la:kə] *f* ⟨**-, -n**⟩ cockroach

kaki ['ka:ki] *adj inv* khaki

Kaktee [kak'te:] *f* ⟨**-, -n** [-'te:ən]⟩, **Kaktus** ['kaktʊs] *m* ⟨**-, *Kakteen*** [-'te:ən]⟩ ⟨*or* (*inf*) ***-se***⟩ cactus

Kalauer ['ka:lauɐ] *m* ⟨**-s, -**⟩ corny joke; (≈ *Wortspiel*) corny pun

Kalb [kalp] *nt* ⟨**-(e)s, ⸚er** ['kɛlbɐ]⟩ calf **kalben** ['kalbn] *v/i* to calve **Kalbfleisch** *nt* veal **Kalbsbraten** *m* roast veal **Kalbsfell** *nt* (≈ *Fell*) calfskin **Kalbshaxe** *f* COOK knuckle of veal **Kalbsleder** *nt* calfskin **Kalbsschnitzel** *nt* veal cutlet

Kaleidoskop [kalaido'sko:p] *nt* ⟨**-s, -e**⟩ kaleidoscope

Kalender [ka'lɛndɐ] *m* ⟨**-s, -**⟩ calendar; (≈ *Terminkalender*) diary **Kalenderjahr** *nt* calendar year

Kali ['ka:li] *nt* ⟨**-s, -s**⟩ potash

Kaliber [ka'li:bɐ] *nt* ⟨**-s, -**⟩ calibre (*Br*), caliber (*US*)

Kalifornien [kali'fɔrniən] *nt* ⟨**-s**⟩ California

Kalium ['ka:liʊm] *nt* ⟨**-s**, *no pl*⟩ potassium

Kalk [kalk] *m* ⟨**-(e)s, -e**⟩ lime; (*zum Tünchen*) whitewash; ANAT calcium; ***gebrannter ~*** quicklime **Kalkboden** *m* chalky soil **kalken** ['kalkn] *v/t* (≈ *tünchen*) to whitewash **Kalkgrube** *f* lime pit **kalkhaltig** *adj Boden* chalky; *Wasser* hard **Kalkmangel** *m* MED calcium deficiency **Kalkstein** *m* limestone

Kalkulation [kalkula'tsio:n] *f* ⟨**-, -en**⟩ calculation **kalkulierbar** *adj* calculable **kalkulieren** [kalku'li:rən] *past part **kalkuliert*** *v/t* to calculate

Kalorie [kalo'ri:] *f* ⟨**-, -n** [-'ri:ən]⟩ calorie **kalorienarm** **I** *adj* low-calorie **II** *adv **sich ~ ernähren*** to have a low-calorie diet; ***~ essen*** to eat low-calorie food **kalorienreich** *adj* high-calorie; ***sich ~ ernähren*** to have a high-calorie diet

kalt [kalt] **I** *adj*, *comp* **⸚er** ['kɛltɐ], *sup* **⸚este(*r*, *s*)** ['kɛltəstə] cold; ***mir ist/wird ~*** I am/I'm getting cold; ***jdm die ~e Schulter zeigen*** to give sb the cold shoulder; ***~es Grausen überkam mich*** my blood ran cold; ***der Kalte Krieg*** the Cold War **II** *adv*, *comp* **⸚er**, *sup* ***am ⸚esten ~ duschen*** to take a cold shower; ***etw ~ stellen*** to put sth to chill; ***~ gepresst*** *Öl* cold-pressed; ***da kann ich nur ~ lächeln*** (*infml*) that makes me laugh; ***jdn ~ erwischen*** to shock sb **kaltbleiben** *v/i sep irr aux sein* (*fig*) to remain unmoved **Kaltblüter** [-bly:tɐ] *m* ⟨**-s, -**⟩ ZOOL cold-blooded animal **kaltblütig** [-bly:tɪç] **I** *adj* (*fig*) cold-blooded; (≈ *gelassen*) cool **II** *adv* cold-bloodedly **Kaltblütigkeit** *f* ⟨**-**, *no pl*⟩ (*fig*) cold-bloodedness; (≈ *Gelassenheit*) cool(-ness) **Kälte** ['kɛltə] *f* ⟨**-**, *no pl*⟩ **1.** (*von Wetter etc*) cold; (≈ *Kälteperiode*) cold spell; ***fünf Grad ~*** five degrees below freezing **2.** (*fig*) coldness, coolness **kältebeständig** *adj* cold-resistant **Kälteeinbruch** *m* (sudden) cold spell; (*für kurze Zeit*) cold snap **kälteempfindlich** *adj* sensitive to cold **Kältegefühl** *nt* feeling of cold(ness) **Kälteperiode** *f* cold spell **Kältetechnik** *f* refrigeration technology **Kältetod** *m **den ~ sterben*** to freeze to death **kälteunempfindlich** *adj* insensitive to cold **Kältewelle** *f* cold spell **Kaltfront** *f* METEO cold front **kalt-**

gepresst [-gəprɛst] *adj* → ***kalt*** **kaltherzig** *adj* cold-hearted **Kaltherzigkeit** [-hɛrtsɪçkait] *f* ⟨-, *no pl*⟩ cold-heartedness **kaltlassen** *v/t sep irr* (*fig*) ***jdn ~*** to leave sb cold **Kaltluft** *f* METEO cold air **kaltmachen** *v/t sep* (*sl*) to do in (*infml*) **Kaltmiete** *f* rent exclusive of heating **kaltschnäuzig** [-ʃnɔytsɪç] (*infml*) **I** *adj* (≈ *gefühllos*) callous; (≈ *unverschämt*) insolent **II** *adv* (≈ *gefühllos*) callously; (≈ *unverschämt*) insolently **Kaltstart** *m* AUTO, IT cold start

Kalzium ['kaltsiʊm] *nt* ⟨**-s**, *no pl*⟩ calcium

Kambodscha [kam'bɔdʒa] *nt* ⟨**-s**⟩ Cambodia **Kambodschaner** [kambɔ'dʒaːnɐ] *m* ⟨**-s, -**⟩, **Kambodschanerin** [-ərɪn] *f* ⟨-, **-nen**⟩ Cambodian (man/woman) **kambodschanisch** [kambɔ'dʒaːnɪʃ] *adj* Cambodian

Kamel [ka'meːl] *nt* ⟨**-(e)s, -e**⟩ camel; ***ich ~!*** (*infml*) silly me!

Kamelle [ka'mɛlə] *f* ⟨-, **-n**⟩ *usu pl* (*infml*) ***das sind doch alte*** *or* ***olle ~n*** that's old hat (*infml*)

Kamera ['kamәra, 'kaːmәra] *f* ⟨-, **-s**⟩ camera

Kamerad [kamə'raːt] *m* ⟨**-en, -en** [-dn]⟩, **Kameradin** [-'raːdɪn] *f* ⟨-, **-nen**⟩ MIL *etc* comrade; (≈ *Gefährte*) companion **Kameradschaft** [kamə'raːtʃaft] *f* ⟨-, **-en**⟩ camaraderie **kameradschaftlich** [kamə'raːtʃaftlɪç] *adj* comradely

Kamerafrau *f* camerawoman **Kameraführung** *f* camera work **Kameramann** *m*, *pl* ***-männer*** cameraman

Kamerun ['kaməruːn] *nt* ⟨**-s**⟩ the Cameroons *pl*

Kamikaze [kami'kaːtsə, kami'kaːzə] *m* ⟨**-, -**⟩ kamikaze **Kamikazeflieger(in)** *m*/(*f*) kamikaze pilot

Kamille [ka'mɪlə] *f* ⟨-, **-n**⟩ camomile **Kamillentee** *m* camomile tea

Kamin [ka'miːn] *m or* (*dial*) *nt* ⟨**-s, -e**⟩ **1.** (≈ *Schornstein*) chimney; (≈ *Abzugsschacht*) flue **2.** (≈ *Feuerstelle*) fireplace; ***wir saßen am ~*** we sat by *or* in front of the fire **Kaminsims** *m or nt* mantelpiece

Kamm [kam] *m* ⟨**-(e)s, ⸚e** ['kɛmə]⟩ **1.** comb; ***alle/alles über einen ~ scheren*** (*fig*) to lump everyone/everything together **2.** (≈ *Gebirgskamm*) crest **kämmen** ['kɛmən] **I** *v/t* to comb **II** *v/r* to comb one's hair

Kammer ['kamɐ] *f* ⟨-, **-n**⟩ **1.** PARL chamber; (≈ *Ärztekammer etc*) professional association **2.** (≈ *Zimmer*) (small) room **Kammerdiener** *m* valet **Kammerjäger(in)** *m*/(*f*) (≈ *Schädlingsbekämpfer*) pest controller (*Br*), exterminator (*US*) **Kammermusik** *f* chamber music **Kammerorchester** *nt* chamber orchestra **Kammerzofe** *f* chambermaid

Kammgarn *nt* worsted **Kammmuschel** *f* scallop

Kampagne [kam'panjə] *f* ⟨-, **-n**⟩ campaign

Kampf [kampf] *m* ⟨**-(e)s, ⸚e** ['kɛmpfə]⟩ fight (*um* for); (MIL ≈ *Gefecht*) battle; (≈ *Boxkampf*) fight; ***jdm/einer Sache den ~ ansagen*** (*fig*) to declare war on sb/sth; ***die Kämpfe einstellen*** to stop fighting; ***der ~ ums Dasein*** the struggle for existence; ***der ~ um die Macht*** the battle for power; ***ein ~ auf Leben und Tod*** a fight to the death **Kampfabstimmung** *f* vote **Kampfansage** *f* declaration of war **Kampfanzug** *m* MIL *etc* battle dress *no art*, battle uniform **Kampfausbildung** *f* MIL combat training **kampfbereit** *adj* ready for battle **kämpfen** ['kɛmpfn] **I** *v/i* to fight (*um*, *für* for); ***gegen etw ~*** to fight (against) sth; ***mit dem Tode ~*** to fight for one's life; ***mit den Tränen ~*** to fight back one's tears; ***ich hatte mit schweren Problemen zu ~*** I had difficult problems to contend with; ***ich habe lange mit mir ~ müssen, ehe ...*** I had a long battle with myself before ... **II** *v/t* (*usu fig*) *Kampf* to fight

Kampfer ['kampfɐ] *m* ⟨**-s**, *no pl*⟩ camphor

Kämpfer ['kɛmpfɐ] *m* ⟨**-s, -**⟩, **Kämpferin** [-ərɪn] *f* ⟨-, **-nen**⟩ fighter **kämpferisch** ['kɛmpfərɪʃ] **I** *adj* aggressive **II** *adv* aggressively; ***sich ~ einsetzen*** to fight hard **Kampfflugzeug** *nt* fighter (plane) **Kampfgeist** *m*, *no pl* fighting spirit **Kampfhandlung** *f usu pl* clash *usu pl* **Kampfhubschrauber** *m* helicopter gunship **Kampfhund** *m* fighting dog **kampflos I** *adj* peaceful; *Sieg* uncontested **II** *adv* peacefully, without a fight; ***sich ~ ergeben*** to surrender without a fight **kampflustig** *adj* belligerent **Kampfrichter(in)** *m*/(*f*) SPORTS referee **Kampfsport** *m* martial art **Kampfstoff** *m* weapon **kampfunfähig** *adj* MIL unfit for action; *Boxer* unfit to fight; ***einen Panzer ~ machen*** to put a tank out of

action
kampieren [kam'piːrən] *past part* ***kampiert*** *v/i* to camp (out)
Kanada ['kanada] *nt* ⟨***-s***⟩ Canada **Kanadier** [ka'naːdiɐ] *m* ⟨***-s, -***⟩ SPORTS Canadian canoe **Kanadier** [ka'naːdiɐ] *m* ⟨***-s, -***⟩, **Kanadierin** [-ərɪn] *f* ⟨***-, -nen***⟩ Canadian **kanadisch** [ka'naːdɪʃ] *adj* Canadian
Kanal [ka'naːl] *m* ⟨***-s, Kanäle*** [ka'nɛːlə]⟩ **1.** (≈ *Schifffahrtsweg*) canal; (≈ *Wasserlauf*) channel; (*für Abwässer*) sewer **2.** RADIO, TV channel **Kanaldeckel** *m* drain cover **Kanalinseln** *pl* ***die ~*** (*im Ärmelkanal*) the Channel Islands *pl* **Kanalisation** [kanaliza'tsioːn] *f* ⟨***-, -en***⟩ **1.** (*für Abwässer*) sewerage system **2.** (*von Flusslauf*) canalization **kanalisieren** [kanali'ziːrən] *past part* ***kanalisiert*** *v/t Fluss* to canalize; (*fig*) *Energie* to channel; *Gebiet* to install sewers in **Kanaltunnel** *m* Channel Tunnel
Kanarienvogel [ka'naːriən-] *m* canary
Kanarische Inseln [ka'naːrɪʃə] *pl* Canary Islands *pl*
Kandare [kan'daːrə] *f* ⟨***-, -n***⟩ (curb) bit; ***jdn an die ~ nehmen*** (*fig*) to take sb in hand
Kandidat [kandi'daːt] *m* ⟨***-en, -en***⟩, **Kandidatin** [-'daːtɪn] *f* ⟨***-, -nen***⟩ candidate **Kandidatur** [kandida'tuːɐ] *f* ⟨***-, -en***⟩ candidacy **kandidieren** [kandi'diːrən] *past part* ***kandidiert*** *v/i* POL to stand, to run (*für* for); ***für das Amt des Präsidenten ~*** to run for president
kandiert [kan'diːɐt] *adj Frucht* candied
Kandis(zucker) ['kandɪs-] *m* ⟨*-, no pl*⟩ rock candy
Känguru ['kɛŋguru] *nt* ⟨***-s, -s***⟩ kangaroo
Kaninchen [ka'niːnçən] *nt* ⟨***-s, -***⟩ rabbit **Kaninchenstall** *m* rabbit hutch
Kanister [ka'nɪstɐ] *m* ⟨***-s, -***⟩ can; (≈ *Blechkanister*) jerry can
Kännchen ['kɛnçən] *nt* ⟨***-s, -***⟩ (*für Milch*) jug; (*für Kaffee*) pot; ***ein ~ Kaffee*** a pot of coffee **Kanne** ['kanə] *f* ⟨***-, -n***⟩ can; (≈ *Teekanne, Kaffeekanne*) pot; (≈ *Gießkanne*) watering can
Kannibale [kani'baːlə] *m* ⟨***-n, -n***⟩, **Kannibalin** [-'baːlɪn] *f* ⟨***-, -nen***⟩ cannibal **Kannibalismus** [kaniba'lɪsmʊs] *m* ⟨*-, no pl*⟩ cannibalism
Kanon ['kaːnɔn] *m* ⟨***-s, -s***⟩ canon
Kanone [ka'noːnə] *f* ⟨***-, -n***⟩ **1.** gun; HIST cannon; (*sl* ≈ *Pistole*) shooter (*infml*) **2.** (*fig infml* ≈ *Könner*) ace (*infml*) **3.** (*infml*) ***das ist unter aller ~*** that defies description
Kantate [kan'taːtə] *f* ⟨***-, -n***⟩ MUS cantata
Kante ['kantə] *f* ⟨***-, -n***⟩ edge; (≈ *Rand*) border; ***Geld auf die hohe ~ legen*** (*infml*) to put money away **kantig** ['kantɪç] *adj Holz* edged; *Gesicht* angular
Kantine [kan'tiːnə] *f* ⟨***-, -n***⟩ canteen **Kantinenessen** *nt* canteen food
Kanton [kan'toːn] *m* ⟨***-s, -e***⟩ canton **kantonal** [kanto'naːl] *adj* cantonal
Kanu ['kaːnu] *nt* ⟨***-s, -s***⟩ canoe
Kanüle [ka'nyːlə] *f* ⟨***-, -n***⟩ MED cannula
Kanute [ka'nuːtə] *m* ⟨***-n, -n***⟩, **Kanutin** [-'nuːtɪn] *f* ⟨***-, -nen***⟩ canoeist
Kanzel ['kantsl] *f* ⟨***-, -n***⟩ **1.** pulpit **2.** AVIAT cockpit
Kanzlei [kants'lai] *f* ⟨***-, -en***⟩ (≈ *Dienststelle*) office; (≈ *Büro eines Rechtsanwalts, Notars etc*) chambers *pl*
Kanzler ['kantslɐ] *m* ⟨***-s, -***⟩, **Kanzlerin** [-ərɪn] *f* ⟨***-, -nen***⟩ **1.** (≈ *Regierungschef*) chancellor **2.** UNIV vice chancellor **Kanzleramt** *nt* (≈ *Gebäude*) chancellory; (≈ *Posten*) chancellorship **Kanzlerkandidat(in)** *m*/(*f*) candidate for the position of chancellor
Kap [kap] *nt* ⟨***-s, -s***⟩ cape; ***~ der Guten Hoffnung*** Cape of Good Hope; ***~ Hoorn*** Cape Horn
Kapazität [kapatsi'tɛːt] *f* ⟨***-, -en***⟩ capacity; (*fig* ≈ *Experte*) expert
Kapelle [ka'pɛlə] *f* ⟨***-, -n***⟩ **1.** (≈ *kleine Kirche etc*) chapel **2.** MUS orchestra
Kaper ['kaːpɐ] *f* ⟨***-, -n***⟩ BOT, COOK caper
kapern ['kaːpɐn] *v/t* NAUT *Schiff* to seize; (≈ *mit Beschlag belegen*) to collar (*infml*)
kapieren [ka'piːrən] *past part* ***kapiert*** (*infml*) **I** *v/t* to get (*infml*) **II** *v/i* to get it (*infml*); ***kapiert?*** got it? (*infml*)
kapital [kapi'taːl] *adj* **1.** HUNT *Hirsch* royal **2.** (≈ *grundlegend*) *Missverständnis etc* major
Kapital [kapi'taːl] *nt* ⟨***-s, -e*** *or* ***-ien*** [-liən]⟩ **1.** FIN capital *no pl*; (≈ *angelegtes Kapital*) capital investments *pl* **2.** (*fig*) asset; ***aus etw ~ schlagen*** to capitalize on sth **Kapitalanlage** *f* capital investment **Kapitalertrag(s)steuer** *f* capital gains tax **Kapitalflucht** *f* flight of capital **kapitalisieren** [kapitali'ziːrən] *past part* ***kapitalisiert*** *v/t* to capitalize **Kapitalisierung** *f* ⟨***-, -en***⟩ capitalization **Kapita-**

lịsmus [kapita'lɪsmʊs] *m* ⟨-, *no pl*⟩ capitalism **Kapitalịst** [kapita'lɪst] *m* ⟨***-en, -en***⟩, **Kapitalịstin** [-'lɪstɪn] *f* ⟨***-, -nen***⟩ capitalist **kapitalịstisch** [kapita'lɪstɪʃ] *adj* capitalist **kapitalkräftig** *adj* financially strong **Kapitalmarkt** *m* capital market **Kapitalverbrechen** *nt* serious crime; (*mit Todesstrafe*) capital crime

Kapitän [kapi'tɛːn] *m* ⟨***-s, -e***⟩, **Kapitänin** [-'tɛːnɪn] *f* ⟨***-, -nen***⟩ captain **Kapitänleutnant** *m* lieutenant commander

Kapịtel [ka'pɪtl] *nt* ⟨***-s, -***⟩ chapter; ***das ist ein anderes ~*** that's another story

Kapitẹll [kapi'tɛl] *nt* ⟨***-s, -e***⟩ capital

Kapitulation [kapitula'tsioːn] *f* ⟨***-, -en***⟩ capitulation (*vor +dat* to, in the face of) **kapitulieren** [kapitu'liːrən] *past part* ***kapituliert*** *v/i* (≈ *sich ergeben*) to surrender; (*fig* ≈ *aufgeben*) to give up (*vor +dat* in the face of)

Kaplan [ka'plaːn] *m* ⟨***-s, Kapläne*** [ka'plɛːnə]⟩ (*in Pfarrei*) curate

Kạppe ['kapə] *f* ⟨***-, -n***⟩ cap; ***das geht auf meine ~*** (*infml*) (≈ *ich bezahle*) that's on me; (≈ *ich übernehme die Verantwortung*) that's my responsibility

kạppen ['kapn] *v/t* NAUT *Leine* to cut; (*fig infml*) *Finanzmittel* to cut (back)

Kạ̈ppi ['kɛpi] *nt* ⟨***-s, -s***⟩ cap

Kapriole [kapri'oːlə] *f* ⟨***-, -n***⟩ capriole; (*fig*) caper

Kạpsel ['kapsl] *f* ⟨***-, -n***⟩ (≈ *Etui*) container; BOT, PHARM, SPACE *etc* capsule

kapụtt [ka'pʊt] *adj* (*infml*) broken; (≈ *erschöpft*) *Mensch* shattered (*Br infml*); *Ehe* broken; *Gesundheit* ruined; *Nerven* shattered; *Firma* bust *pred* (*infml*); ***mein ~es Bein*** my bad leg; (*gebrochen*) my broken leg; ***ein ~er Typ*** a wreck (*infml*) **kapụtt fahren** *v/t irr* (*infml*) (≈ *überfahren*) to run over; *Auto* to run into the ground; (*durch Unfall*) to smash (up) **kapụttgehen** *v/i sep irr aux sein* (*infml*) to break; (*Ehe*) to break up (*an +dat* because of); (*Gesundheit, Nerven*) to be ruined; (*Firma*) to go bust (*infml*); (*Kleidung*) to come to pieces **kapụttkriegen** *v/t sep* (*infml*) ***das Auto ist nicht kaputtzukriegen*** this car just goes on for ever **kapụttlachen** *v/r sep* (*infml*) to die laughing (*infml*) **kapụtt machen kapụttmachen** *sep* (*infml*) **I** *v/t* to ruin; *Zerbrechliches* to break, to smash; (≈ *erschöpfen*) *jdn* to wear out **II** *v/r* ***sich ~*** (*fig*) to wear oneself out

Kapuze [ka'puːtsə] *f* ⟨***-, -n***⟩ hood; (≈ *Mönchskapuze*) cowl **Kapuzenjacke** *f* hooded jacket **Kapuzenpulli** *f* hooded jumper *or* sweater

Karabiner [kara'biːnɐ] *m* ⟨***-s, -***⟩ **1.** (≈ *Gewehr*) carbine **2.** (*a.* **Karabinerhaken**) karabiner

Karạcho [ka'raxo] *nt* ⟨***-s***, *no pl*⟩ ***mit ~*** (*infml*) at full tilt

Karạffe [ka'rafə] *f* ⟨***-, -n***⟩ carafe; (*mit Stöpsel*) decanter

Karambolage [karambo'laːʒə] *f* ⟨***-, -n***⟩ AUTO collision; (*Billard*) cannon

Karamẹll [kara'mɛl] *m* ⟨***-s***, *no pl*⟩ caramel *no pl* **Karamẹlle** [kara'mɛlə] *f* ⟨***-, -n***⟩ caramel (toffee)

Karaoke [kara'oːke] *nt* ⟨-, *no pl*⟩ karaoke

Karat [ka'raːt] *nt* ⟨***-(e)s, -e*** *or* (*bei Zahlenangabe*) ***-***⟩ carat

Karate *nt* ⟨***-(s)***, *no pl*⟩ karate

Karawane [kara'vaːnə] *f* ⟨***-, -n***⟩ caravan

Kardanwelle *f* prop(eller) shaft

Kardinal [kardi'naːl] *m* ⟨***-s, Kardinäle*** [-'nɛːlə]⟩ ECCL cardinal **Kardinalfehler** *m* cardinal error **Kardinalfrage** *f* (*elev*) cardinal *or* crucial question **Kardinalzahl** *f* cardinal (number)

Kardiologe [kardio'loːgə] *m* ⟨***-n, -n***⟩, **Kardiologin** [-'loːgɪn] *f* ⟨***-, -nen***⟩ cardiologist **kardiologisch** [kardio'loːgɪʃ] *adj* cardiological

Karẹnztag *m* unpaid day of sick leave **Karẹnzzeit** *f* waiting period

Karfiol [kar'fioːl] *m* ⟨***-s***, *no pl*⟩ (*Aus*) cauliflower

Karfreitag [kaːɐ'fraitaːk] *m* Good Friday

kạrg [kark] **I** *adj* **1.** (≈ *spärlich*) meagre (*Br*), meager (*US*); *Boden* barren **2.** (≈ *geizig*) mean, sparing **II** *adv* (≈ *knapp*) ***~ ausfallen/bemessen sein*** to be meagre (*Br*) *or* meager (*US*); ***etw ~ bemessen*** to be stingy with sth (*infml*) **Kạrgheit** ['karkhait] *f* ⟨-, *no pl*⟩ meagreness (*Br*), meagerness (*US*); (*von Boden*) barrenness **kạ̈rglich** ['kɛrklɪç] *adj* meagre (*Br*), meager (*US*), sparse; *Mahl* frugal

Kạrgo ['kargo] *m* ⟨***-s, -s***⟩ cargo

Karibik [ka'riːbɪk] *f* ⟨***-***⟩ ***die ~*** the Caribbean **karibisch** [ka'riːbɪʃ] *adj* Caribbean; ***die Karibischen Inseln*** the Caribbean Islands

kariert [ka'riːɐt] *adj Stoff, Muster* checked, checkered (*esp US*); *Papier* squared

Karies ['kaːriɛs] *f* ⟨-, *no pl*⟩ caries **Karikatur** [karika'tuːɐ] *f* ⟨-, **-en**⟩ caricature **Karikaturist** [karikatu'rɪst] *m* ⟨**-en, -en**⟩, **Karikaturistin** [-'rɪstɪn] *f* ⟨**-, -nen**⟩ cartoonist **karikieren** [kari'kiːrən] *past part* ***karikiert*** *v/t* to caricature

karitativ [karita'tiːf] **I** *adj* charitable **II** *adv* **~ *tätig sein*** to do charitable work

Karma ['karma] *nt* ⟨**-s**, *no pl*⟩ karma

Karneval ['karnəval] *m* ⟨**-s, -e** *or* **-s**⟩ carnival **Karnevalszug** *m* carnival procession

Kärnten ['kɛrntn] *nt* ⟨**-s**⟩ Carinthia

Karo ['kaːro] *nt* ⟨**-s, -s**⟩ **1.** (≈ *Quadrat*) square; (*Muster*) check **2.** (CARDS, *einzelne Karte*) diamond *no pl* (≈ *Spielkartenfarbe*) diamonds *pl* **Karoass** *nt* ace of diamonds **Karomuster** *nt* checked *or* checkered (*esp US*) pattern

Karosse [ka'rɔsə] *f* ⟨**-, -n**⟩ (*fig* ≈ *großes Auto*) limousine

Karosserie [karɔsə'riː] *f* ⟨**-, -n** [-'riːən]⟩ bodywork

Karotte [ka'rɔtə] *f* ⟨**-, -n**⟩ carrot

Karpfen ['karpfn] *m* ⟨**-s, -**⟩ carp

Karre ['karə] *f* ⟨**-, -n**⟩ **1.** = ***Karren*** **2.** (*infml* ≈ *klappriges Auto*) (old) crate (*infml*)

Karree [ka'reː] *nt* ⟨**-s, -s**⟩ **1.** (≈ *Viereck*) rectangle; (≈ *Quadrat*) square **2.** (≈ *Häuserblock*) block; ***einmal ums ~ gehen*** to walk round the block

karren ['karən] *v/t* to cart **Karren** ['karən] *m* ⟨**-s, -**⟩ **1.** (≈ *Wagen*) cart; (*esp für Baustelle*) (wheel)barrow; ***ein ~ voll Obst*** a cartload of fruit **2.** (*fig infml*) ***den ~ in den Dreck fahren*** to get things in a mess; ***den ~ wieder flottmachen*** to get things sorted out

Karriere [ka'rieːrə] *f* ⟨**-, -n**⟩ (≈ *Laufbahn*) career; ***~ machen*** to make a career for oneself **Karrierefrau** *f* career woman **Karriereleiter** *f* career ladder; ***die ~ erklimmen*** to rise up the ladder **Karrieremacher(in)** *m/(f)* careerist

Karte ['kartə] *f* ⟨**-, -n**⟩ card; (≈ *Fahrkarte, Eintrittskarte*) ticket; (≈ *Landkarte*) map; (≈ *Speisekarte*) menu; (≈ *Weinkarte*) wine list; (≈ *Spielkarte*) (playing) card; ***alles auf eine ~ setzen*** (*fig*) to put all one's eggs in one basket (*prov*); ***gute ~n haben*** to have a good hand; (*fig*) to be in a strong position

Kartei [kar'tai] *f* ⟨**-, -en**⟩ card index **Karteikarte** *f* index card **Karteikasten** *m* file-card box

Kartell [kar'tɛl] *nt* ⟨**-s, -e**⟩ **1.** COMM cartel **2.** (≈ *Interessenvereinigung*) alliance; (*pej*) cartel **Kartellamt** *nt* ≈ Monopolies and Mergers Commission (*Br*), anti-trust commission (*esp US*)

Kartenhaus *nt* house of cards **Karteninhaber(in)** *m/(f)* cardholder **Kartenspiel** *nt* **1.** (≈ *das Spielen*) card-playing; (≈ *ein Spiel*) card game **2.** (≈ *Karten*) pack (of cards) **Kartentelefon** *nt* cardphone **Kartenverkauf** *m* sale of tickets; (≈ *Stelle*) box office **Kartenvorverkauf** *m* advance sale of tickets; (≈ *Stelle*) advance booking office

Kartoffel [kar'tɔfl] *f* ⟨**-, -n**⟩ potato; ***jdn fallen lassen wie eine heiße ~*** (*infml*) to drop sb like a hot potato **Kartoffelbrei** *m* mashed potatoes *pl* **Kartoffelchips** *pl* potato crisps *pl* (*Br*), potato chips *pl* (*US*) **Kartoffelgratin** [-gra'tɛ̃ː] *nt* COOK gratiné(e) potatoes *pl* **Kartoffelkäfer** *m* Colorado beetle **Kartoffelkloß** *nt*, **Kartoffelknödel** *m* (*esp S Ger, Aus* COOK) potato dumpling **Kartoffelpuffer** *m fried grated potato cakes* **Kartoffelpüree** *nt* mashed potatoes *pl* **Kartoffelsalat** *m* potato salad **Kartoffelschalen** *pl* (*abgeschält*) potato peel *sg*; COOK potato skins *pl* **Kartoffelschäler** [-ʃɛːlɐ] *m* ⟨**-s, -**⟩ potato peeler **Kartoffelstock** *m* (*Swiss* COOK) mashed potatoes *pl* **Kartoffelsuppe** *f* potato soup

Kartografie [kartogra'fiː] *f* ⟨-, *no pl*⟩ cartography

Karton [kar'tɔŋ, kar'tõː, kar'toːn] *m* ⟨**-s, -s**⟩ **1.** (≈ *Pappe*) cardboard **2.** (≈ *Schachtel*) cardboard box **kartonieren** [karto'niːrən] *past part* ***kartoniert*** *v/t Bücher* to bind in board; ***kartoniert*** paperback

Karussell [karʊ'sɛl] *nt* ⟨**-s, -s** *or* **-e**⟩ merry-go-round, carousel; ***~ fahren*** to have a ride on the merry-go-round *etc*

Karwoche ['kaːɐ-] *f* ECCL Holy Week

karzinogen [kartsino'geːn] MED *adj* carcinogenic **Karzinom** [kartsi'noːm] *nt* ⟨**-s, -e**⟩ MED carcinoma, malignant growth

Kasachstan [kazaxs'taːn] *nt* ⟨**-s**⟩ Kazakhstan

kaschieren [ka'ʃiːrən] *past part* ***kaschiert*** *v/t* (*fig* ≈ *überdecken*) to conceal

Kaschmir *m* ⟨**-s, -e**⟩ TEX cashmere

Käse ['kɛːzə] *m* ⟨**-s, -**⟩ **1.** cheese **2.** (*infml* ≈ *Unsinn*) twaddle (*infml*) **Käseauflauf**

m COOK cheese soufflé **Käseblatt** *nt* (*infml*) local rag (*infml*) **Käsebrot** *nt* bread and cheese **Käsebrötchen** *nt* cheese roll **Käsegebäck** *nt* cheese savouries *pl* (*Br*) *or* savories *pl* (*US*) **Käseglocke** *f* cheese cover; (*fig*) dome **Käsekuchen** *m* cheesecake

Kaserne [ka'zɛrnə] *f* ⟨-, *-n*⟩ barracks *pl* **Käsestange** *f* cheese straw (*Br*), cheese stick (*US*) **käseweiß** *adj* (*infml*) white (as a ghost) **käsig** ['kɛːzɪç] *adj* (*fig infml*) *Haut* pasty; (*vor Schreck*) pale

Kasino [ka'ziːno] *nt* ⟨*-s, -s*⟩ **1.** (≈ *Spielbank*) casino **2.** (≈ *Offizierskasino*) (officers') mess

Kaskoversicherung ['kasko-] *f* (AUTO ≈ *Teilkaskoversicherung*) ≈ third party, fire and theft insurance; (≈ *Vollkaskoversicherung*) fully comprehensive insurance

Kasper ['kaspɐ] *m* ⟨*-s, -*⟩ **1.** (*im Puppenspiel*) Punch (*esp Br*) **2.** (*infml*) clown (*infml*) **Kasperletheater** *nt* Punch and Judy (show) (*esp Br*), puppet show

Kaspisches Meer ['kaspɪʃəs] *nt* Caspian Sea

Kassa ['kasa] *f* ⟨-, ***Kassen*** ['kasn]⟩ (*Aus*) = ***Kasse*** **Kassageschäft** *nt* COMM cash transaction; ST EX spot transaction

Kasse ['kasə] *f* ⟨-, *-n*⟩ **1.** (≈ *Zahlstelle*) cash desk (*Br*) *or* point, cash register (*US*); THEAT *etc* box office; (*in Bank*) bank counter; (*in Supermarkt*) checkout; ***an der ~*** (*in Geschäft*) at the desk (*esp Br*), at the (checkout) counter (*esp US*) **2.** (≈ *Geldkasten*) cash box; (*in Läden*) cash register; (*bei Spielen*) kitty; (*in einer Spielbank*) bank; ***die ~n klingeln*** the money is really rolling in **3.** (≈ *Bargeld*) cash; ***gegen ~*** for cash; ***bei ~ sein*** (*infml*) to be in the money (*infml*); ***knapp bei ~ sein*** (*infml*) to be short of cash; ***jdn zur ~ bitten*** to ask sb to pay up **4.** (*infml* ≈ *Sparkasse*) (savings) bank **5.** = ***Krankenkasse***

Kasseler ['kasəlɐ] *nt* ⟨*-s, -*⟩ *lightly smoked pork loin*

Kassenarzt *m*, **Kassenärztin** *f* ≈ National Health general practitioner (*Br*) **Kassenbeleg** *m* sales receipt *or* check (*US*) **Kassenbestand** *m* cash balance, cash in hand **Kassenbon** *m* sales slip **Kassenbrille** *f* (*pej infml*) NHS specs *pl* (*Br infml*), standard-issue glasses *pl* **Kassenpatient(in)** *m*/(*f*) ≈ National Health patient (*Br*) **Kassenprüfung** *f* audit **Kassenschlager** *m* (*infml*) (THEAT *etc*) box-office hit; (*Ware*) big seller **Kassensturz** *m* ***~ machen*** to check one's finances; COMM to cash up (*Br*), to count up the earnings (*US*) **Kassenwart** [-vart] *m* ⟨*-s, -e*⟩, **Kassenwartin** [-vartɪn] *f* ⟨-, *-nen*⟩ treasurer **Kassenzettel** *m* sales slip

Kasserolle [kasə'rɔlə] *f* ⟨-, *-n*⟩ saucepan; (*mit Henkeln*) casserole

Kassette [ka'sɛtə] *f* ⟨-, *-n*⟩ **1.** (≈ *Kästchen*) case **2.** (*für Bücher*) slipcase; (≈ *Tonbandkassette*) cassette **Kassettendeck** *nt* cassette deck **Kassettenrekorder** *m* cassette recorder

kassieren [ka'siːrən] *past part* ***kassiert*** **I** *v/t* **1.** *Gelder etc* to collect (up); (*infml*) *Abfindung*, *Finderlohn* to pick up (*infml*) **2.** (*infml* ≈ *wegnehmen*) to take away **3.** (*infml* ≈ *verhaften*) to nab (*infml*) **II** *v/i* ***bei jdm ~*** to collect money from sb; ***darf ich ~, bitte?*** would you like to pay now? **Kassierer** [ka'siːrɐ] *m* ⟨*-s, -*⟩, **Kassiererin** [-ərɪn] *f* ⟨-, *-nen*⟩ cashier; (≈ *Bankkassierer*) clerk

Kastagnette [kastan'jɛtə] *f* ⟨-, *-n*⟩ castanet

Kastanie [kas'taːniə] *f* ⟨-, *-n*⟩ chestnut **Kastanienbaum** *m* chestnut tree **kastanienbraun** *adj* maroon; *Pferd*, *Haar* chestnut

Kästchen ['kɛstçən] *nt* ⟨*-s, -*⟩ **1.** (≈ *kleiner Kasten*) small box; (*für Schmuck*) casket **2.** (*auf kariertem Papier*) square

Kaste ['kastə] *f* ⟨-, *-n*⟩ caste

Kasten ['kastn] *m* ⟨*-s,* ¨ ['kɛstn]⟩ **1.** box; (≈ *Kiste*) crate; (≈ *Truhe*) chest; (*Aus* ≈ *Schrank*) cupboard; (≈ *Briefkasten*) postbox (*Br*), letter box (*Br*), mailbox (*US*) **2.** (*infml*) (≈ *alter Wagen*) crate (*infml*); (≈ *Fernsehapparat etc*) box (*infml*) **3.** (*infml*) ***sie hat viel auf dem ~*** she's brainy (*infml*)

Kastilien [kas'tiːliən] *nt* ⟨*-s*⟩ Castille

Kastration [kastra'tsioːn] *f* ⟨-, *-en*⟩ castration **kastrieren** [kas'triːrən] *past part* ***kastriert*** *v/t* (*lit*, *fig*) to castrate

Kasus ['kaːzʊs] *m* ⟨-, - ['kaːzuːs]⟩ GRAM case

Kat [kat] *m* ⟨*-s, -s*⟩ AUTO *abbr of* ***Katalysator*** cat

Katalog [kata'loːk] *m* ⟨*-(e)s, -e* [-gə]⟩ catalogue (*Br*), catalog (*US*)

Katalysator [kataly'zaːtoːɐ] *m* ⟨*-s, Kata-*

lysatoren [-'toːrən]⟩ catalyst; AUTO catalytic converter **Katalysatorauto** *nt* car fitted with a catalytic converter

Katamaran [katama'raːn] *m* ⟨***-s, -e***⟩ catamaran

Katapult [kata'pʊlt] *nt or m* ⟨***-(e)s, -e***⟩ catapult **katapultieren** [katapʊl'tiːrən] *past part* ***katapultiert*** *v/t* to catapult

Katarrh [ka'tar] *m* ⟨***-s, -e***⟩, **Katarr** *m* ⟨***-s, -e***⟩ catarrh

Katasteramt *nt* land registry

katastrophal [katastro'faːl] **I** *adj* disastrous **II** *adv* disastrously; ***sich ~ auswirken*** to have catastrophic effects **Katastrophe** [katas'troːfə] *f* ⟨***-, -n***⟩ disaster **Katastrophenabwehr** *f* disaster prevention **Katastrophenalarm** *m* emergency alert **Katastrophengebiet** *nt* disaster area **Katastrophenschutz** *m* disaster control; (*im Voraus*) disaster prevention

Kategorie [katego'riː] *f* ⟨***-, -n*** [-'riːən]⟩ category **kategorisch** [kate'goːrɪʃ] **I** *adj* categorical **II** *adv* categorically; ***ich weigerte mich ~*** I refused outright **kategorisieren** [kategori'ziːrən] *past part* ***kategorisiert*** *v/t* to categorize

Kater ['kaːtɐ] *m* ⟨***-s, -***⟩ **1.** tom(cat) **2.** (*nach Alkoholgenuss*) hangover **Katerstimmung** *f* depression

Kathedrale [kate'draːlə] *f* ⟨***-, -n***⟩ cathedral

Katheter [ka'teːtɐ] *m* ⟨***-s, -***⟩ MED catheter

Kathode [ka'toːdə] *f* ⟨***-, -n***⟩ PHYS cathode

Katholik [kato'liːk] *m* ⟨***-en, -en***⟩, **Katholikin** [-'liːkɪn] *f* ⟨***-, -nen***⟩ (Roman) Catholic **katholisch** [ka'toːlɪʃ] *adj* (Roman) Catholic **Katholizismus** [katoli'tsɪsmʊs] *m* ⟨***-***, *no pl*⟩ (Roman) Catholicism

katzbuckeln ['katsbʊkln] *v/i* (*pej infml*) to grovel **Kätzchen** ['kɛtsçən] *nt* ⟨***-s, -***⟩ **1.** kitten **2.** BOT catkin **Katze** ['katsə] *f* ⟨***-, -n***⟩ cat; ***meine Arbeit war für die Katz*** (*fig*) my work was a waste of time; ***Katz und Maus mit jdm spielen*** to play cat and mouse with sb; ***wie die ~ um den heißen Brei herumschleichen*** to beat about the bush; ***die ~ im Sack kaufen*** to buy a pig in a poke (*prov*) **Katzenjammer** *m* (*infml*) **1.** (≈ *Kater*) hangover **2.** (≈ *jämmerliche Stimmung*) depression, the blues *pl* (*infml*) **Katzenklo** *nt* (*infml*) cat litter tray (*Br*) *or* box (*US*) **Katzensprung** *m* (*infml*) stone's throw **Katzenstreu** *f* cat litter **Katzentür** *f* cat flap **Katz-und-Maus-Spiel** *nt* cat-and-mouse game

Kauderwelsch ['kaudɐvɛlʃ] *nt* ⟨***-(s)***, *no pl*⟩ (*pej*) (≈ *Fachsprache*) jargon; (*unverständlich*) gibberish

kauen ['kauən] **I** *v/t* to chew; *Nägel* to bite **II** *v/i* to chew; ***an etw*** (*dat*) ***~*** to chew (on) sth; ***an den Nägeln ~*** to bite one's nails

kauern ['kauɐn] *v/i & v/r* to crouch (down); (*ängstlich*) to cower

Kauf [kauf] *m* ⟨***-(e)s, Käufe*** ['kɔyfə]⟩ (≈ *das Kaufen*) buying *no pl*; (≈ *das Gekaufte*) buy; ***das war ein günstiger ~*** that was a good buy; ***etw zum ~ anbieten*** to offer sth for sale; ***etw in ~ nehmen*** (*fig*) to accept sth **Kaufangebot** *nt* ECON bid **kaufen** ['kaufn] **I** *v/t* **1.** (*a.* **sich** (*dat*) **kaufen**) to buy; ***dafür kann ich mir nichts ~*** (*iron*) what use is that to me! **2.** ***sich*** (*dat*) ***jdn ~*** (*infml*) to give sb a piece of one's mind (*infml*); (*tätlich*) to fix sb (*infml*) **II** *v/i* to buy; (≈ *Einkäufe machen*) to shop **Käufer** ['kɔyfɐ] *m* ⟨***-s, -***⟩, **Käuferin** [-ərɪn] *f* ⟨***-, -nen***⟩ buyer; (≈ *Kunde*) customer **Kauffrau** *f* businesswoman **Kaufhaus** *nt* department store **Kaufkraft** *f* (*von Geld*) purchasing power; (*vom Käufer*) spending power **kaufkräftig** *adj* ***~e Kunden*** customers with money to spend **käuflich** ['kɔyflɪç] **I** *adj* **1.** (≈ *zu kaufen*) for sale; ***~e Liebe*** (*elev*) prostitution; ***Freundschaft ist nicht ~*** friendship cannot be bought **2.** (*fig* ≈ *bestechlich*) venal; ***ich bin nicht ~*** you cannot buy me! **II** *adv* ***etw ~ erwerben*** (*form*) to purchase sth **Kaufmann** *m*, *pl* ***-leute*** **1.** (≈ *Geschäftsmann*) businessman; (≈ *Händler*) trader **2.** (≈ *Einzelhandelskaufmann*) small shopkeeper, grocer; ***zum ~ gehen*** to go to the grocer's **kaufmännisch** [-mɛnɪʃ] **I** *adj* commercial; ***~er Angestellter*** office worker **II** *adv* ***sie ist ~ tätig*** she is a businesswoman **Kaufpreis** *m* purchase price **Kaufvertrag** *m* bill of sale **Kaufzwang** *m* obligation to buy; ***ohne ~*** without obligation

Kaugummi *m or nt* chewing gum

Kaukasus ['kaukazʊs] *m* ⟨***-***⟩ ***der ~*** (the) Caucasus

Kaulquappe ['kaul-] *f* tadpole

kaum [kaum] **I** *adv* (≈ *noch nicht einmal*) hardly, scarcely; ***~ jemand*** hardly anyone; ***es ist ~ zu glauben, wie ...*** it's hardly believable *or* to be believed how ...;

wohl ~, ich glaube ~ I hardly think so **II** *cj* hardly, scarcely; ***~ dass wir das Meer erreicht hatten ...*** no sooner had we reached the sea than ...

kausal [kau'zaːl] *adj* causal **Kausalität** [kauzali'tɛːt] *f* ⟨-, *-en*⟩ causality **Kausalsatz** *m* causal clause **Kausalzusammenhang** *m* causal connection

Kaution [kau'tsioːn] *f* ⟨-, *-en*⟩ **1.** JUR bail; ***~ stellen*** to stand bail; ***gegen ~*** on bail **2.** COMM security **3.** (*für Miete*) deposit; ***zwei Monatsmieten ~*** two months' deposit

Kautschuk ['kautʃʊk] *m* ⟨*-s, -e*⟩ (India) rubber

Kauz [kauts] *m* ⟨*-es, Käuze* ['kɔytsə]⟩ **1.** screech owl **2.** (≈ *Sonderling*) ***ein komischer ~*** an odd bird **kauzig** ['kautsɪç] *adj* odd

Kavalier [kava'liːɐ] *m* ⟨*-s, -e*⟩ (≈ *galanter Mann*) gentleman **Kavaliersdelikt** *nt* trivial offence (*Br*) *or* offense (*US*)

Kavallerie [kavalə'riː] *f* ⟨-, *-n* [-'riːən]⟩ MIL cavalry

Kaviar ['kaːviar] *m* ⟨*-s, -e*⟩ caviar

Kebab [ke'baːp, ke'bap] *m* ⟨*-(s), -s*⟩ kebab

keck [kɛk] *adj* (≈ *frech*) cheeky (*Br*), fresh (*US*) **Keckheit** *f* ⟨-, *-en*⟩ (≈ *Frechheit*) cheekiness (*Br*), impudence

Kefir ['keːfɪr, 'keːfiːɐ] *m* ⟨*-s, no pl*⟩ kefir, *milk product similar to yoghurt*

Kegel ['keːgl] *m* ⟨*-s, -*⟩ **1.** (≈ *Spielfigur*) skittle; (*bei Bowling*) pin **2.** (*Geometrie*) cone **Kegelbahn** *f* skittle alley; (*automatisch*) bowling alley **kegelförmig I** *adj* conical **II** *adv* conically **Kegelklub** *m* skittles club; (*für Bowling*) bowling club **Kegelkugel** *f* bowl **kegeln** ['keːgln] *v/i* to play skittles; (*bei Bowling*) to play bowls

Kehle ['keːlə] *f* ⟨-, *-n*⟩ (≈ *Gurgel*) throat; ***er hat das in die falsche ~ bekommen*** (*fig*) he took it the wrong way; ***aus voller ~*** at the top of one's voice **Kehlkopf** *m* larynx **Kehlkopfentzündung** *f* laryngitis **Kehlkopfkrebs** *m* cancer of the throat **Kehllaut** *m* guttural (sound)

Kehrbesen *m* broom **Kehrblech** *nt* (*S Ger*) shovel

Kehre ['keːrə] *f* ⟨-, *-n*⟩ **1.** (sharp) bend **2.** (≈ *Turnübung*) rear vault

kehren[1] ['keːrən] **I** *v/t* **1.** (≈ *drehen*) to turn; ***in sich*** (*acc*) ***gekehrt*** (≈ *versunken*) pensive; (≈ *verschlossen*) introspective **2.** (≈ *kümmern*) to bother; ***was kehrt mich das?*** what do I care about that? **II** *v/r* **1.** (≈ *sich drehen*) to turn **2.** (≈ *sich kümmern*) ***er kehrt sich nicht daran, was die Leute sagen*** he doesn't care what people say **III** *v/i* to turn (round); (*Wind*) to turn

kehren[2] *v/t & v/i* (*esp S Ger* ≈ *fegen*) to sweep **Kehricht** ['keːrɪçt] *m or nt* ⟨*-s, no pl*⟩ **1.** (*old, form*) sweepings *pl* **2.** (*S Ger, Swiss* ≈ *Müll*) rubbish (*Br*), trash (*US*)

Kehrreim *m* chorus

Kehrschaufel *f* shovel

Kehrseite *f* (*von Münze*) reverse; (*fig* ≈ *Nachteil*) drawback; (*fig* ≈ *Schattenseite*) other side; ***die ~ der Medaille*** the other side of the coin **kehrtmachen** *v/i sep* to turn round; (≈ *zurückgehen*) to turn back; MIL to about-turn **Kehrtwende** *f*, **Kehrtwendung** *f* about-turn

keifen ['kaifn] *v/i* to bicker

Keil [kail] *m* ⟨*-(e)s, -e*⟩ wedge

Keile ['kailə] *pl* (*infml*) thrashing; ***~ bekommen*** to get *or* to be given a thrashing **keilen** ['kailən] *v/r* (*dial infml* ≈ *sich prügeln*) to fight

Keiler ['kailɐ] *m* ⟨*-s, -*⟩ wild boar

Keilerei [kailə'rai] *f* ⟨-, *-en*⟩ (*infml*) punch-up (*infml*)

keilförmig I *adj* wedge-shaped **II** *adv* ***sich ~ zuspitzen*** to form a wedge **Keilriemen** *m* drive belt; AUTO fan belt

Keim [kaim] *m* ⟨*-(e)s, -e*⟩ **1.** (≈ *kleiner Trieb*) shoot **2.** (≈ *Embryo, fig*) embryo, germ; (≈ *Krankheitskeim*) germ; ***etw im ~ ersticken*** to nip sth in the bud **3.** (*fig*) seed *usu pl*; ***den ~ zu etw legen*** to sow the seeds of sth **keimen** ['kaimən] *v/i* **1.** (*Saat*) to germinate; (*Pflanzen*) to put out shoots **2.** (*Verdacht*) to be aroused **keimfrei** *adj* germ-free, free of germs *pred*; MED sterile; ***~ machen*** to sterilize **Keimling** ['kaimlɪŋ] *m* ⟨*-s, -e*⟩ **1.** (≈ *Embryo*) embryo **2.** (≈ *Keimpflanze*) shoot **keimtötend** *adj* germicidal; ***~es Mittel*** germicide **Keimzelle** *f* germ cell; (*fig*) nucleus

kein [kain], **keine** ['kainə], **kein** *indef pr* **1.** no; ***ich sehe da ~en Unterschied*** I don't see any difference; ***sie hatte ~e Chance*** she didn't have a *or* any chance; ***~e schlechte Idee*** not a bad idea; ***~ bisschen*** not a bit; ***~ einziges Mal*** not a single time; ***in ~ster Weise*** not in the least

2. (≈ *nicht einmal*) less than; ***~e Stunde/drei Monate*** less than an hour/three months; ***~e 5 Euro*** under 5 euros **keine(r, s)** ['kainə] *indef pr* (≈ *niemand*) nobody, no-one; (*von Gegenstand*) none; ***es war ~r da*** there was nobody there; (*Gegenstand*) there wasn't one there; ***ich habe ~s*** I haven't got one; ***~r von uns*** none of us; ***~s der (beiden) Kinder*** neither of the children **keinerlei** ['kainɐ'lai] *adj attr inv* no ... what(so)ever *or* at all; ***dafür gibt es ~ Beweise*** there is no proof of it what(so)ever **keinesfalls** ['kainəs'fals] *adv* under no circumstances; ***das bedeutet jedoch ~, dass ...*** however, in no way does this mean that ... **keineswegs** ['kainəs'veːks] *adv* not at all; (*als Antwort*) not in the least **keinmal** ['kainmaːl] *adv* never once, not once

Keks [keːks] *m* ⟨***-es, -e*** *or* (*Aus*) *nt* ***-, -***⟩ biscuit (*Br*), cookie (*US*); ***jdm auf den ~ gehen*** (*infml*) to get on sb's nerves

Kelch [kɛlç] *m* ⟨***-(e)s, -e***⟩ **1.** (≈ *Trinkglas*) goblet; ECCL chalice **2.** BOT calyx **Kelchglas** *nt* goblet

Kelle ['kɛlə] *f* ⟨***-, -n***⟩ **1.** (≈ *Suppenkelle etc*) ladle **2.** (≈ *Maurerkelle*) trowel **3.** (≈ *Signalstab*) signalling (*Br*) *or* signaling (*US*) disc

Keller ['kɛlɐ] *m* ⟨***-s, -***⟩ cellar; (≈ *Geschoss*) basement; ***im ~ sein*** (*fig*) to be at rock-bottom **Kellerassel** *f* woodlouse **Kellerei** [kɛlə'rai] *f* ⟨***-, -en***⟩ (≈ *Weinkellerei*) wine producer's; (≈ *Lagerraum*) cellar(s *pl*) **Kellergeschoss** *nt*, **Kellergeschoß** (*Aus*) *nt* basement **Kellerlokal** *nt* cellar bar **Kellermeister(in)** *m/(f)* vintner; (*in Kloster*) cellarer **Kellerwohnung** *f* basement flat (*Br*) *or* apartment

Kellner ['kɛlnɐ] *m* ⟨***-s, -***⟩ waiter **Kellnerin** ['kɛlnərɪn] *f* ⟨***-, -nen***⟩ waitress **kellnern** ['kɛlnɐn] *v/i* (*infml*) to work as a waiter/waitress, to wait on tables (*US*)

Kelte ['kɛltə] *m* ⟨***-n, -n***⟩, **Keltin** ['kɛltɪn] *f* ⟨***-, -nen***⟩ Celt

Kelter ['kɛltɐ] *f* ⟨***-, -n***⟩ winepress; (≈ *Obstkelter*) press **keltern** ['kɛltɐn] *v/t* *Trauben, Wein* to press

keltisch ['kɛltɪʃ] *adj* Celtic

Kenia ['keːnia] *nt* ⟨***-s***⟩ Kenya

kennen ['kɛnən] *pret* ***kannte*** ['kantə], *past part* ***gekannt*** [gə'kant] *v/t* to know; ***er kennt keine Müdigkeit*** he never gets tired; ***so was ~ wir hier nicht!*** we don't have that sort of thing here; ***~ Sie sich schon?*** do you know each other (already)?; ***das ~ wir (schon)*** (*iron*) we know all about that; ***kennst du mich noch?*** do you remember me?; ***wie ich ihn kenne ...*** if I know him (at all) ...; ***da kennt er gar nichts*** (*infml*) (≈ *hat keine Hemmungen*) he has no scruples whatsoever; (≈ *ihm ist alles egal*) he doesn't give a damn (*infml*) **kennenlernen** *v/t sep*, **kennen lernen** *v/t* to get to know; (≈ *zum ersten Mal treffen*) to meet; ***sich ~*** to get to know each other; to meet each other; ***ich freue mich, Sie kennenzulernen*** (*form*) (I am) pleased to meet you; ***der soll mich noch ~*** (*infml*) he'll have me to reckon with (*infml*) **Kenner** ['kɛnɐ] *m* ⟨***-s, -***⟩, **Kennerin** [-ərɪn] *f* ⟨***-, -nen***⟩ **1.** (≈ *Sachverständiger*) expert (*von, +gen* on *or* in), authority (*von, +gen* on) **2.** (≈ *Weinkenner etc*) connoisseur **Kennerblick** *m* expert's eye **kennerhaft** *adj* like a connoisseur; ***mit ~em Blick*** with the eye of an expert **Kennermiene** *f* ***mit ~ betrachtete er ...*** he looked at ... like a connoisseur **kenntlich** ['kɛntlɪç] *adj* (≈ *zu erkennen*) recognizable (*an +dat* by); (≈ *deutlich*) clear; ***etw ~ machen*** to identify sth (clearly) **Kenntnis** ['kɛntnɪs] *f* ⟨***-, -se***⟩ **1.** (≈ *Wissen*) knowledge *no pl*; ***über ~se von etw verfügen*** to know about sth **2.** *no pl* (*form*) ***etw zur ~ nehmen*** to note sth; ***jdn von etw in ~ setzen*** to inform sb about sth; ***das entzieht sich meiner ~*** I have no knowledge of it **Kenntnisnahme** [-naːmə] *f* ⟨***-***, *no pl*⟩ (*form*) ***zur ~ an ...*** for the attention of ... **Kennwort** *nt, pl* ***-wörter*** (≈ *Chiffre*) codename; (≈ *Losungswort*) password, codeword **Kennzeichen** *nt* **1.** AUTO number plate (*Br*), license plate (*US*); AVIAT markings *pl*; ***amtliches ~*** registration number (*Br*), license number (*US*) **2.** (≈ *Markierung*) mark; ***unveränderliche ~*** distinguishing marks **3.** (≈ *Eigenart*) (typical) characteristic (*für, +gen* of); (*für Qualität*) hallmark; (≈ *Erkennungszeichen*) mark, sign **kennzeichnen** *v/t insep* **1.** (≈ *markieren*) to mark; (*durch Etikett*) to label **2.** (≈ *charakterisieren*) to characterize **Kennziffer** *f* (code) number; COMM reference number; (*bei Zeitungsinserat*) box number

kentern ['kɛntɐn] *v/i aux sein* (*Schiff*) to capsize

Keramik [ke'raːmɪk] *f* ⟨-, **-en**⟩ **1.** *no pl* ART ceramics *pl*; (*als Gebrauchsgegenstände*) pottery **2.** (≈ *Kunstgegenstand*) ceramic; (≈ *Gebrauchsgegenstand*) piece of pottery **keramisch** [ke'raːmɪʃ] *adj* ceramic

Kerbe ['kɛrbə] *f* ⟨-, **-n**⟩ notch; (*kleiner*) nick; ***in dieselbe ~ hauen*** (*fig infml*) to take the same line

Kerbel ['kɛrbl] *m* ⟨**-s**, *no pl*⟩ chervil

kerben ['kɛrbn] *v/t Inschrift, Namen* to carve **Kerbholz** *nt* (*fig infml*) ***etwas auf dem ~ haben*** to have done something wrong

Kerker ['kɛrkɐ] *m* ⟨**-s, -**⟩ **1.** HIST dungeon (*esp* HIST), prison; (≈ *Strafe*) imprisonment **2.** (*Aus*) = ***Zuchthaus***

Kerl [kɛrl] *m* ⟨**-s, -e** *or* **-s**⟩ (*infml*) guy (*infml*); (*pej*) character; ***du gemeiner ~!*** you mean thing (*infml*); ***ein ganzer ~*** a real man

Kern [kɛrn] *m* ⟨**-(e)s, -e**⟩ (*von Obst*) pip; (*von Steinobst*) stone; (≈ *Nusskern*) kernel; PHYS, BIOL nucleus; (*fig*) (*von Problem, Sache*) heart; (*von Gruppe*) core; ***in ihr steckt ein guter ~*** there's some good in her somewhere; ***der harte ~*** (*fig*) the hard core **Kernarbeitszeit** *f* core time **Kernbrennstab** *m* nuclear fuel rod **Kernbrennstoff** *m* nuclear fuel **Kernenergie** *f* nuclear energy **Kernexplosion** *f* nuclear explosion **Kernfach** *nt* SCHOOL core subject **Kernfamilie** *f* SOCIOL nuclear family **Kernforscher(in)** *m/(f)* nuclear scientist **Kernforschung** *f* nuclear research **Kernfrage** *f* central issue **Kernfusion** *f* nuclear fusion **Kerngedanke** *m* central idea **Kerngehäuse** *nt* core **Kerngeschäft** *nt* ECON core (business) activity **kerngesund** *adj* completely fit; (*fig*) *Firma, Land* very healthy **kernig** ['kɛrnɪç] *adj* (*fig*) *Ausspruch* pithy; (≈ *urwüchsig*) earthy; (≈ *kraftvoll*) robust **Kernkraft** *f* ⟨-, *no pl*⟩ nuclear power **Kernkraftgegner(in)** *m/(f)* opponent of nuclear power **Kernkraftwerk** *nt* nuclear power station **kernlos** *adj* seedless **Kernobst** *nt* pomes *pl* (*tech*) **Kernphysik** *f* nuclear physics *sg* **Kernphysiker(in)** *m/(f)* nuclear physicist **Kernpunkt** *m* central point **Kernreaktor** *m* nuclear reactor **Kernschmelze** *f* meltdown **Kernseife** *f* washing soap **Kernspaltung** *f* nuclear fission **Kernspin-Tomograf** ['kɛrnspɪn-] *m* MRI scanner **Kernspintomografie** *f* magnetic resonance imaging **Kernstück** *nt* (*fig*) centrepiece (*Br*), centerpiece (*US*); (*von Theorie etc*) crucial part **Kerntechnik** *f* nuclear technology **Kernwaffe** *f* nuclear weapon **kernwaffenfrei** *adj* nuclear-free **Kernwaffenversuch** *m* nuclear (weapons) test **Kernzeit** *f* core time

Kerosin [kero'ziːn] *nt* ⟨**-s, -e**⟩ kerosene

Kerze ['kɛrtsə] *f* ⟨-, **-n**⟩ **1.** candle **2.** AUTO plug **3.** (*Turnen*) shoulder-stand **kerzengerade** *adj* perfectly straight **Kerzenhalter** *m* candlestick **Kerzenleuchter** *m* candlestick **Kerzenlicht** *nt, no pl* candlelight **Kerzenständer** *m* candlestick; (*für mehrere Kerzen*) candelabra

Kescher ['kɛʃɐ] *m* ⟨**-s, -**⟩ fishing net; (≈ *Hamen*) landing net

kess [kɛs] *adj* (≈ *flott*) saucy; (≈ *vorwitzig*) cheeky (*Br*), fresh (*US*); (≈ *frech*) impudent

Kessel ['kɛsl] *m* ⟨**-s, -**⟩ **1.** (≈ *Teekessel*) kettle; (≈ *Kochkessel*) pot; (*für offenes Feuer*) cauldron; (≈ *Dampfkessel*) boiler **2.** MIL encircled area **Kesselpauke** *f* kettle drum **Kesselstein** *m* scale **Kesseltreiben** *nt* (*fig*) witch-hunt

Ketchup ['kɛtʃap] *m or nt* ⟨**-(s), -s**⟩, **Ketschup** ['kɛtʃap] *m or nt* ⟨**-(s), -s**⟩ ketchup

Kette ['kɛtə] *f* ⟨-, **-n**⟩ chain; (*fig*) line; (*von Unfällen etc*) string; ***eine ~ von Ereignissen*** a chain of events **ketten** ['kɛtn] *v/t* to chain (*an +acc* to); ***sich an jdn/etw ~*** (*fig*) to tie oneself to sb/sth **Kettenbrief** *m* chain letter **Kettenfahrzeug** *nt* tracked vehicle **Kettenglied** *nt* (chain-)link **Kettenraucher(in)** *m/(f)* chain-smoker **Kettenreaktion** *f* chain reaction

Ketzer ['kɛtsɐ] *m* ⟨**-s, -**⟩, **Ketzerin** [-ərɪn] *f* ⟨-, **-nen**⟩ (ECCL, *fig*) heretic **Ketzerei** [kɛtsə'rai] *f* ⟨-, *no pl*⟩ heresy **ketzerisch** ['kɛtsərɪʃ] *adj* heretical

keuchen ['kɔyçn] *v/i* (≈ *schwer atmen*) to pant; (*Asthmatiker etc*) to wheeze **Keuchhusten** *m* whooping cough

Keule ['kɔylə] *f* ⟨-, **-n**⟩ club; SPORTS (Indian) club; COOK leg

keusch [kɔyʃ] *adj* chaste **Keuschheit** *f* ⟨-, *no pl*⟩ chastity **Keuschheitsgürtel** *m* chastity belt

Keyboard ['kiːbɔːɐd] *nt* ⟨**-s, -s**⟩ MUS key-

board **Keyboardspieler(in)** ['ki:bɔ:ɐd-] *m/(f)* MUS keyboards player
Kfz [ka|ɛf'tsɛt] *nt* ⟨**-(s), -(s)**⟩ (*form*) *abbr of* ***Kraftfahrzeug*** motor vehicle **Kfz-Kennzeichen** [ka|ɛf'tsɛt-] *nt* (vehicle) registration **Kfz-Steuer** [ka|ɛf'tsɛt-] *f* motor vehicle tax, road tax (*Br*) **Kfz-Versicherung** [ka|ɛf'tsɛt-] *f* car insurance
khaki ['ka:ki] *adj inv* khaki
Kibbuz [kɪ'bu:ts] *m* ⟨**-**, ***Kibbuzim*** *or* ***-e*** [kibu'tsi:m]⟩ kibbutz
Kiberer ['ki:bərɐ] *m* ⟨**-s, -**⟩ (*Aus infml* ≈ *Polizist*) copper (*infml*)
Kichererbse *f* chickpea **kichern** ['kɪçɐn] *v/i* to giggle
Kick [kɪk] *m* ⟨**-(s), -s**⟩ (*fig infml* ≈ *Nervenkitzel*) kick (*infml*) **Kickboard®** ['kɪkbo:ɐt] *nt* ⟨**-s, -s**⟩ micro-scooter **Kickboxen** *nt* kick boxing **kicken** ['kɪkn] (FTBL *infml*) **I** *v/t* to kick **II** *v/i* to play football (*Br*) *or* soccer **Kicker** ['kɪkɐ] *m* ⟨**-s, -**⟩, **Kickerin** [-ərɪn] *f* ⟨**-, -nen**⟩ (FTBL *infml*) player
Kid [kɪt] *nt* ⟨**-s, -s**⟩ *usu pl* (*infml* ≈ *Jugendlicher*) kid (*infml*)
kidnappen ['kɪtnɛpn] *v/t insep* to kidnap **Kidnapper** ['kɪtnɛpɐ] *m* ⟨**-s, -**⟩, **Kidnapperin** [-ərɪn] *f* ⟨**-, -nen**⟩ kidnapper
Kiebitz ['ki:bɪts] *m* ⟨**-es, -e**⟩ ORN lapwing; (CARDS *infml*) kibitzer
Kiefer[1] ['ki:fɐ] *f* ⟨**-, -n**⟩ pine (tree); (≈ *Holz*) pine(wood)
Kiefer[2] *m* ⟨**-s, -**⟩ jaw; (≈ *Kieferknochen*) jawbone **Kieferbruch** *m* broken *or* fractured jaw **Kieferchirurg(in)** *m/(f)* oral surgeon **Kieferhöhle** *f* ANAT maxillary sinus
Kiefernzapfen *m* pine cone
Kieferorthopäde *m*, **Kieferorthopädin** *f* orthodontist
Kieker ['ki:kɐ] *m* ⟨**-s, -**⟩ ***jdn auf dem ~ haben*** (*infml*) to have it in for sb (*infml*)
Kiel [ki:l] *m* ⟨**-(e)s, -e**⟩ (≈ *Schiffskiel*) keel **Kielwasser** *nt* wake; ***in jds ~*** (*dat*) ***segeln*** (*fig*) to follow in sb's wake
Kieme ['ki:mə] *f* ⟨**-, -n**⟩ gill
Kies [ki:s] *m* ⟨**-es, -e**⟩ gravel
Kiesel ['ki:zl] *m* ⟨**-s, -**⟩ pebble **Kieselerde** *f* silica **Kieselsäure** *f* CHEM silicic acid; (≈ *Siliziumdioxyd*) silica **Kieselstein** *m* pebble **Kieselstrand** *m* pebble beach
Kiesgrube *f* gravel pit
Kiez [ki:ts] *m* ⟨**-es, -e**⟩ (*dial*) **1.** (≈ *Stadtgegend*) district **2.** (*infml* ≈ *Bordellgegend*) red-light district
kiffen ['kɪfn] *v/i* (*infml*) to smoke pot (*infml*) **Kiffer** ['kɪfɐ] *m* ⟨**-s, -**⟩, **Kifferin** [-ərɪn] *f* ⟨**-, -nen**⟩ (*infml*) pot-smoker (*infml*)
killen ['kɪlən] (*sl*) **I** *v/t* to bump off (*infml*) **II** *v/i* to kill **Killer** ['kɪlɐ] *m* ⟨**-s, -**⟩, **Killerin** [-ərɪn] *f* ⟨**-, -nen**⟩ (*infml*) killer; (*gedungener*) hit man/woman **Killerspiel** *nt* (*infml*) killer game
Kilo ['ki:lo] *nt* ⟨**-s, -s** *or* (*bei Zahlenangabe*) **-**⟩ kilo **Kilobyte** *nt* kilobyte **Kilogramm** [kilo'gram] *nt* kilogram(me) **Kilohertz** [kilo'hɛrts, 'kilo-] *nt* kilohertz **Kilojoule** *nt* kilojoule **Kilokalorie** *f* kilocalorie **Kilometer** [kilo'me:tɐ] *m* kilometre (*Br*), kilometer (*US*) **Kilometerbegrenzung** *f* (*bei Mietwagen*) mileage limit **Kilometergeld** *nt* mileage (allowance) **kilometerlang I** *adj* miles long **II** *adv* for miles (and miles) **Kilometerpauschale** *f* mileage allowance (against tax) **Kilometerstand** *m* mileage **Kilometerzähler** *m* mileage indicator **Kilowatt** [kilo'wat, 'kilo-] *nt* kilowatt **Kilowattstunde** *f* kilowatt hour
Kimme ['kɪmə] *f* ⟨**-, -n**⟩ (*von Gewehr*) back sight
Kimono ['ki:mono, ki'mo:no, 'kɪmono] *m* ⟨**-s, -s**⟩ kimono
Kind [kɪnt] *nt* ⟨**-(e)s, -er** [-dɐ]⟩ child, kid (*infml*); (≈ *Kleinkind*) baby; ***ein ~ erwarten*** to be expecting a baby; ***ein ~ bekommen*** to have a baby; ***von ~ an hat er ...*** since he was a child he has ...; ***sich freuen wie ein ~*** to be as pleased as Punch; ***das weiß doch jedes ~!*** any five-year-old would tell you that!; ***mit ~ und Kegel*** (*hum infml*) with the whole family; ***das ~ mit dem Bade ausschütten*** (*prov*) to throw out the baby with the bathwater (*prov*) **Kinderarbeit** *f* child labour (*Br*) *or* labor (*US*) **Kinderarzt** *m*, **Kinderärztin** *f* paediatrician (*Br*), pediatrician (*US*) **Kinderbeihilfe** *f* (*Aus*) *benefit paid for having children* **Kinderbekleidung** *f* children's wear **Kinderbetreuung** *f* childcare **Kinderbett** *nt* cot **Kinderbuch** *nt* children's book **Kinderchor** *m* children's choir **Kinderdorf** *nt* children's village **Kinderei** [kɪndə'rai] *f* ⟨**-, -en**⟩ childishness *no pl* **Kindererziehung** *f* bringing up of children; (*durch Schule*) education of children **Kinderfahrkarte** *f* child's ticket **Kinderfahrrad** *nt* child's bicycle **kinder-**

feindlich *adj* anti-child; ***eine ~e Gesellschaft*** a society hostile to children **Kinderfernsehen** *nt* children's television **Kinderfest** *nt* children's party **Kinderfreibetrag** *m* child allowance **kinderfreundlich** *adj Mensch* fond of children; *Gesellschaft* child-orientated **Kindergarten** *m* ≈ nursery school, ≈ kindergarten **Kindergärtner(in)** *m/(f)* ≈ nursery-school teacher **Kindergeld** *nt benefit paid for having children* **Kinderheilkunde** *f* paediatrics *sg* (*Br*), pediatrics *sg* (*US*) **Kinderheim** *nt* children's home **Kinderhort** [-hɔrt] *m* ⟨**-(e)s, -e**⟩ day-nursery (*Br*), daycare centre (*Br*) *or* center (*US*) **Kinderkleidung** *f* children's clothes *pl* **Kinderkram** *m* (*infml*) kids' stuff (*infml*) **Kinderkrankheit** *f* childhood illness; (*fig*) teething troubles *pl* **Kinderkrippe** *f* = ***Kinderhort*** **Kinderlähmung** *f* polio **kinderleicht I** *adj* dead easy (*infml*) **II** *adv* easily **kinderlieb** *adj* fond of children **Kinderlied** *nt* nursery rhyme **kinderlos** *adj* childless **Kindermädchen** *f* nanny **Kindermord** *m* child murder; JUR infanticide **Kinderpfleger(in)** *m/(f)* paediatric (*Br*) *or* pediatric (*US*) nurse **Kinderpornografie** *f* child pornography **Kinderprostitution** *f* child prostitution **kinderreich** *adj* with many children; *Familie* large **Kinderreim** *m* nursery rhyme **Kinderschänder** [-ʃɛndɐ] *m* ⟨**-s, -**⟩, **Kinderschänderin** [-ərɪn] *f* ⟨**-, -nen**⟩ ⟨**-s, -**⟩ child molester **Kinderschar** *f* swarm of children **Kinderschuh** *m* child's shoe; ***etw steckt noch in den ~en*** (*fig*) sth is still in its infancy **Kinderschutz** *m* protection of children **Kinderschutzbund** *m, pl* ***-bünde*** child protection agency, ≈ NSPCC (*Br*) **kindersicher I** *adj* childproof **II** *adv aufbewahren* out of reach of children **Kindersicherung** *f* AUTO child lock **Kindersitz** *m* child's seat; (*im Auto*) child seat **Kinderspiel** *nt* children's game; (*fig*) child's play *no art* **Kinderspielplatz** *m* children's playground **Kinderspielzeug** *nt* (children's) toys *pl* **Kinderstation** *f* children's ward **Kindersterblichkeit** *f* infant mortality **Kinderstube** *f* (*fig*) upbringing **Kindertagesstätte** *f* day nursery (*Br*), daycare centre (*Br*) *or* center (*US*) **Kinderteller** *m* (*in Restaurant*) children's portion **Kindervers** *m* nursery rhyme **Kinderwagen** *m* pram (*Br*), baby carriage (*US*); (≈ *Sportwagen*) pushchair (*Br*), (baby-)stroller (*esp US*) **Kinderzimmer** *nt* child's/children's room **Kindesalter** *nt* childhood **Kindesbeine** *pl* ***von ~n an*** from childhood **Kindesmissbrauch** *m*, **Kindesmisshandlung** *f* child abuse **kindgemäß I** *adj* suitable for children/a child **II** *adv* appropriately for children/a child **kindgerecht** *adj* suitable for children/a child **Kindheit** *f* ⟨**-, -en**⟩ childhood; (≈ *früheste Kindheit*) infancy **Kindheitstraum** *m* childhood dream **kindisch** [ˈkɪndɪʃ] (*pej*) **I** *adj* childish **II** *adv* childishly; ***sich ~ über etw*** (*acc*) ***freuen*** to be as pleased as Punch about sth **kindlich** [ˈkɪndlɪç] **I** *adj* childlike **II** *adv* like a child **Kindskopf** *m* (*infml*) big kid (*infml*) **Kindstod** *m* ***plötzlicher ~*** cot death (*Br*), crib death (*US*)

Kinetik [kiˈneːtɪk] *f* ⟨**-**, *no pl*⟩ kinetics *sg* **kinetisch** [kiˈneːtɪʃ] *adj* kinetic

Kinkerlitzchen [ˈkɪŋkɐlɪtsçən] *pl* (*infml*) knick-knacks *pl* (*infml*)

Kinn [kɪn] *nt* ⟨**-(e)s, -e**⟩ chin **Kinnhaken** *m* hook to the chin **Kinnlade** [-laːdə] *f* ⟨**-, -n**⟩ jaw(-bone)

Kino [ˈkiːno] *nt* ⟨**-s, -s**⟩ cinema; ***ins ~ gehen*** to go to the cinema **Kinobesucher(in)** *m/(f)* cinemagoer (*Br*), moviegoer (*US*) **Kinocenter** [-sɛntɐ] *nt* ⟨**-s, -**⟩ cinema complex **Kinogänger** [-gɛŋɐ] *m* ⟨**-s, -**⟩, **Kinogängerin** [-ərɪn] *f* ⟨**-, -nen**⟩ cinemagoer (*Br*), moviegoer (*US*) **Kinohit** *m* blockbuster

Kiosk [ˈkiːɔsk, kiɔsk] *m* ⟨**-(e)s, -e**⟩ kiosk

Kipferl [ˈkɪpfɐl] *nt* ⟨**-s, -n**⟩ (*S Ger, Aus*) croissant

Kippe [ˈkɪpə] *f* ⟨**-, -n**⟩ **1.** SPORTS spring **2.** ***auf der ~ stehen*** (*Gegenstand*) to be balanced precariously; ***es steht auf der ~, ob ...*** (*fig*) it's touch and go whether ... **3.** (*infml*) (≈ *Zigarettenstummel*) cigarette stub; (≈ *Zigarette*) fag (*Br infml*), butt (*US infml*) **4.** (≈ *Müllkippe*) tip **kippen** [ˈkɪpn] **I** *v/t* **1.** *Behälter* to tilt; (*fig* ≈ *umstoßen*) *Urteil* to overturn; *Regierung* to topple **2.** (≈ *schütten*) to tip **II** *v/i aux sein* to tip over; (*Fahrzeug*) to overturn **Kippfenster** *nt* tilt window **Kippschalter** *m* toggle switch

Kirche [ˈkɪrçə] *f* ⟨**-, -n**⟩ church; ***zur ~ gehen*** to go to church; ***die ~ im Dorf lassen*** (*fig*) not to get carried away **Kirchenbank** *f, pl* ***-bänke*** (church) pew **Kir-**

chenchor *m* church choir **Kirchendiener(in)** *m/(f)* sexton **Kirchenglocke** *f* church bell **Kirchenlied** *nt* hymn **Kirchenmaus** *f* ***arm wie eine ~*** poor as a church mouse **Kirchensteuer** *f* church tax **Kirchentag** *m* Church congress **Kirchgänger** [-gɛŋɐ] *m* ⟨**-s, -**⟩, **Kirchgängerin** [-ərɪn] *f* ⟨**-, -nen**⟩ churchgoer **Kirchhof** *m* churchyard; (≈ *Friedhof*) graveyard **kirchlich** ['kɪrçlɪç] *adj* church *attr*; *Zustimmung* by the church; *Gebot* ecclesiastical; ***sich ~ trauen lassen*** to get married in church **Kirchturm** *m* church steeple **Kirchturmspitze** *f* church spire **Kirchweih** [-vai] *f* ⟨**-, -en**⟩ fair

Kirgisien [kɪr'giːziən] *nt* ⟨**-s**⟩ Kirghizia

Kirmes ['kɪrmɛs, 'kɪrməs] *f* ⟨**-, -sen**⟩ (*dial*) fair

Kirschbaum *m* cherry tree; (≈ *Holz*) cherry (wood) **Kirsche** ['kɪrʃə] *f* ⟨**-, -n**⟩ cherry; ***mit ihm ist nicht gut ~n essen*** (*fig*) it's best not to tangle with him **Kirschkern** *m* cherry stone **Kirschkuchen** *m* cherry cake **Kirschlikör** *m* cherry brandy **kirschrot** *adj* cherry(-red) **Kirschtomate** *f* cherry tomato **Kirschtorte** *f* cherry gateau (*Br*) *or* cake (*US*); ***Schwarzwälder ~*** Black Forest gateau (*Br*) *or* cake (*US*) **Kirschwasser** *nt* kirsch

Kirtag ['kɪrtaːk] *m* (*Aus*) fair

Kissen ['kɪsn] *nt* ⟨**-s, -**⟩ cushion; (≈ *Kopfkissen*) pillow **Kissenbezug** *m* cushion cover; (*von Kopfkissen*) pillow case **Kissenschlacht** *f* pillow fight

Kiste ['kɪstə] *f* ⟨**-, -n**⟩ **1.** box; (*für Wein etc*) case; (≈ *Lattenkiste*) crate; (≈ *Truhe*) chest **2.** (*infml*) (≈ *Auto*) crate (*infml*); (≈ *Fernsehen*) box (*infml*)

Kita [kiːta] *f* ⟨**-, -s**⟩; → ***Kindertagesstätte***

Kitchenette [kɪtʃə'nɛt] *f* ⟨**-, -s**⟩ kitchenette

Kitsch [kɪtʃ] *m* ⟨**-es**, *no pl*⟩ kitsch **kitschig** ['kɪtʃɪç] *adj* kitschy

Kitt [kɪt] *m* ⟨**-(e)s, -e**⟩ (≈ *Fensterkitt*) putty; (*für Porzellan etc*) cement

Kittchen ['kɪtçən] *nt* ⟨**-s, -**⟩ (*infml*) clink (*infml*)

Kittel ['kɪtl] *m* ⟨**-s, -**⟩ **1.** (≈ *Arbeitskittel*) overall; (*von Arzt etc*) (white) coat **2.** (*Aus* ≈ *Damenrock*) skirt

kitten ['kɪtn] *v/t* to cement; *Fenster* to putty; (*fig*) to patch up

Kitz [kɪts] *nt* ⟨**-es, -e**⟩ (≈ *Rehkitz*) fawn; (≈ *Ziegenkitz*) kid

Kitzel ['kɪtsl] *m* ⟨**-s, -**⟩ tickle; (*fig*) thrill **kitzelig** ['kɪtsəlɪç] *adj* ticklish **kitzeln** ['kɪtsln] *v/t & v/i* to tickle *v/t +impers* ***es kitzelt mich, das zu tun*** I'm itching to do it **Kitzler** ['kɪtslɐ] *m* ⟨**-s, -**⟩ ANAT clitoris

Kiwi[1] ['kiːvi] *f* ⟨**-, -s**⟩ (≈ *Frucht*) kiwi

Kiwi[2] *m* ⟨**-s, -s**⟩ ORN kiwi

Klacks [klaks] *m* ⟨**-es, -e**⟩ (*infml*) **1.** (*von Kartoffelbrei, Sahne etc*) dollop (*infml*) **2.** (*fig*) ***das ist ein ~*** (≈ *einfach*) that's a piece of cake (*infml*); ***500 Euro sind für ihn ein ~*** 500 euros is peanuts to him (*infml*)

klaffen ['klafn] *v/i* to gape; ***zwischen uns beiden klafft ein Abgrund*** (*fig*) we are poles apart

kläffen ['klɛfn] *v/i* to yap

Klage ['klaːgə] *f* ⟨**-, -n**⟩ **1.** (≈ *Beschwerde*) complaint; ***über jdn/etw ~ führen*** to lodge a complaint about sb/sth; ***~n (über jdn/etw) vorbringen*** to make complaints (about sb/sth) **2.** (≈ *Äußerung von Trauer*) lament(ation) (*um, über +acc* for) **3.** JUR action; (≈ *Klageschrift*) charge; ***eine ~ gegen jdn erheben*** to institute proceedings against sb; ***eine ~ auf etw*** (*acc*) an action for sth **Klagelaut** *m* plaintive cry **Klagelied** *nt* lament **Klagemauer** *f* ***die ~*** the Wailing Wall **klagen** ['klaːgn] **I** *v/i* **1.** (≈ *jammern*) to moan **2.** (≈ *trauern*) to lament (*um jdn/etw* sb/sth), to wail **3.** (≈ *sich beklagen*) to complain; ***über etw*** (*acc*) ***~*** to complain about sth; ***ich kann nicht ~*** (*infml*) mustn't grumble (*infml*) **4.** JUR to sue (*auf +acc* for) **II** *v/t* ***jdm sein Leid ~*** to pour out one's sorrow to sb **Kläger** ['klɛːgɐ] *m* ⟨**-s, -**⟩, **Klägerin** [-ərɪn] *f* ⟨**-, -nen**⟩ JUR plaintiff **Klageschrift** *f* JUR charge; (*bei Scheidung*) petition **kläglich** ['klɛːklɪç] **I** *adj* pitiful; *Niederlage* pathetic; *Rest* miserable **II** *adv scheitern* miserably; *betteln* pitifully; ***~ versagen*** to fail miserably **klaglos** *adv* ***etw ~ hinnehmen*** to accept sth without complaint

Klamauk [kla'mauk] *m* ⟨**-s**, *no pl*⟩ (*infml*) (≈ *Alberei*) horseplay; ***~ machen*** (≈ *albern*) to fool about

klamm [klam] *adj* **1.** (≈ *steif vor Kälte*) numb **2.** (≈ *feucht*) damp

Klammer ['klamɐ] *f* ⟨**-, -n**⟩ **1.** (≈ *Wäscheklammer*) peg; (≈ *Hosenklammer*) clip;

(≈ *Büroklammer*) paperclip; (≈ *Heftklammer*) staple **2.** (≈ *Zahnklammer*) brace **3.** (*in Text*) bracket; ***~ auf/zu*** open/close brackets; ***in ~n*** in brackets; ***runde/eckige/spitze ~n*** round/square/pointed brackets; ***geschweifte ~n*** braces **Klammeraffe** *m* (TYPO, *infml*) at-sign, "@" **klammern** ['klamɐn] **I** *v/t Wäsche* to peg; *Papier etc* to staple; TECH to clamp **II** *v/r* ***sich an jdn/etw ~*** to cling to sb/sth

klammheimlich (*infml*) **I** *adj* clandestine **II** *adv* on the quiet

Klamotte [kla'mɔtə] *f* ⟨-, -*n*⟩ **1.** (*infml*) (≈ *Kleider*) **Klamotten** *pl* gear *sg* (*infml*) **2.** (*pej* ≈ *Theaterstück*, *Film*) rubbishy old play/film *etc*

Klang [klaŋ] *m* ⟨-(*e*)*s*, ⸚*e* ['klɛŋə]⟩ sound; (≈ *Tonqualität*) tone; ***Klänge*** *pl* (≈ *Musik*) sounds **Klangfarbe** *f* tone colour (*Br*) *or* color (*US*) **klanglos** *adj* toneless **klangtreu** *adj Wiedergabe* faithful; *Ton* true **Klangtreue** *f* fidelity **klangvoll** *adj Stimme* sonorous; *Melodie* tuneful; (*fig*) *Name* fine-sounding

Klappbett *nt* folding bed **Klappe** ['klapə] *f* ⟨-, -*n*⟩ **1.** flap; (*an Lastwagen*) tailgate; (*seitlich*) side-gate; (≈ *Klappdeckel*) (hinged) lid; FILM clapperboard **2.** (≈ *Hosenklappe*, *an Tasche*) flap; (≈ *Augenklappe*) patch **3.** (≈ *Fliegenklappe*) (fly) swat **4.** (≈ *Herzklappe*) valve **5.** (*infml* ≈ *Mund*) trap (*infml*); ***die ~ halten*** to shut one's trap (*infml*); ***eine große ~ haben*** to have a big mouth (*infml*) **klappen** ['klapn] **I** *v/t* ***etw nach oben/unten ~*** *Sitz*, *Bett* to fold sth up/down; *Kragen* to turn sth up/down; ***etw nach vorn/hinten ~*** *Sitz* to tip sth forward/back **II** *v/i* (*fig infml*) (≈ *gelingen*) to work; (≈ *gut gehen*) to work (out); ***wenn das mal klappt*** if that works out; ***hat es mit dem Job geklappt?*** did you get the job OK (*infml*)?; ***mit dem Flug hat alles geklappt*** the flight went all right **Klappentext** *m* TYPO blurb

Klapper ['klapɐ] *f* ⟨-, -*n*⟩ rattle **klappern** ['klapɐn] *v/i* to clatter; (*Fenster*) to rattle; ***er klapperte vor Angst mit den Zähnen*** his teeth were chattering with fear **Klapperschlange** *f* ZOOL rattlesnake; (*fig*) rattletrap

Klappfahrrad *nt* folding bicycle **Klapphandy** *nt* clamshell phone, flip phone (*esp US*) **Klappmesser** *nt* flick knife (*Br*), switchblade (*US*) **Klapprad** *nt* folding bicycle *or* bike (*infml*)

klapprig ['klaprɪç] *adj* rickety; (*fig infml*) *Mensch* shaky

Klappsitz *m* folding seat **Klappstuhl** *m* folding chair **Klapptisch** *m* folding table

Klaps [klaps] *m* ⟨-*es*, -*e*⟩ (≈ *Schlag*) smack **Klapsmühle** *f* (*pej infml*) nut house (*infml*)

klar [klaːɐ] **I** *adj* clear; (≈ *fertig*) ready; ***~ zum Einsatz*** MIL ready for action; ***ein ~er Fall von ...*** (*infml*) a clear case of ...; ***das ist doch ~!*** (*infml*) of course; ***alles ~?*** everything all right *or* OK? (*infml*); ***jetzt ist*** *or* ***wird mir alles ~!*** now I understand; ***bei ~em Verstand sein*** to be in full possession of one's faculties; ***sich*** (*dat*) ***über etw*** (*acc*) ***im Klaren sein*** to be aware of sth; ***sich*** (*dat*) ***darüber im Klaren sein, dass ...*** to realize that ... **II** *adv* clearly; ***~ denkend*** clear-thinking; ***na ~!*** (*infml*) of course!; ***jdm etw ~ und deutlich sagen*** to tell sb sth straight (*infml*); ***~ auf der Hand liegen*** to be perfectly obvious **Kläranlage** *f* sewage plant; (*von Fabrik*) purification plant **klären** ['klɛːrən] **I** *v/t* to clear; *Wasser* to purify; *Abwasser* to treat; *Sachlage* to clarify; *Frage* to settle **II** *v/i* SPORTS to clear (the ball) **III** *v/r* (*Wasser*) to clear; (*Wetter*) to clear up; (*Sachlage*) to become clear; (*Frage*) to be settled

Klare(r) ['klaːrə] *m decl as adj* (*infml*) schnapps **klargehen** *v/i sep irr aux sein* (*infml*) to be OK (*infml*) **Klärgrube** *f* cesspit **Klarheit** *f* ⟨-, -*en*⟩ clarity; ***sich*** (*dat*) ***~ über etw*** (*acc*) ***verschaffen*** to get clear about sth; *über Sachlage* to clarify sth

Klarinette [klari'nɛtə] *f* ⟨-, -*n*⟩ clarinet **Klarinettist** [klarinɛ'tɪst] *m* ⟨-*en*, -*en*⟩, **Klarinettistin** [-'tɪstɪn] *f* ⟨-, -*nen*⟩ clarinettist

klarkommen *v/i sep irr aux sein* (*infml*) to manage; ***mit jdm/etw ~*** to be able to cope with sb/sth **klarmachen** *sep v/t* to make clear; *Schiff* to get ready; *Flugzeug* to clear; ***jdm etw ~*** to make sth clear to sb **Klärschlamm** *m* sludge **Klarsichtfolie** *f* clear film **Klarsichtpackung** *f* see-through pack **klarspülen** *v/t & v/i sep* to rinse **klarstellen** *v/t sep* (≈ *klären*) to clear up; (≈ *klarmachen*) to make clear **Klarstellung** *f* clarification **Klartext** *m* ***im ~*** (*fig infml*) in plain

English; ***mit jdm ~ reden*** (*fig infml*) to give sb a piece of one's mind **Klärung** ['klɛːrʊŋ] *f* ⟨**-, -en**⟩ purification; (*fig*) clarification **klar werden** *irr aux sein v/i* ***jdm wird etw klar*** sth becomes clear to sb; ***sich*** (*dat*) (***über etw*** *acc*) ~ to get (sth) clear in one's mind **Klärwerk** *nt* sewage treatment works *pl*

klasse ['klasə] (*infml*) **I** *adj* great (*infml*) **II** *adv* brilliantly **Klasse** ['klasə] *f* ⟨**-, -n**⟩ class; (≈ *Spielklasse*) league; (≈ *Güteklasse*) grade; ***ein Fahrschein zweiter ~*** a second-class ticket; ***das ist große ~!*** (*infml*) that's great! (*infml*) **Klassenarbeit** *f* (written) class test **Klassenbeste(r)** *m*/*f*(*m*) *decl as adj* best pupil (in the class) **Klassenbuch** *nt* (class-)register **Klassenfahrt** *f* SCHOOL class trip **Klassenkamerad(in)** *m*/(*f*) classmate **Klassenkampf** *m* class struggle **Klassenlehrer(in)** *m*/(*f*) class teacher **klassenlos** *adj Gesellschaft* classless **Klassensprecher(in)** *m*/(*f*) SCHOOL class representative, ≈ form captain (*Br*) **Klassentreffen** *nt* SCHOOL class reunion **Klassenunterschied** *m* class difference **Klassenzimmer** *nt* classroom **klassifizieren** [klasifi'tsiːrən] *past part* ***klassifiziert*** *v/t* to classify **Klassifizierung** *f* ⟨**-, -en**⟩ classification

Klassik ['klasɪk] *f* ⟨**-**, *no pl*⟩ classical period; (*infml* ≈ *klassische Musik / Literatur*) classical music / literature **Klassiker** ['klasikɐ] *m* ⟨**-s, -**⟩, **Klassikerin** [-ərɪn] *f* ⟨**-, -nen**⟩ classic; ***ein ~ des Jazz*** a jazz classic **klassisch** ['klasɪʃ] **I** *adj* **1.** (≈ *die Klassik betreffend*) classical **2.** (≈ *typisch, vorbildlich*) classic **II** *adv* classically **Klassizismus** [klasi'tsɪsmʊs] *m* ⟨**-**, *no pl*⟩ classicism **klassizistisch** [klasi'tsɪstɪʃ] *adj* classical

Klasslehrer(in) *m*/(*f*) (*S Ger, Aus*) = ***Klassenlehrer(in)***

Klatsch [klatʃ] *m* ⟨**-(e)s, -e**⟩ **1.** (*Geräusch*) splash **2.** *no pl* (*pej infml* ≈ *Tratsch*) gossip **Klatschbase** *f* (*pej infml*) gossip **klatschen** ['klatʃn] **I** *v/i* **1.** (≈ *Geräusch machen*) to clap; ***in die Hände ~*** to clap one's hands **2.** *aux sein* (≈ *aufschlagen*) to go smack; (*Flüssigkeiten*) to splash **3.** (*pej infml*) (≈ *tratschen*) to gossip **II** *v/t* **1.** (≈ *schlagen*) to clap; ***jdm Beifall ~*** to applaud sb **2.** (≈ *knallen*) to smack; (≈ *werfen*) to throw **Klatschmohn** *m* (corn) poppy **klatschnass** *adj* (*infml*) sopping wet (*infml*) **Klatschspalte** *f* (PRESS *infml*) gossip column

Klaue ['klauə] *f* ⟨**-, -n**⟩ claw; (≈ *Hand*) talons *pl* (*pej infml*); (≈ *Schrift*) scrawl (*pej*); ***in den ~n der Verbrecher*** *etc* in the clutches of the criminals *etc* **klauen** ['klauən] (*infml*) **I** *v/t* to pinch (*infml*) (*jdm etw* sth from sb) **II** *v/i* to steal

Klausel ['klauzl] *f* ⟨**-, -n**⟩ clause; (≈ *Vorbehalt*) proviso

Klaustrophobie [klaustrofo'biː] *f* ⟨**-, -n** [-'biːən]⟩ PSYCH claustrophobia

Klausur [klau'zuːɐ] *f* ⟨**-, -en**⟩ (UNIV: *a.* **Klausurarbeit**) exam

Klaviatur [klavia'tuːɐ] *f* ⟨**-, -en**⟩ keyboard

Klavier [kla'viːɐ] *nt* ⟨**-s, -e**⟩ piano; ***~ spielen*** to play the piano **Klavierbegleitung** *f* piano accompaniment **Klavierkonzert** *nt* (≈ *Musik*) piano concerto; (≈ *Vorstellung*) piano recital **Klavierlehrer(in)** *m*/(*f*) piano teacher **Klavierspieler(in)** *m*/(*f*) pianist **Klavierstimmer** [-ʃtɪmɐ] *m* ⟨**-s, -**⟩, **Klavierstimmerin** [-ərɪn] *f* ⟨**-, -nen**⟩ piano tuner **Klavierstunde** *f* piano lesson

Klebeband *nt*, *pl* ***-bänder*** adhesive tape **Klebefolie** *f* adhesive film; (*für Lebensmittel*) clingfilm **kleben** ['kleːbn] **I** *v/i* (≈ *festkleben*) to stick; ***an etw*** (*dat*) ***~*** (*lit*) to stick to sth **II** *v/t* to stick; ***jdm eine ~*** (*infml*) to belt sb (one) (*infml*) **Kleber** ['kleːbɐ] *m* ⟨**-s, -**⟩ (*infml* ≈ *Klebstoff*) glue **Klebestift** *m* glue stick **klebrig** ['kleːbrɪç] *adj* sticky; (≈ *klebfähig*) adhesive **Klebstoff** *m* adhesive **Klebstreifen** *m* adhesive tape

kleckern ['klɛkɐn] **I** *v/t* to spill **II** *v/i* (≈ *Kleckse machen*) to make a mess; (≈ *tropfen*) to spill; ***nicht ~, sondern klotzen*** (*infml*) to do things in a big way (*infml*) **kleckerweise** ['klɛkɐvaizə] *adv* in dribs and drabs

Klecks [klɛks] *m* ⟨**-es, -e**⟩ (≈ *Tintenklecks*) (ink)blot; (≈ *Farbklecks*) blob; (≈ *Fleck*) stain **klecksen** ['klɛksn] *v/i* to make blots/a blot

Klee [kleː] *m* ⟨**-s**, *no pl*⟩ clover; ***jdn über den grünen ~ loben*** to praise sb to the skies **Kleeblatt** *nt* cloverleaf; ***vierblättriges ~*** four-leaf clover

Kleid [klait] *nt* ⟨**-(e)s, -er** [-dɐ]⟩ **1.** (≈ *Damenkleid*) dress **2.** (≈ *Kleidung*) **Kleider** *pl* clothes *pl*, clothing *sg* (*esp* COMM); ***~er machen Leute*** (*prov*) fine feathers make fine birds (*prov*) **kleiden** ['klaidn] **I** *v/r* to dress; ***gut gekleidet sein*** to be well dressed **II** *v/t* (*elev*) **1.** (≈ *mit Kleidern versehen*) to clothe, to dress; ***etw in schöne Worte ~*** to dress sth up in fancy words **2.** (≈ *jdm stehen*) ***jdn ~*** to suit sb **Kleiderbügel** *m* coat hanger **Kleiderbürste** *f* clothes brush **Kleiderhaken** *m* coat hook **Kleiderschrank** *m* wardrobe **Kleidung** ['klaidʊŋ] *f* ⟨-, *no pl*⟩ clothes *pl*, clothing (*esp* COMM) **Kleidungsstück** *nt* garment

Kleie ['klaiə] *f* ⟨-, *no pl*⟩ bran

klein [klain] **I** *adj* small; *Finger* little; ***die Kleinen Antillen*** *etc* the lesser Antilles *etc*; ***haben Sie es nicht ~er?*** do you not have anything smaller?; ***ein ~ bisschen*** *or* ***wenig*** a little (bit); ***ein ~es Bier*** a small beer, ≈ half a pint (*Br*); ***~es Geld*** small change; ***mein ~er Bruder*** my little brother; ***als ich (noch) ~ war*** when I was little; ***sich ~ machen*** (≈ *sich bücken*) to bend down low; ***ganz ~ werden*** (*infml*) to look humiliated *or* deflated; ***im Kleinen*** in miniature; ***bis ins Kleinste*** right down to the smallest detail; ***von ~ an*** *or* ***auf*** (≈ *von Kindheit an*) from his childhood; ***der ~e Mann*** the man in the street; ***ein ~er Ganove*** a petty crook; ***sein Vater war (ein) ~er Beamter*** his father was a minor civil servant **II** *adv* small; ***~ gedruckt*** in small print; ***~ gemustert*** small-patterned; ***~ kariert*** *Stoff* finely checked; ***~ anfangen*** to start off in a small way; ***~ beigeben*** (*infml*) to give in; ***etw ~ halten*** *Kosten* to keep sth down **Kleinaktionär(in)** *m/(f)* small shareholder **Kleinanzeige** *f* classified advertisement **Kleinarbeit** *f* detailed work; ***in mühseliger ~*** with painstaking attention to detail **Kleinasien** *nt* Asia Minor **Kleinauto** *nt* small car **Kleinbetrieb** *m* small business **Kleinbildkamera** *f* 35mm camera **Kleinbuchstabe** *m* small letter **Kleinbürger(in)** *m/(f)* petty bourgeois **kleinbürgerlich** *adj* lower middle-class **Kleinbus** *m* minibus **Kleine(r)** ['klainə] *m/f(m) decl as adj* little one *or* child; (≈ *Junge*) little boy; (≈ *Mädchen*) little girl; (≈ *Säugling*) baby; ***unser ~r*** (≈ *Jüngster*) our youngest (child); ***die Katze mit ihren ~n*** the cat with its kittens *or* babies (*infml*) **Kleinfamilie** *f* SOCIOL nuclear family **Kleingedruckte(s)** [-gədrʊktə] *nt decl as adj* small print **Kleingeist** *m* (*pej*) small-minded person **Kleingeld** *nt* (small) change; ***das nötige ~ haben*** (*fig*) to have the necessary wherewithal (*infml*) **Kleingewerbe** *nt* small business **Kleinhirn** *nt* ANAT cerebellum **Kleinholz** *nt, no pl* firewood; ***~ aus jdm machen*** (*infml*) to make mincemeat out of sb (*infml*) **Kleinigkeit** ['klainɪçkait] *f* ⟨-, *-en*⟩ little *or* small thing; (≈ *Bagatelle*) trifle; (≈ *Einzelheit*) minor detail; ***eine ~ essen*** to have a bite to eat; ***jdm eine ~ schenken*** to give sb a little something; ***wegen jeder ~*** for the slightest reason; ***das wird eine ~ dauern*** it will take a little while **kleinkariert** *adj* (*fig*) small-time (*infml*); ***~ denken*** to think small **Kleinkind** *nt* small child, toddler (*infml*) **Kleinkram** *m* (*infml*) odds and ends *pl*; (≈ *Trivialitäten*) trivialities *pl* **kleinkriegen** *v/t sep* (*infml*) (≈ *gefügig machen*) to bring into line (*infml*); (*körperlich*) to tire out; ***er ist einfach nicht kleinzukriegen*** he just won't be beaten; ***unser altes Auto ist einfach nicht kleinzukriegen*** our old car just goes on for ever **Kleinkunst** *f* cabaret **Kleinkunstbühne** *f* cabaret **kleinlaut** **I** *adj* subdued, meek **II** *adv fragen* meekly; ***~ um Verzeihung bitten*** to apologize rather sheepishly **kleinlich** ['klainlɪç] *adj* petty; (≈ *knauserig*) mean (*esp Br*), stingy (*infml*); (≈ *engstirnig*) narrow-minded **klein machen** *v/t* **1.** (≈ *zerkleinern*) to chop up **2.** (*infml*) *Geld* (≈ *wechseln*) to change **Kleinod** ['klain|oːt] *nt* ⟨**-(e)s, -ien** *or* **-e** [-'|oːdiən, -də]⟩ gem **klein schneiden** *v/t irr* to cut up small **kleinschreiben** *v/t sep irr* ***ein Wort ~*** to write a word without a capital **Kleinstaat** *m* small state **Kleinstadt** *f* small town **kleinstädtisch** *adj* provincial (*pej*) **kleinstmöglich** *adj* smallest possible **Kleintier** *nt* small animal **Kleintierpraxis** *f* small animal (veterinary) practice **Kleinvieh** *nt* ***~ macht auch Mist*** (*prov*) every little helps **Kleinwagen** *m* small car **kleinwüchsig** [-vyːksɪç] *adj* (*elev*) small

Kleister ['klaistɐ] *m* ⟨**-s, -**⟩ (≈ *Klebstoff*) paste **kleistern** ['klaistɐn] *v/t* (≈ *kleben*) to paste

Klementine [klemɛn'tiːnə] *f* ⟨**-, -n**⟩ clementine

Klemmbrett *nt* clipboard **Klemme** ['klɛmə] *f* ⟨**-, -n**⟩ **1.** (≈ *Haarklemme*, *für Papiere etc*) clip; ELEC crocodile clip **2.** (*fig infml*) ***in der ~ sitzen*** *or* ***sein*** to be in a jam (*infml*); ***jdm aus der ~ helfen*** to help sb out of a jam (*infml*) **klemmen** ['klɛmən] **I** *v/t Draht etc* to clamp; ***sich*** (*dat*) ***den Finger in etw*** (*dat*) **~** to catch one's finger in sth; ***sich*** (*dat*) ***etw unter den Arm ~*** to stick sth under one's arm **II** *v/r* to catch oneself (*in +dat* in); ***sich hinter etw*** (*acc*) **~** (*infml*) to get stuck into sth (*infml*) **III** *v/i* (*Tür, Schloss etc*) to stick **Klemmlampe** *f* clamp-on lamp

Klempner ['klɛmpnɐ] *m* ⟨**-s, -**⟩, **Klempnerin** [-ərɪn] *f* ⟨**-, -nen**⟩ plumber **Klempnerei** [klɛmpnə'rai] *f* ⟨**-, -en**⟩ (≈ *Werkstatt*) plumber's workshop

Kleptomane [klɛpto'maːnə] *m* ⟨**-n, -n**⟩, **Kleptomanin** [-'maːnɪn] *f* ⟨**-, -nen**⟩ kleptomaniac

Klerus ['kleːrʊs] *m* ⟨-, *no pl*⟩ clergy

Klette ['klɛtə] *f* ⟨**-, -n**⟩ BOT burdock; (≈ *Blütenkopf*) bur(r); ***sich wie eine ~ an jdn hängen*** to cling to sb like a limpet

Kletterer ['klɛtərɐ] *m* ⟨**-s, -**⟩, **Kletterin** [-ərɪn] *f* ⟨**-, -nen**⟩ climber **Klettergerüst** *nt* climbing frame **klettern** ['klɛtɐn] *v/i aux sein* to climb; (*mühsam*) to clamber **Kletterpflanze** *f* climbing plant **Kletterrose** *f* climbing rose **Kletterstange** *f* climbing pole

Klettverschluss ['klɛt-] *m* Velcro® fastener

Klick [klɪk] *m* ⟨**-s, -s**⟩ IT click **klicken** ['klɪkn] *v/i* to click

Klient [kli'ɛnt] *m* ⟨**-en, -en**⟩, **Klientin** [-'ɛntɪn] *f* ⟨**-, -nen**⟩ client **Klientel** [kliɛn'teːl] *f* ⟨**-, -en**⟩ clients *pl*

Kliff [klɪf] *nt* ⟨**-(e)s, -e**⟩ cliff

Klima ['kliːma] *nt* ⟨**-s, -s** *or* ***Klimate*** [kli'maːtə]⟩ climate **Klimaanlage** *f* air conditioning (system); ***mit ~*** air-conditioned **Klimaforscher(in)** *m*/(*f*) climatologist **Klimagipfel** *m* (*infml*) climate conference *or* summit **Klimakatastrophe** *f* climatic disaster **Klimaschutz** *m* climate protection **Klimaschutzabkommen** *nt* agreement on climate change **klimatisch** [kli'maːtɪʃ] *adj no pred* climatic; ***~ bedingt sein*** (*Wachstum*) to be dependent on the climate; (*Krankheit*) to be caused by climatic conditions **klimatisieren** [klimati'ziːrən] *past part* ***klimatisiert*** *v/t* to air-condition **Klimaveränderung** *f*, **Klimawechsel** *m* (*lit, fig*) climate change, change in the climate

Klimbim [klɪm'bɪm] *m* ⟨**-s,** *no pl*⟩ (*infml*) odds and ends *pl*; (≈ *Umstände*) fuss (and bother)

Klimmzug *m* SPORTS pull-up

klimpern ['klɪmpɐn] *v/i* to tinkle; (≈ *stümperhaft klimpern*) to plonk away (*infml*)

Klinge ['klɪŋə] *f* ⟨**-, -n**⟩ blade

Klingel ['klɪŋl] *f* ⟨**-, -n**⟩ bell **Klingelbeutel** *m* collection bag **Klingelknopf** *m* bell button *or* push **klingeln** ['klɪŋln] *v/i* to ring; ***es hat geklingelt*** (*Telefon*) the phone just rang; (*an Tür*) somebody just rang the doorbell **Klingelton** *m* TEL ring tone, ringtone

klingen ['klɪŋən] *pret* ***klang*** [klaŋ], *past part* ***geklungen*** [gə'klʊŋən] *v/i* to sound; (*Glocke*) to ring; (*Glas*) to clink; ***nach etw ~*** to sound like sth

Klinik ['kliːnɪk] *f* ⟨**-, -en**⟩ clinic **Klinikum** ['kliːnikʊm] *nt* ⟨**-s, *Klinika*** *or* ***Kliniken*** [-ka, -kn]⟩ UNIV medical centre (*Br*) *or* center (*US*) **klinisch** ['kliːnɪʃ] *adj* clinical; **~ *tot*** clinically dead

Klinke ['klɪŋkə] *f* ⟨**-, -n**⟩ (≈ *Türklinke*) (door) handle

Klinker ['klɪŋkɐ] *m* ⟨**-s, -**⟩ (≈ *Ziegelstein*) clinker brick

klipp [klɪp] *adv* ***~ und klar*** clearly, plainly; (≈ *offen*) frankly

Klippe ['klɪpə] *f* ⟨**-, -n**⟩ (≈ *Felsklippe*) cliff; (*im Meer*) rock; (*fig*) hurdle **Klippenküste** *f* rocky coast **klippenreich** *adj* rocky

klirren ['klɪrən] *v/i* to clink; (*Fensterscheiben*) to rattle; (*Waffen*) to clash; (*Ketten*) to jangle; ***~de Kälte*** crisp cold

Klischee [kli'ʃeː] *nt* ⟨**-s, -s**⟩ (*fig*) cliché **klischeehaft I** *adj* (*fig*) stereotyped **II** *adv* stereotypically **Klischeevorstellung** *f* cliché, stereotype

Klitoris ['kliːtorɪs] *f* ⟨**-, -** *or* ***Klitorides*** [kli'toːrideːs]⟩ clitoris

klitschnass *adj* (*infml*) drenched

klitzeklein ['klɪtsə'klain] *adj* (*infml*) tiny

Klo [kloː] *nt* ⟨**-s, -s**⟩ (*infml*) loo (*Br infml*), john (*US infml*)

Kloake [klo'aːkə] *f* ⟨**-, -n**⟩ sewer; (*fig*) cesspool

klobig ['kloːbɪç] *adj* hefty (*infml*), bulky; *Schuhe* clumpy; *Benehmen* boorish

Klobrille *f* (*infml*) toilet *or* loo (*Br infml*) seat **Klobürste** *f* (*infml*) toilet brush

Klon [kloːn] *m* ⟨**-s, -e**⟩ clone **klonen** ['kloːnən] *v/t & v/i* to clone

klönen ['klø:nən] *v/i* (*infml*) to (have a) chat

Klopapier *nt* (*infml*) toilet *or* loo (*Br infml*) paper

klopfen ['klɔpfn] **I** *v/t* to knock; *Fleisch, Teppich* to beat **II** *v/i* to knock; (*Herz*) to beat; (*vor Aufregung*) to pound; (*Puls*) to throb; ***es hat geklopft*** there's someone knocking at the door **Klopfer** ['klɔpfɐ] *m* ⟨**-s, -**⟩ (≈ *Türklopfer*) (door) knocker; (≈ *Fleischklopfer*) (meat) mallet; (≈ *Teppichklopfer*) carpet beater

Klöppel ['klœpl] *m* ⟨**-s, -**⟩ (≈ *Glockenklöppel*) clapper; (≈ *Spitzenklöppel*) bobbin **klöppeln** ['klœpln] *v/i* to make (pillow) lace

Klops [klɔps] *m* ⟨**-es, -e**⟩ COOK meatball

Kloschüssel *f* (*infml*) loo (*Br infml*) *or* toilet bowl, lavatory pan (*Br*) **Klosett** [klo'zɛt] *nt* ⟨**-s, -e** *or* **-s**⟩ toilet **Klosettbrille** *f* toilet seat **Klosettpapier** *nt* toilet paper

Kloß [klo:s] *m* ⟨**-es, ⸚e** ['klø:sə]⟩ dumpling; (≈ *Fleischkloß*) meatball; (≈ *Bulette*) rissole; ***einen ~ im Hals haben*** (*fig*) to have a lump in one's throat

Kloster ['klo:stɐ] *nt* ⟨**-s, ⸚** ['klø:stɐ]⟩ (≈ *Mönchskloster*) monastery; (≈ *Nonnenkloster*) convent

Klotz [klɔts] *m* ⟨**-es, ⸚e** ['klœtsə]⟩ ⟨*or* (*inf*) **⸚er** ['klœtsɐ]⟩ (≈ *Holzklotz*) block (of wood); (*pej* ≈ *Betonklotz*) concrete block; ***jdm ein ~ am Bein sein*** to be a hindrance to sb **Klötzchen** ['klœtsçən] *nt* ⟨**-s, -**⟩ (building) block **klotzen** ['klɔtsn] *v/i* (*sl*) (≈ *hart arbeiten*) to slog (away) (*infml*) **klotzig** ['klɔtsɪç] (*infml*) **I** *adj* huge **II** *adv* (≈ *klobig*) massively; ***~ wirken*** to seem bulky

Klub [klʊb] *m* ⟨**-s, -s**⟩ club **Klubhaus** *nt* clubhouse **Klubjacke** *f* blazer **Klubурlaub** *m* club holiday

Kluft [klʊft] *f* ⟨**-, ⸚e** ['klʏftə]⟩ **1.** (≈ *Erdspalte*) cleft; (≈ *Abgrund*) chasm **2.** (*fig*) gulf, gap **3.** *no pl* (*infml* ≈ *Kleidung*) gear (*infml*)

klug [klu:k] *adj*, *comp* **⸚er** ['kly:gɐ], *sup* **⸚ste(r, s)** ['kly:kstə] clever; (≈ *vernünftig*) *Rat* wise, sound; *Überlegung* prudent; ***ein ~er Kopf*** a capable person; ***ich werde daraus nicht ~*** I cannot make head or tail (*Br*) *or* heads or tails (*US*) of it; ***aus ihm werde ich nicht ~*** I can't make him out; ***der Klügere gibt nach*** (*prov*) discretion is the better part of valour (*Br*) *or* valor (*US*, *prov*) **klugerweise** ['klu:gɐ'vaizə] *adv* (very) wisely **Klugheit** *f* ⟨**-**, *no pl*⟩ cleverness; (≈ *Vernünftigkeit*: *von Rat*) wisdom, soundness **Klugscheißer** *m* ⟨**-s, -**⟩, **Klugscheißerin** [-ərɪn] *f* ⟨**-, -nen**⟩ (*infml*) smart aleck (*infml*), smart-ass (*esp US sl*)

klumpen ['klʊmpn] *v/i* (*Sauce*) to go lumpy **Klumpen** ['klʊmpn] *m* ⟨**-s, -**⟩ lump; (≈ *Blutklumpen*) clot; ***~ bilden*** (*Mehl etc*) to go lumpy; (*Blut*) to clot **Klumpfuß** *m* club foot **klumpig** ['klʊmpɪç] *adj* lumpy

Klüngel ['klʏŋl] *m* ⟨**-s, -**⟩ (*infml* ≈ *Clique*) clique **Klüngelwirtschaft** *f* (*infml*) nepotism *no pl*

knabbern ['knabɐn] *v/t & v/i* to nibble; ***daran wirst du noch zu ~ haben*** (*fig infml*) it will really give you something to think about

Knabe ['kna:bə] *m* ⟨**-n, -n**⟩ (*liter*) boy, lad (*esp Br infml*) **Knabenchor** *m* boys' choir **knabenhaft** *adj* boyish

Knackarsch ['knak-] *m* (*sl*) pert bum (*infml*), bubble butt (*US sl*) **Knäckebrot** ['knɛkə-] *nt* crispbread **knacken** ['knakn] **I** *v/t* **1.** *Nüsse* to crack **2.** (*infml*) *Auto* to break into; *Geldschrank Rätsel, Code* to crack; *Tabu* to break **II** *v/i* **1.** (≈ *brechen*) to crack, to snap; (*Holz* ≈ *knistern*) to crackle; ***an etw*** (*dat*) ***zu ~ haben*** (*infml*) to have sth to think about **2.** (*infml* ≈ *schlafen*) to sleep **Knacker** ['knakɐ] *m* ⟨**-s, -**⟩ **1.** = ***Knackwurst*** **2.** (*pej infml*) ***alter ~*** old fog(e)y (*infml*) **Knacki** ['knaki] *m* ⟨**-s, -s**⟩ (*infml* ≈ *Knastbruder*) jailbird (*infml*) **knackig** ['knakɪç] *adj* crisp; *Salat, Gemüse* crunchy; (*infml*) *Mädchen* tasty (*infml*); *Figur* sexy **Knackpunkt** *m* (*infml*) crunch (*infml*) **Knacks** [knaks] *m* ⟨**-es, -e**⟩ **1.** crack **2.** (*infml*) ***der Fernseher hat einen ~*** there is something wrong with the television; ***er hat einen ~ weg*** he's a bit screwy (*infml*) **Knackwurst** *f type of frankfurter*

Knall [knal] *m* ⟨**-(e)s, -e**⟩ bang; (*mit Peitsche*) crack; (*bei Tür*) slam; ***~ auf Fall*** (*infml*) all of a sudden; ***einen ~ haben*** (*infml*) to be crazy (*infml*) **Knallbonbon** *nt* (Christmas) cracker **knallbunt** *adj* (*infml*) brightly coloured (*Br*) *or* colored (*US*) **knallen** ['knalən] **I** *v/i* **1.** (≈ *krachen*) to bang; (≈ *explodieren*) to explode; (*Schuss*) to ring out; (*Peitsche*) to crack; (*Tür etc*) to slam; ***die Korken ~ lassen*** (*fig*) to pop a cork **2.** (*infml*: *Sonne*) to beat down **II** *v/t* to bang; *Tür* to slam; *Peitsche* to crack; ***jdm eine ~*** (*infml*) to belt sb (one) (*infml*) **knalleng** *adj* (*infml*) skintight **Knaller** ['knalɐ] *m* ⟨**-s, -**⟩ (*infml*) **1.** (≈ *Knallkörper*) banger (*Br*), firecracker (*esp US*) **2.** (*fig* ≈ *Sensation*) sensation **Knallerbse** *f* toy torpedo **knallgelb** *adj* (*infml*) bright yellow **knallhart** (*infml*) **I** *adj Film* brutal; *Job*, *Wettbewerb* really tough; *Schlag* really hard **II** *adv* brutally **knallig** ['knalɪç] (*infml*) **I** *adj Farben* loud **II** *adv **~ gelb*** gaudy yellow; ***~ bunt*** gaudy **Knallkopf** *m* (*infml*) fathead (*infml*) **Knallkörper** *m* firecracker **knallrot** *adj* (*infml*) bright red **knallvoll** *adj* (*infml*) **1.** (≈ *total überfüllt*) jam-packed (*infml*) **2.** (≈ *völlig betrunken*) completely plastered (*infml*), paralytic (*Br infml*)

knapp [knap] **I** *adj* **1.** *Vorräte*, *Geld* scarce; *Gehalt* low **2.** *Mehrheit*, *Sieg* narrow; *Kleidungsstück etc* (≈ *eng*) tight; *Bikini* scanty **3.** (≈ *nicht ganz*) almost; ***ein ~es Pfund Mehl*** just under a pound of flour; ***seit einem ~en Jahr*** for almost a year **4.** (≈ *kurz und präzis*) *Stil*, *Worte* concise **5.** (≈ *gerade so eben*) just; ***mit ~er Not*** only just **II** *adv **mein Geld/meine Zeit ist ~ bemessen*** I am short of money/time; ***wir haben ~ verloren/gewonnen*** we only just lost/won; ***aber nicht zu ~*** (*infml*) and how!; ***~ zwei Wochen*** not quite two weeks **Knappheit** *f* ⟨**-**, *no pl*⟩ shortage

knapsen ['knapsn] *v/i* (*infml*) to scrimp (*mit*, *an +dat* on); ***an etw*** (*dat*) ***zu ~ haben*** to have a rough time getting over sth

Knarre ['knarə] *f* ⟨**-, -n**⟩ (*sl* ≈ *Gewehr*) shooter (*infml*) **knarren** ['knarən] *v/i* to creak

Knast *m* ⟨**-(e)s, ¨-e** *or* **-e** ['knɛstə]⟩ (*infml*) clink (*infml*), can (*US sl*)

knatschig ['knaːtʃɪç] *adj* (*infml*) (≈ *verärgert*) miffed (*infml*); (≈ *schlecht gelaunt*) grumpy (*infml*)

knattern ['knatɐn] *v/i* (*Motorrad*) to roar; (*Maschinengewehr*) to rattle

Knäuel ['knɔyəl] *m or nt* ⟨**-s, -**⟩ ball; (*wirres*) tangle; (*von Menschen*) group

Knauf [knauf] *m* ⟨**-(e)s, *Knäufe*** ['knɔyfə]⟩ (≈ *Türknauf*) knob; (*von Schwert etc*) pommel

Knauser ['knauzɐ] *m* ⟨**-s, -**⟩, **Knauserin** [-ərɪn] *f* ⟨**-, -nen**⟩ (*infml*) scrooge (*infml*) **Knauserei** [knauzə'rai] *f* ⟨**-**, *no pl*⟩ (*infml*) meanness (*esp Br*) **knauserig** ['knauzərɪç] *adj* (*infml*) mean (*esp Br*) **knausern** ['knauzɐn] *v/i* (*infml*) to be mean (*esp Br*) (*mit* with)

knautschen ['knautʃn] *v/t & v/i* (*infml*) to crumple (up) **Knautschzone** *f* AUTO crumple zone

Knebel ['kneːbl] *m* ⟨**-s, -**⟩ gag **knebeln** ['kneːbln] *v/t jdn*, *Presse* to gag **Knebelvertrag** *m* oppressive contract

Knecht [knɛçt] *m* ⟨**-(e)s, -e**⟩ servant; (*beim Bauern*) farm worker **Knechtschaft** ['knɛçtʃaft] *f* ⟨**-, -en**⟩ slavery

kneifen ['knaifn] *pret **kniff*** [knɪf], *past part **gekniffen*** [gə'knɪfn] **I** *v/t* to pinch; ***jdn in den Arm ~*** to pinch sb's arm **II** *v/i* **1.** (≈ *zwicken*) to pinch **2.** (*infml*) (≈ *ausweichen*) to back out (*vor +dat* of) **Kneifzange** *f* pliers *pl*; (*kleine*) pincers *pl*; ***eine ~*** (a pair of) pliers/pincers

Kneipe ['knaipə] *f* ⟨**-, -n**⟩ (*infml* ≈ *Lokal*) pub (*Br*), bar **Kneipenbummel** *m* pub crawl (*Br*), bar hop (*US*)

Knete ['kneːtə] *f* ⟨**-**, *no pl*⟩ (*dated sl* ≈ *Geld*) dough (*infml*) **kneten** ['kneːtn] *v/t Teig* to knead; *Ton* to work; (≈ *formen*) to form **Knetgummi** *m or nt* Plasticine® **Knetmasse** *f* modelling (*Br*) *or* modeling (*US*) clay

Knick [knɪk] *m* ⟨**-(e)s, -e** *or* **-s**⟩ **1.** (≈ *Falte*) crease; (≈ *Biegung*) (sharp) bend; ***einen ~ machen*** to bend sharply **2.** (*fig*: *in Karriere etc*) downturn **knicken** ['knɪkn] **I** *v/i aux sein* to snap **II** *v/t* to snap; *Papier* to fold; ***„nicht ~!"*** "do not bend *or* fold"; → ***geknickt***

knickerig ['knɪkərɪç] *adj* (*infml*) stingy (*infml*) **Knickerigkeit** *f* ⟨**-**, *no pl*⟩ (*infml*) stinginess (*infml*)

Knicks [knɪks] *m* ⟨**-es, -e**⟩ bob; (*tiefer*) curts(e)y; ***einen ~ machen*** to curts(e)y (*vor +dat* to) **knicksen** ['knɪksn] *v/i* to curts(e)y (*vor +dat* to)

Knie [kniː] *nt* ⟨**-s, -**⟩ **1.** knee; ***auf ~n*** on one's knees; ***jdn auf ~n bitten*** to go down on bended knees to sb (and beg); ***in die ~ gehen*** to kneel; (*fig*) to be brought to one's knees; ***jdn in die ~ zwingen*** to bring sb to his/her knees; ***jdn übers ~ legen*** (*infml*) to put sb across one's knee; ***etw übers ~ brechen*** (*fig*) to rush (at) sth **2.** (≈ *Flussknie*) sharp bend; TECH elbow **Kniebeuge** *f* SPORTS knee bend; ***in die ~ gehen*** to bend one's knees **kniefrei** *adj Rock* above the knee **Kniegelenk** *nt* knee joint **Kniekehle** *f* back of the knee **knielang** *adj* knee-length **knien** [kniːn, 'kniːən] **I** *v/i* to kneel; ***im Knien*** on one's knees, kneeling **II** *v/r* to kneel (down); ***sich in die Arbeit ~*** (*fig*) to get down to one's work **Kniescheibe** *f* kneecap **Knieschoner** *m*, **Knieschützer** [-ʃʏtsɐ] *m* ⟨**-s, -**⟩ kneeguard **Kniestrumpf** *m* knee sock **knietief** *adj* knee-deep

Kniff [knɪf] *m* ⟨**-(e)s, -e**⟩ (*infml*) trick

knipsen ['knɪpsn] **I** *v/t* **1.** *Fahrschein* to punch **2.** (PHOT *infml*) to snap (*infml*) **II** *v/i* (PHOT *infml*) to take pictures

Knirps [knɪrps] *m* ⟨**-es, -e**⟩ (≈ *Junge*) whippersnapper; (*pej*) squirt

knirschen ['knɪrʃn] *v/i* to crunch; (*Getriebe*) to grind; ***mit den Zähnen ~*** to grind one's teeth

knistern ['knɪstɐn] *v/i* (*Feuer*) to crackle; (*Papier, Seide*) to rustle

Knitterfalte *f* crease, wrinkle (*esp US*) **knitterfrei** *adj Stoff, Kleid* non-crease **knittern** ['knɪtɐn] *v/t & v/i* to crease

Knobelbecher *m* dice cup **knobeln** ['knoːbln] *v/i* **1.** (≈ *würfeln*) to play dice **2.** (≈ *nachdenken*) to puzzle (*an +dat* over)

Knoblauch ['knoːplaux, 'knoːblaux, 'knɔplaux, 'knɔblaux] *m, no pl* garlic **Knoblauchbrot** *nt* garlic bread **Knoblauchbutter** *f* garlic butter **Knoblauchpresse** *f* garlic press **Knoblauchzehe** *f* clove of garlic

Knöchel ['knœçl] *m* ⟨**-s, -**⟩ (≈ *Fußknöchel*) ankle; (≈ *Fingerknöchel*) knuckle

Knochen ['knɔxn] *m* ⟨**-s, -**⟩ bone; ***er ist bis auf die ~ abgemagert*** he is just (a bag of) skin and bones; ***ihr steckt die Angst in den ~*** (*infml*) she's scared stiff (*infml*); ***der Schreck fuhr ihr in die ~*** she was paralyzed with shock; ***nass bis auf die ~*** (*infml*) soaked to the skin **Knochenarbeit** *f* hard graft (*infml*) **Knochenbau** *m, no pl* bone structure **Knochenbruch** *m* fracture **Knochengerüst** *nt* skeleton **knochenhart** (*infml*) *adj* rock-hard; (*fig*) *Job, Kerl* really tough **Knochenmark** *nt* bone marrow **Knochenmehl** *nt* bone meal **knochentrocken** (*infml*) *adj* bone-dry (*infml*); (*fig*) *Humor etc* very dry **knöchern** ['knœçɐn] *adj* bone *attr*, of bone **knochig** ['knɔxɪç] *adj* bony

Knödel ['knøːdl] *m* ⟨**-s, -**⟩ dumpling

Knöllchen ['knœlçən] *nt* ⟨**-s, -**⟩ (*infml* ≈ *Strafzettel*) (parking) ticket **Knolle** ['knɔlə] *f* ⟨**-, -n**⟩ BOT nodule, tubercule; (*von Kartoffel*) tuber **Knollen** ['knɔlən] *m* ⟨**-s, -**⟩ (≈ *Klumpen*) lump

Knopf [knɔpf] *m* ⟨**-(e)s, ⸗e** ['knœpfə]⟩ button; (*an Tür*) knob **Knopfdruck** *m, no pl* ***auf ~*** at the touch of a button; (*fig*) at the flick of a switch **Knopfloch** *nt* buttonhole **Knopfzelle** *f* round cell battery

Knorpel ['knɔrpl] *m* ⟨**-s, -**⟩ ANAT, ZOOL cartilage; COOK gristle **knorpelig** ['knɔrpəlɪç] *adj* ANAT cartilaginous; *Fleisch* gristly

Knorren ['knɔrən] *m* ⟨**-s, -**⟩ (*im Holz*) knot **knorrig** ['knɔrɪç] *adj Baum* gnarled; *Holz* knotty

Knospe ['knɔspə] *f* ⟨**-, -n**⟩ bud; ***~n treiben*** to bud

knoten ['knoːtn] *v/t Seil etc* to (tie into a) knot **Knoten** ['knoːtn] *m* ⟨**-s, -**⟩ **1.** knot; (MED ≈ *Geschwulst*) lump; PHYS, BOT node; (*fig* ≈ *Verwicklung*) plot **2.** NAUT knot **3.** (≈ *Haarknoten*) bun **4.** = ***Knotenpunkt*** **Knotenpunkt** *m* (MOT, RAIL) junction; (*fig*) centre (*Br*), center (*US*) **Knöterich** ['knøːtərɪç] *m* ⟨**-s, -e**⟩ knotgrass **knotig** ['knoːtɪç] *adj* knotty, full of knots; *Äste, Hände* gnarled

Know-how ['noːhau, noː'hau] *nt* ⟨**-s**, *no pl*⟩ know-how

Knubbel ['knʊbl] *m* ⟨**-s, -**⟩ (*infml*) lump

knuddelig ['knʊdəlɪç] *adj* (*infml* ≈ *niedlich*) cuddly **knuddeln** ['knʊdln] *v/t* (*dial*) to kiss and cuddle

knüllen ['knʏlən] *v/t* to crumple **Knüller** ['knʏlɐ] *m* ⟨**-s, -**⟩ (*infml*) sensation; PRESS scoop

knüpfen ['knʏpfn] **I** *v/t Knoten* to tie; *Band* to knot, to tie (up); *Teppich* to knot; *Netz* to mesh; *Freundschaft* to form; ***etw an etw*** (*acc*) ***~*** (*lit*) to tie sth to sth; (*fig*) *Bedingungen* to attach sth to sth; *Hoffnungen* to pin sth on sth; ***Kontakte ~*** (***zu*** *or* ***mit***) to establish contact (with) **II** *v/r* ***sich an etw*** (*acc*) ***~*** to be linked to sth

Knüppel ['knʏpl] *m* ⟨**-s, -**⟩ **1.** (≈ *Stock*) stick; (≈ *Waffe*) cudgel, club; (≈ *Polizeiknüppel*) truncheon; ***jdm*** (***einen***) ***~ zwischen die Beine werfen*** (*fig*) to put a

spoke in sb's wheel (*Br*) **2.** AVIAT joystick; AUTO gear stick (*Br*), gearshift (*US*)
knüppeln ['knʏpln] **I** *v/i* to use one's truncheon **II** *v/t* to club
knurren ['knʊrən] *v/i* (*Hund etc*) to growl; (*wütend*) to snarl; (*Magen*) to rumble; (*fig* ≈ *sich beklagen*) to groan (*über* +*acc* about) **knurrig** ['knʊrɪç] *adj* grumpy
knuspern ['knʊspɐn] *v/t & v/i* to crunch; ***etwas zum Knuspern*** something to nibble **knusprig** ['knʊsprɪç] *adj* crisp; **~ *braun*** *Hähnchen* crispy brown
knutschen ['knuːtʃn] (*infml*) **I** *v/t* to smooch with (*infml*) **II** *v/i & v/r* to smooch (*infml*) **Knutschfleck** *m* (*infml*) lovebite (*infml*)
k. o. [kaː'|oː] *adj pred* SPORTS knocked out; (*fig infml*) whacked (*infml*); ***jdn ~ schlagen*** to knock sb out **K. o.** [kaː'|oː] *m* ⟨**-(s), -s**⟩ knockout, K.O.; ***Sieg durch ~*** victory by a knockout
Koala(bär) *m* koala (bear)
koalieren [ko|a'liːrən] *past part* ***koaliert*** *v/i esp* POL to form a coalition (*mit* with)
Koalition [ko|ali'tsioːn] *f* ⟨**-, -en**⟩ *esp* POL coalition **Koalitionsgespräch** *nt* coalition talks *pl* **Koalitionspartner(in)** *m/(f)* coalition partner
Kobalt ['koːbalt] *nt* ⟨**-s**, *no pl*⟩ cobalt **kobaltblau** *adj* cobalt blue
Kobold ['koːbɔlt] *m* ⟨**-(e)s, -e** [-də]⟩ goblin
Kobra ['koːbra] *f* ⟨**-, -s**⟩ cobra
Koch [kɔx] *m* ⟨**-s, ⸚e** ['kœçə]⟩, **Köchin** ['kœçɪn] *f* ⟨**-, -nen**⟩ cook; (*von Restaurant etc*) chef; ***viele Köche verderben den Brei*** (*prov*) too many cooks spoil the broth (*prov*) **Kochanleitung** *f* cooking instructions *pl* **Kochbeutel** *m* ***Reis im ~*** boil-in-the-bag rice **Kochbuch** *nt* cookery book **kochecht** *adj* TEX *Farbe* fast at 100°; *Wäsche etc* suitable for boiling **köcheln** ['kœçln] *v/i* to simmer **kochen** ['kɔxn] **I** *v/i* **1.** (*Flüssigkeit*) to boil; ***etw zum Kochen bringen*** to bring sth to the boil; ***er kochte vor Wut*** (*infml*) he was boiling with rage **2.** (≈ *Speisen zubereiten*) to cook; (≈ *als Koch fungieren*) to do the cooking; ***er kocht gut*** he's a good cook **II** *v/t* **1.** *Flüssigkeit, Wäsche* to boil; ***etw auf kleiner Flamme ~*** to simmer sth over a low heat **2.** (≈ *zubereiten*) *Essen* to cook; *Kaffee, Tee* to make **III** *v/i impers* (*fig*) to be boiling; ***es kocht in ihr*** she is boiling with rage **kochend** *adj* boiling; **~ *heiß sein*** to be boiling hot; (*Suppe etc*) to be piping hot **Kocher** ['kɔxɐ] *m* ⟨**-s, -**⟩ (≈ *Herd*) cooker; (≈ *Campingkocher*) (Primus®) stove
Köcher ['kœçɐ] *m* ⟨**-s, -**⟩ (*für Pfeile*) quiver
Kochfeld *nt* ceramic hob **kochfest** *adj* TEX = ***kochecht*** **Kochgelegenheit** *f* cooking facilities *pl* **Kochherd** *m* cooker **Köchin** *f* → ***Koch*** **Kochkunst** *f* culinary art **Kochlöffel** *m* cooking spoon **Kochnische** *f* kitchenette **Kochplatte** *f* (≈ *Herdplatte*) hotplate **Kochrezept** *nt* recipe **Kochsalz** *nt* CHEM sodium chloride; COOK cooking salt **Kochtopf** *m* (cooking) pot; (*mit Stiel*) saucepan **Kochwäsche** *f* washing that can be boiled
Kode [koːt, 'koːdə] *m* ⟨**-s, -s**⟩ code
Köder ['køːdɐ] *m* ⟨**-s, -**⟩ bait **ködern** ['køːdɐn] *v/t* (*lit*) to lure; (*fig*) to tempt; ***jdn für etw ~*** to rope sb into sth (*infml*); ***sich von jdm/etw nicht ~ lassen*** not to be tempted by sb/sth
Kodex ['koːdɛks] *m* ⟨**-** *or* **-es, -e** *or* ***Kodices*** *or* ***Kodizes*** ['koːditseːs]⟩ codex; (*fig*) (moral) code
kodieren *etc* = ***codieren*** *etc*
Koeffizient [ko|ɛfi'tsiɛnt] *m* ⟨**-en, -en**⟩ coefficient
Koexistenz ['koː|ɛksɪstɛnts, ko|ɛksɪs'tɛnts] *f, no pl* coexistence
Koffein [kɔfe'iːn] *nt* ⟨**-s**, *no pl*⟩ caffeine **koffeinfrei** *adj* decaffeinated **koffeinhaltig** *adj* caffeinated, containing caffeine
Koffer ['kɔfɐ] *m* ⟨**-s, -**⟩ (suit)case; (≈ *Schrankkoffer*) trunk; ***die ~ packen*** to pack one's bags **Kofferanhänger** *m* luggage label **Kofferkuli** *m* (luggage) trolley (*Br*), cart (*US*) **Kofferradio** *nt* portable radio **Kofferraum** *m* AUTO boot (*Br*), trunk (*US*); (≈ *Volumen*) luggage space
Kognak ['kɔnjak] *m* ⟨**-s, -s** *or* **-e**⟩ brandy
Kohl [koːl] *m* ⟨**-(e)s, -e**⟩ **1.** cabbage; ***das macht den ~ auch nicht fett*** (*infml*) that's not much help **2.** (*infml* ≈ *Unsinn*) nonsense **Kohldampf** *m, no pl* (*infml*) **~ *haben*** to be starving
Kohle ['koːlə] *f* ⟨**-, -n**⟩ **1.** coal; ***glühende ~n*** (*lit*) (glowing) embers; ***(wie) auf (heißen) ~n sitzen*** to be like a cat on a hot tin roof; ***die ~n aus dem Feuer holen***

(*fig*) to pull the chestnuts out of the fire **2.** (≈ *Verkohltes, Holzkohle*) charcoal **3.** TECH carbon **4.** (*infml* ≈ *Geld*) dough (*infml*) **Kohlefilter** *m* charcoal filter **Kohlehydrat** *nt* carbohydrate **Kohlekraftwerk** *nt* coal-fired power station **Kohlenbergwerk** *nt* coal mine **Kohlendioxid** *nt* carbon dioxide **Kohlenherd** *m* range **Kohlenmonoxid** *nt* carbon monoxide **Kohlenpott** *m* (*infml* ≈ *Ruhrgebiet*) Ruhr (basin *or* valley) **Kohlenrevier** *nt* coal-mining area **Kohlensäure** *f* **1.** CHEM carbonic acid **2.** (*in Getränken*) fizz (*infml*) **kohlensäurehaltig** *adj Getränke* carbonated **Kohlenstoff** *m* carbon **Kohlenwasserstoff** *m* hydrocarbon **Kohlepapier** *nt* carbon paper **Kohlestift** *m* ART piece of charcoal **Kohlezeichnung** *f* charcoal drawing

Kohlkopf *m* cabbage **Kohlmeise** *f* great tit **kohlrabenschwarz** *adj Haar* jet black; *Nacht* pitch-black **Kohlrabi** [koːl'raːbi] *m* ⟨**-(s), -**⟩ kohlrabi **Kohlroulade** *f* COOK stuffed cabbage leaves *pl* **Kohlrübe** *f* BOT swede (*Br*), rutabaga (*US*) **Kohlsprosse** *f* (*Aus*) (Brussels) sprout **Kohlweißling** [-vaislɪŋ] *m* ⟨**-s, -e**⟩ cabbage white (butterfly)

Koitus ['koːitʊs] *m* ⟨**-, -se** *or* **-** ['koːituːs]⟩ coitus

Koje ['koːjə] *f* ⟨**-, -n**⟩ *esp* NAUT bunk, berth; ***sich in die ~ hauen*** (*infml*) to hit the sack (*infml*)

Kojote [ko'joːtə] *m* ⟨**-n, -n**⟩ coyote

Kokain [koka'iːn] *nt* ⟨**-s**, *no pl*⟩ cocaine **kokainsüchtig** *adj* addicted to cocaine

kokett [ko'kɛt] *adj* coquettish **Koketterie** [kokɛtə'riː] *f* ⟨**-, -n** [-'riːən]⟩ coquetry **kokettieren** [kokɛ'tiːrən] *past part* ***kokettiert*** *v/i* to flirt

Kokon [ko'kõː] *m* ⟨**-s, -s**⟩ ZOOL cocoon

Kokosfett *nt* coconut oil **Kokosflocken** *pl* desiccated coconut **Kokosmilch** *f* coconut milk **Kokosnuss** *f* coconut **Kokospalme** *f* coconut palm *or* tree **Kokosraspeln** *pl* desiccated coconut

Koks[1] [koːks] *m* ⟨**-es, -e**⟩ coke

Koks[2] *m or nt* ⟨**-es**, *no pl*⟩ (*infml* ≈ *Kokain*) coke (*infml*)

Kolben ['kɔlbn] *m* ⟨**-s, -**⟩ **1.** (≈ *Gewehrkolben*) butt; (TECH ≈ *Pumpenkolben*) piston; (CHEM ≈ *Destillierkolben*) retort **2.** (≈ *Maiskolben*) cob **Kolbenfresser** *m* (*infml*) piston seizure **Kolbenhub** *m* AUTO piston stroke

Kolibakterien ['koːli-] *pl* E.coli *pl*

Kolibri ['koːlibri] *m* ⟨**-s, -s**⟩ humming bird

Kolik ['koːlɪk] *f* ⟨**-, -en**⟩ colic

kollabieren [kɔla'biːrən] *past part* ***kollabiert*** *v/i aux sein* to collapse

Kollaborateur [kɔlabora'tøːɐ](**in**) *m*/(*f*) POL collaborator **Kollaboration** [kɔlabora'tsioːn] *f* ⟨**-, -en**⟩ collaboration **kollaborieren** *past part* ***kollaboriert*** *v/i* to collaborate

Kollaps ['kɔlaps, kɔ'laps] *m* ⟨**-es, -e**⟩ collapse; ***einen ~ erleiden*** to collapse

Kollateralschaden *m* collateral damage *no pl*

Kolleg [kɔ'leːk] *nt* ⟨**-s, -s** *or* **-ien** [-giən]⟩ **1.** (UNIV ≈ *Vorlesung*) lecture **2.** SCHOOL college

Kollege [kɔ'leːgə] *m* ⟨**-n, -n**⟩, **Kollegin** [-'leːgɪn] *f* ⟨**-, -nen**⟩ colleague **kollegial** [kɔle'giaːl] **I** *adj* ***das war nicht sehr ~ von ihm*** that wasn't what you would expect from a colleague **II** *adv* loyally; ***sich ~ verhalten*** to be a good colleague **Kollegium** [kɔ'leːgiʊm] *nt* ⟨**-s, *Kollegien*** [-giən]⟩ (≈ *Lehrerkollegium etc*) staff; (≈ *Ausschuss*) working party

Kollegmappe *f* document case

Kollekte [kɔ'lɛktə] *f* ⟨**-, -n**⟩ ECCL collection **Kollektion** [kɔlɛk'tsioːn] *f* ⟨**-, -en**⟩ collection; (*also* FASHION ≈ *Sortiment*) range **kollektiv** [kɔlɛk'tiːf] **I** *adj* collective **II** *adv* collectively **Kollektiv** [kɔlɛk'tiːf] *nt* ⟨**-s, -e** [-və]⟩ collective **Kollektivschuld** *f* collective guilt **Kollektor** [kɔ'lɛktoːɐ] *m* ⟨**-s, *Kollektoren*** [-'toːrən]⟩ ELEC collector; (≈ *Sonnenkollektor*) solar collector

Koller ['kɔlɐ] *m* ⟨**-s, -**⟩ (*infml*) (≈ *Anfall*) funny mood; (≈ *Wutanfall*) rage; ***einen ~ bekommen*** to fly into a rage

kollidieren [kɔli'diːrən] *past part* ***kollidiert*** *v/i* (*elev*) *aux sein* (*Fahrzeuge*) to collide

Kollier [kɔ'lieː] *nt* ⟨**-s, -s**⟩ necklet

Kollision [kɔli'zioːn] *f* ⟨**-, -en**⟩ (*elev*) (≈ *Zusammenstoß*) collision; (≈ *Streit*) conflict, clash **Kollisionskurs** *m* NAUT, AVIAT collision course; ***auf ~ gehen*** (*fig*) to be heading for trouble

Kollokation [kɔloka'tsioːn] *f* ⟨**-, -en**⟩ LING collocation

Kolloquium [kɔ'loːkviʊm, kɔ'lɔkviʊm] *nt* ⟨**-s, *Kolloquien*** [-kviən]⟩ colloquium

Köln [kœln] *nt* ⟨**-s**⟩ Cologne **Kölner**

['kœlnɐ] *adj attr* Cologne; ***der ~ Dom*** Cologne Cathedral **kölnisch** ['kœlnɪʃ] *adj* Cologne *attr*; ***er spricht Kölnisch*** he speaks (the) Cologne dialect **Kölnischwasser** *nt, no pl* eau de Cologne

Kolonialherrschaft *f* colonial rule **Kolonialismus** [kolonia'lɪsmʊs] *m* ⟨-, *no pl*⟩ colonialism **Kolonialmacht** *f* colonial power **Kolonialzeit** *f* colonial times *pl* **Kolonie** [kolo'niː] *f* ⟨-, **-n** [-'niːən]⟩ colony; (≈ *Ferienkolonie*) camp **Kolonisation** [koloniza'tsioːn] *f* ⟨-, *no pl*⟩ (*von Land*) colonization **kolonisieren** [koloni'ziːrən] *past part* ***kolonisiert*** *v/t Land* to colonize

Kolonne [ko'lɔnə] *f* ⟨-, **-n**⟩ column; *esp* MIL convoy; (≈ *Arbeitskolonne*) gang; ***~ fahren*** to drive in (a) convoy

Koloratur [kolora'tuːɐ] *f* ⟨-, **-en**⟩ coloratura

kolorieren [kolo'riːrən] *past part* ***koloriert*** *v/t* to colour (*Br*), to color (*US*) **Kolorit** [kolo'riːt] *nt* ⟨**-(e)s, -e**⟩ ART colouring (*Br*), coloring (*US*); MUS (tone) colour (*Br*) *or* color (*US*); (LIT, *fig*) atmosphere

Koloss [ko'lɔs] *m* ⟨**-es, -e**⟩ colossus **kolossal** [kolɔ'saːl] **I** *adj* colossal; *Glück* tremendous; *Dummheit* crass **II** *adv* (*infml*) tremendously, enormously **Kolossalgemälde** *nt* (*infml*) spectacular painting **Kolosseum** [kolɔ'seːʊm] *nt* ⟨**-s**, *no pl*⟩ ***das ~*** the Colosseum

kölsch [kœlʃ] *adj* = ***kölnisch*** **Kölsch** [kœlʃ] *nt* ⟨-, -⟩ **1.** (≈ *Bier*) ≈ (strong) lager **2.** (≈ *Dialekt*) ***er spricht ~*** he speaks (the) Cologne dialect

kolumbianisch [kolʊm'biaːnɪʃ] *adj* Colombian **Kolumbien** [ko'lʊmbiən] *nt* ⟨**-s**⟩ Colombia

Kolumne [ko'lʊmnə] *f* ⟨-, **-n**⟩ TYPO, PRESS column

Koma ['koːma] *nt* ⟨**-s, -s** *or* **-ta** [-ta]⟩ MED coma; ***im ~ liegen*** to be in a coma

Kombi ['kɔmbi] *m* ⟨**-s, -s**⟩ AUTO estate (car) (*Br*), station wagon (*esp US*) **Kombination** [kɔmbina'tsioːn] *f* ⟨-, **-en**⟩ **1.** combination; (SPORTS ≈ *Zusammenspiel*) concerted move, (piece of) teamwork; ***nordische ~*** SKI Nordic combination **2.** (≈ *Schlussfolgerung*) deduction **3.** (≈ *Kleidung*) suit, ensemble **Kombinationsgabe** *f* powers *pl* of deduction **kombinieren** [kɔmbi'niːrən] *past part* ***kombiniert*** **I** *v/t* to combine **II** *v/i* (≈ *folgern*) to deduce; ***ich kombiniere: ...*** I conclude: ... **Kombiwagen** *m* estate (car) (*Br*), station wagon (*esp US*) **Kombizange** *f* combination pliers *pl*

Kombüse [kɔm'byːzə] *f* ⟨-, **-n**⟩ NAUT galley

Komet [ko'meːt] *m* ⟨**-en, -en**⟩ comet **kometenhaft** *adj* (*fig*) *Karriere* meteoric; *Aufschwung* rapid

Komfort [kɔm'foːɐ] *m* ⟨**-s**, *no pl*⟩ (*von Hotel etc*) luxury; (*von Möbel etc*) comfort; (*von Wohnung*) amenities *pl*, mod cons *pl* (*Br infml*); ***ein Auto mit allem ~*** a luxury car **komfortabel** [kɔmfɔr'taːbl] **I** *adj* (≈ *mit Komfort ausgestattet*) luxurious, luxury *attr*; *Wohnung* well-appointed; (≈ *bequem*) *Sessel*, *Bett* comfortable; (≈ *praktisch*) *Bedienung* convenient **II** *adv* (≈ *bequem*) comfortably; (≈ *mit viel Komfort*) luxuriously

Komik ['koːmɪk] *f* ⟨-, *no pl*⟩ (≈ *das Komische*) comic; (≈ *komische Wirkung*) comic effect **Komiker** ['koːmɪkɐ] *m* ⟨**-s**, -⟩, **Komikerin** [-ərɪn] *f* ⟨-, **-nen**⟩ comedian; (*fig also*) joker (*infml*); ***Sie ~*** you must be joking **komisch** ['koːmɪʃ] **I** *adj* funny; THEAT *Rolle*, *Oper* comic; ***das Komische daran*** the funny thing about it; ***mir ist/wird so ~*** (*infml*) I feel funny; ***er war so ~ zu mir*** he acted so strangely towards (*Br*) *or* toward (*US*) me **II** *adv* strangely; *riechen*, *schmecken*, *sich fühlen* strange; ***jdm ~ vorkommen*** to seem strange to sb **komischerweise** ['koːmɪʃɐ'vaizə] *adv* funnily enough

Komitee [komi'teː] *nt* ⟨**-s, -s**⟩ committee

Komma ['kɔma] *nt* ⟨**-s, -s** *or* **-ta** [-ta]⟩ comma; MAT decimal point; ***fünf ~ drei*** five point three

Kommandant [kɔman'dant] *m* ⟨**-en, -en**⟩, **Kommandantin** [-'dantɪn] *f* ⟨-, **-nen**⟩ MIL commanding officer; NAUT captain **Kommandeur** [kɔman'døːɐ] *m* ⟨**-s, -e**⟩, **Kommandeurin** [-'døːrɪn] *f* ⟨-, **-nen**⟩ commander **kommandieren** [kɔman'diːrən] *past part* ***kommandiert*** **I** *v/t* **1.** (≈ *befehligen*) to command **2.** (≈ *befehlen*) ***jdn an einen Ort ~*** to order sb to a place; ***sich von jdm ~ lassen*** to let oneself be ordered about by sb **II** *v/i* **1.** (≈ *Befehlsgewalt haben*) to be in command; ***~der General*** commanding general **2.** (≈ *Befehle geben*) to command; ***er kommandiert gern*** he likes ordering people about

Kommanditgesellschaft [kɔman'diːt-] *f* COMM ≈ limited partnership
Kommando [kɔ'mando] *nt* ⟨**-s, -s**⟩ command; ***der Hund gehorcht auf ~*** the dog obeys on command; ***das ~ führen*** to be in *or* have command (*über +acc* of) **Kommandobrücke** *f* NAUT bridge **Kommandokapsel** *f* SPACE command module **Kommandoraum** *m* control room
kommen ['kɔmən] *aux sein pret* **kam** [kaːm], *past part* **gekommen** [gə'kɔmən] **I** *v/i* **1.** to come; ***ich komme (schon)*** I'm (just) coming; ***er wird gleich ~*** he'll be here right away; ***wann soll der Zug ~?*** when's the train due?; ***da kann ja jeder ~ und sagen ...*** anybody could come along and say ...; ***das Baby kam zu früh*** the baby arrived early; ***nach Hause ~*** (≈ *ankommen*) to get home; (≈ *zurückkehren*) to come home; ***von der Arbeit ~*** to get home from work; ***ins Gefängnis ~*** to go to prison; ***in die Schule ~*** to start school **2.** (≈ *hingehören*) to go; ***das Buch kommt ins oberste Fach*** the book goes on the top shelf; ***das kommt unter „Sonstiges"*** that comes under "miscellaneous"; ***das Lied kommt als Nächstes*** that song is next; ***ich komme zuerst an die Reihe*** I'm first; ***jetzt muss bald die Grenze ~*** we should soon be at the border; ***das Schlimmste kommt noch*** the worst is yet to come **3.** (≈ *gelangen*) to get; (*mit Hand etc*) to reach; ***durch den Zoll ~*** to get through customs; ***in das Alter ~, wo ...*** to reach the age when ... **4.** TV, RADIO, THEAT *etc* to be on; ***was kommt im Fernsehen?*** what's on TV? **5.** (≈ *geschehen, sich zutragen*) to happen; ***egal, was kommt*** whatever happens; ***komme, was da wolle*** come what may; ***das musste ja so ~*** it had to happen; ***das kommt davon, dass ...*** that's because ...; ***das kommt davon!*** see what happens? **6.** (≈ *geraten*) ***in Bewegung ~*** to start moving; ***zum Stillstand ~*** to come to a halt *or* standstill **7.** (*infml* ≈ *einen Orgasmus haben*) to come (*sl*) **8.** (*mit Dativ*) ***ihm kamen Zweifel*** he started to have doubts; ***jdm ~ die Tränen*** tears come to sb's eyes; ***mir kommt eine Idee*** I've just had a thought; ***du kommst mir gerade recht*** (*iron*) you're just what I need; ***das kommt mir gerade recht*** that's just fine; ***jdm frech ~*** to be cheeky (*Br*) *or* fresh (*US*) to sb **9.** (*mit Verb*) ***da kommt ein Vogel geflogen*** there's a bird; ***jdn besuchen ~*** to come and see sb; ***jdn ~ sehen*** to see sb coming; ***ich habe es ja ~ sehen*** I saw it coming; ***jdn ~ lassen*** to send for sb; ***etw ~ lassen*** *Taxi* to order sth **10.** (*mit Präposition*) ***auf etw (acc) ~*** (≈ *sich erinnern*) to think of sth; ***auf eine Idee ~*** to get an idea; ***wie kommst du darauf?*** what makes you think that?; ***darauf bin ich nicht gekommen*** I didn't think of that; ***auf ihn lasse ich nichts ~*** (*infml*) I won't hear a word against him; ***hinter etw (acc) ~*** (≈ *herausfinden*) to find sth out, to find out sth; ***mit einer Frage ~*** to have a question; ***damit kann ich ihm nicht ~*** (*mit Entschuldigung*) I can't give him that; (*mit Bitte*) I can't ask him that; ***um etw ~*** (≈ *verlieren*) to lose sth; *um Essen, Schlaf* to go without sth; ***zu etw ~*** (≈ *Zeit finden für*) to get round to sth; (≈ *erhalten*) to come by sth; (≈ *erben*) to come into sth; ***zu einem Entschluss ~*** to come to a conclusion; ***zu nichts ~*** (*zeitlich*) not to get (a)round to anything; (≈ *erreichen*) to achieve nothing; ***zu sich ~*** (≈ *Bewusstsein wiedererlangen*) to come round; (≈ *aufwachen*) to come to one's senses **II** *v/i impers* ***so weit kommt es (noch)*** that'll be the day (*infml*); ***ich wusste, dass es so ~ würde*** I knew that would happen; ***wie kommt es, dass du ...?*** how come you ...? (*infml*); ***es kam zum Streit*** there was a quarrel; ***und so kam es, dass ...*** and that is how it came about that ... **Kommen** *nt* ⟨**-s,** *no pl*⟩ coming; ***etw ist im ~*** sth is on the way in; ***jd ist im ~*** sb is on his/her way up **kommend** *adj* coming; *Ereignisse* future; ***(am) ~en Montag*** next Monday; ***in den ~en Jahren*** in the years to come; ***er ist der ~e Mann in der Partei*** he is the rising star in the party
Kommentar [kɔmɛn'taːɐ] *m* ⟨**-s, -e**⟩ comment; PRESS commentary; ***kein ~!*** no comment **kommentarlos** [-loːs] *adv* without comment **Kommentator** [kɔmɛn'taːtoːɐ] *m* ⟨**-s, Kommentatoren** [-'toːrən]⟩, **Kommentatorin** [-'toːrɪn] *f* ⟨**-, -nen**⟩ commentator **kommentieren** [kɔmɛn'tiːrən] *past part* **kommentiert** *v/t* PRESS *etc* to comment on

Kommerz [kɔ'mɛrts] *m* ⟨**-es**, *no pl*⟩ (*pej*) commercialism; ***nur auf ~ aus sein*** to have purely commercial interests, to be out for profit **Kommerzialisierung** *f* ⟨**-, -en**⟩ commercialization **kommerziell** [kɔmɛr'tsiɛl] **I** *adj* commercial **II** *adv* commercially

Kommilitone [kɔmili'toːnə] *m* ⟨**-n, -n**⟩, **Kommilitonin** [-'toːnɪn] *f* ⟨**-, -nen**⟩ fellow student

Kommissar [kɔmɪ'saːɐ] *m* ⟨**-s, -e**⟩, **Kommissarin** [-'saːrɪn] *f* ⟨**-, -nen**⟩ ADMIN commissioner; (≈ *Polizeikommissar*) inspector

kommissarisch [kɔmɪ'saːrɪʃ] **I** *adj* temporary **II** *adv* temporarily

Kommission [kɔmɪ'sioːn] *f* ⟨**-, -en**⟩ **1.** (≈ *Ausschuss*) committee; (*zur Untersuchung*) commission **2.** COMM commission; ***etw in ~ nehmen*** to take sth on commission

Kommode [kɔ'moːdə] *f* ⟨**-, -n**⟩ chest of drawers

kommunal [kɔmu'naːl] *adj* local; (≈ *städtisch*) municipal **Kommunalabgaben** *pl* local rates and taxes *pl* **Kommunalpolitik** *f* local government politics *sg or pl* **Kommunalpolitiker(in)** *m*/(*f*) local politician **Kommunalwahlen** *pl* local (government) elections *pl* **Kommune** [kɔ'muːnə] *f* ⟨**-, -n**⟩ **1.** local authority district **2.** (≈ *Wohngemeinschaft*) commune

Kommunikation [kɔmunika'tsioːn] *f* ⟨**-, -en**⟩ communication **Kommunikationsmittel** *nt* means *sg* of communication **Kommunikationsschwierigkeiten** *pl* communication difficulties *pl* **Kommunikationssystem** *nt* communications system **Kommunikationswissenschaften** *pl* communication studies *pl* **kommunikativ** [kɔmunika'tiːf] *adj* communicative **Kommunikee** [kɔmuni'keː] *nt* ⟨**-s, -s**⟩ communiqué

Kommunion [kɔmu'nioːn] *f* ⟨**-, -en**⟩ ECCL (Holy) Communion

Kommuniqué [kɔmyni'keː, kɔmuni'keː] *nt* ⟨**-s, -s**⟩ communiqué

Kommunismus [kɔmu'nɪsmʊs] *m* ⟨**-**, *no pl*⟩ communism **Kommunist** [kɔmu'nɪst] *m* ⟨**-en, -en**⟩, **Kommunistin** [-'nɪstɪn] *f* ⟨**-, -nen**⟩ Communist **kommunistisch** [kɔmu'nɪstɪʃ] *adj* communist

kommunizieren [kɔmuni'tsiːrən] *past part* ***kommuniziert*** *v/i* to communicate

Komödiant [komø'diant] *m* ⟨**-en, -en**⟩, **Komödiantin** [-'diantɪn] *f* ⟨**-, -nen**⟩ **1.** (*old*) actor/actress **2.** (*fig*) play-actor **Komödie** [ko'møːdiə] *f* ⟨**-, -n**⟩ comedy; ***~ spielen*** (*fig*) to put on an act

Kompagnon [kɔmpan'jõː, 'kɔmpanjõ] *m* ⟨**-s, -s**⟩ COMM partner, associate; (*iron*) pal (*infml*)

kompakt [kɔm'pakt] *adj* compact **Kompaktkamera** *f* compact camera

Kompanie [kɔmpa'niː] *f* ⟨**-, -n** [-'niːən]⟩ MIL company

Komparativ ['kɔmparatiːf] *m* ⟨**-s, -e** [-və]⟩ GRAM comparative

Komparse [kɔm'parzə] *m* ⟨**-n, -n**⟩, **Komparsin** [-'parzɪn] *f* ⟨**-, -nen**⟩ FILM extra; THEAT supernumerary

Kompass ['kɔmpas] *m* ⟨**-es, -e**⟩ compass **Kompassnadel** *f* compass needle

kompatibel [kɔmpa'tiːbl] *adj* compatible **Kompatibilität** [kɔmpatibili'tɛːt] *f* ⟨**-, -en**⟩ compatibility

Kompensation [kɔmpɛnza'tsioːn] *f* ⟨**-, -en**⟩ compensation **kompensieren** [kɔmpɛn'ziːrən] *past part* ***kompensiert*** *v/t* to compensate for

kompetent [kɔmpe'tɛnt] **I** *adj* competent **II** *adv* competently **Kompetenz** [kɔmpe'tɛnts] *f* ⟨**-, -en**⟩ (area of) competence; ***da hat er ganz eindeutig seine ~en überschritten*** he has quite clearly exceeded his authority here **Kompetenzbereich** *m* area of competence **Kompetenzstreitigkeiten** *pl* dispute over respective areas of responsibility

komplementär [kɔmplemɛn'tɛːɐ] *adj* complementary **Komplementärfarbe** *f* complementary colour (*Br*) *or* color (*US*)

komplett [kɔm'plɛt] **I** *adj* complete **II** *adv* completely **komplettieren** [kɔmplɛ'tiːrən] *past part* ***komplettiert*** *v/t* (*elev*) to complete

komplex [kɔm'plɛks] *adj* complex **Komplex** [kɔm'plɛks] *m* ⟨**-es, -e**⟩ (≈ *Gebäudekomplex*, PSYCH) complex; (≈ *Themenkomplex*) issues **Komplexität** [kɔmplɛksi'tɛːt] *f* ⟨**-**, *no pl*⟩ complexity

Komplikation [kɔmplika'tsioːn] *f* ⟨**-, -en**⟩ complication

Kompliment [kɔmpli'mɛnt] *nt* ⟨**-(e)s, -e**⟩ compliment; ***jdm ~e machen*** to compliment sb (*wegen* on)

Komplize [kɔm'pliːtsə] *m* ⟨**-n, -n**⟩, **Komplizin** [-'pliːtsɪn] *f* ⟨**-, -nen**⟩ accomplice

komplizieren [kɔmpli'tsiːrən] *past part*

kompliziert *v/t* to complicate **kompliziert** [kɔmpli'tsiːɐt] *adj* complicated; MED *Bruch* compound **Kompliziertheit** *f* ⟨-, *no pl*⟩ complexity

Komplott [kɔm'plɔt] *nt* ⟨**-(e)s, -e**⟩ plot, conspiracy; ***ein ~ schmieden*** to hatch a plot

Komponente [kɔmpo'nɛntə] *f* ⟨**-, -n**⟩ component

komponieren [kɔmpo'niːrən] *past part* ***komponiert*** *v/t & v/i* to compose **Komponist** [kɔmpo'nɪst] *m* ⟨**-en, -en**⟩, **Komponistin** [-'nɪstɪn] *f* ⟨**-, -nen**⟩ composer **Komposition** [kɔmpozi'tsioːn] *f* ⟨**-, -en**⟩ composition

Kompost [kɔm'pɔst, 'kɔmpɔst] *m* ⟨**-(e)s, -e**⟩ compost **kompostieren** [kɔmpɔs'tiːrən] *past part* ***kompostiert*** *v/t* to compost

Kompott [kɔm'pɔt] *nt* ⟨**-(e)s, -e**⟩ stewed fruit, compote

Kompresse [kɔm'prɛsə] *f* ⟨**-, -n**⟩ compress **Kompression** [kɔmprɛ'sioːn] *f* ⟨**-, -en**⟩ TECH compression **Kompressionsprogramm** *nt* IT compression program **Kompressor** [kɔm'prɛsoːɐ] *m* ⟨**-s, *Kompressoren*** [-'soːrən]⟩ compressor **komprimieren** [kɔmpri'miːrən] *past part* ***komprimiert*** *v/t* to compress; (*fig*) to condense

Kompromiss [kɔmpro'mɪs] *m* ⟨**-es, -e**⟩ compromise; ***einen ~ schließen*** to (make a) compromise **kompromissbereit** *adj* willing to compromise **Kompromissbereitschaft** *f* willingness to compromise **kompromissfähig** *adj* able to compromise **kompromisslos** *adj* uncompromising **Kompromissvorschlag** *m* compromise proposal **kompromittieren** [kɔmpromɪ'tiːrən] *past part* ***kompromittiert*** **I** *v/t* to compromise **II** *v/r* to compromise oneself

Kondensat [kɔndɛn'zaːt] *nt* ⟨**-(e)s, -e**⟩ condensate; (*fig*) distillation, condensation **Kondensation** [kɔndɛnza'tsioːn] *f* ⟨**-, -en**⟩ condensation **Kondensator** [kɔndɛn'zaːtoːɐ] *m* ⟨**-s, *Kondensatoren*** [-'toːrən]⟩ AUTO, CHEM condenser; ELEC *auch* capacitor **kondensieren** [kɔndɛn'ziːrən] *past part* ***kondensiert*** *v/t & v/i* to condense **Kondensmilch** *f* evaporated milk **Kondensstreifen** *m* AVIAT vapour (*Br*) *or* vapor (*US*) trail **Kondenswasser** *nt* condensation

Kondition [kɔndi'tsioːn] *f* ⟨**-, -en**⟩ condition; (≈ *Durchhaltevermögen*) stamina; ***er hat überhaupt keine ~*** he is completely unfit; (*fig*) he has absolutely no stamina **Konditionalsatz** *m* conditional clause **konditionieren** [kɔnditsio'niːrən] *past part* ***konditioniert*** *v/t* to condition **Konditionsschwäche** *f* lack *no pl* of fitness **konditionsstark** *adj* very fit **Konditionstraining** *nt* fitness training

Konditor [kɔn'diːtoːɐ] *m* ⟨**-s, *Konditoren*** [-'toːrən]⟩, **Konditorin** [-'toːrɪn] *f* ⟨**-, -nen**⟩ pastry cook (*Br*), confectioner (*US*) **Konditorei** *f* ⟨**-, -en**⟩ cake shop (*Br*), confectioner's shop (*US*); (*mit Café*) café

Kondolenzbuch *nt* book of condolence **Kondolenzschreiben** *nt* (≈ *Kondolenzbrief*) letter of condolence **kondolieren** [kɔndo'liːrən] *past part* ***kondoliert*** *v/i* (***jdm***) **~** to offer one's condolences (to sb)

Kondom [kɔn'doːm] *m or nt* ⟨**-s, -e**⟩ condom

Kondukteur [kɔndʊk'tøːɐ] *m* ⟨**-s, -e**⟩ (*Swiss*) conductor

Kondukteurin [kɔndʊk'tøːrɪn] *f* ⟨**-, -nen**⟩ (*Swiss*) conductress

Konfekt [kɔn'fɛkt] *nt* ⟨**-(e)s, -e**⟩ confectionery

Konfektion [kɔnfɛk'tsioːn] *f* ⟨**-, -en**⟩ (≈ *Bekleidung*) ready-to-wear clothes *pl or* clothing (*Br*) **Konfektionsgröße** *f* (clothing) size **Konfektionsware** *f* ready-to-wear clothing

Konferenz [kɔnfe'rɛnts] *f* ⟨**-, -en**⟩ conference; (≈ *Besprechung*) meeting **Konferenzdolmetscher(in)** *m*/(*f*) conference interpreter **Konferenzraum** *m* conference room **Konferenzschaltung** *f* (RADIO, TV) (television / radio) linkup **Konferenzteilnehmer(in)** *m*/(*f*) person attending a conference / meeting **konferieren** [kɔnfe'riːrən] *past part* ***konferiert*** *v/i* to confer (*über +acc* on *or* about), to have *or* hold a conference (*über +acc* on *or* about)

Konfession [kɔnfɛ'sioːn] *f* ⟨**-, -en**⟩ (religious) denomination **konfessionell** [kɔnfɛsio'nɛl] *adj* denominational **konfessionslos** *adj* nondenominational **Konfessionsschule** *f* denominational school

Konfetti [kɔn'fɛti] *nt* ⟨**-s**, *no pl*⟩ confetti

Konfiguration [kɔnfigura'tsioːn] *f* ⟨**-,**

-en⟩ configuration **konfigurieren** [kɔnfigu'riːrən] *past part* ***konfiguriert*** *v/t* to configure

Konfirmand [kɔnfɪr'mant] *m* ⟨***-en, -en*** [-dn]⟩, **Konfirmandin** [-'mandɪn] *f* ⟨***-, -nen***⟩ ECCL confirmand **Konfirmation** [kɔnfɪrma'tsioːn] *f* ⟨***-, -en***⟩ ECCL confirmation **konfirmieren** [kɔnfɪr'miːrən] *past part* ***konfirmiert*** *v/t* ECCL to confirm

Konfiserie [kõfizə'riː] *f* ⟨***-, -n*** [-'riːən]⟩ (*Swiss* ≈ *Konfekt*) confectionery

konfiszieren [kɔnfɪs'tsiːrən] *past part* ***konfisziert*** *v/t* to confiscate

Konfitüre [kɔnfi'tyːrə] *f* ⟨***-, -n***⟩ jam

Konflikt [kɔn'flɪkt] *m* ⟨***-s, -e***⟩ conflict; ***mit etw in ~ geraten*** to come into conflict with sth **konfliktgeladen** *adj* conflict-ridden; *Situation* explosive **konfliktscheu** *adj* ***~ sein*** to be afraid of conflict **Konfliktstoff** *m* cause for conflict

konform [kɔn'fɔrm] **I** *adj Ansichten etc* concurring **II** *adv* ***mit jdm/etw ~ gehen*** to agree with sb/sth (*in +dat* about) **Konformismus** [kɔnfɔr'mɪsmʊs] *m* ⟨***-,*** *no pl*⟩ conformism **Konformist** [kɔnfɔr'mɪst] *m* ⟨***-s, -***⟩, **Konformistin** [-ərɪn] *f* ⟨***-, -nen***⟩ (*pej*) conformist **konformistisch** [kɔnfɔr'mɪstɪʃ] *adj* conformist, conforming

Konfrontation [kɔnfrɔnta'tsioːn] *f* ⟨***-, -en***⟩ confrontation **Konfrontationskurs** *m* ***auf ~ gehen*** to be heading for a confrontation **konfrontieren** [kɔnfrɔn'tiːrən] *past part* ***konfrontiert*** *v/t* to confront (*mit* with)

konfus [kɔn'fuːs] *adj* confused **Konfusion** *f* ⟨***-, -en***⟩ confusion

Konglomerat [kɔnglome'raːt, kɔŋ-] *nt* ⟨***-(e)s, -e***⟩ (≈ *Ansammlung*) conglomeration

Kongo ['kɔŋgo] *m* ⟨***-(s)***⟩ Congo **kongolesisch** [kɔŋgo'leːzɪʃ] *adj* Congolese

Kongress [kɔn'grɛs, kɔŋ-] *m* ⟨***-es, -e***⟩ **1.** POL congress; (*fachlich*) convention **2.** (*in USA*) Congress **Kongresshalle** *f* congress *or* conference hall **Kongressteilnehmer(in)** *m*/(*f*) person attending a congress *or* conference **Kongresszentrum** *nt* congress *or* conference centre (*Br*) *or* center (*US*)

kongruent [kɔngru'ɛnt, kɔŋ-] *adj* MAT congruent; (*elev*) *Ansichten* concurring **Kongruenz** [kɔngru'ɛnts, kɔŋ-] *f* ⟨***-, -en***⟩ MAT congruence; (*elev*: *von Ansichten*) concurrence

Konifere [koni'feːrə] *f* ⟨***-, -n***⟩ conifer

König ['køːnɪç] *m* ⟨***-s, -e*** [-gə]⟩ king **Königin** ['køːnigɪn] *f* ⟨***-, -nen***⟩ *also* ZOOL queen **Königinmutter** *f*, *pl* ***-mütter*** queen mother **Königinpastete** *f* vol-au-vent **königlich** ['køːnɪklɪç] **I** *adj* royal; *Gehalt* princely; ***Seine Königliche Hoheit*** His Royal Highness **II** *adv* **1.** (*infml*) ***sich ~ amüsieren*** to have the time of one's life (*infml*) **2.** (≈ *fürstlich*) *bewirten* like royalty; *belohnen* richly **Königreich** *nt* kingdom **Königshaus** *nt* royal dynasty **Königtum** ['køːnɪçtuːm] *nt* ⟨***-s, -tümer*** [-tyːmɐ]⟩ **1.** *no pl* kingship **2.** (≈ *Reich*) kingdom

Konjugation [kɔnjuga'tsioːn] *f* ⟨***-, -en***⟩ conjugation **konjugieren** [kɔnju'giːrən] *past part* ***konjugiert*** *v/t* to conjugate

Konjunktion [kɔnjʊŋk'tsioːn] *f* ⟨***-, -en***⟩ conjunction

Konjunktiv ['kɔnjʊŋktɪf] *m* ⟨***-s, -e*** [-və]⟩ GRAM subjunctive **Konjunktivsatz** *m* GRAM subjunctive clause

Konjunktur [kɔnjʊŋk'tuːɐ] *f* ⟨***-, -en***⟩ economic situation, economy; (≈ *Hochkonjunktur*) boom **Konjunkturabschwächung** *f*, **Konjunkturabschwung** *m* economic downturn **Konjunkturaufschwung** *m* economic upturn **konjunkturbedingt** *adj* influenced by *or* due to economic factors **Konjunkturbelebung** *f* business revival; (≈ *aktives Beleben der Konjunktur*) stimulation of the economy **konjunkturell** [kɔnjʊŋktu'rɛl] **I** *adj* economic **II** *adv* economically; ***~ bedingt*** caused by economic factors **Konjunkturflaute** *f* economic slowdown **Konjunkturklima** *nt* economic *or* business climate **Konjunkturpolitik** *f* economic (stabilization) policy **Konjunkturrückgang** *m* slowdown in the economy **Konjunkturschwäche** *f* weakness in the economy

konkav [kɔn'kaːf, kɔŋ-] *adj* concave

konkret [kɔn'kreːt, kɔŋ-] *adj* concrete; ***ich kann dir nichts Konkretes sagen*** I can't tell you anything concrete; ***drück dich etwas ~er aus*** would you put that in rather more concrete terms **konkretisieren** [kɔnkreti'ziːrən, kɔŋ-] *past part* ***konkretisiert*** *v/t* to put in concrete form *or* terms

Konkubine [kɔnku'biːnə, kɔŋ-] *f* ⟨***-, -n***⟩ concubine

Konkurrent [kɔnkʊ'rɛnt, kɔŋ-] *m* ⟨***-en,***

-en〉, **Konkurrentin** [-'rɛntɪn] *f* 〈**-, -nen**〉 rival; COMM *auch* competitor **Konkurrenz** [kɔnkʊ'rɛnts, kɔŋ-] *f* 〈**-, -en**〉 (≈ *Wettbewerb*) competition; (≈ *Konkurrenzbetrieb*) competitors *pl*; (≈ *Gesamtheit der Konkurrenten*) competition; ***jdm ~ machen*** to compete with sb; ***zur ~ (über)gehen*** to go over to the competition **konkurrenzfähig** *adj* competitive **Konkurrenzkampf** *m* competition **konkurrenzlos** *adj* without competition

konkurrieren [kɔnkʊ'riːrən, kɔŋ-] *past part* ***konkurriert*** *v/i* to compete

Konkurs [kɔn'kʊrs, kɔŋ-] *m* 〈**-es, -e**〉 bankruptcy; ***in ~ gehen*** to go bankrupt; ***~ machen*** (*infml*) to go bust (*infml*) **Konkursmasse** *f* bankrupt's estate **Konkursverfahren** *nt* bankruptcy proceedings *pl* **Konkursverwalter(in)** *m/(f)* receiver; (*von Gläubigern bevollmächtigt*) trustee

können ['kœnən] *pret* ***konnte*** ['kɔntə], *past part* ***gekonnt*** *or* (*bei modal aux vb*) ***können*** [gə'kɔnt, 'kœnən] *v/t & v/i, modal aux* **1.** (≈ *vermögen*) to be able to; ***ich kann das machen*** I can do it, I am able to do it; ***ich kann das nicht machen*** I cannot *or* can't do it, I am not able to do it; ***morgen kann ich nicht*** I can't (manage) tomorrow; ***das hättest du gleich sagen ~*** you could have said that straight away; ***ich kann nicht mehr*** I can't go on; (*ertragen*) I can't take any more; (*essen*) I can't manage any more; ***so schnell er konnte*** as fast as he could *or* was able to **2.** (≈ *beherrschen*) *Sprache* to (be able to) speak; *Schach* to be able to play; *lesen, schwimmen etc* to be able to, to know how to; ***was du alles kannst!*** the things you can do!; ***er kann gut Englisch*** he speaks English well; ***er kann nicht schwimmen*** he can't swim; → ***gekonnt*** **3.** (≈ *dürfen*) to be allowed to; ***kann ich jetzt gehen?*** can I go now?; ***könnte ich ...?*** could I ...?; ***er kann mich (mal)*** (*infml*) he can go to hell (*infml*) **4.** ***Sie könnten recht haben*** you could *or* might *or* may be right; ***er kann jeden Augenblick kommen*** he could *or* might *or* may come any minute; ***das kann nicht sein*** that can't be true; ***es kann sein, dass er dabei war*** he could *or* might *or* may have been there; ***kann sein*** maybe, could be; ***ich kann nichts dafür*** it's not my fault **Können** *nt* 〈**-s**, *no pl*〉 ability, skill **Könner** ['kœnɐ] *m* 〈**-s, -**〉, **Könnerin** [-ərɪn] *f* 〈**-, -nen**〉 expert

Konsekutivsatz *m* consecutive clause

Konsens [kɔn'zɛns] *m* 〈**-es, -e** [-zə]〉 agreement

konsequent [kɔnze'kvɛnt] **I** *adj* consistent **II** *adv befolgen* strictly; *ablehnen* emphatically; *eintreten für* rigorously; *argumentieren* consistently; ***~ handeln*** to be consistent; ***wir werden ~ durchgreifen*** we will take rigorous action **konsequenterweise** *adv* to be consistent **Konsequenz** [kɔnze'kvɛnts] *f* 〈**-, -en**〉 consequence; ***die ~en tragen*** to take the consequences; ***(aus etw) die ~en ziehen*** to come to the obvious conclusion

konservativ [kɔnzɛrva'tiːf, 'kɔnzɛrvatiːf] **I** *adj* conservative; (*Br* POL) Conservative, Tory **II** *adv* conservatively **Konservative(r)** [kɔnzɛrva'tiːvə] *m/f(m) decl as adj* conservative; (*Br* POL) Conservative, Tory

Konservatorium [kɔnzɛrva'toːriʊm] *nt* 〈**-s, *Konservatorien*** [-riən]〉 conservatory

Konserve [kɔn'zɛrvə] *f* 〈**-, -n**〉 preserved food; (*in Dosen*) tinned (*Br*) *or* canned food; (≈ *Konservendose*) tin (*Br*), can; (MED ≈ *Blutkonserve etc*) stored blood *etc*; blood bottle; (≈ *Tonkonserve*) recorded music **Konservenbüchse** *f*, **Konservendose** *f* tin (*Br*), can **konservieren** [kɔnzɛr'viːrən] *past part* ***konserviert*** *v/t* to preserve **Konservierung** *f* 〈**-**, *no pl*〉 preservation **Konservierungsmittel** *nt* preservative

konsistent [kɔnzɪs'tɛnt] **I** *adj* **1.** (*fest*) *Masse* solid **2.** *Politik* consistent **II** *adv behaupten* consistently **Konsistenz** [kɔnzɪs'tɛnts] *f* 〈**-, -en**〉 consistency; (*von Gewebe*) texture

konsolidieren [kɔnzoli'diːrən] *past part* ***konsolidiert*** *v/t & v/r* to consolidate **Konsolidierung** *f* 〈**-, -en**〉 consolidation

Konsonant [kɔnzo'nant] *m* 〈**-en, -en**〉 consonant

Konsortium [kɔn'zɔrtsiʊm] *nt* 〈**-s, *Konsortien*** [-tsiən]〉 COMM consortium

Konspiration [kɔnspira'tsioːn] *f* 〈**-, -en**〉 conspiracy, plot **konspirativ** [kɔnspira'tiːf] *adj* conspiratorial; ***~e Wohnung*** safe house

konstant [kɔn'stant] **I** *adj* constant **II** *adv gut, hoch* consistently **Konstante** [kɔn'stantə] *f* ⟨**-(n), -n**⟩ constant
Konstellation [kɔnstɛla'tsioːn] *f* ⟨**-, -en**⟩ constellation
konstituieren [kɔnstitu'iːrən] *past part* ***konstitui̲ert*** *v/t* to constitute, to set up; ***~de Versammlung*** constituent assembly **Konstituierung** [kɔnstitu'iːrʊŋ] *f* ⟨**-, -en**⟩ (≈ *Gründung*) constitution **Konstitution** [kɔnstitu'tsioːn] *f* ⟨**-, -en**⟩ constitution **konstitutionell** [kɔnstitutsio'nɛl] *adj* constitutional
konstruieren [kɔnstru'iːrən] *past part* ***konstrui̲ert*** *v/t* to construct; ***ein konstruierter Fall*** a hypothetical case **Konstrukteur** [kɔnstrʊk'tøːɐ] *m* ⟨**-s, -e**⟩, **Konstrukteurin** [-'tøːrɪn] *f* ⟨**-, -nen**⟩ designer **Konstruktion** [kɔnstrʊk'tsioːn] *f* ⟨**-, -en**⟩ construction **Konstrukti̲onsbüro** *nt* drawing office **Konstrukti̲onsfehler** *m* (*im Entwurf*) design fault; (*im Aufbau*) structural defect **konstruktiv** [kɔnstrʊk'tiːf] **I** *adj* constructive **II** *adv* constructively
Kọnsul ['kɔnzʊl] *m* ⟨**-s, -n**⟩, **Kọnsulin** [-lɪn] *f* ⟨**-, -nen**⟩ consul **Konsula̲t** [kɔnzu'laːt] *nt* ⟨**-(e)s, -e**⟩ consulate
Konsultati̲on [kɔnzʊlta'tioːn] *f* ⟨**-, -en**⟩ (*form*) consultation **konsulti̲eren** [kɔnzʊl'tiːrən] *past part* ***konsulti̲ert*** *v/t* (*form*) to consult
Konsum [kɔn'zuːm] *m* ⟨**-s,** *no pl*⟩ (≈ *Verbrauch*) consumption **Konsu̲martikel** [kɔn'zuːm-] *m* consumer item **Konsumẹnt** [kɔnzu'mɛnt] *m* ⟨**-en, -en**⟩, **Konsumẹntin** [-'mɛntɪn] *f* ⟨**-, -nen**⟩ consumer **Konsu̲mgesellschaft** *f* consumer society **Konsu̲mgut** *nt usu pl* consumer item; ***Konsumgüter*** *pl* consumer goods *pl* **konsumi̲eren** [kɔnzu'miːrən] *past part* ***konsumi̲ert*** *v/t* to consume **Konsu̲mverzicht** *m* non-consumption
Kontạkt [kɔn'takt] *m* ⟨**-(e)s, -e**⟩ contact; ***mit jdm/etw in ~ kommen*** to come into contact with sb/sth; ***mit jdm ~ aufnehmen*** to get in contact *or* touch with sb **Kontạktadresse** *f* ***er hinterließ eine ~*** he left behind an address where he could be contacted **Kontạktanzeige** *f* personal ad **kontạktarm** *adj* ***er ist ~*** he lacks contact with other people **Kontạktarmut** *f* lack of human contact **Kontạktfrau** *f* (≈ *Agentin*) contact **kontạktfreudig** *adj* sociable, outgoing **Kontạktlinse** *f* contact lens **Kontạktmangel** *m* lack of contact **Kontạktmann** *m, pl* ***-männer*** (≈ *Agent*) contact **Kontạktperson** *f* contact **kontạktscheu** *adj* shy
Kontaminati̲on [kɔntamina'tsioːn] *f* ⟨**-, -en**⟩ contamination **kontamini̲eren** [kɔntami'niːrən] *past part* **kontamini̲ert** *v/i* to contaminate
Kọnter ['kɔntɐ] *m* ⟨**-s, -**⟩ (*Boxen*) counter(punch); (*Ballspiele*) counterattack, break **Kọnterangriff** *m* counterattack
Kọnterfei ['kɔntɐfai, kɔntɐ'fai] *nt* ⟨**-s, -s** *or* **-e**⟩ (*old, hum*) likeness, portrait
konterkari̲eren [kɔntɐka'riːrən] *past part* ***konterkari̲ert*** *v/t* to counteract; *Aussage* to contradict **kọntern** ['kɔntɐn] *v/t & v/i* to counter **Kọnterrevolution** *f* counter-revolution
Kontẹxt ['kɔntɛkst] *m* context
Kontinẹnt ['kɔntinɛnt, kɔnti'nɛnt] *m* ⟨**-(e)s, -e**⟩ continent **kontinenta̲l** [kɔntinɛn'taːl] *adj* continental **Kontinenta̲leuropa** *nt* the Continent
Kontingent [kɔntɪŋ'gɛnt] *nt* ⟨**-(e)s, -e**⟩ contingent; COMM quota, share
kontinui̲erlich [kɔntinu'iːɐlɪç] **I** *adj* continuous **II** *adv* continuously **Kontinuität** [kɔntinui'tɛːt] *f* ⟨**-,** *no pl*⟩ continuity
Kọnto ['kɔnto] *nt* ⟨**-s, Kọnten** *or* **Kọnti** ['kɔntn, 'kɔnti]⟩ account; ***auf meinem ~*** in my account; ***das geht auf mein ~*** (*infml*) (≈ *ich bin schuldig*) I am to blame for this **Kọntoauszug** *m* (bank) statement **Kọntobewegung** *f* transaction **kọntoführend** *adj Bank* where an account is held **Kọntoführungsgebühr** *f* bank charge **Kọntoinhaber(in)** *m/(f)* account holder **Kontokorrẹnt** ['kɔntokɔ'rɛnt] *nt* ⟨**-s, -e**⟩ current account, cheque account (*Br*), checking account (*US*) **Kọntonummer** *f* account number **Kọntostand** *m* balance
kọntra ['kɔntra] *prep +acc* against; JUR versus **Kọntra** ['kɔntra] *nt* ⟨**-s, -s**⟩ CARDS double; ***jdm ~ geben*** (*fig*) to contradict sb **Kọntrabass** *m* double bass **Kontrahent** [kɔntra'hɛnt] *m* ⟨**-en, -en**⟩, **Kontrahentin** [-'hɛntɪn] *f* ⟨**-, -nen**⟩ (≈ *Gegner*) adversary **Kọntraindikati̲on** [kɔntra-, 'kɔntra-] *f* MED contraindication
Kontrakti̲on [kɔntrak'tsioːn] *f* ⟨**-, -en**⟩ MED contraction
kontraprodukti̲v *adj* counterproductive
Kọntrapunkt *m* MUS counterpoint **konträ̲r** [kɔn'trɛːɐ] *adj* (*elev*) *Meinungen*

contrary, opposite

Kontrast [kɔn'trast] *m* ⟨**-(e)s, -e**⟩ contrast **kontrastarm** *adj* **~ sein** to be lacking in contrast **Kontrastbrei** *m* MED barium meal **kontrastieren** [kɔntras'tiːrən] *past part* **kontrastiert** *v/i* to contrast **Kontrastmittel** *nt* MED contrast medium **Kontrastprogramm** *nt* alternative programme (*Br*) *or* program (*US*) **kontrastreich** *adj* **~ sein** to be full of contrast

Kontrollabschnitt *m* COMM counterfoil, stub **Kontrolle** [kɔn'trɔlə] *f* ⟨**-, -n**⟩ **1.** control; ***über etw die ~ verlieren*** to lose control of sth; ***jdn unter ~ haben*** to have sb under control; ***der Brand geriet außer ~*** the fire got out of control **2.** (≈ *Nachprüfung*) check (+*gen* on); (≈ *Aufsicht*) supervision; ***jdn/etw einer ~ unterziehen*** to check sb/sth; ***~n durchführen*** to carry out checks **3.** (≈ *Stelle*) () checkpoint **Kontrolleur** [kɔntrɔ'løːɐ] *m* ⟨**-s, -e**⟩, **Kontrolleurin** [-'løːrɪn] *f* ⟨**-, -nen**⟩ inspector **Kontrollgang** *m*, *pl* **-gänge** (inspection) round **kontrollierbar** *adj* controllable **kontrollieren** [kɔntrɔ'liːrən] *past part* **kontrolliert** *v/t* **1.** to control **2.** (≈ *nachprüfen*) to check; (≈ *Aufsicht haben über*) to supervise; ***jdn/etw nach etw ~*** to check sb/sth for sth; ***Gemüse aus kontrolliert biologischem Anbau*** organically grown vegetables; ***staatlich kontrolliert*** state-controlled **Kontrolllampe** *f* pilot lamp; (AUTO: *für Ölstand*) warning light **Kontrollpunkt** *m* checkpoint **Kontrollturm** *m* control tower **Kontrollzentrum** *nt* control centre (*Br*) *or* center (*US*)

kontrovers [kɔntro'vɛrs] **I** *adj* controversial **II** *adv* ***(etw) ~ diskutieren*** to have a controversial discussion (about sth) **Kontroverse** [kɔntro'vɛrzə] *f* ⟨**-, -n**⟩ controversy

Kontur [kɔn'tuːɐ] *f* ⟨**-, -en**⟩ outline, contour; ***~en annehmen*** to take shape

Konvent [kɔn'vɛnt] *m* ⟨**-(e)s, -e**⟩ **1.** (≈ *Versammlung*) convention **2.** (≈ *Kloster*) convent; (≈ *Mönchskonvent*) monastery **Konvention** [kɔnvɛn'tsioːn] *f* ⟨**-, -en**⟩ convention **Konventionalstrafe** [kɔnvɛntsio'naːl-] *f* penalty (for breach of contract) **konventionell** [kɔnvɛntsio'nɛl] **I** *adj* conventional **II** *adv* conventionally

Konvergenz [kɔnvɛr'gɛnts] *f* ⟨**-, -en**⟩ convergence

Konversation [kɔnvɛrza'tsioːn] *f* ⟨**-, -en**⟩ conversation **Konversationslexikon** *nt* encyclopaedia (*Br*), encyclopedia (*US*)

Konversion [kɔnvɛr'zioːn] *f* ⟨**-, -en**⟩ conversion **konvertieren** [kɔnvɛr'tiːrən] *past part* **konvertiert** *v/t* to convert (*in* +*acc* to)

konvex [kɔn'vɛks] **I** *adj* convex **II** *adv* convexly

Konvoi ['kɔnvɔʏ, kɔn'vɔʏ] *m* ⟨**-s, -s**⟩ convoy

Konzentrat [kɔntsɛn'traːt] *nt* ⟨**-(e)s, -e**⟩ concentrate **Konzentration** [kɔntsɛntra'tsioːn] *f* ⟨**-, -en**⟩ concentration (*auf* +*acc* on) **Konzentrationsfähigkeit** *f* powers *pl* of concentration **Konzentrationslager** *nt* concentration camp **Konzentrationsschwäche** *f* weak *or* poor concentration **konzentrieren** [kɔntsɛn'triːrən] *past part* **konzentriert** *v/t & v/r* to concentrate (*auf* +*acc* on) **konzentriert** [kɔntsɛn'triːɐt] **I** *adj* concentrated **II** *adv arbeiten* intently; *nachdenken* intensely **konzentrisch** [kɔn'tsɛntrɪʃ] **I** *adj* concentric **II** *adv* concentrically

Konzept [kɔn'tsɛpt] *nt* ⟨**-(e)s, -e**⟩ (≈ *Rohentwurf*) draft; (≈ *Plan, Programm* ≈ *Plan*) plan; (≈ *Vorstellung*) concept; ***jdn aus dem ~ bringen*** to put sb off (*esp Br*); (*infml*: *aus dem Gleichgewicht*) to upset sb; ***aus dem ~ geraten*** to lose one's thread; ***jdm das ~ verderben*** to spoil sb's plans **Konzeption** [kɔntsɛp'tsioːn] *f* ⟨**-, -en**⟩ **1.** MED conception **2.** (*elev*) (≈ *Gedankengang*) idea **Konzeptpapier** *nt* rough paper

Konzern [kɔn'tsɛrn] *m* ⟨**-s, -e**⟩ combine

Konzert [kɔn'tsɛrt] *nt* ⟨**-(e)s, -e**⟩ concert **Konzerthalle** *f* concert hall **konzertiert** [kɔntsɛr'tiːɐt] *adj* ***~e Aktion*** FIN, POL concerted action **Konzertsaal** *m* concert hall, auditorium

Konzession [kɔntsɛ'sioːn] *f* ⟨**-, -en**⟩ **1.** (≈ *Gewerbeerlaubnis*) concession, licence (*Br*), license (*US*) **2.** (≈ *Zugeständnis*) concession (*an* +*acc* to) **Konzessivsatz** *m* GRAM concessive clause

Konzil [kɔn'tsiːl] *nt* ⟨**-s, -e** *or* **-ien** [-liən]⟩ council

konziliant [kɔntsi'liant] **I** *adj* (≈ *versöhnlich*) conciliatory; (≈ *entgegenkommend*) generous **II** *adv* ***sich ~ geben***

to be conciliatory

konzipieren [kɔntsiˈpiːrən] *past part* **konzipiert** *v/t* to conceive

Kooperation [ko|operaˈtsioːn] *f* ⟨-, **-en**⟩ cooperation **Kooperationspartner(in)** *m/(f)* cooperative partner, joint venture partner **kooperativ** [ko|operaˈtiːf] **I** *adj* cooperative **II** *adv* cooperatively **Kooperative** [ko|operaˈtiːvə] *f* ⟨-, **-n**⟩ ECON cooperative **kooperieren** [ko|opeˈriːrən] *past part* **kooperiert** *v/i* to cooperate

Koordinate [ko|ɔrdiˈnaːtə] *f* ⟨-, **-n**⟩ MAT coordinate **Koordinatenkreuz** *nt*, **Koordinatensystem** *nt* coordinate system **Koordination** [ko|ɔrdinaˈtsioːn] *f* ⟨-, **-en**⟩ coordination **Koordinator** [ko|ɔrdiˈnaːtoːɐ] *m* ⟨**-s, Koordinatoren** [-ˈtoːrən]⟩, **Koordinatorin** [-ˈtoːrɪn] *f* ⟨-, **-nen**⟩ coordinator **koordinieren** [ko|ɔrdiˈniːrən] *past part* **koordiniert** *v/t* to coordinate **Koordinierung** *f* ⟨-, **-en**⟩ coordination

Kopf [kɔpf] *gen* **Kopf(e)s**, *pl* **Köpfe** [ˈkœpfə] *m* ⟨**-(e)s, ⸚e** [ˈkœpfə]⟩ **1.** head; (≈ *Sinn*) head, mind; (≈ *Denker*) thinker; (≈ *leitende Persönlichkeit*) leader; (≈ *Bandenführer*) brains *sg*; ***~ oder Zahl?*** heads or tails?; ***~ hoch!*** chin up!; ***von ~ bis Fuß*** from head to foot; ***ein kluger ~*** an intelligent person; ***die besten Köpfe*** the best brains; ***seinen eigenen ~ haben*** (*infml*) to have a mind of one's own **2.** (*mit Präposition*) ***~ an ~*** SPORTS neck and neck; ***jdm Beleidigungen an den ~ werfen*** (*infml*) to hurl insults at sb; ***sich*** (*dat*) ***an den ~ fassen*** (*verständnislos*) to be left speechless; ***auf dem ~ stehen*** to stand on one's head; ***sie ist nicht auf den ~ gefallen*** she's no fool; ***etw auf den ~ stellen*** to turn sth upside down; ***jdm etw auf den ~ zusagen*** to tell sb sth to his/her face; ***der Gedanke will mir nicht aus dem ~*** I can't get the thought out of my head; ***sich*** (*dat*) ***etw aus dem ~ schlagen*** to put sth out of one's mind; ***sich*** (*dat*) ***etw durch den ~ gehen lassen*** to think about sth; ***etw im ~ haben*** to have sth in one's head; ***nichts als Fußball im ~ haben*** to think of nothing but football; ***andere Dinge im ~ haben*** to have other things on one's mind; ***er ist nicht ganz richtig im ~*** (*infml*) he is not quite right in the head (*infml*); ***das hältst du ja im ~ nicht aus!*** (*infml*) it's absolutely incredible! (*infml*); ***es will mir nicht in den ~*** I can't figure it out; ***sie hat es sich*** (*dat*) ***in den ~ gesetzt, das zu tun*** she's dead set on doing it; ***mit dem ~ durch die Wand wollen*** (*infml*) to be hell-bent on getting one's own way(, regardless); ***es muss ja nicht immer alles nach deinem ~ gehen*** you can't have things your own way all the time; ***5 Euro pro ~*** 5 euros each; ***das Einkommen pro ~*** the per capita income; ***jdm über den ~ wachsen*** (*lit*) to outgrow sb; (*fig*) (*Sorgen etc*) to be more than sb can cope with; ***ich war wie vor den ~ geschlagen*** I was dumbfounded; ***(jdm) zu ~(e) steigen*** to go to sb's head **3.** (*mit Verb*) ***einen kühlen ~ behalten*** to keep a cool head; ***seinen ~ durchsetzen*** to get one's own way; ***den ~ hängen lassen*** (*fig*) to be despondent; ***den ~ für jdn/etw hinhalten*** (*infml*) to take the rap for sb/sth (*infml*); ***für etw ~ und Kragen riskieren*** to risk one's neck for sth; ***ich weiß schon gar nicht mehr, wo mir der ~ steht*** I don't know if I'm coming or going; ***jdm den ~ verdrehen*** to turn sb's head; ***den ~ nicht verlieren*** not to lose one's head; ***jdm den ~ waschen*** (*fig infml*) to give sb a telling-off; ***sich*** (*dat*) ***über etw*** (*acc*) ***den ~ zerbrechen*** to rack one's brains over sth **Kopf-an-Kopf-Rennen** *nt* neck-and-neck race **Kopfbahnhof** *m* terminal (station) **Kopfball** *m* FTBL header **Kopfballtor** *nt* FTBL headed goal **Kopfbedeckung** *f* headgear **Köpfchen** [ˈkœpfçən] *nt* ⟨**-s, -**⟩ ***~ haben*** to be brainy (*infml*) **köpfen** [ˈkœpfn] *v/t* **1.** *jdn* to behead; (*hum*) *Flasche Wein* to crack (open); ***ein Ei ~*** to cut the top off an egg **2.** FTBL to head **Kopfende** *nt* head **Kopfgeld** *nt* bounty (*on sb's head*) **Kopfgeldjäger** *m* bounty hunter **kopfgesteuert** *adj Person, Handeln etc* rational **Kopfhaut** *f* scalp **Kopfhörer** *m* headphone **Kopfjäger(in)** *m/(f)* head-hunter **Kopfkissen** *nt* pillow **Kopfkissenbezug** *m* pillow case *or* slip **kopflastig** [-lastɪç] *adj* top-heavy **Kopflaus** *f* head louse **Köpfler** [ˈkœpflɐ] *m* ⟨**-s, -**⟩ (*Aus* ≈ *Kopfsprung, Kopfball*) header **kopflos I** *adj* (*fig*) in a panic; (*lit*) headless **II** *adv* ***~ handeln/reagieren*** to lose one's head **Kopfprämie** *f* reward **Kopfrechnen** *nt* mental arithmetic

Kopfsalat *m* lettuce **kopfscheu** *adj* timid, shy; ***jdn ~ machen*** to intimidate sb **Kopfschmerzen** *pl* headache; ***~ haben*** to have a headache; ***sich*** (*dat*) ***wegen etw ~ machen*** (*fig*) to worry about sth **Kopfschmerztablette** *f* headache tablet **Kopfschuss** *m* shot in the head **Kopfschütteln** *nt* ⟨***-s***, *no pl*⟩ ***mit einem ~*** with a shake of one's head **kopfschüttelnd** *adj, adv* shaking one's head **Kopfschutz** *m* (≈ *Kopfschützer*) headguard **Kopfsprung** *m* dive; ***einen ~ machen*** to dive (headfirst) **Kopfstand** *m* headstand; ***einen ~ machen*** to stand on one's head **Kopfsteinpflaster** *nt* cobblestones *pl* **Kopfsteuer** *f* poll tax **Kopfstütze** *f* headrest; AUTO head restraint **Kopftuch** *nt, pl* ***-tücher*** (head)scarf **kopfüber** *adv* headfirst **Kopfverletzung** *f* head injury **Kopfweh** [-veː] *nt* ⟨***-s***, *no pl*⟩ headache; ***~ haben*** to have a headache **Kopfwunde** *f* head wound **Kopfzerbrechen** *nt* ⟨***-s***, *no pl*⟩ ***jdm ~ machen*** to be a headache for sb (*infml*)

Kopie [ko'piː, (*Aus*) 'koːpiə] *f* ⟨***-, -n*** [-'piːən, (*Aus*) -piən]⟩ copy; (≈ *Ablichtung*) photocopy; PHOT print; (*fig*) carbon copy **kopieren** [ko'piːrən] *past part* ***kopiert*** *v/t* to copy; (≈ *nachahmen*) to imitate; (≈ *ablichten*) to photocopy **Kopierer** [ko'piːrɐ] *m* ⟨***-s, -***⟩ copier **Kopiergerät** *nt* photocopier **Kopierstift** *m* indelible pencil

Kopilot(in) ['koː-] *m/(f)* copilot

Koppel *f* ⟨***-, -n***⟩ **1.** (≈ *Weide*) paddock **2.** (≈ *Pferdekoppel*) string

koppeln ['kɔpln] *v/t* (≈ *verbinden*) to couple (*etw an etw acc* sth to sth); *Raumschiffe* to link up; *Ziele* to combine **Kopp(e)lung** ['kɔp(ə)lʊŋ] *f* ⟨***-, -en***⟩ (≈ *Verbindung*) coupling; (*von Raumschiffen*) linkup

Koproduktion ['koː-] *f* coproduction **Koproduzent(in)** ['koː-] *m/(f)* coproducer

Koralle [ko'ralə] *f* ⟨***-, -n***⟩ coral **Korallenriff** *nt* coral reef **korallenrot** *adj* coral(-red)

Koran [ko'raːn, 'koːra(ː)n] *m* ⟨***-s***, *no pl*⟩ Koran **Koranschule** *f* Koranic school

Korb [kɔrp] *m* ⟨***-(e)s, ⸗e*** ['kœrbə]⟩ **1.** basket **2.** (≈ *Korbgeflecht*) wicker **3.** (*infml*) ***einen ~ bekommen*** to be turned down; ***jdm einen ~ geben*** to turn sb down **Korbball** *m* basketball **Korbblütler** [-blyːtlɐ] *m* ⟨***-s, -***⟩ BOT composite (flower) **Körbchen** ['kœrpçən] *nt* ⟨***-s, -***⟩ **1.** (*von Hund*) basket **2.** (*von Büstenhalter*) cup **Korbflasche** *f* demijohn **Korbmacher(in)** *m/(f)* basket maker **Korbsessel** *m* wicker(work) *or* basket(work) chair

Kord *etc* [kɔrt] *m* ⟨***-(e)s, -e*** [-də]⟩ = ***Cord*** *etc*

Kordel ['kɔrdl] *f* ⟨***-, -n***⟩ cord

Kordhose *f* corduroy trousers *pl* (*esp Br*) *or* pants *pl* (*esp US*), cords *pl* (*infml*) **Kordjacke** *f* cord(uroy) jacket **Kordjeans** *f or pl* cord(uroy) jeans *pl*

Korea [ko'reːa] *nt* ⟨***-s***⟩ Korea **Koreaner** [kore'aːnɐ] *m* ⟨***-s, -***⟩, **Koreanerin** [-ərɪn] *f* ⟨***-, -nen***⟩ Korean **koreanisch** [kore-'aːnɪʃ] *adj* Korean

Korfu ['kɔrfu, kɔr'fuː] *nt* ⟨***-s***⟩ Corfu

Koriander [ko'riandɐ] *m* ⟨***-s***, *no pl*⟩ coriander

Korinthe [ko'rɪntə] *f* ⟨***-, -n***⟩ currant

Kork [kɔrk] *m* ⟨***-(e)s, -e***⟩ BOT cork **Korkeiche** *f* cork oak *or* tree **Korken** ['kɔrkn] *m* ⟨***-s, -***⟩ cork; (*aus Plastik*) stopper **Korkenzieher** [-tsiːɐ] *m* ⟨***-s, -***⟩ corkscrew **korkig** ['kɔrkɪç] *adj* corky

Kormoran [kɔrmo'raːn] *m* ⟨***-s, -e***⟩ cormorant

Korn[1] [kɔrn] *nt* ⟨***-(e)s, ⸗er*** ['kœrnɐ]⟩ **1.** (≈ *Samenkorn*) seed, grain; (≈ *Pfefferkorn*) corn; (≈ *Salzkorn, Sandkorn*, TECH) grain; (≈ *Hagelkorn*) stone **2.** *no pl* (≈ *Getreide*) grain, corn (*Br*)

Korn[2] *m* ⟨***-(e)s, -*** *or* ***-s***⟩ (≈ *Kornbranntwein*) corn schnapps

Korn[3] *nt* ⟨***-(e)s, -e***⟩ (*am Gewehr*) front sight, bead; ***jdn aufs ~ nehmen*** (*fig*) to start keeping tabs on sb

Kornblume *f* cornflower **Körnchen** ['kœrnçən] *nt* ⟨***-s, -***⟩ small grain, granule; ***ein ~ Wahrheit*** a grain of truth **Körnerfresser** *m* ⟨***-s, -***⟩, **Körnerfresserin** *f* ⟨***-, -nen***⟩ (*infml*) health food freak (*infml*) **Körnerfutter** *nt* grain *or* corn (*Br*) (for animal feeding) **Kornfeld** *nt* cornfield (*Br*), grain field **körnig** ['kœrnɪç] *adj* granular, grainy **Kornkammer** *f* granary

Körper ['kœrpɐ] *m* ⟨***-s, -***⟩ body; ***~ und Geist*** mind and body; ***am ganzen ~ zittern*** to tremble all over **Körperbau** *m, no pl* physique, build **körperbehindert** [-bəhɪndɐt] *adj* physically handicapped **Körperbehinderte(r)** *m/f(m) decl as adj* physically handicapped person **Körper-**

behinderung *f* (physical) disability *or* handicap **Körpergeruch** *m* body odour (*Br*) *or* odor (*US*), BO (*infml*) **Körpergewicht** *nt* weight **Körpergröße** *f* height **Körperhaltung** *f* posture, bearing **Körperkontakt** *m* physical *or* bodily contact **körperlich** ['kœrpɐlıç] **I** *adj* physical; (≈ *stofflich*) material; ***~e Arbeit*** manual work **II** *adv* physically **Körperpflege** *f* personal hygiene **Körperschaft** ['kœrpɐʃaft] *f* ⟨**-, -en**⟩ corporation, (corporate) body; ***gesetzgebende ~*** legislative body **Körperschaft(s)steuer** *f* corporation tax **Körpersprache** *f* body language **Körperteil** *m* part of the body **Körpertemperatur** *f* body temperature **Körperverletzung** *f* JUR physical injury

Korporal [kɔrpo'ra:l] *m* ⟨**-s, -e** *or* ***Korporäle*** [-'rɛ:lə]⟩, **Korporalin** [-'ra:lın] *f* ⟨**-, -nen**⟩ corporal **Korps** [ko:ɐ] *nt* ⟨**-, -** [ko:ɐ(s), ko:ɐs]⟩ MIL corps

korpulent [kɔrpu'lɛnt] *adj* corpulent

Korpus *nt* ⟨**-, *Korpora*** ['kɔrpora]⟩ LING corpus

korrekt [kɔ'rɛkt] **I** *adj* correct; ***politisch ~*** politically correct **II** *adv* correctly; *gekleidet* appropriately; *darstellen* accurately **Korrektheit** *f* ⟨**-**, *no pl*⟩ correctness; ***politische ~*** political correctness **Korrektor** [kɔ'rɛkto:ɐ] *m* ⟨**-s, *Korrektoren*** [-'to:rən]⟩, **Korrektorin** [-'to:rın] *f* ⟨**-, -nen**⟩ TYPO proofreader **Korrektur** [kɔrɛk'tu:ɐ] *f* ⟨**-, -en**⟩ correction; TYPO proofreading; ***~ lesen*** to proofread (*bei etw* sth) **Korrekturfahne** *f* galley (proof) **Korrekturflüssigkeit** *f* correction fluid, White-Out® (*US*) **Korrekturzeichen** *nt* proofreader's mark

Korrespondent [kɔrɛspɔn'dɛnt] *m* ⟨**-en, -en**⟩, **Korrespondentin** [-'dɛntın] *f* ⟨**-, -nen**⟩ correspondent **Korrespondenz** [kɔrɛspɔn'dɛnts] *f* ⟨**-, -en**⟩ correspondence **korrespondieren** [kɔrɛspɔn'di:rən] *past part* ***korrespondiert*** *v/i* to correspond

Korridor ['kɔrido:ɐ] *m* ⟨**-s, -e**⟩ corridor; (≈ *Flur*) hall

korrigieren [kɔri'gi:rən] *past part* ***korrigiert*** *v/t* to correct; *Meinung* to change

korrodieren [kɔro'di:rən] *past part* ***korrodiert*** *v/t & v/i* to corrode **Korrosion** [kɔro'zio:n] *f* ⟨**-, -en**⟩ corrosion **korrosionsbeständig** *adj* corrosion-resistant **Korrosionsschutz** *m* corrosion prevention

korrumpieren [kɔrʊm'pi:rən] *past part* ***korrumpiert*** *v/t* to corrupt **korrupt** [kɔ'rʊpt] *adj* corrupt **Korruptheit** *f* ⟨**-**, *no pl*⟩ corruptness **Korruption** [kɔrʊp'tsio:n] *f* ⟨**-**, *no pl*⟩ corruption

Korse ['kɔrzə] *m* ⟨**-n, -n**⟩, **Korsin** ['kɔrzın] *f* ⟨**-, -nen**⟩ Corsican

Korsett [kɔr'zɛt] *nt* ⟨**-s, -s** *or* **-e**⟩ corset

Korsika ['kɔrzika] *nt* ⟨**-s**⟩ Corsica **korsisch** ['kɔrzıʃ] *adj* Corsican

Korso ['kɔrso] *m* ⟨**-s, -s**⟩ (≈ *Umzug*) parade, procession

Kortison [kɔrti'zo:n] *nt* ⟨**-s, -e**⟩ MED cortisone

Koryphäe [kory'fɛ:ə] *f* ⟨**-, -n**⟩ genius; (*auf einem Gebiet*) eminent authority

koscher ['ko:ʃɐ] *adj* kosher

Kosename *m* pet name **Kosewort** *nt*, *pl* ***-wörter*** *or* ***-worte*** term of endearment

K.-o.-Sieg [ka:'|o:-] *m* knockout victory

Kosinus ['ko:zinʊs] *m* MAT cosine

Kosmetik [kɔs'me:tık] *f* ⟨**-**, *no pl*⟩ beauty culture; (≈ *Kosmetika*, *fig*) cosmetics *pl* **Kosmetiker** [kɔs'me:tıkɐ] *m* ⟨**-s, -**⟩, **Kosmetikerin** [-ərın] *f* ⟨**-, -nen**⟩ beautician, cosmetician **Kosmetikkoffer** *m* vanity case **Kosmetiksalon** beauty parlour (*Br*) *or* parlor (*US*) **Kosmetiktuch** *nt*, *pl* ***-tücher*** paper tissue **kosmetisch** [kɔs'me:tıʃ] **I** *adj* cosmetic **II** *adv behandeln* cosmetically

kosmisch ['kɔsmıʃ] *adj* cosmic **Kosmonaut** [kɔsmo'naut] *m* ⟨**-en, -en**⟩, **Kosmonautin** [-'nautın] *f* ⟨**-, -nen**⟩ cosmonaut **kosmopolitisch** [kɔsmopo'li:tıʃ] *adj* cosmopolitan **Kosmos** ['kɔsmɔs] *m* ⟨**-**, *no pl*⟩ cosmos

Kosovare [kɔso'va:rə] *m* ⟨**-n, -n**⟩ Kosovar **Kosovarin** [kɔso'va:rın] *f* ⟨**-, -nen**⟩ Kosovar (woman/girl) **Kosovo** ['kɔsovo] *m* ⟨**-s**⟩ GEOG **(der) ~** Kosovo

Kost [kɔst] *f* ⟨**-**, *no pl*⟩ **1.** (≈ *Nahrung*) fare; ***vegetarisch ~*** vegetarian diet **2.** ***~ und Logis*** board and lodging

kostbar *adj* (≈ *wertvoll*) valuable, precious; (≈ *luxuriös*) luxurious, sumptuous **Kostbarkeit** ['kɔstba:ɐkait] *f* ⟨**-, -en**⟩ (≈ *Gegenstand*) precious object; (≈ *Leckerbissen*) delicacy

kosten[1] ['kɔstn] *v/t* **1.** to cost; ***was kostet das?*** how much *or* what does it cost?; ***koste es, was es wolle*** whatever the cost; ***jdn sein Leben/den Sieg ~*** to cost sb his life/the victory **2.** (≈ *in Anspruch nehmen*) *Zeit, Geduld etc* to take

kọsten² *v/t & v/i* (≈ *probieren*) to taste; ***von etw ~*** to taste *or* try sth

Kọsten ['kɔstn] *pl* cost(s); (≈ *Unkosten*) expenses *pl*; ***die ~ tragen*** to bear the cost(s *pl*); ***auf ~ von*** *or +gen* (*fig*) at the expense of; ***auf seine ~ kommen*** to cover one's expenses; (*fig*) to get one's money's worth **kọstenbewusst** *adj* cost-conscious **Kọstenbewusstsein** *nt* cost-consciousness, cost-awareness **Kọstendämpfung** *f* ⟨-, **-en**⟩ curbing cost expansion **kọstendeckend I** *adj* ***~e Preise*** prices that cover one's costs **II** *adv* cost-effectively; ***~ arbeiten*** to cover one's costs **Kọstendeckung** *f* cost-effectiveness **kọstengünstig I** *adj* economical **II** *adv produzieren* economically **kọstenintensiv** *adj* ECON cost-intensive **kọstenlos** *adj, adv* free (of charge) **Kọsten-Nụtzen-Analyse** *f* cost-benefit analysis **kọstenpflichtig** [-pflɪçtɪç] *adj* liable to pay costs; ***eine Klage ~ abweisen*** to dismiss a case with costs **Kọstenrechnung** *f* calculation of costs **Kọstensenkung** *f* reduction in costs **kọstensparend** *adj* cost-saving **Kọstensteigerung** *f* increase in costs **Kọstenstelle** *f* cost centre (*Br*) *or* center (*US*) **Kọstenträger(in)** *m/(f)* **(der) ~ sein** to bear the cost **Kọstenvoranschlag** *m* (costs) estimate

kọ̈stlich ['kœstlɪç] **I** *adj* **1.** *Wein, Speise* exquisite **2.** (≈ *amüsant*) priceless **II** *adv* **1.** (≈ *gut*) *schmecken* delicious **2.** ***sich ~ amüsieren*** to have a great time **Kọ̈stlichkeit** *f* ⟨-, **-en**⟩ (≈ *köstliche Sache*) treat; ***eine kulinarische ~*** a culinary delicacy **Kọstprobe** *f* (*von Wein, Käse etc*) taste; (*fig*) sample

kọstspielig [-ʃpiːlɪç] *adj* costly

Kostü̲m [kɔs'tyːm] *nt* ⟨**-s, -e**⟩ **1.** THEAT costume **2.** (≈ *Maskenkostüm*) fancy dress **3.** (≈ *Damenkostüm*) suit **Kostü̲mball** *m* fancy-dress ball **Kostü̲mbildner** [-bɪltnɐ] *m* ⟨**-s, -**⟩, **Kostü̲mbildnerin** [-ərɪn] *f* ⟨-, **-nen**⟩ costume designer **kostümi̲eren** [kɔsty'miːrən] *past part* ***kostümi̲ert*** *v/r* to dress up **Kostü̲mprobe** *f* THEAT dress rehearsal

Ko̲t [koːt] *m* ⟨**-(e)s,** *no pl*⟩ (*form*) excrement

Kotelett ['kɔtlɛt, kɔt'lɛt] *nt* ⟨**-(e)s, -s** *or* (*rare*) **-e**⟩ chop

Kotelette [kotə'lɛtə] *f* ⟨-, **-n**⟩ *usu pl* sideburn

Kö̲ter ['køːtɐ] *m* ⟨**-s, -**⟩ (*pej*) damn dog (*infml*)

Ko̲tflügel *m* AUTO wing

kọtzen ['kɔtsn] *v/i* (*sl*) to throw up (*infml*), to puke (*sl*); ***das ist zum Kotzen*** it makes you sick **kọtzü̲bel** *adj* (*infml*) ***mir ist ~*** I feel like throwing up (*infml*)

Krạbbe ['krabə] *f* ⟨-, **-n**⟩ (ZOOL, *klein*) shrimp; (*größer*) prawn

krạbbeln ['krabln] *v/i aux sein* to crawl

Krạbbencocktail *m* prawn cocktail

Krạch [krax] *m* ⟨**-(e)s, ¨-e** ['krɛçə]⟩ **1.** *no pl* (≈ *Lärm*) noise, din; ***~ machen*** to make a noise *or* din **2.** (*infml* ≈ *Streit*) row (*infml*) (*um* about); ***mit jdm ~ haben*** to have a row with sb (*infml*); ***~ schlagen*** to make a fuss **krạchen** ['kraxn] **I** *v/i* **1.** to crash; (*Holz*) to creak; (*Schuss*) to ring out; ***gleich krachts*** (*infml*) there's going to be trouble; ***es hat gekracht*** (*infml*: *Zusammenstoß*) there's been a crash **2.** *aux sein* (*infml*) (≈ *brechen*) to break; (*Eis*) to crack **II** *v/r* (*infml*) to have a row (*infml*) **Krạcher** ['kraxɐ] *m* ⟨**-s, -**⟩ banger (*Br*), firecracker (*US*) **Krạcherl** ['kraxɐl] *nt* ⟨**-s, -n**⟩ (*Aus* ≈ *Limonade, Sprudel*) (fizzy) pop **Krạchmacher(in)** *m/(f)* (*infml*) (*lit*) noisy person; (*fig*) troublemaker

krạ̈chzen ['krɛçtsn] *v/i* to croak

Krạ̈cker ['krɛkɐ] *m* ⟨**-s, -**⟩ (≈ *Keks*) cracker

krạft [kraft] *prep +gen* (*form*) ***~ meines Amtes*** by virtue of my office

Krạft [kraft] *f* ⟨-, **¨-e** ['krɛftə]⟩ **1.** (*körperlich, sittlich*) strength *no pl*; (*geistig*) powers *pl*; (*von Stimme*) power; (≈ *Energie*) energy, energies *pl*; ***die Kräfte (mit jdm) messen*** to try one's strength (against sb); (*fig*) to pit oneself against sb; ***mit letzter ~*** with one's last ounce of strength; ***das geht über meine Kräfte*** it's too much for me; ***ich bin am Ende meiner ~*** I can't take any more; ***mit aller ~*** with all one's might; ***aus eigener ~*** by oneself; ***nach (besten) Kräften*** to the best of one's ability; ***wieder zu Kräften kommen*** to regain one's strength; ***die treibende ~*** (*fig*) the driving force; ***volle ~ voraus!*** NAUT full speed ahead **2.** *no pl* (JUR ≈ *Geltung*) force; ***in ~ sein/treten*** to be in/come into force; ***außer ~ sein*** to be no longer in force **3.** (≈ *Arbeitskraft*) employee, worker; (≈ *Haushaltskraft*) domestic help **Krạftakt** *m* strongman act; (*fig*) show of strength **Kraftanstrengung** *f* exertion **Kraftaufwand** *m* effort **Kraftausdruck** *m, pl* ***-ausdrücke*** swearword **Kraftbrühe** *f* beef tea **Kräfteverhältnis** *nt* POL balance of power; (*von Mannschaften etc*) relative strength **Kraftfahrer(in)** *m/(f)* (*form*) driver **Kraftfahrzeug** *nt* motor vehicle **Kraftfahrzeugbrief** *m* (vehicle) registration document **Kraftfahrzeugkennzeichen** *nt* (vehicle) registration **Kraftfahrzeugmechaniker(in)** *m/(f)* motor mechanic **Kraftfahrzeugschein** *m* (vehicle) registration document **Kraftfahrzeugsteuer** *f* motor vehicle tax, road tax (*Br*) **Kraftfahrzeugversicherung** *f* car insurance **Kraftfeld** *nt* PHYS force field **kräftig** ['krɛftɪç] **I** *adj* strong; *Pflanze* healthy; *Schlag* hard; *Händedruck* firm; *Essen* nourishing; ***eine ~e Tracht Prügel*** a good beating **II** *adv gebaut* strongly, powerfully; *zuschlagen, drücken* hard; *lachen* heartily; *fluchen* violently; ***etw ~ schütteln*** to give sth a good shake; ***jdn ~ verprügeln*** to give sb a thorough beating; ***die Preise sind ~ gestiegen*** prices have really gone up **kräftigen** ['krɛftɪgn] *v/t* to strengthen **kraftlos** *adj* (≈ *schwach*) weak; (≈ *machtlos*) powerless **Kraftlosigkeit** *f* 〈-, *no pl*〉 weakness **Kraftprobe** *f* test of strength **Kraftprotz** *m* (*infml*) muscle man (*infml*) **Kraftstoff** *m* fuel **Kraftstoffverbrauch** *m* fuel consumption **kraftstrotzend** *adj* vigorous **Krafttraining** *nt* power training **kraftvoll I** *adj Stimme* powerful **II** *adv* powerfully **Kraftwagen** *m* motor vehicle **Kraftwerk** *nt* power station

Kragen ['kra:gn] *m* 〈**-s, -** *or* (*S Ger, Sw auch*) **⸚** ['krɛ:gn]〉 collar; ***jdn beim ~ packen*** to grab sb by the collar; (*fig infml*) to collar sb; ***mir platzte der ~*** (*infml*) I blew my top (*infml*); ***jetzt gehts ihm an den ~*** (*infml*) he's (in) for it now (*infml*) **Kragenweite** *f* (*lit*) collar size; ***das ist nicht meine ~*** (*fig infml*) that's not my cup of tea (*infml*)

Krähe ['krɛ:ə] *f* 〈**-, -n**〉 crow **krähen** ['krɛ:ən] *v/i* to crow **Krähenfüße** *pl* (*an den Augen*) crow's feet *pl*

Krake ['kra:kə] *m* 〈**-n, -n**〉 octopus; MYTH Kraken

krakeelen [kra'ke:lən] *past part* ***krakeelt*** *v/i* (*infml*) to make a racket (*infml*)

Krakel ['kra:kl] *m* 〈**-s, -**〉 (*infml*) scrawl, scribble **Krakelei** [krakə'lai] *f* 〈**-, -en**〉 (*infml*) scrawl, scribble **krak(e)lig** ['kra:k(ə)lɪç] *adj* scrawly **krakeln** ['kra:kln] *v/t & v/i* to scrawl, to scribble

Kralle ['kralə] *f* 〈**-, -n**〉 claw; (≈ *Parkkralle*) wheel clamp (*Br*), Denver boot (*US*); ***jdn/etw in seinen ~n haben*** (*fig infml*) to have sb/sth in one's clutches **krallen** ['kralən] *v/r* ***sich an jdn/etw ~*** to cling to sb/sth

Kram [kra:m] *m* 〈**-(e)s,** *no pl*〉 (*infml*) (≈ *Gerümpel*) junk; (≈ *Zeug*) stuff (*infml*); (≈ *Angelegenheit*) business; ***das passt mir nicht in den ~*** it's a confounded nuisance **kramen** ['kra:mən] **I** *v/i* (≈ *wühlen*) to rummage about (*in +dat* in, *nach* for) **II** *v/t* ***etw aus etw ~*** to fish sth out of sth **Kramladen** *m* (*pej infml*) junk shop

Krampf [krampf] *m* 〈**-(e)s, ⸚e** ['krɛmpfə]〉 **1.** (≈ *Zustand*) cramp; (≈ *Zuckung*) spasm; (*wiederholt*) convulsion(s *pl*); (≈ *Anfall, Lachkrampf*) fit **2.** *no pl* (*infml*) (≈ *Getue*) palaver (*infml*); (≈ *Unsinn*) nonsense **Krampfader** *f* varicose vein **krampfartig I** *adj* convulsive **II** *adv* convulsively **krampfhaft I** *adj Zuckung* convulsive; (*infml* ≈ *verzweifelt*) desperate; *Lachen* forced *no adv* **II** *adv* ***sich ~ bemühen*** to try desperately hard; ***sich ~ an etw*** (*dat*) ***festhalten*** to cling desperately to sth **krampflösend** *adj* antispasmodic (*tech*)

Krampus ['krampʊs] *m* 〈**-**〉 (*Aus*) *companion of St Nicholas*

Kran [kra:n] *m* 〈**-(e)s, ⸚e** ['krɛ:nə]〉 〈*or* **-e**〉 **1.** crane **2.** (*dial* ≈ *Hahn*) tap (*esp Br*), faucet (*US*) **Kranführer(in)** *m/(f)* crane driver *or* operator

Kranich ['kra:nɪç] *m* 〈**-s, -e**〉 ORN crane

krank [kraŋk] *adj, comp* **⸚er** ['krɛŋkɐ], *sup* **⸚ste(r, s)** ['krɛŋkstə] (≈ *nicht gesund*) ill *usu pred*, sick (*also fig*); (≈ *leidend*) invalid; *Organ* diseased; *Zahn, Bein* bad; ***~ werden*** to fall ill *or* sick; ***schwer ~*** seriously ill; ***du machst mich ~!*** (*infml*) you get on my nerves! (*infml*) **kränkeln** ['krɛŋkln] *v/i* to be ailing **kranken** ['kraŋkn] *v/i* to suffer (*an +dat* from) **kränken** ['krɛŋkn] *v/t* ***jdn ~*** to hurt sb('s feelings); ***sie war sehr gekränkt*** she was very hurt **Krankenbesuch** *m* visit (to a sick person); (*von Arzt*) (sick) call **Krankenbett** *nt* sickbed **Krankengeld** *nt* sickness benefit; (*von Firma*) sick pay **Krankengymnast** [-gʏmnast] *m* 〈**-en, -en**〉,

Kraṇkengymnastin [-gymnastın] *f* ⟨**-, -nen**⟩ physiotherapist **Kraṇkengymnastik** *f* physiotherapy **Kraṇkenhaus** *nt* hospital **Kraṇkenhausaufenthalt** *m* stay in hospital **kraṇkenhausreif** *adj* ***jdn ~ schlagen*** to beat the hell out of sb (*infml*) **Kraṇkenkasse** *f*, **Kraṇkenkassa** (*Aus*) *f* medical insurance company **Kraṇkenpflege** *f* nursing **Kraṇkenpfleger** *m* orderly; (*mit Schwesternausbildung*) male nurse **Kraṇkenschein** *m* medical insurance record card **Kraṇkenschwester** *f* nurse **Kraṇkenversicherung** *f* medical insurance **Kraṇkenwagen** *m* ambulance **kraṇkfeiern** *v/i sep* (*infml*) to take a sickie (*infml*) **kraṇkhaft** *adj* **1.** diseased; *Aussehen* sickly **2.** (*seelisch*) pathological **Kraṇkheit** *f* ⟨**-, -en**⟩ illness; (*von Pflanzen*) disease; ***wegen ~*** due to illness; ***nach langer ~*** after a long illness; ***während/seit meiner ~*** during/since my illness **Kraṇkheitsbild** *nt* symptoms *pl* **Kraṇkheitserreger** *m* pathogen **kraṇklachen** *v/r* (*infml*) to kill oneself (laughing) (*infml*) **kräṇklich** ['krɛŋklıç] *adj* sickly **kraṇkmelden** *v/r sep* (*telefonisch*) to phone in sick; *esp* MIL to report sick **Kraṇkmeldung** *f* notification of illness **kraṇkschreiben** *v/t sep irr* ***jdn ~*** to give sb a medical certificate; *esp* MIL to put sb on the sick list **Kräṇkung** ['krɛŋkʊŋ] *f* ⟨**-, -en**⟩ insult

Kraṇz [krants] *m* ⟨***-es, ¨-e*** ['krɛntsə]⟩ **1.** wreath **2.** (≈ *kreisförmig Angeordnetes*) ring, circle **Kräṇzchen** ['krɛntsçən] *nt* ⟨**-s, -**⟩ (*fig* ≈ *Kaffeekränzchen*) coffee circle

Kraṗfen ['krapfn] *m* ⟨**-s, -**⟩ (*dial* COOK) ≈ doughnut (*Br*), ≈ donut (*US*)

kraṣs [kras] **I** *adj* **1.** (≈ *auffallend*) glaring; *Unterschied Fall* extreme; *Ungerechtigkeit*, *Lüge* blatant; *Außenseiter* rank **2.** (*sl* ≈ *toll*) wicked (*sl*) **II** *adv sich ausdrücken* crudely; *schildern* garishly; *kontrastieren* sharply; ***~ gesagt*** to put it bluntly

Kra̲ter ['kraːtɐ] *m* ⟨**-s, -**⟩ crater **Kra̲terlandschaft** *f* crater(ed) landscape

Kraṭzbürste *f* wire brush; (*infml*) prickly character **kraṭzbürstig** [-bʏrstıç] *adj* (*infml*) prickly **Kräṭze** ['krɛtsə] *f* ⟨**-**, *no pl*⟩ MED scabies **kraṭzen** ['kratsn] **I** *v/t* **1.** to scratch; (≈ *abkratzen*) to scrape (*von* off) **2.** (*infml* ≈ *stören*) to bother; ***das kratzt mich nicht*** (*infml*) I couldn't care less (about that) **II** *v/i* to scratch; ***es kratzt*** (***mir***) ***im Hals*** my throat feels rough; ***an etw*** (*dat*) ***~*** (*fig*) to scratch away at sth **III** *v/r* to scratch oneself **Kraṭzer** ['kratsɐ] *m* ⟨**-s, -**⟩ (≈ *Schramme*) scratch **kraṭzfest** *adj* non-scratch *attr*, scratchproof **kraṭzig** ['kratsıç] *adj* (*infml*) scratchy (*infml*) **Kraṭzwunde** *f* scratch

Kra̲u̲l [kraul] *nt* ⟨**-(s)**, *no pl*⟩ (*Schwimmen*) crawl

kra̲u̲len[1] ['kraulən] *aux haben or sein* SWIMMING **I** *v/i* to do the crawl **II** *v/t* ***er hat*** *or* ***ist 100 m gekrault*** he did a 100m crawl

kra̲u̲len[2] *v/t* to fondle

kra̲u̲s [kraus] *adj* crinkly; *Haar* frizzy; *Stirn* wrinkled; (*fig* ≈ *verworren*) muddled, confused **Kra̲u̲se** ['krauzə] *f* ⟨**-, -n**⟩ **1.** (≈ *Halskrause*) ruff; (*an Ärmeln etc*) ruffle, frill **2.** (*infml* ≈ *Frisur*) frizzy hair **krä̲u̲seln** ['krɔyzln] **I** *v/t Haar* to make frizzy; SEWING to gather; TEX to crimp; *Stirn* to knit; *Nase* to screw up; *Wasseroberfläche* to ruffle **II** *v/r* (*Haare*) to go frizzy; (*Stirn*, *Nase*) to wrinkle up **Kra̲u̲skopf** *m* (≈ *Mensch*) curly-head **krausziehen** [krausziehen] *v/t sep irr* ***die Stirn ~*** to knit one's brow; (*missbilligend*) to frown

Kra̲u̲t [kraut] *nt* ⟨**-(e)s, *Kräuter*** ['krɔytɐ]⟩ **1.** herb; ***dagegen ist kein ~ gewachsen*** (*fig*) there is no remedy for that; ***wie ~ und Rüben durcheinanderliegen*** (*infml*) to lie (around) all over the place (*infml*) **2.** *no pl* (≈ *Sauerkraut*) sauerkraut; (*S Ger*, *Aus* ≈ (*Weiß*)*kohl*) cabbage **Krä̲u̲terbutter** *f* herb butter **Krä̲u̲teressig** *m* aromatic vinegar **Krä̲u̲terkäse** *m* herb cheese **Krä̲u̲terlikör** *m* herbal liqueur **Krä̲u̲tertee** *m* herb(al) tea **Kra̲u̲tkopf** *m* (*S Ger*, *Aus*) cabbage **Kra̲u̲tsalat** *m* ≈ coleslaw **Kra̲u̲twickel** *m* (*S Ger*, *Aus*: COOK) stuffed cabbage leaves *pl*

Krawaḷl [kra'val] *m* ⟨**-s, -e**⟩ (≈ *Aufruhr*) riot; (*infml*) (≈ *Lärm*) racket (*infml*); ***~ machen*** (*infml*) to make a racket (*infml*); (*a.* **Krawall schlagen** ≈ *sich beschweren*) to kick up a fuss **Krawaḷlbruder** *m* (*infml*) hooligan; (≈ *Krakeeler*) rowdy (*infml*)

Krawaṭte [kra'vatə] *f* ⟨**-, -n**⟩ tie, necktie (*esp US*)

kraẋeln ['kraksln] *v/i aux sein* (*esp S Ger*,

Aus) to clamber (up)

Kreatin [krea'tiːn] *nt* ⟨**-(s)**, *no pl*⟩ MED creatine

Kreation [krea'tsioːn] *f* ⟨**-, -en**⟩ FASHION *etc* creation **kreativ** [krea'tiːf] **I** *adj* creative **II** *adv* creatively; **~ *begabt*** creative **Kreativität** [kreativi'tɛːt] *f* ⟨-, *no pl*⟩ creativity **Kreatur** [krea'tuːɐ] *f* ⟨**-, -en**⟩ **1.** creature **2.** *no pl* (≈ *alle Lebewesen*) ***die* ~** all creation

Krebs [kreːps] *m* ⟨**-es, -e**⟩ **1.** (≈ *Taschenkrebs*) crab; (≈ *Flusskrebs*) crayfish, crawfish (*US*); ***rot wie ein* ~** red as a lobster **2.** ASTROL Cancer **3.** MED cancer; **~ *erregend*** *or* ***auslösend*** carcinogenic **krebsen** ['kreːpsn] *v/i* (*infml* ≈ *sich abmühen*) to struggle **krebserregend** *adj* carcinogenic **krebsfördernd** *adj* cancer-inducing; **~ *wirken*** to increase the risk of (getting) cancer **Krebsforschung** *f* cancer research **Krebsgeschwür** *nt* MED cancerous ulcer; (*fig*) cancer **Krebsklinik** *f* cancer clinic **krebskrank** *adj* suffering from cancer; **~ *sein*** to have cancer **Krebskranke(r)** *m/f(m) decl as adj* cancer victim; (≈ *Patient*) cancer patient **krebsrot** *adj* red as a lobster **Krebstiere** *pl* crustaceans *pl*, crustacea *pl* **Krebsvorsorgeuntersuchung** *f* cancer checkup

Kredit [kre'diːt] *m* ⟨**-(e)s, -e**⟩ credit; ***auf* ~** on credit; **~ *haben*** (*fig*) to have standing **Kreditanstalt** *f* credit institution **Kreditaufnahme** *f* borrowing **Kreditbrief** *m* letter of credit **kreditfähig** *adj* creditworthy **Kreditgeber(in)** *m/(f)* creditor **Kreditgeschäft** *nt* credit transaction **Kredithai** *m* (*infml*) loan shark (*infml*) **kreditieren** [kredi'tiːrən] *past part* **kreditiert** *v/t* ***jdm einen Betrag* ~** to credit sb with an amount **Kreditinstitut** *nt* bank **Kreditkarte** *f* credit card **Kreditlimit** *nt* credit limit **Kreditnehmer** *m* ⟨**-s, -**⟩, **Kreditnehmerin** *f* ⟨**-, -nen**⟩ borrower **Kreditpolitik** *f* lending policy **Kreditrahmen** *m* credit range **Kreditwirtschaft** *f*, *no pl* banking industry **kreditwürdig** *adj* creditworthy **Kreditwürdigkeit** *f* creditworthiness

Kreide ['kraidə] *f* ⟨**-, -n**⟩ chalk; ***bei jdm in der* ~ *stehen*** to be in debt to sb **kreidebleich** *adj* (as) white as a sheet **Kreidefelsen** *m* chalk cliff **kreideweiß** *adj* = ***kreidebleich*** **Kreidezeichnung** *f* chalk drawing

kreieren [kre'iːrən] *past part* **kreiert** *v/t* to create

Kreis [krais] *m* ⟨**-es, -e** [-zə]⟩ **1.** circle; **(*weite*) ~*e ziehen*** (*fig*) to have (wide) repercussions; ***sich im* ~ *bewegen*** (*fig*) to go (a)round in circles; ***der* ~ *schließt sich*** (*fig*) we've *etc* come full circle; ***weite* ~*e der Bevölkerung*** wide sections of the population; ***im* ~*e seiner Familie*** with his family; ***eine Feier im kleinen* ~*e*** a celebration for a few close friends and relatives; ***das kommt in den besten* ~*en vor*** that happens even in the best of circles **2.** (ELEC ≈ *Stromkreis*) circuit **3.** (≈ *Stadtkreis*, *Landkreis*) district **Kreisbahn** *f* ASTRON, SPACE orbit **Kreisbewegung** *f* rotation, circular motion

kreischen ['kraiʃn] *v/i* to screech

Kreisdiagramm *nt* pie chart **Kreisel** ['kraizl] *m* ⟨**-s, -**⟩ (≈ *Spielzeug*) (spinning) top; (*infml*: *im Verkehr*) roundabout (*Br*), traffic circle (*US*), rotary (*US*) **kreisen** ['kraizn] *v/i aux sein or haben* to circle (*um* (a)round, *über +dat* over); (*Satellit*, *Planet*) to orbit (*um etw* sth); (*fig*: *Gedanken*) to revolve (*um* around); ***die Arme* ~ *lassen*** to swing one's arms around (in a circle) **kreisförmig** **I** *adj* circular **II** *adv* ***sich* ~ *bewegen*** to move in a circle; **~ *angelegt*** arranged in a circle **Kreislauf** *m* circulation; (*der Natur*) cycle **Kreislaufkollaps** *m* circulatory collapse **Kreislaufstörungen** *pl* circulatory trouble *sg* **Kreissäge** *f* circular saw

Kreißsaal *m* delivery room

Kreisstadt *f* district town, ≈ county town (*Br*) **Kreisumfang** *m* circumference (of a/the circle) **Kreisverkehr** *m* roundabout (*Br*), traffic circle (*US*), rotary (*US*) **Kreiswehrersatzamt** *nt* district recruiting office

Krematorium [krema'toːriʊm] *nt* ⟨**-s, *Krematorien*** [-riən]⟩ crematorium

Krempe ['krɛmpə] *f* ⟨**-, -n**⟩ (≈ *Hutkrempe*) brim

Krempel ['krɛmpl] *m* ⟨**-s**, *no pl*⟩ (*infml*) (≈ *Sachen*) stuff (*infml*); (≈ *wertloses Zeug*) junk

Kren [kreːn] *m* ⟨**-s**, *no pl*⟩ (*Aus*) horseradish

krepieren [kre'piːrən] *past part* **krepiert** *v/i aux sein* **1.** (≈ *platzen*) to explode **2.** (*infml*) (≈ *sterben*) to croak (it) (*infml*)

Krepp [krɛp] *m* ⟨**-s, -e** *or* **-s**⟩ crepe

Kreppapier *nt* crepe paper **Kreppsohle** *f* crepe sole

Kresse ['krɛsə] *f* ⟨-, *no pl*⟩ cress

Kreta ['kreːta] *nt* ⟨**-s**⟩ Crete **kretisch** ['kreːtɪʃ] *adj* Cretan

kreuz [krɔyts] *adv* ***~ und quer*** all over; ***~ und quer durch die Gegend*** all over the place **Kreuz** [krɔyts] *nt* ⟨***-es, -e***⟩ **1.** cross; (*als Anhänger etc*) crucifix; ***es ist ein ~ mit ihm/damit*** he's/it's an awful problem **2.** ANAT small of the back; ***ich habe Schmerzen im ~*** I've got (a) backache **3.** MUS sharp **4.** (≈ *Autobahnkreuz*) intersection **5.** (CARDS ≈ *Farbe*) clubs *pl* **Kreuzband** [-bant] *nt, pl* ***-bänder*** ANAT cruciate ligament **Kreuzbein** *nt* ANAT sacrum; (*von Tieren*) rump-bone **kreuzen** ['krɔytsn] **I** *v/t* to cross **II** *v/r* to cross; (*Interessen*) to clash; ***die Briefe haben sich gekreuzt*** the letters crossed in the post (*Br*) *or* mail **Kreuzer** ['krɔytsɐ] *m* ⟨**-s, -**⟩ NAUT cruiser **Kreuzfahrt** *f* NAUT cruise; ***eine ~ machen*** to go on a cruise **Kreuzfeuer** *nt* crossfire; ***ins ~ (der Kritik) geraten*** (*fig*) to come under fire (from all sides) **Kreuzgang** *m, pl* ***-gänge*** cloister **kreuzigen** ['krɔytsɪgn] *v/t* to crucify **Kreuzigung** ['krɔytsɪgʊŋ] *f* ⟨**-, -en**⟩ crucifixion **Kreuzkümmel** *m* cumin **Kreuzotter** *f* ZOOL adder, viper **Kreuzschlitzschraubenzieher** *m* Phillips® screwdriver **Kreuzschlüssel** *m* wheel brace **Kreuzung** ['krɔytsʊŋ] *f* ⟨**-, -en**⟩ **1.** (≈ *Straßenkreuzung*) crossroads *sg* **2.** (≈ *das Kreuzen*) crossing **3.** (≈ *Rasse*) hybrid; (≈ *Tiere*) cross, crossbreed **Kreuzverhör** *nt* cross-examination; ***jdn ins ~ nehmen*** to cross-examine sb **Kreuzweg** *m* crossroads *sg* **kreuzweise** *adv* crosswise; ***du kannst mich ~!*** (*infml*) (you can) get stuffed! (*Br infml*), you can kiss my ass! (*US sl*) **Kreuzworträtsel** *nt* crossword puzzle **Kreuzzug** *m* crusade

Krevette [kre'vɛtə] *f* ⟨**-, -n**⟩ shrimp

kribbelig ['krɪbəlɪç] *adj* (*infml*) edgy (*infml*) **kribbeln** ['krɪbln] **I** *v/t* (≈ *kitzeln*) to tickle; (≈ *jucken*) to make itch **II** *v/i* (≈ *jucken*) to itch; (≈ *prickeln*) to tingle; ***es kribbelt mir in den Fingern, etw zu tun*** (*infml*) I'm itching to do sth

kriechen ['kriːçn] *pret* ***kroch*** [krɔx], *past part* ***gekrochen*** [gə'krɔxn] *v/i aux sein* to creep, to crawl; (*fig: Zeit*) to creep by; (*fig* ≈ *unterwürfig sein*) to grovel (*vor +dat* before), to crawl (*vor +dat* to); ***auf allen vieren ~*** to crawl on all fours **Kriecher(in)** *m/(f)* (*infml*) groveller (*Br*), groveler (*US*), crawler (*Br infml*) **kriecherisch** ['kriːçərɪʃ] (*infml*) *adj* grovelling (*Br*), groveling (*US*) **Kriechspur** *f* crawler lane **Kriechtier** *nt* ZOOL reptile

Krieg [kriːk] *m* ⟨**-(e)s, -e** [-gə]⟩ war; ***einer Partei** etc **den ~ erklären*** (*fig*) to declare war on a party *etc*; ***~ führen (mit** or **gegen)*** to wage war (on); ***~ führend*** warring; ***sich im ~ befinden (mit)*** to be at war (with)

kriegen ['kriːgn] *v/t* (*infml*) to get; *Zug auch* to catch; ***sie kriegt ein Kind*** she's going to have a baby; ***dann kriege ich zu viel*** then it gets too much for me

Krieger ['kriːgɐ] *m* ⟨**-s, -**⟩, **Kriegerin** [-ərɪn] *f* ⟨**-, -nen**⟩ warrior **Kriegerdenkmal** *nt* war memorial **kriegerisch** ['kriːgərɪʃ] *adj* warlike *no adv*; *Haltung* belligerent; ***~e Auseinandersetzung*** military conflict **kriegführend** *adj* warring **Kriegführung** *f* warfare *no art* **Kriegsausbruch** *m* outbreak of war; ***es kam zum ~*** war broke out **kriegsbedingt** *adj* caused by (the) war **Kriegsbeginn** *m* start of the war **Kriegsbeil** *nt* tomahawk; ***das ~ begraben*** (*fig*) to bury the hatchet **Kriegsbemalung** *f* war paint **Kriegsberichterstatter(in)** *m/(f)* war correspondent **Kriegsbeschädigte(r)** *m/f(m) decl as adj* war-disabled person **Kriegsdienst** *m* military service **Kriegsdienstverweigerer** [-fɛɐvaigərɐ] *m* ⟨**-s, -**⟩, **Kriegsdienstverweigerin** [-ərɪn] *f* ⟨**-, -nen**⟩ conscientious objector **Kriegsende** *nt* end of the war **Kriegserklärung** *f* declaration of war **Kriegsfall** *m* (eventuality of a) war; ***dann träte der ~ ein*** then war would break out **Kriegsfilm** *m* war film **Kriegsfreiwillige(r)** *m/f(m) decl as adj* (wartime) volunteer **Kriegsfuß** *m* (*infml*) ***mit jdm auf ~ stehen*** to be at odds with sb **Kriegsgebiet** *nt* war zone **Kriegsgefahr** *f* danger of war **Kriegsgefangene(r)** *m/f(m) decl as adj* prisoner of war, P.O.W. **Kriegsgefangenschaft** *f* captivity; ***in ~ sein*** to be a prisoner of war **Kriegsgegner(in)** *m/(f)* opponent of a/the war; (≈ *Pazifist*) pacifist **Kriegsgericht** *nt* (wartime) court martial; ***jdn vor ein ~ stellen*** to court-martial sb **Kriegsherr(in)** *m/(f)* warlord **Kriegskamerad(in)** *m/(f)* fellow soldier **Kriegsopfer** *nt* war victim **Kriegsrecht** *nt* conventions of war *pl*; MIL martial law **Kriegsschauplatz** *m* theatre (*Br*) *or* theater (*US*) of war **Kriegsschiff** *nt* warship **Kriegsspiel** *nt* war game **Kriegsspielzeug** *nt* war toy **Kriegstreiber** *m* ⟨**-s, -**⟩, **Kriegstreiberin** *f* ⟨**-, -nen**⟩ (*pej*) warmonger **Kriegsverbrechen** *nt* war crime **Kriegsverbrecher(in)** *m/(f)* war criminal **Kriegsversehrte(r)** *m/f(m) decl as adj* war-disabled person **Kriegszeit** *f* wartime; ***in ~en*** in times of war **Kriegszustand** *m* state of war; ***im ~*** at war

Krim [krɪm] *f* ⟨**-**⟩ ***die ~*** the Crimea

Krimi ['kriːmi] *m* ⟨**-s, -s**⟩ (*infml*) (crime) thriller; (*rätselhaft*) whodunnit (*infml*) **Kriminalfilm** *m* crime film, crime movie (*esp US*); (*rätselhaft*) murder mystery **kriminalisieren** [kriminali'ziːrən] *past part* ***kriminalisiert*** *v/t* to criminalize **Kriminalist** [krimina'lɪst] *m* ⟨**-en, -en**⟩, **Kriminalistin** [-'lɪstɪn] *f* ⟨**-, -nen**⟩ criminologist **Kriminalistik** [krimina'lɪstɪk] *f* ⟨**-**, *no pl*⟩ criminology **kriminalistisch** [krimina'lɪstɪʃ] *adj* criminological **Kriminalität** [kriminali'tɛːt] *f* ⟨**-**, *no pl*⟩ crime; (≈ *Ziffer*) crime rate **Kriminalkommissar(in)** *m/(f)* detective superintendent **Kriminalpolizei** *f* criminal investigation department **Kriminalpolizist(in)** *m/(f)* detective **Kriminalroman** *m* (crime) thriller **kriminell** [krimi'nɛl] *adj* criminal; ***~ werden*** to become a criminal; ***~e Energie*** criminal resolve **Kriminelle(r)** [krimi'nɛlə] *m/f(m) decl as adj* criminal

Krimskrams ['krɪmskrams] *m* ⟨**-es**, *no pl*⟩ (*infml*) odds and ends *pl*

Kringel ['krɪŋl] *m* ⟨**-s, -**⟩ (*der Schrift*) squiggle **kringelig** ['krɪŋəlɪç] *adj* crinkly

Kripo ['kriːpo, 'krɪpo] *f* ⟨**-, -s**⟩ (*infml*) ***die ~*** the cops *pl* (*infml*)

Krippe ['krɪpə] *f* ⟨**-, -n**⟩ **1.** (≈ *Futterkrippe*) (hay)rack **2.** (≈ *Weihnachtskrippe*) crib; BIBLE crib, manger **3.** (≈ *Kinderhort*) crèche (*Br*), daycare centre (*Br*) *or* center (*US*) **Krippenspiel** *nt* nativity play **Krippentod** *m* cot death (*Br*), crib death (*US*)

Krise ['kriːzə] *f* ⟨**-, -n**⟩ crisis; ***er hatte eine schwere ~*** he was going through a difficult crisis; ***die ~ kriegen*** (*infml*) to go crazy (*infml*) **kriseln** ['kriːzln] *v/i impers* (*infml*) ***es kriselt*** trouble is brewing **krisenanfällig** *adj* crisis-prone **krisenfest** *adj* stable **Krisengebiet** *nt* crisis area **Krisenherd** *m* flash point, trouble spot **Krisenmanagement** *nt* crisis management **Krisenplan** *m* contingency plan **Krisenregion** *f* trouble spot **krisensicher** *adj* stable **Krisensituation** *f* crisis (situation) **Krisensitzung** *f* emergency session **Krisenstimmung** *f* crisis mood, mood of crisis

Kristall[1] [krɪs'tal] *m* ⟨**-s, -e**⟩ crystal

Kristall[2] *nt* ⟨**-s**, *no pl*⟩ (≈ *Kristallglas*) crystal (glass); (≈ *Kristallwaren*) crystalware **Kristallglas** *nt* crystal glass **kristallisieren** [krɪstali'ziːrən] *past part* ***kristallisiert*** *v/i & v/r* to crystallize **kristallklar** *adj* crystal-clear **Kristallleuchter** *m* crystal chandelier

Kriterium [kri'teːriʊm] *nt* ⟨**-s, Kriterien** [-riən]⟩ criterion

Kritik [kri'tiːk] *f* ⟨**-, -en**⟩ **1.** *no pl* criticism (*an +dat* of); ***an jdm/etw ~ üben*** to criticize sb/sth; ***unter aller ~ sein*** (*infml*) to be beneath contempt **2.** (≈ *Rezension*) review **Kritiker** ['kriːtikɐ] *m* ⟨**-s, -**⟩, **Kritikerin** [-ərɪn] *f* ⟨**-, -nen**⟩ critic **kritikfähig** *adj* able to criticize **kritiklos** *adj* uncritical; ***etw ~ hinnehmen*** to accept sth without criticism **Kritikpunkt** *m* point of criticism **kritisch** ['kriːtɪʃ] **I** *adj* critical **II** *adv sich äußern* critically; ***die Lage ~ beurteilen*** to make a critical appraisal of the situation; ***jdm ~ gegenüberstehen*** to be critical of sb **kritisieren** [kriti'ziːrən] *past part* ***kritisiert*** *v/t & v/i* to criticize **kritteln** ['krɪtln] *v/i* to find fault (*an +dat, über +acc* with)

Kritzelei [krɪtsə'lai] *f* ⟨**-, -en**⟩ scribble **kritzeln** ['krɪtsln] *v/t & v/i* to scribble, to scrawl

Kroate [kro'aːtə] *m* ⟨**-n, -n**⟩, **Kroatin** [-'aːtɪn] *f* ⟨**-, -nen**⟩ Croat, Croatian **Kroatien** [kro'aːtsiən] *nt* ⟨**-s**⟩ Croatia **kroatisch** [kro'aːtɪʃ] *adj* Croat, Croatian

Krokant [kro'kant] *m* ⟨**-s**, *no pl*⟩ COOK cracknel

Krokette [kro'kɛtə] *f* ⟨**-, -n**⟩ COOK croquette

Krokodil [kroko'diːl] *nt* ⟨**-s, -e**⟩ crocodile **Krokodilleder** *nt* crocodile skin **Krokodilstränen** *pl* crocodile tears *pl*

Krokus ['kroːkʊs] *m* ⟨**-, -** *or* **-se**⟩ crocus

Krone ['kroːnə] *f* ⟨**-, -n**⟩ **1.** crown; ***die ~ der Schöpfung*** the pride of creation;

das setzt doch allem die ~ auf (*infml*) that beats everything; ***einen in der ~ haben*** (*infml*) to be tipsy **2.** (≈ *Währungseinheit*) () crown; (*in Dänemark, Norwegen*) krone; (*in Schweden, Island*) krona
krönen ['krøːnən] *v/t* to crown; ***jdn zum König ~*** to crown sb king; ***von Erfolg gekrönt sein*** to be crowned with success
Kronerbe *m* heir to the crown **Kronerbin** *f* heiress to the crown **Kronjuwelen** *pl* crown jewels *pl* **Kronkolonie** *f* crown colony **Kronkorken** *m* crown cap **Kronleuchter** *m* chandelier **Kronprinz** *m* crown prince; (*in Großbritannien auch*) Prince of Wales **Kronprinzessin** *f* crown princess **Krönung** ['krøːnʊŋ] *f* ⟨-, **-en**⟩ coronation; (*fig, von Veranstaltung*) high point **Kronzeuge** ['kroːn-] *m*, **Kronzeugin** *f* JUR ***als ~ auftreten*** to turn King's/Queen's evidence (*Br*) *or* State's evidence (*US*); (≈ *Hauptzeuge sein*) to appear as principal witness
Kropf [krɔpf] *m* ⟨**-(e)s, ⸚e** ['krœpfə]⟩ **1.** (*von Vogel*) crop **2.** MED goitre (*Br*), goiter (*US*)
kross [krɔs] (*N Ger*) **I** *adj* crisp **II** *adv backen, braten* until crisp
Kröte ['krøːtə] *f* ⟨-, **-n**⟩ ZOOL toad
Krücke ['krʏkə] *f* ⟨-, **-n**⟩ crutch; ***an ~n*** (*dat*) ***gehen*** to walk on crutches
Krug [kruːk] *m* ⟨**-(e)s, ⸚e** ['kryːgə]⟩ (≈ *Milchkrug etc*) jug; (≈ *Bierkrug*) (beer) mug
Krümel ['kryːml] *m* ⟨**-s, -**⟩ (≈ *Brotkrümel etc*) crumb **krümelig** ['kryːməlɪç] *adj* crumbly **krümeln** ['kryːmln] *v/t & v/i* to crumble
krumm [krʊm] **I** *adj* **1.** crooked; *Beine* bandy; *Rücken* hunched; ***etw ~ biegen*** to bend sth; ***sich ~ und schief lachen*** (*infml*) to fall about laughing (*infml*) **2.** (*infml* ≈ *unehrlich*) ***ein ~es Ding drehen*** (*sl*) to do something crooked; ***etw auf die ~e Tour versuchen*** to try to wangle sth (*infml*) **II** *adv* ***~ stehen/sitzen*** to slouch; ***~ gehen*** to walk with a stoop; ***~ gewachsen*** crooked; ***keinen Finger ~ machen*** (*infml*) not to lift a finger
krümmen ['krʏmən] **I** *v/t* to bend; ***gekrümmte Oberfläche*** curved surface **II** *v/r* to bend; (*Fluss*) to wind; (*Straße*) to curve; ***sich vor Schmerzen*** (*dat*) ***~*** to double up with pain **krummlachen** *v/r sep* (*infml*) to double up with laughter **krummnehmen** *v/t sep irr* (*infml*) (***jdm***) ***etw ~*** to take offence (*Br*) *or* offense (*US*) at sth **Krümmung** ['krʏmʊŋ] *f* ⟨-, **-en**⟩ (*von Weg, Fluss*) turn; MAT, MED curvature; OPT curvature
Krüppel ['krʏpl] *m* ⟨**-s, -**⟩ cripple; ***jdn zum ~ machen*** to cripple sb
Kruste ['krʊstə] *f* ⟨-, **-n**⟩ crust; (*von Schweinebraten*) crackling; (*von Braten*) crisped outside **Krustentier** *nt* crustacean **krustig** ['krʊstɪç] *adj* crusty
Krux [krʊks] *f* ⟨-, *no pl*⟩ (≈ *Schwierigkeit*) trouble, problem; ***die ~ bei der Sache ist, ...*** the trouble *or* problem (with that) is ...
Kruzifix ['kruːtsifɪks, krutsi'fɪks] *nt* ⟨**-es, -e**⟩ crucifix
kryptisch ['krʏptɪʃ] *adj Bemerkung* cryptic **Kryptogramm** *nt*, *pl* **-gramme** cryptogram
Kuba ['kuːba] *nt* ⟨**-s**⟩ Cuba **Kubaner** [ku'baːnɐ] *m* ⟨**-s, -**⟩, **Kubanerin** [-ərɪn] *f* ⟨-, **-nen**⟩ Cuban **kubanisch** [ku'baːnɪʃ] *adj* Cuban
Kübel ['kyːbl] *m* ⟨**-s, -**⟩ bucket; (*für Pflanzen*) tub; ***es regnet wie aus ~n*** it's bucketing down (*Br*), it's coming down in buckets (*US*) **Kübelpflanze** *f* container plant
Kubik [ku'biːk] *nt* ⟨-, -⟩ (AUTO *infml* ≈ *Hubraum*) cc **Kubikmeter** *m or nt* cubic metre (*Br*) *or* meter (*US*) **Kubikwurzel** *f* cube root **Kubikzahl** *f* cube number **Kubikzentimeter** *m or nt* cubic centimetre (*Br*) *or* centimeter (*US*) **kubisch** ['kuːbɪʃ] *adj* cubic(al) **Kubismus** [ku'bɪsmʊs] *m* ⟨-, *no pl*⟩ ART cubism
Küche ['kʏçə] *f* ⟨-, **-n**⟩ **1.** kitchen; (*klein*) kitchenette **2.** (≈ *Kochkunst*) ***chinesische ~*** Chinese cooking **3.** (≈ *Speisen*) dishes *pl*, food; ***warme/kalte ~*** hot/cold food
Kuchen ['kuːxn] *m* ⟨**-s, -**⟩ cake; (*mit Obst gedeckt*) (fruit) flan
Küchenchef(in) *m*/(*f*) chef
Kuchenform *f* cake tin (*Br*) *or* pan (*US*)
Kuchengabel *f* pastry fork
Küchengerät *nt* kitchen utensil; (*elektrisch*) kitchen appliance **Küchenherd** *m* cooker (*Br*), range (*US*) **Küchenhilfe** *f* kitchen help **Küchenmaschine** *f* food processor **Küchenmesser** *nt* kitchen knife **Küchenpersonal** *nt* kitchen staff **Küchenschabe** *f* ZOOL cockroach **Küchenschrank** *m* (kitchen) cupboard
Kuchenteig *m* cake mixture; (≈ *Hefe-*

teig) dough **Kuchenteller** *m* cake plate **Küchentisch** *m* kitchen table **Küchentuch** *nt*, *pl* ***-tücher*** kitchen towel

Kuckuck ['kʊkʊk] *m* ⟨***-s, -e***⟩ **1.** cuckoo **2.** (*infml* ≈ *Siegel des Gerichtsvollziehers*) bailiff's seal (for distraint of goods) **3.** (*infml*) ***zum ~*** (***noch mal***)***!*** hell's bells! (*infml*); (***das***) ***weiß der ~*** heaven (only) knows (*infml*) **Kuckucksuhr** *f* cuckoo clock

Kuddelmuddel ['kʊdlmʊdl] *m or nt* ⟨***-s,*** *no pl*⟩ (*infml*) muddle

Kufe ['ku:fə] *f* ⟨***-, -n***⟩ (*von Schlitten etc*) runner; (*von Flugzeug*) skid

Küfer ['ky:fɐ] *m* ⟨***-s, -***⟩, **Küferin** [-ərɪn] *f* ⟨***-, -nen***⟩ cellarman/-woman; (*S Ger, Swiss* ≈ *Böttcher*) cooper

Kugel ['ku:gl] *f* ⟨***-, -n***⟩ ball; (*geometrische Figur*) sphere; (≈ *Erdkugel*) globe; (≈ *Kegelkugel*) bowl; (≈ *Gewehrkugel*) bullet; (*für Luftgewehr*) pellet; (≈ *Kanonenkugel*) (cannon)ball; (SPORTS ≈ *Stoßkugel*) shot; ***eine ruhige ~ schieben*** (*infml*) to have a cushy number (*infml*) **Kugelblitz** *m* METEO ball lightning **kugelförmig** *adj* spherical **Kugelhagel** *m* hail of bullets **Kugelkopf** *m* golf ball **Kugellager** *nt* ball bearing **kugeln** ['ku:gln] **I** *v/i aux sein* (≈ *rollen, fallen*) to roll **II** *v/r* to roll (around); ***sich*** (***vor Lachen***) ***~*** (*infml*) to double up (laughing) **kugelrund** *adj* as round as a ball **Kugelschreiber** *m* ballpoint (pen), Biro® (*Br*) **kugelsicher** *adj* bullet-proof **Kugelstoßen** *nt* ⟨***-s,*** *no pl*⟩ shot-putting **Kugelstoßer** [-ʃto:sɐ] *m* ⟨***-s, -***⟩, **Kugelstoßerin** [-ərɪn] *f* ⟨***-, -nen***⟩ shot-putter

Kuh [ku:] *f* ⟨***-, ⸚e*** ['ky:ə]⟩ cow; ***heilige ~*** sacred cow **Kuhdorf** *nt* (*pej infml*) one-horse town (*infml*) **Kuhfladen** *m* cowpat **Kuhglocke** *f* cowbell **Kuhhandel** *m* (*pej infml*) horse-trading *no pl* (*infml*) **Kuhhaut** *f* cowhide; ***das geht auf keine ~*** (*infml*) that is absolutely staggering

kühl [ky:l] **I** *adj* cool; ***mir wird etwas ~*** I'm getting rather chilly; ***einen ~en Kopf bewahren*** to keep a cool head **II** *adv* ***etw ~ lagern*** to store sth in a cool place; ***„kühl servieren"*** "serve chilled" **Kühlaggregat** *nt* refrigeration unit **Kühlanlage** *f* refrigeration plant **Kühlbecken** *nt* (*für Brennelemente*) cooling pond **Kühlbox** *f* cooler

Kuhle ['ku:lə] *f* ⟨***-, -n***⟩ (*N Ger*) hollow; (≈ *Grube*) pit

Kühle ['ky:lə] *f* ⟨***-,*** *no pl*⟩ coolness **kühlen** ['ky:lən] **I** *v/t* to cool; (*auf Eis*) to chill; → ***gekühlt*** **II** *v/i* to be cooling **Kühler** ['ky:lɐ] *m* ⟨***-s, -***⟩ TECH cooler; AUTO radiator; (*infml* ≈ *Kühlerhaube*) bonnet (*Br*), hood (*US*) **Kühlerfigur** *f* AUTO radiator mascot (*Br*), hood ornament (*US*) **Kühlerhaube** *f* AUTO bonnet (*Br*), hood (*US*) **Kühlfach** *nt* freezer compartment (*Br*), deep freeze **Kühlhaus** *nt* cold storage depot **Kühlmittel** *nt* TECH coolant **Kühlraum** *m* cold storage room **Kühlschrank** *m* fridge (*Br*), refrigerator **Kühltasche** *f* cold bag **Kühltruhe** *f* (chest) freezer **Kühlturm** *m* TECH cooling tower **Kühlung** ['ky:lʊŋ] *f* ⟨***-,*** *no pl*⟩ cooling; ***zur ~ des Motors*** to cool the engine **Kühlwasser** *nt* coolant; AUTO radiator water

Kuhmilch *f* cow's milk **Kuhmist** *m* cow dung

kühn [ky:n] **I** *adj* bold **II** *adv* boldly **Kühnheit** *f* ⟨***-, -en,*** *no pl*⟩ boldness

k. u. k. ['ka:|ʊnt'ka:] (*Aus* HIST) *abbr of* ***kaiserlich und königlich*** imperial and royal

Küken ['ky:kn] *nt* ⟨***-s, -***⟩ (≈ *Huhn*) chick; (*infml* ≈ *jüngste Person*) baby

Kukuruz ['kʊkurʊts, 'ku:kurʊts] *m* ⟨***-(es),*** *no pl*⟩ (*Aus*) maize, corn

kulant [ku'lant] **I** *adj* accommodating; *Bedingungen* fair **II** *adv* accommodatingly **Kulanz** [ku'lants] *f* ⟨***-,*** *no pl*⟩ ***aus ~*** as a courtesy

Kuli ['ku:li] *m* ⟨***-s, -s***⟩ **1.** (≈ *Lastträger*) coolie **2.** (*infml* ≈ *Kugelschreiber*) ballpoint (pen), Biro® (*Br*)

kulinarisch [kuli'na:rɪʃ] *adj* culinary

Kulisse [ku'lɪsə] *f* ⟨***-, -n***⟩ scenery *no pl*; (*an den Seiten*) wing; (≈ *Hintergrund*) backdrop; ***hinter den ~n*** (*fig*) behind the scenes

kullern ['kʊlɐn] *v/t & v/i* (*infml*) to roll

Kult [kʊlt] *m* ⟨***-(e)s, -e***⟩ cult; (≈ *Verehrung*) worship; ***einen ~ mit jdm/etw treiben*** to make a cult out of sb/sth **Kultfigur** *f* cult figure **Kultfilm** *m* cult film **kultig** ['kʊltɪç] *adj* (*sl*) cult *attr*, culty (*sl*) **kultivieren** [kʊlti'vi:rən] *past part* ***kultiviert*** *v/t* to cultivate **kultiviert** [kʊlti'vi:ɐt] **I** *adj* cultivated, refined **II** *adv* *speisen, sich einrichten* stylishly; *sich ausdrücken* in a refined manner **Kultstätte** *f* place of worship **Kultur** [kʊl-

'tu:ʁ] *f* ⟨**-, -en**⟩ **1.** *no pl* culture; ***er hat keine ~*** he is uncultured **2.** (≈ *Lebensform*) civilization **Kulturangebot** *nt* programme (*Br*) *or* program (*US*) of cultural events; ***Münchens vielfältiges ~*** Munich's rich and varied cultural life **Kulturbanause** *m*, **Kulturbanausin** *f* (*infml*) philistine **Kulturbetrieb** *m* (*infml*) culture industry **Kulturbeutel** *m* sponge *or* toilet bag (*Br*), washbag **kulturell** [kʊltu'rɛl] **I** *adj* cultural **II** *adv* culturally **Kulturerbe** *nt* cultural heritage **Kulturgeschichte** *f* history of civilization **kulturgeschichtlich** *adj* historico-cultural **Kulturhauptstadt** *f* cultural capital **Kulturhoheit** *f* independence in matters of education and culture **Kulturkreis** *m* culture group *or* area **Kulturkritik** *f* critique of (our) culture **kulturlos** *adj* lacking culture **Kulturminister(in)** *m*/(*f*) minister of education and the arts **Kulturpflanze** *f* cultivated plant **Kulturpolitik** *f* cultural and educational policy **kulturpolitisch** *adj* politico-cultural **Kulturprogramm** *nt* cultural programme (*Br*) *or* program (*US*) **Kulturrevolution** *f* cultural revolution **Kulturschock** *m* culture shock **Kultursprache** *f* language of the civilized world **Kulturstätte** *f* place of cultural interest **Kulturvolk** *nt* civilized people *sg* **Kulturzentrum** *nt* **1.** (≈ *Stadt*) cultural centre (*Br*) *or* center (*US*) **2.** (≈ *Anlage*) arts centre (*Br*) *or* center (*US*) **Kultusminister(in)** *m*/(*f*) minister of education and the arts **Kultusministerium** *nt* ministry of education and the arts

Kümmel ['kʏml] *m* ⟨**-s, -**⟩ **1.** *no pl* (≈ *Gewürz*) caraway (seed) **2.** (*infml* ≈ *Schnaps*) kümmel

Kummer ['kʊmɐ] *m* ⟨**-s**, *no pl*⟩ (≈ *Betrübtheit*) sorrow; (≈ *Ärger*) problems *pl*; ***jdm ~ machen*** to cause sb worry; ***wir sind (an) ~ gewöhnt*** (*infml*) it happens all the time **kümmerlich** ['kʏmɐlɪç] **I** *adj* **1.** (≈ *armselig*) miserable; *Lohn, Mahlzeit* paltry **2.** (≈ *schwächlich*) puny; *Vegetation* stunted **II** *adv sich entwickeln* poorly; ***sich ~ ernähren*** to live on a meagre (*Br*) *or* meager (*US*) diet

kümmern I *v/t* to concern; ***was kümmert mich das?*** what's that to me? **II** *v/r* ***sich um jdn/etw ~*** to look after sb/sth; ***sich darum ~, dass ...*** to see to it that ...; ***er kümmert sich nicht darum, was die Leute denken*** he doesn't care (about) what people think

Kumpan [kʊm'pa:n] *m* ⟨**-s, -e**⟩, **Kumpanin** [-ɪn] *f* ⟨**-, -nen**⟩ (*dated infml*) pal (*infml*) **Kumpel** ['kʊmpl] *m* ⟨**-s, -** *or* (*inf*) **-s** *or* (*Aus*) **-n**⟩ **1.** (MIN ≈ *Bergmann*) miner **2.** (*infml* ≈ *Kamerad*) pal (*infml*) **kumpelhaft** [-haft] *adj* (*infml*) pally (*infml*)

kündbar *adj Vertrag* terminable; *Anleihe* redeemable; ***Beamte sind nicht ohne Weiteres ~*** civil servants cannot be dismissed just like that

Kunde ['kʊndə] *m* ⟨**-n, -n**⟩, **Kundin** [-dɪn] *f* ⟨**-, -nen**⟩ customer **Kundenberatung** *f* customer advisory service **Kundendienst** *m* customer service; (≈ *Abteilung*) service department **Kundenfang** *m* (*pej*) ***auf ~ sein*** to be touting for customers **Kundenkarte** *f* (*von Firma, Organisation*) charge card; (*von Kaufhaus etc*) (department (*US*)) store card; (*von Bank*) bank card **Kundenkreis** *m* customers *pl*, clientele **kundenorientiert** *adj* customer-oriented **Kundenservice** *m* customer service

Kundgebung ['kʊntge:bʊŋ] *f* ⟨**-, -en**⟩ POL rally

kundig ['kʊndɪç] *adj* (*elev*) knowledgeable; (≈ *sachkundig*) expert

kündigen ['kʏndɪgn] **I** *v/t Abonnement, Mitgliedschaft* to cancel; ***jdm die Wohnung ~*** to give sb notice to quit his/her flat (*Br*) *or* to vacate his/her apartment (*US*); ***die Stellung ~*** to hand in one's notice; ***jdm die Stellung ~*** to give sb his/her notice; ***jdm die Freundschaft ~*** to break off a friendship with sb **II** *v/i* (*Arbeitnehmer*) to hand in one's notice; (*Mieter*) to give in one's notice; ***jdm ~*** (*Arbeitgeber*) to give sb his/her notice; (*Vermieter*) to give sb notice to quit (*Br*) *or* to vacate his apartment (*US*) **Kündigung** ['kʏndɪgʊŋ] *f* ⟨**-, -en**⟩ (≈ *Mitteilung*) (*von Vermieter*) notice to quit (*Br*) *or* to vacate one's apartment (*US*); (*von Mieter, Stellung*) notice; (*von Vertrag*) termination; (*von Mitgliedschaft, Abonnement*) (letter of) cancellation; ***ich drohte (dem Chef) mit der ~*** I threatened to hand in my notice (to my boss); ***Vertrag mit vierteljährlicher ~*** contract with three months' notice on either side **Kündigungsfrist** *f* period of notice **Kündigungsgrund** *m* grounds *pl* for giving notice **Kündigungsschreiben** *nt* written notice; (*von Arbeitgeber*) letter of dismissal **Kündigungsschutz** *m* protection against wrongful dismissal

Kundin *f* → ***Kunde*** **Kundschaft** ['kʊntʃaft] *f* ⟨-, **-en**⟩ customers *pl*

kundschaften ['kʊntʃaftn] *v/i insep* MIL to reconnoitre (*Br*), to reconnoiter (*US*) **Kundschafter** ['kʊntʃaftɐ] *m* ⟨**-s, -**⟩, **Kundschafterin** [-ərɪn] *f* ⟨-, **-nen**⟩ spy; MIL scout **kundtun** ['kʊnttuːn] *v/t sep irr* (*elev*) to make known

künftig ['kʏnftɪç] **I** *adj* future; ***meine ~e Frau*** my wife-to-be **II** *adv* in future

Kungelei [kʊŋə'lai] *f* ⟨-, **-en**⟩ (*infml*) scheming

Kunst [kʊnst] *f* ⟨-, **⸚e** ['kʏnstə]⟩ **1.** art; ***die schönen Künste*** fine art *sg*, the fine arts **2.** (≈ *Fertigkeit*) art, skill; ***die ~ besteht darin, ...*** the art is in ...; ***ärztliche ~*** medical skill; ***das ist keine ~!*** it's a piece of cake (*infml*); ***das ist die ganze ~*** that's all there is to it **3.** (*infml*) ***das ist eine brotlose ~*** there's no money in that; ***was macht die ~?*** how are things? **Kunstakademie** *f* art college **Kunstausstellung** *f* art exhibition **Kunstbanause** *m*, **Kunstbanausin** *f* (*pej*) philistine **Kunstdruck** *m*, *pl* ***-drucke*** art print **Kunstdünger** *m* chemical fertilizer **Kunstfaser** *f* synthetic fibre (*Br*) *or* fiber (*US*) **Kunstfehler** *m* professional error; (*weniger ernst*) slip **kunstfertig** (*elev*) **I** *adj* skilful (*Br*), skillful (*US*) **II** *adv* skilfully (*Br*), skillfully (*US*) **Kunstflug** *m* aerobatics *sg*, stunt flying **Kunstfreund(in)** *m/(f)* art lover **Kunstgegenstand** *m* objet d'art; (*Gemälde*) work of art **kunstgemäß, kunstgerecht I** *adj* (≈ *fachmännisch*) proficient **II** *adv* proficiently **Kunstgeschichte** *f* history of art **Kunstgewerbe** *nt* arts and crafts *pl* **kunstgewerblich** *adj* ***~e Gegenstände*** craft objects **Kunstgriff** *m* trick **Kunsthandel** *m* art trade **Kunsthändler(in)** *m/(f)* art dealer **Kunsthandwerk** *nt* craft industry **Kunstherz** *nt* artificial heart **Kunsthistoriker(in)** *m/(f)* art historian **Kunsthochschule** *f* art college **Kunstleder** *nt* imitation leather **Künstler** ['kʏnstlɐ] *m* ⟨**-s, -**⟩, **Künstlerin** [-ərɪn] *f* ⟨-, **-nen**⟩ **1.** artist; (≈ *Unterhaltungskünstler*) artiste; ***bildender ~*** visual artist **2.** (≈ *Könner*) genius (*in +dat* at) **künstlerisch** ['kʏnstlərɪʃ] **I** *adj* artistic **II** *adv* artistically **Künstlername** *m* pseudonym **Künstlerpech** *nt* (*infml*) hard luck **Künstlerviertel** *nt* artists' quarter **künstlich** ['kʏnstlɪç] **I** *adj* artificial; *Zähne, Fingernägel* false; *Faserstoffe* synthetic; ***~e Intelligenz*** artificial intelligence **II** *adv* **1.** artificially **2.** ***jdn ~ ernähren*** MED to feed sb artificially **Kunstliebhaber(in)** *m/(f)* art lover **Kunstmaler(in)** *m/(f)* artist, painter **Kunstpause** *f* (*als Spannungsmoment*) dramatic pause, pause for effect; (*iron: beim Stocken*) awkward pause **Kunstraub** *m* art theft **Kunstsammlung** *f* art collection **Kunstschätze** *pl* art treasures *pl* **Kunstseide** *f* artificial silk **Kunstspringen** *nt* diving **Kunststoff** *m* man-made material **Kunststoffflasche** *f* plastic bottle **Kunststück** *nt* trick; ***das ist kein ~*** (*fig*) there's nothing to it; (≈ *keine große Leistung*) that's nothing to write home about **Kunstturnen** *nt* gymnastics *sg* **kunstvoll I** *adj* artistic; (≈ *kompliziert*) elaborate **II** *adv* elaborately **Kunstwerk** *nt* work of art

kunterbunt ['kʊntɐbʊnt] *adj Sammlung etc* motley *attr*; *Programm* varied; *Leben* chequered (*Br*), checkered (*US*); ***~ durcheinander*** all jumbled up

Kupfer ['kʊpfɐ] *nt* ⟨**-s**, *no pl*⟩ copper **Kupferdraht** *m* copper wire **Kupfergeld** *nt* coppers *pl* **kupferrot** *adj* copper-red **Kupferstich** *m* copperplate (engraving)

Kupon [ku'põː] *m* ⟨**-s, -s**⟩ = ***Coupon***

Kuppe ['kʊpə] *f* ⟨-, **-n**⟩ (≈ *Bergkuppe*) (rounded) hilltop; (≈ *Fingerkuppe*) tip

Kuppel ['kʊpl] *f* ⟨-, **-n**⟩ dome

Kuppelei [kʊpə'lai] *f* ⟨-, *no pl*⟩ JUR procuring **kuppeln** ['kʊpln] **I** *v/t* = ***koppeln*** **II** *v/i* **1.** AUTO to operate the clutch **2.** (*infml* ≈ *Paare zusammenführen*) to match-make **Kuppler** ['kʊplɐ] *m* ⟨**-s, -**⟩, **Kupplerin** [-ərɪn] *f* ⟨-, **-nen**⟩ matchmaker (*+gen* for); JUR procurer/procuress **Kupplung** ['kʊplʊŋ] *f* ⟨-, **-en**⟩ **1.** TECH coupling; AUTO *etc* clutch **2.** (≈ *das Koppeln*) coupling **Kupplungspedal** *nt* clutch pedal

Kur [kuːɐ] *f* ⟨-, **-en**⟩ (*in Badeort*) (health) cure; (≈ *Haarkur etc*) treatment *no pl*; (≈ *Schlankheitskur*) diet; ***in ~ fahren*** to go to a spa; ***eine ~ machen*** to take a cure; (≈ *Schlankheitskur*) to diet

Kür [kyːɐ] *f* ⟨-, **-en**⟩ SPORTS free section

Kuraufenthalt *m* stay at a spa **Kurbad** *nt* spa
Kurbel ['kʊrbl] *f* ⟨**-, -n**⟩ crank; (*an Rollläden etc*) winder **Kurbelwelle** *f* crankshaft
Kürbis ['kʏrbɪs] *m* ⟨***-ses, -se***⟩ pumpkin
Kurde ['kʊrdə] *m* ⟨**-n, -n**⟩, **Kurdin** [-dɪn] *f* ⟨**-, -nen**⟩ Kurd **kurdisch** ['kʊrdɪʃ] *adj* Kurdish **Kurdistan** ['kʊrdɪstaːn, 'kʊrdɪstan] *nt* ⟨**-s**⟩ Kurdistan
Kurfürst *m* Elector, electoral prince
Kurgast *m* (*Patient*) patient at a spa; (*Tourist*) visitor to a spa
Kurie ['kuːriə] *f* ⟨-, *no pl*⟩ ECCL Curia
Kurier [ku'riːɐ] *m* ⟨**-s, -e**⟩, **Kurierin** [-'riːrɪn] *f* ⟨**-, -nen**⟩ courier; HIST messenger **Kurierdienst** *m* courier service
kurieren [ku'riːrən] *past part* ***kuriert*** *v/t* to cure (*von* of)
kurios [ku'rioːs] *adj* (≈ *merkwürdig*) strange, curious **Kuriosität** [kuriozi'tɛːt] *f* ⟨**-, -en**⟩ **1.** (*Gegenstand*) curio(sity) **2.** (≈ *Eigenart*) peculiarity
Kurort *m* spa **Kurpark** *m* spa gardens *pl* **Kurpfuscher(in)** *m/(f)* (*pej infml*) quack (doctor)
Kurs [kʊrs] *m* ⟨***-es, -e*** [-zə]⟩ **1.** course; (POL ≈ *Richtung*) line; ***~ nehmen auf*** (*+acc*) to set course for; ***den ~ ändern*** to change (one's) course **2.** (FIN ≈ *Wechselkurs*) exchange rate; (≈ *Aktienkurs*) price; ***zum ~ von*** at the rate of; ***hoch im ~ stehen*** (*Aktien*) to be high; (*fig*) to be popular (*bei* with) **3.** (≈ *Lehrgang*) course (*in +dat*, *für* in) **Kursänderung** *f* change of course **Kursanstieg** *m* ST EX rise in (market) prices **Kursbuch** *nt* RAIL (railway) timetable
Kürschner ['kʏrʃnɐ] *m* ⟨**-s, -**⟩, **Kürschnerin** [-ərɪn] *f* ⟨**-, -nen**⟩ furrier
Kurseinbruch *m* FIN sudden fall in prices **Kurseinbuße** *f* decrease in value **Kursentwicklung** *f* FIN price trend **Kurserholung** *f* FIN rally in prices **Kursgewinn** *m* profit (on the stock exchange market) **kursieren** [kʊr'ziːrən] *past part* ***kursiert*** *v/i aux haben or sein* to circulate **Kursindex** *m* ST EX stock exchange index
kursiv [kʊr'ziːf] **I** *adj* italic **II** *adv* in italics
Kurskorrektur *f* course correction **Kursleiter(in)** *m/(f)* course tutor (*esp Br*) **Kursnotierung** *f* quotation **Kursrückgang** *m* fall in prices **Kursschwankung** *f* fluctuation in exchange rates; ST EX fluctuation in market rates **Kursverlust** *m* FIN loss (on the stock exchange) **Kurswagen** *m* RAIL through coach **Kurswechsel** *m* change of direction
Kurtaxe *f* visitors' tax (at spa)
Kurve ['kʊrvə, 'kʊrfə] *f* ⟨**-, -n**⟩ curve; (≈ *Straßenkurve*) bend; (*an Kreuzung*) corner; ***die Straße macht eine ~*** the road bends; ***die ~ kratzen*** (*infml* ≈ *schnell weggehen*) to make tracks (*infml*) **kurven** ['kʊrvn, 'kʊrfn] *v/i aux sein* to circle; ***durch Italien ~*** (*infml*) to drive around Italy **kurvenreich** *adj Strecke* winding; ***„kurvenreiche Strecke"*** "(series of) bends"
kurz [kʊrts] **I** *adj*, *comp* ***⸚er*** ['kʏrtsɐ], *sup* ***⸚este(r, s)*** ['kʏrtsəstə] short; *Blick*, *Folge* quick; ***etw kürzer machen*** to make sth shorter; ***ich will es ~ machen*** I'll make it brief; ***den Kürzeren ziehen*** (*fig infml*) to come off worst **II** *adv*, *comp* ***⸚er***, *sup* ***am ⸚esten*** **1.** ***eine Sache ~ abtun*** to dismiss sth out of hand; ***zu ~ kommen*** to come off badly; ***~ entschlossen*** without a moment's hesitation; ***~ gesagt*** in a nutshell; ***sich ~ fassen*** to be brief; ***~ gefasst*** concise; ***~ und bündig*** concisely, tersely (*pej*); ***~ und gut*** in a word; ***~ und schmerzlos*** (*infml*) short and sweet; ***etw ~ und klein hauen*** to smash sth to pieces **2.** (≈ *für eine kurze Zeit*) briefly; ***ich bleibe nur ~*** I'll only stay for a short while; ***ich muss mal ~ weg*** I'll just have to go for a moment; ***~ bevor/nachdem*** shortly before/after; ***über ~ oder lang*** sooner or later; ***(bis) vor Kurzem*** (until) recently **Kurzarbeit** *f* short time **kurzarbeiten** *v/i sep* to be on short time **Kurzarbeiter(in)** *m/(f)* short-time worker **kurzärmelig** *adj* short-sleeved **kurzatmig** [-|aːtmɪç] *adj* MED short of breath **Kurzbericht** *m* brief report; (≈ *Zusammenfassung*) summary **Kurzbesuch** *m* brief *or* flying visit **Kürze** ['kʏrtsə] *f* ⟨**-, -n**, *no pl*⟩ shortness; (*fig*) (≈ *Bündigkeit*) brevity, conciseness; ***in ~*** (≈ *bald*) shortly; ***in aller ~*** very briefly; ***in der ~ liegt die Würze*** (*prov*) brevity is the soul of wit **Kürzel** ['kʏrtsl] *nt* ⟨**-s, -**⟩ (≈ *stenografisches Zeichen*) shorthand symbol; (≈ *Abkürzung*) abbreviation **kürzen** ['kʏrtsn] *v/t* to shorten; *Gehalt*, *Ausgaben* to cut (back) **Kurze(r)** ['kʊrtsə] *m decl as adj* (*infml*) **1.** (≈ *Schnaps*) short **2.** (≈ *Kurzschluss*) short (circuit) **kurzerhand**

['kʊrtsɐ'hant] *adv* without further ado; *entlassen* on the spot; ***etw ~ ablehnen*** to reject sth out of hand **kurzfassen** *v/r sep irr* to be brief **Kurzfassung** *f* abridged version **Kurzfilm** *m* short (film) **kurzfristig** [-frɪstɪç] **I** *adj* short-term; *Wettervorhersage* short-range **II** *adv* (≈ *auf kurze Sicht*) for the short term; (≈ *für kurze Zeit*) for a short time; ***~ seine Pläne ändern*** to change one's plans at short notice **Kurzgeschichte** *f* short story **Kurzhaardackel** *m* short-haired dachshund **kurzhaarig** *adj* short-haired **kurzhalten** *v/t sep irr* ***jdn ~*** to keep sb short **Kurzhantel** *f* dumbbell **Kurzinformation** *f* information summary *no pl*; (≈ *Blatt*) information sheet **kurzlebig** [-leːbɪç] *adj* short-lived **kürzlich** ['kʏrtslɪç] **I** *adv* recently; ***erst ~*** only *or* just recently **II** *adj* recent **Kurzmeldung** *f* newsflash **Kurznachricht** *f* **1.** (≈ *Information*) ***Kurznachrichten*** *pl* the news headlines *pl* **2.** (≈ *SMS*) text message **Kurzparker** [-parkɐ] *m* ⟨***-s, -***⟩ ***„nur für ~"*** "short-stay (*Br*) *or* short-term parking only" **Kurzparkzone** *f* short-stay (*Br*) *or* short-term parking zone **kurzschließen** *sep irr* **I** *v/t* to short-circuit **II** *v/r* (≈ *in Verbindung treten*) to get in contact (*mit* with) **Kurzschluss** *m* **1.** ELEC short circuit **2.** (*fig*: *a.* **Kurzschlusshandlung**) rash action **Kurzschlussreaktion** *f* knee-jerk reaction **kurzsichtig** [-zɪçtɪç] **I** *adj* short-sighted **II** *adv* short-sightedly **Kurzsichtigkeit** *f* ⟨*-, no pl*⟩ short-sightedness **Kurzstrecke** *m* short distance; (*in Laufwettbewerb*) sprint distance **Kurzstreckenflugzeug** *nt* short-haul aircraft **Kurzstreckenrakete** *f* short-range missile **Kurztrip** *m* (*infml*) short holiday **kurzum** [kʊrts'|ʊm, 'kʊrts'|ʊm] *adv* in short **Kürzung** ['kʏrtsʊŋ] *f* ⟨***-, -en***⟩ shortening; (*von Gehältern etc*) cut (*+gen* in) **Kurzurlaub** *m* short holiday (*esp Br*) *or* vacation (*US*); MIL short leave **Kurzwahl** *f* TEL one-touch dialling (*Br*) *or* dialing (*US*), speed dial **Kurzwahlspeicher** *m* TEL speed-dial number memory **Kurzwaren** *pl* haberdashery (*Br*), notions *pl* (*US*) **kurzweilig** [-vailɪç] *adj* entertaining **Kurzwelle** *f* RADIO short wave **Kurzzeitgedächtnis** *nt* short-term memory **kurzzeitig I** *adj* (≈ *für kurze Zeit*) short, brief **II** *adv* for a short time, briefly **Kurzzeitspeicher** *m* short-term memory

kuschelig ['kʊʃəlɪç] (*infml*) *adj* cosy (*Br*), cozy (*US*) **kuscheln** ['kʊʃln] **I** *v/i* to cuddle (*mit* with) **II** *v/r* ***sich an jdn ~*** to snuggle up to sb; ***sich in etw*** (*acc*) ***~*** to snuggle up in sth **Kuschelrock** *m* (MUS *infml*) soft rock **Kuschelsex** *m* loving sex **Kuscheltier** *nt* cuddly toy

kuschen ['kʊʃn] *v/i* (*Hund etc*) to get down; (*fig*) to knuckle under

Kusine [ku'ziːnə] *f* ⟨***-, -n***⟩ cousin

Kuss [kʊs] *m* ⟨***-es, ¨-e*** ['kʏsə]⟩ kiss **küssen** ['kʏsn] **I** *v/t & v/i* to kiss **II** *v/r* to kiss (each other) **Kusshand** *f* ***jdm eine ~ zuwerfen*** to blow sb a kiss

Küste ['kʏstə] *f* ⟨***-, -n***⟩ coast; (≈ *Ufer*) shore **Küstengebiet** *nt* coastal area **Küstengewässer** *pl* coastal waters *pl* **Küstenschifffahrt** *f* coastal shipping **Küstenwache** *f*, **Küstenwacht** *f* coastguard

Kutsche ['kʊtʃə] *f* ⟨***-, -n***⟩ coach; (*infml* ≈ *Auto*) jalopy (*infml*) **Kutscher** ['kʊtʃɐ] *m* ⟨***-s, -***⟩, **Kutscherin** [-ərɪn] *f* ⟨***-, -nen***⟩ coachman, driver **kutschieren** [kʊ'tʃiːrən] *past part* ***kutschiert*** **I** *v/i aux sein* to drive **II** *v/t* to drive; ***jdn im Auto durch die Gegend ~*** to drive sb around

Kutte ['kʊtə] *f* ⟨***-, -n***⟩ habit

Kuttel ['kʊtl] *f* ⟨***-, -n***⟩ *usu pl* (*S Ger, Aus, Swiss*) entrails *pl*

Kutter ['kʊtɐ] *m* ⟨***-s, -***⟩ NAUT cutter

Kuvert [ku'veːɐ, ku'vɛːɐ, ku'vɛrt] *nt* ⟨***-s, -s*** *or* (*bei dt. Aussprache*) ***-(e)s, -e***⟩ (≈ *Briefkuvert*) envelope

Kuwait [ku'vait, 'kuːvait] *nt* ⟨***-s***⟩ Kuwait **kuwaitisch** [ku'vaitɪʃ, 'kuːvaitɪʃ] *adj* Kuwaiti

Kybernetik [kybɛr'neːtɪk] *f* ⟨*-, no pl*⟩ cybernetics *sg* **kybernetisch** [kybɛr'neːtɪʃ] *adj* cybernetic

kyrillisch [ky'rɪlɪʃ] *adj* Cyrillic

L

L, l [ɛl] *nt* ⟨**-, -**⟩ L, l
Label ['leːbl] *nt* ⟨**-s, -**⟩ label
labern ['laːbɐn] (*infml*) **I** *v/i* to prattle (on *or* away) (*infml*) **II** *v/t* to talk
labil [la'biːl] *adj* unstable; *Gesundheit* delicate; *Kreislauf* poor **Labilität** [labili'tɛːt] *f* ⟨**-**, *no pl*⟩ instability
Labor [la'boːɐ] *nt* ⟨**-s, -s** *or* **-e**⟩ laboratory **Laborant** [labo'rant] *m* ⟨**-en, -en**⟩, **Laborantin** [-'rantɪn] *f* ⟨**-, -nen**⟩ lab(oratory) technician
Labrador [labra'doːɐ] *m* ⟨**-s, -e**⟩ ZOOL labrador
Labyrinth [laby'rɪnt] *nt* ⟨**-(e)s, -e**⟩ labyrinth
Lachanfall *m* laughing fit
Lache[1] ['laxə, 'laːxə] *f* ⟨**-, -n**⟩ (≈ *Pfütze*) puddle
Lache[2] ['laxə] *f* ⟨**-, -n**⟩ (*infml*) laugh **lächeln** ['lɛçln] *v/i* to smile; ***freundlich ~*** to give a friendly smile **Lächeln** *nt* ⟨**-s**, *no pl*⟩ smile **lachen** ['laxn] **I** *v/i* to laugh (*über +acc* at); ***jdn zum Lachen bringen*** to make sb laugh; ***zum Lachen sein*** (≈ *lustig*) to be hilarious; (≈ *lächerlich*) to be laughable; ***mir ist nicht zum Lachen (zumute)*** I'm in no laughing mood; ***dass ich nicht lache!*** (*infml*) don't make me laugh! (*infml*); ***du hast gut ~!*** it's all right for you to laugh! (*infml*); ***wer zuletzt lacht, lacht am besten*** (*prov*) he who laughs last, laughs longest (*prov*); ***ihm lachte das Glück*** fortune smiled on him **II** *v/t* ***da gibt es gar nichts zu ~*** that's nothing to laugh about; ***was gibt es denn da zu ~?*** what's so funny about that?; ***er hat bei seiner Frau nichts zu ~*** (*infml*) he has a hard time of it with his wife; ***das wäre doch gelacht*** it would be ridiculous **Lachen** *nt* ⟨**-s**, *no pl*⟩ laughter; (≈ *Art des Lachens*) laugh **Lacher** ['laxɐ] *m* ⟨**-s, -**⟩ **1.** ***die ~ auf seiner Seite haben*** to have the last laugh **2.** (*infml* ≈ *Lache*) laugh **Lacherfolg** *m* ***ein ~ sein*** to make everybody laugh **lächerlich** ['lɛçəlɪç] *adj* **1.** ridiculous; (≈ *komisch*) comical; ***jdn/etw ~ machen*** to make sb/sth look silly; ***jdn/sich ~ machen*** to make a fool of sb/oneself; ***etw ins Lächerliche ziehen*** to make fun of sth **2.** (≈ *geringfügig*) *Anlass* trivial; *Preis* ridiculously low **Lächerlichkeit** *f* ⟨**-, -en**⟩ **1.** *no pl* absurdity; ***jdn der ~ preisgeben*** to make a laughing stock of sb **2.** (≈ *Geringfügigkeit*) triviality **Lachgas** *nt* laughing gas **lachhaft** *adj* ridiculous **Lachkrampf** *m* ***einen ~ bekommen*** to go (off) into fits of laughter
Lachs [laks] *m* ⟨**-es, -e**⟩ salmon **lachsfarben** [-farbn] *adj* salmon pink **Lachsforelle** *f* salmon *or* sea trout **Lachsschinken** *m smoked, rolled fillet of ham*
Lack [lak] *m* ⟨**-(e)s, -e**⟩ varnish; (≈ *Autolack*) paint; (*für Lackarbeiten*) lacquer **Lackarbeit** *f* lacquerwork **Lackfarbe** *f* gloss paint **lackieren** [la'kiːrən] *past part* ***lackiert*** *v/t & v/i Holz* to varnish; *Fingernägel auch* to paint; *Auto* to spray **Lackierer** [la'kiːrɐ] *m* ⟨**-s, -**⟩, **Lackiererin** [-ərɪn] *f* ⟨**-, -nen**⟩ varnisher; (*von Autos*) sprayer **Lackiererei** [lakiːrə'rai] *f* ⟨**-, -en**⟩ (≈ *Autolackiererei*) paint shop **Lackierung** *f* ⟨**-, -en**⟩ (*von Auto*) paintwork; (≈ *Holzlackierung*) varnish; (*für Lackarbeiten*) lacquer **Lackleder** *nt* patent leather
Lackmuspapier ['lakmʊs-] *nt* litmus paper
ladbar *adj* IT loadable **Ladefläche** *f* load area **Ladegerät** *nt* battery charger **Ladehemmung** *f* ***das Gewehr hat ~*** the gun is jammed
laden[1] ['laːdn] *pret* ***lud*** [luːt], *past part* ***geladen*** [gə'laːdn] **I** *v/t* to load; (≈ *wieder aufladen*) *Batterie, Akku* to recharge; PHYS to charge; ***der Lkw hat zu viel geladen*** the lorry is overloaded; ***Verantwortung auf sich*** (*acc*) ***~*** to saddle oneself with responsibility; → ***geladen*** **II** *v/i* **1.** to load (up) **2.** PHYS to charge
laden[2] *pret* ***lud*** [luːt], *past part* ***geladen*** [gə'laːdn] *v/t* **1.** (*liter* ≈ *einladen*) to invite; ***nur für geladene Gäste*** by invitation only **2.** (*form*: *vor Gericht*) to summon
Laden[1] ['laːdn] *m* ⟨**-s, ⸚**['lɛːdn]⟩ (≈ *Geschäft*) shop (*esp Br*), store (*US*); ***der ~ läuft*** (*infml*) business is good; ***den ~ schmeißen*** (*infml*) to run the show;

den* (*ganzen*) *~ hinschmeißen (*infml*) to chuck the whole thing in (*infml*)

Laden² *m* ⟨**-s,** **⸚** *or* **-**⟩ (≈ *Fensterladen*) shutter

Ladendieb(in) *m*/(*f*) shoplifter **Ladendiebstahl** *m* shoplifting **Ladenhüter** *m* non-seller **Ladenkette** *f* chain of shops (*esp Br*) *or* stores **Ladenpreis** *m* shop (*esp Br*) *or* store (*US*) price **Ladenschluss** *m* ***um fünf Uhr ist ~*** the shops (*esp Br*) *or* stores (*US*) shut at five o'clock **Ladenschlusszeit** *f* (shop (*esp Br*) *or* store (*US*)) closing time **Ladentisch** *m* shop counter; ***über den/unter dem ~*** over/under the counter

Ladeplatz *m* loading bay **Laderampe** *f* loading ramp **Laderaum** *m* load room; AVIAT, NAUT hold

lädieren [lɛ'diːrən] *past part* ***lädiert*** *v/t* to damage; *Körperteil* to injure; ***sein lädiertes Image*** his tarnished image

Ladung ['laːdʊŋ] *f* ⟨**-, -en**⟩ **1.** load; (*von Sprengstoff*) charge; ***eine geballte ~ von Schimpfwörtern*** a whole torrent of abuse **2.** (≈ *Vorladung*) summons *sg*

Lage ['laːgə] *f* ⟨**-, -n**⟩ **1.** (≈ *geografische Lage*) situation; ***in günstiger ~*** well-situated; ***eine gute/ruhige ~ haben*** to be in a good/quiet location **2.** (≈ *Art des Liegens*) position **3.** (≈ *Situation*) situation; ***in der ~ sein, etw zu tun*** (*befähigt sein*) to be able to do sth; ***dazu bin ich nicht in der ~*** I'm not in a position to do that; ***nach ~ der Dinge*** as things stand **4.** (≈ *Schicht*) layer **5.** (≈ *Runde*) round **Lagebericht** *m* report; MIL situation report

Lagenschwimmen *nt* SPORTS individual medley **Lagenstaffel** *f* SPORTS medley relay; (≈ *Mannschaft*) medley relay team

Lageplan *m* ground plan

Lager ['laːgɐ] *nt* ⟨**-s, -**⟩ **1.** (≈ *Unterkunft*) camp; ***sein ~ aufschlagen*** to set up camp **2.** (*fig*) (≈ *Partei*) camp; ***ins andere ~ überwechseln*** to change camps **3.** *pl also* ***Läger*** ['lɛːgɐ] (≈ *Vorratsraum*) store(room); (*von Laden*) stockroom; (≈ *Lagerhalle*) warehouse; ***am ~ sein*** to be in stock; ***etw auf ~ haben*** to have sth in stock; (*fig*) *Witz etc* to have sth on tap (*infml*) **4.** TECH bearing **Lagerfeuer** *nt* campfire **Lagergebühr** *f*, **Lagergeld** *nt* storage charge **Lagerhalle** *f* warehouse **Lagerhaus** *nt* warehouse **Lagerleben** *nt* camp life **Lagerleiter(in)** *m*/(*f*) camp commander; (*in Ferienlager etc*) camp leader **lagern** ['laːgɐn] **I** *v/t* **1.** (≈ *aufbewahren*) to store; ***kühl ~!*** keep in a cool place **2.** (≈ *hinlegen*) *jdn* to lay down; *Bein etc* to rest; ***das Bein hoch ~*** to put one's leg up; → ***gelagert*** **II** *v/i* **1.** (*Waren etc*) to be stored **2.** (*Truppen etc*) to camp, to be encamped **Lagerraum** *m* storeroom; (*in Geschäft*) stockroom **Lagerstätte** *f* GEOL deposit **Lagerung** ['laːgərʊŋ] *f* ⟨**-, -en**⟩ storage

Lagune [la'guːnə] *f* ⟨**-, -n**⟩ lagoon

lahm [laːm] *adj* **1.** (≈ *gelähmt*) lame; ***er ist auf dem linken Bein ~*** he is lame in his left leg **2.** (*infml* ≈ *langweilig*) dreary; *Ausrede* lame; *Geschäftsgang* slow **Lahmarsch** *m* (*infml*) slowcoach (*Br infml*), slowpoke (*US infml*) **lahmarschig** [-|arʃɪç] *adj* (*infml*) bloody (*Br infml*) *or* damn (*infml*) slow **lahmen** ['laːmən] *v/i* to be lame (*auf* +*dat* in) **lähmen** ['lɛːmən] *v/t* to paralyze; *Verhandlungen, Verkehr* to hold up; → ***gelähmt*** **lahmlegen** *v/t sep Verkehr* to bring to a standstill; *Stromversorgung* to paralyze **Lähmung** ['lɛːmʊŋ] *f* ⟨**-, -en**⟩ (*lit*) paralysis; (*fig*) immobilization

Laib [laip] *m* ⟨**-(e)s, -e** [-bə]⟩ (*esp S Ger*) loaf

Laibchen ['laɪbçən] *nt* ⟨**-s, -**⟩, **Laiberl** ['laɪbɐl] *nt* ⟨**-s, -**⟩ (*Aus*) (≈ *Teiggebäck*) round loaf; (≈ *Fleischspeise*) ≈ (ham)-burger

Laich [laiç] *m* ⟨**-(e)s, -e**⟩ spawn **laichen** ['laiçn] *v/i* to spawn

Laie ['laiə] *m* ⟨**-n, -n**⟩ layman **Laiendarsteller(in)** *m*/(*f*) amateur actor/actress **laienhaft** **I** *adj Arbeit* amateurish **II** *adv spielen* amateurishly

Lakai [la'kai] *m* ⟨**-en, -en**⟩ lackey

Lake ['laːkə] *f* ⟨**-, -n**⟩ brine

Laken ['laːkn] *nt* ⟨**-s, -**⟩ sheet

lakonisch [la'koːnɪʃ] **I** *adj* laconic **II** *adv* laconically

Lakritz [la'krɪts] *m* ⟨**-es, -e**⟩ (*dial*), **Lakritze** [la'krɪtsə] *f* ⟨**-, -n**⟩ liquorice (*Br*), licorice

lallen ['lalən] *v/t & v/i* to babble

Lama¹ ['laːma] *nt* ⟨**-s, -s**⟩ ZOOL llama

Lama² *m* ⟨**-(s), -s**⟩ REL lama

Lamelle [la'mɛlə] *f* ⟨**-, -n**⟩ **1.** BIOL lamella **2.** (*von Jalousien*) slat

lamentieren [lamɛn'tiːrən] *past part* ***lamentiert*** *v/i* to moan, to complain

Lametta [la'mɛta] *nt* ⟨**-s,** *no pl*⟩ lametta

Laminat [lami'naːt] *nt* ⟨**-s, -e**⟩ laminate

Lạmm [lam] *nt* ⟨**-(e)s, ⸚er** ['lɛmɐ]⟩ lamb **Lạmmbraten** *m* roast lamb **Lạmmfell** *nt* lambskin **Lạmmfleisch** *nt* lamb **lạmmfrọmm** *adj Miene* innocent

Lạmpe ['lampə] *f* ⟨**-, -n**⟩ light; (≈ *Stehlampe, Tischlampe*) lamp; (≈ *Glühlampe*) bulb **Lạmpenfieber** *nt* stage fright **Lạmpenschirm** *m* lampshade **Lampion** [lam'piõː, lam'piɔŋ] *m* ⟨**-s, -s**⟩ Chinese lantern

lancieren [lã'siːrən] *past part* ***lanciert*** *v/t Produkt* to launch; *Nachricht* to put out

Lạnd [lant] *nt* ⟨**-(e)s, ⸚er** ['lɛndɐ]⟩ **1.** (≈ *Gelände, Festland*) land; (≈ *Landschaft*) country, landscape; ***an ~ gehen*** to go ashore; ***etw an ~ ziehen*** to pull sth ashore; ***einen Auftrag an ~ ziehen*** (*infml*) to land an order; ***~ in Sicht!*** land ahoy!; ***bei uns zu ~e*** in our country **2.** (≈ *ländliches Gebiet*) country; ***auf dem ~(e)*** in the country **3.** (≈ *Staat*) country; (≈ *Bundesland*) (*in BRD*) Land, state; (*in Österreich*) province **Lạndammann** *m* (*Swiss*) *highest official in a Swiss canton* **Lạndarbeiter(in)** *m/(f)* agricultural worker **Lạndarzt** *m*, **Lạndärztin** *f* country doctor **Lạndbesitz** *m* landholding **Lạndbesitzer(in)** *m/(f)* landowner **Lạndbevölkerung** *f* rural population

Lạndeanflug *m* approach **Lạndebahn** *f* runway **Lạndebrücke** *f* jetty **Lạndeerlaubnis** *f* permission to land **Lạndefähre** *f* SPACE landing module **lạnden** ['landn] **I** *v/i aux sein* to land; (*infml*) (≈ *enden*) to land up; ***weich ~*** to make a soft landing **II** *v/t* to land

Lạndenge *f* isthmus

Lạndepiste *f* landing strip **Lạndeplatz** *m* (*für Flugzeuge*) landing strip; (*für Schiffe*) landing place **Lạnderecht** *nt* AVIAT landing rights *pl*

Ländereien [lɛndə'raiən] *pl* estates *pl* **Lạ̈nderkampf** *m* SPORTS international contest; (≈ *Länderspiel*) international (match) **Lạ̈nderspiel** *nt* international (match) **Lạndesebene** *f* ***auf ~*** at state level **Lạndesgrenze** *f* (*von Staat*) national boundary; (*von Bundesland*) state *or* (*Aus*) provincial boundary **Lạndeshauptfrau** *f*, **Lạndeshauptmann** *m* (*Aus*) *head of the government of a province* **Lạndesinnere(s)** *nt decl as adj* interior **Lạndeskunde** *f* knowledge of the/a country **Lạndesregierung** *f* government of a Land; (*Aus*) provincial government **Lạndessprache** *f* national language **Lạndesteil** *m* region **lạndesüblich** *adj* customary **Lạndesverrat** *m* treason **Lạndesverteidigung** *f* national defence (*Br*) *or* defense (*US*) **Lạndeswährung** *f* national *or* local currency **Lạndeszentralbank** *f*, *pl* ***-banken*** State Central Bank

Lạndeverbot *nt* ***~ erhalten*** to be refused permission to land

Lạndflucht *f* migration from the land **Lạndfriedensbruch** *m* JUR breach of the peace **Lạndgang** *m*, *pl* ***-gänge*** shore leave **Lạndgericht** *nt* district court **lạndgestützt** [-gəʃtʏtst] *adj Raketen* land-based **Lạndgut** *nt* estate **Lạndhaus** *nt* country house **Lạndkarte** *f* map **Lạndklima** *nt* continental climate **Lạndkreis** *m* administrative district **lạndläufig** **I** *adj* popular; ***entgegen der ~en Meinung*** contrary to popular opinion **II** *adv* commonly **Lạndleben** *nt* country life **lạ̈ndlich** ['lɛntlɪç] *adj* rural; *Tanz* country *attr*, folk *attr* **Lạndluft** *f* country air **Lạndmine** *f* land mine **Lạndplage** *f* plague; (*fig infml*) pest

Lạndrat[1] *m* (*Swiss*) *cantonal parliament*

Lạndrat[2] *m*, **Lạndrätin** *f* (*Ger*) *head of the administration of a Landkreis*

Lạndratte *f* (*hum*) landlubber **Lạndregen** *m* steady rain **Lạndschaft** ['lantʃaft] *f* ⟨**-, -en**⟩ scenery *no pl*; (≈ *ländliche Gegend*) countryside; (*Gemälde, fig*) landscape; ***die politische ~*** the political scene **lạndschaftlich** ['lantʃaftlɪç] *adj Schönheiten etc* scenic; *Besonderheiten* regional **Lạndschaftsbild** *nt* view; (*Gemälde*) landscape (painting); (*Fotografie*) landscape (photograph) **Lạndschaftsgärtner(in)** *m/(f)* landscape gardener **Lạndschaftsschutz** *m* protection of the countryside **Lạndschaftsschutzgebiet** *nt* nature reserve **Lạndsitz** *m* country seat **Lạndsmann** *m*, *pl* ***-leute***, **Lạndsmännin** [-mɛnɪn] *f* ⟨**-, -nen**⟩ compatriot **Lạndstraße** *f* country road **Lạndstreicher** [-ʃtraiçɐ] *m* ⟨**-s, -**⟩, **Lạndstreicherin** [-ərɪn] *f* ⟨**-, -nen**⟩ (*pej*) tramp **Lạndstreitkräfte** *pl* land forces *pl* **Lạndstrich** *m* area **Lạndtag** *m* Landtag (*state parliament*) **Lạndtagswahlen** *pl* German regional elections *pl*

Lạndung ['landʊŋ] *f* ⟨**-, -en**⟩ landing **Lạn-**

dungsbrücke *f* jetty **Landungssteg** *m* landing stage

Landurlaub *m* shore leave **Landvermessung** *f* land surveying **Landweg** *m* ***auf dem ~*** by land **Landwein** *m* homegrown wine **Landwirt(in)** *m/(f)* farmer **Landwirtschaft** *f* agriculture; (*Betrieb*) farm; ***~ betreiben*** to farm **landwirtschaftlich** *adj* agricultural **Landzunge** *f* spit (of land), promontory

lang [laŋ] **I** *adj*, *comp* ***⸚er*** ['lɛŋɐ], *sup* ***⸚ste(r, s)*** ['lɛŋstə] **1.** long; ***vor ~er Zeit*** a long time ago **2.** (*infml* ≈ *groß*) *Mensch* tall **II** *adv*, *comp* ***⸚er***, *sup* ***am ⸚sten der ~ erwartete Regen*** the long-awaited rain; ***~ gehegt*** *Wunsch* long-cherished; ***~ gestreckt*** long; ***zwei Stunden ~*** for two hours; ***mein ganzes Leben ~*** all my life **langärmelig** *adj* long-sleeved **langatmig** [-|aːtmɪç] **I** *adj* long-winded **II** *adv* in a long-winded way **lange** ['laŋə] *adv*, *comp* ***⸚er*** ['lɛŋɐ], *sup* ***am längsten*** ['lɛŋstn] **1.** (*zeitlich*) a long time; ***wie ~ bist du schon hier?*** how long have you been here (for)?; ***es ist noch gar nicht ~ her, dass ...*** it's not long since we ...; ***je länger, je lieber*** the more the better; (*zeitlich*) the longer the better **2.** (*infml* ≈ *längst*) ***noch ~ nicht*** not by any means **Länge** ['lɛŋə] *f* ⟨**-, -n**⟩ **1.** length; (*infml*: *von Mensch*) height; ***eine ~ von 10 Metern haben*** to be 10 metres (*Br*) *or* meters (*US*) long; ***der ~ nach hinfallen*** to fall flat; ***in die ~ schießen*** to shoot up; ***etw in die ~ ziehen*** to drag sth out (*infml*); ***sich in die ~ ziehen*** to go on and on; ***(jdm) um ~n voraus sein*** (*fig*) to be streets ahead (of sb) **2.** GEOG longitude **3.** (*in Buch*) long-drawn-out passage; (*in Film*) long-drawn-out scene **langen** ['laŋən] (*dial infml*) **I** *v/i* **1.** (≈ *sich erstrecken*, *greifen*) to reach (*nach* for, *in* +*acc* in, into) **2.** (≈ *fassen*) to touch (*an etw* (*acc*) sth) **3.** (≈ *ausreichen*) to be enough; ***mir langt es*** I've had enough; ***das Geld langt nicht*** there isn't enough money **II** *v/t* (≈ *reichen*) ***jdm etw ~*** to give sb sth; ***jdm eine ~*** to give sb a clip on the ear (*infml*) **Längengrad** *m* degree of longitude; (*a.* **Längenkreis**) meridian **Längenmaß** *nt* measure of length **längerfristig** [-frɪstɪç] **I** *adj* longer-term **II** *adv* in the longer term

Langeweile ['laŋəvailə, laŋə'vailə] *f*, *gen* ***- or langen Weile*** ['laŋənvaile], *dat* ***- or langer Weile*** ['laŋɐvaile] *no pl* boredom; ***~ haben*** to be bored

langfristig [-frɪstɪç] **I** *adj* long-term **II** *adv* in the long term **langgehen** *sep irr*, *aux sein* **I** *v/i* **1.** (*Weg etc*) ***wo gehts hier lang?*** where does this (road *etc*) go? **2.** ***sie weiß, wo es langgeht*** she knows what's what **II** *v/t* to go along **langgestreckt** *adj* long **langhaarig** *adj* long-haired **Langhantel** *f* barbell **langjährig** *adj* *Freundschaft*, *Gewohnheit* long-standing; *Erfahrung* many years of; *Mitarbeiter* of many years' standing **Langlauf** *m* SKI cross-country (skiing) **Langläufer(in)** *m/(f)* SKI cross-country skier **langlebig** [-leːbɪç] *adj* long-lasting; *Gerücht* persistent; *Mensch*, *Tier* long-lived **länglich** ['lɛŋlɪç] *adj* long **Langmut** ['laŋmuːt] *f* ⟨**-**, *no pl*⟩ forbearance **langmütig** ['laŋmyːtɪç] *adj* forbearing **längs** [lɛŋs] **I** *adv* lengthways; ***~ gestreift*** *Stoff* with lengthways stripes **II** *prep* +*gen* along; ***~ des Flusses*** along the river **Längsachse** *f* longitudinal axis

langsam ['laŋzaːm] **I** *adj* slow **II** *adv* slowly; ***~, aber sicher*** slowly but surely; ***es wird ~ Zeit, dass ...*** it's high time that ...; ***ich muss jetzt ~ gehen*** I must be getting on my way; ***~ reicht es mir*** I've just about had enough **Langsamkeit** *f* ⟨**-**, *no pl*⟩ slowness

Langschläfer [-ʃlɛːfɐ] *m* ⟨**-s, -**⟩, **Langschläferin** [-ərɪn] *f* ⟨**-, -nen**⟩ late-riser

längsgestreift *adj* → ***längs***

Langspielplatte *f* long-playing record

längst [lɛŋst] *adv* (≈ *schon lange*) for a long time; (≈ *vor langer Zeit*) a long time ago; ***als wir ankamen, war der Zug ~ weg*** when we arrived the train had long since gone **längstens** ['lɛŋstns] *adv* **1.** (≈ *höchstens*) at the most **2.** (≈ *spätestens*) at the latest **längste(r, s)** ['lɛŋstə] *sup*; → ***lang***

Langstreckenflugzeug *nt* long-range aircraft **Langstreckenlauf** *m* (*Disziplin*) long-distance running; (*Wettkampf*) long-distance race **Langstreckenrakete** *f* long-range missile

Languste [laŋ'gʊstə] *f* ⟨**-, -n**⟩ crayfish, crawfish (*US*)

langweilen ['laŋvailən] *insep* **I** *v/t* to bore **II** *v/r* to be bored; ***sich zu Tode ~*** to be bored to death; → ***gelangweilt*** **Lang-**

weiler ['laŋvailɐ] *m* ⟨**-s, -**⟩, **Langweilerin** [-ərɪn] *f* ⟨**-, -nen**⟩ bore; (≈ *langsamer Mensch*) slowcoach (*Br infml*), slowpoke (*US infml*) **langweilig** ['laŋvailɪç] *adj* boring
Langwelle *f* long wave **langwierig** ['laŋviːrɪç] **I** *adj* long **II** *adv* over a long period **Langzeitarbeitslose(r)** *m/f(m) decl as adj* ***die* ~*n*** the long-term unemployed **Langzeitarbeitslosigkeit** *f* long-term unemployment **Langzeitgedächtnis** *nt* long-term memory
Lanolin [lano'liːn] *nt* ⟨**-s,** *no pl*⟩ lanolin
Lanze ['lantsə] *f* ⟨**-, -n**⟩ (≈ *Waffe*) lance
La Ola [la'|oːla] *f* ⟨**-, -s**⟩, **La-Ola-Welle** [la'|oːla] *f* SPORTS Mexican wave
Laos ['laːɔs] *nt* ⟨**-'**⟩ Laos **laotisch** [la'oːtɪʃ] *adj* Laotian
lapidar [lapi'daːɐ] **I** *adj* succinct **II** *adv* succinctly
Lappalie [la'paːliə] *f* ⟨**-, -n**⟩ trifle
Lappe ['lapə] *m* ⟨**-n, -n**⟩, **Lappin** ['lapɪn] *f* ⟨**-, -nen**⟩ Lapp, Lapplander
Lappen ['lapn] *m* ⟨**-s, -**⟩ (≈ *Stück Stoff*) cloth; (≈ *Waschlappen*) face cloth (*Br*), washcloth (*US*); ***jdm durch die* ~ *gehen*** (*infml*) to slip through sb's fingers
läppern ['lɛpɐn] *v/r impers* (*infml*) ***es läppert sich*** it (all) mounts up
läppisch ['lɛpɪʃ] *adj* silly
Lappland ['laplant] *nt* ⟨**-s**⟩ Lapland
Lapsus ['lapsʊs] *m* ⟨**-, -** ['lapsuːs]⟩ mistake; (*gesellschaftlich*) faux pas
Laptop ['lɛptɔp] *m* ⟨**-s, -s**⟩ IT laptop
Lärche ['lɛrçə] *f* ⟨**-, -n**⟩ larch
Lärm [lɛrm] *m* ⟨**-(e)s,** *no pl*⟩ noise; (≈ *Aufsehen*) fuss; ***~ schlagen*** (*fig*) to kick up a fuss; ***viel ~ um jdn/etw machen*** to make a big fuss about sb/sth **Lärmbekämpfung** *f* noise abatement **Lärmbelästigung** *f* noise pollution **lärmen** ['lɛrmən] *v/i* to make a noise; ***~d*** noisy **Lärmschutz** *m* noise prevention **Lärmschutzwall** *m*, **Lärmschutzwand** *f* sound barrier
Larve ['larfə] *f* ⟨**-, -n**⟩ (≈ *Tierlarve*) larva
Lasagne [la'zanjə] *pl* lasagne *sg*
lasch [laʃ] (*infml*) **I** *adj Gesetz, Kontrolle, Eltern* lax; *Vorgehen* feeble **II** *adv* (≈ *nicht streng*) in a lax way; *vorgehen* feebly
Lasche ['laʃə] *f* ⟨**-, -n**⟩ (≈ *Schlaufe*) loop; (≈ *Schuhlasche*) tongue; TECH splicing plate
Laser ['leːzɐ] *m* ⟨**-s, -**⟩ laser **Laserchirurgie** *f* laser surgery **Laserdrucker** *m* TYPO laser (printer) **Laserpistole** *f* laser gun; (*bei Geschwindigkeitskontrollen*) radar gun **Laserstrahl** *m* laser beam **Lasertechnik** *f, no pl* laser technology **Laserwaffe** *f* laser weapon
lasieren [la'ziːrən] *past part* ***lasiert*** *v/t Bild, Holz* to varnish; *Glas* to glaze
lassen ['lasn] *pret* ***ließ*** [liːs], *past part* ***gelassen*** [gə'lasn] **I** *modal aux, past part* ***lassen*** **1.** (≈ *veranlassen*) ***etw tun ~*** to have sth done; ***jdm mitteilen ~, dass ...*** to let sb know that ...; ***er lässt Ihnen mitteilen, dass ...*** he wants you to know that ...; ***jdn rufen*** *or* ***kommen ~*** to send for sb **2.** (≈ *zulassen*) ***warum hast du das Licht brennen ~?*** why did you leave the light on?; ***jdn warten ~*** to keep sb waiting **3.** (≈ *erlauben*) to let; ***jdn etw sehen ~*** to let sb see sth; ***ich lasse mich nicht zwingen*** I won't be coerced; ***lass mich machen!*** let me do it!; ***lass das sein!*** don't (do it)!; (≈ *hör auf*) stop it!; ***das Fenster lässt sich leicht öffnen*** the window opens easily; ***das Wort lässt sich nicht übersetzen*** the word can't be translated; ***das lässt sich machen*** that can be done; ***daraus lässt sich schließen, dass ...*** one can conclude from this that ... **4.** (*im Imperativ*) ***lass uns gehen!*** let's go!; ***lass es dir gut gehen!*** take care of yourself!; ***lass ihn nur kommen!*** just let him come! **II** *v/t* **1.** (≈ *unterlassen*) to stop; (≈ *momentan aufhören*) to leave; ***lass das!*** don't do it!; (≈ *hör auf*) stop that!; ***~ wir das!*** let's leave it!; ***er kann das Trinken nicht ~*** he can't stop drinking **2.** (≈ *belassen*) to leave; ***jdn allein ~*** to leave sb alone; ***lass mich (los)!*** let me go!; ***lass mich (in Ruhe)!*** leave me alone!; ***das muss man ihr ~*** (≈ *zugestehen*) you've got to give her that; ***etw ~, wie es ist*** to leave sth (just) as it is **III** *v/i* ***von jdm/etw ~*** (≈ *ablassen*) to give sb/sth up; ***lass mal, ich mach das schon*** leave it, I'll do it
lässig ['lɛsɪç] **I** *adj* (≈ *ungezwungen*) casual; (≈ *nachlässig*) careless; (*infml* ≈ *gekonnt*) cool (*infml*) **II** *adv* (≈ *ungezwungen*) casually; (*infml* ≈ *leicht*) easily
Lasso ['laso] *m or nt* ⟨**-s, -s**⟩ lasso
Last [last] *f* ⟨**-, -en**⟩ **1.** load; (≈ *Gewicht*) weight **2.** (*fig* ≈ *Bürde*) burden; ***jdm zur ~ fallen/werden*** to be/become a burden on sb; ***die ~ des Amtes*** the weight of of-

fice; ***jdm etw zur ~ legen*** to accuse sb of sth; ***das geht zu ~en der Sicherheit im Lande*** that is detrimental to national security **3. Lasten** *pl* (≈ *Kosten*) costs; (*des Steuerzahlers*) charges **lasten** ['lastn] *v/i* to weigh heavily (*auf +dat* on); ***auf ihm lastet die ganze Verantwortung*** all the responsibility rests on him **Lastenaufzug** *m* hoist

Laster[1] ['lastɐ] *m* ⟨**-s, -**⟩ (*infml* ≈ *Lastwagen*) truck

Laster[2] *nt* ⟨**-s, -**⟩ (≈ *Untugend*) vice **lasterhaft** *adj* depraved **lästerlich** ['lɛstɐlɪç] *adj* malicious; (≈ *gotteslästerlich*) blasphemous **lästern** ['lɛstɐn] *v/i* to bitch (*infml*); ***über jdn/etw ~*** to bitch about sb/sth (*infml*)

lästig ['lɛstɪç] *adj* tiresome; *Husten etc* troublesome; ***jdm ~ sein*** to bother sb; ***etw als ~ empfinden*** to think sth is annoying

Lastkahn *m* barge **Lastkraftwagen** *m* (*form*) heavy goods vehicle

Last-Minute-Angebot *m* late deal

Last-Minute-Flug *m* standby flight

Lastschiff *nt* freighter **Lastschrift** *f* debit; (*Eintrag*) debit entry **Lastschriftverfahren** *nt* direct debit **Lastwagen** *m* truck **Lastwagenfahrer(in)** *m*/(*f*) truck driver **Lastzug** *m* truck-trailer (*US*), juggernaut (*Br infml*)

Lasur [la'zuːɐ] *f* ⟨**-, -en**⟩ (*auf Holz*) varnish; (*auf Glas*) glaze

Latein [la'tain] *nt* ⟨**-s**⟩ Latin; ***mit seinem ~ am Ende sein*** to be stumped (*infml*) **Lateinamerika** *nt* Latin America **Lateinamerikaner(in)** *m*/(*f*) Latin American **lateinamerikanisch** *adj* Latin-American **lateinisch** [la'tainɪʃ] *adj* Latin

latent [la'tɛnt] *adj* latent

Laterne [la'tɛrnə] *f* ⟨**-, -n**⟩ lantern; (≈ *Straßenlaterne*) streetlight **Laternenpfahl** *m* lamppost

Latino [la'tiːno] *m* ⟨**-s, -s**⟩ Latin American, Latino (*esp US*) **Latinum** [la'tiːnʊm] *nt* ⟨**-s**, *no pl*⟩ ***kleines/großes ~*** basic/advanced Latin exam

latschen ['laːtʃn] *v/i aux sein* (*infml*) to wander **Latschen** ['laːtʃn] *m* ⟨**-s, -**⟩ (*infml*) (≈ *Hausschuh*) slipper; (*pej* ≈ *Schuh*) worn-out shoe

Latte ['latə] *f* ⟨**-, -n**⟩ **1.** (≈ *schmales Brett*) slat **2.** SPORTS bar; FTBL (cross)bar **3.** (*infml* ≈ *Liste*) ***eine (ganze) ~ von Vorstrafen*** a whole string of previous convictions **Lattenrost** *m* duckboards *pl*; (*in Bett*) slatted frame **Lattenschuss** *m* FTBL shot against the bar **Lattenzaun** *m* wooden fence

Latz [lats] *m* ⟨**-es, ⸚e** ['lɛtsə]⟩ ⟨*or* (*Aus*) **-e**⟩ (≈ *Lätzchen*) bib; (≈ *Hosenlatz*) (front) flap; ***jdm eins vor den ~ knallen*** (*infml*) to sock sb one (*infml*) **Lätzchen** ['lɛtsçən] *nt* ⟨**-s, -**⟩ bib **Latzhose** *f* (pair of) dungarees *pl* (*Br*) *or* overalls *pl* (*US*)

lau [lau] **I** *adj* **1.** (≈ *mild*) *Wind* mild **2.** (≈ *lauwarm*) tepid; (*fig*) lukewarm **II** *adv* (≈ *mild*) *wehen* gently

Laub [laup] *nt* ⟨**-(e)s** [-bəs]⟩ *no pl* leaves *pl* **Laubbaum** *m* deciduous tree

Laube ['laubə] *f* ⟨**-, -n**⟩ **1.** (≈ *Gartenhäuschen*) summerhouse **2.** (≈ *Gang*) arbour (*Br*), arbor (*US*), pergola

Laubfrosch *m* (European) tree frog **Laubsäge** *f* fret saw **Laubwald** *m* deciduous wood *or* (*größer*) forest

Lauch [laux] *m* ⟨**-(e)s, -e**⟩ (*esp S Ger* ≈ *Porree*) leek

Laudatio [lau'daːtsio] *f* ⟨**-, Laudationes** [lauda'tsioːneːs]⟩ eulogy

Lauer ['lauɐ] *f* ⟨**-**, *no pl*⟩ ***auf der ~ sein*** *or* ***liegen*** to lie in wait **lauern** ['lauɐn] *v/i* to lurk, to lie in wait (*auf +acc* for)

Lauf [lauf] *m* ⟨**-(e)s, Läufe** ['lɔyfə]⟩ **1.** (≈ *schneller Schritt*) run; SPORTS race **2.** (≈ *Verlauf*) course; ***im ~e der Zeit*** in the course of time; ***seiner Fantasie freien ~ lassen*** to give free rein to one's imagination; ***den Dingen ihren ~ lassen*** to let things take their course; ***das ist der ~ der Dinge*** that's the way things go **3.** (≈ *Gang, Arbeit*) running, operation **4.** (≈ *Flusslauf*) course **5.** (≈ *Gewehrlauf*) barrel **Laufbahn** *f* career **Laufband** *nt*, *pl* **-bänder** (*in Flughafen etc*) travelator (*Br*), moving sidewalk (*US*); (≈ *Sportgerät*) treadmill **laufen** ['laufn] *pret* ***lief*** [liːf], *past part* ***gelaufen*** [gə'laufn] **I** *v/i aux sein* **1.** (≈ *rennen*) to run; (*infml*) (≈ *gehen*) to go; (≈ *zu Fuß gehen*) to walk; ***das Laufen lernen*** to learn to walk **2.** (≈ *fließen*) to run **3.** (*Wasserhahn*) to leak; (*Wunde*) to weep **4.** (≈ *in Betrieb sein*) to run; (*Uhr*) to go; (≈ *funktionieren*) to work; ***ein Programm ~ lassen*** IT to run a program **5.** (≈ *gezeigt werden, Film, Stück*) to be on; ***etw läuft gut/schlecht*** sth is going well/badly; ***die Sache ist gelaufen***

(*infml*) it's in the bag (*infml*) **II** *v/t* **1.** *aux haben or sein* SPORTS *Rekordzeit* to run; *Rekord* to set **2.** *aux sein* (≈ *zu Fuß gehen*) to walk; (*schnell*) to run **III** *v/r* ***sich warm ~*** to warm up; ***sich müde ~*** to tire oneself out **laufend I** *adj attr* (≈ *ständig*) regular; (≈ *regelmäßig*) *Monat, Jahr* current; ***~e Nummer*** serial number; (*von Konto*) number; ***jdn auf dem Laufenden halten*** to keep sb up-to-date *or* informed; ***mit etw auf dem Laufenden sein*** to be up-to-date on sth **II** *adv* continually **laufen lassen** *past part* ***laufen lassen*** *or* (*rare*) ***laufen gelassen*** *v/t irr* (*infml*) ***jdn ~*** to let sb go **Läufer** ['lɔyfɐ] *m* ⟨**-s, -**⟩ **1.** CHESS bishop **2.** (*Teppich*) rug **Läufer** ['lɔyfɐ] *m* ⟨**-s, -**⟩, **Läuferin** [-ərɪn] *f* ⟨**-, -nen**⟩ SPORTS runner **Lauferei** [laufə'rai] *f* ⟨**-, -en**⟩ (*infml*) running about *no pl* **Lauffeuer** *nt* ***sich wie ein ~ verbreiten*** to spread like wildfire **läufig** ['lɔyfɪç] *adj* in heat **Laufkundschaft** *f* occasional customers *pl* **Laufmasche** *f* ladder (*Br*), run **Laufpass** *m* ***jdm den ~ geben*** (*infml*) to give sb his marching orders (*infml*) **Laufschritt** *m* trot; ***im ~*** MIL at the double **Laufschuh** *m* (*infml*) walking shoe **Laufstall** *m* playpen; (*für Tiere*) pen **Laufsteg** *m* catwalk **Laufwerk** *nt* IT drive **Laufzeit** *f* **1.** (*von Vertrag*) term; (*von Kredit*) period **2.** (*von Maschine* ≈ *Betriebszeit*) running time

Lauge ['laugə] *f* ⟨**-, -n**⟩ CHEM lye; (≈ *Seifenlauge*) soapy water **Laugenbrezel** *f* pretzel stick

Lauheit ['lauhait] *f* ⟨**-**, *no pl*⟩ (*von Wind, Abend*) mildness

Laune ['launə] *f* ⟨**-, -n**⟩ **1.** (≈ *Stimmung*) mood; **(*je*) *nach* (*Lust und*) ~** just as the mood takes one; ***gute/schlechte ~ haben*** to be in a good / bad mood **2.** (≈ *Grille, Einfall*) whim; ***etw aus einer ~ heraus tun*** to do sth on a whim **launenhaft, launisch** ['launɪʃ] *adj* moody; (≈ *unberechenbar*) capricious; *Wetter* changeable

Laus [laus] *f* ⟨**-, *Läuse*** ['lɔyzə]⟩ louse; ***ihm ist* (*wohl*) *eine ~ über die Leber gelaufen*** (*infml*) something's eating at him (*infml*)

Lauschangriff *m* bugging operation (*gegen* on) **lauschen** ['lauʃn] *v/i* **1.** (*elev*) to listen (*+dat, auf +acc* to) **2.** (≈ *heimlich zuhören*) to eavesdrop

lausen ['lauzn] *v/t* to delouse; ***ich glaub, mich laust der Affe!*** (*infml*) well I'll be blowed! (*Br infml*) **lausig** ['lauzɪç] (*infml*) **I** *adj* lousy (*infml*); *Kälte* freezing **II** *adv* awfully

laut[1] [laut] **I** *adj* loud; (≈ *lärmend*) noisy; ***er wird immer gleich ~*** he always gets obstreperous; ***etw ~ werden lassen*** (≈ *bekannt*) to make sth known **II** *adv* loudly; ***~ auflachen*** to laugh out loud; ***~ nachdenken*** to think aloud; ***das kannst du aber ~ sagen*** (*fig infml*) you can say that again

laut[2] *prep +gen or +dat* (*elev*) according to

Laut [laut] *m* ⟨**-(*e*)*s*, -*e***⟩ sound **lauten** ['lautn] *v/i* to be; (*Rede*) to go; (*Schriftstück*) to read; ***auf den Namen ... ~*** (*Pass*) to be in the name of ...

läuten ['lɔytn] *v/t & v/i* to ring; (*Wecker*) to go (off); ***es hat geläutet*** the bell rang; ***er hat davon* (*etwas*) *~ hören*** (*infml*) he has heard something about it

lauter[1] ['lautɐ] *adj inv* (≈ *nur*) nothing but; ***~ Unsinn*** pure nonsense; ***vor ~ Rauch kann man nichts sehen*** you can't see anything for all the smoke

lauter[2] *adj* (*elev* ≈ *aufrichtig*) honourable (*Br*), honorable (*US*); ***~er Wettbewerb*** fair competition

lauthals ['lauthals] *adv* at the top of one's voice **lautlos I** *adj* silent **II** *adv* silently **Lautmalerei** *f* onomatopoeia **lautmalerisch** *adj* onomatopoeic **Lautschrift** *f* phonetics *pl* **Lautsprecher** *m* (loud)-speaker **Lautsprecheranlage** *f* ***öffentliche ~*** PA system **lautstark I** *adj* loud; *Protest* vociferous **II** *adv* loudly; *protestieren auch* vociferously **Lautstärke** *f* **1.** loudness **2.** RADIO, TV *etc* volume **Lautstärkeregler** *m* RADIO, TV volume control

lauwarm *adj* slightly warm; *Flüssigkeit* lukewarm; (*fig*) lukewarm

Lava ['laːva] *f* ⟨**-, *Laven*** ['laːvn]⟩ lava

Lavabo ['laːvabo] *nt* ⟨**-(*s*), -*s***⟩ (*Swiss*) washbasin

Lavendel [la'vɛndl] *m* ⟨**-s, -**⟩ lavender

Lawine [la'viːnə] *f* ⟨**-, -n**⟩ avalanche **lawinenartig** *adj* like an avalanche; ***~ anwachsen*** to snowball **Lawinengefahr** *f* danger of avalanches **lawinensicher** *adv gebaut* to withstand avalanches **Lawinenwarnung** *f* avalanche warning

lax [laks] **I** *adj* lax **II** *adv* laxly **Laxheit** *f* ⟨**-,**

no *pl*⟩ laxity
Layout *nt* ⟨**-s, -s**⟩, **Lay-out** ['leː|aut] *nt* ⟨**-s, -s**⟩ layout **Layouter** ['leː|autɐ] *m* ⟨**-s, -**⟩, **Layouterin** [-ərɪn] *f* ⟨**-, -nen**⟩ designer
Lazarett [latsa'rɛt] *nt* ⟨**-(e)s, -e**⟩ (MIL, *in Kaserne etc*) sickbay; (≈ *Krankenhaus*) hospital
LCD-Anzeige *f* LCD display
Leadsänger(in) ['liːd-] *m/(f)* lead singer
leasen ['liːzn] *v/t* COMM to lease **Leasing** ['liːzɪŋ] *nt* ⟨**-s, -s**⟩ COMM leasing
leben ['leːbn] **I** *v/i* to live; (≈ *am Leben sein*) to be alive; ***er lebt noch*** he is still alive; ***er lebt nicht mehr*** he is no longer alive; ***von etw ~*** to live on sth; ***wie geht es dir? — man lebt*** (***so***) (*infml*) how are you? — surviving; ***genug zu ~ haben*** to have enough to live on; ***~ und ~ lassen*** to live and let live; ***allein ~*** to live alone **II** *v/t* to live **Leben** ['leːbn] *nt* ⟨**-s, -**⟩ life; ***das ~*** life; ***am ~ bleiben*** to stay alive; ***solange ich am ~ bin*** as long as I live; ***jdm das ~ retten*** to save sb's life; ***es geht um ~ und Tod*** it's a matter of life and death; ***mit dem ~ davonkommen*** to escape with one's life; ***etw ins ~ rufen*** to bring sth into being; ***ums ~ kommen*** to die; ***sich*** (*dat*) ***das ~ nehmen*** to take one's (own) life; ***etw für sein ~ gern tun*** to love doing sth; ***ein ~ lang*** one's whole life (long); ***nie im ~!*** never!; ***ein Film nach dem ~*** a film from real life; ***das ~ geht weiter*** life goes on; ***~ in etw*** (*acc*) ***bringen*** (*infml*) to liven sth up **lebend** *adj* live *attr*, alive *pred*; *Sprache* living **Lebendgewicht** *nt* live weight **lebendig** [le'bɛndɪç] **I** *adj* **1.** (≈ *nicht tot*) live *attr*, alive *pred*; *Wesen* living; ***bei ~em Leibe*** alive **2.** (*fig* ≈ *lebhaft*) lively *no adv*; *Darstellung* vivid **II** *adv* (≈ *lebend*) alive; (*fig* ≈ *lebhaft*) vividly **Lebendigkeit** *f* ⟨**-**⟩ liveliness **Lebensabend** *m* old age **Lebensabschnitt** *m* phase in *or* of one's life **Lebensalter** *nt* age **Lebensarbeitszeit** *f* working life **Lebensart** *f, no pl* **1.** (≈ *Lebensweise*) way of life **2.** (≈ *Manieren*) manners *pl*; (≈ *Stil*) style **Lebensauffassung** *f* attitude to life **Lebensaufgabe** *f* life's work **Lebensbedingungen** *pl* living conditions *pl* **lebensbedrohend, lebensbedrohlich** *adj* life-threatening **Lebensberechtigung** *f* right to exist **Lebensbereich** *m* area of life **Lebensdauer** *f* life(span); (*von Maschine*) life **Lebensende** *nt* end (of sb's/one's life); ***bis an ihr ~*** till the day she died **Lebenserfahrung** *f* experience of life **lebenserhaltend** *adj* life-preserving; *Geräte* life-support *attr* **Lebenserinnerungen** *pl* memoirs *pl* **Lebenserwartung** *f* life expectancy **lebensfähig** *adj* viable **Lebensfähigkeit** *f* viability **Lebensfreude** *f* joie de vivre **lebensfroh** *adj* merry **Lebensführung** *f* lifestyle **Lebensgefahr** *f* (mortal) danger; ***„Lebensgefahr!"*** "danger!"; ***er schwebt in ~*** his life is in danger; (*Patient*) he is in a critical condition; ***außer ~ sein*** to be out of danger **lebensgefährlich I** *adj* highly dangerous; *Krankheit, Verletzung* critical **II** *adv verletzt* critically **Lebensgefährte** *m*, **Lebensgefährtin** *f* partner **Lebensgefühl** *nt, no pl* awareness of life, feeling of being alive; ***ein ganz neues ~ haben*** to feel (like) a different person **Lebensgemeinschaft** *f* long-term relationship; ***eingetragene ~*** registered partnership **Lebensgeschichte** *f* life story, life history **lebensgroß** *adj, adv* life-size **Lebensgröße** *f* life-size; ***etw in ~ malen*** to paint sth life-size **Lebensgrundlage** *f* (basis for one's) livelihood **Lebenshaltung** *f* **1.** (≈ *Unterhaltskosten*) cost of living **2.** (≈ *Lebensführung*) lifestyle **Lebenshaltungsindex** *m* cost-of-living index **Lebenshaltungskosten** *pl* cost of living *sg* **Lebensjahr** *nt* year of (one's) life; ***nach Vollendung des 18. ~es*** on attaining the age of 18 **Lebenskraft** *f* vitality **Lebenslage** *f* situation **lebenslang** *adj Freundschaft* lifelong; *Haft* life *attr*, for life **lebenslänglich I** *adj Rente, Strafe* for life; ***sie hat ~ bekommen*** (*infml*) she got life (*infml*) **II** *adv* for life **Lebenslauf** *m* life; (*bei Bewerbungen*) curriculum vitae (*Br*), résumé (*US*) **Lebenslust** *f* zest for life **lebenslustig** *adj* in love with life **Lebensmittel** *pl* food *sg* **Lebensmittelchemie** *f* food chemistry **Lebensmittelgeschäft** *nt* grocer's (shop) **Lebensmittelvergiftung** *f* food poisoning **lebensmüde** *adj* weary of life; ***ich bin doch nicht ~!*** (*infml* ≈ *verrückt*) I'm not completely mad! (*infml*) **lebensnotwendig** *adj* essential **Lebenspartner(in)** *m/(f)* long-term partner **Lebenspartnerschaft** *f* long-term relationship; ***eingetragene***

~ registered *or* civil (*Br*) partnership **Lebensqualität** *f* quality of life **Lebensretter(in)** *m/(f)* rescuer **Lebensstandard** *m* standard of living **Lebensstil** *m* lifestyle **Lebensumstände** *pl* circumstances *pl* **lebensunfähig** *adj Lebewesen, System* nonviable **Lebensunterhalt** *m* ***seinen ~ verdienen*** to earn one's living; ***für jds ~ sorgen*** to support sb **lebensverlängernd** *adj Maßnahme* life-prolonging **Lebensversicherung** *f* life insurance **Lebenswandel** *m* way of life **Lebensweise** *f* way of life **Lebensweisheit** *f* maxim; (≈ *Lebenserfahrung*) wisdom **Lebenswerk** *nt* life's work **lebenswert** *adj* worth living **lebenswichtig** *adj* essential; *Organ* vital **Lebenswille** *m* will to live **Lebenszeichen** *nt* sign of life **Lebenszeit** *f* life(time); ***auf ~*** for life

Leber ['leːbɐ] *f* ⟨-, -n⟩ liver; ***frei*** *or* ***frisch von der ~ weg reden*** (*infml*) to speak out **Leberfleck** *m* mole **Leberkäse** *m, no pl* ≈ meat loaf **Leberknödel** *m* liver dumpling **Leberkrebs** *m* cancer of the liver **Leberpastete** *f* liver pâté **Lebertran** *m* cod-liver oil **Leberwurst** *f* liver sausage

Lebewesen *nt* living thing **Lebewohl** [leːbə'voːl] *nt* ⟨-s, *no pl*⟩ (*liter*) farewell (*liter*); ***jdm ~ sagen*** to bid sb farewell

lebhaft I *adj* lively *no adv*; *Gespräch* animated; COMM *Geschäfte, Nachfrage* brisk; *Erinnerung* vivid; *Farbe* bright **II** *adv reagieren* strongly; ***~ diskutieren*** to have a lively discussion; ***das Geschäft geht ~*** business is brisk; ***ich kann mir ~ vorstellen, dass ...*** I can (very) well imagine that ... **Lebhaftigkeit** ['leːphaftɪçkait] *f* ⟨-, *no pl*⟩ liveliness; (*von Erinnerung*) vividness; (*von Farbe*) brightness

Lebkuchen *m* gingerbread

leblos *adj* lifeless; ***~er Gegenstand*** inanimate object **Lebzeiten** *pl* ***zu jds ~*** in sb's lifetime; (≈ *Zeit*) in sb's day

lechzen ['lɛçtsn] *v/i* to pant; ***nach etw ~*** to thirst for sth

leck [lɛk] *adj* leaky; ***~ sein*** to leak **Leck** [lɛk] *nt* ⟨-(e)s, -s⟩ leak

lecken[1] ['lɛkn] *v/i* (≈ *undicht sein*) to leak

lecken[2] *v/t & v/i* to lick; ***an jdm/etw ~*** to lick sb/sth

lecker ['lɛkɐ] **I** *adj Speisen* delicious **II** *adv zubereitet* deliciously; ***~ schmecken*** to taste delicious **Leckerbissen** *m* (*Speise*) delicacy, titbit (*Br*), tidbit (*US*) **Leckerei** *f* ⟨-, -en⟩ **1.** (≈ *Leckerbissen*) delicacy, titbit (*Br*), tidbit (*US*) **2.** (≈ *Süßigkeit*) dainty

Leder ['leːdɐ] *nt* ⟨-s, -⟩ leather; ***zäh wie ~*** as tough as old boots (*Br infml*), as tough as shoe leather (*US*) **Ledergarnitur** *f* leather-upholstered suite **Lederhose** *f* leather trousers *pl* (*esp Br*) *or* pants *pl* (*esp US*); (*kurz*) lederhosen *pl* **Lederjacke** *f* leather jacket **Ledermantel** *m* leather coat **ledern** ['leːdɐn] *adj* **1.** leather **2.** (≈ *zäh*) leathery **Lederwaren** *pl* leather goods *pl*

ledig ['leːdɪç] *adj* (≈ *unverheiratet*) single **Ledige(r)** ['leːdɪgə] *m/f(m) decl as adj* single person

lediglich ['leːdɪklɪç] *adv* merely

leer [leːɐ] **I** *adj* empty; *Blick* blank; ***mit ~en Händen*** (*fig*) empty-handed **II** *adv* ***etw ~ machen*** to empty sth; ***(wie) ~ gefegt*** *Straßen* deserted; ***etw ~ trinken*** to empty sth; ***~ stehen*** to stand empty; ***~ stehend*** empty **Leere** ['leːrə] *f* ⟨-, *no pl*⟩ emptiness **leeren** ['leːrən] *v/t & v/r* to empty **Leergewicht** *nt* unladen weight; (*von Behälter*) empty weight **Leergut** *nt* empties *pl* **Leerlauf** *m* AUTO neutral; (*von Fahrrad*) freewheel; ***im ~ fahren*** to coast **leerlaufen** *v/i sep irr aux sein* **1.** (*Fass etc*) to run dry **2.** (*Motor*) to idle; (*Maschine*) to run idle **Leertaste** *f* space-bar **Leerung** ['leːrʊŋ] *f* ⟨-, -en⟩ emptying; ***nächste ~ 18 Uhr*** (*an Briefkasten*) next collection (*Br*) *or* pickup (*US*) 6 p.m. **Leerzeichen** *nt* IT blank *or* space (character) **Leerzeile** *f* TYPO blank line; ***zwei ~n lassen*** to leave two lines free *or* blank, to leave two empty lines

legal [le'gaːl] **I** *adj* legal **II** *adv* legally **legalisieren** [legali'ziːrən] *past part* ***legalisiert*** *v/t* to legalize **Legalisierung** *f* legalization **Legalität** [legali'tɛːt] *f* ⟨-, *no pl*⟩ legality; ***(etwas) außerhalb der ~*** (*euph*) (slightly) outside the law

Legasthenie [legaste'niː] *f* ⟨-, -n [-'niːən]⟩ dyslexia **Legastheniker** [legas'teːnikɐ] *m* ⟨-s, -⟩, **Legasthenikerin** [-ərɪn] *f* ⟨-, -nen⟩ dyslexic

Legebatterie *f* hen battery **Legehenne** *f* laying hen **legen** ['leːgn] **I** *v/t* **1.** (≈ *lagern*) to lay down; (*mit adv*) to lay **2.** (≈ *verlegen*) to lay; *Bomben* to plant; ***Feuer ~*** to start a fire **II** *v/t & v/i* (*Huhn*)

to lay **III** *v/r* **1.** (≈ *hinlegen*) to lie down (*auf +acc* on); ***sich in die Sonne ~*** to lie in the sun; ***sich auf die Seite ~*** to lie on one's side **2.** (≈ *abnehmen*) (*Lärm*) to die down; (*Rauch*, *Nebel*) to clear; (*Zorn*, *Nervosität*) to wear off

legendär [legɛn'dɛːɐ] *adj* legendary **Legende** [le'gɛndə] *f* ⟨**-, -n**⟩ legend

leger [le'ʒeːɐ, le'ʒɛːɐ] **I** *adj Kleidung*, *Ausdruck Typ* casual; *Atmosphäre* relaxed **II** *adv* casually; *sich ausdrücken* informally

Leggin(g)s ['lɛgɪŋs] *pl* leggings *pl*

legieren [le'giːrən] *past part* ***legiert*** *v/t Metall* to alloy **Legierung** [le'giːrʊŋ] *f* ⟨**-, -en**⟩ alloy; (*Verfahren*) alloying

Legion [le'gioːn] *f* ⟨**-, -en**⟩ legion **Legionär** [legio'nɛːɐ] *m* ⟨**-s, -e**⟩ legionary, legionnaire

Legislative [legɪsla'tiːvə] *f* ⟨**-, -n**⟩ legislature **Legislaturperiode** *f* parliamentary term (*Br*), legislative period (*US*)

legitim [legi'tiːm] *adj* legitimate **Legitimation** [legitima'tsioːn] *f* ⟨**-, -en**⟩ identification; (≈ *Berechtigung*) authorization **legitimieren** [legiti'miːrən] *past part* ***legitimiert*** **I** *v/t* to legitimize; (≈ *berechtigen*) to entitle; (≈ *Erlaubnis geben*) to authorize **II** *v/r* (≈ *sich ausweisen*) to identify oneself **Legitimierung** [legiti'miːrʊŋ] *f* legitimization; (≈ *Berechtigung*) justification **Legitimität** [legitimi'tɛːt] *f* ⟨**-**, *no pl*⟩ legitimacy

Leguan [leːgu'aːn, 'leːguaːn] *m* ⟨**-s, -e**⟩ iguana

Lehm [leːm] *m* ⟨**-(e)s, -e**⟩ loam; (≈ *Ton*) clay **Lehmboden** *m* clay soil **lehmig** ['leːmɪç] *adj* loamy; (≈ *tonartig*) claylike

Lehne ['leːnə] *f* ⟨**-, -n**⟩ (≈ *Armlehne*) arm(rest); (≈ *Rückenlehne*) back (rest) **lehnen** ['leːnən] **I** *v/t & v/r* to lean (*an +acc* against) **II** *v/i* to be leaning (*an +dat* against) **Lehnstuhl** *m* easy chair **Lehnwort** *nt*, *pl* ***-wörter*** LING loan word

Lehramt *nt* ***das ~*** the teaching profession; (≈ *Lehrerposten*) teaching post (*esp Br*) *or* position **Lehrauftrag** *m* UNIV ***einen ~ für etw haben*** to give lectures on sth **Lehrbeauftragte(r)** *m/f(m) decl as adj* UNIV ***~ für etw sein*** to give lectures on sth **Lehrbuch** *nt* textbook **Lehre** ['leːrə] *f* ⟨**-, -n**⟩ **1.** (≈ *das Lehren*) teaching **2.** (*von Christus etc*) teachings *pl*; (≈ *Lehrmeinung*) doctrine **3.** (≈ *negative Erfahrung*) lesson; (*einer Fabel*) moral; ***jdm eine ~ erteilen*** to teach sb a lesson; ***lass dir das eine ~ sein*** let that be a lesson to you! **4.** (≈ *Berufslehre*) apprenticeship; (*in nicht handwerklichem Beruf*) training; ***eine ~ machen*** to train; (*in Handwerk*) to do an apprenticeship **lehren** ['leːrən] *v/t & v/i* to teach; → ***gelehrt*** **Lehrer** ['leːrɐ] *m* ⟨**-s, -**⟩, **Lehrerin** [-ərɪn] *f* ⟨**-, -nen**⟩ teacher; (≈ *Fahrlehrer etc*) instructor / instructress **Lehrerausbildung** *f* teacher training **Lehrerkollegium** *nt* (teaching) staff **Lehrerzimmer** *nt* staff (*esp Br*) *or* teachers' room **Lehrfach** *nt* subject **Lehrgang** *m*, *pl* ***-gänge*** course (*für* in) **Lehrgeld** *nt* ***~ für etw zahlen müssen*** (*fig*) to pay dearly for sth **Lehrjahr** *nt* year as an apprentice **Lehrkörper** *m* (*form*) teaching staff **Lehrkraft** *f* (*form*) teacher **Lehrling** ['leːɐlɪŋ] *m* ⟨**-s, -e**⟩ apprentice; (*in nicht handwerklichem Beruf*) trainee **Lehrmeister(in)** *m/(f)* master **Lehrmethode** *f* teaching method **Lehrmittel** *nt* teaching aid **Lehrplan** *m* (teaching) curriculum; (*für ein Schuljahr*) syllabus **lehrreich** *adj* (≈ *informativ*) instructive; *Erfahrung* educational **Lehrsatz** *m* MAT, PHIL theorem; ECCL dogma **Lehrstelle** *f* position as an apprentice/a trainee **Lehrstoff** *m* subject; (*eines Jahres*) syllabus **Lehrstuhl** *m* UNIV chair (*für* of) **Lehrtochter** *f* (*Swiss*) apprentice **Lehrveranstaltung** *f* (UNIV ≈ *Vorlesung*) lecture; (≈ *Seminar*) seminar **Lehrzeit** *f* apprenticeship

Leib [laip] *m* ⟨**-(e)s, -er** [-bɐ]⟩ (≈ *Körper*) body; ***mit ~ und Seele*** heart and soul; *wünschen* with all one's heart; ***mit ~ und Seele dabei sein*** to put one's heart and soul into it; ***etw am eigenen ~(e) erfahren*** to experience sth for oneself; ***am ganzen ~(e) zittern*** to be shaking all over; ***halt ihn mir vom ~*** keep him away from me **Leibchen** ['laibçən] *nt* ⟨**-s, -**⟩ (*Aus*, *Swiss*), **Leiberl** ['laibɐl] *nt* ⟨**-s, -**⟩ (*Aus*) (≈ *Unterhemd*) vest (*Br*), undershirt (*US*); (≈ *T-Shirt*) T-shirt; (≈ *Trikot*) shirt, jersey **Leibeskraft** *f* ***aus Leibeskräften schreien*** *etc* to shout *etc* with all one's might (and main) **Leibesübung** *f* ***~en*** (*Schulfach*) physical education *no pl* **Leibgericht** *nt* favourite (*Br*) *or* favorite (*US*) meal **leibhaftig** [laip'haftɪç, 'laiphaftɪç] **I** *adj* personified; ***die ~e Güte*** *etc* goodness *etc* personified

II *adv* in person **leiblich** ['laiplıç] *adj* **1.** (≈ *körperlich*) physical, bodily; ***für das ~e Wohl sorgen*** to take care of our/their *etc* bodily needs **2.** *Mutter, Vater* natural; *Kind* by birth; *Bruder, Schwester* full **Leibschmerzen** *pl* (*old, dial*) stomach pains *pl* **Leibwache** *f* bodyguard **Leibwächter(in)** *m/(f)* bodyguard

Leiche ['laiçə] *f* ⟨-, *-n*⟩ corpse; ***er geht über ~n*** (*infml*) he'd stop at nothing; ***nur über meine ~!*** (*infml*) over my dead body! **Leichenbestatter(in)** *m/(f)* ⟨*-s, -*⟩ undertaker, mortician (*US*) **leichenblass** *adj* deathly pale **Leichenhalle** *f*, **Leichenhaus** *nt* mortuary **Leichenschau** *f* postmortem (examination) **Leichenschauhaus** *nt* morgue **Leichenstarre** *f* rigor mortis *no art* **Leichenwagen** *m* hearse **Leichnam** ['laiçnaːm] *m* ⟨*-s, -e*⟩ (*form*) body

leicht [laiçt] **I** *adj* (≈ *nicht schwer*) light; *Koffer* lightweight; (≈ *geringfügig*) slight; JUR *Vergehen etc* petty; (≈ *einfach*) easy; ***mit ~er Hand*** (*fig*) effortlessly; ***mit dem werden wir (ein) ~es Spiel haben*** he'll be no problem **II** *adv* **1.** (≈ *einfach*) easily; ***es sich*** (*dat*) ***(bei etw) ~ machen*** not to make much of an effort (with sth); ***man hats nicht ~*** (*infml*) it's a hard life; ***~ zu beantworten*** easy to answer; ***das ist ~er gesagt als getan*** that's easier said than done; ***du hast ~ reden*** it's all very well for you; → ***leicht machen*** *etc* **2.** (≈ *schnell*) easily; ***er wird ~ böse*** *etc* he is quick to get angry *etc*; ***~ zerbrechlich*** very fragile; ***~ verderblich*** highly perishable; ***das ist ~ möglich*** that's quite possible; ***~ entzündlich*** *Brennstoff etc* highly (in)flammable; ***das passiert mir so ~ nicht wieder*** I won't let that happen again in a hurry (*infml*) **3.** (≈ *schwach*) *regnen* not hard; ***~ bekleidet sein*** to be scantily clad; ***~ gekleidet sein*** to be (dressed) in light clothes; ***~ gewürzt/gesalzen*** lightly seasoned/salted **Leichtathlet(in)** *m/(f)* (track and field) athlete **Leichtathletik** *f* (track and field) athletics *sg* **leichtfallen** *v/i sep irr aux sein* to be easy (*jdm* for sb) **leichtfertig** **I** *adj* thoughtless **II** *adv* thoughtlessly; ***~ handeln*** to act without thinking **Leichtfertigkeit** *f* thoughtlessness **Leichtgewicht** *nt* lightweight **leichtgläubig** *adj* credulous; (≈ *leicht zu täuschen*) gullible **Leichtgläubigkeit** *f* credulity; (≈ *Arglosigkeit*) gullibility **leichthin** ['laiçthın] *adv* lightly **Leichtigkeit** ['laiçtıçkait] *f* ⟨-, *no pl*⟩ **1.** (≈ *Mühelosigkeit*) ease; ***mit ~*** with no trouble (at all) **2.** (≈ *Unbekümmertheit*) light-heartedness **leichtlebig** [-leːbıç] *adj* happy-go-lucky **leicht machen** *v/t*, **leichtmachen** *v/t sep* (***jdm***) ***etw ~*** to make sth easy (for sb); ***sich*** (*dat*) ***etw ~*** to make things easy for oneself with sth; (≈ *nicht gewissenhaft sein*) to take it easy with sth **Leichtmetall** *nt* light metal **leichtnehmen** *v/t sep irr* ***etw ~*** (≈ *nicht ernsthaft behandeln*) to take sth lightly; (≈ *sich keine Sorgen machen*) not to worry about sth **Leichtsinn** *m* (≈ *unvorsichtige Haltung*) foolishness; (≈ *Sorglosigkeit*) thoughtlessness; ***sträflicher ~*** criminal negligence **leichtsinnig** **I** *adj* foolish; (≈ *unüberlegt*) thoughtless **II** *adv handeln* thoughtlessly; ***~ mit etw umgehen*** to be careless with sth **Leichtverletzte(r)** *m/f(m) decl as adj* ***die ~n*** the slightly injured **Leichtwasserreaktor** *m* light water reactor

leid [lait] *adj pred* (≈ *überdrüssig*) ***jdn/etw ~ sein*** to be tired of sb/sth **Leid** [lait] *nt* ⟨*-(e)s* [-dəs]⟩ *no pl* **1.** (≈ *Kummer*) sorrow, grief *no indef art*; (≈ *Schaden*) harm; ***viel ~ erfahren*** to suffer a great deal; ***jdm sein ~ klagen*** to tell sb one's troubles; ***zu ~e*** = ***zuleide*** **2.** (*Swiss* ≈ *Begräbnis*) funeral **3.** (*Swiss* ≈ *Trauerkleidung*) mourning **leiden** ['laidn] *pret* ***litt*** [lıt], *past part* ***gelitten*** [gə'lıtn] **I** *v/t* **1.** (≈ *ertragen müssen*) to suffer **2.** ***jdn/etw ~ können*** to like sb/sth **II** *v/i* to suffer (*an +dat, unter +dat* from) **Leiden** ['laidn] *nt* ⟨*-s, -*⟩ **1.** suffering **2.** (≈ *Krankheit*) illness **leidend** *adj* (≈ *kränklich*) ailing; (*infml*) *Miene* long-suffering **Leidenschaft** ['laidnʃaft] *f* ⟨-, *-en*⟩ passion; ***ich koche mit großer ~*** cooking is a great passion of mine **leidenschaftlich** ['laidnʃaftlıç] **I** *adj* passionate **II** *adv* passionately; ***etw ~ gern tun*** to be mad about doing sth (*infml*) **leidenschaftslos** **I** *adj* dispassionate **II** *adv* dispassionately **Leidensgefährte** *m*, **Leidensgefährtin** *f* fellow-sufferer **Leidensgeschichte** *f* tale of woe; ***die ~ (Christi)*** BIBLE Christ's Passion **Leidensweg** *m* life of suffering; ***seinen ~ gehen*** to bear one's cross **leider** ['laidɐ] *adv* unfortunately **leidgeprüft**

[-gəpryːft] *adj* sorely afflicted **leidig** ['laidɪç] *adj attr* tiresome **leidlich** ['laitlɪç] **I** *adj* reasonable **II** *adv* reasonably; ***wie gehts? — danke, ~!*** how are you? – not too bad, thanks **Leidtragende(r)** ['laittragndə] *m/f(m) decl as adj* **1.** (≈ *Hinterbliebener*) ***die ~n*** the bereaved **2.** (≈ *Benachteiligter*) ***der/die ~*** the one to suffer **leidtun** *v/i sep irr* ***etw tut jdm leid*** sb is sorry about *or* for sth; ***tut mir leid!*** (I'm) sorry!; ***es tut uns leid, Ihnen mitteilen zu müssen ...*** we regret to have to inform you ...; ***er/sie tut mir leid*** I'm sorry for him/her, I pity him/her; ***das wird dir noch ~*** you'll be sorry **Leierkasten** *m* barrel organ **Leierkastenfrau** *f*, **Leierkastenmann** *m*, *pl* ***-männer*** organ-grinder

Leiharbeit *f*, *no pl* subcontracted work **Leiharbeiter(in)** *m/(f)* subcontracted worker **Leihbibliothek** *f*, **Leihbücherei** *f* lending library **leihen** ['laiən] *pret* ***lieh*** [liː], *past part* ***geliehen*** [gə'liːən] *v/t* to lend; (≈ *entleihen*) to borrow; (≈ *mieten*) to hire **Leihgabe** *f* loan **Leihgebühr** *f* hire *or* rental charge; (*für Buch*) lending charge **Leihhaus** *nt* pawnshop **Leihmutter** *f*, *pl* ***-mütter*** surrogate mother **Leihwagen** *m* hire(d) car (*Br*), rental (car) (*US*) **leihweise** *adv* on loan

Leim [laim] *m* ⟨***-(e)s, -e***⟩ glue; ***jdm auf den ~ gehen*** *or* ***kriechen*** (*infml*) to be taken in by sb; ***aus dem ~ gehen*** (*infml*) (*Sache*) to fall apart **leimen** ['laimən] *v/t* (≈ *kleben*) to glue (together); ***jdn ~*** (*infml*) to take sb for a ride (*infml*); ***der Geleimte*** the mug (*infml*)

Lein [lain] *m* ⟨***-(e)s, -e***⟩ flax

Leine ['lainə] *f* ⟨***-, -n***⟩ cord; (≈ *Schnur*) string; (≈ *Angelleine, Wäscheleine*) line; (≈ *Hundeleine*) leash

leinen ['lainən] *adj* linen; (*grob*) canvas; *Bucheinband* cloth **Leinen** ['lainən] *nt* ⟨***-s, -***⟩ linen; (*grob*) canvas; (*als Bucheinband*) cloth

Leinsamen *m* linseed **Leinwand** *f* ⟨***-,*** *no pl*⟩ canvas; (*für Dias*) screen

leise ['laizə] **I** *adj* **1.** quiet; *Stimme* soft; ***... sagte er mit ~r Stimme ...*** he said in a low voice **2.** (≈ *gering*) slight; *Schlaf, Regen, Wind* light; ***nicht die ~ste Ahnung haben*** not to have the slightest idea **II** *adv* (≈ *nicht laut*) quietly; ***das Radio (etwas) ~r stellen*** to turn the radio down (slightly); ***sprich doch ~r!*** keep your voice down a bit

Leiste ['laistə] *f* ⟨***-, -n***⟩ (≈ *Holzleiste etc*) strip (of wood *etc*); (≈ *Zierleiste*) trim; (≈ *Umrandung*) border

leisten ['laistn] *v/t* **1.** (≈ *erreichen*) to achieve; *Arbeit* to do; (*Maschine*) to manage; (≈ *ableisten*) *Wehrdienst etc* to complete; ***etwas ~*** (*Mensch*) (≈ *arbeiten*) to do something; (≈ *vollbringen*) to achieve something; (*Maschine*) to be quite good; (*Auto, Motor etc*) to be quite powerful; ***gute Arbeit ~*** to do a good job; ***jdm Hilfe ~*** to give sb some help; ***jdm gute Dienste ~*** (*Gegenstand*) to serve sb well; (*Mensch*) to be useful to sb **2.** (≈ *sich erlauben*) ***sich*** (*dat*) ***etw ~*** to allow oneself sth; (≈ *sich gönnen*) to treat oneself to sth; ***sich*** (*dat*) ***etw ~ können*** (*finanziell*) to be able to afford sth; ***er hat sich tolle Sachen geleistet*** he got up to the craziest things

Leistenbruch *m* MED hernia **Leistengegend** *f* groin

Leistung ['laistʊŋ] *f* ⟨***-, -en***⟩ **1.** (≈ *Geleistetes*) performance; (*großartige, gute*) achievement; (≈ *Ergebnis*) result(s); (≈ *geleistete Arbeit*) work *no pl*; ***eine große ~ vollbringen*** to achieve a great success; ***das ist keine besondere ~*** that's nothing special; ***seine schulischen ~en haben nachgelassen*** his school work has deteriorated; ***schwache ~!*** that's not very good **2.** (≈ *Leistungsfähigkeit*) capacity; (*von Motor*) power **3.** (≈ *Zahlung*) payment **4.** (≈ *Dienstleistung*) service **Leistungsdruck** *m*, *no pl* pressure (to do well) **leistungsfähig** *adj* (≈ *konkurrenzfähig*) competitive; (≈ *produktiv*) efficient; *Motor* powerful; *Maschine* productive; FIN solvent **Leistungsfähigkeit** *f* (≈ *Konkurrenzfähigkeit*) competitiveness; (≈ *Produktivität*) efficiency; (*von Motor*) power(fulness); (*von Maschine*) capacity; FIN ability to pay, solvency; ***das übersteigt meine ~*** that's beyond my capabilities **leistungsgerecht** *adj Bezahlung* preformance-related **Leistungsgesellschaft** *f* meritocracy, achievement-orientated society (*pej*) **Leistungsgrenze** *f* upper limit **Leistungskontrolle** *f* SCHOOL, UNIV assessment; (*in der Fabrik*) productivity check **Leistungskurs** *m advanced course in specialist subjects* **leistungsorientiert** *adj*

Gesellschaft competitive; *Lohn* performance-related **Leistungsprämie** *f* productivity bonus **Leistungsprinzip** *nt* achievement principle **leistungsschwach** *adj* (≈ *nicht konkurrenzfähig*) uncompetitive; (≈ *nicht produktiv*) inefficient, unproductive; *Motor* low-powered; *Maschine* low-performance **Leistungssport** *m* competitive sport **leistungsstark** *adj* (≈ *konkurrenzfähig*) highly competitive; (≈ *produktiv*) highly efficient *or* productive; *Motor* very powerful; *Maschine* highly productive **Leistungssteigerung** *f* increase in performance **Leistungstest** *m* SCHOOL achievement test; TECH performance test **Leistungsträger(in)** *m*/(*f*) **1.** SPORTS key player **2.** (*von Sozialleistungen etc*) service provider **Leistungsvermögen** *nt* capabilities *pl* **Leistungszuschlag** *m* productivity bonus

Leitartikel *m* leader (*Br*), editorial **Leitartikler** [-|artiːklɐ, -|artɪklɐ] *m* ⟨**-s, -**⟩, **Leitartiklerin** [-ərɪn] *f* ⟨**-, -nen**⟩ leader writer (*Br*), editorial writer **Leitbild** *nt* model **leiten** ['laitn] *v/t* **1.** to lead; (*fig*) *Leser, Schüler etc* to guide; *Verkehr* to route; *Gas, Wasser* to conduct; (≈ *umleiten*) to divert **2.** (≈ *verantwortlich sein für*) to be in charge of; *Partei, Diskussion* to lead; (*als Vorsitzender*) to chair; *Theater, Orchester* to run **3.** PHYS *Wärme, Licht* to conduct **leitend** *adj* leading; *Idee* central; *Position* managerial; PHYS conductive; ***~e(r) Angestellte(r)*** executive

Leiter ['laitɐ] *f* ⟨**-, -n**⟩ ladder; (≈ *Stehleiter*) steps *pl*

Leiter *m* ⟨**-s, -**⟩, **Leiterin** [-ərɪn] *f* ⟨**-, -nen**⟩ leader; (*von Hotel, Geschäft*) manager/manageress; (≈ *Abteilungsleiter, in Firma*) head; (*von Schule*) head (*esp Br*), principal (*esp US*); (*von Orchester, Chor etc*) director **Leiterplatte** *f* IT circuit board **Leiterwagen** *m* handcart **Leitfaden** *m* (*Fachbuch*) introduction; (≈ *Gebrauchsanleitung*) manual **leitfähig** *adj* PHYS conductive **Leitfigur** *f* (≈ *Vorbild*) (role) model **Leitgedanke** *m* central idea **Leitidee** *f* central idea **Leitmotiv** *nt* (LIT, *fig*) leitmotif **Leitplanke** *f* crash barrier **Leitsatz** *m* basic principle **Leitspruch** *m* motto **Leitstelle** *f* headquarters *pl*; (≈ *Funkleitstelle*) control centre (*Br*) *or* center (*US*) **Leitung** ['laitʊŋ] *f* ⟨**-, -en**⟩ **1.** *no pl* (*von Menschen, Organisationen*) running; (*von Partei, Regierung*) leadership; (*von Betrieb*) management; (*von Schule*) headship (*esp Br*), principalship (*esp US*); ***unter der ~ von jdm*** MUS conducted by sb **2.** (≈ *die Leitenden*) leaders *pl*; (*eines Betriebes etc*) management *sg or pl* **3.** (*für Gas, Wasser bis zum Haus*) main; (*im Haus*) pipe; (≈ *Draht*) wire; (*dicker*) cable; (TEL ≈ *Verbindung*) line; ***eine lange ~ haben*** (*hum infml*) to be slow on the uptake **Leitungsmast** *m* ELEC (electricity) pylon **Leitungswasser** *nt* tap water **Leitwährung** *f* reserve currency **Leitwerk** *nt* AVIAT tail unit **Leitzins** *m* base rate

Lektion [lɛk'tsioːn] *f* ⟨**-, -en**⟩ lesson; ***jdm eine ~ erteilen*** (*fig*) to teach sb a lesson

Lektor ['lɛktoːɐ] *m* ⟨**-s, Lektoren** [-'toːrən]⟩, **Lektorin** [-'toːrɪn] *f* ⟨**-, -nen**⟩ UNIV foreign language assistant; (≈ *Verlagslektor*) editor **Lektüre** [lɛk'tyːrə] *f* ⟨**-, -n**, *no pl*⟩: (≈ *das Lesen*) reading; (≈ *Lesestoff*) reading matter

Lemming ['lɛmɪŋ] *m* ⟨**-s, -e**⟩ lemming

Lende ['lɛndə] *f* ⟨**-, -n**⟩ ANAT, COOK loin **Lendengegend** *f* lumbar region **Lendenschurz** *m* loincloth **Lendenstück** *nt* piece of loin **Lendenwirbel** *m* lumbar vertebra

lenkbar *adj* TECH steerable; *Rakete* guided **lenken** ['lɛŋkn] **I** *v/t* **1.** (≈ *leiten*) to direct; *Sprache, Presse etc* to influence **2.** (≈ *steuern*) *Auto etc* to steer **3.** (*fig*) *Schritte, Gedanken, Blick* to direct (*auf +acc* to); *jds Aufmerksamkeit, Blicke* to draw (*auf +acc* to); *Gespräch* to steer **II** *v/i* (≈ *steuern*) to steer **Lenker** ['lɛŋkɐ] *m* ⟨**-s, -**⟩ (≈ *Fahrradlenker etc*) handlebars *pl* **Lenkrad** *nt* (steering) wheel **Lenksäule** *f* steering column **Lenkstange** *f* (*von Fahrrad etc*) handlebars *pl* **Lenkung** ['lɛŋkʊŋ] *f* ⟨**-, -en**⟩ TECH steering

Lenz [lɛnts] *m* ⟨**-es, -e**⟩ (*liter* ≈ *Frühling*) spring(time)

Leopard [leo'part] *m* ⟨**-en, -en** [-dn]⟩ leopard

Lepra ['leːpra] *f* ⟨**-,** *no pl*⟩ leprosy

Lerche ['lɛrçə] *f* ⟨**-, -n**⟩ lark

lernbar *adj* learnable **lernbehindert** [-bəhɪndɐt] *adj* with learning difficulties **Lernbehinderte(r)** *m*/*f*(*m*) *decl as adj* child/person *etc* with learning difficulties **Lerneffekt** *m* pedagogical benefit **lernen** ['lɛrnən] **I** *v/t* to learn; ***lesen/schwimmen*** *etc* **~** to learn to read/swim *etc*; ***jdn lieben/schätzen*** **~** to come to love/appreciate sb; ***das will gelernt sein*** it's a question of practice; → ***gelernt*** **II** *v/i* to learn; (≈ *arbeiten*) to study; ***von ihm kannst du noch (was)*** **~*!*** he could teach you a thing or two **Lernende** ['lɛrnəndə](**r**) *m/f(m)*, **Lerner** ['lɛrnɐ] *m* ⟨***-s, -***⟩, **Lernerin** [-ərɪn] *f* ⟨***-, -nen***⟩ learner **Lernerfolg** *m* learning success **lernfähig** *adj* capable of learning **Lernmittel** *pl* schoolbooks and equipment *pl* **Lernprogramm** *nt* (IT, *für Software*) tutorial program; (*didaktisches Programm*) learning program **Lernprozess** *m* learning process **lernwillig** *adj* willing to learn **Lernziel** *nt* learning goal

Lesart *f* version **lesbar I** *adj* (≈ *leserlich*) legible; IT readable **II** *adv* (≈ *leserlich*) legibly

Lesbe ['lɛsbə] *f* ⟨***-, -n***⟩ (*infml*) lesbian **Lesbierin** ['lɛsbiərɪn] *f* ⟨***-, -nen***⟩ lesbian **lesbisch** ['lɛsbɪʃ] *adj* lesbian

Lese ['leːzə] *f* ⟨***-, -n***⟩ (≈ *Ernte*) harvest

Lesebrille *f* reading glasses *pl* **Lesebuch** *nt* reader **Lesekopf** *m* IT read head **Leselampe** *f* reading lamp

lesen[1] ['leːzn] *pret* ***las*** [laːs], *past part* ***gelesen*** [gə'leːzn] *v/t & v/i* **1.** to read; ***die Schrift ist kaum zu*** **~** the writing is scarcely legible; ***etw in jds Augen*** (*dat*) **~** to see sth in sb's eyes **2.** UNIV to lecture

lesen[2] *pret* ***las*** [laːs], *past part* ***gelesen*** [gə'leːzn] *v/t Trauben, Beeren* to pick; *Ähren* to glean; *Erbsen etc* to sort

lesenswert *adj* worth reading **Leser** ['leːzɐ] *m* ⟨***-s, -***⟩, **Leserin** [-ərɪn] *f* ⟨***-, -nen***⟩ reader **Leseratte** *f* (*infml*) bookworm (*infml*) **Leserbrief** *m* (reader's) letter; ***„Leserbriefe"*** "letters to the editor" **leserlich** ['leːzɐlɪç] **I** *adj* legible **II** *adv* legibly **Leserschaft** ['leːzɐʃaft] *f* ⟨***-, -en***⟩ readership **Lesesaal** *m* reading room **Lesespeicher** *m* IT read-only memory, ROM **Lesezeichen** *nt* bookmark(er) **Lesung** ['leːzʊŋ] *f* ⟨***-, -en***⟩ reading

Lethargie [letar'giː] *f* ⟨***-, -n*** [-'giːən]⟩ lethargy

Lette ['lɛtə] *m* ⟨***-n, -n***⟩, **Lettin** ['lɛtɪn] *f* ⟨***-, -nen***⟩ Lett, Latvian **lettisch** ['lɛtɪʃ] *adj* Lettish, Latvian **Lettland** ['lɛtlant] *nt* ⟨***-s***⟩ Latvia

Letzt [lɛtst] *f* ***zu guter*** **~** in the end **letztendlich** ['lɛtst'|ɛntlɪç] *adv* at (long) last; (≈ *letzten Endes*) at the end of the day **Letzte(r)** ['lɛtstə] *m/f(m) decl as adj* ***der*** **~** ***des Monats*** the last (day) of the month; **~*(r) werden*** to be last; ***als*** **~*(r) (an)kommen*** to be the last to arrive; ***er wäre der*** **~*, dem ich ...*** he would be the last person I'd ... **letzte(r, s)** ['lɛtstə] *adj* **1.** last; ***auf dem*** **~*n Platz liegen*** to be (lying) last; ***mein*** **~*s Geld*** the last of my money; ***das*** **~** ***Mal*** (the) last time; ***zum*** **~*n Mal*** (for) the last time; ***in*** **~*r Zeit*** recently; ***der Letzte Wille*** the last will and testament **2.** (≈ *neueste*) *Mode etc* latest **3.** (≈ *schlechtester*) ***das ist der*** **~** ***Schund*** *or* ***Dreck*** that's absolute trash; ***jdn wie den*** **~*n Dreck behandeln*** to treat sb like dirt **Letzte(s)** ['lɛtstə] *nt decl as adj* last thing; ***sein*** **~*s (her)geben*** to give one's all; ***das ist ja das*** **~*!*** (*infml*) that really is the limit; ***bis aufs*** **~** completely, totally; ***bis ins*** **~** (right) down to the last detail **letztgenannt** *adj* last-named **letztlich** ['lɛtstlɪç] *adv* in the end; ***das ist*** **~** ***egal*** it comes down to the same thing in the end **letztmals** ['lɛtstmaːls] *adv* for the last time

Leuchtanzeige *f* illuminated display **Leuchtdiode** *f* light-emitting diode **Leuchte** ['lɔyçtə] *f* ⟨***-, -n***⟩ light; (*infml: Mensch*) genius **leuchten** ['lɔyçtn] *v/i* (*Licht*) to shine; (*Feuer, Zifferblatt*) to glow; (≈ *aufleuchten*) to flash; ***mit einer Lampe in/auf etw*** (*acc*) **~** to shine a lamp into/onto sth **leuchtend I** *adj* shining; *Farbe* bright; ***etw in den*** **~*sten Farben schildern*** to paint sth in glowing colours (*Br*) *or* colors (*US*); ***ein*** **~*es Vorbild*** a shining example **II** *adv rot, gelb* bright **Leuchter** ['lɔyçtɐ] *m* ⟨***-s, -***⟩ (≈ *Kerzenleuchter*) candlestick; (≈ *Kronleuchter*) chandelier **Leuchtfarbe** *f* fluorescent colour (*Br*) *or* color (*US*); (≈ *Anstrichfarbe*) fluorescent paint **Leuchtfeuer** *nt* navigational light **Leuchtpistole** *f* flare pistol **Leuchtrakete** *f* signal rocket **Leuchtreklame** *f* neon sign **Leuchtstift** *m* highlighter **Leuchtturm** *m* lighthouse

leugnen ['lɔygnən] **I** *v/t* to deny; **~*, etw getan zu haben*** to deny having done sth; ***es ist nicht zu*** **~*, dass ...*** it cannot be denied that ... **II** *v/i* to deny everything

Leukämie [lɔykɛ'miː] *f* ⟨**-, -n** [-'miːən]⟩ leukaemia (*Br*), leukemia (*US*)

Leumund ['lɔymʊnt] *m* ⟨**-(e)s** [-dəs]⟩ *no pl* reputation, name **Leumundszeugnis** *nt* character reference

Leute ['lɔytə] *pl* people *pl*; ***alle ~*** everybody; ***vor allen ~n*** in front of everybody; ***was sollen denn die ~ davon denken?*** what will people think?; ***etw unter die ~ bringen*** (*infml*) *Gerücht* to spread sth around; *Geld* to spend sth; ***dafür brauchen wir mehr ~*** we need more people for that

Leutnant ['lɔytnant] *m* ⟨**-s, -s** *or* **-e**⟩ second lieutenant; (*bei der Luftwaffe*) pilot officer (*Br*), second lieutenant (*US*); ***~ zur See*** acting sublieutenant (*Br*), ensign (*US*)

Leviten [le'viːtn] *pl* ***jdm die ~ lesen*** (*infml*) to haul sb over the coals

lexikalisch [lɛksi'kaːlɪʃ] *adj* lexical **Lexikograf** [lɛksiko'graːf] *m* ⟨**-en, -en**⟩, **Lexikografin** [-'graːfɪn] *f* ⟨**-, -nen**⟩ lexicographer **Lexikon** ['lɛksikɔn] *nt* ⟨**-s, *Lexika*** [-ka]⟩ encyclopedia; (≈ *Wörterbuch*) dictionary, lexicon

Libanese [liba'neːzə] *m* ⟨**-n, -n**⟩, **Libanesin** [-'neːzɪn] *f* ⟨**-, -nen**⟩ Lebanese **libanesisch** [liba'neːzɪʃ] *adj* Lebanese **Libanon** ['liːbanɔn] *m* ⟨**-(s)**⟩ ***der ~*** the Lebanon

Libelle [li'bɛlə] *f* ⟨**-, -n**⟩ ZOOL dragonfly

liberal [libe'raːl] *adj* liberal **Liberale(r)** [libe'raːlə] *m/f(m) decl as adj* POL Liberal **liberalisieren** [liberali'ziːrən] *past part* ***liberalisiert*** *v/t* to liberalize **Liberalisierung** *f* ⟨**-, -en**⟩ liberalization

Liberia [li'beːria] *nt* ⟨**-s**⟩ GEOG Liberia

Libero ['liːbero] *m* ⟨**-s, -s**⟩ FTBL sweeper

Libido [li'biːdo, 'liːbido] *f* ⟨**-,** *no pl*⟩ PSYCH libido

Libretto [li'brɛto] *nt* ⟨**-s, -s** *or* ***Libretti*** [-ti]⟩ libretto

Libyen ['liːbyən] *nt* ⟨**-s**⟩ Libya **Libyer** ['liːbyɐ] *m* ⟨**-s, -**⟩, **Libyerin** [-ərɪn] *f* ⟨**-, -nen**⟩ Libyan **libysch** ['liːbʏʃ] *adj* Libyan

licht [lɪçt] *adj* **1.** (≈ *hell*) light **2.** *Wald, Haar* sparse **Licht** [lɪçt] *nt* ⟨**-(e)s, -er** *or* (*rare*) **-e**, *no pl*⟩ light; ***~ machen*** (≈ *anschalten*) to switch *or* put on a light; ***etw gegen das ~ halten*** to hold sth up to the light; ***bei ~e besehen*** (*fig*) in the cold light of day; ***das ~ der Welt erblicken*** (*elev*) to (first) see the light of day; ***etw ans ~ bringen*** to bring sth out into the open; ***ans ~ kommen*** to come to light; ***jdn hinters ~ führen*** to pull the wool over sb's eyes; ***ein schiefes/schlechtes ~ auf jdn/etw werfen*** to show sb/sth in the wrong/a bad light **Lichtbild** *nt* (≈ *Dia*) slide; (*form* ≈ *Foto*) photograph **Lichtbildervortrag** *m* illustrated lecture **Lichtblick** *m* (*fig*) ray of hope **lichtdurchlässig** *adj* pervious to light; *Stoff* that lets the light through **lichtecht** *adj* non-fade **lichtempfindlich** *adj* sensitive to light **Lichtempfindlichkeit** *f* sensitivity to light; PHOT film speed

lichten[1] ['lɪçtn] **I** *v/t Wald* to thin (out) **II** *v/r* to thin (out); (*Nebel, Wolken*) to lift; (*Bestände*) to go down

lichten[2] *v/t Anker* to weigh

Lichterkette *f* (*an Weihnachtsbaum*) fairy lights *pl* **lichterloh** ['lɪçtɐ'loː] *adv* ***~ brennen*** (*lit*) to be ablaze **Lichtgeschwindigkeit** *f* the speed of light **Lichthupe** *f* AUTO flash (of the headlights) **Lichtjahr** *nt* light year **Lichtmangel** *m* lack of light **Lichtmaschine** *f* (*für Gleichstrom*) dynamo; (*für Drehstrom*) alternator **Lichtquelle** *f* source of light **Lichtschalter** *m* light switch **Lichtschein** *m* gleam of light **lichtscheu** *adj* averse to light; (*fig*) *Gesindel* shady **Lichtschranke** *f* photoelectric barrier **Lichtschutzfaktor** *m* protection factor **Lichtstrahl** *m* ray of light; (*fig*) ray of sunshine **lichtundurchlässig** *adj* opaque **Lichtung** ['lɪçtʊŋ] *f* ⟨**-, -en**⟩ clearing **Lichtverhältnisse** *pl* lighting conditions *pl*

Lid [liːt] *nt* ⟨**-(e)s, -er** [-dɐ]⟩ eyelid **Lidschatten** *m* eye shadow **Lidstrich** *m* eyeliner

lieb [liːp] **I** *adj* **1.** (≈ *liebenswürdig, hilfsbereit*) kind; (≈ *nett, reizend*) nice; (≈ *niedlich*) sweet; (≈ *artig*) *Kind* good; ***~e Grüße an deine Eltern*** give my best wishes to your parents; ***würdest du (bitte) so ~ sein und das Fenster aufmachen?*** would you do me a favour (*Br*) *or* favor (*US*) and open the window?; ***sich bei jdm ~ Kind machen*** (*pej*) to suck up to sb (*infml*) **2.** (≈ *angenehm*) ***es wäre mir ~, wenn ...*** I'd like it if ...; ***es wäre ihm ~er*** he would prefer it; → ***lieber***; → ***liebste(r, s)*** **3.** (≈ *geliebt, in Briefanrede*) dear; ***der ~e Gott*** the Good

Lord; ***~er Gott*** (*Anrede*) dear God *or* Lord; **(*mein*)** ***Liebes*** (my) love; ***er ist mir ~ und teuer*** he's very dear to me; ***~ geworden*** well-loved; ***den ~en langen Tag*** (*infml*) the whole livelong day; ***das ~e Geld!*** the money, the money!; **(*ach*)** ***du ~er Himmel!*** (*infml*) good heavens *or* Lord! **4.** ***~ste(r, s)*** favourite (*Br*), favorite (*US*); ***sie ist mir die Liebste von allen*** she is my favo(u)rite **II** *adv* **1.** (≈ *liebenswürdig*) *danken, grüßen* sweetly, nicely; ***jdm ~ schreiben*** to write a sweet letter to sb; ***sich ~ um jdn kümmern*** to be very kind to sb **2.** (≈ *artig*) nicely **liebäugeln** ['liːp|ɔygln] *v/i insep* ***mit etw ~*** to have one's eye on sth **Liebe** ['liːbə] *f* ⟨-, -*n*⟩ **1.** love (*zu jdm, für jdn* for *or* of sb, *zu etw* of sth); ***etw mit viel ~ tun*** to do sth with loving care; ***bei aller ~*** with the best will in the world; ***~ macht blind*** (*prov*) love is blind (*prov*) **2.** (≈ *Sex*) sex; ***eine Nacht der ~*** a night of love **3.** (≈ *Geliebte(r)*) love, darling **Liebelei** [liːbə'lai] *f* ⟨-, -*en*⟩ (*infml*) flirtation, affair **lieben** ['liːbn] **I** *v/t* to love; (*als Liebesakt*) to make love (*jdn* to sb); ***etw nicht ~*** not to like sth; ***sich ~*** to love one another *or* each other; (*euph*) to make love; → ***geliebt*** **II** *v/i* to love **Liebende(r)** ['liːbndə] *m/f(m) decl as adj* lover **liebenswert** *adj* lovable **liebenswürdig** *adj* kind; (≈ *liebenswert*) charming **Liebenswürdigkeit** *f* ⟨-, -*en*⟩ (≈ *Höflichkeit*) politeness; (≈ *Freundlichkeit*) kindness **lieber** ['liːbɐ] *adv* (≈ *vorzugsweise*) rather, sooner; ***das tue ich ~*** I would *or* I'd rather do that; ***ich trinke ~ Wein als Bier*** I prefer wine to beer; ***bleibe ~ im Bett*** you had *or* you'd better stay in bed; ***sollen wir gehen? — ~ nicht!*** should we go? — better not **Liebe(r)** ['liːbə] *m/f(m) decl as adj* dear; ***meine ~n*** my dears **Liebesabenteuer** *nt* amorous adventure **Liebesbeziehung** *f* (sexual) relationship **Liebesbrief** *m* love letter **Liebeserklärung** *f* declaration of love **Liebesgeschichte** *f* LIT love story **Liebesheirat** *f* love match **Liebeskummer** *m* lovesickness; ***~ haben*** to be lovesick **Liebesleben** *nt* love life **Liebeslied** *nt* love song **Liebespaar** *nt* lovers *pl* **Liebesroman** *m* romantic novel **liebevoll** **I** *adj* loving; *Umarmung* affectionate **II** *adv* lovingly; *umarmen* affectionately **lieb gewinnen** *v/t irr* to grow fond of **liebgeworden** *adj attr*; → ***lieb*** **lieb haben** *v/t irr* **liebhaben** *v/t sep irr* to love; (*weniger stark*) to be (very) fond of **Liebhaber** [-haːbɐ] *m* ⟨-*s*, -⟩, **Liebhaberin** [-ərɪn] *f* ⟨-, -*nen*⟩ **1.** lover **2.** (≈ *Interessent*) enthusiast; (≈ *Sammler*) collector; ***ein ~ von etw*** a lover of sth; ***das ist ein Wein für ~*** that is a wine for connoisseurs **Liebhaberei** [-haːbə'rai] *f* ⟨-, -*en*⟩ (*fig* ≈ *Hobby*) hobby **liebkosen** [liːp'koːzn] *past part* ***liebkost*** *v/t insep* (*liter*) to caress, to fondle **Liebkosung** *f* ⟨-, -*en*⟩ (*liter*) caress **lieblich** ['liːplɪç] *adj* lovely, delightful; *Wein* sweet **Liebling** ['liːplɪŋ] *m* ⟨-*s*, -*e*⟩ darling; (≈ *bevorzugter Mensch*) favourite (*Br*), favorite (*US*) **Lieblings-** *in cpds* favourite (*Br*), favorite (*US*) **lieblos** *adj Eltern* unloving; *Behandlung* unkind; *Benehmen* inconsiderate **Liebschaft** ['liːpʃaft] *f* ⟨-, -*en*⟩ affair **Liebste(r)** ['liːpstə] *m/f(m) decl as adj* sweetheart **liebste(r, s)** ['liːpstə] *adv* ***am ~n*** best; ***am ~n hätte ich ...*** what I'd like most would be (to have) ...; ***am ~n gehe ich ins Kino*** best of all I like going to the cinema; ***das würde ich am ~n tun*** that's what I'd like to do best

Liechtenstein ['lɪçtnʃtain] *nt* ⟨-*s*⟩ Liechtenstein

Lied [liːt] *nt* ⟨-(*e*)*s*, -*er* [-dɐ]⟩ song; ***es ist immer das alte ~*** (*infml*) it's always the same old story (*infml*); ***davon kann ich ein ~ singen*** I could tell you a thing or two about that (*infml*) **Liederbuch** *nt* songbook

liederlich ['liːdɐlɪç] **I** *adj* (≈ *schlampig*) slovenly *attr, pred*; (≈ *unmoralisch*) dissolute **II** *adv* (≈ *schlampig*) sloppily

Liedermacher(in) *m/(f)* singer-songwriter

Lieferant [lifə'rant] *m* ⟨-*en*, -*en*⟩, **Lieferantin** [-'rantɪn] *f* ⟨-, -*nen*⟩ supplier; (≈ *Auslieferer*) deliveryman/-woman **lieferbar** *adj* (≈ *vorrätig*) available; ***die Ware ist sofort ~*** the article can be supplied/delivered at once **Lieferfirma** *f* supplier; (≈ *Zusteller*) delivery firm **Lieferfrist** *f* delivery period **liefern** ['liːfɐn] **I** *v/t* **1.** *Waren* to supply; (≈ *zustellen*) to deliver (*an +acc* to) **2.** *Beweise, Informationen* to provide; *Ergebnis* to produce; ***jdm einen Vorwand ~*** to give sb an excuse; → ***geliefert*** **II** *v/i* to supply; (≈ *zustellen*) to deliver **Lieferschein** *m* delivery note **Liefertermin** *m* delivery date **Lieferung** ['liːfərʊŋ] *f* ⟨**-, -en**⟩ (≈ *Versand*) delivery; (≈ *Versorgung*) supply; ***bei ~ zu bezahlen*** payable on delivery **Liefervertrag** *m* contract of sale **Lieferwagen** *m* delivery van *or* truck (*US*); (*offen*) pick-up **Lieferzeit** *f* delivery period, lead time (COMM)

Liege ['liːgə] *f* ⟨**-, -n**⟩ couch; (≈ *Campingliege*) camp bed (*Br*), cot (*US*); (*für Garten*) lounger (*Br*), lounge chair (*US*) **liegen** ['liːgn] *pret* **lag** [laːg], *past part* **gelegen** [gə'leːgn] *aux haben or* (*S Ger, Aus, Sw*) *sein v/i* **1.** to lie; ***im Bett/Krankenhaus ~*** to be in bed/hospital; ***die Stadt lag in dichtem Nebel*** thick fog hung over the town; ***der Schnee bleibt nicht ~*** the snow isn't lying (*esp Br*) *or* sticking (*US*); ***etw ~ lassen*** to leave sth (there) **2.** (≈ *sich befinden*) to be; ***die Preise ~ zwischen 60 und 80 Euro*** the prices are between 60 and 80 euros; ***so, wie die Dinge jetzt ~*** as things stand at the moment; ***damit liegst du (gold)richtig*** (*infml*) you're (dead (*infml*)) right there; ***nach Süden ~*** to face south; ***in Führung ~*** to be in the lead; ***die Verantwortung/Schuld dafür liegt bei ihm*** the responsibility/blame for that lies with him; ***das liegt ganz bei dir*** that is completely up to you **3.** (≈ *passen*) ***das liegt mir nicht*** it doesn't suit me; (*Beruf*) it doesn't appeal to me **4.** ***es liegt mir viel daran*** (≈ *ist mir wichtig*) that matters a lot to me; ***es liegt mir wenig/nichts daran*** that doesn't matter much/at all to me; ***es liegt mir viel an ihm*** he is very important to me; ***woran liegt es?*** why is that?; ***das liegt daran, dass ...*** that is because... **liegen bleiben** *v/i irr aux sein* **1.** (≈ *nicht aufstehen*) to remain lying (down); (***im Bett***) ***~*** to stay in bed **2.** (≈ *vergessen werden*) to get left behind **3.** (≈ *nicht ausgeführt werden*) not to get done **4.** (*Schnee*) to lie (*esp Br*), to stick (*US*) **liegen lassen** *past part* **liegen lassen** *or* (*rare*) **liegen gelassen** *v/t irr* (≈ *nicht erledigen*) to leave; (≈ *vergessen*) to leave (behind) **Liegerad** *nt* recumbent (bicycle) **Liegesitz** *m* reclining seat; (*auf Boot*) couchette **Liegestuhl** *m* (*mit Holzgestell*) deck chair; (*mit Metallgestell*) lounger (*Br*), lounge chair (*US*) **Liegestütz** [-ʃtʏts] *m* ⟨**-es, -e**⟩ SPORTS press-up (*Br*), push-up (*US*) **Liegewagen** *m* RAIL couchette coach (*Br*) *or* car (*esp US*)

Lift [lɪft] *m* ⟨**-(e)s, -e** *or* **-s**⟩ (≈ *Personenlift*) lift (*Br*), elevator (*esp US*); (≈ *Güterlift*) lift (*Br*), hoist **Liftboy** ['lɪftbɔy] *m* liftboy (*Br*), elevator boy (*US*) **liften** ['lɪftn] *v/t* to lift; ***sich*** (*dat*) ***das Gesicht ~ lassen*** to have a face-lift

Liga ['liːga] *f* ⟨**-, Ligen** [-gn]⟩ league

light [lait] *adj pred inv* light; ***Limo ~*** diet lemonade, low-calorie lemonade

Likör [li'køːɐ] *m* ⟨**-s, -e**⟩ liqueur

lila ['liːla] *adj inv* purple

Lilie ['liːliə] *f* ⟨**-, -n**⟩ lily

Liliputaner [lilipu'taːnɐ] *m* ⟨**-s, -**⟩, **Liliputanerin** [-ərɪn] *f* ⟨**-, -nen**⟩ midget

Limette [li'mɛtə] *f* ⟨**-, -n**⟩ sweet lime

limitieren [limi'tiːrən] *past part* **limitiert** *v/t* to limit

Limonade [limo'naːdə] *f* ⟨**-, -n**⟩ lemonade

Limone [li'moːnə] *f* ⟨**-, -n**⟩ lime

Limousine [limu'ziːnə] *f* ⟨**-, -n**⟩ saloon (*Br*), sedan (*US*)

Linde ['lɪndə] *f* ⟨**-, -n**⟩ (≈ *Baum*) linden *or* lime (tree); (≈ *Holz*) limewood **Lindenblütentee** *m* lime blossom tea

lindern ['lɪndɐn] *v/t* to ease **Linderung** ['lɪndərʊŋ] *f* ⟨**-, -en**⟩ easing

lindgrün *adj* lime green

Lineal [line'aːl] *nt* ⟨**-s, -e**⟩ ruler

linear [line'aːɐ] *adj* linear

Linguist [lɪŋ'guɪst] *m* ⟨**-en, -en**⟩, **Linguistin** [-'guɪstɪn] *f* ⟨**-, -nen**⟩ linguist **Linguistik** [lɪŋ'guɪstɪk] *f* ⟨**-**, *no pl*⟩ linguistics *sg* **linguistisch** [lɪŋ'guɪstɪʃ] *adj* linguistic

Linie ['liːniə] *f* ⟨**-, -n**⟩ **1.** line; ***sich in einer ~ aufstellen*** to line up; ***auf der gleichen ~*** along the same lines; ***auf der ganzen ~*** (*fig*) all along the line; ***auf die (schlanke) ~ achten*** to watch one's figure **2.** (≈ *Verkehrsverbindung*) route; ***fahren Sie mit der ~ 2*** take the (number) 2 **Linienblatt** *nt* ruled (*esp Br*) *or* lined sheet (*placed under writing paper*) **Linienbus** *m* public service bus **Liniendienst** *m* regular service; AVIAT scheduled service **Linienflug** *m* scheduled flight **Linienmaschine** *f* ***mit einer ~*** on a scheduled flight **Linienrichter(in)** *m/*(*f*) linesman/-woman; TENNIS line judge **linientreu** *adj* ***~ sein*** to follow *or* toe the party line **linieren** [li'niːrən] *past part* **liniert**, **liniieren** [lini'iːrən] *past part* **liniiert** *v/t* to rule (*esp Br*) *or* draw lines on; ***li-ni(i)ert*** lined

link [lɪŋk] (*infml*) *adj Typ* underhanded, double-crossing; *Masche, Tour* dirty; ***ein ganz ~er Hund*** (*pej*) a nasty piece of work (*pej infml*)

Link [liŋk] *m* 〈***-s, -s***〉 INTERNET link

Linke [ˈlɪŋkə] *f decl as adj* **1.** (*Hand*) left hand; (*Seite*) left(-hand) side; (*Boxen*) left; ***zur ~n (des Königs) saß ...*** to the left (of the king) sat ... **2.** POL ***die ~*** the Left

linken [ˈlɪŋkn] *v/t* (*infml ≈ hereinlegen*) to con (*infml*)

Linke(r) [ˈlɪŋkə] *m/f(m) decl as adj* POL left-winger **linke(r, s)** [ˈlɪŋkə] *adj attr* left; *Rand, Spur etc* left(-hand); POL left-wing; ***die ~ Seite*** the left(-hand) side; (*von Stoff*) the wrong side; ***zwei ~ Hände haben*** (*infml*) to have two left hands (*infml*)

linkisch [ˈlɪŋkɪʃ] **I** *adj* clumsy **II** *adv* clumsily

links [lɪŋks] **I** *adv* **1.** on the left; *abbiegen* (to the) left; ***nach ~*** (to the) left; ***von ~*** from the left; ***~ von etw*** (to the *or* on the) left of sth; ***~ von jdm*** to *or* on sb's left; ***weiter ~*** further to the left; ***jdn ~ liegen lassen*** (*fig infml*) to ignore sb; ***mit ~*** (*infml*) just like that **2.** (*≈ verkehrt*) *tragen* wrong side out; ***~ stricken*** to purl **II** *prep +gen* on *or* to the left of **Linksabbieger** [-|apbiːgɐ] *m* 〈***-s, -***〉 motorist/car *etc* turning left **Linksaußen** [-ˈ|ausn] *m* 〈***-, -***〉 FTBL outside left **linksbündig I** *adj* TYPO ranged left **II** *adv* flush left **Linksextremist(in)** *m/(f)* left-wing extremist **Linkshänder** [-hɛndɐ] *m* 〈***-s, -***〉, **Linkshänderin** [-ərɪn] *f* 〈***-, -nen***〉 left-hander, left-handed person; ***~ sein*** to be left-handed **linkshändig** *adj, adv* left-handed **Linkskurve** *f* left-hand bend **linksradikal** *adj* POL radically left-wing **linksrheinisch** *adj, adv* to *or* on the left of the Rhine **Linksverkehr** *m, no pl* driving on the left *no def art*; ***in Großbritannien ist ~*** they drive on the left in Britain

Linoleum [liˈnoːleʊm] *nt* 〈***-s,*** *no pl*〉 linoleum, lino **Linolschnitt** [liˈnoːl-] *m* ART linocut

Linse [ˈlɪnzə] *f* 〈***-, -n***〉 **1.** BOT, COOK lentil **2.** OPT lens

Lippe [ˈlɪpə] *f* 〈***-, -n***〉 lip; ***das bringe ich nicht über die ~n*** I can't bring myself to say it; ***er brachte kein Wort über die ~n*** he couldn't say a word **Lippenbekenntnis** *nt* lip service **Lippenstift** *m* lipstick

Liquidation [likvidaˈtsioːn] *f* 〈***-, -en***〉 **1.** liquidation **2.** (*≈ Rechnung*) account **liquide** [liˈkviːdə] *adj* ECON *Geld, Mittel* liquid; *Firma* solvent **liquidieren** [likviˈdiːrən] *past part* ***liquidiert*** *v/t* **1.** *Geschäft* to put into liquidation; *Betrag* to charge **2.** *Firma* to liquidate; *jdn* to eliminate

lispeln [ˈlɪspln] *v/t & v/i* to lisp; (*≈ flüstern*) to whisper

Lissabon [ˈlɪsabɔn, lɪsaˈbɔn] *nt* 〈***-s***〉 Lisbon

List [lɪst] *f* 〈***-, -en***〉 (*≈ Täuschung*) cunning; (*≈ trickreicher Plan*) ruse

Liste [ˈlɪstə] *f* 〈***-, -n***〉 list; (*≈ Wählerliste*) register **Listenpreis** *m* list price

listig [ˈlɪstɪç] **I** *adj* cunning **II** *adv* cunningly

Litauen [ˈliːtauən, ˈlɪtauən] *nt* 〈***-s***〉 Lithuania **litauisch** [ˈliːtauɪʃ, ˈlɪtauɪʃ] *adj* Lithuanian

Liter [ˈliːtɐ, ˈlɪtɐ] *m or nt* 〈***-s, -***〉 litre (*Br*), liter (*US*)

literarisch [lɪtəˈraːrɪʃ] *adj* literary; ***~ interessiert*** interested in literature **Literaturangabe** *f* bibliographical reference; ***~n*** (*≈ Bibliografie*) bibliography **Literaturgeschichte** *f* history of literature **Literaturkritik** *f* literary criticism **Literaturkritiker(in)** *m/(f)* literary critic **Literaturwissenschaft** *f* literary studies *pl* **Literaturwissenschaftler(in)** *m/(f)* literature specialist

Literflasche *f* litre (*Br*) *or* liter (*US*) bottle **literweise** *adv* (*lit*) by the litre (*Br*) *or* liter (*US*)

Litfaßsäule [ˈlɪtfas-] *f* advertisement pillar

Lithografie [litograˈfiː] *f* 〈***-, -n*** [-ˈfiːən]〉 **1.** (*Verfahren*) lithography **2.** (*Druck*) lithograph

Litschi [ˈlɪtʃi] *f* 〈***-, -s***〉 lychee, litchi

Liturgie [litʊrˈgiː] *f* 〈***-, -n*** [-ˈgiːən]〉 liturgy

Litze [ˈlɪtsə] *f* 〈***-, -n***〉 braid; ELEC flex

live [laif] *adj pred, adv* (RADIO, TV) live **Livemittschnitt** [ˈlaifmɪtʃnɪt] *m* live recording **Livemusik** [laif-] *f* live music **Livesendung** [laif-] *f* live broadcast **Liveübertragung** [laif-] *f* live transmission

Lizenz [liˈtsɛnts] *f* 〈***-, -en***〉 licence (*Br*), license (*US*); ***etw in ~ herstellen*** to manufacture sth under licence (*Br*) *or* license (*US*) **Lizenzausgabe** *f* licensed edition **Lizenzgeber(in)** *m/(f)* licenser; (*Behörde*) licensing authority **Lizenzgebühr** *f* licence (*Br*) *or* license (*US*) fee; (*im Verlagswesen*) royalty **Lizenzinhaber(in)** *m/(f)* licensee **Lizenznehmer** *m* ⟨**-s, -**⟩, **Lizenznehmerin** [-ərɪn] *f* ⟨**-, -nen**⟩ licensee

Lkw *m* ⟨**-(s), -(s)**⟩, **LKW** [ˈɛlkaːveː, ɛlkaːˈveː] *m* ⟨**-(s), -(s)**⟩ = ***Lastkraftwagen*** **Lkw-Fahrer** [ˈɛlkaːveː-, ɛlkaːˈveː-](**in**) *m/(f)* lorry (*Br*) *or* truck (*US*) driver **Lkw-Maut** [ˈɛlkaːveː-, ɛlkaːˈveː-] *f* lorry (*Br*) *or* truck (*US*) toll

Lob [loːp] *nt* ⟨**-(e)s** [-bəs]⟩ *no pl* praise; ***(viel) ~ für etw bekommen*** to be (highly) praised for sth

Lobby [ˈlɔbɪ] *f* ⟨**-, -s**⟩ lobby **Lobbyist** [lɔbiˈɪst] *m* ⟨**-en, -en**⟩, **Lobbyistin** [-ˈɪstɪn] *f* ⟨**-, -nen**⟩ lobbyist

loben [ˈloːbn] *v/t* to praise; ***jdn/etw ~d erwähnen*** to commend sb/sth; ***das lob ich mir*** that's what I like (to see/hear *etc*) **lobenswert** *adj* laudable **löblich** [ˈløːplɪç] *adj* commendable **Loblied** *nt* song of praise; ***ein ~ auf jdn/etw anstimmen*** *or* ***singen*** (*fig*) to sing sb's praises/the praises of sth **Lobrede** *f* eulogy; ***eine ~ auf jdn halten*** (*lit*) to make a speech in sb's honour (*Br*) *or* honor (*US*); (*fig*) to eulogize sb

Loch [lɔx] *nt* ⟨**-(e)s, ⸚er** [ˈlœçɐ]⟩ hole; (*in Reifen*) puncture; (*fig infml* ≈ *elende Wohnung*) dump (*infml*); (*infml* ≈ *Gefängnis*) clink (*infml*); ***jdm ein ~*** *or* ***Löcher in den Bauch fragen*** (*infml*) to pester sb to death (with all one's questions) (*infml*); ***ein großes ~ in jds (Geld)beutel*** (*acc*) ***reißen*** (*infml*) to make a big hole in sb's pocket **lochen** [ˈlɔxn] *v/t* to punch holes/a hole in; (≈ *perforieren*) to perforate; *Fahrkarte* to punch **Locher** [ˈlɔxɐ] *m* ⟨**-s, -**⟩ (≈ *Gerät*) punch **löcherig** [ˈlœçərɪç] *adj* full of holes **löchern** [ˈlœçɐn] *v/t* (*infml*) to pester (to death) with questions (*infml*) **Lochkarte** *f* punch card **Lochstreifen** *m* (punched) paper tape **Lochung** [ˈlɔxʊŋ] *f* ⟨**-, -en**⟩ punching; (≈ *Perforation*) perforation

Locke [ˈlɔkə] *f* ⟨**-, -n**⟩ (*Haar*) curl; ***~n haben*** to have curly hair

locken[1] [ˈlɔkn] *v/t & v/r* *Haar* to curl; ***gelockt*** *Haar* curly; *Mensch* curly-haired

locken[2] *v/t* **1.** *Tier* to lure **2.** *jdn* to tempt; ***das Angebot lockt mich sehr*** I'm very tempted by the offer **lockend** *adj* tempting

Lockenkopf *m* curly hairstyle; (*Mensch*) curly-head **Lockenstab** *m* (electric) curling tongs *pl* (*Br*), (electric) curling iron (*US*) **Lockenwickler** [-vɪklɐ] *m* ⟨**-s, -**⟩ (hair) curler

locker [ˈlɔkɐ] **I** *adj* loose; *Kuchen* light; (≈ *nicht gespannt*) slack; *Haltung* relaxed; (*infml* ≈ *unkompliziert*) laid-back (*infml*); ***eine ~e Hand haben*** (*fig* ≈ *schnell zuschlagen*) to be quick to hit out **II** *adv* (≈ *nicht stramm*) loosely; ***bei ihm sitzt das Messer ~*** he'd pull a knife at the slightest excuse; ***etw ~ sehen*** to be relaxed about sth; ***das mache ich ganz ~*** (*infml*) I can do it just like that (*infml*) **lockerlassen** *v/i sep irr* (*infml*) ***nicht ~*** not to let up **lockermachen** *v/t sep* (*infml*) *Geld* to shell out (*infml*) **lockern** [ˈlɔkɐn] **I** *v/t* **1.** (≈ *locker machen*) to loosen; *Boden* to break up; *Griff* to relax; *Seil* to slacken **2.** (≈ *entspannen*) *Muskeln* to loosen up; (*fig*) *Vorschriften*, *Atmosphäre* to relax **II** *v/r* to work itself loose; (*Verkrampfung*) to ease off; (*Atmosphäre*) to become more relaxed **Lockerung** [ˈlɔkərʊŋ] *f* ⟨**-, -en**⟩ **1.** loosening; (*von Griff*) relaxation, loosening; (*von Seil*) slackening **2.** (*von Muskeln*) loosening up; (*von Atmosphäre*) relaxation **Lockerungsübung** *f* loosening-up exercise

lockig [ˈlɔkɪç] *adj* *Haar* curly

Lockmittel *nt* lure **Lockruf** *m* call **Lockung** [ˈlɔkʊŋ] *f* ⟨**-, -en**⟩ lure; (≈ *Versuchung*) temptation **Lockvogel** *m* decoy (bird); (*fig*) decoy **Lockvogelangebot** *nt* inducement

Lodenmantel *m* loden (coat)

lodern [ˈloːdɐn] *v/i* to blaze

Löffel [ˈlœfl] *m* ⟨**-s, -**⟩ spoon; (*als Maßangabe*) spoonful; ***den ~ abgeben*** (*infml*) to kick the bucket (*infml*); ***ein paar hinter die ~ kriegen*** (*infml*) to get a clip (a)round the ear **Löffelbagger** *m* excavator **Löffelbiskuit** *m or nt* sponge finger, ladyfinger (*US*) **löffeln** [ˈlœfln] *v/t* to spoon **löffelweise** *adv* by the spoonful

Logarithmentafel *f* log table **Logarithmus** [logaˈrɪtmʊs] ⟨**-, Logarithmen** [-mən]⟩ *m* logarithm, log

Logbuch *nt* log(book)

Loge ['lo:ʒə] *f* 〈-, *-n*〉 **1.** THEAT box **2.** (≈ *Freimaurerloge*) lodge
Logik ['lo:gɪk] *f* 〈-, *no pl*〉 logic **logisch** ['lo:gɪʃ] **I** *adj* logical; ***gehst du auch hin?—~*** are you going too? – of course **II** *adv* logically; ***~ denken*** to think logically **logischerweise** ['lo:gɪʃɐ'vaizə] *adv* logically **Logistik** [lo'gɪstɪk] *f* 〈-, *no pl*〉 logistics *sg* **logistisch** [lo'gɪstɪʃ] *adj* logistic
Logo ['lo:go] *nt* 〈-(*s*), *-s*〉 (≈ *Firmenlogo*) logo
Logopäde [logo'pɛ:də] *m* 〈*-n*, *-n*〉, **Logopädin** [-'pɛ:dɪn] *f* 〈-, *-nen*〉 speech therapist **Logopädie** [logopɛ'di:] *f* 〈-, *no pl*〉 speech therapy
Lohn [lo:n] *m* 〈-(*e*)*s*, *-̈e* ['lø:nə]〉 **1.** wage(s *pl*), pay *no pl*, *no indef art*; ***2% mehr ~ verlangen*** to demand a 2% pay rise (*Br*) *or* pay raise (*US*) **2.** (*fig*) (≈ *Belohnung*) reward; (≈ *Strafe*) punishment; ***als*** *or* ***zum ~ für ...*** as a reward/punishment for ... **Lohnabhängige(r)** *m/f(m) decl as adj* wage earner **Lohnabschluss** *m* wage *or* pay agreement **Lohnarbeit** *f* labour (*Br*), labor (*US*) **Lohnausgleich** *m* ***bei vollem ~*** with full pay **Lohnbuchhalter(in)** *m/(f)* wages clerk (*Br*), pay clerk **Lohnbuchhaltung** *f* wages accounting; (≈ *Büro*) wages office (*Br*), pay(roll) office **Lohnbüro** *nt* wages office (*Br*), pay(-roll) office **Lohnempfänger(in)** *m/(f)* wage earner **lohnen** ['lo:nən] **I** *v/i & v/r* to be worth it *or* worthwhile; ***es lohnt (sich), etw zu tun*** it is worth (-while) doing sth; ***die Mühe lohnt sich*** it is worth the effort; ***das lohnt sich nicht für mich*** it's not worth my while **II** *v/t* **1.** (≈ *es wert sein*) to be worth **2.** (≈ *danken*) ***jdm etw ~*** to reward sb for sth
löhnen ['lø:nən] *v/t & v/i* (*infml*) to shell out (*infml*)
lohnend *adj* rewarding; (≈ *nutzbringend*) worthwhile; (≈ *einträglich*) profitable **lohnenswert** *adj* worthwhile **Lohnerhöhung** *f* (wage *or* pay) rise (*Br*), (wage *or* pay) raise (*US*) **Lohnforderung** *f* wage demand *or* claim **Lohnfortzahlung** *f* continued payment of wages **Lohngruppe** *f* wage group **Lohnkosten** *pl* wage costs *pl* (*Br*), labor costs *pl* (*US*) **Lohnkürzung** *f* wage *or* pay cut **Lohnliste** *f* payroll **Lohnnebenkosten** *pl* additional wage costs *pl* (*Br*) *or* labor costs *pl* (*US*) **Lohnniveau** *nt* wage level **Lohnpolitik** *f* pay policy **Lohnrunde** *f* pay round **Lohnsteuer** *f* income tax (*paid on earned income*) **Lohnsteuerjahresausgleich** *m* annual adjustment of income tax **Lohnsteuerkarte** *f* (income) tax card **Lohnstreifen** *m* pay slip **Lohntüte** *f* pay packet **Lohnverzicht** *m* ***~ üben*** to take a cut in wages *or* pay
Loipe ['lɔypə] *f* 〈-, *-n*〉 cross-country ski run
Lok [lɔk] *f* 〈-, *-s*〉 engine
lokal [lo'ka:l] *adj* (≈ *örtlich*) local **Lokal** [lo'ka:l] *nt* 〈*-s*, *-e*〉 (≈ *Gaststätte*) pub (*esp Br*), bar; (≈ *Restaurant*) restaurant **Lokalfernsehen** *nt* local television **lokalisieren** [lokali'zi:rən] *past part* ***lokalisiert*** *v/t* **1.** (≈ *Ort feststellen*) to locate **2.** MED to localize **Lokalkolorit** *nt* local colour (*Br*) *or* color (*US*) **Lokalmatador** *m* 〈*-s*, *-e*〉, **Lokalmatadorin** *f* 〈-, *-nen*〉 local hero/heroine **Lokalnachrichten** *pl* local news *sg* **Lokalpatriotismus** *m* local patriotism **Lokalsender** *m* local radio/TV station **Lokalteil** *m* local section **Lokaltermin** *m* JUR visit to the scene of the crime **Lokalverbot** *nt* ban; ***~ haben*** to be barred from a pub (*esp Br*) *or* bar **Lokalzeitung** *f* local (news)paper
Lokführer(in) *m/(f)* engine driver **Lokomotive** [lokomo'ti:və, lokomi'ti:fə] *f* 〈-, *-n*〉 locomotive, (railway) engine **Lokomotivführer(in)** *m/(f)* engine driver
Lolli ['lɔli] *m* 〈-(*s*), *-s*〉 (*infml*) lollipop, lolly (*esp Br*)
Lombard ['lɔmbart] *m or nt* 〈-(*e*)*s*, *-e* [-də]〉 FIN loan on security **Lombardsatz** *m* rate for loans on security
London ['lɔndɔn] *nt* 〈*-s*〉 London **Londoner** ['lɔndɔnɐ] *adj attr* London
Lorbeer ['lɔrbe:ɐ] *m* 〈*-s*, *-en*〉 **1.** (*lit*: *Gewächs*) laurel; (*als Gewürz*) bay leaf **2.** (*fig*) ***sich auf seinen ~en ausruhen*** (*infml*) to rest on one's laurels; ***damit kannst du keine ~en ernten*** that's no great achievement **Lorbeerblatt** *nt* bay leaf **Lorbeerkranz** *m* laurel wreath
Lore ['lo:rə] *f* 〈-, *-n*〉 RAIL truck; (≈ *Kipplore*) tipper
los [lo:s] **I** *adj pred* **1.** (≈ *nicht befestigt*) loose **2.** (≈ *frei*) ***jdn/etw ~ sein*** (*infml*) to be rid of sb/sth; ***ich bin mein ganzes Geld ~*** (*infml*) I'm cleaned out (*infml*) **3.** (*infml*) ***es ist nichts ~*** (≈ *geschieht*) there's nothing going on; ***mit jdm ist***

nichts (mehr) ~ *(infml)* sb isn't up to much (any more); ***was ist denn hier/da ~?*** what's going on here/there (then)?; ***was ist ~?*** what's up?; ***wo ist denn hier was ~?*** where's the action here *(infml)*? **II** *adv* **1.** *(Aufforderung)* ***~!*** come on!; ***nichts wie ~!*** let's get going **2.** *(≈ weg)* ***wir wollen früh ~*** we want to leave early

Los [loːs] *nt* ⟨***-es, -e*** [-zə]⟩ **1.** *(für Entscheidung)* lot; *(in der Lotterie, auf Jahrmarkt etc)* ticket; ***das große ~ gewinnen*** *or* ***ziehen*** *(lit, fig)* to hit the jackpot; ***etw durch das ~ entscheiden*** to decide sth by drawing lots **2.** *no pl (≈ Schicksal)* lot

lösbar *adj* soluble

losbinden *v/t sep irr* to untie *(von* from) **losbrechen** *sep irr* **I** *v/t* to break off **II** *v/i aux sein (Gelächter etc)* to break out; *(Sturm, Gewitter)* to break

Löschblatt *nt* sheet of blotting paper **löschen** ['lœʃn] **I** *v/t* **1.** *Feuer, Kerze* to put out; *Licht* to turn out *or* off; *Durst* to quench; *Tonband etc* to erase; IT *Speicher* to clear; *Festplatte* to wipe; *Daten, Information* to delete **2.** NAUT *Ladung* to unload **II** *v/i (Feuerwehr etc)* to put out a/the fire **Löschfahrzeug** *nt* fire engine **Löschmannschaft** *f* team of firefighters **Löschpapier** *nt* (piece of) blotting paper **Löschtaste** *f* IT delete key **Löschung** ['lœʃʊŋ] *f* ⟨***-, -en***⟩ **1.** (IT: *von Daten)* deletion **2.** (NAUT: *von Ladung)* unloading

lose ['loːzə] *adj* loose; *Seil* slack; ***etw ~ verkaufen*** to sell sth loose

Lösegeld *nt* ransom (money)

loseisen *sep (infml)* **I** *v/t* to get *or* prise away *(bei* from) **II** *v/r* to get away *(bei* from); *(von Verpflichtung etc)* to get out *(von* of)

losen ['loːzn] *v/i* to draw lots *(um* for)

lösen ['løːzn] **I** *v/t* **1.** *(≈ abtrennen)* to remove *(von* from); *Knoten, Fesseln* to undo; *Handbremse* to let off; *Husten, Krampf* to ease; *Muskeln* to loosen up; *(≈ lockern)* to loosen **2.** *(≈ klären) Aufgabe, Problem* to solve; *Konflikt* to resolve **3.** *(≈ annullieren) Vertrag* to cancel; *Verlobung* to break off; *Ehe* to dissolve **4.** *(≈ kaufen) Karte* to buy **II** *v/r* **1.** *(≈ sich losmachen)* to detach oneself *(von* from); *(≈ sich ablösen)* to come off *(von etw* sth); *(Knoten)* to come undone; *(Schuss)* to go off; *(Husten, Krampf, Spannung)* to ease; *(Atmosphäre)* to relax; *(Muskeln)* to loosen up; *(≈ sich lockern)* to (be)come loose; ***sich von jdm ~*** to break away from sb *(auch* SPORTS) **2.** *(≈ sich aufklären)* to be solved **3.** *(≈ zergehen)* to dissolve

Losentscheid *m* drawing (of) lots; ***durch Lostentscheid*** by drawing lots

losfahren *v/i sep irr aux sein (≈ abfahren)* to set off; *(Auto)* to drive off **losgehen** *v/i sep irr aux sein* **1.** *(≈ weggehen)* to set off; *(Schuss, Bombe etc)* to go off; ***(mit dem Messer) auf jdn ~*** to go for sb (with a knife) **2.** *(infml ≈ anfangen)* to start; ***gleich gehts los*** it's just about to start; ***jetzt gehts los!*** here we go!; *(Vorstellung)* it's starting!; *(Rennen)* they're off! **loshaben** *v/t sep irr (infml)* ***etwas/nichts ~*** to be pretty clever *(infml)*/pretty stupid *(infml)* **loskaufen** *sep v/t* to buy out; *Entführten* to ransom **loskommen** *v/i sep irr aux sein* to get away *(von* from); *(≈ sich befreien)* to free oneself; ***von einer Sucht ~*** to get free of an addiction **loslachen** *v/i sep* to burst out laughing **loslassen** *v/t sep irr* to let go of; ***der Gedanke lässt mich nicht mehr los*** I can't get the thought out of my mind; ***die Hunde auf jdn ~*** to put *or* set the dogs on(to) sb **loslegen** *v/i sep (infml)* to get going

löslich ['løːslɪç] *adj* soluble; ***~er Kaffee*** instant coffee

loslösen *sep* **I** *v/t* to remove *(von* from); *(≈ lockern)* to loosen **II** *v/r* to detach oneself *(von* from); ***sich von jdm ~*** to break away from sb **losmachen** *sep v/t (≈ befreien)* to free; *(≈ losbinden)* to untie

Losnummer *f* ticket number

losreißen *v/r sep irr* ***sich (von etw) ~*** *(Hund etc)* to break loose (from sth); *(fig)* to tear oneself away (from sth) **lossagen** *v/r sep* ***sich von etw ~*** to renounce sth; ***sich von jdm ~*** to dissociate oneself from *or* break with sb **losschießen** *v/i sep irr (≈ zu schießen anfangen)* to open fire; ***schieß los!*** *(fig infml)* fire away! *(infml)* **losschlagen** *sep irr* **I** *v/i* to hit out; MIL to (launch one's) attack; ***aufeinander ~*** to go for one another *or* each other **II** *v/t (infml ≈ verkaufen)* to get rid of **losschrauben** *v/t sep* to unscrew

Losung ['loːzʊŋ] *f* ⟨***-, -en***⟩ **1.** *(≈ Devise)* motto **2.** *(≈ Kennwort)* password

Lösung ['løːzʊŋ] *f* ⟨**-, -en**⟩ solution; (*eines Konfliktes*) resolving; (*einer Verlobung*) breaking off; (*einer Verbindung*) severance; (*einer Ehe*) dissolving **Lösungsmittel** *nt* solvent **Lösungswort** *nt, pl* ***-wörter*** answer

loswerden *v/t sep irr aux sein* to get rid of; *Geld* (*beim Spiel etc*) to lose; (≈ *ausgeben*) to spend **losziehen** *v/i sep irr aux sein* **1.** (≈ *aufbrechen*) to set out *or* off (*in +acc, nach* for) **2.** ***gegen jdn/etw ~*** (*infml*) to lay into sb/sth (*infml*)

Lot [loːt] *nt* ⟨**-(e)s, -e**⟩ (≈ *Senkblei*) plumb line; NAUT sounding line; MAT perpendicular; ***die Sache ist wieder im ~*** things have been straightened out

löten ['løːtn] *v/t & v/i* to solder

Lothringen ['loːtrɪŋən] *nt* ⟨**-s**⟩ Lorraine **lothringisch** ['loːtrɪŋɪʃ] *adj* of Lorraine, Lorrainese

Lotion [lo'tsioːn] *f* ⟨**-, -en**⟩ lotion

Lötkolben *m* soldering iron **Lötlampe** *f* blowlamp **Lötmetall** *nt* solder

lotrecht *adj* perpendicular

Lotse ['loːtsə] *m* ⟨**-n, -n**⟩, **Lotsin** [-tsɪn] *f* ⟨**-, -nen**⟩ NAUT pilot; (≈ *Fluglotse*) air-traffic *or* flight controller; (*fig*) guide **lotsen** ['loːtsn] *v/t* to guide; ***jdn irgendwohin ~*** (*infml*) to drag sb somewhere (*infml*)

Lotterie [lɔtə'riː] *f* ⟨**-, -n** [-'riːən]⟩ lottery; (≈ *Tombola*) raffle **Lotteriegewinn** *m* lottery/raffle prize *or* (*Geld*) winnings *pl* **Lotterielos** *nt* lottery/raffle ticket

Lotto ['lɔto] *nt* ⟨**-s, -s**⟩ lottery, ≈ National Lottery (*Br*); **(*im*) *~ spielen*** to do (*Br*) *or* play the lottery **Lottogewinn** *m* lottery win; (*Geld*) lottery winnings *pl* **Lottoschein** *m* lottery coupon **Lottozahlen** *pl* winning lottery numbers *pl*

Löwe ['løːvə] *m* ⟨**-n, -n**⟩ lion; ***der ~*** ASTROL Leo; ***~ sein*** to be (a) Leo **Löwenanteil** *m* (*infml*) lion's share **Löwenmähne** *f* (*fig*) flowing mane **Löwenmaul** *nt*, **Löwenmäulchen** [-mɔylçən] *nt* ⟨**-s, -**⟩ snapdragon, antirrhinum **Löwenzahn** *m* dandelion **Löwin** ['løːvɪn] *f* ⟨**-, -nen**⟩ lioness

loyal [loa'jaːl] **I** *adj* loyal **II** *adv* loyally; ***sich jdm gegenüber ~ verhalten*** to be loyal to(wards) sb **Loyalität** [loajali'tɛːt] *f* ⟨**-, -en**⟩ loyalty (*jdm gegenüber* to sb)

Luchs [lʊks] *m* ⟨**-es, -e**⟩ lynx; ***Augen wie ein ~ haben*** (*infml*) to have eyes like a hawk

Lücke ['lʏkə] *f* ⟨**-, -n**⟩ gap; (*auf Formularen etc*) space; ***~n (im Wissen) haben*** to have gaps in one's knowledge **Lückenbüßer** [-byːsɐ] *m* ⟨**-s, -**⟩, **Lückenbüßerin** [-ərɪn] *f* ⟨**-, -nen**⟩ (*infml*) stopgap **lückenhaft I** *adj* full of gaps; *Versorgung* deficient **II** *adv sich erinnern* vaguely; *informieren* sketchily **lückenlos I** *adj* complete; *Überwachung* thorough; *Kenntnisse* perfect **II** *adv* completely **Lückentest** *m*, **Lückentext** *m* SCHOOL completion test (*Br*), fill-in-the-gaps test

Luder ['luːdɐ] *nt* ⟨**-s, -**⟩ (*infml*) minx; ***armes/dummes ~*** poor/stupid creature

Luft [lʊft] *f* ⟨**-,** (*liter*) **=e** ['lʏftə]⟩ **1.** air *no pl*; ***dicke ~*** (*infml*) a bad atmosphere; ***an*** *or* ***in die/der*** (***frischen***) ***~*** in the fresh air; (***frische***) ***~ schnappen*** (*infml*) to get some fresh air; ***die ~ ist rein*** (*infml*) the coast is clear; ***aus der ~*** from the air; ***die ~ ist raus*** (*fig infml*) the fizz has gone; ***jdn an die*** (***frische***) ***~ setzen*** (*infml*) to show sb the door; ***etw in die ~ jagen*** (*infml*) to blow sth up; ***er geht gleich in die ~*** (*fig*) he's about to blow his top; ***es liegt etwas in der ~*** there's something in the air; ***in der ~ hängen*** (*Sache*) to be (very much) up in the air; ***die Behauptung ist aus der ~ gegriffen*** this statement is (a) pure invention; ***jdn wie ~ behandeln*** to treat sb as though he/she just didn't exist; ***er ist ~ für mich*** I'm not speaking to him **2.** (≈ *Atem*) breath; ***nach ~ schnappen*** to gasp for breath; ***die ~ anhalten*** (*lit*) to hold one's breath; ***nun halt mal die ~ an!*** (*infml*) (≈ *rede nicht*) hold your tongue!; (≈ *übertreibe nicht*) come on! (*infml*); ***keine ~ mehr kriegen*** not to be able to breathe; ***tief ~ holen*** to take a deep breath; ***mir blieb vor Schreck/Schmerz die ~ weg*** I was breathless with shock/pain; ***seinem Herzen ~ machen*** (*fig*) to get everything off one's chest; ***seinem Zorn ~ machen*** to give vent to one's anger **3.** (*fig* ≈ *Spielraum, Platz*) space, room **Luftabwehr** *f* MIL anti-aircraft defence (*Br*) *or* defense (*US*) **Luftabwehrrakete** *f* anti-aircraft missile **Luftangriff** *m* air raid (*auf +acc* on) **Luftaufnahme** *f* aerial photo(graph) **Luftballon** *m* balloon **Luftbild** *nt* aerial picture **Luftblase** *f* air bubble **Luftbrücke** *f* airlift **Lụftchen** ['lʏftçən] *nt* ⟨**-s, -**⟩ breeze **lụftdicht I** *adj* airtight *no adv* **II** *adv* ***die Ware ist~ verpackt*** the article is in airtight packaging **Lụftdruck** *m, no pl* air pressure **lụ̈ften** ['lʏftn] **I** *v/t* **1.** to air; (*systematisch*) to ventilate **2.** (≈ *hochheben*) to raise; ***das Geheimnis war gelüftet*** the secret was out **II** *v/i* (≈ *Luft hereinlassen*) to let some air in **Lụftfahrt** *f* aeronautics *sg*; (*mit Flugzeugen*) aviation *no art* **Lụftfahrtgesellschaft** *f* airline (company) **Lụftfeuchtigkeit** *f* (atmospheric) humidity **Lụftfilter** *nt or m* air filter **Lụftflotte** *f* air fleet **Lụftfracht** *f* air freight **Lụftfrachtbrief** *m* air consignment note (*Br*) **lụftgekühlt** *adj* air-cooled **lụftgestützt** [-gəʃtʏtst] *adj Flugkörper* air-launched **lụftgetrocknet** [-gətrɔknət] *adj* air-dried **Lụftgewehr** *nt* air rifle, air gun **Lụfthoheit** *f* air sovereignty **lụftig** ['lʊftɪç] *adj Zimmer* airy; *Kleidung* light **Lụftkampf** *m* air battle **Lụftkissenboot** *nt*, **Lụftkissenfahrzeug** *nt* hovercraft **Lụftkrieg** *m* aerial warfare **Lụftkühlung** *f* air-cooling **Lụftkurort** *m* (climatic) health resort **Lụftlandetruppe** *f* airborne troops *pl* **lụftleer** *adj* (***völlig***) ***~ sein*** to be a vacuum; ***~er Raum*** vacuum **Lụftlinie** *f* ***200 km*** *etc* **~** 200 km *etc* as the crow flies **Lụftloch** *nt* air hole; AVIAT air pocket **Lụftmatratze** *f* air bed (*Br*), Lilo® (*Br*), air mattress (*esp US*) **Lụftpirat(in)** *m*/(*f*) (aircraft) hijacker, skyjacker (*esp US*) **Lụftpolster** *nt* air cushion **Lụftpost** *f* airmail; ***mit ~*** by airmail **Lụftpumpe** *f* pneumatic pump; (*für Fahrrad*) (bicycle) pump **Lụftraum** *m* airspace **Lụftrettungsdienst** *m* air rescue service **Lụftröhre** *f* ANAT windpipe, trachea **Lụftschacht** *m* ventilation shaft **Lụftschiff** *nt* airship **Lụftschlacht** *f* air battle **Lụftschlange** *f* (paper) streamer **Lụftschloss** *nt* (*fig*) castle in the air **Lụftschutzbunker** *m*, **Lụftschutzkeller** *m* air-raid shelter **Lụftspiegelung** *f* mirage **Lụftsprung** *m* ***vor Freude einen ~ machen*** to jump for joy **Lụftstreitkräfte** *pl* air force *sg* **Lụftstrom** *m* stream of air **Lụftstützpunkt** *m* air base **Lụ̈ftung** ['lʏftʊŋ] *f* ⟨**-, -en**⟩ airing; (*systematisch*) ventilation **Lụ̈ftungsschacht** *m* ventilation shaft **Lụftveränderung** *f* change of air **Lụftverkehr** *m* air traffic **Lụftverschmutzung** *f* air pollution **Lụftwaffe** *f* MIL air force; ***die*** (***deutsche***) **~** the Luftwaffe **Lụftwaffenstützpunkt** *m* air-force base **Lụftweg** *m* (≈ *Flugweg*) air route; (≈ *Atemweg*) respiratory tract; ***etw auf dem ~ befördern*** to transport sth by air **Lụftzug** *m* (mild) breeze; (*in Gebäude*) draught (*Br*), draft (*US*)

Lüge ['lyːgə] *f* ⟨**-, -n**⟩ lie, falsehood; ***das ist alles ~*** that's all lies; ***jdn/etw ~n strafen*** to give the lie to sb/sth **lügen** ['lyːgn] *pret* ***log*** [loːk], *past part* ***gelogen*** [gə'loːgn] **I** *v/i* to lie; ***wie gedruckt ~*** (*infml*) to lie like mad (*infml*) **II** *v/t* ***das ist gelogen!*** that's a lie! **Lügendetektor** *m* lie detector **Lügengeschichte** *f* pack of lies **Lügenmärchen** *nt* tall story **Lügner** ['lyːgnɐ] *m* ⟨**-s, -**⟩, **Lügnerin** [-ərɪn] *f* ⟨**-, -nen**⟩ liar **lügnerisch** ['lyːgnərɪʃ] *adj Mensch, Worte* untruthful

Luke ['luːkə] *f* ⟨**-, -n**⟩ hatch; (≈ *Dachluke*) skylight

lukrativ [lukra'tiːf] *adj* lucrative

Lụ̈mmel ['lʏml] *m* ⟨**-s, -**⟩ (*pej*) oaf; ***du ~, du*** you rogue you **lụ̈mmelhaft** (*pej*) *adj* ill-mannered **lụ̈mmeln** ['lʏmln] *v/r* (*infml*) to sprawl; (≈ *sich hinlümmeln*) to flop down

Lụmp [lʊmp] *m* ⟨**-en, -en**⟩ (*pej*) rogue **lụmpen** ['lʊmpn] *v/t* (*infml*) ***sich nicht ~ lassen*** to splash out (*infml*) **Lụmpen** ['lʊmpn] *m* ⟨**-s, -**⟩ rag **Lụmpenpack** *nt* (*pej infml*) riffraff *pl* (*pej*) **Lụmpensammler** *m* (≈ *Lumpenhändler*) rag-and-bone man **lụmpig** ['lʊmpɪç] *adj* **1.** *Kleidung* ragged, tattered **2.** *Gesinnung, Tat* shabby **3.** *attr* (*infml* ≈ *geringfügig*) measly (*infml*)

Lunchpaket ['lantʃ-] *nt* lunchbox, packed lunch

Lụnge ['lʊŋə] *f* ⟨**-, -n**⟩ lungs *pl*; (≈ *Lungenflügel*) lung; ***sich*** (*dat*) ***die ~ aus dem Hals schreien*** (*infml*) to yell till one is blue in the face (*infml*) **Lụngenbraten** *m* (*Aus*) loin roast (*Br*), porterhouse (steak) **Lụngenentzündung** *f* pneumonia **Lụngenflügel** *m* lung **lụngenkrank** *adj* ***~ sein*** to have a lung disease **Lụngenkrebs** *m* lung cancer **Lụngenzug** *m* deep drag (*infml*)

Lụnte ['lʊntə] *f* ⟨**-, -n**⟩ ***~ riechen*** (≈ *Verdacht schöpfen*) to smell a rat (*infml*)

Lupe ['luːpə] *f* ⟨**-, -n**⟩ magnifying glass; ***jdn/etw unter die ~ nehmen*** (*infml* ≈ *prüfen*) to examine sb/sth closely **lupen-**

rein *adj* flawless; *Englisch* perfect; ***das Geschäft war nicht ganz ~*** the deal wouldn't stand close scrutiny *or* wasn't quite all above board
Lupine [lu'piːnə] *f* ⟨-, **-n**⟩ lupin
Lurch [lʊrç] *m* ⟨-(**e**)**s**, **-e**⟩ amphibian
Lust [lʊst] *f* ⟨-, **⸚e** ['lʏstə]⟩ **1.** *no pl* (≈ *Freude*) pleasure, joy; ***da kann einem die*** (***ganze***) *or* ***alle ~ vergehen***, ***da vergeht einem die ganze ~*** it puts you off; ***jdm die ~ an etw*** (*dat*) ***nehmen*** to take all the fun out of sth for sb **2.** *no pl* (≈ *Neigung*) inclination; ***zu etw ~ haben*** to feel like sth; ***ich habe ~, das zu tun*** I'd like to do that; (≈ *bin dazu aufgelegt*) I feel like doing that; ***ich habe jetzt keine ~*** I'm not in the mood just now; ***hast du ~?*** how about it?; ***auf etw*** (*acc*) ***~ haben*** to feel like sth; ***ganz*** *or* ***je nach ~ und Laune*** (*infml*) just depending on how I/you *etc* feel **3.** (≈ *sinnliche Begierde*) desire **lustbetont** *adj* pleasure-orientated; *Beziehung, Mensch* sensual
Lüsterklemme ['lʏstɐ-] *f* ELEC connector
Lustgewinn *m* pleasure **lustig** ['lʊstɪç] *adj* (≈ *munter*) merry; (≈ *humorvoll*) funny, amusing; ***das kann ja ~ werden!*** (*iron*) that's going to be fun (*iron*); ***sich über jdn/etw ~ machen*** to make fun of sb/sth **Lustigkeit** *f* ⟨-, *no pl*⟩ (≈ *Munterkeit*) merriness (*dated*); (*von Mensch*) joviality; (*von Geschichte*) funniness
Lüstling ['lʏstlɪŋ] *m* ⟨**-s**, **-e**⟩ lecher **lustlos I** *adj* unenthusiastic; FIN *Börse* slack **II** *adv* unenthusiastically **Lustmörder(in)** *m*/(*f*) sex killer **Lustobjekt** *nt* sex object **Lustprinzip** *nt* PSYCH pleasure principle **Lustspiel** *nt* comedy **lustvoll I** *adj* full of relish **II** *adv* with relish
lutschen ['lʊtʃn] *v/t & v/i* to suck (*an etw* (*dat*) sth) **Lutscher** ['lʊtʃɐ] *m* ⟨**-s**, **-**⟩ lollipop
Luxemburg ['lʊksmbʊrk] *nt* ⟨**-s**⟩ Luxembourg
luxuriös [lʊksu'riøːs] **I** *adj* luxurious; ***ein ~es Leben*** a life of luxury **II** *adv* luxuriously **Luxus** ['lʊksʊs] *m* ⟨-, *no pl*⟩ luxury; (*pej* ≈ *Überfluss*) extravagance; ***den ~ lieben*** to love luxury **Luxusartikel** *m* luxury article; (*pl*) luxury goods *pl* **Luxusausführung** *f* de luxe model **Luxusdampfer** *m* luxury cruise ship **Luxushotel** *nt* luxury hotel **Luxusklasse** *f, no pl* ***der ~*** de luxe *attr*, luxury *attr*
Luzern [lu'tsɛrn] *nt* ⟨**-s**⟩ Lucerne
Lychee ['lɪtʃi] *f* ⟨-, **-s**⟩ lychee, litchi
Lymphdrüse ['lʏmf-] *f* lymph(atic) gland **Lymphe** ['lʏmfə] *f* ⟨-, **-n**⟩ lymph **Lymphknoten** ['lʏmf-] *m* lymph node
lynchen ['lʏnçn, 'lɪnçn] *v/t* (*lit*) to lynch; (*fig*) to kill **Lynchjustiz** *f* lynch law **Lynchmord** *m* lynching
Lyrik ['lyːrɪk] *f* ⟨-, *no pl*⟩ lyric poetry *or* verse **Lyriker** ['lyːrikɐ] *m* ⟨**-s**, **-**⟩, **Lyrikerin** [-ərɪn] *f* ⟨-, **-nen**⟩ lyric poet **lyrisch** ['lyːrɪʃ] **I** *adj* lyrical; *Dichtung* lyric **II** *adv* lyrically

M

M, m [ɛm] *nt* ⟨-, **-**⟩ M, m
M.A. [ɛm'|aː] UNIV *abbr of* ***Magister Artium*** MA, M.A. (*US*)
Machart *f* make; (≈ *Stil*) style **machbar** *adj* feasible **Machbarkeitsstudie** *f* feasibility study **Mache** ['maxə] *f* ⟨-, **-n**⟩ (*infml*) **1.** (≈ *Vortäuschung*) sham **2.** ***etw in der ~ haben*** (*infml*) to be working on sth; ***in der ~ sein*** (*infml*) to be in the making **machen** ['maxn] **I** *v/t* **1.** (≈ *tun*) to do; ***ich mache das schon*** (≈ *bringe das in Ordnung*) I'll see to that; (≈ *erledige das*) I'll do that; ***er macht, was er will*** he does what he likes; ***das lässt sich ~*** that can be done; (***da ist***) ***nichts zu ~*** (≈ *geht nicht*) (there's) nothing to be done; (≈ *kommt nicht infrage*) nothing doing; ***das lässt er nicht mit sich ~*** he won't stand for that; ***was machst du da?*** what are you doing (there)?; ***was macht die Arbeit?*** how's the work going?; ***was macht dein Bruder*** (***beruflich***)***?*** what does your brother do (for a living)?; ***was macht dein Bruder?*** (≈ *wie geht es ihm?*) how's your brother doing?; ***machs gut!*** all the best!; → ***gemacht*** **2.** (≈ *anfertigen*) to make; ***aus Holz gemacht*** made of wood; ***sich/jdm etw ~ lassen*** to have sth made for oneself/sb **3.** (≈ *verursachen*) *Schwie-*

rigkeiten to make (*jdm* for sb); *Mühe, Schmerzen* to cause (*jdm* for sb); ***jdm Angst ~*** to make sb afraid; ***jdm Hoffnung ~*** to give sb hope; ***mach, dass er gesund wird!*** make him better!; ***etw leer ~*** to empty sth; ***etw kürzer ~*** to shorten sth; ***jdn alt/jung ~*** (≈ *aussehen lassen*) to make sb look old/young; ***er macht es sich*** (*dat*) ***nicht leicht*** he doesn't make it easy for himself **4.** (*infml* ≈ *ergeben*) to make; *Summe, Preis* to be; ***drei und fünf macht acht*** three and five makes eight; ***was macht das (alles zusammen)?*** how much is that altogether? **5.** (≈ *ordnen, säubern*) to do; ***die Küche muss mal wieder gemacht werden*** (≈ *gereinigt, gestrichen*) the kitchen needs doing again; ***das Bett ~*** to make the bed **6.** ***etwas aus sich ~*** to make something of oneself; ***jdn/etw zu etw ~*** (≈ *verwandeln in*) to turn sb/sth into sth; ***jdn zum Wortführer ~*** to make sb spokesman; ***macht nichts!*** it doesn't matter!; ***der Regen macht mir nichts*** I don't mind the rain; ***die Kälte macht dem Motor nichts*** the cold doesn't hurt the engine; ***sich*** (*dat*) ***viel aus jdm/etw ~*** to like sb/sth; ***sich*** (*dat*) ***wenig aus jdm/etw ~*** not to be very keen on (*esp Br*) *or* thrilled with (*esp US*) sb/sth; ***mach dir nichts draus!*** don't let it bother you! **II** *v/i* **1.** ***lass ihn nur ~*** (≈ *hindre ihn nicht*) just let him do it; (≈ *verlass dich auf ihn*) just leave it to him; ***lass mich mal ~*** let me do it; (≈ *ich bringe das in Ordnung*) let me see to that; ***das Kleid macht schlank*** that dress makes you look slim **2.** (≈ *sich beeilen, infml*) to get a move on (*infml*); ***ich mach ja schon!*** I'm being as quick as I can!; ***mach, dass du hier verschwindest!*** (you just) get out of here! **3.** (*infml*) ***jetzt macht sie auf große Dame*** she's playing the grand lady now; ***sie macht auf gebildet*** she's doing her cultured bit (*infml*); ***er macht in Politik*** he's in politics **III** *v/r* **1.** (≈ *sich entwickeln*) to come on **2.** ***sich an etw*** (*acc*) ***~*** to get down to sth; ***sich zum Fürsprecher ~*** to make oneself spokesman; ***sich bei jdm beliebt ~*** (*infml*) to make oneself popular with sb **Machenschaften** ['maxnʃaftn] *pl* wheelings and dealings *pl*, machinations *pl* **Macher** ['maxɐ] *m* ⟨**-s, -**⟩, **Macherin** [-ərɪn] *f* ⟨**-, -nen**⟩ (*infml*) man/woman of action

Machete [ma'xeːtə, ma'tʃeːtə] *f* ⟨**-, -n**⟩ machete

Macho ['matʃo] *m* ⟨**-s, -s**⟩ macho (*infml*)

Macht [maxt] *f* ⟨**-, ⸚e** ['mɛçtə]⟩ *no pl* power; ***die ~ der Gewohnheit*** the force of habit; ***alles, was in unserer ~ steht*** everything (with)in our power; ***mit aller ~*** with all one's might; ***die ~ ergreifen/erringen*** to seize/gain power; ***an die ~ kommen*** to come to power; ***jdn an die ~ bringen*** to bring sb to power; ***an der ~ sein/bleiben*** to be/remain in power; ***die ~ übernehmen*** to assume power **Machtapparat** *m* POL machinery of power **Machtbereich** *m* sphere of control **machtbesessen** *adj* power-crazed **Machtergreifung** *f* ⟨**-, -en**⟩ seizure of power **Machterhalt** *m* retention of power **Machthaber** [-haːbɐ] *m* ⟨**-s, -**⟩, **Machthaberin** [-ərɪn] *f* ⟨**-, -nen**⟩ ruler; (*pej*) dictator **mächtig I** *adj* (≈ *einflussreich*) powerful; (≈ *sehr groß*) mighty; (*infml* ≈ *enorm*) *Hunger, Durst* terrific (*infml*); ***~e Angst haben*** (*infml*) to be scared stiff (*infml*) **II** *adv* (*infml* ≈ *sehr*) terrifically (*infml*); *sich beeilen* like mad (*infml*); ***sich ~ anstrengen*** to make a terrific effort (*infml*); ***darüber hat sie sich ~ geärgert*** she got really angry about it **Machtkampf** *m* power struggle **machtlos** *adj* powerless; (≈ *hilflos*) helpless **Machtlosigkeit** *f* ⟨**-,** *no pl*⟩ powerlessness; (≈ *Hilflosigkeit*) helplessness **Machtmissbrauch** *m* abuse of power **Machtpolitik** *f* power politics *pl* **Machtprobe** *f* trial of strength **Machtübernahme** *f* takeover (*durch* by) **Machtverhältnisse** *pl* balance *sg* of power **Machtverlust** *m* loss of power **machtvoll I** *adj* powerful **II** *adv* powerfully; *eingreifen* decisively **Machtwechsel** *m* changeover of power **Machtwort** *nt*, *pl* **-worte** ***ein ~ sprechen*** to exercise one's authority

Machwerk *nt* (*pej*) sorry effort; ***das ist ein ~ des Teufels*** that is the work of the devil

Macke ['makə] *f* ⟨**-, -n**⟩ (*infml*) **1.** (≈ *Tick, Knall*) quirk; ***eine ~ haben*** (*infml*) to be cracked (*infml*) **2.** (≈ *Fehler, Schadstelle*) fault

Mädchen ['mɛːtçən] *nt* ⟨**-s, -**⟩ girl; ***ein ~ für alles*** (*infml*) a dogsbody (*Br infml*), a gofer **mädchenhaft I** *adj* girlish **II** *adv* *aussehen* like a (young) girl **Mädchen-**

name *m* **1.** (*Vorname*) girl's name **2.** (*von verheirateter Frau*) maiden name

Made ['maːdə] *f* ⟨**-**, **-n**⟩ maggot; ***wie die ~ im Speck leben*** (*infml*) to live in clover

Mädel ['mɛːdl] *nt* ⟨**-s**, **-(s)**⟩ (*dial*) lass (*dial*), girl

madig ['maːdɪç] *adj* maggoty

madigmachen *v/t sep* (*infml*) ***jdm etw madig machen*** to put sb off sth

Madl ['maːdl] *nt* ⟨**-s**, **-n**⟩ (*Aus*) lass (*dial*), girl; → ***Mädchen***

Madonna [ma'dɔna] *f* ⟨**-**, ***Madonnen*** [-'dɔnən]⟩ Madonna

Mafia ['mafia] *f* ⟨**-**, *no pl*⟩ Mafia **Mafioso** [ma'fioːzo] *m* ⟨**-**, ***Mafiosi*** [-zi]⟩ mafioso

Magazin [maga'tsiːn] *nt* ⟨**-s**, **-e**⟩ **1.** (≈ *Lager*) storeroom; (≈ *Bibliotheksmagazin*) stockroom **2.** (*am Gewehr*) magazine **3.** (≈ *Zeitschrift*) magazine

Magd [maːkt] *f* ⟨**-**, **⸗e** ['mɛːkdə]⟩ (*old*) (≈ *Dienstmagd*) maid; (≈ *Landarbeiterin*) farm girl

Magen ['maːgn] *m* ⟨**-s**, **⸗** ['mɛːgn]⟩ ⟨*or* **-**⟩ stomach; ***auf nüchternen ~*** on an empty stomach; ***etw liegt jdm (schwer) im ~*** (*infml*) sth lies heavily on sb's stomach; (*fig*) sth preys on sb's mind; ***sich*** (*dat*) ***den ~ verderben*** to get an upset stomach **Magenbeschwerden** *pl* stomach *or* tummy (*infml*) trouble *sg* **Magenbitter** *m* bitters *pl* **Magen-Darm-Katarrh** *m* gastroenteritis **Magengegend** *f* stomach region **Magengeschwür** *nt* stomach ulcer **Magengrube** *f* pit of the stomach **Magenkrampf** *m* stomach cramp **Magenkrebs** *m* cancer of the stomach **Magenleiden** *nt* stomach disorder **Magenschleimhaut** *f* stomach lining **Magenschleimhautentzündung** *f* gastritis **Magenschmerzen** *pl* stomachache *sg* **Magensonde** *f* stomach probe **Magenverstimmung** *f* upset stomach, stomach upset

mager ['maːgɐ] **I** *adj* **1.** (≈ *fettarm*) *Fleisch* lean; *Kost* low-fat **2.** (≈ *dünn*) thin, skinny (*infml*); (≈ *abgemagert*) emaciated; TYPO *Druck* roman **3.** (≈ *dürftig*) meagre (*Br*), meager (*US*); *Ergebnis* poor **II** *adv* (≈ *fettarm*) ***~ essen*** to be on a low-fat diet; ***~ kochen*** to cook low-fat meals **Magermilch** *f* skimmed milk **Magerquark** [-kvark] *m* low-fat cottage cheese (*US*) *or* curd cheese **Magersucht** *f* MED anorexia **magersüchtig** *adj* MED anorexic

Magie [ma'giː] *f* ⟨**-**, *no pl*⟩ magic **Magier** ['maːgiɐ] *m* ⟨**-s**, **-e**⟩, **Magierin** ['maːgiɐrin] [-ərɪn] *f* ⟨**-**, **-nen**⟩ magician

magisch ['maːgɪʃ] *adj* magic(al); ***von jdm/etw ~ angezogen werden*** to be attracted to sb/sth as if by magic

Magister [ma'gɪstɐ] *m* ⟨**-s**, **-**⟩ **~ (*Artium*)** UNIV M.A., Master of Arts

Magistrat [magɪs'traːt] *m* ⟨**-(e)s**, **-e**⟩ municipal authorities *pl*

Magnesium [ma'gneːziʊm] *nt* ⟨**-s**, *no pl*⟩ magnesium

Magnet [ma'gneːt] *m* ⟨**-s** *or* **-en**, **-e(n)**⟩ magnet **Magnetbahn** *f* magnetic railway **Magnetband** *nt*, *pl* ***-bänder*** magnetic tape **magnetisch** [ma'gneːtɪʃ] *adj* magnetic; ***von etw ~ angezogen werden*** (*fig*) to be drawn to sth like a magnet **Magnetismus** [magne'tɪsmʊs] *m* ⟨**-**, *no pl*⟩ magnetism **Magnetkarte** *f* magnetic card **Magnetnadel** *f* magnetic needle **Magnetstreifen** *m* magnetic strip

Magnolie [mag'noːliə] *f* ⟨**-**, **-n**⟩ magnolia

Mahagoni [maha'goːni] *nt* ⟨**-s**, *no pl*⟩ mahogany

Mähdrescher *m* combine (harvester)

mähen ['mɛːən] *v/t Gras* to cut; *Getreide* to reap; *Rasen* to mow

Mahl [maːl] *nt* ⟨**-(e)s**, **-e** *or* **⸗er** ['mɛːlɐ]⟩ (*liter*) meal, repast (*form*); (≈ *Gastmahl*) banquet

mahlen ['maːlən] *pret* ***mahlte*** ['maːltə], *past part* ***gemahlen*** [gə'maːlən] *v/t & v/i* to grind

Mahlzeit *f* meal; **(*prost*) *~!*** (*iron infml*) that's just great (*infml*)

Mahnbescheid *m*, **Mahnbrief** *m* reminder

Mähne ['mɛːnə] *f* ⟨**-**, **-n**⟩ mane

mahnen ['maːnən] **I** *v/t* **1.** (≈ *erinnern*) to remind (*wegen*, *an +acc* of); (*warnend*) to admonish (*wegen*, *an +acc* on account of) **2.** (≈ *auffordern*) ***jdn zur Eile/Geduld ~*** to urge sb to hurry/be patient **II** *v/i* **1.** (*wegen Schulden etc*) to send a reminder **2.** ***zur Eile/Geduld ~*** to urge haste/patience **Mahnmal** *nt* memorial **Mahnschreiben** *nt* reminder **Mahnung** ['maːnʊŋ] *f* ⟨**-**, **-en**⟩ **1.** (≈ *Ermahnung*) exhortation; (*warnend*) admonition **2.** (≈ *warnende Erinnerung* ≈ *Mahnbrief*) reminder **Mahnverfahren** *nt* collection proceedings *pl*

Mai [mai] *m* ⟨**-(e)s** *or* **-** *or* (*poet*) **-en**, **-e**⟩ May; ***der Erste ~*** May Day; → ***März*** **Mai-**

baum *m* maypole **Maifeiertag** *m* (*form*) May Day *no art* **Maiglöckchen** *nt* lily of the valley **Maikäfer** *m* cockchafer

Mail [meːl] *f* ⟨**-, -s**⟩ IT e-mail; ***eine ~ an jdn schicken*** to e-mail sb **Mailbox** [ˈmeːlbɔks] *f* IT mailbox **mailen** [ˈmeːln] *v/t & v/i* IT to e-mail **Mailing** [ˈmeːlɪŋ, ˈmeɪlɪŋ] *nt* ⟨**-s, -s**⟩ mailing

Mais [mais] *m* ⟨**-es**, *no pl*⟩ maize, (Indian) corn (*esp US*) **Maisflocken** *pl* cornflakes *pl* **Maiskolben** *m* corn cob; (*Gericht*) corn on the cob **Maismehl** *nt* maize *or* corn (*esp US*) meal

Maisonette(-Wohnung) *f* maisonette, duplex (apartment) (*esp US*)

Majestät [majɛsˈtɛːt] *f* ⟨**-, -en**⟩ (*Titel*) Majesty; ***Seine/Ihre ~*** His/Her Majesty **majestätisch** [majɛsˈtɛːtɪʃ] **I** *adj* majestic **II** *adv* majestically

Majo [ˈmaːjo] *f* ⟨**-, -s**⟩ (*infml* ≈ *Mayonnaise*) mayo (*infml*) **Majonäse** [majoˈnɛːzə] *f* ⟨**-, -n**⟩ mayonnaise

Major [maˈjoːɐ] *m* ⟨**-s, -e**⟩, **Majorin** [maˈjoːrɪn] *f* ⟨**-, -nen**⟩ MIL major

Majoran [ˈmajoraːn, ˈmaːjoran] *m* ⟨**-s, -e**⟩ marjoram

Majorität [majoriˈtɛːt] *f* ⟨**-, -en**⟩ majority

makaber [maˈkabɐ] *adj* macabre; *Witz, Geschichte* sick

Makel [ˈmaːkl] *m* ⟨**-s, -**⟩ **1.** (≈ *Schandfleck*) stigma **2.** (≈ *Fehler*) blemish; (*von Charakter, bei Waren*) flaw **makellos I** *adj Reinheit* spotless; *Charakter* unimpeachable; *Figur* perfect; *Kleidung, Haare* immaculate; *Alibi* watertight; *Englisch, Deutsch* flawless **II** *adv rein* spotlessly; ***~ gekleidet sein*** to be impeccably dressed; ***~ weiß*** spotless white **mäkeln** [ˈmɛːkln] *v/i* (*infml*) (≈ *nörgeln*) to carp (*an +dat* at)

Make-up [meːkˈ|ap] *nt* ⟨**-s, -s**⟩ make-up

Makkaroni [makaˈroːni] *pl* macaroni *sg*

Makler [ˈmaːklɐ] *m* ⟨**-s, -**⟩, **Maklerin** [-ərɪn] *f* ⟨**-, -nen**⟩ broker; (≈ *Grundstücksmakler*) estate agent (*Br*), real-estate agent (*US*) **Maklergebühr** *f* brokerage

Makrele [maˈkreːlə] *f* ⟨**-, -n**⟩ mackerel

Makro [ˈmakro] *nt* ⟨**-s, -s**⟩ IT macro **makrobiotisch** [-ˈbioːtɪʃ] *adj* macrobiotic **Makrokosmos** *m* macrocosm

mal[1] [maːl] *adv* MAT times; ***zwei ~ zwei*** MAT two times two

mal[2] *adv* (*infml*) = ***einmal***

Mal[1] [maːl] *nt* ⟨**-(e)s, -e** *or* (*poet*) **⸚er** [ˈmɛːlɐ]⟩ **1.** (≈ *Fleck*) mark **2.** SPORTS base; (≈ *Malfeld*) touch

Mal[2] *nt* ⟨**-(e)s, -e**⟩ time; ***nur das eine ~*** just (the) once; ***das eine oder andere ~*** now and then *or* again; ***kein einziges ~*** not once; ***ein für alle ~(e)*** once and for all; ***das vorige ~*** the time before; ***beim ersten ~(e)*** the first time; ***zum ersten/letzten*** *etc* ***~*** for the first/last *etc* time; ***zu wiederholten ~en*** time and again; ***von ~ zu ~*** each *or* every time; ***für dieses ~*** for now; ***mit einem ~(e)*** all at once

Malaise [maˈlɛːzə] *f or* (*Swiss*) *nt*) ⟨**-, -n**⟩ malaise

Malaria [maˈlaːria] *f* ⟨**-**, *no pl*⟩ malaria

Malaysia [maˈlaizia] *nt* ⟨**-s**⟩ Malaysia **malaysisch** [maˈlaizɪʃ] *adj* Malaysian

Malediven [maleˈdiːvn] *pl* Maldives *pl*, Maldive Islands *pl*

malen [ˈmaːlən] *v/t & v/i* to paint; (≈ *zeichnen*) to draw; ***etw rosig/schwarz*** *etc* ***~*** (*fig*) to paint a rosy/black *etc* picture of sth **Maler** [ˈmaːlɐ] *m* ⟨**-s, -**⟩, **Malerin** [-ərɪn] *f* ⟨**-, -nen**⟩ painter; (≈ *Kunstmaler auch*) artist **Malerei** [maləˈrai] *f* ⟨**-, -en**⟩ **1.** *no pl*: (≈ *Malkunst*) art **2.** (≈ *Bild*) painting **Malerfarbe** *f* paint **malerisch** [ˈmaːlərɪʃ] *adj* **1.** *Talent* as a painter **2.** (≈ *pittoresk*) picturesque

Malheur [maˈløːɐ] *nt* ⟨**-s, -s** *or* **-e**⟩ mishap

Malkasten *m* paintbox

Mallorca [maˈjɔrka, maˈlɔrka] *nt* ⟨**-s**⟩ Majorca, Mallorca

malnehmen *v/t & v/i sep irr* to multiply (*mit* by)

Maloche [maˈlɔxə, maˈloːxə] *f* ⟨**-**, *no pl*⟩ (*infml*) hard work **malochen** [maˈlɔxn, maˈloːxn] *past part* ***malocht*** *v/i* (*infml*) to work hard

malträtieren [maltrɛˈtiːrən] *past part* ***malträtiert*** *v/t* to ill-treat, to maltreat

Malve [ˈmalvə] *f* ⟨**-, -n**⟩ BOT mallow; (≈ *Stockrose*) hollyhock

Malz [malts] *nt* ⟨**-es**, *no pl*⟩ malt **Malzbier** *nt* malt beer, ≈ stout (*Br*) **Malzbonbon** *nt or m* malt lozenge **Malzkaffee** *m coffee substitute made from barley malt*

Mama [ˈmama] *f* ⟨**-, -s**⟩ (*infml*) mummy (*Br*), mommy (*US*)

Mammografie [mamograˈfiː] *f* ⟨**-, -n** [-ˈfiːən]⟩ mammography

Mammut [ˈmamʊt, ˈmamuːt] *nt* ⟨**-s, -s** *or* **-e**⟩ mammoth **Mammutbaum** *m* sequoia, giant redwood **Mammutprogramm** *nt* huge programme (*Br*) *or* program (*US*); (*lange dauernd*) marathon programme (*Br*) *or* program (*US*) **Mammutprozess** *m* marathon trial **mampfen** ['mampfn] *v/t & v/i* (*infml*) to munch

man [man] *indef pr, dat* **einem**, *acc* **einen** **1.** you, one; (≈ *ich*) one; (≈ *wir*) we; ***~ kann nie wissen*** you *or* one can never tell; ***das tut ~ nicht*** that's not done **2.** (≈ *jemand*) somebody, someone; ***~ hat mir erklärt, dass ...*** it was explained to me that ... **3.** (≈ *die Leute*) they *pl*, people *pl*; ***früher glaubte ~, dass ...*** people used to believe that ...

Management ['mɛnɛdʒmənt] *nt* ⟨**-s, -s**⟩ management **managen** ['mɛnɛdʒn] *v/t* (*infml*) to manage **Manager** ['mɛnɛdʒɐ] *m* ⟨**-s, -**⟩, **Managerin** [-ərɪn] *f* ⟨**-, -nen**⟩ manager **Managertyp** *m* management *or* executive type

manch [manç] *indef pr* **1.** *inv* many a; ***~ eine(r)*** many a person **2.** (*adjektivisch*) ***~e(r, s)*** quite a few +*pl*, many a +*sg*; (*pl* ≈ *einige*) some +*pl*; ***~er, der ...*** many a person who ... **3.** (*substantivisch*) ***~e(r)*** a good many people *pl*; (*pl* ≈ *einige*) some (people); ***~er lernts nie*** some people never learn; ***in ~em hat er recht*** he's right about a lot of/some things **mancherlei** ['mançɐ'lai] *adj inv* (*adjektivisch*) various, a number of; (*substantivisch*) various things *pl*, a number of things **manchmal** ['mançmaːl] *adv* sometimes

Mandant [man'dant] *m* ⟨**-en, -en**⟩, **Mandantin** [-'dantɪn] *f* ⟨**-, -nen**⟩ JUR client

Mandarine [manda'riːnə] *f* ⟨**-, -n**⟩ mandarin (orange), tangerine

Mandat [man'daːt] *nt* ⟨**-(e)s, -e**⟩ mandate; (*von Anwalt*) brief; (PARL ≈ *Abgeordnetensitz*) seat; ***sein ~ niederlegen*** PARL to resign one's seat **Mandatar** [manda'taːɐ] *m* ⟨**-s, -e**⟩, **Mandatarin** [-rɪn] *f* ⟨**-, -nen**⟩ (*Aus*) member of parliament, representative

Mandel ['mandl] *f* ⟨**-, -n**⟩ **1.** almond **2.** ANAT tonsil **Mandelbaum** *m* almond tree **Mandelentzündung** *f* tonsillitis

Mandoline [mando'liːnə] *f* ⟨**-, -n**⟩ mandolin

Manege [ma'neːʒə] *f* ⟨**-, -n**⟩ ring, arena

Mangan [maŋ'gaːn] *nt* ⟨**-s,** *no pl*⟩ manganese

Mangel[1] ['maŋəl] *f* ⟨**-, -n**⟩ mangle; (≈ *Heißmangel*) rotary iron; ***durch die ~ drehen*** (*fig infml*) to put through it (*infml*); ***jdn in die ~ nehmen*** (*fig infml*) to give sb a going-over (*infml*)

Mangel[2] *m* ⟨**-s, ¨**['mɛŋl]⟩ **1.** (≈ *Fehler*) fault; (≈ *Unzulänglichkeit*) shortcoming; (≈ *Charaktermangel*) flaw **2.** *no pl* (≈ *das Fehlen*) lack (*an +dat* of); (≈ *Knappheit*) shortage (*an +dat* of); MED deficiency (*an +dat* of); ***wegen ~s an Beweisen*** for lack of evidence; ***~ an etw*** (*dat*) ***haben*** to lack sth **Mangelerscheinung** *f* MED deficiency symptom; ***eine ~ sein*** (*fig*) to be in short supply (*bei* with) **mangelhaft I** *adj* (≈ *schlecht*) poor; *Informationen, Interesse* insufficient; (≈ *fehlerhaft*) *Sprachkenntnisse, Ware* faulty; (*Schulnote*) poor **II** *adv* poorly; ***er spricht nur ~ Englisch*** he doesn't speak English very well **Mängelhaftung** *f* JUR liability for faults

mangeln[1] ['maŋln] *v/t Wäsche* to (put through the) mangle; (≈ *heiß mangeln*) to iron

mangeln[2] **I** *v/i impers* ***es mangelt an etw*** (*dat*) there is a lack of sth; ***es mangelt jdm an etw*** (*dat*) sb lacks sth; ***~des Selbstvertrauen*** *etc* a lack of self-confidence *etc* **II** *v/i* ***etw mangelt jdm/einer Sache*** sb/sth lacks sth **mangels** ['maŋls] *prep +gen* (*form*) for lack of **Mangelware** *f* scarce commodity; ***~ sein*** (*fig*) to be a rare thing; (*Ärzte, gute Lehrer etc*) not to grow on trees

Mango ['maŋgo] *f* ⟨**-, -s** *or* **-nen** [-'goːnən]⟩ mango

Manie [ma'niː] *f* ⟨**-, -n** [-'niːən]⟩ mania

Manier [ma'niːɐ] *f* ⟨**-, -en**⟩ **1.** *no pl* (≈ *Art und Weise*) manner; (*eines Künstlers etc*) style **2. Manieren** *pl* (≈ *Umgangsformen*) manners; ***was sind das für ~en?*** (*infml*) that's no way to behave **manierlich** [ma'niːɐlɪç] *adj* **1.** *Kind* well-mannered; *Benehmen* good **2.** (*infml* ≈ *einigermaßen gut*) reasonable

Manifest [mani'fɛst] *nt* ⟨**-(e)s, -e**⟩ manifesto

Maniküre [mani'kyːrə] *f* ⟨**-, -n**⟩ (≈ *Handpflege*) manicure **maniküren** [mani'kyːrən] *past part* ***manikürt*** *v/t* to manicure

Manipulation [manipula'tsioːn] *f* ⟨**-, -en**⟩ manipulation **manipulieren** [manipu'liːrən] *past part* ***manipuliert*** *v/t* to manipulate

manisch ['maːnɪʃ] *adj* manic; ***~-depressiv*** manic-depressive

Mạnko ['maŋko] *nt* ⟨**-s, -s**⟩ **1.** (COMM ≈ *Fehlbetrag*) deficit; **~ *machen*** (*infml*: *bei Verkauf*) to make a loss **2.** (*fig* ≈ *Nachteil*) shortcoming

Mạnn [man] *m* ⟨**-(e)s, ⸚er** ['mɛnɐ]⟩ **1.** man; ***etw an den ~ bringen*** (*infml*) to get rid of sth; ***seinen ~ stehen*** to hold one's own; ***pro ~*** per head; ***ein Gespräch von ~ zu ~*** a man-to-man talk **2.** (≈ *Ehemann*) husband; ***~ und Frau werden*** to become man and wife **3.** (*infml*: *als Interjektion*) (my) God (*infml*); ***mach schnell, ~!*** hurry up, man!; ***~, oh ~!*** oh boy! (*infml*) **Mạ̈nnchen** ['mɛnçən] *nt* ⟨**-s, -**⟩ **1.** little man; (≈ *Zwerg*) man(n)ikin; **~ *malen*** ≈ to doodle **2.** BIOL male; (≈ *Vogelmännchen*) male, cock **3.** **~ *machen*** (*Hund*) to (sit up and) beg **Mạnndeckung** *f* SPORTS man-to-man marking, one-on-one defense (*US*)

Mannequin [manə'kɛ̃ː, 'manəkɛ̃] *nt* ⟨**-s, -s**⟩ (fashion) model

Mạ̈nnerberuf *m* male profession **Mạ̈nnerchor** *m* male-voice choir **Mạ̈nnerfang** *m* ***auf ~ ausgehen*** to go looking for a man **Mạ̈nnerfreundschaft** *f* friendship between men **Mạ̈nnersache** *f* (*Angelegenheit*) man's business; (*Arbeit*) job for a man; ***Fußball war früher ~*** football used to be a male preserve **Mạnnesalter** *nt* manhood *no art*; ***im besten ~ sein*** to be in one's prime

mạnnigfach ['manɪçfax] *adj attr* manifold **mạnnigfaltig** ['manɪçfaltɪç] *adj* diverse

mạ̈nnlich ['mɛnlɪç] *adj* male; *Wort, Auftreten* masculine **Mạ̈nnlichkeit** *f* ⟨**-**, *no pl*⟩ (*fig*) manliness; (*von Auftreten*) masculinity **Mạnnloch** *nt* TECH manhole **Mạnnschaft** ['manʃaft] *f* ⟨**-, -en**⟩ team; NAUT, AVIAT crew **Mạnnschaftsgeist** *m* team spirit **Mạnnschaftskapitän** *m* SPORTS (team) captain, skipper (*infml*) **Mạnnschaftsraum** *m* SPORTS team quarters *pl*; NAUT crew's quarters *pl* **mạnnshoch** *adj* as high as a man; ***der Schnee liegt ~*** the snow is six feet deep **mạnnstoll** *adj* man-mad (*esp Br infml*) **Mạnnweib** *nt* (*pej*) mannish woman

Manometer [mano'meːtɐ] *nt* ⟨**-s, -**⟩ TECH pressure gauge; ***~!*** (*infml*) wow! (*infml*)

Manöver [ma'nøːvɐ] *nt* ⟨**-s, -**⟩ manoeuvre (*Br*), maneuver (*US*) **Manöverkritik** *f* (*fig*) postmortem **manövrieren** [manø'vriːrən] *past part* ***manövriert*** *v/t & v/i* to manoeuvre (*Br*), to maneuver (*US*) **manövrierfähig** *adj* manoeuvrable (*Br*), maneuverable (*US*); (*fig*) flexible **manövrierunfähig** *adj* disabled

Mansạrde [man'zaːrdə] *f* ⟨**-, -n**⟩ garret; (*Boden*) attic

Manschẹtte [man'ʃɛtə] *f* ⟨**-, -n**⟩ **1.** (≈ *Ärmelaufschlag*) cuff **2.** ***~n haben*** (*infml*) to be scared stupid (*infml*) **Manschẹttenknopf** *m* cufflink

Mạntel ['mantl] *m* ⟨**-s, ⸚** ['mɛntl]⟩ coat; (≈ *Umhang*) cloak **Mạnteltarifvertrag** *m* IND general agreement on conditions of employment

Mantra ['mantra] *nt* ⟨**-(s), -s**⟩ mantra

manuẹll [ma'nuɛl] **I** *adj* manual **II** *adv* manually **Manuskript** [manu'skrɪpt] *nt* ⟨**-(e)s, -e**⟩ manuscript; RADIO, FILM, TV script

Mạppe ['mapə] *f* ⟨**-, -n**⟩ (≈ *Aktenhefter*) file; (≈ *Aktentasche*) briefcase; (≈ *Schulmappe*) (school) bag; (≈ *Bleistiftmappe*) pencil case

Marathonlauf *m* marathon **Marathonläufer(in)** *m/(f)* marathon runner

Märchen ['mɛːɐçən] *nt* ⟨**-s, -**⟩ fairy tale; (*infml*) tall story **Märchenbuch** *nt* book of fairy tales **Märchenerzähler(in)** *m/(f)* teller of fairy tales; (*fig*) storyteller **märchenhaft** **I** *adj* fairy-tale *attr*, fabulous; (*fig*) fabulous **II** *adv reich* fabulously; *singen* beautifully; ***~ schön*** incredibly beautiful **Märchenprinz** *m* Prince Charming **Märchenprinzessin** *f* fairy-tale princess

Mạrder ['mardɐ] *m* ⟨**-s, -**⟩ marten

Margarine [marga'riːnə, (*Aus*) -'riːn] *f* ⟨**-, -n**⟩ margarine

Marge ['marʒə] *f* ⟨**-, -n**⟩ COMM margin

Mariä Himmelfahrt *f* Assumption **Marienkäfer** *m* ladybird (*Br*), ladybug (*US*)

Marihuana [mari'huaːna] *nt* ⟨**-s**, *no pl*⟩ marijuana

Marịlle [ma'rɪlə] *f* ⟨**-, -n**⟩ (*Aus*) apricot

Marinade [mari'naːdə] *f* ⟨**-, -n**⟩ COOK marinade

Marine [ma'riːnə] *f* ⟨**-, -n**⟩ navy **marineblau** *adj* navy-blue **Marineoffizier** *m* naval officer

marinieren [mari'niːrən] *past part* ***mariniert*** *v/t Fisch, Fleisch* to marinate

Marionẹtte [mario'nɛtə] *f* ⟨**-, -n**⟩ marionette; (*fig*) puppet **Marionẹttenregierung** *f* puppet government **Marionẹt-**

tenspieler(in) *m/(f)* puppeteer **Marionettentheater** *nt* puppet theatre *(Br) or* theater *(US)*

maritim [mari'tiːm] *adj* maritime

Mark[1] [mark] *nt* ⟨**-(e)s**, *no pl*⟩ (≈ *Knochenmark*) marrow; (≈ *Fruchtfleisch*) purée; ***bis ins ~*** *(fig)* to the core; ***es geht mir durch ~ und Bein*** *(infml)* it goes right through me

Mark[2] *f* ⟨**-, -** *or (hum)* **⸚er** ['mɛrkɐ]⟩ HIST mark; ***Deutsche ~*** Deutschmark

markant [mar'kant] *adj* (≈ *ausgeprägt*) clear-cut; *Schriftzüge* clearly defined; *Persönlichkeit* striking

Marke ['markə] *f* ⟨**-, -n**⟩ **1.** *(bei Genussmitteln)* brand; *(bei Industriegütern)* make **2.** (≈ *Briefmarke*) stamp; (≈ *Essenmarke*) voucher; (≈ *Rabattmarke*) (trading) stamp; (≈ *Lebensmittelmarke*) coupon **3.** (≈ *Markenzeichen*) trademark **4.** (≈ *Rekordmarke*) record; (≈ *Wasserstandsmarke*) watermark; (≈ *Stand, Niveau*) level **Markenartikel** *m* proprietary article **Markenbutter** *f* nonblended butter, best quality butter **Markenname** *m* brand *or* proprietary name **Markenpiraterie** *f* brand name piracy **Markenschutz** *m* protection of trademarks **Markenware** *f* proprietary goods *pl*

Marker ['markɐ] *m* ⟨**-s, -(s)**⟩ (≈ *Markierstift*) highlighter

Marketing ['markətɪŋ] *nt* ⟨**-s,** *no pl*⟩ marketing

markieren [mar'kiːrən] *past part* ***markiert*** *v/t* to mark; *(infml* ≈ *vortäuschen)* to play; ***den starken Mann ~*** to play the strong man **Markierstift** *m* highlighter **Markierung** *f* ⟨**-, -en**⟩ marking; (≈ *Zeichen*) mark **markig** ['markɪç] *adj Spruch, Worte* pithy

Markise [mar'kiːzə] *f* ⟨**-, -n**⟩ awning

Markklößchen *nt* COOK bone marrow dumpling **Markknochen** *m* COOK marrowbone

Markt [markt] *m* ⟨**-(e)s, ⸚e** ['mɛrktə]⟩ **1.** market; (≈ *Jahrmarkt*) fair; (≈ *Warenverkehr*) trade; ***auf dem*** *or* ***am ~*** on the market; ***auf den ~ kommen*** to come on the market **2.** (≈ *Marktplatz*) marketplace **Marktanalyse** *f* market analysis **Marktanteil** *m* market share **marktbeherrschend** *adj* ***~ sein*** to control *or* dominate the market **Marktbude** *f* market stall **Marktchance** *f usu pl* sales opportunity **Marktforscher(in)** *m/(f)* market researcher **Marktforschung** *f* market research **Marktfrau** *f* (woman) stallholder **Marktführer(in)** *m/(f)* market leader **marktgerecht** *adj* in line with *or* geared to market requirements **Markthalle** *f* covered market **Marktlage** *f* state of the market **Marktlücke** *f* gap in the market; ***in eine ~ stoßen*** to fill a gap in the market **Marktplatz** *m* market square **Marktsegment** *nt* market segment *or* sector **Marktstudie** *f* market survey **Markttag** *m* market day **marktüblich** *adj Preis* current; ***zu ~en Konditionen*** at usual market terms **Marktwert** *m* market value **Marktwirtschaft** *f* market economy

Marmelade [marmə'laːdə] *f* ⟨**-, -n**⟩ jam *(Br)*, jelly *(US)*

Marmor ['marmoːɐ] *m* ⟨**-s, -e**⟩ marble **marmorieren** [marmo'riːrən] *past part* ***marmoriert*** *v/t* to marble **Marmorkuchen** *m* marble cake **marmorn** ['marmɔrn, 'marmoːɐn] *adj* marble

Marokkaner [marɔ'kaːnɐ] *m* ⟨**-s, -**⟩, **Marokkanerin** [-ərɪn] *f* ⟨**-, -nen**⟩ Moroccan **marokkanisch** [marɔ'kaːnɪʃ] *adj* Moroccan **Marokko** [ma'rɔko] *nt* ⟨**-s**⟩ Morocco

Marone[1] [ma'roːnə] *f* ⟨**-, -n**⟩, **Maroni** [ma'roːni] *f* ⟨**-, -**⟩ (sweet *or* Spanish) chestnut

Marone[2] *f* ⟨**-, -n**⟩ (≈ *Pilz*) chestnut boletus

Marotte [ma'rɔtə] *f* ⟨**-, -n**⟩ quirk

Mars [mars] *m* ⟨**-,** *no pl*⟩ MYTH, ASTRON Mars

marsch [marʃ] *int* **1.** MIL march **2.** ***~ ins Bett!*** *(infml)* off to bed with you at the double! *(infml)* **Marsch** [marʃ] *m* ⟨**-(e)s, ⸚e** ['mɛrʃə]⟩ march; (≈ *Wanderung*) hike; ***einen ~ machen*** to go on a march/hike; ***jdm den ~ blasen*** *(infml)* to give sb a rocket *(infml)* **Marschbefehl** *m* MIL marching orders *pl* **marschbereit** *adj* ready to move **Marschflugkörper** *m* cruise missile **Marschgepäck** *nt* pack **marschieren** [mar'ʃiːrən] *past part* ***marschiert*** *v/i aux sein* to march; *(fig)* to march off **Marschkolonne** *f* column **Marschmusik** *f* military marches *pl* **Marschrichtung** *f*, **Marschroute** *f (lit)* route of march; *(fig)* line of approach **Marschverpflegung** *f* rations *pl*; MIL field rations *pl*

martern ['martɐn] *(liter) v/t* to torture, to torment **Marterpfahl** *m* stake

Martinshorn *nt* siren
Märtyrer ['mɛrtyrɐ] *m* ⟨**-s, -**⟩, **Märtyrerin** [-ərɪn] *f* ⟨**-, -nen**⟩ martyr
Marxismus [mar'ksɪsmʊs] *m* ⟨**-**, *no pl*⟩ Marxism **Marxist** [mar'ksɪst] *m* ⟨**-en, -en**⟩, **Marxistin** [-'ksɪstɪn] *f* ⟨**-, -nen**⟩ Marxist **marxistisch** [mar'ksɪstɪʃ] *adj* Marxist
März [mɛrts] *m* ⟨**-(es)** *or* (*poet*) **-en, -e**⟩ March; ***im ~*** in March; ***im Monat ~*** in the month of March; ***heute ist der zweite ~*** today is March the second *or* March second (*US*); (*geschrieben*) today is 2nd March *or* March 2nd; ***Berlin, den 4. ~ 2006*** (*in Brief*) Berlin, March 4th, 2006, Berlin, 4th March 2006; ***am Mittwoch, dem*** *or* ***den 4. ~*** on Wednesday the 4th of March; ***im Laufe des ~*** during March; ***Anfang/Ende ~*** at the beginning/end of March
Marzipan [martsi'paːn, 'martsipaːn] *nt* ⟨**-s, -e**⟩ marzipan
Masche ['maʃə] *f* ⟨**-, -n**⟩ **1.** (≈ *Strickmasche*) stitch; ***die ~n eines Netzes*** the mesh *sg* of a net; ***durch die ~n des Gesetzes schlüpfen*** to slip through a loophole in the law **2.** (*infml*) (≈ *Trick*) trick; (≈ *Eigenart*) fad; ***die ~ raushaben*** to know how to do it; ***das ist seine neueste ~*** that's his latest (fad *or* craze) **Maschendraht** *m* wire netting
Maschine [ma'ʃiːnə] *f* ⟨**-, -n**⟩ machine; (≈ *Motor*) engine; (≈ *Flugzeug*) plane; (≈ *Schreibmaschine*) typewriter; (*infml* ≈ *Motorrad*) bike; ***etw in der ~ waschen*** to machine-wash sth; ***etw auf*** *or* ***mit der ~ schreiben*** to type sth; ***~ schreiben*** to type **maschinell** [maʃi'nɛl] **I** *adj Herstellung* mechanical, machine *attr*; *Anlage, Übersetzung* machine *attr* **II** *adv* mechanically **Maschinenbau** *m* mechanical engineering **Maschinenbauer** *m, pl* **-**, **Maschinenbauerin** *f, pl* **-nen**, **Maschinenbauingenieur(in)** mechanical engineer **Maschinenfabrik** *f* engineering works *sg or pl* **maschinengeschrieben** *adj* typewritten **Maschinengewehr** *nt* machine gun **maschinenlesbar** *adj* machine-readable **Maschinenöl** *nt* lubricating oil **Maschinenpark** *m* plant **Maschinenpistole** *f* submachine gun **Maschinenraum** *m* plant room; NAUT engine room **Maschinenschaden** *m* mechanical fault; AVIAT *etc* engine fault **Maschinenschlosser(in)** *m/(f)* machine fitter **Maschinenstürmer** *m* Luddite
Maser ['maːzɐ] *f* ⟨**-, -n**⟩ vein **maserig** ['maːzərɪç] *adj* grained
Masern ['maːzɐn] *pl* measles *sg*; ***die ~ haben*** to have (the) measles
Maserung ['maːzərʊŋ] *f* ⟨**-, -en**⟩ grain
Maske ['maskə] *f* ⟨**-, -n**⟩ **1.** mask; ***die ~ fallen lassen*** (*fig*) to throw off one's mask **2.** (THEAT ≈ *Aufmachung*) make-up **Maskenball** *m* masked ball **Maskenbildner** [-bɪltnɐ] *m* ⟨**-s, -**⟩, **Maskenbildnerin** [-ərɪn] *f* ⟨**-, -nen**⟩ make-up artist **Maskerade** [maskə'raːdə] *f* ⟨**-, -n**⟩ costume **maskieren** [mas'kiːrən] *past part* ***maskiert*** **I** *v/t* **1.** (≈ *verkleiden*) to dress up **2.** (≈ *verbergen*) to disguise **II** *v/r* to dress up; (≈ *sich unkenntlich machen*) to disguise oneself **maskiert** [mas'kiːɐt] *adj* masked **Maskierung** *f* ⟨**-, -en**⟩ (≈ *Verkleidung*) fancy-dress costume; (*von Spion etc*) disguise **Maskottchen** [mas'kɔtçən] *nt* ⟨**-s, -**⟩ (lucky) mascot
maskulin [masku'liːn] *adj* masculine **Maskulinum** ['maskuliːnʊm] *nt* ⟨**-s, *Maskulina*** [-na]⟩ masculine noun
Masochismus [mazɔ'xɪsmʊs] *m* ⟨**-**, *no pl*⟩ masochism **Masochist** [mazɔ'xɪst] *m* ⟨**-en, -en**⟩, **Masochistin** [-'xɪstɪn] *f* ⟨**-, -nen**⟩ masochist **masochistisch** [mazɔ'xɪstɪʃ] *adj* masochistic
Maß[1] [maːs] *nt* ⟨**-es, -e**⟩ **1.** (≈ *Maßeinheit*) measure (*für* of); (≈ *Zollstock*) rule; (≈ *Bandmaß*) tape measure; ***~e und Gewichte*** weights and measures; ***das ~ aller Dinge*** (*fig*) the measure of all things; ***mit zweierlei ~ messen*** (*fig*) to operate a double standard; ***das ~ ist voll*** (*fig*) enough's enough; ***in reichem ~(e)*** abundantly **2.** (≈ *Abmessung*) measurement; ***sich*** (*dat*) ***etw nach ~ anfertigen lassen*** to have sth made to measure; ***bei jdm ~ nehmen*** to take sb's measurements; ***Hemden nach ~*** shirts made to measure, custom-made shirts **3.** (≈ *Ausmaß*) extent; ***ein gewisses ~ an von ...*** a certain degree of ...; ***in hohem ~(e)*** to a high degree; ***in vollem ~e*** fully; ***in höchstem ~e*** extremely **4.** (≈ *Mäßigung*) moderation; ***~ halten*** = ***maßhalten***; ***in*** *or* ***mit ~en*** in moderation; ***ohne ~ und Ziel*** immoderately
Maß[2] *f* ⟨**-, -**⟩ (*S Ger, Aus*) litre (*Br*) *or* liter (*US*) (tankard) of beer
Massage [ma'saːʒə] *f* ⟨**-, -n**⟩ massage

Massageöl *nt* massage oil **Massagesalon** *m* (*euph*) massage parlour (*Br*) *or* parlor (*US*)

Massaker [ma'saːkɐ] *nt* ⟨**-s, -**⟩ massacre **massakrieren** [masa'kriːrən] *past part* **massakriert** *v/t* (*dated infml*) to massacre

Maßangabe *f* measurement **Maßanzug** *m* made-to-measure *or* custom-made suit **Maßarbeit** *f* (*infml*) ***das war ~*** that was a neat bit of work

Masse ['masə] *f* ⟨**-, -n**⟩ **1.** (≈ *Stoff*) mass; COOK mixture **2.** (≈ *große Menge*) heaps *pl* (*infml*); (*von Besuchern etc*) host; ***die*** (***breite***) ***~ der Bevölkerung*** the bulk of the population; ***eine ganze ~*** (*infml*) a lot **3.** (≈ *Menschenmenge*) crowd

Maßeinheit *f* unit of measurement

Massenandrang *m* crush **Massenarbeitslosigkeit** *f* mass unemployment **Massenartikel** *m* mass-produced article **Massendemonstration** *f* mass demonstration **Massenentlassung** *f* mass redundancy **Massenfabrikation** *f*, **Massenfertigung** *f* mass production **Massenflucht** *f* mass exodus **Massengrab** *nt* mass grave **massenhaft** *adv* on a huge scale; *kommen, austreten* in droves **Massenkarambolage** *f* pile-up (*infml*) **Massenmedien** *pl* mass media *pl* **Massenmord** *m* mass murder **Massenmörder(in)** *m/(f)* mass murderer **Massenproduktion** *f* mass production **Massenvernichtungswaffe** *f* weapon of mass destruction **Massenware** *f* mass-produced article **massenweise** *adv* = ***massenhaft***

Masseur [ma'søːɐ] *m* ⟨**-s, -e**⟩ masseur **Masseurin** [ma'søːrɪn] *f* ⟨**-, -nen**⟩ masseuse **Masseuse** [ma'søːzə] *f* ⟨**-, -n**⟩ masseuse

Maßgabe *f* (*form*) stipulation; ***mit der ~, dass ...*** with the proviso that ..., on (the) condition that ...; ***nach ~*** (*+gen*) according to **maßgebend** *adj Einfluss* decisive; *Meinung* definitive; *Fachmann* authoritative; (≈ *zuständig*) competent **maßgeblich** **I** *adj Einfluss* decisive; *Person* leading; ***~en Anteil an etw*** (*dat*) ***haben*** to make a major contribution to sth **II** *adv* decisively; ***~ an etw*** (*dat*) ***beteiligt sein*** to play a substantial role in sth **maßgeschneidert** [-gəʃnaidɐt] *adj Anzug* made-to-measure, custom-made; (*fig*) *Lösung, Produkte* tailor-made **Maßhalteappell** *m* appeal for moderation **maßhalten** *v/i sep irr* to be moderate

massieren¹ [ma'siːrən] *past part* **massiert** *v/t Körper, Haut* to massage

massieren² *past part* **massiert** *v/t Truppen* to mass

massig ['masɪç] **I** *adj* massive, huge **II** *adv* (*infml*) ***~ Arbeit/Geld*** *etc* masses of work/money *etc* (*infml*)

mäßig ['mɛːsɪç] **I** *adj* (≈ *bescheiden*) moderate; *Schulnote etc* mediocre **II** *adv* (≈ *nicht viel*) moderately; ***~ essen*** to eat with moderation **mäßigen** ['mɛːsɪgn] **I** *v/t Anforderungen* to moderate; *Zorn* to curb; → ***gemäßigt*** **II** *v/r* to restrain oneself; ***sich im Ton ~*** to moderate one's tone **Mäßigung** *f* ⟨**-,** *no pl*⟩ restraint

massiv [ma'siːf] **I** *adj* **1.** (≈ *stabil*) solid **2.** (≈ *heftig*) *Beleidigung* gross; *Drohung, Kritik* serious; *Anschuldigung* severe; *Protest* strong **II** *adv gebaut* massively; *protestieren* strongly; *verstärken* greatly; *behindern* severely; ***sich ~ verschlechtern*** to deteriorate sharply **Massiv** [ma'siːf] *nt* ⟨**-s, -e** [-və]⟩ GEOL massif

Maßkrug *m* litre (*Br*) *or* liter (*US*) beer mug; (≈ *Steinkrug*) stein **maßlos** **I** *adj* extreme; (*im Essen etc*) immoderate **II** *adv* (≈ *äußerst*) extremely; *übertreiben* grossly; ***er raucht/trinkt ~*** he smokes/drinks to excess **Maßlosigkeit** *f* ⟨**-, -en**⟩ extremeness; (*im Essen etc*) lack of moderation **Maßnahme** [-naːmə] *f* ⟨**-, -n**⟩ measure; ***~n gegen jdn/etw treffen*** *or* ***ergreifen*** to take measures against sb/sth **maßregeln** *v/t insep* (≈ *zurechtweisen*) to reprimand, to rebuke; (≈ *bestrafen*) to discipline **Maßregelung** *f* (≈ *Rüge*) reprimand, rebuke; (*von Beamten*) disciplinary action **Maßschneider(in)** *m/(f)* bespoke *or* custom (*US*) tailor **Maßstab** *m* **1.** (≈ *Kartenmaßstab, Ausmaß*) scale; ***im ~ 1:1000*** on a scale of 1:1000; ***Klimaverschiebungen im großen ~*** large-scale climate changes **2.** (*fig* ≈ *Kriterium*) standard; ***für jdn als ~ dienen*** to serve as a model for sb **maßstab(s)gerecht** *adj, adv* (true) to scale **maßvoll** **I** *adj* moderate **II** *adv* moderately

Mast¹ [mast] *m* ⟨**-(e)s, -en** *or* **-e**⟩ mast; (≈ *Stange*) pole; ELEC pylon

Mast² *f* ⟨**-, -en**⟩ (≈ *das Mästen*) fattening; (≈ *Futter*) feed **mästen** ['mɛstn] **I** *v/t* to

fatten **II** *v/r* (*infml*) to stuff (*infml*) oneself
Masturbation [masturba'tsio:n] *f* ⟨-, *-en*⟩ masturbation **masturbieren** [mastur'bi:rən] *past part* ***masturbiert*** *v/t & v/i* to masturbate
Match [mɛtʃ] *nt or* (*Swiss*) *m* ⟨-(*e*)*s*, -*e*(*s*)⟩ match **Matchball** [mɛtʃ-] *m* TENNIS match point
Material [mate'ria:l] *nt* ⟨-*s*, *-ien* [-liən]⟩ material; (≈ *Baumaterial, Gerät*) materials *pl* **Materialfehler** *m* material defect **Materialismus** [materia'lɪsmʊs] *m* ⟨-, *no pl*⟩ materialism **Materialist** [materia'lɪst] *m* ⟨*-en*, *-en*⟩, **Materialistin** [-'lɪstɪn] *f* ⟨-, *-nen*⟩ materialist **materialistisch** [materia'lɪstɪʃ] *adj* materialistic **Materialkosten** *pl* cost of materials *sg*
Materie [ma'te:riə] *f* ⟨-, *-n*, *no pl*⟩ matter *no art*; (≈ *Stoff, Thema*) subject matter *no indef art* **materiell** [mate'riɛl] **I** *adj* material; (≈ *gewinnsüchtig*) materialistic **II** *adv* (≈ *finanziell*) financially; ~ ***eingestellt sein*** (*pej*) to be materialistic
Mathe ['matə] *f* ⟨-, *no pl*⟩ (SCHOOL *infml*) maths *sg* (*Br infml*), math (*US infml*) **Mathematik** [matema'ti:k] *f* ⟨-, *no pl*⟩ mathematics *sg no art* **Mathematiker** [mate'ma:tikɐ] *m* ⟨*-s*, -⟩, **Mathematikerin** [-ərɪn] *f* ⟨-, *-nen*⟩ mathematician **mathematisch** [mate'ma:tɪʃ] *adj* mathematical
Matinee [mati'ne:] *f* ⟨-, *-n* [-'ne:ən]⟩ matinée
Matratze [ma'tratsə] *f* ⟨-, *-n*⟩ mattress
Matriarchat [matriar'ça:t] *nt* ⟨-(*e*)*s*, *-e*⟩ matriarchy
Matrix ['ma:trɪks] *f* ⟨***Matrizes*** *or* ***Matrices*** *or* ***Matrizen*** [ma'tri:tse:s, ma'trɪtsn]⟩ matrix
Matrose [ma'tro:zə] *m* ⟨*-n*, *-n*⟩, **Matrosin** [-'tro:zɪn] *f* sailor; (*als Rang*) ordinary seaman **Matrosenanzug** *m* sailor suit
Matsch [matʃ] *m* ⟨-(*e*)*s*, *no pl*⟩ (*infml*) mush; (≈ *Schlamm*) mud; (≈ *Schneematsch*) slush **matschig** ['matʃɪç] *adj* (*infml*) *Obst* mushy; *Weg* muddy; *Schnee* slushy
matt [mat] **I** *adj* **1.** (≈ *schwach*) *Kranker* weak; *Glieder* weary **2.** (≈ *glanzlos*) *Metall, Farbe* dull; *Foto* mat(t); (≈ *trübe*) *Licht* dim; *Glühbirne* pearl **3.** CHESS (check)mate; ***jdn ~ setzen*** to checkmate sb **II** *adv* **1.** (≈ *schwach*) weakly **2.** ***~ glänzend*** dull **Matt** [mat] *nt* ⟨*-s*, *-s*⟩ CHESS (check)mate
Matte[1] ['matə] *f* ⟨-, *-n*⟩ mat; ***auf der ~ stehen*** (*infml* ≈ *bereit sein*) to be there and ready for action
Matte[2] *f* ⟨-, *-n*⟩ (*Swiss*) alpine meadow
Mattheit *f* ⟨-, *no pl*⟩ (≈ *Schwäche*) weakness; (*von Gliedern*) weariness **Mattlack** *m* dull *or* mat(t) lacquer **Mattscheibe** *f* **1.** (*infml* ≈ *Fernseher*) telly (*Br infml*), tube (*US infml*) **2.** (*infml*) ***eine ~ haben/kriegen*** (≈ *nicht klar denken können*) to have/get a mental block
Matura [ma'tu:ra] *f* ⟨-, *no pl*⟩ (*Aus, Swiss*) → ***Abitur*** **Maturand** [matu'rant] *m* ⟨*-en*, *-en* [-dn]⟩, **Maturandin** [-'randɪn] *f* ⟨-, *-nen*⟩ (*Swiss*) → ***Abiturient(in)***
maturieren [matu'ri:rən] *past part* ***maturiert*** *v/i* (*Aus* ≈ *Abitur machen*) to take one's school-leaving exam (*Br*), to graduate (from high school) (*US*)
Mätzchen ['mɛtsçən] *nt* ⟨*-s*, -⟩ (*infml*) antic; ***~ machen*** to fool around (*infml*)
Mauer ['mauɐ] *f* ⟨-, *-n*⟩ wall **mauern** ['mauɐn] **I** *v/i* **1.** (≈ *Maurerarbeit machen*) to build, to lay bricks **2.** CARDS to hold back; (*fig*) to stonewall **II** *v/t* to build **Mauerwerk** *nt* (≈ *Steinmauer*) stonework; (≈ *Ziegelmauer*) brickwork
Maul [maul] *nt* ⟨-(*e*)*s*, ***Mäuler*** ['mɔylɐ]⟩ mouth; (*infml*: *von Menschen*) gob (*Br infml*), trap (*esp US sl*); ***ein großes ~ haben*** (*infml*) to be a bigmouth (*infml*); ***den Leuten aufs ~ schauen*** (*infml*) to listen to what people really say; ***halts ~!*** (*vulg*) shut your face (*sl*) **maulen** ['maulən] *v/i* (*infml*) to moan **Maulesel** *m* mule **maulfaul** *adj* (*infml*) uncommunicative **Maulheld(in)** *m/*(*f*) (*pej*) show-off **Maulkorb** *m* muzzle; ***jdm einen ~ umhängen*** to muzzle sb **Maultier** *nt* mule **Maul- und Klauenseuche** *f* VET foot-and-mouth disease (*Br*), hoof-and-mouth disease (*US*) **Maulwurf** ['maulvʊrf] *m* ⟨-(*e*)*s*, ***Maulwürfe*** [-vʏrfə]⟩ mole **Maulwurfshaufen** *m* molehill
Maurer ['maurɐ] *m* ⟨*-s*, -⟩, **Maurerin** [-ərɪn] *f* ⟨-, *-nen*⟩ bricklayer
Maus [maus] *f* ⟨-, ***Mäuse*** ['mɔyzə]⟩ mouse (*auch* IT); ***eine graue ~*** (*fig infml*) a mouse (*infml*)
Mauschelei [mauʃə'lai] *f* ⟨-, *-en*⟩ (*infml* ≈ *Korruption*) swindle **mauscheln** ['mauʃln] *v/t & v/i* (≈ *manipulieren*) to fiddle (*infml*)
mäuschenstill ['mɔysçən'ʃtɪl] *adj* dead

quiet **Mausefalle** *f* mousetrap **Mauseloch** *nt* mousehole **mausen** ['mauzn] *v/i* to catch mice

Mauser ['mauzɐ] *f* ⟨-, *no pl*⟩ ORN moult (*Br*), molt (*US*); ***in der ~ sein*** to be moulting (*Br*) *or* molting (*US*) **mausern** ['mauzɐn] *v/r* ORN to moult (*Br*), to molt (*US*)

mausetot ['mauzə'to:t] *adj* (*infml*) stone-dead **Mausklick** *m* IT mouse click; ***per ~*** by clicking the mouse **Mausmatte** *f*, **Mauspad** [-pɛt] *nt* IT mouse mat *or* pad **Maustaste** *f* IT mouse button

Maut [maut] *f* ⟨-, ***-en***⟩ toll **Mautschranke** *f* toll barrier (*Br*), turnpike (*US*) **Mautstraße** *f* toll road, turnpike (*US*)

maximal [maksi'ma:l] **I** *adj* maximum **II** *adv* (≈ *höchstens*) at most **Maxime** [ma'ksi:mə] *f* ⟨-, ***-n***⟩ LIT, PHIL maxim **maximieren** [maksi'mi:rən] *past part* ***maximiert*** *v/t* to maximize **Maximum** ['maksimʊm] *nt* ⟨***-s, Maxima*** [-ma]⟩ maximum (*an +dat* of)

Mayonnaise [majɔ'nɛ:zə] *f* ⟨-, ***-n***⟩ mayonnaise

Mazedonien [matse'do:niən] *nt* ⟨***-s***⟩ Macedonia

Mäzen [mɛ'tse:n] *m* ⟨***-s, -e***⟩, **Mäzenin** [-'tse:nɪn] *f* ⟨-, ***-nen***⟩ patron

Mechanik [me'ça:nɪk] *f* ⟨-, *no pl*⟩ PHYS mechanics *sg* **Mechaniker** [me'ça:nikɐ] *m* ⟨***-s, -***⟩, **Mechanikerin** [-ərɪn] *f* ⟨-, ***-nen***⟩ mechanic **mechanisch** [me'ça:nɪʃ] **I** *adj* mechanical **II** *adv* mechanically **Mechanismus** [meça'nɪsmʊs] *m* ⟨-, ***Mechanismen*** [-mən]⟩ mechanism

Meckerei [mɛkə'rai] *f* ⟨-, ***-en***⟩ (*infml*) grumbling **Meckerer** ['mɛkərɐ] *m* ⟨***-s, -***⟩, **Meckerin** [-ərɪn] *f* (*infml*) grumbler **meckern** ['mɛkɐn] *v/i* (*Ziege*) to bleat; (*infml*: *Mensch*) to moan; ***über jdn/etw*** (*acc*) ***~*** (*infml*) to moan about sb/sth

Mecklenburg-Vorpommern ['me:klənbʊrkfo:ɐpɔmɐn, 'mɛklənbʊrk-] *nt* Mecklenburg-West Pomerania

Medaille [me'daljə] *f* ⟨-, ***-n***⟩ medal **Medaillon** [medal'jõ:] *nt* ⟨***-s, -s***⟩ **1.** (≈ *Bildchen*) medallion; (≈ *Schmuckkapsel*) locket **2.** COOK médaillon

Mediathek [media'te:k] *f* ⟨-, ***-en***⟩ multimedia centre (*Br*) *or* center (*US*) **Medien** ['me:diən] *pl* media *pl* **Medienberater(in)** *m/(f)* press adviser **Mediengesellschaft** *f* media society **Medienlandschaft** *f, no pl* media landscape **Medienpolitik** *f* (mass) media policy **medienwirksam** **I** *adj* ***eine ~e Kampagne*** a campaign geared toward(s) the media **II** *adv* ***etw ~ präsentieren*** to gear sth toward(s) the media

Medikament [medika'mɛnt] *nt* ⟨***-(e)s, -e***⟩ medicine **medikamentenabhängig** *adj* ***~ sein*** to be addicted to medical drugs **Medikamentenmissbrauch** *m* drug abuse

Mediothek [medio'te:k] *f* ⟨-, ***-en***⟩ multimedia centre (*Br*) *or* center (*US*)

Meditation [medita'tsio:n] *f* ⟨-, ***-en***⟩ meditation **meditieren** [medi'ti:rən] *past part* ***meditiert*** *v/i* to meditate

Medium ['me:diʊm] *nt* ⟨***-s, Medien*** [-diən]⟩ medium

Medizin [medi'tsi:n] *f* ⟨-, ***-en***⟩ medicine **Medizinball** *m* SPORTS medicine ball **Mediziner** [medi'tsi:nɐ] *m* ⟨***-s, -***⟩, **Medizinerin** [-ərɪn] *f* ⟨-, ***-nen***⟩ doctor; UNIV medic (*infml*) **medizinisch** [medi'tsi:nɪʃ] **I** *adj* **1.** (≈ *ärztlich*) medical; ***~e Fakultät*** faculty of medicine; ***~-technische Assistentin, ~-technischer Assistent*** medical technician **2.** *Kräuter, Bäder* medicinal; *Shampoo* medicated **II** *adv* medically; ***jdn ~ behandeln*** to treat sb (medically); ***~ wirksame Kräuter*** medicinal herbs **Medizinmann** *m*, *pl* ***-männer*** medicine man

Meer [me:ɐ] *nt* ⟨***-(e)s, -e***⟩ sea; (≈ *Weltmeer*) ocean; ***am ~(e)*** by the sea; ***ans ~ fahren*** to go to the sea(side) **Meerbusen** *m* gulf, bay **Meerenge** *f* straits *pl*, strait

Meeresboden *m* seabed

Meeresfisch *m* saltwater fish

Meeresfrüchte *pl* seafood *sg*

Meeresgrund *m* seabed, bottom of the sea

Meeresklima *nt* maritime climate

Meereskunde *f* oceanography

Meeresspiegel *m* sea level; ***über/unter dem ~*** above/below sea level

Meeresufer *nt* coast

Meerjungfrau *f* mermaid

Meerrettich *m* horseradish

Meersalz *nt* sea salt

Meerschweinchen [-ʃvainçən] *nt* ⟨***-s, -***⟩ guinea pig

Meerwasser *nt* sea water

Meeting ['mi:tɪŋ] *nt* ⟨***-s, -s***⟩ meeting

Megabit *nt* megabit **Megabyte** [-'baɪt] *nt* megabyte **Megafon** [mega'fo:n] *nt* ⟨***-s,***

-e⟩ megaphone **Megahertz** *nt* megahertz **Megahit** *m* huge *or* smash (*infml*) hit, megahit **Megaphon** *nt* = ***Megafon*** **Megatonne** *f* megaton **Megawatt** *nt* ⟨**-s, -**⟩ megawatt

Mehl [meːl] *nt* ⟨**-(e)s, -e**⟩ flour; (*gröber*) meal; (≈ *Pulver*) powder **mehlig** ['meːlɪç] *adj Äpfel, Kartoffeln* mealy **Mehlschwitze** *f* COOK roux **Mehlspeise** *f* **1.** (≈ *Gericht*) flummery **2.** (*Aus*) (≈ *Nachspeise*) dessert; (≈ *Kuchen*) pastry **Mehltau** *m* BOT mildew

mehr [meːɐ] **I** *indef pr inv* more **II** *adv* **1.** more; ***immer ~*** more and more; ***~ oder weniger*** more or less **2.** ***ich habe kein Geld ~*** I haven't *or* I don't have any more money; ***du bist doch kein Kind ~!*** you're no longer a child!; ***es besteht keine Hoffnung ~*** there's no hope left; ***kein Wort ~!*** not another word!; ***es war niemand ~ da*** there was no-one left; ***nicht ~*** not any longer, no longer; ***nicht ~ lange*** not much longer; ***nichts ~*** nothing more; ***nie ~*** never again **Mehrarbeit** *f* extra work **Mehraufwand** *m* additional expenditure **Mehrausgabe** *f* additional expense(s *pl*) **mehrbändig** *adj* in several volumes **Mehrbedarf** *m* greater need (*an +dat* of, for); COMM increased demand (*an +dat* for) **Mehrbelastung** *f* excess load; (*fig*) additional burden **Mehrbereichsöl** *nt* AUTO multigrade oil **mehrdeutig** [-dɔytɪç] **I** *adj* ambiguous **II** *adv* ambiguously **Mehrdeutigkeit** *f* ⟨**-, -en**⟩ ambiguity **Mehreinnahme** *f* additional revenue **mehrere** ['meːrərə] *indef pr* several **mehrfach** ['meːɐfax] **I** *adj* multiple; (≈ *wiederholt*) repeated; ***ein ~er Millionär*** a multimillionaire **II** *adv* (≈ *öfter*) many times; (≈ *wiederholt*) repeatedly **Mehrfache(s)** ['meːɐfaxə] *nt decl as adj* ***das ~*** *or* ***ein ~s des Kostenvoranschlags*** several times the estimated cost **Mehrfachsteckdose** *f* ELEC multiple socket **Mehrfachstecker** *m* ELEC multiple adaptor **Mehrfahrtenkarte** *f* multi-journey ticket **Mehrfamilienhaus** *nt* house for several families **mehrfarbig** *adj* multicoloured (*Br*), multicolored (*US*) **Mehrheit** *f* ⟨**-, -en**, *no pl*⟩ majority; ***die absolute ~*** an absolute majority; ***die ~ haben/gewinnen*** to have/win *or* gain a majority; ***mit zwei Stimmen ~*** with a majority of two (votes) **mehrheitlich** [-haitlɪç] *adv* ***wir sind ~ der Ansicht, dass ...*** the majority of us think(s) that ... **Mehrheitsbeschluss** *m* majority decision **mehrheitsfähig** *adj* capable of winning a majority **Mehrheitswahlrecht** *nt* first-past-the-post system **mehrjährig** *adj attr* of several years **Mehrkosten** *pl* additional costs *pl* **mehrmalig** ['meːɐmaːlɪç] *adj attr* repeated **mehrmals** ['meːɐmaːls] *adv* several times **Mehrparteiensystem** *nt* multiparty system **Mehrplatzrechner** *m* IT multi-user system **mehrsilbig** *adj* polysyllabic **mehrsprachig** *adj Person, Wörterbuch* multilingual; ***~ aufwachsen*** to grow up multilingual **mehrstellig** *adj attr Zahl, Betrag* multidigit **mehrstimmig** *adj* MUS for several voices; ***~ singen*** to sing in harmony **mehrstöckig** *adj* multistorey (*Br*), multistory (*US*) **mehrstufig** *adj* multistage **mehrstündig** [-ʃtʏndɪç] *adj attr Verhandlungen* lasting several hours **mehrtägig** *adj attr Konferenz* lasting several days; ***nach ~er Abwesenheit*** after several days' absence **Mehrverbrauch** *m* additional consumption **Mehrwegflasche** *f* returnable bottle **Mehrwegverpackung** *f* reusable packaging **Mehrwert** *m* ECON added value **Mehrwertsteuer** *f* value added tax **mehrwöchig** [-vœçɪç] *adj attr* lasting several weeks; *Abwesenheit* of several weeks **Mehrzahl** *f, no pl* **1.** GRAM plural **2.** (≈ *Mehrheit*) majority **Mehrzweckhalle** *f* multipurpose room

meiden ['maidn] *pret* ***mied*** [miːt], *past part* ***gemieden*** [gə'miːdn] *v/t* to avoid

Meile ['mailə] *f* ⟨**-, -n**⟩ mile **Meilenstein** *m* milestone **meilenweit** *adv* for miles; ***~ entfernt*** miles away

Meiler ['mailɐ] *m* ⟨**-s, -**⟩ (≈ *Kohlenmeiler*) charcoal kiln; (≈ *Atommeiler*) (atomic) pile

mein [main] *poss pr* my

Meineid ['main|ait] *m* perjury *no indef art*; ***einen ~ leisten*** to perjure oneself

meinen ['mainən] **I** *v/i* (≈ *denken*) to think; ***wie Sie ~!*** as you wish; ***wenn du meinst!*** if you like **II** *v/t* **1.** (≈ *der Ansicht sein*) to think; ***was ~ Sie dazu?*** what do you think *or* say?; ***~ Sie das im Ernst?*** are you serious about that?; ***das will ich ~!*** I quite agree! **2.** (≈ *beabsichtigen*) to mean; (*infml* ≈ *sagen*) to say; ***wie ~ Sie das?*** what do you mean?; (*drohend*) (just) what do you mean by that?; ***so war es nicht gemeint*** it wasn't meant like that; ***sie meint es gut*** she means well

meine(r, s) ['mainə] *poss pr* (*substantivisch*) mine; ***das Meine*** (*elev*) mine; (≈ *Besitz*) what is mine; ***die Meinen*** (*elev* ≈ *Familie*) my people, my family **meinerseits** ['mainɐzaits] *adv* as far as I'm concerned; ***ganz ~!*** the pleasure's (all) mine **meinesgleichen** ['mainəs'glaiçn] *pron inv* (≈ *meiner Art*) people like me *or* myself; (≈ *gleichrangig*) my own kind **meinetwegen** ['mainət'veːgn] *adv* **1.** (≈ *wegen mir*) because of me; (≈ *mir zuliebe*) for my sake **2.** (≈ *von mir aus*) as far as I'm concerned; ***~!*** if you like **meinetwillen** ['mainət'vɪlən] *adv* ***um ~*** (≈ *mir zuliebe*) for my sake; (≈ *wegen mir*) on my account **meins** [mains] *poss pr* mine

Meinung ['mainʊŋ] *f* ⟨**-, -en**⟩ opinion; ***nach meiner ~, meiner ~ nach*** in my opinion; ***ich bin der ~, dass ...*** I'm of the opinion that ...; ***eine hohe ~ von jdm/etw haben*** to think highly of sb/sth; ***einer ~ sein*** to share the same opinion; ***ganz meine ~!*** I completely agree!; ***jdm die ~ sagen*** (*infml*) to give sb a piece of one's mind (*infml*) **Meinungsaustausch** *m* exchange of views (*über +acc* on, about) **Meinungsbildung** *f* formation of opinion **Meinungsforscher(in)** *m/(f)* (opinion) pollster **Meinungsforschung** *f* (public) opinion polling **Meinungsfreiheit** *f* freedom of speech **Meinungsumfrage** *f* (public) opinion poll **Meinungsverschiedenheit** *f* difference of opinion

Meise ['maizə] *f* ⟨**-, -n**⟩ tit

Meißel ['maisl] *m* ⟨**-s, -**⟩ chisel **meißeln** ['maisln] *v/t & v/i* to chisel

Meißener ['maisənɐ] *adj* ***~ Porzellan*** Dresden *or* Meissen china

meist [maist] *adv* = ***meistens*** **meistbietend** *adj* highest bidding; ***~ versteigern*** to sell to the highest bidder **meisten** ['maistn] ***am ~*** *adv* the most; ***am ~ bekannt*** best known **meistens** ['maistns] *adv* mostly

Meister ['maistɐ] *m* ⟨**-s, -**⟩ (≈ *Handwerksmeister*) master (craftsman); (*in Fabrik*) foreman; SPORTS champion; (*Mannschaft*) champions *pl*; ***seinen ~ machen*** to take one's master craftsman's diploma

meiste(r, s) ['maistə] *indef pr* **1.** (*adjektivisch*) ***die ~n Leute*** most people **2.** (*substantivisch*) ***die ~n*** most people; ***die ~n*** (***von ihnen***) most (of them); ***das ~*** most of it

Meisterbrief *m* master craftsman's diploma **meisterhaft** **I** *adj* masterly **II** *adv* brilliantly **Meisterin** ['maistərɪn] *f* ⟨**-, -nen**⟩ (≈ *Handwerksmeisterin*) master craftswoman; (*in Fabrik*) forewoman; SPORTS champion **Meisterleistung** *f* masterly performance; (*iron*) brilliant achievement **meistern** ['maistɐn] *v/t* to master; *Schwierigkeiten* to overcome **Meisterprüfung** *f* examination for master craftsman's diploma **Meisterschaft** ['maistɐʃaft] *f* ⟨**-, -en**⟩ **1.** SPORTS championship; (*Veranstaltung*) championships *pl* **2.** *no pl* (≈ *Können*) mastery **Meisterstück** *nt* (*von Handwerker*) *work done to qualify as master craftsman*; (*fig*) masterpiece; (≈ *geniale Tat*) master stroke **Meisterwerk** *nt* masterpiece

Meistgebot *nt* highest bid **meistgefragt** *adj attr* most in demand **meistgekauft** [-gəkauft] *adj attr* best-selling

Mekka ['mɛka] *nt* ⟨**-s**⟩ Mecca

Melancholie [melaŋko'liː] *f* ⟨**-, -n** [-'liːən]⟩ melancholy **melancholisch** [melaŋ'koːlɪʃ] *adj* melancholy

Melange [me'lãːʒə] *f* ⟨**-, -n**⟩ (*Aus* ≈ *Milchkaffee*) coffee with milk

Melanom [mela'noːm] *nt* ⟨**-s, -e**⟩ MED melanoma

Melanzani [melan'tsaːni] *f* ⟨**-, -**⟩ (*Aus*) aubergine

Melasse [me'lasə] *f* ⟨**-, -n**⟩ molasses

Meldeamt *nt* registration office **Meldebehörde** *f* registration authorities *pl* **Meldefrist** *f* registration period **melden** ['mɛldn] **I** *v/t* **1.** (≈ *anzeigen, berichten*) ***eine Geburt*** (***der Behörde*** *dat*) ***~*** to notify the authorities of a birth; ***wie soeben gemeldet wird*** (RADIO, TV) according to reports just coming in; (***bei jdm***) ***nichts zu ~ haben*** (*infml*) to have no say **2.** (≈ *ankündigen*) to announce; ***wen darf ich ~?*** who(m) shall I say (is here)? **II** *v/r* **1.** (≈ *antreten*) to report (*zu* for); ***sich zum Dienst ~*** to report for work; ***sich zu*** *or* ***für etw ~*** *esp* MIL to volunteer for sth; (*für Arbeitsplatz*) to apply for sth; ***sich auf eine Anzeige ~*** to answer an advertisement **2.** (*durch Handaufheben*) to put one's hand up **3.** (*esp* TEL ≈

antworten) to answer; ***es meldet sich niemand*** there's no answer **4.** (≈ *von sich hören lassen*) to get in touch (*bei* with); ***melde dich wieder*** keep in touch **Meldepflicht** *f* **1.** (*beim Ordnungsamt*) compulsory registration (*when moving house*); ***polizeiliche ~*** obligation to register with the police **2.** ***~ des Arztes*** the doctor's obligation to notify the authorities (*of people with certain contagious diseases*) **meldepflichtig** [-pflıçtıç] *adj Krankheit* notifiable **Meldung** ['mɛldʊŋ] *f* ⟨**-, -en**⟩ **1.** (≈ *Mitteilung*) announcement **2.** PRESS, RADIO, TV report (*über +acc* on, about); ***~en vom Sport*** sports news *sg* **3.** (*dienstlich, bei Polizei*) report; **(*eine*)** ***~ machen*** to make a report

meliert [me'liːɐt] *adj Haar* greying (*Br*), graying (*US*)

melken ['mɛlkn] *pres* ***melkt*** [mɛlkt], *pret* ***melkte*** ['mɛlktə], *past part* ***gemolken*** [gə'mɔlkn] *v/t* **1.** *Kuh, Ziege etc* to milk **2.** (*fig infml*) to fleece (*infml*)

Melodie [melo'diː] *f* ⟨**-, -n** [-'diːən]⟩ melody **melodiös** [melo'diøːs] (*elev*) *adj* melodious **melodisch** [me'loːdıʃ] *adj* melodic **melodramatisch** [melodra'maːtıʃ] *adj* melodramatic (*also fig*)

Melone [me'loːnə] *f* ⟨**-, -n**⟩ **1.** melon **2.** (*Hut*) bowler (*Br*), derby (*US*)

Membran(e) [mɛm'braːn(ə)] *f* ⟨**-, -en**⟩ **1.** ANAT membrane **2.** PHYS, TECH diaphragm

Memme ['mɛmə] *f* ⟨**-, -n**⟩ (*infml*) sissy (*infml*)

Memo ['meːmo] *nt* ⟨**-s, -s**⟩ memo **Memoiren** [me'moaːrən] *pl* memoirs *pl*

Menge ['mɛŋə] *f* ⟨**-, -n**⟩ **1.** (≈ *Quantum*) quantity **2.** (*infml*) ***eine ~*** a lot, lots (*infml*); ***eine ~ Zeit/Häuser*** a lot of time/houses; ***jede ~*** loads *pl* (*infml*); ***eine ganze ~*** quite a lot **3.** (≈ *Menschenmenge*) crowd; (*pej* ≈ *Pöbel*) mob **4.** MAT set

mengen ['mɛŋən] **I** *v/t* (*elev*) to mix (*unter +acc* with) **II** *v/r* to mingle (*unter +acc* with)

Mengenangabe *f* quantity **Mengenlehre** *f* MAT set theory **Mengenrabatt** *m* bulk discount

Menorca [me'nɔrka] *nt* ⟨**-s**⟩ Minorca

Mensa ['mɛnza] *f* ⟨**-, Mensen** [-zn]⟩ UNIV canteen, refectory (*Br*)

Mensch [mɛnʃ] *m* ⟨**-en, -en**⟩ **1.** (≈ *Person*) person, man/woman; ***es war kein ~ da*** there was nobody there; ***als ~*** as a person; ***das konnte kein ~ ahnen!*** no-one (on earth) could have foreseen that! **2.** (*als Gattung*) ***der ~*** man; ***die ~en*** man *sg*, human beings *pl*; ***~ bleiben*** (*infml*) to stay human; ***ich bin auch nur ein ~!*** I'm only human **3.** (≈ *die Menschheit*) ***die ~en*** mankind, man; ***alle ~en*** everyone **4.** (*infml*: *als Interjektion*) hey; ***~, da habe ich mich aber getäuscht*** boy, was I wrong! (*infml*) **Menschenaffe** *m* ape **Menschenauflauf** *m* crowd (of people) **menschenfeindlich** *adj Mensch* misanthropic; *Landschaft etc* inhospitable; *Politik*, *Gesellschaft* inhumane **Menschenfresser** *m* ⟨**-s, -**⟩, **Menschenfresserin** *f* ⟨**-, -nen**⟩ (*infml*) (≈ *Kannibale*) cannibal; (≈ *Raubtier*) man-eater **menschenfreundlich** *adj Mensch* philanthropic, benevolent; *Gegend* hospitable; *Politik*, *Gesellschaft* humane **Menschenführung** *f* leadership **Menschengedenken** *nt* ***der kälteste Winter seit ~*** the coldest winter in living memory **Menschenhand** *f* human hand; ***von ~ geschaffen*** fashioned by the hand of man **Menschenhandel** *m* slave trade; JUR trafficking (in human beings) **Menschenjagd** *f* ***eine ~*** a manhunt **Menschenkenner(in)** *m/(f)* judge of character **Menschenkenntnis** *f, no pl* knowledge of human nature **Menschenkette** *f* human chain **Menschenleben** *nt* human life; ***Verluste an ~*** loss of human life **menschenleer** *adj* deserted **Menschenmenge** *f* crowd (of people) **menschenmöglich** *adj* humanly possible; ***das Menschenmögliche tun*** to do all that is humanly possible **Menschenrecht** *nt* human right **menschenscheu** *adj* afraid of people **Menschenseele** *f* human soul; ***keine ~*** (*fig*) not a (living) soul **Menschenskind** *int* heavens above **menschenunwürdig I** *adj* beneath human dignity; *Behausung* unfit for human habitation **II** *adv behandeln* inhumanely; *hausen*, *unterbringen* under inhuman conditions **menschenverachtend** *adj* inhuman **Menschenverstand** *m* ***gesunder ~*** common sense **Menschenwürde** *f* human dignity *no art* **menschenwürdig I** *adj Behandlung* humane; *Lebensbedingungen* fit for human beings; *Unterkunft* fit for human habitation **II** *adv behandeln* humanely; *wohnen* in decent conditions **Mẹnschheit** *f* ⟨-, *no pl*⟩ ***die ~*** mankind, humanity **mẹnschlich** ['mɛnʃlɪç] **I** *adj* **1.** human **2.** (≈ *human*) *Behandlung etc* humane **II** *adv* **1.** (≈ *human*) humanely **2.** (*infml* ≈ *zivilisiert*) decently **Mẹnschlichkeit** *f* ⟨-, *no pl*⟩ humanity *no art*; ***aus reiner ~*** on purely humanitarian grounds; ***Verbrechen gegen die ~*** crimes against humanity

Menstruation [mɛnstrua'tsioːn] *f* ⟨-, **-en**⟩ menstruation **menstruieren** [mɛnstru'iːrən] *past part* ***menstruiert*** *v/i* to menstruate

Mentalität [mɛntali'tɛːt] *f* ⟨-, **-en**⟩ mentality

Menthol [mɛn'toːl] *nt* ⟨**-s, -e**⟩ menthol

Mẹntor ['mɛntoːɐ] *m* ⟨**-s, -en**⟩, **Mẹntorin** [-'toːrɪn] *f* ⟨-, **-nen**⟩ **1.** (*dated*) mentor **2.** SCHOOL ≈ tutor

Menü [me'nyː] *nt* ⟨**-s, -s**⟩ **1.** (≈ *Tagesmenü*) set meal, table d'hôte (*form*) **2.** IT menu **Menübefehl** *m* IT menu command **menügesteuert** [-gəʃtɔyɐt] *adj* menu-driven **Menüleiste** *f* menu bar **Menüzeile** *f* menu line

Meridian [meri'diaːn] *m* ⟨**-s, -e**⟩ ASTRON, GEOG meridian

mẹrkbar **I** *adj* (≈ *wahrnehmbar*) noticeable **II** *adv* noticeably **Mẹrkblatt** *nt* leaflet **mẹrken** ['mɛrkn] *v/t* **1.** (≈ *wahrnehmen*) to notice; (≈ *spüren*) to feel; (≈ *erkennen*) to realize; ***davon habe ich nichts gemerkt*** I didn't notice anything; ***du merkst auch alles!*** (*iron*) nothing escapes you, does it? **2.** (≈ *im Gedächtnis behalten*) to remember; ***sich*** (*dat*) ***jdn/etw ~*** to remember sb/sth; ***das werde ich mir ~!*** I won't forget that; ***merk dir das!*** mark my words! **mẹrklich** ['mɛrklɪç] **I** *adj* noticeable **II** *adv* noticeably **Mẹrkmal** ['mɛrkmaːl] *nt* ⟨**-s, -e**⟩ characteristic **Mẹrkspruch** *m* mnemonic (*form*)

Merkur [mɛr'kuːɐ] *m* ⟨**-s**, *no pl*⟩ ASTRON Mercury

mẹrkwürdig ['mɛrkvʏrdɪç] **I** *adj* strange **II** *adv* strangely; ***~ riechen*** to have a strange smell **Mẹrkwürdigkeit** *f* ⟨-, **-en**⟩ **1.** *no pl* (≈ *Seltsamkeit*) strangeness **2.** (≈ *Eigentümlichkeit*) peculiarity

Mẹrkzettel *m* (reminder) note

mẹssbar **I** *adj* measurable **II** *adv* measurably **Mẹssbecher** *m* COOK measuring jug **Mẹssdaten** *pl* readings *pl*

Mẹsse[1] ['mɛsə] *f* ⟨-, **-n**⟩ ECCL, MUS mass

Mẹsse[2] *f* ⟨-, **-n**⟩ (trade) fair

Mẹsse[3] *f* ⟨-, **-n**⟩ NAUT, MIL mess

Mẹssegelände *nt* exhibition centre (*Br*) *or* center (*US*) **Mẹssehalle** *f* fair pavilion

mẹssen ['mɛsn] *pret* ***maß*** [maːs], *past part* ***gemẹssen*** [gə'mɛsn] **I** *v/t* to measure; ***jds Blutdruck ~*** to take sb's blood pressure; ***er misst 1,90 m*** he is 1.90 m tall; ***seine Kräfte mit jdm ~*** to match one's strength against sb's **II** *v/i* to measure **III** *v/r* ***sich mit jdm ~*** (*elev: im Wettkampf*) to compete with sb; ***sich mit jdm/etw nicht ~ können*** to be no match for sb/sth

Mẹsser ['mɛsɐ] *nt* ⟨**-s, -**⟩ knife; ***unters ~ kommen*** (MED *infml*) to go under the knife; ***jdm das ~ an die Kehle setzen*** to hold a knife to sb's throat; ***damit würden wir ihn ans ~ liefern*** (*fig*) that would be putting his head on the block; ***ein Kampf bis aufs ~*** (*fig*) a fight to the finish; ***auf des ~s Schneide stehen*** (*fig*) to be on a razor's edge **mẹsserscharf** *adj* razor-sharp; *Folgerung* clear-cut **Messerstecherei** [-ʃtɛçə'rai] *f* ⟨-, **-en**⟩ stabbing, knife fight

Mẹssfühler *m* probe; METEO gauge **Mẹssgerät** *nt* (*für Öl, Druck etc*) measuring instrument

Messias [mɛ'siːas] *m* ⟨-, **-se**⟩ Messiah

Mẹssing ['mɛsɪŋ] *nt* ⟨**-s**, *no pl*⟩ brass **Mẹssingschild** *nt*, *pl* ***-schilder*** brass plate

Mẹssinstrument *nt* gauge **Mẹsslatte** *f* measuring stick; (*fig* ≈ *Maßstab*) threshold **Mẹssstab** *m* (AUTO ≈ *Ölmessstab etc*) dipstick **Mẹsstechnik** *f* measurement technology **Mẹsstischblatt** *nt* ordnance survey map **Mẹssung** ['mɛsʊŋ] *f* ⟨-, **-en**⟩ **1.** (≈ *das Messen*) measuring **2.** (≈ *Messergebnis*) measurement **Mẹsswert** *m* measurement

Metạll [me'tal] *nt* ⟨**-s, -e**⟩ metal; ***~ verarbeitend*** metal-processing *attr*, metal-working *attr* **Metạllarbeiter(in)** *m/(f)* metalworker **metạllen** [me'talən] **I** *adj* metal; (*elev*) *Klang, Stimme* metallic **II** *adv glänzen* metallically; ***~ klingen*** to sound tinny **metạllhaltig** *adj* metalliferous **metạllic** [me'talɪk] *adj* metallic **Metạllindustrie** *f*, *no pl* metal industry **Metallurgie** [metalʊr'giː] *f* ⟨-, *no pl*⟩

metallurgy **metallverarbeitend** *adj* → ***Metall*** **Metallverarbeitung** *f* metal processing
Metamorphose [metamɔr'foːzə] *f* ⟨-, **-n**⟩ metamorphosis
Metapher [me'tafɐ] *f* ⟨-, **-n**⟩ metaphor
Metastase [meta'staːzə] *f* ⟨-, **-n**⟩ metastasis
Meteor [mete'oːɐ, 'meːteoːɐ] *m or nt* ⟨**-s, -e** [-'oːrə]⟩ meteor **Meteorit** [meteo'riːt] *m* ⟨**-en, -en**⟩ meteorite **Meteorologe** [meteoro'loːgə] *m* ⟨**-n, -n**⟩, **Meteorologin** [-'loːgɪn] *f* ⟨-, **-nen**⟩ meteorologist; (*im Wetterdienst*) weather forecaster **Meteorologie** [meteorolo'giː] *f* ⟨-, *no pl*⟩ meteorology **meteorologisch** [meteoro'loːgɪʃ] *adj* meteorological
Meter ['meːtɐ] *m or nt* ⟨**-s, -**⟩ metre (*Br*), meter (*US*) **meterhoch** *adj* metres (*Br*) *or* meters (*US*) high **meterlang** *adj* metres (*Br*) *or* meters (*US*) long **Metermaß** *nt* (≈ *Bandmaß*) tape measure **Meterware** *f* TEX piece goods **meterweise** *adv* by the metre (*Br*) *or* meter (*US*)
Methadon [meta'doːn] *nt* ⟨**-s**, *no pl*⟩ methadone
Methangas *nt* methane
Methode [me'toːdə] *f* ⟨-, **-n**⟩ **1.** method **2. Methoden** *pl* (≈ *Sitten*) behaviour (*Br*), behavior (*US*) **methodisch** [me'toːdɪʃ] **I** *adj* methodical **II** *adv* methodically
Methodist [meto'dɪst] *m* ⟨**-en, -en**⟩, **Methodistin** [-'dɪstɪn] *f* ⟨-, **-nen**⟩ Methodist
Methylalkohol [me'tyːl-] *m* methyl alcohol
Metier [me'tieː] *nt* ⟨**-s, -s**⟩ job, profession; ***sich auf sein ~ verstehen*** to be good at one's job
Metrik ['meːtrɪk] *f* ⟨-, **-en**⟩ POETRY, MUS metrics *sg* **metrisch** ['meːtrɪʃ] *adj* metric
Metronom [metro'noːm] *nt* ⟨**-s, -e**⟩ MUS metronome
Metropole [metro'poːlə] *f* ⟨-, **-n**⟩ (≈ *Zentrum*) centre (*Br*), center (*US*)
metrosexuell ['meːtrozɛksuɛl] *adj* metrosexual
Mettwurst ['mɛt-] *f* (smoked) pork/beef sausage
Metzelei [mɛtsə'lai] *f* ⟨-, **-en**⟩ butchery **metzeln** ['mɛtsln] *v/t* to slaughter **Metzger** ['mɛtsgɐ] *m* ⟨**-s, -**⟩, **Metzgerin** [-ərɪn] *f* ⟨-, **-nen**⟩ butcher **Metzgerei** [mɛtsgə'rai] *f* ⟨-, **-en**⟩ butcher's (shop)
Meute ['mɔytə] *f* ⟨-, **-n**⟩ pack (of hounds); (*fig pej*) mob **Meuterei** [mɔytə'rai] *f* ⟨-, **-en**⟩ mutiny **meutern** ['mɔytɐn] *v/i* to mutiny
Mexikaner [mɛksi'kaːnɐ] *m* ⟨**-s, -**⟩, **Mexikanerin** [-ərɪn] *f* ⟨-, **-nen**⟩ Mexican **mexikanisch** [mɛksi'kaːnɪʃ] *adj* Mexican
Mexiko ['mɛksiko] *nt* ⟨**-s**⟩ Mexico
miau [mi'au] *int* miaow (*Br*), meow **miauen** [mi'auən] *past part* ***miaut*** *v/i* to meow
mich [mɪç] **I** *pers pr* me **II** *refl pr* myself
mick(e)rig ['mɪk(ə)rɪç] *adj* (*infml*) pathetic
Miederhöschen [-høːsçən] *nt* panty girdle **Miederwaren** *pl* corsetry *sg*
Mief [miːf] *m* ⟨**-s**, *no pl*⟩ (*infml*) fug; (*muffig*) stale air; (≈ *Gestank*) stink
Miene ['miːnə] *f* ⟨-, **-n**⟩ expression; ***eine finstere ~ machen*** to look grim
mies [miːs] (*infml*) **I** *adj* rotten (*infml*); *Qualität* poor **II** *adv* badly **Miesepeter** ['miːzəpeːtɐ] *m* ⟨**-s, -**⟩ (*infml*) grouch (*infml*) **mies machen** *v/t* (*infml*) to run down **Miesmacher(in)** *m/(f)* (*infml*) killjoy
Miesmuschel *f* mussel
Mietauto *nt* hire(d) car **Miete** ['miːtə] *f* ⟨-, **-n**⟩ (*für Wohnung*) rent; (*für Gegenstände*) rental; ***zur ~ wohnen*** to live in rented accommodation **mieten** ['miːtn] *v/t* to rent; *Boot*, *Auto* to rent, to hire (*esp Br*) **Mieter** ['miːtɐ] *m* ⟨**-s, -**⟩, **Mieterin** [-ərɪn] *f* ⟨-, **-nen**⟩ tenant; (≈ *Untermieter*) lodger **Mieterhöhung** *f* rent increase **Mieterschaft** ['miːtɐʃaft] *f* ⟨-, **-en**⟩ tenants *pl* **Mieterschutz** *m* rent control **mietfrei** *adj*, *adv* rent-free **Mietpreis** *m* rent; (*für Sachen*) rental (fee *or* rate (*US*)) **Mietrückstände** *pl* rent arrears *pl* **Mietshaus** *nt* block of (rented) flats (*Br*), apartment house (*US*) **Mietverhältnis** *nt* tenancy **Mietvertrag** *m* lease; (*von Auto*) rental agreement **Mietwagen** *m* hire(d) car (*Br*), rental (car) (*US*) **Mietwohnung** *f* rented flat (*Br*) *or* apartment
Mieze ['miːtsə] *f* ⟨-, **-n**⟩ (*infml* ≈ *Katze*) pussy(-cat) (*infml*)
Migräne [mi'grɛːnə] *f* ⟨-, *no pl*⟩ migraine
Migrant [mi'grant] *m* ⟨-, **-nen**⟩, **Migrantin** [-ɪn] *f* ⟨**-en, -en**⟩ migrant **Migration** [migra'tsioːn] *f* ⟨-, **-en**⟩ migration
Mikrobe [mi'kroːbə] *f* ⟨-, **-n**⟩ microbe
Mikrochip *m* microchip **Mikroelektronik** *f* microelectronics *sg* **Mikrofaser** *f* microfibre (*Br*), microfiber (*US*) **Mikrofon**

[mikro'foːn, 'miːkrofoːn] *nt* ⟨**-s, -e**⟩ microphone **Mikrokosmos** *m* microcosm **Mikroorganismus** *m* microorganism **Mikrophon** *nt* = ***Mikrofon*** **Mikroprozessor** *m* microprocessor **Mikroskop** [mikro'skoːp] *nt* ⟨**-s, -e**⟩ microscope **mikroskopisch** [mikro'skoːpɪʃ] **I** *adj* microscopic **II** *adv* ***etw ~ untersuchen*** to examine sth under the microscope; ***~ klein*** (*fig*) microscopically small **Mikrowelle** *f* microwave **Mikrowellenherd** *m* microwave (oven)

Milbe ['mɪlbə] *f* ⟨**-, -n**⟩ mite

Milch [mɪlç] *f* ⟨**-,** *no pl*⟩ milk **Milchdrüse** *f* mammary gland **Milchflasche** *f* milk bottle **Milchgeschäft** *nt* dairy **Milchglas** *nt* frosted glass **milchig** ['mɪlçɪç] *adj* milky; ***~ trüb*** opaque **Milchkaffee** *m* milky coffee **Milchkanne** *f* milk can; (*größer*) (milk) churn **Milchkuh** *f* milk cow **Milchladen** *m* dairy **Milchmädchenrechnung** *f* (*infml*) naïve fallacy **Milchmixgetränk** *nt* milk shake **Milchprodukt** *nt* milk product **Milchpulver** *nt* powdered milk **Milchreis** *m* round-grain rice; (*als Gericht*) rice pudding **Milchstraße** *f* Milky Way **Milchtüte** *f* milk carton **Milchzahn** *m* milk tooth

mild [mɪlt], **milde** ['mɪldə] **I** *adj Wetter, Käse, Zigarette* mild; (≈ *nachsichtig*) lenient **II** *adv* mildly; (≈ *nachsichtig*) leniently; ***~e gesagt*** to put it mildly; ***~ schmecken*** to taste mild **Milde** ['mɪldə] *f* ⟨**-,** *no pl*⟩ mildness; (≈ *Nachsichtigkeit*) leniency; ***~ walten lassen*** to be lenient **mildern** ['mɪldɐn] **I** *v/t* (*elev*) *Schmerz* to soothe; *Kälte* to alleviate; *Angst* to calm; *Strafe, Urteil* to mitigate; *Konflikt, Problem* to reduce; *Ausdrucksweise* to moderate; ***~de Umstände*** JUR mitigating circumstances **II** *v/r* (*Wetter*) to become milder; (*Schmerz*) to ease **Milderung** ['mɪldərʊŋ] *f* ⟨**-,** *no pl*⟩ (*von Schmerz*) easing, soothing; (*von Ausdruck, Strafe*) moderation

Milieu [mi'liøː] *nt* ⟨**-s, -s**⟩ (≈ *Umwelt*) environment; (≈ *Lokalkolorit*) atmosphere **milieugeschädigt** [-gəʃɛːdɪçt], **milieugestört** *adj* maladjusted (*due to adverse social factors*)

militant [mili'tant] *adj* militant **Militanz** [mili'tants] *f* ⟨**-,** *no pl*⟩ militancy

Militär [mili'tɛːɐ] *nt* ⟨**-s,** *no pl*⟩ military *pl*; ***beim ~ sein*** (*infml*) to be in the forces; ***zum ~ gehen*** to join the army **Militärarzt** *m*, **Militärärztin** *f* army doctor; (≈ *Offizier*) medical officer **Militärdienst** *m* military service; ***(seinen) ~ ableisten*** to do national service **Militärgericht** *nt* military court **militärisch** [mili'tɛːrɪʃ] *adj* military **Militarismus** [milita'rɪsmʊs] *m* ⟨**-,** *no pl*⟩ militarism **militaristisch** [milita'rɪstɪʃ] *adj* militaristic **Military** ['mɪlɪtərɪ] *f* ⟨**-, -s**⟩ SPORTS three-day event **Militärzeit** *f* army days *pl* **Miliz** [mi'liːts] *f* ⟨**-, -en**⟩ militia

Milliardär [mɪliar'dɛːɐ] *m* ⟨**-s, -e**⟩, **Milliardärin** [-'dɛːrɪn] *f* ⟨**-, -nen**⟩ billionaire **Milliarde** [mɪ'liardə] *f* ⟨**-, -n**⟩ thousand millions (*Br*), billion (*US*)

Millibar *nt* millibar **Milligramm** *nt* milligram(me) **Milliliter** *m* millilitre (*Br*), milliliter (*US*) **Millimeter** *m or nt* millimetre (*Br*), millimeter (*US*) **Millimeterpapier** *nt* graph paper

Million [mɪ'lioːn] *f* ⟨**-, -en**⟩ million; ***zwei ~en Einwohner*** two million inhabitants; ***~en Mal*** a million times **Millionär** [mɪlio'nɛːɐ] *m* ⟨**-s, -e**⟩ millionaire **Millionärin** [mɪlio'nɛːrɪn] *f* ⟨**-, -nen**⟩ millionairess **millionenfach** *adj* millionfold **Millionengeschäft** *nt* multi-million-pound/dollar *etc* industry **Millionenstadt** *f* town with over a million inhabitants **Millionstel** [mɪ'lioːnstl] *nt* ⟨**-s, -**⟩ millionth part

Milz [mɪlts] *f* ⟨**-, -en**⟩ spleen **Milzbrand** *m* MED, VET anthrax

mimen ['miːmən] *v/t* ***er mimt den Kranken*** (*infml*) he's pretending to be sick

Mimose [mi'moːzə] *f* ⟨**-, -n**⟩ mimosa; ***empfindlich wie eine ~ sein*** to be oversensitive **mimosenhaft** *adj* (*fig*) oversensitive

Minarett [mina'rɛt] *nt* ⟨**-s, -e** *or* **-s**⟩ minaret

minder ['mɪndɐ] *adv* less; ***mehr oder ~*** more or less **minderbegabt** *adj* less gifted **Mindereinnahmen** *pl* decrease *sg* in receipts **mindere(r, s)** *adj attr* lesser; *Güte, Qualität* inferior **Minderheit** *f* ⟨**-, -en**⟩ minority **Minderheitsregierung** *f* minority government **minderjährig** [-jɛːrɪç] *adj* who is (still) a minor **Minderjährige(r)** [-jɛːrɪgə] *m/f(m) decl as adj* minor **Minderjährigkeit** [-jɛːrɪçkait] *f* ⟨**-,** *no pl*⟩ minority **mindern** ['mɪndɐn] **I** *v/t Ansehen* to diminish; *Rechte* to erode; *Vergnügen* to lessen; *Risiko, Chancen* to reduce **II** *v/r* (*Ansehen,*

Wert) to diminish; *(Vergnügen)* to lessen **Mịnderung** ['mɪndərʊŋ] *f* ⟨**-, -en**⟩ (≈ *Herabsetzung)* diminishing *no indef art*; *(von Wert)* reduction (+*gen* in); *(von Vergnügen)* lessening **mịnderwertig** [-veːɐtɪç] *adj* inferior **Mịnderwertigkeit** *f* inferiority **Mịnderwertigkeitskomplex** *m* inferiority complex **Mịnderzahl** *f* minority; ***in der ~ sein*** to be in the minority

Mịndestalter *nt* minimum age **mịndestens** ['mɪndəstns] *adv* at least **mịndeste(r, s)** ['mɪndəstə] *adj attr* least, slightest; ***nicht die ~ Angst*** not the slightest trace of fear; ***das Mindeste*** the (very) least; ***nicht im Mindesten*** not in the least **Mịndestgebot** *nt (bei Auktionen)* reserve price **Mịndestlohn** *m* minimum wage **Mịndestmaß** *nt* minimum

Mine ['miːnə] *f* ⟨**-, -n**⟩ **1.** MIN, MIL mine **2.** (≈ *Bleistiftmine)* lead; (≈ *Kugelschreibermine)* refill **Minenfeld** *nt* MIL minefield **Minensuchboot** *nt* minesweeper

Mineral [mine'raːl] *nt* ⟨**-s, -e** *or* **-ien** [-liən]⟩ **1.** mineral **2.** *no pl (Aus, Swiss)* mineral water **Mineralbad** *nt* mineral bath; (≈ *Ort)* spa; (≈ *Schwimmbad) swimming pool fed from a mineral spring* **Mineralöl** *nt* (mineral) oil **Mineralquelle** *f* mineral spring **Mineralwasser** *nt* mineral water

Mini ['mɪni] *m* ⟨**-s, -s**⟩ *(infml ≈ Minirock)* mini **Miniatur** [minia'tuːɐ] *f* ⟨**-, -en**⟩ miniature **Mịnibar** *f (im Hotel etc)* minibar **Mịnibus** *m* minibus **Mịnidisc, Mịnidisk** [-dɪsk] *f* ⟨**-, -s**⟩ (≈ *Tonträger)* Minidisc®; IT minidisk **Mịnigolf** *nt* crazy golf *(Br)*, putt-putt golf *(US)* **Mịnijob** *m* minijob **minimal** [mini'maːl] **I** *adj* minimal; *Gewinn, Chance* very small; *Gehalt* very low; ***mit ~er Anstrengung*** with a minimum of effort **II** *adv* (≈ *wenigstens)* at least **minimieren** [mini'miːrən] *past part* ***minimiert*** *v/t* to minimize **Minimum** ['miːnimʊm] *nt* ⟨**-s, *Minima*** [-ma]⟩ minimum *(an +dat* of) **Mịnirock** *m* miniskirt

Minịster [mi'nɪstɐ] *m* ⟨**-s, -**⟩, **Minịsterin** [-ərɪn] *f* ⟨**-, -nen**⟩ POL minister *(Br) (für* of), secretary *(für* for) **Ministerium** [minɪs'teːriʊm] *nt* ⟨**-s, *Ministerien*** [-riən]⟩ ministry *(Br)*, department **Minịsterkonferenz** *f* conference of ministers

Minịsterpräsident(in) *m/(f)* prime minister; *(eines Bundeslandes)* leader of a Federal German state **Minịsterrat** *m* council of ministers

Ministrạnt [minɪs'trant] *m* ⟨**-en, -en**⟩, **Ministrạntin** [-'trantɪn] *f* ⟨**-, -nen**⟩ ECCL server

Mịnnesang *m* minnesong **Mịnnesänger** *m* ⟨**-s, -**⟩ minnesinger

minus ['miːnʊs] **I** *prep +gen* minus **II** *adv* minus; ***~ 10 Grad*** minus 10 degrees; ***~ machen*** *(infml)* to make a loss **Minus** ['miːnʊs] *nt* ⟨**-, -**⟩ (≈ *Fehlbetrag)* deficit; *(auf Konto)* overdraft; *(fig ≈ Nachteil)* bad point **Minuspol** *m* negative pole **Minuspunkt** *m* minus point; ***ein ~ für jdn sein*** to count against sb **Minustemperatur** *f* temperature below freezing **Minuszeichen** *nt* minus sign

Minute [mi'nuːtə] *f* ⟨**-, -n**⟩ minute; ***auf die ~ (genau)*** (right) on the dot; ***in letzter ~*** at the last minute **minutenlang** **I** *adj attr* several minutes of **II** *adv* for several minutes **Minutenzeiger** *m* minute hand

minutiös [minu'tsiøːs], **minuziös** [minu'tsiøːs] *(elev)* **I** *adj* meticulous; *Fragen* detailed **II** *adv* meticulously; *erklären* in great detail

Mịnze ['mɪntsə] *f* ⟨**-, -n**⟩ BOT mint

mir [miːɐ] *pers pr* to me; *(nach Präpositionen)* me; ***ein Freund von ~*** a friend of mine; ***von ~ aus!*** *(infml)* I don't mind; ***du bist ~ vielleicht einer!*** *(infml)* you're a right one, you are! *(infml)*

Mirabẹlle [mira'bɛlə] *f* ⟨**-, -n**⟩ mirabelle

Mịschbatterie *f* mixer tap **Mịschehe** *f* mixed marriage **mịschen** ['mɪʃn] **I** *v/t* to mix; *Karten* to shuffle; → ***gemischt*** **II** *v/r* (≈ *sich vermengen)* to mix; ***sich unter jdn/etw ~*** to mix with sb/sth; ***sich in etw*** *(acc)* **~** to meddle in sth **III** *v/i* CARDS to shuffle **Mịschgemüse** *nt* mixed vegetables *pl* **Mịschling** ['mɪʃlɪŋ] *m* ⟨**-s, -e**⟩ **1.** *(Mensch)* mixed race person **2.** ZOOL half-breed **Mịschmasch** ['mɪʃmaʃ] *m* ⟨**-(e)s, -e**⟩ *(infml)* mishmash *(aus* of) **Mịschmaschine** *f* cement-mixer **Mịschpult** *nt* (RADIO, TV) mixing desk; *(von Band)* sound mixer **Mịschung** ['mɪʃʊŋ] *f* ⟨**-, -en**⟩ **1.** (≈ *das Mischen)* mixing **2.** (≈ *Gemischtes)* mixture; *(von Tee etc)* blend **Mịschungsverhältnis** *nt* ratio (of a mixture) **Mịschwald** *m* mixed (deciduous and coniferous) woodland

miserabel [mizə'raːbl] *(infml)* **I** *adj* lousy *(infml)*; *Gesundheit* miserable; *Gefühl* ghastly; *Benehmen* dreadful; *Qualität* poor **II** *adv* dreadfully; ***~ schmecken***

to taste lousy (*infml*) **Misere** [mi'zeːrə] *f* ⟨**-, -n**⟩ (*von Wirtschaft etc*) plight; ***jdn aus einer ~ herausholen*** to get sb out of trouble

Mispel ['mɪspl] *f* ⟨**-, -n**⟩ medlar (tree)

missachten [mɪs'|axtn, 'mɪs-] *past part* ***missachtet*** *v/t insep* **1.** (≈ *ignorieren*) *Warnung* to ignore; *Gesetz* to flout **2.** (≈ *gering schätzen*) *jdn* to despise **Missachtung** *f* **1.** (≈ *Ignorieren*) disregard (*gen* for); (*von Gesetz*) flouting (*gen* of) **2.** (≈ *Geringschätzung*) disrespect (+*gen* for) **Missbildung** *f* deformity **missbilligen** [mɪs'bɪlɪgn] *past part* ***missbilligt*** *v/t insep* to disapprove of **missbilligend** **I** *adj* disapproving **II** *adv* disapprovingly **Missbilligung** *f* disapproval **Missbrauch** ['mɪsbraux] *m* abuse; (*von Notbremse, Kreditkarte*) improper use **missbrauchen** [mɪs'brauxn] *past part* ***missbraucht*** *v/t insep Vertrauen* to abuse; (*elev* ≈ *vergewaltigen*) to assault; ***jdn für*** *or* ***zu etw ~*** to use sb for sth **missbräuchlich** ['mɪsbrɔyçlɪç] **I** *adj* incorrect **II** *adv* incorrectly **missdeuten** [mɪs'dɔytn] *past part* ***missdeutet*** *v/t insep* to misinterpret

missen ['mɪsn] *v/t* (*elev*) to do without; *Erfahrung* to miss

Misserfolg *m* failure **Missernte** *f* crop failure **missfallen** [mɪs'falən] *past part* ***missfallen*** *v/i +dat insep irr* to displease; ***es missfällt mir, wie er ...*** I dislike the way he ... **Missfallen** *nt* ⟨***-s**, no pl*⟩ displeasure (*über +acc* at) **Missfallensäußerung** *f* expression of disapproval **Missfallenskundgebung** *f* demonstration of disapproval **missgebildet** ['mɪsgəbɪldət] *adj* deformed **Missgeburt** *f* deformed person / animal; (*fig infml*) failure **Missgeschick** *nt* mishap; (≈ *Unglück*) misfortune **missglücken** [mɪs'glʏkn] *past part* ***missglückt*** *v/i insep aux sein* to fail; ***das ist ihr missglückt*** she failed; ***der Kuchen ist*** (***mir***) ***missglückt*** the cake didn't turn out **missgönnen** [mɪs'gœnən] *past part* ***missgönnt*** *v/t insep* ***jdm etw ~*** to (be)grudge sb sth **Missgriff** *m* mistake **Missgunst** *f* enviousness (*gegenüber* of) **missgünstig** **I** *adj* envious (*auf +acc* of) **II** *adv* enviously **misshandeln** [mɪs'handln] *past part* ***misshandelt*** *v/t insep* to ill-treat **Misshandlung** *f* ill-treatment

Mission [mɪ'sioːn] *f* ⟨**-, -en**⟩ mission; (≈ *Gruppe*) delegation **Missionar** [mɪsio'naːɐ] *m* ⟨***-s, -e***⟩, **Missionarin** [-'naːrɪn] *f* ⟨**-, -nen**⟩ missionary **missionarisch** [mɪsio'naːrɪʃ] *adj* missionary

Missklang *m* discord **Misskredit** [-kre'diːt] *m, no pl* discredit; ***jdn/etw in ~ bringen*** to discredit sb/sth **misslich** ['mɪslɪç] *adj* (*elev*) *Lage* awkward **missliebig** ['mɪsliːbɪç] *adj* unpopular **misslingen** [mɪs'lɪŋən] *pret* ***misslang*** [mɪs'laŋ], *past part* ***misslungen*** [mɪs'lʊŋən] *v/i insep aux sein* = ***missglücken*** **missmutig** ['mɪsmuːtɪç] **I** *adj* sullen, morose; (≈ *unzufrieden*) discontented; *Äußerung* disgruntled **II** *adv* sullenly, morosely; (≈ *unzufrieden*) discontentedly; *sagen* disgruntledly

missraten¹ [mɪs'raːtn] *past part* ***missraten*** *v/i insep irr aux sein* to go wrong; (*Kind*) to become wayward; ***der Kuchen ist*** (***mir***) ***~*** the cake didn't turn out

missraten² [mɪs'raːtn] *adj Kind* wayward **Missstand** *m* disgrace *no pl*, deplorable state of affairs *no pl*; (≈ *Ungerechtigkeit*) abuse **Missstimmung** *f* **1.** (≈ *Uneinigkeit*) discord **2.** (≈ *Missmut*) ill feeling *no indef art* **misstrauen** [mɪs'trauən] *past part* ***misstraut*** *v/i +dat insep* to mistrust **Misstrauen** ['mɪstrauən] *nt* ⟨***-s**, no pl*⟩ mistrust, distrust (*gegenüber* of); ***einer Sache ~ entgegenbringen*** to mistrust sth **Misstrauensantrag** *m* PARL motion of no confidence **Misstrauensvotum** *nt* PARL vote of no confidence **misstrauisch** ['mɪstrauɪʃ] **I** *adj* mistrustful; (≈ *argwöhnisch*) suspicious **II** *adv* sceptically (*Br*), skeptically (*US*) **Missverhältnis** *nt* discrepancy **missverständlich** ['mɪsfɛɐʃtɛntlɪç] **I** *adj* unclear; ***~e Ausdrücke*** expressions which could be misunderstood **II** *adv* unclearly; ***ich habe mich ~ ausgedrückt*** I didn't express myself clearly **Missverständnis** *nt* misunderstanding **missverstehen** ['mɪsfɛɐʃteːən] *past part* ***missverstanden*** *v/t insep irr* to misunderstand; ***Sie dürfen mich nicht ~*** please do not misunderstand me

Misswahl *f* beauty contest

Misswirtschaft *f* maladministration

Mist [mɪst] *m* ⟨***-es**, no pl*⟩ (≈ *Kuhmist etc*) dung; (≈ *Dünger*) manure; (*infml*) (≈ *Unsinn*) rubbish (*esp Br*); ***~!*** blast! (*infml*); ***da hat er ~ gebaut*** he really messed that up (*infml*); ***mach keinen ~!*** don't be a fool!

Mịstel ['mɪstl] *f* ⟨**-, -n**⟩ mistletoe *no pl*

Mịstgabel *f* pitchfork (*used for shifting manure*) **Mịsthaufen** *m* manure heap **Mịstkäfer** *m* dung beetle **Mịstkerl** *m* (*infml*) dirty *or* rotten pig (*infml*) **Mịstkübel** *m* (*Aus*) dirty *or* rotten pig (*infml*), rubbish bin (*Br*), garbage can (*US*) **Mịststück** *nt* (*infml*), **Mịstvieh** *nt* (*infml*) (≈ *Mann*) bastard (*sl*); (≈ *Frau*) bitch (*sl*) **Mịstwetter** *nt* (*infml*) lousy weather

mịt [mɪt] **I** *prep +dat* with; ***~ der Bahn/dem Bus*** by train/bus; ***~ Bleistift schreiben*** to write in pencil; ***~ dem nächsten Bus kommen*** to come on the next bus; ***~ achtzehn Jahren*** at (the age of) eighteen; ***~ 1 Sekunde Vorsprung gewinnen*** to win by 1 second; ***~ 80 km/h*** at 80 km/h; ***~ 4:2 gewinnen*** to win 4-2; ***du ~ deinen dummen Ideen*** (*infml*) you and your stupid ideas **II** *adv* ***er war ~ dabei*** he went *or* came too; ***er ist ~ der Beste der Gruppe*** he is one of the best in the group; ***etw ~ in Betracht ziehen*** to consider sth as well

Mịtarbeit *f* cooperation; ***~ bei*** *or* ***an etw*** (*dat*) work on sth; ***unter ~ von*** in collaboration with **mịtarbeiten** *v/i sep* to cooperate (*bei* on); (*bei Projekt etc*) to collaborate; ***an*** *or* ***bei etw ~*** to work on sth **Mịtarbeiter(in)** *m/(f)* (≈ *Betriebsangehöriger*) employee; (≈ *Kollege*) colleague; (*an Projekt etc*) collaborator; ***freier ~*** freelance **Mịtarbeiterstab** *m* staff

mịtbekommen *past part* ***mịtbekommen*** *v/t sep irr* (*infml*) (≈ *verstehen*) to get (*infml*); (≈ *bemerken*) to realize; ***hast du das noch nicht ~?*** (≈ *erfahren*) you mean you didn't know that?

mịtbenutzen *past part* ***mịtbenutzt*** *v/t sep* to share (the use of)

Mịtbesitzer(in) *m/(f)* co-owner

mịtbestimmen *past part* ***mịtbestimmt*** *sep v/i* to have a say (*bei* in) **Mịtbestimmung** *f* co-determination, participation (*bei* in); ***~ am Arbeitsplatz*** worker participation

Mịtbewerber(in) *m/(f)* (fellow) competitor; (*für Stelle*) (fellow) applicant

Mịtbewohner(in) *m/(f)* (fellow) occupant

mịtbringen *v/t sep irr* **1.** *Geschenk etc* to bring; *Freund*, *Begleiter* to bring along; ***jdm etw ~*** to bring sth for sb; ***jdm etw von*** *or* ***aus der Stadt ~*** to bring sb sth back from town; ***was sollen wir der Gastgeberin ~?*** what should we take our hostess?; ***etw in die Ehe ~*** to have sth when one gets married **2.** (*fig*) *Befähigung etc* to have **Mịtbringsel** ['mɪtbrɪŋzl] *nt* ⟨**-s, -**⟩ (*Geschenk*) small present; (*Andenken*) souvenir

Mịtbürger(in) *m/(f)* fellow citizen

mịtdürfen *v/i sep irr* ***wir durften nicht mit*** we weren't allowed to go along

miteinạnder [mɪt|ai'nandɐ] *adv* with each other; (≈ *gemeinsam*) together; ***alle ~!*** all together **Miteinạnder** [mɪt|ai'nandɐ] *nt* ⟨**-s**, *no pl*⟩ cooperation

mịterleben *past part* ***mịterlebt*** *v/t sep* to experience; (*im Fernsehen*) to watch

Mịtesser [-ɛsɐ] *m* ⟨**-s, -**⟩ blackhead

mịtfahren *v/i sep irr aux sein* to go (with sb); ***sie fährt mit*** she is going too; (***mit jdm***) ***~*** to go with sb; ***kann ich*** (***mit Ihnen***) ***~?*** can you give me a lift *or* a ride (*esp US*)? **Mịtfahrer(in)** *m/(f)* fellow passenger **Mịtfahrgelegenheit** *f* lift

mịtfühlen *v/i sep* ***mit jdm ~*** to feel for sb

mịtfühlend **I** *adj* sympathetic **II** *adv* sympathetically

mịtführen *v/t sep Papiere*, *Waffen etc* to carry (with one)

mịtgeben *v/t sep irr* ***jdm etw ~*** to give sb sth to take with them

Mịtgefühl *nt* sympathy

mịtgehen *v/i sep irr aux sein* **1.** (≈ *mit anderen gehen*) to go too; ***mit jdm ~*** to go with sb; ***gehen Sie mit?*** are you going (too)? **2.** (*fig*: *Publikum etc*) to respond (favourably (*Br*) *or* favorably (*US*)) (*mit* to) **3.** (*infml*) ***etw ~ lassen*** to steal sth

Mịtgift ['mɪtgɪft] *f* ⟨**-, -en**⟩ dowry **Mịtgiftjäger** *m* (*infml*) dowry-hunter (*Br*), fortune-hunter

Mịtglied ['mɪtgliːt] *nt* member (*+gen*, *bei*, *in +dat* of) **Mịtgliederversammlung** *f* general meeting **Mịtgliedsausweis** *m* membership card **Mịtgliedsbeitrag** *m* membership fee, membership dues *pl* **Mịtgliedschaft** ['mɪtgliːtʃaft] *f* ⟨**-, -en**⟩ membership **Mịtgliedsstaat** *m* member state

mịthalten *v/i sep irr* (≈ *bei Tempo etc*) (*mit* with) to keep up; (*bei Versteigerung*) to stay in the bidding

mịthelfen *v/i sep irr* to help **mithilfe, mit**

Hilfe [mɪtˈhɪlfə] *prep +gen* with the help (*+gen* of) **Mịthilfe** *f* assistance, aid
mịthören *sep v/t* to listen to (too); *Gespräch* to overhear; (*heimlich*) to listen in on; ***ich habe alles mitgehört*** I heard everything
Mịtinhaber(in) *m/(f)* joint owner
mịtkommen *v/i sep irr aux sein* **1.** to come along (*mit* with); ***kommst du auch mit?*** are you coming too?; ***ich kann nicht ~*** I can't come **2.** (*infml*) (≈ *mithalten*) to keep up; (≈ *verstehen*) to follow; ***da komme ich nicht mit*** that's beyond me
mịtkriegen *v/t sep* (*infml*) = ***mitbekommen***
Mịtläufer(in) *m/(f)* (POL, *pej*) fellow traveller (*Br*) *or* traveler (*US*)
Mịtlaut *m* consonant
Mịtleid *nt, no pl* pity (*mit* for); (≈ *Mitgefühl*) sympathy (*mit* with, for); ***~ erregend*** pitiful **Mịtleidenschaft** *f* ***jdn/etw in ~ ziehen*** to affect sb/sth (detrimentally) **mịtleiderregend** *adj* pitiful **mịtleidig** [ˈmɪtlaidɪç] *adj* pitying; (≈ *mitfühlend*) sympathetic
mịtmachen *v/t & v/i sep* **1.** (≈ *teilnehmen*) *Spiel* to join in; *Reise* to go on; *Kurs* to do; *Mode* to follow; *Wettbewerb* to take part in; (***bei***) ***etw ~*** to join in sth; ***er macht alles mit*** he always joins in (all the fun); ***da mache ich nicht mit*** (≈ *ohne mich*) count me out!; ***das mache ich nicht mehr mit*** (*infml*) I've had quite enough (of that) **2.** (≈ *erleben*) to live through; (≈ *erleiden*) to go through; ***sie hat viel mitgemacht*** she has been through a lot in her time
Mịtmensch *m* fellow man *or* creature
mịtmischen *v/i sep* (*infml*) (≈ *sich beteiligen*) to be involved (*in +dat, bei* in)
mịtnehmen *v/t sep irr* **1.** to take (with one); (≈ *ausleihen*) to borrow; (≈ *kaufen*) to take; ***jdn*** (***im Auto***) ***~*** to give sb a lift *or* ride (*esp US*) **2.** (≈ *erschöpfen*) *jdn* to exhaust; ***mitgenommen aussehen*** to look the worse for wear **3.** (*infml*) *Sehenswürdigkeit* to take in
mịtreden *sep* **I** *v/i* (≈ *mitbestimmen*) to have a say (*bei* in); ***da kann er nicht ~*** he wouldn't know anything about that **II** *v/t* ***Sie haben hier nichts mitzureden*** this is none of your concern
Mịtreisende(r) *m/f(m) decl as adj* fellow passenger
mịtreißen *v/t sep irr* (*Fluss, Lawine*) to sweep away; (*Fahrzeug*) to carry along; ***sich ~ lassen*** (*fig*) to allow oneself to be carried away **mịtreißend** *adj Rhythmus, Enthusiasmus* infectious; *Reden, Musik* rousing; *Film, Fußballspiel* thrilling
mitsạmt [mɪtˈzamt] *prep +dat* together with
mịtschicken *v/t sep* (*in Brief etc*) to enclose
mịtschneiden *v/t sep irr* to record **Mịtschnitt** *m* recording
mịtschreiben *v/i sep irr* to take notes
Mịtschuld *f* ***ihn trifft eine ~*** a share of the blame falls on him; (*an Verbrechen*) he is implicated (*an +dat* in) **mịtschuldig** *adj* (*an Verbrechen*) implicated (*an +dat* in); (*an Unfall*) partly responsible (*an +dat* for) **Mịtschuldige(r)** *m/f(m) decl as adj* accomplice; (≈ *Helfershelfer*) accessory
Mịtschüler(in) *m/(f)* school-friend; (*in derselben Klasse*) classmate
mịtsingen *sep irr* **I** *v/t* to join in (singing) **II** *v/i* to join in the singing
mịtspielen *v/i sep* **1.** (≈ *auch spielen*) to play too; (*in Mannschaft etc*) to play (*bei* in); ***in einem Film ~*** to be in a film **2.** (*fig infml*) (≈ *mitmachen*) to play along (*infml*); (≈ *sich beteiligen*) to be involved in; ***wenn das Wetter mitspielt*** if the weather's OK (*infml*) **3.** (≈ *Schaden zufügen*) ***er hat ihr übel*** *or* ***hart mitgespielt*** he has treated her badly **Mịtspieler(in)** *m/(f)* SPORTS player; THEAT member of the cast
Mịtsprache *f* a say **Mịtspracherecht** *nt* ***jdm ein ~ einräumen*** to allow *or* grant sb a say (*bei* in)
Mịttag [ˈmɪtaːk] *m* ⟨***-(e)s, -e***⟩ **1.** midday; ***gestern/heute ~*** at midday yesterday/today; ***zu ~ essen*** to have lunch *or* dinner **2.** (*infml*: *Pause*) lunch hour, lunch-break; ***~ machen*** to take one's lunch hour *or* lunch-break **Mịttagessen** *nt* lunch **mịttags** *adv* at lunchtime; (***um***) ***12 Uhr ~*** at 12 noon, at 12 o'clock midday **Mịttagspause** *f* lunch hour **Mịttagsruhe** *f* period of quiet (after lunch) **Mịttagsschlaf** *m* afternoon nap **Mịttagszeit** *f* lunchtime; ***in der ~*** at lunchtime
Mịttäter(in) *m/(f)* accomplice **Mịttäterschaft** *f* complicity
Mịtte [ˈmɪtə] *f* ⟨***-, -n***⟩ **1.** middle; (*von Kreis, Stadt*) centre (*Br*), center (*US*); ***~ August*** in the middle of August; ***er***

ist ~ vierzig he's in his mid-forties **2.** POL centre (*Br*), center (*US*); ***rechts/links von der ~*** right/left of centre (*Br*) *or* center (*US*) **3.** (*von Gruppe*) ***einer aus unserer ~*** one of us; ***in unserer ~*** in our midst

mitteilen *sep v/t* ***jdm etw ~*** to tell sb sth; (≈ *bekannt geben*) to announce sth to sb **mitteilsam** ['mɪttailzaːm] *adj* communicative **Mitteilung** *f* (≈ *Bekanntgabe*) announcement; (≈ *Benachrichtigung*) notification; (*an Mitarbeiter etc*) memo

Mittel ['mɪtl] *nt* ⟨**-s, -**⟩ **1.** (≈ *Durchschnitt*) average **2.** (≈ *Mittel zum Zweck, Transportmittel etc*) means *sg*; (≈ *Methode*) way; ***~ und Wege finden*** to find ways and means; ***~ zum Zweck*** a means to an end; ***als letztes*** *or* ***äußerstes ~*** as a last resort; ***ihm ist jedes ~ recht*** he will do anything (to achieve his ends); ***etw mit allen ~n verhindern*** to do one's utmost to prevent sth **3.** *pl* (≈ *Geldmittel*) resources *pl* **4.** (≈ *Medizin*) medicine; (≈ *Putzmittel*) cleaning agent; ***welches ~ nimmst du?*** what do you use?; ***das beste ~ gegen etw*** the best cure for sth **Mittelalter** *nt* Middle Ages *pl* **mittelalterlich** [-|altɐlɪç] *adj* medieval **Mittelamerika** *nt* Central America (and the Caribbean) **mittelamerikanisch** *adj* Central American **mittelbar I** *adj* indirect **II** *adv* indirectly **mitteldeutsch** *adj* GEOG, LING Central German **Mittelding** *nt* (≈ *Mischung*) cross (*zwischen +dat, aus* between) **Mitteleuropa** *nt* Central Europe **Mitteleuropäer(in)** *m*/(*f*) Central European **mitteleuropäisch** *adj* Central European; ***~e Zeit*** Central European Time **Mittelfeld** *nt* SPORTS midfield **Mittelfinger** *m* middle finger **mittelfristig** [-frɪstɪç] **I** *adj Finanzplanung, Kredite* medium-term **II** *adv* in the medium term **Mittelgebirge** *nt* low mountain range **Mittelgewicht** *nt* middleweight **mittelgroß** *adj* medium-sized **Mittelklasse** *f* **1.** COMM middle of the market; ***ein Wagen der ~*** a mid-range car **2.** SOCIOL middle classes *pl* **Mittelklassewagen** *m* mid-range car **Mittellinie** *f* centre (*Br*) *or* center (*US*) line **mittellos** *adj* without means; (≈ *arm*) impoverished **Mittelmaß** *nt* mediocrity *no art*; ***~ sein*** to be average **mittelmäßig I** *adj* mediocre **II** *adv begabt, gebildet* moderately; *ausgestattet* modestly **Mittelmäßigkeit** *f* mediocrity **Mittelmeer** *nt* Mediterranean (Sea) **Mittelmeerraum** *m* Mediterranean (region), Med (*infml*) **Mittelohrentzündung** *f* inflammation of the middle ear **Mittelpunkt** *m* centre (*Br*), center (*US*); (*fig: visuell*) focal point; ***er muss immer im ~ stehen*** he always has to be the centre (*Br*) *or* center (*US*) of attention **mittels** ['mɪtls] *prep +gen or +dat* (*elev*) by means of **Mittelschicht** *f* SOCIOL middle class **Mittelschule** *f* (*Swiss* ≈ *Fachoberschule*) ≈ College of Further Education **Mittelsmann** *m, pl* ***-männer*** *or* ***-leute*** intermediary **Mittelstand** *m* middle classes *pl* **mittelständisch** [-ʃtɛndɪʃ] *adj* middle-class; *Betrieb* medium-sized **Mittelstreckenrakete** *f* intermediate-range *or* medium-range missile **Mittelstreifen** *m* central reservation (*Br*), median (strip) (*US*) **Mittelstufe** *f* SCHOOL middle school (*Br*), junior high (*US*) **Mittelstürmer(in)** *m*/(*f*) SPORTS centre-forward (*Br*), center-forward (*US*) **Mittelweg** *m* middle course; ***der goldene ~*** the happy medium; ***einen ~ gehen*** to steer a middle course **Mittelwelle** *f* RADIO medium wave(band) **mitten** ['mɪtn] *adv* ***~ an etw*** (*dat*)/***in etw*** (*dat*) (right) in the middle of sth; ***~ durch etw*** (right) through the middle of sth; ***~ in der Luft*** in mid-air; ***~ im Leben*** in the middle of life; ***~ unter uns*** (right) in our midst **mittendrin** [mɪtn'drɪn] *adv* (right) in the middle of it **mittendurch** [mɪtn'dʊrç] *adv* (right) through the middle **Mitternacht** *f* midnight *no art* **mitternächtlich** *adj attr* midnight **mittlere(r, s)** ['mɪtlərə] *adj attr* **1.** middle; ***der Mittlere Osten*** the Middle East **2.** (≈ *den Mittelwert bildend*) medium; (≈ *durchschnittlich*) average; MAT mean; (≈ *von mittlerer Größe*) *Betrieb* medium-sized; ***~n Alters*** middle-aged; ***~ Reife*** SCHOOL *first public examination in secondary school*, ≈ GCSEs *pl* (*Br*) **mittlerweile** ['mɪtlɐ'vailə] *adv* in the meantime **Mittsommer** ['mɪtzɔmɐ] *m* midsummer **Mittsommernacht** *f* Midsummer's Night **Mittwoch** ['mɪtvɔx] *m* ⟨**-s, -e**⟩ Wednesday; → ***Dienstag*** **mittwochs** ['mɪtvɔxs] *adv* on Wednesdays; → ***dienstags***

mitunter [mɪt'|ʊntɐ] *adv* from time to time

mitverantwortlich *adj* jointly responsible *pred* **Mitverantwortung** *f* share of the responsibility

mitverdienen *past part* ***mitverdient*** *v/i sep* to (go out to) work as well

mitwirken *v/i sep* to play a part (*an +dat, bei* in); (≈ *beteiligt sein*) to be involved (*an +dat, bei* in); (*Schauspieler, Diskussionsteilnehmer*) to take part (*an +dat, bei* in); (*in Film*) to appear (*an +dat* in) **Mitwirkende(r)** [-vɪrkndə] *m/f(m) decl as adj* participant (*an +dat, bei* in); (≈ *Mitspieler*) performer (*an +dat, bei* in); (≈ *Schauspieler*) actor (*an +dat, bei* in); ***die ~n*** THEAT the cast *pl* **Mitwirkung** *f* (≈ *Beteiligung*) involvement (*an +dat, bei* in); (*an Buch, Film*) collaboration (*an +dat, bei* on); (*an Projekt*) participation (*an +dat, bei* in); (*von Schauspieler*) appearance (*an +dat, bei* in); ***unter ~ von*** with the assistance of

Mitwisser [-vɪsɐ] *m* ⟨**-s, -**⟩, **Mitwisserin** [-ərɪn] *f* ⟨**-, -nen**⟩ JUR accessory (*+gen* to); ***~ sein*** to know about it

mitzählen *v/t & v/i sep* to count; *Betrag* to count in

Mix [mɪks] *m* ⟨**-, -e**⟩ mixture **Mixbecher** *m* (cocktail) shaker **mixen** ['mɪksn] *v/t* to mix **Mixer** ['mɪksɐ] *m* ⟨**-s, -**⟩ (≈ *Küchenmixer*) blender; (≈ *Rührmaschine*) mixer **Mixer** ['mɪksɐ] *m* ⟨**-s, -**⟩, **Mixerin** [-ərɪn] *f* ⟨**-, -nen**⟩ **1.** (≈ *Barmixer*) cocktail waiter / waitress **2.** FILM, RADIO, TV mixer **Mixtur** [mɪks'tuːɐ] *f* ⟨**-, -en**⟩ mixture

MMS [ɛm|ɛm'|ɛs] *m* ⟨**-, -**⟩ *abbr of* ***Multimedia Messaging Service*** MMS, picture messaging **MMS-Handy** [ɛm|ɛm'|ɛs-] *nt* TEL MMS-enabled mobile *or* cell phone (*US*)

Mob [mɔp] *m* ⟨**-s**, *no pl*⟩ (*pej*) mob **mobben** ['mɔbn] *v/t* to bully (at work) **Mobbing** ['mɔbɪŋ] *nt* ⟨**-s**, *no pl*⟩ workplace bullying

Möbel ['møːbl] *nt* ⟨**-s, -**⟩ (≈ *Möbelstück*) piece of furniture; ***~*** *pl* furniture *sg* **Möbelpacker** [-pakɐ] *m* ⟨**-s, -**⟩, **Möbelpackerin** [-ərɪn] *f* ⟨**-, -nen**⟩ furniture packer **Möbelschreiner(in)** *m/(f)* cabinet-maker **Möbelspedition** *f* removal firm (*Br*), moving company (*US*) **Möbelstück** *nt* piece of furniture **Möbelwagen** *m* removal van (*Br*), moving van (*US*)

mobil [mo'biːl] *adj* **1.** mobile; (≈ *mitnehmbar*) portable; ***~ machen*** MIL to mobilize **2.** (*infml* ≈ *munter*) lively **Mobilfunk** *m* cellular radio **Mobilfunknetz** *nt* cellular network

Mobiliar [mobi'liaːɐ] *nt* ⟨**-s**, *no pl*⟩ furnishings *pl*

mobilisieren [mobili'ziːrən] *past part* ***mobilisiert*** *v/t* to mobilize; COMM *Kapital* to make liquid **Mobilität** [mobili'tɛːt] *f* ⟨**-**, *no pl*⟩ mobility **Mobilmachung** [mo'biːlmaxʊŋ] *f* ⟨**-, -en**⟩ MIL mobilization **Mobiltelefon** *nt* mobile phone

möblieren [mø'bliːrən] *past part* ***möbliert*** *v/t* to furnish; ***neu ~*** to refurnish; ***möbliert wohnen*** to live in furnished accommodation

Möchtegern- ['mœçtəgɛrn-] *in cpds* (*iron*) would-be

modal [mo'daːl] *adj* GRAM modal **Modalität** [modali'tɛːt] *f* ⟨**-, -en**⟩ *usu pl* (*von Vertrag etc*) arrangement; (*von Verfahren*) procedure **Modalverb** *nt* modal verb

Mode ['moːdə] *f* ⟨**-, -n**⟩ fashion; ***~ sein*** to be fashionable; ***in ~/aus der ~ kommen*** to come into / go out of fashion **modebewusst** *adj* fashion-conscious **Modedesigner(in)** *m/(f)* fashion designer **Modekrankheit** *f* fashionable complaint

Model ['mɔdl] *nt* ⟨**-s, -s**⟩ FASHION model

Modell [mo'dɛl] *nt* ⟨**-s, -e**⟩ model; ***zu etw ~ stehen*** to be the model for sth; ***jdm ~ stehen/sitzen*** to sit for sb **Modelleisenbahn** *f* model railway (*esp Br*) *or* railroad (*US*); (*als Spielzeug*) train set **Modellflugzeug** *nt* model aeroplane (*Br*) *or* airplane (*US*) **modellieren** [modɛ'liːrən] *past part* ***modelliert*** *v/t & v/i* to model **modeln** ['mɔdln] *v/i* FASHION to model

Modem ['moːdɛm] *nt* ⟨**-s, -e**⟩ modem

Modenschau *f* fashion show

moderat [mode'raːt] **I** *adj* moderate, reasonable **II** *adv* moderately **Moderation** [modera'tsioːn] *f* ⟨**-, -en**⟩ (RADIO, TV) presentation **Moderator** [mode'raːtoːɐ] *m* ⟨**-s, *Moderatoren*** [-'toːrən]⟩, **Moderatorin** [-'toːrɪn] *f* ⟨**-, -nen**⟩ presenter **moderieren** [mode'riːrən] *past part* ***moderiert*** *v/t & v/i* (RADIO, TV) to present

moderig ['moːdərɪç] *adj Geruch* musty

modern[1] ['moːdɐn] *v/i aux sein or haben* to rot

modern[2] [mo'dɛrn] **I** *adj* modern *no adv*; (≈ *modisch*) fashionable; ***~ werden*** to come into fashion **II** *adv sich kleiden* fashionably; *denken* open-mindedly; ***~***

wohnen to live in modern housing **Moderne** [mo'dɛrnə] *f* ⟨-, *no pl*⟩ (*elev*) modern age **modernisieren** [mɔdɛrni'ziːrən] *past part* ***modernisiert*** *v/t* to modernize **Modernisierung** *f* modernization **Modesalon** *m* fashion house **Modeschmuck** *m* costume jewellery (*Br*) *or* jewelry (*US*) **Modeschöpfer(in)** *m/(f)* fashion designer **Modewort** *nt*, *pl* ***-wörter*** in-word, buzz word **Modezeichner(in)** *m/(f)* fashion illustrator **Modezeitschrift** *f* fashion magazine

Modifikation [modifika'tsioːn] *f* ⟨**-, -en**⟩ modification **modifizieren** [modifi'tsiːrən] *past part* ***modifiziert*** *v/t* to modify

modisch ['moːdɪʃ] **I** *adj* stylish **II** *adv* fashionably, stylishly **Modistin** [mo'dɪstɪn] *f* ⟨**-, -nen**⟩ milliner

Modul [mo'duːl] *nt* ⟨**-s, -e**⟩ IT module **modular** [modu'laːɐ] **I** *adj* modular **II** *adv* of modules **Modulation** [modula'tsioːn] *f* ⟨**-, -en**⟩ modulation

Modus ['moːdʊs, 'mɔdʊs] *m* ⟨**-, *Modi*** ['moːdi, 'mɔdi]⟩ **1.** way; ***~ Vivendi*** (*elev*) modus vivendi **2.** GRAM mood **3.** IT mode

Mofa ['moːfa] *nt* ⟨**-s, -s**⟩ small moped

mogeln ['moːgln] *v/i* to cheat **Mogelpackung** *f* misleading packaging; (*fig*) sham

mögen ['møːgn] *pret* ***mochte*** ['mɔxtə], *past part* ***gemocht*** [gə'mɔxt] **I** *v/t* to like; ***sie mag das (gern)*** she (really) likes that; ***was möchten Sie, bitte?*** what would you like?; (*Verkäufer*) what can I do for you? **II** *v/i* (≈ *etw tun mögen*) to like to; ***ich mag nicht mehr*** I've had enough; (≈ *bin am Ende*) I can't take any more; ***ich möchte lieber in die Stadt*** I would prefer to go into town **III** *past part* ***mögen*** *modal aux* **1.** (*Wunsch*) to like to *+inf*; ***möchten Sie etwas essen?*** would you like something to eat?; ***wir möchten (gern) etwas trinken*** we would like something to drink; ***ich möchte dazu nichts sagen*** I don't want to say anything about that **2.** (*einschränkend*) ***man möchte meinen, dass ...*** you would think that ...; ***ich möchte fast sagen ...*** I would almost say ... **3.** (*elev*: *Einräumung*) ***es mag wohl sein, dass er recht hat, aber ...*** he may well be right, but ...; ***mag kommen was da will*** come what may **4.** (*Vermutung*) ***sie mag/mochte etwa zwanzig sein*** she must be/have been about twenty

Mogler ['moːglɐ] *m* ⟨**-s, -**⟩, **Moglerin** [-ərɪn] *f* ⟨**-, -nen**⟩ cheat

möglich ['møːklɪç] *adj* **1.** possible; ***alles Mögliche*** everything you can think of; ***er tat sein Möglichstes*** he did his utmost; ***so bald wie ~*** as soon as possible; ***das ist doch nicht ~!*** that's impossible **2.** (*attr* ≈ *eventuell*) *Kunden* potential, possible **möglicherweise** ['møːklɪçɐ'vaizə] *adv* possibly **Möglichkeit** *f* ⟨**-, -en**⟩ **1.** possibility; ***es besteht die ~, dass ...*** there is a possibility that ...; ***ist denn das die ~?*** (*infml*) it's impossible! **2.** (≈ *Aussicht*) chance; (≈ *Gelegenheit*) opportunity; ***das Land der unbegrenzten ~en*** the land of unlimited opportunity **möglichst** ['møːklɪçst] *adv* ***~ genau/schnell/oft*** as accurately/quickly/often as possible

Mohammedaner [mohame'daːnɐ] *m* ⟨**-s, -**⟩, **Mohammedanerin** [-ərɪn] *f* ⟨**-, -nen**⟩ (*dated, often pej*) Mohammedan (*dated*) **mohammedanisch** [mohame'daːnɪʃ] *adj* (*dated, often pej*) Mohammedan (*dated*)

Mohn [moːn] *m* ⟨**-(e)s, -e**⟩ poppy; (≈ *Mohnsamen*) poppy seed **Mohnblume** *f* poppy

Möhre ['møːrə] *f* ⟨**-, -n**⟩, **Mohrrübe** *f* carrot

mokieren [mo'kiːrən] *past part* ***mokiert*** *v/r* to sneer (*über +acc* at)

Mokka ['mɔka] *m* ⟨**-s, -s**⟩ mocha

Molch [mɔlç] *m* ⟨**-(e)s, -e**⟩ salamander; (≈ *Wassermolch*) newt

Molekül [mole'kyːl] *nt* ⟨**-s, -e**⟩ molecule **molekular** [moleku'laːɐ] *adj* molecular

Molke ['mɔlkə] *f* ⟨**-, *no pl***⟩ (*dial*) whey **Molkerei** [mɔlkə'rai] *f* ⟨**-, -en**⟩ dairy **Molkereibutter** *f* blended butter **Molkereiprodukt** *nt* dairy product

Moll [mɔl] *nt* ⟨**-, -**⟩ MUS minor (key); ***a-~*** A minor

mollig ['mɔlɪç] (*infml*) *adj* **1.** cosy (*Br*), cozy (*US*); (≈ *warm, behaglich*) snug **2.** (≈ *rundlich*) plump

Molltonleiter *f* minor scale

Molotowcocktail ['moːlotɔf-] *m* Molotov cocktail

Moment[1] [mo'mɛnt] *m* ⟨**-(e)s, -e**⟩ moment; ***jeden ~*** any time *or* minute; ***einen ~, bitte*** one moment please; ***~ mal!*** just a minute!; ***im ~*** at the moment

Moment² *nt* ⟨**-(e)s, -e**⟩ **1.** (≈ *Bestandteil*) element **2.** (≈ *Umstand*) fact; (≈ *Faktor*) factor **3.** PHYS momentum

momentan [momɛn'ta:n] **I** *adj* **1.** (≈ *vorübergehend*) momentary **2.** (≈ *augenblicklich*) present *attr* **II** *adv* **1.** (≈ *vorübergehend*) for a moment **2.** (≈ *augenblicklich*) at the moment

Monarch [mo'narç] *m* ⟨**-en, -en**⟩, **Monarchin** [-'narçɪn] *f* ⟨**-, -nen**⟩ monarch **Monarchie** [monar'çi:] *f* ⟨**-, -n** [-'çi:ən]⟩ monarchy

Monat ['mo:nat] *m* ⟨**-(e)s, -e**⟩ month; ***der ~ Mai*** the month of May; ***sie ist im sechsten ~ (schwanger)*** she's five months pregnant; ***was verdient er im ~?*** how much does he earn a month?; ***am 12. dieses ~s*** on the 12th (of this month); ***auf ~e hinaus*** months ahead **monatelang** **I** *adj attr Verhandlungen, Kämpfe* which go on for months; ***nach ~em Warten*** after waiting for months; ***mit ~er Verspätung*** months late **II** *adv* for months **monatlich** ['mo:natlɪç] **I** *adj* monthly **II** *adv* every month **Monatsanfang** *m* beginning of the month **Monatsende** *nt* end of the month **Monatsgehalt** *nt* monthly salary; ***ein ~*** one month's salary **Monatskarte** *f* monthly season ticket **Monatsrate** *f* monthly instalment (*Br*) *or* installment (*US*)

Mönch [mœnç] *m* ⟨**-(e)s, -e**⟩ monk

Mond [mo:nt] *m* ⟨**-(e)s, -e** [-də]⟩ moon; ***auf dem ~ leben*** (*infml*) to be behind the times

mondän [mɔn'dɛ:n] *adj* chic

Mondaufgang *m* moonrise **Mondfinsternis** *f* eclipse of the moon, lunar eclipse **mondhell** *adj* moonlit **Mondlandefähre** *f* SPACE lunar module **Mondlandung** *f* moon landing **Mondlicht** *nt* moonlight **Mondschein** *m* moonlight **Mondsichel** *f* crescent moon **Mondsonde** *f* SPACE lunar probe **Mondumlaufbahn** *f* SPACE lunar orbit **Monduntergang** *f* moonset

monetär [mone'tɛ:ɐ] *adj* monetary **Monetarismus** [moneta'rɪsmʊs] *m* ⟨**-,** *no pl*⟩ ECON monetarism

Mongole [mɔŋ'go:lə] *m* ⟨**-n, -n**⟩, **Mongolin** [-'go:lɪn] *f* ⟨**-, -nen**⟩ Mongolian **Mongolei** [mɔŋgo'lai] *f* ⟨**-**⟩ ***die ~*** Mongolia; ***die Innere/Äußere ~*** Inner/Outer Mongolia **mongolisch** [mɔŋ'go:lɪʃ] *adj* Mongolian **Mongolismus** [mɔŋgo'lɪsmʊs] *m* ⟨**-,** *no pl*⟩ (*often pej*) mongolism **mongoloid** [mɔŋgolo'i:t] *adj* (*often pej*) Mongol; MED mongoloid

monieren [mo'ni:rən] *past part* ***moniert*** *v/t* to complain about

Monitor ['mo:nito:ɐ] *m* ⟨**-s, -e** *or* ***Monitoren*** [-'to:rən]⟩ monitor

monochrom [mono'kro:m] *adj* monochrome **monogam** [mono'ga:m] **I** *adj* monogamous **II** *adv leben* monogamously **Monogamie** [monoga'mi:] *f* ⟨**-,** *no pl*⟩ monogamy **Monografie** [monogra'fi:] *f* ⟨**-, -n** [-'fi:ən]⟩ monograph **Monogramm** [mono'gram] *nt, pl* ***-gramme*** monogram **Monolog** [mono'lo:k] *m* ⟨**-(e)s, -e** [-gə]⟩ monologue; (≈ *Selbstgespräch*) soliloquy **Monopol** [mono'po:l] *nt* ⟨**-s, -e**⟩ monopoly (*auf +acc, für* on) **monopolisieren** [monopoli'zi:rən] *past part* ***monopolisiert*** *v/t* (*lit, fig*) to monopolize **Monopolstellung** *f* monopoly **monoton** [mono'to:n] **I** *adj* monotonous **II** *adv* monotonously **Monotonie** [monoto'ni:] *f* ⟨**-, -n** [-'ni:ən]⟩ monotony

Monster ['mɔnstɐ], **Monstrum** ['mɔnstrʊm] *nt* ⟨**-s, *Monstren*** [-trən]⟩ (≈ *Ungeheuer*) monster; (*infml* ≈ *schweres Möbel*) hulking great piece of furniture (*infml*)

Monsun [mɔn'zu:n] *m* ⟨**-s, -e**⟩ monsoon

Montag ['mo:nta:k] *m* Monday; → ***Dienstag***

Montage [mɔn'ta:ʒə] *f* ⟨**-, -n**⟩ **1.** (TECH ≈ *Aufstellung*) installation; (*von Gerüst*) erection; (≈ *Zusammenbau*) assembly; ***auf ~*** (*dat*) ***sein*** to be away on a job **2.** ART montage; FILM editing **Montageband** *nt, pl* ***-bänder*** assembly line **Montagehalle** *f* assembly shop

montags ['mo:nta:ks] *adv* on Mondays; → ***dienstags***

Monteur [mɔn'tø:ɐ] *m* ⟨**-s, -e**⟩, **Monteurin** [-'tø:rɪn] *f* ⟨**-, -nen**⟩ TECH fitter **montieren** [mɔn'ti:rən] *past part* ***montiert*** *v/t* TECH to install; (≈ *zusammenbauen*) to assemble; (≈ *befestigen*) *Bauteil* to fit (*auf +acc, an +acc* to); *Dachantenne* to put up

Monument [monu'mɛnt] *nt* ⟨**-(e)s, -e**⟩ monument **monumental** [monumɛn'ta:l] *adj* monumental

Moor [mo:ɐ] *nt* ⟨**-(e)s, -e**⟩ bog; (≈ *Hochmoor*) moor **Moorbad** *nt* mud bath

Moorboden *m* marshy soil **Moorhuhn** *nt* grouse **moorig** ['mo:rɪç] *adj* boggy

Moos [mo:s] *nt* ⟨**-es, -e**⟩ moss

Moped ['mo:pɛt, 'mo:pe:t] *nt* ⟨**-s, -s**⟩ moped

Mopp [mɔp] *m* ⟨**-s, -s**⟩ mop

Mops [mɔps] *m* ⟨**-es, ⸚e** ['mœpsə]⟩ **1.** (*Hund*) pug (dog) **2. Möpse** *pl* (*sl* ≈ *Busen*) tits *pl* (*sl*)

Moral [mo'ra:l] *f* ⟨**-**, *no pl*⟩ **1.** (≈ *Sittlichkeit*) morals *pl*; ***die ~ sinkt*** moral standards are declining; ***eine doppelte ~*** double standards *pl*; ***~ predigen*** to moralize (*jdm* to sb) **2.** (≈ *Lehre*) moral; ***und die ~ von der Geschicht'*: ...** and the moral of this story is ... **3.** (≈ *Ethik*) ethics *pl* **4.** (≈ *Disziplin*) morale **moralisch** [mo'ra:lɪʃ] **I** *adj* moral **II** *adv* morally **Moralist** [mora'lɪst] *m* ⟨**-en, -en**⟩, **Moralistin** [-'lɪstɪn] *f* ⟨**-, -nen**⟩ moralist **Moralpredigt** *f* sermon; ***jdm eine ~ halten*** to give sb a sermon

Moräne [mo'rɛ:nə] *f* ⟨**-, -n**⟩ GEOL moraine

Morast [mo'rast] *m* ⟨**-(e)s, -e** *or* **Moräste** [mo'rɛstə]⟩ mire

Moratorium [mora'to:riʊm] *nt* ⟨**-s, Moratorien** [-riən]⟩ moratorium

Morchel ['mɔrçl] *f* ⟨**-, -n**⟩ BOT morel

Mord [mɔrt] *m* ⟨**-(e)s, -e** [-də]⟩ murder, homicide (*US*) (*an +dat* of); (*an Politiker etc*) assassination (*an +dat* of) **Mordanschlag** *m* assassination attempt (*auf +acc* on); ***einen ~ auf jdn verüben*** to try to assassinate sb; (*erfolgreich*) to assassinate sb **Morddrohung** *f* murder *or* death threat **morden** ['mɔrdn] *v/t & v/i* (*liter*) to murder, to kill **Mörder** ['mœrdɐ] *m* ⟨**-s, -**⟩, **Mörderin** [-ərɪn] *f* ⟨**-, -nen**⟩ murderer (*auch* JUR), killer; (≈ *Attentäter*) assassin **mörderisch** ['mœrdərɪʃ] **I** *adj* (*lit*) *Anschlag* murderous; (*fig*) (≈ *schrecklich*) dreadful; *Konkurrenzkampf* cutthroat **II** *adv* (*infml*) (≈ *entsetzlich*) dreadfully; *stinken* like hell (*infml*); *wehtun* like crazy (*infml*) **Mordfall** *m* murder *or* homicide (*US*) (case) **Mordinstrument** *nt* murder weapon **Mordkommission** *f* murder squad, homicide squad (*US*) **Mordsgeld** *nt* (*infml*) fantastic amount of money **Mordskerl** *m* (*infml*) hell of a guy (*infml*) **mordsmäßig** (*infml*) *adj* incredible; ***ich habe einen ~en Hunger*** I could eat a horse (*infml*) **Mordswut** *f* (*infml*) ***eine ~ im Bauch haben*** to be in a hell of a temper (*infml*) **Mordverdacht** *m* suspicion of murder; ***unter ~*** (*dat*) ***stehen*** to be suspected of murder **Mordwaffe** *f* murder weapon

morgen ['mɔrgn] *adv* tomorrow; ***~ früh/Abend*** tomorrow morning/evening, a week (from) tomorrow; ***~ um diese*** *or* ***dieselbe Zeit*** this time tomorrow; ***bis ~!*** see you tomorrow

Morgen[1] ['mɔrgn] *m* ⟨**-s, -**⟩ morning; ***am ~*** in the morning; ***gestern ~*** yesterday morning; ***heute ~*** this morning; ***guten ~!*** good morning

Morgen[2] *m* ⟨**-s, -**⟩ MEASURE ≈ acre

Morgendämmerung *f* dawn, daybreak **morgendlich** ['mɔrgntlɪç] **I** *adj* morning *attr*; ***die ~e Stille*** the quiet of the early morning **II** *adv* ***es war ~ kühl*** it was cool as it often is in the morning **Morgenessen** *nt* (*Swiss* ≈ *Frühstück*) breakfast **Morgengrauen** [-grauən] *nt* ⟨**-s, -**⟩ dawn **Morgenmantel** *m* dressing gown **Morgenrock** *m* housecoat **Morgenrot** *nt* ⟨**-s**, *no pl*⟩ sunrise; (*fig*) dawn(ing) **morgens** ['mɔrgns] *adv* in the morning; ***(um) drei Uhr ~*** at three o'clock in the morning; ***von ~ bis abends*** from morning to night **Morgenstunde** *f* morning hour; ***bis in die frühen ~n*** into the early hours **morgig** ['mɔrgɪç] *adj attr* tomorrow's; ***der ~e Tag*** tomorrow

Morphium ['mɔrfiʊm] *nt* ⟨**-s**, *no pl*⟩ morphine

morsch [mɔrʃ] *adj* rotten; *Knochen* brittle

Morsealphabet *nt* Morse (code); ***im ~*** in Morse (code)

Mörser ['mœrzɐ] *m* ⟨**-s, -**⟩ mortar (*auch* MIL)

Morsezeichen ['mɔrzə-] *nt* Morse signal

Mörtel ['mœrtl] *m* ⟨**-s, -**⟩ (*zum Mauern*) mortar; (≈ *Putz*) stucco

Mosaik [moza'i:k] *nt* ⟨**-s, -e(n)**⟩ (*lit, fig*) mosaic

Moschee [mɔ'ʃe:] *f* ⟨**-, -n** [-'ʃe:ən]⟩ mosque

Moschus ['mɔʃʊs] *m* ⟨**-**, *no pl*⟩ musk

Mosel ['mo:zl] *f* ⟨**-**⟩ GEOG Moselle

mosern ['mo:zɐn] *v/i* (*infml*) to gripe (*infml*)

Moskau ['mɔskau] *nt* ⟨**-s**⟩ Moscow

Moskito [mɔs'ki:to] *m* ⟨**-s, -s**⟩ mosquito

Moslem ['mɔslɛm] *m* ⟨**-s, -s**⟩, **Moslemin** [mɔs'le:mɪn] *f* ⟨**-, -nen**⟩ Moslem **moslemisch** [mɔs'le:mɪʃ] *adj attr* Moslem

Most [mɔst] *m* ⟨**-(e)s, -e**, *no pl*⟩ (unfermented) fruit juice; (*für Wein*) must
Motel [mo'tɛl] *nt* ⟨**-s, -s**⟩ motel
Motiv [mo'tiːf] *nt* ⟨**-s, -e** [-və]⟩ **1.** motive; ***aus welchem ~ heraus?*** for what motive? **2.** ART, LIT subject; (≈ *Leitmotiv*, MUS) motif **Motivation** [motiva'tsioːn] *f* ⟨**-, -en**⟩ motivation **motivieren** [moti'viːrən] *past part* **motiviert** *v/t* **1.** *Mitarbeiter* to motivate; ***politisch motiviert*** politically motivated **2.** (≈ *begründen*) ***etw* (*jdm gegenüber*) *~*** to give (sb) reasons for sth
Motor ['moːtɔr, mo'toːɐ] *m* ⟨**-s, -en** [-'toːrən]⟩ motor; (*von Fahrzeug*) engine **Motorboot** *nt* motorboat **Motorenöl** *nt* engine oil **Motorhaube** *f* bonnet (*Br*), hood (*US*) **motorisieren** [motori'ziːrən] *past part* **motorisiert** *v/t* to motorize **Motoröl** *nt* engine oil **Motorrad** ['moːtɔrraːt, mo'toːɐraːt] *nt* motorbike **Motorradfahrer(in)** *m*/(*f*) motorcyclist **Motorsäge** *f* power saw **Motorschaden** *m* engine trouble *no pl* **Motorsport** *m* motor sport
Motte ['mɔtə] *f* ⟨**-, -n**⟩ moth **Mottenkugel** *f* mothball
Motto ['mɔto] *nt* ⟨**-s, -s**⟩ (≈ *Wahlspruch*) motto
motzen ['mɔtsn] *v/i* (*infml*) to beef (*infml*)
Mountainbike ['mauntɪnbaik] *nt* ⟨**-s, -s**⟩ mountain bike
Möwe ['møːvə] *f* ⟨**-, -n**⟩ seagull
MP3 [ɛmpeː'drai] *nt* ⟨**-**⟩ IT MP3 **MP3-Player** [ɛmpeː'drai,pleːɐ] *m* ⟨**-s, -**⟩ MP3 player
Mücke ['mʏkə] *f* ⟨**-, -n**⟩ (≈ *Insekt*) mosquito, midge (*Br*); ***aus einer ~ einen Elefanten machen*** (*infml*) to make a mountain out of a molehill
Mucken ['mʊkn] *pl* (*infml*) moods *pl*; (***seine***) ***~ haben*** to be moody; (*Sache*) to be temperamental
Mückenstich *m* mosquito bite, midge bite (*Br*)
Mucks [mʊks] *m* ⟨**-es, -e**⟩ (*infml*) sound; ***keinen ~ sagen*** not to make a sound; ***ohne einen ~*** (≈ *widerspruchslos*) without a murmur **mucksmäuschenstill** [-mɔysçən-] *adj*, *adv* (*infml*) (as) quiet as a mouse
müde ['myːdə] **I** *adj* tired; ***einer Sache*** (*gen*) ***~ sein*** to be tired of sth **II** *adv* **1.** (≈ *erschöpft*) ***sich ~ reden*** to tire oneself out talking **2.** (≈ *gelangweilt*) ***~ lächeln*** to give a weary smile **Müdigkeit** ['myːdɪçkait] *f* ⟨**-**, *no pl*⟩ (≈ *Schlafbedürfnis*) tiredness; (≈ *Schläfrigkeit*) sleepiness; ***nur keine ~ vorschützen!*** (*infml*) don't (you) tell me you're tired
Muffe ['mʊfə] *f* ⟨**-, -n**⟩ TECH sleeve
Muffel ['mʊfl] *m* ⟨**-s, -**⟩ (*infml* ≈ *Mensch*) grouch (*infml*), griper (*infml*) **muffelig** ['mʊfəlɪç] (*infml*) *adj* grumpy **Muffensausen** ['mʊfnzauzn] *nt* (*infml*) ***~ kriegen/haben*** to get/be scared stiff (*infml*)
muffig ['mʊfɪç] *adj* **1.** *Geruch*, *Zimmer* musty **2.** (*infml*) *Gesicht* grumpy
Mühe ['myːə] *f* ⟨**-, -n**⟩ trouble; ***nur mit ~*** only just; ***mit Müh und Not*** (*infml*) with great difficulty; ***mit jdm/etw seine ~ haben*** to have a great deal of trouble with sb/sth; ***er hat sich*** (*dat*) ***große ~ gegeben*** he has taken a lot of trouble; ***gib dir keine ~!*** (≈ *hör auf*) don't bother; ***sich*** (*dat*) ***die ~ machen, etw zu tun*** to take the trouble to do sth; ***wenn es Ihnen keine ~ macht*** if it isn't too much trouble; ***verlorene ~*** a waste of effort **mühelos** **I** *adj* effortless **II** *adv* effortlessly **mühevoll** **I** *adj* laborious; *Leben* arduous **II** *adv* with difficulty; ***~ verdientes Geld*** hard-earned money
Mühle ['myːlə] *f* ⟨**-, -n**⟩ **1.** mill **2.** (*fig*) (≈ *Routine*) treadmill; ***die ~n der Justiz*** the wheels of justice **3.** (≈ *Mühlespiel*) nine men's morris (*esp Br*) **Mühlrad** *nt* millwheel **Mühlstein** *m* millstone
mühsam ['myːzaːm] **I** *adj* arduous **II** *adv* with difficulty; ***~ verdientes Geld*** hard-earned money **mühselig** ['myːzeːlɪç] *adj* arduous
Mulch [mʊlç] *m* ⟨**-(e)s, -e**⟩ AGR mulch
Mulde ['mʊldə] *f* ⟨**-, -n**⟩ (≈ *Geländesenkung*) hollow
Mull [mʊl] *m* ⟨**-(e)s, -e**⟩ (≈ *Gewebe*) muslin; MED gauze
Müll [mʏl] *m* ⟨**-(e)s**, *no pl*⟩ rubbish, garbage (*esp US*); (≈ *Industriemüll*) waste **Müllabfuhr** *f* refuse *or* garbage (*US*) collection **Müllabladeplatz** *m* dump **Müllbeutel** *m* bin liner (*Br*), garbage bag (*US*)
Mullbinde *f* gauze bandage
Müllcontainer *m* rubbish skip, dumpster® (*US*) **Mülldeponie** *f* waste disposal site (*form*), sanitary (land)fill (*US form*) **Mülleimer** *m* rubbish bin (*Br*), garbage can (*US*) **Müllentsorgung** *f* waste dis-

posal
Müller ['mʏlɐ] *m* ⟨**-s, -**⟩ miller
Müllkippe *f* rubbish *or* garbage (*US*) dump **Müllmann** *m, pl* **-männer** *or* **-leute** (*infml*) dustman (*Br*), garbage man (*US*) **Müllschlucker** *m* refuse chute **Mülltonne** *f* dustbin (*Br*), trash can (*US*) **Mülltrennung** *f* waste separation **Mülltüte** *f* bin liner (*Br*), trash-can liner (*US*) **Müllverbrennungsanlage** *f* incinerating plant **Müllverwertung** *f* refuse utilization **Müllwagen** *m* dust-cart (*Br*), garbage truck (*US*)
mulmig ['mʊlmɪç] *adj* (*infml* ≈ *bedenklich*) uncomfortable; ***mir war ~ zumute*** (*lit*) I felt queasy; (*fig*) I had butterflies (in my tummy) (*infml*)
Multi ['mʊlti] *m* ⟨**-s, -s**⟩ (*infml*) multinational (organization) **multikulturell** *adj* multicultural **multilateral I** *adj* multilateral **II** *adv* multilaterally **Multimedia** [mʊlti'meːdia] *pl* multimedia *pl* **multimediafähig** *adj PC* capable of multimedia **multimedial** [mʊltime'diaːl] *adj* multimedia *attr* **Multimillionär(in)** *m*/(*f*) multimillionaire **multinational** *adj* multinational **multipel** [mʊl'tiːpl] *adj* multiple; ***multiple Sklerose*** multiple sclerosis **Multiplex-Kino** *nt* multiplex (cinema) **Multiplikation** [mʊltiplika'tsioːn] *f* ⟨**-, -en**⟩ multiplication
Multiplikator[1] [mʊltipli'kaːtoːɐ] *m* ⟨**-s, Multiplikatoren** [-'toːrən]⟩ MAT multiplier
Multiplikator[2] [mʊltipli'kaːtoːɐ] *m* ⟨**-s, -en**⟩, **Multiplikatorin** [-'toːrɪn] *f* ⟨**-, -nen**⟩ (*fig*) disseminator **multiplizieren** [mʊltipli'tsiːrən] *past part* ***multipliziert*** *v/t* to multiply (*mit* by) **Multivitaminsaft** *m* multivitamin juice
Mumie ['muːmiə] *f* ⟨**-, -n**⟩ mummy **mumifizieren** [mumifi'tsiːrən] *past part* ***mumifiziert*** *v/t* to mummify
Mumm [mʊm] *m* ⟨**-s,** *no pl*⟩ (*infml*) **1.** (≈ *Kraft*) strength **2.** (≈ *Mut*) guts *pl* (*infml*)
Mumps [mʊmps] *m or* (*inf*) *f* ⟨**-,** *no pl*⟩ (the) mumps *sg*
München ['mʏnçən] *nt* ⟨**-s**⟩ Munich
Mund [mʊnt] *m* ⟨**-(e)s, ⸚er** *or* (*rare*) **-e** *or* **⸚e** ['mʏndɐ, -də, 'mʏndə]⟩ mouth; ***den ~ aufmachen*** to open one's mouth; (*fig* ≈ *seine Meinung sagen*) to speak up; ***jdm den ~ verbieten*** to order sb to be quiet; ***halt den ~!*** shut up! (*infml*); ***jdm den ~ stopfen*** (*infml*) to shut sb up (*infml*); ***in aller ~e sein*** to be on everyone's lips; ***Sie nehmen mir das Wort aus dem ~(e)*** you've taken the (very) words out of my mouth; ***sie ist nicht auf den ~ gefallen*** (*infml*) she's never at a loss for words; ***den ~ (zu) voll nehmen*** (*infml*) to talk (too) big (*infml*) **Mundart** *f* dialect **mundartlich** ['mʊnt|aːɐtlɪç] *adj* dialect(al)
Mündel ['mʏndl] *nt or* (*Jur*) *m* ⟨**-s, -**⟩ ward **mündelsicher** ST EX **I** *adj* ≈ gilt-edged *no adv* **II** *adv anlegen* in secure gilt-edged investments
münden ['mʏndn] *v/i aux sein or haben* (*Fluss*) to flow (*in +acc* into); (*Straße, Gang*) to lead (*in +acc, auf +acc* into)
mundfaul *adj* (*infml*) too lazy to say much **Mundgeruch** *m* bad breath **Mundharmonika** *f* mouth organ
mündig ['mʏndɪç] *adj* of age; (*fig*) mature; ***~ werden*** to come of age
mündlich ['mʏntlɪç] **I** *adj* verbal; *Prüfung, Leistung* oral; ***~e Verhandlung*** JUR hearing **II** *adv testen* orally; *besprechen* personally; ***alles Weitere ~!*** I'll tell you the rest when I see you **Mundpflege** *f* oral hygiene *no art* **Mundpropaganda** *f* verbal propaganda **Mundschutz** *m* mask (over one's mouth) **Mundstück** *nt* (*von Pfeife, Blasinstrument*) mouthpiece; (*von Zigarette*) tip **mundtot** *adj* (*infml*) ***jdn ~ machen*** to silence sb
Mündung ['mʏndʊŋ] *f* ⟨**-, -en**⟩ (*von Fluss, Rohr*) mouth; (≈ *Trichtermündung*) estuary; (≈ *Gewehrmündung*) muzzle
Mundwasser *nt* mouthwash **Mundwerk** *nt* (*infml*) ***ein böses ~ haben*** to have a vicious tongue (in one's head); ***ein loses ~ haben*** to have a big mouth (*infml*); ***ein großes ~ haben*** to talk big (*infml*) **Mundwinkel** *m* corner of one's mouth **Mund-zu-Mund-Beatmung** *f* mouth-to-mouth resuscitation
Munition [muni'tsioːn] *f* ⟨**-, -en**⟩ ammunition
munkeln ['mʊŋkln] *v/t & v/i* ***es wird gemunkelt, dass ...*** it's rumoured (*Br*) *or* rumored (*US*) that ...
Münster ['mʏnstɐ] *nt* ⟨**-s, -**⟩ minster, cathedral
munter ['mʊntɐ] **I** *adj* **1.** (≈ *lebhaft*) lively *no adv*; *Farben* bright; (≈ *fröhlich*) cheerful; ***~ werden*** to liven up **2.** (≈ *wach*) awake **II** *adv* (≈ *unbekümmert*)

blithely; **~ *drauflosreden*** to prattle away merrily **Munterkeit** *f* ⟨**-**, *no pl*⟩ (≈ *Lebhaftigkeit*) liveliness; (≈ *Fröhlichkeit*) cheerfulness **Muntermacher** *m* (MED *infml*) pick-me-up (*infml*)

Münzanstalt *f* mint **Münzautomat** *m* slot machine **Münze** ['mʏntsə] *f* ⟨**-, -n**⟩ **1.** (≈ *Geldstück*) coin **2.** (≈ *Münzanstalt*) mint **münzen** ['mʏntsn] *v/t* to mint; ***das war auf ihn gemünzt*** (*fig*) that was aimed at him **Münzfernsprecher** *m* (*form*) pay phone **Münzsammlung** *f* coin collection **Münzspielautomat** *m* slot machine **Münztankstelle** *f* coin-operated petrol (*Br*) *or* gas (*US*) station **Münztelefon** *nt* pay phone **Münzwechsler** [-vɛkslɐ] *m* ⟨**-s, -**⟩ change machine

mürbe ['mʏrbə] *adj* crumbly; (≈ *zerbröckelnd*) crumbling; *Holz* rotten; ***jdn ~ machen*** to wear sb down **Mürbeteig** *m* short(-crust) pastry

Murks [mʊrks] *m* ⟨**-es**, *no pl*⟩ (*infml*) ***~ machen*** to bungle things (*infml*); ***das ist ~!*** that's a botch-up (*infml*)

Murmel ['mʊrml] *f* ⟨**-, -n**⟩ marble **murmeln** ['mʊrmln] *v/t & v/i* to murmur; (*undeutlich*) to mumble **Murmeltier** *nt* marmot

murren ['mʊrən] *v/i* to grumble (*über +acc* about) **mürrisch** ['mʏrɪʃ] *adj* (≈ *abweisend*) sullen; (≈ *schlecht gelaunt*) grumpy

Mus [muːs] *nt or m* ⟨**-es, -e**⟩ mush; (≈ *Apfelmus*) puree

Muschel ['mʊʃl] *f* ⟨**-, -n**⟩ **1.** mussel (*auch* COOK); (*Schale*) shell **2.** (TEL ≈ *Sprechmuschel*) mouthpiece; (≈ *Hörmuschel*) ear piece

Muscleshirt *nt* ['maslʃœrt, -ʃøːɐt] muscle shirt

Museum [mu'zeːʊm] *nt* ⟨**-s, *Museen*** [-'zeːən]⟩ museum

Musical ['mjuːzikl] *nt* ⟨**-s, -s**⟩ musical

Musik [mu'ziːk] *f* ⟨**-, -en**⟩ music; ***die ~ lieben*** to love music **musikalisch** [muzi'kaːlɪʃ] **I** *adj* musical **II** *adv begabt* musically **Musikant** [muzi'kant] *m* ⟨**-en, -en**⟩, **Musikantin** [-ɪn] *f* ⟨**-, -nen**⟩ musician **Musikautomat** *m* (≈ *Musikbox*) jukebox **Musikbegleitung** *f* musical accompaniment **Musikbox** *f* jukebox **Musiker** ['muːzikɐ] *m* ⟨**-s, -**⟩, **Musikerin** [-ərɪn] *f* ⟨**-, -nen**⟩ musician **Musikhochschule** *f* college of music **Musikinstrument** *nt* musical instrument **Musikkapelle** *f* band **Musikkassette** *f* music cassette **Musikliebhaber(in)** *m*/(*f*) music-lover **Musikrichtung** *f* kind of music, musical genre **Musiksaal** *m* music room **Musikschule** *f* music school **Musiksendung** *f* music programme (*Br*) *or* program (*US*) **Musikstück** *nt* piece of music **Musikstunde** *f* music lesson **Musikunterricht** *m* music lessons *pl*; SCHOOL music

musisch ['muːzɪʃ] **I** *adj Fächer* (fine) arts *attr*; *Begabung* for the arts; *Veranlagung* artistic **II** *adv* ***~ begabt / interessiert*** gifted / interested in the (fine) arts; ***~ veranlagt*** artistically inclined

musizieren [muzi'tsiːrən] *past part* ***musiziert*** *v/i* to play a musical instrument

Muskat [mʊs'kaːt, 'mʊskat] *m* ⟨**-(e)s, -e**⟩ nutmeg **Muskatnuss** *f* nutmeg

Muskel ['mʊskl] *m* ⟨**-s, -n**⟩ muscle; ***seine ~n spielen lassen*** to flex one's muscles **Muskelfaser** *f* muscle fibre (*Br*) *or* fiber (*US*) **Muskelkater** *m* aching muscles *pl*; ***~ haben*** to be stiff **Muskelkraft** *f* physical strength **Muskelkrampf** *m* muscle cramp *no indef art* **Muskelprotz** *m* (*infml*) muscleman **Muskelriss** *m* torn muscle **Muskelschwund** *m* muscular atrophy **Muskelzerrung** *f* pulled muscle

Muskulatur [mʊskula'tuːɐ] *f* ⟨**-, -en**⟩ muscular system **muskulös** [mʊsku'løːs] *adj* muscular; ***~ gebaut sein*** to have a muscular build

Müsli ['myːsli] *nt* ⟨**-(s), -s**⟩ muesli

Muslim ['mʊslɪm] *m* ⟨**-s, -s**⟩ Moslem **Muslime** [mʊs'liːmə] *f* ⟨**-, -n**⟩ Moslem **muslimisch** [mʊs'liːmɪʃ] *adj* ⟨**-, -n**⟩ Muslim

Muss [mʊs] *nt* ⟨**-**, *no pl*⟩ ***es ist ein / kein ~*** it's/it's not a must

Muße ['muːsə] *f* ⟨**-**, *no pl*⟩ leisure

Mussehe *f* (*infml*) shotgun wedding (*infml*) **müssen** ['mʏsn] **I** *modal aux*, *pret* ***musste*** ['mʊstə], *past part* ***müssen*** **1.** (*Zwang*) to have to; (*Notwendigkeit*) to need to; ***muss er?*** does he have to?; ***ich muss jetzt gehen*** I must be going now; ***muss das* (*denn*) *sein?*** is that (really) necessary?; ***das musste* (*ja so*) *kommen*** that had to happen **2.** (≈ *sollen*) ***das müsstest du eigentlich wissen*** you ought to know that, you should know that **3.** (*Vermutung*) ***es muss geregnet haben*** it must have rained; ***er müsste schon da sein*** he should be there by now; ***so muss es gewesen sein*** that's how it must have been **4.** (*Wunsch*) (***viel***) ***Geld müsste man haben!*** if only I were rich! **II** *v/i, pret* ***musste*** ['mʊstə], *past part* ***gemusst*** [gə'mʊst] (*infml* ≈ *austreten müssen*) ***ich muss mal*** I need to go to the loo (*Br infml*) *or* bathroom (*esp US*)

Mußestunde *f* hour of leisure **müßig** ['myːsɪç] *adj* (≈ *untätig*) idle; *Leben* of leisure; (≈ *unnütz*) futile

Muster ['mʊstɐ] *nt* 〈**-s, -**〉 **1.** (≈ *Vorlage*) pattern; (*für Brief, Bewerbung etc*) specimen **2.** (≈ *Probestück*) sample; ***~ ohne Wert*** sample of no commercial value **3.** (*fig* ≈ *Vorbild*) model (*an +dat* of) **Musterbeispiel** *nt* classic example **Musterexemplar** *nt* fine specimen **mustergültig** *adj* exemplary; ***sich ~ benehmen*** to be a model of good behaviour (*Br*) *or* behavior (*US*) **musterhaft I** *adj* exemplary **II** *adv* exemplarily **mustern** ['mʊstɐn] *v/t* **1.** (≈ *betrachten*) to scrutinize; ***jdn von oben bis unten ~*** to look sb up and down **2.** (MIL: *für Wehrdienst*) ***jdn ~*** to give sb his/her medical **3.** TEX → ***gemustert*** **Musterpackung** *f* sample pack **Musterprozess** *m* test case **Musterschüler(in)** *m/(f)* model pupil; (*fig*) star pupil **Musterung** *f* 〈**-, -en**〉 **1.** (≈ *Muster*) pattern **2.** (MIL, *von Rekruten*) medical examination for military service

Mut [muːt] *m* 〈**-(e)s,** *no pl*〉 courage (*zu +dat* for); (≈ *Zuversicht*) heart; ***~ fassen*** to pluck up courage; ***nur ~!*** cheer up!; ***den ~ verlieren*** to lose heart; ***wieder ~ bekommen*** to take heart; ***jdm ~ machen*** to encourage sb; ***mit dem ~ der Verzweiflung*** with the courage born of desperation; ***zu ~e = zumute***

Mutation [muta'tsioːn] *f* 〈**-, -en**〉 mutation **mutieren** [mu'tiːrən] *past part* ***mutiert*** *v/i* to mutate

mutig ['muːtɪç] **I** *adj* courageous **II** *adv* courageously **mutlos** *adj* (≈ *niedergeschlagen*) discouraged *no adv*, disheartened *no adv*; (≈ *bedrückt*) despondent, dejected **Mutlosigkeit** *f* 〈**-,** *no pl*〉 (≈ *Niedergeschlagenheit*) discouragement; (≈ *Bedrücktheit*) despondency, dejection

mutmaßen ['muːtmaːsn] *v/t & v/i insep* to conjecture **mutmaßlich** ['muːtmaːslɪç] *adj attr Vater* presumed; *Täter, Terrorist* suspected **Mutmaßung** ['muːtmaːsʊŋ] *f* 〈**-, -en**〉 conjecture

Mutprobe *f* test of courage

Mutter¹ ['mʊtɐ] *f* 〈**-, ⸚** ['mʏtɐ]〉 mother; ***sie ist ~ von drei Kindern*** she's a mother of three

Mutter² *f* 〈**-, -n**〉 TECH nut

Muttererde *f* topsoil **Muttergesellschaft** *f* COMM parent company **Muttergottes** [mʊtɐ'gɔtəs] *f* 〈**-,** *no pl*〉 Mother of God; (*Abbild*) Madonna **Mutterinstinkt** *m* maternal instinct **Mutterkuchen** *m* ANAT placenta **Mutterland** *nt* mother country **mütterlich** ['mʏtɐlɪç] **I** *adj* maternal; ***die ~en Pflichten*** one's duties as a mother **II** *adv* like a mother; ***jdn ~ umsorgen*** to mother sb **mütterlicherseits** *adv* on his/her *etc* mother's side; ***sein Großvater ~*** his maternal grandfather **Mutterliebe** *f* motherly love **Muttermal** *nt, pl* ***-male*** birthmark **Muttermilch** *f* mother's milk **Muttermund** *m* ANAT cervix **Mutterschaft** ['mʊtɐʃaft] *f* 〈**-,** *no pl*〉 motherhood; (*nach Entbindung*) maternity **Mutterschaftsgeld** *nt* maternity pay (*esp Br*) **Mutterschaftsurlaub** *m* maternity leave **Mutterschiff** *nt* SPACE mother ship **Mutterschutz** *m* legal protection of expectant and nursing mothers **mutterseelenallein** *adj, adv* all alone **Muttersöhnchen** [-zøːnçən] *nt* 〈**-s, -**〉 (*pej*) mummy's boy (*Br*), mommy's boy (*US*) **Muttersprache** *f* native language, mother tongue **Muttersprachler** [-ʃpraːxlɐ] *m* 〈**-s, -**〉, **Muttersprachlerin** [-ərɪn] *f* 〈**-, -nen**〉 native speaker **Muttertag** *m* Mother's Day **Mutterwitz** *m* natural wit **Mutti** ['mʊti] *f* 〈**-, -s**〉 (*infml*) mummy (*Br infml*), mommy (*US infml*)

mutwillig ['muːtvɪlɪç] **I** *adj* (≈ *böswillig*) malicious **II** *adv zerstören etc* wilfully

Mütze ['mʏtsə] *f* 〈**-, -n**〉 cap; (≈ *Pudelmütze*) hat

Myrrhe ['mʏrə] *f* 〈**-, -n**〉, **Myrre** ['mʏrə] *f* 〈**-, -n**〉 myrrh

mysteriös [mʏste'riøːs] **I** *adj* mysterious **II** *adv* mysteriously **Mystik** ['mʏstɪk] *f* 〈**-,** *no pl*〉 mysticism *no art* **mystisch** ['mʏstɪʃ] *adj* mystic(al); (*fig* ≈ *geheimnisvoll*) mysterious

mythisch ['myːtɪʃ] *adj* mythical **Mythologie** [mytolo'giː] *f* 〈**-, -n** [-'giːən]〉 mythology **mythologisch** [myto'loːgɪʃ] *adj* mythologic(al) **Mythos** ['myːtɔs] *m* 〈**-, *Mythen*** ['myːtn]〉 myth

N

N, n [ɛn] *nt* ⟨**-, -**⟩ N, n; ***n-te*** nth

na [na] *int* (*infml*) ***na, kommst du mit?*** well, are you coming?; ***na du?*** hey, you!; ***na ja*** well; ***na gut*** all right; ***na also!***, ***na eben!*** (well,) there you are (then)!; ***na, endlich!*** about time!; ***na (na)!*** now, now!; ***na warte!*** just you wait!; ***na so was!*** well, I never!; ***na und?*** so what?

Nabe ['na:bə] *f* ⟨**-, -n**⟩ hub

Nabel ['na:bl] *m* ⟨**-s, -**⟩ ANAT navel; ***der ~ der Welt*** (*fig*) the hub of the universe **nabelfrei I** *adj* ***~es T-Shirt*** crop top **II** *adv* ***~ gehen*** to wear a crop top **Nabelschnur** *f* ANAT umbilical cord

nach [na:x] **I** *prep +dat* **1.** (*örtlich*) to; ***ich nahm den Zug ~ Mailand*** (*≈ bis*) I took the train to Milan; (*≈ in Richtung*) I took the Milan train; ***er ist schon ~ London abgefahren*** he has already left for London; ***~ Osten*** eastward(s); ***~ links/rechts*** (to the) left/right; ***~ hinten/vorn*** to the back/front **2.** (*zeitlich, Reihenfolge*) after; ***fünf (Minuten) ~ drei*** five (minutes) past *or* after (*US*) three; ***~ zehn Minuten war sie wieder da*** she was back ten minutes later; ***die dritte Straße ~ dem Rathaus*** the third road after the town hall; ***(bitte) ~ Ihnen!*** after you! **3.** (*≈ laut, entsprechend*) according to; (*≈ im Einklang mit*) in accordance with; ***~ Artikel 142c*** under article 142c; ***etw ~ Gewicht kaufen*** to buy sth by weight; ***die Uhr ~ dem Radio stellen*** to put a clock right by the radio; ***ihrer Sprache ~ (zu urteilen)*** judging by her language; ***~ allem, was ich gehört habe*** from what I've heard **II** *adv* (*zeitlich*) ***~ und ~*** little by little; ***~ wie vor*** still

nachahmen ['na:x|a:mən] *v/t sep* to imitate; (*≈ kopieren*) to copy **Nachahmung** ['na:x|a:mʊŋ] *f* ⟨**-, -en**⟩ imitation; (*≈ Kopie*) copy

Nachbar ['naxba:ɐ] *m* ⟨**-n** *or* **-s, -n**⟩, **Nachbarin** [-rɪn] *f* ⟨**-, -nen**⟩ neighbour (*Br*), neighbor (*US*) **Nachbarhaus** *nt* house next door **Nachbarland** *nt* neighbouring (*Br*) *or* neighboring (*US*) country **nachbarlich** ['naxba:ɐlɪç] *adj* (*≈ freundlich*) neighbourly *no adv* (*Br*), neighborly *no adv* (*US*); (*≈ benachbart*) neighbo(u)ring *no adv* **Nachbarschaft** ['naxba:ɐʃaft] *f* ⟨**-,** *no pl*⟩ (*≈ Gegend*) neighbourhood (*Br*), neighborhood (*US*); (*≈ Nachbarn*) neighbo(u)rs *pl*; (*≈ Nähe*) vicinity

Nachbeben *nt* aftershock

nachbehandeln *past part* ***nachbehandelt*** *v/t sep* MED ***jdn ~*** to give sb follow-up treatment **Nachbehandlung** *f* MED follow-up treatment *no indef art*

nachbessern *sep* **I** *v/t Lackierung* to retouch; *Gesetz* to amend; *Angebot* to improve **II** *v/i* to make improvements **Nachbesserung** *f* ⟨**-, -en**⟩ (*von Gesetz*) amendment; ***~en vornehmen*** to make improvements

nachbestellen *past part* ***nachbestellt*** *v/t sep* to order some more; COMM to reorder **Nachbestellung** *f* repeat order (*gen* for)

nachbeten *v/t sep* (*infml*) to repeat parrot-fashion

nachbezahlen *past part* ***nachbezahlt*** *sep v/t* to pay; (*später*) to pay later; ***Steuern ~*** to pay back-tax

Nachbildung *f* copy; (*exakt*) reproduction

nachdatieren *past part* ***nachdatiert*** *v/t sep* to postdate

nachdem [na:x'de:m] *cj* **1.** (*zeitlich*) after **2.** (*S Ger ≈ da, weil*) since

nachdenken *v/i sep irr* to think (*über +acc* about); ***denk mal scharf nach!*** think carefully! **Nachdenken** *nt* thought; ***nach langem ~*** after (giving the matter) considerable thought **nachdenklich** ['na:xdɛŋklɪç] *adj Mensch, Miene* thoughtful; *Worte* thought-provoking; ***jdn ~ stimmen*** *or* ***machen*** to set sb thinking

Nachdruck *m, pl* **-drucke 1.** *no pl* (*≈ Betonung*) stress; ***einer Sache*** (*dat*) ***~ verleihen*** to lend weight to sth; ***mit ~*** vigorously; ***etw mit ~ sagen*** to say sth emphatically **2.** (*≈ das Nachgedruckte*) reprint **nachdrucken** *v/t sep* to reprint **nachdrücklich** ['na:xdrʏklɪç] **I** *adj* emphatic **II** *adv* firmly; ***jdn ~ warnen*** to give sb a firm warning

nacheifern *v/i sep* ***jdm/einer Sache ~*** to

emulate sb/sth

nacheinander [naːx|ai'nandɐ] *adv* one after another; ***zweimal ~*** twice in a row; ***kurz ~*** shortly after each other

nachempfinden *past part* ***nachempfunden*** *v/t sep irr Stimmung* to feel; (≈ *nachvollziehen*) to understand; ***das kann ich ihr ~*** I can understand how she feels

nacherzählen *past part* ***nacherzählt*** *v/t sep* to retell **Nacherzählung** *f* retelling; SCHOOL (story) reproduction

Nachfahr ['naːxfaːɐ] *m* ⟨***-en, -en***⟩, **Nachfahrin** [-faːrɪn] *f* ⟨***-, -nen***⟩ (*liter*) descendant

nachfahren *v/i sep irr aux sein* ***jdm ~*** to follow sb

nachfeiern *v/t & v/i sep* (≈ *später feiern*) to celebrate later

Nachfolge *f*, *no pl* succession; ***jds ~ antreten*** to succeed sb **nachfolgen** *v/i sep aux sein* ***jdm ~*** to follow sb; ***jdm im Amt ~*** to succeed sb in office **nachfolgend** *adj* following **Nachfolgeorganisation** *f* successor organization **Nachfolger** ['naːxfɔlgɐ] *m* ⟨***-s, -***⟩, **Nachfolgerin** [-ərɪn] *f* ⟨***-, -nen***⟩ (*im Amt etc*) successor

nachforschen *v/i sep* to try to find out; (*polizeilich etc*) to carry out an investigation (*+dat* into) **Nachforschung** *f* enquiry; (*polizeilich etc*) investigation; ***~en anstellen*** to make inquiries

Nachfrage *f* **1.** COMM demand (*nach*, *in +dat* for); ***danach besteht keine ~*** there is no demand for it **2.** (≈ *Erkundigung*) inquiry; ***danke der ~*** (*infml*) nice of you to ask **nachfragen** *v/i sep* to ask, to inquire

nachfühlen *v/t sep* = ***nachempfinden***

nachfüllen *v/t sep leeres Glas etc* to refill; *halb leeres Glas* to top up (*Br*) *or* off (*US*)

nachgeben *sep irr v/i* **1.** (*Boden*) to give way (*+dat* to); (≈ *federn*) to give; (*fig*) (*Mensch*) to give in (*+dat* to) **2.** (COMM, *Preise*, *Kurse*) to drop

Nachgebühr *f* excess (postage)

nachgehen *v/i sep irr aux sein* **1.** (*+dat* ≈ *hinterhergehen*) to follow; *jdm* to go after **2.** (*Uhr*) to be slow **3.** (*+dat* ≈ *ausüben*) *Beruf* to practise (*Br*), to practice (*US*); *Studium*, *Interesse etc* to pursue; *Geschäften* to go about; ***seiner Arbeit ~*** to do one's job **4.** (*+dat* ≈ *erforschen*) to investigate

nachgemacht *adj Gold*, *Leder etc* imitation; *Geld* counterfeit; → ***nachmachen***

Nachgeschmack *m* aftertaste

nachgiebig ['naːxgiːbɪç] *adj Material* pliable; *Boden*, *Mensch*, *Haltung* soft; (≈ *entgegenkommend*) accommodating; ***sie behandelt die Kinder zu ~*** she's too soft with the children **Nachgiebigkeit** *f* ⟨***-***, *no pl*⟩ (*von Material*) pliability; (*von Boden*, *Mensch*, *Haltung*) softness; (≈ *Entgegenkommen*) compliance

nachhaken *v/i sep* (*infml*) to dig deeper

nachhallen *v/i sep* to reverberate

nachhaltig ['naːxhaltɪç] **I** *adj* lasting; *Wachstum* sustained; ***~e Nutzung*** (*von Energie*, *Rohstoffen etc*) sustainable use **II** *adv* **1.** (≈ *mit langer Wirkung*) with lasting effect; ***etw ~ beeinflussen*** to have a profound effect on sth **2.** (≈ *ökologisch bewusst*) with a view to sustainability **Nachhaltigkeit** *f* ⟨***-***, *no pl*⟩ sustainability

nachhause [naːx'hauzə] *adv* home **Nachhauseweg** *m* way home

nachhelfen *v/i sep irr* to help; ***jdm ~*** to help sb; ***sie hat ihrer Schönheit etwas nachgeholfen*** she has given nature a helping hand; ***jds Gedächtnis*** (*dat*) ***~*** to jog sb's memory

nachher [naːx'heːɐ, 'naːx-] *adv* (≈ *danach*) afterwards; (≈ *später*) later; ***bis ~*** see you later!

Nachhilfe *f* SCHOOL private coaching *or* tuition *or* tutoring (*US*) **Nachhilfelehrer(in)** *m*/(*f*) private tutor **Nachhilfestunde** *f* private lesson **Nachhilfeunterricht** *m* private tuition *or* tutoring (*US*)

Nachhinein ['naːxhɪnain] *adv* ***im ~*** afterwards; (*rückblickend*) in retrospect

Nachholbedarf *m* ***einen ~ an etw*** (*dat*) ***haben*** to have a lot to catch up on in the way of sth **nachholen** *v/t sep* **1.** (≈ *aufholen*) *Versäumtes* to make up; ***den Schulabschluss ~*** to sit one's school exams as an adult **2.** ***jdn ~*** (≈ *nachkommen lassen*) to get sb to join one

nachjagen *v/i +dat sep aux sein* to chase (after)

nachkaufen *v/t sep* to buy later; ***kann man diese Knöpfe auch ~?*** is it possible to buy replacements for these buttons?

nachklingen *v/i sep irr aux sein* (*Ton*, *Echo*) to go on sounding; (*Worte*, *Erin-*

nerung) to linger

Nachkomme ['naːxkɔmə] *m* ⟨**-n, -n**⟩ descendant **nachkommen** *v/i sep irr aux sein* **1.** (≈ *später kommen*) to come (on) later; ***jdm ~*** to follow sb; ***wir kommen gleich nach*** we'll follow in just a couple of minutes **2.** (≈ *Schritt halten*) to keep up **3.** (+*dat* ≈ *erfüllen*) *seiner Pflicht* to carry out; *einer Anordnung, einem Wunsch* to comply with

Nachkriegsdeutschland *nt* post-war Germany

nachladen *v/t & v/i sep irr* to reload

Nachlass ['naːxlas] *m* ⟨**-es, -e** *or* **-lässe** [-lɛsə]⟩ **1.** (≈ *Preisnachlass*) discount (*auf* +*acc* on) **2.** (≈ *Erbschaft*) estate **nachlassen** *sep irr* **I** *v/t Preis, Summe* to reduce; ***10% vom Preis ~*** to give a 10% discount **II** *v/i* to decrease; (*Regen, Hitze*) to ease off; (*Leistung, Geschäfte*) to drop off; (*Preise*) to fall; ***nicht ~!*** keep it up!; ***er hat in letzter Zeit sehr nachgelassen*** he hasn't been nearly as good recently; ***sobald die Kälte nachlässt*** as soon as it gets a bit warmer **nachlässig** ['naːxlɛsɪç] **I** *adj* careless; (≈ *unachtsam*) thoughtless **II** *adv* carelessly; (≈ *unachtsam*) thoughtlessly **Nachlässigkeit** *f* ⟨**-, -en**⟩ carelessness; (≈ *Unachtsamkeit*) thoughtlessness

nachlaufen *v/i +dat sep irr aux sein* ***jdm/einer Sache ~*** to run after sb/sth

nachlesen *v/t sep irr* (*in einem Buch*) to read; (≈ *nachschlagen*) to look up; (≈ *nachprüfen*) to check up; ***man kann das in der Bibel ~*** it says so in the Bible

nachliefern *sep v/t* (≈ *später liefern*) to deliver at a later date; (*fig*) *Begründung etc* to give later; ***könnten Sie noch 25 Stück ~?*** could you deliver another 25?

nachlösen *sep* **I** *v/i* to pay on the train; (*zur Weiterfahrt*) to pay the extra **II** *v/t Fahrkarte* to buy on the train

nachmachen *v/t sep* **1.** (≈ *nachahmen*) to copy; (≈ *nachäffen*) to mimic; ***sie macht mir alles nach*** she copies everything I do; ***das soll erst mal einer ~!*** I'd like to see anyone else do that! **2.** (≈ *fälschen*) to forge; (≈ *imitieren*) to copy; → ***nachgemacht***

nachmessen *sep irr* **I** *v/t* to measure again; (≈ *prüfen*) to check **II** *v/i* to check

Nachmieter(in) *m/(f)* next tenant; ***wir müssen einen ~ finden*** we have to find someone to take over the apartment *etc*

Nachmittag ['naːxmɪtaːk] *m* afternoon; ***am ~*** in the afternoon; ***gestern/heute ~*** yesterday/this afternoon **nachmittags** ['naːxmɪtaːks] *adv* in the afternoon; ***dienstags ~*** every Tuesday afternoon

Nachnahme ['naːxnaːmə] *f* ⟨**-, -n**⟩ cash *or* collect (*US*) on delivery, COD; ***etw per ~ schicken*** to send sth COD

Nachname *m* surname; ***wie heißt du mit ~n?*** what is your surname?

Nachporto *nt* excess (postage)

nachprüfbar *adj* verifiable **nachprüfen** *sep* **I** *v/t Tatsachen* to verify **II** *v/i* to check **Nachprüfung** *f* **1.** (*von Tatsachen*) check (+*gen* on) **2.** (≈ *nochmalige Prüfung*) re-examination; (*Termin*) resit

nachrechnen *v/t & v/i sep* to check

Nachrede *f* ***üble ~*** JUR defamation of character

nachreichen *v/t sep* to hand in later

nachreisen *v/i sep aux sein* ***jdm ~*** to follow sb

Nachricht ['naːxrɪçt] *f* ⟨**-, -en**⟩ (≈ *Mitteilung*) message; (≈ *Meldung*) (piece of) news *sg*; ***die ~en*** the news *sg*; ***das sind aber schlechte ~en*** that's bad news; ***~ erhalten, dass ...*** to receive (the) news that ...; ***wir geben Ihnen ~*** we'll let you know **Nachrichtenagentur** *f* news agency **Nachrichtendienst** *m* **1.** RADIO, TV news service **2.** POL, MIL intelligence (service) **Nachrichtenmagazin** *nt* news magazine **Nachrichtensender** *m* news station; TV *auch* news channel **Nachrichtensperre** *f* news blackout **Nachrichtensprecher(in)** *m/(f)* newsreader **Nachrichtentechnik** *f* telecommunications *sg*

nachrücken *v/i sep aux sein* to move up; (*auf Posten*) to succeed (*auf* +*acc* to); MIL to advance **Nachrücker** ['naːxrʏkɐ] *m* ⟨**-s, -**⟩, **Nachrückerin** [-ərɪn] *f* ⟨**-, -nen**⟩ successor

Nachruf *m* obituary **nachrufen** *v/t & v/i +dat sep irr* to shout after

nachrüsten *sep* **I** *v/i* MIL to deploy new arms; (≈ *modernisieren*) to modernize **II** *v/t Kraftwerk etc* to modernize **Nachrüstung** *f* **1.** MIL deployment of new arms **2.** TECH modernization

nachsagen *v/t sep* **1.** (≈ *wiederholen*) to repeat; ***jdm alles ~*** to repeat everything sb says **2.** (≈ *behaupten*) ***jdm etw ~*** to attribute sth to sb; ***man kann ihr nichts ~*** you can't say anything against her; ***ihm***

wird nachgesagt, dass ... it's said that he ...

Nachsaison *f* off season

nachsalzen *sep irr v/i* to add more salt

Nachsatz *m* (≈ *Nachschrift*) postscript; (≈ *Nachtrag*) afterthought

nachschauen *v/t & v/i sep* (*esp dial*) = ***nachsehen***

nachschenken *v/t & v/i sep **jdm etw ~*** to top sb up (*Br*) *or* off (*US*) with sth

nachschicken *v/t sep* to forward

Nachschlag *m* (*infml*) second helping **nachschlagen** *sep irr* **I** *v/t Zitat, Wort* to look up **II** *v/i* (*in Lexikon*) to look **Nachschlagewerk** *nt* reference book

Nachschlüssel *m* duplicate key; (≈ *Dietrich*) skeleton key

Nachschub *m* MIL supplies *pl* (*an +dat* of); (*Material*) reinforcements *pl*

nachsehen *sep irr* **I** *v/i* **1.** ***jdm ~*** to follow sb with one's eyes; (≈ *hinterherschauen*) to gaze after sb / sth **2.** (≈ *gucken*) to look and see; (≈ *nachschlagen*) to (have a) look **II** *v/t* **1.** to (have a) look at; (≈ *prüfen*) to check; (≈ *nachschlagen*) to look up **2.** (≈ *verzeihen*) ***jdm etw ~*** to forgive sb (for) sth **Nachsehen** *nt **das ~ haben*** to be left standing; (≈ *nichts bekommen*) to be left empty-handed

nachsenden *v/t sep irr* to forward

Nachsicht ['na:xzɪçt] *f* ⟨*-, no pl*⟩ (≈ *Milde*) leniency; (≈ *Geduld*) forbearance; ***er kennt keine ~*** he knows no mercy; ***~ üben*** to be lenient; ***mit jdm keine ~ haben*** to make no allowances for sb **nachsichtig** ['na:xzɪçtɪç], **nachsichtsvoll I** *adj* (≈ *milde*) lenient; (≈ *geduldig*) forbearing (*gegen, mit* with) **II** *adv* leniently; ***jdn ~ behandeln*** to be lenient with sb

Nachsilbe *f* suffix

nachsitzen *v/i sep irr* SCHOOL ***~ (müssen)*** to be kept in; ***jdn ~ lassen*** to keep sb in

Nachsommer *m* Indian summer

Nachsorge *f* MED aftercare

Nachspann ['na:xʃpan] *m* ⟨***-s, -e***⟩ credits *pl*

Nachspeise *f* dessert; ***als ~*** for dessert

Nachspiel *nt* THEAT epilogue (*Br*), epilog (*US*); (*fig*) sequel; ***das wird noch ein (unangenehmes) ~ haben*** that will have (unpleasant) consequences; ***ein gerichtliches ~ haben*** to have legal repercussions **nachspielen** *sep* **I** *v/t* to play **II** *v/i* SPORTS to play stoppage time (*Br*) *or* overtime (*US*); (*wegen Verletzungen*) to play injury time (*Br*) *or* injury overtime (*US*); ***der Schiedsrichter ließ ~*** the referee allowed stoppage time / injury time (*Br*), the referee allowed (injury) overtime (*US*) **Nachspielzeit** *f* SPORTS stoppage time; (*wegen Verletzungen*) injury time

nachspionieren *past part* ***nachspioniert*** *v/i sep* (*infml*) ***jdm ~*** to spy on sb

nachsprechen *v/t sep irr* to repeat; ***jdm etw ~*** to repeat sth after sb

nächstbeste(r, s) ['nɛ:çst'bɛstə] *adj attr* ***der ~ Zug/Job*** the first train / job that comes along

nachstehen *v/i sep irr **keinem ~*** to be second to none (*in +dat* in); ***jdm in nichts ~*** to be sb's equal in every way **nachstehend I** *adj attr* following; ***im Nachstehenden*** below, in the following **II** *adv* (≈ *weiter unten*) below

nachstellen *sep* **I** *v/t* **1.** (TECH ≈ *neu einstellen*) to adjust **2.** ***eine Szene ~*** to recreate a scene **II** *v/i **jdm ~*** to follow sb; (≈ *aufdringlich umwerben*) to pester sb

Nächstenliebe *f* brotherly love; (≈ *Barmherzigkeit*) compassion **nächstens** ['nɛ:çstns] *adv* (≈ *das nächste Mal*) (the) next time; (≈ *bald einmal*) some time soon **Nächste(r)** ['nɛ:çstə] *m/f(m) decl as adj* **1.** next one; ***der ~, bitte*** next please **2.** (*fig* ≈ *Mitmensch*) neighbour (*Br*), neighbor (*US*); ***jeder ist sich selbst der ~*** (*prov*) charity begins at home (*prov*) **nächste(r, s)** ['nɛ:çstə] *adj* **1.** (≈ *nächstgelegen*) nearest; ***in ~r Nähe*** in the immediate vicinity; ***aus ~r Nähe*** from close by; *sehen, betrachten* at close quarters; *schießen* at close range **2.** (*zeitlich*) next; ***~s Mal*** next time; ***am ~n Morgen/Tag(e)*** (the) next morning / day; ***bei ~r Gelegenheit*** at the earliest opportunity; ***in den ~n Jahren*** in the next few years; ***in ~r Zeit*** some time soon **3.** *Angehörige* closest; ***die ~n Verwandten*** the immediate family; ***der ~ Angehörige*** the next of kin **Nächste(s)** ['nɛ:çstə] *nt decl as adj **das ~*** the next thing; (≈ *das Erste*) the first thing; ***als ~s*** next / first **nächstgelegen** *adj attr* nearest **nächstliegend** ['nɛ:çstli:gnt] *adj attr* (*lit*) nearest; (*fig*) most obvious; ***das Nächstliegende*** the most obvious thing (to do)

nachsuchen *v/i sep* (*form* ≈ *beantragen*)

um etw ~ to request sth (*bei jdm* of sb)

Nacht [naxt] *f* ⟨-, ⸗e ['nɛçtə]⟩ night; ***heute ~*** tonight; (≈ *letzte Nacht*) last night; ***in der ~*** at night; ***in der ~ zum Dienstag*** during Monday night; ***über ~*** overnight; ***die ~ zum Tage machen*** to stay up all night (working *etc*); ***eines ~s*** one night; ***letzte ~*** last night; ***die ganze ~ (lang)*** all night long; ***gute ~!*** good night!; ***bei ~ und Nebel*** (*infml*) at dead of night **Nachtarbeit** *f* night-work **nachtblind** *adj* nightblind **Nachtcreme** *f* night cream **Nachtdienst** *m* (*von Person*) night duty; (*von Apotheke*) all-night service

Nachteil ['naːxtail] *m* ⟨-(e)s, -e⟩ disadvantage; ***im ~ sein*** to be at a disadvantage (*jdm gegenüber* with sb); ***er hat sich zu seinem ~ verändert*** he has changed for the worse; ***das soll nicht Ihr ~ sein*** you won't lose by it; ***zu jds ~*** to sb's disadvantage **nachteilig** ['naːxtailɪç] **I** *adj* (≈ *ungünstig*) disadvantageous; (≈ *schädlich*) detrimental **II** *adv behandeln* unfavourably (*Br*), unfavorably (*US*); ***sich ~ auf etw*** (*acc*) ***auswirken*** to have a detrimental effect on sth

nächtelang ['nɛçtəlaŋ] *adv* for nights (on end) **Nachtessen** *nt* (*S Ger, Swiss*) supper **Nachteule** *f* (*fig infml*) night owl **Nachtfalter** *m* moth **Nachtflug** *m* night flight **Nachtfrost** *m* night frost **Nachthemd** *nt* (*für Damen*) nightdress; (*für Herren*) nightshirt

Nachtigall ['naxtɪgal] *f* ⟨-, -en⟩ nightingale

Nachtisch *m* dessert

Nachtklub *m* night club **Nachtleben** *nt* night life **nächtlich** ['nɛçtlɪç] *adj attr* (≈ *jede Nacht*) nightly; ***zu ~er Stunde*** at a late hour **Nachtlokal** *nt* night club **Nachtmahl** *nt* (*S Ger, Aus*) supper **Nachtmensch** *m* night person **Nachtportier** *m* night porter **Nachtquartier** *nt* ***ein ~*** a place to sleep

Nachtrag ['naːxtraːk] *m* ⟨-(e)s, ***Nachträge*** [-trɛːgə]⟩ postscript; (*zu einem Buch*) supplement **nachtragen** *v/t sep irr* **1.** ***jdm etw ~*** (*fig*) to hold sth against sb **2.** (≈ *hinzufügen*) to add **nachtragend** *adj* unforgiving; ***er war nicht ~*** he didn't bear a grudge **nachträglich** ['naːxtrɛːklɪç] **I** *adj* (≈ *zusätzlich*) additional; (≈ *später*) later; (≈ *verspätet*) belated **II** *adv* (≈ *zusätzlich*) additionally; (≈ *später*) later; (≈ *verspätet*) belatedly **Nachtragshaushalt** *m* POL supplementary budget

nachtrauern *v/i +dat sep* to mourn

Nachtruhe *f* night's rest **nachts** [naxts] *adv* at night; ***dienstags ~*** (on) Tuesday nights **Nachtschicht** *f* night shift **nachtschlafend** *adj* ***bei*** *or* ***zu ~er Zeit*** in the middle of the night **Nachtschwärmer(in)** *m/(f)* (*hum*) night owl **Nachtschwester** *f* night nurse **Nachtspeicherofen** *m* storage heater **nachtsüber** ['naxts|yːbɐ] *adv* by night **Nachttisch** *m* bedside table **Nachttischlampe** *f* bedside lamp **Nachttopf** *m* chamber pot **Nachttresor** *m* night safe (*Br*), night depository (*US*) **Nacht-und-Nebel-Aktion** *f* cloak-and-dagger operation **Nachtvogel** *m* nocturnal bird **Nachtwache** *f* night watch; (*im Krankenhaus*) night duty **Nachtwächter(in)** *m/(f)* (*in Betrieben etc*) night watchman **Nachtzeit** *f* night-time **Nachtzug** *m* night train

nachvollziehen *past part* ***nachvollzogen*** *v/t sep irr* to understand

Nachwahl *f* POL ≈ by-election

Nachwehen *pl* after-pains *pl*; (*fig*) painful aftermath *sg*

Nachweis ['naːxvais] *m* ⟨-es, -e⟩ (≈ *Beweis*) proof (*+gen, für, über +acc* of); (≈ *Zeugnis*) certificate; ***als*** *or* ***zum ~*** as proof; ***den ~ für etw erbringen*** to furnish proof of sth **nachweisbar** *adj* (≈ *beweisbar*) provable; *Fehler* demonstrable; TECH, CHEM detectable **nachweisen** ['naːxvaizn] *v/t sep irr* (≈ *beweisen*) to prove; TECH, MED to detect; ***die Polizei konnte ihm nichts ~*** the police could not prove anything against him **nachweislich** ['naːxvaislɪç] **I** *adj* provable; *Fehler* demonstrable **II** *adv falsch* demonstrably; ***er war ~ in London*** it can be proved (*Br*) *or* proven that he was in London

Nachwelt *f* ***die ~*** posterity

nachwirken *v/i sep* to continue to have an effect **Nachwirkung** *f* aftereffect; (*fig*) consequence

Nachwort *nt, pl* ***-worte*** epilogue (*Br*), epilog (*US*)

Nachwuchs *m* **1.** (*fig* ≈ *junge Kräfte*) young people *pl*; ***es mangelt an ~*** there's a lack of young blood; ***der wissenschaftliche ~*** the new generation of academics **2.** (*hum* ≈ *Nachkommen*) offspring *pl*

nachzahlen *v/t & v/i sep* to pay extra; (≈ *später zahlen*) to pay later

nachzählen *v/t & v/i sep* to check

nachzeichnen *v/t sep Linie*, *Umriss* to go over

nachziehen *sep irr* **I** *v/t* **1.** *Linie*, *Umriss* to go over; *Lippen* to paint in; *Augenbrauen* to pencil in **2.** *Schraube* to tighten (up) **II** *v/i* **1.** *aux sein* (+*dat* ≈ *folgen*) to follow **2.** (*infml* ≈ *gleichtun*) to follow suit

Nachzügler ['naːxtsyːklɐ] *m* ⟨**-s, -**⟩, **Nachzüglerin** [-ərɪn] *f* ⟨**-, -nen**⟩ latecomer, late arrival (*also fig*)

Nacken ['nakn] *m* ⟨**-s, -**⟩ (nape of the) neck; ***jdn im ~ haben*** (*infml*) to have sb after one; ***jdm im ~ sitzen*** (*infml*) to breathe down sb's neck **Nackenrolle** *f* bolster

nackt [nakt] **I** *adj* naked, nude (*esp* ART); *Haut*, *Wand Tatsachen*, *Zahlen* bare **II** *adv baden*, *schlafen* in the nude **Nacktbaden** *nt* ⟨**-s,** *no pl*⟩ nude bathing **Nacktbadestrand** *m* nudist beach **Nacktheit** *f* ⟨**-,** *no pl*⟩ nakedness; (≈ *Kahlheit*) bareness **Nacktkultur** *f* nudism **Nacktschnecke** *f* slug

Nadel ['naːdl] *f* ⟨**-, -n**⟩ needle; (*von Plattenspieler*) stylus; (≈ *Stecknadel*, *Haarnadel*) pin; ***nach einer ~ im Heuhaufen suchen*** (*fig*) to look for a needle in a haystack **Nadelbaum** *m* conifer **Nadeldrucker** *m* dot-matrix printer **nadeln** ['naːdln] *v/i* (*Baum*) to shed (its needles) **Nadelöhr** *nt* eye of a needle; (*fig*) narrow passage **Nadelstich** *m* prick **Nadelstreifen** *pl* pinstripes *pl* **Nadelstreifenanzug** *m* pinstripe(d) suit **Nadelwald** *m* coniferous forest

Nagel ['naːgl] *m* ⟨**-s, ⸚** ['nɛːgl]⟩ nail; ***sich*** (*dat*) ***etw unter den ~ reißen*** (*infml*) to swipe sth (*infml*); ***etw an den ~ hängen*** (*fig*) to chuck sth in (*infml*); ***den ~ auf den Kopf treffen*** (*fig*) to hit the nail on the head; ***Nägel mit Köpfen machen*** (*infml*) to do the job properly **Nagelbürste** *f* nailbrush **Nagelfeile** *f* nailfile **Nagelhaut** *f* cuticle **Nagellack** *m* nail varnish **Nagellackentferner** [-|ɛntfɛrnɐ] *m* ⟨**-s, -**⟩ nail varnish remover **nageln** ['naːgln] *v/t* to nail (*an* +*acc*, *auf* +*acc* (on)to) **nagelneu** *adj* (*infml*) brand new **Nagelprobe** *f* (*fig*) acid test **Nagelschere** *f* (pair of) nail scissors *pl*

nagen ['naːgn] **I** *v/i* to gnaw (*an* +*dat* at); (≈ *knabbern*) to nibble (*an* +*dat* at) **II** *v/t* to gnaw **nagend** *adj Hunger* gnawing; *Zweifel* nagging **Nager** ['naːgɐ] *m* ⟨**-s, -**⟩, **Nagetier** *nt* rodent

nah [naː] *adj*, *adv* = ***nahe*** **Nahaufnahme** *f* PHOT close-up **nahe** ['naːə] **I** *adj*, *comp* ***näher*** ['nɛːɐ], *sup* ***nächste(r, s)*** ['nɛːçstə] **1.** near *pred*, close *pred*, nearby; ***der Nahe Osten*** the Middle East; ***von Nahem*** at close quarters **2.** (≈ *eng*) *Freund*, *Beziehung etc* close; ***~ Verwandte*** close relatives **II** *adv*, *comp* ***näher***, *sup* ***am nächsten*** **1.** near, close; ***~ an*** near to; ***~ beieinander*** close together; ***~ liegend*** (*fig*) = ***naheliegend***; ***~ vor*** right in front of; ***von nah und fern*** from near and far; ***jdm zu ~ treten*** (*fig*) to offend sb; ***~ bevorstehend*** approaching **2.** (≈ *eng*) closely; ***~ verwandt*** closely-related **III** *prep* +*dat* near (to), close to; ***dem Wahnsinn ~ sein*** to be on the verge of madness **Nähe** ['nɛːə] *f* ⟨**-,** *no pl*⟩ **1.** (*örtlich*) nearness, closeness; (≈ *Umgebung*) vicinity, neighbourhood (*Br*), neighborhood (*US*); ***in unmittelbarer ~*** (+*gen*) right next to; ***aus der ~*** from close to **2.** (*zeitlich*, *emotional etc*) closeness **nahebringen** *v/t* +*dat sep irr* (*fig*) ***jdm etw ~*** to bring sth home to sb **nahegehen** *v/i* +*dat sep irr aux sein* (*fig*) to upset **nahekommen** *v/i* +*dat sep irr aux sein* (*fig*) ***jdm/einer Sache ~*** (≈ *fast gleichen*) to come close to sb/sth; ***sich ~*** to become close **nahelegen** *v/t sep* (*fig*) ***jdm etw ~*** to suggest sth to sb; ***jdm ~, etw zu tun*** to advise sb to do sth **naheliegen** *v/i sep irr* (*fig*) to suggest itself; ***der Verdacht liegt nahe, dass ...*** it seems reasonable to suspect that ... **naheliegend** *adj Gedanke*, *Lösung* which suggests itself; *Vermutung* natural **nahen** ['naːən] *v/i & v/r aux sein* (*liter*) to approach (*jdm/einer Sache* sb/sth)

nähen ['nɛːən] **I** *v/t* to sew; *Kleid* to make; *Wunde* to stitch (up) **II** *v/i* to sew

näher ['nɛːɐ] **I** *adj* **1.** closer; ***jdm/einer Sache ~*** closer to sb/sth; ***die ~e Umgebung*** the immediate vicinity **2.** (≈ *genauer*) *Einzelheiten* further *attr* **II** *adv* **1.** closer; ***bitte treten Sie ~*** just step up! **2.** (≈ *genauer*) more closely; *besprechen* in more detail; ***jdn/etw ~ kennenlernen*** to get to know sb/sth better; ***ich***

kenne ihn nicht ~ I don't know him well **Nähere(s)** ['nɛːərə] *nt decl as adj* details *pl*; ***~s erfahren Sie von ...*** further details from ... **Naherholungsgebiet** *nt* recreational area (*close to a town*) **näherkommen** *v/i sep irr aux sein* (*fig*) ***jdm ~*** to get closer to sb **nähern** ['nɛːɐn] *v/r* ***sich*** (***jdm/einer Sache***) ***~*** to approach (sb/sth) **nahestehen** *v/i +dat sep irr* (*fig*) to be close to; POL to sympathize with; ***sich ~*** to be close **nahezu** ['naːə'tsuː] *adv* nearly

Nähgarn *nt* (sewing) thread

Nahkampf *m* MIL close combat

Nähkästchen *nt* sewing box; ***aus dem ~ plaudern*** (*infml*) to give away private details **Nähmaschine** *f* sewing machine **Nähnadel** *f* needle

Nahost [naː'|ɔst] *m* ***in/aus ~*** in/from the Middle East **nahöstlich** [naː'|œstlɪç] *adj attr* Middle East(ern)

Nährboden *m* (*lit*) fertile soil; (*fig*) breeding-ground **nähren** ['nɛːrən] (*elev*) **I** *v/t* to feed; (*fig ≈ haben*) *Hoffnungen, Zweifel* to nurture; ***er sieht gut genährt aus*** he looks well-fed **II** *v/r* to feed oneself; (*Tiere*) to feed **nahrhaft** *adj Kost* nourishing **Nährstoff** *m usu pl* nutrient **Nahrung** ['naːrʊŋ] *f* ⟨-, *no pl*⟩ food; ***geistige ~*** intellectual stimulation; ***einer Sache*** (*dat*) (***neue***) ***~ geben*** to help to nourish sth **Nahrungsaufnahme** *f* eating, ingestion (of food) (*form*); ***die ~ verweigern*** to refuse food or sustenance **Nahrungskette** *f* BIOL food chain **Nahrungsmittel** *nt* food (-stuff) **Nahrungsquelle** *f* source of food **Nährwert** *m* nutritional value

Nähseide *f* silk thread

Naht [naːt] *f* ⟨-, ⸚e ['nɛːtə]⟩ seam; MED stitches *pl*; ***aus allen Nähten platzen*** to be bursting at the seams **nahtlos** *adj* (*lit*) seamless; (*fig*) *Übergang* smooth; ***sich ~ in etw*** (*acc*) ***einfügen*** to fit right in with sth

Nahverkehr *m* local traffic; ***der öffentliche ~*** local public transport **Nahverkehrsmittel** *pl* means *pl* of local transport **Nahverkehrszug** *m* local train

Nähzeug *nt, pl* ***-zeuge*** sewing kit

naiv [na'iːf] **I** *adj* naive **II** *adv* naively **Naivität** [naivi'tɛːt] *f* ⟨-, *no pl*⟩ naivety

Name ['naːmə] *m* ⟨***-ns, -n***⟩ name; ***dem ~n nach*** by name; ***auf jds ~n*** (*acc*) in sb's name; ***er nannte seinen ~n*** he gave his name; ***einen ~n haben*** (*fig*) to have a name; ***sich*** (*dat*) (***mit etw***) ***einen ~n machen*** to make a name for oneself (with sth); ***die Sache beim ~n nennen*** (*fig*) to call a spade a spade; ***im ~n*** (*+gen*) on behalf of; ***im ~n des Volkes*** in the name of the people **namens** ['naːməns] *adv* (*≈ mit Namen*) by the name of, called **Namensschild** *nt, pl* ***-schilder*** nameplate **Namensschwester** *f* namesake **Namenstag** *m* Saint's day **Namensvetter** *m* namesake **namentlich** ['naːməntlɪç] **I** *adj* by name; ***~e Abstimmung*** roll call vote **II** *adv* **1.** (*≈ insbesondere*) (e)specially **2.** (*≈ mit Namen*) by name **namhaft** *adj* **1.** (*≈ bekannt*) famous; ***~ machen*** (*form*) to identify **2.** (*≈ beträchtlich*) considerable

Namibia [na'miːbia] *nt* ⟨***-s***⟩ Namibia **Namibier** [na'miːbiɐ] *m* ⟨***-s, -***⟩, **Namibierin** [-ərɪn] *f* ⟨***-, -nen***⟩ Namibian **namibisch** [na'miːbɪʃ] *adj* Namibian

nämlich ['nɛːmlɪç] *adv* (*≈ und zwar*) namely; (*geschrieben*) viz; (*≈ genauer gesagt*) to be exact

Nanotechnologie *f* nanotechnology

nanu [na'nuː] *int* well I never; ***~, wer ist das denn?*** hello (hello), who's this?

Napf [napf] *m* ⟨***-(e)s, ⸚e*** ['nɛpfə]⟩ bowl

Nappa(leder) ['napa-] *nt* ⟨***-(s), -s***⟩ nappa leather

Narbe ['narbə] *f* ⟨***-, -n***⟩ scar **narbig** ['narbɪç] *adj* scarred

Narkose [nar'koːzə] *f* ⟨***-, -n***⟩ anaesthesia (*Br*), anesthesia (*US*); ***unter ~*** under an(a)esthetic **Narkosearzt** *m*, **Narkoseärztin** *f* anaesthetist (*Br*), anesthesiologist (*US*) **narkotisch** [nar'koːtɪʃ] *adj* narcotic **narkotisieren** [narkoti'ziːrən] *past part* ***narkotisiert*** *v/t* to drug

Narr [nar] *m* ⟨***-en, -en***⟩, **Närrin** ['nɛrɪn] *f* ⟨***-, -nen***⟩ fool; (*≈ Teilnehmer am Karneval*) carnival reveller (*Br*) *or* reveler (*US*); ***jdn zum ~en halten*** to make a fool of sb **Narrenhaus** *nt* madhouse **narrensicher** *adj, adv* foolproof **Narrheit** *f* ⟨***-, -en***⟩ **1.** *no pl* folly **2.** (*≈ dumme Tat*) stupid thing to do **närrisch** ['nɛrɪʃ] *adj* foolish; (*≈ verrückt*) mad; ***die ~en Tage*** *Fasching and the period leading up to it*; ***ganz ~ auf jdn/etw sein*** (*infml*) to be crazy about sb/sth (*infml*)

Narzisse [nar'tsɪsə] *f* ⟨***-, -n***⟩ narcissus **Narzissmus** [nar'tsɪsmʊs] *m* ⟨***-, no pl***⟩ narcissism **narzisstisch** [nar'tsɪstɪʃ]

adj narcissistic

nasal [na'zaːl] *adj* nasal **Nasallaut** *m* nasal (sound)

naschen ['naʃn] **I** *v/i* to eat sweet things; ***an etw*** (*dat*) **~** to pinch (*Br*) *or* snitch (*esp US*) a bit of sth (*infml*) **II** *v/t* to nibble; ***hast du was zum Naschen?*** have you got something for my sweet tooth? **naschhaft** *adj* fond of sweet things **Naschkatze** *f* (*infml*) guzzler (*infml*)

Nase ['naːzə] *f* ⟨**-, -n**⟩ nose; ***sich*** (*dat*) ***die ~ putzen*** (≈ *sich schnäuzen*) to blow one's nose; ***(immer) der ~ nachgehen*** (*infml*) to follow one's nose; ***eine gute ~ für etw haben*** (*infml*) to have a good nose for sth; ***jdm etw unter die ~ reiben*** (*infml*) to rub sb's nose in sth (*infml*); ***die ~ rümpfen*** to turn up one's nose (*über +acc* at); ***jdm auf der ~ herumtanzen*** (*infml*) to act up with sb (*infml*); ***ich sah es ihm an der ~ an*** (*infml*) I could see it written all over his face (*infml*); ***der Zug fuhr ihm vor der ~ weg*** (*infml*) he missed the train by seconds; ***die ~ vollhaben*** (*infml*) to be fed up (*infml*); ***jdn an der ~ herumführen*** to give sb the runaround (*infml*); (*als Scherz*) to pull sb's leg; ***jdm etw auf die ~ binden*** (*infml*) to tell sb all about sth **näselnd** *adj Stimme, Ton* nasal **Nasenbluten** *nt* ⟨**-s**, *no pl*⟩ ***~ haben*** to have a nosebleed **Nasenflügel** *m* side of the nose **Nasenhöhle** *f* nasal cavity **Nasenloch** *nt* nostril **Nasenschleimhaut** *f* mucous membrane (of the nose) **Nasenspitze** *f* tip of the / sb's nose **Nasenspray** *m or nt* nasal spray **Nasentropfen** *pl* nose drops *pl* **naseweis** ['naːzəvais] *adj* cheeky (*Br*), fresh (*US*); (≈ *vorlaut*) forward; (≈ *neugierig*) nosy (*infml*)

Nashorn ['naːshɔrn] *nt* rhinoceros

nass [nas] *adj, comp* ***nasser*** *or* ***nässer*** ['nɛsɐ], *sup* ***nasseste(r, s)*** *or* ***nässeste(r, s)*** wet; ***etw ~ machen*** to wet sth; ***durch und durch ~*** wet through **Nässe** ['nɛsə] *f* ⟨**-**, *no pl*⟩ wetness; ***„vor ~ schützen"*** "keep dry"; ***vor ~ triefen*** to be dripping wet **nässen** ['nɛsn] *v/i* (*Wunde*) to weep **nasskalt** *adj* cold and damp **Nassrasur** *f* ***eine ~*** a wet shave **Nasszelle** *f* wet cell

Nastuch ['naːstuːx] *nt, pl* ***-tücher*** (*esp Swiss*) handkerchief

Natel® ['natel] *nt* ⟨**-s, -s**⟩ (*Swiss*) mobile (phone)

Nation [na'tsioːn] *f* ⟨**-, -en**⟩ nation **national** [natsio'naːl] *adj* national **Nationalelf** *f* national (football) team **Nationalfeiertag** *m* national holiday **Nationalflagge** *f* national flag **Nationalgericht** *nt* national dish **Nationalheld** *m* national hero **Nationalheldin** *f* national heroine **Nationalhymne** *f* national anthem **Nationalismus** [natsiona'lɪsmʊs] *m* ⟨**-**, *no pl*⟩ nationalism **Nationalist** [natsiona'lɪst] *m* ⟨**-en, -en**⟩, **Nationalistin** [-'lɪstɪn] *f* ⟨**-, -nen**⟩ nationalist **nationalistisch** [natsiona'lɪstɪʃ] *adj* nationalist, nationalistic (*usu pej*) **Nationalität** [natsionali'tɛːt] *f* ⟨**-, -en**⟩ nationality **Nationalitätskennzeichen** *nt* nationality sticker *or* (*aus Metall*) plate **Nationalmannschaft** *f* national team **Nationalpark** *m* national park

Nationalrat¹ *m* (*Gremium*) (*Swiss*) National Council; (*Aus*) National Assembly

Nationalrat² *m*, **Nationalrätin** *f* (*Swiss*) member of the National Council, ≈ MP; (*Aus*) deputy of the National Assembly, ≈ MP **Nationalsozialismus** *m* National Socialism **Nationalsozialist(in)** *m*/(*f*) National Socialist **nationalsozialistisch** *adj* National Socialist **Nationalspieler(in)** *m*/(*f*) international (footballer *etc*)

NATO *f* ⟨**-**⟩, **Nato** ['naːto] *f* ⟨**-**⟩ ***die ~*** NATO

Natrium ['naːtrium] *nt* ⟨**-s**, *no pl*⟩ sodium

Natron ['naːtrɔn] *nt* ⟨**-s**, *no pl*⟩ bicarbonate of soda

Natter ['natɐ] *f* ⟨**-, -n**⟩ adder; (*fig*) snake

Natur [na'tuːɐ] *f* ⟨**-, -en**, *no pl*⟩ nature; ***in der freien ~*** in the open countryside; ***sie sind von ~ so gewachsen*** they grew that way naturally; ***ich bin von ~ (aus) schüchtern*** I am shy by nature; ***sein Haar ist von ~ aus blond*** his hair is naturally blond; ***nach der ~ zeichnen/malen*** to draw / paint from nature; ***die menschliche ~*** human nature; ***es liegt in der ~ der Sache*** it is in the nature of things; ***das geht gegen meine ~*** it goes against the grain **Naturalien** [natu'raːliən] *pl* natural produce; ***in ~ bezahlen*** to pay in kind **naturalisieren** [naturali'ziːrən] *past part* ***naturalisiert*** *v/t* JUR to naturalize **Naturalismus** [natura'lɪsmʊs] *m* ⟨**-**, *no pl*⟩ naturalism **naturalistisch** [natura'lɪstɪʃ] *adj* naturalistic **naturbelassen** *adj Lebensmittel, Material* natural **Naturell** [natu'rɛl] *nt* ⟨**-s, -e**⟩ temperament **Naturereignis** *nt* (impressive) natural phenomenon **Naturfaser** *f* natural fibre (*Br*) *or* fiber (*US*) **Naturforscher(in)** *m/(f)* natural scientist **Naturfreund(in)** *m/(f)* nature-lover **naturgegeben** *adj* natural **naturgemäß** *adv* naturally **Naturgesetz** *nt* law of nature **naturgetreu** *adj Darstellung* lifelike; (≈ *in Lebensgröße*) life-size; ***etw ~ wiedergeben*** to reproduce sth true to life **Naturgewalt** *f usu pl* element **Naturheilkunde** *f* nature healing **Naturheilverfahren** *nt* natural cure **Naturkatastrophe** *f* natural disaster **Naturkost** *f* health food(s *pl*) **Naturkostladen** *m* health-food shop **Naturlandschaft** *f* natural landscape **natürlich** [na'tyːɐlɪç] **I** *adj* natural; ***eines ~en Todes sterben*** to die of natural causes **II** *adv* naturally; ***~!*** naturally!, of course! **Natürlichkeit** *f* ⟨-, *no pl*⟩ naturalness **Naturpark** *m* ≈ national park **Naturprodukt** *nt* natural product; ***~e*** *pl* natural produce *sg* **naturrein** *adj* natural **Naturschutz** *m* conservation; ***unter (strengem) ~ stehen*** (*Pflanze, Tier*) to be a protected species **Naturschützer** [-ʃʏtsɐ] *m* ⟨**-s, -**⟩, **Naturschützerin** [-ərɪn] *f* ⟨**-, -nen**⟩ conservationist **Naturschutzgebiet** *nt* conservation area **Naturtalent** *nt* ***sie ist ein ~*** she is a natural **naturtrüb** *adj Saft* (naturally) cloudy **naturverbunden** *adj* nature-loving **Naturvolk** *nt* primitive people **Naturwissenschaft** *f* natural sciences *pl*; (*Zweig*) natural science **Naturwissenschaftler(in)** *m/(f)* (natural) scientist **naturwissenschaftlich I** *adj* scientific **II** *adv* scientifically **Naturwunder** *nt* miracle of nature **Naturzustand** *m* natural state

nautisch ['nautɪʃ] *adj* navigational

Navelorange *f* navel orange

Navigation [naviga'tsioːn] *f* ⟨-, *no pl*⟩ navigation **Navigationsgerät** *nt* navigation system **Navigator** [navi'gaːtoːɐ] *f* ⟨**-s, Navigatoren** [-'toːrən]⟩, **Navigatorin** [-'toːrɪn] *f* ⟨**-, -nen**⟩ AVIAT navigator **navigieren** [navi'giːrən] *past part* ***navigiert*** *v/t & v/i* to navigate

Nazi ['naːtsi] *m* ⟨**-s, -s**⟩ Nazi **Naziregime** *nt* Nazi regime **Nazismus** [na'tsɪsmʊs] *m* ⟨**-, Nazismen** [-mən]⟩ (*pej* ≈ *Nationalsozialismus*) Nazism **nazistisch** [na'tsɪstɪʃ] (*pej*) *adj* Nazi **Naziverbrechen** *nt* Nazi crime

Neandertaler [ne'andɐtaːlɐ] *m* ⟨**-s, -**⟩ Neanderthal man

Neapel [ne'aːpl] *nt* ⟨**-s**⟩ Naples

Nebel ['neːbl] *m* ⟨**-s, -**⟩ mist; (*dichter*) fog; (*fig*) mist, haze **Nebelbank** *f, pl* ***-bänke*** fog bank **nebelhaft** *adj* (*fig*) vague **Nebelhorn** *nt* NAUT foghorn **nebelig** ['neːbəlɪç] *adj* misty; (*bei dichterem Nebel*) foggy **Nebelleuchte** *f* AUTO rear fog light **Nebelscheinwerfer** *m* AUTO fog lamp **Nebelschlussleuchte** *f* AUTO rear fog light

neben ['neːbn] *prep* **1.** (*örtlich*) beside, next to; ***er ging ~ ihr*** he walked beside her **2.** (≈ *außer*) apart from, aside from (*esp US*); ***~ anderen Dingen*** along with *or* amongst other things **3.** (≈ *verglichen mit*) compared with **nebenamtlich I** *adj Tätigkeit* secondary **II** *adv* as a second job **nebenan** [neːbn'|an] *adv* next door **Nebenanschluss** *m* TEL extension **Nebenausgabe** *f* incidental expense; ***~n*** incidentals *pl* **Nebenausgang** *m* side exit **nebenbei** [neːbn'bai] *adv* **1.** (≈ *außerdem*) in addition **2.** (≈ *beiläufig*) incidentally; ***~ bemerkt*** by the way **Nebenbemerkung** *f* aside **Nebenberuf** *m* second job, sideline **nebenberuflich I** *adj* extra **II** *adv* as a second job **Nebenbeschäftigung** *f* (≈ *Zweitberuf*) second job, sideline **Nebenbuhler** *m* ⟨**-s, -**⟩, **Nebenbuhlerin** *f* ⟨**-, -nen**⟩ rival **Nebendarsteller(in)** *m/(f)* supporting actor/actress **Nebeneffekt** *m* side effect **nebeneinander** [neːbn|ai'nandɐ] *adv* **1.** (*räumlich*) side by side **2.** (*zeitlich*) simultaneously **nebeneinandersitzen** *v/i sep irr* to sit side by side **nebeneinanderstellen** *v/t sep* to place *or* put side by side; (*fig* ≈ *vergleichen*) to compare **Nebeneingang** *m* side entrance **Nebeneinkünfte** *pl*, **Nebeneinnahmen** *pl* additional income **Nebenerscheinung** *f* (*von Medikament*) side effect; (*von Tourismus etc*) knock-on effect **Nebenfach** *nt* SCHOOL, UNIV subsidiary (subject), minor (*US*) **Nebenfigur** *f* minor character **Nebenfluss** *m* tributary **Nebengebäude** *nt* (≈ *Zusatzgebäude*) annex, outbuilding; (≈ *Nachbargebäude*) neighbouring (*Br*) *or* neighboring (*US*) building **Nebengeräusch** *nt* RADIO, TEL interference **Nebenhaus** *nt* house next door

nebenher [neːbn'heːɐ] *adv* **1.** (≈ *zusätzlich*) in addition **2.** (≈ *gleichzeitig*) at the same time **Nebenjob** *m* (*infml*) second job, sideline **Nebenkosten** *pl* additional costs *pl* **Nebenprodukt** *nt* by-product **Nebenraum** *m* (*benachbart*) adjoining room **Nebenrolle** *f* supporting role; (*fig*) minor role **Nebensache** *f* minor matter; ***das ist*** (***für mich***) **~** that's not the point (as far as I'm concerned) **nebensächlich** *adj* minor, trivial **Nebensaison** *f* low season **Nebensatz** *m* GRAM subordinate clause **Nebenstelle** *f* TEL extension; COMM branch **Nebenstraße** *f* (*in der Stadt*) side street; (≈ *Landstraße*) minor road **Nebenverdienst** *m* secondary income **Nebenwirkung** *f* side effect **Nebenzimmer** *nt* next room

neblig ['neːblɪç] *adj* = ***nebelig***

nebulös [nebu'løːs] *adj* vague

Necessaire [nesɛ'sɛːɐ] *nt* ⟨**-s, -s**⟩ (≈ *Kulturbeutel*) toilet bag (*Br*), washbag (*US*); (*zur Nagelpflege*) manicure case

necken ['nɛkn] *v/t* to tease **neckisch** ['nɛkɪʃ] *adj* (≈ *scherzhaft*) teasing; *Einfall* amusing; *Spielchen* mischievous

nee [neː] *adv* (*infml*) no, nope (*infml*)

Neffe ['nɛfə] *m* ⟨**-n, -n**⟩ nephew

Negation [nega'tsioːn] *f* ⟨**-, -en**⟩ negation **negativ** ['neːgatiːf, nega'tiːf] **I** *adj* negative **II** *adv* (≈ *ablehnend*) *antworten* negatively; ***ich beurteile seine Arbeit sehr ~*** I have a very negative view of his work; ***die Untersuchung verlief ~*** the examination proved negative; ***sich ~ auf etw*** (*acc*) ***auswirken*** to be detrimental to sth **Negativ** ['neːgatiːf, nega'tiːf] *nt* ⟨**-s, -e** [-və]⟩ PHOT negative **Negativbeispiel** *nt* negative example **Negativliste** *f* **1.** black list **2.** PHARM drug exclusion list

Neger ['neːgɐ] *m* ⟨**-s, -**⟩ (*usu pej*) Negro (*pej*) **Negerin** ['neːgərɪn] *f* ⟨**-, -nen**⟩ (*usu pej*) Negro woman (*pej*) **Negerkuss** *m* *chocolate marshmallow with biscuit base*

negieren [ne'giːrən] *past part* **negiert** *v/t* (≈ *verneinen*) *Satz* to negate; (≈ *bestreiten*) *Tatsache* to deny

Negligé [negli'ʒeː] *nt* ⟨**-s, -s**⟩, **Negligee** *nt* ⟨**-s, -s**⟩ negligee

nehmen ['neːmən] *pret* **nahm** [naːm], *past part* **genommen** [gə'nɔmən] *v/t & v/i* to take; *Schmerz* to take away; (≈ *versperren*) *Blick*, *Sicht* to block; (≈ *berechnen*) to charge; (≈ *auswählen*) *Essen* to have; ***etw an sich*** (*acc*) **~** (≈ *aufbewahren*) to take care *or* charge of sth; (≈ *sich aneignen*) to take sth (for oneself); ***jdm etw ~*** to take sth (away) from sb; ***er ließ es sich*** (*dat*) ***nicht ~, mich persönlich hinauszubegleiten*** he insisted on showing me out himself; ***diesen Erfolg lasse ich mir nicht ~*** I won't be robbed of this success; ***sie ~ sich*** (*dat*) ***nichts*** (*infml*) one's as good as the other; ***~ Sie sich doch bitte!*** please help yourself; ***man nehme ...*** COOK take ...; ***sich*** (*dat*) ***einen Anwalt ~*** to get a lawyer; ***wie viel ~ Sie dafür?*** how much will you take for it?; ***jdn zu sich ~*** to take sb in; ***jdn ~, wie er ist*** to take sb as he is; ***etw auf sich*** (*acc*) **~** to take sth upon oneself; ***etw zu sich ~*** to take sth; ***wie mans nimmt*** (*infml*) depending on your point of view

Neid [nait] *m* ⟨**-(e)s** [-dəs]⟩ *no pl* envy (*auf +acc* of); ***aus ~*** out of envy; ***nur kein ~!*** don't be envious!; ***grün*** (***und gelb***) ***vor ~*** (*infml*) green with envy; ***das muss ihm der ~ lassen*** (*infml*) you have to say that much for him; ***vor ~ platzen*** (*infml*) to die of envy **neiden** ['naidn] *v/t* ***jdm etw ~*** to envy sb (for) sth **neiderfüllt** [-|ɛɐfʏlt] *adj Blick* filled with envy **Neidhammel** *m* (*infml*) envious person **neidisch** ['naidɪʃ] **I** *adj* jealous, envious; ***auf jdn/etw ~ sein*** to be jealous of sb/sth **II** *adv* enviously **neidlos** **I** *adj* ungrudging, without envy **II** *adv* graciously

Neige ['naigə] *f* ⟨**-, -n**, *no pl*⟩ (*elev* ≈ *Ende*) ***zur ~ gehen*** to draw to an end **neigen** ['naign] **I** *v/t* (≈ *beugen*) *Kopf*, *Körper* to bend; (*zum Gruß*) to bow; (≈ *kippen*) *Glas* to tip **II** *v/r* to bend; (*Ebene*) to slope; (*Gebäude etc*) to lean; (*Schiff*) to list **III** *v/i* ***zu etw ~*** to tend toward(s) sth; (≈ *für etw anfällig sein*) to be susceptible to sth; ***zu der Ansicht ~, dass ...*** to tend toward(s) the view that ...; → ***geneigt*** **Neigetechnik** *f*, *no pl* RAIL tilting technology **Neigung** ['naigʊŋ] *f* ⟨**-, -en**⟩ **1.** (≈ *Gefälle*) incline; (≈ *Schräglage*) tilt; (*von Schiff*) list **2.** (≈ *Tendenz*, MED ≈ *Anfälligkeit*) proneness, tendency; (≈ *Veranlagung*) leaning *usu pl*; (≈ *Hang*, *Lust*) inclination **3.** (≈ *Zuneigung*) affection

nein [nain] *adv* no; ***da sage ich nicht Nein*** I wouldn't say no to that; ***~, so***

was! well I never! **Nein** [nain] *nt* ⟨**-s**, *no pl*⟩ no; ***bei seinem ~ bleiben*** to stick to one's refusal

Nektar ['nɛktar] *m* ⟨**-s**, *no pl*⟩ nectar

Nektarine [nɛkta'ri:nə] *f* ⟨**-**, **-n**⟩ nectarine

Nelke ['nɛlkə] *f* ⟨**-**, **-n**⟩ **1.** pink; (*gefüllt*) carnation **2.** (*Gewürz*) clove

nennen ['nɛnən] *pret* ***nannte*** ['nantə], *past part* ***genannt*** [gə'nant] **I** *v/t* **1.** (≈ *bezeichnen*) to call; ***jdn nach jdm ~*** to name sb after (*Br*) *or* for (*US*) sb; ***das nennst du schön?*** you call that beautiful? **2.** (≈ *angeben*) to name; *Beispiel, Grund* to give; (≈ *erwähnen*) to mention **II** *v/r* to call oneself; ***und so was nennt sich Liebe*** (*infml*) and they call that love **nennenswert** *adj* considerable, not inconsiderable; ***nicht ~*** not worth mentioning **Nenner** ['nɛnɐ] *m* ⟨**-s**, **-**⟩ MAT denominator; ***kleinster gemeinsamer ~*** lowest common denominator; ***etw auf einen (gemeinsamen) ~ bringen*** to reduce sth to a common denominator **Nennung** ['nɛnʊŋ] *f* ⟨**-**, **-en**⟩ (≈ *das Nennen*) naming **Nennwert** *m* FIN nominal value; ***zum ~*** at par; ***über/unter dem ~*** above/below par

Neofaschismus *m* neo-fascism

Neon ['ne:ɔn] *nt* ⟨**-s**, *no pl*⟩ neon

Neonazi ['ne:ona:tsi] *m* neo-Nazi

Neonlicht *nt* neon light **Neonröhre** *f* neon tube

Neopren [neo'pre:n]® *nt* ⟨**-s**, *no pl*⟩ neoprene®

neppen ['nɛpn] *v/t* (*infml*) to rip off (*infml*) **Nepplokal** *nt* (*infml*) clip joint (*infml*)

Nerv [nɛrf] *m* ⟨**-s** *or* **-en**, **-en**⟩ nerve; ***(leicht) die ~en verlieren*** to lose one's nerve easily; ***er hat trotz allem die ~en behalten*** in spite of everything he kept his cool (*infml*); ***die ~en sind (mit) ihm durchgegangen*** he lost his cool (*infml*); ***der hat (vielleicht) ~en!*** (*infml*) he's got a nerve! (*infml*); ***er hat ~en wie Drahtseile*** he has nerves of steel; ***es geht*** *or* ***fällt mir auf die ~en*** (*infml*) it gets on my nerves; ***das kostet ~en*** it's a strain on the nerves **nerven** ['nɛrfn] (*infml*) **I** *v/t* ***jdn (mit etw) ~*** to get on sb's nerves (with sth); ***genervt sein*** (≈ *nervös sein*) to be worked up; (≈ *gereizt sein*) to be irritated **II** *v/i* ***das nervt*** it gets on your nerves; ***du nervst!*** (*infml*) you're bugging me! (*infml*) **Nervenarzt** *m*, **Nervenärztin** *f* neurologist **nervenaufreibend** *adj* nerve-racking **Nervenbelastung** *f* strain on the nerves **Nervenbündel** *nt* (*fig infml*) bag of nerves (*infml*) **Nervengas** *nt* MIL nerve gas **Nervengift** *nt* neurotoxin **Nervenheilanstalt** *f* psychiatric hospital **Nervenheilkunde** *f* neurology **Nervenkitzel** *m* (*fig*) thrill **Nervenklinik** *f* psychiatric clinic **nervenkrank** *adj* (*geistig*) mentally ill; (*körperlich*) suffering from a nervous disease **Nervenkrankheit** *f* (*geistig*) mental illness; (*körperlich*) nervous disease **Nervenkrieg** *m* (*fig*) war of nerves **Nervenprobe** *f* trial **Nervensache** *f* (*infml*) question of nerves **Nervensäge** *f* (*infml*) pain (in the neck) (*infml*) **nervenstark** *adj Mensch* with strong nerves; ***er ist ~*** he has strong nerves **Nervenstärke** *f* strong nerves *pl* **Nervensystem** *nt* nervous system **Nervenzentrum** *nt* (*fig*) nerve centre (*Br*) *or* center (*US*) **Nervenzusammenbruch** *m* nervous breakdown **nervig** ['nɛrfɪç, 'nɛrvɪç] *adj* (*infml* ≈ *irritierend*) irritating **nervlich** ['nɛrflɪç] *adj Belastung* nervous; ***~ bedingt*** nervous **nervös** [nɛr'vø:s] *adj* nervous; ***jdn ~ machen*** to make sb nervous; (≈ *ärgern*) to get on sb's nerves **Nervosität** [nɛrvozi'tɛ:t] *f* ⟨**-**, *no pl*⟩ nervousness **nervtötend** ['nɛrf-] (*infml*) *adj* nerve-racking; *Arbeit* soul-destroying

Nerz [nɛrts] *m* ⟨**-es**, **-e**⟩ mink **Nerzmantel** *m* mink coat

Nessel ['nɛsl] *f* ⟨**-**, **-n**⟩ BOT nettle; ***sich in die ~n setzen*** (*infml*) to put oneself in a spot (*infml*)

Nessessär *nt* ⟨**-s**, **-s**⟩; → ***Necessaire***

Nest [nɛst] *nt* ⟨**-(e)s**, **-er**⟩ **1.** nest; ***da hat er sich ins gemachte ~ gesetzt*** (*infml*) he's got it made (*infml*) **2.** (*fig infml* ≈ *Bett*) bed **3.** (*pej infml*: *Ort*) (*schäbig*) dump (*infml*); (*klein*) little place **Nestbeschmutzer** [-bəʃmʊtsɐ] *m* ⟨**-s**, **-**⟩, **Nestbeschmutzerin** [-ərɪn] *f* ⟨**-**, **-nen**⟩ (*pej*) denigrator of one's family/country **Nesthäkchen** *nt* baby of the family **Nestwärme** *f* (*fig*) happy home life

Netiquette [nɛti'kɛt(ə)] *f* ⟨**-**, *no pl*⟩ INTERNET netiquette

nett [nɛt] **I** *adj* nice; ***sei so ~ und räum auf!*** would you mind clearing up?; ***~, dass Sie gekommen sind!*** nice of you to come **II** *adv* nicely, nice; ***wir haben uns ~ unterhalten*** we had a nice chat; ***~ aussehen*** to be nice-looking **netterweise** ['nɛtɐ'vaizə] *adv* kindly **Nettigkeit** ['nɛtɪçkait] *f* ⟨**-, -en**⟩ **1.** *no pl* (≈ *nette Art*) kindness **2. Nettigkeiten** *pl* (≈ *nette Worte*) kind words, nice things

netto ['nɛto] *adv* COMM net **Nettoeinkommen** *nt* net income **Nettogehalt** *nt* net salary **Nettogewicht** *nt* net weight **Nettolohn** *m* take-home pay **Nettopreis** *m* net price **Nettoverdienst** *m* net income *sg*

Netz [nɛts] *nt* ⟨***-es, -e***⟩ **1.** net; (≈ *Spinnennetz*) web; (≈ *Gepäcknetz*) (luggage) rack; ***ins ~ gehen*** FTBL to go into the (back of the) net; ***jdm ins ~ gehen*** (*fig*) to fall into sb's trap **2.** (≈ *System*) network; (≈ *Stromnetz*) mains *sg or pl*; (≈ *Überlandnetz*) (national) grid; IT network; ***das soziale ~*** the social security net; ***ans ~ gehen*** (*Kraftwerk*) to be connected to the grid **3.** (≈ *Internet*) ***das ~*** the Net **Netzanschluss** *m* ELEC mains connection **Netzball** *m* TENNIS *etc* net ball **Netzbetreiber** *m* TEL network operator **Netzhaut** *f* retina **Netzhautentzündung** *f* retinitis **Netzhemd** *nt* string vest (*Br*), mesh undershirt (*US*) **Netzroller** *f* TENNIS, VOLLEYBALL *etc* net cord **Netzspannung** *f* mains voltage **Netzstecker** *m* mains plug **Netzstrümpfe** *pl* fishnet stockings *pl* **Netzteil** *nt* mains adaptor **Netzwerk** *nt* network **Netzzugang** *m* IT, TEL network access

neu [nɔy] **I** *adj* new; (≈ *frisch gewaschen*) clean; ***die ~(e)ste Mode*** the latest fashion; ***die ~esten Nachrichten*** the latest news; ***die ~eren Sprachen*** modern languages; ***ein ganz ~er Wagen*** a brand-new car; ***das ist mir ~!*** that's new(s) to me; ***seit ~(e)stem*** recently; ***aufs Neue*** (*elev*) afresh, anew; ***der/die Neue*** the newcomer; ***weißt du schon das Neu(e)ste?*** have you heard the latest (news)?; ***was gibts Neues?*** (*infml*) what's new?; ***von Neuem*** (≈ *von vorn*) afresh; (≈ *wieder*) again **II** *adv* ***~ anfangen*** to start all over (again); ***sich/jdn ~ einkleiden*** to buy oneself/sb a new set of clothes; ***~ geschaffen*** newly created; ***Mitarbeiter ~ einstellen*** to hire new employees; ***~ bearbeiten*** to revise; ***ein Zimmer ~ einrichten*** to refurnish a room; ***~ ordnen*** to reorganize; ***die Rollen ~ besetzen*** to recast the roles; ***~ gewählt*** newly elected; ***~ eröffnet*** newly-opened; ***~ vermählt*** newly married **Neuanfang** *m* new beginning **neuartig** *adj* new; ***ein ~es Wörterbuch*** a new type of dictionary **Neuauflage** *f* reprint; (*mit Verbesserungen*) new edition **Neubau** *m*, *pl* ***-bauten*** new house/building **Neubaugebiet** *nt* development area **Neubausiedlung** *f* new housing estate **Neubauwohnung** *f* newly-built apartment **Neubearbeitung** *f* revised edition; (≈ *das Neubearbeiten*) revision **Neubeginn** *m* new beginning(s *pl*) **Neuentdeckung** *f* rediscovery **Neuentwicklung** *f* new development **neuerdings** ['nɔyɐ'dɪŋs] *adv* recently **Neuerscheinung** *f* (*Buch*) new *or* recent publication; (*CD*) new release **Neuerung** ['nɔyərʊŋ] *f* ⟨**-, -en**⟩ innovation; (≈ *Reform*) reform **neuestens** ['nɔyəstns] *adv* lately **Neufundland** [nɔy'fʊntlant] *nt* ⟨**-s**⟩ Newfoundland **neugeboren** *adj* newborn; ***sich wie ~ fühlen*** to feel (like) a new man/woman **Neugeborene(s)** [-gəboːrənə] *nt decl as adj* newborn child **neugeschaffen** *adj attr*; → ***neu***, **Neugier(de)** ['nɔygiːɐ(də)] *f* ⟨-, *no pl*⟩ curiosity (*auf +acc* about) **neugierig** ['nɔygiːrɪç] *adj* curious (*auf +acc* about); (*pej*) nosy (*infml*); (≈ *gespannt*) curious to know; *Blick* inquisitive; ***jdn ~ machen*** to excite *or* arouse sb's curiosity; ***ich bin ~, ob*** I wonder if **neugriechisch** *adj* Modern Greek **Neuguinea** [nɔygi'neːa] *nt* New Guinea **Neuheit** ['nɔyhait] *f* ⟨**-, -en**⟩ **1.** *no pl* (≈ *das Neusein*) novelty **2.** (≈ *neue Sache*) innovation, new thing/ idea **Neuigkeit** ['nɔyɪçkait] *f* ⟨**-, -en**⟩ **1.** (piece of) news **2.** (≈ *das Neusein*) novelty **Neujahr** ['nɔyjaːɐ, nɔy'jaːɐ] *nt* New Year **Neujahrstag** *m* New Year's Day **Neuland** *nt*, *no pl* (*fig*) new ground; ***~ betreten*** to break new ground **neulich** ['nɔylɪç] *adv* recently; ***~ abends*** the other evening **Neuling** ['nɔylɪŋ] *m* ⟨***-s, -e***⟩ newcomer **neumodisch** (*pej*) *adj* new-fangled (*pej*); ***sich ~ ausdrücken*** to use new-fangled words **Neumond** *m* new moon

neun [nɔyn] *num* nine; ***alle ~(e)!*** (*beim Kegeln*) strike!; → ***vier*** **Neun** [nɔyn] *f* ⟨**-, -en**⟩ nine **neunhundert** ['nɔyn'hʊndɐt] *num* nine hundred **neunmal**

['nɔynmaːl] *adv* nine times **Neuntel** ['nɔyntl] *nt* ⟨**-s, -**⟩ ninth; → ***Viertel***[1] **neuntens** ['nɔyntns] *adv* ninth(ly), in the ninth place **neunte(r, s)** ['nɔyntə] *adj* ninth; → ***vierte(r, s)*** **neunzehn** ['nɔyntseːn] *num* nineteen **neunzehnte(r, s)** ['nɔyntseːntə] *adj* nineteenth; → ***vierte(r, s)*** **neunzig** ['nɔyntsɪç] *num* ninety; → ***vierzig*** **Neunziger** ['nɔyntsɪgɐ] *m* ⟨**-s, -**⟩, **Neunzigerin** [-ərɪn] *f* ⟨**-, -nen**⟩ (*Mensch*) ninety-year-old

Neuordnung *f* reorganization; (≈ *Reform*) reform **Neuphilologie** *f* modern languages *sg or pl*

Neuralgie [nɔyral'giː] *f* ⟨**-, -n** [-'giːən]⟩ neuralgia **neuralgisch** [nɔy'ralgɪʃ] *adj* neuralgic; ***ein ~er Punkt*** a trouble area

Neuregelung *f* revision **neureich** *adj* nouveau riche **Neureiche(r)** *m/f(m) decl as adj* nouveau riche

Neurochirurgie *f* neurosurgery **Neurologe** [nɔyro'loːgə] *m* ⟨**-n, -n**⟩, **Neurologin** [-'loːgɪn] *f* ⟨**-, -nen**⟩ neurologist **Neurologie** [nɔyrolo'giː] *f* ⟨**-, -n** [-'giːən]⟩ neurology **neurologisch** [nɔyro'loːgɪʃ] *adj* neurological **Neurose** [nɔy'roːzə] *f* ⟨**-, -n**⟩ neurosis **Neurotiker** [nɔy'roːtikɐ] *m* ⟨**-s, -**⟩, **Neurotikerin** [-ərɪn] *f* ⟨**-, -nen**⟩ neurotic **neurotisch** [nɔy'roːtɪʃ] *adj* neurotic

Neuschnee *m* fresh snow **Neuseeland** [nɔy'zeːlant] *nt* ⟨**-s**⟩ New Zealand **Neuseeländer** [nɔy'zeːlɛndɐ] *m* ⟨**-s, -**⟩, **Neuseeländerin** [-ərɪn] *f* ⟨**-, -nen**⟩ New Zealander **neuseeländisch** [nɔy'zeːlɛndɪʃ] *adj* New Zealand **neusprachlich** *adj* modern language *attr*; ***~es Gymnasium*** ≈ grammar school (*Br*), ≈ high school (*esp US, Scot, stressing modern languages*) **Neustart** *m* IT restart, reboot

neutral [nɔy'traːl] *adj* neutral **neutralisieren** [nɔytrali'ziːrən] *past part* ***neutralisiert*** *v/t* to neutralize **Neutralität** [nɔytrali'tɛːt] *f* ⟨**-,** *no pl*⟩ neutrality

Neutron ['nɔytrɔn] *nt* ⟨**-s, -en** [-'troːnən]⟩ neutron **Neutronenbombe** *f* neutron bomb

Neutrum ['nɔytrʊm] *nt* ⟨**-s, *Neutra*** *or* ***Neutren*** [-tra, -trən]⟩ (GRAM, *fig*) neuter

neuvermählt [-fɛɐmɛːlt] *adj* newly married **Neuwagen** *m* new car **Neuwahl** *f* POL new election; ***es gab vorgezogene ~en*** the elections were brought forward **Neuwert** *m* value when new **neuwertig** *adj* as new **Neuzeit** *f* modern era, modern times *pl* **neuzeitlich** *adj* modern

nicht [nɪçt] *adv* not; ***~ leitend*** non-conducting; ***~ rostend*** rustproof; *Stahl* stainless; ***~ amtlich*** unofficial; ***~ öffentlich*** not open to the public, private; ***er raucht ~*** (*augenblicklich*) he isn't smoking; (*gewöhnlich*) he doesn't smoke; ***~ (ein)mal*** not even; ***~ berühren!*** do not touch; ***~ rauchen!*** no smoking; ***~!*** don't!, no!; ***~ doch!*** stop it!, don't!; ***bitte ~!*** please don't; ***er kommt, ~ (wahr)?*** he's coming, isn't he *or* is he not (*esp Br*)?; ***er kommt ~, ~ wahr?*** he isn't coming, is he?; ***was ich ~ alles durchmachen muss!*** the things I have to go through! **nichtamtlich** *adj* → ***nicht***

Nichtangriffspakt *m* non-aggression pact **Nichtbeachtung** *f* non-observance

Nichte ['nɪçtə] *f* ⟨**-, -n**⟩ niece

Nichteinhaltung *f* non-compliance (*+gen* with) **Nichteinmischung** *f* POL non-intervention **Nichtgefallen** *nt* ***bei ~ (zurück)*** if not satisfied (return) **nichtig** ['nɪçtɪç] *adj* **1.** (JUR ≈ *ungültig*) invalid; ***etw für ~ erklären*** to declare sth invalid **2.** (≈ *unbedeutend*) trifling; *Versuch* vain; *Drohung* empty **Nichtigkeit** *f* ⟨**-, -en**⟩ (JUR ≈ *Ungültigkeit*) invalidity **Nichtmitglied** *nt* non-member **nichtöffentlich** *adj attr*; → ***nicht*** **Nichtraucher(in)** *m/(f)* non-smoker; ***ich bin ~*** I don't smoke **Nichtraucherzone** *f* no-smoking area **nichts** [nɪçts] *indef pr inv* nothing; ***ich weiß ~*** I know nothing, I don't know anything; ***~ als*** nothing but; ***~ anderes als*** not ... anything but *or* except; ***~ ahnend*** unsuspecting; ***~ sagend*** meaningless; ***~ zu danken!*** don't mention it; ***das ist ~ für mich*** that's not my thing (*infml*); ***~ zu machen*** nothing doing (*infml*); ***ich weiß ~ Genaues*** I don't know any details; ***er ist zu ~ zu gebrauchen*** he's useless **Nichts** [nɪçts] *nt* ⟨**-,** *no pl*⟩ PHIL nothingness; (≈ *Leere*) emptiness; (≈ *Kleinigkeit*) trifle; ***vor dem ~ stehen*** to be left with nothing **nichtsahnend** *adj* → ***nichts*** **Nichtschwimmer(in)** *m/(f)* non-swimmer **Nichtschwimmerbecken** *nt* pool for non-swimmers **nichtsdestotrotz** [nɪçtsdɛsto'trɔts] *adv* nonetheless **nichtsdestoweniger** [nɪçtsdɛsto'veːnɪgɐ] *adv* nevertheless **Nichtsesshafte(r)** ['nɪçtzɛshaftə] *m/f(m) decl as* *adj* (*form*) person of no fixed abode (*form*) **Nichtskönner(in)** *m*/(*f*) washout (*infml*) **Nichtsnutz** ['nɪçtsnʊts] *m* ⟨**-es, -e**⟩ good-for-nothing **nichtsnutzig** ['nɪçtsnʊtsɪç] *adj* useless; (≈ *unartig*) good-for-nothing **nichtssagend** *adj* meaningless **nichtstaatlich** *adj* non-governmental **Nichtstuer** ['nɪçtstuːɐ] *m* ⟨**-s, -**⟩, **Nichtstuerin** [-ərɪn] *f* ⟨**-, -nen**⟩ idler, loafer **Nichtstun** ['nɪçtstuːn] *nt* idleness; (≈ *Muße*) leisure **Nichtverbreitung** *f* (*von Kernwaffen etc*) non-proliferation **Nichtvorhandensein** *nt* absence **Nichtwissen** *nt* ignorance (*um* about) **Nichtzutreffende(s)** [-tsuːtrɛfndə] *nt decl as adj* **~s (bitte) streichen!** (please) delete as applicable

Nickel ['nɪkl] *nt* ⟨**-s,** *no pl*⟩ nickel **Nickelbrille** *f* metal-rimmed glasses *pl*

nicken ['nɪkn] *v/i* to nod; ***mit dem Kopf ~*** to nod one's head **Nickerchen** ['nɪkɐçən] *nt* ⟨**-s, -**⟩ (*infml*) snooze (*infml*)

Nidel ['niːdl] *m or f* ⟨(*m*) **-s** *or* (*f*) **-**, *no pl*⟩ (*Swiss* ≈ *Sahne*) cream

nie [niː] *adv* never; ***~ und nimmer*** never ever; ***~ wieder*** never again

nieder ['niːdɐ] **I** *adj attr* **1.** *Instinkt, Motiv* low, base; *Arbeit* menial; *Kulturstufe* primitive **2.** (≈ *weniger bedeutend*) lower; *Geburt, Herkunft* lowly **II** *adv* down; ***auf und ~*** up and down; ***~ mit dem Kaiser!*** down with the Kaiser! **niederbrennen** *v/t & v/i sep irr* to burn down **niederbrüllen** *v/t sep Redner* to shout down **niederdeutsch** *adj* **1.** GEOG North German **2.** LING Low German **Niedergang** *m, pl* ***-gänge*** (*fig* ≈ *Verfall*) decline, fall **niedergehen** *v/i sep irr aux sein* to descend; (*Bomben, Regen*) to fall; (*Gewitter*) to break **niedergeschlagen** *adj* dejected; → ***niederschlagen*** **niederknien** *v/i sep aux sein* to kneel down **Niederlage** *f* defeat **Niederlande** ['niːdɐlandə] *pl* ***die ~*** the Netherlands *sg or pl* **Niederländer** ['niːdɐlɛndɐ] *m* ⟨**-s, -**⟩ Dutchman; ***die ~*** the Dutch **Niederländerin** ['niːdɐlɛndərɪn] *f* ⟨**-, -nen**⟩ Dutchwoman **niederländisch** ['niːdɐlɛndɪʃ] *adj* Dutch, Netherlands **niederlassen** *v/r sep irr* **1.** (≈ *sich setzen*) to sit down; (≈ *sich niederlegen*) to lie down; (*Vögel*) to land **2.** (≈ *Wohnsitz nehmen*) to settle (down); ***sich als Arzt/Rechtsanwalt ~*** to set up (a practice) as a doctor/lawyer **Niederlassung** [-lasʊŋ] *f* ⟨**-, -en**⟩ **1.** *no pl* (≈ *das Niederlassen*) settling, settlement; (*eines Arztes etc*) establishment **2.** (≈ *Siedlung*) settlement **3.** COMM registered office; (≈ *Zweigstelle*) branch **niederlegen** *sep* **I** *v/t* **1.** (≈ *hinlegen*) to lay *or* put down; *Blumen* to lay; *Waffen* to lay down **2.** (≈ *aufgeben*) *Amt* to resign (from); ***die Arbeit ~*** (≈ *streiken*) to down tools **3.** (≈ *schriftlich festlegen*) to write down **II** *v/r* to lie down **Niederlegung** [-leːgʊŋ] *f* ⟨**-, -en**⟩ **1.** (*von Waffen*) laying down **2.** (*von Amt*) resignation (from) **niedermachen** *v/t sep* **1.** (≈ *töten*) to massacre **2.** (*fig* ≈ *heftig kritisieren*) to run down **Niederösterreich** *nt* Lower Austria **niederreißen** *v/t sep irr* to pull down; (*fig*) *Schranken* to tear down **Niederrhein** *m* Lower Rhine **niederrheinisch** *adj* lower Rhine **Niedersachsen** *nt* Lower Saxony **niedersächsisch** *adj* of Lower Saxony **Niederschlag** *m* METEO precipitation (*form*); CHEM precipitate; (≈ *Bodensatz*) sediment, dregs *pl*; ***radioaktiver ~*** (radioactive) fallout; ***für morgen sind heftige Niederschläge gemeldet*** tomorrow there will be heavy rain/hail/snow **niederschlagen** *sep irr* **I** *v/t jdn* to knock down; *Aufstand* to suppress; *Augen, Blick* to lower; → ***niedergeschlagen*** **II** *v/r* (*Flüssigkeit*) to condense; CHEM to precipitate; ***sich in etw*** (*dat*) ***~*** (*Erfahrungen etc*) to find expression in sth **niederschlagsreich** *adj Wetter* very rainy/snowy **niederschmettern** *v/t sep* to smash down; (*fig*) to shatter **niederschmetternd** *adj* shattering **niederschreiben** *v/t sep irr* to write down **Niederschrift** *f* notes *pl*; (≈ *Protokoll*) minutes *pl*; JUR record **Niederspannung** *f* ELEC low voltage **niederstechen** *v/t sep irr* to stab **Niedertracht** ['niːdɐtraxt] *f* ⟨**-,** *no pl*⟩ despicableness; (*als Rache*) malice; (≈ *niederträchtige Tat*) despicable act **niederträchtig** ['niːdɐtrɛçtɪç] *adj* despicable; (≈ *rachsüchtig*) malicious **Niederträchtigkeit** *f* ⟨**-, -en,** *no pl*⟩ = ***Niedertracht*** **niederwerfen** *sep irr* **I** *v/t* to throw down; *Aufstand* to suppress **II** *v/r* to throw oneself down

niedlich ['niːtlɪç] *adj* cute

niedrig ['niːdrɪç] **I** low; *Herkunft, Geburt* low(ly) **II** *adv* low; ***etw ~er berechnen*** to charge less for sth; ***etw ~ einstufen***

to give sth a low classification; ***jdn ~ einschätzen*** to have a low opinion of sb **Niedriglohn** *m* low wages *pl* **Niedriglohnland** *nt* low-wage country **Niedrigwasser** *nt, pl* ***-wasser*** NAUT low tide

niemals ['niːmaːls] *adv* never

niemand ['niːmant] *indef pr* nobody; ***~ anders kam*** nobody else came; ***herein kam ~ anders als der Kanzler selbst*** in came none other than the Chancellor himself; ***er hat es ~(em) gesagt*** he hasn't told anyone, he has told no-one **Niemand** ['niːmant] *m* ⟨***-s,*** *no pl*⟩ ***er ist ein ~*** he's a nobody **Niemandsland** *nt* no-man's-land

Niere ['niːrə] *f* ⟨***-, -n***⟩ kidney; ***künstliche ~*** kidney machine; ***es geht mir an die ~n*** (*infml*) it gets me down (*infml*) **Nierenbecken** *nt* pelvis of the kidney **Nierenentzündung** *f* nephritis (*tech*) **nierenförmig** *adj* kidney-shaped **Nierenkrankheit** *f*, **Nierenleiden** *nt* kidney disease **Nierenschale** *f* kidney dish **Nierenschützer** [-ʃʏtsɐ] *m* ⟨***-s, -***⟩ kidney belt **Nierenspender(in)** *m/(f)* kidney donor **Nierenstein** *m* kidney stone **Nierentransplantation** *f* kidney transplant

nieseln ['niːzln] *v/i impers* to drizzle **Nieselregen** *m* drizzle

niesen ['niːzn] *v/i* to sneeze **Niespulver** *nt* sneezing powder

Niet [niːt] *m* ⟨***-(e)s, -e*** (*spec*)⟩, **Niete**[1] ['niːtə] *f* ⟨***-, -n***⟩ rivet; (*auf Kleidung*) stud

Niete[2] *f* ⟨***-, -n***⟩ (≈ *Los*) blank; (*infml* ≈ *Mensch*) dead loss (*infml*)

nieten ['niːtn] *v/t* to rivet **Nietenhose** *f* (pair of) studded jeans *pl* **niet- und nagelfest** ['niːt|unt'naːglfɛst] *adj* (*infml*) nailed *or* screwed down

nigelnagelneu ['niːgl'naːgl'nɔy] *adj* (*infml*) brand spanking new (*infml*)

Nigeria [ni'geːria] *nt* ⟨***-s***⟩ Nigeria **nigerianisch** [nigeri'aːnɪʃ] *adj* Nigerian

Nihilismus [nihi'lɪsmʊs] *m* ⟨***-,*** *no pl*⟩ nihilism **Nihilist** [nihi'lɪst] *m* ⟨***-en, -en***⟩, **Nihilistin** [-'lɪstɪn] *f* ⟨***-, -nen***⟩ nihilist **nihilistisch** [nihi'lɪstɪʃ] *adj* nihilistic

Nikolaus ['nɪkolaus, 'niːkolaus] *m* ⟨***-, -e*** *or* (*hum inf*) ***Nikoläuse*** [-lɔyzə]⟩ St Nicholas; (≈ *Nikolaustag*) St Nicholas' Day

Nikotin [niko'tiːn] *nt* ⟨***-s,*** *no pl*⟩ nicotine **nikotinarm** *adj* low-nicotine **nikotinfrei** *adj* nicotine-free **Nikotinpflaster** *nt* nicotine patch

Nil [niːl] *m* ⟨***-s***⟩ Nile **Nilpferd** *nt* hippopotamus

Nimbus ['nɪmbʊs] *m* ⟨***-, -se***⟩ (≈ *Heiligenschein*) halo; (*fig*) aura

Nimmersatt ['nɪmɐzat] *m* ⟨***-(e)s, -e***⟩ glutton; ***ein ~ sein*** to be insatiable **Nimmerwiedersehen** *nt* (*infml*) ***auf ~!*** I never want to see you again; ***auf ~ verschwinden*** to disappear never to be seen again

Nippel ['nɪpl] *m* ⟨***-s, -***⟩ **1.** TECH nipple **2.** (*infml* ≈ *Brustwarze*) nipple

nippen ['nɪpn] *v/t & v/i* ***am*** *or* ***vom Wein ~*** to sip (at) the wine

Nippes ['nɪpəs] *pl* ornaments *pl*, knick-knacks *pl*

nirgends ['nɪrgnts], **nirgendwo** ['nɪrgnt'voː] *adv* nowhere, not ... anywhere **nirgendwohin** ['nɪrgntvo'hɪn] *adv* nowhere, not ... anywhere

Nische ['niːʃə] *f* ⟨***-, -n***⟩ niche; (≈ *Kochnische etc*) recess

nisten ['nɪstn] *v/i* to nest **Nistkasten** *m* nest(ing) box **Nistplatz** *m* nesting place

Nitrat [ni'traːt] *nt* ⟨***-(e)s, -e***⟩ nitrate **Nitroglyzerin** *nt* nitroglycerine

Niveau [ni'voː] *nt* ⟨***-s, -s***⟩ level; ***diese Schule hat ein hohes ~*** this school has high standards; ***unter ~*** below par; ***unter meinem ~*** beneath me; ***~/kein ~ haben*** to be of a high/low standard; (*Mensch*) to be cultured/not at all cultured; ***ein Hotel mit ~*** a hotel with class **niveaulos** *adj Film etc* mediocre; *Unterhaltung* mindless

Nixe ['nɪksə] *f* ⟨***-, -n***⟩ water nymph

Nizza ['nɪtsa] *nt* ⟨***-s***⟩ Nice

N.N. *abbr of* ***nomen nescio*** N.N., name unkown

nobel ['noːbl] **I** *adj* (≈ *edelmütig*) noble; (*infml*) (≈ *großzügig*) lavish; (≈ *elegant*) posh (*infml*) **II** *adv* (≈ *edelmütig*) nobly; (≈ *großzügig*) generously; ***~ wohnen*** to live in posh surroundings **Nobelherberge** *f* (*infml*) posh hotel (*infml*)

Nobelpreis [no'bɛl-] *m* Nobel prize **Nobelpreisträger(in)** *m/(f)* Nobel prizewinner

Nobelviertel *nt* (*infml, usu iron*) posh *or* upmarket (*US*) area

noch [nɔx] **I** *adv* **1.** still; ***~ nicht*** not yet; ***immer ~, ~ immer*** still; ***~ nie*** never; ***ich möchte gerne ~ bleiben*** I'd like to stay on longer; ***das kann ~ passieren*** that might still happen; ***er wird ~ kommen*** he'll come (yet); ***ich habe ihn ~ vor zwei***

Tagen gesehen I saw him only two days ago; ***er ist ~ am selben Tag gestorben*** he died the very same day; ***ich tue das ~ heute*** *or* ***heute ~*** I'll do it today; ***gerade ~*** (only) just **2.** (≈ *außerdem, zusätzlich*) ***wer war ~ da?*** who else was there?; **(*gibt es*) ~ *etwas?*** (is there) anything else?; ***~ etwas Fleisch*** some more meat; ***~ ein Bier*** another beer; ***~ einmal*** *or* ***mal*** (once) again, once more **3.** (*bei Vergleichen*) even, still; ***das ist ~ viel wichtiger als ...*** that is far more important still than ...; ***und wenn du auch ~ so bittest ...*** however much you ask ... **II** *cj* (*weder ... noch ...*) nor **nochmalig** ['nɔxmaːlɪç] *adj attr* renewed **nochmals** ['nɔxmaːls] *adv* again

Nockenwelle ['nɔkn-] *f* camshaft

Nockerl ['nɔkɐl] *nt* ⟨***-s, -n***⟩ *usu pl* (*Aus* COOK) dumpling; ***Salzburger ~n*** *type of sweet whipped pudding eaten hot*

Nomade [no'maːdə] *m* ⟨***-n, -n***⟩, **Nomadin** [no'maːdɪn] *f* ⟨***-, -nen***⟩ nomad **Nomadenvolk** *nt* nomadic tribe *or* people **nomadisch** [no'maːdɪʃ] *adj* nomadic

Nominallohn *m* nominal wages *pl*

Nominativ ['nominatiːf] *m* ⟨***-s, -e*** [-və]⟩ nominative **nominell** [nomi'nɛl] *adj, adv* in name only **nominieren** [nomi'niːrən] *past part* ***nominiert*** *v/t* to nominate **Nominierung** [nomi'niːrʊŋ] *f* nomination

No-Name-Produkt ['noːneːm-] *nt* ECON own-label *or* house-brand (*US*) product

Nonne ['nɔnə] *f* ⟨***-, -n***⟩ nun **Nonnenkloster** *nt* convent

Nonsens ['nɔnzɛns] *m* ⟨***-(es)***, *no pl*⟩ nonsense

nonstop [nɔn'ʃtɔp, -'stɔp] *adv* non-stop **Nonstop-Flug** *m* **Nonstopflug** *m* non-stop flight

Noppe ['nɔpə] *f* ⟨***-, -n***⟩ (≈ *Gumminoppe*) nipple, knob

Nordafrika *nt* North Africa **Nordamerika** *nt* North America **Nordatlantik** *m* North Atlantic **Nordatlantikpakt** *m* North Atlantic Treaty **norddeutsch** *adj* North German **Norddeutschland** *nt* North(ern) Germany **Norden** ['nɔrdn] *m* ⟨***-s***, *no pl*⟩ north; (*von Land*) North; ***aus dem ~*** from the north; ***im ~ des Landes*** in the north of the country **Nordeuropa** *nt* Northern Europe **Nordic Walking** [ˌnɔrdɪk'wɔːkɪŋ] *nt* Nordic Walking **nordirisch** *adj* Northern Irish **Nordirland** *nt* Northern Ireland **nordisch** ['nɔrdɪʃ] *adj Wälder* northern; *Völker, Sprache* Nordic; SKI nordic; ***~e Kombination*** SKI nordic combined **Nordkap** *nt* North Cape **Nordkorea** *nt* North Korea **nördlich** ['nœrtlɪç] **I** *adj* northern; *Wind, Richtung* northerly *adv* (to the) north; ***~ von Köln (gelegen)*** north of Cologne **II** *prep +gen* (to the) north of **Nordlicht** *nt* northern lights *pl*, aurora borealis; (*fig hum*: *Mensch*) Northerner **Nordosten** *m* north-east; (*von Land*) North East **nordöstlich** **I** *adj Gegend* northeastern; *Wind* north-east(erly) **II** *adv* (to the) north-east **Nord-Ostsee-Kanal** *m* Kiel Canal **Nordpol** *m* North Pole **Nordrhein-Westfalen** ['nɔrtrainvɛst'faːlən] *nt* North Rhine-Westphalia **Nordsee** ['nɔrtzeː] *f* North Sea **Nord-Süd-Gefälle** ['nɔrt'zyːt-] *nt* north-south divide **Nordwand** *f* (*von Berg*) north face **nordwärts** ['nɔrtvɛrts] *adv* north(-wards) **Nordwesten** *m* north-west; (*von Land*) North West **nordwestlich** **I** *adj Gegend* north-western; *Wind* north-west(erly) **II** *adv* (to the) north-west **Nordwind** *m* north wind

Nörgelei [nœrgə'lai] *f* ⟨***-, -en***⟩ moaning; (≈ *Krittelei*) nit-picking (*infml*) **nörgeln** ['nœrgln] *v/i* to moan; (≈ *kritteln*) to niggle (*an +dat, über +acc* about) **Nörgler** ['nœrglɐ] *m* ⟨***-s, -***⟩, **Nörglerin** [-ərɪn] *f* ⟨***-, -nen***⟩ grumbler, moaner; (≈ *Krittler*) niggler, nit-picker (*infml*)

Norm [nɔrm] *f* ⟨***-, -en***⟩ norm; ***die ~ sein*** to be (considered) normal **normal** [nɔr'maːl] **I** *adj* normal; *Format, Maß* standard; ***bist du noch ~?*** (*infml*) have you gone mad? **II** *adv* normally; ***er ist ~ groß*** his height is normal; ***benimm dich ganz ~*** act naturally **Normalbenzin** *nt* regular (petrol (*Br*) *or* gas (*US*)) **Normalbürger(in)** *m/(f)* average citizen **normalerweise** [nɔr'maːlɐ'vaizə] *adv* normally **Normalfall** *m* ***im ~*** normally, usually **Normalgewicht** *nt* normal weight; (*genormt*) standard weight **normalisieren** [nɔrmali'ziːrən] *past part* ***normalisiert*** **I** *v/t* to normalize **II** *v/r* to get back to normal **Normalisierung** *f* ⟨***-, -en***⟩ normalization **Normalität** [nɔrmali'tɛːt] *f* ⟨***-, -en***⟩ normality **Normalverbraucher(in)** *m/(f)* average consumer; ***Otto ~*** (*infml*) the man in the street **Normal-**

zustand *m* normal state **normen** ['nɔrmən] *v/t* to standardize

Norwegen ['nɔrveːgn] *nt* ⟨**-s**⟩ Norway **Norweger** ['nɔrveːgɐ] *m* ⟨**-s, -**⟩, **Norwegerin** [-ərɪn] *f* ⟨**-, -nen**⟩ Norwegian **norwegisch** ['nɔrveːgɪʃ] *adj* Norwegian

Nostalgie [nɔstal'giː] *f* ⟨**-**, *no pl*⟩ nostalgia **nostalgisch** [nɔs'talgɪʃ] *adj* nostalgic

Not [noːt] *f* ⟨**-, ⸚e** ['nøːtə]⟩ **1.** *no pl* (≈ *Elend*) need(iness), poverty; ***aus ~*** out of poverty; ***~ leiden*** to suffer deprivation; ***~ leidend*** *Bevölkerung, Land* impoverished; *Wirtschaft* ailing; ***~ macht erfinderisch*** (*prov*) necessity is the mother of invention (*prov*) **2.** (≈ *Bedrängnis*) distress *no pl*, affliction; (≈ *Problem*) problem; ***in seiner ~*** in his hour of need; ***in ~ sein*** to be in distress; ***wenn ~ am Mann ist*** in an emergency; ***in höchster ~ sein*** to be in dire straits **3.** *no pl* (≈ *Sorge, Mühe*) difficulty; ***er hat seine liebe ~ mit ihr*** he really has problems with her **4.** (≈ *Notwendigkeit*) necessity; ***ohne ~*** without good cause; ***zur ~*** if necessary; (≈ *gerade noch*) just about; ***aus der ~ eine Tugend machen*** to make a virtue (out) of necessity

Notar [no'taːɐ] *m* ⟨**-s, -e**⟩, **Notarin** [-'taːrɪn] *f* ⟨**-, -nen**⟩ notary public **Notariat** [nota'riaːt] *nt* ⟨**-(e)s, -e**⟩ notary's office **notariell** [nota'riɛl] JUR **I** *adj* notarial **II** *adv* ***~ beglaubigt*** legally certified

Notarzt *m*, **Notärztin** *f* emergency doctor **Notaufnahme** *f* casualty (unit) (*Br*), emergency room (*US*) **Notausgang** *m* emergency exit **Notbehelf** *m* stopgap (measure) **Notbremse** *f* emergency brake; ***die ~ ziehen*** (*lit*) to pull the emergency brake; (*fig*) to put the brakes on **Notbremsung** *f* emergency stop **Notdienst** *m* ***~ haben*** (*Apotheke*) to be open 24 hours; (*Arzt etc*) to be on call **notdürftig** ['noːtdʏrftɪç] **I** *adj* (≈ *behelfsmäßig*) makeshift *no adv*; *Kleidung* scanty **II** *adv bekleidet* scantily; *reparieren* in a makeshift way; *versorgen* poorly

Note ['noːtə] *f* ⟨**-, -n**⟩ **1.** MUS, POL note **2.** SCHOOL, SPORTS mark **3.** (≈ *Banknote*) (bank)note, bill (*US*) **4.** *no pl* (≈ *Eigenart*) note; (*in Bezug auf Atmosphäre*) tone, character; (*in Bezug auf Einrichtung, Kleidung*) touch

Notebook ['noːtbʊk] *m or nt* ⟨**-s, -s**⟩ notebook (computer)

Notenbank *f*, *pl* **-banken** issuing bank **Notenblatt** *nt* sheet of music **Notendurchschnitt** *m* SCHOOL average mark *or* grade (*esp US*) **Notenständer** *m* music stand

Notepad ['noːtpɛθ] *nt* ⟨**-s, -s**⟩ IT notepad

Notfall *m* emergency; ***im ~*** if necessary; ***bei einem ~*** in case of emergency **notfalls** ['noːtfals] *adv* if necessary **notgedrungen** ['noːtgədrʊŋən] *adv* of necessity; ***ich muss mich ~ dazu bereit erklären*** I'm forced to agree **Notgroschen** *m* nest egg

notieren [no'tiːrən] *past part* **notiert I** *v/t & v/i* **1.** (≈ *Notizen machen*) to note down; ***ich notiere (mir) den Namen*** I'll make a note of the name **2.** (ST EX ≈ *festlegen*) to quote (*mit* at) **II** *v/i* (ST EX ≈ *wert sein*) to be quoted (*auf +acc* at) **Notierung** *f* ⟨**-, -en**⟩ ST EX quotation

nötig ['nøːtɪç] **I** *adj* necessary; ***wenn ~*** if necessary; ***etw ~ haben*** to need sth; ***er hat das natürlich nicht ~*** (*iron*) but, of course, he's different; ***das habe ich nicht ~!*** I don't need that; ***das Nötigste*** the (bare) necessities **II** *adv* (≈ *dringend*) ***etwas ~ brauchen*** to need something urgently **nötigen** ['nøːtign] *v/t* (≈ *zwingen*) to force, to compel; JUR to coerce; (≈ *auffordern*) to urge; ***sich ~ lassen*** to need prompting **Nötigung** ['nøːtigʊŋ] *f* ⟨**-, -en**⟩ (≈ *Zwang*) compulsion; JUR coercion; ***sexuelle ~*** sexual assault

Notiz [no'tiːts] *f* ⟨**-, -en**⟩ **1.** (≈ *Vermerk*) note; (≈ *Zeitungsnotiz*) item; ***sich*** (*dat*) ***~en machen*** to make notes **2.** ***~ nehmen von*** to take notice of; ***keine ~ nehmen von*** to ignore **Notizblock** *m*, *pl* **-blöcke** notepad **Notizbuch** *nt* notebook

Notlage *f* crisis; (≈ *Elend*) plight **notlanden** ['noːtlandn] *pret* **notlandete**, *past part* **notgelandet** ['noːtgəlandət] *v/i aux sein* to make an emergency landing **Notlandung** *f* emergency landing **notleidend** *adj* → ***Not*** **Notlösung** *f* compromise solution; (*provisorisch*) temporary solution **Notlüge** *f* white lie **Notoperation** *f* emergency operation

notorisch [no'toːrɪʃ] *adj* **1.** (≈ *gewohnheitsmäßig*) habitual **2.** (≈ *allbekannt*) notorious

Notruf *m* (TEL, *Nummer*) emergency number **Notrufnummer** *f* emergency number **Notrufsäule** *f* emergency telephone **Notrutsche** *f* AVIAT escape chute **notschlachten** ['no:tʃlaxtn] *pret* ***notschlachtete***, *past part* ***notgeschlachtet*** ['no:tgəʃlaxtət] *v/t* to put down **Notsitz** *m* foldaway *or* tip-up seat **Notstand** *m* crisis; POL state of emergency; JUR emergency; ***den ~ ausrufen*** to declare a state of emergency **Notstandsgebiet** *nt* (*wirtschaftlich*) deprived area; (*bei Katastrophen*) disaster area **Notstandsgesetze** *pl* POL emergency laws *pl* **Notstromaggregat** *nt* emergency power generator **Notunterkunft** *f* emergency accommodation **Notwehr** ['no:tve:ɐ] *f, no pl* self-defence (*Br*), self-defense (*US*); ***in or aus ~*** in self-defence (*Br*) *or* self-defense (*US*) **notwendig** ['no:tvɛndɪç, no:t'vɛndɪç] *adj* necessary; ***ich habe alles Notwendige erledigt*** I've done everything (that's) necessary **notwendigerweise** ['no:tvɛndɪgɐ'vaizə] *adv* of necessity, necessarily **Notwendigkeit** *f* ⟨-, *-en*⟩ necessity

Nougat ['nu:gat] *m or nt* ⟨*-s, -s*⟩ nougat

Novelle [no'vɛlə] *f* ⟨-, *-n*⟩ **1.** novella **2.** POL amendment

November [no'vɛmbɐ] *m* ⟨*-(s), -*⟩ November; → ***März***

Novize [no'vi:tsə] *m* ⟨*-n, -n*⟩ *f* ⟨-, *-n*⟩, **Novizin** [-'vi:tsɪn] *f* ⟨-, *-nen*⟩ novice

Novum ['no:vʊm] *nt* ⟨*-s, **Nova*** [-va]⟩ novelty

NRW [ɛn|ɛr'we:] *abbr of* **Nordrhein-Westfalen**

NS-Verbrechen *nt* Nazi crime

Nu [nu:] *m* ***im Nu*** in no time

Nuance ['nyã:sə] *f* ⟨-, *-n*⟩ (≈ *kleiner Unterschied*) nuance; (≈ *Kleinigkeit*) shade; ***um eine ~ zu laut*** a shade too loud

Nubuk ['nʊbʊk, 'nu:bʊk] *nt* ⟨*-(s), no pl*⟩, **Nubukleder** *nt* nubuk

nüchtern ['nʏçtɐn] **I** *adj* **1.** (*ohne Essen*) ***mit ~em/auf ~en Magen*** with/on an empty stomach **2.** (≈ *nicht betrunken*) sober; ***wieder ~ werden*** to sober up **3.** (≈ *sachlich, vernünftig*) down-to-earth *no adv*, rational; *Tatsachen* bare, plain **II** *adv* (≈ *sachlich*) unemotionally

Nudel ['nu:dl] *f* ⟨-, *-n*⟩ *usu pl* **1.** (*als Beilage*) pasta *no pl*; (*als Suppeneinlage*) noodle **2.** (*infml*: *Mensch*) (*dick*) dumpling (*infml*); (*komisch*) character **Nudelsalat** *m* pasta salad

Nudist [nu'dɪst] *m* ⟨*-en, -en*⟩, **Nudistin** [-'dɪstɪn] *f* ⟨-, *-nen*⟩ nudist

Nugat ['nu:gat] *m or nt* ⟨*-s, -s*⟩ nougat

nuklear [nukle'a:ɐ] *adj attr* nuclear

null [nʊl] *num* zero; (*infml* ≈ *kein*) zero (*infml*); TEL O (*Br*), zero; SPORTS nil; TENNIS love; ***~ Komma eins*** (nought) point one; ***es steht ~ zu ~*** there's no score; ***das Spiel wurde ~ zu ~ beendet*** the game was a goalless (*Br*) *or* no-score draw; ***eins zu ~*** one-nil; ***~ und nichtig*** JUR null and void; ***Temperaturen unter ~*** sub-zero temperatures; ***in ~ Komma nichts*** (*infml*) in less than no time **Null** [nʊl] *f* ⟨-, *-en*⟩ **1.** (*Zahl*) nought, naught (*US*), zero **2.** (*infml*: *Mensch*) dead loss (*infml*) **nullachtfünfzehn** [nʊl|axt'fʏnftse:n] *adj inv* (*infml*) run-of-the--mill (*infml*) **Nulldiät** *f* starvation diet **Nulllösung** *f* POL zero option **Nullnummer** *f* (*von Zeitung etc*) pilot **Nullpunkt** *m* zero; ***auf den ~ sinken, den ~ erreichen*** to hit rock-bottom **Nullrunde** *f* ***in diesem Jahr gab es eine ~ für Beamte*** there has been no pay increase this year for civil servants **Nullsummenspiel** *nt* zero-sum game **Nulltarif** *m* (*für Verkehrsmittel*) free travel; (≈ *freier Eintritt*) free admission; ***zum ~*** (*hum*) free of charge **Nullwachstum** *nt* POL zero growth

numerisch [nu:'me:rɪʃ] *adj* numeric(al)

Nummer ['nʊmɐ] *f* ⟨-, *-n*⟩ number; (≈ *Größe*) size; (*infml*: *Mensch*) character; (*infml* ≈ *Koitus*) screw (*sl*); ***er hat or schiebt eine ruhige ~*** (*infml*) he's onto a cushy number (*infml*); ***auf ~ sicher gehen*** (*infml*) to play (it) safe; ***dieses Geschäft ist eine ~ zu groß für ihn*** this business is out of his league **nummerieren** [nʊme'ri:rən] *past part* ***nummeriert*** *v/t* to number **Nummerierung** *f* ⟨-, *-en*⟩ numbering **Nummernblock** *m* (*auf Tastatur*) numeric keypad **Nummerngirl** [-gø:ɐl] *nt* ⟨*-s, -s*⟩ ring card girl **Nummernkonto** *nt* FIN numbered account **Nummernschild** *nt* AUTO number plate (*Br*), license plate (*US*) **Nummernspeicher** *m* TEL memory

nun [nu:n] *adv* **1.** (≈ *jetzt*) now; ***was ~?*** what now?; ***er will ~ mal nicht*** he simply doesn't want to; ***das ist ~ (ein)mal so*** that's just the way things are; ***~ ja*** well yes; ***~ gut*** (well) all right; ***~ erst recht!*** just for that (I'll do it)! **2.** (*Aufforde-*

rung) come on **3.** (*bei Fragen*) well; **~?** well?

nur [nuːɐ] *adv* only; ***alle, ~ ich nicht*** everyone except me; ***nicht ~ ..., sondern auch*** not only ... but also; ***alles, ~ das nicht!*** anything but that!; ***ich hab das ~ so gesagt*** I was just talking; ***was hat er ~?*** what on earth is the matter with him? (*infml*); ***wenn er ~ (erst) käme*** if only he would come; ***geh ~!*** just go; ***~ zu!*** go on; ***Sie brauchen es ~ zu sagen*** just say (the word)

Nürnberg [ˈnʏrnbɛrk] *nt* ⟨**-s**⟩ Nuremberg

nuscheln [ˈnʊʃln] *v/t & v/i* (*infml*) to mutter

Nuss [nʊs] *f* ⟨**-, ⸚e** [ˈnʏsə]⟩ **1.** nut; ***eine harte ~ zu knacken haben*** (*fig*) to have a tough nut to crack **2.** (*infml: Mensch*) ***eine doofe ~*** a stupid clown (*infml*) **Nussbaum** *m* (*Baum*) walnut tree; (*Holz*) walnut **Nussknacker** *m* nutcracker **Nussschale** *f* nutshell; (*fig: Boot*) cockleshell

Nüster [ˈnʏstɐ] *f* ⟨**-, -n**⟩ nostril

Nut [nuːt] *f* ⟨**-, -en** (*spec*)⟩, **Nute** [ˈnuːtə] *f* ⟨**-, -n**⟩ groove

Nutte [ˈnʊtə] *f* ⟨**-, -n**⟩ (*infml*) tart (*infml*)

nutzbar *adj* us(e)able; *Boden* productive; *Bodenschätze* exploitable; ***~ machen*** to make us(e)able; *Sonnenenergie* to harness; *Bodenschätze* to exploit **nutzbringend I** *adj* profitable **II** *adv* profitably; ***etw ~ anwenden*** to use sth profitably

nütze [ˈnʏtsə] *adj pred* ***zu etw ~ sein*** to be useful for sth; ***zu nichts ~ sein*** to be no use for anything **nutzen** [ˈnʊtsn] **I** *v/i* to be of use, to be useful (*jdm zu etw* to sb for sth); ***es nutzt nichts*** it's no use; ***da nutzt alles nichts*** there's nothing to be done; ***das nutzt (mir/dir) nichts*** that won't help (me/you) **II** *v/t* to make use of, to use; *Gelegenheit* to take advantage of; *Bodenschätze, Energien* to use **Nutzen** [ˈnʊtsn] *m* ⟨**-s, -**⟩ **1.** use; (≈ *Nützlichkeit*) usefulness; ***jdm von ~ sein*** to be useful to sb **2.** (≈ *Vorteil*) advantage, benefit; (≈ *Gewinn*) profit; ***aus etw ~ ziehen*** to reap the benefits of sth **nützen** [ˈnʏtsn] *v/t & v/i* = ***nutzen*** **Nutzer** [ˈnʊtsɐ] *m* ⟨**-s, -**⟩, **Nutzerin** [-ərɪn] *f* ⟨**-, -nen**⟩ user **Nutzfahrzeug** *nt* farm/military *etc* vehicle; COMM commercial vehicle **Nutzfläche** *f* us(e)able floor space; (***landwirtschaftliche***) **~** AGR (agriculturally) productive land **Nutzholz** *nt* (utilizable) timber **Nutzlast** *f* payload **nützlich** [ˈnʏtslɪç] *adj* useful; ***sich ~ machen*** to make oneself useful **Nützlichkeit** *f* ⟨**-,** *no pl*⟩ usefulness **nutzlos** *adj* **1.** useless; (≈ *vergeblich*) futile *attr*, in vain *pred* **2.** (≈ *unnötig*) needless **Nutzlosigkeit** *f* ⟨**-,** *no pl*⟩ uselessness; (≈ *Vergeblichkeit*) futility **Nutznießer** [ˈnʊtsniːsɐ] *m* ⟨**-s, -**⟩, **Nutznießerin** [-ərɪn] *f* ⟨**-, -nen**⟩ beneficiary; JUR usufructuary **Nutzung** [ˈnʊtsʊŋ] *f* ⟨**-, -en**⟩ use; (≈ *das Ausnutzen*) exploitation; ***jdm etw zur ~ überlassen*** to give sb the use of sth

Nylon® [ˈnailɔn] *nt* ⟨**-(s),** *no pl*⟩ nylon

Nymphe [ˈnʏmfə] *f* ⟨**-, -n**⟩ MYTH nymph; (*fig*) sylph **Nymphomanin** [nʏmfoˈmaːnɪn] *f* ⟨**-, -nen**⟩ nymphomaniac

O

O, o [oː] *nt* ⟨**-, -**⟩ O, o

o *int* oh

Oase [oˈaːzə] *f* ⟨**-, -n**⟩ oasis; (*fig*) haven

ob [ɔp] *cj* **1.** (*indirekte Frage*) if, whether; ***ob reich, ob arm*** whether rich or poor; ***ob er (wohl) morgen kommt?*** I wonder if he'll come tomorrow? **2. *und ob*** (*infml*) you bet (*infml*); ***als ob*** as if; (***so***) ***tun als ob*** (*infml*) to pretend

Obacht [ˈoːbaxt] *f* ⟨**-,** *no pl*⟩ ***~ geben auf*** (*+acc*) (≈ *aufmerken*) to pay attention to; (≈ *bewachen*) to keep an eye on

ÖBB *abbr of* ***Österreichische Bundesbahnen*** *Austrian Railways*

Obdach [ˈɔpdax] *nt, no pl* (*elev*) shelter **obdachlos** *adj* homeless; ***~ werden*** to be made homeless **Obdachlosenasyl** *nt* hostel for the homeless **Obdachlose(r)** [ˈɔpdaxloːzə] *m/f(m) decl as adj* homeless person; ***die ~n*** the homeless **Obdachlosigkeit** *f* ⟨**-,** *no pl*⟩ homelessness

Obduktion [ɔpdʊkˈtsioːn] *f* ⟨**-, -en**⟩ postmortem (examination) **obduzieren**

[ɔpduˈtsiːrən] *past part* **obduziert** *v/t* to carry out a postmortem on

O-Beine [ˈoː-] *pl* (*infml*) bow legs *pl* **o-beinig** [ˈoː-] *adj* bow-legged

Obelisk [obəˈlɪsk] *m* ⟨**-en, -en**⟩ obelisk

oben [ˈoːbn] *adv* **1.** (≈ *am oberen Ende*) at the top; (*im Hause*) upstairs; (≈ *in der Höhe*) up; ***rechts ~*** (***in der Ecke***) in the top right-hand corner; ***der ist ~ nicht ganz richtig*** (*infml*) he's not quite right up top (*infml*); ***~ ohne gehen*** (*infml*) to be topless; ***ganz ~*** right at the top; ***hier/dort ~*** up here / there; ***hoch ~*** high (up) above; ***~ auf dem Berg*** on top of the mountain; ***~ am Himmel*** up in the sky; ***~ im Norden*** up (in the) north; ***nach ~*** up, upwards; (*im Hause*) upstairs; ***der Weg nach ~*** (*fig*) the road to the top; ***von ~ bis unten*** from top to bottom; (*von Mensch*) from top to toe; ***jdn von ~ bis unten mustern*** to look sb up and down; ***jdn von ~ herab behandeln*** to be condescending to sb; ***weiter ~*** further up; ***der Befehl kommt von ~*** it's orders from above **2.** (≈ *vorher*) above; ***siehe ~*** see above; ***~ erwähnt*** *attr* above-mentioned **Oben-ohne-** *in cpds* topless

Ober [ˈoːbɐ] *m* ⟨**-s, -**⟩ (≈ *Kellner*) waiter; ***Herr ~!*** waiter!

Oberarm *m* upper arm **Oberarzt** *m*, **Oberärztin** *f* senior physician; (≈ *Vertreter des Chefarztes*) assistant medical director **Oberaufsicht** *f* supervision; ***die ~ führen*** to be in *or* have overall control (*über +acc* of) **Oberbefehl** *m* MIL supreme command **Oberbegriff** *m* generic term **Oberbürgermeister** *m* Lord Mayor **Oberbürgermeisterin** *f* mayoress **Oberdeck** *nt* upper deck **obere(r, s)** [ˈoːbərə] *adj attr* upper; → ***oberste(r, s)*** **Oberfläche** *f* surface; TECH, MAT surface area; ***an der ~ schwimmen*** to float **oberflächlich** [-flɛçlɪç] **I** *adj* superficial; ***~e Verletzung*** surface wound; ***bei ~er Betrachtung*** at a quick glance; ***nach ~er Schätzung*** at a rough estimate **II** *adv* superficially; ***etw*** (***nur***) ***~ kennen*** to have (only) a superficial knowledge of sth **Obergeschoss** *nt*, **Obergeschoß** (*Aus*) *nt* upper floor; (*bei zwei Stockwerken*) top floor **Obergrenze** *f* upper limit **oberhalb** [ˈoːbɐhalp] **I** *prep +gen* above **II** *adv* above; ***weiter ~*** further up **Oberhand** *f* (*fig*) upper hand; ***die ~ über jdn/etw gewinnen*** to gain the upper hand over sb / sth, to get the better of sb / sth **Oberhaupt** *nt* (≈ *Repräsentant*) head; (≈ *Anführer*) leader **Oberhaus** *nt* POL upper house; (*in GB*) House of Lords **Oberhemd** *nt* shirt

Oberin [ˈoːbərɪn] *f* ⟨**-, -nen**⟩ **1.** (*im Krankenhaus*) matron **2.** ECCL Mother Superior

oberirdisch *adj, adv* above ground **Oberkellnerin** *f* head waitress **Oberkiefer** *m* upper jaw **Oberkommando** *nt* (≈ *Oberbefehl*) Supreme Command **Oberkörper** *m* upper part of the body; ***den ~ freimachen*** to strip to the waist **Oberlauf** *m* upper reaches *pl* **Oberleder** *nt* (leather) uppers *pl* **Oberleitung** *f* **1.** (≈ *Führung*) direction **2.** ELEC overhead cable **Oberlippe** *f* upper lip **oberrheinisch** *adj* upper Rhine

Obers [ˈoːbɐs] *nt* ⟨-, *no pl*⟩ (*Aus*) cream

Oberschenkel *m* thigh **Oberschenkelhalsbruch** *m* femoral neck fracture **Oberschicht** *f* top layer; SOCIOL upper strata (of society) *pl* **Oberschwester** *f* senior nursing officer **Oberseite** *f* top (side) **Oberst** [ˈoːbɐst] *m* ⟨**-en, -e(n)**⟩ **1.** (*Heer*) colonel **2.** (*Luftwaffe*) group captain (*Br*), colonel (*US*) **Oberstaatsanwalt** *m*, **Oberstaatsanwältin** *f* public prosecutor, procurator fiscal (*Scot*), district attorney (*US*) **oberste(r, s)** [ˈoːbɐstə] *adj* **1.** *Stockwerk, Schicht* uppermost, very top **2.** *Gebot, Prinzip* supreme; *Dienstgrad* highest, most senior; ***Oberster Gerichtshof*** supreme court **Oberstufe** *f* upper school **Oberteil** *nt or m* upper part, top **Oberwasser** *nt* (*fig infml*) ***~ haben*** to feel better **Oberweite** *f* bust measurement

obgleich [ɔpˈglaiç] *cj* although

Obhut [ˈɔphuːt] *f* ⟨-, *no pl*⟩ (*elev*) (≈ *Aufsicht*) care; (≈ *Verwahrung*) keeping; ***jdn in ~ nehmen*** to take care of sb; ***unter jds ~*** (*dat*) ***sein*** to be in sb's care

obige(r, s) [ˈoːbɪgə] *adj attr* above

Objekt [ɔpˈjɛkt] *nt* ⟨**-(e)s, -e**⟩ object; (COMM ≈ *Grundstück etc*) property; PHOT subject **objektiv** [ɔpjɛkˈtiːf] **I** *adj* objective **II** *adv* objectively **Objektiv** [ɔpjɛkˈtiːf] *nt* ⟨**-s, -e** [-və]⟩ (object) lens **Objektivität** [ɔpjɛktiviˈtɛːt] *f* ⟨-, *no pl*⟩ objectivity **Objektschutz** *m* protection of property **Objektträger** *m* slide

Oblate [oˈblaːtə] *f* ⟨**-, -n**⟩ wafer; ECCL host

Obligation [obliga'tsio:n] *f* ⟨-, **-en**⟩ *also* FIN obligation **obligatorisch** [obliga'to:rɪʃ] *adj* obligatory; *Fächer* compulsory
Oboe [o'bo:ə] *f* ⟨-, **-n**⟩ oboe **Oboist** [obo'ɪst] *m* ⟨**-en, -en**⟩, **Oboistin** [-'ɪstɪn] *f* ⟨-, **-nen**⟩ oboist
Obrigkeit ['o:brɪçkait] *f* ⟨-, **-en**⟩ authority; ***die ~*** the authorities *pl*
Observatorium [ɔpzɛrva'to:riʊm] *nt* ⟨**-s, *Observatorien*** [-riən]⟩ observatory
observieren [ɔpzɛr'vi:rən] *past part* ***observiert*** *v/t* (*form*) to observe
obskur [ɔps'ku:ɐ] *adj* obscure; (≈ *verdächtig*) suspect
Obst [o:pst] *nt* ⟨**-(e)s**, *no pl*⟩ fruit **Obstbau** *m*, *no pl* fruit-growing **Obstbaum** *m* fruit tree **Obstgarten** *m* orchard **Obstkuchen** *m* fruit flan; (*gedeckt*) fruit tart **Obstler** ['o:pstlɐ] *m* ⟨**-s, -**⟩ (*dial*) fruit schnapps
Obstruktion [ɔpstrʊk'tsio:n] *f* ⟨-, **-en**⟩ obstruction
Obstsaft *m* fruit juice **Obstsalat** *m* fruit salad **Obsttorte** *f* fruit flan; (*gedeckt*) fruit tart **Obstwasser** *nt*, *pl* ***-wässer*** fruit schnapps
obszön [ɔps'tsø:n] *adj* obscene **Obszönität** [ɔpstsøni'tɛ:t] *f* ⟨-, **-en**⟩ obscenity
obwohl [ɔp'vo:l] *cj* although
Occasion [ɔkas'jõ:] *f* ⟨-, **-en**⟩ (*Swiss*) (≈ *Gelegenheitskauf*) (second-hand) bargain; (≈ *Gebrauchtwagen*) second-hand car
Ochs [ɔks] *m* ⟨**-en, -en**⟩, **Ochse** ['ɔksə] *m* ⟨**-n, -n**⟩ **1.** ox **2.** (*infml* ≈ *Dummkopf*) dope (*infml*) **Ochsenschwanzsuppe** ['ɔksn-] *f* oxtail soup
Ocker ['ɔkɐ] *m or nt* ⟨**-s, -**⟩ ochre (*Br*), ocher (*US*)
Ode ['o:də] *f* ⟨-, **-n**⟩ ode
öde ['ø:də] *adj* **1.** (≈ *verlassen*) deserted; (≈ *unbewohnt*) desolate; (≈ *unbebaut*) waste **2.** (*fig* ≈ *fade*) dull; *Dasein* dreary; (*infml* ≈ *langweilig*) grim (*infml*)
Ödem [ø'de:m] *nt* ⟨**-s, -e**⟩ oedema, edema
oder ['o:dɐ] *cj* or; ***~ so*** (*am Satzende*) or something; ***so wars doch, ~ (etwa) nicht?*** that was what happened, wasn't it?; ***lassen wir es so, ~?*** let's leave it at that, OK?
Ödipuskomplex ['ø:dipʊs-] *m* Oedipus complex
Ofen ['o:fn] *m* ⟨**-s, ⸚** ['ø:fn]⟩ **1.** (≈ *Heizofen*) heater; (≈ *Kohleofen*) stove; ***jetzt ist der ~ aus*** (*infml*) that's it (*infml*) **2.** (≈ *Herd, Backofen*) oven **3.** TECH furnace; (≈ *Brennofen*) kiln **Ofenkartoffel** *f* baked potato **Ofenrohr** *nt* stovepipe
offen ['ɔfn] **I** *adj* **1.** open; *Flamme, Licht* naked; *Haare* loose; *Rechnung* outstanding; ***~er Wein*** wine by the carafe / glass; ***auf ~er Strecke*** (*Straße*) on the open road; ***Tag der ~en Tür*** open day; ***ein ~es Wort mit jdm reden*** to have a frank talk with sb **2.** (≈ *frei*) *Stelle* vacant; ***~e Stellen*** vacancies **II** *adv* openly; (≈ *freimütig*) candidly; (≈ *deutlich*) clearly; ***~ gestanden*** *or* ***gesagt*** quite honestly; ***seine Meinung ~ sagen*** to speak one's mind; ***die Haare ~ tragen*** to wear one's hair loose *or* down **offenbar I** *adj* obvious; ***~ werden*** to become obvious **II** *adv* (≈ *vermutlich*) apparently; ***da haben Sie sich ~ geirrt*** you seem to have made a mistake **offenbaren** [ɔfn'ba:rən] *insep past part* ***offenbart*** *or* (*old*) ***geoffenbart*** [ɔfn'ba:ɐt, gə|ɔfn'ba:ɐt] **I** *v/t* to reveal **II** *v/r* (≈ *erweisen*) to show *or* reveal itself / oneself **Offenbarung** [ɔfn'ba:rʊŋ] *f* ⟨-, **-en**⟩ revelation **Offenbarungseid** *m* JUR oath of disclosure; ***den ~ leisten*** (*lit*) to swear an oath of disclosure; (*fig*) to admit defeat **offen bleiben, offenbleiben** (*fig*) *v/i sep irr aux sein* ***alle offengebliebenen Probleme*** all remaining problems **offen halten, offenhalten** (*fig*) *v/t sep irr* to keep open **Offenheit** *f* ⟨-, *no pl*⟩ (*gegenüber* about) openness, candour (*Br*), candor (*US*); ***in aller*** *or* ***schöner ~*** quite openly **offenkundig I** *adj* obvious; *Beweise* clear **II** *adv* blatantly **offen lassen offenlassen** *v/t sep irr* to leave open **offenlegen** *v/t sep* (*fig*) to disclose **offensichtlich** ['ɔfnzɪçtlɪç, ɔfn'zɪçtlɪç] **I** *adj* obvious **II** *adv* obviously
offensiv I *adj* offensive **II** *adv* offensively
Offensive *f* ⟨-, **-n**⟩ offensive; ***in die ~ gehen*** to take the offensive
offen stehen *v/i irr* (*Tür, Fenster*) to be open **offenstehen** *v/i sep irr* (*fig*) **1.** (COMM: *Rechnung*) to be outstanding **2.** ***jdm ~*** (*fig* ≈ *zugänglich sein*) to be open to sb; ***es steht ihr offen, sich uns anzuschließen*** she's free to join us
öffentlich I *adj* public; ***die ~e Meinung / Moral*** public opinion / morality; ***die ~e Ordnung*** law and order; ***~es Recht***

JUR public law; **~e Schule** state school, public school (*US*); **der ~e Dienst** the civil service **II** *adv* publicly; **sich ~ äußern** to voice one's opinion in public; **etw ~ bekannt machen** to make sth public **Öffentlichkeit** *f* ⟨-, *no pl*⟩ (≈ *Allgemeinheit*) (general) public; **in** *or* **vor aller ~** in public; **unter Ausschluss der ~** in secret *or* private; JUR in camera; **mit etw an die ~ treten** to bring sth to public attention; **im Licht der ~ stehen** to be in the public eye **Öffentlichkeitsarbeit** *f* public relations work **öffentlich-rechtlich** ['œfntlɪç'rɛçtlɪç] *adj attr* (under) public law; **~er Rundfunk** ≈ public-service broadcasting

Offerte [ɔ'fɛːrtə] *f* ⟨-, **-n**⟩ COMM offer

offiziell [ɔfi'tsiɛl] **I** *adj* official **II** *adv* officially

Offizier [ɔfi'tsiːɐ] *m* ⟨**-s, -e**⟩, **Offizierin** [-'tsiːrɪn] *f* ⟨-, **-nen**⟩ officer

offline ['ɔflain] *adv* IT off line **Offlinebetrieb** ['ɔflain-] *m* IT off-line mode

öffnen ['œfnən] **I** *v/t & v/i* to open **II** *v/r* to open; (≈ *weiter werden*) to open out; **sich jdm ~** to confide in sb **Öffner** ['œfnɐ] *m* ⟨**-s, -**⟩ opener **Öffnung** ['œfnʊŋ] *f* ⟨-, **-en**⟩ opening **Öffnungszeiten** *pl* hours *pl* of business

Offsetdruck ['ɔfsɛt-] *m*, *pl* **-drucke** offset (printing)

oft [ɔft] *adv*, *comp* **¨er** ['œftɐ], (*rare*) *sup* **am ¨esten** ['œftəstn] often; (≈ *in kurzen Abständen*) frequently; **des Öfteren** quite often **öfter(s)** ['œftɐ(s)] *adv* (every) once in a while; (≈ *wiederholt*) from time to time

oh [oː] *int* oh

Ohm [oːm] *nt* ⟨**-(s), -**⟩ ohm

ohne ['oːnə] **I** *prep +acc* without; **~ mich!** count me out!; **er ist nicht ~** (*infml*) he's not bad (*infml*); **~ Mehrwertsteuer** excluding VAT; **ich hätte das ~ Weiteres getan** I'd have done it without a second thought; **er hat den Brief ~ Weiteres unterschrieben** he signed the letter just like that; **das lässt sich ~ Weiteres arrangieren** that can easily be arranged **II** *cj* **~ zu zögern** without hesitating **ohnegleichen** ['oːnə'glaiçn] *adj inv* unparalleled; **seine Frechheit ist ~** I've never known anybody have such a nerve **ohnehin** ['oːnə'hɪn] *adv* anyway; **es ist ~ schon spät** it's late enough as it is

Ohnmacht ['oːnmaxt] *f* ⟨-, **-en**⟩ **1.** MED faint; **in ~ fallen** to faint **2.** (≈ *Machtlosigkeit*) powerlessness **ohnmächtig** ['oːnmɛçtɪç] **I** *adj* **1.** (≈ *bewusstlos*) unconscious; **~ werden** to faint **2.** (≈ *machtlos*) powerless; **~e Wut** impotent rage **II** *adv* (≈ *hilflos*) helplessly; **~ zusehen** to look on helplessly

Ohr [oːɐ] *nt* ⟨**-(e)s, -en**⟩ ear; **auf taube/offene ~en stoßen** to fall on deaf/sympathetic ears; **ein offenes ~ für jdn haben** to be ready to listen to sb; **mir klingen die ~en** my ears are burning; **jdm die ~en volljammern** (*infml*) to keep (going) on at sb; **ganz ~ sein** (*hum*) to be all ears; **sich aufs ~ legen** *or* **hauen** (*infml*) to turn in (*infml*); **jdm die ~en lang ziehen** (*infml*) to tweak sb's ear(s); **ein paar hinter die ~en kriegen** (*infml*) to get a smack on the ear; **schreib es dir hinter die ~en** (*infml*) has that sunk in? (*infml*); **jdm (mit etw) in den ~en liegen** to badger sb (about sth); **jdn übers ~ hauen** to take sb for a ride (*infml*); **bis über beide ~en verliebt sein** to be head over heels in love; **viel um die ~en haben** (*infml*) to have a lot on (one's plate) (*infml*); **es ist mir zu ~en gekommen** it has come to my ears (*form*)

Öhr [øːɐ] *nt* ⟨**-(e)s, -e**⟩ eye

Ohrenarzt *m*, **Ohrenärztin** *f* ear specialist **ohrenbetäubend** *adj* (*fig*) deafening **Ohrensausen** *nt* ⟨**-s**, *no pl*⟩ MED buzzing in one's ears **Ohrenschmalz** *nt* earwax **Ohrenschmerzen** *pl* earache **Ohrenschützer** *pl* earmuffs *pl* **Ohrenzeuge** *m*, **Ohrenzeugin** *f* earwitness **Ohrfeige** ['oːɐfaigə] *f* ⟨-, **-n**⟩ slap (on *or* round (*Br*) the face); (*als Strafe*) smack on the ear; **eine ~ bekommen** to get a slap round (*Br*) *or* in (*US*) the face **ohrfeigen** ['oːɐfaign] *v/t insep* **jdn ~** to slap *or* hit sb; (*als Strafe*) to give sb a smack on the ear **Ohrläppchen** *nt* (ear)lobe **Ohrmuschel** *f* (outer) ear **Ohrring** *m* earring **Ohrstecker** *m* stud earring **Ohrstöpsel** *m* earplug **Ohrwurm** *m* ZOOL earwig; **der Schlager ist ein richtiger ~** (*infml*) that's a really catchy record (*infml*)

oje [o'jeː] *int* oh dear

Okkupation [ɔkupa'tsioːn] *f* ⟨-, **-en**⟩ occupation

Ökobauer *m* ⟨**-n, -n**⟩, **Ökobäuerin** *f* ⟨-, **-nen**⟩ (*infml*) ecologically-minded farmer **Ökoladen** *m* wholefood shop **Ökologe** [øko'loːgə] *m* ⟨**-n, -n**⟩, **Ökologin** [-'loːgɪn] *f* ⟨**-, -nen**⟩ ecologist **Ökologie** [økolo'giː] *f* ⟨-, *no pl*⟩ ecology **ökologisch** [øko'loːgɪʃ] **I** *adj* ecological, environmental **II** *adv* ecologically; *anbauen* organically **Ökonom** [øko'noːm] *m* ⟨**-en, -en**⟩, **Ökonomin** [-ɪn] *f* ⟨**-, -nen**⟩ economist **Ökonomie** [økono'miː] *f* ⟨**-, -n**⟩ **1.** economy **2.** *no pl* (≈ *Wirtschaftswissenschaft*) economics *sg* **ökonomisch** [øko'noːmɪʃ] **I** *adj* **1.** economic **2.** (≈ *sparsam*) economic(al) **II** *adv* economically; **~ wirtschaften** to be economical **Ökopapier** *nt* recycled paper **Ökosiegel** *nt* eco-label **Ökosphäre** *f* ecosphere **Ökosteuer** *f* ecotax, green tax (*infml*) **Ökosystem** *nt* ecosystem

Oktaeder [ɔkta'|eːdɐ] *nt* ⟨**-s, -**⟩ octahedron

Oktanzahl [ɔk'taːn-] *f* octane number

Oktave [ɔk'taːvə] *f* ⟨**-, -n**⟩ octave

Oktober [ɔk'toːbɐ] *m* ⟨**-(s), -**⟩ October; → ***März*** **Oktoberfest** *nt Munich beer festival*

ökumenisch [øku'meːnɪʃ] *adj* ecumenical

Öl [øːl] *nt* ⟨**-(e)s, -e**⟩ oil; ***in Öl malen*** to paint in oils; ***Öl auf die Wogen gießen*** (*prov*) to pour oil on troubled waters **Ölbild** *nt* oil painting

Oldie ['oːldi] *m* ⟨**-s, -s**⟩ (*infml* ≈ *Schlager*) (golden) oldie (*infml*) **Oldtimer** ['oːldtaimɐ] *m* ⟨**-s, -**⟩ (≈ *Auto*) veteran car

Oleander [ole'andɐ] *m* ⟨**-s, -**⟩ oleander

Ölembargo *nt* oil embargo **ölen** ['øːlən] *v/t* to oil; ***wie geölt*** (*infml*) like clockwork (*infml*) **Ölexport** *m* oil exports *pl* **Ölfarbe** *f* oil-based paint; ART oil (paint *or* colour (*Br*) *or* color (*US*)) **Ölfeld** *nt* oil field **Ölfilm** *m* film of oil **Ölförderland** *nt* oil-producing country **Ölförderung** *f* oil production **Ölgemälde** *nt* oil painting **Ölheizung** *f* oil-fired central heating **ölig** ['øːlɪç] *adj* oily

oliv [o'liːf] *adj pred* olive(-green) **Olive** [o'liːvə] *f* ⟨**-, -n**⟩ olive **Olivenbaum** *m* olive tree **Olivenhain** *m* olive grove **Olivenöl** *nt* olive oil **olivgrün** *adj* olive-green

Ölkanne *f*, **Ölkännchen** *nt* oil can **Ölkrise** *f* oil crisis **Öllieferant(in)** *m/(f)* oil producer **Ölmessstab** *m* AUTO dipstick **Ölmühle** *f* oil mill **Ölofen** *m* oil heater **Ölplattform** *f* oil rig **Ölpreis** *m* oil price **Ölquelle** *f* oil well **Ölsardine** *f* sardine **Ölschicht** *f* layer of oil **Ölstand** *m* oil level **Ölstandsanzeiger** *m* oil pressure gauge **Öltanker** *m* oil tanker **Ölteppich** *m* oil slick **Ölverbrauch** *m* oil consumption **Ölvorkommen** *nt* oil deposit **Ölwanne** *f* AUTO sump (*Br*), oil pan (*US*) **Ölwechsel** *m* oil change

Olymp [o'lʏmp] *m* ⟨**-s**⟩ (*Berg*) Mount Olympus **Olympiade** [olʏm'piaːdə] *f* ⟨**-, -n**⟩ (≈ *Olympische Spiele*) Olympic Games *pl* **Olympiamannschaft** *f* Olympic team **Olympiasieger(in)** *m/(f)* Olympic champion **Olympiastadion** *nt* Olympic stadium **Olympiateilnehmer(in)** *m/(f)* participant in the Olympic Games **olympisch** [o'lʏmpɪʃ] *adj* **1.** (≈ *den Olymp betreffend*) Olympian (*also fig*) **2.** (≈ *die Olympiade betreffend*) Olympic; ***die Olympischen Spiele*** the Olympic Games

Ölzeug *nt* oilskins *pl*

Oma ['oːma] *f* ⟨**-, -s**⟩ (*infml*) granny (*infml*)

Ombudsfrau ['ɔmbʊts-] *f* ombudswoman **Ombudsmann** ['ɔmbʊts-] *m*, *pl* ***-männer*** ombudsman

Omelett [ɔm(ə)'lɛt] *nt* ⟨**-(e)s, -e** *or* **-s**⟩ omelette

Omen ['oːmən] *nt* ⟨**-s, -** *or* ***Omina*** ['oːmina]⟩ omen

ominös [omi'nøːs] (*elev*) **I** *adj* ominous, sinister **II** *adv* ominously

Omnibus ['ɔmnibʊs] *m* bus

onanieren [ona'niːrən] *past part* ***onaniert*** *v/i* to masturbate

Onkel ['ɔŋkl] *m* ⟨**-s, -**⟩ uncle

Onkologe [ɔŋko'loːgə] *m* ⟨**-n, -n**⟩, **Onkologin** [-'loːgɪn] *f* ⟨**-, -nen**⟩ oncologist **Onkologie** [ɔŋkolo'giː] *f* ⟨-, *no pl*⟩ MED oncology

online ['ɔnlain] *adj pred* IT on line **Online-Anbieter** *m* on-line (service) provider **Onlinebanking** [-bɛŋkɪŋ] *nt* ⟨**-s**⟩ on-line *or* Internet banking **Onlinebetrieb** *m* on-line mode **Onlinedatenbank** *f*, *pl* ***-banken*** on-line database **Onlinedienst** *m*, **Onlineservice** [-zøːɐvɪs, -zœrvɪs] *m* on-line service **Onlineshop** *f* on-line store

Opa ['oːpa] *m* ⟨**-s, -s**⟩ (*infml*) grandpa (*infml*); (*fig*) old grandpa (*infml*)

Opal [o'paːl] *m* ⟨**-s, -e**⟩ opal

Open Air ['oːpn'ɛɐ] *nt* ⟨**-s, -s**⟩, **Open-**

Air-Festival ['o:pn'ɛɐ-] *nt* open-air festival **Open-Air-Konzert** ['o:pn'ɛɐ-] *nt* open-air concert

Oper ['o:pɐ] *f* ⟨-, **-n**⟩ opera

Operation [opəra'tsio:n] *f* ⟨-, **-en**⟩ operation **Operationssaal** *m* operating theatre (*Br*) *or* room (*US*) **Operationsschwester** *f* theatre sister (*Br*), operating room nurse (*US*) **operativ** [opəra'ti:f] **I** *adj* MED operative, surgical; MIL, ECON strategic, operational **II** *adv* MED surgically **Operator** ['ɔpəre:tɐ, opə'ra:to:ɐ] *m* ⟨**-s, -s**, *or* (*bei dt. Aussprache*) ***Operatoren*** [-'to:rən]⟩, **Operatorin** [-'to:rın] *f* ⟨-, **-nen**⟩ (computer) operator

Operette [opə'rɛtə] *f* ⟨-, **-n**⟩ operetta

operieren [opə'ri:rən] *past part* ***operiert*** **I** *v/t* to operate on; ***jdn am Magen ~*** to operate on sb's stomach **II** *v/i* to operate; ***sich ~ lassen*** to have an operation

Opernball *m* opera ball **Opernführer** *m* (≈ *Buch*) opera guide **Operglas** *nt* opera glasses *pl* **Opernhaus** *nt* opera house **Opernsänger(in)** *m/(f)* opera singer

Opfer ['ɔpfɐ] *nt* ⟨**-s, -**⟩ **1.** (≈ *Opfergabe*) sacrifice; ***jdm etw als ~ darbringen*** to offer sth as a sacrifice to sb; ***ein ~ bringen*** to make a sacrifice **2.** (≈ *Geschädigte*) victim; ***jdm/einer Sache zum ~ fallen*** to be (the) victim of sb/sth; ***das Erdbeben forderte viele ~*** the earthquake claimed many victims **opferbereit** *adj* ready *or* willing to make sacrifices **Opfergabe** *f* offering **opfern** ['ɔpfɐn] **I** *v/t* **1.** (≈ *als Opfer darbringen*) to sacrifice **2.** (*fig* ≈ *aufgeben*) to give up **II** *v/i* to make a sacrifice **III** *v/r* ***sich*** *or* ***sein Leben für jdn/etw ~*** to sacrifice oneself *or* one's life for sb/sth **Opferstock** *m* offertory box **Opferung** ['ɔpfərʊŋ] *f* ⟨-, **-en**⟩ (≈ *das Opfern*) sacrifice

Opium ['o:piʊm] *nt* ⟨**-s**, *no pl*⟩ opium **Opiumhöhle** *f* opium den

Opponent [ɔpo'nɛnt] *m* ⟨**-en, -en**⟩, **Opponentin** [-'nɛntın] *f* ⟨-, **-nen**⟩ opponent **opponieren** [ɔpo'ni:rən] *past part* ***opponiert*** *v/i* to oppose (*gegen jdn/etw* sb/sth)

opportun [ɔpɔr'tu:n] *adj* (*elev*) opportune **Opportunismus** [ɔpɔrtu'nısmʊs] *m* ⟨-, *no pl*⟩ opportunism **Opportunist** [ɔpɔrtu'nıst] *m* ⟨**-en, -en**⟩, **Opportunistin** [-'nıstın] *f* ⟨-, **-nen**⟩ opportunist **opportunistisch** [ɔpɔrtu'nıstiʃ] *adj* opportunistic, opportunist

Opposition [ɔpozi'tsio:n] *f* ⟨-, **-en**⟩ opposition; ***in die ~ gehen*** POL to go into opposition **Oppositionsführer(in)** *m/(f)* POL opposition leader **Oppositionspartei** *f* POL opposition, opposition party

optieren [ɔp'ti:rən] *past part* ***optiert*** *v/i* (*form*) ***~ für*** to opt for

Optik ['ɔptık] *f* ⟨-, **-en**⟩ **1.** *no pl* PHYS optics **2.** (≈ *Linsensystem*) lens system **3.** (≈ *Sehweise*) point of view; ***das ist eine Frage der ~*** (*fig*) it depends on your point of view **Optiker** ['ɔptikɐ] *m* ⟨**-s, -**⟩, **Optikerin** [-ərın] *f* ⟨-, **-nen**⟩ optician

optimal [ɔpti'ma:l] **I** *adj* optimal, optimum *attr* **II** *adv* perfectly; ***etw ~ nutzen*** to put sth to the best possible use **optimieren** [ɔpti'mi:rən] *past part* ***optimiert*** *v/t* to optimize **Optimismus** [ɔpti'mısmʊs] *m* ⟨-, *no pl*⟩ optimism **Optimist** [ɔpti'mıst] *m* ⟨**-en, -en**⟩, **Optimistin** [-'mıstın] *f* ⟨-, **-nen**⟩ optimist **optimistisch** [ɔpti'mıstıʃ] **I** *adj* optimistic **II** *adv* optimistically; ***etw ~ sehen*** to be optimistic about sth **Optimum** ['ɔptimʊm] *nt* ⟨**-s, *Optima*** [-ma]⟩ optimum

Option [ɔp'tsio:n] *f* ⟨-, **-en**⟩ option **Optionshandel** *m* options trading

optisch ['ɔptıʃ] **I** *adj* visual; ***~e Täuschung*** optical illusion **II** *adv* (≈ *vom Eindruck her*) optically, visually

opulent [opu'lɛnt] (*elev*) *adj Kostüme, Geldsumme* lavish; *Mahl* sumptuous

Opus ['o:pʊs, 'ɔpʊs] *nt* ⟨-, ***Opera*** ['o:pəra]⟩ work; MUS opus; (≈ *Gesamtwerk*) (complete) works *pl*

Orakel [o'ra:kl] *nt* ⟨**-s, -**⟩ oracle **orakeln** [o'ra:kln] *past part* ***orakelt*** *v/i* (*über die Zukunft*) to prophesy

oral [o'ra:l] **I** *adj* oral **II** *adv* orally **Oralsex** *m* oral sex

orange [o'rã:ʒə] *adj inv* orange **Orange** [o'rã:ʒə] *f* ⟨-, **-n**⟩ (*Frucht*) orange **Orangeade** [orã'ʒa:də] *f* ⟨-, **-n**⟩ orangeade (*esp Br*), orange juice **Orangeat** [orã'ʒa:t] *nt* ⟨**-s, -e**⟩ candied (orange) peel **Orangenhaut** *f*, *no pl* MED orange-peel skin **Orangensaft** *m* orange juice

Orang-Utan ['o:raŋ-'|u:tan] *m* ⟨**-s, -s**⟩ orang-utan

Orchester [ɔr'kɛstɐ, (*old*) ɔr'çɛstɐ] *nt* ⟨**-s, -**⟩ orchestra **Orchestergraben** *m* orchestra pit

Orchidee [ɔrçi'deː(ə)] *f* ⟨**-, -n** [-'deːən]⟩ orchid

Orden ['ɔrdn] *m* ⟨**-s, -**⟩ **1.** (*Gemeinschaft*) (holy) order **2.** (≈ *Ehrenzeichen*) decoration; MIL medal; ***einen ~ bekommen*** to be decorated **Ordensbruder** *m* ECCL monk **Ordensschwester** *f* nun; (≈ *Krankenschwester*) (nursing) sister

ordentlich ['ɔrdntlɪç] **I** *adj* **1.** *Mensch, Zimmer* tidy **2.** (≈ *ordnungsgemäß*) ***~es Gericht*** court of law; ***~es Mitglied*** full member **3.** (≈ *anständig*) respectable **4.** (*infml* ≈ *tüchtig*) ***ein ~es Frühstück*** a proper breakfast; ***eine ~e Tracht Prügel*** a proper hiding (*infml*) **5.** (≈ *annehmbar*) *Preis, Leistung* reasonable **II** *adv* **1.** (≈ *geordnet*) neatly **2.** (≈ *ordnungsgemäß*) *regeln* correctly; (≈ *anständig*) *sich benehmen* appropriately; *aufhängen* properly **3.** (*infml* ≈ *tüchtig*) ***~ essen*** to eat (really) well; ***jdn ~ verprügeln*** to give sb a real beating; ***es hat ~ geregnet*** it really rained; ***~ Geld verdienen*** to make a pile of money (*infml*)

Order ['ɔrdɐ] *f* ⟨**-, -s** *or* **-n**⟩ order **ordern** ['ɔrdɐn] *v/t* COMM to order

Ordinalzahl [ɔrdi'naːl-] *f* ordinal number

ordinär [ɔrdi'nɛːɐ] *adj* **1.** (≈ *gemein*) vulgar **2.** (≈ *alltäglich*) ordinary

Ordinariat [ɔrdina'riaːt] *nt* ⟨**-(e)s, -e**⟩ UNIV chair **Ordinarius** [ɔrdi'naːriʊs] *m* ⟨**-, *Ordinarien*** [-riən]⟩ UNIV professor (*für* of) **Ordination** [ɔrdina'tsioːn] *f* ⟨**-, -en**⟩ **1.** ECCL ordination **2.** (*Aus*) (≈ *Arztpraxis*) (doctor's) practice; (≈ *Sprechstunde*) consultation (hour), surgery (*Br*)

ordnen ['ɔrdnən] *v/t Gedanken, Material* to organize; *Sammlung* to sort out; *Finanzen, Privatleben* to put in order; (≈ *sortieren*) to order; → ***geordnet*** **Ordner** ['ɔrdnɐ] *m* ⟨**-s, -**⟩ (≈ *Aktenordner*) folder (*auch* IT) **Ordner** ['ɔrdnɐ] *m* ⟨**-s, -**⟩, **Ordnerin** [-ərɪn] *f* ⟨**-, -nen**⟩ steward **Ordnung** ['ɔrdnʊŋ] *f* ⟨**-, -en**⟩ order; ***~ halten*** to keep things tidy; ***für ~ sorgen*** to put things in order; ***etw in ~ halten*** to keep sth in order; ***etw in ~ bringen*** (≈ *reparieren*) to fix sth; (≈ *herrichten*) to put sth in order; (≈ *bereinigen*) to clear sth up; ***(das ist) in ~!*** (*infml*) (that's) OK (*infml*)!; ***geht in ~*** (*infml*) sure (*infml*); ***der ist in ~*** (*infml*) he's OK (*infml*); ***da ist etwas nicht in ~*** there's something wrong there; ***jdn zur ~ rufen*** to call sb to order; ***jdn zur ~ anhalten*** to tell sb to be tidy; ***~ muss sein!*** we must have order!; ***ich frage nur der ~ halber*** I'm only asking as a matter of form; ***das war ein Skandal erster ~*** (*infml*) that was a scandal of first order **Ordnungsamt** *nt* ≈ town clerk's office **ordnungsgemäß** **I** *adj* according to the regulations, proper **II** *adv* correctly **ordnungshalber** *adv* as a matter of form **Ordnungshüter(in)** *m/(f)* (*hum*) custodian of the law (*hum*) **ordnungsliebend** *adj* tidy, tidy-minded **Ordnungsstrafe** *f* fine; ***jdn mit einer ~ belegen*** to fine sb **ordnungswidrig** **I** *adj* irregular; *Parken* illegal **II** *adv parken* illegally **Ordnungswidrigkeit** *f* infringement **Ordnungszahl** *f* MAT ordinal number

Oregano [o'reːgano] *m* ⟨**-,** *no pl*⟩ BOT oregano

Organ [ɔr'gaːn] *nt* ⟨**-s, -e**⟩ **1.** organ; (*infml* ≈ *Stimme*) voice **2.** ***die ausführenden ~e*** the executors **Organbank** *f, pl* ***-banken*** MED organ bank **Organentnahme** *f* MED organ removal **Organhandel** *m* trade in transplant organs

Organisation [ɔrganiza'tsioːn] *f* ⟨**-, -en**⟩ organization **Organisationstalent** *nt* talent for organization; ***er ist ein ~*** he has a talent for organization **Organisator** [ɔrgani'zaːtoːɐ] *m* ⟨**-s, *Organisatoren*** [-'toːrən]⟩, **Organisatorin** [-'toːrɪn] *f* ⟨**-, -nen**⟩ organizer **organisatorisch** [ɔrganiza'toːrɪʃ] *adj* organizational; ***er ist ein ~es Talent*** he has a talent for organization

organisch [ɔr'gaːnɪʃ] **I** *adj* organic; *Leiden* physical **II** *adv* MED organically, physically

organisieren [ɔrgani'ziːrən] *past part* ***organisiert*** **I** *v/t & v/i* to organize; ***etw neu ~*** to reorganize sth **II** *v/r* to organize

Organismus [ɔrga'nɪsmʊs] *m* ⟨**-, *Organismen*** [-mən]⟩ organism

Organist [ɔrga'nɪst] *m* ⟨**-en, -en**⟩, **Organistin** [-ɪn] *f* ⟨**-, -nen**⟩ MUS organist

Organizer ['ɔrgənaizɐ] *m* ⟨**-s -**⟩ IT organizer

Organspende *f* organ donation **Organspender(in)** *m/(f)* donor (*of an organ*) **Organspenderausweis** *m* donor card **Organverpflanzung** *f* transplant(ation) (*of organs*)

Orgasmus [ɔr'gasmʊs] *m* ⟨**-, *Orgasmen***

[-mən]⟩ orgasm

Orgel ['ɔrgl] *f* ⟨**-, -n**⟩ MUS organ **Orgelkonzert** *nt* organ recital; (≈ *Werk*) organ concerto **Orgelmusik** *f* organ music

Orgie ['ɔrgiə] *f* ⟨**-, -n**⟩ orgy

Orient ['oːriɛnt, o'riɛnt] *m* ⟨**-s**, *no pl*⟩ **1.** (*liter* ≈ *der Osten*) Orient **2.** (≈ *arabische Welt*) ≈ Middle East; ***der Vordere ~*** the Near East **orientalisch** [oriɛn'taːlɪʃ] *adj* Middle Eastern

orientieren [oriɛn'tiːrən] *past part* **orientiert** **I** *v/t* **1.** (≈ *unterrichten*) ***jdn ~*** to put sb in the picture (*über +acc* about) **2.** (≈ *ausrichten*) to orientate (*nach, auf +acc* to, towards); ***links orientiert sein*** to tend to the left **II** *v/r* **1.** (≈ *sich unterrichten*) to inform oneself (*über +acc* about, on) **2.** (≈ *sich zurechtfinden*) to orientate oneself (*an +dat, nach* by) **3.** (≈ *sich ausrichten*) to be orientated (*nach, an +dat* towards); ***sich nach Norden ~*** to bear north **Orientierung** *f* ⟨**-, -en**⟩ **1.** (≈ *Unterrichtung*) information; ***zu Ihrer ~*** for your information **2.** (≈ *das Zurechtfinden, Ausrichtung*) orientation; ***die ~ verlieren*** to lose one's bearings **Orientierungssinn** *m, no pl* sense of direction **Orientierungsstufe** *f* SCHOOL *mixed ability class(es) intended to foster the particular talents of each pupil*

Orientteppich *m* Oriental carpet

Origano [o'riːgano] *m* ⟨**-**, *no pl*⟩ BOT oregano

original [origi'naːl] *adj* original **Original** [origi'naːl] *nt* ⟨**-s, -e**⟩ **1.** original **2.** (*Mensch*) character **Originalfassung** *f* original (version); ***in der englischen ~*** in the original English **originalgetreu** *adj* true to the original **Originalität** [originali'tɛːt] *f* ⟨**-**, *no pl*⟩ **1.** (≈ *Echtheit*) authenticity **2.** (≈ *Urtümlichkeit*) originality **Originalton** *m, pl* **-töne** (***im***) ***~ Merkel*** (*fig*) in Merkel's own words **Originalverpackung** *f* original packaging

originell [origi'nɛl] *adj Idee* original; (≈ *geistreich*) witty

Orkan [ɔr'kaːn] *m* ⟨**-(e)s, -e**⟩ **1.** hurricane **2.** (*fig*) storm **orkanartig** *adj Wind* gale-force **Orkanstärke** *f* hurricane force **Orkantief** *nt* hurricane-force depression *or* cyclone *or* low

Ornament [ɔrna'mɛnt] *nt* ⟨**-(e)s, -e**⟩ decoration, ornament **ornamental** [ɔrnamen'taːl] *adj* ornamental

Ornithologe [ɔrnito'loːgə] *m* ⟨**-n, -n**⟩, **Ornithologin** [-'loːgɪn] *f* ⟨**-, -nen**⟩ ornithologist

Ort[1] [ɔrt] *m* ⟨**-(e)s, -e**⟩ **1.** (≈ *Stelle*) place; ***~ der Handlung*** THEAT scene of the action; ***an ~ und Stelle*** on the spot **2.** (≈ *Ortschaft*) place; (≈ *Dorf*) village; (≈ *Stadt*) town; ***er ist im ganzen ~ bekannt*** the whole village / town *etc* knows him; ***das beste Hotel am ~*** the best hotel in town

Ort[2] *m* ⟨**-(e)s, ⸚er** ['œrtɐ]⟩ MIN coal face; ***vor ~*** at the (coal) face; (*fig*) on the spot

Örtchen ['œrtçən] *nt* ⟨**-s, -**⟩ (≈ *kleiner Ort*) small place; ***das*** (***stille***) ***~*** (*infml*) the smallest room (*infml*) **orten** ['ɔrtn] *v/t* to locate

orthodox [ɔrto'dɔks] **I** *adj* orthodox **II** *adv* (≈ *starr*) *denken* conventionally

Orthografie [ɔrtogra'fiː] *f* ⟨**-, -n** [-'fiːən]⟩ orthography **orthografisch** [ɔrto'graːfɪʃ] **I** *adj* orthographic(al) **II** *adv* orthographically; ***er schreibt nicht immer ~ richtig*** his spelling is not always correct

Orthopäde [ɔrto'pɛːdə] *m* ⟨**-n, -n**⟩, **Orthopädin** [-'pɛːdɪn] *f* ⟨**-, -nen**⟩ orthopaedic (*Br*) *or* orthopedic (*US*) specialist **Orthopädie** [ɔrtopɛ'diː] *f* ⟨**-**, *no pl*⟩ **1.** (≈ *Wissenschaft*) orthopaedics *pl* (*Br*), orthopedics *pl* (*US*) **2.** (*infml* ≈ *Abteilung*) orthopaedic (*Br*) *or* orthopedic (*US*) department **orthopädisch** [ɔrto'pɛːdɪʃ] *adj* orthopaedic (*Br*), orthopedic (*US*)

örtlich ['œrtlɪç] **I** *adj* local **II** *adv* locally; ***das ist ~ verschieden*** it varies from place to place; ***jdn ~ betäuben*** to give sb a local anaesthetic (*Br*) *or* anesthetic (*US*) **Örtlichkeit** *f* ⟨**-, -en**⟩ locality; ***sich mit den ~en vertraut machen*** to get to know the place **Ortsausgang** *m* way out of the village / town **Ortschaft** ['ɔrtʃaft] *f* ⟨**-, -en**⟩ village; (*größer*) town; ***geschlossene ~*** built-up area **Ortseingang** *m* way into the village / town **ortsfremd** *adj* non-local; ***ich bin hier ~*** I'm a stranger here **ortsgebunden** *adj* local; (≈ *stationär*) stationary; *Person* tied to the locality **Ortsgespräch** *nt* TEL local call **ortskundig** *adj* ***nehmen Sie sich einen ~en Führer*** get a guide who knows his way around **Ortsname** *m* place name **Ortsnetz** *nt* TEL local (telephone) exchange area **Ortsnetzkennzahl** *f* TEL dialling code (*Br*), area code (*US*) **Orts-**

schild *nt* place name sign **ortsüblich** *adj* local; ***~e Mieten*** standard local rents; ***das ist hier ~*** it is usual here **Ortsverkehr** *m* local traffic **Ortszeit** *f* local time
Ortung ['ɔrtʊŋ] *f* ⟨**-, -en**⟩ locating
öS *abbr of* ***österreichischer Schilling*** Austrian schilling
O-Saft ['oː-] *m* (*infml*) orange juice, O-J (*US infml*)
Öse ['øːzə] *f* ⟨**-, -n**⟩ loop; (*an Kleidung*) eye
Osmose [ɔs'moːzə] *f* ⟨**-,** *no pl*⟩ osmosis
Ossi ['ɔsi] *m* ⟨**-s, -s**⟩ (*infml*) East German
Ost- *in cpds* East **Ostalgie** [ɔstal'giː] *f* (*infml*) *nostalgia for the former GDR*
ostdeutsch *adj* East German **Ostdeutsche(r)** *m/f(m) decl as adj* East German
Ostdeutschland *nt* GEOG East(ern) Germany **Osten** ['ɔstn] *m* ⟨**-s,** *no pl*⟩ east; (*von Land*) East; ***der Ferne ~*** the Far East; ***der Nahe*** *or* ***Mittlere ~*** the Middle East; ***aus dem ~*** from the east; ***im ~ des Landes*** in the east of the country
Osteoporose [ɔsteopo'roːzə] *f* ⟨**-,** *no pl*⟩ MED osteoporosis
Osterei *nt* Easter egg **Osterferien** *pl* Easter holidays *pl* **Osterfest** *nt* Easter **Osterglocke** *f* daffodil **Osterhase** *m* Easter bunny **österlich** ['øːstɐlɪç] *adj* Easter **Ostermontag** ['oːstɐ'moːntaːk] *m* Easter Monday **Ostern** ['oːstɐn] *nt* ⟨**-, -**⟩ Easter; ***frohe ~!*** Happy Easter!; ***zu ~*** at Easter
Österreich ['øːstəraiç] *nt* ⟨**-s**⟩ Austria
Österreicher ['øːstəraiçɐ] *m* ⟨**-s, -**⟩, **Österreicherin** [-ərɪn] *f* ⟨**-, -nen**⟩ Austrian
österreichisch ['øːstəraiçɪʃ] *adj* Austrian
Ostersonntag ['oːstɐ'zɔntaːk] *m* Easter Sunday
Osterweiterung ['ɔst-] *f* (*von NATO, EU*) eastward expansion
Osterwoche ['oːstɐ-] *f* Easter week
Osteuropa *nt* East(ern) Europe **Osteuropäer(in)** *m/(f)* East(ern) European **osteuropäisch** *adj* East(ern) European
östlich ['œstlɪç] **I** *adj Richtung, Winde* easterly; *Gebiete* eastern **II** *adv* ***~ von Hamburg*** (to the) east of Hamburg **III** *prep +gen* (to the) east of **Ostpreußen** *nt* East Prussia
Östrogen [œstro'geːn] *nt* ⟨**-s, -e**⟩ oestrogen (*Br*), estrogen (*US*)
Ostsee ['ɔstzeː] *f* ***die ~*** the Baltic (Sea)
ostwärts [-vɛrts] *adv* eastwards **Ostwind** *m* east wind
Oszillograf [ɔstsɪlo'graːf] *m* ⟨**-en, -en**⟩ oscillograph
Otter[1] ['ɔtɐ] *m* ⟨**-s, -**⟩ otter
Otter[2] *f* ⟨**-, -n**⟩ viper
outen ['autn] (*infml*) **I** *v/t* (*als Homosexuellen*) to out (*infml*); (*als Trinker, Spitzel etc*) to expose **II** *v/r* (*als Homosexueller*) to come out (*infml*)
outsourcen ['autsɔːrsn] *v/t & v/i* ⟨***sep***⟩ to outsource **Outsourcing** ['autsɔːrsɪŋ] *nt* ⟨**-s,** *no pl*⟩ outsourcing
Ouvertüre [uvɛr'tyːrə] *f* ⟨**-, -n**⟩ overture
oval [o'vaːl] *adj* oval
Ovation [ova'tsioːn] *f* ⟨**-, -en**⟩ ovation (*für jdn/etw* for sb/sth); ***stehende ~en*** standing ovations
Overheadfolie *f* transparency **Overheadprojektor** *m* overhead projector
ÖVP [øːfau'peː] *f* ⟨**-**⟩ *abbr of* ***Österreichische Volkspartei***
Ovulation [ovula'tsioːn] *f* ⟨**-, -en**⟩ ovulation
Oxid [ɔ'ksiːt] *nt* ⟨**-(e)s, -e**⟩, **Oxyd** [ɔ'ksyːt] *nt* ⟨**-(e)s, -e** [-də]⟩ oxide **Oxidation** [ɔksida'tsioːn] *f* ⟨**-, -en**⟩, **Oxydation** [ɔksyda'tsioːn] *f* ⟨**-, -en**⟩ oxidation
oxidieren [ɔksi'diːrən] *past part* ***oxidiert***, **oxydieren** [ɔksy'diːrən] *past part* ***oxydiert*** *v/t & v/i* to oxidize
Ozean ['oːtseaːn, otse'aːn] *m* ⟨**-s, -e**⟩ ocean **ozeanisch** [otse'aːnɪʃ] *adj Klima* oceanic **Ozeanografie** [otseanogra'fiː] *f* ⟨**-,** *no pl*⟩ oceanography
Ozelot ['oːtselɔt, 'ɔtselɔt] *m* ⟨**-s, -e**⟩ ocelot
Ozon [o'tsoːn] *nt or* (*inf*) *m* ⟨**-s,** *no pl*⟩ ozone
Ozonalarm *m* ozone warning **Ozongehalt** *m* ozone content **Ozonhülle** *f* ozone layer **Ozonkonzentration** *f* ozone concentration **Ozonloch** *nt* hole in the ozone layer **Ozonschicht** *f* ozone layer **Ozonschild** *m, no pl* ozone shield **Ozonwert** *m* ozone level

P

P, p [peː] *nt* ⟨-, -⟩ P, p

paar [paːɐ] *adj inv* ***ein ~*** a few; (≈ *zwei oder drei auch*) a couple of; ***ein ~ Mal(e)*** a few times; a couple of times **Paar** [paːɐ] *nt* ⟨**-s, -e**⟩ pair; (≈ *Mann und Frau auch*) couple; ***ein ~ Schuhe*** a pair of shoes **paaren** ['paːrən] *v/r* (*Tiere*) to mate; (*fig*) to be combined **Paarhufer** [-huːfɐ] *m* ZOOL cloven-hoofed animal **Paarlauf** *m* pairs *pl* **Paarung** ['paːrʊŋ] *f* ⟨**-, -en**⟩ (≈ *Kopulation*) mating **paarweise** *adv* in pairs

Pacht [paxt] *f* ⟨**-, -en**⟩ lease; (*Entgelt*) rent; ***etw zur ~ haben*** to have sth on lease **pachten** ['paxtn] *v/t* to lease; ***du hast das Sofa doch nicht für dich gepachtet*** (*infml*) don't hog the sofa (*infml*) **Pächter** ['pɛçtɐ] *m* ⟨**-s, -**⟩, **Pächterin** [-ərɪn] *f* ⟨**-, -nen**⟩ tenant, leaseholder **Pachtvertrag** *m* lease

Pack[1] [pak] *m* ⟨**-(e)s, -e** *or* **⸚e** ['pɛkə]⟩ (*von Zeitungen, Büchern*) stack; (*zusammengeschnürt*) bundle

Pack[2] *nt* ⟨**-s,** *no pl*⟩ (*pej*) rabble *pl* (*pej*)

Päckchen ['pɛkçən] *nt* ⟨**-s, -**⟩ package; POST small packet; (≈ *Packung*) packet, pack; ***ein ~ Zigaretten*** a packet *or* pack (*esp US*) of cigarettes **Packeis** *nt* pack ice **packen** ['pakn] **I** *v/t* **1.** *Koffer* to pack; *Paket* to make up; ***Sachen in ein Paket ~*** to make things up into a parcel **2.** (≈ *fassen*) to grab (hold of); (*Gefühle*) to grip; ***von der Leidenschaft gepackt*** in the grip of passion **3.** (*infml* ≈ *schaffen*) to manage; ***du packst das schon*** you'll manage it OK **II** *v/i* **1.** (≈ *den Koffer packen*) to pack **2.** (*fig* ≈ *mitreißen*) to thrill **III** *v/r* (*infml* ≈ *abhauen*) to clear out (*infml*) **Packen** ['pakn] *m* ⟨**-s, -**⟩ heap, stack; (*zusammengeschnürt*) bundle **packend I** *adj* (≈ *mitreißend*) gripping, riveting **II** *adv* ***der Roman ist ~ erzählt*** the novel is *or* makes exciting reading **Packerl** ['pakɐl] *nt* ⟨**-s, -n**⟩ (*Aus* ≈ *Schachtel, Paket*) packet; (*für flüssige Lebensmittel*) carton **Packesel** *m* packmule; (*fig*) packhorse **Packpapier** *nt* brown paper **Packung** ['pakʊŋ] *f* ⟨**-, -en**⟩ **1.** (≈ *Schachtel*) packet; (*von Pralinen*) box; ***eine ~ Zigaretten*** a packet *or* pack (*esp US*) of cigarettes **2.** MED compress; (*Kosmetik*) face pack **Packungsbeilage** *f* package insert; (*bei Medikamenten*) patient information leaflet

Pädagoge [pɛda'goːgə] *m* ⟨**-n, -n**⟩, **Pädagogin** [-'goːgɪn] *f* ⟨**-, -nen**⟩ educationalist **Pädagogik** [pɛda'goːgɪk] *f* ⟨**-,** *no pl*⟩ educational theory **pädagogisch** [pɛda'goːgɪʃ] **I** *adj* educational; ***~e Hochschule*** college of education; ***seine ~en Fähigkeiten*** his teaching ability **II** *adv* educationally; ***~ falsch*** wrong from an educational point of view

Paddel ['padl] *nt* ⟨**-s, -**⟩ paddle **Paddelboot** *nt* canoe **paddeln** ['padln] *v/i aux sein or haben* to paddle; (*als Sport*) to canoe

Pädiatrie [pɛdia'triː] *f* ⟨**-,** *no pl*⟩ paediatrics *sg* (*Br*), pediatrics *sg* (*US*) **Pädophile(r)** [pɛdo'fiːlə] *m/f(m) decl as adj* paedophile (*Br*), pedophile (*US*)

paffen ['pafn] (*infml*) **I** *v/i* **1.** (≈ *heftig rauchen*) to puff away **2.** (≈ *nicht inhalieren*) to puff **II** *v/t* to puff (away) at

Page ['paːʒə] *m* ⟨**-n, -n**⟩ (≈ *Hotelpage*) bellboy, bellhop (*US*) **Pagenkopf** *m* page-boy (hairstyle *or* haircut)

Paket [pa'keːt] *nt* ⟨**-s, -e**⟩ (≈ *Bündel*) pile; (*zusammengeschnürt*) bundle; (≈ *Packung*) packet; POST parcel; (*fig: von Angeboten*) package **Paketannahme** *f* parcels office; (≈ *Schalter*) parcels counter **Paketbombe** *f* parcel bomb **Paketkarte** *f* dispatch form **Paketpost** *f* parcel post **Paketschalter** *m* parcels counter **Paketschnur** *f* parcel string, twine

Pakistan ['paːkɪstaːn] *nt* ⟨**-s**⟩ Pakistan **Pakistaner** [pakɪs'taːnɐ] *m* ⟨**-s, -**⟩, **Pakistanerin** [-ərɪn] *f* ⟨**-, -nen**⟩, **Pakistani** [pakɪs'taːni] *m* ⟨**-(s), -(s)** *or f* **-, -s**⟩ Pakistani **pakistanisch** [pakɪs'taːnɪʃ] *adj* Pakistani

Pakt [pakt] *m* ⟨**-(e)s, -e**⟩ pact

Palais [pa'lɛː] *nt* ⟨**-, -**⟩ palace

Palast [pa'last] *m* ⟨**-(e)s, *Paläste*** [pa'lɛstə]⟩ palace

Palästina [palɛ'stiːna] *nt* ⟨**-s**⟩ Palestine **Palästinenser** [palɛsti'nɛnzɐ] *m* ⟨**-s, -**⟩, **Palästinenserin** [-ərɪn] *f* ⟨**-, -nen**⟩

Palestinian **palästinensisch** [palɛsti'nɛnzɪʃ] *adj* Palestinian
Palatschinke [pala'tʃɪŋkə] *f* ⟨-, **-n**⟩ (*Aus*) stuffed pancake
Palaver [pa'la:vɐ] *nt* ⟨**-s, -**⟩ palaver (*infml*) **palavern** [pa'la:vɐn] *past part* ***palavert*** *v/i* (*infml*) to palaver (*infml*)
Palette [pa'lɛtə] *f* ⟨-, **-n**⟩ **1.** (*Malerei*) palette; (*fig*) range **2.** (≈ *Stapelplatte*) pallet
paletti [pa'lɛti] *adv* (*infml*) OK (*infml*)
Palisade [pali'za:də] *f* ⟨-, **-n**⟩ palisade
Palme ['palmə] *f* ⟨-, **-n**⟩ palm; ***jdn auf die ~ bringen*** (*infml*) to make sb see red (*infml*)
Palmsonntag *m* Palm Sunday
Palmtop ['pa:mtɔp] *m* ⟨**-s, -s**⟩ palmtop
Pampe ['pampə] *f* ⟨-, *no pl*⟩ paste; (*pej*) mush (*infml*)
Pampelmuse [pampl'mu:zə] *f* ⟨-, **-n**⟩ grapefruit
Pampers® ['pɛmpɐs] *pl* (disposable) nappies *pl* (*Br*) *or* diapers *pl* (*US*)
Pamphlet [pam'fle:t] *nt* ⟨**-(e)s, -e**⟩ lampoon
pampig ['pampɪç] (*infml*) *adj* **1.** (≈ *breiig*) gooey (*infml*); *Kartoffeln* soggy **2.** (≈ *frech*) stroppy (*Br infml*), bad-tempered; ***jdm ~ kommen*** to be stroppy (*Br infml*) *or* bad-tempered with sb
Panama ['panama, 'pa:nama] *nt* ⟨**-s, -s**⟩ Panama **Panamakanal** *m*, *no pl* Panama Canal
Panda ['panda] *m* ⟨**-s, -s** ['panda]⟩, **Pandabär** *m* panda
Pandemie [pande'mi:] *f* ⟨-, **-n** [-'mi:ən]⟩ MED pandemic
Paneel [pa'ne:l] *nt* ⟨**-s, -e**⟩ (*form*) (*einzeln*) panel; (≈ *Täfelung*) panelling (*Br*), paneling (*US*)
Panflöte ['pa:n-] *f* panpipes *pl*, Pan's pipes *pl*
panieren [pa'ni:rən] *past part* ***paniert*** *v/t* to bread **Paniermehl** *nt* breadcrumbs *pl*
Panik ['pa:nɪk] *f* ⟨-, **-en**⟩ panic; (***eine***) ***~ brach aus*** panic broke out *or* spread; ***in ~ geraten*** to panic; ***jdn in ~ versetzen*** to throw sb into a state of panic; ***nur keine ~!*** don't panic! **Panikkauf** *m* COMM panic buying **Panikmache** *f* (*infml*) panicmongering (*Br*), inciting panic **Panikstimmung** *f* state of panic **panisch** ['pa:nɪʃ] **I** *adj no pred* panic-stricken; ***~e Angst*** terror; ***sie hat ~e Angst vor Schlangen*** she's terrified of snakes **II** *adv* in panic, frantically; ***~ reagieren*** to panic
Panne ['panə] *f* ⟨-, **-n**⟩ **1.** (≈ *technische Störung*) hitch (*infml*), breakdown; (≈ *Reifenpanne*) puncture, flat (tyre (*Br*) *or* tire (*US*)); ***mein Auto hatte eine ~*** my car broke down **2.** (*fig infml*) slip (*bei etw* with sth); ***mit jdm/etw eine ~ erleben*** to have (a bit of) trouble with sb/sth; ***uns ist eine ~ passiert*** we've slipped up **Pannendienst** *m*, **Pannenhilfe** *f* breakdown service
Panorama [pano'ra:ma] *nt* ⟨**-s, *Panoramen*** [-mən]⟩ panorama
panschen ['panʃn] *v/t* to adulterate; (≈ *verdünnen*) to water down
Panther *m* ⟨**-s, -**⟩, **Panter** ['pantɐ] *m* ⟨**-s, -**⟩ panther
Pantoffel [pan'tɔfl] *m* ⟨**-s, -n**⟩ slipper; ***unterm ~ stehen*** (*infml*) to be henpecked (*infml*)
Pantomime[1] [panto'mi:mə] *f* ⟨-, **-n**⟩ mime
Pantomime[2] [panto'mi:mə] *m* ⟨**-n, -n**⟩, **Pantomimin** [-'mi:mɪn] *f* ⟨-, **-nen**⟩ mime
pantomimisch [panto'mi:mɪʃ] *adj*, *adv* in mime
pantschen ['pantʃn] *v/t & v/i* = ***panschen***
Panzer ['pantsɐ] *m* ⟨**-s, -**⟩ **1.** MIL tank **2.** (HIST ≈ *Rüstung*) armour *no indef art* (*Br*), armor *no indef art* (*US*), suit of armo(u)r **3.** (*von Schildkröte*, *Insekt*) shell **4.** (*fig*) shield **Panzerabwehr** *f* anti-tank defence (*Br*) *or* defense (*US*); (*Truppe*) anti-tank unit **Panzerfaust** *f* bazooka **Panzerglas** *nt* bulletproof glass **panzern** ['pantsɐn] *v/t* to armour-plate (*Br*), to armor-plate (*US*); ***gepanzerte Fahrzeuge*** armoured (*Br*) *or* armored (*US*) vehicles **Panzerschrank** *m* safe
Papa ['papa] *m* ⟨**-s, -s**⟩ (*infml*) daddy (*infml*)
Papagei [papa'gai, 'papagai] *m* ⟨**-s, -en**⟩ parrot **Papageientaucher** *m* puffin
Papamobil [papamo'bi:l] *nt* (*infml*) Popemobile (*infml*)
Paparazzo [papa'ratso] *m* ⟨**-s, *Paparazzi*** [-tsi]⟩ (*infml*) paparazzo
Papaya [pa'pa:ja] *f* ⟨-, **-s**⟩ papaya
Papier [pa'pi:ɐ] *nt* ⟨**-s, -e**⟩ **1.** *no pl* paper; ***ein Blatt ~*** a sheet of paper; ***etw zu ~ bringen*** to put sth down on paper **2. Papiere** *pl* (identity) papers *pl*; (≈ *Urkunden*) documents *pl*; ***er hatte keine ~e bei sich*** he had no means of identification

on him; ***seine ~e bekommen*** (≈ *entlassen werden*) to get one's cards **3.** (FIN ≈ *Wertpapier*) security **Papiereinzug** *m* paper feed **Papierfabrik** *f* paper mill **Papiergeld** *nt* paper money **Papierkorb** *m* (waste)paper basket **Papierkrieg** *m* (*infml*) ***einen ~ (mit jdm) führen*** to go through a lot of red tape (with sb) **Papiertaschentuch** *nt* paper hankie, tissue **Papiertiger** *m* (*fig*) paper tiger **Papiertonne** *f* paper recycling bin **Papiertüte** *f* paper bag **Papiervorschub** *m* paper feed **Papierwaren** *pl* stationery *no pl* **Papierwarengeschäft** *nt* stationer's (shop) **Papierzufuhr** *f* (*von Drucker*) paper tray

Pappbecher *m* paper cup **Pappdeckel** *m* (thin) cardboard **Pappe** ['papə] *f* ⟨**-, -n**⟩ (≈ *Pappdeckel*) cardboard; ***dieser linke Haken war nicht von ~*** (*infml*) that was a mean left hook

Pappel ['papl] *f* ⟨**-, -n**⟩ poplar

päppeln ['pɛpln] *v/t* (*infml*) to nourish

pappig ['papɪç] *adj* (*infml*) sticky; *Brot* doughy **Pappkarton** *m* (≈ *Schachtel*) cardboard box **Pappmaschee** ['papmaʃeː] *nt* ⟨**-s, -s**⟩, **Pappmaché** ['papmaʃeː] *nt* ⟨**-s, -s**⟩ papier-mâché **Pappschachtel** *f* cardboard box **Pappteller** *m* paper plate

Paprika ['paprika, 'paːprika] *m* ⟨**-s, -(s)**, *no pl*⟩: (≈ *Gewürz*) paprika; (≈ *Paprikaschote*) pepper **Paprikaschote** *f* pepper; ***gefüllte ~n*** stuffed peppers

Papst [paːpst] *m* ⟨**-(e)s, ⸗e** ['pɛːpstə]⟩ pope **päpstlich** ['pɛːpstlɪç] *adj* papal

Papua ['paːpua, pa'puːa] *m* ⟨**-(s), -(s)** *or f* **-, -s**⟩ Papuan **Papua-Neuguinea** ['paːpuanɔygi'neːa] *nt* ⟨**-s**⟩ Papua New Guinea

Parabel [pa'raːbl] *f* ⟨**-, -n**⟩ **1.** LIT parable **2.** MAT parabola

Parabolantenne *f* satellite dish **Parabolspiegel** *m* parabolic reflector

Parade [pa'raːdə] *f* ⟨**-, -n**⟩ parade **Paradebeispiel** *nt* prime example

Paradeiser [para'daizɐ] *m* ⟨**-s, -**⟩ (*Aus*) tomato

Paradies [para'diːs] *nt* ⟨**-es, -e** [-zə]⟩ paradise; ***das ~ auf Erden*** heaven on earth **paradiesisch** [para'diːzɪʃ] *adj* (*fig*) heavenly

paradox [para'dɔks] *adj* paradoxical **Paradox** [para'dɔks] *nt* ⟨**-es, -e**⟩ paradox **paradoxerweise** [para'dɔksɐ'vaizə] *adv* paradoxically

Paraffin [para'fiːn] *nt* ⟨**-s, -e**⟩ (≈ *Paraffinöl*) (liquid) paraffin

Paragraf [para'graːf] *m* ⟨**-en, -en**⟩ JUR section; (≈ *Abschnitt*) paragraph

parallel [para'leːl] *adj* parallel; ***~ schalten*** ELEC to connect in parallel **Parallele** [para'leːlə] *f* ⟨**-, -n**⟩ (*lit*) parallel (line); (*fig*) parallel; ***eine ~ zu etw ziehen*** (*lit*) to draw a line parallel to sth; (*fig*) to draw a parallel to sth **Parallelogramm** [paralelo'gram] *nt* ⟨**-s, -e**⟩ parallelogram

Paralympics [para'lʏmpɪks] *pl* Paralympics *pl* **Paralytiker** [para'lyːtikɐ] *m* ⟨**-s, -**⟩, **Paralytikerin** [-ərɪn] *f* ⟨**-, -nen**⟩ MED paralytic **paralytisch** [para'lyːtɪʃ] *adj* paralytic

Parameter [pa'raːmetɐ] *m* ⟨**-s, -**⟩ parameter

paramilitärisch ['paːra-] *adj* paramilitary

paranoid [parano'iːt] *adj* paranoid

Paranuss ['para-] *f* BOT Brazil nut

paraphieren [para'fiːrən] *past part* ***paraphiert*** *v/t* POL to initial

Parapsychologie ['paːra-] *f* parapsychology

Parasit [para'ziːt] *m* ⟨**-en, -en**⟩ (BIOL, *fig*) parasite **parasitär** [parazi'tɛːɐ], **parasitisch** [para'ziːtɪʃ] *adj* parasitic(al)

parat [pa'raːt] *adj* *Antwort, Beispiel etc* ready; *Werkzeug etc* handy; ***halte dich ~*** be ready; ***er hatte immer eine Ausrede ~*** he always had an excuse ready

Pärchen ['pɛːɐçən] *nt* ⟨**-s, -**⟩ (courting) couple **pärchenweise** *adv* in pairs

Parcours [par'kuːɐ] *m* ⟨**-, -** [-'kuːɐ(s), -'kuːɐs]⟩ SPORTS showjumping course; (*Sportart*) showjumping; (≈ *Rennstrecke*) course

pardon [par'dõː] *int* sorry **Pardon** [par'dõː] *m or nt* ⟨**-s**, *no pl*⟩ **1.** pardon; ***jdn um ~ bitten*** to ask sb's pardon **2.** (*infml*) ***kein ~ kennen*** to be ruthless

Parfüm [par'fyːm] *nt* ⟨**-s, -e** *or* **-s**⟩ perfume **parfümieren** [parfy'miːrən] *past part* ***parfümiert*** *v/t* to perfume

parieren [pa'riːrən] *past part* ***pariert*** **I** *v/t* (SPORTS, *fig*) to parry **II** *v/i* to obey; ***aufs Wort ~*** to jump to it

Pariser *m* ⟨**-s, -**⟩ **1.** Parisian **2.** (*infml* ≈ *Kondom*) French letter (*infml*) **Pariserin** [pa'riːzərɪn] *f* ⟨**-, -nen**⟩ Parisienne

Parität [pari'tɛːt] *f* ⟨**-, -en**⟩ parity **paritä-**

tisch [pari'tɛːtɪʃ] **I** *adj* equal; ***~e Mitbestimmung*** equal representation **II** *adv* equally

Park [park] *m* ⟨**-s, -s**⟩ park

Parka ['parka] *m* ⟨**-(s), -s** *or f* **-, -s**⟩ parka

Parkanlage *f* park **Parkausweis** *m* parking permit **Parkbank** *f, pl* ***-bänke*** park bench **Parkbucht** *f* parking bay **Parkdeck** *nt* parking level **parken** ['parkn] *v/t & v/i* to park; ***ein ~des Auto*** a parked car; ***„Parken verboten!"*** "No Parking"

Parkett [par'kɛt] *nt* ⟨**-s, -e**⟩ **1.** (≈ *Fußboden*) parquet (flooring); ***ein Zimmer mit ~ auslegen*** to lay parquet (flooring) in a room; ***auf dem internationalen ~*** in international circles **2.** (≈ *Tanzfläche*) (dance) floor; ***eine tolle Nummer aufs ~ legen*** (*infml*) to put on a great show **3.** THEAT stalls *pl*, parquet (*US*) **Parkett(fuß)boden** *m* parquet floor

Parkgebühr *f* parking fee **Parkhaus** *nt* multi-storey (*Br*) *or* multi-story (*US*) car park **parkieren** [par'kiːrən] *past part* ***parkiert*** *v/t & v/i* (*Swiss*) = ***parken***

parkinsonsche Krankheit ['paːɐkɪnzənʃə-] *f* Parkinson's disease

Parkkralle *f* wheel clamp (*Br*), Denver boot (*US*) **Parklicht** *nt* parking light **Parklücke** *f* parking space **Parkplatz** *m* car park, parking lot (*esp US*); (*für Einzelwagen*) (parking) space (*Br*) *or* spot (*US*) **Parkscheibe** *f* parking disc **Parkschein** *m* car-parking ticket **Parkscheinautomat** *m* MOT ticket machine (*for parking*) **Parksünder(in)** *m/(f)* parking offender (*Br*), illegal parker **Parkuhr** *f* parking meter **Parkverbot** *nt* parking ban; ***im ~ stehen*** to be parked illegally **Parkwächter(in)** *m/(f)* (*auf Parkplatz*) car-park attendant; (*von Anlagen*) park keeper

Parlament [parla'mɛnt] *nt* ⟨**-(e)s, -e**⟩ parliament **Parlamentarier** [parlamɛn'taːriɐ] *m* ⟨**-s, -**⟩, **Parlamentarierin** [-iərɪn] *f* ⟨**-, -nen**⟩ parliamentarian **parlamentarisch** [parlamɛn'taːrɪʃ] *adj* parliamentary; ***~ vertreten sein*** to be represented in parliament **Parlamentsausschuss** *m* parliamentary committee **Parlamentsbeschluss** *m* vote of parliament **Parlamentsferien** *pl* recess **Parlamentsmitglied** *nt* member of parliament **Parlamentswahl** *f usu pl* parliamentary election(s *pl*)

Parmaschinken ['parma-] *m* Parma ham

Parmesan(käse) [parme'zaːn-] *m* ⟨**-s,** *no pl*⟩ Parmesan (cheese)

Parodie [paro'diː] *f* ⟨**-, -n** [-'diːən]⟩ parody (*auf +acc* on, *zu* of) **parodieren** [paro'diːrən] *past part* ***parodiert*** *v/t* to parody

Parodontose [parodɔn'toːzə] *f* ⟨**-, -n**⟩ periodontosis (*tech*)

Parole [pa'roːlə] *f* ⟨**-, -n**⟩ **1.** MIL password **2.** (*fig* ≈ *Wahlspruch*) motto; POL slogan

Paroli [pa'roːli] *nt* ***jdm ~ bieten*** (*elev*) to defy sb

Parsing ['paːɐsɪŋ] *nt* ⟨**-s**⟩ IT parsing

Partei [par'tai] *f* ⟨**-, -en**⟩ **1.** POL, JUR party **2.** (*fig*) ***für jdn ~ ergreifen*** to take sb's side; ***gegen jdn ~ ergreifen*** to take sides against sb **3.** (*im Mietshaus*) tenant **Parteibasis** *f* (party) rank and file, grassroots (members) *pl* **Parteibuch** *nt* party membership book **Parteichef(in)** *m/(f)* party leader **Parteiführer(in)** *m/(f)* party leader **Parteiführung** *f* leadership of a party; (*Vorstand*) party leaders *pl* **Parteigenosse** *m*, **Parteigenossin** *f* party member **parteiisch** [par'taiɪʃ] **I** *adj* biased (*Br*), biassed **II** *adv* ***~ urteilen*** to be biased (in one's judgement) **Parteilichkeit** *f* ⟨**-,** *no pl*⟩ partiality **Parteilinie** *f* party line **parteilos** *adj Abgeordneter* independent **Parteilose(r)** [par'tailoːzə] *m/f(m) decl as adj* independent **Parteimitglied** *nt* party member **Parteinahme** [-naːmə] *f* ⟨**-, -n**⟩ partisanship **parteipolitisch** *adj* party political **Parteiprogramm** *nt* (party) manifesto, (party) program (*US*) **Parteitag** *m* party conference *or* convention (*esp US*) **Parteivorsitzende(r)** *m/f(m) decl as adj* party leader **Parteivorstand** *m* party executive

parterre [par'tɛr] *adv* on the ground (*esp Br*) *or* first (*US*) floor **Parterre** [par'tɛr(ə)] *nt* ⟨**-s, -s**⟩ (*von Gebäude*) ground floor (*esp Br*), first floor (*US*)

Partie [par'tiː] *f* ⟨**-, -n** [-'tiːən]⟩ **1.** (≈ *Teil*, THEAT, MUS) part **2.** SPORTS game; ***eine ~ Schach spielen*** to play a game of chess; ***eine gute/schlechte ~ liefern*** to give a good/bad performance **3.** COMM lot **4.** (*infml*) ***eine gute ~ (für jdn) sein*** to be a good catch (for sb) (*infml*); ***eine gute ~ machen*** to marry (into) money **5.** ***mit von der ~ sein*** to be in on it; ***da bin ich mit von der ~*** count me in

partiell [par'tsiɛl] *adj* partial

Partikel [par'tiːkl, par'tɪkl] *f* ⟨-, -n⟩ GRAM, PHYS particle

Partisan [parti'zaːn] *m* ⟨-s *or* -en, -en⟩, **Partisanin** [-'zaːnɪn] *f* ⟨-, -nen⟩ partisan

Partitur [parti'tuːɐ] *f* ⟨-, -en [-'tuːrən]⟩ MUS score

Partizip [parti'tsiːp] *nt* ⟨-s, -ien [-piən]⟩ GRAM participle; ~ ***Präsens*** present participle; ~ ***Perfekt*** past participle

Partner ['partnɐ] *m* ⟨-s, -⟩, **Partnerin** [-ərɪn] *f* ⟨-, -nen⟩ partner **Partnerlook** [-lʊk] *m* matching clothes *pl* **Partnerschaft** ['partnɐʃaft] *f* ⟨-, -en⟩ partnership **partnerschaftlich** ['partnɐʃaftlɪç] **I** *adj* ***~es Verhältnis*** (relationship based on) partnership; ***~e Zusammenarbeit*** working together as partners **II** *adv* ***~ zusammenarbeiten*** to work in partnership **Partnerstadt** *f* twin town (*Br*), sister city (*US*) **Partnersuche** *f* finding the right partner; ***auf ~ sein*** to be looking for a partner **Partnervermittlung** *f* dating agency

Party ['paːɐti] *f* ⟨-, -s⟩ party; ***auf einer ~*** at a party; ***auf eine ~ gehen*** to go to a party **Partyraum** *m* party room **Partyservice** [-zøːɐvɪs, -zœrvɪs] *m* party catering service **Partyzelt** *nt* party tent, marquee

Parzelle [par'tsɛlə] *f* ⟨-, -n⟩ plot

Pascha ['paʃa] *m* ⟨-s, -s⟩ pasha

Pass [pas] *m* ⟨-es, ⸚e ['pɛsə]⟩ **1.** passport **2.** (*im Gebirge etc*) pass **3.** SPORTS pass

passabel [pa'saːbl] **I** *adj* passable **II** *adv* reasonably well; *schmecken* passable; ***mir gehts ganz ~*** I'm all right

Passage [pa'saːʒə] *f* ⟨-, -n⟩ passage; (≈ *Ladenstraße*) arcade

Passagier [pasa'ʒiːɐ] *m* ⟨-s, -e⟩, **Passagierin** [-'ʒiːrɪn] *f* ⟨-, -nen⟩ passenger **Passagierdampfer** *m* passenger steamer **Passagierflugzeug** *nt* passenger aircraft, airliner **Passagierliste** *f* passenger list

Passamt *nt* passport office

Passant [pa'sant] *m* ⟨-en, -en⟩, **Passantin** [-'santɪn] *f* ⟨-, -nen⟩ passer-by

Passat(wind) *m* trade wind

Passbild *nt* passport photo(graph) **Passbildautomat** *m* photo booth

passé [pa'seː], **passee** *adj pred* passé; ***die Sache ist längst ~*** that's all in the past

passen[1] [pasn] *v/i* **1.** to fit **2.** (≈ *harmonieren*) ***zu etw ~*** to go with sth; (*im Ton*) to match sth; ***zu jdm ~*** (*Mensch*) to suit sb; ***das Rot passt da nicht*** the red is all wrong there; ***ins Bild ~*** to fit the picture **3.** (≈ *genehm sein*) to suit; ***er passt mir*** (***einfach***) ***nicht*** I (just) don't like him; ***Sonntag passt uns nicht/gut*** Sunday is no good for us/suits us fine; ***das passt mir gar nicht*** (≈ *gefällt mir nicht*) I don't like that at all; ***das könnte dir so ~!*** (*infml*) you'd like that, wouldn't you?

passen[2] *v/i* (CARDS, *fig*) to pass; (***ich***) ***passe!*** (I) pass!

passend *adj* **1.** (*in Größe, Form*) ***gut/schlecht ~*** well-/ill-fitting **2.** (*in Farbe, Stil*) matching **3.** (≈ *genehm*) *Zeit, Termin* convenient **4.** (≈ *angemessen*) *Benehmen, Kleidung* suitable, appropriate; *Wort* right, proper; ***bei jeder ~en und unpassenden Gelegenheit*** at every opportunity, whether appropriate or not **5.** *Geld* exact; ***haben Sie es ~?*** have you got the right money?

Passepartout [paspar'tuː] *m or nt* ⟨-s, -s⟩ passe-partout

Passform *f* fit

Passfoto *nt* passport photo(graph)

passierbar *adj Brücke* passable; *Fluss* negotiable **passieren** [pa'siːrən] *past part* **passiert I** *v/i aux sein* **1.** (≈ *sich ereignen*) to happen (*mit* to); ***was ist denn passiert?*** what's the matter?; ***es wird dir schon nichts ~*** nothing is going to happen to you; ***es ist ein Unfall passiert*** there has been an accident; ***so was ist mir noch nie passiert!*** that's never happened to me before!; (*empört*) I've never known anything like it! **2.** (≈ *durchgehen*) to pass; (*Gesetz*) to be passed **II** *v/t* **1.** (≈ *vorbeigehen an*) to pass; ***die Grenze ~*** to cross (over) **2.** COOK to strain **Passierschein** *m* pass

Passion [pa'sioːn] *f* ⟨-, -en⟩ passion; (*religiös*) Passion **passioniert** [pasio'niːɐt] *adj* enthusiastic **Passionsfrucht** *f* passion fruit **Passionsspiel** *nt* Passion play

passiv ['pasiːf, pa'siːf] *adj* passive; ***~es Mitglied*** non-active member; ***~es Rauchen*** passive smoking **Passiv** ['pasiːf] *nt* ⟨-s, -e [-və]⟩ GRAM passive (voice) **Passiva** [pa'siːva] *pl*, **Passiven** [-vn] *pl* COMM liabilities *pl* **Passivität** [pasivi'tɛːt] *f* ⟨-, *no pl*⟩ passivity **Passivposten** *m* COMM debit entry **Passivrauchen** *nt* passive smoking

Passkontrolle *f* passport control; ***~!***

(your) passports please! **Passstraße** *f* (mountain) pass

Passus ['pasʊs] *m* ⟨**-, -**['pasuːs]⟩ passage

Passwort *nt*, *pl* **-wörter** IT password **Passwortschutz** *m* password protection

Paste ['pastə] *f* ⟨**-, -n**⟩ paste

Pastell [pas'tɛl] *nt* ⟨**-s, -e**⟩ pastel **Pastellfarbe** *f* pastel (crayon); (*Farbton*) pastel (shade) **Pastellstift** *m* pastel (crayon) **Pastellton** *m*, *pl* **-töne** pastel shade

Pastetchen [pas'teːtçən] *nt* ⟨**-s, -**⟩ vol-au-vent **Pastete** [pas'teːtə] *f* ⟨**-, -n**⟩ **1.** (≈ *Schüsselpastete*) pie **2.** (≈ *Leberpastete etc*) pâté

pasteurisieren [pastøri'ziːrən] *past part* **pasteurisiert** *v/t* to pasteurize

Pastille [pa'stɪlə] *f* ⟨**-, -n**⟩ pastille

Pastor ['pastoːɐ, pas'toːɐ] *m* ⟨**-s, Pastoren** [-'toːrən]⟩, **Pastorin** [-'toːrɪn] *f* ⟨**-, -nen**⟩; → **Pfarrer**

Pate ['paːtə] *m* ⟨**-n, -n**⟩ (≈ *Taufzeuge*) godfather; (≈ *Mafiaboss*) godfather; ***bei etw ~ gestanden haben*** (*fig*) to be the force behind sth **Patenkind** *nt* godchild **Patenonkel** *m* godfather **Patenschaft** ['paːtnʃaft] *f* ⟨**-, -en**⟩ godparenthood **Patensohn** *m* godson **Patenstadt** *f* twin(ned) town (*Br*), sister city (*US*)

patent [pa'tɛnt] *adj* ingenious; ***ein ~er Kerl*** a great guy / girl (*infml*)

Patent [pa'tɛnt] *nt* ⟨**-(e)s, -e**⟩ patent (*für etw* for sth, *auf etw* on sth); ***etw zum ~ anmelden*** to apply for a patent on *or* for sth **Patentamt** *nt* Patent Office

Patentante *f* godmother

patentieren [patɛn'tiːrən] *past part* **patentiert** *v/t* to patent; ***sich*** (*dat*) ***etw ~ lassen*** to have sth patented **Patentlösung** *f* (*fig*) easy answer

Patentochter *f* goddaughter

Patentrezept *nt* (*fig*) = **Patentlösung** **Patentschutz** *m* protection by (letters) patent

Pater ['paːtɐ] *m* ⟨**-s, -** *or* **Patres** ['patreːs]⟩ ECCL Father

pathetisch [pa'teːtɪʃ] **I** *adj* emotional **II** *adv* dramatically

Pathologe [pato'loːgə] *m* ⟨**-n, -n**⟩, **Pathologin** [-'loːgɪn] *f* ⟨**-, -nen**⟩ pathologist **Pathologie** [patolo'giː] *f* ⟨**-, -n** [-'giːən]⟩ pathology **pathologisch** [patoloː'gɪʃ] (MED, *fig*) *adj* pathological

Pathos ['paːtɔs] *nt* ⟨**-**, *no pl*⟩ emotiveness; ***mit viel ~ in der Stimme*** in a voice charged with emotion

Patience [pa'siãːs] *f* ⟨**-, -n**⟩ patience *no pl*; ***~n legen*** to play patience

Patient [pa'tsiɛnt] *m* ⟨**-en, -en**⟩, **Patientin** [-'tsiɛntɪn] *f* ⟨**-, -nen**⟩ patient

Patin ['paːtɪn] *f* ⟨**-, -nen**⟩ godmother

Patina ['paːtina] *f* ⟨**-**, *no pl*⟩ patina

Patriarch [patri'arç] *m* ⟨**-en, -en**⟩ patriarch **patriarchalisch** [patriar'çaːlɪʃ] *adj* patriarchal **Patriarchat** [patriar'çaːt] *nt* ⟨**-(e)s, -e**⟩ patriarchy

Patriot [patri'oːt] *m* ⟨**-en, -en**⟩, **Patriotin** [-'oːtɪn] *f* ⟨**-, -nen**⟩ patriot **patriotisch** [patri'oːtɪʃ] **I** *adj* patriotic **II** *adv reden, denken* patriotically **Patriotismus** [patrio'tɪsmʊs] *m* ⟨**-**, *no pl*⟩ patriotism

Patrone [pa'troːnə] *f* ⟨**-, -n**⟩ (MIL, *von Füller, von Drucker*) cartridge

Patrouille [pa'trʊljə] *f* ⟨**-, -n**⟩ patrol; (***auf***) ***~ gehen*** to patrol **patrouillieren** [patrʊl'jiːrən] *past part* **patrouilliert** *v/i* to patrol

Patsche ['patʃə] *f* ⟨**-, -n**⟩ (*infml*) ***in der ~ sitzen*** *or* ***stecken*** to be in a jam (*infml*); ***jdm aus der ~ helfen*** to get sb out of a jam (*infml*) **patschen** ['patʃn] *v/i* (*mit Flüssigkeit*) to splash **patschnass** ['patʃ'nas] *adj* (*infml*) soaking wet

Patt [pat] *nt* ⟨**-s, -s**⟩ stalemate

patzen ['patsn] *v/i* (*infml*) to slip up **Patzer** ['patsɐ] *m* ⟨**-s, -**⟩ (*infml* ≈ *Fehler*) slip **patzig** ['patsɪç] (*infml*) *adj* snotty (*infml*)

Pauke ['paukə] *f* ⟨**-, -n**⟩ MUS kettledrum; ***mit ~n und Trompeten durchfallen*** (*infml*) to fail miserably; ***auf die ~ hauen*** (*infml*) (≈ *angeben*) to brag; (≈ *feiern*) to paint the town red **pauken** ['paukn] **I** *v/i* (*infml* ≈ *lernen*) to swot (*Br infml*), to cram (*infml*) **II** *v/t* to study up on **Paukenschlag** *m* drum beat; ***wie ein ~*** (*fig*) like a thunderbolt **Pauker** ['paukɐ] *m* ⟨**-s, -**⟩, **Paukerin** [-ərɪn] *f* ⟨**-, -nen**⟩ **1.** (*infml* ≈ *Paukenspieler*) timpanist **2.** (SCHOOL, *infml* ≈ *Lehrer*) teacher **Paukerei** [paukə'rai] *f* ⟨**-, -en**⟩ (SCHOOL, *infml*) swotting (*Br infml*), cramming (*infml*) **Paukist** [pau'kɪst] *m* ⟨**-en, -en**⟩, **Paukistin** [-'kɪstɪn] *f* ⟨**-, -nen**⟩ timpanist

pausbäckig ['pausbɛkɪç] *adj* chubby-cheeked

pauschal [pau'ʃaːl] **I** *adj* **1.** (≈ *einheitlich*) flat-rate *attr only* **2.** (*fig*) *Urteil* sweeping

II *adv* **1.** (≈ *nicht spezifiziert*) at a flat rate; ***die Gebühren werden ~ bezahlt*** the charges are paid in a lump sum **2.** (≈ *nicht differenziert*) *abwerten* categorically **Pauschalbetrag** [pau'ʃaːl-] *m* lump sum; (≈ *Preis*) inclusive price **Pauschale** [pau'ʃaːlə] *f* ⟨-, *-n*⟩ (≈ *Einheitspreis*) flat rate; (≈ *vorläufig geschätzter Betrag*) estimated amount **Pauschalgebühr** [pau'ʃaːl-] *f* (≈ *Einheitsgebühr*) flat rate (charge) **Pauschalreise** *f* package holiday (*esp Br*) *or* tour **Pauschalsumme** *f* lump sum **Pauschaltarif** *m* flat rate **Pauschalurlaub** *m* package holiday **Pauschalurteil** *nt* sweeping statement **Pauschbetrag** ['pauʃ-] *m* flat rate

Pause *f* ⟨-, *-n*⟩ (≈ *Unterbrechung*) break; (≈ *Rast*) rest; (≈ *das Innehalten*) pause; THEAT interval; SCHOOL break, recess (*US*); ***(eine) ~ machen*** (≈ *sich entspannen*) to have a break; (≈ *rasten*) to rest; (≈ *innehalten*) to pause; ***ohne ~ arbeiten*** to work nonstop; ***die große ~*** SCHOOL (the) break (*Br*), recess (*US*); (*in Grundschule*) playtime **Pausenbrot** *nt* something to eat at break **Pausenclown** *m* (*infml*) ***ich bin doch hier nicht der ~!*** I'm not going to play the clown **Pausenfüller** *m* stopgap **pausenlos** **I** *adj no pred* nonstop **II** *adv* continuously; ***er arbeitet ~*** he works nonstop **pausieren** [pau'ziːrən] *past part* ***pausiert*** *v/i* to (take a) break

Pavian ['paːviaːn] *m* ⟨*-s, -e*⟩ baboon

Pavillon ['pavɪljõː] *m* ⟨*-s, -s*⟩ pavilion

Pay-TV ['peːtiːviː] *nt* ⟨*-s*, *no pl*⟩ pay TV

Pazifik [pa'tsiːfɪk, 'paːtsifɪk] *m* ⟨*-s*⟩ Pacific **pazifisch** [pa'tsiːfɪʃ] *adj* Pacific; ***der Pazifische Ozean*** the Pacific (Ocean) **Pazifismus** [patsi'fɪsmʊs] *m* ⟨-, *no pl*⟩ pacifism **Pazifist** [patsi'fɪst] *m* ⟨*-en, -en*⟩, **Pazifistin** [-'fɪstɪn] *f* ⟨-, *-nen*⟩ pacifist **pazifistisch** [patsi'fɪstɪʃ] *adj* pacifist

PC [peː'tseː] *m* ⟨*-s, -s*⟩ PC **PC-Benutzer** [peː'tseː-](**in**) *m*/(*f*) PC user

Pech [pɛç] *nt* ⟨*-(e)s, -e*⟩ **1.** (*Stoff*) pitch; ***die beiden halten zusammen wie ~ und Schwefel*** (*infml*) the two are as thick as thieves (*Br*) *or* are inseparable **2.** *no pl* (*infml* ≈ *Missgeschick*) bad luck; ***bei etw ~ haben*** to be unlucky in *or* with sth; ***~ gehabt!*** tough! (*infml*); ***sie ist vom ~ verfolgt*** bad luck follows her around **pech(raben)schwarz** *adj* (*infml*) pitch-black; *Haar* jet-black **Pechsträhne** *f* (*infml*) run of bad luck **Pechvogel** *m* (*infml*) unlucky person

Pedal [pe'daːl] *nt* ⟨*-s, -e*⟩ pedal

Pedant [pe'dant] *m* ⟨*-en, -en*⟩, **Pedantin** [-'dantɪn] *f* ⟨-, *-nen*⟩ pedant **Pedanterie** [pedantə'riː] *f* ⟨-, *-n* [-'riːən]⟩ pedantry **pedantisch** [pe'dantɪʃ] **I** *adj* pedantic **II** *adv* pedantically

Peddigrohr ['pɛdɪç-] *nt* cane

Pediküre [pedi'kyːrə] *f* ⟨-, *-n*⟩ **1.** *no pl* (≈ *Fußpflege*) pedicure **2.** (≈ *Fußpflegerin*) chiropodist

Peepshow ['piːpʃoː] *f* peep show

Pegel ['peːgl] *m* ⟨*-s, -*⟩ (*in Flüssen, Meer*) water depth gauge **Pegelstand** *m* water level

peilen ['pailən] *v/t Wassertiefe* to sound; *U-Boot, Sender* to get a fix on; (≈ *entdecken*) to detect; ***die Lage ~*** (*infml*) to see how the land lies; ***über den Daumen gepeilt*** (*infml*) at a rough estimate

peinigen ['painɪgn] *v/t* to torture; (*fig*) to torment **peinlich** ['painlɪç] **I** *adj* **1.** (≈ *unangenehm*) (painfully) embarrassing; *Überraschung* nasty; ***es war ihm ~(, dass ...)*** he was embarrassed (because ...); ***es ist mir sehr ~, aber ich muss es Ihnen einmal sagen*** I don't know how to put it, but you really ought to know; ***das ist mir ja so ~*** I feel awful about it **2.** (≈ *gewissenhaft*) meticulous; *Sparsamkeit* careful **II** *adv* **1.** (≈ *unangenehm*) ***~ berührt sein*** (*hum*) to be profoundly shocked (*iron*); ***~ wirken*** to be embarrassing **2.** (≈ *gründlich*) painstakingly; *sauber* meticulously; ***der Koffer wurde ~ genau untersucht*** the case was gone through very thoroughly **Peinlichkeit** *f* ⟨-, *-en*⟩ (≈ *Unangenehmheit*) awkwardness

Peitsche ['paitʃə] *f* ⟨-, *-n*⟩ whip **peitschen** ['paitʃn] *v/t* & *v/i* to whip; (*fig*) to lash

Pekinese [peki'neːzə] *m* ⟨*-n, -n*⟩ pekinese

Pelargonie [pelar'goːniə] *f* ⟨-, *-n*⟩ BOT pelargonium

Pelikan ['peːlikaːn, peli'kaːn] *m* ⟨*-s, -e*⟩ pelican

Pelle ['pɛlə] *f* ⟨-, *-n*⟩ (*infml*) skin; (*abgeschält*) peel; ***er geht mir nicht von der ~*** (*infml*) he won't stop pestering me **pellen** ['pɛlən] (*infml*) **I** *v/t Kartoffeln, Wurst* to skin, to peel; *Ei* to take the shell

off **II** *v/r* (*Körperhaut*) to peel **Pellkartoffeln** *pl* potatoes *pl* boiled in their jackets
Pelz [pɛlts] *m* ⟨***-es, -e***⟩ fur **pelzig** ['pɛltsɪç] *adj* furry **Pelzmantel** *m* fur coat **Pelztierzucht** *f* fur farming **Pelzwaren** *pl* furs *pl*
Penalty ['pɛnlti] *m* ⟨***-(s), -s***⟩ SPORTS penalty
Pendant [pã'dãː] *nt* ⟨***-s, -s***⟩ counterpart
Pendel ['pɛndl] *nt* ⟨***-s, -***⟩ pendulum **pendeln** ['pɛndln] *v/i* **1.** (≈ *schwingen*) to swing (to and fro) **2.** *aux sein* (*Zug, Fähre etc*) to shuttle; (*Mensch*) to commute **Pendeltür** *f* swing door **Pendelverkehr** *m* shuttle service; (≈ *Berufsverkehr*) commuter traffic **Pendler** ['pɛndlɐ] *m* ⟨***-s, -***⟩, **Pendlerin** [-ərɪn] *f* ⟨***-, -nen***⟩ commuter
penetrant [pene'trant] *adj* **1.** *Gestank* penetrating, overpowering; ***das schmeckt ~ nach Knoblauch*** you can't taste anything for garlic **2.** (*fig* ≈ *aufdringlich*) insistent; ***ein ~er Kerl*** a nuisance **Penetranz** [pene'trants] *f* ⟨***-***, *no pl*⟩ (*von Geruch*) pungency; (*fig* ≈ *Aufdringlichkeit*) pushiness **Penetration** [penetra'tsioːn] *f* ⟨***-, -en***⟩ penetration **penetrieren** [pene'triːrən] *past part* ***penetriert*** *v/t* to penetrate
penibel [pe'niːbl] *adj* (≈ *gründlich, genau*) precise
Penis ['peːnɪs] *m* ⟨***-, -se*** *or* ***Penes*** ['peːneːs]⟩ penis
Penizillin [penitsɪ'liːn] *nt* ⟨***-s, -e***⟩ penicillin
Pennbruder ['pɛn-] *m* (*infml*) tramp **Penne** ['pɛnə] *f* ⟨***-, -n***⟩ (SCHOOL *infml*) school **pennen** ['pɛnən] *v/i* (*infml* ≈ *schlafen*) to sleep **Penner** ['pɛnɐ] *m* ⟨***-s, -***⟩, **Pennerin** [-ərɪn] *f* ⟨***-, -nen***⟩ (*infml*) **1.** tramp, bum (*infml*) **2.** (≈ *Blödmann*) plonker (*infml*)
Pension [pã'zioːn, pã'sioːn, pɛn'zioːn] *f* ⟨***-, -en***⟩ **1.** (≈ *Fremdenheim*) guesthouse **2.** *no pl* (≈ *Verpflegung*) board; ***halbe/volle ~*** half/full board **3.** (≈ *Ruhegehalt*) pension **4.** *no pl* (≈ *Ruhestand*) retirement; ***in ~ gehen*** to retire; ***in ~ sein*** to be retired **Pensionär** [pãzio'nɛːɐ, pãsio'nɛːɐ, pɛnzio'nɛːɐ] *m* ⟨***-s, -e***⟩, **Pensionärin** [-'nɛːrɪn] *f* ⟨***-, -nen***⟩ (*Pension beziehend*) pensioner; (*im Ruhestand befindlich*) retired person **pensionieren** [pãzio'niːrən, pãsio'niːrən, pɛnsio'niːrən] *past part* ***pensioniert*** *v/t* to pension off; ***sich ~ lassen*** to retire **Pensionierung** *f* ⟨***-, -en***⟩ pensioning-off; (≈ *Ruhestand*) retirement **Pensionsalter** *nt* retirement age **Pensionsanspruch** *m* right to a pension **pensionsberechtigt** *adj* entitled to a pension **Pensionsgast** *m* paying guest
Pensum ['pɛnzʊm] *nt* ⟨***-s, Pensa*** *or* ***Pensen*** [-za, -sn]⟩ workload; ***tägliches ~*** daily quota
Pentium® ['pɛntsiʊm] *m* ⟨***-(s), -s***⟩ IT Pentium® PC
Peperoni [pepe'roːni] *pl* chillies *pl* (*Br*), chilies *pl*
peppig ['pɛpɪç] (*infml*) *adj Musik, Show* lively
per [pɛr] *prep* (≈ *mittels, durch*) by; ***mit jdm ~ du sein*** (*infml*) to be on first-name terms with sb
Perestroika [peres'trɔyka] *f* ⟨***-***, *no pl*⟩ POL perestroika
perfekt [pɛr'fɛkt] **I** *adj* **1.** (≈ *vollkommen*) perfect **2.** *pred* (≈ *abgemacht*) settled; ***etw ~ machen*** to settle sth; ***der Vertrag ist ~*** the contract is all settled **II** *adv* (≈ *sehr gut*) perfectly; ***~ Englisch sprechen*** to speak perfect English **Perfekt** ['pɛrfɛkt] *nt* ⟨***-s, -e***⟩ perfect (tense) **Perfektion** [pɛrfɛk'tsioːn] *f* ⟨***-***, *no pl*⟩ perfection; ***etw (bis) zur ~ entwickeln*** *Ausreden etc* to get sth down to a fine art **perfektionieren** [pɛrfɛktsio'niːrən] *past part* ***perfektioniert*** *v/t* to perfect **Perfektionist** [pɛrfɛktsio'nɪst] *m* ⟨***-en, -en***⟩, **Perfektionistin** [-'nɪstɪn] *f* ⟨***-, -nen***⟩ perfectionist
perforieren [pɛrfo'riːrən] *past part* ***perforiert*** *v/t* to perforate
Pergament [pɛrga'mɛnt] *nt* ⟨***-(e)s, -e***⟩ **1.** parchment **2.** (*a.* **Pergamentpapier**) greaseproof paper
Pergola ['pɛrgola] *f* ⟨***-, Pergolen*** [-lən]⟩ arbour (*Br*), arbor (*US*)
Periode [pe'rioːdə] *f* ⟨***-, -n***⟩ period; ELEC cycle; ***0,33 ~*** 0.33 recurring **periodisch** [pe'rioːdɪʃ] **I** *adj* periodic(al); (≈ *regelmäßig*) regular **II** *adv* periodically
Peripherie [perife'riː] *f* ⟨***-, -n*** [-'riːən]⟩ periphery; (*von Stadt*) outskirts *pl* **Peripheriegerät** *nt* peripheral
Periskop [peri'skoːp] *nt* ⟨***-s, -e***⟩ periscope
Perle ['pɛrlə] *f* ⟨***-, -n***⟩ pearl; (≈ *Glasperle, Wasserperle, Schweißperle*) bead **perlen**

['pɛrlən] *v/i* (≈ *sprudeln*) to bubble; (*Champagner*) to fizz; (≈ *fallen, rollen*) to trickle; ***der Schweiß perlte ihm von der Stirn*** beads of sweat were running down his forehead **Perlenkette** *f* string of pearls **Perlentaucher(in)** *m*/(*f*) pearl diver **Perlhuhn** *nt* guinea fowl **Perlmutt** ['pɛrlmʊt, pɛrl'mʊt] *nt* ⟨**-s**, *no pl*⟩, **Perlmutter** ['pɛrlmʊtɐ, pɛrl'mʊtɐ] *f* ⟨**-** *no pl or nt* **-s**, *no pl*⟩ mother-of-pearl **Perlwein** *m* sparkling wine

permanent [pɛrma'nɛnt] **I** *adj* permanent **II** *adv* constantly

perplex [pɛr'plɛks] *adj* dumbfounded

Perron ['pɛrõː] *m* ⟨**-s, -s**⟩ (*Swiss* RAIL) platform

Perser[1] ['pɛrzɐ] *m* ⟨**-s, -**⟩ (*infml*) (≈ *Teppich*) Persian carpet; (≈ *Brücke*) Persian rug **Perser**[2] ['pɛrzɐ] *m* ⟨**-s, -**⟩, **Perserin** [-ərɪn] *f* ⟨**-, -nen**⟩ Persian **Persianer** [pɛr'ziaːnɐ] *m* ⟨**-s, -**⟩ Persian lamb

Persilschein [pɛr'ziːl-] *m* (*hum infml*) clean bill of health (*infml*); ***jdm einen ~ ausstellen*** (*hum infml*) to absolve sb of all responsibility

persisch ['pɛrzɪʃ] *adj* Persian; ***Persischer Golf*** Persian Gulf

Perso ['pɛrzo] *m* ⟨**-s, -s**⟩ (*infml*: *Personalausweis*) ID card

Person [pɛr'zoːn] *f* ⟨**-, -en**⟩ person; LIT, THEAT character; ***~en*** people; ***pro ~*** per person; ***ich für meine ~ ...*** I for my part ...; ***jdn zur ~ vernehmen*** JUR to question sb concerning his identity; ***Angaben zur ~ machen*** to give one's personal details; ***sie ist die Geduld in ~*** she's patience personified; ***das Verb steht in der ersten ~ Plural*** the verb is in the first person plural **Personal** [pɛrzo'naːl] *nt* ⟨**-s**, *no pl*⟩ personnel **Personalabbau** *m*, *no pl* staff cuts *pl* **Personalabteilung** *f* personnel (department) **Personalausweis** *m* identity card **Personalbestand** *m* number of staff **Personalchef(in)** *m*/(*f*) personnel manager **Personal Computer** *m* personal computer **Personalkosten** *pl* personnel costs *pl* **Personalleiter(in)** *m*/(*f*) personnel manager **Personalplanung** *f* staff planning **Personalpronomen** *nt* personal pronoun **personell** [pɛrzo'nɛl] **I** *adj* staff *attr*, personnel *attr*; *Konsequenzen* for staff **II** *adv* ***die Abteilung wird ~ aufgestockt*** more staff will be taken on in the department **Personenaufzug** *m* (passenger) lift (*Br*), elevator (*US*) **Personenbeschreibung** *f* (personal) description **personenbezogen** *adj Daten* personal **Personengesellschaft** *f* partnership **Personenkreis** *m* group of people **Personenkult** *m* personality cult **Personenschaden** *m* injury to persons; ***es gab keine Personenschäden*** no-one was injured **Personenschutz** *m* personal security **Personenverkehr** *m* passenger services *pl* **Personenwaage** *f* scales *pl* **Personenwagen** *m* AUTO car, automobile (*US*) **Personenzug** *m* (*Gegensatz: Schnellzug*) slow train; (*Gegensatz: Güterzug*) passenger train **personifizieren** [pɛrzonifi'tsiːrən] *past part* ***personifiziert*** *v/t* to personify **Personifizierung** *f* ⟨**-, -en**⟩ personification **persönlich** [pɛr'zøːnlɪç] **I** *adj* personal; *Atmosphäre* friendly; ***~es Fürwort*** personal pronoun **II** *adv* personally; (*auf Briefen*) private (and confidential); ***etw ~ nehmen*** to take sth personally **Persönlichkeit** *f* ⟨**-, -en**⟩ personality; ***~en des öffentlichen Lebens*** public figures

Perspektive [pɛrspɛk'tiːvə] *f* ⟨**-, -n**⟩ ART, OPT perspective; (≈ *Blickpunkt*) angle; (≈ *Gesichtspunkt*) point of view; (*fig* ≈ *Zukunftsausblick*) prospects *pl*; ***das eröffnet ganz neue ~n für uns*** that opens new horizons for us **perspektivisch** [pɛrspɛk'tiːvɪʃ] *adj* perspective *attr*; ***die Zeichnung ist nicht ~*** the drawing is not in perspective **perspektivlos** *adj* without prospects

Peru [pe'ruː] *nt* ⟨**-s**⟩ Peru **Peruaner** [pe'ruaːnɐ] *m* ⟨**-s, -**⟩, **Peruanerin** [-ərɪn] *f* ⟨**-, -nen**⟩ Peruvian **peruanisch** [pe'ruaːnɪʃ] *adj* Peruvian

Perücke [pe'rʏkə] *f* ⟨**-, -n**⟩ wig

pervers [pɛr'vɛrs] *adj* perverted **Perversion** [pɛrvɛr'zioːn] *f* ⟨**-, -en**⟩ perversion **Perversität** [pɛrvɛrzi'tɛːt] *f* ⟨**-, -en**⟩ perversion **pervertieren** [pɛrvɛr'tiːrən] *past part* ***pervertiert*** *v/t* to pervert

Pessar [pɛ'saːɐ] *nt* ⟨**-s, -e**⟩ pessary; (*zur Empfängnisverhütung*) diaphragm

Pessimismus [pɛsi'mɪsmʊs] *m* ⟨**-**, *no pl*⟩ pessimism **Pessimist** [pɛsi'mɪst] *m* ⟨**-en, -en**⟩, **Pessimistin** [-'mɪstɪn] *f* ⟨**-, -nen**⟩ pessimist **pessimistisch** [pɛsi'mɪstɪʃ] *adj* pessimistic

Pest [pɛst] *f* ⟨**-**, *no pl*⟩ plague; ***jdn/etw wie die ~ hassen*** (*infml*) to loathe (and detest) sb/sth; ***jdn wie die ~ mei-***

den (*infml*) to avoid sb like the plague; ***wie die ~ stinken*** (*infml*) to stink to high heaven (*infml*)
Pestizid [pɛsti'tsiːt] *nt* ⟨**-(e)s, -e** [-də]⟩ pesticide
Petersilie [petɐ'ziːliə] *f* ⟨**-, -n**⟩ parsley
Petition [peti'tsioːn] *f* ⟨**-, -en**⟩ petition
Petrochemie [petroçe'miː, 'peːtro-] *f* petrochemistry **petrochemisch** *adj* petrochemical **Petrodollar** *m* petrodollar
Petroleum [pe'troːleʊm] *nt* ⟨**-s**, *no pl*⟩ paraffin (oil) (*Br*), kerosene (*esp US*) **Petroleumlampe** *f* paraffin (*Br*) *or* kerosene (*esp US*) lamp
Petting ['pɛtɪŋ] *nt* ⟨**-s, -s**⟩ petting
petto ['pɛto] *adv* ***etw in ~ haben*** (*infml*) to have sth up one's sleeve (*infml*)
petzen ['pɛtsn] (*infml*) **I** *v/t* ***der petzt alles*** he always tells **II** *v/i* to tell (tales) (*bei* to) **Petzer** ['pɛtsɐ] *m* ⟨**-s, -**⟩, **Petzerin** [-ərɪn] *f* ⟨**-, -nen**⟩ (SCHOOL *infml*) snitch (*infml*)
Pfad [pfaːt] *m* ⟨**-(e)s, -e** [-də]⟩ *also* IT path **Pfadfinder** *m* (Boy) Scout **Pfadfinderin** *f* Girl Guide (*Br*), Girl Scout (*US*)
Pfahl [pfaːl] *m* ⟨**-s, ¨-e** ['pfɛːlə]⟩ post; (≈ *Brückenpfahl*) pile; (≈ *Marterpfahl*) stake **Pfahlbau** *m*, *pl* ***-bauten no pl*** (*Bauweise*) building on stilts
Pfalz [pfalts] *f* ⟨**-, -en**⟩ **1.** *no pl* (≈ *Rheinpfalz*) Rhineland *or* Lower Palatinate **2.** *no pl* (≈ *Oberpfalz*) Upper Palatinate **pfälzisch** ['pfɛltsɪʃ] *adj* Palatine
Pfand [pfant] *nt* ⟨**-(e)s, ¨-er** ['pfɛndɐ]⟩ security; (*beim Pfänderspiel*) forfeit; (≈ *Verpackungspfand*) deposit; ***ich gebe mein Wort als ~*** I pledge my word; ***auf dem Glas ist ~*** there's a deposit on the glass **pfändbar** *adj* JUR distrainable (*form*) **Pfandbrief** *m* (*von Bank, Regierung*) bond **pfänden** ['pfɛndn] *v/t* JUR to impound; *Konto, Gehalt* to seize; ***jdn ~*** to impound some of sb's possessions **Pfänderspiel** *nt* (game of) forfeits **Pfandflasche** *f* returnable bottle **Pfandleihe** *f* (≈ *Pfandhaus*) pawnshop **Pfandleiher** [-laiɐ] *m* ⟨**-s, -**⟩, **Pfandleiherin** [-ərɪn] *f* ⟨**-, -nen**⟩ pawnbroker **Pfandschein** *m* pawn ticket **Pfändung** ['pfɛndʊŋ] *f* ⟨**-, -en**⟩ seizure
Pfanne ['pfanə] *f* ⟨**-, -n**⟩ COOK pan; ANAT socket; ***jdn in die ~ hauen*** (*infml*) to do the dirty on sb (*infml*); (≈ *vernichtend schlagen*) to wipe the floor with sb (*infml*); ***etwas auf der ~ haben*** (*infml: geistig*) to have it up there (*infml*) **Pfannengericht** *nt* COOK fry-up **Pfannkuchen** *m* (≈ *Eierpfannkuchen*) pancake; (≈ *Berliner*) (jam) doughnut (*Br*) *or* donut (*US*)
Pfarrei [pfa'rai] *f* ⟨**-, -en**⟩ (≈ *Gemeinde*) parish **Pfarrer** ['pfarɐ] *m* ⟨**-s, -**⟩, **Pfarrerin** [-ərɪn] *f* ⟨**-, -nen**⟩ parish priest; (*von Freikirchen*) minister **Pfarrgemeinde** *f* parish **Pfarrkirche** *f* parish church
Pfau [pfau] *m* ⟨**-(e)s** *or* **-en, -en**⟩ peacock
Pfeffer ['pfɛfɐ] *m* ⟨**-s, -**⟩ pepper **Pfeffergurke** *f* gherkin **Pfefferkorn** *nt*, *pl* ***-körner*** peppercorn **Pfefferkuchen** *m* gingerbread **Pfefferminz** ['pfɛfɐmɪnts, -'mɪnts] *nt* ⟨**-es, -(e)**⟩, **Pfefferminzbonbon** *nt or m* peppermint **Pfefferminze** ['pfɛfɐmɪntsə, -'mɪntsə] *f* ⟨**-**, *no pl*⟩ peppermint **Pfeffermühle** *f* pepper mill **pfeffern** ['pfɛfɐn] *v/t* **1.** COOK to season with pepper; (*fig*) to pepper; → ***gepfeffert*** **2.** (*infml*) ***jdm eine ~*** to clout sb one (*Br infml*) **Pfefferstreuer** *m* pepper pot
Pfeife ['pfaifə] *f* ⟨**-, -n**⟩ **1.** whistle; (≈ *Orgelpfeife*) pipe; ***nach jds ~ tanzen*** to dance to sb's tune **2.** (*zum Rauchen*) pipe **3.** (*infml* ≈ *Versager*) wash-out (*infml*) **pfeifen** ['pfaifn] *pret* ***pfiff*** [pfɪf], *past part* ***gepfiffen*** [gə'pfɪfn] **I** *v/i* to whistle; ***ich pfeife auf seine Meinung*** (*infml*) I couldn't care less about what he thinks **II** *v/t* to whistle; MUS to pipe; (SPORTS *infml*) *Spiel* to ref (*infml*); *Abseits, Foul* to give **Pfeifer** ['pfaifɐ] *m* ⟨**-s, -**⟩, **Pfeiferin** [-ərɪn] *f* ⟨**-, -nen**⟩ piper **Pfeifkessel** *m* whistling kettle **Pfeifkonzert** *nt* barrage *or* hail of catcalls *or* whistles
Pfeil [pfail] *m* ⟨**-s, -e**⟩ arrow; (≈ *Wurfpfeil*) dart; ***~ und Bogen*** bow and arrow
Pfeiler ['pfailɐ] *m* ⟨**-s, -**⟩ pillar; (*von Hängebrücke*) pylon; (≈ *Stützpfeiler*) buttress
pfeilförmig *adj* V-shaped **pfeilgerade** *adj* as straight as a die; ***eine ~ Linie*** a dead straight line **Pfeilspitze** *f* arrowhead **Pfeiltaste** *f* IT arrow key
Pfennig ['pfɛnɪç] *m* ⟨**-s, -e** [-gə]⟩ ⟨*or* (*nach Zahlenangabe*) **-**⟩ HIST pfennig, *one hundredth of a mark*; ***er hat keinen ~ (Geld)*** he hasn't got a penny to his name; ***es ist keinen ~ wert*** (*fig*) it's not worth a thing *or* a red cent (*US*); ***mit dem*** *or* ***jedem ~ rechnen müssen*** (*fig*) to have to watch every penny **Pfen-**

nigabsatz *m* stiletto heel **Pfennigfuchser** [-fʊksɐ] *m* ⟨*-s, -*⟩, **Pfennigfuchserin** [-ərɪn] *f* ⟨*-, -nen*⟩ (*infml*) miser (*infml*)

Pferch [pfɛrç] *m* ⟨*-es, -e*⟩ fold **pferchen** ['pfɛrçn] *v/t* to cram

Pferd [pfeːɐt] *nt* ⟨*-(e)s, -e* [-də]⟩ horse; CHESS knight; ***zu ~(e)*** on horseback; ***aufs falsche ~ setzen*** to back the wrong horse; ***wie ein ~ arbeiten*** *or* ***schuften*** (*infml*) to work like a Trojan; ***keine zehn ~e brächten mich dahin*** (*infml*) wild horses couldn't drag me there; ***mit ihm kann man ~e stehlen*** (*infml*) he's a great sport (*infml*); ***er ist unser bestes ~ im Stall*** he's our best man **Pferdefliege** *f* horsefly **Pferdefuhrwerk** *nt* horse and cart **Pferdegebiss** *nt* horsey teeth **Pferdekoppel** *f* paddock **Pferderennbahn** *f* race course **Pferderennen** *nt* (*Sportart*) (horse) racing; (*einzelnes Rennen*) (horse) race **Pferdeschwanz** *m* horse's tail; (*Frisur*) ponytail **Pferdesport** *m* equestrian sport **Pferdestall** *m* stable **Pferdestärke** *f* horse power *no pl*, hp *abbr* **Pferdezucht** *f* horse breeding; (≈ *Gestüt*) stud farm

Pfiff [pfɪf] *m* ⟨*-s, -e*⟩ **1.** whistle **2.** (≈ *Reiz*) style; ***der Soße fehlt noch der letzte ~*** the sauce still needs that extra something; ***eine Inneneinrichtung mit ~*** a stylish interior

Pfifferling ['pfɪfɐlɪŋ] *m* ⟨*-, -e*⟩ chanterelle; ***keinen ~ wert*** (*infml*) not worth a thing

pfiffig ['pfɪfɪç] **I** *adj* smart **II** *adv* cleverly

Pfingsten ['pfɪŋstn] *nt* ⟨*-, -*⟩ Whitsun (*Br*), Pentecost **Pfingstmontag** *m* Whit Monday (*Br*), Pentecost Monday (*US*) **Pfingstrose** *f* peony **Pfingstsonntag** *m* Whit Sunday (*Br*), Pentecost **Pfingstwoche** *f* Whit week (*Br*), the week of the Pentecost holiday (*US*)

Pfirsich ['pfɪrzɪç] *m* ⟨*-s, -e*⟩ peach **Pfirsichblüte** *f* peach blossom

Pflanz [pflants] *m* ⟨*-, no pl*⟩ (*Aus infml* ≈ *Betrug*) con (*infml*) **Pflanze** ['pflantsə] *f* ⟨*-, -n*⟩ **1.** (≈ *Gewächs*) plant; ***~n fressend*** herbivorous **2.** (*infml*: *Mensch*) ***sie ist eine seltsame ~*** she is a strange fish (*infml*) **pflanzen** ['pflantsn] *v/t* **1.** to plant **2.** (*Aus infml* ≈ *auf den Arm nehmen*) ***jdn ~*** to take the mickey out of sb (*infml*) **Pflanzenfaser** *f* plant fibre (*Br*) *or* fiber (*US*) **Pflanzenfett** *nt* vegetable fat **pflanzenfressend** *adj attr* herbivorous **Pflanzenfresser** *m* herbivore **Pflanzenkunde** *f*, **Pflanzenlehre** *f*, *no pl* botany **Pflanzenmargarine** *f* vegetable margarine **Pflanzenöl** *nt* vegetable oil **Pflanzenschutzmittel** *nt* pesticide **pflanzlich** ['pflantslɪç] **I** *adj Fette*, *Nahrung* vegetable *attr*; *Organismen* plant *attr* **II** *adv* ***sich rein ~ ernähren*** to eat no animal products; (*Tier*) to be a herbivore **Pflanzung** ['pflantsʊŋ] *f* ⟨*-, -en*⟩ (≈ *Plantage*) plantation

Pflaster ['pflastɐ] *nt* ⟨*-s, -*⟩ **1.** (≈ *Heftpflaster*) (sticking) plaster (*Br*), adhesive tape (*US*) **2.** (≈ *Straßenpflaster*) (road) surface; ***ein gefährliches ~*** (*infml*) a dangerous place **pflastern** ['pflastɐn] *v/t Straße*, *Hof* to surface; (*mit Steinplatten*) to pave; ***eine Straße neu ~*** to resurface a road **Pflasterstein** *m* paving stone

Pflaume ['pflaumə] *f* ⟨*-, -n*⟩ **1.** plum; ***getrocknete ~*** prune **2.** (*infml*: *Mensch*) dope (*infml*) **Pflaumenbaum** *m* plum tree **Pflaumenkuchen** *m* plum tart **Pflaumenmus** *nt* plum jam

Pflege ['pfleːgə] *f* ⟨*-, no pl*⟩ care; (*von Beziehungen*) cultivation; (*von Maschinen*, *Gebäuden*) maintenance; ***jdn/etw in ~ nehmen*** to look after sb/sth; ***jdn/etw in ~ geben*** to have sb/sth looked after; ***ein Kind in ~ nehmen*** to foster a child; ***ein Kind in ~ geben*** to have a child fostered; ***der Garten braucht viel ~*** the garden needs a lot of care and attention **pflegebedürftig** *adj* in need of care (and attention) **Pflegeberuf** *m* caring profession **Pflegedienst** *m* home nursing service **Pflegeeltern** *pl* foster parents *pl* **Pflegefall** *m* ***sie ist ein ~*** she needs constant care **Pflegegeld** *nt* (*für Pflegekinder*) boarding-out allowance; (*für Kranke*) attendance allowance **Pflegeheim** *nt* nursing home **Pflegekind** *nt* foster child **Pflegekosten** *pl* nursing fees *pl* **Pflegekostenversicherung** *f* private nursing insurance **pflegeleicht** *adj* easy-care **Pflegemutter** *f*, *pl* ***-mütter*** foster mother **pflegen** ['pfleːgn] **I** *v/t* to look after; *Beziehungen* to cultivate; *Maschinen*, *Gebäude* to maintain; → ***gepflegt*** **II** *v/i* (≈ *gewöhnlich tun*) to be in the habit (*zu* of); ***sie pflegte zu sagen*** she used to say; ***wie man zu sagen pflegt*** as they say **III** *v/r* (≈ *sein Äußeres pflegen*) to care about one's appearance **Pfleger**

['pfleːgɐ] *m* ⟨**-s, -**⟩ (*im Krankenhaus*) orderly; (*voll qualifiziert*) (male) nurse **Pflegerin** ['pfleːgərɪn] *f* ⟨**-, -nen**⟩ nurse **Pflegesohn** *m* foster son **Pflegestation** *f* nursing ward **Pflegetochter** *f* foster daughter **Pflegevater** *m* foster father **Pflegeversicherung** *f* nursing care insurance **pfleglich** ['pfleːklɪç] **I** *adj* careful **II** *adv behandeln* carefully, with care

Pflicht [pflɪçt] *f* ⟨**-, -en**⟩ **1.** (≈ *Verpflichtung*) duty (*zu* to); ***Rechte und ~en*** rights and responsibilities; ***jdn in die ~ nehmen*** to remind sb of his duty; ***die ~ ruft*** duty calls; ***ich habe es mir zur ~ gemacht*** I've taken it upon myself; ***das ist ~*** you have to do that, it's compulsory **2.** SPORTS compulsory section **pflichtbewusst** *adj* conscientious **Pflichtbewusstsein** *nt* sense of duty **Pflichterfüllung** *f* fulfilment (*Br*) *or* fulfillment (*US*) of one's duty **Pflichtfach** *nt* compulsory subject **Pflichtgefühl** *nt* sense of duty **pflichtgemäß** **I** *adj* dutiful **II** *adv* dutifully **Pflichtübung** *f* compulsory exercise **pflichtversichert** [-fɛɐzɪçɐt] *adj* compulsorily insured **Pflichtversicherte(r)** *m/f(m) decl as adj* compulsorily insured person **Pflichtversicherung** *f* compulsory insurance

Pflock [pflɔk] *m* ⟨**-(e)s, ⸚e** ['pflœkə]⟩ peg; (*für Tiere*) stake

pflücken ['pflʏkn] *v/t* to pick **Pflücker** ['pflʏkɐ] *m* ⟨**-s, -**⟩, **Pflückerin** [-ərɪn] *f* ⟨**-, -nen**⟩ picker

Pflug [pfluːk] *m* ⟨**-es, ⸚e** ['pflyːgə]⟩ plough (*Br*), plow (*US*) **pflügen** ['pflyːgn] *v/t & v/i* to plough (*Br*), to plow (*US*)

Pforte ['pfɔrtə] *f* ⟨**-, -n**⟩ (≈ *Tor*) gate **Pförtner** ['pfœrtnɐ] *m* ⟨**-s, -**⟩, **Pförtnerin** [-ərɪn] *f* ⟨**-, -nen**⟩ porter; (*von Fabrik*) gateman/-woman; (*von Behörde*) doorman/-woman

Pfosten ['pfɔstn] *m* ⟨**-s, -**⟩ post; (≈ *Fensterpfosten*) (window) jamb; (≈ *Türpfosten*) doorpost; FTBL (goal)post

Pfote ['pfoːtə] *f* ⟨**-, -n**⟩ paw; ***sich*** (*dat*) ***die ~n verbrennen*** (*infml*) to burn one's fingers

Pfropf [pfrɔpf] *m* ⟨**-(e)s, -e** *or* **⸚e** ['pfrœpfə]⟩ (≈ *Stöpsel*) stopper; (≈ *Kork*) cork; (*von Fass*) bung; (MED ≈ *Blutpfropf*) (blood) clot; (*verstopfend*) blockage **pfropfen** ['pfrɔpfn] *v/t* **1.** *Flasche* to bung, to stop up **2.** (*infml* ≈ *hineinzwängen*) to cram; ***gepfropft voll*** jam-packed (*infml*) **Pfropfen** ['pfrɔpfn] *m* ⟨**-s, -**⟩ = ***Pfropf***

pfui [pfui] *int* (*Ekel*) ugh; (*zu Hunden*) oy; (*Buhruf*) boo; ***~ Teufel*** (*infml*) ugh

Pfund [pfʊnt] *nt* ⟨**-(e)s, -e** [-də]⟩ ⟨*or* (*nach Zahlenangabe*) **-**⟩ **1.** (≈ *Gewicht*) pound; ***drei ~ Äpfel*** three pounds of apples **2.** (≈ *Währungseinheit*) pound; ***in ~*** in pounds **Pfundskerl** *m* (*infml*) great guy (*infml*) **pfundweise** *adv* by the pound

Pfusch [pfʊʃ] *m* ⟨**-(e)s,** *no pl*⟩ **1.** (*infml*) = ***Pfuscherei*** **2.** (*Aus* ≈ *Schwarzarbeit*) moonlighting (*infml*) **pfuschen** ['pfʊʃn] *v/i* **1.** (≈ *schlecht arbeiten*) to bungle; (≈ *einen Fehler machen*) to slip up **2.** SCHOOL to cheat **3.** (*Aus* ≈ *schwarzarbeiten*) to moonlight (*infml*) **Pfuscher** ['pfʊʃɐ] *m* ⟨**-s, -**⟩ (*infml*), **Pfuscherin** [-ərɪn] *f* ⟨**-, -nen**⟩ (*infml*) bungler **Pfuscherei** [pfʊʃə'rai] *f* ⟨**-, -en**⟩ (≈ *das Pfuschen*) bungling *no pl*; (≈ *gepfuschte Arbeit*) botch-up (*infml*)

Pfütze ['pfʏtsə] *f* ⟨**-, -n**⟩ puddle

Phallus ['falʊs] *m* ⟨**-, -se** *or* ***Phalli*** *or* ***Phallen*** ['fali, 'falən]⟩ phallus **Phallussymbol** *nt* phallic symbol

Phänomen [fɛno'meːn] *nt* ⟨**-s, -e**⟩ phenomenon **phänomenal** [fɛnome'naːl] **I** *adj* phenomenal **II** *adv* phenomenally (well)

Phantasie [fanta'ziː] *f* ⟨**-, -n** [-'ziːən]⟩ = ***Fantasie*** **phantastisch** [fan'tastɪʃ] *adj, adv* = ***fantastisch***

Phantom [fan'toːm] *nt* ⟨**-s, -e**⟩ (≈ *Trugbild*) phantom **Phantombild** *nt* Identikit® (picture), Photofit® (picture)

Pharmaindustrie *f* pharmaceuticals industry **Pharmakologe** [farmako'loːgə] *m* ⟨**-n, -n**⟩, **Pharmakologin** [-'loːgɪn] *f* ⟨**-, -nen**⟩ pharmacologist **Pharmakologie** [farmakolo'giː] *f* ⟨**-,** *no pl*⟩ pharmacology **pharmakologisch** [farmako'loːgɪʃ] *adj* pharmacological **Pharmaunternehmen** *nt* pharmaceuticals company **Pharmazeut** [farma'tsɔyt] *m* ⟨**-en, -en**⟩, **Pharmazeutin** [-'tsɔytɪn] *f* ⟨**-, -nen**⟩ pharmacist, druggist (*US*) **pharmazeutisch** [farma'tsɔytɪʃ] *adj* pharmaceutical **Pharmazie** [farma'tsiː] *f* ⟨**-,** *no pl*⟩ pharmacy, pharmaceutics *sg*

Phase ['faːzə] *f* ⟨**-, -n**⟩ phase

Philatelie [filate'liː] *f* ⟨**-,** *no pl*⟩ philately **Philatelist** [filate'lɪst] *m* ⟨**-en, -en**⟩,

Philatelistin [-ˈlɪstɪn] *f* ⟨-, -*nen*⟩ philatelist
Philharmonie [fɪlharmoˈniː, fiːlharmoˈniː] *f* ⟨-, -*n* [-ˈniːən]⟩ (≈ *Orchester*) philharmonic (orchestra); (≈ *Konzertsaal*) philharmonic hall **Philharmoniker** [fɪlharˈmoːnikɐ, fiːlharˈmoːnikɐ] *m* ⟨-*s*, -⟩, **Philharmonikerin** [-ərɪn] *f* ⟨-, -*nen*⟩ (≈ *Musiker*) member of a philharmonic orchestra
Philippinen [fɪlɪˈpiːnən] *pl* Philippines *pl* **philippinisch** [fɪlɪˈpiːnɪʃ] *adj* Filipino
Philologe [filoˈloːgə] *m* ⟨-*n*, -*n*⟩, **Philologin** [-ˈloːgɪn] *f* ⟨-, -*nen*⟩ philologist **Philologie** [filoloˈgiː] *f* ⟨-, *no pl*⟩ philology **philologisch** [filoˈloːgɪʃ] *adj* philological
Philosoph [filoˈzoːf] *m* ⟨-*en*, -*en*⟩, **Philosophin** [-ˈzoːfɪn] *f* ⟨-, -*nen*⟩ philosopher **Philosophie** [filozoˈfiː] *f* ⟨-, -*n* [-ˈfiːən]⟩ philosophy **philosophieren** [filozoˈfiːrən] *past part* ***philosophiert*** *v/i* to philosophize (*über +acc* about) **philosophisch** [filoˈzoːfɪʃ] **I** *adj* philosophical **II** *adv* philosophically
Phlegma [ˈflɛgma] *nt* ⟨-*s*, *no pl*⟩ apathy **Phlegmatiker** [flɛˈgmaːtikɐ] *m* ⟨-*s*, -⟩, **Phlegmatikerin** [-ərɪn] *f* ⟨-, -*nen*⟩ apathetic person **phlegmatisch** [flɛˈgmaːtɪʃ] **I** *adj* apathetic **II** *adv* apathetically
Phobie [foˈbiː] *f* ⟨-, -*n* [-ˈbiːən]⟩ phobia (*vor +dat* about)
Phon [foːn] *nt* ⟨-*s*, -*s*⟩ phon **Phonetik** [foˈneːtɪk] *f* ⟨-, *no pl*⟩ phonetics *sg* **phonetisch** [foˈneːtɪʃ] *adj* phonetic; ***~e Schrift*** phonetic transcription **Phonotypist** [fonotyˈpɪst] *m* ⟨-*en*, -*en*⟩, **Phonotypistin** [-ˈpɪstɪn] *f* ⟨-, -*nen*⟩ audiotypist **Phonstärke** *f* decibel
Phosphat [fɔsˈfaːt] *nt* ⟨-(*e*)*s*, -*e*⟩ phosphate **phosphatfrei** *adj* phosphate-free **phosphathaltig** *adj* containing phosphates **Phosphor** [ˈfɔsfɔɐ] *m* ⟨-*s*, *no pl*⟩ phosphorus **phosphoreszieren** [fɔsforɛsˈtsiːrən] *past part* ***phosphoresziert*** *v/i* to phosphoresce
Photo [ˈfoːto] *nt* ⟨-*s*, -*s*⟩ = ***Foto*** **Photosynthese** [fotozʏnˈteːzə, ˈfoːtozʏnteːzə] *f* photosynthesis **Photozelle** *f* photoelectric cell
Phrase [ˈfraːzə] *f* ⟨-, -*n*⟩ phrase; (*pej*) empty phrase; ***abgedroschene ~*** cliché, hackneyed phrase (*Br*); ***~n dreschen*** (*infml*) to churn out one cliché after another **Phrasendrescher** *m* ⟨-*s*, -⟩, **Phrasendrescherin** *f* ⟨-, -*nen*⟩ (*pej*) windbag (*infml*) **phrasenhaft** *adj* empty, hollow
pH-Wert [peːˈhaː-] *m* pH value
Physik [fyˈziːk] *f* ⟨-, *no pl*⟩ physics *sg* **physikalisch** [fyziˈkaːlɪʃ] **I** *adj* physical **II** *adv* physically **Physiker** [ˈfyːzikɐ] *m* ⟨-*s*, -⟩, **Physikerin** [-ərɪn] *f* ⟨-, -*nen*⟩ physicist **Physiksaal** *m* physics lab **Physikum** [ˈfyːzikʊm] *nt* ⟨-*s*, *no pl*⟩ UNIV *preliminary examination in medicine* **physiologisch** [fyzioˈloːgɪʃ] **I** *adj* physiological **II** *adv* physiologically **Physiotherapeut(in)** [fyzioteraˈpɔyt] *m*/(*f*) physiotherapist **Physiotherapie** [fyzioteraˈpiː] *f* physiotherapy **physisch** [ˈfyːzɪʃ] **I** *adj* physical **II** *adv* physically
Pianist [piaˈnɪst] *m* ⟨-*en*, -*en*⟩, **Pianistin** [-ˈnɪstɪn] *f* ⟨-, -*nen*⟩ pianist
Piccolo [ˈpɪkolo] *m* ⟨-*s*, -*s*⟩ **1.** (*a.* **Piccoloflasche**) quarter bottle of champagne **2.** (MUS: *a.* **Piccoloflöte**) piccolo
picheln [ˈpɪçln] *v/i* (*infml*) to booze (*infml*)
Pichelsteiner [ˈpɪçlʃtainɐ] *m* ⟨-*s*, *no pl*⟩, **Pichelsteiner Topf** *m*, *no pl* COOK meat and vegetable stew
Pick [pɪk] *m* ⟨-(*e*)*s*, *no pl*⟩ (*Aus* ≈ *Klebstoff*) glue
Pickel [ˈpɪkl] *m* ⟨-*s*, -⟩ **1.** spot **2.** (≈ *Spitzhacke*) pick(axe) (*Br*), pick(ax) (*US*); (≈ *Eispickel*) ice axe (*Br*), ice ax (*US*) **pick(e)lig** [ˈpɪk(ə)lɪç] *adj* spotty
picken [ˈpɪkn] *v/t & v/i* **1.** to peck (*nach* at) **2.** (*Aus* ≈ *kleben*) to stick
Pickerl [ˈpɪkɐl] *nt* ⟨-*s*, -*n*⟩ (*Aus*) **1.** (≈ *Aufkleber*) sticker **2.** (≈ *Autobahnvignette*) motorway (*Br*) *or* tollway (*US*) permit (*in the form of a windscreen sticker*)
Picknick [ˈpɪknɪk] *nt* ⟨-*s*, -*s or* -*e*⟩ picnic; ***~ machen*** to have a picnic **picknicken** [ˈpɪknɪkn] *v/i* to (have a) picnic **Picknickkorb** *m* picnic basket; (*größer*) picnic hamper
picobello [piːkoˈbɛlo] *adv* (*infml*) ***~ gekleidet*** immaculately dressed; ***~ sauber*** absolutely spotless
Piefke [ˈpiːfkə] *m* ⟨-*s*, -*s*⟩ (*Aus pej* ≈ *Deutscher*) Kraut (*pej*)
pieken [ˈpiːkn] *v/t & v/i* (*infml*) to prick
piekfein [ˈpiːkˈfain] (*infml*) *adj* posh (*infml*); ***~ eingerichtet sein*** to have classy furnishings
piepen [ˈpiːpn] *v/i* (*Vogel*) to cheep;

(*Maus*) to squeak; (*Funkgerät etc*) to bleep; ***bei dir piepts wohl!*** (*infml*) are you off your rocker? (*infml*); ***es war zum Piepen!*** (*infml*) it was a scream! (*infml*) **Piepser** ['piːpsɐ] *m* ⟨**-s, -**⟩ (*infml*, TEL) bleeper **Piepton** *m* bleep
Pier [piːɐ] *m* ⟨**-s, -s** *or* **-e,** *or f* **-, -s**⟩ jetty
piercen ['piːɐsn] *v/t* to pierce; ***sich*** (*dat*) ***die Zunge ~ lassen*** to get one's tongue pierced **Piercing** ['piːɐsɪŋ] *nt* ⟨**-s, s**⟩ **1.** *no pl* body piercing **2.** (*Körperschmuck*) piece of body jewellery (*Br*) *or* jewelry (*US*)
piesacken ['piːzakn] *v/t* (*infml* ≈ *quälen*) to torment
Pietät [pie'tɛːt] *f* ⟨**-,** *no pl*⟩ (≈ *Ehrfurcht*) reverence *no pl*; (≈ *Achtung*) respect **pietätlos** *adj* irreverent; (≈ *ohne Achtung*) lacking in respect
Pigment [pɪ'gmɛnt] *nt* ⟨**-(e)s, -e**⟩ pigment
Pik *nt* ⟨**-s, -**⟩ (CARDS) () *no pl* (*Farbe*) spades *pl*
pikant [pi'kant] *adj* piquant; ***~ gewürzt*** well-seasoned
Pike ['piːkə] *f* ⟨**-, -n**⟩ pike; ***etw von der ~ auf lernen*** (*fig*) to learn sth starting from the bottom
pikiert [pi'kiːɐt] (*infml*) *adj* put out; ***sie machte ein ~es Gesicht*** she looked put out
Pikkolo ['pɪkolo] *m* ⟨**-s, -s**⟩ = ***Piccolo***
Piktogramm [pɪkto'gram] *nt*, *pl* ***-gramme*** pictogram
Pilates [pɪ'laːtɛs] *nt* ⟨**-,** *no pl*⟩ pilates
Pilger ['pɪlgə] *m* ⟨**-s, -**⟩, **Pilgerin** [-ərɪn] *f* ⟨**-, -nen**⟩ pilgrim **Pilgerfahrt** *f* pilgrimage **pilgern** ['pɪlgɐn] *v/i aux sein* to make a pilgrimage; (*infml* ≈ *gehen*) to make one's way
Pille ['pɪlə] *f* ⟨**-, -n**⟩ pill; ***sie nimmt die ~*** she's on the pill; ***das war eine bittere ~ für ihn*** (*fig*) that was a bitter pill for him (to swallow)
Pilot [pi'loːt] *m* ⟨**-en, -en**⟩, **Pilotin** [-'loːtɪn] *f* ⟨**-, -nen**⟩ pilot **Pilotfilm** *m* pilot film **Pilotprojekt** *nt* pilot scheme
Pils [pɪls] *nt* ⟨**-, -**⟩, **Pilsner** ['pɪlznɐ] *nt* ⟨**-s, -**⟩ Pils
Pilz [pɪlts] *m* ⟨**-es, -e**⟩ **1.** fungus; (*giftig*) toadstool; (*essbar*) mushroom; ***~e sammeln*** to go mushroom-picking; ***wie ~e aus dem Boden schießen*** to spring up like mushrooms **2.** (≈ *Hautpilz*) fungal skin infection **Pilzkrankheit** *f* fungal disease **Pilzvergiftung** *f* fungus poisoning
Pin [pɪn] *m* ⟨**-s, -s**⟩ (*von Stecker*) pin
pingelig ['piŋəlɪç] *adj* (*infml*) finicky (*infml*)
Pinguin ['pɪŋguiːn] *m* ⟨**-s, -e**⟩ penguin
Pinie ['piːniə] *f* ⟨**-, -n**⟩ pine
pink [pɪŋk] *adj* shocking pink
Pinkel ['pɪŋkl] *m* ⟨**-s, -**⟩ (*infml*) ***ein feiner ~*** a swell, His Highness (*infml*) **pinkeln** ['pɪŋkln] *v/i* (*infml*) to pee (*infml*)
Pinnwand [pɪn-] *f* (notice) board
Pinscher ['pɪnʃɐ] *m* ⟨**-s, -**⟩ pinscher
Pinsel ['pɪnzl] *m* ⟨**-s, -**⟩ brush **pinseln** ['pɪnzln] *v/t* & *v/i* (*infml* ≈ *streichen*) to paint (*auch* MED); (*pej* ≈ *malen*) to daub
Pinzette [pɪn'tsɛtə] *f* ⟨**-, -n**⟩ (pair of) tweezers *pl*
Pionier [pio'niːɐ] *m* ⟨**-s, -e**⟩, **Pionierin** [-'niːərɪn] *f* ⟨**-, -nen**⟩ **1.** MIL sapper **2.** (*fig*) pioneer **Pionierarbeit** *f*, *no pl* pioneering work **Pioniergeist** *m*, *no pl* pioneering spirit
Pipeline ['paiplain] *f* ⟨**-, -s**⟩ pipeline
Pipette [pi'pɛtə] *f* ⟨**-, -n**⟩ pipette
Pipi [pi'piː] *nt or m* ⟨**-s, -s**⟩ (*baby talk*) wee(-wee) (*baby talk*); ***~ machen*** to do a wee(-wee)
Pirat [pi'raːt] *m* ⟨**-en, -en**⟩, **Piratin** [-'raːtɪn] *f* ⟨**-, -nen**⟩ pirate **Piratenschiff** *nt* pirate ship **Piratensender** *m* pirate radio station **Piraterie** [piratə'riː] *f* ⟨**-, -n** [-'riːən]⟩ (*lit*, *fig*) piracy
Pirsch [pɪrʃ] *f* ⟨**-,** *no pl*⟩ stalk; ***auf (die) ~ gehen*** to go stalking
PISA-Studie ['piːza-] *f* SCHOOL PISA study
pissen ['pɪsn] *v/i* (*vulg*) to (take a) piss (*sl*); (*sl* ≈ *regnen*) to pour down (*infml*)
Pistazie [pɪs'taːtsiə] *f* ⟨**-, -n**⟩ pistachio
Piste ['pɪstə] *f* ⟨**-, -n**⟩ SKI piste; (≈ *Rennbahn*) track; AVIAT runway
Pistole [pɪs'toːlə] *f* ⟨**-, -n**⟩ pistol; ***jdm die ~ auf die Brust setzen*** (*fig*) to hold a pistol to sb's head; ***wie aus der ~ geschossen*** (*fig*) like a shot (*infml*)
Pit-Bull-Terrier ['pɪtbʊl-] *m* pit bull terrier
pittoresk [pɪto'rɛsk] *adj* picturesque
Pixel ['pɪksl] *nt* ⟨**-s, -s**⟩ IT pixel
Pizza ['pɪtsa] *f* ⟨**-, -s** *or* ***Pizzen*** ['pɪtsn]⟩ pizza **Pizzabäcker(in)** *m*/(*f*) pizza chef **Pizzagewürz** *nt* pizza spice **Pizzeria** [pɪtsə'riːa] *f* ⟨**-, -s** *or* ***Pizzerien*** [-'riːən]⟩

pizzeria
Pjöngjang [pjœŋ'jaŋ] *nt* ⟨**-s**⟩ Pyongyang
Pkw ['peːkaːveː, peːkaː'veː] *m* ⟨**-s, -s**⟩ car
Placebo [pla'tseːbo] *nt* ⟨**-s, -s**⟩ placebo
Plackerei [plakə'rai] *f* ⟨**-, -en**⟩ (*infml*) grind (*infml*)
plädieren [plɛ'diːrən] *past part* ***plädiert*** *v/i* to plead (*für, auf +acc* for) **Plädoyer** [plɛdoa'jeː] *nt* ⟨**-s, -s**⟩ JUR summation (*US*), summing up; (*fig*) plea
Plafond [pla'fõː] *m* ⟨**-s, -s**⟩ (*esp S Ger, Swiss*: *also fig*) ceiling
Plage ['plaːgə] *f* ⟨**-, -n**⟩ **1.** plague **2.** (*fig* ≈ *Mühe*) nuisance; ***sie hat ihre ~ mit ihm*** he's a trial for her **plagen** ['plaːgn] **I** *v/t* to plague; ***ein geplagter Mann*** a harassed man **II** *v/r* **1.** (≈ *leiden*) to be troubled (*mit* by) **2.** (≈ *sich abrackern*) to slave away (*infml*)
Plagiat [pla'giaːt] *nt* ⟨**-(e)s, -e**⟩ **1.** (≈ *geistiger Diebstahl*) plagiarism **2.** (*Buch, Film etc*) book/film *etc* resulting from plagiarism; ***dieses Buch ist ein ~*** this book is plagiarism **plagiieren** [plagi'iːrən] *past part* ***plagiiert*** *v/t & v/i* to plagiarize
Plakat [pla'kaːt] *nt* ⟨**-(e)s, -e**⟩ (*an Litfaßsäulen etc*) poster; (*aus Pappe*) placard **plakatieren** [plaka'tiːrən] *past part* ***plakatiert*** *v/t* to placard; (*fig*) to broadcast **Plakatwerbung** *f* poster advertising
Plakette [pla'kɛtə] *f* ⟨**-, -n**⟩ (≈ *Abzeichen*) badge
Plan[1] [plaːn] *m* ⟨**-(e)s, ⸚e** ['plɛːnə]⟩ **1.** plan; ***wir haben den ~, ...*** we're planning to ... **2.** (≈ *Stadtplan*) (street) map; (≈ *Bauplan*) plan; (≈ *Zeittafel*) schedule
Plan[2] *m* ⟨**-(e)s, ⸚e** ['plɛːnə]⟩ ***auf den ~ treten*** (*fig*) to arrive *or* come on the scene; ***jdn auf den ~ rufen*** (*fig*) to bring sb into the arena
Plane ['plaːnə] *f* ⟨**-, -n**⟩ tarpaulin; (≈ *Schutzdach*) canopy
planen ['plaːnən] *v/t & v/i* to plan **Planer** ['plaːnɐ] *m* ⟨**-s, -**⟩, **Planerin** [-ərɪn] *f* ⟨**-, -nen**⟩ planner
Planet [pla'neːt] *m* ⟨**-en, -en**⟩ planet **planetarisch** [plane'taːrɪʃ] *adj* planetary **Planetarium** [plane'taːriʊm] *nt* ⟨**-s, Planetarien** [-riən]⟩ planetarium
Planfeststellungsverfahren *nt* BUILD planning permission hearings *pl*
planieren [pla'niːrən] *past part* ***planiert*** *v/t Boden* to level (off); *Werkstück* to planish **Planierraupe** *f* bulldozer
Planke ['plaŋkə] *f* ⟨**-, -n**⟩ plank; (≈ *Leitplanke*) crash barrier
Plänkelei [plɛŋkə'lai] *f* ⟨**-, -en**⟩ (*fig*) squabble **plänkeln** ['plɛŋkln] *v/i* (*fig*) to squabble
Plankton ['plaŋktɔn] *nt* ⟨**-s,** *no pl*⟩ plankton
planlos I *adj* unmethodical; (≈ *ziellos*) random **II** *adv umherirren* aimlessly; *vorgehen* without any clear direction **Planlosigkeit** *f* ⟨**-,** *no pl*⟩ lack of planning **planmäßig I** *adj* (≈ *wie geplant*) as planned; (≈ *pünktlich*) on schedule; ***~e Ankunft/Abfahrt*** scheduled time of arrival/departure **II** *adv* **1.** (≈ *systematisch*) systematically **2.** (≈ *fahrplanmäßig*) on schedule
Planschbecken *nt* paddling pool (*Br*), wading pool (*US*) **planschen** ['planʃn] *v/i* to splash around
Planspiel *nt* experimental game; MIL map exercise
Planstelle *f* post
Plantage [plan'taːʒə] *f* ⟨**-, -n**⟩ plantation
Planung ['plaːnʊŋ] *f* ⟨**-, -en**⟩ planning; ***diese Straße ist noch in ~*** this road is still being planned **Planwirtschaft** *f* planned economy
Plappermaul *nt* (*infml*) (≈ *Mund*) big mouth (*infml*); (≈ *Schwätzer*) windbag (*infml*) **plappern** ['plapɐn] *v/i* to chatter; (≈ *Geheimnis verraten*) to blab (*infml*)
plärren ['plɛrən] *v/t & v/i* (*infml* ≈ *weinen*) to howl; (*Radio*) to blare (out); (≈ *schreien*) to yell
Plasma ['plasma] *nt* ⟨**-s, Plasmen** [-mən]⟩ plasma
Plastik[1] ['plastɪk] *nt* ⟨**-s,** *no pl*⟩ (≈ *Kunststoff*) plastic
Plastik[2] *f* ⟨**-, -en**⟩ (≈ *Skulptur*) sculpture
Plastikbeutel *m* plastic bag **Plastikflasche** *f* plastic bottle **Plastikfolie** *f* plastic film **Plastikgeld** *nt* (*infml*) plastic money **Plastiksack** *m* (large) plastic bag **Plastiksprengstoff** *m* plastic explosive **Plastiktüte** *f* plastic bag **plastisch** ['plastɪʃ] **I** *adj* **1.** (≈ *dreidimensional*) three-dimensional, 3-D; (*fig*: *anschaulich*) vivid **2.** ART plastic; ***die ~e Kunst*** plastic art **3.** MED *Chirurgie* plastic **II** *adv* **1.** (*räumlich*) three-dimensionally **2.** (*fig*: *anschaulich*) ***etw ~ schildern*** to give a graphic description of sth; ***das kann ich mir ~ vorstellen*** I can just

imagine it
Platane [pla'taːnə] *f* ⟨**-, -n**⟩ plane tree
Plateau [pla'toː] *nt* ⟨**-s, -s**⟩ **1.** plateau **2.** (*von Schuh*) platform **Plateausohle** [pla'toː-] *f* platform sole
Platin ['plaːtiːn, pla'tiːn] *nt* ⟨**-s**, *no pl*⟩ platinum
Platine [pla'tiːnə] *f* ⟨**-, -n**⟩ IT circuit board
platonisch [pla'toːnɪʃ] *adj* Platonic; (≈ *nicht sexuell*) platonic
platschen ['platʃn] *v/i* (*infml*) to splash
plätschern ['plɛtʃɐn] *v/i* (*Bach*) to babble; (*Brunnen*) to splash; (*Regen*) to patter
platt [plat] **I** *adj* **1.** (≈ *flach*) flat; ***einen Platten haben*** (*infml*) to have a flat tyre (*Br*) *or* tire (*US*) **2.** (*infml* ≈ *verblüfft*) ***~ sein*** to be flabbergasted (*infml*) **II** *adv walzen* flat; ***etw ~ drücken*** to press sth flat **Platt** [plat] *nt* ⟨**-(s)**, *no pl*⟩ (*infml*) Low German, Plattdeutsch **plattdeutsch** *adj* Low German **Platte** ['platə] *f* ⟨**-, -n**⟩ **1.** (≈ *Holzplatte*) piece of wood, board; (*zur Wandverkleidung*) panel; (≈ *Glasplatte / Metallplatte / Plastikplatte*) piece of glass / metal / plastic; (≈ *Steinplatte*) slab; (≈ *Kachel*, *Fliese*) tile; (≈ *Grabplatte*) gravestone; (≈ *Herdplatte*) hotplate; (≈ *Tischplatte*) (table) top; PHOT plate; (≈ *Gedenktafel*) plaque; IT disk **2.** (≈ *Schallplatte*) record **3.** (*infml*) (≈ *Glatze*) bald head **plätten** ['plɛtn] *v/t* (*dial*) to iron **Plattenlaufwerk** *nt* IT disk drive **Plattensammlung** *f* record collection **Plattenspieler** *m* record player **Plattenteller** *m* turntable **Plattfisch** *m* flatfish **Plattform** *f* platform; (*fig* ≈ *Grundlage*) basis **Plattfuß** *m* flat foot **Plattheit** *f* ⟨**-, -en**⟩ **1.** *no pl* (≈ *Flachheit*) flatness **2.** *usu pl* (≈ *Redensart etc*) platitude, cliché **Plättli** ['plɛtli] *nt* ⟨**-, -**⟩ (*Swiss* ≈ *Fliese*, *Kachel*) tile **plattmachen** *v/t sep* (*infml*) to level; (≈ *töten*) to do in (*infml*)
Platz [plats] *m* ⟨**-es, ⸚e** ['plɛtsə]⟩ **1.** (≈ *freier Raum*) room; ***~ für jdn / etw schaffen*** to make room for sb / sth; ***~ einnehmen*** to take up room; ***~ raubend*** = ***platzraubend***; ***~ sparend*** = ***platzsparend***; ***jdm den (ganzen) ~ wegnehmen*** to take up all the room; ***jdm ~ machen*** to make room for sb; (≈ *vorbeigehen lassen*) to make way for sb (*also fig*); ***~ machen*** to get out of the way (*infml*); ***mach mal ein bisschen ~*** make a bit of room **2.** (≈ *Sitzplatz*) seat; ***~ nehmen*** to take a seat; ***ist hier noch ein ~ frei?*** is it okay to sit here?; ***dieser ~ ist belegt*** *or* ***besetzt*** this seat's taken; ***~!*** (*zum Hund*) (lie) down! **3.** (≈ *Stelle*, *Standort*) place; ***das Buch steht nicht an seinem ~*** the book isn't in (its) place; ***etw (wieder) an seinen ~ stellen*** to put sth (back) in (its) place; ***fehl*** *or* ***nicht am ~(e) sein*** to be out of place; ***auf die Plätze, fertig, los!*** (*beim Sport*) on your marks, get set, go!; ***den ersten ~ einnehmen*** (*fig*) to take first place; ***auf ~ zwei*** in second place **4.** (≈ *umbaute Fläche*) square **5.** (≈ *Sportplatz*) playing field; FTBL pitch; (≈ *Tennisplatz*) court; (≈ *Golfplatz*) (golf) course; ***einen Spieler vom ~ verweisen*** to send a player off (*Br*), to eject a player (*US*); ***auf gegnerischem ~*** away; ***auf eigenem ~*** at home **6.** (≈ *Ort*) town, place; ***das erste Hotel am ~(e)*** the best hotel in town **Platzangst** *f* (*infml* ≈ *Beklemmung*) claustrophobia **Platzanweiser** [-anvaizɐ] *m* ⟨**-s, -**⟩ usher **Platzanweiserin** [-anvaizərɪn] *f* ⟨**-, -nen**⟩ usherette
Plätzchen ['plɛtsçən] *nt* ⟨**-s, -**⟩ (*Gebäck*) biscuit (*Br*), cookie (*US*)
platzen ['platsn] *v/i aux sein* **1.** (≈ *aufreißen*) to burst; (*Naht*, *Haut*) to split; (≈ *explodieren*) to explode; (≈ *einen Riss bekommen*) to crack; ***mir ist unterwegs ein Reifen geplatzt*** I had a blowout on the way (*infml*); ***ins Zimmer ~*** (*infml*) to burst into the room; ***jdm ins Haus ~*** (*infml*) to descend on sb; ***(vor Wut / Ungeduld) ~*** (*infml*) to be bursting (with rage / impatience) **2.** (*infml* ≈ *scheitern*) (*Plan*, *Vertrag*) to fall through; (*Freundschaft*, *Koalition*) to break up; (*Wechsel*) to bounce (*infml*); ***die Verlobung ist geplatzt*** the engagement is (all) off; ***etw ~ lassen*** *Plan*, *Vertrag* to make sth fall through; *Verlobung* to break sth off; *Koalition* to break sth up
Platzhalter *m* place marker **Platzhirsch** *m* dominant male **platzieren** [pla'tsiːrən] *past part* **platziert** **I** *v/t* **1.** to put, to place; TENNIS to seed **2.** (≈ *zielen*) *Ball* to place; *Schlag* to land **II** *v/r* **1.** (*infml* ≈ *sich setzen etc*) to plant oneself (*infml*) **2.** SPORTS to be placed; ***der Läufer konnte sich gut ~*** the runner was well-placed **Platzierung** *f* (*bei Rennen*) order; TENNIS seeding; (≈ *Platz*) place **Platzkarte** *f* RAIL seat reservation (tick-

et) **Platzmangel** *m, no pl* shortage of space **Platzpatrone** *f* blank (cartridge) **platzraubend** *adj* space-consuming **Platzregen** *m* cloudburst **platzsparend** *adj* space-saving *attr*; *bauen, unterbringen* (in order) to save space **Platzverweis** *m* sending-off (*Br*), ejection (*US*) **Platzwart** [-vart] *m* ⟨**-s, -e**⟩, **Platzwartin** [-vartın] *f* ⟨**-, -nen**⟩ SPORTS groundsman **Platzwunde** *f* cut

Plauderei [plaudə'rai] *f* ⟨**-, -en**⟩ chat **Plauderer** ['plaudərɐ] *m* ⟨**-s, -**⟩, **Plauderin** [-ərın] *f* ⟨**-, -nen**⟩ conversationalist **plaudern** ['plaudɐn] *v/i* to chat (*über +acc, von* about); (≈ *verraten*) to talk

plausibel [plau'ziːbl] **I** *adj Erklärung* plausible **II** *adv* plausibly; ***jdm etw ~ machen*** to explain sth to sb

Play-back ['pleːbɛk] *nt* ⟨**-s, -s**⟩, **Playback** *nt* ⟨**-s, -s**⟩ (≈ *Band*) (*bei Musikaufnahme*) backing track; ***~ singen*** to mime **Playboy** ['pleː-] *m* playboy **Playgirl** ['pleː-] *nt* playgirl

Plazenta [pla'tsɛnta] *f* ⟨**-, -s** *or* ***Plazenten*** [-'tsɛntn]⟩ placenta

plazieren [pla'tsiːrən] *v/t* → ***platzieren***

Plebiszit [plebıs'tsiːt] *nt* ⟨**-(e)s, -e**⟩ plebiscite

pleite ['plaitə] *adj pred adv* (*infml*) *Mensch* broke (*infml*) **Pleite** ['plaitə] *f* ⟨**-, -n**⟩ (*infml*) bankruptcy; (*fig*) flop (*infml*); ***~ machen*** to go bankrupt; ***~ gehen*** to go bust **pleitegehen** *v/i sep irr aux sein* (*infml*) to go bust

Plenarsaal *m* chamber **Plenarsitzung** *f* plenary session **Plenum** ['pleːnʊm] *nt* ⟨**-s, *Plena*** [-na]⟩ plenum

Pleuelstange ['plɔyəl-] *f* connecting rod

Plissee [plı'seː] *nt* ⟨**-s, -s**⟩ pleats *pl* **Plisseerock** *m* pleated skirt **plissieren** [plı'siːrən] *past part* ***plissiert*** *v/t* to pleat

Plombe ['plɔmbə] *f* ⟨**-, -n**⟩ **1.** (≈ *Siegel*) lead seal **2.** (≈ *Zahnplombe*) filling **plombieren** [plɔm'biːrən] *past part* ***plombiert*** *v/t* **1.** (≈ *versiegeln*) to seal **2.** *Zahn* to fill

Plotter ['plɔtɐ] *m* ⟨**-s, -**⟩ IT plotter

plötzlich ['plœtslıç] **I** *adj* sudden **II** *adv* suddenly; ***aber ein bisschen ~!*** (*infml*) (and) make it snappy! (*infml*) **Plötzlichkeit** *f* ⟨**-,** *no pl*⟩ suddenness

plump [plʊmp] **I** *adj Figur* ungainly *no adv*; *Ausdruck* clumsy; *Benehmen* crass; *Lüge, Trick* obvious **II** *adv sich bewegen* awkwardly; *sich ausdrücken* clumsily **Plumpheit** *f* ⟨**-, -en**⟩ (*von Figur*) ungainliness; (*von Ausdruck*) clumsiness; (*von Benehmen*) crassness; (*von Lüge, Trick*) obviousness

plumps [plʊmps] *int* bang; (*lauter*) crash **Plumps** [plʊmps] *m* ⟨**-es, -e**⟩ (*infml*) (≈ *Fall*) fall; (*Geräusch*) bump **plumpsen** ['plʊmpsn] *v/i aux sein* (*infml*) (≈ *fallen*) to tumble

plumpvertraulich *adj* overly chummy (*infml*)

Plunder ['plʊndɐ] *m* ⟨**-s,** *no pl*⟩ junk

Plünderer ['plʏndərɐ] *m* ⟨**-s, -**⟩, **Plünderin** [-ərın] *f* ⟨**-nen**⟩ looter, plunderer **plündern** ['plʏndɐn] *v/t & v/i* to loot; (≈ *ausrauben*) to raid **Plünderung** *f* ⟨**-, -en**⟩ looting

Plural ['pluːraːl] *m* ⟨**-s, -e**⟩ plural; ***im ~ stehen*** to be (in the) plural **Pluralismus** [plura'lısmʊs] *m* ⟨**-,** *no pl*⟩ pluralism **pluralistisch** [plura'lıstıʃ] *adj* pluralistic (*form*)

plus [plʊs] **I** *prep +gen* plus **II** *adv* plus; ***bei ~ 5 Grad*** at 5 degrees (above freezing); ***~ minus 10*** plus or minus 10 **Plus** [plʊs] *nt* ⟨**-, -**⟩ **1.** (≈ *Pluszeichen*) plus (sign) **2.** (*esp* COMM ≈ *Zuwachs*) increase; (≈ *Gewinn*) profit; (≈ *Überschuss*) surplus **3.** (*fig* ≈ *Vorteil*) advantage; ***das ist ein ~ für dich*** that's a point in your favour (*Br*) *or* favor (*US*)

Plüsch [plʏʃ, plyːʃ] *m* ⟨**-(e)s, -e**⟩ plush **Plüschtier** *nt* ≈ soft toy

Pluspol *m* ELEC positive pole **Pluspunkt** *m* SPORTS point; (*fig*) advantage **Plusquamperfekt** ['plʊskvampɛrfɛkt] *nt* pluperfect **Pluszeichen** *nt* plus sign

Pluto ['pluːto] *m* ⟨**-s**⟩ ASTRON Pluto

Plutonium [plu'toːniʊm] *nt* ⟨**-s,** *no pl*⟩ plutonium

Pneu [pnøː] *m* ⟨**-s, -s**⟩ (*esp Swiss*) tyre (*Br*), tire (*US*) **pneumatisch** [pnɔy'maːtıʃ] **I** *adj* pneumatic **II** *adv* pneumatically

Po [poː] *m* ⟨**-s, -s**⟩ (*infml*) bottom

Pöbel ['pøːbl] *m* ⟨**-s,** *no pl*⟩ rabble **pöbelhaft** *adj* uncouth, vulgar **pöbeln** ['pøːbln] *v/i* to swear

pochen ['pɔxn] *v/i* to knock; (*Herz*) to pound; ***auf etw*** (*acc*) ***~*** (*fig*) to insist on sth

Pocke ['pɔkə] *f* ⟨**-, -n**⟩ **1.** pock **2. Pocken** *pl* smallpox **Pockennarbe** *f* pockmark **Pocken(schutz)impfung** *f* smallpox vaccination

Podest [po'dɛst] *nt or m* ⟨**-(e)s, -e**⟩ pedestal; (≈ *Podium*) platform

Podium ['po:diʊm] *nt* ⟨**-s, *Podien*** [-diən]⟩ platform; (*des Dirigenten*) podium **Podiumsdiskussion** *f* panel discussion

Poesie [poe'zi:] *f* ⟨**-, -n** [-'zi:ən]⟩ poetry **Poesiealbum** *nt* autograph book **Poetik** [po'e:tɪk] *f* ⟨**-, -en**⟩ poetics *sg* **poetisch** [po'e:tɪʃ] **I** *adj* poetic **II** *adv* poetically

Pogrom [po'gro:m] *nt or m* ⟨**-s, -e**⟩ pogrom

Pointe ['poɛ̃:tə] *f* ⟨**-, -n**⟩ (*eines Witzes*) punch line; (*einer Geschichte*) point **pointiert** [poɛ̃'ti:ɐt] **I** *adj* pithy **II** *adv* pithily

Pokal [po'ka:l] *m* ⟨**-s, -e**⟩ (*zum Trinken*) goblet; SPORTS cup **Pokalfinale** *nt* cup final **Pokalrunde** *f* round (of the cup) **Pokalsieger(in)** *m/(f)* cup winners *pl* **Pokalspiel** *nt* cup tie

Pökelfleisch *nt* salt meat **pökeln** ['pø:kln] *v/t Fleisch* to salt

Poker ['po:kɐ] *nt* ⟨**-s,** *no pl*⟩ poker **pokern** ['po:kɐn] *v/i* to play poker; (*fig*) to gamble; ***hoch ~*** (*fig*) to take a big risk

Pol [po:l] *m* ⟨**-s, -e**⟩ pole; ***der ruhende ~*** (*fig*) the calming influence **polar** [po'la:ɐ] *adj* polar **Polareis** *nt* polar ice **polarisieren** [polari'zi:rən] *past part **polarisiert*** *v/t & v/r* to polarize **Polarisierung** *f* ⟨**-, -en**⟩ polarization **Polarkreis** *m **nördlicher/südlicher ~*** Arctic/Antarctic circle **Polarmeer** *nt **Nördliches/Südliches ~*** Arctic/Antarctic Ocean

Polaroidkamera® [polaro'i:t-, pola'rɔyt-] *f* Polaroid® camera

Polarstern *m* Pole Star

Pole ['po:lə] *m* ⟨**-n, -n**⟩ Pole

Polemik [po'le:mɪk] *f* ⟨**-, -en**⟩ polemics *sg* (*gegen* against) **Polemiker** [po'le:mikɐ] *m* ⟨**-s, -**⟩, **Polemikerin** [-ərɪn] *f* ⟨**-, -nen**⟩ controversialist, polemicist **polemisch** [po'le:mɪʃ] *adj* polemic(al) **polemisieren** [polemi'zi:rən] *past part **polemisiert*** *v/i* to polemicize; ***~ gegen*** to inveigh against

Polen ['po:lən] *nt* ⟨**-s**⟩ Poland

Polenta [po'lɛnta] *f* ⟨**-, -s** *or* ***Polenten***⟩ COOK polenta

Police [po'li:sə] *f* ⟨**-, -n**⟩ (insurance) policy

polieren [po'li:rən] *past part **poliert*** *v/t* to polish

Poliklinik ['po:li-] *f* clinic (*for outpatients only*)

Polin ['po:lɪn] *f* ⟨**-, -nen**⟩ Pole

Polio ['po:lio] *f* ⟨**-,** *no pl*⟩ polio

Politbüro *nt* Politburo

Politesse [poli'tɛsə] *f* ⟨**-, -n**⟩ (woman) traffic warden

Politik [poli'ti:k] *f* ⟨**-, -en**⟩ **1.** *no pl* politics *sg*; (≈ *politischer Standpunkt*) politics *pl*; ***in die ~ gehen*** to go into politics **2.** (≈ *bestimmte Politik*) policy; ***eine ~ verfolgen*** to pursue a policy **Politiker** [po'li:tikɐ] *m* ⟨**-s, -**⟩, **Politikerin** [-ərɪn] *f* ⟨**-, -nen**⟩ politician **politisch** [po'li:tɪʃ] **I** *adj* political **II** *adv* politically; ***sich ~ betätigen*** to be involved in politics; ***~ interessiert sein*** to be interested in politics **politisieren** [politi'zi:rən] *past part **politisiert*** **I** *v/i* to politicize **II** *v/t* to politicize; *jdn* to make politically aware **Politologe** [polito'lo:gə] *m* ⟨**-n, -n**⟩, **Politologin** [-'lo:gɪn] *f* ⟨**-, -nen**⟩ political scientist **Politologie** [politolo'gi:] *f* ⟨**-,** *no pl*⟩ political science

Politur [poli'tu:ɐ] *f* ⟨**-, -en**⟩ polish

Polizei [poli'tsai] *f* ⟨**-, -en**⟩ police *pl*; ***zur ~ gehen*** to go to the police; ***er ist bei der ~*** he's in the police (force) **Polizeiaufgebot** *nt* police presence **Polizeiauto** *nt* police car **Polizeibeamte(r)** *m decl as adj*, **Polizeibeamtin** *f* police official; (≈ *Polizist*) police officer **Polizeidienststelle** *f* (*form*) police station **Polizeieinsatz** *m* police action *or* intervention **Polizeifunk** *m* police radio **Polizeikette** *f* police cordon **Polizeiknüppel** *m* truncheon **Polizeikontrolle** *f* police check; (≈ *Kontrollpunkt*) police checkpoint **polizeilich** [poli'tsailɪç] **I** *adj* police *attr*; ***~es Führungszeugnis*** *certificate issued by the police, stating that the holder has no criminal record* **II** *adv ermittelt werden* by the police; ***~ überwacht werden*** to be under police surveillance; ***sie wird ~ gesucht*** the police are looking for her; ***sich ~ melden*** to register with the police **Polizeirevier** *nt* **1.** (≈ *Polizeiwache*) police station **2.** (*Bezirk*) (police) district, precinct (*US*) **Polizeischutz** *m* police protection **Polizeistaat** *m* police state **Polizeistreife** *f* police patrol **Polizeistunde** *f* closing time **Polizeiwache** *f* police station **Polizist** [poli'tsɪst] ⟨**-en, -en**⟩ *m* policeman **Polizistin** [poli'tsɪstɪn] *f* ⟨**-, -nen**⟩ policewoman

Pollen ['pɔlən] *m* ⟨**-s, -**⟩ pollen **Pollen-**

flug *m* pollen count **Pollenwarnung** *f* pollen warning
polnisch ['pɔlnɪʃ] *adj* Polish
Polo ['poːlo] *nt* ⟨**-s, -s**⟩ polo **Polohemd** *nt* sports shirt
Polster ['pɔlstɐ] *nt or* (*Aus*) *m* ⟨**-s, -**⟩ **1.** cushion; (≈ *Polsterung*) upholstery *no pl* **2.** (*fig*) (≈ *Fettpolster*) flab *no pl* (*infml*); (≈ *Reserve*) reserve **Polstergarnitur** *f* three-piece suite **Polstermöbel** *pl* upholstered furniture *sg* **polstern** ['pɔlstɐn] *v/t* to upholster; *Kleidung* to pad; ***sie ist gut gepolstert*** she's well-padded **Polstersessel** *m* armchair, easy chair **Polsterung** ['pɔlstərʊŋ] *f* ⟨**-, -en**⟩ (≈ *Polster*) upholstery
Polterabend *m party on the eve of a wedding, at which old crockery is smashed to bring good luck* **Poltergeist** *m* poltergeist **poltern** ['pɔltɐn] *v/i* **1.** (≈ *Krach machen*) to crash about; ***es fiel ~d zu Boden*** it crashed to the floor **2.** (*infml* ≈ *schimpfen*) to rant (and rave) **3.** (*infml* ≈ *Polterabend feiern*) *to celebrate on the eve of a wedding*
Polyacryl [polya'kryːl] *nt* **1.** CHEM polyacrylics *sg* **2.** TEX acrylics *sg* **Polyamid®** [poly|a'miːt] *nt* ⟨**-(e)s, -e** [-də]⟩ polyamide **Polyester** [poly'|ɛstɐ] *m* ⟨**-s, -**⟩ polyester **polygam** [poly'gaːm] *adj* polygamous **Polygamie** [polyga'miː] *f* ⟨**-,** *no pl*⟩ polygamy
Polynesien [poly'neːziən] *nt* ⟨**-s**⟩ Polynesia **polynesisch** [poly'neːzɪʃ] *adj* Polynesian
Polyp [po'lyːp] *m* ⟨**-en, -en**⟩ **1.** ZOOL polyp **2.** MED ***~en*** adenoids
Polytechnikum [poly'tɛçnikʊm] *nt* polytechnic
Pomade [po'maːdə] *f* ⟨**-, -n**⟩ hair cream
Pommern ['pɔmɐn] *nt* ⟨**-s**⟩ Pomerania
Pommes ['pɔməs] *pl* (*infml*) chips *pl* (*Br*), (French) fries *pl* **Pommesbude** *f* (*infml*) fast food stand **Pommes frites** [pɔm 'frit] *pl* chips *pl* (*Br*), French fries *pl*
Pomp [pɔmp] *m* ⟨**-(e)s,** *no pl*⟩ pomp
pompös [pɔm'pøːs] **I** *adj* grandiose **II** *adv* grandiosely
Pontius ['pɔntsiʊs] *m* ***von ~ zu Pilatus*** from one place to another
Pony[1] ['pɔni] *nt* ⟨**-s, -s**⟩ pony
Pony[2] *m* ⟨**-s, -s**⟩ (*Frisur*) fringe (*Br*), bangs *pl* (*US*)
Pool(billard) ['puːl-] *nt* ⟨**-s,** *no pl*⟩ pool
Pop [pɔp] *m* ⟨**-s,** *no pl*⟩ MUS pop; ART pop art
Popcorn ['pɔpkɔːn] *nt* ⟨**-s,** *no pl*⟩ popcorn
Popel ['poːpl] *m* ⟨**-s, -**⟩ (*infml*) (≈ *Nasenpopel*) bogey (*Br infml*), booger (*US infml*) **popelig** ['poːpəlɪç] (*infml*) *adj* **1.** (≈ *knauserig*) stingy (*infml*); ***~e zwei Euro*** a lousy two euros (*infml*) **2.** (≈ *dürftig*) crummy (*infml*)
Popeline [popə'liːnə] *f* ⟨**-, -**⟩ poplin
popeln ['poːpln] *v/i* (*infml*) (***in der Nase***) ~ to pick one's nose
Popgruppe *f* pop group **Popkonzert** *nt* pop concert **Popmusik** *f* pop music
Popo [po'poː] *m* ⟨**-s, -s**⟩ (*infml*) bottom
poppig ['pɔpɪç] (*infml*) *adj Kleidung* loud and trendy; *Farben* bright and cheerful **Popsänger(in)** *m*/(*f*) pop singer **Popstar** *m* pop star **Popszene** *f* pop scene
populär [popu'lɛːɐ] *adj* popular (*bei* with) **Popularität** [populari'tɛːt] *f* ⟨**-,** *no pl*⟩ popularity **populistisch** [popu'lɪstiʃ] **I** *adj* populist **II** *adv* in a populist way
Pore ['poːrə] *f* ⟨**-, -n**⟩ pore
Porno ['pɔrno] *m* ⟨**-s, -s**⟩ (*infml*) porn (*infml*) **Pornofilm** *m* porn movie **Pornografie** [pɔrnogra'fiː] *f* ⟨**-, -n** [-'fiːən]⟩ pornography **pornografisch** [pɔrno'graːfɪʃ] *adj* pornographic **Pornoheft** *nt* porn magazine
porös [po'røːs] *adj* (≈ *durchlässig*) porous; (≈ *brüchig*) *Leder* perished
Porree ['pɔre] *m* ⟨**-s, -s**⟩ leek
Port *m* ⟨**-s, -s**⟩ IT port
Portal [pɔr'taːl] *nt* ⟨**-s, -e**⟩ portal
Portemonnaie [pɔrtmɔ'neː, pɔrtmɔ'nɛː] *nt* ⟨**-s, -s**⟩ purse
Portier [pɔr'tieː] *m* ⟨**-s, -s**⟩ = ***Pförtner***
Portion [pɔr'tsioːn] *f* ⟨**-, -en**⟩ (*beim Essen*) portion, helping; ***eine halbe ~*** (*fig infml*) a half pint (*infml*); ***er besitzt eine gehörige ~ Mut*** he's got a fair amount of courage
Portmonee [pɔrtmɔ'neː, pɔrtmɔ'nɛː] *nt* ⟨**-s, -s**⟩ purse
Porto ['pɔrto] *nt* ⟨**-s, -s** *or* ***Porti*** [-ti]⟩ postage *no pl* (*für* on, for) **portofrei** *adj, adv* postage paid **Portokasse** *f* ≈ petty cash (*for postal expenses*)
Porträt [pɔr'trɛː, pɔr'trɛːt] *nt* ⟨**-s, -s**⟩ portrait **porträtieren** [pɔrtrɛ'tiːrən] *past part* ***porträtiert*** *v/t* (*fig*) to portray; ***jdn ~***

to paint sb's portrait
Portugal ['pɔrtugal] *nt* ⟨**-s**⟩ Portugal **Portugiese** [pɔrtu'giːzə] *m* ⟨**-n, -n**⟩, **Portugiesin** [-'giːzɪn] *f* ⟨**-, -nen**⟩ Portuguese **portugiesisch** [pɔrtu'giːzɪʃ] *adj* Portuguese
Portwein ['pɔrt-] *m* port
Porzellan [pɔrtsɛ'laːn] *nt* ⟨**-s, -e**⟩ china
Posaune [po'zaunə] *f* ⟨**-, -n**⟩ trombone; (*fig*) trumpet **Posaunist** [pozau'nɪst] *m* ⟨**-en, -en**⟩, **Posaunistin** [-'nɪstɪn] *f* ⟨**-, -nen**⟩ trombonist
Pose ['poːzə] *f* ⟨**-, -n**⟩ pose **posieren** [po'ziːrən] *past part* ***posiert*** *v/i* to pose **Position** [pozi'tsioːn] *f* ⟨**-, -en**⟩ position; (COMM ≈ *Posten einer Liste*) item **positionieren** [pozitsio'niːrən] *past part* ***positioniert*** *v/t* to position **Positionierung** *f* ⟨**-, -en**⟩ positioning
positiv ['poːzitiːf, pozi'tiːf] **I** *adj* positive; ***eine ~e Antwort*** an affirmative (answer) **II** *adv* positively; ***~ denken*** to think positively; ***~ zu etw stehen*** to be in favour (*Br*) *or* favor (*US*) of sth
Positur [pozi'tuːɐ] *f* ⟨**-, -en**⟩ posture; ***sich in ~ setzen/stellen*** to take up a posture
Posse ['pɔsə] *f* ⟨**-, -n**⟩ farce
possessiv ['pɔsɛsiːf, pɔsɛ'siːf] *adj* possessive **Possessivpronomen** ['pɔsɛsiːf-, pɔsɛ'siːf-] *nt* possessive pronoun
possierlich [pɔ'siːɐlɪç] *adj* comical
Post [pɔst] *f* ⟨**-, -en**⟩ post (*Br*), mail; ***die ~***® the Post Office; ***etw mit der ~ schicken*** to send sth by mail; ***mit gleicher ~*** by the same post (*Br*), in the same mail (*US*); ***mit getrennter ~*** under separate cover **postalisch** [pɔs'taːlɪʃ] **I** *adj* postal **II** *adv* by mail (*Br*) **Postamt** *nt* post office **Postanschrift** *f* postal address **Postanweisung** *f* ≈ money order (*Br*) **Postausgang** *m* outgoing mail; INTERNET out mail **Postbank** *f* Post Office Savings Bank **Postbeamte(r)** *m decl as adj*, **Postbeamtin** *f* post office official **Postbote** *m* postman, mailman (*US*) **Postbotin** *f* postwoman, mailwoman (*US*) **Postdienst** *m* postal service, the mail (*US*) **Posteingang** *m* incoming mail
Posten ['pɔstn] *m* ⟨**-s, -**⟩ **1.** (≈ *Anstellung*) position **2.** (MIL ≈ *Wachmann*) guard; (≈ *Stelle*) post; ***~ stehen*** to stand guard **3.** (*fig*) ***auf dem ~ sein*** (≈ *aufpassen*) to be awake; (≈ *gesund sein*) to be fit; ***nicht ganz auf dem ~ sein*** to be (a bit) under the weather **4.** (≈ *Streikposten*) picket **5.** (COMM ≈ *Warenmenge*) quantity **6.** (COMM: *im Etat*) item
Poster ['pɔstɐ] *nt* ⟨**-s, -(s)**⟩ poster
Postfach *nt* PO box **Postfachnummer** *f* (PO *or* post office) box number **postfrisch** *adj Briefmarke* mint **Postgeheimnis** *nt* secrecy of the post (*Br*) *or* mail **Postgirokonto** *nt* Post Office Giro account (*Br*), state-owned bank account (*US*) **Posthorn** *nt* post horn
posthum [pɔst'huːm, pɔs'tuːm] *adj, adv* = ***postum***
postieren [pɔs'tiːrən] *past part* ***postiert*** **I** *v/t* to post, to station **II** *v/r* to position oneself
Postkarte *f* postcard **postlagernd** *adj, adv* poste restante (*Br*), general delivery (*US*) **Postleitzahl** *f* post(al) code, Zip code (*US*) **Postler** ['pɔstlɐ] *m* ⟨**-s, -**⟩, **Postlerin** [-ərɪn] *f* ⟨**-, -nen**⟩, **Pöstler** ['pœstlɐ] *m* ⟨**-s, -**⟩, **Pöstlerin** [-ərɪn] *f* ⟨**-, -nen**⟩ (*Swiss infml*) post office worker
postmodern [pɔstmo'dɛrn] *adj* postmodern **Postomat** [pɔsto'maːt] *m* ⟨**-en, -en**⟩ (*Swiss*) cash machine, ATM **Postskript** [pɔst'skrɪpt] *nt* ⟨**-(e)s, -e**⟩ postscript, PS
Postsparbuch *nt* Post Office savings book **Poststempel** *m* postmark; ***Datum des ~s*** date as postmark
Postulat [pɔstu'laːt] *nt* ⟨**-(e)s, -e**⟩ (≈ *Annahme*) postulate **postulieren** [pɔstu'liːrən] *past part* ***postuliert*** *v/t* to postulate
postum [pɔs'tuːm] **I** *adj* posthumous **II** *adv* posthumously
postwendend *adv* by return mail; (*fig*) straight away **Postwertzeichen** *nt* (*form*) postage stamp (*form*) **Postwurfsendung** *f* direct-mail advertising
potent [po'tɛnt] *adj* **1.** (*sexuell*) potent **2.** (≈ *stark*) *Gegner, Waffe* powerful **3.** (≈ *zahlungskräftig*) financially powerful
Potential [potɛn'tsiaːl] *nt* ⟨**-s, -e**⟩ = ***Potenzial*** **potentiell** [potɛn'tsiɛl] *adj, adv* = ***potenziell*** **Potenz** [po'tɛnts] *f* ⟨**-, -en**⟩ **1.** MED potency; (*fig*) ability **2.** MAT power; ***zweite ~*** square; ***dritte ~*** cube **Potenzial** [potɛn'tsiaːl] *nt* ⟨**-s, -e**⟩ potential **potenziell** **I** *adj* potential **II** *adv* potentially

Potpourri ['pɔtpʊri] *nt* ⟨**-s, -s**⟩ potpourri (*aus +dat* of)

Pott [pɔt] *m* ⟨**-(e)s, ¨-e** ['pœtə]⟩ (*infml*) pot; (≈ *Schiff*) ship **potthässlich** (*infml*) *adj* ugly as sin **Pottwal** *m* sperm whale

Poulet [pu'leː] *nt* ⟨**-s, -s**⟩ (*Swiss*) chicken

Powerfrau ['pauɐ-] *f* (*infml*) high-powered career woman

Powidl ['poːvidl] *m* ⟨**-**, *no pl*⟩ (*Aus* ≈ *Pflaumenmus*) plum jam

Präambel [prɛ'ambl] *f* ⟨**-, -n**⟩ preamble (*+gen* to)

Pracht [praxt] *f* ⟨**-**, *no pl*⟩ splendour (*Br*), splendor (*US*); ***es ist eine wahre ~*** it's (really) fantastic **Prachtbau** *m*, *pl* ***-bauten*** magnificent building **Prachtexemplar** *nt* prime specimen; (*fig: Mensch*) fine specimen **prächtig** ['prɛçtɪç] **I** *adj* (≈ *prunkvoll*) splendid; (≈ *großartig*) marvellous (*esp Br*), marvelous (*US*) **II** *adv* **1.** (≈ *prunkvoll*) magnificently **2.** (≈ *großartig*) marvellously (*esp Br*), marvelously (*US*) **Prachtkerl** *m* (*infml*) great guy (*infml*) **Prachtstraße** *f* boulevard **Prachtstück** *nt* = ***Prachtexemplar*** **prachtvoll** *adj, adv* = ***prächtig***

prädestinieren [prɛdɛsti'niːrən] *past part* ***prädestiniert*** *v/t* to predestine (*für* for)

Prädikat [prɛdi'kaːt] *nt* ⟨**-(e)s, -e**⟩ **1.** GRAM predicate **2.** (≈ *Bewertung*) ***Wein mit ~*** special quality wine **Prädikatswein** *m* top quality wine

Präfix [prɛ'fɪks, 'prɛːfɪks] *nt* ⟨**-es, -e**⟩ prefix

Prag [praːk] *nt* ⟨**-s**⟩ Prague

prägen ['prɛːgn] *v/t* **1.** *Münzen* to mint; *Leder, Papier, Metall* to emboss; (≈ *erfinden*) *Wörter* to coin **2.** (*fig* ≈ *formen*) *Charakter* to shape; (*Erfahrungen*) *jdn* to leave its/their mark on; ***ein vom Leid geprägtes Gesicht*** a face marked by suffering **3.** (≈ *kennzeichnen*) to characterize

PR-Agentur [peː'|ɛr-] *f* PR agency

Pragmatiker [pra'gmaːtikɐ] *m* ⟨**-s, -**⟩, **Pragmatikerin** [-ərɪn] *f* ⟨**-, -nen**⟩ pragmatist **pragmatisch** [pra'gmaːtɪʃ] **I** *adj* pragmatic **II** *adv* pragmatically

prägnant [prɛ'gnant] **I** *adj Worte* succinct; *Beispiel* striking **II** *adv* succinctly **Prägnanz** [prɛ'gnants] *f* ⟨**-**, *no pl*⟩ succinctness

Prägung ['prɛːgʊŋ] *f* ⟨**-, -en**⟩ **1.** (*auf Münzen*) strike; (*auf Leder, Metall, Papier*) embossing **2.** (≈ *Eigenart*) character; ***Kommunismus sowjetischer ~*** soviet-style communism

prähistorisch *adj* prehistoric

prahlen ['praːlən] *v/i* to boast (*mit* about) **Prahlerei** [praːlə'rai] *f* ⟨**-, -en**⟩ (≈ *Großsprecherei*) boasting *no pl*; (≈ *das Zurschaustellen*) showing-off; ***~en*** boasts **prahlerisch** ['praːlərɪʃ] **I** *adj* (≈ *großsprecherisch*) boastful, bragging *attr*; (≈ *großtuerisch*) flashy (*infml*) **II** *adv* boastfully; ***~ reden*** to brag

Praktik ['praktɪk] *f* ⟨**-, -en**⟩ (≈ *Methode*) procedure; (*usu pl* ≈ *Kniff*) practice **praktikabel** [prakti'kaːbl] *adj* practicable **Praktikant** [prakti'kant] *m* ⟨**-en, -en**⟩, **Praktikantin** [-'kantɪn] *f* ⟨**-, -nen**⟩ *student doing a period of practical training* **Praktikum** ['praktikʊm] *nt* ⟨**-s, *Praktika*** [-ka]⟩ (period of) practical training **praktisch** ['praktɪʃ] **I** *adj* practical; ***~er Arzt*** general practitioner; ***~es Beispiel*** concrete example **II** *adv* (≈ *in der Praxis*) in practice; (≈ *so gut wie*) practically **praktizieren** [prakti'tsiːrən] *past part* ***praktiziert*** *v/i* to practise (*Br*), to practice (*US*); ***sie praktiziert als Ärztin*** she is a practising (*Br*) *or* practicing (*US*) doctor

Praline [pra'liːnə] *f* ⟨**-, -n**⟩ chocolate, chocolate candy (*US*)

prall [pral] **I** *adj Sack, Brieftasche* bulging; *Segel* full; *Tomaten* firm; *Euter* swollen; *Brüste, Hintern* well-rounded; *Arme, Schenkel* big strong *attr*; *Sonne* blazing **II** *adv* ***~ gefüllt*** *Tasche, Kasse etc* full to bursting **Prall** [pral] *m* ⟨**-(e)s, -e**⟩ collision (*gegen* with) **prallen** ['pralən] *v/i aux sein* ***gegen etw ~*** to collide with sth; (*Ball*) to bounce against sth; ***die Sonne prallte auf die Fenster*** the sun beat down on the windows **prallvoll** *adj* full to bursting; *Brieftasche* bulging

Prämie ['prɛːmiə] *f* ⟨**-, -n**⟩ premium; (≈ *Belohnung*) bonus; (≈ *Preis*) prize **prämienbegünstigt** [-bəgʏnstɪçt] *adj* carrying a premium **prämieren** [prɛ'miːrən] *past part* ***prämiert*** *v/t* (≈ *auszeichnen*) to give an award; (≈ *belohnen*) to give a bonus; ***der prämierte Film*** the award-winning film

Prämisse [prɛ'mɪsə] *f* ⟨**-, -n**⟩ premise

pränatal [prɛna'taːl] *adj attr Diagnostik*

prenatal; *Untersuchung* antenatal, prenatal (*esp US*)

Pranger ['praŋɐ] *m* ⟨**-s, -**⟩ stocks *pl*; ***jdn/etw an den ~ stellen*** (*fig*) to pillory sb/sth

Pranke ['praŋkə] *f* ⟨**-, -n**⟩ paw

Präparat [prɛpa'raːt] *nt* ⟨**-(e)s, -e**⟩ preparation; (*für Mikroskop*) slide preparation **präparieren** [prɛpa'riːrən] *past part* ***präpariert*** *v/t* **1.** (≈ *konservieren*) to preserve; *Tier* to prepare **2.** (MED ≈ *zerlegen*) to dissect **3.** (*elev* ≈ *vorbereiten*) to prepare

Präposition [prɛpozi'tsioːn] *f* ⟨**-, -en**⟩ preposition

Prärie [prɛ'riː] *f* ⟨**-, -n** [-'riːən]⟩ prairie

Präsens ['prɛːzɛns] *nt* ⟨**-, *Präsenzien*** [prɛ'zɛntsiən]⟩ present (tense) **präsent** [prɛ'zɛnt] *adj* (≈ *anwesend*) present; (≈ *geistig rege*) alert; ***etw ~ haben*** to have sth at hand **präsentabel** [prɛzɛn'taːbl] *adj* presentable **Präsentation** [prɛzɛnta'tsioːn] *f* ⟨**-, -en**⟩ presentation **präsentieren** [prɛzɛn'tiːrən] *past part* ***präsentiert*** *v/t* to present; ***jdm etw ~*** to present sb with sth **Präsentkorb** *m* gift basket; (*mit Lebensmitteln*) (food) hamper **Präsenz** [prɛ'zɛnts] *f* ⟨**-,** *no pl*⟩ (*elev*) presence **Präsenzdiener(in)** *m/(f)* (*Aus*) conscript (*Br*), draftee (*US*) **Präsenzdienst** *m* (*Aus*) military service

Präservativ [prɛzɛrva'tiːf] *nt* ⟨**-s, -e** [-və]⟩ condom

Präsident [prɛzi'dɛnt] *m* ⟨**-en, -en**⟩, **Präsidentin** [-'dɛntɪn] *f* ⟨**-, -nen**⟩ president **Präsidentschaft** [prɛzi'dɛntʃaft] *f* ⟨**-, -en**⟩ presidency **Präsidentschaftskandidat(in)** *m/(f)* presidential candidate

Präsidium [prɛ'ziːdiʊm] *nt* ⟨**-s, *Präsidien*** [-diən]⟩ (≈ *Vorsitz*) presidency; (≈ *Führungsgruppe*) committee; (≈ *Polizeipräsidium*) (police) headquarters *pl*

prasseln ['prasln] *v/i* **1.** *aux sein* to clatter; (*Regen*) to drum; (*fig*: *Vorwürfe*) to rain down **2.** (*Feuer*) to crackle

prassen ['prasn] *v/i* (≈ *schlemmen*) to feast; (≈ *in Luxus leben*) to live the high life

Präteritum [prɛ'teːritʊm] *nt* ⟨**-s, *Präterita*** [-ta]⟩ preterite

Prävention [prɛvɛn'tsioːn] *f* ⟨**-, -en**⟩ prevention (*gegen* of) **präventiv** [prɛvɛn'tiːf] **I** *adj* prevent(at)ive **II** *adv* prevent(at)ively; ***etw ~ bekämpfen*** to use prevent(at)ive measures against sth **Präventivkrieg** *m* prevent(at)ive war **Präventivmedizin** *f* prevent(at)ive medicine **Präventivschlag** *m* MIL pre-emptive strike

Praxis ['praksɪs] *f* ⟨**-, *Praxen*** ['praxn]⟩ **1.** *no pl* practice; (≈ *Erfahrung*) experience; ***in der ~*** in practice; ***etw in die ~ umsetzen*** to put sth into practice; ***ein Beispiel aus der ~*** an example from real life **2.** (*eines Arztes*, *Rechtsanwalts*) practice; (≈ *Behandlungsräume*) surgery (*Br*), doctor's office (*US*); (≈ *Anwaltsbüro*) office **3.** (≈ *Sprechstunde*) consultation (hour), surgery (*Br*) **Praxisgebühr** *f* MED practice (*Br*) *or* office (*US*) fee **praxisorientiert** [-|oriɛntiːɐt] *adj Ausbildung* practically orientated

Präzedenzfall *m* precedent

präzis(e) [prɛ'tsiːz(ə)] **I** *adj* precise **II** *adv* precisely; ***sie arbeitet sehr ~*** her work is very precise **Präzision** [prɛtsi'zioːn] *f* ⟨**-,** *no pl*⟩ precision

predigen ['preːdɪgn] **I** *v/t* REL to preach **II** *v/i* to give a sermon **Prediger** ['preːdɪgɐ] *m* ⟨**-s, -**⟩, **Predigerin** [-ərɪn] *f* ⟨**-, -nen**⟩ preacher **Predigt** ['preːdɪçt] *f* ⟨**-, -en**⟩ sermon

Preis [prais] *m* ⟨**-es, -e**⟩ **1.** price (*für* of); ***etw unter ~ verkaufen*** to sell sth off cheap; ***zum halben ~*** half-price; ***um jeden ~*** (*fig*) at all costs; ***ich gehe um keinen ~ hier weg*** (*fig*) I'm not leaving here at any price **2.** (*bei Wettbewerben*) prize; (≈ *Auszeichnung*) award **3.** (≈ *Belohnung*) reward; ***einen ~ auf jds Kopf aussetzen*** to put a price on sb's head **Preisabsprache** *f* price-fixing *no pl* **Preisänderung** *f* price change **Preisanstieg** *m* rise in prices **Preisausschreiben** *nt* competition **preisbewusst** *adj* price-conscious; ***~ einkaufen*** to shop around **Preisbindung** *f* price fixing

Preiselbeere ['praizl-] *f* cranberry

preisen ['praizn] *pret* ***pries*** [priːs], *past part* ***gepriesen*** [gə'priːzn] *v/t* (*elev*) to extol, to praise; ***sich glücklich ~*** to consider *or* count oneself lucky

Preisentwicklung *f* price trend **Preiserhöhung** *f* price increase **Preisfrage** *f* **1.** question of price **2.** (*beim Preisausschreiben*) prize question; (*infml* ≈ *schwierige Frage*) big question

preisgeben *v/t sep irr* (*elev*) **1.** (≈ *ausliefern*) to expose **2.** (≈ *aufgeben*) to aban-

don **3.** (≈ *verraten*) to betray
Preisgefälle *nt* price gap **Preisgefüge** *nt* price structure **preisgekrönt** [-gəkrøːnt] *adj* award-winning **Preisgericht** *nt* jury **preisgünstig** *adj* inexpensive; ***etw ~ bekommen*** to get sth at a low price **Preisklasse** *f* price range **Preiskrieg** *m* price war **Preislage** *f* price range; ***in der mittleren ~*** in the medium-priced range **Preis-Leistungs-Verhältnis** *nt* cost-effectiveness **preislich** ['praislɪç] *adj* price *attr*, in price; ***~ vergleichbar*** similarly priced **Preisliste** *f* price list **Preisnachlass** *m* price reduction **Preisrichter(in)** *m/(f)* judge (*in a competition*) **Preisschild** *nt* price tag **Preissenkung** *f* price cut **Preissturz** *m* sudden drop in prices **Preisträger(in)** *m/(f)* prizewinner **Preistreiberei** [-traibə'rai] *f* ⟨**-, -en**⟩ forcing up of prices; (≈ *Wucher*) profiteering **Preisvergleich** *m* price comparison; ***einen ~ machen*** to shop around **Preisverleihung** *f* presentation (of prizes) **preiswert I** *adj* good value *pred*; ***ein (sehr) ~es Angebot*** a (real) bargain; ***ein ~es Kleid*** a dress which is good value (for money) **II** *adv* inexpensively
prekär [pre'kɛːɐ] *adj* (≈ *peinlich*) awkward; (≈ *schwierig*) precarious
prellen ['prɛlən] **I** *v/t* **1.** *Körperteil* to bruise; (≈ *anschlagen*) to hit **2.** (*fig infml* ≈ *betrügen*) to swindle **II** *v/r* to bruise oneself **Prellung** ['prɛlʊŋ] *f* ⟨**-, -en**⟩ bruise
Premier [prə'mieː, pre-] *m* ⟨**-s, -s**⟩ premier **Premiere** [prə'mieːrə, pre-, -'miɛːrə] *f* ⟨**-, -n**⟩ premiere **Premierminister(in)** [prə'mieː-, pre-] *m/(f)* prime minister
Prepaidhandy ['priːpeːd-] *nt* prepaid mobile (phone) (*Br*) *or* cell phone (*US*) **Prepaidkarte** ['priːpeːd-] *f* (*im Handy*) prepaid card
preschen ['prɛʃn] *v/i aux sein* (*infml*) to tear
Presse ['prɛsə] *f* ⟨**-, -n**⟩ **1.** (≈ *Druckmaschine*) press; ***frisch aus der ~*** hot from the press **2.** (≈ *Zeitungen*) press; ***eine gute/schlechte ~ haben*** to get a good/bad press; ***von der ~ sein*** to be (a member of the) press **Presseagentur** *f* press agency **Presseausweis** *m* press card **Pressebericht** *m* press report **Presseerklärung** *f* statement to the press; (*schriftlich*) press release **Pressefotograf(in)** *m/(f)* press photographer **Pressefreiheit** *f* freedom of the press **Pressekonferenz** *f* press conference **Pressemeldung** *f* press report **pressen** ['prɛsn] *v/t* to press; *Obst, Saft* to squeeze; (*fig* ≈ *zwingen*) to force (*in +acc, zu* into); ***frisch gepresster Orangensaft*** freshly squeezed orange juice **Pressesprecher(in)** *m/(f)* press officer
pressieren [prɛ'siːrən] *past part* ***pressiert*** (*S Ger, Aus, Swiss*) **I** *v/i* to be in a hurry **II** *v/i impers* ***es pressiert*** it's urgent
Pressluft *f* compressed air **Pressluftbohrer** *m* pneumatic drill **Presslufthammer** *m* pneumatic hammer
Prestige [prɛs'tiːʒə] *nt* ⟨**-s**, *no pl*⟩ prestige
Preuße ['prɔysə] *m* ⟨**-n, -n**⟩, **Preußin** [-sɪn] *f* ⟨**-, -nen**⟩ Prussian **Preußen** ['prɔysn] *nt* ⟨**-s**⟩ Prussia **preußisch** ['prɔysɪʃ] *adj* Prussian
prickeln ['prɪkln] *v/i* (≈ *kribbeln*) to tingle; (≈ *kitzeln*) to tickle **prickelnd** *adj* (≈ *kribbelnd*) tingling; (≈ *kitzelnd*) tickling; (*fig* ≈ *erregend*) *Gefühl* tingling
Priester ['priːstɐ] *m* ⟨**-s, -**⟩ priest **Priesterin** ['priːstərɪn] *f* ⟨**-, -nen**⟩ (woman) priest; HIST priestess **Priesterschaft** ['priːstɐʃaft] *f* ⟨**-, -en**⟩ priesthood **Priesterweihe** *f* ordination (to the priesthood)
prima ['priːma] **I** *adj inv* **1.** (*infml*) fantastic (*infml*), great *no adv* (*infml*) **2.** COMM first-class **II** *adv* (*infml* ≈ *sehr gut*) fantastically **Primadonna** [prima'dɔna] *f* ⟨**-, *Primadonnen*** [-'dɔnən]⟩ prima donna **Primar** [pri'maːɐ] *m* ⟨**-s, -e**⟩, **Primarius** [pri'maːriʊs] *m* ⟨**-, *Primarien*** [-riən]⟩, **Primaria** [pri'maːria] *f* ⟨**-, *Primariae*** [-riɛː]⟩ (*Aus* ≈ *Chefarzt*) senior consultant **primär** [pri'mɛːɐ] **I** *adj* primary **II** *adv* primarily **Primararzt** *m*, **Primarärztin** *f* (*Aus*) = ***Primar*** **Primärenergie** *f* primary energy **Primarschule** [pri'maːɐ-] *f* (*Swiss*) primary *or* junior school **Primat** *m* ⟨**-en, -en**⟩ ZOOL primate
Primel ['priːml] *f* ⟨**-, -n**⟩ (≈ *Waldprimel*) (wild) primrose; (≈ *farbige Gartenprimel*) primula
primitiv [primi'tiːf] **I** *adj* primitive **II** *adv* primitively **Primitivität** [primitivi'tɛːt] *f* ⟨**-, -en**⟩ primitiveness

Primzahl ['priːm-] *f* prime (number)
Printmedium ['prɪntmeːdiʊm] *nt usu pl* printed medium
Prinz [prɪnts] *m* ⟨**-en, -en**⟩ prince **Prinzessin** [prɪn'tsɛsɪn] *f* ⟨**-, -nen**⟩ princess **Prinzgemahl** *m* prince consort
Prinzip [prɪn'tsiːp] *nt* ⟨**-s, -ien** [-piən]⟩ ⟨*or* (*rare*) **-e**⟩ principle; ***aus ~*** on principle; ***im ~*** in principle; ***er ist ein Mann mit ~ien*** he is a man of principle **prinzipiell** [prɪntsi'piɛl] **I** *adj* (≈ *im Prinzip*) in principle; (≈ *aus Prinzip*) on principle **II** *adv möglich* theoretically; *dafür / dagegen sein* basically; ***~ bin ich einverstanden*** I agree in principle; ***das tue ich ~ nicht*** I won't do that on principle **Prinzipienfrage** *f* matter of principle **Prinzipienreiter(in)** *m/(f)* (*pej*) stickler for one's principles
Priorität [priori'tɛːt] *f* ⟨**-, -en**⟩ priority; ***~en setzen*** to establish one's priorities **Prioritätsaktie** *f* ST EX preference share
Prise ['priːzə] *f* ⟨**-, -n**⟩ **1.** (≈ *kleine Menge*) pinch; ***eine ~ Salz*** a pinch of salt; ***eine ~ Humor*** a touch of humour (*Br*) *or* humor (*US*) **2.** NAUT prize
Prisma ['prɪsma] *nt* ⟨**-s, Prismen** [-mən]⟩ prism
privat [pri'vaːt] **I** *adj* private; ***aus ~er Hand*** from private individuals **II** *adv* privately; ***~ ist der Chef sehr freundlich*** the boss is very friendly out(side) of work; ***~ ist er ganz anders*** he's quite different socially; ***ich sagte es ihm ganz ~*** I told him in private; ***~ versichert sein*** to be privately insured; ***~ behandelt werden*** to have private treatment **Privatadresse** *f* private *or* home address **Privatangelegenheit** *f* private matter **Privatbesitz** *m* private property; ***viele Gemälde sind in ~*** many paintings are privately owned **Privatdetektiv(in)** *m/(f)* private investigator **Privateigentum** *nt* private property **Privatfernsehen** *nt* commercial television **Privatgespräch** *nt* private conversation *or* talk; (*am Telefon*) private call **privatisieren** [privati'ziːrən] *past part* **privatisiert** *v/t* to privatize **Privatisierung** *f* ⟨**-, -en**⟩ privatization **Privatleben** *nt* private life **Privatpatient(in)** *m/(f)* private patient **Privatsache** *f* private matter; ***das ist meine ~*** that's my own business **Privatschule** *f* private school **Privatunterricht** *m* private tuition **Privatversicherung** *f* private insurance **Privatwirtschaft** *f* private industry
Privileg [privi'leːk] *nt* ⟨**-(e)s, -gien** *or* **-e** [-giən, -gə]⟩ privilege **privilegieren** [privile'giːrən] *past part* **privilegiert** *v/t* to favour (*Br*), to favor (*US*); ***steuerlich privilegiert sein*** to enjoy tax privileges
pro [proː] *prep* per; ***~ Tag / Stunde*** a *or* per day / hour; ***~ Jahr*** a *or* per year; ***~ Person*** per person; ***~ Stück*** each **Pro** [proː] *nt* ***(das) ~ und (das) Kontra*** the pros and cons *pl*
Probe ['proːbə] *f* ⟨**-, -n**⟩ **1.** (≈ *Prüfung*) test; ***er ist auf ~ angestellt*** he's employed for a probationary period; ***ein Auto ~ fahren*** to test-drive a car; ***jdn / etw auf die ~ stellen*** to put sb / sth to the test; ***zur ~*** to try out **2.** THEAT, MUS rehearsal **3.** (≈ *Teststück, Beispiel*) sample **Probebohrung** *f* test drill, probe **Probeexemplar** *nt* specimen (copy) **Probefahrt** *f* test drive **probehalber** *adv* for a test **Probejahr** *nt* probationary year **proben** ['proːbn] *v/t & v/i* to rehearse **Probenummer** *f* trial copy **Probestück** *nt* sample, specimen **probeweise** *adv* on a trial basis **Probezeit** *f* probationary *or* trial period **probieren** [pro'biːrən] *past part* **probiert** **I** *v/t* to try; ***lass (es) mich mal ~!*** let me have a try! (*Br*) **II** *v/i* **1.** (≈ *versuchen*) to try; ***Probieren geht über Studieren*** (*prov*) the proof of the pudding is in the eating (*prov*) **2.** (≈ *kosten*) to have a taste; ***probier mal*** try some
Problem [pro'bleːm] *nt* ⟨**-s, -e**⟩ problem **Problematik** [proble'maːtɪk] *f* ⟨**-, -en**⟩ **1.** (≈ *Schwierigkeit*) problem (*+gen* with) **2.** (≈ *Fragwürdigkeit*) problematic nature **problematisch** [proble'matɪʃ] *adj* problematic; (≈ *fragwürdig*) questionable **Problembewusstsein** *nt* appreciation of the difficulties **Problemkind** *nt* problem child **problemlos** **I** *adj* trouble-free, problem-free **II** *adv* without any problems; ***~ ablaufen*** to go smoothly
Produkt [pro'dʊkt] *nt* ⟨**-(e)s, -e**⟩ product; ***landwirtschaftliche ~e*** agricultural produce *no pl*; ***ein ~ seiner Fantasie*** a figment of his imagination **Produktion** [prodʊk'tsioːn] *f* ⟨**-, -en**⟩ production **Produktionsanlagen** *pl* production plant **Produktionskosten** *pl* production costs *pl* **Produktionsmittel** *pl* means of production *pl* **Produktionsrückgang** *m*

drop in production **Produktionsstätte** *f* production centre (*Br*) *or* center (*US*) **Produktionssteigerung** *f* increase in production **produktiv** [prodʊk'tiːf] *adj* productive **Produktivität** [prodʊktivi'tɛːt] *f* ⟨-, *-en*⟩ productivity **Produktpalette** *f* product spectrum **Produzent** [produ'tsɛnt] *m* ⟨*-en, -en*⟩, **Produzentin** [-'tsɛntɪn] *f* ⟨*-, -nen*⟩ producer **produzieren** [produ'tsiːrən] *past part* ***produziert*** **I** *v/t* **1.** (*also v/i*) to produce **2.** (*infml* ≈ *hervorbringen*) *Lärm* to make; *Entschuldigung* to come up with (*infml*) **II** *v/r* (*pej*) to show off

profan [pro'faːn] *adj* (≈ *weltlich*) secular; (≈ *gewöhnlich*) mundane

Professionalität [profɛsionali'tɛːt] *f* ⟨-, *no pl*⟩ professionalism **professionell** [profɛsio'nɛl] **I** *adj* professional **II** *adv* professionally **Professor** [pro'fɛsoːɐ] *m* ⟨*-s, Professoren* [-'soːrən]⟩, **Professorin** [-'soːrɪn] *f* ⟨*-, -nen*⟩ **1.** (≈ *Hochschulprofessor*) professor **2.** (*Aus, S Ger* ≈ *Gymnasiallehrer*) teacher **Professur** [profɛ'suːɐ] *f* ⟨*-, -en*⟩ chair (*für* in, of) **Profi** ['proːfi] *m* ⟨*-s, -s*⟩ (*infml*) pro (*infml*)

Profil [pro'fiːl] *nt* ⟨*-s, -e*⟩ **1.** profile; (*fig* ≈ *Ansehen*) image; ***im ~*** in profile; ***~ haben*** (*fig*) to have a (distinctive) image **2.** (*von Reifen*) tread **profilieren** [profi'liːrən] *past part* ***profiliert*** *v/r* (≈ *sich ein Image geben*) to create a distinctive image for oneself; (≈ *Besonderes leisten*) to distinguish oneself **profiliert** [profi'liːɐt] *adj* (*fig* ≈ *scharf umrissen*) clear-cut *no adv*; (*fig* ≈ *hervorstechend*) distinctive; ***ein ~er Politiker*** a politician who has made his mark **Profilneurose** *f* (*hum*) image neurosis **Profilsohle** *f* treaded sole

Profisport *m* professional sport (*Br*) *or* sports *pl* (*US*)

Profit [pro'fiːt, pro'fɪt] *m* ⟨*-(e)s, -e*⟩ profit; ***~ aus etw schlagen*** (*lit*) to make a profit from sth; (*fig*) to profit from sth; ***~ machen*** to make a profit; ***ohne/mit ~ arbeiten*** to work unprofitably/profitably **profitabel** [profi'taːbl] *adj* profitable **profitieren** [profi'tiːrən] *past part* ***profitiert*** *v/t & v/i* to profit (*von* from, by); ***dabei kann ich nur ~*** I only stand to gain from it **Profitmaximierung** *f* maximization of profit(s)

pro forma [pro 'fɔrma] *adv* as a matter of form **Pro-forma-Rechnung** [pro'fɔrma-] *f* pro forma invoice

profund [pro'fʊnt] (*elev*) *adj* profound, deep

Prognose [pro'gnoːzə] *f* ⟨*-, -n*⟩ prognosis; (≈ *Wetterprognose*) forecast **prognostizieren** [prognɔsti'tsiːrən] *past part* ***prognostiziert*** *v/t* to predict, to prognosticate (*form*)

Programm [pro'gram] *nt* ⟨*-s, -e*⟩ **1.** programme (*Br*), program (*US*); (≈ *Tagesordnung*) agenda; (TV ≈ *Sender*) channel; (≈ *Sendefolge*) program(me)s *pl*; (≈ *gedrucktes TV-Programm*) TV guide; (≈ *Sortiment*) range; ***auf dem ~ stehen*** to be on the program(me)/agenda; ***ein volles ~ haben*** to have a full schedule **2.** IT program **programmatisch** [progra'maːtɪʃ] *adj* programmatic **programmgemäß** *adj, adv* according to plan *or* programme (*Br*) *or* program (*US*) **Programmhinweis** *m* (RADIO, TV) programme (*Br*) *or* program (*US*) announcement **programmierbar** *adj* programmable **programmieren** [progra'miːrən] *past part* ***programmiert*** *v/t* (*also v/i*) to programme (*Br*), to program (*US*); IT to program; (*fig*:) ***auf etw*** (*acc*) ***programmiert sein*** (*fig*) to be conditioned to sth **Programmierer** [progra'miːrɐ] *m* ⟨*-s, -*⟩, **Programmiererin** [-ərɪn] *f* ⟨*-, -nen*⟩ programmer (*Br*), programer (*US*) **Programmiersprache** *f* programming (*Br*) *or* programing (*US*) language **Programmierung** [progra'miːrʊŋ] *f* ⟨*-, -en*⟩ programming (*Br*), programing (*US*) **Programmkino** *nt* arts *or* repertory (*US*) cinema **Programmpunkt** *m* item on the agenda **Programmzeitschrift** *f* TV guide

Progression [progrɛ'sioːn] *f* ⟨*-, -en*⟩ progression **progressiv** [progrɛ'siːf] **I** *adj* progressive **II** *adv* (≈ *fortschrittlich*) progressively

Progymnasium ['proː-] *nt* (*Swiss*) secondary school (*for pupils up to 16*)

Projekt [pro'jɛkt] *nt* ⟨*-(e)s, -e*⟩ project **projektieren** [projɛk'tiːrən] *past part* ***projektiert*** *v/t* (≈ *entwerfen, planen*) to project **Projektion** [projɛk'tsioːn] *f* ⟨*-, -en*⟩ projection **Projektleiter(in)** *m/(f)* project leader **Projektor** [pro'jɛktoːɐ] *m* ⟨*-s, Projektoren* [-'toːrən]⟩ projector **projizieren** [proji'tsiːrən] *past part* ***projiziert*** *v/t* to project

Proklamation [proklama'tsio:n] *f* ⟨**-, -en**⟩ proclamation **proklamieren** [prokla'mi:rən] *past part* ***proklamiert*** *v/t* to proclaim

Pro-Kopf-Einkommen *nt* per capita income **Pro-Kopf-Verbrauch** *m* per capita consumption

Prokura [pro'ku:ra] *f* ⟨**-, *Prokuren*** [-rən]⟩ (*form*) procuration (*form*) **Prokurist** [proku'rɪst] *m* ⟨**-en, -en**⟩, **Prokuristin** [-'rɪstɪn] *f* ⟨**-, -nen**⟩ holder of a general power of attorney

Prolet [pro'le:t] *m* ⟨**-en, -en**⟩, **Proletin** [-'le:tɪn] *f* ⟨**-, -nen**⟩ (*pej*) prole (*esp Br pej infml*) **Proletariat** [proleta'ria:t] *nt* ⟨**-(e)s,** *no pl*⟩ proletariat **Proletarier** [prole'ta:riɐ] *m* ⟨**-s, -**⟩, **Proletarierin** [-iərɪn] *f* ⟨**-, -nen**⟩ proletarian **proletarisch** [prole'ta:rɪʃ] *adj* proletarian **proletenhaft** (*pej*) *adj* plebeian (*pej*)

Prolog [pro'lo:k] *m* ⟨**-(e)s, -e** [-gə]⟩ prologue (*Br*), prolog (*US*)

prolongieren [prolɔŋ'gi:rən] *past part* ***prolongiert*** *v/t* to prolong

Promenade [promə'na:də] *f* ⟨**-, -n**⟩ (≈ *Spazierweg*) promenade

Promi ['pro:mi] *m* ⟨**-s, -s** *or f* **-, -s**⟩ (*infml*) VIP

Promille [pro'mɪlə] *nt* ⟨**-(s), -**⟩ (*infml* ≈ *Alkoholspiegel*) alcohol level; ***er hat zu viel ~ (im Blut)*** he has too much alcohol in his blood **Promillegrenze** *f* legal (alcohol) limit

prominent [promi'nɛnt] *adj* prominent **Prominente(r)** [promi'nɛntə] *m/f(m) decl as adj* prominent figure, VIP **Prominenz** [promi'nɛnts] *f* ⟨**-**⟩ VIPs *pl*, prominent figures *pl*

promisk [pro'mɪsk] *adj* promiscuous **Promiskuität** [promɪskui'tɛ:t] *f* ⟨**-,** *no pl*⟩ promiscuity

Promotion [promo'tsio:n] *f* ⟨**-, -en**⟩ UNIV doctorate **promovieren** [promo'vi:rən] *past part* ***promoviert*** *v/i* to do a doctorate (*über +acc* in)

prompt [prɔmpt] **I** *adj* prompt **II** *adv* promptly

Pronomen [pro'no:mən] *nt* ⟨**-s, -** *or* ***Pronomina*** [-mina]⟩ pronoun

Propaganda [propa'ganda] *f* ⟨**-,** *no pl*⟩ propaganda **Propagandafeldzug** *m* propaganda campaign; (≈ *Werbefeldzug*) publicity campaign **propagandistisch** [propagan'dɪstɪʃ] *adj* propagandist(ic); ***etw ~ ausnutzen*** to use sth as propaganda **propagieren** [propa'gi:rən] *past part* ***propagiert*** *v/t* to propagate

Propangas *nt*, *no pl* propane gas

Propeller [pro'pɛlɐ] *m* ⟨**-s, -**⟩ propeller **Propellermaschine** *f* propeller-driven plane

Prophet [pro'fe:t] *m* ⟨**-en, -en**⟩ prophet **Prophetin** [pro'fe:tɪn] *f* ⟨**-, -nen**⟩ prophetess **prophetisch** [pro'fe:tɪʃ] *adj* prophetic **prophezeien** [profe'tsaiən] *past part* ***prophezeit*** *v/t* to prophesy **Prophezeiung** *f* ⟨**-, -en**⟩ prophecy

prophylaktisch [profy'laktɪʃ] **I** *adj* preventative **II** *adv* as a preventative measure **Prophylaxe** [profy'laksə] *f* ⟨**-, -n**⟩ prophylaxis

Proportion [propɔr'tsio:n] *f* ⟨**-, -en**⟩ proportion **proportional** [propɔrtsio'na:l] **I** *adj* proportional; ***umgekehrt ~*** MAT in inverse proportion **II** *adv* proportionally **Proportionalschrift** *f* proportionally spaced font **proportioniert** [propɔrtsio'ni:ɐt] *adj* proportioned **Proporz** [pro'pɔrts] *m* ⟨**-es, -e**⟩ proportional representation *no art*

Prorektor ['pro:rɛkto:ɐ, 'pro:'rɛkto:ɐ](**in**) *m*/(*f*) UNIV deputy vice chancellor

Prosa ['pro:za] *f* ⟨**-,** *no pl*⟩ prose **prosaisch** [pro'za:ɪʃ] **I** *adj* prosaic **II** *adv* (≈ *nüchtern*) prosaically

prosit ['pro:zɪt] *int* your health; ***~ Neujahr!*** Happy New Year! **Prosit** ['pro:zɪt] *nt* ⟨**-s, -s**⟩ toast; ***auf jdn ein ~ ausbringen*** to toast sb

Prospekt [pro'spɛkt] *m* ⟨**-(e)s, -e**⟩ (≈ *Reklameschrift*) brochure (*+gen* about); (≈ *Werbezettel*) leaflet; (≈ *Verzeichnis*) catalogue (*Br*), catalog (*US*)

prost [pro:st] *int* cheers; ***na denn ~!*** (*iron infml*) that's just great (*infml*); ***~ Neujahr!*** (*infml*) Happy New Year!

Prostata ['prɔstata] *f* ⟨**-,** *no pl*⟩ prostate gland

prostituieren [prostitu'i:rən] *past part* ***prostituiert*** *v/r* to prostitute oneself **Prostituierte(r)** [prostitu'i:ɐtə] *m/f(m) decl as adj* prostitute **Prostitution** [prostitu'tsio:n] *f* ⟨**-, -en**⟩ prostitution

Protagonist [protago'nɪst] *m* ⟨**-en, -en**⟩, **Protagonistin** [-ɪn] *f* ⟨**-, -nen**⟩ protagonist

Protein [prote'i:n] *nt* ⟨**-s, -e**⟩ protein

Protektion [protɛk'tsio:n] *f* ⟨**-, -en**⟩ (≈

Schutz) protection; (≈ *Begünstigung*) patronage **Protektionismus** [protɛktsio'nɪsmʊs] *m* ⟨-, *no pl*⟩ ECON protectionism **protektionistisch** [protɛktsio'nɪstɪʃ] *adj* protectionist **Protektorat** [protɛkto'raːt] *nt* ⟨**-(e)s, -e**⟩ (≈ *Schirmherrschaft*) patronage; (≈ *Schutzgebiet*) protectorate

Protest [pro'tɛst] *m* ⟨**-(e)s, -e**⟩ protest; ***(gegen etw) ~ einlegen*** to register a protest (about sth); ***unter ~*** protesting; (*gezwungen*) under protest **Protestant** [protɛs'tant] *m* ⟨**-en, -en**⟩, **Protestantin** [-'tantɪn] *f* ⟨**-, -nen**⟩ Protestant **protestantisch** [protɛs'tantɪʃ] *adj* Protestant **protestieren** [protɛs'tiːrən] *past part* ***protestiert*** *v/i* to protest **Protestkundgebung** *f* (protest) rally **Protestmarsch** *m* protest march **Protestwähler(in)** *m*/(*f*) protest voter

Prothese [pro'teːzə] *f* ⟨**-, -n**⟩ artificial limb *or* (*Gelenk*) joint; (≈ *Gebiss*) set of dentures

Protokoll [proto'kɔl] *nt* ⟨**-s, -e**⟩ **1.** (≈ *Niederschrift*) record; (≈ *Bericht*) report; (*von Sitzung*) minutes *pl*; (*bei Polizei*) statement; (*bei Gericht*) transcript; ***(das) ~ führen*** (*bei Sitzung*) to take the minutes; ***etw zu ~ geben*** to have sth put on record; (*bei Polizei*) to say sth in one's statement; ***etw zu ~ nehmen*** to take sth down **2.** *no pl* (*diplomatisch*) protocol **3.** (≈ *Strafzettel*) ticket **protokollarisch** [protokɔ'laːrɪʃ] *adj* **1.** (≈ *protokolliert*) on record; (*in Sitzung*) minuted **2.** (≈ *zeremoniell*) ***~e Vorschriften*** rules of protocol **protokollieren** [protokɔ'liːrən] *past part* ***protokolliert*** **I** *v/i* (*bei Sitzung*) to take the minutes (down); (*bei Polizei*) to take a/the statement (down) **II** *v/t* to take down; *Sitzung* to minute; *Unfall, Verbrechen* to take (down) statements about; *Vorgang* to keep a record of

Proton ['proːtɔn] *nt* ⟨**-s, *Protonen*** [pro'toːnən]⟩ proton

Prototyp ['proːtotyːp] *m* prototype

protzen ['prɔtsn] *v/i* (*infml*) to show off; ***mit etw ~*** to show sth off **protzig** ['prɔtsɪç] (*infml*) *adj* showy (*infml*)

Proviant [pro'viant] *m* ⟨**-s,** (*rare*) **-e**⟩ provisions *pl*; (≈ *Reiseproviant*) food for the journey

Provinz [pro'vɪnts] *f* ⟨**-, -en**⟩ province; (*im Gegensatz zur Stadt*) provinces *pl* (*also pej*); ***das ist finsterste ~*** (*pej*) it's so provincial **provinziell** [provɪn'tsiɛl] *adj* provincial **Provinzler** [pro'vɪntslɐ] *m* ⟨**-s, -**⟩, **Provinzlerin** [pro'vɪntslərɪn] [-ərɪn] *f* ⟨**-, -nen**⟩ (*pej*) provincial **Provinznest** *nt* (*pej infml*) provincial backwater, hick town (*US infml*)

Provision [provi'zioːn] *f* ⟨**-, -en**⟩ commission; ***auf ~*** on commission **Provisionsbasis** *f, no pl* commission basis

provisorisch [provi'zoːrɪʃ] **I** *adj* provisional; ***~e Regierung*** caretaker government; ***Straßen mit ~em Belag*** roads with a temporary surface **II** *adv* temporarily; ***ich habe den Stuhl ~ repariert*** I've fixed the chair up for the time being **Provisorium** [provi'zoːriʊm] *nt* ⟨**-s, *Provisorien*** [-riən]⟩ stopgap

Provokateur [provoka'tøːɐ] *m* ⟨**-s, -e**⟩, **Provokateurin** [provoka'tøːrɪn] [-'tøːrɪn] *f* ⟨**-, -nen**⟩ troublemaker; POL agent provocateur **Provokation** [provoka'tsioːn] *f* ⟨**-, -en**⟩ provocation **provozieren** [provo'tsiːrən] *past part* ***provoziert*** *v/t & v/i* to provoke

Prozedur [protse'duːɐ] *f* ⟨**-, -en**⟩ **1.** (≈ *Vorgang*) procedure **2.** (*pej*) carry-on (*infml*); ***die ~ beim Zahnarzt*** the ordeal at the dentist's

Prozent [pro'tsɛnt] *nt* ⟨**-(e)s, -e** *or*⟩ (*nach Zahlenangaben*) ⟨**-**⟩ per cent *no pl* (*Br*), percent *no pl* (*US*); ***wie viel ~?*** what percentage?; ***zu zehn ~*** at ten per cent (*Br*) *or* percent (*US*); ***zu hohen ~en*** at a high percentage; ***~e bekommen*** (≈ *Rabatt*) to get a discount **Prozentpunkt** *m* point **Prozentrechnung** *f* percentage calculation **Prozentsatz** *m* percentage **prozentual** [protsɛn'tuaːl] **I** *adj* percentage *attr*; ***~er Anteil*** percentage **II** *adv* ***sich an einem Geschäft ~ beteiligen*** to have a percentage (share) in a business; ***~ gut abschneiden*** to get a good percentage **Prozentzeichen** *nt* percent sign

Prozess [pro'tsɛs] *m* ⟨**-es, -e**⟩ **1.** (≈ *Strafprozess*) trial (*wegen* for; *um* in the matter of); ***einen ~ gewinnen/verlieren*** to win/lose a case; ***gegen jdn einen ~ anstrengen*** to institute legal proceedings against sb; ***jdm den ~ machen*** (*infml*) to take sb to court; ***mit jdm/etw kurzen ~ machen*** (*fig infml*) to make short work of sb/sth (*infml*) **2.** (≈ *Vorgang*) process **prozessieren** [protsɛ'siːrən] *past part* ***prozessiert*** *v/i* to go to court; ***gegen***

jdn ~ to bring an action against sb **Prozession** [protsɛˈsioːn] *f* ⟨**-, -en**⟩ procession **Prozesskosten** *pl* legal costs *pl*

Prozessor [proˈtsɛsoːɐ] *m* ⟨**-s, Prozessoren** [-ˈsoːrən]⟩ IT processor

prüde [ˈpryːdə] *adj* prudish **Prüderie** [pryːdəˈriː] *f* ⟨-, *no pl*⟩ prudishness

prüfen [ˈpryːfn] *v/t* **1.** (*also v/i*, SCHOOL, UNIV) to examine, to test; ***jdn in etw*** (*dat*) ***~*** to examine sb in sth; ***schriftlich geprüft werden*** to have a written examination; ***ein staatlich geprüfter Dolmetscher*** a state-certified interpreter **2.** (≈ *überprüfen*) to check (*auf +acc* for); *Lebensmittel* to inspect; ***wir werden die Beschwerde ~*** we'll look into the complaint **3.** (≈ *erwägen*) to consider; ***etw nochmals ~*** to reconsider sth **4.** (≈ *mustern*) to scrutinize; ***ein ~der Blick*** a searching look **Prüfer** [ˈpryːfɐ] *m* ⟨**-s, -**⟩, **Prüferin** [-ərɪn] *f* ⟨**-, -nen**⟩ examiner; (≈ *Wirtschaftsprüfer*) inspector **Prüfling** [ˈpryːflɪŋ] *m* ⟨**-s, -e**⟩ examinee **Prüfstand** *m* test bed; ***auf dem ~ stehen*** to be being tested **Prüfstein** *m* (*fig*) touchstone (*für* of, for) **Prüfung** [ˈpryːfʊŋ] *f* ⟨**-, -en**⟩ **1.** SCHOOL, UNIV exam; ***eine ~ machen*** to take *or* do an exam **2.** (≈ *Überprüfung*) checking *no indef art*; (≈ *Untersuchung*) examination; (*von Geschäftsbüchern*) audit; (*von Lebensmitteln, Wein*) testing *no indef art*; ***jdn/etw einer ~ unterziehen*** to subject sb/sth to an examination; ***nach ~ Ihrer Beschwerde*** after looking into your complaint **3.** (≈ *Erwägung*) consideration **Prüfungsangst** *f* exam nerves *pl* **Prüfungsaufgabe** *f* exam(ination) question **Prüfungsausschuss** *m* board of examiners **Prüfungskommission** *f* board of examiners **Prüfverfahren** *nt* test procedure

Prügel [ˈpryːgl] *m* ⟨**-s, -**⟩ **1.** *pl also* **-n** (≈ *Stock*) club **2.** *pl* (*infml* ≈ *Schläge*) beating; ***~ bekommen*** to get a beating **Prügelei** [pryːgəˈlai] *f* ⟨**-, -en**⟩ (*infml*) fight **Prügelknabe** *m* (*fig*) whipping boy **prügeln** [ˈpryːgln] **I** *v/t & v/i* to beat **II** *v/r* to fight; ***sich mit jdm ~*** to fight sb; ***sich um etw*** (*acc*) ***~*** to fight over sth **Prügelstrafe** *f* corporal punishment

Prunk [prʊŋk] *m* ⟨**-s,** *no pl*⟩ (≈ *Pracht*) splendour (*Br*), splendor (*US*) **Prunkbau** *m, pl* ***-bauten*** magnificent building **Prunksaal** *m* sumptuous room **Prunkstück** *nt* showpiece **prunkvoll** *adj* splendid

prusten [ˈpruːstn] *v/i* (*infml*) to snort; ***vor Lachen ~*** to snort with laughter

PS [peːˈ|ɛs] *nt* ⟨**-, -**⟩ hp

Psalm [psalm] *m* ⟨**-s, -en**⟩ psalm

pseudo- [ˈpsɔydo] *in cpds* pseudo **Pseudonym** [psɔydoˈnyːm] *nt* ⟨**-s, -e**⟩ pseudonym

pst [pst] *int* psst; (≈ *Ruhe!*) sh

Psyche [ˈpsyːçə] *f* ⟨**-, -n**⟩ psyche **Psychiater** [psyˈçiaːtɐ] *m* ⟨**-s, -**⟩, **Psychiaterin** [-ərɪn] *f* ⟨**-, -nen**⟩ psychiatrist **Psychiatrie** [psyçiaˈtriː] *f* ⟨**-, -n** [-ˈtriːən]⟩ psychiatry **psychiatrisch** [psyˈçiaːtrɪʃ] *adj* psychiatric; ***~ behandelt werden*** to be under psychiatric treatment **psychisch** [ˈpsyːçɪʃ] **I** *adj Belastung* emotional; *Phänomen, Erscheinung* psychic; *Vorgänge* psychological; ***~e Erkrankung*** mental illness **II** *adv abnorm* psychologically; *gestört* mentally; ***~ belastet sein*** to be under psychological pressure **Psychoanalyse** [psyço-] *f* psychoanalysis **Psychoanalytiker(in)** [psyço-] *m/(f)* psychoanalyst **Psychodrama** [ˈpsyːço-] *nt* psychodrama **Psychogramm** [psyço-] *nt, pl* ***-gramme*** profile (*also fig*) **Psychologe** [psyçoˈloːgə] *m* ⟨**-n, -n**⟩, **Psychologin** [-ˈloːgɪn] *f* ⟨**-, -nen**⟩ psychologist **Psychologie** [psyçoloˈgiː] *f* ⟨-, *no pl*⟩ psychology **psychologisch** [psyçoˈloːgɪʃ] **I** *adj* psychological **II** *adv* psychologically **Psychopath** [psyçoˈpaːt] *m* ⟨**-en, -en**⟩, **Psychopathin** [-ˈpaːtɪn] *f* ⟨**-, -nen**⟩ psychopath **Psychopharmakon** [psyçoˈfarmakɔn] *nt* ⟨**-s, -pharmaka** [-ka]⟩ *usu pl* psychiatric drug **Psychose** [psyˈçoːzə] *f* ⟨**-, -n**⟩ psychosis **psychosomatisch** [psyçozoˈmaːtɪʃ] **I** *adj* psychosomatic **II** *adv* psychosomatically **Psychoterror** [ˈpsyːço-] *m* psychological terror **Psychotherapeut(in)** [psyço-] *m/(f)* psychotherapist **Psychotherapie** [psyço-] *f* psychotherapy **Psychothriller** [psyço-] *m* psychological thriller **psychotisch** [psyˈçoːtɪʃ] *adj* psychotic

pubertär [pubɛrˈtɛːɐ] *adj* adolescent **Pubertät** [pubɛrˈtɛːt] *f* ⟨-, *no pl*⟩ puberty **pubertieren** [pubɛrˈtiːrən] *past part* ***pubertiert*** *v/i* to reach puberty

Publicity [paˈblɪsɪtɪ] *f* ⟨-, *no pl*⟩ publicity

publik [puˈbliːk] *adj pred* ***~ werden*** to become public knowledge; ***etw ~ ma-***

chen to make sth public **Publikation** [publika'tsioːn] *f* ⟨-, ***-en***⟩ publication **Publikum** ['puːblikʊm] *nt* ⟨***-s***, *no pl*⟩ public; (≈ *Zuschauer*, *Zuhörer*) audience; (≈ *Leser*) readers *pl*; SPORTS crowd **Publikumserfolg** *m* success with the public **Publikumsmagnet** *m* crowd puller **publikumswirksam I** *adj* ***~ sein*** to have public appeal **II** *adv* ***ein Stück ~ inszenieren*** to produce a play with a view to public appeal **publizieren** [publi'tsiːrən] *past part* ***publiziert*** *v/t & v/i* **1.** (≈ *veröffentlichen*) to publish **2.** (≈ *publik machen*) to publicize **Publizist** [publi'tsɪst] *m* ⟨***-en, -en***⟩, **Publizistin** [-ɪn] *f* ⟨-, ***-nen***⟩ publicist; (≈ *Journalist*) journalist **Publizistik** [publi'tsɪstɪk] *f* ⟨-, *no pl*⟩ journalism

Pudding ['pʊdɪŋ] *m* ⟨***-s, -s***⟩ *thick custard-based dessert often tasting of vanilla, chocolate etc* **Puddingpulver** *nt* custard powder

Pudel ['puːdl] *m* ⟨***-s, -***⟩ poodle **Pudelmütze** *f* bobble cap **pudelwohl** *adj* (*infml*) ***sich ~ fühlen*** to feel completely contented

Puder ['puːdɐ] *m or* (*inf*) *nt* ⟨***-s, -***⟩ powder **Puderdose** *f* (*für Gesichtspuder*) (powder) compact **pudern** ['puːdɐn] **I** *v/t* to powder **II** *v/r* (≈ *Puder auftragen*) to powder oneself **Puderzucker** *m* icing sugar

Puff[1] [pʊf] *m* ⟨***-(e)s, ¨-e*** ['pʏfə]⟩ **1.** (≈ *Stoß*) thump; (*in die Seite*) prod **2.** (*Geräusch*) phut (*infml*)

Puff[2] *m or nt* ⟨***-s, -s***⟩ (*infml*) brothel

Puffärmel *m* puff(ed) sleeve

puffen ['pʊfn] *v/t* to hit; (*in die Seite*) to prod **Puffer** ['pʊfɐ] *m* ⟨***-s, -***⟩ **1.** RAIL, IT buffer **2.** (COOK ≈ *Kartoffelpuffer*) potato fritter **Pufferstaat** *m* buffer state **Pufferzone** *f* buffer zone

Puffreis *m* puffed rice

Pull-down-Menü [pʊl'daun-] *nt* pull-down menu

Pulle ['pʊlə] *f* ⟨-, ***-n***⟩ (*infml*) bottle; ***volle ~ fahren/arbeiten*** (*infml*) to drive/work flat out (*esp Br*)

Pulli ['pʊli] *m* ⟨***-s, -s***⟩ (*infml*), **Pullover** [pʊ'loːvɐ] *m* ⟨***-s, -***⟩ jumper (*Br*), sweater **Pullunder** [pʊ'lʊndɐ, pʊl'|ʊndɐ] *m* ⟨***-s, -***⟩ tank top

Puls [pʊls] *m* ⟨***-es, -e*** [-zə]⟩ pulse; ***jdm den ~ fühlen*** (*lit*) to feel sb's pulse; (*fig*) to take sb's pulse **Pulsader** *f* artery; ***sich*** (*dat*) ***die ~(n) aufschneiden*** to slash one's wrists **pulsieren** [pʊl'ziːrən] *past part* ***pulsiert*** *v/i* to pulsate **Pulsschlag** *m* pulse beat; (*fig*) pulse; (≈ *das Pulsieren*) throbbing, pulsation

Pult [pʊlt] *nt* ⟨***-(e)s, -e***⟩ desk

Pulver ['pʊlfɐ, -vɐ] *nt* ⟨***-s, -***⟩ powder; ***sein ~ verschossen haben*** (*fig*) to have shot one's bolt **Pulverfass** *nt* powder keg; ***(wie) auf einem ~ sitzen*** (*fig*) to be sitting on (top of) a volcano **pulverig** ['pʊlfərɪç, -vərɪç] *adj* powdery *no adv* **pulverisieren** [pʊlveri'ziːrən] *past part* ***pulverisiert*** *v/t* to pulverize **Pulverkaffee** *m* instant coffee **Pulverschnee** *m* powder snow

Puma ['puːma] *m* ⟨***-s, -s***⟩ puma

pummelig ['pʊməlɪç] *adj* (*infml*) chubby

Pump [pʊmp] *m* ⟨***-(e)s***, *no pl*⟩ (*infml*) credit; ***etw auf ~ kaufen*** to buy sth on credit

Pumpe ['pʊmpə] *f* ⟨-, ***-n***⟩ **1.** pump **2.** (*infml* ≈ *Herz*) ticker (*infml*) **pumpen** ['pʊmpn] *v/t* **1.** (*mit Pumpe*) to pump **2.** (*infml* ≈ *entleihen*) to borrow; (≈ *verleihen*) to lend

Pumpernickel ['pʊmpɐnɪkl] *m* ⟨***-s, -***⟩ pumpernickel

Pumps [pœmps] *m* ⟨-, ***-***⟩ pump

puncto ['pʊŋkto] *prep +gen* ***in ~*** with regard to

Punk [paŋk] *m* ⟨***-s***, *no pl*⟩ punk **Punker** ['paŋkɐ] *m* ⟨***-s, -***⟩, **Punkerin** ['paŋkərɪn] *f* ⟨-, ***-nen***⟩ punk

Punkt [pʊŋkt] *m* ⟨***-(e)s, -e***⟩ **1.** point; ***~ 12 Uhr*** at 12 o'clock on the dot; ***bis zu einem gewissen ~*** up to a certain point; ***nach ~en siegen/führen*** to win/lead on points; ***in diesem ~*** on this point; ***etw auf den ~ bringen*** to get to the heart of sth **2.** (≈ *Satzzeichen*) full stop (*Br*), period (*esp US*); (*auf dem i, von Punktlinie*, IT) dot; ***nun mach aber mal einen ~!*** (*infml*) come off it! (*infml*) **Pünktchen** ['pʏŋktçən] *nt* ⟨***-s, -***⟩ little dot **punkten** ['pʊŋktn] *v/i* SPORTS to score (points); (*fig* ≈ *Erfolg haben*) to score a hit; → ***gepunktet*** **punktgleich I** *adj* SPORTS level (*mit* with) **II** *adv* ***die beiden Mannschaften liegen ~*** the two teams are even; ***der Boxkampf ging ~ aus*** the fight ended in a draw *or* was a draw **punktieren** [pʊŋk'tiːrən] *past part* ***punktiert*** *v/t* **1.** MED to aspirate **2.** (≈ *mit Punkten versehen*) to dot; ***punk-***

tierte Linie dotted line **Punktlandung** *f* precision landing **pünktlich** ['pʏŋktlɪç] **I** *adj* punctual **II** *adv* on time **Pünktlichkeit** *f* ⟨-, *no pl*⟩ punctuality **Punktniederlage** *f* defeat on points **Punktrichter(in)** *m/(f)* judge **Punktsieg** *m* win on points **Punktspiel** *nt* league game, game decided on points **punktuell** [pʊŋk'tuɛl] **I** *adj Streik* selective; *Zusammenarbeit* on certain points; ***~e Verkehrskontrollen*** spot checks on traffic **II** *adv kritisieren* in a few points

Punsch [pʊnʃ] *m* ⟨***-es, -e***⟩ (hot) punch

Pupille [pu'pɪlə] *f* ⟨***-, -n***⟩ pupil

Puppe ['pʊpə] *f* ⟨***-, -n***⟩ **1.** doll; (≈ *Marionette*) puppet; (≈ *Schaufensterpuppe*) dummy; (*infml* ≈ *Mädchen*) doll (*infml*); ***die ~n tanzen lassen*** (*infml*) to live it up (*infml*); ***bis in die ~n schlafen*** (*infml*) to sleep to all hours **2.** ZOOL pupa **Puppenhaus** *nt* doll's house (*Br*), dollhouse (*US*) **Puppenspiel** *nt* puppet show **Puppenspieler(in)** *m/(f)* puppeteer **Puppenstube** *f* doll's house (*Br*), dollhouse (*US*) **Puppentheater** *nt* puppet theatre (*Br*) *or* theater (*US*) **Puppenwagen** *m* doll's pram (*Br*), toy baby carriage (*US*)

pur [puːɐ] **I** *adj* (≈ *rein*) pure; (≈ *unverdünnt*) neat; (≈ *bloß, völlig*) sheer; ***~er Unsinn*** absolute nonsense; ***~er Zufall*** sheer coincidence; ***Whisky ~*** straight whisky **II** *adv anwenden* pure; *trinken* straight

Püree [py'reː] *nt* ⟨***-s, -s***⟩ puree **pürieren** [py'riːrən] *past part* ***püriert*** *v/t* to puree **Pürierstab** *m* masher

Puritaner [puri'taːnɐ] *m* ⟨***-s, -***⟩, **Puritanerin** [-ərɪn] *f* ⟨***-, -nen***⟩ Puritan **puritanisch** [puri'taːnɪʃ] *adj* HIST Puritan; (*pej*) puritanical

Purpur ['pʊrpʊr] *m* ⟨***-s***, *no pl*⟩ crimson **purpurrot** *adj* crimson (red)

Purzelbaum ['pʊrtslbaum] *m* somersault; ***einen ~ schlagen*** to turn a somersault **purzeln** ['pʊrtsln] *v/i aux sein* to tumble

puschen, pushen ['pʊʃn] *v/t* (*infml*) to push **Push-up-BH** ['pʊʃ|ap-] *m* push-up bra

Pusselarbeit ['ʊsl-] *f* (*infml*) fiddly *or* finicky work **pusseln** ['pʊsln] *v/i* (*infml* ≈ *herumbasteln*) to fiddle around (*an etw* (*dat*) with sth)

Puste ['puːstə] *f* ⟨***-***, *no pl*⟩ (*infml*) puff (*infml*); ***außer ~ geraten*** to get out of breath; ***außer ~ sein*** to be out of puff (*infml*) **Pusteblume** *f* (*infml*) dandelion clock **Pustekuchen** *int* (*infml*) fiddlesticks (*dated infml*); (***ja***) ***~!*** (*infml*) no chance! (*infml*)

Pustel ['pʊstl] *f* ⟨***-, -n***⟩ (≈ *Pickel*) spot; MED pustule

pusten ['puːstn] (*infml*) *v/i* to puff

Pute ['puːtə] *f* ⟨***-, -n***⟩ turkey (hen); ***dumme ~*** (*infml*) silly goose (*infml*) **Putenschnitzel** *nt* COOK turkey breast in breadcrumbs **Puter** ['puːtɐ] *m* ⟨***-s, -***⟩ turkey (cock) **puterrot** *adj* scarlet, bright red; ***~ werden*** to go bright red

Putsch [pʊtʃ] *m* ⟨***-(e)s, -e***⟩ putsch **putschen** ['pʊtʃn] *v/i* to rebel **Putschist** [pʊ'tʃɪst] *m* ⟨***-en, -en***⟩, **Putschistin** [-'tʃɪstɪn] *f* ⟨***-, -nen***⟩ rebel **Putschversuch** *m* attempted coup (d'état)

Putte ['pʊtə] *f* ⟨***-, -n***⟩ ART cherub

Putz [pʊts] *m* ⟨***-es***, *no pl*⟩ **1.** BUILD plaster; (≈ *Rauputz*) roughcast **2.** ***auf den ~ hauen*** (*infml*) (≈ *angeben*) to show off; (≈ *ausgelassen feiern*) to have a rave-up (*infml*) **Putzdienst** *m* cleaning duty; (≈ *Dienstleistung*) cleaning service; ***~ haben*** to be on cleaning duty **putzen** ['pʊtsn] **I** *v/t* (≈ *säubern*) to clean; (≈ *polieren*) to polish; (≈ *wischen*) to wipe; ***Fenster ~*** to clean the windows; ***~ gehen*** to work as a cleaner **II** *v/r* (≈ *sich säubern*) to wash oneself **Putzfimmel** *m*, *no pl* (*infml*) ***einen ~ haben*** to be a cleaning maniac **Putzfrau** *f* cleaner **putzig** ['pʊtsɪç] (*infml*) *adj* (≈ *komisch*) funny; (≈ *niedlich*) cute **Putzkolonne** *f* team of cleaners **Putzlappen** *m* cloth **Putzmittel** *nt* (*zum Scheuern*) cleanser; (*zum Polieren*) polish **putzmunter** ['pʊts'mʊntɐ] *adj* (*infml*) full of beans (*Br infml*), lively **Putztuch** *nt*, *pl* ***-tücher*** (≈ *Staubtuch*) duster; (≈ *Wischlappen*) cloth **Putzzeug** *nt* cleaning things *pl*

Puzzle ['pazl, 'pasl] *nt* ⟨***-s, -s***⟩ jigsaw (puzzle)

Pygmäe [pʏ'gmɛːə] *m* ⟨***-n, -n***⟩, **Pygmäin** [pʏ'gmɛːɪn] *f* ⟨***-, -nen***⟩ Pygmy

Pyjama [py'dʒaːma, py'ʒaːma, pi'dʒaːma, pi'ʒaːma] *m* ⟨***-s, -s***⟩ pair of pyjamas (*Br*) *or* pajamas (*US*) *sg*

Pyramide [pyra'miːdə] *f* ⟨***-, -n***⟩ pyramid **pyramidenförmig** *adj* pyramid-shaped *no adv*

Pyrenäen [pyre'nɛːən] *pl* ***die ~*** the Pyrenees *pl* **Pyrenäenhalbinsel** *f* Iberian Peninsula

Pyromane [pyro'maːnə] *m* ⟨**-n, -n**⟩, **Pyromanin** [-'maːnɪn] *f* ⟨**-, -nen**⟩ pyromaniac **Pyrotechnik** [pyro'tɛçnɪk] *f* pyrotechnics *sg* **pyrotechnisch** [pyro'tɛçnɪʃ] *adj* pyrotechnic

Python ['pyːtɔn] *m* ⟨**-s, -s**⟩ python

Q

Q, q [kuː] *nt* ⟨**-, -**⟩ Q, q

Quacksalber ['kvakzalbɐ] *m* ⟨**-s, -**⟩, **Quacksalberin** [-ərɪn] *f* ⟨**-, -nen**⟩ (*pej*) quack (doctor) **Quacksalberei** [kvakzalbə'rai] *f* ⟨**-, -en**⟩ quackery

Quadrat [kva'draːt] *nt* ⟨**-(e)s, -e**⟩ **1.** *no pl* (*Fläche*) square; ***drei Meter im ~*** three metres (*Br*) *or* meters (*US*) square **2.** *no pl* (*Potenz*) square; ***vier zum ~*** four squared **quadratisch** [kva'draːtɪʃ] *adj Form* square; MAT *Gleichung* quadratic **Quadratkilometer** *m* square kilometre (*Br*) *or* kilometer (*US*) **Quadratmeter** *m or nt* square metre (*Br*) *or* meter (*US*) **Quadratur** [kvadra'tuːɐ] *f* ⟨**-, -en**⟩ quadrature; ***die ~ des Kreises*** the squaring of the circle **Quadratwurzel** *f* square root **Quadratzahl** *f* square number **quadrieren** [kva'driːrən] *past part* ***quadriert*** *v/t Zahl* to square

Quai [kɛː, keː] *m or nt* ⟨**-s, -s**⟩ **1.** quay **2.** (*Swiss*) (*an Fluss*) riverside road; (*an See*) lakeside road

quaken ['kvaːkn] *v/i* (*Frosch*) to croak; (*Ente*) to quack

quäken ['kvɛːkn] *v/t & v/i* (*infml*) to screech

Quäker ['kvɛːkɐ] *m* ⟨**-s, -**⟩, **Quäkerin** [-ərɪn] *f* ⟨**-, -nen**⟩ Quaker

Qual [kvaːl] *f* ⟨**-, -en**⟩ agony; ***~en leiden*** to suffer agonies; ***unter großen ~en sterben*** to die in agony; ***die letzten Monate waren für mich eine (einzige) ~*** the last few months have been sheer agony for me; ***er machte ihr das Leben zur ~*** he made her life a misery **quälen** ['kvɛːlən] **I** *v/t* to torment; (*mit Bitten etc*) to pester; ***jdn zu Tode ~*** to torture sb to death; → ***gequält*** **II** *v/r* **1.** (*seelisch*) to torture oneself; (≈ *leiden*) to suffer **2.** (≈ *sich abmühen*) to struggle **quälend** *adj* agonizing **Quälerei** [kvɛːlə'rai] *f* ⟨**-, -en**⟩ (≈ *Grausamkeit*) torture *no pl*; (≈ *seelische Belastung*) agony; ***das ist doch eine ~ für das Tier*** that is cruel to the animal **Quälgeist** *m* (*infml*) pest (*infml*)

Quali ['kvaːli] *f, abbr of* ***Qualifikation*** (SPORTS *infml*) qualification; (≈ *Runde*) qualifying round **Qualifikation** [kvalifika'tsioːn] *f* ⟨**-, -en**⟩ qualification; (≈ *Ausscheidungswettkampf*) qualifying round **qualifizieren** [kvalifi'tsiːrən] *past part* ***qualifiziert*** *v/r* to qualify **qualifiziert** [kvalifi'tsiːɐt] *adj* **1.** *Arbeiter* qualified; *Arbeit* expert **2.** POL *Mehrheit* requisite **Qualifizierung** *f* **1.** qualification **2.** (≈ *Einordnung*) classification

Qualität [kvali'tɛːt] *f* ⟨**-, -en**⟩ quality **qualitativ** [kvalita'tiːf] **I** *adj* qualitative **II** *adv* qualitatively; ***~ hochwertige Produkte*** high-quality products **Qualitätsarbeit** *f* quality work **Qualitätskontrolle** *f* quality check **Qualitätsware** *f* quality goods *pl* **Qualitätswein** *m wine of certified origin and quality*

Qualle ['kvalə] *f* ⟨**-, -n**⟩ jellyfish

Qualm [kvalm] *m* ⟨**-(e)s, *no pl***⟩ (thick *or* dense) smoke **qualmen** ['kvalmən] *v/i* **1.** (*Feuer*) to give off smoke; ***es qualmt aus dem Schornstein*** clouds of smoke are coming from the chimney **2.** (*infml*: *Mensch*) to smoke **qualmig** ['kvalmɪç] *adj* smoky

qualvoll **I** *adj* painful; *Gedanke* agonizing; *Anblick* harrowing **II** *adv* ***~ sterben*** to die an agonizing death

Quantenphysik *f* quantum physics *sg* **Quantensprung** *m* quantum leap **Quantentheorie** *f* quantum theory **quantifizieren** [kwantifi'tsiːrən] *past part* ***quantifiziert*** *v/t* to quantify **Quantität** [kvanti'tɛːt] *f* ⟨**-, -en**⟩ quantity **quantitativ** [kvantita'tiːf] **I** *adj* quantitative **II** *adv* quantitatively **Quantum** ['kvantʊm] *nt* ⟨**-s, Quanten** [-tn]⟩ (≈ *Menge*) quantum; (≈ *Anteil*) quota (*an +dat* of)

Quarantäne [karan'tɛːnə] *f* ⟨**-, -n**⟩ quarantine; ***unter ~ stellen*** to put in quarantine; ***unter ~ stehen*** to be in quarantine

Quark [kvark] *m* ⟨***-s**, no pl*⟩ **1.** (≈ *Käse*) quark **2.** (*infml*) (≈ *Unsinn*) rubbish (*Br*), nonsense

Quartal [kvar'taːl] *nt* ⟨***-s, -e***⟩ quarter **Quartal(s)säufer(in)** *m/(f)* (*infml*) periodic heavy drinker **quartal(s)weise** **I** *adj* quarterly **II** *adv* quarterly **Quartett** [kvar'tɛt] *nt* ⟨***-(e)s, -e***⟩ **1.** MUS quartet **2.** (CARDS) (≈ *Spiel*) ≈ happy families; (≈ *Karten*) set of four cards

Quartier [kvar'tiːɐ] *nt* ⟨***-s, -e***⟩ **1.** (≈ *Unterkunft*) accommodation (*Br*), accommodations *pl* (*US*) **2.** MIL quarters *pl*

Quarz [kvarts] *m* ⟨***-es, -e***⟩ quartz **Quarzuhr** *f* quartz clock; (≈ *Armbanduhr*) quartz watch

quasi ['kvaːzi] **I** *adv* virtually **II** *pref* quasi

Quasselei [kvasə'lai] *f* ⟨***-, -en***⟩ (*infml*) gabbing (*infml*) **quasseln** ['kvasln] *v/t & v/i* to blather (*infml*)

Quaste ['kvastə] *f* ⟨***-, -n***⟩ (≈ *Troddel*) tassel; (*von Pinsel*) bristles *pl*

Quatsch [kvatʃ] *m* ⟨***-es**, no pl*⟩ (*infml*) nonsense; ***ohne ~!*** (≈ *ehrlich*) no kidding! (*infml*); ***so ein ~!*** what (a load of) nonsense (*Br*); ***lass den ~*** cut it out! (*infml*); ***~ machen*** to mess about (*infml*); ***mach damit keinen ~*** don't do anything stupid with it **quatschen** ['kvatʃn] (*infml*) **I** *v/t & v/i* (≈ *dummes Zeug reden*) to gab (away) (*infml*), to blather (*infml*) **II** *v/i* **1.** (≈ *plaudern*) to blather (*infml*) **2.** (≈ *etw ausplaudern*) to squeal (*infml*) **Quatschkopf** *m* (*pej infml*) (≈ *Schwätzer*) windbag (*infml*); (≈ *Dummkopf*) fool

Quecksilber ['kvɛkzɪlbɐ] *nt* mercury

Quelle ['kvɛlə] *f* ⟨***-, -n***⟩ **1.** spring; (≈ *Erdölquelle*) well **2.** (*fig*) (≈ *Ursprung, Informant*) source; (*für Waren*) supplier; ***die ~ allen Übels*** the root of all evil; ***aus zuverlässiger ~*** from a reliable source; ***an der ~ sitzen*** (*fig*) to be well-placed **quellen** ['kvɛlən] *v/i*, *pret* ***quoll*** [kvɔl], *past part* ***gequollen*** [gə'kvɔlən] *aux sein* **1.** (≈ *herausfließen*) to pour (*aus* out of) **2.** (*Erbsen*) to swell; ***lassen Sie die Bohnen über Nacht ~*** leave the beans to soak overnight **Quellenangabe** *f* reference **Quellensteuer** *f* ECON tax at source **Quellwasser** *nt* spring water

Quengelei [kvɛŋə'lai] *f* ⟨***-, -en***⟩ (*infml*) whining **quengelig** ['kvɛŋəlɪç] *adj* whining **quengeln** ['kvɛŋln] *v/i* (*infml*) to whine

quer [kveːɐ] *adv* (≈ *schräg*) crossways, diagonally; (≈ *rechtwinklig*) at right angles; ***~ gestreift*** horizontally striped; ***er legte sich ~ aufs Bett*** he lay down across the bed; ***~ über etw*** (*acc*) ***gehen*** to cross sth **Querdenker(in)** *m/(f)* open-minded thinker **Quere** ['kveːrə] *f* ⟨*-, no pl*⟩ ***jdm in die ~ kommen*** (≈ *begegnen*) to cross sb's path; (*also fig* ≈ *in den Weg geraten*) to get in sb's way

Querele [kve'reːlə] *f* ⟨***-, -n***⟩ *usu pl* (*elev*) dispute

querfeldein [kveːɐfɛlt'|ain] *adv* across country **Querfeldeinrennen** *nt* cross-country; (*Motorradrennen*) motocross **Querflöte** *f* (transverse) flute **Querformat** *nt* landscape format **quergestreift** *adj attr*; → ***quer*** **Querlatte** *f* crossbar **querlegen** *v/r sep* (*fig infml*) to be awkward **Querpass** *m* cross **Querschläger** *m* ricochet (shot) **Querschnitt** *m* cross section **querschnitt(s)gelähmt** *adj* paraplegic **Querschnitt(s)gelähmte(r)** [-gəlɛːmtə] *m/f(m) decl as adj* paraplegic **Querschnitt(s)lähmung** *f* paraplegia **querstellen** *v/r sep* (*fig infml*) to be awkward **Querstraße** *f* (≈ *Nebenstraße*) side street; (≈ *Abzweigung*) turning **Querstreifen** *m* horizontal stripe **Quersumme** *f* MAT sum of digits (of a number) **Quertreiber(in)** *m/(f)* (*infml*) troublemaker **Querulant** [kveru'lant] *m* ⟨***-en, -en***⟩, **Querulantin** [-'lantɪn] *f* ⟨***-, -nen***⟩ grumbler **Querverweis** *m* cross-reference

quetschen ['kvɛtʃn] **I** *v/t* (≈ *drücken*) to squash; (*aus einer Tube*) to squeeze; ***etw in etw*** (*acc*) ***~*** to squeeze sth into sth **II** *v/r* (≈ *sich zwängen*) to squeeze (oneself) **Quetschung** ['kvɛtʃʊŋ] *f* ⟨***-, -en***⟩, **Quetschwunde** *f* MED bruise

Quiche [kɪʃ] *f* ⟨***-, -s***⟩ COOK quiche

quicklebendig *adj* (*infml*) lively

quieken ['kviːkən] *v/i* to squeal **quietschen** ['kviːtʃn] *v/i* to squeak; (*Reifen, Mensch*) to squeal; *Bremsen* to screech **quietschvergnügt** *adj* (*infml*) happy as a sandboy

Quintett [kvɪn'tɛt] *nt* ⟨***-(e)s, -e***⟩ quintet

Quirl [kvɪrl] *m* ⟨***-s, -e***⟩ COOK whisk, beater **quirlig** ['kvɪrlɪç] *adj Mensch, Stadt* lively, exuberant

quitt [kvɪt] *adj* ***~ sein (mit jdm)*** to be quits (with sb); ***jdn/etw ~ sein*** (*dial*) to be rid of sb/sth
Quitte ['kvɪtə] *f* ⟨**-, -n**⟩ quince
quittieren [kvɪ'tiːrən] *past part* **quittiert I** *v/t* **1.** (≈ *bestätigen*) to give a receipt for; ***lassen Sie sich (dat) die Rechnung ~*** get a receipt for the bill **2.** (≈ *beantworten*) to counter (*mit* with) **3.** (≈ *verlassen*) *Dienst* to quit **II** *v/i* (≈ *bestätigen*) to sign
Quittung ['kvɪtʊŋ] *f* ⟨**-, -en**⟩ **1.** receipt; ***gegen ~*** on production of a receipt; ***jdm eine ~ für etw ausstellen*** to give sb a receipt for sth **2.** (*fig*) ***die ~ für etw bekommen*** *or* ***erhalten*** to pay the penalty for sth **Quittungsblock** *m, pl* ***-blöcke*** receipt book
Quiz [kvɪs] *nt* ⟨**-, -**⟩ quiz **Quizfrage** *f* quiz question **Quizmaster** ['kvɪsmaːstɐ] *m* ⟨**-s, -**⟩, **Quizmasterin** [-ərɪn] *f* ⟨**-, -nen**⟩ quizmaster **Quizsendung** *f* quiz show; (*mit Spielen*) gameshow
Quote ['kvoːtə] *f* ⟨**-, -n**⟩ (≈ *Anteilsziffer*) proportion; (≈ *Rate*) rate; TV *etc* ratings *pl* **Quotenregelung** *f* quota system
Quotient [kvo'tsiɛnt] *m* ⟨**-en, -en**⟩ quotient

R

R, r [ɛr] *nt* ⟨**-, -**⟩ R, r
Rabatt [ra'bat] *m* ⟨**-(e)s, -e**⟩ discount (*auf* on) **Rabattaktion** *nt* sale
Rabauke [ra'baukə] *m* ⟨**-n, -n**⟩ (*infml*) hooligan
Rabbi ['rabi] *m* ⟨**-(s), -s** *or* ***Rabbinen*** [ra'biːnən]⟩ rabbi **Rabbiner** [ra'biːnɐ] *m* ⟨**-s, -**⟩, **Rabbinerin** [-ərɪn] *f* ⟨**-, -en**⟩ rabbi
Rabe ['raːbə] *m* ⟨**-n, -n**⟩ raven **Rabeneltern** *pl* (*infml*) bad parents *pl* **Rabenmutter** *f, pl* ***-mütter*** (*infml*) bad mother **rabenschwarz** *adj Nacht* pitch-black; *Haare* jet-black; (*fig*) *Humor* black **Rabenvater** *m* (*infml*) bad father
rabiat [ra'biaːt] **I** *adj Kerl* violent; *Umgangston* aggressive; *Methoden, Konkurrenz* ruthless **II** *adv* (≈ *rücksichtslos*) roughly; *vorgehen* ruthlessly; (≈ *aggressiv*) violently
Rache ['raxə] *f* ⟨**-,** *no pl*⟩ revenge; ***~ schwören*** to swear vengeance; ***(an jdm) ~ nehmen*** *or* ***üben*** to take revenge (on *or* upon sb); ***etw aus ~ tun*** to do sth in revenge; ***~ ist süß*** (*prov*) revenge is sweet (*prov*) **Racheakt** *m* act of revenge *or* vengeance
Rachen ['raxn] *m* ⟨**-s, -**⟩ throat; (*von großen Tieren*) jaws *pl*; (*fig*) jaws *pl*, abyss; ***jdm etw in den ~ werfen*** (*infml*) to shove sth down sb's throat (*infml*)
rächen ['rɛçn] **I** *v/t jdn, Untat* to avenge (*etw an jdm* sth on sb) **II** *v/r* (*Mensch*) to get one's revenge (*an jdm für etw* on sb for sth); ***deine Faulheit wird sich ~*** you'll pay for being so lazy
Rachitis [ra'xiːtɪs] *f* ⟨**-, *Rachitiden*** [raxi'tiːdn]⟩ rickets **rachitisch** [ra'xiːtɪʃ] *adj Kind* with rickets
Rachsucht *f* vindictiveness **rachsüchtig** *adj* vindictive
Racker ['rakɐ] *m* ⟨**-s, -**⟩ (*infml: Kind*) rascal (*infml*) **rackern** ['rakɐn] *v/i & v/r* (*infml*) to slave (away) (*infml*)
Rad [raːt] *nt* ⟨**-(e)s, ⸚er** ['rɛːdɐ]⟩ **1.** wheel; ***ein ~ schlagen*** SPORTS to do a cartwheel; ***nur ein ~ im Getriebe sein*** (*fig*) to be only a cog in the works; ***unter die Räder kommen*** (*infml*) to get into bad ways; ***das fünfte ~ am Wagen sein*** (*infml*) to be in the way **2.** (≈ *Fahrrad*) bicycle, bike (*infml*); ***~ fahren*** to cycle; (*pej infml* ≈ *kriechen*) to suck up (*infml*)
Radar [ra'daːɐ, 'raːdaːɐ] *m or nt* ⟨**-s, -e**⟩ radar **Radarfalle** *f* speed trap **Radarkontrolle** *f* radar speed check **Radarschirm** *m* radar screen, radarscope **Radarstation** *f* radar station **Radarüberwachung** *f* radar monitoring
Radau [ra'dau] *m* ⟨**-s,** *no pl*⟩ (*infml*) racket (*infml*); ***~ machen*** to kick up a row; (≈ *Unruhe stiften*) to cause trouble; (≈ *Lärm machen*) to make a racket
Raddampfer *m* paddle steamer
radebrechen ['raːdəbrɛçn] *insep v/t* ***Englisch/Deutsch ~*** to speak broken English/German
radeln ['raːdln] *v/i aux sein* (*infml*) to cycle
Rädelsführer(in) ['rɛːdls-] *m/(f)* ring-

leader
radfahren ['ra:tfa:rən] *v/i sep irr aux sein*; → ***Rad*** **Radfahrer(in)** *m/(f)* **1.** cyclist **2.** (*pej infml*) crawler (*Br infml*), brown-noser (*esp US sl*) **Radfahrweg** *m* cycleway; (*in der Stadt*) cycle lane **Radgabel** *f* fork **Radhelm** *m* cycle helmet
Radi ['ra:di] *m* ⟨**s, -**⟩ (*S Ger, Aus*) white radish
radial [ra'dia:l] **I** *adj* radial **II** *adv* radially
Radiator [ra'dia:to:ɐ] *m* ⟨***-s, Radiatoren*** [-'to:rən]⟩ radiator
radieren [ra'di:rən] *past part* ***radiert*** *v/t & v/i* **1.** (*mit Radiergummi*) to erase **2.** ART to etch **Radiergummi** *m* rubber (*Br*), eraser (*esp US, form*) **Radierung** [ra-'di:rʊŋ] *f* ⟨***-, -en***⟩ ART etching
Radieschen [ra'di:sçən] *nt* ⟨**-s, -**⟩ radish
radikal [radi'ka:l] **I** *adj* radical **II** *adv* radically; *verneinen* categorically; ***etw ~ ablehnen*** to refuse sth flatly; ***~ gegen etw vorgehen*** to take radical steps against sth **Radikale(r)** [radi'ka:lə] *m/f(m) decl as adj* radical **radikalisieren** [radikali-'zi:rən] *past part* ***radikalisiert*** *v/t* to radicalize **Radikalisierung** *f* ⟨***-, -en***⟩ radicalization **Radikalismus** [radika-'lɪsmʊs] *m* ⟨*-, no pl*⟩ POL radicalism **Radikalkur** *f* (*infml*) drastic remedy
Radio ['ra:dio] *nt or* (*Swiss, S Ger also*) *m* ⟨***-s, -s***⟩ radio; ***~ hören*** to listen to the radio; ***im ~*** on the radio **radioaktiv** [radio|ak'ti:f] *adj* radioactive; ***~er Niederschlag*** (radioactive) fallout; ***~ verseucht*** contaminated with radioactivity **Radioaktivität** [radio|aktivi'tɛ:t] *f* radioactivity **Radioapparat** *m* radio (set) **Radiografie** [radiogra'fi:] *f* ⟨***-, -n*** [-'fi:ən]⟩ radiography **Radiologe** [radio-'lo:gə] *m* ⟨**-n, -n**⟩, **Radiologin** [-'lo:gɪn] *f* ⟨***-, -nen***⟩ MED radiologist **Radiologie** [radiolo'gi:] *f* ⟨*-, no pl*⟩ MED radiology **radiologisch** [radio'lo:gɪʃ] *adj* radiological **Radiorekorder** *m* radio recorder **Radiosender** *m* (≈ *Rundfunkanstalt*) radio station **Radiotherapie** *f* radiotherapy **Radiowecker** *m* radio alarm (clock)
Radium ['ra:diʊm] *nt* ⟨*-, no pl*⟩ radium
Radius ['ra:diʊs] *m* ⟨***-, Radien*** [-diən]⟩ radius
Radkappe *f* hubcap **Radlager** *nt* wheel bearing **Radler** ['ra:dlɐ] *m* ⟨**-s, -**⟩, **Radlerin** [-ərɪn] *f* ⟨***-, -nen***⟩ (*infml*) cyclist **Radrennbahn** *f* cycle (racing) track **Radrennen** *nt* cycle race **Radrennsport** *m* cycle racing **Radsport** *m* cycling **Radsportler(in)** *m/(f)* cyclist **Radtour** *f* bike ride; (*länger*) cycling tour **Radwandern** *nt* cycling tours *pl* **Radwechsel** *m* wheel change **Radweg** *m* cycleway
raffen ['rafn] *v/t* **1.** ***er will immer nur (Geld) ~*** he's always after money; ***etw an sich*** (*acc*) ***~*** to grab sth **2.** *Stoff* to gather **3.** (*zeitlich*) to shorten **4.** (*sl* ≈ *verstehen*) to get (*infml*) **Raffgier** ['rafgi:ɐ] *f* greed, avarice
Raffinade [rafi'na:də] *f* ⟨***-, -n***⟩ (*Zucker*) refined sugar **Raffinerie** [rafinə'ri:] *f* ⟨***-, -n*** [-'ri:ən]⟩ refinery **Raffinesse** [rafi'nɛsə] *f* ⟨***-, -n***⟩ **1.** (≈ *Feinheit*) refinement **2.** (≈ *Schlauheit*) cunning *no pl* **raffinieren** [rafi'ni:rən] *past part* ***raffiniert*** *v/t* to refine **raffiniert** [rafi'ni:ɐt] *adj* **1.** *Zucker, Öl* refined **2.** *Methoden* sophisticated; (*infml*) *Kleidung* stylish **3.** (≈ *schlau*) clever; (≈ *durchtrieben*) crafty
Rafting ['ra:ftɪŋ] *nt* ⟨*-, no pl*⟩ SPORTS (white-water) rafting
Rage ['ra:ʒə] *f* ⟨*-, no pl*⟩ (≈ *Wut*) rage; ***jdn in ~ bringen*** to infuriate sb
ragen ['ra:gn] *v/i* to rise, to loom
Ragout [ra'gu:] *nt* ⟨***-s, -s***⟩ ragout
Rahm [ra:m] *m* ⟨***-(e)s**, no pl*⟩ (*S Ger, Aus*) cream
rahmen ['ra:mən] *v/t* to frame; *Dias* to mount **Rahmen** ['ra:mən] *m* ⟨**-s, -**⟩ **1.** frame **2.** (*fig*) framework; (≈ *Atmosphäre*) setting; (≈ *Größe*) scale; ***den ~ für etw bilden*** to provide a backdrop for sth; ***im ~*** within the framework (*+gen* of); ***im ~ des Möglichen*** within the bounds of possibility; ***sich im ~ halten*** to keep within the limits; ***aus dem ~ fallen*** to be strikingly different; ***musst du denn immer aus dem ~ fallen!*** do you always have to show yourself up?; ***den ~ von etw sprengen*** to go beyond the scope of sth; ***in größerem/kleinerem ~*** on a large/small scale **Rahmenbedingung** *f* basic condition **Rahmenvertrag** *m* IND general agreement
rahmig ['ra:mɪç] *adj* (*dial*) creamy **Rahmspinat** *m* creamed spinach (*with sour cream*)
räkeln ['rɛ:kln] *v/r* = ***rekeln***
Rakete [ra'ke:tə] *f* ⟨***-, -n***⟩ rocket; MIL *auch* missile **Raketenabschussbasis** *f* MIL missile base; SPACE launch site (*Br*) **Raketenabwehr** *f* antimissile defence (*Br*)

or defense (*US*) **Raketenstützpunkt** *m* missile base **Raketenwerfer** *m* rocket launcher

Rallye ['rali, 'rɛli] *f* ⟨-, **-s**⟩ rally **Rallyefahrer(in)** *m*/(*f*) rally driver

RAM [ram] *nt* ⟨**-s, -s**⟩ IT RAM

Ramadan [rama'daːn] *m* ⟨**-(s), -e**⟩ Ramadan

rammeln ['ramln] **I** *v/t* → ***gerammelt*** **II** *v/i* HUNT to mate; (*sl*) to do it (*infml*)

rammen ['ramən] *v/t* to ram

Rampe ['rampə] *f* ⟨**-, -n**⟩ **1.** ramp **2.** THEAT forestage **Rampenlicht** *nt* THEAT footlights *pl*; (*fig*) limelight

ramponieren [rampo'niːrən] *past part* ***ramponiert*** *v/t* (*infml*) to ruin; *Möbel* to bash about (*infml*)

Ramsch [ramʃ] *m* ⟨**-(e)s,** *no pl*⟩ (*infml*) junk

ran [ran] *int* (*infml*) come on (*infml*); ***~ an die Arbeit!*** down to work; → ***heran***

Rand [rant] *m* ⟨**-es, ⸚er** ['rɛndɐ]⟩ **1.** edge; (*von Gefäß, Tasse*) top, rim; (*von Abgrund*) brink; ***voll bis zum ~*** full to the brim; ***am ~e*** *erwähnen* in passing; *interessieren* marginally; *miterleben* from the sidelines; ***am ~e des Wahnsinns*** on the verge of madness; ***am ~e eines Krieges*** on the brink of war; ***am ~e der Gesellschaft*** on the fringes of society **2.** (≈ *Umrandung*) border; (≈ *Brillenrand*) rim; (*von Hut*) brim; (≈ *Buchrand*) margin; ***etw an den ~ schreiben*** to write sth in the margin **3.** (≈ *Schmutzrand*) ring; (*um Augen*) circle **4.** (*fig*) ***sie waren außer ~ und Band*** they were going wild; ***zu ~e*** = ***zurande***

Randale [ran'daːlə] *f* ⟨-, *no pl*⟩ rioting; ***~ machen*** to riot **randalieren** [randa'liːrən] *past part* ***randaliert*** *v/i* to rampage (about); ***~de Studenten*** rioting students **Randalierer** [randa'liːrɐ] *m* ⟨**-s, -**⟩, **Randaliererin** [-ərɪn] *f* ⟨**-,-nen**⟩ hooligan

Randbemerkung *f* (*schriftlich: auf Seite*) note in the margin; (*mündlich, fig*) (passing) comment **Randerscheinung** *f* marginal matter **Randfigur** *f* minor figure **Randgruppe** *f* fringe group **randlos** **I** *adj Brille* rimless **II** *adv* IT *drucken* without margins **randvoll** *adj Glas* full to the brim; *Behälter* full to the top; (*fig*) *Programm* packed

Rang [raŋ] *m* ⟨**-(e)s, ⸚e** ['rɛŋə]⟩ **1.** MIL rank; (*in Firma, gesellschaftlich, in Wettbewerb*) place; ***alles, was ~ und Namen hat*** everybody who is anybody; ***jdm den ~ streitig machen*** (*fig*) to challenge sb's position; ***jdm den ~ ablaufen*** (*fig*) to outstrip sb; ***ein Künstler/Wissenschaftler von ~*** an artist/scientist of standing; ***von hohem ~*** high-class **2.** THEAT circle; ***erster/zweiter ~*** dress/upper circle, first/second circle (*US*) **3.** **Ränge** *pl* (SPORTS ≈ *Tribünenränge*) stands *pl*

rangehen ['rangeːən] *v/i sep irr aux sein* (*infml*) to get stuck in (*infml*); ***geh ran!*** go on!

Rangelei [raŋə'lai] *f* ⟨**-, -en**⟩ (*infml*) = ***Gerangel*** **rangeln** ['raŋln] (*infml*) *v/i* to scrap; (*um Posten*) to wrangle (*um* for)

Rangfolge *f* order of rank (*esp* MIL) *or* standing; (*in Sport, Wettbewerb*) order of placing; (*von Prioritäten etc*) order of importance **ranghoch** *adj* senior; MIL high-ranking **Rangierbahnhof** [rã'ʒiːɐ-] *m* marshalling (*Br*) *or* marshaling (*US*) yard **rangieren** [rã'ʒiːrən] *past part* ***rangiert*** **I** *v/t* RAIL to shunt (*Br*), to switch (*US*) **II** *v/i* (*infml* ≈ *Rang einnehmen*) to rank; ***an erster/letzter Stelle ~*** to come first/last **Rangliste** *f* (SPORTS, *fig*) (results) table **rangmäßig** **I** *adj* according to rank **II** *adv höher* in rank **Rangordnung** *f* hierarchy; MIL (order of) ranks

ranhalten ['ranhaltn] *v/r sep irr* (*infml*) **1.** (≈ *sich beeilen*) to get a move on (*infml*) **2.** (≈ *schnell zugreifen*) to get stuck in (*infml*)

Ranke ['raŋkə] *f* ⟨**-, -n**⟩ tendril; (*von Erdbeeren*) stalk **ranken** ['raŋkn] *v/r* ***sich um etw ~*** to entwine itself around sth

rankommen ['rankɔmən] *v/i sep irr aux sein* (*infml*) ***an etw*** (*acc*) ***~*** to get at sth; → ***herankommen*** **ranlassen** ['ranlasn] *v/t sep irr* (*infml*) ***jdn ~*** (*an Aufgabe etc*) to let sb have a try **rannehmen** ['ranneːmən] *v/t sep irr* (*infml*) **1.** (≈ *fordern*) ***jdn ~*** to put sb through his/her paces **2.** (≈ *aufrufen*) *Schüler* to pick on

Ranzen ['rantsn] *m* ⟨**-s, -**⟩ (≈ *Schulranzen*) satchel

ranzig ['rantsɪç] *adj* rancid

Rap [rɛp] *m* ⟨**-(s), -s**⟩ MUS rap

rapid(e) [ra'piːd(ə)] **I** *adj* rapid **II** *adv* rapidly

Rappe ['rapə] *m* ⟨**-n, -n**⟩ black horse

Rappel ['rapl] *m* ⟨**-s, -**⟩ (*infml* ≈ *Fimmel*) craze; ***einen ~ kriegen*** to go completely crazy; (≈ *Wutanfall*) to throw a fit **rappen** ['rɛpn] *v/i* MUS to rap **Rappen** ['rapn] *m* ⟨**-s, -**⟩ (*Swiss*) centime **Rapper** ['rɛpɐ] *m* ⟨**-s, -**⟩, **Rapperin** [-ərɪn] *f* ⟨**-, -nen**⟩ MUS rapper **Rapport** [ra'pɔrt] *m* ⟨**-(e)s, -e**⟩ report; ***sich zum ~ melden*** to report **Raps** [raps] *m* ⟨**-es, -e**⟩ BOT rape **Rapsöl** *nt* rape(seed) oil **rar** [raːɐ] *adj* rare; ***sich ~ machen*** = **rarmachen** **Rarität** [rari'tɛːt] *f* ⟨**-, -en**⟩ rarity **rarmachen** ['raːɐmaxn] *v/r sep* (*infml*, *infml*) to make oneself scarce **rasant** [ra'zant] **I** *adj Tempo* terrific, lightning *attr* (*infml*); *Auto* fast; *Karriere* meteoric; *Wachstum* rapid **II** *adv* **1.** (≈ *sehr schnell*) fast **2.** (≈ *stürmisch*) dramatically **rasch** [raʃ] **I** *adj* **1.** (≈ *schnell*) quick; *Tempo* great **2.** (≈ *übereilt*) rash **II** *adv* (≈ *schnell*) quickly; ***~ machen*** to hurry (up) **rascheln** ['raʃln] *v/i* to rustle **rasen** ['raːzn] *v/i* **1.** (≈ *wüten*) to rave; (*Sturm*) to rage; ***er raste vor Wut*** he was mad with rage **2.** *aux sein* (≈ *sich schnell bewegen*) to race; ***ras doch nicht so!*** (*infml*) don't go so fast! **Rasen** ['raːzn] *m* ⟨**-s, -**⟩ lawn, grass *no indef art*, *no pl*; (*von Sportplatz*) turf **rasend** **I** *adj* **1.** (≈ *enorm*) terrific; *Beifall* rapturous; *Eifersucht* burning; ***~e Kopfschmerzen*** a splitting headache **2.** (≈ *wütend*) furious; ***er macht mich noch ~*** he'll drive me crazy (*infml*) **II** *adv* (*infml*) terrifically; *schnell* incredibly; *wehtun* like mad (*infml*); *verliebt sein* madly (*infml*) **Rasenmäher** [-mɛːɐ] ⟨**-s, -**⟩ *m* lawn mower **Rasenplatz** *m* FTBL *etc* field; TENNIS grass court **Rasensprenger** [-ʃprɛŋɐ] *m* ⟨**-s, -**⟩ (lawn) sprinkler **Raser** ['raːzɐ] *m* ⟨**-s, -**⟩, **Raserin** [-ərɪn] *f* ⟨**-, -nen**⟩ (*infml*) speed maniac (*esp Br infml*), speed demon (*US infml*) **Raserei** [razə'rai] *f* ⟨**-, -en**⟩ **1.** (≈ *Wut*) fury **2.** (*infml* ≈ *schnelles Fahren*, *Gehen*) mad rush **Rasierapparat** *m* razor; (*elektrisch auch*) shaver **Rasiercreme** *f* shaving cream **rasieren** [ra'ziːrən] *past part* ***rasiert*** **I** *v/t Haare* to shave; ***sich ~ lassen*** to get a shave; ***sie rasiert sich*** (*dat*) ***die Beine*** she shaves her legs **II** *v/r* to (have a) shave **Rasierer** [ra'ziːrɐ] *m* ⟨**-s, -**⟩ (*infml*) (electric) razor *or* shaver **Rasierklinge** *f* razor blade **Rasiermesser** *nt* (open) razor **Rasierpinsel** *m* shaving brush **Rasierschaum** *m* shaving foam **Rasierseife** *f* shaving soap **Rasierwasser** *nt*, *pl* ***-wasser*** *or* ***-wässer*** aftershave (lotion) **Rasierzeug** *nt*, *pl* ***-zeuge*** shaving things *pl*

Räson [rɛ'zõː] *f* ⟨**-, *no pl***⟩ ***jdn zur ~ bringen*** to make sb listen to reason; ***zur ~ kommen*** to see reason **Raspel** ['raspl] *f* ⟨**-, -n**⟩ COOK grater **raspeln** ['raspln] *v/t* to grate; *Holz* to rasp **Rasse** ['rasə] *f* ⟨**-, -n**⟩ (≈ *Menschenrasse*) race; (≈ *Tierrasse*) breed **Rassehund** *m* pedigree dog **Rassel** ['rasl] *f* ⟨**-, -n**⟩ rattle **rasseln** ['rasln] *v/i* **1.** (≈ *Geräusch erzeugen*) to rattle **2.** *aux sein* (*infml*) ***durch eine Prüfung ~*** to flunk an exam (*infml*) **Rassendiskriminierung** *f* racial discrimination **Rassenhass** *m* race hatred **Rassenkonflikt** *m* racial conflict **Rassenkrawall** *m* race riot **Rassenpolitik** *f* racial policy **Rassenschranke** *f* racial barrier; (*Farbige betreffend*) colour (*Br*) *or* color (*US*) bar **Rassentrennung** *f* racial segregation **Rassenunruhen** *pl* racial disturbances *pl* **rassig** ['rasɪç] *adj Pferd*, *Auto* sleek; *Gesichtszüge* striking; *Südländer* fiery **rassisch** ['rasɪʃ] *adj* racial **Rassismus** [ra'sɪsmʊs] *m* ⟨**-, *no pl***⟩ racism **Rassist** [ra'sɪst] *m* ⟨**-en, -en**⟩, **Rassistin** [-'sɪstɪn] *f* ⟨**-, -nen**⟩ racist **rassistisch** [ra'sɪstɪʃ] *adj* racist **Rast** [rast] *f* ⟨**-, -en**⟩ rest; ***~ machen*** to stop (for a rest) **Raste** ['rastə] *f* ⟨**-, -n**⟩ notch **rasten** ['rastn] *v/i* to rest **Raster** ['rastɐ] *nt* ⟨**-s, -**⟩ (PHOT ≈ *Gitter*) screen; TV raster; (*fig*) framework **Rasterfahndung** *f* computer search **Rasthaus** *nt* (travellers' (*Br*) *or* travelers' (*US*)) inn; (*an Autobahn*: *a.* **Rasthof**) service area (*including motel*) **rastlos** **I** *adj* (≈ *unruhig*) restless; (≈ *unermüdlich*) tireless **II** *adv* tirelessly **Rastplatz** *m* resting place; (*an Autostraßen*) picnic area **Raststätte** *f* MOT service area **Rasur** [ra'zuːɐ] *f* ⟨**-, -en**⟩ shave; (≈ *das Rasieren*) shaving **Rat**[1] [raːt] *m* ⟨**-(e)s**⟩ **1.** *pl* ***Ratschläge***

['raːtʃlɛːgə] (≈ *Empfehlung*) advice *no pl*; ***jdm einen ~ geben*** to give sb a piece of advice; ***jdm den ~ geben, etw zu tun*** to advise sb to do sth; ***jdn um ~ fragen*** to ask sb's advice; ***sich ~ suchend an jdn wenden*** to turn to sb for advice; ***auf jds ~*** (*acc*) (***hin***) on *or* following sb's advice; ***zu ~e*** = ***zurate*** **2.** *no pl* (≈ *Abhilfe*) ***~ (für etw) wissen*** to know what to do (about sth); ***sie wusste sich*** (*dat*) ***keinen ~ mehr*** she was at her wits' end **3.** *pl* ***Räte*** ['rɛːtə] (≈ *Körperschaft*) council

Rat[2] *m* ⟨**-(e)s, ⸚e**⟩, **Rätin** ['rɛːtɪn] *f* ⟨**-, -nen**⟩ (≈ *Titel*) Councillor (*Br*), Councilor (*US*)

Rate ['raːtə] *f* ⟨**-, -n**⟩ **1.** (≈ *Geldbetrag*) instalment (*Br*), installment (*US*); ***auf ~n kaufen*** to buy on hire purchase (*Br*) *or* on the installment plan (*US*); ***in ~n zahlen*** to pay in instal(l)ments **2.** (≈ *Verhältnis*) rate

raten ['raːtn] *pret* ***riet*** [riːt], *past part* ***geraten*** [gə'raːtn] *v/t & v/i* **1.** (≈ *Ratschläge geben*) to advise; ***jdm ~*** to advise sb; (***jdm***) ***zu etw ~*** to recommend sth (to sb); ***das würde ich dir nicht ~*** I wouldn't advise it; ***was*** *or* ***wozu ~ Sie mir?*** what do you advise? **2.** (≈ *erraten*) to guess; *Kreuzworträtsel etc* to solve; ***rate mal!*** (have a) guess; ***dreimal darfst du ~*** I'll give you three guesses (*also iron*)

Ratenkauf *m* (≈ *Kaufart*) HP (*Br infml*), the installment plan (*US*) **ratenweise** *adv* in instalments (*Br*) *or* installments (*US*) **Ratenzahlung** *f* payment by instalments (*Br*) *or* installments (*US*)

Ratespiel *nt* guessing game; TV quiz

Ratgeber *m* (*Buch etc*) guide **Rathaus** *nt* town hall; (*einer Großstadt*) city hall

ratifizieren [ratifi'tsiːrən] *past part* ***ratifiziert*** *v/t* to ratify **Ratifizierung** *f* ⟨**-, -en**⟩ ratification

Ration [ra'tsioːn] *f* ⟨**-, -en**⟩ ration **rational** [ratsio'naːl] **I** *adj* rational **II** *adv* rationally **rationalisieren** [ratsionali'ziːrən] *past part* ***rationalisiert*** *v/t & v/i* to rationalize **Rationalisierung** *f* ⟨**-, -en**⟩ rationalization **Rationalisierungsmaßnahme** *f* rationalization measure **rationell** [ratsio'nɛl] **I** *adj Methode etc* efficient **II** *adv* efficiently **rationieren** [ratsio'niːrən] *past part* ***rationiert*** *v/t* to ration

ratlos I *adj* helpless; ***ich bin völlig ~(, was ich tun soll)*** I just don't know what to do **II** *adv* helplessly; ***einer Sache*** (*dat*) ***~ gegenüberstehen*** to be at a loss when faced with sth **Ratlosigkeit** *f* ⟨**-,** *no pl*⟩ helplessness

rätoromanisch [rɛtoro'maːnɪʃ] *adj* Rhaetian; *Sprache* Rhaeto-Romanic

ratsam ['raːtzaːm] *adj* advisable **Ratschlag** *m* piece of advice; ***Ratschläge*** advice; ***drei Ratschläge*** three pieces of advice

Rätsel ['rɛːtsl] *nt* ⟨**-s, -**⟩ riddle; (≈ *Kreuzworträtsel*) crossword (puzzle); (≈ *Silbenrätsel, Bilderrätsel etc*) puzzle; ***vor einem ~ stehen*** to be baffled; ***es ist mir ein ~, wie ...*** it's a mystery to me how ... **rätselhaft** *adj* mysterious; ***auf ~e Weise*** mysteriously **Rätselheft** *nt* puzzle book **rätseln** ['rɛːtsln] *v/i* to puzzle (over sth) **Rätselraten** *nt* ⟨**-s,** *no pl*⟩ guessing game; (≈ *Rätseln*) guessing

Ratte ['ratə] *f* ⟨**-, -n**⟩ rat **Rattenfänger(in)** *m/(f)* rat-catcher; ***der ~ von Hameln*** the Pied Piper of Hamelin **Rattengift** *nt* rat poison

rattern ['ratɐn] *v/i* to rattle; (*Maschinengewehr*) to chatter

ratzfatz ['rats'fats] *adv* (*infml: sehr schnell*) in no time, in a flash

rau [rau] *adj* **1.** rough; *Ton, Behandlung* harsh; ***er ist ~, aber herzlich*** he's a rough diamond **2.** *Hals, Kehle* sore; *Stimme* husky; (≈ *heiser*) hoarse **3.** (≈ *streng*) *Wetter* inclement; *Wind, Luft* raw; *See* rough; *Klima, Winter* harsh; (***die***) ***~e Wirklichkeit*** harsh reality **4.** (*infml*) ***in ~en Mengen*** galore (*infml*)

Raub [raup] *m* ⟨**-(e)s** [-bəs]⟩ *no pl* **1.** (≈ *das Rauben*) robbery; (≈ *Diebstahl*) theft **2.** (≈ *Entführung*) abduction **3.** (≈ *Beute*) booty, spoils *pl* **Raubbau** *m, no pl* overexploitation (of natural resources); ***~ an etw*** (*dat*) ***treiben*** to overexploit sth; ***mit seiner Gesundheit ~ treiben*** to ruin one's health **Raubdruck** *m, pl* ***-drucke*** pirate(d) copy **rauben** ['raubn] *v/t* (≈ *wegnehmen*) to steal; (≈ *entführen*) to abduct; ***jdm etw ~*** to rob sb of sth; ***jdm den Schlaf ~*** to rob sb of his/her sleep; ***jdm den Atem ~*** to take sb's breath away **Räuber** ['rɔybɐ] *m* ⟨**-s, -**⟩, **Räuberin** [-ərɪn] *f* ⟨**-, -nen**⟩ robber; (≈ *Wegelagerer*) highwayman **räuberisch** ['rɔybərɪʃ] *adj* rapacious; ***~e Erpressung*** JUR armed robbery; ***in ~er Absicht*** with intent to rob **Raub-**

fisch *m* predatory fish **Raubkatze** *f* (predatory) big cat **Raubkopie** *f* pirate(d) copy **Raubmord** *m* robbery with murder **Raubmörder(in)** *m/(f)* robber and murderer **Raubtier** *nt* predator, beast of prey **Raubüberfall** *m* robbery **Raubvogel** *m* bird of prey **Raubzug** *m* series *sg* of robberies; (≈ *Plünderung*) raid (*auf +acc* on)

Rauch [raux] *m* ⟨**-(e)s,** *no pl*⟩ smoke; ***sich in ~ auflösen*** (*fig*) to go up in smoke **Rauchbombe** *f* smoke bomb **rauchen** ['rauxn] *v/t & v/i* to smoke; ***„Rauchen verboten"*** "no smoking"; ***sich*** (*dat*) ***das Rauchen abgewöhnen*** to give up smoking; ***viel*** *or* ***stark ~*** to be a heavy smoker **Raucher** ['rauxɐ] *m* ⟨**-s, -**⟩, **Raucherin** [-ərɪn] *f* ⟨**-, -nen**⟩ smoker **Raucherabteil** *nt* smoking compartment **Raucherecke** *f* smokers' corner **Raucherhusten** *m* smoker's cough **Räucherkerze** ['rɔyçɐ-] *f* incense cone **Räucherlachs** ['rɔyçɐ-] *m* smoked salmon **Räuchermännchen** ['rɔyçɐ-] *nt wooden figure containing an incense cone* **räuchern** ['rɔyçɐn] *v/t* to smoke **Räucherschinken** *m* smoked ham **Räucherstäbchen** *nt* joss stick **Raucherzone** *f* smoking area **Rauchfahne** *f* trail of smoke **Rauchfleisch** *nt* smoked meat **rauchfrei** *adj Zone* smokeless **rauchig** ['rauxɪç] *adj* smoky **rauchlos** *adj* smokeless **Rauchmelder** *m* smoke alarm **Rauchschwaden** *pl* drifts *pl* of smoke **Rauchsignal** *nt* smoke signal **Rauchverbot** *nt* smoking ban; ***hier herrscht ~*** smoking is not allowed here **Rauchvergiftung** *f* fume poisoning **Rauchwaren**[1] *pl* tobacco (products *pl*) **Rauchwaren**[2] *pl* (≈ *Pelze*) furs *pl* **Rauchwolke** *f* cloud of smoke **Rauchzeichen** *nt* smoke signal

Räude ['rɔydə] *f* ⟨**-, -n**⟩ VET mange **räudig** ['rɔydɪç] *adj* mangy

rauf [rauf] *adv* (*infml*) → ***herauf***; → ***hinauf***

Raufasertapete *f* woodchip paper

Raufbold ['raufbɔlt] *m* ⟨**-(e)s, -e** [-də]⟩ (*dated*) ruffian, roughneck **raufen** ['raufn] **I** *v/t* ***sich*** (*dat*) ***die Haare ~*** to tear (at) one's hair **II** *v/i & v/r* to scrap; ***sich um etw ~*** to fight over sth **Rauferei** [raufə'rai] *f* ⟨**-, -en**⟩ scrap

rauh [rau] *adj* → ***rau***

Rauhaardackel *m* wire-haired dachshund **rauhaarig** *adj* coarse-haired **Rauheit** ['rauhait] *f* ⟨**-,** *no pl*⟩ roughness; (*von Hals, Kehle*) soreness; (*von Stimme*) huskiness; (≈ *Heiserkeit*) hoarseness; (*von Wind, Luft*) rawness; (*von Klima, Winter*) harshness

Raum [raum] *m* ⟨**-(e)s, *Räume*** ['rɔymə]⟩ **1.** *no pl* (≈ *Platz*) room, space; ***~ sparend*** space-saving *attr*; *bauen* to save space; ***auf engstem ~ leben*** to live in a very confined space **2.** (≈ *Spielraum*) scope **3.** (≈ *Zimmer*) room **4.** (≈ *Gebiet, Bereich*) area; (*größer*) region; (*fig*) sphere **5.** *no pl* PHYS, SPACE space *no art* **Raumanzug** *m* spacesuit

räumen ['rɔymən] *v/t* **1.** (≈ *verlassen*) *Gebäude, Posten* to vacate; (MIL: *Truppen*) to withdraw from **2.** (≈ *leeren*) *Gebäude, Straße* to clear (*von* of) **3.** (≈ *woanders hinbringen*) to shift; (≈ *entfernen*) *Schnee, Schutt* to clear (away); *Minen* to clear

Raumfähre *f* space shuttle **Raumfahrt** *f* space travel *no art or* flight *no art* **Raumfahrttechnik** *f* space technology **Räumfahrzeug** *nt* bulldozer; (*für Schnee*) snow-clearer **Raumflug** *m* space flight **Raumforschung** *f* space research **Raumgestaltung** *f* interior design **Rauminhalt** *m* volume **Raumkapsel** *f* space capsule **Raumklima** *nt* indoor climate, room temperature and air quality **räumlich** ['rɔymlɪç] **I** *adj* **1.** (≈ *den Raum betreffend*) spatial; ***~e Verhältnisse*** physical conditions; ***~e Entfernung*** physical distance **2.** (≈ *dreidimensional*) three-dimensional **II** *adv* **1.** (≈ *platzmäßig*) ***~ beschränkt sein*** to have very little room **2.** (≈ *dreidimensional*) ***~ sehen*** to see in three dimensions **Räumlichkeit** *f* ⟨**-, -en**⟩ (≈ *Zimmer*) room; ***~en*** *pl* premises *pl* **Raummaß** *nt* unit of volume **Raumpfleger(in)** *m/(f)* cleaner **Raumschiff** *nt* spaceship **Raumsonde** *f* space probe **raumsparend** *adj* → ***Raum*** **Raumstation** *f* space station

Räumung ['rɔymʊŋ] *f* ⟨**-, -en**⟩ clearing; (*von Gebäude, Posten*) vacation; (*von Lager*) clearance **Räumungsklage** *f* action for eviction **Räumungsverkauf** *m* clearance sale

raunen ['raunən] *v/t & v/i* (*liter*) to whisper

raunzen ['rauntsən] *v/i* (*Aus* ≈ *nörgeln*)

to moan
Raupe ['raupə] *f* ⟨**-, -n**⟩ caterpillar **Raupenfahrzeug** *nt* caterpillar® (vehicle) **Raupenkette** *f* caterpillar® track
Rauputz *m* roughcast **Raureif** *m* hoarfrost
raus [raus] *adv* (*infml*) **~!** (get) out!; → ***heraus***; → ***hinaus***
Rausch [rauʃ] *m* ⟨**-(e)s,** ***Räusche*** ['rɔyʃə]⟩ (≈ *Trunkenheit*) intoxication; (≈ *Drogenrausch*) high (*infml*); ***sich*** (*dat*) ***einen ~ antrinken*** to get drunk; ***seinen ~ ausschlafen*** to sleep it off **rauschen** ['rauʃn] *v/i* (*Wasser*) to roar; (*sanft*) to murmur; (*Baum, Wald*) to rustle; (*Wind*) to murmur; (*Lautsprecher etc*) to hiss **rauschend** *adj Fest* grand; *Beifall, Erfolg* resounding **Rauschgift** *nt* drug, narcotic; (≈ *Drogen*) drugs *pl*; ***~ nehmen*** to take drugs **Rauschgiftdezernat** *nt* narcotics *or* drug squad **Rauschgifthandel** *m* drug trafficking **Rauschgifthändler(in)** *m*/(*f*) drug trafficker **rauschgiftsüchtig** *adj* drug-addicted; ***er ist ~*** he's addicted to drugs **Rauschgiftsüchtige(r)** *m*/*f*(*m*) *decl as adj* drug addict
rausfliegen ['rausfliːgn] *v/i sep irr aux sein* (*infml*) to be chucked out (*infml*)
räuspern ['rɔyspɐn] *v/r* to clear one's throat
rausreißen ['rausraisn] *v/t sep irr* (*infml*) ***jdn ~*** to save sb **rausschmeißen** ['rausʃmaisn] *v/t sep irr* (*infml*) to chuck out (*infml*); *Geld* to chuck away (*infml*) **Rausschmeißer** ['rausʃmaisɐ] *m* ⟨**-s, -**⟩, **Rausschmeißerin** [-ərɪn] *f* ⟨**-, -nen**⟩ (*infml*) bouncer **Rausschmiss** ['rausʃmɪs] *m* (*infml*) booting out (*infml*)
Raute ['rautə] *f* ⟨**-, -n**⟩ MAT rhombus **rautenförmig** *adj* rhomboid
Ravioli [ravi'oːli] *pl* ravioli *sg*
Razzia ['ratsia] *f* ⟨**-,** ***Razzien*** [-tsiən]⟩ raid (*gegen* on)
Re [reː] *nt* ⟨**-s, -s**⟩ CARDS redouble
Reagenzglas *nt* CHEM test tube
reagieren [rea'giːrən] *past part* ***reagiert*** *v/i* to react (*auf +acc* to; *mit* with) **Reaktion** [reak'tsioːn] *f* ⟨**-, -en**⟩ reaction (*auf +acc* to) **reaktionär** [reaktsio'nɛːɐ] (POL *pej*) *adj* reactionary **Reaktionsfähigkeit** *f* ability to react; CHEM, PHYSIOL reactivity **reaktionsschnell** *adj* with fast reactions; ***~ sein*** to have fast reactions **Reaktionszeit** *f* reaction time
reaktivieren [reakti'viːrən] *past part* ***reaktiviert*** *v/t* SCI to reactivate; (*fig*) to revive
Reaktor [re'aktoːɐ] *m* ⟨**-s,** ***Reaktoren*** [-'toːrən]⟩ reactor **Reaktorblock** *m*, *pl* ***-blöcke*** reactor block **Reaktorkern** *m* reactor core **Reaktorsicherheit** *f* reactor safety **Reaktorunglück** *nt* nuclear disaster
real [re'aːl] **I** *adj* real; (≈ *wirklichkeitsbezogen*) realistic **II** *adv sinken, steigen* actually **Realeinkommen** *nt* real income **realisierbar** *adj Idee, Projekt* feasible **realisieren** [reali'ziːrən] *past part* ***realisiert*** *v/t* **1.** *Pläne, Ideen* to carry out **2.** (≈ *erkennen*) to realize **Realismus** [rea'lɪsmʊs] *m* ⟨**-,** *no pl*⟩ realism **Realist** [rea'lɪst] *m* ⟨**-en, -en**⟩, **Realistin** [-'lɪstɪn] *f* ⟨**-, -nen**⟩ realist **realistisch** [rea'lɪstɪʃ] **I** *adj* realistic **II** *adv* realistically **Realität** [reali'tɛːt] *f* ⟨**-, -en**⟩ reality **Realitätssinn** *m* sense of realism **Reality-TV** [ri'ɛlɪtitiːviː] *nt* reality TV **Reallohn** *m* real wages *pl* **Realpolitik** *f* political realism, Realpolitik **realpolitisch** *adj* pragmatic **Realsatire** *f* real-life satire **Realschule** *f* ≈ secondary school, ≈ secondary modern school (*Br*)
Rebe ['reːbə] *f* ⟨**-, -n**⟩ (≈ *Ranke*) shoot; (≈ *Weinstock*) vine
Rebell [re'bɛl] *m* ⟨**-en, -en**⟩, **Rebellin** [-'bɛlɪn] *f* ⟨**-, -nen**⟩ rebel **rebellieren** [rebɛ'liːrən] *past part* ***rebelliert*** *v/i* to rebel **Rebellion** [rebɛ'lioːn] *f* ⟨**-, -en**⟩ rebellion **rebellisch** [re'bɛlɪʃ] *adj* rebellious
Rebhuhn ['reːp-, 'rɛp-] *nt* (common) partridge **Rebstock** ['reːp-] *m* vine
Rechaud [re'ʃoː] *m or nt* ⟨**-s, -s**⟩ hotplate; (*für Fondue*) spirit burner (*Br*), ethanol burner (*US*)
Rechen ['rɛçn] *m* ⟨**-s, -**⟩ (≈ *Harke*) rake
Rechenart *f* ***die vier ~en*** the four arithmetical operations **Rechenaufgabe** *f* sum (*esp Br*), (arithmetical) problem **Rechenfehler** *m* miscalculation **Rechenmaschine** *f* adding machine
Rechenschaft ['rɛçnʃaft] *f* ⟨**-,** *no pl*⟩ account; ***jdm über etw*** (*acc*) ***~ ablegen*** to account to sb for sth; ***jdm ~ schuldig sein*** to have to account to sb; ***jdn*** (***für etw***) ***zur ~ ziehen*** to call sb to account (for *or* over sth) **Rechenschaftsbericht** *m* report

Rechenschieber *m* slide rule **Rechenzentrum** *nt* computer centre (*Br*) *or* center (*US*)

Recherche [re'ʃɛrʃə, rə-] *f* ⟨-, -n⟩ investigation **recherchieren** [reʃɛr'ʃiːrən, rə-] *past part* **recherchiert** *v/t & v/i* to investigate

rechnen ['rɛçnən] **I** *v/t* **1.** (≈ *addieren etc*) to work out; ***rund gerechnet*** in round figures **2.** (≈ *einstufen*) to count; ***jdn zu etw ~*** to count sb among sth **3.** (≈ *veranschlagen*) to estimate; ***wir hatten nur drei Tage gerechnet*** we were only reckoning on three days; ***das ist zu hoch/niedrig gerechnet*** that's too high/low (an estimate) **II** *v/i* **1.** (≈ *addieren etc*) to do a calculation/calculations; *esp* SCHOOL to do sums (*esp Br*) *or* adding; ***falsch ~*** to make a mistake (in one's calculations); ***gut/schlecht ~ können*** to be good/bad at arithmetic; *esp* SCHOOL to be good/bad at sums (*esp Br*) *or* adding; ***mit Variablen/Zahlen ~*** to do (the) calculations using variables/numbers **2.** (≈ *sich verlassen*) ***auf jdn/etw ~*** to count on sb/sth **3.** ***mit jdm/etw ~*** to reckon with sb/sth; ***es wird damit gerechnet, dass ...*** it is reckoned that ...; ***damit hatte ich nicht gerechnet*** I wasn't expecting that; ***mit dem Schlimmsten ~*** to be prepared for the worst **III** *v/r* to pay off; ***etw rechnet sich nicht*** sth is not economical **Rechnen** ['rɛçnən] *nt* ⟨*-s, no pl*⟩ arithmetic **Rechner** ['rɛçnɐ] *m* ⟨*-s, -*⟩ (≈ *Elektronenrechner*) computer; (≈ *Taschenrechner*) calculator **rechnergesteuert** [-gəʃtɔyɐt] *adj* computer-controlled **rechnergestützt** [-gəʃtʏtst] *adj* computer-aided **rechnerisch** *adj* arithmetical; POL *Mehrheit* numerical **Rechnung** ['rɛçnʊŋ] *f* ⟨-, -en⟩ **1.** (≈ *Berechnung*) calculation; (*als Aufgabe*) sum; ***die ~ geht nicht auf*** (*lit*) the sum doesn't work out; (*fig*) it won't work (out) **2.** (≈ *schriftliche Kostenforderung*) bill (*Br*), check (*US*); (*esp von Firma*) invoice; ***das geht auf meine ~*** this one's on me; ***auf ~ kaufen*** to buy on account; ***auf eigene ~*** on one's own account; ***(jdm) etw in ~ stellen*** to charge (sb) for sth; ***aber er hatte die ~ ohne den Wirt gemacht*** (*infml*) but there was one thing he hadn't reckoned with **Rechnungsbetrag** *m* (total) amount of a bill (*Br*) *or* check (*US*)/an invoice/account **Rechnungsjahr** *nt* financial *or* fiscal year **Rechnungspreis** *m* invoice price **Rechnungsprüfung** *f* audit

recht [rɛçt] **I** *adj* **1.** (≈ *richtig*) right; ***es soll mir ~ sein, mir solls ~ sein*** (*infml*) it's OK (*infml*) by me; ***ganz ~!*** quite right; ***alles, was ~ ist*** (*empört*) there is a limit; ***hier geht es nicht mit ~en Dingen zu*** there's something not right here; ***nach dem Rechten sehen*** to see that everything's OK (*infml*) **2.** ***~ haben*** to be right; ***er hat ~ bekommen*** he was right; ***~ behalten*** to be right; ***jdm ~ geben*** to agree with sb, to admit that sb is right **II** *adv* **1.** (≈ *richtig*) properly; (≈ *wirklich*) really; ***verstehen Sie mich ~*** don't get me wrong (*infml*); ***wenn ich Sie ~ verstehe*** if I understand you rightly; ***das geschieht ihm ~*** it serves him right; ***jetzt mache ich es erst ~*** now I'm definitely going to do it; ***gehe ich ~ in der Annahme, dass ...?*** am I right in assuming that ...?; ***man kann ihm nichts ~ machen*** you can't do anything right for him; ***~ daran tun, zu ...*** to be right to ... **2.** (≈ *ziemlich, ganz*) quite; ***~ viel*** quite a lot **Recht** [rɛçt] *nt* ⟨*-(e)s, -e*⟩ **1.** (≈ *Rechtsordnung*) law; (≈ *Gerechtigkeit*) justice; ***~ sprechen*** to administer justice; ***nach geltendem ~*** in law; ***nach englischem ~*** under *or* according to English law; ***von ~s wegen*** legally; (*infml* ≈ *eigentlich*) by rights (*infml*) **2.** (≈ *Anspruch*) right (*auf* +*acc* to, *zu* to); ***zu seinem ~ kommen*** (*lit*) to gain one's rights; (*fig*) to come into one's own; ***gleiches ~ für alle!*** equal rights for all!; ***mit or zu ~*** rightly; ***im ~ sein*** to be in the right; ***das ist mein gutes ~*** it's my right; ***mit welchem ~?*** by what right? **3.** ***~ haben*** *etc*; → ***recht***

Rechte ['rɛçtə] *f decl as adj* **1.** (*Hand*) right hand; (*Seite*) right(-hand) side; BOXING right **2.** POL ***die ~*** the Right **Rechteck** *nt* rectangle **rechteckig** *adj* rectangular **rechte(r, s)** ['rɛçtə] *adj attr* **1.** right; ***auf der ~n Seite*** on the right-hand side **2.** ***ein ~r Winkel*** a right angle **3.** (≈ *konservativ*) right-wing, rightist

rechtfertigen ['rɛçtfɛrtɪgn] *insep* **I** *v/t* to justify **II** *v/r* to justify oneself **Rechtfertigung** *f* justification; ***etw zur ~ vorbringen*** to say sth to justify oneself **rechthaberisch** ['rɛçthaːbərɪʃ] *adj* know-all *attr*

(*Br infml*), know-it-all *attr* (*US infml*) **rẹchtlich** ['rɛçtlɪç] **I** *adj* (≈ *gesetzlich*) legal **II** *adv* (≈ *gesetzlich*) legally; ***~ zulässig*** permissible in law; ***jdn ~ belangen*** to take legal action against sb **rẹchtlos** *adj* **1.** without rights **2.** *Zustand* lawless **rẹchtmäßig I** *adj* (≈ *legitim*) legitimate; (≈ *dem Gesetz entsprechend*) legal **II** *adv* legally; ***jdm ~ zustehen*** to belong to sb legally **Rẹchtmäßigkeit** ['rɛçtmɛːsɪçkait] *f* ⟨-, *no pl*⟩ (≈ *Legitimität*) legitimacy; (≈ *Legalität*) legality

rẹchts [rɛçts] **I** *adv* on the right; ***nach ~*** (to the) right; ***von ~*** from the right; ***~ von etw*** (on *or* to the) right of sth; ***~ von jdm*** to sb's right; ***~ stricken*** to knit (plain) **II** *prep +gen* on the right of **Rẹchtsabbieger** *m* ⟨**-s, -**⟩ motorist/car *etc* turning right

Rẹchtsanspruch *m* legal right **Rẹchtsanwalt** *m*, **Rẹchtsanwältin** *f* lawyer, attorney (*US*)

Rechtsaußen [-'|ausn] *m* ⟨**-, -**⟩ FTBL outside-right; (POL *infml*) extreme right-winger

Rẹchtsbehelf *m* legal remedy **Rẹchtsbeistand** *m* legal advice; (*Mensch*) legal adviser **Rẹchtsberater(in)** *m*/(*f*) legal adviser **Rẹchtsberatung** *f* **1.** legal advice **2.** (*a.* **Rechtsberatungsstelle**) ≈ citizens' advice bureau (*Br*), ≈ ACLU (*US*) **Rẹchtsbeugung** *f* perversion of the course of justice **Rẹchtsbrecher** *m* ⟨**-s, -**⟩, **Rẹchtsbrecherin** *f* ⟨**-, -nen**⟩ lawbreaker **Rẹchtsbruch** *m* breach *or* infringement of the law

rẹchtsbündig TYPO **I** *adj* right-aligned **II** *adv* aligned right

rẹchtschaffen ['rɛçtʃafn] *adj* (≈ *ehrlich*) honest **Rẹchtschaffenheit** *f* ⟨-, *no pl*⟩ honesty, uprightness **rẹchtschreiben** ['rɛçtʃraibn] *v/i inf only* to spell **Rẹchtschreibfehler** *m* spelling mistake **Rẹchtschreibkontrolle** *f*, **Rẹchtschreibprüfung** *f* IT spell check; (≈ *Programm*) spellchecker **Rẹchtschreibprogramm** *nt* IT spellchecker **Rẹchtschreibreform** *f* spelling reform **Rẹchtschreibung** *f* spelling

Rẹchtsextremist(in) *m*/(*f*) right-wing extremist

Rẹchtsfrage *f* legal question *or* issue **Rẹchtsgeschäft** *nt* legal transaction **rẹchtsgültig** *adj* legally valid, legal **Rẹchtshänder** [-hɛndɐ] *m* ⟨**-s, -**⟩, **Rẹchtshänderin** [-ərɪn] *f* ⟨**-, -nen**⟩ right-handed person, right-hander; ***~ sein*** to be right-handed **rẹchtshändig** *adj, adv* right-handed

Rẹchtskraft *f, no pl* (*von Gesetz, Urteil*) legal force, force of law; (*von Vertrag etc*) legal validity **rẹchtskräftig I** *adj* having the force of law; *Urteil* final; *Vertrag* legally valid **II** *adv* ***~ verurteilt sein*** to be issued with a final sentence

Rẹchtskurve *f* right-hand bend

Rẹchtslage *f* legal position **Rẹchtsmittel** *nt* means *sg* of legal redress; ***~ einlegen*** to lodge an appeal **Rẹchtsordnung** *f* ***die ~*** the law **Rẹchtspflege** *f* administration of justice **Rẹchtsprechung** ['rɛçtʃprɛçʊŋ] *f* ⟨**-, -en**⟩ (≈ *Rechtspflege*) administration of justice; (≈ *Gerichtsbarkeit*) jurisdiction

rẹchtsradikal *adj* radical right-wing **rẹchtsrheinisch** *adj* on the right of the Rhine

Rẹchtssache *f* legal matter; (≈ *Fall*) case **Rẹchtsschutz** *m* legal protection **Rẹchtsschutzversicherung** *f* legal costs insurance **Rẹchtssicherheit** *f, no pl* legal certainty; ***~ schaffen*** to create legal certainty **Rẹchtsspruch** *m* verdict **Rẹchtsstaat** *m* state under the rule of law **rẹchtsstaatlich** *adj* of a state under the rule of law **Rẹchtsstreit** *m* lawsuit **Rẹchtssystem** *nt* judicial system **Rẹchtsunsicherheit** *f* legal uncertainty **rẹchtsverbindlich** *adj* legally binding

Rẹchtsverkehr *m* driving on the right *no def art*; ***in Deutschland ist ~*** in Germany they drive on the right

Rẹchtsweg *m* legal action; ***den ~ beschreiten*** to take legal action; ***der ~ ist ausgeschlossen*** ≈ the judges' decision is final **rẹchtswidrig I** *adj* illegal **II** *adv* illegally **Rẹchtswidrigkeit** *f* **1.** *no pl* illegality **2.** (*Handlung*) illegal act

rẹchtwinklig *adj* right-angled

rẹchtzeitig I *adj* (≈ *früh genug*) timely; (≈ *pünktlich*) punctual **II** *adv* (≈ *früh genug*) in (good) time; (≈ *pünktlich*) on time

Rẹck [rɛk] *nt* ⟨**-(e)s, -e**⟩ SPORTS horizontal bar **rẹcken** ['rɛkn] **I** *v/t* ***den Kopf*** *or* ***Hals ~*** to crane one's neck; ***die Arme in die Höhe ~*** to raise one's arms in the air **II** *v/r* to stretch (oneself)

Recorder [re'kɔrdɐ] *m* ⟨**-s, -**⟩; → ***Rekorder***

recycelbar, recyclebar [riː'saɪkəlbaːɐ] *adj* recyclable **recyceln** [riː'saikln] *past part* ***recycelt*** [riː'saiklt] *v/t* to recycle **Recycling** [riː'saiklɪŋ] *nt* ⟨***-s,*** *no pl*⟩ recycling **Recyclinghof** *m* transfer facility for recyclable waste **Recyclingpapier** *nt* recycled paper

Redakteur [redak'tøːɐ] *m* ⟨***-s, -e***⟩, **Redakteurin** [-'tøːrɪn] *f* ⟨***-, -nen***⟩ editor **Redaktion** [redak'tsioːn] *f* ⟨***-, -en***⟩ **1.** (≈ *das Redigieren*) editing **2.** (≈ *Personal*) editorial staff **3.** (≈ *Büro*) editorial office(s) **redaktionell** [redaktsio'nɛl] **I** *adj* editorial **II** *adv überarbeiten* editorially; ***etw ~ bearbeiten*** to edit sth

Rede ['reːdə] *f* ⟨***-, -n***⟩ **1.** speech; (≈ *Ansprache*) address; ***eine ~ halten*** to make a speech; ***direkte/indirekte ~*** direct/indirect speech *or* discourse (*US*) **2.** (≈ *Äußerungen, Worte*) words *pl*, language *no pl*; ***große ~n führen*** to talk big (*infml*); ***das ist nicht der ~ wert*** it's not worth mentioning **3.** (≈ *Gespräch*) conversation; ***aber davon war doch nie die ~*** but no-one was ever talking about that; ***davon kann keine ~ sein*** it's out of the question **4.** (≈ *Rechenschaft*) ***(jdm) ~ (und Antwort) stehen*** to justify oneself (to sb); ***jdn zur ~ stellen*** to take sb to task **Redefreiheit** *f* freedom of speech **redegewandt** *adj* eloquent **Redegewandtheit** *f* eloquence **reden** ['reːdn] **I** *v/i* (≈ *sprechen*) to talk, to speak; ***so lasse ich nicht mit mir ~!*** I won't be spoken to like that!; ***mit jdm über jdn/etw ~*** to talk to sb about sb/sth; ***(viel) von sich ~ machen*** to become (very much) a talking point; ***du hast gut ~!*** it's all very well for you (to talk); ***ich habe mit Ihnen zu ~!*** I would like a word with you; ***darüber lässt sich ~*** that's a possibility; ***er lässt mit sich ~*** (≈ *gesprächsbereit*) he's open to discussion; ***schlecht von jdm ~*** to speak ill of sb **II** *v/t* (≈ *sagen*) to talk; *Worte* to say; ***sich*** (*dat*) ***etw vom Herzen ~*** to get sth off one's chest; ***Schlechtes über jdn ~*** to say bad things about sb **III** *v/r* ***sich heiser ~*** to talk oneself hoarse; ***sich in Wut ~*** to talk oneself into a fury **Redensart** *f* (≈ *Phrase*) cliché; (≈ *Redewendung*) expression; (≈ *Sprichwort*) saying **Redeverbot** *nt* ban on speaking; ***jdm ~ erteilen*** to ban sb from speaking **Redewendung** *f* idiom

redigieren [redi'giːrən] *past part* ***redigiert*** *v/t* to edit

redlich ['reːtlɪç] **I** *adj* honest **II** *adv* (≈ *ehrlich*) honestly; ***~ (mit jdm) teilen*** to share (things) equally (with sb) **Redlichkeit** *f* ⟨***-,*** *no pl*⟩ honesty

Redner ['reːdnɐ] *m* ⟨***-s, -***⟩, **Rednerin** [-ərɪn] *f* ⟨***-, -nen***⟩ speaker; (≈ *Rhetoriker*) orator **Rednerpult** *nt* lectern **redselig** ['reːtzeːlɪç] *adj* talkative

reduzieren [redu'tsiːrən] *past part* ***reduziert*** **I** *v/t* to reduce (*auf +acc* to) **II** *v/r* to decrease **Reduzierung** *f* ⟨***-, -en***⟩ reduction

Reede ['reːdə] *f* ⟨***-, -n***⟩ NAUT roads *pl* **Reeder** ['reːdɐ] *m* ⟨***-s, -***⟩, **Reederin** [-ərɪn] *f* ⟨***-, -en***⟩ shipowner **Reederei** [reːdə'rai] *f* ⟨***-, -en***⟩ shipping company

reell [re'ɛl] *adj* **1.** (≈ *ehrlich*) honest, on the level (*infml*); COMM *Geschäft, Firma* sound; *Preis* fair **2.** (≈ *echt*) *Chance* real

Reetdach *nt* thatched roof

Referat [refe'raːt] *nt* ⟨***-(e)s, -e***⟩ **1.** UNIV seminar paper; SCHOOL project; (≈ *Vortrag*) paper **2.** (ADMIN ≈ *Ressort*) department **Referendar** [referɛn'daːɐ] *m* ⟨***-s, -e***⟩, **Referendarin** [-'daːrɪn] *f* ⟨***-, -nen***⟩ trainee (in civil service); (≈ *Studienreferendar*) student teacher; (≈ *Gerichtsreferendar*) articled clerk (*Br*), legal intern (*US*) **Referendariat** [referɛnda'riaːt] *nt* ⟨***-(e)s, -e***⟩ *probationary training period* **Referendum** [refe'rɛndʊm] *nt* ⟨***-s, Referenden*** *or* ***Referenda*** [-dn, -da]⟩ referendum **Referent** [refe'rɛnt] *m* ⟨***-en, -en***⟩, **Referentin** [-'rɛntɪn] *f* ⟨***-, -nen***⟩ (≈ *Sachbearbeiter*) expert; (≈ *Redner*) speaker **Referenz** [refe'rɛnts] *f* ⟨***-, -en***⟩ reference; ***jdn als ~ angeben*** to give sb as a referee **Referenzkurs** *m* ECON reference rate **referieren** [refe'riːrən] *past part* ***referiert*** *v/i* to (give a) report (*über +acc* on)

reflektieren [reflɛk'tiːrən] *past part* ***reflektiert*** **I** *v/t* **1.** (*widerspiegeln*) to reflect **2.** (*überdenken*) to reflect on **II** *v/i* **1.** PHYS to reflect **2.** (≈ *nachdenken*) to reflect (*über +acc* (up)on) **Reflektor** [re'flɛktoːɐ] *m* ⟨***-s, Reflektoren*** [-'toːrən]⟩ reflector **Reflex** [re'flɛks] *m* ⟨***-es, -e***⟩ **1.** PHYS reflection **2.** PHYSIOL reflex **Reflexbewegung** *f* reflex action **reflexiv** [reflɛ'ksiːf] *adj* GRAM reflexive **Reflexivpronomen** *nt* reflexive pronoun **Reflexzonenmassage** *f* reflexology

Reform [re'fɔrm] *f* ⟨-, *-en*⟩ reform **reformbedürftig** *adj* in need of reform **Reformhaus** *nt* health-food shop **reformieren** [refɔr'miːrən] *past part* ***reformiert*** *v/t* to reform **reformiert** [refɔr'miːɐt] *adj* ECCL Reformed; (*Swiss*) Protestant **Reformkurs** *m* policy of reform **Reformstau** *m* POL reform bottleneck

Refrain [rə'frɛ̃ː, re-] *m* ⟨*-s, -s*⟩ MUS chorus

Regal [re'gaːl] *nt* ⟨*-s, -e*⟩ (≈ *Bord*) shelves *pl* **Regalwand** *f* wall unit; (≈ *Regale*) wall-to-wall shelving

Regatta [re'gata] *f* ⟨-, ***Regatten*** [-tn]⟩ regatta

rege ['reːgə] *adj* **1.** (≈ *betriebsam*) busy; *Handel* flourishing; ***ein ~s Treiben*** a hustle and bustle **2.** (≈ *lebhaft*) lively; *Fantasie* vivid

Regel ['reːgl] *f* ⟨-, *-n*⟩ **1.** (≈ *Norm*) rule; (≈ *Verordnung*) regulation; ***nach allen ~n der Kunst*** (*fig*) thoroughly **2.** (≈ *Gewohnheit*) habit; ***sich*** (*dat*) ***etw zur ~ machen*** to make a habit of sth; ***zur ~ werden*** to become a habit **3.** (≈ *Monatsblutung*) period **Regelarbeitszeit** *f* core working hours *pl* **regelbar** *adj* (≈ *steuerbar*) adjustable **Regelblutung** *f* (monthly) period **Regelfall** *m* rule; ***im ~*** as a rule **regelmäßig** **I** *adj* regular **II** *adv* regularly; ***das Herz schlägt ~*** the heartbeat is normal; ***~ spazieren gehen*** to take regular walks; ***er kommt ~ zu spät*** he's always late **Regelmäßigkeit** ['reːglmɛːsɪçkait] *f* ⟨-, *no pl*⟩ regularity **regeln** ['reːgln] **I** *v/t* **1.** (≈ *regulieren*) *Prozess, Temperatur* to regulate; *Verkehr* to control; → ***geregelt*** **2.** (≈ *erledigen*) to see to; *Problem etc* to sort out; *Nachlass* to settle; *Finanzen* to put in order; ***das werde ich schon ~*** I'll see to it; ***gesetzlich geregelt sein*** to be laid down by law **II** *v/r* to sort itself out **regelrecht** **I** *adj* real; *Betrug etc* downright **II** *adv* really; *unverschämt* downright; (≈ *buchstäblich*) literally **Regelung** ['reːgəlʊŋ] *f* ⟨-, *-en*⟩ **1.** (≈ *Regulierung*) regulation **2.** (≈ *Erledigung*) settling **3.** (≈ *Abmachung*) arrangement; (≈ *Bestimmung*) ruling; ***gesetzliche ~en*** legal *or* statutory regulations **Regelwerk** *nt* rules (and regulations) *pl*, set of rules **regelwidrig** *adj* against the rules; ***~es Verhalten im Verkehr*** breaking the traffic regulations **Regelwidrigkeit** *f* irregularity

regen ['reːgn] **I** *v/t* (≈ *bewegen*) to move; ***keinen Finger (mehr) ~*** (*fig*) not to lift a finger (any more) **II** *v/r* to stir; ***er kann sich kaum ~*** he is hardly able to move

Regen ['reːgn] *m* ⟨*-s, -*⟩ rain; (*fig: von Schimpfwörtern etc*) shower; ***ein warmer ~*** (*fig*) a windfall; ***jdn im ~ stehen lassen*** (*fig*) to leave sb out in the cold; ***vom ~ in die Traufe kommen*** (*prov*) to jump out of the frying pan into the fire (*prov*) **regenarm** *adj Jahreszeit, Gegend* dry **Regenbogen** *m* rainbow **Regenbogenfarben** *pl* colours *pl* (*Br*) *or* colors *pl* (*US*) of the rainbow **Regenbogenforelle** *f* rainbow trout **Regenbogenpresse** *f* trashy (*infml*) magazines *pl*

Regeneration [regenera'tsioːn] *f* regeneration **regenerieren** [regene'riːrən] *past part* ***regeneriert*** **I** *v/r* BIOL to regenerate; (*fig*) to revitalize oneself / itself **II** *v/t* to regenerate

Regenfall *m usu pl* (fall of) rain; ***heftige Regenfälle*** heavy rain **Regenguss** *m* downpour **Regenmantel** *m* raincoat, mac (*Br infml*) **regenreich** *adj Jahreszeit, Region* rainy, wet **Regenrinne** *f* gutter **Regenschauer** *m* shower (of rain) **Regenschirm** *m* umbrella

Regent [re'gɛnt] *m* ⟨*-en, -en*⟩, **Regentin** [-'gɛntɪn] *f* ⟨-, *-nen*⟩ sovereign; (≈ *Stellvertreter*) regent

Regentag *m* rainy day **Regentonne** *f* rain barrel **Regentropfen** *m* raindrop **Regenwald** *m* GEOG rain forest **Regenwasser** *nt, no pl* rainwater **Regenwetter** *nt* rainy weather **Regenwolke** *f* rain cloud **Regenwurm** *m* earthworm **Regenzeit** *f* rainy season

Reggae ['rɛgeː] *m* ⟨-(*s*), *no pl*⟩ reggae

Regie [re'ʒiː] *f* ⟨-, *no pl*⟩ **1.** (≈ *künstlerische Leitung*) direction; THEAT, RADIO, TV production; ***die ~ bei etw führen*** to direct / produce sth; (*fig*) to be in charge of sth; ***unter der ~ von*** directed / produced by **2.** (≈ *Verwaltung*) management; ***unter jds ~*** (*dat*) under sb's control **Regieanweisung** *f* (stage) direction **Regieassistent(in)** *m*/(*f*) assistant director; THEAT, RADIO, TV *auch* assistant producer

regieren [re'giːrən] *past part* ***regiert*** **I** *v/i* (≈ *herrschen*) to rule; (*fig*) to reign **II** *v/t Staat* to rule (over); GRAM to govern; ***SPD-regierte Länder*** states governed by the SPD **Regierung** [re'giːrʊŋ] *f* ⟨-,

-en⟩ government; (*von Monarch*) reign; ***an die ~ kommen*** to come to power; ***jdn an die ~ bringen*** to put sb into power **Regierungsbezirk** *m* ≈ region (*Br*), ≈ county (*US*) **Regierungschef(in)** *m*/(*f*) head of a/the government **Regierungserklärung** *f* inaugural speech; (*in GB*) King's/Queen's Speech **regierungsfeindlich** *adj* anti-government *no adv* **Regierungsform** *f* form of government **Regierungskrise** *f* government(al) crisis **Regierungssitz** *m* seat of government **Regierungssprecher(in)** *m*/(*f*) government spokesperson **Regierungsumbildung** *f* cabinet reshuffle **Regierungswechsel** *m* change of government

Regime [re'ʒiːm] *nt* ⟨***-s, -s***⟩ (*pej*) regime **Regimegegner(in)** *m*/(*f*) opponent of the regime **Regimekritiker(in)** *m*/(*f*) critic of the regime

Regiment [regi'mɛnt] *nt* ⟨***-(e)s, -e*** *or* (*Einheit*) ***-er***⟩ MIL regiment

Region [re'gioːn] *f* ⟨***-, -en***⟩ region **regional** [regio'naːl] **I** *adj* regional **II** *adv* regionally; ***~ verschieden sein*** to vary from one region to another **Regionalbahn** *f* RAIL local railway (*Br*) *or* railroad (*US*) **Regionalverkehr** *m* regional transport *or* transportation (*esp US*) **Regionalzug** *m* local train

Regisseur [reʒɪ'søːɐ] *m* ⟨***-s, -e***⟩, **Regisseurin** [-'søːrɪn] *f* ⟨***-, -nen***⟩ director; THEAT, TV producer

Register [re'gɪstɐ] *nt* ⟨***-s, -***⟩ **1.** (≈ *amtliche Liste*) register **2.** (≈ *Stichwortverzeichnis*) index **3.** MUS register; (*von Orgel*) stop; ***alle ~ ziehen*** (*fig*) to pull out all the stops **Registertonne** *f* NAUT register ton **registrieren** [regɪs'triːrən] *past part* ***registriert*** *v/t* **1.** (≈ *erfassen*) to register **2.** (≈ *feststellen*) to note **Registrierkasse** *f* cash register **Registrierung** *f* ⟨***-, -en***⟩ registration

reglementieren [reglemen'tiːrən] *past part* ***reglementiert*** *v/t* to regulate; ***staatlich reglementiert*** state-regulated

Regler ['reːglɐ] *m* ⟨***-s, -***⟩ regulator; (*an Fernseher etc*) control; (*von Fernsteuerung*) control(ler)

reglos ['reːkloːs] *adj, adv* motionless

regnen ['reːgnən] *v/t & v/i impers* to rain; ***es regnet Proteste*** protests are pouring in; ***es regnete Vorwürfe*** reproaches hailed down **regnerisch** ['reːgnərɪʃ] *adj* rainy

Regress [re'grɛs] *m* ⟨***-es, -e***⟩ JUR recourse; ***~ anmelden*** to seek recourse **regresspflichtig** [-pflɪçtɪç] *adj* liable for compensation

regsam ['reːkzaːm] *adj* active; ***geistig ~*** mentally active

regulär [regu'lɛːɐ] *adj* (≈ *üblich*) normal; (≈ *vorschriftsmäßig*) proper; *Arbeitszeit* normal; ***die ~e Spielzeit*** SPORTS normal time **regulierbar** *adj* regul(at)able, adjustable **regulieren** [regu'liːrən] *past part* ***reguliert*** *v/t* (≈ *einstellen*) to regulate; (≈ *nachstellen*) to adjust **Regulierung** *f* ⟨***-, -en***⟩ regulation; (≈ *Nachstellung*) adjustment **Regulierungsbehörde** *f* regulatory body

Regung ['reːgʊŋ] *f* ⟨***-, -en***⟩ (≈ *Bewegung*) movement; (*des Gewissens etc*) stirring; ***ohne jede ~*** without a flicker (of emotion) **regungslos** *adj, adv* motionless

Reh [reː] *nt* ⟨***-s, -e***⟩ deer; (*im Gegensatz zu Hirsch etc*) roe deer

Rehabilitation [rehabilita'tsioːn] *f* rehabilitation; (*von Ruf, Ehre*) vindication **Rehabilitationsklinik** *f* rehabilitation clinic **rehabilitieren** [rehabili'tiːrən] *past part* ***rehabilitiert*** **I** *v/t* to rehabilitate **II** *v/r* to rehabilitate oneself

Rehbock *m* roebuck **Rehbraten** *m* roast venison **Rehkeule** *f* COOK haunch of venison **Rehrücken** *m* COOK saddle of venison

Reibach ['raibax] *m* ⟨***-s,*** *no pl*⟩ (*infml*) ***einen ~ machen*** (*infml*) to make a killing (*infml*)

Reibe ['raibə] *f* ⟨***-, -n***⟩ COOK grater **Reibekuchen** *m* (COOK *dial*) ≈ potato fritter **reiben** ['raibn] *pret* ***rieb*** [riːp], *past part* ***gerieben*** [gə'riːbn] **I** *v/t* **1.** (≈ *frottieren*) to rub; ***sich*** (*dat*) ***die Augen ~*** to rub one's eyes **2.** (≈ *zerkleinern*) to grate **II** *v/i* **1.** ***an etw*** (*dat*) ***~*** to rub sth **2.** (≈ *zerkleinern*) to grate **III** *v/r* to rub oneself (*an +dat* on, against); (≈ *sich verletzen*) to scrape oneself (*an +dat* on) **Reiberei** [raibə'rai] *f* ⟨***-, -en***⟩ *usu pl* (*infml*) friction *no pl*; (***kleinere***) ***~en*** (short) periods of friction **Reibung** ['raibʊŋ] *f* ⟨***-, -en***⟩ **1.** (≈ *das Reiben*) rubbing; PHYS friction **2.** (*fig*) friction *no pl* **reibungslos** **I** *adj* frictionless; (*fig infml*) trouble-free **II** *adv* (≈ *problemlos*) smoothly; ***~ verlaufen*** to go off smoothly

reich [raiç] **I** *adj* rich; (≈ *vielfältig*) copious; *Auswahl* wide; ***in ~em Maße vorhanden sein*** to abound **II** *adv* ***~ heiraten*** (*infml*) to marry (into) money; ***jdn ~ belohnen*** to reward sb well; ***~ illustriert*** richly illustrated **Reich** [raiç] *nt* ⟨**-(e)s, -e**⟩ **1.** (≈ *Imperium*) empire; (≈ *Königreich*) realm; ***das Dritte ~*** the Third Reich **2.** (≈ *Gebiet*) realm; ***das ~ der Tiere*** the animal kingdom; ***das ist mein ~*** (*fig*) that is my domain **reichen** ['raiçn] **I** *v/i* **1.** (≈ *sich erstrecken*) to reach (*bis zu etw* sth); ***der Garten reicht bis ans Ufer*** the garden stretches right down to the riverbank; ***so weit ~ meine Fähigkeiten nicht*** my skills are not that wide-ranging **2.** (≈ *langen*) to be enough; ***der Zucker reicht nicht*** there won't be enough sugar; ***reicht das Licht zum Lesen?*** is there enough light to read by?; ***mir reichts*** (*infml*) (≈ *habe die Nase voll*) I've had enough (*infml*); ***jetzt reichts (mir aber)!*** that's the last straw! **II** *v/t* (≈ *entgegenhalten*) to hand; (≈ *anbieten*) to serve; ***jdm die Hand ~*** to hold out one's hand to sb **reichhaltig** *adj* extensive; *Auswahl* wide, large; *Essen* rich; *Programm* varied **reichlich** ['raiçlıç] **I** *adj* ample, large; *Vorrat* plentiful; *Portion* generous; *Zeit, Geld, Platz* plenty of; *Belohnung* ample **II** *adv* **1.** *belohnen* amply; *verdienen* richly; ***jdn ~ beschenken*** to give sb lots of presents; ***~ Trinkgeld geben*** to tip generously; ***~ Zeit/Geld haben*** to have plenty of *or* ample time/money; ***~ vorhanden sein*** to abound **2.** (*infml* ≈ *ziemlich*) pretty **Reichstag** *m* Parliament **Reichtum** ['raiçtu:m] *m* ⟨**-s, *Reichtümer*** [-ty:mɐ]⟩ **1.** wealth *no pl*; (≈ *Besitz*) riches *pl*; ***zu ~ kommen*** to become rich **2.** (*fig* ≈ *Fülle*) wealth (*an +dat* of); ***der ~ an Fischen*** the abundance of fish **Reichweite** *f* range; (≈ *greifbare Nähe*) reach; (*fig* ≈ *Einflussbereich*) scope; ***außer ~*** out of range; (*fig*) out of reach

reif [raif] *adj Früchte* ripe; *Mensch* mature; ***in ~(er)em Alter*** in one's mature(r) years; ***die Zeit ist ~*** the time is ripe; ***eine ~e Leistung*** (*infml*) a brilliant achievement; ***für etw ~ sein*** (*infml*) to be ready for sth

Reif[1] [raif] *m* ⟨**-(e)s**, *no pl*⟩ (≈ *Raureif*) hoarfrost

Reif[2] *m* ⟨**-(e)s, -e**⟩ (≈ *Stirnreif*) circlet; (≈ *Armreif*) bangle

Reife ['raifə] *f* ⟨**-**, *no pl*⟩ (≈ *das Reifen*) ripening; (≈ *das Reifsein*) ripeness; (*fig*) maturity **reifen** *v/i aux sein* (*Obst*) to ripen; (*Mensch*) to mature

Reifen ['raifn] *m* ⟨**-s, -**⟩ tyre (*Br*), tire (*US*); (*von Fass*) hoop **Reifendruck** *m*, *pl* **-drücke** tyre (*Br*) *or* tire (*US*) pressure **Reifenpanne** *f* puncture (*Br*), flat (*infml*); (*geplatzt auch*) blowout (*infml*) **Reifenwechsel** *m* tyre (*Br*) *or* tire (*US*) change

Reifeprüfung *f* SCHOOL → ***Abitur*** **Reifezeugnis** *nt* SCHOOL *Abitur certificate*, ≈ A Level certificate (*Br*), ≈ high school diploma (*US*)

Reifglätte *f* MOT slippery frost

reiflich ['raiflıç] **I** *adj* thorough; ***nach ~er Überlegung*** after careful consideration **II** *adv* ***sich*** (*dat*) ***etw ~ überlegen*** to consider sth carefully

Reigen ['raign] *m* ⟨**-s, -**⟩ round dance; (*fig elev*) round; ***den ~ eröffnen*** (*fig elev*) to lead off; ***ein bunter ~ von Melodien*** a varied selection of melodies

Reihe ['raiə] *f* ⟨**-, -n**⟩ **1.** row; ***sich in einer ~ aufstellen*** to line up; ***aus der ~ tanzen*** (*fig infml*) to be different; (≈ *gegen Konventionen verstoßen*) to step out of line; ***in den eigenen ~n*** within our/their *etc* own ranks; ***er ist an der ~*** it's his turn; ***der ~ nach*** in order, in turn; ***außer der ~*** out of order; (≈ *zusätzlich*) out of the usual way of things **2.** (≈ *Serie*) series *sg* **3.** (≈ *unbestimmte Anzahl*) number; ***eine ganze ~ (von)*** a whole lot (of) **4.** (*infml* ≈ *Ordnung*) ***aus der ~ kommen*** (≈ *in Unordnung geraten*) to get out of order; ***jdn aus der ~ bringen*** to confuse sb; ***in die ~ bringen*** to put in order; ***etw auf die ~ kriegen*** (*infml*) to handle sth **reihen** ['raiən] **I** *v/t* ***Perlen auf eine Schnur ~*** to string beads (on a thread) **II** *v/r* ***etw reiht sich an etw*** (*acc*) sth follows (after) sth **Reihenfolge** *f* order; (≈ *notwendige Aufeinanderfolge*) sequence; ***alphabetische ~*** alphabetical order **Reihenhaus** *nt* terraced house (*Br*), town house (*esp US*) **Reihenuntersuchung** *f* mass screening **reihenweise** *adv* **1.** (≈ *in Reihen*) in rows **2.** (*fig* ≈ *in großer Anzahl*) by the dozen

Reiher ['raiɐ] *m* ⟨**-s, -**⟩ heron

reihum [rai'|ʊm] *adv* round; ***etw ~ gehen lassen*** to pass sth round

Reim [raim] *m* ⟨**-(e)s, -e**⟩ rhyme; ***sich***

(*dat*) ***einen ~ auf etw*** (*acc*) ***machen*** (*infml*) to make sense of sth **reimen** ['raimən] **I** *v/t* to rhyme (*auf +acc, mit* with) **II** *v/i* to make up rhymes **III** *v/r* to rhyme (*auf +acc, mit* with)

rein[1] [rain] *adv* (*infml*) = ***herein, hinein***

rein[2] **I** *adj* **1.** pure; (≈ *völlig*) sheer; *Wahrheit* plain; *Gewissen* clear; ***das ist die ~ste Freude/der ~ste Hohn*** *etc* it's sheer joy/mockery *etc*; ***er ist der ~ste Künstler*** he's a real artist **2.** (≈ *sauber*) clean; *Haut* clear; ***etw ~ machen*** to clean sth; ***etw ins Reine schreiben*** to write out a fair copy of sth; ***etw ins Reine bringen*** to clear sth up; ***mit etw im Reinen sein*** to have got sth straightened out **II** *adv* **1.** (≈ *ausschließlich*) purely **2.** (*infml* ≈ *völlig*) absolutely; ***~ gar nichts*** absolutely nothing

Rein [rain] *f* ⟨**-, -en**⟩ (*S Ger, Aus*) casserole (dish)

reinbeißen *v/t sep irr* (*infml*) to bite into (*in +acc*); ***zum Reinbeißen aussehen*** to look scrumptious

Reindl ['raindl] *nt* ⟨**-s, -n**⟩ (*S Ger, Aus*) (small) casserole (dish)

Reineclaude [rɛːnə'kloːdə] *f* ⟨**-, -n**⟩ greengage

Reinemachefrau *f* cleaner

Reinerlös *m* net profit(s *pl*)

Reinfall *m* (*infml*) disaster (*infml*)

Reingewicht *nt* net(t) weight **Reingewinn** *m* net(t) profit **Reinhaltung** *f* keeping clean **Reinheit** *f* ⟨**-**, *no pl*⟩ purity; (≈ *Sauberkeit*) cleanness; (*von Haut*) clearness **reinigen** ['rainɪgn] *v/t* to clean; ***etw chemisch ~*** to dry-clean sth; ***ein ~des Gewitter*** (*fig infml*) a row which clears the air **Reiniger** ['rainɪgɐ] *m* ⟨**-s, -**⟩ cleaner **Reinigung** ['rainɪgʊŋ] *f* ⟨**-, -en**⟩ **1.** cleaning **2.** (≈ *chemische Reinigung*) (*Anstalt*) (dry) cleaner's **Reinigungsmilch** *f* cleansing milk **Reinigungsmittel** *nt* cleansing agent

Reinkarnation [re|ɪnkarna'tsioːn] *f* reincarnation

Reinkultur *f* BIOL pure culture; ***Kitsch in ~*** (*infml*) pure unadulterated kitsch

reinlegen ['rainleːgn] *v/t sep* (*infml*) = ***hereinlegen, hineinlegen***

reinlich ['rainlɪç] *adj* **1.** cleanly **2.** (≈ *ordentlich*) tidy **Reinlichkeit** *f* ⟨**-**, *no pl*⟩ cleanliness; (≈ *Ordentlichkeit*) tidiness

reinrassig *adj* pure-blooded; *Tier* thoroughbred **Reinschrift** *f* (*Geschriebenes*) fair copy; ***etw in ~ schreiben*** to write out a fair copy of sth **reinseiden** *adj* pure silk

Reis *m* ⟨**-es, -e** [-zə]⟩ rice

Reise ['raizə] *f* ⟨**-, -n**⟩ journey, trip; (≈ *Schiffsreise*, SPACE) voyage; (≈ *Geschäftsreise*) trip; ***eine ~ machen*** to go on a journey; ***auf ~n sein*** to be away (travelling (*Br*) *or* traveling (*US*)); ***er ist viel auf ~n*** he does a lot of travelling (*Br*) *or* traveling (*US*); ***wohin geht die ~?*** where are you off to?; ***gute ~!*** have a good journey! **Reiseandenken** *nt* souvenir **Reiseapotheke** *f* first-aid kit **Reisebegleiter(in)** *m/(f)* travelling (*Br*) *or* traveling (*US*) companion; (≈ *Reiseleiter*) courier **Reisebekanntschaft** *f* acquaintance made while travelling (*Br*) *or* traveling (*US*) **Reisebericht** *m* report *or* account of one's journey; (*Buch*) travel story; (*Film*) travelogue (*Br*), travelog (*US*) **Reisebeschreibung** *f* description of one's travels; FILM travelogue (*Br*), travelog (*US*) **Reisebüro** *nt* travel agency **Reisebus** *m* coach (*Br*), bus (*US*) **reisefertig** *adj* ready (to go *or* leave) **Reisefieber** *nt* (*fig*) travel nerves *pl* **Reiseführer** *m* (*Buch*) guidebook **Reiseführer(in)** *m/(f)* tour guide **Reisegeschwindigkeit** *f* cruising speed **Reisegesellschaft** *f* (tourist) party; (*infml* ≈ *Veranstalter*) tour operator **Reisegruppe** *f* tourist group *or* party **Reisekosten** *pl* travelling (*Br*) *or* traveling (*US*) expenses *pl* **Reisekrankheit** *f* travel sickness **Reiseleiter(in)** *m/(f)* tour guide **Reiselust** *f* wanderlust **reiselustig** *adj* fond of travel *or* travelling (*Br*) *or* traveling (*US*) **reisen** ['raizn] *v/i aux sein* to travel; ***in den Urlaub ~*** to go away on holiday (*esp Br*) *or* vacation (*US*) **Reisende(r)** ['raizndə] *m/f(m) decl as adj* traveller (*Br*), traveler (*US*); (≈ *Fahrgast*) passenger **Reisepass** *m* passport **Reiseproviant** *m* food for the journey **Reiseruf** *m* personal message **Reisescheck** *m* traveller's cheque (*Br*), traveler's check (*US*) **Reisetasche** *f* holdall **Reiseunterlagen** *pl* travel documents *pl* **Reiseveranstalter(in)** *m/(f)* tour operator **Reiseverkehr** *m* holiday (*esp Br*) *or* vacation (*US*) traffic **Reiseversicherung** *f* travel insurance **Reisewecker** *m* travelling (*Br*) *or* traveling (*US*) alarm clock **Reisewetterbericht** *m* holiday (*Br*) *or* travel weather forecast **Reisezeit** *f* (≈ *Saison*) holiday (*esp Br*) *or* vacation (*US*) season; (≈ *Fahrzeit*) travel time **Reiseziel** *nt* destination

Reisfeld *nt* paddy field

Reisig ['raizɪç] *nt* ⟨**-s**, *no pl*⟩ brushwood

Reiskocher *m* rice cooker **Reiskorn** *nt*, *pl* **-körner** grain of rice **Reispapier** *nt* ART, COOK rice paper

Reißaus [rais'|aus] *m* **~ *nehmen*** (*infml*) to clear off *or* out (*infml*) **Reißbrett** ['rais-] *nt* drawing board **reißen** ['raisn] *pret* **riss** [rɪs], *past part* **gerissen** [gə'rɪsn] **I** *v/t* **1.** to tear, to rip; (≈ *mitreißen*, *zerren*) to pull, to drag; ***jdn zu Boden ~*** to pull *or* drag sb to the ground; ***jdm etw aus der Hand ~*** to snatch sth out of sb's hand; ***jdn aus dem Schlaf/seinen Träumen ~*** to wake sb from his sleep/dreams; ***jdn in den Tod ~*** to claim sb's life; (*Flutwelle*, *Lawine*) to sweep sb to his/her death; ***hin und her gerissen werden/sein*** (*fig*) to be torn; ***etw an sich*** (*acc*) **~** to seize sth **2.** (SPORTS, *Gewichtheben*) to snatch; (*Hochsprung*) to knock down **3.** (≈ *töten*) to kill **4.**; → ***gerissen*** **II** *v/i* **1.** *aux sein* to tear; (≈ *Risse bekommen*) to crack; ***mir ist die Kette gerissen*** my chain has broken; ***da riss mir die Geduld*** then my patience gave out; ***wenn alle Stricke ~*** (*fig infml*) if all else fails **2.** (≈ *zerren*) to pull, to tug (*an +dat* at) **3.** (*Hochsprung*) to knock the bar off **III** *v/r* (*infml*) ***sich um jdn/etw ~*** to scramble to get sb/sth **reißend** *adj Fluss* raging; *Schmerzen* searing; *Verkauf*, *Absatz* massive **Reißer** ['raisɐ] *m* ⟨**-s, -**⟩ (*infml*) (THEAT, *Film*, *Buch*) thriller; (*Ware*) big seller **reißerisch** ['raisərɪʃ] *adj Bericht*, *Titel* sensational **reißfest** *adj* tear-proof **Reißleine** *f* ripcord **Reißnagel** *m* drawing pin (*Br*), thumbtack (*US*) **Reißverschluss** *m* zip (fastener) (*Br*), zipper (*US*); ***den ~ an etw*** (*dat*) ***zumachen*** to zip sth up; ***den ~ an etw*** (*dat*) ***aufmachen*** to unzip sth **Reißwolf** *m* shredder **Reißzahn** *m* fang **Reißzwecke** *f* drawing pin (*Br*), thumbtack (*US*)

reiten ['raitn] *pret* **ritt** [rɪt], *past part* **geritten** [gə'rɪtn] **I** *v/i aux sein* to ride; ***auf etw*** (*dat*) **~** to ride (on) sth **II** *v/t* to ride; ***Schritt/Trab/Galopp ~*** to ride at a walk/trot/gallop **Reiter** ['raitɐ] *m* ⟨**-s, -**⟩ (*an Waage*) rider; (≈ *Karteireiter*) index tab **Reiter** ['raitɐ] *m* ⟨**-s, -**⟩, **Reiterin** [-ərɪn] *f* ⟨**-, -nen**⟩ rider **Reithose** *f* riding breeches *pl*; HUNT, SPORTS jodhpurs *pl* **Reitkunst** *f* horsemanship **Reitpeitsche** *f* riding whip **Reitpferd** *nt* mount **Reitsattel** *m* (riding) saddle **Reitschule** *f* riding school **Reitsport** *m* (horse-)riding **Reitstall** *m* riding stable **Reitstiefel** *m* riding boot **Reitturnier** *nt* horse show; (*Geländereiten*) point-to-point **Reitunterricht** *m* riding lessons *pl* **Reitweg** *m* bridle path

Reiz [raits] *m* ⟨**-es, -e**⟩ **1.** PHYSIOL stimulus **2.** (≈ *Verlockung*) attraction, appeal; (≈ *Zauber*) charm; **(*auf jdn*) *einen ~ ausüben*** to have great attraction (for sb); ***diese Idee hat auch ihren ~*** this idea also has its attractions; ***den ~ verlieren*** to lose all one's/its charm; ***weibliche ~e*** feminine charms **reizbar** *adj* (≈ *empfindlich*) touchy (*infml*); (≈ *erregbar*) irritable **Reizbarkeit** ['raitsbaːɐkait] *f* ⟨**-**, *no pl*⟩ (≈ *Empfindlichkeit*) touchiness (*infml*); (≈ *Erregbarkeit*) irritability **reizen** ['raitsn] **I** *v/t* **1.** PHYSIOL to irritate; (≈ *stimulieren*) to stimulate **2.** (≈ *verlocken*) to appeal to; ***es würde mich ja sehr ~, …*** I'd love to …; ***Ihr Angebot reizt mich sehr*** I find your offer very tempting; ***was reizt Sie daran?*** what do you like about it? **3.** (≈ *ärgern*) to annoy; *Tier* to tease; (≈ *herausfordern*) to provoke; ***jdn bis aufs Blut ~*** to push sb to breaking point; → ***gereizt*** **II** *v/i* **1.** MED to irritate; (≈ *stimulieren*) to stimulate **2.** CARDS to bid; ***hoch ~*** to make a high bid **reizend** **I** *adj* charming; ***das ist ja ~*** (*iron*) (that's) charming **II** *adv einrichten* attractively; **~ *aussehen*** to look charming **Reizhusten** *m* chesty (*Br*) *or* deep (*US*) cough; (*nervös*) nervous cough **Reizklima** *nt* bracing climate; (*fig*) charged atmosphere **reizlos** *adj* dull, uninspiring **Reizschwelle** *f* PHYSIOL stimulus *or* absolute threshold **Reizthema** *nt* controversial issue **Reizung** ['raitsʊŋ] *f* ⟨**-, -en**⟩ MED stimulation; (*krankhaft*) irritation **reizvoll** *adj* delightful; *Aufgabe* attractive **Reizwäsche** *f* (*infml*) sexy underwear **Reizwort** *nt*, *pl* **-wörter** emotive word

rekapitulieren [rekapitu'liːrən] *past part* **rekapituliert** *v/t* to recapitulate

rekeln ['reːkln] *v/r* (*infml*) (≈ *sich herum-*

lümmeln) to loll around; (≈ *sich strecken)* to stretch
Reklamation [reklamaˈtsioːn] *f* ⟨**-, -en**⟩ query; (≈ *Beschwerde)* complaint **Reklame** [reˈklaːmə] *f* ⟨**-, -n**⟩ **1.** advertising; ***~ für jdn/etw machen*** to advertise sb/sth **2.** (≈ *Einzelwerbung)* advertisement; *esp* TV, RADIO commercial **Reklameschild** *nt*, *pl* ***-schilder*** advertising sign
reklamieren [reklaˈmiːrən] *past part* ***reklamiert*** **I** *v/i* (≈ *Einspruch erheben)* to complain; ***bei jdm wegen etw ~*** to complain to sb about sth **II** *v/t* **1.** (≈ *bemängeln)* to complain about (*etw bei jdm* sth to sb) **2.** (≈ *in Anspruch nehmen)* to claim; ***jdn/etw für sich ~*** to lay claim to sb/sth
rekonstruieren [rekɔnstruˈiːrən] *past part* ***rekonstruiert*** *v/t* to reconstruct **Rekonstruktion** [rekɔnstrʊkˈtsioːn] *f* reconstruction
Rekord [reˈkɔrt] *m* ⟨**-s, -e** [-də]⟩ record; ***einen ~ aufstellen*** to set a record
Rekorder [reˈkɔrdɐ] *m* ⟨**-s, -**⟩ (cassette) recorder
Rekordgewinn *m* COMM record profit
Rekordinhaber(in) *m/(f)* record holder
Rekordverlust *m* COMM record losses *pl*
Rekordzeit *f* record time
Rekrut [reˈkruːt] *m* ⟨**-en, -en**⟩, **Rekrutin** [-ˈkruːtɪn] *f* ⟨**-, -nen**⟩ MIL recruit **rekrutieren** [rekruˈtiːrən] *past part* ***rekrutiert*** **I** *v/t* to recruit **II** *v/r* (*fig*) ***sich ~ aus*** to be recruited from
Rektor [ˈrɛktoːɐ] *m* ⟨**-s, Rektoren** [-ˈtoːrən]⟩, **Rektorin** [-ˈtoːrɪn, ˈrɛktorɪn] *f* ⟨**-, -nen**⟩ SCHOOL head teacher, principal (*esp US*); UNIV vice chancellor (*Br*), rector (*US*); (*von Fachhochschule)* principal **Rektorat** [rɛktoˈraːt] *nt* ⟨**-(e)s, -e**⟩ (SCHOOL ≈ *Amt*, *Amtszeit)* headship, principalship (*esp US*); (≈ *Zimmer)* head teacher's study, principal's room (*esp US*); UNIV vice chancellorship (*Br*), rectorship (*US*); vice chancellor's (*Br*) *or* rector's (*US*) office
Relais [rəˈlɛː] *nt* ⟨**-, -** [rəˈlɛː(s), rəˈlɛːs]⟩ ELEC relay
Relation [relaˈtsioːn] *f* ⟨**-, -en**⟩ relation; ***in einer/keiner ~ zu etw stehen*** to bear some/no relation to sth **relational** [relatsioˈnaːl] *adj* IT relational **relativ** [relaˈtiːf] **I** *adj* relative **II** *adv* relatively
relativieren [relatiˈviːrən] *past part* ***relativiert*** (*elev*) *v/t* *Behauptung etc* to qualify **Relativität** [relativiˈtɛːt] *f* ⟨**-,** *no pl*⟩ relativity **Relativitätstheorie** *f* theory of relativity **Relativpronomen** *nt* relative pronoun **Relativsatz** *m* relative clause
relaxen [riˈlɛksn] *v/i* (*infml*) to take it easy (*infml*) **relaxt** [riˈlɛkst] *adj* (*infml*) laid-back (*infml*)
relevant [releˈvant] *adj* relevant **Relevanz** [releˈvants] *f* ⟨**-,** *no pl*⟩ relevance
Relief [reliˈɛf] *nt* ⟨**-s, -s** *or* **-e**⟩ relief
Religion [reliˈgioːn] *f* ⟨**-, -en**⟩ religion; (*Schulfach*) religious instruction *or* education **Religionsfreiheit** *f* freedom of worship **Religionsunterricht** *m* religious education *or* instruction; SCHOOL RE *or* RI lesson **Religionszugehörigkeit** *f* religious affiliation, religion **religiös** [reliˈgiøːs] *adj* religious
Relikt [reˈlɪkt] *nt* ⟨**-(e)s, -e**⟩ relic
Reling [ˈreːlɪŋ] *f* ⟨**-, -s** *or* **-e**⟩ NAUT (deck) rail
Reliquie [reˈliːkviə] *f* ⟨**-, -n**⟩ relic
Remake [ˈriːmeːk] *nt* ⟨**-s, -s**⟩ remake
Reminiszenz [reminɪsˈtsɛnts] *f* ⟨**-, -en**⟩ (*elev* ≈ *Erinnerung*) memory (*an +acc* of)
remis [rəˈmiː] *adj inv* drawn; ***~ spielen*** to draw **Remis** [rəˈmiː] *nt* ⟨**-** [rəˈmiː(s)]⟩⟨**-** *or* **-en** [rəˈmiːs, rəˈmiːzn]⟩ CHESS, SPORTS draw
Remittende [remɪˈtɛndə] *f* ⟨**-, -n**⟩ COMM return
Remmidemmi [ˈrɛmiˈdɛmi] *nt* ⟨**-s,** *no pl*⟩ (*infml*) (≈ *Krach*) rumpus (*infml*); (≈ *Trubel*) to-do (*infml*)
Remoulade [remuˈlaːdə] *f* ⟨**-, -n**⟩, **Remouladensoße** *f* COOK remoulade
rempeln [ˈrɛmpln] *v/t* (*infml*) to barge (*jdn* into sb) (*infml*); (≈ *foulen*) to push
Ren [rɛn, reːn] *nt* ⟨**-s, -e** *or* **-s** [ˈreːnə, rɛns]⟩ reindeer
Renaissance [rənɛˈsãːs] *f* ⟨**-, -en**⟩ **1.** HIST renaissance **2.** (*fig also*) revival
Rendezvous [rãdeˈvuː, ˈrãːdevu] *nt* ⟨**-, -** [-ˈvuː(s), -ˈvuːs]⟩ rendezvous, date (*infml*); SPACE rendezvous
Rendite [rɛnˈdiːtə] *f* ⟨**-, -n**⟩ FIN yield, return on capital
Reneklode [reːnəˈkloːdə] *f* ⟨**-, -n**⟩ greengage
renitent [reniˈtɛnt] *adj* defiant **Renitenz** [reniˈtɛnts] *f* ⟨**-, -en**⟩ defiance
Rennbahn *f* (race)track **Rennboot** *nt*

powerboat **rennen** ['rɛnən] *pret* **rannte** ['rantə], *past part* **gerannt** [gə'rant] **I** *v/i aux sein* to run; ***um die Wette ~*** to have a race; ***er rannte mit dem Kopf gegen ...*** he bumped his head against ... **II** *v/t aux haben or sein* SPORTS to run; ***jdn zu Boden ~*** to knock sb over **Rennen** ['rɛnən] *nt* ⟨**-s, -**⟩ race; ***totes ~*** dead heat; ***gut im ~ liegen*** to be well-placed; ***das ~ machen*** to win (the race) **Renner** ['rɛnɐ] *m* ⟨**-s, -**⟩ (*infml* ≈ *Verkaufsschlager*) winner **Rennerei** [rɛnə'rai] *f* ⟨**-, -en**⟩ (*infml*) running around; (≈ *Hetze*) mad chase (*infml*) **Rennfahrer(in)** *m/(f)* (≈ *Radrennfahrer*) racing cyclist; (≈ *Motorradrennfahrer*) racing motorcyclist; (≈ *Autorennfahrer*) racing driver **Rennpferd** *nt* racehorse **Rennrad** *nt* racing bicycle **Rennsport** *m* racing **Rennstall** *m* (*Tiere*, *Zucht*) stable **Rennstrecke** *f* (≈ *Rennbahn*) (race)track; (≈ *zu laufende Strecke*) course, distance **Rennwagen** *m* racing car

Renommee [renɔ'meː] *nt* ⟨**-s, -s**⟩ reputation, name **renommiert** [renɔ'miːɐt] *adj* famous (*wegen* for)

renovieren [reno'viːrən] *past part* **renoviert** *v/t* to renovate; (≈ *tapezieren etc*) to redecorate **Renovierung** *f* ⟨**-, -en**⟩ renovation

rentabel [rɛn'taːbl] **I** *adj* profitable **II** *adv* profitably; ***~ wirtschaften*** to show a profit **Rentabilität** [rɛntabili'tɛːt] *f* ⟨**-, -en**⟩ profitability

Rente ['rɛntə] *f* ⟨**-, -n**⟩ pension; (*aus Versicherung*) annuity; (*aus Vermögen*) income; ***in ~ gehen*** to start drawing one's pension; ***in ~ sein*** to be on a pension **Rentenalter** *nt* retirement age **Rentenanspruch** *m* pension entitlement **Rentenbeitrag** *m* pension contribution **Rentenempfänger(in)** *m/(f)* pensioner **Rentenfonds** *m* fixed-income fund **Rentenmarkt** *m* market in fixed-interest securities **Rentenreform** *f* reform of pensions **Rentenversicherung** *f* pension scheme (*Br*), retirement plan (*US*)

Rentier ['rɛntiːɐ, 'reːntiːɐ] *nt* ZOOL reindeer

rentieren [rɛn'tiːrən] *past part* **rentiert** *v/r* to be worthwhile; ***das rentiert sich nicht*** it's not worth it

Rentner ['rɛntnɐ] *m* ⟨**-s, -**⟩, **Rentnerin** [-ərɪn] *f* ⟨**-, -nen**⟩ pensioner

Reorganisation [re|ɔrganiza'tsioːn] *f* reorganization **reorganisieren** [re|ɔrgani'ziːrən] *past part* **reorganisiert** *v/t* to reorganize

reparabel [repa'raːbl] *adj* repairable **Reparatur** [repara'tuːɐ] *f* ⟨**-, -en**⟩ repair; ***~en am Auto*** car repairs; ***in ~*** being repaired; ***etw in ~ geben*** to have sth repaired **reparaturanfällig** *adj* prone to break down **Reparaturarbeiten** *pl* repairs *pl*, repair work *no pl* **reparaturbedürftig** *adj* in need of repair **Reparaturkosten** *pl* repair costs *pl* **Reparaturwerkstatt** *f* workshop; (≈ *Autowerkstatt*) garage, auto repair shop (*US*) **reparieren** [repa'riːrən] *past part* **repariert** *v/t* to repair

repatriieren [repatri'iːrən] *past part* **repatriiert** *v/t* to repatriate

Repertoire [repɛr'toaːɐ] *nt* ⟨**-s, -s**⟩ repertoire

Report [re'pɔrt] *m* ⟨**-(e)s, -e**⟩ report **Reportage** [repɔr'taːʒə] *f* ⟨**-, -n**⟩ report **Reporter** [re'pɔrtɐ] *m* ⟨**-s, -**⟩, **Reporterin** [-ərɪn] *f* ⟨**-, -nen**⟩ reporter

Repräsentant [reprɛzɛn'tant] *m* ⟨**-en, -en**⟩, **Repräsentantin** [-'tantɪn] *f* ⟨**-, -nen**⟩ representative **Repräsentantenhaus** *nt* (*US* POL) House of Representatives **Repräsentation** [reprɛzɛnta'tsioːn] *f* (≈ *Vertretung*) representation **repräsentativ** [reprɛzɛnta'tiːf] **I** *adj* **1.** (≈ *typisch*) representative (*für* of) **2.** *Haus*, *Auto* prestigious; *Erscheinung* presentable **II** *adv bauen* prestigiously **repräsentieren** [reprɛzɛn'tiːrən] *past part* **repräsentiert** *v/t* to represent

Repressalie [reprɛ'saːliə] *f* ⟨**-, -n**⟩ reprisal **Repression** [reprɛ'sioːn] *f* ⟨**-, -en**⟩ repression

Reproduktion [reprodʊk'tsioːn] *f* reproduction **reproduzieren** [reprodu'tsiːrən] *past part* **reproduziert** *v/t* to reproduce

Reptil [rɛp'tiːl] *nt* ⟨**-s, -ien** [-liən]⟩ reptile

Republik [repu'bliːk] *f* ⟨**-, -en**⟩ republic; ***die ~ Österreich*** the Republic of Austria **Republikaner** [republi'kaːnɐ] *m* ⟨**-s, -**⟩, **Republikanerin** [-ərɪn] *f* ⟨**-, -nen**⟩ republican; POL Republican **republikanisch** [republi'kaːnɪʃ] *adj* republican

Reputation [reputa'tsioːn] *f* ⟨**-**, *no pl*⟩ (good) reputation

Requiem ['reːkviɛm] *nt* ⟨**-s, -s** *or* (*Aus*) ***Requien*** [-viən]⟩ requiem

Requisit [rekvi'ziːt] *nt* ⟨**-s, -en**⟩ equipment *no pl*; **~en** THEAT props **resch** [rɛʃ] *adj (Aus)* (≈ *knusprig) Brötchen etc* crispy; (*fig* ≈ *lebhaft) Frau* dynamic
Reservat [resɛr'vaːt] *nt* ⟨**-(e)s, -e**⟩ **1.** (≈ *Naturschutzgebiet*) reserve **2.** (*für Indianer, Ureinwohner etc*) reservation **Reserve** [re'zɛrvə] *f* ⟨**-, -n**⟩ **1.** (≈ *Vorrat*) reserve(s *pl*) (*an +dat* of); (≈ *angespartes Geld*) savings *pl*; MIL, SPORTS reserves *pl*; *(**noch**) **etw/jdn in ~ haben*** to have sth/sb (still) in reserve **2.** (≈ *Zurückhaltung*) reserve; (≈ *Bedenken*) reservation; ***jdn aus der ~ locken*** to bring sb out of his/her shell **Reservebank** *f, pl **-bänke*** SPORTS substitutes *or* reserves bench **Reservefonds** *m* reserve fund **Reservekanister** *m* spare can **Reserverad** *nt* spare (wheel) **Reservespieler(in)** *m/(f)* SPORTS reserve **reservieren** [rezɛr'viːrən] *past part **reserviert** v/t* to reserve **reserviert** [rezɛr'viːɐt] *adj Platz, Mensch* reserved **Reservierung** *f* ⟨**-, -en**⟩ reservation **Reservist** [rezɛr'vɪst] *m* ⟨**-en, -en**⟩, **Reservistin** [rezɛr'vɪstin] [-ɪn] *f* ⟨**-, -nen**⟩ reservist **Reservoir** [rezɛr'voaːɐ] *nt* ⟨**-s, -e**⟩ reservoir
Reset-Taste [riː'sɛt-] *f* IT reset key
Residenz [rezi'dɛnts] *f* ⟨**-, -en**⟩ (≈ *Wohnung*) residence **residieren** [rezi'diːrən] *past part **residiert** v/i* to reside
Resignation [rezigna'tsioːn] *f* ⟨**-**, *no pl*⟩ (*elev*) resignation **resignieren** [rezi'gniːrən] *past part **resigniert** v/i* to give up; ***resigniert*** resigned
resistent [rezɪs'tɛnt] *adj* resistant (*gegen* to) **Resistenz** [rezɪs'tɛnts] *f* ⟨**-, -en**⟩ resistance (*gegen* to)
Reskription [reskrip'tsioːn] *f* ⟨**-, -en**⟩ treasury bond
resolut [rezo'luːt] **I** *adj* resolute **II** *adv* resolutely **Resolution** [rezolu'tsioːn] *f* ⟨**-, -en**⟩ (POL ≈ *Beschluss*) resolution
Resonanz [rezo'nants] *f* ⟨**-, -en**⟩ **1.** resonance **2.** (*fig*) response (*auf +acc* to); ***große ~ finden*** to get a good response
resozialisieren [rezotsiali'ziːrən] *past part **resozialisiert** v/t* to rehabilitate
Respekt [re'spɛkt, rɛs'pɛkt] *m* ⟨**-s**, *no pl*⟩ (≈ *Achtung*) respect; ***jdm ~ einflößen*** to command respect from sb; ***bei allem ~*** with all due respect; ***vor jdm/etw ~ haben*** (*Achtung*) to have respect for sb/sth; (*Angst*) to be afraid of sb/sth; ***sich*** (*dat*) ***~ verschaffen*** to make oneself respected **respektabel** [respɛk'taːbl, rɛs-] *adj* respectable **respektieren** [respɛk'tiːrən, rɛs-] *past part **respektiert** v/t* to respect **respektlos** *adj* disrespectful **respektvoll** **I** *adj* respectful **II** *adv* respectfully
Ressentiment [rɛsãti'mãː, rə-] *nt* ⟨**-s, -s**⟩ resentment *no pl* (*gegen* towards)
Ressort [rɛ'soːɐ] *nt* ⟨**-s, -s**⟩ department
Ressource [rɛ'sʊrsə] *f* ⟨**-, -n**⟩ resource
Rest [rɛst] *m* ⟨**-(e)s, -e**⟩ **1.** rest; ***die ~e einer Kirche*** the remains of a church; ***der letzte ~*** the last bit; ***der ~ ist für Sie*** (*beim Bezahlen*) keep the change; ***jdm/einer Sache den ~ geben*** (*infml*) to finish sb/sth off **2. Reste** *pl* (≈ *Essensreste*) leftovers *pl* **3.** (≈ *Stoffrest*) remnant **Restalkohol** *m, no pl* residual alcohol
Restaurant [rɛsto'rãː] *nt* ⟨**-s, -s**⟩ restaurant
restaurieren [restau'riːrən, rɛs-] *past part **restauriert** v/t* to restore **Restaurierung** *f* ⟨**-, -en**⟩ restoration
Restbestand *m* remaining stock; (*fig*) remnant **Restbetrag** *m* balance **restlich** ['rɛstlɪç] *adj* remaining, rest of the ...; ***die ~e Welt*** the rest of the world **restlos** **I** *adj* complete **II** *adv* completely; ***ich war ~ begeistert*** I was completely bowled over (*infml*) **Restmüll** *m* residual waste **Restposten** *m* COMM remaining stock
restriktiv [restrɪk'tiːf, rɛs-] (*elev*) **I** *adj* restrictive **II** *adv* restrictively
Restrisiko *nt* residual risk
Resultat [rezʊl'taːt] *nt* ⟨**-(e)s, -e**⟩ result **resultieren** [rezʊl'tiːrən] *past part **resultiert** v/i* (*elev*) to result (*in +dat* in); ***aus etw ~*** to result from sth
Resümee [rezy'meː] *nt* ⟨**-s, -s**⟩ (*elev*) résumé **resümieren** [rezy'miːrən] *past part **resümiert** v/t & v/i* (*elev*) to summarize
Retorte [re'tɔrtə] *f* ⟨**-, -n**⟩ CHEM retort; ***aus der ~*** (*fig infml*) synthetic **Retortenbaby** *nt* test-tube baby
Retourkutsche *f* (*infml*) (*Worte*) retort; (*Handlung*) retribution
Retrospektive [retrospɛk'tiːvə] *f* ⟨**-, -n**⟩ retrospective **Retrovirus** [retro'viːrʊs] *nt or m* retrovirus
retten ['rɛtn] **I** *v/t* to save; (≈ *befreien*) to rescue; ***jdn vor etw ~*** to save sb from sth;

jdm das Leben ~ to save sb's life; ***ein ~der Gedanke*** a bright idea that saved the situation; ***bist du noch zu~?*** (*infml*) are you out of your mind? (*infml*) **II** *v/r* ***sich vor jdm/etw ~*** to escape (from) sb/sth; ***sich vor etw nicht mehr ~ können*** (*fig*) to be swamped with sth; ***rette sich, wer kann!*** (it's) every man for himself!

Retter ['rɛtɐ] *m* ⟨***-s, -***⟩, **Retterin** [-ərɪn] *f* ⟨***-, -nen***⟩ (*aus Notlage*) rescuer; ***der ~ des Unternehmens*** the saviour (*Br*) *or* savior (*US*) of the business

Rettich ['rɛtɪç] *m* ⟨***-s, -e***⟩ radish

Rettung ['rɛtʊŋ] *f* ⟨***-, -en***⟩ **1.** (*aus Notlage*) rescue; (≈ *Erhaltung*) saving; ***das war meine ~*** that saved me; ***das war meine letzte ~*** that was my last hope; (≈ *hat mich gerettet*) that was my salvation **2.** (*Aus* ≈ *Rettungsdienst*) rescue service; (≈ *Krankenwagen*) ambulance **Rettungsaktion** *f* rescue operation **Rettungsanker** *m* sheet anchor; (*fig*) anchor **Rettungsboot** *nt* lifeboat **Rettungsdienst** *m* rescue service **Rettungshubschrauber** *m* rescue helicopter **rettungslos I** *adj* beyond saving; *Lage* irretrievable; *Verlust* irrecoverable **II** *adv verloren* irretrievably **Rettungsmannschaft** *f* rescue party **Rettungsring** *m* life belt; (*hum* ≈ *Bauch*) spare tyre (*Br hum*), spare tire (*US hum*) **Rettungssanitäter(in)** *m/(f)* paramedic **Rettungsschwimmer(in)** *m/(f)* lifesaver; (*an Strand, Pool*) lifeguard **Rettungswagen** *m* ambulance

retuschieren [retu'ʃiːrən] *past part* ***retuschiert*** *v/t* PHOT to retouch

Reue ['rɔyə] *f* ⟨*-, no pl*⟩ remorse (*über +acc* at, about), repentance (*auch* REL) (*über +acc* of) **reuevoll, reumütig** ['rɔymyːtɪç] **I** *adj* (≈ *voller Reue*) remorseful, repentant; *Sünder* contrite, penitent **II** *adv gestehen, bekennen* full of remorse

Reuse ['rɔyzə] *f* ⟨***-, -n***⟩ fish trap

Revanche [re'vãːʃ(ə)] *f* ⟨***-, -n***⟩ revenge (*für* for); (≈ *Revanchepartie*) return match (*Br*), rematch (*US*) **revanchieren** [revã'ʃiːrən] *past part* ***revanchiert*** *v/r* **1.** (≈ *sich rächen*) to get one's revenge (*bei jdm für etw* on sb for sth) **2.** (≈ *sich erkenntlich zeigen*) to reciprocate; ***sich bei jdm für eine Einladung ~*** to return sb's invitation **Revanchismus** [revã'ʃɪsmʊs] *m* ⟨*-, no pl*⟩ revanchism **Revanchist** [revã'ʃɪst] *m* ⟨***-s, -***⟩, **Revanchistin** [revã'ʃɪstɪn] [-ɪn] *f* ⟨***-, -nen***⟩ revanchist **revanchistisch** [revã'ʃɪstɪʃ] *adj* revanchist

Revers [re'veːɐ, re'vɛːɐ, rə'-] *nt or* (*Aus*) *m* ⟨**-, -** [-ɐ(s), -ɐs]⟩ (*an Kleidung*) lapel

revidieren [revi'diːrən] *past part* ***revidiert*** *v/t* to revise

Revier [re'viːɐ] *nt* ⟨***-s, -e***⟩ **1.** (≈ *Polizeidienststelle*) (police) station; (≈ *Dienstbereich*) beat, district; (*von Prostituierter*) patch (*infml*) **2.** (ZOOL ≈ *Gebiet*) territory **3.** (HUNT ≈ *Jagdrevier*) hunting ground **4.** (MIN ≈ *Kohlenrevier*) coalfields *pl*

Revision [revi'zioːn] *f* ⟨***-, -en***⟩ **1.** (*von Meinung etc*) revision **2.** (COMM ≈ *Prüfung*) audit **3.** (JUR ≈ *Urteilsanfechtung*) appeal (*an +acc* to); ***~ einlegen*** to lodge an appeal **revisionistisch** [revizio'nɪstɪʃ] *adj* POL revisionist **Revisor** [re'viːzoːɐ] *m* ⟨***-s, Revisoren*** [-'zoːrən]⟩, **Revisorin** [-'zoːrɪn] *f* ⟨***-, -nen***⟩ COMM auditor

Revolte [re'vɔltə] *f* ⟨***-, -n***⟩ revolt **revoltieren** [revɔl'tiːrən] *past part* ***revoltiert*** *v/i* to revolt, to rebel (*gegen* against); (*fig: Magen*) to rebel

Revolution [revolu'tsioːn] *f* ⟨***-, -en***⟩ revolution **revolutionär** [revolutsio'nɛːɐ] *adj* revolutionary **Revolutionär** [revolutsio'nɛːɐ] *m* ⟨***-s, -e***⟩, **Revolutionärin** [-'nɛːrɪn] *f* ⟨***-, -nen***⟩ revolutionary **revolutionieren** [revolutsio'niːrən] *past part* ***revolutioniert*** *v/t* to revolutionize

Revoluzzer [revo'lʊtsɐ] *m* ⟨***-s, -***⟩, **Revoluzzerin** [-ərɪn] *f* ⟨***-, -nen***⟩ (*pej*) would-be revolutionary

Revolver [re'vɔlvɐ] *m* ⟨***-s, -***⟩ revolver **Revolverheld(in)** *m/(f)* (*pej*) gunslinger

Revue [rə'vyː] *f* ⟨***-, -n*** [-'vyːən]⟩ THEAT revue; ***etw ~ passieren lassen*** (*fig*) to let sth parade before one

Rezensent [retsɛn'zɛnt] *m* ⟨***-en, -en***⟩, **Rezensentin** [-'zɛntɪn] *f* ⟨***-, -nen***⟩ reviewer **rezensieren** [retsɛn'ziːrən] *past part* ***rezensiert*** *v/t* to review **Rezension** [retsɛn'zioːn] *f* ⟨***-, -en***⟩ review

Rezept [re'tsɛpt] *nt* ⟨***-(e)s, -e***⟩ **1.** MED prescription; ***auf ~*** on prescription **2.** (COOK, *fig* ≈ *Anleitung*) recipe (*zu* for) **rezeptfrei I** *adj* available without prescription **II** *adv* without a prescription **Rezeptgebühr** *f* prescription charge

Rezeption [retsɛp'tsioːn] *f* ⟨***-, -en***⟩ (*von*

Hotel ≈ *Empfang*) reception

Rezeptpflicht *f* ***der ~ unterliegen*** to be available only on prescription **rezeptpflichtig** [-pflıçtıç] *adj* available only on prescription

Rezession [retsɛ'sioːn] *f* ⟨-, ***-en***⟩ ECON recession

reziprok [retsi'proːk] *adj* reciprocal

rezitieren [retsi'tiːrən] *past part* ***rezitiert*** *v/t & v/i* to recite

R-Gespräch ['ɛr-] *nt* reverse charge call (*Br*), collect call (*US*)

Rhabarber [ra'barbɐ] *m* ⟨**-s**, *no pl*⟩ rhubarb

Rhein [rain] *m* ⟨***-s***⟩ Rhine **rheinab(-wärts)** [rain'|ap(vɛrts)] *adv* down the Rhine **rheinauf(wärts)** [rain'|auf(vɛrts)] *adv* up the Rhine **rheinisch** ['rainıʃ] *adj attr* Rhenish **Rheinländer** ['rainlɛndɐ] *m* ⟨**-s, -**⟩, **Rheinländerin** [-ərın] *f* ⟨-, ***-nen***⟩ Rhinelander **rheinländisch** ['rainlɛndıʃ] *adj* Rhineland **Rheinland-Pfalz** ['rainlant'pfalts] *nt* Rhineland-Palatinate **Rheinwein** *m* Rhine wine; (*weißer auch*) hock

Rhesusaffe *m* rhesus monkey **Rhesusfaktor** *m* MED rhesus *or* Rh factor

Rhetorik [re'toːrık] *f* ⟨-, ***-en***⟩ rhetoric **rhetorisch** [re'toːrıʃ] *adj* rhetorical

Rheuma ['rɔyma] *nt* ⟨**-s**, *no pl*⟩ rheumatism **rheumatisch** [rɔy'maːtıʃ] *adj* rheumatic; ***~ bedingte Schmerzen*** rheumatic pains **Rheumatismus** [rɔyma'tısmʊs] *m* ⟨-, ***Rheumatismen*** [-mən]⟩ rheumatism

Rhinozeros [ri'noːtserɔs] *nt* ⟨-***(ses)***, ***-se***⟩ rhinoceros, rhino (*infml*)

Rhododendron [rodo'dɛndrɔn] *m or nt* ⟨**-s, *Rhododendren*** [-drən]⟩ rhododendron

Rhombus ['rɔmbʊs] *m* ⟨-, ***Rhomben*** [-bn]⟩ rhombus

rhythmisch ['rʏtmıʃ] *adj* rhythmic(al) **Rhythmus** ['rʏtmʊs] *m* ⟨-, ***Rhythmen*** [-mən]⟩ rhythm

Ribisel ['riːbiːzl] *f* ⟨-, ***-n***⟩ (*Aus* ≈ *Johannisbeere*) (*rot*) redcurrant; (*schwarz*) blackcurrant

richten ['rıçtn] **I** *v/t* **1.** (≈ *lenken*) to direct (*auf +acc* towards) **2.** (≈ *ausrichten*) ***etw nach jdm/etw ~*** to suit *or* fit sth to sb/sth; *Verhalten* to orientate sth to sb/sth **3.** (≈ *adressieren*) to address (*an +acc* to); *Kritik*, *Vorwurf* to direct (*gegen* at, against) **4.** (≈ *reparieren*) to fix; (≈ *einstellen*) to set **II** *v/r* **1.** (≈ *sich hinwenden*) to be directed (*auf +acc* towards, *gegen* at) **2.** (≈ *sich wenden*) to consult (*an jdn* sb); (*Vorwurf etc*) to be directed (*gegen* at) **3.** (≈ *sich anpassen*) to follow (*nach jdm/etw* sb/sth); ***sich nach den Vorschriften ~*** to go by the rules; ***sich nach jds Wünschen ~*** to comply with sb's wishes; ***ich richte mich nach dir*** I'll fit in with you; ***sich nach der Wettervorhersage ~*** to go by the weather forecast **4.** (≈ *abhängen von*) to depend (*nach* on) **5.** (*esp S Ger* ≈ *sich zurechtmachen*) to get ready **III** *v/i* (*liter* ≈ *urteilen*) to pass judgement (*über +acc* on) **Richter** ['rıçtɐ] *m* ⟨**-s, -**⟩, **Richterin** [-ərın] *f* ⟨-, ***-nen***⟩ judge **richterlich** ['rıçtɐlıç] *adj attr* judicial

Richterskala ['rıçtɐ-] *f* GEOL Richter scale

Richterspruch *m* **1.** JUR ≈ judgement **2.** SPORTS judges' decision

Richtfest *nt* topping-out ceremony **Richtfunk** *m* directional radio **Richtgeschwindigkeit** *f* recommended speed

richtig ['rıçtıç] **I** *adj* **1.** right *no comp*; (≈ *zutreffend*) correct, right; ***nicht ganz ~ (im Kopf) sein*** (*infml*) to be not quite right (in the head) (*infml*); ***bin ich hier ~ bei Müller?*** (*infml*) is this right for the Müllers? **2.** (≈ *wirklich*, *echt*) real; ***der ~e Vater*** the real father **II** *adv* (≈ *korrekt*) right; *passen*, *funktionieren* properly, correctly; ***~ gehend*** *Uhr*, *Waage* accurate; ***die Uhr geht ~*** the clock is right *or* correct; ***das ist doch Paul! — ach ja, ~*** that's Paul — oh yes, so it is **Richtige(r)** ['rıçtıgə] *m/f(m) decl as adj* right person, right man/woman *etc*; ***du bist mir der ~!*** (*iron*) you're a fine one (*infml*); ***sechs ~ im Lotto*** six right in the lottery **Richtige(s)** ['rıçtıgə] *nt decl as adj* right thing; ***das ist das ~*** that's right; ***ich habe nichts ~s gegessen*** I haven't had a proper meal; ***ich habe noch nicht das ~ gefunden*** I haven't found anything suitable **richtiggehend** *adj attr* (*infml* ≈ *regelrecht*) real, proper; → ***richtig*** **Richtigkeit** *f* ⟨-, *no pl*⟩ correctness **richtigstellen** *v/t sep* to correct **Richtigstellung** *f* correction

Richtlinie *f* guideline **Richtpreis** *m* (***unverbindlicher***) ***~*** recommended price

Richtung ['rıçtʊŋ] *f* ⟨-, ***-en***⟩ **1.** direction; ***in ~ Hamburg*** towards (*Br*) *or* toward

(*US*) Hamburg; ***in ~ Süden*** in a southerly direction; ***der Zug ~ Hamburg*** the Hamburg train; ***eine neue ~ bekommen*** to take a new turn; ***ein Schritt in die richtige ~*** a step in the right direction; ***irgendetwas in dieser ~*** something along those lines **2.** (≈ *Tendenz*) trend; (≈ *die Vertreter einer Richtung*) movement; (≈ *Denkrichtung*) school of thought **Richtungskampf** *m* POL factional dispute **richtungslos** *adj* lacking a sense of direction **Richtungsstreit** *m* POL factional dispute **Richtungswechsel** *m* change of direction **richtung(s)weisend** *adj* ***~ sein*** to point the way (ahead)

riechen ['riːçn] *pret* ***roch*** [rɔx], *past part* ***gerochen*** [gə'rɔxn] **I** *v/t* to smell; ***ich kann das nicht ~*** (*infml*) I can't stand the smell of it; (*fig* ≈ *nicht leiden*) I can't stand it; ***jdn nicht ~ können*** (*infml*) not to be able to stand sb; ***das konnte ich doch nicht ~!*** (*infml*) how was I (supposed) to know? **II** *v/i* **1.** (≈ *Geruchssinn haben*) ***Hunde können gut ~*** dogs have a good sense of smell **2.** (≈ *bestimmten Geruch haben*) to smell; ***gut/schlecht ~*** to smell good/bad; ***nach etw ~*** to smell of sth; ***aus dem Mund ~*** to have bad breath; ***das riecht nach Betrug/Verrat*** (*fig infml*) that smacks of deceit/treachery **3.** (≈ *schnüffeln*) to sniff; ***an jdm/etw ~*** to sniff (at) sb/sth **III** *v/i impers* to smell; ***es riecht nach Gas*** there's a smell of gas **Riecher** ['riːçɐ] *m* ⟨***-s, -***⟩ (*infml*) ***einen ~ (für etw) haben*** to have a nose (for sth)

Ried [riːt] *nt* ⟨***-s, -e*** [-də]⟩ (≈ *Schilf*) reeds *pl*

Riege ['riːgə] *f* ⟨***-, -n***⟩ team

Riegel ['riːgl] *m* ⟨***-s, -***⟩ **1.** (≈ *Verschluss*) bolt; ***einer Sache*** (*dat*) ***einen ~ vorschieben*** (*fig*) to put a stop to sth **2.** (≈ *Schokoladenriegel*, *Seifenstück*) bar

Riemen[1] ['riːmən] *m* ⟨***-s, -***⟩ (≈ *Treibriemen*, *Gürtel*) belt; (*an Gepäck*) strap; ***den ~ enger schnallen*** (*fig*) to tighten one's belt; ***sich am ~ reißen*** (*fig infml*) to get a grip on oneself

Riemen[2] *m* ⟨***-s, -***⟩ SPORTS oar; ***sich in die ~ legen*** to put one's back into it

Riese *m* ⟨***-n, -n***⟩ giant; (*sl* ≈ *Geldschein*) big one (*infml*)

rieseln ['riːzln] *v/i aux sein* (*Wasser*, *Sand*) to trickle; (*Regen*) to drizzle; (*Schnee*) to flutter down; (*Staub*) to fall down; ***der Kalk rieselt von der Wand*** lime is crumbling off the wall

Riesenerfolg *m* gigantic success; THEAT, FILM smash hit **Riesengebirge** *nt* GEOG Sudeten Mountains *pl* **riesengroß, riesenhaft** *adj* = ***riesig*** **Riesenhunger** *m* (*infml*) enormous appetite **Riesenrad** *nt* big wheel, Ferris wheel **Riesenschlange** *f* boa **Riesenschritt** *m* giant step **Riesenslalom** *m* giant slalom **riesig** ['riːzɪç] **I** *adj* **1.** enormous, huge; *Spaß* tremendous **2.** (*infml* ≈ *toll*) fantastic (*infml*) **II** *adv* (*infml* ≈ *sehr*, *überaus*) incredibly

Riff[1] [rɪf] *nt* ⟨***-(e)s, -e***⟩ (≈ *Felsklippe*) reef

Riff[2] *m* ⟨***-(e)s, -s***⟩ MUS riff

rigoros [rigo'roːs] **I** *adj* rigorous **II** *adv ablehnen* rigorously; *kürzen* drastically

Rigorosum [rigo'roːzʊm] *nt* ⟨***-s, Rigorosa*** *or* (*Aus*) ***Rigorosen*** [-za, -zn]⟩ UNIV (doctoral *or* PhD) viva (*Br*) *or* oral

Rikscha ['rɪkʃa] *f* ⟨***-, -s***⟩ rickshaw

Rille ['rɪlə] *f* ⟨***-, -n***⟩ groove; (*in Säule*) flute

Rind [rɪnt] *nt* ⟨***-(e)s, -er*** [-dɐ]⟩ **1.** (≈ *Tier*) cow; (≈ *Bulle*) bull; ***~er*** cattle *pl* **2.** (*infml* ≈ *Rindfleisch*) beef

Rinde ['rɪndə] *f* ⟨***-, -n***⟩ (≈ *Baumrinde*) bark; (≈ *Brotrinde*) crust; (≈ *Käserinde*) rind

Rinderbraten *m* (*roh*) joint of beef; (*gebraten*) roast beef *no indef art* **Rinderfilet** *nt* fillet of beef **Rinderherde** *f* herd of cattle **Rinderlende** *f* beef tenderloin **Rinderseuche** *f* epidemic cattle disease; (≈ *BSE*) mad cow disease **Rinderwahn(sinn)** *m* mad cow disease **Rinderzucht** *f* cattle farming **Rindfleisch** *nt* beef **Rindsleder** *nt* cowhide **Rindsuppe** *f* (*Aus*) consommé **Rindvieh** *nt*, *pl* ***Rindviecher*** (*infml* ≈ *Idiot*) ass (*infml*)

Ring [rɪŋ] *m* ⟨***-(e)s, -e***⟩ ring; (*von Menschen*) circle; (≈ *Ringstraße*) ring road; ***~e*** (*Turnen*) rings **Ringbuch** *nt* ring binder **Ringbucheinlage** *f* loose-leaf pad **Ringelblume** *f* marigold **ringeln** ['rɪŋln] **I** *v/t* (*Pflanze*) to (en)twine **II** *v/r* to curl **Ringelnatter** *f* grass snake **Ringelschwanz** *m* (*infml*) curly tail **Ringelspiel** *nt* (*Aus*) merry-go-round

ringen ['rɪŋən] *pret* ***rang*** [raŋ], *past part* ***gerungen*** [gə'rʊŋən] **I** *v/t* ***die Hände ~*** to wring one's hands **II** *v/i* **1.** (≈ *kämpfen*) to wrestle (*mit* with); ***mit den Tränen ~*** to struggle to keep back one's tears **2.** (≈ *streben*) ***nach*** *or* ***um etw ~*** to struggle for sth **Ringen** ['rɪŋən] *nt* ⟨**-s,** *no pl*⟩ SPORTS wrestling; (*fig*) struggle **Ringer** ['rɪŋɐ] *m* ⟨**-s, -**⟩, **Ringerin** [-ərɪn] *f* ⟨**-, -nen**⟩ wrestler

Ringfahndung *f* dragnet **Ringfinger** *m* ring finger **ringförmig I** *adj* ring-like **II** *adv* in a ring *or* circle **Ringhefter** *m* ring binder **Ringkampf** *m* fight; SPORTS wrestling match **Ringkämpfer(in)** *m*/(*f*) wrestler **Ringordner** *m* ring binder **Ringrichter(in)** *m*/(*f*) SPORTS referee **rings** [rɪŋs] *adv* (all) around **ringsherum** ['rɪŋshɛ'rʊm] *adv* all (the way) around **Ringstraße** *f* ring road **ringsum** ['rɪŋs'|ʊm] *adv* (all) around **ringsumher** ['rɪŋs|ʊm'heːɐ] *adv* around

Rinne ['rɪnə] *f* ⟨**-, -n**⟩ (≈ *Rille*) groove; (≈ *Furche, Abflussrinne*) channel; (≈ *Dachrinne* ≈ *Rinnstein*) gutter **rinnen** ['rɪnən] *pret* ***rann*** [ran], *past part* ***geronnen*** [gə'rɔnən] *v/i aux sein* (≈ *fließen*) to run **Rinnsal** ['rɪnzaːl] *nt* ⟨**-(e)s, -e**⟩ rivulet **Rinnstein** *m* (≈ *Gosse*) gutter

Rippchen ['rɪpçən] *nt* ⟨**-s, -**⟩ COOK *slightly cured pork rib* **Rippe** ['rɪpə] *f* ⟨**-, -n**⟩ **1.** rib; ***er hat nichts auf den ~n*** (*infml*) he's just skin and bone(s) **2.** (*von Heizkörper etc*) fin **Rippenbruch** *m* broken *or* fractured rib **Rippenfell** *nt* pleura **Rippenfellentzündung** *f* pleurisy **Rippenshirt** [-ʃœrt, -ʃøːɐt] *nt* ribbed shirt **Rippenstück** *nt* COOK *joint of meat including ribs*

Risiko ['riːziko] *nt* ⟨**-s, -s** *or* ***Risiken*** *or* (*Aus*) ***Risken*** ['riːzikn, 'rɪskn]⟩ risk; ***auf eigenes ~*** at one's own risk; ***die Sache ist ohne ~*** there's no risk involved **Risikobereitschaft** *f* readiness to take risks **Risikofaktor** *m* risk factor **risikofreudig** *adj* prepared to take risks **Risikogeburt** *f* MED high-risk birth **Risikogruppe** *f* (high-)risk group **Risikokapital** *nt* FIN risk *or* venture capital **risikoreich** *adj* risky, high-risk *attr* **Risikostaat** *m* state of concern

riskant [rɪs'kant] *adj* risky **riskieren** [rɪs'kiːrən] *past part* ***riskiert*** *v/t* to risk; ***etwas/nichts ~*** to take risks / no risks; ***sein Geld ~*** to put one's money at risk

Risotto [ri'zɔto] *m or nt* ⟨**-(s), -s**⟩ risotto

Rispe ['rɪspə] *f* ⟨**-, -n**⟩ BOT panicle

Riss [rɪs] *m* ⟨**-es, -e**⟩ (*in Stoff, Papier etc*) tear, rip; (*in Erde*) fissure; (≈ *Sprung*: *in Wand, Behälter etc*) crack; (≈ *Hautriss*) chap; (*fig* ≈ *Kluft*) rift, split **rissig** ['rɪsɪç] *adj Boden, Leder* cracked; *Haut, Hände, Lippen* chapped **Risswunde** *f* laceration

Ritt [rɪt] *m* ⟨**-(e)s, -e**⟩ ride

Ritter ['rɪtɐ] *m* ⟨**-s, -**⟩ (*im Mittelalter*) knight; (*fig, hum* ≈ *Kämpfer*) champion; ***jdn zum ~ schlagen*** to knight sb **ritterlich** ['rɪtɐlɪç] *adj* (*lit*) knightly; (*fig*) chivalrous **Ritterorden** *m* order of knights **Ritterrüstung** *f* knight's armour (*Br*) *or* armor (*US*) **Rittersporn** *m, pl* ***-sporne*** BOT larkspur, delphinium **Ritterstand** *m* knighthood

rittlings ['rɪtlɪŋs] *adv* astride (*auf etw* (*dat*) sth)

Ritual [ri'tuaːl] *nt* ⟨**-s, -e** *or* **-ien** [-liən]⟩ ritual **rituell** [ri'tuɛl] *adj* ritual **Ritus** ['riːtʊs] *m* ⟨**-, *Riten*** [-tn]⟩ rite; (*fig*) ritual

Ritze ['rɪtsə] *f* ⟨**-, -n**⟩ crack; (≈ *Fuge*) gap

Ritzel ['rɪtsl] *nt* ⟨**-s, -**⟩ TECH pinion

ritzen ['rɪtsn] *v/t* to scratch

Rivale [ri'vaːlə] *m* ⟨**-n, -n**⟩, **Rivalin** [ri'vaːlɪn] *f* ⟨**-, -nen**⟩ rival **rivalisieren** [rivali'ziːrən] *past part* ***rivalisiert*** *v/i* ***mit jdm*** (***um etw***) ***~*** to compete with sb (for sth) **Rivalität** [rivali'tɛːt] *f* ⟨**-, -en**⟩ rivalry

Riviera [ri'vieːra] *f* ⟨**-**⟩ Riviera

Rizinus ['riːtsinʊs] *m* ⟨**-, -** *or* **-se**⟩ (*a.* **Rizinusöl**) castor oil

Robbe ['rɔbə] *f* ⟨**-, -n**⟩ seal **robben** ['rɔbn] *v/i aux sein* MIL to crawl **Robbenjagd** *f* sealing, seal hunting

Robe ['roːbə] *f* ⟨**-, -n**⟩ **1.** (≈ *Abendkleid*) evening gown **2.** (≈ *Amtstracht*) robes *pl*

Roboter ['rɔbɔtɐ] *m* ⟨**-s, -**⟩ robot **Robotertechnik** *f* robotics *sg or pl*

robust [ro'bʊst] *adj* robust; *Material* tough **Robustheit** *f* ⟨**-,** *no pl*⟩ robustness; (*von Material*) toughness

röcheln ['rœçln] *v/i* to groan; (*Sterbender*) to give the death rattle

Rochen ['rɔxn] *m* ⟨**-s, -**⟩ ray

Rock[1] [rɔk] *m* ⟨**-(e)s, ⸚e** ['rœkə]⟩ (≈ *Damenrock*) skirt; (*Swiss* ≈ *Kleid*) dress

Rock[2] *m* ⟨**-s,** *no pl*⟩ MUS rock **Rockband** [-bɛnt] *f, pl* ***-bands*** rock band **rocken** ['rɔkn] *v/i* MUS to rock **rockig** ['rɔkɪç] *adj Musik* which sounds like (hard) rock **Rockkonzert** *nt* rock concert **Rockmusik** *f* rock music

Rocksaum *m* hem of a/the skirt

Rockstar *m* rock star

Rodel ['roːdl] *m* ⟨**-s, -**⟩ (*S Ger, Aus*) *f* ⟨**-, -n**⟩ toboggan **Rodelbahn** *f* toboggan run **rodeln** ['roːdln] *v/i aux sein or haben* to toboggan **Rodelschlitten** *m* toboggan

roden ['roːdn] *v/t Wald, Land* to clear

Rodler ['roːdlɐ] *m* ⟨**-s, -**⟩, **Rodlerin** [-ərın] *f* ⟨**-, -nen**⟩ tobogganer; *esp* SPORTS tobogganist

Rodung ['roːdʊŋ] *f* ⟨**-, -en**⟩ clearing

Rogen ['roːgn] *m* ⟨**-s, -**⟩ roe

Roggen ['rɔgn] *m* ⟨**-s**, *no pl*⟩ rye **Roggenbrot** *nt* rye bread

roh [roː] **I** *adj* **1.** (≈ *ungekocht*) raw **2.** (≈ *unbearbeitet*) *Bretter, Stein etc* rough; *Diamant* uncut; *Metall* crude **3.** (≈ *brutal*) rough; ***~e Gewalt*** brute force **II** *adv* **1.** (≈ *ungekocht*) raw **2.** (≈ *grob*) roughly **3.** (≈ *brutal*) brutally **Rohbau** *m*, *pl* ***-bauten*** shell (of a/the building) **Rohdiamant** *m* rough *or* uncut diamond **Roheisen** *nt* pig iron **Rohentwurf** *m* rough draft **Rohgewinn** *m* gross profit **Rohheit** ['roːhait] *f* ⟨**-, -en**⟩ **1.** *no pl* (*Eigenschaft*) roughness; (≈ *Brutalität*) brutality **2.** (*Tat*) brutality **Rohkost** *f* raw fruit and vegetables *pl* **Rohleder** *nt* untanned leather, rawhide (*US*) **Rohling** ['roːlıŋ] *m* ⟨**-s, -e**⟩ **1.** (≈ *Grobian*) brute **2.** TECH blank; ***CD-~*** blank CD **Rohmaterial** *nt* raw material **Rohöl** *nt* crude oil

Rohr [roːɐ] *nt* ⟨**-(e)s, -e**⟩ **1.** (≈ *Schilfrohr*) reed; (*für Stühle etc*) cane, wicker *no pl* **2.** TECH pipe; (≈ *Geschützrohr*) (gun) barrel; ***aus allen ~en feuern*** (*lit*) to fire with all its guns; (*fig*) to use all one's fire power; ***volles ~*** (*infml*) flat out (*Br*), at full speed **3.** (*S Ger, Aus* ≈ *Backröhre*) oven **Rohrbruch** *m* burst pipe **Röhrchen** ['røːɐçən] *nt* ⟨**-s, -**⟩ tube; (*infml: zur Alkoholkontrolle*) Breathalyzer®; ***ins ~ blasen*** (*infml*) to be breathalyzed **Röhre** ['røːrə] *f* ⟨**-, -n**⟩ **1.** (≈ *Backröhre*) oven; ***in die ~ gucken*** (*infml*) to be left out **2.** (≈ *Neonröhre*) (neon) tube; (≈ *Elektronenröhre*) valve (*Br*), tube (*US*); (≈ *Fernsehröhre*) tube **3.** (≈ *Hohlkörper*) tube **röhren** ['røːrən] *v/i* HUNT to bell; (*Motorrad*) to roar **röhrenförmig** *adj* tubular **Rohrgeflecht** *nt* wickerwork, basketwork **Rohrleitung** *f* conduit **Rohrmöbel** *pl* cane (*esp Br*) *or* wicker furniture *sg* **Rohrpost** *f* pneumatic dispatch system **Rohrstock** *m* cane **Rohrzange** *f* pipe wrench **Rohrzucker** *m* cane sugar

Rohseide *f* wild silk **Rohstoff** *m* raw material **rohstoffarm** *adj Land* lacking in raw materials **rohstoffreich** *adj Land* rich in raw materials **Rohzustand** *m* natural state *or* condition

Rollbahn *f* AVIAT taxiway; (≈ *Start-, Landebahn*) runway **Rolle** ['rɔlə] *f* ⟨**-, -n**⟩ **1.** (≈ *Zusammengerolltes*) roll; (≈ *Garnrolle*) reel; ***eine ~ Toilettenpapier*** a toilet roll **2.** (≈ *Walze*) roller; (*an Möbeln*) caster, castor; ***von der ~ sein*** (*fig infml*) to have lost it (*infml*) **3.** SPORTS roll **4.** (THEAT, FILM, *fig*) role, part; SOCIOL role; ***bei*** *or* ***in etw*** (*dat*) ***eine ~ spielen*** to play a part in sth; ***es spielt keine ~, (ob) ...*** it doesn't matter (whether) ...; ***bei ihm spielt Geld keine ~*** with him money is no object; ***aus der ~ fallen*** (*fig*) to do/say the wrong thing **rollen** ['rɔlən] **I** *v/i aux sein* to roll; (*Flugzeug*) to taxi; ***etw ins Rollen bringen*** (*fig*) to set *or* start sth rolling **II** *v/t* to roll; *Teig* to roll out **Rollenbesetzung** *f* THEAT, FILM casting **Rollenlager** *nt* roller bearings *pl* **Rollenspiel** *nt* role play **Rollentausch** *m* exchange of roles **Roller** ['rɔlɐ] *m* ⟨**-s, -**⟩ (≈ *Motorroller, für Kinder*) scooter **Rollfeld** *nt* runway **Rollgeld** *nt* freight charge **rollig** ['rɔlıç] *adj* (*infml*) *Katze* on (*Br*) *or* in heat **Rollkommando** *nt* raiding party **Rollkragen** *m* polo neck **Rollkragenpullover** *m* polo-neck sweater **Rollladen** *m* (*an Fenster, Tür etc*) (roller) shutters *pl* **Rollmops** *m* rollmops **Rollo** ['rɔlo, rɔ'loː] *nt* ⟨**-s, -s**⟩ (roller) blind **Rollschuh** *m* roller skate; ***~ laufen*** to roller-skate **Rollschuhlaufen** *nt* ⟨**-s**, *no pl*⟩ roller-skating **Rollschuhläufer(in)** *m*/(*f*) roller skater **Rollsplitt** *m* loose chippings *pl* **Rollstuhl** *m* wheelchair **Rollstuhlfahrer(in)** *m*/(*f*) wheelchair user **Rolltreppe** *f* escalator

Rom [roːm] *nt* ⟨**-s**⟩ Rome

ROM [rɔm] *nt* ⟨**-s, -s**⟩ IT ROM

Roma ['roːma] *pl* Romanies *pl*

Roman [ro'maːn] *m* ⟨**-s, -e**⟩ novel **Romanheld** *m* hero of a/the novel **Romanheldin** *f* heroine of a/the novel

Romanik [ro'maːnık] *f* ⟨**-**, *no pl*⟩ ARCH, ART Romanesque period **romanisch** [ro'maːnıʃ] *adj Volk, Sprache* Romance; ART, ARCH Romanesque **Romanist**

[roma'nɪst] *m* ⟨**-en, -en**⟩, **Romanistin** [-'nɪstɪn] *f* ⟨**-, -nen**⟩ UNIV student of *or* (*Wissenschaftler*) expert on Romance languages and literature **Romanistik** [roma'nɪstɪk] *f* ⟨**-**, *no pl*⟩ UNIV Romance languages and literature

Romantik [ro'mantɪk] *f* ⟨**-**, *no pl*⟩ **1.** LIT, ART, MUS Romanticism; (*Epoche*) Romantic period **2.** (*fig*) romance **Romantiker** [ro'mantikɐ] *m* ⟨**-s, -**⟩, **Romantikerin** [-ərɪn] *f* ⟨**-, -nen**⟩ LIT, ART, MUS Romantic; (*fig*) romantic **romantisch** [ro'mantɪʃ] **I** *adj* romantic; LIT *etc* Romantic **II** *adv* romantically **Romanze** [ro'mantsə] *f* ⟨**-, -n**⟩ romance

Römer ['røːmɐ] *m* ⟨**-s, -**⟩, **Römerin** [-ərɪn] *f* ⟨**-, -nen**⟩ Roman **Römertopf®** *m* COOK clay casserole dish **römisch** ['røːmɪʃ] *adj* Roman **römisch-katholisch** ['røːmɪʃka'toːlɪʃ] *adj* Roman Catholic

Rommé [rɔ'meː, 'rɔme] *nt* ⟨**-s, -s**⟩, **Rommee** *nt* ⟨**-s, -s**⟩ rummy

röntgen ['rœntgn] *v/t* to X-ray **Röntgenaufnahme** *f* X-ray (plate) **Röntgenbild** *nt* X-ray **Röntgenologe** [rœntgeno'loːgə] *m* ⟨**-n, -n**⟩, **Röntgenologin** [-'loːgɪn] *f* ⟨**-, -nen**⟩ radiologist **Röntgenologie** [rœntgenolo'giː] *f* ⟨**-**, *no pl*⟩ radiology **Röntgenstrahlen** *pl* X-rays *pl* **Röntgenuntersuchung** *f* X-ray examination

rosa ['roːza] *adj inv* pink; ***in ~(rotem) Licht*** in a rosy light

Röschen ['røːsçən] *nt* ⟨**-s, -**⟩ (little) rose; (*von Brokkoli, Blumenkohl*) floret; (*von Rosenkohl*) sprout **Rose** ['roːzə] *f* ⟨**-, -n**⟩ (*Blume*) rose

rosé [ro'zeː] *adj inv* pink **Rosé** [ro'zeː] *m* ⟨**-s, -s**⟩ rosé (wine)

Rosengarten *m* rose garden **Rosenholz** *nt* rosewood **Rosenkohl** *m* Brussel(s) sprouts *pl* **Rosenkranz** *m* ECCL rosary **Rosenmontag** *m Monday preceding Ash Wednesday* **Rosenstrauch** *m* rosebush

Rosette [ro'zɛtə] *f* ⟨**-, -n**⟩ rosette

Roséwein *m* rosé wine

rosig ['roːzɪç] *adj* rosy

Rosine [ro'ziːnə] *f* ⟨**-, -n**⟩ raisin; ***(große) ~n im Kopf haben*** (*infml*) to have big ideas; ***sich*** (*dat*) ***die ~n*** (***aus dem Kuchen***) ***herauspicken*** (*infml*) to take the pick of the bunch

Rosmarin ['roːsmariːn, roːsma'riːn] *m* ⟨**-s**, *no pl*⟩ rosemary

Ross [rɔs] *nt* ⟨**-es, -e** *or* (*S Ger, Aus, Sw*) ***Rösser*** ['rœsɐ]⟩ (*S Ger, Aus, Swiss*) horse; ***~ und Reiter nennen*** (*fig elev*) to name names; ***auf dem hohen ~ sitzen*** (*fig*) to be on one's high horse **Rosshaar** *nt* horsehair **Rosskastanie** *f* horse chestnut **Rosskur** *f* (*hum*) kill-or-cure remedy

Rost[1] [rɔst] *m* ⟨**-(e)s**, *no pl*⟩ rust; ***~ ansetzen*** to start to rust

Rost[2] *m* ⟨**-(e)s, -e**⟩ (≈ *Ofenrost*) grill; (≈ *Gitterrost*) grating, grille **Rostbraten** *m* COOK ≈ roast **Rostbratwurst** *f* barbecue sausage **rostbraun** *adj* russet; *Haar* auburn

rosten ['rɔstn] *v/i aux sein or haben* to rust

rösten [, (*S Ger*) 'røːstn] [, (*N Ger*) 'rœstn] *v/t* to roast; *Brot* to toast

Rostfleck *m* patch of rust **rostfrei** *adj Stahl* stainless

röstfrisch [, (*S Ger*) 'røːst-] [, (*N Ger*) 'rœst-] *adj Kaffee* freshly roasted **Rösti** [, (*S Ger, Swiss*) 'røːsti] [, (*N Ger*) 'rœsti] *pl fried grated potatoes*

rostig ['rɔstɪç] *adj* rusty

Röstkartoffeln [, (*S Ger*) 'røːst-] [, (*N Ger*) 'rœst-] *pl* sauté potatoes *pl*

Rostschutz *m* antirust protection **Rostschutzfarbe** *f* antirust paint **Rostschutzmittel** *nt* rustproofer

rot [roːt] **I** *adj*, *comp* ***röter*** ['røːtɐ], *sup* ***röteste(r, s)*** ['røːtəstə] red; ***Rote Karte*** FTBL red card; ***das Rote Kreuz*** the Red Cross; ***der Rote Halbmond*** the Red Crescent; ***das Rote Meer*** the Red Sea; ***~e Zahlen schreiben*** to be in the red; ***~ werden*** to blush, to go red **II** *adv*, *comp* ***röter***, *sup* ***am rötesten*** **1.** *anmalen* red; *anstreichen* in red; ***sich*** (*dat*) ***etw ~ (im Kalender) anstreichen*** (*infml*) to make sth a red-letter day **2.** *glühen, leuchten* a bright red; ***~ glühend*** *Metall* red-hot **Rot** [roːt] *nt* ⟨**-s, -s** *or* **-**⟩ red; ***bei ~*** at red; ***die Ampel stand auf ~*** the lights were (at) red

Rotation [rota'tsioːn] *f* ⟨**-, -en**⟩ rotation

Rotbarsch *m* rosefish **rotblond** *adj Haar* sandy; *Mann* sandy-haired; *Frau* strawberry blonde **rotbraun** *adj* reddish brown **Röte** ['røːtə] *f* ⟨**-**, *no pl*⟩ redness, red **Röteln** ['røːtln] *pl* German measles *sg* **röten** ['røːtn] **I** *v/t* to make red; ***gerötete Augen*** red eyes **II** *v/r* to turn *or* become red **rotglühend** *adj* → ***rot*** **rotgrün**

adj red-green; ***die ~e Koalition*** the Red--Green coalition **rothaarig** *adj* red--haired

rotieren [ro'tiːrən] *past part* ***rotiert*** *v/i* to rotate; ***am Rotieren sein*** (*infml*) to be in a flap (*infml*)

Rotkäppchen [-kɛpçən] *nt* ⟨*-s, no pl*⟩ LIT Little Red Riding Hood **Rotkehlchen** [-keːlçən] *nt* ⟨*-s, -*⟩ robin **Rotkohl** *m* (*S Ger, Aus*), **Rotkraut** *nt* red cabbage

rötlich ['røːtlɪç] *adj* reddish **Rotlicht** *nt* red light **Rotlichtviertel** *nt* red-light district **rotsehen** ['roːtzeːən] *v/i sep irr* (*infml*) to see red (*infml*) **Rotstift** *m* red pencil; ***den ~ ansetzen*** (*fig*) to cut back drastically **Rottanne** *f* Norway spruce

Rottweiler ['rɔtvailɐ] *m* ⟨*-s, -*⟩ Rottweiler

Rötung ['røːtʊŋ] *f* ⟨*-, -en*⟩ reddening **Rotwein** *m* red wine **Rotwild** *nt* red deer

Rotz [rɔts] *m* ⟨*-es, no pl*⟩ (*infml*) snot (*infml*) **rotzfrech** (*infml*) *adj* cocky (*infml*) **Rotznase** *f* **1.** (*infml*) snotty nose (*infml*) **2.** (*infml* ≈ *Kind*) snotty-nosed brat (*infml*)

Rouge [ruːʒ] *nt* ⟨*-s, -s*⟩ blusher

Roulade [ru'laːdə] *f* ⟨*-, -n*⟩ COOK ≈ beef olive

Rouleau [ru'loː] *nt* ⟨*-s, -s*⟩ (roller) blind

Roulette [ru'lɛt] *nt* ⟨*-s, -s*⟩, **Roulett** [ru'lɛt] ⟨*-(e)s, -e or -s*⟩ *nt* roulette

Route ['ruːtə] *f* ⟨*-, -n*⟩ route

Routine [ru'tiːnə] *f* ⟨*-, -n*⟩ (≈ *Erfahrung*) experience; (≈ *Gewohnheit*) routine **Routineangelegenheit** *f* routine matter **routinemäßig** *adj* routine; ***das wird ~ überprüft*** it's checked as a matter of routine **Routinesache** *f* routine matter **routiniert** [ruti'niːɐt] **I** *adj* experienced **II** *adv* expertly

Rowdy ['raudi] *m* ⟨*-s, -s*⟩ hooligan; (*zerstörerisch*) vandal; (*lärmend*) rowdy (type)

Rubbelkarte *f*, **Rubbellos** *nt* scratch card **rubbeln** ['rʊbln] *v/t & v/i* to rub; *Los* to scratch

Rübe ['ryːbə] *f* ⟨*-, -n*⟩ **1.** turnip; ***Gelbe ~*** carrot; ***Rote ~*** beetroot (*Br*), beet (*US*) **2.** (*infml* ≈ *Kopf*) nut (*infml*) **Rübensaft** *m*, **Rübenkraut** *nt* sugar beet syrup **Rübenzucker** *m* beet sugar

rüber- ['ryːbɐ-] *in cpds* (*infml*) → ***herüber-, hinüber-***

Rubin [ru'biːn] *m* ⟨*-s, -e*⟩ ruby

Rubrik [ru'briːk] *f* ⟨*-, -en*⟩ **1.** (≈ *Kategorie*) category **2.** (≈ *Zeitungsrubrik*) section

Ruck [rʊk] *m* ⟨*-(e)s, -e*⟩ jerk; POL swing; ***auf einen** or **mit einem ~*** in one go; ***sich*** (*dat*) ***einen ~ geben*** (*infml*) to make an effort

Rückantwort *f* reply, answer

ruckartig **I** *adj* jerky **II** *adv* jerkily; ***er stand ~ auf*** he shot to his feet

rückbestätigen *v/t* to reconfirm **Rückblende** *f* flashback **Rückblick** *m* look back (*auf +acc* at); ***im ~ auf etw*** (*acc*) looking back on sth **rückblickend** *adv* in retrospect **rückdatieren** ['rʏkdatiːrən] *past part* ***rückdatiert*** *v/t sep inf, past part only* to backdate

rücken ['rʏkn] **I** *v/i aux sein* to move; (≈ *Platz machen*) to move up *or* (*zur Seite auch*) over; ***näher ~*** to move closer; ***an jds Stelle*** (*acc*) ***~*** to take sb's place; ***in weite Ferne ~*** to recede into the distance **II** *v/t* to move

Rücken ['rʏkn] *m* ⟨*-s, -*⟩ back; (≈ *Nasenrücken*) ridge; (≈ *Bergrücken*) crest; (≈ *Buchrücken*) spine; ***mit dem ~ zur Wand stehen*** (*fig*) to have one's back to the wall; ***hinter jds ~*** (*dat*) (*fig*) behind sb's back; ***jdm/einer Sache den ~ kehren*** to turn one's back on sb/sth; ***jdm in den ~ fallen*** (*fig*) to stab sb in the back; ***jdm den ~ decken*** (*fig infml*) to back sb up (*infml*); ***jdm den ~ stärken*** (*fig infml*) to give sb encouragement **Rückendeckung** *f* (*fig*) backing **Rückenflosse** *f* dorsal fin **rückenfrei** *adj Kleid* backless, low-backed **Rückenlage** *f* supine position; ***er schläft in ~*** he sleeps on his back **Rückenlehne** *f* back (rest) **Rückenmark** *nt* spinal cord **Rückenschmerzen** *pl* backache, back pain **rückenschwimmen** ['rʏknʃvɪmən] *v/i sep inf only* to swim on one's back **Rückenschwimmen** *nt* backstroke **Rückenwind** *m* tailwind **Rückenwirbel** *m* dorsal vertebra

rückerstatten ['rʏk|ɛɐʃtatn] *past part* ***rückerstattet*** *v/t sep inf, past part only* to refund; *Ausgaben* to reimburse **Rückerstattung** *f* refund; (*von Ausgaben*) reimbursement **Rückfahrkarte** *f* return ticket (*Br*), round-trip ticket (*US*) **Rückfahrt** *f* return journey **Rückfall** *m* relapse; JUR repetition of an/the offence (*Br*) *or* offense (*US*) **rückfällig** *adj* ***~ werden*** MED to have a relapse; (*fig*) to relapse; JUR to lapse back into crime **Rückflug** *m* return flight **Rückfrage** *f* question; ***auf ~ wurde uns erklärt ...*** when we queried this, we were told ... **rückfragen** ['rʏkfraːgn] *v/i sep inf, past part only* to check **Rückführung** *f* (*von Menschen*) repatriation, return **Rückgabe** *f* return **Rückgang** *m, pl* ***-gänge*** fall, drop (*+gen* in) **rückgängig** *adj* ***~ machen*** (≈ *widerrufen*) to undo; *Bestellung, Termin* to cancel; *Entscheidung* to go back on; *Verlobung* to call off **Rückgewinnung** *f* recovery; (*von Land, Gebiet*) reclamation **Rückgrat** ['rʏkgraːt] *nt* ⟨***-(e)s, -e***⟩ spine, backbone **Rückhalt** *m* **1.** (≈ *Unterstützung*) support **2.** (≈ *Einschränkung*) ***ohne ~*** without reservation **rückhaltlos I** *adj* complete **II** *adv* completely; ***sich ~ zu etw bekennen*** to proclaim one's total allegiance to sth **Rückhand** *f* SPORTS backhand **Rückkauf** *m* repurchase **Rückkaufsrecht** *nt* right of repurchase **Rückkehr** ['rʏkkeːɐ] *f* ⟨*-, no pl*⟩ return; ***bei seiner ~*** on his return **Rücklage** *f* (FIN ≈ *Reserve*) reserve, reserves *pl* **rückläufig** *adj* declining; *Tendenz* downward **Rücklicht** *nt* tail-light, rear light **rücklings** ['rʏklɪŋs] *adv* (≈ *rückwärts*) backwards; (≈ *von hinten*) from behind; (≈ *auf dem Rücken*) on one's back **Rückmeldung** *f* UNIV re-registration **Rücknahme** [-naːmə] *f* ⟨***-, -n***⟩ taking back **Rückporto** *nt* return postage **Rückreise** *f* return journey **Rückreiseverkehr** *m* homebound traffic **Rückruf** *m* **1.** (*am Telefon*) ***Herr X hat angerufen und bittet um ~*** Mr X called and asked you to call (him) back **2.** (*von Botschafter, Waren*) recall

Rucksack ['rʊkzak] *m* rucksack **Rucksacktourist(in)** *m/(f)* backpacker

Rückschau *f* ***~ halten*** to reminisce, to reflect **Rückschein** *m* ≈ recorded delivery slip **Rückschlag** *m* (*fig*) setback; (*bei Patient*) relapse **Rückschluss** *m* conclusion; ***Rückschlüsse ziehen*** to draw one's own conclusions (*aus* from) **Rückschritt** *m* (*fig*) step backwards **rückschrittlich** ['rʏkʃrɪtlɪç] *adj* reactionary; *Entwicklung* retrograde **Rückseite** *f* back; (*von Buchseite, Münze*) reverse; (*von Zeitung*) back page; ***siehe ~*** see over(leaf) **Rücksendung** *f* return

Rücksicht ['rʏkzɪçt] *f* ⟨***-, -en***⟩ (≈ *Nachsicht*) consideration; ***aus*** *or* ***mit ~ auf jdn/etw*** out of consideration for sb/sth; ***ohne ~ auf jdn/etw*** with no consideration for sb/sth; ***ohne ~ auf Verluste*** (*infml*) regardless; ***auf jdn/etw ~ nehmen*** to show consideration for sb/sth **Rücksichtnahme** [-naːmə] *f* ⟨*-, no pl*⟩ consideration **rücksichtslos I** *adj* **1.** inconsiderate; (*im Verkehr*) reckless **2.** (≈ *unbarmherzig*) ruthless **II** *adv* **1.** (≈ *ohne Nachsicht*) inconsiderately **2.** (≈ *schonungslos*) ruthlessly **Rücksichtslosigkeit** *f* ⟨***-, -en***, *no pl*⟩ lack of consideration; (≈ *Unbarmherzigkeit*) ruthlessness **rücksichtsvoll I** *adj* considerate, thoughtful (*gegenüber, gegen* towards) **II** *adv* considerately, thoughtfully

Rücksitz *m* (*von Fahrrad, Motorrad*) pillion; (*von Auto*) back seat **Rückspiegel** *m* AUTO rear(-view) mirror; (*außen*) outside mirror **Rückspiel** *nt* SPORTS return match (*Br*), rematch (*US*) **Rücksprache** *f* consultation; ***nach ~ mit Herrn Müller ...*** after consulting Mr Müller ... **Rückstand** ['rʏkʃtant] *m* **1.** (≈ *Überrest*) remains *pl*; (≈ *Bodensatz*) residue **2.** (≈ *Verzug*) delay; (*bei Aufträgen*) backlog; ***im ~ sein*** to be behind; ***mit 0:2*** (***Toren***) ***im ~ sein*** to be 2-0 down; ***seinen ~ aufholen*** to catch up **rückständig** ['rʏkʃtɛndɪç] *adj* **1.** (≈ *überfällig*) *Betrag* overdue **2.** (≈ *zurückgeblieben*) backward **Rückständigkeit** *f* ⟨*-, no pl*⟩ backwardness **Rückstau** *m* (*von Wasser*) backwater; (*von Autos*) tailback **Rückstrahler** *m* reflector **Rücktaste** *f* (*an Tastatur*) backspace key **Rücktritt** *m* **1.** (≈ *Amtsniederlegung*) resignation; (*von König*) abdication **2.** (JUR: *von Vertrag*) withdrawal (*von* from) **Rücktrittbremse** *f* backpedal brake **Rücktrittsangebot** *nt* offer of resignation **Rücktrittsdrohung** *f* threat to resign; (*von König*) threat to abdicate **Rücktrittsrecht** *nt* right of withdrawal **rückübersetzen** ['rʏk|yːbɐzɛtsn] *past part* ***rückübersetzt*** *v/t sep inf, past part only* to translate back into the original language **Rückumschlag** *m* reply-paid *or* business reply (*US*) envelope; ***adressierter und frankierter ~*** stamped addressed envelope **Rückvergütung** *f* refund **rückversichern** ['rʏkfɛɐzɪçɐn] *past part* ***rückversichert*** *sep* **I** *v/t & v/i* to reinsure **II** *v/r* to check (up *or* back) **Rückversicherung** *f* reinsurance **Rückwand** *f* back wall; (*von Möbelstück etc*) back **rückwärtig** ['rʏkvɛrtɪç] *adj* back **rückwärts** ['rʏkvɛrts] *adv* backwards; ***Rolle ~*** backward roll; ***Salto ~*** back somersault; ***~ einparken*** to reverse into a parking space **Rückwärtsgang** *m, pl* ***-gänge*** AUTO reverse gear; ***den ~ einlegen*** to change (*Br*) *or* shift (*US*) into reverse **Rückweg** *m* way back; ***den ~ antreten*** to set off back

ruckweise ['rʊkvaizə] *adv* jerkily

rückwirkend ['rʏkvɪrknt] *adj* JUR retrospective; *Lohnerhöhung* backdated **Rückwirkung** *f* repercussion **rückzahlbar** *adj* repayable **Rückzahlung** *f* repayment **Rückzieher** ['rʏktsiːɐ] *m* ⟨***-s, -***⟩ (*infml*) ***einen ~ machen*** to back down

ruck, zuck ['rʊk'tsʊk] *adv* in a flash; ***das geht ~*** it won't take a second

Rückzug *m* MIL retreat; (*fig*) withdrawal

rüde ['ryːdə] **I** *adj* impolite; *Antwort* curt; *Methoden* crude **II** *adv* rudely

Rüde ['ryːdə] *m* ⟨***-n, -n***⟩ (≈ *Männchen*) male

Rudel ['ruːdl] *nt* ⟨***-s, -***⟩ (*von Hunden, Wölfen*) pack; (*von Hirschen*) herd

Ruder ['ruːdɐ] *nt* ⟨***-s, -***⟩ (*von Ruderboot*) oar; (NAUT, AVIAT ≈ *Steuerruder*) rudder; (*fig* ≈ *Führung*) helm; ***das ~ fest in der Hand haben*** (*fig*) to be in control of the situation; ***am ~ sein*** to be at the helm; ***ans ~ kommen*** to take over (at) the helm; ***das ~ herumreißen*** (*fig*) to change tack **Ruderboot** *nt* rowing boat (*Br*), rowboat (*US*) **Ruderer** ['ruːdərɐ] *m* ⟨***-s, -***⟩ oarsman **Ruderin** ['ruːdərɪn] *f* ⟨***-, -nen***⟩ oarswoman **rudern** ['ruːdɐn] *v/t & v/i aux haben or sein* to row **Ruderregatta** *f* rowing regatta **Rudersport** *m* rowing *no def art*

rudimentär [rudimɛn'tɛːɐ] *adj* rudimentary

Ruf [ruːf] *m* ⟨***-(e)s, -e***⟩ **1.** call (*nach* for); (*lauter*) shout; (≈ *Schrei*) cry **2.** (≈ *Ansehen*) reputation; ***einen guten ~ haben*** (*elev*) to enjoy a good reputation; ***eine Firma von ~*** a firm with a good reputation; ***jdn/etw in schlechten ~ bringen*** to give sb/sth a bad name **3.** (UNIV ≈ *Berufung*) offer of a chair **4.** (≈ *Fernruf*) telephone number; ***„Ruf: 2785"*** "Tel 2785" **rufen** ['ruːfn] *pret* ***rief*** [riːf], *past part* ***gerufen*** [gə'ruːfn] **I** *v/i* to call; (≈ *laut rufen*) to shout; ***um Hilfe ~*** to call for help; ***die Arbeit ruft*** my/your *etc* work is waiting; ***nach jdm/etw ~*** to call for sb/sth **II** *v/t* (≈ *laut sagen*) **1.** to call; (≈ *ausrufen*) to cry; (≈ *laut rufen*) to shout; ***sich*** (*dat*) ***etw in Erinnerung ~*** to recall sth **2.** (≈ *kommen lassen*) to send for; *Arzt, Polizei, Taxi* to call; ***jdn zu sich ~*** to send for sb; ***jdn zu Hilfe ~*** to call on sb to help; ***du kommst wie gerufen*** you're just the man/woman I wanted

Rüffel ['rʏfl] *m* ⟨***-s, -***⟩ (*infml*) telling-off (*infml*)

Rufmord *m* character assassination **Rufmordkampagne** *f* smear campaign **Rufname** *m* forename (by which one is generally known) **Rufnummer** *f* telephone number **Rufnummernanzeige** *f* TEL caller ID display **Rufnummernspeicher** *m* (*von Telefon*) memory **Rufumleitung** *f* TEL call diversion **Rufweite** *f* ***in ~*** within earshot; ***außer ~*** out of earshot **Rufzeichen** *nt* TEL call sign; (*von Telefon*) ringing tone

Rugby ['rakbi] *nt* ⟨*-, no pl*⟩ rugby

Rüge ['ryːgə] *f* ⟨***-, -n***⟩ (≈ *Verweis*) reprimand; ***jdm eine ~ erteilen*** to reprimand sb (*für, wegen* for) **rügen** ['ryːgn] *v/t* (*form*) *jdn* to reprimand (*wegen, für* for); *etw* to reprehend

Ruhe ['ruːə] *f* ⟨*-, no pl*⟩ **1.** (≈ *Stille*) quiet; ***~!*** quiet!, silence!; ***sich*** (*dat*) ***~ verschaffen*** to get quiet; ***~ halten*** to keep quiet; ***~ und Frieden*** peace and quiet; ***die ~ vor dem Sturm*** (*fig*) the calm before the storm **2.** (≈ *Frieden*) peace; ***in ~ und Frieden leben*** to live a quiet life; ***~ und Ordnung*** law and order; ***lass mich in ~!*** leave me in peace; ***jdm keine ~ lassen*** *or* ***gönnen*** (*Mensch*) not to give sb any peace; ***keine ~ geben*** to keep on and on; ***das lässt ihm keine ~*** he can't stop thinking about it; ***zur ~ kommen*** to get some peace; (≈ *solide werden*) to settle down **3.** (≈ *Erholung*) rest; ***angenehme ~!*** sleep well!; ***sich zur ~ setzen*** to retire **4.** (≈ *Gelassenheit*) calm(ness); ***die ~ weghaben*** (*infml*) to be unflappable (*infml*); ***~ bewahren*** to keep calm; ***jdn aus der ~ bringen*** to throw sb (*infml*); ***sich nicht aus der ~ bringen lassen*** not to (let oneself) get worked up; ***in aller ~*** calmly; ***immer mit der ~*** (*infml*) don't panic **ruhelos** *adj* restless **ruhen** ['ruːən] *v/i* **1.** (≈ *ausruhen*) to rest; ***nicht (eher) ~, bis ...*** (*fig*) not to rest until ... **2.** (≈ *stillstehen*) to stop; (*Maschinen*) to stand idle; (*Verkehr*) to be at a standstill; (≈ *unterbrochen sein*: *Verfahren, Verhandlung*) to be suspended **3.** (≈ *tot und begraben sein*) to be buried; ***„hier ruht ..."*** "here lies ..."; ***„ruhe in Frieden!"*** "Rest in Peace" **ruhend** *adj* resting; *Kapital* dormant; *Verkehr* stationary **ruhen lassen** *v/t, past part* ***ruhen lassen*** *or* (*rare*) ***ruhen gelassen*** *irr Vergangenheit, Angelegenheit* to let rest **Ruhepause** *f* break; ***eine ~ einlegen*** to take a break **Ruhestand** *m* retirement; ***im ~ sein*** *or* ***leben*** to be retired; ***in den ~ treten*** to retire; ***jdn in den ~ versetzen*** to retire sb **Ruhestätte** *f* resting place **Ruhestörer(in)** *m/(f)* disturber of the peace **Ruhestörung** *f* JUR disturbance of the peace **Ruhetag** *m* day off; (*von Geschäft etc*) closing day; ***„Mittwoch ~"*** "closed (on) Wednesdays" **ruhig** ['ruːɪç] **I** *adj* (≈ *still*) quiet; *Wetter, Meer* calm; (≈ *geruhsam*) quiet; (≈ *ohne Störung*) *Verlauf* smooth; (≈ *gelassen*) calm; (≈ *sicher*) *Hand* steady; ***seid ~!*** be quiet!; ***nur ~ (Blut)!*** keep calm **II** *adv* **1.** (≈ *still*) *sitzen, dastehen* still **2.** (*infml*) ***du kannst ~ hier bleiben*** feel free to stay here; ***ihr könnt ~ gehen, ich passe schon auf*** you just go and I'll look after things; ***wir können ~ darüber sprechen*** we can talk about it if you want **3.** (≈ *beruhigt*) *schlafen* peacefully; ***du kannst ~ ins Kino gehen*** go ahead, go to the cinema

Ruhm [ruːm] *m* ⟨***-(e)s***, *no pl*⟩ glory; (≈ *Berühmtheit*) fame; (≈ *Lob*) praise **rühmen** ['ryːmən] **I** *v/t* (≈ *preisen*) to praise **II** *v/r* ***sich einer Sache*** (*gen*) ***~*** (≈ *prahlen*) to boast about sth; (≈ *stolz sein*) to pride oneself on sth **rühmlich** ['ryːmlɪç] *adj* praiseworthy; *Ausnahme* notable

Ruhr *f* ⟨***-***, *no pl*⟩ (*Krankheit*) dysentery

Rührei ['ryːɐ|ai] *nt* scrambled egg **rühren** ['ryːrən] **I** *v/i* **1.** (≈ *umrühren*) to stir **2.** ***von etw ~*** to stem from sth; ***das rührt daher, dass ...*** that is because ... **II** *v/t* **1.** (≈ *umrühren*) to stir **2.** (≈ *bewegen*) to move; ***er rührte keinen Finger, um mir zu helfen*** (*infml*) he didn't lift a finger to help me (*infml*); ***das kann mich nicht ~!*** that leaves me cold; (≈ *stört mich nicht*) that doesn't bother me; ***sie war äußerst gerührt*** she was extremely moved **III** *v/r* (≈ *sich bewegen*) to stir; (*Körperteil*) to move; ***kein Lüftchen rührte sich*** the air was still **rührend I** *adj* touching **II** *adv* ***sie kümmert sich ~ um das Kind*** it's touching how she looks after the child

Ruhrgebiet *nt, no pl* Ruhr (area)

rührig ['ryːrɪç] *adj* active

Rührkuchen *m* stirred cake

Ruhrpott *m, no pl* (*infml*) Ruhr (Basin *or* Valley)

rührselig *adj* (*pej*) tear-jerking (*pej infml*); *Person* weepy; *Stimmung* sentimental **Rührseligkeit** *f, no pl* sentimentality **Rührteig** *m* sponge mixture **Rührung** ['ryːrʊŋ] *f* ⟨***-***, *no pl*⟩ emotion

Ruin [ru'iːn] *m* ⟨***-s***, *no pl*⟩ ruin; ***jdn in den ~ treiben*** to ruin sb **Ruine** [ru'iːnə] *f* ⟨***-, -n***⟩ ruin **ruinieren** [rui'niːrən] *past part* ***ruiniert*** *v/t* to ruin

rülpsen ['rʏlpsn] *v/i* to belch; ***das Rülpsen*** belching **Rülpser** ['rʏlpsɐ] *m* ⟨***-s, -***⟩ (*infml*) belch

Rum [rʊm, (*S Ger, Aus also*) ruːm] *m* ⟨***-s, -s***⟩ rum

Rumäne [ru'mɛːnə] *m* ⟨***-n, -n***⟩, **Rumänin** [-'mɛːnɪn] *f* ⟨***-, -nen***⟩ Romanian **Rumänien** [ru'mɛːniən] *nt* ⟨***-s***⟩ Romania **rumänisch** [ru'mɛːnɪʃ] *adj* Romanian

rumhängen *v/i sep irr aux haben or sein* (*infml*) to hang around (*in +dat* in)

Rummel ['rʊml] *m* ⟨***-s***, *no pl*⟩ **1.** (*infml*) (≈ *Betrieb*) (hustle and) bustle; (≈ *Getöse*) racket (*infml*); (≈ *Aufheben*) fuss (*infml*); ***großen ~ um jdn/etw machen*** *or* ***veranstalten*** to make a great fuss about sb/sth (*infml*) **2.** (≈ *Rummelplatz*) fair **Rummelplatz** *m* (*infml*) fairground

rumoren [ru'moːrən] *past part* ***rumort*** **I** *v/i* to make a noise; (*Magen*) to rumble **II** *v/i impers* ***es rumort in meinem Magen*** *or* ***Bauch*** my stomach's rumbling

Rumpelkammer *f* (*infml*) junk room (*infml*) **rumpeln** ['rʊmpln] *v/i* (≈ *Geräusch machen*) to rumble

Rumpf [rʊmpf] *m* ⟨***-(e)s, ⸚e*** ['rʏmpfə]⟩ trunk; (*von Statue*) torso; (*von Schiff*) hull; (*von Flugzeug*) fuselage

rümpfen ['rʏmpfn] *v/t* ***die Nase ~*** to turn up one's nose (*über +acc* at)

Rumpsteak ['rʊmpsteːk] *nt* rump steak

Rumtopf *m* rumpot (*soft fruit in rum*)

rund [rʊnt] **I** *adj* round; ***~e 50 Jahre/500 Euro*** a good 50 years/500 euros; ***~er Tisch*** round table **II** *adv* **1.** (≈ *herum*) (a)round; **~ um** right (a)round; **~ um die Uhr** right (a)round the clock **2.** (≈ *ungefähr*) (round) about; **~ gerechnet 200** call it 200 **Rundblick** *m* panorama **Rundbrief** *m* circular **Runde** ['rʊndə] *f* ⟨-, **-n**⟩ **1.** (≈ *Gesellschaft*) company; (*von Teilnehmern*) circle **2.** (≈ *Rundgang*) walk; (*von Briefträger etc*) round; **die/seine ~ machen** to do the/one's rounds; **das Gerücht machte die ~** the rumour (*Br*) *or* rumor (*US*) went around; **eine ~ machen** to go for a walk **3.** SPORTS round; (*bei Rennen*) lap; **über die ~n kommen** to pull through **4.** (*von Getränken*) round; **eine ~ spendieren** *or* **schmeißen** (*infml*) to buy a round (*Br*) **runden** ['rʊndn] **I** *v/t Lippen* to round; **nach oben/unten ~** MAT to round up/down **II** *v/r* (*lit ≈ rund werden*) to become round; (*fig ≈ konkrete Formen annehmen*) to take shape **runderneuern** ['rʊnt|ɛɐnɔyɐn] *past part* **runderneuert** *v/t sep inf, past part only* to remould (*Br*), to remold (*US*); **runderneuerte Reifen** remo(u)lds **Rundfahrt** *f* tour; **eine ~ machen** to go on a tour **Rundfrage** *f* survey (*an +acc, unter +dat* of) **Rundfunk** *m* broadcasting; (≈ *Hörfunk*) radio; **im ~** on the radio **Rundfunkanstalt** *f* (*form*) broadcasting corporation **Rundfunkgebühr** *f* radio licence (*Br*) *or* license (*US*) fee **Rundfunkgerät** *nt* radio **Rundfunksender** *m* **1.** (≈ *Sendeanlage*) radio transmitter **2.** (≈ *Sendeanstalt*) radio station **Rundfunksendung** *f* radio programme (*Br*) *or* program (*US*) **Rundfunksprecher(in)** *m/*(*f*) radio announcer **Rundgang** *m*, *pl* **-gänge** (≈ *Spaziergang*) walk; (*zur Besichtigung*) tour (*durch* of) **rundgehen** ['rʊntgeːən] *v/i sep irr* (*infml*) **jetzt gehts rund** this is where the fun starts (*infml*); **es geht rund im Büro** there's a lot (going) on at the office **rundheraus** ['rʊnthɛ'raus] *adv* straight out; **~ gesagt** frankly **rundherum** ['rʊnthɛ'rʊm] *adv* all around; (*fig infml ≈ völlig*) totally **rundlich** ['rʊntlɪç] *adj Mensch* plump; *Form* roundish **Rundreise** *f* tour (*durch* of) **Rundschreiben** *nt* circular **rundum** ['rʊnt'|ʊm] *adv* all around; (*fig*) completely **Rundung** ['rʊndʊŋ] *f* ⟨-, **-en**⟩ curve **rundweg** ['rʊnt'vɛk] *adv* = **rundheraus**

Rune ['ruːnə] *f* ⟨-, **-n**⟩ rune

runter ['rʊntɐ] *adv* (*infml*) = **herunter**, **hinunter**

Runzel ['rʊntsl] *f* ⟨-, **-n**⟩ wrinkle; (*auf Stirn auch*) line **runzelig** ['rʊntsəlɪç] *adj* wrinkled **runzeln** ['rʊntsln] *v/t Stirn* to wrinkle; *Brauen* to knit

Rüpel ['ryːpl] *m* ⟨**-s, -**⟩ lout **rüpelhaft** *adj* loutish

rupfen ['rʊpfn] *v/t Geflügel* to pluck; *Unkraut* to pull up

ruppig ['rʊpɪç] **I** *adj* (≈ *grob*) rough; *Antwort* gruff **II** *adv behandeln* gruffly; **~ antworten** to give a gruff answer

Rüsche ['ryːʃə] *f* ⟨-, **-n**⟩ ruche

Ruß [ruːs] *m* ⟨**-es**, *no pl*⟩ soot; (*von Kerze*) smoke

Russe ['rʊsə] *m* ⟨**-n, -n**⟩, **Russin** ['rʊsɪn] *f* ⟨-, **-nen**⟩ Russian

Rüssel ['rʏsl] *m* ⟨**-s, -**⟩ snout; (*von Elefant*) trunk

rußen ['ruːsn] *v/i* (*Öllampe*, *Kerze*) to smoke; (*Ofen*) to produce soot **Rußflocke** *f* soot particle **rußig** ['ruːsɪç] *adj* sooty

Russin *f* ⟨-, **-nen**⟩ Russian **russisch** ['rʊsɪʃ] *adj* Russian; **~es Roulette** Russian roulette; **~e Eier** COOK egg(s) mayonnaise **Russland** ['rʊslant] *nt* ⟨**-s**⟩ Russia

rüsten ['rʏstn] **I** *v/i* MIL to arm; **zum Krieg/Kampf ~** to arm for war/battle; **gut/schlecht gerüstet sein** to be well/badly armed; (*fig*) to be well/badly prepared **II** *v/r* to prepare (*zu* for)

rüstig ['rʏstɪç] *adj* sprightly

rustikal [rʊsti'kaːl] *adj Möbel* rustic; *Speisen* country-style

Rüstung ['rʏstʊŋ] *f* ⟨-, **-en**⟩ **1.** (≈ *das Rüsten*) armament; (≈ *Waffen*) arms *pl*, weapons *pl* **2.** (≈ *Ritterrüstung*) armour (*Br*), armor (*US*) **Rüstungsausgaben** *pl* defence (*Br*) *or* defense (*US*) spending *sg* **Rüstungsbegrenzung** *f* arms limitation **Rüstungsindustrie** *f* armaments industry **Rüstungskontrolle** *f* arms control

Rüstzeug *nt*, *no pl* **1.** (≈ *Handwerkszeug*) tools *pl* **2.** (*fig*) skills *pl*

Rute ['ruːtə] *f* ⟨-, **-n**⟩ **1.** (≈ *Gerte*) switch; (*zum Züchtigen*) rod **2.** (≈ *Wünschelrute*) divining rod; (≈ *Angelrute*) fishing rod

Rutsch [rʊtʃ] *m* ⟨**-es, -e**⟩ slip, fall; (≈ *Erdrutsch*) landslide; (*fig*) (POL) shift, swing; FIN slide, fall; **guten ~!** (*infml*)

have a good New Year!; ***in einem ~*** in one go **Rutschbahn** *f*, **Rutsche** ['rʊtʃə] *f* ⟨**-, -n**⟩ MECH chute; (≈ *Kinderrutschbahn*) slide **rutschen** ['rʊtʃn] *v/i aux sein* **1.** (≈ *gleiten*) to slide; (≈ *ausrutschen*) to slip; AUTO to skid; ***ins Rutschen kommen*** to start to slip **2.** (*infml* ≈ *rücken*) to move up (*infml*) **rutschfest** *adj* nonslip **rutschig** ['rʊtʃɪç] *adj* slippery

rütteln ['rʏtln] **I** *v/t* to shake; → ***gerüttelt*** **II** *v/i* to shake; (*Fahrzeug*) to jolt; ***an etw*** (*dat*) ***~*** *an Tür, Fenster etc* to rattle (at) sth; (*fig*) *an Grundsätzen etc* to call sth into question; ***daran ist nicht zu ~*** (*infml*) there's no doubt about that

S

S, s [ɛs] *nt* ⟨**-, -**⟩ S, s

Saal [zaːl] *m* ⟨**-(*e*)*s*, *Säle*** ['zɛːlə]⟩ hall

Saar [zaːɐ] *f* ⟨**-**⟩ Saar **Saarland** *nt* ⟨**-*s***⟩ Saarland **saarländisch** ['zaːɐlɛndɪʃ] *adj* (of the) Saarland

Saat [zaːt] *f* ⟨**-, -*en***⟩ **1.** (≈ *das Säen*) sowing **2.** (≈ *Samen*) seed(s *pl*) **Saatgut** *nt, no pl* seed(s *pl*) **Saatkartoffel** *f* seed potato **Saatzeit** *f* sowing time

Sabbat ['zabat] *m* ⟨**-*s*, -*e***⟩ Sabbath

sabbern ['zabɐn] *v/i* (*infml*) to slobber

Säbel ['zɛːbl] *m* ⟨**-*s*, -**⟩ sabre (*Br*), saber (*US*) **Säbelrasseln** *nt* ⟨**-*s*,** *no pl*⟩ sabre-rattling (*Br*), saber-rattling (*US*)

Sabotage [zabo'taːʒə] *f* ⟨**-, -*n***⟩ sabotage (*an +dat* of) **Sabotageakt** *m* act of sabotage **Saboteur** [zabo'tøːɐ] *m* ⟨**-*s*, -*e***⟩, **Saboteurin** [-'tøːrɪn] *f* ⟨**-, -*nen***⟩ saboteur **sabotieren** [zabo'tiːrən] *past part* ***sabotiert*** *v/t* to sabotage

Sa(c)charin [zaxa'riːn] *nt* ⟨**-*s*,** *no pl*⟩ saccharin

Sachbearbeiter(in) *m*/(*f*) specialist; (≈ *Beamter*) official in charge (*für* of) **Sachbereich** *m* (specialist) area **Sachbeschädigung** *f* damage to property **sachbezogen** *adj Fragen, Angaben* relevant **Sachbuch** *nt* nonfiction book **sachdienlich** *adj Hinweise* useful **Sache** ['zaxə] *f* ⟨**-, -*n***⟩ **1.** thing; (≈ *Gegenstand*) object **2. Sachen** *pl* (*infml* ≈ *Zeug*) things *pl*; JUR property; ***seine ~n packen*** to pack ones bags **3.** (≈ *Angelegenheit*) matter; (≈ *Fall*) case; (≈ *Vorfall*) business; (≈ *Anliegen*) cause; (≈ *Aufgabe*) job; ***es ist ~ der Polizei, das zu tun*** it's up to the police to do that; ***das ist eine ganz tolle ~*** it's really fantastic; ***ich habe mir die ~ anders vorgestellt*** I had imagined things differently; ***das ist meine/seine ~*** that's my/his affair; ***er macht seine ~ gut*** he's doing very well; (*beruflich*) he's doing a good job; ***das ist so eine ~*** (*infml*) it's a bit tricky; ***solche ~n liegen mir nicht*** I don't like things like that; ***mach keine ~n!*** (*infml*) don't be silly!; ***was machst du bloß für ~n!*** (*infml*) the things you do!; ***zur ~ kommen*** to come to the point; ***das tut nichts zur ~*** that doesn't matter; ***bei der ~ sein*** to be on the ball (*infml*); ***sie war nicht bei der ~*** her mind was elsewhere; ***jdm sagen, was ~ ist*** (*infml*) to tell sb what's what **4.** (≈ *Tempo*) ***mit 60/100 ~n*** (*infml*) at 60/100 **Sachgebiet** *nt* subject area **sachgemäß, sachgerecht I** *adj* proper; ***bei ~er Anwendung*** if used properly **II** *adv* properly **Sachkenntnis** *f* (*in Bezug auf Wissensgebiet*) knowledge of the/one's subject; (*in Bezug auf Sachlage*) knowledge of the facts **sachkundig** *adj* (well-)informed; *Beratung* expert **Sachlage** *f* situation **sachlich** ['zaxlɪç] **I** *adj* (≈ *faktisch*) factual; *Grund* practical; (≈ *sachbezogen*) *Frage, Wissen* relevant; (≈ *objektiv*) *Kritik* objective; (≈ *nüchtern*) matter-of-fact **II** *adv* (≈ *faktisch*) *unzutreffend* factually; (≈ *objektiv*) objectively **sächlich** ['zɛçlɪç] *adj* GRAM neuter **Sachregister** *nt* subject index **Sachschaden** *m* damage (to property); ***es entstand ~ in Höhe von ...*** there was damage amounting to ...

Sachse ['zaksə] *m* ⟨**-*n*, -*n***⟩, **Sächsin** ['zɛksɪn] *f* ⟨**-, -*nen***⟩ Saxon **Sachsen** ['zaksn] *nt* ⟨**-*s***⟩ Saxony **Sachsen-Anhalt** ['zaksn'|anhalt] *nt* ⟨**-*s***⟩ Saxony-Anhalt **sächsisch** ['zɛksɪʃ] *adj* Saxon

sacht(e) ['zaxt(ə)] **I** *adj* (≈ *leise*) soft; (≈ *sanft*) gentle; (≈ *vorsichtig*) careful; (≈ *allmählich*) gentle **II** *adv* softly, gently;

(≈ *vorsichtig*) carefully
Sachverhalt [-fɛɐhalt] *m* ⟨**-(e)s, -e**⟩ facts *pl* (of the case) **Sachverstand** *m* expertise **Sachverständige(r)** [-fɛɐʃtɛndɪgə] *m/f(m) decl as adj* expert; JUR expert witness **Sachwert** *m* real *or* intrinsic value; **~e** *pl* material assets *pl* **Sachzwang** *m* practical constraint
Sack [zak] *m* ⟨**-(e)s, ⸚e** ['zɛkə]⟩ **1.** sack; (*aus Papier, Plastik*) bag; ***mit ~ und Pack*** (*infml*) with bag and baggage **2.** (*vulg* ≈ *Hoden*) balls *pl* (*sl*) **3.** (*infml* ≈ *Kerl, Bursche*) bastard (*sl*) **Sackbahnhof** *m* terminus **sacken** *v/i aux sein* to sink; (≈ *durchhängen*) to sag **Sackgasse** *f* dead end, cul-de-sac (*esp Br*); (*fig*) dead end; ***in einer ~ stecken*** (*fig*) to be (stuck) up a blind alley; (*mit Bemühungen etc*) to have come to a dead end **Sackhüpfen** *nt* ⟨**-s**, *no pl*⟩ sack race **Sackkarre** *f* barrow
Sadismus [za'dɪsmʊs] *m* ⟨**-, Sadismen** [-mən]⟩ *no pl* sadism **Sadist** [za'dɪst] *m* ⟨**-en, -en**⟩, **Sadistin** [-dɪstɪn] *f* ⟨**-, -nen**⟩ sadist **sadistisch** [za'dɪstɪʃ] **I** *adj* sadistic **II** *adv* sadistically
säen ['zɛːən] *v/t & v/i* to sow; ***dünn gesät*** (*fig*) thin on the ground
Safari [za'faːri] *f* ⟨**-, -s**⟩ safari **Safaripark** *m* safari park
Safe [zeːf] *m or nt* ⟨**-s, -s**⟩ safe **Safer Sex** ['zeːfɐ'zɛks] *m* ⟨**- -(es)**, *no pl*⟩ safe sex
Safran ['zafraːn, 'zafran] *m* ⟨**-s, -e**⟩ saffron
Saft [zaft] *m* ⟨**-(e)s, ⸚e** ['zɛftə]⟩ juice; (≈ *Pflanzensaft*) sap; (≈ *Flüssigkeit*) liquid; ***ohne ~ und Kraft*** (*fig*) wishy-washy (*infml*) **saftig** ['zaftɪç] *adj* **1.** *Obst, Fleisch* juicy; *Wiese, Grün* lush **2.** (*infml*) *Rechnung, Strafe, Ohrfeige* hefty (*infml*) **Saftladen** *m* (*pej infml*) dump (*pej infml*) **Saftsack** *m* (*infml*) stupid bastard (*sl*)
Saga ['zaːga] *f* ⟨**-, -s**⟩ saga
Sage ['zaːgə] *f* ⟨**-, -n**⟩ legend
Säge ['zɛːgə] *f* ⟨**-, -n**⟩ **1.** (*Werkzeug*) saw **2.** (*Aus* ≈ *Sägewerk*) sawmill **Sägeblatt** *nt* saw blade **Sägefisch** *m* sawfish **Sägemehl** *nt* sawdust **Sägemesser** *nt* serrated knife
sagen ['zaːgn] *v/t* **1.** to say; ***wie gesagt*** as I say; ***was ~ Sie dazu?*** what do you think about it?; ***was Sie nicht ~!*** you don't say!; ***das kann man wohl ~!*** you can say that again!; ***wie man so sagt*** as the saying goes; ***das ist nicht gesagt*** that's by no means certain; ***leichter gesagt als getan*** easier said than done; ***gesagt, getan*** no sooner said than done; ***jdm etw ~*** to say sth to sb, to tell sb sth; ***wem ~ Sie das!*** you don't need to tell ME that! **2.** (≈ *bedeuten*) to mean; ***das hat nichts zu ~*** that doesn't mean anything; ***sagt dir der Name etwas?*** does the name mean anything to you?; ***ich will damit nicht ~, dass ...*** I don't mean to imply that ...; ***sein Gesicht sagte alles*** it was written all over his face **3.** (≈ *befehlen*) to tell; ***jdm ~, er solle etw tun*** to tell sb to do sth; ***du hast hier (gar) nichts zu ~*** you're not the boss; ***hat er im Betrieb etwas zu ~?*** does he have a say in the firm?; ***das Sagen haben*** to be the boss **4.** ***ich habe mir ~ lassen, ...*** (≈ *ausrichten lassen*) I've been told ...; ***lass dir von mir gesagt sein, ...*** let me tell you ...; ***er lässt sich*** (*dat*) ***nichts ~*** he won't be told; ***im Vertrauen gesagt*** in confidence; ***unter uns gesagt*** between you and me; ***genauer gesagt*** to put it more precisely; ***sag das nicht!*** (*infml*) don't you be so sure!; ***sage und schreibe 800 Euro*** 800 euros, would you believe it; ***sag mal, willst du nicht endlich Schluss machen?*** come on, isn't it time to stop?
sägen ['zɛːgn] *v/t & v/i* to saw
sagenhaft *adj* legendary; *Summe* fabulous; (*infml* ≈ *hervorragend*) fantastic (*infml*)
Sägespäne *pl* wood shavings *pl* **Sägewerk** *nt* sawmill
Sahara [za'haːra, 'zaːhara] *f* ⟨**-**⟩ Sahara (Desert)
Sahne ['zaːnə] *f* ⟨**-**, *no pl*⟩ cream; ***(aller)erste ~ sein*** (*infml*) to be top-notch (*infml*) **Sahnebonbon** *m or nt* toffee **Sahnequark** [-kvark] *m* creamy quark **Sahnetorte** *f* cream gateau **sahnig** ['zaːnɪç] *adj* creamy; ***etw ~ schlagen*** to beat sth until creamy
Saison [sɛ'zõː, zɛ'zɔŋ, (*Aus*) zɛ'zoːn] *f* ⟨**-, -s** *or* (*Aus*) **-en** [-'zoːnən]⟩ season **Saisonarbeit** *f* seasonal work **Saisonarbeiter(in)** *m/(f)* seasonal worker **saisonbedingt** *adj* seasonal **saisonbereinigt** [-bərainɪçt] *adj Zahlen etc* seasonally adjusted
Saite ['zaitə] *f* ⟨**-, -n**⟩ MUS string; ***andere ~n aufziehen*** (*infml*) to get tough **Sai-**

teninstrument *nt* string(ed) instrument **Sạkko** ['zako] *m or nt* ⟨**-s, -s**⟩ sports jacket (*esp Br*), sport coat (*US*)

sakra̲l [za'kraːl] *adj* sacred **Sakramẹnt** [zakra'mɛnt] *nt* ⟨**-(e)s, -e**⟩ sacrament **Sakrile̲g** [zakri'leːk] *nt* ⟨**-s, -e** [-gə]⟩ (*elev*) sacrilege **Sakriste̲i** [zakrɪs'tai] *f* ⟨**-, -en**⟩ sacristy

säkula̲r [zɛku'laːɐ] *adj* (≈ *weltlich*) secular

Salamạnder [zala'mandɐ] *m* ⟨**-s, -**⟩ salamander

Sala̲mi [za'laːmi] *f* ⟨**-, -s**⟩ salami **Sala̲mitaktik** *f* (*infml*) policy of small steps

Salä̲r [za'lɛːɐ] *nt* ⟨**-s, -e**⟩ (*Swiss*) salary

Sala̲t [za'laːt] *m* ⟨**-(e)s, -e**⟩ **1.** (≈ *Kopfsalat*) lettuce **2.** (≈ *Gericht*) salad; ***da haben wir den ~!*** (*infml*) now we're in a fine mess **Sala̲tbesteck** *nt* salad servers *pl* **Sala̲tgurke** *f* cucumber **Sala̲tkopf** *m* (head of) lettuce **Sala̲töl** *nt* salad oil **Sala̲tplatte** *f* salad **Sala̲tschüssel** *f* salad bowl **Sala̲tsoße** *f* salad dressing

Sạlbe ['zalbə] *f* ⟨**-, -n**⟩ ointment

Sạlbei ['zalbai, zal'bai] *m* ⟨**-s** *or f* **-**, *no pl*⟩ sage

sạlbungsvoll (*pej*) *adj Worte, Ton* unctuous (*pej*)

Sạldo ['zaldo] *m* ⟨**-s, -s** *or* ***Sạldi*** *or* ***Sạlden*** [-di, -dn]⟩ FIN balance; ***per saldo*** on balance

Salmiạk [zal'miak, 'zalmiak] *m or nt* ⟨**-s**, *no pl*⟩ sal ammoniac **Salmiạkgeist** *m*, *no pl* (liquid) ammonia

Salmonẹllen [zalmo'nɛlən] *pl* salmonellae *pl* **Salmonẹllenvergiftung** *f* salmonella (poisoning)

Salon [sa'lõː, za'lɔŋ, (*Aus*) za'loːn] *m* ⟨**-s, -s**⟩ **1.** (≈ *Gesellschaftszimmer*) drawing room; NAUT saloon **2.** (≈ *Friseursalon, Modesalon etc*) salon **salonfähig** *adj* (*iron*) socially acceptable; *Aussehen* presentable

salọpp [za'lɔp] **I** *adj* **1.** (≈ *nachlässig*) sloppy, slovenly; *Manieren* slovenly; *Sprache* slangy **2.** (≈ *ungezwungen*) casual **II** *adv sich kleiden, sich ausdrücken* casually

Salpe̲ter [zal'peːtɐ] *m* ⟨**-s**, *no pl*⟩ saltpetre (*Br*), saltpeter (*US*), nitre (*Br*), niter (*US*) **Salpe̲tersäure** *f* nitric acid

Sạlto ['zalto] *m* ⟨**-s, -s** *or* ***Sạlti*** [-ti]⟩ somersault

Salu̲t [za'luːt] *m* ⟨**-(e)s, -e**⟩ MIL salute; ***~ schießen*** to fire a salute **saluti̲eren** [zalu'tiːrən] *past part* ***saluti̲ert*** *v/t & v/i* MIL to salute

Salve ['zalvə] *f* ⟨**-, -n**⟩ salvo, volley; (≈ *Ehrensalve*) salute

Sạlz [zalts] *nt* ⟨**-es, -e**⟩ salt **sạlzarm** **I** *adj* COOK low-salt **II** *adv* ***~ essen*** to eat low-salt food; ***~ kochen*** to use very little salt in one's cooking **Sạlzbergwerk** *nt* salt mine **sạlzen** ['zaltsn] *past part* ***gesạlzen*** [gə'zaltsn] *v/t* to salt; → ***gesalzen*** **sạlzfrei** *adj* salt-free **Sạlzgebäck** *nt* savoury (*Br*) *or* savory (*US*) biscuits *pl* **Sạlzgurke** *f* pickled gherkin, pickle (*US*) **sạlzhaltig** *adj Luft, Wasser* salty **Sạlzhering** *m* salted herring **sạlzig** ['zaltsɪç] *adj Speise, Wasser* salty **Sạlzkartoffeln** *pl* boiled potatoes *pl* **Sạlzkorn** *nt, pl* ***-körner*** grain of salt **sạlzlos** *adj* salt-free **Sạlzlösung** *f* saline solution **Sạlzsäule** *f* ***zur ~ erstarren*** (*fig*) to stand as though rooted to the spot **Sạlzsäure** *f* hydrochloric acid **Sạlzsee** *m* salt lake **Sạlzstange** *f* pretzel stick **Sạlzstreuer** [-ʃtrɔyɐ] *m* ⟨**-s, -**⟩ salt shaker, saltcellar (*esp Br*) **Sạlzwasser** *nt, no pl* salt water

Samari̲ter [zama'riːtɐ] *m* ⟨**-s, -**⟩ BIBLE Samaritan

Sạmbia ['zambia] *nt* ⟨**-s**⟩ Zambia **sạmbisch** ['zambɪʃ] *adj* Zambian

Sa̲men ['zaːmən] *m* ⟨**-s, -**⟩ **1.** (BOT, *fig*) seed **2.** (≈ *Menschensamen, Tiersamen*) sperm **Sa̲menbank** *f, pl* ***-banken*** sperm bank **Sa̲menerguss** *m* ejaculation **Sa̲menkorn** *nt, pl* ***-körner*** seed **Sa̲menspender** *m* sperm donor

sä̲mig ['zɛːmɪç] *adj Soße* thick

Sạmmelalbum *nt* (collector's) album **Sạmmelband** [-bant] *m, pl* ***-bände*** anthology **Sạmmelbecken** *nt* collecting tank; (*fig*) melting pot (*von* for) **Sạmmelbestellung** *f* joint order **Sạmmelbüchse** *f* collecting tin **Sạmmelfahrschein** *m*, **Sạmmelkarte** *f* (*für mehrere Fahrten*) multi-journey ticket; (*für mehrere Personen*) group ticket **Sạmmelmappe** *f* folder **sạmmeln** ['zamln] **I** *v/t* to collect; *Pilze etc* to pick; *Truppen* to assemble **II** *v/r* **1.** (≈ *zusammenkommen*) to gather; (≈ *sich anhäufen: Wasser etc*) to accumulate **2.** (≈ *sich konzentrieren*) to collect oneself; → ***gesammelt*** **III** *v/i* to collect (*für* for) **Sammelsu̲rium** [zaml'zuːriʊm] *nt* ⟨**-s, *Sammelsu̲rien*** [-riən]⟩ conglomeration **Sạmmler** ['zamlɐ] *m* ⟨**-s, -**⟩, **Sạmmlerin** [-ərɪn] *f*

⟨-, *-nen*⟩ collector **Sammlung** ['zamlʊŋ] *f* ⟨-, *-en*⟩ **1.** collection **2.** (*fig* ≈ *Konzentration*) composure
Samstag ['zamsta:k] *m* Saturday; → ***Dienstag*** **samstags** ['zamsta:ks] *adv* on Saturdays
samt [zamt] **I** *prep +dat* along *or* together with **II** *adv* ***~ und sonders*** the whole lot (of them/us/you), the whole bunch (*infml*)
Samt [zamt] *m* ⟨*-(e)s, -e*⟩ velvet **samtartig** *adj* velvety **Samthandschuh** *m* velvet glove; ***jdn mit ~en anfassen*** (*infml*) to handle sb with kid gloves (*infml*)
sämtlich ['zɛmtlɪç] **I** *adj* (≈ *alle*) all; (≈ *vollständig*) complete; ***Schillers ~e Werke*** the complete works of Schiller; ***~e Anwesenden*** all those present **II** *adv* all
Sanatorium [zana'to:riʊm] *nt* ⟨*-s, Sanatorien* [-riən]⟩ sanatorium (*Br*), sanitarium (*US*)
Sand [zant] *m* ⟨*-(e)s, -e* [-də]⟩ sand; ***das/die gibts wie ~ am Meer*** (*infml*) there are heaps of them (*infml*); ***jdm ~ in die Augen streuen*** (*fig*) to throw dust (*Br*) *or* dirt (*US*) in sb's eyes; ***im ~e verlaufen*** (*infml*) to come to nothing; ***etw in den ~ setzen*** (*infml*) *Projekt* to blow sth (*infml*); *Geld* to squander sth
Sandale [zan'da:lə] *f* ⟨-, *-n*⟩ sandal
Sandbank *f*, *pl* ***-bänke*** sandbank **Sanddorn** *m*, *pl* ***-dorne*** BOT sea buckthorn **Sandgrube** *f* sandpit (*esp Br*), sandbox (*US*); GOLF bunker **sandig** ['zandɪç] *adj* sandy **Sandkasten** *m* sandpit (*esp Br*), sandbox (*US*); MIL sand table **Sandkorn** *nt*, *pl* ***-körner*** grain of sand **Sandpapier** *nt* sandpaper **Sandplatz** *m* TENNIS clay court **Sandsack** *m* sandbag; (*Boxen*) punchbag (*Br*), punching bag (*US*) **Sandstein** *m* sandstone **Sandstrahl** *m* jet of sand **sandstrahlen** *past part* ***gesandstrahlt*** *or* (*spec*) ***sandgestrahlt*** *v/t & v/i* to sandblast **Sandstrahlgebläse** *nt* sandblasting equipment *no indef art, no pl* **Sandstrand** *m* sandy beach **Sandsturm** *m* sandstorm **Sanduhr** *f* hourglass; (≈ *Eieruhr*) egg timer
sanft [zanft] **I** *adj* gentle; *Haut* soft; *Tod* peaceful; ***mit ~er Gewalt*** gently but firmly; ***mit ~er Hand*** with a gentle hand **II** *adv* softly; *hinweisen* gently; ***~ mit jdm umgehen*** to be gentle with sb; ***er ist ~ entschlafen*** he passed away peacefully
Sanftheit *f* ⟨-, *no pl*⟩ gentleness; (*von Haut*) softness
Sang [zaŋ] *m* ⟨*-(e)s, ⸚e* ['zɛŋə]⟩ ***mit ~ und Klang*** (*fig iron*) *durchfallen* catastrophically **Sänger** ['zɛŋɐ] *m* ⟨*-s, -*⟩, **Sängerin** [-ərɪn] *f* ⟨-, *-nen*⟩ singer
Sangria [zaŋ'gri:a, 'zaŋgria] *f* ⟨-, *-s*⟩ sangria
sang- und klanglos *adv* (*infml*) without any ado; ***sie ist ~ verschwunden*** she just simply disappeared
sanieren [za'ni:rən] *past part* ***saniert*** **I** *v/t* **1.** *Gebäude* to renovate; *Stadtteil* to redevelop; *Fluss* to clean up **2.** ECON to put (back) on its feet, to rehabilitate; *Haushalt* to turn (a)round **II** *v/r* (*Industrie*) to put itself (back) in good shape **Sanierung** *f* ⟨-, *-en*⟩ **1.** (*von Gebäude*) renovation; (*von Stadtteil*) redevelopment; (*von Fluss*) cleaning-up **2.** ECON rehabilitation **Sanierungsgebiet** *nt* redevelopment area **Sanierungskosten** *pl* redevelopment costs *pl*
sanitär [zani'tɛ:ɐ] *adj no pred* sanitary; ***~e Anlagen*** sanitation (facilities), sanitary facilities
Sanitäter [zani'tɛ:tɐ] *m* ⟨*-s, -*⟩, **Sanitäterin** [-ərɪn] *f* ⟨-, *-nen*⟩ first-aid attendant; MIL (medical) orderly; (*in Krankenwagen*) ambulanceman/-woman
Sankt [zaŋkt] *adj inv* saint; REL St *or* Saint Nicholas
Sanktion [zaŋk'tsio:n] *f* ⟨-, *-en*⟩ sanction **sanktionieren** [zaŋktsio'ni:rən] *past part* ***sanktioniert*** *v/t* to sanction
Saphir ['za:fɪr, 'za:fi:ɐ, za'fi:ɐ] *m* ⟨*-s, -e*⟩ sapphire
Sardelle [zar'dɛlə] *f* ⟨-, *-n*⟩ anchovy
Sardine [zar'di:nə] *f* ⟨-, *-n*⟩ sardine **Sardinenbüchse** *f* sardine tin; ***wie in einer ~*** (*fig infml*) like sardines (*infml*)
Sardinien [zar'di:niən] *nt* ⟨*-s*⟩ Sardinia
Sarg [zark] *m* ⟨*-(e)s, ⸚e* ['zɛ:rgə]⟩ coffin, casket (*US*) **Sargdeckel** *m* coffin lid, casket lid (*US*)
Sarin [za'ri:n] *nt* ⟨*-s, no pl*⟩ CHEM sarin
Sarkasmus [zar'kasmʊs] *m* ⟨-, ***Sarkasmen*** [-mən]⟩ *no pl* sarcasm **sarkastisch** [zar'kastɪʃ] **I** *adj* sarcastic **II** *adv* sarcastically
Sarkom [zar'ko:m] *nt* ⟨*-s, -e*⟩ MED sarcoma
Sarkophag [zarko'fa:k] *m* ⟨*-(e)s, -e* [-gə]⟩ sarcophagus
SARS [za:ɐs] *nt* ⟨-⟩ *abbr of* ***severe acute***

respiratory syndrome SARS

Satan ['zaːtan] *m* ⟨**-s, -e**⟩ Satan **satanisch** [za'taːnɪʃ] *adj* satanic **Satanismus** [zata'nɪsmʊs] *m* ⟨**-**, *no pl*⟩ Satanism

Satellit [zatɛ'liːt] *m* ⟨**-en, -en**⟩ satellite **Satellitenantenne** *f* TV satellite dish **Satellitenbild** *nt* TV satellite picture **Satellitenfernsehen** *nt* satellite television **Satellitenfoto** *nt* satellite picture **Satellitenschüssel** *f* (TV *infml*) satellite dish **Satellitensender** *m* satellite (TV) station **Satellitenstadt** *f* satellite town **Satellitenübertragung** *f* (RADIO, TV) satellite transmission

Satin [za'tɛ̃ː] *m* ⟨**-s, -s**⟩ satin

Satire [za'tiːrə] *f* ⟨**-, -n**⟩ satire (*auf +acc* on) **Satiriker** [za'tiːrikɐ] *m* ⟨**-s, -**⟩, **Satirikerin** [-ərɪn] *f* ⟨**-, -nen**⟩ satirist **satirisch** [za'tiːrɪʃ] **I** *adj* satirical **II** *adv* satirically

satt [zat] *adj* **1.** (≈ *gesättigt*) *Mensch* full (up); ***~ sein*** to have had enough (to eat), to be full (up) (*infml*); ***~ werden*** to have enough to eat; ***sich*** (***an etw*** *dat*) ***~ essen*** to eat one's fill (of sth) **2.** (≈ *kräftig*, *voll*) *Farben*, *Klang* rich; (*infml*) *Mehrheit* comfortable **3.** (*infml* ≈ *im Überfluss*) ***... ~ ...*** galore

Sattel ['zatl] *m* ⟨**-s, ¨** ['zɛtl]⟩ saddle; ***fest im ~ sitzen*** (*fig*) to be firmly in the saddle **Satteldach** *nt* saddle roof **sattelfest** *adj* ***~ sein*** (*Reiter*) to have a good seat; ***in etw*** (*dat*) ***~ sein*** (*fig*) to have a firm grasp of sth **satteln** ['zatln] *v/t Pferd* to saddle (up) **Sattelschlepper** *m* articulated lorry (*Br*), semitrailer (*US*) **Satteltasche** *f* saddlebag

satthaben *v/t sep irr* ***jdn/etw ~*** to be fed up with sb/sth (*infml*) **Sattheit** *f* ⟨**-**, *no pl*⟩ **1.** (*Gefühl*) full feeling **2.** (*von Farben*, *Klang*) richness **satthören** *v/r sep irr* ***sie konnte sich an der Musik nicht ~*** she could not get enough of the music **sättigen** ['zɛtign] **I** *v/t* **1.** *Hunger*, *Neugier* to satisfy; *jdn* to make replete; (≈ *ernähren*) to feed **2.** COMM, CHEM to saturate **II** *v/i* to be filling **sättigend** *adj Essen* filling **Sättigung** *f* ⟨**-, -en**⟩ **1.** (*elev* ≈ *Sattsein*) repletion **2.** CHEM saturation **Sättigungsgrad** *m* degree of saturation **Sättigungspunkt** *m* saturation point

Sattler ['zatlɐ] *m* ⟨**-s, -**⟩, **Sattlerin** [-ərɪn] *f* ⟨**-, -nen**⟩ saddler; (≈ *Polsterer*) upholsterer

sattsam ['zatzaːm] *adv* amply; *bekannt* sufficiently **sattsehen** *v/r sep irr* ***er konnte sich an ihr nicht ~*** he could not see enough of her

Saturn [za'tʊrn] *m* ⟨**-s**⟩ ASTRON Saturn

Satz [zats] *m* ⟨**-es, ¨e** ['zɛtsə]⟩ **1.** sentence; (≈ *Teilsatz*) clause; (≈ *Lehrsatz*) proposition; MAT theorem; ***mitten im ~*** in mid-sentence **2.** (TYPO) (≈ *das Setzen*) setting; (≈ *das Gesetzte*) type *no pl*; ***in ~ gehen*** to go for setting **3.** (MUS ≈ *Abschnitt*) movement **4.** (≈ *Bodensatz*) dregs *pl*; (≈ *Kaffeesatz*) grounds *pl*; (≈ *Teesatz*) leaves *pl* **5.** (≈ *Zusammengehöriges*) set; (≈ *Tarifsatz*) charge; (≈ *Zinssatz*) rate **6.** (≈ *Sprung*) leap; ***einen ~ machen*** to leap **Satzball** *m* SPORTS set point **Satzbau** *m*, *no pl* sentence construction **Satzteil** *m* part of a/the sentence

Satzung ['zatsʊŋ] *f* ⟨**-, -en**⟩ constitution; (*von Verein*) rules *pl*

Satzzeichen *nt* punctuation mark

Sau [zau] *f* ⟨**-, Säue** ['zɔyə]⟩ ⟨*or* (*Hunt*) **-en**⟩ **1.** sow; (*infml* ≈ *Schwein*) pig **2.** (*infml*) ***du ~!*** you dirty swine! (*infml*); ***dumme ~*** stupid cow (*infml*); ***die ~ rauslassen*** to let it all hang out (*infml*); ***wie eine gesengte ~*** like a maniac (*infml*); ***jdn zur ~ machen*** to bawl sb out (*infml*); ***unter aller ~*** bloody (*Br*) *or* goddamn awful (*infml*)

sauber ['zaubɐ] **I** *adj* **1.** clean; ***~ sein*** (*Hund etc*) to be house-trained; (*Kind*) to be (potty-)trained **2.** (≈ *ordentlich*) neat, tidy **II** *adv* **1.** (≈ *rein*) ***etw ~ putzen*** to clean sth **2.** (≈ *sorgfältig*) very thoroughly **Sauberkeit** *f* ⟨**-**, *no pl*⟩ **1.** (≈ *Hygiene*, *Ordentlichkeit*) cleanliness; (≈ *Reinheit*) (*von Wasser*, *Luft etc*) cleanness; (*von Tönen*) accuracy **2.** (≈ *Anständigkeit*) honesty; (*im Sport*) fair play **säuberlich** ['zɔybɐlɪç] **I** *adj* neat and tidy **II** *adv* neatly; *trennen* clearly **sauber machen** *v/t* to clean **Saubermann** *m*, *pl* **-männer** (*fig infml*, *in Politik etc*) squeaky-clean man (*infml*); ***die Saubermänner*** the squeaky-clean brigade (*infml*) **säubern** ['zɔybɐn] *v/t* **1.** (≈ *reinigen*) to clean **2.** (*fig euph*) *Partei* to purge (*von* of); MIL *Gegend* to clear (*von* of) **Säuberung** *f* ⟨**-, -en**⟩ **1.** (≈ *Reinigung*) cleaning **2.** (*fig*: *von Partei*) purging; (*von Gegend*) clearing; (POL: *Aktion*) purge

saublöd *adj* (*infml*) bloody (*Br*) *or* damn stupid (*infml*) **Saubohne** *f* broad bean
Sauce ['zoːsə] *f* ⟨-, **-n**⟩ sauce; (≈ *Bratensoße*) gravy
Saudi ['zaudi, za'uːdi] *m* ⟨**-(s), -(s)** *or f* **-, -s**⟩ Saudi **Saudi-Arabien** ['zaudi|a'raːbiən] *nt* Saudi Arabia **saudi-arabisch** *adj* Saudi *attr*, Saudi Arabian **saudisch** *adj* Saudi *attr*, Saudi Arabian
saudumm (*infml*) *adj* damn stupid (*infml*)
sauer ['zauɐ] **I** *adj* **1.** (≈ *nicht süß*) sour; *Wein* acid(ic); *Gurke*, *Hering* pickled; *Sahne* soured **2.** (≈ *verdorben*) off *pred* (*Br*), bad; *Milch* sour; **~ werden** to go off (*Br*) *or* sour **3.** CHEM acid(ic); ***saurer Regen*** acid rain **4.** (*infml* ≈ *schlecht gelaunt*) mad (*infml*), cross; ***eine ~e Miene machen*** to look annoyed **II** *adv* **1.** (≈ *mühselig*) ***das habe ich mir ~ erworben*** I got that the hard way; ***mein ~ erspartes Geld*** money I had painstakingly saved **2.** (*infml* ≈ *übel gelaunt*) ***~ reagieren*** to get annoyed **Sauerampfer** [-ampfɐ] *m* ⟨**-s, -**⟩ sorrel **Sauerbraten** *m* braised beef (marinaded in vinegar), sauerbraten (*US*)
Sauerei [zauə'rai] *f* ⟨-, **-en**⟩ (*infml*) **1.** (≈ *Gemeinheit*) ***das ist eine ~!, so eine ~!*** it's a downright disgrace **2.** (≈ *Dreck*, *Unordnung*) mess
Sauerkirsche *f* sour cherry **Sauerkraut** *nt* sauerkraut **säuerlich** ['zɔyɐlɪç] *adj* sour **Sauermilch** *f* sour milk **Sauerrahm** *m* thick sour(ed) cream **Sauerstoff** *m*, *no pl* oxygen **Sauerstoffflasche** *f* oxygen cylinder *or* (*kleiner*) bottle **Sauerstoffgerät** *nt* breathing apparatus; (MED) (*für künstliche Beatmung*) respirator; (*für Erste Hilfe*) resuscitator **Sauerstoffmangel** *m* lack of oxygen; (*akut*) oxygen deficiency **Sauerstoffmaske** *f* oxygen mask **Sauerstoffzelt** *nt* oxygen tent **Sauerteig** *m* sour dough
saufen ['zaufn] *pret* **soff** [zɔf], *past part* ***gesoffen*** [gə'zɔfn] *v/t & v/i* **1.** (*Tiere*) to drink **2.** (*infml*: *Mensch*) to booze (*infml*) **Säufer** ['zɔyfɐ] *m* ⟨**-s, -**⟩, **Säuferin** [-ərɪn] *f* ⟨**-, -nen**⟩ (*infml*) boozer (*infml*) **Sauferei** [zaufə'rai] *f* ⟨**-, -en**⟩ (*infml*) **1.** (≈ *Trinkgelage*) booze-up (*infml*) **2.** *no pl* (≈ *Trunksucht*) boozing (*infml*) **Saufgelage** *nt* (*pej infml*) drinking bout *or* binge, booze-up (*infml*)
saugen ['zaugn] *pret* ***sog*** *or* ***saugte*** [zoːk, 'zauktə], *past part* ***gesogen*** *or* ***gesaugt*** [gə'zoːgn, gə'zaukt] *v/t & v/i* to suck; ***an etw*** (*dat*) **~** to suck sth **säugen** ['zɔygn] *v/t* to suckle **Sauger** ['zaugɐ] *m* ⟨**-s, -**⟩ (*auf Flasche*) teat (*Br*), nipple (*US*) **Säugetier** *nt* mammal **saugfähig** *adj* absorbent **Säugling** ['zɔyklɪŋ] *m* ⟨**-s, -e**⟩ baby, infant **Säuglingsalter** *nt* babyhood **Säuglingspflege** *f* babycare **Säuglingssterblichkeit** *f* infant mortality
Sauhaufen *m* (*infml*) bunch of slobs **saukalt** *adj* (*infml*) damn cold (*infml*) **Saukerl** *m* (*infml*) bastard (*sl*)
Säule ['zɔylə] *f* ⟨**-, -n**⟩ column; (*fig* ≈ *Stütze*) pillar **Säulendiagramm** *nt* bar chart, histogram **Säulengang** *m*, *pl* ***-gänge*** colonnade **Säulenhalle** *f* columned hall
Saum [zaum] *m* ⟨**-(e)s, *Säume*** ['zɔymə]⟩ (≈ *Stoffumschlag*) hem; (≈ *Naht*) seam
saumäßig ['zaumɛːsɪç] (*infml*) *adj* lousy (*infml*); (*zur Verstärkung*) hell of a (*infml*)
säumen ['zɔymən] *v/t* SEWING to hem; (*fig elev*) to line
säumig ['zɔymɪç] *adj* (*elev*) *Schuldner* defaulting
Sauna ['zauna] *f* ⟨**-, -s** *or* ***Saunen*** [-nən]⟩ sauna
Säure ['zɔyrə] *f* ⟨**-, -n**⟩ acid; (≈ *saurer Geschmack*) sourness; (*von Wein*, *Bonbons*) acidity **Saure-Gurken-Zeit** *f* bad time; (*in den Medien*) silly season (*Br*), off season (*US*) **säurehaltig** *adj* acidic
Saurier ['zauriɐ] *m* ⟨**-s, -**⟩ dinosaur
Saus [zaus] *m* ***in ~ und Braus leben*** to live like a king **säuseln** ['zɔyzln] *v/i* (*Wind*) to murmur; (*Mensch*) to purr; ***mit ~der Stimme*** in a purring voice **sausen** ['zauzn] *v/i* **1.** (*Ohren*) to buzz; (*Wind*) to whistle; (*Sturm*) to roar **2.** *aux sein* (*Geschoss*) to whistle **3.** *aux sein* (*infml*: *Mensch*) to tear (*infml*); (*Fahrzeug*) to roar; ***durch eine Prüfung ~*** to fail *or* flunk (*infml*) an exam
Saustall *m* (*infml*) (*unordentlich*) pigsty (*esp Br infml*); (*chaotisch*) mess **Sauwetter** *nt* (*infml*) damn awful weather (*infml*) **sauwohl** *adj pred* (*infml*) ***ich fühle mich ~*** I feel really good
Savanne [za'vanə] *f* ⟨**-, -n**⟩ savanna(h)
Saxofon [zakso'foːn, 'zaksofoːn] *nt* ⟨**-(e)s, -e**⟩ saxophone, sax (*infml*) **Saxo-**

fonist [zaksofo'nɪst] *m* ⟨*-en, -en*⟩, **Saxofonistin** [-'nɪstɪn] *f* ⟨*-, -nen*⟩ saxophonist
S-Bahn ['ɛs-] *f, abbr of* ***Stadtbahn***
SBB [ɛsbeː'beː] *f* ⟨*-*⟩ *abbr of* ***Schweizerische Bundesbahnen***
Scampi ['skampi] *pl* scampi *pl*
scannen ['skɛnən] *v/t* to scan **Scanner** ['skɛnɐ] *m* ⟨*-s, -*⟩ scanner
Schabe ['ʃaːbə] *f* ⟨*-, -n*⟩ cockroach **schaben** ['ʃaːbn] *v/t* to scrape **Schaber** ['ʃaːbɐ] *m* ⟨*-s, -*⟩ scraper
Schabernack ['ʃaːbɐnak] *m* ⟨*-(e)s, -e*⟩ practical joke
schäbig ['ʃɛːbɪç] **I** *adj* **1.** (≈ *unansehnlich*) shabby **2.** (≈ *niederträchtig*) mean; (≈ *geizig*) stingy (*infml*) **II** *adv* **1.** ***~ aussehen*** to look shabby **2.** (≈ *gemein*) ***jdn ~ behandeln*** to treat sb shabbily
Schablone [ʃa'bloːnə] *f* ⟨*-, -n*⟩ stencil; (≈ *Muster*) template; ***in ~n denken*** to think in a stereotyped way
Schach [ʃax] *nt* ⟨*-s, no pl*⟩ chess; (≈ *Stellung im Spiel*) check; ***~ (und) matt*** checkmate; ***im ~ stehen*** *or* ***sein*** to be in check; ***jdn in ~ halten*** (*fig*) to keep sb in check; (*mit Pistole etc*) to cover sb **Schachbrett** *nt* chessboard **schachbrettartig** *adj* chequered (*Br*), checkered (*US*)
schachern ['ʃaxɐn] *v/i* (*pej*) ***um etw ~*** to haggle over sth
Schachfigur *f* chesspiece; (*fig*) pawn
schachmatt *adj* (*lit*) (check)mated; (*fig* ≈ *erschöpft*) exhausted; ***jdn ~ setzen*** (*lit*) to (check)mate sb; (*fig*) to snooker sb (*infml*) **Schachspiel** *nt* (≈ *Spiel*) game of chess; (≈ *Brett und Figuren*) chess set **Schachspieler(in)** *m/(f)* chess player
Schacht [ʃaxt] *m* ⟨*-(e)s,* ***¨-e*** ['ʃɛçtə]⟩ shaft; (≈ *Kanalisationsschacht*) drain
Schachtel ['ʃaxtl] *f* ⟨*-, -n*⟩ **1.** box; (≈ *Zigarettenschachtel*) packet; ***eine ~ Pralinen*** a box of chocolates **2.** (*infml* ≈ *Frau*) ***alte ~*** old bag (*infml*)
schächten ['ʃɛçtn] *v/t* to slaughter according to religious rites
Schachzug *m* (*fig*) move
schade ['ʃaːdə] *adj pred* ***(das ist aber) ~!*** what a pity *or* shame; ***es ist ~ um jdn/etw*** it's a pity *or* shame about sb/sth; ***sich*** (*dat*) ***für etw zu ~ sein*** to consider oneself too good for sth
Schädel ['ʃɛːdl] *m* ⟨*-s, -*⟩ skull; ***jdm den ~ einschlagen*** to beat sb's skull in **Schädelbruch** *m* fractured skull
schaden ['ʃaːdn] *v/i +dat* to damage; *einem Menschen* to harm, to hurt; *jds Ruf* to damage; ***das/Rauchen schadet Ihrer Gesundheit/Ihnen*** that/smoking is bad for your health/you; ***das schadet nichts*** it does no harm; (≈ *macht nichts*) that doesn't matter; ***das kann nicht(s) ~*** that won't do any harm
Schaden ['ʃaːdn] *m* ⟨*-s,* ***¨*** ['ʃɛːdn]⟩ **1.** (≈ *Beschädigung*) damage (*an +dat* to); (≈ *Personenschaden*) injury; (≈ *Verlust*) loss; (≈ *Unheil, Leid*) harm; ***einen ~ verursachen*** to cause damage; ***zu ~ kommen*** to suffer; (*physisch*) to be hurt *or* injured; ***jdm ~ zufügen*** to harm sb; ***einer Sache*** (*dat*) ***~ zufügen*** to damage sth **2.** (≈ *Defekt*) fault; (≈ *körperlicher Mangel*) defect; ***Schäden aufweisen*** to be defective; (*Organ*) to be damaged
Schadenersatz *m* = ***Schadensersatz***
Schadenfreiheitsrabatt *m* no-claims bonus **Schadenfreude** *f* gloating **schadenfroh I** *adj* gloating **II** *adv* with malicious delight; *sagen* gloatingly
Schadensersatz *m* damages *pl*, compensation; ***jdn auf ~ verklagen*** to sue sb for damages *etc*; ***~ leisten*** to pay damages *etc*
schadensersatzpflichtig [-pflɪçtɪç] *adj* liable for damages *etc*
Schadensfall *m* ***im ~*** in the event of damage
schadhaft *adj no adv* faulty, defective; (≈ *beschädigt*) damaged
schädigen ['ʃɛːdign] *v/t* to damage; *jdn* to hurt, to harm
Schädigung *f* ⟨*-, -en*⟩ damage; (*von Menschen*) hurt, harm
schädlich ['ʃɛːtlɪç] *adj* harmful; *Wirkung* damaging; ***~ für etw sein*** to be damaging to sth
Schädlichkeit *f* ⟨*-, no pl*⟩ harmfulness
Schädling ['ʃɛːtlɪŋ] *m* ⟨*-s, -e*⟩ pest
Schädlingsbekämpfung *f* pest control *no art*
Schädlingsbekämpfungsmittel *nt* pesticide
schadlos *adj* **1.** ***sich an jdm/etw ~ halten*** to take advantage of sb/sth **2.** ***etw ~ überstehen*** to survive sth unharmed
Schadstoff *m* harmful substance
schadstoffarm *adj* ***~ sein*** to contain a low level of harmful substances; ***ein***

~es Auto a clean-air car
Schadstoffausstoß *m* noxious emission; (*von Auto*) exhaust emission
schadstoffbelastet *adj* polluted
Schadstoffbelastung *f* (*von Umwelt*) pollution
schadstofffrei *adj* **~ sein** to contain no harmful substances
Schaf [ʃaːf] *nt* ⟨**-(e)s, -e**⟩ sheep; (*infml* ≈ *Dummkopf*) dope (*infml*) **Schafbock** *m* ram **Schäfchen** [ˈʃɛːfçən] *nt* ⟨**-s, -**⟩ lamb, little sheep; ***sein ~ ins Trockene bringen*** (*prov*) to look after number one (*infml*) **Schäfchenwolken** *pl* cotton wool clouds *pl* **Schäfer** [ˈʃɛːfɐ] *m* ⟨**-s, -**⟩ shepherd **Schäferhund** *m* Alsatian (dog) (*Br*), German shepherd (dog) **Schäferin** [ˈʃɛːfərɪn] *f* ⟨**-, -nen**⟩ shepherdess **Schaffell** *nt* sheepskin
schaffen[1] [ˈʃafn] *pret* **schuf** [ʃuːf], *past part* **geschaffen** [gəˈʃafn] *v/t* (≈ *hervorbringen*) to create; ***dafür ist er wie geschaffen*** he's just made for it; ***Probleme ~*** to create problems; ***Klarheit ~*** to provide clarification
schaffen[2] **I** *v/t* **1.** (≈ *bewältigen*) *Aufgabe, Hürde, Portion etc* to manage; *Prüfung* to pass; ***wir habens geschafft*** we've managed it; (≈ *Arbeit erledigt*) we've done it; (≈ *gut angekommen*) we've made it **2.** (*infml* ≈ *überwältigen*) *jdn* to see off (*infml*); ***das hat mich geschafft*** it took it out of me; (*nervlich*) it got on top of me; ***geschafft sein*** to be exhausted **3.** (≈ *bringen*) to put sth in sth; ***wie sollen wir das in den Keller ~?*** how will we manage to get that into the cellar? **II** *v/i* **1.** (≈ *tun*) to do; ***sich*** (*dat*) ***an etw*** (*dat*) ***zu ~ machen*** to fiddle around with sth **2.** (≈ *zusetzen*) ***jdm*** (***schwer***) ***zu ~ machen*** to cause sb (a lot of) trouble **3.** (*S Ger* ≈ *arbeiten*) to work
Schaffen *nt* ⟨**-s**, *no pl*⟩ ***sein künstlerisches ~*** his artistic creations *pl* **Schaffenskraft** *f* creativity
Schaffleisch *nt* mutton
Schaffner [ˈʃafnɐ] *m* ⟨**-s, -**⟩, **Schaffnerin** [-ərɪn] *f* ⟨**-, -nen**⟩ (*im Bus*) conductor/conductress; (*im Zug*) guard (*Br*), conductor (*US*); (≈ *Fahrkartenkontrolleur*) ticket inspector
Schaffung [ˈʃafʊŋ] *f* ⟨**-, -en**⟩ creation
Schafherde *f* flock of sheep
Schafott [ʃaˈfɔt] *nt* ⟨**-(e)s, -e**⟩ scaffold
Schafskäse *m* sheep's milk cheese **Schafsmilch** *f* sheep's milk
Schaft [ʃaft] *m* ⟨**-(e)s, ¨-e** [ˈʃɛftə]⟩ shaft; (*von Stiefel*) leg **Schaftstiefel** *pl* high boots *pl*; MIL jackboots *pl*
Schafwolle *f* sheep's wool **Schafzucht** *f* sheep breeding *no art*
Schakal [ʃaˈkaːl] *m* ⟨**-s, -e**⟩ jackal
schäkern [ˈʃɛːkɐn] *v/i* to flirt; (≈ *necken*) to play around
schal [ʃaːl] *adj Getränk* flat; *Geschmack* stale
Schal [ʃaːl] *m* ⟨**-s, -s** *or* **-e**⟩ scarf; (≈ *Umschlagtuch*) shawl
Schale[1] [ˈʃaːlə] *f* ⟨**-, -n**⟩ bowl; (*flach, zum Servieren etc*) dish; (*von Waage*) pan
Schale[2] *f* ⟨**-, -n**⟩ (*von Obst*) skin; (*abgeschält*) peel *no pl*; (*von Nuss, Ei, Muschel*) shell; (*von Getreide*) husk, hull; ***sich in ~ werfen*** (*infml*) to get dressed up
schälen [ˈʃɛːlən] **I** *v/t* to peel; *Tomate, Mandel* to skin; *Erbsen, Eier, Nüsse* to shell; *Getreide* to husk **II** *v/r* to peel
Schalk [ʃalk] *m* ⟨**-(e)s, -e** *or* **¨-e** [ˈʃɛlkə]⟩ joker; ***ihm sitzt der ~ im Nacken*** he's in a devilish mood
Schall [ʃal] *m* ⟨**-s, -e** *or* **¨-e** [ˈʃɛlə]⟩ sound
Schalldämmung *f* soundproofing
schalldämpfend *adj Wirkung* sound-muffling; *Material* soundproofing
Schalldämpfer *m* sound absorber; (*von Auto*) silencer (*Br*), muffler (*US*); (*von Gewehr etc*) silencer **schalldicht I** *adj* soundproof **II** *adv* ***~ abgeschlossen*** fully soundproofed **schallen** [ˈʃalən] *v/i* to sound; (*Stimme, Glocke*) to ring (out); (≈ *widerhallen*) to resound **schallend** *adj Beifall, Ohrfeige* resounding; *Gelächter* ringing; ***~ lachen*** to roar with laughter **Schallgeschwindigkeit** *f* speed of sound **Schallgrenze** *f* sound barrier **Schallmauer** *f* sound barrier **Schallplatte** *f* record **Schallwelle** *f* sound wave
Schalotte [ʃaˈlɔtə] *f* ⟨**-, -n**⟩ shallot
Schaltbild *nt* circuit *or* wiring diagram
schalten [ˈʃaltn] **I** *v/t* **1.** *Gerät* to switch, to turn; ***etw auf „2" ~*** to turn *or* switch sth to "2" **2.** *Anzeige* to place **II** *v/i* **1.** (*Gerät, Ampel*) to switch (*auf +acc* to); AUTO to change (*esp Br*) *or* shift (*US*) gear; ***in den 2. Gang ~*** to change (*esp Br*) *or* shift (*US*) into 2nd gear **2.** (*fig* ≈ *handeln*) ***~ und walten*** to bustle

around; ***jdn frei ~ und walten lassen*** to give sb a free hand **3.** (*infml*) (≈ *begreifen*) to get it (*infml*) **Schalter** ['ʃaltɐ] *m* ⟨**-s, -**⟩ **1.** ELEC *etc* switch **2.** (*in Post, Bank, Amt*) counter; (*im Bahnhof*) ticket window **Schalterdienst** *m* counter duty **Schalterhalle** *f* (*in Post*) hall; (*im Bahnhof*) ticket hall **Schalterstunden** *pl* hours *pl* of business **Schaltfläche** *f* IT button **Schaltgetriebe** *nt* manual transmission, stick shift (*US*) **Schalthebel** *m* switch lever; AUTO gear lever (*Br*), gear shift (*US*); ***an den ~n der Macht sitzen*** to hold the reins of power **Schaltjahr** *nt* leap year **Schaltknüppel** *m* AUTO gear lever (*Br*), gear shift (*US*); AVIAT joystick **Schaltkreis** *m* TECH (switching) circuit **Schaltplan** *m* circuit *or* wiring diagram **Schaltpult** *nt* control desk **Schalttag** *m* leap day **Schaltung** ['ʃaltʊŋ] *f* ⟨**-, -en**⟩ switching; ELEC wiring; AUTO gear change (*Br*), gearshift (*US*)

Scham [ʃaːm] *f* ⟨**-**, *no pl*⟩ shame; ***aus falscher ~*** from a false sense of shame; ***ohne ~*** unashamedly **schämen** ['ʃɛːmən] *v/r* to be ashamed; ***du solltest dich ~!*** you ought to be ashamed of yourself!; ***sich einer Sache*** (*gen*) *or* ***für etw ~*** to be ashamed of sth; ***sich für jdn ~*** to be ashamed for sb; ***schäme dich!*** shame on you! **Schamfrist** *f* decent interval **Schamhaar** *nt* pubic hair **Schamlippen** *pl* labia *pl* **schamlos** *adj* shameless; *Lüge* brazen **Schamlosigkeit** *f* ⟨**-, -en**⟩ shamelessness **Schamröte** *f* flush of shame; ***die ~ stieg ihr ins Gesicht*** her face flushed with shame

Schande ['ʃandə] *f* ⟨**-**, *no pl*⟩ disgrace; ***das ist eine*** (***wahre***) ***~!*** this is a(n absolute) disgrace!; ***jdm ~ machen*** to be a disgrace to sb **schänden** ['ʃɛndn] *v/t* to violate; *Sabbat etc* to desecrate; *Ansehen* to dishonour (*Br*), to dishonor (*US*) **Schandfleck** *m* blot (*in +dat* on) **schändlich** ['ʃɛndlɪç] **I** *adj* shameful **II** *adv* shamefully; *behandeln* disgracefully **Schandtat** *f* scandalous deed; (*hum*) escapade; ***zu jeder ~ bereit sein*** (*infml*) to be always ready for mischief **Schändung** ['ʃɛndʊŋ] *f* ⟨**-, -en**⟩ violation; (*von Sabbat*) desecration; (*von Ansehen*) dishonouring (*Br*), dishonoring (*US*)

Schänke ['ʃɛŋkə] *f* ⟨**-, -n**⟩ inn **Schankkonzession** *f* licence (*of publican*) (*Br*), excise license (*US*) **Schankstube** *f* (public) bar (*esp Br*), saloon (*US dated*) **Schanktisch** *m* bar

Schanze ['ʃantsə] *f* ⟨**-, -n**⟩ SPORTS (ski) jump

Schar [ʃaːɐ] *f* ⟨**-, -en**⟩ crowd; (*von Vögeln*) flock; ***die Fans verließen das Stadion in*** (***hellen***) ***~en*** the fans left the stadium in droves **scharen** ['ʃaːrən] **I** *v/t* ***Menschen um sich ~*** to gather people around one **II** *v/r* ***sich um jdn/etw ~*** to gather around sb/sth **scharenweise** *adv* (*in Bezug auf Menschen*) in droves

scharf [ʃarf] **I** *adj, comp* ***⸗er*** ['ʃɛrfɐ], *sup* ***⸗ste*(*r, s*)** ['ʃɛrfstə] **1.** sharp; *Wind, Kälte* biting; *Luft, Frost* keen; ***ein Messer ~ machen*** to sharpen a knife; ***mit ~em Blick*** (*fig*) with penetrating insight **2.** (≈ *stark gewürzt*) hot; *Geruch, Geschmack* pungent; (≈ *ätzend*) *Waschmittel, Lösung* caustic **3.** (≈ *streng*) *Maßnahmen* severe; (*infml*) *Prüfung, Lehrer* tough; *Bewachung* close; *Hund* fierce; *Kritik* harsh; *Protest* strong; *Auseinandersetzung* bitter **4.** (≈ *echt*) *Munition, Schuss* live **5.** (*infml* ≈ *geil*) randy (*Br infml*), horny (*infml*); ***auf jdn/etw ~ sein*** to fancy sb/sth (*infml*) **II** *adv, comp* ***⸗er***, *sup* ***am ⸗sten*** **1.** (≈ *intensiv*) ***~ nach etw riechen*** to smell strongly of sth; ***~ würzen*** to season highly **2.** (≈ *heftig*) *kritisieren* sharply; *ablehnen* adamantly; *protestieren* emphatically **3.** (≈ *präzise*) *bewachen, zuhören* closely; ***~ beobachten*** to be very observant; ***~ aufpassen*** to pay close attention; ***~ nachdenken*** to have a good think **4.** (≈ *genau*) ***etw ~ einstellen*** *Bild etc* to bring sth into focus; *Sender* to tune sth in (properly); ***~ sehen/hören*** to have sharp eyes/ears **5.** (≈ *abrupt*) *bremsen* hard **6.** (≈ *hart*) ***~ durchgreifen*** to take decisive action; ***etw ~ bekämpfen*** to take strong measures against sth **7.** MIL ***~ schießen*** to shoot with live ammunition **Scharfblick** *m* (*fig*) keen insight **Schärfe** ['ʃɛrfə] *f* ⟨**-, -n**⟩ **1.** sharpness; (*von Wind, Frost*) keenness **2.** (*von Essen*) spiciness; (*von Geruch, Geschmack*) pungency **3.** (≈ *Strenge*) severity; (*von Kritik*) harshness; (*von Protest*) strength; (*von Auseinandersetzung*) bitterness **schärfen** ['ʃɛrfn] *v/t* to sharpen **scharfmachen** *v/t sep* (*infml*) (≈ *aufstacheln*) to stir up; (≈ *aufreizen*) to turn on (*infml*)

Scharfmacher(in) *m/(f)* (*infml*) rabble-rouser **Scharfrichter** *m* executioner **Scharfschütze** *m* marksman **Scharfschützin** *f* markswoman **Scharfsinn** *m* astuteness **scharfsinnig I** *adj* astute **II** *adv* astutely

Scharlach ['ʃarlax] *m* ⟨**-s,** *no pl*⟩ **1.** (*Farbe*) scarlet **2.** (≈ *Scharlachfieber*) scarlet fever **scharlachrot** *adj* scarlet (red)

Scharlatan ['ʃarlatan] *m* ⟨**-s, -e**⟩ charlatan

Scharnier [ʃar'niːɐ] *nt* ⟨**-s, -e**⟩ hinge

Schärpe ['ʃɛrpə] *f* ⟨**-, -n**⟩ sash

scharren ['ʃarən] *v/t & v/i* to scrape; (*Pferd, Hund*) to paw; (*Huhn*) to scratch; ***mit den Füßen ~*** to shuffle one's feet

Scharte ['ʃartə] *f* ⟨**-, -n**⟩ nick

Schaschlik ['ʃaʃlɪk] *nt* ⟨**-s, -s**⟩ (shish) kebab

schassen ['ʃasn] *v/t* (*infml*) to chuck out (*infml*)

Schatten ['ʃatn] *m* ⟨**-s, -**⟩ shadow; (≈ *schattige Stelle*) shade; ***40 Grad im ~*** 40 degrees in the shade; ***in jds ~*** (*dat*) ***stehen*** (*fig*) to be in sb's shadow; ***jdn/etw in den ~ stellen*** (*fig*) to put sb/sth in the shade; ***nur noch ein ~ (seiner selbst) sein*** to be (only) a shadow of one's former self **Schattenboxen** *nt* shadow-boxing **Schattendasein** *nt* shadowy existence **schattenhaft I** *adj* shadowy **II** *adv erkennen* vaguely; *sichtbar* barely **Schattenkabinett** *nt* POL shadow cabinet **Schattenmorelle** [-morɛlə] *f* ⟨**-, -n**⟩ morello cherry **schattenreich** *adj* shady **Schattenriss** *m* silhouette **Schattenseite** *f* shady side; (*fig* ≈ *Nachteil*) drawback **Schattenwirtschaft** *f* black economy **schattieren** [ʃa'tiːrən] *past part* ***schattiert*** *v/t* to shade **Schattierung** *f* ⟨**-, -en**⟩ shade; (≈ *das Schattieren*) shading; ***in allen ~en*** (*fig*) of every shade **schattig** ['ʃatɪç] *adj* shady

Schatulle [ʃa'tʊlə] *f* ⟨**-, -n**⟩ casket

Schatz [ʃats] *m* ⟨**-es, ⸚e** ['ʃɛtsə]⟩ **1.** treasure; ***du bist ein ~!*** (*infml*) you're a (real) treasure *or* gem! **2.** (≈ *Liebling*) sweetheart **Schatzamt** *nt* Treasury

schätzbar *adj* assessable; ***schwer ~*** difficult to estimate

Schätzchen ['ʃɛtsçən] *nt* ⟨**-s, -**⟩ darling

schätzen ['ʃɛtsn] *v/t* **1.** (≈ *veranschlagen*) to estimate; *Gemälde etc* to value, to appraise; (≈ *annehmen*) to reckon; ***wie alt ~ Sie mich denn?*** how old do you reckon I am then? **2.** (≈ *würdigen*) to value; ***jdn ~*** to think highly of sb; ***etw zu ~ wissen*** to appreciate sth; ***sich glücklich ~*** to consider oneself lucky **Schätzung** ['ʃɛtsʊŋ] *f* ⟨**-, -en**⟩ estimate; (*von Wertgegenstand*) valuation **schätzungsweise** *adv* (≈ *ungefähr*) approximately; (≈ *so schätze ich*) I reckon **Schätzwert** *m* estimated value

Schau [ʃau] *f* ⟨**-, -en**⟩ **1.** (≈ *Vorführung*) show; (≈ *Ausstellung*) display, exhibition; ***etw zur ~ stellen*** (≈ *ausstellen*) to put sth on show; (*fig*) to make a show of sth; (≈ *protzen mit*) to show off sth **2.** (*infml*) ***eine ~ abziehen*** to put on a display; ***das ist nur ~*** it's only show; ***jdm die ~ stehlen*** to steal the show from sb **Schaubild** *nt* diagram; (≈ *Kurve*) graph

Schauder ['ʃaudɐ] *m* ⟨**-s, -**⟩ shudder **schauderhaft** *adj* terrible **schaudern** ['ʃaudɐn] *v/i* to shudder; ***mit Schaudern*** with a shudder

schauen ['ʃauən] *v/i* to look; ***auf etw*** (*acc*) ***~*** to look at sth; ***um sich ~*** to look around (one); ***da schaust du aber!*** there, see!; ***da schau her!*** (*S Ger infml*) well, well!; ***schau, dass du ...*** see *or* mind (that) you ...

Schauer ['ʃauɐ] *m* ⟨**-s, -**⟩ **1.** (≈ *Regenschauer*) shower **2.** = ***Schauder*** **Schauergeschichte** *f* horror story **schauerlich** ['ʃauɐlɪç] *adj* horrible; (≈ *gruselig*) eerie **schauern** ['ʃauɐn] *v/i* (≈ *schaudern*) to shudder

Schaufel ['ʃaufl] *f* ⟨**-, -n**⟩ shovel; (*kleiner: für Mehl, Zucker*) scoop; (*von Wasserrad, Turbine*) vane **schaufeln** ['ʃaufln] *v/t & v/i* to shovel; *Grab, Grube* to dig

Schaufenster *nt* shop window **Schaufensterauslage** *f* window display **Schaufensterbummel** *m* window-shopping expedition; ***einen ~ machen*** to go window-shopping **Schaufensterpuppe** *f* display dummy

Schaugeschäft *nt* show business **Schaukampf** *m* exhibition fight **Schaukasten** *m* showcase

Schaukel ['ʃaukl] *f* ⟨**-, -n**⟩ swing **schaukeln** ['ʃaukln] **I** *v/i* **1.** (*mit Schaukel*) to swing; (*im Schaukelstuhl*) to rock **2.** (≈ *sich hin und her bewegen*) to sway (back and forth); (*Schiff*) to pitch and toss **II** *v/t* to rock; ***wir werden die Sache***

schon ~ (*infml*) we'll manage it **Schaukelpferd** *nt* rocking horse **Schaukelstuhl** *m* rocking chair

Schaulaufen *nt* ⟨*-s, no pl*⟩ exhibition skating; (*Veranstaltung*) skating display **schaulustig** *adj* curious **Schaulustige** [-lʊstɪgə] *pl decl as adj* (curious) onlookers *pl*

Schaum [ʃaum] *m* ⟨***-s, Schäume*** [ˈʃɔymə]⟩ foam, froth; (≈ *Seifenschaum*) lather; (*zum Feuerlöschen*) foam; (*von Bier*) head, froth; ***~ vor dem Mund haben*** to foam at the mouth **Schaumbad** *nt* bubble *or* foam bath **schäumen** [ˈʃɔymən] *v/i* to foam, to froth; (*Seife, Waschmittel*) to lather (up); (*Limonade, Wein*) to bubble **Schaumfestiger** *m* mousse **Schaumgummi** *nt or m* foam rubber **schaumig** [ˈʃaumɪç] *adj* foamy, frothy; ***ein Ei ~ schlagen*** to beat an egg until frothy **Schaumkrone** *f* whitecap **Schaumschläger(in)** *m/(f)* (*fig infml*) man/woman full of hot air (*infml*) **Schaumstoff** *m* foam material **Schaumwein** *m* sparkling wine

Schauplatz *m* scene; ***am ~ sein*** to be at the scene **Schauprozess** *m* show trial

schaurig [ˈʃaurɪç] *adj* gruesome

Schauspiel *nt* THEAT drama, play; (*fig*) spectacle **Schauspieler** *m* actor; (*fig*) (play-)actor **Schauspielerin** *f* actress; (*fig*) (play-)actress **schauspielerisch** *adj* acting *attr*; *Talent* for acting **schauspielern** [ˈʃauʃpiːlɐn] *v/i insep* to act; (*fig*) to (play-)act **Schauspielhaus** *nt* playhouse **Schauspielschule** *f* drama school

Schausteller [ˈʃauʃtɛlɐ] *m* ⟨***-s, -***⟩, **Schaustellerin** [-ərɪn] *f* ⟨***-, -nen***⟩ showman

Scheck [ʃɛk] *m* ⟨***-s, -s** or* (*rare*) ***-e***⟩ cheque (*Br*), check (*US*); ***mit (einem)*** *or* ***per ~ bezahlen*** to pay by cheque *etc* **Scheckbetrug** *m* cheque (*Br*) *or* check (*US*) fraud **Scheckheft** *nt* chequebook (*Br*), checkbook (*US*)

scheckig [ˈʃɛkɪç] *adj* spotted; *Pferd* dappled

Scheckkarte *f* cheque card (*Br*), check card (*US*)

scheel [ʃeːl] **I** *adj* (≈ *abschätzig*) disparaging; ***ein ~er Blick*** a dirty look **II** *adv* ***jdn ~ ansehen*** to give sb a dirty look; (≈ *abschätzig*) to look askance at sb

Scheffel [ˈʃɛfl] *m* ⟨***-s, -***⟩ ***sein Licht unter den ~ stellen*** (*infml*) to hide one's light under a bushel **scheffeln** [ˈʃɛfln] *v/t Geld* to rake in (*infml*)

Scheibe [ˈʃaibə] *f* ⟨***-, -n***⟩ **1.** disc (*esp Br*), disk; (≈ *Schießscheibe*) target; (*Eishockey*) puck; (≈ *Wählscheibe*) dial; (≈ *Töpferscheibe*) wheel **2.** (≈ *abgeschnittene Scheibe*) slice; ***etw in ~n schneiden*** to slice sth (up) **3.** (≈ *Glasscheibe*) (window)pane; (≈ *Fenster*) window **Scheibenbremse** *f* disc (*esp Br*) *or* disk brake **Scheibenwaschanlage** *f* windscreen (*Br*) *or* windshield (*US*) washers *pl* **Scheibenwischer** *m* windscreen (*Br*) *or* windshield (*US*) wiper

Scheich [ʃaiç] *m* ⟨***-s, -e***⟩ sheik(h) **Scheichtum** [ˈʃaiçtuːm] *nt* ⟨***-s, Scheichtümer*** [-tyːmɐ]⟩ sheik(h)dom

Scheide [ˈʃaidə] *f* ⟨***-, -n***⟩ sheath; (≈ *Vagina*) vagina **scheiden** [ˈʃaidn] *pret* ***schied*** [ʃiːt], *past part* ***geschieden*** [gəˈʃiːdn] **I** *v/t* **1.** (≈ *auflösen*) *Ehe* to dissolve; *Eheleute* to divorce; ***sich ~ lassen*** to get divorced; → ***geschieden*** **2.** (*elev* ≈ *trennen*) to separate **II** *v/r* (*Wege*) to divide; (*Meinungen*) to diverge **Scheideweg** *m* (*fig*) ***am ~ stehen*** to be at a crossroads **Scheidung** [ˈʃaidʊŋ] *f* ⟨***-, -en***⟩ **1.** (≈ *das Scheiden*) separation **2.** (≈ *Ehescheidung*) divorce; ***in ~ leben*** to be in the middle of divorce proceedings; ***die ~ einreichen*** to file a petition for divorce **Scheidungsgrund** *m* grounds *pl* for divorce

Schein[1] [ʃain] *m* ⟨***-s**, no pl*⟩ **1.** (≈ *Licht*) light; (*matt*) glow **2.** (≈ *Anschein*) appearances *pl*; ***~ und Sein*** appearance and reality; ***der ~ trügt*** appearances are deceptive; ***den ~ wahren*** to keep up appearances; ***etw nur zum ~ tun*** only to pretend to do sth

Schein[2] *m* ⟨***-s, -e***⟩ (≈ *Geldschein*) note, bill (*US*); (≈ *Bescheinigung*) certificate; ***~e machen*** UNIV to get credits

Scheinasylant(in) *m/(f)* (*often pej*) bogus asylum-seeker **scheinbar** **I** *adj* apparent, seeming *attr* **II** *adv* apparently, seemingly **Scheinehe** *f* sham marriage **scheinen** [ˈʃainən] *pret* ***schien*** [ʃiːn], *past part* ***geschienen*** [gəˈʃiːnən] *v/i* **1.** (≈ *leuchten*) to shine **2.** (*also v/i impers* ≈ *den Anschein geben*) to seem, to appear; ***mir scheint, (dass) ...*** it seems to me that ... **Scheingefecht** *nt* sham fight **Scheingeschäft** *nt* fictitious *or* artificial transaction **scheinheilig** *adj* hypocritical **Scheinheiligkeit** *f* hypocrisy; (≈ *vorgetäuschte Arglosigkeit*) feigned innocence **scheintot** *adj* seemingly dead; (*fig*) *Mensch, Partei* on one's /its last legs **Scheinwerfer** *m* (*zum Beleuchten*) floodlight; (*im Theater*) spotlight; (≈ *Suchscheinwerfer*) searchlight; AUTO (head)light **Scheinwerferlicht** *nt* floodlight(ing); (*im Theater*) spotlight; (*fig*) limelight

Scheiß [ʃais] *m* ⟨-, *no pl*⟩ (*sl*) shit (*sl*), crap (*sl*); **~ machen** (≈ *herumalbern*) to mess around (*infml*) **Scheißdreck** *m* (*vulg* ≈ *Kot*) shit (*sl*), crap (*sl*); ***wegen jedem ~*** about every effing (*sl*) *or* bloody (*Br infml*) little thing; ***das geht dich einen ~ an*** it's none of your effing (*sl*) *or* bloody (*Br infml*) business **Scheiße** [ˈʃaisə] *f* ⟨-, *no pl*⟩ (*vulg*) shit (*sl*); ***in der ~ sitzen*** (*infml*) to be up shit creek (*sl*); ***~ bauen*** (*infml*) to screw up (*sl*) **scheißegal** [ˈʃais|eˈgaːl] *adj* (*infml*) ***das ist mir doch ~!*** I don't give a shit (*sl*) *or* a damn (*infml*) **scheißen** [ˈʃaisn] *pret* ***schiss*** [ʃɪs], *past part* ***geschissen*** [gəˈʃɪsn] *v/i* (*vulg*) to shit (*sl*), to crap (*sl*); ***auf jdn/etw*** (*acc*) ***~*** (*fig sl*) not to give a shit about sb/sth (*sl*) **Scheißhaus** *nt* (*sl*) shithouse (*sl*) **Scheißkerl** *m* (*infml*) bastard (*sl*)

Scheit [ʃait] *m* ⟨**-(e)s, -e** *or* (*Aus, Sw*) **-er**⟩ piece of wood

Scheitel [ˈʃaitl] *m* ⟨**-s, -**⟩ (≈ *Haarscheitel*) parting (*Br*), part (*US*); ***vom ~ bis zur Sohle*** (*fig*) through and through **scheiteln** [ˈʃaitln] *v/t* to part **Scheitelpunkt** *m* vertex

Scheiterhaufen [ˈʃaitɐ-] *m* (funeral) pyre; (HIST: *zur Hinrichtung*) stake

scheitern [ˈʃaitɐn] *v/i aux sein* to fail; (*Verhandlungen, Ehe*) to break down **Scheitern** [ˈʃaitɐn] *nt* ⟨**-s,** *no pl*⟩ failure; (*von Verhandlungen, Ehe*) breakdown; ***zum ~ verurteilt*** doomed to failure

Schelle [ˈʃɛlə] *f* ⟨**-, -n**⟩ **1.** bell **2.** TECH clamp **3.** (≈ *Handschelle*) handcuff

Schellfisch [ˈʃɛl-] *m* haddock

schelmisch [ˈʃɛlmɪʃ] *adj Blick, Lächeln* mischievous

Schelte [ˈʃɛltə] *f* ⟨**-, -n**⟩ scolding; (≈ *Kritik*) attack **schelten** [ˈʃɛltn] *pret* ***schalt*** [ʃalt], *past part* ***gescholten*** [gəˈʃɔltn] *v/t* to scold

Schema [ˈʃeːma] *nt* ⟨**-s, Schemen** *or* **-ta** [-mən, -ta]⟩ scheme; (≈ *Darstellung*) diagram; (≈ *Vorlage*) plan; (≈ *Muster*) pattern; ***nach ~ F*** in the same (old) way

schematisch [ʃeˈmaːtɪʃ] **I** *adj* schematic **II** *adv* ***etw ~ darstellen*** to show sth schematically; ***~ vorgehen*** to work methodically

Schemel [ˈʃeːml] *m* ⟨**-s, -**⟩ stool

schemenhaft *adj* shadowy; *Erinnerungen* hazy

Schenke [ˈʃɛŋkə] *f* ⟨**-, -n**⟩ inn

Schenkel [ˈʃɛŋkl] *m* ⟨**-s, -**⟩ **1.** (ANAT) (≈ *Oberschenkel*) thigh; (≈ *Unterschenkel*) lower leg **2.** (MAT: *von Winkel*) side **Schenkelhalsbruch** *m* fracture of the neck of the femur

schenken [ˈʃɛŋkn] *v/t* **1.** (≈ *Geschenk geben*) ***jdm etw ~*** to give sb sth *or* give sth to sb (as a present *or* gift); ***etw geschenkt bekommen*** to get sth as a present *or* gift; ***das ist*** (***fast***) ***geschenkt!*** (*infml* ≈ *billig*) that's a giveaway (*infml*); ***jdm seine Aufmerksamkeit ~*** to give sb one's attention **2.** (≈ *erlassen*) ***jdm etw ~*** to let sb off sth; ***deine Komplimente kannst du dir ~!*** you can keep your compliments (*infml*) **Schenkung** [ˈʃɛŋkʊŋ] *f* ⟨**-, -en**⟩ JUR gift **Schenkungsurkunde** *f* deed of gift

Scherbe [ˈʃɛrbə] *f* ⟨**-, -n**⟩ fragment; (≈ *Glasscherbe*) broken piece of glass; ***in ~n gehen*** to shatter; (*fig*) to go to pieces

Schere [ˈʃeːrə] *f* ⟨**-, -n**⟩ **1.** (*Werkzeug*) (*klein*) scissors *pl*; (*groß*) shears *pl*; ***eine ~*** a pair of scissors/shears **2.** ZOOL pincer

scheren[1] [ˈʃeːrən] *pret* ***schor*** [ʃoːɐ], *past part* ***geschoren*** [gəˈʃoːrən] *v/t* to clip; *Schaf* to shear

scheren[2] *v/t & v/r* (≈ *kümmern*) ***sich nicht um jdn/etw ~*** not to care about sb/sth; ***was schert mich das?*** what do I care (about that)?

Scherenschnitt *m* silhouette

Schererei [ʃeːrəˈrai] *f* ⟨**-, -en**⟩ *usu pl* (*infml*) trouble *no pl*

Scherflein [ˈʃɛrflain] *nt* ⟨**-s,** *no pl*⟩ ***sein ~*** (***zu etw***) ***beitragen*** (*Geld*) to pay one's bit (towards sth); (*fig*) to do one's bit (for sth) (*infml*)

Schermaus [ˈʃeːɐmaus] *f* (*Swiss* ≈ *Maulwurf*) mole

Scherz [ʃɛrts] *m* ⟨**-es, -e**⟩ joke; ***aus*** *or* ***zum ~*** as a joke; ***im ~*** in jest; ***mach keine ~e!*** (*infml*) you're joking!; ***~ beiseite!***

joking aside **Scherzartikel** *m usu pl* joke (article) **scherzen** ['ʃɛrtsn] *v/i* to joke, to jest; ***mit jdm/etw ist nicht zu ~*** one can't trifle with sb/sth **Scherzfrage** *f* riddle **scherzhaft** *adj* jocular; *Angelegenheit* joking; ***etw ~ meinen*** to mean sth as a joke

scheu [ʃɔy] *adj* (≈ *schüchtern*) shy; (≈ *zaghaft*) *Versuche* cautious **Scheu** [ʃɔy] *f* ⟨-, *no pl*⟩ fear (*vor +dat* of); (≈ *Schüchternheit*) shyness; (*von Reh, Tier*) timidity; (≈ *Hemmung*) inhibition **scheuchen** ['ʃɔyçn] *v/t* to shoo (away); (≈ *verscheuchen*) to scare off **scheuen** ['ʃɔyən] **I** *v/t Kosten, Arbeit* to shy away from; *Menschen, Licht* to shun; ***weder Mühe noch Kosten ~*** to spare neither trouble nor expense **II** *v/r* ***sich vor etw*** (*dat*) ***~*** (≈ *Angst haben*) to be afraid of sth; (≈ *zurückschrecken*) to shy away from sth **III** *v/i* (*Pferd etc*) to shy (*vor +dat* at)

Scheuerlappen *m* floorcloth **scheuern** ['ʃɔyɐn] **I** *v/t & v/i* **1.** (≈ *putzen*) to scour; (*mit Bürste*) to scrub **2.** (≈ *reiben*) to chafe **II** *v/t* (*infml*) ***jdm eine ~*** to smack sb (one) (*infml*)

Scheuklappe *f* blinker (*Br*), blinder (*US*)

Scheune ['ʃɔynə] *f* ⟨-, **-n**⟩ barn

Scheusal ['ʃɔyza:l] *nt* ⟨**-s, -e** *or* (*inf*) ***Scheusäler*** [-zɛ:lɐ]⟩ monster

scheußlich ['ʃɔyslɪç] *adj* dreadful; (≈ *abstoßend hässlich*) hideous; ***~ schmecken*** to taste terrible

Schi [ʃi:] *m* ⟨**-s, -er** ['ʃi:ɐ]⟩ ⟨*or* **-**⟩ = ***Ski***

Schicht [ʃɪçt] *f* ⟨**-, -en**⟩ **1.** (≈ *Lage*) layer; (≈ *dünne Schicht*) film; (≈ *Farbschicht*) coat; ***breite ~en der Bevölkerung*** large sections of the population **2.** (≈ *Arbeitsabschnitt*) shift; ***er muss ~ arbeiten*** he has to work shifts **Schichtarbeit** *f* shiftwork **Schichtarbeiter(in)** *m/(f)* shiftworker **schichten** ['ʃɪçtn] *v/t* to layer; *Holz* to stack **Schichtwechsel** *m* change of shifts

schick [ʃɪk] *adj, adv* = ***chic*** **Schick** [ʃɪk] *m* ⟨**-s**, *no pl*⟩ style

schicken ['ʃɪkn] **I** *v/t & v/i* to send; (***jdm***) ***etw ~*** to send sth (to sb), to send (sb) sth **II** *v/r impers* (≈ *sich ziemen*) to be fitting

Schickeria [ʃɪkə'ri:a] *f* ⟨-, *no pl*⟩ (*iron*) in-crowd (*infml*)

Schicksal ['ʃɪkza:l] *nt* ⟨**-s, -e**⟩ fate; (***das ist***) ***~*** (*infml*) that's life; ***jdn seinem ~ überlassen*** to abandon sb to his fate **schicksalhaft** *adj* fateful **Schicksalsschlag** *m* great misfortune

Schiebedach *nt* sunroof **Schiebefenster** *nt* sliding window **schieben** ['ʃi:bn] *pret* ***schob*** [ʃo:p], *past part* ***geschoben*** [gə'ʃo:bn] **I** *v/t* **1.** (≈ *bewegen*) to push; ***etw von sich*** (*dat*) ***~*** (*fig*) *Schuld* to reject sth; ***etw vor sich her ~*** (*fig*) to put sth off; ***die Schuld auf jdn ~*** to put the blame on sb; ***die Verantwortung auf jdn ~*** to place the responsibility at sb's door **2.** (*infml* ≈ *handeln mit*) to traffic in; *Drogen* to push (*infml*) **II** *v/i* **1.** (≈ *schubsen*) to push **2.** (*infml*) ***mit etw ~*** to traffic in sth; ***mit Drogen ~*** to push drugs (*infml*) **Schiebetür** *f* sliding door

Schiebung ['ʃi:bʊŋ] *f* ⟨**-, -en**⟩ (≈ *Begünstigung*) string-pulling *no pl*; SPORTS rigging; ***das war doch ~*** that was a fix

schiech [ʃi:ç] *adj* (*Aus* ≈ *hässlich*) ugly

Schiedsgericht *nt* court of arbitration **Schiedsrichter(in)** *m/(f)* arbitrator, arbiter; (*Fußball, Boxen*) referee; (*Tennis*) umpire; (≈ *Preisrichter*) judge **schiedsrichtern** ['ʃi:tsrɪçtɐn] *v/i insep* (*infml*) to arbitrate/referee/umpire/judge **Schiedsspruch** *m* (arbitral) award **Schiedsstelle** *f* arbitration service

schief [ʃi:f] **I** *adj* crooked, not straight *pred*; *Winkel* oblique; *Bild* distorted; ***~e Ebene*** PHYS inclined plane **II** *adv* (≈ *schräg*) *halten, wachsen* crooked; ***das Bild hängt ~*** the picture is crooked *or* isn't straight; ***jdn ~ ansehen*** (*fig*) to look askance at sb

Schiefer ['ʃi:fɐ] *m* ⟨**-s, -**⟩ (*Gesteinsart*) slate **Schieferdach** *nt* slate roof **schiefergrau** *adj* slate-grey (*Br*), slate-gray (*US*) **Schiefertafel** *f* slate

schiefgehen *v/i sep irr aux sein* to go wrong **schiefgewickelt** *adj* (*infml*) on the wrong track; ***da bist du ~*** you're in for a surprise there (*infml*) **schieflachen** *v/r sep* (*infml*) to kill oneself (laughing) (*infml*) **schiefliegen** *v/i sep irr* (*infml*) to be wrong

schielen ['ʃi:lən] *v/i* to squint, to be cross-eyed; ***auf einem Auge ~*** to have a squint in one eye; ***nach jdm/etw ~*** (*infml*) to look at sb/sth out of the corner of one's eye; (*begehrlich*) to look sb/sth up and down; (*heimlich*) to sneak a look at sb/sth

Schienbein ['ʃi:nbain] *nt* shin; (≈

Schienbeinknochen) shinbone **Schiene** ['ʃiːnə] *f* ⟨-, **-n**⟩ **1.** rail; MED splint **2. Schienen** *pl* RAIL track *sg*, rails *pl*; ***aus den ~n springen*** to leave the rails **schienen** ['ʃiːnən] *v/t* to splint **Schienenersatzverkehr** *m* RAIL alternative transport (*when trains or trams are not running*) **Schienenfahrzeug** *nt* track vehicle **Schienennetz** *nt* RAIL rail network

schier [ʃiːɐ] *adj* (≈ *rein*) pure; (*fig*) sheer

Schießbefehl *m* order to fire *or* shoot **Schießbude** *f* shooting gallery **schießen** ['ʃiːsn] *pret* ***schoss*** [ʃɔs], *past part* ***geschossen*** [gə'ʃɔsn] **I** *v/t* to shoot; *Kugel*, *Rakete* to fire; FTBL *etc* to kick; *Tor* to score **II** *v/i* **1.** (*mit Waffe*, *Ball*) to shoot; ***auf jdn/etw ~*** to shoot at sb/sth; ***aufs Tor ~*** to shoot at goal; ***das ist zum Schießen*** (*infml*) that's a scream (*infml*) **2.** *aux sein* (≈ *in die Höhe schießen*) to shoot up; (*Flüssigkeit*) to shoot; (≈ *spritzen*) to spurt; ***er ist*** *or* ***kam um die Ecke geschossen*** he shot (a)round the corner **Schießerei** [ʃiːsə'rai] *f* ⟨-, **-en**⟩ shoot-out; (≈ *das Schießen*) shooting **Schießplatz** *m* (shooting *or* firing) range **Schießpulver** *nt* gunpowder **Schießscheibe** *f* target **Schießstand** *m* shooting range; (≈ *Schießbude*) shooting gallery

Schiff [ʃɪf] *nt* ⟨**-(e)s, -e**⟩ **1.** ship **2.** (ARCH) (≈ *Mittelschiff*) nave; (≈ *Seitenschiff*) aisle **schiffbar** *adj Gewässer* navigable **Schiffbau** *m*, *no pl* shipbuilding **Schiffbruch** *m* ***~ erleiden*** (*lit*) to be shipwrecked; (*fig*) to fail **schiffbrüchig** *adj* shipwrecked **Schiffchen** ['ʃɪfçən] *nt* ⟨**-s, -**⟩ **1.** little boat **2.** MIL forage cap **Schiffeversenken** *nt* ⟨**-**⟩ (≈ *Spiel*) battleships *sg* **Schifffahrt** *f* shipping; (≈ *Schifffahrtskunde*) navigation **Schifffahrtsgesellschaft** *f* shipping company **Schifffahrtsstraße** *f*, **Schifffahrtsweg** *m* (≈ *Kanal*) waterway; (≈ *Schifffahrtslinie*) shipping route **Schiffschaukel** *f* swingboat **Schiffsjunge** *m* ship's boy **Schiffsladung** *f* shipload **Schiffsrumpf** *m* hull **Schiffsverkehr** *m* shipping

Schiit [ʃi'iːt] *m* ⟨**-en, -en**⟩, **Schiitin** [-'iːtɪn] *f* ⟨**-, -nen**⟩ Shiite **schiitisch** [ʃi'iːtɪʃ] *adj* Shiite

Schikane [ʃi'kaːnə] *f* ⟨**-, -n**⟩ **1.** harassment *no pl*; (*von Mitschülern*) bullying *no pl* **2.** ***mit allen ~n*** (*infml*) with all the trimmings **schikanieren** [ʃika'niːrən] *past part* ***schikaniert*** *v/t* to harass; *Mitschüler* to bully

Schikoree ['ʃɪkore] *f* ⟨**-** *or m* **-s**, *no pl*⟩ chicory

Schild[1] [ʃɪlt] *m* ⟨**-(e)s, -e** [-də]⟩ shield; (*von Schildkröte*) shell; ***etwas im ~e führen*** (*fig*) to be up to something

Schild[2] *nt* ⟨**-(e)s, -er** [-dɐ]⟩ sign; (≈ *Wegweiser*) signpost; (≈ *Namensschild*) nameplate; (≈ *Preisschild*) ticket; (≈ *Etikett*) label; (≈ *Plakette*) badge; (≈ *Plakat*) placard; (*an Haus*) plaque

Schildbürgerstreich *m* foolish act

Schilddrüse *f* thyroid gland

schildern ['ʃɪldɐn] *v/t Ereignisse* to describe; (≈ *skizzieren*) to outline **Schilderung** ['ʃɪldərʊŋ] *f* ⟨**-, -en**⟩ (≈ *Beschreibung*) description; (≈ *Bericht*) account

Schildkröte *f* (≈ *Landschildkröte*) tortoise; (≈ *Wasserschildkröte*) turtle **Schildkrötensuppe** *f* turtle soup **Schildlaus** *f* scale insect

Schilf [ʃɪlf] *nt* ⟨**-(e)s, -e**⟩ reed; (≈ *mit Schilf bewachsene Fläche*) reeds *pl*

schillern ['ʃɪlɐn] *v/i* to shimmer **schillernd** *adj Farben* shimmering; (*fig*) *Charakter* enigmatic

Schilling ['ʃɪlɪŋ] *m* ⟨**-s, -** *or* (*bei Geldstücken*) **-e**⟩ shilling; (*Aus*) schilling

Schimmel[1] ['ʃɪml] *m* ⟨**-s, -**⟩ (≈ *Pferd*) grey (*Br*), gray (*US*)

Schimmel[2] *m* ⟨**-s**, *no pl*⟩ (*auf Nahrungsmitteln*) mould (*Br*), mold (*US*); (*auf Leder etc*) mildew **schimmelig** ['ʃɪməlɪç] *adj Nahrungsmittel* mouldy (*Br*), moldy (*US*); *Leder etc* mildewy **schimmeln** ['ʃɪmln] *v/i aux sein or haben* (*Nahrungsmittel*) to go mouldy (*Br*) *or* moldy (*US*); (*Leder etc*) to go mildewy **Schimmelpilz** *m* mould (*Br*), mold (*US*)

Schimmer ['ʃɪmɐ] *m* ⟨**-s**, *no pl*⟩ glimmer; (*von Metall*) gleam; (*im Haar*) sheen; ***keinen (blassen) ~ von etw haben*** (*infml*) not to have the faintest idea about sth (*infml*) **schimmern** ['ʃɪmɐn] *v/i* to glimmer; (*Metall*) to gleam

Schimpanse [ʃɪm'panzə] *m* ⟨**-n, -n**⟩, **Schimpansin** [-'panzɪn] *f* ⟨**-, -nen**⟩ chimpanzee, chimp (*infml*)

schimpfen ['ʃɪmpfn] *v/i* to get angry; (≈ *sich beklagen*) to moan; (≈ *fluchen*) to curse; ***mit jdm ~*** to tell sb off; ***auf*** *or* ***über***

jdn/etw ~ to curse (about *or* at) sb/sth **Schimpfwort** *nt, pl* ***-wörter*** swearword

Schindel ['ʃɪndl] *f* ⟨***-, -n***⟩ shingle

schinden ['ʃɪndn] *pret* ***schindete*** *or* (*rare*) ***schund*** ['ʃɪndətə, ʃʊnt], *past part* ***geschunden*** [gə'ʃʊndn] **I** *v/t* **1.** (≈ *quälen*) to maltreat; (≈ *ausbeuten*) to overwork, to drive hard; ***jdn zu Tode ~*** to work sb to death **2.** (*infml* ≈ *herausschlagen*) *Arbeitsstunden* to pile up; ***Zeit ~*** to play for time; (***bei jdm***) ***Eindruck ~*** to make a good impression (on sb) **II** *v/r* (≈ *hart arbeiten*) to struggle; (≈ *sich quälen*) to strain **Schindluder** ['ʃɪntluːdɐ] *nt* (*infml*) ***mit etw ~ treiben*** to misuse sth; *mit Gesundheit* to abuse sth

Schinken ['ʃɪŋkn] *m* ⟨***-s, -***⟩ **1.** ham **2.** (*pej infml*) (≈ *großes Buch*) tome; (≈ *großes Bild*) great daub (*pej infml*) **Schinkenspeck** *m* bacon **Schinkenwurst** *f* ham sausage

Schippe ['ʃɪpə] *f* ⟨***-, -n***⟩ shovel; ***jdn auf die ~ nehmen*** (*fig infml*) to pull sb's leg (*infml*)

Schirm [ʃɪrm] *m* ⟨***-(e)s, -e***⟩ **1.** (≈ *Regenschirm*) umbrella; (≈ *Sonnenschirm*) sunshade; (*von Pilz*) cap **2.** (≈ *Mützenschirm*) peak **3.** (≈ *Lampenschirm*) shade **Schirmherr(in)** *m/(f)* patron **Schirmherrschaft** *f* patronage **Schirmmütze** *f* peaked cap **Schirmständer** *m* umbrella stand

Schiss [ʃɪs] *m* ⟨***-es**, no pl*⟩ (*sl*) (***fürchterlichen***) ***~ haben*** to be scared to death (*vor +dat* of) (*infml*); ***~ kriegen*** to get scared

schizophren [ʃitso'freːn, sçi-] *adj* MED schizophrenic **Schizophrenie** [ʃitsofre'niː, sçi-] *f* ⟨*-, no pl*⟩ MED schizophrenia

Schlacht [ʃlaxt] *f* ⟨***-, -en***⟩ battle **schlachten** ['ʃlaxtn] *v/t* to slaughter **Schlachtenbummler** *m* ⟨***-s, -***⟩, **Schlachtenbummlerin** *f* ⟨***-, -nen***⟩ (SPORTS *infml*) away supporter **Schlachter** ['ʃlaxtɐ] *m* ⟨***-s, -***⟩, **Schlachterin** [-ərɪn] *f* ⟨***-, -nen***⟩ (*esp N Ger*), **Schlächter** ['ʃlɛçtɐ] *m* ⟨***-s, -***⟩, **Schlachterin** [-ərɪn] *f* ⟨***-, -nen***⟩ (*dial, fig*) butcher **Schlachterei** [ʃlaxtə'rai] *f* ⟨***-, -en***⟩ (*esp N Ger*) butcher's (shop) **Schlachtfeld** *nt* battlefield **Schlachtfest** *nt country feast to eat up meat from freshly slaughtered pigs* **Schlachthaus** *nt*, **Schlachthof** *m* slaughterhouse **Schlachtplan** *m* battle plan; (*für Feldzug*) campaign plan; (*fig*) plan of action **Schlachtvieh** *nt, no pl* animals *pl* for slaughter

Schlacke ['ʃlakə] *f* ⟨***-, -n***⟩ (≈ *Verbrennungsrückstand*) clinker *no pl* **schlackern** ['ʃlakɐn] *v/i* (*infml*) to tremble; (*Kleidung*) to hang loosely

Schlaf [ʃlaːf] *m* ⟨***-(e)s**, no pl*⟩ sleep; ***einen leichten/tiefen ~ haben*** to be a light/deep sleeper; ***jdn um seinen ~ bringen*** to keep sb awake; ***im ~ reden*** to talk in one's sleep; ***es fällt mir nicht im ~(e) ein, das zu tun*** I wouldn't dream of doing that; ***das kann er*** (***wie***) ***im ~*** (*fig infml*) he can do that in his sleep **Schlafanzug** *m* pyjamas *pl* (*Br*), pajamas *pl* (*US*)

Schlafdefizit *nt* sleep deficit

Schläfe ['ʃlɛːfə] *f* ⟨***-, -n***⟩ temple

schlafen ['ʃlaːfn] *pret* ***schlief*** [ʃliːf], *past part* ***geschlafen*** [gə'ʃlaːfn] *v/i* to sleep; (*infml* ≈ *nicht aufpassen*) to be asleep; ***~ gehen*** to go to bed; ***schläfst du schon?*** are you asleep?; ***schlaf gut*** sleep well; ***bei jdm ~*** to stay overnight with sb; ***mit jdm ~*** (*euph*) to sleep with sb

Schläfenlocke *f* sidelock

Schlafenszeit *f* bedtime **Schläfer** ['ʃlɛːfɐ] *m* ⟨***-s, -***⟩, **Schläferin** [-ərɪn] *f* ⟨***-, -nen***⟩ **1.** sleeper; (*fig*) dozy person (*infml*) **2.** (≈ *Terrorist in Wartestellung*) sleeper

schlaff [ʃlaf] *adj* limp; (≈ *locker*) *Seil* slack; *Haut, Muskeln* flabby; (≈ *energielos*) listless

Schlafgelegenheit *f* place to sleep **Schlaflied** *nt* lullaby **schlaflos** *adj* sleepless; ***~ liegen*** to lie awake **Schlaflosigkeit** *f* ⟨*-, no pl*⟩ sleeplessness, insomnia **Schlafmittel** *nt* sleeping drug; (*fig iron*) soporific **Schlafraum** *m* dormitory, dorm (*infml*) **schläfrig** ['ʃlɛːfrɪç] *adj* sleepy **Schläfrigkeit** *f* ⟨*-, no pl*⟩ sleepiness **Schlafsaal** *m* dormitory **Schlafsack** *m* sleeping bag **Schlafstadt** *f* dormitory town **Schlafstörung** *f* sleeplessness, insomnia **Schlaftablette** *f* sleeping pill **schlaftrunken** (*elev*) *adj* drowsy **Schlafwagen** *m* sleeping car **schlafwandeln** *v/i insep aux sein or haben* to sleepwalk **Schlafwandler** [-vandlɐ] *m* ⟨***-s, -***⟩, **Schlafwandlerin** [-ərɪn] *f* ⟨***-, -nen***⟩ sleepwalker **Schlafzimmer** *nt* bedroom

Schlag [ʃlaːk] *m* ⟨***-(e)s, ¨-e*** ['ʃlɛːgə]⟩ **1.** blow (*gegen* against); (*mit der Handflä-*

che) smack, slap; (≈ *Handkantenschlag*) chop (*infml*); (≈ *Ohrfeige*) cuff; (≈ *Glockenschlag*) chime; (≈ *Gehirnschlag, Schlaganfall*) stroke; (≈ *Herzschlag, Pulsschlag*) beat; (≈ *Donnerschlag*) clap; (≈ *Stromschlag*) shock; (≈ *Militärschlag*) strike; ***zum entscheidenden ~ ausholen*** (*fig*) to strike the decisive blow; ***~ auf ~*** (*fig*) one after the other; ***jdm einen schweren ~ versetzen*** (*fig*) to deal a severe blow to sb; ***ein ~ ins Gesicht*** a slap in the face; ***ein ~ ins Wasser*** (*infml*) a letdown (*infml*); ***auf einen ~*** (*infml*) all at once; ***wie vom ~ gerührt*** *or* ***getroffen sein*** to be flabbergasted (*infml*) **2.** (*infml* ≈ *Wesensart*) type (of person *etc*); ***vom alten ~*** of the old school **3.** (*Aus* ≈ *Schlagsahne*) cream **4.** (≈ *Hosenschlag*) flare; ***eine Hose mit ~*** flares *pl* (*infml*) **Schlagabtausch** *m* (*Boxen*) exchange of blows; (*fig*) (verbal) exchange **Schlagader** *f* artery **Schlaganfall** *m* stroke **schlagartig** **I** *adj* sudden **II** *adv* suddenly **Schlagbaum** *m* barrier **Schlagbohrer** *m* hammer drill **schlagen** ['ʃlaːgn] *pret* ***schlug*** [ʃluːk], *past part* ***geschlagen*** [gə'ʃlagn] **I** *v/t & v/i* **1.** to hit; (≈ *hauen*) to beat; (*mit der flachen Hand*) to slap, to smack; (*mit der Faust*) to punch; (*mit Hammer, Pickel etc*) *Loch* to knock; ***jdn bewusstlos ~*** to knock sb out; (*mit vielen Schlägen*) to beat sb unconscious; ***jdm ins Gesicht ~*** to hit/slap/punch sb in the face; ***na ja, ehe ich mich ~ lasse!*** (*hum infml*) I suppose you could twist my arm (*hum infml*) **2.** (≈ *läuten*) to chime; *Stunde* to strike; ***eine geschlagene Stunde*** a full hour **II** *v/t* **1.** (≈ *besiegen*) to beat; ***sich geschlagen geben*** to admit defeat **2.** COOK to beat; (*mit Schneebesen*) to whisk; *Sahne* to whip **III** *v/i* **1.** (*Herz, Puls*) to beat; (*heftig*) to pound **2.** *aux sein* (≈ *auftreffen*) ***mit dem Kopf auf/gegen etw*** (*acc*) ***~*** to hit one's head on/against sth **3.** (*Regen*) to beat; (*Wellen*) to pound; (*Blitz*) to strike (*in etw acc* sth) **4.** *aux sein or haben* (*Flammen*) to shoot out (*aus* of); (*Rauch*) to pour out (*aus* of) **5.** *aux sein* (*infml* ≈ *ähneln*) ***er schlägt sehr nach seinem Vater*** he takes after his father a lot **IV** *v/r* (≈ *sich prügeln*) to fight; ***sich um etw ~*** to fight over sth; ***sich auf jds Seite*** (*acc*) ***~*** to side with sb; (≈ *die Fronten wechseln*) to go over to sb **Schlager** ['ʃlaːgɐ] *m* ⟨**-s, -**⟩ **1.** MUS pop song; (*erfolgreich*) hit (song) **2.** (*infml*) (≈ *Erfolg*) hit; (≈ *Verkaufsschlager*) bestseller **Schläger** ['ʃlɛːgɐ] *m* ⟨**-s, -**⟩ (≈ *Tennisschläger, Federballschläger*) racquet (*Br*), racket (*US*); (≈ *Hockeyschläger, Eishockeyschläger*) stick; (≈ *Golfschläger*) club; (≈ *Baseballschläger, Tischtennisschläger*) bat **Schläger** ['ʃlɛːgɐ] *m* ⟨**-s, -**⟩, **Schlägerin** [-ərɪn] *f* ⟨**-, -nen**⟩ (≈ *Raufbold*) thug **Schlägerei** [ʃlɛːgə'rai] *f* ⟨**-, -en**⟩ brawl **Schlagermusik** *f* pop music **Schlagersänger(in)** *m*/(*f*) pop singer **schlagfertig** **I** *adj Antwort* quick and clever; ***er ist ein ~er Mensch*** he is always ready with a quick(-witted) reply **II** *adv* ***~ antworten*** to be quick with an answer **Schlagfertigkeit** *f, no pl* (*von Mensch*) quick-wittedness; (*von Antwort*) cleverness **Schlaghose** *f* flares *pl* (*infml*) **Schlaginstrument** *nt* percussion instrument **schlagkräftig** *adj Boxer, Argumente* powerful **Schlagloch** *nt* pothole **Schlagmann** *m, pl* ***-männer*** (*Rudern*) stroke; (*Baseball*) batter **Schlagobers** ['ʃlaːk|oːbɐs] *nt* ⟨**-, -**⟩ (*Aus*) (whipping) cream; (*geschlagen*) whipped cream **Schlagring** *m* **1.** knuckle-duster **2.** MUS plectrum **Schlagsahne** *f* (whipping) cream; (*geschlagen*) whipped cream **Schlagseite** *f* NAUT list; ***~ haben*** NAUT to be listing; (*hum infml* ≈ *betrunken sein*) to be three sheets to the wind (*infml*) **Schlagstock** *m* (*form*) baton **Schlagwort** *nt* **1.** *pl* ***-wörter*** (≈ *Stichwort*) headword **2.** *pl* ***-worte*** (≈ *Parole*) slogan **Schlagzeile** *f* headline; ***~n machen*** (*infml*) to hit the headlines **Schlagzeug** *nt, pl* ***-zeuge*** drums *pl*; (*in Orchester*) percussion *no pl* **Schlagzeuger** [-tsɔygɐ] *m* ⟨**-s, -**⟩, **Schlagzeugerin** [-ərɪn] *f* ⟨**-, -nen**⟩ drummer; (*in Orchester*) percussionist

Schlamassel [ʃla'masl] *m or nt* ⟨**-s, -**⟩ (*infml*) (≈ *Durcheinander*) mix-up; (≈ *missliche Lage*) mess (*infml*)

Schlamm [ʃlam] *m* ⟨**-(e)s, -e** *or* **⸗e** ['ʃlɛmə]⟩ mud **schlammig** ['ʃlamɪç] *adj* muddy **Schlammschlacht** *f* (*infml*) mud bath

Schlampe ['ʃlampə] *f* ⟨**-, -n**⟩ (*pej infml*) slut (*infml*) **schlampen** ['ʃlampn] *v/i* (*infml*) to be sloppy (in one's work) **Schlamperei** [ʃlampə'rai] *f* ⟨**-, -en**⟩

(*infml*) sloppiness; (≈ *schlechte Arbeit*) sloppy work **schlampig** ['ʃlampɪç] **I** *adj* sloppy; (≈ *unordentlich*) untidy **II** *adv* (≈ *nachlässig*) carelessly; (≈ *ungepflegt*) slovenly

Schlange ['ʃlaŋə] *f* ⟨-, -*n*⟩ **1.** snake; ***eine falsche ~*** a snake in the grass **2.** (≈ *Menschenschlange, Autoschlange*) queue (*Br*), line (*US*); ***~ stehen*** to queue (up) (*Br*), to stand in line (*US*) **3.** TECH coil **schlängeln** ['ʃlɛŋln] *v/r* (*Weg, Menschenmenge*) to wind (its way); (*Fluss auch*) to meander; ***eine geschlängelte Linie*** a wavy line **Schlangenbiss** *m* snakebite **Schlangengift** *nt* snake venom **Schlangenhaut** *f* snake's skin; (≈ *Leder*) snakeskin **Schlangenleder** *nt* snakeskin **Schlangenlinie** *f* wavy line; (***in***) ***~n fahren*** to swerve about

schlank [ʃlaŋk] *adj* **1.** slim; ***~ werden*** to slim; ***ihr Kleid macht sie ~*** her dress makes her look slim **2.** (*fig* ≈ *effektiv*) lean **Schlankheit** *f* ⟨-, *no pl*⟩ slimness **Schlankheitskur** *f* diet; MED course of slimming treatment; ***eine ~ machen*** to be on a diet

schlapp [ʃlap] *adj* (*infml*) (≈ *erschöpft*) worn-out; (≈ *energielos*) listless; (*nach Krankheit etc*) run-down **Schlappe** ['ʃlapə] *f* ⟨-, -*n*⟩ (*infml*) setback; *esp* SPORTS defeat; ***eine ~ einstecken*** (***müssen***) to suffer a setback / defeat **schlappmachen** *v/i sep* (*infml*) to wilt; (≈ *ohnmächtig werden*) to collapse **Schlappschwanz** *m* (*pej infml*) wimp (*infml*)

schlau [ʃlau] **I** *adj* smart; (≈ *gerissen*) cunning; ***ein ~er Bursche*** a crafty devil (*infml*); ***ich werde nicht ~ aus ihm / dieser Sache*** I can't make him / it out **II** *adv* cleverly

Schlauch [ʃlaux] *m* ⟨-(*e*)*s*, ***Schläuche*** ['ʃlɔyçə]⟩ hose; MED tube; (≈ *Fahrradschlauch, Autoschlauch*) (inner) tube; ***auf dem ~ stehen*** (*infml*) (≈ *nicht begreifen*) not to have a clue (*infml*); (≈ *nicht weiterkommen*) to be stuck (*infml*) **Schlauchboot** *nt* rubber dinghy **schlauchen** ['ʃlauxn] (*infml*) **I** *v/t jdn* (*Reise, Arbeit etc*) to wear out **II** *v/i* (*infml* ≈ *Kraft kosten*) to take it out of you / one *etc* (*infml*); ***das schlaucht echt!*** it really takes it out of you (*infml*)

Schlaufe ['ʃlaufə] *f* ⟨-, -*n*⟩ loop; (≈ *Aufhänger*) hanger

Schlauheit ['ʃlauhait] *f* ⟨-, -*en*⟩ **1.** *no pl* cleverness; (*von Mensch, Idee auch*) shrewdness; (≈ *Gerissenheit*) cunning **2.** (≈ *Bemerkung*) clever remark **schlaumachen** *v/r sep* (*infml*) ***sich über etw*** (*acc*) ***~*** to inform oneself about sth **Schlaumeier** [-maiɐ] *m* ⟨-*s*, -⟩ smart aleck (*infml*)

schlecht [ʃlɛçt] **I** *adj* **1.** bad; *Gesundheit* poor; ***sich zum Schlechten wenden*** to take a turn for the worse; ***nur Schlechtes von jdm*** *or* ***über jdn sagen*** not to have a good word to say for sb; ***jdm ist*** (***es***) ***~*** sb feels ill; ***~ aussehen*** to look bad; ***mit jdm / etw sieht es ~ aus*** sb / sth looks in a bad way **2.** *pred* (≈ *ungenießbar*) off *pred* (*Br*), bad; ***~ werden*** to go off (*Br*) *or* bad **II** *adv* badly; *lernen* with difficulty; ***~ über jdn sprechen / von jdm denken*** to speak / think ill of sb; ***~ gelaunt*** bad-tempered; ***heute geht es ~*** today is not very convenient; ***er ist ~ zu verstehen*** he is hard to understand; ***ich kann sie ~ sehen*** I can't see her very well; ***auf jdn / etw ~ zu sprechen sein*** not to have a good word to say for sb / sth **schlechterdings** ['ʃlɛçtɐdɪŋs] *adv* (≈ *völlig*) absolutely; (≈ *nahezu*) virtually **schlecht gehen** *v/i*, **schlechtgehen** *v/i impers sep irr aux sein* ***es geht jdm schlecht*** sb is in a bad way; (*finanziell*) sb is doing badly **schlechthin** ['ʃlɛçt'hɪn] *adv* (≈ *vollkommen*) quite; (≈ *als solches, in seiner Gesamtheit*) per se **Schlechtigkeit** ['ʃləçtɪçkait] *f* ⟨-, -*en*⟩ **1.** *no pl* badness **2.** (≈ *schlechte Tat*) misdeed **schlechtmachen** *v/t sep* (≈ *herabsetzen*) to denigrate **Schlechtwettergeld** *nt* bad-weather pay

schlecken ['ʃlɛkn] (*Aus, S Ger*) *v/t & v/i* = ***lecken***[2]

Schlehe ['ʃleːə] *f* ⟨-, -*n*⟩ sloe

schleichen ['ʃlaiçn] *pret* ***schlich*** [ʃlɪç], *past part* ***geschlichen*** [gə'ʃlɪçn] **I** *v/i aux sein* to creep; (*Fahrzeug, Zeit*) to crawl **II** *v/r* **1.** (≈ *leise gehen*) to creep; ***sich in jds Vertrauen*** (*acc*) ***~*** to worm one's way into sb's confidence **2.** (*S Ger, Aus* ≈ *weggehen*) to go away; ***schleich dich!*** get lost! (*infml*) **schleichend** *adj attr* creeping; *Krankheit, Gift* insidious **Schleichweg** *m* secret path; ***auf ~en*** (*fig*) on the quiet

Schleie ['ʃlaiə] *f* ⟨-, -*n*⟩ ZOOL tench

Schleier ['ʃlaiɐ] *m* ⟨-*s*, -⟩ veil **Schleiereule** *f* barn owl **schleierhaft** *adj* (*infml*)

baffling; ***es ist mir völlig ~*** it's a complete mystery to me

Schleife ['ʃlaifə] *f* ⟨**-, -n**⟩ **1.** loop; (≈ *Straßenschleife*) twisty bend **2.** (*von Band*) bow; (≈ *Fliege*) bow tie; (≈ *Kranzschleife*) ribbon

schleifen[1] ['ʃlaifn] **I** *v/t* to drag; ***jdn vor Gericht ~*** (*fig*) to drag sb into court **II** *v/i* **1.** *aux sein or haben* to trail, to drag **2.** (≈ *reiben*) to rub; ***die Kupplung ~ lassen*** AUTO to slip the clutch; ***die Zügel ~ lassen*** to slacken the reins

schleifen[2] *pret* ***schliff*** [ʃlɪf], *past part* ***geschliffen*** [gə'ʃlɪfn] *v/t Messer* to sharpen; *Werkstück*, *Linse* to grind; *Parkett* to sand; *Glas* to cut; → ***geschliffen*** **Schleifmaschine** *f* grinding machine **Schleifpapier** *nt* abrasive paper **Schleifstein** *m* grinding stone, grindstone

Schleim [ʃlaim] *m* ⟨**-(e)s, -e**⟩ **1.** slime; MED mucus; (*in Atemorganen*) phlegm **2.** COOK gruel **Schleimer** ['ʃlaimɐ] *m* ⟨**-s, -**⟩, **Schleimerin** [-ərɪn] *f* ⟨**-, -nen**⟩ (*infml*) crawler (*infml*) **Schleimhaut** *f* mucous membrane **schleimig** ['ʃlaimɪç] *adj* slimy; MED mucous **schleimlösend** *adj* expectorant

schlemmen ['ʃlɛmən] *v/i* (≈ *üppig essen*) to feast; (≈ *üppig leben*) to live it up **Schlemmer** ['ʃlɛmɐ] *m* ⟨**-s, -**⟩, **Schlemmerin** [-ərɪn] *f* ⟨**-, -nen**⟩ bon vivant

schlendern ['ʃlɛndɐn] *v/i aux sein* to stroll **Schlendrian** ['ʃlɛndriaːn] *m* ⟨**-(e)s**, *no pl*⟩ (*infml*) casualness; (≈ *Trott*) rut

schlenkern ['ʃlɛŋkɐn] *v/t & v/i* to swing, to dangle; ***mit den Armen ~*** to swing *or* dangle one's arms

Schleppe ['ʃlɛpə] *f* ⟨**-, -n**⟩ (*von Kleid*) train **schleppen** ['ʃlɛpn] **I** *v/t* (≈ *tragen*) *Gepäck* to lug; (≈ *zerren*) to drag; *Auto* to tow; *Flüchtlinge* to smuggle **II** *v/r* to drag oneself; (*Verhandlungen etc*) to drag on **schleppend** *adj Gang* shuffling; *Bedienung*, *Geschäft* sluggish; ***nur ~ vorankommen*** to progress very slowly **Schlepper** ['ʃlɛpɐ] *m* ⟨**-s, -**⟩, **Schlepperin** [-ərɪn] *f* ⟨**-, -nen**⟩ **1.** (*sl*: *für Lokal*) tout **2.** (≈ *Fluchthelfer*) people smuggler **Schleppkahn** *m* (canal) barge **Schlepplift** *m* ski tow **Schleppnetz** *nt* trawl (net) **Schlepptau** *nt* NAUT tow rope; ***jdn ins ~ nehmen*** to take sb in tow

Schlesien ['ʃleːziən] *nt* ⟨**-s**⟩ Silesia **Schlesier** ['ʃleːziɐ] *m* ⟨**-s, -**⟩, **Schlesierin** [-iərɪn] *f* ⟨**-, -nen**⟩ Silesian **schlesisch** ['ʃleːzɪʃ] *adj* Silesian

Schleswig-Holstein ['ʃleːsvɪç'hɔlʃtain] *nt* ⟨**-s**⟩ Schleswig-Holstein

Schleuder ['ʃlɔydɐ] *f* ⟨**-, -n**⟩ **1.** (*Waffe*) sling; (≈ *Wurfmaschine*) catapult **2.** (≈ *Zentrifuge*) centrifuge; (*für Honig*) extractor; (≈ *Wäscheschleuder*) spin-dryer **Schleudergefahr** *f* MOT risk of skidding; ***„Achtung ~"*** "slippery road ahead" **schleudern** ['ʃlɔydɐn] **I** *v/t & v/i* **1.** (≈ *werfen*) to hurl **2.** TECH to centrifuge; *Honig* to extract; *Wäsche* to spin-dry **II** *v/i aux sein or haben* AUTO to skid; ***ins Schleudern geraten*** to go into a skid; (*fig infml*) to run into trouble **Schleuderpreis** *m* giveaway price **Schleudersitz** *m* AVIAT ejector seat; (*fig*) hot seat

schleunigst ['ʃlɔynɪçst] *adv* straight away; ***verschwinde, aber ~!*** beat it, on the double!

Schleuse ['ʃlɔyzə] *f* ⟨**-, -n**⟩ (*für Schiffe*) lock; (*zur Regulierung des Wasserlaufs*) sluice; ***die ~n öffnen*** (*fig*) to open the floodgates **schleusen** ['ʃlɔyzn] *v/t Schiffe* to pass through a lock; *Wasser* to channel; (*langsam*) *Menschen* to filter; *Antrag* to channel; (*fig*: *heimlich*) *Flüchtlinge* to smuggle

Schlich [ʃlɪç] *m* ⟨**-(e)s, -e**⟩ *usu pl* ruse; ***jdm auf die ~e kommen*** to catch on to sb

schlicht [ʃlɪçt] **I** *adj* simple; ***~ und einfach*** plain and simple **II** *adv* **1.** (≈ *einfach*) simply **2.** (≈ *glattweg*) *erfunden* simply; *vergessen* completely

schlichten ['ʃlɪçtn] **I** *v/t Streit* (≈ *beilegen*) to settle **II** *v/i* to mediate, to arbitrate (*esp* IND) **Schlichter** ['ʃlɪçtɐ] *m* ⟨**-s, -**⟩, **Schlichterin** [-ərɪn] *f* ⟨**-, -nen**⟩ mediator; IND arbitrator

Schlichtheit *f* ⟨**-**, *no pl*⟩ simplicity

Schlichtung ['ʃlɪçtʊŋ] *f* ⟨**-, -en**⟩ (≈ *Vermittlung*) mediation, arbitration (*esp* IND); (≈ *Beilegung*) settlement

schlichtweg ['ʃlɪçt'vɛk] *adv* → ***schlechthin***

Schlick [ʃlɪk] *m* ⟨**-(e)s, -e**⟩ silt, ooze; (≈ *Ölschlick*) slick

Schliere ['ʃliːrə] *f* ⟨**-, -n**⟩ streak

Schließe ['ʃliːsə] *f* ⟨**-, -n**⟩ fastening

schließen ['ʃliːsn] *pret* ***schloss*** [ʃlɔs],

past part ***geschlossen*** [gə'ʃlɔsn] **I** *v/t* **1.** (≈ *zumachen, beenden*) to close; (≈ *Betrieb einstellen*) to close down **2.** (≈ *eingehen*) *Vertrag* to conclude; *Frieden* to make; *Bündnis* to enter into; *Freundschaft* to form **II** *v/r* (≈ *zugehen*) to close **III** *v/i* **1.** (≈ *zugehen, enden*) to close; (≈ *Betrieb einstellen*) to close down; ***„geschlossen"*** "closed" **2.** (≈ *schlussfolgern*) to infer; ***auf etw*** (*acc*) ***~ lassen*** to indicate sth; → ***geschlossen***

Schließfach *nt* locker; (≈ *Bankschließfach*) safe-deposit box **schließlich** ['ʃliːslɪç] *adv* (≈ *endlich*) in the end, eventually; (≈ *immerhin*) after all **Schließung** ['ʃliːsʊŋ] *f* ⟨-, *-en*⟩ (≈ *das Schließen*) closing; (≈ *Betriebseinstellung*) closure

Schliff [ʃlɪf] *m* ⟨-(*e*)*s*, *-e*⟩ (*von Glas, Edelstein*) cut; (*fig* ≈ *Umgangsformen*) polish; ***jdm den letzten ~ geben*** (*fig*) to perfect sb

schlimm [ʃlɪm] **I** *adj* bad; *Krankheit, Wunde* nasty; *Nachricht* awful; ***es gibt Schlimmere als ihn*** there are worse than him; ***das finde ich nicht ~*** I don't find that so bad; ***eine ~e Zeit*** bad times *pl*; ***das ist halb so ~!*** that's not so bad!; ***wenn es nichts Schlimmeres ist!*** if that's all it is!; ***es gibt Schlimmeres*** it could be worse; ***im ~sten Fall*** if (the) worst comes to (the) worst **II** *adv zurichten* horribly; ***wenn es ganz ~ kommt*** if things get really bad; ***es steht ~ (um ihn)*** things aren't looking too good (for him) **schlimmstenfalls** ['ʃlɪmstnfals] *adv* at (the) worst

Schlinge ['ʃlɪŋə] *f* ⟨-, *-n*⟩ loop; (*an Galgen*) noose; (MED ≈ *Armbinde*) sling; (≈ *Falle*) snare

Schlingel ['ʃlɪŋl] *m* ⟨*-s*, *-*⟩ rascal

schlingen[1] ['ʃlɪŋən] *pret* ***schlang*** [ʃlaŋ], *past part* ***geschlungen*** [gə'ʃlʊŋən] (*elev*) **I** *v/t* (≈ *binden*) *Knoten* to tie; (≈ *umbinden*) *Schal etc* to wrap (*um* +*acc* around) **II** *v/r* ***sich um etw ~*** to coil (itself) around sth

schlingen[2] *pret* ***schlang*** [ʃlaŋ], *past part* ***geschlungen*** [gə'ʃlʊŋən] *v/i* to gobble

schlingern ['ʃlɪŋɐn] *v/i* (*Schiff*) to roll; ***ins Schlingern geraten*** AUTO *etc* to go into a skid

Schlips [ʃlɪps] *m* ⟨*-es*, *-e*⟩ tie, necktie (*US*)

schlitteln ['ʃlɪtln] *v/i aux sein or haben* (*Swiss*) to toboggan **Schlitten** ['ʃlɪtn] *m* ⟨*-s*, *-*⟩ **1.** sledge, sled; (≈ *Pferdeschlitten*) sleigh; (≈ *Rodelschlitten*) toboggan; (≈ *Rennschlitten*) bobsleigh; ***mit jdm ~ fahren*** (*infml*) to bawl sb out (*infml*) **2.** (*infml* ≈ *Auto*) big car **Schlittenfahrt** *f* sledge ride; (*mit Rodelschlitten*) toboggan ride; (*mit Pferdeschlitten etc*) sleigh ride **schlittern** ['ʃlɪtɐn] *v/i aux sein* (≈ *ausrutschen*) to slip; (*Wagen*) to skid; (*fig*) to slide, to stumble; ***in den Konkurs ~*** to slide into bankruptcy **Schlittschuh** *m* (ice) skate; ***~ laufen*** to (ice)-skate **Schlittschuhlaufen** *nt* ⟨*-s*, *no pl*⟩ (ice-)skating **Schlittschuhläufer(in)** *m*/(*f*) (ice-)skater

Schlitz [ʃlɪts] *m* ⟨*-es*, *-e*⟩ slit; (≈ *Einwurfschlitz*) slot; (≈ *Hosenschlitz*) fly, flies *pl* (*Br*) **Schlitzauge** *nt* slant eye **schlitzäugig** *adj* slant-eyed **schlitzen** ['ʃlɪtsn] *v/t* to slit **Schlitzohr** *nt* (*fig*) sly fox

Schlögel ['ʃløːgl] *m* ⟨*-s*, *-*⟩ (*S Ger, Aus* COOK ≈ *Keule*) leg

Schloss [ʃlɔs] *nt* ⟨*-es*, *⸚er* ['ʃlœsɐ]⟩ **1.** (≈ *Gebäude*) castle; (≈ *Palast*) palace; (≈ *großes Herrschaftshaus*) mansion **2.** (≈ *Türschloss etc*) lock; (≈ *Vorhängeschloss*) padlock; ***hinter ~ und Riegel sitzen/bringen*** to be/put behind bars

Schlosser ['ʃlɔsɐ] *m* ⟨*-s*, *-*⟩, **Schlosserin** [-ərɪn] *f* ⟨-, *-nen*⟩ locksmith

Schlot [ʃloːt] *m* ⟨-(*e*)*s*, *-e or* (*rare*) *⸚e* ['ʃløːtə]⟩ (≈ *Schornstein*) chimney (stack); ***rauchen wie ein ~*** (*infml*) to smoke like a chimney (*infml*)

schlottern ['ʃlɔtɐn] *v/i* **1.** (*vor* with) (≈ *zittern*) to shiver; (*vor Angst*) to tremble; ***ihm schlotterten die Knie*** his knees were knocking **2.** (*Kleider*) to hang loose

Schlucht [ʃlʊxt] *f* ⟨-, *-en*⟩ gorge

schluchzen ['ʃlʊxtsn] *v/t & v/i* to sob

Schluck [ʃlʊk] *m* ⟨-(*e*)*s*, *-e or* (*rare*) *⸚e* ['ʃlʏkə]⟩ drink; (≈ *ein bisschen*) drop; (≈ *das Schlucken*) swallow; (*großer*) gulp; (*kleiner*) sip; ***einen ~ aus der Flasche nehmen*** to take a drink from the bottle **Schluckauf** ['ʃlʊk|auf] *m* ⟨*-s*, *no pl*⟩ hiccups *pl*; ***einen ~ haben*** to have (the) hiccups **schlucken** ['ʃlʊkn] **I** *v/t* **1.** to swallow; ***Pillen ~*** (*sl*) to pop pills (*infml*) **2.** (COMM, *infml* ≈ *absorbieren*) to swallow up; *Benzin, Öl* to guzzle **II** *v/i* to swallow; ***daran hatte er schwer***

zu ~ (*fig*) he found that difficult to swallow **Schlucker** ['ʃlʊkɐ] *m* 〈**-s, -**〉 (*infml*) ***armer ~*** poor devil **Schluckimpfung** *f* oral vaccination

schlud(e)rig ['ʃluːd(ə)rɪç] (*infml*) **I** *adj Arbeit* sloppy **II** *adv* sloppily **schludern** ['ʃluːdɐn] (*infml*) **I** *v/t* to skimp **II** *v/i* to do sloppy work **Schludrigkeit** *f* 〈**-, -en**〉 (*infml*) sloppiness

schlummern ['ʃlʊmɐn] *v/i* (*elev*) to slumber (*liter*)

Schlund [ʃlʊnt] *m* 〈**-(e)s, ¨-e** ['ʃlʏndə]〉 ANAT pharynx; (*fig liter*) maw (*liter*)

schlüpfen ['ʃlʏpfn] *v/i aux sein* to slip; (*Küken*) to hatch (out) **Schlüpfer** ['ʃlʏpfɐ] *m* 〈**-s, -**〉 panties *pl*, knickers *pl* (*Br*) **Schlupfloch** *nt* hole, gap; (≈ *Versteck*) hideout; (*fig*) loophole **schlüpfrig** ['ʃlʏpfrɪç] *adj* **1.** slippery **2.** (*fig*) *Bemerkung* suggestive

schlurfen ['ʃlʊrfn] *v/i aux sein* to shuffle

schlürfen ['ʃlʏrfn] *v/t & v/i* to slurp

Schluss [ʃlʊs] *m* 〈**-es, ¨-e** ['ʃlʏsə]〉 **1.** *no pl* (≈ *Ende*) end; ***~ damit!*** stop it!; ***nun ist aber ~!*** that's enough now!; ***bis zum ~ bleiben*** to stay to the end; ***~ machen*** (*infml*) (≈ *aufhören*) to finish; (≈ *zumachen*) to close; (≈ *Selbstmord begehen*) to end it all; (≈ *Freundschaft beenden*) to break it off; ***ich muss ~ machen*** (*am Telefon*) I'll have to go now **2.** (≈ *Folgerung*) conclusion; ***zu dem ~ kommen, dass ...*** to come to the conclusion that ... **Schlussabrechnung** *f* final statement **Schlussakkord** *m* final chord

Schlüssel ['ʃlʏsl] *m* 〈**-s, -**〉 key (*zu* to); TECH spanner (*Br*), wrench; (≈ *Verteilungsschlüssel*) ratio (of distribution); MUS clef **Schlüsselbein** *nt* collarbone **Schlüsselblume** *f* cowslip **Schlüsselbund** *m or nt*, *pl* ***-bunde*** bunch of keys **Schlüsseldienst** *m* key cutting service **Schlüsselerlebnis** *nt* PSYCH crucial experience **Schlüsselfigur** *f* key figure **Schlüsselkind** *nt* (*infml*) latchkey kid (*infml*) **Schlüsselloch** *nt* keyhole **Schlüsselposition** *f* key position

schlussfolgern *v/i insep* to conclude **Schlussfolgerung** *f* conclusion **Schlussformel** *f* (*in Brief*) complimentary close **schlüssig** ['ʃlʏsɪç] **I** *adj Beweis* conclusive; *Konzept* logical **II** *adv begründen* conclusively **Schlusslicht** *nt* tail-light; (*infml*: *bei Rennen etc*) back marker; ***~ der Tabelle sein*** to be bottom of the table **Schlussnotierung** *f* ST EX closing quotation **Schlusspfiff** *m* final whistle **Schlussstrich** *m* (*fig*) ***einen ~ unter etw*** (*acc*) ***ziehen*** to consider sth finished **Schlussverkauf** *m* (end-of--season) sale (*Br*), season close-out sale (*US*)

Schmach [ʃmaːx] *f* 〈**-**, *no pl*〉 (*elev*) disgrace **schmachten** ['ʃmaxtn] *v/i* (*elev* ≈ *leiden*) to languish **schmächtig** ['ʃmɛçtɪç] *adj* slight

schmackhaft *adj* (≈ *wohlschmeckend*) tasty; ***jdm etw ~ machen*** (*fig*) to make sth palatable to sb

schmähen ['ʃmɛːən] *v/t* (*elev*) to abuse **schmählich** ['ʃmɛːlɪç] (*elev*) **I** *adj* ignominious; (≈ *demütigend*) humiliating **II** *adv* shamefully; *versagen* miserably

schmal [ʃmaːl] *adj*, *comp* ***-er or ¨-er*** ['ʃmɛːlɐ], *sup* ***-ste(r, s) or ¨-ste(r, s)*** ['ʃmɛːlstə], *adv sup* ***am -sten or ¨-sten*** **1.** narrow; *Hüfte*, *Taille* slender, narrow; *Lippen* thin **2.** (*fig* ≈ *karg*) meagre (*Br*), meager (*US*) **schmälern** ['ʃmɛːlɐn] *v/t* to diminish **Schmalfilm** *m* cine film (*Br*), movie film (*US*) **Schmalspur** *f* RAIL narrow gauge **Schmalspur-** *in cpds* (*pej*) small-time

Schmalz[1] [ʃmalts] *nt* 〈**-es, -e**〉 **1.** fat; (≈ *Schweineschmalz*) lard; (≈ *Bratenschmalz*) dripping (*Br*), drippings *pl* (*US*) **2.** (≈ *Ohrenschmalz*) earwax

Schmalz[2] *m* 〈**-es**, *no pl*〉 (*pej infml*) schmaltz (*infml*) **schmalzig** ['ʃmaltsɪç] (*pej infml*) *adj* schmaltzy (*infml*)

Schmankerl ['ʃmaŋkɐl] *nt* 〈**-s, -n**〉 (*S Ger*, *Aus* ≈ *Speise*) delicacy

schmarotzen [ʃma'rɔtsn] *past part* ***schmarotzt*** *v/i* to sponge, to scrounge (*bei* off); BIOL to be parasitic (*bei* on) **Schmarotzer** [ʃma'rɔtsɐ] *m* 〈**-s, -**〉 BIOL parasite **Schmarotzer** [ʃma'rɔtsɐ] *m* 〈**-s, -**〉, **Schmarotzerin** [-ərɪn] *f* 〈**-, -nen**〉 (*fig*) sponger

Schmarr(e)n ['ʃmar(ə)n] *m* 〈**-s, -**〉 **1.** (*S Ger*, *Aus*: COOK) *pancake cut up into small pieces* **2.** (*infml* ≈ *Quatsch*) rubbish (*Br*)

schmatzen ['ʃmatsn] *v/i* (*beim Essen*) to eat noisily, to smack (*US*)

schmecken ['ʃmɛkn] **I** *v/i* to taste (*nach* of); (≈ *gut schmecken*) to be good, to taste good; ***ihm schmeckt es*** (≈ *gut finden*) he likes it; (≈ *Appetit haben*) he likes his food; ***das schmeckt ihm nicht*** he doesn't like it; ***nach etw ~*** (*fig*) to smack of sth; ***das schmeckt nach nichts*** it's tasteless; ***schmeckt es (Ihnen)?*** do you like it?; ***es sich*** (*dat*) ***~ lassen*** to tuck in; ***sich*** (*dat*) ***etw ~ lassen*** to tuck into sth **II** *v/t* to taste

Schmeichelei [ʃmaiçə'lai] *f* ⟨-, ***-en***⟩ flattery **schmeichelhaft** *adj* flattering **schmeicheln** ['ʃmaiçln] *v/i* **1.** ***jdm ~*** to flatter sb **2.** (≈ *verschönen*) to flatter; ***das Bild ist aber geschmeichelt!*** the picture is very flattering **Schmeichler** ['ʃmaiçlɐ] *m* ⟨***-s, -***⟩, **Schmeichlerin** [-ərɪn] *f* ⟨-, ***-nen***⟩ flatterer; (≈ *Kriecher*) sycophant **schmeichlerisch** ['ʃmaiçlərɪʃ] *adj* flattering

schmeißen ['ʃmaisn] *pret* ***schmiss*** [ʃmɪs], *past part* ***geschmissen*** [gə'ʃmɪsn] (*infml*) **I** *v/t* **1.** (≈ *werfen*) to sling (*infml*), to chuck (*infml*) **2.** (*infml*) ***eine Party ~*** to throw a party; ***den Laden ~*** to run the (whole) show **3.** (≈ *aufgeben*) to chuck in (*infml*) **II** *v/i* (≈ *werfen*) to throw; ***mit Steinen ~*** to throw stones **Schmeißfliege** *f* bluebottle

Schmelze ['ʃmɛltsə] *f* ⟨-, ***-n***⟩ **1.** METAL, GEOL melt **2.** (≈ *Schmelzen*) melting **3.** (≈ *Schmelzhütte*) smelting plant **schmelzen** ['ʃmɛltsn] *pret* ***schmolz*** [ʃmɔlts], *past part* ***geschmolzen*** [gə'ʃmɔltsn] **I** *v/i aux sein* to melt; (*Reaktorkern*) to melt down **II** *v/t* to melt; *Erz* to smelt **Schmelzkäse** *m* cheese spread **Schmelzofen** *m* melting furnace; (*für Erze*) smelting furnace **Schmelzpunkt** *m* melting point **Schmelztiegel** *m* melting pot **Schmelzwasser** *nt, pl* ***-wasser*** melted snow and ice; GEOG, PHYS meltwater

Schmerz [ʃmɛrts] *m* ⟨***-es, -en***⟩ pain *pl rare*; (≈ *Kummer*) grief *no pl*; ***~en haben*** to be in pain; ***wo haben Sie ~en?*** where does it hurt?; ***jdm ~en bereiten*** to cause sb pain; ***unter ~en*** while in pain; (*fig*) regretfully **schmerzempfindlich** *adj Mensch* sensitive to pain **schmerzen** ['ʃmɛrtsn] *v/t & v/i* to hurt; ***es schmerzt*** it hurts; ***eine ~de Stelle*** a painful spot **Schmerzensgeld** *nt* JUR damages *pl* **schmerzfrei** *adj* free of pain; *Operation* painless **Schmerzgrenze** *f* pain barrier **schmerzhaft** *adj* painful **schmerzlindernd** *adj* pain-relieving, analgesic (MED) **schmerzlos** *adj* painless **Schmerzmittel** *nt* painkiller **schmerzstillend** *adj* pain-killing, analgesic (MED); ***~es Mittel*** painkiller **Schmerztablette** *f* painkiller **schmerzverzerrt** [-fɛɐtsɛrt] *adj Gesicht* distorted with pain **schmerzvoll** *adj* painful

Schmetterball *m* smash **Schmetterling** ['ʃmɛtɐlɪŋ] *m* ⟨***-s, -e***⟩ butterfly **schmettern** ['ʃmɛtɐn] *v/t* **1.** (≈ *schleudern*) to smash **2.** *Lied, Arie* to bellow out

Schmied [ʃmiːt] *m* ⟨***-(e)s, -e*** [-də]⟩, **Schmiedin** ['ʃmiːdɪn] *f* ⟨-, ***-nen***⟩ (black)smith **Schmiede** ['ʃmiːdə] *f* ⟨-, ***-n***⟩ forge **Schmiedeeisen** *nt* wrought iron **schmiedeeisern** *adj* wrought-iron **schmieden** ['ʃmiːdn] *v/t* to forge (*zu* into); (≈ *ersinnen*) *Plan, Komplott* to hatch

schmiegen ['ʃmiːgn] *v/r* ***sich an jdn ~*** to cuddle up to sb **schmiegsam** ['ʃmiːkzaːm] *adj* supple; *Stoff* soft; (*fig* ≈ *anpassungsfähig*) adaptable

Schmiere ['ʃmiːrə] *f* ⟨-, ***-n***⟩ **1.** (*infml*) grease; (≈ *Salbe*) ointment **2.** (*infml*) ***~ stehen*** to be the look-out **schmieren** ['ʃmiːrən] *v/t* **1.** (≈ *streichen*) to smear; *Butter, Aufstrich* to spread; *Brot* (*mit Butter*) to butter; *Salbe* to rub in (*in +acc* -to); (≈ *einfetten*) to grease; TECH to lubricate; ***sie schmierte sich ein Brot*** she made herself a sandwich; ***es geht*** *or* ***läuft wie geschmiert*** it's going like clockwork; ***jdm eine ~*** (*infml*) to smack sb one (*infml*) **2.** (*pej* ≈ *schreiben*) to scrawl; (≈ *malen*) to daub **3.** (*infml* ≈ *bestechen*) ***jdn ~*** to grease sb's palm (*infml*) **Schmiererei** [ʃmiːrə'rai] *f* ⟨-, ***-en***⟩ (*pej infml*) (≈ *Geschriebenes*) scrawl; (≈ *Parolen etc*) graffiti *pl*; (≈ *Malerei*) daubing **Schmierfett** *nt* (lubricating) grease **Schmierfink** *m* (*pej*) **1.** (≈ *Autor, Journalist*) hack; (≈ *Skandaljournalist*) muckraker (*infml*) **2.** (≈ *Schüler*) messy writer **Schmiergeld** *nt* bribe **Schmierheft** *nt* notebook **schmierig** ['ʃmiːrɪç] *adj* greasy; (*fig*) (≈ *unanständig*) filthy; (≈ *schleimig*) smarmy (*Br infml*) **Schmiermittel** *nt* lubricant **Schmieröl** *nt* lubricating oil **Schmierpapier** *nt* jotting paper (*Br*), scratch paper (*US*) **Schmierseife** *f* soft soap

Schminke ['ʃmɪŋkə] *f* ⟨-, ***-n***⟩ make-up **schminken** ['ʃmɪŋkn] **I** *v/t* to make up; ***sich*** (*dat*) ***die Lippen/Augen ~*** to put on lipstick/eye make-up **II** *v/r* to put on make-up

schmirgeln ['ʃmɪrgln] *v/t & v/i* to sand **Schmirgelpapier** *nt* sandpaper

Schmöker ['ʃmøːkɐ] *m* ⟨**-s, -**⟩ book (*of light literature*); (*dick*) tome **schmökern** ['ʃmøːkɐn] (*infml*) *v/i* to bury oneself in a book/magazine *etc*

schmollen ['ʃmɔlən] *v/i* to pout; (≈ *gekränkt sein*) to sulk **Schmollmund** *m* pout; ***einen ~ machen*** to pout

Schmorbraten *m* pot roast **schmoren** ['ʃmoːrən] **I** *v/t* to braise **II** *v/i* COOK to braise; (*infml* ≈ *schwitzen*) to roast; ***jdn (im eigenen Saft) ~ lassen*** to leave sb to stew (in his/her own juice)

Schmuck [ʃmʊk] *m* ⟨**-(e)s,** (*rare*) **-e**⟩ **1.** (≈ *Schmuckstücke*) jewellery (*Br*) *no pl*, jewelry (*US*) *no pl* **2.** (≈ *Verzierung*) decoration; (*fig*) embellishment **schmücken** ['ʃmʏkn] **I** *v/t* to decorate; *Rede* to embellish **II** *v/r* ***sich mit etw ~*** to adorn oneself with sth **schmucklos** *adj* plain; *Einrichtung, Stil* simple **Schmuckstück** *nt* (≈ *Ring etc*) piece of jewellery; (*fig* ≈ *Prachtstück*) gem

schmuddelig ['ʃmʊdəlɪç] *adj* messy; (≈ *schmierig*) filthy

Schmuggel ['ʃmʊgl] *m* ⟨**-s,** *no pl*⟩ smuggling; ***~ treiben*** to smuggle **Schmuggelei** [ʃmʊgə'lai] *f* ⟨**-, -en**⟩ smuggling *no pl* **schmuggeln** ['ʃmʊgln] *v/t & v/i* (*lit, fig*) to smuggle; ***mit etw ~*** to smuggle sth **Schmuggelware** *f* smuggled goods *pl* **Schmuggler** ['ʃmʊglɐ] *m* ⟨**-s, -**⟩, **Schmugglerin** [-ərɪn] *f* ⟨**-, -nen**⟩ smuggler

schmunzeln ['ʃmʊntsln] *v/i* to smile **Schmunzeln** *nt* ⟨**-s,** *no pl*⟩ smile

schmusen ['ʃmuːzn] *v/i* (*infml*) (≈ *zärtlich sein*) to cuddle; ***mit jdm ~*** to cuddle sb **schmusig** ['ʃmuːzɪç] *adj* (*infml*) smoochy (*infml*)

Schmutz [ʃmʊts] *m* ⟨**-es,** *no pl*⟩ **1.** dirt **2.** (*fig*) filth; ***jdn/etw in den ~ ziehen*** to drag sb/sth through the mud **schmutzen** ['ʃmʊtsn] *v/i* to get dirty **Schmutzfink** *m* (*infml*) (≈ *unsauberer Mensch*) dirty slob (*infml*); (≈ *Kind*) mucky pup (*Br infml*), messy thing (*esp US infml*); (*fig*) (≈ *Mann*) dirty old man **Schmutzfleck** *m* dirty mark **Schmutzfracht** *f* dirty cargo **schmutzig** ['ʃmʊtsɪç] *adj* dirty; ***sich ~ machen*** to get oneself dirty

Schnabel ['ʃnaːbl] *m* ⟨**-s, ¨** ['ʃnɛːbl]⟩ **1.** (≈ *Vogelschnabel*) beak, bill **2.** (*von Kanne*) spout **3.** (*infml* ≈ *Mund*) mouth; ***halt den ~!*** shut your mouth! (*infml*)

schnacken ['ʃnakn] *v/i* (*N Ger*) to chat

Schnake ['ʃnaːkə] *f* ⟨**-, -n**⟩ **1.** (*infml* ≈ *Stechmücke*) gnat, midge (*Br*) **2.** (≈ *Weberknecht*) daddy-longlegs

Schnalle ['ʃnalə] *f* ⟨**-, -n**⟩ **1.** (≈ *Schuhschnalle, Gürtelschnalle*) buckle **2.** (*an Handtasche*) clasp **schnallen** ['ʃnalən] *v/t* **1.** (≈ *befestigen*) to strap; *Gürtel* to fasten **2.** (*infml* ≈ *begreifen*) ***etw ~*** to catch on to sth

Schnäppchen ['ʃnɛpçən] *nt* ⟨**-s, -**⟩ bargain; ***ein ~ machen*** to get a bargain **Schnäppchenpreis** *m* (*infml*) bargain price **schnappen** ['ʃnapn] **I** *v/i* ***nach jdm/etw ~*** to snap at sb/sth; (≈ *greifen*) to snatch at sb/sth; ***die Tür schnappt ins Schloss*** the door clicks shut **II** *v/t* (*infml*) **1.** (≈ *ergreifen*) to grab; ***sich*** (*dat*) ***jdn/etw ~*** to grab sb/sth (*infml*) **2.** (≈ *fangen*) to catch **Schnappschuss** *m* (≈ *Foto*) snap(shot)

Schnaps [ʃnaps] *m* ⟨**-es, ¨e** ['ʃnɛpsə]⟩ (≈ *klarer Schnaps*) schnapps; (*infml*) (≈ *Branntwein*) spirits *pl* **Schnapsbrennerei** *f* (*Gebäude*) distillery **Schnapsidee** *f* (*infml*) crazy idea

schnarchen ['ʃnarçn] *v/i* to snore

schnattern ['ʃnatɐn] *v/i* (*Gans*) to gabble; (*Ente*) to quack; (*infml* ≈ *schwatzen*) to natter (*infml*)

schnauben ['ʃnaubn] *pret* ***schnaubte*** *or* (*old*) ***schnob*** ['ʃnauptə, ʃnoːp], *past part* ***geschnaubt*** *or* (*old*) ***geschnoben*** [gə'ʃnaupt, gə'ʃnoːbn] *v/i* **1.** (*Tier*) to snort **2.** ***vor Wut ~*** to snort with rage

schnaufen ['ʃnaufn] *v/i* (≈ *schwer atmen*) to wheeze; (≈ *keuchen*) to puff **Schnauferl** ['ʃnaufɐl] *nt* ⟨**-s, -** *or* (*Aus*) **-n**⟩ (*hum* ≈ *Oldtimer*) veteran car

Schnauz [ʃnauts] *m* ⟨**-es, Schnäuze**⟩ (*Swiss*), **Schnauzbart** *m* moustache (*Br*), mustache (*US*) **Schnauze** ['ʃnautsə] *f* ⟨**-, -n**⟩ **1.** (*von Tier*) snout **2.** (*infml*) (≈ *Mund*) gob (*Br infml*), trap (*infml*); (***halt die***) ***~!*** shut your trap! (*infml*); ***jdm die ~ einschlagen*** *or* ***polieren*** to smash sb's face in (*sl*); ***die ~ (gestrichen) vollhaben*** to be fed up (to the back teeth) (*infml*); ***eine große ~ haben*** to have a big mouth **schnäuzen** ['ʃnɔytsn] *v/t & v/r* ***sich ~***, (***sich***) ***die Nase ~*** to blow one's nose **Schnauzer**

[ˈʃnautsɐ] *m* ⟨**-s, -**⟩ (≈ *Hundeart*) schnauzer

Schnecke [ˈʃnɛkə] *f* ⟨**-, -n**⟩ **1.** (ZOOL, *fig*) snail; (≈ *Nacktschnecke*) slug; COOK escargot; ***jdn zur ~ machen*** (*infml*) to bawl sb out (*infml*) **2.** (COOK: *Gebäck*) ≈ Chelsea bun **Schneckenhaus** *nt* snail shell **Schneckenpost** *f* (*infml*) snail mail (*infml*) **Schneckentempo** *nt* (*infml*) ***im ~*** at a snail's pace

Schnee [ʃneː] *m* ⟨**-s**, *no pl*⟩ **1.** snow; ***das ist ~ von gestern*** (*infml*) that's old hat **2.** (≈ *Eischnee*) whisked egg white; ***Eiweiß zu ~ schlagen*** to whisk the egg white(s) till stiff **3.** (*infml* ≈ *Heroin, Kokain*) snow (*sl*) **Schneeball** *m* snowball **Schneeballprinzip** *nt* snowball effect **Schneeballschlacht** *f* snowball fight **Schneeballsystem** *nt* accumulative process **schneebedeckt** *adj* snow-covered **Schneebesen** *m* COOK whisk **schneeblind** *adj* snow-blind **Schneebrille** *f* snow goggles *pl* **Schneedecke** *f* blanket *or* covering of snow **Schneefall** *m* snowfall, fall of snow **Schneeflocke** *f* snowflake **schneefrei** *adj Gebiet* free of snow **Schneegestöber** *nt* (*leicht*) snow flurry; (*stark*) snowstorm **Schneeglätte** *f* hard-packed snow *no pl* **Schneeglöckchen** *nt* snowdrop **Schneegrenze** *f* snow line **Schneekette** *f* AUTO snow chain **Schneemann** *m, pl* ***-männer*** snowman **Schneematsch** *m* slush **Schneepflug** *m* TECH, SKI snowplough (*Br*), snowplow (*US*) **Schneeregen** *m* sleet **Schneeschaufel** *f* snow shovel, snowpusher (*US*) **Schneeschmelze** *f* thaw **Schneeschuh** *m* snowshoe; (*dated* SKI) ski **Schneesturm** *m* snowstorm; (*stärker*) blizzard **Schneetreiben** *nt* driving snow **Schneeverhältnisse** *pl* snow conditions *pl* **Schneeverwehung** *f* snowdrift **Schneewehe** *f* snowdrift **schneeweiß** *adj* snow-white; *Hände* lily-white **Schneewittchen** [-ˈvɪtçən] *nt* ⟨**-s**, *no pl*⟩ Snow White

Schneid [ʃnait] *m* ⟨**-(e)s** [-dəs]⟩ ⟨(*S Ger, Aus*) *f* **-**, *no pl*⟩ (*infml*) guts *pl* (*infml*) **Schneidbrenner** *m* TECH cutting torch **Schneide** [ˈʃnaidə] *f* ⟨**-, -n**⟩ (sharp *or* cutting) edge; (*von Messer*) blade **schneiden** [ˈʃnaidn] *pret* ***schnitt*** [ʃnɪt], *past part* ***geschnitten*** [gəˈʃnɪtn] **I** *v/i* to cut **II** *v/t* **1.** to cut; (≈ *klein schneiden*) *Gemüse etc* to chop; SPORTS *Ball* to slice; MAT to intersect with; (*Weg*) to cross; ***jdn ~*** (*beim Überholen*) to cut in on sb; (≈ *ignorieren*) to cut sb dead (*Br*) *or* off **2.** *Film, Tonband* to edit **3.** (*fig* ≈ *meiden*) to cut **III** *v/r* **1.** (*Mensch*) to cut oneself; ***sich in den Finger ~*** to cut one's finger **2.** (*infml* ≈ *sich täuschen*) ***da hat er sich aber geschnitten!*** he's made a big mistake **3.** (*Linien, Straßen etc*) to intersect **schneidend** *adj* biting; *Ton* piercing **Schneider** [ˈʃnaidɐ] *m* ⟨**-s, -**⟩ (*Gerät*) cutter; ***aus dem ~ sein*** (*fig*) to be out of the woods **Schneider** [ˈʃnaidɐ] *m* ⟨**-s, -**⟩, **Schneiderin** [ˈʃnaidərɪn] *f* ⟨**-, -nen**⟩ tailor **Schneiderei** [ʃnaidəˈrai] *f* ⟨**-, -en**⟩ (≈ *Werkstatt*) tailor's **schneidern** [ˈʃnaidɐn] **I** *v/i* (*beruflich*) to be a tailor; (*als Hobby*) to do dressmaking **II** *v/t* to make **Schneidersitz** *m* ***im ~ sitzen*** to sit cross-legged **Schneidezahn** *m* incisor **schneidig** [ˈʃnaidɪç] *adj Mensch* dashing; *Musik, Rede* rousing; *Tempo* fast

schneien [ˈʃnaiən] **I** *v/i impers* to snow **II** *v/t* +*impers* ***es schneite Konfetti*** confetti rained down **III** *v/i aux sein* (*fig*) to rain down; ***jdm ins Haus ~*** (*infml*) (*Besuch*) to drop in on sb; (*Rechnung, Brief*) to arrive in the post

Schneise [ˈʃnaizə] *f* ⟨**-, -n**⟩ break; (≈ *Waldschneise*) lane

schnell [ʃnɛl] **I** *adj* quick; *Auto, Zug, Strecke* fast; *Hilfe* speedy **II** *adv* quickly; *arbeiten, handeln* fast; ***nicht so ~!*** not so fast!; ***das geht ~*** (*grundsätzlich*) it doesn't take long; ***das ging ~*** that was quick; ***mach ~/~er!*** hurry up!; ***das ging alles viel zu ~*** it all happened much too quickly *or* fast; ***das werden wir ~ erledigt haben*** we'll soon have that finished; ***sie wird ~ böse*** she loses her temper quickly; ***das werde ich so ~ nicht wieder tun*** I won't do that again in a hurry **Schnellboot** *nt* speedboat **Schnelle** [ˈʃnɛlə] *f* ⟨**-, -n**⟩ **1.** *no pl* (≈ *Schnelligkeit*) speed; ***etw auf die ~ machen*** to do sth quickly *or* in a rush **2.** (≈ *Stromschnelle*) rapids *pl* **schnellen** [ˈʃnɛlən] *v/i aux sein* to shoot; ***in die Höhe ~*** to shoot up **Schnellhefter** *m* spring folder **Schnelligkeit** [ˈʃnɛlɪçkait] *f* ⟨**-, -en**⟩ speed; (*von Hilfe*) speediness **Schnellimbiss** *m* **1.** (*Essen*) (quick) snack **2.** (*Raum*) snack bar **Schnellkochtopf** *m* (≈ *Dampfkochtopf*) pressure cooker **schnẹlllebig** [-leːbɪç] *adj Zeit* fast-moving **Schnẹllreinigung** *f* express cleaning service **schnẹllstens** [ˈʃnɛlstns] *adv* as quickly as possible **Schnẹllstraße** *f* expressway **Schnẹllzug** *m* fast train

Schnẹpfe [ˈʃnɛpfə] *f* 〈-, **-n**〉 snipe; (*pej infml*) silly cow (*infml*)

schneuzen [ˈʃnɔytsn] *v/t & v/r* → ***schnäuzen***

Schnịppchen [ˈʃnɪpçən] *nt* 〈**-s, -**〉 (*infml*) ***jdm ein ~ schlagen*** to play a trick on sb

schnịppen [ˈʃnɪpn] *v/i* ***mit den Fingern ~*** to snap one's fingers **schnịppisch** [ˈʃnɪpɪʃ] **I** *adj* saucy **II** *adv* saucily

Schnịpsel [ˈʃnɪpsl] *m or nt* 〈**-s, -**〉 (*infml*) scrap; (≈ *Papierschnipsel*) scrap of paper

Schnịtt [ʃnɪt] *m* 〈**-(e)s, -e**〉 **1.** cut; (*von Gesicht*) shape; MED incision; (≈ *Schnittmuster*) pattern **2.** FILM editing *no pl* **3.** (MAT) (≈ *Schnittpunkt*) (point of) intersection; (≈ *Schnittfläche*) section; (*infml* ≈ *Durchschnitt*) average; ***im ~*** on average **Schnịttblumen** *pl* cut flowers *pl*

Schnịtte [ˈʃnɪtə] *f* 〈-, **-n**〉 slice; (*belegt*) open sandwich; (*zusammengeklappt*) sandwich **schnịttig** [ˈʃnɪtɪç] *adj* smart **Schnịttlauch** *m*, *no pl* chives *pl* **Schnịttmuster** *nt* SEWING (paper) pattern **Schnịttpunkt** *m* intersection **Schnịttstelle** *f* cut; (IT, *fig*) interface **Schnịttwinkel** *m* angle of intersection **Schnịttwunde** *f* cut; (*tief*) gash

Schnịtzel[1] [ˈʃnɪtsl] *nt or m* 〈**-s, -**〉 (≈ *Papierschnitzel*) bit of paper; (≈ *Holzschnitzel*) shaving

Schnịtzel[2] *nt* 〈**-s, -**〉 COOK veal/pork cutlet

Schnịtzeljagd *f* paper chase **schnịtzeln** [ˈʃnɪtsln] *v/t Gemüse* to shred

schnịtzen [ˈʃnɪtsn] *v/t & v/i* to carve **Schnịtzer** [ˈʃnɪtsɐ] *m* 〈**-s, -**〉 (*infml*) (*in Benehmen*) blunder; (≈ *Fehler*) howler (*Br infml*), blooper (*US infml*) **Schnịtzer** [ˈʃnɪtsɐ] *m* 〈**-s, -**〉, **Schnịtzerin** [ˈʃnɪtsərɪn] *f* 〈-, **-nen**〉 woodcarver **Schnitzerei** [ʃnɪtsəˈrai] *f* 〈-, **-en**〉 (wood)carving

schnọdd(e)rig [ˈʃnɔd(ə)rɪç] *adj* (*infml*) *Mensch*, *Bemerkung* brash

schnöde [ˈʃnøːdə] *adj* (≈ *niederträchtig*) despicable; *Ton* contemptuous; ***~s Geld*** filthy lucre

Schnọrchel [ˈʃnɔrçl] *m* 〈**-s, -**〉 snorkel **schnọrcheln** [ˈʃnɔrçln] *v/i* to go snorkelling (*Br*) *or* snorkeling (*US*)

Schnọ̈rkel [ˈʃnœrkl] *m* 〈**-s, -**〉 flourish; (*an Möbeln*, *Säulen*) scroll; (*fig* ≈ *Unterschrift*) squiggle (*hum*)

schnọrren [ˈʃnɔrən] *v/t & v/i* (*infml*) to scrounge (*infml*) (*bei* from) **Schnọrrer** [ˈʃnɔrɐ] *m* 〈**-s, -**〉, **Schnọrrerin** [-ərɪn] *f* 〈-, **-nen**〉 (*infml*) scrounger (*infml*)

Schnösel [ˈʃnøːzl] *m* 〈**-s, -**〉 (*infml*) snotty(-nosed) little upstart (*infml*) **schnöselig** [ˈʃnøːzəlɪç] (*infml*) *adj Benehmen* snotty (*infml*)

schnụckelig [ˈʃnʊkəlɪç] *adj* (*infml* ≈ *gemütlich*) snug, cosy; (≈ *niedlich*) cute

schnü̩ffeln [ˈʃnʏfln] **I** *v/i* **1.** to sniff; ***an etw*** (*dat*) **~** to sniff (at) sth **2.** (*fig infml* ≈ *spionieren*) to snoop around (*infml*) **II** *v/t* to sniff **Schnü̩ffler** [ˈʃnʏflɐ] *m* 〈**-s, -**〉, **Schnü̩fflerin** [-ərɪn] *f* 〈-, **-nen**〉 (*infml*) (*fig*) snooper (*infml*); (≈ *Detektiv*) private eye (*infml*)

Schnụller [ˈʃnʊlɐ] *m* 〈**-s, -**〉 (*infml*) dummy (*Br*), pacifier (*US*)

Schnụlze [ˈʃnʊltsə] *f* 〈-, **-n**〉 (*infml*) schmaltzy film/book/song (*infml*) **schnụlzig** [ˈʃnʊltsɪç] (*infml*) *adj* slushy (*infml*)

Schnụpfen [ˈʃnʊpfn] *m* 〈**-s, -**〉 cold; (***einen***) ***~ bekommen*** to catch a cold **Schnụpftabak** *m* snuff

schnụppe [ˈʃnʊpə] *adj pred* (*infml*) ***jdm ~ sein*** to be all the same to sb

Schnụpperkurs *m* (*infml*) taster course **schnụppern** [ˈʃnʊpɐn] **I** *v/i* to sniff; ***an etw*** (*dat*) **~** to sniff (at) sth **II** *v/t* to sniff; (*fig*) *Atmosphäre etc* to sample

Schnur [ʃnuːɐ] *f* 〈-, **¨e** [ˈʃnyːrə]〉 (≈ *Bindfaden*) string; (≈ *Kordel*) cord **Schnürchen** [ˈʃnyːɐçən] *nt* 〈**-s, -**〉 ***es läuft alles wie am ~*** everything's going like clockwork **schnüren** [ˈʃnyːrən] *v/t Paket* to tie up; *Schuhe* to lace (up) **schnurgerade** *adj* (dead) straight **Schnürl** [ˈʃnyːɐl] *nt* 〈**-s, -**〉 (*Aus*) (piece of) string **schnurlos** *adj* cordless **Schnürlregen** [ˈʃnyːɐl-] *m* (*Aus*) pouring rain **Schnürlsamt** [ˈʃnyːɐl-] *m* (*Aus*) corduroy

Schnụrrbart *m* moustache (*Br*), mustache (*US*) **schnụrren** [ˈʃnʊrən] *v/i* (*Katze*) to purr; (*Spinnrad etc*) to hum

Schnürschuh *m* lace-up shoe **Schnürsenkel** *m* shoelace **schnurstrạcks** [ˈʃnuːɐˈʃtraks] *adv* straight

schnụrz(egal) [ʃnʊrts-] *adj* (*infml*) ***das***

ist ihm ~ he couldn't give a damn (about it) (*infml*)

Schock *m* ⟨**-(e)s, -s**⟩ shock; ***unter ~ stehen*** to be in (a state of) shock **schocken** ['ʃɔkn] *v/t* (*infml*) to shock **schockieren** [ʃɔ'kiːrən] *past part* ***schockiert*** *v/t & v/i* to shock; (*stärker*) to scandalize; ***~d*** shocking; ***schockiert sein*** to be shocked (*über +acc* at)

schofel ['ʃoːfl], **schofelig** ['ʃoːfəlɪç] (*infml*) *adj Behandlung* rotten *no adv* (*infml*); *Geschenk* miserable

Schöffe ['ʃœfə] *m* ⟨**-n, -n**⟩, **Schöffin** ['ʃœfɪn] *f* ⟨**-, -nen**⟩ ≈ juror **Schöffengericht** *nt* court (*with jury*)

Schokolade [ʃoko'laːdə] *f* ⟨**-, -n**⟩ chocolate **Schokoriegel** ['ʃoko-] *m* chocolate bar

Scholle[1] ['ʃɔlə] *f* ⟨**-, -n**⟩ (*Fisch*) plaice

Scholle[2] *f* ⟨**-, -n**⟩ (≈ *Eisscholle*) (ice) floe; (≈ *Erdscholle*) clod (of earth)

schon [ʃoːn] *adv* **1.** already; ***er ist ~ hier!*** he's (already) here!; ***es ist ~ 11 Uhr*** it's (already) 11 o'clock; ***das habe ich dir doch ~ hundertmal gesagt*** I've told you that a hundred times; ***~ damals*** even then; ***~ im 13. Jahrhundert*** as early as the 13th century; ***~ am nächsten Tag*** the very next day; ***ich bin ~ lange fertig*** I've been ready for ages; ***~ immer*** always; ***ich habe das ~ mal gehört*** I've heard that before; ***warst du ~ (ein)mal dort?*** have you ever been there? **2.** (≈ *bereits*) ever; ***warst du ~ dort?*** have you been there (yet)?; (≈ *je*) have you (ever) been there?; ***ist er ~ hier?*** is he here yet?; ***musst du ~ gehen?*** must you go so soon?; ***wie lange wartest du ~?*** how long have you been waiting? **3.** (≈ *bloß*) just; ***allein ~ der Gedanke, dass ...*** just the thought that ...; ***wenn ich das ~ sehe!*** if I even see that! **4.** (≈ *bestimmt*) all right; ***du wirst ~ sehen*** you'll see (all right); ***das wirst du ~ noch lernen*** you'll learn that one day **5.** ***das ist ~ möglich*** that's quite possible; ***hör ~ auf damit!*** will you stop that!; ***nun sag ~!*** come on, tell me/us *etc*!; ***mach ~!*** get a move on! (*infml*); ***ja ~, aber ...*** (*infml*) yes (well), but ...; ***was macht das ~, wenn ...*** what does it matter if ...; ***~ gut!*** okay! (*infml*); ***ich verstehe ~*** I understand; ***ich weiß ~*** I know

schön [ʃøːn] **I** *adj* **1.** beautiful; *Mann* handsome **2.** (≈ *nett, angenehm*) good; *Gelegenheit* great; (*infml* ≈ *gut*) nice; ***die ~en Künste*** the fine arts; ***eines ~en Tages*** one fine day; ***~e Ferien!*** have a good holiday (*esp Br*) *or* vacation (*US*); ***zu ~, um wahr zu sein*** (*infml*) too good to be true; ***na ~*** fine, okay; ***~ und gut, aber ...*** that's all very well but ... **3.** (*iron*) *Unordnung* fine; *Überraschung* lovely; ***du bist mir ein ~er Freund*** a fine friend you are; ***das wäre ja noch ~er*** (*infml*) that's (just) too much! **4.** (≈ *beträchtlich*) *Erfolg* great; ***eine ganz ~e Leistung*** quite an achievement; ***eine ganz ~e Menge*** quite a lot **II** *adv* **1.** (≈ *gut*) well; *schreiben* beautifully; ***sich ~ anziehen*** to get dressed up; ***~ weich/warm/stark*** nice and soft/warm/strong; ***schlaf ~*** sleep well; ***erhole dich ~*** have a good rest **2.** (*infml*) (≈ *brav, lieb*) nicely; (≈ *sehr, ziemlich*) really; ***sei ~ brav*** be a good boy/girl; ***ganz ~ teuer/kalt*** pretty expensive/cold; ***ganz ~ lange*** quite a while

Schonbezug *m* (*für Matratzen*) mattress cover; (*für Möbel*) loose cover; (*für Autositz*) seat cover **schonen** ['ʃoːnən] **I** *v/t Gesundheit* to look after; *Ressourcen* to conserve; *Umwelt* to protect; *jds Nerven* to spare; *Gegner* to be easy on; *Bremsen, Batterie* to go easy on; ***er muss den Arm noch ~*** he still has to be careful with his arm **II** *v/r* to look after oneself; ***er schont sich für das nächste Rennen*** he's saving himself for the next race

Schöne ['ʃøːnə] *f decl as adj* (*liter, hum* ≈ *Mädchen*) beauty **schönen** ['ʃøːnən] *v/t Zahlen* to dress up

schonend **I** *adj* gentle; (≈ *rücksichtsvoll*) considerate; *Waschmittel* mild **II** *adv* ***jdm etw ~ beibringen*** to break sth to sb gently; ***etw ~ behandeln*** to treat sth with care

Schönfärberei *f* (*fig*) glossing things over **Schöngeist** *m* aesthete **schöngeistig** *adj* aesthetic; ***~e Literatur*** belletristic literature **Schönheit** *f* ⟨**-, -en**⟩ beauty **Schönheitschirurgie** *f* cosmetic surgery **Schönheitsfarm** *f* beauty farm **Schönheitsfehler** *m* blemish; (*von Gegenstand*) flaw **Schönheitskönigin** *f* beauty queen **Schönheitsoperation** *f* cosmetic surgery **Schönheitspflege** *f* beauty care **Schönheitswettbewerb** *m* beauty contest

Schonkost *f* light diet; (≈ *Spezialdiät*)

special diet
schön machen, schönmachen *sep* **I** *v/t Kind* to dress up; *Wohnung* to decorate **II** *v/r* to get dressed up; (≈ *sich schminken*) to make (oneself) up **Schönschrift** *f, no pl* ***in ~*** in one's best (hand)writing
Schonung ['ʃoːnʊŋ] *f* ⟨**-, -*en***⟩ **1.** (≈ *Waldbestand*) (protected) forest plantation area **2.** *no pl* (≈ *das Schonen*) (*von Ressourcen*) saving; (*von Umwelt*) protection; ***zur ~ meiner Gefühle*** to spare my feelings **3.** *no pl* (≈ *Nachsicht*) mercy **schonungslos I** *adj* ruthless; *Wahrheit* blunt; *Offenheit* brutal; *Kritik* savage **II** *adv* ruthlessly **Schonzeit** *f* close season; (*fig*) honeymoon period
Schopf [ʃɔpf] *m* ⟨**-(*e*)*s*, *⸗e*** ['ʃœpfə]⟩ **1.** (shock of) hair; ***eine Gelegenheit beim ~ ergreifen*** to seize an opportunity with both hands **2.** (*Aus* ≈ *Schuppen*) shed
schöpfen ['ʃœpfn] *v/t* **1.** (*also v/i*) (*aus* from) *Wasser* to scoop; *Suppe* to ladle **2.** *Kraft* to summon up; *Hoffnung* to find; ***Hoffnung** etc **aus etw ~*** to draw hope *etc* from sth **3.** (*also v/i* ≈ *schaffen*) *Kunstwerk* to create; *neuen Ausdruck* to coin **Schöpfer** ['ʃœpfɐ] *m* ⟨**-*s*, -**⟩, **Schöpferin** [-ərɪn] *f* ⟨**-, -*nen***⟩ creator; (≈ *Gott*) Creator **schöpferisch** ['ʃœpfərɪʃ] **I** *adj* creative **II** *adv* creatively; ***sie ist ~ veranlagt*** she is creative; (≈ *künstlerisch*) she is artistic **Schöpfkelle** *f*, **Schöpflöffel** *m* ladle **Schöpfung** ['ʃœpfʊŋ] *f* ⟨**-, -*en***⟩ creation
Schorf [ʃɔrf] *m* ⟨**-(*e*)*s*, -*e***⟩ crust; (≈ *Wundschorf*) scab
Schorle ['ʃɔrlə] *f* ⟨**-, -*n*** *or*⟩ *nt* ⟨**-*s*, -*s***⟩ spritzer
Schornstein ['ʃɔrnʃtain] *m* chimney; (*von Schiff, Lokomotive*) funnel, (smoke)stack **Schornsteinfeger** [-feːgɐ] *m* ⟨**-*s*, -**⟩, **Schornsteinfegerin** [-ərɪn] *f* ⟨**-, -*nen***⟩ chimney sweep
Schoß [ʃoːs] ⟨**-*es*, *⸗e*** ['ʃøːsə]⟩ *m* **1.** lap; ***die Hände in den ~ legen*** (*fig*) to sit back (and take it easy) **2.** (*liter*) (≈ *Mutterleib*) womb; ***im ~e der Familie*** in the bosom of one's family **Schoßhund** *m* lapdog
Schössling ['ʃœslɪŋ] *m* ⟨**-*s*, -*e***⟩ BOT shoot
Schote ['ʃoːtə] *f* ⟨**-, -*n***⟩ BOT pod
Schotte ['ʃɔtə] *m* ⟨**-*n*, -*n***⟩ Scot **Schottenmuster** *nt* tartan **Schottenrock** *m* (≈ *Kilt*) kilt
Schotter ['ʃɔtɐ] *m* ⟨**-*s*, -**⟩ gravel; (*im Straßenbau*) (road) metal; RAIL ballast
Schottin ['ʃɔtɪn] *f* ⟨**-, -*nen***⟩ Scot **schottisch** ['ʃɔtɪʃ] *adj* Scottish **Schottland** ['ʃɔtlant] *nt* ⟨**-*s***⟩ Scotland
schraffieren [ʃra'fiːrən] *past part* ***schraffiert*** *v/t* to hatch **Schraffierung** *f* ⟨**-, -*en***⟩ hatching
schräg [ʃrɛːk] **I** *adj* **1.** (≈ *schief, geneigt*) sloping; *Kante* bevelled (*Br*), beveled (*US*) **2.** (*infml*) (≈ *verdächtig*) fishy (*infml*) **II** *adv* (≈ *geneigt*) at an angle; (≈ *krumm*) slanting; *gestreift* diagonally; ***~ gegenüber*** diagonally opposite; ***den Kopf ~ halten*** to hold one's head at an angle; ***jdn ~ ansehen*** (*fig*) to look askance at sb **Schrägbank** *f, pl* ***-bänke*** SPORTS incline bench **Schräge** ['ʃrɛːgə] *f* ⟨**-, -*n***⟩ (≈ *schräge Fläche*) slope; (≈ *schräge Kante*) bevel; (*im Zimmer*) sloping ceiling **Schrägkante** *f* bevelled (*Br*) *or* beveled (*US*) edge **Schrägstrich** *m* oblique
Schramme ['ʃramə] *f* ⟨**-, -*n***⟩ scratch **schrammen** ['ʃramən] *v/t* to scratch
Schrank [ʃraŋk] *m* ⟨**-(*e*)*s*, *⸗e*** ['ʃrɛŋkə]⟩ cupboard (*Br*), closet (*US*); (≈ *Kleiderschrank*) wardrobe (*Br*), closet (*US*)
Schranke ['ʃraŋkə] *f* ⟨**-, -*n***⟩ barrier; (*fig*) (≈ *Grenze*) limit; ***sich in ~n halten*** to keep within reasonable limits **schrankenlos** *adj* (*fig*) unbounded, boundless; *Forderungen* unrestrained **Schrankenwärter(in)** *m/(f)* attendant (*at level crossing*)
schrankfertig *adj Wäsche* washed and ironed **Schrankkoffer** *m* clothes trunk **Schrankwand** *f* wall unit
Schraubdeckel *m* screw(-on) lid **Schraube** ['ʃraubə] *f* ⟨**-, -*n***⟩ screw; ***bei ihr ist eine ~ locker*** (*infml*) she's got a screw loose (*infml*) **schrauben** ['ʃraubn] *v/t & v/i* to screw; ***etw in die Höhe ~*** (*fig*) *Preise* to push sth up; *Ansprüche* to raise **Schraubendreher** *m* screwdriver **Schraubenmutter** *f, pl* ***-muttern*** nut **Schraubenschlüssel** *m* spanner (*Br*), wrench (*US*) **Schraubenzieher** [-tsiːɐ] *m* ⟨**-*s*, -**⟩ screwdriver **Schraubstock** *m* vice **Schraubverschluss** *m* screw top
Schrebergarten ['ʃreːbɐ-] *m* allotment (*Br*), garden plot
Schreck [ʃrɛk] *m* ⟨**-*s*,** (*rare*) **-*e***⟩ fright; ***vor ~*** in fright; *zittern* with fright; ***einen***

~(en) bekommen to get a fright; **mit dem ~(en) davonkommen** to get off with no more than a fright; **ach du ~!** (*infml*) blast! (*infml*) **schrecken** ['ʃrɛkn] *pret* **schreckte** [ʃrɛktə], *past part* **geschreckt** [gə'ʃrɛkt] **I** *v/t* (≈ *ängstigen*) to frighten; (*stärker*) to terrify; **jdn aus dem Schlaf ~** to startle sb out of his sleep **II** *v/r* (*Aus*) to get a fright **Schrecken** ['ʃrɛkn] *m* ⟨**-s, -**⟩ **1.** = **Schreck 2.** (≈ *Entsetzen*) terror; **jdn in Angst und ~ versetzen** to frighten and terrify sb **schreckensblass, schreckensbleich** *adj* as white as a sheet **Schreckensnachricht** *f* terrible news *no pl* **Schreckgespenst** *nt* nightmare **schreckhaft** *adj* easily startled **schrecklich** ['ʃrɛklɪç] **I** *adj* terrible **II** *adv* **1.** (≈ *entsetzlich*) horribly; **~ schimpfen** to swear dreadfully **2.** (*infml* ≈ *sehr*) terribly; **~ viel** an awful lot (of); **~ wenig** very little **Schreckschuss** *m* warning shot **Schrecksekunde** *f* moment of shock

Schredder ['ʃrɛdɐ] *m* ⟨**-s, -**⟩ shredder

Schrei [ʃrai] *m* ⟨**-(e)s, -e**⟩ cry; (*brüllender*) yell; (*gellender*) scream; (*kreischender*) shriek; **ein ~ der Entrüstung** an (indignant) outcry; **der letzte ~** (*infml*) the latest thing

Schreibblock *m*, *pl* **-blöcke** *or* **-blocks** (writing) pad **schreiben** ['ʃraibn] *pret* **schrieb** [ʃriːp], *past part* **geschrieben** [gə'ʃriːbn] **I** *v/t* **1.** to write; *Klassenarbeit* to do; **schwarze/rote Zahlen ~** COMM to be in the black/red; **wo steht das geschrieben?** where does it say that? **2.** (*orthografisch*) to spell; **wie schreibt man das?** how do you spell that? **II** *v/i* to write; **jdm ~** to write to sb, to write sb (*US*); **an einem Roman** *etc* **~** to be working on *or* writing a novel *etc* **III** *v/r* **1.** (≈ *korrespondieren*) to write (to each other) **2.** (≈ *geschrieben werden*) to be spelt (*esp Br*) *or* spelled; **wie schreibt er sich?** how does he spell his name? **Schreiben** ['ʃraibn] *nt* ⟨**-s, -**⟩ (≈ *Mitteilung*) communication (*form*); (≈ *Brief*) letter **Schreiber** ['ʃraibɐ] *m* ⟨**-s, -**⟩ (*infml* ≈ *Schreibgerät*) **keinen ~ haben** to have nothing to write with **Schreiber** ['ʃraibɐ] *m* ⟨**-s, -**⟩, **Schreiberin** [-ərɪn] *f* ⟨**-, -nen**⟩ writer; (≈ *Gerichtsschreiber*) clerk/clerkess; (*pej* ≈ *YYY*, *Schriftsteller*) scribbler **schreibfaul** *adj* lazy (about letter writing) **Schreibfehler** *m* (spelling) mistake; (*aus Flüchtigkeit*) slip of the pen **schreibgeschützt** *adj* IT write-protected **Schreibheft** *nt* exercise book **Schreibkraft** *f* typist **Schreibmaschine** *f* typewriter; **mit der ~ geschrieben** typewritten **Schreibmaschinenpapier** *nt* typing paper **Schreibschutz** *m* IT write protection **Schreibtisch** *m* desk **Schreibtischlampe** *m* desk lamp **Schreibtischtäter(in)** *m/(f)* mastermind behind the scenes (of a/the crime) **Schreibung** ['ʃraibʊŋ] *f* ⟨**-, -en**⟩ spelling; **falsche ~** misspelling **Schreibwaren** *pl* stationery *sg* **Schreibwarenhändler(in)** *m/(f)* stationer **Schreibwarenhandlung** *f* stationer's (shop) **Schreibweise** *f* (≈ *Stil*) style; (≈ *Rechtschreibung*) spelling

schreien ['ʃraiən] *pret* **schrie** [ʃriː], *past part* **geschrie(e)n** [gə'ʃriː(ə)n] **I** *v/i* to shout; (*gellend*) to scream; (*kreischend*) to shriek; (≈ *brüllen*) to yell; (≈ *weinen*: *Kind*) to howl; **es war zum Schreien** (*infml*) it was a scream (*infml*) **II** *v/r* **sich heiser ~** to shout oneself hoarse **Schreihals** *m* (*infml*) (≈ *Baby*) bawler (*infml*); (≈ *Unruhestifter*) noisy troublemaker

Schrein [ʃrain] *m* ⟨**-(e)s, -e**⟩ (*elev*) shrine

Schreiner ['ʃrainɐ] *m* ⟨**-s, -**⟩, **Schreinerin** [-ərɪn] *f* ⟨**-, -nen**⟩ (*esp S Ger*) carpenter

schreiten ['ʃraitn] *pret* **schritt** [ʃrɪt], *past part* **geschritten** [gə'ʃrɪtn] *v/i aux sein* (*elev*) (≈ *schnell gehen*) to stride; (≈ *feierlich gehen*) to walk; (≈ *stolzieren*) to strut; **zu etw ~** (*fig*) to get down to sth; **zur Abstimmung ~** to proceed to a vote

Schrift ['ʃrɪft] *f* ⟨**-, -en**⟩ **1.** writing; TYPO type **2.** (≈ *Schriftstück*) document **3.** (≈ *Broschüre*) leaflet; (≈ *kürzere Abhandlung*) paper; **die (Heilige) ~** the (Holy) Scriptures *pl* **Schriftart** *f* TYPO typeface **Schriftbild** *nt* script **Schriftdeutsch** *nt* written German; (*nicht Dialekt*) standard German **Schriftführer(in)** *m/(f)* secretary **Schriftgrad** *m* type size **schriftlich** ['ʃrɪftlɪç] **I** *adj* written; **in ~er Form** in writing; **die ~e Prüfung** the written exam **II** *adv* in writing; **etw ~ festhalten** to put sth down in writing; **das kann ich Ihnen ~ geben** (*fig infml*) I can tell you that for free (*infml*) **Schriftsatz** *m* **1.** JUR legal document **2.**

TYPO form(e) **Schriftsetzer(in)** *m/(f)* typesetter **Schriftsprache** *f* written language; (≈ *nicht Dialekt*) standard language **Schriftsteller** [-ʃtɛlɐ] *m* ⟨**-s, -**⟩ author **Schriftstellerin** [-ʃtɛlərɪn] *f* ⟨**-, -nen**⟩ author(ess) **schriftstellerisch** [-ʃtɛlərɪʃ] **I** *adj Arbeit, Talent* literary **II** *adv* ***~ tätig sein*** to write; ***er ist ~ begabt*** he has talent as a writer **Schriftstück** *nt* paper; JUR document **Schriftverkehr** *m*, **Schriftwechsel** *m* correspondence

schrill [ʃrɪl] **I** *adj Ton, Stimme* shrill; *Farbe, Outfit* garish **II** *adv* shrilly; *gekleidet* loudly

Schritt [ʃrɪt] *m* ⟨**-(e)s, -e**⟩ **1.** step (*zu* towards); (*weit ausholend*) stride; (*hörbar*) footstep; (≈ *Gang*) walk; (≈ *Tempo*) pace; ***einen ~ machen*** to take a step; ***den ersten ~ tun*** (*fig*) to make the first move; ***~e gegen jdn/etw unternehmen*** to take steps against sb/sth; ***auf ~ und Tritt*** wherever one goes; ***~ für ~*** step by step; ***~ halten*** to keep up **2.** (≈ *Schrittgeschwindigkeit*) walking pace; ***„Schritt fahren"*** "dead slow" (*Br*), "slow" **3.** (≈ *Hosenschritt*) crotch **Schrittmacher** *m* MED pacemaker **Schrittmacher(in)** *m/(f)* SPORTS pacemaker (*esp Br*), pacer **Schritttempo** *nt* walking speed **schrittweise** **I** *adv* gradually **II** *adj* gradual

schroff [ʃrɔf] **I** *adj* (≈ *barsch*) curt; (≈ *krass*) abrupt; (≈ *steil, jäh*) precipitous **II** *adv* **1.** (≈ *barsch*) curtly **2.** (≈ *steil*) steeply

schröpfen [ˈʃrœpfn] *v/t* ***jdn ~*** (*fig*) to rip sb off (*infml*)

Schrot [ʃroːt] *m or nt* ⟨**-(e)s, -e**⟩ **1.** grain; (≈ *Weizenschrot*) ≈ wholemeal (*Br*), ≈ whole-wheat (*US*); ***vom alten ~ und Korn*** (*fig*) of the old school **2.** HUNT shot **Schrotflinte** *f* shotgun **Schrotkugel** *f* pellet **Schrotladung** *f* round of shot

Schrott [ʃrɔt] *m* ⟨**-(e)s**, *no pl*⟩ scrap metal; (*fig*) rubbish (*Br*), garbage **Schrotthändler(in)** *m/(f)* scrap dealer *or* merchant **Schrotthaufen** *m* (*lit*) scrap heap; (*fig* ≈ *Auto*) pile of scrap **Schrottplatz** *m* scrap yard **schrottreif** *adj* ready for the scrap heap **Schrottwert** *m* scrap value

schrubben [ˈʃrʊbn] *v/t & v/i* to scrub **Schrubber** [ˈʃrʊbɐ] *m* ⟨**-s, -**⟩ (long-handled) scrubbing (*Br*) *or* scrub (*US*) brush

Schrulle [ˈʃrʊlə] *f* ⟨**-, -n**⟩ quirk **schrullig** [ˈʃrʊlɪç] *adj* odd

schrump(e)lig [ˈʃrʊmp(ə)lɪç] *adj* (*infml*) wrinkled

schrumpfen [ˈʃrʊmpfn] *v/i aux sein* to shrink; (*Leber, Niere*) to atrophy; (*Muskeln*) to waste, to atrophy; (*Exporte, Interesse*) to dwindle; (*Industriezweig*) to decline **Schrumpfung** [ˈʃrʊmpfʊŋ] *f* ⟨**-, -en**⟩ shrinking; (≈ *Raumverlust*) shrinkage; MED atrophy(ing); (*von Exporten*) dwindling, diminution; (*von Industriezweig etc*) decline

Schub [ʃuːp] *m* ⟨**-(e)s, ⸚e** [ˈʃyːbə]⟩ **1.** (≈ *Stoß*) push, shove **2.** PHYS thrust; (*fig* ≈ *Impuls*) impetus **3.** (≈ *Anzahl*) batch **Schubfach** *nt* drawer **Schubkarre** *f* wheelbarrow **Schubkraft** *f* PHYS thrust **Schublade** [ˈʃuːplaːdə] *f* ⟨**-, -n**⟩ drawer; (*fig*) pigeonhole, compartment **Schubs** [ʃʊps] *m* ⟨**-es, -e**⟩ (*infml*) shove (*infml*), push **schubsen** [ˈʃʊpsn] *v/t & v/i* (*infml*) to shove (*infml*), to push **schubweise** *adv* in batches

schüchtern [ˈʃʏçtɐn] **I** *adj* shy **II** *adv* shyly **Schüchternheit** *f* ⟨**-**, *no pl*⟩ shyness

Schuft [ʃʊft] *m* ⟨**-(e)s, -e**⟩ heel (*infml*) **schuften** [ˈʃʊftn] *v/i* (*infml*) to slave away **Schufterei** [ʃʊftəˈrai] *f* ⟨**-, -en**⟩ (*infml*) graft (*infml*)

Schuh [ʃuː] *m* ⟨**-(e)s, -e**⟩ shoe; ***jdm etw in die ~e schieben*** (*infml*) to put the blame for sth on sb **Schuhbürste** *f* shoe brush **Schuhcreme** *f* shoe polish **Schuhgröße** *f* shoe size **Schuhlöffel** *m* shoehorn **Schuhmacher(in)** *m/(f)* shoemaker; (≈ *Flickschuster*) cobbler **Schuhnummer** *f* (*infml*) shoe size **Schuhputzer** [-pʊtsɐ] *m* ⟨**-s, -**⟩, **Schuhputzerin** [-ərɪn] *f* ⟨**-, -nen**⟩ bootblack, shoeshine boy/girl (*US*) **Schuhsohle** *f* sole (of a/one's shoe) **Schuhwerk** *nt*, *no pl* footwear

Schulabgänger [-|apgɛŋɐ] *m* ⟨**-s, -**⟩, **Schulabgängerin** [-ərɪn] *f* ⟨**-, -nen**⟩ school-leaver (*Br*), graduate (*US*) **Schulabschluss** *m* school-leaving qualification, ≈ high school diploma (*US*) **Schulalter** *nt* school age; ***im ~*** of school age **Schularbeit** *f* **1.** *usu pl*, **Schulaufgaben** *pl* homework *no pl* **2.** (*Aus*) test **Schulausflug** *m* school trip, field trip (*US*) **Schulbank** *f*, *pl* **-bänke** school desk; ***die ~ drücken*** (*infml*) to go to school **Schulbeispiel** *nt* (*fig*) classic example (*für* of) **Schulbesuch** *m* school attendance **Schulbildung** *f* (school) education **Schulbuch** *nt* schoolbook **Schulbus** *m* school bus

schuld [ʃʊlt] *adj pred* ***~ sein*** to be to blame (*an +dat* for); ***er war ~ an dem Streit*** the argument was his fault; ***du bist selbst ~*** that's your own fault

Schuld [ʃʊlt] *f* ⟨**-,** ***-en*** [-dn]⟩ **1.** *no pl* (≈ *Verantwortlichkeit*) ***~ haben*** to be to blame (*an +dat* for); ***du hast selbst ~*** that's your own fault; ***die ~ auf sich*** (*acc*) ***nehmen*** to take the blame; ***jdm die ~ geben*** to blame sb; ***das ist meine/deine ~*** that is my/your fault; ***durch meine/deine ~*** because of me/you; ***jdm ~ geben*** to blame sb **2.** *no pl* (≈ *Schuldgefühl*) guilt; (≈ *Unrecht*) wrong; ***ich bin mir keiner ~ bewusst*** I'm not aware of having done anything wrong **3.** (≈ *Zahlungsverpflichtung*) debt; ***~en machen*** to run up debts; ***~en haben*** to be in debt **schuldbewusst** *adj Mensch* feeling guilty; *Gesicht* guilty **schulden** ['ʃʊldn] *v/t* to owe; ***das schulde ich ihm*** I owe it to him; ***jdm Dank ~*** to owe sb a debt of gratitude **Schuldenberg** *m* mountain of debts **schuldenfrei** *adj* free of debt(s); *Besitz* unmortgaged **Schuldenlast** *f* debts *pl* **schuldfähig** *adj* JUR criminally responsible **Schuldfrage** *f* question of guilt **Schuldgefühl** *nt* sense *no pl or* feeling of guilt **schuldhaft** JUR **I** *adj* culpable **II** *adv* culpably

Schuldienst *m* (school)teaching *no art*; ***im ~ (tätig) sein*** to be a teacher

schuldig ['ʃʊldɪç] *adj* **1.** guilty; (≈ *verantwortlich*) to blame *pred* (*an +dat* for); ***einer Sache*** (*gen*) ***~ sein*** to be guilty of sth; ***jdn ~ sprechen*** to find sb guilty; ***sich ~ bekennen*** to admit one's guilt; JUR to plead guilty **2.** (≈ *verpflichtet*) ***jdm etw*** (*acc*) ***~ sein*** to owe sb sth; ***was bin ich Ihnen ~?*** how much do I owe you? **Schuldige(r)** ['ʃʊldɪgə] *m/f(m) decl as adj* guilty person; (*zivilrechtlich*) guilty party

Schuldirektor(in) *m/(f)* headteacher (*esp Br*), principal

schuldlos *adj* (*an Verbrechen*) innocent (*an +dat* of); (*an Unglück etc*) blameless **Schuldner** ['ʃʊldnɐ] *m* ⟨**-s, -**⟩, **Schuldnerin** [-ərɪn] *f* ⟨**-, *-nen***⟩ debtor **Schuldschein** *m* IOU **Schuldspruch** *m* verdict of guilty **schuldunfähig** *adj* JUR not criminally responsible

Schule ['ʃuːlə] *f* ⟨**-, *-n***⟩ school; ***in die*** *or* ***zur ~ gehen*** to go to school; ***in der ~*** at school; ***die ~ ist aus*** school is over; ***~ machen*** to become the accepted thing; ***aus der ~ plaudern*** to tell tales **schulen** ['ʃuːlən] *v/t* to train **Schulenglisch** *nt* ***mein ~*** the English I learned at school **Schüler** ['ʃyːlɐ] *m* ⟨**-s, -**⟩, **Schülerin** [-ərɪn] *f* ⟨**-, *-nen***⟩ schoolboy/-girl; (*einer bestimmten Schule*) pupil; (≈ *Jünger*) follower **Schüleraustausch** *m* school exchange **Schülerausweis** *m* (school) student card **Schülerlotse** *m*, **Schülerlotsin** *f* lollipop man/lady (*Br infml*), crossing guard (*US*) **Schülerschaft** ['ʃyːlɐʃaft] *f* ⟨**-, *-en***⟩ pupils *pl* **Schulfach** *nt* school subject **Schulferien** *pl* school holidays *pl* (*Br*) *or* vacation (*US*) **schulfrei** *adj* ***die Kinder haben morgen ~*** the children don't have to go to school tomorrow **Schulfreund(in)** *m/(f)* schoolfriend **Schulgelände** *nt* school grounds *pl* **Schulgeld** *nt* school fees *pl* **Schulheft** *nt* exercise book **Schulhof** *m* school playground, schoolyard **schulisch** ['ʃuːlɪʃ] *adj Leistungen* at school; *Bildung* school *attr* **Schuljahr** *nt* school year; (≈ *Klasse*) year **Schuljunge** *m* schoolboy **Schulkamerad(in)** *m/(f)* schoolfriend **Schulkind** *nt* schoolchild **Schulklasse** *f* (school) class **Schulleiter** *m* headmaster, principal **Schulleiterin** *f* headmistress, principal **Schulmädchen** *nt* schoolgirl **Schulmedizin** *f* orthodox medicine **Schulmeinung** *f* received opinion **Schulpflicht** *f* ***es besteht ~*** school attendance is compulsory **schulpflichtig** [-pflɪçtɪç] *adj Kind* required to attend school; ***im ~en Alter*** of school age **Schulpolitik** *f* education policy **Schulranzen** *m* (school) satchel **Schulrat** *m*, **Schulrätin** *f* schools inspector (*Br*), ≈ school board superintendent (*US*) **Schulschiff** *nt* training ship **Schulschluss** *m*, *no pl* end of school; (*vor den Ferien*) end of term; ***kurz nach ~*** just after school finishes **Schulstunde** *f* (school) period **Schulsystem** *nt* school system **Schultasche** *f* schoolbag

Schulter ['ʃʊltɐ] *f* ⟨**-, *-n***⟩ shoulder; ***jdm auf die ~ klopfen*** to give sb a slap on the back; (*lobend*) to pat sb on the back; ***~ an ~*** (≈ *dicht gedrängt*) shoulder to shoulder; (≈ *solidarisch*) side by side; ***die*** *or* ***mit den ~n zucken*** to shrug one's shoulders; ***etw auf die leichte ~ nehmen*** to take sth lightly **Schụlterblatt** *nt* shoulder blade **Schụltergelenk** *nt* shoulder joint **schụlterlang** *adj* shoulder-length **schụltern** ['ʃʊltɐn] *v/t* to shoulder **Schụlterschluss** *m, no pl* solidarity

Schu̲lung ['ʃuːlʊŋ] *f* ⟨**-, -en**⟩ (≈ *Ausbildung*) training; POL political instruction **Schu̲luniform** *f* school uniform **Schu̲lunterricht** *m* school lessons *pl* **Schu̲lweg** *m* way to school **Schu̲lwesen** *nt* school system **Schu̲lzeit** *f* (≈ *Schuljahre*) school days *pl* **Schu̲lzeugnis** *nt* school report

schụmmeln ['ʃʊmln] *v/i* (*infml*) to cheat

schụmm(e)rig ['ʃʊm(ə)rɪç] *adj Beleuchtung* dim

Schụnd [ʃʊnt] *m* ⟨**-(e)s** [-dəs]⟩ *no pl* (*pej*) trash, rubbish (*Br*)

schụnkeln ['ʃʊŋkln] *v/i* to link arms and sway from side to side

Schụppe ['ʃʊpə] *f* ⟨**-, -n**⟩ **1.** scale; ***es fiel mir wie ~n von den Augen*** the scales fell from my eyes **2. Schuppen** *pl* (≈ *Kopfschuppen*) dandruff *sg* **schụppen** ['ʃʊpn] **I** *v/t Fische* to scale **II** *v/r* to flake

Schụppen ['ʃʊpn] *m* ⟨**-s, -**⟩ **1.** shed **2.** (*infml*) (≈ *übles Lokal*) dive (*infml*)

Schu̲r [ʃuːɐ] *f* ⟨**-, -en**⟩ (≈ *das Scheren*) shearing

schü̲ren ['ʃyːrən] *v/t* **1.** *Feuer, Glut* to rake **2.** (*fig*) to stir up; *Zorn, Hass* to fan the flames of

schụ̈rfen ['ʃʏrfn] **I** *v/i* MIN to prospect (*nach* for); ***tief ~*** (*fig*) to dig deep **II** *v/t Bodenschätze* to mine **III** *v/r* to graze oneself; ***sich am Knie ~*** to graze one's knee **Schụ̈rfwunde** *f* graze

Schü̲rhaken *m* poker

Schụrke ['ʃʊrkə] *m* ⟨**-n, -n**⟩, **Schụrkin** ['ʃʊrkɪn] *f* ⟨**-, -nen**⟩ (*dated*) villain **Schụrkenstaat** *m* POL rogue state *or* nation

Schu̲rwolle ['ʃuːɐ-] *f* virgin wool

Schụ̈rze ['ʃʏrtsə] *f* ⟨**-, -n**⟩ apron; (≈ *Kittelschürze*) overall **Schụ̈rzenjäger** *m* (*infml*) philanderer

Schụss [ʃʊs] *m* ⟨**-es, ⸚e** ['ʃʏsə]⟩ **1.** shot; (≈ *Schuss Munition*) round; ***einen ~ auf jdn/etw abgeben*** to fire a shot at sb/sth; ***weit*** (***ab***) ***vom ~ sein*** (*fig infml*) to be miles from where the action is (*infml*); ***der ~ ging nach hinten los*** it backfired **2.** FTBL kick; (*esp zum Tor*) shot **3.** (≈ *Spritzer*) dash; (*von Humor etc*) touch **4.** (*infml: mit Rauschgift*) shot; (***sich*** *dat*) ***einen ~ setzen*** to shoot up (*infml*) **5.** (*infml*) ***in ~ sein/kommen*** to be in/get into (good) shape **Schụssbereich** *m* (firing) range

Schụssel ['ʃʊsl] *m* ⟨**-s, -** (*inf*) *or f* **-, -n**⟩ (*infml*) dolt (*infml*); (*zerstreut*) scatterbrain (*infml*)

Schụ̈ssel ['ʃʏsl] *f* ⟨**-, -n**⟩ bowl; (≈ *Satellitenschüssel*) dish; (≈ *Waschschüssel*) basin

schụsselig ['ʃʊsəlɪç] *adj* (≈ *zerstreut*) scatterbrained (*infml*)

Schụsslinie *f* firing line **Schụssverletzung** *f* bullet wound **Schụsswaffe** *f* firearm **Schụsswechsel** *m* exchange of shots **Schụssweite** *f* range (of fire); ***in/außer ~*** within/out of range **Schụsswunde** *f* bullet wound

Schu̲ster ['ʃuːstɐ] *m* ⟨**-s, -**⟩, **Schu̲sterin** [-ərɪn] *f* ⟨**-, -nen**⟩ shoemaker; (≈ *Flickschuster*) cobbler

Schụtt [ʃʊt] *m* ⟨**-(e)s,** *no pl*⟩ (≈ *Trümmer*) rubble; GEOL debris; ***„Schutt abladen verboten"*** "no tipping" (*Br*), "no dumping" (*US*); ***in ~ und Asche liegen*** to be in ruins **Schụttabladeplatz** *m* dump

Schụ̈ttelfrost *m* MED shivering fit **schụ̈tteln** ['ʃʏtln] **I** *v/t* to shake; (≈ *rütteln*) to shake about; ***den Kopf ~*** to shake one's head **II** *v/r* (*vor Kälte*) to shiver (*vor* with); (*vor Ekel*) to shudder (*vor* with, in)

schụ̈tten ['ʃʏtn] **I** *v/t* to tip; *Flüssigkeiten* to pour; (≈ *verschütten*) to spill **II** *v/i impers* (*infml*) ***es schüttet*** it's pouring (with rain)

schụ̈tter ['ʃʏtɐ] *adj Haar* thin

Schụtthaufen *m* pile of rubble

Schụ̈ttstein *m* (*Swiss* ≈ *Spülbecken*) sink

Schụtz [ʃʊts] *m* ⟨**-es,** *no pl*⟩ protection (*vor +dat, gegen* against, from); (*esp* MIL ≈ *Deckung*) cover; ***im ~(e) der Nacht*** under cover of night; ***jdn in ~ nehmen*** (*fig*) to take sb's part **Schụtzanzug** *m* protective clothing *no indef art, no pl* **schụtzbedürftig** *adj* in need of protection **Schụtzblech** *nt* mudguard **Schụtzbrille** *f* protective goggles *pl*

Schụ̈tze ['ʃʏtsə] *m* ⟨**-n, -n**⟩ **1.** marksman; (≈ *Schießsportler*) rifleman; (FTBL ≈

Torschütze) scorer **2.** ASTROL Sagittarius *no art*; ***sie ist ~*** she's Sagittarius
schützen ['ʃʏtsn] **I** *v/t* to protect (*vor +dat*, *gegen* from, against); (*esp* MIL ≈ *Deckung geben*) to cover; ***vor Hitze/Sonnenlicht ~!*** keep away from heat/sunlight; ***vor Nässe ~!*** keep dry; → ***geschützt*** **II** *v/r* to protect oneself (*vor +dat*, *gegen* from, against) **schützend** **I** *adj* protective; ***ein ~es Dach*** (*gegen Wetter*) a shelter; ***seine ~e Hand über jdn halten*** to take sb under one's wing **II** *adv* protectively **Schützengel** *m* guardian angel **Schützenhilfe** *f* (*fig*) support; ***jdm ~ geben*** to back sb up
Schützenverein *m* shooting club
Schutzfilm *m* protective layer *or* coating **Schutzfolie** *f* protective film **Schutzgebiet** *nt* POL protectorate **Schutzgebühr** *f* (token) fee **Schutzgeld** *nt* protection money **Schutzhaft** *f* JUR protective custody; POL preventive detention **Schutzheilige(r)** *m/f(m) decl as adj* patron saint **Schutzhelm** *m* safety helmet **Schutzherr** *m* patron **Schutzherrin** *f* patron, patroness **Schutzhülle** *f* protective cover; (≈ *Buchumschlag*) dust cover **Schutzimpfung** *f* vaccination, inoculation
Schützin ['ʃʏtsɪn] *f* ⟨**-, -nen**⟩ markswoman; (≈ *Schießsportlerin*) riflewoman: (≈ *Torschützin*) scorer
Schutzkleidung *f* protective clothing **Schützling** ['ʃʏtslɪŋ] *m* ⟨**-s, -e**⟩ protégé; (*esp Kind*) charge **schutzlos** **I** *adj* (≈ *wehrlos*) defenceless (*Br*), defenseless (*US*) **II** *adv* ***jdm ~ ausgeliefert sein*** to be at the mercy of sb **Schutzmacht** *f* POL protecting power **Schutzmann** *m*, *pl* **-leute** policeman **Schutzmaske** *f* (protective) mask **Schutzmaßnahme** *f* precaution; (*vorbeugend*) preventive measure **Schutzpatron** *m*, **Schutzpatronin** *f* patron saint **Schutzraum** *m* shelter **Schutzschicht** *f* protective layer; (≈ *Überzug*) protective coating **Schutztruppe** *f* protection force; HIST colonial army **Schutzumschlag** *m* dust cover **Schutzwall** *m* protective wall (*gegen* to keep out)
schwabbelig ['ʃvabəlɪç] *adj* (*infml*) *Körperteil* flabby; *Gelee* wobbly
Schwabe ['ʃvaːbə] *m* ⟨**-n, -n**⟩, **Schwäbin** ['ʃvɛːbɪn] *f* ⟨**-, -nen**⟩ Swabian **Schwaben** ['ʃvaːbn] *nt* ⟨**-s**⟩ Swabia **schwäbisch** ['ʃvɛːbɪʃ] *adj* Swabian; ***die Schwäbische Alb*** the Swabian mountains *pl*
schwach [ʃvax] **I** *adj*, *comp* **⸚er** ['ʃvɛçɐ], *sup* **⸚ste(r, s)** ['ʃvɛçstə] weak; *Gesundheit*, *Gehör* poor; *Hoffnung* faint; *Licht* dim; *Wind* light; COMM *Nachfrage* slack; ***das ist ein ~es Bild*** (*infml*) *or* ***eine ~e Leistung*** (*infml*) that's a poor show (*infml*); ***ein ~er Trost*** cold comfort; ***auf ~en Beinen*** *or* ***Füßen stehen*** (*fig*) to be on shaky ground; (*Theorie*) to be shaky; ***schwächer werden*** to grow weaker; (*Stimme*) to grow fainter; (*Licht*) to (grow) dim; (*Ton*) to fade **II** *adv*, *comp* **⸚er**, *sup* **am ⸚sten** weakly; (≈ *spärlich*) *besucht* poorly; ***~ bevölkert*** sparsely populated; ***~ radioaktiv*** with low-level radioactivity **Schwäche** ['ʃvɛçə] *f* ⟨**-, -n**⟩ weakness; (*von Stimme*) feebleness; (*von Licht*) dimness; (*von Wind*) lightness **Schwächeanfall** *m* sudden feeling of weakness **schwächeln** ['ʃvɛçln] *v/i* (*infml*) to weaken slightly; ***der Dollar schwächelt*** the dollar is showing signs of weakness **schwächen** ['ʃvɛçn] *v/t* to weaken **Schwachkopf** *m* (*infml*) dimwit (*infml*) **schwächlich** ['ʃvɛçlɪç] *adj* weakly **Schwächling** ['ʃvɛçlɪŋ] *m* ⟨**-s, -e**⟩ weakling **schwachmachen** *v/t sep* (*infml*) ***jdn ~*** to soften sb up; ***mach mich nicht schwach!*** don't say that! (*infml*) **Schwachpunkt** *m* weak point **Schwachsinn** *m* MED mental deficiency; (*fig infml*) (≈ *unsinnige Tat*) idiocy *no indef art*; (≈ *Quatsch*) rubbish (*Br infml*), garbage **schwachsinnig** *adj* MED mentally deficient; (*fig infml*) idiotic **Schwachstelle** *f* weak point **Schwachstrom** *m* ELEC low-voltage current **Schwächung** ['ʃvɛçʊŋ] *f* ⟨**-, -en**⟩ weakening
Schwaden ['ʃvaːdn] *m* ⟨**-s, -**⟩ *usu pl* (≈ *Dunst*) cloud
schwafeln ['ʃvaːfln] (*pej infml*) **I** *v/i* to drivel (on) (*infml*); (*in einer Prüfung*) to waffle (*infml*) **II** *v/t* ***dummes Zeug ~*** to talk drivel (*infml*) **Schwafler** ['ʃvaːflɐ] *m* ⟨**-s, -**⟩, **Schwaflerin** [-ərɪn] *f* ⟨**-, -nen**⟩ (*pej infml*) windbag (*infml*)
Schwager ['ʃvaːgɐ] *m* ⟨**-s, ⸚** ['ʃvɛːgɐ]⟩ brother-in-law **Schwägerin** ['ʃvɛːgərɪn] *f* ⟨**-, -nen**⟩ sister-in-law
Schwalbe ['ʃvalbə] *f* ⟨**-, -n**⟩ swallow; ***eine***

~ machen (FTBL *sl*) to take a dive; ***eine ~ macht noch keinen Sommer*** (*prov*) one swallow doesn't make a summer (*prov*)

Schwall [ʃval] *m* ⟨*-(e)s, -e*⟩ flood

Schwamm [ʃvam] *m* ⟨*-(e)s, ⸚e* [ˈʃvɛmə]⟩ **1.** sponge; ***~ drüber!*** (*infml*) (let's) forget it! **2.** (*dial ≈ Pilz*) fungus; (*essbar*) mushroom; (*giftig*) toadstool **3.** (*≈ Hausschwamm*) dry rot **Schwammerl** [ˈʃvamɐl] *nt* ⟨*-s, -(n)*⟩ (*esp Aus ≈ Pilz*) fungus; (*essbar*) mushroom; (*giftig*) toadstool **schwammig** [ˈʃvamɪç] **I** *adj* **1.** (*lit*) spongy **2.** (*fig*) *Gesicht, Hände* puffy; (*≈ vage*) *Begriff* woolly **II** *adv* (*≈ vage*) vaguely

Schwan [ʃvaːn] *m* ⟨*-(e)s, ⸚e* [ˈʃvɛːnə]⟩ swan **schwanen** [ˈʃvaːnən] *v/i impers* ***ihm schwante etwas*** he sensed something might happen; ***mir schwant nichts Gutes*** I don't like it **Schwanengesang** *m* (*fig*) swan song

schwanger [ˈʃvaŋɐ] *adj* pregnant **Schwangere** [ˈʃvaŋərə] *f decl as adj* pregnant woman **schwängern** [ˈʃvɛŋɐn] *v/t* to make pregnant **Schwangerschaft** [ˈʃvaŋɐʃaft] *f* ⟨*-, -en*⟩ pregnancy **Schwangerschaftsabbruch** *m* termination of pregnancy **Schwangerschaftstest** *m* pregnancy test

Schwank [ʃvaŋk] *m* ⟨*-(e)s, ⸚e* [ˈʃvɛŋkə]⟩ THEAT farce; ***ein ~ aus der Jugendzeit*** (*hum*) a tale of one's youthful exploits **schwanken** [ˈʃvaŋkn] *v/i* **1.** (*≈ wanken*) to sway; (*Schiff*) (*auf und ab*) to pitch; (*seitwärts*) to roll; (*Angaben*) to vary; PHYS, MAT to fluctuate; ***ins Schwanken kommen*** (*Preise, Kurs, Temperatur etc*) to start to fluctuate; (*Überzeugung etc*) to begin to waver **2.** (*≈ wechseln*) to alternate; (*≈ zögern*) to hesitate; ***~, ob*** to hesitate as to whether **schwankend** *adj* **1.** (*≈ wankend*) swaying; *Gang* rolling; *Schritt* unsteady **2.** (*≈ unschlüssig*) uncertain; (*≈ zögernd*) hesitant; (*≈ unbeständig*) unsteady **Schwankung** [ˈʃvaŋkʊŋ] *f* ⟨*-, -en*⟩ (*von Preisen, Temperatur etc*) fluctuation (*+gen* in); ***seelische ~en*** mental ups and downs (*infml*) **Schwankungsbereich** *m* range

Schwanz [ʃvants] *m* ⟨*-es, ⸚e* [ˈʃvɛntsə]⟩ **1.** tail; (*infml: von Zug*) (tail) end; ***das Pferd*** *or* ***den Gaul beim*** *or* ***am ~ aufzäumen*** to do things back to front **2.** (*sl ≈ Penis*) prick (*sl*) **schwänzen** [ˈʃvɛntsn] (*infml*) **I** *v/t Stunde, Vorlesung* to skip (*infml*); *Schule* to play truant (*esp Br*) *or* hooky (*esp US infml*) from **II** *v/i* to play truant (*esp Br infml*) *or* hooky (*esp US infml*) **Schwanzflosse** *f* tail fin

schwappen [ˈʃvapn] *v/i* **1.** (*Flüssigkeit*) to slosh around **2.** *aux sein* (*≈ überschwappen*) to splash; (*fig*) to spill

Schwarm [ʃvarm] *m* ⟨*-(e)s, ⸚e* [ˈʃvɛrmə]⟩ **1.** swarm **2.** (*infml ≈ Angebeteter*) idol; (*≈ Vorliebe*) passion **schwärmen** [ˈʃvɛrmən] *v/i* **1.** *aux sein* to swarm **2.** (*≈ begeistert reden*) to enthuse (*von* about); ***für jdn/etw ~*** to be crazy about sb/sth (*infml*); ***ins Schwärmen geraten*** to go into raptures **Schwärmer** [ˈʃvɛrmɐ] *m* ⟨*-s, -*⟩, **Schwärmerin** [-ərɪn] *f* ⟨*-, -nen*⟩ (*≈ Begeisterter*) enthusiast; (*≈ Fantast*) dreamer **Schwärmerei** [ʃvɛrməˈrai] *f* ⟨*-, -en*⟩ (*≈ Begeisterung*) enthusiasm; (*≈ Leidenschaft*) passion; (*≈ Verzückung*) rapture **schwärmerisch** [ˈʃvɛrmərɪʃ] *adj* (*≈ begeistert*) enthusiastic; (*≈ verliebt*) infatuated

Schwarte [ˈʃvartə] *f* ⟨*-, -n*⟩ **1.** (*≈ Speckschwarte*) rind **2.** (*infml*) (*≈ Buch*) tome (*hum*); (*≈ Gemälde*) daub(ing) (*pej*)

schwarz [ʃvarts] **I** *adj, comp* ***⸚er*** [ˈʃvɛrtsɐ], *sup* ***⸚este(r, s)*** [ˈʃvɛrtsəstə] **1.** black; ***~er Humor*** black humour (*Br*) *or* humor (*US*); ***~e Liste*** blacklist; ***~e Magie*** black magic; ***das Schwarze Meer*** the Black Sea; ***das ~e Schaf (in der Familie)*** the black sheep (of the family); ***etw ~ auf weiß haben*** to have sth in black and white; ***in den ~en Zahlen sein, ~e Zahlen schreiben*** COMM to be in the black; ***sich ~ ärgern*** to get extremely annoyed; ***da kannst du warten, bis du ~ wirst*** (*infml*) you can wait till the cows come home (*infml*) **2.** (*infml ≈ ungesetzlich*) illicit; ***der ~e Markt*** the black market; ***~es Konto*** secret account **II** *adv, comp* ***⸚er***, *sup* ***am ⸚esten*** **1.** black; *einrichten, sich kleiden* in black **2.** (*≈ illegal*) *erwerben* illegally; ***etw ~ verdienen*** to earn sth on the side (*infml*) **Schwarz** [ʃvarts] *nt* ⟨*-, no pl inv*⟩ black; ***in ~ gehen*** to wear black **Schwarzarbeit** *f* illicit work; (*nach Feierabend*) moonlighting (*infml*) **schwarzarbeiten** *v/i sep* to do illicit work; (*nach Feierabend*) to moonlight (*infml*) **Schwarzarbeiter(in)** *m/(f)* person doing illicit work; (*nach Feierabend*) moonlighter (*infml*)

schwarzbraun *adj* dark brown **Schwarzbrot** *nt* (*braun*) brown rye bread; (*schwarz, wie Pumpernickel*) black bread **Schwarze** ['ʃvartsə] *f decl as adj* black woman/girl **Schwärze** ['ʃvɛrtsə] *f* ⟨**-, -n**⟩ **1.** *no pl*: (≈ *Dunkelheit*) blackness **2.** (≈ *Druckerschwärze*) printer's ink **schwärzen** ['ʃvɛrtsn] *v/t & v/r* to blacken **Schwarze(r)** ['ʃvartsə] *m decl as adj* black **Schwarze(s)** ['ʃvartsə] *nt decl as adj* black; (*auf Zielscheibe*) bull's-eye; ***das kleine ~*** (*infml*) one's/a little black dress; ***ins ~ treffen*** to score a bull's-eye **schwarzfahren** *v/i sep irr aux sein* (*ohne zu zahlen*) to travel without paying **Schwarzfahrer(in)** *m/(f)* fare dodger (*infml*) **Schwarzgeld** *nt* illegal earnings *pl* **schwarzhaarig** *adj* black-haired **Schwarzhandel** *m, no pl* black market; (≈ *Tätigkeit*) black marketeering; ***im ~*** on the black market **Schwarzhändler(in)** *m/(f)* black marketeer **schwärzlich** ['ʃvɛrtslɪç] *adj* blackish; *Haut* dusky **schwarz malen** *v/i* to be pessimistic **Schwarzmalerei** *f* pessimism **Schwarzmarkt** *m* black market **Schwarzpulver** *nt* black (gun)powder **schwarz sehen** *irr v/i* to be pessimistic **schwarzsehen** *v/i sep irr* TV to watch TV without a licence (*Br*) *or* license (*US*) **Schwarztee** *m* black tea **Schwarzwald** *m* Black Forest **Schwarzwälder** [-vɛldɐ] *adj attr* Black Forest; ***~ Kirschtorte*** Black Forest gateau (*Br*) *or* cake (*US*) **schwarz-weiß, schwarzweiß** *adj* black and white **Schwarz-Weiß-Foto** *nt* black-and-white (photo) **Schwarzwild** *nt* wild boars *pl* **Schwarzwurzel** *f* COOK salsify

Schwatz [ʃvats] *m* ⟨***-es, -e***⟩ (*infml*) chat **schwatzen** ['ʃvatsn] **I** *v/i* to talk; (*pej*) (*unaufhörlich*) to chatter; (≈ *klatschen*) to gossip **II** *v/t* to talk; ***dummes Zeug ~*** to talk a lot of rubbish (*esp Br infml*) **schwätzen** ['ʃvɛtsn] *v/t & v/i* (*S Ger, Aus*) = ***schwatzen*** **Schwätzer** ['ʃvɛtsɐ] *m* ⟨***-s, -***⟩, **Schwätzerin** [-ərɪn] *f* ⟨***-, -nen***⟩ (*pej*) chatterbox (*infml*); (≈ *Schwafler*) windbag (*infml*); (≈ *Klatschmaul*) gossip **Schwätzerei** [ʃvɛtsə'rai] *f* ⟨***-, -en***⟩ (*pej*) (≈ *Gerede*) chatter; (≈ *Klatsch*) gossip **schwatzhaft** *adj* (≈ *geschwätzig*) talkative, garrulous; (≈ *klatschsüchtig*) gossipy

Schwebe ['ʃveːbə] *f* ⟨***-,*** *no pl*⟩ ***in der ~ sein*** (*fig*) to be in the balance; JUR to be pending **Schwebebahn** *f* suspension railway **Schwebebalken** *m* SPORTS beam **schweben** ['ʃveːbn] *v/i* **1.** (*Nebel, Rauch*) to hang; (*Wolke*) to float; ***etw schwebt jdm vor Augen*** (*fig*) sb has sth in mind; ***in großer Gefahr ~*** to be in great danger **2.** *aux sein* (≈ *durch die Luft gleiten*) to float; (≈ *hochschweben*) to soar; (≈ *niederschweben*) to float down; (≈ *sich leichtfüßig bewegen*) to glide **schwebend** *adj* TECH, CHEM suspended; (*fig*) *Fragen etc* unresolved; JUR *Verfahren* pending

Schwede ['ʃveːdə] *m* ⟨***-n, -n***⟩, **Schwedin** ['ʃveːdɪn] *f* ⟨***-, -nen***⟩ Swede **Schweden** ['ʃveːdn] *nt* ⟨***-s***⟩ Sweden **schwedisch** ['ʃveːdɪʃ] *adj* Swedish; ***hinter ~en Gardinen*** (*infml*) behind bars

Schwefel ['ʃveːfl] *m* ⟨***-s,*** *no pl*⟩ sulphur (*Br*), sulfur (*US*) **schwefelhaltig** *adj* containing sulphur (*Br*) *or* sulfur (*US*) **Schwefelsäure** *f* sulphuric (*Br*) *or* sulfuric (*US*) acid **schweflig** ['ʃveːflɪç] *adj* sulphurous (*Br*), sulfurous (*US*)

Schweif [ʃvaif] *m* ⟨***-(e)s, -e***⟩ *also* ASTRON tail **schweifen** ['ʃvaifn] *v/i aux sein* to roam; ***seinen Blick ~ lassen*** to let one's eyes wander (*über etw* (*acc*) over sth)

Schweigegeld *nt* hush money **Schweigemarsch** *m* silent march (of protest) **Schweigeminute** *f* one minute('s) silence **schweigen** ['ʃvaign] *pret* ***schwieg*** [ʃviːk], *past part* ***geschwiegen*** [gə'ʃviːgn] *v/i* to be silent; ***kannst du ~?*** can you keep a secret?; ***zu etw ~*** to make no reply to sth; ***ganz zu ~ von ...*** to say nothing of ... **Schweigen** *nt* ⟨***-s,*** *no pl*⟩ silence; ***jdn zum ~ bringen*** to silence sb (*also euph*) **schweigend** **I** *adj* silent **II** *adv* in silence; ***~ über etw*** (*acc*) ***hinweggehen*** to pass over sth in silence **Schweigepflicht** *f* pledge of secrecy; ***die ärztliche ~*** medical confidentiality **schweigsam** ['ʃvaikzaːm] *adj* silent; (*als Charaktereigenschaft*) taciturn; (≈ *verschwiegen*) discreet

Schwein [ʃvain] *nt* ⟨***-s, -e***⟩ **1.** pig, hog (*US*); (*Fleisch*) pork **2.** (*infml*: *Mensch*) pig (*infml*), swine; ***ein armes/faules ~*** a poor/lazy bastard (*sl*); ***kein ~*** nobody **3.** *no pl* (*infml* ≈ *Glück*) ***~ haben*** to be lucky **Schweinebauch** *m* COOK belly of pork **Schweinebraten** *m* joint of pork; (*gekocht*) roast pork **Schweine-**

fleisch *nt* pork **Schweinegeld** *nt* (*infml*) ***ein ~*** a packet (*Br infml*), a fistful (*US infml*) **Schweinehund** *m* (*infml*) bastard (*sl*) **Schweinepest** *f* VET swine fever **Schweinerei** [ʃvainəˈrai] *f* ⟨-, -en⟩ (*infml*) **1.** *no pl* mess **2.** (≈ *Skandal*) scandal; (≈ *Gemeinheit*) dirty trick (*infml*); ***(so eine) ~!*** what a dirty trick! (*infml*); (≈ *unzüchtige Handlung*) indecent act; ***~en machen*** to do dirty things **Schweinestall** *m* pigsty, pigpen (*esp US*) **Schweinezucht** *f* pig-breeding; (*Hof*) pig farm **schweinisch** [ˈʃvainɪʃ] (*infml*) *adj Benehmen* piggish (*infml*); *Witz* dirty **Schweinkram** *m* (*infml*) dirt, filth **Schweinshaxe** *f* (*S Ger* COOK) knuckle of pork **Schweinsleder** *nt* pigskin

Schweiß [ʃvais] *m* ⟨*-es, no pl*⟩ sweat **Schweißausbruch** *m* sweating *no indef art, no pl* **schweißbedeckt** *adj* covered in sweat **Schweißbrenner** *m* TECH welding torch **Schweißdrüse** *f* ANAT sweat gland **schweißen** [ˈʃvaisn] *v/t & v/i* TECH to weld **Schweißer** [ˈʃvaisɐ] *m* ⟨-s, -⟩, **Schweißerin** [-ərɪn] *f* ⟨-, -nen⟩ TECH welder **schweißgebadet** [-gəbaːdət] *adj* bathed in sweat **Schweißgeruch** *m* smell of sweat **schweißig** [ˈʃvaisɪç] *adj* sweaty **Schweißnaht** *f* TECH weld **schweißnass** *adj* sweaty **Schweißperle** *f* bead of perspiration **Schweißstelle** *f* weld **schweißtreibend** *adj Tätigkeit* that makes one sweat **Schweißtropfen** *m* drop of sweat **schweißüberströmt** [-|yːbɐʃtrøːmt] *adj* streaming with sweat

Schweiz [ʃvaits] *f* ⟨-⟩ ***die ~*** Switzerland; ***die deutsche/französische/italienische ~*** German/French/Italian-speaking Switzerland **Schweizer** [ˈʃvaitsɐ] *adj attr* Swiss; ***~ Käse*** Swiss cheese **Schweizer** [ˈʃvaitsɐ] *m* ⟨-s, -⟩, **Schweizerin** [-ərɪn] *f* ⟨-, -nen⟩ Swiss **schweizerdeutsch** *adj* Swiss-German **schweizerisch** [ˈʃvaitsərɪʃ] *adj* Swiss **Schweizermesser** *nt* Swiss army knife

Schwelbrand *m* smouldering (*Br*) *or* smoldering (*US*) fire **schwelen** [ˈʃveːlən] *v/i* to smoulder (*Br*), to smolder (*US*)

schwelgen [ˈʃvɛlgn] *v/i* to indulge oneself (*in +dat* in); ***in Erinnerungen ~*** to indulge in reminiscences

Schwelle [ˈʃvɛlə] *f* ⟨-, -n⟩ **1.** threshold; ***an der ~ des Todes*** at death's door **2.** RAIL sleeper (*Br*), cross-tie (*US*) **schwellen** [ˈʃvɛlən] **I** *v/i, pret* ***schwoll*** [ʃvɔl], *past part* ***geschwollen*** [gəˈʃvɔlən] *aux sein* to swell; → ***geschwollen*** **II** *v/t* (*elev*) *Segel* to swell (out) **Schwellenangst** *f* PSYCH fear of entering a place; (*fig*) fear of embarking on something new **Schwellenland** *nt* fast-developing nation **Schwellung** [ˈʃvɛlʊŋ] *f* ⟨-, -en⟩ swelling

Schwemme [ˈʃvɛmə] *f* ⟨-, -n⟩ **1.** (*für Tiere*) watering place **2.** (≈ *Überfluss*) glut (*an +dat* of) **3.** (≈ *Kneipe*) bar **schwemmen** [ˈʃvɛmən] *v/t* (≈ *treiben*) *Sand etc* to wash; ***etw an(s) Land ~*** to wash sth ashore

Schwengel [ˈʃvɛŋl] *m* ⟨-s, -⟩ (≈ *Glockenschwengel*) clapper; (≈ *Pumpenschwengel*) handle

Schwenk [ʃvɛŋk] *m* ⟨-(e)s, -s⟩ (≈ *Drehung*) wheel; FILM pan; (*fig*) about-turn **Schwenkarm** *m* swivel arm **schwenkbar** *adj* swivelling (*Br*), swiveling (*US*) **schwenken** [ˈʃvɛŋkn] **I** *v/t* **1.** (≈ *schwingen*) to wave; (≈ *herumfuchteln mit*) to brandish **2.** *Lampe etc* to swivel; *Kran* to swing; *Kamera* to pan **3.** COOK *Kartoffeln, Nudeln* to toss **II** *v/i aux sein* to swing; (*Kolonne von Soldaten, Autos etc*) to wheel; (*Geschütz*) to traverse; (*Kamera*) to pan **Schwenkung** [ˈʃvɛŋkʊŋ] *f* ⟨-, -en⟩ swing; MIL wheel; (*von Kran*) swing; (*von Kamera*) pan(-ning)

schwer [ʃveːɐ] **I** *adj* **1.** heavy; (≈ *massiv*) *Fahrzeug, Maschine* powerful; ***ein 10 kg ~er Sack*** a sack weighing 10 kgs **2.** (≈ *ernst*) serious, grave; *Zeit, Schicksal* hard; *Leiden, Strafe* severe; ***~e Verluste*** heavy losses; ***das war ein ~er Schlag für ihn*** it was a hard blow for him **3.** (≈ *hart, anstrengend*) hard; *Geburt* difficult **II** *adv* **1.** *beladen, bewaffnet* heavily; ***~ auf jdm/etw liegen/lasten*** to lie/weigh heavily on sb/sth **2.** *arbeiten* hard; *bestrafen* severely; ***~ verdientes Geld*** hard-earned money; ***es mit jdm ~ haben*** to have a hard time with sb **3.** (≈ *ernstlich*) seriously; *behindert* severely; *kränken* deeply; ***~ beschädigt*** severely disabled; ***~ erkältet sein*** to have a bad cold; ***~ verunglücken*** to have a serious accident **4.** (≈ *nicht einfach*) ***~ zu sehen/sagen*** hard to see/say; ***~ hören*** to be hard of hearing; ***ein ~ erziehbares Kind*** a maladjusted child; ***~ verdaulich*** indigestible; ***~ verständlich*** difficult to understand **5.** (*infml* ≈ *sehr*) really; ***da musste ich ~ aufpassen*** I really had to watch out **Schwerarbeit** *f* heavy labour (*Br*) *or* labor (*US*) **Schwerarbeiter(in)** *m*/(*f*) labourer (*Br*), laborer (*US*) **Schwerathletik** *f weightlifting sports, boxing, wrestling etc* **Schwerbehinderte(r)** *m*/*f*(*m*) *decl as adj* severely disabled person **schwerbeschädigt** *adj* severely disabled **Schwere** ['ʃveːrə] *f* ⟨-, *no pl*⟩ **1.** heaviness **2.** (≈ *Ernsthaftigkeit, von Krankheit*) seriousness **3.** (≈ *Schwierigkeit*) difficulty **schwerelos** *adj* weightless **Schwerelosigkeit** *f* ⟨-, *no pl*⟩ weightlessness **schwererziehbar** *adj attr*; → ***schwer*** **schwerfallen** *v/i sep irr aux sein* to be difficult (*jdm* for sb) **schwerfällig I** *adj* (≈ *unbeholfen*) *Gang* heavy (in one's movements); (≈ *langsam*) *Verstand* slow; *Stil* ponderous **II** *adv* heavily; *sprechen* ponderously; *sich bewegen* with difficulty **Schwergewicht** *nt* **1.** (SPORTS, *fig*) heavyweight **2.** (≈ *Nachdruck*) stress **schwerhörig** *adj* hard of hearing **Schwerhörigkeit** *f* hardness of hearing **Schwerindustrie** *f* heavy industry **Schwerkraft** *f, no pl* gravity **schwerlich** ['ʃveːɐlɪç] *adv* hardly **schwer machen** *v/t* **1.** ***jdm das Leben ~*** to make life difficult for sb **2.** ***es jdm/sich ~*** to make it *or* things difficult for sb/oneself **Schwermetall** *nt* heavy metal **Schwermut** ['ʃveːɐmuːt] *f* ⟨-, *no pl*⟩ melancholy **schwermütig** ['ʃveːɐmyːtɪç] *adj* melancholy **schwernehmen** *v/t sep irr* ***etw ~*** to take sth hard **Schwerpunkt** *m* PHYS centre (*Br*) *or* center (*US*) of gravity; (*fig*) (≈ *Zentrum*) centre (*Br*), center (*US*); (≈ *Hauptgewicht*) main emphasis *or* stress; ***~e setzen*** to set priorities **schwerreich** *adj* (*infml*) stinking rich (*infml*)

Schwert [ʃveːɐt] *nt* ⟨-(*e*)*s*, -*er*⟩ sword **Schwertfisch** *m* swordfish **Schwertlilie** *f* BOT iris

schwertun *v/r sep irr* (*infml*) ***sich*** (*dat*) ***mit*** *or* ***bei etw ~*** to make a big deal of sth (*infml*) **Schwerverbrecher(in)** *m*/(*f*) criminal, felon (*esp* JUR) **schwerverdaulich** *adj attr*; → ***schwer*** **Schwerverkehr** *m* heavy goods traffic **Schwerverletzte(r)** *m*/*f*(*m*) *decl as adj* serious casualty **schwerwiegend** *adj* (*fig*) *Fehler, Mängel, Folgen* serious

Schwester ['ʃvɛstɐ] *f* ⟨-, -*n*⟩ sister; (≈ *Krankenschwester*) nurse; (≈ *Ordensschwester*) nun **Schwesterfirma** *f* sister company **schwesterlich** ['ʃvɛstɐlɪç] *adj* sisterly **Schwesternheim** *nt* nurses' home **Schwesternhelfer(in)** *m*/(*f*) nursing auxiliary (*Br*) *or* assistant (*US*) **Schwesterschiff** *nt* sister ship

Schwiegereltern *pl* parents-in-law *pl* **Schwiegermutter** *f, pl* ***-mütter*** mother-in-law **Schwiegersohn** *m* son-in-law **Schwiegertochter** *f* daughter-in-law **Schwiegervater** *m* father-in-law

Schwiele ['ʃviːlə] *f* ⟨-, -*n*⟩ callus; (≈ *Vernarbung*) welt **schwielig** ['ʃviːlɪç] *adj Hände* callused

schwierig ['ʃviːrɪç] **I** *adj* difficult **II** *adv* ***~ zu übersetzen*** difficult to translate **Schwierigkeit** *f* ⟨-, -*en*⟩ difficulty; ***in ~en geraten*** to get into difficulties; ***jdm ~en machen*** to make trouble for sb; ***jdn in ~en*** (*acc*) ***bringen*** to create difficulties for sb **Schwierigkeitsgrad** *m* degree of difficulty

Schwimmbad *nt* swimming pool; (≈ *Hallenbad*) swimming baths *pl* **Schwimmbecken** *nt* (swimming) pool **schwimmen** ['ʃvɪmən] *pret* ***schwamm*** [ʃvam], *past part* ***geschwommen*** [gə'ʃvɔmən] *aux sein* **I** *v/i* **1.** *also aux haben* to swim; ***in Fett*** (*dat*) ***~*** to be swimming in fat; ***im Geld ~*** to be rolling in it (*infml*) **2.** (*fig* ≈ *unsicher sein*) to be at sea **II** *v/t also aux haben* SPORTS to swim **Schwimmen** *nt* ⟨-*s*, *no pl*⟩ swimming; ***ins ~ geraten*** (*fig*) to begin to flounder **Schwimmer** ['ʃvɪmɐ] *m* ⟨-*s*, -⟩ TECH *etc* float **Schwimmer** ['ʃvɪmɐ] *m* ⟨-*s*, -⟩, **Schwimmerin** [-ərɪn] *f* ⟨-, -*nen*⟩ swimmer **Schwimmflosse** *f* fin **Schwimmhaut** *f* ORN web **Schwimmlehrer(in)** *m*/(*f*) swimming instructor **Schwimmvogel** *m* water bird **Schwimmweste** *f* life jacket

Schwindel ['ʃvɪndl] *m* ⟨-*s*, *no pl*⟩ **1.** (≈ *Gleichgewichtsstörung*) dizziness; ***~ erregend*** = ***schwindelerregend*** **2.** (≈ *Lüge*) lie; (≈ *Betrug*) swindle, fraud **3.** (*infml* ≈ *Kram*) ***der ganze ~*** the whole (kit and) caboodle (*infml*) **Schwindelanfall** *m* dizzy turn **Schwindelei** [ʃvɪndə'lai] *f* ⟨-, -*en*⟩ (*infml*) (≈ *leichte Lüge*) fib (*infml*); (≈ *leichter Betrug*) swindle **schwindelerregend** *adj Höhe* dizzy; *Tempo* dizzying; *(infml) Preise* astronomical **schwindelfrei** *adj* ***Wendy ist nicht ~*** Wendy can't stand heights; ***sie ist völlig ~*** she has a good head for heights **schwindelig** ['ʃvɪndəlɪç] *adj* dizzy; ***mir ist*** *or* ***ich bin ~*** I feel dizzy **schwindeln** ['ʃvɪndln] **I** *v/i (infml ≈ lügen)* to fib *(infml)* **II** *v/t (infml)* ***das ist alles geschwindelt*** it's all lies

schwinden ['ʃvɪndn] *pret* ***schwand*** [ʃvant], *past part* ***geschwunden*** [gə'ʃvʊndn] *v/i aux sein (≈ abnehmen)* to dwindle; *(Schönheit)* to fade; *(Ton)* to fade (away); *(Erinnerung)* to fade away; *(Kräfte)* to fail; ***sein Mut schwand*** his courage failed him

Schwindler ['ʃvɪndlɐ] *m* ⟨***-s, -***⟩, **Schwindlerin** [-ərɪn] *f* ⟨***-, -nen***⟩ swindler; *(≈ Hochstapler)* con man; *(≈ Lügner)* liar, fraud **schwindlerisch** ['ʃvɪndlərɪʃ] *adj* fraudulent **schwindlig** ['ʃvɪndlɪç] *adj* = ***schwindelig***

schwingen ['ʃvɪŋən] *pret* ***schwang*** [ʃvaŋ], *past part* ***geschwungen*** [gə'ʃvʊŋən] **I** *v/t Schläger* to swing; *(drohend) Stock etc* to brandish; *Fahne* to wave; → ***geschwungen*** **II** *v/r* ***sich auf etw*** *(acc)* ***~*** to leap onto sth; ***sich über etw*** *(acc)* ***~*** to vault across sth **III** *v/i* to swing; *(≈ vibrieren, Saite)* to vibrate **Schwingtür** *f* swing door **Schwingung** ['ʃvɪŋʊŋ] *f* ⟨***-, -en***⟩ vibration

Schwips [ʃvɪps] *m* ⟨***-es, -e***⟩ *(infml)* ***einen (kleinen) ~ haben*** to be (slightly) tipsy

schwirren ['ʃvɪrən] *v/i aux sein* to whizz *(Br)*, to whiz; *(Fliegen etc)* to buzz; ***mir schwirrt der Kopf*** my head is buzzing

Schwitze ['ʃvɪtsə] *f* ⟨***-, -n***⟩ COOK roux **schwitzen** ['ʃvɪtsn] *v/i* to sweat *v/r* ***sich nass ~*** to get drenched in sweat **Schwitzen** *nt* ⟨***-s,*** *no pl*⟩ sweating; ***ins ~ kommen*** to break out in a sweat; *(fig)* to get into a sweat

schwofen ['ʃvoːfn] *v/i (infml)* to dance

schwören ['ʃvøːrən] *pret* ***schwor*** [ʃvoːɐ], *past part* ***geschworen*** [gə'ʃvoːrən] **I** *v/t* to swear; ***ich hätte geschworen, dass ...*** I could have sworn that ...; ***jdm/sich etw ~*** to swear sth to sb/oneself **II** *v/i* to swear; ***auf jdn/etw ~*** *(fig)* to swear by sb/sth

schwul [ʃvuːl] *adj (infml)* gay, queer *(pej infml)*

schwül [ʃvyːl] *adj Wetter, Tag etc* sultry, muggy **Schwüle** ['ʃvyːlə] *f* ⟨***-,*** *no pl*⟩ sultriness

Schwule(r) ['ʃvuːlə] *m/f(m) decl as adj* gay **Schwulenszene** *f* gay scene

Schwulität [ʃvuli'tɛːt] *f* ⟨***-, -en***⟩ *(infml)* trouble *no indef art*, difficulty; ***in ~en geraten*** to get in a fix *(infml)*

Schwulst [ʃvʊlst] *m* ⟨***-(e)s,*** *no pl*⟩ *(pej)* bombast **schwülstig** ['ʃvʏlstɪç] *(pej) adj* bombastic

Schwund [ʃvʊnt] *m* ⟨***-(e)s*** [-dəs]⟩ *no pl* **1.** *(≈ Abnahme)* decrease (+*gen* in) **2.** *(von Material)* shrinkage **3.** MED atrophy

Schwung [ʃvʊŋ] *m* ⟨***-(e)s, ⸗e*** ['ʃvʏŋə]⟩ **1.** swing; *(≈ Sprung)* leap **2.** *no pl (lit ≈ Antrieb)* momentum; *(fig ≈ Elan)* verve; ***in ~ kommen*** *(lit)* to gain momentum; *(fig)* to get going; ***jdn/etw in ~ bringen*** to get sb/sth going; ***in ~ sein*** *(lit)* to be going at full speed; *(fig)* to be in full swing **3.** *no pl (infml ≈ Menge)* stack **schwunghaft I** *adj Handel* flourishing **II** *adv* ***sich ~ entwickeln*** to grow hand over fist **schwungvoll I** *adj* **1.** *Linie, Handschrift* sweeping **2.** *(≈ mitreißend) Rede* lively **II** *adv (≈ mit Schwung)* energetically; *werfen* powerfully

Schwur [ʃvuːɐ] *m* ⟨***-(e)s, ⸗e*** ['ʃvyːrə]⟩ *(≈ Eid)* oath; *(≈ Gelübde)* vow **Schwurgericht** *nt court with a jury*

Science-Fiction ['saiəns'fikʃn], **Sciencefiction** *f* ⟨***-, -s***⟩ science fiction, sci-fi *(infml)*

scrollen ['skrɔlən] *v/t & v/i* IT to scroll

sechs [zɛks] *num* six; → ***vier*** **Sechseck** *nt* hexagon **sechseckig** *adj* hexagonal **Sechserpack** [-pak] *m* ⟨***-s, -s***⟩ six-pack **sechshundert** *num* six hundred **sechsmal** *adv* six times **Sechstagerennen** *nt* six-day (bicycle) race **sechstägig** *adj* six-day **sechstausend** *num* six thousand **Sechstel** ['zɛkstl] *nt* ⟨***-s, -***⟩ sixth; → ***Viertel***[1] **sechste(r, s)** ['zɛkstə] *adj* sixth; ***den ~n Sinn haben*** to have a sixth sense (for sth); → ***vierte(r, s)*** **sechzehn** ['zɛçtseːn] *num* sixteen **sechzig** ['zɛçtsɪç] *num* sixty; → ***vierzig***

Secondhandladen *m* second-hand shop

See[1] [zeː] *f* ⟨***-, -n*** ['zeːən]⟩ sea; ***an der ~*** by the sea; ***an die ~ fahren*** to go to the sea (-side); ***auf hoher ~*** on the high seas; ***auf ~*** at sea; ***in ~ stechen*** to put to sea

See[2] *m* ⟨***-s, -n***⟩ lake

Seeaal *m* ZOOL conger (eel) **Seebad** *nt* (≈

Kurort) seaside resort **Seebär** *m* (*hum infml*) seadog (*infml*) **Seebeben** *nt* seaquake **See-Elefant** *m* sea elephant **Seefahrer(in)** *m*/(*f*) seafarer **Seefahrt** *f* **1.** (≈ *Fahrt*) (sea) voyage; (≈ *Vergnügungsseefahrt*) cruise **2.** (≈ *Schifffahrt*) seafaring *no art* **Seefisch** *m* saltwater fish **Seefischerei** *f* sea fishing **Seefrachtbrief** *m* COMM bill of lading **Seegang** [-gaŋ] *m, no pl* swell; ***starker*** *or* ***hoher ~*** heavy *or* rough seas **seegestützt** [-gəʃtʏtst] *adj* MIL sea-based **Seehafen** *m* seaport **Seehund** *m* seal **seekrank** *adj* seasick; ***Paul wird leicht ~*** Paul is a bad sailor **Seekrankheit** *f* seasickness **Seekrieg** *m* naval war **Seelachs** *m* COOK pollack

Seele ['zeːlə] *f* ⟨-, -n⟩ soul; (≈ *Herzstück*) life and soul; ***von ganzer ~*** with all one's heart (and soul); ***jdm aus der ~ sprechen*** to express exactly what sb feels; ***das liegt mir auf der ~*** it weighs heavily on my mind; ***sich*** (*dat*) ***etw von der ~ reden*** to get sth off one's chest; ***das tut mir in der ~ weh*** I am deeply distressed; ***eine ~ von Mensch*** an absolute dear **Seelenheil** *nt* spiritual salvation; (*fig*) spiritual welfare **Seelenleben** *nt* inner life **seelenlos** *adj* soulless **Seelenruhe** *f* calmness; ***in aller ~*** calmly; (≈ *kaltblütig*) as cool as ice **seelenruhig** **I** *adj* calm; (≈ *kaltblütig*) as cool as ice **II** *adv* calmly; (≈ *kaltblütig*) callously **seelenverwandt** *adj* congenial (*liter*); ***sie waren ~*** they were kindred spirits **Seelenzustand** *m* psychological state

Seelilie *f* sea lily

seelisch ['zeːlɪʃ] **I** *adj* REL spiritual; (≈ *geistig*) *Gleichgewicht* mental; *Schaden* psychological; *Erschütterung* emotional **II** *adv* psychologically; ***~ krank*** mentally ill

Seelöwe *m* sea lion

Seelsorge ['zeːlzɔrgə] *f, no pl* spiritual welfare **Seelsorger** [-zɔrgɐ] *m* ⟨-s, -⟩, **Seelsorgerin** [-ərɪn] *f* ⟨-, -nen⟩ pastor

Seeluft *f* sea air **Seemacht** *f* naval *or* maritime power **Seemann** *m, pl* **-leute** sailor **seemännisch** [-mɛnɪʃ] *adj* nautical **Seemannsgarn** *nt, no pl* (*infml*) sailor's yarn **Seemeile** *f* sea mile **Seemöwe** *f* seagull

Seengebiet ['zeːən-] *nt* lakeland district

Seenot *f, no pl* distress; ***in ~ geraten*** to get into distress **Seeotter** *m* sea otter, **Seepferd(chen)** [-pfeːɐt(çən)] *nt* ⟨-s, -⟩ sea horse **Seeräuber(in)** *m*/(*f*) pirate **Seeräuberei** *f* piracy **Seereise** *f* (sea) voyage; (≈ *Kreuzfahrt*) cruise **Seerose** *f* water lily **Seeschifffahrt** *f* maritime shipping **Seeschlacht** *f* sea battle **Seestern** *m* ZOOL starfish **Seestreitkräfte** *pl* naval forces *pl* **Seetang** *m* seaweed **Seeteufel** *m* ZOOL monkfish **seetüchtig** *adj* seaworthy **seeuntüchtig** *adj* unseaworthy **Seeverkehr** *m* maritime traffic **Seevogel** *m* sea bird **Seeweg** *m* sea route; ***auf dem ~ reisen*** to go by sea **Seezunge** *f* sole

Segel ['zeːgl] *nt* ⟨-s, -⟩ sail; ***die ~ setzen*** to set the sails **Segelboot** *nt* sailing boat (*Br*), sailboat (*US*) **segelfliegen** *v/i inf only* to glide **Segelfliegen** *nt* ⟨-s, *no pl*⟩ gliding **Segelflieger(in)** *m*/(*f*) glider pilot **Segelflug** *m, no pl*: (≈ *Segelfliegerei*) gliding; (≈ *Flug*) glider flight **Segelflugzeug** *nt* glider **Segeljacht** *f* (sailing) yacht, sailboat (*US*) **Segelklub** *m* sailing club **segeln** ['zeːgln] **I** *v/t & v/i aux haben or sein* to sail; ***~ gehen*** to go for a sail **II** *v/i aux sein* (*infml*) ***durch eine Prüfung ~*** to fail an exam **Segeln** *nt* ⟨-s, *no pl*⟩ sailing **Segelregatta** *f* sailing *or* yachting regatta **Segelschiff** *nt* sailing ship **Segelsport** *m* sailing *no art* **Segeltuch** *nt, pl* **-tuche** canvas

Segen ['zeːgn] *m* ⟨-s, -⟩ blessing; ***es ist ein ~, dass ...*** it is a blessing that ...; ***er hat meinen ~*** he has my blessing; ***~ bringend*** beneficent

Segler ['zeːglɐ] *m* ⟨-s, -⟩, **Seglerin** [-ərɪn] *f* ⟨-, -nen⟩ (≈ *Segelsportler*) yachtsman/-woman, sailor

Segment [zɛ'gmɛnt] *nt* ⟨-(e)s, -e⟩ segment

segnen ['zeːgnən] *v/t* REL to bless; → ***gesegnet*** **Segnung** *f* ⟨-, -en⟩ REL blessing

sehbehindert *adj* partially sighted **sehen** ['zeːən] *pret* **sah** [zaː], *past part* **gesehen** [gə'zeːən] **I** *v/t* to see; (≈ *ansehen*) to look at; ***gut zu ~ sein*** to be clearly visible; ***schlecht zu ~ sein*** to be difficult to see; ***da gibt es nichts zu ~*** there is nothing to see; ***darf ich das mal ~?*** can I have a look at that?; ***jdn/etw zu ~ bekommen*** to get to see sb/sth; ***etw in jdm ~*** to see sb as sth; ***ich kann den Mantel nicht mehr ~*** (≈ *nicht mehr ertragen*) I can't stand the sight of that coat any more; ***sich ~ lassen*** to put in an appearance; ***er lässt sich kaum***

noch bei uns ~ he hardly ever comes to see us now; ***also, wir ~ uns morgen*** right, I'll see you tomorrow; ***da sieht man es mal wieder!*** that's typical!; ***du siehst das/ihn nicht richtig*** you've got it/him wrong; ***rein menschlich gesehen*** from a purely personal point of view **II** *v/r* ***sich getäuscht ~*** to see oneself deceived; ***sich gezwungen ~, zu ...*** to find oneself obliged to ... **III** *v/i* to see; ***er sieht gut/schlecht*** he can/cannot see very well; ***siehe oben/unten*** see above/below; ***siehst du (wohl)!, siehste!*** (*infml*) you see!; ***~ Sie mal!*** look!; ***lass mal ~*** let me see, let me have a look; ***Sie sind beschäftigt, wie ich sehe*** I can see you're busy; ***mal ~!*** (*infml*) we'll see; ***auf etw*** (*acc*) ***~*** (≈ *hinsehen*) to look at sth; (≈ *achten*) to consider sth important; ***darauf ~, dass ...*** to make sure (that) ...; ***nach jdm ~*** (≈ *betreuen*) to look after sb; (≈ *besuchen*) to go to see sb; ***nach der Post ~*** to see if there are any letters **Sehen** *nt* ⟨**-s**, *no pl*⟩ seeing; (≈ *Sehkraft*) sight; ***ich kenne ihn nur vom ~*** I only know him by sight **sehenswert** *adj* worth seeing **Sehenswürdigkeit** [-vyrdıçkait] *f* ⟨**-, -en**⟩ sight **Sehfehler** *m* visual defect **Sehkraft** *f*, *no pl* (eye)sight

Sehne ['zeːnə] *f* ⟨**-, -n**⟩ **1.** ANAT tendon **2.** (≈ *Bogensehne*) string

sehnen ['zeːnən] *v/r* ***sich nach jdm/etw ~*** to long for sb/sth

Sehnenzerrung *f* pulled tendon

Sehnerv *m* optic nerve

sehnlich ['zeːnlıç] **I** *adj Wunsch* ardent; *Erwartung* eager **II** *adv hoffen, wünschen* ardently **Sehnsucht** ['zeːnzʊxt] *f* longing (*nach* for) **sehnsüchtig I** *adj* longing; *Wunsch etc* ardent **II** *adv hoffen* ardently; ***~ auf etw*** (*acc*) ***warten*** to long for sth

sehr [seːɐ] *adv*, *comp* ***mehr*** [meːɐ], *sup* ***am meisten*** ['maistn] **1.** (*mit adj, adv*) very; ***er ist ~ dagegen*** he is very much against it; ***es geht ihm ~ viel besser*** he is very much better **2.** (*mit vb*) very much, a lot; ***so ~*** so much; ***wie ~*** how much; ***sich ~ anstrengen*** to try very hard; ***regnet es ~?*** is it raining a lot?; ***freust du dich darauf? — ja, ~*** are you looking forward to it? — yes, very much; ***zu ~*** too much

Sehschwäche *f* poor eyesight **Sehstörung** *f* visual defect **Sehtest** *m* eye test **Sehvermögen** *nt* powers *pl* of vision

seicht [zaiçt] *adj* shallow

Seide ['zaidə] *f* ⟨**-, -n**⟩ silk **seiden** ['zaidn] *adj attr* (≈ *aus Seide*) silk **Seidenpapier** *nt* tissue paper **Seidenraupe** *f* silkworm **seidenweich** *adj* soft as silk **seidig** ['zaidıç] *adj* (≈ *wie Seide*) silky

Seife ['zaifə] *f* ⟨**-, -n**⟩ soap **Seifenblase** *f* soap bubble; (*fig*) bubble **Seifenlauge** *f* (soap)suds *pl* **Seifenoper** *f* (*infml*) soap (opera) **Seifenpulver** *nt* soap powder **Seifenschale** *f* soap dish **Seifenschaum** *m* lather **seifig** ['zaifıç] *adj* soapy

seihen ['zaiən] *v/t* (≈ *sieben*) to sieve

Seil [zail] *nt* ⟨**-(e)s, -e**⟩ rope; (≈ *Hochseil*) tightrope, high wire **Seilbahn** *f* cable railway **seilspringen** *v/i sep aux sein, usu inf or past part* to skip **Seiltanz** *m* tightrope act **Seiltänzer(in)** *m/*(*f*) tightrope walker

sein[1] [zain] *pres* ***ist*** [ıst], *pret* ***war*** [vaːɐ], *past part* ***gewesen*** [gə'veːzn] *aux sein* **I** *v/i* **1.** to be; ***sei/seid so nett und ...*** be so kind as to ...; ***das wäre gut*** that would be a good thing; ***es wäre schön gewesen*** it would have been nice; ***er ist Lehrer*** he is a teacher; ***wenn ich Sie wäre*** if I were *or* was you; ***er war es nicht*** it wasn't him; ***das kann schon ~*** that may well be; ***ist da jemand?*** is (there) anybody there?; ***er ist aus Genf*** he comes from Geneva; ***wo warst du so lange?*** where have you been all this time? **2.** ***was ist?*** what's the matter?, what's up (*infml*); ***das kann nicht ~*** that can't be (true); ***wie wäre es mit ...?*** how about ...?; ***mir ist kalt*** I'm cold **II** *aux* to have; ***er ist geschlagen worden*** he has been beaten

sein[2] *poss pr* (*adjektivisch*) (*bei Männern*) his; (*bei Dingen, Abstrakta*) its; (*bei Mädchen*) her; (*bei Tieren*) its, his/her; (*bei Ländern, Städten*) its, her; (*auf „man" bezüglich*) one's, his (*US*), your; ***jeder hat ~e Probleme*** everybody has their problems

Sein [zain] *nt* ⟨**-s**, *no pl*⟩ being *no art*; (≈ *Existenz auch*) existence *no art*; ***~ und Schein*** appearance and reality

seine(r, s) ['zainə] *poss pr* (*substantivisch*) his; ***er hat das Seine getan*** (*elev*) he did his bit; ***jedem das Seine*** each to his own (*Br*), to each his own; ***die Seinen*** (*elev*) his family **seinerseits**

['zainɐ'zaits] *adv* (≈ *von ihm*) on his part; (≈ *er selbst*) for his part **seinerzeit** ['zainɐtsait] *adv* at that time **seinesgleichen** ['zainəs'glaiçn] *pron inv* (*gleichgestellt*) his equals *pl*; (*auf „man" bezüglich*) one's *or* his (*US*) equals; (*gleichartig*) his kind *pl*; of one's own kind; (*pej*) the likes of him *pl* **seinetwegen** ['zainət'veːgn] *adv* **1.** (≈ *wegen ihm*) because of him; (≈ *ihm zuliebe*) for his sake; (≈ *für ihn*) on his behalf **2.** (≈ *von ihm aus*) as far as he is concerned **seinetwillen** ['zainət'vɪlən] *adv* ***um ~*** for his sake

sein lassen *past part* ***sein lassen*** *v/t irr* ***etw ~*** (≈ *aufhören*) to stop sth/doing sth; (≈ *nicht tun*) to leave sth; ***lass das sein!*** stop that!

seismisch ['zaismɪʃ] *adj* seismic **Seismograf** [zaismo'graːf] *m* ⟨***-en, -en***⟩ seismograph **Seismologe** [zaismo'loːgə] *m* ⟨***-n, -n***⟩, **Seismologin** [-'loːgɪn] *f* ⟨***-, -nen***⟩ seismologist

seit [zait] **I** *prep +dat* since; (*in Bezug auf Zeitdauer*) for, in (*esp US*); ***~ wann?*** since when?; ***~ Jahren*** for years; ***wir warten schon ~ zwei Stunden*** we've been waiting (for) two hours; ***~ etwa einer Woche*** since about a week ago, for about a week **II** *cj* since **seitdem** [zait'deːm] **I** *adv* since then **II** *cj* since

Seite ['zaitə] *f* ⟨***-, -n***⟩ **1.** side; ***~ an ~*** side by side; ***zur ~ gehen*** *or* ***treten*** to step aside; ***jdm zur ~ stehen*** (*fig*) to stand by sb's side; ***das Recht ist auf ihrer ~*** she has right on her side; ***etw auf die ~ legen*** to put sth aside; ***jdn zur ~ nehmen*** to take sb aside; ***auf der einen ~..., auf der anderen (~) ...*** on the one hand ..., on the other (hand) ...; ***sich von seiner besten ~ zeigen*** to show oneself at one's best; ***von allen ~n*** from all sides; ***auf ~n*** *+gen* = ***aufseiten***; ***von ~n*** *+gen* = ***vonseiten*** **2.** (≈ *Buchseite etc*) page **Seitenairbag** *m* AUTO side-impact airbag **Seitenansicht** *f* side view; TECH side elevation **Seitenaufprallschutz** *m* AUTO side impact protection system **Seitenausgang** *m* side exit **Seitenblick** *m* sidelong glance; ***mit einem ~ auf*** (*+acc*) (*fig*) with one eye on **Seiteneingang** *m* side entrance **Seitenflügel** *m* side wing; (*von Altar*) wing **Seitenhieb** *m* (*fig*) sideswipe **seitenlang** *adj* several pages long **Seitenlinie** *f* **1.** RAIL branch line **2.** FTBL *etc* touchline (*Br*), sideline **seitens** ['zaitns] *prep +gen* (*form*) on the part of **Seitenspiegel** *m* AUTO wing mirror **Seitensprung** *m* (*fig*) bit on the side (*infml*) *no pl* **Seitenstechen** *nt, no pl* stitch; ***~ haben/bekommen*** to have/get a stitch **Seitenstraße** *f* side street **Seitenstreifen** *m* verge; (*der Autobahn*) hard shoulder (*Br*), shoulder (*US*) **seitenverkehrt** *adj, adv* the wrong way round **Seitenwechsel** *m* SPORTS changeover **Seitenwind** *m* crosswind **Seitenzahl** *f* **1.** page number **2.** (≈ *Gesamtzahl*) number of pages

seither [zait'heːɐ] *adv* since then

seitlich ['zaitlɪç] **I** *adj* lateral (*esp* SCI, TECH), side *attr* **II** *adv* at the side; (≈ *von der Seite*) from the side; ***~ von*** at the side of

Sekret [ze'kreːt] *nt* ⟨***-(e)s, -e***⟩ PHYSIOL secretion

Sekretär [zekre'tɛːɐ] *m* ⟨***-s, -e***⟩ (≈ *Schreibschrank*) bureau (*Br*), secretary desk (*US*)

Sekretär [zekre'tɛːɐ] *m* ⟨***-s,-e***⟩, **Sekretärin** [-'tɛːrɪn] *f* ⟨***-, -nen***⟩ secretary **Sekretariat** [zekreta'riaːt] *nt* ⟨***-(e)s, -e***⟩ office

Sekt [zɛkt] *m* ⟨***-(e)s, -e***⟩ sparkling wine, champagne

Sekte ['zɛktə] *f* ⟨***-, -n***⟩ sect

Sektglas *nt* champagne glass

Sektierer [zɛk'tiːrɐ] *m* ⟨***-s, -***⟩, **Sektiererin** [-ərɪn] *f* ⟨***-, -nen***⟩ sectarian **sektiererisch** [zɛk'tiːrərɪʃ] *adj* sectarian

Sektion [zɛk'tsioːn] *f* ⟨***-, -en***⟩ section; (≈ *Abteilung*) department **Sektor** ['zɛktoːɐ] *m* ⟨***-s, Sektoren*** [-'toːrən]⟩ sector; (≈ *Sachgebiet*) field

Sektschale *f* champagne glass

sekundär [zekʊn'dɛːɐ] *adj* secondary **Sekundärliteratur** *f* secondary literature **Sekundarschule** *f* (*Swiss*) secondary school **Sekundarstufe** *f* secondary *or* high (*esp US*) school level

Sekunde [ze'kʊndə] *f* ⟨***-, -n***⟩ second; ***auf die ~ genau*** to the second **Sekundenkleber** *m* superglue®, instant glue **sekundenschnell** *adj Reaktion, Entscheidung* split-second *attr*; *Antwort* quick-fire *attr* **Sekundenzeiger** *m* second hand

selber ['zɛlbɐ] *dem pron* = ***selbst*** **I** **Selbermachen** *nt* ⟨***-s,*** *no pl*⟩ ***Möbel zum ~*** do-it-yourself furniture **selbst** [zɛlpst] **I** *dem pron* **1.** ***ich ~*** I myself; ***er ~*** he himself; ***sie ist die Güte/Tugend ~*** she's kindness/virtue itself **2.** (≈ *ohne Hilfe*) by oneself/himself/yourself *etc*; ***das regelt sich alles von ~*** it'll sort itself out (by itself); ***er kam ganz von ~*** he came of his own accord **II** *adv* **1.** (≈ *eigen*) ***~ ernannt*** self-appointed; (*in Bezug auf Titel*) self-styled; ***~ gebacken*** home-baked, home-made; ***~ gebaut*** home-made; *Haus* self-built; ***~ gemacht*** home-made; ***~ verdientes Geld*** money one has earned oneself **2.** (≈ *sogar*) even; ***~ Gott*** even God (himself); ***~ wenn*** even if **Selbstachtung** *f* self-respect **selbständig** *etc* ['zɛlpʃtɛndɪç] *adj, adv* = ***selbstständig*** *etc* **Selbstanzeige** *f* **1.** (*steuerlich*) voluntary declaration **2.** ***~ erstatten*** to come forward oneself **Selbstbedienung** *f* self-service **Selbstbefriedigung** *f* masturbation **Selbstbeherrschung** *f* self-control; ***die ~ wahren/verlieren*** to keep/lose one's self-control **Selbstbestätigung** *f* self-affirmation **Selbstbestimmungsrecht** *nt* right of self-determination **Selbstbeteiligung** *f* INSUR (percentage) excess **Selbstbetrug** *m* self-deception **selbstbewusst I** *adj* (≈ *selbstsicher*) self-assured **II** *adv* self-confidently **Selbstbewusstsein** *nt* self-confidence **Selbstbildnis** *nt* self-portrait **Selbstdisziplin** *f* self-discipline **Selbsterhaltungstrieb** *m* survival instinct **Selbsterkenntnis** *f* self-knowledge **selbstgebacken** *adj* → ***selbst*** **selbstgefällig I** *adj* self-satisfied **II** *adv* smugly **Selbstgefälligkeit** *f* smugness, complacency **selbstgemacht** *adj* home-made **selbstgerecht I** *adj* self-righteous **II** *adv* self-righteously **Selbstgerechtigkeit** *f* self-righteousness **Selbstgespräch** *nt* ***~e führen*** to talk to oneself **selbstherrlich** (*pej*) **I** *adj* (≈ *eigenwillig*) high-handed; (≈ *selbstgefällig*) arrogant **II** *adv* (≈ *eigenwillig*) high-handedly; (≈ *selbstgefällig*) arrogantly **Selbsthilfe** *f* self-help; ***zur ~ greifen*** to take matters into one's own hands **Selbsthilfegruppe** *f* self-help group **selbstklebend** *adj* self-adhesive **Selbstkosten** *pl* ECON prime costs *pl* **Selbstkostenpreis** *m* cost price; ***zum ~*** at cost **Selbstkritik** *f* self-criticism **selbstkritisch I** *adj* self-critical **II** *adv* self-critically **Selbstläufer** *m* (*infml* ≈ *eigenständiger Erfolg*) sure-fire success (*infml*) **Selbstlaut** *m* vowel **selbstlos I** *adj* selfless **II** *adv* selflessly **Selbstlosigkeit** *f* ⟨-, *no pl*⟩ selflessness **Selbstmitleid** *nt* self-pity **Selbstmord** *m* suicide **Selbstmordanschlag** *m* suicide attack **Selbstmordattentäter(in)** *m*/(*f*) suicide attacker *or* bomber **Selbstmörder(in)** *m*/(*f*) suicide **selbstmörderisch** *adj* suicidal; ***in ~er Absicht*** intending to commit suicide **selbstmordgefährdet** *adj* suicidal **Selbstmordversuch** *m* attempted suicide **Selbstporträt** *nt* self-portrait **Selbstschutz** *m* self-protection **selbstsicher I** *adj* self-assured **II** *adv* self-confidently **Selbstsicherheit** *f* self-assurance **selbstständig** ['zɛlpstʃtɛndɪç] *adj* **I** *adj* independent; ***~ sein*** (*beruflich*) to be self-employed; ***sich ~ machen*** (*beruflich*) to set up on one's own; (*hum*) to go off on its own **II** *adv* independently; ***das entscheidet er ~*** he decides that on his own **Selbstständige(r)** ['zɛlpstʃtɛndɪgə] *m/f(m) decl as adj* self-employed person **Selbstständigkeit** *f* ⟨-, *no pl*⟩ independence; (*beruflich*) self-employment **Selbststudium** *nt* private study **Selbstsucht** *f, no pl* egoism **selbstsüchtig** *adj* egoistic **selbsttätig I** *adj* **1.** (≈ *automatisch*) automatic **2.** (≈ *eigenständig*) independent **II** *adv* (≈ *automatisch*) automatically **Selbsttäuschung** *f* self-deception **Selbsttest** *m* (*von Maschine*) self-test **selbstverdient** *adj* → ***selbst*** **selbstvergessen** *adj* absent-minded; *Blick* faraway **Selbstverpflegung** *f* self-catering **selbstverschuldet** [-fɛɐʃʊldət] *adj Unfälle, Notlagen* for which one is oneself responsible; ***der Unfall war ~*** the accident was his/her own fault **Selbstversorger** *m* ⟨***-s, -***⟩, **Selbstversorgerin** [-ərɪn] *f* ⟨***-, -nen***⟩ **1.** ***~ sein*** to be self-sufficient **2.** (*im Urlaub etc*) sb who is self-catering (*Br*); ***Appartements für ~*** self-catering apartments (*Br*), condominiums (*US*) **selbstverständlich I** *adj Freundlichkeit* natural; *Wahrheit* self-evident; ***das ist doch ~!*** that goes without saying; ***das ist keineswegs ~*** it cannot be taken for granted **II** *adv* of course **Selbstverständlichkeit** [-fɛɐʃtɛntlɪkkait] *f* ⟨***-, -en***⟩ ***das war doch eine ~, dass wir ...*** it was only natural that we ...; ***etw für eine ~ halten*** to take sth as a matter of course **Selbstverteidigung** *f* self-defence (*Br*), self-defense (*US*) **Selbstvertrauen** *nt* self-confidence **Selbstverwaltung** *f* self-administration **Selbstwahrnehmung** *f* self-perception **Selbstwertgefühl** *nt* self-esteem **selbstzufrieden** **I** *adj* self-satisfied **II** *adv* complacently, smugly **Selbstzweck** *m* end in itself

selchen ['zɛlçn] *v/t & v/i* (*S Ger, Aus*) *Fleisch* to smoke

Selektion [zelɛk'tsioːn] *f* ⟨**-, -en**⟩ selection **selektiv** [zelɛk'tiːf] **I** *adj* selective **II** *adv* selectively

selig ['zeːlɪç] *adj* **1.** REL blessed **2.** (≈ *überglücklich*) overjoyed; *Lächeln* blissful **Seligkeit** *f* ⟨**-, -en**⟩ **1.** *no pl* REL salvation **2.** (≈ *Glück*) (supreme) happiness, bliss

Sellerie ['zɛləriː] *m* ⟨**-s, -(s)** *or f* **-, -**⟩ celeriac; (≈ *Stangensellerie*) celery

selten ['zɛltn] **I** *adj* rare **II** *adv* (≈ *nicht oft*) rarely **Seltenheit** *f* ⟨**-, -en**⟩ rarity **Seltenheitswert** *m* rarity value

Selter(s)wasser ['zɛltɐ(s)-] *nt, pl* ***-wässer*** soda (water)

seltsam ['zɛltzaːm] *adj* strange **seltsamerweise** ['zɛltzaːmɐ'vaizə] *adv* strangely enough

Semantik [ze'mantɪk] *f* ⟨**-,** *no pl*⟩ semantics *sg* **semantisch** [ze'mantɪʃ] *adj* semantic

Semester [ze'mɛstɐ] *nt* ⟨**-s, -**⟩ UNIV semester (*esp US*), term (*of a half-year's duration*); ***im 7./8. ~ sein*** to be in one's 4th year **Semesterferien** *pl* vacation *sg*

Semifinale ['zeːmi-] *nt* SPORTS semifinal(s) **Semikolon** [zemi'koːlɔn] *nt* ⟨**-s, -s** *or* ***Semikola*** [-la]⟩ semicolon

Seminar [zemi'naːɐ] *nt* ⟨**-s, -e** *or* (*Aus*) ***-rien*** [-iən]⟩ **1.** UNIV department; (≈ *Seminarübung*) seminar **2.** (≈ *Priesterseminar*) seminary **3.** (≈ *Lehrerseminar*) teacher training college

Semit [ze'miːt] *m* ⟨**-en, -en**⟩, **Semitin** [-'miːtɪn] *f* ⟨**-, -nen**⟩ Semite **semitisch** [ze'miːtɪʃ] *adj* Semitic

Semmel ['zɛml] *f* ⟨**-, -n**⟩ (*dial*) roll **Semmelknödel** *m* (*S Ger, Aus*) bread dumpling

sempern ['zɛmpɐn] *v/i* (*Aus* ≈ *nörgeln*) to moan

Senat [ze'naːt] *m* ⟨**-(e)s, -e**⟩ **1.** POL, UNIV senate **2.** JUR Supreme Court **Senator** [ze'naːtoːɐ] *m* ⟨**-s,** ***Senatoren*** [-'toːrən]⟩, **Senatorin** [-'toːrɪn] *f* ⟨**-, -nen**⟩ senator

Sendebereich *m* transmission range **Sendefolge** *f* **1.** (≈ *Sendung in Fortsetzungen*) series *sg* **2.** (≈ *Programmfolge*) programmes *pl* (*Br*), programs *pl* (*US*) **Sendemast** *m* radio *or* transmitter mast, broadcasting tower (*US*)

senden[1] ['zɛndn] *pret* ***sandte*** *or* ***sendete*** ['zantə, 'zɛndətə], *past part* ***gesandt*** *or* ***gesendet*** [gə'zant, gə'zɛndət] **I** *v/t* to send (*an +acc* to) **II** *v/i* ***nach jdm ~*** to send for sb

senden[2] *v/t & v/i* (RADIO, TV) to broadcast; *Signal etc* to transmit **Sendepause** *f* interval **Sender** ['zɛndɐ] *m* ⟨**-s, -**⟩ transmitter; RADIO station; TV channel (*esp Br*), station (*esp US*) **Senderaum** *m* studio **Sendereihe** *f* (radio/television) series **Sendeschluss** *m* (RADIO, TV) close-down **Sendezeit** *f* broadcasting time; ***in der besten ~*** in prime time **Sendung** ['zɛndʊŋ] *f* ⟨**-, -en**⟩ **1.** *no pl* (≈ *das Senden*) sending **2.** (≈ *Postsendung*) letter; (≈ *Paket*) parcel; COMM consignment **3.** TV programme (*Br*), program (*US*); RADIO broadcast; ***auf ~ sein*** to be on the air

Senegal *nt* ⟨**-s**⟩ Senegal **Senegalese** [zenega'leːzə] *m* ⟨**-n, -n**⟩, **Senegalesin** [-'leːzɪn] *f* ⟨**-, -nen**⟩ Senegalese

Senf [zɛnf] *m* ⟨**-(e)s, -e**⟩ mustard; ***seinen ~ dazugeben*** (*infml*) to have one's say **Senfgas** *nt* CHEM mustard gas **Senfgurke** *f gherkin pickled with mustard seeds* **Senfkorn** *nt, pl* ***-körner*** mustard seed

sengen ['zɛŋən] **I** *v/t* to singe **II** *v/i* to scorch

senil [ze'niːl] *adj* (*pej*) senile **Senilität** [zenili'tɛːt] *f* ⟨**-,** *no pl*⟩ senility

Senior ['zeːnioːɐ] *m* ⟨**-s,** ***Senioren*** [ze'nioːrən]⟩, **Seniorin** [ze'nioːrɪn] *f* ⟨**-, -nen**⟩ **1.** (*a.* **Seniorchef(in)**) boss **2.** SPORTS senior player; ***die ~en*** the seniors **3.** **Senioren** *pl* senior citizens *pl* **seniorengerecht** *adj* (suitable) for the elderly; ***~e Wohnungen*** housing for the elderly **Seniorenpass** *m* senior citizen's travel pass **Senioren(wohn)heim** *nt* old people's home

Senkblei *nt* plumb line; (≈ *Gewicht*) plummet **senken** ['zɛŋkn] **I** *v/t* to lower; *Kopf* to bow; ***den Blick ~*** to lower one's gaze **II** *v/r* to sink; (*Haus, Boden*) to subside; (*Stimme*) to drop **senkrecht**

['zɛŋkrɛçt] **I** *adj* vertical; MAT perpendicular; (*in Kreuzworträtsel*) down **II** *adv* vertically, perpendicularly; *aufsteigen* straight up **Senkrechte** ['zɛŋkrɛçtə] *f decl as adj* vertical; MAT perpendicular **Senkrechtstarter** *m* AVIAT vertical takeoff aircraft **Senkrechtstarter(in)** *m*/(*f*) (*fig infml*) whiz(z) kid (*infml*) **Senkung** ['zɛŋkʊŋ] *f* ⟨-, **-en**⟩ **1.** lowering **2.** (≈ *Vertiefung*) hollow **3.** MED = ***Blutsenkung***

Sennerei [zɛnə'rai] *f* ⟨-, **-en**⟩ (*S Ger, Aus*) Alpine dairy

Sensation [zɛnza'tsioːn] *f* ⟨-, **-en**⟩ sensation **sensationell** [zɛnzatsio'nɛl] *adj* sensational **Sensationsblatt** *nt* sensational paper **Sensationslust** *f* desire for sensation **sensationslüstern** *adj* sensation-seeking **Sensationsnachricht** *f* sensational news *sg* **Sensationspresse** *f* sensational papers *pl*

Sense ['zɛnzə] *f* ⟨-, **-n**⟩ **1.** scythe **2.** (*infml*) ***jetzt/dann ist ~!*** that's the end!

sensibel [zɛn'ziːbl] **I** *adj* sensitive **II** *adv* sensitively **sensibilisieren** [zɛnzibili'ziːrən] *past part* ***sensibilisiert*** *v/t* to sensitize **Sensibilität** [zɛnzibili'tɛːt] *f* ⟨-, *no pl*⟩ sensitivity **Sensor** ['zɛnzoːɐ] *m* ⟨**-s, *Sensoren*** [-'zoːrən]⟩ sensor

sentimental [zɛntimɛn'taːl] *adj* sentimental **Sentimentalität** [zɛntimɛntali'tɛːt] *f* ⟨-, **-en**⟩ sentimentality

separat [zepa'raːt] **I** *adj* separate; *Wohnung* self-contained **II** *adv* separately

September [zɛp'tɛmbɐ] *m* ⟨**-(s), -**⟩ September; → ***März***

Sequenz [ze'kvɛnts] *f* ⟨-, **-en**⟩ sequence

Serbe ['zɛrbə] *m* ⟨**-n, -n**⟩, **Serbin** ['zɛrbɪn] *f* ⟨-, **-nen**⟩ Serb, Serbian **Serbien** ['zɛrbiən] *nt* ⟨**-s**⟩ Serbia **serbisch** ['zɛrbɪʃ] *adj* Serb, Serbian

Serenade [zere'naːdə] *f* ⟨-, **-n**⟩ serenade

Serie ['zeːriə] *f* ⟨-, **-n**⟩ series *sg*; ***13 Siege in ~*** 13 wins in a row; ***in ~ gehen*** to go into production; ***in ~ hergestellt werden*** to be mass-produced **seriell** [ze'riɛl] *adj Herstellung* series *attr*; IT serial **Serienbrief** *m* IT mail-merge letter **serienmäßig** **I** *adj Autos* production *attr*; *Ausstattung* standard; *Herstellung* series *attr* **II** *adv herstellen* in series **Serienmörder(in)** *m*/(*f*) serial killer **serienweise** [-vaizə] *adv produzieren* in series; (*infml* ≈ *in Mengen*) wholesale

seriös [ze'riøːs] *adj* serious; (≈ *anständig*) respectable; *Firma* reputable; ***~ auftreten*** to appear respectable **Seriosität** [zeriozi'tɛːt] *f* ⟨-, *no pl*⟩ seriousness; (≈ *Anständigkeit*) respectability; (*von Firma*) integrity

Serpentine [zɛrpɛn'tiːnə] *f* ⟨-, **-n**⟩ winding road, zigzag

Serum ['zeːrʊm] *nt* ⟨**-s, *Seren*** *or* ***Sera*** ['zeːrən, 'zeːra]⟩ serum

Server ['zœrvɐ] *m* ⟨**-s, -**⟩ IT server

Service[1] [zɛr'viːs] *nt* ⟨**-(s), -** [-'viːs(əs), -'viːs(ə)]⟩ (≈ *Essgeschirr*) dinner service; (≈ *Kaffee-/Teeservice*) coffee/tea service; (≈ *Gläserservice*) set

Service[2] ['søːɐvɪs, 'zœrvɪs] *m or nt* ⟨**-, -s**⟩ COMM service; SPORTS service, serve

servieren [zɛr'viːrən] *past part* ***serviert*** **I** *v/t* to serve; (*infml* ≈ *anbieten*) to serve up (*infml*) (*jdm* for sb) **II** *v/i* to serve **Serviererin** [zɛr'viːrərɪn] *f* ⟨-, **-nen**⟩ waitress **Serviertochter** *f* (*Swiss*) waitress

Serviette [zɛr'viɛtə] *f* ⟨-, **-n**⟩ napkin

Servobremse *f* power brake **Servolenkung** *f* power steering

servus ['zɛrvʊs] *int* (*S Ger, Aus*) (*beim Treffen*) hello; (*beim Abschied*) cheerio (*Br infml*), see ya (*esp US infml*)

Sesam ['zeːzam] *m* ⟨**-s, -s**⟩ sesame

Sessel ['zɛsl] *m* ⟨**-s, -**⟩ easy chair; (≈ *Polstersessel*) armchair; (*Aus* ≈ *Stuhl*) chair **Sessellift** *m* chairlift **sesshaft** *adj* settled; (≈ *ansässig*) resident; ***~ werden*** to settle down

Set[1] [zɛt, sɛt] *m or nt* ⟨**-s, -s**⟩ **1.** (TENNIS ≈ *Satz*) set **2.** (≈ *Deckchen*) place mat

Set[2] *m* ⟨**-(s), -s**⟩ TV, FILM set

Setter ['zɛtɐ] *m* ⟨**-s, -**⟩ setter

Setup ['sɛtap] *nt* ⟨**-s, -s**⟩ IT setup **Setupprogramm** *nt* IT setup program

setzen ['zɛtsn] **I** *v/t* **1.** (≈ *hintun*) to put, to set; (≈ *sitzen lassen*) to sit, to place, to put; ***jdn an Land ~*** to put sb ashore; ***etw in die Zeitung ~*** to put sth in the paper; ***sich*** (*dat*) ***etw in den Kopf ~*** (*infml*) to take sth into one's head; ***seine Hoffnung in jdn/etw ~*** to put one's hopes in sb/sth **2.** NAUT *Segel* to set; TYPO to set **3.** *Preis, Summe* to put (*auf* +*acc* on); ***Geld auf ein Pferd ~*** to put money on a horse **4.** (≈ *schreiben*) *Komma, Punkt* to put **5.** (≈ *bestimmen*) *Ziel, Preis etc* to set; ***jdm eine Frist ~*** to set sb a deadline **6.** (≈ *einstufen*) *Sportler* to place; TENNIS to seed; ***der an Nummer eins gesetzte Spieler*** TENNIS the top seed **7.**; → ***gesetzt*** **II** *v/r* **1.** (≈ *Platz nehmen*) to sit down; ***sich***

ins Auto ~ to get into the car; ***sich zu jdm ~*** to sit with sb; ***bitte ~ Sie sich*** please take a seat **2.** (*Kaffee, Tee, Lösung*) to settle **III** *v/i* (*bei Wetten*) to bet; ***auf ein Pferd ~*** to bet on a horse **Setzer** ['zɛtsɐ] *m* ⟨**-s, -**⟩, **Setzerin** [-ərɪn] *f* ⟨**-, -nen**⟩ TYPO typesetter **Setzerei** [zɛtsə'rai] *f* ⟨**-, -en**⟩ (≈ *Firma*) typesetter's

Seuche ['zɔyçə] *f* ⟨**-, -n**⟩ epidemic; (*fig pej*) scourge **Seuchenbekämpfung** *f* epidemic control **Seuchengebiet** *nt* epidemic area **Seuchengefahr** *f* danger of epidemic

seufzen ['zɔyftsn] *v/t & v/i* to sigh **Seufzer** ['zɔyftsɐ] *m* ⟨**-s, -**⟩ sigh

Sex [zɛks] *m* ⟨**-(es)**, *no pl*⟩ sex **Sex-Appeal** [-|ə'piːl] *m* ⟨**-s**, *no pl*⟩ sex appeal **Sexbombe** *f* (*infml*) sex bomb (*infml*) **Sexfilm** *m* sex film **Sexismus** [zɛ'ksɪsmʊs] *m* ⟨**-, *Sexismen*** [-mən]⟩ sexism **Sexist** [zɛ'ksɪst] *m* ⟨**-en, -en**⟩, **Sexistin** [-'ksɪstɪn] *f* ⟨**-, -nen**⟩ sexist **sexistisch** [zɛ'ksɪstɪʃ] *adj* sexist

Sextett [zɛks'tɛt] *nt* ⟨**-(e)s, -e**⟩ MUS sextet(te)

Sextourismus *m* sex tourism **Sexualerziehung** *f* sex education **Sexualität** [zɛksuali'tɛːt] *f* ⟨**-**, *no pl*⟩ sexuality **Sexualkunde** *f* SCHOOL sex education **Sexualleben** *nt* sex life **Sexualpartner(in)** *m/(f)* sexual partner **Sexualstraftäter(in)** *m/(f)* sex offender **Sexualverbrechen** *nt* sex(ual) offence (*Br*) *or* offense (*US*) **sexuell** [zɛ'ksuɛl] **I** *adj* sexual **II** *adv* sexually **sexy** ['zɛksi] *adj inv* (*infml*) sexy (*infml*)

Seychellen [ze'ʃɛlən] *pl* GEOG Seychelles *pl*

sezieren [ze'tsiːrən] *past part* ***seziert*** *v/t & v/i* (*lit, fig*) to dissect

s-förmig ['ɛs-], **S-förmig** *adj* S-shaped

sfr *abbr of **Schweizer Franken*** sfr

Shampoo ['ʃampuː, 'ʃampoː] *nt* ⟨**-s, -s**⟩ shampoo

Shareware ['ʃɛːɐvɛːɐ] *f* ⟨**-**, *no pl*⟩ IT shareware

Sherry ['ʃɛrɪ] *m* ⟨**-s, -s**⟩ sherry

Shetlandinseln *pl* Shetland Islands *pl*

Shift-Taste ['ʃɪft-] *f* IT shift key

shoppen ['ʃɔpn] *v/i* (*infml*) to shop; ***~ gehen*** to go shopping **Shopping** ['ʃɔpɪŋ] *nt* ⟨**-s**, *no pl*⟩ shopping **Shoppingcenter** ['ʃɔpɪŋsɛntɐ] *nt* ⟨**-s, -**⟩ shopping centre (*Br*) *or* center (*US*)

Shorts [ʃoːɐts, ʃɔrts] *pl* (pair of) shorts *pl*

Show [ʃoː] *f* ⟨**-, -s**⟩ show; ***eine ~ abziehen*** (*infml*) to put on a show (*infml*) **Showeinlage** ['ʃoː-] *f* entertainment section **Showgeschäft** ['ʃoː-] *nt* show business **Showmaster** ['ʃoːmaːstɐ] *m* ⟨**-s, -**⟩, **Showmasterin** [-ərɪn] *f* ⟨**-, -nen**⟩ compère, emcee (*US*)

Shuttlebus ['ʃatlbʊs] *m* shuttle bus

siamesisch [zia'meːzɪʃ] *adj **~e Zwillinge*** Siamese twins

Sibirien [zi'biːriən] *nt* ⟨**-s**⟩ Siberia **sibirisch** [zi'biːrɪʃ] *adj* Siberian

sich [zɪç] *refl pr* **1.** (*acc*) oneself; (*3rd person sg*) himself; herself; itself; (*Höflichkeitsform sing*) yourself; (*Höflichkeitsform pl*) yourselves; (*3rd person pl*) themselves; ***nur an ~*** (*acc*) ***denken*** to think only of oneself **2.** (*dat*) to oneself; (*3rd person sg*) to himself; to herself; to itself; (*Höflichkeitsform sing*) to yourself; (*Höflichkeitsform pl*) to yourselves; (*3rd person pl*) to themselves; ***~ die Haare waschen*** to wash one's hair **3.** (≈ *einander*) each other

Sichel ['zɪçl] *f* ⟨**-, -n**⟩ sickle; (≈ *Mondsichel*) crescent

sicher ['zɪçɐ] **I** *adj* **1.** (≈ *gewiss*) certain; (***sich*** *dat*) ***einer Sache*** (*gen*) ***~ sein*** to be sure of sth **2.** (≈ *gefahrlos*) safe; (≈ *geborgen*) secure; ***vor jdm/etw ~ sein*** to be safe from sb/sth; ***~ ist ~*** you can't be too sure **3.** (≈ *zuverlässig*) reliable; (≈ *fest*) *Gefühl, Zusage* definite; *Einkommen* steady; *Stellung* secure **4.** (≈ *selbstbewusst*) (self-)confident **II** *adv* **1.** *fahren, aufbewahren etc* safely **2.** (≈ *selbstbewusst*) ***~ auftreten*** to give an impression of (self-)confidence **3.** (≈ *natürlich*) of course; ***~!*** sure (*esp US*) **4.** (≈ *bestimmt*) ***das wolltest du ~ nicht sagen*** surely you didn't mean that; ***du hast dich ~ verrechnet*** you must have counted wrong; ***das ist ganz ~ das Beste*** it's quite certainly the best; ***das hat er ~ vergessen*** I'm sure he's forgotten it **sichergehen** *v/i sep irr aux sein* to be sure **Sicherheit** *f* ⟨**-, -en**⟩ **1.** *no pl* (≈ *Gewissheit*) certainty; ***das ist mit ~ richtig*** that is definitely right; ***das lässt sich nicht mit ~ sagen*** that cannot be said with any degree of certainty **2.** *no pl* (≈ *Schutz*) safety; (*als Aufgabe von Sicherheitsbeamten etc*) security; ***die öf-***

fentliche ~ public safety; ***innere ~*** internal security; ***jdn/etw in ~ bringen*** to get sb/sth to safety; ***~ im Straßenverkehr*** road safety; ***in ~ sein*** to be safe **3.** *no pl* (≈ *Selbstsicherheit*) (self-)confidence **4.** COMM, FIN security; (≈ *Pfand*) surety; ***~ leisten*** COMM, FIN to offer security; JUR to stand bail **Sicherheitsabstand** *m* safe distance **Sicherheitsbeamte(r)** *m decl as adj*, **Sicherheitsbeamtin** *f* security officer **Sicherheitsbestimmungen** *pl* safety regulations *pl* **Sicherheitsglas** *nt* safety glass **Sicherheitsgurt** *m* seat belt **sicherheitshalber** *adv* to be on the safe side **Sicherheitskopie** *f* IT backup copy **Sicherheitskräfte** *pl* security forces *pl* **Sicherheitslücke** *f* security gap **Sicherheitsmaßnahme** *f* safety precaution; POL *etc* security measure **Sicherheitsnadel** *f* safety pin **Sicherheitsrat** *m* security council **Sicherheitsrisiko** *nt* security risk **Sicherheitsstandard** *m* standard of security **sicherlich** ['zɪçɐlɪç] *adv* = ***sicher*** II 3, 4 **sichern** ['zɪçɐn] **I** *v/t* **1.** to safeguard; (≈ *absichern*) to protect; (≈ *sicher machen*) *Wagen, Unfallstelle* to secure; IT *Daten* to save; ***eine Feuerwaffe ~*** to put the safety catch of a firearm on **2.** ***jdm/sich etw ~*** to secure sth for sb/oneself **II** *v/r* to protect oneself **sicherstellen** *v/t sep* **1.** *Waffen, Drogen* to take possession of; *Beweismittel* to secure **2.** (≈ *garantieren*) to guarantee **Sicherung** ['zɪçərʊŋ] *f* ⟨**-, -en**⟩ **1.** *no pl* (≈ *das Sichern*) safeguarding; (≈ *Absicherung*) protection **2.** (≈ *Schutz*) safeguard **3.** ELEC fuse; (*von Waffe*) safety catch **Sicherungskopie** *f* IT backup copy **Sicherungsverwahrung** *f* JUR preventive detention

Sicht [zɪçt] *f* ⟨**-**, *no pl*⟩ **1.** (≈ *Sehweite*) visibility; ***in ~ sein/kommen*** to be in/come into sight; ***aus meiner ~*** (*fig*) as I see it; ***aus heutiger ~*** from today's perspective; ***auf lange/kurze ~*** (*fig*) in the long/short term **2.** (≈ *Ausblick*) view **3.** COMM ***auf*** *or* ***bei ~*** at sight **sichtbar** **I** *adj* visible; ***~ werden*** (*fig*) to become apparent **II** *adv altern* visibly; *sich verändern* noticeably **sichten** ['zɪçtn] *v/t* **1.** (≈ *erblicken*) to sight **2.** (≈ *durchsehen*) to look through **Sichtgerät** *nt* monitor; IT VDU **sichtlich** ['zɪçtlɪç] **I** *adj* obvious **II** *adv* obviously; *beeindruckt* visibly **Sichtverhältnisse** *pl* visibility *sg* **Sichtvermerk** *m* endorsement; (*im Pass*) visa stamp **Sichtweite** *f* visibility *no art*; ***außer ~*** out of sight

sickern ['zɪkɐn] *v/i aux sein* to seep; (*fig*) to leak out

sie [ziː] *pers pr 3rd person* **1.** (*sing*) *gen* ***ihrer*** ['iːrɐ], *dat* ***ihr*** [iːɐ], *acc* ***sie*** (*nom*) she; (*acc*) her; (*von Dingen*) it; ***~ ist es*** it's her; ***wer hat das gemacht? — ~*** who did that? — she did *or* her! **2.** *pl*, *gen* ***ihrer*** ['iːrɐ], *dat* ***ihnen*** ['iːnən], *acc* ***sie*** (*nom*) they; (*acc*) them; ***~ sind es*** it's them

Sie [ziː] **I** *pers pr 2nd person sg or pl with 3rd person pl vb gen* ***Ihrer*** ['iːrɐ], *dat* ***Ihnen*** ['iːnən], *acc* ***Sie*** you **II** *nt* ⟨***-s****, no pl*⟩ polite *or* "Sie" form of address; ***jdn mit ~ anreden*** to use the polite form of address to sb

Sieb [ziːp] *nt* ⟨***-(e)s, -e*** [-bə]⟩ sieve; (≈ *Teesieb*) strainer; (≈ *Gemüsesieb*) colander; ***ein Gedächtnis wie ein ~ haben*** to have a memory like a sieve

sieben[1] ['ziːbn] *v/t* to pass through a sieve; COOK to sieve

sieben[2] *num* seven; → ***vier*** **Sieben** ['ziːbn] *f* ⟨***-, -*** *or* ***-en***⟩ seven **siebenhundert** ['ziːbn'hʊndɐt] *num* seven hundred **siebenjährig** *adj* seven-year-old **Siebensachen** *pl* (*infml*) belongings *pl*, things *pl* **siebentausend** ['ziːbn'tauznt] *num* seven thousand **Siebtel** ['ziːptl] *nt* ⟨***-s, -***⟩ seventh **siebte(r, s)** ['ziːptə] *adj* seventh; → ***vierte(r, s)*** **siebzehn** ['ziːptseːn] *num* seventeen; ***Siebzehn und Vier*** CARDS pontoon **siebzig** ['ziːptsɪç] *num* seventy; → ***vierzig***

Siechtum ['ziːçtuːm] *nt* ⟨***-s****, no pl*⟩ (*liter*) infirmity; (*fig: von Wirtschaft etc*) ailing state

sieden ['ziːdn] *pret* ***siedete*** *or* ***sott*** ['ziːdətə, zɔt], *past part* ***gesiedet*** *or* ***gesotten*** [gə'ziːdət, gə'zɔtn] *v/i* to boil; ***~d heiß*** boiling hot **Siedepunkt** *m* (PHYS, *fig*) boiling point

Siedler ['ziːdlɐ] *m* ⟨***-s, -***⟩, **Siedlerin** [-ərɪn] *f* ⟨***-, -nen***⟩ settler **Siedlung** ['ziːdlʊŋ] *f* ⟨***-, -en***⟩ **1.** (≈ *Ansiedlung*) settlement **2.** (≈ *Wohnsiedlung*) housing estate (*Br*) *or* development (*US*)

Sieg [ziːk] *m* ⟨***-(e)s, -e*** [-gə]⟩ victory (*über +acc* over)

Siegel ['ziːgl] *nt* ⟨***-s, -***⟩ seal; ***unter dem ~ der Verschwiegenheit*** under the seal of secrecy **Siegellack** *m* sealing wax **Sie-**

gelring *m* signet ring
siegen [ˈziːgn] *v/i* to be victorious; (*in Wettkampf*) to win; ***über jdn/etw ~*** (*fig*) to triumph over sb/sth; (*in Wettkampf*) to beat sb/sth **Sieger** [ˈziːgɐ] *m* ⟨***-s, -***⟩, **Siegerin** [-ərɪn] *f* ⟨***-, -nen***⟩ victor; (*in Wettkampf*) winner **Siegerehrung** *f* SPORTS presentation ceremony **Siegermacht** *f usu pl* POL victorious power **Siegerpodest** *nt* SPORTS winners' podium *or* rostrum **siegesbewusst** *adj* confident of victory **siegessicher I** *adj* certain of victory **II** *adv* confidently **Siegeszug** *m* triumphal march **siegreich** *adj* triumphant; (*in Wettkampf*) winning *attr*, successful
siezen [ˈziːtsn] *v/t* ***jdn/sich ~*** to address sb/each other as "Sie"
Siff [zɪf] *m* ⟨***-s,** no pl*⟩ (*sl*) (≈ *Dreck*) filth; (≈ *Zustand*) mess
Signal [zɪˈgnaːl] *nt* ⟨***-s, -e***⟩ signal **Signalanlage** *f* signals *pl* **signalisieren** [zɪgnaliˈziːrən] *past part* ***signalisiert*** *v/t* to signal
Signatur [zɪgnaˈtuːɐ] *f* ⟨***-, -en***⟩ **1.** signature **2.** (≈ *Bibliothekssignatur*) shelf mark **signieren** [zɪˈgniːrən] *past part* ***signiert*** *v/t* to sign
Silbe [ˈzɪlbə] *f* ⟨***-, -n***⟩ syllable; ***er hat es mit keiner ~ erwähnt*** he didn't say a word about it **Silbentrennung** *f* syllabification; TYPO, IT hyphenation
Silber [ˈzɪlbɐ] *nt* ⟨***-s,** no pl*⟩ silver **Silberbesteck** *nt* silver(ware) **Silberblick** *m* (*infml*) squint **Silberfischchen** [-fɪʃçən] *nt* ⟨***-s, -***⟩ silverfish **Silbergeld** *nt* silver **Silberhochzeit** *f* silver wedding (anniversary) **Silbermedaille** *f* silver medal **silbern** [ˈzɪlbɐn] *adj* silver; (*liter*) *Stimme, Haare* silvery (*liter*); ***~e Hochzeit*** silver wedding (anniversary) **Silberstreifen** *m* (*fig*) ***es zeichnete sich ein Silberstreif(en) am Horizont ab*** you/they *etc* could see light at the end of the tunnel **Silbertanne** *f* noble fir **silbrig** [ˈzɪlbrɪç] **I** *adj* silvery **II** *adv* ***~ schimmern/glänzen*** to shimmer/gleam like silver
Silhouette [ziˈluɛtə] *f* ⟨***-, -n***⟩ silhouette
Silikon [ziliˈkoːn] *nt* ⟨***-s, -e***⟩ silicone
Silizium [ziˈliːtsiʊm] *nt* ⟨***-s,** no pl*⟩ silicon
Silo [ˈziːlo] *m* ⟨***-s, -s***⟩ silo
Silvester [zɪlˈvɛstɐ] *m or nt* ⟨***-s, -***⟩ New Year's Eve, Hogmanay (*esp Scot*)
Simbabwe [zɪmˈbapvə] *nt* ⟨***-s***⟩ Zimbabwe
simpel [ˈzɪmpl] *adj* simple; (≈ *vereinfacht*) simplistic
Sims [sɪms] *m or nt* ⟨***-es, -e*** [-zə]⟩ (≈ *Fenstersims*) (window)sill; (≈ *Gesims*) ledge; (≈ *Kaminsims*) mantlepiece
simsen [ˈzɪmzn] *v/t & v/i* (TEL: *infml*) to text
Simulant [zimuˈlant] *m* ⟨***-en, -en***⟩, **Simulantin** [-ˈlantɪn] *f* ⟨***-, -nen***⟩ malingerer **Simulation** [zimulaˈtsioːn] *f* ⟨***-, -en***⟩ simulation **Simulator** [zimuˈlaːtoːɐ] *m* ⟨***-s, Simulatoren*** [-ˈtoːrən]⟩ SCI simulator **simulieren** [zimuˈliːrən] *past part* ***simuliert*** **I** *v/i* (≈ *sich krank stellen*) to feign illness **II** *v/t* **1.** SCI, TECH to simulate **2.** (≈ *vorgeben*) *Krankheit* to feign
simultan [zimʊlˈtaːn] **I** *adj* simultaneous **II** *adv* simultaneously **Simultandolmetscher(in)** *m/(f)* simultaneous interpreter
Sinfonie [zɪnfoˈniː] *f* ⟨***-, -n*** [-ˈniːən]⟩ symphony **Sinfonieorchester** *nt* symphony orchestra **sinfonisch** [zɪnˈfoːnɪʃ] *adj* symphonic
singen [ˈzɪŋən] *pret* ***sang*** [zaŋ], *past part* ***gesungen*** [gəˈzʊŋən] **I** *v/i* **1.** (*lit, fig*) to sing **2.** (*infml* ≈ *gestehen*) to squeal (*infml*) **II** *v/t* to sing
Single[1] [ˈsɪŋgl] *f* ⟨***-, -(s)***⟩ (≈ *CD*) single
Single[2] *m* ⟨***-s, -s***⟩ (≈ *Alleinlebender*) single
Singular [ˈzɪŋgulaːɐ] *m* ⟨***-s, -e***⟩ GRAM singular
Singvogel *m* songbird
sinken [ˈzɪŋkn] *pret* ***sank*** [zaŋk], *past part* ***gesunken*** [gəˈzʊŋkn] *v/i aux sein* **1.** to sink; ***den Kopf ~ lassen*** to let one's head drop **2.** (*Boden*) to subside **3.** (*Wasserspiegel, Temperatur, Preise etc*) to fall **4.** (≈ *schwinden*) to diminish; ***den Mut ~ lassen*** to lose courage; ***in jds Achtung*** (*dat*) ***~*** to go down in sb's estimation
Sinkflug *m* AVIAT descent
Sinn [zɪn] *m* ⟨***-(e)s, -e***⟩ **1.** (≈ *Wahrnehmungsfähigkeit*) sense **2. Sinne** *pl* (≈ *Bewusstsein*) senses *pl*; ***er war von ~en*** he was out of his mind; ***wie von ~en*** like one demented; ***bist du noch bei ~en?*** have you taken leave of your senses? **3.** (≈ *Gedanken*) mind; ***das will mir einfach nicht in den ~*** I just can't understand it; ***jdm durch den ~ gehen*** to occur to sb; ***etw im ~ haben*** to have sth in mind; ***mit etw nichts im ~ haben*** to want nothing to do with sth **4.** (≈ *Ver-*

ständnis) feeling; **~ für Gerechtigkeit** *etc* **haben** to have a sense of justice *etc* **5.** (≈ *Geist)* spirit; ***im ~e des Gesetzes*** according to the spirit of the law; ***das ist nicht in seinem ~e*** that is not what he himself would have wished; ***das wäre nicht im ~e unserer Kunden*** it would not be in the interests of our customers **6.** (≈ *Zweck)* point; ***das ist nicht der ~ der Sache*** that is not the point; ***der ~ des Lebens*** the meaning of life; ***das hat keinen ~*** there is no point in that **7.** (≈ *Bedeutung)* meaning; ***im übertragenen ~*** in the figurative sense; ***das macht keinen/wenig ~*** that makes no/little sense **Sinnbild** *nt* symbol **sinnbildlich** *adj* symbolic(al) **sinnen** ['zɪnən] *pret* **sann** [zan], *past part* **gesonnen** [gə'zɔnən] (≈ *planen)* ***auf etw*** *(acc)* **~** to think of sth; ***auf Abhilfe ~*** to think up a remedy; → ***gesonnen*** **sinnentstellend** *adj* ***~ sein*** to distort the meaning **Sinnesorgan** *nt* sense organ **Sinnestäuschung** *f* hallucination **Sinneswandel** *m* change of mind **sinnfällig** *adj Beispiel, Symbol* manifest, obvious **sinngemäß** *adv* ***etw ~ wiedergeben*** to give the gist of sth **sinnieren** [zɪ'niːrən] *past part* **sinniert** *v/i* to brood *(über +acc* over) **sinnlich** ['zɪnlɪç] *adj* **1.** *Empfindung, Eindrücke* sensory **2.** (≈ *sinnenfroh)* sensuous; (≈ *erotisch)* sensual **Sinnlichkeit** *f* ⟨-, *no pl*⟩ (≈ *Erotik)* sensuality **sinnlos I** *adj* **1.** (≈ *unsinnig)* meaningless; *Verhalten, Töten* senseless **2.** (≈ *zwecklos)* futile; ***das ist völlig ~*** there's no sense in that **II** *adv* **1.** *zerstören, morden* senselessly **2.** (≈ *äußerst)* ***~ betrunken*** blind drunk **Sinnlosigkeit** *f* ⟨**-, -en**⟩ (≈ *Unsinnigkeit)* meaninglessness; *(von Verhalten)* senselessness; (≈ *Zwecklosigkeit)* futility **sinnvoll I** *adj* **1.** *Satz* meaningful **2.** *(fig)* (≈ *vernünftig)* sensible; (≈ *nützlich)* useful **II** *adv* ***sein Geld ~ anlegen*** to invest one's money sensibly

Sintflut ['zɪntfluːt] *f* BIBLE Flood **sintflutartig** *adj* ***~e Regenfälle*** torrential rain

Sinto ['zɪnto] *m* ⟨**-, *Sinti*** ['zɪnti]⟩ *usu pl* Sinto (gypsy); ***Sinti und Roma*** Sinti and Romanies

Sinus ['ziːnʊs] *m* ⟨**-, *-se*** *or* **-** [-nuːs]⟩ **1.** MAT sine **2.** ANAT sinus

Siphon ['ziːfõ, zi'fõː, zi'foːn] *m* ⟨**-s, -s**⟩ siphon

Sippe ['zɪpə] *f* ⟨**-, -n**⟩ (extended) family; *(infml* ≈ *Verwandtschaft)* clan *(infml)* **Sippschaft** ['zɪpʃaft] *f* ⟨**-, -en**⟩ *(pej infml)* tribe *(infml)*

Sirene [zi'reːnə] *f* ⟨**-, -n**⟩ siren

Sirup ['ziːrʊp] *m* ⟨**-s, -e**⟩ syrup

Sitte ['zɪtə] *f* ⟨**-, -n**⟩ **1.** (≈ *Brauch)* custom; (≈ *Mode)* practice; ***~n und Gebräuche*** customs and traditions **2.** *usu pl* (≈ *gutes Benehmen)* manners *pl*; (≈ *Sittlichkeit)* morals *pl* **Sittenpolizei** *f* vice squad **sittenwidrig** *adj (form)* immoral

Sittich ['zɪtɪç] *m* ⟨**-s, -e**⟩ parakeet

sittlich ['zɪtlɪç] *adj* moral **Sittlichkeit** *f* ⟨-, *no pl*⟩ morality **Sittlichkeitsverbrechen** *nt* sex crime **Sittlichkeitsverbrecher(in)** *m/(f)* sex offender

Situation [zitua'tsioːn] *f* ⟨**-, -en**⟩ situation **Situationskomik** *f* situation comedy, sitcom *(infml)*

situiert [zitu'iːɐt] *adj* ***gut ~*** well-off

Sitz [zɪts] *m* ⟨***-es, -e***⟩ **1.** seat; (≈ *Wohnsitz)* residence; *(von Firma)* headquarters *pl* **2.** *no pl (von Kleidungsstück)* sit; ***einen guten ~ haben*** to sit well **Sitzbank** *f, pl* ***-bänke*** bench **Sitzblockade** *f* sit-in **Sitzecke** *f* corner seating unit **sitzen** ['zɪtsn] *pret* ***saß*** [zaːs], *past part* **gesessen** [gə'zɛsn] *v/i aux haben or (Aus, S Ger, Sw) sein* **1.** to sit; ***hier sitzt man sehr bequem*** it's very comfortable sitting here; ***etw im Sitzen tun*** to do sth sitting down; ***beim Frühstück ~*** to be having breakfast; ***über einer Arbeit ~*** to sit over a piece of work; ***locker ~*** to be loose; ***deine Krawatte sitzt nicht richtig*** your tie isn't straight **2.** (≈ *seinen Sitz haben)* to sit; *(Firma)* to have its headquarters **3.** *(infml* ≈ *im Gefängnis sitzen)* to do time *(infml)*, to be inside *(infml)* **4.** (≈ *im Gedächtnis sitzen)* to have sunk in **5.** *(infml* ≈ *treffen)* to hit home; ***das saß!*** that hit home **sitzen bleiben** *v/i irr aux sein (infml)* **1.** (≈ *nicht aufstehen)* to remain seated **2.** SCHOOL to have to repeat a year **3.** ***auf einer Ware ~*** to be left with a product **sitzen lassen** *past part* ***sitzen lassen*** *or (rare)* ***sitzen gelassen*** *v/t irr (infml)* ***jdn ~*** (≈ *im Stich lassen)* to leave sb in the lurch **Sitzgelegenheit** *f* seats *pl* **Sitzheizung** *f* AUTO seat heating **Sitzkissen** *nt* (floor) cushion **Sitzordnung** *f* seating plan **Sitzplatz** *m* seat **Sitzung** ['zɪtsʊŋ] *f* ⟨**-, -en**⟩ (≈ *Konferenz)* meeting; (≈ *Gerichtsver-*

handlung) session; (≈ *Parlamentssitzung*) sitting
Sizilien [zi'tsiːliən] *nt* ⟨**-s**⟩ Sicily
Skala ['skaːla] *f* ⟨**-, *Skalen*** ['skaːlən]⟩ ⟨*or* **-s**⟩ scale
Skalpell [skal'pɛl] *nt* ⟨**-s, -e**⟩ scalpel **skalpieren** [skal'piːrən] *past part* ***skalpiert*** *v/t* to scalp
Skandal [skan'daːl] *m* ⟨**-s, -e**⟩ scandal **skandalös** [skanda'løːs] *adj* scandalous
Skandinavien [skandi'naːviən] *nt* ⟨**-s**⟩ Scandinavia **Skandinavier** [skandi'naːviɐ] *m* ⟨**-s, -**⟩, **Skandinavierin** [-iərɪn] *f* ⟨**-, -nen**⟩ Scandinavian **skandinavisch** [skandi'naːvɪʃ] *adj* Scandinavian
Skateboard ['skeːtbɔːɐd] *nt* ⟨**-s, -s**⟩ skateboard
Skelett [ske'lɛt] *nt* ⟨**-(e)s, -e**⟩ skeleton
Skepsis ['skɛpsɪs] *f* ⟨**-,** *no pl*⟩ scepticism (*Br*), skepticism (*US*) **Skeptiker** ['skɛptikɐ] *m* ⟨**-s, -**⟩, **Skeptikerin** [-ərɪn] *f* ⟨**-,-nen**⟩ sceptic (*Br*), skeptic (*US*) **skeptisch** ['skɛptɪʃ] **I** *adj* sceptical (*Br*), skeptical (*US*) **II** *adv* sceptically (*Br*), skeptically (*US*)
Sketch [skɛtʃ] *m* ⟨**-(es), -e(s)**⟩ ART, THEAT sketch
Ski [ʃiː] *m* ⟨**-s, -** *or* **-er** ['ʃiːɐ]⟩ ski; ***~ fahren*** to ski **Skianzug** *m* ski suit **Skiausrüstung** *f* skiing gear **Skibrille** *f* ski goggles *pl* **Skifahren** *nt* skiing **Skifahrer(in)** *m*/(*f*) skier **Skigebiet** *nt* ski(ing) area **Skigymnastik** *f* skiing exercises *pl* **Skihose** *f* (pair of) ski pants *pl* **Skikurs** *m* skiing course **Skilauf** *m* skiing **Skiläufer(in)** *m*/(*f*) skier **Skilehrer** *m* ski instructor **Skilift** *m* ski lift
Skinhead ['skɪnhɛd] *m* ⟨**-s, -s**⟩ skinhead
Skipass *m* ski pass **Skipiste** *f* ski run **Skischuh** *m* ski boot **Skischule** *f* ski school **Skisport** *m* skiing **Skispringen** *nt* ski jumping **Skistock** *m* ski stick
Skizze ['skɪtsə] *f* ⟨**-, -n**⟩ sketch; (*fig* ≈ *Grundriss*) outline **skizzieren** [skɪ'tsiːrən] *past part* ***skizziert*** *v/t* to sketch; (*fig*) *Plan etc* to outline
Sklave ['sklaːvə, 'sklaːfə] *m* ⟨**-n, -n**⟩, **Sklavin** ['sklaːvɪn, 'sklaːfɪn] *f* ⟨**-, -nen**⟩ slave **Sklavenhandel** *m* slave trade **Sklaventreiber(in)** *m*/(*f*) slave-driver **Sklaverei** [sklaːvə'rai, sklaːfə'rai] *f* ⟨**-,** *no pl*⟩ slavery *no art* **sklavisch** ['sklaːvɪʃ, 'sklaːfɪʃ] **I** *adj* slavish **II** *adv* slavishly
Sklerose [skle'roːzə] *f* ⟨**-, -n**⟩ sclerosis
Skonto ['skɔnto] *nt or m* ⟨**-s, -s** *or* ***Skonti*** [-ti]⟩ cash discount
Skorpion [skɔr'pioːn] *m* ⟨**-s, -e**⟩ ZOOL scorpion; ASTROL Scorpio
Skrupel ['skruːpl] *m* ⟨**-s, -**⟩ *usu pl* scruple; ***keine ~ kennen*** to have no scruples **skrupellos** **I** *adj* unscrupulous **II** *adv* unscrupulously **Skrupellosigkeit** *f* ⟨**-,** *no pl*⟩ unscrupulousness
Skulptur [skʊlp'tuːɐ] *f* ⟨**-, -en**⟩ sculpture
S-Kurve ['ɛs-] *f* S-bend
Slalom ['slaːlɔm] *m* ⟨**-s, -s**⟩ slalom
Slang [slɛŋ] *m* ⟨**-s,** *no pl*⟩ slang
Slawe ['slaːvə] *m* ⟨**-n, -n**⟩, **Slawin** ['slaːvɪn] *f* ⟨**-, -nen**⟩ Slav **slawisch** ['slaːvɪʃ] *adj* Slavonic, Slavic
Slip [slɪp] *m* ⟨**-s, -s**⟩ (pair of) briefs *pl* **Slipeinlage** *f* panty liner
Slipper ['slɪpɐ] *m* ⟨**-s, -**⟩ slip-on shoe
Slogan ['sloːgn] *m* ⟨**-s, -s**⟩ slogan
Slowake [slo'vaːkə] *m* ⟨**-n, -n**⟩, **Slowakin** [-'vaːkɪn] *f* ⟨**-, -nen**⟩ Slovak **Slowakei** [slova'kai] *f* ⟨**-**⟩ ***die ~*** Slovakia **slowakisch** [slo'vaːkɪʃ] *adj* Slovakian, Slovak
Slowene [slo'veːnə] *m* ⟨**-n, -n**⟩, **Slowenin** [-'veːnɪn] *f* ⟨**-, -nen**⟩ Slovene **Slowenien** [slo'veːniən] *nt* ⟨**-s**⟩ Slovenia **slowenisch** [slo'veːnɪʃ] *adj* Slovenian, Slovene
Slum [slam] *m* ⟨**-s, -s**⟩ slum
Smaragd [sma'rakt] *m* ⟨**-(e)s, -e** [-də]⟩ emerald
Smog [smɔk] *m* ⟨**-(s), -s**⟩ smog **Smogalarm** *m* smog alert
Smoking ['smoːkɪŋ] *m* ⟨**-s, -s**⟩ dinner jacket (*esp Br*), tuxedo (*esp US*)
SMS [ɛs|ɛm'|ɛs] *f* ⟨**-, -**⟩ *abbr of* ***Short Message Service*** SMS **SMS-Nachricht** [ɛs|ɛm'|ɛs-] *f* text message
Snack [snɛk] *m* ⟨**-s, -s**⟩ snack (meal)
Snob [snɔp] *m* ⟨**-s, -s**⟩ snob **Snobismus** [sno'bɪsmʊs] *m* ⟨**-, *Snobismen*** [-mən]⟩ *no pl* snobbishness **snobistisch** [sno'bɪstɪʃ] *adj* snobbish
Snowboard ['snoːbɔːɐd] *nt* ⟨**-s, -s**⟩ snowboard
so [zoː] **I** *adv* **1.** (*mit adj, adv*) so; (*mit vb* ≈ *so sehr*) so much; ***so groß*** *etc* so big *etc*; ***so groß*** *etc* ***wie…*** as big *etc* as … **2.** (≈ *auf diese Weise*) like this / that, this / that way; ***mach es nicht so, sondern so*** don't do it like this but like that; ***so ist sie nun einmal*** that's the way she is; ***sei doch nicht so*** don't be like that; ***so ist es***

nicht gewesen that's not how it was; ***so oder so*** either way; ***das habe ich nur so gesagt*** I didn't really mean it; ***so genannt*** = ***sogenannt*** **3.** (*infml* ≈ *umsonst*) for nothing **4.** ***so mancher*** quite a few people *pl*; ***so ein Idiot!*** what an idiot!; ***na so was!*** well I never!; ***so einer wie ich/er*** somebody like me / him **II** *cj* ***so dass*** so that **III** *int* so; (≈ *wirklich*) oh, really; (*abschließend*) well, right; ***so, so!*** well, well

sobald [zo'balt] *cj* as soon as

Socke ['zɔkə] *f* ⟨-, **-n**⟩ sock; ***sich auf die ~n machen*** (*infml*) to get going (*infml*)

Sockel ['zɔkl] *m* ⟨**-s, -**⟩ base; (*von Statue*) plinth, pedestal; ELEC socket

Soda ['zo:da] *f* ⟨**-,** *no pl or nt* **-s**, *no pl*⟩ soda

sodass [zo'das] *cj* so that

Sodawasser *nt*, *pl* ***-wässer*** soda water

Sodbrennen ['zo:tbrɛnən] *nt* ⟨**-s**, *no pl*⟩ heartburn

soeben [zo'|e:bn] *adv* just (this moment); ***~ erschienen*** just published

Sofa ['zo:fa] *nt* ⟨**-s, -s**⟩ sofa

sofern [zo'fɛrn] *cj* provided (that); ***~ ... nicht*** if ... not

sofort [zo'fɔrt] *adv* immediately; (***ich***) ***komme ~!*** (I'm) just coming!; (*Kellner etc*) I'll be right with you **Sofortbildkamera** *f* Polaroid® camera **sofortig** [zo'fɔrtɪç] *adj* immediate **Sofortmaßnahme** *f* immediate measure

Softeis ['zɔft|ais] *nt* soft ice cream **Softie** ['zɔfti] *m* ⟨**-s, -s**⟩ (*infml*) caring type

Software ['sɔftwɛ:ɐ] *f* ⟨**-, -s**⟩ IT software **Softwareentwickler(in)** ['sɔftwɛ:ɐ-] *m*/(*f*) software developer **Softwarepaket** ['sɔftwɛ:ɐ-] *nt* software package

Sog [zo:k] *m* ⟨**-**(***e***)***s***, ***-e*** [-gə]⟩ suction; (*von Strudel*) vortex

sogar [zo'ga:ɐ] *adv* even

sogenannt ['zo:gənant] *adj attr* (≈ *angeblich*) so-called

Sohle ['zo:lə] *f* ⟨**-, -n**⟩ **1.** (≈ *Fußsohle etc*) sole; (≈ *Einlage*) insole **2.** (≈ *Boden*) bottom **sohlen** ['zo:lən] *v/t* to sole

Sohn [zo:n] *m* ⟨**-**(***e***)***s***, ***⸚e*** ['zø:nə]⟩ son

Soja ['zo:ja] *f* ⟨**-, *Sojen*** ['zo:jən]⟩ soya (*esp Br*), soy **Sojabohne** *f* soya bean (*esp Br*), soybean **Sojabohnenkeime** *pl* bean sprouts *pl* **Sojasoße** *f* soya (*esp Br*) *or* soy sauce **Sojasprossen** *pl* bean sprouts *pl*

solange [zo'laŋə] *cj* as *or* so long as

Solaranlage *f* (≈ *Kraftwerk*) solar power plant **Solarenergie** *f* solar energy **Solarium** [zo'la:riʊm] *nt* ⟨**-s, *Solarien*** [-riən]⟩ solarium **Solarstrom** *m*, *no pl* solar electricity **Solarzelle** *f* solar cell

solch [zɔlç] *adj inv*, **solche(r, s)** ['zɔlçə] *adj* such; ***~es Glück*** such luck; ***wir haben ~e Angst*** we're so afraid; ***der Mensch als ~er*** man as such

Sold [zɔlt] *m* ⟨**-**(***e***)***s*** [-dəs]⟩ *no pl* MIL pay

Soldat [zɔl'da:t] *m* ⟨***-en, -en***⟩, **Soldatin** [-'da:tɪn] *f* ⟨**-, *-nen***⟩ soldier **Söldner** ['zœldnɐ] *m* ⟨**-s, -**⟩, **Söldnerin** [-ərɪn] *f* ⟨**-, *-nen***⟩ mercenary

Solei ['zo:l|ai] *nt* pickled egg

Solidargemeinschaft *f* (mutually) supportive society; (≈ *Beitragszahler*) contributors *pl* **solidarisch** [zoli'da:rɪʃ] **I** *adj* showing solidarity; ***sich mit jdm ~ erklären*** to declare one's solidarity with sb **II** *adv* ***~ mit jdm handeln*** to act in solidarity with sb **solidarisieren** [zolidari'zi:rən] *past part* ***solidarisiert*** *v/r* ***sich ~ mit*** to show (one's) solidarity with **Solidarität** [zolidari'tɛ:t] *f* ⟨**-,** *no pl*⟩ solidarity; ***~ üben*** to show solidarity **Solidaritätszuschlag** *m* FIN solidarity surcharge on income tax (*for the reconstruction of eastern Germany*)

solide [zo'li:də] **I** *adj* solid; *Arbeit, Wissen* sound; *Mensch, Leben* respectable; *Preise* reasonable **II** *adv* **1.** (≈ *stabil*) ***~ gebaut*** solidly built **2.** (≈ *gründlich*) *arbeiten* thoroughly

Solist [zo'lɪst] *m* ⟨***-en, -en***⟩, **Solistin** [-'lɪstɪn] *f* ⟨**-, *-nen***⟩ MUS soloist

Soll [zɔl] *nt* ⟨**-**(***s***), **-**(***s***)⟩ (≈ *Schuld*) debit; ***~ und Haben*** debit and credit **sollen** ['zɔlən] **I** *aux*, *pret* ***sollte*** ['zɔltə], *past part* ***sollen*** **1.** (*Verpflichtung*) ***was soll ich/er tun?*** what should I/he do?; ***du weißt, dass du das nicht tun sollst*** you know that you're not supposed to do that; ***er weiß nicht, was er tun soll*** he doesn't know what to do; ***sie sagte ihm, er solle draußen warten*** she told him (that he was) to wait outside; ***es soll nicht wieder vorkommen*** it won't happen again; ***er soll reinkommen*** tell him to come in; ***der soll nur kommen!*** just let him come!; ***niemand soll sagen, dass ...*** let no-one say that ...; ***ich soll Ihnen sagen, dass ...*** I've been asked to tell you that ... **2.** (*konjunktivisch*) ***das hättest du nicht tun ~*** you shouldn't have done that **3.** (*konditional*) ***sollte das passieren, ...*** if that should happen ..., should that happen ... **4.** (*Vermutung*) to be supposed *or* meant to; ***sie soll krank sein*** apparently she's ill **5.** (≈ *können*) ***so etwas soll es geben*** these things happen; ***man sollte glauben, dass ...*** you would think that ... **II** *v/i, pret* ***sollte*** ['zɔltə], *past part* ***gesollt*** [gə'zɔlt] ***was soll das?*** what's all this?; (≈ *warum denn das*) what's that for?; ***was solls!*** (*infml*) what the hell! (*infml*); ***was soll ich dort?*** what would I do there? **III** *v/t, pret* ***sollte*** ['zɔltə], *past part* ***gesollt*** [gə'zɔlt] ***das sollst/solltest du nicht*** you shouldn't do that **Sollseite** *f* FIN debit side

solo ['zoːlo] *adv* MUS solo; (*fig infml*) on one's own **Solo** ['zoːlo] *nt* ⟨***-s, Soli*** ['zoːli]⟩ solo **Solotänzer(in)** *m/(f)* solo dancer; (*im Ballett*) principal dancer

solvent [zɔl'vɛnt] *adj* FIN solvent

Somalia [zo'maːlia] *nt* ⟨***-s***⟩ Somalia **somalisch** [zo'maːlɪʃ] *adj* Somali

somit [zo'mɪt, 'zoːmɪt] *adv* consequently, therefore

Sommer ['zɔmɐ] *m* ⟨***-s, -***⟩ summer; ***im ~*** in (the) summer; ***im nächsten ~*** next summer **Sommeranfang** *m* beginning of summer **Sommerfahrplan** *m* summer timetable **Sommerferien** *pl* summer holidays *pl* (*Br*) *or* vacation (*US*); JUR, PARL summer recess **Sommerfest** *nt* summer party **Sommerkleid** *nt* **1.** (*Kleidungsstück*) summer dress **2.** (≈ *Sommerfell*) summer coat **Sommerkleidung** *f* summer clothing; *esp* COMM summerwear **sommerlich** ['zɔmɐlɪç] **I** *adj* summery **II** *adv* ***es ist ~ warm*** it's as warm as it is in summer; ***~ gekleidet sein*** to be in summer clothes **Sommerloch** *nt* (*infml*) silly season (*Br*), off season (*US*) **Sommerolympiade** *f* Summer Olympics *pl* **Sommerpause** *f* summer break; JUR, PARL summer recess **Sommerreifen** *m* normal tyre (*Br*) *or* tire (*US*) **Sommerschlussverkauf** *m* summer sale **Sommersemester** *nt* UNIV summer semester, ≈ summer term (*Br*) **Sommersonnenwende** *f* summer solstice **Sommerspiele** *pl* ***die Olympischen ~*** the Summer Olympics, the Summer Olympic Games **Sommersprosse** *f* freckle **Sommerzeit** *f* summer time *no art*

Sonate [zo'naːtə] *f* ⟨***-, -n***⟩ sonata

Sonde ['zɔndə] *f* ⟨***-, -n***⟩ SPACE, MED probe; METEO sonde

Sonderangebot *nt* special offer; ***im ~ sein*** to be on special offer **Sonderausgabe** *f* **1.** special edition **2. Sonderausgaben** *pl* FIN additional *or* extra expenses *pl* **sonderbar** *adj* strange **sonderbarerweise** ['zɔndɐbaːrɐ'vaizə] *adv* strangely enough **Sonderbeauftragte(r)** *m/f(m) decl as adj* POL special emissary **Sonderfall** *m* special case; (≈ *Ausnahme*) exception **sondergleichen** ['zɔndɐ'glaiçn] *adj inv* ***eine Geschmacklosigkeit ~*** the height of bad taste; ***mit einer Arroganz ~*** with unparalleled arrogance **sonderlich** ['zɔndɐlɪç] **I** *adj attr* particular, especial **II** *adv* particularly, especially **Sondermüll** *m* hazardous waste **sondern** ['zɔndɐn] *cj* but; ***nicht nur ..., ~ auch*** not only ... but also **Sonderschicht** *f* special shift; (*zusätzlich*) extra shift **Sonderschule** *f* special school **Sonderwünsche** *pl* special requests *pl* **Sonderzeichen** *nt* IT special character **Sonderzug** *m* special train

sondieren [zɔn'diːrən] *past part* ***sondiert*** **I** *v/t* to sound out; ***die Lage ~*** to find out how the land lies **II** *v/i* ***~, ob ...*** to try to sound out whether ... **Sondierungsgespräch** *nt* exploratory talk

Sonett [zo'nɛt] *nt* ⟨***-(e)s, -e***⟩ sonnet

Sonnabend ['zɔn|aːbnt] *m* Saturday; → ***Dienstag*** **sonnabends** ['zɔn|aːbnts] *adv* on Saturdays, on a Saturday; → ***dienstags***

Sonne ['zɔnə] *f* ⟨***-, -n***⟩ sun; ***an*** *or* ***in die ~ gehen*** to go out in the sun(shine) **sonnen** ['zɔnən] *v/r* to sun oneself; ***sich in etw*** (*dat*) ***~*** (*fig*) to bask in sth **Sonnenanbeter** *m* ⟨***-s, -***⟩, **Sonnenanbeterin** [-ərɪn] *f* ⟨***-, -nen***⟩ sun worshipper **Sonnenaufgang** *m* sunrise **Sonnenbad** *nt* sunbathing *no pl*; ***ein ~ nehmen*** to sunbathe **sonnenbaden** *v/i sep inf, past part only* to sunbathe **Sonnenbank** *f, pl* ***-bänke*** sun bed **Sonnenblume** *f* sunflower **Sonnenblumenöl** *nt* sunflower oil **Sonnenbrand** *m* sunburn *no art* **Sonnenbrille** *f* (pair of) sunglasses *pl* **Sonnencreme** *f* suntan cream **Sonnenenergie** *f* solar energy **Sonnenfinsternis** *f* solar eclipse **Sonnenhut** *m* sunhat **Sonnenkollektor** *m* solar panel **Son-**

nenkraftwerk *nt* solar power station **Sonnenlicht** *nt* sunlight **Sonnenöl** *nt* suntan oil **Sonnenrollo** *nt* sun blind **Sonnenschein** *m* sunshine; ***bei ~*** in the sunshine **Sonnenschirm** *m* sunshade **Sonnenschutzfaktor** *m* protection factor **Sonnenschutzmittel** *nt* sunscreen **Sonnenstich** *m* sunstroke *no art* **Sonnenstrahl** *m* ray of sunshine; (*esp* ASTRON, PHYS) sun ray **Sonnenstudio** *nt* tanning salon (*esp US*) *or* studio **Sonnensystem** *nt* solar system **Sonnenuhr** *f* sundial **Sonnenuntergang** *m* sunset **Sonnenwende** *f* solstice **sonnig** ['zɔnɪç] *adj* sunny

Sonntag ['zɔntaːk] *m* Sunday; → ***Dienstag*** **sonntäglich** ['zɔntɛːklɪç] *adj* Sunday *attr* **sonntags** ['zɔntaːks] *adv* on Sundays, on a Sunday; → ***dienstags*** **Sonntagsarbeit** *f* Sunday working **Sonntagsfahrer(in)** *m/(f)* (*pej*) Sunday driver **Sonntagszeitung** *f* Sunday paper **sonn- und feiertags** ['zɔn|unt'faiɐtaːks] *adv* on Sundays and public holidays

sonst [zɔnst] **I** *adv* **1.** (≈ *außerdem*) else; (*mit n*) other; ***~ noch Fragen?*** any other questions?; ***wer/wie*** *etc* ***(denn) ~?*** who/how *etc* else?; ***~ niemand*** nobody else; ***er und ~ keiner*** nobody else but he; ***~ wann*** (*infml*) some other time; ***er denkt, er ist ~ wer*** (*infml*) he thinks he's somebody special; ***~ noch etwas?*** is that all?, anything else?; ***~ wie*** (*infml*) (in) some other way; ***~ wo*** (*infml*) somewhere else; ***~ wohin*** (*infml*) somewhere else **2.** (≈ *andernfalls, im Übrigen*) otherwise; ***wie gehts ~?*** how are things otherwise? **3.** (≈ *gewöhnlich*) usually; ***genau wie ~*** the same as usual; ***alles war wie ~*** everything was as it always used to be **II** *cj* otherwise, or (else) **sonstig** ['zɔnstɪç] *adj attr* other

sooft [zo'|ɔft] *cj* whenever

Sopran [zo'praːn] *m* ⟨**-s, -e**⟩ soprano **Sopranistin** [zopra'nɪstɪn] *f* ⟨**-, -nen**⟩ soprano

Sorbet [zɔr'beː] *m or nt* ⟨**-s, -s**⟩ COOK sorbet

Sorge ['zɔrgə] *f* ⟨**-, -n**⟩ worry; (≈ *Ärger*) trouble; ***keine ~!*** (*infml*) don't (you) worry!; ***~n haben*** to have problems; ***deine ~n möchte ich haben!*** (*infml*) you think you've got problems!; ***jdm ~n machen*** *or* ***bereiten*** (≈ *Kummer bereiten*) to cause sb a lot of worry; (≈ *beunruhigen*) to worry sb; ***es macht mir ~n, dass ...*** it worries me that ...; ***sich*** (*dat*) ***~n machen*** to worry; ***lassen Sie das meine ~ sein*** let me worry about that; ***das ist nicht meine ~*** that's not my problem **Sorgeberechtigte(r)** [-bərɛçtɪçtə] *m/f(m) decl as adj* person having custody **sorgen** ['zɔrgn] **I** *v/r* to worry; ***sich ~ um*** to be worried about **II** *v/i* ***~ für*** (≈ *sich kümmern um*) to take care of; (≈ *vorsorgen für*) to provide for; (≈ *herbeischaffen*) to provide; ***für Aufsehen ~*** to cause a sensation; ***dafür ist gesorgt*** that's taken care of **sorgenfrei** *adj* carefree; ***~ leben*** to live a carefree life **Sorgenkind** *nt* (*infml*) problem child **Sorgerecht** *nt* JUR custody **Sorgfalt** ['zɔrkfalt] *f* ⟨**-**, *no pl*⟩ care; ***ohne ~ arbeiten*** to work carelessly **sorgfältig** ['zɔrkfɛltɪç] **I** *adj* careful **II** *adv* carefully **sorglos I** *adj* (≈ *unbekümmert*) carefree; (≈ *nachlässig*) careless **II** *adv* in a carefree way; carelessly **Sorglosigkeit** *f* ⟨**-**, *no pl*⟩ (≈ *Unbekümmertheit*) carefreeness; (≈ *Leichtfertigkeit*) carelessness **sorgsam** ['zɔrkzaːm] **I** *adj* careful **II** *adv* carefully

Sorte ['zɔrtə] *f* ⟨**-, -n**⟩ **1.** sort, type; (≈ *Klasse*) grade; (≈ *Marke*) brand **2.** FIN *usu pl* foreign currency **sortieren** [zɔr'tiːrən] *past part* **sortiert** *v/t* to sort **Sortiment** [zɔrti'mɛnt] *nt* ⟨**-(e)s, -e**⟩ **1.** assortment; (≈ *Sammlung*) collection **2.** (≈ *Buchhandel*) retail book trade

SOS [ɛs|oː'|ɛs] *nt* ⟨**-, -**⟩ SOS; ***~ funken*** to put out an SOS

sosehr [zo'zeːɐ] *cj* however much

Soße ['zoːsə] *f* ⟨**-, -n**⟩ sauce; (≈ *Bratensoße*) gravy

Souffleur [zu'fløːɐ] *m* ⟨**-s, -e**⟩, **Souffleuse** [zu'fløːzə] *f* ⟨**-, -n**⟩ THEAT prompter **soufflieren** [zu'fliːrən] *past part* **souffliert** *v/t & v/i* THEAT to prompt

Soundkarte ['saund-] *f* IT sound card

soundso ['zoː|ʊntzoː] *adv* ***~ lange*** for such and such a time; ***~ groß*** of such and such a size; ***~ viele*** so and so many

Soundtrack ['saundtrɛk] *m* ⟨**-s, -s**⟩ (*infml*) soundtrack

Souvenir [zuvə'niːɐ] *nt* ⟨**-s, -s**⟩ souvenir

souverän [zuvə'rɛːn] **I** *adj* sovereign *no adv*; (≈ *überlegen*) (most) superior *no adv*; *Sieg* commanding **II** *adv* (≈ *überlegen*) *handhaben* supremely well; ***etw ~***

meistern to resolve sth masterfully **Souveränität** [zuvərɛni'tɛːt] *f* ⟨-, *no pl*⟩ sovereignty; (*fig* ≈ *Überlegenheit*) superiority

soviel [zo'fiːl] **I** *adv* → ***viel*** **II** *cj* as *or* so far as; ***~ ich weiß, nicht!*** not as *or* so far as I know

soweit [zo'vait] **I** *adv* → ***weit*** **II** *cj* as *or* so far as; (≈ *insofern*) in so far as

sowenig [zo'veːnɪç] *cj* however little; ***~ ich auch ...*** however little I ...

sowie [zo'viː] *cj* **1.** (≈ *sobald*) as soon as **2.** (≈ *und auch*) as well as **sowieso** [zovi-'zoː] *adv* anyway, anyhow

sowjetisch [zɔ'vjɛtɪʃ, zɔ'vjeːtɪʃ] *adj* HIST Soviet **Sowjetunion** *f* HIST Soviet Union

sowohl [zo'voːl] *cj* ***~ ... als*** *or* ***wie*** (***auch***) both ... and, ... as well as

sozial [zo'tsiaːl] **I** *adj* social; ***die ~en Berufe*** the caring professions; ***~er Wohnungsbau*** ≈ council (*Br*) *or* public (*US*) housing; ***~e Marktwirtschaft*** social market economy **II** *adv* ***~ eingestellt sein*** to be public-spirited; ***~ denken*** to be socially minded **Sozialabbau** *m, no pl* cuts *pl* in social services **Sozialabgaben** *pl* social security (*Br*) *or* social welfare (*US*) contributions *pl* **Sozialamt** *nt* social security (*Br*) *or* social welfare (*US*) office **Sozialarbeit** *f* social work **Sozialarbeiter(in)** *m*/(*f*) social worker **Sozialdemokrat(in)** *m*/(*f*) social democrat **sozialdemokratisch** *adj* social democratic **Sozialeinrichtungen** *pl* social facilities *pl* **Sozialexperte** *m*, **Sozialexpertin** *f* social affairs expert **Sozialfall** *m* hardship case **Sozialhilfe** *f* income support (*Br*), welfare (aid) (*US*) **Sozialhilfeempfänger(in)** *m*/(*f*) person receiving income support (*Br*) *or* welfare (aid) (*US*) **sozialisieren** [zotsiali'ziːrən] *past part* ***sozialisiert*** *v/t* to socialize; (POL ≈ *verstaatlichen*) to nationalize **Sozialismus** [zotsia-'lɪsmʊs] *m* ⟨-, ***Sozialismen*** [-mən]⟩ socialism **Sozialist** [zotsia'lɪst] *m* ⟨***-en, -en***⟩, **Sozialistin** [-'lɪstɪn] *f* ⟨***-, -nen***⟩ socialist **sozialistisch** [zotsia'lɪstɪʃ] *adj* socialist **Sozialkunde** *f* SCHOOL social studies *pl* **Sozialleistungen** *pl* employers' contribution (*sometimes including pension scheme payments*) **Sozialpartner** *pl* unions and management *pl* **Sozialplan** *m* redundancy payments scheme **Sozialpolitik** *f* social policy **sozialpolitisch** *adj* socio-political **Sozialstaat** *m* welfare state **Sozialversicherung** *f* national insurance (*Br*), social security (*US*) **Sozialwohnung** *f* state-subsidized apartment, ≈ council flat (*Br*) **Soziologe** [zotsio'loːgə] *m* ⟨***-n, -n***⟩, **Soziologin** [-'loːgɪn] *f* ⟨***-, -nen***⟩ sociologist **Soziologie** [zotsiolo'giː] *f* ⟨-, *no pl*⟩ sociology **soziologisch** [zotsio'loːgɪʃ] *adj* sociological

Soziussitz *m* pillion (seat)

sozusagen [zoːtsu'zaːgn, 'zoːtsuzaːgn] *adv* so to speak

Spachtel ['ʃpaxtl] *m* ⟨***-s, -*** *or* *f* ***-, -n***⟩ (*Werkzeug*) spatula **spachteln** ['ʃpaxtln] **I** *v/t* *Mauerfugen, Ritzen* to fill (in), to smooth over **II** *v/i* (*infml* ≈ *essen*) to tuck in (*infml*), to dig in (*US infml*)

Spagat [ʃpa'gaːt] *m or nt* ⟨***-(e)s, -e***⟩ (*lit*) splits *pl*; (*fig*) balancing act; ***~ machen*** to do the splits

Spaghetti [ʃpa'gɛti, sp-] *pl*, **Spagetti** *pl* spaghetti *sg*

spähen ['ʃpɛːən] *v/i* to peer; ***nach jdm/etw ~*** to look out for sb/sth

Spalier [ʃpa'liːɐ] *nt* ⟨***-s, -e***⟩ **1.** trellis **2.** (*von Menschen*) row; (*zur Ehrenbezeigung*) guard of honour (*Br*), honor guard (*US*); ***~ stehen*** to form a guard of honour (*Br*) *or* honor guard (*US*)

Spalt [ʃpalt] *m* ⟨***-(e)s, -e***⟩ **1.** (≈ *Öffnung*) gap; (≈ *Riss*) crack **2.** (*fig* ≈ *Kluft*) split **spaltbar** *adj* PHYS *Material* fissile **Spalte** ['ʃpaltə] *f* ⟨***-, -n***⟩ **1.** *esp* GEOL fissure; (≈ *Felsspalte*) crevice; (≈ *Gletscherspalte*) crevasse **2.** TYPO, PRESS column **spalten** ['ʃpaltn] *past part also* ***gespalten*** [gə-'ʃpaltn] *v/t* to split; → ***gespalten*** **Spaltung** ['ʃpaltʊŋ] *f* ⟨***-, -en***⟩ splitting; (*in Partei etc*) split

Spam [spɛm] *m* ⟨***-s, -s***⟩ IT spam **spammen** ['spɛmən] *v/i* to spam **Spamming** ['spɛmɪŋ] *nt* ⟨***-s***⟩ spamming

Span [ʃpaːn] *m* ⟨***-(e)s, ⸚e*** ['ʃpɛːnə]⟩ shaving; (≈ *Metallspan*) filing

Spanferkel *nt* sucking pig

Spange ['ʃpaŋə] *f* ⟨***-, -n***⟩ clasp; (≈ *Haarspange*) hair slide (*Br*), barrette (*US*); (≈ *Schuhspange*) strap; (≈ *Schnalle*) buckle; (≈ *Armspange*) bracelet

Spaniel ['ʃpaːniəl] *m* ⟨***-s, -s***⟩ spaniel

Spanien ['ʃpaːniən] *nt* ⟨***-s***⟩ Spain **Spanier** ['ʃpaːniɐ] *m* ⟨***-s, -***⟩, **Spanierin** [-iərɪn] *f* ⟨***-, -nen***⟩ Spaniard **spanisch** ['ʃpaːnɪʃ]

adj Spanish; ***~e Wand*** (folding) screen; ***das kommt mir ~ vor*** (*infml*) that seems odd to me

Spann [ʃpan] *m* ⟨**-(e)s, -e**⟩ instep **Spannbetttuch** *nt* fitted sheet **Spanne** [ˈʃpanə] *f* ⟨**-, -n**⟩ (*elev* ≈ *Zeitspanne*) while; (≈ *Verdienstspanne*) margin **spannen** [ˈʃpanən] **I** *v/t Saite*, *Seil* to tighten; *Bogen* to draw; *Muskeln* to tense, to flex; *Gewehr* to cock; *Werkstück* to clamp; *Wäscheleine* to put up; *Netz* to stretch; → ***gespannt*** **II** *v/r* (*Haut*) to become taut; (*Muskeln*) to tense; ***sich über etw*** (*acc*) ***~*** (*Brücke*) to span sth **III** *v/i* (*Kleidung*) to be (too) tight; (*Haut*) to be taut **spannend** *adj* exciting; (*stärker*) thrilling; ***machs nicht so ~!*** (*infml*) don't keep me / us in suspense **Spanner** [ˈʃpanɐ] *m* ⟨**-s, -**⟩ (*infml* ≈ *Voyeur*) Peeping Tom **Spannkraft** *f* (*von Muskel*) tone; (*fig*) vigour (*Br*), vigor (*US*) **Spannung** [ˈʃpanʊŋ] *f* ⟨**-, -en**⟩ **1.** *no pl* (*von Seil*, *Muskel etc*) tautness; MECH stress **2.** ELEC voltage; ***unter ~ stehen*** to be live **3.** *no pl* (*fig*) excitement; (≈ *Spannungsgeladenheit*) suspense; ***etw mit ~ erwarten*** to await sth full of suspense **4.** *no pl* (*nervlich*) tension **5.** *usu pl* (≈ *Feindseligkeit*) tension *no pl* **Spannungsgebiet** *nt* POL flash point **Spannungsmesser** *m* ⟨**-s, -**⟩ ELEC voltmeter **Spannungsprüfer** *m* voltage detector **Spannweite** *f* MAT range; ARCH span; (AVIAT, *von Vogelflügeln*) (wing)-span

Spanplatte *f* chipboard

Sparbuch *nt* savings book **Spardose** *f* piggy bank **Spareinlage** *f* savings deposit **sparen** [ˈʃpaːrən] **I** *v/t* to save; ***keine Kosten / Mühe ~*** to spare no expense / effort; ***spar dir deine guten Ratschläge!*** (*infml*) you can keep your advice! **II** *v/i* to save; (≈ *sparsam sein*) to economize; ***an etw*** (*dat*) ***~*** to be sparing with sth; (≈ *mit etw Haus halten*) to economize on sth; ***bei etw ~*** to save on sth; ***auf etw*** (*acc*) ***~*** to save up for sth **Sparer** [ˈʃpaːrɐ] *m* ⟨**-s, -**⟩, **Sparerin** [-ərɪn] *f* ⟨**-, -nen**⟩ (*bei Bank etc*) saver **Sparflamme** *f* ***auf ~*** (*fig infml*) just ticking over (*Br infml*) *or* coming along (*US*)

Spargel [ˈʃpargl] *m* ⟨**-s, -** *or* (*Sw*) *f* **-, -n**⟩ asparagus **Spargelcremesuppe** *f* cream of asparagus soup

Sparguthaben *nt* savings account **Sparkasse** *f* savings bank **Sparkonto** *nt* savings account **Sparkurs** *m* economy drive (*Br*), budget (*US*); ***einen strikten ~ einhalten*** to be on a strict economy drive (*Br*) *or* budget (*US*)

spärlich [ˈʃpɛːɐlɪç] **I** *adj* sparse; *Einkünfte*, *Kenntnisse* sketchy; *Beleuchtung* poor; *Kleidung* scanty; *Mahl* meagre (*Br*), meager (*US*) **II** *adv bevölkert*, *eingerichtet* sparsely; *beleuchtet* poorly; ***~ bekleidet*** scantily clad *or* dressed

Sparmaßnahme *f* economy (*Br*) *or* budgeting (*US*) measure **Sparpaket** *nt* savings package; POL package of austerity measures **Sparprämie** *f* savings premium

Sparring [ˈʃparɪŋ, ˈsp-] *nt* ⟨**-s,** *no pl*⟩ (*Boxen*) sparring

sparsam [ˈʃpaːɐzaːm] **I** *adj Mensch* thrifty; (≈ *wirtschaftlich*) *Motor*, *Verbrauch* economical **II** *adv leben*, *essen* economically; *verwenden* sparingly; ***mit etw ~ umgehen*** to be economical with sth **Sparsamkeit** *f* ⟨**-,** *no pl*⟩ thrift; (≈ *sparsames Haushalten*) economizing

Sparschwein *nt* piggy bank

spartanisch [ʃparˈtaːnɪʃ, sp-] *adj* spartan; ***~ leben*** to lead a spartan life

Sparte [ˈʃpartə] *f* ⟨**-, -n**⟩ (≈ *Branche*) line of business; (≈ *Teilgebiet*) area

Spass [ʃpas] *m* ⟨**-es, ¨-e** [ˈʃpɛsə]⟩ (*Aus*) = ***Spaß***

Spaß [ʃpaːs] *m* ⟨**-es, ¨-e** [ˈʃpɛːsə]⟩ (≈ *Vergnügen*) fun; (≈ *Scherz*) joke; (≈ *Streich*) prank; ***~ beiseite*** joking apart; ***viel ~!*** have fun! (*also iron*); ***an etw*** (*dat*) ***~ haben*** to enjoy sth; ***wenns dir ~ macht*** if it turns you on (*infml*); ***~ / keinen ~ machen*** to be fun / no fun; **(*nur so*,) *aus ~*** (just) for fun; ***etw im ~ sagen*** to say sth as a joke; ***da hört der ~ auf*** that's going beyond a joke; ***er versteht keinen ~*** he has no sense of humour (*Br*) *or* humor (*US*); ***da verstehe ich keinen ~!*** I won't stand for any nonsense; ***das war ein teurer ~*** (*infml*) that was an expensive business (*infml*) **Spaßbad** *nt* leisure pool **spaßeshalber** *adv* for fun **spaßhaft, spaßig** [ˈʃpaːsɪç] *adj* funny **Spaßverderber** [-fɛɐdɛrbɐ] *m* ⟨**-s, -**⟩, **Spaßverderberin** [-ərɪn] *f* ⟨**-, -nen**⟩ spoilsport **Spaßvogel** *m* joker

Spastiker [ˈʃpastikɐ, ˈsp-] *m* ⟨**-s, -**⟩, **Spastikerin** [-ərɪn] *f* ⟨**-, -nen**⟩ spastic

spastisch [ˈʃpastɪʃ, ˈsp-] *adj* spastic; **~**

gelähmt suffering from spastic paralysis
spät [ʃpɛːt] **I** *adj* late; ***am ~en Nachmittag*** in the late afternoon **II** *adv* late; ***~ in der Nacht*** late at night; ***wie ~ ist es?*** what's the time?; ***zu ~*** too late; ***wir sind ~ dran*** we're late
Spaten [ˈʃpaːtn] *m* ⟨**-s, -**⟩ spade
später [ˈʃpɛːtɐ] **I** *adj* later; (≈ *zukünftig*) future **II** *adv* later (on); ***~ als*** later than; ***an ~ denken*** to think of the future; ***bis ~!*** see you later! **spätestens** [ˈʃpɛːtəstns] *adv* at the latest **Spätfolge** *f usu pl* late effect **Spätherbst** *m* late autumn, late fall (*US*) **Spätlese** *f* late vintage **Spätschaden** *m usu pl* long-term damage **Spätschicht** *f* late shift **Spätsommer** *m* late summer
Spatz [ʃpats] *m* ⟨**-en, -en**⟩ sparrow **Spatzenhirn** *nt* (*pej*) birdbrain (*infml*)
spazieren [ʃpaˈtsiːrən] *past part* ***spaziert*** *v/i aux sein* to stroll; ***wir waren ~*** we went for a stroll **spazieren fahren** *irr* **I** *v/i aux sein* to go for a ride **II** *v/t* ***jdn ~*** to take sb for a drive **spazieren gehen** *v/i irr aux sein* to go for a walk **Spazierfahrt** *f* ride; ***eine ~ machen*** to go for a ride **Spaziergang** *m*, *pl* **-gänge** walk; ***einen ~ machen*** to go for a walk **Spaziergänger** [-gɛŋɐ] *m* ⟨**-s, -**⟩, **Spaziergängerin** [-ərɪn] *f* ⟨**-, -nen**⟩ stroller **Spazierstock** *m* walking stick
SPD [ɛspeːˈdeː] *f* ⟨**-**⟩ *abbr of* ***Sozialdemokratische Partei Deutschlands***
Specht [ʃpɛçt] *m* ⟨**-(e)s, -e**⟩ woodpecker
Speck [ʃpɛk] *m* ⟨**-(e)s, -e**⟩ bacon; (*infml: bei Mensch*) flab (*infml*); ***mit ~ fängt man Mäuse*** (*prov*) you have to use a sprat to catch a mackerel (*prov*) **speckig** [ˈʃpɛkɪç] *adj Kleidung, Haar* greasy **Speckscheibe** *f* (bacon) rasher **Speckschwarte** *f* bacon rind
Spediteur [ʃpediˈtøːɐ] *m* ⟨**-s, -e**⟩, **Spediteurin** [-ˈtøːrɪn] *f* ⟨**-, -nen**⟩ haulier (*Br*), hauler (*US*); (≈ *Umzugsfirma*) furniture remover **Spedition** [ʃpediˈtsioːn] *f* ⟨**-, -en**⟩ **1.** (≈ *das Spedieren*) transporting **2.** (≈ *Firma*) haulier (*Br*), hauler (*US*); (≈ *Umzugsfirma*) furniture remover
Speer [ʃpeːɐ] *m* ⟨**-(e)s, -e**⟩ spear; SPORTS javelin **Speerwerfen** *nt* ⟨**-s**, *no pl*⟩ SPORTS ***das ~*** the javelin
Speiche [ˈʃpaiçə] *f* ⟨**-, -n**⟩ **1.** spoke **2.** ANAT radius
Speichel [ˈʃpaiçl] *m* ⟨**-s**, *no pl*⟩ saliva
Speicher [ˈʃpaiçɐ] *m* ⟨**-s, -**⟩ (≈ *Lagerhaus*) storehouse; (*im Haus*) loft, attic; (≈ *Wasserspeicher*) tank; IT memory, store **Speicherchip** *m* IT memory chip **Speicherdichte** *f* IT storage density **Speicherkapazität** *f* storage capacity; IT memory capacity **speichern** [ˈʃpaiçɐn] *v/t* to store; (≈ *abspeichern*) to save **Speicherofen** *m* storage heater **Speicherplatte** *f* IT storage disk **Speicherplatz** *m* IT storage space **Speicherung** [ˈʃpaiçərʊŋ] *f* ⟨**-, -en**⟩ storage **Speicherverwaltung** *f* IT memory management
speien [ˈʃpaiən] *pret* ***spie*** [ʃpiː], *past part* ***gespie(e)n*** [gəˈʃpiː(ə)n] **I** *v/t* to spit; *Lava, Feuer* to spew (forth); *Wasser* to spout; (≈ *erbrechen*) to vomit **II** *v/i* (≈ *sich übergeben*) to vomit
Speise [ˈʃpaizə] *f* ⟨**-, -n**⟩ (≈ *Gericht*) dish; ***~n und Getränke*** meals and beverages; ***kalte und warme ~n*** hot and cold meals **Speiseeis** *nt* ice cream **Speisekammer** *f* pantry **Speisekarte** *f* menu **speisen** [ˈʃpaizn] **I** *v/i* (*elev*) to eat **II** *v/t* **1.** (*elev* ≈ *essen*) to eat **2.** TECH to feed **Speiseplan** *m* menu plan; ***auf dem ~ stehen*** to be on the menu **Speiseröhre** *f* ANAT gullet **Speisesaal** *m* dining hall; (*in Hotel etc*) dining room **Speisewagen** *m* RAIL dining *or* restaurant car
Spektakel [ʃpɛkˈtaːkl] *m* ⟨**-s, -**⟩ (*infml*) rumpus (*infml*); (≈ *Aufregung*) palaver (*infml*) **spektakulär** [ʃpɛktakuˈlɛːɐ, sp-] *adj* spectacular
Spektrum [ˈʃpɛktrʊm, ˈsp-] *nt* ⟨**-s, Spektren** *or* **Spektra** [-trən, -tra]⟩ spectrum
Spekulant [ʃpekuˈlant] *m* ⟨**-en, -en**⟩, **Spekulantin** [-ˈlantɪn] *f* ⟨**-, -nen**⟩ speculator **Spekulation** [ʃpekulaˈtsioːn] *f* ⟨**-, -en**⟩ speculation; ***~en anstellen*** to speculate **Spekulationsgewinn** *m* speculative profit **Spekulationsobjekt** *nt* object of speculation
Spekulatius [ʃpekuˈlaːtsiʊs] *m* ⟨**-, -**⟩ spiced biscuit (*Br*) *or* cookie (*US*)
spekulativ [ʃpekulaˈtiːf, sp-] *adj* speculative **spekulieren** [ʃpekuˈliːrən] *past part* ***spekuliert*** *v/i* to speculate; ***auf etw*** (*acc*) ***~*** (*infml*) to have hopes of sth
Spelunke [ʃpeˈlʊŋkə] *f* ⟨**-, -n**⟩ (*pej infml*) dive (*infml*)
spendabel [ʃpɛnˈdaːbl] *adj* (*infml*) generous **Spende** [ˈʃpɛndə] *f* ⟨**-, -n**⟩ donation; (≈ *Beitrag*) contribution **spenden**

['ʃpɛndn] *v/t* to donate, to give; (≈ *beitragen*) *Geld* to contribute; *Schatten* to offer; *Trost* to give **Spendenaffäre** *f* donations scandal **Spendenkonto** *nt* donations account **Spender** ['ʃpɛndɐ] *m* ⟨**-s, -**⟩ (≈ *Seifenspender etc*) dispenser **Spender** ['ʃpɛndɐ] *m* ⟨**-s, -**⟩, **Spenderin** [-ərɪn] *f* ⟨**-, -nen**⟩ donator; (≈ *Beitragsleistender*) contributor; MED donor **Spenderherz** *nt* donor heart **spendieren** [ʃpɛn'diːrən] *past part* ***spendiert*** *v/t* to buy (*jdm etw* sb sth, sth for sb)

Spengler ['ʃpɛŋlɐ] *m* ⟨**-s, -**⟩, **Spenglerin** [-ərɪn] *f* ⟨**-, -nen**⟩ (*S Ger, Aus* ≈ *Klempner*) plumber

Sperling ['ʃpɛrlɪŋ] *m* ⟨**-s, -e**⟩ sparrow

Sperma ['ʃpərma, 'sp-] *nt* ⟨**-s, Spermen** *or* **-ta** [-mən, -ta]⟩ sperm

sperrangelweit ['ʃpɛr'|aŋl'vait] *adv* (*infml*) **~ *offen*** wide open **Sperre** ['ʃpɛrə] *f* ⟨**-, -n**⟩ **1.** barrier; (≈ *Polizeisperre*) roadblock; TECH locking device **2.** (≈ *Verbot*) ban; (≈ *Blockierung*) blockade; COMM embargo **3.** PSYCH mental block **sperren** ['ʃpɛrən] **I** *v/t* **1.** (≈ *schließen*) to close; TECH to lock **2.** COMM *Konto, Gelder* to block; *Scheck, Kreditkarte* to stop; IT *Daten, Zugriff* to lock; ***jdm den Strom/das Telefon* ~** to disconnect sb's electricity/telephone **3.** (SPORTS ≈ *ausschließen*) to ban **4.** (≈ *einschließen*) ***jdn in etw*** (*acc*) **~** to shut sb in sth **5.** TYPO to space out **II** *v/r* ***sich* (*gegen etw*) ~** to ba(u)lk (at sth) **Sperrfrist** *f* waiting period (*auch* JUR) **Sperrgebiet** *nt* prohibited area *or* zone **Sperrholz** *nt* plywood **sperrig** ['ʃpɛrɪç] *adj* bulky; (≈ *unhandlich*) unwieldy **Sperrkonto** *nt* blocked account **Sperrmüll** *m* bulky refuse **Sperrstunde** *f* closing time **Sperrung** ['ʃpɛrʊŋ] *f* ⟨**-, -en**⟩ (≈ *Schließung*) closing; TECH locking; (*von Konto*) blocking

Spesen ['ʃpeːzn] *pl* expenses *pl*; ***auf* ~ *reisen*** to travel on expenses

Spezi[1] ['ʃpeːtsi] *m* ⟨**-s, -s**⟩ (*S Ger, Aus infml*) pal (*infml*)

Spezi®[2] *nt* ⟨**-s, -s**⟩ (*Getränk*) cola and orangeade

Spezialausbildung *f* specialized training **Spezialeffekt** *m* special effect **Spezialfall** *m* special case **Spezialgebiet** *nt* special field **spezialisieren** [ʃpetsiali'ziːrən] *past part* ***spezialisiert*** *v/r* ***sich* (*auf etw*** *acc*) **~** to specialize (in sth) **Spezialisierung** *f* ⟨**-, -en**⟩ specialization **Spezialist** [ʃpetsia'lɪst] *m* ⟨**-en, -en**⟩, **Spezialistin** [-'lɪstɪn] *f* ⟨**-, -nen**⟩ specialist (*für* in) **Spezialität** [ʃpetsiali'tɛːt] *f* ⟨**-, -en**⟩ speciality (*Br*), specialty (*US*) **speziell** [ʃpe'tsiɛl] **I** *adj* special **II** *adv* (e)specially **Spezifikation** [ʃpetsifika'tsioːn, sp-] *f* ⟨**-, -en**⟩ specification **spezifisch** [ʃpe'tsiːfɪʃ, sp-] **I** *adj* specific **II** *adv* specifically **spezifizieren** [ʃpetsifi'tsiːrən, sp-] *past part* ***spezifiziert*** *v/t* to specify

Sphäre ['sfɛːrə] *f* ⟨**-, -n**⟩ (*lit, fig*) sphere

spicken ['ʃpɪkn] **I** *v/t* COOK *Braten* to baste; ***mit Zitaten gespickt*** peppered with quotations (*esp Br*) **II** *v/i* (SCHOOL *infml*) to copy (*bei* off, from) **Spickzettel** *m* crib (*Br*), cheat sheet (*US*)

Spiegel ['ʃpiːgl] *m* ⟨**-s, -**⟩ **1.** mirror **2.** (≈ *Wasserspiegel etc*) level **Spiegelbild** *nt* (*lit, fig*) reflection; (≈ *seitenverkehrtes Bild*) mirror image **Spiegelei** ['ʃpiːgl|ai] *nt* fried egg **spiegelfrei** *adj Brille, Bildschirm etc* nonreflecting **spiegelglatt** *adj Fahrbahn, Meer etc* glassy **spiegeln** ['ʃpiːgln] **I** *v/i* (≈ *reflektieren*) to reflect (the light); (≈ *glitzern*) to shine **II** *v/t* to reflect **III** *v/r* to be reflected **Spiegelreflexkamera** *f* reflex camera **Spiegelschrift** *f* mirror writing **Spiegelung** ['ʃpiːgəlʊŋ] *f* ⟨**-, -en**⟩ reflection; (≈ *Luftspiegelung*) mirage

Spiel [ʃpiːl] *nt* ⟨**-(e)s, -e**⟩ **1.** game; (≈ *Wettkampfspiel*) match; (THEAT ≈ *Stück*) play; ***ein* ~ *spielen*** to play a game **2.** CARDS deck, pack; (*Satz*) set **3.** TECH (free) play; (≈ *Spielraum*) clearance **4.** (*fig*) ***leichtes* ~ *haben*** to have an easy job of it; ***das* ~ *ist aus*** the game's up; ***die Finger im* ~ *haben*** to have a hand in it; ***jdn/etw aus dem* ~ *lassen*** to leave sb/sth out of it; ***etw aufs* ~ *setzen*** to put sth at stake; ***auf dem* ~(*e*) *stehen*** to be at stake; ***sein* ~ *mit jdm treiben*** to play games with sb **Spielautomat** *m* gambling *or* gaming machine; (*zum Geldgewinnen*) fruit machine **Spielball** *m* (*Tennis*) game point; (*Billard*) cue ball; (*fig*) plaything **Spielbank** *f*, *pl* ***-banken*** casino **spielen** ['ʃpiːlən] **I** *v/t* to play; ***Klavier/Flöte* ~** to play the piano/the flute; ***den Beleidigten* ~** to act all offended; ***was wird hier gespielt?*** (*infml*) what's going on here? **II** *v/i* to play; (*Schauspieler*) to act; (*beim Glücksspiel*) to gamble; ***seine Beziehungen ~ lassen*** to bring one's connections into play; → ***gespielt*** **spielend I** *adj* playing **II** *adv* easily **Spieler** ['ʃpiːlɐ] *m* ⟨**-s, -**⟩, **Spielerin** [-ərɪn] *f* ⟨**-, -nen**⟩ player; (≈ *Glücksspieler*) gambler **Spielerei** [ʃpiːlə'rai] *f* ⟨**-**, *no pl*⟩ (≈ *das Spielen*) playing; (*beim Glücksspiel*) gambling; (≈ *das Herumspielen*) playing around; (≈ *Kinderspiel*) child's play *no art* **spielerisch** ['ʃpiːlərɪʃ] *adj* **1.** (≈ *verspielt*) playful **2.** SPORTS playing; THEAT acting; ***~es Können*** playing/acting ability **Spielfeld** *nt* field; (*Tennis, Basketball*) court **Spielfigur** *f* piece **Spielfilm** *m* feature film **Spielgeld** *nt* (≈ *unechtes Geld*) play money **Spielhalle** *f* amusement arcade (*Br*), arcade **Spielhölle** *f* gambling den **Spielkamerad(in)** *m*/(*f*) playmate **Spielkarte** *f* playing card **Spielkasino** *nt* (gambling) casino **Spielklasse** *f* division **Spielkonsole** *f* game(s) console **Spielleiter(in)** *m*/(*f*) (≈ *Regisseur*) director **Spielmacher(in)** *m*/(*f*) key player **Spielplan** *m* THEAT, FILM programme (*Br*), program (*US*) **Spielplatz** *m* (*für Kinder*) playground **Spielraum** *m* room to move; (*fig*) scope; (*zeitlich*) time; (*bei Planung etc*) leeway; TECH (free) play **Spielregel** *f* rule of the game **Spielsachen** *pl* toys *pl* **Spielschuld** *f* gambling debt **Spielshow** *f* game show **Spielstand** *m* score **Spieltisch** *m* games table; (*beim Glückspiel*) gaming *or* gambling table **Spieluhr** *f* music box **Spielverderber** [-fɛɐdɛrbɐ] *m* ⟨**-s, -**⟩, **Spielverderberin** [-ərɪn] *f* ⟨**-, -nen**⟩ spoilsport **Spielverlauf** *m* play **Spielwaren** *pl* toys *pl* **Spielwarengeschäft** *nt*, **Spielwarenhandlung** *f* toy shop (*esp Br*) *or* store (*esp US*) **Spielzeit** *f* **1.** (≈ *Saison*) season **2.** (≈ *Spieldauer*) playing time **Spielzeug** *nt*, *pl* ***-zeuge*** toys *pl*; (*einzelnes*) toy **Spielzeugeisenbahn** *f* (toy) train set

Spieß [ʃpiːs] *m* ⟨***-es, -e***⟩ (≈ *Stich- und Wurfwaffe*) spear; (≈ *Bratspieß*) spit; (*kleiner*) skewer; ***den ~ umdrehen*** (*fig*) to turn the tables **Spießbürger(in)** *m*/(*f*) (*pej*) (petit) bourgeois **spießbürgerlich** (*pej*) *adj* (petit) bourgeois **spießen** ['ʃpiːsn] *v/t* ***etw auf etw*** (*acc*) **~** (*auf Pfahl etc*) to impale sth on sth; (*auf Gabel etc*) to skewer sth on sth; (*auf Nadel*) to pin sth on sth **Spießer** ['ʃpiːsɐ] *m* ⟨**-s, -**⟩, **Spießerin** [-ərɪn] *f* ⟨**-, -nen**⟩ (*pej*) = ***Spießbürger(in)*** **spießig** ['ʃpiːsɪç] *adj, adv* (*pej*) = ***spießbürgerlich*** **Spießrute** *f* ***~n laufen*** (*fig*) to run the gauntlet

Spikes [ʃpaiks, sp-] *pl* spikes *pl*

Spinat [ʃpi'naːt] *m* ⟨**-(e)s**, *no pl*⟩ spinach

Spind [ʃpɪnt] *m or nt* ⟨**-(e)s, -e** [-də]⟩ MIL, SPORTS locker

Spindel ['ʃpɪndl] *f* ⟨**-, -n**⟩ spindle

Spinne ['ʃpɪnə] *f* ⟨**-, -n**⟩ spider **spinnen** ['ʃpɪnən] *pret* ***spann*** [ʃpan], *past part* ***gesponnen*** [gə'ʃpɔnən] **I** *v/t* to spin **II** *v/i* (*infml*) (≈ *leicht verrückt sein*) to be crazy; (≈ *Unsinn reden*) to talk garbage (*infml*); ***spinnst du?*** you must be crazy! **Spinnennetz** *nt* cobweb, spider's web **Spinner** ['ʃpɪnɐ] *m* ⟨**-s, -**⟩, **Spinnerin** [-ərɪn] *f* ⟨**-, -nen**⟩ **1.** TEX spinner **2.** (*infml*) nutcase (*infml*) **Spinnerei** [ʃpɪnə'rai] *f* ⟨**-, -en**⟩ **1.** (≈ *Spinnwerkstatt*) spinning mill **2.** (*infml*) crazy behaviour (*Br*) *or* behavior (*US*) *no pl*; (≈ *Unsinn*) garbage (*infml*) **Spinngewebe** *nt* cobweb, spider's web **Spinnrad** *nt* spinning wheel

Spion [ʃpioːn] *m* ⟨**-s, -e**⟩ (*infml*) (≈ *Guckloch*) spyhole **Spion** [ʃpioːn] *m* ⟨**-s, -e**⟩, **Spionin** ['ʃpioːnɪn] *f* ⟨**-, -nen**⟩ spy **Spionage** [ʃpio'naːʒə] *f* ⟨**-**, *no pl*⟩ spying, espionage **Spionageabwehr** *f* counterintelligence *or* counterespionage (service) **Spionagesatellit** *m* spy satellite **spionieren** [ʃpio'niːrən] *past part* ***spioniert*** *v/i* to spy; (*fig infml* ≈ *nachforschen*) to snoop around (*infml*)

Spirale [ʃpi'raːlə] *f* ⟨**-, -n**⟩ spiral; MED coil

Spiritismus [ʃpiri'tɪsmʊs, sp-] *m* ⟨**-**, *no pl*⟩ spiritualism **spiritistisch** [ʃpiri'tɪstɪʃ, sp-] *adj* ***~e Sitzung*** seance

Spirituosen [ʃpiri'tuoːzn, sp-] *pl* spirits *pl*

Spiritus *m* ⟨**-**, *no pl*⟩ ['ʃpiːritʊs] (≈ *Alkohol*) spirit

Spital [ʃpi'taːl] *nt* ⟨**-s, *Spitäler*** [-'tɛːlɐ]⟩ (*Aus, Swiss* ≈ *Krankenhaus*) hospital

spitz [ʃpɪts] **I** *adj* **1.** pointed; (≈ *nicht stumpf*) *Bleistift, Nadel etc* sharp; MAT *Winkel* acute; ***~e Klammern*** angle brackets **2.** (≈ *gehässig*) barbed; *Zunge* sharp **II** *adv* (≈ *spitzzüngig*) *kontern, antworten* sharply **Spitz** [ʃpɪts] *m* ⟨***-es, -e***⟩ (*Hunderasse*) spitz **Spitzbart** *m* goatee **Spitze** ['ʃpɪtsə] *f* ⟨**-, -n**⟩ **1.** top; (≈ *von Kinn*) point; (≈ *Schuhspitze*) toe; (≈ *Fingerspitze, Nasenspitze*) tip; (≈

Haarspitze) end; ***etw auf die ~ treiben*** to carry sth to extremes **2.** (≈ *vorderes Ende*) front; (≈ *Tabellenspitze*) top; ***an der ~ stehen*** to be at the head; (*auf Tabelle*) to be (at the) top (of the table); ***an der ~ liegen*** (SPORTS, *fig*) to be in the lead **3.** (*fig* ≈ *Stichelei*) dig (*esp Br*), cut (*US*) **4.** (*Gewebe*) lace **5.** (*infml* ≈ *prima*) great (*infml*); ***das war einsame ~!*** that was really great! (*infml*)

Spitzel ['ʃpɪtsl] *m* ⟨**-s, -**⟩ (≈ *Informant*) informer; (≈ *Spion*) spy; (≈ *Schnüffler*) snooper; (≈ *Polizeispitzel*) police informer

spitzen ['ʃpɪtsn] *v/t Bleistift* to sharpen; *Lippen* to purse; (*zum Küssen*) to pucker (up); *Ohren* to prick up **Spitzengehalt** *nt* top salary **Spitzengeschwindigkeit** *f* top speed **Spitzenhöschen** [-høːsçən] *nt* lace panties *pl* **Spitzenkandidat(in)** *m*/(*f*) top candidate **Spitzenklasse** *f* top class; ***ein Auto*** *etc* ***der ~*** a top-class car *etc* **Spitzenleistung** *f* top performance; (*fig* ≈ *ausgezeichnete Leistung*) top-class performance **Spitzenlohn** *m* top wage(s *pl*) **Spitzenposition** *f* leading *or* top position **Spitzenreiter** *m* (*Ware*) top seller; (*Film, Stück etc*) hit; (≈ *Schlager*) number one **Spitzensportler(in)** *m*/(*f*) top(-class) sportsman/-woman **Spitzenstellung** *f* leading position **Spitzentechnologie** *f* state-of-the-art technology **Spitzenverdiener(in)** *m*/(*f*) top earner **Spitzenverkehrszeit** *f* peak period **Spitzer** ['ʃpɪtsɐ] *m* ⟨**-s, -**⟩ (*infml*) (pencil) sharpener **spitzfindig** *adj* over(ly)-subtle **Spitzfindigkeit** ['ʃpɪtsfɪndɪçkait] *f* ⟨**-, -en**⟩ over-subtlety; (≈ *Haarspalterei*) nit-picking *no pl* (*infml*) **Spitzhacke** *f* pickaxe (*Br*), pickax (*US*) **Spitzname** *m* nickname **spitzwinklig** *adj* MAT *Dreieck* acute-angled

Spleen [ʃpliːn] *m* ⟨**-s, -s**⟩ (*infml*) (≈ *Idee*) crazy idea (*infml*); (≈ *Fimmel*) obsession

Spliss [ʃplɪs] *m* ⟨**-es, -e**⟩ **1.** (*dial* ≈ *Splitter*) splinter **2.** *no pl* (≈ *gespaltene Haarspitzen*) split ends *pl*

Splitt [ʃplɪt] *m* ⟨**-(e)s, -e**⟩ stone chippings *pl*; (≈ *Streumittel*) grit **Splitter** ['ʃplɪtɐ] *m* ⟨**-s, -**⟩ splinter **Splittergruppe** *f* POL splinter group **splitternackt** *adj* stark-naked

SPÖ [ɛs'peː'øː] *f* ⟨**-**⟩ *abbr of* ***Sozialdemokratische Partei Österreichs***

Spoiler ['ʃpɔylɐ, 'sp-] *m* ⟨**-s, -**⟩ spoiler

sponsern ['ʃpɔnsɐn, 'sp-] *v/t* to sponsor

Sponsor ['ʃpɔnzɐ, 'sp-] *m* ⟨**-s, *Sponsoren*** [-'zoːrən]⟩, **Sponsorin** [-'zoːrɪn] *f* ⟨**-, -nen**⟩ sponsor

spontan [ʃpɔn'taːn, sp-] **I** *adj* spontaneous **II** *adv* spontaneously **Spontaneität** [ʃpɔntanei'tɛːt, sp-] *f* ⟨**-**, *no pl*⟩ spontaneity

sporadisch [ʃpo'raːdɪʃ, sp-] **I** *adj* sporadic **II** *adv* sporadically

Sport [ʃpɔrt] *m* ⟨**-(e)s**, (*rare*) **-e**⟩ sport; ***treiben Sie ~?*** do you do any sport? **Sportart** *f* (kind of) sport **Sportarzt** *m*, **Sportärztin** *f* sports physician **sportbegeistert** *adj* keen on sport, sports-mad (*Br infml*), crazy about sports (*US infml*) **Sportfest** *nt* sports festival **Sporthalle** *f* sports hall **Sportkleidung** *f* sportswear **Sportler** ['ʃpɔrtlɐ] *m* ⟨**-s, -**⟩ sportsman **Sportlerin** ['ʃpɔrtlərɪn] *f* ⟨**-, -nen**⟩ sportswoman **sportlich** ['ʃpɔrtlɪç] **I** *adj* **1.** sporting; *Mensch, Auto* sporty; (≈ *durchtrainiert*) athletic **2.** *Kleidung* casual; (≈ *sportlich-schick*) smart but casual **II** *adv* **1.** ***sich ~ betätigen*** to do sport **2.** (≈ *leger*) casually; ***~ gekleidet*** casually dressed **Sportmedizin** *f* sports medicine **Sportnachrichten** *pl* sports news *with sg vb* **Sportplatz** *m* sports field; (*in der Schule*) playing field(s *pl*) **Sportreporter(in)** *m*/(*f*) sports reporter **Sportschuh** *m* casual shoe **Sportsfreund(in)** *m*/(*f*) (*fig infml*) pal (*infml*) **Sportskanone** *f* (*infml*) sporting ace (*infml*) **Sportunfall** *m* sporting accident **Sportveranstaltung** *f* sporting event **Sportverein** *m* sports club **Sportwagen** *m* sports car; (*für Kind*) pushchair (*Br*), (baby) stroller (*US*)

Spott [ʃpɔt] *m* ⟨**-(e)s**, *no pl*⟩ mockery; ***seinen ~ mit jdm treiben*** to make fun of sb **spottbillig** *adj* (*infml*) dirt-cheap (*infml*) **Spöttelei** [ʃpœtə'lai] *f* ⟨**-, -en**⟩ (≈ *das Spotten*) mocking; (≈ *ironische Bemerkung*) mocking remark **spötteln** ['ʃpœtln] *v/i* to mock (*über jdn/etw* sb/sth) **spotten** ['ʃpɔtn] *v/i* (≈ *sich lustig machen*) to mock; ***über jdn/etw ~*** to mock sb/sth; ***das spottet jeder Beschreibung*** that simply defies description **Spötter** ['ʃpœtɐ] *m* ⟨**-s, -**⟩, **Spötterin** [-ərɪn] *f* ⟨**-, -nen**⟩ mocker; (≈ *satirischer Mensch*) satirist **spöttisch**

['ʃpœtɪʃ] **I** *adj* mocking **II** *adv* mockingly **Spottpreis** *m* ridiculously low price

sprachbegabt *adj* linguistically talented **Sprache** ['ʃpraːxə] *f* ⟨**-, -n**⟩ language; (≈ *das Sprechen*) speech; (≈ *Fähigkeit, zu sprechen*) power of speech; ***in französischer*** *etc* ***~*** in French *etc*; ***mit der ~ herausrücken*** to come out with it; ***die ~ auf etw*** (*acc*) ***bringen*** to bring the conversation (a)round to sth; ***zur ~ kommen*** to be brought up; ***etw zur ~ bringen*** to bring sth up; ***mir blieb die ~ weg*** I was speechless **Sprachenschule** *f* language school **Spracherkennung** *f* IT speech recognition **Sprachfehler** *m* speech impediment **Sprachführer** *m* phrase book **Sprachgebrauch** *m* (linguistic) usage **Sprachgefühl** *nt* feeling for language **sprachgesteuert** [-gəʃtɔyɐt] *adj* IT voice-activated **sprachgewandt** *adj* articulate, fluent **Sprachkenntnisse** *pl* knowledge *sg* of languages/the language/a language; ***mit englischen ~n*** with a knowledge of English **Sprachkurs** *m* language course **Sprachlabor** *nt* language laboratory **Sprachlehre** *f* grammar **sprachlich** ['ʃpraːxlɪç] **I** *adj* linguistic; *Schwierigkeiten* language *attr*; *Fehler* grammatical **II** *adv* linguistically; ***~ falsch/richtig*** grammatically incorrect/correct **sprachlos** *adj* speechless **Sprachlosigkeit** *f* ⟨**-**, *no pl*⟩ speechlessness **Sprachrohr** *nt* (*fig*) mouthpiece **Sprachunterricht** *m* language teaching **Sprachwissenschaft** *f* linguistics *sg*; (≈ *Philologie*) philology; ***vergleichende ~en*** comparative linguistics/philology **Sprachwissenschaftler(in)** *m/*(*f*) linguist; (≈ *Philologe*) philologist **sprachwissenschaftlich I** *adj* linguistic **II** *adv* linguistically

Spray [ʃpreː, spreː] *m or nt* ⟨**-s, -s**⟩ spray **Spraydose** ['ʃpreː-, 'spreː-] *f* aerosol (can) **sprayen** ['ʃpreːən, 'sp-] *v/t & v/i* to spray **Sprayer** ['ʃpreːɐ, 'sp-] *m* ⟨**-s, -**⟩, **Sprayerin** [-ərɪn] *f* ⟨**-, -nen**⟩ sprayer

Sprechanlage *f* intercom **Sprechblase** *f* balloon **sprechen** ['ʃprɛçn] *pret* ***sprach*** [ʃpraːx], *past part* ***gesprochen*** [gə'ʃprɔxn] **I** *v/i* to speak; (≈ *reden*) to talk; ***viel ~*** to talk a lot; ***nicht gut auf jdn/etw zu ~ sein*** not to have a good thing to say about sb/sth; ***mit jdm ~*** to speak *or* talk to sb; ***mit wem spreche ich?*** to whom am I speaking, please?; ***auf jdn/etw zu ~ kommen*** to get to talking about sb/sth; ***es spricht für jdn/etw*(*, dass ...*)** it says something for sb/sth (that ...); ***das spricht für sich*** (***selbst***) that speaks for itself; ***es spricht vieles dafür/dagegen*** there's a lot to be said for/against it; ***ganz allgemein gesprochen*** generally speaking **II** *v/t* **1.** *Sprache* to speak; (≈ *aufsagen*) *Gebet* to say; ***~ Sie Japanisch?*** do you speak Japanese? **2.** *Urteil* to pronounce **3.** ***kann ich bitte Herrn Kurz ~?*** may I speak to Mr Kurz, please?; ***er ist nicht zu ~*** he can't see anybody; ***kann ich Sie kurz ~?*** can I have a quick word?; ***wir ~ uns noch!*** you haven't heard the last of this! **sprechend** *adj Augen, Gebärde* eloquent **Sprecher** ['ʃprɛçɐ] *m* ⟨**-s, -**⟩, **Sprecherin** [-ərɪn] *f* ⟨**-, -nen**⟩ speaker; (≈ *Nachrichtensprecher*) newscaster; (≈ *Ansager*) announcer; (≈ *Wortführer*) spokesperson **Sprechfunk** *m* radiotelephone system **Sprechfunkgerät** *nt* radiotelephone; (*tragbar auch*) walkie-talkie **Sprechstunde** *f* consultation (hour); (*von Arzt*) surgery (*Br*), consultation (*US*) **Sprechstundenhilfe** *f* (*often pej*) (doctor's) receptionist **Sprechtaste** *f* "talk" button **Sprechweise** *f* way of speaking **Sprechzimmer** *nt* consulting room

spreizen ['ʃpraitsn] **I** *v/t* to spread; → ***gespreizt*** **II** *v/r* (≈ *sich sträuben*) to kick up (*infml*) **Spreizfuß** *m* splayfoot

sprengen ['ʃprɛŋən] *v/t* **1.** (*mit Sprengstoff*) to blow up; *Fels* to blast; ***etw in die Luft ~*** to blow sth up **2.** *Tresor* to break open; *Fesseln* to burst; *Versammlung* to break up; (*Spiel*)*bank* to break **3.** (≈ *bespritzen*) to sprinkle; *Beete, Rasen* to water **Sprengkopf** *m* warhead **Sprengkörper** *m* explosive device **Sprengkraft** *f* explosive force **Sprengladung** *f* explosive charge **Sprengsatz** *m* explosive device **Sprengstoff** *m* explosive; (*fig*) dynamite **Sprengstoffanschlag** *m* bomb attack **Sprengung** ['ʃprɛŋʊŋ] *f* ⟨**-, -en**⟩ blowing-up; (*von Felsen*) blasting

sprenkeln ['ʃprɛŋkln] *v/t Farbe* to sprinkle spots of; → ***gesprenkelt***

Spreu [ʃprɔy] *f* ⟨**-**, *no pl*⟩ chaff; ***die ~ vom Weizen trennen*** *or* ***sondern*** (*fig*) to separate the wheat from the chaff

Sprichwort *nt*, *pl* **-wörter** proverb **sprichwörtlich** *adj* (*lit*, *fig*) proverbial

sprießen ['ʃpriːsn] *pret* **spross** *or* **sprießte** [ʃprɔs, 'ʃpriːstə], *past part* **gesprossen** [gə'ʃprɔsn] *v/i aux sein* (*aus der Erde*) to come up; (*Knospen*, *Blätter*) to shoot

Springbrunnen *m* fountain **springen** ['ʃprɪŋən] *pret* **sprang** [ʃpraŋ], *past part* **gesprungen** [gə'ʃprʊŋən] *v/i aux sein* **1.** to jump; (*esp mit Schwung*) to leap; (*beim Stabhochsprung*) to vault **2.** ***etw ~ lassen*** (*infml*) to fork out for sth (*infml*); *Runde* to stand sth; *Geld* to fork out sth (*infml*) **3.** (*Glas*, *Porzellan*) to break; (≈ *Risse bekommen*) to crack **springend** *adj* ***der ~e Punkt*** the crucial point **Springer** ['ʃprɪŋɐ] *m* ⟨**-s, -**⟩ CHESS knight **Springer** ['ʃprɪŋɐ] *m* ⟨**-s, -**⟩, **Springerin** [-ərɪn] *f* ⟨**-, -nen**⟩ **1.** jumper; (≈ *Stabhochspringer*) vaulter **2.** IND stand-in **Springerstiefel** *pl* Doc Martens® (boots) *pl* **Springflut** *f* spring tide **Springreiten** *nt* ⟨**-s**, *no pl*⟩ show jumping **Springrollo** *nt* roller blind **Springseil** *nt* skipping-rope (*Br*), jump rope (*US*)

Sprinkler ['ʃprɪŋklɐ] *m* ⟨**-s, -**⟩ sprinkler **Sprinkleranlage** *f* sprinkler system

Sprint [ʃprɪnt] *m* ⟨**-s, -s**⟩ sprint **sprinten** ['ʃprɪntn] *v/t & v/i aux sein* to sprint

Sprit [ʃprɪt] *m* ⟨**-(e)s, -e**⟩ (*infml* ≈ *Benzin*) gas (*infml*)

Spritze ['ʃprɪtsə] *f* ⟨**-, -n**⟩ syringe; (≈ *Injektion*) injection; ***eine ~ bekommen*** to have an injection **spritzen** ['ʃprɪtsn] **I** *v/t* **1.** to spray; (≈ *verspritzen*) *Wasser etc* to splash **2.** (≈ *injizieren*) to inject; (≈ *eine Injektion geben*) to give injections/an injection; ***sich*** (*dat*) ***Heroin ~*** to inject (oneself with) heroin **II** *v/i aux haben or sein* to spray; (*heißes Fett*) to spit **Spritzer** ['ʃprɪtsɐ] *m* ⟨**-s, -**⟩ splash **Spritzfahrt** *f* (*infml*) spin (*infml*); ***eine ~ machen*** to go for a spin (*infml*) **spritzig** ['ʃprɪtsɪç] *adj Wein* tangy; *Auto*, *Aufführung* lively; (≈ *witzig*) witty **Spritzpistole** *f* spray gun

spröde ['ʃprøːdə] *adj* brittle; *Haut* rough; (≈ *abweisend*) *Mensch* aloof; *Worte* offhand; *Charme* austere

Sprosse ['ʃprɔsə] *f* ⟨**-, -n**⟩ rung **Sprossenfenster** *nt* lattice window **Sprossenwand** *f* SPORTS wall bars *pl* **Sprössling** ['ʃprœslɪŋ] *m* ⟨**-s, -e**⟩ shoot; (*fig hum*) offspring *pl*

Sprotte ['ʃprɔtə] *f* ⟨**-, -n**⟩ sprat

Spruch [ʃprʊx] *m* ⟨**-(e)s, ¨-e** ['ʃprʏçə]⟩ **1.** saying; (≈ *Wahlspruch*) motto; ***Sprüche klopfen*** (*infml*) to talk posh (*infml*); (≈ *angeben*) to talk big (*infml*) **2.** (≈ *Richterspruch*) judgement; (≈ *Schiedsspruch*) ruling **Spruchband** [-bant] *nt*, *pl* **-bänder** banner **spruchreif** *adj* (*infml*) ***die Sache ist noch nicht ~*** it's not definite yet so we'd better not talk about it

Sprudel ['ʃpruːdl] *m* ⟨**-s, -**⟩ mineral water; (≈ *süßer Sprudel*) fizzy drink **Sprudelbad** *nt* whirlpool (bath) **sprudeln** ['ʃpruːdln] *v/i* to bubble; (*Sekt*, *Limonade*) to fizz; (*fig:*) **sprudelnd** *adj* (*lit*) *Getränke* fizzy; *Quelle* bubbling; (*fig*) *Witz* bubbly

Sprühdose *f* spray (can) **sprühen** ['ʃpryːən] **I** *v/i* **1.** *aux haben or sein* to spray; (*Funken*) to fly **2.** (*fig*) (*vor Witz*, *Ideen etc*) to bubble over (*vor +dat* with); (*Augen*) (*vor Freude etc*) to sparkle (*vor +dat* with); (*vor Zorn etc*) to flash (*vor +dat* with) **II** *v/t* to spray **Sprühregen** *m* fine rain

Sprung [ʃprʊŋ] *m* ⟨**-(e)s, ¨-e** ['ʃprʏŋə]⟩ **1.** jump; (*schwungvoll*) leap; (≈ *Satz*) bound; (*von Raubtier*) pounce; (≈ *Stabhochsprung*) vault; (*Wassersport*) dive; ***einen ~ machen*** to jump; ***damit kann man keine großen Sprünge machen*** (*infml*) you can't exactly live it up on that (*infml*); ***jdm auf die Sprünge helfen*** to give sb a (helping) hand **2.** (*infml* ≈ *kurze Strecke*) stone's throw (*infml*); ***auf einen ~ bei jdm vorbeikommen*** to drop in to see sb (*infml*) **3.** (≈ *Riss*) crack; ***einen ~ haben*** to be cracked **Sprungbrett** *nt* (*lit*, *fig*) springboard **Sprungfeder** *f* spring **sprunghaft** **I** *adj* **1.** *Mensch* volatile **2.** (≈ *rapide*) rapid **II** *adv ansteigen* by leaps and bounds **Sprungschanze** *f* SKI ski jump **Sprungturm** *m* diving platform

Spucke ['ʃpʊkə] *f* ⟨**-**, *no pl*⟩ (*infml*) spit; ***da bleibt einem die ~ weg!*** (*infml*) it's flabbergasting (*infml*) **spucken** ['ʃpʊkn] **I** *v/t* to spit; (*infml* ≈ *erbrechen*) to throw up (*infml*); *Lava* to spew (out) **II** *v/i* to spit; ***in die Hände ~*** (*lit*) to spit on one's hands; (*fig*) to roll up one's sleeves

spuken ['ʃpuːkn] *v/i* to haunt; ***hier spukt***

es this place is haunted
Spülbecken *nt* sink
Spule ['ʃpuːlə] *f* ⟨**-, -n**⟩ spool; IND bobbin; ELEC coil
Spüle ['ʃpyːlə] *f* ⟨**-, -n**⟩ sink
spulen ['ʃpuːlən] *v/t* to spool (*auch* IT)
spülen ['ʃpyːlən] **I** *v/t* **1.** (≈ *ausspülen*) *Mund* to rinse; *Wunde* to wash; *Darm* to irrigate; (≈ *abwaschen*) *Geschirr* to wash up **2.** (*Wellen etc*) to wash; ***etw an Land ~*** to wash sth ashore **II** *v/i* (*Waschmaschine*) to rinse; (≈ *Geschirr spülen*) to wash up; (*auf der Toilette*) to flush; ***du spülst und ich trockne ab*** you wash and I'll dry **Spüllappen** *m* dishcloth **Spülmaschine** *f* (automatic) dishwasher **spülmaschinenfest** *adj* dishwasher-proof **Spülmittel** *nt* washing-up liquid **Spülschüssel** *f* washing-up bowl **Spülung** ['ʃpyːlʊŋ] *f* ⟨**-, -en**⟩ rinsing; (≈ *Wasserspülung*) flush; (≈ *Haarspülung*) conditioner; (MED ≈ *Darmspülung*) irrigation
Spund [ʃpʊnt] *m* ⟨**-(e)s, ¨-e** ['ʃpʏndə]⟩ stopper; (*Holztechnik*) tongue
Spur [ʃpuːɐ] *f* ⟨**-, -en**⟩ **1.** (≈ *Abdruck im Boden etc*) track; (≈ *hinterlassenes Zeichen*) trace; (≈ *Bremsspur*) skidmarks *pl*; (≈ *Blutspur etc*, *Fährte*) trail; ***von den Tätern fehlt jede ~*** there is no clue as to the whereabouts of the persons responsible; ***auf der richtigen/falschen ~ sein*** to be on the right/wrong track; ***jdm auf die ~ kommen*** to get onto sb; ***~en hinterlassen*** (*fig*) to leave one's/its mark **2.** (*fig* ≈ *kleine Menge*) trace; (*von Talent etc*) scrap; ***von Anstand keine ~*** (*infml*) no decency at all; ***keine ~!*** (*infml*) not at all **3.** (≈ *Fahrbahn*) lane **4.** IT track
spürbar **I** *adj* noticeable, perceptible **II** *adv* noticeably, perceptibly
spuren ['ʃpuːrən] *v/i* (*infml*) to obey; (≈ *sich fügen*) to toe the line
spüren ['ʃpyːrən] *v/t* to feel; ***davon ist nichts zu ~*** there is no sign of it; ***etw zu ~ bekommen*** (*lit*) to feel sth; (*fig*) to feel the (full) force of sth
Spurenelement *nt* trace element **Spurensicherung** *f* securing of evidence
Spürhund *m* tracker dog; (*infml: Mensch*) sleuth
spurlos *adj*, *adv* without trace; ***das ist nicht ~ an ihm vorübergegangen*** it left its mark on him **Spurrille** *f* MOT rut
Spürsinn *m*, *no pl* (HUNT, *fig*) nose; (*fig* ≈ *Gefühl*) feel
Spurt [ʃpʊrt] *m* ⟨**-s, -s** *or* **-e**⟩ spurt; ***zum ~ ansetzen*** to make a final spurt **spurten** ['ʃpʊrtn] *v/i aux sein* SPORTS to spurt; (*infml* ≈ *rennen*) to sprint, to dash
Spurwechsel *m* MOT lane change **Spurweite** *f* RAIL gauge; AUTO track
Squash [skvɔʃ] *nt* ⟨**-**, *no pl*⟩ squash
Staat [ʃtaːt] *m* ⟨**-(e)s, -en**⟩ **1.** state; (≈ *Land*) country; ***die ~en*** (*infml*) the States (*infml*); ***von ~s wegen*** on a governmental level **2.** (≈ *Ameisenstaat etc*) colony **3.** (*fig*) (≈ *Pracht*) pomp; (≈ *Kleidung*, *Schmuck*) finery; ***~ machen (mit etw)*** to make a show (of sth); ***damit ist kein ~ zu machen*** that's nothing to write home about (*infml*) **Staatenbund** *m*, *pl* ***-bünde*** confederation (of states) **Staatengemeinschaft** *f* community of states **staatenlos** *adj* stateless **Staatenlose(r)** ['ʃtaːtnloːzə] *m/f(m) decl as adj* stateless person **staatlich** ['ʃtaːtlɪç] **I** *adj* state *attr*; (≈ *staatlich geführt*) state-run **II** *adv* by the state; ***~ geprüft*** state-certified **Staatsakt** *m* state occasion **Staatsaktion** *f* major operation **Staatsangehörige(r)** *m/f(m) decl as adj* national **Staatsangehörigkeit** [-|angəhøːrɪçkait] *f* ⟨**-, -en**⟩ nationality **Staatsanleihe** *f* government bond **Staatsanwalt** *m*, **Staatsanwältin** *f* district attorney (*US*), public prosecutor (*esp Br*) **Staatsausgaben** *pl* public expenditure *sg* **Staatsbeamte(r)** *m decl as adj*, **Staatsbeamtin** *f* public servant **Staatsbegräbnis** *nt* state funeral **Staatsbesuch** *m* state visit **Staatsbürger(in)** *m/(f)* citizen **staatsbürgerlich** *adj attr Pflicht* civic; *Rechte* civil **Staatsbürgerschaft** *f* nationality; ***doppelte ~*** dual nationality **Staatschef(in)** *m/(f)* head of state **Staatsdienst** *m* civil service **staatseigen** *adj* state-owned **Staatsempfang** *m* state reception **Staatsexamen** *nt university degree required for the teaching profession* **Staatsfeind(in)** *m/(f)* enemy of the state **staatsfeindlich** *adj* hostile to the state **Staatsform** *f* type of state **Staatsgeheimnis** *nt* state secret **Staatsgrenze** *f* state frontier *or* border **Staatshaushalt** *m* national budget **Staatshoheit** *f* sovereignty **Staatskosten** *pl* public expenses *pl*; ***auf ~*** at the public expense **Staats-**

mann *m*, *pl* ***-männer*** statesman **staatsmännisch** [-mɛnɪʃ] **I** *adj* statesmanlike **II** *adv* in a statesmanlike manner **Staatsoberhaupt** *nt* head of state **Staatspräsident(in)** *m/(f)* president **Staatsschuld** *f* FIN national debt **Staatssekretär(in)** *m/(f)* (≈ *Beamter*) ≈ permanent secretary (*Br*), ≈ undersecretary (*US*) **Staatsstreich** *m* coup (d'état) **Staatstrauer** *f* national mourning **Staatsverbrechen** *nt* political crime; (*fig*) major crime **Staatsverschuldung** *f* national debt

Stab [ʃtaːp] *m* ⟨**-(e)s, ¨-e** [ˈʃtɛːbə]⟩ **1.** rod; (≈ *Gitterstab*) bar; (≈ *Dirigentenstab*, *für Staffellauf etc*) baton; (*für Stabhochsprung*) pole; (≈ *Zauberstab*) wand; ***den ~ über jdn brechen*** (*fig*) to condemn sb **2.** (≈ *Mitarbeiterstab*, MIL) staff; (*von Experten*) panel; (MIL ≈ *Hauptquartier*) headquarters *sg or pl* **Stäbchen** [ˈʃtɛːpçən] *nt* ⟨**-s, -**⟩ (≈ *Essstäbchen*) chopstick **Stabhochspringer(in)** *m/(f)* pole-vaulter **Stabhochsprung** *m* pole vault

stabil [ʃtaˈbiːl, st-] *adj Möbel* sturdy; *Währung*, *Beziehung* stable; *Gesundheit* sound **stabilisieren** [ʃtabiliˈziːrən, st-] *past part* ***stabilisiert*** *v/t & v/r* to stabilize **Stabilität** [ʃtabiliˈtɛːt, st-] *f* ⟨**-**, *no pl*⟩ stability

Stablampe *f* (electric) torch (*Br*), flashlight

Stachel [ˈʃtaxl] *m* ⟨**-s, -n**⟩ (*von Rosen etc*) thorn; (*von Kakteen*, *Igel*) spine; (*auf Stacheldraht*) barb; (≈ *Giftstachel*: *von Bienen etc*) sting **Stachelbeere** *f* gooseberry **Stacheldraht** *m* barbed wire **Stacheldrahtzaun** *m* barbed-wire fence **stachelig** [ˈʃtaxəlɪç] *adj Rosen etc* thorny; *Kaktus etc* spiny; (≈ *sich stachelig anfühlend*) prickly; *Kinn*, *Bart* bristly **Stachelschwein** *nt* porcupine

Stadel [ˈʃtaːdl] *m* ⟨**-s, -**⟩ (*S Ger*, *Aus*, *Swiss*) barn

Stadion [ˈʃtaːdiɔn] *nt* ⟨**-s, *Stadien*** [-diən]⟩ stadium

Stadium [ˈʃtaːdiʊm] *nt* ⟨**-s, *Stadien*** [-diən]⟩ stage

Stadt [ʃtat] *f* ⟨**-, ¨-e** [ˈʃtɛːtə, ˈʃtɛtə]⟩ **1.** town; (≈ *Großstadt*) city; ***die ~ Paris*** the city of Paris; ***in die ~ gehen*** to go into town **2.** (≈ *Stadtverwaltung*) council **stadtauswärts** *adv* out of town **Stadtautobahn** *f* urban motorway (*Br*) *or* freeway (*US*) **Stadtbad** *nt* municipal swimming pool **Stadtbahn** *f* suburban railway (*Br*), city railroad (*US*) **Stadtbücherei** *f* public library **Stadtbummel** *m* stroll through town **Städtchen** [ˈʃtɛːtçən, ˈʃtɛtçən] *nt* ⟨**-s, -**⟩ small town **Städtebau** *m*, *no pl* urban development **stadteinwärts** *adv* into town **Städtepartnerschaft** *f* town twinning (*Br*), sister city agreement (*US*) **Städter** [ˈʃtɛːtɐ, ˈʃtɛtɐ] *m* ⟨**-s, -**⟩, **Städterin** [-ərɪn] *f* ⟨**-, *-nen***⟩ town resident; (≈ *Großstädter*) city resident **städtisch** [ˈʃtɛːtɪʃ, ˈʃtɛtɪʃ] *adj* municipal, town *attr*; (≈ *einer Großstadt auch*) city *attr*; (≈ *nach Art einer Stadt*) urban **Stadtkern** *m* town/city centre (*Br*) *or* center (*US*) **Stadtmauer** *f* city wall **Stadtmitte** *f* town/city centre (*Br*) *or* center (*US*) **Stadtplan** *m* (street) map (of a/the town/city) **Stadtplanung** *f* town planning **Stadtpolizei** *f* (*Aus*, *Swiss*) urban police (force) **Stadtpräsident(in)** *m/(f)* (*Swiss* ≈ *Bürgermeister*) mayor/mayoress **Stadtrand** *m* outskirts *pl* (of a/the town/city)

Stadtrat[1] *m* (town/city) council

Stadtrat[2] *m*, **Stadträtin** *f* (town/city) councillor (*Br*) *or* councilor (*US*) **Stadtrundfahrt** *f* ***eine ~ machen*** to go on a (sightseeing) tour of a/the town/city **Stadtstreicher** [-ʃtraiçɐ] *m* ⟨**-s, -**⟩, **Stadtstreicherin** [-ərɪn] *f* ⟨**-, *-nen***⟩ (town/city) tramp **Stadtteil** *m* district **Stadtverwaltung** *f* (town/city) council **Stadtviertel** *nt* district, part of town/city **Stadtzentrum** *nt* town/city centre (*Br*) *or* center (*US*)

Staffel [ˈʃtafl] *f* ⟨**-, *-n***⟩ **1.** (≈ *Formation*) echelon; (AVIAT ≈ *Einheit*) squadron **2.** SPORTS relay (race); (≈ *Mannschaft*) relay team; (*fig*) relay; ***~ laufen*** to run in a relay (race) **Staffelei** [ʃtafəˈlai] *f* ⟨**-, *-en***⟩ easel **Staffellauf** *m* relay (race) **staffeln** [ˈʃtafln] *v/t Gehälter*, *Tarife* to grade; *Anfangszeiten* to stagger **Staffelung** [ˈʃtafəlʊŋ] *f* ⟨**-, *-en***⟩ (*von Gehältern*, *Tarifen*) grading; (*von Zeiten*) staggering

Stagnation [ʃtagnaˈtsioːn, st-] *f* ⟨**-, *-en***⟩ stagnation **stagnieren** [ʃtaˈgniːrən, st-] *past part* ***stagniert*** *v/i* to stagnate

Stahl [ʃtaːl] *m* ⟨**-(e)s, -e** *or* ***Stähle*** [ˈʃtɛːlə]⟩ steel; ***Nerven wie ~*** nerves of steel **Stahlbeton** *m* reinforced concrete

stahlblau *adj* steel-blue **stählern** ['ʃtɛːlɐn] *adj* steel; (*fig*) *Wille* of iron, iron *attr*; *Nerven* of steel; *Blick* steely **Stahlhelm** *m* MIL steel helmet **Stahlrohr** *nt* tubular steel; (*Stück*) steel tube **Stahlträger** *m* steel girder **Stahlwolle** *f* steel wool

Stalagmit [stala'gmiːt, ʃt-, -mɪt] *m* ⟨**-en** *or* **-s, -en**⟩ stalagmite **Stalaktit** [stalak'tiːt, ʃt-, -tɪt] *m* ⟨**-en** *or* **-s, -en**⟩ stalactite

stalinistisch [stali'nɪstɪʃ, ʃt-] *adj* Stalinist

Stall [ʃtal] *m* ⟨**-(e)s, ⸚e** ['ʃtɛlə]⟩ stable; (≈ *Kuhstall*) cowshed; (≈ *Schweinestall*) (pig)sty, (pig)pen (*US*)

Stamm [ʃtam] *m* ⟨**-(e)s, ⸚e** ['ʃtɛmə]⟩ **1.** (≈ *Baumstamm*) trunk **2.** LING stem **3.** (≈ *Volksstamm*) tribe **4.** (≈ *Kunden*) regular customers *pl*; (*von Mannschaft*) regular team members *pl*; (≈ *Arbeiter*) permanent workforce; (≈ *Angestellte*) permanent staff *pl*; ***ein fester ~ von Kunden*** regular customers **Stammaktie** *f* ST EX ordinary share **Stammbaum** *m* family tree; (*von Zuchttieren*) pedigree **Stammbuch** *nt book recording family events with some legal documents*

stammeln ['ʃtamln] *v/t & v/i* to stammer

stammen ['ʃtamən] *v/i* to come (*von, aus* from); (*zeitlich*) to date (*von, aus* from) **Stammform** *f* base form **Stammgast** *m* regular **Stammhalter** *m* son and heir **stämmig** ['ʃtɛmɪç] *adj* (≈ *gedrungen*) stocky; (≈ *kräftig*) sturdy **Stammkapital** *nt* FIN ordinary share (*Br*) *or* common stock (*US*) capital **Stammkneipe** *f* (*infml*) local (*Br infml*), local bar **Stammkunde** *m*, **Stammkundin** *f* regular (customer) **Stammkundschaft** *f* regulars *pl* **Stammplatz** *m* usual seat **Stammsitz** *m* (*von Firma*) headquarters *sg or pl*; (*von Geschlecht*) ancestral seat; (*im Theater etc*) regular seat **Stammtisch** *m* (≈ *Tisch in Gasthaus*) table reserved for the regulars; (≈ *Stammtischrunde*) group of regulars **Stammwähler(in)** *m/(f)* POL staunch supporter **Stammzelle** *f* stem cell; ***embryonale ~n*** embryonic stem cells

stampfen **I** *v/i* **1.** (≈ *laut auftreten*) to stamp; ***mit dem Fuß ~*** to stamp one's foot **2.** *aux haben or sein* (*Schiff*) to pitch, to toss **II** *v/t* **1.** (≈ *festtrampeln*) *Lehm, Sand* to stamp; *Trauben* to press **2.** (*mit Stampfer*) to mash

Stand [ʃtant] *m* ⟨**-(e)s, ⸚e** ['ʃtɛndə]⟩ **1.** *no pl* (≈ *das Stehen*) standing position; ***aus dem ~*** from a standing position; ***ein Sprung aus dem ~*** a standing jump; ***bei jdm einen schweren ~ haben*** (*fig*) to have a hard time with sb **2.** (≈ *Marktstand etc*) stand; (≈ *Taxistand*) rank **3.** *no pl* (≈ *Lage*) state; (≈ *Zählerstand etc*) reading; (≈ *Kontostand*) balance; (SPORTS ≈ *Spielstand*) score; ***beim jetzigen ~ der Dinge*** the way things stand at the moment; ***der neueste ~ der Forschung*** the latest developments in research; ***auf dem neuesten ~ der Technik sein*** (*Gerät*) to be state-of--the-art technology; ***außer ~e*** = ***außerstande***; ***im ~e*** = ***imstande***; ***in ~*** = ***instand***; ***zu ~e*** = ***zustande*** **4.** (≈ *soziale Stellung*) status; (≈ *Klasse*) class; (≈ *Beruf*) profession

Standard ['ʃtandart, 'st-] *m* ⟨**-s, -s**⟩ standard **standardisieren** [ʃtandardi'ziːrən, st-] *past part* ***standardisiert*** *v/t* to standardize **Standardisierung** *f* ⟨**-, -en**⟩ standardization

Stand-by-Betrieb *m* IT stand-by **Stand--by-Ticket** *nt* AVIAT stand-by ticket

Ständer ['ʃtɛndɐ] *m* ⟨**-s, -**⟩ stand; (*infml* ≈ *Erektion*) hard-on (*sl*)

Ständerat *m* (*Swiss* PARL) upper chamber

Standesamt *nt* registry office (*Br*) **standesamtlich** **I** *adj* ***~e Trauung*** civil wedding **II** *adv* ***sich ~ trauen lassen*** to get married in a registry office (*Br*), to have a civil wedding **Standesbeamte(r)** *m decl as adj*, **Standesbeamtin** *f* registrar **standesgemäß** **I** *adj* befitting one's rank **II** *adv* in a manner befitting one's rank **Standesunterschied** *m* class difference **standfest** *adj* stable; (*fig*) steadfast **standhaft** **I** *adj* steadfast **II** *adv* ***er weigerte sich ~*** he steadfastly refused **Standhaftigkeit** ['ʃtanthaftɪçkait] *f* ⟨**-,** *no pl*⟩ steadfastness **standhalten** ['ʃtanthaltn] *v/i sep irr* (*Mensch*) to stand firm; (*Brücke etc*) to hold; ***jdm ~*** to stand up to sb; ***einer Prüfung ~*** to stand up to close examination **ständig** ['ʃtɛndɪç] **I** *adj* **1.** (≈ *dauernd*) permanent **2.** (≈ *unaufhörlich*) constant **II** *adv* (≈ *andauernd*) constantly; ***sie beklagt sich ~*** she's always complaining; ***sie ist ~ krank*** she's always ill **Standl** ['ʃtandl] *nt* ⟨**-s, -**⟩ ⟨**-s, -n**⟩ (*Aus* ≈ *Ver-*

kaufsstand) stand **Standleitung** *f* TEL direct line **Standlicht** *nt* sidelights *pl*; ***mit~ fahren*** to drive on sidelights **Standort** *m, pl* **-orte** location; (*von Schiff etc*) position; (*von Industriebetrieb*) site **Standpunkt** *m* (≈ *Meinung*) point of view; ***auf dem ~ stehen, dass ...*** to take the view that ... **Standspur** *f* AUTO hard shoulder (*Br*), shoulder (*US*) **Standuhr** *f* grandfather clock

Stange ['ʃtaŋə] *f* ⟨-, **-n**⟩ **1.** pole; (≈ *Querstab*) bar; (≈ *Gardinenstange*) rod; (≈ *Vogelstange*) perch **2.** ***ein Anzug von der ~*** a suit off the peg (*Br*) *or* rack (*US*); ***jdn bei der ~ halten*** (*infml*) to keep sb; ***bei der ~ bleiben*** (*infml*) to stick at it (*infml*); ***jdm die ~ halten*** (*infml*) to stand up for sb; ***eine*** (***schöne***) ***~ Geld*** (*infml*) a tidy sum (*infml*) **Stängel** ['ʃtɛŋl] *m* ⟨**-s, -**⟩ stem **Stangenbohne** *f* runner (*Br*) *or* pole (*US*) bean **Stangenbrot** *nt* French bread; (≈ *Laib*) French loaf **Stangensellerie** *m or f* celery

stänkern ['ʃtɛŋkɐn] *v/i* (*infml* ≈ *Unfrieden stiften*) to stir things up (*infml*)

Stanniolpapier *nt* silver paper

Stanze ['ʃtantsə] *f* ⟨-, **-n**⟩ (*für Prägestempel*) die; (≈ *Lochstanze*) punch **stanzen** ['ʃtantsn] *v/t* to press; (≈ *prägen*) to stamp; *Löcher* to punch

Stapel ['ʃtaːpl] *m* ⟨**-s, -**⟩ **1.** (≈ *Haufen*) stack **2.** NAUT stocks *pl*; ***vom ~ laufen*** to be launched; ***vom ~ lassen*** to launch; (*fig*) to come out with (*infml*) **Stapelbox** *f* stacking box **Stapellauf** *m* NAUT launching **stapeln** ['ʃtaːpln] **I** *v/t* to stack; (≈ *lagern*) to store **II** *v/r* to pile up **Stapelverarbeitung** *f* IT batch processing **stapelweise** *adv* in piles

stapfen ['ʃtapfn] *v/i aux sein* to trudge

Star[1] [ʃtaːɐ] *m* ⟨**-(e)s, -e**⟩ ORN starling

Star[2] [ʃtaːɐ] *m* ⟨**-(e)s, -e**⟩ MED ***grauer ~*** cataract; ***grüner ~*** glaucoma

Star[3] [ʃtaːɐ, staːɐ] *m* ⟨**-s, -s**⟩ FILM *etc* star **Starbesetzung** ['ʃtaːɐ-, 'staːɐ-] *f* star cast

Starenkasten *m* (AUTO *infml* ≈ *Überwachungsanlage*) police camera

Stargage *f* top fee **Stargast** *m* star guest

stark [ʃtark] **I** *adj, comp* **⸗er** ['ʃtɛrkɐ], *sup* **⸗ste**(***r, s***) ['ʃtɛrkstə] **1.** strong; ***sich für etw ~ machen*** (*infml*) to stand up for sth; ***das ist seine ~e Seite*** that is his strong point; ***das ist ~ or ein ~es Stück!*** (*infml*) that's a bit much! **2.** (≈ *dick*) thick **3.** (≈ *heftig*) *Schmerzen, Kälte* intense; *Frost* severe; *Regen, Verkehr, Raucher, Trinker* heavy; *Sturm* violent; *Erkältung* bad; *Wind, Eindruck* strong; *Beifall* loud; *Fieber* high **4.** (≈ *leistungsfähig*) *Motor* powerful **5.** (≈ *zahlreich*) *Nachfrage* great; ***zehn Mann ~*** ten strong; ***300 Seiten ~*** 300 pages long **6.** (*infml* ≈ *hervorragend*) *Leistung* great (*infml*) **II** *adv, comp* **⸗er** ['ʃtɛrkɐ], *sup* **am ⸗sten** (*mit vb*) a lot; (*mit adj, ptp*) very; *applaudieren* loudly; *pressen* hard; *regnen* heavily; *vergrößert, verkleinert* greatly; *beschädigt, entzündet etc* badly; *bluten* profusely; ***~ wirkend*** *Medikament* potent; ***~ gewürzt*** highly spiced **Starkbier** *nt* strong beer

Stärke[1] ['ʃtɛrkə] *f* ⟨-, **-n**⟩ **1.** strength **2.** (≈ *Dicke*) thickness **3.** (≈ *Heftigkeit*) (*von Strömung, Wind*) strength; (*von Schmerzen*) intensity; (*von Regen, Verkehr*) heaviness; (*von Sturm*) violence **4.** (≈ *Leistungsfähigkeit*) (*von Motor*) power **5.** (≈ *Anzahl*) size; (*von Nachfrage*) level

Stärke[2] *f* ⟨-, **-n**⟩ CHEM starch **Stärkemehl** *nt* COOK ≈ cornflour (*Br*), ≈ cornstarch (*US*)

stärken ['ʃtɛrkn] **I** *v/t* **1.** (≈ *kräftigen*) to strengthen; *Gesundheit* to improve **2.** *Wäsche* to starch **II** *v/i* to be fortifying; ***~des Mittel*** tonic **III** *v/r* to fortify oneself **Starkstrom** *m* ELEC heavy current **Stärkung** ['ʃtɛrkʊŋ] *f* ⟨-, **-en**⟩ **1.** strengthening **2.** (≈ *Erfrischung*) refreshment **Stärkungsmittel** *nt* MED tonic

starr [ʃtar] **I** *adj* **1.** stiff; (≈ *unbeweglich*) rigid; ***~ vor Frost*** stiff with frost **2.** (≈ *unbewegt*) *Blick* fixed **3.** (≈ *regungslos*) paralyzed; ***~ vor Schrecken*** paralyzed with fear **4.** (≈ *nicht flexibel*) inflexible **II** *adv* ***jdn ~ ansehen*** to stare at sb; ***~ an etw*** (*dat*) ***festhalten*** to cling to sth **Starre** ['ʃtarə] *f* ⟨-, *no pl*⟩ stiffness **starren** ['ʃtarən] *v/i* **1.** (≈ *starr blicken*) to stare (*auf* +*acc* at); ***vor sich*** (*acc*) ***hin ~*** to stare straight ahead **2.** ***vor Dreck ~*** to be covered with dirt; (*Kleidung*) to be stiff with dirt **Starrheit** *f* ⟨-, *no pl*⟩ **1.** (*von Gegenstand*) rigidity **2.** (≈ *Sturheit*) inflexibility **starrköpfig I** *adj* stubborn **II** *adv* stubbornly **Starrsinn** *m, no pl* stubbornness **starrsinnig I** *adj* stubborn **II** *adv* stubbornly

Start [ʃtart] *m* ⟨**-s, -s**⟩ **1.** start **2.** (≈ *Startlinie*) start(ing line); (*bei Autorennen*) (starting) grid **3.** AVIAT takeoff; (≈ *Raketenstart*) launch **Startbahn** *f* AVIAT runway **Startblock** *m, pl* ***-blöcke*** SPORTS starting block **starten** [ˈʃtartn] **I** *v/i aux sein* to start; AVIAT to take off; (≈ *zum Start antreten*) to take part **II** *v/t* to start; *Satelliten, Rakete* to launch; ***den Computer neu ~*** to restart the computer **Starter** [ˈʃtartɐ] *m* ⟨**-s, -**⟩ AUTO starter **Starterlaubnis** *f* AVIAT clearance for takeoff **Starthilfe** *f* (*fig*) initial aid; ***jdm ~ geben*** to help sb get off the ground **Starthilfekabel** *nt* jump leads *pl* (*Br*), jumper cables *pl* (*US*) **Startkapital** *nt* starting capital **startklar** *adj* AVIAT clear(ed) for takeoff; (SPORTS, *fig*) ready to start **Startschuss** *m* SPORTS starting signal; (*fig*) signal (*zu* for); ***den ~ geben*** to fire the (starting) pistol; (*fig*) to give the go-ahead **Startseite** *f* (*im Internet*) start page **Startverbot** *nt* AVIAT ban on takeoff; SPORTS ban

Statik [ˈʃtaːtɪk, ˈst-] *f* ⟨**-**, *no pl*⟩ **1.** SCI statics *sg* **2.** BUILD structural engineering **Statiker** [ˈʃtaːtikɐ, ˈst-] *m* ⟨**-s, -**⟩, **Statikerin** [-ərɪn] *f* ⟨**-, -nen**⟩ TECH structural engineer

Station [ʃtaˈtsioːn] *f* ⟨**-, -en**⟩ **1.** station; (≈ *Haltestelle*) stop; (*fig: von Leben*) phase; ***~ machen*** to stop off **2.** (≈ *Krankenstation*) ward **stationär** [ʃtatsioˈnɛːɐ] **I** *adj* stationary; MED *Behandlung* inpatient *attr*; ***~er Patient*** inpatient **II** *adv* ***jdn ~ behandeln*** to treat sb in hospital *or* as an inpatient **stationieren** [ʃtatsioˈniːrən] *past part* ***stationiert*** *v/t Truppen* to station; *Atomwaffen etc* to deploy **Stationierung** *f* ⟨**-, -en**⟩ (*von Truppen*) stationing; (*von Atomwaffen etc*) deployment **Stationsarzt** *m*, **Stationsärztin** *f* ward doctor **Stationsschwester** *f* senior nurse (*in a ward*)

statisch [ˈʃtaːtɪʃ, ˈst-] **I** *adj* static **II** *adv* ***meine Haare haben sich ~ aufgeladen*** my hair is full of static electricity

Statist [ʃtaˈtɪst] *m* ⟨**-en, -en**⟩, **Statistin** [-ˈtɪstɪn] *f* ⟨**-, -nen**⟩ FILM extra; (*fig*) cipher

Statistik [ʃtaˈtɪstɪk] *f* ⟨**-, -en**⟩ statistics *sg* **Statistiker** [ʃtaˈtɪstikɐ] *m* ⟨**-s, -**⟩, **Statistikerin** [-ərɪn] *f* ⟨**-, -nen**⟩ statistician **statistisch** [ʃtaˈtɪstɪʃ] *adj* statistical; ***~ gesehen*** statistically

Stativ [ʃtaˈtiːf] *nt* ⟨**-s, -e** [-və]⟩ tripod

statt [ʃtat] **I** *prep +gen or* (*inf*) *+dat* instead of; ***an Kindes ~ annehmen*** JUR to adopt **II** *cj* instead of **stattdessen** *adv* instead

Stätte [ˈʃtɛtə] *f* ⟨**-, -n**⟩ place

stattfinden [ˈʃtatfɪndn] *v/i sep irr* to take place **stattgeben** [ˈʃtatgeːbn] *v/i +dat sep irr* (*form*) to grant **statthaft** [ˈʃtathaft] *adj pred* permitted **stattlich** [ˈʃtatlɪç] *adj* **1.** (≈ *ansehnlich*) *Gebäude, Anwesen* magnificent; *Bursche* strapping; *Erscheinung* imposing **2.** (≈ *umfangreich*) *Sammlung* impressive; *Familie* large; (≈ *beträchtlich*) handsome

Statue [ˈʃtaːtuə, ˈst-] *f* ⟨**-, -n**⟩ statue

Statur [ʃtaˈtuːɐ] *f* ⟨**-, -en**⟩ build

Status [ˈʃtaːtʊs, ˈst-] *m* ⟨**-, -** [-tuːs]⟩ status; ***~ quo*** status quo **Statussymbol** *nt* status symbol **Statuszeile** *f* IT status line

Stau [ʃtau] *m* ⟨**-(e)s, -e** *or* **-s**⟩ (≈ *Wasserstauung*) build-up; (≈ *Verkehrsstauung*) traffic jam; ***ein ~ von 3 km*** a 3km tailback (*Br*), a 3km backup (of traffic) (*US*)

Staub [ʃtaup] *m* ⟨**-(e)s, -e** *or* ***Stäube*** [-bə, ˈʃtɔybə]⟩ dust; BOT pollen; ***~ saugen*** to vacuum, to hoover® (*Br*); ***~ wischen*** to dust; ***sich aus dem ~(e) machen*** (*infml*) to clear off (*infml*)

Staubecken *nt* reservoir

staubig [ˈʃtaubɪç] *adj* dusty **Staublappen** *m* duster **staubsaugen** [ˈʃtaupzaugn] *past part* ***staubgesaugt*** [ˈʃtaupgəzaukt] *v/i insep* to vacuum, to hoover® (*Br*) **Staubsauger** *m* vacuum cleaner, Hoover® (*Br*) **Staubschicht** *f* layer of dust **Staubtuch** *nt, pl* ***-tücher*** duster **Staubwolke** *f* cloud of dust

Staudamm *m* dam

Staude [ˈʃtaudə] *f* ⟨**-, -n**⟩ HORT herbaceous perennial (plant); (≈ *Busch*) shrub

stauen [ˈʃtauən] **I** *v/t Wasser, Fluss* to dam (up); *Blut* to stop the flow of **II** *v/r* (≈ *sich anhäufen*) to pile up; (*Verkehr, Wasser, fig*) to build up; (*Blut*) to accumulate

staunen [ˈʃtaunən] *v/i* to be astonished (*über +acc* at); ***da kann man nur noch ~*** it's just amazing; ***da staunst du, was?*** (*infml*) you didn't expect that, did you! **Staunen** *nt* ⟨**-s**, *no pl*⟩ astonishment (*über +acc* at); ***jdn in ~ versetzen*** to amaze sb **staunenswert** *adj* astonishing

Stausee *m* reservoir **Stauung** ['ʃtauʊŋ] *f* ⟨-, **-en**⟩ **1.** (≈ *Stockung*) pile-up; (*in Lieferungen, Post etc*) hold-up; (*von Menschen*) jam; (*von Verkehr*) tailback (*Br*), backup (*US*) **2.** (*von Wasser*) build-up (of water) **Stauwarnung** *f* warning of traffic congestion

Steak [steːk, ʃteːk] *nt* ⟨**-s, -s**⟩ steak

stechen ['ʃtɛçn] *pret* **stach** [ʃtaːx], *past part* ***gestochen*** [gə'ʃtɔxn] **I** *v/i* **1.** (*Dorn, Stachel etc*) to prick; (*Wespe, Biene*) to sting; (*Mücken, Moskitos*) to bite; (*mit Messer etc*) to (make a) stab (*nach* at); (*Sonne*) to beat down; (*mit Stechkarte*) (*bei Ankunft*) to clock in; (*bei Weggang*) to clock out **2.** CARDS to trump **II** *v/t* **1.** (*Dorn, Stachel etc*) to prick; (*Wespe, Biene*) to sting; (*Mücken, Moskitos*) to bite; (*mit Messer etc*) to stab; *Löcher* to pierce **2.** CARDS to trump **3.** *Spargel, Torf, Rasen* to cut **4.** (≈ *gravieren*) to engrave; → ***gestochen*** **III** *v/r* to prick oneself (*an +dat* on, *mit* with); ***sich*** (*acc or dat*) ***in den Finger ~*** to prick one's finger **Stechen** ['ʃtɛçn] *nt* ⟨**-s, -**⟩ **1.** SPORTS play-off; (*bei Springreiten*) jump-off **2.** (≈ *Schmerz*) sharp pain **stechend** *adj* piercing; *Sonne* scorching; *Schmerz* sharp; *Geruch* pungent **Stechkarte** *f* clocking-in card **Stechmücke** *f* gnat, midge (*Br*) **Stechpalme** *f* holly **Stechuhr** *f* time clock

Steckbrief *m* "wanted" poster; (*fig*) personal description **steckbrieflich** *adv* ***~ gesucht werden*** to be wanted **Steckdose** *f* ELEC (wall) socket **stecken** ['ʃtɛkn] **I** *v/i* **1.** (≈ *festsitzen*) to be stuck; (*Nadel, Splitter etc*) to be (sticking); ***der Stecker steckt in der Dose*** the plug is in the socket; ***der Schlüssel steckt*** the key is in the lock **2.** (≈ *verborgen sein*) to be (hiding); ***wo steckt er?*** where has he got to?; ***darin steckt viel Mühe*** a lot of work has gone into that; ***zeigen, was in einem steckt*** to show what one is made of **3.** (≈ *strotzen vor*) ***voll*** *or* ***voller Fehler/Nadeln ~*** to be full of mistakes/pins **4.** (≈ *verwickelt sein in*) ***in Schwierigkeiten ~*** to be in difficulties; ***in einer Krise ~*** to be in the throes of a crisis **II** *v/t* **1.** (≈ *hineinstecken*) to put; ***jdn ins Bett ~*** (*infml*) to put sb to bed (*infml*) **2.** SEWING to pin **3.** (*infml* ≈ *investieren*) *Geld, Mühe* to put (*in +acc* into); *Zeit* to devote (*in +acc* to) **4.** (*sl* ≈ *aufgeben*) to jack in (*Br infml*), to chuck (*infml*) **5.** ***jdm etw ~*** (*infml*) to tell sb sth **Stecken** ['ʃtɛkn] *m* ⟨**-s, -**⟩ stick **stecken bleiben** *v/i irr aux sein* to stick fast; (*Kugel*) to be lodged; (*in der Rede*) to falter **stecken lassen** *past part* ***stecken lassen*** *or* (*rare*) ***stecken gelassen*** *v/t irr* to leave; ***den Schlüssel ~*** to leave the key in the lock **Steckenpferd** *nt* hobbyhorse **Stecker** ['ʃtɛkɐ] *m* ⟨**-s, -**⟩ ELEC plug **Steckkarte** *f* IT expansion card **Stecknadel** *f* pin; ***etw mit ~n befestigen*** to pin sth (*an +dat* to); ***eine ~ im Heuhaufen suchen*** (*fig*) to look for a needle in a haystack **Steckplatz** *m* IT (expansion) slot **Steckrübe** *f* swede (*Br*), rutabaga (*US*) **Steckschloss** *nt* bicycle lock

Steg [ʃteːk] *m* ⟨**-(e)s, -e** [-gə]⟩ **1.** (≈ *Brücke*) footbridge; (≈ *Landungssteg*) landing stage **2.** (≈ *Brillensteg*) bridge

Stegreif ['ʃteːkraif] *m* ***aus dem ~ spielen*** THEAT to improvise; ***eine Rede aus dem ~ halten*** to make an impromptu speech

Stehaufmännchen ['ʃteː|auf-] *nt* (*Spielzeug*) tumbler; ***er ist ein richtiges ~*** he always bounces back **stehen** ['ʃteːən] *pret* **stand** [ʃtant], *past part* **gestanden** [gə'ʃtandn] *aux haben or* (*S Ger, Aus, Sw*) *sein* **I** *v/i* **1.** to stand; (≈ *warten*) to wait; ***fest/sicher ~*** to stand firm(ly)/securely; (*Mensch*) to have a firm/safe foothold; ***vor der Tür stand ein Fremder*** there was a stranger (standing) at the door; ***ich kann nicht mehr ~*** I can't stay on my feet any longer; ***mit jdm/etw ~ und fallen*** to depend on sb/sth; ***sein Hemd steht vor Dreck*** (*infml*) his shirt is stiff with dirt **2.** (≈ *sich befinden*) to be; ***die Vase steht auf dem Tisch*** the vase is on the table; ***meine alte Schule steht noch*** my old school is still standing; ***unter Schock ~*** to be in a state of shock; ***unter Drogen/Alkohol ~*** to be under the influence of drugs/alcohol; ***vor einer Entscheidung ~*** to be faced with a decision; ***ich tue, was in meinen Kräften steht*** I'll do everything I can **3.** (≈ *geschrieben, gedruckt sein*) to be; ***was steht da/in dem Brief?*** what does it/the letter say?; ***es stand im „Kurier"*** it was in the "Courier" **4.** (≈ *angehalten haben*) to have stopped; ***meine Uhr steht*** my watch has stopped; ***der ganze***

Verkehr steht traffic is at a complete standstill **5.** (≈ *bewertet werden*, *Währung*) to be (*auf +dat* at); ***wie steht das Pfund?*** what's the exchange rate for the pound?; ***das Pfund steht auf EUR 1,60*** the pound stands at EUR 1.60 **6.** (≈ *in bestimmter Position sein*, *Rekord*) to stand (*auf +dat* at); ***der Zeiger steht auf 4 Uhr*** the clock says 4 (o'clock); ***wie steht das Spiel?*** what is the score?; ***es steht 2:1 für München*** the score is *or* it is 2-1 to Munich **7.** (≈ *passen zu*) ***jdm ~*** to suit sb **8.** (*grammatikalisch*) ***nach „in" steht der Akkusativ oder der Dativ*** "in" takes the accusative or the dative **9.**; → ***gestanden*** **10.** ***die Sache steht*** (*infml*) the whole business is settled; ***es steht mir bis hier*** (*infml*) I've had it up to here with it (*infml*); ***für etw ~*** to stand for sth; ***auf jdn/etw ~*** (*infml*) to be mad about sb/sth (*infml*); ***zu jdm ~*** to stand by sb; ***zu seinem Versprechen ~*** to stand by one's promise; ***wie ~ Sie dazu?*** what are your views on that? **II** *v/t* ***Posten ~*** to stand guard; ***Wache ~*** to mount watch **III** *v/r* ***sich gut/schlecht ~*** to be well/badly off; ***sich mit jdm gut/schlecht ~*** to get on well/badly with sb **IV** *v/impers* ***wie stehts?*** how are *or* how's things?; ***wie steht es damit?*** how about it?; ***es steht schlecht/gut um jdn*** (*gesundheitlich*, *finanziell*) sb is doing badly/well **Stehen** *nt* ⟨***-s***, *no pl*⟩ **1.** standing; ***etw im ~ tun*** to do sth standing up **2.** (≈ *Halt*) stop, standstill; ***zum ~ kommen*** to stop **stehen bleiben** *v/i irr aux sein* **1.** (≈ *anhalten*) to stop; (≈ *nicht weitergehen*) to stay; (*Zeit*) to stand still; ***~!*** stop!; MIL halt! **2.** (≈ *unverändert bleiben*) to be left (in); ***soll das so ~?*** should that stay as it is? **stehend** *adj attr Fahrzeug* stationary; *Gewässer* stagnant; ***~e Redensart*** stock phrase **stehen lassen** *past part* ***stehen lassen*** *or* (*rare*) ***stehen gelassen*** *v/t irr* to leave; ***alles stehen und liegen lassen*** to drop everything; (*Flüchtlinge etc*) to leave everything behind; ***jdn einfach ~*** to leave sb standing (there); ***sich*** (*dat*) ***einen Bart ~*** to grow a beard **Stehimbiss** *m* stand-up snack bar **Stehkneipe** *f* stand-up bar **Stehlampe** *f* standard lamp

stehlen ['ʃteːlən] *pret* ***stahl*** [ʃtaːl], *past part* ***gestohlen*** [gə'ʃtoːlən] **I** *v/t & v/i* to steal; ***jdm die Zeit ~*** to waste sb's time **II** *v/r* to steal; ***sich aus der Verantwortung ~*** to evade one's responsibility; → ***gestohlen***

Stehparty *f* buffet party **Stehplatz** *m* ***ich bekam nur noch einen ~*** I had to stand; ***Stehplätze*** standing room *sg* **Stehvermögen** *nt* staying power

Steiermark ['ʃtaiɐmark] *f* ⟨-⟩ Styria

steif [ʃtaif] **I** *adj* **1.** stiff; *Penis* hard; ***sich ~*** (***wie ein Brett***) ***machen*** to go rigid **2.** (≈ *förmlich*) stiff; *Empfang*, *Begrüßung*, *Abend* formal **II** *adv* ***das Eiweiß ~ schlagen*** to beat the egg white until stiff; ***sie behauptete ~ und fest, dass ...*** she insisted that ...; ***etw ~ und fest glauben*** to be convinced of sth **steifen** ['ʃtaifn] *v/t* to stiffen; *Wäsche* to starch **Steifheit** *f* ⟨-, *no pl*⟩ stiffness

Steigbügel *m* stirrup **Steigeisen** *nt* climbing iron *usu pl*; (*Bergsteigen*) crampon **steigen** ['ʃtaign] *pret* ***stieg*** [ʃtiːk], *past part* ***gestiegen*** [gə'ʃtiːgn] *aux sein* **I** *v/i* **1.** (≈ *klettern*) to climb; ***auf einen Berg ~*** to climb (up) a mountain; ***aufs Pferd ~*** to get on(to) the/one's horse; ***aus dem Zug/Bus ~*** to get off the train/bus **2.** (≈ *sich aufwärtsbewegen*) to rise; (*Flugzeug*, *Straße*) to climb; (≈ *sich erhöhen*) (*Preis*, *Fieber*) to go up; (≈ *zunehmen*) (*Chancen etc*) to increase; ***Drachen ~ lassen*** to fly kites; ***in jds Achtung*** (*dat*) ***~*** to rise in sb's estimation **3.** (*Aus ≈ treten*) to step **4.** (*infml ≈ stattfinden*) ***steigt die Demo oder nicht?*** is the demo on or not? **II** *v/t Treppen*, *Stufen* to climb (up)

steigern ['ʃtaigɐn] **I** *v/t* **1.** (≈ *erhöhen*) to increase (*auf +acc* to, *um* bei); *Übel*, *Zorn* to aggravate; *Leistung* to improve **2.** GRAM *Adjektiv* to compare **II** *v/i* to bid (*um* for) **III** *v/r* (≈ *sich erhöhen*) to increase; (≈ *sich verbessern*) to improve **Steigerung** ['ʃtaigərʊŋ] *f* ⟨-, ***-en***⟩ **1.** (≈ *das Steigern*) increase (*+gen* in); (≈ *Verbesserung*) improvement **2.** GRAM comparative **steigerungsfähig** *adj* improvable

Steigung ['ʃtaigʊŋ] *f* ⟨-, ***-en***⟩ (≈ *Hang*) slope; (*von Hang*, *Straße*, MAT) gradient (*Br*), grade (*esp US*)

steil [ʃtail] **I** *adj* **1.** *Abhang*, *Treppe*, *Anstieg* steep; ***eine ~e Karriere*** (*fig*) a rapid rise **2.** SPORTS ***~e Vorlage***, ***~er Pass*** through ball **II** *adv* steeply **Steilhang**

m steep slope **Steilheit** *f, no pl* steepness **Steilküste** *f* steep coast; (≈ *Klippen*) cliffs *pl* **Steilpass** *m* SPORTS through ball **Steilwand** *f* steep face

Stein [ʃtain] *m* ⟨**-(e)s, -e**⟩ stone; (*in Uhr*) jewel; (≈ *Spielstein*) piece; (≈ *Ziegelstein*) brick; ***mir fällt ein ~ vom Herzen!*** (*fig*) that's a load off my mind!; ***bei jdm einen ~ im Brett haben*** (*fig infml*) to be well in with sb (*infml*); ***ein Herz aus ~*** (*fig*) a heart of stone; ***~ und Bein schwören*** (*fig infml*) to swear to God (*infml*) **Steinadler** *m* golden eagle **Steinbock** *m* **1.** ZOOL ibex **2.** ASTROL Capricorn **Steinbruch** *m* quarry **steinern** [ˈʃtainɐn] *adj* stone; (*fig*) stony **Steinfrucht** *f* stone fruit **Steingarten** *m* rockery **Steingut** *nt, no pl* stoneware **steinhart** *adj* (as) hard as a rock **steinig** [ˈʃtainɪç] *adj* stony **steinigen** [ˈʃtainɪgn] *v/t* to stone **Steinkohle** *f* hard coal **Steinkrug** *m* (≈ *Kanne*) stoneware jug **Steinmetz** [-mɛts] *m* ⟨**-en, -en**⟩, **Steinmetzin** [-mɛtsɪn] *f* ⟨**-, -nen**⟩ stonemason **Steinobst** *nt* stone fruit **Steinpilz** *m* boletus edulis (*tech*) **steinreich** *adj* (*infml*) stinking rich (*Br infml*) **Steinschlag** *m* rockfall; ***„Achtung ~"*** "danger falling stones" **Steinwurf** *m* (*fig*) stone's throw **Steinzeit** *f* Stone Age **steinzeitlich** *adj* Stone Age *attr*

Steiß [ʃtais] *m* ⟨**-es, -e**⟩ ANAT coccyx; (*hum infml*) tail (*infml*) **Steißbein** *nt* ANAT coccyx **Steißlage** *f* MED breech presentation

Stellage [ʃtɛˈlaːʒə] *f* ⟨**-, -n**⟩ (≈ *Gestell*) rack, frame **Stelle** [ˈʃtɛlə] *f* ⟨**-, -n**⟩ **1.** place; (*in Tabelle, Hierarchie*) position; (*in Text, Musikstück*) passage; ***an erster ~*** in the first place; ***eine schwache ~*** a weak spot; ***auf der ~ treten*** (*lit*) to mark time; (*fig*) not to make any progress; ***auf der ~*** (*fig* ≈ *sofort*) on the spot; *kommen, gehen* straight away; ***nicht von der ~ kommen*** not to make any progress; ***sich nicht von der ~ rühren*** *or* ***bewegen*** to refuse to budge (*infml*); ***zur ~ sein*** to be on the spot; (≈ *bereit, etw zu tun*) to be at hand **2.** (≈ *Zeitpunkt*) point; ***an passender ~*** at an appropriate moment **3.** MAT figure; (*hinter Komma*) place **4.** ***an ~ von*** in place of; ***ich möchte jetzt nicht an seiner ~ sein*** I wouldn't like to be in his position now; ***an deiner ~ würde ich ...*** if I were you I would ...; → ***anstelle*** **5.** (≈ *Posten*) job; ***eine freie*** *or* ***offene ~*** a vacancy **6.** (≈ *Dienststelle*) office; (≈ *Behörde*) authority; ***da bist du bei mir/uns an der richtigen ~!*** (*infml*) you've come to the right place **stellen** [ˈʃtɛlən] **I** *v/t* **1.** (≈ *hinstellen*) to put; (≈ *an bestimmten Platz legen*) to place; ***auf sich*** (*acc*) ***selbst*** *or* ***allein gestellt sein*** (*fig*) to have to fend for oneself **2.** (≈ *anordnen, arrangieren*) to arrange; ***gestellt*** *Bild, Foto* posed; ***die Szene war gestellt*** they posed for the scene; ***eine gestellte Pose*** a pose **3.** (≈ *erstellen*) ***(jdm) eine Diagnose ~*** to make a diagnosis (for sb) **4.** (≈ *einstellen*) to set (*auf +acc* at); ***das Radio lauter/leiser ~*** to turn the radio up/down **5.** (*finanziell*) ***gut/besser/schlecht gestellt sein*** to be well/better/badly off **6.** (≈ *erwischen*) to catch **7.** *Aufgabe, Thema* to set (*jdm* sb); *Frage* to put (*jdm, an jdn* to sb); *Antrag, Forderung* to make; ***jdn vor ein Problem/eine Aufgabe*** *etc* ***~*** to confront sb with a problem/task *etc* **II** *v/r* **1.** (≈ *sich hinstellen*) to (go and) stand (*an +acc* at, by); (≈ *sich aufstellen, sich einordnen*) to position oneself; (≈ *sich aufrecht hinstellen*) to stand up; ***sich auf den Standpunkt ~, ...*** to take the view ...; ***sich gegen jdn/etw ~*** (*fig*) to oppose sb/sth; ***sich hinter jdn/etw ~*** (*fig*) to support *or* back sb/sth **2.** (*fig* ≈ *sich verhalten*) ***sich positiv/anders zu etw ~*** to have a positive/different attitude toward(s) sth; ***wie stellst du dich zu ...?*** what do you think of ...?; ***sich gut mit jdm ~*** to put oneself on good terms with sb **3.** (*infml: finanziell*) ***sich gut/schlecht ~*** to be well/badly off **4.** (≈ *sich ausliefern*) to give oneself up (*jdm* to sb); ***sich den Fragen der Journalisten ~*** to be prepared to answer reporters' questions; ***sich einer Herausforderung ~*** to take up a challenge **5.** (≈ *sich verstellen*) ***sich krank/schlafend*** *etc* ***~*** to pretend to be ill/asleep *etc* **6.** (*fig* ≈ *entstehen*) to arise (*für* for); ***es stellt sich die Frage, ob ...*** the question arises whether ... **Stellenabbau** *m* staff cuts *pl or* reductions *pl* **Stellenangebot** *nt* job offer; ***„Stellenangebote"*** "vacancies" **Stellenanzeige** *f*, **Stellenausschreibung** *f* job advertisement **Stellenbeschreibung** *f* job description **Stelleneinsparung** *f usu pl* job cut **Stellengesuch** *nt* advertisement seeking employment; ***„Stellengesuche“*** “situations wanted” (*Br*), “employment wanted” **Stellenmarkt** *m* job market; (*in Zeitung*) appointments section **Stellenvermittlung** *f* employment bureau **stellenweise** *adv* in places **Stellenwert** *m* MAT place value; (*fig*) status; ***einen hohen ~ haben*** to play an important role **Stellplatz** *m* (*für Auto*) parking space **Stellschraube** *f* TECH adjusting screw **Stellung** [ˈʃtɛlʊŋ] *f* ⟨**-, -en**⟩ position; ***die ~ halten*** MIL to hold one’s position; (*hum*) to hold the fort; ***~ beziehen*** (*fig*) to declare one’s position; ***zu etw ~ nehmen*** *or* ***beziehen*** to comment on sth; ***gesellschaftliche ~*** social status; ***bei jdm in ~ sein*** to be in sb’s employment **Stellungnahme** [-naːmə] *f* ⟨**-, -n**⟩ statement (*zu* on); ***eine ~ zu etw abgeben*** to make a statement on sth **Stellungssuche** *f* search for employment; ***auf ~ sein*** to be looking for employment **Stellungswechsel** *m* change of job **stellvertretend I** *adj* (*von Amts wegen*) deputy *attr*; (≈ *vorübergehend*) acting *attr* **II** *adv* ***~ für jdn*** for sb; (*Rechtsanwalt*) on behalf of sb; ***~ für jdn handeln*** to deputize for sb **Stellvertreter(in)** *m/(f)* (acting) representative; (*von Amts wegen*) deputy; (*von Arzt*) locum **Stellvertretung** *f* (≈ *Stellvertreter*) representative; (*von Amts wegen*) deputy; (*von Arzt*) locum; ***die ~ für jdn übernehmen*** to represent sb; (*von Amts wegen*) to stand in for sb **Stellwerk** *nt* RAIL signal box (*Br*), signal *or* switch tower (*US*)

Stelze [ˈʃtɛltsə] *f* ⟨**-, -n**⟩ **1.** stilt **2.** ORN wagtail

Stemmbogen *m* SKI stem turn **Stemmeisen** *nt* crowbar **stemmen** [ˈʃtɛmən] **I** *v/t* **1.** (≈ *stützen*) to press **2.** (≈ *hochstemmen*) to lift (above one’s head) **II** *v/r* ***sich gegen etw ~*** to brace oneself against sth; (*fig*) to oppose sth

Stempel [ˈʃtɛmpl] *m* ⟨**-s, -**⟩ **1.** stamp; (≈ *Poststempel*) postmark; (≈ *Viehstempel*) brand; (*auf Silber, Gold*) hallmark; ***jdm/einer Sache*** (*dat*) ***seinen ~ aufdrücken*** (*fig*) to make one’s mark on sth **2.** (TECH) (≈ *Prägestempel*) die **3.** BOT pistil **Stempelkarte** *f* punch card **Stempelkissen** *nt* ink pad **stempeln** [ˈʃtɛmpln] **I** *v/t* to stamp; *Brief* to postmark; *Briefmarke* to frank; ***jdn zum Lügner/Verbrecher ~*** (*fig*) to brand sb (as) a liar/criminal **II** *v/i* (*infml*) **1.** ***~ gehen*** (≈ *arbeitslos sein*) to be on the dole (*Br infml*), to be on welfare (*US*) **2.** (≈ *Stempeluhr betätigen*) (*beim Hereinkommen*) to clock in; (*beim Hinausgehen*) to clock out **Stempeluhr** *f* time clock

Stengel *m* → ***Stängel***

Steno [ˈʃteːno] *f* ⟨**-**, *no pl*⟩ (*infml*) shorthand **Stenografie** [ʃtenograˈfiː] *f* ⟨**-**, *no pl*⟩ shorthand **stenografieren** [ʃtenograˈfiːrən] *past part* ***stenografiert*** **I** *v/t* to take down in shorthand **II** *v/i* to take shorthand; ***können Sie ~?*** can you take shorthand? **Stenogramm** [ʃtenoˈgram] *nt, pl* ***-gramme*** text in shorthand; ***ein ~ aufnehmen*** to take shorthand **Stenotypist** [ʃtenotyˈpɪst] *m* ⟨**-en, -en**⟩, **Stenotypistin** [-ˈpɪstɪn] *f* ⟨**-, -nen**⟩ shorthand typist

Stent [ʃtɛnt] *m* ⟨**-s, -s**⟩ MED stent

Steppdecke *f* quilt

Steppe [ˈʃtɛpə] *f* ⟨**-, -n**⟩ steppe

steppen[1] [ˈʃtɛpn] *v/t & v/i* to (machine)-stitch; *wattierten Stoff* to quilt

steppen[2] [ˈʃtɛpn, ˈst-] *v/i* to tap-dance

Stepper [ˈʃtɛpɐ, ˈst-] *m* SPORTS step machine **Steppjacke** *f* quilted jacket **Stepptanz** [ˈʃtɛp-, ˈst-] *m* tap dance

Sterbebett *nt* deathbed; ***auf dem ~ liegen*** to be on one’s deathbed **Sterbefall** *m* death **Sterbehilfe** *f* (≈ *Euthanasie*) euthanasia **sterben** [ˈʃtɛrbn] *pret* ***starb*** [ʃtarp], *past part* ***gestorben*** [gəˈʃtɔrbn] *v/t & v/i aux sein* to die; ***eines natürlichen/gewaltsamen Todes ~*** to die a natural/violent death; ***an einer Krankheit/Verletzung ~*** to die of an illness/from an injury; ***daran wirst du nicht ~!*** (*hum*) it won’t kill you!; ***vor Angst/Durst/Hunger ~*** to die of fright/thirst/hunger; ***gestorben sein*** to be dead; (*fig*: *Projekt*) to be over and done with; ***er ist für mich gestorben*** (*fig infml*) he doesn’t exist as far as I’m concerned **Sterben** *nt* ⟨**-s**, *no pl*⟩ death; ***im ~ liegen*** to be dying **Sterbeurkunde** *f* death certificate **sterblich** [ˈʃtɛrplɪç] *adj* mortal; ***jds ~e Hülle*** sb’s mortal remains *pl* **Sterbliche(r)** [ˈʃtɛrplɪçə] *m/f(m) decl as adj* mortal **Sterblichkeit** *f* ⟨**-**, *no pl*⟩ mortality

stereo [ˈʃteːreo, ˈst-] *adv* (in) stereo **Stereoanlage** *f* stereo (*infml*) **Stereogerät** *nt* stereo unit **Stereoskop** [ʃtereo-

'sko:p, st-] *nt* ⟨***-s, -e***⟩ stereoscope **Stereoturm** *m* hi-fi stack **stereotyp** [ʃtereo'ty:p, st-] *adj* (*fig*) stereotyped, stereotypical

steril [ʃte'ri:l, st-] *adj* sterile **Sterilisation** [ʃteriliza'tsio:n, st-] *f* ⟨***-, -en***⟩ sterilization **sterilisieren** [ʃterili'zi:rən, st-] *past part* ***sterilisiert*** *v/t* to sterilize

Stern [ʃtɛrn] *m* ⟨***-(e)s, -e***⟩ star; ***in den ~en (geschrieben) stehen*** (*fig*) to be (written) in the stars; ***das steht (noch) in den ~en*** (*fig*) it's in the lap of the gods; ***unter einem guten*** *or* ***glücklichen ~ stehen*** to be blessed with good fortune; ***unter einem unglücklichen ~ stehen*** to be ill-fated; ***ein Hotel mit drei ~en*** a three-star hotel **Sternbild** *nt* ASTRON constellation; ASTROL sign (of the zodiac) **Sternchen** ['ʃtɛrnçən] *nt* ⟨***-s, -***⟩ **1.** TYPO asterisk **2.** FILM starlet **Sternenbanner** *nt* Stars and Stripes *sg* **sternenbedeckt** *adj* starry **Sternenhimmel** *m* starry sky **Sternfrucht** *f* star fruit **sternhagelvoll** ['ʃtɛrn'ha:gl'fɔl] *adj* (*infml*) roaring drunk (*infml*) **sternklar** *adj Himmel, Nacht* starry *attr*, starlit **Sternkunde** *f* astronomy **Sternmarsch** *m* POL *protest march with marchers converging on assembly point from different directions* **Sternschnuppe** [-ʃnʊpə] *f* ⟨***-, -n***⟩ shooting star **Sternsinger** *pl* carol singers *pl* **Sternstunde** *f* great moment; ***das war meine ~*** that was a great moment in my life **Sternwarte** *f* observatory **Sternzeichen** *nt* ASTROL sign of the zodiac; ***im ~ der Jungfrau*** under the sign of Virgo

Steroid [ʃtero'i:t] *nt* ⟨***-(e)s, -e*** [-də]⟩ steroid

stet [ʃte:t] *adj attr* constant; ***~er Tropfen höhlt den Stein*** (*prov*) constant dripping wears away the stone

Stethoskop [ʃteto'sko:p, st-] *nt* ⟨***-s, -e***⟩ stethoscope

stetig ['ʃte:tɪç] **I** *adj* steady; ***~es Meckern*** constant moaning **II** *adv* steadily

stets [ʃte:ts] *adv* always

Steuer[1] ['ʃtɔyɐ] *nt* ⟨***-s, -***⟩ NAUT helm; AUTO (steering) wheel; AVIAT controls *pl*; ***am ~ sein*** (*fig*) to be at the helm; ***am ~ sitzen*** *or* ***sein*** AUTO to be at the wheel, to drive; AVIAT to be at the controls; ***das ~ übernehmen*** to take over; ***das ~ fest in der Hand haben*** (*fig*) to be firmly in control

Steuer[2] *f* ⟨***-, -n***⟩ (≈ *Abgabe*) tax; (*an Gemeinde*) council tax (*Br*), local tax (*US*); (*von Firmen*) rates *pl* (*Br*), corporate property tax (*US*); ***~n*** tax; ***~n zahlen*** to pay tax; ***Gewinn vor/nach ~n*** pre-/-after-tax profit **Steueraufkommen** *nt* tax revenue **steuerbar** *adj* (≈ *versteuerbar*) taxable **Steuerbeamte(r)** *m decl as adj*, **Steuerbeamtin** *f* tax officer **steuerbegünstigt** [-bəgʏnstɪçt] *adj* tax-deductible; *Waren* taxed at a lower rate **Steuerbelastung** *f* tax burden **Steuerberater(in)** *m/(f)* tax consultant **Steuerbescheid** *m* tax assessment **Steuerbord** ['ʃtɔyɐbɔrt] *nt* ⟨***-s,*** *no pl*⟩ NAUT starboard **Steuereinnahmen** *pl* revenue from taxation **Steuerentlastung** *f*, **Steuerermäßigung** *f* tax relief **Steuererhöhung** *f* tax increase **Steuererklärung** *f* tax return **Steuerflucht** *f* tax evasion (*by leaving the country*) **Steuerflüchtling** *m* tax exile **Steuerfrau** *f* (*Rudersport*) cox(swain) **steuerfrei** *adj* tax-free **Steuerfreibetrag** *m* tax-exempt income **Steuergelder** *pl* taxes *pl* **Steuergerät** *nt* tuner-amplifier **Steuerhinterziehung** *f* tax evasion **Steuerjahr** *nt* tax year **Steuerklasse** *f* tax bracket **Steuerknüppel** *m* control column **steuerlich** ['ʃtɔyɐlɪç] **I** *adj* tax *attr*; ***~e Belastung*** tax burden **II** *adv* ***es ist ~ günstiger ...*** for tax purposes it is better ...; ***~ abzugsfähig*** tax-deductible **Steuermann** *m, pl* ***-männer*** *or* ***-leute*** helmsman; (*als Rang*) (first) mate; (*Rudersport*) cox(swain); ***Zweier mit/ohne ~*** coxed/coxless pairs **Steuermarke** *f* revenue stamp **steuermindernd I** *adj* tax-reducing **II** *adv* ***sich ~ auswirken*** to have the effect of reducing tax **Steuermittel** *pl* tax revenue(s *pl*) **steuern** ['ʃtɔyɐn] **I** *v/t* **1.** to steer; *Flugzeug* to pilot; (*fig*) *Wirtschaft, Politik* to run; IT to control **2.** (≈ *regulieren*) to control **II** *v/i aux sein* to head; AUTO to drive; NAUT to make for, to steer **Steueroase** *f*, **Steuerparadies** *nt* tax haven **Steuerpflicht** *f* liability to tax; ***der ~ unterliegen*** to be liable to tax **steuerpflichtig** [-pflɪçtɪç] *adj* taxable **Steuerpflichtige(r)** [-pflɪçtɪgə] *m/f(m) decl as adj* taxpayer **Steuerpolitik** *f* tax *or* taxation policy **Steuerprüfer(in)** *m/(f)* tax inspector, tax auditor (*esp US*) **Steuerrad** *nt* AVIAT control wheel; AUTO (steering) wheel **Steuerreform** *f* tax reform **Steuersatz** *m* rate of taxation **Steuerschuld** *f* tax(es *pl*) owing *no indef art* **Steuersenkung** *f* tax cut **Steuersünder(in)** *m*/(*f*) tax evader **Steuerung** ['ʃtɔyərʊŋ] *f* ⟨**-, -en**⟩ **1.** *no pl* (≈ *das Steuern*) steering; (*von Flugzeug*) piloting; (*fig*) (*von Politik, Wirtschaft*) running; IT control; (≈ *Regulierung*) regulation; (≈ *Bekämpfung*) control **2.** (≈ *Steuervorrichtung*) (AVIAT) controls *pl*; TECH steering apparatus; (*elektronisch*) control **Steuerveranlagung** *f* tax assessment **Steuervergünstigung** *f* tax relief **Steuerzahler(in)** *m*/(*f*) taxpayer **Steuerzeichen** *nt* IT control character

Steward ['stjuːɐt, 'ʃt-] *m* ⟨**-s, -s**⟩ NAUT, AVIAT steward **Stewardess** ['stjuːɐdɛs, stjuːɐ'dɛs, ʃt-] *f* ⟨**-, -en**⟩ stewardess

Stich [ʃtɪç] *m* ⟨**-(e)s, -e**⟩ **1.** (≈ *Insektenstich*) sting; (≈ *Mückenstich*) bite; (≈ *Nadelstich*) prick; (≈ *Messerstich*) stab **2.** (≈ *Stichwunde*) (*von Messer etc*) stab wound **3.** (≈ *stechender Schmerz*) stabbing pain; (≈ *Seitenstich*) stitch **4.** SEWING stitch **5.** (≈ *Kupferstich, Stahlstich*) engraving **6.** (≈ *Schattierung*) tinge (*in +acc* of); (≈ *Tendenz*) hint (*in +acc* of); ***ein ~ ins Rote*** a tinge of red **7.** CARDS trick **8.** ***jdn im ~ lassen*** to let sb down; (≈ *verlassen*) to abandon sb; ***etw im ~ lassen*** to abandon sth **Stichel** ['ʃtɪçl] *m* ⟨**-s, -**⟩ ART gouge **Stichelei** [ʃtɪçə'lai] *f* ⟨**-, -en**⟩ (*pej infml*) snide (*infml*) *or* sneering remark **sticheln** ['ʃtɪçln] *v/i* (*pej infml*) to make snide remarks (*infml*); ***gegen jdn ~*** to make digs (*Br*) *or* pokes (*US*) at sb **Stichflamme** *f* tongue of flame **stichhaltig I** *adj* valid; *Beweis* conclusive; ***sein Alibi ist nicht ~*** his alibi doesn't hold water **II** *adv* conclusively **Stichling** ['ʃtɪçlɪŋ] *m* ⟨**-s, -e**⟩ ZOOL stickleback **Stichprobe** *f* spot check; SOCIOL (random) sample survey; ***~n machen*** to carry out spot checks; SOCIOL to carry out a (random) sample survey **Stichsäge** *f* fret saw **Stichtag** *m* qualifying date **Stichwaffe** *f* stabbing weapon **Stichwahl** *f* POL final ballot, runoff (*US*) **Stichwort** *nt* **1.** *pl* ***-wörter*** (*in Nachschlagewerken*) headword **2.** *pl* ***-worte*** (THEAT, *fig*) cue **Stichwortkatalog** *m* classified catalogue (*Br*) *or* catalog (*US*) **Stichwortverzeichnis** *nt* index **Stichwunde** *f* stab wound

sticken ['ʃtɪkn] *v/t & v/i* to embroider **Sticker** ['ʃtɪkɐ, 'st-] *m* ⟨**-s, -**⟩ (*infml* ≈ *Aufkleber*) sticker **Stickerei** [ʃtɪkə'rai] *f* ⟨**-, -en**⟩ embroidery **Stickgarn** *nt* embroidery thread **stickig** ['ʃtɪkɪç] *adj Luft, Zimmer* stuffy; *Klima* sticky; (*fig*) *Atmosphäre* oppressive **Sticknadel** *f* embroidery needle **Stickoxid** ['ʃtɪk|ɔksiːt] *nt* nitric oxide **Stickstoff** ['ʃtɪkʃtɔf] *m* nitrogen

Stiefbruder ['ʃtiːf-] *m* stepbrother

Stiefel ['ʃtiːfl] *m* ⟨**-s, -**⟩ boot **Stiefelette** [ʃtifə'lɛtə] *f* ⟨**-, -n**⟩ (≈ *Frauenstiefelette*) bootee; (≈ *Männerstiefelette*) half-boot **Stiefelknecht** *m* bootjack

Stiefeltern ['ʃtiːf-] *pl* step-parents *pl* **Stiefkind** *nt* stepchild; (*fig*) poor cousin **Stiefmutter** *f, pl* ***-mütter*** stepmother **Stiefmütterchen** *nt* BOT pansy **stiefmütterlich** *adv* (*fig*) ***jdn/etw ~ behandeln*** to pay little attention to sb/sth **Stiefschwester** *f* stepsister **Stiefsohn** *m* stepson **Stieftochter** *f* stepdaughter **Stiefvater** *m* stepfather

Stiege ['ʃtiːgə] *f* ⟨**-, -n**⟩ (≈ *schmale Treppe*) (narrow) flight of stairs

Stieglitz ['ʃtiːglɪts] *m* ⟨**-es, -e**⟩ goldfinch

Stiel [ʃtiːl] *m* ⟨**-(e)s, -e**⟩ (≈ *Griff*) handle; (≈ *Pfeifenstiel, Glasstiel, Blütenstiel*) stem; (≈ *Stängel*) stalk; (≈ *Blattstiel*) leafstalk **Stielaugen** *pl* (*fig infml*) ***~ machen*** to gawp **Stielglas** *nt* stemmed glass

stier [ʃtiːɐ] **I** *adj Blick* vacant **II** *adv starren* vacantly

Stier [ʃtiːɐ] *m* ⟨**-(e)s, -e**⟩ **1.** bull; (≈ *junger Stier*) bullock; ***den ~ bei den Hörnern packen*** *or* ***fassen*** (*prov*) to take the bull by the horns (*prov*) **2.** ASTROL Taurus *no art*; ***ich bin*** (***ein***) ***~*** I'm (a) Taurus

stieren ['ʃtiːrən] *v/i* to stare (*auf +acc* at)

Stierkampf *m* bullfight **Stierkampfarena** *f* bullring **Stierkämpfer(in)** *m*/(*f*) bullfighter

Stift[1] [ʃtɪft] *m* ⟨**-(e)s, -e**⟩ **1.** (≈ *Metallstift*) pin; (≈ *Holzstift*) peg; (≈ *Nagel*) tack **2.** (≈ *Bleistift*) pencil; (≈ *Buntstift*) crayon; (≈ *Filzstift*) felt-tipped pen; (≈ *Kugelschreiber*) ballpoint (pen) **3.** (*infml* ≈ *Lehrling*) apprentice (boy)

Stift[2] *nt* ⟨**-(e)s, -e**⟩ (≈ *Domstift*) cathedral chapter; (≈ *Theologiestift*) seminary

stiften ['ʃtɪftn] *v/t* **1.** (≈ *gründen*) to found; (≈ *spenden, spendieren*) to donate; *Preis, Stipendium etc* to endow **2.** *Verwirrung, Unfrieden, Unheil* to cause; *Frieden* to bring about **Stifter**

['ʃtɪftɐ] *m* ⟨**-s, -**⟩, **Stifterin** [-ərɪn] *f* ⟨**-, -nen**⟩ (≈ *Gründer*) founder; (≈ *Spender*) donator **Stiftung** ['ʃtɪftʊŋ] *f* ⟨**-, -en**⟩ foundation; (≈ *Schenkung*) donation; (*Stipendium etc*) endowment
Stiftzahn *m* post crown
Stigma ['ʃtɪgma, st-] *nt* ⟨**-s, -ta** [-ta]⟩ stigma
Stil [ʃtiːl, stiːl] *m* ⟨**-(e)s, -e**⟩ style; (≈ *Eigenart*) way; ***im großen ~*** in a big way; ***... alten ~s*** old-style ...; ***das ist schlechter ~*** (*fig*) that is bad form **Stilblüte** *f* (*hum*) stylistic howler (*Br infml*) *or* blooper (*US infml*) **Stilbruch** *m* stylistic incongruity; (*in Roman etc*) abrupt change in style **Stilebene** *f* style level **stilisieren** [ʃtili'ziːrən, st-] *past part* ***stilisiert*** *v/t* to stylize **Stilistik** [ʃti'lɪstɪk, st-] *f* ⟨**-, -en**⟩ LIT stylistics *sg*; (≈ *Handbuch*) guide to good style **stilistisch** [ʃti'lɪstɪʃ, st-] *adj* stylistic; ***etw ~ ändern/verbessern*** to change/improve the style of sth
still [ʃtɪl] **I** *adj* **1.** (≈ *ruhig*) quiet; *Gebet, Vorwurf, Beobachter* silent; ***~ werden*** to go quiet; ***um ihn/darum ist es ~ geworden*** you don't hear anything about him/it any more; ***in ~em Gedenken*** in silent tribute; ***im Stillen*** without saying anything; ***ich dachte mir im Stillen*** I thought to myself; ***sei doch ~!*** be quiet **2.** (≈ *unbewegt*) *Luft* still; *See* calm; (≈ *ohne Kohlensäure*) *Mineralwasser* still; ***der Stille Ozean*** the Pacific (Ocean); ***~e Wasser sind tief*** (*prov*) still waters run deep (*prov*) **3.** (≈ *heimlich*) secret; ***im Stillen*** in secret **4.** COMM *Teilhaber* sleeping (*Br*), silent (*US*); *Reserven, Rücklagen* secret **II** *adv* **1.** (≈ *leise*) quietly; *leiden* in silence; *auseinandergehen, weggehen* silently; ***~ lächeln*** to give a quiet smile; ***ganz ~ und leise*** *erledigen* discreetly **2.** (≈ *unbewegt*) still; ***~ halten*** to keep still; ***~ sitzen*** to sit still **Stille** ['ʃtɪlə] *f* ⟨**-,** *no pl*⟩ **1.** (≈ *Ruhe*) quiet (-ness); (≈ *Schweigen*) silence; ***in aller ~*** quietly **2.** (≈ *Unbewegtheit*) calm (-ness); (*der Luft*) stillness **3.** (≈ *Heimlichkeit*) secrecy; ***in aller ~*** secretly **stillen** ['ʃtɪlən] **I** *v/t* **1.** (≈ *zum Stillstand bringen*) *Tränen* to stop; *Schmerzen* to ease; *Blutung* to staunch **2.** (≈ *befriedigen*) to satisfy; *Durst* to quench **3.** *Säugling* to breast-feed **II** *v/i* to breast-feed **Stillhalteabkommen** *nt* (FIN, *fig*) moratorium **stillhalten** *v/i sep irr* (*fig*) to keep quiet **Stillleben** *nt* still life **stilllegen** *v/t sep* to close down **Stilllegung** [-leːgʊŋ] *f* ⟨**-, -en**⟩ closure
stillos *adj* lacking in style; (≈ *fehl am Platze*) incongruous **Stillosigkeit** *f* ⟨**-, -en**⟩ lack of style *no pl*
stillschweigen *v/i sep irr* to remain silent **Stillschweigen** *nt* silence; ***jdm ~ auferlegen*** to swear sb to silence; ***beide Seiten haben ~ vereinbart*** both sides have agreed not to say anything **stillschweigend** **I** *adj* silent; *Einverständnis* tacit **II** *adv* tacitly; ***über etw*** (*acc*) ***~ hinweggehen*** to pass over sth in silence; ***etw ~ hinnehmen*** to accept sth silently **stillsitzen** *v/i sep irr aux sein or haben* to sit still **Stillstand** *m* standstill; (*vorübergehend*) interruption; (*in Entwicklung*) halt; ***zum ~ kommen*** to come to a standstill; (*Maschine, Motor, Herz, Blutung*) to stop; (*Entwicklung*) to come to a halt; ***etw zum ~ bringen*** to bring sth to a standstill; *Maschine, Motor, Blutung* to stop sth; *Entwicklung* to bring sth to a halt **stillstehen** *v/i sep irr aux sein or haben* **1.** to be at a standstill; (*Fabrik, Maschine*) to be idle; (*Herz*) to have stopped **2.** (≈ *stehen bleiben*) to stop; (*Maschine*) to stop working
Stilmittel *nt* stylistic device **Stilmöbel** *pl* period furniture *sg* **Stilrichtung** *f* style **stilvoll** **I** *adj* stylish **II** *adv* stylishly **Stilwörterbuch** *nt* dictionary of correct usage
Stimmabgabe *f* voting **Stimmband** [-bant] *nt, pl* ***-bänder*** *usu pl* vocal chord **stimmberechtigt** *adj* entitled to vote **Stimmbruch** *m* = ***Stimmwechsel*** **Stimmbürger(in)** *m/(f)* (*Swiss*) voter **Stimme** ['ʃtɪmə] *f* ⟨**-, -n**⟩ **1.** (*lit, fig*) voice; (MUS ≈ *Part*) part; ***mit leiser/lauter ~*** in a soft/loud voice; ***die ~n mehren sich, die ...*** there is a growing number of people calling for ...; ***der ~ des Gewissens folgen*** to act according to one's conscience **2.** (≈ *Wahlstimme*) vote; ***eine ~ haben*** to have the vote; (≈ *Mitspracherecht*) to have a say; ***keine ~ haben*** not to be entitled to vote; (≈ *Mitspracherecht*) to have no say; ***seine ~ abgeben*** to cast one's vote **stimmen** ['ʃtɪmən] **I** *v/i* **1.** (≈ *richtig sein*) to be right; ***stimmt es, dass ...?*** is it true that ...?; ***das stimmt*** that's right; ***das stimmt nicht*** that's not right, that's wrong; ***hier***

stimmt was nicht! there's something wrong here; ***stimmt so!*** keep the change **2.** (≈ *zusammenpassen*) to go (together) **3.** (≈ *wählen*) to vote; ***für/gegen jdn/etw ~*** to vote for/against sb/sth **II** *v/t Instrument* to tune; ***jdn froh/traurig ~*** to make sb (feel) cheerful/sad; → ***gestimmt*** **Stịmmenfang** *m* (*infml*) canvassing; ***auf ~ sein/gehen*** to be/go canvassing **Stịmmengleichheit** *f* tie **Stịmmenmehrheit** *f* majority (of votes) **Stịmmenthaltung** *f* abstention **Stịmmgabel** *f* tuning fork **stịmmhaft** LING **I** *adj* voiced **II** *adv* ***~ ausgesprochen werden*** to be voiced **stịmmig** ['ʃtɪmɪç] *adj Argumente* coherent **Stịmmlage** *f* MUS voice, register **stịmmlos** LING **I** *adj* voiceless **II** *adv* ***~ ausgesprochen werden*** not to be voiced **Stịmmrecht** *nt* right to vote **Stịmmung** ['ʃtɪmʊŋ] *f* ⟨**-, -*en***⟩ **1.** mood; (≈ *Atmosphäre*) atmosphere; (*unter den Arbeitern*) morale; ***in (guter) ~*** in a good mood; ***in schlechter ~*** in a bad mood; ***in ~ kommen*** to liven up; ***für ~ sorgen*** to make sure there is a good atmosphere **2.** (≈ *Meinung*) opinion; ***~ gegen/für jdn/etw machen*** to stir up (public) opinion against/in favour (*Br*) *or* favor (*US*) of sb/sth **Stịmmungsmache** *f*, *no pl* (*pej*) cheap propaganda **stịmmungsvoll** *adj Bild* idyllic; *Atmosphäre* tremendous; *Beschreibung* atmospheric **Stịmmungswandel** *m* change of atmosphere; POL change in (public) opinion **Stịmmwechsel** *m* ***er ist im ~*** his voice is breaking **Stịmmzettel** *m* ballot paper

Stimulation [ʃtimula'tsioːn, st-] *f* ⟨**-, -*en***⟩ stimulation **stimulieren** [ʃtimu'liːrən, st-] *past part* ***stimuliert*** *v/t* to stimulate

Stịnkbombe *f* stink bomb **Stịnkefinger** *m* (*infml*) ***jdm den ~ zeigen*** to give sb the finger (*infml*) *or* the bird (*US infml*) **stịnken** ['ʃtɪŋkn] *pret* ***stạnk*** [ʃtaŋk], *past part* ***gestụnken*** [gə'ʃtʊŋkn] *v/i* **1.** to stink (*nach* of); ***wie die Pest ~*** (*infml*) to stink to high heaven (*infml*) **2.** (*fig infml*) ***er stinkt nach Geld*** he's stinking rich (*infml*); ***das stinkt zum Himmel*** it's an absolute scandal; ***an der Sache stinkt etwas*** there's something fishy about it (*infml*); ***mir stinkts (gewaltig)!*** (*infml*) I'm fed up to the back teeth (with it) (*Br infml*) *or* to the back of my throat (with it) (*US infml*) **stịnkfaul** *adj* (*infml*) bone idle (*Br*) **stịnkig** ['ʃtɪŋkɪç] *adj* (*infml*) stinking (*infml*); (≈ *verärgert*) pissed off (*sl*) **stịnklangweilig** *adj* (*infml*) deadly boring **stịnknormal** *adj* (*infml*) boringly normal **stịnkreich** *adj* (*infml*) stinking rich (*Br infml*), rolling in it (*infml*) **stịnksauer** *adj* (*sl*) pissed off (*infml*) **Stịnktier** *nt* skunk **Stịnkwut** *f* (*infml*) ***eine ~ (auf jdn) haben*** to be livid (with sb)

Stipẹndium [ʃti'pɛndiʊm] *nt* ⟨**-s, *Stipẹndien*** [-diən]⟩ (*als Auszeichnung etc erhalten*) scholarship; (*zur allgemeinen Unterstützung des Studiums*) grant

Stịppvisite ['ʃtɪp-] *f* (*infml*) flying visit

Stịrn [ʃtɪrn] *f* ⟨**-, -*en***⟩ forehead; ***die ~ runzeln*** to wrinkle one's brow; ***es steht ihm auf der ~ geschrieben*** it is written all over his face; ***die ~ haben, zu ...*** to have the effrontery to ...; ***jdm/einer Sache die ~ bieten*** (*elev*) to defy sb/sth **Stịrnband** [-bant] *nt*, *pl* ***-bänder*** headband **Stịrnhöhle** *f* frontal sinus **Stịrnhöhlenkatarrh** *m* sinusitis **Stịrnrunzeln** *nt* ⟨***-s***, *no pl*⟩ frown

stöbern ['ʃtøːbɐn] *v/i* to rummage (*in +dat* in, *durch* through)

stọchern ['ʃtɔxɐn] *v/i* to poke (*in +dat* at); (*im Essen*) to pick (*in +dat* at); ***sich*** (*dat*) ***in den Zähnen ~*** to pick one's teeth

Stọck [ʃtɔk] *m* ⟨**-(*e*)*s*, ¨*e*** ['ʃtœkə]⟩ **1.** stick; (≈ *Rohrstock*) cane; (≈ *Taktstock*) baton; (≈ *Zeigestock*) pointer; (≈ *Billardstock*) cue; ***am ~ gehen*** to walk with (the aid of) a stick; (*fig infml*) to be in a bad way **2.** (*Pflanze*) (≈ *Rebstock*) vine; (≈ *Blumenstock*) pot plant **3.** *pl* **-** (≈ *Stockwerk*) floor; ***im ersten ~*** on the first floor (*Br*), on the second floor (*US*) **stọckbesọffen** (*infml*) *adj* dead drunk (*infml*) **stọckdụnkel** *adj* (*infml*) pitch-dark **stọcken** ['ʃtɔkn] *v/i* (*Herz, Puls*) to skip a beat; (*Worte*) to falter; (≈ *nicht vorangehen*) (*Arbeit, Entwicklung*) to make no progress; (*Unterhaltung*) to flag; (*Verhandlungen*) to grind to a halt; (*Geschäfte*) to stagnate; (*Verkehr*) to be held up; ***ihm stockte der Atem*** he caught his breath; ***ihre Stimme stockte*** she *or* her voice faltered **stọckend** *adj* faltering; *Verkehr* stop-go; ***der Verkehr kam nur ~ voran*** traffic was stop and go **Stọckente** *f* mallard **Stọckerl** ['ʃtɔkɐl] *nt* ⟨**-s, -n**⟩ (*Aus* ≈ *Ho-*

cker) stool **Stockfisch** *m* dried cod; *(pej: Mensch)* stick-in-the-mud *(pej infml)*

Stockholm ['ʃtɔkhɔlm] *nt* ⟨**-s**⟩ Stockholm

stockkonservativ *adj (infml)* archconservative **stocknüchtern** *adj (infml)* stone-cold sober *(infml)* **stocksauer** *adj (infml)* pissed off *(infml)* **Stockschirm** *m* stick umbrella **stocktaub** *adj (infml)* as deaf as a post **Stockung** ['ʃtɔkʊŋ] *f* ⟨**-, -en**⟩ **1.** (≈ *vorübergehender Stillstand*) interruption *(+gen, in +dat* in); (≈ *Verkehrsstockung*) congestion **2.** *(von Verhandlungen)* breakdown *(+gen* of, in); *(von Geschäften)* slackening off *(+gen* in) **Stockwerk** *nt* floor; ***im 5. ~*** on the 5th *(Br)* *or* 6th *(US)* floor **Stockzahn** *nt* floor; *(Aus)* molar (tooth)

Stoff [ʃtɔf] *m* ⟨**-(e)s, -e**⟩ **1.** material; *(als Materialart)* cloth **2.** *no pl*: (≈ *Materie*) matter **3.** (≈ *Substanz*, CHEM) substance; ***tierische ~e*** animal substance; ***pflanzliche ~e*** vegetable matter **4.** (≈ *Thema*) subject (matter); (≈ *Diskussionsstoff*) topic; ***~ für ein*** *or* ***zu einem Buch sammeln*** to collect material for a book **5.** *(infml* ≈ *Rauschgift)* dope *(infml)*

Stoffel ['ʃtɔfl] *m* ⟨**-s, -**⟩ *(pej infml)* lout *(infml)*

stofflich ['ʃtɔflɪç] *adj* **1.** PHIL, CHEM material **2.** (≈ *den Inhalt betreffend*) as regards subject matter **Stoffpuppe** *f* rag doll **Stoffrest** *m* remnant **Stofftier** *nt* soft toy **Stoffwechsel** *m* metabolism **Stoffwechselkrankheit** *f* metabolic disease

stöhnen ['ʃtøːnən] *v/i* to groan; ***~d*** with a groan

stoisch ['ʃtoːɪʃ, st-] *adj* PHIL Stoic; *(fig)* stoic(al)

Stollen ['ʃtɔlən] *m* ⟨**-s, -**⟩ **1.** MIN, MIL gallery **2.** COOK stollen **3.** (≈ *Schuhstollen*) stud

stolpern ['ʃtɔlpɐn] *v/i aux sein* to stumble *(über +acc* over); *(fig ≈ zu Fall kommen)* to come unstuck *(esp Br infml)*; ***jdn zum Stolpern bringen*** *(lit)* to trip sb up; *(fig)* to be sb's downfall **Stolperstein** *m (fig)* stumbling block

stolz [ʃtɔlts] **I** *adj* **1.** proud *(auf +acc* of); ***darauf kannst du ~ sein*** that's something to be proud of **2.** (≈ *imposant*) *Bauwerk, Schiff* majestic; *(iron ≈ stattlich) Preis* princely **II** *adv* proudly **Stolz** [ʃtɔlts] *m* ⟨**-es**, *no pl*⟩ pride; ***sein Garten ist sein ganzer ~*** his garden is his pride and joy **stolzieren** [ʃtɔl'tsiːrən] *past part* ***stolziert*** *v/i aux sein* to strut; *(hochmütig)* to stalk

stopfen ['ʃtɔpfn] **I** *v/t* **1.** (≈ *ausstopfen, füllen*) to stuff; *Pfeife, Loch* to fill; ***jdm den Mund ~*** *(infml)* to silence sb **2.** (≈ *ausbessern*) to mend; *(fig) Haushaltslöcher etc* to plug **II** *v/i* **1.** *(Speisen)* (≈ *verstopfen*) to cause constipation; (≈ *sättigen*) to be filling **2.** (≈ *flicken*) to darn **Stopfgarn** *nt* darning cotton *or* thread

stopp [ʃtɔp] *int* stop **Stopp** [ʃtɔp] *m* ⟨**-s, -s**⟩ stop; (≈ *Lohnstopp*) freeze

Stoppel ['ʃtɔpl] *f* ⟨**-, -n**⟩ stubble **Stoppelbart** *m* stubbly beard **Stoppelfeld** *nt* stubble field **stopp(e)lig** ['ʃtɔp(ə)lɪç] *adj* stubbly

stoppen ['ʃtɔpn] **I** *v/t* **1.** (≈ *anhalten*) to stop **2.** (≈ *Zeit abnehmen*) to time **II** *v/i* (≈ *anhalten*) to stop **Stoppschild** *nt, pl* ***-schilder*** stop sign **Stoppstraße** *f road with stop signs*, stop street *(US)* **Stoppuhr** *f* stopwatch

Stöpsel ['ʃtœpsl] *m* ⟨**-s, -**⟩ plug; (≈ *Pfropfen*) stopper; (≈ *Korken*) cork

Stör [ʃtøːɐ] *m* ⟨**-(e)s, -e**⟩ ZOOL sturgeon

Störaktion *f* disruptive action *no pl* **störanfällig** *adj Technik, Kraftwerk* susceptible to faults; *Gerät, Verkehrsmittel* liable to break down; *(fig) Verhältnis* shaky

Storch [ʃtɔrç] *m* ⟨**-(e)s, ¨-e** ['ʃtœrçə]⟩ stork

stören ['ʃtøːrən] **I** *v/t* **1.** (≈ *beeinträchtigen*) to disturb; *Verhältnis, Harmonie* to spoil; *Rundfunkempfang* to interfere with; *(absichtlich)* to jam; ***jds Pläne ~*** to interfere with sb's plans; → ***gestört*** **2.** *Prozess, Feier* to disrupt **3.** (≈ *unangenehm berühren*) to disturb; ***was mich an ihm/daran stört*** what I don't like about him/it; ***entschuldigen Sie, wenn ich Sie störe*** I'm sorry if I'm disturbing you; ***stört es Sie, wenn ich rauche?*** do you mind if I smoke?; ***das stört mich nicht*** that doesn't bother me; ***sie lässt sich durch nichts ~*** she doesn't let anything bother her **II** *v/r* ***sich an etw*** *(dat)* ***~*** to be bothered about sth **III** *v/i* (≈ *lästig sein*) to get in the way; (≈ *unterbrechen*) to interrupt; (≈ *Belästigung darstellen*) to be disturbing; ***bitte nicht ~!*** please do not disturb!; ***störe ich?*** am I disturbing you?; ***etw als ~d empfinden***

to find sth bothersome; ***eine ~de Begleiterscheinung*** a troublesome side effect **Störenfried** [-fri:t] *m* ⟨**-(e)s, -e** [-də]⟩, **Störer** ['ʃtø:rɐ] *m* ⟨**-s, -**⟩, **Störerin** [-ərɪn] *f* ⟨**-, -nen**⟩ troublemaker **Störfaktor** *m* source of friction, disruptive factor **Störfall** *m* (*in Kernkraftwerk etc*) malfunction, accident **Störmanöver** *nt* disruptive action

stornieren [ʃtɔr'ni:rən] *past part* ***storniert*** *v/t & v/i* COMM *Auftrag*, *Flug* to cancel; *Buchungsfehler* to reverse **Stornierung** *f* (COMM, *von Auftrag*) cancellation; (*von Buchung*) reversal **Storno** ['ʃtɔrno] *m or nt* ⟨**-s, Storni** [-ni]⟩ (COMM) (*von Buchungsfehler*) reversal; (*von Auftrag*) cancellation

störrisch ['ʃtœrɪʃ] *adj* obstinate; *Kind*, *Haare* unmanageable; *Pferd* refractory; ***sich ~ verhalten*** to act stubborn

Störsender *m* RADIO jamming transmitter **Störung** ['ʃtø:rʊŋ] *f* ⟨**-, -en**⟩ **1.** disturbance **2.** (*von Ablauf*, *Verhandlungen etc*) disruption **3.** (≈ *Verkehrsstörung*) holdup **4.** TECH fault **5.** RADIO interference; (*absichtlich*) jamming; ***atmosphärische ~en*** atmospherics *pl* **6.** MED disorder **störungsfrei** *adj* trouble-free; RADIO free from interference **Störungsstelle** *f* TEL faults service

Story ['sto:ri, 'stɔri] *f* ⟨**-, -s**⟩ story

Stoß [ʃto:s] *m* ⟨**-es, =e** ['ʃtø:sə]⟩ **1.** push; (*leicht*) poke; (*mit Faust*) punch; (*mit Fuß*) kick; (*mit Ellbogen*) nudge; (≈ *Dolchstoß etc*) stab; (*Fechten*) thrust; (≈ *Schwimmstoß*) stroke; (≈ *Atemstoß*) gasp; ***sich*** (*dat*) ***einen ~ geben*** to pluck up courage **2.** (≈ *Anprall*) impact; (≈ *Erdstoß*) tremor **3.** (≈ *Stapel*) pile, stack **Stoßdämpfer** *m* AUTO shock absorber **stoßen** ['ʃto:sn] *pret* ***stieß*** [ʃti:s], *past part* ***gestoßen*** [gə'ʃto:sn] **I** *v/t* **1.** (≈ *einen Stoß versetzen*) to push; (*leicht*) to poke; (*mit Faust*) to punch; (*mit Fuß*) to kick; (*mit Ellbogen*) to nudge; (≈ *stechen*) *Dolch* to thrust; ***jdn von sich ~*** to push sb away; (*fig*) to cast sb aside **2.** (≈ *werfen*) to push; SPORTS *Kugel* to put **3.** (≈ *zerkleinern*) *Zimt*, *Pfeffer* to pound **II** *v/r* to bump *or* bang oneself; ***sich an etw*** (*dat*) ***~*** (*lit*) to bump *etc* oneself on sth; (*fig*) to take exception to sth **III** *v/i* **1.** *aux sein* (≈ *treffen*, *prallen*) to run into (*also fig*); ***gegen etw ~*** to run into sth; ***zu jdm ~*** to meet up with sb; ***auf jdn ~*** to bump into sb; ***auf etw*** (*acc*) ***~*** (*Straße*) to lead into *or* onto sth; (*Schiff*) to hit sth; (*fig* ≈ *entdecken*) to come upon sth; ***auf Erdöl ~*** to strike oil; ***auf Widerstand ~*** to meet with resistance **2.** (*Gewichtheben*) to jerk **stoßfest** *adj* shockproof **Stoßseufzer** *m* deep sigh **Stoßstange** *f* AUTO bumper **Stoßzahn** *m* tusk **Stoßzeit** *f* (*im Verkehr*) rush hour; (*in Geschäft etc*) peak period

Stotterer ['ʃtɔtərɐ] *m* ⟨**-s, -**⟩, **Stotterin** [-ərɪn] *f* ⟨**-, -nen**⟩ stutterer **stottern** ['ʃtɔtɐn] *v/t & v/i* to stutter; (*Motor*) to splutter; ***ins Stottern kommen*** to start stuttering

Stövchen ['ʃtø:fçən] *nt* ⟨**-s, -**⟩ (teapot *etc*) warmer

Strafanstalt *f* prison **Strafantrag** *m* action, legal proceedings *pl*; ***~ stellen*** to institute legal proceedings **Strafanzeige** *f* ***~ gegen jdn erstatten*** to bring a charge against sb **Strafarbeit** *f* SCHOOL punishment; (*schriftlich*) lines *pl* **Strafbank** *f*, *pl* ***-bänke*** SPORTS penalty bench **strafbar** *adj Vergehen* punishable; ***~e Handlung*** punishable offence (*Br*) *or* offense (*US*); ***sich ~ machen*** to commit an offence (*Br*) *or* offense (*US*) **Strafbefehl** *m* JUR order of summary punishment **Strafe** ['ʃtra:fə] *f* ⟨**-, -n**⟩ punishment; JUR, SPORTS penalty; (≈ *Geldstrafe*) fine; (≈ *Gefängnisstrafe*) sentence; ***es ist bei ~ verboten, ...*** it is a punishable offence (*Br*) *or* offense (*US*) ...; ***unter ~ stehen*** to be a punishable offence (*Br*) *or* offense (*US*); ***eine ~ von drei Jahren Gefängnis*** a three-year prison sentence; ***100 Dollar ~ zahlen*** to pay a 100 dollar fine; ***zur ~*** as a punishment; ***seine gerechte ~ bekommen*** to get one's just deserts **strafen** ['ʃtra:fn] *v/t* to punish; ***mit etw gestraft sein*** to be cursed with sth **strafend** *adj attr* punitive; *Blick*, *Worte* reproachful; ***jdn ~ ansehen*** to give sb a reproachful look **Straferlass** *m* remission (of sentence)

straff [ʃtraf] **I** *adj Seil* taut; *Haut* smooth; *Busen* firm; (≈ *straff sitzend*) *Hose etc* tight; (*fig* ≈ *streng*) *Disziplin*, *Politik* strict **II** *adv* (≈ *stramm*) tightly; (≈ *streng*) *reglementieren* strictly; ***~ sitzen*** to fit tightly

straffällig *adj* ***~ werden*** to commit a criminal offence (*Br*) *or* offense (*US*) **Straffällige(r)** ['ʃtra:ffɛlɪgə] *m/f(m)* *decl as adj* offender

straffen ['ʃtrafn] **I** *v/t* to tighten; (≈ *raffen*) *Handlung, Darstellung* to tighten up; ***die Zügel ~*** (*fig*) to tighten the reins **II** *v/r* to tighten; (*Haut*) to become smooth

straffrei *adj, adv* not subject to prosecution; ***~ bleiben*** *or* ***ausgehen*** to go unpunished **Straffreiheit** *f* immunity from prosecution **Strafgebühr** *f* surcharge **Strafgefangene(r)** *m/f(m) decl as adj* detainee, prisoner **Strafgericht** *nt* criminal court; ***ein ~ abhalten*** to hold a trial **Strafgesetz** *nt* criminal law **Strafgesetzbuch** *nt* Penal Code **Strafkammer** *f* division for criminal matters (of a court) **sträflich** ['ʃtrɛːflɪç] **I** *adj* criminal **II** *adv vernachlässigen etc* criminally **Sträfling** ['ʃtrɛːflɪŋ] *m* ⟨***-s, -e***⟩ prisoner **Strafmandat** *nt* ticket **Strafmaß** *nt* sentence **strafmildernd** *adj* extenuating **Strafprozess** *m* criminal proceedings *pl* **Strafprozessordnung** *f* code of criminal procedure **Strafpunkt** *m* SPORTS penalty point **Strafraum** *m* SPORTS penalty area *or* (FTBL *auch*) box **Strafrecht** *nt* criminal law **strafrechtlich I** *adj* criminal **II** *adv* ***jdn/etw ~ verfolgen*** to prosecute sb/sth **Strafregister** *nt* police records *pl*; (*hum infml*) record; ***er hat ein langes ~*** he has a long (criminal) record **Strafschuss** *m* SPORTS penalty (shot) **Strafstoß** *m* FTBL *etc* penalty (kick) **Straftat** *f* criminal offence (*Br*) *or* offense (*US*) **Straftäter(in)** *m/(f)* offender **Strafverfahren** *nt* criminal proceedings *pl* **strafversetzen** *past part* ***strafversetzt*** *v/t insep Beamte* to transfer for disciplinary reasons **Strafverteidiger(in)** *m/(f)* defence (*Br*) *or* defense (*US*) counsel *or* lawyer **Strafvollzug** *m* penal system; ***offener ~*** non-confinement **Strafvollzugsanstalt** *f* (*form*) penal institution **Strafzettel** *m* JUR ticket

Strahl [ʃtraːl] *m* ⟨***-(e)s, -en***⟩ **1.** ray; (≈ *Sonnenstrahl*) shaft of light; (≈ *Radiostrahl, Laserstrahl etc*) beam **2.** (≈ *Wasserstrahl*) jet **strahlen** ['ʃtraːlən] *v/i* **1.** (*Sonne, Licht etc*) to shine; (*Sender*) to beam; (≈ *glühen*) to glow (*vor +dat* with); (*radioaktiv*) to give off radioactivity **2.** (≈ *leuchten*) to gleam; (*fig*) (*Gesicht*) to beam; (*Augen*) to shine; ***das ganze Haus strahlte vor Sauberkeit*** the whole house was sparkling clean; ***er strahlte vor Freude*** he was beaming with happiness **Strahlenbehandlung** *f* MED ray treatment **Strahlenbelastung** *f* radiation **strahlend** *adj* radiant; *Wetter, Tag* glorious; *Farben* brilliant; ***mit ~em Gesicht*** with a beaming face; ***es war ein ~ schöner Tag*** it was a glorious day **Strahlendosis** *f* dose of radiation **strahlenförmig** *adj* radial; ***sich ~ ausbreiten*** to radiate out **strahlengeschädigt** [-gəʃɛːdɪçt] *adj* suffering from radiation damage **Strahlenkrankheit** *f* radiation sickness **Strahlenschäden** *pl* radiation injuries *pl* **Strahlenschutz** *m* radiation protection **Strahlentherapie** *f* radiotherapy **Strahlentod** *m* death through radiation **strahlenverseucht** [-fɛɐzɔyçt] *adj* contaminated (with radiation) **Strahlung** ['ʃtraːlʊŋ] *f* ⟨***-, -en***⟩ radiation **strahlungsarm** *adj Monitor* low-radiation

Strähnchen ['ʃtrɛːnçən] *nt* ⟨***-s, -***⟩ streak **Strähne** ['ʃtrɛːnə] *f* ⟨***-, -n***⟩ (≈ *Haarsträhne*) strand **strähnig** ['ʃtrɛːnɪç] *adj Haar* straggly

stramm [ʃtram] **I** *adj* (≈ *straff*) tight; *Haltung* erect; *Mädchen, Junge* strapping; *Beine* sturdy; *Brust* firm; (*infml*) *Tempo* brisk; (≈ *überzeugt*) staunch; ***~e Haltung annehmen*** to stand to attention **II** *adv binden* tightly; ***~ sitzen*** to be tight; ***~ arbeiten*** (*infml*) to work hard; ***~ marschieren*** (*infml*) to march hard; ***~ konservativ*** (*infml*) staunchly conservative **strammstehen** *v/i sep irr* (MIL *infml*) to stand to attention

Strampelhöschen [-høːsçən] *nt* rompers *pl* **strampeln** ['ʃtrampln] *v/i* **1.** (*mit Beinen*) to flail about; (*Baby*) to thrash about **2.** *aux sein* (*infml* ≈ *Rad fahren*) to pedal **3.** (*infml* ≈ *sich abrackern*) to (sweat and) slave

Strand [ʃtrant] *m* ⟨***-(e)s, ¨-e*** ['ʃtrɛndə]⟩ (≈ *Meeresstrand*) beach; (≈ *Seeufer*) shore; ***am ~*** (≈ *am Meer*) on the beach; (≈ *am Seeufer*) on the shore **Strandbad** *nt* (seawater) swimming pool; (≈ *Badeort*) bathing resort **stranden** ['ʃtrandn] *v/i aux sein* to be stranded; (*fig*) to fail **Strandgut** *nt, no pl* (*lit, fig*) flotsam and jetsam **Strandkorb** *m* wicker beach chair with a hood **Strandläufer** *m* ORN sandpiper **Strandpromenade** *f* promenade

Strang [ʃtraŋ] *m* ⟨***-(e)s, ¨-e*** ['ʃtrɛŋə]⟩ (≈

Nervenstrang, Muskelstrang) cord; (≈ *DNA-Strang*) strand; (≈ *Wollstrang*) hank; ***der Tod durch den ~*** death by hanging; ***am gleichen ~ ziehen*** (*fig*) to pull together; ***über die Stränge schlagen*** (*infml*) to run wild (*infml*)

strangulieren [ʃtraŋgu'liːrən, st-] *past part* ***stranguliert*** *v/t* to strangle

Strapaze [ʃtra'paːtsə] *f* ⟨-, ***-n***⟩ strain **strapazieren** [ʃtrapa'tsiːrən] *past part* ***strapaziert*** **I** *v/t* to be a strain on; *Schuhe, Kleidung* to be hard on; *Nerven* to strain; *Geduld* to try **II** *v/r* to tax oneself **strapazierfähig** *adj Schuhe, Kleidung, Material* hard-wearing; (*fig infml*) *Nerven* strong **strapaziös** [ʃtrapa'tsiøːs] *adj* exhausting

Straps [ʃtraps] *m* ⟨***-es, -e***⟩ suspender belt (*Br*), garter belt (*US*)

Straßburg ['ʃtraːsburk] *nt* ⟨***-s***⟩ Strasbourg

Straße ['ʃtraːsə] *f* ⟨-, ***-n***⟩ **1.** road; (*in Stadt, Dorf*) street; (≈ *kleine Landstraße*) lane; ***an der ~*** by the roadside; ***auf die ~ gehen*** (*lit*) to go out on the street; (*als Demonstrant*) to take to the streets; (*als Prostituierte*) to go on the streets; ***auf die ~ gesetzt werden*** (*infml*) to be turned out (onto the streets); (*als Arbeiter*) to be sacked (*Br infml*); ***über die ~ gehen*** to cross (the road/street); ***etw über die ~ verkaufen*** to sell sth to take away (*Br*) *or* to take out (*US*); ***das Geld liegt nicht auf der ~*** money doesn't grow on trees; ***der Mann auf der ~*** (*fig*) the man in the street **2.** (≈ *Meerenge*) strait(s *pl*); ***die ~ von Dover*** *etc* the Straits of Dover *etc* **3.** (TECH ≈ *Fertigungsstraße*) (production) line **Straßenarbeiten** *pl* roadworks *pl* **Straßenarbeiter(in)** *m*/(*f*) roadworker **Straßenbahn** *f* (≈ *Wagen*) tram (*esp Br*), streetcar (*US*); (≈ *Netz*) tramway(s) (*esp Br*), streetcar system (*US*); ***mit der ~*** by tram (*esp Br*) *or* streetcar (*US*) **Straßenbahnhaltestelle** *f* tram (*esp Br*) *or* streetcar (*US*) stop **Straßenbahnlinie** *f* tramline (*esp Br*), streetcar line (*US*) **Straßenbahnwagen** *m* tram (*esp Br*), streetcar (*US*) **Straßenbau** *m, no pl* road construction **Straßenbauarbeiten** *pl* roadworks *pl* **Straßenbelag** *m* road surface **Straßenbeleuchtung** *f* street lighting **Straßenbenutzungsgebühr** *f* (road) toll **Straßencafé** *nt* pavement café (*Br*), sidewalk café (*US*) **Straßenfeger** [-feːgɐ] *m* ⟨***-s, -***⟩, **Straßenfegerin** [-ərɪn] *f* ⟨-, ***-nen***⟩ road sweeper **Straßenfest** *nt* street party **Straßenführung** *f* route **Straßenglätte** *f* slippery road surface **Straßengraben** *m* ditch **Straßenjunge** *m* (*pej*) street urchin **Straßenkampf** *m* street fighting *no pl*; ***ein ~*** a street fight *or* battle **Straßenkarte** *f* road map **Straßenkehrer** [-keːrɐ] *m* ⟨***-s, -***⟩, **Straßenkehrerin** [-ərɪn] *f* ⟨-, ***-nen***⟩ road sweeper **Straßenkreuzer** *m* (*infml*) limo (*infml*) **Straßenkreuzung** *f* crossroads *sg or pl*, intersection (*US*) **Straßenlage** *f* AUTO road holding **Straßenlaterne** *f* streetlamp **Straßenmädchen** *nt* prostitute **Straßenmusikant(in)** *m*/(*f*) street musician **Straßennetz** *nt* road network **Straßenrand** *m* roadside **Straßenreinigung** *f* street cleaning **Straßenschild** *nt, pl* ***-schilder*** street sign **Straßenschlacht** *f* street battle **Straßensperre** *f* roadblock **Straßenstrich** *m* (*infml*) walking the streets; (*Gegend*) red-light district **Straßentransport** *m* road transport *or* haulage; ***im ~*** by road **Straßenverhältnisse** *pl* road conditions *pl* **Straßenverkauf** *m* street trading; (≈ *Außerhausverkauf*) takeaway (*Br*) *or* takeout (*US*) sales *pl* **Straßenverkehr** *m* traffic **Straßenverkehrsordnung** *f* ≈ Highway Code (*Br*), traffic rules and regulations *pl* **Straßenverzeichnis** *nt* street directory **Straßenzustand** *m* road conditions *pl* **Straßenzustandsbericht** *m* road report

Stratege [ʃtra'teːgə, st-] *m* ⟨***-n, -n***⟩, **Strategin** [-'teːgɪn] *f* ⟨-, ***-nen***⟩ strategist **Strategie** [ʃtrate'giː, st-] *f* ⟨-, ***-n*** [-'giːən]⟩ strategy **strategisch** [ʃtra'teːgɪʃ, st-] **I** *adj* strategic **II** *adv* strategically

Stratosphäre [ʃtrato'sfɛːrə, st-] *f, no pl* stratosphere

sträuben ['ʃtrɔybn] **I** *v/r* **1.** (*Haare, Fell*) to stand on end; (*Gefieder*) to become ruffled; ***da ~ sich einem die Haare*** it's enough to make your hair stand on end **2.** (*fig*) to resist (*gegen etw* sth) **II** *v/t Gefieder* to ruffle

Strauch [ʃtraux] *m* ⟨***-(e)s, Sträucher*** ['ʃtrɔyçɐ]⟩ bush **Strauchtomate** *f* vine-ripened tomato **Strauchwerk** *nt, no pl* (≈ *Gebüsch*) bushes *pl*; (≈ *Gestrüpp*) undergrowth

Strauß[1] [ʃtraus] *m* ⟨**-es, -e**⟩ ostrich; ***wie der Vogel ~*** like an ostrich
Strauß[2] *m* ⟨**-es, *Sträuße*** [ˈʃtrɔysə]⟩ bunch; (≈ *Blumenstrauß*) bunch of flowers
strawanzen [ʃtraˈvantsn] *v/i* (*Aus* ≈ *sich herumtreiben*) to hang around (*infml*)
Streamer [ˈstriːmɐ] *m* ⟨**-s, -**⟩ IT streamer
Strebe [ˈʃtreːbə] *f* ⟨**-, -n**⟩ brace; (≈ *Deckenstrebe*) joist **streben** [ˈʃtreːbn] *v/i* (*elev*) **1.** (≈ *sich bemühen*) to strive (*nach, an +acc, zu* for); (SCHOOL *pej*) to swot (*infml*); ***danach ~, etw zu tun*** to strive to do sth; ***in die Ferne ~*** to be drawn to distant parts **2.** *aux sein* (≈ *sich bewegen*) ***nach*** *or* ***zu etw ~*** to make one's way to sth **Streben** [ˈʃtreːbn] *nt* ⟨**-s, *no pl***⟩ (≈ *Drängen*) striving (*nach* for); (*nach Ruhm, Geld*) aspiration (*nach* to); (≈ *Bemühen*) efforts *pl* **Strebepfeiler** *m* buttress **Streber** [ˈʃtreːbɐ] *m* ⟨**-s, -**⟩, **Streberin** [-ərɪn] *f* ⟨**-, -nen**⟩ (*pej infml*) pushy person; SCHOOL swot (*Br infml*), grind (*US infml*) **strebsam** [ˈʃtreːpzaːm] *adj* assiduous
Strecke [ˈʃtrɛkə] *f* ⟨**-, -n**⟩ **1.** (≈ *Entfernung zwischen zwei Punkten*, SPORTS) distance; MAT line (*between two points*); ***eine ~ zurücklegen*** to cover a distance **2.** (≈ *Abschnitt*) (*von Straße, Fluss*) stretch; (*von Bahnlinie*) section **3.** (≈ *Weg, Route, Flugstrecke*) route; (≈ *Straße*) road; (≈ *Bahnlinie*) track; (*fig* ≈ *Passage*) passage; ***auf*** *or* ***an der ~ Paris-Brüssel*** on the way from Paris to Brussels; ***auf freier*** *or* ***offener ~*** *esp* RAIL on the open line; ***auf weite ~n (hin)*** for long stretches; ***auf der ~ bleiben*** (*bei Rennen*) to drop out of the running; (*in Konkurrenzkampf*) to fall by the wayside **4.** (HUNT ≈ *Jagdbeute*) kill; ***zur ~ bringen*** to kill; (*fig*) *Verbrecher* to hunt down **strecken** [ˈʃtrɛkn] **I** *v/t* **1.** *Arme, Beine* to stretch; *Hals* to crane **2.** (*infml*) *Vorräte, Geld* to eke out; *Arbeit* to drag out (*infml*); *Essen, Suppe* to make go further; (≈ *verdünnen*) to thin down, to dilute **II** *v/r* **1.** (≈ *sich recken*) to stretch **2.** (≈ *sich hinziehen*) to drag on **Streckenabschnitt** *m* RAIL track section **Streckenführung** *f* RAIL route **Streckennetz** *nt* rail network **streckenweise** *adv* in parts **Streckverband** *m* MED *bandage used in traction*

Streetball [ˈstriːtbɔːl] *m* ⟨**-s, *no pl***⟩ streetball **Streetworker** [ˈstriːtwøːɐkɐ, -wœrkɐ] *m* ⟨**-s, -**⟩, **Streetworkerin** [-ərɪn] *f* ⟨**-, -nen**⟩ outreach worker
Streich [ʃtraiç] *m* ⟨**-(e)s, -e**⟩ (≈ *Schabernack*) prank, trick; ***jdm einen ~ spielen*** (*lit*) to play a trick on sb; (*fig: Gedächtnis etc*) to play tricks on sb
Streicheleinheiten *pl* (≈ *Zärtlichkeit*) tender loving care *sg* **streicheln** [ˈʃtraiçln] *v/t & v/i* to stroke; (≈ *liebkosen*) to caress **streichen** [ˈʃtraiçn] *pret* ***strich*** [ʃtrɪç], *past part* ***gestrichen*** [gəˈʃtrɪçn] **I** *v/t* **1.** (*mit der Hand*) to stroke; ***etw glatt ~*** to smooth sth (out) **2.** (≈ *auftragen*) *Butter, Marmelade etc* to spread; *Salbe, Farbe etc* to apply **3.** (≈ *anstreichen: mit Farbe*) to paint; ***frisch gestrichen!*** wet (*Br*) *or* fresh (*US*) paint **4.** (≈ *tilgen*) *Zeile, Satz* to delete; *Auftrag, Plan etc* to cancel; *Schulden* to write off; *Zuschuss, Gelder, Arbeitsplätze etc* to cut; ***jdn/etw von*** *or* ***aus der Liste ~*** to take sb/sth off the list **5.** NAUT *Segel, Flagge, Ruder* to strike **6.**; → ***gestrichen*** **II** *v/i* **1.** (≈ *über etw hinfahren*) to stroke; ***mit der Hand über etw*** *acc* ***~*** to stroke sth (with one's hand) **2.** *aux sein* (≈ *streifen*) to brush past (*an +dat* sth); (*Wind*) to waft; ***um/durch etw ~*** (≈ *herumstreichen*) to prowl around/through sth **3.** (≈ *malen*) to paint **Streicher** [ˈʃtraiçɐ] *pl* MUS strings *pl* **Streichholz** *nt* match **Streichholzschachtel** *f* matchbox **Streichinstrument** *nt* string(ed) instrument; ***die ~e*** the strings **Streichkäse** *m* cheese spread **Streichorchester** *nt* string orchestra **Streichquartett** *nt* string quartet **Streichquintett** *nt* string quintet **Streichung** [ˈʃtraiçʊŋ] *f* ⟨**-, -en**⟩ (*von Zeile, Satz*) deletion; (≈ *Kürzung*) cut; (*von Auftrag, Plan etc*) cancellation; (*von Schulden*) writing off; (*von Zuschüssen, Arbeitsplätzen etc*) cutting **Streichwurst** *f* ≈ meat paste
Streife [ˈʃtraifə] *f* ⟨**-, -n**⟩ (≈ *Patrouille*) patrol; ***auf ~ gehen/sein*** to go/be on patrol **streifen** [ˈʃtraifn] **I** *v/t* **1.** (≈ *flüchtig berühren*) to touch, to brush (against); (*Kugel*) to graze; (*Auto*) to scrape; ***jdn mit einem Blick ~*** to glance fleetingly at sb **2.** (*fig* ≈ *flüchtig erwähnen*) to touch (up)on **3.** ***die Butter vom Messer ~*** to scrape the butter off the knife; ***den Ring vom Finger ~*** to slip the ring off one's

finger; ***sich*** (*dat*) ***die Handschuhe über die Finger ~*** to pull on one's gloves **II** *v/i* (*elev*) **1.** *aux sein* (≈ *wandern*) to roam **2.** *aux sein* ***sie ließ ihren Blick über die Menge ~*** she scanned the crowd **Streifen** [ˈʃtraifn] *m* ⟨***-s, -***⟩ **1.** strip; (≈ *Speckstreifen*) rasher **2.** (≈ *Strich*) stripe; (≈ *Farbstreifen*) streak; (≈ *Lochstreifen, Klebestreifen etc*) tape **3.** FILM film **Streifendienst** *m* patrol duty **Streifenpolizist(in)** *m*/(*f*) policeman/-woman on patrol **Streifenwagen** *m* patrol car **Streifschuss** *m* graze **Streifzug** *m* raid; (≈ *Bummel*) expedition

Streik [ʃtraik] *m* ⟨***-(e)s, -s*** *or* (*rare*) ***-e***⟩ strike; ***zum ~ aufrufen*** to call a strike; ***in (den) ~ treten*** to go on strike **Streikaufruf** *m* strike call **Streikbrecher** [-brɛçɐ] *m* ⟨***-s, -***⟩, **Streikbrecherin** [-ərɪn] *f* ⟨***-, -nen***⟩ strikebreaker, scab (*pej*) **streiken** [ˈʃtraikn] *v/i* to strike; (*hum infml*) (≈ *nicht funktionieren*) to pack up (*infml*); (*Magen*) to protest; (*Gedächtnis*) to fail; ***da streike ich*** (*infml*) I refuse! **Streikende(r)** [ˈʃtraikndə] *m*/*f*(*m*) *decl as adj* striker **Streikgeld** *nt* strike pay **Streikkasse** *f* strike fund **Streikposten** *m* picket

Streit [ʃtrait] *m* ⟨***-(e)s, -e***⟩ argument (*um, über +acc* about, over); (*leichter*) quarrel, squabble; (≈ *Auseinandersetzung*) dispute; ***~ haben*** to be arguing; ***wegen einer Sache ~ bekommen*** to get into an argument over sth **streitbar** *adj* (≈ *streitlustig*) pugnacious **streiten** [ˈʃtraitn] *pret* ***stritt*** [ʃtrɪt], *past part* ***gestritten*** [gəˈʃtrɪtn] **I** *v/i* (≈ *eine Auseinandersetzung haben*) to argue (*um, über +acc* about, over); (*leichter*) to quarrel; ***darüber lässt sich ~*** that's a debatable point **II** *v/r* to argue; (*leichter*) to quarrel; ***wir wollen uns deswegen nicht ~!*** don't let's fall out over that! **Streiterei** [ʃtraitəˈrai] *f* ⟨***-, -en***⟩ (*infml*) arguing *no pl*; ***eine ~*** an argument **Streitfall** *m* dispute, conflict; JUR case **Streitfrage** *f* dispute **Streitgespräch** *nt* debate **streitig** [ˈʃtraitɪç] *adj* ***jdm das Recht auf etw*** (*acc*) ***~ machen*** to dispute sb's right to sth **Streitigkeiten** *pl* quarrels *pl* **Streitkräfte** *pl* forces *pl* **Streitmacht** *f* armed forces *pl* **Streitpunkt** *m* contentious issue **streitsüchtig** *adj* quarrelsome **Streitwert** *m* JUR amount in dispute

Strelitzie [ʃtreːˈlɪtsiə] *f* ⟨***-, -n***⟩ BOT bird of paradise (flower)

streng [ʃtrɛŋ] **I** *adj* **1.** strict; *Maßnahmen* stringent; *Bestrafung, Richter* severe; *Anforderungen* rigorous; *Ausdruck, Blick, Gesicht* stern; *Stillschweigen* absolute; *Kritik, Urteil* harsh **2.** *Geruch, Geschmack* pungent; *Frost, Winter* severe **3.** *Katholik, Moslem etc* strict **II** *adv* **1.** (≈ *unnachgiebig*) *befolgen, einhalten* strictly; *tadeln, bestrafen* severely; *vertraulich* strictly; ***~ genommen*** strictly speaking; (≈ *eigentlich*) actually; ***~ gegen jdn/etw vorgehen*** to deal severely with sb/sth; ***~ geheim*** top secret; ***~(stens) verboten!*** strictly prohibited **2.** (≈ *intensiv*) ***~ riechen/schmecken*** to have a pungent smell/taste **Strenge** [ˈʃtrɛŋə] *f* ⟨***-,*** *no pl*⟩ **1.** strictness; (*von Regel, Maßnahmen*) stringency; (*von Bestrafung, Richter*) severity; (*von Ausdruck, Blick*) sternness; (*von Kritik, Urteil*) harshness **2.** (*von Geruch, Geschmack*) pungency; (*von Frost, Winter*) severity **strenggenommen** *adv* → ***streng*** **strenggläubig** *adj* strict

Stress [ʃtrɛs, st-] *m* ⟨***-es, -e***⟩ stress; ***(voll) im ~ sein*** to be under (a lot of) stress **Stressball** *m* stress ball **stressen** [ˈʃtrɛsn] *v/t* to put under stress; ***gestresst sein*** to be under stress **stressfrei** *adj* stress-free **stressgeplagt** [-gəplaːkt] *adj* under stress; ***~e Manager*** highly stressed executives

stressig [ˈʃtrɛsɪç] *adj* (*infml*) stressful

Stretchhose [ˈstrɛtʃ-] *f* stretch trousers *pl* **Stretchlimousine** *f* stretch limousine

Streu [ʃtrɔy] *f* ⟨***-,*** *no pl*⟩ straw; (*aus Sägespänen*) sawdust **streuen** [ˈʃtrɔyən] **I** *v/t* to scatter; *Dünger, Sand* to spread; *Gewürze, Zucker etc* to sprinkle; *Straße etc* (*mit Sand*) to grit; (*mit Salz*) to salt **II** *v/i* (≈ *Streumittel anwenden*) to grit; to put down salt **Streuer** [ˈʃtrɔyɐ] *m* ⟨***-s, -***⟩ shaker; (≈ *Salzstreuer*) cellar; (≈ *Pfefferstreuer*) pot **Streufahrzeug** *nt* gritter

streunen [ˈʃtrɔynən] *v/i* to roam about; (*Hund, Katze*) to stray; ***durch etw/in etw*** (*dat*) ***~*** to roam through/around sth

Streusalz *nt* salt (*for icy roads*) **Streusand** *m* sand; (*für Straße*) grit

Streuselkuchen *m thin sponge cake with crumble topping*

Strich [ʃtrɪç] *m* ⟨***-(e)s, -e***⟩ **1.** line; (≈ *Querstrich*) dash; (≈ *Schrägstrich*) oblique; (≈ *Pinselstrich*) stroke; (*von*

Land) stretch; ***jdm einen ~ durch die Rechnung machen*** to thwart sb's plans; ***einen ~*** (***unter etw*** *acc*) ***ziehen*** (*fig*) to forget sth; ***unterm ~*** at the final count **2.** (*von Teppich, Samt*) pile; (*von Gewebe*) nap; (*von Fell, Haar*) direction of growth; ***es geht*** (***mir***) ***gegen den ~*** (*infml*) it goes against the grain; ***nach ~ und Faden*** (*infml*) thoroughly **3.** (MUS ≈ *Bogenstrich*) stroke **4.** (*infml*) (≈ *Prostitution*) prostitution *no art*; (≈ *Bordellgegend*) red-light district; ***auf den ~ gehen*** to be on the game (*Br infml*), to be a prostitute **Strichcode** *m* bar code (*Br*), universal product code (*US*) **stricheln** ['ʃtrɪçln] *v/t* to sketch in; (≈ *schraffieren*) to hatch; ***eine gestrichelte Linie*** a broken line **Strichjunge** *m* (*infml*) rent boy (*Br*), boy prostitute **Strichkode** *m* = ***Strichcode*** **Strichliste** *f* check list **Strichmädchen** *nt* (*infml*) hooker (*esp US infml*) **strichweise** *adv also* METEO here and there; ***~ Regen*** rain in places

Strick [ʃtrɪk] *m* ⟨**-(e)s, -e**⟩ rope; ***jdm aus etw einen ~ drehen*** to use sth against sb; ***am gleichen*** *or* ***an einem ~ ziehen*** (*fig*) to pull together

stricken ['ʃtrɪkn] *v/t & v/i* to knit; (*fig*) to construct; ***an etw*** (*dat*) ***~*** to work on sth **Strickjacke** *f* cardigan **Strickkleid** *nt* knitted dress **Strickleiter** *f* rope ladder **Strickmaschine** *f* knitting machine **Strickmuster** *nt* (*lit*) knitting pattern; (*fig*) pattern **Stricknadel** *f* knitting needle **Strickwaren** *pl* knitwear *sg* **Strickzeug** *nt, no pl* knitting

striegeln ['ʃtriːgln] *v/t Tier* to curry (-comb)

Strieme ['ʃtriːmə] *f* ⟨**-, -n**⟩, **Striemen** ['ʃtriːmən] *m* ⟨**-s, -**⟩ weal

strikt [ʃtrɪkt, st-] **I** *adj* strict; *Ablehnung* categorical **II** *adv* strictly; *ablehnen* categorically; ***~ gegen etw sein*** to be totally opposed to sth

String [strɪŋ] *m* ⟨**-s, -s**⟩, **Stringtanga** ['strɪŋtaŋga] *m* ⟨**-s, -s**⟩ G-string, thong

Strip [ʃtrɪp, st-] *m* ⟨**-s, -s**⟩ (*infml*) strip (-tease)

Strippe ['ʃtrɪpə] *f* ⟨**-, -n**⟩ (*infml*) **1.** (≈ *Bindfaden*) string; ***die ~n ziehen*** (*fig*) to pull the strings **2.** (≈ *Telefonleitung*) phone; ***an der ~ hängen*** to be on the phone; ***jdn an der ~ haben*** to have sb on the line

strippen ['ʃtrɪpn, 'st-] *v/i* to strip

Strippenzieher ['ʃtrɪpəntsiːɐ] *m* ⟨**-s, -**⟩, **Strippenzieherin** [-ərɪn] *f* (*infml*) ***er war der ~*** he was the one pulling the strings

Stripper ['ʃtrɪpɐ, 'st-] *m* ⟨**-s, -**⟩, **Stripperin** [-ərɪn] *f* ⟨**-, -nen**⟩ (*infml*) stripper

Striptease ['ʃtrɪptiːs, 'st-] *m or nt* ⟨**-,** *no pl*⟩ striptease **Stripteasetänzer(in)** ['ʃtrɪptiːs-, st-] *m/(f)* stripper

strittig ['ʃtrɪtɪç] *adj* contentious; ***noch ~*** still in dispute

Stroboskoplampe *f* strobe light

Stroh [ʃtroː] *nt* ⟨**-(e)s,** *no pl*⟩ straw; (≈ *Dachstroh*) thatch **Strohballen** *m* bale of straw **strohblond** *adj Mensch* flaxen-haired; *Haare* flaxen **Strohblume** *f* strawflower **Strohdach** *nt* thatched roof **strohdumm** *adj* thick (*infml*) **Strohfeuer** *nt* ***ein ~ sein*** (*fig*) to be a passing fancy **Strohfrau** *f* (*fig*) front woman **Strohhalm** *m* straw; ***sich an einen ~ klammern*** to clutch at straws **Strohhut** *m* straw hat **Strohmann** *m, pl* ***-männer*** (*fig*) front man **Strohwitwe** *f* grass widow **Strohwitwer** *m* grass widower

Strolch [ʃtrɔlç] *m* ⟨**-(e)s, -e**⟩ (*dated*) rascal **Strolchenfahrt** *f* (*Swiss*) joyride

Strom [ʃtroːm] *m* ⟨**-(e)s, ¨-e** ['ʃtrøːmə]⟩ **1.** (large) river; (≈ *Strömung*) current; (*von Schweiß, Blut*) river; (*von Besuchern, Flüchen etc*) stream; ***ein reißender ~*** a raging torrent; ***es regnet in Strömen*** it's pouring (with rain); ***der Wein floss in Strömen*** the wine flowed like water; ***mit dem/gegen den ~ schwimmen*** (*fig*) to swim *or* go with / against the tide **2.** ELEC current; (≈ *Elektrizität*) electricity; ***unter ~ stehen*** (*lit*) to be live; (*fig*) to be high (*infml*) **stromabwärts** [ʃtroːm'|apvɛrts] *adv* downstream **Stromanschluss** *m* ***~ haben*** to be connected to the electricity mains **stromauf(wärts)** [ʃtroːm'|auf(vɛrts)] *adv* upstream **Stromausfall** *m* power failure **strömen** ['ʃtrøːmən] *v/i aux sein* to stream; (*Gas*) to flow; (*Menschen*) to pour (*in* into, *aus* out of); ***bei ~dem Regen*** in (the) pouring rain **Stromkabel** *nt* electric cable **Stromkreis** *m* (electrical) circuit **Stromleitung** *f* electric cables *pl* **stromlinienförmig** *adj* streamlined **Stromnetz** *nt* electricity supply system **Strompreis** *m* electricity price **Stromschnelle** *f* rapids *pl* **Stromsperre** *f* power cut **Stromstärke** *f* strength of the/an electric current **Strömung** ['ʃtrøːmʊŋ] *f* ⟨-, **-en**⟩ current **Stromverbrauch** *m* electricity consumption **Stromversorger(in)** *m/(f)* electricity supplier **Stromversorgung** *f* electricity supply **Stromzähler** *m* electricity meter

Strontium ['ʃtrɔntsiʊm, 'st-] *nt* ⟨**-s**, *no pl*⟩ strontium

Strophe ['ʃtroːfə] *f* ⟨**-, -n**⟩ verse

strotzen ['ʃtrɔtsn] *v/i* to be full (*von*, *vor +dat* of); (*von Kraft, Gesundheit*) to be bursting (*von* with); ***von Schmutz ~*** to be covered with dirt

Strudel ['ʃtruːdl] *m* ⟨**-s, -**⟩ **1.** whirlpool **2.** COOK strudel

Struktur [ʃtrʊk'tuːɐ, st-] *f* ⟨**-, -en**⟩ structure; (*von Stoff etc*) texture; (≈ *Webart*) weave **Strukturanalyse** *f* structural analysis **strukturell** [ʃtrʊktu'rɛl, st-] **I** *adj* structural **II** *adv* ***~ bedingt*** structurally **strukturieren** [ʃtrʊktu'riːrən, st-] *past part* ***strukturiert*** *v/t* to structure **Strukturierung** *f* ⟨**-, -en**⟩ structuring **Strukturkrise** *f* structural crisis **strukturschwach** *adj* lacking in infrastructure **Strukturschwäche** *f* lack of infrastructure **Strukturwandel** *m* structural change (*+gen* in)

Strumpf [ʃtrʊmpf] *m* ⟨**-(e)s, ⸗e** ['ʃtrʏmpfə]⟩ sock; (≈ *Damenstrumpf*) stocking; ***ein Paar Strümpfe*** a pair of socks/stockings **Strumpfband** [-bant] *nt*, *pl* ***-bänder*** garter **Strumpfhalter** *m* suspender (*Br*), garter (*US*) **Strumpfhose** *f* tights *pl* (*Br*), pantyhose (*US*); ***eine ~*** a pair of tights (*Br*), a pantyhose (*US*) **Strumpfmaske** *f* stocking mask **Strumpfwaren** *pl* hosiery *sg*

Strunk [ʃtrʊŋk] *m* ⟨**-(e)s, ⸗e** ['ʃtrʏŋkə]⟩ stalk

struppig ['ʃtrʊpɪç] *adj* unkempt; *Tier* shaggy

Stube ['ʃtuːbə] *f* ⟨**-, -n**⟩ (*dated*) room; (*dial* ≈ *Wohnzimmer*) lounge; (*in Kaserne*) barrack room (*Br*), quarters **Stubenfliege** *f* (common) housefly **Stubenhocker** [-hɔkɐ] *m* ⟨**-s, -**⟩, **Stubenhockerin** [-ərɪn] *f* ⟨**-, -nen**⟩ (*pej infml*) stay-at-home **stubenrein** *adj Katze, Hund* house-trained; (*hum*) *Witz* clean

Stuck [ʃtʊk] *m* ⟨**-(e)s**, *no pl*⟩ stucco; (*zur Zimmerverzierung*) moulding (*Br*), molding (*US*)

Stück [ʃtʏk] *nt* ⟨**-(e)s, -e** *or* (*nach Zahlenangaben*) **-**⟩ **1.** piece; (*von Vieh, Wild*) head; (*von Zucker*) lump; (≈ *Seifenstück*) bar; (≈ *abgegrenztes Land*) plot; ***ich nehme fünf ~*** I'll take five; ***drei Euro das ~*** three euros each; ***im*** *or* ***am ~*** in one piece; ***aus einem ~*** in one piece **2.** (*von Buch, Rede, Reise etc*) part; (*von Straße etc*) stretch; ***~ für ~*** (≈ *einen Teil um den andern*) bit by bit; ***etw in ~e schlagen*** to smash sth to pieces; ***ich komme ein ~ (des Weges) mit*** I'll come part of the way with you **3.** ***ein gutes ~ weiterkommen*** to make considerable progress; ***das ist (doch) ein starkes ~!*** (*infml*) that's a bit much (*infml*); ***große ~e auf etw*** (*acc*) ***halten*** to be very proud of sth; ***aus freien ~en*** of one's own free will **4.** (≈ *Bühnenstück*) play; (≈ *Musikstück*) piece **Stückarbeit** *f* piecework

Stuckdecke *f* stucco(ed) ceiling

stückeln ['ʃtʏkln] *v/t* to patch **Stückelung** *f* ⟨**-, -en**⟩ (≈ *Aufteilung*) splitting up; (*von Geld, Aktien*) denomination **Stückgut** *nt* ***etw als ~ schicken*** to send sth as a parcel (*Br*) *or* package **Stücklohn** *m* piece(work) rate **Stückpreis** *m* unit price **Stückwerk** *nt*, *no pl* unfinished work; ***~ sein/bleiben*** to be/remain unfinished **Stückzahl** *f* number of pieces

Student [ʃtu'dɛnt] *m* ⟨**-en, -en**⟩ student; (*Aus* ≈ *Schüler*) schoolboy; (*einer bestimmten Schule*) pupil **Studentenausweis** *m* student (ID) card **Studentenfutter** *nt* nuts and raisins *pl* **Studentenheim** *nt* hall of residence (*Br*), dormitory (*US*) **Studentenschaft** [ʃtu'dɛntnʃaft] *f* ⟨**-, -en**⟩ students *pl* **Studentenwerk** *nt* student administration **Studentenwohnheim** *nt* hall of residence (*Br*), dormitory (*US*) **Studentin** [ʃtu'dɛntɪn] *f* ⟨**-, -nen**⟩ student; (*Aus* ≈ *Schülerin*) schoolgirl; (*einer bestimmten Schule*) pupil **studentisch** [ʃtu'dɛntɪʃ] *adj attr* student *attr*; ***~e Hilfskraft*** student assistant **Studie** ['ʃtuːdiə] *f* ⟨**-, -n**⟩ study (*über +acc* of); (≈ *Abhandlung*) essay (*über +acc* on) **Studienabbrecher** *m* ⟨**-s, -**⟩, **Studienabbrecherin** [-ərɪn] *f* ⟨**-, -nen**⟩ dropout **Studienanfänger(in)** *m/(f)* first year (student), freshman (*US*), fresher (*Br*) **Studienberatung** *f* course guidance service **Studienfach** *nt* subject **Studienfahrt** *f* study trip; SCHOOL educational trip **Studiengang** *m*, *pl* ***-gänge*** course of studies **Studiengebühren** *pl* tuition fees *pl* **Studienjahr** *nt* academic year **Studienplatz** *m* university/college place **Studienrat** *m*, **Studienrätin** *f* teacher at a secondary school **Studienreferendar(in)** *m*/(*f*) student teacher **Studienreise** *f* study trip; SCHOOL educational trip **Studienzeit** *f* **1.** student days *pl* **2.** (≈ *Dauer*) duration of a/one's course of studies **studieren** [ʃtu'diːrən] *past part* ***studiert*** **I** *v/i* to study; (≈ *Student sein*) to be a student; ***ich studiere an der Universität Bonn*** I am (a student) at Bonn University; ***wo haben Sie studiert?*** what university/college did you go to? **II** *v/t* to study; (≈ *genau betrachten*) to scrutinize

Studio ['ʃtuːdio] *nt* ⟨***-s, -s***⟩ studio

Studium ['ʃtuːdiʊm] *nt* ⟨***-s,*** ***Studien*** [-diən]⟩ study; (≈ *Hochschulstudium*) studies *pl*; ***das ~ hat fünf Jahre gedauert*** the course (of study) lasted five years; ***während seines ~s*** while he is/was *etc* a student; ***er ist noch im ~*** he is still a student; ***seine Studien zu etw machen*** to study sth

Stufe ['ʃtuːfə] *f* ⟨***-, -n***⟩ **1.** step; (*im Haar*) layer; (*von Rakete*) stage **2.** (*fig*) (≈ *Phase*) stage; (≈ *Niveau*) level; (≈ *Rang*) grade; (GRAM ≈ *Steigerungsstufe*) degree; ***eine ~ höher als ...*** a step up from ...; ***mit jdm auf gleicher ~ stehen*** to be on a level with sb **stufen** ['ʃtuːfn] *v/t* *Schüler, Preise, Gehälter* to grade; *Haare* to layer; *Land etc* to terrace; → ***gestuft*** **Stufenbarren** *m* asymmetric bar **stufenförmig** **I** *adj* (*lit*) stepped; *Landschaft* terraced; (*fig*) gradual **II** *adv* (*lit*) in steps; *angelegt* in terraces; (*fig*) in stages **Stufenheck** *nt* ***ein Auto mit ~*** a saloon car **Stufenleiter** *f* (*fig*) ladder (+*gen* to) **stufenlos** *adj* *Schaltung, Regelung* infinitely variable; (*fig* ≈ *gleitend*) smooth **stufenweise** **I** *adv* step by step **II** *adj attr* gradual

Stuhl [ʃtuːl] *m* ⟨***-(e)s, ⸚e*** ['ʃtyːlə]⟩ **1.** chair; ***zwischen zwei Stühlen sitzen*** (*fig*) to fall between two stools; ***ich wäre fast vom ~ gefallen*** (*infml*) I nearly fell off my chair (*infml*); ***der Heilige*** *or* ***Päpstliche ~*** the Holy *or* Papal See **2.** (≈ *Stuhlgang*) bowel movement; (≈ *Kot*) stool **Stuhlgang** [-gaŋ] *m, no pl* bowel movement; ***regelmäßig ~ haben*** to have regular bowels **Stuhllehne** *f* back of a chair

Stulle ['ʃtʊlə] *f* ⟨***-, -n***⟩ (*N Ger*) slice of bread and butter; (≈ *Doppelstulle*) sandwich

stülpen ['ʃtʏlpn] *v/t* ***etw auf/über etw*** (*acc*) ***~*** to put sth on/over sth; ***etw nach innen/außen ~*** to turn sth to the inside/outside; ***sich*** (*dat*) ***den Hut auf den Kopf ~*** to put on one's hat

stumm [ʃtʊm] **I** *adj* **1.** dumb **2.** (≈ *schweigend*) mute; *Anklage, Blick, Gebet* silent **3.** GRAM mute **II** *adv* (≈ *schweigend*) silently

Stummel ['ʃtʊml] *m* ⟨***-s, -***⟩ (≈ *Zigarettenstummel*) end; (≈ *Kerzenstummel*) stub; (*von Gliedmaßen, Zahn*) stump

Stummfilm *m* silent film

Stümper ['ʃtʏmpɐ] *m* ⟨***-s, -***⟩, **Stümperin** [-ərɪn] *f* ⟨***-, -nen***⟩ (*pej*) **1.** amateur **2.** (≈ *Pfuscher*) bungler **Stümperei** [ʃtʏmpə'rai] *f* ⟨***-, -en***⟩ (*pej*) **1.** amateur work **2.** (≈ *Pfuscherei*) bungling; (≈ *stümperhafte Arbeit*) botched job (*infml*) **stümperhaft** (*pej*) **I** *adj* (≈ *nicht fachmännisch*) amateurish **II** *adv* *ausführen, malen* crudely; *arbeiten* poorly

stumpf [ʃtʊmpf] **I** *adj* **1.** *Messer* blunt **2.** (*fig*) *Haar, Farbe, Mensch* dull; *Blick, Sinne* dulled **3.** MAT *Winkel* obtuse; *Kegel etc* truncated **II** *adv* *ansehen* dully

Stumpf [ʃtʊmpf] *m* ⟨***-(e)s, ⸚e*** ['ʃtʏmpfə]⟩ stump; (≈ *Bleistiftstumpf*) stub; ***etw mit ~ und Stiel ausrotten*** to eradicate sth root and branch **Stumpfheit** *f* ⟨***-,*** *no pl*⟩ bluntness; (*fig*) dullness **Stumpfsinn** *m, no pl* mindlessness; (≈ *Langweiligkeit*) monotony **stumpfsinnig** *adj* mindless; (≈ *langweilig*) monotonous **stumpfwinklig** *adj* MAT obtuse

Stunde ['ʃtʊndə] *f* ⟨***-, -n***⟩ **1.** hour; ***eine halbe ~*** half an hour; ***von ~ zu ~*** hourly; ***130 Kilometer in der ~*** 130 kilometres (*Br*) *or* kilometers (*US*) per *or* an hour **2.** (≈ *Augenblick, Zeitpunkt*) time; ***zu später ~*** at a late hour; ***zur ~*** at present; ***bis zur ~*** as yet; ***seine ~ hat geschlagen*** (*fig*) his hour has come; ***die ~ der Entscheidung/Wahrheit*** the moment of decision/truth **3.** (≈ *Unterricht*) lesson; ***~n geben/nehmen*** to give/have *or* take lessons **stunden** ['ʃtʊndn] *v/t* ***jdm etw ~*** to give sb time to pay sth **Stundengeschwindigkeit** *f* speed per hour **Stundenkilometer** *pl* kilometres *pl* (*Br*) *or* kilometers *pl* (*US*) per *or* an hour **stundenlang** **I** *adj* lasting several hours; ***nach ~em Warten*** after hours of waiting **II** *adv* for hours **Stundenlohn** *m* hourly wage **Stundenplan** *m* SCHOOL timetable **stundenweise** *adv* (≈ *pro Stunde*) by the hour; (≈ *stündlich*) every hour **Stundenzeiger** *m* hour hand **stündlich** [ˈʃtʏntlɪç] **I** *adj* hourly **II** *adv* every hour

Stunk [ʃtʊŋk] *m* ⟨**-s,** *no pl*⟩ (*infml*) stink (*infml*); ***~ machen*** to kick up a stink (*infml*)

Stunt [stant] *m* ⟨**-s, -s**⟩ stunt **Stuntman** [ˈstantmən] *m* ⟨**-s, *Stuntmen*** [-mən]⟩ stunt man **Stuntwoman** [ˈstantvʊmən] *f* ⟨**-, *Stuntwomen*** [-vɪmɪn]⟩ stunt woman

stupid [ʃtuˈpiːt, st-], **stupide** [ʃtuˈpiːdə, st-] *adj* (*elev*) mindless

Stups [ʃtʊps] *m* ⟨**-es, -e**⟩ nudge **stupsen** [ˈʃtʊpsn] *v/t* to nudge **Stupsnase** *f* snub nose

stur [ʃtuːɐ] **I** *adj* pig-headed; ***sich ~ stellen*** (*infml*) to dig one's heels in **II** *adv beharren, bestehen* stubbornly; ***er fuhr ~ geradeaus*** he just carried straight on **Sturheit** *f* ⟨**-,** *no pl*⟩ pig-headedness

Sturm [ʃtʊrm] *m* ⟨**-(e)s, ¨-e** [ˈʃtʏrmə]⟩ **1.** storm; ***ein ~ im Wasserglas*** (*fig*) a storm in a teacup (*Br*), a tempest in a teapot (*US*); ***~ läuten*** to keep one's finger on the doorbell; (≈ *Alarm schlagen*) to ring the alarm bell; ***ein ~ der Begeisterung/Entrüstung*** a wave of enthusiasm/indignation **2.** (≈ *Angriff*) attack (*auf* on); (SPORTS ≈ *Stürmerreihe*) forward line; ***etw im ~ nehmen*** to take sth by storm; ***gegen etw ~ laufen*** (*fig*) to be up in arms against sth **stürmen** [ˈʃtʏrmən] **I** *v/i* **1.** (*Meer*) to rage; (*Wind auch*) to blow; MIL to attack (*gegen etw* sth) **2.** (SPORTS ≈ *als Stürmer spielen*) to play forward; (≈ *angreifen*) to attack **3.** *aux sein* (≈ *rennen*) to storm **II** *v/i impers* to be blowing a gale **III** *v/t* to storm; *Bank etc* to make a run on **Stürmer** [ˈʃtʏrmɐ] *m* ⟨**-s, -**⟩, **Stürmerin** [-ərɪn] *f* ⟨**-, -nen**⟩ SPORTS forward; FTBL *auch* striker **Sturmflut** *f* storm tide **stürmisch** [ˈʃtʏrmɪʃ] *adj* **1.** *Meer, Überfahrt* rough; *Wetter, Tag* blustery; (*mit Regen*) stormy **2.** (*fig*) tempestuous; (≈ *aufregend*) *Zeit* stormy; *Entwicklung* rapid; *Liebhaber* passionate; *Jubel, Beifall* tumultuous; ***nicht so ~*** take it easy **Sturmschaden** *m* storm damage *no pl* **Sturmtief** *nt* METEO deep depression **Sturmwarnung** *f* gale warning

Sturz [ʃtʊrts] *m* ⟨**-es, ¨-e** [ˈʃtʏrtsə]⟩ **1.** fall **2.** (*in Temperatur, Preis*) drop; (*von Börsenkurs*) slump **3.** (*von Regierung, Minister*) fall; (*durch Coup, von König*) overthrow **4.** ARCH lintel **stürzen** [ˈʃtʏrtsn] **I** *v/i aux sein* **1.** (≈ *fallen, abgesetzt werden*) to fall; ***ins Wasser ~*** to plunge into the water; ***er ist schwer gestürzt*** he had a heavy fall **2.** (≈ *rennen*) to rush; ***sie kam ins Zimmer gestürzt*** she burst into the room **II** *v/t* **1.** (≈ *werfen*) to fling; ***jdn ins Unglück ~*** to bring disaster to sb; ***jdn/etw in eine Krise ~*** to plunge sb/sth into a crisis **2.** (≈ *kippen*) to turn upside down; *Pudding* to turn out; ***„nicht ~!"*** "this side up" **3.** (≈ *absetzen*) *Regierung, Minister* to bring down; (*durch Coup*) to overthrow; *König* to depose **III** *v/r* ***sich auf jdn/etw ~*** to pounce on sb/sth; *auf Essen* to fall on sth; *auf den Feind* to attack sb/sth; ***sich ins Wasser ~*** to fling oneself into the water; ***sich in Schulden ~*** to plunge into debt; ***sich ins Unglück ~*** to plunge headlong into disaster; ***sich ins Vergnügen ~*** to fling oneself into a round of pleasure; ***sich in Unkosten ~*** to go to great expense **Sturzflug** *m* (nose) dive **Sturzhelm** *m* crash helmet

Stuss [ʃtʊs] *m* ⟨**-es,** *no pl*⟩ (*infml*) nonsense

Stute [ˈʃtuːtə] *f* ⟨**-, -n**⟩ mare

Stutz [ʃtʊts] *m* ⟨**-es, Stütze** *or* (*nach Zahlenangabe*) **-** [ˈʃtʏtsə]⟩ (*Swiss*) **1.** (*infml* ≈ *Franken*) (Swiss) franc **2.** (≈ *Abhang*) slope

Stützbalken *m* beam; (*in Decke*) joist; (*quer*) crossbeam **Stütze** [ˈʃtʏtsə] *f* ⟨**-, -n**⟩ **1.** support; (≈ *Pfeiler*) pillar **2.** (*fig*) (≈ *Hilfe*) help (*für* to); ***die ~n der Gesellschaft*** the pillars of society **3.** (*infml* ≈ *Arbeitslosengeld*) dole (*Br infml*), welfare (*US*); ***~ bekommen*** to be on the dole (*Br infml*), to be on welfare (*US*)

stutzen[1] [ˈʃtʊtsn] *v/i* (≈ *zögern*) to hesitate

stutzen[2] *v/t* to trim; *Flügel, Ohren, Hecke* to clip; *Schwanz* to dock

Stutzen [ˈʃtʊtsn] *m* ⟨**-s, -**⟩ (≈ *Rohrstück*) connecting piece; (≈ *Endstück*) nozzle

stụtzen ['ʃtʏtsn] **I** *v/t* to support; *Gebäude, Mauer* to shore up; ***einen Verdacht auf etw*** (*acc*) **~** to found a suspicion on sth; ***die Ellbogen auf den Tisch*** **~** to prop one's elbows on the table; ***den Kopf in die Hände*** **~** to hold one's head in one's hands **II** *v/r* ***sich auf jdn/etw*** **~** (*lit*) to lean on sb/sth; (*fig*) to count on sb/sth; (*Beweise, Theorie etc*) to be based on sb/sth

stụtzig ['ʃtʊtsɪç] *adj pred* **~ *werden*** (≈ *argwöhnisch*) to become suspicious; (≈ *verwundert*) to begin to wonder; ***jdn*** **~ *machen*** to make sb suspicious

Stụ̈tzpunkt *m* base

stylen ['stailən] *v/t Wagen, Wohnung* to design; *Frisur* to style **Styling** ['stailɪŋ] *nt* ⟨**-s**, *no pl*⟩ styling

Styrop<u>o</u>r® [ʃtyro'poːɐ, st-] *nt* ⟨**-s**⟩ polystyrene

Subjẹkt [zʊp'jɛkt, 'zʊp-] *nt* ⟨**-(e)s, -e**⟩ **1.** subject **2.** (*pej* ≈ *Mensch*) customer (*infml*) **subjekt<u>i</u>v** [zʊpjɛk'tiːf, 'zʊp-] **I** *adj* subjective **II** *adv* subjectively **Subjektivität** [zʊpjɛktivi'tɛːt] *f* ⟨**-**, *no pl*⟩ subjectivity

Sụbkontinent *m* subcontinent **Sụbkultur** *f* subculture **suboptim<u>a</u>l** [zʊp|ɔpti'maːl] *adj* (*infml*) less than ideal; ***das ist*** **~** it leaves something to be desired

Subskripti<u>o</u>n [zʊpskrɪp'tsioːn] *f* ⟨**-, -en**⟩ subscription (*+gen, auf +acc* to)

Substantiv ['zʊpstantiːf] *nt* ⟨**-s, -e** *or* (*rare*) **-a** [-və, -va]⟩ noun **substantivieren** [zʊpstanti'viːrən] *past part* ***substantivi<u>e</u>rt*** *v/t* to nominalize **substantivisch** ['zʊpstantiːvɪʃ] **I** *adj* nominal **II** *adv verwenden* nominally

Substanz [zʊp'stants] *f* ⟨**-, -en**⟩ **1.** substance; (≈ *Wesen*) essence; ***etw in seiner*** **~ *treffen*** to affect the substance of sth **2.** FIN capital assets *pl*; ***von der*** **~ *zehren*** to live on one's capital **substanziell** [zʊpstan'tsiɛl] **I** *adj* **1.** (≈ *bedeutsam*) fundamental **2.** (≈ *nahrhaft*) substantial, solid **II** *adv* (≈ *wesentlich*) substantially

subt<u>i</u>l [zʊp'tiːl] (*elev*) **I** *adj* subtle **II** *adv* subtly

subtrahieren [zʊptra'hiːrən] *past part* ***subtrahi<u>e</u>rt*** *v/t & v/i* to subtract **Subtrakti<u>o</u>n** [zʊptrak'tsioːn] *f* ⟨**-, -en**⟩ subtraction **Subtrakti<u>o</u>nszeichen** *nt* subtraction sign

Sụbtropen *pl* subtropics *pl* **sụbtropisch** *adj* subtropical

Sụbunternehmer(in) *m/(f)* subcontractor

Subvention [zʊpvɛn'tsioːn] *f* ⟨**-, -en**⟩ subsidy **subventionieren** [zʊpvɛntsio'niːrən] *past part* ***subventioni<u>e</u>rt*** *v/t* to subsidize

subversiv [zʊpvɛr'ziːf] **I** *adj* subversive **II** *adv* ***sich*** **~ *betätigen*** to engage in subversive activities

S<u>u</u>chaktion *f* search operation **S<u>u</u>chanfrage** *f* IT search enquiry **S<u>u</u>chbefehl** *m* IT search command **S<u>u</u>chdauer** *f* IT search time **S<u>u</u>che** ['zuːxə] *f* ⟨**-**, *no pl*⟩ search (*nach* for); ***sich auf die*** **~ *nach jdm/etw machen*** to go in search of sb/sth; ***auf der*** **~ *nach etw sein*** to be looking for sth **s<u>u</u>chen** ['zuːxn] **I** *v/t* **1.** (*um zu finden*) to look for; (*stärker, intensiv*) to search for (*auch* IT); ***Verkäufer(in) gesucht*** sales person wanted; ***Streit/Ärger (mit jdm)*** **~** to be looking for trouble/a quarrel (with sb); ***Schutz vor etw*** (*dat*) **~** to seek shelter from sth; ***Zuflucht*** **~ *bei jdm*** to seek refuge with sb; ***du hast hier nichts zu*** **~** you have no business being here; → ***gesucht*** **2.** (≈ *streben nach*) to seek; (≈ *versuchen*) to strive; ***ein Gespräch*** **~** to try to have a talk **II** *v/i* to search; ***nach etw*** **~** to look for sth; (*stärker*) to search for sth; ***nach Worten*** **~** to search for words; (≈ *sprachlos sein*) to be at a loss for words; ***Suchen und Ersetzen*** IT search and replace **S<u>u</u>cher** ['zuːxɐ] *m* ⟨**-s, -**⟩ PHOT viewfinder **S<u>u</u>chergebnis** *nt* IT search result **S<u>u</u>chfunktion** *f* IT search function **S<u>u</u>chlauf** *m* (*bei Hi-Fi-Geräten*) search **S<u>u</u>chmannschaft** *f* search party **S<u>u</u>chmaschine** *f* IT search engine **S<u>u</u>chscheinwerfer** *m* searchlight

Sụcht [zʊxt] *f* ⟨**-, =e** ['zʏçtə]⟩ addiction (*nach* to); (*fig*) obsession (*nach* with); **~ *erzeugend*** addictive; ***an einer*** **~ *leiden*** to be an addict **Sụchtdroge** *f* addictive drug **Sụchtgefahr** *f* danger of addiction **sụ̈chtig** ['zʏçtɪç] *adj* addicted (*nach* to); ***von*** *or* ***nach etw*** **~ *werden/sein*** to get/be addicted to sth; **~ *machen*** (*Droge*) to be addictive **Sụ̈chtige(r)** ['zʏçtɪgə] *m/f(m) decl as adj* addict **Sụchtkranke(r)** *m/f(m) decl as adj* addict **Sụchtkrankheit** *f* addictive illness **Sụchtmittel** *nt* addictive drug

S<u>u</u>chtrupp *m* search party

Südafrika *nt* South Africa **Südafrikaner(in)** *m/(f)* South African **südafrikanisch** *adj* South African **Südamerika** *nt* South America **Südamerikaner(in)** *m/(f)* South American **südamerikanisch** *adj* South American

Sudan [zu'daːn, 'zuːdan] *m* ⟨**-s**⟩ ***der ~*** the Sudan **Sudanese** [zuda'neːzə] *m* ⟨**-n, -n**⟩, **Sudanesin** [-'neːzɪn] *f* ⟨**-, -nen**⟩ Sudanese **sudanesisch** [zuda'neːzɪʃ] *adj* Sudanese

süddeutsch *adj* South German **Süddeutschland** *nt* South(ern) Germany

Süden ['zyːdn] *m* ⟨**-s**, *no pl*⟩ south; (*von Land*) South; ***aus dem ~*** from the south; ***im ~ des Landes*** in the south of the country **Südfrüchte** *pl* citrus and tropical fruit(s *pl*) **Südkorea** *nt* South Korea **Südländer** ['zyːtlɛndɐ] *m* ⟨**-s, -**⟩, **Südländerin** [-ərɪn] *f* ⟨**-, -nen**⟩ southerner; (≈ *Italiener, Spanier etc*) Mediterranean type **südländisch** [-lɛndɪʃ] *adj* southern; (≈ *italienisch, spanisch etc*) Mediterranean; *Temperament* Latin **südlich** ['zyːtlɪç] **I** *adj* **1.** southern; *Kurs, Wind, Richtung* southerly **2.** (≈ *mediterran*) Mediterranean; *Temperament* Latin **II** *adv* (to the) south; ***~ von Wien (gelegen)*** (to the) south of Vienna **III** *prep +gen* (to the) south of **Südlicht** *nt, no pl* southern lights *pl*; (*fig hum: Mensch*) Southerner

Sudoku ['zuːdoku] *nt* sudoku

Südosten [zyːt'|ɔstn] *m* southeast; (*von Land*) South East **südöstlich** [zyːt'|œstlɪç] **I** *adj Gegend* southeastern; *Wind* southeast(erly) **II** *adv* (to the) southeast (*von* of) **Südpol** *m* South Pole **Südsee** ['zyːtzeː] *f* South Pacific **Südtirol** *nt* South(ern) Tyrol **Südwand** *f* (*von Berg*) south face **südwärts** ['zyːtvɛrts] *adv* south(wards) **Südwesten** [zyːt'vɛstn] *m* southwest; (*von Land*) South West **südwestlich** **I** *adj Gegend* southwestern; *Wind* southwest(erly) **II** *adv* (to the) southwest (*von* of) **Südwind** *m* south wind

Sueskanal ['zuːɛs-] *m* Suez Canal

Suff [zʊf] *m* ⟨**-(e)s**, *no pl*⟩ (*infml*) ***dem ~ verfallen sein*** to be on the bottle (*infml*); ***im ~*** while under the influence (*infml*) **süffig** ['zʏfɪç] *adj Wein* drinkable

süffisant [zʏfi'zant] **I** *adj* smug **II** *adv* smugly

Suffix [zʊ'fɪks, 'zʊfɪks] *nt* ⟨**-es, -e**⟩ suffix

suggerieren [zʊge'riːrən] *past part* ***suggeriert*** *v/t* to suggest; ***jdm ~, dass ...*** to get sb to believe that ... **Suggestion** [zʊgɛs'tioːn] *f* ⟨**-, -en**⟩ suggestion **suggestiv** [zʊgɛs'tiːf] **I** *adj* suggestive **II** *adv* suggestively **Suggestivfrage** *f* leading question

suhlen ['zuːlən] *v/r* to wallow

Sühne ['zyːnə] *f* ⟨**-, -n**⟩ atonement **sühnen** ['zyːnən] *v/t Unrecht* to atone for

Suite ['sviːtə, 'zuiːtə] *f* ⟨**-, -n**⟩ suite; (≈ *Gefolge*) retinue

Suizid [zui'tsiːt] *m or nt* ⟨**-(e)s, -e** [-də]⟩ (*form*) suicide

Sulfat [zʊl'faːt] *nt* ⟨**-(e)s, -e**⟩ sulphate (*Br*), sulfate (*US*)

Sultan ['zʊltaːn] *m* ⟨**-s, -e**⟩ sultan

Sultanine [zʊlta'niːnə] *f* ⟨**-, -n**⟩ (≈ *Rosine*) sultana

Sülze ['zʏltsə] *f* ⟨**-, -n**⟩ brawn

summarisch [zʊ'maːrɪʃ] *adj also* JUR summary **Summe** ['zʊmə] *f* ⟨**-, -n**⟩ sum; (*fig*) sum total

summen ['zʊmən] **I** *v/t Melodie etc* to hum **II** *v/i* to buzz; (*Mensch, Motor*) to hum **Summer** ['zʊmɐ] *m* ⟨**-s, -**⟩ buzzer

summieren [zʊ'miːrən] *past part* ***summiert*** **I** *v/t* to sum up **II** *v/r* to mount up; ***das summiert sich*** it (all) adds up

Sumpf [zʊmpf] *m* ⟨**-(e)s, ⸚e** ['zʏmpfə]⟩ marsh; (≈ *Morast*) mud; (*in tropischen Ländern*) swamp; (*fig*) morass **sumpfig** ['zʊmpfɪç] *adj* marshy **Sumpfpflanze** *f* marsh plant

Sünde ['zʏndə] *f* ⟨**-, -n**⟩ sin **Sündenbock** *m* (*infml*) scapegoat **Sündenregister** *nt* (*fig*) list of sins **Sünder** ['zʏndɐ] *m* ⟨**-s, -**⟩, **Sünderin** [-ərɪn] *f* ⟨**-, -nen**⟩ sinner **sündhaft** **I** *adj* (*lit*) sinful; (*fig infml*) *Preise* wicked **II** *adv* (*infml*) ***~ teuer*** wickedly expensive **sündigen** ['zʏndɪgn] *v/i* to sin (*an +dat* against); (*hum*) to indulge

super ['zuːpɐ] (*infml*) *adj inv* super (*infml*), great (*infml*) **Super** ['zuːpɐ] *nt* ⟨**-s**, *no pl*⟩ (≈ *Benzin*) ≈ four-star (petrol) (*Br*), ≈ premium (*US*) **Superfrau** *f* superwoman **Superlativ** ['zuːpɐlatiːf] *m* ⟨**-s, -e** [-və]⟩ superlative **Supermacht** *f* superpower **Supermann** *m, pl* ***-männer*** superman **Supermarkt** *m* supermarket **Superstar** *m* (*infml*) superstar **Superzahl** *f* (*Lotto*) additional number

Suppe ['zʊpə] *f* ⟨-, **-n**⟩ soup; ***klare ~*** consommé; ***jdm ein schöne ~ einbrocken*** (*fig infml*) to get sb into a pickle (*infml*); ***du musst die ~ auslöffeln, die du dir eingebrockt hast*** (*infml*) you've made your bed, now you must lie on it (*prov*) **Suppengrün** *nt* herbs and vegetables *pl* for making soup **Suppenhuhn** *nt* boiling fowl **Suppenkelle** *f* soup ladle **Suppenlöffel** *m* soup spoon **Suppenschüssel** *f* tureen **Suppenteller** *m* soup plate **Suppenwürfel** *m* stock cube

Surfbrett ['zøːɐf-, 'zœrf-, s-] *nt* surfboard **surfen** ['zøːɐfn, 'zœrfn, s-] *v/i* to surf; ***im Internet ~*** to surf the Internet **Surfer** ['zøːɐfɐ, 'zœrfɐ, s-] *m* ⟨**-s, -**⟩, **Surferin** [-ərin] *f* ⟨**-, -nen**⟩ surfer **Surfing** ['zøːɐfɪŋ, 'zœr-, s-] *nt* ⟨**-s,** *no pl*⟩ SPORTS surfing

Surrealismus [zʊrea'lɪsmʊs, zʏ-] *m, no pl* surrealism **surrealistisch** [zʊrea'lɪstɪʃ, zʏ-] *adj* surrealist(ic)

surren ['zʊrən] *v/i* (*Projektor, Computer*) to hum; (*Ventilator, Kamera*) to whir(r); (*Insekt*) to buzz

Sushi ['zuːʃi] *nt* ⟨**-s, -s**⟩ sushi

suspekt [zʊs'pɛkt] *adj* suspicious

suspendieren [zʊspɛn'diːrən] *past part* ***suspendiert*** *v/t* to suspend

süß [zyːs] **I** *adj* sweet; ***das ~e Leben*** the good life **II** *adv sagen* sweetly; ***gern ~ essen*** to have a sweet tooth; ***~ aussehen*** to look sweet **Süße** ['zyːsə] *f* ⟨**-,** *no pl*⟩ sweetness **süßen** ['zyːsn] *v/t* to sweeten; (*mit Zucker*) to sugar **Süßigkeit** ['zyːsɪçkait] *f* ⟨**-, -en**⟩ **1.** *no pl* sweetness **2. *~en*** *pl* sweets *pl* (*Br*), candy (*US*) **Süßkartoffel** *f* sweet potato **süßlich** ['zyːslɪç] *adj* **1.** (≈ *leicht süß*) slightly sweet; (≈ *unangenehm süß*) sickly (sweet) **2.** (*fig*) *Worte* sweet; *Lächeln* sugary; (≈ *kitschig*) mawkish, tacky **süßsauer** *adj* sweet-and-sour; *Gurken etc* pickled; (*fig*) *Lächeln* forced **Süßspeise** *f* sweet dish **Süßstoff** *m* sweetener **Süßwasser** *nt, pl* ***-wasser*** freshwater **Süßwasserfisch** *m* freshwater fish

Sweatshirt ['svɛtʃœrt, -ʃøːɐt] *nt* ⟨**-s, -s**⟩ sweatshirt

Swimmingpool ['svɪmɪŋpuːl] *m* ⟨**-s, -s**⟩ swimming pool

Swing [svɪŋ] *m* ⟨**-s,** *no pl*⟩ MUS, FIN swing

Symbiose [zʏm'bioːzə] *f* ⟨**-, -n**⟩ symbiosis

Symbol [zʏm'boːl] *nt* ⟨**-s, -e**⟩ symbol **Symbolfigur** *f* symbolic figure **Symbolik** [zʏm'boːlɪk] *f* ⟨**-,** *no pl*⟩ symbolism **symbolisch** [zʏm'boːlɪʃ] **I** *adj* symbolic(al) (*für* of) **II** *adv* symbolically **symbolisieren** [zymboli'ziːrən] *past part* ***symbolisiert*** *v/t* to symbolize **Symbolleiste** *f* IT toolbar **symbolträchtig** *adj* heavily symbolic

Symmetrie [zyme'triː] *f* ⟨**-, -n** [-'triːən]⟩ symmetry **Symmetrieachse** *f* axis of symmetry **symmetrisch** [zy'meːtrɪʃ] **I** *adj* symmetric(al) **II** *adv* symmetrically

Sympathie [zʏmpa'tiː] *f* ⟨**-, -n** [-'tiːən]⟩ (≈ *Zuneigung*) liking; (≈ *Mitgefühl*) sympathy; ***diese Maßnahmen haben meine volle ~*** I sympathize completely with these measures; ***~n gewinnen*** to win favour (*Br*) *or* favor (*US*) **Sympathisant** [zʏmpati'zant] *m* ⟨**-en, -en**⟩, **Sympathisantin** [-'zantɪn] *f* ⟨**-, -nen**⟩ sympathizer **sympathisch** [zʏm'paːtɪʃ] *adj* **1.** nice; ***er/es ist mir ~*** I like him / it **2.** ANAT, PHYSIOL sympathetic **sympathisieren** [zʏmpati'ziːrən] *past part* ***sympathisiert*** *v/i* to sympathize

symphonisch [zʏm'foːnɪʃ] *adj* = ***sinfonisch***

Symptom [zʏmp'toːm] *nt* ⟨**-s, -e**⟩ symptom **symptomatisch** [zʏmpto'maːtɪʃ] *adj* symptomatic (*für* of)

Synagoge [zyna'goːgə] *f* ⟨**-, -n**⟩ synagogue

synchron [zʏn'kroːn] *adj* synchronous **Synchrongetriebe** *nt* AUTO synchromesh gearbox **Synchronisation** [zʏnkroniza'tsioːn] *f* ⟨**-, -en**⟩ synchronization; (≈ *Übersetzung*) dubbing **synchronisieren** [zʏnkroni'ziːrən] *past part* ***synchronisiert*** *v/t* to synchronize; (≈ *übersetzen*) *Film* to dub

Syndrom [zʏn'droːm] *nt* ⟨**-s, -e**⟩ syndrome

Synergie [zynɛr'giː, zʏn|ɛr'giː] *f* ⟨**-,** *no pl*⟩ synergy **Synergieeffekt** *m* CHEM, PHYS synergistic effect; (*fig*) synergy effect

Synode [zy'noːdə] *f* ⟨**-, -n**⟩ ECCL synod

synonym [zyno'nyːm] *adj* synonymous **Synonym** [zyno'nyːm] *nt* ⟨**-s, -e**⟩ synonym

syntaktisch [zʏn'taktɪʃ] **I** *adj* syntactic(al) **II** *adv* ***das ist ~ falsch*** the syntax (of this) is wrong **Syntax** ['zʏntaks] *f* ⟨**-, -en**⟩ syntax

Synthese [zʏn'teːzə] *f* ⟨**-, -n**⟩ synthesis

Synthesizer ['zyntəsaizɐ] *m* ⟨**-s, -**⟩ synthesizer **synthetisch** [zʏn'teːtɪʃ] **I** *adj* synthetic **II** *adv* ***etw ~ herstellen*** to make sth synthetically

Syphilis ['zyːfilɪs] *f* ⟨**-**, *no pl*⟩ syphilis

Syrer ['zyːrɐ] *m* ⟨**-s, -**⟩, **Syrerin** [-ərɪn] *f* ⟨**-, -nen**⟩ Syrian **Syrien** ['zyːriən] *nt* ⟨**-s**⟩ Syria **Syrier** ['zyːriɐ] *m* ⟨**-s, -**⟩, **Syrierin** [-iərɪn] *f* ⟨**-, -nen**⟩ Syrian **syrisch** ['zyːrɪʃ] *adj* Syrian

System [zʏs'teːm] *nt* ⟨**-s, -e**⟩ system; ***etw mit ~ machen*** to do sth systematically; ***hinter dieser Sache steckt ~*** there's method behind it **Systemabsturz** *m* IT system crash **Systemanalyse** *f* systems analysis **Systemanalytiker(in)** *m/(f)* systems analyst **Systematik** [zʏste'maːtɪk] *f* ⟨**-**, *no pl*⟩ system **systematisch** [zʏste'maːtɪʃ] **I** *adj* systematic **II** *adv* systematically **systembedingt** *adj* determined by the system **Systemdiskette** *f* systems disk **Systemfehler** *m* IT system error **Systemkritiker(in)** *m/(f)* critic of the system **systemkritisch** *adj* critical of the system **Systemsoftware** *f* systems software **Systemsteuerung** *f* IT control panel **Systemtechniker(in)** *m/(f)* IT systems engineer **Systemzwang** *m* obligation to conform to the system

Szenario [stse'naːrio] *nt* ⟨**-s, -s**⟩ scenario

Szene ['stseːnə] *f* ⟨**-, -n**⟩ scene; (≈ *Bühnenausstattung*) set; ***etw in ~ setzen*** to stage sth; ***sich in ~ setzen*** (*fig*) to play to the gallery; ***jdm eine ~ machen*** to make a scene in front of sb **Szenekneipe** *f* (*infml*) hip bar (*infml*) **Szenerie** [stsenə'riː] *f* ⟨**-, -n** [-'riːən]⟩ scenery

Szintigramm [stsɪnti'gram] *nt, pl* ***-gramme*** scintigram

T

T, t [teː] *nt* ⟨**-, -**⟩ T, t

Tabak ['taːbak, 'tabak, (*Aus*) ta'bak] *m* ⟨**-s, -e**⟩ tobacco **Tabakladen** *m* tobacconist's **Tabaksteuer** *f* duty on tobacco

tabellarisch [tabɛ'laːrɪʃ] **I** *adj* tabular **II** *adv* in tabular form **Tabelle** [ta'bɛlə] *f* ⟨**-, -n**⟩ table; (≈ *Diagramm*) chart; SPORTS (league) table **Tabellenführer(in)** *m/(f)* SPORTS league leaders *pl*; ***~ sein*** to be at the top of the (league) table **Tabellenkalkulation** *f* IT spreadsheet **Tabellenplatz** *m* SPORTS position in the league **Tabellenstand** *m* SPORTS league situation

Tablett [ta'blɛt] *nt* ⟨**-(e)s, -s** *or* **-e**⟩ tray

Tablette [ta'blɛtə] *f* ⟨**-, -n**⟩ tablet **Tablettenmissbrauch** *m* pill abuse **tablettensüchtig** *adj* addicted to pills

tabu [ta'buː, 'taːbu] *adj pred* taboo **Tabu** [ta'buː, 'taːbu] *nt* ⟨**-s, -s**⟩ taboo **tabuisieren** [tabui'ziːrən] *past part* ***tabuisiert*** *v/t* to make taboo

Tabulator [tabu'laːtoːɐ] *m* ⟨**-s, *Tabulatoren*** [-'toːrən]⟩ tabulator

Tacho ['taxo] *m* ⟨**-s, -s**⟩ (*infml*) speedo (*Br infml*) **Tachometer** [taxo'meːtɐ] *m or nt* ⟨**-s, -**⟩ speedometer

Tacker ['takɐ] *m* ⟨**-s, -**⟩ (*infml*) stapler

Tadel ['taːdl] *m* ⟨**-s, -**⟩ (≈ *Verweis*) reprimand; (≈ *Vorwurf*) reproach; (≈ *Kritik*) criticism **tadellos** **I** *adj* perfect; (*infml*) splendid **II** *adv* perfectly; *gekleidet* immaculately **tadeln** ['taːdln] *v/t jdn* to rebuke; *jds Benehmen* to criticize

Tafel ['taːfl] *f* ⟨**-, -n**⟩ **1.** (≈ *Platte*) slab; (≈ *Holztafel*) panel; (≈ *Tafel Schokolade etc*) bar; (≈ *Gedenktafel*) plaque; (≈ *Wandtafel*) (black)board; (≈ *Schiefertafel*) slate; (ELEC ≈ *Schalttafel*) control panel; (≈ *Anzeigetafel*) board **2.** (≈ *Speisetisch*) table; (≈ *Festmahl*) meal **Tafelgeschirr** *nt* tableware **Tafelland** *nt* plateau **täfeln** ['tɛːfln] *v/t Wand* to wainscot; *Decke, Raum* to panel **Tafelobst** *nt* (dessert) fruit **Tafelsalz** *nt* table salt **Tafelsilber** *nt* silver **Täfelung** ['tɛːfəlʊŋ] *f* ⟨**-, -en**⟩ (*von Wand*) wainscoting; (*von Decke*) (wooden) panelling (*Br*) *or* paneling (*US*) **Tafelwasser** *nt, pl* ***-wässer*** mineral water **Tafelwein** *m* table wine

Taft [taft] *m* ⟨**-(e)s, -e**⟩ taffeta

Tag [taːk] *m* ⟨**-(e)s, -e** [-gə]⟩ **1.** day; ***am ~*** during the day; ***auf den ~ (genau)*** to the day; ***auf ein paar ~e*** for a few days; ***bei ~ und Nacht*** night and day; ***bis die ~e!*** (*infml*) so long (*infml*); ***den ganzen ~ (lang)*** all day long; ***eines ~es*** one day;

eines schönen ~es one fine day; ***~ für ~*** day by day; ***von ~ zu ~*** from day to day; ***guten ~!*** hello (*infml*); (*esp bei Vorstellung*) how-do-you-do; ***~!*** (*infml*) hi (*infml*); ***zweimal pro ~*** twice a day; ***von einem ~ auf den anderen*** overnight; ***in den ~ hinein leben*** to live from day to day; ***bei ~(e)*** *ankommen* while it's light; *arbeiten, reisen* during the day; ***es wird schon ~*** it's getting light already; ***an den ~ kommen*** (*fig*) to come to light; ***etw an den ~ bringen*** to bring sth to light; ***zu ~e*** = ***zutage* 2.** (*infml* ≈ *Menstruation*) ***meine/ihre ~e*** my/her period **3.** MIN ***über ~e arbeiten*** to work above ground; ***unter ~e arbeiten*** to work underground **Tagebau** *m, pl* ***-baue*** MIN opencast mining **Tagebuch** *nt* diary; (***über etw*** *acc*) ***~ führen*** to keep a diary (of sth) **Tagegeld** *nt* daily allowance **tagein** [taːk'|ain] *adv* ***~, tagaus*** day in, day out **tagelang I** *adj* lasting for days **II** *adv* for days **tagen** ['taːgn] *v/i* (*Parlament, Gericht*) to sit **Tagesablauf** *m* day **Tagesanbruch** *m* daybreak **Tagescreme** *f* day cream **Tagesdecke** *f* bedspread **Tagesgeschehen** *nt* events *pl* of the day **Tageskarte** *f* **1.** (≈ *Speisekarte*) menu of the day (*Br*), specialties *pl* of the day (*US*) **2.** (≈ *Fahr-, Eintrittskarte*) day ticket **Tageskurs** *m* ST EX current price; (*von Devisen*) current rate **Tageslicht** *nt, no pl* daylight; ***ans ~ kommen*** (*fig*) to come to light **Tageslichtprojektor** *m* overhead projector **Tagesmutter** *f, pl* ***-mütter*** child minder (*Br*), nanny **Tagesordnung** *f* agenda; ***auf der ~ stehen*** to be on the agenda; ***zur ~ übergehen*** (≈ *wie üblich weitermachen*) to carry on as usual; ***an der ~ sein*** (*fig*) to be the order of the day **Tagessatz** *m* daily rate **Tageszeit** *f* time (of day); ***zu jeder Tages- und Nachtzeit*** at all hours of the day and night **Tageszeitung** *f* daily (paper) **tageweise** ['taːgəvaizə] *adv* for a few days at a time

taggen ['tɛgn] *v/t* IT to tag

taghell I *adj* (as) bright as day **II** *adv* ***etw ~ erleuchten*** to light sth up very brightly **täglich** ['tɛːglɪç] **I** *adj* daily; (*attr* ≈ *gewöhnlich*) everyday **II** *adv* every day; ***einmal ~*** once a day **tags** [taːks] *adv* ***~ zuvor*** the day before; ***~ darauf*** the next day **Tagschicht** *f* day shift **tagsüber** ['taːks|yːbɐ] *adv* during the day **tagtäglich I** *adj* daily **II** *adv* every (single) day **Tagtraum** *m* daydream **Tagung** ['taːgʊŋ] *f* ⟨-, ***-en***⟩ conference; (*von Ausschuss*) sitting

Tai Chi ['tai 'tʃiː] *nt* ⟨-, *no pl*⟩ t'ai chi

Taifun [tai'fuːn] *m* ⟨***-s, -e***⟩ typhoon

Taille ['taljə] *f* ⟨-, ***-n***⟩ waist; ***auf seine ~ achten*** to watch one's waistline **Taillenweite** ['taljən-] *f* waist measurement **tailliert** [ta(l)'jiːɐt] *adj* waisted, fitted

Taiwan ['taivan, tai'va(ː)n] *nt* ⟨***-s***⟩ Taiwan **taiwanesisch** [taiva'neːzɪʃ] *adj* Taiwan(ese)

Takelage [takə'laːʒə] *f* ⟨-, ***-n***⟩ NAUT rigging

Takt [takt] *m* ⟨***-(e)s, -e***⟩ **1.** MUS bar; (≈ *Rhythmus*) time; ***im ~ singen/tanzen*** to sing/dance in time (with the music); ***den ~ angeben*** (*lit*) to give the beat; (*fig*) to call the tune **2.** AUTO stroke **3.** IND phase **4.** *no pl* (≈ *Taktgefühl*) tact **5.** (≈ *Taktverkehr*) ***im ~ fahren*** to go at regular intervals **takten** ['taktn] *v/t* IT to clock **Taktgefühl** *nt* sense of tact **taktieren** [tak'tiːrən] *past part* ***taktiert*** *v/i* (≈ *Taktiken anwenden*) to manoeuvre (*Br*), to maneuver (*US*) **Taktik** ['taktɪk] *f* ⟨-, ***-en***⟩ tactics *pl*; ***man muss mit ~ vorgehen*** you have to use tactics **Taktiker** ['taktikɐ] *m* ⟨***-s, -***⟩, **Taktikerin** [-ərɪn] *f* ⟨-, ***-nen***⟩ tactician **taktisch** ['taktɪʃ] **I** *adj* tactical **II** *adv* tactically; ***~ vorgehen*** to use tactics; ***~ klug*** good tactics **taktlos I** *adj* tactless **II** *adv* tactlessly **Taktlosigkeit** *f* ⟨-, ***-en***⟩ tactlessness **Taktstock** *m* baton **taktvoll I** *adj* tactful **II** *adv* tactfully

Tal [taːl] *nt* ⟨***-(e)s, ¨-er*** ['tɛːlɐ]⟩ valley **talab(wärts)** [taːl'|ap(vɛrts)] *adv* down into the valley **talauf(wärts)** *adv* up the valley

Talent [ta'lɛnt] *nt* ⟨***-(e)s, -e***⟩ **1.** (≈ *Begabung*) talent (*zu* for); ***ein großes ~ haben*** to be very talented **2.** (≈ *begabter Mensch*) talented person; ***junge ~e*** young talent **talentiert** [talɛn'tiːɐt] *adj* talented **talentlos** *adj* untalented **Talentsuche** *f* search for talent

Talfahrt *f* descent

Talg [talk] *m* ⟨***-(e)s, -e*** [-gə]⟩ tallow; COOK suet; (≈ *Hautabsonderung*) sebum **Talgdrüse** *f* PHYSIOL sebaceous gland

Talisman ['talɪsman] *m* ⟨***-s, -e***⟩ talisman; (≈ *Maskottchen*) mascot

talken ['tɔːkn] *v/i* (*infml*) to talk **Talk-**

master ['tɔːkmaːstɐ] *m* ⟨**-s, -**⟩, **Talkmasterin** [-ərɪn] *f* ⟨**-, -nen**⟩ talk show host **Talkshow** ['tɔːkʃoː] *f* TV talk show

Talsohle *f* bottom of a/the valley; (*fig*) rock bottom **Talsperre** *f* dam

Tamburin [tambu'riːn, 'tam-] *nt* ⟨**-s, -e**⟩ tambourine

Tampon ['tampɔn, tam'poːn] *m* ⟨**-s, -s**⟩ tampon **tamponieren** [tampo'niːrən] *past part* ***tamponiert*** *v/t* to plug

Tamtam [tam'tam, 'tam-] *nt* ⟨**-s, -s**⟩ (*infml*) (≈ *Wirbel*) fuss; (≈ *Lärm*) row

Tandem ['tandɛm] *nt* ⟨**-s, -s**⟩ tandem

Tandler ['tandlɐ] *m* ⟨**-s, -**⟩, **Tandlerin** [-ərɪn] *f* ⟨**-, -nen**⟩ (*Aus*) **1.** (≈ *Trödler*) second-hand dealer **2.** (≈ *langsamer Mensch*) slowcoach (*Br infml*), slowpoke (*US infml*)

Tang [taŋ] *m* ⟨**-(e)s, -e**⟩ seaweed

Tanga ['taŋga] *m* ⟨**-s, -s**⟩ thong

Tangente [taŋ'gɛntə] *f* ⟨**-, -n**⟩ MAT tangent; (≈ *Straße*) ring road (*Br*), expressway **tangieren** [taŋ'giːrən] *past part* ***tangiert*** *v/t* **1.** MAT to be tangent to **2.** (≈ *berühren*) *Problem* to touch on **3.** (≈ *betreffen*) to affect

Tango ['taŋgo] *m* ⟨**-s, -s**⟩ tango

Tank [taŋk] *m* ⟨**-(e)s, -s** *or* **-e**⟩ tank **Tankdeckel** *m* filler cap (*Br*), gas cap (*US*) **tanken** ['taŋkn] **I** *v/i* (*Autofahrer*) to get petrol (*Br*) *or* gas (*US*); (*Rennfahrer, Flugzeug*) to refuel; ***hier kann man billig ~*** you can get cheap petrol (*Br*) *or* gas (*US*) here **II** *v/t Super, Diesel* to get; ***ich tanke bleifrei*** I use unleaded; ***er hat einiges getankt*** (*infml*) he's had a few **Tanker** ['taŋkɐ] *m* ⟨**-s, -**⟩ NAUT tanker **Tankfahrzeug** *nt* AUTO tanker **Tanklaster** *m* tanker **Tanksäule** *f* petrol pump (*Br*), gas(oline) pump (*US*) **Tankschiff** *nt* tanker **Tankstelle** *f* filling (*Br*) *or* gas(oline) (*US*) station **Tankuhr** *f* fuel gauge **Tankverschluss** *m* petrol (*Br*) *or* gas (*US*) cap **Tankwagen** *m* tanker; RAIL tank wagon **Tankwart** *m* ⟨**-s, -e**⟩, **Tankwartin** *f* ⟨**-, -nen**⟩ petrol pump (*Br*) *or* gas station (*US*) attendant

Tanne ['tanə] *f* ⟨**-, -n**⟩ fir; (*Holz*) pine **Tannenbaum** *m* **1.** fir tree **2.** (≈ *Weihnachtsbaum*) Christmas tree **Tannennadel** *f* fir needle **Tannenzapfen** *m* fir cone

Tansania [tanza'niːa, tan'zaːnia] *nt* ⟨**-s**⟩ Tanzania

Tante ['tantə] *f* ⟨**-, -n**⟩ **1.** (*Verwandte*) aunt **2.** (*baby talk*) ***~ Monika*** aunty Monika **Tante-Emma-Laden** [tantə'|ɛma-] *m* (*infml*) corner shop

Tantieme [tã'tieːmə, -'tiɛːmə] *f* ⟨**-, -n**⟩ percentage (of the profits); (*für Künstler*) royalty

Tanz [tants] *m* ⟨**-es, ⸗e** ['tɛntsə]⟩ dance **Tanzabend** *m* dance **tanzen** ['tantsn] **I** *v/i aux haben or* (*bei Richtungsangabe*) *sein* to dance; ***~ gehen*** to go dancing **II** *v/t* to dance **Tänzer** ['tɛntsɐ]**(in)** *m*/(*f*) dancer **Tanzfläche** *f* dance floor **Tanzkapelle** *f* dance band **Tanzkurs** *m* dancing course **Tanzlokal** *nt* café with dancing **Tanzmusik** *f* dance music **Tanzorchester** *nt* dance orchestra **Tanzpartner(in)** *m*/(*f*) dancing partner **Tanzschule** *f* dancing school **Tanzsport** *m* competitive dancing **Tanzstunde** *f* dancing lesson **Tanztheater** *nt* dance theatre (*Br*) *or* theater (*US*) **Tanzturnier** *nt* dancing *or* dance contest

Tapet [ta'peːt] *nt* (*infml*) ***etw aufs ~ bringen*** to bring sth up

Tapete [ta'peːtə] *f* ⟨**-, -n**⟩ wallpaper **Tapetenwechsel** *m* (*infml*) change of scenery **tapezieren** [tape'tsiːrən] *past part* ***tapeziert*** *v/t* to (wall)paper; ***neu ~*** to repaper **Tapezierer** [tape'tsiːrɐ] *m* ⟨**-s, -**⟩, **Tapeziererin** [-ərɪn] *f* ⟨**-, -nen**⟩ paperhanger, decorator (*Br*) **Tapeziertisch** *m* trestle table

tapfer ['tapfɐ] **I** *adj* brave **II** *adv* bravely; ***sich ~ schlagen*** (*infml*) to put on a brave show **Tapferkeit** *f* ⟨**-,** *no pl*⟩ bravery

tapsen ['tapsn] *v/i aux sein* (*infml*) (*Kind*) to toddle; (*Kleintier*) to waddle **tapsig** ['tapsɪç] (*infml*) *adj* awkward

Tarantel [ta'rantl] *f* ⟨**-, -n**⟩ tarantula; ***wie von der ~ gestochen*** as if stung by a bee

Tarif [ta'riːf] *m* ⟨**-(e)s, -e**⟩ rate; (≈ *Fahrpreis*) fare; ***über/unter ~ bezahlen*** to pay above/below the (union) rate(s) **Tarifabschluss** *m* wage settlement **Tarifautonomie** *f* (right to) free collective bargaining **Tarifgehalt** *nt* union rates *pl* **Tarifgruppe** *f* grade **tariflich** [ta'riːflɪç] **I** *adj Arbeitszeit* agreed **II** *adv* ***die Gehälter sind ~ festgelegt*** there are fixed rates for salaries **Tariflohn** *m* standard wage **Tarifpartner(in)** *m*/(*f*) party to the wage *or* (*für Gehälter*) salary agreement; ***die ~*** union and management **Tarifrunde** *f* pay round **Tarifverhandlungen** *pl* negotiations *pl* on pay

Tarifvertrag *m* pay agreement
tarnen ['tarnən] **I** *v/t* to camouflage; (*fig*) *Absichten etc* to disguise; ***als Polizist getarnt*** disguised as a policeman **II** *v/r* (*Tier*) to camouflage itself; (*Mensch*) to disguise oneself **Tarnfarbe** *f* camouflage colour (*Br*) *or* color (*US*) **Tarnkappe** *f* magic hat **Tarnung** ['tarnʊŋ] *f* ⟨-, -en⟩ camouflage; (*von Agent etc*) disguise
Tasche ['taʃə] *f* ⟨-, -n⟩ **1.** (≈ *Handtasche*) bag (*Br*), purse (*US*); (≈ *Reisetasche etc*) bag; (≈ *Aktentasche*) case **2.** (*bei Kleidungsstücken*) pocket; ***etw in der ~ haben*** (*infml*) to have sth in the bag (*infml*); ***jdm das Geld aus der ~ ziehen*** to get sb to part with his money; ***etw aus der eigenen ~ bezahlen*** to pay for sth out of one's own pocket; ***jdm auf der ~ liegen*** (*infml*) to live off sb; ***jdn in die ~ stecken*** (*infml*) to put sb in the shade (*infml*) **Taschenausgabe** *f* pocket edition **Taschenbuch** *nt* paperback (book) **Taschendieb(in)** *m*/(*f*) pickpocket **Taschendiebstahl** *m* pickpocketing **Taschenformat** *nt* pocket size **Taschengeld** *nt* pocket money **Taschenlampe** *f* torch, flashlight **Taschenmesser** *nt* pocketknife **Taschenrechner** *m* pocket calculator **Taschentuch** *nt, pl* **-tücher** hanky (*infml*) **Taschenuhr** *f* pocket watch
Tasse ['tasə] *f* ⟨-, -n⟩ cup; (≈ *Henkeltasse*) mug; ***eine ~ Kaffee*** a cup of coffee
Tastatur [tasta'tuːɐ] *f* ⟨-, -en⟩ keyboard **Taste** ['tastə] *f* ⟨-, -n⟩ key; (≈ *Knopf*) button; „***Taste drücken***" "push button" **tasten** ['tastn] **I** *v/i* to feel; ***nach etw ~*** to feel for sth; ***~de Schritte*** tentative steps **II** *v/r* to feel one's way **Tastenfeld** *nt* IT keypad **Tasteninstrument** *nt* MUS keyboard instrument **Tastentelefon** *nt* push-button telephone
Tat [taːt] *f* ⟨-, -en⟩ action; (≈ *Einzeltat auch*) act; (≈ *Leistung*) feat; (≈ *Verbrechen*) crime; ***ein Mann der ~*** a man of action; ***eine gute/böse ~*** a good/wicked deed; ***etw in die ~ umsetzen*** to put sth into action; ***in der ~*** indeed
Tatar(beefsteak) [ta'taːɐ-] *nt* steak tartare
Tatbestand *m* JUR facts *pl* (of the case); (≈ *Sachlage*) facts *pl* (of the matter) **Tatendrang** *m* thirst for action **tatenlos I** *adj* idle **II** *adv* ***wir mussten ~ zusehen*** we could only stand and watch **Tatenlosigkeit** *f* ⟨-, *no pl*⟩ inaction **Täter** ['tɛːtɐ] *m* ⟨-s, -⟩, **Täterin** [-ərɪn] *f* ⟨-, -nen⟩ culprit; JUR perpetrator (*form*); ***jugendliche ~*** young offenders **Täterschaft** ['tɛːtɐʃaft] *f* ⟨-, -en⟩ guilt; ***die ~ leugnen*** to deny one's guilt **tätig** ['tɛːtɪç] *adj* **1.** *attr* active; ***in einer Sache ~ werden*** (*form*) to take action in a matter **2.** (≈ *arbeitend*) ***als was sind Sie ~?*** what do you do?; ***er ist im Bankwesen ~*** he's in banking **tätigen** ['tɛːtɪgn] *v/t* COMM to conclude; (*elev*) *Einkäufe* to carry out **Tätigkeit** ['tɛːtɪçkait] *f* ⟨-, -en⟩ activity; (≈ *Beschäftigung*) occupation; (≈ *Arbeit*) work; (≈ *Beruf*) job **Tätigkeitsbereich** *m* field of activity **Tatkraft** *f, no pl* energy, drive **tatkräftig I** *adj* energetic; *Hilfe* active **II** *adv* actively; ***etw/jdn ~ unterstützen*** to actively support sth/sb **tätlich** ['tɛːtlɪç] **I** *adj* violent; ***gegen jdn ~ werden*** to assault sb **II** *adv* ***jdn ~ angreifen*** to attack sb physically **Tätlichkeit** *f* violent act; ***~en*** violence *sg*; ***es kam zu ~en*** there was violence **Tatmotiv** *nt* motive (for the crime) **Tatort** *m, pl* **-orte** scene of the crime
tätowieren [tɛto'viːrən] *past part* **tätowiert** *v/t* to tattoo; ***sich ~ lassen*** to have oneself tattooed **Tätowierung** *f* ⟨-, -en⟩ tattoo
Tatsache *f* fact; ***das ist ~*** (*infml*) that's a fact; ***jdn vor vollendete ~n stellen*** to present sb with a fait accompli **tatsächlich** ['taːtzɛçlɪç, taːt'zɛçlɪç] **I** *adj attr* real **II** *adv* actually, in fact; ***~?*** really?
tätscheln ['tɛtʃln] *v/t* to pat
Tattoo [tɛ'tuː] *m or nt* ⟨-s, -s⟩ (≈ *Tätowierung*) tattoo
Tatverdacht *m* suspicion (*of having committed a crime*); ***unter ~ stehen*** to be under suspicion **Tatverdächtige(r)** *m/f(m) decl as adj* suspect **Tatwaffe** *f* weapon (used in the crime); (≈ *bei Mord*) murder weapon
Tatze ['tatsə] *f* ⟨-, -n⟩ paw
Tau[1] [tau] *m* ⟨-(e)s, *no pl*⟩ dew
Tau[2] *nt* ⟨-(e)s, -e⟩ (≈ *Seil*) rope
taub [taup] *adj* deaf; *Glieder* numb; *Nuss* empty; ***für etw ~ sein*** (*fig*) to be deaf to sth
Taube ['taubə] *f* ⟨-, -n⟩ ZOOL pigeon; (*fig*) dove **Taubenschlag** *m* (*fig*) ***hier geht es zu wie im ~*** it's mobbed here (*infml*)

Taube(r) ['taubə] *m/f(m) decl as adj* deaf person *or* man/woman *etc*; ***die ~n*** the deaf **Taubheit** *f* ⟨-, *no pl*⟩ **1.** deafness **2.** (*von Körperteil*) numbness **taubstumm** *adj* deaf-mute **Taubstumme(r)** [-ʃtʊmə] *m/f(m) decl as adj* deaf-mute

Tauchboot *nt* submersible **tauchen** ['tauxn] **I** *v/i aux haben or sein* to dive (*nach* for); (≈ *kurz tauchen*) to duck under; (*U-Boot*) to dive **II** *v/t* (≈ *kurz tauchen*) to dip; *Menschen, Kopf* to duck; (≈ *eintauchen*) to immerse **Tauchen** *nt* ⟨**-s**, *no pl*⟩ diving **Taucher** ['tauxɐ] *m* ⟨**-s, -**⟩, **Taucherin** [-ərɪn] *f* ⟨**-, -nen**⟩ diver **Taucheranzug** *m* diving (*Br*) *or* dive (*US*) suit **Taucherbrille** *f* diving (*Br*) *or* dive (*US*) goggles *pl* **Taucherflosse** *f* (diving (*Br*) *or* dive (*US*)) flipper **Taucherglocke** *f* diving (*Br*) *or* dive (*US*) bell **Tauchsieder** [-ziːdɐ] *m* ⟨**-s, -**⟩ immersion coil (*for boiling water*) **Tauchsport** *m* (skin) diving **Tauchstation** *f* ***auf ~ gehen*** (*U-Boot*) to dive; (*fig* ≈ *sich verstecken*) to make oneself scarce

tauen ['tauən] *v/t & v/i* (*vi*) to melt, to thaw; ***es taut*** it is thawing

Taufbecken *nt* font **Taufe** ['taufə] *f* ⟨**-, -n**⟩ baptism; (*esp von Kindern*) christening; ***etw aus der ~ heben*** *Firma* to start sth up; *Projekt* to launch sth **taufen** ['taufn] *v/t* to baptize; (≈ *nennen*) *Kind, Schiff* to christen; ***sich ~ lassen*** to be baptized **Täufling** ['tɔyflɪŋ] *m* ⟨**-s, -e**⟩ child/person to be baptized **Taufpate** *m* godfather **Taufpatin** *f* godmother

taufrisch *adj* (*fig*) fresh

taugen ['taugn] *v/i* **1.** (≈ *geeignet sein*) to be suitable (*zu, für* for); ***er taugt zu gar nichts*** he is useless **2.** (≈ *wert sein*) ***etwas ~*** to be good *or* all right; ***nicht viel ~*** to be not much good *or* no good **3.** (*Aus* ≈ *gefallen*) ***das taugt mir*** I like it **tauglich** ['tauklɪç] *adj* suitable (*zu* for); MIL fit (*zu* for) **Tauglichkeit** *f* ⟨-, *no pl*⟩ suitability; MIL fitness (for service)

taumeln ['taumln] *v/i aux sein* to stagger; (*zur Seite*) to sway

Tausch [tauʃ] *m* ⟨**-(e)s, -e**⟩ exchange; ***im ~ gegen*** *or* ***für etw*** in exchange for sth; ***einen guten/schlechten ~ machen*** to get a good/bad deal **Tauschbörse** *f* barter exchange **tauschen** ['tauʃn] **I** *v/t* to exchange; *Güter* to barter; *Münzen etc* to swap; *Geld* to change (*in +acc* into); (*infml* ≈ *umtauschen*) *Gekauftes* to change; ***die Rollen ~*** to swap roles **II** *v/i* to swap; (*in Handel*) to barter; ***wollen wir ~?*** shall we swap?; ***ich möchte nicht mit ihm ~*** I wouldn't like to change places with him

täuschen ['tɔyʃn] **I** *v/t* to deceive; ***wenn mich nicht alles täuscht*** unless I'm completely wrong; ***sie lässt sich leicht ~*** she is easily fooled (*durch* by) **II** *v/r* to be wrong (*in +dat, über +acc* about); ***dann hast du dich getäuscht!*** then you are mistaken **III** *v/i* (≈ *irreführen*) (*Aussehen etc*) to be deceptive; ***der Eindruck täuscht*** things are not what they seem **täuschend I** *adj Ähnlichkeit* remarkable **II** *adv* ***jdm ~ ähnlich sehen*** to look remarkably like sb; ***eine ~ echte Fälschung*** a remarkably convincing fake

Tauschgeschäft *nt* exchange; (≈ *Handel*) barter (deal) **Tauschhandel** *m* barter

Täuschung ['tɔyʃʊŋ] *f* ⟨**-, -en**⟩ **1.** (≈ *das Täuschen*) deception **2.** (≈ *Irrtum*) mistake; (≈ *Irreführung*) deceit; (≈ *falsche Wahrnehmung*) illusion; (≈ *Selbsttäuschung*) delusion

tausend ['tauznt] *num* a thousand; ***~ Dank*** a thousand thanks **Tausender** ['tauzndɐ] *m* ⟨**-s, -**⟩ (≈ *Geldschein*) thousand (euro/dollar *etc* note *or* bill) **Tausendfüßler** [-fyːslɐ] *m* ⟨**-s, -**⟩ centipede **tausendjährig** *adj attr* thousand-year-old; (≈ *tausend Jahre lang*) thousand-year(-long) **tausendmal** *adv* a thousand times **Tausendstel** ['tauzntstl] *nt* ⟨**-s, -**⟩ thousandth **tausendste(r, s)** ['tauzntstə] *adj* thousandth

Tautropfen *m* dewdrop **Tauwetter** *nt* thaw **Tauziehen** *nt* ⟨**-s**, *no pl*⟩ tug-of-war

Taxcard ['takskaːrt] *f* ⟨**-, -s**⟩ (*Swiss* ≈ *Telefonkarte*) phonecard

Taxe ['taksə] *f* ⟨**-, -n**⟩ **1.** (≈ *Gebühr*) charge; (≈ *Kurtaxe etc*) tax **2.** (*dial*) = ***Taxi***

Taxi ['taksi] *nt* ⟨**-s, -s**⟩ taxi

taxieren [ta'ksiːrən] *past part* ***taxiert*** *v/t* **1.** *Preis, Wert* to estimate (*auf +acc* at); *Haus etc* to value (*auf +acc* at) **2.** (*elev* ≈ *einschätzen*) *Situation* to assess

Taxifahrer(in) *m/(f)* taxi *or* cab driver, cabby (*infml*) **Taxistand** *m* taxi rank (*Br*) *or* stand

Tb(c) [teː(ˈ)beː(ˈtseː)] *f* ⟨-, *-s*⟩ TB
Teakholz [ˈtiːk-] *nt* teak
Team [tiːm] *nt* ⟨*-s, -s*⟩ team **Teamarbeit** *f* teamwork
Technik [ˈtɛçnɪk] *f* ⟨-, *-en*⟩ **1.** *no pl*: (≈ *Technologie*) technology; (*esp als Studienfach*) engineering **2.** (≈ *Verfahren*) technique **3.** (*von Auto, Motor etc*) mechanics *pl* **Techniker** [ˈtɛçnikɐ] *m* ⟨*-s*, -⟩, **Technikerin** [-ərɪn] *f* ⟨-, *-nen*⟩ engineer; (≈ *Labortechniker*) technician **technisch** [ˈtɛçnɪʃ] **I** *adj* technical; (≈ *technologisch*) technological; (≈ *mechanisch*) mechanical; ***~e Hochschule*** technological university; ***~er Leiter*** technical director; ***~e Daten*** specifications **II** *adv* technically; ***er ist ~ begabt*** he is technically minded **technisieren** [tɛçniˈziːrən] *past part* ***technisiert*** *v/t* to mechanize **Techno** [ˈtɛçno] *m* ⟨-, *no pl*⟩ MUS techno **Technokrat** [tɛçnoˈkraːt] *m* ⟨*-en, -en*⟩, **Technokratin** [-ˈkraːtɪn] *f* ⟨-, *-nen*⟩ technocrat **technokratisch** [tɛçnoˈkratɪʃ] *adj* technocratic **Technologie** *m* technology **Technologietransfer** *m* technology transfer **technologisch** [tɛçnoˈloːgɪʃ] **I** *adj* technological **II** *adv* technologically
Tee [teː] *m* ⟨*-s, -s*⟩ tea; ***einen im ~ haben*** (*infml*) to be tipsy (*infml*) **Teebeutel** *m* tea bag **Teeblatt** *nt* tea leaf **Tee-Ei** *nt* (tea) infuser (*esp Br*), tea ball (*esp US*) **Teefilter** *m* tea filter **Teeglas** *nt* tea glass **Teekanne** *f* teapot **Teekessel** *m* kettle **Teeküche** *f* kitchenette **Teelicht** *nt* night-light **Teelöffel** *m* teaspoon; (*Menge*) teaspoonful
Teenager [ˈtiːneːdʒɐ] *m* ⟨*-s*, -⟩ teenager
Teer [teːɐ] *m* ⟨*-(e)s, -e*⟩ tar **teeren** [ˈteːrən] *v/t* to tar
Teeservice [-zɛrviːs] *nt* tea set **Teesieb** *nt* tea strainer **Teestube** *f* tearoom **Teetasse** *f* teacup **Teewagen** *m* tea trolley
Teflon® [ˈtɛfloːn, tɛfˈloːn] *nt* ⟨*-s*⟩ Teflon®
Teheran [ˈteːhəraːn, tehəˈraːn] *nt* ⟨*-s*⟩ Teh(e)ran
Teich [taiç] *m* ⟨*-(e)s, -e*⟩ pond
Teig [taik] *m* ⟨*-(e)s, -e* [-gə]⟩ dough; (≈ *Pfannkuchenteig*) batter **Teigwaren** *pl* (≈ *Nudeln*) pasta *sg*
Teil[1] [tail] *m* ⟨*-(e)s, -e*⟩ **1.** part; ***zum größten ~*** for the most part; ***der dritte/vierte/fünfte*** *etc* ***~*** a third/quarter/fifth *etc* (*von* of) **2.** *also nt* (≈ *Anteil*) share; ***er hat sein(en) ~ dazu beigetragen*** he did his bit; ***sich*** (*dat*) ***sein(en) ~ denken*** (*infml*) to draw one's own conclusions
Teil[2] *nt* ⟨*-(e)s, -e*⟩ part; (≈ *Bestandteil*) component; ***etw in seine ~e zerlegen*** *Motor, Möbel etc* to take sth apart **teilbar** *adj* divisible (*durch* by) **Teilbereich** *m* part; (*in Abteilung*) section **Teilbetrag** *m* part (of an amount); (*auf Rechnung*) item **Teilchen** [ˈtailçən] *nt* ⟨*-s*, -⟩ particle; (*dial* ≈ *Gebäckstück*) cake **teilen** [ˈtailən] **I** *v/t* **1.** (≈ *zerlegen*) to divide; ***27 geteilt durch 9*** 27 divided by 9; ***darüber sind die Meinungen geteilt*** opinions differ on that **2.** (≈ *aufteilen*) to share (out); ***etw mit jdm ~*** to share sth with sb; ***sich*** (*dat*) ***etw ~*** to share sth; ***sie teilten das Zimmer mit ihm*** they shared the room with him **II** *v/r* **1.** (*in Gruppen*) to split up **2.** (*Straße, Fluss*) to fork; (*Vorhang*) to part; ***in diesem Punkt ~ sich die Meinungen*** opinion is divided on this **Teiler** [ˈtailɐ] *m* ⟨*-s*, -⟩ MAT factor **Teilerfolg** *m* partial success **Teilgebiet** *nt* area **teilhaben** *v/i sep irr* (*elev* ≈ *mitwirken*) to participate (*an* +*dat* in) **Teilhaber** [ˈtailhaːbɐ] *m* ⟨*-s*, -⟩, **Teilhaberin** [-ərɪn] *f* ⟨-, *-nen*⟩ COMM partner **Teilkaskoversicherung** *f* third party, fire and theft **Teilnahme** [-naːmə] *f* ⟨-, *-n*⟩ **1.** (≈ *Anwesenheit*) attendance (*an* +*dat* at); (≈ *Beteiligung*) participation (*an* +*dat* in); ***seine ~ absagen*** to withdraw **2.** (≈ *Interesse*) interest (*an* +*dat* in); (≈ *Mitgefühl*) sympathy **teilnahmslos** **I** *adj* (≈ *gleichgültig*) indifferent **II** *adv* indifferently; (≈ *stumm leidend*) listlessly **Teilnahmslosigkeit** *f* ⟨-, *no pl*⟩ indifference **teilnahmsvoll** *adj* compassionate **teilnehmen** *v/i sep irr* ***an etw*** (*dat*) ***~*** to take part in sth; (≈ *anwesend sein*) to attend sth; ***am Unterricht ~*** to attend classes; ***an einem Kurs ~*** to do a course **Teilnehmer** [ˈtailneːmɐ] *m* ⟨*-s*, -⟩, **Teilnehmerin** [-ərɪn] *f* ⟨-, *-nen*⟩ **1.** participant; (*bei Wettbewerb etc*) competitor, contestant; (≈ *Kursteilnehmer*) student; ***alle ~ an dem Ausflug*** all those going on the outing **2.** TEL subscriber **teils** [tails] *adv* partly; ***~ ... ~ ...*** partly ... partly ...; (*infml* ≈ *sowohl ... als auch*) both ... and ...; ***~ heiter, ~ wolkig*** cloudy with sunny periods **Teilung** [ˈtailʊŋ] *f* ⟨-, *-en*⟩ division **teilweise** [ˈtailvaizə] **I** *adv* partly; ***der***

Film war ~ gut the film was good in parts; ***~ bewölkt*** cloudy in parts **II** *adj attr* partial **Teilzahlung** *f* hire-purchase (*Br*), installment plan (*US*); ***auf ~*** on hire-purchase (*Br*) *or* (an) installment plan (*US*) **Teilzeitarbeit** *f* part-time work **Teilzeitarbeitsplatz** *m* part-time job **teilzeitbeschäftigt** *adj* employed part time **Teilzeitbeschäftigte(r)** *m/f(m) decl as adj* part-time employee **Teilzeitbeschäftigung** *f* part-time work **Teilzeitjob** *m* (*infml*) part-time job **Teilzeitkraft** *f* part-time worker

Teint [tɛ̃ː] *m* ⟨***-s, -s***⟩ complexion

Telearbeit *f* telecommuting **Telearbeiter(in)** *m/(f)* telecommuter **Telearbeitsplatz** *m* job for telecommuters **Telebanking** [-bɛŋkɪŋ] *nt* ⟨***-s,*** *no pl*⟩ telebanking **Telefax** *nt* (≈ *Kopie, Gerät*) fax **Telefon** [tele'foːn, 'teːlefoːn] *nt* ⟨***-s, -e***⟩ (tele)phone; ***~ haben*** to be on the phone; ***ans ~ gehen*** to answer the phone **Telefonat** [telefo'naːt] *nt* ⟨***-(e)s, -e***⟩ (tele)phone call **Telefonbanking** [-bɛŋkɪŋ] *nt* ⟨***-s,*** *no pl*⟩ telephone banking **Telefonbuch** *nt* (tele)phone book **Telefongebühr** *f* call charge; (≈ *Grundgebühr*) telephone rental **Telefongespräch** *nt* (tele)phone call; (≈ *Unterhaltung*) telephone conversation **Telefonhörer** *m* (telephone) receiver **telefonieren** [telefo'niːrən] *past part* ***telefoniert*** *v/i* to make a (tele)phone call; ***mit jdm ~*** to speak to sb on the phone; ***bei jdm ~*** to use sb's phone; ***ins Ausland ~*** to make an international call; ***er telefoniert den ganzen Tag*** he is on the phone all day long **telefonisch** [tele'foːnɪʃ] **I** *adj* telephonic; ***eine ~e Mitteilung*** a (tele)phone message **II** *adv Auskunft geben* over the phone; ***jdm etw ~ mitteilen*** to tell sb sth over the phone; ***ich bin ~ erreichbar*** I can be contacted by phone **Telefonkabine** *f* (*Swiss*) (tele)phone box (*Br*) *or* booth **Telefonkarte** *f* phonecard **Telefonkonferenz** *f* telephone conference **Telefonleitung** *f* telephone line **Telefonnetz** *nt* telephone network **Telefonnummer** *f* (tele)phone number **Telefonrechnung** *f* (tele)phone bill **Telefonseelsorge** *f* ≈ Samaritans *pl* (*Br*), ≈ advice hotline (*US*) **Telefonsex** *m* telephone sex **Telefonverbindung** *f* telephone line; (*zwischen Orten*) telephone link **Telefonwertkarte** *f* (*Aus*) phonecard **Telefonzelle** *f* (tele)phone box (*Br*) *or* booth **Telefonzentrale** *f* (telephone) switchboard **telegen** [tele'geːn] *adj* telegenic **Telegramm** [tele'gram] *nt*, *pl* ***-gramme*** telegram **Telekom** ['teːlekɔm] *f* ⟨***-,*** *no pl*⟩ ***die ~*** *German telecommunications service* **Telekommunikation** *f* telecommunications *pl or* (*als Fachgebiet*) *sg* **Telekopie** *f* fax **Telekopierer** *m* fax machine **Teleobjektiv** *nt* PHOT telephoto lens **Telepathie** [telepa'tiː] *f* ⟨***-,*** *no pl*⟩ telepathy **telepathisch** [tele'paːtɪʃ] *adj* telepathic **Teleshopping** ['teːlə-] *nt* teleshopping **Teleskop** [tele'skoːp] *nt* ⟨***-s, -e***⟩ telescope

Telex ['teːlɛks] *nt* ⟨***-, -e***⟩ telex

Teller ['tɛlɐ] *m* ⟨***-s, -***⟩ plate; ***ein ~ Suppe*** a plate of soup **Tellerwäscher** *m* ⟨***-s, -***⟩, **Tellerwäscherin** *f* ⟨***-, -nen***⟩ dishwasher

Tempel ['tɛmpl] *m* ⟨***-s, -***⟩ temple

Temperament [tɛmpəra'mɛnt] *nt* ⟨***-(e)s, -e***⟩ **1.** (≈ *Wesensart*) temperament; ***ein hitziges ~ haben*** to be hot-tempered **2.** *no pl* (≈ *Lebhaftigkeit*) vitality; ***sein ~ ist mit ihm durchgegangen*** he lost his temper **temperamentlos** *adj* lifeless **Temperamentlosigkeit** *f* ⟨***-,*** *no pl*⟩ lifelessness **temperamentvoll** **I** *adj* vivacious **II** *adv* exuberantly

Temperatur [tɛmpəra'tuːɐ] *f* ⟨***-, -en***⟩ temperature; ***erhöhte ~ haben*** to have a temperature; ***bei ~en von bis zu 42 Grad Celsius*** in temperatures of up to 42°C **Temperaturanstieg** *m* rise in temperature **Temperaturregler** *m* thermostat **Temperaturrückgang** *m* fall in temperature **Temperaturschwankung** *f* variation in temperature **Temperatursturz** *m* sudden drop in temperature

Tempo ['tɛmpo] *nt* ⟨***-s, -s***⟩ **1.** speed; ***~!*** (*infml*) hurry up!; ***bei jdm ~ machen*** (*infml*) to make sb get a move on (*infml*); ***~ 100*** speed limit (of) 100 km/h; ***aufs ~ drücken*** (*infml*) to step on the gas (*infml*) **2.** MUS *pl* ***Tempi*** ['tɛmpi] tempo; ***das ~ angeben*** to set the tempo; (*fig*) to set the pace **Tempolimit** *nt* speed limit **temporär** [tɛmpo'rɛːɐ] (*elev*) *adj* temporary **Temposünder(in)** *m/(f)* person caught for speeding **Tempus** ['tɛmpʊs] *nt* ⟨***-, Tempora*** ['tɛmpora]⟩ GRAM tense

Tendenz [tɛn'dɛnts] *f* ⟨***-, -en***⟩ trend; (≈ *Neigung*) tendency; (≈ *Absicht*) intention; ***die ~ haben, zu ...*** to have a tendency to ... **tendenziös** [tɛndɛn'tsiøːs]

adj tendentious **tendieren** [tɛn'diːrən] *past part* **tendiert** *v/i* **1.** ***dazu ~, etw zu tun*** (≈ *neigen*) to tend to do sth; (≈ *beabsichtigen*) to be moving toward(s) doing sth **2.** FIN, ST EX to tend; ***fester/schwächer ~*** to show a stronger/weaker tendency

Teneriffa [tene'rɪfa] *nt* ⟨*-s*⟩ Tenerife

Tennis ['tɛnɪs] *nt* ⟨*-, no pl*⟩ tennis **Tennisball** *m* tennis ball **Tennisplatz** *m* tennis court **Tennisschläger** *m* tennis racket **Tennisspieler(in)** *m/(f)* tennis player

Tenor[1] ['teːnoːɐ] *m* ⟨*-s, no pl*⟩ tenor

Tenor[2] [te'noːɐ] *m* ⟨*-s, ¨-e* [-'nøːrə]⟩ MUS tenor

Teppich ['tɛpɪç] *m* ⟨*-s, -e*⟩ carpet; ***etw unter den ~ kehren*** to sweep sth under the carpet; ***bleib auf dem ~!*** (*infml*) be reasonable! **Teppichboden** *m* carpet(-ing); ***das Zimmer ist mit ~ ausgelegt*** the room has a fitted carpet **Teppichklopfer** *m* carpet-beater

Termin [tɛr'miːn] *m* ⟨*-s, -e*⟩ date; (*für Fertigstellung*) deadline; (*bei Arzt, Besprechung etc*) appointment; SPORTS fixture; (JUR ≈ *Verhandlung*) hearing; ***sich*** (*dat*) ***einen ~ geben lassen*** to make an appointment

Terminal ['tøːɐminəl, 'tœr-] *nt or m* ⟨*-s, -s*⟩ terminal

Terminbörse *f* futures market **Termingeld** *nt* fixed-term deposit **termingemäß, termingerecht** *adj, adv* on schedule **Terminhandel** *m* ST EX forward *or* futures trading **Terminkalender** *m* (appointments) diary **terminlich** [tɛr'miːnlɪç] *adj* ***aus ~en Gründen absagen*** to cancel because of problems with one's schedule **Terminmarkt** *m* ST EX futures market

Terminologie [tɛrminolo'giː] *f* ⟨*-, -n* [-'giːən]⟩ terminology **terminologisch** [tɛrmino'loːgɪʃ] **I** *adj* terminological **II** *adv* terminologically

Terminplan *m* (≈ *Kalender*) appointments list; (≈ *Programm*) agenda **Terminplaner** *m* appointments calendar

Terminus ['tɛrminʊs] *m* ⟨*-, **Termini*** [-ni]⟩ term; ***~ technicus*** technical term

Termite [tɛr'miːtə] *f* ⟨*-, -n*⟩ termite

Terpentin [tɛrpɛn'tiːn] *nt or* (*Aus*) *m* ⟨*-s, -e*⟩ turpentine; (*infml* ≈ *Terpentinöl*) turps (*infml*)

Terrain [tɛ'rɛ̃ː] *nt* ⟨*-s, -s*⟩ terrain; (*fig*) territory; ***das ~ sondieren*** (*fig*) to see how the land lies

Terrarium [tɛ'raːriʊm] *nt* ⟨*-s, **Terrarien*** [-riən]⟩ terrarium

Terrasse [tɛ'rasə] *f* ⟨*-, -n*⟩ **1.** GEOG terrace **2.** (≈ *Veranda*) patio; (≈ *Dachterrasse*) roof garden **terrassenartig, terrassenförmig I** *adj* terraced **II** *adv* in terraces

terrestrisch [tɛ'rɛstrɪʃ] *adj* terrestrial

Terrier ['tɛriɐ] *m* ⟨*-s, -*⟩ terrier

Terror ['tɛroːɐ] *m* ⟨*-s, no pl*⟩ terror; (≈ *Terrorismus*) terrorism; (≈ *Terrorherrschaft*) reign of terror; ***~ machen*** (*infml*) to raise hell (*infml*) **Terrorakt** *m* act of terrorism **Terrorangriff** *m* terrorist raid **Terroranschlag** *m* terrorist attack **terrorisieren** [tɛrori'ziːrən] *past part* **terrorisiert** *v/t* to terrorize **Terrorismus** [tɛro'rɪsmʊs] *m* ⟨*-, no pl*⟩ terrorism **Terrorismusbekämpfung** *f* counterterrorism **Terrorismusexperte** *m*, **Terrorismusexpertin** *f* expert on terrorism **Terrorist** [tɛro'rɪst] *m* ⟨*-en, -en*⟩, **Terroristin** [-'rɪstɪn] *f* ⟨*-, -nen*⟩ terrorist **terroristisch** [tɛro'rɪstɪʃ] *adj* terrorist *attr*

tertiär [tɛr'tsiɛːɐ] *adj* tertiary **Terz** [tɛrts] *f* ⟨*-, -en*⟩ MUS third; (*Fechten*) tierce

Tesafilm® ['teːza-] *m* adhesive tape

Tessin [tɛ'siːn] *nt* ⟨*-s*⟩ ***das ~*** Ticino

Test [tɛst] *m* ⟨*-(e)s, -s or -e*⟩ test

Testament [tɛsta'mɛnt] *nt* ⟨*-(e)s, -e*⟩ **1.** JUR will; (*fig*) legacy; ***das ~ eröffnen*** to read the will; ***sein ~ machen*** to make one's will **2.** BIBLE ***Altes/Neues ~*** Old/New Testament **testamentarisch** [tɛstamɛn'taːrɪʃ] **I** *adj* testamentary; ***eine ~e Verfügung*** an instruction in the will **II** *adv* in one's will; ***etw ~ festlegen*** to write sth in one's will **Testamentseröffnung** *f* reading of the will **Testamentsvollstrecker** *m* ⟨*-s, -*⟩, **Testamentsvollstreckerin** *f* ⟨*-, -nen*⟩ executor; (*Frau auch*) executrix

Testbild *nt* TV test card **testen** ['tɛstn] *v/t* to test (*auf +acc* for) **Tester** ['tɛstɐ] *m* ⟨*-s, -*⟩, **Testerin** [-ərɪn] *f* ⟨*-, -nen*⟩ tester **Testlauf** *m* TECH trial run **Testperson** *f* subject (of a test) **Testpilot(in)** *m/(f)* test pilot **Testreihe** *f*, **Testserie** *f* series of tests **Teststopp** *m* test ban **Teststoppabkommen** *nt* test ban treaty

Tetanus ['teːtanʊs, 'tɛtanʊs] *m* ⟨*-, no pl*⟩ tetanus

teuer ['tɔyɐ] **I** *adj* expensive; (*fig*) dear; ***teurer werden*** to go up (in price) **II** *adv* expensively; ***etw ~ kaufen/verkau-***

fen to buy/sell sth for a high price; ***das wird ihn ~ zu stehen kommen*** (*fig*) that will cost him dear; ***etw ~ bezahlen*** (*fig*) to pay a high price for sth **Teuerung** ['tɔyərʊŋ] *f* ⟨-, ***-en***⟩ rise in prices **Teuerungsrate** *f* rate of price increases **Teuerungszulage** *f* cost of living bonus

Teufel ['tɔyfl] *m* ⟨***-s, -***⟩ **1.** devil **2.** (*infml*) ***scher dich zum ~*** go to hell! (*infml*); ***der ~ soll ihn holen!*** to hell with him (*infml*); ***jdn zum ~ jagen*** to send sb packing (*infml*); ***wer zum ~?*** who the devil? (*infml*); ***zum ~ mit dem Ding!*** to hell with the thing! (*infml*); ***den ~ an die Wand malen*** to tempt fate; ***wenn man vom ~ spricht*** (*prov*) talk (*Br*) *or* speak of the devil (*infml*); ***dann kommst du in ~s Küche*** then you'll be in a hell of a mess (*infml*); ***wie der ~*** like hell (*infml*); ***auf ~ komm raus*** like crazy (*infml*); ***da ist der ~ los*** all hell's been let loose (*infml*); ***der ~ steckt im Detail*** the devil is in the detail **Teufelsaustreibung** *f* exorcism **Teufelskreis** *m* vicious circle **teuflisch** ['tɔyflɪʃ] *adj* fiendish

Text [tɛkst] *m* ⟨***-(e)s, -e***⟩ text; (*eines Gesetzes*) wording; (*von Lied*) words *pl*; (*von Schlager*) lyrics *pl*; (*von Film*) script; (*unter Bild*) caption; ***weiter im ~*** (*infml*) (let's) get on with it **Textbaustein** *m* IT template **texten** ['tɛkstn] *v/t & v/i* to write; (*mit Handy*) to text **Texter** ['tɛkstɐ] *m* ⟨***-s, -***⟩, **Texterin** [-ərɪn] *f* ⟨***-, -nen***⟩ (*für Schlager*) songwriter; (*für Werbesprüche*) copywriter **Texterfasser** [-|ɛɐfasɐ] *m* ⟨***-s, -***⟩, **Texterfasserin** [-ərɪn] *f* ⟨***-, -nen***⟩ keyboarder

Textilarbeiter(in) *m/(f)* textile worker **Textilfabrik** *f* textile factory **Textilien** [tɛks'tiːliən] *pl* textiles *pl* **Textilindustrie** *f* textile industry

Textnachricht *f* TEL text message **Textspeicher** *m* IT memory **Textstelle** *f* passage **Textverarbeitung** *f* word processing **Textverarbeitungsprogramm** *nt* word processor, word processing program **Textverarbeitungssystem** *nt* word processor

Thai [tai] *m/f(m)* ⟨***-(s), -(s)***⟩ Thai **Thailand** ['tailant] *nt* ⟨***-s***⟩ Thailand **thailändisch** ['tailɛndɪʃ] *adj* Thai

Theater [te'aːtɐ] *nt* ⟨***-s, -***⟩ **1.** theatre (*Br*), theater (*US*); ***zum ~ gehen*** to go on the stage; ***ins ~ gehen*** to go to the theatre (*Br*) *or* theater (*US*); ***~ spielen*** (*lit*) to act; (*fig*) to put on an act; ***das ist doch alles nur ~*** (*fig*) it's all just play-acting **2.** (*fig*) to-do (*infml*), fuss; ***(ein) ~ machen*** to make a (big) fuss **Theaterbesuch** *m* visit to the theatre **Theaterbesucher(in)** *m/(f)* theatregoer (*Br*), theatergoer (*US*) **Theaterfestival** *nt* drama festival **Theaterkarte** *f* theatre ticket **Theaterkasse** *f* theatre box office **Theaterstück** *nt* (stage) play **theatralisch** [tea'traːlɪʃ] **I** *adj* theatrical **II** *adv* theatrically

Theke ['teːkə] *f* ⟨***-, -n***⟩ (≈ *Schanktisch*) bar; (≈ *Ladentisch*) counter

Thema ['teːma] *nt* ⟨***-s, Themen*** *or* ***-ta*** [-mən, -ta]⟩ (≈ *Gegenstand*) subject; (≈ *Leitgedanke, also* MUS) theme; ***beim ~ bleiben*** to stick to the subject; ***das ~ wechseln*** to change the subject; ***kein ~ sein*** not to be an issue **Thematik** [te'maːtɪk] *f* ⟨***-, -en***⟩ topic **thematisch** [te'maːtɪʃ] *adj* thematic; ***~ geordnet*** arranged according to subject **Themenabend** *m* TV *etc* theme evening **Themenbereich** *m*, **Themenkreis** *m* topic **Themenpark** *m* theme park

Themse ['tɛmzə] *f* ⟨***-***⟩ ***die ~*** the Thames

Theologe [teo'loːgə] *m* ⟨***-n, -n***⟩, **Theologin** [-'loːgɪn] *f* ⟨***-, -nen***⟩ theologian **Theologie** [teolo'giː] *f* ⟨***-, no pl***⟩ theology **theologisch** [teo'loːgɪʃ] *adj* theological

Theoretiker [teo'reːtikɐ] *m* ⟨***-s, -***⟩, **Theoretikerin** [-ərɪn] *f* ⟨***-, -nen***⟩ theoretician **theoretisch** [teo'reːtɪʃ] **I** *adj* theoretical **II** *adv* theoretically; ***~ gesehen*** theoretically **Theorie** [teo'riː] *f* ⟨***-, -n*** [-'riːən]⟩ theory

Therapeut [tera'pɔyt] *m* ⟨***-en, -en***⟩, **Therapeutin** [-'pɔytɪn] *f* ⟨***-, -nen***⟩ therapist **therapeutisch** [tera'pɔytɪʃ] *adj* therapeutic(al) **Therapie** [tera'piː] *f* ⟨***-, -n*** [-'piːən]⟩ therapy; (≈ *Behandlungsmethode*) (method of) treatment (*gegen* for) **therapieren** [tera'piːrən] *past part* ***therapiert*** *v/t* to give therapy to

Thermalbad *nt* thermal bath; (*Gebäude*) thermal baths *pl*; (≈ *Badeort*) spa **Thermalquelle** *f* thermal spring **thermisch** ['tɛrmɪʃ] *adj attr* PHYS thermal **Thermodrucker** *m* thermal printer **Thermodynamik** *f* thermodynamics *sg* **thermodynamisch** *adj* thermodynamic **Thermometer** *nt* ⟨***-s, -***⟩ thermometer **Thermopapier** *nt* thermal paper **Thermosflasche®** *f* vacuum flask **Thermostat**

[tɛrmo'staːt] *m* ⟨**-(e)s, -e**⟩ thermostat
These ['teːzə] *f* ⟨**-, -n**⟩ hypothesis; (*infml* ≈ *Theorie*) theory
Thon [toːn] *m* ⟨**-(e)s**, *no pl*⟩ (*Swiss*) tuna
Thriller ['θrɪlɐ] *m* ⟨**-s, -**⟩ thriller
Thrombose [trɔm'boːzə] *f* ⟨**-, -n**⟩ thrombosis
Thron [troːn] *m* ⟨**-(e)s, -e**⟩ throne **thronen** ['troːnən] *v/i* (*lit*) to sit enthroned; (*fig*) to sit in state **Thronfolge** *f* line of succession; ***die ~ antreten*** to succeed to the throne **Thronfolger** [-fɔlgɐ] *m* ⟨**-s, -**⟩, **Thronfolgerin** [-ərɪn] *f* ⟨**-, -nen**⟩ heir to the throne
Thunfisch ['tuːn-] *m* tuna (fish)
Thüringen ['tyːrɪŋən] *nt* ⟨**-s**⟩ Thuringia
Thymian ['tyːmiaːn] *m* ⟨**-s, -e**⟩ thyme
Tibet ['tiːbɛt, ti'beːt] *nt* ⟨**-s**⟩ Tibet **tibetanisch** [tibe'taːnɪʃ], **tibetisch** [ti'beːtɪʃ] *adj* Tibetan
Tick [tɪk] *m* ⟨**-(e)s, -s**⟩ (*infml* ≈ *Schrulle*) quirk (*infml*); ***einen ~ haben*** (*infml*) to be crazy **ticken** ['tɪkn] *v/i* to tick (away); ***du tickst ja nicht richtig*** (*infml*) you're off your rocker! (*infml*)
Ticket ['tɪkət] *nt* ⟨**-s, -s**⟩ ticket
Tiebreak ['taibreːk] *m* ⟨**-s, -s**⟩, **Tie-Break** *m* ⟨**-s, -s**⟩ TENNIS tie-break (*esp Br*), tie--breaker
tief [tiːf] **I** *adj* deep; *Ton, Temperatur* low; ***~er Teller*** soup plate; ***aus ~stem Herzen*** from the bottom of one's heart; ***im ~en Wald*** deep in the forest; ***im ~en Winter*** in the depths of winter; ***in der ~en Nacht*** at dead of night; ***im ~sten Innern*** in one's heart of hearts **II** *adv* **1.** deep; *sich bücken* low; *untersuchen* in depth; ***3 m ~ fallen*** to fall 3 metres (*Br*) *or* meters (*US*); ***~ sinken*** (*fig*) to sink low; ***bis ~ in etw*** (*acc*) ***hinein*** (*örtlich*) a long way down/deep into sth; ***~ verschneit*** deep with snow; ***~ in Gedanken (versunken)*** deep in thought; ***jdm ~ in die Augen sehen*** to look deep into sb's eyes **2.** (≈ *sehr stark*) deeply; ***~ greifend*** *Veränderung* far-reaching; *sich verändern* significantly; *reformieren* thoroughly; ***~ schürfend*** profound **3.** (≈ *niedrig*) low; ***ein Stockwerk ~er*** on the floor below; ***~ liegend*** *Gegend, Häuser* low-lying **Tief** [tiːf] *nt* ⟨**-(e)s, -e**⟩ METEO depression; (*fig*) low **Tiefbau** *m, no pl* civil engineering **tiefblau** *adj attr* deep blue **Tiefdruck** *m, no pl* METEO low pressure **Tiefdruckgebiet** *nt* METEO area of low pressure, depression **Tiefe** ['tiːfə] *f* ⟨**-, -n**⟩ **1.** depth; ***unten in der ~*** far below **2.** (≈ *Intensität*) deepness **3.** (≈ *Tiefgründigkeit*) profundity **4.** (*von Ton*) lowness **Tiefebene** *f* lowland plain **Tiefenpsychologie** *f* depth psychology **Tiefenschärfe** *f* PHOT depth of field **Tiefflieger** *m* low-flying aircraft **Tiefflug** *m* low-altitude flight **Tiefgang** [-gaŋ] *m, no pl* NAUT draught (*Br*), draft (*US*); (*fig infml*) depth **Tiefgarage** *f* underground car park (*Br*), underground parking garage (*esp US*) **tiefgefrieren** *v/t irr* to (deep-)freeze **tiefgekühlt** *adj* (≈ *gefroren*) frozen; (≈ *sehr kalt*) chilled **Tiefgeschoss Tiefgeschoß** (*Aus*) *nt* basement **tiefgreifend** *adj* → ***tief*** **tiefgründig** [-grʏndɪç] *adj* profound; (≈ *durchdacht*) well-grounded **Tiefkühlfach** *nt* freezer compartment **Tiefkühlkost** *f* frozen food **Tiefkühltruhe** *f* (chest) freezer **Tiefland** *nt* lowlands *pl* **tiefliegend** *adj attr*; → ***tief*** **Tiefpunkt** *m* low **Tiefschlag** *m* (*Boxen, fig*) hit below the belt **Tiefsee** *f* deep sea **Tiefstand** *m* low **Tiefstpreis** *m* lowest price **tieftraurig** *adj* very sad
Tiegel ['tiːgl] *m* ⟨**-s, -**⟩ (*zum Kochen*) (sauce)pan; (*in der Chemie*) crucible
Tier [tiːɐ] *nt* ⟨**-(e)s, -e**⟩ animal; (*infml* ≈ *Mensch*) brute; ***hohes ~*** (*infml*) big shot (*infml*) **Tierarzt** *m*, **Tierärztin** *f* vet **Tierfreund(in)** *m/(f)* animal lover **Tierfutter** *nt* animal food; (*für Haustiere*) pet food **Tiergarten** *m* zoo **Tierhandlung** *f* pet shop **Tierheim** *nt* animal home **tierisch** ['tiːrɪʃ] **I** *adj* animal *attr*; (*fig*) *Grausamkeit* bestial; ***~er Ernst*** (*infml*) deadly seriousness **II** *adv* (*infml* ≈ *ungeheuer*) horribly (*infml*); *wehtun* like hell (*infml*); *ernst* deadly **Tierkreis** *m* zodiac **Tierkreiszeichen** *nt* sign of the zodiac **Tierkunde** *f* zoology **Tiermedizin** *f* veterinary medicine **Tierpark** *m* zoo **Tierpfleger(in)** *m/(f)* zoo keeper **Tierquälerei** *f* cruelty to animals **Tierschutz** *m* protection of animals **Tierschützer** [-ʃʏtsɐ] *m* ⟨**-s, -**⟩, **Tierschützerin** [-ərɪn] *f* ⟨**-, -nen**⟩ animal conservationist **Tierschutzverein** *m* society for the prevention of cruelty to animals **Tierversuch** *m* animal experiment
Tiger ['tiːgɐ] *m* ⟨**-s, -**⟩ tiger **Tigerin** ['tiːgərɪn] *f* ⟨**-, -nen**⟩ tigress **Tigerstaat** *m* ECON tiger economy

Tilde ['tɪldə] *f* ⟨**-, -n**⟩ tilde **tilgen** ['tɪlgn] *v/t* (*elev*) **1.** *Schulden* to pay off **2.** (≈ *beseitigen*) *Unrecht*, *Spuren* to wipe out; *Erinnerung* to erase; *Strafe* to remove **Tilgung** ['tɪlgʊŋ] *f* ⟨**-, -en**⟩ (*von Schulden*) repayment

timen ['taimən] *v/t* to time

Tinktur [tɪŋk'tuːɐ] *f* ⟨**-, -en**⟩ tincture

Tinnitus ['tɪnitʊs] *m* ⟨**-, -**⟩ MED tinnitus

Tinte ['tɪntə] *f* ⟨**-, -n**⟩ ink; ***in der ~ sitzen*** (*infml*) to be in the soup (*infml*) **Tintenfisch** *m* cuttlefish; (≈ *Kalmar*) squid; (*achtarmig*) octopus **Tintenklecks** *m* ink blot **Tintenpatrone** *f* (*von Füller*, *Drucker*) ink cartridge **Tintenstrahldrucker** *m* ink-jet (printer)

Tipp [tɪp] *m* ⟨**-s, -s**⟩ tip; (*an Polizei*) tip-off **tippen** ['tɪpn] **I** *v/t* (*infml* ≈ *schreiben*) to type **II** *v/i* **1.** (≈ *klopfen*) ***an/auf etw*** (*acc*) ***~*** to tap sth **2.** (*infml*: *am Computer*) to type **3.** (≈ *wetten*) to fill in one's coupon; ***im Lotto ~*** to play the lottery **4.** (*infml* ≈ *raten*) to guess; ***ich tippe darauf, dass ...*** I bet (that) ... **Tippfehler** *m* (*infml*) typing mistake

tipptopp ['tɪp'tɔp] (*infml*) **I** *adj* immaculate; (≈ *prima*) first-class **II** *adv* immaculately; (≈ *prima*) really well; ***~ sauber*** spotless

Tippzettel *m* (*im Lotto*) lottery coupon

Tirol [ti'roːl] *nt* ⟨**-s**⟩ Tyrol **Tiroler** [ti'roːlɐ] *m* ⟨**-s, -**⟩, **Tirolerin** [-ərɪn] *f* ⟨**-, -nen**⟩ Tyrolese, Tyrolean

Tisch [tɪʃ] *m* ⟨**-(e)s, -e**⟩ table; (≈ *Schreibtisch*) desk; ***bei ~*** at (the) table; ***etw auf den ~ bringen*** (*infml*) to serve sth (up); ***vom ~ sein*** (*fig*) to be cleared out of the way; ***jdn über den ~ ziehen*** (*fig infml*) to take sb to the cleaners (*infml*) **Tischdecke** *f* tablecloth **Tischler** ['tɪʃlɐ] *m* ⟨**-s, -**⟩, **Tischlerin** [-ərɪn] *f* ⟨**-, -nen**⟩ joiner (*esp Br*), carpenter; (≈ *Möbeltischler*) cabinet-maker **Tischlerei** [tɪʃlə'rai] *f* ⟨**-, -en**⟩ **1.** (*Werkstatt*) carpenter's workshop; (≈ *Möbeltischlerei*) cabinet-maker's workshop **2.** *no pl* (*infml*) (≈ *Handwerk*) carpentry; (*von Möbeltischler*) cabinet-making **tischlern** ['tɪʃlɐn] (*infml*) *v/i* to do woodwork **Tischplatte** *f* tabletop **Tischrechner** *m* desk calculator **Tischtennis** *nt* table tennis **Tischtuch** *nt*, *pl* ***-tücher*** tablecloth

Titel ['tiːtl, 'tɪtl] *m* ⟨**-s, -**⟩ title **Titelbild** *nt* cover (picture) **Titelmelodie** *f* (*von Film*) theme tune **Titelseite** *f* cover, front page **Titelstory** *f* cover story **Titelverteidiger(in)** *m*/(*f*) title holder

Titte ['tɪtə] *f* ⟨**-, -n**⟩ (*sl*) tit (*sl*)

Toast [toːst] *m* ⟨**-(e)s, -e**⟩ **1.** (≈ *Brot*) toast; ***ein ~*** a slice of toast **2.** (≈ *Trinkspruch*) toast; ***einen ~ auf jdn ausbringen*** to propose a toast to sb **Toastbrot** ['toːst-] *nt sliced white bread for toasting* **toasten** ['toːstn] *v/t Brot* to toast **Toaster** ['toːstɐ] *m* ⟨**-s, -**⟩ toaster

Tobel ['toːbl] *f* ⟨**-, -s**⟩ (*Swiss* ≈ *Schlucht*) gorge, ravine

toben ['toːbn] *v/i* **1.** (≈ *wüten*) to rage; (*Mensch*) to throw a fit **2.** (≈ *ausgelassen spielen*) to rollick (about) **Tobsucht** ['toːpzʊxt] *f* (*bei Tieren*) madness; (*bei Menschen*) maniacal rage **tobsüchtig** *adj* mad **Tobsuchtsanfall** *m* (*infml*) fit of rage; ***einen ~ bekommen*** to blow one's top (*infml*)

Tochter ['tɔxtɐ] *f* ⟨**-, ⸚** ['tœçtɐ]⟩ daughter; (≈ *Tochterfirma*) subsidiary **Tochterfirma** *f* subsidiary (firm)

Tod [toːt] *m* ⟨**-(e)s, -e** [-də]⟩ death; ***eines natürlichen/gewaltsamen ~es sterben*** to die of natural causes/a violent death; ***sich*** (*dat*) ***den ~ holen*** to catch one's death (of cold); ***zu ~e kommen*** to die; ***jdn/etw auf den ~ nicht leiden können*** (*infml*) to be unable to stand sb/sth; ***sich zu ~(e) langweilen*** to be bored to death; ***zu ~e betrübt sein*** to be in the depths of despair **todernst** (*infml*) *adj* deadly serious **Todesangst** *f* mortal agony; ***Todesängste ausstehen*** (*infml*) to be scared to death (*infml*) **Todesanzeige** *f* (*als Brief*) letter announcing sb's death; (≈ *Annonce*) obituary (notice) **Todesfall** *m* death **Todesgefahr** *f* mortal danger **Todeskampf** *m* death throes *pl* **Todesopfer** *nt* death, casualty **Todesstrafe** *f* death penalty **Todesursache** *f* cause of death **Todesurteil** *nt* death sentence **Todfeind(in)** *m*/(*f*) deadly enemy **todgeweiht** [-gəvait] *adj Mensch*, *Patient* doomed **todkrank** *adj* (≈ *sterbenskrank*) critically ill; (≈ *unheilbar krank*) terminally ill **tödlich** ['tøːtlɪç] **I** *adj* fatal; *Gefahr* mortal; *Waffe*, *Dosis* lethal; (*infml*) *Langeweile* deadly **II** *adv* **1.** (*mit Todesfolge*) ***~ verunglücken*** to be killed in an accident **2.** (*infml* ≈ *äußerst*) horribly (*infml*); *langweilen* to death **todmüde** *adj* (*infml*) dead tired (*infml*) **todschick** (*infml*) **I** *adj* dead smart (*infml*)

II *adv gekleidet* ravishingly; *eingerichtet* exquisitely **todsicher** (*infml*) *adj* dead certain (*infml*); *Tipp* sure-fire (*infml*) **Todsünde** *f* mortal sin **todunglücklich** *adj* (*infml*) desperately unhappy

Töff [tœf] *m* ⟨**-s, -s**⟩ (*Swiss* ≈ *Motorad*) motorbike

Tofu ['to:fu] *nt* ⟨**-**, *no pl*⟩ tofu

Toilette [toa'lɛtə] *f* ⟨**-, -n**⟩ toilet, lavatory (*esp Br*), bathroom (*esp US*); ***auf die ~ gehen*** to go to the toilet **Toilettenartikel** *m usu pl* toiletry **Toilettenpapier** *nt* toilet paper

toi, toi, toi ['tɔy 'tɔy 'tɔy] *int* (*infml*) (*vor Prüfung etc*) good luck; (*unberufen*) touch wood (*Br*), knock on wood (*US*)

Tokio ['to:kio] *nt* ⟨**-s**⟩ Tokyo

tolerant [tole'rant] *adj* tolerant (*gegen* of) **Toleranz** [tole'rants] *f* ⟨**-, -en**⟩ tolerance (*gegen* of) **tolerieren** [tole'ri:rən] *past part* ***toleriert*** *v/t* to tolerate

toll [tɔl] **I** *adj* **1.** (≈ *wild, ausgelassen*) wild; ***die (drei) ~en Tage*** (the last three days of) Fasching **2.** (*infml* ≈ *verrückt*) crazy **3.** (*infml* ≈ *großartig*) fantastic (*infml*) **II** *adv* **1.** (*infml* ≈ *großartig*) fantastically; *schmecken* fantastic **2.** (≈ *wild, ausgelassen*) ***es ging ~ zu*** things were pretty wild (*infml*) **3.** (*infml* ≈ *verrückt*) ***(wie) ~ fahren*** *etc* to drive *etc* like a madman **Tollkirsche** *f* deadly nightshade **tollkühn** *adj Person, Fahrt* daredevil *attr*, daring **Tollpatsch** ['tɔlpatʃ] *m* ⟨**-s, -e**⟩ (*infml*) clumsy creature **tollpatschig** ['tɔlpatʃɪç] *adj* clumsy **Tollwut** *f* rabies *sg* **tollwütig** *adj* rabid

Tölpel ['tœlpl] *m* ⟨**-s, -**⟩ (*infml*) fool

Tomate [to'ma:tə] *f* ⟨**-, -n**⟩ tomato **Tomatenmark** *nt*, **Tomatenpüree** *nt* tomato puree **Tomatensaft** *m* tomato juice

Tombola ['tɔmbola] *f* ⟨**-, -s** *or* ***Tombolen*** [-lən]⟩ tombola (*Br*), raffle (*US*)

Tomograf [tomo'gra:f] *m* ⟨**-en, -en**⟩ MED tomograph **Tomografie** [tomogra'fi:] *f* ⟨**-, -n** [-'fi:ən]⟩ tomography **Tomogramm** [tomo'gram] *nt*, *pl* **-gramme** MED tomogram

Ton[1] [to:n] *m* ⟨**-(e)s, -e**⟩ (≈ *Erdart*) clay

Ton[2] *m* ⟨**-(e)s, ¨-e** ['tø:nə]⟩ **1.** sound; MUS tone; (≈ *Note*) note; ***den ~ angeben*** (*fig*) to set the tone; ***keinen ~ sagen*** not to make a sound; ***große Töne spucken*** (*infml*) to talk big; ***jdn in (den) höchsten Tönen loben*** (*infml*) to praise sb to the skies **2.** (≈ *Betonung*) stress; (≈ *Tonfall*) intonation **3.** (≈ *Redeweise*) tone; ***ich verbitte mir diesen ~*** I will not be spoken to like that; ***der gute ~*** good form **4.** (≈ *Farbton*) tone; (≈ *Nuance*) shade **Tonabnehmer** *m* pick-up **tonangebend** *adj* ***~ sein*** to set the tone **Tonarm** *m* pick-up arm **Tonart** *f* MUS key; (*fig* ≈ *Tonfall*) tone **Tonband** [-bant] *nt*, *pl* ***-bänder*** tape **Tonbandgerät** *nt* tape recorder

tönen[1] ['tø:nən] *v/i* (≈ *klingen*) to sound; (≈ *großspurig reden*) to boast

tönen[2] *v/t* to tint; ***sich*** (*dat*) ***die Haare ~*** to tint one's hair

Toner ['to:nɐ] *m* ⟨**-s, -**⟩ toner **Tonerkassette** *f* toner cartridge

tönern ['tø:nɐn] *adj attr* clay

Tonfall *m* tone of voice; (≈ *Intonation*) intonation **Tonfilm** *m* sound film

tonhaltig *adj* clayey

Tonhöhe *f* pitch **Toningenieur(in)** *m*/(*f*) sound engineer **Tonlage** *f* pitch (level); (≈ *Tonumfang*) register **Tonleiter** *f* scale **tonlos** *adj* toneless

Tonnage [tɔ'na:ʒə] *f* ⟨**-, -n**⟩ NAUT tonnage

Tonne ['tɔnə] *f* ⟨**-, -n**⟩ **1.** (≈ *Behälter*) barrel; (*aus Metall*) drum; (≈ *Mülltonne*) bin (*Br*), trash can (*US*) **2.** (≈ *Gewicht*) metric ton(ne) **3.** (≈ *Registertonne*) (register) ton

Tonspur *f* soundtrack **Tonstörung** *f* sound interference **Tonstudio** *nt* recording studio

Tontaube *f* clay pigeon **Tontaubenschießen** *nt* ⟨**-s**, *no pl*⟩ clay pigeon shooting

Tontechniker(in) *m*/(*f*) sound technician

Tönung ['tø:nʊŋ] *f* ⟨**-, -en**⟩ (≈ *Haartönung*) hair colour (*Br*) *or* color (*US*); (≈ *Farbton*) shade, tone

Top [tɔp] *nt* ⟨**-s, -s**⟩ FASHION top **topaktuell** *adj* up-to-the-minute

Topas [to'pa:s] *m* ⟨**-es, -e** [-zə]⟩ topaz

Topf [tɔpf] *m* ⟨**-(e)s, ¨-e** ['tœpfə]⟩ pot; (≈ *Kochtopf*) (sauce)pan; ***alles in einen ~ werfen*** (*fig*) to lump everything together **Topfen** ['tɔpfn] *m* ⟨**-s, -**⟩ (*S Ger, Aus*) quark **Töpfer** ['tœpfɐ] *m* ⟨**-s, -**⟩, **Töpferin** [-ərɪn] *f* ⟨**-, -nen**⟩ potter **Töpferei** [tœpfə'rai] *f* ⟨**-, -en**⟩ pottery **töpfern** ['tœpfɐn] *v/i* to do pottery **Töpferscheibe** *f* potter's wheel

topfit *adj pred* in top form; (*gesundheitlich*) as fit as a fiddle

Topflappen *m* oven cloth **Topfpflanze** *f* potted plant

Topografie [topogra'fiː] *f* ⟨-, **-n** [-'fiːən]⟩ topography **topografisch** [topo'graːfɪʃ] *adj* topographic(al)

toppen ['tɔpn] *v/t* to top, to beat; ***schwer zu ~*** hard to top *or* beat

Tor *nt* ⟨**-(e)s, -e**⟩ **1.** gate; (*fig*) gateway; (≈ *Torbogen*) archway; (*von Garage*) door **2.** SPORTS goal; ***im ~ stehen*** to be in goal **Torbogen** *m* arch **Toresschluss** *m* = ***Torschluss***

Torf [tɔrf] *m* ⟨**-(e)s**, *no pl*⟩ peat **torfig** ['tɔrfɪç] *adj* peaty **Torfmoor** *nt* peat bog *or* (*trocken*) moor

Torfrau *f* goalkeeper **Torhüter(in)** *m*/(*f*) goalkeeper

töricht ['tøːrɪçt] (*elev*) *adj* foolish; *Hoffnung* idle

Torjäger(in) *m*/(*f*) (goal)scorer

torkeln ['tɔrkln] *v/i aux sein* to stagger, to reel

Tormann *m*, *pl* ***-männer*** goalkeeper

Tornado [tɔr'naːdo] *m* ⟨**-s, -s**⟩ tornado

torpedieren [tɔrpe'diːrən] *past part* ***torpediert*** *v/t* to torpedo **Torpedo** [tɔr'peːdo] *m* ⟨**-s, -s**⟩ torpedo

Torpfosten *m* gatepost; SPORTS goalpost **Torschluss** *m*, *no pl* (*fig*) ***kurz vor ~*** at the last minute **Torschlusspanik** *f* (*infml*) last minute panic **Torschütze** *m*, **Torschützin** *f* (goal)scorer

Torte ['tɔrtə] *f* ⟨**-, -n**⟩ gâteau; (≈ *Obsttorte*) flan **Tortenboden** *m* flan case *or* (*ohne Seiten*) base **Tortendiagramm** *nt* pie chart **Tortenguss** *m* glaze **Tortenheber** [-heːbɐ] *m* ⟨**-s, -**⟩ cake slice

Tortur [tɔr'tuːɐ] *f* ⟨**-, -en**⟩ torture; (*fig*) ordeal

Torverhältnis *nt* score **Torwart** [-vart] *m* ⟨**-(e)s, -e**⟩, **Torwartin** [-vartɪn] *f* ⟨**-, -nen**⟩ goalkeeper

tosen ['toːzn] *v/i* (*Wellen*) to thunder; (*Sturm*) to rage; ***~der Beifall*** thunderous applause

Toskana [tɔs'kaːna] ⟨**-**⟩ GEOG ***die ~*** Tuscany

tot [toːt] *adj* dead; (*infml* ≈ *erschöpft*) beat (*infml*); *Stadt* deserted; ***~ geboren*** stillborn; ***~ umfallen*** to drop dead; ***er war auf der Stelle ~*** he died instantly; ***ein ~er Mann sein*** (*fig infml*) to be a goner (*infml*); ***~er Winkel*** blind spot; MIL dead angle; ***das Tote Meer*** the Dead Sea; ***~er Punkt*** (≈ *Stillstand*) standstill, halt; (*in Verhandlungen*) deadlock; (≈ *körperliche Ermüdung*) low point

total [to'taːl] **I** *adj* total **II** *adv* totally **Totalisator** [totali'zaːtoːɐ] *m* ⟨**-s, Totalisatoren** [-'toːrən]⟩ totalizator **totalitär** [totali'tɛːɐ] **I** *adj* totalitarian **II** *adv* in a totalitarian way **Totaloperation** *f* (*von Gebärmutter*) hysterectomy **Totalschaden** *m* write-off

totarbeiten *v/r sep* (*infml*) to work oneself to death **töten** ['tøːtn] *v/t & v/i* to kill **Totenbett** *nt* deathbed **totenblass** *adj* deathly pale **Totengräber** *m* ⟨**-s, -**⟩, **Totengräberin** *f* ⟨**-, -nen**⟩ gravedigger **Totenkopf** *m* skull; (*auf Piratenfahne etc*) skull and crossbones **Totenschein** *m* death certificate **Totenstarre** *f* rigor mortis **Totenstille** *f* deathly silence **Tote(r)** ['toːtə] *m*/*f*(*m*) *decl as adj* dead person; (*bei Unfall*, MIL) casualty; ***die ~n*** the dead; ***es gab 3 ~*** 3 people died *or* were killed **totgeboren** *adj attr*; → ***tot*** **Totgeburt** *f* stillbirth **totkriegen** *v/t sep* (*infml*) ***nicht totzukriegen sein*** to go on for ever **totlachen** *v/r sep* (*infml*) to kill oneself (laughing) (*Br infml*); ***es ist zum Totlachen*** it is hilarious

Toto ['toːto] *m or* (*inf*, *Aus*, *Swiss*) *nt* ⟨**-s, -s**⟩ (football) pools *pl* (*Br*); ***(im) ~ spielen*** to do the pools (*Br*) **Totoschein** *m* pools coupon (*Br*)

Totschlag *m* JUR manslaughter **totschlagen** *v/t sep irr* to kill; ***du kannst mich ~, ich weiß es nicht*** (*infml*) for the life of me I don't know **totschweigen** *v/t sep irr* to hush up (*infml*) **tot stellen** *v/r* to pretend to be dead **Tötung** ['tøːtʊŋ] *f* ⟨**-, -en**⟩ killing

Toupet [tu'peː] *nt* ⟨**-s, -s**⟩ toupée **toupieren** [tu'piːrən] *past part* ***toupiert*** *v/t* to backcomb

Tour [tuːɐ] *f* ⟨**-, -en**⟩ **1.** (≈ *Fahrt*) trip; (≈ *Tournee*) tour; (≈ *Wanderung*) walk; (≈ *Bergtour*) climb **2.** (≈ *Umdrehung*) revolution; ***auf ~en kommen*** (*Auto*) to reach top speed; (*fig infml*) to get into top gear; ***jdn/etw auf ~en bringen*** (*fig*) to get sb/sth going; ***in einer ~*** (*infml*) incessantly **3.** (*infml*) ***auf die krumme ~*** by dishonest means; ***jdm die ~ vermasseln*** (*infml*) to put paid to sb's plans **Tourenrad** *nt* tourer **Tourenwagen** *m* touring car **Tourismus** [tu'rɪsmʊs] *m* ⟨**-**, *no pl*⟩ tourism **Tourismusindustrie** *f* tourist industry **Tourist** [tu'rɪst] *m* ⟨**-en, -en**⟩, **Touristin** [-'rɪstɪn] *f* ⟨**-, -nen**⟩ tourist **Touristen-**

klasse *f* tourist class **Touristik** [tu'rɪstɪk] *f* ⟨-, *no pl*⟩ tourism **Tournee** [tʊr'neː] *f* ⟨-, **-s** *or* **-n** [-'neːən]⟩ tour; ***auf ~ sein*** to be on tour

Toxikologe [tɔksiko'loːgə] *m* ⟨**-n, -n**⟩, **Toxikologin** [-'loːgɪn] *f* ⟨-, **-nen**⟩ toxicologist **toxikologisch** [tɔksiko'loːgɪʃ] *adj* toxicological **toxisch** ['tɔksɪʃ] *adj* toxic

Trab [traːp] *m* ⟨**-(e)s** [-bəs]⟩ *no pl* trot; ***im ~*** at a trot; ***auf ~ sein*** (*infml*) to be on the go (*infml*); ***jdn in ~ halten*** (*infml*) to keep sb on the go (*infml*)

Trabant [tra'bant] *m* ⟨**-en, -en**⟩ satellite **Trabantenstadt** *f* satellite town

traben ['traːbn] *v/i aux haben or sein* to trot **Trabrennbahn** *f* trotting course **Trabrennen** *nt* trotting race

Tracht [traxt] *f* ⟨-, **-en**⟩ **1.** (≈ *Kleidung*) dress; (≈ *Volkstracht etc*) costume; (≈ *Schwesterntracht*) uniform **2.** ***jdm eine ~ Prügel verabreichen*** (*infml*) to give sb a beating **trachten** ['traxtn] *v/i* (*elev*) to strive (*nach* for, after); ***jdm nach dem Leben ~*** to be after sb's blood

trächtig ['trɛçtɪç] *adj Tier* pregnant

Trackball ['trɛkbɔːl] *m* ⟨**-s, -s**⟩ IT trackball

Tradition [tradi'tsioːn] *f* ⟨-, **-en**⟩ tradition; ***(bei jdm) ~ haben*** to be a tradition (for sb) **traditionell** [traditsio'nɛl] **I** *adj usu attr* traditional **II** *adv* traditionally **traditionsbewusst** *adj* tradition-conscious **traditionsgemäß** *adv* traditionally

Trafik [tra'fɪk] *f* ⟨-, **-en**⟩ (*Aus*) tobacconist's (shop) **Trafikant** [trafi'kant] *m* ⟨**-en, -en**⟩, **Trafikantin** [-'kantɪn] *f* ⟨-, **-nen**⟩ (*Aus*) tobacconist

Trafo ['traːfo] *m* ⟨**-(s), -s**⟩ (*infml*) transformer

Tragbahre *f* stretcher **tragbar** *adj* **1.** *Gerät* portable **2.** (≈ *annehmbar*) acceptable (*für* to); (≈ *erträglich*) bearable **Trage** ['traːgə] *f* ⟨-, **-n**⟩ (≈ *Bahre*) litter

träge ['trɛːgə] *adj* **1.** sluggish; *Mensch* lethargic; (≈ *faul*) lazy **2.** PHYS *Masse* inert

tragen ['tragn] *pret* ***trug*** [truːk], *past part* ***getragen*** [gə'traːgn] **I** *v/t* **1.** (≈ *befördern*) to carry; ***den Brief zur Post ~*** to take the letter to the post office **2.** (≈ *am Körper tragen*) to wear; ***getragene Kleider*** second-hand clothes **3.** (≈ *stützen*) to support **4.** (≈ *hervorbringen*) *Zinsen*, *Ernte* to yield; *Früchte* to bear **5.** (≈ *trächtig sein*) to be carrying **6.** (≈ *ertragen*) *Schicksal* to bear **7.** (≈ *übernehmen*) *Verluste* to defray; *Kosten* to bear, to carry; *Risiko* to take **8.** (≈ *haben*) *Titel*, *Namen* to bear **II** *v/i* **1.** (*Eis*) to take weight **2.** ***schwer an etw*** (*dat*) **~** to have a job carrying sth; (*fig*) to find sth hard to bear; ***zum Tragen kommen*** to come to fruition; (≈ *nützlich werden*) to come in useful **III** *v/r* (*Kleid*, *Stoff*) to wear **tragend** *adj* **1.** (≈ *stützend*) *Säule*, *Bauteil* load-bearing **2.** THEAT *Rolle* major **Träger** ['trɛːgɐ] *m* ⟨**-s, -**⟩ **1.** (*an Kleidung*) strap; (≈ *Hosenträger*) braces *pl* (*Br*), suspenders *pl* (*US*) **2.** BUILD (supporting) beam; (≈ *Stahlträger*, *Eisenträger*) girder **3.** (≈ *Kostenträger*) funding provider **Träger** ['trɛːgɐ] *m* ⟨**-s, -**⟩, **Trägerin** [-ərɪn] *f* ⟨-, **-nen**⟩ (*von Lasten*, *Namen*, *Titel*) bearer; (*von Kleidung*) wearer; (*eines Preises*) winner; (*von Krankheit*) carrier **Trägerrakete** *f* carrier rocket **Tragetasche** *f* carrier bag **tragfähig** *adj* able to take a weight; (*fig*) *Konzept*, *Lösung* workable **Tragfläche** *f* wing **Tragflächenboot** *nt* **Tragflügelboot** *nt* hydrofoil

Trägheit *f* ⟨-, **-en**⟩ sluggishness; (*von Mensch*) lethargy; (≈ *Faulheit*) laziness; PHYS inertia

Tragik ['traːgɪk] *f* ⟨-, *no pl*⟩ tragedy **Tragikomik** [tragi'koːmɪk, 'traːgi-] *f* tragicomedy **tragikomisch** [tragi'koːmɪʃ, 'traːgi-] *adj* tragicomical **Tragikomödie** [tragiko'møːdiə, 'traːgi-] *f* tragicomedy **tragisch** ['traːgɪʃ] **I** *adj* tragic; ***das ist nicht so ~*** (*infml*) it's not the end of the world **II** *adv* tragically **Tragödie** [tra'gøːdiə] *f* ⟨-, **-n**⟩ (LIT, *fig*) tragedy

Tragweite *f* (*von Geschütz etc*) range; ***von großer ~ sein*** to have far-reaching consequences

Trainer ['trɛːnɐ, 'treːnɐ] *m* ⟨**-s, -**⟩, **Trainerin** [-ərɪn] *f* ⟨-, **-nen**⟩ trainer; (*von Tennisspieler*) coach; (*bei Fußball*) manager **trainieren** [trɛ'niːrən, tre-] *past part* ***trainiert*** **I** *v/t* to train; *Übung*, *Sportart* to practise (*Br*), to practice (*US*); *Muskel* to exercise **II** *v/i* (*Sportler*) to train; (≈ *Übungen machen*) to exercise; (≈ *üben*) to practise (*Br*), to practice (*US*) **Training** ['trɛːnɪŋ, 'treː-] *nt* ⟨**-s, -s**⟩ training *no pl*; (≈ *Fitnesstraining*) workout; (*fig* ≈ *Übung*) practice **Trainingsanzug** *m* tracksuit **Trainingshose** *f* tracksuit trousers *pl* (*esp Br*) *or* pants *pl* (*esp US*) **Trainingsschuh** *m* training shoe

Trakt [trakt] *m* ⟨-(e)s, -e⟩ (≈ *Gebäudeteil*) section; (≈ *Flügel*) wing **traktieren** [trak'tiːrən] *past part* ***traktiert*** *v/t* (*infml*) (≈ *schlecht behandeln*) to maltreat; (≈ *quälen*) to torment **Traktor** ['traktoːɐ] *m* ⟨-s, ***Traktoren*** [-'toːrən]⟩ tractor

trällern ['trɛlɐn] *v/t & v/i* to warble

Tram [tram] *f* ⟨-, -s⟩ (*Swiss*), **Trambahn** *f* (*S Ger*) = ***Straßenbahn***

Trampel ['trampl] *m or nt* ⟨-s, - *or f* -, -n⟩ clumsy clot (*infml*) **trampeln** ['trampln] **I** *v/i* (≈ *mit den Füßen stampfen*) to stamp **II** *v/t* ***jdn zu Tode ~*** to trample sb to death **Trampelpfad** *m* track

trampen ['trɛmpn, 'tram-] *v/i aux sein* to hitchhike **Tramper** ['trɛmpɐ] *m* ⟨-s, -⟩, **Tramperin** [-ərɪn] *f* ⟨-, -nen⟩ hitchhiker

Trampolin [trampo'liːn, 'tram-] *nt* ⟨-s, -e⟩ trampoline

Tran [traːn] *m* ⟨-(e)s, -e⟩ **1.** (*von Fischen*) train oil **2.** (*infml*) ***im ~*** dop(e)y (*infml*); (≈ *leicht betrunken*) tipsy

Trance ['trɑ̃ːs(ə)] *f* ⟨-, -n⟩ trance

tranchieren [trɑ̃'ʃiːrən] *past part* ***tranchiert*** *v/t* to carve

Träne ['trɛːnə] *f* ⟨-, -n⟩ tear; ***ihm kamen die ~n*** tears welled (up) in his eyes; ***~n lachen*** to laugh till one cries; ***bittere ~n weinen*** to shed bitter tears **tränen** ['trɛːnən] *v/i* to water **Tränendrüse** *f* lachrymal gland **Tränengas** *nt* tear gas

Tränke ['trɛŋkə] *f* ⟨-, -n⟩ drinking trough **tränken** ['trɛŋkn] *v/t* **1.** *Tiere* to water **2.** (≈ *durchnässen*) to soak

transatlantisch [trans|at'lantɪʃ] *adj* transatlantic

Transfer [trans'feːɐ] *m* ⟨-s, -s⟩ transfer

Transformation [transfɔrma'tsioːn] *f* transformation **Transformator** [transfɔr'maːtoːɐ] *m* ⟨-s, ***Transformatoren*** [-'toːrən]⟩ transformer

Transfusion [transfu'zioːn] *f* transfusion

Transistor [tran'zɪstoːɐ] *m* ⟨-s, ***Transistoren*** [-'toːrən]⟩ transistor **Transistorradio** *nt* transistor (radio)

Transit ['tranziːt, tran'zɪt, 'tranzɪt] *m* ⟨-s, -e⟩ transit **Transitabkommen** *nt* transit agreement

transitiv ['tranzitiːf, tranzi'tiːf] *adj* GRAM transitive

Transitverkehr *m* transit traffic

transparent [transpa'rɛnt] *adj* transparent **Transparent** [transpa'rɛnt] *nt* ⟨-(e)s, -e⟩ (≈ *Reklameschild etc*) neon sign; (≈ *Durchscheinbild*) transparency **Transparenz** [transpa'rɛnts] *f* ⟨-, *no pl*⟩ transparency

Transplantat [transplan'taːt] *nt* ⟨-(e)s, -e⟩ (*Haut*) graft; (*Organ*) transplant **Transplantation** [transplanta'tsioːn] *f* ⟨-, -en⟩ MED transplant; (*von Haut*) graft; (*Vorgang*) transplantation; (*von Haut*) grafting **transplantieren** [transplan'tiːrən] *past part* ***transplantiert*** *v/t & v/i* MED *Organ* to transplant; *Haut* to graft

Transport [trans'pɔrt] *m* ⟨-(e)s, -e⟩ transport **transportabel** [transpɔr'taːbl] *adj Computer etc* portable **Transportband** [-bant] *nt*, *pl* ***-bänder*** conveyor belt **Transporter** [trans'pɔrtɐ] *m* ⟨-s, -⟩ (*Schiff*) cargo ship; (*Flugzeug*) transport plane; (*Auto*) van **transportfähig** *adj Patient* moveable **Transportflugzeug** *nt* transport plane **transportieren** [transpɔr'tiːrən] *past part* ***transportiert*** *v/t* to transport **Transportkosten** *pl* carriage *sg* **Transportmittel** *nt* means *sg* of transport **Transportunternehmen** *nt* haulier (*Br*), hauler (*US*)

Transsexuelle(r) [transzɛ'ksuɛlə] *m/f(m) decl as adj* transsexual **Transvestit** [transvɛs'tiːt] *m* ⟨-en, -en⟩ transvestite

Trapez [tra'peːts] *nt* ⟨-es, -e⟩ **1.** MAT trapezium **2.** (*von Artisten*) trapeze **Trapezakt** *m* trapeze act **Trapezkünstler(in)** *m/(f)* trapeze artist

trappeln ['trapln] *v/i aux sein* to clatter; (*Pony*) to clip-clop

Trara [tra'raː] *nt* ⟨-s, -s⟩ (*fig infml*) hullabaloo (*infml*) (*um* about)

Trasse ['trasə] *f* ⟨-, -n⟩ SURVEYING marked-out route

Tratsch [traːtʃ] *m* ⟨-(e)s, *no pl*⟩ (*infml*) gossip **tratschen** ['traːtʃn] *v/i* (*infml*) to gossip

Tratte ['tratə] *f* ⟨-, -n⟩ FIN draft

Traualtar *m* altar

Traube ['traubə] *f* ⟨-, -n⟩ (*einzelne Beere*) grape; (*ganze Frucht*) bunch of grapes; (≈ *Menschentraube*) bunch **Traubensaft** *m* grape juice **Traubenzucker** *m* dextrose

trauen ['trauən] **I** *v/i +dat* to trust; ***einer Sache*** (*dat*) ***nicht ~*** to be wary of sth; ***ich traute meinen Augen/Ohren nicht*** I couldn't believe my eyes/ears **II** *v/r* to dare; ***sich*** (*acc*) ***~, etw zu tun*** to dare (to) do sth; ***ich trau mich nicht*** I daren't; ***sich auf die Straße ~*** to dare to go out **III** *v/t* to marry

Trauer ['trauɐ] *f* ⟨-, *no pl*⟩ mourning; (≈ *Leid*) sorrow, grief **Trauerfall** *m* bereavement **Trauerfeier** *f* funeral service **trauern** ['trauɐn] *v/i* to mourn (*um jdn* (for) sb, *um etw* sth) **Trauerspiel** *nt* tragedy; (*fig infml*) fiasco **Trauerweide** *f* weeping willow

Traufe ['traufə] *f* ⟨-, ***-n***⟩ eaves *pl* **träufeln** ['trɔyfln] *v/t* to dribble

Traum [traum] *m* ⟨***-(e)s, Träume*** ['trɔymə]⟩ (*lit, fig*) dream; ***aus der ~!*** it's all over **Trauma** ['trauma] *nt* ⟨***-s, Traumen*** *or* ***-ta*** [-mən, -ta]⟩ trauma; (*fig also*) nightmare **traumatisch** [trau'maːtɪʃ] *adj* traumatic **träumen** ['trɔymən] **I** *v/i* to dream; ***von jdm/etw~*** to dream about sb/sth; (≈ *sich ausmalen*) to dream of sb/sth; ***das hätte ich mir nicht ~ lassen*** I'd never have thought it possible **II** *v/t* to dream; *Traum* to have; ***etwas Schönes ~*** to have a pleasant dream **Träumer** ['trɔymɐ] *m* ⟨***-s, -***⟩, **Träumerin** [-ərɪn] *f* ⟨***-, -nen***⟩ dreamer **Träumerei** [trɔymə'rai] *f* ⟨***-, -en***⟩ **1.** *no pl* (≈ *das Träumen*) dreaming **2.** (≈ *Vorstellung*) daydream **träumerisch** ['trɔymərɪʃ] *adj* dreamy; (≈ *schwärmerisch*) wistful **Traumfabrik** *f* (*pej*) dream factory **Traumfrau** *f* (*infml*) dream woman **traumhaft I** *adj* (≈ *fantastisch*) fantastic; (≈ *wie im Traum*) dreamlike **II** *adv* (≈ *fantastisch*) fantastically; ***~ schönes Wetter*** fantastic weather **Traummann** *m* (*infml*) dream man **Traumpaar** *nt* perfect couple **Traumtänzer(in)** *m*/(*f*) dreamer **Traumwelt** *f* dream world

traurig ['traurɪç] **I** *adj* sad; *Leistung, Rekord* pathetic; *Wetter* miserable; ***die ~e Bilanz*** the tragic toll **II** *adv* sadly; ***um meine Zukunft sieht es ~ aus*** my future doesn't look too bright **Traurigkeit** *f* ⟨***-, -en***⟩ sadness

Trauschein *m* marriage certificate **Trauung** ['trauʊŋ] *f* ⟨***-, -en***⟩ wedding **Trauzeuge** *m*, **Trauzeugin** *f* witness (*at marriage ceremony*)

Treck [trɛk] *m* ⟨***-s, -s***⟩ trek; (≈ *Leute*) train; (≈ *Wagen etc*) wagon train **Trecking** ['trɛkɪŋ] *nt* ⟨***-s***, *no pl*⟩ trekking

Treff *m* ⟨***-s, -s***⟩ (*infml*) (≈ *Treffen*) meeting; (≈ *Treffpunkt*) haunt, meeting place **treffen** ['trɛfn] *pret* ***traf*** [traːf], *past part* ***getroffen*** [gə'trɔfn] **I** *v/t* **1.** (*durch Schlag, Schuss etc*) to hit (*an/in +dat* on); (*Unglück*) to strike; ***auf dem Foto bist du gut getroffen*** (*infml*) that's a good photo of you **2.** (*fig* ≈ *kränken*) to hurt **3.** (≈ *betreffen*) ***es trifft immer die Falschen*** it's always the wrong people who are affected; ***ihn trifft keine Schuld*** he's not to blame **4.** (≈ *jdm begegnen*) to meet **5.** ***es gut/schlecht ~*** to be fortunate/unlucky (*mit* with) **6.** *Vorbereitungen* to make; *Vereinbarung* to reach; *Entscheidung, Maßnahmen* to take **II** *v/i* **1.** (*Schlag, Schuss etc*) to hit; ***tödlich getroffen*** (*von Schuss etc*) fatally wounded; ***nicht ~*** to miss **2.** *aux sein* (≈ *stoßen*) ***auf jdn/etw ~*** to meet sb/sth **III** *v/r* (≈ *zusammentreffen*) to meet **IV** *v/r impers* ***es trifft sich, dass ...*** it (just) happens that ...; ***das trifft sich gut/schlecht, dass ...*** it is convenient/inconvenient that ... **Treffen** ['trɛfn] *nt* ⟨***-s, -***⟩ meeting; SPORTS encounter **treffend** *adj Beispiel* apt; ***etw ~ darstellen*** to describe sth perfectly **Treffer** ['trɛfɐ] *m* ⟨***-s, -***⟩ hit; (≈ *Tor*) goal; ***einen ~ landen*** (*infml*) to score a hit; FTBL to score a goal **Treffpunkt** *m* meeting place **treffsicher** *adj Stürmer etc* accurate; (*fig*) *Bemerkung* apt

Treibeis *nt* drift ice **treiben** ['traibn] *pret* ***trieb*** [triːp], *past part* ***getrieben*** [gə'triːbn] **I** *v/t* **1.** to drive; (≈ *antreiben*) to push; ***jdn in den Wahnsinn ~*** to drive sb mad; ***jdn zum Äußersten ~*** to push sb too far; ***die Preise*** (***in die Höhe***) ***~*** to push prices up; ***die ~de Kraft bei etw sein*** to be the driving force behind sth **2.** *Handel, Sport* to do; *Studien* to pursue; *Gewerbe* to carry on; *Unfug* to be up to; ***was treibst du?*** what are you up to?; ***es toll ~*** to have a wild time; ***es zu toll ~*** to overdo it; ***es zu weit ~*** to go too far; ***es mit jdm ~*** (*infml*) to have sex with sb **3.** *Blüten, Knospen* to sprout **II** *v/i aux sein* (≈ *sich fortbewegen*) to drift; ***sich ~ lassen*** to drift; ***die Dinge ~ lassen*** to let things go **Treiben** ['traibn] *nt* ⟨***-s, -***⟩ (≈ *Getriebe*) hustle and bustle **Treiber** ['traibɐ] *m* ⟨***-s, -***⟩ IT driver **Treiber** ['traibɐ] *m* ⟨***-s, -***⟩, **Treiberin** [-ərɪn] *f* ⟨***-, -nen***⟩ (≈ *Viehtreiber*) drover; HUNT beater **Treibgas** *nt* (*bei Sprühdosen*) propellant **Treibhaus** *nt* hothouse **Treibhauseffekt** *m* METEO greenhouse effect **Treibhausgas** *nt* greenhouse gas **Treibjagd** *f* battue (*tech*) **Treibsand** *m* quicksand **Treibstoff** *m* fuel

Trekking ['trɛkɪŋ] *nt* ⟨*-s, no pl*⟩ trekking

Trend [trɛnt] *m* ⟨**-s, -s**⟩ trend; ***voll im ~ liegen*** to follow the trend **Trendwende** *f* new trend **trendy** ['trɛndi] *adj* (*infml*) trendy

trennbar *adj* separable **trennen** ['trɛnən] **I** *v/t* **1.** to separate (*von* from); (≈ *abmachen*) to detach (*von* from); (*nach Rasse etc*) to segregate; ***voneinander getrennt werden*** to be separated **2.** LING *Wort* to divide **II** *v/r* **1.** (≈ *auseinandergehen*) to separate; (≈ *Abschied nehmen*) to part; ***sich von etw ~*** to part with sth **2.** (≈ *sich teilen*: *Wege*) to divide **III** *v/i* (*zwischen Begriffen*) to draw a distinction **Trennschärfe** *f* selectivity **Trennung** ['trɛnʊŋ] *f* ⟨**-, -en**⟩ **1.** (≈ *Abschied*) parting **2.** (≈ *Getrenntsein*) separation; (*von Wort*) division; (*von Begriffen*) distinction; (≈ *Rassentrennung etc*) segregation; ***in ~ leben*** to be separated **Trennwand** *f* partition (wall)

Treppe ['trɛpə] *f* ⟨**-, -n**⟩ (≈ *Aufgang*) (flight of) stairs *pl*; (*im Freien*) (flight of) steps *pl*; ***eine ~*** a staircase; ***~n steigen*** to climb stairs **Treppenabsatz** *m* half landing **Treppengeländer** *nt* banister **Treppenhaus** *nt* stairwell; ***im ~*** on the stairs

Tresen ['treːzn] *m* ⟨**-s, -**⟩ (≈ *Theke*) bar; (≈ *Ladentisch*) counter

Tresor [tre'zoːɐ] *m* ⟨**-s, -e**⟩ (≈ *Raum*) strongroom; (≈ *Schrank*) safe

Tretboot *nt* pedal boat, pedalo (*Br*) **Treteimer** *m* pedal bin **treten** ['treːtn] *pret* ***trat*** [traːt], *past part* ***getreten*** [gə'treːtn] **I** *v/i* **1.** (*mit Fuß*) to kick (*gegen etw* sth, *nach* out at) **2.** *aux sein* (*mit Raumangabe*) to step; ***in den Hintergrund ~*** (*fig*) to recede into the background; ***an jds Stelle*** (*acc*) ***~*** to take sb's place **3.** *aux sein or haben* (≈ *betätigen*) ***in die Pedale ~*** to pedal hard; ***aufs Gas(pedal) ~*** (≈ *Pedal betätigen*) to press the accelerator; (≈ *schnell fahren*) to put one's foot down (*infml*); ***auf die Bremse ~*** to brake **4.** *aux sein* ***der Schweiß trat ihm auf die Stirn*** sweat appeared on his forehead; ***Tränen traten ihr in die Augen*** tears came to her eyes **II** *v/t* **1.** (≈ *Fußtritt geben*) to kick; SPORTS *Ecke*, *Freistoß* to take; ***jdn mit dem Fuß ~*** to kick sb **2.** (≈ *trampeln*) *Pfad*, *Weg* to tread **3.** (*fig*) ***jdn ~*** (*infml* ≈ *antreiben*) to get at sb **Tretmine** *f* MIL (antipersonnel) mine **Tretroller** *m* scooter

treu [trɔy] **I** *adj Freund*, *Kunde etc* loyal; *Hund*, *Gatte etc* faithful; ***jdm ~ sein/bleiben*** to be/remain faithful to sb; ***sich*** (*dat*) ***selbst ~ bleiben*** to be true to oneself; ***seinen Grundsätzen ~ bleiben*** to stick to one's principles **II** *adv* faithfully; (≈ *treuherzig*) trustingly; *ansehen* innocently; ***jdm ~ ergeben sein*** to be loyally devoted to sb; ***~ sorgend*** devoted **Treue** ['trɔyə] *f* ⟨**-**, *no pl*⟩ (*von Freund*, *Kunde etc*) loyalty; (*von Hund*) faithfulness; (≈ *eheliche Treue*) fidelity; ***jdm die ~ halten*** to keep faith with sb; *Ehegatten etc* to remain faithful to sb **treuergeben** *adj* → ***treu*** **Treuhand** *f*, *no pl* trust **Treuhänder** [-hɛndɐ] *m* ⟨**-s, -**⟩, **Treuhänderin** [-ərɪn] *f* ⟨**-, -nen**⟩ trustee **Treuhandgesellschaft** *f* trust company **treuherzig** **I** *adj* innocent, trusting **II** *adv* innocently, trustingly **treulos** *adj* disloyal **Treulosigkeit** *f* ⟨**-**, *no pl*⟩ disloyalty **treusorgend** *adj attr* devoted

Triangel ['triːaŋl] *m or* (*Aus*) *nt* ⟨**-s, -**⟩ triangle

Tribunal [tribu'naːl] *nt* ⟨**-s, -e**⟩ tribunal

Tribüne [tri'byːnə] *f* ⟨**-, -n**⟩ (≈ *Rednertribüne*) platform; (≈ *Zuschauertribüne*) stand; (≈ *Haupttribüne*) grandstand

Trichine [trɪ'çiːnə] *f* ⟨**-, -n**⟩ trichina

Trichter ['trɪçtɐ] *m* ⟨**-s, -**⟩ funnel; (≈ *Bombentrichter*) crater **trichterförmig** *adj* funnel-shaped

Trick [trɪk] *m* ⟨**-s, -s** *or* (*rare*) **-e**⟩ trick; (*raffiniert*) ploy **Trickbetrüger(in)** *m*/(*f*), **Trickdieb(in)** *m*/(*f*) confidence trickster **Trickfilm** *m* trick film; (≈ *Zeichentrickfilm*) cartoon (film) **trickreich** (*infml*) **I** *adj* tricky; (≈ *raffiniert*) clever **II** *adv erschwindeln* through various tricks

Trieb [triːp] *m* ⟨**-(e)s, -e** [-bə]⟩ **1.** (≈ *Naturtrieb*) drive; (≈ *Drang*) urge; (≈ *Verlangen*) desire; (≈ *Neigung*) inclination; (≈ *Selbsterhaltungstrieb*, *Fortpflanzungstrieb*) instinct **2.** BOT shoot **Triebfeder** *f* (*fig*) motivating force (*+gen* behind) **Triebkraft** *f* MECH motive power; (*fig*) driving force **Triebrad** *nt* driving wheel (*Br*), gear wheel **Triebtäter(in)** *m*/(*f*) sexual offender **Triebwagen** *m* RAIL railcar **Triebwerk** *nt* power plant; (*in Uhr*) mechanism

triefen ['triːfn] *pret* ***triefte*** *or* (*geh*) ***troff*** ['triːftə, trɔf], *past part* ***getrieft*** *or* (*rare*) ***getroffen*** [gə'triːft, gə'trɔfn] *v/i* to be dripping wet; (*Nase*) to run; (*Auge*) to water; ***~d nass*** dripping wet

triftig ['trɪftɪç] *adj* convincing

Trigonometrie [trigonome'triː] *f* ⟨-, *no pl*⟩ trigonometry **trigonometrisch** [trigono'meːtrɪʃ] *adj* trigonometric(al)

Trikot *nt* ⟨**-s, -s**⟩ (≈ *Hemd*) shirt; ***das Gelbe ~*** (*bei Tour de France*) the yellow jersey

trillern ['trɪlɐn] *v/t & v/i* to warble **Trillerpfeife** *f* (pea) whistle

Trillion [trɪ'lioːn] *f* ⟨**-, -en**⟩ trillion (*Br*), quintillion (*US*)

Trimester [tri'mɛstɐ] *nt* ⟨**-s, -**⟩ term

trimmen ['trɪmən] **I** *v/t* to trim; (*infml*) *Mensch, Tier* to teach, to train; ***auf alt getrimmt*** done up to look old **II** *v/r* to do keep-fit (exercises)

trinkbar *adj* drinkable **trinken** ['trɪŋkn] *pret* ***trank*** [traŋk], *past part* ***getrunken*** [gə'trʊŋkn] **I** *v/t* to drink; ***(schnell) einen ~ gehen*** (*infml*) to go for a (quick) drink **II** *v/i* to drink; ***jdm zu ~ geben*** to give sb something to drink; ***auf jds Wohl ~*** to drink sb's health; ***er trinkt*** (≈ *ist Alkoholiker*) he's a drinker **Trinker** ['trɪŋkɐ] *m* ⟨**-s, -**⟩, **Trinkerin** [-ərɪn] *f* ⟨**-, -nen**⟩ drinker; (≈ *Alkoholiker*) alcoholic **trinkfest** *adj* ***so ~ bin ich nicht*** I can't hold my drink (*Br*) *or* liquor (*esp US*) very well **Trinkgeld** *nt* tip; ***jdm ~ geben*** to tip sb **Trinkwasser** *nt*, *pl* ***-wässer*** drinking water

Trio [triːo] *nt* ⟨**-s, -s**⟩ trio

Trip [trɪp] *m* ⟨**-s, -s**⟩ (*infml*) trip

trippeln ['trɪpln] *v/i aux haben or* (*bei Richtungsangabe*) *sein* to trip (*esp Br*), to skip; (*Boxer*) to dance around; (*Pferd*) to prance

Tripper ['trɪpɐ] *m* ⟨**-s, -**⟩ gonorrhoea *no art* (*Br*), gonorrhea *no art* (*US*)

trist [trɪst] *adj* dismal; *Farbe* dull

Tritt [trɪt] *m* ⟨**-(e)s, -e**⟩ **1.** (≈ *Schritt*) step **2.** (≈ *Fußtritt*) kick; ***jdm einen ~ geben*** to give sb a kick; (*infml* ≈ *anstacheln*) to give sb a kick in the pants (*infml*) **Trittbrett** *nt* step **Trittbrettfahrer(in)** *m*/(*f*) (*infml*) fare dodger; (*fig*) copycat (*infml*) **Trittleiter** *f* stepladder

Triumph [tri'ʊmf] *m* ⟨**-(e)s, -e**⟩ triumph; ***~e feiern*** to be very successful **Triumphbogen** *m* triumphal arch **triumphieren** [triʊm'fiːrən] *past part* ***triumphiert*** *v/i* (≈ *frohlocken*) to rejoice **triumphierend** **I** *adj* triumphant **II** *adv* triumphantly

trivial [tri'viaːl] *adj* trivial **Trivialliteratur** *f* (*pej*) light fiction

Trizeps ['triːtsɛps] *m* ⟨**-(es), -e**⟩ triceps

trocken ['trɔkn] **I** *adj* dry; ***~ werden*** to dry; (*Brot*) to go *or* get dry; ***auf dem Trockenen sitzen*** (*infml*) to be in a tight spot (*infml*) **II** *adv aufbewahren* in a dry place **Trockenblume** *f* dried flower **Trockendock** *nt* dry dock **Trockenfutter** *nt* dried food **Trockengebiet** *nt* arid region **Trockenhaube** *f* (salon) hairdryer **Trockenheit** *f* ⟨**-, -en**⟩ dryness; (≈ *Trockenperiode*) drought **trockenlegen** *v/t sep* **1.** *Sumpf* to drain **2.** *Baby* to change **Trockenmilch** *f* dried milk **Trockenrasierer** [-raziːrɐ] *m* ⟨**-s, -**⟩ electric razor **Trockenzeit** *f* (≈ *Jahreszeit*) dry season **trocknen** ['trɔknən] *v/t & v/i* to dry

Trödel ['trøːdl] *m* ⟨**-s**, *no pl*⟩ (*infml*) junk **Trödelei** [trøːdə'lai] *f* ⟨**-, -en**⟩ (*infml*) dawdling **trödeln** ['trøːdln] *v/i* to dawdle **Trödler** ['trøːdlɐ] *m* ⟨**-s, -**⟩, **Trödlerin** [-ərɪn] *f* ⟨**-, -nen**⟩ **1.** (≈ *Händler*) junk dealer **2.** (*infml* ≈ *langsamer Mensch*) slowcoach (*Br infml*), slowpoke (*US infml*)

Trog [troːk] *m* ⟨**-(e)s, ⸚e** ['trøːgə]⟩ trough

trollen ['trɔlən] *v/r* (*infml*) to push off (*infml*)

Trommel ['trɔml] *f* ⟨**-, -n**⟩ MUS, TECH drum **Trommelbremse** *f* drum brake **Trommelfell** *nt* eardrum **trommeln** ['trɔmln] **I** *v/i* to drum; ***gegen die Tür ~*** to bang on the door **II** *v/t Rhythmus* to beat out **Trommler** ['trɔmlɐ] *m* ⟨**-s, -**⟩, **Trommlerin** [-ərɪn] *f* ⟨**-, -nen**⟩ drummer

Trompete [trɔm'peːtə] *f* ⟨**-, -n**⟩ trumpet **trompeten** [trɔm'peːtn] *past part* ***trompetet*** *v/i* to trumpet **Trompeter** [trɔm'peːtɐ] *m* ⟨**-s, -**⟩, **Trompeterin** [-ərɪn] *f* ⟨**-, -nen**⟩ trumpeter

Tropen ['troːpn] *pl* tropics *pl* **Tropenanzug** *m* tropical suit **Tropenhelm** *m* pith helmet **Tropenkoller** *m* tropical madness **Tropenkrankheit** *f* tropical disease

Tropf [trɔpf] *m* ⟨**-(e)s, ⸚e** ['trœpfə]⟩ *no pl*

(≈ *Infusion*) drip (*infml*); ***am ~ hängen*** to be on a drip **tröpfchenweise** *adv* in dribs and drabs **tröpfeln** ['trœpfln] *v/t & v/i* to drip **tropfen** ['trɔpfn] *v/i* to drip **Tropfen** ['trɔpfn] *m* ⟨**-s, -**⟩ **1.** drop; (≈ *einzelner Tropfen*: *an Kanne etc*) drip; ***ein edler ~*** (*infml*) a good wine; ***bis auf den letzten ~*** to the last drop; ***ein ~ auf den heißen Stein*** (*fig infml*) a drop in the ocean **2. Tropfen** *pl* (≈ *Medizin*) drops *pl* **tropfenweise** *adv* drop by drop **tropfnass** ['trɔpf'nas] *adj* dripping wet **Tropfstein** *m* dripstone; (*an der Decke*) stalactite; (*am Boden*) stalagmite **Tropfsteinhöhle** *f* dripstone cave

Trophäe [tro'fɛːə] *f* ⟨**-, -n**⟩ trophy

tropisch ['troːpɪʃ] *adj* tropical

Trost [troːst] *m* ⟨**-(e)s,** *no pl*⟩ consolation; ***das ist ein schwacher ~*** that's pretty cold comfort; ***du bist wohl nicht ganz bei ~!*** (*infml*) you must be out of your mind! **trösten** ['trøːstn] *v/t* to comfort; ***jdn/sich mit etw ~*** to console sb/oneself with sth; ***~ Sie sich!*** never mind **tröstlich** ['trøːstlɪç] *adj* comforting **trostlos** *adj* hopeless; *Verhältnisse* miserable; (≈ *verzweifelt*) inconsolable; (≈ *öde, trist*) dreary **Trostpflaster** *nt* consolation **Trostpreis** *m* consolation prize

Trott [trɔt] *m* ⟨**-s,** *no pl*⟩ (slow) trot; (*fig*) routine **Trottel** ['trɔtl] *m* ⟨**-s, -**⟩ (*infml*) idiot **trottelig** ['trɔtəlɪç] (*infml*) *adj* stupid **trotten** ['trɔtn] *v/i aux sein* to trot along **Trottinett** ['trɔtinɛt] *nt* ⟨**-s, -e**⟩ (*Swiss*) scooter **Trottoir** [trɔtoaːɐ] *nt* ⟨**-s, -s** *or* **-e**⟩ (*S Ger, Swiss*) pavement

trotz [trɔts] *prep +gen or* (*inf*) *+dat* in spite of, despite; ***~ allem*** in spite of everything **Trotz** [trɔts] *m* ⟨**-es,** *no pl*⟩ defiance; (≈ *trotziges Verhalten*) contrariness; ***jdm/einer Sache zum ~*** in defiance of sb/sth **trotzdem** ['trɔtsdeːm, 'trɔts'deːm] **I** *adv* nevertheless; (***und***) ***ich mache das ~!*** I'll do it all the same **II** *cj* even though **trotzen** ['trɔtsn] *v/i* **1.** (*+dat*) to defy; *der Kälte, dem Klima etc* to withstand **2.** (≈ *trotzig sein*) to be awkward **trotzig** ['trɔtsɪç] **I** *adj* defiant; *Kind etc* difficult; (≈ *widerspenstig*) contrary **II** *adv* defiantly **trotzköpfig** *adj Kind* contrary **Trotzreaktion** *f* act of defiance

trüb [tryːp] *adj* **1.** *Flüssigkeit* cloudy; *Augen, Tag* dull; *Licht* dim; ***im Trüben fischen*** (*infml*) to fish in troubled waters **2.** (*fig* ≈ *bedrückend*) cheerless; *Zukunft* bleak; *Stimmung, Aussichten, Miene* gloomy

Trubel ['truːbl] *m* ⟨**-s,** *no pl*⟩ hurly-burly

trüben ['tryːbn] **I** *v/t* **1.** *Flüssigkeit* to make cloudy; *Augen, Blick* to dull **2.** (*fig*) *Glück* to spoil; *Beziehungen* to strain; *Laune* to dampen; *Bewusstsein* to dull; *Urteilsvermögen* to dim **II** *v/r* (*Flüssigkeit*) to go cloudy; (*Augen*) to dim; (*Himmel*) to cloud over; (*fig*) (*Stimmung*) to be dampened; (*Verhältnis*) to become strained; (*Glück, Freude*) to be marred; → ***getrübt*** **Trübsal** ['tryːpzaːl] *f* ⟨**-,** *no pl*⟩ (≈ *Stimmung*) sorrow; ***~ blasen*** (*infml*) to mope **trübselig** *adj* gloomy; *Gegend* bleak **Trübsinn** *m, no pl* gloom **trübsinnig** *adj* gloomy

trudeln ['truːdln] *v/i aux sein or haben* AVIAT to spin

Trüffel ['trʏfl] *f* ⟨**-, -n** *or* (*inf*) *m* **-s, -**⟩ (≈ *Pilz, Praline*) truffle

trügen ['tryːgn] *pret* ***trog*** [troːk], *past part* ***getrogen*** [gə'troːgn] **I** *v/t* to deceive; ***wenn mich nicht alles trügt*** unless I am very much mistaken **II** *v/i* to be deceptive **Trugschluss** *m* fallacy, misapprehension

Truhe ['truːə] *f* ⟨**-, -n**⟩ chest

Trümmer ['trʏmɐ] *pl* rubble *sg*; (≈ *Ruinen*) ruins *pl*; (*von Schiff, Flugzeug etc*) wreckage *sg*; ***in ~n liegen*** to be in ruins

Trumpf [trʊmpf] *m* ⟨**-(e)s, ⸚e** ['trʏmpfə]⟩ (CARDS ≈ *Trumpfkarte*) trump (card); (≈ *Farbe*) trumps *pl*; (*fig*) trump card; ***noch einen ~ in der Hand haben*** (*fig*) to have an ace up one's sleeve

Trunkenheit *f* ⟨**-,** *no pl*⟩ intoxication; ***~ am Steuer*** drunk driving **Trunksucht** *f* alcoholism **trunksüchtig** *adj* alcoholic

Trupp [trʊp] *m* ⟨**-s, -s**⟩ (≈ *Einheit*) group; MIL squad **Truppe** ['trʊpə] *f* ⟨**-, -n**⟩ **1.** *no pl* MIL army; (≈ *Panzertruppe etc*) corps *sg* **2. Truppen** *pl* troops **3.** (≈ *Künstlertruppe*) troupe **Truppenabzug** *m* withdrawal of troops **Truppengattung** *f* corps *sg* **Truppenübungsplatz** *m* military training area

Trust [trast] *m* ⟨**-(e)s, -s** *or* **-e**⟩ trust

Truthahn *m* turkey (cock) **Truthenne** *f* turkey (hen)

Tschad [tʃat, tʃaːt] *m* ⟨**-**⟩ ***der ~*** Chad

Tscheche ['tʃɛçə] *m* ⟨**-n, -n**⟩, **Tschechin**

['tʃɛçɪn] *f* ⟨-, -nen⟩ Czech **Tschechien** ['tʃɛçiən] *nt* ⟨-s⟩ the Czech Republic **tschechisch** ['tʃɛçɪʃ] *adj* Czech; ***die Tschechische Republik*** the Czech Republic

Tschetschenien [tʃe'tʃeːniən] *nt* ⟨-s⟩ Chechnya

tschüs(s) [tʃʏs] *int* (*infml*) bye (*infml*), so long (*infml*)

T-Shirt ['tiːʃœrt, -ʃøːɐt] *nt* ⟨-s, -s⟩ T-shirt

Tube ['tuːbə] *f* ⟨-, -n⟩ tube

Tuberkulose [tuberku'loːzə] *f* ⟨-, -n⟩ tuberculosis

Tuch [tuːx] *nt* ⟨-(e)s, ¨-er ['tyːçɐ]⟩ (≈ *Stück Stoff*) cloth; (≈ *Halstuch, Kopftuch*) scarf; (≈ *Schultertuch*) shawl; (≈ *Handtuch, Geschirrtuch*) towel

tüchtig ['tʏçtɪç] **I** *adj* **1.** (≈ *fähig*) capable (*in +dat* at); (≈ *fleißig*) efficient; *Arbeiter* good **2.** (*infml* ≈ *groß*) *Portion* big **II** *adv* **1.** (≈ *fleißig, fest*) hard; *essen* heartily **2.** (*infml* ≈ *sehr*) ***jdm ~ die Meinung sagen*** to give sb a piece of one's mind; ***~ zulangen*** to tuck in (*infml*) **Tüchtigkeit** *f* ⟨-, *no pl*⟩ (≈ *Fähigkeit*) competence; (*von Arbeiter etc*) efficiency

Tücke ['tʏkə] *f* ⟨-, -n⟩ **1.** *no pl*: (≈ *Bosheit*) malice **2.** (≈ *Gefahr*) danger; ***voller ~n stecken*** to be difficult; (≈ *gefährlich*) to be dangerous; ***seine ~n haben*** (*Maschine etc*) to be temperamental **tückisch** ['tʏkɪʃ] *adj* malicious; *Strom etc* treacherous; *Krankheit* pernicious

tüfteln ['tʏftln] *v/i* (*infml*) to puzzle; (≈ *basteln*) to fiddle about (*infml*); ***an etw*** (*dat*) ***~*** to fiddle about with sth; (*geistig*) to puzzle over sth

Tugend ['tuːgnt] *f* ⟨-, -en [-dən]⟩ virtue **tugendhaft** *adj* virtuous **Tugendhaftigkeit** ['tuːgnthaftɪçkait] *f* ⟨-, *no pl*⟩ virtuousness

Tüll [tʏl] *m* ⟨-s, -e⟩ tulle; (*für Gardinen*) net

Tulpe ['tʊlpə] *f* ⟨-, -n⟩ BOT tulip **Tulpenzwiebel** *f* tulip bulb

tummeln ['tʊmln] *v/r* (*Hunde, Kinder etc*) to romp (about) **Tummelplatz** ['tʊml-] *m* play area; (*fig*) hotbed

Tümmler ['tʏmlɐ] *m* ⟨-s, -⟩ (bottlenose) dolphin

Tumor ['tuːmoːɐ, tu'moːɐ] *m* ⟨-s, ***Tumoren*** [tu'moːrən]⟩ tumour (*Br*), tumor (*US*)

Tümpel ['tʏmpl] *m* ⟨-s, -⟩ pond

Tumult [tu'mʊlt] *m* ⟨-(e)s, -e⟩ commotion; (*der Gefühle*) tumult

tun [tuːn] *pret* ***tat*** [taːt], *past part* ***getan*** [gə'taːn] **I** *v/t* (≈ *machen*) to do; ***so etwas tut man nicht!*** that is just not done!; ***was ~?*** what can be done?; ***was kann ich für Sie ~?*** what can I do for you?; ***etw aus Liebe/Bosheit*** *etc* ***~*** to do sth out of love/malice *etc*; ***tu, was du nicht lassen kannst*** well, if you have to; ***jdm etwas ~*** to do something to sb; (*stärker*) to hurt sb; ***der Hund tut dir schon nichts*** the dog won't hurt you; ***das hat nichts damit zu ~*** that's nothing to do with it; ***mit ihm will ich nichts zu ~ haben*** I want nothing to do with him; ***es mit jdm zu ~ bekommen*** to get into trouble with sb; → ***getan*** **II** *v/r* ***es tut sich etwas/nichts*** there is something/nothing happening; ***hier hat sich einiges getan*** there have been some changes here; ***sich mit etw schwer ~*** to have problems with sth **III** *v/i* (≈ *vorgeben*) ***so ~, als ob ...*** to pretend that ...; ***tu doch nicht so*** stop pretending; ***sie tut nur so*** she's only pretending; ***zu ~ haben*** (≈ *beschäftigt sein*) to have things to do; ***mit jdm zu ~ haben*** to have dealings with sb

Tünche ['tʏnçə] *f* ⟨-, -n⟩ whitewash; (*fig*) veneer **tünchen** ['tʏnçn] *v/t* to whitewash

Tundra ['tʊndra] *f* ⟨-, ***Tundren*** [-drən]⟩ tundra

Tuner ['tjuːnɐ] *m* ⟨-s, -⟩ tuner

Tunesien [tu'neːziən] *nt* ⟨-s⟩ Tunisia **Tunesier** [tu'neːziɐ] *m* ⟨-s, -⟩, **Tunesierin** [-iərɪn] *f* ⟨-, -nen⟩ Tunisian **tunesisch** [tu'neːzɪʃ] *adj* Tunisian

Tunfisch [tuːn-] *m* tuna (fish)

Tunke ['tʊŋkə] *f* ⟨-, -n⟩ sauce **tunken** ['tʊŋkn] *v/t* to dip

tunlichst ['tuːnlɪçst] *adv* (≈ *möglichst*) if possible; ***~ bald*** as soon as possible

Tunnel ['tʊnl] *m* ⟨-s, - *or* -s⟩ tunnel

Tunte ['tʊntə] *f* ⟨-, -n⟩ (*pej infml*) fairy (*pej infml*)

Tüpfelchen ['tʏpflçən] *nt* ⟨-s, -⟩ dot **tupfen** ['tʊpfn] *v/t* to dab; ***getupft*** spotted **Tupfen** ['tʊpfn] *m* ⟨-s, -⟩ spot; (*klein*) dot **Tupfer** ['tʊpfɐ] *m* ⟨-s, -⟩ swab

Tür [tyːɐ] *f* ⟨-, -en⟩ door; ***~ an ~ mit jdm wohnen*** to live next door to sb; ***Weihnachten steht vor der ~*** Christmas is just (a)round the corner; ***jdn vor die ~ setzen*** (*infml*) to throw sb out; ***mit***

der ~ ins Haus fallen (*infml*) to blurt it out; ***zwischen ~ und Angel*** in passing; ***einer Sache*** (*dat*) ***~ und Tor öffnen*** (*fig*) to open the way to sth

Turban ['tʊrbaːn] *m* ⟨**-s, -e**⟩ turban

Turbine [tʊr'biːnə] *f* ⟨**-, -n**⟩ turbine

Turbolader [-laːdɐ] *m* ⟨**-s, -**⟩ AUTO turbocharger **Turbomotor** *m* turbo-engine

turbulent [tʊrbu'lɛnt] *adj* turbulent **Turbulenz** [tʊrbu'lɛnts] *f* ⟨**-, -en**, *no pl*⟩ turbulence

Türfalle *f* (*Swiss* ≈ *Klinke*) door handle

Türke ['tʏrkə] *m* ⟨**-n, -n**⟩ Turk **Türkei** [tʏr'kai] *f* ⟨**-**⟩ ***die~*** Turkey **türken** ['tʏrkn] *v/t* (*infml*) *etw* to fiddle (*infml*); ***die Statistik ~*** to massage the figures **Türkin** ['tʏrkɪn] *f* ⟨**-, -nen**⟩ Turk, Turkish woman/girl

türkis [tʏr'kiːs] *adj* turquoise

türkisch ['tʏrkɪʃ] *adj* Turkish

Türklinke *f* door handle

Turm [tʊrm] *m* ⟨**-(e)s, ⸚e** ['tʏrmə]⟩ **1.** tower; (≈ *spitzer Kirchturm*) spire; (*im Schwimmbad*) diving (*Br*) *or* dive (*US*) tower **2.** CHESS rook **türmen** ['tʏrmən] **I** *v/t* to pile (up) **II** *v/r* to pile up; (*Wellen*) to tower up **III** *v/i aux sein* (*infml* ≈ *davonlaufen*) to run off **Turmfalke** *m* kestrel **turmhoch** *adj* towering **Turmspringen** *nt* high diving **Turmuhr** *f* (*von Kirche*) church clock

Turnanzug *m* leotard **turnen** ['tʊrnən] *v/i* (*an Geräten*) to do gymnastics; ***sie kann gut ~*** she is good at gym **Turnen** *nt* ⟨**-s**, *no pl*⟩ gymnastics *sg*; (*infml* ≈ *Leibeserziehung*) gym, PE (*infml*) **Turner** ['tʊrnɐ] *m* ⟨**-s, -**⟩, **Turnerin** [-ərɪn] *f* ⟨**-, -nen**⟩ gymnast **Turngerät** *nt* (≈ *Reck, Barren etc*) (piece of) gymnastic apparatus **Turnhalle** *f* gym(nasium) **Turnhemd** *nt* gym shirt **Turnhose** *f* gym shorts *pl*

Turnier [tʊr'niːɐ] *nt* ⟨**-s, -e**⟩ tournament; (≈ *Tanzturnier*) competition; (≈ *Reitturnier*) show

Turnschuh *m* gym shoe, sneaker (*US*) **Turnstunde** *f* gym lesson; (*im Verein*) gymnastics lesson **Turnübung** *f* gymnastic exercise

Turnus ['tʊrnʊs] *m* ⟨**-, -se**⟩ rota (*Br*), roster

Turnverein *m* gymnastics club

Türöffner *m* ***elektrischer ~*** buzzer (*for opening the door*) **Türrahmen** *m* doorframe **Türschild** *nt, pl* ***-schilder*** doorplate **Türschloss** *nt* door lock **Türschnalle** *f* (*Aus* ≈ *Klinke*) door handle **Türsteher** [-ʃteːɐ] *m* ⟨**-s, -**⟩, **Türsteherin** [-ərɪn] *f* ⟨**-, -nen**⟩ bouncer **Türstopper** *m* door stopper

turteln ['tʊrtln] *v/i* to bill and coo

Tusche ['tʊʃə] *f* ⟨**-, -n**⟩ (≈ *Ausziehtusche*) Indian ink; (≈ *Tuschfarbe*) watercolour (*Br*), watercolor (*US*); (≈ *Wimperntusche*) mascara

tuscheln ['tʊʃln] *v/t & v/i* to whisper

Tuschkasten *m* paintbox

Tussi ['tʊsi] *f* ⟨**-, -s**⟩ (*infml*), **Tuss** [tʊs] *f* ⟨**-, -en**⟩ (*sl*) female (*infml*)

Tüte ['tyːtə] *f* ⟨**-, -n**⟩ bag; (≈ *Eistüte*) cone; (*von Suppenpulver etc*) packet

tuten ['tuːtn] *v/i* to toot

Tütensuppe *f* instant soup

Tutor ['tuːtoːɐ] *m* ⟨**-s, Tutoren** [-'toːrən]⟩, **Tutorin** [-'toːrɪn] *f* ⟨**-, -nen**⟩ tutor

TÜV-Plakette *f* ≈ MOT certificate (*Br*), ≈ inspection certificate (*US*)

TV-Programm *nt* TV programmes (*Br*) *or* programs (*US*) *pl*

Twen [tvɛn] *m* ⟨**-(s), -s**⟩ *person in his/her twenties*

Typ [tyːp] *m* ⟨**-s, -en**⟩ **1.** (≈ *Modell*) model **2.** (≈ *Menschenart*) type **3.** (*infml* ≈ *Mensch*) person, character; (*sl* ≈ *Mann, Freund*) guy (*infml*)

Typhus ['tyːfʊs] *m* ⟨**-**, *no pl*⟩ typhoid (fever)

typisch ['tyːpɪʃ] **I** *adj* typical (*für* of) **II** *adv* ***~ deutsch/Mann/Frau*** typically German/male/female

Typografie [typogra'fiː] *f* ⟨**-, -n** [-'fiːən]⟩ typography **typografisch** [typo'graːfɪʃ] *adj* typographic(al)

Tyrann [ty'ran] *m* ⟨**-en, -en**⟩, **Tyrannin** [-'ranɪn] *f* ⟨**-, -nen**⟩ tyrant **Tyrannei** [tyra'nai] *f* ⟨**-, -en**⟩ tyranny **tyrannisch** [ty'ranɪʃ] *adj* tyrannical **tyrannisieren** [tyrani'ziːrən] *past part* ***tyrannisiert*** *v/t* to tyrannize

U

U, u [uː] *nt* ⟨-, -⟩ U, u
U-Bahn ['uː-] *f* underground, subway (*US*) **U-Bahnhof** ['uː-] *m* underground *or* subway (*US*) station; (*in London*) tube station
übel ['yːbl] **I** *adj* **1.** (≈ *schlimm*) bad; ***das ist gar nicht so ~*** that's not so bad at all **2.** (≈ *moralisch, charakterlich schlecht*) wicked; *Tat* evil **3.** (≈ *eklig*) *Geschmack, Geruch* nasty; ***mir wird ~*** I feel ill **II** *adv* badly; ***~ dran sein*** to be in a bad way; ***~ gelaunt*** ill-humoured (*Br*), ill-humored (*US*); ***~ riechend*** foul-smelling; ***das schmeckt gar nicht so ~*** it doesn't taste so bad; ***~ beleumdet*** disreputable **Übel** ['yːbl] *nt* ⟨**-s, -**⟩ (*elev* ≈ *Krankheit*) illness; (≈ *Missstand*) evil; ***ein notwendiges/das kleinere ~*** a necessary/the lesser evil; ***zu allem ~ ...*** to make matters worse ... **Übelkeit** *f* ⟨**-, -en**⟩ nausea; ***~ erregen*** to cause nausea **übel nehmen** *v/t irr* to take badly; ***jdm etw ~*** to hold sth against sb **Übeltäter(in)** *m/(f)* (*elev*) wrongdoer
üben ['yːbn] **I** *v/t* **1.** (≈ *erlernen*) to practise (*Br*), to practice (*US*); MIL to drill; ***Klavier ~*** to practise (*Br*) *or* practice (*US*) the piano **2.** (≈ *trainieren*) to exercise; → ***geübt*** **3.** ***Kritik an etw*** (*dat*) ***~*** to criticize sth; ***Geduld ~*** to be patient **II** *v/i* to practise (*Br*), to practice (*US*)
über ['yːbɐ] **I** *prep* **1.** (*+acc, räumlich*) over; (≈ *quer über*) across **2.** (*+dat, räumlich*) over, above; ***zwei Grad ~ null*** two degrees (above zero); ***~ jdm stehen or sein*** (*fig*) to be over sb **3.** (*+dat, zeitlich*) over; ***etw ~ einem Glas Wein besprechen*** to discuss sth over a glass of wine; ***~ Mittag geht er meist nach Hause*** he usually goes home at lunch **4.** (*+acc*) ***es kam plötzlich ~ ihn*** it suddenly came over him; ***wir sind ~ die Autobahn gekommen*** we came by the autobahn; ***~ Weihnachten*** over Christmas; ***den ganzen Sommer ~*** all summer long; ***die ganze Zeit ~*** all the time; ***das ganze Jahr ~*** all through the year; ***Kinder ~ 14 Jahre*** children over 14 years; ***was wissen Sie ~ ihn?*** what do you know about him?; ***~ jdn/etw lachen*** to laugh about *or* at sb/sth; ***sich ~ etw freuen*** to be pleased about sth **II** *adv* ***~ und ~*** all over; ***ich stecke ~ und ~ in Schulden*** I am up to my ears in debt
überaktiv *adj* hyperactive, overactive
überall [yːbɐ'|al] *adv* everywhere; ***~ herumliegen*** to be lying all over the place; ***~ wo*** wherever; ***es ist ~ dasselbe*** it's the same wherever you go **überallher** [yːbɐ|al'heːɐ, yːbɐ'|al'heːɐ, yːbɐ'|alheːɐ] *adv* from all over **überallhin** [yːbɐ|al'hɪn, yːbɐ'|al'hɪn, yːbɐ'|alhɪn] *adv* everywhere
Überangebot *nt* surplus (*an +dat* of)
überängstlich *adj* overanxious
überanstrengen [yːbɐ'|anʃtrɛŋən] *past part* ***überanstrengt*** *insep* **I** *v/t* to overstrain, to overexert; *Augen* to strain **II** *v/r* to overstrain oneself **Überanstrengung** *f* overexertion
überarbeiten [yːbɐ'|arbaitn] *past part* ***überarbeitet*** *insep* **I** *v/t* to rework **II** *v/r* to overwork **Überarbeitung** *f* ⟨**-, -en**⟩ (*Vorgang*) reworking; (*Ergebnis*) revision
überaus ['yːbɐ|aus, yːbɐ'|aus, 'yːbɐ'|aus] *adv* extremely
überbacken [yːbɐ'bakn] *past part* ***überbacken*** *v/t insep irr* (*im Backofen*) to put in the oven; (*im Grill*) to put under the grill; ***mit Käse ~*** au gratin
überbelegen *past part* ***überbelegt*** *v/t insep usu past part* to overcrowd; *Kursus, Fach etc* to oversubscribe
überbelichten *past part* ***überbelichtet*** *v/t insep* PHOT to overexpose
überbesetzt *adj Behörde* overstaffed
überbewerten *past part* ***überbewertet*** *v/t insep* to overvalue
überbieten [yːbɐ'biːtn] *past part* ***überboten*** [yːbɐ'boːtn] *insep irr* **I** *v/t* (*bei Auktion*) to outbid (*um* by); (*fig*) to outdo; *Leistung, Rekord* to beat **II** *v/r* ***sich in etw*** (*dat*) ***(gegenseitig) ~*** to vie with one another in sth
Überbleibsel ['yːbɐblaipsl] *nt* ⟨**-s, -**⟩ remnant; (≈ *Speiserest*) leftover *usu pl*
Überblick *m* **1.** (≈ *freie Sicht*) view **2.** (≈ *Einblick*) perspective, overview; ***ihm fehlt der ~*** he has no overall picture;

den ~ verlieren to lose track (of things) **überblicken** [yːbɐˈblɪkn] *past part* ***überblickt*** *v/t insep* **1.** *Stadt* to overlook **2.** (*fig*) to see

überbringen [yːbɐˈbrɪŋən] *past part* ***überbracht*** [yːbɐˈbraxt] *v/t insep irr* ***jdm etw ~*** to bring sb sth **Überbringer** [yːbɐˈbrɪŋɐ] *m* ⟨**-s, -**⟩, **Überbringerin** [-ərɪn] *f* ⟨**-, -nen**⟩ bringer; (*von Scheck etc*) bearer

überbrücken [yːbɐˈbrʏkn] *past part* ***überbrückt*** *v/t insep* (*fig*) to bridge; *Gegensätze* to reconcile **Überbrückungskredit** [-krediːt] *m* bridging loan

überbuchen [yːbɐˈbuːxn] *past part* ***überbucht*** *v/t insep* to overbook

überdachen [yːbɐˈdaxn] *past part* ***überdacht*** *v/t insep* to cover over; ***überdachte Bushaltestelle*** covered bus shelter

überdauern [yːbɐˈdauɐn] *past part* ***überdauert*** *v/t insep* to survive

überdenken [yːbɐˈdɛŋkn] *past part* ***überdacht*** *v/t insep irr* to think over; ***etw noch einmal ~*** to reconsider sth

überdeutlich *adj* all too obvious

überdies [yːbɐˈdiːs] *adv* (*elev* ≈ *außerdem*) moreover

Überdosis *f* overdose; ***sich*** (*dat*) ***eine ~ Heroin spritzen*** to overdose on heroin

Überdruck *m, pl* **-drücke** TECH excess pressure *no pl* **Überdruckventil** *nt* pressure relief valve

Überdruss [ˈyːbɐdrʊs] *m* ⟨**-es,** *no pl*⟩ (≈ *Übersättigung*) surfeit (*an +dat* of); (≈ *Widerwille*) aversion (*an +dat* to); ***bis zum ~*** ad nauseam **überdrüssig** [ˈyːbɐdrʏsɪç] *adj* ***jds/einer Sache ~ sein*** to be weary of sb/sth

überdurchschnittlich **I** *adj* above-average **II** *adv* exceptionally; ***sie verdient ~ gut*** she earns more than the average

Übereifer *m* overzealousness; (*pej* ≈ *Wichtigtuerei*) officiousness **übereifrig** *adj* overzealous; (*pej* ≈ *wichtigtuerisch*) officious

übereilen [yːbɐˈ|ailən] *past part* ***übereilt*** *v/t insep* to rush **übereilt** [yːbɐˈ|ailt] *adj* overhasty

übereinander [yːbɐ|aiˈnandɐ] *adv* **1.** (*räumlich*) on top of each other, one on top of the other **2.** *reden etc* about each other **übereinanderlegen** *v/t sep* to put one on top of the other **übereinanderschlagen** *v/t sep irr* ***die Beine ~*** to cross one's legs

übereinkommen [yːbɐˈ|ain-] *v/i sep irr aux sein* to agree **Übereinkommen** [yːbɐˈ|ainkɔmən] *nt,* **Übereinkunft** [yːbɐˈ|ainkʊnft] *f* ⟨**-, ¨-e** [-kʏnftə]⟩ agreement **übereinstimmen** [yːbɐˈ|ain-] *v/i sep* to agree; (*Meinungen*) to tally; ***mit jdm in etw*** (*dat*) ***~*** to agree with sb on sth **übereinstimmend** *adj* corresponding; *Meinungen* concurring; ***nach ~en Angaben*** according to all accounts; ***wir sind ~ der Meinung, dass ...*** we unanimously agree that ...; ***~ mit*** in agreement with **Übereinstimmung** *f* **1.** (≈ *Einklang*) correspondence; ***zwei Dinge in ~ bringen*** to bring two things into line **2.** (*von Meinung*) agreement; ***in ~ mit jdm*** in agreement with sb; ***in ~ mit etw*** in accordance with sth

überempfindlich *adj* (*gegen* to) oversensitive, hypersensitive (*auch* MED) **Überempfindlichkeit** *f* (*gegen* to) oversensitivity, hypersensitivity (*auch* MED)

übererfüllen *past part* ***übererfüllt*** *v/t insep Norm, Soll* to exceed (*um* by)

überessen [yːbɐˈ|ɛsn] *pret* ***überaß*** [yːbɐˈ|aːs], *past part* ***übergessen*** [yːbɐˈgɛsn] *v/r insep* to overeat

überfahren [yːbɐˈfaːrən] *past part* ***überfahren*** *v/t insep irr* **1.** *jdn, Tier* to run over **2.** (≈ *übersehen*) *Ampel etc* to go through **3.** (*infml* ≈ *übertölpeln*) ***jdn ~*** to railroad sb into it **Überfahrt** *f* crossing

Überfall *m* (≈ *Angriff*) attack (*auf +acc* on); (*esp auf offener Straße*) mugging (*auf +acc* of); (*auf Bank etc*) raid (*auf +acc* on); (*auf Land*) invasion (*auf +acc* of) **überfallen** [yːbɐˈfalən] *past part* ***überfallen*** *v/t insep irr* **1.** (≈ *angreifen*) to attack; (*esp auf offener Straße*) to mug; *Bank etc* to raid, to hold up; *Land* to invade **2.** (*fig infml*) (≈ *überraschend besuchen*) to descend (up)on; ***jdn mit Fragen ~*** to bombard sb with questions

überfällig *adj* overdue *usu pred*

überfliegen [yːbɐˈfliːgn] *past part* ***überflogen*** [yːbɐˈfloːgn] *v/t insep irr* (*lit*) to fly over; (≈ *flüchtig ansehen*) *Buch etc* to glance through

überflügeln [yːbɐˈflyːgln] *past part* ***überflügelt*** *v/t insep* to outdistance; (*in Leistung*) to outdo

Überfluss *m, no pl* **1.** (super)abundance (*an +dat* of); (≈ *Luxus*) affluence; ***im ~ leben*** to live in luxury; ***im ~ vorhanden sein*** to be in plentiful supply **2.** ***zu allem***

~ (≈ *obendrein*) into the bargain **Überflussgesellschaft** *f* affluent society **überflüssig** *adj* superfluous; (≈ *unnötig*) unnecessary; (≈ *zwecklos*) useless

überfluten ['yːbɐfluːtn] *v/i sep aux sein* (≈ *überschwemmen*) to overflow **Überflutung** [yːbɐ'fluːtʊŋ] *f* ⟨-, **-en**⟩ (*lit*) flood; (≈ *das Überfluten*, *fig*) flooding *no pl*

überfordern [yːbɐ'fɔrdɐn] *past part* ***überfordert*** *v/t insep* to overtax; ***damit ist er überfordert*** that's asking too much of him

überfragt [yːbɐ'fraːkt] *adj pred* stumped (for an answer); ***da bin ich ~*** there you've got me

Überfremdung *f* ⟨-, **-en**⟩ (*usu pej*) foreign infiltration

überfrieren [yːbɐ'friːrən] *past part* ***überfroren*** [yːbɐ'froːrən] *v/i insep irr* to freeze over

überführen [yːbɐ'fyːrən] *past part* ***überführt*** *v/t insep* **1.** to transfer; *Wagen* to drive **2.** *Täter* to convict (*+gen* of) **Überführung** *f* **1.** transportation **2.** *no pl* JUR conviction **3.** (≈ *Brücke*) bridge; (≈ *Fußgängerüberführung*) footbridge

überfüllt [yːbɐ'fʏlt] *adj* overcrowded; *Lager* overstocked

Überfunktion *f* hyperactivity

Übergabe *f* handing over *no pl*; MIL surrender

Übergang *m*, *pl* ***-gänge*** **1.** crossing; (≈ *Bahnübergang*) level crossing (*Br*), grade crossing (*US*) **2.** (≈ *Grenzübergangsstelle*) checkpoint **3.** (*fig* ≈ *Wechsel*) transition **übergangslos** *adj*, *adv* without a transition **Übergangslösung** *f* interim solution **Übergangsphase** *f* transitional phase **Übergangszeit** *f* transitional period

übergeben [yːbɐ'geːbn] *past part* ***übergeben*** *insep irr* **I** *v/t* (≈ *überreichen*) to hand over; *Dokument* to hand (*jdm* sb) **II** *v/r* (≈ *sich erbrechen*) to vomit; ***ich muss mich ~*** I'm going to be sick

übergehen[1] ['yːbɐgeːən] *v/i sep irr aux sein* **1.** ***in etw*** (*acc*) ***~*** (*in einen anderen Zustand*) to turn into sth; ***in jds Besitz*** (*acc*) ***~*** to become sb's property; ***in andere Hände ~*** to pass into other hands **2.** ***auf jdn ~*** (≈ *übernommen werden*) to pass to sb **3.** ***zu etw ~*** to go over to sth

übergehen[2] [yːbɐ'geːən] *past part* ***übergangen*** [yːbɐ'gaŋən] *v/t insep irr* to pass over

übergeordnet *adj* **1.** *Behörde* higher **2.** GRAM *Satz* superordinate **3.** (*fig*) ***von ~er Bedeutung sein*** to be of overriding importance

Übergepäck *nt* AVIAT excess baggage

übergeschnappt *adj* (*infml*) crazy; → ***überschnappen***

Übergewicht *nt* overweight; ***~ haben*** (*Paket*, *Mensch*) to be overweight

überglücklich *adj* overjoyed

übergreifen *v/i sep irr* (*Feuer*, *Streik etc*) to spread (*auf +acc* to) **Übergriff** *m* (≈ *Einmischung*) infringement (*auf +acc* of); MIL attack (*auf +acc* upon)

übergroß *adj* oversize(d) **Übergröße** *f* (*bei Kleidung etc*) outsize

überhaben *v/t sep irr* (*infml*) **1.** (≈ *satthaben*) to be sick (and tired) of (*infml*) **2.** (≈ *übrig haben*) to have left (over)

überhandnehmen [yːbɐ'hantneːmən] *v/i irr* to get out of hand

Überhang *m* **1.** (≈ *Felsüberhang*) overhang **2.** (≈ *Überschuss*) surplus (*an +dat* of) **überhängen** *v/t sep* ***sich*** (*dat*) ***einen Mantel ~*** to put a coat round one's shoulders

überhäufen [yːbɐ'hɔyfn] *past part* ***überhäuft*** *v/t insep jdn* to overwhelm; ***jdn mit Geschenken ~*** to heap presents (up)on sb; ***ich bin völlig mit Arbeit überhäuft*** I'm completely snowed under (with work)

überhaupt [yːbɐ'haupt] *adv* **1.** (≈ *im Allgemeinen*) in general; (≈ *überdies*) anyway; ***und ~, warum nicht?*** and after all, why not? **2.** (*in Fragen*, *Verneinungen*) at all; ***~ nicht*** not at all; ***~ nie*** never (ever); ***~ kein Grund*** no reason whatsoever **3.** (≈ *eigentlich*) ***wie ist das ~ möglich?*** how is that possible?; ***was wollen Sie ~ von mir?*** (*herausfordernd*) what do you want from me?; ***wer sind Sie ~?*** who do you think you are?

überheblich [yːbɐ'heːplɪç] *adj* arrogant **Überheblichkeit** *f* ⟨-, *no pl*⟩ arrogance

überheizen [yːbɐ'haitsn] *past part* ***überheizt*** *v/t insep* to overheat **überhitzt** [yːbɐ'hɪtst] *adj* (*fig*) *Konjunktur* overheated; *Gemüter* very heated *pred*

überhöht [yːbɐ'høːt] *adj Preise*, *Geschwindigkeit* excessive

überholen [yːbɐ'hoːlən] *past part* ***überholt*** *insep* **I** *v/t* **1.** *Fahrzeug* to overtake (*esp Br*), to pass **2.** TECH *Maschine etc* to overhaul **II** *v/i* to overtake **Überholmanöver** *nt* AUTO overtaking manoeuvre (*Br*), passing maneuver (*US*) **Überholspur** *f* AUTO overtaking (*esp Br*) *or* fast lane **überholt** [yːbɐˈhoːlt] *adj* out-dated **Überholverbot** *nt* restriction on overtaking (*esp Br*); (*als Schild etc*) no overtaking (*esp Br*)

überhören [yːbɐˈhøːrən] *past part* ***überhört*** *v/t insep* not to hear; (≈ *nicht hören wollen*) to ignore

überirdisch *adj* above ground

Überkapazität *f* overcapacity

überkleben [yːbɐˈkleːbn] *past part* ***überklebt*** *v/t insep* ***etw mit Papier ~*** to stick paper over sth

überkochen *v/i sep aux sein* to boil over

überkommen [yːbɐˈkɔmən] *past part* ***überkommen*** *v/t insep irr* (≈ *überfallen*) to come over; ***Furcht** etc **überkam ihn*** he was overcome with fear *etc*

überkreuzen [yːbɐˈkrɔytsn] *past part* ***überkreuzt*** *v/t* (≈ *überqueren*) to cross

überladen[1] [yːbɐˈlaːdn] *past part* ***überladen*** *v/t insep irr* to overload

überladen[2] [yːbɐˈlaːdn] *adj Wagen* overloaded; (*fig*) *Stil* over-ornate

überlagern [yːbɐˈlaːgɐn] *past part* ***überlagert*** *insep* **I** *v/t Thema, Problem etc* to eclipse **II** *v/r* (≈ *sich überschneiden*) to overlap

überlang *adj Oper etc* overlength **Überlänge** *f* excessive length

überlappen [yːbɐˈlapn] *past part* ***überlappt*** *v/i & v/r insep* to overlap

überlassen [yːbɐˈlasn] *past part* ***überlassen*** *v/t insep irr* **1.** (≈ *haben lassen*) ***jdm etw ~*** to let sb have sth **2.** (≈ *anheimstellen*) ***es jdm ~, etw zu tun*** to leave it (up) to sb to do sth; ***das bleibt** (**ganz**) **Ihnen ~*** that's (entirely) up to you **3.** (≈ *in Obhut geben*) ***jdm etw ~*** to leave sth with sb; ***sich** (dat) **selbst ~ sein*** to be left to one's own devices; ***jdn seinem Schicksal ~*** to leave sb to his fate

überlasten [yːbɐˈlastn] *past part* ***überlastet*** *v/t insep jdn* to overtax; *Telefonnetz, Brücke* to overload; ***überlastet sein*** to be under too great a strain; (≈ *überfordert sein*) to be overtaxed; ELEC *etc* to be overloaded **Überlastung** *f* ⟨-, ***-en***⟩ (*von Mensch*) overtaxing; (≈ *Überlastetsein*) strain; (ELEC, *durch Gewicht*) overloading

überlaufen[1] [ˈyːbɐlaufn] *v/i sep irr aux sein* **1.** (*Gefäß*) to overflow **2.** (MIL, *fig* ≈ *überwechseln*) to desert; ***zum Feind ~*** to go over to the enemy

überlaufen[2] [yːbɐˈlaufn] *adj* overcrowded; (*mit Touristen*) overrun

Überläufer(in) *m/(f)* turncoat

überleben [yːbɐˈleːbn] *past part* ***überlebt*** *v/t & v/i insep* to survive **Überlebende(r)** [yːbɐˈleːbndə] *m/f(m) decl as adj* survivor **Überlebenschance** *f* chance of survival **überlebensgroß** *adj* larger-than-life **Überlebenstraining** *nt* survival training

überlegen[1] [yːbɐˈleːgn] *past part* ***überlegt*** *insep* **I** *v/i* (≈ *nachdenken*) to think; ***ohne zu ~*** without thinking; (≈ *ohne zu zögern*) without thinking twice **II** *v/t* (≈ *durchdenken*) to think about, to consider; ***das werde ich mir ~*** I'll think about it; ***ich habe es mir anders überlegt*** I've changed my mind (about it); ***das hätten Sie sich** (dat) **vorher ~ müssen*** you should have thought about that before *or* sooner

überlegen[2] [yːbɐˈleːgn] **I** *adj* superior; ***jdm ~ sein*** to be superior to sb **II** *adv* in a superior manner **Überlegenheit** *f* ⟨-, *no pl*⟩ superiority

überlegt [yːbɐˈleːkt] *adj* (well-)considered **Überlegung** [yːbɐˈleːgʊŋ] *f* ⟨-, ***-en***⟩ (≈ *Nachdenken*) consideration, thought; ***bei näherer ~*** on closer examination

überleiten *v/i sep* ***zu etw ~*** to lead up to sth

überlesen [yːbɐˈleːzn] *past part* ***überlesen*** *v/t insep irr* (≈ *übersehen*) to miss

überliefern [yːbɐˈliːfɐn] *past part* ***überliefert*** *v/t insep Tradition* to hand down; ***etw der Nachwelt ~*** to preserve sth for posterity **Überlieferung** *f* tradition

überlisten [yːbɐˈlɪstn] *past part* ***überlistet*** *v/t insep* to outwit

Übermacht *f, no pl* superior strength; ***in der ~ sein*** to have the greater strength **übermächtig** *adj Stärke* superior; *Feind* powerful; (*fig*) *Institution* all-powerful

Übermaß *nt, no pl* excessive amount (*an* +*acc* of); ***im ~*** to *or* in excess **übermäßig** **I** *adj* excessive **II** *adv* excessively

übermenschlich *adj* superhuman

übermitteln [yːbɐˈmɪtln] *past part* ***übermittelt*** *v/t insep* to convey (*jdm* to sb); *Daten, Meldung* to transmit **Übermittlung** [yːbɐˈmɪtlʊŋ] *f* ⟨-, ***-en***⟩ conveyance; (*von Meldung*) transmission

übermorgen *adv* the day after tomorrow

übermüden [yːbɐˈmyːdn] *past part* ***übermüdet*** *v/t insep usu past part* to overtire **Übermüdung** *f* ⟨-, *no pl*⟩ overtiredness

Übermut *m* high spirits *pl* **übermütig** [ˈyːbɐmyːtɪç] **I** *adj* (≈ *ausgelassen*) boisterous **II** *adv* (≈ *ausgelassen*) boisterously

übernächste(r, s) *adj attr* next ... but one; ***die ~ Woche*** the week after next

übernachten [yːbɐˈnaxtn] *past part* ***übernachtet*** *v/i insep* to sleep; (*eine Nacht*) to spend the night **übernächtigt** [yːbɐˈnɛçtɪçt], (*esp Aus*) **übernächtig** [ˈyːbɐnɛçtɪç] *adj* bleary-eyed **Übernachtung** [yːbɐˈnaxtʊŋ] *f* ⟨-, **-en**⟩ overnight stay; ***~ und Frühstück*** bed and breakfast **Übernachtungsmöglichkeit** *f* overnight accommodation *no pl*

Übernahme [ˈyːbɐnaːmə] *f* ⟨-, **-n**⟩ **1.** takeover; (≈ *das Übernehmen*) taking over; (*von Ansicht*) adoption; ***freundliche/feindliche ~*** COMM friendly/hostile takeover **2.** (*von Amt*) assumption **Übernahmeangebot** *nt* takeover bid

übernatürlich *adj* supernatural

übernehmen [yːbɐˈneːmən] *past part* ***übernommen*** [yːbɐˈnɔmən] *insep irr* **I** *v/t* **1.** (≈ *annehmen*) to take; *Aufgabe, Verantwortung, Funktion* to take on; *Kosten* to agree to pay; ***es ~, etw zu tun*** to undertake to do sth **2.** (*ablösend*) to take over (*von* from); *Ansicht* to adopt **II** *v/r* to take on too much; (≈ *sich überanstrengen*) to overdo it; ***~ Sie sich nur nicht!*** (*iron*) don't strain yourself! (*iron*)

überparteilich *adj* nonparty *attr*; (≈ *unvoreingenommen*) nonpartisan; PARL *Problem* all-party *attr*

Überproduktion *f* overproduction

überprüfbar *adj* checkable **überprüfen** [yːbɐˈpryːfn] *past part* ***überprüft*** *v/t insep* to check; *Maschine*, FIN *Bücher* to inspect, to examine; *Lage, Frage* to review; *Ergebnisse etc* to scrutinize; POL *jdn* to screen **Überprüfung** *f* **1.** *no pl* checking; (*von Maschinen*, FIN: *von Büchern*) inspection, examination; POL screening **2.** (≈ *Kontrolle*) inspection

überqueren [yːbɐˈkveːrən] *past part* ***überquert*** *v/t insep* to cross

überragend *adj* (*fig*) outstanding

überraschen [yːbɐˈraʃn] *past part* ***überrascht*** *v/t insep* to surprise; ***jdn bei etw ~*** to catch sb doing sth; ***von einem Gewitter überrascht werden*** to be caught in a storm **überraschend** **I** *adj* surprising; *Besuch* surprise *attr*; *Tod* unexpected **II** *adv* unexpectedly **überrascht** [yːbɐˈraʃt] *adj* surprised (*über +dat* at) **Überraschung** [yːbɐˈraʃʊŋ] *f* ⟨-, **-en**⟩ surprise; ***für eine ~ sorgen*** to have a surprise in store

überreagieren *past part* ***überreagiert*** *v/i insep* to overreact **Überreaktion** *f* overreaction

überreden [yːbɐˈreːdn] *past part* ***überredet*** *v/t insep* to persuade; ***jdn zu etw ~*** to talk sb into sth **Überredungskunst** *f* persuasiveness

überregional *adj* (≈ *national*) national

überreichen [yːbɐˈraiçn] *past part* ***überreicht*** *v/t insep* (***jdm***) ***etw ~*** to hand sth over (to sb); (*feierlich*) to present sth (to sb) **Überreichung** *f* ⟨-, **-en**⟩ presentation

Überrest *m* remains *pl*

überrumpeln [yːbɐˈrʊmpln] *past part* ***überrumpelt*** *v/t insep* (*infml*) to take by surprise; (≈ *überwältigen*) to overpower

überrunden [yːbɐˈrʊndn] *past part* ***überrundet*** *v/t insep* SPORTS to lap; (*fig*) to outstrip

übersättigen [yːbɐˈzɛtɪgn] *past part* ***übersättigt*** *v/t insep* to satiate; *Markt* to oversaturate **Übersättigung** *f* satiety; (*des Marktes*) oversaturation

Überschallflugzeug *nt* supersonic aircraft, SST (*esp US*) **Überschallgeschwindigkeit** *f* supersonic speed; ***mit ~ fliegen*** to fly supersonic **Überschallknall** *m* sonic boom

überschatten [yːbɐˈʃatn] *past part* ***überschattet*** *v/t insep* to overshadow

überschätzen [yːbɐˈʃɛtsn] *past part* ***überschätzt*** **I** *v/t insep* to overestimate **II** *v/r* to overestimate oneself **Überschätzung** *f* overestimation

überschaubar *adj Plan etc* easily understandable; *Zeitraum* reasonable; ***die Folgen sind noch nicht ~*** the consequences cannot yet be clearly seen **überschauen** [yːbɐˈʃauən] *past part* ***überschaut*** *v/t insep* = ***überblicken***

überschäumen *v/i sep aux sein* to froth over; (*fig*) to bubble (over) (*vor +dat* with); (*vor Wut*) to seethe

überschlafen [yːbɐˈʃlafn] *past part*

überschlafen *v/t insep irr Problem etc* to sleep on
Überschlag *m* **1.** (≈ *Berechnung*) (rough) estimate **2.** (≈ *Drehung*) somersault (*auch* SPORTS)
überschlagen[1] [yːbɐˈʃlaːgn] *past part* ***überschlagen*** *insep irr* **I** *v/t* **1.** (≈ *auslassen*) to skip **2.** (≈ *berechnen*) *Kosten etc* to estimate (roughly) **II** *v/r* (*Auto*) to turn over; (*fig*: *Ereignisse*) to come thick and fast; ***sich vor Hilfsbereitschaft*** (*dat*) **~** to fall over oneself to be helpful
überschlagen[2] [ˈyːbɐʃlaːgn] *sep irr v/i aux sein* (*Stimmung etc*) ***in etw*** (*acc*) **~** to turn into sth
überschnappen *v/i sep aux sein* (*Stimme*) to crack; (*infml*: *Mensch*) to crack up (*infml*); → ***übergeschnappt***
überschneiden [yːbɐˈʃnaidn] *past part* ***überschnitten*** [yːbɐˈʃnɪtn] *v/r insep irr* (*Linien*) to intersect; (*fig*: *Interessen, Ereignisse etc*) to overlap; (*völlig*) to coincide; (*unerwünscht*) to clash
überschreiben [yːbɐˈʃraibn] *past part* ***überschrieben*** [yːbɐˈʃriːbn] *v/t insep irr* **1.** (≈ *betiteln*) to head **2.** (≈ *übertragen*) ***etw auf jdn*** **~** to sign sth over to sb **3.** IT *Daten* to overwrite; *Text* to type over
überschreiten [yːbɐˈʃraitn] *past part* ***überschritten*** [yːbɐˈʃrɪtn] *v/t insep irr* to cross; (*fig*) to exceed
Überschrift *f* heading; (≈ *Schlagzeile*) headline
Überschuss *m* surplus (*an +dat* of) **überschüssig** [-ʃʏsɪç] *adj* surplus
überschütten [yːbɐˈʃʏtn] *past part* ***überschüttet*** *v/t insep* **1.** (≈ *bedecken*) ***jdn/etw mit etw*** **~** to cover sb/sth with sth; *mit Flüssigkeit* to pour sth onto sb/sth **2.** (≈ *überhäufen*) ***jdn mit etw*** **~** to heap sth on sb
überschwänglich [ˈyːbɐʃvɛŋlɪç] **I** *adj* effusive **II** *adv* effusively
überschwappen *v/i sep aux sein* to splash over
überschwemmen [yːbɐˈʃvɛmən] *past part* ***überschwemmt*** *v/t insep* to flood **Überschwemmung** *f* ⟨**-, -en**⟩ (*lit*) flood; (*fig*) inundation **Überschwemmungsgefahr** *f* danger of flooding
überschwenglich *adj, adv* → ***überschwänglich***
Übersee *no art* ***in/nach*** **~** overseas; ***aus/von*** **~** from overseas
übersehbar *adj* **1.** (*lit*) *Gegend etc* visible **2.** (*fig*) (≈ *erkennbar*) clear; (≈ *abschätzbar*) *Kosten etc* assessable; ***der Schaden ist noch gar nicht*** **~** the damage cannot be assessed yet **übersehen** [yːbɐˈzeːən] *past part* ***übersehen*** *v/t insep irr* **1.** (*lit*) *Gegend etc* to have a view of **2.** (≈ *erkennen*) *Folgen, Sachlage* to see clearly; (≈ *abschätzen*) *Kosten* to assess **3.** (≈ *nicht erkennen*) to overlook; (≈ *nicht bemerken*) to miss; **~, *dass …*** to overlook the fact that …
übersenden [yːbɐˈzɛndn] *past part* ***übersandt*** *or* ***übersendet*** [yːbɐˈzant, yːbɐˈzɛndət] *v/t insep irr* to send
übersetzen[1] [yːbɐˈzɛtsn] *past part* ***übersetzt*** *v/t insep* (*also v/i, in andere Sprachen*) to translate; ***etw falsch*** **~** to mistranslate sth; ***sich schwer*** **~** ***lassen*** to be hard to translate
übersetzen[2] [ˈyːbɐzɛtsn] *sep* **I** *v/t* (*mit Fähre*) to ferry across **II** *v/i aux sein* to cross (over)
Übersetzer(in) *m/(f)* translator **Übersetzung** [yːbɐˈzɛtsʊŋ] *f* ⟨**-, -en**⟩ **1.** translation **2.** (TECH ≈ *Übertragung*) transmission
Übersicht *f* ⟨**-, -en**⟩ **1.** *no pl* (≈ *Überblick*) overall view; ***die*** **~** ***verlieren*** to lose track of things **2.** (≈ *Tabelle*) table **übersichtlich** **I** *adj Gelände etc* open; *Darstellung etc* clear **II** *adv* clearly; **~ *angelegt*** clearly laid out **Übersichtlichkeit** *f* ⟨**-,** *no pl*⟩ (*von Gelände etc*) openness; (*von Darstellung etc*) clarity
übersiedeln [yːbɐˈziːdln] *past part* ***übersiedelt*** *v/i insep aux sein* to move (*von* from, *nach, in +acc* to)
überspannt [yːbɐˈʃpant] *adj Ideen* extravagant; (≈ *exaltiert*) eccentric
überspielen [yːbɐˈʃpiːlən] *past part* ***überspielt*** *v/t insep* **1.** (≈ *verbergen*) to cover (up) **2.** (≈ *übertragen*) *Aufnahme* to transfer
überspitzt [yːbɐˈʃpɪtst] *adj* (≈ *zu spitzfindig*) over(ly) subtle, fiddly (*Br infml*); (≈ *übertrieben*) exaggerated
überspringen[1] [yːbɐˈʃprɪŋən] *past part* ***übersprungen*** [yːbɐˈʃprʊŋən] *v/t insep irr* **1.** *Hindernis* to clear **2.** (≈ *auslassen*) *Klasse, Kapitel, Lektion* to skip
überspringen[2] [ˈyːbɐʃprɪŋən] *v/i sep irr aux sein* (≈ *sich übertragen*) to jump (*auf +acc* to); (*Begeisterung*) to spread quickly (*auf +acc* to)

überstehen[1] [yːbɐˈʃteːən] *past part* ***überstanden*** *v/t insep irr* (≈ *durchstehen*) to get through; (≈ *überleben*) to survive; *Krankheit* to get over; ***das Schlimmste ist jetzt überstanden*** the worst is over now

überstehen[2] [ˈyːbɐʃteːən] *v/i sep irr aux haben or sein* (≈ *hervorstehen*) to jut *or* stick out

übersteigen [yːbɐˈʃtaign] *past part* ***überstiegen*** [yːbɐˈʃtiːgn] *v/t insep irr* **1.** (≈ *klettern über*) to climb over **2.** (≈ *hinausgehen über*) to exceed **übersteigert** [yːbɐˈʃtaigɐt] *adj* excessive

überstimmen [yːbɐˈʃtɪmən] *past part* ***überstimmt*** *v/t insep* to outvote

Überstunde *f* hour of overtime; ***~n*** overtime *sg*; ***zwei ~n machen*** to do two hours overtime

überstürzen [yːbɐˈʃtʏrtsn] *past part* ***überstürzt*** *insep* **I** *v/t* to rush into **II** *v/r* (*Ereignisse etc*) to happen in a rush **überstürzt** [yːbɐˈʃtʏrtst] **I** *adj* overhasty **II** *adv* rashly

übertariflich *adj, adv* above the agreed rate

überteuert [yːbɐˈtɔyɐt] *adj* overexpensive; *Preise* inflated

übertönen [yːbɐˈtøːnən] *past part* ***übertönt*** *v/t insep* to drown

Übertrag [ˈyːbɐtraːk] *m* ⟨***-(e)s, ⸚e*** [-trɛːgə]⟩ amount carried forward (*esp Br*) *or* over (*esp US*) **übertragbar** *adj* transferable; *Krankheit* communicable (*form*) (*auf +acc* to), infectious; (*durch Berührung*) contagious

übertragen[1] [yːbɐˈtraːgn] *past part* ***übertragen*** *insep irr* **I** *v/t* **1.** (≈ *übergeben*) to transfer; *Krankheit* to pass on (*auf +acc* to); TECH *Kraft* to transmit **2.** (≈ *kopieren*) to copy (out); (≈ *transkribieren*) to transcribe **3.** TV, RADIO to transmit; ***etw im Fernsehen ~*** to televise sth **4.** (≈ *übersetzen*) *Text* to render (*in +acc* into) **5.** *Methode* to apply (*auf +acc* to) **6.** (≈ *verleihen*) *Würde* to confer (*jdm* on sb); *Vollmacht, Amt* to give (*jdm* sb) **7.** (≈ *auftragen*) *Aufgabe* to assign (*jdm* to sb) **II** *v/r* (*Krankheit etc*) to be passed on (*auf +acc* to); TECH to be transmitted (*auf +acc* to); (*Heiterkeit etc*) to spread (*auf +acc* to)

übertragen[2] [yːbɐˈtraːgn] **I** *adj Bedeutung etc* figurative **II** *adv* (≈ *figurativ*) figuratively

Übertragung *f* ⟨***-, -en***⟩ **1.** (≈ *Transport*) transfer; (*von Krankheit*) passing on **2.** TV, RADIO transmission **3.** (≈ *Übersetzung*) rendering **4.** (≈ *Anwendung*) application **Übertragungsgeschwindigkeit** *f* IT transfer rate **Übertragungsrate** *f* IT transmission rate

übertreffen [yːbɐˈtrɛfn] *past part* ***übertroffen*** [yːbɐˈtrɔfn] *insep irr* **I** *v/t* to surpass (*an +dat* in); *Rekord* to break; ***er ist nicht zu ~*** he is unsurpassable **II** *v/r* ***sich selbst ~*** to excel oneself

übertreiben [yːbɐˈtraibn] *past part* ***übertrieben*** [yːbɐˈtriːbn] *v/t insep irr* **1.** (*also v/i* ≈ *aufbauschen*) to exaggerate **2.** (≈ *zu weit treiben*) to overdo; → ***übertrieben*** **Übertreibung** *f* ⟨***-, -en***⟩ exaggeration

übertreten [yːbɐˈtreːtn] *past part* ***übertreten*** *v/t insep irr Grenze etc* to cross; (*fig*) *Gesetz, Verbot* to break **Übertretung** [yːbɐˈtreːtʊŋ] *f* ⟨***-, -en***⟩ (*von Gesetz etc*) violation

übertrieben [yːbɐˈtriːbn] **I** *adj* exaggerated; *Vorsicht* excessive **II** *adv* (≈ *übermäßig*) excessively; → ***übertreiben***

Übertritt *m* (*über Grenze*) crossing (*über +acc* of); (*zu anderem Glauben*) conversion; (*zu anderer Partei*) defection

übervölkern [yːbɐˈfœlkɐn] *past part* ***übervölkert*** *v/t insep* to overpopulate **Übervölkerung** *f* ⟨***-, -en***⟩ overpopulation

übervoll *adj* too full; *Glas* full to the brim

übervorteilen [yːbɐˈfɔrtailən] *past part* ***übervorteilt*** *v/t insep* to cheat, to do down (*infml*)

überwachen [yːbɐˈvaxn] *past part* ***überwacht*** *v/t insep* (≈ *kontrollieren*) to supervise; (≈ *beobachten*) to observe; *Verdächtigen* to keep under surveillance; (*mit Radar, fig*) to monitor **Überwachung** *f* ⟨***-, -en***⟩ supervision; (≈ *Beobachtung*) observation; (*von Verdächtigen*) surveillance; (*mit Radar, fig*) monitoring **Überwachungskamera** *f* surveillance camera **Überwachungsstaat** *f* Big Brother state

überwältigen [yːbɐˈvɛltɪgn] *past part* ***überwältigt*** *v/t insep* (*lit*) to overpower; (*zahlenmäßig*) to overwhelm; (≈ *bezwingen*) to overcome **überwältigend** *adj* overwhelming; *Schönheit* stunning; *Erfolg* phenomenal

überwechseln *v/i sep aux sein* to move

(*in +acc* to); (*zu Partei etc*) to go over (*zu* to)
Überweg *m* ***~ für Fußgänger*** pedestrian crossing
überweisen [yːbɐˈvaizn] *past part* ***überwiesen*** [yːbɐˈviːzn] *v/t insep irr Geld* to transfer (*an +acc, auf +acc* to); *Patienten* to refer (*an +acc* to) **Überweisung** *f* (≈ *Geldüberweisung*) (credit) transfer; (*von Patient*) referral
überwerfen [yːbɐˈvɛrfn] *past part* ***überworfen*** [yːbɐˈvɔrfn] *v/r insep irr* (≈ *zerstreiten*) ***sich (mit jdm) ~*** to fall out (with sb)
überwiegen [yːbɐˈviːgn] *past part* ***überwogen*** [yːbɐˈvoːgn] *insep irr v/i* to be predominant **überwiegend I** *adj* predominant; *Mehrheit* vast; ***der ~e Teil*** (*+gen*) the majority (of) **II** *adv* predominantly
überwinden [yːbɐˈvɪndn] *past part* ***überwunden*** [yːbɐˈvʊndn] *insep irr* **I** *v/t* to overcome **II** *v/r* ***sich ~, etw zu tun*** to force oneself to do sth; ***ich konnte mich nicht dazu ~*** I couldn't bring myself to do it **Überwindung** *f, no pl* overcoming; (≈ *Selbstüberwindung*) will power; ***das hat mich viel ~ gekostet*** that took me a lot of will power
Überzahl *f, no pl* ***in der ~ sein*** to be in the majority **überzählig** *adj* (≈ *überschüssig*) surplus; (≈ *überflüssig*) superfluous
überzeugen [yːbɐˈtsɔygn] *past part* ***überzeugt*** *insep* **I** *v/t* to convince; ***ich bin davon überzeugt, dass ...*** I am convinced that ... **II** *v/i* to be convincing **III** *v/r* ***sich (selbst) ~*** (*mit eigenen Augen*) to see for oneself; ***~ Sie sich selbst!*** see for yourself! **überzeugend I** *adj* convincing **II** *adv* convincingly **Überzeugung** *f* conviction; (≈ *Prinzipien*) convictions *pl*, beliefs *pl*; ***aus ~*** out of principle; ***ich bin der festen ~, dass ...*** I am firmly convinced that ...; ***zu der ~ gelangen, dass ...*** to become convinced that ... **Überzeugungskraft** *f* persuasiveness
überziehen[1] [yːbɐˈtsiːən] *past part* ***überzogen*** [yːbɐˈtsoːgn] *insep irr* **I** *v/t* **1.** (≈ *bedecken*) to cover; (*mit Schicht*) to coat **2.** *Konto* to overdraw **3.** *Redezeit etc* to overrun **4.** (≈ *übertreiben*) to overdo; → ***überzogen*** **II** *v/i* (*Redner*) to overrun
überziehen[2] [ˈyːbɐtsiːən] *v/t sep irr* (≈ *anziehen*) (***sich*** *dat*) ***etw ~*** to put sth on
Überziehungskredit [yːbɐˈtsiːʊŋskrediːt] *m* overdraft provision
überzogen [yːbɐˈtsoːgn] *adj* (≈ *übertrieben*) excessive; → ***überziehen***[1]
Überzug *m* cover
üblich [ˈyːplɪç] *adj* usual; (≈ *herkömmlich*) customary; (≈ *normal*) normal; ***wie ~*** as usual; ***das ist bei ihm so ~*** that's usual for him; ***allgemein ~ sein*** to be common practice **üblicherweise** [ˈyːplɪçəˈvaizə] *adv* normally
U-Boot [ˈuː-] *nt* submarine, sub (*infml*)
übrig [ˈyːbrɪç] *adj* **1.** *attr* (≈ *verbleibend*) rest of, remaining; (≈ *andere*) other; ***alle ~en Bücher*** all the remaining *or* all the rest of the books **2.** *pred* left (over); (≈ *zu entbehren*) spare; ***etw ~ haben*** to have sth left (over)/to spare; → ***übrighaben*** **3.** ***das Übrige*** the rest, the remainder; ***im Übrigen*** incidentally, by the way **übrig bleiben** *v/i irr aux sein* to be left (over); ***da wird ihm gar nichts anderes ~*** he won't have any choice **übrigens** [ˈyːbrɪgns] *adv* incidentally, by the way
übrighaben *v/i sep irr* (≈ *mögen*) ***für jdn/etw nichts ~*** to have no time for sb/sth; ***für jdn/etw viel ~*** to be very fond of sb/sth
Übung [ˈyːbʊŋ] *f* ⟨**-, -en**⟩ **1.** *no pl* practice; ***aus der ~ kommen*** to get out of practice; ***in ~ bleiben*** to keep in practice; ***zur ~*** as practice; ***~ macht den Meister*** (*prov*) practice makes perfect (*prov*) **2.** MIL, SPORTS, SCHOOL exercise
Ufer [ˈuːfɐ] *nt* ⟨**-s, -**⟩ (≈ *Flussufer*) bank; (≈ *Seeufer*) shore; ***etw ans ~ spülen*** to wash sth ashore; ***der Fluss trat über die ~*** the river burst its banks **uferlos** *adj* (≈ *endlos*) endless; (≈ *grenzenlos*) boundless; ***ins Uferlose gehen*** (*Debatte etc*) to go on forever; (*Kosten*) to go up and up
UFO, Ufo [ˈuːfo] *nt* ⟨**-(s), -s**⟩ UFO, Ufo
Uganda [uˈganda] *nt* ⟨**-s**⟩ Uganda **ugandisch** [uˈgandɪʃ] *adj* Ugandan
U-Haft [ˈuː-] *f* (*infml*) custody
Uhr [uːɐ] *f* ⟨**-, -en**⟩ **1.** clock; (≈ *Armbanduhr, Taschenuhr*) watch; (≈ *Wasseruhr, Gasuhr*) meter; ***nach meiner ~*** by my watch; ***rund um die ~*** round the clock; ***ein Rennen gegen die ~*** a race against the clock **2.** (*bei Zeitangaben*) ***um drei ~*** at three (o'clock); ***wie viel ~ ist es?*** what time is it?, what's the time?; ***um wie viel ~?*** (at) what time? **Uhr(arm)band** [-bant] *nt, pl* ***-bänder*** watch strap; (*aus*

Metall) watch bracelet **Uhrmacher(in)** *m/(f)* clockmaker; watchmaker **Uhrwerk** *nt* clockwork mechanism **Uhrzeiger** *m* (clock / watch) hand **Uhrzeigersinn** *m* ***im ~*** clockwise; ***entgegen dem ~*** anticlockwise (*Br*), counterclockwise (*US*) **Uhrzeit** *f* time (of day)

Uhu ['uːhu] *m* ⟨***-s, -s***⟩ eagle owl

Ukraine [ukra'iːnə, u'krainə] *f* ⟨**-**⟩ ***die ~*** the Ukraine **ukrainisch** [ukra'iːnɪʃ, u'krainɪʃ] *adj* Ukrainian

UKW [uːkaː'veː] *abbr* RADIO ≈ FM

Ulk [ʊlk] *m* ⟨***-(e)s, -e***⟩ (*infml*) lark (*Br infml*), hoax (*US infml*); (≈ *Streich*) trick; ***~ machen*** to clown *or* play around **ulkig** ['ʊlkɪç] *adj* (*infml*) funny

Ulme ['ʊlmə] *f* ⟨***-, -n***⟩ elm

ultimativ [ʊltima'tiːf] *adj* **1.** *Forderung etc* given as an ultimatum **2.** (*infml* ≈ *beste*) *Film, Buch* ultimate (*infml*) **Ultimatum** [ʊlti'maːtʊm] *nt* ⟨***-s, -s*** *or* ***Ultimaten*** [-tn]⟩ ultimatum; ***jdm ein ~ stellen*** to give sb an ultimatum

ultramodern [-modɛrn] *adj* ultramodern **Ultraschall** *m* PHYS ultrasound **Ultraschallgerät** *nt* ultrasound scanner **Ultraschalluntersuchung** *f* scan (*Br*), ultrasound **ultraviolett** *adj* ultraviolet

um [ʊm] **I** *prep +acc* **1. *um ... (herum)*** around; ***um sich schauen*** to look around one **2.** (*zur Zeitangabe*) at; ***(genau) um acht*** at eight (sharp); ***um Weihnachten*** around Christmas **3.** (≈ *betreffend*) about; ***es geht um das Prinzip*** it's a question of principles **4.** (≈ *für*) ***der Kampf um die Stadt*** the battle for the town; ***um Geld spielen*** to play for money; ***sich um etw sorgen*** to worry about sth **5.** (*bei Differenzangaben*) by; ***um 10% teurer*** 10% more expensive; ***um vieles besser*** far better; ***um nichts besser*** no better; ***etw um 4 cm verkürzen*** to shorten sth by 4 cm **II** *prep +gen* ***um ... willen*** for the sake of **III** *cj* ***um ... zu*** (*final*) (in order) to **IV** *adv* (≈ *ungefähr*) ***um (die) 30 Schüler*** *etc* about *or* (a)round about 30 pupils *etc*

umändern *v/t sep* to alter

umarbeiten *v/t sep* to alter; *Buch etc* to rewrite, to rework

umarmen [ʊm'armən] *past part* ***umarmt*** *v/t insep* to embrace, to hug **Umarmung** *f* ⟨***-, -en***⟩ embrace (*also euph*), hug

Umbau *m, pl* ***-bauten*** rebuilding, renovation; (*zu etwas anderem*) conversion (*zu* into); (≈ *Umänderung*) alterations *pl*; ***das Gebäude befindet sich im ~*** the building is being renovated **umbauen** ['ʊmbauən] *sep v/t* to rebuild, to renovate; (*zu etw anderem*) to convert (*zu* into); (≈ *umändern*) to alter

umbenennen *past part* ***umbenannt*** *v/t sep irr* to rename (*in etw* sth)

umbesetzen *past part* ***umbesetzt*** *v/t sep* THEAT to recast; *Mannschaft* to reorganize

umbilden *v/t sep* (*fig*) to reorganize; POL *Kabinett* to reshuffle (*Br*), to shake up (*US*) **Umbildung** *f* reorganization; POL reshuffle (*Br*), shake up (*US*)

umbinden ['ʊmbɪndn] *v/t sep irr* to put on; ***sich*** (*dat*) ***einen Schal ~*** to put a scarf on

umblättern *v/t & v/i sep* to turn over

umbringen *sep irr* **I** *v/t* to kill **II** *v/r* to kill oneself; ***er bringt sich fast um vor Höflichkeit*** (*infml*) he falls over himself to be polite

Umbruch *m* **1.** radical change **2.** TYPO make-up

umbuchen *sep v/t* **1.** *Flug, Termin* to alter one's booking for **2.** FIN *Betrag* to transfer

umdenken *v/i sep irr* to change one's ideas; ***darin müssen wir ~*** we'll have to rethink that

umdisponieren *past part* ***umdisponiert*** *v/i sep* to change one's plans

umdrehen *sep* **I** *v/t* to turn over; (*um die Achse*) to turn (a)round; *Schlüssel* to turn **II** *v/r* to turn (a)round (*nach* to look at); (*im Bett etc*) to turn over **Umdrehung** *f* turn; PHYS revolution, rotation; MOT revolution, rev

umeinander *adv* about each other *or* one another; (*räumlich*) (a)round each other

umfahren[1] ['ʊmfaːrən] *v/t sep irr* (≈ *überfahren*) to run over

umfahren[2] [ʊm'faːrən] *past part* ***umfahren*** *v/t insep irr* (≈ *fahren um*) to go (a)round; (*mit dem Auto*) to drive (a)round; (*auf Umgehungsstraße*) to bypass **Umfahrung** *f* (*Aus*) bypass, beltway (*US*)

umfallen *v/i sep irr aux sein* to fall over; (*Gegenstand*) to fall (down); (*infml* ≈ *ohnmächtig werden*) to pass out; (*fig infml* ≈ *nachgeben*) to give in; ***zum Umfallen müde sein*** to be ready to drop; ***wir arbeiteten bis zum Umfallen*** we worked until we were ready to drop

Umfang *m* **1.** (*von Kreis etc*) circumference; (≈ *Bauchumfang*) girth **2.** (*fig*) (≈ *Ausmaß*) extent; (≈ *Reichweite*) range; (*von Untersuchung etc*) scope; (*von Verkauf etc*) volume; ***in großem ~*** on a large scale; ***in vollem ~*** fully, entirely **umfangreich** *adj* extensive; (≈ *geräumig*) spacious

umfassen [ʊm'fasn] *past part* ***umfasst*** *v/t insep* **1.** to grasp; (≈ *umarmen*) to embrace **2.** (*fig*) (≈ *einschließen*) *Zeitperiode* to cover; (≈ *enthalten*) to contain **umfassend I** *adj* extensive; (≈ *vieles enthaltend*) comprehensive; *Geständnis* full, complete **II** *adv* comprehensively

Umfeld *nt* surroundings *pl*; (*fig*) sphere

umfliegen [ʊm'fliːgn] *past part* ***umflogen*** [ʊm'floːgn] *v/t insep irr* (≈ *fliegen um*) to fly (a)round

umformen *v/t sep* **1.** to reshape (*in +acc* into) **2.** ELEC to convert

Umfrage *f* SOCIOL survey; *esp* POL (opinion) poll **Umfrageergebnis** *nt* survey/poll result(s *pl*)

umfüllen *v/t sep* to transfer into another bottle/container *etc*

umfunktionieren *past part* ***umfunktioniert*** *v/t sep* to change the function of; ***etw zu etw ~*** to turn sth into sth

Umgang [-gaŋ] *m, no pl* **1.** (≈ *gesellschaftlicher Verkehr*) dealings *pl*; (≈ *Bekanntenkreis*) acquaintances *pl*; ***schlechten ~ haben*** to keep bad company; ***~ mit jdm pflegen*** to associate with sb; ***er ist kein ~ für dich*** he's not fit company for you **2.** ***im ~ mit Tieren muss man ...*** in dealing with animals one must ...; ***der ~ mit Kindern muss gelernt sein*** you have to learn how to handle children **umgänglich** ['ʊmgɛŋlɪç] *adj* affable **Umgangsformen** *pl* manners *pl* **Umgangssprache** *f* colloquial language **umgangssprachlich** *adj* colloquial

umgeben [ʊm'geːbn] *past part* ***umgeben*** *insep irr* **I** *v/t* to surround **II** *v/r* ***sich mit jdm/etw ~*** to surround oneself with sb/sth **Umgebung** *f* ⟨-, -en⟩ (≈ *Umwelt*) surroundings *pl*; (≈ *Nachbarschaft*) neighbourhood (*Br*), neighborhood (*US*); (≈ *gesellschaftlicher Hintergrund*) background

umgehen¹ ['ʊmgeːən] *v/i sep irr aux sein* **1.** (*Gerücht etc*) to go (a)round; (*Grippe*) to be going round **2.** ***mit jdm/etw ~ können*** to know how to handle sb/sth; ***mit jdm grob/behutsam ~*** to treat sb roughly/gently; ***sorgsam mit etw ~*** to be careful with sth

umgehen² [ʊm'geːən] *past part* ***umgangen*** [ʊm'gaŋən] *v/t insep irr* (*fig*) to avoid; *Gesetz* to get (a)round

umgehend I *adj* immediate **II** *adv* immediately

Umgehung [ʊm'geːʊŋ] *f* ⟨-, -en⟩ (≈ *Vermeidung*) avoidance; (*von Gesetz*) circumvention; (*von Frage*) evasion **Umgehungsstraße** *f* bypass, beltway (*US*)

umgekehrt ['ʊmgəkeːɐt] **I** *adj Reihenfolge* reverse; (≈ *gegenteilig*) opposite, contrary; (≈ *andersherum*) the other way (a)round; ***in die ~e Richtung fahren*** to go in the opposite direction; ***genau ~!*** quite the contrary!; → ***umkehren*** **II** *adv* (≈ *andersherum*) the other way (a)round; ***... und/oder ~*** ... and/or vice versa

umgestalten *past part* ***umgestaltet*** *v/t sep* to alter; (≈ *reorganisieren*) to reorganize; (≈ *umordnen*) to rearrange **Umgestaltung** *f* alteration; (≈ *Reorganisation*) reorganization; (≈ *Umordnung*) rearrangement

umgewöhnen *past part* ***umgewöhnt*** *v/r sep* to readapt

umgraben *v/t sep irr* to dig over; *Erde* to turn (over)

umgucken *v/r sep* = ***umsehen***

umhaben *v/t sep irr* (*infml*) to have on

Umhang *m* cape; (*länger*) cloak; (≈ *Umhängetuch*) shawl **umhängen** *v/t sep* **1.** *Rucksack etc* to put on; *Jacke*, *Schal etc* to drape (a)round; *Gewehr* to sling on; ***sich*** (*dat*) ***etw ~*** to put sth on; to drape sth (a)round one **2.** *Bild* to rehang

Umhängetasche *f* shoulder bag

umhauen *v/t sep irr* **1.** *Baum* to chop down **2.** (*infml* ≈ *umwerfen*) to knock over **3.** (*infml*) (≈ *erstaunen*) to bowl over (*infml*)

umher [ʊm'heːɐ] *adv* around, about (*Br*) **umherlaufen** *v/i sep irr aux sein* to walk around; (≈ *rennen*) to run around **umherziehen** *v/i sep irr aux sein* to move around (*in etw* (*dat*) sth)

umhinkönnen [ʊm'hɪn-] *v/i sep irr* ***ich kann nicht umhin, das zu tun*** I can't avoid doing it; (*einem Zwang folgend*) I can't help doing it

umhören *v/r sep* to ask around

umhüllen [ʊmˈhʏlən] *past part* ***umhüllt*** *v/t insep* to wrap (up) (*mit* in) **umjubeln** [ʊmˈjuːbln] *past part* ***umjubelt*** *v/t insep* to cheer **umkämpfen** [ʊmˈkɛmpfn] *past part* ***umkämpft*** *v/t insep Stadt* to fight over; *Wahlkreis* to contest **Umkehr** [ˈʊmkeːɐ] *f* ⟨-, *no pl*⟩ **1.** (*lit*) turning back; ***jdn zur ~ zwingen*** to force sb to turn back **2.** (*fig elev*) (≈ *Änderung*) change **umkehrbar** *adj* reversible **umkehren** *sep* **I** *v/i aux sein* to turn back **II** *v/t Reihenfolge*, *Trend* to reverse; *Verhältnisse* to overturn; GRAM, MAT to invert; → ***umgekehrt*** **III** *v/r* (*Verhältnisse*) to become reversed **umkippen** *sep* **I** *v/t* to tip over; *Auto* to overturn; *Vase* to knock over **II** *v/i aux sein* **1.** to tip over; (*Auto*) to overturn **2.** (*infml* ≈ *ohnmächtig werden*) to pass out **3.** (*infml* ≈ *aufgeben*) to back down **4.** (*Fluss*, *See*) to become polluted **umklappen** *v/t sep* to fold down **Umkleidekabine** *f* changing cubicle **Umkleideraum** *m* changing room **umknicken** *sep* **I** *v/t Ast*, *Mast* to snap; *Baum* to break; *Strohhalm* to bend over **II** *v/i aux sein* (*Ast*) to snap; (*Strohhalm*) to get bent over; ***mit dem Fuß ~*** to twist one's ankle **umkommen** *v/i sep irr aux sein* (≈ *sterben*) to be killed; ***vor Langeweile ~*** (*infml*) to be bored to death (*infml*) **Umkreis** *m* (≈ *Umgebung*) surroundings *pl*; (≈ *Gebiet*) area; (≈ *Nähe*) vicinity; ***im näheren ~*** in the vicinity **umkreisen** [ʊmˈkraizn] *past part* ***umkreist*** *v/t insep* to circle (around); SPACE to orbit **umkrempeln** *v/t sep* **1.** *Ärmel*, *Hosenbein* to turn up; (*mehrmals*) to roll up **2.** (≈ *umwenden*) to turn inside out; (*infml*) *Betrieb*, *System* to shake up (*infml*) **umladen** *v/t sep irr* to transfer **Umlage** *f* ***eine ~ machen*** to split the cost **umlagern** [ʊmˈlaːgɐn] *past part* ***umlagert*** *v/t insep* (≈ *einkreisen*) to surround **Umlauf** *m* (≈ *das Kursieren*) circulation (*also fig*); ***im ~ sein*** to be in circulation **Umlaufbahn** *f* orbit **Umlaut** *m* **1.** *no pl* umlaut **2.** (*Laut*) vowel with umlaut **umlegen** *sep v/t* **1.** (≈ *umhängen*) to put round **2.** (≈ *umklappen*) *Hebel* to turn **3.** (≈ *verlegen*) *Kranke* to move; *Termin* to change (*auf +acc* to) **4.** (≈ *verteilen*) ***die 200 Euro wurden auf uns fünf umgelegt*** the five of us each had to pay a contribution toward(s) the 200 euros **5.** (*infml* ≈ *ermorden*) to bump off (*infml*) **umleiten** *v/t sep* to divert **Umleitung** *f* diversion; (*Strecke auch*) detour **umlernen** *v/i sep* to retrain; (*fig*) to change one's ideas **umliegend** *adj* surrounding **Umluftherd** *m* fan-assisted oven **Umnachtung** [ʊmˈnaxtʊŋ] *f* ⟨-, ***-en***⟩ ***geistige ~*** mental derangement **umordnen** *v/t sep* to rearrange **umorganisieren** *past part* ***umorganisiert*** *v/t sep* to reorganize **umpflanzen** [ˈʊmpflantsn] *v/t sep* (≈ *woanders pflanzen*) to transplant; *Topfpflanze* to repot **umpflügen** *v/t sep* to plough (*Br*) *or* plow (*US*) up **umquartieren** *past part* ***umquartiert*** *v/t sep* to move **umrahmen** [ʊmˈraːmən] *past part* ***umrahmt*** *v/t insep* to frame **umranden** [ʊmˈrandn] *past part* ***umrandet*** *v/t insep* to edge **umräumen** *sep* **I** *v/t* to rearrange; (≈ *an anderen Platz bringen*) to shift **II** *v/i* to rearrange the furniture **umrechnen** *v/t sep* to convert (*in +acc* into) **Umrechnung** *f* conversion **Umrechnungskurs** *m* exchange rate **Umrechnungstabelle** *f* conversion table **umreißen** [ʊmˈraisn] *past part* ***umrissen*** [ʊmˈrɪsn] *v/t insep irr* (≈ *skizzieren*) to outline **umrennen** *v/t sep irr* to (run into and) knock down **umringen** [ʊmˈrɪŋən] *past part* ***umringt*** *v/t insep* to surround **Umriss** *m* outline; (≈ *Kontur*) contour(s *pl*); ***etw in ~en zeichnen/erzählen*** to outline sth **umrühren** *v/t sep* to stir **umrüsten** *v/t sep* TECH to adapt; ***etw auf etw*** (*acc*) **~** to convert sth to sth **umsatteln** *v/i sep* (*infml*) (*beruflich*) to change jobs; ***von etw auf etw*** (*acc*) **~** to switch from sth to sth **Umsatz** *m* COMM turnover **Umsatzbeteiligung** *f* commission **Umsatzplus** *nt* COMM increase in turnover **Umsatzrückgang** *m* drop in turnover **Umsatzsteuer** *f* sales tax

umschalten *v/i sep* to flick the/a switch; (*auf anderen Sender*) to turn over (*auf +acc* to); (*Ampel*) to change

Umschau *f, no pl* **~ halten** to look around (*nach* for) **umschauen** *v/r sep* (*esp dial*) = **umsehen**

umschiffen [ʊmˈʃɪfn] *past part* **umschifft** *v/t insep* to sail (a)round

Umschlag *m* **1.** (≈ *Hülle*) cover; (≈ *Briefumschlag*) envelope; (≈ *Buchumschlag*) jacket **2.** MED compress **3.** (≈ *Ärmelumschlag*) cuff; (≈ *Hosenumschlag*) turn-up (*Br*), cuff (*US*) **umschlagen** *sep irr* **I** *v/t* **1.** *Ärmel, Hosenbein* to turn up; *Kragen* to turn down **2.** (≈ *umladen*) *Güter* to transship **II** *v/i aux sein* (≈ *sich ändern*) to change (suddenly); (*Wind*) to veer; ***ins Gegenteil ~*** to become the opposite **Umschlaghafen** *m* port of transshipment **Umschlagplatz** *m* trade centre (*Br*) *or* center (*US*)

umschlungen [ʊmˈʃlʊŋən] *adj* ***eng ~*** with their *etc* arms tightly (a)round each other

umschmeißen *v/t sep irr* (≈ *umwerfen*) to knock over

umschreiben[1] [ˈʊmʃraibn] *v/t sep irr* **1.** *Text etc* to rewrite **2.** *Hypothek etc* to transfer

umschreiben[2] [ʊmˈʃraibn] *past part* **umschrieben** [ʊmˈʃriːbn] *v/t insep irr* (≈ *mit anderen Worten ausdrücken*) to paraphrase; (≈ *darlegen*) to describe **Umschreibung** [ʊmˈʃraibʊŋ] *f* (≈ *das Umschriebene*) paraphrase; (≈ *Darlegung*) description

umschulden *v/t sep* COMM *Kredit* to convert, to fund

umschulen *v/t sep* **1.** (*beruflich*) to retrain **2.** (*auf andere Schule*) to transfer (to another school) **Umschulung** *f* retraining; (*auf andere Schule*) transfer

umschwärmen [ʊmˈʃvɛrmən] *past part* **umschwärmt** *v/t insep* to swarm (a)round; (≈ *verehren*) to idolize

Umschweife [ˈʊmʃvaifə] *pl* ***ohne ~*** straight out

umschwenken *v/i sep* **1.** *aux sein or haben* (*Anhänger, Kran*) to swing out; (*fig*) to do an about-turn (*Br*) *or* about-face (*US*) **2.** (*Wind*) to veer

Umschwung *m* (*fig*) (≈ *Veränderung*) drastic change; (*ins Gegenteil*) about-turn (*Br*), about-face (*US*)

umsegeln [ʊmˈzeːgln] *past part* **umsegelt** *v/t insep* to sail (a)round

umsehen *v/r sep irr* to look around (*nach* for); (*rückwärts*) to look back; ***sich in der Stadt ~*** to have a look (a)round the town; ***ich möchte mich nur mal ~*** (*in Geschäft*) I'm just looking

um sein *v/i irr aux sein* (*Frist, Zeit*) to be up

umseitig [ˈʊmzaitɪç] *adj, adv* overleaf

umsetzen *sep v/t* **1.** *Waren, Geld* to turn over **2.** ***etw in die Tat ~*** to translate sth into action

Umsicht *f, no pl* circumspection, prudence **umsichtig** [ˈʊmzɪçtɪç] **I** *adj* circumspect, prudent **II** *adv* circumspectly, prudently

umsiedeln *v/t & v/i sep* to resettle **Umsiedlung** [ˈʊmziːdlʊŋ] *f* resettlement

umso [ˈʊmzoː] *cj* (≈ *desto*) ***~ besser/schlimmer!*** so much the better/worse!; ***~ mehr, als ...*** all the more considering *or* as

umsonst [ʊmˈzɔnst] *adv* **1.** (≈ *unentgeltlich*) free (of charge (*esp* COMM)) **2.** (≈ *vergebens*) in vain; (≈ *erfolglos*) without success

umsorgen [ʊmˈzɔrgn] *past part* **umsorgt** *v/t insep* to look after

umspringen [ˈʊmʃprɪŋən] *v/i sep irr aux sein* ***mit jdm grob*** *etc* **~** (*infml*) to treat sb roughly *etc*

Umstand *m* **1.** circumstance; (≈ *Tatsache*) fact; ***den Umständen entsprechend*** much as one would expect (under the circumstances); ***nähere Umstände*** further details; ***in anderen Umständen sein*** to be expecting; ***unter keinen Umständen*** under no circumstances; ***unter Umständen*** possibly **2. Umstände** *pl* (≈ *Mühe*) bother *sg*; (≈ *Förmlichkeit*) fuss *sg*; ***machen Sie bloß keine Umstände!*** please don't go to any bother **umständehalber** [ˈʊmʃtɛndəhalbɐ] *adv* owing to circumstances **umständlich** [ˈʊmʃtɛntlɪç] **I** *adj Methode* (awkward and) involved; *Vorbereitung* elaborate; *Erklärung* long-winded; *Abfertigung* laborious; ***sei doch nicht so ~!*** don't make everything twice as hard as it really is!; ***das ist mir zu ~*** that's too much bother **II** *adv erklären* in a roundabout way; *vorgehen* awkwardly **Umständlichkeit** *f* ⟨-, **-en**⟩ (*von Methode*) involvedness; (*von Erklärung etc*) long-windedness **Umstandskleid** *nt* maternity dress **Umstandskleidung** *f* maternity wear **Umstandskrämer** *m* ⟨**-s, -**⟩, **Umstandskrämerin** *f* ⟨**-, -nen**⟩ (*infml*) fusspot (*Br infml*), fussbudget (*US*)

umstehend I *adj attr* **1.** (≈ *in der Nähe stehend*) standing nearby **2.** (≈ *umseitig*) overleaf **II** *adv* overleaf

umsteigen *v/i sep irr aux sein* **1.** (*in Bus, Zug etc*) to change (buses/trains *etc*) **2.** (*fig infml*) to switch (over) (*auf +acc* to)

umstellen[1] [ˈʊmʃtɛlən] *sep* **I** *v/t* to change (a)round; *Hebel, Betrieb* to switch over; *Uhr* to change; *Währung* to change over **II** *v/i* ***auf etw*** (*acc*) **~** (*Betrieb*) to switch over to sth **III** *v/r* ***sich auf etw*** (*acc*) **~** to adjust to sth

umstellen[2] [ʊmˈʃtɛlən] *past part* ***umstellt*** *v/t insep* (≈ *einkreisen*) to surround

Umstellung [ˈʊm-] *f* **1.** changing (a)round **2.** (*von Hebel, Betrieb*) switch-over; (*von Währung*) changeover; ***~ auf Erdgas*** conversion to natural gas **3.** (*fig* ≈ *das Sichumstellen*) adjustment (*auf +acc* to); ***das wird eine große ~ für ihn sein*** it will be a big change for him

umstimmen *v/t sep* ***jdn ~*** to change sb's mind; ***er ließ sich nicht ~*** he was not to be persuaded

umstoßen *v/t sep irr Gegenstand* to knock over; (*fig*) to change; (*Umstände etc*) *Plan, Berechnung* to upset

umstritten [ʊmˈʃtrɪtn] *adj* controversial

umstrukturieren *past part* ***umstrukturiert*** *v/t sep* to restructure

Umsturz *m* coup (d'état) **umstürzen** *sep* **I** *v/t* to overturn; (*fig*) *Regierung* to overthrow **II** *v/i aux sein* to fall

umtaufen *v/t sep* to rebaptize; (≈ *umbenennen*) to rechristen

Umtausch *m* exchange; ***diese Waren sind vom ~ ausgeschlossen*** these goods cannot be exchanged **umtauschen** *v/t sep* to (ex)change; *Geld* to change (*in +acc* into)

umtopfen *v/t sep Blumen etc* to repot

Umtriebe *pl* machinations *pl*; ***umstürzlerische ~*** subversive activities

umtun *v/r sep irr* (*infml*) to look around (*nach* for)

umverteilen *past part* ***umverteilt*** *v/t sep or insep* to redistribute **Umverteilung** *f* redistribution

umwandeln [ˈʊmvandln] *sep v/t* to change (*in +acc* into); (COMM, SCI) to convert (*in +acc* to); JUR *Strafe* to commute (*in +acc* to); (*fig*) to transform (*in +acc* into)

Umwandlung [ˈʊm-] *f* change; COMM, SCI conversion; (*fig*) transformation

Umweg [ˈʊmveːk] *m* detour; (*fig*) roundabout way; ***wenn das für Sie kein ~ ist*** if it doesn't take you out of your way; ***etw auf ~en erfahren*** (*fig*) to find sth out indirectly

Umwelt *f, no pl* environment **umweltbedingt** *adj* determined by the environment **Umweltbehörde** *f* environmental authority **umweltbelastend** *adj* causing environmental pollution **umweltbewusst** *adj Person* environmentally aware **Umweltbewusstsein** *nt* environmental awareness **Umweltexperte** *m*, **Umweltexpertin** *f* environmental expert **umweltfreundlich** *adj* environmentally friendly **Umweltfreundlichkeit** *f* environmental friendliness **umweltgefährdend** *adj* harmful to the environment **Umweltgift** *nt* environmental pollutant **Umweltkatastrophe** *f* ecological disaster **Umweltkriminalität** *f* environmental crimes *pl* **Umweltpapier** *nt* recycled paper **Umweltpolitik** *f* environmental policy **Umweltschaden** *m* damage to the environment **umweltschädlich** *adj* harmful to the environment **umweltschonend** *adj* environmentally friendly **Umweltschutz** *m* conservation **Umweltschutzbeauftragte(r)** *m/f(m) decl as adj* environmental protection officer **Umweltschützer(in)** *m/(f)* conservationist, environmentalist **Umweltschutzorganisation** *f* environmentalist group **Umweltsteuer** *f* ecology tax **Umweltsünder(in)** *m/(f)* (*infml*) polluter **Umweltverschmutzung** *f* pollution (of the environment) **umweltverträglich** *adj Produkte, Stoffe* not harmful to the environment **Umweltverträglichkeit** *f* environmental friendliness **Umweltzerstörung** *f* destruction of the environment

umwenden *sep irr* **I** *v/t* to turn over **II** *v/r* to turn ((a)round) (*nach* to)

umwerben [ʊmˈvɛrbn] *past part* ***umworben*** [ʊmˈvɔrbn] *v/t insep irr* to court

umwerfen *v/t sep irr* **1.** *Gegenstand* to knock over; *Möbelstück etc* to overturn **2.** (*fig* ≈ *ändern*) to upset; *Vorstellungen* to throw over **3.** (*fig infml*) to stun **umwerfend** *adj* fantastic

umwickeln [ʊmˈvɪkln] *past part* ***umwi-***

ckelt *v/t insep* to wrap (a)round
umzäunen [ʊm'tsɔynən] *past part* ***umzäunt*** *v/t insep* to fence (a)round
umziehen ['ʊmtsiːən] *sep irr* **I** *v/i aux sein* to move; ***nach Köln ~*** to move to Cologne **II** *v/r* to change, to get changed
umzingeln [ʊm'tsɪŋln] *past part* ***umzingelt*** *v/t insep* to surround, to encircle
Umzug ['ʊmtsuːk] *m* **1.** (≈ *Wohnungsumzug*) move, removal (*esp Br*) **2.** (≈ *Festzug*) procession; (≈ *Demonstrationszug*) parade
unabänderlich [ʊn|ap'|ɛndɐlɪç] *adj* (≈ *unwiderruflich*) unalterable; *Entschluss* irrevocable; ***~ feststehen*** to be absolutely certain
unabdingbar [ʊn|ap'dɪŋbaːɐ, 'ʊn-] *adj* indispensable; *Notwendigkeit* absolute
unabhängig *adj* independent (*von* of); ***~ davon, was Sie meinen*** irrespective of what you think **Unabhängigkeit** *f, no pl* independence **Unabhängigkeitserklärung** *f* declaration of independence
unabkömmlich *adj* (*elev*) busy; (≈ *unverzichtbar*) indispensable
unablässig [ʊn|ap'lɛsɪç, 'ʊn-] **I** *adj* continual **II** *adv* continually
unabsehbar *adj* (*fig*) *Folgen etc* unforeseeable; *Schaden* immeasurable; ***auf ~e Zeit*** for an indefinite period
unabsichtlich **I** *adj* unintentional **II** *adv* unintentionally
unabwendbar *adj* inevitable
unachtsam *adj* (≈ *unaufmerksam*) inattentive; (≈ *nicht sorgsam*) careless; (≈ *unbedacht*) thoughtless
unähnlich *adj* dissimilar
unanfechtbar *adj* incontestable; *Beweis* irrefutable
unangebracht *adj* uncalled-for; (*für Kinder etc*) unsuitable; (≈ *unzweckmäßig*) *Maßnahmen* inappropriate
unangefochten ['ʊn|angəfɔxtn] *adj* unchallenged; *Urteil*, *Testament* uncontested
unangemeldet ['ʊn|angəmɛldət] **I** *adj* unannounced *no adv*; *Besucher* unexpected **II** *adv* unannounced; *besuchen* without letting sb know
unangemessen **I** *adj* (≈ *zu hoch*) unreasonable; (≈ *unzulänglich*) inadequate; ***einer Sache*** (*dat*) ***~ sein*** to be inappropriate to sth **II** *adv hoch, teuer* unreasonably; *sich verhalten* inappropriately
unangenehm *adj* unpleasant; *Frage* awkward; ***er kann ~ werden*** he can get quite nasty
unannehmbar *adj* unacceptable **Unannehmlichkeit** *f usu pl* trouble *no pl*; ***~en bekommen*** to get into trouble
unansehnlich *adj* unsightly; *Tapete*, *Möbel* shabby
unanständig *adj* **1.** (≈ *unerzogen*) bad-mannered **2.** (≈ *anstößig*) dirty; *Wörter* rude; *Kleidung* indecent **Unanständigkeit** *f* **1.** (≈ *Unerzogenheit*) bad manners *pl* **2.** (≈ *Obszönität*) obscenity
unantastbar [ʊn|an'tastbaːɐ, 'ʊn-] *adj* sacrosanct; *Rechte* inviolable
unappetitlich *adj* unappetizing
Unart *f* bad habit **unartig** *adj* naughty
unaufdringlich *adj* unobtrusive
unauffällig *adj* inconspicuous; (≈ *schlicht*) unobtrusive
unauffindbar *adj* nowhere to be found; *vermisste Person* untraceable
unaufgefordert ['ʊn|aufgəfɔrdɐt] **I** *adj* unsolicited (*esp* COMM) **II** *adv* without being asked
unaufgeklärt *adj* unexplained; *Verbrechen* unsolved
unaufhaltsam [ʊn|auf'haltzaːm, 'ʊn-] *adj* unstoppable
unaufhörlich [ʊn|auf'høːɐlɪç, 'ʊn-] **I** *adj* incessant **II** *adv* incessantly
unaufmerksam *adj* inattentive
unaufrichtig *adj* insincere
unausbleiblich [ʊn|aus'blaiplɪç, 'ʊn-] *adj* inevitable
unausgefüllt ['ʊn|ausgəfʏlt] *adj Leben*, *Mensch* unfulfilled
unausgeglichen *adj* unbalanced **Unausgeglichenheit** *f* imbalance
unausgegoren *adj* immature
unausgesprochen *adj* unspoken
unausgewogen *adj* unbalanced **Unausgewogenheit** *f* imbalance
unaussprechlich [ʊn|aus'ʃprɛçlɪç, 'ʊn-] *adj* **1.** *Wort* unpronounceable **2.** *Leid etc* inexpressible
unausstehlich [ʊn|aus'ʃteːlɪç, 'ʊn-] *adj* intolerable
unausweichlich [ʊn|aus'vaiçlɪç, 'ʊn-] *adj* unavoidable
unbändig ['ʊnbɛndɪç] *adj* **1.** *Kind* boisterous **2.** *Freude*, *Hass*, *Zorn* unrestrained *no adv*; *Ehrgeiz* boundless
unbarmherzig **I** *adj* merciless **II** *adv* mercilessly
unbeabsichtigt ['ʊnbə|apzɪçtɪçt] **I** *adj*

unintentional **II** *adv* unintentionally
unbeachtet ['ʊnbə|axtət] *adj* unnoticed; *Warnung* unheeded; **~ bleiben** to go unnoticed/unheeded; **jdn/etw ~ lassen** not to take any notice of sb/sth
unbeantwortet ['ʊnbə|antvɔrtət] *adj, adv* unanswered
unbebaut ['ʊnbəbaut] *adj Land* undeveloped; *Grundstück* vacant; *Feld* uncultivated
unbedacht I *adj* (≈ *hastig*) rash; (≈ *unüberlegt*) thoughtless **II** *adv* rashly
unbedarft ['ʊnbədarft] *adj* (*infml*) simple-minded
unbedenklich I *adj* (≈ *ungefährlich*) quite safe **II** *adv* (≈ *ungefährlich*) quite safely; (≈ *ohne zu zögern*) without thinking (twice (*infml*))
unbedeutend *adj* insignificant; (≈ *geringfügig*) *Änderung etc* minor
unbedingt I *adj attr* **1.** absolute **2.** (*Aus, Swiss*) *Gefängnisstrafe* unconditional **II** *adv* (≈ *auf jeden Fall*) really; *nötig* absolutely; **ich musste sie ~ sprechen** I really had to speak to her; **nicht ~** not necessarily
unbeeindruckt [ʊnbə'|aindrʊkt, 'ʊn-] *adj, adv* unimpressed (*von* by)
unbefahrbar *adj Straße, Weg* impassable
unbefangen I *adj* **1.** (≈ *unvoreingenommen*) impartial **2.** (≈ *ungehemmt*) uninhibited **II** *adv* **1.** (≈ *unvoreingenommen*) impartially **2.** (≈ *ungehemmt*) without inhibition **Unbefangenheit** *f* **1.** (≈ *unparteiische Haltung*) impartiality **2.** (≈ *Ungehemmtheit*) uninhibitedness
unbefriedigend *adj* unsatisfactory **unbefriedigt** *adj* unsatisfied; (≈ *unzufrieden*) dissatisfied
unbefristet I *adj Arbeitsverhältnis* for an indefinite period; *Visum* permanent **II** *adv* for an indefinite period; **etw ~ verlängern** to extend sth indefinitely
unbefugt *adj* unauthorized; **Eintritt für Unbefugte verboten** no admittance to unauthorized persons
unbegabt *adj* untalented
unbegreiflich *adj* (≈ *unverständlich*) incomprehensible; *Dummheit* inconceivable
unbegrenzt I *adj* unlimited; *Frist* indefinite; **auf ~e Zeit** indefinitely; **in ~er Höhe** of an unlimited amount **II** *adv* indefinitely
unbegründet *adj* unfounded; **eine Klage als ~ abweisen** to dismiss a case
Unbehagen *nt* uneasy feeling; (≈ *Unzufriedenheit*) discontent (*an +dat* with); (*körperlich*) discomfort **unbehaglich** *adj* uncomfortable
unbehandelt *adj Wunde, Obst* untreated
unbehelligt [ʊnbə'hɛlɪçt, 'ʊn-] **I** *adj* (≈ *unbelästigt*) unmolested; (≈ *unkontrolliert*) unchecked **II** *adv* (≈ *unkontrolliert*) unchecked; (≈ *ungestört*) in peace
unbeherrscht *adj Reaktion* uncontrolled; *Mensch* lacking self-control **Unbeherrschtheit** *f* ⟨-, -en, *no pl*⟩ (*von Mensch*) lack of self-control
unbeholfen ['ʊnbəhɔlfn] **I** *adj* clumsy; (≈ *hilflos*) helpless **II** *adv* clumsily **Unbeholfenheit** *f* ⟨-, *no pl*⟩ clumsiness; (≈ *Hilflosigkeit*) helplessness
unbeirrbar [ʊnbə'|ɪrbaːɐ, 'ʊn-], **unbeirrt** [ʊnbə'|ɪrt, 'ʊn-] **I** *adj* unwavering **II** *adv festhalten* unwaveringly; *weitermachen* undeterred
unbekannt *adj* unknown; **das war mir ~** I didn't know that; **~e Größe** (MAT, *fig*) unknown quantity; **Strafanzeige gegen ~** charge against person or persons unknown **Unbekannte** *f decl as adj* MAT unknown **Unbekannte(r)** *m/f(m) decl as adj* stranger
unbekleidet *adj* bare; **sie war ~** she had nothing on
unbekümmert [ʊnbə'kʏmɐt, 'ʊn-] **I** *adj* **1.** (≈ *unbesorgt*) unconcerned **2.** (≈ *sorgenfrei*) carefree **II** *adv* (≈ *unbesorgt*) without worrying; (≈ *sorglos*) without a care in the world
unbelastet ['ʊnbəlastət] *adj* **1.** (≈ *ohne Last*) unladen **2.** (≈ *ohne Schulden*) unencumbered **3.** (≈ *ohne Sorgen*) free from worries **4.** (≈ *schadstofffrei*) unpolluted
unbelehrbar *adj* fixed in one's views; *Rassist etc* dyed-in-the-wool *attr*; **er ist ~** you can't tell him anything
unbeleuchtet ['ʊnbəlɔyçtət] *adj Straße, Weg* unlit
unbeliebt *adj* unpopular (*bei* with); **sich ~ machen** to make oneself unpopular
unbemannt ['ʊnbəmant] *adj* unmanned
unbemerkt ['ʊnbəmɛrkt] *adj, adv* unnoticed; **~ bleiben** to go unnoticed
unbenommen [ʊnbə'nɔmən, 'ʊn-] *adj pred* (*form*) **es bleibt Ihnen ~, zu ...** you are (quite) at liberty to ...
unbenutzt ['ʊnbənʊtst] *adj, adv* unused

unbeobachtet ['ʊnbə|oːbaxtət] *adj* unnoticed

unbequem *adj* (≈ *ungemütlich*) uncomfortable; (≈ *lästig*) *Frage, Situation* awkward; (≈ *mühevoll*) difficult; ***diese Schuhe sind mir zu ~*** these shoes are too uncomfortable; ***der Regierung ~ sein*** to be an embarrassment to the government **Unbequemlichkeit** *f* **1.** *no pl* (≈ *Ungemütlichkeit*) lack of comfort; (*von Situation*) awkwardness **2.** *usu pl* inconvenience

unberechenbar *adj* unpredictable

unberechtigt *adj Sorge etc* unfounded; *Kritik* unjustified; (≈ *unbefugt*) unauthorized

unberührt ['ʊnbəryːɐt] *adj* **1.** untouched; (*fig*) *Natur* unspoiled; ***~ sein*** (*Mädchen*) to be a virgin **2.** (≈ *unbetroffen*) unaffected

unbeschädigt ['ʊnbəʃɛdɪçt] *adj, adv* undamaged; *Siegel* unbroken

unbescheiden *adj Mensch, Plan* presumptuous

unbescholten ['ʊnbəʃɔltn] *adj* (*elev*) respectable; *Ruf* spotless; JUR with no previous convictions

unbeschrankt *adj* unguarded

unbeschränkt *adj* unrestricted; *Macht* absolute; *Geldmittel, Zeit* unlimited

unbeschreiblich [ʊnbə'ʃraiplɪç, 'ʊn-] **I** *adj* indescribable; *Frechheit* enormous **II** *adv schön, gut etc* indescribably

unbeschwert ['ʊnbəʃveːɐt] **I** *adj* (≈ *sorgenfrei*) carefree; *Unterhaltung* light-hearted **II** *adv* (≈ *sorgenfrei*) carefree

unbesehen [ʊnbə'zeːən, 'ʊn-] *adv* indiscriminately; (≈ *ohne es anzusehen*) without looking at it/them; ***das glaube ich dir ~*** I believe it if you say so

unbesetzt *adj* vacant; *Schalter* closed

unbesiegbar *adj* invincible **unbesiegt** ['ʊnbəziːkt] *adj* undefeated

unbesonnen I *adj* rash **II** *adv* rashly **Unbesonnenheit** *f* rashness

unbesorgt I *adj* unconcerned; ***Sie können ganz ~ sein*** you can set your mind at rest **II** *adv* without worrying

unbeständig *adj Wetter* changeable; *Mensch* unsteady; (*in Leistungen*) erratic **Unbeständigkeit** *f* (*von Wetter*) changeability; (*von Mensch*) unsteadiness; (*in Leistungen*) erratic behaviour (*Br*) *or* behavior (*US*)

unbestechlich *adj* **1.** *Mensch* incorruptible **2.** *Urteil* unerring

unbestellt *adj **~e Ware*** unsolicited goods *pl*

unbestimmt *adj* **1.** (≈ *ungewiss*) uncertain **2.** (≈ *undeutlich*) *Gefühl etc* vague; ***auf ~e Zeit*** for an indefinite period **3.** GRAM indefinite

unbestreitbar *adj Tatsache* indisputable; *Verdienste* unquestionable **unbestritten** ['ʊnbəʃtrɪtn, ʊnbə'ʃtrɪtn] *adj* indisputable

unbeteiligt *adj* **1.** (≈ *uninteressiert*) indifferent **2.** (≈ *nicht teilnehmend*) uninvolved *no adv* (*an +dat, bei* in)

unbetont *adj* unstressed

unbewacht ['ʊnbəvaxt] *adj, adv* unguarded; *Parkplatz* unattended

unbewaffnet *adj* unarmed

unbeweglich I *adj* **1.** (≈ *nicht zu bewegen*) immovable; (≈ *steif*) stiff; (*geistig*) rigid **2.** (≈ *bewegungslos*) motionless **II** *adv dastehen* motionless

unbewohnbar *adj* uninhabitable **unbewohnt** *adj* uninhabited; *Haus* unoccupied

unbewusst I *adj* unconscious **II** *adv* unconsciously

unbezahlbar *adj* **1.** (≈ *zu teuer*) prohibitively expensive **2.** (*fig*) (≈ *nützlich*) invaluable; (≈ *komisch*) priceless

unblutig *adj Sieg, Umsturz etc* bloodless

unbrauchbar *adj* (≈ *nutzlos*) useless; (≈ *nicht zu verwenden*) unusable

unbürokratisch *adj* unbureaucratic

unchristlich *adj* unchristian

und [ʊnt] *cj* and; ***~?*** well?; ***..., ~ wenn ich selbst bezahlen muss*** ... even if I have to pay myself

Undank *m* ingratitude; ***~ ernten*** to get little thanks **undankbar** *adj Mensch* ungrateful

undatiert ['ʊndatiːɐt] *adj* undated

undefinierbar *adj* indefinable

undemokratisch *adj* undemocratic

undenkbar *adj* inconceivable

undeutlich I *adj* indistinct; *Schrift* illegible; *Erklärung* unclear **II** *adv **~ sprechen*** to speak indistinctly; ***ich konnte es nur ~ verstehen*** I couldn't understand it very clearly

undicht *adj* (≈ *luftdurchlässig*) not airtight; (≈ *wasserdurchlässig*) not watertight; *Dach* leaky, leaking; ***das Rohr ist ~*** the pipe leaks; ***das Fenster ist ~*** the window lets in a draught (*Br*) *or* draft (*US*)

Ụnding *nt, no pl* absurdity; ***es ist ein ~, zu ...*** it is preposterous *or* absurd to ...

ụndiplomatisch *adj* undiplomatic

ụndiszipliniert I *adj* undisciplined **II** *adv* in an undisciplined way

ụndurchlässig *adj* impervious (*gegen* to); *Grenze* closed

undurchschaubar *adj* unfathomable

ụndurchsichtig *adj* **1.** *Fenster, Stoff* opaque **2.** (*fig pej*) *Mensch, Methoden* devious; *Motive* obscure

ụneben *adj* uneven; *Gelände* rough **Ụnebenheit** *f* ⟨**-, -*en***⟩ unevenness; (*von Gelände*) roughness

ụnecht *adj* false; (≈ *vorgetäuscht*) fake; *Schmuck, Edelstein, Blumen etc* artificial

ụnehelich *adj* illegitimate; ***~ geboren sein*** to be illegitimate

ụnehrlich I *adj* dishonest **II** *adv* dishonestly **Ụnehrlichkeit** *f* dishonesty

ụneigennützig I *adj* unselfish **II** *adv* unselfishly **Ụneigennützigkeit** *f* unselfishness

ụneingeschränkt I *adj* absolute, total; *Freiheit* unlimited; *Zustimmung* unqualified; *Vertrauen* absolute; *Lob* unreserved **II** *adv* absolutely, totally; *zustimmen* without qualification; *loben, vertrauen* unreservedly

ụneingeweiht ['ʊn|aingəvait] *adj* uninitiated

ụneinheitlich *adj* nonuniform; *Arbeitszeiten* varied; *Qualität* inconsistent

ụneinig *adj* **1.** (≈ *verschiedener Meinung*) ***über etw*** (*acc*) ***~ sein*** to disagree about sth **2.** (≈ *zerstritten*) divided **Ụneinigkeit** *f* disagreement (+*gen* between)

uneinnehmbar [ʊn|ain'neːmbaːɐ, 'ʊn-] *adj* impregnable

ụneins *adj pred* (≈ *zerstritten*) divided; (***mit jdm***) ***~ sein/werden*** to disagree with sb

ụnempfänglich *adj* (*für* to) unsusceptible; (*für Atmosphäre*) insensitive

ụnempfindlich *adj* (*gegen* to) insensitive; (*gegen Krankheiten etc*) immune; *Teppich* hard-wearing and stain-resistant **Ụnempfindlichkeit** *f, no pl* (*gegen* to) insensitivity; (*gegen Krankheiten etc*) immunity

unẹndlich I *adj* infinite; (*zeitlich*) endless; (***bis***) ***ins Unendliche*** to infinity **II** *adv* infinitely; (*fig* ≈ *sehr*) terribly; ***~ lange diskutieren*** to argue endlessly **Unẹndlichkeit** *f* infinity; (*zeitlich*) endlessness; (*von Universum*) boundlessness

unentbehrlich *adj* indispensable

unentdẹckt ['ʊn|ɛntdɛkt] *adj* undiscovered

unentgẹltlich [ʊn|ɛnt'gɛltlɪç, 'ʊn-] *adj, adv* free of charge

ụnentschieden I *adj* undecided; (≈ *entschlusslos*) indecisive; SPORTS drawn; ***ein ~es Rennen*** a dead heat **II** *adv* ***~ enden*** to end in a draw *or* tie; ***sich ~ trennen*** to draw, to tie **Ụnentschieden** ['ʊn|ɛntʃiːdn] *nt* ⟨**-*s*, -**⟩ SPORTS draw

ụnentschlossen *adj* (≈ *nicht entschieden*) undecided; *Mensch* indecisive

ụnentschuldigt ['ʊn|ɛntʃʊldɪçt] **I** *adj* unexcused; ***~es Fehlen*** absenteeism; SCHOOL truancy **II** *adv* without an excuse

unentwegt [ʊn|ɛnt'veːkt, 'ʊn-] **I** *adj* (*mit Ausdauer*) constant **II** *adv* constantly; ***~ weitermachen*** to continue unceasingly

unerbịttlich [ʊn|ɛɐ'bɪtlɪç] **I** *adj Kampf* relentless; *Härte* unyielding; *Mensch* pitiless **II** *adv* (≈ *hartnäckig*) stubbornly; (≈ *gnadenlos*) ruthlessly

ụnerfahren *adj* inexperienced **Ụnerfahrenheit** *f* inexperience

unerfịndlich [ʊn|ɛɐ'fɪntlɪç, 'ʊn-] *adj* incomprehensible; ***aus ~en Gründen*** for some obscure reason

ụnerfreulich *adj* unpleasant

unerfụ̈llbar [ʊn|ɛɐ'fʏlbaːɐ, 'ʊn-] *adj* unrealizable **ụnerfüllt** ['ʊn|ɛɐfʏlt] *adj* unfulfilled

ụnergiebig *adj Quelle, Thema* unproductive; *Ernte* poor

unergrụ̈ndlich [ʊn|ɛɐ'grʏntlɪç, 'ʊn-] *adj* unfathomable

ụnerheblich *adj* insignificant

ụnerhört[1] ['ʊn|ɛɐ'høːɐt] *adj attr* (≈ *ungeheuer*) enormous; (≈ *empörend*) outrageous; *Frechheit* incredible

ụnerhört[2] ['ʊn|ɛɐhøːɐt] *adj Bitte, Gebet* unanswered

ụnerkannt ['ʊn|ɛɐkant] **I** *adj* unrecognized **II** *adv* without being recognized

unerklärbar *adj* inexplicable; ***das ist mir ~*** I can't understand it

unerlạ̈sslich [ʊn|ɛɐ'lɛslɪç, 'ʊn-] *adj* essential

ụnerlaubt ['ʊn|ɛɐlaupt] **I** *adj* forbidden; *Parken* unauthorized; (≈ *ungesetzlich*) illegal **II** *adv betreten, verlassen* without permission **unerlaubterweise** ['ʊn|ɛɐlauptə'vaizə] *adv* without permission

unerledigt *adj* unfinished; *Post* unanswered; *Rechnung* outstanding; ***etw ~ lassen*** not to deal with sth

unermesslich [ʊn|ɛɐ'mɛslɪç, 'ʊn-] **I** *adj Reichtum, Leid* immense; *Weite, Ozean* vast **II** *adv reich, groß* immensely

unermüdlich [ʊn|ɛɐ'myːtlɪç, 'ʊn-] **I** *adj* tireless **II** *adv* tirelessly

unerreichbar *adj Ziel* unattainable; *Ort* inaccessible

unersättlich [ʊn|ɛɐ'zɛtlɪç, 'ʊn-] *adj* insatiable

unerschöpflich [ʊn|ɛɐ'ʃœpflɪç, 'ʊn-] *adj* inexhaustible

unerschrocken I *adj* courageous **II** *adv* courageously

unerschütterlich [ʊn|ɛɐ'ʃʏtɐlɪç, 'ʊn-] *adj* unshakeable; *Ruhe* imperturbable

unerschwinglich *adj* prohibitive; ***für jdn ~ sein*** to be beyond sb's means

unersetzlich [ʊn|ɛɐ'zɛtslɪç, 'ʊn-] *adj* irreplaceable

unerträglich I *adj* unbearable **II** *adv heiß, laut* unbearably

unerwähnt ['ʊn|ɛɐvɛːnt] *adj* unmentioned; ***~ bleiben*** not to be mentioned

unerwartet ['ʊn|ɛɐvartət, ʊn|ɛɐ'vartət] **I** *adj* unexpected **II** *adv* unexpectedly

unerwünscht *adj Kind* unwanted; *Besuch, Effekt* unwelcome; *Eigenschaften* undesirable; ***du bist hier ~*** you're not welcome here

unerzogen ['ʊn|ɛɐtsoːgn] *adj* ill-mannered

unfachgemäß I *adj* unprofessional **II** *adv* unprofessionally

unfähig *adj* **1.** *attr* incompetent **2. *~ sein, etw zu tun*** to be incapable of doing sth; (*vorübergehend*) to be unable to do sth **Unfähigkeit** *f* **1.** (≈ *Untüchtigkeit*) incompetence **2.** (≈ *Nichtkönnen*) inability

unfair I *adj* unfair (*gegenüber* to) **II** *adv* unfairly

Unfall ['ʊnfal] *m* accident **Unfallflucht** *f* failure to stop after an accident; ***~ begehen*** to commit a hit-and-run offence (*Br*) *or* offense (*US*) **Unfallfolge** *f* result of an/the accident **unfallfrei** *adj* accident-free **Unfallopfer** *nt* casualty **Unfallort** *m, pl* ***-orte*** scene of an/the accident **Unfallrisiko** *nt* accident risk **Unfallschaden** *m* damages *pl* **Unfallstelle** *f* scene of an/the accident **Unfalltod** *m* accidental death **Unfallursache** *f* cause of an/the accident **Unfallverhütung** *f* accident prevention **Unfallwagen** *m* car involved in an/the accident **Unfallzeuge** *m*, **Unfallzeugin** *f* witness to an/the accident

unfassbar *adj* incomprehensible

unfehlbar I *adj* infallible **II** *adv* without fail **Unfehlbarkeit** [ʊn'feːlbaːɐkait, 'ʊn-] *f* ⟨*-, no pl*⟩ infallibility

unfein I *adj* unrefined *no adv*; ***das ist ~*** that's bad manners **II** *adv sich ausdrücken* in an unrefined way; *sich benehmen* in an ill-mannered way

unflätig ['ʊnflɛːtɪç] *adj* offensive

unfolgsam *adj* disobedient

unformatiert ['ʊnfɔrmatiːɐt] *adj* IT unformatted

unförmig *adj* (≈ *formlos*) shapeless; (≈ *groß*) cumbersome; *Füße, Gesicht* unshapely

unfrankiert ['ʊnfraŋkiːɐt] *adj, adv* unfranked

unfreiwillig *adj* **1.** (≈ *gezwungen*) compulsory; ***ich war ~er Zeuge*** I was an unwilling witness **2.** (≈ *unbeabsichtigt*) *Witz, Fehler* unintentional

unfreundlich I *adj* unfriendly (*zu, gegen* to); *Wetter* inclement; *Landschaft* cheerless **II** *adv* in an unfriendly way; ***~ reagieren*** to react in an unfriendly way **Unfreundlichkeit** *f* unfriendliness; (*von Wetter*) inclemency

unfruchtbar *adj* infertile; (*fig*) sterile; ***~ machen*** to sterilize **Unfruchtbarkeit** *f* infertility; (*fig*) sterility

Unfug ['ʊnfuːk] *m* ⟨***-s**, no pl*⟩ nonsense; ***~ treiben*** to get up to mischief; ***grober ~*** JUR public nuisance

Ungar ['ʊŋgar] *m* ⟨***-n, -n***⟩, **Ungarin** ['ʊŋgarɪn] *f* ⟨***-, -nen***⟩ Hungarian **ungarisch** ['ʊŋgarɪʃ] *adj* Hungarian **Ungarn** ['ʊŋgarn] *nt* ⟨***-s***⟩ Hungary

ungastlich *adj* inhospitable

ungeachtet ['ʊngə|axtət, ʊngə'|axtət] *prep +gen* in spite of, despite; ***~ aller Ermahnungen*** despite all warnings

ungeahnt ['ʊngə|aːnt, ʊngə'|aːnt] *adj* undreamt-of

ungebeten *adj* uninvited

ungebildet *adj* uncultured; (≈ *ohne Bildung*) uneducated

ungeboren *adj* unborn

ụngebräuchlich *adj* uncommon
ụngebraucht *adj*, *adv* unused
ụngebrochen *adj* (*fig*) *Rekord*, *Wille* unbroken
ụngebunden *adj* (≈ *unabhängig*) *Leben* (fancy-)free; (≈ *unverheiratet*) unattached; ***parteipolitisch ~*** (politically) independent
ụngedeckt *adj* **1.** SPORTS *Tor* undefended; *Spieler* unmarked; *Scheck*, *Kredit* uncovered **2.** *Tisch* unlaid (*Br*), not set *pred*
Ụngeduld *f* impatience; ***vor ~*** with impatience; ***voller ~*** impatiently **ụngeduldig I** *adj* impatient **II** *adv* impatiently
ụngeeignet *adj* unsuitable
ụngefähr ['ʊngəfɛːɐ, ʊngə'fɛːɐ] **I** *adj attr* approximate, rough **II** *adv* roughly; ***das kommt nicht von ~*** it's no accident; ***so ~!*** more or less!; ***~ (so) wie*** a bit like; ***dann weiß ich ~ Bescheid*** then I've got a rough idea; ***das hat sich ~ so abgespielt*** it happened something like this
ụngefährlich *adj* safe; *Tier*, *Krankheit* harmless **Ụngefährlichkeit** *f* safeness; (*von Tier*, *Krankheit*) harmlessness
ụngehalten I *adj* indignant (*über +acc* about) **II** *adv* indignantly
ụngeheizt ['ʊngəhaitst] *adj* unheated
ụngehemmt *adj* unrestrained
ụngeheuer ['ʊngəhɔyɐ, ʊngə'hɔyɐ] **I** *adj* **1.**; → ***ungeheuerlich*** **2.** (≈ *riesig*) enormous; (*in Bezug auf Länge*, *Weite*) vast **3.** (≈ *genial*, *kühn*) tremendous **II** *adv* (≈ *sehr*) enormously; (*negativ*) terribly, awfully **Ụngeheuer** ['ʊngəhɔyɐ] *nt* ⟨**-s, -**⟩ monster **ungeheuerlich** [ʊngə'hɔyɐlɪç, 'ʊn-] *adj* monstrous; *Leichtsinn* outrageous; *Verdacht*, *Dummheit* dreadful **Ungeheuerlichkeit** *f* ⟨**-, -en**⟩ (*von Tat*) atrociousness; (*von Verleumdung*) outrageousness
ụngehindert ['ʊngəhɪndɐt] **I** *adj* unhindered **II** *adv* without hindrance
ụngehobelt ['ʊngəhoːblt, ʊngə'hoːblt] *adj Benehmen* boorish
ụngehörig *adj* impertinent
ụngehorsam *adj* disobedient **Ụngehorsam** *m* disobedience; MIL insubordination; ***ziviler ~*** civil disobedience
ụngeklärt ['ʊngəklɛːɐt] *adj Frage*, *Verbrechen* unsolved; *Ursache* unknown; ***unter ~en Umständen*** in mysterious circumstances
ụngekürzt ['ʊngəkʏrtst] **I** *adj* not shortened; *Buch* unabridged; *Film* uncut **II** *adv veröffentlichen* unabridged; (*Film*) uncut; ***der Artikel wurde ~ abgedruckt*** the article was printed in full
ụngeladen *adj Gäste etc* uninvited
ụngelegen I *adj* inconvenient **II** *adv* ***komme ich (Ihnen) ~?*** is this an inconvenient time for you?; ***etw kommt jdm ~*** sth is inconvenient for sb **Ụngelegenheiten** *pl* inconvenience *sg*; ***jdm ~ bereiten*** *or* ***machen*** to inconvenience sb
ụngelernt *adj attr* unskilled
ụngelogen *adv* honestly
ụngemein *adj* tremendous; ***das freut mich ~*** I'm really really pleased
ụngemütlich *adj* uncomfortable; *Wohnung* not very cosy; *Mensch* awkward; *Wetter* unpleasant; ***mir wird es hier ~*** I'm getting a bit uncomfortable; ***er kann ~ werden*** he can get nasty
ụngenannt *adj* **1.** *Mensch* anonymous **2.** *Summe* unspecified
ụngenau I *adj* inaccurate; (≈ *nicht wahrheitsgetreu*) inexact; (≈ *vage*) vague **II** *adv* inaccurately **Ụngenauigkeit** *f* inaccuracy
ungeniert ['ʊnʒeniːɐt] **I** *adj* (≈ *ungehemmt*) unembarrassed; (≈ *taktlos*) uninhibited **II** *adv* openly; (≈ *taktlos*) without any inhibition
ụngenießbar *adj* (≈ *nicht zu essen*) inedible; (≈ *nicht zu trinken*) undrinkable; (*infml*) *Mensch* unbearable
ụngenügend I *adj* inadequate, insufficient; SCHOOL unsatisfactory **II** *adv* inadequately, insufficiently
ụngenutzt ['ʊngənʊtst] *adj* unused; *Energien* unexploited; ***eine Chance ~ lassen*** to miss an opportunity
ụngepflegt *adj Mensch* unkempt; *Rasen*, *Hände* neglected
ụngeprüft ['ʊngəpryːft] **I** *adj* untested; *Vorwürfe* unchecked **II** *adv* without testing; without checking
ụngerade *adj* odd
ụngerecht I *adj* unjust, unfair **II** *adv* unjustly, unfairly **ụngerechtfertigt** *adj* unjustified **Ụngerechtigkeit** *f* injustice
ụngeregelt *adj Zeiten* irregular; *Leben* disordered
Ụngereimtheit *f* ⟨**-, -en**⟩ inconsistency
ụngern *adv* reluctantly
ụngerührt ['ʊngəryːɐt] *adj*, *adv* unmoved
ụngesagt ['ʊngəzaːkt] *adj* unsaid

ungesalzen *adj* unsalted
ungeschehen *adj* ***etw*** **~ *machen*** to undo sth
Ungeschicklichkeit *f* clumsiness **ungeschickt I** *adj* clumsy; (≈ *unbedacht*) careless **II** *adv* clumsily
ungeschminkt ['ʊngəʃmɪŋkt] *adj* without make-up; (*fig*) *Wahrheit* unvarnished
ungeschoren *adj* unshorn; ***jdn*** **~ *lassen*** (*infml*) to spare sb; **~ *davonkommen*** (*infml*) to escape unscathed; (*Verbrecher*) to get off (scot-free)
ungeschrieben *adj attr* unwritten
ungeschützt *adj* unprotected
ungesellig *adj* unsociable
ungesetzlich *adj* unlawful, illegal
ungestört I *adj* undisturbed; ***hier sind wir*** **~** we won't be disturbed here **II** *adv arbeiten, sprechen* without being interrupted
ungestraft ['ʊngəʃtraːft] *adv* with impunity
ungestüm ['ʊngəʃtyːm] **I** *adj* impetuous **II** *adv* impetuously **Ungestüm** ['ʊngəʃtyːm] *nt* ⟨**-(e)s**, *no pl*⟩ impetuousness
ungesund *adj* unhealthy; (≈ *schädlich*) harmful
ungesüßt ['ʊngəzyːst] *adj* unsweetened
ungeteilt ['ʊngətaitl] *adj* undivided; *Beifall* universal
ungetrübt *adj* clear; *Glück* perfect
Ungetüm ['ʊngətyːm] *nt* ⟨**-(e)s, -e**⟩ monster
ungewiss *adj* uncertain; (≈ *vage*) vague; ***eine Reise ins Ungewisse*** (*fig*) a journey into the unknown; ***jdn (über etw*** *acc*) ***im Ungewissen lassen*** to leave sb in the dark (about sth) **Ungewissheit** *f* uncertainty
ungewöhnlich *adj* unusual **ungewohnt** *adj* (≈ *fremdartig*) unfamiliar; (≈ *unüblich*) unusual
ungewollt I *adj* unintentional **II** *adv* unintentionally
Ungeziefer ['ʊngətsiːfɐ] *nt* ⟨**-s**, *no pl*⟩ pests *pl*
ungezogen *adj* ill-mannered
ungezwungen I *adj* casual; *Benehmen* natural **II** *adv* casually; *sich benehmen* naturally
ungläubig *adj* unbelieving; REL infidel; (≈ *zweifelnd*) doubting **Ungläubige(r)** *m/f(m) decl as adj* unbeliever **unglaublich** *adj* unbelievable **unglaubwürdig** *adj* implausible; *Dokument* dubious; *Mensch* unreliable
ungleich I *adj* dissimilar, unalike *pred*; *Größe, Farbe* different; *Mittel, Kampf* unequal; MAT not equal **II** *adv* **1.** (*unterschiedlich*) unequally **2.** (*vor Komparativ*) much **Ungleichgewicht** *nt* (*fig*) imbalance **Ungleichheit** *f* dissimilarity; (*von Größe, Farbe*) difference; (*von Mitteln, Kampf*) inequality **ungleichmäßig I** *adj* uneven; *Gesichtszüge, Puls* irregular **II** *adv* unevenly
Unglück *nt* ⟨**-(e)s, -e**⟩ (≈ *Unfall*) accident; (≈ *Schicksalsschlag*) disaster; (≈ *Unheil*) misfortune; (≈ *Pech*) bad luck; ***in sein*** **~ *rennen*** to head for disaster; ***das bringt*** **~** that brings bad luck; ***zu allem*** **~** to make matters worse; ***ein*** **~ *kommt selten allein*** (*prov*) it never rains but it pours (*Br prov*), when it rains, it pours (*US prov*) **unglücklich I** *adj* **1.** (≈ *traurig*) unhappy; *Liebe* unrequited **2.** (≈ *bedauerlich*) unfortunate **II** *adv* **1.** (*traurig*) unhappily; **~ *verliebt sein*** to be crossed in love **2.** (*ungünstig*) unfortunately; **~ *enden*** to turn out badly **3.** *stürzen, fallen* awkwardly **unglücklicherweise** ['ʊnglʏklɪçɐ'vaizə] *adv* unfortunately **Unglücksfall** *m* accident
Ungnade *f* disgrace; ***bei jdm in*** **~ *fallen*** to fall out of favour (*Br*) *or* favor (*US*) with sb **ungnädig** *adj* ungracious; (*hum*) unkind
ungültig *adj* invalid; (≈ *nichtig*) void; *Stimmzettel* spoiled; SPORTS *Tor* disallowed
ungünstig *adj* unfavourable (*Br*), unfavorable (*US*); *Entwicklung* undesirable; *Termin* inconvenient; *Augenblick, Wetter* bad
ungut *adj* bad; ***nichts für*** **~*!*** no offence (*Br*) *or* offense (*US*)!
unhaltbar *adj Zustand* intolerable; *Vorwurf etc* untenable; *Torschuss* unstoppable
unhandlich *adj* unwieldy
Unheil *nt* disaster; **~ *stiften*** to do damage; **~ *bringend*** fateful **unheilbar** *adj* incurable; **~ *krank sein*** to be terminally ill
unheimlich ['ʊnhaimlɪç, ʊn'haimlɪç] **I** *adj* **1.** (≈ *angsterregend*) frightening; ***das/er ist mir*** **~** it/he gives me the creeps (*infml*) **2.** (*infml*) tremendous (*infml*) **II** *adv* (*infml* ≈ *sehr*) incredibly (*infml*); **~**

viel Geld a tremendous amount of money (*infml*)
unhöflich **I** *adj* impolite **II** *adv* impolitely **Unhöflichkeit** *f* impoliteness
unhygienisch *adj* unhygienic
uni [y'niː] *adj pred* self-coloured (*Br*), self-colored (*US*), plain
Uni ['ʊni] *f* 〈-, ***-s***〉 (*infml*) uni (*infml*), U (*US infml*)
Uniform [uni'fɔrm, 'ʊnifɔrm, 'uːnifɔrm] *f* 〈-, ***-en***〉 uniform **uniformiert** [unifɔr'miːɐt] *adj* uniformed **Uniformierte(r)** [unifɔr'miːɐtə] *m/f(m) decl as adj* person/man/woman in uniform
Unikum ['uːnikʊm] *nt* 〈***-s, -s*** *or* ***Unika*** [-ka]〉 **1.** unique thing *etc* **2.** (*infml*) real character
unilateral [unilate'raːl] **I** *adj* unilateral **II** *adv* unilaterally
unintelligent *adj* unintelligent
uninteressant *adj* uninteresting; ***das ist doch völlig ~*** that's of absolutely no interest
Union [u'nioːn] *f* 〈-, ***-en***〉 union; ***die ~*** POL the CDU and CSU
universal [univɛr'zaːl] **I** *adj* universal **II** *adv* universally **Universalgenie** *nt* universal genius **universell** [univɛr'zɛl] **I** *adj* universal **II** *adv* universally **Universität** [univɛrzi'tɛːt] *f* 〈-, ***-en***〉 university; ***auf die ~ gehen*** to go to university **Universitätsbibliothek** *f* university library **Universitätsgelände** *nt* university campus **Universitätsklinik** *f* university clinic **Universitätsstadt** *f* university town **Universitätsstudium** *nt* (*Ausbildung*) university training **Universum** [uni'vɛrzʊm] *nt* 〈***-s***, *no pl*〉 universe
unken ['ʊŋkn] *v/i* (*infml*) to foretell gloom
unkenntlich *adj* unrecognizable; *Inschrift etc* indecipherable **Unkenntlichkeit** *f* 〈-, *no pl*〉 ***bis zur ~*** beyond recognition **Unkenntnis** *f, no pl* ignorance; ***aus ~*** out of ignorance
unklar **I** *adj* unclear; (≈ *undeutlich*) blurred; ***es ist mir völlig ~, wie das geschehen konnte*** I (just) can't understand how that could happen; ***über etw*** (*acc*) ***völlig im Unklaren sein*** to be completely in the dark about sth **II** *adv* unclearly **Unklarheit** *f* lack of clarity; (*über Tatsachen*) uncertainty; ***darüber herrscht noch ~*** this is still uncertain *or* unclear
unklug **I** *adj* unwise **II** *adv* unwisely
unkompliziert *adj* uncomplicated
unkontrollierbar *adj* uncontrollable **unkontrolliert** ['ʊnkɔntrɔliːɐt] *adj, adv* unchecked
unkonventionell **I** *adj* unconventional **II** *adv* unconventionally
Unkosten *pl* costs *pl*; (≈ *Ausgaben*) expenses *pl*; ***sich in ~ stürzen*** (*infml*) to go to a lot of expense **Unkostenbeitrag** *m* contribution toward(s) costs/expenses
Unkraut *nt* weed; ***Unkräuter*** weeds; ***~ vergeht nicht*** (*prov*) it would take more than that to finish me/him *etc* off! (*hum*) **Unkrautbekämpfung** *f* weed control **Unkrautbekämpfungsmittel** *nt* weed killer
unkritisch **I** *adj* uncritical **II** *adv* uncritically
unkündbar *adj Beamter* permanent; *Vertrag* binding; ***in ~er Stellung*** in a permanent position
unkundig *adj* ignorant (+*gen* of)
unlauter *adj* dishonest; *Wettbewerb* unfair
unleserlich *adj* illegible
unliebsam ['ʊnliːpzaːm] *adj* unpleasant; *Konkurrent* irksome
unlogisch *adj* illogical
unlösbar *adj* (*fig*) *Problem etc* insoluble; *Widerspruch* irreconcilable **unlöslich** *adj* CHEM insoluble
Unlust *f, no pl* **1.** (≈ *Widerwille*) reluctance **2.** (≈ *Lustlosigkeit*) listlessness
Unmasse *f* (*infml*) load (*infml*); ***~n von Büchern*** loads *or* masses of books (*infml*)
unmaßgeblich **I** *adj* (≈ *nicht entscheidend*) *Urteil* not authoritative; (≈ *unwichtig*) *Äußerung* inconsequential; ***nach meiner ~en Meinung*** (*hum*) in my humble opinion (*hum*) **II** *adv* insignificantly
unmäßig **I** *adj* excessive **II** *adv essen, trinken* to excess; *rauchen* excessively
Unmenge *f* vast number; (*bei unzählbaren Mengenbegriffen*) vast amount; ***~n essen*** to eat an enormous amount
Unmensch *m* monster; ***ich bin ja kein ~*** I'm not an ogre **unmenschlich** **I** *adj* **1.** inhuman **2.** (*infml* ≈ *unerträglich*) terrible **II** *adv behandeln* in an inhuman way **Unmenschlichkeit** *f* inhumanity; ***~en*** inhumanity

unmerklich I *adj* imperceptible II *adv* imperceptibly
unmissverständlich I *adj* unequivocal II *adv* unequivocally; ***jdm etw ~ zu verstehen geben*** to tell sb sth in no uncertain terms
unmittelbar I *adj Nähe* immediate; (≈ *direkt*) direct; ***aus ~er Nähe schießen*** to fire at close range II *adv* immediately; (≈ *ohne Umweg*) directly; ***~ vor*** (+*dat*) (*zeitlich*) immediately before; (*räumlich*) right in front of
unmöbliert ['ʊnmøbliːɐt] *adj Zimmer* unfurnished; ***~ wohnen*** to live in unfurnished accommodation
unmodern [-modɛrn] I *adj* old-fashioned II *adv gekleidet* in an old-fashioned way
unmöglich I *adj* impossible; ***sich ~ machen*** to make oneself look ridiculous II *adv* (≈ *keinesfalls*) not possibly; ***ich kann es ~ tun*** I cannot possibly do it; ***~ aussehen*** (*infml*) to look ridiculous **Unmöglichkeit** *f* impossibility; ***das ist ein Ding der ~!*** that's quite impossible!
unmoralisch *adj* immoral
unmündig *adj* under-age **Unmündigkeit** *f* minority
unmusikalisch *adj* unmusical
unnachgiebig *adj* inflexible
unnachsichtig I *adj* severe; (*stärker*) merciless II *adv verfolgen* mercilessly; *bestrafen* severely
unnahbar *adj Mensch* unapproachable
unnatürlich *adj* unnatural; *Tod* violent
unnötig I *adj* unnecessary II *adv* unnecessarily **unnötigerweise** ['ʊnnøːtɪgɐ'vaizə] *adv* unnecessarily
unnütz ['ʊnnʏts] *adj* useless; (≈ *umsonst*) pointless
unökonomisch *adj* uneconomic; *Fahrweise* uneconomical
unordentlich *adj* untidy; *Lebenswandel* disorderly **Unordnung** *f* disorder *no indef art*; (≈ *Durcheinander*) mess; ***etw in ~ bringen*** to mess sth up
unorganisch *adj* inorganic
unorthodox *adj* unorthodox
unparteiisch I *adj* impartial II *adv* impartially **Unparteiische(r)** ['ʊnpartaiɪʃə] *m/f(m) decl as adj* ***der ~*** SPORTS the referee
unpassend *adj* inappropriate; *Augenblick* inconvenient
unpersönlich *adj* impersonal
unpolitisch *adj* unpolitical
unpopulär *adj* unpopular
unpraktisch *adj Mensch* unpractical; *Lösung* impractical
unproblematisch *adj* unproblematic
unproduktiv *adj* unproductive
unpünktlich *adj Mensch* unpunctual; *Zug* not on time **Unpünktlichkeit** *f* unpunctuality
unqualifiziert *adj Arbeitskraft* unqualified; *Arbeiten*, *Jobs* unskilled; *Äußerung* incompetent
unrasiert ['ʊnraziːɐt] *adj* unshaven
unrealistisch *adj* unrealistic
unrecht *adj* wrong; ***das ist mir gar nicht so ~*** I don't really mind; ***~ haben*** to be wrong; ***~ tun*** to do wrong **Unrecht** *nt*, *no pl* wrong, injustice; ***zu ~*** *verdächtigt* unjustly; ***im ~ sein*** to be wrong; ***jdm ein ~ tun*** to do sb an injustice **unrechtmäßig** *adj* unlawful **Unrechtsregime** [-reʒiːm] *nt* POL tyrannical regime
unregelmäßig I *adj* irregular II *adv* irregularly **Unregelmäßigkeit** *f* irregularity
unreif *adj Obst* unripe; *Mensch*, *Verhalten* immature
unrentabel *adj* unprofitable
unrichtig *adj* incorrect; *Vorwurf*, *Angaben etc* false
Unruhe *f* ⟨-, -n⟩ **1.** *no pl* restlessness; (≈ *Nervosität*) agitation; ***in ~ sein*** to be restless; (≈ *besorgt*) to be agitated **2.** *no pl* (≈ *Unfrieden*) unrest *no pl*; ***~ stiften*** to create unrest **3.** (***politische***) ***~n*** (political) disturbances **Unruhestifter(in)** *m/(f)* troublemaker **unruhig** *adj* restless; (≈ *laut*) noisy; *Schlaf*, *Meer* troubled
unrühmlich *adj* inglorious
uns [ʊns] I *pers pr* us; (*dat auch*) to us; ***bei ~*** (≈ *zu Hause*, *im Betrieb etc*) at our place; (≈ *in unserem Land*) in our country; ***bei ~ zu Hause*** at our house; ***ein Freund von ~*** a friend of ours; ***das gehört ~*** that is ours II *refl pr acc*, *dat* ourselves; (≈ *einander*) each other
unsachgemäß I *adj* improper II *adv* improperly
unsanft *adj* rough; (≈ *unhöflich*) rude
unsauber *adj* **1.** (≈ *schmutzig*) dirty **2.** *Handschrift* untidy; *Schuss*, *Schnitt* inaccurate; *Ton* impure
unschädlich *adj* harmless; ***eine Bombe ~ machen*** (≈ *entschärfen*) to defuse a bomb; ***jdn ~ machen*** (*infml*) to take care

of sb (*infml*)

unscharf *adj Erinnerung* hazy; ***der Sender ist ~ eingestellt*** the station is not tuned clearly

unschätzbar *adj Wert, Verlust* incalculable; ***von ~em Wert*** invaluable

unscheinbar *adj* inconspicuous; (≈ *unattraktiv*) *Aussehen* unprepossessing

unschlagbar *adj* unbeatable

unschlüssig *adj* undecided; (≈ *zögernd*) irresolute

unschön *adj* (≈ *hässlich*) unsightly; (*stärker*) ugly; (≈ *unangenehm*) unpleasant; *Szenen* ugly

Unschuld *f, no pl* **1.** innocence **2.** (≈ *Jungfräulichkeit*) virginity **unschuldig I** *adj* **1.** innocent; ***an etw*** (*dat*) ***~ sein*** not to be guilty of sth; ***er war völlig ~ an dem Unfall*** he was in no way responsible for the accident **2.** (≈ *jungfräulich*) virginal **II** *adv* **1.** JUR ***jdn ~ verurteilen*** to convict sb when he is innocent **2.** (≈ *arglos*) *fragen* innocently

unselbstständig I *adj* lacking in independence; ***eine ~e Tätigkeit ausüben*** to work as an employee **II** *adv* (≈ *mit fremder Hilfe*) not independently **Unselbstständigkeit** *f* lack of independence

unser ['ʊnzɐ] *poss pr* our **unsereiner** ['ʊnzɐ|ainɐ], **unsereins** ['ʊnzɐ|ains] *indef pr* (*infml*) the likes of us (*infml*) **unsere(r, s)** ['ʊnzərə] *poss pr* (*substantivisch*) ours; ***der/die/das Unsere*** (*elev*) ours; ***wir tun das Unsere*** (*elev*) we are doing our bit; ***die Unseren*** (*elev*) our family **unsererseits** ['ʊnzərɐ'zaits] *adv* (≈ *auf unserer Seite*) for our part; (≈ *von unserer Seite*) on our part **unseresgleichen** ['ʊnzərəs'glaiçn] *indef pr* people like us

unseriös *adj Mensch* slippery; *Auftreten, Bemerkung* frivolous; *Methoden, Firma* shady; *Angebot* not serious

unsertwegen ['ʊnzɐt'veːgn] *adv* (≈ *wegen uns*) because of us; (≈ *um uns*) about us; (≈ *für uns*) on our behalf

unsicher I *adj* **1.** (≈ *gefährlich*) dangerous; ***die Gegend ~ machen*** (*fig infml*) to hang out (*infml*) **2.** (≈ *verunsichert*) insecure, unsure (of oneself) **3.** (≈ *ungewiss*) unsure; (≈ *unstabil*) uncertain, unstable; *Kenntnisse* shaky **II** *adv* (≈ *schwankend*) unsteadily; (≈ *nicht selbstsicher*) uncertainly **Unsicherheit** *f* (≈ *Gefahr*) danger; (≈ *mangelndes Selbstbewusstsein*) insecurity; (≈ *Ungewissheit*) uncertainty

unsichtbar *adj* invisible

Unsinn *m, no pl* nonsense *no indef art*; ***~ machen*** to do silly things; ***lass den ~!*** stop fooling about! **unsinnig** *adj* (≈ *sinnlos*) foolish; (≈ *ungerechtfertigt*) unreasonable; (*stärker*) absurd

Unsitte *f* bad habit **unsittlich I** *adj* immoral; (*in sexueller Hinsicht*) indecent **II** *adv* indecently; ***er hat sich ihr ~ genähert*** he made indecent advances to her

unsolide *adj Mensch* free-living; (≈ *unredlich*) *Firma, Angebot* unreliable; ***ein ~s Leben führen*** to be free-living

unsozial *adj* antisocial

unsportlich *adj* **1.** (≈ *ungelenkig*) unsporty **2.** (≈ *unfair*) unsporting

unsterblich I *adj* immortal; *Liebe* undying; ***jdn ~ machen*** to immortalize sb **II** *adv* (*infml*) ***sich ~ blamieren*** to make a complete idiot of oneself; ***~ verliebt sein*** to be madly in love (*infml*)

unstimmig *adj Aussagen etc* at variance, differing *attr* **Unstimmigkeit** *f* (≈ *Ungenauigkeit*) discrepancy; (≈ *Streit*) difference

Unsumme *f* vast sum

unsympathisch *adj* unpleasant; ***er ist mir ~*** I don't like him

unsystematisch I *adj* unsystematic **II** *adv* unsystematically

Untat *f* atrocity

untätig I *adj* (≈ *müßig*) idle; (≈ *nicht handelnd*) passive **II** *adv* idly; ***sie sah ~ zu, wie er verblutete*** she stood idly by as he bled to death **Untätigkeit** *f* (≈ *Müßiggang*) idleness; (≈ *Passivität*) passivity

untauglich *adj* (*zu, für* for) unsuitable; (*für Wehrdienst*) unfit

unteilbar *adj* indivisible

unten ['ʊntn] *adv* (≈ *am unteren Ende*) at the bottom; (≈ *tiefer, drunten*) (down) below; (≈ *an der Unterseite*) underneath; (*in Gebäude*) downstairs; ***von ~*** from below; ***nach ~*** down; ***~ am Berg*** at the bottom of the hill; ***~ im Glas*** at the bottom of the glass; ***weiter ~*** further down; ***~ erwähnt, ~ genannt*** mentioned below; ***er ist bei mir ~ durch*** (*infml*) I'm through with him (*infml*); ***~ stehend*** following; (*lit*) standing below; ***~ wohnen*** to live downstairs

unter ['ʊntɐ] *prep +dat or +acc* under; (≈ *drunter*) underneath, below; (≈ *zwischen, innerhalb*) among(st); ***~ 18 Jahren*** under 18 years (of age); ***Temperaturen ~ 25 Grad*** temperatures below 25 degrees; ***~ sich*** (*dat*) ***sein*** to be by themselves; ***~ etw leiden*** to suffer from sth; ***~ anderem*** among other things

Unterabteilung *f* subdivision

Unterarm *m* forearm

unterbelichtet ['ʊntɐbəlɪçtət] *adj* PHOT underexposed

unterbesetzt *adj* understaffed

unterbewusst I *adj* subconscious; ***das Unterbewusste*** the subconscious **II** *adv* subconsciously **Unterbewusstsein** *nt* subconscious; ***im ~*** subconsciously

unterbezahlt *adj* underpaid

unterbieten *past part* ***unterboten*** *v/t insep irr Konkurrenten, Preis* to undercut; (*fig*) to surpass

unterbinden [ʊntɐ'bɪndn] *past part* ***unterbunden*** [ʊntɐ'bʊndn] *v/t insep irr* to stop; MED *Blutung* to ligature

unterbleiben [ʊntɐ'blaibn] *past part* ***unterblieben*** [ʊntɐ'bli:bn] *v/i insep irr aux sein* **1.** (≈ *aufhören*) to cease **2.** (≈ *nicht geschehen*) not to happen

Unterbodenschutz *m* MOT protective undercoating

unterbrechen [ʊntɐ'brɛçn] *past part* ***unterbrochen*** [ʊntɐ'brɔxn] *insep irr v/t* to interrupt; *Stille* to break; *Telefonverbindung* to disconnect; *Spiel* to suspend; *Schwangerschaft* to terminate; ***entschuldigen Sie bitte, wenn ich Sie unterbreche*** forgive me for interrupting **Unterbrechung** *f* interruption; (*von Stille*) break (*+gen* in); (*von Spiel*) stoppage; ***ohne ~*** without a break

unterbreiten [ʊntɐ'braitn] *past part* ***unterbreitet*** *v/t insep Plan* to present; ***(jdm) ein Angebot ~*** to make an offer (to sb)

unterbringen *v/t sep irr* **1.** (≈ *verstauen*) to put; (*in Heim etc*) to put; ***etw bei jdm ~*** to leave sth with sb **2.** (≈ *Unterkunft geben*) *Menschen* to accommodate; *Sammlung* to house; ***gut/schlecht untergebracht sein*** to have good/bad accommodation; (≈ *versorgt werden*) to be well/badly looked after **Unterbringung** *f* ⟨-, *-en*⟩ accommodation (*Br*), accommodations *pl* (*US*)

unterbuttern *v/t sep* (*infml* ≈ *unterdrücken*) to ride roughshod over; ***lass dich nicht ~!*** don't let them push you around

Unterdeck *nt* NAUT lower deck

unterdes(sen) [ʊntɐ'dɛs(n)] *adv* meanwhile

unterdrücken [ʊntɐ'drʏkn] *past part* ***unterdrückt*** *v/t insep* **1.** (≈ *beherrschen*) *Volk* to oppress; *Freiheit, Meinung* to suppress **2.** (≈ *zurückhalten*) *Neugier, Gähnen, Gefühle* to suppress; *Tränen, Bemerkung* to hold back **Unterdrücker** [ʊntɐ'drʏkɐ]**(in)** *m/(f)* oppressor **Unterdrückung** *f* ⟨**-, -en**⟩ **1.** (*von Volk*) oppression; (*von Freiheit*) suppression **2.** (*von Neugier, Gähnen, Gefühlen*) suppression; (*von Tränen, Bemerkung*) holding back

unterdurchschnittlich *adj* below average

untereinander [ʊntɐ|ai'nandɐ] *adv* **1.** (≈ *gegenseitig*) each other; (≈ *miteinander*) among ourselves/themselves *etc* **2.** (*räumlich*) one below the other

untere(r, s) ['ʊntərə] *adj, sup* ***unterste(r, s)*** ['ʊntɐstə] lower

unterernährt [-|ɛɐnɛ:ɐt] *adj* undernourished **Unterernährung** *f* malnutrition

Unterfangen [ʊntɐ'faŋən] *nt* ⟨**-s, -**⟩ (*elev*) venture, undertaking

Unterführung *f* underpass

Untergang *m, pl* ***-gänge*** **1.** (*von Schiff*) sinking **2.** (*von Gestirn*) setting **3.** (≈ *das Zugrundegehen*) decline; (*von Individuum*) downfall; ***dem ~ geweiht sein*** to be doomed

untergeben [ʊntɐ'ge:bn] *adj* subordinate **Untergebene(r)** [ʊntɐ'ge:bənə] *m/f(m) decl as adj* subordinate

untergehen *v/i sep irr aux sein* **1.** (≈ *versinken*) to sink; (*fig: im Lärm etc*) to be submerged *or* drowned **2.** (*Gestirn*) to set **3.** (≈ *zugrunde gehen*) to decline; (*Individuum*) to perish

untergeordnet *adj* subordinate; *Bedeutung* secondary; → ***unterordnen***

Untergeschoss *nt*, **Untergeschoß** (*Aus*) *nt* basement

Untergewicht *nt* underweight; ***~ haben*** to be underweight

untergliedern [ʊntɐ'gli:dɐn] *past part* ***untergliedert*** *v/t insep* to subdivide

untergraben [ʊntɐ'gra:bn] *past part* ***untergraben*** *v/t insep irr* (≈ *zerstören*) to undermine

Untergrund *m, no pl* **1.** GEOL subsoil **2.** (≈

Farbschicht) undercoat; (≈ *Hintergrund*) background **3.** POL *etc* underground **Untergrundbahn** *f* underground (*Br*), subway (*US*)

unterhalb ['ʊntɐhalp] *prep +gen, adv* below; **~ von** below

Unterhalt *m, no pl* **1.** (≈ *Lebensunterhalt*) maintenance (*esp Br* JUR), alimony; ***seinen ~ verdienen*** to earn one's living **2.** (≈ *Instandhaltung*) upkeep **unterhalten** [ʊntɐ'haltn] *past part* ***unterhalten*** *insep irr* **I** *v/t* **1.** (≈ *versorgen*) to support **2.** (≈ *betreiben*) *Geschäft, Kfz* to run **3.** (≈ *instand halten*) *Gebäude, Kontakte, Beziehungen* to maintain **4.** *Gäste, Publikum* to entertain **II** *v/r* **1.** (≈ *sprechen*) to talk (*mit* to, with); ***sich mit jdm (über etw acc) ~*** to (have a) talk *or* chat with sb (about sth) **2.** (≈ *sich vergnügen*) to have a good time **Unterhalter** [ʊntɐ'haltɐ] *m* ⟨***-s, -***⟩, **Unterhalterin** [-ərɪn] *f* ⟨***-, -nen***⟩ entertainer **unterhaltsam** [ʊntɐ'haltzaːm] *adj* entertaining **unterhaltsberechtigt** *adj* entitled to maintenance (*Br*) *or* alimony **Unterhaltsgeld** *nt* maintenance (*Br*), alimony **Unterhaltskosten** *pl* (*von Gebäude*) maintenance (*Br*) *or* alimony (costs *pl*); (*von Kfz*) running costs *pl* **Unterhaltspflicht** *f* obligation to pay maintenance (*Br*) *or* alimony **unterhaltspflichtig** [-pflɪçtɪç] *adj* under obligation to pay maintenance (*Br*) *or* alimony **Unterhaltszahlung** *f* maintenance payment **Unterhaltung** [ʊntɐ'haltʊŋ] *f* **1.** (≈ *Gespräch*) talk, conversation **2.** (≈ *Amüsement*) entertainment; ***wir wünschen gute ~*** we hope you enjoy the programme (*Br*) *or* program (*US*) **Unterhaltungselektronik** *f* (≈ *Industrie*) consumer electronics *sg*; (≈ *Geräte*) audio systems *pl* **Unterhaltungsmusik** *f* light music

Unterhändler(in) *m/(f)* negotiator

Unterhaus *nt* Lower House, House of Commons (*Br*)

unterheben *v/t sep irr* COOK to stir in (lightly)

Unterhemd *nt* vest (*Br*), undershirt (*US*)

Unterholz *nt, no pl* undergrowth

Unterhose *f* (≈ *Herrenunterhose*) (pair of) underpants *pl*, briefs *pl*; (≈ *Damenunterhose*) (pair of) pants *pl* (*Br*) *or* panties *pl* (*US*)

unterirdisch *adj, adv* underground

unterjochen [ʊntɐ'jɔxn] *past part* ***unterjocht*** *v/t insep* to subjugate

unterjubeln *v/t sep* (*infml* ≈ *andrehen*) ***jdm etw ~*** to palm sth off on sb (*infml*)

Unterkiefer *m* lower jaw

unterkommen *v/i sep irr aux sein* (≈ *Unterkunft finden*) to find accommodation; (*infml* ≈ *Stelle finden*) to find a job (*als* as, *bei* with, at); ***bei jdm ~*** to stay at sb's (place)

Unterkörper *m* lower part of the body

unterkriegen *v/t sep* (*infml*) to bring down; (≈ *deprimieren*) to get down; ***lass dich von ihnen nicht ~*** don't let them get you down

unterkühlt [ʊntɐ'kyːlt] *adj Körper* affected by hypothermia; (*fig*) *Atmosphäre* chilly **Unterkühlung** *f, no pl* MED hypothermia **Unterkunft** ['ʊntɐkʊnft] *f* ⟨***-, Unterkünfte*** [-kʏnftə]⟩ accommodation *no pl* (*Br*), accommodations *pl* (*US*), lodging; ***~ und Verpflegung*** board and lodging **Unterlage** *f* **1.** (*für Teppich*) underlay; (*im Bett*) draw sheet **2.** *usu pl* (≈ *Beleg*) document **unterlassen** [ʊntɐ'lasn] *past part* ***unterlassen*** *v/t insep irr* (≈ *nicht tun*) to refrain from; (≈ *nicht durchführen*) not to carry out; ***~ Sie das!*** don't do that!; ***er hat es ~, mich zu benachrichtigen*** he failed to notify me; ***~e Hilfeleistung*** JUR failure to give assistance

Unterlauf *m* lower reaches *pl* (of a river)

unterlaufen [ʊntɐ'laufn] *past part* ***unterlaufen*** *insep irr* **I** *v/i +dat aux sein* (*Irrtum*) to occur; ***mir ist ein Fehler ~*** I made a mistake **II** *v/t Bestimmungen* to get (a)round; (≈ *umgehen*) to circumvent

unterlegen [ʊntɐ'leːgn] *adj* inferior; (≈ *besiegt*) defeated; ***jdm ~ sein*** to be inferior to sb **Unterlegscheibe** *f* TECH washer

Unterleib *m* abdomen **Unterleibchen** *nt* (*Aus* ≈ *Unterhemd*) vest (*Br*), undershirt (*US*) **Unterleibskrebs** *m* cancer of the abdomen; (*bei Frau*) cancer of the womb **Unterleibsschmerzen** *pl* abdominal pains *pl*

unterliegen [ʊntɐ'liːgn] *past part* ***unterlegen*** [ʊntɐ'leːgn] *v/i insep irr aux sein* **1.** (≈ *besiegt werden*) to be defeated (*+dat* by) **2.** (*+dat* ≈ *unterworfen sein*) to be subject to; *einer Steuer* to be liable to; ***es unterliegt keinem Zweifel, dass ...*** it is not open to any doubt that ...

Unterlippe *f* bottom lip
untermauern [ʊntɐ'mauɐn] *past part* **untermauert** *v/t insep* to underpin
Untermenü *nt* IT submenu
Untermiete *f* subtenancy; ***bei jdm zur ~ wohnen*** to be sb's tenant **Untermieter(in)** *m/(f)* lodger (*esp Br*), subtenant
unterminieren [ʊntɐmi'niːrən] *past part* ***unterminiert*** *v/t insep* to undermine
unternehmen [ʊntɐ'neːmən] *past part* ***unternommen*** [ʊntɐ'nɔmən] *v/t insep irr* to do; *Versuch*, *Reise* to make; ***Schritte ~*** to take steps **Unternehmen** [ʊntɐ'neːmən] *nt* ⟨***-s, -***⟩ **1.** (≈ *Firma*) business, concern, enterprise **2.** (≈ *Aktion*) undertaking, enterprise, venture; MIL operation **Unternehmensberater(in)** *m/(f)* management consultant **Unternehmer** *m* ⟨***-s, -***⟩, **Unternehmerin** *f* ⟨***-, -nen***⟩ employer; (*alten Stils*) entrepreneur; (≈ *Industrieller*) industrialist; ***die ~*** the employers **unternehmerisch** [ʊntɐ'neːmərɪʃ] *adj* entrepreneurial **Unternehmung** [ʊntɐ'neːmʊŋ] *f* ⟨***-, -en***⟩ **1.** = ***Unternehmen*** 2 **2.** (≈ *Transaktion*) undertaking **unternehmungslustig** *adj* enterprising
Unteroffizier(in) *m/(f)* **1.** (≈ *Rang*) noncommissioned officer **2.** (≈ *Dienstgrad*) (*bei der Armee*) sergeant (*Br*), corporal (*US*); (*bei der Luftwaffe*) corporal (*Br*), airman first class (*US*)
unterordnen *sep* **I** *v/t* to subordinate (*+dat* to); → ***untergeordnet*** **II** *v/r* to subordinate oneself (*+dat* to)
unterprivilegiert [-privilegiːɐt] *adj* underprivileged
Unterredung *f* ⟨***-, -en***⟩ discussion
Unterricht ['ʊntɐrɪçt] *m* ⟨***-(e)s***, *no pl*⟩ classes *pl*; ***~ in Fremdsprachen*** foreign language teaching; ***(jdm) ~ geben*** *or* ***erteilen*** to teach (sb) (*in etw* (*dat*) sth); ***am ~ teilnehmen*** to attend classes **unterrichten** [ʊntɐ'rɪçtn] *past part* ***unterrichtet*** *insep* **I** *v/t* **1.** (≈ *Unterricht geben*) *Schüler*, *Fach* to teach; ***jdn in etw*** (*dat*) ***~*** to teach sb sth **2.** (≈ *informieren*) to inform (*von*, *über +acc* about) **II** *v/i* to teach **III** *v/r* ***sich über etw*** (*acc*) ***~*** to inform oneself about sth **unterrichtet** [ʊntɐ'rɪçtət] *adj* informed; ***gut ~e Kreise*** well-informed circles **Unterrichtsfach** *nt* subject **Unterrichtsstoff** *m* subject matter **Unterrichtsstunde** *f* lesson, period **Unterrichtszeit** *f* teaching time
Unterrichtung *f*, *no pl* (≈ *Belehrung*) instruction; (≈ *Informierung*) information
Unterrock *m* underskirt
untersagen [ʊntɐ'zaːgn] *past part* ***untersagt*** *v/t insep* to forbid; ***(das) Rauchen (ist hier) strengstens untersagt*** smoking (is) strictly prohibited (here)
Untersatz *m* mat; (*für Gläser etc*) coaster (*esp Br*); (*für Blumentöpfe etc*) saucer
unterschätzen [ʊntɐ'ʃɛtsn] *past part* ***unterschätzt*** *v/t insep* to underestimate
unterscheiden [ʊntɐ'ʃaidn] *past part* ***unterschieden*** [ʊntɐ'ʃiːdn] *insep irr* **I** *v/t* to distinguish; ***A nicht von B ~ können*** to be unable to tell the difference between A and B; ***zwei Personen (voneinander) ~*** to tell two people apart **II** *v/i* to differentiate **III** *v/r* ***sich von etw/jdm ~*** to differ from sth/sb **Unterscheidung** *f* differentiation; (≈ *Unterschied*) difference
Unterschenkel *m* lower leg
unterschieben ['ʊntɐʃiːbn] *v/t sep irr* (*fig*) ***jdm etw ~*** (≈ *anlasten*) to palm sth off on sb
Unterschied ['ʊntɐʃiːt] *m* ⟨***-(e)s, -e*** [-də]⟩ difference; ***es ist ein (großer) ~, ob ...*** it makes a (big) difference whether ...; ***im ~ zu (jdm/etw)*** in contrast to (sb/sth) **unterschiedlich** ['ʊntɐʃiːtlɪç] **I** *adj* different; (≈ *veränderlich*) variable; (≈ *gemischt*) varied **II** *adv* differently; ***~ gut/lang*** of varying quality/length **unterschiedslos** **I** *adj* indiscriminate **II** *adv* (≈ *undifferenziert*) indiscriminately; (≈ *gleichberechtigt*) equally
unterschlagen *past part* ***unterschlagen*** *v/t insep irr Geld* to embezzle; *Beweise etc* to withhold; (*infml*) *Neuigkeit etc* to keep quiet about **Unterschlagung** [ʊntɐ'ʃlaːgʊŋ] *f* ⟨***-, -en***⟩ (*von Geld*) embezzlement; (*von Beweisen etc*) withholding
Unterschlupf ['ʊntɐʃlʊpf] *m* ⟨***-(e)s, Unterschlüpfe*** [-ʃlʏpfə]⟩ (≈ *Obdach*, *Schutz*) shelter; (≈ *Versteck*) hiding place **unterschlüpfen** ['ʊntɐʃlʏpfn] *v/i sep aux sein* (*infml*) (≈ *Obdach finden*) to take shelter; (≈ *Versteck finden*) to hide out (*infml*) (*bei jdm* at sb's)
unterschreiben [ʊntɐ'ʃraibn] *past part* ***unterschrieben*** [ʊntɐ'ʃriːbn] *insep irr v/t* to sign **Unterschrift** *f* **1.** signature;

seine ~ unter etw (*acc*) ***setzen*** to sign sth **2.** (≈ *Bildunterschrift*) caption **unterschriftsberechtigt** *adj* authorized to sign **Unterschriftsberechtigte(r)** [-bəreçtɪçtə] *m/f(m) decl as adj* authorized signatory **unterschriftsreif** *adj Vertrag* ready to be signed
unterschwellig [-ʃvɛlɪç] **I** *adj* subliminal **II** *adv* subliminally
Unterseeboot *nt* submarine
Unterseite *f* underside
Untersetzer *m* = ***Untersatz***
untersetzt [ʊntɐ'zɛtst] *adj* stocky
unterstehen [ʊntɐ'ʃteːən] *past part* ***unterstanden*** [ʊntɐ'ʃtandn] *insep irr* **I** *v/i +dat* (≈ *unterstellt sein*) to be under (the control of); *jdm* to be subordinate to; (*in Firma*) to report to **II** *v/r* (≈ *wagen*) to dare; ***untersteh dich*** (***ja nicht***)***!*** (don't) you dare!
unterstellen[1] [ʊntɐ'ʃtɛlən] *past part* ***unterstellt*** *insep v/t* **1.** (≈ *unterordnen*) to (make) subordinate (*+dat* to); ***jdm unterstellt sein*** to be under sb; (*in Firma*) to report to sb **2.** (≈ *annehmen*) to assume, to suppose **3.** (≈ *unterschieben*) ***jdm etw ~*** to insinuate that sb has done/said sth
unterstellen[2] ['ʊntɐʃtɛlən] *sep* **I** *v/t* (≈ *unterbringen*) to keep; *Möbel* to store **II** *v/r* to take shelter
Unterstellung [-'ʃtɛlʊŋ] *f* (≈ *falsche Behauptung*) misrepresentation; (≈ *Andeutung*) insinuation
unterste(r, s) ['ʊntɐstə] *adj* lowest; (≈ *letzte*) last
unterstreichen [ʊntɐ'ʃtraiçn] *past part* ***unterstrichen*** [ʊntɐ'ʃtrɪçn] *v/t insep irr* to underline
Unterstufe *f* SCHOOL lower school, lower grade (*US*)
unterstützen [ʊntɐ'ʃtʏtsn] *past part* ***unterstützt*** *v/t insep* to support **Unterstützung** *f* **1.** *no pl* support **2.** (≈ *Zuschuss*) assistance; ***staatliche ~*** state aid
untersuchen [ʊntɐ'zuːxn] *past part* ***untersucht*** *v/t insep* **1.** (≈ *prüfen*) to examine (*auf +acc* for); (≈ *erforschen*) to look into; (*chemisch, technisch etc*) to test (*auf +acc* for); ***sich ärztlich ~ lassen*** to have a medical (examination) **2.** (≈ *nachprüfen*) to check **Untersuchung** [ʊntɐ'zuːxʊŋ] *f* ⟨**-, -en**⟩ **1.** (≈ *das Untersuchen*) examination (*auf +acc* for); (≈ *Erforschung*) investigation (*+gen, über +acc* into); (*chemisch, technisch*) test (*auf +acc* for); (*ärztlich*) examination **2.** (≈ *Nachprüfung*) check **Untersuchungsausschuss** *m* investigating committee; (*nach Unfall etc*) committee of inquiry **Untersuchungsergebnis** *nt* JUR findings *pl*; MED result of an/the examination; SCI test result **Untersuchungsgefängnis** *nt* prison (*for people awaiting trial*) **Untersuchungshaft** *f* ***in ~ sitzen*** (*infml*) to be in prison awaiting trial **Untersuchungskommission** *f* investigating committee; (*nach schwerem Unfall etc*) board of inquiry **Untersuchungsrichter(in)** *m/(f)* examining magistrate
Untertan ['ʊntɐtaːn] *m* ⟨***-s, -***⟩, **Untertanin** [-ɪn] *f* ⟨***-, -nen***⟩ (*old* ≈ *Staatsbürger*) subject; (*pej*) underling (*pej*)
Untertasse *f* saucer; ***fliegende ~*** flying saucer
untertauchen *sep v/i aux sein* to dive (under); (*fig*) to disappear
Unterteil *nt or m* bottom part
unterteilen [ʊntɐ'tailən] *past part* ***unterteilt*** *v/t insep* to subdivide (*in +acc* into) **Unterteilung** *f* subdivision (*in +acc* into)
Unterteller *m* saucer
Untertitel *m* subtitle; (*für Bild*) caption
Unterton *m, pl* ***-töne*** undertone
untertourig [-tuːrɪç] *adv* ***~ fahren*** to drive with low revs
untertreiben [ʊntɐ'traibn] *past part* ***untertrieben*** [ʊntɐ'triːbn] *insep irr* **I** *v/t* to understate **II** *v/i* to play things down **Untertreibung** *f* ⟨***-, -en***⟩ understatement
untertunneln [ʊntɐ'tʊnln] *past part* ***untertunnelt*** *v/t insep* to tunnel under
untervermieten *past part* ***untervermietet*** *v/t & v/i insep* to sublet
Unterversorgung *f* inadequate provision
unterwandern [ʊntɐ'vandɐn] *past part* ***unterwandert*** *v/t insep* to infiltrate
Unterwäsche *f, no pl* underwear *no pl*
Unterwasserkamera *f* underwater camera
unterwegs [ʊntɐ'veːks] *adv* on the *or* one's/its way (*nach, zu* to); (≈ *auf Reisen*) away
unterweisen [ʊntɐ'vaizn] *past part* ***unterwiesen*** [ʊntɐ'viːzn] *v/t insep irr* to instruct (*in +dat* in) **Unterweisung** *f* instruction

Unterwelt *f* underworld
unterwerfen [ʊntɐˈvɛrfn] *past part* ***unterworfen*** [ʊntɐˈvɔrfn] *insep irr* **I** *v/t* **1.** *Volk, Land* to conquer **2.** (≈ *unterziehen*) to subject (+*dat* to) **II** *v/r* ***sich jdm/einer Sache ~*** to submit to sb/sth **unterwürfig** [ʊntɐˈvʏrfɪç, ˈʊntɐ-] *adj* (*pej*) obsequious
unterzeichnen [ʊntɐˈtsaiçnən] *past part* ***unterzeichnet*** *v/t insep* (*form*) to sign **Unterzeichner(in)** *m/*(*f*) signatory **Unterzeichnete(r)** [ʊntɐˈtsaiçnətə] *m/f*(*m*) *decl as adj* (*form*) ***der/die ~*** the undersigned
unterziehen [ʊntɐˈtsiːən] *past part* ***unterzogen*** [ʊntɐˈtsoːgn] *insep irr* **I** *v/r* (≈ *unterwerfen*) ***sich einer Sache*** (*dat*) ***~*** (***müssen***) to (have to) undergo sth; ***sich einer Prüfung*** (*dat*) ***~*** to take an examination **II** *v/t* to subject (+*dat* to)
Untiefe *f* shallow
Untier *nt* monster
untragbar *adj Zustände* intolerable; *Risiko* unacceptable
untrennbar **I** *adj* inseparable **II** *adv* ***mit etw ~ verbunden sein*** (*fig*) to be inextricably linked with sth
untreu *adj Liebhaber etc* unfaithful **Untreue** *f* (*von Liebhaber etc*) unfaithfulness
untröstlich *adj* inconsolable
untrüglich [ʊnˈtryːklɪç, ˈʊn-] *adj Gedächtnis, Gespür* infallible; *Zeichen* unmistakable
Untugend *f* (≈ *Laster*) vice; (≈ *schlechte Angewohnheit*) bad habit
unübel *adj* (***gar***) ***nicht*** (***so***) ***~*** not bad (at all)
unüberbietbar *adj Preis, Rekord etc* unbeatable; *Leistung* unsurpassable; *Frechheit* unparalleled
unüberlegt **I** *adj* rash **II** *adv* rashly
unübersehbar *adj Schaden, Folgen* incalculable; *Menge* vast
unübersichtlich *adj* **1.** *Gelände* broken; *Kurve, Stelle* blind **2.** (≈ *durcheinander*) *System* confused
unübertrefflich *adj* unsurpassable **unübertroffen** [ʊn|yːbɐˈtrɔfn, ˈʊn-] *adj* unsurpassed
unüblich *adj* not usual
unumgänglich [ʊn|ʊmˈgɛŋlɪç, ˈʊn-] *adj* essential; (≈ *unvermeidlich*) inevitable
unumschränkt [ʊn|ʊmˈʃrɛŋkt, ˈʊn-] *adj* unlimited; *Herrscher* absolute
unumstößlich [ʊn|ʊmˈʃtøːslɪç, ˈʊn-] **I** *adj Tatsache* irrefutable; *Entschluss* irrevocable **II** *adv* ***~ feststehen*** to be absolutely definite
unumstritten **I** *adj* indisputable **II** *adv* indisputably
unumwunden [ˈʊn|ʊmvʊndn, ʊn|ʊmˈvʊndn] *adv* frankly
unveränderlich [ʊnfɛɐˈ|ɛndɐlɪç, ˈʊn-] *adj* (≈ *gleichbleibend*) unchanging; (≈ *unwandelbar*) unchangeable; ***eine ~e Größe*** MAT an invariable **unverändert** [ˈʊnfɛɐ|ɛndɐt, ʊnfɛɐˈ|ɛndɐt] **I** *adj* unchanged **II** *adv* always
unverantwortlich [ʊnfɛɐˈ|antvɔrtlɪç, ˈʊn-] *adj* irresponsible
unveräußerlich [ʊnfɛɐˈ|ɔysɐlɪç, ˈʊn-] *adj Rechte* inalienable
unverbesserlich [ʊnfɛɐˈbɛsɐlɪç, ˈʊn-] *adj* incorrigible
unverbindlich [ˈʊnfɛɐbɪntlɪç, ʊnfɛɐˈbɪntlɪç] *adj* **1.** (≈ *nicht bindend*) *Angebot, Richtlinie* not binding **2.** (≈ *vage*) noncommittal; ***sich*** (*dat*) ***etw ~ schicken lassen*** to have sth sent without obligation
unverdächtig [ˈʊnfɛɐdɛçtɪç, ʊnfɛɐˈdɛçtɪç] *adj* unsuspicious; ***sich möglichst ~ benehmen*** to arouse as little suspicion as possible
unverdaulich [ˈʊnfɛɐdaulɪç, ʊnfɛɐˈdaulɪç] *adj* indigestible
unverdorben *adj* unspoilt
unverdrossen [ˈʊnfɛɐdrɔsn, ʊnfɛɐˈdrɔsn] **I** *adj* (≈ *nicht entmutigt*) undeterred; (≈ *unermüdlich*) indefatigable; (≈ *unverzagt*) undaunted **II** *adv* (≈ *unverzagt*) undauntedly
unverdünnt [ˈʊnfɛɐdʏnt] *adj* undiluted
unvereinbar [ʊnfɛɐˈ|ainbaːɐ, ˈʊn-] *adj* incompatible
unverfänglich [ˈʊnfɛɐfɛŋlɪç, ʊnfɛɐˈfɛŋlɪç] *adj* harmless
unvergessen *adj* unforgotten **unvergesslich** [ʊnfɛɐˈgɛslɪç, ˈʊn-] *adj* unforgettable
unvergleichlich [ʊnfɛɐˈglaiçlɪç, ˈʊn-] *adj* unique, incomparable
unverhältnismäßig [ˈʊnfɛɐhɛltnɪsmɛːsɪç, ʊnfɛɐˈhɛltnɪsmɛːsɪç] *adv* disproportionately; (≈ *übermäßig*) excessively
unverhofft [ˈʊnfɛɐhɔft, ʊnfɛɐˈhɔft] **I** *adj* unexpected **II** *adv* unexpectedly; ***~ Besuch bekommen*** to get an unexpected

visit

unverkäuflich ['ʊnfɛɐkɔyflɪç, ʊnfɛɐ'kɔyflɪç] *adj* unsaleable; **~es Muster** free sample

unverkennbar [ʊnfɛɐ'kɛnbaːɐ, 'ʊn-] *adj* unmistak(e)able

unverletzlich [ʊnfɛɐ'lɛtslɪç, 'ʊn-] *adj* (*fig*) *Rechte*, *Grenze* inviolable **unverletzt** ['ʊnfɛɐlɛtst] *adj* uninjured, unhurt

unvermeidlich [ʊnfɛɐ'maitlɪç, 'ʊn-] *adj* inevitable; (≈ *nicht zu umgehen*) unavoidable

unvermindert ['ʊnfɛɐmɪndɐt] *adj*, *adv* undiminished

unvermittelt ['ʊnfɛɐmɪtlt] **I** *adj* (≈ *plötzlich*) sudden **II** *adv* suddenly

unvermutet ['ʊnfɛɐmuːtət] **I** *adj* unexpected **II** *adv* unexpectedly

Unvernunft *f* (≈ *Uneinsichtigkeit*) unreasonableness **unvernünftig** *adj* (≈ *uneinsichtig*) unreasonable

unverrichtet ['ʊnfɛɐrɪçtət] *adj* **~er Dinge** without having achieved anything

unverschämt **I** *adj* outrageous; *Frage*, *Benehmen etc* impudent; **~es Glück** unbelievable luck **II** *adv* **1.** (≈ *dreist*) *grinsen* impudently; *lügen* blatantly **2.** (*infml* ≈ *unerhört*) *teuer* outrageously **Unverschämtheit** *f* ⟨-, **-en**⟩ **1.** *no pl* outrageousness; (*von Frage*, *Benehmen etc*) impudence; **die ~ besitzen, etw zu tun** to have the impudence to do sth **2.** (*Bemerkung*) impertinence; (*Tat*) outrageous thing

unverschuldet ['ʊnfɛɐʃʊldət, ʊnfɛɐ'ʃʊldət] **I** *adj* **ein ~er Unfall** an accident which was not his/her *etc* fault **II** *adv* **~ in eine Notlage geraten** to get into difficulties through no fault of one's own

unversehens ['ʊnfɛɐzeːəns, ʊnfɛɐ'zeːəns] *adv* all of a sudden; (≈ *überraschend*) unexpectedly

unversehrt ['ʊnfɛɐzeːɐt] *adj Mensch* unscathed; (≈ *unbeschädigt*) intact *pred*

unversöhnlich ['ʊnfɛɐzøːnlɪç, ʊnfɛɐ'zøːnlɪç] *adj Standpunkte etc* irreconcilable

Unverstand *m* lack of judgement **unverständlich** *adj* (≈ *nicht zu hören*) inaudible; (≈ *unbegreifbar*) incomprehensible

Unverständnis *nt*, *no pl* lack of understanding

unversucht ['ʊnfɛɐzuːxt, ʊnfɛɐ'zuːxt] *adj* **nichts ~ lassen** to try everything

unverträglich ['ʊnfɛɐtrɛklɪç, ʊnfɛɐ'trɛklɪç] *adj* (≈ *unverdaulich*) indigestible; (*mit anderer Substanz etc*) incompatible

unverwechselbar [ʊnfɛɐ'vɛkslbaːɐ, 'ʊn-] *adj* unmistak(e)able

unverwundbar *adj* invulnerable

unverwüstlich [ʊnfɛɐ'vyːstlɪç, 'ʊn-] *adj* indestructible; *Humor*, *Mensch* irrepressible

unverzeihlich [ʊnfɛɐ'tsailɪç, 'ʊn-] *adj* unforgivable

unverzichtbar [ʊnfɛɐ'tsɪçtbaːɐ, 'ʊn-] *adj attr Recht* inalienable; *Bedingung*, *Bestandteil* indispensable

unverzinslich [ʊnfɛɐ'tsɪnslɪç, 'ʊn-] *adj* interest-free

unverzüglich [ʊnfɛɐ'tsyːklɪç, 'ʊn-] **I** *adj* immediate **II** *adv* immediately

unvollendet ['ʊnfɔl|ɛndət, 'ʊnfɔlɛndət, ʊnfɔl'|ɛndət] *adj* unfinished

unvollkommen ['ʊnfɔlkɔmən, ʊnfɔl'kɔmən] *adj* (≈ *unvollständig*) incomplete; (≈ *fehlerhaft*) imperfect

unvollständig ['ʊnfɔlʃtɛndɪç, ʊnfɔl'ʃtɛndɪç] *adj* incomplete

unvorbereitet ['ʊnfoːɐbəraitət] *adj*, *adv* unprepared

unvoreingenommen **I** *adj* impartial **II** *adv* impartially **Unvoreingenommenheit** *f* impartiality

unvorhergesehen ['ʊnfoːɐheːɐgəzeːən] *adj* unforeseen; *Besuch* unexpected

unvorsichtig **I** *adj* careless; (≈ *voreilig*) rash **II** *adv* carelessly; (≈ *unbedacht*) rashly

unvorstellbar [ʊnfoːɐ'ʃtɛlbaːɐ, 'ʊn-] *adj* inconceivable

unvorteilhaft *adj* unfavourable (*Br*), unfavorable (*US*); *Kleid*, *Frisur etc* unbecoming

unwahr *adj* untrue **Unwahrheit** *f*, *no pl* (*von Äußerung*) untruthfulness; **die ~ sagen** not to tell the truth

unwahrscheinlich **I** *adj* unlikely; (≈ *unglaubhaft*) implausible; (*infml* ≈ *groß*) incredible (*infml*) **II** *adv* (*infml*) incredibly (*infml*) **Unwahrscheinlichkeit** *f* unlikeliness

unwegsam *adj Gelände etc* rough

unweigerlich [ʊn'vaigɐlɪç, 'ʊn-] **I** *adj attr Folge* inevitable **II** *adv* inevitably

unweit *prep +gen*, *adv* not far from

Unwesen *nt*, *no pl* **sein ~ treiben** to be up to mischief; (*Landstreicher etc*) to make trouble

unwesentlich I *adj* irrelevant; (≈ *unwichtig*) unimportant II *adv erhöhen* insignificantly; *verändern* only slightly; *jünger, besser* just slightly
Unwetter *nt* (thunder)storm
unwichtig *adj* unimportant; (≈ *belanglos*) irrelevant
unwiderruflich [ʊnviːdɐˈruːflɪç, ˈʊn-] I *adj* irrevocable II *adv* definitely
unwiderstehlich [ʊnviːdɐˈʃteːlɪç, ˈʊn-] *adj* irresistible
Unwille(n) *m, no pl* displeasure (*über +acc* at)
unwillkürlich [ˈʊnvɪlkyːɐlɪç, ʊnvɪlˈkyːɐlɪç] I *adj* spontaneous; (≈ *instinktiv*) instinctive II *adv zusammenzucken* instinctively; ***ich musste ~ lachen*** I couldn't help laughing
unwirklich *adj* unreal
unwirksam *adj* ineffective; (≈ *nichtig*) null, void
unwirsch [ˈʊnvɪrʃ] *adj Mensch, Benehmen* surly, gruff; *Bewegung* brusque
unwirtlich [ˈʊnvɪrtlɪç] *adj* inhospitable
unwirtschaftlich *adj* uneconomic
Unwissen *nt* ignorance **unwissend** *adj* ignorant **Unwissenheit** *f* ⟨-, *no pl*⟩ ignorance **unwissentlich** *adv* unwittingly
unwohl *adj* (≈ *unpässlich*) unwell; (≈ *unbehaglich*) uneasy; ***ich fühle mich ~*** I don't feel well **Unwohlsein** *nt* indisposition; (≈ *unangenehmes Gefühl*) unease
Unwort *nt, pl* ***-wörter*** taboo word, non-word
unwürdig *adj* unworthy (*+gen* of); (≈ *schmachvoll*) degrading
Unzahl *f* ***eine ~ von*** a host of **unzählig** [ʊnˈtsɛːlɪç, ˈʊn-] *adj* innumerable; ***~e Mal(e)*** countless times; ***~ viele Bücher*** innumerable books
Unze [ˈʊntsə] *f* ⟨-, -n⟩ ounce
unzeitgemäß *adj* (≈ *altmodisch*) old-fashioned
unzerbrechlich [ʊntsɛɐˈbrɛçlɪç, ˈʊn-] *adj* unbreakable
unzertrennlich [ʊntsɛɐˈtrɛnlɪç, ˈʊn-] *adj* inseparable
unzivilisiert *adj* (*lit, fig*) uncivilized
Unzucht *f, no pl esp* JUR sexual offence (*Br*) *or* offense (*US*); ***~ treiben*** to fornicate **unzüchtig** *adj esp* JUR indecent; *Schriften* obscene
unzufrieden *adj* dissatisfied; (≈ *missmutig*) unhappy **Unzufriedenheit** *f, no pl* dissatisfaction, discontent; (≈ *Missmut*) unhappiness
unzulänglich I *adj* (≈ *nicht ausreichend*) insufficient; (≈ *mangelhaft*) inadequate II *adv* inadequately
unzulässig *adj* inadmissible; *Gebrauch* improper
unzumutbar *adj Bedingungen* unreasonable
unzurechnungsfähig *adj* of unsound mind **Unzurechnungsfähigkeit** *f* unsoundness of mind
unzusammenhängend *adj* incoherent
unzutreffend *adj* inappropriate, inapplicable; (≈ *unwahr*) incorrect; ***Unzutreffendes bitte streichen*** delete as applicable
unzuverlässig *adj* unreliable
unzweckmäßig *adj* (≈ *nicht ratsam*) inexpedient; (≈ *ungeeignet*) unsuitable
unzweideutig *adj* unambiguous
unzweifelhaft I *adj* undoubted, unquestionable II *adv* without doubt, undoubtedly
Update [ˈapdeːt] *nt* ⟨***-s, -s***⟩ IT update **updaten** [ˈapdeːtn] *past part* ***upgedatet*** *v/t & v/i sep* IT to update
üppig [ˈʏpɪç] *adj Wachstum* luxuriant; *Haar* thick; *Mahl, Ausstattung* sumptuous; *Figur* voluptuous; *Fantasie* rich; ***~ leben*** to live in style
Urabstimmung *f* ballot
Ural [uˈraːl] *m* ⟨***-s***⟩ (*Gebirge*) ***der ~*** the Urals *pl*
uralt *adj* ancient
Uran [uːˈraːn] *nt* ⟨***-s***, *no pl*⟩ uranium
uraufführen [ˈuːɐ|auffyːrən] *past part* ***uraufgeführt*** [ˈuːɐ|aufgəfyːɐt] *v/t* to give the first performance (of), to play for the first time; *Film* to premiere *usu pass* **Uraufführung** *f* premiere
urbar [ˈuːɐbaːɐ] *adj* ***die Wüste ~ machen*** to reclaim the desert; ***Land ~ machen*** to cultivate land
Urbevölkerung *f* natives *pl*; (*in Australien*) Aborigines *pl*
urchig [ˈʊrçɪç] *adj* (*Swiss*) = ***urwüchsig***
ureigen [ˈuːɐ|aign] *adj* very own; ***es liegt in seinem ~sten Interesse*** it's in his own best interests **Ureinwohner(in)** *m/(f)* native; (*in Australien*) Aborigine
Urenkel *m* great-grandchild, great-grandson **Urenkelin** *f* great-granddaughter **urgemütlich** *adj* (*infml*) really cosy (*Br*) *or* cozy (*US*) **Urgeschichte** *f* prehistory **Urgewalt** *f* elemental force

Urgroßeltern *pl* great-grandparents *pl* **Urgroßmutter** *f* great-grandmother **Urgroßvater** *m* great-grandfather **Urheber** ['uːɐheːbɐ] *m* ⟨**-s, -**⟩, **Urheberin** [-ərɪn] *f* ⟨**-, -nen**⟩ originator; (JUR ≈ *Verfasser*) author **Urheberrecht** *nt* copyright (*an +dat* on) **urheberrechtlich** *adj, adv* on copyright *attr*; **~ geschützt** copyright(ed) **Urheberschaft** ['uːɐheːbɐʃaft] *f* ⟨**-, -en**⟩ authorship **urig** ['uːrɪç] *adj* (*infml*) *Mensch* earthy; *Lokal etc* ethnic

Urin [u'riːn] *m* ⟨**-s, -e**⟩ urine **urinieren** [uri'niːrən] *past part* **uriniert** *v/i* to urinate

Urknall *m* ASTRON big bang **urkomisch** *adj* (*infml*) screamingly funny (*infml*)

Urkunde ['uːɐkʊndə] *f* ⟨**-, -n**⟩ document; (≈ *Siegerurkunde, Bescheinigung etc*) certificate **Urkundenfälschung** *f* falsification of documents

Urlaub ['uːɐlaup] *m* ⟨**-(e)s, -e** [-bə]⟩ (≈ *Ferien*) holiday(s *pl*) (*esp Br*), vacation (*US*); *esp* MIL leave (of absence), furlough (*US*); **im ~ sein** to be on holiday (*esp Br*) *or* vacation (*US*)/on leave; **in ~ fahren** to go on holiday (*esp Br*) *or* vacation (*US*)/on leave; **(sich** *dat*) **einen Tag ~ nehmen** to take a day off **Urlauber** ['uːɐlaubɐ] *m* ⟨**-s, -**⟩, **Urlauberin** [-ərɪn] *f* ⟨**-, -nen**⟩ holiday-maker (*Br*), vacationist (*US*) **Urlaubsgeld** *nt* holiday pay *or* money (*Br*), vacation pay *or* money (*US*) **urlaubsreif** *adj* (*infml*) ready for a holiday (*esp Br*) *or* vacation (*US*) **Urlaubsreise** *f* holiday (*esp Br*) *or* vacation (*US*) trip **Urlaubsstimmung** *f* holiday mood **Urlaubstag** *m* (one day of) holiday (*esp Br*) *or* vacation (*US*) **Urlaubsvertretung** *f* temporary replacement **Urlaubszeit** *f* holiday (*esp Br*) *or* vacation (*US*) period *or* season

Urne ['ʊrnə] *f* ⟨**-, -n**⟩ urn; (≈ *Losurne*) box; (≈ *Wahlurne*) ballot box

Urologe [uro'loːgə] *m* ⟨**-n, -n**⟩, **Urologin** [-'loːgɪn] *f* ⟨**-, -nen**⟩ urologist **Urologie** [urolo'giː] *f* ⟨**-**, *no pl*⟩ urology **urologisch** [uro'loːgɪʃ] *adj* urological

urplötzlich (*infml*) **I** *adj attr* very sudden **II** *adv* all of a sudden **Ursache** ['uːɐzaxə] *f* cause; (≈ *Grund*) reason; (≈ *Anlass*) occasion; **~ und Wirkung** cause and effect; **keine ~!** (*auf Dank*) don't mention it!; (*auf Entschuldigung*) that's all right; **aus ungeklärter ~** for reasons unknown **Ursprung** ['uːɐʃprʊŋ] *m* origin; (≈ *Abstammung*) extraction; **seinen ~ in etw** (*dat*) **haben** to originate in sth **ursprünglich** ['uːɐʃprʏŋlɪç, uːɐ'ʃp-] **I** *adj attr* original; (≈ *anfänglich*) initial **II** *adv* originally; (≈ *anfänglich*) initially **Ursprungsland** *nt* COMM country of origin **Ursprungszeugnis** *nt* certificate of origin

Urteil ['ʊrtail] *nt* ⟨**-s, -e**⟩ **1.** judgement; (≈ *Entscheidung*) decision; (≈ *Meinung*) opinion; **ein ~ über jdn/etw fällen** to pass judgement on sb/sth; **sich** (*dat*) **kein ~ über etw** (*acc*) **erlauben können** to be in no position to judge sth; **sich** (*dat*) **ein ~ über jdn/etw bilden** to form an opinion about sb/sth **2.** (JUR ≈ *Gerichtsurteil*) verdict; (≈ *Strafmaß*) sentence; **das ~ über jdn sprechen** JUR to pass judgement on sb **urteilen** ['ʊrtailən] *v/i* to judge (*nach* by); **über etw** (*acc*) **~** to judge sth; (≈ *seine Meinung äußern*) to give one's opinion on sth; **nach seinem Aussehen zu ~** judging by his appearance **Urteilsbegründung** *f* JUR opinion **Urteilskraft** *f, no pl* power of judgement; (≈ *Umsichtigkeit*) discernment **Urteilsspruch** *m* JUR judgement; (*von Geschworenen*) verdict; (*von Strafgericht*) sentence **Urteilsverkündung** *f* JUR pronouncement of judgement **Urteilsvermögen** *nt* faculty of judgement

Uruguay ['uːrugvai, 'ʊr-, uru'guai] *nt* ⟨**-s**⟩ Uruguay

Urur- ['uːɐ|uːɐ] *in cpds* great-great- **Urvater** *m* forefather **Urwald** *m* primeval forest; (*in den Tropen*) jungle **urwüchsig** ['uːɐvyːksɪç] *adj* (≈ *naturhaft*) natural; *Natur* unspoilt; (≈ *derb, kräftig*) sturdy; *Mensch* rugged; *Humor* earthy **Urzeit** *f* primeval times *pl*; **seit ~en** since primeval times; (*infml*) for aeons (*Br infml*) *or* eons (*US infml*); **vor ~en** in primeval times; (*infml*) ages ago **urzeitlich** *adj* primeval **Urzustand** *m* original state

USA [uː|ɛs'|aː] *pl* **die ~** the USA *sg*

Usbekistan [ʊs'beːkɪstaːn] *nt* ⟨**-s**⟩ Uzbekistan

User ['juːzɐ] *m* ⟨**-s, -**⟩, **Userin** [-ərɪn] *f* ⟨**-, -nen**⟩ IT user

Utensil [utɛn'ziːl] *nt* ⟨**-s, -ien** [-liən]⟩ utensil

Uterus ['uːterʊs] *m* ⟨-, ***Uteri*** [-ri]⟩ uterus **Utopie** [uto'piː] *f* ⟨-, ***-n*** [-'piːən]⟩ utopia; (≈ *Wunschtraum*) utopian dream **utopisch** [u'toːpɪʃ] *adj* utopian **utopistisch** [uto'pɪstɪʃ] *adj* (*pej*) utopian

UV-Schutz [uː'fau-] *m* UV block *or* screen

UV-Strahlen [uː'fau-] *pl* ultraviolet rays *pl*

V

V, v [fau] *nt* ⟨-, -⟩ V, v

Vagabund [vaga'bʊnt] *m* ⟨***-en, -en*** [-dn]⟩, **Vagabundin** [-'bʊndɪn] *f* ⟨-, ***-nen***⟩ vagabond

vage ['vaːgə] **I** *adj* vague **II** *adv* vaguely; ***etw ~ andeuten*** to give a vague indication of sth

Vagina [va'giːna] *f* ⟨-, ***Vaginen*** [-nən]⟩ vagina

Vakuum ['vaːkuʊm] *nt* ⟨***-s, Vakuen*** *or* ***Vakua*** [-kuən, -kua]⟩ vacuum **vakuumverpackt** [-fɛɐpakt] *adj* vacuum-packed

Valentinstag ['vaːlɛntiːns-] *m* (St) Valentine's Day

Valenz [va'lɛnts] *f* ⟨-, ***-en***⟩ valency

Valuta [va'luːta] *f* ⟨-, ***Valuten*** [-tn]⟩ (≈ *Währung*) foreign currency

Vamp [vɛmp] *m* ⟨***-s, -s***⟩ vamp **Vampir** [vam'piːɐ] *m* ⟨***-s, -e***⟩ vampire

Vandale [van'daːlə] *m* ⟨***-n, -n***⟩, **Vandalin** [-'daːlɪn] *f* ⟨-, ***-nen***⟩ vandal **Vandalismus** [vanda'lɪsmʊs] *m* ⟨-, *no pl*⟩ vandalism

Vanille [va'nɪljə, va'nɪlə] *f* ⟨-, *no pl*⟩ vanilla **Vanilleeis** *nt* vanilla ice cream **Vanillegeschmack** *m* vanilla flavour (*Br*) *or* flavor (*US*) **Vanillesoße** *f* custard **Vanillinzucker** [vanɪ'liːn-] *m* vanilla sugar

variabel [va'riaːbl] *adj* variable **Variable** [va'riaːblə] *f decl as adj* variable **Variante** [va'riantə] *f* ⟨-, ***-n***⟩ variant (*zu* on) **Variation** [varia'tsioːn] *f* ⟨-, ***-en***⟩ variation

Varieté [varie'teː] *nt* ⟨***-s, -s***⟩, **Varietee** *nt* ⟨***-s, -s***⟩ **1.** variety (entertainment), vaudeville (*esp US*) **2.** (≈ *Theater*) music hall (*Br*), vaudeville theater (*US*) **variieren** [vari'iːrən] *past part* ***variiert*** *v/t & v/i* to vary

Vase ['vaːzə] *f* ⟨-, ***-n***⟩ vase

Vaseline [vaze'liːnə] *f* ⟨-, *no pl*⟩ Vaseline®

Vater ['faːtɐ] *m* ⟨***-s,*** **⸚** ['fɛːtɐ]⟩ father; ***~ von zwei Kindern sein*** to be the father of two children; ***er ist ganz der ~*** he's very like his father; ***~ Staat*** (*hum*) the State **Vaterland** *nt* native country; (*esp Deutschland*) Fatherland **vaterländisch** [-lɛndɪʃ] *adj* (≈ *national*) national; (≈ *patriotisch*) patriotic **Vaterlandsliebe** *f* patriotism **väterlich** ['fɛːtɐlɪç] **I** *adj* paternal **II** *adv* like a father **väterlicherseits** *adv* on one's father's side; ***meine Großeltern ~*** my paternal grandparents **Vaterliebe** *f* paternal love **Vaterschaft** ['faːtɐʃaft] *f* ⟨-, ***-en***⟩ fatherhood *no art*; *esp* JUR paternity **Vaterschaftsklage** *f* paternity suit **Vaterschaftsnachweis** *m* proof of paternity **Vatertag** *m* Father's Day **Vaterunser** ['faːtɐ'|ʊnzɐ, faːtɐ'ʊnzɐ] *nt* ⟨***-s, -***⟩ Lord's Prayer **Vati** ['faːti] *m* ⟨***-s, -s***⟩ (*infml*) dad(dy) (*infml*)

Vatikan [vati'kaːn] *m* ⟨***-s***⟩ Vatican **Vatikanstadt** *f, no pl* Vatican City

V-Ausschnitt ['fau-] *m* V-neck; ***ein Pullover mit ~*** a V-neck pullover

Veganer [ve'gaːnɐ] *m* ⟨***-s, -***⟩, **Veganerin** [-ərɪn] *f* ⟨-, ***-nen***⟩ vegan **Vegetarier** [vege'taːriɐ] *m* ⟨***-s, -***⟩, **Vegetarierin** [-iərɪn] *f* ⟨-, ***-nen***⟩ vegetarian **vegetarisch** [vege'taːrɪʃ] **I** *adj* vegetarian **II** *adv* ***~ leben*** to be a vegetarian; ***sich ~ ernähren*** to live on a vegetarian diet **Vegetarismus** [vegeta'rɪsmʊs] *m* ⟨-, *no pl*⟩ vegetarianism **Vegetation** [vegeta'tsioːn] *f* ⟨-, ***-en***⟩ vegetation **vegetativ** [vegeta'tiːf] *adj* vegetative; *Nervensystem* autonomic **vegetieren** [vege'tiːrən] *past part* ***vegetiert*** *v/i* to vegetate; (≈ *kärglich leben*) to eke out a bare existence

Veilchen ['failçən] *nt* ⟨***-s, -***⟩ violet **veilchenblau** *adj* violet

Vektor ['vɛktoːɐ] *m* ⟨***-s, Vektoren*** [-'toːrən]⟩ vector

Velo ['veːlo] *nt* ⟨***-s, -s***⟩ (*Swiss*) bike (*infml*)

Velours [və'luːɐ, ve'luːɐ] *nt* ⟨-, -⟩ (*a.* **Veloursleder**) suede

Vene ['ve:nə] *f* ⟨-, **-n**⟩ vein **Venedig** [ve'ne:dɪç] *nt* ⟨**-s**⟩ Venice **Venenentzündung** *f* phlebitis

Venezianer [vene'tsia:nɐ] *m* ⟨**-s**, **-**⟩, **Venezianerin** [-ərɪn] *f* ⟨-, **-nen**⟩ Venetian **venezianisch** [vene'tsia:nɪʃ] *adj* Venetian

Venezolaner [venetso'la:nɐ] *m* ⟨**-s**, **-**⟩, **Venezolanerin** [-ərɪn] *f* ⟨-, **-nen**⟩ Venezuelan **venezolanisch** [venetso'la:nɪʃ] *adj* Venezuelan **Venezuela** [vene'tsue:la] *nt* ⟨**-s**⟩ Venezuela

Ventil [vɛn'ti:l] *nt* ⟨**-s**, **-e**⟩ valve; (*fig*) outlet **Ventilation** [vɛntila'tsio:n] *f* ⟨-, **-en**⟩ ventilation; (*Anlage*) ventilation system **Ventilator** [vɛnti'la:to:ɐ] *m* ⟨**-s**, ***Ventilatoren*** [-'to:rən]⟩ ventilator

verabreden [fɛɐ'|apre:dn] *past part* ***verabredet*** **I** *v/t* to arrange; ***zum verabredeten Zeitpunkt*** at the agreed time; ***schon verabredet sein*** to have something else on (*infml*); ***mit jdm verabredet sein*** to have arranged to meet sb; (*geschäftlich*) to have an appointment with sb; (*esp mit Freund/Freundin*) to have a date with sb **II** *v/r* ***sich mit jdm ~*** to arrange to meet sb; (*geschäftlich*) to arrange an appointment with sb; (*esp mit Freund/Freundin*) to make a date with sb **Verabredung** *f* ⟨-, **-en**⟩ (≈ *Vereinbarung*) arrangement; (≈ *Treffen*) engagement (*form*); (*geschäftlich*) appointment; (*esp mit Freund/Freundin*) date

verabreichen [fɛɐ'|apraiçn] *past part* ***verabreicht*** *v/t* to give; *Arznei auch* to administer (*form*) (*jdm* to sb)

verabscheuen [fɛɐ'|apʃɔyən] *past part* ***verabscheut*** *v/t* to detest **verabscheuenswert** *adj* detestable

verabschieden [fɛɐ'|apʃi:dn] *past part* ***verabschiedet*** **I** *v/t* to say goodbye to; (≈ *entlassen*) *Beamte* to discharge; POL *Haushaltsplan* to adopt; *Gesetz* to pass **II** *v/r* ***sich*** (***von jdm***) ***~*** to say goodbye (to sb) **Verabschiedung** *f* ⟨-, **-en**⟩ (*von Beamten etc*) discharge; (POL, *von Gesetz*) passing; (*von Haushaltsplan*) adoption

verachten *past part* ***verachtet*** *v/t* to despise; ***nicht zu ~*** (*infml*) not to be sneezed at (*infml*) **verachtenswert** *adj* despicable **verächtlich** [fɛɐ'|ɛçtlɪç] **I** *adj* contemptuous; (≈ *verachtenswert*) despicable **II** *adv* contemptuously **Verachtung** *f*, *no pl* contempt (*von* for); ***jdn mit ~ strafen*** to treat sb with contempt

veralbern [fɛɐ'|albɐn] *past part* ***veralbert*** *v/t* (*infml*) to make fun of

verallgemeinern [fɛɐ|algə'mainɐn] *past part* ***verallgemeinert*** *v/t & v/i* to generalize **Verallgemeinerung** *f* ⟨-, **-en**⟩ generalization

veralten [fɛɐ'|altn] *past part* ***veraltet*** *v/i aux sein* to become obsolete; (*Ansichten, Methoden*) to become antiquated **veraltet** [fɛɐ'|altət] *adj* obsolete; *Ansichten* antiquated

Veranda [ve'randa] *f* ⟨-, ***Veranden*** [-dn]⟩ veranda

veränderbar *adj* changeable **veränderlich** [fɛɐ'|ɛndɐlɪç] *adj* variable; *Wetter* changeable **Veränderlichkeit** *f* ⟨-, **-en**⟩ variability **verändern** *past part* ***verändert*** **I** *v/t* to change **II** *v/r* to change; (≈ *Stellung wechseln*) to change one's job; ***sich zu seinem Vorteil/Nachteil ~*** (*im Aussehen*) to look better/worse; (*charakterlich*) to change for the better/worse **Veränderung** *f* change

verängstigen *past part* ***verängstigt*** *v/t* (≈ *erschrecken*) to frighten; (≈ *einschüchtern*) to intimidate

veranlagen [fɛɐ'|anla:gn] *past part* ***veranlagt*** *v/t* to assess (*mit* at) **veranlagt** [fɛɐ'|anla:kt] *adj* ***melancholisch ~ sein*** to have a melancholy disposition; ***praktisch ~ sein*** to be practically minded; ***künstlerisch ~ sein*** to have an artistic bent **Veranlagung** *f* ⟨-, **-en**⟩ **1.** (*körperlich*) predisposition; (*charakterlich*) nature; (≈ *Hang*) tendency; (≈ *Talent*) bent **2.** (*von Steuern*) assessment

veranlassen [fɛɐ'|anlasn] *past part* ***veranlasst*** *v/t* ***etw ~*** (≈ *in die Wege leiten*) to arrange for sth; (≈ *befehlen*) to order sth; ***wir werden alles Weitere ~*** we will take care of everything else **Veranlassung** *f* ⟨-, **-en**⟩ cause; ***auf ~ von*** *or* +*gen* at the instigation of; ***~ zu etw geben*** to give cause for sth

veranschaulichen [fɛɐ'|anʃaulɪçn] *past part* ***veranschaulicht*** *v/t* to illustrate **Veranschaulichung** *f* ⟨-, **-en**⟩ illustration

veranschlagen *past part* ***veranschlagt*** *v/t* to estimate (*auf* +*acc* at); ***etw zu hoch ~*** to overestimate sth; ***etw zu niedrig ~*** to underestimate sth

veranstalten [fɛɐ'|anʃtaltn] *past part* ***veranstaltet*** *v/t* to organize; *Wahlen* to hold; *Umfrage* to do; *Party etc* to hold **Veranstalter** [fɛɐ'|anʃtaltɐ] *m* ⟨**-s, -**⟩, **Veranstalterin** [-ərɪn] *f* ⟨**-, -nen**⟩ organizer; (*von Konzerten etc*) promoter **Veranstaltung** [fɛɐ'|anʃtaltʊŋ] *f* ⟨**-, -en**⟩ **1.** event (*von* organized by); (*feierlich*) function **2.** *no pl* (≈ *das Veranstalten*) organization **Veranstaltungskalender** *m* calendar of events

verantworten *past part* ***verantwortet*** **I** *v/t* to accept (the) responsibility for; ***wie könnte ich es denn ~, ...?*** it would be most irresponsible of me ...; ***ein weiterer Streik wäre nicht zu ~*** another strike would be irresponsible **II** *v/r* ***sich für*** *or* ***wegen etw ~*** to justify sth (*vor +dat* to); *für Missetaten etc* to answer for sth (*vor +dat* before) **verantwortlich** [fɛɐ'|antvɔrtlɪç] *adj* responsible (*für* for); (≈ *haftbar*) liable; ***jdn für etw ~ machen*** to hold sb responsible for sth **Verantwortliche(r)** [fɛɐ'|antvɔrtlɪçə] *m/f(m) decl as adj* person responsible **Verantwortung** [fɛɐ'|antvɔrtʊŋ] *f* ⟨**-, -en**⟩ responsibility; ***auf eigene ~*** on one's own responsibility; ***auf deine ~!*** on your own head be it! (*Br*), it's your ass! (*US infml*); ***die ~ (für etw) tragen*** to take responsibility (for sth) **verantwortungsbewusst I** *adj* responsible **II** *adv* responsibly **Verantwortungsbewusstsein** *nt* sense of responsibility **verantwortungslos I** *adj* irresponsible **II** *adv* irresponsibly

verarbeiten *past part* ***verarbeitet*** *v/t* to use (*zu etw* to make sth); TECH, BIOL *etc* to process; *Daten* to process; (≈ *bewältigen*) to overcome; ***~de Industrie*** processing industries *pl* **Verarbeitung** [fɛɐ'|arbaitʊŋ] *f* ⟨**-, -en**⟩ **1.** use, using; TECH, BIOL, IT processing; (≈ *Bewältigung*) overcoming **2.** (≈ *Aussehen*) finish

verärgern *past part* ***verärgert*** *v/t* ***jdn ~*** to annoy sb; (*stärker*) to anger sb **verärgert** [fɛɐ'|ɛrgɐt] **I** *adj* annoyed; (*stärker*) angry **II** *adv reagieren* angrily

verarmen [fɛɐ'|armən] *past part* ***verarmt*** *v/i aux sein* to become impoverished

verarschen [fɛɐ'|arʃn, -'|aːɐʃn] *past part* ***verarscht*** *v/t* (*infml*) to take the piss out of (*Br sl*), to make fun of; (≈ *für dumm verkaufen*) to mess around (*infml*)

verarzten [fɛɐ'|aːɐtstn, -'|artstn] *past part* ***verarztet*** *v/t* (*infml*) to fix up (*infml*); (*mit Verband*) to patch up (*infml*)

verausgaben [fɛɐ'|ausgaːbn] *past part* ***verausgabt*** *v/r* to overexert oneself

veräußern *past part* ***veräußert*** *v/t* (*form* ≈ *verkaufen*) to dispose of; *Rechte, Land* to alienate (*form*)

Verb [vɛrp] *nt* ⟨**-s, -en** [-bn]⟩ verb **verbal** [vɛr'baːl] **I** *adj* verbal **II** *adv* verbally

Verband [fɛɐ'bant] *m* ⟨**-(e)s, ¨-e** [-'bɛndə]⟩ **1.** MED dressing; (*mit Binden*) bandage **2.** (≈ *Bund*) association **Verband(s)kasten** *m* first-aid box **Verband(s)material** *nt* dressing material **Verband(s)zeug** *nt, pl* **-zeuge** dressing material

verbannen *past part* ***verbannt*** *v/t* to banish (*also fig*), to exile (*aus* from, *auf* to) **Verbannung** [fɛɐ'banʊŋ] *f* ⟨**-, -en**⟩ banishment

verbarrikadieren *past part* ***verbarrikadiert*** *v/r* to barricade oneself in (*in etw (dat)* sth)

verbauen *past part* ***verbaut*** *v/t* (≈ *versperren*) to obstruct

verbeißen *past part* ***verbissen*** *irr* **I** *v/t* (*fig infml*) ***sich*** (*dat*) ***etw ~*** *Bemerkung* to bite back sth; *Schmerz* to hide sth; ***sich*** (*dat*) ***das Lachen ~*** to keep a straight face **II** *v/r* ***sich in etw*** (*acc*) ***~*** (*fig*) to become fixed on sth; → ***verbissen***

verbergen *past part* ***verborgen*** [fɛɐ'bɔrgn] *irr* **I** *v/t* to hide; ***jdm etw ~*** (≈ *verheimlichen*) to keep sth from sb **II** *v/r* to hide (oneself); → ***verborgen***

verbessern *past part* ***verbessert*** **I** *v/t* **1.** (≈ *besser machen*) to improve; *Leistung, Bestzeit* to improve (up)on **2.** (≈ *korrigieren*) to correct **II** *v/r* **1.** to improve; (*beruflich*) to better oneself **2.** (≈ *sich korrigieren*) to correct oneself **Verbesserung** *f* ⟨**-, -en**⟩ **1.** improvement (*von* in); (≈ *berufliche Verbesserung*) betterment **2.** (≈ *Berichtigung*) correction

verbeugen *past part* ***verbeugt*** *v/r* to bow (*vor +dat* to) **Verbeugung** *f* bow

verbeulen *past part* ***verbeult*** *v/t* to dent

verbiegen *past part* ***verbogen*** *irr* **I** *v/t* to bend (out of shape); ***verbogen*** bent **II** *v/r* to bend; (*Holz*) to warp

verbieten *past part* ***verboten*** [fɛɐ'boːtn] *v/t irr* to forbid; *Zeitung, Partei etc* to ban; ***jdm ~, etw zu tun*** to forbid sb to do sth; → ***verboten***

verbilligen *past part* ***verbilligt*** *v/t* to reduce the cost of; *Preis* to reduce; ***verbilligte Waren*** reduced goods

verbinden *past part* ***verbunden*** [fɛɐ'bʊndn] *irr* **I** *v/t* **1.** MED to dress; (*mit Binden*) to bandage; ***jdm die Augen ~*** to blindfold sb **2.** (≈ *verknüpfen*) to connect **3.** TEL (***Sie sind hier leider***) ***falsch verbunden!*** (I'm sorry, you've got the) wrong number!; ***mit wem bin ich verbunden?*** who am I speaking to? **4.** (≈ *gleichzeitig tun*) to combine **5.** (≈ *assoziieren*) to associate **6.** (≈ *mit sich bringen*) ***mit etw verbunden sein*** to involve sth **II** *v/r* (≈ *zusammenkommen*) to combine; (≈ *sich zusammentun*) to join forces **verbindlich** [fɛɐ'bɪntlɪç] **I** *adj* **1.** obliging **2.** (≈ *verpflichtend*) obligatory; *Zusage* binding **II** *adv* **1.** (≈ *bindend*) ***etw ~ vereinbart haben*** to have a binding agreement (regarding sth); ***~ zusagen*** to accept definitely **2.** (≈ *freundlich*) ***~ lächeln*** to give a friendly smile **Verbindlichkeit** *f* ⟨***-, -en***⟩ **1.** (≈ *Entgegenkommen*) obliging ways *pl* **2.** *no pl* (*von Zusage*) binding nature **3. Verbindlichkeiten** *pl* COMM, JUR obligations *pl* **Verbindung** *f* **1.** connection; (≈ *Kontakt*) contact (*zu, mit* with); ***in ~ mit*** (≈ *zusammen mit*) in conjunction with; (≈ *im Zusammenhang mit*) in connection with; ***jdn mit etw in ~ bringen*** to connect sb with sth; (≈ *assoziieren*) to associate sb with sth; ***~ mit jdm aufnehmen*** to contact sb; ***mit jdm in ~ bleiben*** to stay in touch with sb; ***sich*** (***mit jdm***) ***in ~ setzen*** to get in touch (with sb) **2.** (TEL ≈ *Anschluss*) line **3.** (≈ *Kombination*) combination **4.** (≈ *Bündnis*) association; UNIV society

verbissen [fɛɐ'bɪsn] **I** *adj Arbeiter* determined; *Kampf* dogged; *Miene* determined **II** *adv* determinedly; *kämpfen* doggedly; → ***verbeißen*** **Verbissenheit** *f* ⟨***-,*** *no pl*⟩ (*von Kampf*) doggedness; (*von Miene*) determination

verbitten *past part* ***verbeten*** [fɛɐ'beːtn] *v/t irr* ***sich*** (*dat*) ***etw ~*** to refuse to tolerate sth; ***das verbitte ich mir!*** I won't have it!

verbittern [fɛɐ'bɪtɐn] *past part* ***verbittert*** *v/t* to embitter **verbittert** [fɛɐ'bɪtɐt] *adj* embittered

verblassen [fɛɐ'blasn] *past part* ***verblasst*** *v/i aux sein* to fade

Verbleib [fɛɐ'blaip] *m* ⟨***-(e)s*** [-bəs]⟩ *no pl* (*form*) whereabouts *pl* **verbleiben** *past part* ***verblieben*** [fɛɐ'bliːbn] *v/i irr aux sein* to remain; ***... verbleibe ich Ihr ...*** (*form*) ... I remain, Yours sincerely (*Br*) *or* Sincerely (yours) (*US*) ...; ***wir sind so verblieben, dass wir ...*** we agreed to ...

verbleit [fɛɐ'blait] *adj Benzin* leaded

verblöden [fɛɐ'bløːdn] *past part* ***verblödet*** *v/i aux sein* (*infml*) to become a zombi(e) (*infml*)

verblüffen [fɛɐ'blʏfn] *past part* ***verblüfft*** *v/t* (≈ *erstaunen*) to stun; (≈ *verwirren*) to baffle **verblüfft** [fɛɐ'blʏft] **I** *adj* amazed **II** *adv aufsehen* perplexed; *sich umdrehen* in surprise **Verblüffung** *f* ⟨***-,*** *no pl*⟩ (≈ *Erstaunen*) amazement; (≈ *Verwirrung*) bafflement

verbluten *past part* ***verblutet*** *v/i aux sein* to bleed to death

verbohrt [fɛɐ'boːɐt] *adj* stubborn; *Meinung* inflexible

verborgen *adj* hidden; ***etw ~ halten*** to hide sth; ***sich ~ halten*** to hide; → ***verbergen***

Verbot [fɛɐ'boːt] *nt* ⟨***-(e)s, -e***⟩ ban (*+gen* on); ***trotz des ärztlichen ~es*** against doctor's orders **verboten** [fɛɐ'boːtn] *adj* forbidden; (*amtlich*) prohibited; (≈ *gesetzeswidrig*) *Handel* illegal; *Zeitung, Partei etc* banned; ***Rauchen/Parken ~*** no smoking/parking; ***er sah ~ aus*** (*infml*) he was a real sight (*infml*); → ***verbieten*** **Verbotsschild** *nt, pl* ***-schilder*** notice (*prohibiting something*); (*im Verkehr*) prohibition sign

Verbrauch [fɛɐ'braux] *m* ⟨***-(e)s,*** *no pl*⟩ consumption (*von, an +dat* of); (*von Geld*) expenditure; ***zum baldigen ~ bestimmt*** to be used immediately **verbrauchen** *past part* ***verbraucht*** **I** *v/t* **1.** to use; *Energie etc* to consume; *Vorräte* to use up **2.** (≈ *abnützen*) *Kräfte etc* to exhaust **II** *v/r* to wear oneself out **Verbraucher** [fɛɐ'brauxɐ] *m* ⟨***-s, -***⟩, **Verbraucherin** [-ərɪn] *f* ⟨***-, -nen***⟩ consumer **Verbraucherberatung** *f* consumer advice centre (*Br*) *or* center (*US*) **Verbrauchermarkt** *m* large supermarket **Verbraucherschutz** *m* consumer protection **Verbrauchsgüter** *pl* consumer goods *pl*

verbrechen [fɛɐ'brɛçn] *past part* **verbrochen** [fɛɐ'brɔçn] *v/t irr* **1.** *Straftat* to commit **2.** (*infml* ≈ *anstellen*) **was habe ich denn jetzt schon wieder verbrochen?** what on earth have I done now? **Verbrechen** [fɛɐ'brɛçn] *nt* ⟨**-s, -**⟩ crime **Verbrechensbekämpfung** *f* combating crime *no art* **Verbrecher** [fɛɐ'brɛçɐ] *m* ⟨**-s, -**⟩, **Verbrecherin** [-ərɪn] *f* ⟨**-, -nen**⟩ criminal **verbrecherisch** [fɛɐ'brɛçərɪʃ] *adj* criminal; **in ~er Absicht** with criminal intent **Verbrechertum** [fɛɐ'brɛçɐtu:m] *nt* ⟨**-s,** *no pl*⟩ criminality

verbreiten [fɛɐ'braitn] *past part* **verbreitet I** *v/t* to spread; (≈ *ausstrahlen*) *Wärme*, *Ruhe* to radiate; **eine (weit) verbreitete Ansicht** a widely held opinion **II** *v/r* (≈ *sich ausbreiten*) to spread **verbreitern** *past part* **verbreitert I** *v/t* to widen **II** *v/r* to get wider **Verbreitung** [fɛɐ'braitʊŋ] *f* ⟨**-,** *no pl*⟩ spreading

verbrennen *past part* **verbrannt** [fɛɐ'brant] *irr* **I** *v/t* to burn; (≈ *einäschern*) *Tote* to cremate; (≈ *versengen*) to scorch; *Haar* to singe; **sich** (*dat*) **die Zunge ~** to burn one's tongue; **sich** (*dat*) **den Mund ~** (*fig*) to open one's big mouth (*infml*) **II** *v/r* to burn oneself **III** *v/i aux sein* to burn; (*Haus etc*) to burn down; (*durch Sonne*, *Hitze*) to be scorched **Verbrennung** [fɛɐ'brɛnʊŋ] *f* ⟨**-, -en**⟩ **1.** *no pl* (≈ *das Verbrennen*) burning; (*von Leiche*) cremation **2.** (≈ *Brandwunde*) burn **Verbrennungsmotor** *m* internal combustion engine **Verbrennungsofen** *m* furnace; (*für Müll*) incinerator

verbringen *past part* **verbracht** [fɛɐ'braxt] *v/t irr Zeit etc* to spend

verbrühen *past part* **verbrüht I** *v/t* to scald **II** *v/r* to scald oneself **Verbrühung** [fɛɐ'bry:ʊŋ] *f* ⟨**-, -en**⟩ scalding; (≈ *Wunde*) scald

verbuchen *past part* **verbucht** *v/t* to enter (up) (in a/the book); **einen Betrag auf ein Konto ~** to credit a sum to an account; **einen Erfolg (für sich) ~** to notch up a success (*infml*)

verbummeln *past part* **verbummelt** *v/t* (*infml* ≈ *verlieren*) to lose; (≈ *vertrödeln*) *Nachmittag* to waste

Verbund *m* ⟨**-(e)s,** *no pl*⟩ ECON combine; **im ~ arbeiten** to cooperate **verbünden** [fɛɐ'bʏndn] *past part* **verbündet** *v/r* to ally oneself (*mit* to); (*Staaten*) to form an alliance; **verbündet sein** to be allies **Verbundenheit** *f* ⟨**-,** *no pl*⟩ (*mit Menschen*, *Natur*) closeness (*mit* to); (*mit Land*, *Tradition*) attachment (*mit* to) **Verbündete(r)** [fɛɐ'bʏndətə] *m/f(m) decl as adj* ally **Verbundglas** *nt* laminated glass **Verbundstoff** *m* composite (material)

verbürgen *past part* **verbürgt I** *v/r* **sich für jdn/etw ~** to vouch for sb/sth **II** *v/t* **1.** (≈ *gewährleisten*) *Recht* to guarantee **2.** FIN *Kredit* to guarantee **3.** (≈ *dokumentieren*) **historisch verbürgt sein** to be historically documented

verbüßen *past part* **verbüßt** *v/t* to serve

verchromen [fɛɐ'kro:mən] *past part* **verchromt** *v/t* to chromium-plate

Verdacht [fɛɐ'daxt] *m* ⟨**-(e)s, -e** *or* **¨-e** [-'dɛçtə]⟩ suspicion; **jdn in ~ haben** to suspect sb; **im ~ stehen, etw getan zu haben** to be suspected of having done sth; **(gegen jdn) ~ schöpfen** to become suspicious (of sb); **~ erregen** to arouse suspicion; **etw auf ~ tun** (*infml*) to do sth on spec (*infml*) **verdächtig** [fɛɐ'dɛçtɪç] *adj* suspicious; **sich ~ machen** to arouse suspicion; **die drei ~en Personen** the three suspects **verdächtigen** [fɛɐ'dɛçtɪgn] *past part* **verdächtigt** *v/t* to suspect (+*gen* of); **er wird des Diebstahls verdächtigt** he is suspected of theft **Verdächtige(r)** [fɛɐ'dɛçtɪgə] *m/f(m) decl as adj* suspect

verdammen [fɛɐ'damən] *past part* **verdammt** *v/t* (≈ *verfluchen*) to damn; (≈ *verurteilen*) to condemn **verdammt** [fɛɐ'damt] (*infml*) **I** *adj* damned (*infml*) **II** *adv* damn (*infml*); **das tut ~ weh** that hurts like hell (*infml*); **~ viel Geld** a hell of a lot of money (*infml*) **III** *int* **verdammt!** damn (it) (*infml*); **~ noch mal!** damn it all (*infml*)

verdampfen *past part* **verdampft** *v/t & v/i* to vaporize

verdanken *past part* **verdankt** *v/t* **jdm etw ~** to owe sth to sb; **das verdanke ich dir** (*iron*) I've got you to thank for that

verdattert [fɛɐ'datɐt] *adj*, *adv* (*infml* ≈ *verwirrt*) flabbergasted (*infml*)

verdauen [fɛɐ'dauən] *past part* **verdaut** *v/t* to digest **verdaulich** [fɛɐ'daulɪç] *adj* digestible **Verdauung** [fɛɐ'dauʊŋ] *f* ⟨**-, -en**⟩ digestion **Verdauungsbeschwerden** *pl* digestive trouble *sg* **Ver-**

dauungsspaziergang *m* constitutional **Verdauungsstörung** *f usu pl* indigestion *no pl*

Verdeck [fɛɐ'dɛk] *nt* ⟨**-(e)s, -e**⟩ (*von Kinderwagen*) hood (*Br*), canopy; (*von Auto*) soft top **verdecken** *past part* **verdeckt** *v/t* to hide; (≈ *zudecken*) to cover (up); *Sicht* to block; (*fig*) to conceal **verdeckt** [fɛɐ'dɛkt] *adj* concealed; *Ermittler, Einsatz* undercover

verdenken *past part* **verdacht** [fɛɐ'daxt] *v/t irr* **jdm etw ~** to hold sth against sb; **ich kann es ihm nicht ~** I can't blame him

verderben [fɛɐ'dɛrbn] *pret* **verdarb** [fɛɐ'darp], *past part* **verdorben** [fɛɐ'dɔrbn] **I** *v/t* to spoil; (*stärker*) to ruin; (*moralisch*) to corrupt; (≈ *verwöhnen*) to spoil; **jdm etw ~** to spoil sth for sb; **es (sich** *dat*) **mit jdm ~** to fall out with sb **II** *v/i aux sein* (*Material*) to become spoiled/ruined; (*Nahrungsmittel*) to go off (*Br*) *or* bad; → **verdorben** **Verderben** [fɛɐ'dɛrbn] *nt* ⟨**-s**, *no pl*⟩ (≈ *Unglück*) undoing; **in sein ~ rennen** to be heading for disaster **verderblich** [fɛɐ'dɛrplɪç] *adj* pernicious; *Lebensmittel* perishable

verdeutlichen [fɛɐ'dɔytlɪçn] *past part* **verdeutlicht** *v/t* to show clearly; (≈ *deutlicher machen*) to clarify; (≈ *erklären*) to explain

ver.di ['vɛrdi] *f* ⟨**-**⟩ *abbr of* **Vereinigte Dienstleistungsgewerkschaft** *German service sector union*

verdichten *past part* **verdichtet** **I** *v/t* PHYS to compress; (*fig* ≈ *komprimieren*) to condense **II** *v/r* to thicken; (*Schneetreiben*) to worsen; (*fig* ≈ *häufen*) to increase; (*Verdacht*) to deepen; **es ~ sich die Hinweise, dass ...** there is growing evidence that ...

verdienen *past part* **verdient** **I** *v/t* **1.** (≈ *einnehmen*) to earn; (≈ *Gewinn machen*) to make; **sich** (*dat*) **etw ~** to earn the money for sth **2.** (*fig*) *Lob, Strafe* to deserve; **er verdient es nicht anders/besser** he doesn't deserve anything else/any better; → **verdient** **II** *v/i* to earn; (≈ *Gewinn machen*) to make (a profit) (*an +dat* on); **er verdient gut** he earns a lot; **er verdient schlecht** he doesn't earn much; **am Krieg ~** to profit from war **Verdiener** [fɛɐ'diːnɐ] *m* ⟨**-s, -**⟩, **Verdienerin** [-ərɪn] *f* ⟨**-, -nen**⟩ wage earner

Verdienst[1] [fɛɐ'diːnst] *m* ⟨**-(e)s, -e**⟩ (≈ *Einkommen*) income; (≈ *Profit*) profit

Verdienst[2] *nt* ⟨**-(e)s, -e**⟩ **1.** merit; (≈ *Dank*) credit; **es ist sein ~(, dass ...)** it is thanks to him (that ...) **2.** *usu pl* (≈ *Leistung*) contribution; **ihre ~e um die Wissenschaft** her services to science

Verdienstausfall *m* loss of earnings

Verdienstorden *m* order of merit **verdienstvoll** *adj* commendable **verdient** [fɛɐ'diːnt] **I** *adj* **1.** *Lohn, Strafe* rightful; *Lob* well-deserved **2.** *Künstler, Politiker* of outstanding merit **II** *adv gewinnen* deservedly; → **verdienen** **verdientermaßen** [fɛɐ'diːntɐ'maːsn] *adv* deservedly

verdonnern *past part* **verdonnert** *v/t* (*infml*: *zu Haft etc*) to sentence (*zu* to); **jdn zu etw ~** to order sb to do sth as a punishment

verdoppeln *past part* **verdoppelt** **I** *v/t* to double; (*fig*) *Anstrengung etc* to redouble **II** *v/r* to double **Verdopp(e)lung** [fɛɐ'dɔp(ə)lʊŋ] *f* ⟨**-, -en**⟩ doubling; (*von Anstrengung*) redoubling

verdorben [fɛɐ'dɔrbn] *adj* **1.** *Lebensmittel* bad; *Magen* upset **2.** *Stimmung* spoiled **3.** (*moralisch*) corrupt; (≈ *verzogen*) *Kind* spoiled

verdorren *past part* **verdorrt** *v/i aux sein* to wither

verdrängen *past part* **verdrängt** *v/t jdn* to drive out; (≈ *ersetzen*) to replace; PHYS *Wasser, Luft* to displace; (*fig*) *Sorgen* to dispel; PSYCH to repress; **jdn aus dem Amt ~** to oust sb (from office) **Verdrängung** [fɛɐ'drɛŋʊŋ] *f* ⟨**-, -en**⟩ driving out; (≈ *Ersetzung*) replacing; PHYS displacement; (*von Sorgen*) dispelling; PSYCH repression

verdrecken [fɛɐ'drɛkn] *past part* **verdreckt** *v/t & v/i* (*infml*) to get dirty; **verdreckt** filthy (dirty)

verdrehen *past part* **verdreht** *v/t* to twist; (≈ *verknacksen*) to sprain; *Hals* to crick; *Augen* to roll; *Tatsachen* to distort

verdreifachen [fɛɐ'draifaxn] *past part* **verdreifacht** *v/t & v/r* to triple

verdreschen *past part* **verdroschen** [fɛɐ'drɔʃn] *v/t irr* (*infml*) to beat up

verdrießlich [fɛɐ'driːslɪç] *adj* morose **verdrossen** [fɛɐ'drɔsn] *adj* (≈ *schlecht gelaunt*) morose; (≈ *unlustig*) *Gesicht* unwilling **Verdrossenheit** *f* ⟨**-**, *no pl*⟩

(≈ *schlechte Laune*) moroseness; (≈ *Lustlosigkeit*) unwillingness; (*über Politik etc*) dissatisfaction (*über +acc* with)
verdrücken *past part* **verdrückt** I *v/t* (*infml*) *Essen* to polish off (*infml*) II *v/r* (*infml*) to beat it (*infml*)
Verdruss [fɛɐ'drʊs] *m* 〈**-es, -e**〉 frustration; **zu jds ~** to sb's annoyance
verduften *past part* **verduftet** *v/i aux sein* **1.** (≈ *seinen Duft verlieren*) to lose its smell; (*Tee, Kaffee*) to lose its aroma **2.** (*infml* ≈ *verschwinden*) to beat it (*infml*)
verdummen [fɛɐ'dʊmən] *past part* **verdummt** I *v/t* **jdn ~** (≈ *dumm machen*) to dull sb's mind II *v/i aux sein* to stultify
verdunkeln *past part* **verdunkelt** I *v/t* to darken; (*im Krieg*) to black out; (*fig*) *Motive etc* to obscure II *v/r* to darken
Verdunkelung [fɛɐ'dʊŋkəlʊŋ] *f* 〈**-, -en**〉 **1.** darkening; (*im Krieg*) blacking out; (*fig*) obscuring **2.** JUR suppression of evidence **Verdunkelungsgefahr** *f, no pl* JUR danger of suppression of evidence
verdünnen [fɛɐ'dʏnən] *past part* **verdünnt** *v/t* to thin (down); (*mit Wasser*) to water down; *Lösung* to dilute **Verdünner** [fɛɐ'dʏnɐ] *m* 〈**-s, -**〉 thinner **Verdünnung** *f* 〈**-, -en**〉 thinning; (*von Lösung*) dilution; (*mit Wasser*) watering down
verdunsten *past part* **verdunstet** *v/i aux sein* to evaporate **Verdunstung** [fɛɐ'dʊnstʊŋ] *f* 〈**-, -en**〉 evaporation
verdursten *past part* **verdurstet** *v/i aux sein* to die of thirst
verdüstern [fɛɐ'dyːstɐn] *past part* **verdüstert** *v/t & v/r* to darken
verdutzt [fɛɐ'dʊtst] *adj, adv* (*infml*) taken aback; (≈ *verwirrt*) baffled
veredeln [fɛɐ'|eːdln] *past part* **veredelt** *v/t Metalle, Erdöl* to refine; BOT to graft; *Geschmack* to improve
verehren *past part* **verehrt** *v/t* **1.** (≈ *hoch achten*) to admire; *Gott, Heiligen* to honour; (≈ *ehrerbietig lieben*) to worship **2.** (≈ *schenken*) **jdm etw ~** to give sb sth
Verehrer [fɛɐ'|eːrɐ] *m* 〈**-s, -**〉, **Verehrerin** [-ərɪn] *f* 〈**-, -nen**〉 admirer **verehrt** [fɛɐ'|eːɐt] *adj* (*in Anrede*) **(sehr) ~e Anwesende/~es Publikum** Ladies and Gentlemen
vereidigen [fɛɐ'|aidɪgn] *past part* **vereidigt** *v/t* to swear in; **jdn auf etw** (*acc*) **~** to make sb swear on sth **Vereidigung** *f* 〈**-, -en**〉 swearing in
Verein [fɛɐ'|ain] *m* 〈**-(e)s, -e**〉 organization; (≈ *Sportverein*) club; **ein wohltätiger ~** a charity
vereinbar *adj* compatible; *Aussagen* consistent; **nicht (miteinander) ~** incompatible; *Aussagen* inconsistent **vereinbaren** [fɛɐ'|ainbaːrən] *past part* **vereinbart** *v/t* **1.** to agree; *Zeit, Treffen, Tag* to arrange **2. mit etw zu ~ sein** to be compatible with sth; (*Aussagen*) to be consistent with sth; (*Ziele, Ideale*) to be reconcilable with sth **Vereinbarung** *f* 〈**-, -en**〉 (≈ *Abmachung*) agreement; **laut ~** as agreed; **nach ~** by arrangement **vereinbarungsgemäß** *adv* as agreed
vereinen [fɛɐ'|ainən] *past part* **vereint** I *v/t* to unite; → **vereint** II *v/r* to join together
vereinfachen [fɛɐ'|ainfaxn] *past part* **vereinfacht** *v/t* to simplify
vereinheitlichen [fɛɐ'|ainhaitlɪçn] *past part* **vereinheitlicht** *v/t* to standardize **Vereinheitlichung** *f* 〈**-, -en**〉 standardization
vereinigen *past part* **vereinigt** I *v/t* to unite; *Eigenschaften* to bring together; COMM *Firmen* to merge (*zu* into); **alle Stimmen auf sich** (*acc*) **~** to collect all the votes II *v/r* to unite; (*Firmen*) to merge **vereinigt** *adj* united; **Vereinigtes Königreich** United Kingdom; **Vereinigte Staaten** United States; **Vereinigte Arabische Emirate** United Arab Emirates **Vereinigung** *f* **1.** (≈ *das Vereinigen*) uniting; (*von Eigenschaften*) bringing together; (*von Firmen*) merging **2.** (≈ *Organisation*) organization
vereinsamen [fɛɐ'|ainzaːmən] *past part* **vereinsamt** *v/i aux sein* to become lonely *or* isolated **Vereinsamung** *f* 〈**-, *no pl***〉 loneliness
Vereinshaus *nt* clubhouse **Vereinsmitglied** *nt* club member
vereint [fɛɐ'|aint] I *adj* united; **Vereinte Nationen** United Nations *sg* II *adv* together, in unison; → **vereinen**
vereinzelt [fɛɐ'|aintslt] I *adj* occasional II *adv* occasionally; **... ~ bewölkt** ... with cloudy patches
vereisen *past part* **vereist** *v/i aux sein* to freeze; (*Straße*) to freeze over; (*Fensterscheibe*) to ice over **vereist** [fɛɐ'|aist] *adj Straßen, Fenster* icy; *Bäche* frozen; *Piste*

iced-up
vereiteln [fɛɐ'|aitln] *past part* **vereitelt** *v/t* to foil
vereitern *past part* **vereitert** *v/i aux sein* to go septic
verenden *past part* **verendet** *v/i aux sein* to perish
verengen [fɛɐ'|ɛŋən] *past part* **verengt I** *v/r* to narrow; (*Gefäße, Pupille*) to contract **II** *v/t* to make narrower **Verengung** *f* ⟨**-, -en**⟩ **1.** narrowing; (*von Pupille, Gefäß*) contraction **2.** (≈ *verengte Stelle*) narrow part (*in +dat* of)
vererben *past part* **vererbt I** *v/t* **1.** *Besitz* to leave, to bequeath (*+dat, an +acc* to); (*hum*) to hand on (*jdm* to sb) **2.** *Eigenschaften* to pass on (*+dat, auf +acc* to); *Krankheit* to transmit **II** *v/r* to be passed on / transmitted (*auf +acc* to) **vererblich** [fɛɐ'|ɛrplɪç] *adj Krankheit* hereditary **Vererbungslehre** *f* genetics *sg*
verewigen [fɛɐ'|eːvɪgn] *past part* **verewigt I** *v/t* to immortalize **II** *v/r* to immortalize oneself
Verfahren [fɛɐ'faːrən] *nt* ⟨**-s, -**⟩ (≈ *Vorgehen*) actions *pl*; (≈ *Verfahrensweise*) procedure; TECH process; (≈ *Methode*) method; JUR proceedings *pl*; ***ein ~ gegen jdn einleiten*** to take *or* initiate legal proceedings against sb
verfahren[1] [fɛɐ'faːrən] *past part* **verfahren** *v/i irr aux sein* (≈ *vorgehen*) to act; ***mit jdm streng ~*** to deal strictly with sb
verfahren[2] *past part* **verfahren** *irr* **I** *v/t* (≈ *verbrauchen*) *Geld, Zeit* to spend in travelling (*Br*) *or* traveling (*US*); *Benzin* to use up **II** *v/r* (≈ *sich verirren*) to lose one's way
verfahren[3] [fɛɐ'faːrən] *adj Situation* muddled
Verfahrenstechnik *f* process engineering **Verfahrensweise** *f* procedure
Verfall *m, no pl* (≈ *Zerfall*) decay; (*von Gebäude*) dilapidation; (*gesundheitlich, von Kultur etc*) decline; (*von Scheck, Karte*) expiry
verfallen[1] *past part* **verfallen** *v/i irr aux sein* **1.** (≈ *zerfallen*) to decay; (*Bauwerk*) to fall into disrepair; (*körperlich*) to deteriorate; (*Kultur etc*) to decline **2.** (≈ *ungültig werden*) to become invalid; (*Fahrkarte*) to expire; (*Termin, Anspruch*) to lapse **3.** (≈ *abhängig werden*) ***einer Sache ~ sein*** to be a slave to sth; *dem Alkohol etc* to be addicted to sth; ***jdm völlig ~ sein*** to be completely under sb's spell **4.** ***auf etw*** (*acc*) **~** to think of sth; ***in etw*** (*acc*) **~** to sink into sth; ***in einen tiefen Schlaf ~*** to fall into a deep sleep
verfallen[2] [fɛɐ'falən] *adj Gebäude* dilapidated; (≈ *abgelaufen*) invalid; *Strafe* lapsed
Verfallsdatum *nt* expiry date; (*der Haltbarkeit*) best-before date
verfälschen *past part* **verfälscht** *v/t* to distort; *Daten* to falsify; *Geschmack* to adulterate
verfänglich [fɛɐ'fɛŋlɪç] *adj Situation* awkward; *Beweismaterial* incriminating; (≈ *gefährlich*) dangerous; *Frage* tricky
verfärben *past part* **verfärbt I** *v/t* to discolour (*Br*), to discolor (*US*) **II** *v/r* to change colour (*Br*) *or* color (*US*); (*Metall, Stoff*) to discolour (*Br*), to discolor (*US*); ***sich grün/rot ~*** to turn green / red
verfassen *past part* **verfasst** *v/t* to write; *Urkunde* to draw up **Verfasser** [fɛɐ'fasɐ] *m* ⟨**-s, -**⟩, **Verfasserin** [-ərɪn] *f* ⟨**-, -nen**⟩ writer; (*von Buch etc auch*) author **Verfassung** *f* **1.** POL constitution **2.** (≈ *Zustand*) state; (*seelisch*) state of mind; ***sie ist in guter/schlechter ~*** she is in good / bad shape **Verfassungsänderung** *f* constitutional amendment **verfassungsfeindlich** *adj* anticonstitutional **verfassungsmäßig** *adj* constitutional **Verfassungsschutz** *m* (*Aufgabe*) defence (*Br*) *or* defense (*US*) of the constitution; (*Organ, Amt*) *office responsible for defending the constitution* **verfassungswidrig** *adj* unconstitutional
verfaulen *past part* **verfault** *v/i aux sein* to decay; (*Körper, organische Stoffe*) to decompose **verfault** [fɛɐ'fault] *adj* decayed; *Fleisch, Obst etc* rotten
verfechten *past part* **verfochten** [fɛɐ'fɔxtn] *v/t irr* to defend; *Lehre* to advocate **Verfechter** [fɛɐ'fɛçtɐ] *m* ⟨**-s, -**⟩, **Verfechterin** [-ərɪn] *f* ⟨**-, -nen**⟩ advocate
verfehlen *past part* **verfehlt** *v/t* (≈ *verpassen*) to miss; ***den Zweck ~*** not to achieve its purpose; ***das Thema ~*** to be completely off the subject **verfehlt** [fɛɐ'feːlt] *adj* (≈ *unangebracht*) inappropriate; (≈ *misslungen*) unsuccessful **Verfehlung** [fɛɐ'feːlʊŋ] *f* ⟨**-, -en**⟩ (≈ *Vergehen*) misdemeanour (*Br*), misdemeanor (*US*); (≈ *Sünde*) transgression

verfeinern [fɛɐ'fainɐn] *past part* ***verfeinert*** *v/t & v/r* to improve **verfeinert** [fɛɐ'fainɐt] *adj* sophisticated **Verfeinerung** *f* ⟨-, **-en**⟩ improvement

verfestigen *past part* ***verfestigt*** *v/t* to harden; (≈ *verstärken*) to strengthen

Verfettung [fɛɐ'fɛtʊŋ] *f* ⟨-, **-en**⟩ (MED, *von Körper*) obesity

verfilmen *past part* ***verfilmt*** *v/t Buch* to make a film of **Verfilmung** [fɛɐ'fɪlmʊŋ] *f* ⟨-, **-en**⟩ filming; (≈ *Film*) film (version)

verfilzt [fɛɐ'fɪltst] *adj* felted; *Haare* matted

verfinstern [fɛɐ'fɪnstɐn] *past part* ***verfinstert*** **I** *v/t* to darken; *Sonne*, *Mond* to eclipse **II** *v/r* to darken **Verfinsterung** *f* ⟨-, **-en**⟩ darkening; (*von Sonne etc*) eclipse

verflachen [fɛɐ'flaxn] *past part* ***verflacht*** *v/i aux sein* to flatten out; (*fig*: *Diskussion*) to become superficial

verflechten *past part* ***verflochten*** [fɛɐ'flɔxtn] *irr v/t* to interweave; *Methoden* to combine **Verflechtung** [fɛɐ'flɛçtʊŋ] *f* ⟨-, **-en**⟩ interconnection (*+gen* between); POL, ECON integration

verfliegen *past part* ***verflogen*** [fɛɐ'flo:gn] *irr v/i aux sein* (*Stimmung*, *Zorn etc*) to blow over (*infml*), to pass; (*Kummer etc*) to vanish; (*Alkohol*) to evaporate; (*Zeit*) to fly

verflixt [fɛɐ'flɪkst] (*infml*) **I** *adj* blessed (*infml*), darned (*infml*); (≈ *kompliziert*) tricky **II** *int* ***verflixt!*** blow! (*Br infml*), darn! (*US infml*)

verflossen [fɛɐ'flɔsn] *adj* **1.** *Jahre*, *Tage* bygone **2.** (*infml* ≈ *ehemalig*) one-time *attr* (*infml*); ***ihr Verflossener*** her ex (*infml*)

verfluchen *past part* ***verflucht*** *v/t* to curse **verflucht** [fɛɐ'flu:xt] *adj* (*infml*) damn (*infml*)

verflüchtigen [fɛɐ'flʏçtɪgn] *past part* ***verflüchtigt*** *v/r* (*Alkohol etc*) to evaporate; (*fig*) (*Ärger*) to be dispelled

verflüssigen [fɛɐ'flʏsɪgn] *past part* ***verflüssigt*** *v/t & v/r* to liquefy **Verflüssigung** *f* ⟨-, **-en**⟩ liquefaction

verfolgen *past part* ***verfolgt*** *v/t* to pursue; (≈ *jds Spuren folgen*) *jdn* to trail; *Tier* to track; *Entwicklung*, *Spur* to follow; (*politisch*, *religiös*) to persecute; (*Gedanke etc*) *jdn* to haunt; ***vom Unglück verfolgt werden*** to be dogged by ill fortune; ***jdn gerichtlich ~*** to prosecute sb **Verfolger** [fɛɐ'fɔlgɐ] *m* ⟨**-s, -**⟩, **Verfolgerin** [-ərɪn] *f* ⟨**-, -nen**⟩ **1.** pursuer **2.** (*politisch etc*) persecutor **Verfolgung** [fɛɐ'fɔlgʊŋ] *f* ⟨-, **-en**⟩ pursuit; (≈ *politische Verfolgung*) persecution *no pl*; ***die ~ aufnehmen*** to take up the chase **Verfolgungswahn** *m* persecution mania

verfrachten [fɛɐ'fraxtn] *past part* ***verfrachtet*** *v/t* COMM to transport; (*infml*) *jdn* to bundle off (*infml*)

verfremden [fɛɐ'frɛmdn] *past part* ***verfremdet*** *v/t Thema*, *Stoff* to make unfamiliar **Verfremdung** *f* ⟨-, **-en**⟩ defamiliarization; THEAT, LIT alienation

verfressen [fɛɐ'frɛsn] *adj* (*infml*) greedy

verfroren [fɛɐ'fro:rən] *adj* (≈ *durchgefroren*) frozen

verfrüht [fɛɐ'fry:t] *adj* (≈ *zu früh*) premature; (≈ *früh*) early

verfügbar *adj* available **Verfügbarkeit** *f* availability **verfügen** *past part* ***verfügt*** **I** *v/i* ***über etw*** (*acc*) ***~*** to have sth at one's disposal; (≈ *besitzen*) to have sth; ***über etw*** (*acc*) ***frei ~ können*** to be able to do as one wants with sth **II** *v/t* to order; (*gesetzlich*) to decree **Verfügung** *f* **1.** *no pl* ***jdm etw zur ~ stellen*** to put sth at sb's disposal; (≈ *leihen*) to lend sb sth; (***jdm***) ***zur ~ stehen*** (≈ *verfügbar sein*) to be available (to sb); ***etw zur ~ haben*** to have sth at one's disposal **2.** (*behördlich*) order; (*von Gesetzgeber*) decree; (≈ *Anweisung*) instruction

verführen *past part* ***verführt*** *v/t* to tempt; (*esp sexuell*) to seduce; *das Volk etc* to lead astray; ***jdn zu etw ~*** to encourage sb to do sth **Verführer** *m* seducer **Verführerin** *f* seductress **verführerisch** [fɛɐ'fy:rərɪʃ] *adj* seductive; (≈ *verlockend*) tempting **Verführung** *f* seduction; (≈ *Verlockung*) enticement **Verführungskunst** *f* seductive manner; ***Verführungskünste*** seductive charms

verfüttern *past part* ***verfüttert*** *v/t* to feed (*an +acc* to); ***etw an die Vögel ~*** to feed sth to the birds

Vergabe *f* ⟨-, (*rare*) **-n**⟩ (*von Arbeiten*) allocation; (*von Auftrag etc*) award

vergammeln *past part* ***vergammelt*** (*infml*) *v/i aux sein* **1.** (≈ *verderben*) to get spoiled; (*Speisen*) to go bad **2.** (≈ *verlottern*) to go to the dogs (*infml*); *Gebäude* to become run down; ***vergammelt aussehen*** to look scruffy

vergangen [fɛɐ'gaŋən] *adj* **1.** (≈ *letzte*)

last **2.** *Jahre* past; *Zeiten* bygone; → ***vergehen*** **Vergangenheit** *f* 〈**-, -en**〉 past; GRAM past (tense); ***der ~ angehören*** to be a thing of the past **Vergangenheitsbewältigung** *f* process of coming to terms with the past **vergänglich** [fɛɐ'gɛŋlɪç] *adj* transitory **Vergänglichkeit** *f* 〈-, *no pl*〉 transitoriness

vergasen [fɛɐ'gaːzn] *past part* ***vergast*** *v/t* (TECH: *in Motor*) to carburet; *Kohle* to gasify; (≈ *durch Gas töten*) to gas **Vergaser** [fɛɐ'gaːzɐ] *m* 〈**-s, -**〉 AUTO carburettor (*Br*), carburetor (*US*) **Vergasung** *f* 〈**-, -en**〉 TECH carburation; (*von Kohle*) gasification; (≈ *Tötung*) gassing

vergeben *past part* **vergeben** *irr* **I** *v/t* **1.** (≈ *weggeben*) *Auftrag*, *Preis* to award (*an +acc* to); *Stellen* to allocate; *Kredit* to give out; *Arbeit* to assign; (*fig*) *Chance* to throw away; ***er/sie ist schon ~*** (*infml*) he / she is already spoken for (*infml*) **2.** (≈ *verzeihen*) to forgive; ***jdm etw ~*** to forgive sb (for) sth **II** *v/r* CARDS to misdeal **vergebens** [fɛɐ'geːbns] *adj pred*, *adv* in vain **vergeblich** [fɛɐ'geːplɪç] **I** *adj* futile; ***alle Versuche waren ~*** all attempts were in vain **II** *adv* in vain **Vergeblichkeit** *f* 〈-, *no pl*〉 futility **Vergebung** [fɛɐ'geːbʊŋ] *f* 〈**-, -en**〉 forgiveness

vergehen *past part* ***vergangen*** [fɛɐ'gaŋən] *irr* **I** *v/i aux sein* **1.** to pass; (*Liebe*) to die; (*Schönheit*) to fade; ***wie doch die Zeit vergeht*** how time flies; ***mir ist die Lust dazu vergangen*** I don't feel like it any more; ***mir ist der Appetit vergangen*** I have lost my appetite; ***es werden noch Monate ~, ehe ...*** it will be months before ...; → ***vergangen*** **2.** ***vor etw*** (*dat*) ***~*** to be dying of sth; ***vor Angst ~*** to be scared to death **II** *v/r* ***sich an jdm ~*** to do sb wrong; (*unsittlich*) to assault sb indecently **Vergehen** [fɛɐ'geːən] *nt* 〈**-s, -**〉 (≈ *Verstoß*) offence (*Br*), offense (*US*)

vergelten *past part* ***vergolten*** [fɛɐ'gɔltn] *v/t irr* ***jdm etw ~*** to repay sb for sth **Vergeltung** *f* (≈ *Rache*) retaliation; ***~ üben*** to take revenge (*an jdm* on sb) **Vergeltungsschlag** *m* act of reprisal

vergessen [fɛɐ'gɛsn] *pret* ***vergaß*** [fɛɐ'gaːs], *past part* ***vergessen*** **I** *v/t* to forget; (≈ *liegen lassen*) to leave (behind); ***das werde ich dir nie ~*** I will never forget that; ***das kannst du (voll) ~!*** (*infml*) forget it! **II** *v/r* (*Mensch*) to forget oneself **Vergessenheit** *f* 〈-, *no pl*〉 oblivion; ***in ~ geraten*** to vanish into oblivion **vergesslich** [fɛɐ'gɛslɪç] *adj* forgetful **Vergesslichkeit** *f* 〈-, *no pl*〉 forgetfulness

vergeuden [fɛɐ'gɔydn] *past part* ***vergeudet*** *v/t* to waste **Vergeudung** *f* 〈**-, -en**〉 wasting

vergewaltigen [fɛɐgə'valtɪgn] *past part* ***vergewaltigt*** *v/t* to rape; (*fig*) *Sprache etc* to murder **Vergewaltiger** [fɛɐgə'valtɪgɐ] *m* 〈**-s, -**〉 rapist **Vergewaltigung** *f* 〈**-, -en**〉 rape

vergewissern [fɛɐgə'vɪsɐn] *past part* ***vergewissert*** *v/r* ***sich einer Sache*** (*gen*) ***~*** to make sure of sth

vergießen *past part* ***vergossen*** [fɛɐ'gɔsn] *v/t irr Kaffee*, *Wasser* to spill; *Tränen* to shed

vergiften *past part* ***vergiftet*** **I** *v/t* to poison **II** *v/r* to poison oneself **Vergiftung** [fɛɐ'gɪftʊŋ] *f* 〈**-, -en**〉 poisoning *no pl*; (*der Luft*) pollution

Vergissmeinnicht [fɛɐ'gɪsmainnɪçt] *nt* 〈**-(e)s, -(e)**〉 forget-me-not

verglasen [fɛɐ'glaːzn] *past part* ***verglast*** *v/t* to glaze

Vergleich [fɛɐ'glaiç] *m* 〈**-(e)s, -e**〉 **1.** comparison; ***im ~ zu*** in comparison with, compared with *or* to; ***in keinem ~ zu etw stehen*** to be out of all proportion to sth; (*Leistungen*) not to compare with sth **2.** JUR settlement; ***einen gütlichen ~ schließen*** to reach an amicable settlement **vergleichbar** *adj* comparable **vergleichen** *past part* ***verglichen*** [fɛɐ'glɪçn] *irr* **I** *v/t* to compare; ***verglichen mit*** compared with; ***sie sind nicht (miteinander) zu ~*** they cannot be compared (to one another) **II** *v/r* **1.** ***sich mit jdm ~*** to compare oneself with sb **2.** JUR to reach a settlement (*mit* with) **vergleichend** *adj* comparative **vergleichsweise** *adv* comparatively

verglühen *past part* ***verglüht*** *v/i aux sein* (*Feuer*) to die away; (*Raumkapsel*, *Meteor etc*) to burn up

vergnügen [fɛɐ'gnyːgn] *past part* ***vergnügt*** **I** *v/t* to amuse **II** *v/r* to enjoy oneself; ***sich mit jdm/etw ~*** to amuse oneself with sb/sth **Vergnügen** [fɛɐ'gnyːgn] *nt* 〈**-s, -**〉 pleasure; (≈ *Spaß*) fun *no indef art*; (≈ *Erheiterung*) amusement; ***sich (dat) ein ~ aus etw machen*** to get pleasure from (doing) sth; ***das war ein teures ~*** (*infml*) that was an expensive bit of fun; ***mit ~*** with pleasure; ***mit wem habe ich das ~?*** (*form*) with whom do I have the pleasure of speaking? (*form*) **vergnügt** [fɛɐ'gny:kt] **I** *adj Abend, Stunden* enjoyable; *Mensch, Stimmung* cheerful; ***über etw*** (*acc*) ***~ sein*** to be pleased about sth **II** *adv* happily **Vergnügung** *f* ⟨*-, -en*⟩ pleasure; (≈ *Veranstaltung*) entertainment **Vergnügungsindustrie** *f* entertainment industry **Vergnügungspark** *m* amusement park **vergnügungssüchtig** *adj* pleasure-loving

vergolden [fɛɐ'gɔldn] *past part* ***vergoldet*** *v/t Statue, Buchkante* to gild; *Schmuck* to gold-plate **vergoldet** [fɛɐ'gɔldət] *adj Buchseiten* gilt; *Schmuck* gold-plated

vergöttern [fɛɐ'gœtɐn] *past part* ***vergöttert*** *v/t* to idolize

vergraben *past part* ***vergraben*** *irr* **I** *v/t* to bury **II** *v/r* to bury oneself

vergraulen *past part* ***vergrault*** *v/t* (*infml*) to put off; (≈ *vertreiben*) to scare off

vergreifen *past part* ***vergriffen*** [fɛɐ'grɪfn] *v/r irr* **1.** (≈ *danebengreifen*) to make a mistake; ***sich im Ton ~*** (*fig*) to adopt the wrong tone; ***sich im Ausdruck ~*** (*fig*) to use the wrong expression; → ***vergriffen*** **2.** ***sich an etw*** (*dat*) ***~*** *an fremdem Eigentum* to misappropriate sth; (*euph* ≈ *stehlen*) to help oneself to sth (*euph*); ***sich an jdm ~*** (≈ *missbrauchen*) to assault sb (sexually)

vergreisen [fɛɐ'graizn] *past part* ***vergreist*** *v/i aux sein* (*Bevölkerung*) to age; (*Mensch*) to become senile; ***vergreist*** aged; senile **Vergreisung** *f* ⟨*-, no pl*⟩ (*von Bevölkerung*) ageing; (*von Mensch*) senility

vergriffen [fɛɐ'grɪfn] *adj* unavailable; *Buch* out of print; → ***vergreifen***

vergrößern [fɛɐ'grø:sɐn] *past part* ***vergrößert*** **I** *v/t* (*räumlich*) *Fläche, Gebiet* to extend; *Vorsprung, Produktion* to increase; *Maßstab, Foto* to enlarge; *Absatzmarkt* to expand; (*Lupe, Brille*) to magnify **II** *v/r* to increase; (*räumlich*) to be extended; (*Absatzmarkt*) to expand; (*Pupille, Gefäße*) to dilate; (*Organ*) to become enlarged; ***wir wollen uns ~*** (*infml*) we want to move to a bigger place **Vergrößerung** *f* ⟨*-, -en*⟩ **1.** (*räumlich*) extension; (*umfangmäßig, zahlenmäßig*) increase; (*von Maßstab, Fotografie*) enlargement; (*von Absatzmarkt*) expansion; (*mit Lupe, Brille*) magnification **2.** (≈ *vergrößertes Bild*) enlargement

Vergünstigung *f* ⟨*-, -en*⟩ (≈ *Vorteil*) privilege

vergüten [fɛɐ'gy:tn] *past part* ***vergütet*** *v/t* ***jdm etw ~*** *Unkosten* to reimburse sb for sth; *Preis* to refund sb sth; *Arbeit* to pay sb for sth **Vergütung** *f* ⟨*-, -en*⟩ (*von Unkosten*) reimbursement; (*von Preis*) refunding; (*für Arbeit*) payment

verhaften *past part* ***verhaftet*** *v/t* to arrest; ***Sie sind verhaftet!*** you are under arrest! **Verhaftung** *f* arrest

Verhalten [fɛɐ'haltn] *nt* ⟨*-s, no pl*⟩ (≈ *Benehmen*) behaviour (*Br*), behavior (*US*); (≈ *Vorgehen*) conduct

verhalten[1] *past part* ***verhalten*** *irr v/r* (≈ *sich benehmen*) to behave; (≈ *handeln*) to act; ***sich ruhig ~*** to keep quiet; (≈ *sich nicht bewegen*) to keep still; ***wie verhält sich die Sache?*** how do things stand?; ***wenn sich das so verhält, ...*** if that is the case ...

verhalten[2] [fɛɐ'haltn] **I** *adj* restrained; *Stimme* muted; *Atem* bated; *Optimismus* guarded; *Tempo* measured **II** *adv sprechen* in a restrained manner; *sich äußern* with restraint

verhaltensauffällig *adj* PSYCH displaying behavioural (*Br*) *or* behavioral (*US*) problems **Verhaltensforscher(in)** *m/(f)* behavioural (*Br*) *or* behavioral (*US*) scientist **Verhaltensforschung** *f* behavioural (*Br*) *or* behavioral (*US*) research **verhaltensgestört** *adj* disturbed **Verhaltensstörung** *f* behavioural (*Br*) *or* behavioral (*US*) disturbance **Verhaltensweise** *f* behaviour (*Br*), behavior (*US*) **Verhältnis** [fɛɐ'hɛltnɪs] *nt* ⟨*-ses, -se*⟩ **1.** (≈ *Proportion*) proportion; MAT ratio; ***im ~ zu*** in relation to; ***im ~ zu früher*** (≈ *verglichen mit*) in comparison with earlier times; ***in keinem ~ zu etw stehen*** to be out of all proportion to sth **2.** (≈ *Beziehung*) relationship; (≈ *Liebesverhältnis*) affair **3. Verhältnisse** *pl* (≈ *Umstände*) conditions *pl*; (*finanzielle*) circumstances *pl*; ***unter*** *or* ***bei normalen ~sen*** under normal circumstances; ***über seine ~se leben*** to live beyond one's means; ***klare ~se schaffen*** to get things straight **verhältnismäßig** **I** *adj* **1.** (≈ *proportional*) proportional;

(*esp* JUR ≈ *angemessen*) commensurate **2.** (≈ *relativ*) comparative **II** *adv* **1.** (≈ *proportional*) proportionally **2.** (≈ *relativ*, *infml* ≈ *ziemlich*) relatively **Verhältniswahlrecht** *nt* (system of) proportional representation

verhandeln *past part* ***verhandelt*** **I** *v/t* **1.** (≈ *aushandeln*) to negotiate **2.** JUR *Fall* to hear **II** *v/i* **1.** to negotiate (*über +acc* about); (*infml* ≈ *diskutieren*) to argue **2.** JUR ***in einem Fall ~*** to hear a case **Verhandlung** *f* **1.** negotiations *pl*; (≈ *das Verhandeln*) negotiation; **(*mit jdm*) *in ~(en) treten*** to enter into negotiations (with sb) **2.** JUR hearing; (≈ *Strafverhandlung*) trial **Verhandlungsbasis** *f* basis for negotiation(s); ***~ EUR 2.500*** (price) EUR 2,500 or near(est) offer **Verhandlungspartner(in)** *m*/(*f*) negotiating party

verhängen *past part* ***verhängt*** *v/t* **1.** *Strafe etc* to impose (*über +acc* on); *Notstand* to declare (*über +acc* in); (*Sport*) *Elfmeter etc* to award **2.** (≈ *zuhängen*) to cover (*mit* with) **Verhängnis** [fɛɐ'hɛŋnɪs] *nt* ⟨***-ses, -se***⟩ (≈ *Katastrophe*) disaster; ***jdm zum ~ werden*** to be sb's undoing **verhängnisvoll** *adj* disastrous; *Tag* fateful

verharmlosen [fɛɐ'harmloːzn] *past part* ***verharmlost*** *v/t* to play down

verharren *past part* ***verharrt*** *v/i aux haben or sein* to pause; (*in einer bestimmten Stellung*) to remain

verhärten *past part* ***verhärtet*** *v/t & v/r* to harden

verhasst [fɛɐ'hast] *adj* hated; ***das ist ihm ~*** he hates that

verhätscheln *past part* ***verhätschelt*** *v/t* to pamper

Verhau [fɛɐ'hau] *m* ⟨***-(e)s, -e***⟩ (≈ *Käfig*) coop

verhauen *pret* ***verhaute***, *past part* ***verhauen*** (*infml*) **I** *v/t* **1.** (≈ *verprügeln*) to beat up; (*zur Strafe*) to beat **2.** *Prüfung etc* to make a mess of (*infml*) **II** *v/r* **1.** (≈ *sich verprügeln*) to have a fight **2.** (≈ *sich irren*) to slip up (*infml*)

verheddern [fɛɐ'hɛdɐn] *past part* ***verheddert*** *v/r* (*infml*) to get tangled up; (*beim Sprechen*) to get in a muddle

verheerend *adj* **1.** *Sturm*, *Katastrophe* devastating; *Anblick* ghastly **2.** (*infml* ≈ *schrecklich*) ghastly (*infml*) **Verheerung** *f* ⟨***-, -en***⟩ devastation *no pl*

verhehlen [fɛɐ'heːlən] *past part* ***verhehlt*** *v/t* ***jdm etw ~*** to conceal sth from sb

verheilen *past part* ***verheilt*** *v/i aux sein* to heal

verheimlichen [fɛɐ'haimlɪçn] *past part* ***verheimlicht*** *v/t* to keep secret (*jdm* from sb); ***ich habe nichts zu ~*** I have nothing to hide

verheiraten *past part* ***verheiratet*** **I** *v/t* to marry (*mit*, *an +acc* to) **II** *v/r* to get married **verheiratet** [fɛɐ'hairatət] *adj* married; ***glücklich ~ sein*** to be happily married

verheizen *past part* ***verheizt*** *v/t* to burn, to use as fuel; (*fig infml*) *Sportler* to burn out; *Minister*, *Untergebene* to crucify; ***Soldaten im Kriege ~*** (*infml*) to send soldiers to the slaughter

verhelfen *past part* ***verholfen*** [fɛɐ'hɔlfn] *v/i irr* ***jdm zu etw ~*** to help sb to get sth

verherrlichen [fɛɐ'hɛrlɪçn] *past part* ***verherrlicht*** *v/t* to glorify; *Gott* to praise **Verherrlichung** *f* ⟨***-, -en***⟩ glorification; (*von Gott*) praising

verheult [fɛɐ'hɔylt] *adj Augen* puffy, swollen from crying

verhexen *past part* ***verhext*** *v/t* to bewitch; (*infml*) *Maschine etc* to put a jinx on (*infml*); ***heute ist alles wie verhext*** (*infml*) there's a jinx on everything today (*infml*)

verhindern *past part* ***verhindert*** *v/t* to prevent; *Plan* to foil; ***das lässt sich nicht ~*** it can't be helped; ***er war an diesem Abend verhindert*** he was unable to come that evening **Verhinderung** *f* prevention; (*von Plan*) foiling, stopping

verhöhnen *past part* ***verhöhnt*** *v/t* to mock, to deride

Verhör [fɛɐ'høːɐ] *nt* ⟨***-(e)s, -e***⟩ questioning; (*bei Gericht*) examination **verhören** *past part* ***verhört*** **I** *v/t* to question, to interrogate; (*bei Gericht*) to examine; (*infml*) to quiz (*infml*) **II** *v/r* to mishear

verhüllen *past part* ***verhüllt*** *v/t* to veil; *Körperteil* to cover; (*fig*) to mask

verhungern *past part* ***verhungert*** *v/i aux sein* to starve, to die of starvation; ***ich bin am Verhungern*** (*infml*) I'm starving (*infml*)

verhunzen [fɛɐ'hʊntsn] *past part* ***verhunzt*** *v/t* (*infml*) to ruin

verhüten *past part* ***verhütet*** *v/t* to prevent; ***~de Maßnahmen*** preventive measures **Verhütung** [fɛɐ'hyːtʊŋ] *f* ⟨***-, -en***⟩

prevention; (≈ *Empfängnisverhütung*) contraception **Verhütungsmittel** *nt* contraceptive
verinnerlichen [fɛɐ'|ɪnɐlɪçn] *past part* ***verinnerlicht*** *v/t* to internalize
verirren *past part* ***verirrt*** *v/r* to get lost; (*fig*) to go astray; (*Tier, Kugel*) to stray **Verirrung** *f* losing one's way *no art*; (*fig*) aberration
verjagen *past part* ***verjagt*** *v/t* to chase away
verjähren *past part* ***verjährt*** *v/i aux sein* to come under the statute of limitations; (*Anspruch*) to be in lapse; ***verjährtes Verbrechen*** statute-barred crime; ***das ist schon längst verjährt*** (*infml*) that's all over and done with **Verjährung** [fɛɐ'jɛːrʊŋ] *f* ⟨**-, -en**⟩ limitation; (*von Anspruch*) lapse **Verjährungsfrist** *f* limitation period
verjüngen [fɛɐ'jʏŋən] *past part* ***verjüngt*** **I** *v/t* to rejuvenate; (≈ *jünger aussehen lassen*) to make look younger; ***das Personal ~*** to build up a younger staff **II** *v/r* **1.** (≈ *jünger werden*) to become younger; (*Haut*) to become rejuvenated **2.** (≈ *dünner werden*) to taper; (*Rohr*) to narrow
verkabeln *past part* ***verkabelt*** *v/t* TEL to link up to the cable network **Verkabelung** [fɛɐ'kaːbəlʊŋ] *f* ⟨**-, -en**⟩ TEL linking up to the cable network
verkalken *past part* ***verkalkt*** *v/i aux sein* (*Arterien*) to harden; (*Kessel etc*) to fur up; (*infml: Mensch*) to become senile **verkalkt** [fɛɐ'kalkt] *adj* (*infml*) senile
verkalkulieren *past part* ***verkalkuliert*** *v/r* to miscalculate
Verkalkung [fɛɐ'kalkʊŋ] *f* ⟨**-, -en**⟩ (*von Arterien*) hardening; (*infml*) senility
verkannt [fɛɐ'kant] *adj* unrecognized; → ***verkennen***
verkappt [fɛɐ'kapt] *adj attr* hidden
Verkauf *m* **1.** sale; (≈ *das Verkaufen*) selling; ***beim ~ des Hauses*** when selling the house **2.** (≈ *Abteilung*) sales *sg, no art* **verkaufen** *past part* ***verkauft*** **I** *v/t & v/i* to sell (*für, um* for); ***„zu ~"*** "for sale"; ***etw an jdn ~*** to sell sb sth, to sell sth to sb **II** *v/r* (*Ware*) to sell; (*Mensch*) to sell oneself **Verkäufer(in)** *m/(f)* seller; (*in Geschäft*) sales assistant; (*im Außendienst*) salesman / saleswoman / salesperson; (JUR: *von Grundbesitz etc*) vendor **verkäuflich** *adj* sal(e)able; (≈ *zu verkaufen*) for sale; ***leicht / schwer ~*** easy / hard to sell **Verkaufsabteilung** *f* sales department **Verkaufsförderung** *f* sales promotion **verkaufsoffen** *adj* open for business; ***~er Sonntag*** *Sunday on which the shops are open* **Verkaufspreis** *m* retail price **Verkaufsschlager** *m* big seller **Verkaufswert** *m* market value *or* price
Verkehr [fɛɐ'keːɐ] *m* ⟨**-(e)s,** *no pl*⟩ **1.** traffic; ***dem ~ übergeben*** *Straße etc* to open to traffic **2.** (≈ *Verbindung*) contact; (≈ *Umgang*) company; (≈ *Geschlechtsverkehr*) intercourse **3.** (≈ *Handelsverkehr*) trade; (≈ *Zahlungsverkehr*) business; (≈ *Umlauf*) circulation; ***etw aus dem ~ ziehen*** *Banknoten* to take sth out of circulation; *Produkte* to withdraw sth **verkehren** *past part* ***verkehrt*** **I** *v/i* **1.** *aux haben or sein* (≈ *fahren*) to run; (*Flugzeug*) to fly **2.** (≈ *Kontakt pflegen*) ***bei jdm ~*** to frequent sb's house; ***mit jdm ~*** to associate with sb; ***in einem Lokal ~*** to frequent a pub; ***in Künstlerkreisen ~*** to move in artistic circles **II** *v/r* to turn (*in +acc* into); ***sich ins Gegenteil ~*** to become reversed **Verkehrsampel** *f* traffic lights *pl* **Verkehrsanbindung** *f* transport links *pl* **verkehrsarm** *adj Zeit, Straße* quiet **Verkehrsaufkommen** *nt* volume of traffic **Verkehrsbehinderung** *f* JUR obstruction (of traffic) **verkehrsberuhigt** [-bəruːɪçt] *adj* traffic-calmed **Verkehrsbetriebe** *pl* transport services *pl* **Verkehrsbüro** *nt* tourist information office **Verkehrschaos** *nt* chaos on the roads **Verkehrsdelikt** *nt* traffic offence (*Br*) *or* offense (*US*) **Verkehrsführung** *f* traffic management system **verkehrsgünstig** *adj Lage* convenient **Verkehrshinweis** *m* traffic announcement **Verkehrslärm** *m* traffic noise **Verkehrsleitsystem** *nt* traffic guidance system **Verkehrsmittel** *nt* means *sg* of transport; ***öffentliche ~*** public transport **Verkehrsnetz** *nt* traffic network **Verkehrsopfer** *nt* road casualty **Verkehrsordnung** *f* ≈ Highway Code (*Br*), traffic rules and regulations *pl* **Verkehrspolizei** *f* traffic police *pl* **Verkehrspolizist(in)** *m/(f)* traffic policeman/-woman **Verkehrsregel** *f* traffic regulation **Verkehrsregelung** *f* traffic control **verkehrsreich** *adj Gegend* busy; ***~e Zeit*** peak (traffic) time **Verkehrsschild** *nt, pl* ***-schilder*** road sign **verkehrssicher** *adj Fahrzeug*

roadworthy **Verkehrsstau** *m*, **Verkehrsstauung** *f* traffic jam **Verkehrssünder(in)** *m/(f)* (*infml*) traffic offender (*Br*) *or* violator (*US*) **Verkehrsteilnehmer(in)** *m/(f)* road user **Verkehrstote(r)** *m/f(m) decl as adj* road casualty **verkehrstüchtig** *adj Fahrzeug* roadworthy; *Mensch* fit to drive **Verkehrsunfall** *m* road accident **Verkehrsunterricht** *m* traffic instruction **Verkehrsverbindung** *f* link; (≈ *Anschluss*) connection **Verkehrsverbund** *m* integrated transport system **Verkehrsverein** *m local organization concerned with upkeep of tourist attractions, facilities etc* **Verkehrsverhältnisse** *pl* traffic situation *sg* **Verkehrswacht** *f* traffic patrol **Verkehrsweg** *m* highway **verkehrswidrig** *adj* contrary to road traffic regulations **Verkehrszeichen** *nt* road sign

verkehrt [fɛɐ'keːɐt] **I** *adj* wrong; ***das Verkehrte*** the wrong thing; ***der/die Verkehrte*** the wrong person **II** *adv* wrongly; ***etw ~ (herum) anhaben*** (≈ *linke Seite nach außen*) to have sth on inside out; (≈ *vorne nach hinten*) to have sth on back to front

verkennen *past part* ***verkannt*** [fɛɐ'kant] *v/t irr* to misjudge; ***es ist nicht zu ~, dass ...*** it is undeniable that ...; → ***verkannt***

Verkettung [fɛɐ'kɛtʊŋ] *f* ⟨**-, -en**⟩ (*fig*) interconnection

verklagen *past part* ***verklagt*** *v/t* to sue (*wegen* for); ***jdn auf etw*** (*acc*) ***~*** to take sb to court for sth

verklappen *past part* ***verklappt*** *v/t Abfallstoffe* to dump **Verklappung** [fɛɐ'klapʊŋ] *f* ⟨**-, -en**⟩ dumping

verkleben *past part* ***verklebt*** *v/i aux sein* (*Wunde*) to close; (*Augen*) to get gummed up; ***mit etw ~*** to stick to sth

verkleiden *past part* ***verkleidet*** **I** *v/t* **1.** *jdn* to disguise; (≈ *kostümieren*) to dress up; ***alle waren verkleidet*** everyone was in fancy dress **2.** *Wand* to line; (≈ *vertäfeln*) to panel; (≈ *bedecken*) to cover **II** *v/r* to disguise oneself; (≈ *sich kostümieren*) to dress (oneself) up **Verkleidung** *f* (≈ *Kostümierung*) dressing up; (≈ *Kleidung*) disguise; (≈ *Kostüm*) fancy dress

verkleinern [fɛɐ'klainɐn] *past part* ***verkleinert*** **I** *v/t* to reduce; *Raum, Firma* to make smaller; *Maßstab* to scale down; *Abstand* to decrease **II** *v/r* to be reduced; (*Raum, Firma*) to become smaller; (*Abstand*) to decrease; (*Not*) to become less **Verkleinerung** *f* ⟨**-, -en**⟩ reduction; (*von Firma*) making smaller; (*von Maßstab*) scaling down **Verkleinerungsform** *f* diminutive form

verklemmt [fɛɐ'klɛmt] *adj* (*infml*) *Mensch* inhibited **Verklemmtheit** *f* ⟨**-, -en**⟩ (*infml*), **Verklemmung** *f* ⟨**-, -en**⟩ inhibitions *pl*

verklingen *past part* ***verklungen*** [fɛɐ'klʊŋən] *v/i irr aux sein* to fade away; (*fig*) to fade

verknacksen [fɛɐ'knaksn] *past part* ***verknackst*** *v/t* (***sich*** *dat*) ***den Knöchel*** *or* ***Fuß ~*** to twist one's ankle

verknallen *past part* ***verknallt*** (*infml*) *v/r* ***sich (in jdn) ~*** to fall for sb (*infml*)

verknappen [fɛɐ'knapn] *past part* ***verknappt*** *v/t* to cut back; *Rationen* to cut down (on)

verkneifen *past part* ***verkniffen*** [fɛɐ'knɪfn] *v/t irr* (*infml*) ***sich*** (*dat*) ***etw ~*** *Lächeln* to keep back sth; *Bemerkung* to bite back sth; ***ich konnte mir das Lachen nicht ~*** I couldn't help laughing

verkniffen [fɛɐ'knɪfn] *adj Miene* strained; (≈ *verbittert*) pinched

verknoten *past part* ***verknotet*** *v/t* to tie, to knot

verknüpfen *past part* ***verknüpft*** *v/t* **1.** (≈ *verknoten*) to knot (together); IT to integrate **2.** (*fig*) to combine; (≈ *in Zusammenhang bringen*) to link; ***etw mit Bedingungen ~*** to attach conditions to sth

verkochen *past part* ***verkocht*** *v/i aux sein* (*Flüssigkeit*) to boil away; (*Kartoffeln*) to overcook

verkohlen *past part* ***verkohlt*** **I** *v/i aux sein* to become charred **II** *v/t* **1.** *Holz* to char **2.** (*infml*) ***jdn ~*** to pull sb's leg (*infml*)

verkommen[1] [fɛɐ'kɔmən] *past part* ***verkommen*** *v/i irr aux sein* **1.** (*Mensch*) to go to pieces; (*moralisch*) to become dissolute **2.** (*Gebäude*) to fall to pieces; (*Stadt*) to become run-down **3.** (≈ *nicht genutzt werden: Lebensmittel, Fähigkeiten etc*) to go to waste

verkommen[2] *adj Mensch* depraved; *Gebäude* dilapidated; *Garten* wild

verkorksen [fɛɐ'kɔrksn] *past part* ***verkorkst*** *v/t* (*infml*) to screw up (*infml*); ***sich*** (*dat*) ***den Magen ~*** to upset one's stomach

verkörpern [fɛɐ'kœrpɐn] *past part* ***ver-***

körpert *v/t* to embody; THEAT to play (the part of)
verköstigen [fɛɐ'kœstɪgn] *past part* ***verköstigt*** *v/t* to feed
verkrachen *past part* ***verkracht*** *v/r* (*infml*) ***sich* (*mit jdm*) ~** to fall out (with sb)
verkraften [fɛɐ'kraftn] *past part* ***verkraftet*** *v/t* to cope with; (*finanziell*) to afford
verkrampfen *past part* ***verkrampft*** *v/r* to become cramped; (*Hände*) to clench up; ***verkrampft*** (*fig*) tense
verkriechen *past part* ***verkrochen*** [fɛɐ'krɔxn] *v/r irr* to creep away; (*fig*) to hide (oneself away)
verkrümeln *past part* ***verkrümelt*** *v/r* (*infml*) to disappear
verkrümmen *past part* ***verkrümmt*** **I** *v/t* to bend **II** *v/r* to bend; (*Rückgrat*) to become curved; (*Holz*) to warp **verkrümmt** [fɛɐ'krʏmt] *adj* bent; *Wirbelsäule* curved **Verkrümmung** *f* bend (*+gen* in), distortion (*esp* TECH); (*von Holz*) warp; ***~ der Wirbelsäule*** curvature of the spine
verkrüppeln [fɛɐ'krʏpln] *past part* ***verkrüppelt*** **I** *v/t* to cripple **II** *v/i aux sein* to become crippled; (*Baum etc*) to grow stunted
verkrusten [fɛɐ'krʊstn] *past part* ***verkrustet*** *v/i & v/r* to become encrusted **verkrustet** [fɛɐ'krʊstət] *adj Wunde* scabby; *Ansichten* decrepit
verkühlen *past part* ***verkühlt*** (*infml*) *v/r* to get a chill
verkümmern *past part* ***verkümmert*** *v/i aux sein* (*Organ*) to atrophy; (≈ *eingehen*: *Pflanze*) to die; (*Talent*) to go to waste; (*Mensch*) to waste away; ***geistig ~*** to become intellectually stunted
verkünden *past part* ***verkündet*** *v/t* to announce; *Urteil* to pronounce; *neue Zeit* to herald
verkupfern [fɛɐ'kʊpfɐn] *past part* ***verkupfert*** *v/t* to copper(-plate)
verkuppeln *past part* ***verkuppelt*** *v/t* (*pej*) to pair off; ***jdn an jdn ~*** (*Zuhälter*) to procure sb for sb
verkürzen *past part* ***verkürzt*** *v/t* to shorten; *Abstand* to narrow; *Aufenthalt* to cut short; ***sich* (*dat*) *die Zeit ~*** to pass the time; ***verkürzte Arbeitszeit*** shorter working hours **Verkürzung** *f* shortening; (*von Abstand*) narrowing
verladen *past part* ***verladen*** *v/t irr* **1.** *Güter, Menschen* to load **2.** (*fig infml*) to con (*infml*)
Verlag [fɛɐ'laːk] *m* ⟨**-(e)s, -e** [-gə]⟩ publishing house; ***einen ~ finden*** to find a publisher
verlagern *past part* ***verlagert*** *v/t & v/r* to shift **Verlagerung** *f* shift
Verlagskauffrau *f*, **Verlagskaufmann** *m* publishing manager **Verlagsleiter(in)** *m/(f)* publishing director **Verlagsprogramm** *nt* list
verlangen *past part* ***verlangt*** **I** *v/t* **1.** (≈ *fordern*) to demand; *Preis* to ask; *Erfahrung* to require; ***das ist nicht zu viel verlangt*** it's not asking too much **2.** (≈ *fragen nach*) to ask for; ***Sie werden am Telefon verlangt*** you are wanted on the phone **II** *v/i* ***~ nach*** to ask for; (≈ *sich sehnen nach*) to long for **Verlangen** [fɛɐ'laŋən] *nt* ⟨**-s, -**⟩ (*nach* for) desire; (≈ *Sehnsucht*) yearning; (≈ *Begierde*) craving; ***auf ~*** on demand; ***auf ~ der Eltern*** at the request of the parents
verlängern [fɛɐ'lɛŋɐn] *past part* ***verlängert*** **I** *v/t* to extend; *Leben*, *Schmerzen* to prolong; *Ärmel etc* to lengthen; *Pass etc* to renew; ***ein verlängertes Wochenende*** a long weekend **II** *v/r* to be extended; (*Leiden etc*) to be prolonged **Verlängerung** *f* ⟨**-, -en**⟩ **1.** extension; (*von Pass etc*) renewal **2.** (SPORTS, *von Spielzeit*) extra time (*Br*), over time (*US*); (≈ *nachgespielte Zeit*) injury time (*Br*), over time (*US*); ***das Spiel geht in die ~*** they're going to play extra time *etc* **Verlängerungsschnur** *f* ELEC extension lead
verlangsamen [fɛɐ'laŋzaːmən] *past part* ***verlangsamt*** *v/t & v/r* to slow down
Verlass [fɛɐ'las] *m* ⟨**-es**, *no pl*⟩ ***auf jdn/etw ist kein ~*** there is no relying on sb/sth
verlassen[1] *past part* ***verlassen*** *irr* **I** *v/t* to leave; (*fig*: *Mut*, *Hoffnung*) *jdn* to desert; IT *Programm* to exit **II** *v/r* ***sich auf jdn/etw ~*** to rely on sb/sth; ***darauf können Sie sich ~*** you can be sure of that
verlassen[2] [fɛɐ'lasn] *adj* deserted; (≈ *einsam*) lonely; *Auto* abandoned
verlässlich *adj* reliable **Verlässlichkeit** [fɛɐ'lɛslɪçkait] *f* ⟨**-**, *no pl*⟩ reliability
Verlauf *m* course; (≈ *Ausgang*) end; ***im ~ der Jahre*** over the (course of the) years; ***einen guten/schlechten ~ nehmen*** to

go well/badly **verlaufen** *past part* **verlaufen** *irr* **I** *v/i aux sein* (≈ *ablaufen*) to go; (*Feier*) to go off; (*Untersuchung*) to proceed; (≈ *sich erstrecken*) to run; ***die Spur verlief im Sand*** the track disappeared in the sand **II** *v/r* (≈ *sich verirren*) to get lost; (≈ *verschwinden*: *Menschenmenge*) to disperse **Verlaufsform** *f* GRAM progressive form

verlautbaren [fɛɐ'lautbaːrən] *past part* **verlautbart** (*form*) *v/t & v/i* to announce; ***etw ~ lassen*** to let sth be announced **Verlautbarung** *f* ⟨**-, -en**⟩ announcement **verlauten** *past part* **verlautet** **I** *v/i* ***er hat ~ lassen, dass ...*** he indicated that ... **II** *v/i impers aux sein or haben* ***es verlautet, dass ...*** it is reported that ...

verleben *past part* **verlebt** *v/t* to spend; ***eine schöne Zeit ~*** to have a nice time

verlegen[1] *past part* **verlegt** **I** *v/t* **1.** (*an anderen Ort*) to move **2.** (≈ *verschieben*) to postpone (*auf +acc* until); (≈ *vorverlegen*) to bring forward (*auf +acc* to) **3.** (≈ *an falschen Platz legen*) to mislay **4.** (≈ *anbringen*) *Kabel, Fliesen etc* to lay **5.** (≈ *drucken lassen*) to publish **II** *v/r* ***sich auf etw*** (*acc*) ***~*** to resort to sth; ***er hat sich neuerdings auf Golf verlegt*** he has taken to golf recently

verlegen[2] [fɛɐ'leːgn] **I** *adj* **1.** embarrassed *no adv* **2.** ***um eine Antwort ~ sein*** to be lost for an answer **II** *adv* in embarrassment **Verlegenheit** *f* ⟨**-, -en**⟩ **1.** *no pl* (≈ *Betretenheit*) embarrassment; ***jdn in ~ bringen*** to embarrass sb **2.** (≈ *unangenehme Lage*) embarrassing situation; ***wenn er in finanzieller ~ ist*** when he's in financial difficulties **Verlegenheitslösung** *f* stopgap

Verleger [fɛɐ'leːgɐ] *m* ⟨**-s, -**⟩, **Verlegerin** [-ərɪn] *f* ⟨**-, -nen**⟩ publisher; (≈ *Händler*) distributor

Verlegung [fɛɐ'leːgʊŋ] *f* ⟨**-, -en**⟩ **1.** (*räumlich*) transfer **2.** (*zeitlich*) postponement (*auf +acc* until); (≈ *Vorverlegung*) bringing forward (*auf +acc* to) **3.** (*von Kabeln etc*) laying

Verleih [fɛɐ'lai] *m* ⟨**-(e)s, -e**⟩ **1.** (≈ *Unternehmen*) rental company; (≈ *Filmverleih*) distributor(s *pl*) **2.** (≈ *das Verleihen*) renting (out), hiring (out) (*Br*); (≈ *Filmverleih*) distribution **verleihen** *past part* **verliehen** [fɛɐ'liːən] *v/t irr* **1.** (≈ *ausleihen*) to lend (*an jdn* to sb); (*gegen Gebühr*) to rent (out), to hire (out) (*Br*) **2.** (≈ *zuerkennen*) to award (*jdm* (to) sb); *Titel* to confer (*jdm* on sb) **3.** (≈ *geben, verschaffen*) to give **Verleihung** *f* ⟨**-, -en**⟩ **1.** (≈ *das Ausleihen*) lending; (*gegen Gebühr*) renting, rental **2.** (*von Preis etc*) award(ing); (*von Titel*) conferment

verleiten *past part* **verleitet** *v/t* (≈ *verlocken*) to tempt; (≈ *verführen*) to lead astray; ***jdn zum Stehlen ~*** to lead sb to steal

verlernen *past part* **verlernt** *v/t* to forget; ***das Tanzen ~*** to forget how to dance

verlesen *past part* **verlesen** *irr* **I** *v/t* **1.** (≈ *vorlesen*) to read (out) **2.** *Gemüse etc* to sort **II** *v/r* ***ich habe mich wohl ~*** I must have misread it

verletzbar *adj* vulnerable **verletzen** [fɛɐ'lɛtsn] *past part* **verletzt** **I** *v/t* **1.** to injure; (*in Kampf etc*) to wound; (*fig*) *jdn, jds Gefühle* to hurt **2.** *Gesetz* to break; *Rechte* to violate **II** *v/r* to injure oneself **verletzend** *adj Bemerkung* hurtful **Verletzte(r)** [fɛɐ'lɛtstə] *m/f(m) decl as adj* injured person; (*bei Kampf*) wounded man; ***es gab drei ~*** three people were injured **Verletzung** *f* ⟨**-, -en**⟩ (≈ *Wunde*) injury

verleugnen *past part* **verleugnet** *v/t* to deny; ***es lässt sich nicht ~, dass ...*** there is no denying that ...

verleumden [fɛɐ'lɔymdn] *past part* **verleumdet** *v/t* to slander; (*schriftlich*) to libel **Verleumder** [fɛɐ'lɔymdɐ] *m* ⟨**-s, -**⟩, **Verleumderin** [-ərɪn] *f* ⟨**-, -nen**⟩ slanderer; (*durch Geschriebenes*) libeller (*esp Br*), libeler (*US*) **verleumderisch** [fɛɐ'lɔymdərɪʃ] *adj* slanderous; (*in Schriftform*) libellous (*esp Br*), libelous (*US*) **Verleumdung** *f* ⟨**-, -en**⟩ slandering; (*schriftlich*) libelling (*esp Br*), libeling (*US*); (≈ *Bemerkung*) slander; (≈ *Bericht*) libel **Verleumdungskampagne** *f* smear campaign

verlieben *past part* **verliebt** *v/r* to fall in love (*in +acc* with) **verliebt** [fɛɐ'liːpt] **I** *adj Blicke, Worte* amorous; (***in jdn/etw***) ***~ sein*** to be in love (with sb/sth) **II** *adv ansehen* lovingly

verlieren [fɛɐ'liːrən] *pret* **verlor** [fɛɐ'loːɐ], *past part* **verloren** [fɛɐ'loːrən] **I** *v/t* to lose; ***er hat hier nichts verloren*** (*infml*) he has no business to be here **II** *v/i* to lose; ***sie hat an Schönheit verloren*** she has lost some of her beauty **III**

v/r (≈ *verschwinden*) to disappear; → ***verloren*** **Verlierer** [fɛɐ'liːrɐ] *m* ⟨***-s, -***⟩, **Verliererin** [-ərɪn] *f* ⟨***-, -nen***⟩ loser

Verlies [fɛɐ'liːs] *nt* ⟨***-es, -e*** [-zə]⟩ dungeon

verlinken *v/t* to hyperlink

verloben *past part* ***verlobt*** *v/r* (*mit* to) to get engaged **Verlobte(r)** [fɛɐ'loːptə] *m/f(m) decl as adj* ***mein ~r*** my fiancé; ***meine ~*** my fiancée **Verlobung** [fɛɐ'loːbʊŋ] *f* ⟨***-, -en***⟩ engagement

verlocken *past part* ***verlockt*** *v/t & v/i* to entice **Verlockung** *f* enticement; (≈ *Reiz*) allure

verlogen [fɛɐ'loːgn] *adj Mensch* lying; *Versprechungen* false; *Moral* hypocritical **Verlogenheit** *f* ⟨***-, -en***⟩ (*von Mensch*) mendacity (*form*); (*von Versprechungen*) falseness; (*von Moral*) hypocrisy

verloren [fɛɐ'loːrən] *adj* lost; COOK *Eier* poached; ***jdn/etw ~ geben*** to give sb/sth up for lost; ***auf ~em Posten stehen*** to be fighting a losing battle; → ***verlieren*** **verloren gehen** *v/i irr aux sein* to get lost

verlosen *past part* ***verlost*** *v/t* to raffle (off) **Verlosung** *f* (≈ *Lotterie*) raffle; (≈ *Ziehung*) draw

Verlust [fɛɐ'lʊst] *m* ⟨***-(e)s, -e***⟩ **1.** loss; ***~ bringend*** lossmaking; ***mit ~ verkaufen*** to sell at a loss **2. Verluste** *pl* losses *pl*; ***schwere ~e haben*** to sustain heavy losses **Verlustgeschäft** *nt* (≈ *Firma*) lossmaking business (*Br*), business operating in the red **verlustreich** *adj* **1.** COMM *Firma* heavily loss-making **2.** MIL *Schlacht* involving heavy losses

vermachen *past part* ***vermacht*** *v/t* ***jdm etw ~*** to bequeath sth to sb **Vermächtnis** [fɛɐ'mɛçtnɪs] *nt* ⟨***-ses, -se***⟩ bequest; (*fig*) legacy

vermählen [fɛɐ'mɛːlən] *past part* ***vermählt*** (*form*) **I** *v/t* to marry **II** *v/r* ***sich (mit jdm) ~*** to marry (sb) **Vermählung** *f* ⟨***-, -en***⟩ (*form*) marriage

vermarkten [fɛɐ'marktn] *past part* ***vermarktet*** *v/t* to market; (*fig*) to commercialize **Vermarktung** *f* ⟨***-, -en***⟩ marketing; (*fig*) commercialization

vermasseln [fɛɐ'masln] *past part* ***vermasselt*** *v/t* (*infml*) to mess up (*infml*); *Prüfung* to make a mess of

vermehren *past part* ***vermehrt*** **I** *v/t* to increase **II** *v/r* to increase; (≈ *sich fortpflanzen*) to reproduce; (*Bakterien*) to multiply **Vermehrung** *f* increase; (≈ *Fortpflanzung*) reproduction; (*von Bakterien*) multiplying

vermeidbar *adj* avoidable **vermeiden** *past part* ***vermieden*** [fɛɐ'miːdn] *v/t irr* to avoid; ***es lässt sich nicht ~*** it is inevitable *or* unavoidable

vermeintlich [fɛɐ'maintlɪç] *adj attr* supposed

vermengen *past part* ***vermengt*** *v/t* to mix; (*fig infml*) *Begriffe etc* to mix up

Vermerk [fɛɐ'mɛrk] *m* ⟨***-(e)s, -e***⟩ remark; (≈ *Stempel*) stamp **vermerken** *past part* ***vermerkt*** *v/t* (≈ *aufschreiben*) to note (down)

vermessen[1] *past part* ***vermessen*** *irr v/t* to measure; *Gelände* to survey

vermessen[2] [fɛɐ'mɛsn] *adj* (≈ *anmaßend*) presumptuous **Vermessenheit** *f* ⟨***-, -en***⟩ (≈ *Anmaßung*) presumption

Vermessung *f* measurement; (*von Gelände*) survey

vermiesen [fɛɐ'miːzn] *past part* ***vermiest*** *v/t* (*infml*) ***jdm etw ~*** to spoil sth for sb

vermieten *past part* ***vermietet*** *v/t* to rent (out), to lease (JUR); ***Zimmer zu ~*** room for rent **Vermieter** *m* lessor; (*von Wohnung etc*) landlord **Vermieterin** *f* lessor; (*von Wohnung etc*) landlady **Vermietung** [fɛɐ'miːtʊŋ] *f* ⟨***-, -en***⟩ renting (out); (*von Auto*) rental, hiring (out) (*Br*)

vermindern *past part* ***vermindert*** **I** *v/t* to reduce; *Zorn* to lessen; ***verminderte Zurechnungsfähigkeit*** JUR diminished responsibility **II** *v/r* to decrease; (*Zorn*) to lessen; (*Reaktionsfähigkeit*) to diminish **Verminderung** *f* reduction (*+gen* of); (*von Reaktionsfähigkeit*) diminishing

verminen [fɛɐ'miːnən] *past part* ***vermint*** *v/t* to mine

vermischen *past part* ***vermischt*** **I** *v/t* to mix; ***„Vermischtes“*** “miscellaneous” **II** *v/r* to mix

vermissen *past part* ***vermisst*** *v/t* to miss; ***vermisst werden*** to be missing; ***etw an jdm/etw ~*** to find sb/sth lacking in sth; ***wir haben dich bei der Party vermisst*** we didn't see you at the party; ***etw ~ lassen*** to be lacking in sth **Vermisste(r)** [fɛɐ'mɪstə] *m/f(m) decl as adj* missing person

vermitteln [fɛɐ'mɪtln] *past part* ***vermit-***

telt* I** *v/t* to arrange (*jdm* for sb); *Stelle, Partner* to find (*jdm* for sb); *Gefühl, Einblick* to convey, to give (*jdm* to sb); *Wissen* to impart (*jdm* to sb); ***wir ~ Geschäftsräume we are agents for business premises **II** *v/i* to mediate; ***~d eingreifen*** to intervene **Vermittler** *m* ⟨**-s, -**⟩, **Vermittlerin** [-ərɪn] *f* ⟨**-, -nen**⟩ **1.** mediator **2.** COMM agent **Vermittlung** [fɛɐ'mɪtlʊŋ] *f* ⟨**-, -en**⟩ **1.** arranging; (*von Stelle, Briefpartner*) finding; (*in Streitigkeiten*) mediation; (*von Gefühl, Einblick*) conveying; (*von Wissen*) imparting **2.** (≈ *Stelle, Agentur*) agency **3.** (TEL ≈ *Amt*) exchange; (*in Firma etc*) switchboard **Vermittlungsgebühr** *f* commission **Vermittlungsversuch** *m* attempt at mediation

vermöbeln [fɛɐ'møːbln] *past part* ***vermöbelt*** *v/t* (*infml*) to beat up

vermodern [fɛɐ'moːdɐn] *past part* ***vermodert*** *v/i aux sein* to moulder (*Br*), to molder (*US*)

Vermögen [fɛɐ'møːgn] *nt* ⟨**-s, -**⟩ **1.** (≈ *Reichtum*) fortune **2.** (≈ *Besitz*) property **vermögend** *adj* (≈ *reich*) wealthy **Vermögensberater(in)** *m*/(*f*) investment analyst **Vermögensbildung** *f* creation of wealth **Vermögenssteuer** *f* wealth tax **Vermögensverhältnisse** *pl* financial circumstances *pl* **Vermögensverwaltung** *f* asset management **vermögenswirksam** *adj* ***~e Leistungen*** employer's contributions to tax-deductible savings scheme

vermummen [fɛɐ'mʊmən] *past part* ***vermummt*** *v/r* (≈ *sich verkleiden*) to disguise oneself; ***vermummte Demonstranten*** masked demonstrators

vermuten [fɛɐ'muːtn] *past part* ***vermutet*** *v/t* to suspect; ***ich vermute es nur*** that's only an assumption; ***wir haben ihn dort nicht vermutet*** we did not expect him to be there **vermutlich** [fɛɐ'muːtlɪç] **I** *adj attr* presumable; *Täter* suspected **II** *adv* presumably **Vermutung** *f* ⟨**-, -en**⟩ (≈ *Annahme*) assumption; (≈ *Mutmaßung*) conjecture; (≈ *Verdacht*) hunch; ***die ~ liegt nahe, dass ...*** there are grounds for the assumption that ...

vernachlässigen [fɛɐ'naːxlɛsɪgn] *past part* ***vernachlässigt*** *v/t* to neglect

vernarren *past part* ***vernarrt*** *v/r* (*infml*) ***sich in etw ~*** to fall for sth; ***in jdn vernarrt sein*** to be crazy about sb (*infml*)

vernehmbar I *adj* (≈ *hörbar*) audible **II** *adv* audibly **vernehmen** *past part* ***vernommen*** [fɛɐ'nɔmən] *v/t irr* **1.** (≈ *hören* ≈ *erfahren*) to hear **2.** JUR *Zeugen* to examine; (*Polizei*) to question **vernehmlich** [fɛɐ'neːmlɪç] **I** *adj* clear **II** *adv* audibly **Vernehmung** [fɛɐ'neːmʊŋ] *f* ⟨**-, -en**⟩ (JUR: *von Zeugen*) examination; (*durch Polizei*) questioning

verneigen *past part* ***verneigt*** *v/r* to bow; ***sich vor jdm/etw ~*** (*lit*) to bow to sb / sth; (*fig*) to bow down before sb / sth **Verneigung** *f* bow (*vor +dat* before)

verneinen [fɛɐ'nainən] *past part* ***verneint*** *v/t & v/i* *Frage* to answer in the negative; (≈ *leugnen*) *Tatsache* to deny; *These* to dispute; GRAM to negate; ***die verneinte Form*** the negative (form) **verneinend** *adj* negative **Verneinung** *f* ⟨**-, -en**⟩ (≈ *Leugnung*) denial; (*von These etc*) disputing; GRAM negation; (≈ *verneinte Form*) negative

vernetzen *past part* ***vernetzt*** *v/t* to link up; IT to network **Vernetzung** [fɛɐ'nɛtsʊŋ] *f* ⟨**-, -en**⟩ linking-up; IT networking

vernichten [fɛɐ'nɪçtn] *past part* ***vernichtet*** *v/t* to destroy **vernichtend I** *adj* devastating; *Niederlage* crushing **II** *adv* ***jdn ~ schlagen*** MIL, SPORTS to annihilate sb **Vernichtung** *f* ⟨**-, -en**⟩ destruction **Vernichtungsschlag** *m* devastating blow; ***zum ~ ausholen*** to prepare to deliver the final blow

verniedlichen [fɛɐ'niːtlɪçn] *past part* ***verniedlicht*** *v/t* to trivialize

vernieten *past part* ***vernietet*** *v/t* to rivet

Vernissage [vɛrnɪ'saːʒə] *f* ⟨**-, -n**⟩ opening (*at art gallery*)

Vernunft [fɛɐ'nʊnft] *f* ⟨**-,** *no pl*⟩ reason; ***zur ~ kommen*** to come to one's senses; ***~ annehmen*** to see reason; ***jdn zur ~ bringen*** to make sb see sense **vernünftig** [fɛɐ'nʏnftɪç] **I** *adj* sensible; (≈ *logisch denkend*) rational; (*infml*) (≈ *anständig*) decent; (≈ *annehmbar*) reasonable **II** *adv* sensibly; (≈ *logisch*) rationally; (*infml*) (≈ *anständig*) decently; (≈ *annehmbar*) reasonably

veröden [fɛɐ'|øːdn] *past part* ***verödet*** *v/i aux sein* to become desolate

veröffentlichen [fɛɐ'|œfntlɪçn] *past part* ***veröffentlicht*** *v/t & v/i* to publish **Veröffentlichung** *f* ⟨**-, -en**⟩ publication

verordnen *past part* ***verordnet*** *v/t* to prescribe (*jdm etw* sth for sb) **Verordnung** *f* **1.** MED prescription **2.** (*form* ≈ *Verfügung*) decree

verpachten *past part* ***verpachtet*** *v/t* to lease (*an +acc* to)

verpacken *past part* ***verpackt*** *v/t* to pack; (≈ *einwickeln*) to wrap **Verpackung** *f* **1.** (≈ *Material*) packaging *no pl* **2.** *no pl* (≈ *das Verpacken*) packing; (≈ *das Einwickeln*) wrapping **Verpackungskosten** *pl* packing *or* packaging costs *pl* **Verpackungsmaterial** *nt* packaging (material) **Verpackungsmüll** *m* packaging waste

verpassen *past part* ***verpasst*** *v/t* **1.** (≈ *versäumen*) to miss **2.** (*infml* ≈ *zuteilen*) ***jdm etw ~*** to give sb sth; (≈ *aufzwingen*) to make sb have sth; ***jdm eins*** *or* ***eine Ohrfeige ~*** to smack sb one (*infml*)

verpatzen *past part* ***verpatzt*** *v/t* (*infml*) to spoil

verpennen *past part* ***verpennt*** (*infml*) **I** *v/t* (≈ *verschlafen*) *Termin*, *Zeit* to miss by oversleeping; (≈ *verpassen*) *Einsatz* to miss **II** *v/i & v/r* to oversleep

verpesten [fɛɐ'pɛstn] *past part* ***verpestet*** *v/t* to pollute

verpetzen *past part* ***verpetzt*** *v/t* (*infml*) to tell on (*infml*) (*bei* to)

verpfänden *past part* ***verpfändet*** *v/t* to pawn

verpfeifen *past part* ***verpfiffen*** [fɛɐ'pfɪfn] *v/t irr* (*infml*) to grass on (*bei* to) (*infml*)

verpflanzen *past part* ***verpflanzt*** *v/t* to transplant; *Haut* to graft **Verpflanzung** *f* transplant; (*von Haut*) grafting

verpflegen *past part* ***verpflegt*** **I** *v/t* to feed **II** *v/r* ***sich*** (***selbst***) ***~*** to feed oneself; (≈ *selbst kochen*) to cater for oneself **Verpflegung** [fɛɐ'pfleːgʊŋ] *f* ⟨**-, -en**⟩ **1.** (≈ *das Verpflegen*) catering; MIL rationing **2.** (≈ *Essen*) food; MIL provisions *pl*; ***mit voller ~*** (≈ *mit Vollpension*) with full board

verpflichten [fɛɐ'pflɪçtn] *past part* ***verpflichtet*** **I** *v/t* **1.** to oblige; ***sich verpflichtet fühlen, etw zu tun*** to feel obliged to do sth; ***jdm verpflichtet sein*** to be under an obligation to sb **2.** (≈ *binden*) to commit; (*vertraglich etc*) to bind; (*durch Gesetz*) to oblige; ***~d*** binding **3.** (≈ *einstellen*) to engage; *Sportler* to sign on; MIL to enlist **II** *v/i* (≈ *bindend sein*) to be binding; ***das verpflichtet zu nichts*** there is no obligation involved **III** *v/r* ***sich zu etw ~*** to undertake to do sth; (*vertraglich*) to commit oneself to doing sth **Verpflichtung** *f* ⟨**-, -en**⟩ **1.** obligation (*zu etw* to do sth); (*finanziell*) commitment (*zu etw* to do sth); (≈ *Aufgabe*) duty **2.** (≈ *Einstellung*) engaging; (*von Sportlern*) signing on; MIL enlistment

verpfuschen *past part* ***verpfuscht*** *v/t* (*infml*) *Arbeit etc* to bungle; *Leben*, *Erziehung* to screw up (*sl*), to ruin

verpissen *past part* ***verpisst*** *v/r* (*sl*) to clear out (*infml*)

verplanen *past part* ***verplant*** *v/t* *Zeit* to book up; *Geld* to budget

verplappern *past part* ***verplappert*** *v/r* (*infml*) to open one's mouth too wide (*infml*)

verplempern *past part* ***verplempert*** *v/t* (*infml*) to waste

verpönt [fɛɐ'pøːnt] *adj* frowned (up)on (*bei* by)

verprügeln *past part* ***verprügelt*** *v/t* to beat up

verpulvern [fɛɐ'pʊlvɐn, -fɐn] *past part* ***verpulvert*** *v/t* (*infml*) to fritter away

Verputz *m* plaster; (≈ *Rauputz*) roughcast **verputzen** *past part* ***verputzt*** *v/t* **1.** *Wand* to plaster; (*mit Rauputz*) to roughcast **2.** (*infml* ≈ *aufessen*) to polish off (*infml*)

verrammeln *past part* ***verrammelt*** *v/t* to barricade

verramschen [fɛɐ'ramʃn] *past part* ***verramscht*** *v/t* COMM to sell off cheap; (*infml also*) to flog (*Br infml*)

Verrat *m, no pl* betrayal (*an +dat* of); JUR treason (*an +dat* against) **verraten** *past part* ***verraten*** *irr* **I** *v/t* *Geheimnis*, *jdn* to betray; (≈ *ausplaudern*) to tell; (*fig* ≈ *erkennen lassen*) to reveal; ***nichts ~!*** don't say a word! **II** *v/r* to give oneself away **Verräter** [fɛɐ'rɛːtɐ] *m* ⟨**-s, -**⟩, **Verräterin** [-ərɪn] *f* ⟨**-, -nen**⟩ traitor (*+gen* to) **verräterisch** [fɛɐ'rɛːtərɪʃ] *adj* treacherous; JUR treasonable; (≈ *verdächtig*) *Blick*, *Lächeln etc* telltale *attr*

verrauchen *past part* ***verraucht*** *v/i aux sein* (*fig: Zorn*, *Enttäuschung*) to subside **verräuchern** *past part* ***verräuchert*** *v/t* to fill with smoke

verrechnen *past part* ***verrechnet*** **I** *v/t* (≈ *begleichen*) to settle; *Scheck* to clear; *Gutschein* to redeem; ***etw mit etw ~*** (≈ *gegeneinander aufrechnen*) to balance sth with sth **II** *v/r* to miscalculate;

sich um zwei Euro ~ to be out by two euros **Verrechnung** *f* settlement; (*von Scheck*) clearing; ***„nur zur ~"*** "A/C payee only" **Verrechnungsscheck** *m* crossed cheque (*Br*), voucher check (*US*)

verrecken *past part* ***verreckt*** *v/i aux sein* (*vulg*) to croak (*infml*); (*sl ≈ kaputtgehen*) to give up the ghost (*infml*)

verregnet [fɛɐ'reːgnət] *adj* rainy

verreisen *past part* ***verreist*** *v/i aux sein* to go away (on a trip *or* journey); ***er ist geschäftlich verreist*** he's away on business; ***mit der Bahn ~*** to go on a train journey

verreißen *past part* ***verrissen*** [fɛɐ'rɪsn] *v/t irr* (*≈ kritisieren*) to tear to pieces

verrenken [fɛɐ'rɛŋkn] *past part* ***verrenkt*** *v/t* to dislocate; *Hals* to crick **Verrenkung** *f* ⟨*-, -en*⟩ contortion; MED dislocation

verrichten *past part* ***verrichtet*** *v/t Arbeit* to perform; *Andacht* to perform; *Gebet* to say

verriegeln [fɛɐ'riːgln] *past part* ***verriegelt*** *v/t* to bolt

verringern [fɛɐ'rɪŋɐn] *past part* ***verringert*** **I** *v/t* to reduce **II** *v/r* to decrease **Verringerung** *f* ⟨*-, -en*⟩ (*≈ das Verringern*) reduction; (*≈ Abnahme*) decrease; (*von Abstand*) lessening

verrinnen *past part* ***verronnen*** [fɛɐ'rɔnən] *v/i irr aux sein* (*Wasser*) to trickle away (*in +dat* into); (*Zeit*) to elapse

Verriss *m* slating review

verrohen [fɛɐ'roːən] *past part* ***verroht*** **I** *v/t* to brutalize **II** *v/i aux sein* to become brutalized; (*Sitten*) to coarsen **Verrohung** *f* ⟨*-, -en*⟩ brutalization

verrosten *past part* ***verrostet*** *v/i aux sein* to rust; ***verrostet*** rusty

verrotten [fɛɐ'rɔtn] *past part* ***verrottet*** *v/i aux sein* to rot; (*≈ sich organisch zersetzen*) to decompose

verrücken *past part* ***verrückt*** *v/t* to move

verrückt [fɛɐ'rʏkt] *adj* **1.** (*≈ geisteskrank*) mad **2.** (*infml*) crazy; ***~ auf*** (*+acc*) *or* ***nach*** crazy about (*infml*); ***wie ~*** like crazy (*infml*); ***jdn ~ machen*** to drive sb crazy *or* wild (*infml*); ***~ werden*** to go crazy; ***du bist wohl ~!*** you must be crazy! **Verrückte(r)** [fɛɐ'rʏktə] *m/f(m) decl as adj* (*infml*) lunatic **Verrücktheit** *f* ⟨*-, -en*⟩ (*infml*) madness, craziness; (*Handlung*) crazy thing **verrücktspielen** *v/i sep* (*infml*) to play up **Verrücktwerden** *nt* ***zum ~*** enough to drive one mad *or* crazy

Verruf *m, no pl* ***in ~ geraten*** to fall into disrepute; ***jdn/etw in ~ bringen*** to bring sb/sth into disrepute **verrufen** [fɛɐ'ruːfn] *adj* disreputable

verrühren *past part* ***verrührt*** *v/t* to mix

verrutschen *past part* ***verrutscht*** *v/i aux sein* to slip

Vers [fɛrs] *m* ⟨*-es, -e* [-zə]⟩ verse; (*≈ Zeile*) line

versagen *past part* ***versagt*** **I** *v/t* ***jdm/sich etw ~*** to deny sb/oneself sth; ***etw bleibt*** *or* ***ist jdm versagt*** sb is denied sth **II** *v/i* to fail; (*Maschine*) to break down; ***die Beine/Nerven*** *etc* ***versagten ihm*** his legs/nerves *etc* gave way **Versagen** [fɛɐ'zaːgn] *nt* ⟨*-s, no pl*⟩ failure; (*von Maschine*) breakdown; ***menschliches ~*** human error **Versager** [fɛɐ'zaːgɐ] *m* ⟨*-s, -*⟩, **Versagerin** [-ərɪn] *f* ⟨*-, -nen*⟩ failure

versalzen *past part* ***versalzen*** *v/t irr* to put too much salt in/on; (*infml ≈ verderben*) to spoil; ***~es Essen*** oversalty food

versammeln *past part* ***versammelt*** **I** *v/t* to assemble; ***Leute um sich ~*** to gather people around one **II** *v/r* to assemble; (*Ausschuss*) to meet **Versammlung** *f* (*≈ Veranstaltung*) meeting; (*≈ versammelte Menschen*) assembly **Versammlungsfreiheit** *f* freedom of assembly

Versand [fɛɐ'zant] *m* ⟨*-(e)s* [-dəs]⟩ *no pl* (*≈ das Versenden*) dispatch (*esp Br*), shipment **Versandabteilung** *f* shipping department **Versandgeschäft** *nt* (*≈ Firma*) mail-order firm **Versandhandel** *m* mail-order business **Versandhaus** *nt* mail-order firm **Versandkosten** *pl* transport(ation) costs *pl*

versauen *past part* ***versaut*** *v/t* (*infml*) **1.** (*≈ verschmutzen*) to make a mess of **2.** (*≈ ruinieren*) to ruin

versaufen *past part* ***versoffen*** [fɛɐ'zɔfn] *irr* (*infml*) *v/t Geld* to spend on booze (*infml*); → ***versoffen***

versäumen *past part* ***versäumt*** *v/t* to miss; *Zeit* to lose; *Pflicht* to neglect; ***(es) ~, etw zu tun*** to fail to do sth **Versäumnis** [fɛɐ'zɔymnɪs] *nt* ⟨*-ses, -se*⟩ (*≈ Nachlässigkeit*) failing; (*≈ Unterlassung*) omission

verschachtelt [fɛɐ'ʃaxtlt] *adj Satz* complex; ***ineinander ~*** interlocking

verschaffen *past part* **verschafft** *v/t* **1.** ***jdm etw ~*** *Geld, Alibi* to provide sb with sth **2.** ***sich*** (*dat*) ***etw ~*** to obtain sth; *Kenntnisse* to acquire sth; *Ansehen, Vorteil* to gain sth; *Respekt* to get sth

verschandeln [fɛɐ'ʃandln] *past part* **verschandelt** *v/t* to ruin

verschanzen *past part* **verschanzt** *v/r* to entrench oneself (*hinter +dat* behind); (≈ *sich verbarrikadieren*) to barricade oneself in (*in etw* (*dat*) sth)

verschärfen *past part* **verschärft** **I** *v/t* *Tempo* to increase; *Gegensätze* to intensify; *Lage* to aggravate; *Spannungen* to heighten; (≈ *strenger machen*) to tighten **II** *v/r* (*Tempo*) to increase; (*Wettbewerb, Gegensätze*) to intensify; (*Lage*) to become aggravated; (*Spannungen*) to heighten **verschärft** [fɛɐ'ʃɛrft] **I** *adj* *Tempo, Wettbewerb* increased; *Lage* aggravated; *Spannungen* heightened; *Kontrollen* tightened **II** *adv* ***~ aufpassen*** to keep a closer watch; ***~ kontrollieren*** to keep a tighter control

verscharren *past part* **verscharrt** *v/t* to bury

verschätzen *past part* **verschätzt** *v/r* to misjudge, to miscalculate (*in etw* (*dat*) sth); ***sich um zwei Monate ~*** to be out by two months

verschenken *past part* **verschenkt** *v/t* to give away

verscherzen *past part* **verscherzt** *v/t* ***sich*** (*dat*) ***etw ~*** to lose sth; ***es sich*** (*dat*) ***mit jdm ~*** to spoil things (for oneself) with sb

verscheuchen *past part* **verscheucht** *v/t* to scare away

verscheuern *past part* **verscheuert** *v/t* (*infml*) to sell off

verschicken *past part* **verschickt** *v/t* **1.** (≈ *versenden*) to send off **2.** (*zur Kur etc*) to send away **3.** (≈ *deportieren*) to deport

verschieben *past part* **verschoben** [fɛɐ'ʃoːbn] *irr* **I** *v/t* **1.** (≈ *verrücken*) to move **2.** (≈ *aufschieben*) to change; (*auf später*) to postpone (*um* for) **3.** (*infml*) *Waren* to traffic in **II** *v/r* **1.** (≈ *verrutschen*) to move out of place; (*fig: Schwerpunkt*) to shift **2.** (*zeitlich*) to be postponed **Verschiebung** *f* **1.** (≈ *das Verschieben*) moving **2.** (*von Termin*) postponement

verschieden [fɛɐ'ʃiːdn] **I** *adj* **1.** (≈ *unterschiedlich*) different; ***das ist ganz ~*** (≈ *wird verschieden gehandhabt*) that varies **2.** *attr* (≈ *mehrere, einige*) several **3.** ***Verschiedenes*** different things; (*in Zeitungen, Listen*) miscellaneous **II** *adv* differently; ***die Häuser sind ~ hoch*** the houses vary in height **verschiedenartig** *adj* different; (≈ *mannigfaltig*) diverse **Verschiedenheit** *f* ⟨***-, -en***⟩ difference (*+gen* of, in); (≈ *Vielfalt*) variety **verschiedentlich** [fɛɐ'ʃiːdntlɪç] *adv* (≈ *mehrmals*) several times; (≈ *vereinzelt*) occasionally

verschießen *past part* **verschossen** [fɛɐ'ʃɔsn] *irr* **I** *v/t* **1.** *Munition* to use up **2.** (*Sport*) to miss **II** *v/r* (*infml*) ***in jdn verschossen sein*** to be crazy about sb (*infml*)

verschimmeln *past part* **verschimmelt** *v/i aux sein* to go mouldy (*Br*) *or* moldy (*US*); **verschimmelt** (*lit*) mouldy (*Br*), moldy (*US*)

verschlafen[1] *past part* **verschlafen** *irr* **I** *v/i & v/r* to oversleep **II** *v/t* *Termin* to miss by oversleeping; (≈ *schlafend verbringen*) *Tag, Morgen* to sleep through; (≈ *verpassen*) *Einsatz* to miss

verschlafen[2] *adj* sleepy

Verschlag *m* (≈ *abgetrennter Raum*) partitioned area; (≈ *Schuppen*) shed **verschlagen** *past part* **verschlagen** *v/t irr* **1.** ***etw mit Brettern ~*** to board sth up **2.** (≈ *nehmen*) *Atem* to take away; ***das hat mir die Sprache ~*** it left me speechless **3.** (≈ *geraten lassen*) to bring; ***an einen Ort ~ werden*** to end up somewhere

verschlampen *past part* **verschlampt** *v/t* (*infml* ≈ *verlieren*) to go and lose (*infml*)

verschlechtern [fɛɐ'ʃlɛçtɐn] *past part* **verschlechtert** **I** *v/t* to make worse; *Qualität* to impair **II** *v/r* to get worse; ***sich finanziell ~*** to be worse off financially; ***sich beruflich ~*** to take a worse job **Verschlechterung** *f* ⟨***-, -en***⟩ worsening; (*von Leistung*) decline; ***eine finanzielle ~*** a financial setback

verschleiern [fɛɐ'ʃlaiɐn] *past part* **verschleiert** **I** *v/t* to veil; *Blick* to blur **II** *v/r* (*Frau*) to veil oneself

Verschleiß [fɛɐ'ʃlais] *m* ⟨***-es, -e***⟩ wear and tear; (≈ *Verluste*) loss **verschleißen** [fɛɐ'ʃlaisn] *pret* **verschliss** [fɛɐ'ʃlɪs], *past part* **verschlissen** [fɛɐ'ʃlɪsn] **I** *v/t* (≈ *kaputt machen*) to wear out; (≈ *verbrauchen*) to use up **II** *v/i aux sein* to wear out; → **verschlissen** **III** *v/r* to wear out; (*Menschen*) to wear oneself out **verschleppen** *past part* **verschleppt** *v/t* **1.** (≈ *entführen*) *jdn* to abduct; *Gefangene*, *Kriegsopfer* to displace **2.** (≈ *hinauszögern*) *Prozess* to draw out; POL to delay; *Krankheit* to protract **Verschleppte(r)** [fɛɐ'ʃlɛptə] *m/f(m) decl as adj* displaced person **Verschleppung** [fɛɐ'ʃlɛpʊŋ] *f* ⟨-, -en⟩ **1.** (*von Menschen*) abduction **2.** (≈ *Verzögerung*, *von Krankheit*) protraction; (*von Gesetzesänderung*) delay **Verschleppungstaktik** *f* delaying tactics *pl*

verschleudern *past part* **verschleudert** *v/t* COMM to dump; (≈ *vergeuden*) *Vermögen*, *Ressourcen* to squander

verschließbar *adj Dosen*, *Gläser etc* sealable; *Tür*, *Schublade* lockable **verschließen** *past part* **verschlossen** [fɛɐ'ʃlɔsn] *irr* **I** *v/t* **1.** (≈ *abschließen*) to lock (up); (*fig*) to close; (≈ *versperren*) to bar; (*mit Riegel*) to bolt; → **verschlossen 2.** (≈ *zumachen*) to close; *Brief* to seal; (*mit Pfropfen*) *Flasche* to cork; **die Augen/Ohren (vor etw** *dat*) **~** to shut one's eyes/ears (to sth) **II** *v/r* (*Mensch* ≈ *reserviert sein*) to shut oneself off (+*dat* from); **ich kann mich der Tatsache nicht ~, dass ...** I can't close my eyes to the fact that ...

verschlimmbessern [fɛɐ'ʃlɪmbɛsɐn] *past part* **verschlimmbessert** *v/t insep* (*hum*) to make worse **verschlimmern** [fɛɐ'ʃlɪmɐn] *past part* **verschlimmert I** *v/t* to make worse **II** *v/r* to get worse **Verschlimmerung** *f* ⟨-, -en⟩ worsening

verschlingen *past part* **verschlungen** [fɛɐ'ʃlʊŋən] *irr* **I** *v/t* (≈ *gierig essen*) to devour; (*fig*) (*Welle*, *Dunkelheit*) to engulf; (≈ *verbrauchen*) *Geld*, *Strom etc* to eat up; **jdn mit Blicken ~** to devour sb with one's eyes **II** *v/r* to become intertwined

verschlissen [fɛɐ'ʃlɪsn] *adj* worn (out); (*fig*) *Politiker etc* burned-out (*infml*); → **verschlissen**

verschlossen [fɛɐ'ʃlɔsn] *adj* closed; (*mit Schlüssel*) locked; (*mit Riegel*) bolted; *Briefumschlag* sealed; **hinter ~en Türen** behind closed doors; → **verschließen Verschlossenheit** *f* ⟨-, *no pl*⟩ (*von Mensch*) reserve

verschlucken *past part* **verschluckt I** *v/t* to swallow **II** *v/r* to swallow the wrong way

Verschluss *m* **1.** (≈ *Schloss*) lock; (≈ *Pfropfen*) stopper; (*an Kleidung*) fastener; (*an Schmuck*) catch; (*an Tasche*, *Buch*, *Schuh*) clasp; **etw unter ~ halten** to keep sth under lock and key **2.** PHOT shutter

verschlüsseln [fɛɐ'ʃlʏsln] *past part* **verschlüsselt** *v/t* to (put into) code **Verschlüsselung** [fɛɐ'ʃlʏsəlʊŋ] *f* ⟨-, -en⟩ coding

verschmähen *past part* **verschmäht** *v/t* to spurn

verschmelzen *past part* **verschmolzen** [fɛɐ'ʃmɔltsn] *irr v/i aux sein* to melt together; (*Metalle*) to fuse; (*Farben*) to blend; (*fig*) to blend (*zu* into) **Verschmelzung** [fɛɐ'ʃmɛltsʊŋ] *f* ⟨-, -en⟩ **1.** (≈ *Verbindung*) fusion; (*von Farben*) blending **2.** COMM merger

verschmerzen *past part* **verschmerzt** *v/t* to get over

verschmieren *past part* **verschmiert I** *v/t* **1.** (≈ *verstreichen*) to spread (*in* +*dat* over) **2.** *Gesicht* to smear; *Geschriebenes* to smudge **II** *v/i* to smudge **verschmiert** [fɛɐ'ʃmiːɐt] *adj Gesicht* smeary

verschmitzt [fɛɐ'ʃmɪtst] *adj* mischievous

verschmutzen *past part* **verschmutzt I** *v/t* to dirty; *Luft*, *Umwelt* to pollute **II** *v/i aux sein* to get dirty; (*Luft*, *Wasser*, *Umwelt*) to become polluted **verschmutzt** [fɛɐ'ʃmʊtst] *adj* dirty, soiled; *Luft etc* polluted **Verschmutzung** [fɛɐ'ʃmʊtsʊŋ] *f* ⟨-, -en⟩ **1.** *no pl* (≈ *das Verschmutzen*) dirtying; (*von Luft*, *Umwelt*) pollution; (*von Fahrbahn*) muddying **2.** (≈ *das Verschmutztsein*) dirtiness *no pl*; (*von Luft etc*) pollution

verschnaufen *past part* **verschnauft** *v/i & v/r* (*infml*) to take a breather (*infml*) **Verschnaufpause** *f* breather

verschneiden *past part* **verschnitten** [fɛɐ'ʃnɪtn] *v/t irr Wein*, *Rum* to blend

verschneit [fɛɐ'ʃnait] *adj* snow-covered

verschnupft [fɛɐ'ʃnʊpft] *adj* (*infml*) **1.** (≈ *erkältet*) *Mensch* with a cold **2.** (≈ *beleidigt*) peeved (*infml*)

verschnüren *past part* **verschnürt** *v/t* to tie up

verschollen [fɛɐ'ʃɔlən] *adj Flugzeug*, *Mensch etc* missing; **ein lange ~er Freund** a long-lost friend; **er ist ~** (*im Krieg*) he is missing, presumed dead

verschonen *past part* **verschont** *v/t* to spare (*jdn von etw* sb sth); **verschone mich damit!** spare me that!; **von etw verschont bleiben** to escape sth **verschönern** [fɛɐˈʃøːnɐn] *past part* **verschönert** *v/t* to improve (the appearance of); *Wohnung* to brighten (up) **Verschönerung** [fɛɐˈʃøːnərʊŋ] *f* ⟨**-, -en**⟩ improvement; (*von Wohnung, Zimmer*) brightening up

verschränken [fɛɐˈʃrɛŋkn] *past part* **verschränkt** *v/t* to cross over; *Arme* to fold

verschrecken *past part* **verschreckt** *v/t* to frighten off

verschreiben *past part* **verschrieben** [fɛɐˈʃriːbn] *irr* **I** *v/t* (≈ *verordnen*) to prescribe **II** *v/r* **1.** (≈ *falsch schreiben*) to make a slip (of the pen) **2. sich einer Sache** (*dat*) **~** to devote oneself to sth **verschreibungspflichtig** [-pflɪçtɪç] *adj* only available on prescription

verschrie(e)n [fɛɐˈʃriːən] *adj* **als etw verschrieen** notorious for being sth

verschrotten [fɛɐˈʃrɔtn] *past part* **verschrottet** *v/t* to scrap

verschrumpeln *past part* **verschrumpelt** *v/i aux sein* to shrivel

verschüchtern [fɛɐˈʃʏçtɐn] *past part* **verschüchtert** *v/t* to intimidate

verschulden *past part* **verschuldet** **I** *v/t* to be to blame for; *Unfall* to cause **II** *v/r* to get into debt **Verschulden** [fɛɐˈʃʊldn] *nt* ⟨**-s**, *no pl*⟩ fault; **ohne sein/mein ~** through no fault of his (own)/of my own *or* of mine

verschütten *past part* **verschüttet** *v/t* **1.** *Flüssigkeit* to spill **2.** (≈ *begraben*) **verschüttet werden** (*Mensch*) to be buried (alive) **verschüttet** [fɛɐˈʃʏtət] *adj* buried (alive) **verschütt gehen** *v/i irr aux sein* (*infml*) to get lost

verschweigen *past part* **verschwiegen** [fɛɐˈʃviːgn] *v/t irr* to withhold (*jdm etw* sth from sb); → **verschwiegen**

verschwenden [fɛɐˈʃvɛndn] *past part* **verschwendet** *v/t* to waste (*auf +acc*) **Verschwender** [fɛɐˈʃvɛndɐ] *m* ⟨**-s, -**⟩, **Verschwenderin** [-ərɪn] *f* ⟨**-, -nen**⟩ spendthrift **verschwenderisch** [fɛɐˈʃvɛndərɪʃ] **I** *adj* wasteful; *Leben* extravagant; (≈ *üppig*) lavish; *Fülle* lavish **II** *adv* wastefully; **mit etw ~ umgehen** to be lavish with sth **Verschwendung** *f* ⟨**-, -en**⟩ **~ von Geld/Zeit** waste of money/time

verschwiegen [fɛɐˈʃviːgn] *adj Mensch* discreet; *Ort* secluded; → **verschweigen** **Verschwiegenheit** *f* ⟨**-**, *no pl*⟩ (*von Mensch*) discretion; **zur ~ verpflichtet** bound to secrecy

verschwimmen *past part* **verschwommen** [fɛɐˈʃvɔmən] *v/i irr aux sein* to become blurred *or* indistinct; **ineinander ~** to melt *or* merge into one another; → **verschwommen**

verschwinden *past part* **verschwunden** [fɛɐˈʃvʊndn] *v/i irr aux sein* to disappear, to vanish; **verschwinde!** clear out! (*infml*); **(mal) ~ müssen** (*euph infml*) to have to go to the bathroom; → **verschwunden** **Verschwinden** [fɛɐˈʃvɪndn] *nt* ⟨**-s**, *no pl*⟩ disappearance **verschwindend** *adv* **~ wenig** very, very few; **~ klein *or* gering** minute

verschwitzt [fɛɐˈʃvɪtst] *adj Kleidungsstück* sweat-stained; (≈ *feucht*) sweaty

verschwommen [fɛɐˈʃvɔmən] **I** *adj Foto* fuzzy; *Erinnerung* vague **II** *adv sehen* blurred; *sich erinnern* vaguely; → **verschwimmen**

verschwören *past part* **verschworen** [fɛɐˈʃvoːrən] *v/r irr* **1.** (≈ *ein Komplott schmieden*) to plot (*mit* with, *gegen* against) **2.** (≈ *sich verschreiben*) **sich einer Sache** (*dat*) **~** to give oneself over to sth **Verschwörer** [fɛɐˈʃvøːrɐ] *m* ⟨**-s, -**⟩, **Verschwörerin** [-ərɪn] *f* ⟨**-, -nen**⟩ conspirator **Verschwörung** [fɛɐˈʃvøːrʊŋ] *f* ⟨**-, -en**⟩ conspiracy, plot

verschwunden [fɛɐˈʃvʊndn] *adj* missing; → **verschwinden**

versehen *past part* **versehen** *irr* **I** *v/t* **1.** (≈ *ausüben*) *Amt etc* to occupy; *Dienst* to perform; *Dienst* to provide **2.** (≈ *ausstatten*) **jdn mit etw ~** to provide sb with sth; **mit etw ~ sein** to have sth **3.** (≈ *geben*) to give **II** *v/r* **1.** (≈ *sich irren*) to be mistaken **2. sich mit etw ~** (≈ *sich ausstatten*) to equip oneself with sth **3. ehe man sichs versieht** before you could turn (a)round **Versehen** [fɛɐˈzeːən] *nt* ⟨**-s, -**⟩ (≈ *Irrtum*) mistake; (≈ *Unachtsamkeit*) oversight; **aus ~** by mistake **versehentlich** [fɛɐˈzeːəntlɪç] **I** *adj attr* inadvertent; (≈ *irrtümlich*) erroneous **II** *adv* inadvertently, by mistake

Versehrte(r) [fɛɐˈzeːɐtə] *m/f(m) decl as adj* disabled person/man/woman *etc*

versenden *past part* **versendet** (*rare*) *or* **versandt** [fɛɐˈsant] *v/t irr or regular* to send **Versendung** *f* sending

versengen *past part* ***versengt*** *v/t* (*Sonne, mit Bügeleisen*) to scorch; (*Feuer*) to singe

versenken *past part* ***versenkt*** **I** *v/t* to sink; *das eigene Schiff* to scuttle **II** *v/r* ***sich in etw*** (*acc*) ***~*** to become immersed in sth **Versenkung** *f* **1.** (≈ *das Versenken*) sinking; (*von eigenem Schiff*) scuttling **2.** (*infml*) ***in der ~ verschwinden*** to vanish; ***aus der ~ auftauchen*** to reappear

versessen [fɛɐ'zɛsn] *adj* (*fig*) ***auf etw*** (*acc*) ***~ sein*** to be very keen on sth **Versessenheit** *f* ⟨-, ***-en***⟩ keenness (*auf+acc* on)

versetzen *past part* ***versetzt*** **I** *v/t* **1.** to move; (SCHOOL: *in höhere Klasse*) to move up **2.** (*infml*) (≈ *verkaufen*) to sell; (≈ *verpfänden*) to pawn **3.** (*infml* ≈ *nicht erscheinen*) ***jdn ~*** to stand sb up (*infml*) **4.** ***jdn in fröhliche Stimmung ~*** to put sb in a cheerful mood; ***jdn in die Lage ~, etw zu tun*** to put sb in a position to do sth **5.** (≈ *geben*) *Stoß, Tritt etc* to give **II** *v/r* ***sich in jds Lage ~*** to put oneself in sb's place *or* position **Versetzung** [fɛɐ'zɛtsʊŋ] *f* ⟨-, ***-en***⟩ (*beruflich*) transfer; SCHOOL moving up

verseuchen [fɛɐ'zɔyçn] *past part* ***verseucht*** *v/t* (*mit Bakterien, Viren*) to infect; (*mit Giftstoffen, fig*) to contaminate **verseucht** *adj* (*mit Bakterien, Viren*) infected; (*mit Gas, Giftstoffen*) contaminated; ***radioaktiv ~*** contaminated by radiation *or* radioactivity **Verseuchung** *f* ⟨-, ***-en***⟩ (*mit Bakterien, Viren*) infection; (*mit Giftstoffen, fig*) contamination *no pl*

Versicherer [fɛɐ'zɪçərɐ] *m* ⟨***-s, -***⟩ insurer; (*bei Schiffen*) underwriter **versichern** *past part* ***versichert*** **I** *v/t* **1.** (≈ *bestätigen*) to assure; (≈ *beteuern*) to protest; ***jdm ~, dass ...*** to assure sb that ... **2.** INSUR to insure; ***gegen etw versichert sein*** to be insured against sth **II** *v/r* **1.** (≈ *Versicherung abschließen*) to insure oneself; ***sich gegen Unfall ~*** to take out accident insurance **2.** (≈ *sich vergewissern*) to make sure *or* certain **Versicherte(r)** [fɛɐ'zɪçɐtə] *m/f(m) decl as adj* insured (party) **Versicherung** *f* **1.** (≈ *Bestätigung*) assurance **2.** (≈ *Feuerversicherung etc*) insurance **3.** (≈ *Gesellschaft*) insurance company **Versicherungsbeitrag** *m* (*bei Haftpflichtversicherung etc*) insurance premium **Versicherungsbetrug** *m* insurance fraud **Versicherungskarte** *f* insurance card; ***die grüne ~*** MOT the green card (*Br*), *insurance document for driving abroad* **Versicherungsmakler(in)** *m/(f)* insurance broker **Versicherungsnehmer** *m* ⟨***-s, -***⟩, **Versicherungsnehmerin** *f* ⟨***-, -nen***⟩ (*form*) policy holder **Versicherungspolice** *f* insurance policy **Versicherungsschein** *m* insurance policy **Versicherungsschutz** *m* insurance cover **Versicherungssumme** *f* sum insured **Versicherungsvertrag** *m* insurance contract

versickern *past part* ***versickert*** *v/i aux sein* to seep away; (*fig, Interesse*) to peter out; (*Geld*) to trickle away

versiegeln *past part* ***versiegelt*** *v/t* to seal

versiegen *past part* ***versiegt*** *v/i aux sein* (*Fluss*) to dry up; (*Interesse*) to peter out; (*Kräfte*) to fail

versiert [vɛr'ziːɐt] *adj* ***in etw*** (*dat*) ***~ sein*** to be experienced *or* (*in Bezug auf Wissen*) (well) versed in sth

versifft [fɛɐ'zɪft] *adj* (*sl*) yucky (*infml*)

versilbern [fɛɐ'zɪlbɐn] *past part* ***versilbert*** *v/t* (≈ *mit Silber überziehen*) to silver(-plate); (*fig infml* ≈ *verkaufen*) to sell

versinken *past part* ***versunken*** [fɛɐ'zʊŋkn] *v/i irr aux sein* to sink; ***in etw*** (*acc*) ***~*** (*fig*) *in Trauer, Chaos* to sink into sth; *in Anblick, Gedanken* to lose oneself in sth; → ***versunken***

Version [vɛr'zioːn] *f* ⟨***-, -en***⟩ version

versklaven [fɛɐ'sklaːvn, -aːfn] *past part* ***versklavt*** *v/t* (*lit, fig*) to enslave

Versmaß *nt* metre (*Br*), meter (*US*)

versoffen [fɛɐ'zɔfn] *adj* (*infml*) boozy (*infml*); → ***versaufen***

versohlen *past part* ***versohlt*** *v/t* (*infml*) to belt (*infml*)

versöhnen [fɛɐ'zøːnən] *past part* ***versöhnt*** **I** *v/t* to reconcile; ***~de Worte*** conciliatory words **II** *v/r* to be(come) reconciled; (*Streitende*) to make it up; ***sich mit etw ~*** to reconcile oneself to sth **versöhnlich** [fɛɐ'zøːnlɪç] *adj* conciliatory; (≈ *nicht nachtragend*) forgiving **Versöhnung** *f* ⟨***-, -en***⟩ reconciliation

versonnen [fɛɐ'zɔnən] *adj Gesichtsausdruck* pensive; (≈ *träumerisch*) *Blick* dreamy

versorgen *past part* ***versorgt*** *v/t* (≈ *sich kümmern um*) to look after; (≈ *belie-*

fern) to supply; (≈ *unterhalten) Familie* to provide for **Versorgung** [fɛɐˈzɔrgʊŋ] *f* ⟨**-, -en**⟩ (≈ *Pflege)* care; (≈ *Belieferung)* supply; ***die ~ mit Strom*** the supply of electricity; ***die ~ im Alter*** providing for one's old age **Versorgungsschwierigkeiten** *pl* supply problems *pl* **Versorgungsstaat** *m* all-providing state

verspannt [fɛɐˈʃpant] *adj Muskeln* tense

verspäten [fɛɐˈʃpɛːtn] *past part* ***verspätet*** *v/r* to be late **verspätet** [fɛɐˈʃpɛːtət] **I** *adj* late; *Zug, Flugzeug* delayed **II** *adv* late; *gratulieren* belatedly **Verspätung** *f* ⟨**-, -en**⟩ delay; ***(10 Minuten) ~ haben*** to be (10 minutes) late; ***mit ~ ankommen*** to arrive late

versperren *past part* ***versperrt*** *v/t Weg etc* to block

verspielen *past part* ***verspielt*** **I** *v/t Geld, Zukunft* to gamble away; *Vertrauen* to lose **II** *v/i (fig)* ***er hatte bei ihr verspielt*** he had had it as far as she was concerned *(infml)* **verspielt** [fɛɐˈʃpiːlt] *adj* playful; *Verzierung* dainty

verspotten *past part* ***verspottet*** *v/t* to mock

versprechen *past part* ***versprochen*** [fɛɐˈʃprɔxn] *irr* **I** *v/t* to promise *(jdm etw* sb sth); ***das verspricht interessant zu werden*** it promises to be interesting; ***sich*** *(dat)* ***viel/wenig von etw ~*** to have high hopes/no great hopes of sth; ***was versprichst du dir davon?*** what do you expect to achieve (by that)? **II** *v/r* (≈ *etwas Nichtgemeintes sagen)* to make a slip (of the tongue) **Versprechen** [fɛɐˈʃprɛçn] *nt* ⟨**-s, -**⟩ promise **Versprecher** *m (infml)* slip (of the tongue) **Versprechung** [fɛɐˈʃprɛçʊŋ] *f* ⟨**-, -en**⟩ promise

versprühen *past part* ***versprüht*** *v/t* to spray; *Charme* to exude

verspüren *past part* ***verspürt*** *v/t* to feel

verstaatlichen [fɛɐˈʃtaːtlɪçn] *past part* ***verstaatlicht*** *v/t* to nationalize **Verstaatlichung** *f* ⟨**-, -en**⟩ nationalization

Verstand [fɛɐˈʃtant] *m* ⟨**-(e)s** [-dəs]⟩ *no pl* (≈ *Fähigkeit zu denken)* reason; (≈ *Intellekt)* mind; (≈ *Vernunft)* (common) sense; (≈ *Urteilskraft)* (powers *pl* of) judgement; ***den ~ verlieren*** to lose one's mind; ***hast du denn den ~ verloren?*** are you out of your mind? *(infml)*; ***jdn um den ~ bringen*** to drive sb out of his/her mind *(infml)*; ***nicht ganz bei ~ sein*** not to be in one's right mind; ***das geht über meinen ~*** it's beyond me

verständigen [fɛɐˈʃtɛndɪgn] *past part* ***verständigt*** **I** *v/t* to notify *(von* of, about) **II** *v/r* to communicate (with each other); (≈ *sich einigen)* to come to an understanding **Verständigung** *f* ⟨**-,** *(rare)* **-en**⟩ **1.** (≈ *Benachrichtigung)* notification **2.** (≈ *das Sichverständigen)* communication *no indef art* **3.** (≈ *Einigung)* understanding

verständlich [fɛɐˈʃtɛntlɪç] **I** *adj* (≈ *begreiflich)* understandable; (≈ *intellektuell erfassbar)* comprehensible; (≈ *hörbar)* audible; (≈ *klar) Erklärung* intelligible; ***jdm etw ~ machen*** to make sb understand sth; ***sich ~ machen*** to make oneself understood **II** *adv* clearly **verständlicherweise** [fɛɐˈʃtɛntlɪçɐˈvaizə] *adv* understandably (enough) **Verständnis** [fɛɐˈʃtɛntnɪs] *nt* ⟨**-ses,** *no pl*⟩ **1.** (≈ *das Begreifen) (für* of) understanding *(für* of); (≈ *Mitgefühl)* sympathy *(für* for); ***für so was habe ich kein ~*** I have no time for that kind of thing; ***dafür hast du mein vollstes ~*** you have my fullest sympathy **2.** (≈ *Kunstverständnis etc)* appreciation *(für* of) **verständnislos** **I** *adj* uncomprehending; (≈ *ohne Mitgefühl)* unsympathetic; *(für Kunst)* unappreciative **II** *adv* uncomprehendingly; (≈ *ohne Mitgefühl)* unsympathetically; *(gegenüber Kunst)* unappreciatively **verständnisvoll** *adj* understanding; *Blick* knowing *no pred*

verstärken *past part* ***verstärkt*** **I** *v/t* to reinforce; *Spannung* to intensify; *Signal, Musik* to amplify **II** *v/r (fig)* to intensify **Verstärker** [fɛɐˈʃtɛrkɐ] *m* ⟨**-s, -**⟩ RADIO, ELEC amplifier **Verstärkung** *f* reinforcement; *(von Spannung)* intensification; ELEC, MUS amplification

verstauben *past part* ***verstaubt*** *v/i aux sein* to get dusty; *(fig)* to gather dust; ***verstaubt*** covered in dust; *(fig) Ideen* fuddy-duddy *(infml)*

verstauchen *past part* ***verstaucht*** *v/t* to sprain; ***sich*** *(dat)* ***den Fuß*** *etc* ***~*** to sprain one's foot *etc*

verstauen *past part* ***verstaut*** *v/t Gepäck* to load; NAUT to stow; *(hum) Menschen* to pile

Versteck [fɛɐˈʃtɛk] *nt* ⟨**-(e)s, -e**⟩ hiding place; *(von Verbrechern)* hide-out; ***~ spielen*** to play hide-and-seek *(Br) or* hide-and-go-seek *(US)* **verstecken** *past*

part ***versteckt*** **I** *v/t* to hide (*vor* from) **II** *v/r* to hide; ***sich vor jdm ~*** to hide from sb; ***sich hinter etw*** (*dat*) ***~*** to hide behind sth; ***Verstecken spielen*** to play hide-and-seek (*Br*) *or* hide-and-go-seek (*US*) **Versteckspiel** *nt* hide-and-seek (*Br*), hide-and-go-seek (*US*) **versteckt** [fɛɐ'ʃtɛkt] *adj* hidden; *Eingang* concealed; *Andeutung* veiled

verstehen *past part* ***verstanden*** [fɛɐ'ʃtandn] *irr* **I** *v/t & v/i* to understand; ***jdn falsch ~*** to misunderstand sb; ***versteh mich recht*** don't get me wrong; ***wenn ich recht verstehe ...*** if I understand correctly ...; ***jdm zu ~ geben, dass ...*** to give sb to understand that ... **II** *v/t* **1.** (≈ *können*) to know; ***es ~, etw zu tun*** to know how to do sth; ***etwas/nichts von etw ~*** to know something/nothing about sth **2.** (≈ *auslegen*) to understand, to see; ***etw unter etw*** (*dat*) ***~*** to understand sth by sth **III** *v/r* **1.** (≈ *kommunizieren können*) to understand each other **2.** (≈ *miteinander auskommen*) ***sich mit jdm ~*** to get on (*Br*) *or* along with sb **3.** (≈ *klar sein*) to go without saying; ***versteht sich!*** (*infml*) of course! **4.** ***sich auf etw*** (*acc*) ***~*** to be (an) expert at sth; ***die Preise ~ sich einschließlich Lieferung*** prices are inclusive of delivery

versteigern *past part* ***versteigert*** *v/t* to auction (off) **Versteigerung** *f* (sale by) auction

versteinern [fɛɐ'ʃtainɐn] *past part* ***versteinert*** **I** *v/i aux sein* GEOL to fossilize; (*Holz*) to petrify **II** *v/r* (*fig*) (*Miene, Gesicht*) to harden **Versteinerung** *f* ⟨**-, -en**⟩ (*Vorgang*) fossilization; (*von Holz*) petrification; (≈ *versteinertes Tier etc*) fossil

verstellbar *adj* adjustable **verstellen** *past part* ***verstellt*** **I** *v/t* **1.** (≈ *anders einstellen*) to adjust; *Möbel* to move (out of position); (≈ *falsch einstellen*) to adjust wrongly; *Uhr* to set wrong **2.** *Stimme* to disguise **3.** (≈ *versperren*) to block **II** *v/r* ***er kann sich gut ~*** he's good at playing a part

versteuern *past part* ***versteuert*** *v/t* to pay tax on; ***versteuerte Waren*** taxed goods; ***das zu ~de Einkommen*** taxable income

verstimmen *past part* ***verstimmt*** *v/t* (*lit*) to put out of tune; (*fig*) to put out **verstimmt** [fɛɐ'ʃtɪmt] *adj Klavier etc* out of tune; (*fig*) (≈ *verdorben*) *Magen* upset; (≈ *verärgert*) put out **Verstimmung** *f* disgruntlement; (*zwischen Parteien*) ill will

verstohlen [fɛɐ'ʃtoːlən] **I** *adj* furtive **II** *adv* furtively

verstopfen *past part* ***verstopft*** *v/t* to stop up; *Straße, Blutgefäß* to block **verstopft** [fɛɐ'ʃtɔpft] *adj* blocked; *Nase* stuffed up, blocked (up); *Mensch* constipated **Verstopfung** [fɛɐ'ʃtɔpfʊŋ] *f* ⟨**-, -en**⟩ blockage; MED constipation

verstorben [fɛɐ'ʃtɔrbn] *adj* deceased; ***mein ~er Mann*** my late husband **Verstorbene(r)** [fɛɐ'ʃtɔrbənə] *m/f(m) decl as adj* deceased

verstört [fɛɐ'ʃtøːɐt] *adj* disturbed; (*vor Angst*) distraught

Verstoß *m* violation (*gegen* of) **verstoßen** *past part* ***verstoßen*** *irr* **I** *v/t jdn* to disown **II** *v/i* ***gegen etw ~*** to offend against sth

verstrahlt [fɛɐ'ʃtraːlt] *adj* contaminated (by radiation) **Verstrahlung** *f* radiation

verstreichen *past part* ***verstrichen*** [fɛɐ'ʃtrɪçn] *irr* **I** *v/t Salbe, Farbe* to apply (*auf +dat* to) **II** *v/i aux sein* (*Zeit*) to elapse; (*Frist*) to expire

verstreuen *past part* ***verstreut*** *v/t* to scatter; (*versehentlich*) to spill

verstricken *past part* ***verstrickt*** (*fig*) **I** *v/t* to involve, to embroil **II** *v/r* to become entangled, to get tangled up

verströmen *past part* ***verströmt*** *v/t* to exude

verstümmeln [fɛɐ'ʃtʏmln] *past part* ***verstümmelt*** *v/t* to mutilate; *Nachricht* to garble **Verstümmelung** *f* ⟨**-, -en**⟩ mutilation; (*von Nachricht*) garbling *no pl*

verstummen [fɛɐ'ʃtʊmən] *past part* ***verstummt*** *v/i aux sein* (*Mensch*) to go *or* fall silent; (*Gespräch, Musik*) to stop; (≈ *langsam verklingen*) to die away

Versuch [fɛɐ'zuːx] *m* ⟨**-(e)s, -e**⟩ attempt (*zu tun* at doing, to do); (*wissenschaftlich*) experiment; (≈ *Test*) trial, test; ***einen ~ machen*** to make an attempt; to carry out an experiment/a trial; ***das käme auf einen ~ an*** we'll have to (have a) try **versuchen** *past part* ***versucht*** *v/t* **1.** (*also v/i*) to try; ***es mit etw ~*** to try sth; ***es mit jdm ~*** to give sb a try; ***versuchter Diebstahl*** attempted theft **2.** (≈ *in Versuchung führen*) to tempt **Versuchsballon** *m* ***einen ~ steigen lassen*** (*fig*) to fly a kite **Versuchskaninchen** *nt* (*fig*) guinea pig **Versuchsobjekt** *nt* test object; (*fig: Mensch*) guinea pig **Versuchsper-**

son *f* test *or* experimental subject **Versuchsstadium** *nt* experimental stage **versuchsweise** *adv* on a trial basis; *einstellen* on trial **Versuchung** [fɛɐ'zuːxʊŋ] *f* ⟨**-, -en**⟩ temptation; ***jdn in ~ führen*** to lead sb into temptation; ***in ~ kommen*** to be tempted

versumpfen *past part* **versumpft** *v/i aux sein* **1.** (*Gebiet*) to become marshy *or* boggy **2.** (*fig infml* ≈ *lange zechen*) to get involved in a booze-up (*infml*)

versunken [fɛɐ'zʊŋkn] *adj* sunken; (*fig*) engrossed; ***in Gedanken ~*** immersed in thought; → ***versinken***

versüßen *past part* **versüßt** *v/t* (*fig*) to sweeten

vertagen *past part* **vertagt** *v/t & v/i* to adjourn; (≈ *verschieben*) to postpone (*auf +acc* until, till) **Vertagung** *f* adjournment; (≈ *Verschiebung*) postponement

vertauschen *past part* **vertauscht** *v/t* **1.** (≈ *austauschen*) to exchange (*gegen, mit* for); ***vertauschte Rollen*** reversed roles **2.** (≈ *verwechseln*) to mix up

verteidigen [fɛɐ'taidɪgn] *past part* ***verteidigt*** **I** *v/t* to defend **II** *v/r* to defend oneself **Verteidiger** [fɛɐ'taidɪgɐ] *m* ⟨**-s, -**⟩, **Verteidigerin** [-ərɪn] *f* ⟨**-, -nen**⟩ defender; (≈ *Anwalt*) defence (*Br*) *or* defense (*US*) lawyer **Verteidigung** *f* ⟨**-, -en**⟩ defence (*Br*), defense (*US*) **Verteidigungsfall** *m* ***wenn der ~ eintritt*** if defence should be necessary **Verteidigungsminister(in)** *m*/(*f*) Minister of Defence (*Br*), Secretary of Defense (*US*) **Verteidigungsministerium** *nt* Ministry of Defence (*Br*), Department of Defense (*US*)

verteilen *past part* **verteilt** **I** *v/t* (≈ *austeilen*) to distribute; *Süßigkeiten etc* to share out; *Essen* to dish out; THEAT *Rollen* to allocate; *Farbe* to spread; (≈ *verstreuen*) to spread out **II** *v/r* (*Bevölkerung, Farbe*) to spread (itself) out; (*Reichtum etc*) to be distributed; (*zeitlich*) to be spread (*über +acc* over) **Verteiler** [fɛɐ'tailɐ] *m* ⟨**-s, -**⟩ **1.** TECH distributor **2.** (≈ *Verteilerschlüssel*) distribution list **Verteilernetz** *nt* ELEC distribution system; COMM distribution network **Verteilerschlüssel** *m* distribution list **Verteilung** *f* distribution; (≈ *Zuteilung*) allocation

vertelefonieren *past part* **vertelefoniert** *v/t* (*infml*) *Geld, Zeit* to spend on the phone

verteuern [fɛɐ'tɔyɐn] *past part* **verteuert** **I** *v/t* to make more expensive **II** *v/r* to become more expensive **Verteuerung** *f* increase in price

verteufeln [fɛɐ'tɔyfln] *past part* ***verteufelt*** *v/t* to condemn

vertiefen [fɛɐ'tiːfn] *past part* **vertieft** **I** *v/t* to deepen; *Kontakte* to strengthen **II** *v/r* to deepen; ***in etw*** (*acc*) ***vertieft sein*** (*fig*) to be engrossed in sth **Vertiefung** *f* ⟨**-, -en**⟩ **1.** (≈ *das Vertiefen*) deepening **2.** (*in Oberfläche*) depression

vertikal [vɛrti'kaːl] **I** *adj* vertical **II** *adv* vertically **Vertikale** [vɛrti'kaːlə] *f* ⟨**-, -n**⟩ vertical line

vertilgen *past part* **vertilgt** *v/t* **1.** *Unkraut etc* to destroy **2.** (*infml* ≈ *aufessen*) to demolish (*infml*)

vertippen *past part* **vertippt** *v/r* (*infml, beim Schreiben*) to make a typing error

vertonen *past part* **vertont** *v/t* to set to music

vertrackt [fɛɐ'trakt] *adj* (*infml*) awkward, tricky; (≈ *verwickelt*) complicated, complex

Vertrag [fɛɐ'traːk] *m* ⟨**-(e)s, =e** [-'trɛːgə]⟩ contract; (≈ *Abkommen*) agreement; POL treaty

vertragen *past part* **vertragen** *irr* **I** *v/t* to take; (≈ *aushalten*) to stand; ***Eier kann ich nicht ~*** eggs don't agree with me; ***Patienten, die kein Penizillin ~*** patients who are allergic to penicillin; ***so etwas kann ich nicht ~*** I can't stand that kind of thing; ***viel ~ können*** (*infml: Alkohol*) to be able to hold one's drink (*Br*) *or* liquor (*US*); ***jd könnte etw ~*** (*infml*) sb could do with sth **II** *v/r* ***sich*** (***mit jdm***) ***~*** to get on (*Br*) *or* along (with sb); ***sich wieder ~*** to be friends again; ***sich mit etw ~*** (*Farbe*) to go with sth; (*Verhalten*) to be consistent with sth

vertraglich [fɛɐ'traːklɪç] **I** *adj* contractual **II** *adv* by contract; *festgelegt* in the/a contract

verträglich [fɛɐ'trɛːklɪç] *adj* (≈ *umgänglich*) good-natured; *Speise* digestible; (≈ *bekömmlich*) wholesome; ***ökologisch/sozial ~*** ecologically/socially acceptable

Vertragsabschluss *m* conclusion of a/the contract **Vertragsbruch** *m* breach of contract **vertragsbrüchig** *adj* ***~ werden*** to be in breach of contract **Vertragsentwurf** *m* draft contract **ver-**

tragsgemäß *adj, adv* as stipulated in the contract **vertragsschließend** *adj* contracting **Vertragsspieler(in)** *m/(f)* player under contract **Vertragsstrafe** *f* penalty for breach of contract

vertrauen *past part* ***vertraut*** *v/i* ***jdm/einer Sache ~*** to trust sb/sth; ***auf jdn/etw ~*** to trust in sb/sth; → ***vertraut*** **Vertrauen** [fɛɐ'trauən] *nt* ⟨***-s**, no pl*⟩ trust, confidence (*zu, in +acc, auf +acc* in); ***im ~ (gesagt)*** strictly in confidence; ***im ~ auf etw*** (*acc*) trusting in sth; ***jdn ins ~ ziehen*** to take sb into one's confidence; ***jdm das ~ aussprechen*** PARL to pass a vote of confidence in sb **vertrauenerweckend** *adj* ***einen ~en Eindruck machen*** to inspire confidence **vertrauensbildend** *adj* confidence-building **Vertrauensfrage** *f* question *or* matter of trust; ***die ~ stellen*** PARL to ask for a vote of confidence **Vertrauensfrau** *f*, **Vertrauensmann** *m, pl* ***-leute*** *or* ***-männer*** intermediary agent; (*in Gewerkschaft*) (union) negotiator *or* representative **Vertrauenssache** *f* confidential matter; (≈ *Frage des Vertrauens*) question *or* matter of trust **vertrauensvoll** **I** *adj* trusting **II** *adv* trustingly **Vertrauensvotum** *nt* PARL vote of confidence **vertrauenswürdig** *adj* trustworthy **vertraulich** [fɛɐ'traulɪç] **I** *adj* **1.** (≈ *geheim*) confidential **2.** (≈ *freundschaftlich*) friendly; (≈ *plumpvertraulich*) familiar **II** *adv* confidentially, in confidence **Vertraulichkeit** *f* ⟨***-, -en***⟩ confidentiality; (≈ *Aufdringlichkeit*) familiarity

verträumt [fɛɐ'trɔymt] *adj* dreamy

vertraut [fɛɐ'traut] *adj* intimate; *Umgebung* familiar; ***sich mit etw ~ machen*** to familiarize oneself with sth; ***mit etw ~ sein*** to be familiar with sth; → ***vertrauen*** **Vertraute(r)** [fɛɐ'trautə] *m/f(m) decl as adj* close friend **Vertrautheit** *f* ⟨***-***, (*rare*) ***-en***⟩ intimacy; (*von Umgebung*) familiarity

vertreiben *past part* ***vertrieben*** [fɛɐ'triːbn] *v/t irr* to drive away; (*aus Land*) to expel (*aus* from); (*aus Amt*) to oust; *Feind* to repulse; (*fig*) *Sorgen* to banish; COMM *Waren* to sell; ***sich*** (*dat*) ***die Zeit mit etw ~*** to pass (away) the time with sth **Vertreibung** [fɛɐ'traibʊŋ] *f* ⟨***-, -en***⟩ (*aus* from) expulsion; (*aus Amt etc*) ousting

vertretbar *adj* justifiable; *Argument* tenable **vertreten** *past part* ***vertreten*** *v/t irr* **1.** (≈ *jds Stelle übernehmen*) to replace, to stand in for **2.** *jds Interessen, Wahlkreis* to represent; ***~ sein*** to be represented **3.** (≈ *verfechten*) *Standpunkt, Theorie* to support; *Meinung* to hold; (≈ *rechtfertigen*) to justify (*vor* to) **4.** ***sich*** (*dat*) ***die Beine*** *or* ***Füße ~*** (*infml*) to stretch one's legs **Vertreter** [fɛɐ'treːtɐ] *m* ⟨***-s, -***⟩, **Vertreterin** [-ərɪn] *f* ⟨***-, -nen***⟩ **1.** representative; COMM agent **2.** (≈ *Ersatz*) replacement; (*im Amt*) deputy **3.** (*von Doktrin*) supporter; (*von Meinung*) holder **Vertretung** [fɛɐ'treːtʊŋ] *f* ⟨***-, -en***⟩ **1.** (*von Menschen*) replacement; ***die ~ (für jdn) übernehmen*** to replace sb; ***in ~*** (*in Briefen*) on behalf of **2.** (*von Interessen, Wahlkreis*) representation; ***die ~ meiner Interessen*** representing my interests **3.** (≈ *das Verfechten*) supporting; (*von Meinung*) holding **4.** (COMM ≈ *Firma*) agency **5.** (≈ *Botschaft*) ***diplomatische ~*** embassy

Vertrieb [fɛɐ'triːp] *m* ⟨***-(e)s, -e*** [-bə]⟩ **1.** *no pl* sales *pl* **2.** (≈ *Abteilung*) sales department

Vertriebene(r) [fɛɐ'triːbənə] *m/f(m) decl as adj* exile

Vertriebsabteilung *f* sales department **Vertriebskosten** *pl* marketing costs *pl* **Vertriebsleiter(in)** *m/(f)* sales manager **Vertriebssystem** *nt* distribution system **Vertriebsweg** *m* channel of distribution

vertrocknen *past part* ***vertrocknet*** *v/i aux sein* to dry out; (*Esswaren*) to go dry; (*Pflanzen*) to wither, to shrivel; (*Quelle*) to dry up

vertrödeln *past part* ***vertrödelt*** *v/t* (*infml*) to fritter away, to squander

vertrösten *past part* ***vertröstet*** *v/t* to put off; ***jdn auf später ~*** to put sb off

vertun *past part* ***vertan*** [fɛɐ'taːn] *irr* **I** *v/t* to waste **II** *v/r* (*infml*) to slip up (*infml*)

vertuschen *past part* ***vertuscht*** *v/t* to hush up

verübeln [fɛɐ'|yːbln] *past part* ***verübelt*** *v/t* ***jdm etw ~*** to take sth amiss; ***das kann ich dir nicht ~*** I can't blame you for that

verüben *past part* ***verübt*** *v/t* to commit

verulken *past part* ***verulkt*** *v/t* (*infml*) to make fun of

verunglimpfen [fɛɐ'|ʊnglɪmpfn] *past part* ***verunglimpft*** *v/t* to disparage

verunglücken [fɛɐ'|ʊnglʏkn] *past part* ***verunglückt*** *v/i aux sein* to have an accident; (*fig infml* ≈ *misslingen*) to go wrong; ***mit dem Auto ~*** to be in a car crash **Verụnglückte(r)** [fɛɐ'|ʊnglʏktə] *m/f(m) decl as adj* casualty

verụnreinigen [fɛɐ'|ʊnrainɪgn] *past part* ***verụnreinigt*** *v/t Luft, Wasser* to pollute; (≈ *beschmutzen*) to dirty **Verụnreinigung** *f* (*von Fluss, Wasser*) pollution; (≈ *Beschmutzung*) dirtying

verụnsichern [fɛɐ'|ʊnzɪçɐn] *past part* ***verụnsichert*** *v/t* to make unsure (*in +dat* of); ***verunsichert sein*** to be uncertain

verụntreuen [fɛɐ'|ʊntrɔyən] *past part* ***verụntreut*** *v/t* to embezzle **Verụntreuung** *f* ⟨**-, *-en***⟩ embezzlement

veru̲rsachen [fɛɐ'|uːɐzaxn] *past part* ***veru̲rsacht*** *v/t* to cause **Veru̲rsacher** [fɛɐ'|uːɐzaxɐ] *m* ⟨**-s, -**⟩, **Veru̲rsacherin** [-ərɪn] *f* ⟨**-, *-nen***⟩ cause; ***der ~ kommt für den Schaden auf*** the party responsible is liable for the damage **Veru̲rsacherprinzip** *nt* originator principle; (*bei Umweltschäden auch*) polluter pays principle **Veru̲rsachung** *f* ⟨-, *no pl*⟩ causing

verụrteilen *past part* ***verụrteilt*** *v/t* to condemn; JUR to convict (*für* of); (*zu Strafe*) to sentence; ***jdn zu einer Gefängnisstrafe ~*** to give sb a prison sentence **Verụrteilte(r)** [fɛɐ'|ʊrtailtə] *m/f(m) decl as adj* convicted man/woman, convict (JUR) **Verụrteilung** *f* condemnation; (≈ *das Schuldigsprechen*) conviction; (*zu einer Strafe*) sentencing

vervi̲e̲lfachen [fɛɐ'fiːlfaxn] *past part* ***vervi̲e̲lfacht*** *v/t & v/r* to multiply

vervi̲e̲lfältigen *past part* ***vervi̲e̲lfältigt*** *v/t* to duplicate; (≈ *fotokopieren*) to photocopy **Vervi̲e̲lfältigung** *f* ⟨**-, *-en***⟩ **1.** (≈ *das Vervielfältigen*) duplication **2.** (≈ *Abzug*) copy

vervi̲e̲rfachen [fɛɐ'fiːɐfaxn] *past part* ***vervi̲e̲rfacht*** *v/t & v/r* to quadruple

vervọllständigen [fɛɐ'fɔlʃtɛndɪgn] *past part* ***vervọllständigt*** *v/t* to complete **Vervọllständigung** *f* ⟨**-, *-en***⟩ completion

verwạckeln *past part* ***verwạckelt*** *v/t* to blur

verwa̲hlen *past part* ***verwa̲hlt*** *v/r* to misdial

verwa̲hren *past part* ***verwa̲hrt*** **I** *v/t* (≈ *aufbewahren*) to keep (safe) **II** *v/r* ***sich gegen etw ~*** to protest against sth

verwa̲hrlosen [fɛɐ'vaːɐloːzn] *past part* ***verwa̲hrlost*** *v/i aux sein* to go to seed; (*Park*) to become neglected **verwa̲hrlost** [fɛɐ'vaːɐloːst] *adj* neglected **Verwa̲hrlosung** *f* ⟨-, *no pl*⟩ neglect

Verwa̲hrung *f, no pl* (*von Geld etc*) keeping; (*von Täter*) detention; ***jdm etw in ~ geben*** to give sth to sb for safekeeping; ***jdn in ~ nehmen*** to take sb into custody

verwạlten *past part* ***verwạltet*** *v/t* to manage; *Amt* to hold; POL *Provinz etc* to govern **Verwạlter** [fɛɐ'valtɐ] *m* ⟨**-s, -**⟩, **Verwạlterin** [-ərɪn] *f* ⟨**-, *-nen***⟩ administrator **Verwạltung** [fɛɐ'valtʊŋ] *f* ⟨**-, *-en***⟩ **1.** (≈ *das Verwalten*) management; (*von Amt*) holding; (*von Provinz*) government **2.** (≈ *Behörde*) administration; ***städtische ~*** municipal authorities *pl* **Verwạltungsbehörde** *f* administration **Verwạltungsbezirk** *m* administrative district **Verwạltungsgebühr** *f* administrative charge

verwạndeln *past part* ***verwạndelt*** **I** *v/t* (≈ *umformen*) to change, to transform; JUR *Strafe* to commute; ***jdn/etw in etw*** (*acc*) ***~*** to turn sb/sth into sth; ***einen Strafstoß ~*** to score (from) a penalty; ***er ist wie verwandelt*** he's a changed man **II** *v/i* (*Sport sl*) ***zum 1:0 ~*** to make it 1-0 **III** *v/r* to change; ***sich in etw*** (*acc*) ***~*** to change *or* turn into sth **Verwạndlung** *f* change, transformation

verwạndt [fɛɐ'vant] *adj* related (*mit* to); *Denker, Geister* kindred *attr*; ***~e Seelen*** (*fig*) kindred spirits **Verwạndte(r)** [fɛɐ'vantə] *m/f(m) decl as adj* relation, relative **Verwạndtschaft** [fɛɐ'vantʃaft] *f* ⟨**-, *-en***⟩ relationship; (≈ *die Verwandten*) relations *pl*, relatives *pl*; (*fig*) affinity **verwạndtschaftlich** [fɛɐ'vantʃaftlɪç] *adj* family *attr* **Verwạndtschaftsgrad** *m* degree of relationship

verwạnzt [fɛɐ'vantst] *adj Kleider* bug-infested; (*infml* ≈ *mit Abhörgeräten*) bugged

verwạrnen *past part* ***verwạrnt*** *v/t* to caution **Verwạrnung** *f* caution **Verwạrnungsgeld** *nt* exemplary fine

verwạschen [fɛɐ'vaʃn] *adj* faded (*in the wash*); (≈ *verwässert*) *Farbe* watery; (*fig*) wishy-washy (*infml*)

verwạ̈ssern *past part* ***verwạ̈ssert*** *v/t* to water down

verwẹchseln *past part* ***verwẹchselt*** *v/t* to mix up; ***jdn*** (***mit jdm***) ***~*** to confuse sb with sb; ***zum Verwechseln ähnlich sein***

to be the spitting image of each other **Verwechslung** [fɛɐ'vɛksluŋ] *f* ⟨**-, -en**⟩ confusion; (≈ *Irrtum*) mistake

verwegen [fɛɐ've:gn] *adj* daring, bold; (≈ *tollkühn*) foolhardy, rash; (≈ *keck*) cheeky (*Br*), saucy

Verwehung [fɛɐ've:ʊŋ] *f* ⟨**-, -en**⟩ (≈ *Schneeverwehung*) (snow)drift; (≈ *Sandverwehung*) (sand)drift

verweichlichen [fɛɐ'vaiçlıçn] *past part* ***verweichlicht*** *v/t* ***jdn ~*** to make sb soft; ***ein verweichlichter Mensch*** a weakling **Verweichlichung** *f* ⟨*-, no pl*⟩ softness

Verweigerer [fɛɐ'vaigərɐ] *m* ⟨**-s, -**⟩, **Verweigerin** [-ərın] *f* ⟨**-, -nen**⟩ refusenik (*infml*); (≈ *Kriegsdienstverweigerer*) conscientious objector **verweigern** *past part* ***verweigert*** *v/t* to refuse; *Befehl* to refuse to obey; *Kriegsdienst* to refuse to do; ***jdm etw ~*** to refuse *or* deny sb sth **Verweigerung** *f* refusal

verweint [fɛɐ'vaint] *adj Augen* tear-swollen; *Gesicht* tear-stained

Verweis [fɛɐ'vais] *m* ⟨***-es, -e*** [-zə]⟩ **1.** (≈ *Rüge*) reprimand, admonishment; ***jdm einen ~ erteilen*** to reprimand *or* admonish sb **2.** (≈ *Hinweis*) reference (*auf +acc* to) **verweisen** *past part* ***verwiesen*** [fɛɐ'vi:zn] *irr v/t* **1.** (≈ *hinweisen*) ***jdn auf etw*** (*acc*)***/an jdn ~*** to refer sb to sth/sb **2.** (*von der Schule*) to expel; ***jdn vom Platz*** *or* ***des Spielfeldes ~*** to send sb off **3.** JUR to refer (*an +acc* to)

verwelken *past part* ***verwelkt*** *v/i aux sein* (*Blumen*) to wilt; (*fig*) to fade

verwenden [fɛɐ'vɛndn] *pret* ***verwendete*** *or* ***verwandte*** [fɛɐ'vɛndətə, fɛɐ'vantə], *past part* ***verwendet*** *or* ***verwandt*** [fɛɐ'vɛndət, fɛɐ'vant] **I** *v/t* to use; ***Mühe auf etw*** (*acc*) ***~*** to put effort into sth; ***Zeit auf etw*** (*acc*) ***~*** to spend time on sth **II** *v/r* ***sich*** (***bei jdm***) ***für jdn ~*** to intercede (with sb) on sb's behalf **Verwendung** *f* use; (*von Zeit, Geld*) expenditure (*auf +acc* on); ***keine ~ für etw haben*** to have no use for sth; ***für jdn/etw ~ finden*** to find a use for sb/sth

verwerfen *past part* ***verworfen*** [fɛɐ'vɔrfn] *irr v/t* (≈ *ablehnen*) to reject; *Ansicht* to discard; JUR *Klage, Antrag* to dismiss; *Urteil* to quash **verwerflich** [fɛɐ'vɛrflıç] *adj* reprehensible **Verwerfung** [fɛɐ'vɛrfʊŋ] *f* ⟨**-, -en**⟩ **1.** (≈ *Ablehnung*) rejection; JUR dismissal; (*von Urteil*) quashing **2.** GEOL fault

verwertbar *adj* usable **verwerten** *past part* ***verwertet*** *v/t* (≈ *verwenden*) to make use of; *Reste* to use; *Kenntnisse* to utilize, to put to good use; (*kommerziell*) to exploit; (*Körper*) *Nahrung* to process **Verwertung** *f* utilization; (*von Resten*) using; (*kommerziell*) exploitation

verwesen [fɛɐ've:zn] *past part* ***verwest*** *v/i aux sein* to decay; (*Fleisch*) to rot **Verwesung** *f* ⟨*-, no pl*⟩ decay

verwetten *past part* ***verwettet*** *v/t* to gamble away

verwickeln *past part* ***verwickelt*** **I** *v/t Fäden etc* to tangle (up); ***jdn in etw*** (*acc*) ***~*** to involve sb in sth **II** *v/r* (*Fäden etc*) to become tangled; ***sich in etw*** (*acc*) ***~*** (*fig*) *in Widersprüche* to get oneself tangled up in sth; *in Skandal* to get mixed up in sth **verwickelt** [fɛɐ'vıklt] *adj* (*fig infml*) (≈ *schwierig*) complicated **Verwick(e)lung** [fɛɐ'vık(ə)lʊŋ] *f* ⟨**-, -en**⟩ involvement (*in +acc* in); (≈ *Komplikation*) complication

verwildern *past part* ***verwildert*** *v/i aux sein* (*Garten*) to become overgrown; (*Haustier*) to become wild **verwildert** [fɛɐ'vıldɐt] *adj* wild; *Garten* overgrown; *Aussehen* unkempt

verwinkelt [fɛɐ'vıŋklt] *adj Straße, Gasse* winding

verwirklichen [fɛɐ'vırklıçn] *past part* ***verwirklicht*** **I** *v/t* to realize **II** *v/r* to be realized **Verwirklichung** *f* ⟨**-, -en**⟩ realization

verwirren [fɛɐ'vırən] *past part* ***verwirrt*** **I** *v/t* **1.** *Fäden etc* to tangle (up) **2.** (≈ *durcheinanderbringen*) to confuse **II** *v/r* (*Fäden etc*) to become tangled (up); (*fig*) to become confused **Verwirrung** *f* confusion

verwischen *past part* ***verwischt*** *v/t* to blur; *Spuren* to cover over

verwittern *past part* ***verwittert*** *v/i aux sein* to weather

verwitwet [fɛɐ'vıtvət] *adj* widowed

verwöhnen [fɛɐ'vø:nən] *past part* ***verwöhnt*** **I** *v/t* to spoil **II** *v/r* to spoil oneself **verwöhnt** [fɛɐ'vø:nt] *adj* spoiled; *Geschmack* discriminating

verworren [fɛɐ'vɔrən] *adj* confused; (≈ *verwickelt*) intricate

verwundbar *adj* vulnerable **Verwundbarkeit** [fɛɐ'vʊntba:ɐkait] *f* ⟨*-, no pl*⟩ vulnerability **verwunden** [fɛɐ'vʊndn]

past part **verwụndet** *v/t* to wound
verwụnderlich *adj* surprising; (*stärker*) astonishing, amazing; (≈ *sonderbar*) strange, odd **verwụndern** *past part* **verwụndert** *v/t* to astonish, to amaze **verwụndert I** *adj* astonished, amazed **II** *adv* in astonishment, in amazement **Verwụnderung** [fɛɐ'vʊndərʊŋ] *f* ⟨-, *no pl*⟩ astonishment, amazement
Verwụndete(r) [fɛɐ'vʊndətə] *m/f(m) decl as adj* casualty **Verwụndung** *f* ⟨-, -**en**⟩ wound
verwụnschen [fɛɐ'vʊnʃn] *adj* enchanted
verwụ̈nschen *past part* **verwụ̈nscht** *v/t* **1.** (≈ *verfluchen*) to curse **2.** (*in Märchen* ≈ *verhexen*) to bewitch **Verwụ̈nschung** [fɛɐ'vʏnʃʊŋ] *f* ⟨-, -**en**⟩ (≈ *Fluch*) curse
verwü̲sten [fɛɐ'vyːstn] *past part* **verwü̲stet** *v/t* to devastate **Verwü̲stung** *f* ⟨-, -**en**⟩ devastation *no pl*; **~en anrichten** to inflict devastation
verza̲gen *past part* **verza̲gt** *v/i* (*elev*) to become disheartened; **nicht ~!** don't despair **verza̲gt** [fɛɐ'tsaːkt] **I** *adj* despondent **II** *adv* despondently
verzä̲hlen *past part* **verzä̲hlt** *v/r* to miscount
verza̲hnen *past part* **verza̲hnt** *v/t Zahnräder* to cut teeth *or* cogs in, to gear (*Br*); (*fig*) to (inter)link
verzạpfen *past part* **verzạpft** *v/t* (*infml*) *Unsinn* to come out with; (*pej*) *Artikel* to concoct
verza̲ubern *past part* **verza̲ubert** *v/t* to put a spell on
verze̲hnfachen [fɛɐ'tseːnfaxn] *past part* **verze̲hnfacht** *v/t & v/r* to increase tenfold
Verze̲hr [fɛɐ'tseːɐ] *m* ⟨-(**e**)**s**, *no pl*⟩ consumption **verze̲hren** *past part* **verze̲hrt** *v/t* to consume
verze̲ichnen *past part* **verze̲ichnet** *v/t* (≈ *notieren*) to record; (*esp in Liste*) to enter; **Todesfälle waren nicht zu ~** there were no fatalities; **einen Erfolg zu ~ haben** to have scored a success **Verze̲ichnis** [fɛɐ'tsaiçnɪs] *nt* ⟨-**ses**, -**se**⟩ index; (≈ *Tabelle*) table; (*amtlich*) register; IT directory
verze̲ihen *past part* **verzi̲ehen** [fɛɐ'tsiːən] *v/t & v/i irr* (≈ *vergeben*) to forgive; (≈ *entschuldigen*) to excuse; **jdm (etw) ~** to forgive sb (for sth); **das ist nicht zu ~** that's unforgivable; **~ Sie!** excuse me!; **~ Sie die Störung** excuse me for disturbing you **verze̲ihlich** [fɛɐ'tsailɪç] *adj* forgivable **Verze̲ihung** [fɛɐ'tsaiʊŋ] *f* ⟨-, *no pl*⟩ forgiveness; (≈ *Entschuldigung*) pardon; **~!** excuse me!; **(jdn) um ~ bitten** to apologize (to sb)
verzẹrren *past part* **verzẹrrt** *v/t* to distort; *Gesicht etc* to contort
verzẹtteln [fɛɐ'tsɛtln] *past part* **verzẹttelt I** *v/r* to waste a lot of time; (*bei Diskussion*) to get bogged down **II** *v/t* (≈ *verschwenden*) to waste
Verzịcht [fɛɐ'tsɪçt] *m* ⟨-(**e**)**s**, -**e**⟩ renunciation (*auf +acc* of); (*auf Anspruch*) abandonment (*auf +acc* of); (≈ *Opfer*) sacrifice; (*auf Recht, Amt*) relinquishment (*auf +acc* of) **verzịchten** [fɛɐ'tsɪçtn] *past part* **verzịchtet** *v/i* to do (*Br*) *or* go without; **auf jdn/etw ~** (≈ *ohne auskommen müssen*) to do (*Br*) *or* go without sb/sth; (≈ *aufgeben*) to give up sb/sth; *auf Erbschaft* to renounce sth; *auf Anspruch* to waive sth; *auf Recht* to relinquish sth; (*von etw absehen*) *auf Kommentar* to abstain from sth; **auf jdn/etw ~ können** to be able to do (*Br*) *or* go without sb/sth
verzi̲ehen *past part* **verzo̲gen** [fɛɐ'tsoːgn] *irr* **I** *v/t* **1.** *Mund etc* to twist (*zu* into); **das Gesicht ~** to pull (*Br*) *or* make a face **2.** *Kinder* (≈ *verwöhnen*) to spoil; → **verzogen II** *v/r* **1.** (*Stoff*) to go out of shape; (*Holz*) to warp **2.** (*Mund, Gesicht etc*) to contort **3.** (≈ *verschwinden*) to disappear; (*Wolken*) to disperse **III** *v/i aux sein* to move (*nach* to)
verzi̲eren *past part* **verzi̲ert** *v/t* to decorate **Verzi̲erung** [fɛɐ'tsiːrʊŋ] *f* ⟨-, -**en**⟩ decoration
verzịnsen *past part* **verzịnst** *v/t* to pay interest on **verzịnslich** [fɛɐ'tsɪnslɪç] *adj* **~ sein**, **nicht ~** free of interest
verzo̲gen [fɛɐ'tsoːgn] *adj Kind* (≈ *verwöhnt*) spoiled; → **verziehen**
verzö̲gern *past part* **verzö̲gert I** *v/t* to delay; (≈ *verlangsamen*) to slow down **II** *v/r* to be delayed **Verzö̲gerung** [fɛɐ'tsøːgərʊŋ] *f* ⟨-, -**en**⟩ delay, hold-up **Verzö̲gerungstaktik** *f* delaying tactics *pl*
verzọllen *past part* **verzọllt** *v/t* to pay duty on; **haben Sie etwas zu ~?** have you anything to declare?
verzụ̈ckt [fɛɐ'tsʏkt] **I** *adj* enraptured, ecstatic **II** *adv ansehen* adoringly **Verzụ̈ckung** [fɛɐ'tsʏkʊŋ] *f* ⟨-, -**en**⟩ rapture,

ecstasy; ***in ~ geraten*** to go into raptures *or* ecstasies (*wegen* over)
Verzug *m, no pl* **1.** delay; ***mit etw in ~ geraten*** to fall behind with sth; *mit Zahlungen* to fall into arrears (*esp Br*) *or* behind with sth **2.** ***es ist Gefahr im ~*** there's danger ahead **Verzugszinsen** *pl* interest *sg* payable (on arrears (*esp Br*))
verzweifeln *past part* **verzweifelt** *v/i aux sein* to despair (*an +dat* of); ***es ist zum Verzweifeln!*** it drives you to despair! **verzweifelt** [fɛɐ'tsvaiflt] **I** *adj Stimme etc* despairing *attr*, full of despair; *Lage, Versuch* desperate; ***ich bin (völlig) ~*** I'm in (the depths of) despair; (≈ *ratlos*) I'm at my wits' end **II** *adv* desperately **Verzweiflung** [fɛɐ'tsvaiflʊŋ] *f* ⟨-, **-en**⟩ despair; (≈ *Ratlosigkeit*) desperation; ***etw aus ~ tun*** to do sth in desperation
verzweigt [fɛɐ'tsvaikt] *adj Baum, Familie* branched
verzwickt [fɛɐ'tsvɪkt] *adj* (*infml*) tricky
Veteran [vete'raːn] *m* ⟨**-s, -**⟩, **Veteranin** [vete'raːnin] [-ɪn] *f* ⟨**-, -nen**⟩ veteran
Veterinärmedizin *f* veterinary medicine
Veto ['veːto] *nt* ⟨**-s, -s**⟩ veto
Vetter ['fɛtɐ] *m* ⟨**-s, -n**⟩ cousin **Vetternwirtschaft** *f* (*infml*) nepotism
Viadukt [via'dʊkt] *m* ⟨**-(e)s, -e**⟩ viaduct
Vibration [vibra'tsioːn] *f* ⟨**-, -en**⟩ vibration **vibrieren** [vi'briːrən] *past part* **vibriert** *v/i* to vibrate; (*Stimme*) to quiver; (*Ton*) to vary
Video ['viːdeo] *nt* ⟨**-s, -s**⟩ video **Videogerät** *nt* video (recorder) **Videokamera** *f* video camera **Videokassette** *f* video cassette **Videokonferenz** *f* video conference **Videorekorder** *m* video recorder **Videotext** *m* Teletext® **Videothek** [video'teːk] *f* ⟨**-, -en**⟩ video (tape) library
Vieh [fiː] *nt* ⟨**-(e)s**, *no pl*⟩ (≈ *Nutztiere*) livestock; (≈ *esp Rinder*) cattle *pl* **Viehbestand** *m* livestock **Viehfutter** *nt* (animal) fodder *or* feed **viehisch** ['fiːɪʃ] *adj* brutish; *Benehmen* swinish; ***~ wehtun*** to be unbearably painful **Viehzucht** *f* (live)stock breeding; (≈ *Rinderzucht auch*) cattle breeding
viel [fiːl] *indef pr, adj, comp* **mehr** [meːɐ], *sup* **meiste(r, s)** *or adv* **am meisten** ['maistə] **1.** *sg* (*adjektivisch*) a lot of, a great deal of; (*substantivisch*) a lot, a great deal; (*esp fragend, verneint*) much; ***~es*** a lot of things; ***um ~es besser*** *etc* a lot *or* much *or* a great deal better *etc*; ***so ~*** so much; ***halb/doppelt so ~*** half / twice as much; ***so ~ (Arbeit*** *etc*) so much *or* such a lot (of work *etc*); ***wie ~*** how much; (*bei Mehrzahl*) how many; ***zu ~*** too much; ***~ zu ~*** much *or* far too much; ***einer/zwei*** *etc* ***zu ~*** one / two *etc* too many; ***was zu ~ ist, ist zu ~*** that's just too much; ***ein bisschen ~ (Regen*** *etc*) a bit too much (rain *etc*); ***~ zu tun haben*** to have a lot to do **2.** ***~e*** *pl* (*adjektivisch*) many, a lot of; (*substantivisch*) many, a lot; ***seine ~en Fehler*** his many mistakes; ***~e glauben, ...*** many (people) *or* a lot of people believe ... **3.** (*adverbial*) a lot, a great deal; (*esp fragend, verneint*) much; ***er arbeitet ~*** he works a lot; ***er arbeitet nicht ~*** he doesn't work much; ***sich ~ einbilden*** to think a lot of oneself; ***~ größer*** *etc* much *or* a lot bigger *etc*; ***~ beschäftigt*** very busy; ***~ diskutiert*** much discussed; ***~ geliebt*** much-loved; ***~ sagend*** meaningful; (*adverbial*) meaningfully; ***~ zu ...*** much too ...; ***~ zu ~*** much *or* far too much; ***~ zu ~e*** far too many **vieldeutig** [-dɔytɪç] *adj* ambiguous **Vieldeutigkeit** *f* ⟨-, *no pl*⟩ ambiguity **Vieleck** *nt* polygon **vielerlei** ['fiːlɐ'lai] *adj inv* **1.** various, all sorts of **2.** (*substantivisch*) all kinds *or* sorts of things **vielfach** ['fiːlfax] **I** *adj* multiple *attr*, manifold; ***auf ~e Weise*** in many ways; ***auf ~en Wunsch*** at the request of many people **II** *adv* many times; (≈ *in vielen Fällen*) in many cases **Vielfache(s)** ['fiːlfaxə] *nt decl as adj* MAT multiple; ***um ein ~s besser*** *etc* many times better *etc* **Vielfalt** ['fiːlfalt] *f* ⟨-, *no pl*⟩ (great) variety **vielfältig** ['fiːlfɛltɪç] *adj* varied, diverse **vielfarbig** *adj* multicoloured (*Br*), multicolored (*US*) **Vielflieger(in)** *m/(f)* frequent flier **Vielfraß** *m* (*fig*) glutton **vielköpfig** *adj* (*infml*) *Familie* large
vielleicht [fi'laiçt] *adv* **1.** perhaps; ***hat er sich ~ verirrt?*** maybe he has got lost **2.** (≈ *wirklich*) really; ***willst du mir ~ erzählen, dass ...?!*** do you really mean to tell me that ...?; ***du bist ~ ein Idiot!*** you really are an idiot!; ***ich war ~ nervös!*** was I nervous! **3.** (≈ *ungefähr*) perhaps, about
vielmals ['fiːlmaːls] *adv* ***danke ~!*** thank you very much!, many thanks!; ***er lässt ~ grüßen*** he sends his best regards **viel-**

mehr [fiːlˈmeːɐ, ˈfiːl-] *adv* rather; (≈ *sondern, nur*) just **vielschichtig** [-ʃɪç-tɪç] *adj* (*fig*) complex **vielseitig** [-zaitɪç] **I** *adj Mensch, Gerät* versatile; *Interessen* varied; ***auf ~en Wunsch*** by popular request **II** *adv* ***~ interessiert sein*** to have varied interests **Vielseitigkeit** *f* ⟨-, *no pl*⟩ (*von Mensch, Gerät*) versatility; (*von Interessen*) multiplicity **vielsprachig** *adj* multilingual **vielverheißend** [-fɛɐ-haisnt] *adj* promising **vielversprechend** [-fɛɐʃprɛçnt] *adj* promising **Vielzahl** *f* multitude **Vielzweck-** *in cpds* multipurpose

vier [viːɐ] *num* **1.** four; ***sie ist ~ (Jahre)*** she's four (years old); ***mit ~ (Jahren)*** at the age of four; ***~ Millionen*** four million; ***es ist ~ (Uhr)*** it's four (o'clock); ***um/gegen ~ (Uhr)*** *or* ***~e*** (*infml*) at/around four (o'clock); ***halb ~*** half past three; ***wir waren ~*** *or* ***zu ~t*** there were four of us; ***sie kamen zu ~t*** four of them came **2.** ***jdn unter ~ Augen sprechen*** to speak to sb in private; ***ein Gespräch unter ~ Augen*** a private conversation; ***auf allen ~en*** (*infml*) on all fours **Vier** [viːɐ] *f* ⟨-, ***-en***⟩ four **Vierbeiner** [-bainɐ] *m* ⟨***-s, -***⟩ (*hum*) four-legged friend (*hum*) **vierbeinig** *adj* four-legged **vierblätt(e)rig** *adj* four-leaved **vierdimensional** *adj* four-dimensional **Viereck** *nt* (≈ *Rechteck*) rectangle **viereckig** *adj* square; (≈ *rechteckig*) rectangular **Vierer** [ˈfiːrɐ] *m* ⟨***-s, -***⟩ (*Rudern etc*) four; (*S Ger, Aus: Ziffer*) four **Viererbob** *m* four-man bob (*Br*) *or* bobsled (*US*) **vierfach** [ˈfiːɐfax] *adj* fourfold, quadruple (*esp* MAT); ***die ~e Menge*** four times the amount **vierfüßig** *adj* four-legged **vierhändig** *adj* MUS four-handed; ***~ spielen*** to play something for four hands **vierhundert** [ˈfiːɐˈhʊndɐt] *num* four hundred **vierjährig** *adj* (≈ *4 Jahre alt*) four-year-old *attr*; (≈ *4 Jahre dauernd*) four-year *attr*; ***ein ~es Kind*** a four-year-old child **Vierjährige(r)** [-jɛːrɪɡə] *m/f(m) decl as adj* four-year-old **vierköpfig** *adj* ***eine ~e Familie*** a family of four **Vierling** [ˈfiːɐlɪŋ] *m* ⟨***-s, -e***⟩ quadruplet, quad (*infml*) **viermal** [ˈfiːɐmaːl] *adv* four times **viermalig** [ˈfiːɐmaːlɪç] *adj Weltmeister etc* four-times *attr* **Vierradantrieb** *m* four-wheel drive **vierräd(e)rig** *adj* four-wheeled **vierseitig** [-zaitɪç] *adj* four-sided; *Brief, Broschüre* four-page *attr* **Viersitzer** *m* four-seater **vierspurig** [-ʃpuːrɪç] *adj* four-lane *attr* **vierstellig** *adj* four-figure *attr* **vierstimmig** **I** *adj* four-part *attr*, for four voices **II** *adv* ***~ singen*** to sing a song for four voices **vierstöckig** *adj Haus* four-storeyed (*Br*), four-storied (*US*) **vierstufig** *adj* four-stage *attr* **vierstündig** *adj attr Reise, Vortrag* four-hour **viert** [fiːɐt] *adj* ***zu ~***; → ***vier*** **viertägig** *adj attr* (≈ *4 Tage dauernd*) four-day **viertäglich** *adj, adv* every four days **Viertakter** [-taktɐ] *m* ⟨***-s, -***⟩ (*infml*), **Viertaktmotor** *m* four-stroke (engine) **viertausend** [ˈfiːɐˈtauznt] *num* four thousand **vierte** *adj* → ***vierte(r, s)*** **vierteilig** *adj* four-piece *attr*; *Roman* four-part *attr*, in four parts

viertel [ˈfɪrtl] *adj inv* quarter; ***eine ~ Stunde*** a quarter of an hour; ***ein ~ Liter*** a quarter (of a) litre (*Br*) *or* liter (*US*); ***drei ~ voll*** three-quarters full

Viertel[1] [ˈfɪrtl] *nt* (*Swiss auch m*) ⟨***-s, -***⟩ **1.** (*Bruchteil*) quarter; (*infml*) (≈ *Viertelpfund*) ≈ quarter; (≈ *Viertelliter*) quarter litre (*Br*) *or* liter (*US*); ***drei ~ der Bevölkerung*** three quarters of the population **2.** (*Uhrzeit*) ***(ein) ~ nach/vor sechs*** (a) quarter past/to six

Viertel[2] [ˈfɪrtl] *nt* ⟨***-s, -***⟩ (≈ *Stadtbezirk*) quarter, district **Viertelfinale** *nt* quarterfinals *pl* **Vierteljahr** *nt* three months *pl*, quarter (COMM, FIN) **vierteljährig** *adj attr Frist* three months' **vierteljährlich** **I** *adj* quarterly; *Kündigungsfrist* three months' *attr* **II** *adv* quarterly **Viertelliter** *m or nt* quarter of a litre (*Br*) *or* liter (*US*) **vierteln** [ˈfɪrtln] *v/t* (≈ *in vier Teile teilen*) to divide into four **Viertelnote** *f* crotchet (*Br*), quarter note (*US*) **Viertelpfund** *nt* ≈ quarter (of a pound) **Viertelstunde** *f* quarter of an hour **viertelstündig** *adj attr Vortrag* lasting quarter of an hour **viertelstündlich** **I** *adj attr Abstand* quarter-hour **II** *adv* every quarter of an hour **Viertelton** *m, pl* ***-töne*** quarter tone

viertens [ˈfiːɐtns] *adv* fourth(ly), in the fourth place **Vierte(r)** [ˈfiːɐtə] *m/f(m) decl as adj* fourth; ***~r werden*** to be *or* come fourth; ***am ~n (des Monats)*** on the fourth (of the month) **vierte(r, s)** [ˈfiːɐtə] *adj* fourth; ***der ~ Oktober*** the fourth of October; ***den 4. Oktober*** October 4th, October the fourth; ***am ~n Oktober*** on the fourth of October; ***der***

~ Stock the fourth (*Br*) *or* fifth (*US*) floor; ***im ~n Kapitel/Akt*** in chapter/act four **viertürig** *adj* four-door *attr* **vierwöchig** [-vœçɪç] *adj* four-week *attr*, four weeks long **vierzehn** ['fɪrtseːn] *num* fourteen; ***~ Tage*** two weeks, a fortnight *sg* (*Br*) **vierzehntägig** *adj* two-week *attr*, lasting a fortnight (*Br*) *or* two weeks **vierzig** ['fɪrtsɪç] *num* forty; ***(mit) ~ (km/h) fahren*** to drive at forty (km/h); ***etwa ~ (Jahre alt)*** about forty (years old); (*Mensch auch*) fortyish (*infml*); ***mit ~ (Jahren)*** at forty (years of age); ***Mitte ~*** in one's mid-forties; ***über ~*** over forty **Vierzig** ['fɪrtsɪç] *f* ⟨**-, -en**⟩ forty **vierziger** ['fɪrtsɪgɐ] *adj attr inv*; → ***Vierzigerjahre*** **Vierziger** ['fɪrtsɪgɐ] *m* ⟨**-s, -**⟩ ***die ~*** *pl* (≈ *Vierzigerjahre*) one's forties; ***er ist in den ~n*** he is in his forties; ***er ist Mitte der ~*** he is in his mid-forties **Vierziger** ['fɪrtsɪgɐ] *m* ⟨**-s, -**⟩, **Vierzigerin** [-ərɪn] *f* ⟨**-, -nen**⟩ forty-year-old; ***die ~*** *pl* people in their forties **Vierzigerjahre** *pl* ***die ~*** one's forties; (≈ *Jahrzehnt*) the forties *sg or pl* **vierzigjährig** ['fɪrtsɪç-] *adj attr* (≈ *40 Jahre alt*) forty-year-old; (≈ *40 Jahre dauernd*) forty-year **Vierzigstundenwoche** *f* forty-hour week **Vierzimmerwohnung** *f* four-room flat (*Br*) *or* apartment **Vierzylindermotor** *m* four-cylinder engine

Vietnam [viɛt'nam] *nt* ⟨**-s**⟩ Vietnam **Vietnamese** [viɛtna'meːzə] *m* ⟨**-n, -n**⟩, **Vietnamesin** [-'meːzɪn] *f* ⟨**-, -nen**⟩ Vietnamese **vietnamesisch** [viɛtna'meːzɪʃ] *adj* Vietnamese

Vignette [vɪn'jɛtə] *f* ⟨**-, -n**⟩ vignette; AUTO permit (*for motorway driving*)

Villa ['vɪla] *f* ⟨**-, *Villen*** [-lən]⟩ villa **Villenviertel** *nt* exclusive residential area

Viola ['viːola] *f* ⟨**-, *Violen*** ['vioːlən]⟩ MUS viola

violett [vio'lɛt] *adj* purple

Violine [vio'liːnə] *f* ⟨**-, -n**⟩ violin

Violoncello [violɔn'tʃɛlo] *nt* violoncello

Virensuchprogramm *nt* IT virus checker (*Br*) *or* scanner

virtuell [vɪr'tuɛl] *adj Realität etc* virtual

virtuos [vɪr'tuoːs] **I** *adj* virtuoso *attr* **II** *adv beherrschen* like a virtuoso **Virtuose** [vɪr'tuoːzə] *m* ⟨**-n, -n**⟩, **Virtuosin** [-'tuoːzɪn] *f* ⟨**-, -nen**⟩ virtuoso

Virus ['viːrʊs] *nt or m* ⟨**-, *Viren*** [-rən]⟩ virus **Virusinfektion** *f* viral *or* virus infection **Virusprogramm** *nt* IT virus (program)

Visage [vi'zaːʒə] *f* ⟨**-, -n**⟩ (*infml*) face **Visagist** [vizaː'ʒɪst] *m* ⟨**-s, -**⟩, **Visagistin** [vizaː'ʒɪstin] [-ɪn] *f* ⟨**-, -nen**⟩ make-up artist

vis-à-vis [viza'viː], **vis-a-vis** [viza'viː] **I** *adv* opposite (*von* to) **II** *prep +dat* opposite

Visier [vi'ziːɐ] *nt* ⟨**-s, -e**⟩ **1.** (*am Helm*) visor **2.** (*an Gewehren*) sight; ***jdn/etw im ~ haben*** (*fig*) to have sb/sth in one's sights

visieren [vi'ziːrən] *past part* **visiert** *v/t* (*Swiss*) (≈ *beglaubigen*) to certify; (≈ *abzeichnen*) to sign

Vision [vi'zioːn] *f* ⟨**-, -en**⟩ vision

Visite [vi'ziːtə] *f* ⟨**-, -n**⟩ (MED: *im Krankenhaus*) round **Visitenkarte** [vi'ziːtn-] *f* visiting *or* calling (*US*) card

visuell [vi'zuɛl] *adj* visual

Visum ['viːzʊm] *nt* ⟨**-s, *Visa*** *or* ***Visen*** [-za, -zn]⟩ **1.** visa **2.** (*Swiss* ≈ *Unterschrift*) signature

vital [vi'taːl] *adj* vigorous; (≈ *lebenswichtig*) vital **Vitalität** [vitali'tɛːt] *f* ⟨**-**, *no pl*⟩ vitality

Vitamin [vita'miːn] *nt* ⟨**-s, -e**⟩ vitamin **vitaminarm** *adj* poor in vitamins **vitaminhaltig** *adj* containing vitamins **Vitaminmangel** *m* vitamin deficiency **vitaminreich** *adj* rich in vitamins

Vitrine [vi'triːnə] *f* ⟨**-, -n**⟩ (≈ *Schrank*) glass cabinet; (≈ *Schaukasten*) display case

Vize ['fiːtsə] *m* ⟨**-s, -**⟩ (*infml*) number two (*infml*) **Vizemeister(in)** *m*/(*f*) runner-up

Vogel ['foːgl] *m* ⟨**-s, ⸚** ['føːgl]⟩ bird; ***ein seltsamer ~*** (*infml*) a strange bird (*infml*); ***den ~ abschießen*** (*infml*) to surpass everyone (*iron*); ***einen ~ haben*** (*infml*) to be crazy (*infml*) **Vogelbauer** *nt*, *pl* ***-bauer*** birdcage **Vogelbeere** *f* (*a.* **Vogelbeerbaum**) rowan (tree); (≈ *Frucht*) rowan(berry) **Vogelfutter** *nt* bird food; (≈ *Samen*) birdseed **Vogelgrippe** *f* bird flu **Vogelhäuschen** [-hɔysçən] *nt* (≈ *Futterhäuschen*) birdhouse **Vogelkäfig** *m* birdcage **Vogelkunde** *f* ornithology **vögeln** ['føːgln] *v/t & v/i* (*infml*) to screw (*sl*) **Vogelnest** *nt* bird's nest **Vogelperspektive** *f* bird's-eye view **Vogelscheuche** [-ʃɔyçə] *f* ⟨**-, -n**⟩ scarecrow **Vogel-Strauß-Politik** *f* head-in-the-sand policy **Vogerlsalat** ['foːgɐl-] *m* (*Aus*) corn salad

Vogesen [vo'geːzn] *pl* Vosges *pl*

Voicemail ['vɔismeːl] *f* ⟨-, *no pl*⟩ TEL voice mail

Vokabel [vo'kaːbl] *f* ⟨-, -*n or* (*Aus*) *nt* -*s*, -⟩ word; **~n** *pl* vocabulary *sg*, vocab *sg* (SCHOOL *infml*) **Vokabelheft** *nt* vocabulary book **Vokabular** [vokabu'laːɐ] *nt* ⟨-*s*, -*e*⟩ vocabulary

Vokal [vo'kaːl] *m* ⟨-*s*, -*e*⟩ vowel **Vokalmusik** *f* vocal music

Volk [fɔlk] *nt* ⟨-(*e*)*s*, ⸚*er* ['fœlkɐ]⟩ **1.** *no pl* people *pl*; (≈ *Nation*) nation; (*pej* ≈ *Pack*) rabble *pl*; ***etw unters ~ bringen*** *Nachricht* to spread sth; *Geld* to spend sth **2.** (≈ *ethnische Gemeinschaft*) people *sg*; ***die Völker Afrikas*** the peoples of Africa **3.** ZOOL colony **Völkerkunde** *f* ethnology **völkerkundlich** [-kʊntlɪç] *adj* ethnological **Völkermord** *m* genocide **Völkerrecht** *nt* international law **völkerrechtlich** *adj* under international law **Völkerverständigung** *f* international understanding **Völkerwanderung** *f* HIST migration of the peoples; (*hum*) mass exodus **Volksabstimmung** *f* plebiscite **Volksaufstand** *m* national uprising **Volksbefragung** *f* public opinion poll **Volksbegehren** *nt* petition for a referendum **Volksentscheid** *m* referendum **Volksfest** *nt* public festival; (≈ *Jahrmarkt*) funfair **Volksgruppe** *f* ethnic group **Volksheld(in)** *m*/(*f*) popular hero/heroine **Volkshochschule** *f* adult education centre (*Br*) *or* center (*US*) **Volkslauf** *m* SPORTS open cross-country race **Volkslied** *nt* folk song **Volksmund** *m*, *no pl* vernacular **Volksmusik** *f* folk music **volksnah** *adj* popular, in touch with the people; POL grass-roots *attr* **Volksrepublik** *f* people's republic **Volksschule** *f* (*Aus*) primary (*Br*) *or* elementary school **Volksstamm** *m* tribe **Volkstanz** *m* folk dance **Volkstrauertag** *m* national day of mourning, ≈ Remembrance Day (*Br*), ≈ Veterans' Day (*US*) **volkstümlich** ['fɔlkstyːmlɪç] *adj* folk *attr*, folksy; (≈ *traditionell*) traditional; (≈ *beliebt*) popular **Volksversammlung** *f* people's assembly; (≈ *Kundgebung*) public gathering **Volksvertreter(in)** *m*/(*f*) representative of the people **Volksvertretung** *f* representative body (of the people) **Volkswirt(in)** *m*/(*f*) economist **Volkswirtschaft** *f* national economy; (*Fach*) economics *sg*, political economy **volkswirtschaftlich** *adj Schaden*, *Nutzen* economic **Volkswirtschaftslehre** *f* economics *sg*, political economy **Volkszählung** *f* (national) census

voll [fɔl] **I** *adj* **1.** full; *Erfolg* complete; *Jahr*, *Wahrheit* whole; *Haar* thick; **~er ...** full of ...; **~** (**von** *or* **mit**) **etw** full of sth; ***jdn nicht für ~ nehmen*** not to take sb seriously **2.** **~ sein** (*infml*) (≈ *satt*) to be full, to be full up (*Br*); (≈ *betrunken*) to be tight (*Br infml*) **II** *adv* fully; (≈ *vollkommen auch*) completely; (*sl* ≈ *total*) dead (*Br infml*), real (*US infml*); ***~ und ganz*** completely, wholly; ***~ hinter jdm/etw stehen*** to be fully behind sb/sth; ***~ zuschlagen*** (*infml*) to hit out; ***~ dabei sein*** (*infml*) to be totally involved **vollauf** ['fɔl|auf, fɔl'|auf] *adv* fully, completely; ***das genügt ~*** that's quite enough **vollautomatisch** *adj* fully automatic **Vollbart** *m* (full) beard **Vollbeschäftigung** *f* full employment **Vollbesitz** *m* ***im ~*** *+gen* in full possession of **Vollblut** *nt*, *no pl* thoroughbred **Vollbremsung** *f* emergency stop **vollbringen** [fɔl'brɪŋən] *past part* ***vollbracht*** [fɔl'braxt] *v/t insep irr* (≈ *ausführen*) to achieve; *Wunder* to work **vollbusig** [-buːzɪç] *adj* full-bosomed **Volldampf** *m* NAUT full steam; ***mit ~*** at full steam; (*infml*) flat out (*esp Br*) **vollenden** [fɔl'|ɛndn] *past part* ***vollendet*** *insep v/t* (≈ *abschließen*) to complete; (≈ *vervollkommnen*) to make complete **vollendet** [fɔl'|ɛndət] **I** *adj* completed; *Schönheit* perfect **II** *adv* perfectly **vollends** ['fɔlɛnts] *adv* (≈ *völlig*) completely **Vollendung** *f* completion; (≈ *Vollkommenheit*) perfection **voller** ['fɔlɐ] *adj* → ***voll*** **vollessen** *v/r sep irr* (*infml*) to gorge oneself

Volleyball *m* volleyball

Vollgas *nt*, *no pl* full throttle; ***~ geben*** to open it right up; ***mit ~*** (*fig infml*) full tilt **vollgießen** *v/t sep irr* (≈ *auffüllen*) to fill (up) **Vollidiot(in)** *m*/(*f*) (*infml*) complete idiot **völlig** ['fœlɪç] **I** *adj* complete; ***das ist mein ~er Ernst*** I'm completely *or* absolutely serious **II** *adv* completely; ***er hat ~ Recht*** he's absolutely right **volljährig** *adj* of age; ***~ werden/sein*** to come/be of age **Volljährigkeit** [-jɛːrɪkkait] *f* ⟨-, *no pl*⟩ majority *no art* **Vollkaskoversicherung** *f* ⟨-, *no pl*⟩ fully comprehensive insurance **vollkommen** [fɔl'kɔmən, 'fɔl-] **I** *adj* perfect; (≈ *völlig*)

Deutschland: Politische Karte

Europa: Politische Karte
ISLAND
Reykjavík
Nördlicher Polarkreis
Europäisches Nordmeer
ATLANTISCHER OZEAN
Färöer-Inseln (DK.)
NORWEGEN
Skandinavien
SCHWE
Shetland-Inseln
Hebriden
Orkney-Inseln
Schottland
Oslo
Stock
Nordirland
Belfast
Man
Nordsee
DÄNEMARK
Dublin
IRLAND
Irische See
GROSSBRITANNIEN
England
Kopenhagen
Seeland
Bornholm
Wales
Friesische Inseln
Keltische See
NIEDERLANDE
Amsterdam
London
Themse
Rhein
Berlin
Der Kanal
BELGIEN
Brüssel
Kanalinseln (Brit.)
DEUTSCHLAND
Elbe
Oder
LUXEMBURG
Luxemburg
Seine
Paris
Meuse
Main
Prag
TSCHECHISCHE REPUBLIK
Loire
Donau
FRANKREICH
Wien
Golf von Biscaya
Bern
Vaduz
LIECHTENSTEIN
ÖSTERREICH
SCHWEIZ
ALPEN
4807 Mt. Blanc
SLOWENIEN
Ljubljana
Zagreb
KROATIEN
BOSNIEN-HERZEG
Garonne
Rhône
Po
PYRENÄEN
3404 Pico de Aneto
ANDORRA
Andorra
MONACO
PORTUGAL
Douro
Duero
Ebro
Madrid
Lissabon
Tagus
Guadiana
SPANIEN
Ligurisches Meer
SAN MARINO
Adriatisches Meer
Korsika (Frankr.)
Elba
ITALIEN
VATIKANSTADT
Rom
Balearen
Menorca
Ibiza
Mallorca
Sardinien
Tyrrhenisches Meer
Mittelmeer
Algier
Rabat
Er Rif
2456
MAROKKO
Tunis
Sizilien
MALTA
Valletta
ALGERIEN
TUNESIEN
1 : 24 000 000
0 200 400 600 km
West 0° Ost

30°
50°
60°
70°
60°
Barents-see
Halbinsel Kola
Lappland
Weißes Meer
Karelien
FINNLAND
Onega-see
Ladoga-see
Helsinki
Tallinn
ESTLAND
Peipus-see
Rīga
LETTLAND
Moskwa
Moskau
LITAUEN
Wilna
Minsk
Dnjepr
WEISSRUSSLAND
Wolga
Wolga
Don
RUSSLAND
URAL GEBIRGE
Ob
50°
KASACHSTAN
Kaspische Senke
Wolga
Kiew
UKRAINE
Dnjepr
Dnister
KARPATEN
MOLDAWIEN
Chişinău
RUMÄNIEN
Bukarest
Donau
Don
Asowsches Meer
Krim
Kaspisches Meer
KAUKASUS
5642 Elbrus
GEORGIEN
Tiflis
Baku
ASERBAIDSCHAN
ARMENIEN
Jeweran
ASERBAIDSCHAN
40°
Schwarzes Meer
BALKAN
BULGARIEN
Sofia
Skopje
Marmara-meer
Ankara
TÜRKEI
IRAN
Ägäisches Meer
RIECHENLAND
Athens
Sporaden
Kykladen
Euphrat
Tigris
SYRIEN
IRAK
Bagdad
ZYPERN
Nikosia
LIBANON
Kreta
30°
40°

Großbritannien und Irland: Physische Karte
Shetland-Inseln
Yell Sound
Mainland
117
Fair
Orkney-Inseln
269
Pentland Firth
Rona
1088
1 : 4 500 000
0
50
100
150
km
Nordminch
Flannan-Inseln
Wester Ross
Ben More
998
North West Highlands
Lewis
St. Kilda
Harris
Äußere Hebriden
Insel Uist Nord
Insel Uist Süd
Kleiner Minch
Portree
1009
Skye
Barra
Rhum
Moray Firth
Inverness
Kaledonischer Kanal
Loch Ness
Grampian Mts.
1309
Ben Macdhui
Aberdeen
Ben Nevis
1343
140
Coll
Tiree
Mull
Schottland
Dundee
Perth
ATLANTISCHER
OZEAN
Innere Hebriden
Firth of Lorne
Colonsay
Islay
Jura
Loch Lomond
Stirling
Kirkcaldy
Firth of Forth
Glasgow
Edinburgh
Kintyre
Arran
Firth of Clyde
Uplands
Tweed
816
Hills
GROSSBRITANNIEN
Nordsee
238
106
Kap Bloody
Inishowen
Ballycastle
12°
10°
8°
6°
4°
2°
0°
60°
58°
56°

Donegalbucht
Sligobucht
Lower L. Erne
Upper L. Erne
Lough Neagh
Belfast
Mourne Mts. 852
526 Benbulben
Sligo
Bangor
Nephin 807
Clewbucht
Westport
Dundalk
L. Mask
Roscommon
Connaught
Clifden
Connemara
L. Corrib
L. Ree
TARA
Dublin
Galway
Leinster
Galwaybucht
Tullamore
IRLAND
Aran Inseln
L. Derg
GLENDALOUGH
924
Wicklow
Shannon
Limerick
Kilkenny
Suir
Barrow
Tralee
Munster
919
Wexford
Blackwater
Waterford
Dinglebucht
1041
Kerry
Cork
Bantrybucht
Keltische See
Sankt-Georgs-Kanal
128
89
Man 620
(Brit.)
18
Douglas
Irische See
139
159
Morecambebucht
Liverpoolbucht
Anglesey
Holyhead
Caernarvon
1085 Snowdon
Cardiganbucht
Aberystwyth
752
Cambrian Mountains
Wales
Cardigan
Swansea
Cardiff
Bristolkanal
Exmoor
Taunton
Devon
Dartmoor 621
Exeter
Lymebucht
Cornwall
Plymouth
Land's End
Scilly-Inseln
Cumbrian 978 Mountains
Lancaster
Blackpool
Nordwest
Liverpool
Manchester
Chester
Stoke-on-Trent
Derby
Pennines
York
Harrogate
Bradford
Leeds
Sheffield
Trent
Yorkshire und Humberside
Scarborough
Kingston-upon-Hull
Humber
Östliche Midlands
The Wash
Nottingham
England
Walsall
Leicester
The Fens
Norfolk
Norwich
Wolverhampton
Birmingham
Coventry
Ost England
Ouse
Suffolk
Westliche Midlands
Northampton
Cambridge
Ipswich
Worcester
Colchester
Severn
330
Cotswold Hills
Themse
Oxford
Watford
London
Reading
Windsor
Greenwich
Bristol
Bath
STONEHENGE
North Downs
294
Canterbury
Südost
Dover
Kent
South Downs
Avon
Südwest
Southampton
Portsmouth
Brighton
Hastings
Eastbourne
Bournemouth
Wight
Straße von Dover
Dunkerque
Calais
St.-Omer
Boulogne-sur-Mer
Nord-Pas-de-Calais
13
56
12
Der Kanal
172
Alderney
Guernsey
Kanalinseln
(Brit.)
Jersey
Golf von Sainte-Malo
Cherbourg
54
le Havre
Seinebucht
Haute-Normandie
Rouen
Caen
Picardie
Dieppe
Amiens
FRANKREICH
Évreux
West 0° Ost
54°
52°
50°
10°
8°
6°
4°
2°

Nord- und Mittelamerika: Physische Karte
160°
140°
120°
100°
80°
60°
40°
20°
N O R D P
Königin-Elisabeth-Inseln
Borden
Ellef Ringnes
Mackenzie King Insel
Prinz-Patrick-Insel
Parry Inseln
Melville Insel
Bathu Inse
McClure-Straße
Melvillesund
Parry-Ka
Stefansson
Prinz c
Banks-Insel
Victoria Insel
McClintock Kanal
Amundsengolf
Beaufort-see
4105
Kap Barrow
50
Beringstraße
2816 Mt. Michelson
Brookskette
2682
Nördlicher Polarkreis
ASIEN
Alaska
Fairbanks
Alaskakette
6194
Mt. McKinley
St. Lorenz-Insel
Yukon
Anchorage
Mt. Logan
6050
Nunivak
Beringmeer
Golf von Alaska
Kodiak
Alaska-Halbinsel
Aleuten
6280
Aleutengraben
Barren grounds
Großer Bärensee
Garry
Baker
Mackenziegebirge
Mackenzie
2972
Keele Peak
Großer Sklavensee
Liard
Peace
Athabasca-see
Rentier-see
Juneau
Küstengebirge
Alexander-Archipel
Königin-Charlotte Inseln
ROCKY MOUNTAINS
3954
Mt. Robson
Columbia
Winnip
Great Plains
Vancouver-Insel
Vancouver
Mt. Rainier
4392
Kaskadenkette
Missouri
Yellowstone
4343
Snake
Black Hills
2207
PAZIFISCHER
OZEAN
Kap Mendocino
Küstenkette
4317
M. Shasta
Großer Salzsee
Wasatch-kette
Mendocinostufe
Großes Becken
M. Elbert
4399
Denver
Sierra Nevada
4905
San Francisco
Death Valley
-86
Grand Canyon
Colorado
Colorado-plateau
Los Angeles
-72
San Diego
Niederkalifornien
Golf von Kalifornien
Westliche Sierra Madre
Hochland von Mexiko
Östliche Sierra
Guadalupe
Hawaiirücken
627
Midway-Inseln
Lisianski
Gardner
Nördlicher Wendekreis
Laysan
Nihoa
Kauai
Oahu
Kaula
Maui
Hawaii-Inseln
Mauna Kea
4205
Hawaii
4465
Kap San Lucas
Guadalajara
Mexik
Nevado de Colima
4265
Islas Revillagigedo
5177
4425
1 : 60 000 000
0
700
1400
2100
km

A R M E E R
80°
60°
40°
20°
Kap Morris Jesup
2900
Ellesmere
Naresstraße
Knud-Rasmussen-Land
xel Heiberg Insel
nseln
80°
König - Frederik -VIII Land
Thule/Qaanaaq
Grönland
Jonessund
Devon- Insel
Lancastersund
Baffin Bay
2470
merset-Insel
Bylot
Boothia-golf
Baffin -Insel
Godhavn/ Qeqertarsuaq
Disko
Davisstraße
Melville Halbinsel
Prince Charles Insel
2591
König-Christian-IX Land
Nördlicher Polarkreis
Dänemarkstraße
Foxe-becken
Southampton Insel
Island
Reykjavík
Iqaluit
Hudson straße
König-Frederik-VI-Küste
Treibeisgrenze
1300
Hudson Bay
240
Ungava Halbinsel
Ungava Bay
Julianehåb/ Qaqortoq
Kap Farvel
60°
Labrador-see
Belcher-Inseln
Labrador
James Bay
Akimiski
Schild
Sankt-Lorenz-Strom
Anticosti
Sankt-Lorenz-Golf
Neufundland
Oberer See
Cabot-Straße
Ottawa
Montréal
Huronsee
Michigansee
Ontariosee
Nova Scotia
Fundybai
Chicago
Detroit
Niagarafälle
Boston
Kap Cod
69
Eriesee
New York
Appalachen
St. Louis
Ohio
Pittsburgh
Philadelphia
Washington
ATLANTISCHER
40°
Azoren
Mississippi
Mt. Mitchell
2037
Nordamerikanisches
Atlanta
Bermuda-Inseln
4755
New Orleans
OZEAN
Becken
Kap Canaveral
Florida
Bahama-Inseln
Miami
Floridastraße
Andros
Nassau
Nördlicher Wendekreis
6690
Havanna
Kuba
Turks-und Caicos-Inseln
1708
Große Antillen
2005
Hispaniola
Santo Domingo
Puerto Rico
Jungferninseln
Anguilla
Yucatán
Cayman-inseln
3175
20°
Kingston
Jamaika
San Juan
Belmopan
Guadeloupe
Dominica
Martinique
Kapverden
4220
Guatemala
Tegucigalpa
Karibisches Meer
Barbados
Kap Gallinas
Kleine Antillen
El Salvador
Managua
3820
Chirripó
Caracas
Trinidad
Nicaraguasee
San José
Panamá
80° West
SÜDAMERIKA
60°
Georgetown
40°
20°
Mittelatlantischer Rücken

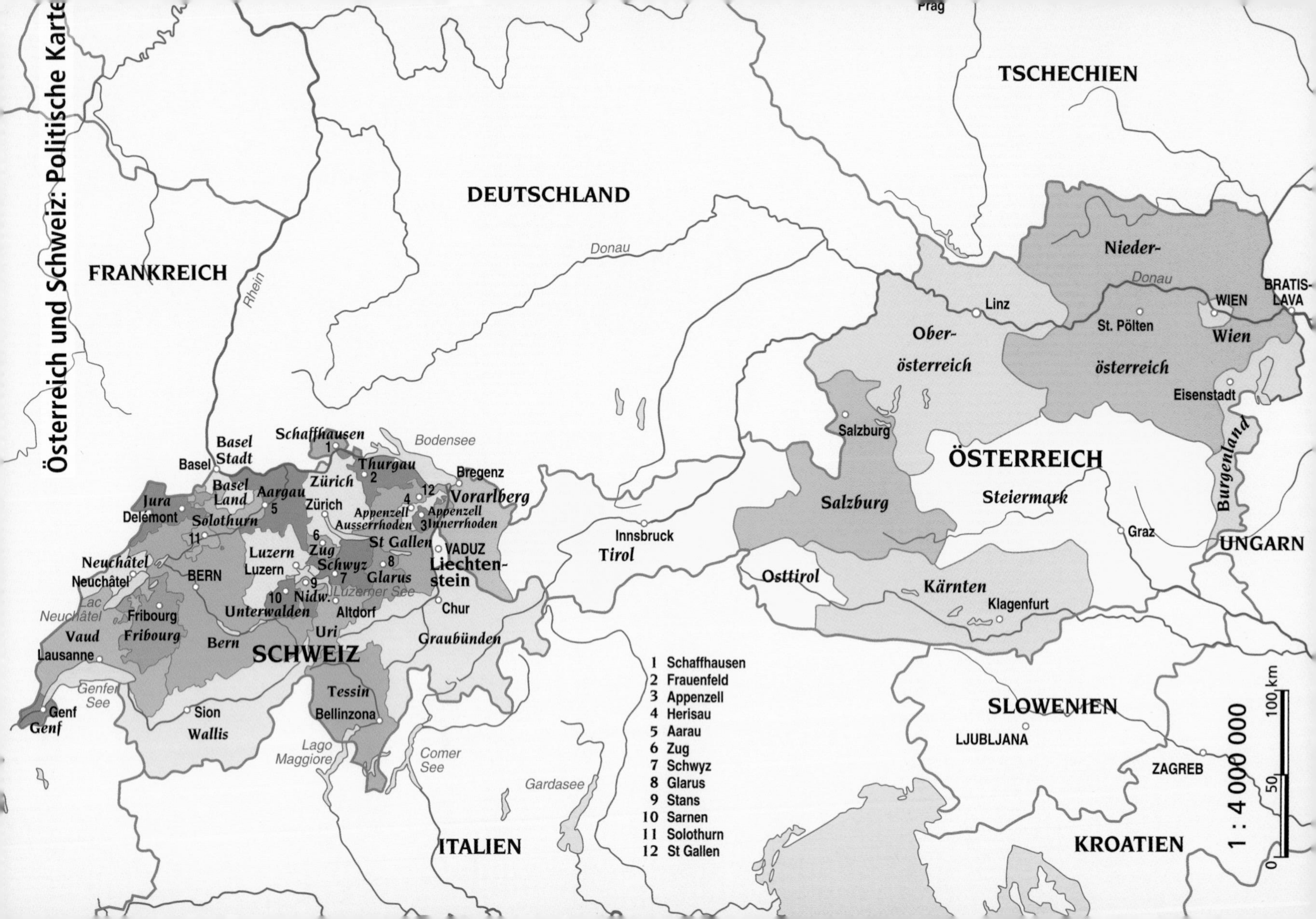

Österreich und Schweiz: Politische Karte
FRANKREICH
DEUTSCHLAND
TSCHECHIEN
Prag
ITALIEN
SLOWENIEN
KROATIEN
UNGARN
SCHWEIZ
ÖSTERREICH
Liechtenstein
VADUZ
Genf
Vaud
Lausanne
Neuchâtel
Jura
Delémont
Fribourg
Bern
BERN
Wallis
Sion
Solothurn
Basel Land
Basel Stadt
Basel
Aargau
Luzern
Unterwalden
Zürich
Schaffhausen
Thurgau
Zug
Schwyz
Uri
Altdorf
Nidw.
Glarus
St Gallen
Appenzell Ausserrhoden
Appenzell Innerrhoden
Tessin
Bellinzona
Graubünden
Chur
Vorarlberg
Bregenz
Tirol
Innsbruck
Osttirol
Salzburg
Oberösterreich
Linz
Niederösterreich
St. Pölten
Wien
WIEN
Burgenland
Eisenstadt
Steiermark
Graz
Kärnten
Klagenfurt
LJUBLJANA
ZAGREB
BRATISLAVA
Rhein
Donau
Bodensee
Genfer See
Lac Neuchâtel
Luzerner See
Lago Maggiore
Comer See
Gardasee
1 Schaffhausen
2 Frauenfeld
3 Appenzell
4 Herisau
5 Aarau
6 Zug
7 Schwyz
8 Glarus
9 Stans
10 Sarnen
11 Solothurn
12 St Gallen
1 : 4 000 000
0 50 100 km

complete, absolute **II** *adv* completely **Vollkommenheit** *f* ⟨-, *no pl*⟩ perfection; (≈ *Vollständigkeit*) completeness, absoluteness **Vollkornbrot** *nt* coarse wholemeal (*Br*) *or* wholegrain bread **volllaufen** *v/i sep irr aux sein* to fill up; ***etw ~ lassen*** to fill sth (up); ***sich ~ lassen*** (*infml*) to get tanked up (*infml*) **vollmachen** *v/t sep* **1.** *Gefäß* to fill (up); *Dutzend* to make up; *Sammlung*, *Set* to complete **2.** (*infml*) *Windeln* to fill (*Br*), to dirty (*US*) **Vollmacht** *f* ⟨-, **-en**⟩ (legal) power *or* authority *no pl*, *no indef art*; (*Urkunde*) power of attorney; ***jdm eine ~ erteilen*** to grant sb power of attorney **Vollmilch** *f* full-cream milk **Vollmilchschokolade** *f* full-cream milk chocolate **Vollmond** *m* full moon; ***heute ist ~*** there's a full moon today **vollmundig** *adj Wein* full-bodied **Vollnarkose** *f* general anaesthetic (*Br*) *or* anesthetic (*US*) **Vollpension** *f* full board **vollschlagen** *v/t sep irr* (*infml*) ***sich*** (*dat*) ***den Bauch ~*** to stuff oneself (with food) (*infml*) **vollschlank** *adj* plump, stout; ***Mode für ~e Damen*** fashion for ladies with a fuller figure **vollschreiben** *v/t sep irr Heft*, *Seite* to fill (with writing) **vollständig** **I** *adj* complete; *Adresse* full *attr*; ***nicht ~*** incomplete **II** *adv* completely **Vollständigkeit** [-ʃtɛndɪçkait] *f* ⟨-, *no pl*⟩ completeness **vollstopfen** *v/t sep* to cram full **vollstrecken** [fɔlˈʃtrɛkn] *past part* **vollstreckt** *v/t insep* to execute; *Urteil* to carry out **Vollstreckung** *f* ⟨-, **-en**⟩ execution; (*von Todesurteil*) carrying out **Vollstreckungsbescheid** *m* writ of execution **volltanken** *v/t & v/i sep* to fill up **Volltext** *m* IT full text **Volltextsuche** *f* full text search **Volltreffer** *m* bull's eye **volltrunken** *adj* completely drunk **Vollversammlung** *f* general assembly; (*von Stadtrat etc*) full meeting **Vollwaschmittel** *nt* detergent **vollwertig** *adj Mitglied* full *attr*; *Ersatz* (fully) adequate **Vollwertkost** *f* wholefoods *pl* **vollzählig** [-tsɛːlɪç] **I** *adj usu pred Anzahl* complete; ***um ~es Erscheinen wird gebeten*** everyone is requested to attend **II** *adv* ***sie sind ~ erschienen*** everyone came **vollziehen** [fɔlˈtsiːən] *past part* **vollzogen** [fɔlˈtsoːgn] *insep irr* **I** *v/t* to carry out; *Trauung* to perform **II** *v/r* to take place **Vollzug** [fɔlˈtsuːk] *m*, *no pl* (≈ *Strafvollzug*) penal system **Vollzugsanstalt** *f* (*form*) penal institution **Vollzugsbeamte(r)** *m decl as adj*, **Vollzugsbeamtin** *f* (*form*) warder

Volontär [volɔnˈtɛːɐ] *m* ⟨**-s, -**⟩, **Volontärin** [volɔnˈtɛːrɪn] [-ɪn] *f* ⟨**-, -nen**⟩ trainee **Volontariat** [volɔntaˈriaːt] *nt* ⟨**-(e)s, -e**⟩ (*Zeit*) practical training **volontieren** [volɔnˈtiːrən] *past part* **volontiert** *v/i* to be training (*bei* with)

Volt [vɔlt] *nt* ⟨**-(e)s, -**⟩ volt **Voltmeter** *nt* voltmeter **Voltzahl** *f* voltage

Volumen [voˈluːmən] *nt* ⟨**-s, -** *or* ***Volumina*** [-na]⟩ (*lit*, *fig* ≈ *Inhalt*) volume

von [fɔn] *prep +dat* **1.** from; ***nördlich ~*** to the North of; ***~ heute ab*** *or* ***an*** from today; ***~ dort aus*** from there; ***~ ... bis*** from ... to; ***~ morgens bis abends*** from morning till night **2.** (*Urheberschaft ausdrückend*) by; ***das Gedicht ist ~ Schiller*** the poem is by Schiller; ***das Kind ist ~ ihm*** the child is his; ***~ etw begeistert*** enthusiastic about sth **3.** ***ein Riese ~ einem Mann*** (*infml*) a giant of a man; ***dieser Dummkopf ~ Gärtner!*** (*infml*) that idiot of a gardener!; ***im Alter ~ 50 Jahren*** at the age of 50

voneinander [fɔn|aiˈnandɐ] *adv* of each other, of one another; ***sich ~ trennen*** to part *or* separate (from each other *or* one another)

vonseiten [fɔnˈzaitn] *prep +gen* on the part of

vor [foːɐ] **I** *prep +acc or +dat* **1.** (*+dat*, *räumlich*) in front of; (≈ *außerhalb von*) outside; (*bei Reihenfolge*) before; ***die Stadt lag ~ uns*** the town lay before us; ***~ allen Dingen***, ***~ allem*** above all; ***~ dem Fernseher sitzen*** to sit in front of the TV **2.** (*+acc*, *Richtung angebend*) in front of **3.** (*+dat*, *zeitlich*) before; ***zwanzig*** (***Minuten***) ***~ drei*** twenty (minutes) to three; ***heute ~ acht Tagen*** a week ago today; ***~ einigen Tagen*** a few days ago; ***~ Hunger sterben*** to die of hunger; ***~ Kälte zittern*** to tremble with cold **4.** ***~ jdm/etw sicher sein*** to be safe from sb/sth; ***Achtung ~ jdm/etw haben*** to have respect for sb/sth **II** *adv* ***~ und zurück*** backwards and forwards

vorab [foːɐˈ|ap] *adv* to begin *or* start with

Vorabend *m* evening before; ***das war am ~*** that was the evening before

Vorahnung *f* presentiment, premonition

voran [foˈran] *adv* **1.** (≈ *vorn*) first **2.** (≈ *vorwärts*) forwards **vorangehen** *v/i sep*

irr aux sein **1.** (≈ *an der Spitze gehen*) to go first *or* in front; (≈ *anführen*) to lead the way **2.** (*zeitlich*) ***einer Sache*** (*dat*) **~** to precede sth **3.** (*also v/i impers* ≈ *Fortschritte machen*) to come along **vorankommen** *v/i sep irr aux sein* to make progress; ***beruflich* ~** to get on in one's job
Voranmeldung *f* appointment
Voranschlag *m* estimate
Vorarbeit *f* groundwork **vorarbeiten** *sep v/t & v/i* to work in advance **Vorarbeiter** *m* foreman **Vorarbeiterin** *f* forewoman
voraus [fo'raus] *adv* (≈ *voran*) in front (+*dat* of); (*fig*) ahead (+*dat* of); ***im Voraus*** in advance **vorausahnen** *v/t sep* to anticipate **vorausbezahlt** *adj* prepaid **vorausfahren** *v/i sep irr aux sein* to go in front (+*dat* of); (*Fahrer*) to drive in front (+*dat* of) **vorausgehen** *v/i sep irr aux sein* = ***vorangehen*** **vorausgesetzt** *adj* **~, (*dass*) ...** provided (that) ... **voraushaben** *v/t sep irr* ***jdm etw* ~** to have the advantage of sth over sb **vorausplanen** *v/t & v/i sep* to plan ahead **Voraussage** *f* prediction; (≈ *Wettervoraussage*) forecast **voraussagen** *v/t sep* to predict (*jdm* for sb); *Wetter* to forecast **vorausschicken** *v/t sep* to send on ahead *or* in advance (+*dat* of); (*fig* ≈ *vorher sagen*) to say in advance (+*dat* of) **voraussehen** *v/t sep irr* to foresee; ***das war vorauszusehen!*** that was (only) to be expected! **voraussetzen** *v/t sep* to presuppose; *Zustimmung, Verständnis* to take for granted; (≈ *erfordern*) to require; ***wenn wir einmal* ~, *dass* ...** let us assume that ... **Voraussetzung** [-zɛtsʊŋ] *f* ⟨**-, -en**⟩ prerequisite, precondition; (≈ *Erfordernis*) requirement; (≈ *Annahme*) assumption; ***unter der* ~, *dass* ...** on condition that ... **voraussichtlich I** *adj* expected **II** *adv* probably
Vorbehalt [-bəhalt] *m* ⟨**-(*e*)*s*, -*e***⟩ reservation; ***unter dem* ~, *dass* ...** with the reservation that ... **vorbehalten** *past part* **vorbehalten** *v/t sep irr* ***sich*** (*dat*) ***etw* ~** to reserve sth (for oneself); *Recht* to reserve sth; ***alle Rechte* ~** all rights reserved; ***Änderungen* (*sind*) ~** subject to alterations **vorbehaltlos** [-bəhaltloːs] **I** *adj* unconditional **II** *adv* without reservations
vorbei [foːɐ'bai] *adv* **1.** (*räumlich*) past, by; **~ *an*** (+*dat*) past **2.** (*zeitlich*) **~ *sein*** to be past; (≈ *beendet*) to be over; ***es ist schon 8 Uhr* ~** it's already past *or* after 8 o'clock; ***damit ist es nun* ~** that's all over now; ***aus und* ~** over and done **vorbeibringen** *v/t sep irr* (*infml*) to drop by *or* in **vorbeifahren** *sep irr v/i aux sein* to go / drive past (*an jdm* sb); ***bei jdm* ~** (*infml*) to drop in on sb **vorbeigehen** *v/i sep irr aux sein* **1.** to go past *or* by (*an jdm / etw* sb / sth); ***bei jdm* ~** (*infml*) to drop in on sb; ***im Vorbeigehen*** in passing **2.** (≈ *vergehen*) to pass **vorbeikommen** *v/i sep irr aux sein* (*an jdm / etw* sb / sth) to pass, to go past; (*an einem Hindernis*) to get past; ***an einer Aufgabe nicht* ~** to be unable to avoid a task **vorbeilassen** *v/t sep irr* to let past (*an jdm / etw* sb / sth) **vorbeireden** *v/i sep* ***an etw*** (*dat*) **~** to talk round sth; ***aneinander* ~** to talk at cross purposes
vorbelastet [-bəlastət] *adj* handicapped
Vorbemerkung *f* introductory *or* preliminary remark
vorbereiten *past part* **vorbereitet** *sep* **I** *v/t* to prepare **II** *v/r* to prepare (oneself) (*auf* +*acc* for) **Vorbereitung** ['foːɐbəraitʊŋ] *f* ⟨**-, -en**⟩ preparation; ***~en treffen*** to make preparations
vorbestellen *past part* **vorbestellt** *v/t sep* to order in advance **Vorbestellung** *f* advance order; (*von Zimmer*) (advance) booking
vorbestraft [-bəʃtraːft] *adj* previously convicted
vorbeugen *sep* **I** *v/i* to prevent (*einer Sache dat* sth) **II** *v/r* to bend forward **vorbeugend** *adj* preventive **Vorbeugung** *f* prevention (*gegen, von* of)
Vorbild *nt* model; (≈ *Beispiel*) example; ***nach amerikanischem* ~** following the American example; ***sich*** (*dat*) ***jdn zum* ~ *nehmen*** to model oneself on sb **vorbildlich I** *adj* exemplary **II** *adv* exemplarily
Vorbote *m*, **Vorbotin** *f* (*fig*) harbinger, herald
vorbringen *v/t sep irr* **1.** (*infml* ≈ *nach vorn bringen*) to take up *or* forward **2.** (≈ *äußern*) to say; *Wunsch, Forderung* to state; *Klage* to lodge; *Kritik* to make; *Bedenken* to express; *Argument* to produce
Vordach *nt* canopy
vordatieren *past part* **vordatiert** *v/t sep* to postdate; *Ereignis* to predate
Vordenker(in) *m*/(*f*) mentor

Vọrderachse *f* front axle **Vọrderansicht** *f* front view **Vọrderbein** *nt* foreleg **vọrdere(r, s)** ['fɔrdərə] *adj* front **Vọrdergrund** *m* foreground; ***im ~ stehen*** (*fig*) to be to the fore; ***etw in den ~ rücken*** *or* ***stellen*** (*fig*) to give priority to sth; ***in den ~ treten*** (*fig*) to come to the fore **vọrdergründig** [-grʏndɪç] *adj* (*fig*) (≈ *oberflächlich*) superficial **Vọrdermann** *m*, *pl* ***-männer*** person in front; ***sein ~*** the person in front of him; ***etw auf ~ bringen*** (*fig infml*) *Kenntnisse* to brush sth up; (≈ *auf neuesten Stand bringen*) to bring sth up-to-date **Vọrderrad** *nt* front wheel **Vọrderseite** *f* front **vọrderste(r, s)** ['fɔrdɐstə] *adj* front(most) **Vọrdertür** *f* front door

vo̲rdrängen *v/r sep* to push to the front

vo̲rdringen *v/i sep irr aux sein* to advance; ***bis zu etw ~*** to get as far as sth

vo̲rdringlich *adj* urgent

Vọrdruck *m*, *pl* ***-drucke*** form

vo̲rehelich *adj attr* premarital

vo̲reilig *adj* rash; ***~e Schlüsse ziehen*** to jump to conclusions

voreinạnder [foːɐ|ai'nandɐ] *adv* (*räumlich*) in front of one another; ***wir haben keine Geheimnisse ~*** we have no secrets from each other

vo̲reingenommen *adj* prejudiced, biased **Vo̲reingenommenheit** *f, no pl* prejudice, bias

vo̲reingestellt *adj esp* IT preset **Vo̲reinstellung** *f esp* IT presetting

vo̲renthalten *past part* ***vo̲renthalten*** *v/t sep irr* ***jdm etw ~*** to withhold sth from sb

Vo̲rentscheidung *f* preliminary decision; SPORTS preliminary round *or* heat

vo̲rerst ['foːɐ|eːɐst, foːɐ'|eːɐst] *adv* for the time being

Vo̲rfahr ['foːɐfaːɐ] *m* ⟨***-en, -en***⟩ ancestor

vo̲rfahren *sep irr v/i aux sein* **1.** (≈ *nach vorn fahren*) to drive *or* move forward **2.** (≈ *ankommen*) to drive up **3.** (≈ *früher fahren*) ***wir fahren schon mal vor*** we'll go on ahead **Vo̲rfahrt** *f, no pl* right of way; ***„Vorfahrt (be)achten"*** "give way" (*Br*), "yield" (*US*); ***jdm die ~ nehmen*** to ignore sb's right of way **Vo̲rfahrtsschild** *nt*, *pl* ***-schilder*** give way (*Br*) *or* yield (*US*) sign **Vo̲rfahrtsstraße** *f* major road

Vo̲rfall *m* incident **vo̲rfallen** *v/i sep irr aux sein* (≈ *sich ereignen*) to happen

vo̲rfeiern *v/t & v/i sep* to celebrate early

Vo̲rfeld *nt* (*fig*) run-up (+*gen* to); ***im ~ der Wahlen*** in the run-up to the elections

vo̲rfinden *v/t sep irr* to find, to discover

Vo̲rfreude *f* anticipation

vo̲rfühlen *v/i sep* (*fig*) ***bei jdm ~*** to sound *or* feel (*US*) sb out

vo̲rführen *v/t sep* **1.** ***den Gefangenen dem Haftrichter ~*** to bring the prisoner up before the magistrate **2.** (≈ *zeigen*) to present; *Kunststücke* to perform (*dat* to); *Film* to show; *Gerät* to demonstrate (*dat* to) **Vo̲rführung** *f* presentation; (*von Filmen*) showing; (*von Geräten*) demonstration; (*von Kunststücken*) performance

Vo̲rgang *m*, *pl* ***-gänge*** **1.** (≈ *Ereignis*) event **2.** TECH *etc* process

Vo̲rgänger [-gɛŋɐ] *m* ⟨***-s, -***⟩, **Vo̲rgängerin** [-ərɪn] *f* ⟨***-, -nen***⟩ predecessor

Vo̲rgarten *m* front garden

vo̲rgeben *v/t sep irr* **1.** (≈ *vortäuschen*) to pretend; (≈ *fälschlich beteuern*) to profess **2.** SPORTS to give (a start of)

vo̲rgefasst *adj Meinung* preconceived

Vo̲rgefühl *nt* anticipation; (≈ *böse Ahnung*) presentiment, foreboding

vo̲rgehen *v/i sep irr aux sein* **1.** (≈ *handeln*) to act; ***gerichtlich gegen jdn ~*** to take legal action against sb **2.** (≈ *geschehen*) to go on **3.** (*Uhr*) to be fast **4.** (≈ *nach vorn gehen*) to go forward; (≈ *früher gehen*) to go on ahead **5.** (≈ *den Vorrang haben*) to come first **Vo̲rgehen** *nt* action

Vo̲rgeschichte *f* **1.** (*eines Falles*) past history **2.** (≈ *Urgeschichte*) prehistoric times *pl* **vo̲rgeschichtlich** *adj* prehistoric

Vo̲rgeschmack *m* foretaste

Vo̲rgesetzte(r) ['foːɐgəzɛtstə] *m/f(m) decl as adj* superior

vo̲rgestern *adv* the day before yesterday; ***von ~*** (*fig*) antiquated

vo̲rgreifen *v/i sep irr* ***jdm ~*** to forestall sb; ***einer Sache*** (*dat*) ***~*** to anticipate sth **Vo̲rgriff** *m* anticipation (*auf +acc* of); ***im ~ auf*** (+*acc*) in anticipation of

vo̲rhaben *v/t sep irr* to intend; (≈ *geplant haben*) to have planned; ***was haben Sie heute vor?*** what are your plans for today?; ***hast du heute Abend schon etwas vor?*** have you already got something planned this evening?

vo̲rhalten *sep irr* **I** *v/t* **1.** = ***vorwerfen*** **2.** (*als Beispiel*) ***jdm jdn/etw ~*** to hold

sb/sth up to sb **3.** (≈ *vor den Körper halten*) to hold up **II** *v/i* (≈ *anhalten*) to last **Vorhaltung** *f usu pl* reproach; ***jdm (wegen etw) ~en machen*** to reproach sb (with *or* for sth)
Vorhand *f* SPORTS forehand
vorhanden [foːɐ'handn] *adj* (≈ *verfügbar*) available; (≈ *existierend*) in existence; ***davon ist genügend ~*** there's plenty of that **Vorhandensein** *adj* existence
Vorhang *m* curtain
Vorhängeschloss ['foːɐhɛŋə-] *nt* padlock
Vorhaut *f* foreskin
vorher [foːɐ'heːɐ, 'foːɐ-] *adv* before **vorherbestimmen** *past part* ***vorherbestimmt*** *v/t sep Schicksal* to predetermine; (*Gott*) to preordain **vorhergehend** *adj Tag, Ereignisse* preceding **vorherig** [foːɐ'heːrɪç, 'foːɐ-] *adj attr* previous; *Vereinbarung* prior
Vorherrschaft *f* predominance, supremacy; (≈ *Hegemonie*) hegemony **vorherrschen** *v/i sep* to predominate **vorherrschend** *adj* predominant; (≈ *weitverbreitet*) prevalent
Vorhersage *f* forecast **vorhersagen** *v/t sep* = ***voraussagen*** **vorhersehen** *v/t sep irr* to foresee
vorhin [foːɐ'hɪn, 'foːɐ-] *adv* just now
Vorhinein ['foːɐhɪnain] *adv* ***im ~*** in advance
Vorhut *f* ⟨-, ***-en***⟩ MIL vanguard, advance guard
vorig [foːrɪç] *adj attr* (≈ *früher*) previous; (≈ *vergangen*) *Jahr etc* last
Vorjahr *nt* previous year
Vorkämpfer(in) *m/(f)* pioneer (*für* of)
Vorkasse *f* ***„Zahlung nur gegen ~"*** "advance payment only"
vorkauen *v/t sep Nahrung* to chew; ***jdm etw*** (*acc*) ***~*** (*fig infml*) to spoon-feed sth to sb (*infml*)
Vorkehrung ['foːɐkeːrʊŋ] *f* ⟨-, ***-en***⟩ precaution; ***~en treffen*** to take precautions
Vorkenntnis *f* previous knowledge *no pl*
vorknöpfen *v/t sep* (*fig infml*) ***sich*** (*dat*) ***jdn ~*** to take sb to task
vorkommen *v/i sep irr aux sein* **1.** (*also v/i impers* ≈ *sich ereignen*) to happen; ***so etwas ist mir noch nie vorgekommen*** such a thing has never happened to me before **2.** (≈ *vorhanden sein*) to occur; (*Pflanzen, Tiere*) to be found **3.** (≈ *erscheinen*) to seem; ***das kommt mir merkwürdig vor*** that seems strange to me; ***sich*** (*dat*) ***überflüssig ~*** to feel superfluous **4.** (≈ *nach vorn kommen*) to come forward **Vorkommnis** ['foːɐkɔmnɪs] *nt* ⟨***-ses, -se***⟩ incident
Vorkriegszeit *f* prewar period
vorladen *v/t sep irr* JUR to summons **Vorladung** *f* summons
Vorlage *f* **1.** *no pl* (≈ *das Vorlegen*) presentation; (*von Beweismaterial*) submission; ***gegen ~ einer Sache*** (*gen*) (up)on production *or* presentation of sth **2.** (≈ *Muster*) pattern; (≈ *Entwurf*) draft
vorlassen *v/t sep irr* **1.** (*infml*) ***jdn ~*** (≈ *vorbeigehen lassen*) to let sb pass; ***ein Auto ~*** (≈ *überholen lassen*) to let a car pass **2.** (≈ *Empfang gewähren*) to allow in
Vorlauf *m* SPORTS qualifying *or* preliminary heat **Vorläufer(in)** *m/(f)* forerunner **vorläufig** **I** *adj* temporary; *Urteil* preliminary **II** *adv* (≈ *fürs Erste*) for the time being
vorlaut *adj* cheeky (*Br*), impertinent
Vorleben *nt* past (life)
vorlegen *sep v/t* **1.** (≈ *präsentieren*) to present; *Pass* to show; *Beweismaterial* to submit **2.** *Riegel* to put across; *Schloss* to put on **3.** (≈ *vorstrecken*) *Geld* to advance **Vorleger** ['foːɐleːgɐ] *m* ⟨***-s, -***⟩ mat
vorlehnen *v/r sep* to lean forward
Vorleistung *f* (ECON ≈ *Vorausbezahlung*) advance (payment)
vorlesen *v/t & v/i sep irr* ***jdm (etw) ~*** to read (sth) to sb **Vorlesung** *f* UNIV lecture; ***über etw*** (*acc*) ***~en halten*** to give (a course of) lectures on sth **Vorlesungsverzeichnis** *nt* lecture timetable
vorletzte(r, s) ['foːɐlɛtstə] *adj* next to last, penultimate; ***im ~n Jahr*** the year before last
Vorliebe *f* preference
vorliebnehmen [foːɐ'liːp-] *v/i sep irr* ***mit jdm/etw ~*** to make do with sb/sth
vorliegen *sep irr* **I** *v/i* (≈ *zur Verfügung stehen*) to be available; (≈ *vorhanden sein*) (*Irrtum, Schuld etc*) to be; (*Gründe, Voraussetzungen*) to exist; ***jdm ~*** (*Unterlagen etc*) to be with sb; ***etw liegt gegen jdn vor*** sth is against sb; (*gegen Angeklagten*) sb is charged with sth **II** *v/i impers* to be; ***es muss ein Irrtum ~*** there must be some mistake
vorlügen *v/t sep irr* ***jdm etwas ~*** to lie to

sb

vormachen *v/t sep* ***jdm etw ~*** (≈ *zeigen*) to show sb how to do sth; (*fig* ≈ *täuschen*) to fool sb; ***ich lasse mir so leicht nichts ~*** you/he *etc* can't fool me so easily; ***sich*** (*dat*) ***(selbst) etwas ~*** to fool oneself

Vormacht(stellung) *f* supremacy (*gegenüber* over)

Vormarsch *m* MIL advance; ***im ~ sein*** (*fig*) to be gaining ground

vormerken *v/t sep* to note down; *Plätze* to reserve; ***ich werde Sie für Mittwoch ~*** I'll put you down for Wednesday

Vormieter(in) *m/(f)* previous tenant

Vormittag *m* morning; ***am ~*** in the morning; ***heute ~*** this morning **vormittags** *adv* in the morning; (≈ *jeden Morgen*) in the morning(s)

Vormund *m* ⟨***-(e)s, -e*** *or* ***Vormünder***⟩ guardian **Vormundschaft** ['foːɐmʊntʃaft] *f* ⟨***-, -en***⟩ guardianship

vorn [fɔrn] *adv* **1.** in front; ***nach ~*** (≈ *ganz nach vorn*) to the front; (≈ *weiter nach vorn*) forwards; ***~ im Bild*** in the front of the picture; ***sie waren ziemlich weit ~*** they were quite far ahead **2.** (≈ *am Anfang*) ***von ~*** from the beginning; ***von ~ anfangen*** to begin at the beginning; (*neues Leben*) to start afresh **3.** (≈ *am vorderen Ende*) at the front; ***~ im Auto*** in the front of the car; ***er betrügt sie von ~ bis hinten*** he deceives her right, left and centre (*Br*) *or* center (*US*)

Vorname *m* first name

vornehm ['foːɐneːm] **I** *adj* **1.** (*kultiviert*) distinguished; *Benehmen* genteel; ***die ~e Gesellschaft*** high society **2.** (≈ *elegant*) *Wohngegend*, *Haus* posh (*infml*); *Geschäft* exclusive; *Kleid* elegant; *Auto* smart; *Geschmack* refined **II** *adv wohnen* grandly; ***~ tun*** (*pej infml*) to act posh (*infml*)

vornehmen *v/t sep irr* (≈ *ausführen*) to carry out; *Änderungen* to do; *Messungen* to take; ***(sich*** *dat*) ***etw ~*** (≈ *in Angriff nehmen*) to get to work on sth; (≈ *planen*) to intend to do sth; ***ich habe mir zu viel vorgenommen*** I've taken on too much; ***sich*** (*dat*) ***jdn ~*** (*infml*) to have a word with sb

vornherein ['fɔrnhɛrain, fɔrnhɛ'rain] *adv* ***von ~*** from the start

vornüber [fɔrn'|yːbɐ] *adv* forwards

Vorort ['foːɐ|ɔrt] *m*, *pl* ***-orte*** (≈ *Vorstadt*) suburb **Vorortzug** *m* suburban train

Vorplatz *m* forecourt

Vorposten *m* MIL outpost

Vorprogramm *nt* supporting bill, warm-up act (*US*) **vorprogrammieren** *past part* ***vorprogrammiert*** *v/t sep* to preprogram **vorprogrammiert** [-programiːɐt] *adj Erfolg* automatic; *Verhaltensweise* preprogrammed

Vorrang *m*, *no pl* **1.** ***~ haben*** to have priority; ***jdm den ~ geben*** to give sb priority **2.** (*Aus* ≈ *Vorfahrt*) right of way **vorrangig** ['foːɐraŋɪç] *adj* priority *attr*; ***~ sein*** to have (top) priority; ***eine Angelegenheit ~ behandeln*** to give a matter priority treatment

Vorrat ['foːɐraːt] *m* ⟨***-(e)s, Vorräte*** [-rɛːtə]⟩ stock; *esp* COMM stocks *pl*; (≈ *Geldvorrat*) reserves *pl*; (*an Atomwaffen*) stockpile; ***solange der ~ reicht*** COMM while stocks last **vorrätig** ['foːɐrɛːtɪç] *adj* in stock; (≈ *verfügbar*) available

vorrechnen *v/t sep* ***jdm etw ~*** to calculate sth for sb; ***jdm seine Fehler ~*** (*fig*) to enumerate sb's mistakes

Vorrecht *nt* prerogative; (≈ *Vergünstigung*) privilege

Vorredner(in) *m/(f)* (≈ *vorheriger Redner*) previous speaker

Vorrichtung *f* device

vorrücken *sep* **I** *v/t* to move forward; *Schachfigur* to advance **II** *v/i aux sein* to move forward; MIL to advance; (*im Beruf etc*) to move up; ***in vorgerücktem Alter*** in later life; ***zu vorgerückter Stunde*** at a late hour

Vorruhestand *m* early retirement

Vorrunde *f* SPORTS preliminary *or* qualifying round

vorsagen *sep* **I** *v/t* ***jdm etw ~*** *Antwort*, *Lösung* to tell sb sth **II** *v/i* SCHOOL ***jdm ~*** to tell sb the answer

Vorsaison *f* low season

Vorsatz *m* (firm) intention; ***mit ~*** JUR with intent **vorsätzlich** [-zɛtslɪç] **I** *adj* deliberate; JUR *Mord etc* wilful **II** *adv* deliberately

Vorschau *f* preview; (*für Film*) trailer

Vorschein *m* ***zum ~ bringen*** (*lit* ≈ *zeigen*) to produce; (*fig* ≈ *deutlich machen*) to bring to light; ***zum ~ kommen*** (*lit* ≈ *sichtbar werden*) to appear; (*fig* ≈ *entdeckt werden*) to come to light

vorschieben *sep irr v/t* **1.** (≈ *davorschieben*) to push in front; *Riegel* to put across

2. (*fig* ≈ *vorschützen*) to put forward as an excuse
vorschießen *v/t sep irr* ***jdm Geld ~*** to advance sb money
Vorschlag *m* suggestion; (≈ *Rat*) advice; (≈ *Angebot*) proposition; ***auf ~ von*** *or* *+gen* at *or* on the suggestion of **vorschlagen** *v/t sep irr* to suggest; ***jdn für ein Amt ~*** to propose sb for a position
vorschnell *adj, adv* = ***voreilig***
vorschreiben *v/t sep irr* (≈ *befehlen*) to stipulate; MED *Dosis* to prescribe; ***jdm ~, wie/was ...*** to dictate to sb how/what ...; ***gesetzlich vorgeschrieben*** stipulated by law **Vorschrift** *f* (≈ *Bestimmung*) regulation; (≈ *Anweisung*) instruction; ***jdm ~en machen*** to give sb orders; ***sich an die ~en halten*** to observe the regulations; ***Arbeit nach ~*** work to rule **vorschriftsmäßig** **I** *adj* regulation *attr*; *Verhalten* correct, proper *attr* **II** *adv* (≈ *laut Anordnung*) according to (the) regulations
Vorschub *m* ***jdm/einer Sache ~ leisten*** to encourage sb/sth
Vorschule *f* nursery school
Vorschuss *m* advance **Vorschusslorbeeren** *pl* premature praise *sg*
vorschützen *v/t sep* to plead as an excuse; *Unwissenheit* to plead
vorschweben *v/i sep* ***jdm schwebt etw vor*** sb has sth in mind
vorsehen *sep irr* **I** *v/t* (≈ *planen*) to plan; (≈ *einplanen*) *Kosten* to allow for; *Zeit* to allow; (*im Gesetz*) to provide for; ***jdn für etw ~*** (≈ *beabsichtigen*) to have sb in mind for sth **II** *v/r* (≈ *sich in Acht nehmen*) to watch out; ***sich vor jdm/etw ~*** to beware of sb/sth **Vorsehung** ['foːɐzeːʊŋ] *f* ⟨-, *no pl*⟩ ***die (göttliche) ~*** (divine) Providence
vorsetzen *sep v/t* **1.** *Fuß* to put forward **2.** ***jdm etw ~*** (≈ *geben*) to give sb sth; (≈ *anbieten*) to offer sb sth
Vorsicht ['foːɐzɪçt] *f* ⟨-, *no pl*⟩ care; (*bei Gefahr*) caution; ***~ walten lassen*** to be careful; (*bei Gefahr*) to exercise caution; (≈ *behutsam vorgehen*) to be wary; ***zur ~ mahnen*** to advise caution; ***~!*** watch out!; ***„Vorsicht feuergefährlich"*** "danger - inflammable"; ***„Vorsicht Stufe"*** "mind the step"; ***mit ~*** carefully; (*bei Gefahr*) cautiously; ***was er sagt ist mit ~ zu genießen*** (*hum infml*) you have to take what he says with a pinch of salt (*infml*); ***~ ist besser als Nachsicht*** (*prov*) better safe than sorry **vorsichtig** ['foːɐzɪçtɪç] **I** *adj* careful; (≈ *besonnen*) cautious; (≈ *misstrauisch*) wary; *Schätzung* cautious **II** *adv* **1.** (*umsichtig*) carefully **2.** (*zurückhaltend*) ***sich ~ äußern*** to be very careful what one says **vorsichtshalber** *adv* as a precaution **Vorsichtsmaßnahme** *f* precaution
Vorsilbe *f* prefix
vorsingen *sep irr v/t & v/i* (*vor Zuhörern*) ***jdm (etw) ~*** to sing (sth) to sb
vorsintflutlich [-zɪntfluːtlɪç] *adj* (*infml*) antiquated
Vorsitz *m* chairmanship; ***den ~ haben*** to be chairman; ***den ~ übernehmen*** to take the chair **Vorsitzende(r)** ['foːɐzɪtsndə] *m/f(m) decl as adj* chairman; (*Frau auch*) chairwoman; (*von Verein*) president
Vorsorge *f, no pl* (≈ *Vorsichtsmaßnahme*) precaution; ***~ treffen*** to take precautions; (*fürs Alter*) to make provision **vorsorgen** *v/i sep* to make provision; ***für etw ~*** to provide for sth **Vorsorgeuntersuchung** *f* MED medical checkup **vorsorglich** [-zɔrklɪç] *adj* precautionary
Vorspann ['foːɐʃpan] *m* ⟨***-(e)s, -e***⟩ (FILM, TV: *Titel und Namen*) opening credits *pl*
Vorspeise *f* hors d'œuvre, starter (*Br*)
Vorspiegelung *f* pretence (*Br*), pretense (*US*); ***das ist nur (eine) ~ falscher Tatsachen*** (*hum*) it's all sham
Vorspiel *nt* (≈ *Einleitung*) prelude; THEAT prologue (*Br*), prolog (*US*); (*bei Geschlechtsverkehr*) foreplay **vorspielen** *sep* **I** *v/t* ***jdm etw ~*** MUS to play sth to sb; (*fig*) to act out a sham of sth in front of sb; ***spiel mir doch nichts vor*** don't try and pretend to me **II** *v/i* (*vor Zuhörern*) to play; ***jdn ~ lassen*** (*bei Einstellung*) to audition sb
vorsprechen *sep irr* **I** *v/t* (≈ *vortragen*) to recite **II** *v/i* **1.** (*form* ≈ *jdn aufsuchen*) to call (*bei jdm* on sb) **2.** THEAT to audition
vorspringen *v/i sep irr aux sein* to jump *or* leap forward; (≈ *herausragen*) to jut out, to project; (*Nase, Kinn*) to be prominent **Vorsprung** *m* **1.** ARCH projection; (*von Küste*) promontory **2.** (SPORTS, *fig* ≈ *Abstand*) lead (*vor +dat* over); (≈ *Vorgabe*) start; ***jdm 10 Minuten ~ geben*** to give sb a 10-minute start; ***einen ~ vor jdm haben*** to be ahead of sb
Vorstadt *f* suburb

Vorstand *m* (≈ *leitendes Gremium*) board; (*von Verein*) committee; (*von Partei*) executive **Vorstandsvorsitzende(r)** *m/f(m) decl as adj* chairperson of the board of directors **vorstehen** *v/i sep irr aux haben or sein* **1.** (≈ *hervorragen*) to jut out; (*Zähne*) to protrude; (*Kinn, Nase*) to be prominent **2.** ***einer Sache ~*** *einer Firma, einer Partei* to be the chairperson of sth; *der Regierung* to be the head of sth; *einer Abteilung, einer Behörde* to be in charge of sth **Vorsteherdrüse** *f* prostate (gland)

vorstellbar *adj* conceivable **vorstellen** *sep* **I** *v/t* **1.** (*nach vorn*) to move forward; *Uhr* to put forward (*um* by) **2.** (≈ *darstellen*) to represent; (≈ *bedeuten*) to mean; ***etwas ~*** (*fig* ≈ *Ansehen haben*) to count for something **3.** (≈ *vorführen*) to present (*jdm* to sb); ***jdn jdm ~*** to introduce sb to sb **4.** ***sich*** (*dat*) ***etw ~*** to imagine sth; ***das kann ich mir gut ~*** I can imagine that (well); ***sich*** (*dat*) ***etw unter etw*** (*dat*) ***~*** *Begriff, Wort* to understand sth by sth; ***darunter kann ich mir nichts ~*** it doesn't mean anything to me; ***was haben Sie sich*** (***als Gehalt***) ***vorgestellt?*** what (salary) did you have in mind?; ***stell dir das nicht so einfach vor*** don't think it's so easy **II** *v/r* (≈ *sich bekannt machen*) to introduce oneself (*jdm* to sb) **vorstellig** *adj* ***bei jdm ~ werden*** to go to sb; (*wegen Beschwerde*) to complain to sb **Vorstellung** *f* **1.** (≈ *Gedanke*) idea; (*bildlich*) picture; (≈ *Einbildung*) illusion; (≈ *Vorstellungskraft*) imagination; ***du hast falsche ~en*** you are wrong (in your ideas); ***das entspricht ganz meiner ~*** that is just how I imagined it; ***sich*** (*dat*) ***eine ~ von etw machen*** to form an idea *or* (*Bild*) picture of sth **2.** THEAT *etc* performance **Vorstellungsgespräch** *nt* (job) interview **Vorstellungskraft** *f* imagination **Vorstellungsvermögen** *nt* powers *pl* of imagination

Vorsteuer *f* (≈ *Mehrwertsteuer*) input tax **Vorsteuerabzug** *m* input tax deduction

Vorstoß *m* (≈ *Vordringen*) venture; MIL advance; (*fig* ≈ *Versuch*) attempt **vorstoßen** *sep irr* **I** *v/t* to push forward **II** *v/i aux sein* to venture; SPORTS to attack; MIL to advance; ***ins Viertelfinale ~*** to advance into the quarterfinal

Vorstrafe *f* previous conviction **Vorstrafenregister** *nt* criminal record

vorstrecken *v/t sep* to stretch forward; *Arme, Hand* to stretch out; *Geld* to advance (*jdm* sb)

Vorstufe *f* preliminary stage

Vortag *m* day before, eve; ***am ~ der Konferenz*** (on) the day before the conference

vortäuschen *v/t sep Krankheit* to feign; *Straftat, Orgasmus* to fake

Vorteil ['foːɐtail] *m* ⟨**-s, -e**⟩ advantage; ***die Vor- und Nachteile*** the pros and cons; ***jdm gegenüber im ~ sein*** to have an advantage over sb; ***von ~ sein*** to be advantageous; ***im ~ sein*** to have the advantage (*jdm gegenüber* over sb); ***„Vorteil Federer"*** TENNIS "advantage Federer" **vorteilhaft** *adj* advantageous; *Kleid, Frisur* flattering; *Geschäft* lucrative; ***~ aussehen*** to look one's best

Vortrag ['foːɐtraːk] *m* ⟨**-(e)s, Vorträge** [-trɛːgə]⟩ **1.** (≈ *Vorlesung*) lecture; (≈ *Bericht*) talk; ***einen ~ halten*** to give a lecture/talk **2.** (≈ *Art des Vortragens*) performance **3.** FIN balance carried forward **vortragen** *v/t sep irr* **1.** (≈ *berichten*) to report; *Fall, Forderungen* to present; *Bedenken, Wunsch* to express **2.** (≈ *vorsprechen*) *Gedicht* to recite; *Rede* to give; MUS to perform; *Lied* to sing **3.** FIN to carry forward

vortrefflich [foːɐ'trɛflɪç] *adj* excellent

vortreten *v/i sep irr aux sein* **1.** (*lit*) to step forward **2.** (≈ *hervorragen*) to project; (*Augen*) to protrude **Vortritt** *m, no pl* precedence; (*Swiss* ≈ *Vorfahrt*) right of way; ***jdm den ~ lassen*** to let sb go first

vorüber [fo'ryːbɐ] *adv* ***~ sein*** to be past; (*Gewitter, Winter*) to be over; (*Schmerz*) to have gone **vorübergehen** *v/i sep irr aux sein* **1.** (*räumlich*) to go past (*an etw* (*dat*) sth); ***an jdm/etw ~*** (*fig* ≈ *ignorieren*) to ignore sb/sth **2.** (*zeitlich*) to pass; (*Gewitter*) to blow over **vorübergehend** **I** *adj* (≈ *flüchtig*) passing *attr*; (≈ *zeitweilig*) temporary **II** *adv* temporarily

Vorurteil *nt* prejudice (*gegenüber* against); ***~e haben*** to be prejudiced **vorurteilsfrei, vorurteilslos** **I** *adj* unprejudiced **II** *adv* without prejudice

Vorvergangenheit *f* GRAM pluperfect

Vorverkauf *m* THEAT, SPORTS advance booking

vorverlegen *past part* **vorverlegt** *v/t sep*

Termin to bring forward
Vorverurteilung *f* prejudgement
vorvorgestern *adv* (*infml*) three days ago
vorvorletzte(r, s) *adj* last but two
vorwagen *v/r sep* to venture forward
Vorwahl *f* **1.** preliminary election; (*US*) primary **2.** TEL dialling (*Br*) *or* area (*US*) code **vorwählen** *v/t sep* TEL to dial first **Vorwahlnummer** *f* dialling (*Br*) *or* area (*US*) code
Vorwand ['foːɐvant] *m* ⟨**-(e)s, Vorwände** [-vɛndə]⟩ pretext; ***unter dem ~, dass ...*** under the pretext that ...
Vorwarnung *f* (prior *or* advance) warning
vorwärts ['foːɐvɛrts] *adv* forwards, forward; ***~!*** (*infml*) let's go (*infml*); ***~ und rückwärts*** backwards and forwards; ***wir kamen nur langsam ~*** we made slow progress **vorwärtskommen** *v/i sep irr aux sein* (*fig*) to make progress (*in, mit* with); (*beruflich*) to get on
Vorwäsche *f* prewash
vorweg [foːɐ'vɛk] *adv* (≈ *an der Spitze*) at the front; (≈ *vorher*) before(hand); (≈ *von vornherein*) at the outset **Vorwegnahme** [-naːmə] *f* ⟨**-, -n**⟩ anticipation **vorwegnehmen** *v/t sep irr* to anticipate
Vorweihnachtszeit *f* pre-Christmas period
vorweisen *v/t sep irr* to produce
vorwerfen *v/t sep irr* (*fig*) ***jdm etw ~*** (≈ *anklagen*) to reproach sb for sth; (≈ *beschuldigen*) to accuse sb of sth; ***das wirft er mir heute noch vor*** he still holds it against me; ***ich habe mir nichts vorzuwerfen*** my conscience is clear
vorwiegend ['foːɐviːgnt] **I** *adj attr* predominant **II** *adv* predominantly
Vorwort *nt, pl* **-worte** foreword; (*esp von Autor*) preface
Vorwurf *m* reproach; (≈ *Beschuldigung*) accusation; ***jdm (wegen etw) Vorwürfe machen*** to reproach sb (for sth) **vorwurfsvoll** **I** *adj* reproachful **II** *adv* reproachfully
Vorzeichen *nt* (≈ *Omen*) omen; MED early symptom; MAT sign; ***unter umgekehrtem ~*** (*fig*) under different circumstances
vorzeigbar *adj* presentable **vorzeigen** *v/t sep* to show; *Zeugnisse* to produce
Vorzeit *f* ***in der ~*** in prehistoric times **vorzeitig** **I** *adj* early; *Altern etc* premature **II** *adv* early; prematurely
vorziehen *v/t sep irr* **1.** (≈ *hervorziehen*) to pull out; (≈ *zuziehen*) *Vorhänge* to draw **2.** (*fig*) (≈ *lieber mögen*) to prefer; (≈ *bevorzugen*) *jdn* to favour (*Br*), to favor (*US*); ***es ~, etw zu tun*** to prefer to do sth **3.** *Wahlen, Termin* to bring forward
Vorzimmer *nt* anteroom; (≈ *Büro*) outer office; (*Aus* ≈ *Diele*) hall **Vorzug** *m* preference; (≈ *gute Eigenschaft*) merit; ***einer Sache*** (*dat*) ***den ~ geben*** (*form*) to give sth preference **vorzüglich** [foːɐ'tsyːklɪç, (*esp Aus*) 'foːɐ-] *adj* excellent
Vorzugsaktie *f* ST EX preference share
Vorzugspreis *m* special discount price
vorzugsweise *adv* preferably; (≈ *hauptsächlich*) mainly
Votum ['voːtʊm] *nt* ⟨**-s, Voten** *or* **Vota** [-tn, -ta]⟩ (*elev*) vote
Voyeur [voa'jøːɐ] *m* ⟨**-s, -**⟩, **Voyeurin** [voa'jøːɐin] [-'jøːrɪn] *f* ⟨**-, -nen**⟩ voyeur
vulgär [vʊl'gɛːɐ] *adj* vulgar; ***drück dich nicht so ~ aus*** don't be so vulgar **Vulgarität** [vʊlgari'tɛːt] *f* ⟨**-, -en**⟩ vulgarity
Vulkan [vʊl'kaːn] *m* ⟨**-(e)s, -e**⟩ volcano
Vulkanausbruch *m* volcanic eruption
vulkanisch [vʊl'kaːnɪʃ] *adj* volcanic

W

W, w [veː] *nt* ⟨**-, -**⟩ W, w
Waage ['vaːgə] *f* ⟨**-, -n**⟩ **1.** (*Gerät*) scales *pl*; ***eine ~*** a pair of scales; ***sich*** (*dat*) ***die ~ halten*** (*fig*) to balance one another **2.** ASTROL Libra; ***er ist (eine) ~*** he's (a) Libra **waagerecht** **I** *adj* horizontal; (*im Kreuzworträtsel*) across **II** *adv* levelly **Waagschale** *f* scale; ***jedes Wort auf die ~ legen*** to weigh every word (carefully); ***seinen Einfluss in die ~ werfen*** (*fig*) to bring one's influence to bear
wabbelig ['vabəlɪç] *adj Pudding* wobbly
Wabe ['vaːbə] *f* ⟨**-, -n**⟩ honeycomb
wach [vax] *adj* awake *pred*; ***in ~em Zustand*** in the waking state; ***sich ~ halten***

to stay awake; **~ werden** to wake up; **~ liegen** to lie awake **Wạche** ['vaxə] *f* ⟨**-, -n**⟩ **1.** (≈ *Wachdienst*) guard (duty); (**bei jdm**) **~ halten** to keep guard (over sb); **~ stehen** to be on guard (duty) **2.** (MIL ≈ *Wachposten*) guard **3.** (≈ *Polizeiwache*) (police) station **wạchen** ['vaxn] *v/i* (≈ *Wache halten*) to keep watch; **bei jdm ~** to sit up with sb; **über etw** (*acc*) **~** to (keep) watch over sth **wạch halten** *irr v/t* (*fig*) *Erinnerung* to keep alive; *Interesse* to keep up **Wạchhund** *m* watchdog **Wạchmann** *m, pl* **-leute** watchman; (*Aus*) policeman

Wachọlder [va'xɔldɐ] *m* ⟨**-s, -**⟩ **1.** BOT juniper (tree) **2.** = **Wacholderschnaps** **Wachọlderbeere** *f* juniper berry **Wachọlderschnaps** *m* alcohol made from juniper berries, ≈ gin

Wạchposten *m* sentry

wạchrufen *v/t sep irr* (*fig*) *Erinnerung etc* to call to mind, to evoke

Wachs [vaks] *nt* ⟨**-es, -e**⟩ wax

wạchsam ['vaxzaːm] *adj* vigilant; (≈ *vorsichtig*) on one's guard **Wạchsamkeit** *f* ⟨**-**, *no pl*⟩ vigilance

wachsen[1] ['vaksn] *pret* **wuchs** [vuːks] *past part* **gewạchsen** *v/i aux sein* to grow; → **gewachsen**

wạchsen[2] *v/t* to wax **Wạchsfigur** *f* wax figure **Wạchsfigurenkabinett** *nt* waxworks *pl* **Wạchsmalstift** *m* wax crayon **Wachstuch** ['vaks-] *nt, pl* **-tücher** oilcloth

Wachstum ['vakstuːm] *nt* ⟨**-s**, *no pl*⟩ growth **Wạchstumsbranche** *f* growth industry **wạchstumsfördernd** *adj* growth-promoting **wạchstumshemmend** *adj* growth-inhibiting **Wạchstumshormon** *nt* growth hormone **Wạchstumsrate** *f* growth rate

wachsweich *adj* (as) soft as butter

Wạchtel ['vaxtl] *f* ⟨**-, -n**⟩ quail

Wạ̈chter ['vɛçtɐ] *m* ⟨**-s, -**⟩, **Wạ̈chterin** [-ərɪn] *f* ⟨**-, -nen**⟩ guardian; (≈ *Nachtwächter*) watchman; (≈ *Museumswächter*) attendant **Wạch(t)turm** *m* watchtower **Wạchzimmer** *nt* (*Aus*: *von Polizei*) duty room

wạck(e)lig ['vak(ə)lɪç] *adj* wobbly; (*fig*) *Firma, Kompromiss* shaky; **auf wackeligen Füßen stehen** (*fig*) to have no sound basis **Wạckelkontakt** *m* loose connection **wạckeln** ['vakln] *v/i* to wobble; (≈ *zittern*) to shake; (*Schraube*) to be loose; (*fig, Position*) to be shaky **Wạckelpeter** [-peːtɐ] *m* ⟨**-s, -**⟩ (*infml*) jelly (*Br*), Jell-O® (*US*)

wạcker ['vakɐ] **I** *adj* (≈ *tapfer*) brave **II** *adv* (≈ *tapfer*) bravely; **sich ~ schlagen** (*infml*) to put up a brave fight

Wade ['vaːdə] *f* ⟨**-, -n**⟩ calf **Wadenbein** *nt* fibula

Wạffe ['vafə] *f* ⟨**-, -n**⟩ weapon; (≈ *Schusswaffe*) gun; **~n** MIL arms; **die ~n strecken** to surrender

Wạffel ['vafl] *f* ⟨**-, -n**⟩ waffle; (≈ *Keks, Eiswaffel*) wafer **Wạffeleisen** *nt* waffle iron

wạffenfähig *adj Uran* weapons-grade **Wạffengewalt** *f* **mit ~** by force of arms **Wạffenhandel** *m* arms trade **Wạffenhändler(in)** *m/(f)* arms dealer **Wạffenlager** *nt* (*von Armee*) ordnance depot **Wạffenruhe** *f* ceasefire **Wạffenschein** *m* firearms licence (*Br*) *or* license (*US*) **Wạffenstillstand** *m* armistice

wagemutig *adj* daring, bold **wagen** ['vaːgn] **I** *v/t* to venture; (≈ *riskieren*) to risk; (≈ *sich getrauen*) to dare; **ich wags** I'll risk it; **wer nicht wagt, der nicht gewinnt** (*prov*) nothing ventured, nothing gained (*prov*) **II** *v/r* to dare; **sich ~, etw zu tun** to dare (to) do sth; **ich wage mich nicht daran** I dare not do it; → **gewagt**

Wagen ['vaːgn] *m* ⟨**-s, -** *or* (*S Ger, Aus*) = ['vɛːgn]⟩ **1.** (≈ *Personenwagen*) car; (≈ *Lieferwagen*) van; (≈ *Planwagen*) wagon; (≈ *Handwagen*) (hand)cart **2.** ASTRON **der Große ~** the Big Dipper **Wagenheber** *m* jack **Wagenladung** *f* (*von Lastwagen*) truckload; (*von Eisenbahn*) wagonload **Wagenpark** *m* fleet of cars

Waggon [va'gõː, va'gɔŋ] *m* ⟨**-s, -s**⟩ (goods) wagon

waghalsig *adj* daredevil *attr* **Wagnis** ['vaːknɪs] *nt* ⟨**-ses, -se**⟩ hazardous business; (≈ *Risiko*) risk

Wagon [va'goːn] *m* ⟨**-s, -s**⟩; → **Waggon**

Wähe ['vɛːə] *f* (*Swiss* COOK) flan

Wahl [vaːl] *f* ⟨**-, -en**⟩ **1.** (≈ *Auswahl*) choice; **die ~ fiel auf ihn** he was chosen; **wir hatten keine** (**andere**) **~**(**, als**) we had no alternative (but); **drei Kandidaten stehen zur ~** there is a choice of three candidates; **seine ~ treffen** to make one's choice *or* selection; **du hast die ~** take your pick; **wer die ~ hat, hat die Qual** (*prov*) he is / you are *etc* spoiled for choice **2.** POL *etc* election; (≈ *Abstimmung*) vote; (*geheim*) ballot; **(*die*) *~en*** (the) elections; ***die ~ gewinnen*** to win the election; ***zur ~ gehen*** to go to the polls; ***sich zur ~ stellen*** to stand (as a candidate) **3.** (≈ *Qualität*) quality; ***erste ~*** top quality **wählbar** *adj* eligible (for office) **wahlberechtigt** *adj* entitled to vote **Wahlberechtigte(r)** [-bərɛçtɪçtə] *m/f(m) decl as adj* person entitled to vote **Wahlbeteiligung** *f* poll; ***eine hohe ~*** a heavy poll **Wahlbezirk** *m* ward **wählen** ['vɛːlən] **I** *v/t* **1.** (*von* from, out of) to choose; (≈ *auswählen*) to select; → ***gewählt*** **2.** TEL *Nummer* to dial **3.** (≈ *durch Wahl ermitteln*) *Regierung etc* to elect; (≈ *sich entscheiden für*) *Partei, Kandidaten* to vote for; ***jdn zum Präsidenten ~*** to elect sb president **II** *v/i* **1.** (≈ *auswählen*) to choose **2.** TEL to dial **3.** (≈ *Wahlen abhalten*) to hold elections; (≈ *Stimme abgeben*) to vote; ***~ gehen*** to go to the polls **Wahlentscheidung** *f* decision who/what to vote for **Wähler** ['vɛːlɐ] *m* ⟨**-s, -**⟩, **Wählerin** [-ərɪn] *f* ⟨**-, -nen**⟩ POL voter; ***die ~*** the electorate *sg or pl* **Wählergebnis** *nt* election result **wählerisch** ['vɛːlərɪʃ] *adj* particular; ***sei nicht so ~!*** don't be so choosy **Wählerschaft** ['vɛːlɐʃaft] *f* ⟨**-, -en**⟩ electorate *sg or pl* **Wählerstimme** *f* vote **wählerwirksam** *adj Politik, Parole* vote-winning **Wahlfach** *nt* SCHOOL option, elective (*US*) **wahlfrei** *adj* SCHOOL optional; ***~er Zugriff*** IT random access **Wahlgang** *m, pl* ***-gänge*** ballot **Wahlheimat** *f* adopted country **Wahlhelfer(in)** *m/(f)* (*im Wahlkampf*) electoral assistant; (*bei der Wahl*) polling officer **Wahlkabine** *f* polling booth **Wahlkampf** *m* election (-eering) campaign **Wahlkreis** *m* constituency **Wahlleiter(in)** *m/(f)* returning officer (*Br*), chief election official (*US*) **Wahllokal** *nt* polling station **wahllos I** *adj* indiscriminate **II** *adv* at random **Wahlmöglichkeit** *f* choice **Wahlniederlage** *f* election defeat **Wahlplakat** *nt* election poster **Wahlrecht** *nt* (right to) vote; ***allgemeines ~*** universal suffrage; ***das aktive ~*** the right to vote; ***das passive ~*** eligibility (for political office) **Wahlrede** *f* election speech **Wahlsieg** *m* election victory **Wahlspruch** *m* (≈ *Motto*) motto **Wahlsystem** *nt* electoral system **Wahltag** *m* election day **Wahlurne** *f* ballot box **Wahlversprechungen** *pl* election promises *pl* **Wahlvolk** *nt, no pl* ***das ~*** the electorate **wahlweise** *adv* alternatively; ***~ Kartoffeln oder Reis*** (a) choice of potatoes or rice **Wahlwiederholung** *f* TEL **(*automatische*) *~*** (automatic) redial **Wahlzelle** *f* polling booth

Wahn [vaːn] *m* ⟨**- (e)s,** *no pl*⟩ **1.** illusion, delusion **2.** (≈ *Manie*) mania **wähnen** ['vɛːnən] *v/r* (*elev*) ***sich sicher ~*** to imagine oneself (to be) safe **Wahnidee** *f* delusion **Wahnsinn** *m, no pl* madness; ***jdn in den ~ treiben*** to drive sb mad; ***einfach ~!*** (*infml* ≈ *prima*) way out (*infml*), wicked! (*Br sl*) **wahnsinnig I** *adj* mad; (≈ *toll, super*) brilliant (*infml*); (*attr* ≈ *sehr groß, viel*) terrible; ***wie ~*** (*infml*) like mad; ***das macht mich ~*** (*infml*) it's driving me crazy (*infml*); ***~ werden*** to go crazy (*infml*) **II** *adv* (*infml*) incredibly (*infml*); ***~ viel*** an incredible amount (*infml*) **Wahnsinnige(r)** [-zɪnɪgə] *m/f(m) decl as adj* madman/-woman **Wahnvorstellung** *f* delusion

wahr [vaːɐ] *adj* true; (*attr* ≈ *wirklich*) real; ***im ~sten Sinne des Wortes*** in the true sense of the word; ***etw ~ machen*** *Pläne* to make sth a reality; *Drohung* to carry sth out; ***~ werden*** to come true; ***so ~ mir Gott helfe!*** so help me God!; ***so ~ ich hier stehe*** as sure as I'm standing here; ***das darf doch nicht ~ sein!*** (*infml*) it can't be true!; ***das ist nicht das Wahre*** (*infml*) it's no great shakes (*infml*)

wahren ['vaːrən] *v/t* **1.** (≈ *wahrnehmen*) *Interessen* to look after **2.** (≈ *erhalten*) *Ruf* to preserve; *Geheimnis* to keep

während ['vɛːrənt] **I** *prep +gen or dat* during; ***~ der ganzen Nacht*** all night long **II** *cj* while

wahrhaben *v/t sep irr* ***etw nicht ~ wollen*** not to want to admit sth **wahrhaft I** *adj* (≈ *ehrlich*) truthful; (≈ *echt*) *Freund* true; (*attr* ≈ *wirklich*) real **II** *adv* really **wahrhaftig** [vaːɐ'haftɪç, 'vaːɐ-] **I** *adj* (*elev*) (≈ *aufrichtig*) truthful **II** *adv* really **Wahrheit** *f* ⟨**-, -en**⟩ truth; ***in ~*** in reality; ***die ~ sagen*** to tell the truth **wahrheitsgemäß, wahrheitsgetreu I** *adj Bericht* truthful; *Darstellung* faithful **II** *adv* truthfully **Wahrheitsliebe** *f* love of truth **wahrlich** ['vaːɐlɪç] *adv* really, indeed **wahrnehmbar** *adj* perceptible; ***nicht ~*** imperceptible **wahrnehmen** *v/t sep irr*

1. to perceive; *Veränderungen etc* to be aware of; *Geräusch* to hear; *Licht* to see **2.** *Frist*, *Termin* to observe; *Gelegenheit* to take; *Interessen* to look after **Wahrnehmung** [-ne:mʊŋ] *f* ⟨-, **-en**⟩ **1.** (*mit den Sinnen*) perception **2.** (*von Interessen*) looking after **Wahrnehmungsvermögen** *nt* perceptive faculty **wahrsagen** *sep or insep v/i* to tell fortunes; ***jdm*** **~** to tell sb's fortune **Wahrsager** [-za:gɐ] *m* ⟨**-s, -**⟩, **Wahrsagerin** [-ərɪn] *f* ⟨**-, -nen**⟩ fortune-teller **Wahrsagung** [-za:gʊŋ] *f* ⟨**-, -en**⟩ prediction

währschaft ['vɛ:ɐʃaft] *adj* (*Swiss*) (≈ *gediegen*) *Ware*, *Arbeit* reliable; (≈ *reichhaltig*) *Essen* wholesome

wahrscheinlich [va:ɐ'ʃainlɪç, 'va:ɐ-] **I** *adj* probable, likely **II** *adv* probably **Wahrscheinlichkeit** *f* ⟨**-, -en**⟩ probability; ***mit großer* ~**, ***aller* ~ *nach*** in all probability

Wahrung ['va:rʊŋ] *f* ⟨**-**, *no pl*⟩ **1.** (≈ *Wahrnehmung*) safeguarding **2.** (≈ *Erhaltung*) preservation; (*von Geheimnis*) keeping

Währung ['vɛ:rʊŋ] *f* ⟨**-, -en**⟩ currency **Währungsblock** *m*, *pl* ***-blöcke*** monetary bloc **Währungseinheit** *f* monetary unit **Währungsfonds** *m* Monetary Fund **Währungspolitik** *f* monetary policy **Währungsraum** *m* currency area **Währungsreserve** *f* currency reserve **Währungssystem** *nt* monetary system **Währungsunion** *f* monetary union; ***europäische* ~** European monetary union

Wahrzeichen *nt* emblem

Waise ['vaizə] *f* ⟨**-, -n**⟩ orphan **Waisenhaus** *nt* orphanage **Waisenkind** *nt* orphan **Waisenknabe** *m* (*liter*) orphan (boy); ***gegen dich ist er ein* ~** (*infml*) he's no match for you, you would run rings round him (*infml*)

Wal [va:l] *m* ⟨**-(e)s, -e**⟩ whale

Wald [valt] *m* ⟨**-(e)s, ⸚er** ['vɛldɐ]⟩ wood(s *pl*); (*großer*) forest **Waldbestand** *m* forest land **Waldbrand** *m* forest fire **Waldhorn** *nt* MUS French horn **waldig** ['valdɪç] *adj* wooded **Waldland** *nt* woodland(s *pl*) **Waldmeister** *m* BOT woodruff

Waldorfschule *f* ≈ Rudolf Steiner School

Waldrand *m* ***am* ~** at *or* on the edge of the forest **waldreich** *adj* densely wooded **Waldsterben** *nt* forest dieback (*due to pollution*) **Wald-und-Wiesen-** *in cpds* (*infml*) common-or-garden (*Br infml*), garden-variety (*US infml*)

Wales [we:ls, we:lz] *nt* ⟨**-'**⟩ Wales

Walfang *m* whaling **Walfisch** *m* (*infml*) whale

Waliser [va'li:zɐ] *m* ⟨**-s, -**⟩ Welshman **Waliserin** [va'li:zərɪn] *f* ⟨**-, -nen**⟩ Welshwoman **walisisch** [va'li:zɪʃ] *adj* Welsh

Walking ['wɔ:kɪŋ] *nt* ⟨**-s**, *no pl*⟩ speed walking **Walkman®** ['wɔ:kmən] *m* ⟨**-s, -s** *or* ***Walkmen***⟩ RADIO Walkman®

Wall [val] *m* ⟨**-(e)s, ⸚e** ['vɛlə]⟩ embankment; (*fig*) bulwark

Wallfahrer(in) *m*/(*f*) pilgrim **Wallfahrt** *f* pilgrimage **Wallfahrtsort** *m*, *pl* ***-orte*** place of pilgrimage

Wallone [va'lo:nə] *m* ⟨**-n, -n**⟩, **Wallonin** [-'lo:nɪn] *f* ⟨**-, -nen**⟩ Walloon

Wallung ['valʊŋ] *f* ⟨**-, -en**⟩ **1.** (*elev*) ***in* ~ *geraten*** (*See*, *Meer*) to begin to surge; (*Mensch*) (*vor Leidenschaft*) to be in a turmoil; (*vor Wut*) to fly into a rage **2.** MED (hot) flush (*Br*) *or* flash (*US*) *usu pl*

Walnuss ['val-] *f* walnut

Walross ['val-] *nt* walrus

walten ['valtn] *v/i* (*elev*) to prevail (*in +dat* over); (≈ *wirken*) to be at work; ***Vorsicht*/*Milde* ~ *lassen*** to exercise caution/leniency; ***Gnade* ~ *lassen*** to show mercy

Walze ['valtsə] *f* ⟨**-, -n**⟩ roller **walzen** ['valtsn] *v/t* to roll

wälzen ['vɛltsn] **I** *v/t* **1.** (≈ *rollen*) to roll **2.** (*infml*) *Akten*, *Bücher* to pore over; *Probleme* to turn over in one's mind; ***die Schuld auf jdn* ~** to shift the blame onto sb **II** *v/r* to roll; (*schlaflos im Bett*) to toss and turn

Walzer ['valtsɐ] *m* ⟨**-s, -**⟩ waltz; ***Wiener* ~** Viennese waltz

Wälzer ['vɛltsɐ] *m* ⟨**-s, -**⟩ (*infml*) heavy tome (*hum*) **Walzstraße** *f* rolling train **Walzwerk** *nt* rolling mill

Wand [vant] *f* ⟨**-, ⸚e** ['vɛndə]⟩ wall; (*von Behälter*) side; (≈ *Felswand*) (rock) face; (*fig*) barrier; ***in seinen vier Wänden*** (*fig*) within one's own four walls; ***mit dem Kopf gegen die* ~ *rennen*** (*fig*) to bang one's head against a brick wall; ***jdn an die* ~ *spielen*** (*fig*) to outdo sb; THEAT to steal the show from sb; ***die* ~** *or* ***Wände hochgehen*** (*infml*) to go up the wall (*infml*)

Wandale [van'da:lə] *m* ⟨**-n, -n**⟩, **Wandalin** [-'da:lɪn] *f* ⟨**-, -nen**⟩ = ***Vandale***

Wandbrett *nt* (wall) shelf
Wandel ['vandl] *m* ⟨**-s**, *no pl*⟩ change; ***im ~ der Zeiten*** throughout the ages **wandeln** ['vandln] *v/t & v/r* (≈ *ändern*) to change
Wanderarbeiter(in) *m/(f)* migrant worker **Wanderausstellung** *f* touring exhibition **Wanderer** ['vandərɐ] *m* ⟨**-s, -**⟩, **Wanderin** [-ərɪn] *f* ⟨**-, -nen**⟩ hiker **Wanderkarte** *f* map of walks **Wanderlust** *f* wanderlust **wandern** ['vandɐn] *v/i aux sein* **1.** (≈ *gehen*) to wander **2.** (≈ *sich bewegen*) to move; (*Blick, Gedanken*) to wander **3.** (*Vögel, Völker*) to migrate **4.** (*zur Freizeitgestaltung*) to hike **5.** (*infml*: *ins Bett, in den Papierkorb*) to go **Wanderpokal** *m* challenge cup **Wanderschaft** ['vandɐʃaft] *f* ⟨**-**, *no pl*⟩ travels *pl*; ***auf ~ gehen*** to go off on one's travels **Wanderschuhe** *pl* walking shoes *pl* **Wanderung** ['vandərʊŋ] *f* ⟨**-, -en**⟩ **1.** (≈ *Ausflug*) walk; ***eine ~ machen*** to go on a walk *or* hike **2.** (*von Vögeln, Völkern*) migration **Wanderverein** *m* hiking club **Wanderweg** *m* walk, (foot)path
Wandgemälde *nt* mural **Wandkalender** *m* wall calendar **Wandkarte** *f* wall map **Wandlampe** *f* wall lamp
Wandlung ['vandlʊŋ] *f* ⟨**-, -en**⟩ change; (≈ *völlige Umwandlung*) transformation **wandlungsfähig** *adj* adaptable; *Schauspieler etc* versatile
Wandmalerei *f* (*Bild*) mural, wall painting **Wandschirm** *m* screen **Wandschrank** *m* wall cupboard **Wandtafel** *f* (black)board **Wandteppich** *m* tapestry **Wanduhr** *f* wall clock
Wange ['vaŋə] *f* ⟨**-, -n**⟩ (*elev*) cheek
wanken ['vaŋkn] *v/i* (≈ *schwanken*) to sway; (*fig*: *Regierung*) to totter; (≈ *unsicher sein*) to waver; ***ins Wanken geraten*** (*fig*) to begin to totter / waver
wann [van] *interrog adv* when; ***bis ~ ist das fertig?*** when will that be ready (by)?; ***bis ~ gilt der Ausweis?*** until when is the pass valid?
Wanne ['vanə] *f* ⟨**-, -n**⟩ bath; (≈ *Badewanne auch*) (bath)tub
Wanze ['vantsə] *f* ⟨**-, -n**⟩ bug
WAP [vap] *nt* IT *abbr of* ***Wireless Application Protocol*** WAP **WAP-Handy** ['vap-] *nt* WAP phone
Wappen ['vapn] *nt* ⟨**-s, -**⟩ coat of arms **Wappenkunde** *f* heraldry
wappnen ['vapnən] *v/r* (*fig*) ***sich*** (***gegen etw***) **~** to prepare (oneself) (for sth)
Ware ['vaːrə] *f* ⟨**-, -n**⟩ **1.** product; (*einzelne Ware*) article **2. Waren** *pl* goods *pl* **Warenangebot** *nt* range of goods for sale **Warenaufzug** *m* goods hoist **Warenbestand** *m* stocks *pl* of goods **Warenhaus** *nt* (department) store **Warenlager** *nt* warehouse; (≈ *Bestand*) stocks *pl* **Warenprobe** *f* trade sample **Warenwert** *m* goods *or* commodity value **Warenzeichen** *nt* HIST trademark
warm [varm] **I** *adj*, *comp* **⸚er** ['vɛrmɐ], *sup* **⸚ste(r, s)** ['vɛrmstə] warm; *Getränk, Speise* hot; ***mir ist ~*** I'm warm; ***das hält ~*** it keeps you warm; ***das Essen ~ stellen*** to keep the food hot; ***~ werden*** (*fig infml*) to thaw out (*infml*); ***mit jdm ~ werden*** (*infml*) to get close to sb **II** *adv*, *comp* **⸚er**, *sup* **am ⸚sten** *sitzen* in a warm place; *schlafen* in a warm room; ***sich ~ anziehen*** to dress up warmly; ***jdn wärmstens empfehlen*** to recommend sb warmly **Warmblüter** [-blyːtɐ] *m* ⟨**-s, -**⟩ ZOOL warm-blooded animal **warmblütig** *adj* warm-blooded **Warmduscher** [-duːʃɐ] *m* ⟨**-s, -**⟩ (*sl* ≈ *Weichling*) wimp (*infml*) **Wärme** ['vɛrmə] *f* ⟨**-**, (*rare*) **-n**⟩ warmth; (*von Wetter etc*, PHYS) heat **wärmebeständig** *adj* heat-resistant **Wärmedämmung** *f* (heat) insulation **Wärmeenergie** *f* thermal energy **Wärmekraftwerk** *nt* thermal power station **wärmen** ['vɛrmən] **I** *v/t* to warm; *Essen* to warm up **II** *v/r* to warm oneself (up), to warm up **Wärmepumpe** *f* heat pump **Wärmeschutz** *m* heat shield **Wärmetechnik** *f* heat technology **Wärmflasche** *f* hot-water bottle **Warmhalteplatte** *f* hot plate **warmherzig** *adj* warm-hearted **warm laufen** *v/i irr aux sein* to warm up **Warmluft** *f* warm air **Warmmiete** *f* rent including heating **Warmstart** *m* AUTO, IT warm start **Warmwasserbereiter** [varm'vasɐbəraitɐ] *m* ⟨**-s, -**⟩ water heater **Warmwasserheizung** *f* hot-water central heating **Warmwasserspeicher** *m* hot-water tank
Warnanlage *f* warning system **Warnblinklicht** *nt* flashing warning light; (*an Auto*) hazard warning light **Warndreieck** *nt* warning triangle **warnen** ['varnən] *v/t & v/i* to warn (*vor +dat* of); ***jdn*** (***davor***) ***~, etw zu tun*** to warn sb against doing sth **Warnhinweis** *m* (≈ *Aufdruck*) warning **Warnschild** *nt*,

pl ***-schilder*** warning sign **Wạrnschuss** *m* warning shot **Wạrnsignal** *nt* warning signal **Wạrnstreik** *m* token strike **Wạrnung** ['varnʊŋ] *f* ⟨***-, en***⟩ warning

Wạrschau ['varʃau] *nt* ⟨***-s***⟩ Warsaw

Wạrtehalle *f* waiting room **Wạrteliste** *f* waiting list

wạrten[1] ['vartn] *v/i* to wait (*auf +acc* for); ***warte mal!*** hold on; ***na warte!*** (*infml*) just you wait!; ***da*(*rauf*) *kannst du lange* ~** (*iron*) you can wait till the cows come home; ***mit dem Essen auf jdn* ~** to wait for sb (to come) before eating; ***lange auf sich* ~ *lassen*** (*Sache*) to be a long time (in) coming; (*Mensch*) to take one's time

wạrten[2] *v/t Auto* to service

Wärter ['vɛrtɐ] *m* ⟨***-s, -***⟩, **Wärterin** [-ərɪn] *f* ⟨***-, -nen***⟩ attendant; (≈ *Tierwärter*) keeper; (≈ *Gefängniswärter*) warder (*Br*), guard

Wạrtesaal *m* waiting room **Wạrteschleife** *f* AVIAT holding pattern **Wạrtezeit** *f* waiting period; (*an Grenze etc*) wait **Wạrtezimmer** *nt* waiting room

Wạrtung ['vartʊŋ] *f* ⟨***-, -en***⟩ (*von Auto*) servicing **wạrtungsfrei** *adj* maintenance-free

warụm [va'rʊm] *interrog adv* why; ***~ nicht?*** why not?

Wạrze ['vartsə] *f* ⟨***-, -n***⟩ wart; (≈ *Brustwarze*) nipple

wạs [vas] **I** *interrog pron* what; (≈ *wie viel*) how much; ***~ ist?*** what is it?, what's up?; ***~ ist, kommst du mit?*** well, are you coming?; ***~ denn?*** (*ungehalten*) what (is it)?; (*um Vorschlag bittend*) but what?; ***das ist gut, ~?*** (*infml*) that's good, isn't it?; ***~ für ...*** what sort *or* kind of ...; ***~ für ein schönes Haus!*** what a lovely house! **II** *rel pr* (*auf ganzen Satz bezogen*) which; ***das, ~ ...*** that which ..., what ...; ***~ auch* (*immer*)** whatever; ***alles, ~ ...*** everything (that) ... **III** *indef pr* (*infml*) something; (*verneint*) anything; (*unbestimmter Teil einer Menge*) some, any; ***(na,) so ~!*** well I never!; ***ist (mit dir) ~?*** is something the matter (with you)?; → ***etwas***

Wạschanlage *f* (*für Autos*) car wash **wạschbar** *adj* washable **Wạschbär** *m* raccoon **Wạschbecken** *nt* washbasin **Wạschbrett** *nt* washboard **Wạschbrettbauch** *m* (*infml*) washboard abs *pl* (*infml*), sixpack (*infml*) **Wạ̈sche** ['vɛʃə] *f* ⟨***-, no pl***⟩ **1.** washing; (≈ *Schmutzwäsche, bei Wäscherei*) laundry; ***in der ~ sein*** to be in the wash **2.** (≈ *Bettwäsche, Tischwäsche*) linen; (≈ *Unterwäsche*) underwear; ***dumm aus der ~ gucken*** (*infml*) to look stupid **wạschecht** *adj* fast; (*fig*) genuine **Wạ̈scheklammer** *f* clothes peg (*Br*), clothes pin (*US*) **Wạ̈schekorb** *m* dirty clothes basket **Wạ̈scheleine** *f* (clothes-)line **wạschen** ['vaʃn] *pret* **wusch** [vuːʃ], *past part* **gewạschen** [gə'vaʃn] **I** *v/t* to wash; (*fig infml*) *Geld* to launder; (***Wäsche***) ~ to do the washing; ***sich* (*dat*) *die Hände* ~** to wash one's hands; ***Waschen und Legen*** (*beim Friseur*) shampoo and set **II** *v/r* to wash; ***eine Geldbuße, die sich gewaschen hat*** (*infml*) a really heavy fine **Wäscherei** [vɛʃə'rai] *f* ⟨***-, -en***⟩ laundry **Wạ̈scheschleuder** *f* spin-drier **Wạ̈scheständer** *m* clotheshorse **Wạ̈schetrockner** *m* ⟨***-s, -***⟩ (≈ *Trockenautomat*) drier **Wạschgang** *m, pl* ***-gänge*** stage of the washing programme (*Br*) *or* program (*US*) **Wạschgelegenheit** *f* washing facilities *pl* **Wạschküche** *f* washroom, laundry **Wạschlappen** *m* flannel; (*infml* ≈ *Feigling*) sissy (*infml*) **Wạschmaschine** *f* washing machine **Wạschmittel** *nt* detergent **Wạschpulver** *nt* washing powder **Wạschsalon** *m* laundrette (*Br*), Laundromat® (*US*) **Wạschstraße** *f* (*zur Autowäsche*) car wash **Wạschzettel** *m* TYPO blurb **Wạschzeug** *nt, no pl* toilet things *pl*

Wạsser ['vasɐ] *nt* ⟨***-s***, *-or* ⸚ ['vɛsɐ]⟩ *no pl* water; ***~ abstoßend*** water-repellent; ***das ist ~ auf seine Mühle*** (*fig*) this is all grist for his mill; ***dort wird auch nur mit ~ gekocht*** (*fig*) they're no different from anybody else (there); ***ihr kann er nicht das ~ reichen*** (*fig*) he's not a patch on her (*Br*); ***~ lassen*** MED to pass water; ***unter ~ stehen*** to be flooded; ***ein Boot zu ~ lassen*** to launch a boat; ***ins ~ fallen*** (*fig*) to fall through; ***sich über ~ halten*** (*fig*) to keep one's head above water; ***er ist mit allen ~n gewaschen*** he knows all the tricks; ***dabei läuft mir das ~ im Mund*(*e*) *zusammen*** it makes my mouth water **wạsserabstoßend** *adj* → ***Wasser*** **Wạsseranschluss** *m* mains water supply **wạsserarm** *adj Gegend* arid **Wạsserball** *m, no pl* (*Spiel*) water polo **Wạsserbett** *nt* water bed **Wạ̈sserchen** ['vɛsɐçən] *nt* ⟨***-s, -***⟩ ***er***

sieht aus, als ob er kein ~ trüben könnte he looks as if butter wouldn't melt in his mouth **Wasserdampf** *m* steam **wasserdicht** *adj* watertight; *Uhr, Stoff etc* waterproof **Wasserenthärter** *m* water softener **Wasserfahrzeug** *nt* watercraft **Wasserfall** *m* waterfall; ***wie ein ~ reden*** (*infml*) to talk nineteen to the dozen (*Br infml*), to talk a blue streak (*US infml*) **Wasserfarbe** *f* watercolour (*Br*), watercolor (*US*) **wassergekühlt** *adj* water-cooled **Wasserglas** *nt* (≈ *Trinkglas*) water glass, tumbler **Wassergraben** *m* SPORTS water jump; (*um Burg*) moat **Wasserhahn** *m* water tap (*esp Br*), faucet (*US*) **wässerig** ['vɛsərɪç] *adj* watery; CHEM aqueous; ***jdm den Mund ~ machen*** (*infml*) to make sb's mouth water **Wasserkessel** *m* kettle; TECH boiler **Wasserkocher** *m* electric kettle **Wasserkraft** *f* water power **Wasserkraftwerk** *nt* hydroelectric power station **Wasserkühlung** *f* AUTO water-cooling **Wasserlassen** *nt* ⟨**-s**, *no pl*⟩ MED passing water, urination **Wasserleitung** *f* (≈ *Rohr*) water pipe **wasserlöslich** *adj* water-soluble **Wassermangel** *m* water shortage **Wassermann** *m*, *pl* ***-männer*** ASTROL Aquarius *no art*; ***~ sein*** to be (an) Aquarius **Wassermelone** *f* watermelon **wassern** ['vasɐn] *v/i* AVIAT to land on water **wässern** ['vɛsɐn] *v/t Erbsen etc* to soak; *Felder, Rasen* to water **Wasserpflanze** *f* aquatic plant **Wasserpistole** *f* water pistol **Wasserratte** *f* water rat; (*infml: Kind*) water baby **Wasserrohr** *nt* water pipe **Wasserschaden** *m* water damage **wasserscheu** *adj* scared of water **Wasserschildkröte** *f* turtle **Wasserski I** *m* water-ski **II** *nt* water-skiing **Wasserspiegel** *m* (≈ *Wasserstand*) water level **Wassersport** *m* ***der ~*** water sports *pl* **Wasserspülung** *f* flush **Wasserstand** *m* water level **Wasserstoff** *m* hydrogen **Wasserstoffbombe** *f* hydrogen bomb **Wasserstrahl** *m* jet of water **Wasserstraße** *f* waterway **Wassertier** *nt* aquatic animal **Wasserturm** *m* water tower **Wasseruhr** *f* (≈ *Wasserzähler*) water meter **Wasserung** ['vasərʊŋ] *f* ⟨**-, -en**⟩ water landing; SPACE splashdown **Wasserversorgung** *f* water supply **Wasserverunreinigung** *f* water pollution **Wasservogel** *m* waterfowl **Wasserwaage** *f* spirit level (*Br*), water level gauge (*US*) **Wasserweg** *m* waterway; ***auf dem ~*** by water **Wasserwerfer** *m* water cannon **Wasserwerk** *nt* waterworks *sg or pl* **Wasserzähler** *m* water meter **Wasserzeichen** *nt* watermark

waten ['vaːtn] *v/i aux sein* to wade

Watsche ['vaːtʃə, 'vat-] *f* ⟨**-, -n**⟩ (*S Ger, Aus: infml*) = ***Ohrfeige***

watscheln ['vaːtʃln, 'vat-] *v/i aux sein* to waddle

watschen ['vaːtʃn, 'vat-] *v/t* = ***ohrfeigen*** **Watschen** ['vaːtʃn, 'vat-] *f* ⟨**-, -**⟩ = ***Watsche***

Watt[1] [vat] *nt* ⟨**-s, -**⟩ ELEC watt

Watt[2] *nt* ⟨**-(e)s, -en**⟩ GEOG mud flats *pl*

Watte ['vatə] *f* ⟨**-, -n**⟩ cotton wool (*Br*), cotton (*US*) **Wattebausch** *m* cotton-wool (*Br*) *or* cotton (*US*) ball

Wattenmeer *nt* mud flats *pl*

Wattestäbchen *nt* cotton bud **wattieren** [va'tiːrən] *past part* ***wattiert*** *v/t* to pad; (≈ *füttern*) to line with padding; ***wattierte Umschläge*** padded envelopes **Wattierung** *f* ⟨**-, -en**⟩ padding

Wattmeter *nt* wattmeter **Wattzahl** *f* wattage

Web [wɛb] *nt* ⟨**-(s)**, *no pl*⟩ Web; ***im ~*** on the Web **Webadresse** *f* website address **Webcam** ['wɛbkɛm] *f* ⟨**-, -s**⟩ webcam **Webdesigner(in)** *m/(f)* web designer

weben ['veːbn] *pret* ***webte*** *or* (*liter, fig*) ***wob*** ['veːptə, voːp], *past part* ***gewebt*** *or* (*liter, fig*) ***gewoben*** [gə'veːpt, gə'voːbn] *v/t & v/i* to weave; *Spinnennetz* to spin **Weber** ['veːbɐ] *m* ⟨**-s, -**⟩, **Weberin** [-ərɪn] *f* ⟨**-, -nen**⟩ weaver **Weberei** [veːbə'rai] *f* ⟨**-, -en**⟩ (≈ *Betrieb*) weaving mill

Weberknecht *m* ZOOL harvestman

Webkamera ['wɛb-] *f* web camera **Webseite** ['vɛb-] *f* web page **Webserver** ['vɛb-] *m* Internet server **Website** ['vɛbsait] *f* website

Webstuhl *m* loom

Websurfer(in) ['wɛb-] *m/(f)* web surfer

Wechsel ['vɛksl] *m* ⟨**-s, -**⟩ **1.** (≈ *Änderung*) change; (*abwechselnd*) alternation; ***im ~*** (≈ *abwechselnd*) in turn **2.** (SPORTS ≈ *Staffelwechsel*) (baton) change **3.** FIN bill (of exchange) **Wechselbeziehung** *f* correlation **Wechselgeld** *nt* change **wechselhaft** *adj* changeable **Wechseljahre** *pl* menopause *sg*; ***in den ~n sein*** to be suffering from the menopause **Wechselkurs** *m* rate of exchange **wechseln** ['vɛksln] **I** *v/t* to change (*in +acc* into); (≈ *austauschen*) to exchange; ***den Platz mit jdm ~*** to exchange one's seat with sb; ***die Wohnung ~*** to move **II** *v/i* to change; SPORTS to change (over) **wechselnd** ['vɛkslnt] *adj* changing; (≈ *abwechselnd*) alternating; *Launen* changeable; ***mit ~em Erfolg*** with varying (degrees of) success; ***~ bewölkt*** cloudy with sunny intervals **wechselseitig** [-zaitɪç] *adj* reciprocal **Wechselstrom** *m* alternating current **Wechselstube** *f* bureau de change (*Br*), exchange **Wechselwähler(in)** *m/(f)* floating voter **wechselweise** *adv* in turn, alternately **Wechselwirkung** *f* interaction

Weckdienst *m* wake-up call service **wecken** ['vɛkn] *v/t* to wake (up); (*fig*) to arouse; *Bedarf* to create; *Erinnerungen* to bring back **Wecken** *m* ⟨**-s, -**⟩ (*dial*) (bread) roll **Wecker** ['vɛkɐ] *m* ⟨**-s, -**⟩ alarm clock; ***jdm auf den ~ fallen*** (*infml*) to get on sb's nerves

Weckglas® *nt* preserving jar **Weckring®** *m* rubber ring (*for preserving jars*)

Weckruf *m* TEL alarm call; MIL reveille

Wedel ['veːdl] *m* ⟨**-s, -**⟩ (≈ *Fächer*) fan; (≈ *Staubwedel*) feather duster **wedeln** ['veːdln] **I** *v/i* **1.** (***mit dem Schwanz***) **~** (*Hund*) to wag its tail **2.** SKI to wedel **II** *v/t* to waft

weder ['veːdɐ] *cj* ***~ ... noch ...*** neither ... nor ...

weg [vɛk] *adv* (≈ *fort*) ***~ sein*** (≈ *fortgegangen etc*) to have gone; (≈ *nicht hier*) to be away; (*infml*) (≈ *geistesabwesend*) to be not quite with it (*infml*); (≈ *begeistert*) to be bowled over (*von* by); ***weit ~ von hier*** far (away) from here; ***~ mit euch!*** away with you!; ***nichts wie ~ von hier!*** let's scram (*infml*); ***~ da!*** (get) out of the way!; ***Hände ~!*** hands off!

Weg [veːk] *m* ⟨**-(e)s, -e** [-gə]⟩ **1.** (≈ *Pfad*, *fig*) path; (≈ *Straße*) road; ***jdm in den ~ treten*** to block sb's way; ***jdm/einer Sache im ~ stehen*** (*fig*) to stand in the way of sb/sth **2.** (≈ *Route*) way; (≈ *Entfernung*) distance; (≈ *Reise*) journey; (*zu Fuß*) walk; ***auf dem ~ nach London*** on the way to London; ***sich auf den ~ machen*** to set off; ***jdm aus dem ~ gehen*** (*lit*) to get out of sb's way; (*fig*) to avoid sb; ***jdm über den ~ laufen*** (*fig*) to run into sb; ***etw in die ~e leiten*** to arrange sth; ***auf dem besten ~ sein, etw zu tun*** to be well on the way to doing sth; ***auf diesem ~e*** this way; ***auf diplomatischem ~e*** through diplomatic channels; ***zu ~e*** = ***zuwege***

wegbekommen *past part* **wegbekommen** *v/t sep irr* (≈ *loswerden*) to get rid of (*von* from); *Fleck etc* to remove (*von* from); (*von bestimmtem Ort*) to get away (*von* from)

Wegbeschreibung *f* (written) directions *pl*

wegbleiben *v/i sep irr aux sein* to stay away; (≈ *nicht mehr kommen*) to stop coming **wegbringen** *v/t sep irr* to take away

wegen ['veːgn] *prep +gen or* (*inf*) *+dat* because of; ***jdn ~ einer Sache bestrafen*** *etc* to punish *etc* sb for sth; ***von ~!*** (*infml*) you've got to be kidding! (*infml*)

wegfahren ['vɛk-] *sep irr v/i aux sein* (≈ *abfahren*) to leave; (*Fahrer*) to drive off; (≈ *verreisen*) to go away **Wegfahrsperre** ['vɛk-] *f* AUTO (***elektronische***) **~** (electronic) immobilizer **wegfallen** ['vɛk-] *v/i sep irr aux sein* to be discontinued; (*Bestimmung*) to cease to apply; ***~ lassen*** to discontinue; (≈ *auslassen*) to omit **wegfliegen** *v/i sep irr aux sein* to fly away; (*mit Flugzeug*) to fly out **Weggang** ['vɛkgaŋ] *m, no pl* departure **weggeben** *v/t sep irr* (≈ *verschenken*) to give away **weggehen** *v/i sep irr aux sein* to go; (≈ *umziehen etc*) to go away; (≈ *ausgehen*) to go out; (*infml*, *Ware*) to sell; ***über etw*** (*acc*) **~** (*infml*) to ignore sth; ***von zu Hause ~*** to leave home **weghaben** *v/t sep irr* (*infml*) ***jdn/etw ~ wollen*** (*infml*) to want to get rid of sb/sth; ***du hast deine Strafe weg*** you have had your punishment **weghören** *v/i sep* not to listen **wegjagen** *v/t sep* to chase away **wegkommen** ['vɛk-] *v/i sep irr aux sein* (*infml*) (≈ *abhandenkommen*) to disappear; (≈ *weggehen können*) to get away; ***mach, dass du wegkommst!*** hop it! (*infml*); ***ich komme nicht darüber weg, dass ...*** (*infml*) I can't get over the fact that ... **weglassen** *v/t sep irr* (≈ *auslassen*) to leave out; (*infml* ≈ *gehen lassen*) to let go **weglaufen** *v/i sep irr aux sein* to run away (*vor +dat* from) **weglegen** *v/t sep* (*in Schublade etc*) to put away; (*zur Seite*) to put aside **weg-**

müssen ['vɛk-] *v/i sep irr* to have to go **wegnehmen** ['vɛk-] *v/t sep irr* to take; (≈ *entfernen*) to take away; (≈ *verdecken*) *Sonne* to block out; *Sicht* to block; (≈ *beanspruchen*) *Zeit*, *Platz* to take up

Wegrand ['veːk-] *m* wayside

wegräumen *v/t sep* to clear away; (*in Schrank*) to put away **wegrennen** *v/i sep irr aux sein* (*infml*) to run away **wegschaffen** *v/t sep* (≈ *beseitigen*) to get rid of; (≈ *wegräumen*) to clear away **wegschicken** *v/t sep jdn* to send away **wegschließen** *v/t sep irr* to lock away **wegschmeißen** *v/t sep irr* (*infml*) to chuck away (*infml*) **wegschnappen** *v/t sep* (*infml*) ***jdm etw ~*** to snatch sth (away) from sb **wegsehen** *v/i sep irr* to look away **wegstecken** *v/t sep* (*lit*) to put away; (*infml*) *Niederlage*, *Kritik* to take **wegtreten** *v/i sep irr aux sein* ***~!*** MIL dismiss!, dismissed!; ***er ist (geistig) weggetreten*** (*infml* ≈ *schwachsinnig*) he's not all there (*infml*) **wegtun** *v/t sep irr* to put away; (≈ *wegwerfen*) to throw away

wegweisend *adj* pioneering *attr*, revolutionary **Wegweiser** ['veːkvaizɐ] *m* ⟨**-s, -**⟩ sign; (*fig*: *Buch etc*) guide

wegwerfen *v/t sep irr* to throw away **wegwerfend** *adj* dismissive **Wegwerfgesellschaft** *f* throwaway society **Wegwerfverpackung** *f* disposable packaging **wegwischen** *v/t sep* to wipe off **wegwollen** *v/i sep irr* (≈ *verreisen*) to want to go away **wegziehen** *sep irr* **I** *v/t* to pull away (*jdm* from sb) **II** *v/i aux sein* to move away

weh [veː] **I** *adj* (≈ *wund*) sore **II** *int* ***o ~!*** oh dear! **wehe** ['veːə] *int* ***~ (dir), wenn du das tust*** you'll be sorry if you do that **Wehe** ['veːə] *f* ⟨**-, -n**⟩ **1.** (≈ *Schneewehe etc*) drift **2. Wehen** *pl* (*lit* ≈ *Geburtswehen*) (labour (*Br*) *or* labor (*US*)) pains *pl*; ***die ~n setzten ein*** the contractions started, she went into labour (*Br*) *or* labor (*US*) **wehen** ['veːən] *v/i* **1.** (*Wind*) to blow; (*Fahne*) to wave **2.** *aux sein* (*Duft*) to waft **Wehklage** *f* (*liter*) lament(ation) **wehleidig** *adj* (≈ *jammernd*) whining *attr* **Wehmut** ['veːmuːt] *f* ⟨**-**, *no pl*⟩ melancholy; (≈ *Sehnsucht*) wistfulness; (*nach Vergangenem*) nostalgia **wehmütig** ['veːmyːtɪç] *adj* melancholy; (≈ *sehnsuchtsvoll*) wistful; (≈ *nostalgisch*) nostalgic

Wehr[1] [veːɐ] *f* ⟨**-, -en**⟩ ***sich zur ~ setzen*** to defend oneself

Wehr[2] *nt* ⟨**-(e)s, -e**⟩ weir

Wehrbeauftragte(r) *m/f(m) decl as adj* commissioner for the armed forces **Wehrdienst** *m* military service; ***seinen ~ (ab)leisten*** to do one's military service **Wehrdienstverweigerer** *m*, **Wehrdienstverweigerin** *f* conscientious objector **wehren** ['veːrən] *v/r* to defend oneself; (≈ *sich aktiv widersetzen*) to (put up a) fight; ***sich gegen einen Plan** etc **~*** to fight (against) a plan *etc* **Wehrersatzdienst** *m* alternative national service **wehrlos** *adj* defenceless (*Br*), defenseless (*US*); (*fig*) helpless; ***jdm ~ ausgeliefert sein*** to be at sb's mercy **Wehrlosigkeit** *f* ⟨**-**, *no pl*⟩ defencelessness (*Br*), defenselessness (*US*); (*fig*) helplessness **Wehrpflicht** *f* (***allgemeine***) ***~*** (universal) conscription **wehrpflichtig** [-pflɪçtɪç] *adj* liable for military service **Wehrpflichtige(r)** [-pflɪçtɪgə] *m/f(m) decl as adj* person liable for military service; (*Eingezogener*) conscript (*Br*), draftee (*US*) **Wehrsold** *m* (military) pay

wehtun *v/t sep irr* to hurt; ***mir tut der Rücken weh*** my back hurts; ***sich/jdm ~*** to hurt oneself/sb

Weib [vaip] *nt* ⟨**-(e)s, -er** [-bɐ]⟩ woman **Weibchen** ['vaipçən] *nt* ⟨**-s, -**⟩ ZOOL female **Weiberheld** *m* (*pej*) lady-killer **weibisch** ['vaibɪʃ] *adj* effeminate **weiblich** ['vaiplɪç] *adj* female; (GRAM ≈ *fraulich*) feminine **Weib(s)stück** *nt* (*pej*) bitch (*infml*)

weich [vaiç] **I** *adj* soft; *Ei* soft-boiled; *Fleisch* tender; (≈ *mitleidig*) soft-hearted; ***~e Drogen*** soft drugs; ***~ werden*** to soften; ***~e Währung*** soft currency **II** *adv* softly; ***~ gekocht*** *Ei* soft-boiled; ***~ landen*** to land softly

Weiche *f* ⟨**-, -n**⟩ RAIL points *pl* (*Br*), switch (*US*); ***die ~n stellen*** (*fig*) to set the course

Weichei *nt* (*pej sl*) wimp (*infml*)

weichen[1] *v/t & v/i* to soak

weichen[2] ['vaiçn] *pret* **wich** [vɪç], *past part* **gewichen** [gə'vɪçn] *v/i aux sein* (≈ *weggehen*) to move; (≈ *zurückweichen*) to retreat (+*dat*, *vor* +*dat* from); (*fig* ≈ *nachgeben*) to give way (+*dat* to); ***nicht von jds Seite ~*** not to leave sb's side

Weichheit *f* ⟨-, *no pl*⟩ softness; (*von Fleisch*) tenderness **weichherzig** *adj* soft-hearted **Weichkäse** *m* soft cheese **weichlich** ['vaiçlɪç] *adj* (*fig*) weak; (≈ *verhätschelt*) soft **Weichling** ['vaiçlɪŋ] *m* ⟨**-s, -e**⟩ (*pej*) weakling **weichmachen** *v/t sep* (*fig*) to soften up **Weichmacher** *m* CHEM softener **Weichselkirsche** ['vaiksl-] *f* (*S Ger, Swiss*) sour cherry **weich spülen** *v/t*, **weichspülen** *v/t sep* to condition; *Wäsche* to use (fabric) conditioner on **Weichspüler** *m* conditioner **Weichteile** *pl* soft parts *pl*; (*infml* ≈ *Geschlechtsteile*) private parts *pl* **Weichtier** *nt* mollusc

Weide[1] ['vaidə] *f* ⟨-, **-n**⟩ BOT willow

Weide[2] *f* ⟨-, **-n**⟩ AGR pasture; (≈ *Wiese*) meadow **Weideland** *nt* AGR pasture (-land) **weiden** ['vaidn] **I** *v/i* to graze **II** *v/t* to (put out to) graze **III** *v/r* ***sich an etw*** (*dat*) **~** (*fig*) to revel in sth **Weidenkätzchen** *nt* pussy willow **Weidenkorb** *m* wicker basket

weidmännisch [-mɛnɪʃ] **I** *adj* huntsman's *attr* **II** *adv* in a huntsman's manner

weigern ['vaigɐn] *v/r* to refuse **Weigerung** ['vaigərʊŋ] *f* ⟨-, **-en**⟩ refusal

Weihe *f* ⟨-, **-n**⟩ ECCL consecration; (≈ *Priesterweihe*) ordination; ***höhere ~n*** (*fig*) greater glory **weihen** ['vaiən] *v/t* **1.** ECCL to consecrate; *Priester* to ordain **2.** (≈ *widmen*) ***dem Tod(e)/Untergang geweiht*** doomed (to die / fall)

Weiher ['vaiɐ] *m* ⟨**-s, -**⟩ pond

Weihnachten ['vainaxtn] *nt* ⟨-, -⟩ Christmas; ***fröhliche*** *or* ***frohe ~!*** happy (*esp Br*) *or* merry Christmas!; (***zu*** *or* ***an***) **~** at Christmas; ***etw zu ~ bekommen*** to get sth for Christmas **weihnachtlich** ['vainaxtlɪç] **I** *adj* Christmassy (*infml*), festive **II** *adv geschmückt* festively **Weihnachtsabend** *m* Christmas Eve **Weihnachtsbaum** *m* Christmas tree **Weihnachtsfeiertag** *m* (*erster*) Christmas Day; (*zweiter*) Boxing Day **Weihnachtsfest** *nt* Christmas **Weihnachtsgans** *f* Christmas goose; ***jdn ausnehmen wie eine ~*** (*infml*) to fleece sb (*infml*) **Weihnachtsgeld** *nt* Christmas money **Weihnachtsgeschenk** *nt* Christmas present **Weihnachtsgratifikation** *f* Christmas bonus **Weihnachtskarte** *f* Christmas card **Weihnachtslied** *nt* (Christmas) carol **Weihnachtsmann** *m*, *pl* **-männer** Father Christmas (*Br*), Santa Claus **Weihnachtsmarkt** *m* Christmas fair **Weihnachtstag** *m* = ***Weihnachtsfeiertag*** **Weihnachtstisch** *m* table for Christmas presents **Weihnachtszeit** *f* Christmas (time)

Weihrauch *m* incense **Weihwasser** *nt, no pl* holy water

weil [vail] *cj* because

Weilchen ['vailçən] *nt* ⟨**-s, -**⟩ ***ein ~*** a (little) while **Weile** ['vailə] *f* ⟨-, *no pl*⟩ while; ***vor einer*** (***ganzen***) **~** quite a while ago

Wein [vain] *m* ⟨**-(e)s, -e**⟩ wine *no pl*: (≈ *Weinstöcke*) vines *pl no pl*: (≈ *Weintrauben*) grapes *pl*; ***jdm reinen ~ einschenken*** to tell sb the truth **Weinbau** *m, no pl* wine growing **Weinbauer** *m, pl* **-bauern**, **Weinbäuerin** *f* wine grower **Weinbeere** *f* grape **Weinberg** *m* vineyard **Weinbergschnecke** *f* snail; (*auf Speisekarte*) escargot **Weinbrand** *m* brandy

weinen ['vainən] *v/t & v/i* to cry; ***es ist zum Weinen!*** it's enough to make you weep! (*esp Br*) **weinerlich** ['vainɐlɪç] *adj* whining; ***~ reden*** to whine

Weinernte *f* grape harvest **Weinessig** *m* wine vinegar **Weinflasche** *f* wine bottle **Weingegend** *f* wine-growing area **Weinglas** *nt* wine glass **Weingummi** *nt or m* wine gum **Weingut** *nt* wine-growing estate **Weinhändler(in)** *m/(f)* wine dealer **Weinhandlung** *f* wine shop (*esp Br*) *or* store **Weinhauer(in)** *m/(f)* (*esp Aus*) wine grower **Weinkarte** *f* wine list **Weinkeller** *m* wine cellar; (≈ *Lokal*) wine bar **Weinkenner(in)** *m/(f)* connoisseur of wine

Weinkrampf *m* crying fit; MED uncontrollable fit of crying

Weinkraut *nt* sauerkraut **Weinlese** *f* grape harvest **Weinlokal** *nt* wine bar **Weinprobe** *f* wine tasting **Weinrebe** *f* (grape)vine **weinrot** *adj* claret **Weinstein** *m* tartar **Weinstock** *m* vine **Weinstube** *f* wine tavern **Weintraube** *f* grape

weise ['vaizə] *adj* wise

Weise ['vaizə] *f* ⟨-, **-n**⟩ (≈ *Verfahren etc*) way; ***auf diese ~*** in this way; ***in keiner ~*** in no way

weisen ['vaizn] *pret* ***wies*** [viːs], *past part* ***gewiesen*** [gə'viːzn] (*elev*) **I** *v/t* ***jdm etw ~*** to show sb sth; ***jdn vom Feld ~*** SPORTS to order sb off (the field); ***etw von sich ~*** (*fig*) to reject sth **II** *v/i* to point (*nach* towards, *auf +acc* at)

Weise(r) ['vaizə] *m/f(m) decl as adj* wise man/woman **Weisheit** ['vaishait] *f* ⟨-, **-en**⟩ **1.** *no pl* wisdom **2.** (≈ *weiser Spruch*) wise saying, pearl of wisdom (*usu iron*) **Weisheitszahn** *m* wisdom tooth

weismachen ['vais-] *v/t sep* ***jdm etw ~*** to make sb believe sth; ***das kannst du mir nicht ~!*** you can't expect me to believe that

weiß [vais] **I** *adj* white; ***das Weiße Haus*** the White House; ***das Weiße vom Ei*** egg white **II** *adv anstreichen* white; *sich kleiden* in white; ***~ glühend*** white-hot

weissagen ['vais-] *v/t insep* to prophesy **Weissagung** ['vaisza:gʊŋ] *f* ⟨-, **-en**⟩ prophecy

Weißbier *nt light, fizzy beer made using top-fermentation yeast* **Weißblech** *nt* tinplate **Weißbrot** *nt* white bread; (≈ *Laib*) loaf of white bread **weißen** ['vaisn] *v/t* to whiten; (≈ *weiß tünchen*) to whitewash **Weiße(r)** ['vaizə] *m/f(m) decl as adj* white, white man/woman **Weißglut** *f* white heat; ***jdn zur ~ bringen*** to make sb livid (with rage) **Weißgold** *nt* white gold **weißhaarig** *adj* white-haired **Weißherbst** *m* ≈ rosé **Weißkohl** *m*, (*S Ger, Aus*) **Weißkraut** *nt* white cabbage **weißlich** ['vaislɪç] *adj* whitish **Weißmacher** *m* (*in Waschmittel*) brightening agent; (*in Papier*) whitener **Weißrusse** *m*, **Weißrussin** *f* White Russian **Weißrussland** *nt* White Russia **Weißwein** *m* white wine **Weißwurst** *f* veal sausage

Weisung ['vaizʊŋ] *f* ⟨-, **-en**⟩ directive; ***auf ~*** on instructions **weisungsberechtigt** *adj* JUR authorized to issue directives

weit [vait] **I** *adj* **1.** (≈ *breit*) wide; *Meer* open; *Begriff* broad; *Unterschied* big; ***~e Kreise der Bevölkerung*** large sections of the population **2.** (≈ *lang*) *Weg, Reise* long; ***in ~er Ferne*** a long way away; ***so ~ sein*** (≈ *bereit*) to be ready; ***es ist bald so ~*** the time has nearly come **II** *adv* **1.** (*Entfernung*) far; ***~er*** further; ***am ~esten*** (the) furthest; ***es ist noch ~ bis Bremen*** it's still a long way to Bremen; ***~ gereist*** widely travelled (*Br*) *or* traveled (*US*); ***~ hergeholt*** far-fetched; ***~ und breit*** for miles around; ***~ ab*** *or* ***weg*** (***von***) far away (from); ***ziemlich ~ am Ende*** fairly near the end; ***von Weitem*** from a long way away; ***von ~ her*** from a long way away; ***~ blickend*** far-sighted; ***~ entfernt*** a long way away; ***~ entfernt*** *or* ***gefehlt!*** far from it! **2.** (≈ *breit*) *offen* wide; ***10 cm ~*** 10cm wide; ***~ verbreitet*** = ***weitverbreitet*** **3.** (*in Entwicklung*) ***~ fortgeschritten*** far advanced; ***wie ~ bist du?*** how far have you got?; ***so ~, so gut*** so far so good; ***sie sind nicht ~ gekommen*** they didn't get far; ***jdn so ~ bringen, dass ...*** to bring sb to the point where ...; ***er wird es ~ bringen*** he will go far; ***es so ~ bringen, dass ...*** to bring it about that ... **4.** (*zeitlich*) (***bis***) ***~ in die Nacht*** (till) far into the night; ***~ nach Mitternacht*** well after midnight **5.** (≈ *erheblich*) far; ***~ über 60*** well over 60 **6.** ***zu ~ gehen*** to go too far; ***das geht zu ~!*** that's going too far!; ***so ~*** (≈ *im Großen und Ganzen*) by and large; (≈ *bis jetzt*) up to now; (≈ *bis zu diesem Punkt*) thus far; ***so ~ wie möglich*** as far as possible; ***bei Weitem besser*** *etc* ***als*** far better *etc* than; ***bei Weitem der Beste*** by far the best; ***bei Weitem nicht so gut*** *etc* (***wie...***) not nearly as good *etc* (as ...) **weitab** ['vait'|ap] *adv* ***~ von*** far (away) from **weitaus** ['vait'|aus] *adv* far **Weitblick** *m, no pl* (*fig*) vision

weitblickend *adj* far-sighted

Weite[1] ['vaitə] *f* ⟨-, **-n**⟩ (≈ *Ferne*) distance; (≈ *Länge*) length; (≈ *Größe*) expanse; (≈ *Durchmesser, Breite*) width

Weite[2] *nt* ⟨**-n**, *no pl*⟩ distance; ***das ~ suchen*** to take to one's heels

weiten ['vaitn] **I** *v/t* to widen **II** *v/r* to broaden

weiter ['vaitɐ] **I** *adj* (*fig*) further; (≈ *andere*) other; ***~e Auskünfte*** further information **II** *adv* (≈ *noch hinzu*) further; (≈ *sonst*) otherwise; ***nichts ~ als ...*** nothing more than ..., nothing but ...; ***ich brauche nichts ~ als ...*** all I need is ...; ***wenn es ~ nichts ist, ...*** well, if that's all (it is), ...; ***das hat ~ nichts zu sagen*** that doesn't really matter; ***immer ~*** on and on; ***und ~?*** and then?; ***und so ~*** and so on; → ***Weitere(s)*** **weiterarbeiten** *v/i sep* to carry on working **weiter bestehen** *v/i irr* to continue to exist **weiterbilden** *sep v/r* to continue one's education **Weiterbildung** *f* continuation of one's education; (*an Hochschule*) further education **weiterbringen** *v/t sep irr* ***das bringt uns auch nicht weiter*** that doesn't get us any further **weiterempfehlen** *past part* **weiterempfohlen** *v/t sep irr* to recommend (to one's friends *etc*) **weiterentwickeln** *past part* **weiterentwickelt** *sep v/t & v/r* to develop **weitererzählen** *past part* **weitererzählt** *v/t sep Geheimnis etc* to repeat, to pass on **Weitere(s)** ['vaitərə] *nt decl as adj* further details *pl*; **das ~** the rest; **alles ~** everything else; **bis auf ~s** for the time being; (*auf Schildern etc*) until further notice **weiterfahren** *v/i sep irr aux sein* (≈ *Fahrt fortsetzen*) to go on; (≈ *durchfahren*) to drive on **Weiterfahrt** *f* continuation of the/one's journey **Weiterflug** *m* continuation of the/one's flight; **Passagiere zum ~ nach ...** passengers continuing their flight to ... **weiterführen** *sep v/t & v/i* to continue; **das führt nicht weiter** (*fig*) that doesn't get us anywhere **weiterführend** *adj Schule* secondary; *Qualifikation* higher **weitergeben** *v/t sep irr* to pass on **weitergehen** *v/i sep irr aux sein* to go on; **so kann es nicht ~** (*fig*) things can't go on like this **weiterhelfen** *v/i sep irr* to help (along) (*jdm* sb) **weiterhin** ['vaitɐ'hɪn] *adv* **etw ~ tun** to carry on doing sth **weiterkommen** *v/i sep irr aux sein* to get further; (*fig also*) to make progress; **nicht ~** (*fig*) to be stuck **weiterleiten** *v/t sep* to pass on (*an +acc* to); (≈ *weitersenden*) to forward **weitermachen** *v/t & v/i sep* to carry on (*etw* with sth); **~!** carry on! **Weiterreise** *f* continuation of the/one's journey; **auf der ~ nach ...** when I *etc* was travelling (*Br*) *or* traveling (*US*) on to ... **weiters** ['vaitɐs] *adv* (*Aus*) furthermore **weitersagen** *v/t sep* to repeat; **nicht ~!** don't tell anyone! **weiterverarbeiten** *past part* **weiterverarbeitet** *v/t sep* to process **Weiterverarbeitung** *f* reprocessing **Weiterverkauf** *m* resale **weitervermieten** *past part* **weitervermietet** *v/t sep* to sublet

weitgehend *comp* **weitgehender**, *sup* **weitgehendste(r,s)**, **weit gehend** *comp* **weiter gehend**, *sup* **am weitesten gehend I** *adj Vollmachten etc* far-reaching; *Übereinstimmung etc* a large degree of **II weitgehend** *adv*, *comp* **weitgehender**, *sup* **weitgehendst** to a great extent **weitgereist** [-gəraist] *adj attr*; → **weit weither** ['vait'heːɐ, vait'heːɐ] *adv* (*a.* **von weit her**) from a long way away **weithin** ['vait'hɪn] *adv* for a long way; (*fig*) *bekannt* widely **weitläufig I** *adj* **1.** *Park, Gebäude* spacious; (≈ *verzweigt*) rambling **2.** *Verwandte* distant **II** *adv* **sie sind ~ verwandt** they are distant relatives **weiträumig** [-rɔymɪç] **I** *adj* wide-ranging **II** *adv* **die Unfallstelle ~ umfahren** to keep well away from the scene of the accident **weitreichend** *comp* **weitreichender**, *sup* **weitreichendste(r, s)**, **weit reichend** *comp* **weiter reichend**, *sup* **am weitesten reichend** *adj* (*fig*) far-reaching **weitschweifig** [-ʃvaifɪç] *adj* long-winded **Weitsicht** *f* (*fig*) far-sightedness **weitsichtig** [-zɪçtɪç] *adj* MED long-sighted (*Br*), far-sighted (*esp US*); (*fig*) far-sighted **Weitsichtigkeit** *f* ⟨-, *no pl*⟩ MED long-sightedness (*Br*), far-sightedness (*esp US*) **Weitspringen** *nt* SPORTS long jump **Weitspringer(in)** *m/(f)* SPORTS long jumper **Weitsprung** *m* SPORTS long jump **weitverbreitet** [-fɛɐbraitət] *comp* **weitverbreiteter**, *sup* **weitverbreiteteste(r, s)**, **weit verbreitet** *comp* **weiter verbreitet**, *sup* **am weitesten verbreitet** *adj* widespread **Weitwinkelobjektiv** *nt* wide-angle lens

Weizen ['vaitsn] *m* ⟨**-s**, *no pl*⟩ wheat **Weizenbier** *nt light, very fizzy beer made by using wheat, malt and top-fermentation yeast* **Weizenmehl** *nt* wheat flour

welch [vɛlç] *interrog pron inv* **~ (ein)** what **welche(r, s)** ['vɛlçə] **I** *interrog pron* **1.** (*adjektivisch*) what; (*bei Wahl aus einer begrenzten Menge*) which **2.** (*substantivisch*) which (one) **3.** (*in Ausrufen*) **~ Freude!** what joy! **II** *indef pr* some; (*verneint*) any; **ich habe keine Äpfel, haben Sie ~?** I don't have any apples, do you have any?

welk [vɛlk] *adj Blume* wilted; *Blatt* dead; (*fig*) *Schönheit* fading; *Haut* tired-looking; (≈ *schlaff*) flaccid **welken** ['vɛlkn] *v/i aux sein* to wilt; (*Haut*) to grow tired-looking

Wellblech ['vɛl-] *nt* corrugated iron **Welle** ['vɛlə] *f* ⟨**-, -n**⟩ **1.** wave; (RADIO ≈ *Frequenz*) wavelength; **(hohe) ~n schlagen** (*fig*) to create (quite) a stir **2.** (*fig* ≈ *Mode*) craze **3.** TECH shaft **wellen** ['vɛlən] **I** *v/t Haar* to wave; *Blech etc* to corrugate **II** *v/r* to become wavy; **gewelltes Haar** wavy hair **Wellenbad** *nt swimming pool with wave machine* **Wellenbereich** *m* PHYS, TEL frequency range; RADIO waveband **wẹllenförmig** *adj* wave-like; *Linie* wavy **Wẹllengang** [-gaŋ] *m, no pl* waves *pl*, swell **Wẹllenlänge** *f* PHYS, TEL wavelength; ***auf der gleichen ~ sein*** *or* ***liegen*** (*infml*) to be on the same wavelength (*infml*) **Wẹllenlinie** *f* wavy line **Wẹllenreiten** *nt* ⟨**-s**, *no pl*⟩ surfing **Wẹllensittich** *m* budgie (*infml*) **wẹllig** ['vɛlɪç] *adj Haar etc* wavy

Wellness ['wɛlnɛs] *f* ⟨**-**, *no pl*⟩ wellness

Wẹllpappe ['vɛl-] *f* corrugated cardboard

Wẹlpe ['vɛlpə] *m* ⟨**-n, -n**⟩ pup; (*von Wolf, Fuchs*) cub

Wẹls [vɛls] *m* ⟨**-es, -e** [-zə]⟩ catfish

wẹlsch [vɛlʃ] *adj* **1.** (≈ *welschsprachig*) Romance-speaking **2.** (*Swiss*) (Swiss)-French; ***die ~e Schweiz*** French Switzerland

Wẹlt [vɛlt] *f* ⟨**-, -en**⟩ world; ***die Dritte ~*** the Third World; ***alle ~*** everybody; ***deswegen geht die ~ nicht unter*** (*infml*) it isn't the end of the world; ***das kostet doch nicht die ~*** it won't cost a fortune; ***uns/sie trennen ~en*** (*fig*) we/they are worlds apart; ***auf der ~*** in the world; ***aus aller ~*** from all over the world; ***aus der ~ schaffen*** to eliminate; ***in aller ~*** all over the world; ***warum in aller ~ ...?*** why on earth ...?; ***um nichts in der ~, nicht um alles in der ~*** not for all the tea in China (*infml*); ***ein Mann/eine Frau von ~*** a man/woman of the world; ***vor aller ~*** in front of everybody; ***zur ~ kommen*** to come into the world **Wẹltall** *nt* universe **Wẹltanschauung** *f* philosophy of life; PHIL, POL world view **Wẹltbank** *f, no pl* World Bank **wẹltbekannt, wẹltberühmt** *adj* world-famous **wẹltbeste(r, s)** *adj attr* world's best **Wẹltbevölkerung** *f* world population **wẹltbewegend** *adj* world-shattering **Wẹltbild** *nt* conception of the world **Wẹltenbummler** *m* ⟨**-s, -**⟩, **Wẹltenbummlerin** *f* ⟨**-, -nen**⟩ globetrotter **Wẹlterfolg** *m* global *or* worldwide success

Wẹltergewicht *nt* BOXING welterweight

wẹlterschütternd *adj* world-shattering **wẹltfremd** *adj* unworldly **Wẹltgeltung** *f* international standing, worldwide recognition **Wẹltgeschichte** *f* world history **Wẹltgesundheitsorganisation** *f* World Health Organization **wẹltgewandt** *adj* sophisticated **Wẹlthandel** *m* world trade **Wẹltherrschaft** *f* world domination **Wẹltkarte** *f* map of the world **Wẹltklasse** *f* ***~ sein*** to be world class; (*infml*) to be fantastic (*infml*) **Wẹltkrieg** *m* world war; ***der Erste/Zweite ~*** the First/Second World War **Weltkulturerbe** *nt* world cultural heritage; (≈ *einzelnes Kulturgut*) World Heritage Site **wẹltläufig** *adj* cosmopolitan **wẹltlich** ['vɛltlɪç] *adj* worldly; (≈ *nicht kirchlich*) secular **Wẹltliteratur** *f* world literature **Wẹltmacht** *f* world power **Wẹltmarkt** *m* world market **Wẹltmeer** *nt* ocean; ***die sieben ~e*** the seven seas **Wẹltmeister(in)** *m/(f)* world champion **Wẹltmeisterschaft** *f* world championship; FTBL World Cup **wẹltoffen** *adj* cosmopolitan **Wẹltöffentlichkeit** *f* general public **Wẹltpolitik** *f* world politics *pl* **Wẹltrang** *m* ***von ~*** world-famous **Wẹltrangliste** *f* world rankings *pl* **Wẹltraum** *m* (outer) space **Wẹltraumforschung** *f* space research **wẹltraumgestützt** [-gəʃtʏtst] *adj* space-based **Wẹltraumstation** *f* space station **Wẹltreich** *nt* empire **Wẹltreise** *f* world tour **Wẹltrekord** *m* world record **Wẹltrekordinhaber(in)** *m/(f)* world *or* world's (*US*) record holder **Wẹltreligion** *f* world religion **Wẹltschmerz** *m* world-weariness **Wẹltsicherheitsrat** *m* POL (United Nations) Security Council **Wẹltstadt** *f* cosmopolitan city **Wẹltuntergang** *m* end of the world **Wẹltuntergangsstimmung** *f* apocalyptic mood **wẹltweit** *adj, adv* worldwide **Wẹltwirtschaft** *f* world economy **Wẹltwirtschaftskrise** *f* world economic crisis **Wẹltwunder** *nt* ***die sieben ~*** the Seven Wonders of the World

wem [veːm] **I** *interrog pron* who ... to, to whom **II** *rel pr* (≈ *derjenige, dem*) the person (who ...) to **III** *indef pr* (*infml* ≈ *jemandem*) to somebody

wen [veːn] **I** *interrog pron* who, whom **II** *rel pr* (≈ *derjenige, den*) the person (who) **III** *indef pr* (*infml* ≈ *jemanden*) somebody

Wẹnde ['vɛndə] *f* ⟨**-, -n**⟩ turn; (≈ *Veränderung*) change; (≈ *Wendepunkt*) turning point; POL (political) watershed **Wẹndehals** *m* ORN wryneck; (*fig infml*) turncoat (*pej*) **Wẹndekreis** *m* **1.** tropic; ***der nördliche ~*** the Tropic of Cancer; ***der südliche ~*** the Tropic of Capricorn **2.** AUTO turning circle **Wẹndeltreppe** *f* spiral staircase **wẹnden** ['vɛndn] *pret* ***wẹndete*** *or* (*liter*) ***wạndte*** ['vɛndətə, 'vantə], *past part* ***gewendet*** *or* (*liter*) ***gewandt*** [gə'vɛndət, gə'vant] **I** *v/t* (≈ *umdrehen*) to turn (*auch* SEWING); COOK *Eierpfannkuchen* to toss; *Schnitzel etc* to turn (over); ***bitte ~!*** please turn over **II** *v/r* **1.** (≈ *sich umdrehen*) to turn (around); (*Wetter, Glück*) to change; ***sich zu jdm/etw ~*** to turn toward(s) sb/sth; ***sich zum Guten ~*** to take a turn for the better **2.** ***sich an jdn ~*** (*um Auskunft*) to consult sb; (*um Hilfe*) to turn to sb; (*Buch etc*) to be directed at sb **III** *v/i* to turn; (≈ *umkehren*) to turn (a)round; ***„wenden verboten"*** "no U-turns" **Wendepunkt** *m* turning point

wendig ['vɛndɪç] *adj* agile; *Auto* manoeuvrable (*Br*), maneuverable (*US*); (*fig*) *Politiker etc* agile **Wendigkeit** *f* ⟨-, *no pl*⟩ agility; (*von Auto etc*) manoeuvrability (*Br*), maneuverability (*US*); (*fig*: *von Politiker etc*) agility

Wendung ['vɛndʊŋ] *f* ⟨**-, -en**⟩ **1.** turn; ***eine unerwartete ~ nehmen*** (*fig*) to take an unexpected turn; ***eine ~ zum Guten nehmen*** to change for the better **2.** (≈ *Redewendung*) expression

wenig ['veːnɪç] **I** *adj, indef pr* **1.** *sg* little; ***das ist ~*** that isn't much; ***so ~ wie*** *or* ***als möglich*** as little as possible; ***mein ~es Geld*** what little money I have; ***sie hat zu ~ Geld*** *etc* she doesn't have enough money *etc* **2.** ***~e*** *pl* (≈ *ein paar*) a few; ***in ~en Tagen*** in (just) a few days; ***einige ~e Leute*** a few people **3.** (*auch adv*) ***ein ~*** a little; ***ein ~ Salz*** a little salt **II** *adv* little; ***~ besser*** little better; ***~ bekannt*** little-known *attr*, little known *pred*; ***~ erfreulich*** not very pleasant; ***zu ~*** not enough; ***einer/zwei*** *etc* ***zu ~*** one/two *etc* too few **weniger** ['veːnɪgɐ] **I** *adj, indef pr* less; (+*pl*) fewer; ***~ werden*** to get less and less; ***~ Geld*** less money; ***~ Unfälle*** fewer accidents **II** *adv* less; ***das finde ich ~ schön!*** that's not so nice! **III** *cj, prep* +*acc or* +*gen* less; ***sieben ~ drei ist vier*** seven less three is four **wenigstens** ['veːnɪçstns] *adv* at least **wenigste(r, s)** ['veːnɪçstə] *adj, indef pr, adv* ***am ~n*** least; (*pl*) fewest; ***das ist noch das ~!*** (*infml*) that's the least of it!; ***das am ~n!*** that least of all!

wenn [vɛn] *cj* **1.** (*konditional*) if; ***~ er nicht gewesen wäre, ...*** if it had not been for him, ...; ***selbst*** *or* ***und ~*** even if; ***~ ... auch ...*** even though *or* if ...; ***~ man bedenkt, dass ...*** when you consider that ...; ***~ ich doch*** *or* ***nur*** *or* ***bloß ...*** if only I ...; ***~ er nur da wäre!*** if only he were here!; ***außer ~*** except if **2.** (*zeitlich*) when; ***jedes Mal*** *or* ***immer ~*** whenever; ***außer ~*** except when **Wenn** [vɛn] *nt* ⟨**-s, -**⟩ ***ohne ~ und Aber*** without any ifs and buts **wennschon** ['vɛnʃoːn] *adv* (*infml*) (***na*** *or* ***und***) ***~!*** so what? (*infml*); ***~, dennschon!*** in for a penny, in for a pound! (*esp Br prov*)

wer [veːɐ] **I** *interrog pron* who; ***~ von ...*** which (one) of ... **II** *rel pr* (≈ *derjenige, der*) the person who **III** *indef pr* (*infml* ≈ *jemand*) somebody

Werbeabteilung *f* publicity department **Werbeagentur** *f* advertising agency **Werbebanner** *nt* banner; INTERNET banner ad **Werbeblock** *m, pl* ***-blocks*** *or* ***-blöcke*** TV commercial break **Werbeclip** *m* TV advert **Werbefachfrau** *f* advertising woman **Werbefachmann** *m* advertising man **Werbefernsehen** *nt* commercial television; (*Sendung*) TV advertisements *pl* **Werbefilm** *m* advertising *or* promotional film **Werbegag** *m* publicity stunt **Werbegeschenk** *nt* gift **Werbegrafiker(in)** *m/(f)* commercial artist **Werbekampagne** *f* publicity campaign; (*für Verbrauchsgüter*) advertising campaign **Werbekosten** *pl* advertising *or* promotional costs *pl* **Werbeleiter(in)** *m/(f)* advertising manager **werben** ['vɛrbn] *pret* ***warb*** [varp], *past part* ***geworben*** [gə'vɔrbn] **I** *v/t Mitglieder, Mitarbeiter* to recruit; *Kunden* to attract **II** *v/i* to advertise; ***für etw ~*** to advertise sth; ***um etw ~*** to solicit sth; ***um Verständnis ~*** to try to enlist understanding; ***um ein Mädchen ~*** to court a girl **Werbeslogan** *m* publicity slogan; (*für Verbrauchsgüter*) advertising slogan **Werbespot** *m* commercial **Werbetext** *m* advertising copy *no pl* **Werbetexter(in)** *m/(f)* (advertising) copywriter **Werbetrommel** *f* ***die ~ (für etw) rühren*** (*infml*) to push sth (*infml*) **werbewirksam** *adj* effective (for advertising purposes) **Werbung** ['vɛrbʊŋ] *f* ⟨**-, -en**⟩ *esp* COMM advertising; (POL ≈ *Propaganda*) pre-election publicity; (*von Kunden, Stimmen*) winning; (*von Mitgliedern*) recruitment; ***~ für etw machen*** to advertise sth **Werbungskosten** *pl* (*von Mensch*) professional outlay *sg*;

(*von Firma*) business expenses *pl*
Werdegang *m*, *pl* ***-gänge*** development; (*beruflich*) career **werden** ['veːɐdn] *pret* ***wurde*** ['vʊrdə], *past part* ***geworden*** [gə'vɔrdn] *aux sein* **I** *aux* **1.** (*zur Bildung des Futurs*) ***ich werde es tun*** I'll do it; ***ich werde das nicht tun*** I won't do that; ***es wird gleich regnen*** it's going to rain **2.** (*zur Bildung des Konjunktivs*) ***das würde ich gerne tun*** I'd like to do that; ***das würde ich nicht gerne tun*** I wouldn't like to do that; ***er würde kommen, wenn ...*** he would come if ...; ***würden Sie mir bitte das Buch geben?*** would you give me the book, please? **3.** (*zur Bildung des Passivs*) *past part* ***worden*** ['vɔrdn] ***geschlagen ~*** to be beaten; ***mir wurde gesagt, dass ...*** I was told that ... **4.** (*bei Vermutung*) ***sie wird wohl in der Küche sein*** she'll probably be in the kitchen; ***das wird etwa 20 Euro kosten*** it will cost roughly 20 euros **II** *v/i* **1.** (*mit Adjektiv*) to get; ***mir wird kalt/warm*** I'm getting cold/warm; ***blass/kalt ~*** to go pale/cold; ***mir wird schlecht/besser*** I feel bad/better; ***die Fotos sind gut geworden*** the photos have come out well **2.** (*mit Substantiv, Pronomen*) to become; ***Lehrer ~*** to become a teacher; ***was willst du einmal ~?*** what do you want to be when you grow up?; ***Erster ~*** to come first; ***das ist nichts geworden*** it came to nothing **3.** (*bei Altersangaben*) ***er ist gerade 40 geworden*** he has just turned 40 **4.** ***es wird Zeit, dass er kommt*** it's time (that) he came; ***es wird kalt/spät*** it's getting cold/late; ***es wird Winter*** winter is coming; ***was ist aus ihm geworden?*** what has become of him?; ***aus ihm wird noch einmal was!*** he'll make something of himself yet!; ***daraus wird nichts*** nothing will come of that; (≈ *das kommt nicht infrage*) that's out of the question; ***zu etw ~*** to turn into sth; ***was soll nun ~?*** so what's going to happen now? **werdend** *adj* nascent; ***~e Mutter*** expectant mother
werfen ['vɛrfn] *pret* ***warf*** [varf], *past part* ***geworfen*** [gə'vɔrfn] **I** *v/t* to throw (*nach* at); ***Bomben ~*** (*von Flugzeug*) to drop bombs; ***eine Münze ~*** to toss a coin; ***„nicht ~"*** "handle with care"; ***etw auf den Boden ~*** to throw sth to the ground; ***jdn aus dem Haus*** *etc* ***~*** to throw sb out (of the house *etc*) **II** *v/i* (≈ *schleudern*) to throw; ***mit etw (auf jdn/etw) ~*** to throw sth (at sb/sth) **III** *v/r* to throw oneself (*auf* +*acc* (up)on, at) **Werfer** ['vɛrfɐ] *m* ⟨***-s, -***⟩, **Werferin** [-ərɪn] *f* ⟨***-, -nen***⟩ thrower
Werft [vɛrft] *f* ⟨***-, -en***⟩ shipyard; (*für Flugzeuge*) hangar **Werftarbeiter(in)** *m/(f)* shipyard worker
Werk [vɛrk] *nt* ⟨***-(e)s, -e***⟩ **1.** (≈ *Arbeit, Buch etc*) work; (*elev* ≈ *Tat*) deed; (≈ *Gesamtwerk*) works *pl*; ***das ist sein ~*** this is his doing; ***ans ~ gehen*** to set to work; ***am ~ sein*** to be at work **2.** (≈ *Betrieb*) works *sg or pl* (*Br*), factory; ***ab ~*** COMM ex works (*Br*), ex factory **3.** (≈ *Triebwerk*) mechanism **Werkbank** *f*, *pl* ***-bänke*** workbench **werken** ['vɛrkn] *v/i* to work; (*handwerklich*) to do handicrafts; ***Werken*** SCHOOL handicrafts **Werkschutz** *m* factory security service **werkseigen** *adj* company *attr* **Werksgelände** *nt* factory premises *pl* **Werksleitung** *f* factory management **Werkstatt** *f*, *pl* ***-stätten*** [-ʃtɛtn], **Werkstätte** *f* workshop; (*für Autoreparaturen*) garage **Werkstoff** *m* material **Werkstück** *nt* TECH workpiece **Werktag** *m* working day **werktags** ['vɛrktaːks] *adv* on weekdays **Werkzeug** *nt*, *pl* ***-zeuge*** tool **Werkzeugkasten** *m* toolbox
Wermut ['veːɐmuːt] *m* ⟨***-(e)s****, no pl*⟩ (≈ *Wermutwein*) vermouth **Wermutstropfen** *m* (*fig elev*) drop of bitterness
wert [veːɐt] *adj* **1.** ***etw ~ sein*** to be worth sth; ***nichts ~ sein*** to be worthless; (≈ *untauglich*) to be no good; ***Glasgow ist eine Reise ~*** Glasgow is worth a visit; ***einer Sache*** (*gen*) ***~ sein*** (*elev*) to be worthy of sth **2.** (≈ *nützlich*) useful **Wert** [veːɐt] *m* ⟨***-(e)s, -e***⟩ **1.** value; (*esp menschlicher*) worth; ***einen ~ von fünf Euro haben*** to be worth five euros; ***im ~(e) von*** to the value of; ***sie hat innere ~e*** she has certain inner qualities; ***~ auf etw*** (*acc*) ***legen*** (*fig*) to set great store by sth (*esp Br*); ***das hat keinen ~*** (*infml*) there's no point **2.** *usu pl* (*von Test, Analyse*) result **Wertarbeit** *f* craftsmanship **werten** ['veːɐtn] *v/t & v/i* (≈ *einstufen*) to rate (*als* as); *Klassenarbeit etc* to grade; (≈ *beurteilen*) to judge (*als* to be); ***ein Tor nicht ~*** FTBL *etc* to disallow a goal **Wertesystem** *nt* system of values **wertfrei** **I** *adj* neutral **II** *adv* in a neutral

way **Wertgegenstand** *m* object of value; ***Wertgegenstände*** *pl* valuables *pl* **Wertigkeit** ['veːɐtɪçkait] *f* ⟨-, *-en*⟩ **1.** CHEM valency **2.** (≈ *Wert*) importance **wertlos** *adj* worthless **Wertlosigkeit** *f* ⟨-, *no pl*⟩ worthlessness **Wertminderung** *f* reduction in value **Wertpapier** *nt* security; ***~e*** *pl* stocks and shares *pl* **Wertsache** *f* object of value **Wertschätzung** *f* (*liter*) esteem, high regard **Wertsteigerung** *f* increase in value **Wertstoff** *m* reusable material **Wertung** ['veːɐtʊŋ] *f* ⟨-, *-en*⟩ **1.** (≈ *Bewertung*) evaluation; (≈ *Punkte*) score **2.** (≈ *das Werten*) rating; (*von Klassenarbeit*) grading; (≈ *das Beurteilen*) judging **Werturteil** *nt* value judgement **wertvoll** *adj* valuable

Werwolf ['veːɐvɔlf] *m* werewolf

Wesen ['veːzn] *nt* ⟨*-s, -*⟩ **1.** *no pl* nature; (≈ *Wesentliches*) essence; ***es liegt im ~ einer Sache ...*** it's in the nature of a thing ... **2.** (≈ *Geschöpf*) being; (≈ *tierisches Wesen*) creature; (≈ *Mensch*) person; ***ein menschliches ~*** a human being **Wesensart** *f* nature, character **wesentlich** ['veːzntlɪç] **I** *adj* essential; (≈ *erheblich*) substantial; (≈ *wichtig*) important; ***das Wesentliche*** the essential part; (*von dem, was gesagt wurde*) the gist; ***im Wesentlichen*** basically; (≈ *im Großen und Ganzen*) in the main **II** *adv* (≈ *grundlegend*) fundamentally; (≈ *erheblich*) considerably; ***es ist mir ~ lieber, wenn wir ...*** I would much rather we ...

weshalb [vɛs'halp, 'vɛs-] **I** *interrog adv* why **II** *rel adv* which is why; ***der Grund, ~ ...*** the reason why ...

Wespe ['vɛspə] *f* ⟨-, *-n*⟩ wasp **Wespennest** *nt* wasp's nest; ***in ein ~ stechen*** (*fig*) to stir up a hornets' nest **Wespenstich** *m* wasp sting

wessen ['vɛsn] *pron* ***~ hat man dich angeklagt?*** of what have you been accused?

Wessi ['vɛsi] *m* ⟨*-s, -s*⟩ (*infml*) Westerner, West German

westdeutsch *adj* GEOG Western German; POL, HIST West German **Westdeutsche(r)** *m/f(m) decl as adj* West German

Weste ['vɛstə] *f* ⟨-, *-n*⟩ waistcoat (*Br*), vest (*US*); ***eine reine ~ haben*** (*fig*) to have a clean slate

Westen ['vɛstn] *m* ⟨*-s, no pl*⟩ west; (*von Land*) West; ***der ~*** POL the West; ***aus dem ~, von ~*** (***her***) from the west; ***nach ~*** (***hin***) to the west; ***im ~ der Stadt/des Landes*** in the west of the town/country; ***weiter im ~*** further west; ***im ~ Frankreichs*** in the west of France

Westentasche *f* waistcoat (*Br*) *or* vest (*US*) pocket; ***etw wie seine ~ kennen*** (*infml*) to know sth like the back of one's hand (*infml*)

Western ['vɛstɐn] *m* ⟨*-(s), -*⟩ western

Westeuropa *nt* Western Europe **westeuropäisch** *adj* West(ern) European; ***~e Zeit*** Greenwich Mean Time

Westfale [vɛst'faːlə] *m* ⟨*-n, -n*⟩, **Westfälin** [-'fɛːlɪn] *f* ⟨-, *-nen*⟩ Westphalian **Westfalen** [vɛst'faːlən] *nt* ⟨*-s*⟩ Westphalia **westfälisch** [vɛst'fɛːlɪʃ] *adj* Westphalian

Westjordanland [vɛst'jɔrdan-] *nt* ***das ~*** the West Bank **Westküste** *f* west coast

westlich ['vɛstlɪç] **I** *adj* western; *Kurs, Wind, Richtung* westerly; POL Western **II** *adv* (to the) west; ***~ von ...*** (to the) west of ... **III** *prep +gen* (to the) west of **Westmächte** *pl* POL ***die ~*** the western powers *pl* **westöstlich** *adj* west-to-east; ***in ~er Richtung*** from west to east **westwärts** ['vɛstvɛrts] *adv* westward(s) **Westwind** *m* west wind

weswegen [vɛs'veːgn, 'vɛs-] *interrog adv* why

wett [vɛt] *adj pred* ***~ sein*** to be quits

Wettbewerb *m* competition **Wettbewerber(in)** *m/(f)* competitor **wettbewerbsfähig** *adj* competitive **wettbewerbswidrig** *adj* anticompetitive

Wettbüro *nt* betting office **Wette** ['vɛtə] *f* ⟨-, *-n*⟩ bet; ***darauf gehe ich jede ~ ein*** I'll bet you anything you like; ***die ~ gilt!*** done!; ***mit jdm um die ~ laufen*** *or* ***rennen*** to race sb **wetteifern** *v/i insep* ***mit jdm um etw ~*** to compete with sb for sth **wetten** ['vɛtn] *v/t & v/i* to bet; ***auf etw*** (*acc*) ***~*** to bet on sth; ***mit jdm ~*** to bet with sb; ***ich wette 100 gegen 1***(***, dass ...***) I'll bet (you) 100 to 1 (that ...)

Wetter ['vɛtɐ] *nt* ⟨*-s, -*⟩ **1.** weather *no indef art*; ***bei so einem ~*** in such weather; ***was haben wir heute für ~?*** what's the weather like today? **2.** (≈ *Unwetter*) storm **3.** *usu pl* MIN air; ***schlagende ~*** *pl* firedamp *sg*

Wetter ['vɛtɐ] *m* ⟨*-s, -*⟩, **Wetterin** [-ərɪn] *f* ⟨-, *-nen*⟩ better

Wetteraussichten *pl* weather outlook *sg* **Wetterbericht** *m* weather report **wetter-**

beständig *adj* weatherproof **wetterempfindlich** *adj* sensitive to (changes in) the weather **wetterfest** *adj* weatherproof **Wetterfrosch** *m* (*hum infml*) weatherman (*infml*) **wetterfühlig** [-fyːlɪç] *adj* sensitive to (changes in) the weather **Wetterhahn** *m* weathercock (*esp Br*), weather vane **Wetterkarte** *f* weather map **Wetterkunde** *f* meteorology **Wetterlage** *f* weather situation **Wetterleuchten** *nt* ⟨**-s**, *no pl*⟩ sheet lightning; (*fig*) storm clouds *pl*

wettern ['vɛtɐn] *v/i* to curse and swear; ***gegen*** *or* ***auf etw*** (*acc*) **~** to rail against sth

Wetterstation *f* weather station **Wettersturz** *m* sudden fall in temperature and atmospheric pressure **Wetterumschwung** *m* sudden change in the weather **Wettervorhersage** *f* weather forecast **Wetterwarte** *f* weather station **wetterwendisch** *adj* (*fig*) changeable

Wettfahrt *f* race **Wettkampf** *m* competition **Wettkämpfer(in)** *m*/(*f*) competitor **Wettlauf** *m* race; ***ein ~ gegen die Zeit*** a race against time

wettmachen *v/t sep* to make up for; *Verlust etc* to make good; *Rückstand* to make up

Wettrennen *nt* race **Wettrüsten** *nt* ⟨**-s**, *no pl*⟩ arms race **Wettschein** *m* betting slip **Wettstreit** *m* competition; ***mit jdm im ~ liegen*** to compete with sb

wetzen ['vɛtsn] *v/t* to whet **Wetzstein** *m* whetstone

WG [veː'geː] *f* ⟨**-**, **-s**⟩ *abbr of* ***Wohngemeinschaft***

Whirlpool® ['wœrlpuːl, 'wøːɐl-] *m* ⟨**-s**, **-s**⟩ whirlpool bathtub

Whisky ['wɪski] *m* ⟨**-s**, **-s**⟩ whisky, whiskey (*US*); (*irischer*) whiskey

wichsen ['vɪksn] *v/i* (*sl* ≈ *onanieren*) to jerk off (*sl*) **Wichser** ['vɪksɐ] *m* ⟨**-s**, **-**⟩ (*sl*) wanker (*Br sl*), jerk-off (*US sl*)

Wicht [vɪçt] *m* ⟨**-(e)s**, **-e**⟩ (≈ *Kobold*) goblin; (*fig* ≈ *verachtenswerter Mensch*) scoundrel

wichtig ['vɪçtɪç] **I** *adj* important; ***alles Wichtige*** everything of importance; ***Wichtigeres zu tun haben*** to have more important things to do; ***das Wichtigste*** the most important thing **II** *adv* ***sich selbst/etw*** (***zu***) **~** ***nehmen*** to take oneself/sth (too) seriously **Wichtigkeit** *f* ⟨**-**, **-en**⟩ importance **wichtigmachen** *v/r sep* (*infml*) to be full of one's own importance **Wichtigtuer** [-tuːɐ] *m* ⟨**-s**, **-**⟩, **Wichtigtuerin** [-ərɪn] *f* ⟨**-**, **-nen**⟩ (*pej*) pompous idiot **wichtigtun** *v/r sep* (*infml*: *sich aufspielen*) to be full of one's own importance

Wicke ['vɪkə] *f* ⟨**-**, **-n**⟩ BOT vetch; (≈ *Gartenwicke*) sweet pea

Wickel ['vɪkl] *m* ⟨**-s**, **-**⟩ MED compress **wickeln** ['vɪkln] **I** *v/t* **1.** (≈ *schlingen*) to wind (*um* round); *Verband etc* to bind **2.** (≈ *einwickeln*) to wrap (*in +acc* in); ***einen Säugling ~*** to change a baby's nappy (*Br*) *or* diaper (*US*) **II** *v/r* to wrap oneself (*in +acc* in) **Wickelraum** *m* (*in Kaufhaus etc*) baby changing room **Wickelrock** *m* wraparound skirt **Wickeltisch** *m* baby's changing table

Widder ['vɪdɐ] *m* ⟨**-s**, **-**⟩ ZOOL ram; ASTROL Aries; ***sie ist*** (***ein***) **~** ASTROL she's (an) Aries

wider ['viːdɐ] *prep +acc* (*elev*) against; ***~ Erwarten*** contrary to expectations **widerfahren** [viːdɐ'faːrən] *past part* ***widerfahren*** *v/i impers +dat insep irr aux sein* (*elev*) to happen (*jdm* to sb) **Widerhaken** *m* barb **Widerhall** *m* echo; ***keinen ~ finden*** (*Interesse*) to meet with no response **widerlegen** [viːdɐ'leːgn] *past part* ***widerlegt*** *v/t insep Behauptung etc* to refute; *jdn* to prove wrong **Widerlegung** *f* ⟨**-**, **-en**⟩ refutation, disproving **widerlich** ['viːdɐlɪç] **I** *adj* disgusting; *Mensch* repulsive **II** *adv sich benehmen* disgustingly; ***~ riechen/schmecken*** to smell/taste disgusting **widernatürlich** *adj* unnatural **widerrechtlich** **I** *adj* illegal **II** *adv* illegally; ***sich*** (*dat*) ***etw ~ aneignen*** to misappropriate sth **Widerrede** *f* (≈ *Widerspruch*) contradiction; ***keine ~!*** don't argue!; ***ohne ~*** without protest **Widerruf** *m* revocation; (*von Aussage*) retraction **widerrufen** [viːdɐ'ruːfn] *past part* ***widerrufen*** *insep irr v/t Erlaubnis, Anordnung etc* to revoke, to withdraw; *Aussage* to retract **Widersacher** ['viːdɐzaxɐ] *m* ⟨**-s**, **-**⟩, **Widersacherin** [-ərɪn] *f* ⟨**-**, **-nen**⟩ adversary **widersetzen** [viːdɐ'zɛtsn] *past part* ***widersetzt*** *v/r insep* ***sich jdm/einer Sache ~*** to oppose sb/sth; *der Festnahme* to resist sth; *einem Befehl* to refuse to comply with sth **widersinnig** *adj* absurd **widerspenstig** *adj* stubborn; *Kind, Haar* unruly **widerspiegeln** *sep* **I** *v/t* to reflect **II**

v/r to be reflected **widersprechen** [viːdɐˈʃprɛçn] *past part* **widersprochen** [viːdɐˈʃprɔxn] *insep irr* **I** *v/i* **jdm/einer Sache ~** to contradict sb/sth **II** *v/r* (*einander*) to contradict each other **Widerspruch** *m* **1.** contradiction; **ein ~ in sich selbst** a contradiction in terms; **in** *or* **im ~ zu** contrary to; **in** *or* **im ~ zu etw stehen** to be contrary to sth **2.** (≈ *Protest*) protest; (≈ *Ablehnung*) opposition; JUR appeal; **kein ~!** don't argue!; **~ erheben** to protest; **~ einlegen** JUR to appeal **widersprüchlich** [-ʃprʏçlɪç] *adj* contradictory; *Verhalten* inconsistent **Widerspruchsgeist** *m, no pl* spirit of opposition **widerspruchslos I** *adj* (≈ *unangefochten*) unopposed; (≈ *ohne Einwände*) without contradiction **II** *adv* (≈ *unangefochten*) without opposition; (≈ *ohne Einwände*) without contradiction **Widerstand** *m* resistance; (≈ *Ablehnung*) opposition; (ELEC: *Bauelement*) resistor; **gegen jdn/etw ~ leisten** to resist sb/sth **Widerstandsbewegung** *f* resistance movement **widerstandsfähig** *adj* robust; *Pflanze* hardy; MED, TECH *etc* resistant (*gegen* to) **Widerstandsfähigkeit** *f* robustness; (*von Pflanze*) hardiness; MED, TECH *etc* resistance (*gegen* to) **Widerstandskämpfer(in)** *m/(f)* member of the resistance **widerstandslos** *adj, adv* without resistance **widerstehen** [viːdɐˈʃteːən] *past part* **widerstanden** [viːdɐˈʃtandn] *v/i +dat insep irr* (≈ *nicht nachgeben*) to resist; (≈ *standhalten*) to withstand **widerstreben** [viːdɐˈʃtreːbn] *past part* **widerstrebt** *v/i +dat insep* **es widerstrebt mir, so etwas zu tun** it goes against the grain (*Br*) *or* my grain (*US*) to do anything like that **widerstrebend I** *adj* (≈ *widerwillig*) reluctant **II** *adv* (*widerwillig*) unwillingly **widerwärtig** [-vɛrtɪç] **I** *adj* objectionable; (≈ *ekelhaft*) disgusting **II** *adv* **~ schmecken/stinken** to taste/smell disgusting **Widerwille** *m* (≈ *Ekel*) disgust (*gegen* for); (≈ *Abneigung*) distaste (*gegen* for); (≈ *Widerstreben*) reluctance **widerwillig I** *adj* reluctant **II** *adv* reluctantly **Widerworte** *pl* **~ geben** to answer back; **ohne ~** without protest

widmen [ˈvɪtmən] **I** *v/t* **jdm etw ~** to dedicate sth to sb **II** *v/r +dat* to devote oneself to; *den Gästen etc* to attend to; *einer Aufgabe* to apply oneself to **Widmung** [ˈvɪtmʊŋ] *f* ⟨-, **-en**⟩ (*in Buch etc*) dedication (*an +acc* to)

widrig [ˈviːdrɪç] *adj* adverse

wie [viː] **I** *interrog adv* **1.** how; **~ wärs mit einem Whisky?** (*infml*) how about a whisky? **2.** (≈ *welcher Art*) **~ wars auf der Party?** what was the party like?; **~ ist er (denn)?** what's he like? **3.** (≈ *was*) **~ heißt er/das?** what's he/it called?; **~?** what?; **~ bitte?** sorry?; (*entrüstet*) I beg your pardon! **4.** (*in Ausrufen*) how; **und ~!, aber ~!** and how! (*infml*); **~ groß er ist!** how big he is!; **das macht dir Spaß, ~?** you like that, don't you? **II** *adv* **die Art, ~ sie geht** the way (in which) she walks; **~ stark du auch sein magst** however strong you may be; **~ sehr ... auch** however much **III** *cj* **1.** (*vergleichend*) (*auf adj, adv bezüglich*) as; (*auf n bezüglich*) like; **so ... ~** as ... as; **so lang ~ breit** as long as it *etc* is wide; **weiß ~ Schnee** (as) white as snow; **eine Nase ~ eine Kartoffel** a nose like a potato; **~ gewöhnlich/immer** as usual/always *or* ever; **~ du weißt** as you know **2.** (≈ *als*) **größer ~** bigger than; **nichts ~ Ärger** *etc* nothing but trouble *etc* **3.** (*infml*) **~ wenn** as if **4. er sah, ~ es geschah** he saw it happen; **sie spürte, ~ es kalt wurde** she felt it getting cold

Wiedehopf [ˈviːdəhɔpf] *m* ⟨**-(e)s, -e**⟩ hoopoe

wieder [ˈviːdɐ] *adv* again; **immer ~** again and again; **~ mal** (once) again; **~ ist ein Jahr vorbei** another year has passed; **wie, schon ~?** what, again?; **~ da** back (again) **Wiederaufbau** *m, no pl* reconstruction **wiederaufbauen** *v/t & v/i sep* to reconstruct **wiederaufbereiten** *v/t sep* to recycle; *Atommüll, Abwasser* to reprocess **Wiederaufbereitung** *f* recycling; (*von Atommüll*) reprocessing **Wiederaufbereitungsanlage** *f* recycling plant; (*für Atommüll*) reprocessing plant **wieder aufleben** *v/i aux sein* to revive **Wiederaufnahme** [viːdɐˈ|aufnaːmə] *f* **1.** (*von Tätigkeit, Gespräch etc*) resumption **2.** (*im Verein etc*) readmittance **wiederaufnehmen** *v/t sep irr* **1.** (≈ *wieder beginnen*) to resume **2.** *Vereinsmitglied* to readmit **Wiederbeginn** *m* recommencement; (*von Schule*) reopening **wiederbekommen** *past part* **wiederbekommen** *v/t sep irr* to get back **wiederbeleben** *v/t sep* to revive **Wieder-**

belebung *f* revival **Wiederbelebungsversuch** *m* attempt at resuscitation; (*fig*) attempt at revival **wiederbringen** *v/t sep irr* to bring back **wiedereinführen** *v/t sep* to reintroduce; (*Comm*) *Waren* to reimport **Wiedereingliederung** *f* reintegration **wiedereinstellen** *v/t sep* to re-employ **Wiedereintritt** *m* reentry (*in +acc* into) **wiederentdecken** *v/t sep* to rediscover **Wiederentdeckung** *f* rediscovery **wiedererkennen** *v/t sep irr* to recognize; ***das/er war nicht wiederzuerkennen*** it/he was unrecognizable **wiedererlangen** *past part* ***wiedererlangt*** *v/t sep* to regain; *Eigentum* to recover **wiedereröffnen** *v/t & v/i sep* to reopen **Wiedereröffnung** *f* reopening **wiedererstatten** *past part* ***wiedererstattet*** *v/t sep Unkosten etc* to refund (*jdm etw* sb for sth) **Wiedererstattung** *f* refund(ing) **wiederfinden** *sep irr v/t* to find again; (*fig*) *Mut etc* to regain **Wiedergabe** *f* **1.** (*von Rede, Ereignis*) account **2.** (≈ *Darbietung: von Stück etc*) rendition **3.** (≈ *Übersetzung*) translation **4.** (≈ *Reproduktion*) reproduction **5.** (≈ *Rückgabe*) return **wiedergeben** *v/t sep irr* **1.** to give back **2.** (≈ *erzählen*) to give an account of **3.** (≈ *übersetzen*) to translate **4.** (≈ *reproduzieren*) to reproduce **wiedergeboren** *adj* reborn **Wiedergeburt** *f* rebirth **wiedergewinnen** *past part* ***wiedergewonnen*** *v/t sep irr* to regain; *jdn* to win back; *Land* to reclaim; *Selbstvertrauen* to recover **wiedergutmachen** *v/t sep Schaden* to compensate for; *Fehler* to rectify; POL to make reparations for; ***das ist nie wiedergutzumachen*** that can never be put right **Wiedergutmachung** *f* ⟨**-, -en**⟩ compensation; POL reparations *pl* **wiederhaben** *v/t sep irr* (*infml*) ***etw ~ wollen*** to want sth back **wiederherstellen** *v/t sep Gebäude, Ordnung, Gesundheit* to restore; *Beziehungen* to re-establish **Wiederherstellung** *f* restoration

wiederholen[1] [viːdɐˈhoːlən] *past part* ***wiederholt*** *insep* **I** *v/t & v/i* to repeat; (*zusammenfassend*) to recapitulate; *Lernstoff* to revise, to review (*US*); *Prüfung, Elfmeter* to retake **II** *v/r* (*Mensch*) to repeat oneself; (*Thema, Ereignis*) to recur

wiederholen[2] [ˈviːdɐhoːlən] *v/t sep* (≈ *zurückholen*) to get back **wiederholt** [viːdɐˈhoːlt] **I** *adj* repeated; ***zum ~en Male*** once again **II** *adv* repeatedly **Wiederholung** [viːdɐˈhoːlʊŋ] *f* ⟨**-, -en**⟩ repetition; (*von Prüfung, Elfmeter*) retaking; (*von Sendung*) repeat; (*von Lernstoff*) revision **Wiederholungsspiel** *nt* SPORTS replay **Wiederhören** *nt* (***auf***) ***~!*** goodbye! **wiederkäuen** *sep* **I** *v/t* to ruminate; (*fig infml*) to go over again and again **II** *v/i* to ruminate **Wiederkäuer** [-kɔyɐ] *m* ⟨**-s, -**⟩ ruminant **Wiederkehr** [ˈviːdɐkeːɐ] *f* ⟨**-**, *no pl*⟩ (≈ *Rückkehr*) return; (≈ *ständiges Vorkommen*) recurrence **wiederkehren** *v/i sep aux sein* (≈ *zurückkehren*) to return; (≈ *sich wiederholen*) to recur **wiederkehrend** *adj* recurring **wiederkommen** *v/i sep irr aux sein* to come back **wiedersehen** *v/t sep irr* to see again; ***wann sehen wir uns wieder?*** when will we see each other again? **Wiedersehen** [ˈviːdɐzeːən] *nt* ⟨**-s, -**⟩ (*nach längerer Zeit*) reunion; (***auf***) ***~!*** goodbye! **wiederum** [ˈviːdərʊm] *adv* **1.** (≈ *andererseits*) on the other hand; (≈ *allerdings*) though **2.** (*elev* ≈ *nochmals*) again **wiedervereinigen** *sep* **I** *v/t* to reunite; *Land* to reunify **II** *v/r* to reunite **Wiedervereinigung** *f* reunification **Wiederverkaufswert** *m* resale value **wiederverwendbar** *adj* reusable **wiederverwenden** *v/t sep* to reuse **wiederverwertbar** *adj* recyclable **wiederverwerten** *v/t sep* to recycle **Wiederverwertung** *f* recycling

Wiege [ˈviːgə] *f* ⟨**-, -n**⟩ cradle

wiegen[1] [ˈviːgn] **I** *v/t* **1.** (≈ *hin und her bewegen*) to rock; *Hüften* to sway **2.** (≈ *zerkleinern*) to chop up **II** *v/r* (*Boot etc*) to rock (gently); (*Mensch, Äste etc*) to sway

wiegen[2] *pret* ***wog*** [voːk], *past part* ***gewogen*** [gəˈvoːgn] *v/t & v/i* (≈ *abwiegen*) to weigh; ***wie viel wiegst du?*** how heavy are you?; ***schwer ~*** (*fig*) to carry a lot of weight; → ***gewogen***

Wiegenlied *nt* lullaby

wiehern [ˈviːɐn] *v/i* to neigh

Wien [viːn] *nt* ⟨**-s**⟩ Vienna **Wiener** [ˈviːnɐ] *adj attr* Viennese; ***~ Würstchen*** frankfurter; ***~ Schnitzel*** Wiener schnitzel **wienerisch** [ˈviːnərɪʃ] *adj* Viennese

wienern *v/t* to polish

Wiese [ˈviːzə] *f* ⟨**-, -n**⟩ meadow; (*infml* ≈ *Rasen*) grass

Wiesel [ˈviːzl] *nt* ⟨**-s, -**⟩ weasel

wieso [viˈzoː] *interrog adv* why; ***~ nicht***

why not; ~ ***weißt du das?*** how do you know that?

wie viel [vi'fiːl, 'viː-] *interrog adv* → **viel** **wievielmal** [vi'fiːlmaːl, 'viː-] *interrog adv* how many times **Wievielte(r)** [vi'fiːltə, 'viː-] *m decl as adj* (*bei Datum*) ***der ~ ist heute?*** what's the date today? **wievielte(r, s)** [vi'fiːltə, 'viː-] *interrog adj* ***das ~ Kind ist das jetzt?*** how many children is that now?; ***zum ~n Mal bist du schon in England?*** how often have you been to England?; ***am ~n September hast du Geburtstag?*** what date in September is your birthday?

wieweit [vi'vait] *cj* to what extent

Wikinger ['viːkɪŋɐ, 'vɪkɪŋɐ] *m* ⟨***-s, -***⟩, **Wikingerin** [-ərɪn] *f* ⟨**-, *-nen***⟩ Viking

wild [vɪlt] **I** *adj* wild; *Stamm* savage; (≈ *laut, ausgelassen*) boisterous; (≈ *ungesetzlich*) *Parken, Zelten etc* illegal; *Streik* wildcat *attr*, unofficial; ***seid nicht so ~!*** calm down a bit!; ***jdn ~ machen*** to make sb furious, to drive sb crazy; ***~ auf jdn/etw sein*** (*infml*) to be mad about sb/sth (*infml*); ***das ist halb so ~*** (*infml*) never mind **II** *adv* **1.** (≈ *unordentlich*) ***~ durcheinanderliegen*** to be strewn all over the place **2.** (≈ *hemmungslos*) like crazy; *um sich schlagen* wildly; ***wie ~ arbeiten****etc* to work *etc* like mad **3.** (≈ *in der freien Natur*) ***~ leben*** to live in the wild; ***~ wachsen*** to grow wild **Wild** [vɪlt] *nt* ⟨**-*(e)s*** [-dəs]⟩ *no pl* (≈ *Tiere, Fleisch*) game; (≈ *Rotwild*) deer; (≈ *Fleisch von Rotwild*) venison **Wildbach** *m* torrent **Wildbahn** *f* ***auf*** *or* ***in freier ~*** in the wild **Wilddieb(in)** *m/(f)* poacher **Wilde(r)** ['vɪldə] *m/f(m) decl as adj* savage; (*fig*) madman **Wilderei** [vɪldə'rai] *f* ⟨**-, *-en***⟩ poaching **Wilderer** ['vɪldərɐ] *m* ⟨***-s, -***⟩, **Wilderin** [-ərɪn] *f* ⟨**-, *-nen***⟩ poacher **wildern** ['vɪldɐn] *v/i* to poach **Wildfleisch** *nt* game; (*von Rotwild*) venison **wildfremd** ['vɪlt'frɛmt] *adj* (*infml*) completely strange; ***~e Leute*** complete strangers **Wildgans** *f* wild goose **Wildheit** *f* ⟨**-, *-en***⟩ wildness **Wildhüter(in)** *m/(f)* gamekeeper **Wildkatze** *f* wildcat **Wildleder** *nt* suede **wildledern** *adj* suede **Wildnis** ['vɪltnɪs] *f* ⟨**-, *-se***⟩ wilderness; ***in der ~ leben*** to live in the wild **Wildpark** *m* game park; (*für Rotwild*) deer park **Wildsau** *f* wild sow; (*fig sl*) pig (*infml*) **Wildschwein** *nt* wild boar **Wildwasser** *nt*, *pl* ***-wasser*** white water **Wildwechsel** *m* (*bei Rotwild*) deer path; „***Wildwechsel***" "wild animals" **Wildwestfilm** *m* western

Wille ['vɪlə] *m* ⟨***-ns****, no pl*⟩ will; (≈ *Absicht*) intention; ***wenn es nach ihrem ~n ginge*** if she had her way; ***er musste wider ~n*** *or* ***gegen seinen ~n lachen*** he couldn't help laughing; ***seinen ~n durchsetzen*** to get one's (own) way; ***jdm seinen ~n lassen*** to let sb have his own way; ***beim besten ~n nicht*** not with the best will in the world; ***wo ein ~ ist, ist auch ein Weg*** (*prov*) where there's a will there's a way (*prov*) **willenlos** **I** *adj* weak-willed **II** *adv* ***jdm ~ ergeben sein*** to be totally submissive to sb **willens** ['vɪləns] *adj* (*elev*) ***~ sein*** to be willing **Willenskraft** *f* willpower **willensschwach** *adj* weak-willed **Willensschwäche** *f* weak will **willensstark** *adj* strong-willed **Willensstärke** *f* willpower **willentlich** ['vɪləntlɪç] **I** *adj* wilful **II** *adv* deliberately **willig** ['vɪlɪç] **I** *adj* willing **II** *adv* willingly

willkommen [vɪl'kɔmən] *adj* welcome; ***du bist (mir) immer ~*** you are always welcome; ***jdn ~ heißen*** to welcome sb; ***es ist mir ganz ~, dass ...*** I quite welcome the fact that ... **Willkommensgruß** *m* greeting

Willkür ['vɪlkyːɐ] *f* ⟨**-**, *no pl*⟩ (*politisch*) despotism; (*bei Handlungen*) arbitrariness; ***ein Akt der ~*** a despotic/an arbitrary act **willkürlich** ['vɪlkyːɐlɪç] **I** *adj* arbitrary; *Herrscher* autocratic **II** *adv handeln* arbitrarily

wimmeln ['vɪmln] *v/i* (*also v/i impers*) ***der See wimmelt von Fischen*** the lake is teeming with fish; ***hier wimmelt es von Fliegen*** this place is swarming with flies; ***dieses Buch wimmelt von Fehlern*** this book is riddled with mistakes

Wimmerl ['vɪmɐl] *nt* ⟨***-s, -(n)***⟩ (*Aus* ≈ *Pickel*) spot

wimmern ['vɪmɐn] *v/i* to whimper

Wimper ['vɪmpɐ] *f* ⟨**-, *-n***⟩ (eye)lash; ***ohne mit der ~ zu zucken*** (*fig*) without batting an eyelid (*Br*) *or* eyelash (*US*) **Wimperntusche** *f* mascara

Wind [vɪnt] *m* ⟨***-(e)s, -e*** [-də]⟩ wind; ***bei ~ und Wetter*** in all weathers; ***~ und Wetter ausgesetzt sein*** to be exposed to the elements; ***daher weht der ~!*** (*fig*) so that's the way the wind is blowing; ***viel ~ um etw machen*** (*infml*) to make a lot of fuss about sth; ***gegen den ~ segeln*** (*lit*) to sail into the wind; (*fig*) to swim against the stream, to run against the wind (*US*); ***jdm den ~ aus den Segeln nehmen*** (*fig*) to take the wind out of sb's sails; ***etw in den ~ schlagen*** *Warnungen, Rat* to turn a deaf ear to sth; *Vorsicht, Vernunft* to throw sth to the winds; ***in alle (vier) ~e zerstreut sein*** (*fig*) to be scattered to the four corners of the earth; ***von etw ~ bekommen*** (*fig infml*) to get wind of sth **Windbeutel** *m* cream puff **Windbluse** *f* windcheater **Windbö(e)** *f* gust of wind

Winde[1] ['vɪndə] *f* ⟨**-, -n**⟩ TECH winch

Winde[2] *f* ⟨**-, -n**⟩ BOT bindweed

Windel ['vɪndl] *f* ⟨**-, -n**⟩ nappy (*Br*), diaper (*US*) **Windeleinlage** *f* nappy (*Br*) *or* diaper (*US*) liner **windelweich** ['vɪndl'vaiç] *adv* ***jdn ~ schlagen*** *or* ***hauen*** (*infml*) to beat sb black and blue

winden ['vɪndn] *pret* ***wand*** [vant], *past part* ***gewunden*** [gə'vʊndn] **I** *v/t* to wind; *Kranz* to bind; (≈ *hochwinden*) *Last* to winch **II** *v/r* to wind; (*vor Schmerzen*) to writhe (*vor* with, in); (*vor Verlegenheit*) to squirm (*vor* with, in); (*fig* ≈ *ausweichen*) to try to wriggle out; → ***gewunden***

Windenergie *f* wind energy **Windeseile** *f* ***etw in*** *or* ***mit ~ tun*** to do sth in no time (at all); ***sich in*** *or* ***mit ~ verbreiten*** to spread like wildfire **Windfarm** *f* wind farm **windgeschützt** *adj* sheltered (from the wind) **Windhund** *m* **1.** greyhound **2.** (*fig pej*) rake **windig** ['vɪndɪç] *adj* windy; (*fig*) dubious **Windjacke** *f* windcheater (*Br*), windproof jacket **Windkraft** *f* wind power **Windlicht** *nt* lantern **Windmühle** *f* windmill **Windpocken** *pl* chickenpox *sg* **Windrichtung** *f* wind direction **Windrose** *f* NAUT compass card; METEO wind rose **Windschatten** *m* lee; (*von Fahrzeugen*) slipstream **windschief** *adj* crooked **Windschutzscheibe** *f* windscreen (*Br*), windshield (*US*) **Windstärke** *f* strength of the wind **windstill** *adj* still; *Platz, Ecke etc* sheltered **Windstille** *f* calm **Windstoß** *m* gust of wind **Windsurfbrett** *nt* windsurfer **windsurfen** *v/i insep* to windsurf; ***~ gehen*** to go windsurfing **Windsurfen** *nt* ⟨**-s**, *no pl*⟩ windsurfing **Windsurfer(in)** *m/(f)* windsurfer **Windturbine** *f* wind turbine

Windung ['vɪndʊŋ] *f* ⟨**-, -en**⟩ (*von Weg, Fluss etc*) meander; (TECH: *von Schraube*) thread; (ELEC: *von Spule*) coil

Wink [vɪŋk] *m* ⟨**-(e)s, -e**⟩ (≈ *Zeichen*) sign; (≈ *Hinweis, Tipp*) hint

Winkel ['vɪŋkl] *m* ⟨**-s, -**⟩ **1.** MAT angle **2.** TECH square **3.** (*fig*) (≈ *Stelle, Ecke*) corner; (≈ *Plätzchen*) spot **Winkeleisen** *nt* angle iron **winkelförmig I** *adj* angled **II** *adv* ***~ gebogen*** bent at an angle **winkelig** ['vɪŋkəlɪç] *adj* = ***winklig*** **Winkelmesser** *m* ⟨**-s, -**⟩ protractor

winken ['vɪŋkn] *past part* ***gewinkt*** *or* (*dial*) ***gewunken*** [gə'vɪŋkt, gə'vʊŋkn] **I** *v/i* to wave (*jdm* to sb); ***dem Kellner ~*** to signal to the waiter; ***jdm winkt etw*** (*fig* ≈ *steht in Aussicht*) sb can expect sth; ***dem Sieger winkt eine Reise nach Italien*** the winner will receive a trip to Italy **II** *v/t* to wave; ***jdn zu sich ~*** to beckon sb over to one

winklig ['vɪŋklɪç] *adj Haus, Altstadt* full of nooks and crannies; *Gasse* twisty

Winter ['vɪntɐ] *m* ⟨**-s, -**⟩ winter; ***im ~*** in (the) winter **Winteranfang** *m* beginning of winter **Winterdienst** *m* MOT winter road treatment **Winterfahrplan** *m* winter timetable **Wintergarten** *m* winter garden **Winterlandschaft** *f* winter landscape **winterlich** ['vɪntɐlɪç] **I** *adj* wintry, winter *attr* **II** *adv* ***es ist ~ kalt*** it's as cold as it is in winter; ***~ gekleidet*** dressed for winter **Winterolympiade** *f* Winter Olympics *pl* **Winterreifen** *m* winter tyre (*Br*) *or* tire (*US*) **Winterschlaf** *m* ZOOL hibernation; ***(den) ~ halten*** to hibernate **Winterschlussverkauf** *m* winter (clearance) sale **Wintersemester** *nt* winter semester **Winterspiele** *pl* ***(Olympische) ~*** Winter Olympics *pl* **Wintersport** *m* winter sports *pl*; (≈ *Wintersportart*) winter sport **Winterzeit** *f* winter time

Winzer ['vɪntsɐ] *m* ⟨**-s, -**⟩, **Winzerin** [-ərɪn] *f* ⟨**-, -nen**⟩ wine grower

winzig ['vɪntsɪç] *adj* tiny; ***~ klein*** minute, tiny little *attr* **Winzling** ['vɪntslɪŋ] *m* ⟨**-s, -e**⟩ (*infml*) mite

Wipfel ['vɪpfl] *m* ⟨**-s, -**⟩ treetop

Wippe ['vɪpə] *f* ⟨**-, -n**⟩ (*zum Schaukeln*) seesaw **wippen** ['vɪpn] *v/i* (≈ *mit Wippe schaukeln*) to seesaw; ***mit dem Fuß ~*** to jiggle one's foot

wir [viːɐ] *pers pr, gen* ***unser*** ['ʊnzɐ], *dat* ***uns*** [ʊns], *acc* ***uns*** [ʊns] we; ***~ alle*** all of us; ***~ beide*** both of us; ***~ drei*** the three of us; ***wer war das? — ~ nicht*** who was that? — it wasn't us

Wịrbel ['vɪrbl] *m* ⟨**-s, -**⟩ **1.** whirl; (*in Fluss etc*) whirlpool; (≈ *Aufsehen*) to-do; **(*viel*/ *großen*) *~ machen*/*verursachen*** to make/cause (a lot of/a big) commotion **2.** (≈ *Trommelwirbel*) (drum) roll **3.** ANAT vertebra **wịrbellos** *adj* ZOOL invertebrate **wịrbeln** ['vɪrbln] *v/i aux sein* to whirl; (*Laub*, *Rauch*) to swirl **Wịrbelsäule** *f* ANAT spinal column **Wịrbelsturm** *m* whirlwind **Wịrbeltier** *nt* vertebrate **Wịrbelwind** *m* whirlwind

wịrken ['vɪrkn] *v/i* **1.** (≈ *tätig sein*) (*Mensch*) to work; (*Kräfte etc*) to be at work; (≈ *Wirkung haben*) to have an effect; (≈ *erfolgreich sein*) to work; ***als Katalysator ~*** to act as a catalyst; ***abführend ~*** to have a laxative effect; ***etw auf sich*** (*acc*) ***~ lassen*** to take sth in **2.** (≈ *erscheinen*) to seem

wịrklich ['vɪrklɪç] **I** *adj* real; ***im ~en Leben*** in real life **II** *adv* really; ***nicht ~*** not really; ***ich war das ~ nicht*** it really was not me; ***~?*** (*als Antwort*) really? **Wịrklichkeit** *f* ⟨**-, -en**⟩ reality; ***~ werden*** to come true; ***in ~*** in reality **wịrklichkeitsfremd** *adj* unrealistic **wịrklichkeitsgetreu** **I** *adj* realistic **II** *adv* realistically

wịrksam ['vɪrkza:m] **I** *adj* effective; ***am 1. Januar ~ werden*** (*form*: *Gesetz*) to take effect on January 1st **II** *adv* effectively; *verbessern* significantly **Wịrksamkeit** *f* ⟨**-**, *no pl*⟩ effectiveness **Wịrkstoff** *m esp* PHYSIOL active substance **Wịrkung** ['vɪrkʊŋ] *f* ⟨**-, -en**⟩ effect (*bei* on); ***zur ~ kommen*** to take effect; ***mit ~ vom 1. Januar*** (*form*) with effect from January 1st **Wịrkungsgrad** *m* (degree of) effectiveness **wịrkungslos** *adj* ineffective **wịrkungsvoll** **I** *adj* effective **II** *adv* effectively **Wịrkungsweise** *f* (*von Medikament*) action

wịrr [vɪr] *adj* confused; *Blick* crazed; *Haare*, *Fäden* tangled; *Gedanken* weird; (≈ *unrealistisch*) wild; ***~es Zeug reden*** to talk gibberish **Wịrren** ['vɪrən] *pl* confusion *sg* **Wịrrwarr** ['vɪrvar] *m* ⟨**-s**, *no pl*⟩ confusion; (*von Verkehr*) chaos *no indef art*

Wịrsing ['vɪrzɪŋ] *m* ⟨**-s**, *no pl*⟩ savoy cabbage

Wịrt [vɪrt] *m* ⟨**-(e)s, -e**⟩ landlord; (BIOL, *rare* ≈ *Gastgeber*) host **Wịrtin** ['vɪrtɪn] *f* ⟨**-, -nen**⟩ landlady; (≈ *Gastgeberin*) hostess **Wịrtschaft** ['vɪrtʃaft] *f* ⟨**-, -en**⟩ **1.** (≈ *Volkswirtschaft*) economy; (≈ *Handel*) industry and commerce **2.** (≈ *Gastwirtschaft*) ≈ pub (*Br*), ≈ bar (*US*) **3.** (*infml* ≈ *Zustände*) ***eine schöne*** *or* ***saubere ~*** (*iron*) a fine state of affairs **wịrtschaften** ['vɪrtʃaftn] *v/i* **1.** **(*sparsam*) *~*** to economize; ***gut ~ können*** to be economical **2.** (≈ *den Haushalt führen*) to keep house **wịrtschaftlich** ['vɪrtʃaftlɪç] **I** *adj* **1.** economic **2.** (≈ *sparsam*) economical **II** *adv* (≈ *finanziell*) financially **Wịrtschaftlichkeit** *f* ⟨**-**, *no pl*⟩ **1.** (≈ *Rentabilität*) profitability **2.** (≈ *ökonomischer Betrieb*) economy **Wịrtschaftsflüchtling** *m* (*often pej*) economic refugee **Wịrtschaftsführer(in)** *m/*(*f*) leading industrialist **Wịrtschaftsgeld** *nt* housekeeping (money) (*Br*), household allowance (*US*) **Wịrtschaftsgemeinschaft** *f* economic community **Wịrtschaftsgipfel** *m* economic summit **Wịrtschaftsgüter** *pl* economic goods *pl* **Wịrtschaftsjahr** *nt* financial year, fiscal year **Wịrtschaftskriminalität** *f* white collar crime **Wịrtschaftskrise** *f* economic crisis **Wịrtschaftslage** *f* economic situation **Wịrtschaftsminister(in)** *m/*(*f*) minister of trade and industry (*Br*), secretary of commerce (*US*) **Wịrtschaftsministerium** *nt* ministry of trade and industry (*Br*), department of commerce (*US*) **Wịrtschaftsplan** *m* economic plan **Wịrtschaftspolitik** *f* economic policy **wịrtschaftspolitisch** *adj Maßnahmen etc* economic policy *attr*; ***~er Sprecher*** spokesman on economic policy **Wịrtschaftsprüfer(in)** *m/*(*f*) accountant; (*zum Überprüfen der Bücher*) auditor **Wịrtschaftsraum** *m* ECON economic area **Wịrtschaftsstandort** *m* business location **Wịrtschaftsunion** *f* economic union **Wịrtschaftswachstum** *nt* economic growth **Wịrtschaftswissenschaft** *f* economics *sg* **Wịrtschaftswissenschaftler(in)** *m/*(*f*) economist **Wịrtschaftswunder** *nt* economic miracle **Wịrtshaus** *nt* ≈ pub (*Br*), ≈ bar (*US*), ≈ saloon (*dated US*); (*esp auf dem Land*) inn **Wịrtsleute** *pl* landlord and landlady **Wịrtsstube** *f* lounge

Wịsch [vɪʃ] *m* ⟨**-(e)s, -e**⟩ (*pej infml*) piece of paper **wịschen** ['vɪʃn] **I** *v/t & v/i* to wipe; (*Swiss* ≈ *fegen*) to sweep; ***Einwände*** **(*einfach*)** ***vom Tisch ~*** (*fig*) to sweep aside objections **II** *v/t* (*infml*) ***jdm eine ~*** to clout sb one (*Br infml*), to clobber sb (*infml*); ***einen gewischt bekommen*** ELEC to get a shock **Wischer** ['vɪʃɐ] *m* ⟨***-s, -***⟩ AUTO (windscreen (*Br*) *or* windshield (*US*)) wiper **Wischerblatt** *nt* AUTO wiper blade **Wischtuch** *nt*, *pl* ***-tücher*** cloth

Wisent ['viːzɛnt] *m* ⟨***-s, -e***⟩ bison

wispern ['vɪspɐn] *v/t & v/i* to whisper

Wissbegier(de) *f* thirst for knowledge **wissbegierig** *adj Kind* eager to learn **wissen** ['vɪsn] *pret* ***wusste*** ['vʊstə], *past part* ***gewusst*** [gə'vʊst] *v/t & v/i* to know (*über +acc*, *von* about); ***ich weiß (es) (schon)*** I know; ***ich weiß (es) nicht*** I don't know; ***weißt du schon das Neuste?*** have you heard the latest?; ***von jdm/etw nichts ~ wollen*** not to be interested in sb/sth; ***das musst du (selbst) ~*** it's your decision; ***das hättest du ja ~ müssen!*** you ought to have realized that; ***man kann nie ~*** you never know; ***weiß Gott*** (*infml*) God knows (*infml*); ***(ja) wenn ich das wüsste!*** goodness knows!; ***nicht, dass ich wüsste*** not as far as I know; ***dass du es (nur) (gleich) weißt*** just so you know; ***weißt du noch, wie schön es damals war?*** do you remember how great things were then?; ***jdn etw ~ lassen*** to let sb know sth; ***von etw ~*** to know of *or* about sth; ***er weiß von nichts*** he doesn't know anything about it **Wissen** ['vɪsn] *nt* ⟨***-s,*** *no pl*⟩ knowledge; ***meines ~s*** to my knowledge; ***nach bestem ~ und Gewissen*** to the best of one's knowledge and belief **wissend** *adj Blick etc* knowing **Wissenschaft** ['vɪsnʃaft] *f* ⟨***-, -en***⟩ science **Wissenschaftler** ['vɪsnʃaftlɐ] *m* ⟨***-s, -***⟩, **Wissenschaftlerin** [-ərɪn] *f* ⟨***-, -nen***⟩ scientist; (≈ *Geisteswissenschaftler*) academic **wissenschaftlich** ['vɪsnʃaftlɪç] **I** *adj* scientific; (≈ *geisteswissenschaftlich*) academic **II** *adv* scientifically **Wissensdrang** *m*, **Wissensdurst** *m* (*elev*) thirst for knowledge **Wissensgebiet** *nt* field (of knowledge) **Wissenslücke** *f* gap in one's knowledge **Wissensstand** *m* state of knowledge **wissenswert** *adj* worth knowing **wissentlich** ['vɪsntlɪç] **I** *adj* deliberate **II** *adv* deliberately

Witterung *f* ⟨***-, -en***⟩ (≈ *Wetter*) weather; ***bei guter ~*** if the weather is good **Witterungsverhältnisse** *pl* weather conditions *pl*

Witwe ['vɪtvə] *f* ⟨***-, -n***⟩ widow **Witwer** ['vɪtvɐ] *m* ⟨***-s, -***⟩ widower

Witz [vɪts] *m* ⟨***-es, -e***⟩ **1.** (≈ *Geist*) wit **2.** (*Äußerung*) joke (*über +acc* about); ***einen ~ machen*** to make a joke; ***mach keine ~e!*** don't be funny; ***das ist doch wohl ein ~*** he/you *etc* must be joking **3.** ***der ~ an der Sache ist, dass ...*** the great thing about it is that ... **Witzbold** ['vɪtsbɔlt] *m* ⟨***-(e)s, -e*** [-də]⟩ joker **witzeln** ['vɪtsln] *v/i* to joke (*über +acc* about) **witzig** ['vɪtsɪç] *adj* funny **witzlos** *adj* (*infml* ≈ *unsinnig*) pointless

wo [voː] **I** *interrog, rel adv* where; ***überall, wo*** wherever; ***wo immer ...*** wherever ...; ***ach*** *or* ***i wo!*** (*infml*) nonsense! **II** *cj* ***wo möglich*** where possible **woanders** [vo'|andɐs] *adv* somewhere else **wobei** [vo'bai] *adv* ***~ ist das passiert?*** how did that happen?; ***~ hast du ihn erwischt?*** what did you catch him doing?; ***~ mir gerade einfällt*** which reminds me

Woche ['vɔxə] *f* ⟨***-, -n***⟩ week; ***zweimal in der ~*** twice a week; ***in dieser ~*** this week **Wochenarbeitszeit** *f* working week **Wochenend-** *in cpds* weekend **Wochenendbeilage** *f* weekend supplement **Wochenendbeziehung** *f* long-distance relationship **Wochenende** *nt* weekend; ***schönes ~!*** have a nice weekend **Wochenendtrip** *m* weekend trip **Wochenendurlaub** *m* weekend holiday **Wochenkarte** *f* weekly season ticket **wochenlang** *adj*, *adv* for weeks; ***nach ~em Warten*** after weeks of waiting **Wochenlohn** *m* weekly wage **Wochenmarkt** *m* weekly market **Wochentag** *m* weekday (*including Saturday*) **wochentags** ['vɔxntaːks] *adv* on weekdays **wöchentlich** ['vœçntlɪç] *adj* weekly

Wodka ['vɔtka] *m* ⟨***-s, -s***⟩ vodka

wodurch [vo'dʊrç] *adv* **1.** *interrog* how **2.** *rel* which **wofür** [vo'fyːɐ] *adv* **1.** *interrog* for what, what ... for; (≈ *warum*) why **2.** *rel* for which, which ... for

Woge ['voːgə] *f* ⟨***-, -n***⟩ wave; ***wenn sich die ~n geglättet haben*** (*fig*) when things have calmed down

wogegen [vo'geːgn] *adv* **1.** (*in Fragen*) against what, what ... against **2.** (*relativ*) against which, which ... against **woher** [vo'heːɐ] *adv* where ... from; ***~ weißt du das?*** how do you (come to) know that? **wohin** [vo'hɪn] *adv* where; ***~ damit?*** where shall I/we put it?; ***~ man auch schaut*** wherever you look **wohingegen** [vohɪn'geːgn] *cj* whereas

wohl [voːl] **I** *adv* **1.** *comp* ***-er***, *sup* ***am -sten*** well; ***sich ~ fühlen***; → ***wohlfühlen***; ***bei dem Gedanken ist mir nicht ~*** I'm not very happy at the thought; ***~ oder übel*** whether one likes it or not **2.** (≈ *wahrscheinlich*) probably; (*iron* ≈ *bestimmt*) surely; ***es ist ~ anzunehmen, dass ...*** it is to be expected that ...; ***du bist ~ verrückt*** you must be crazy!; ***das ist doch ~ nicht dein Ernst!*** you can't be serious! **3.** (≈ *vielleicht*) perhaps; (≈ *etwa*) about; ***ob ~ noch jemand kommt?*** I wonder if anybody else is coming?; ***das mag ~ sein*** that may well be **II** *cj* (≈ *zwar*) ***~, aber ...*** that may well be, but ... **Wohl** [voːl] *nt* ⟨**-(e)s**, *no pl*⟩ welfare; ***zum ~!*** cheers!; ***auf dein ~!*** your health!; ***auf jds ~ trinken*** to drink sb's health **wohlauf** [voːl'|auf, vo'lauf] *adj pred* well, in good health **Wohlbefinden** *nt* wellbeing **Wohlbehagen** *nt* feeling of wellbeing **wohlbehalten** *adv ankommen* safe and sound **wohlbekannt** *adj* well-known **Wohlergehen** [-|ɛɐgeːən] *nt* ⟨**-s**, *no pl*⟩ welfare **wohlerzogen** [-|ɛɐtsoːgn] *adj*, *comp* ***besser erzogen***, *sup* ***besterzogen*** (*elev*) well-bred; *Kind* well-mannered **Wohlfahrt** *f* ⟨**-**, *no pl*⟩ (≈ *Fürsorge*) welfare **Wohlfahrtsorganisation** *f* charitable organization **Wohlfahrtsstaat** *m* welfare state **wohlfühlen** *v/r sep* to feel happy; (≈ *wie zu Hause*) to feel at home; (*gesundheitlich*) to feel well **wohlgeformt** [-gəfɔrmt] *adj*, *comp* ***wohlgeformter***, *sup* ***bestgeformt*** well-shaped; *Körperteil* shapely **Wohlgefühl** *nt* feeling of wellbeing **wohlgemerkt** [-gəmɛrkt] *adv* mind (you) **wohlgenährt** [-gənɛːɐt] *adj*, *comp* ***wohlgenährter***, *sup* ***wohlgenährteste(r, s)*** well-fed **wohlgesinnt** *adj*, *comp* ***wohlgesinnter***, *sup* ***wohlgesinnteste(r, s)*** (*elev*) well-disposed (*+dat* towards) **wohlhabend** *adj*, *comp* ***wohlhabender***, *sup* ***wohlhabendste(r, s)*** well-to-do, prosperous **wohlig** ['voːlɪç] *adj* pleasant **Wohlklang** *m* (*elev*) melodious sound **wohlmeinend** *adj*, *comp* ***wohlmeinender***, *sup* ***wohlmeinendste(r, s)*** well-meaning **wohlriechend** *adj*, *comp* ***wohlriechender***, *sup* ***wohlriechendste(r, s)*** (*elev*) fragrant **wohlschmeckend** *adj*, *comp* ***wohlschmeckender***, *sup* ***wohlschmeckendste(r, s)*** (*elev*) palatable **Wohlsein** *nt* ***zum ~!***, ***auf Ihr ~!*** your health! **Wohlstand** *m*, *no pl* affluence **Wohltat** *f* **1.** (≈ *Genuss*) relief **2.** (≈ *gute Tat*) good deed **Wohltäter** *m* benefactor **Wohltäterin** *f* benefactress **wohltätig** *adj* charitable **Wohltätigkeit** *f* charity **Wohltätigkeitsbasar** *m* charity bazaar **wohltuend** *adj*, *comp* ***wohltuender***, *sup* ***wohltuendste(r, s)*** (most) agreeable **wohltun** *v/i sep irr* (≈ *angenehm sein*) to do good (*jdm* sb); ***das tut wohl*** that's good **wohlüberlegt** *adj* well-thought-out; ***etw ~ machen*** to do sth after careful consideration **wohlverdient** *adj* well-deserved **wohlweislich** ['voːlvaislɪç, 'voːl'vaislɪç] *adv* very wisely **Wohlwollen** *nt* ⟨**-s**, *no pl*⟩ goodwill **wohlwollend** **I** *adj*, *comp* ***wohlwollender***, *sup* ***wohlwollendste(r, s)*** benevolent **II** *adv* favourably (*Br*), favorably (*US*); ***einer Sache*** (*dat*) ***~ gegenüberstehen*** to approve of sth

Wohnblock *m*, *pl* ***-blocks*** block of flats (*Br*), apartment house (*US*) **wohnen** ['voːnən] *v/i* to live; (*vorübergehend*) to stay; ***wo ~ Sie?*** where do you live/are you staying? **Wohnfläche** *f* living space **Wohngebäude** *nt* residential building **Wohngebiet** *nt*, **Wohngegend** *f* residential area **Wohngeld** *nt* housing benefit (*Br*), housing subsidy (*US*) **Wohngemeinschaft** *f* (*Menschen*) people sharing a flat (*Br*) *or* apartment/house; ***in einer ~ leben*** to share a flat *etc* **wohnhaft** *adj* (*form*) resident **Wohnhaus** *nt* residential building **Wohnheim** *nt* (*esp für Arbeiter*) hostel; (*für Studenten*) hall (of residence), dormitory (*US*); (*für alte Menschen*) home **wohnlich** ['voːnlɪç] *adj* homely **Wohnmobil** [-mobiːl] *nt* ⟨**-s, -e**⟩ camper, RV (*US*) **Wohnort** *m*, *pl* ***-orte*** place of residence **Wohnraum** *m* living room *no pl*: (≈ *Wohnfläche*) living space **Wohnsitz** *m* domicile; ***ohne festen ~*** of no fixed abode **Wohnung** ['voːnʊŋ] *f* ⟨**-, -en**⟩ flat (*Br*), apartment; (≈ *Unterkunft*) lodging **Wohnungsbau** *m*, *no pl* house building *no def art* **Wohnungsinhaber(in)** *m/(f)* householder; (≈ *Eigentümer auch*) owner-occupier **wohnungslos** *adj* homeless **Wohnungslose(r)** *m/f(m)* *decl as adj* homeless person **Wohnungsmakler(in)** *m/(f)* estate agent (*esp Br*), real estate agent (*US*) **Wohnungsmarkt** *m* housing market **Wohnungsnot** *f* serious housing shortage **Wohnungsschlüssel** *m* key (to the flat (*Br*) *or* apartment) **Wohnungssuche** *f* ***auf ~ sein*** to be flat-hunting (*Br*) *or* apartment-hunting (*esp US*) **Wohnungstür** *f* door (to the flat (*Br*) *or* apartment) **Wohnungswechsel** *m* change of address **Wohnviertel** *nt* residential area **Wohnwagen** *m* caravan (*Br*), trailer (*US*) **Wohnzimmer** *nt* living room

Wok [vɔk] *m* ⟨**-s, -s**⟩ COOK wok

wölben ['vœlbn] **I** *v/t* to curve; *Blech etc* to bend **II** *v/r* to curve; (*Asphalt*) to bend; (*Tapete*) to bulge out; (*Decke, Brücke*) to arch; → ***gewölbt*** **Wölbung** *f* ⟨**-, -en**⟩ curvature; (*bogenförmig*) arch

Wolf [vɔlf] *m* ⟨**-(e)s, ⸚e** ['vœlfə]⟩ **1.** wolf; ***ein ~ im Schafspelz*** a wolf in sheep's clothing **2.** TECH shredder; (≈ *Fleischwolf*) mincer (*Br*), grinder (*US*) **Wölfin** ['vœlfɪn] *f* ⟨**-, -nen**⟩ she-wolf

Wolfram ['vɔlfram] *nt* ⟨**-s,** *no pl*⟩ tungsten

Wolfsmilch *f* BOT spurge

Wolke ['vɔlkə] *f* ⟨**-, -n**⟩ cloud; ***aus allen ~n fallen*** (*fig*) to be flabbergasted (*infml*) **Wolkenbruch** *m* cloudburst **Wolkenkratzer** *m* skyscraper **wolkenlos** *adj* cloudless **wolkig** ['vɔlkɪç] *adj* cloudy; (*fig*) obscure

Wolldecke *f* (woollen (*Br*) *or* woolen (*US*)) blanket **Wolle** ['vɔlə] *f* ⟨**-, -n**⟩ wool; ***sich mit jdm in der ~ haben*** (*fig infml*) to be at loggerheads with sb

wollen[1] ['vɔlən] *adj attr* woollen (*Br*), woolen (*US*)

wollen[2] ['vɔlən] *pret* ***wollte*** ['vɔltə], *past part* ***gewollt*** [gə'vɔlt] **I** *aux, past part* ***wollen*** to want; ***sie will nach Hause gehen*** she wants to go home; ***etw haben ~*** to want (to have) sth; ***etw gerade tun ~*** to be going to do sth; ***keiner wollte etwas gehört haben*** nobody would admit to hearing anything; ***~ wir uns nicht setzen?*** why don't we sit down?; ***na, ~ wir gehen?*** well, shall we go?; ***komme, was da wolle*** come what may **II** *v/t* to want; ***was ~ sie?*** what do they want?; ***ohne es zu ~*** without wanting to; ***das wollte ich nicht*** (≈ *war unbeabsichtigt*) I didn't mean to (do that); ***was willst du (noch) mehr!*** what more do you want!; ***er hat gar nichts zu ~*** he has no say at all; → ***gewollt*** **III** *v/i* ***man muss nur ~*** you just have to want to; ***da ist nichts zu ~*** there is nothing we/you can do (about it); ***so Gott will*** God willing; ***~, dass jd etw tut*** to want sb to do sth; ***ich wollte, ich wäre ...*** I wish I were ...; ***ob du willst oder nicht*** whether you like it or not; ***wenn du willst*** if you like; ***ich will nach Hause*** I want to go home; ***zu wem ~ Sie?*** whom do you want to see?

Wolljacke *f* cardigan **Wollsachen** *pl* woollens *pl* (*Br*), woolens *pl* (*US*)

wollüstig ['vɔlʏstɪç] (*elev*) *adj* (≈ *sinnlich*) sensual; (≈ *lüstern*) lascivious; (≈ *verzückt, ekstatisch*) ecstatic

Wollwaren *pl* woollens *pl* (*Br*), woolens *pl* (*US*)

womit [vo'mɪt] *adv* **1.** (*in Fragen*) with what, what ... with **2.** (*relativ*) with which

womöglich [vo'mø:klɪç] *adv* possibly

wonach [vo'na:x] *adv* **1.** (*in Fragen*) after what, what ... after; ***~ riecht das?*** what does it smell of? **2.** (*relativ*) ***das Land, ~ du dich sehnst*** the land (which) you are longing for

Wonne ['vɔnə] *f* ⟨**-, -n**⟩ (*elev*) (≈ *Glückseligkeit*) bliss *no pl*; (≈ *Vergnügen*) joy; ***es ist eine wahre ~*** it's a sheer delight **wonnig** ['vɔnɪç] *adj* delightful; *Gefühl* blissful

woran [vo'ran] *adv* **1.** (*in Fragen*) ***~ denkst du?*** what are you thinking about?; ***~ liegt das?*** what's the reason for it?; ***~ ist er gestorben?*** what did he die of? **2.** (*relativ*) ***das, ~ ich mich gerne erinnere*** what I like to recall; ***..., ~ ich schon gedacht hatte*** ... which I'd already thought of; ***~ er auch immer gestorben ist ...*** whatever he died of ...

worauf [vo'rauf] *adv* **1.** (*in Fragen, räumlich*) on what, what ... on; ***~ wartest du?*** what are you waiting for? **2.** (*relativ, zeitlich*) whereupon; ***das ist etwas, ~ ich mich freue*** that's something I'm looking forward to **woraufhin** [vorauf'hɪn] *rel adv* whereupon **woraus** [vo'raus] *adv* **1.** (*in Fragen*) out of what, what ... out of **2.** (*relativ*) out of which, which ... out of; ***das Buch, ~ ich gestern vorgelesen habe*** the book I was reading from yesterday **worin** [vo'rɪn] *adv* **1.** (*in Fragen*) in what, what ... in **2.** (*relativ*) in which, which ... in

Workshop ['wø:ɐkʃɔp, 'wœrk-] *m* ⟨**-s,**

-s⟩ workshop **Workstation** ['wøːɐk-steːʃn, 'wœrk-] *f* ⟨**-, -s**⟩ IT work station

Wort [vɔrt] *nt* ⟨**-(e)s, -e** *or* **¨er** ['vœrtɐ]⟩ **1.** *pl usu* **¨er** (≈ *Vokabel*) word; **~ für ~** word for word **2.** *pl* **-e** (≈ *Äußerung*) word; ***genug der ~e!*** enough talk!; ***das ist ein ~!*** wonderful!; ***mit einem ~*** in a word; ***mit anderen ~en*** in other words; ***kein ~ mehr*** not another word; ***keine ~e für etw finden*** to find no words for sth; ***ich verstehe kein ~!*** I don't understand a word (of it); (≈ *kann nichts hören*) I can't hear a word (that's being said); ***ein ernstes ~ mit jdm reden*** to have a serious talk with sb; ***ein ~ gab das andere*** one thing led to another; ***jdm aufs ~ glauben*** to believe sb implicitly **3.** *no pl* (≈ *Rede*) ***das ~ nehmen*** to speak; ***einer Sache** (dat) **das ~ reden*** to put the case for sth; ***jdm ins ~ fallen*** to interrupt sb; ***zu ~ kommen*** to get a chance to speak; ***sich zu ~ melden*** to ask to speak; ***jdm das ~ erteilen*** to allow sb to speak **4.** *pl* **-e** (≈ *Ausspruch*) saying; (≈ *Zitat*) quotation; (≈ *Text, Sprache*) words *pl*; ***in ~en*** in words; ***das geschriebene/gesprochene ~*** the written/spoken word; ***jdm aufs ~ gehorchen*** to obey sb's every word; ***das letzte ~ haben*** to have the last word **5.** *no pl* (≈ *Versprechen*) word; ***auf mein ~*** I give (you) my word; ***jdn beim ~ nehmen*** to take sb at his word; ***sein ~ halten*** to keep one's word **Wortart** *f* GRAM part of speech **wortbrüchig** *adj* ***~ werden*** to break one's word **Wörtchen** ['vœrtçən] *nt* ⟨**-s, -**⟩ ***mit ihm habe ich noch ein ~ zu reden*** (*infml*) I want a word with him **Wörterbuch** *nt* dictionary **Wortführer** *m* spokesman **Wortführerin** *f* spokeswoman **wortgetreu** *adj, adv* verbatim **wortgewandt** *adj* eloquent **wortkarg** *adj* taciturn **Wortlaut** *m* wording; ***im ~*** verbatim **wörtlich** ['vœrtlɪç] **I** *adj* literal; *Rede* direct **II** *adv wiedergeben, zitieren, abschreiben* verbatim; *übersetzen* literally; ***das darf man nicht so ~ nehmen*** you mustn't take it literally **wortlos I** *adj* silent **II** *adv* without saying a word **Wortmeldung** *f* request to speak **Wortschatz** *m* vocabulary **Wortschöpfung** *f* neologism **Wortschwall** *m* torrent of words **Wortspiel** *nt* pun **Wortwahl** *f* choice of words **Wortwechsel** *m* exchange (of words) **wortwörtlich I** *adj* word-for-word **II** *adv* word for word

worüber [vo'ryːbɐ] *adv* **1.** (*in Fragen*) about what, what ... about; (*örtlich*) over what, what ... over **2.** (*relativ*) about which, which ... about; (*örtlich*) over which, which ... over **worum** [vo'rʊm] *adv* **1.** (*in Fragen*) about what, what ... about; ***~ handelt es sich?*** what's it about? **2.** (*relativ*) about which, which ... about **worunter** [vo'rʊntɐ] *adv* **1.** (*in Fragen*) under what **2.** (*relativ*) under which **wovon** [vo'fɔn] *adv* **1.** (*in Fragen*) from what, what ... from **2.** (*relativ*) from which, which ... from; ***das ist ein Gebiet, ~ er viel versteht*** that is a subject he knows a lot about **wovor** [vo'foːɐ] *adv* **1.** (*in Fragen, örtlich*) before what, what ... before; ***~ fürchtest du dich?*** what are you afraid of? **2.** (*relativ*) before which, which ... before; ***~ du dich auch fürchtest, ...*** whatever you're afraid of ... **wozu** [vo'tsuː] *adv* **1.** (*in Fragen*) to what, what ... to; (≈ *warum*) why; ***~ soll das gut sein?*** what's the point of that? **2.** (*relativ*) to which, which ... to; ***~ du dich auch entschließt, ...*** whatever you decide (on) ...

Wrack [vrak] *nt* ⟨**-s, -s**⟩ wreck

wringen ['vrɪŋən] *pret* **wrang** [vraŋ], *past part* **gewrungen** [gə'vrʊŋən] *v/t & v/i* to wring

Wucher ['vuːxɐ] *m* ⟨**-s,** *no pl*⟩ profiteering; (*bei Geldverleih*) usury **Wucherer** ['vuːxərɐ] *m* ⟨**-s, -**⟩, **Wucherin** [-ərɪn] *f* ⟨**-, -nen**⟩ profiteer; (≈ *Geldverleiher*) usurer **wuchern** ['vuːxɐn] *v/i* **1.** *aux sein or haben* (*Pflanzen*) to grow rampant; (*Geschwür*) to grow rapidly **2.** (*Kaufmann etc*) to profiteer; (*Geldverleiher*) to practise (*Br*) *or* practice (*US*) usury **Wucherpreis** *m* exorbitant price **Wucherung** *f* ⟨**-, -en**⟩ MED growth **Wucherzins** *m* exorbitant interest

Wuchs [vuːks] *m* ⟨**-es,** *no pl*⟩ (≈ *Wachstum*) growth; (≈ *Gestalt, Form*) stature; (*von Mensch*) build

Wucht [vʊxt] *f* ⟨**-,** *no pl*⟩ **1.** force; ***mit voller ~*** with full force **2.** (*infml*) ***das ist eine ~!*** that's smashing! (*Br infml*), that's a hit (*US infml*) **wuchten** ['vʊxtn] *v/t Paket* to heave, to drag; *Gewicht* to heave

wühlen ['vyːlən] **I** *v/i* **1.** (*nach* for) to dig; (*Maulwurf etc*) to burrow; (*Schwein*) to root; ***im Schmutz** or **Dreck ~*** (*fig*) to wallow in the mire *or* mud **2.** (≈ *suchen*) to rummage (*nach etw* for sth) **II** *v/r* ***sich durch die Menge/die Akten ~*** to burrow one's way through the crowd/the files **Wühlmaus** *f* vole **Wühltisch** *m* (*infml*) bargain counter

Wulst [vʊlst] *m* ⟨***-es, ⸚e*** ['vʏlstə]⟩ ⟨*or f* ***-, ⸚e***⟩ bulge; (*an Reifen*) bead; ***ein ~ von Fett*** a roll of fat **wulstig** ['vʊlstɪç] *adj* bulging; *Rand, Lippen* thick

wund [vʊnt] **I** *adj* sore; ***ein ~er Punkt*** a sore point **II** *adv* ***etw ~ kratzen/scheuern*** to scratch/chafe sth until it's raw; ***sich*** (*dat*) ***die Füße ~ laufen*** (*lit*) to walk until one's feet are raw; (*fig*) to walk one's legs off; ***sich*** (*dat*) ***die Finger ~ schreiben*** (*fig*) to write one's fingers to the bone; ***eine ~ gelegene Stelle*** a bedsore **Wundbrand** *m* gangrene **Wunde** ['vʊndə] *f* ⟨***-, -n***⟩ wound; ***alte ~n wieder aufreißen*** (*fig*) to open up old wounds

Wunder ['vʊndɐ] *nt* ⟨***-s, -***⟩ miracle; ***wie durch ein ~*** as if by a miracle; ***er glaubt, ~ wer zu sein*** he thinks he's marvellous (*Br*) *or* marvelous (*US*); ***~ tun*** *or* ***wirken*** to do wonders; ***diese Medizin wirkt ~*** this medicine works wonders; ***kein ~*** no wonder **wunderbar I** *adj* **1.** (≈ *schön*) wonderful **2.** (≈ *übernatürlich*) miraculous **II** *adv* (≈ *herrlich*) wonderfully **Wunderkerze** *f* sparkler **Wunderkind** *nt* child prodigy **wunderlich** ['vʊndɐlɪç] *adj* (≈ *merkwürdig*) strange **Wundermittel** *nt* miracle cure **wundern** ['vʊndɐn] **I** *v/t +impers* to surprise; ***das wundert mich nicht*** I'm not surprised **II** *v/r* to be surprised (*über +acc* at); ***du wirst dich ~!*** you'll be amazed!; ***da wirst du dich aber ~!*** you're in for a surprise **wunderschön** *adj* beautiful **wundervoll I** *adj* wonderful **II** *adv* wonderfully **Wunderwerk** *nt* miracle

Wundheit *f* ⟨*-, no pl*⟩ soreness **Wundpflaster** *nt* adhesive plaster **Wundsalbe** *f* ointment **Wundstarrkrampf** *m* tetanus

Wunsch [vʊnʃ] *m* ⟨***-(e)s, ⸚e*** ['vʏnʃə]⟩ wish; (≈ *sehnliches Verlangen*) desire; (≈ *Bitte*) request; ***nach ~*** just as he/she *etc* wants/wanted; (≈ *wie geplant*) according to plan; (≈ *nach Bedarf*) as required; ***alles geht nach ~*** everything is going smoothly; ***haben Sie (sonst) noch einen ~?*** (*beim Einkauf etc*) is there anything else you would like?; ***auf jds ~ hin*** at sb's request; ***auf allgemeinen ~ hin*** by popular request **Wunschdenken** *nt* wishful thinking **Wünschelrute** ['vʏnʃl-] *f* divining rod **wünschen** ['vʏnʃn] **I** *v/t* **1.** ***sich*** (*dat*) ***etw ~*** to want sth; (≈ *den Wunsch äußern*) to ask for sth; ***ich wünsche mir, dass du ...*** I would like you to ...; ***was wünschst du dir?*** what do you want?; ***du darfst dir etwas ~*** you can make a wish; ***jdm etw ~*** to wish sb sth; ***wir ~ dir gute Besserung/eine gute Reise*** we hope you get well soon/have a pleasant journey **2.** (≈ *ersehnen, hoffen*) to wish; ***ich wünschte, ich hätte dich nie gesehen*** I wish I'd never seen you **3.** (≈ *verlangen*) to want; ***was ~ Sie?*** (*in Geschäft*) can I help you?; (*in Restaurant*) what would you like? **II** *v/i* (≈ *begehren*) to wish; ***ganz wie Sie ~*** (just) as you wish; ***zu ~/viel zu ~ übrig lassen*** to leave something/a great deal to be desired **wünschenswert** *adj* desirable **wunschgemäß** *adv* as desired; (≈ *wie erbeten*) as requested; (≈ *wie geplant*) as planned **Wunschkind** *nt* planned child **Wunschkonzert** *nt* RADIO musical request programme (*Br*) *or* program (*US*) **wunschlos** *adv* ***~ glücklich*** perfectly happy **Wunschtraum** *m* dream; (≈ *Illusion*) illusion **Wunschzettel** *m* wish list

Würde ['vʏrdə] *f* ⟨***-, -n***⟩ **1.** *no pl* dignity; ***unter jds ~ sein*** to be beneath sb **2.** (≈ *Auszeichnung*) honour (*Br*), honor (*US*); (≈ *Titel*) title; (≈ *Amt*) rank **Würdenträger(in)** *m/(f)* dignitary **würdig** ['vʏrdɪç] **I** *adj* **1.** (≈ *würdevoll*) dignified **2.** (≈ *wert*) worthy; ***jds/einer Sache ~/nicht ~ sein*** to be worthy/unworthy of sb/sth **II** *adv* *sich verhalten* with dignity; *jdn behandeln* with respect; *vertreten* worthily **würdigen** ['vʏrdɪgn] *v/t* (≈ *anerkennen*) to appreciate; (≈ *lobend erwähnen*) to acknowledge; (≈ *respektieren*) to respect; (≈ *ehren*) to pay tribute to; ***etw zu ~ wissen*** to appreciate sth

Wurf [vʊrf] *m* ⟨***-(e)s, ⸚e*** ['vʏrfə]⟩ **1.** throw; (*beim Kegeln etc*) bowl; ***mit dem Film ist ihm ein großer ~ gelungen*** this film is a great success for him **2.** ZOOL litter

Würfel ['vʏrfl] *m* ⟨***-s, -***⟩ **1.** cube; ***etw in ~ schneiden*** to dice sth **2.** (≈ *Spielwürfel*) dice, die (*form*); ***die ~ sind gefallen*** (*fig*) the die is cast **Würfelbecher** *m* shaker

würfeln ['vʏrfln] **I** *v/i* to throw; (≈ *Würfel spielen*) to play at dice; ***um etw ~*** to throw dice for sth **II** *v/t* **1.** *Zahl* to throw **2.** (≈ *in Würfel schneiden*) to dice **Würfelzucker** *m* cube sugar

Wurfgeschoss *nt*, **Wurfgeschoß** (*Aus*) *nt* projectile **Wurfpfeil** *m* dart **Wurfsendung** *f* circular

würgen ['vʏrgn] **I** *v/t jdn* to strangle **II** *v/i* (≈ *mühsam schlucken*) to choke; ***an etw*** (*dat*) **~** (*lit*) to choke on sth

Wurm [vʊrm] *m* ⟨**-(e)s, ⸚er** ['vʏrmɐ]⟩ worm; ***da ist der ~ drin*** (*fig infml*) there's something wrong somewhere; (≈ *verdächtig*) there's something fishy about it (*infml*) **wurmen** ['vʊrmən] *v/t +impers* (*infml*) to rankle with **Wurmfortsatz** *m* ANAT vermiform appendix **Wurmkur** *f* worming treatment **wurmstichig** [-ʃtɪçɪç] *adj Holz* full of wormholes

Wurst [vʊrst] *f* ⟨**-, ⸚e** ['vʏrstə]⟩ sausage; ***jetzt geht es um die ~*** (*fig infml*) the moment of truth has come (*infml*); ***das ist mir (vollkommen) ~*** (*infml*) it's all the same to me **Würstchen** ['vʏrstçən] *nt* ⟨**-s, -**⟩ **1.** ***heiße*** *or* ***warme ~*** hot sausages; ***Frankfurter/Wiener ~*** frankfurters/wienies **2.** (*pej*: *Mensch*) squirt (*infml*); ***ein armes ~*** (*fig*) a poor soul **Würstchenbude** *f* ≈ hot-dog stand **wursteln** ['vʊrstln] *v/i* (*infml*) to muddle along; ***sich durchs Leben ~*** to muddle (one's way) through life **Wurstfinger** *pl* (*pej infml*) pudgy fingers *pl* **Wurstsalat** *m* sausage salad **Wurstwaren** *pl* sausages *pl*

Würze ['vʏrtsə] *f* ⟨**-, -n**⟩ (≈ *Gewürz*) seasoning, spice; (≈ *Aroma*) aroma; (*fig* ≈ *Reiz*) spice; (*von Bier*) wort

Wurzel ['vʊrtsl] *f* ⟨**-, -n**⟩ **1.** root; ***~n schlagen*** (*lit*) to root; (*fig*) to put down roots **2.** MAT root; ***die ~ aus einer Zahl ziehen*** to find the root of a number; ***(die) ~ aus 4 ist 2*** the square root of 4 is 2 **Wurzelbehandlung** *f* (*von Zahn*) root treatment **Wurzelzeichen** *nt* MAT radical sign **Wurzelziehen** *nt* ⟨**-s**, *no pl*⟩ MAT root extraction

würzen ['vʏrtsn] *v/t* to season; (*fig*) to add spice to **würzig** ['vʏrtsɪç] **I** *adj Speise* tasty; (≈ *scharf*) spicy; *Geruch etc* aromatic; *Luft* fragrant **II** *adv* ***~ schmecken*** to be spicy; (*Käse*) to have a sharp taste; ***~ riechen*** to smell spicy

Wuschelkopf *m* (≈ *Haare*) mop of curly hair

Wust [vuːst] *m* ⟨**-(e)s**, *no pl*⟩ (*infml*) (≈ *Durcheinander*) jumble; (≈ *Menge*) pile; (≈ *Kram, Gerümpel*) junk (*infml*)

wüst [vyːst] **I** *adj* **1.** (≈ *öde*) desolate **2.** (≈ *unordentlich*) chaotic; (≈ *ausschweifend*) wild **3.** (≈ *rüde*) *Beschimpfung etc* vile; (≈ *arg*) terrible **II** *adv* ***~ aussehen*** to look a real mess; ***jdn ~ beschimpfen*** to use vile language to sb

Wüste ['vyːstə] *f* ⟨**-, -n**⟩ GEOG desert; (*fig*) waste(land); ***jdn in die ~ schicken*** (*fig*) to send sb packing (*infml*) **Wüstenklima** *nt* desert climate **Wüstensand** *m* desert sand

Wut [vuːt] *f* ⟨**-**, *no pl*⟩ **1.** (≈ *Zorn, Raserei*) rage; ***(auf jdn/etw) eine ~ haben*** to be furious (with sb/sth); ***jdn in ~ bringen*** to infuriate sb **2.** (≈ *Verbissenheit*) frenzy **Wutanfall** *m* fit of rage; (*esp von Kind*) tantrum **wüten** ['vyːtn] *v/i* (≈ *toben*) to rage; (≈ *zerstörerisch hausen*) to cause havoc; (*verbal*) to storm (*gegen* at); (*Menge*) to riot **wütend** ['vyːtnt] *adj* furious; *Proteste* angry; *Kampf* raging; ***auf jdn/etw*** (*acc*) ***~ sein*** to be mad at sb/sth **wutentbrannt** [-|ɛntbrant] *adj* furious **wutverzerrt** [-fɛɐtsɛrt] *adj* distorted with rage

WWW [veːveːˈveː] *nt* ⟨**-**, *no pl*⟩ IT *abbr of* ***World Wide Web*** WWW

X

X, x [ɪks] *nt* ⟨**-, -**⟩ X, x; ***Herr X*** Mr X; ***er lässt sich kein X für ein U vormachen*** he's not easily fooled

x-Achse ['ɪks-] *f* x-axis

X-Beine ['ɪks-] *pl* knock-knees *pl*; ***~ haben*** to be knock-kneed **x-beinig** ['ɪks-] *adj* knock-kneed

x-beliebig [ɪks-] *adj* any old (*infml*); ***wir können uns an einem ~en Ort treffen*** we can meet anywhere you like

X-Chromosom ['ɪks-] *nt* X-chromosome

x-fach ['ɪks-] **I** *adj* ***die ~e Menge*** MAT n

times the amount **II** *adv* so many times
x-förmig ['ɪks-], **X-förmig** *adj* X-shaped
x-mal ['ɪksmaːl] *adv* (*infml*) umpteen times (*infml*)
x-te(r, s) ['ɪkstə] *adj* MAT nth; (*infml*) nth (*infml*), umpteenth (*infml*); ***zum ~n Mal(e)*** for the umpteenth time (*infml*)
Xylofon [ksylo'foːn] *nt* ⟨**-s, -e**⟩ ⟨**-s, -e**⟩ xylophone

Y

Y, y ['ʏpsilɔn] *nt* ⟨**-, -**⟩ Y, y
y-Achse ['ʏpsilɔn-] *f* y-axis
Yacht [jaxt] *f* ⟨**-, -en**⟩ yacht
Y-Chromosom ['ʏpsilɔn-] *nt* Y-chromosome
Yen [jɛn] *m* ⟨**-(s), -(s)**⟩ yen
Yeti ['jeːti] *m* ⟨**-s, -s**⟩ yeti
Yoga ['joːga] *m or nt* ⟨**-(s)**, *no pl*⟩ yoga
Yogi ['joːgi] *m* ⟨**-s, -s**⟩ yogi
Yucca ['jʊka] *f* ⟨**-, -s**⟩ yucca
Yuppie ['jʊpiː, 'japiː] *m* ⟨**-s,-s**⟩ yuppie

Z

Z, z [tsɛt] *nt* ⟨**-, -**⟩ Z, z
zạck [tsak] *int* (*infml*) pow **Zạck** [tsak] *m* ⟨**-s**, *no pl*⟩ (*infml*) ***auf ~ bringen*** to knock into shape (*infml*); ***auf ~ sein*** to be on the ball (*infml*) **Zạcke** ['tsakə] *f* ⟨**-, -n**⟩, **Zạcken** ['tsakn] *m* ⟨**-s, -**⟩ point; (*von Gabel*) prong; (*von Kamm*) tooth
zạcken ['tsakn] *v/t* to serrate; *Saum, Papier* to pink; → ***gezackt*** **zạckig** ['tsakɪç] *adj* **1.** (≈ *gezackt*) jagged **2.** (*infml*) *Soldat* smart; *Tempo, Musik* brisk
zaghaft **I** *adj* timid **II** *adv* timidly **Zaghaftigkeit** ['tsaːkhaftɪçkait] *f* ⟨**-**, *no pl*⟩ timidity
zäh [tsɛː] **I** *adj* tough; (≈ *dickflüssig*) glutinous; (≈ *schleppend*) *Verkehr etc* slow-moving; (≈ *ausdauernd*) dogged **II** *adv verhandeln* tenaciously; *sich widersetzen* doggedly **zähflüssig** *adj* thick; *Verkehr* slow-moving **Zähigkeit** ['tsɛːɪçkait] *f* ⟨**-**, *no pl*⟩ toughness; (≈ *Ausdauer*) doggedness
Zahl [tsaːl] *f* ⟨**-, -en**⟩ number; (≈ *Ziffer, bei Geldmengen etc auch*) figure; ***~en nennen*** to give figures; ***eine fünfstellige ~*** a five-figure number; ***in großer ~*** in large numbers
zahlbar *adj* payable (*an +acc* to)
zählebig [-leːbɪç] *adj* hardy; (*fig*) *Gerücht* persistent
zahlen ['tsaːlən] *v/t & v/i* to pay; ***Herr Ober, (bitte) ~!*** waiter, the bill (*esp Br*) *or* check (*US*) please; ***was habe ich (Ihnen) zu ~?*** what do I owe you?
zählen ['tsɛːlən] **I** *v/i* **1.** to count; ***auf jdn/etw ~*** to count on sb/sth **2.** (≈ *gehören*) ***er zählt zu den besten Schriftstellern unserer Zeit*** he ranks as one of the best authors of our time **3.** (≈ *wichtig sein*) to matter **II** *v/t* to count; ***seine Tage sind gezählt*** his days are numbered **Zahlenangabe** *f* figure **zahlenmäßig** **I** *adj* numerical **II** *adv* **1.** ***~ überlegen sein*** to be greater in number; ***~ stark*** large in number **2.** (≈ *in Zahlen*) in figures **Zahlenmaterial** *nt* figures *pl* **Zahlenschloss** *nt* combination lock **Zahlenverhältnis** *nt* (numerical) ratio
Zahler ['tsaːlɐ] *m* ⟨**-s, -**⟩, **Zahlerin** [-ərɪn] *f* ⟨**-, -nen**⟩ payer
Zähler ['tsɛːlɐ] *m* ⟨**-s, -**⟩ **1.** MAT numerator **2.** (≈ *Messgerät*) meter **Zählerstand** *m* meter reading
zahllos *adj* countless **zahlreich** *adj* numerous **Zahltag** *m* payday **Zahlung** ['tsaːlʊŋ] *f* ⟨**-, -en**⟩ payment; ***in ~ nehmen*** to take in part exchange; ***in ~ geben*** to trade in
Zählung ['tsɛːlʊŋ] *f* ⟨**-, -en**⟩ count; (≈ *Volkszählung*) census
Zahlungsanweisung *f* giro transfer order (*Br*), money transfer order (*US*) **Zahlungsaufforderung** *f* request for payment **Zahlungsaufschub** *m* exten-

sion (of credit) **Zahlungsbedingungen** *pl* terms *pl* (of payment) **Zahlungsempfänger(in)** *m*/(*f*) payee **zahlungsfähig** *adj* able to pay; *Firma* solvent **Zahlungsfähigkeit** *f* ability to pay; (*von Firma*) solvency **Zahlungsfrist** *f* time allowed for payment **zahlungskräftig** *adj* wealthy **Zahlungsmittel** *nt* means *sg* of payment; (≈ *Münzen, Banknoten*) currency; ***gesetzliches ~*** legal tender **Zahlungsschwierigkeiten** *pl* financial difficulties *pl* **zahlungsunfähig** *adj* unable to pay; *Firma* insolvent **Zahlungsunfähigkeit** *f* inability to pay; (*von Firma*) insolvency **Zahlungsverkehr** *m* payments *pl* **Zahlungsweise** *f* method of payment

Zählwerk *nt* counter

Zahlwort *nt, pl* ***-wörter*** numeral

zahm [tsaːm] *adj* tame **zähmen** ['tsɛːmən] *v/t* to tame; (*fig*) to control **Zähmung** *f* ⟨**-,** (*rare*) **-en**⟩ taming

Zahn [tsaːn] *m* ⟨**-(e)s, ⸚e** ['tsɛːnə]⟩ **1.** tooth; (*von Briefmarke*) perforation; (≈ *Radzahn*) cog; ***Zähne bekommen*** *or* ***kriegen*** (*infml*) to cut one's teeth; ***der ~ der Zeit*** the ravages *pl* of time; ***ich muss mir einen ~ ziehen lassen*** I've got to have a tooth out; ***jdm auf den ~ fühlen*** to sound sb out **2.** (*infml* ≈ *Geschwindigkeit*) ***einen ~ draufhaben*** to be going like the clappers (*infml*) **Zahnarzt** *m*, **Zahnärztin** *f* dentist **Zahnarzthelfer(in)** *m*/(*f*) dental nurse **zahnärztlich** *adj* dental; ***sich ~ behandeln lassen*** to go to the dentist **Zahnbehandlung** *f* dental treatment **Zahnbelag** *m* film on the teeth **Zahnbürste** *f* toothbrush **Zahncreme** *f* toothpaste **zähneknirschend** *adj attr adv* (*fig*) gnashing one's teeth **zahnen** ['tsaːnən] *v/i* to teethe **Zahnersatz** *m* dentures *pl* **Zahnfäule** *f* tooth decay **Zahnfleisch** *nt* gum(s *pl*) **Zahnfleischbluten** *nt* ⟨**-s,** *no pl*⟩ bleeding of the gums **Zahnfüllung** *f* filling **Zahnklammer** *f* brace **Zahnkranz** *m* TECH gear rim **zahnlos** *adj* toothless **Zahnlücke** *f* gap between one's teeth **Zahnmedizin** *f* dentistry **Zahnpasta** *f* toothpaste **Zahnpflege** *f* dental hygiene **Zahnrad** *nt* cogwheel **Zahnradbahn** *f* rack railway (*Br*), rack railroad (*US*) **Zahnschmelz** *m* (tooth) enamel **Zahnschmerzen** *pl* toothache *no pl* **Zahnseide** *f* dental floss **Zahnspange** *f* brace **Zahnstein** *m* tartar **Zahnstocher** [-ʃtɔxɐ] *m* ⟨**-s, -**⟩ toothpick **Zahntechniker(in)** *m*/(*f*) dental technician **Zahnweh** *nt* toothache

Zander ['tsandɐ] *m* ⟨**-s, -**⟩ ZOOL pike-perch

Zange ['tsaŋə] *f* ⟨**-, -n**⟩ (pair of) pliers *pl*; (≈ *Beißzange*) (pair of) pincers *pl*; (≈ *Greifzange, Zuckerzange*) (pair of) tongs *pl*; MED forceps *pl*; ***ihn/das möchte ich nicht mit der ~ anfassen*** (*infml*) I wouldn't touch him/it with a bargepole (*Br infml*) *or* a ten-foot pole (*US infml*) **Zangengeburt** *f* forceps delivery

Zankapfel *m* bone of contention **zanken** ['tsaŋkn] *v/i & v/r* to quarrel; **(*sich*) *um etw ~*** to quarrel over sth **Zankerei** [tsaŋkə'rai] *f* ⟨**-, -en**⟩ quarrelling (*Br*), quarreling (*US*) **zänkisch** ['tsɛŋkɪʃ] *adj* quarrelsome

Zäpfchen ['tsɛpfçən] *nt* ⟨**-s, -**⟩ (≈ *Gaumenzäpfchen*) uvula; (≈ *Suppositorium*) suppository **zapfen** ['tsapfn] *v/t* to tap **Zapfen** ['tsapfn] *m* ⟨**-s, -**⟩ (≈ *Spund*) bung, spigot; (≈ *Pfropfen*) stopper; (≈ *Tannenzapfen etc*) cone; (≈ *Holzverbindung*) tenon **Zapfenstreich** *m* MIL tattoo, last post (*Br*), taps *sg* (*US*) **Zapfhahn** *m* tap **Zapfsäule** *f* petrol pump (*Br*), gas pump (*US*)

zappelig ['tsapəlɪç] *adj* wriggly; (≈ *unruhig*) fidgety **zappeln** ['tsapln] *v/i* to wriggle; (≈ *unruhig sein*) to fidget; ***jdn ~ lassen*** (*fig infml*) to keep sb in suspense **Zappelphilipp** [-fɪlɪp] *m* ⟨**-s, -e** *or* **-s**⟩ fidget(er)

zappen ['zɛpn] *v/i* (TV *infml*) to zap (*infml*)

zappenduster ['tsapn'duːstɐ] *adj* (*infml*) pitch-black

Zar [tsaːɐ] *m* ⟨**-en, -en**⟩ tsar **Zarin** ['tsaːrɪn] *f* ⟨**-, -nen**⟩ tsarina

zart [tsaːɐt] **I** *adj* (≈ *sanft*) soft; *Braten* tender; (≈ *fein*) delicate; ***im ~en Alter von ...*** at the tender age of ...; ***das ~e Geschlecht*** the gentle sex **II** *adv umgehen, berühren* gently **zartbesaitet** *adj* highly sensitive **zartbitter** *adj Schokolade* plain **zartfühlend** *adj* sensitive **Zartgefühl** *nt* sensitivity **zartgrün** *adj* pale green **Zartheit** *f* ⟨**-, -en**⟩ (*von Haut*) softness; (*von Braten*) tenderness; (*von Farben, Teint*) delicateness **zärtlich** ['tsɛːɐtlɪç] **I** *adj* tender, affectionate **II** *adv* tenderly

Zärtlichkeit *f* ⟨**-,-en**⟩ **1.** *no pl* affection **2.** (≈ *Liebkosung*) caress; **~en** (≈ *Worte*) tender words
Zäsium ['tse:zium] *nt* ⟨**-s**⟩ = **Cäsium**
Zauber ['tsaubɐ] *m* ⟨**-s, -**⟩ (≈ *Magie*) magic; (≈ *Zauberbann*) (magic) spell; (*fig* ≈ *Reiz*) magic; ***der ganze ~*** (*infml*) the whole lot (*infml*) **Zauberei** [tsaubə'rai] *f* ⟨**-, -en**, *no pl*⟩ (≈ *das Zaubern*) magic **Zauberer** ['tsaubərɐ] *m* ⟨**-s, -**⟩ magician; (*in Märchen etc auch*) sorcerer **zauberhaft** *adj* enchanting **Zauberin** ['tsaubərɪn] *f* ⟨**-, -nen**⟩ (female) magician; (*in Märchen etc auch*) sorceress **Zauberkünstler(in)** *m*/(*f*) conjurer **Zauberkunststück** *nt* conjuring trick **zaubern** ['tsaubɐn] **I** *v/i* to do magic; (≈ *Kunststücke vorführen*) to do conjuring tricks **II** *v/t* ***etw aus etw ~*** to conjure sth out of sth **Zauberspruch** *m* (magic) spell **Zauberstab** *m* (magic) wand **Zaubertrank** *m* magic potion **Zaubertrick** *m* conjuring trick **Zauberwort** *nt*, *pl* **-worte** magic word
zaudern ['tsaudɐn] *v/i* to hesitate
Zaum [tsaum] *m* ⟨**-(e)s, Zäume** ['tsɔymə]⟩ bridle; ***jdn/etw im ~(e) halten*** (*fig*) to keep a tight rein on sb/sth **zäumen** ['tsɔymən] *v/t* to bridle **Zaumzeug** *nt*, *pl* **-zeuge** bridle
Zaun [tsaun] *m* ⟨**-(e)s, Zäune** ['tsɔynə]⟩ fence **zaundürr** *adj* (*Aus*) thin as a rake **Zaunkönig** *m* ORN wren **Zaunpfahl** *m* (fencing) post; ***jdm einen Wink mit dem ~ geben*** to give sb a broad hint
z. B. [tsɛt'be:] *abbr of* ***zum Beispiel*** eg
Zebra ['tse:bra] *nt* ⟨**-s, -s**⟩ zebra **Zebrastreifen** *m* pedestrian crossing
Zeche ['tsɛçə] *f* ⟨**-, -n**⟩ **1.** (≈ *Rechnung*) bill (*esp Br*), check (*US*); ***die ~ zahlen*** to foot the bill *etc* **2.** (≈ *Bergwerk*) (coal) mine **zechen** ['tsɛçn] *v/i* to booze (*infml*) **Zechprellerei** *f leaving without paying the bill at a restaurant etc*
Zecke ['tsɛkə] *f* ⟨**-, -n**⟩ tick
Zeder ['tse:dɐ] *f* ⟨**-, -n**⟩ cedar
Zeh [tse:] *m* ⟨**-s, -en**⟩, **Zehe** ['tse:ə] *f* ⟨**-, -n**⟩ toe; (≈ *Knoblauchzehe*) clove; ***auf (den) ~en gehen*** to tiptoe; ***jdm auf die ~en treten*** (*fig infml*) to tread on sb's toes **Zehennagel** *m* toenail **Zehenspitze** *f* tip of the toe
zehn [tse:n] *num* ten; → ***vier*** **Zehn** [tse:n] *f* ⟨**-, -en**⟩ ten **Zehncentstück** *nt* ten-cent piece **Zehner** ['tse:nɐ] *m* ⟨**-s, -**⟩ **1.** MAT ten **2.** (*infml*) (≈ *Münze*) ten; (≈ *Geldschein*) tenner (*infml*) **Zehnerkarte** *f* (*für Bus etc*) 10-journey ticket; (*für Schwimmbad etc*) 10-visit ticket **Zehnerpackung** *f* packet of ten **Zehneuroschein** *m* ten-euro note (*Br*) *or* bill (*US*) **Zehnfingersystem** *nt* touch-typing method **Zehnkampf** *m* SPORTS decathlon **Zehnkämpfer** *m* decathlete **zehnmal** ['tse:nma:l] *adv* ten times **zehntausend** ['tse:n'tauznt] *num* ten thousand; ***Zehntausende von Menschen*** tens of thousands of people **Zehntel** ['tse:ntl] *nt* ⟨**-s, -**⟩ tenth **zehntens** ['tse:ntns] *adv* tenth(ly) **zehnte(r, s)** ['tse:ntə] *adj* tenth; → ***vierte(r, s)***
zehren ['tse:rən] *v/i* **1.** ***von etw ~*** (*lit*) to live off sth; (*fig*) to feed on sth **2.** ***an jdm/etw ~*** to wear sb/sth out; *an Nerven* to ruin sth; *an Gesundheit* to undermine sth
Zeichen ['tsaiçn] *nt* ⟨**-s, -**⟩ sign; (SCI, *auf Landkarte*) symbol; IT character; (≈ *Hinweis, Signal*) signal; (≈ *Vermerk*) mark; (*auf Briefköpfen*) reference; ***ein ~ setzen*** to set an example; ***als*** *or* ***zum ~*** as a sign; ***jdm ein ~ geben*** to give sb a signal *or* sign; ***unser/Ihr ~*** (*form*) our/your reference; ***er ist im ~*** *or* ***unter dem ~ des Widders geboren*** he was born under the sign of Aries **Zeichenblock** *m*, *pl* **-blöcke** *or* **-blocks** sketch pad **Zeichenbrett** *nt* drawing board **Zeichendreieck** *nt* set square **Zeichenerklärung** *f* (*auf Fahrplänen etc*) key (to the symbols); (*auf Landkarte*) legend **Zeichensetzung** [-zɛtsʊŋ] *f* ⟨**-, -en**⟩ punctuation **Zeichentrickfilm** *m* (animated) cartoon
zeichnen ['tsaiçnən] **I** *v/i* to draw; (*form* ≈ *unterzeichnen*) to sign **II** *v/t* **1.** (≈ *abzeichnen*) to draw; (≈ *entwerfen*) *Plan, Grundriss* to draw up; (*fig* ≈ *porträtieren*) to portray **2.** (≈ *kennzeichnen*) to mark; → ***gezeichnet*** **3.** FIN *Aktien* to subscribe (for); ***gezeichnet*** *Kapital* subscribed **Zeichner** ['tsaiçnɐ] *m* ⟨**-s, -**⟩, **Zeichnerin** [-ərɪn] *f* ⟨**-, -nen**⟩ **1.** artist **2.** FIN subscriber (*von* to) **zeichnerisch** ['tsaiçnərɪʃ] **I** *adj* graphic; ***sein ~es Können*** his drawing ability **II** *adv* ***~ begabt sein*** to have a talent for drawing; ***etw ~ darstellen*** to represent sth in a drawing **Zeichnung** ['tsaiçnʊŋ] *f* ⟨**-, -en**⟩ **1.** drawing; (≈ *Entwurf*) draft;

(*fig* ≈ *Schilderung*) portrayal **2.** (≈ *Muster*) patterning; (*von Gefieder, Fell*) markings *pl* **3.** FIN subscription **zeichnungsberechtigt** *adj* authorized to sign **Zeigefinger** *m* index finger **zeigen** ['tsaign] **I** *v/i* to point; ***auf jdn/etw ~*** to point at sb/sth **II** *v/t* to show; ***jdm etw ~*** to show sb sth; ***dem werd ichs (aber) ~!*** (*infml*) I'll show him! **III** *v/r* to appear; (*Gefühle*) to show; ***es zeigt sich, dass ...*** it turns out that ...; ***es wird sich ~, wer Recht hat*** we shall see who's right **Zeiger** ['tsaigɐ] *m* ⟨**-s, -**⟩ indicator; (≈ *Uhrzeiger*) hand; ***der große/kleine ~*** the big/little hand **Zeigestock** *m* pointer

Zeile ['tsailə] *f* ⟨**-, -n**⟩ line; ***zwischen den ~n lesen*** to read between the lines **Zeilenabstand** *m* line spacing **Zeilenumbruch** *f* (***automatischer***) ***~*** IT wordwrap **Zeilenvorschub** *m* IT line feed **zeilenweise** *adv* in lines; (≈ *nach Zeilen*) by the line

Zeisig ['tsaizɪç] *m* ⟨**-s, -e** [-gə]⟩ ORN siskin

zeit [tsait] *prep +gen* ***~ meines/seines Lebens*** in my/his lifetime **Zeit** [tsait] *f* ⟨**-, -en**⟩ time; (≈ *Epoche*) age; ***die gute alte ~*** the good old days; ***das waren noch ~en!*** those were the days; ***die ~en haben sich geändert*** times have changed; ***die ~ Goethes*** the age of Goethe; ***für alle ~en*** for ever; ***mit der ~ gehen*** to move with the times; ***eine Stunde ~ haben*** to have an hour (to spare); ***sich*** (*dat*) ***für jdn/etw ~ nehmen*** to devote time to sb/sth; ***du hast dir aber reichlich ~ gelassen*** you certainly took your time; ***keine ~ verlieren*** to lose no time; ***damit hat es noch ~*** there's plenty of time; ***das hat ~ bis morgen*** that can wait until tomorrow; ***lass dir ~*** take your time; ***in letzter ~*** recently; ***die ganze ~ über*** the whole time; ***eine ~ lang*** a while; ***mit der ~*** gradually; ***es wird langsam ~, dass ...*** it's about time that ...; ***in der ~ von 10 bis 12*** between 10 and 12 (o'clock); ***seit dieser ~*** since then; ***zu der ~, als ...*** (at the time) when ...; ***alles zu seiner ~*** (*prov*) all in good time; ***von ~ zu ~*** from time to time; → ***zurzeit*** **Zeitabschnitt** *m* period (of time) **Zeitangabe** *f* (≈ *Datum*) date; (≈ *Uhrzeit*) time (of day) **Zeitarbeit** *f* temporary work **Zeitarbeiter(in)** *m/(f)* temporary worker **Zeitarbeitsfirma** *f* temping agency **Zeitarbeitskraft** *f* temp **Zeitaufwand** *m* ***mit großem ~ verbunden sein*** to be extremely time-consuming **Zeitbombe** *f* time bomb **Zeitdruck** *m, no pl* pressure of time; ***unter ~*** under pressure **Zeiteinheit** *f* time unit **Zeitenfolge** *f* GRAM sequence of tenses **Zeitersparnis** *f* saving of time **Zeitfenster** *nt* time slot **Zeitfrage** *f* question of time **Zeitgeist** *m, no pl* Zeitgeist **zeitgemäß** *adj* up-to--date **Zeitgenosse** *m*, **Zeitgenossin** *f* contemporary **zeitgenössisch** [-gənœsɪʃ] *adj* contemporary **Zeitgewinn** *m* gain in time **zeitgleich** *adv* at the same time (*mit* as) **zeitig** ['tsaitɪç] *adj, adv* early **Zeitlang** ['tsaitlaŋ] *f* → ***Zeit*** **zeitlebens** [tsait'le:bns] *adv* all one's life **zeitlich** ['tsaitlɪç] **I** *adj* temporal; *Verzögerungen* time-related; *Reihenfolge* chronological; ***aus ~en Gründen*** for reasons of time; ***einen hohen ~en Aufwand erfordern*** to require a great deal of time **II** *adv* timewise (*infml*); ***~ befristet sein*** to have a time limit **zeitlos** *adj* timeless **Zeitlupe** *f* slow motion *no art* **Zeitlupentempo** *nt* ***im ~*** (*lit*) in slow motion; (*fig*) at a snail's pace **Zeitmangel** *m* lack of time; ***aus ~*** for lack of time **Zeitmessung** *f* timekeeping **zeitnah** *adj* contemporary **Zeitnot** *f* shortage of time; ***in ~ sein*** to be pressed for time **Zeitplan** *m* schedule **Zeitpunkt** *m* time; (≈ *Augenblick*) moment; ***zu diesem ~*** at that time **Zeitraffer** [-rafɐ] *m* ⟨**-s**, *no pl*⟩ ***einen Film im ~ zeigen*** to show a time--lapse film **zeitraubend** *adj* time-consuming **Zeitraum** *m* period of time; ***in einem ~ von ...*** over a period of ... **Zeitrechnung** *f* calendar; ***nach christlicher ~*** according to the Christian calendar **Zeitschaltuhr** *f* timer **Zeitschrift** *f* (≈ *Illustrierte*) magazine; (*wissenschaftlich*) periodical **Zeitspanne** *f* period of time **zeitsparend** **I** *adj* time-saving **II** *adv* expeditiously; ***möglichst ~ vorgehen*** to save as much time as possible **Zeittafel** *f* chronological table **Zeitumstellung** *f* (≈ *Zeitänderung*) changing the clocks

Zeitung ['tsaitʊŋ] *f* ⟨**-, -en**⟩ (news)paper **Zeitungsabonnement** *nt* subscription to a newspaper **Zeitungsanzeige** *f* newspaper advertisement **Zeitungsausschnitt** *m* newspaper cutting **Zeitungshändler(in)** *m/(f)* newsagent, newsdealer (*US*) **Zeitungsleser(in)** *m/(f)* newspaper reader **Zeitungspapier** *nt* newsprint; (*als Altpapier*) newspaper **Zeitungsredakteur(in)** *m/(f)* newspaper editor

Zeitunterschied *m* time difference **Zeitverschwendung** *f* waste of time **Zeitvertrag** *m* temporary contract **Zeitvertreib** [-fɛɐtraip] *m* ⟨**-(e)s, -e** [-bə]⟩ way of passing the time; (≈ *Hobby*) pastime; ***zum ~*** to pass the time **zeitweilig** [-vailıç] **I** *adj* temporary **II** *adv* for a while; (≈ *kurzzeitig*) temporarily **zeitweise** *adv* at times **Zeitwort** *nt, pl* ***-wörter*** verb **Zeitzeichen** *nt* time signal **Zeitzeuge** *m*, **Zeitzeugin** *f* contemporary witness **Zeitzone** *f* time zone **Zeitzünder** *m* time fuse

Zelle ['tsɛlə] *f* ⟨**-, -n**⟩ cell; (≈ *Kabine*) cabin; (≈ *Telefonzelle*) (phone) booth **Zellgewebe** *nt* cell tissue **Zellkern** *m* nucleus (of a/the cell) **Zellstoff** *m* cellulose **Zellteilung** *f* cell division

Zellulose [tsɛlu'loːzə] *f* ⟨**-, -n**⟩ cellulose

Zelt [tsɛlt] *nt* ⟨**-(e)s, -e**⟩ tent; (≈ *Zirkuszelt*) big top **Zeltbahn** *f* strip of canvas **zelten** ['tsɛltn] *v/i* to camp; ***Zelten verboten*** no camping **Zelter** ['tsɛltɐ] *m* ⟨**-s, -**⟩, **Zelterin** [-ərın] *f* ⟨**-, -nen**⟩ camper **Zelthering** *m* tent peg **Zeltlager** *nt* camp **Zeltpflock** *m* tent peg **Zeltplane** *f* tarpaulin **Zeltplatz** *m* camp site

Zement [tse'mɛnt] *m* ⟨**-(e)s, -e**⟩ cement **zementieren** [tsemɛn'tiːrən] *past part* ***zementiert*** *v/t* to cement; (≈ *verputzen*) to cement over; (*fig*) to reinforce **Zement(misch)maschine** *f* cement mixer

Zenit [tse'niːt] *m* ⟨**-(e)s**, *no pl*⟩ zenith

zensieren [tsɛn'ziːrən] *past part* ***zensiert*** *v/t* **1.** (*also v/i* ≈ *benoten*) to mark **2.** *Bücher etc* to censor **Zensur** [tsɛn'zuːɐ] *f* ⟨**-, -en**⟩ **1.** *no pl* (≈ *Kontrolle*) censorship *no indef art*; (≈ *Prüfstelle*) censors *pl* **2.** (≈ *Note*) mark

Zentiliter [tsɛnti'liːtɐ, -'lıtɐ, 'tsɛnti-] *m or nt* centilitre (*Br*), centiliter (*US*) **Zentimeter** [tsɛnti'meːtɐ, 'tsɛnti-] *m or nt* centimetre (*Br*), centimeter (*US*) **Zentimetermaß** [tsɛnti'meːtɐ-] *nt* (metric) tape measure

Zentner ['tsɛntnɐ] *m* ⟨**-s, -**⟩ (metric) hundredweight, 50 kg; (*Aus, Swiss*) 100 kg

zentral [tsɛn'traːl] **I** *adj* central **II** *adv* centrally **Zentralbank** *f, pl* ***-banken*** central bank **Zentrale** [tsɛn'traːlə] *f* ⟨**-, -n**⟩ (*von Firma etc*) head office; (*für Taxis*, MIL) headquarters *sg or pl*; (≈ *Schaltzentrale*) central control (office); (≈ *Telefonzentrale*) exchange; (*von Firma etc*) switchboard **Zentraleinheit** *f* IT central processing unit **Zentralheizung** *f* central heating **zentralisieren** [tsɛntrali'ziːrən] *past part* ***zentralisiert*** *v/t* to centralize **Zentralismus** [tsɛntra'lısmʊs] *m* ⟨**-**, *no pl*⟩ centralism **zentralistisch** [tsɛntra'lıstıʃ] *adj* centralist **Zentralnervensystem** *nt* central nervous system **Zentralrechner** *m* IT mainframe **Zentralverriegelung** [-fɛɐriːgəlʊŋ] *f* ⟨**-, -en**⟩ AUTO central (door) locking **zentrieren** [tsɛn'triːrən] *past part* ***zentriert*** *v/t* to centre (*Br*), to center (*US*) **Zentrifugalkraft** *f* centrifugal force **Zentrifuge** [tsɛntri'fuːgə] *f* ⟨**-, -n**⟩ centrifuge **Zentrum** ['tsɛntrʊm] *nt* ⟨**-s, *Zentren*** [-trən]⟩ centre (*Br*), center (*US*)

Zeppelin ['tsɛpəliːn] *m* ⟨**-s, -e**⟩ zeppelin

Zepter ['tsɛptɐ] *nt* ⟨**-s, -**⟩ sceptre (*Br*), scepter (*US*)

zerbeißen *past part* ***zerbissen*** [tsɛɐ'bısn] *v/t irr* to chew; *Knochen, Keks etc* to crunch

zerbeulen *past part* ***zerbeult*** *v/t* to dent; ***zerbeult*** battered

zerbomben *past part* ***zerbombt*** *v/t* to flatten with bombs; ***zerbombt*** *Stadt, Gebäude* bombed out

zerbrechen *past part* ***zerbrochen*** [tsɛɐ'brɔxn] *irr* **I** *v/t* (*lit*) to break into pieces **II** *v/i aux sein* to break into pieces; (*Glas, Porzellan etc*) to smash; (*fig*) to be destroyed (*an +dat* by); (*Ehe*) to fall apart **zerbrechlich** [tsɛɐ'brɛçlıç] *adj* fragile; *alter Mensch* frail **Zerbrechlichkeit** *f* ⟨**-**, *no pl*⟩ fragility; (*von altem Menschen*) frailness

zerbröckeln *past part* ***zerbröckelt*** *v/t & v/i* to crumble

zerdrücken *past part* ***zerdrückt*** *v/t* to squash; *Gemüse* to mash; (≈ *zerknittern*) to crush, to crease

Zeremonie [tseremo'niː, tsere'moːniə] *f* ⟨**-, -n** [-'niːən, -niən]⟩ ceremony

Zerfall *m, no pl* disintegration; (*von Atom*) decay; (*von Land, Kultur*) decline; (*von Gesundheit*) decline

zerfallen[1] *past part* ***zerfallen*** *v/i irr aux sein* (≈ *sich auflösen*) to disintegrate; (*Gebäude*) to fall into ruin; (*Atomkern*) to decay; (≈ *auseinanderfallen*) to fall

apart; (*Kultur*) to decline
zerfallen[2] *adj Haus* tumbledown; *Gemäuer* crumbling **Zerfallserscheinung** *f* sign of decay
zerfetzen *past part* **zerfetzt** *v/t* to tear to pieces; *Brief etc* to rip up
zerfleischen [tsɛɐ'flaiʃn] *past part* **zerfleischt** *v/t* to tear to pieces; **einander ~** (*fig*) to tear each other apart
zerfließen *past part* **zerflossen** [tsɛɐ'flɔsn] *v/i irr aux sein* (*Tinte, Make-up etc*) to run; (*Eis etc, fig*: *Reichtum etc*) to melt away; **in Tränen ~** to dissolve into tears; **vor Mitleid ~** to be overcome with pity
zergehen *past part* **zergangen** [tsɛɐ'gaŋən] *v/i irr aux sein* to dissolve; (≈ *schmelzen*) to melt; **auf der Zunge ~** (*Gebäck etc*) to melt in the mouth
zerhacken *past part* **zerhackt** *v/t* to chop up
zerkauen *past part* **zerkaut** *v/t* to chew
zerkleinern [tsɛɐ'klainɐn] *past part* **zerkleinert** *v/t* to cut up; (≈ *zerhacken*) to chop (up); (≈ *zermahlen*) to crush
zerklüftet [tsɛɐ'klʏftət] *adj Tal etc* rugged; *Ufer* indented
zerknautschen *past part* **zerknautscht** *v/t* (*infml*) to crease
zerknirscht [tsɛɐ'knɪrʃt] *adj* remorseful **Zerknirschung** [tsɛɐ'knɪrʃʊŋ] *f* ⟨-, *no pl*⟩ remorse
zerknittern *past part* **zerknittert** *v/t* to crease
zerknüllen *past part* **zerknüllt** *v/t* to crumple up
zerkochen *past part* **zerkocht** *v/t & v/i* to cook to a pulp
zerkratzen *past part* **zerkratzt** *v/t* to scratch
zerlassen *past part* **zerlassen** *v/t irr* to melt
zerlaufen *past part* **zerlaufen** *v/i irr aux sein* to melt
zerlegbar *adj* **die Möbel waren leicht ~** the furniture could easily be taken apart **zerlegen** *past part* **zerlegt** *v/t* (≈ *auseinandernehmen*) to take apart; *Argumente* to break down; (≈ *zerschneiden*) to cut up; BIOL to dissect; CHEM to break down **Zerlegung** [tsɛɐ'le:gʊŋ] *f* ⟨-, **-en**⟩ taking apart; MAT reduction; BIOL dissection
zerlesen [tsɛɐ'le:zn] *adj Buch* well-thumbed
zerlumpt [tsɛɐ'lʊmpt] *adj* ragged
zermahlen *past part* **zermahlen** *v/t* to grind
zermalmen [tsɛɐ'malmən] *past part* **zermalmt** *v/t* to crush
zermartern *past part* **zermartert** *v/t* **sich** (*dat*) **den Kopf** *or* **das Hirn ~** to rack one's brains
zermürben [tsɛɐ'mʏrbn] *past part* **zermürbt** *v/t* (*fig*) **jdn ~** to wear sb down
zerpflücken *past part* **zerpflückt** *v/t* to pick to pieces
zerquetschen *past part* **zerquetscht** *v/t* to squash **Zerquetschte** [tsɛɐ'kvɛtʃtə] *pl decl as adj* (*infml*) **zehn Euro und ein paar ~** ten euros something (or other)
Zerrbild *nt* distorted picture
zerreden *past part* **zerredet** *v/t* to beat to death (*infml*)
zerreiben *past part* **zerrieben** [tsɛɐ'ri:bn] *v/t irr* to crumble; (*fig*) to crush
zerreißen *past part* **zerrissen** [tsɛɐ'rɪsn] *irr* **I** *v/t* **1.** to tear; (*in Stücke*) to tear to pieces; *Brief etc* to tear up; *Land* to tear apart; → **zerrissen 2.** (≈ *kritisieren*) *Stück, Film* to tear apart **II** *v/i aux sein* (*Stoff*) to tear **Zerreißprobe** *f* (*lit*) pull test; (*fig*) real test
zerren ['tsɛrən] **I** *v/t* to drag; *Sehne* to pull; **sich** (*dat*) **einen Muskel ~** to pull a muscle **II** *v/i* **an etw** (*dat*) **~** to tug at sth; **an den Nerven ~** to be nerve-racking
zerrinnen *past part* **zerronnen** [tsɛɐ'rɔnən] *v/i irr aux sein* to melt (away); (*fig*) (*Träume, Pläne*) to fade away; (*Geld*) to disappear
zerrissen [tsɛɐ'rɪsn] *adj* (*fig*) *Volk, Partei* strife-torn; *Mensch* (inwardly) torn; → **zerreißen Zerrissenheit** *f* ⟨-, *no pl*⟩ (*fig*) (*von Volk, Partei*) disunity *no pl*; (*von Mensch*) (inner) conflict
Zerrung ['tsɛrʊŋ] *f* ⟨-, **-en**⟩ (*von Sehne*) pulled ligament; (*von Muskel*) pulled muscle
zerrütten [tsɛɐ'rʏtn] *past part* **zerrüttet** *v/t* to destroy; *Nerven* to shatter; **eine zerrüttete Ehe/Familie** a broken marriage/home **Zerrüttung** *f* ⟨-, **-en**⟩ destruction; (*von Ehe*) breakdown; (*von Nerven*) shattering
zersägen *past part* **zersägt** *v/t* to saw up
zerschlagen[1] *past part* **zerschlagen** *irr* **I** *v/t* **1.** to smash (to pieces); *Glas etc* to

shatter **2.** (*fig*) *Widerstand* to crush; *Hoffnungen, Pläne* to shatter; *Verbrecherring etc* to break; *Staat* to smash **II** *v/r* (≈ *nicht zustande kommen*) to fall through; (*Hoffnung*) to be shattered

zerschlagen[2] *adj pred* washed out (*infml*)

zerschmettern *past part* ***zerschmettert*** *v/t* to shatter; *Feind* to crush

zerschneiden *past part* ***zerschnitten*** [tsɛɐ'ʃnɪtn] *v/t irr* to cut; (*in Stücke*) to cut up

zersetzen *past part* ***zersetzt*** **I** *v/t* to decompose; (*Säure*) to corrode; (*fig*) to undermine **II** *v/r* to decompose; (*durch Säure*) to corrode; (*fig*) to become undermined *or* subverted **Zersetzung** [tsɛɐ'zɛtsʊŋ] *f* ⟨**-, -en**⟩ CHEM decomposition; (*durch Säure*) corrosion; (*fig*) (≈ *Untergrabung*) undermining

zersplittern *past part* ***zersplittert*** **I** *v/t* to shatter; *Holz* to splinter; *Gruppe, Partei* to fragment **II** *v/i aux sein* to shatter; (*Holz, Knochen*) to splinter; (*fig*) to split up

zerspringen *past part* ***zersprungen*** [tsɛɐ'ʃprʊŋən] *v/i irr aux sein* to shatter; (≈ *einen Sprung bekommen*) to crack

zerstampfen *past part* ***zerstampft*** *v/t* (≈ *zertreten*) to stamp on; (≈ *zerkleinern*) to crush; *Kartoffeln etc* to mash

zerstäuben *past part* ***zerstäubt*** *v/t* to spray **Zerstäuber** [tsɛɐ'ʃtɔybɐ] *m* ⟨**-s, -**⟩ spray

zerstechen *past part* ***zerstochen*** [tsɛɐ'ʃtɔxn] *v/t irr* **1.** (*Mücken*) to bite (all over); (*Bienen etc*) to sting (all over) **2.** *Haut, Reifen* to puncture

zerstörbar *adj* destructible; ***nicht ~*** indestructible **zerstören** *past part* ***zerstört*** **I** *v/t* to destroy; (*Rowdys*) to vandalize; *Gesundheit* to wreck **II** *v/i* to destroy **zerstörerisch** [tsɛɐ'ʃtøːrərɪʃ] **I** *adj* destructive **II** *adv* destructively **Zerstörung** *f* destruction; (*durch Rowdys*) vandalizing **Zerstörungstrieb** *m* destructive urge **Zerstörungswut** *f* destructive mania

zerstreuen *past part* ***zerstreut*** **I** *v/t* **1.** (≈ *verstreuen*) to scatter (*in +dat* over); *Volksmenge etc* to disperse; (*fig*) to dispel **2.** (≈ *ablenken*) ***jdn ~*** to take sb's mind off things **II** *v/r* **1.** (≈ *sich verteilen*) to scatter; (*Menge*) to disperse; (*fig*) to be dispelled **2.** (≈ *sich ablenken*) to take one's mind off things; (≈ *sich amüsieren*) to amuse oneself **zerstreut** [tsɛɐ'ʃtrɔyt] *adj* (*fig*) *Mensch* absent-minded **Zerstreutheit** *f* ⟨**-**, *no pl*⟩ absent-mindedness **Zerstreuung** *f* **1.** (≈ *Ablenkung*) diversion; ***zur ~*** as a diversion **2.** (≈ *Zerstreutheit*) absent-mindedness

zerstritten [tsɛɐ'ʃtrɪtn] *adj* ***~ sein*** (*Paar, Geschäftspartner*) to have fallen out; (*Partei*) to be disunited

zerstückeln *past part* ***zerstückelt*** *v/t* to cut up; *Leiche* to dismember

Zertifikat [tsɛrtifi'kaːt] *nt* ⟨**-(e)s, -e**⟩ certificate

zertrampeln *past part* ***zertrampelt*** *v/t* to trample on

zertreten *past part* ***zertreten*** *v/t irr* to crush (underfoot); *Rasen* to ruin

zertrümmern [tsɛɐ'trʏmɐn] *past part* ***zertrümmert*** *v/t* to smash; *Einrichtung* to smash up; *Hoffnungen* to destroy

Zervelatwurst [tsɛrvə'laːt-] *f* cervelat

Zerwürfnis [tsɛɐ'vʏrfnɪs] *nt* ⟨**-ses, -se**⟩ row

zerzausen *past part* ***zerzaust*** *v/t* to ruffle; *Haar* to tousle **zerzaust** [tsɛɐ'tsaust] *adj* windswept

Zettel ['tsɛtl] *m* ⟨**-s, -**⟩ piece of paper; (≈ *Notizzettel*) note; (≈ *Anhängezettel*) label; (≈ *Handzettel*) leaflet, handbill (*esp US*), flyer; (≈ *Formular*) form

Zeug [tsɔyk] *nt* ⟨**-(e)s** [-gəs]⟩ *no pl* **1.** (*infml*) stuff *no indef art, no pl*; (≈ *Ausrüstung*) gear (*infml*); (≈ *Kleidung*) things *pl* (*infml*) **2.** (*infml* ≈ *Unsinn*) nonsense; ***dummes ~ reden*** to talk a lot of nonsense **3.** (≈ *Fähigkeit*) ***das ~ zu etw haben*** to have (got) what it takes to be sth (*infml*) **4.** ***was das ~ hält*** (*infml*) for all one is worth; *laufen, fahren* like mad; ***sich für jdn ins ~ legen*** (*infml*) to stand up for sb; ***sich ins ~ legen*** to go flat out (*esp Br*) *or* all out (*US*)

Zeuge ['tsɔygə] *m* ⟨**-n, -n**⟩, **Zeugin** ['tsɔygɪn] *f* ⟨**-, -nen**⟩ (JUR, *fig*) witness (*+gen* to); ***vor*** *or* ***unter ~n*** in front of witnesses

zeugen[1] ['tsɔygn] *v/t Kind* to father

zeugen[2] *v/i* **1.** (≈ *aussagen*) to testify; (*esp vor Gericht*) to give evidence **2.** ***von etw ~*** to show sth **Zeugenaussage** *f* testimony **Zeugenbank** *f, pl* ***-bänke*** witness box (*Br*), witness stand (*US*) **Zeugenstand** *m* witness box (*Br*), witness stand (*US*) **Zeugin** *f* ⟨**-, -nen**⟩ witness **Zeugnis**

['tsɔyknɪs] *nt* ⟨**-ses, -se**⟩ **1.** (≈ *Zeugenaussage, Beweis*) evidence; ***für/gegen jdn ~ ablegen*** to testify for/against sb **2.** (≈ *Schulzeugnis*) report **3.** (≈ *Bescheinigung*) certificate; (*von Arbeitgeber*) reference **Zeugnisheft** *nt* SCHOOL report card **Zeugnisverweigerungsrecht** *nt* right of a witness to refuse to give evidence

Zeugung ['tsɔygʊŋ] *f* ⟨**-, -en**⟩ fathering **zeugungsfähig** *adj* fertile **Zeugungsfähigkeit** *f* fertility **zeugungsunfähig** *adj* sterile **Zeugungsunfähigkeit** *f* sterility

Zicke ['tsɪkə] *f* ⟨**-, -n**⟩ **1.** nanny goat **2.** (*pej infml* ≈ *Frau*) silly cow (*infml*) **Zicken** ['tsɪkn] *pl* (*infml*) ***mach bloß keine ~!*** no nonsense now!; ***~ machen*** to make trouble **zickig** ['tsɪkɪç] *adj* (*infml* ≈ *prüde*) awkward

Zickzack ['tsɪktsak] *m* ⟨**-(e)s, -e**⟩ zigzag; ***im ~ laufen*** to zigzag

Ziege ['tsiːgə] *f* ⟨**-, -n**⟩ **1.** goat; (*weiblich*) (nanny) goat **2.** (*pej infml* ≈ *Frau*) cow (*infml*)

Ziegel ['tsiːgl] *m* ⟨**-s, -**⟩ (≈ *Backstein*) brick; (≈ *Dachziegel*) tile **Ziegelstein** *m* brick

Ziegenbock *m* billy goat **Ziegenkäse** *m* goat's milk cheese **Ziegenleder** *nt* kid (leather) **Ziegenmilch** *f* goat's milk **Ziegenpeter** [-peːtɐ] *m* ⟨**-s, -**⟩ mumps *sg*

ziehen ['tsiːən] *pret* **zog** [tsoːk], *past part* **gezogen** [gə'tsoːgn] **I** *v/t* **1.** to pull; ***etw durch etw ~*** to pull sth through sth; ***es zog ihn in die weite Welt*** he felt drawn toward(s) the big wide world; ***unangenehme Folgen nach sich ~*** to have unpleasant consequences **2.** (≈ *herausziehen*) to pull out (*aus* of); *Zahn, Fäden* to take out; *Los* to draw; ***Zigaretten (aus dem Automaten) ~*** to get cigarettes from the machine **3.** (≈ *zeichnen*) *Kreis, Linie* to draw **4.** (≈ *verlegen*) *Graben* to dig; *Mauer* to build; *Zaun* to put up; *Grenze* to draw **5.** (≈ *züchten*) *Blumen* to grow; *Tiere* to breed **II** *v/i* **1.** (≈ *zerren*) to pull; ***an etw*** (*dat*) ***~*** to pull (on *or* at) sth **2.** *aux sein* (≈ *umziehen*) to move; ***nach Bayern ~*** to move to Bavaria **3.** (*Soldaten, Volksmassen*) to march; (≈ *durchstreifen*) to wander; (*Wolken*) to drift; (*Vögel*) to fly; ***durch die Stadt ~*** to wander about the town; ***in den Krieg ~*** to go to war **4.** (≈ *Zug haben, Ofen*) to draw; ***an der Pfeife/Zigarette ~*** to take a drag on one's pipe/cigarette **5.** (*infml* ≈ *Eindruck machen*) ***so was zieht beim Publikum/bei mir nicht*** the public/I don't like that sort of thing; ***so was zieht immer*** that sort of thing always goes down well **6.** (≈ *sieden*: *Tee*) to draw **III** *v/impers* ***es zieht*** there's a draught (*Br*) *or* draft (*US*) **IV** *v/r* ***sich ~*** **1.** (≈ *sich erstrecken*) to extend; ***dieses Treffen zieht sich!*** this meeting is dragging on! **2.** (≈ *sich dehnen*) to stretch; (*Holz*) to warp **Ziehharmonika** *f* concertina; (*mit Tastatur*) accordion **Ziehung** ['tsiːʊŋ] *f* ⟨**-, -en**⟩ draw

Ziel [tsiːl] *nt* ⟨**-(e)s, -e**⟩ **1.** (≈ *Reiseziel*) destination; (≈ *Absicht*) goal; ***mit dem ~ ...*** with the aim ...; ***etw zum ~ haben*** to have sth as one's goal; ***sich*** (*dat*) ***ein ~ setzen*** to set oneself a goal; ***am ~ sein*** to be at one's destination; (*fig*) to have reached *or* achieved one's goal **2.** SPORTS finish; ***durchs ~ gehen*** to cross the finishing line **3.** (MIL, *fig*) target; ***über das ~ hinausschießen*** (*fig*) to overshoot the mark **zielen** ['tsiːlən] *v/i* (*Mensch*) to aim (*auf +acc, nach* at); (*fig*: *Kritik etc*) to be aimed (*auf +acc* at); → ***gezielt*** **Zielfernrohr** *nt* telescopic sight **Zielgerade** *f* home straight **Zielgruppe** *f* target group **Ziellinie** *f* SPORTS finishing line **ziellos I** *adj* aimless **II** *adv* aimlessly **Zielscheibe** *f* target **Zielsetzung** [-zɛtsʊŋ] *f* ⟨**-, -en**⟩ target **zielsicher I** *adj* unerring; *Handeln* purposeful **II** *adv* unerringly **zielstrebig** ['tsiːlʃtreːbɪç] *adj* determined **Zielstrebigkeit** *f* ⟨**-,** *no pl*⟩ determination

ziemlich ['tsiːmlɪç] **I** *adj attr Strecke* considerable; *Vermögen* sizable; ***das ist eine ~e Frechheit*** that's a real cheek (*Br*), that's really fresh (*US*); ***eine ~e Anstrengung*** quite an effort; ***mit ~er Sicherheit*** fairly certainly **II** *adv* **1.** quite; *sicher, genau* reasonably; ***wir haben uns ~ beeilt*** we've hurried quite a bit; ***~ lange*** quite a long time; ***~ viel*** quite a lot **2.** (*infml* ≈ *beinahe*) almost; ***so ~ alles*** just about everything; ***so ~ dasselbe*** pretty much the same

Zierde ['tsiːɐdə] *f* ⟨**-, -n**⟩ ornament; (≈ *Schmuckstück*) adornment; ***zur ~*** for decoration **zieren** ['tsiːrən] **I** *v/t* to adorn; *Speisen* to garnish; *Kuchen* to decorate; (*fig* ≈ *auszeichnen*) to grace **II** *v/r* (≈ *sich bitten lassen*) to make a fuss; ***ohne sich zu ~*** without having to be pressed; ***zier dich nicht!*** don't be shy; → ***geziert*** **Zierfisch** *m* ornamental fish **Ziergarten** *m* ornamental garden **Zierleiste** *f* border; (*an Auto*) trim **zierlich** ['tsiːɐlɪç] *adj* dainty; *Porzellanfigur etc* delicate

Ziffer ['tsɪfɐ] *f* ⟨-, -n⟩ **1.** (≈ *Zahlzeichen*) digit; (≈ *Zahl*) figure; ***römische/arabische ~n*** roman/arabic numerals; ***eine Zahl mit drei ~n*** a three-figure number **2.** (*eines Paragrafen*) clause **Zifferblatt** *nt* (*an Uhr*) dial; (*von Armbanduhr*) (watch) face

zig [tsɪç] *adj* (*infml*) umpteen (*infml*)

Zigarette [tsiga'rɛtə] *f* ⟨-, -n⟩ cigarette **Zigarettenanzünder** *m* (*in Auto*) cigar lighter **Zigarettenautomat** *m* cigarette machine **Zigarettenpapier** *nt* cigarette paper **Zigarettenpause** *f* cigarette break

Zigarillo [tsiga'rɪlo, -'rɪljo] *m or nt* ⟨-s, -s⟩ cigarillo

Zigarre [tsi'garə] *f* ⟨-, -n⟩ **1.** cigar **2.** (*infml*) ***jdm eine ~ verpassen*** to give sb a dressing-down

Zigeuner [tsi'gɔynɐ] *m* ⟨-s, -⟩, **Zigeunerin** [-ərɪn] *f* ⟨-, -nen⟩ (*usu pej*) gypsy **zigeunern** [tsi'gɔynɐn] *past part* ***zigeunert*** *v/i aux haben or* (*bei Richtungsangabe*) *sein* (*infml*) to rove

zigmal ['tsɪçmaːl] *adv* (*infml*) umpteen times (*infml*)

Zimbabwe [zɪm'babvə] *nt* ⟨-s⟩ Zimbabwe

Zimmer ['tsɪmɐ] *nt* ⟨-s, -⟩ room; ***„Zimmer frei"*** "vacancies" **Zimmerantenne** *f* indoor aerial (*Br*) *or* antenna (*US*) **Zimmerdecke** *f* ceiling **Zimmerhandwerk** *nt* carpentry **Zimmerkellner** *m* room waiter **Zimmerkellnerin** *f* room waitress **Zimmerlautstärke** *f* low volume **Zimmermädchen** *nt* chambermaid **Zimmermann** *m, pl* ***-leute*** carpenter **zimmern** ['tsɪmɐn] **I** *v/t* to make from wood **II** *v/i* ***an etw*** (*dat*) ***~*** (*lit*) to make sth from wood; (*fig*) to work on sth **Zimmernachweis** *m* accommodation service **Zimmerpflanze** *f* house plant **Zimmerservice** [-zøːɐvɪs, -zœrvɪs] *m* room service **Zimmersuche** *f* ***auf ~ sein*** to be looking for rooms/a room **Zimmervermittlung** *f* accommodation service

zimperlich ['tsɪmpɐlɪç] *adj* (≈ *überempfindlich*) nervous (*gegen* about); (*beim Anblick von Blut etc*) squeamish; (≈ *prüde*) prissy; (≈ *wehleidig*) soft; ***da darf man nicht so ~ sein*** you can't afford to be soft

Zimt [tsɪmt] *m* ⟨-(e)s, -e⟩ cinnamon

Zink [tsɪŋk] *nt* ⟨-(e)s, *no pl*⟩ zinc

Zinke ['tsɪŋkə] *f* ⟨-, -n⟩ (*von Gabel*) prong; (*von Kamm, Rechen*) tooth

zinken ['tsɪŋkn] *v/t Karten* to mark

Zinn [tsɪn] *nt* ⟨-(e)s, *no pl*⟩ **1.** tin **2.** (≈ *Legierung, Zinnprodukte*) pewter **Zinnbecher** *m* pewter tankard **zinnen** ['tsɪnən] *adj* pewter **Zinnfigur** *f* pewter figure

zinnoberrot *adj* vermilion

Zinnsoldat *m* tin soldier

Zins[1] [tsɪns] *m* ⟨-es, -e [-zə]⟩ (*S Ger, Aus, Swiss*) (≈ *Mietzins*) rent

Zins[2] *m* ⟨-es, -en⟩ *usu pl* (≈ *Geldzins*) interest *no pl*; ***~en bringen*** to earn interest; ***~en tragen*** (*lit*) to earn interest; (*fig*) to pay dividends; ***mit ~en*** with interest **Zinsabschlagsteuer** *f* tax on interest payments **Zinseinkünfte** *pl* interest income *no pl* **Zinseszins** *m* compound interest **zinsfrei I** *adj* **1.** (≈ *frei von Abgaben*) tax-free; (*S Ger, Aus, Swiss*) (≈ *mietfrei*) rent-free **2.** *Darlehen* interest-free **II** *adv Geld leihen* interest-free **Zinsfuß** *m* interest rate **zinslos** *adj, adv* interest-free **Zinsniveau** *nt* level of interest rates **Zinssatz** *m* interest rate; (*bei Darlehen*) lending rate **Zinssenkung** *f* reduction in the interest rate **Zinssteuer** *f* tax on interest

Zionismus [tsio'nɪsmʊs] *m* ⟨-, *no pl*⟩ Zionism **zionistisch** [tsio'nɪstɪʃ] *adj* Zionist

Zipfel ['tsɪpfl] *m* ⟨-s, -⟩ (*von Tuch, Decke*) corner; (*von Mütze*) point; (*von Hemd, Jacke*) tail; (*von Wurst*) end; (*von Land*) tip **Zipfelmütze** *f* pointed cap

Zipp [tsɪp]® *m* ⟨-s, -s⟩ (*Aus*) zip

zippen ['tsɪpn] *v/t & v/i* IT to zip

Zirbeldrüse ['tsɪrbl-] *f* pineal body

Zirbelkiefer *f* Swiss *or* stone pine

zirka ['tsɪrka] *adv* about

Zirkel ['tsɪrkl] *m* ⟨-s, -⟩ **1.** (≈ *Gerät*) pair of compasses; (≈ *Stechzirkel*) pair of dividers **2.** (≈ *Kreis*) circle **Zirkelschluss** *m* circular argument

Zirkulation ['tsɪrkula'tsioːn] *f* ⟨-, -en⟩ circulation **zirkulieren** [tsɪrku'liːrən] *past part* ***zirkuliert*** *v/i* to circulate

Zirkumflex ['tsɪrkʊmflɛks, tsɪrkʊm'flɛks] *m* ⟨-es, -e⟩ LING circumflex

Zirkus ['tsɪrkʊs] *m* ⟨**-, -se**⟩ circus; (≈ *Getue*) fuss **Zirkuszelt** *nt* big top
Zirrhose [tsɪ'ro:zə] *f* ⟨**-, -n**⟩ cirrhosis
Zirruswolke *f* cirrus (cloud)
zischeln ['tsɪʃln] *v/i* to whisper
zischen ['tsɪʃn] **I** *v/i* to hiss; (*Limonade*) to fizz; (*Fett, Wasser*) to sizzle **II** *v/t* (≈ *zischend sagen*) to hiss
Zisterne [tsɪs'tɛrnə] *f* ⟨**-, -n**⟩ well
Zitat [tsi'ta:t] *nt* ⟨**-(e)s, -e**⟩ quotation
Zither ['tsɪtɐ] *f* ⟨**-, -n**⟩ zither
zitieren [tsi'ti:rən] *past part* ***zitiert*** *v/t* **1.** *Textstelle* to quote; *Beispiel* to cite **2.** (≈ *vorladen, rufen*) to summon (*vor +acc* before, *an +acc, zu* to)
Zitronat [tsitro'na:t] *nt* ⟨**-(e)s, -e**⟩ candied lemon peel **Zitrone** [tsi'tro:nə] *f* ⟨**-, -n**⟩ lemon; ***jdn wie eine ~ auspressen*** to squeeze sb dry **zitronengelb** *adj* lemon yellow **Zitronenlimonade** *f* lemonade **Zitronenpresse** *f* lemon squeezer **Zitronensaft** *m* lemon juice **Zitronensäure** *f* citric acid **Zitronenschale** *f* lemon peel **Zitrusfrucht** *f* citrus fruit
zitt(e)rig ['tsɪt(ə)rɪç] *adj* shaky **zittern** ['tsɪtɐn] *v/i* to tremble; (≈ *erschüttert werden*) to shake; ***mir ~ die Knie*** my knees are shaking; ***vor jdm ~*** to be terrified of sb **Zittern** *nt* ⟨**-s**, *no pl*⟩ **1.** (≈ *Beben*) shaking; (*vor Kälte*) shivering; (*von Stimme*) quavering **2.** (≈ *Erschütterung*) shaking **Zitterpappel** *f* aspen (tree) **Zitterpartie** *f* (*fig*) nail-biter (*infml*)
Zitze ['tsɪtsə] *f* ⟨**-, -n**⟩ teat
zivil [tsi'vi:l] *adj* **1.** (≈ *nicht militärisch*) civilian; *Schaden* nonmilitary; ***im ~en Leben*** in civilian life; ***~er Ersatzdienst*** community service (*as alternative to military service*) **2.** (*infml* ≈ *anständig*) civil; *Preise* reasonable **Zivil** [tsi'vi:l] *nt* ⟨**-s**, *no pl*⟩ (*nicht Uniform*) civilian clothes *pl*; ***Polizist in ~*** plain-clothes policeman **Zivilbevölkerung** *f* civilian population **Zivilcourage** *f* courage (*to stand up for one's beliefs*) **Zivildienst** *m* community service (*as alternative to military service*) **Zivildienstleistende(r)** [-laistndə] *m/f(m) decl as adj* person doing community service (*instead of military service*) **Zivilfahnder(in)** *m/(f)* plain-clothes policeman/-woman **Zivilisation** [tsiviliza'tsio:n] *f* ⟨**-, -en**⟩ civilization **Zivilisationskrankheit** *f* illness caused by today's lifestyle **zivilisieren** [tsivili'zi:rən] *past part* ***zivilisiert*** *v/t* to civilize **zivilisiert** [tsivili'zi:ɐt] **I** *adj* civilized **II** *adv* ***sich ~ benehmen*** to behave in a civilized manner **Zivilist** [tsivi'lɪst] *m* ⟨**-en, -en**⟩, **Zivilistin** [-'lɪstɪn] *f* ⟨**-, -nen**⟩ civilian **Zivilkammer** *f* civil division **Zivilperson** *f* civilian **Zivilprozess** *m* civil action **Zivilprozessordnung** *f* JUR code of civil procedure **Zivilrecht** *nt* civil law **zivilrechtlich** *adj* civil law *attr*, of civil law; *Prozess* civil *attr*; ***jdn ~ verfolgen*** to bring a civil action against sb
Zivilschutz *m* civil defence (*Br*) *or* defense (*US*)
Znüni ['tsny:ni] *m* ⟨**-, -**⟩ (*Swiss*) morning break
zocken ['tsɔkn] *v/i* (*infml*) to gamble **Zocker** ['tsɔkɐ] *m* ⟨**-s, -**⟩, **Zockerin** [-ərɪn] *f* ⟨**-, -nen**⟩ (*infml*) gambler
Zoff [tsɔf] *m* ⟨**-s**, *no pl*⟩ (*infml* ≈ *Ärger*) trouble
zögerlich ['tsø:gɐlɪç] *adj* hesitant **zögern** ['tsø:gɐn] *v/i* to hesitate; ***er zögerte lange mit der Antwort*** he hesitated (for) a long time before replying **Zögern** *nt* ⟨**-s**, *no pl*⟩ hesitation **zögernd** **I** *adj* hesitant **II** *adv* hesitantly
Zölibat [tsøli'ba:t] *nt or m* ⟨**-(e)s**, *no pl*⟩ celibacy
Zoll[1] [tsɔl] *m* ⟨**-(e)s, -**⟩ (≈ *Längenmaß*) inch
Zoll[2] *m* ⟨**-(e)s, =e** ['tsœlə]⟩ **1.** (≈ *Warenzoll*) customs duty; (≈ *Straßenzoll*) toll; ***einem ~ unterliegen*** to carry duty **2.** (≈ *Stelle*) ***der ~*** customs *pl*; ***durch den ~ kommen*** to get through customs **Zollabfertigung** *f* (≈ *Vorgang*) customs clearance **Zollamt** *nt* customs house **Zollbeamte(r)** *m decl as adj*, **Zollbeamtin** *f* customs officer
zollen ['tsɔlən] *v/t* ***jdm Anerkennung/Achtung/Beifall ~*** to acknowledge/respect/applaud sb
Zollerklärung *f* customs declaration **Zollfahnder(in)** *m/(f)* customs investigator **Zollfahndung** *f* customs investigation department **zollfrei** *adj, adv* duty-free **Zollgebühr** *f* (customs) duty **Zollkontrolle** *f* customs check **Zolllager** *nt* bonded warehouse **Zöllner** ['tsœlnɐ] *m* ⟨**-s, -**⟩, **Zöllnerin** [-ərɪn] *f* ⟨**-, -nen**⟩ (*infml* ≈ *Zollbeamter*) customs officer **Zollpapiere** *pl* customs documents *pl* **zollpflichtig** [-pflɪçtɪç] *adj* dutiable **Zollstock** *m* ruler **Zolltarif** *m* customs tariff **Zollunion** *f* customs union

Zombie ['tsɔmbi] *m* ⟨**-(s), -s**⟩ zombie

Zone ['tsoːnə] *f* ⟨**-, -n**⟩ zone; (*von Fahrkarte*) fare stage

Zoo [tsoː] *m* ⟨**-s, -s**⟩ zoo **Zoologe** [tsoo'loːgə] *m* ⟨**-n, -n**⟩, **Zoologin** [-'loːgɪn] *f* ⟨**-, -nen**⟩ zoologist **Zoologie** [tsoolo'giː] *f* ⟨**-**, *no pl*⟩ zoology **zoologisch** [tsoo'loːgɪʃ] *adj* zoological

Zoom [zuːm] *nt* ⟨**-s, -s**⟩ zoom shot; (≈ *Objektiv*) zoom lens **Zoomobjektiv** ['zuːm-] *nt* zoom lens

Zopf [tsɔpf] *m* ⟨**-(e)s, ⸚e** ['tsœpfə]⟩ **1.** (≈ *Haartracht*) pigtail, plait; ***Zöpfe tragen*** to wear one's hair in pigtails; ***ein alter ~*** (*fig*) an antiquated custom **2.** (≈ *Gebäck*) plaited loaf

Zorn [tsɔrn] *m* ⟨**-(e)s**, *no pl*⟩ anger; ***in ~ geraten*** to fly into a rage; ***im ~*** in a rage; ***einen ~ auf jdn haben*** to be furious with sb **Zornausbruch** *m* fit of anger **zornig** ['tsɔrnɪç] **I** *adj* angry; ***~ werden*** to lose one's temper; ***auf jdn ~ sein*** to be angry with sb **II** *adv* angrily

Zote ['tsoːtə] *f* ⟨**-, -n**⟩ dirty joke

zottelig ['tsɔtəlɪç] *adj* (*infml*) *Haar, Fell* shaggy **zottig** ['tsɔtɪç] *adj Fell, Tier* shaggy

zu [tsuː] **I** *prep +dat* **1.** (*örtlich*) to; ***zum Bahnhof*** to the station; ***bis zu*** as far as; ***zum Meer hin*** toward(s) the sea; ***sie sah zu ihm hin*** she looked toward(s) him; ***die Tür zum Keller*** the door to the cellar; ***sich zu jdm setzen*** to sit down next to sb; ***setz dich doch zu uns*** come and sit with us **2.** (*zeitlich*) at; ***zu Mittag*** (≈ *am Mittag*) at midday; ***die Zahlung ist zum 15. April fällig*** the payment is due on 15th April; ***zum 31. Mai kündigen*** to give in (*Br*) *or* turn in (*US*) one's notice for 31st May **3.** (*Zusatz*) ***Wein zum Essen trinken*** to drink wine with one's meal; ***nehmen Sie Milch zum Kaffee?*** do you take milk in your coffee?; ***etw zu etw tragen*** (*Kleidung*) to wear sth with sth **4.** (*Zweck*) for; ***Wasser zum Waschen*** water for washing; ***Papier zum Schreiben*** paper to write on; ***das Zeichen zum Aufbruch*** the signal to leave; ***zur Erklärung*** by way of explanation **5.** (*Anlass*) ***etw zum Geburtstag bekommen*** to get sth for one's birthday; ***zu Ihrem 60. Geburtstag*** on your 60th birthday; ***jdm zu etw gratulieren*** to congratulate sb on sth; ***jdn zum Essen einladen*** to invite sb for a meal; ***jdn zu etw vernehmen*** to question sb about sth **6.** (*Veränderung*) into; ***zu etw werden*** to turn into sth; ***jdn/etw zu etw machen*** to make sb/sth (into) sth; ***jdn zum König wählen*** to choose sb as king; ***jdn zu etw ernennen*** to nominate sb sth **7.** (*Verhältnis*) ***Liebe zu jdm*** love for sb; ***meine Beziehung zu ihm*** my relationship with him; ***im Vergleich zu*** in comparison with; ***im Verhältnis drei zu zwei*** MAT in the ratio (of) three to two; ***das Spiel steht 3:2*** the score is 3-2 **8.** (*bei Zahlenangaben*) ***zu zwei Prozent*** at two per cent (*Br*) *or* percent (*US*); ***fünf (Stück) zu 80 Cent*** five for 80 cents; ***zum halben Preis*** at half price **II** *adv* **1.** (≈ *allzu*) too; ***zu sehr*** too much **2.** (≈ *geschlossen*) shut; ***auf/zu*** (*an Hähnen etc*) on/off; ***die Geschäfte haben jetzt zu*** the shops are shut now **3.** (*infml* ≈ *los, weiter*) ***immer*** *or* ***nur zu!*** just keep on!; ***mach zu!*** get a move on! **4.** (*örtlich*) toward(s); ***nach hinten zu*** toward(s) the back; ***auf den Wald zu*** toward(s) the forest **III** *adj* (*infml* ≈ *geschlossen*) shut; → ***zu sein*** **IV** *cj* to; ***etw zu essen*** sth to eat; ***er hat zu gehorchen*** he has to do as he's told; ***nicht mehr zu gebrauchen*** no longer usable; ***ich habe noch zu arbeiten*** I still have some work to do; ***ohne es zu wissen*** without knowing it; ***um besser sehen zu können*** in order to see better; ***der zu prüfende Kandidat*** the candidate to be examined

zuallererst [tsu'|alɐ'|eːɐst] *adv* first of all **zuallerletzt** [tsu'|alɐ'lɛtst] *adv* last of all

zubauen *v/t sep Lücke* to fill in; *Platz, Gelände* to build up; *Blick* to block with buildings/a building

Zubehör ['tsuːbəhøːɐ] *nt or m* ⟨**-(e)s**, (*rare*) **-e**⟩ equipment *no pl*; (≈ *Kleidung*) accessories *pl*; ***Küche mit allem ~*** fully equipped kitchen

zubeißen *v/i sep irr* to bite

zubekommen *past part* **zubekommen** *v/t sep irr* (*infml*) *Kleidung* to get done up; *Tür, Fenster* to get shut

zubereiten *past part* **zubereitet** *v/t sep* to prepare **Zubereitung** *f* ⟨**-, -en**⟩ preparation

zubilligen *v/t sep* ***jdm etw ~*** to grant sb sth

zubinden *v/t sep irr* to tie up; ***jdm die Augen ~*** to blindfold sb

zubleiben *v/i sep irr aux sein* (*infml*) to stay shut

zubringen *v/t sep irr* (≈ *verbringen*) to spend **Zubringer** ['tsu:brɪŋɐ] *m* ⟨**-s, -**⟩ **1.** TECH conveyor **2.** (≈ *Straße*) feeder road **3.** (*a.* **Zubringerbus**) shuttle (bus) **Zubringerdienst** *m* shuttle service **Zubringerstraße** *f* feeder road

Zubrot *nt, no pl* extra income

Zucchini [tsʊ'ki:ni] *f* ⟨**-, -**⟩ courgette (*Br*), zucchini (*US*)

Zucht [tsʊxt] *f* ⟨**-, -en**⟩ **1.** (≈ *Disziplin*) ~ (***und Ordnung***) discipline **2.** *no pl* (*von Tieren*) breeding; (*von Pflanzen*) growing; (*von Bakterien, Perlen*) culture; ***die ~ von Pferden*** horse breeding; ***die ~ von Bienen*** beekeeping **züchten** ['tsʏçtn] *v/t* to breed; *Bienen* to keep; *Pflanzen* to grow; *Perlen, Bakterien* to cultivate **Züchter** ['tsʏçtɐ] *m* ⟨**-s, -**⟩, **Züchterin** [-ərɪn] *f* ⟨**-, -nen**⟩ (*von Tieren*) breeder; (*von Pflanzen*) grower; (*von Bienen*) keeper **Zuchthaus** *nt* (≈ *Gebäude*) prison (*for serious offenders*), penitentiary (*US*) **Züchtigung** *f* ⟨**-, -en**⟩ beating; ***körperliche ~*** corporal punishment **Zuchtperle** *f* cultured pearl **Zuchttier** *nt* breeding animal **Züchtung** ['tsʏçtʊŋ] *f* ⟨**-, -en**⟩ (*von Tieren*) breeding; (*von Bienen*) keeping; (*von Pflanzen*) growing **Zuchtvieh** *nt* breeding cattle

zuckeln ['tsʊkln] *v/i aux sein* (*infml*) to jog

zucken ['tsʊkn] *v/i* **1.** (*nervös*) to twitch; (*vor Schreck*) to start; (*vor Schmerzen*) to flinch **2.** (*Blitz*) to flash; (*Flammen*) to flare up

zücken ['tsʏkn] *v/t Messer, Pistole* to pull out; (*infml:*) *Notizbuch, Brieftasche* to pull out

Zucker ['tsʊkɐ] *m* ⟨**-s,** *no pl*⟩ **1.** sugar; ***ein Stück ~*** a lump of sugar **2.** (MED ≈ *Zuckergehalt*) sugar; (≈ *Krankheit*) diabetes *sg*; ***~ haben*** (*infml*) to be a diabetic **Zuckerdose** *f* sugar bowl **Zuckererbse** *f* mangetout (pea) (*Br*), sweet pea (*US*) **zuckerfrei** *adj* sugar-free **Zuckergehalt** *m* sugar content **Zuckerguss** *m* icing, frosting (*esp US*) **zuckerkrank** *adj* diabetic **Zuckerkranke(r)** *m/f(m) decl as adj* diabetic **Zuckerkrankheit** *f* diabetes *sg* **Zuckerl** ['tsʊkɐl] *nt* ⟨**-s, -n**⟩ (*S Ger, Aus*) sweet (*Br*), candy (*US*) **Zuckerlecken** *nt* ***das ist kein ~*** (*infml*) it's no picnic (*infml*) **zuckern** ['tsʊkɐn] *v/t* to put sugar in **Zuckerrohr** *nt* sugar cane **Zuckerrübe** *f* sugar beet **Zuckerspiegel** *m* MED (blood) sugar level **zuckersüß** *adj* as sweet as sugar **Zuckerwatte** *f* candy floss **Zuckerzange** *f* sugar tongs *pl*

Zuckung ['tsʊkʊŋ] *f* ⟨**-, -en**⟩ twitch; (*stärker: krampfhaft*) convulsion

zudecken *v/t sep* to cover; (*im Bett*) to tuck up *or* in

zudem [tsu'de:m] *adv* (*elev*) moreover

zudrehen *v/t sep Wasserhahn etc* to turn off; (≈ *zuwenden*) to turn (+*dat* to)

zudringlich *adj Art* pushy (*infml*); *Nachbarn* intrusive; ***~ werden*** (*zu jdm*) to make advances (*zu* to)

zueinander [tsu|ai'nandɐ] *adv* (≈ *gegenseitig*) to each other; *Vertrauen haben* in each other

zueinanderpassen *v/i sep* to go together; (*Menschen*) to suit each other

zuerkennen *past part* **zuerkannt** *v/t sep irr* to award (*jdm* to sb); *Recht* to grant (*jdm etw* sb sth)

zuerst [tsu'|e:ɐst] *adv* **1.** first; ***ich kam ~ an*** I was (the) first to arrive; ***das muss ich morgen früh ~ machen*** I must do that first thing tomorrow (morning) **2.** (≈ *anfangs*) at first; ***~ muss man ...*** first (of all) you have to ...

zufahren *v/i sep irr aux sein* ***auf jdn ~*** (*mit Kfz*) to drive toward(s) sb; (*mit Fahrrad*) to ride toward(s) sb **Zufahrt** *f* approach (road); (≈ *Einfahrt*) entrance; (*zu einem Haus*) drive(way) **Zufahrtsstraße** *f* access road; (*zur Autobahn*) approach road

Zufall *m* chance, accident; (≈ *Zusammentreffen*) coincidence; ***das ist ~*** it's pure chance; ***durch ~*** (quite) by chance; ***es ist kein ~, dass ...*** it's no accident that ...; ***es war ein glücklicher ~, dass ...*** it was lucky that ...; ***wie es der ~ so will*** as chance would have it; ***etw dem ~ überlassen*** to leave sth to chance

zufallen *v/i sep irr aux sein* **1.** (≈ *sich schließen*) (*Fenster etc*) to close; ***ihm fielen beinahe die Augen zu*** he could hardly keep his eyes open **2.** ***jdm ~*** (*Erbe*) to pass to sb; (*Preis etc*) to go to sb; (*Aufgabe*) to fall to sb

zufällig **I** *adj* chance *attr*; ***das war rein ~*** it was pure chance; ***es ist nicht ~, dass er ...*** it's no accident that he ... **II** *adv* by chance; (*esp bei Zusammentreffen von Ereignissen*) coincidentally; ***er ging ~ vorüber*** he happened to be passing **Zufallsgenerator** *m* random generator;

(*für Zahlen*) random-number generator **Zufallstreffer** *m* fluke

zufassen *v/i sep* (≈ *zugreifen*) to take hold of it/them; (*Hund*) to make a grab; (*fig* ≈ *schnell handeln*) to seize an/the opportunity

zufliegen *v/i sep irr aux sein* **1.** ***auf etw*** (*acc*) **~** to fly toward(s) *or* (*direkt*) into sth **2.** (*+dat*) to fly to; ***der Vogel ist uns zugeflogen*** the bird flew into our house; ***ihm fliegt alles nur so zu*** (*fig*) everything comes so easily to him

Zuflucht *f* refuge (*also fig*), shelter (*vor +dat* from); **~ *suchen*** to seek refuge; ***zu etw* ~ *nehmen*** (*fig*) to resort to sth; ***du bist meine letzte* ~** (*fig*) you are my last hope

Zufluss *m*, *no pl* influx, inflow; (MECH ≈ *Zufuhr*) supply

zufolge [tsu'fɔlgə] *prep +dat or +gen* (*form*) (≈ *gemäß*) according to

zufrieden [tsu'friːdn] **I** *adj* contented, content *pred*; ***ein* ~*es Gesicht machen*** to look pleased; ***mit jdm/etw* ~ *sein*** to be satisfied with sb/sth; ***er ist nie* ~** he's never satisfied **II** *adv* contentedly; **~ *lächeln*** to smile contentedly **zufriedengeben** *v/r sep irr* ***sich mit etw* ~** to be content with sth **Zufriedenheit** *f* ⟨-, *no pl*⟩ contentedness; (≈ *Befriedigtsein*) satisfaction **zufriedenlassen** *v/t sep irr* to leave alone **zufriedenstellen** *v/t sep* to satisfy; ***eine wenig* ~*de Antwort*** a less than satisfactory answer

zufrieren *v/i sep irr aux sein* to freeze (over)

zufügen *v/t sep* **1.** *Leid*, *Schmerz* to cause; *Niederlage* to inflict; ***jdm Schaden* ~** to harm sb **2.** (≈ *hinzufügen*) to add

Zufuhr ['tsuːfuːɐ] *f* ⟨**-, -en**⟩ (≈ *Versorgung*) supply (*in +acc*, *nach* to); (METEO: *von Luftstrom*) influx **zuführen** *sep* **I** *v/t +dat* **1.** (≈ *versorgen mit*) to supply; IT *Papier* to feed (*+dat* to) **2.** (≈ *bringen*) to bring; ***einem Geschäft Kunden* ~** to bring customers to a business **II** *v/i sep* ***auf etw*** (*acc*) **~** to lead to sth

Zug[1] [tsuːk] *m* ⟨**-(e)s, ⸚e** ['tsyːgə]⟩ **1.** *no pl* (≈ *Ziehen*) pull (*an +dat* on, at); (≈ *Zugkraft*, *Spannung*) tension **2.** (≈ *Luftzug*) draught (*Br*), draft (*US*); (≈ *Atemzug*) breath; (*an Zigarette*) puff; (≈ *Schluck*) gulp; ***das Glas in einem* ~ *leeren*** to empty the glass with one gulp; ***etw in vollen Zügen genießen*** to enjoy sth to the full; ***in den letzten Zügen liegen*** (*infml*) to be on one's last legs (*infml*) **3.** (*beim Schwimmen*) stroke; (*beim Rudern*) pull (*mit* at); (*bei Brettspiel*) move; **~ *um* ~** (*fig*) step by step; ***nicht zum* ~*e kommen*** (*infml*) not to get a look-in (*infml*); ***du bist am* ~** it's your move; ***etw in großen Zügen darstellen*** to outline sth

Zug[2] *m* ⟨**-(e)s, ⸚e**⟩ (≈ *Eisenbahnzug*) train; ***mit dem* ~ *fahren*** to go by train

Zug[3] *m* ⟨**-(e)s, ⸚e**⟩ (≈ *Gesichtszug*) feature; (≈ *Charakterzug*) characteristic; (≈ *Anflug*) touch; ***das ist kein schöner* ~ *von ihm*** that's not one of his nicer characteristics

Zugabe *f* extra; MUS, THEAT encore

Zugabteil *nt* train compartment

Zugang *m*, *pl* **-gänge 1.** (≈ *Eingang*) entrance; (≈ *Zutritt*) admittance; (*fig*) access; „***kein* ~**" "no entry" **2.** (*von Patienten*) admission; (*von Waren*) receipt **zugänglich** ['tsuːgɛŋlɪç] *adj* accessible; *Mensch* approachable; ***der Öffentlichkeit* ~** open to the public; ***für etw nicht* ~ *sein*** not to respond to sth

Zugbegleiter(in) *m*/(*f*) RAIL guard (*Br*), conductor (*US*) **Zugbrücke** *f* drawbridge

zugeben *v/t sep irr* **1.** (≈ *zusätzlich geben*) ***jdm etw* ~** to give sb sth extra **2.** COOK to add **3.** (≈ *zugestehen*) to admit; ***jdm gegenüber etw* ~** to confess sth to sb; ***zugegeben*** admittedly; ***gibs zu!*** admit it! **zugegebenermaßen** ['tsuːgəgeːbnɐ'maːsn] *adv* admittedly

zugehen *sep irr aux sein* **I** *v/i* **1.** (*Tür*, *Deckel*) to shut **2.** ***auf jdn/etw* ~** to approach sb/sth; ***aufeinander* ~** to approach one another; (*fig also*) to compromise; ***es geht nun auf den Winter zu*** winter is drawing in; ***er geht schon auf die siebzig zu*** he's getting on for seventy; ***dem Ende* ~** to near its end **3.** (*+dat*, *Nachricht*, *Brief etc*) to reach **II** *v/i impers* **1.** ***dort geht es ... zu*** things are ... there; ***es ging sehr lustig zu*** (*infml*) we/they *etc* had a great time (*infml*) **2.** (≈ *geschehen*) to happen

Zugehörigkeit *f* ⟨**-, -en**⟩ (*zu Land*, *Glauben*) affiliation; (≈ *Mitgliedschaft*) membership (*zu* of)

zugeknöpft ['tsuːgəknœpft] *adj* (*fig infml*) *Mensch* reserved; → ***zuknöpfen***

Zügel ['tsyːgl] *m* ⟨**-s, -**⟩ rein; ***die* ~ *fest in***

der Hand haben (*fig*) to have things firmly in hand; ***die ~ locker lassen*** (*fig*) to give free rein (*bei* to) **zügeln** ['tsyːgln] **I** *v/t Pferd* to rein in; (*fig*) to curb **II** *v/r* to restrain oneself **III** *v/i aux sein* (*Swiss* ≈ *umziehen*) to move (house)

Zugeständnis *nt* concession (*+dat*, *an +acc* to) **zugestehen** *past part* ***zugestanden*** *v/t sep irr* (≈ *einräumen*) to concede; (≈ *zugeben*) to admit; ***jdm etw ~*** (≈ *einräumen*) to grant sb sth

zugetan ['tsuːgətaːn] *adj* ***jdm/einer Sache ~ sein*** to be fond of sb/sth

Zugezogene(r) ['tsuːgətsoːgənə] *m/f(m) decl as adj* newcomer

Zugführer(in) *m/(f)* RAIL chief guard (*Br*) *or* conductor (*US*)

zugießen *v/t sep irr* **1.** (≈ *hinzugießen*) to add **2.** (*mit Beton etc*) to fill (in)

zugig ['tsuːgɪç] *adj* draughty (*Br*), drafty (*US*)

zügig ['tsyːgɪç] **I** *adj* swift **II** *adv* quickly

zugleich [tsu'glaiç] *adv* at the same time

Zugluft *f* draught (*Br*), draft (*US*) **Zugpferd** *nt* carthorse; (*fig*) crowd puller

zugreifen *v/i sep irr* **1.** (≈ *schnell nehmen*) to grab it/them; (*fig*) to get in quickly (*infml*); (*bei Tisch*) to help oneself; ***greifen Sie bitte zu!*** please help yourself! **2.** IT ***auf etw*** (*acc*) ***~*** to access sth **Zugriff** *m* **1.** ***durch raschen ~*** by stepping in quickly; ***sich dem ~ der Polizei/Gerichte entziehen*** to evade justice **2.** IT access (*auf* to) **Zugriffszeit** *f* access time

zugrunde [tsu'grʊndə] *adv* **1.** ***~ gehen*** to perish; ***jdn/etw ~ richten*** to destroy sb/sth; (*finanziell*) to ruin sb/sth **2.** ***einer Sache*** (*dat*) ***~ liegen*** to underlie sth; ***~ liegend*** underlying

Zugtier *nt* draught animal (*Br*), draft animal (*US*)

zugucken *v/i sep* = ***zusehen*** 1

Zugunglück *nt* train accident

zugunsten [tsu'gʊnstn] *prep +gen or* (*bei Nachstellung*) *+dat* ***~ (von)*** in favour (*Br*) *or* favor (*US*) of

zugutehalten [tsu'guːtə] *v/t sep irr* ***jdm etw ~*** to grant sb sth **zugutekommen** [tsu'guːtə] *v/i sep irr* ***jdm ~*** to be of benefit to sb; (*Geld, Erlös*) to benefit sb; ***jdm etw ~ lassen*** to let sb have sth

Zugverbindung *f* train connection **Zugvogel** *m* migratory bird **Zugzwang** *m* CHESS zugzwang; (*fig*) tight spot; ***die Gegenseite steht jetzt unter ~*** the other side is now forced to move

zuhaben *v/i sep irr* (*infml, Geschäft etc*) to be closed

zuhalten *sep irr* **I** *v/t* to hold shut; ***sich*** (*dat*) ***die Nase ~*** to hold one's nose; ***sich*** (*dat*) ***die Augen/Ohren ~*** to put one's hands over one's eyes/ears **II** *v/i* ***auf etw*** (*acc*) ***~*** to head straight for sth

Zuhälter ['tsuːhɛltɐ] *m* ⟨***-s, -***⟩ pimp

zu Hause, zuhause [tsu'hauzə] (*Aus, Swiss*) *adv* → ***Haus*** **Zuhause** [tsu'hauzə] *nt* ⟨***-s,*** *no pl*⟩ home

zuheilen *v/i sep aux sein* to heal up

Zuhilfenahme [tsu'hɪlfənaːmə] *f* ***unter ~ von*** *or +gen* with the aid of

zuhören *v/i sep* to listen (*+dat* to); ***hör mal zu!*** (*drohend*) now (just) listen (to me)! **Zuhörer(in)** *m/(f)* listener; ***die ~*** (≈ *das Publikum*) the audience *sg*

zujubeln *v/i sep* ***jdm ~*** to cheer sb

zukleben *v/t sep Briefumschlag* to seal; (*mit Klebstoff*) to stick up

zuknallen *v/t & v/i sep* (*infml*) to slam

zuknöpfen *v/t sep* to button (up); → ***zugeknöpft***

zukommen *v/i sep irr aux sein* **1.** ***auf jdn/etw ~*** to come toward(s) *or* (*direkt*) up to sb/sth; ***die Aufgabe, die nun auf uns zukommt*** the task which is now in store for us; ***die Dinge auf sich*** (*acc*) ***~ lassen*** to take things as they come **2.** ***jdm etw ~ lassen*** *Brief etc* to send sb sth

Zukunft ['tsuːkʊnft] *f* ⟨***-,*** *no pl*⟩ **1.** ***die ~*** the future; ***in ~*** in future; ***ein Beruf mit ~*** a career with prospects; ***das hat keine ~*** there's no future in it **2.** GRAM future (tense) **zukünftig** **I** *adj* future; ***der ~e Präsident*** the president elect **II** *adv* in future **Zukunftsangst** *f* (*vor der Zukunft*) fear of the future; (*um die Zukunft*) fear for the future **Zukunftsaussichten** *pl* future prospects *pl* **Zukunftsforscher(in)** *m/(f)* futurologist **Zukunftsforschung** *f* futurology **Zukunftskonzept** *nt* plans *pl* for the future **Zukunftsmusik** *f* (*fig infml*) pie in the sky (*infml*) **Zukunftspläne** *pl* plans *pl* for the future **Zukunftsroman** *m* science fiction novel **zukunftsträchtig** *adj* with a promising future

zulächeln *v/i sep* ***jdm ~*** to smile at sb

Zulage *f* **1.** (≈ *Geldzulage*) extra pay *no indef art*; (≈ *Sonderzulage*) bonus (payment) **2.** (≈ *Gehaltserhöhung*) rise (*Br*),

raise (*US*)
zulangen *v/i sep* (*infml*) to help oneself; ***kräftig ~*** (*beim Essen*) to tuck in (*infml*)
zulassen *v/t sep irr* **1.** (≈ *Zugang gewähren*) to admit **2.** (*amtlich*) to authorize; *Arzt* to register; *Arzneimittel* to approve; *Kraftfahrzeug* to license; *Prüfling* to admit; ***amtlich zugelassen sein*** to be authorized; ***staatlich zugelassen sein*** to be state-registered; ***eine nicht zugelassene Partei*** an illegal party **3.** (≈ *gestatten*) to allow **4.** (≈ *geschlossen lassen*) to keep shut **zulässig** ['tsuːlɛsɪç] *adj* permissible; *Beweis, Klage* admissible; ***~e Höchstgeschwindigkeit*** (upper) speed limit **Zulassung** ['tsuːlasʊŋ] *f* ⟨**-, -en**⟩ **1.** *no pl* (≈ *Gewährung von Zugang*) admittance; (*amtlich*) authorization; (*von Kfz*) licensing; (*als praktizierender Arzt*) registration **2.** (*Dokument*) papers *pl*; (*esp von Kfz*) vehicle registration document; (≈ *Lizenz*) licence (*Br*), license (*US*) **Zulassungsbeschränkung** *f esp* UNIV restriction on admissions **Zulassungsstelle** *f* registration office
zulasten [tsu'lastn] *adv* → ***Last***
Zulauf *m, no pl* ***großen ~ haben*** to be very popular **zulaufen** *v/i sep irr aux sein* **1.** ***auf jdn/etw ~*** to run toward(s) sb/sth **2.** (*Wasser etc*) to add; ***lass noch etwas kaltes Wasser ~*** add some more cold water **3.** (*Hund etc*) ***jdm ~*** to stray into sb's house; ***eine zugelaufene Katze*** a stray (cat)
zulegen *sep* **I** *v/t* **1.** (≈ *dazulegen*) to put on; *Geld* to add; (*bei Verlustgeschäft*) to lose; ***etwas Tempo ~*** (*infml*) to get a move on (*infml*) **2.** (*infml: an Gewicht*) to put on; ***die SPD konnte 5% ~*** the SPD managed to gain 5% **3.** (≈ *anschaffen*) ***sich*** (*dat*) ***etw ~*** (*infml*) to get oneself sth **II** *v/i* (*infml, an Gewicht*) to put on weight; (*Umsatz*) to increase
zuleide [tsu'laidə] *adv* ***jdm etwas ~ tun*** to do sb harm
zuletzt [tsu'lɛtst] *adv* **1.** (≈ *schließlich*) in the end; ***~ kam sie doch*** she came in the end; ***ganz ~*** right at the last moment **2.** (≈ *an letzter Stelle*) last; ***ich kam ~*** I came last; ***wann haben Sie ihn ~ gesehen?*** when did you last see him?; ***nicht ~ wegen*** not least because of
zuliebe [tsu'liːbə] *adv* ***etw jdm ~ tun*** to do sth for sb's sake *or* for sb; ***das geschah nur ihr ~*** it was done just for her
Zulieferer ['tsuːliːfərɐ] *m* ⟨**-s, -**⟩, **Zulieferin** [-ərɪn] *f* ⟨**-, -nen**⟩ ECON supplier
zum [tsʊm] ***geht es hier ~ Bahnhof?*** is this the way to the station?; ***~ Essen gehen*** to go and eat; ***es ist ~ Weinen*** it's enough to make you cry; → ***zu***
zumachen *sep* **I** *v/t* (≈ *schließen*) to shut; *Flasche* to close; ***die Augen ~*** to close one's eyes **II** *v/i* (*infml*) **1.** (≈ *den Laden zumachen*) to close (down) **2.** (*infml* ≈ *sich beeilen*) to get a move on (*infml*)
zumal [tsu'maːl] *cj* **~** (***da***) particularly as *or* since
zumauern *v/t sep* to brick up
zumeist [tsu'maist] *adv* mostly
zumindest [tsu'mɪndəst] *adv* at least
zumüllen ['tsuːmʏlən] *v/t sep* (*infml, mit Junkmail, Spam*) to bombard (*infml*)
zumutbar *adj* reasonable; ***jdm*** *or* ***für jdn ~ sein*** to be reasonable for sb; ***nicht ~ sein*** to be unreasonable **Zumutbarkeit** ['tsuːmuːtbaːɐkait] *f* ⟨**-,** *no pl*⟩ reasonableness
zumute [tsu'muːtə] *adv* ***wie ist Ihnen ~?*** how do you feel?; ***mir ist traurig ~*** I feel sad; ***mir war dabei gar nicht wohl ~*** I felt uneasy about it
zumuten *v/t sep* ***jdm etw ~*** to expect sth of sb; ***das können Sie niemandem ~*** you can't expect that of anyone; ***sich*** (*dat*) ***zu viel ~*** to take on too much **Zumutung** ['tsuːmuːtʊŋ] *f* ⟨**-, -en**⟩ unreasonable demand; (≈ *Unverschämtheit*) nerve (*infml*); ***das ist eine ~!*** that's a bit much!
zunächst [tsu'nɛːçst] *adv* **1.** (≈ *zuerst*) first (of all); ***~ einmal*** first of all **2.** (≈ *vorläufig*) for the time being
zunageln *v/t sep Fenster etc* to nail up; (*mit Brettern*) to board up; *Kiste etc* to nail down
zunähen *v/t sep* to sew up
Zunahme ['tsuːnaːmə] *f* ⟨**-, -n**⟩ increase (*+gen, an +dat* in)
Zuname *m* surname
zündeln ['tsʏndln] *v/i* to play (about) with fire
zünden ['tsʏndn] **I** *v/i* to catch fire; (*Streichholz*) to light; (*Motor*) to fire; (*Sprengkörper*) to go off; (*fig*) to kindle enthusiasm **II** *v/t* to ignite; *Sprengkörper* to set off; *Feuerwerkskörper* to let off **zündend** *adj* (*fig*) stirring; *Vorschlag* exciting **Zünder** ['tsʏndɐ] *m* ⟨**-s, -**⟩ **1.** (*für Sprengstoff*) fuse; (*für Mine*) deto-

nator **2. Zünder** *pl* (*Aus ≈ Streichhölzer*) matches *pl* **Zündflamme** *f* pilot light **Zündholz** *nt* match(stick) **Zündkerze** *f* AUTO spark(ing) plug **Zündschlüssel** *m* AUTO ignition key **Zündschnur** *f* fuse **Zündstoff** *m* (*≈ Sprengstoff*) explosives *pl*; (*fig*) explosive stuff **Zündung** ['tsʏndʊŋ] *f* ⟨**-, -en**⟩ ignition; ***die ~ einstellen*** AUTO to adjust the timing

zunehmen *sep irr* **I** *v/i* to increase; (*an Erfahrung etc*) to gain (*an +dat* in); (*Mensch: an Gewicht*) to put on weight; (*Mond*) to wax **II** *v/t* (*Mensch: an Gewicht*) to gain **zunehmend I** *adj* increasing; *Mond* crescent; ***bei*** *or* ***mit ~em Alter*** with advancing age; ***in ~em Maße*** to an increasing degree **II** *adv* increasingly

Zuneigung *f* affection

zünftig ['tsʏnftɪç] *adj* (*≈ regelrecht*) proper; (*≈ gut, prima*) great

Zunge ['tsʊŋə] *f* ⟨**-, -n**⟩ tongue; (*von Waage*) pointer; ***eine böse/spitze ~ haben*** to have an evil/a sharp tongue; ***böse ~n behaupten, ...*** malicious gossip has it ...; ***das Wort liegt mir auf der ~*** the word is on the tip of my tongue **züngeln** ['tsʏŋln] *v/i* (*Flamme, Feuer*) to lick **Zungenbrecher** *m* tongue twister **Zungenkuss** *m* French kiss **Zungenspitze** *f* tip of the tongue **Zünglein** ['tsʏŋlain] *nt* ⟨**-s, -**⟩ ***das ~ an der Waage sein*** (*fig*) to tip the scales

zunichtemachen [tsu'nɪçtə-] *v/t sep* to ruin

zunutze [tsu'nʊtsə] *adv* ***sich*** (*dat*) ***etw ~ machen*** (*≈ ausnutzen*) to capitalize on sth

zuoberst [tsu'|oːbɐst] *adv* on *or* at the (very) top

zuordnen *v/t +dat sep* to assign to; ***jdn/etw jdm ~*** to assign sb/sth to sb

zupacken *v/i sep* (*infml*) **1.** (*≈ zugreifen*) to make a grab for it *etc* **2.** (*≈ helfen*) ***mit ~*** to give me/them *etc* a hand

Zupfinstrument *nt* MUS plucked string instrument

zuprosten *v/i sep* ***jdm ~*** to drink sb's health

zur [tsuːɐ, tsʊr] ***~ Schule gehen*** to go to school; ***~ Orientierung*** for orientation; ***~ Abschreckung*** as a deterrent; → ***zu***

zurande [tsu'randə] *adv* ***mit etw/jdm ~ kommen*** (to be able) to cope with sth/sb

zurate [tsu'raːtə] *adv* ***jdn/etw ~ ziehen*** to consult sb/sth **zuraten** *v/i sep irr* ***jdm ~, etw zu tun*** to advise sb to do sth; ***auf sein Zuraten*** (***hin***) on his advice

zurechnungsfähig *adj* of sound mind **Zurechnungsfähigkeit** *f* soundness of mind; ***verminderte ~*** diminished responsibility

zurechtbiegen *v/t sep irr* to bend into shape; (*fig*) to twist **zurechtfinden** *v/r sep irr* to find one's way (*in +dat* around); ***sich mit etw ~*** to get the hang of sth (*infml*); (*durch Gewöhnung*) to get used to sth **zurechtkommen** *v/i sep irr aux sein* **1.** (*fig*) to get on; (*≈ bewältigen*) to cope; (*≈ genug haben*) to have enough; ***kommen Sie ohne das zurecht?*** (*infml*) can you manage without it? **2.** (*finanziell*) to manage **zurechtlegen** *v/t sep irr* ***sich*** (*dat*) ***etw ~*** to lay sth out ready; (*fig*) to work sth out **zurechtmachen** *sep* (*infml*) **I** *v/t Zimmer, Essen etc* to prepare; *Bett* to make up **II** *v/r* to get dressed; (*≈ sich schminken*) to put on one's make-up **zurechtweisen** *v/t sep irr* to rebuke; *Schüler etc* to reprimand **Zurechtweisung** *f* rebuke; (*von Schüler*) reprimand

zureden *v/i sep* ***jdm ~*** (*≈ ermutigen*) to encourage sb; (*≈ überreden*) to persuade sb; ***auf mein Zureden*** (***hin***) with my encouragement; (*Überreden*) with my persuasion

zureiten *sep irr* **I** *v/t Pferd* to break in **II** *v/i aux sein* ***auf jdn/etw ~*** to ride toward(s) sb/sth

Zürich ['tsyːrɪç] *nt* ⟨**-s**⟩ Zurich

zurichten *v/t sep* (*≈ beschädigen*) to make a mess of; (*≈ verletzen*) to injure; ***jdn übel ~*** to beat sb up

zurück [tsu'rʏk] *adv* back; (*mit Zahlungen*) behind; (*fig ≈ zurückgeblieben*) (*von Kind*) backward; ***fünf Punkte ~*** SPORTS five points behind; ***~!*** get back!; ***einmal München und ~*** a return (*esp Br*) *or* a round-trip ticket (*US*) to Munich; ***ich bin in zehn Minuten wieder ~*** I will be back (again) in 10 minutes **zurückbehalten** *past part* ***zurückbehalten*** *v/t sep irr* to keep (back); ***er hat Schäden ~*** he suffered lasting damage **zurückbekommen** *past part* ***zurückbekommen*** *v/t sep irr* (*≈ zurückerhalten*) to get back (*Br*), to get back at **zurückbilden** *v/r sep* (*Geschwür*) to recede; BIOL to regress **zurückbleiben** *v/i sep irr aux sein* **1.** (*an ei-

nem Ort) to stay behind **2.** (≈ *übrig bleiben)* to be left; *(Schaden, Behinderung)* to remain **3.** (≈ *nicht Schritt halten)* to fall behind; *(in Entwicklung)* to be retarded; → ***zurückgeblieben*** **zurückblicken** *v/i sep* to look back *(auf +acc* at); *(fig)* to look back *(auf +acc* on) **zurückbringen** *v/t sep irr* (≈ *wieder herbringen)* to bring back; (≈ *wieder wegbringen)* to take back **zurückdatieren** *past part* ***zurückdatiert*** *v/t sep* to backdate **zurückdenken** *v/i sep irr* to think back *(an +acc* to) **zurückdrehen** *v/t sep* to turn back; ***die Zeit ~*** to put *(Br) or* turn *(US)* back the clock **zurückerstatten** *past part* ***zurückerstattet*** *v/t sep* to refund; *Ausgaben* to reimburse **zurückerwarten** *past part* ***zurückerwartet*** *v/t sep* ***jdn ~*** to expect sb back **zurückfahren** *sep irr* **I** *v/i aux sein (an einen Ort)* to go back; *(esp als Fahrer)* to drive back **II** *v/t* **1.** *(mit Fahrzeug)* to drive back **2.** (≈ *drosseln) Produktion* to cut back **zurückfallen** *v/i sep irr aux sein* to fall back; SPORTS to drop back; *(fig) (Umsätze etc)* to fall; *(in Leistungen)* to fall behind; ***in alte Gewohnheiten ~*** to fall back into old habits **zurückfinden** *v/i sep irr* to find the way back **zurückfliegen** *v/t & v/i sep irr* to fly back **zurückfordern** *v/t sep* ***etw ~*** to demand sth back **zurückführen** *sep v/t* **1.** (≈ *zurückbringen)* to lead back **2.** (≈ *ableiten aus)* to put down to; ***das ist darauf zurückzuführen, dass ...*** that can be put down to the fact that ... **zurückgeben** *v/t sep irr* to give back; *Ball, Kompliment, Beleidigung* to return; (≈ *erwidern)* to retort **zurückgeblieben** *adj* ***geistig/körperlich ~*** mentally/physically retarded; → ***zurückbleiben*** **zurückgehen** *v/i sep irr aux sein* **1.** to go back *(nach, in +acc, auf +acc* to); ***Waren/Essen*** *etc* ***~ lassen*** to send back goods/food *etc* **2.** *(fig* ≈ *abnehmen)* to go down; *(Geschäft, Produktion)* to fall off; *(Schmerz, Sturm)* to die down **zurückgezogen** **I** *adj Mensch* withdrawn, retiring; *Lebensweise* secluded **II** *adv* in seclusion; ***er lebt sehr ~*** he lives a very secluded life; → ***zurückziehen*** **zurückgreifen** *v/i sep irr (fig)* to fall back *(auf +acc* upon) **zurückhalten** *sep irr* **I** *v/t* to hold back; (≈ *aufhalten) jdn* to hold up; (≈ *nicht freigeben) Informationen* to withhold; *Ärger etc* to restrain; ***jdn von etw*** *(dat)* ***~*** to keep sb from sth **II** *v/r* (≈ *sich beherrschen)* to control oneself; (≈ *reserviert sein)* to be retiring; (≈ *im Hintergrund bleiben)* to keep in the background; ***sich mit seiner Kritik ~*** to be restrained in one's criticism; ***ich musste mich schwer ~*** I had to take a firm grip on myself **III** *v/i* ***mit etw ~*** (≈ *verheimlichen)* to hold sth back **zurückhaltend** **I** *adj* (≈ *beherrscht)* restrained; (≈ *reserviert)* reserved; (≈ *vorsichtig)* cautious; ***mit Kritik nicht ~ sein*** to be unsparing in one's criticism **II** *adv* with restraint **zurückkaufen** *v/t sep* to buy back **zurückkehren** *v/i sep aux sein* to return **zurückkommen** *v/i sep irr aux sein* to come back; (≈ *Bezug nehmen)* to refer *(auf +acc* to) **zurückkönnen** *v/i sep irr (infml)* to be able to go back; ***ich kann nicht mehr zurück*** *(fig)* there's no going back! **zurücklassen** *v/t sep irr* (≈ *hinterlassen)* to leave; (≈ *liegen lassen)* to leave behind **zurücklegen** *sep* **I** *v/t* **1.** *(an seinen Platz)* to put back **2.** (≈ *reservieren)* to put aside; (≈ *sparen)* to put away **3.** *Strecke* to cover **II** *v/r* to lie back **zurücklehnen** *v/t & v/r sep* to lean back **zurückliegen** *v/i sep irr (örtlich)* to be behind; ***der Unfall liegt etwa eine Woche zurück*** the accident was about a week ago **zurückmüssen** *v/i sep irr (infml)* to have to go back **zurücknehmen** *v/t sep irr* to take back; *Entscheidung* to reverse; *Angebot* to withdraw; ***sein Wort ~*** to break one's word **zurückreichen** *v/i sep (Tradition etc)* to go back *(in +acc* to) **zurückreisen** *v/i sep aux sein* to travel back **zurückrufen** *sep irr* **I** *v/t* to call back; *Botschafter, Produkte* to recall; ***jdm etw ins Gedächtnis ~*** to conjure sth up for sb **II** *v/i* to call back **zurückscheuen** *v/i sep aux sein* to shy away *(vor +dat* from) **zurückschicken** *v/t sep* to send back **zurückschlagen** *sep irr* **I** *v/t Ball* to return; *Angriff etc* to beat back **II** *v/i* to hit back; MIL to retaliate **zurückschrauben** *v/t sep (fig infml) Erwartungen* to lower; *Subventionen* to cut back **zurückschrecken** *v/i sep irr aux sein or haben* to start back; *(fig)* to shy away *(vor +dat* from); ***vor nichts ~*** to stop at nothing **zurücksehen** *v/i sep irr* to look back **zurücksehnen** *sep v/r* to long to return *(nach* to) **zurücksenden** *v/t sep irr* to send back **zurücksetzen** *sep* **I** *v/t* **1.** (*nach hinten*) to move back; *Auto* to reverse **2.** (*an früheren Platz*) to put back **II** *v/r* to sit back **III** *v/i* (*mit Fahrzeug*) to reverse **zurückspringen** *v/i sep irr aux sein* to leap *or* jump back **zurückstecken** *v/i sep* **1.** (≈ *weniger Ansprüche stellen*) to lower one's expectations **2.** (≈ *nachgeben*) to backtrack **zurückstehen** *v/i sep irr* ***hinter etw*** (*dat*) **~** to take second place to sth **zurückstellen** *v/t sep* **1.** to put back; (*nach hinten*) to move back **2.** (*fig* ≈ *verschieben*) to defer; *Pläne* to postpone; *Bedenken etc* to put aside **zurückstufen** *v/t sep* to downgrade **zurücktreten** *v/i sep irr aux sein* **1.** (≈ *zurückgehen*) to step back; ***bitte ~!*** stand back, please!; ***einen Schritt ~*** to take a step back **2.** (*von Amt*) to resign **3.** (*von Vertrag etc*) to withdraw (*von* from) **4.** (*fig* ≈ *im Hintergrund bleiben*) to come second (*hinter jdm / etw* to sb / sth) **zurücktun** *v/t sep irr* (*infml*) to put back **zurückverfolgen** *past part* ***zurückverfolgt*** *v/t sep* (*fig*) to trace back **zurückversetzen** *past part* ***zurückversetzt*** *sep* **I** *v/t* (*in seinen alten Zustand*) to restore (*in +acc* to); (*in eine andere Zeit*) to take back (*in +acc* to) **II** *v/r* to think oneself back (*in +acc* to) **zurückweichen** *v/i sep irr aux sein* (*erschrocken*) to shrink back; (*ehrfürchtig*) to stand back; MIL to withdraw; (*Hochwasser*) to subside **zurückweisen** *v/t sep irr* to reject; *Bittsteller* to turn away; *Vorwurf, Klage* to dismiss; *Angriff* to repel; (*an der Grenze*) to turn back **zurückwollen** *v/i sep* (*infml*) to want to go back **zurückzahlen** *v/t sep* to repay **zurückziehen** *sep irr* **I** *v/t* to pull back; *Antrag, Klage etc* to withdraw **II** *v/r* to retire; MIL to withdraw; → ***zurückgezogen*** **III** *v/i aux sein* to move back **zurückzucken** *v/i sep aux sein* to recoil

Zuruf *m* shout; (*aufmunternd*) cheer **zurufen** *v/t & v/i sep irr* ***jdm etw ~*** to shout sth to sb

zurzeit [tsʊr'tsait] *adv* at present

Zusage *f* **1.** (≈ *Zustimmung*) consent **2.** (≈ *Annahme*) acceptance **3.** (≈ *Versprechen*) promise **zusagen** *sep* **I** *v/t* (≈ *versprechen*) to promise **II** *v/i* **1.** (≈ *annehmen*) (***jdm***) **~** to accept **2.** (≈ *gefallen*) ***jdm ~*** to appeal to sb

zusammen [tsu'zamən] *adv* together; ***alle / alles ~*** all together **Zusammenarbeit** *f* co-operation; (*mit dem Feind*) collaboration; ***in ~ mit*** in co-operation with **zusammenarbeiten** *v/i sep* to co-operate; (*mit dem Feind*) to collaborate **zusammenbauen** *v/t sep* to assemble **zusammenbeißen** *v/t sep irr* ***die Zähne ~*** (*lit*) to clench one's teeth; (*fig*) to grit one's teeth **zusammenbekommen** *past part* ***zusammenbekommen*** *v/t sep irr* to get together; *Geld* to collect **zusammenbinden** *v/t sep irr* to tie together **zusammenbleiben** *v/i sep irr aux sein* to stay together **zusammenbrechen** *v/i sep irr aux sein* to break down; (*Gebäude*) to cave in; (*Wirtschaft*) to collapse; (*Verkehr etc*) to come to a standstill **zusammenbringen** *v/t sep irr* **1.** to bring together; *Geld* to raise **2.** (*infml* ≈ *zustande bringen*) to manage; *Worte* to put together **Zusammenbruch** *m* breakdown; (*fig*) collapse **zusammenfahren** *v/i sep irr aux sein* **1.** (≈ *zusammenstoßen*) to collide **2.** (≈ *erschrecken*) to start **zusammenfallen** *v/i sep irr aux sein* **1.** (≈ *einstürzen*) to collapse **2.** (*durch Krankheit etc*) to waste away **3.** (*Ereignisse*) to coincide **zusammenfalten** *v/t sep* to fold up **zusammenfassen** *sep* **I** *v/t* **1.** (≈ *verbinden*) to combine (*zu* in) **2.** *Bericht etc* to summarize; ***etw in einem Satz ~*** to sum sth up in one sentence **II** *v/i* (≈ *das Fazit ziehen*) to summarize; ***wenn ich kurz ~ darf*** just to sum up **Zusammenfassung** *f* **1.** *no pl* combination **2.** (≈ *Überblick*) summary **zusammenfließen** *v/i sep irr aux sein* to flow together **Zusammenfluss** *m* confluence **zusammenfügen** *sep v/t* to join together; TECH to fit together **zusammengehören** *past part* ***zusammengehört*** *v/i sep* to belong together; (*als Paar*) to form a pair **zusammengehörig** *adj Kleidungsstücke etc* matching; (≈ *verwandt*) related **Zusammengehörigkeit** *f* ⟨-, *no pl*⟩ common bond **Zusammengehörigkeitsgefühl** *nt* (*in Gemeinschaft*) communal spirit; *esp* POL feeling of solidarity **zusammengesetzt** *adj* ***aus etw ~ sein*** to consist of sth; ***~es Wort / Verb*** compound (word)/verb **zusammengewürfelt** [-gəvʏrflt] *adj* motley; *Mannschaft* scratch *attr* **Zusammenhalt** *m, no pl* (*fig: in einer Gruppe*) cohesion; *esp* POL solidarity **zusammenhalten** *sep* *irr* **I** *v/t* (≈ *verbinden*) to hold together; (*infml*) *Geld etc* to hold on to **II** *v/i* to hold together; (*fig*: *Gruppe etc*) to stick together **Zusammenhang** *m* (≈ *Beziehung*) connection (*von, zwischen +dat* between); (≈ *Wechselbeziehung*) correlation (*von, zwischen +dat* between); (*im Text*) context; ***jdn mit etw in ~ bringen*** to connect sb with sth; ***im** or **in ~ mit etw stehen*** to be connected with sth; ***in diesem ~*** in this context **zusammenhängen** *v/i sep irr* to be joined (together); (*fig*) to be connected; ***~d*** *Rede, Erzählung* coherent; ***das hängt damit zusammen, dass ...*** that is connected with the fact that ... **zusammenhang(s)los** *adj* incoherent **zusammenklappen** *sep v/t Messer, Tisch etc* to fold up; *Schirm* to shut **zusammenkleben** *v/t & v/i sep* to stick together **zusammenkneifen** *v/t sep irr Lippen etc* to press together; *Augen* to screw up **zusammenknüllen** *v/t sep* to crumple up **zusammenkommen** *v/i sep irr aux sein* to meet (together); (*Umstände*) to combine; (*fig*: *Schulden etc*) to mount up; (*Geld bei einer Sammlung*) to be collected; ***er kommt viel mit Menschen zusammen*** he meets a lot of people **Zusammenkunft** [tsuˈzamənkʊnft] *f* ⟨-, **-künfte** [-kʏnftə]⟩ meeting; (*zwanglos*) get-together **zusammenläppern** *v/r sep* (*infml*) to add up **zusammenlaufen** *v/i sep irr aux sein* **1.** (≈ *an eine Stelle laufen*) to gather; (*Flüssigkeit*) to collect **2.** (*Straßen*) to converge **zusammenleben** *v/i sep* to live together **Zusammenleben** *nt* living together *no art* **zusammenlegen** *sep* **I** *v/t* **1.** (≈ *falten*) to fold (up) **2.** (≈ *vereinigen*) to combine; *Patienten* to put together; (≈ *zentralisieren*) to centralize **II** *v/i* (≈ *Geld gemeinsam aufbringen*) to club (*Br*) *or* pitch in (*US*) together **zusammennehmen** *sep irr* **I** *v/t* to gather up; *Mut* to summon up **II** *v/r* (≈ *sich zusammenreißen*) to pull oneself together; (≈ *sich beherrschen*) to control oneself **zusammenpassen** *v/i sep* (*Menschen*) to suit each other; (*Farben, Stile*) to go together; ***gut ~*** to go well together **zusammenpferchen** *v/t sep* to herd together; (*fig*) to pack together **zusammenprallen** *v/i sep aux sein* to collide; (*fig*) to clash **zusammenraufen** *v/r sep* to achieve a viable working relationship **zusammenrechnen** *v/t sep* to add up **zusammenreimen** *sep* **I** *v/t* (*infml*) ***sich*** (*dat*) ***etw ~*** to figure sth out (for oneself) **II** *v/r* to make sense **zusammenreißen** *v/r sep irr* to pull oneself together **zusammenrollen** *sep* **I** *v/t* to roll up **II** *v/r* to curl up **zusammenrücken** *sep v/t Möbel etc* to move closer together **zusammenschlagen** *sep irr v/t* **1.** *Hände* to clap **2.** (≈ *verprügeln*) to beat up **zusammenschließen** *v/r sep irr* to join together; COMM to merge **Zusammenschluss** *m* joining together; COMM merger; (*von politischen Gruppen*) amalgamation **zusammenschreiben** *v/t sep irr Wörter* to write together **zusammenschrumpfen** *v/i sep aux sein* to shrivel up; (*fig*) to dwindle (*auf +acc* to) **zusammen sein** *v/i sep irr aux sein* ***mit jdm ~*** to be with sb; (*infml* ≈ *befreundet*) to be going out with sb **Zusammensein** *nt* being together *no art*; (*von Gruppe*) get-together **zusammensetzen** *sep* **I** *v/t* **1.** *Gäste etc* to put together **2.** *Gerät* to assemble (*zu* to make) **II** *v/r* **1.** to sit together; ***sich auf ein Glas Wein ~*** to get together over a glass of wine **2.** ***sich ~ aus*** to consist of **Zusammensetzung** [-zətsʊŋ] *f* ⟨-, **-en**⟩ (≈ *Struktur*) composition; (≈ *Mischung*) mixture (*aus* of) **zusammenstauchen** *v/t sep* (*infml*) to give a dressing-down (*infml*), to chew out (*US infml*) **zusammenstecken** *sep* **I** *v/t Einzelteile* to fit together **II** *v/i* (*infml*) to be together **zusammenstellen** *v/t sep* to put together; (*nach einem Muster*) to arrange; *Daten* to compile; *Liste, Fahrplan* to draw up; SPORTS *Mannschaft* to pick **Zusammenstellung** *f* (≈ *Kombination*) (*nach Muster*) arrangement; (*von Daten*) compilation; (≈ *Liste*) list; (≈ *Zusammensetzung*) composition; (≈ *Übersicht*) survey **Zusammenstoß** *m* collision; (*fig* ≈ *Streit*) clash **zusammenstoßen** *v/i sep irr aux sein* (≈ *zusammenprallen*) to collide; (*fig* ≈ *sich streiten*) to clash; ***mit jdm ~*** to collide with sb; (*fig*) to clash with sb **zusammenstreichen** *v/t sep irr* to cut (down) (*auf +acc* to) **zusammensuchen** *v/t sep* to collect (together) **zusammentragen** *v/t sep irr* to collect **zusammentreffen** *v/i sep irr aux sein* (*Menschen*) to meet; (*Ereignisse*) to coincide **Zusammentreffen** *nt* meeting;

(*esp zufällig*) encounter; (*zeitlich*) coincidence **zusammentrommeln** *v/t sep* (*infml*) to round up (*infml*) **zusammentun** *sep irr* **I** *v/t* (*infml*) to put together **II** *v/r* to get together **zusammenwachsen** *v/i sep irr aux sein* to grow together; (*fig*) to grow close **zusammenzählen** *v/t sep* to add up **zusammenziehen** *sep irr* **I** *v/t* **1.** *Muskel* to draw together; (≈ *verengen*) to narrow; *Schlinge* to tighten **2.** (*fig*) *Truppen*, *Polizei* to assemble **II** *v/r* to contract; (≈ *enger werden*) to narrow; (*Gewitter*, *Unheil*) to be brewing **III** *v/i aux sein* to move in together; ***mit jdm ~*** to move in with sb **zusammenzucken** *v/i sep aux sein* to start

Zusatz *m* addition **Zusatzgerät** *nt* attachment; IT add-on **Zusatzkosten** *pl* additional costs *pl* **zusätzlich** ['tsuːzɛtslɪç] **I** *adj* additional **II** *adv* in addition **Zusatzstoff** *m* additive **Zusatzzahl** *f* (*Lotto*) additional number, bonus number (*Br*)

zuschauen *v/i sep* (*esp dial*) = ***zusehen***

Zuschauer ['tsuːʃauɐ] *m* ⟨***-s, -***⟩, **Zuschauerin** [-ərɪn] *f* ⟨***-, -nen***⟩ spectator (*auch* SPORTS); TV viewer; THEAT member of the audience; (≈ *Beistehender*) onlooker

zuschicken *v/t sep* ***jdm etw ~*** to send sth to sb

zuschieben *v/t sep irr* ***jdm etw ~*** to push sth over to sb; (*heimlich*) to slip sb sth; ***jdm die Verantwortung/Schuld ~*** to put the responsibility/blame on sb

Zuschlag *m* **1.** (≈ *Erhöhung*) extra charge, surcharge (*esp* COMM, ECON); (*auf Fahrpreis*) supplement **2.** (*bei Versteigerung*) acceptance of a bid; (≈ *Auftragserteilung*) acceptance of a/the tender; ***er erhielt den ~*** the lot went to him; (*nach Ausschreibung*) he was awarded the contract **zuschlagen** *sep irr* **I** *v/t* **1.** *Tür*, *Fenster* to slam (shut), to bang shut **2.** (*bei Versteigerung*) ***jdm etw ~*** to knock sth down to sb **II** *v/i* **1.** (≈ *kräftig schlagen*) to strike (*also fig*); (≈ *losschlagen*) to hit out **2.** *aux sein* (*Tür*) to slam (shut) **3.** (*fig infml* ≈ *zugreifen*) (*bei Angebot*) to go for it; (*beim Essen*) to get stuck in (*infml*); (*Polizei*) to pounce **zuschlag(s)pflichtig** *adj Zug*, *Service* subject to a supplement

zuschließen *v/t sep irr* to lock; *Laden* to lock up

zuschnappen *v/i sep* **1.** (≈ *zubeißen*) ***der Hund schnappte zu*** the dog snapped at me/him *etc* **2.** (*fig*: *Polizei*) to pounce **3.** *aux sein* (*Schloss*) to snap shut

zuschneiden *v/t sep irr* to cut to size; SEWING to cut out; ***auf jdn/etw genau zugeschnitten sein*** to be tailor-made for sb/sth **Zuschnitt** *m* **1.** *no pl* (≈ *Zuschneiden*) cutting **2.** (≈ *Form*) cut

zuschreiben *v/t sep irr* (*fig*) to attribute (+*dat* to); ***das hast du dir selbst zuzuschreiben*** you've only got yourself to blame

Zuschrift *f* letter; (*auf Anzeige*) reply

zuschulden [tsu'ʃʊldn] *adv* ***sich*** (*dat*) ***etwas ~ kommen lassen*** to do something wrong

Zuschuss *m* subsidy; (*nicht amtlich*) contribution **Zuschussbetrieb** *m* loss-making (*Br*) *or* losing (*US*) concern

zuschütten *v/t sep* to fill in

zusehen *v/i sep irr* **1.** to watch; (≈ *unbeteiligter Zuschauer sein*) to look on; (≈ *etw dulden*) to sit back by (and watch); ***jdm ~*** to watch sb; ***jdm bei der Arbeit ~*** to watch sb working **2.** (≈ *dafür sorgen*) ***~, dass ...*** to see to it that ..., to make sure (that) ... **zusehends** ['tsuːzeːənts] *adv* visibly; (≈ *rasch*) rapidly

zu sein *v/i irr aux sein* to be shut; (*infml* ≈ *betrunken*, *high sein*) to be stoned (*infml*)

zusenden *v/t sep irr* to send

zusetzen *v/i sep* ***jdm ~*** (≈ *unter Druck setzen*) to lean on sb (*infml*); (≈ *drängen*) to pester sb; (≈ *schwer treffen*) to hit sb hard

zusichern *v/t sep* ***jdm etw ~*** to assure sb of sth **Zusicherung** *f* assurance

zusperren *v/t sep* (*S Ger*, *Aus*, *Swiss*) to lock

zuspielen *v/t sep* ***jdm etw ~*** (*fig*) to pass sth on to sb; (*der Presse*) to leak sth to sb

zuspitzen *v/r sep* to be pointed; (*fig*: *Lage*, *Konflikt*) to intensify

zusprechen *sep irr* **I** *v/t Gewinn etc* to award; ***das Kind wurde dem Vater zugesprochen*** the father was granted custody (of the child); ***jdm Mut ~*** (*fig*) to encourage sb **II** *v/i* ***jdm*** (***gut***) ***~*** to talk *or* speak (nicely) to sb **Zuspruch** *m*, *no pl* (≈ *Anklang*) (***großen***) ***~ finden*** to be (very) popular; (*Stück*, *Film*) to meet with general acclaim

Zustand *m* state; (*von Haus*, *Auto*, MED) condition; (≈ *Lage*) state of affairs; ***in***

gutem/schlechtem ~ in good/poor condition; ***in angetrunkenem ~*** under the influence of alcohol; ***Zustände kriegen*** (*infml*) to have a fit (*infml*); ***das sind ja schöne Zustände!*** (*iron*) that's a fine state of affairs! (*iron*)

zustande [tsu'ʃtandə] *adv* **1. *~ bringen*** to manage; *Arbeit* to get done **2. *~ kommen*** (≈ *erreicht werden*) to be achieved; (≈ *geschehen*) to come about; (≈ *stattfinden*) to take place

zuständig ['tsuːʃtɛndɪç] *adj* (≈ *verantwortlich*) responsible; *Amt etc* appropriate; ***dafür ist er ~*** that's his responsibility; ***~ sein*** JUR to have jurisdiction **Zuständigkeit** *f* ⟨***-, -en***⟩ (≈ *Kompetenz*) competence; JUR jurisdiction; (≈ *Verantwortlichkeit*) responsibility **Zuständigkeitsbereich** *m* area of responsibility; JUR jurisdiction

zustecken *v/t sep* ***jdm etw ~*** to slip sb sth

zustehen *v/i sep irr* ***etw steht jdm zu*** sb is entitled to sth; ***es steht ihr nicht zu, das zu tun*** it's not for her to do that

zustellen *v/t sep* **1.** *Brief, Paket etc* to deliver; JUR to serve (*jdm etw* sb with sth) **2.** *Tür etc* to block **Zusteller** ['tsuːʃtɛlɐ] *m* ⟨***-s, -***⟩, **Zustellerin** [-ərɪn] *f* ⟨***-, -nen***⟩ deliverer; (≈ *Briefträger*) postman/-woman (*Br*), mailman/-woman (*US*) **Zustellgebühr** *f* delivery charge **Zustellung** *f* delivery; JUR service (of a writ)

zustimmen *v/i sep* (***einer Sache*** *dat*) ***~*** to agree (to sth); (≈ *einwilligen*) to consent (to sth); ***jdm ~*** to agree with sb; ***eine ~de Antwort*** an affirmative answer **Zustimmung** *f* (≈ *Einverständnis*) agreement; (≈ *Einwilligung*) consent; (≈ *Beifall*) approval; ***allgemeine ~ finden*** to meet with general approval; ***mit ~*** (*+gen*) with the agreement of

zustoßen *sep irr* **I** *v/t Tür etc* to push shut **II** *v/i* **1.** (*mit Messer etc*) to plunge a/the knife *etc* in **2.** (≈ *passieren*) *aux sein* ***jdm ~*** to happen to sb

zustürzen *v/i sep aux sein* ***auf jdn/etw ~*** to rush up to sb/sth

zutage [tsu'taːgə] *adv* ***etw ~ bringen*** (*fig*) to bring sth to light; ***~ kommen*** to come to light

Zutaten ['tsuːtaːtn] *pl* COOK ingredients *pl*

zuteilen *v/t sep* (*jdm* to sb) to allocate; *Arbeitskraft* to assign

zutiefst [tsu'tiːfst] *adv* deeply

zutrauen *v/t sep* ***jdm etw ~*** to think sb (is) capable of (doing) sth; ***sich*** (*dat*) ***zu viel ~*** to overrate one's own abilities; (≈ *sich übernehmen*) to take on too much; ***ich traue ihnen alles zu*** (*Negatives*) I wouldn't put anything past them; ***das ist ihm zuzutrauen!*** (*iron*) I wouldn't put it past him! **zutraulich** *adj Kind* trusting; *Tier* friendly

zutreffen *v/i sep irr* (≈ *gelten*) to apply (*auf +acc, für* to); (≈ *richtig sein*) to be accurate; (≈ *wahr sein*) to be true; ***seine Beschreibung traf überhaupt nicht zu*** his description was completely inaccurate **zutreffend I** *adj* (≈ *richtig*) accurate; (≈ *auf etw zutreffend*) applicable; ***Zutreffendes bitte unterstreichen*** underline where applicable **II** *adv* accurately

Zutritt *m, no pl* (≈ *Einlass*) entry; (≈ *Zugang*) access; ***kein ~, ~ verboten*** no entry

Zutun *nt, no pl* assistance; ***es geschah ohne mein ~*** I did not have a hand in the matter

zuunterst [tsu'|ʊntɐst] *adv* right at the bottom

zuverlässig ['tsuːfɛɐlɛsɪç] *adj* reliable; ***aus ~er Quelle*** from a reliable source **Zuverlässigkeit** *f* ⟨***-***, *no pl*⟩ reliability

Zuversicht *f, no pl* confidence; ***in der festen ~, dass ...*** confident that ... **zuversichtlich** *adj* confident

zuviel [tsu'fiːl] *adj, adv* → ***viel***

zuvor [tsu'voːɐ] *adv* before; (≈ *zuerst*) beforehand; ***am Tage ~*** the day before **zuvorkommen** *v/i +dat sep irr aux sein* to anticipate; ***jdm ~*** to beat sb to it **zuvorkommend I** *adj* obliging; (*zu* towards) **II** *adv* obligingly

Zuwachs ['tsuːvaks] *m* ⟨***-es, Zuwächse*** [-vɛksə]⟩ **1.** *no pl* (≈ *Wachstum*) growth (*an +dat* of) **2.** (≈ *Höhe des Wachstums*) increase (*an +dat* in) **zuwachsen** *v/i sep irr aux sein* (*Loch*) to grow over; (*Garten etc*) to become overgrown; (*Wunde*) to heal

zuwege [tsu'veːgə] *adv* ***etw ~ bringen*** to manage sth; (≈ *erreichen*) to achieve sth; ***gut/schlecht ~ sein*** (*infml*) to be in good/poor health

zuweisen *v/t sep irr* to assign (*jdm etw* sth to sb)

zuwenden *sep irr* **I** *v/t* **1.** to turn (*+dat* to, towards); ***jdm das Gesicht ~*** to turn to face sb **2.** ***jdm Geld*** *etc* **~** to give sb money *etc* **II** *v/r* ***sich jdm/einer Sache ~*** to turn to sb/sth; (≈ *sich widmen*) to devote oneself to sb/sth **Zuwendung** *f* **1.** (≈ *Liebe*) care **2.** (≈ *Geldsumme*) sum (of money); (≈ *Schenkung*) donation

zuwenig [tsu'veːnɪç] *adj, adv* → ***wenig***

zuwerfen *v/t sep irr* **1.** (≈ *schließen*) *Tür* to slam (shut) **2.** ***jdm etw ~*** to throw sth to sb; ***jdm einen Blick ~*** to cast a glance at sb

zuwider [tsu'viːdɐ] *adv* ***er/das ist mir ~*** I detest *or* loathe him/that

zuwinken *v/i sep* ***jdm ~*** to wave to sb

zuzahlen *sep* **I** *v/t* ***zehn Euro ~*** to pay another ten euros **II** *v/i* to pay extra

zuzeln *v/i* (*Aus*) (≈ *lutschen*) to suck; (≈ *langsam trinken*) to sip away (*an +dat* at)

zuziehen *v/t sep irr* **1.** *Vorhang* to draw; *Tür* to pull shut; *Schlinge* to pull tight **2.** ***sich*** (*dat*) ***eine Verletzung ~*** (*form*) to sustain an injury **Zuzug** *m* (≈ *Zustrom*) influx; (*von Familie etc*) arrival (*nach* in), move (*nach* to) **Zuzüger** ['tsuːtsyːgɐ] *m* ⟨***-s, -***⟩, **Zuzügerin** [-ərɪn] *f* ⟨***-, -nen***⟩ (*Swiss*) (≈ *Neuling*) newcomer; (≈ *Zuwanderer*) immigrant **zuzüglich** ['tsuːtsyːklɪç] *prep +gen* plus

zuzwinkern *v/i sep* ***jdm ~*** to wink at sb

Zvieri ['tsfiːri] *m or nt* ⟨***-s,*** *no pl*⟩ (*Swiss*) afternoon snack

Zwang [tsvaŋ] *m* ⟨***-(e)s, =e*** ['tsvɛŋə]⟩ (≈ *Notwendigkeit*) compulsion; (≈ *Gewalt*) force; (≈ *Verpflichtung*) obligation; ***gesellschaftliche Zwänge*** social constraints; ***tu dir keinen ~ an*** (*iron*) don't force yourself **zwängen** ['tsvɛŋən] *v/t* to force; ***sich in/durch etw*** (*acc*) **~** to squeeze into/through sth **zwanghaft** *adj* PSYCH compulsive **zwanglos** **I** *adj* (≈ *ohne Förmlichkeit*) informal; (≈ *locker*) casual **II** *adv* informally; ***da geht es recht ~ zu*** things are very informal there **Zwanglosigkeit** *f* ⟨***-,*** *no pl*⟩ informality; (≈ *Lockerheit*) casualness **Zwangsabgabe** *f* ECON compulsory levy **Zwangsarbeit** *f* hard labour (*Br*) *or* labor (*US*); (*von Kriegsgefangenen*) forced labo(u)r **Zwangsarbeiter(in)** *m/(f)* forced labourer (*Br*) *or* laborer (*US*) **zwangsernähren** *past part* ***zwangsernährt*** *v/t insep* to force-feed **Zwangsernährung** *f* force-feeding **Zwangsjacke** *f* straitjacket **Zwangslage** *f* predicament **zwangsläufig** **I** *adj* inevitable **II** *adv* inevitably **Zwangspause** *f* (*beruflich*) ***eine ~ machen müssen*** to have to stop work temporarily **Zwangsvorstellung** *f* PSYCH obsession **zwangsweise** **I** *adv* compulsorily **II** *adj* compulsory

zwanzig ['tsvantsɪç] *num* twenty; → ***vierzig*** **Zwanzig** ['tsvantsɪç] *f* ⟨***-, -en*** [-gn]⟩ twenty **Zwanziger** ['tsvantsɪgɐ] *m* ⟨***-s, -***⟩ (*infml* ≈ *Geldschein*) twenty-euro *etc* note (*Br*) *or* bill (*US*) **Zwanzigeuroschein** *m* twenty-euro note (*Br*) *or* bill (*US*) **zwanzigste(r, s)** ['tsvantsɪçstə] *adj* twentieth

zwar [tsvaːɐ] *adv* **1.** (≈ *wohl*) ***sie ist ~ sehr schön, aber ...*** it's true she's very beautiful but ...; ***ich weiß ~, dass es schädlich ist, aber ...*** I do know it's harmful but ... **2.** (*erklärend*) ***und ~*** in fact, actually; ***ich werde ihm schreiben, und ~ noch heute*** I'll write to him and I'll do it today

Zweck [tsvɛk] *m* ⟨***-(e)s, -e***⟩ **1.** (≈ *Ziel*) purpose; ***einem guten ~ dienen*** to be for a good cause; ***seinen ~ erfüllen*** to serve its/one's purpose **2.** (≈ *Sinn*) point; ***das hat keinen ~*** it's pointless **3.** (≈ *Absicht*) aim; ***zu diesem ~*** to this end **Zweckbau** *m, pl* ***-bauten*** functional building **zweckdienlich** *adj* appropriate; ***~e Hinweise*** (any) relevant information

Zwecke ['tsvɛkə] *f* ⟨***-, -n***⟩ tack; (≈ *Reißzwecke*) drawing pin (*Br*), thumbtack (*US*)

zweckgebunden *adj Steuern etc* for a specific purpose **zwecklos** *adj* pointless; *Versuch* futile **Zwecklosigkeit** *f* ⟨***-,*** *no pl*⟩ pointlessness; (*von Versuch*) futility **zweckmäßig** *adj* (≈ *nützlich*) useful; *Kleidung etc* suitable **Zweckmäßigkeit** ['tsvɛkmɛːsɪçkait] *f* ⟨***-,*** *no pl*⟩ (≈ *Nützlichkeit*) usefulness; (*von Kleidung etc*) suitability **Zweckoptimismus** *m* calculated optimism **zwecks** [tsvɛks] *prep +gen* (*form*) for the purpose of

zwei [tsvai] *num* two; ***wir ~*** the two of us; → ***vier*** **Zwei** [tsvai] *f* ⟨***-, -en***⟩ two **Zweibeiner** [-bainɐ] *m* ⟨***-s, -***⟩, **Zweibeinerin** [-ərɪn] *f* ⟨***-, -nen***⟩ (*hum infml*) human being **zweibeinig** *adj* two-legged **Zweibettzimmer** *nt* twin room **zweideutig** [-dɔytɪç] **I** *adj* ambiguous; (≈ *schlüpfrig*) suggestive **II** *adv* ambiguously **Zweideutigkeit** *f* ⟨***-, -en***⟩ **1.** *no pl* ambiguity; (≈ *Schlüpfrigkeit*) suggestiveness **2.** (≈ *Bemerkung*) ambiguous remark; (≈ *Witz*) risqué joke **zweidimensional** *adj* two-dimensional **Zweidrittelmehrheit** *f* PARL two-thirds majority **zweieiig** [-|aiıç] *adj Zwillinge* nonidentical **Zweierbeziehung** *f* relationship **zweierlei** ['tsvaiɐ'lai] *adj inv attr* two kinds of; ***auf ~ Art*** in two different ways; ***~ Meinung sein*** to be of (two) different opinions **zweifach** ['tsvaifax] *adj* double; (≈ *zweimal*) twice; ***in ~er Ausfertigung*** in duplicate **Zweifamilienhaus** *nt* two-family house **zweifarbig** *adj* two-colour (*Br*), two-color (*US*)

Zweifel ['tsvaifl] *m* ⟨**-s, -**⟩ doubt; ***im ~*** in doubt; ***ohne ~*** without doubt; ***außer ~ stehen*** to be beyond doubt; ***es besteht kein ~, dass ...*** there is no doubt that ...; ***etw in ~ ziehen*** to call sth into question **zweifelhaft** *adj* doubtful **zweifellos** *adv* undoubtedly **zweifeln** ['tsvaifln] *v/i* to doubt; ***an etw/jdm ~*** to doubt sth/sb; ***daran ist nicht zu ~*** there's no doubt about it **Zweifelsfall** *m* borderline case; ***im ~*** when in doubt **zweifelsfrei I** *adj* unequivocal **II** *adv* beyond (all) doubt **zweifelsohne** [tsvaifls'|oːnə] *adv* undoubtedly

Zweig [tsvaik] *m* ⟨**-(e)s, -e** [-gə]⟩ branch; (*dünner, kleiner*) twig **Zweiggeschäft** *nt* branch

zweigleisig *adj* double-tracked, double-track *attr*; ***~ argumentieren*** to argue along two different lines

Zweigniederlassung *f* subsidiary **Zweigstelle** *f* branch (office)

zweihändig I *adj* with two hands, two-handed **II** *adv* MUS *spielen* two-handed **zweihundert** ['tsvai'hundɐt] *num* two hundred **zweijährig** *adj* **1.** *attr Kind etc* two-year-old *attr*, two years old; *Dauer* two-year *attr*, of two years; ***mit ~er Verspätung*** two years late **2.** BOT *Pflanze* biennial **Zweikampf** *m* (≈ *Duell*) duel **zweimal** ['tsvaimaːl] *adv* twice; ***~ täglich*** twice daily *or* a day; ***sich*** (*dat*) ***etw ~ überlegen*** to think twice about sth; ***das lasse ich mir nicht ~ sagen*** I don't have to be told twice **zweimalig** ['tsvaimaːlıç] *adj attr* twice repeated; *Weltmeister etc* two-times *attr* **zweimonatig** *adj attr* **1.** *Dauer* two-month *attr*, of two months **2.** *Säugling etc* two-month-old *attr* **zweimonatlich** *adj, adv* bimonthly (*esp* COMM, ADMIN) **zweimotorig** *adj* twin-engined **Zweiparteiensystem** [tsvaipar'taiən-] *nt* two-party system **zweiräd(e)rig** *adj* two-wheeled **Zweireiher** [-raiɐ] *m* ⟨**-s, -**⟩ double-breasted suit *etc* **zweireihig** *adj* double-row *attr*, in two rows; *Anzug* double-breasted **zweischneidig** *adj* double-edged; ***das ist ein ~es Schwert*** (*fig*) it cuts both ways **zweiseitig** [-zaitıç] *adj Brief, Erklärung etc* two-page *attr*; *Vertrag etc* bilateral **Zweisitzer** *m* AUTO, AVIAT two-seater **zweispaltig** [-ʃpaltıç] *adj* double-columned **zweisprachig I** *adj* bilingual; *Dokument* in two languages **II** *adv* in two languages; ***~ aufwachsen*** to grow up bilingual **Zweisprachigkeit** *f* ⟨**-**, *no pl*⟩ bilingualism **zweispurig** [-ʃpuːrıç] *adj* double-tracked, double-track *attr*; *Autobahn* two-laned, two-lane *attr* **zweistellig** *adj Zahl* two-digit *attr*, with two digits **zweistöckig I** *adj* two-storey *attr* (*Br*), two-story *attr* (*US*) **II** *adv* ***~ bauen*** to build buildings with two storeys (*Br*) *or* stories (*US*) **zweistündig** *adj* two-hour *attr*, of two hours **zweistündlich** *adj, adv* every two hours **zweit** [tsvait] *adv* ***zu ~*** (≈ *in Paaren*) in twos; ***wir gingen zu ~ spazieren*** the two of us went for a walk; ***das Leben zu ~*** living with someone; → ***vier*** **zweitägig** *adj* two-day *attr*, of two days **Zweitaktmotor** *m* two-stroke engine **zweitälteste(r, s)** ['tsvait'|ɛltəstə] *adj* second oldest **zweitausend** ['tsvai'tauznt] *num* two thousand **Zweitauto** *nt* second car **zweitbeste(r, s)** ['tsvait'bɛstə] *adj* second best **zweiteilig** *adj Roman* two-part *attr*, in two parts; *Kleidungsstück* two-piece **zweitens** ['tsvaitns] *adv* secondly **Zweite(r)** ['tsvaitə] *m/f(m) decl as adj* second; SPORTS *etc* runner-up; ***wie kein ~r*** like nobody else **zweite(r, s)** ['tsvaitə] *adj* second; ***~r Klasse fahren*** to travel second (class); ***jeden ~n Tag*** every other day; ***in ~r Linie*** secondly; → ***vierte(r, s)*** **zweitgrößte(r, s)** ['tsvait'grøːstə] *adj* second largest **zweithöchste(r, s)** ['tsvait'høːçstə] *adj* second highest **zweitklassig** *adj* (*fig*) second-class **zweitletzte(r, s)** ['tsvait'lɛtstə] *adj* last but one *attr*, *pred* **zweitrangig** [-raŋıç] *adj* = ***zweitklassig*** **Zweitschlüssel** *m* duplicate key **Zweitstimme** *f* second vote **zweitürig** *adj* AUTO two-door **zweiwöchig** [-vœçɪç] *adj* two-week *attr*, of two weeks **zweizeilig** *adj* two-line *attr*; TYPO *Abstand* double-spaced **Zweizimmerwohnung** [tsvai'tsɪmɐ-] *f* two--room(ed) apartment **Zweizylindermotor** *m* two-cylinder engine

Zwerchfell ['tsvɛrçfɛl] *nt* ANAT diaphragm

Zwerg [tsvɛrk] *m* ⟨**-(e)s, -e** [-gə]⟩, **Zwergin** ['tsvɛrgɪn] *f* ⟨**-, -nen**⟩ dwarf; (≈ *Gartenzwerg*) gnome; (*fig* ≈ *Knirps*) midget **Zwergpudel** *m* toy poodle **Zwergstaat** *m* miniature state **Zwergwuchs** *m* dwarfism

Zwetschge ['tsvɛtʃgə] *f* ⟨**-, -n**⟩, **Zwetschke** ['tsvɛtʃkə] (*Aus*) *f* ⟨**-, -n**⟩ plum

zwicken ['tsvɪkn] *v/i* **1.** (*infml, Aus* ≈ *kneifen*) to pinch **2.** (*Aus* ≈ *Fahrschein entwerten*) to punch

Zwickmühle ['tsvɪk-] *f* ***in der ~ sitzen*** (*fig*) to be in a catch-22 situation (*infml*)

Zwieback ['tsviːbak] *m* ⟨**-(e)s, -e** *or* **⸚e** [-bɛkə]⟩ rusk

Zwiebel ['tsviːbl] *f* ⟨**-, -n**⟩ onion; (≈ *Blumenzwiebel*) bulb **zwiebelförmig** *adj* onion-shaped **Zwiebelkuchen** *m* onion tart **Zwiebelring** *m* onion ring **Zwiebelschale** *f* onion skin **Zwiebelsuppe** *f* onion soup **Zwiebelturm** *m* onion dome

Zwielicht *nt, no pl* twilight; ***ins ~ geraten sein*** (*fig*) to appear in an unfavourable (*Br*) *or* unfavorable (*US*) light **zwielichtig** ['tsviːlɪçtɪç] *adj* (*fig*) shady **zwiespältig** ['tsviːʃpɛltɪç] *adj Gefühle* mixed **Zwietracht** *f, no pl* discord

Zwilling ['tsvɪlɪŋ] *m* ⟨**-s, -e**⟩ twin; ***die ~e*** ASTROL Gemini; ***~ sein*** ASTROL to be (a) Gemini **Zwillingsbruder** *m* twin brother **Zwillingspaar** *nt* twins *pl* **Zwillingsschwester** *f* twin sister

Zwinge ['tsvɪŋə] *f* ⟨**-, -n**⟩ TECH (screw) clamp **zwingen** ['tsvɪŋən] *pret* **zwang** [tsvaŋ], *past part* **gezwungen** [gə'tsvʊŋən] **I** *v/t* to force; ***jdn zu etw ~*** to force sb to do sth; ***ich lasse mich nicht (dazu) ~*** I won't be forced (to do it *or* into it); ***jdn zum Handeln ~*** to force sb into action; → **gezwungen II** *v/r* to force oneself **zwingend I** *adj Notwendigkeit* urgent; *Beweis* conclusive; *Argument* cogent; *Gründe* compelling **II** *adv* ***etw ist ~ vorgeschrieben*** sth is mandatory **Zwinger** ['tsvɪŋɐ] *m* ⟨**-s, -**⟩ (≈ *Käfig*) cage; (≈ *Hundezwinger*) kennels *pl*; (*von Burg*) (outer) ward

zwinkern ['tsvɪŋkɐn] *v/i* to blink; (*um jdm etw zu bedeuten*) to wink

Zwirn [tsvɪrn] *m* ⟨**-s, -e**⟩ (strong) thread

zwischen ['tsvɪʃn] *prep +dat or* (*mit Bewegungsverben*) *+acc* between; (*in Bezug auf mehrere auch*) among; ***mitten ~*** right in the middle of **Zwischenablage** *f* IT clipboard **Zwischenaufenthalt** *m* stopover **Zwischenbemerkung** *f* interjection **Zwischenbericht** *m* interim report **Zwischenbilanz** *f* COMM interim balance; (*fig*) provisional appraisal **Zwischending** *nt* cross (between the two) **zwischendurch** ['tsvɪʃn'dʊrç] *adv* (*zeitlich*) in between times; (≈ *inzwischen*) (in the) meantime; ***das mache ich so ~*** I'll do that on the side; ***Schokolade für ~*** chocolate for between meals **Zwischenergebnis** *nt* interim result; SPORTS latest score **Zwischenfall** *m* incident; ***ohne ~*** without incident **Zwischenfrage** *f* question **Zwischenhandel** *m* intermediate trade **Zwischenhändler(in)** *m/(f)* middleman **Zwischenlager** *nt* temporary store **zwischenlagern** *v/t insep inf and past part only* to store (temporarily) **Zwischenlagerung** *f* temporary storage **zwischenlanden** *v/i sep aux sein* AVIAT to stop over **Zwischenlandung** *f* AVIAT stopover **zwischenmenschlich** *adj attr* interpersonal; ***~e Beziehungen*** interpersonal relations **Zwischenprüfung** *f* intermediate examination **Zwischenraum** *m* gap; (≈ *Zeilenabstand*) space; (*zeitlich*) interval **Zwischenruf** *m* interruption; ***~e*** heckling **Zwischenspeicher** *m* IT cache (memory) **zwischenstaatlich** *adj attr* international; (*zwischen Bundesstaaten*) interstate **Zwischenstadium** *nt* intermediate stage **Zwischenstation** *f* (intermediate) stop; ***in London machten wir ~*** we stopped off in London **Zwischenstufe** *f* (*fig*) intermediate stage **Zwischenwand** *f* dividing wall; (≈ *Stellwand*) partition **Zwischenzeit** *f* (≈ *Zeitraum*) interval; ***in der ~*** (in the) meantime **Zwischenzeugnis** *nt* SCHOOL end of term report

Zwist [tsvɪst] *m* ⟨**-es,** (*rare*) **-e**⟩ (*elev*) discord; (≈ *Fehde, Streit*) dispute

zwitschern ['tsvɪtʃɐn] *v/t & v/i* to twitter; (*Lerche*) to warble; ***einen ~*** (*infml*) to

have a drink
Zwitter ['tsvɪtɐ] *m* ⟨**-s, -**⟩ hermaphrodite; (*fig*) cross (*aus* between)
zwölf [tsvœlf] *num* twelve; **~ *Uhr mittags/nachts*** (12 o'clock) midday/midnight; ***fünf Minuten vor ~*** (*fig*) at the eleventh hour; → ***vier*** **Zwölffingerdarm** [tsvœlf'fɪŋɐ-] *m* duodenum **zwölfte(r, s)** ['tsvœlftə] *adj* twelfth; → ***vierte(r, s)***
Zyankali [tsyaːn'kaːli] *nt* ⟨**-s,** *no pl*⟩ CHEM potassium cyanide
zyklisch ['tsyːklɪʃ] **I** *adj* cyclic(al) **II** *adv* cyclically
Zyklon [tsy'kloːn] *m* ⟨**-s, -e**⟩ cyclone
Zyklus ['tsyːklʊs] *m* ⟨**-, *Zyklen*** [-lən]⟩ cycle
Zylinder [tsi'lɪndɐ, tsy-] *m* ⟨**-s, -**⟩ **1.** MAT, TECH cylinder **2.** (≈ *Hut*) top hat **zylinderförmig** *adj* = ***zylindrisch*** **Zylinderkopf** *m* AUTO cylinder head **Zylinderkopfdichtung** *f* cylinder head gasket **zylindrisch** [tsi'lɪndrɪʃ, tsy-] *adj* cylindrical
Zyniker ['tsyːnikɐ] *m* ⟨**-s, -**⟩, **Zynikerin** [-ərɪn] *f* ⟨**-, *-nen***⟩ cynic **zynisch** ['tsyːnɪʃ] **I** *adj* cynical **II** *adv* cynically
Zynismus [tsy'nɪsmʊs] *m* ⟨**-, *Zynismen*** [-mən]⟩ cynicism
Zypern ['tsyːpɐn] *nt* ⟨**-s**⟩ Cyprus
Zypresse [tsy'prɛsə] *f* ⟨**-, -n**⟩ BOT cypress
Zypriot [tsypri'oːt] *m* ⟨**-en, -en**⟩, **Zypriotin** [-'oːtɪn] *f* ⟨**-, -nen**⟩ Cypriot **zyprisch** ['tsyːprɪʃ] *adj* Cypriot
Zyste ['tsʏstə] *f* ⟨**-, -n**⟩ cyst

English – German

A

A, a *n* A *nt*, a *nt*; (SCHOOL ≈ *mark*) Eins *f*; ***A sharp*** MUS Ais *nt*, ais *nt*; ***A flat*** MUS As *nt*, as *nt*
A *abbr of* ***answer*** Antw.
a *indef art, before vowel* **an** **1.** ein(e); ***so large a school*** so eine große *or* eine so große Schule; ***a young man*** ein junger Mann **2.** (*in negative constructions*) ***not a*** kein(e); ***he didn't want a present*** er wollte kein Geschenk **3.** ***he's a doctor/Frenchman*** er ist Arzt/Franzose; ***he's a famous doctor/Frenchman*** er ist ein berühmter Arzt/Franzose; ***as a young girl*** als junges Mädchen; ***to be of an age*** gleich alt sein **4.** (≈ *per*) pro; ***50p a kilo*** 50 Pence das *or* pro Kilo; ***twice a month*** zweimal im *or* pro Monat; ***50 km an hour*** 50 Kilometer pro Stunde
AA **1.** *abbr of* ***Automobile Association*** *britischer Automobilklub* **2.** *abbr of* ***Alcoholics Anonymous***
A & E *abbr of* ***accident and emergency***
AB (*US* UNIV) *abbr* = ***BA***
aback *adv* ***to be taken ~*** erstaunt sein
abandon *v/t* **1.** (≈ *leave*) verlassen; *car* (einfach) stehen lassen; ***to ~ ship*** das Schiff verlassen **2.** *project, hope* aufgeben
abandonment *n* **1.** (≈ *forsaking, desertion*) Verlassen *nt* **2.** (≈ *giving-up*) Aufgabe *f*
abase *v/t* ***to ~ oneself*** sich (selbst) erniedrigen
abashed *adj* beschämt; ***to feel ~*** sich schämen
abate *v/i* nachlassen; (*flood*) zurückgehen
abattoir *n* Schlachthof *m*
abbey *n* Abtei *f*
abbot *n* Abt *m*
abbr., abbrev. *abbr of* ***abbreviation*** Abk.
abbreviate *v/t* abkürzen (*to* mit) **abbreviation** *n* Abkürzung *f*
ABC[1] *n* Abc *nt*; ***it's as easy as ~*** das ist doch kinderleicht
ABC[2] *abbr of* ***American Broadcasting Company*** *amerikanische Rundfunkgesellschaft*
abdicate **I** *v/t* verzichten auf (+*acc*) **II** *v/i* abdanken **abdication** *n* Abdankung *f*
abdomen *n* (*of mammals*) Unterleib *m*; (*of insects*) Hinterleib *m* **abdominal** *adj* ***~ pain*** Unterleibsschmerzen *pl*
abduct *v/t* entführen **abduction** *n* Entführung *f* **abductor** *n* Entführer(in) *m(f)*
aberration *n* Anomalie *f*; (*from course*) Abweichung *f*
abet *v/t* → ***aid***
abeyance *n no pl* ***to be in ~*** (*law*) ruhen; (*custom, office*) nicht mehr ausgeübt werden
abhor *v/t* verabscheuen
abhorrence *n* Abscheu *f* (*of* vor +*dat*)
abhorrent *adj* abscheulich; ***the very idea is ~ to me*** schon der Gedanke daran ist mir zuwider
abide *v/t* (≈ *tolerate*) ausstehen; ***I cannot ~ living here*** ich kann es nicht aushalten, hier zu leben ◆ **abide by** *v/i +prep obj* sich halten an (+*acc*); ***I ~ what I said*** ich bleibe bei dem, was ich gesagt habe
abiding *adj* (*liter*) unvergänglich
ability *n* Fähigkeit *f*; ***~ to pay/hear*** Zahlungs-/Hörfähigkeit *f*; ***to the best of my ~*** nach (besten) Kräften
abject *adj state* erbärmlich; *poverty* bitter
ablaze *adv, adj pred* **1.** (*lit*) in Flammen; ***to be ~*** in Flammen stehen; ***to set sth ~*** etw in Brand stecken **2.** (*fig*) ***to be ~ with light*** hell erleuchtet sein
able *adj* fähig; ***to be ~ to do sth*** etw tun können; ***if you're not ~ to understand that*** wenn Sie nicht fähig sind, das zu verstehen; ***I'm afraid I am not ~ to give you that information*** ich bin leider nicht in der Lage, Ihnen diese Informationen zu geben **able-bodied** *adj* (gesund und) kräftig; MIL tauglich **able(-bodied) seaman** *n* Vollmatrose *m*
ablution *n* ***to perform one's ~s*** (*esp hum*) seine Waschungen vornehmen
ably *adv* gekonnt, fähig
ABM *abbr of* ***anti-ballistic missile***

abnormal *adj* anormal; (≈ *deviant*, MED) abnorm **abnormality** *n* Anormale(s) *nt*; (≈ *deviancy*, MED) Abnormität *f* **abnormally** *adv* abnormal

aboard **I** *adv* (*on plane, ship*) an Bord; (*on train*) im Zug; (*on bus*) im Bus; ***all ~!*** alle an Bord!; (*on train, bus*) alle einsteigen!; ***to go ~*** an Bord gehen **II** *prep* ~ ***the ship/plane*** an Bord des Schiffes/Flugzeugs; ~ ***the train/bus*** im Zug/Bus

abode *n* (JUR: *a.* **place of abode**) Wohnsitz *m*; ***of no fixed ~*** ohne festen Wohnsitz

abolish *v/t* abschaffen **abolition** *n* Abschaffung *f*

abominable *adj* grässlich; ~ ***snowman*** Schneemensch *m* **abominably** *adv* grässlich; ~ ***rude*** furchtbar unhöflich **abomination** *n* Scheußlichkeit *f*

aboriginal **I** *adj* der (australischen) Ureinwohner **II** *n* = ***aborigine*** **aborigine** *n* Ureinwohner(in) *m(f)* (Australiens)

abort **I** *v/i* IT abbrechen **II** *v/t* MED abtreiben; SPACE, IT abbrechen; ***an ~ed attempt*** ein abgebrochener Versuch **abortion** *n* Abtreibung *f*; ***to get*** *or* ***have an ~*** eine Abtreibung vornehmen lassen **abortion pill** *n* Abtreibungspille *f* **abortive** *adj plan* gescheitert

abound *v/i* (≈ *exist in great numbers*) im Überfluss vorhanden sein; (≈ *have in great numbers*) reich sein (*in* an *+dat*)

about **I** *adv* **1.** (*esp Br*) herum, umher; (≈ *present*) in der Nähe; ***to run ~*** umherrennen; ***I looked (all) ~*** ich sah ringsumher; ***to leave things (lying) ~*** Sachen herumliegen lassen; ***to be up and ~ again*** wieder auf den Beinen sein; ***there's a thief ~*** ein Dieb geht um; ***there was nobody ~ who could help*** es war niemand in der Nähe, der hätte helfen können **2.** ***to be ~ to*** im Begriff sein zu; (≈ *intending*) vorhaben, zu ...; ***I was ~ to go out*** ich wollte gerade ausgehen; ***it's ~ to rain*** es regnet gleich; ***he's ~ to start school*** er kommt demnächst in die Schule **3.** (≈ *approximately*) ungefähr; ***he's ~ 40*** er ist ungefähr 40; ***he is ~ the same, doctor*** sein Zustand hat sich kaum geändert, Herr Doktor; ***that's ~ it*** das ist so ziemlich alles; ***that's ~ right*** das stimmt (so) ungefähr; ***I've had ~ enough of this*** jetzt reicht es mir aber allmählich (*infml*) **II** *prep* **1.** (*esp Br*) in (*+dat*) (... herum); ***scattered ~ the room*** im ganzen Zimmer verstreut; ***there's something ~ him*** er hat so etwas an sich; ***while you're ~ it*** wenn du gerade *or* schon dabei bist; ***and be quick ~ it!*** und beeil dich damit! **2.** (≈ *concerning*) über (*+acc*); ***tell me all ~ it*** erzähl doch mal; ***he knows ~ it*** er weiß davon; ***what's it all ~?*** worum geht es (eigentlich)?; ***he's promised to do something ~ it*** er hat versprochen, (in der Sache) etwas zu unternehmen; ***how*** *or* ***what ~ me?*** und ich, was ist mit mir? (*infml*); ***how*** *or* ***what ~ it/going to the cinema?*** wie wärs damit/mit (dem) Kino? **about-face, about-turn** **I** *n* (MIL, *fig*) Kehrtwendung *f*; ***to do an ~*** (*fig*) sich um hundertachtzig Grad drehen **II** *int* ***about face*** *or* ***turn!*** (und) kehrt!

above **I** *adv* oben; (≈ *in a higher position*) darüber; ***from ~*** von oben; ***the apartment ~*** die Wohnung oben *or* darüber **II** *prep* über (*+dat*); (*with motion*) über (*+acc*); ~ ***all*** vor allem; ***I couldn't hear ~ the din*** ich konnte bei dem Lärm nichts hören; ***he valued money ~ his family*** er schätzte Geld mehr als seine Familie; ***he's ~ that sort of thing*** er ist über so etwas erhaben; ***it's ~ my head*** *or* ***me*** das ist mir zu hoch; ***to get ~ oneself*** (*infml*) größenwahnsinnig werden (*infml*) **III** *adj attr* ***the ~ persons*** die oben genannten Personen; ***the ~ paragraph*** der vorangehende Abschnitt **IV** *n* ***the ~*** (≈ *statement etc*) Obiges *nt* (*form*); (≈ *person*) der/die Obengenannte **above-average** *adj* überdurchschnittlich **above board** *adj pred*, **aboveboard** *adj attr* korrekt; ***open and ~*** offen und ehrlich **above-mentioned** *adj* oben erwähnt **above-named** *adj* oben genannt

abrasion *n* MED (Haut)abschürfung *f* **abrasive** *adj cleanser* scharf; *surface* rau; (*fig*) *person* aggressiv

abrasively *adv say* scharf; *criticize* harsch

abreast *adv* Seite an Seite; ***to march four ~*** zu viert nebeneinander marschieren; ~ ***of sb/sth*** neben jdm/etw; ***to keep ~ of the news*** mit den Nachrichten auf dem Laufenden bleiben

abridge *v/t book* kürzen **abridgement** *n* (*act*) Kürzen *nt*; (≈ *abridged work*) gekürzte Ausgabe

abroad *adv* **1.** im Ausland; ***to go ~*** ins

Ausland gehen; ***from ~*** aus dem Ausland **2.** ***there is a rumour*** (*Br*) *or* ***rumor*** (*US*) ***~ that ...*** ein Gerücht geht um, dass ...

abrupt *adj* **1.** abrupt; ***to come to an ~ end*** ein abruptes Ende nehmen; ***to bring sth to an ~ halt*** (*lit*) etw abrupt zum Stehen bringen; (*fig*) etw plötzlich stoppen **2.** (≈ *brusque*) schroff **abruptly** *adv* abrupt; *reply* schroff

abs *pl* (*infml*) Bauchmuskeln *pl*

ABS *abbr of* ***anti-lock braking system***; ***~ brakes*** ABS-Bremsen *pl*

abscess *n* Abszess *m*

abscond *v/i* sich (heimlich) davonmachen

abseil *v/i* sich abseilen

absence *n* **1.** Abwesenheit *f*; (*esp from school*) Fehlen *nt*, Absenz *f* (*Aus, Swiss*); ***in the ~ of the chairman*** in Abwesenheit des Vorsitzenden; ***~ makes the heart grow fonder*** (*prov*) die Liebe wächst mit der Entfernung (*prov*) **2.** (≈ *lack*) Fehlen *nt*; ***~ of enthusiasm*** Mangel *m* an Enthusiasmus; ***in the ~ of further evidence*** in Ermangelung weiterer Beweise

absent I *adj* **1.** (≈ *not present*) abwesend; ***to be ~ from school/work*** in der Schule/am Arbeitsplatz fehlen; ***~!*** SCHOOL fehlt!; ***to go ~ without leave*** MIL sich unerlaubt von der Truppe entfernen; ***~ parent*** nicht betreuender Elternteil; ***to ~ friends!*** auf unsere abwesenden Freunde! **2.** (≈ *absent-minded*) (geistes)abwesend **3.** (≈ *lacking*) ***to be ~*** fehlen **II** *v/r* ***to ~ oneself*** (***from***) (≈ *not go, not appear*) fernbleiben (+*dat*, von); (≈ *leave temporarily*) sich zurückziehen (von) **absentee** *n* Abwesende(r) *m/f(m)*; ***there were a lot of ~s*** es fehlten viele **absentee ballot** *n* (*esp US*) ≈ Briefwahl *f* **absenteeism** *n* häufige Abwesenheit; (*pej*) Krankfeiern *nt*; SCHOOL Schwänzen *nt*; ***the rate of ~ among workers*** die Abwesenheitsquote bei Arbeitern **absently** *adv* (geistes)abwesend **absent-minded** *adj* (≈ *lost in thought*) geistesabwesend; (≈ *habitually forgetful*) zerstreut **absent-mindedly** *adv behave* zerstreut; *look* (geistes)abwesend **absent-mindedness** *n* (*momentary*) Geistesabwesenheit *f*; (*habitual*) Zerstreutheit *f*

absolute *adj* absolut; *lie, idiot* ausgemacht; ***the divorce was made ~*** die Scheidung wurde ausgesprochen

absolutely *adv* absolut; *true* völlig; *amazing, fantastic* wirklich; *deny, refuse* strikt; *forbidden* streng; *necessary* unbedingt; *prove* eindeutig; ***~!*** durchaus; (≈ *I agree*) genau!; ***do you agree? — ~*** sind Sie einverstanden? — vollkommen; ***you're ~ right*** Sie haben völlig recht

absolute majority *n* absolute Mehrheit **absolute zero** *n* absoluter Nullpunkt

absolution *n* ECCL Absolution *f* **absolve** *v/t* (*from responsibility*) entlassen (*from* aus); (*from sins*) lossprechen (*from* von); (*from blame*) freisprechen (*from* von)

absorb *v/t* absorbieren; *shock* dämpfen; ***to be ~ed in a book*** *etc* in ein Buch *etc* vertieft sein; ***she was completely ~ed in her family*** sie ging völlig in ihrer Familie auf **absorbent** *adj* absorbierend **absorbent cotton** *n* (*US*) Watte *f* **absorbing** *adj* fesselnd **absorption** *n* Absorption *f*; (*of shock*) Dämpfung *f*; ***her total ~ in her studies*** ihr vollkommenes Aufgehen in ihrem Studium

abstain *v/i* **1.** (*from sex, smoking*) sich enthalten (*from* +*gen*); ***to ~ from alcohol*** sich des Alkohols enthalten **2.** (*in voting*) sich der Stimme enthalten **abstention** *n* (*in voting*) (Stimm)enthaltung *f*; ***were you one of the ~s?*** waren Sie einer von denen, die sich der Stimme enthalten haben? **abstinence** *n* Abstinenz *f* (*from* von)

abstract[1] **I** *adj* abstrakt; ***~ noun*** Abstraktum *nt* **II** *n* (kurze) Zusammenfassung; ***in the ~*** abstrakt

abstract[2] *v/t* abstrahieren; *information* entnehmen (*from* aus)

abstraction *n* Abstraktion *f*; (≈ *abstract term also*) Abstraktum *nt*

abstruse *adj* abstrus

absurd *adj* absurd; ***don't be ~!*** sei nicht albern; ***what an ~ waste of time!*** so eine blödsinnige Zeitverschwendung! **absurdity** *n* Absurdität *f* **absurdly** *adv behave* absurd; *expensive* unsinnig

abundance *n* (großer) Reichtum (*of* an +*dat*); ***in ~*** in Hülle und Fülle; ***a country with an ~ of oil*** ein Land mit reichen Ölvorkommen **abundant** *adj* reich; *Wachstum, Vegetation* üppig; *time* reichlich; *energy* ungeheuer; ***apples are in ~ supply*** es gibt Äpfel in Hülle und Fülle **abundantly** *adv* reichlich; ***to make it ~***

clear that ... mehr als deutlich zu verstehen geben, dass ...

abuse I *n* **1.** *no pl* (≈ *insults*) Beschimpfungen *pl*; ***a term of ~*** ein Schimpfwort *nt*; ***to shout ~ at sb*** jdm Beschimpfungen an den Kopf werfen **2.** (≈ *misuse*) Missbrauch *m*; ***~ of authority*** Amtsmissbrauch *m*; ***the system is open to ~*** das System lässt sich leicht missbrauchen **II** *v/t* **1.** (≈ *revile*) beschimpfen **2.** (≈ *misuse*) missbrauchen **abuser** *n* (*of person*) Missbraucher(in) *m(f)* **abusive** *adj* beleidigend; *relationship* abusiv; ***~ language*** Beleidigungen *pl* **abusively** *adv refer to* beleidigend

abysmal *adj* (*fig*) entsetzlich; *performance etc* miserabel **abysmally** *adv* entsetzlich; *perform etc* miserabel

abyss *n* Abgrund *m*

AC *abbr of* ***alternating current***

A/C *abbr of* ***account*** Kto.

acacia *n* Akazie *f*

academic I *adj* akademisch; *approach, interest* wissenschaftlich; ***~ advisor*** (*US*) Studienberater(in) *m(f)* **II** *n* Akademiker(in) *m(f)* **academically** *adv* **1.** wissenschaftlich; ***to be ~ inclined*** geistige Interessen haben; ***~ gifted*** intellektuell begabt **2.** ***she is not doing well ~*** SCHOOL sie ist in der Schule nicht gut; UNIV sie ist mit ihrem Studium nicht sehr erfolgreich **academy** *n* Akademie *f*

acc. FIN *abbr of* ***account*** Kto.

accede *v/i* **1.** ***to ~ to the throne*** den Thron besteigen **2.** (≈ *agree*) zustimmen (*to* +*dat*)

accelerate I *v/t* beschleunigen **II** *v/i* beschleunigen; (*speed, change*) sich beschleunigen; (*growth etc*) zunehmen; ***he ~d away*** er gab Gas und fuhr davon **acceleration** *n* Beschleunigung *f* **accelerator** *n* **1.** (*a.* **accelerator pedal**) Gaspedal *nt*; ***to step on the ~*** aufs Gas treten **2.** PHYS Beschleuniger *m*

accent *n* Akzent *m*; ***to speak without / with an ~*** akzentfrei / mit Akzent sprechen; ***to put the ~ on sth*** (*fig*) den Akzent auf etw (*acc*) legen **accentuate** *v/t* betonen; (*in speaking*, MUS) akzentuieren

accept I *v/t* **1.** akzeptieren; *apology, offer, gift, invitation* annehmen; *responsibility* übernehmen; *story* glauben **2.** *need* einsehen; *person, duty* akzeptieren; ***it is generally*** *or* ***widely ~ed that ...*** es ist allgemein anerkannt, dass ...; ***we must ~ the fact that ...*** wir müssen uns damit abfinden, dass ...; ***I ~ that it might take a little longer*** ich sehe ein, dass es etwas länger dauern könnte; ***to ~ that sth is one's responsibility / duty*** etw als seine Verantwortung / Pflicht akzeptieren **3.** (≈ *put up with*) hinnehmen **4.** COMM *cheque* annehmen **II** *v/i* annehmen **acceptability** *n* Annehmbarkeit *f* **acceptable** *adj* akzeptabel (*to* für); *behaviour* zulässig; *gift* passend; ***any job would be ~ to him*** ihm wäre jede Stelle recht **acceptably** *adv* **1.** (≈ *properly*) *behave, treat* anständig, korrekt **2.** (≈ *sufficiently*) ***~ safe*** ausreichend sicher **acceptance** *n* **1.** Annahme *f*; (*of responsibility*) Übernahme *f*; (*of story*) Glauben *nt*; ***to find*** *or* ***win*** *or* ***gain ~*** anerkannt werden **2.** (≈ *recognition*) Anerkennung *f* **3.** (≈ *toleration*) Hinnahme *f* **4.** (COMM, *of cheque*) Annahme *f* **accepted** *adj truth, fact* (allgemein) anerkannt

access I *n* **1.** Zugang *m* (*to* zu); (*esp to room etc*) Zutritt *m* (*to* zu); ***to give sb ~*** jdm Zugang gewähren (*to* zu); ***to refuse sb ~*** jdm den Zugang verwehren (*to* zu); ***to have ~ to sb / sth*** Zugang zu jdm / etw haben; ***to gain ~ to sb / sth*** sich (*dat*) Zugang zu jdm / etw verschaffen; ***"access only"*** „nur für Anlieger *or* (*Aus*) Anrainer" **2.** IT Zugriff *m* **II** *v/t* IT zugreifen auf (+*acc*) **access code** *n* Zugangscode *m* **accessibility** *n* Zugänglichkeit *f* **accessible** *adj* zugänglich (*to* +*dat*) **accession** *n* **1.** (*a.* **accession to the throne**) Thronbesteigung *f* **2.** (≈ *addition: to library*) (Neu)anschaffung *f* **accessory** *n* **1.** Extra *nt*; (*in fashion*) Accessoire *nt* **2. accessories** *pl* Zubehör *nt*; ***toilet accessories*** Toilettenartikel *pl* **3.** JUR Helfershelfer(in) *m(f)* **access road** *n* Zufahrt(sstraße) *f* **access time** *n* Zugriffszeit *f*

accident *n* Unfall *m*, Havarie *f* (*Aus*); RAIL, AVIAT Unglück *nt*; (≈ *mishap*) Missgeschick *nt*; (≈ *chance occurrence*) Zufall *m*; ***~ and emergency department / unit*** Notaufnahme *f*; ***she has had an ~*** sie hat einen Unfall gehabt; (*in kitchen etc*) ihr ist ein Missgeschick passiert; ***by ~*** (≈ *by chance*) zufällig; (≈ *unintentionally*) aus Versehen; ***~s will happen*** (*prov*) so was kann vorkommen; ***it was an ~*** es war ein Versehen **acciden-**

tal *adj* **1.** *meeting*, *benefit* zufällig; *blow* versehentlich **2.** *injury*, *death* durch Unfall **accidentally** *adv* (≈ *by chance*) zufällig; (≈ *unintentionally*) versehentlich **accident insurance** *n* Unfallversicherung *f* **accident prevention** *n* Unfallverhütung *f* **accident-prone** *adj* vom Pech verfolgt

acclaim I *v/t* feiern (*as* als) **II** *n* Beifall *m*; (*of critics*) Anerkennung *f*

acclimate *v/t* (*US*) = ***acclimatize*** **acclimatization**, (*US*) **acclimation** *n* Akklimatisierung *f* (*to* an +*acc*); (*to new surroundings etc*) Gewöhnung *f* (*to* an +*acc*)

acclimatize, (*US*) **acclimate I** *v/t* ***to become ~d*** sich akklimatisieren; (*person*) sich eingewöhnen **II** *v/i* (*a. vr*: **acclimatize oneself**) sich akklimatisieren (*to* an +*acc*)

accolade *n* (≈ *award*) Auszeichnung *f*; (≈ *praise*) Lob *nt no pl*

accommodate *v/t* **1.** (≈ *provide lodging for*) unterbringen **2.** (≈ *have room for*) Platz haben für **3.** (*form* ≈ *oblige*) dienen (+*dat*); ***I think we might be able to ~ you*** ich glaube, wir können Ihnen entgegenkommen **accommodating** *adj* entgegenkommend

accommodation *n* **1.** (≈ *lodging*: *US a.* **accommodations**) Unterkunft *f*; (≈ *room*) Zimmer *nt*; (≈ *flat*) Wohnung *f* **2.** (≈ *space*: *US a.* **accommodations**) Platz *m*; ***seating ~*** Sitzplätze *pl*; ***sleeping ~ for six*** Schlafgelegenheit *f* für sechs Personen

accompaniment *n* Begleitung *f* (*also* MUS); ***with piano ~*** mit Klavierbegleitung **accompanist** *n* Begleiter(in) *m*(*f*)

accompany *v/t* begleiten (*also* MUS); ***~ing letter*** Begleitschreiben *nt*

accomplice *n* Komplize *m*, Komplizin *f*; ***to be an ~ to a crime*** Komplize bei einem Verbrechen sein

accomplish *v/t* schaffen; ***that didn't ~ anything*** damit war nichts erreicht **accomplished** *adj player* fähig; *performance* vollendet; *liar* versiert **accomplishment** *n* **1.** *no pl* (≈ *completion*) Bewältigung *f* **2.** (≈ *skill*) Fertigkeit *f*; (≈ *achievement*) Leistung *f*

accord I *n* (≈ *agreement*) Übereinstimmung *f*; POL Abkommen *nt*; ***of one's/its own ~*** von selbst; ***with one ~*** geschlossen; *sing*, *say etc* wie aus einem Mund(e) **II** *v/t* gewähren; *honorary title* verleihen (*sb sth* jdm etw) **accordance** *n* ***in ~ with*** entsprechend (+*dat*) **accordingly** *adv* (dem)entsprechend

according to *prep* (≈ *as stated by*) zufolge (+*dat*), nach; (≈ *in agreement with*) entsprechend (+*dat*); ***~ the map*** der Karte nach; ***~ Peter*** laut Peter, Peter zufolge; ***we did it ~ the rules*** wir haben uns an die Regeln gehalten

accordion *n* Akkordeon *nt*

accost *v/t* ansprechen, anpöbeln (*pej*)

account *n* **1.** Darstellung *f*; (≈ *report*) Bericht *m*; ***to keep an ~ of one's expenses*** über seine Ausgaben Buch führen; ***by** or **from all ~s*** nach allem, was man hört; ***to give an ~ of sth*** über etw (*acc*) Bericht erstatten; ***to give an ~ of oneself*** Rede und Antwort stehen; ***to give a good ~ of oneself*** sich gut schlagen; ***to be called** or **held to ~ for sth*** über etw (*acc*) Rechenschaft ablegen müssen **2.** (≈ *consideration*) ***to take ~ of sb/sth, to take sb/sth into ~*** jdn / etw in Betracht ziehen; ***to take no ~ of sb/sth*** jdn / etw außer Betracht lassen; ***on no ~*** auf (gar) keinen Fall; ***on this/that ~*** deshalb; ***on ~ of the weather*** wegen *or* aufgrund des Wetters; ***on my ~*** meinetwegen; ***of no ~*** ohne Bedeutung **3.** FIN, COMM Konto *nt* (*with* bei); ***to buy sth on ~*** etw auf (Kunden)kredit kaufen; ***please charge it to my ~*** stellen Sie es mir bitte in Rechnung; ***to settle** or **square ~s** or **one's ~ with sb*** (*fig*) mit jdm abrechnen **4. accounts** *pl* (*of company*, *club*) (Geschäfts)bücher *pl*; ***to keep the ~s*** die Bücher führen ◆ **account for** *v/i* +*prep obj* **1.** (≈ *explain*) erklären; *actions*, *expenditure* Rechenschaft ablegen über (+*acc*); ***all the children were accounted for*** der Verbleib aller Kinder war bekannt; ***there's no accounting for taste*** über Geschmack lässt sich (nicht) streiten **2.** (≈ *be the source of*) der Grund sein für; ***this area accounts for most of the country's mineral wealth*** aus dieser Gegend stammen die meisten Bodenschätze des Landes

accountability *n* Verantwortlichkeit *f* (*to sb* jdm gegenüber) **accountable** *adj* verantwortlich (*to sb* jdm); ***to hold sb ~ (for sth)*** jdn (für etw) verantwortlich machen

accountancy *n* Buchführung *f* **accountant** *n* Buchhalter(in) *m*(*f*); (≈ *external fi-*

nancial adviser) Wirtschaftsprüfer(in) *m(f)* **account book** *n* Geschäftsbuch *nt* **accounting** *n* Buchhaltung *f* **accounting department** *n* (*US*) Buchhaltung *f* **account number** *n* Kontonummer *f* **accounts department** *n* (*Br*) Buchhaltung *f*

accoutrements, (*US also*) **accouterments** *pl* Ausrüstung *f*

accrue *v/i* sich ansammeln

accumulate **I** *v/t* ansammeln **II** *v/i* sich ansammeln **accumulation** *n* Ansammlung *f* **accumulative** *adj* gesamt

accuracy *n* Genauigkeit *f*; (*of missile*) Zielgenauigkeit *f* **accurate** *adj* genau; *missile* zielgenau; ***the clock is ~*** die Uhr geht genau; ***the test is 90 per cent ~*** der Test ist 90%ig sicher **accurately** *adv* genau

accusation *n* Beschuldigung *f*; JUR Anklage *f*; (≈ *reproach*) Vorwurf *m*

accusative **I** *n* Akkusativ *m*; ***in the ~*** im Akkusativ **II** *adj* Akkusativ-; ***~ case*** Akkusativ *m*

accusatory *adj* anklagend

accuse *v/t* **1.** JUR anklagen (*of* wegen, *+gen*); ***he is ~d of murder*** er ist des Mordes angeklagt **2.** *person* beschuldigen; ***to ~ sb of doing*** *or* ***having done sth*** jdn beschuldigen, etw getan zu haben; ***are you accusing me of lying?*** willst du (damit) vielleicht sagen, dass ich lüge? **accused** *n* ***the ~*** der/die Angeklagte **accusing** *adj* anklagend; ***he had an ~ look on his face*** sein Blick klagte an **accusingly** *adv* anklagend

accustom *v/t* ***to be ~ed to sth*** an etw (*acc*) gewöhnt sein; ***to be ~ed to doing sth*** gewöhnt sein, etw zu tun; ***to become*** *or* ***get ~ed to sth*** sich an etw (*acc*) gewöhnen; ***to become*** *or* ***get ~ed to doing sth*** sich daran gewöhnen, etw zu tun

AC/DC *abbr of* ***alternating current/direct current*** Allstrom; (*infml* ≈ *bisexual*) bi (*infml*)

ace **I** *n* Ass *nt*; ***the ~ of clubs*** das Kreuz-Ass; ***to have an ~ up one's sleeve*** noch einen Trumpf in der Hand haben; ***to hold all the ~s*** (*fig*) alle Trümpfe in der Hand halten; ***to be an ~ at sth*** ein Ass in etw (*dat*) sein; ***to serve an ~*** TENNIS ein Ass servieren **II** *adj attr* (≈ *excellent*) Star-

acerbic *adj remark*, *style* bissig

acetate *n* Azetat *nt* **acetic acid** *n* Essigsäure *f*

ache **I** *n* (dumpfer) Schmerz *m* **II** *v/i* **1.** wehtun, schmerzen; ***my head ~s*** mir tut der Kopf weh; ***it makes my head/arms ~*** davon tut mir der Kopf/tun mir die Arme weh; ***I'm aching all over*** mir tut alles weh; ***it makes my heart ~ to see him*** (*fig*) es tut mir in der Seele weh, wenn ich ihn sehe **2.** (*fig* ≈ *yearn*) ***to ~ to do sth*** sich danach sehnen, etw zu tun

achieve *v/t* erreichen; *success* erzielen; ***she ~d a great deal*** (≈ *did a lot of work*) sie hat eine Menge geleistet; (≈ *was quite successful*) sie hat viel erreicht; ***he will never ~ anything*** er wird es nie zu etwas bringen **achievement** *n* Leistung *f* **achiever** *n* Leistungstyp *m* (*infml*); ***to be an ~*** leistungsorientiert sein; ***high ~*** SCHOOL leistungsstarkes Kind

Achilles *n* ***~ heel*** (*fig*) Achillesferse *f*

aching *adj attr* schmerzend **achy** *adj* (*infml*) schmerzend; ***I feel ~ all over*** mir tut alles weh

acid **I** *adj* **1.** sauer **2.** (*fig*) ätzend **II** *n* **1.** CHEM Säure *f* **2.** (*infml* ≈ *LSD*) Acid *nt* (*sl*) **acidic** *adj* sauer **acidity** *n* **1.** Säure *f* **2.** (*of stomach*) Magensäure *f* **acid rain** *n* saurer Regen **acid test** *n* Feuerprobe *f*

acknowledge *v/t* anerkennen; *truth*, *defeat* zugeben; *letter* den Empfang bestätigen von; *cheers* erwidern; ***to ~ sb's presence*** jds Anwesenheit zur Kenntnis nehmen **acknowledgement** *n* Anerkennung *f*; (*of truth*, *defeat*) Eingeständnis *nt*; (*of letter*) Empfangsbestätigung *f*; ***he waved in ~*** er winkte zurück; ***in ~ of*** in Anerkennung (*+gen*)

acne *n* Akne *f*

acorn *n* Eichel *f*

acoustic *adj* akustisch **acoustic guitar** *n* Akustikgitarre *f* **acoustics** *n pl* (*of room*) Akustik *f*

acquaint *v/t* **1.** bekannt machen; ***to be ~ed with sth*** mit etw bekannt sein; ***to become ~ed with sth*** etw kennenlernen; *facts*, *truth* etw erfahren; ***to ~ oneself*** *or* ***to make oneself ~ed with sth*** sich mit etw vertraut machen **2.** (*with person*) ***to be ~ed with sb*** mit jdm bekannt sein; ***we're not ~ed*** wir kennen uns nicht; ***to become*** *or* ***get ~ed*** sich (näher) kennenlernen **acquaintance** *n*

1. (≈ *person*) Bekannte(r) *m/f(m)*; ***we're just ~s*** wir kennen uns bloß flüchtig; ***a wide circle of ~s*** ein großer Bekanntenkreis **2.** (*with person*) Bekanntschaft *f*; (*with subject etc*) Kenntnis *f* (*with +gen*); ***to make sb's ~*** jds Bekanntschaft machen

acquiesce *v/i* einwilligen (*in* in *+acc*)

acquiescence *n* Einwilligung *f* (*in* in *+acc*)

acquire *v/t* erwerben; (*by dubious means*) sich (*dat*) aneignen; *Gewohnheit* annehmen; ***where did you ~ that?*** woher hast du das?; ***to ~ a taste/liking for sth*** Geschmack/Gefallen an etw (*dat*) finden; ***caviar is an ~d taste*** Kaviar ist (nur) für Kenner **acquisition** *n* **1.** (≈ *act*) Erwerb *m*; (*by dubious means*) Aneignung *f* **2.** (≈ *thing acquired*) Anschaffung *f* **acquisitive** *adj* habgierig

acquit I *v/t* freisprechen; ***to be ~ted of a crime*** von einem Verbrechen freigesprochen werden **II** *v/r* ***he ~ted himself well*** er hat seine Sache gut gemacht **acquittal** *n* Freispruch *m* (*on* von)

acre *n* ≈ Morgen *m*

acrid *adj taste* bitter; *smell* säuerlich; *smoke* beißend

acrimonious *adj* erbittert; *divorce* verbittert ausgefochten **acrimony** *n* erbitterte Schärfe

acrobat *n* Akrobat(in) *m(f)* **acrobatic** *adj* akrobatisch **acrobatics** *pl* Akrobatik *f*

acronym *n* Akronym *nt*

across I *adv* **1.** (≈ *to the other side*) hinüber; (≈ *from the other side*) herüber; (≈ *crosswise*) (quer)durch; ***shall I go ~ first?*** soll ich zuerst hinüber(gehen)?; ***~ from your house*** eurem Haus gegenüber **2.** (*measurement*) breit; (*of round object*) im Durchmesser **3.** (*in crosswords*) waagerecht **II** *prep* **1.** (*direction*) über (*+acc*); (≈ *diagonally across*) quer durch (*+acc*); ***to run ~ the road*** über die Straße laufen; ***to wade ~ a river*** durch einen Fluss waten; ***a tree fell ~ the path*** ein Baum fiel quer über den Weg; ***~ country*** querfeldein **2.** (*position*) über (*+dat*); ***a tree lay ~ the path*** ein Baum lag quer über dem Weg; ***he was sprawled ~ the bed*** er lag quer auf dem Bett; ***from ~ the sea*** von der anderen Seite des Meeres; ***he lives ~ the street from us*** er wohnt uns gegenüber; ***you could hear him*** (***from***) ***~ the hall*** man konnte ihn von der anderen Seite der Halle hören **across-the-board** *adj attr* allgemein; → ***board***

acrylic I *n* Acryl *nt* **II** *adj* Acryl-; *dress* aus Acryl

act I *n* **1.** (≈ *deed*) Tat *f*; (≈ *official*) Akt *m*; ***an ~ of mercy*** ein Gnadenakt *m*; ***an ~ of God*** eine höhere Gewalt *no pl*; ***an ~ of war*** eine kriegerische Handlung; ***an ~ of madness*** ein Akt *m* des Wahnsinns; ***to catch sb in the ~ of doing sth*** jdn dabei ertappen, wie er etw tut **2.** PARL Gesetz *nt* **3.** THEAT Akt *m*; (≈ *turn*) Nummer *f*; ***a one-~ play*** ein Einakter *m*; ***to get in on the ~*** (*fig infml*) mit von der Partie sein; ***he's really got his ~ together*** (*infml*) (≈ *is organized, efficient with sth*) er hat die Sache wirklich im Griff; (*in seinem Dasein*) er hat im Leben erreicht, was er wollte; ***she'll be a hard*** *or* ***tough ~ to follow*** man wird es ihr nur schwer gleichmachen **4.** (*fig*) Theater *nt*; ***to put on an ~*** Theater spielen **II** *v/t* spielen; ***to ~ the innocent*** die gekränkte Unschuld spielen **III** *v/i* **1.** THEAT spielen; (≈ *to be an actor*) schauspielern; (*fig*) Theater spielen; ***he's only ~ing*** er tut (doch) nur so; ***to ~ innocent*** *etc* sich unschuldig *etc* stellen **2.** (≈ *function: drug*) wirken; ***to ~ as ...*** wirken als ...; (≈ *have function*) fungieren als ...; ***to ~ on behalf of sb*** jdn vertreten **3.** (≈ *behave*) sich verhalten; ***she ~ed as if*** *or* ***as though she was surprised*** sie tat so, als ob sie überrascht wäre **4.** (≈ *take action*) handeln; ***the police couldn't ~*** die Polizei konnte nichts unternehmen ◆ **act on** *v/i +prep obj* **1.** (≈ *affect*) wirken auf (*+acc*) **2.** *warning* handeln auf (*+acc*) ... hin; *advice* folgen (*+dat*); ***acting on an impulse*** einer plötzlichen Eingebung folgend ◆ **act out** *v/t sep* durchspielen ◆ **act up** *v/i* (*infml*) jdm Ärger machen; (*person*) Theater machen (*infml*); (*to attract attention*) sich aufspielen; (*machine*) verrückt spielen (*infml*); ***my back is acting up*** mein Rücken macht mir Ärger ◆ **act upon** *v/i +prep obj* = ***act on***

acting I *adj* **1.** stellvertretend *attr* **2.** *attr* THEAT schauspielerisch **II** *n* (THEAT ≈ *performance*) Darstellung *f*; (≈ *activity*) Spielen *nt*; (≈ *profession*) Schauspielerei *f*; ***he's done some ~*** er hat schon Theater gespielt

action *n* **1.** *no pl* (≈ *activity*) Handeln *nt*; (*of novel etc*) Handlung *f*; ***a man of ~*** ein Mann der Tat; ***to take ~*** etwas unternehmen; ***course of ~*** Vorgehen *nt*; ***no further ~*** keine weiteren Maßnahmen **2.** (≈ *deed*) Tat *f* **3.** (≈ *operation*) ***in/out of ~*** in/nicht in Aktion; *machine* in/außer Betrieb; ***to go into ~*** in Aktion treten; ***to put a plan into ~*** einen Plan in die Tat umsetzen; ***he's been out of ~ since he broke his leg*** er war nicht mehr einsatzfähig, seit er sich das Bein gebrochen hat **4.** (≈ *exciting events*) Action *f* (*sl*); ***there's no ~ in this film*** in dem Film passiert nichts **5.** (MIL ≈ *fighting*) Aktionen *pl*; ***enemy ~*** feindliche Handlungen *pl*; ***killed in ~*** gefallen; ***the first time they went into ~*** bei ihrem ersten Einsatz **6.** (*of machine*) Arbeitsweise *f*; (*of watch, gun*) Mechanismus *m*; (*of athlete etc*) Bewegung *f* **7.** (≈ *effect*) Wirkung *f* (*on* auf *+acc*) **8.** JUR Klage *f*; ***to bring an ~*** (***against sb***) eine Klage (gegen jdn) anstrengen **action film** *n* Actionfilm *m* **action group** *n* Aktionsgruppe *f* **action movie** *n* (*esp US*) Actionfilm *m* **action-packed** *adj* aktionsgeladen **action replay** *n* Wiederholung *f* **action shot** *n* PHOT Actionfoto *nt*; FILM Actionszene *f* **action stations** *pl* Stellung *f*; ***~!*** Stellung!; (*fig*) an die Plätze!

activate *v/t mechanism* betätigen; (*switch*) in Gang setzen; *alarm* auslösen; *bomb* zünden; CHEM, PHYS aktivieren

active *adj* aktiv; *mind, social life* rege; ***to be politically/sexually ~*** politisch/sexuell aktiv sein; ***on ~ service*** MIL im Einsatz; ***to be on ~ duty*** (*esp US* MIL) aktiven Wehrdienst leisten; ***he played an ~ part in it*** er war aktiv daran beteiligt; ***~ ingredient*** CHEM aktiver Bestandteil **actively** *adv* aktiv; *dislike* offen **activist** *n* Aktivist(in) *m(f)* **activity** *n* **1.** *no pl* Aktivität *f*; (*in town, office*) geschäftiges Treiben **2.** (≈ *pastime*) Betätigung *f*; ***the church organizes many activities*** die Kirche organisiert viele Veranstaltungen; ***criminal activities*** kriminelle Aktivitäten *pl* **activity holiday** *n* (*Br*) Aktivurlaub *m*

actor *n* Schauspieler(in) *m(f)*

actress *n* Schauspielerin *f*

actual *adj* eigentlich; *result* tatsächlich; *case, example* konkret; ***in ~ fact*** eigentlich; ***what were his ~ words?*** was genau hat er gesagt?; ***this is the ~ house*** das ist hier das Haus; ***~ size*** Originalgröße *f*

actually *adv* **1.** (*used as a filler*) ***~ I haven't started yet*** ich habe noch (gar) nicht damit angefangen **2.** (≈ *in actual fact*) eigentlich; (≈ *by the way*) übrigens; ***as you said before, and ~ you were quite right*** wie Sie schon sagten, und eigentlich hatten Sie völlig recht; ***~ you were quite right, it was a bad idea*** Sie hatten übrigens völlig recht, es war eine schlechte Idee; ***I'm going soon, tomorrow ~*** ich gehe bald, nämlich morgen **3.** (≈ *truly*) tatsächlich; ***if you ~ own an apartment*** wenn Sie tatsächlich eine Wohnung besitzen; ***oh, you're ~ in/ready!*** oh, du bist sogar da/fertig!; ***I haven't ~ started yet*** ich habe noch nicht angefangen; ***as for ~ doing it*** wenn es dann daran geht, es auch zu tun

actuary *n* INSUR Aktuar(in) *m(f)*

acumen *n* ***business ~*** Geschäftssinn *m*

acupuncture *n* Akupunktur *f*

acute *adj* **1.** akut; *embarrassment* riesig **2.** *eyesight* scharf; *hearing* fein **3.** MAT *angle* spitz **4.** LING ***~ accent*** Akut *m* **acutely** *adv* akut; *feel* intensiv; *embarrassed, sensitive* äußerst; ***to be ~ aware of sth*** sich (*dat*) einer Sache (*gen*) genau bewusst sein

AD *abbr of* ***Anno Domini*** n. Chr., A.D.

ad *n abbr of* ***advertisement*** Anzeige *f*

adage *n* Sprichwort *nt*

Adam *n* ***~'s apple*** Adamsapfel *m*; ***I don't know him from ~*** (*infml*) ich habe keine Ahnung, wer er ist (*infml*)

adamant *adj* hart; *refusal* hartnäckig; ***to be ~*** unnachgiebig sein; ***he was ~ about going*** er bestand hartnäckig darauf zu gehen **adamantly** *adv* hartnäckig; ***to be ~ opposed to sth*** etw scharf ablehnen

adapt **I** *v/t* anpassen (*to +dat*); *machine* umstellen (*to, for* auf *+acc*); *vehicle, building* umbauen (*to, for* für); *text* bearbeiten (*for* für); ***~ed from the Spanish*** aus dem Spanischen übertragen und bearbeitet **II** *v/i* sich anpassen (*to +dat*) **adaptability** *n* Anpassungsfähigkeit *f* **adaptable** *adj* anpassungsfähig **adaptation** *n* (*of book etc*) Bearbeitung *f* **adapter** *n* ELEC Adapter *m* **adaptor** *n* = ***adapter***

ADD *abbr of* ***attention deficit disorder*** ADS

add I *v/t* **1.** MAT addieren; (≈ *add on*) dazuzählen (*to* zu); ***to ~ 8 to 5*** 8 zu 5 hinzuzählen **2.** *ingredients, comment etc* hinzufügen (*to* zu); (≈ *build on*) anbauen; ***~ed to which ...*** hinzu kommt, dass ...; ***transport ~s 10% to the cost*** es kommen 10% Transportkosten hinzu; ***they ~ 10% for service*** sie rechnen 10% für Bedienung dazu; ***to ~ value to sth*** den Wert einer Sache (*gen*) erhöhen **II** *v/i* **1.** MAT addieren; ***she just can't ~*** sie kann einfach nicht rechnen **2.** ***to ~ to sth*** zu etw beitragen; ***it will ~ to the time the job takes*** es wird die Arbeitszeit verlängern ◆ **add on** *v/t sep amount* dazurechnen; *room* anbauen; *comments* anfügen ◆ **add up I** *v/t sep* zusammenzählen **II** *v/i* (*figures etc*) stimmen; (*fig*) sich reimen; ***it all adds up*** (*lit*) es summiert sich; (*fig*) es passt alles zusammen; ***to ~ to*** (*figures*) ergeben

added *adj attr* zusätzlich; ***~ value*** Mehrwert *m*

adder *n* Viper *f*, Natter *f*

addict *n* Süchtige(r) *m*/*f*(*m*); ***he's a television/heroin ~*** er ist fernseh-/heroinsüchtig **addicted** *adj* süchtig; ***to be/become ~ to heroin/drugs*** heroin-/rauschgiftsüchtig sein/werden; ***he is ~ to sport*** Sport ist bei ihm zur Sucht geworden **addiction** *n* Sucht *f* (*to* nach); ***~ to drugs/alcohol*** Rauschgift-/Trunksucht *f* **addictive** *adj* ***to be ~*** süchtig machen; ***these drugs/watching TV can become ~*** diese Drogen können/Fernsehen kann zur Sucht werden; ***~ drug*** Suchtdroge *f*

addition *n* **1.** MAT Addition *f* **2.** (≈ *adding, thing added*) Zusatz *m* (*to* zu); (*to list*) Ergänzung *f* (*to* zu); ***in ~*** außerdem; ***in ~ (to this) he said ...*** und außerdem sagte er ...; ***in ~ to her other hobbies*** zusätzlich zu ihren anderen Hobbys **additional** *adj* zusätzlich; ***~ charge*** Aufpreis *m* **additive** *n* Zusatz *m* **add-on** *n* IT Zusatz *m*

address I *n* **1.** (*on letter*) Adresse *f*; ***home ~*** Privatadresse *f*; (*when travelling*) Heimatanschrift *f*; ***what's your ~?*** wo wohnen Sie?; ***I've come to the wrong ~*** ich bin hier falsch *or* an der falschen Adresse; ***at this ~*** unter dieser Adresse; ***"not known at this ~"*** „Empfänger unbekannt" **2.** (≈ *speech*) Ansprache *f*; ***form of ~*** (Form *f* der) Anrede *f* **3.** IT Adresse *f* **II** *v/t* **1.** *letter* adressieren (*to* an +*acc*) **2.** *complaint* richten (*to* an +*acc*) **3.** *meeting* sprechen zu; *person* anreden; ***don't ~ me as "Colonel"*** nennen Sie mich nicht „Colonel" **4.** *problem etc* angehen **III** *v/r* ***to ~ oneself to sb*** (≈ *speak to*) jdn ansprechen **address book** *n* Adressbuch *nt* **addressee** *n* Empfänger(in) *m*(*f*) **address label** *n* Adressenaufkleber *m*

adenoids *pl* Rachenmandeln *pl*

adept *adj* geschickt (*in, at* in +*dat*)

adequacy *n* Adäquatheit *f* **adequate** *adj* adäquat; *time* genügend *inv*; ***to be ~*** (≈ *sufficient*) (aus)reichen; (≈ *good enough*) zulänglich *or* adäquat sein; ***this is just not ~*** das ist einfach unzureichend; ***more than ~*** mehr als genug; *heating* mehr als ausreichend **adequately** *adv* **1.** (≈ *sufficiently*) ausreichend **2.** (≈ *satisfactorily*) angemessen

◆ **adhere to** *v/i +prep obj plan, principle* festhalten an (+*dat*); *rule* sich halten an (+*acc*) **adherence** *n* Festhalten *nt* (*to* an +*dat*); (*to rule*) Befolgung *f* (*to* +*gen*) **adherent** *n* Anhänger(in) *m*(*f*)

adhesion *n* (*of particles etc*) Adhäsion *f*, Haftfähigkeit *f*; (*more firmly: of glue*) Klebefestigkeit *f* **adhesive I** *n* Klebstoff *m*, Pick *m* (*Aus*) **II** *adj* haftend; (*more firmly*) klebend **adhesive tape** *n* Klebstreifen *m*

ad hoc *adj, adv* ad hoc *inv*

ad infinitum *adv* für immer

adjacent *adj* angrenzend; ***to be ~ to sth*** an etw (*acc*) angrenzen; ***the ~ room*** das Nebenzimmer

adjectival *adj*, **adjectivally** *adv* adjektivisch **adjective** *n* Adjektiv *nt*

adjoin I *v/t* grenzen an (+*acc*) **II** *v/i* aneinandergrenzen **adjoining** *adj* benachbart; *esp* ARCH anstoßend; *field* angrenzend; ***the ~ room*** das Nebenzimmer; ***in the ~ office*** im Büro nebenan

adjourn I *v/t* **1.** (*to another day*) vertagen (*until* auf +*acc*); ***he ~ed the meeting for three hours*** er unterbrach die Konferenz für drei Stunden **2.** (*US* ≈ *end*) beenden **II** *v/i* **1.** (*to another day*) sich vertagen (*until* auf +*acc*); ***to ~ for lunch/one hour*** zur Mittagspause/für eine Stunde unterbrechen **2.** ***to ~ to the living room*** sich ins Wohnzimmer begeben **adjournment** *n* (*to another day*) Vertagung *f* (*until* auf +*acc*); (*within a day*)

Unterbrechung *f*
adjudicate **I** *v/t competition* Preisrichter(in) sein bei **II** *v/i* (*in competition etc*) als Preisrichter(in) fungieren **adjudication** *n* Entscheidung *f*; (≈ *result also*) Urteil *nt* **adjudicator** *n* (*in competition etc*) Preisrichter(in) *m*(*f*)
adjust **I** *v/t* **1.** (≈ *set*) einstellen; *knob*, *lever* (richtig) stellen; (≈ *correct*) nachstellen; *height*, *speed* regulieren; *figures* korrigieren; *terms* ändern; *hat*, *tie* zurechtrücken; ***do not ~ your set*** ändern Sie nichts an der Einstellung Ihres Geräts **2.** ***to ~ oneself to sth*** *to new circumstances etc* sich einer Sache (*dat*) anpassen **3.** INSUR *claim* regulieren **II** *v/i* (*to new circumstances etc*) sich anpassen (*to* +*dat*) **adjustable** *adj* verstellbar; *speed*, *temperature* regulierbar **adjustment** *n* **1.** (≈ *setting*) Einstellung *f*; (*of knob*, *lever*) (richtige) Stellung; (≈ *correction*) Nachstellung *f*; (*of height*, *speed*) Regulierung *f*; (*of terms*) Änderung *f*; ***to make ~s*** Änderungen vornehmen; ***to make ~s to one's plans*** seine Pläne ändern **2.** (*socially etc*) Anpassung *f* **3.** INSUR Regulierung *f*
adjutant *n* MIL Adjutant(in) *m*(*f*)
ad lib *adv* aus dem Stegreif **ad-lib** *v/t & v/i* improvisieren
admin *abbr of* ***administration*** **administer** *v/t* **1.** *institution*, *funds* verwalten; *affairs* führen **2.** *punishment* verhängen (*to* über +*acc*); ***to ~ justice*** Recht sprechen **3.** *medicine* verabreichen (*to sb* jdm) **administrate** *v/t* = ***administer*** **administration** *n* **1.** *no pl* Verwaltung *f*; (*of project etc*) Organisation *f*; ***to spend a lot of time on ~*** viel Zeit auf Verwaltungsangelegenheiten verwenden **2.** (≈ *government*) Regierung *f*; ***the Merkel ~*** die Regierung Merkel **3.** *no pl* ***the ~ of justice*** die Rechtsprechung **administrative** *adj* administrativ **administrative body** *n* Verwaltungsbehörde *f* **administrative costs** *pl* Verwaltungskosten *pl* **administrator** *n* Verwalter(in) *m*(*f*); JUR Verwaltungsbeamte(r) *m*/-beamtin *f*
admirable *adj*, **admirably** *adv* (≈ *laudable*) bewundernswert; (≈ *excellent*) ausgezeichnet
admiral *n* Admiral(in) *m*(*f*) **Admiralty** *n* (*Br*) Admiralität *f*; (≈ *department*, *building*) britisches Marineministerium
admiration *n* Bewunderung *f*; ***to win the ~ of all/of the world*** (*person*, *object*) von allen/von aller Welt bewundert werden
admire *v/t* bewundern **admirer** *n* Verehrer(in) *m*(*f*) **admiring** *adj*, **admiringly** *adv* bewundernd
admissible *adj* zulässig **admission** *n* **1.** (≈ *entry*) Zutritt *m*; (*to university*) Zulassung *f*; (*to hospital*) Einlieferung *f* (*to* in +*acc*); (≈ *price*) Eintritt *m*; ***to gain ~ to a building*** Zutritt zu einem Gebäude erhalten; ***~ fee*** Eintrittspreis *m* **2.** (JUR, *of evidence etc*) Zulassung *f* **3.** (≈ *confession*) Eingeständnis *nt*; ***on*** *or* ***by his own ~*** nach eigenem Eingeständnis; ***that would be an ~ of failure*** das hieße, sein Versagen eingestehen
admit *v/t* **1.** (≈ *let in*) hereinlassen; (≈ *permit to join*) aufnehmen (*to* in +*acc*); ***children not ~ted*** kein Zutritt für Kinder; ***to be ~ted to hospital*** ins Krankenhaus eingeliefert werden; ***this ticket ~s two*** die Karte ist für zwei (Personen) **2.** (≈ *acknowledge*) zugeben; ***do you ~ (to) stealing his hat?*** geben Sie zu, seinen Hut gestohlen zu haben? ◆ **admit to** *v/i* +*prep obj* eingestehen; ***I have to ~ a certain feeling of admiration*** ich muss gestehen, dass mir das Bewunderung abnötigt
admittance *n* (*to building*) Zutritt *m* (*to* zu); (*to club*) Aufnahme *f* (*to* in +*acc*); ***I gained ~ to the hall*** mir wurde der Zutritt zum Saal gestattet; ***no ~ except on business*** Zutritt für Unbefugte verboten **admittedly** *adv* zugegebenermaßen; ***~ this is true*** zugegeben, das stimmt
admonish *v/t* ermahnen (*for* wegen) **admonishment, admonition** *n* (*form*) **1.** (≈ *rebuke*) Tadel *m* **2.** (≈ *warning*) Ermahnung *f*
ad nauseam *adv* bis zum Überdruss
ado *n* ***much ~ about nothing*** viel Lärm um nichts; ***without more*** *or* ***further ~*** ohne Weiteres
adolescence *n* **1.** Jugend *f* **2.** (≈ *puberty*) Pubertät *f* **adolescent** **I** *n* Jugendliche(r) *m*/*f*(*m*) **II** *adj* **1.** Jugend- **2.** (≈ *in puberty*) pubertär
adopt *v/t* **1.** *child* adoptieren; ***your cat has ~ed me*** (*infml*) deine Katze hat sich mir angeschlossen **2.** *idea*, *method* übernehmen; *mannerisms* annehmen **adopted** *adj* Adoptiv-, adoptiert; ***~ child*** Adoptivkind *nt*; ***her ~ country*** ihre Wahl-

heimat **adoption** *n* **1.** (*of child*) Adoption *f* **2.** (*of method, idea*) Übernahme *f*; (*of mannerisms*) Annahme *f* **adoption agency** *n* Adoptionsagentur *f* **adoptive** *adj* Adoptiv-; **~ *parents*** Adoptiveltern *pl*; **~ *home/country*** Wahlheimat *f*

adorable *adj* bezaubernd; ***she is ~*** sie ist ein Schatz **adoration** *n* **1.** (*of God*) Anbetung *f* **2.** (*of family, wife*) grenzenlose Liebe (*of* für) **adore** *v/t* **1.** *God* anbeten **2.** *family, wife* über alles lieben **3.** (*infml*) *whisky etc* (über alles) lieben **adoring** *adj*, **adoringly** *adv* bewundernd

adorn *v/t* schmücken

adrenalin(e) *n* MED Adrenalin *nt*; ***working under pressure gets the ~ going*** Arbeiten unter Druck weckt ungeahnte Kräfte

Adriatic (Sea) *n* Adria *f*

adrift *adv, adj pred* **1.** NAUT treibend; ***to be ~*** treiben **2.** (*fig*) ***to come ~*** (*wire etc*) sich lösen

adroit *adj* geschickt **adroitly** *adv* geschickt

ADSL TEL *abbr of* ***asymmetric digital subscriber line*** ADSL *nt*

adulation *n* Verherrlichung *f*

adult I *n* Erwachsene(r) *m/f(m)*; ***~s only*** nur für Erwachsene **II** *adj* **1.** *person* erwachsen; *animal* ausgewachsen; ***he spent his ~ life in New York*** er hat sein Leben als Erwachsener in New York verbracht **2.** *film, classes* für Erwachsene; **~ *education*** Erwachsenenbildung *f*

adulterate *v/t wine etc* panschen; *food* abwandeln **adulteration** *n* (*of wine*) Panschen *nt*; (*of food*) Abwandlung *f*

adulterer *n* Ehebrecher *m* **adulteress** *n* Ehebrecherin *f* **adulterous** *adj* ehebrecherisch **adultery** *n* Ehebruch *m*; ***to commit ~*** Ehebruch begehen

adulthood *n* Erwachsenenalter *nt*; ***to reach ~*** erwachsen werden

advance I *n* **1.** (≈ *progress*) Fortschritt *m* **2.** MIL Vormarsch *m* **3.** (≈ *money*) Vorschuss *m* (*on* auf +*acc*) **4. advances** *pl* (*amorous, fig*) Annäherungsversuche *pl* **5. *in ~*** im Voraus; ***to send sb on in ~*** jdn vorausschicken; ***£100 in ~*** £ 100 als Vorschuss; ***to arrive in ~ of the others*** vor den anderen ankommen; ***to be (well) in ~ of sb*** jdm (weit) voraus sein **II** *v/t* **1.** *date, time* vorverlegen **2.** MIL *troops* vorrücken lassen **3.** weiterbringen; *cause, career* fördern; *knowledge* vergrößern **4.** (≈ *pay beforehand*) (als) Vorschuss geben (*sb* jdm) **III** *v/i* **1.** MIL vorrücken **2.** (≈ *move forward*) vorankommen; ***to ~ toward(s) sb/sth*** auf jdn/etw zugehen **3.** (*fig* ≈ *progress*) Fortschritte *pl* machen **advance booking** *n* Reservierung *f*; THEAT Vorverkauf *m* **advance booking office** *n* THEAT Vorverkaufsstelle *f* **advance copy** *n* Vorausexemplar *nt* **advanced** *adj* **1.** *student, level, age, technology* fortgeschritten; *studies* höher; *version* weiterentwickelt; *society* hoch entwickelt; ***he is very ~ for his age*** er ist für sein Alter sehr weit **2.** *plan* ausgefeilt; ***in the ~ stages of the disease*** im fortgeschrittenen Stadium der Krankheit **advancement** *n* **1.** (≈ *furtherance*) Förderung *f* **2.** (≈ *promotion in rank*) Aufstieg *m* **advance notice** *n* frühzeitiger Bescheid; (*of sth bad*) Vorwarnung *f*; ***to be given ~*** frühzeitig Bescheid/eine Vorwarnung erhalten **advance payment** *n* Vorauszahlung *f* **advance warning** *n* = ***advance notice***

advantage *n* Vorteil *m*; ***to have an ~ (over sb)*** (jdm gegenüber) im Vorteil sein; ***that gives you an ~ over me*** damit sind Sie mir gegenüber im Vorteil; ***to have the ~ of sb*** jdm überlegen sein; ***to take ~ of sb*** (≈ *exploit*) jdn ausnutzen; (*euph: sexually*) jdn missbrauchen; ***to take ~ of sth*** etw ausnutzen; ***he turned it to his own ~*** er machte es sich (*dat*) zunutze; ***to use sth to one's ~*** etw für sich nutzen **advantageous** *adj* vorteilhaft; ***to be ~ to sb*** für jdn von Vorteil sein

advent *n* **1.** (*of age, era*) Beginn *m*; (*of jet plane etc*) Aufkommen *nt* **2.** ECCL ***Advent*** Advent *m* **Advent calendar** *n* Adventskalender *m*

adventure I *n* **1.** Abenteuer *nt* **2.** *no pl* ***love/spirit of ~*** Abenteuerlust *f*; ***to look for ~*** (das) Abenteuer suchen **II** *attr* Abenteuer- **adventure playground** *n* Abenteuerspielplatz *m* **adventurer** *n* Abenteurer(in) *m(f)* **adventurous** *adj person* abenteuerlustig; *journey* abenteuerlich

adverb *n* Adverb *nt* **adverbial** *adj*, **adverbially** *adv* adverbial

adversary *n* Widersacher(in) *m(f)*; (*in contest*) Gegner(in) *m(f)* **adverse** *adj* ungünstig; *reaction* negativ **adversely**

adv negativ **adversity** *n no pl* Not *f*; ***in ~*** im Unglück
advert *n* (*infml*) *abbr of* **advertisement** Anzeige *f*; (*on TV*, *radio*) Werbespot *m*
advertise I *v/t* **1.** (≈ *publicize*) werben für; ***I've seen that soap ~d on television*** ich habe die Werbung für diese Seife im Fernsehen gesehen **2.** (*in paper*) *flat etc* inserieren; *job* ausschreiben; ***to ~ sth in a shop window/on local radio*** etw durch eine Schaufensteranzeige/im Regionalsender anbieten **II** *v/i* **1.** COMM werben **2.** (*in paper*) inserieren; ***to ~ for sb/sth*** jdn/etw (per Anzeige) suchen; ***to ~ for sth on local radio/in a shop window*** etw per Regionalsender/durch Anzeige im Schaufenster suchen
advertisement *n* **1.** COMM Werbung *f*; (*esp in paper*) Anzeige *f* **2.** (≈ *announcement*) Anzeige *f*; ***to put*** *or* ***place an ~ in the paper*** eine Anzeige in die Zeitung setzen
advertising *n* Werbung *f*; ***he works in ~*** er ist in der Werbung (tätig) **advertising agency** *n* Werbeagentur *f* **advertising campaign** *n* Werbekampagne *f*
advice *n no pl* Rat *m no pl*; ***a piece of ~*** ein Rat(schlag) *m*; ***let me give you a piece of ~*** *or* ***some ~*** ich will Ihnen einen guten Rat geben; ***to take sb's ~*** jds Rat (be)folgen; ***take my ~*** höre auf mich; ***to seek (sb's) ~*** (jdn) um Rat fragen; ***to take legal ~*** einen Rechtsanwalt zurate ziehen
advisability *n* Ratsamkeit *f* **advisable** *adj* ratsam
advise I *v/t person* raten (+*dat*); (*professionally*) beraten; ***I would ~ you to do it/not to do it*** ich würde dir zuraten/abraten; ***to ~ sb against doing sth*** jdm abraten, etw zu tun; ***what would you ~ me to do?*** wozu würden Sie mir raten? **II** *v/i* **1.** (≈ *give advice*) raten; ***I shall do as you ~*** ich werde tun, was Sie mir raten **2.** (*US*) ***to ~ with sb*** sich mit jdm beraten
advisedly *adv* richtig; ***and I use the word ~*** ich verwende bewusst dieses Wort **adviser** *n* Ratgeber(in) *m*(*f*); (*professional*) Berater(in) *m*(*f*); ***legal ~*** Rechtsberater(in) *m*(*f*) **advisory** *adj* beratend; ***to act in a purely ~ capacity*** rein beratende Funktion haben
advocacy *n* Eintreten *nt* (*of* für); (*of plan*) Befürwortung *f* **advocate I** *n* **1.** (*of cause*) Befürworter(in) *m*(*f*) **2.** (*esp Scot*: JUR) (Rechts)anwalt *m*/-anwältin *f* **II** *v/t* eintreten für; *plan etc* befürworten
Aegean *adj* ***the ~ (Sea)*** die Ägäis
aegis *n* ***under the ~ of*** unter der Schirmherrschaft von
aeon *n* Ewigkeit *f*
aerate *v/t* mit Kohlensäure anreichern; *soil* auflockern
aerial I *n* (*esp Br*) Antenne *f* **II** *adj* Luft-; ***~ photograph*** Luftbild *nt*
aerobatics *pl* Kunstfliegen *nt*
aerobics *n sg* Aerobic *nt*
aerodrome *n* (*Br*) Flugplatz *m* **aerodynamic** *adj*, **aerodynamically** *adv* aerodynamisch **aerodynamics** *n* Aerodynamik *f* **aeronautic(al)** *adj* aeronautisch **aeronautical engineering** *n* Flugzeugbau *m* **aeronautics** *n sg* Luftfahrt *f* **aeroplane** *n* (*Br*) Flugzeug *nt* **aerosol** *n* (≈ *can*) Spraydose *f*; ***~ paint*** Sprayfarbe *f*; ***~ spray*** Aerosolspray *nt* **aerospace** *in cpds* Raumfahrt-
Aesop *n* ***~'s fables*** die äsopischen Fabeln
aesthete, (*US*) **esthete** *n* Ästhet(in) *m*(*f*) **aesthetic(al)**, (*US*) **esthetic(al)** *adj* ästhetisch **aesthetically**, (*US*) **esthetically** *adv* in ästhetischer Hinsicht; ***~ pleasing*** ästhetisch schön **aesthetics**, (*US*) **esthetics** *n sg* Ästhetik *f*
afar *adv* (*liter*) ***from ~*** aus der Ferne
affable *adj*, **affably** *adv* umgänglich
affair *n* **1.** Sache *f*; ***the Watergate ~*** die Watergate-Affäre; ***this is a sorry state of ~s!*** das sind ja schöne Zustände!; ***your private ~s don't concern me*** deine Privatangelegenheiten sind mir egal; ***financial ~s have never interested me*** Finanzfragen haben mich nie interessiert; ***that's my ~!*** das ist meine Sache! **2.** (≈ *love affair*) Verhältnis *nt*; ***to have an ~ with sb*** ein Verhältnis mit jdm haben
affect *v/t* **1.** (≈ *have effect on*) sich auswirken auf (+*acc*); (*detrimentally*) angreifen; *health* schaden (+*dat*) **2.** (≈ *concern*) betreffen **3.** (≈ *move*) berühren **4.** (*diseases*) befallen **affectation** *n* Affektiertheit *f no pl*; ***an ~*** eine affektierte Angewohnheit **affected** *adj*, **affectedly** *adv* affektiert **affecting** *adj* rührend **affection** *n* Zuneigung *f no pl* (*for*, *towards* zu); ***I have*** *or* ***feel a great ~ for her*** ich mag sie sehr gerne; ***you could show a little more ~ toward(s) me*** du könntest mir gegenüber etwas mehr Gefühl zei-

gen; ***he has a special place in her ~s*** er nimmt einen besonderen Platz in ihrem Herzen ein **affectionate** *adj* liebevoll **affectionately** *adv* liebevoll; ***yours ~, Wendy*** (*letter-ending*) in Liebe, Deine Wendy

affidavit *n* JUR eidesstattliche Erklärung

affiliate I *v/t* angliedern (*to +dat*); ***the two banks are ~d*** die zwei Banken sind aneinander angeschlossen; ***~d company*** Schwesterfirma *f* **II** *v/i* sich angliedern (*with* an *+acc*) **affiliation** *n* Angliederung *f* (*to*, *with* an *+acc*); ***what are his political ~s?*** was ist seine politische Zugehörigkeit?

affinity *n* **1.** (≈ *liking*) Neigung *f* (*for*, *to* zu) **2.** (≈ *resemblance*, *connection*) Verwandtschaft *f*

affirm *v/t* versichern; (*forcefully*) beteuern **affirmation** *n* Versicherung *f*; (*forceful*) Beteuerung *f* **affirmative I** *n* ***to answer in the ~*** mit Ja antworten **II** *adj* bejahend; ***the answer is ~*** die Antwort ist bejahend *or* ja; ***~ action*** (*US*) ≈ positive Diskrimierung (*bei der Vergabe von Arbeits- und Studienplätzen etc*) **III** *int* richtig **affirmatively** *adv* bejahend

affix *v/t* anbringen (*to* auf *+dat*)

afflict *v/t* plagen; (*troubles*, *injuries*) heimsuchen; ***to be ~ed by a disease*** an einer Krankheit leiden **affliction** *n* (*blindness etc*) Gebrechen *nt*; (*illness*) Beschwerde *f*

affluence *n* Wohlstand *m* **affluent** *adj* reich, wohlhabend

afford *v/t* **1.** sich (*dat*) leisten; ***I can't ~ to buy both of them/to make a mistake*** ich kann es mir nicht leisten, beide zu kaufen/einen Fehler zu machen; ***I can't ~ the time*** ich habe einfach nicht die Zeit **2.** (*liter* ≈ *provide*) (*sb sth* jdm etw) gewähren; *pleasure* bereiten **affordable** *adj*, **affordably** *adv* (≈ *inexpensive*) *price* erschwinglich; (≈ *reasonably priced*) finanziell möglich *or* tragbar

afforestation *n* Aufforstung *f*

affray *n esp* JUR Schlägerei *f*

affront *n* Affront *m* (*to* gegen)

Afghan I *n* **1.** Afghane *m*, Afghanin *f* **2.** (≈ *language*) Afghanisch *nt* **3.** (*a.* **Afghan hound**) Afghane *m* **II** *adj* afghanisch **Afghanistan** *n* Afghanistan *nt*

aficionado *n*, *pl* **-s** Liebhaber(in) *m*(*f*)

afield *adv* ***countries further ~*** weiter entfernte Länder; ***to venture further ~*** (*lit*, *fig*) sich etwas weiter (vor)wagen

aflame *adj pred*, *adv* in Flammen

afloat *adj pred*, *adv* **1.** NAUT ***to be ~*** schwimmen; ***to stay ~*** sich über Wasser halten; (*thing*) schwimmen; ***at last we were ~ again*** endlich waren wir wieder flott **2.** (*fig*) ***to get/keep a business ~*** ein Geschäft auf die Beine stellen/über Wasser halten

afoot *adv* ***there is something ~*** da ist etwas im Gange

aforementioned, aforesaid *adj attr* (*form*) oben genannt

afraid *adj pred* **1.** ***to be ~ (of sb/sth)*** (vor jdm/etw) Angst haben; ***don't be ~!*** keine Angst!; ***there's nothing to be ~ of*** Sie brauchen keine Angst zu haben; ***I am ~ of hurting him*** ich fürchte, ich könnte ihm wehtun; ***to make sb ~*** jdm Angst machen; ***I am ~ to leave her alone*** ich habe Angst davor, sie allein zu lassen; ***I was ~ of waking the children*** ich wollte die Kinder nicht wecken; ***he's not ~ to say what he thinks*** er scheut sich nicht zu sagen, was er denkt; ***that's what I was ~ of, I was ~ that would happen*** das habe ich befürchtet; ***to be ~ for sb/sth*** (≈ *worried*) Angst um jdn/etw haben **2.** (*expressing polite regret*) ***I'm ~ I can't do it*** leider kann ich es nicht machen; ***are you going? — I'm ~ not/I'm ~ so*** gehst du? — leider nicht/ja, leider

afresh *adv* noch einmal von Neuem

Africa *n* Afrika *nt*

African I *n* Afrikaner(in) *m*(*f*) **II** *adj* afrikanisch **African-American I** *adj* afroamerikanisch **II** *n* Afroamerikaner(in) *m*(*f*)

Afrikaans *n* Afrikaans *nt* **Afrikaner** *n* Afrika(a)nder(in) *m*(*f*)

Afro-American I *adj* afroamerikanisch **II** *n* Afroamerikaner(in) *m*(*f*) **Afro-Caribbean I** *adj* afrokaribisch **II** *n* Afrokaribe *m*, Afrokaribin *f*

aft NAUT *adv sit* achtern; *go* nach achtern

after I *prep* nach (*+dat*); ***~ dinner*** nach dem Essen; ***~ that*** danach; ***the day ~ tomorrow*** übermorgen; ***the week ~ next*** übernächste Woche; ***ten ~ eight*** (*US*) zehn nach acht; ***~ you*** nach Ihnen; ***I was ~ him*** (*in queue etc*) ich war nach ihm dran; ***he shut the door ~ him*** er machte die Tür hinter ihm zu; ***about a mile ~ the village*** etwa eine Meile nach dem Dorf; ***to shout ~ sb*** hinter jdm herrufen; ***~ what has happened*** nach allem, was geschehen ist; ***to do sth ~ all*** etw schließlich doch tun; ***~ all I've done for you!*** und das nach allem, was ich für dich getan habe!; ***~ all, he is your brother*** er ist immerhin dein Bruder; ***you tell me lie ~ lie*** du erzählst mir eine Lüge nach der anderen; ***it's just one thing ~ another*** *or* ***the other*** es kommt eins zum anderen; ***one ~ the other*** eine(r, s) nach der/dem anderen; ***day ~ day*** Tag für Tag; ***before us lay mile ~ mile of barren desert*** vor uns erstreckte sich meilenweit trostlose Wüste; ***~ El Greco*** in der Art von El Greco; ***she takes ~ her mother*** sie kommt ganz nach ihrer Mutter; ***to be ~ sb/sth*** hinter jdm/etw her sein; ***she asked ~ you*** sie hat sich nach dir erkundigt; ***what are you ~?*** was willst du?; ***he's just ~ a free meal*** er ist nur auf ein kostenloses Essen aus **II** *adv* (*time, order*) danach; (*place, pursuit*) hinterher; ***the week ~*** die Woche darauf; ***soon ~*** kurz danach **III** *cj* nachdem; ***~ he had closed the door he began to speak*** nachdem er die Tür geschlossen hatte, begann er zu sprechen; ***what will you do ~ he's gone?*** was machst du, wenn er weg ist?; ***~ finishing it I will ...*** wenn ich das fertig habe, werde ich ... **IV** *n* **afters** *pl* (*Br infml*) Nachtisch *m*; ***what's for ~s?*** was gibts zum Nachtisch? **afterbirth** *n* Nachgeburt *f* **aftercare** *n* (*of convalescent*) Nachbehandlung *f* **after-dinner** *adj* nach dem Essen; ***~ nap*** Verdauungsschlaf *m*; ***~ speech*** Tischrede *f* **aftereffect** *n* Nachwirkung *f* **afterglow** *n* (*fig*) angenehme Erinnerung **after-hours** *adj* nach Geschäftsschluss **afterlife** *n* Leben *nt* nach dem Tode **aftermath** *n* Nachwirkungen *pl*; ***in the ~ of sth*** nach etw

afternoon I *n* Nachmittag *m*; ***in the ~, ~s*** (*esp US*) nachmittags; ***at three o'clock in the ~*** (um) drei Uhr nachmittags; ***on Sunday ~*** (am) Sonntagnachmittag; ***on Sunday ~s*** am Sonntagnachmittag; ***on the ~ of December 2nd*** am Nachmittag des 2. Dezember; ***this/tomorrow/yesterday ~*** heute/morgen/gestern Nachmittag; ***good ~!*** guten Tag!; ***~!*** servus! (*Aus*), grüezi! (*Swiss*), Tag! (*infml*) **II** *adj attr* Nachmittags-; ***~ performance*** Nachmittagsvorstellung *f* **afternoon tea** *n* (*Br*) (Nachmittags)tee *m*

after-sales service *n* Kundendienst *m* **aftershave (lotion)** *n* Aftershave *nt* **aftershock** *n* Nachbeben *nt* **after-sun** *adj* ***~ lotion*** After-Sun-Lotion *f* **aftertaste** *n* Nachgeschmack *m*; ***to leave an unpleasant ~*** einen unangenehmen Nachgeschmack hinterlassen **afterthought** *n* nachträgliche Idee; ***the window was added as an ~*** das Fenster kam erst später dazu **afterward** *adv* (*US*) = ***afterwards***

afterwards *adv* nachher; (≈ *after that*) danach; ***this was added ~*** das kam nachträglich dazu

again *adv* **1.** wieder; ***~ and ~, time and ~*** immer wieder; ***to do sth ~*** etw noch (ein)mal tun; ***never*** *or* ***not ever ~*** nie wieder; ***if that happens ~*** wenn das noch einmal passiert; ***all over ~*** noch (ein)mal von vorn; ***what's his name ~?*** wie heißt er noch gleich?; ***to begin ~*** von Neuem anfangen; ***not ~!*** (nicht) schon wieder!; ***it's me ~*** (*arriving*) da bin ich wieder; (*phoning*) ich bins noch (ein)mal **2.** (*in quantity*) ***as much ~*** noch (ein)mal so viel; ***he's as old ~ as Mary*** er ist doppelt so alt wie Mary **3.** (≈ *on the other hand*) wiederum; (≈ *moreover*) außerdem; ***but then*** *or* ***there ~, it may not be true*** vielleicht ist es auch gar nicht wahr

against I *prep* **1.** gegen (*+acc*); ***he's ~ her going*** er ist dagegen, dass sie geht; ***to have something/nothing ~ sb/sth*** etwas/nichts gegen jdn/etw haben; ***~ their wishes*** entgegen ihrem Wunsch; ***push all the chairs right back ~ the wall*** stellen Sie alle Stühle direkt an die Wand; ***to draw money ~ security*** gegen Sicherheit Geld abheben **2.** (≈ *in preparation for*) *old age* für (*+acc*); *misfortune* im Hinblick auf (*+acc*) **3.** (≈ *compared with*) **(*as*) ~** gegenüber (*+dat*); ***she had three prizes (as) ~ his six*** sie hatte drei Preise, er hingegen sechs; ***the advantages of flying (as) ~ going by boat*** die Vorteile von Flugreisen gegenüber Schiffsreisen **II** *adj pred* (≈ *not in favour*) dagegen

age I *n* **1.** Alter *nt*; ***what is her ~?, what ~ is she?*** wie alt ist sie?; ***he is ten years of ~*** er ist zehn Jahre alt; ***at the ~ of 15, at ~ 15*** mit 15 Jahren; ***at your ~*** in deinem Alter; ***but he's twice your ~*** aber er ist ja doppelt so alt wie du; ***she doesn't***

look her ~ man sieht ihr ihr Alter nicht an; ***be** or **act your ~!*** sei nicht kindisch! **2.** JUR ***to come of ~*** volljährig werden; (*fig*) den Kinderschuhen entwachsen; ***under ~*** minderjährig; ***~ of consent*** (*for marriage*) Ehemündigkeitsalter *nt*; ***intercourse with girls under the ~ of consent*** Unzucht *f* mit Minderjährigen **3.** (≈ *period*) Zeit(alter *nt*) *f*; ***the ~ of technology*** das technologische Zeitalter; ***the Stone ~*** die Steinzeit; ***the Edwardian ~*** die Zeit *or* Ära Edwards VII; ***down the ~s*** durch alle Zeiten **4.** (*infml*) ***~s, an ~*** eine Ewigkeit (*infml*); ***I haven't seen him for ~s*** ich habe ihn eine Ewigkeit nicht gesehen (*infml*); ***to take ~s*** eine Ewigkeit dauern (*infml*); (*person*) ewig brauchen (*infml*) **II** *v/i* altern; (*wine*) reifen; ***you have ~d*** du bist alt geworden **age bracket** *n* Altersklasse *f* **aged I** *adj* **1.** im Alter von; ***a boy ~ ten*** ein zehnjähriger Junge **2.** *person* betagt **II** *pl* ***the ~*** die Alten *pl* **age difference, age gap** *n* Altersunterschied *m* **age group** *n* Altersgruppe *f* **ag(e)ing** *adj person* alternd *attr*; *population* älter werdend *attr*; ***the ~ process*** das Altern **ageism** *n* Altersdiskriminierung *f* **ageless** *adj* zeitlos **age limit** *n* Altersgrenze *f*

agency *n* COMM Agentur *f*; ***translation ~*** Übersetzungsbüro *nt*

agenda *n* Tagesordnung *f*; ***they have their own ~*** sie haben ihre eigenen Vorstellungen; ***on the ~*** auf dem Programm

agent *n* **1.** (COMM ≈ *person*) Vertreter(in) *m(f)*; (≈ *organization*) Vertretung *f* **2.** (≈ *literary agent*, *secret agent*) Agent(in) *m(f)*; ***business ~*** Agent(in) *m(f)* **3.** CHEM ***cleansing ~*** Reinigungsmittel *nt*

age-old *adj* uralt **age range** *n* Altersgruppe *f* **age-related** *adj* altersbedingt; ***~ allowance*** FIN Altersfreibetrag *m*

aggravate *v/t* **1.** (≈ *make worse*) verschlimmern **2.** (≈ *annoy*) aufregen; (*deliberately*) reizen **aggravating** *adj* ärgerlich; *child* lästig **aggravation** *n* **1.** (≈ *worsening*) Verschlimmerung *f* **2.** (≈ *annoyance*) Ärger *m*; ***she was a constant ~ to him*** sie reizte ihn ständig

aggregate I *n* Gesamtmenge *f*; ***on ~*** SPORTS in der Gesamtwertung **II** *adj* gesamt, Gesamt-

aggression *n no pl* Aggression *f*; (≈ *aggressiveness*) Aggressivität *f*; ***an act of ~*** ein Angriff *m* **aggressive** *adj* aggressiv; *salesman* aufdringlich (*pej*) **aggressively** *adv* aggressiv; (≈ *forcefully*) energisch **aggressiveness** *n* Aggressivität *f*; (*of salesman*) Aufdringlichkeit *f* (*pej*) **aggressor** *n* Aggressor(in) *m(f)*

aggrieved *adj* betrübt (*at*, *by* über +*acc*); (≈ *offended*) verletzt (*at*, *by* durch)

aggro *n* (*Br infml*) **1.** ***don't give me any ~*** mach keinen Ärger (*infml*); ***all the ~ of moving*** das ganze Theater mit dem Umziehen **2.** (≈ *fight*) Schlägerei *f*

aghast *adj pred* entgeistert (*at* über +*acc*)

agile *adj* wendig; *movements* gelenkig; *animal* flink; ***he has an ~ mind*** er ist geistig sehr wendig **agility** *n* Wendigkeit *f*; (*of animal*) Flinkheit *f*

aging *adj*, *n* = ***ag(e)ing***

agitate *v/t* **1.** *liquid* aufrühren; *surface of water* aufwühlen **2.** (*fig* ≈ *upset*) aufregen **agitated** *adj*, **agitatedly** *adv* aufgeregt **agitation** *n* **1.** (*fig* ≈ *anxiety*) Erregung *f* **2.** POL Agitation *f* **agitator** *n* Agitator(in) *m(f)*

aglow *adj pred* ***to be ~*** glühen

AGM *abbr of* ***annual general meeting*** JHV *f*

agnostic I *adj* agnostisch **II** *n* Agnostiker(in) *m(f)* **agnosticism** *n* Agnostizismus *m*

ago *adv* vor; ***years/a week ~*** vor Jahren / einer Woche; ***a little while ~*** vor Kurzem; ***that was years ~*** das ist schon Jahre her; ***how long ~ is it since you last saw him?*** wie lange haben Sie ihn schon nicht mehr gesehen?; ***that was a long time** or **long ~*** das ist schon lange her; ***as long ~ as 1950*** schon 1950

agog *adj pred* gespannt; ***the whole village was ~ (with curiosity)*** das ganze Dorf platzte fast vor Neugierde

agonize *v/i* sich (*dat*) den Kopf zermartern (*over* über +*acc*) **agonized** *adj* gequält **agonizing** *adj* qualvoll **agonizingly** *adv* qualvoll; ***~ slow*** aufreizend langsam **agony** *n* Qual *f*; ***that's ~*** das ist eine Qual; ***to be in ~*** Qualen leiden **agony aunt** *n* (*Br infml*) Briefkastentante *f* (*infml*) **agony column** *n* (*Br infml*) Kummerkasten *m*

agoraphobia *n* MED Platzangst *f* **agoraphobic** MED **I** *adj* agoraphobisch (*tech*) **II** *n* an Platzangst Leidende(r) *m/f(m)*

agrarian *adj* Agrar-

agree *pret*, *past part* **agreed I** *v/t* **1.** *price* *etc* vereinbaren **2.** (≈ *consent*) ***to ~ to do sth*** sich bereit erklären, etw zu tun **3.** (≈ *admit*) zugeben **4.** (≈ *come to or be in agreement about*) zustimmen (+*dat*); ***we all ~ that ...*** wir sind alle der Meinung, dass ...; ***it was ~d that ...*** man einigte sich darauf, dass ...; ***we ~d to do it*** wir haben beschlossen, das zu tun; ***we ~ to differ*** wir sind uns einig, dass wir uns uneinig sind **II** *v/i* **1.** (≈ *hold same opinion*) einer Meinung sein; (≈ *come to an agreement*) sich einigen (*about* über +*acc*); ***to ~ with sb*** jdm zustimmen; ***I ~!*** der Meinung bin ich auch; ***I couldn't ~ more/less*** ich bin völlig/überhaupt nicht dieser Meinung; ***it's too late now, don't*** *or* ***wouldn't you ~?*** meinen Sie nicht auch, dass es jetzt zu spät ist?; ***to ~ with sth*** (≈ *approve of*) mit etw einverstanden sein; ***to ~ with a theory*** *etc* (*accept*) eine Theorie *etc* akzeptieren **2.** (*statements*, *figures*, GRAM) übereinstimmen **3.** (*food*, *climate etc*) ***whisky doesn't ~ with me*** ich vertrage Whisky nicht ◆ **agree on** *v/i +prep obj* sich einigen auf (+*acc*) ◆ **agree to** *v/i +prep obj* zustimmen (+*dat*)

agreeable *adj* **1.** (≈ *pleasant*) angenehm **2.** *pred* ***is that ~ to you?*** sind Sie damit einverstanden? **agreeably** *adv* angenehm **agreed** *adj* **1.** *pred* (≈ *in agreement*) einig; ***to be ~ on sth*** sich über etw einig sein; ***to be ~ on doing sth*** sich darüber einig sein, etw zu tun; ***are we all ~?*** sind wir uns da einig?; (*on course of action*) sind alle einverstanden? **2.** (≈ *arranged*) vereinbart; ***it's all ~*** es ist alles abgesprochen; ***~?*** einverstanden?; ***~!*** (*regarding price etc*) abgemacht; (≈ *I agree*) stimmt

agreement *n* **1.** (≈ *arrangement*) Übereinkunft *f*; (≈ *contract*) Abkommen *nt*; ***to enter into an ~*** einen Vertrag (ab)schließen; ***to reach*** **(*an*)** ***~*** zu einer Einigung kommen **2.** (≈ *sharing of opinion*) Einigkeit *f*; ***by mutual ~*** in gegenseitigem Einvernehmen; ***to be in ~ with sb*** mit jdm einer Meinung sein; ***to be in ~ with sth*** mit etw übereinstimmen; ***to be in ~ about sth*** über etw (*acc*) einig sein **3.** (≈ *consent*) Einwilligung *f* (*to* zu)

agribusiness *n* Agroindustrie *f* **agricultural** *adj* landwirtschaftlich; *land*, *reform* Agrar- **agricultural college** *n* Landwirtschaftsschule *f* **agriculture** *n* Landwirtschaft *f*; ***Minister of Agriculture*** (*Br*) Landwirtschaftsminister(in) *m*(*f*)

aground *adv* ***to go*** *or* ***run ~*** auf Grund laufen

ah *int* ah; (*pain*) au; (*pity*) o, ach

ahead *adv* **1.** ***the mountains lay ~*** vor uns *etc* lagen die Berge; ***the German runner was/drew ~*** der deutsche Läufer lag vorn/zog nach vorne; ***he is ~ by about two minutes*** er hat etwa zwei Minuten Vorsprung; ***to stare straight ~*** geradeaus starren; ***keep straight ~*** immer geradeaus; ***full speed ~*** (NAUT, *fig*) volle Kraft voraus; ***we sent him on ~*** wir schickten ihn voraus; ***in the months ~*** in den bevorstehenden Monaten; ***we've a busy time ~*** vor uns liegt eine Menge Arbeit; ***to plan ~*** vorausplanen **2.** ***~ of sb/sth*** vor jdm/etw; ***walk ~ of me*** geh voran; ***we arrived ten minutes ~ of time*** wir kamen zehn Minuten vorher an; ***to be/get ~ of schedule*** schneller als geplant vorankommen; ***to be ~ of one's time*** (*fig*) seiner Zeit voraus sein

ahold *n* (*esp US*) ***to get ~ of sb*** jdn erreichen; ***to get ~ of sth*** (≈ *procure*) sich (*dat*) etw besorgen; ***to get ~ of oneself*** sich zusammenreißen

ahoy *int* ***ship ~!*** Schiff ahoi!

AI *abbr of* ***artificial intelligence*** KI *f*

aid I *n* **1.** *no pl* (≈ *help*) Hilfe *f*; **(*foreign*)** ***~*** Entwicklungshilfe *f*; ***with the ~ of a screwdriver*** mithilfe eines Schraubenziehers; ***to come*** *or* ***go to sb's ~*** jdm zu Hilfe kommen; ***in ~ of the blind*** zugunsten der Blinden; ***what's all this in ~ of?*** (*infml*) wozu soll das gut sein? **2.** (≈ *equipment*, *audio-visual aid etc*) Hilfsmittel *nt* **II** *v/t* unterstützen; ***to ~ sb's recovery*** jds Heilung fördern; ***to ~ and abet sb*** JUR jdm Beihilfe leisten; (*after crime*) jdn begünstigen **aid agency** *n* Hilfsorganisation *f*

aide *n* Helfer(in) *m*(*f*); (≈ *adviser*) (persönlicher) Berater **aide-de-camp** *n*, *pl* ***aides-de-camp*** **1.** MIL Adjutant(in) *m*(*f*) **2.** = ***aide*** **aide-memoire** *n* Gedächtnisstütze *f*; (≈ *official memorandum*) Aide-memoire *nt*

aiding and abetting *n* JUR Beihilfe *f*; (*after crime*) Begünstigung *f*

AIDS, Aids *abbr of* ***acquired immune deficiency syndrome*** Aids *nt* **AIDS-infected** *adj* Aids-infiziert **AIDS-related**

adj aidsbedingt **AIDS sufferer, AIDS victim** *n* Aids-Kranke(r) *m*/*f*(*m*) **AIDS test** *n* Aidstest *m*

ailing *adj* (*lit*) kränklich; (*fig*) krankend **ailment** *n* Leiden *nt*; ***minor ~s*** leichte Beschwerden *pl*

aim I *n* **1.** Zielen *nt*; ***to take ~*** zielen (*at* auf +*acc*); ***his ~ was bad/good*** er zielte schlecht/gut **2.** (≈ *purpose*) Ziel *nt*; ***with the ~ of doing sth*** mit dem Ziel, etw zu tun; ***what is your ~ in life?*** was ist Ihr Lebensziel?; ***to achieve one's ~*** sein Ziel erreichen **II** *v/t* **1.** *missile*, *camera* richten (*at* auf +*acc*); *stone*, *pistol etc* zielen mit (*at* auf +*acc*); ***he ~ed a punch at my stomach*** sein Schlag zielte auf meinen Bauch **2.** (*fig*) *remark* richten (*at* gegen); ***this book is ~ed at the general public*** (*Br*, *US*) dieses Buch wendet sich an die Öffentlichkeit; ***to be ~ed at sth*** (*new law etc*) auf etw (*acc*) abgezielt sein **III** *v/i* **1.** (*with gun etc*) zielen (*at*, *for* auf +*acc*) **2.** (≈ *strive for*) ***isn't that ~ing a bit high?*** wollen Sie nicht etwas hoch hinaus?; ***to ~ at*** *or* ***for sth*** auf etw (*acc*) abzielen; ***with this TV programme*** (*Br*) *or* ***program*** (*US*) ***we're ~ing at a much wider audience*** mit diesem Fernsehprogramm wollen wir einen größeren Teilnehmerkreis ansprechen; ***we ~ to please*** bei uns ist der Kunde König **3.** (*infml* ≈ *intend*) ***to ~ to do sth*** vorhaben, etw zu tun **aimless** *adj*, **aimlessly** *adv* ziellos; *talk*, *act* planlos **aimlessness** *n* Ziellosigkeit *f*; (*of talk*, *action*) Planlosigkeit *f*

ain't = ***am not***, ***is not***, ***are not***, ***has not***, ***have not***

air I *n* **1.** Luft *f*; ***a change of ~*** eine Luftveränderung; ***to go out for a breath of (fresh) ~*** frische Luft schnappen (gehen); ***to go by ~*** (*person*) fliegen; (*goods*) per Flugzeug transportiert werden **2.** (*fig phrases*) ***there's something in the ~*** es liegt etwas in der Luft; ***it's still all up in the ~*** (*infml*) es ist noch alles offen; ***to clear the ~*** die Atmosphäre reinigen; ***to be walking*** *or* ***floating on ~*** wie auf Wolken gehen; ***to pull*** *or* ***pluck sth out of the ~*** (*fig*) etw auf gut Glück nennen; → ***thin*** **3.** RADIO, TV ***to be on the ~*** (*programme*) gesendet werden; (*station*) senden; ***to go off the ~*** (*broadcaster*) die Sendung beenden; (*station*) das Programm beenden **4.** (≈ *demeanour*) Auftreten *nt*; (≈ *expression*) Miene *f*; ***with an ~ of bewilderment*** mit bestürzter Miene; ***she had an ~ of mystery about her*** sie hatte etwas Geheimnisvolles an sich **5. airs** *pl* Getue *nt*, Gehabe *nt*; ***to put on ~s*** sich zieren; ***~s and graces*** Allüren *pl* **II** *v/t* **1.** *Kleider*, *Zimmer* lüften **2.** *grievance* Luft machen (+*dat*); *opinion* darlegen **3.** (*esp US* RADIO, TV) senden **III** *v/i* (*clothes etc*) (*after washing*) nachtrocknen; (*after storage*) lüften **air ambulance** *n* (≈ *aeroplane*) Rettungsflugzeug *nt*; (≈ *helicopter*) Rettungshubschrauber *m* **air bag** *n* Airbag *m* **air base** *n* Luftwaffenstützpunkt *m* **air bed** *n* (*Br*) Luftmatratze *f* **airborne** *adj* **1.** ***to be ~*** sich in der Luft befinden **2.** MIL ***~ troops*** Luftlandetruppen *pl* **air brake** *n* (*on truck*) Druckluftbremse *f* **airbrush** ART *v/t* mit der Spritzpistole bearbeiten **air cargo** *n* Luftfracht *f* **air-conditioned** *adj* klimatisiert **air conditioning** *n* (≈ *process*) Klimatisierung *f*; (≈ *system*) Klimaanlage *f*

aircraft *n*, *pl* ***aircraft*** Flugzeug *nt* **aircraft carrier** *n* Flugzeugträger *m* **aircrew** *n* Flugpersonal *nt* **airer** *n* Trockenständer *m* **airfare** *n* Flugpreis *m* **airfield** *n* Flugplatz *m* **air force** *n* Luftwaffe *f* **air freight** *n* Luftfracht *f* **air gun** *n* Luftgewehr *nt* **airhead** *n* (*pej infml*) Hohlkopf *m* (*infml*) **air hole** *n* Luftloch *nt*

air hostess *n* Stewardess *f* **airily** *adv say etc* leichthin **airing** *n* (*of linen etc*) Lüften *nt*; ***to give sth a good ~*** etw gut durchlüften lassen; ***to give an idea an ~*** (*fig infml*) eine Idee darlegen **airing cupboard** *n* (*Br*) Trockenschrank *m* **airless** *adj room* stickig **air letter** *n* Luftpostbrief *m* **airlift I** *n* Luftbrücke *f* **II** *v/t* ***to ~ sth in*** etw über eine Luftbrücke hineinbringen

airline *n* Fluggesellschaft *f* **airliner** *n* Verkehrsflugzeug *nt* **airlock** *n* (*in pipe*) Luftsack *m*

airmail I *n* Luftpost *f*; ***to send sth* (*by*) *~*** etw per Luftpost schicken **II** *v/t* per Luftpost schicken **airmail letter** *n* Luftpostbrief *m* **airman** *n* Flieger *m*; (*US*: *in air force*) Gefreite(r) *m* **air mattress** *n* Luftmatratze *f* **Air Miles®** *pl* Flugmeilen *pl* **airplane** *n* (*US*) Flugzeug *nt* **air pocket** *n* Luftloch *nt* **air pollution** *n* Luftverunreinigung *f*, Luftverschmutzung *f*

airport *n* Flughafen *m* **airport bus** *n* Flughafenbus *m* **airport tax** *n* Flughafengebühr *f*

air pressure *n* Luftdruck *m* **air pump** *n* Luftpumpe *f* **air rage** *n* aggressives Verhalten von Flugpassagieren **air raid** *n* Luftangriff *m* **air-raid shelter** *n* Luftschutzkeller *m* **air-raid warning** *n* Fliegeralarm *m* **air rifle** *n* Luftgewehr *nt* **air-sea rescue** *n* Rettung *f* durch Seenotflugzeuge **airship** *n* Luftschiff *nt* **airshow** *n* Luftfahrtausstellung *f* **airsick** *adj* luftkrank **airspace** *n* Luftraum *m* **airspeed** *n* Fluggeschwindigkeit *f* **airstrip** *n* Start-und-Lande-Bahn *f* **air terminal** *n* Terminal *m or nt* **airtight** *adj* (*lit*) luftdicht; (*fig*) *case* hieb- und stichfest **airtime** *n* RADIO, TV Sendezeit *f* **air-to-air** *adj* MIL Luft-Luft- **air traffic** *n* Flugverkehr *m*, Luftverkehr *m* **air-traffic control** *n* Flugleitung *f* **air-traffic controller** *n* Fluglotse *m*, Fluglotsin *f* **air vent** *n* **1.** Ventilator *m* **2.** (≈ *shaft*) Belüftungsschacht *m* **airwaves** *pl* Radiowellen *pl* **airway** *n* MED Atemwege *pl* **airworthy** *adj* flugtüchtig **airy** *adj* (*+er*) *room* luftig **airy-fairy** *adj* (*Br infml*) versponnen; *excuse* windig

aisle *n* Gang *m*; (*in church*) Seitenschiff *nt*; (*central aisle*) Mittelgang *m*; ***~ seat*** Sitz *m* am Gang; ***to walk down the ~ with sb*** jdn zum Altar führen; ***he had them rolling in the ~s*** (*infml*) er brachte sie so weit, dass sie sich vor Lachen kugelten (*infml*)

ajar *adj*, *adv* angelehnt

aka *abbr of* ***also known as*** alias

akin *adj pred* ähnlich (*to +dat*)

à la *prep* à la **à la carte** *adj*, *adv* à la carte

alacrity *n* (≈ *eagerness*) Eifer *m*; ***to accept with ~*** ohne zu zögern annehmen

à la mode *adj* (*US*) mit Eis

alarm I *n* **1.** *no pl* (≈ *fear*) Sorge *f*; ***to be in a state of ~*** (≈ *worried*) besorgt sein; (≈ *frightened*) erschreckt sein; ***to cause sb ~*** jdn beunruhigen **2.** (≈ *warning*) Alarm *m*; ***to raise*** *or* ***give*** *or* ***sound the ~*** Alarm geben *or* (*fig*) schlagen **3.** (≈ *device*) Alarmanlage *f*; ***~ (clock)*** Wecker *m*; ***car ~*** Autoalarmanlage *f* **II** *v/t* (≈ *worry*) beunruhigen; (≈ *frighten*) erschrecken; ***don't be ~ed*** erschrecken Sie nicht **alarm bell** *n* Alarmglocke *f*; ***to set ~s ringing*** (*fig*) die Alarmglocken klingeln lassen

alarm clock *n* Wecker *m* **alarming** *adj* (≈ *worrying*) beunruhigend; (≈ *frightening*) erschreckend; *news* alarmierend **alarmingly** *adv* erschreckend **alarmist I** *n* Panikmacher(in) *m(f)* **II** *adj speech* Unheil prophezeiend *attr*; *politician* Panik machend *attr*

alas *int* (*old*) leider

Alaska *n* Alaska *nt*

Albania *n* Albanien *nt* **Albanian I** *adj* albanisch **II** *n* **1.** Albaner(in) *m(f)* **2.** (≈ *language*) Albanisch *nt*

albatross *n* Albatros *m*

albeit *cj* (*esp liter*) obgleich

albino I *n* Albino *m* **II** *adj* Albino-

album *n* Album *nt*

alcohol *n* Alkohol *m* **alcohol-free** *adj* alkoholfrei **alcoholic I** *adj drink* alkoholisch; *person* alkoholsüchtig **II** *n* (*person*) Alkoholiker(in) *m(f)*; ***to be an ~*** Alkoholiker(in) sein; ***Alcoholics Anonymous*** Anonyme Alkoholiker *pl* **alcoholism** *n* Alkoholismus *m* **alcopop** *n* Alcopop *m*, *fertig gemischter, alkoholhaltiger Cocktail*

alcove *n* Nische *f*

alder *n* Erle *f*

ale *n* (*old*) Ale *nt*

alert I *adj* aufmerksam; ***to be ~ to sth*** vor etw (*dat*) auf der Hut sein **II** *v/t* warnen (*to* vor *+dat*); *troops* in Gefechtsbereitschaft versetzen; *fire brigade etc* alarmieren **III** *n* Alarm *m*; ***to be on (the) ~*** einsatzbereit sein; (≈ *be on lookout*) auf der Hut sein (*for* vor *+dat*) **alertness** *n* Aufmerksamkeit *f*

A level *n* (*Br*) Abschluss *m* der Sekundarstufe 2; ***to take one's ~s*** ≈ das Abitur machen, ≈ maturieren (*Aus*); ***3 ~s*** ≈ das Abitur *or* die Matura (*Aus*, *Swiss*) in 3 Fächern

alfresco *adj pred*, *adv* im Freien

algae *pl* Algen *pl*

algebra *n* Algebra *f*

Algeria *n* Algerien *nt* **Algerian I** *n* Algerier(in) *m(f)* **II** *adj* algerisch

algorithm *n* Algorithmus *m*

alias I *adv* alias **II** *n* Deckname *m*

alibi *n* Alibi *nt*

alien I *n* POL Ausländer(in) *m(f)*; SCIFI außerirdisches Wesen **II** *adj* **1.** (≈ *foreign*) ausländisch; SCIFI außerirdisch **2.** (≈ *different*) fremd; ***to be ~ to sb/sth*** jdm/einer Sache fremd sein **alienate** *v/t people* befremden; *public opinion* gegen sich aufbringen; ***to ~ oneself from sb/***

sth sich jdm / einer Sache entfremden **alienation** *n* Entfremdung *f* (*from* von)

alight[1] (*form*) *v/i* (*person*) aussteigen (*from* aus); (*bird*) sich niederlassen (*on* auf +*dat*); ***his eyes ~ed on the ring*** sein Blick fiel auf den Ring

alight[2] *adj pred* ***to be ~*** brennen; ***to keep the fire ~*** das Feuer in Gang halten; ***to set sth ~*** etw in Brand setzen

align *v/t* ***to ~ sth with sth*** etw auf etw (*acc*) ausrichten; ***they have ~ed themselves against him*** sie haben sich gegen ihn zusammengeschlossen **alignment** *n* Ausrichtung *f*; ***to be out of ~*** nicht richtig ausgerichtet sein (*with* nach)

alike *adj pred*, *adv* gleich; ***they're / they look very ~*** sie sind / sehen sich (*dat*) sehr ähnlich; ***they always think ~*** sie sind immer einer Meinung; ***winter and summer ~*** Sommer wie Winter

alimentary *adj* ANAT ***~ canal*** Verdauungskanal *m*

alimony *n* Unterhaltszahlung *f*; ***to pay ~*** Unterhalt zahlen

alive *adj pred* **1.** lebendig; ***to be ~*** leben; ***the greatest musician ~*** der größte lebende Musiker; ***to stay ~*** am Leben bleiben; ***to keep sb / sth ~*** (*lit*, *fig*) jdn / etw am Leben erhalten; ***to be ~ and kicking*** (*hum infml*) gesund und munter sein; ***~ and well*** gesund und munter; ***to come ~*** (≈ *liven up*) lebendig werden; ***to bring sth ~*** *story* etw lebendig werden lassen **2.** ***~ with*** (≈ *full of*) erfüllt von; ***to be ~ with tourists / insects*** *etc* von Touristen / Insekten *etc* wimmeln

alkali *n*, *pl* **-(e)s** Base *f*; (*metal*, AGR) Alkali *nt* **alkaline** *adj* alkalisch

all I *adj* (*with nouns*, *plural*) alle; (*singular*) ganze(r, s), alle(r, s); ***~ the children*** alle Kinder; ***~ kinds*** *or* ***sorts of people*** alle möglichen Leute; ***~ the tobacco*** der ganze Tabak; ***~ you boys can come with me*** ihr Jungen könnt alle mit mir kommen; ***~ the time*** die ganze Zeit; ***~ day (long)*** den ganzen Tag (lang); ***to dislike ~ sport*** jeglichen Sport ablehnen; ***in ~ respects*** in jeder Hinsicht; ***~ my books*** alle meine Bücher; ***~ my life*** mein ganzes Leben (lang); ***they ~ came*** sie sind alle gekommen; ***he took it ~*** er hat alles genommen; ***he's seen / done it ~*** für ihn gibt es nichts Neues mehr; ***I don't understand ~ that*** ich verstehe das alles nicht; ***what's ~ this / that?*** was ist denn das?; (*annoyed*) was soll denn das!; ***what's ~ this I hear about you leaving?*** was höre ich da! Sie wollen gehen?; ***with ~ possible speed*** so schnell wie möglich; ***with ~ due care*** mit angemessener Sorgfalt **II** *pron* **1.** (≈ *everything*) alles; ***I'm just curious, that's ~*** ich bin nur neugierig, das ist alles; ***that's ~ that matters*** darauf allein kommt es an; ***that is ~ (that) I can tell you*** mehr kann ich Ihnen nicht sagen; ***it was ~ I could do not to laugh*** ich musste an mich halten, um nicht zu lachen; ***~ of Paris / of the house*** ganz Paris / das ganze Haus; ***~ of it*** alles; ***~ of £5*** ganze £ 5; ***ten people in ~*** insgesamt zehn Personen; ***~ or nothing*** alles oder nichts; ***the whole family came, children and ~*** die Familie kam mit Kind und Kegel **2.** ***at ~*** (≈ *whatsoever*) überhaupt; ***nothing at ~*** gar nichts; ***I'm not angry at ~*** ich bin überhaupt nicht wütend; ***it's not bad at ~*** das ist gar nicht schlecht; ***if at ~ possible*** wenn irgend möglich; ***why me of ~ people?*** warum ausgerechnet ich? **3.** ***happiest*** *etc* ***of ~*** am glücklichsten *etc*; ***I like him best of ~*** von allen mag ich ihn am liebsten; ***most of ~*** am meisten; ***~ in ~*** alles in allem; ***it's ~ one to me*** das ist mir (ganz) egal; ***for ~ I know she could be ill*** was weiß ich, vielleicht ist sie krank **4.** (≈ *everybody*) alle *pl*; ***~ of them*** (sie) alle; ***the score was two ~*** es stand zwei zu zwei **III** *adv* **1.** ganz; ***~ excited*** *etc* ganz aufgeregt *etc*; ***that's ~ very fine*** *or* ***well*** das ist alles ganz schön und gut; ***~ over*** überall; ***it was red ~ over*** es war ganz rot; ***~ down the front of her dress*** überall vorn auf ihrem Kleid; ***~ along the road*** die ganze Straße entlang; ***there were chairs ~ around the room*** rundum im Zimmer standen Stühle; ***I'm ~ for it!*** ich bin ganz dafür **2.** ***~ the happier*** *etc* noch glücklicher *etc*; ***~ the funnier because ...*** umso lustiger, weil ...; ***~ the same*** trotzdem; ***~ the same, it's a pity*** trotzdem ist es schade; ***it's ~ the same to me*** das ist mir (ganz) egal; ***he's ~ there / not ~ there*** er ist voll da / nicht ganz da (*infml*); ***it's not ~ that bad*** so schlimm ist es nun auch wieder nicht; ***the party won ~ but six of the seats*** die Partei hat alle bis auf sechs Sitze gewonnen **IV** *n* ***one's ~*** alles; ***the horses were giving their ~*** die Pferde

gaben ihr Letztes
Allah *n* Allah *m*
all-American *adj team* uramerikanisch; ***an ~ boy*** ein durch und durch amerikanischer Junge **all-around** *adj* (*US*) = **all-round**
allay *v/t* verringern; *doubt*, *fears* zerstreuen
all clear *n* Entwarnung *f*; ***to give/sound the ~*** Entwarnung geben **all-consuming** *adj passion* überwältigend **all-day** *adj* ganztägig; ***it was an ~ meeting*** die Sitzung dauerte den ganzen Tag
allegation *n* Behauptung *f* **allege** *v/t* behaupten; ***he is ~d to have said that …*** er soll angeblich gesagt haben, dass … **alleged** *adj*, **allegedly** *adv* angeblich
allegiance *n* Treue *f* (*to +dat*); ***oath of ~*** Treueeid *m*
allegoric(al) *adj*, **allegorically** *adv* allegorisch **allegory** *n* Allegorie *f*
alleluia I *int* (h)alleluja **II** *n* (H)alleluja *nt*
all-embracing *adj* (all)umfassend
allergic *adj* (*lit*, *fig*) allergisch (*to* gegen) **allergy** *n* Allergie *f* (*to* gegen)
alleviate *v/t* lindern **alleviation** *n* Linderung *f*
alley *n* **1.** (enge) Gasse **2.** (≈ *bowling alley*) Bahn *f* **alleyway** *n* Durchgang *m*
alliance *n* Verbindung *f*; (*of states*) Bündnis *nt*; (*in historical contexts*) Allianz *f*
allied *adj* verbunden; (*for attack etc*) verbündet; ***the Allied forces*** die Alliierten **Allies** *pl* HIST ***the ~*** die Alliierten *pl*
alligator *n* Alligator *m*
all-important *adj* außerordentlich wichtig; ***the ~ question*** die Frage, auf die es ankommt **all-in** *adj attr*, **all in** *adj pred* (≈ *inclusive*) Inklusiv-; ***~ price*** Inklusivpreis *m* **all-inclusive** *adj* Pauschal- **all-in-one** *adj sleepsuit* einteilig **all-in wrestling** *n* SPORTS Freistilringen *nt*
alliteration *n* Alliteration *f*
all-night *adj attr café* (die ganze Nacht) durchgehend geöffnet; *vigil* die ganze Nacht andauernd *attr*; ***we had an ~ party*** wir haben die ganze Nacht durchgemacht; ***there is an ~ bus service*** die Busse verkehren die ganze Nacht über
allocate *v/t* (≈ *allot*) zuteilen (*to sb* jdm); (≈ *apportion*) verteilen (*to* auf *+acc*); *tasks* vergeben (*to* an *+acc*); ***to ~ money to*** *or* ***for a project*** Geld für ein Projekt bestimmen **allocation** *n* (≈ *allotting*) Zuteilung *f*; (≈ *apportioning*) Verteilung *f*; (≈ *sum allocated*) Zuwendung *f*
allot *v/t* zuteilen (*to sb/sth* jdm/etw); *time* vorsehen (*to* für); *money* bestimmen (*to* für) **allotment** *n* (*Br*) Schrebergarten *m*
all out *adv* ***to go ~ to do sth*** alles daransetzen, etw zu tun **all-out** *adj strike*, *war* total; *attack* massiv; *effort* äußerste(r, s)
allow I *v/t* **1.** (≈ *permit*) erlauben; *behaviour etc* zulassen; ***to ~ sb sth*** jdm etw erlauben; ***to ~ sb to do sth*** jdm erlauben, etw zu tun; ***to be ~ed to do sth*** etw tun dürfen; ***smoking is not ~ed*** Rauchen ist nicht gestattet; ***"no dogs ~ed"*** „Hunde müssen draußen bleiben"; ***to ~ oneself sth*** sich (*dat*) etw erlauben; (≈ *treat oneself*) sich (*dat*) etw gönnen; ***to ~ oneself to be waited on/persuaded*** *etc* sich bedienen/überreden *etc* lassen; ***~ me!*** gestatten Sie (*form*); ***to ~ sth to happen*** zulassen, dass etw geschieht; ***to be ~ed in/out*** hinein-/hinausdürfen **2.** *claim*, *appeal*, *goal* anerkennen **3.** *discount*, *money* geben; *space* lassen; *time* einplanen; ***~ (yourself) an hour to cross the city*** rechnen Sie mit einer Stunde, um durch die Stadt zu kommen; ***~ing*** *or* ***if we ~ that …*** angenommen, (dass) … **II** *v/i* ***if time ~s*** falls es zeitlich möglich ist ◆ **allow for** *v/i +prep obj* berücksichtigen; ***allowing for the fact that …*** unter Berücksichtigung der Tatsache, dass …; ***after allowing for*** nach Berücksichtigung (*+gen*)
allowable *adj* zulässig; (FIN, *in tax*) absetzbar **allowance** *n* **1.** finanzielle Unterstützung; (*paid by state*) Beihilfe *f*; (*for unsociable hours etc*) Zulage *f*; (≈ *spending money*) Taschengeld *nt*; ***clothing ~*** Kleidungsgeld *nt*; ***he gave her an ~ of £500 a month*** er stellte ihr monatlich £ 500 zur Verfügung **2.** (FIN ≈ *tax allowance*) Freibetrag *m* **3.** ***to make ~(s) for sth*** etw berücksichtigen; ***to make ~s for sb*** bei jdm Zugeständnisse machen
alloy *n* Legierung *f*
all-party *adj* POL Allparteien- **all-powerful** *adj* allmächtig **all-purpose** *adj* Allzweck-
all right I *adj pred* in Ordnung, okay (*infml*); ***it's ~*** (≈ *not too bad*) es geht; (≈ *working properly*) es ist in Ordnung; ***that's*** *or* ***it's ~*** (*after thanks*, *apology*) schon gut; ***to taste ~*** ganz gut schmecken; ***is it ~ for me to leave early?*** kann

ich früher gehen?; ***it's ~ by me*** ich habe nichts dagegen; ***it's ~ for you*** (***to talk***) du hast gut reden; ***he's ~*** (*infml ≈ is a good guy*) der ist in Ordnung (*infml*); ***are you ~?*** (*≈ healthy*) geht es Ihnen gut?; (*≈ unharmed*) ist Ihnen etwas passiert?; ***are you feeling ~?*** fehlt Ihnen was? **II** *adv* **1.** gut; ***did I do it ~?*** habe ich es recht gemacht?; ***did you get home ~?*** bist du gut nach Hause gekommen?; ***did you find it ~?*** haben Sie es denn gefunden? **2.** (*≈ certainly*) schon; ***that's the boy ~*** das ist der Junge; ***oh yes, we heard you ~*** o ja, und ob wir dich gehört haben **III** *int* gut, okay (*infml*); (*in agreement*) in Ordnung; ***may I leave early? — ~*** kann ich früher gehen? — ja; ***~ that's enough!*** komm, jetzt reichts (aber)!; ***~, ~! I'm coming*** schon gut, ich komme ja!

all-round *adj* (*esp Br*) Allround-; ***a good ~ performance*** eine rundum gute Leistung **all-rounder** *n* (*Br*) Allroundmann *m*/-frau *f*; SPORTS Allroundsportler(in) *m*(*f*) **All Saints' Day** *n* Allerheiligen *nt* **all-seater** *adj* (*Br* SPORTS) *stadium* ohne Stehplätze **All Souls' Day** *n* Allerseelen *nt* **allspice** *n* Piment *m or nt* **all-star** *adj* Star-; ***~ cast*** Starbesetzung *f* **all-terrain bike** *n* Mountainbike *nt* **all-terrain vehicle** *n* Geländefahrzeug *nt* **all-time I** *adj* aller Zeiten; ***the ~ record*** der Rekord aller Zeiten; ***an ~ high/low*** der höchste/niedrigste Stand aller Zeiten **II** *adv* ***~ best*** beste(r, s) aller Zeiten

allude *v/i +prep obj* ***to ~ to*** anspielen auf (*+acc*)

allure *n* Reiz *m* **alluring** *adj*, **alluringly** *adv* verführerisch

allusion *n* Anspielung *f* (*to* auf *+acc*)

all-weather *adj* Allwetter-; ***~ pitch*** Allwetterplatz *m* **all-wheel drive** *n* Allradantrieb *m*

ally I *n* Verbündete(r) *m*/*f*(*m*); HIST Alliierte(r) *m* **II** *v/t* verbinden (*with*, *to* mit); (*for attack etc*) verbünden (*with*, *to* mit); ***to ~ oneself with*** *or* ***to sb*** sich mit jdm verbünden

almighty I *adj* **1.** allmächtig; ***Almighty God***, ***God Almighty*** ECCL der Allmächtige; (*address in prayer*) allmächtiger Gott; ***God*** *or* ***Christ Almighty!*** (*infml*) Allmächtiger! (*infml*) **2.** (*infml*) *row* mordsmäßig (*infml*); ***there was an ~ bang and ...*** es gab einen Mordsknall und ... (*infml*) **II** *n* ***the Almighty*** der Allmächtige

almond *n* Mandel *f*

almost *adv* fast; ***he ~ fell*** er wäre fast gefallen; ***she'll ~ certainly come*** es ist ziemlich sicher, dass sie kommt

alms *pl* Almosen *pl*

aloe vera *n* Aloe Vera *f*

aloft *adv* (*≈ into the air*) empor; (*≈ in the air*) hoch droben

alone I *adj pred* allein(e) **II** *adv* allein(e); ***Simon ~ knew the truth*** nur Simon kannte die Wahrheit; ***to stand ~*** (*fig*) einzig dastehen; ***to go it ~*** (*infml ≈ be independent*) auf eigenen Beinen stehen

along I *prep* (*direction*) entlang (*+acc*); (*position*) entlang (*+dat*); ***he walked ~ the river*** er ging den Fluss entlang; ***somewhere ~ the way*** irgendwo auf dem Weg **II** *adv* **1.** (*≈ onwards*) weiter-; ***to move ~*** weitergehen; ***run ~*** nun lauf!; ***he'll be ~ soon*** er muss gleich da sein; ***I'll be ~ in a minute*** ich komme gleich **2.** (*≈ together*) ***~ with*** zusammen mit; ***to come ~ with sb*** mit jdm mitkommen; ***take an umbrella ~*** nimm einen Schirm mit **alongside I** *prep* neben (*+dat*); ***he works ~ me*** (*≈ with me*) er ist ein Kollege von mir; (*≈ next to me*) er arbeitet neben mir **II** *adv* daneben; ***a police car drew up ~*** ein Polizeiauto fuhr neben mich/ihn *etc* heran

aloof I *adv* abseits; ***to remain ~*** sich abseitshalten **II** *adj* unnahbar

aloud *adv* laut

alphabet *n* Alphabet *nt*; ***does he know the*** *or* ***his ~?*** kann er schon das Abc? **alphabetic(al)** *adj* alphabetisch; ***in alphabetical order*** in alphabetischer Reihenfolge **alphabetically** *adv* alphabetisch

alpine *adj* alpin; ***~ flower*** Alpenblume *f*; ***~ scenery*** Berglandschaft *f*

Alps *pl* Alpen *pl*

already *adv* schon, bereits; ***I've ~ seen it***, ***I've seen it ~*** ich habe es schon gesehen

alright *adj*, *adv* = ***all right***

Alsace *n* das Elsass **Alsace-Lorraine** *n* Elsass-Lothringen *nt* **alsatian** *n* (*Br*: *a.* **alsatian dog**) (Deutscher) Schäferhund

also *adv* auch; (*≈ moreover*) außerdem; ***her cousin ~ came*** *or* ***came ~*** ihre Cousine kam auch; ***not only ... but ~*** nicht nur ... sondern auch; ***~, I must explain that ...*** außerdem muss ich erklären, dass ...

altar *n* Altar *m* **altar boy** *n* Ministrant *m*
alter I *v/t* ändern; ***to ~ sth completely*** etw vollkommen verändern; ***it does not ~ the fact that ...*** das ändert nichts an der Tatsache, dass ... **II** *v/i* sich ändern **alteration** *n* (≈ *change*) Änderung *f*; (*of appearance*) Veränderung *f*; ***to make ~s to sth*** Änderungen an etw (*dat*) vornehmen; (***this timetable is***) ***subject to ~*** Änderungen (im Fahrplan sind) vorbehalten; ***closed for ~s*** wegen Umbau geschlossen
altercation *n* Auseinandersetzung *f*
alter ego *n* Alter ego *nt*
alternate I *adj* **1.** ***on ~ days*** jeden zweiten Tag; ***they put down ~ layers of brick and mortar*** sie schichteten (immer) abwechselnd Ziegel und Mörtel aufeinander **2.** (≈ *alternative*) alternativ; ***~ route*** Ausweichstrecke *f* **II** *v/t* abwechseln lassen; ***to ~ one thing with another*** zwischen einer Sache und einer anderen (ab)wechseln **III** *v/i* (sich) abwechseln; ELEC alternieren **alternately** *adv* **1.** (≈ *in turn*) wechselweise **2.** = ***alternatively*** **alternating** *adj* wechselnd; ***~ current*** Wechselstrom *m* **alternation** *n* Wechsel *m*
alternative I *adj* Alternativ-; ***~ route*** Ausweichstrecke *f* **II** *n* Alternative *f*; ***I had no ~*** (***but ...***) ich hatte keine andere Wahl (als ...) **alternatively** *adv* als Alternative; ***or ~, he could come with us*** oder aber, er kommt mit uns mit; ***a prison sentence of three months or ~ a fine of £5000*** eine Gefängnisstrafe von drei Monaten oder wahlweise eine Geldstrafe von £ 5000 **alternative medicine** *n* Alternativmedizin *f*
alternator *n* ELEC Wechselstromgenerator *m*; AUTO Lichtmaschine *f*
although *cj* obwohl; ***the house, ~ small ...*** obwohl das Haus klein ist ...
altimeter *n* Höhenmesser *m*
altitude *n* Höhe *f*; ***what is our ~?*** in welcher Höhe befinden wir uns?; ***we are flying at an ~ of ...*** wir fliegen in einer Höhe von ...
alt key *n* IT Alt-Taste *f*
alto I *n* Alt *m* **II** *adj* Alt- **III** *adv* ***to sing ~*** Alt singen
altogether *adv* **1.** (≈ *including everything*) insgesamt; ***~ it was very pleasant*** alles in allem war es sehr nett **2.** (≈ *wholly*) vollkommen; ***he wasn't ~ surprised*** er war nicht übermäßig überrascht; ***it was ~ a waste of time*** es war vollkommene Zeitverschwendung; ***that is another matter ~*** das ist etwas ganz anderes
altruism *n* Altruismus *m* **altruistic** *adj*, **altruistically** *adv* altruistisch
aluminium, (*US*) **aluminum** *n* Aluminium *nt*; ***~ foil*** Alufolie *f*
alumna *n*, *pl* **-e** (*US*) ehemalige Schülerin / Studentin **alumnus** *n*, *pl* **alumni** (*US*) ehemaliger Schüler / Student
always *adv* immer; ***we could ~ go by train*** wir könnten doch auch den Zug nehmen
Alzheimer's (disease) *n* Alzheimerkrankheit *f*
AM 1. RADIO *abbr of* ***amplitude modulation*** AM **2.** (*Br* POL) *abbr of* ***Assembly Member*** Mitglied *nt* der walisischen Versammlung
am *1st person sg pres of* **be**
am, a.m. *abbr of* ***ante meridiem***; ***2 am*** 2 Uhr morgens; ***12 am*** 0 Uhr
amalgam *n* Amalgam *nt*; (*fig*) Mischung *f* **amalgamate I** *v/t* fusionieren **II** *v/i* fusionieren **amalgamation** *n* Fusion *f*
amass *v/t* anhäufen
amateur I *n* **1.** Amateur(in) *m(f)* **2.** (*pej*) Dilettant(in) *m(f)* **II** *adj* **1.** *attr* Amateur-; ***~ painter*** Hobbymaler(in) *m(f)* **2.** (*pej*) = ***amateurish*** **amateur dramatics** *pl* Laiendrama *nt* **amateurish** *adj*, **amateurishly** *adv* (*pej*) dilettantisch
amaze *v/t* erstaunen; ***I was ~d to learn that ...*** ich war erstaunt zu hören, dass ...; ***to be ~d at sth*** über etw (*acc*) erstaunt sein; ***it ~s me that ...*** ich finde es erstaunlich, dass ... **amazement** *n* Erstaunen *nt*; ***much to my ~*** zu meinem großen Erstaunen
amazing *adj* erstaunlich **amazingly** *adv* erstaunlich; ***~ (enough), he got it right first time*** erstaunlicherweise hat er es gleich beim ersten Mal richtig gemacht
Amazon *n* Amazonas *m*; (MYTH, *fig*) Amazone *f*
ambassador *n* Botschafter(in) *m(f)*
amber I *n* Bernstein *m*; (*colour*) Bernsteingelb *nt*; (*Br*: *in traffic lights*) Gelb *nt* **II** *adj* aus Bernstein; (≈ *amber-coloured*) bernsteinfarben; (*Br*) *traffic light* gelb
ambidextrous *adj* beidhändig
ambience *n* Atmosphäre *f*

ambiguity *n* Zweideutigkeit *f*; (*with many possible meanings*) Mehrdeutigkeit *f* **ambiguous** *adj*, **ambiguously** *adv* zweideutig; (≈ *with many possible meanings*) mehrdeutig

ambition *n* **1.** (≈ *desire*) Ambition *f*; ***she has ~s in that direction/for her son*** sie hat Ambitionen in dieser Richtung/ehrgeizige Pläne für ihren Sohn; ***my ~ is to become prime minister*** es ist mein Ehrgeiz, Premierminister zu werden **2.** (≈ *ambitious nature*) Ehrgeiz *m* **ambitious** *adj* ehrgeizig; *undertaking* kühn **ambitiously** *adv* ehrgeizig; ***rather ~, we set out to prove the following*** wir hatten uns das ehrgeizige Ziel gesteckt, das Folgende zu beweisen

ambivalence *n* Ambivalenz *f* **ambivalent** *adj* ambivalent

amble *v/i* schlendern

ambulance *n* Krankenwagen *m*, Rettung *f* (*Swiss*) **ambulance driver** *n* Krankenwagenfahrer(in) *m(f)*, Rettungsfahrer(in) *m(f)* (*Swiss*) **ambulanceman** *n* Sanitäter *m* **ambulance service** *n* Rettungsdienst *m*, Rettung *f* (*Swiss*); (*system*) Rettungswesen *nt*

ambush I *n* Überfall *m* (aus dem Hinterhalt); ***to lie in ~ for sb*** (MIL, *fig*) jdm im Hinterhalt auflauern **II** *v/t* (aus dem Hinterhalt) überfallen

ameba *n* (*US*) = ***amoeba***

amen *int* amen; ***~ to that!*** (*fig infml*) ja, wahrlich *or* fürwahr! (*hum*)

amenable *adj* zugänglich (*to +dat*)

amend *v/t law*, *text* ändern; (*by addition*) ergänzen; *habits*, *behaviour* verbessern **amendment** *n* (*to law*, *in text*) Änderung *f* (*to +gen*); (≈ *addition*) Zusatz *m* (*to* zu); ***the First/Second*** *etc* ***Amendment*** (*US* POL) Zusatz *m* 1/2 *etc*

amends *pl* ***to make ~ for sth*** etw wiedergutmachen; ***to make ~ to sb for sth*** jdn für etw entschädigen

amenity *n* (***public***) **~** öffentliche Einrichtung; ***close to all amenities*** in günstiger Einkaufs- und Verkehrslage

Amerasian *n Mensch amerikanisch-asiatischer Herkunft*

America *n* Amerika *nt*

American I *adj* amerikanisch; ***~ English*** amerikanisches Englisch; ***the ~ Dream*** der amerikanische Traum **II** *n* **1.** Amerikaner(in) *m(f)* **2.** LING Amerikanisch *nt*

American Indian *n* Indianer(in) *m(f)*

Americanism *n* LING Amerikanismus *m* **Americanization** *n* Amerikanisierung *f* **Americanize** *v/t* amerikanisieren

American plan *n* Vollpension *f* **Amerindian I** *n* Indianer(in) *m(f)* **II** *adj* indianisch

amethyst *n* Amethyst *m*

Amex *n* (*US*) *abbr of* ***American Stock Exchange*** Amex *f*

amiable *adj*, **amiably** *adv* liebenswürdig

amicable *adj person* freundlich; *relations* freundschaftlich; *discussion* friedlich; JUR *settlement* gütlich; ***to be on ~ terms*** freundschaftlich miteinander verkehren **amicably** *adv* freundlich; *discuss* friedlich; JUR *settle* gütlich

amid(st) *prep* inmitten (*+gen*)

amino acid *n* Aminosäure *f*

amiss I *adj pred* ***there's something ~*** da stimmt irgendetwas nicht **II** *adv* ***to take sth ~*** (*Br*) (jdm) etw übel nehmen; ***a drink would not go ~*** etwas zu trinken wäre gar nicht verkehrt

ammo *n* (*infml*) Munition *f*

ammonia *n* Ammoniak *nt*

ammunition *n* Munition *f* **ammunition belt** *n* Patronengurt *m* **ammunition dump** *n* Munitionslager *nt*

amnesia *n* Amnesie *f*

amnesty *n* Amnestie *f*

amniocentesis *n* MED Fruchtwasseruntersuchung *f*

amoeba, (*US*) **ameba** *n* Amöbe *f*

amok *adv* = ***amuck***

among(st) *prep* unter (*+acc or dat*); ***~ other things*** unter anderem; ***she had sung with Madonna ~ others*** sie hatte unter anderem mit Madonna gesungen; ***to stand ~ the crowd*** (mitten) in der Menge stehen; ***they shared it out ~ themselves*** sie teilten es untereinander auf; ***talk ~ yourselves*** unterhaltet euch; ***he's ~ our best players*** er gehört zu unseren besten Spielern; ***to count sb ~ one's friends*** jdn zu seinen Freunden zählen; ***this habit is widespread ~ the French*** diese Sitte ist bei den Franzosen weitverbreitet

amoral *adj* amoralisch

amorous *adj* amourös; *look* verliebt

amorphous *adj* amorph; *style*, *ideas*, *novel* strukturlos

amount I *n* **1.** (*of money*) Betrag *m*; ***total ~*** Gesamtsumme *f*; ***debts to*** (*Br*) *or* ***in*** (*US*) ***the ~ of £2000*** Schulden in Höhe von £ 2000; ***in 12 equal ~s*** in 12 gleichen Beträgen; ***a small ~ of money*** eine geringe Summe; ***large ~s of money*** Unsummen *pl* **2.** (≈ *quantity*) Menge *f*; (*of skill etc*) Maß *nt* (*of* an +*dat*); ***an enormous ~ of work*** sehr viel Arbeit; ***any ~ of time/food*** beliebig viel Zeit/Essen; ***no ~ of talking would persuade him*** kein Reden würde ihn überzeugen **II** *v/i* **1.** (≈ *total*) sich belaufen (*to* auf +*acc*) **2.** (≈ *be equivalent*) gleichkommen (*to dat*); ***it ~s to the same thing*** das kommt (doch) aufs Gleiche hinaus; ***he will never ~ to much*** aus ihm wird nie etwas werden

amp(ère) *n* Ampere *nt*

ampersand *n* Et-Zeichen *f*, Und-Zeichen *nt*

amphetamine *n* Amphetamin *nt*

amphibian *n* Amphibie *f* **amphibious** *adj* amphibisch; ***~ vehicle/aircraft*** Amphibienfahrzeug *nt*/-flugzeug *nt*

amphitheatre, (*US*) **amphitheater** *n* Amphitheater *nt*

ample *adj* (+*er*) **1.** (≈ *plentiful*) reichlich **2.** *figure, proportions* üppig

amplification *n* RADIO Verstärkung *f* **amplifier** *n* RADIO Verstärker *m* **amplify** *v/t* RADIO verstärken

amply *adv* reichlich

amputate *v/t & v/i* amputieren **amputation** *n* Amputation *f* **amputee** *n* Amputierte(r) *m/f(m)*

amuck *adv* ***to run ~*** (*lit, fig*) Amok laufen

amuse I *v/t* amüsieren; (≈ *entertain*) unterhalten; ***let the children do it if it ~s them*** lass die Kinder doch, wenn es ihnen Spaß macht **II** *v/r* ***the children can ~ themselves for a while*** die Kinder können sich eine Zeit lang selbst beschäftigen; ***to ~ oneself (by) doing sth*** etw zu seinem Vergnügen tun; ***how do you ~ yourself now you're retired?*** wie vertreiben Sie sich (*dat*) die Zeit, wo Sie jetzt im Ruhestand sind? **amused** *adj* amüsiert; ***she seemed ~ at my suggestion*** sie schien über meinen Vorschlag amüsiert (zu sein); ***to keep sb/oneself ~*** jdm/sich (*dat*) die Zeit vertreiben; ***give him his toys, that'll keep him ~*** gib ihm sein Spielzeug, dann ist er friedlich

amusement *n* **1.** (≈ *enjoyment*) Vergnügen *nt*; ***to do sth for one's own ~*** etw zu seinem Vergnügen tun **2. amusements** *pl* (*at fair*) Attraktionen *pl*; (*at seaside*) *Spielautomaten etc* **amusement arcade** *n* (*Br*) Spielhalle *f* **amusement park** *n* Vergnügungspark *m* **amusing** *adj* amüsant; ***how ~*** das ist aber lustig!; ***I don't find that very ~*** das finde ich gar nicht lustig **amusingly** *adv* amüsant

an *indef art* → ***a***

anabolic steroid *n* Anabolikum *nt*

anachronism *n* Anachronismus *m* **anachronistic** *adj* anachronistisch

anaemia, (*US*) **anemia** *n* Anämie *f* **anaemic**, (*US*) **anemic** *adj* anämisch

anaesthetic, (*US*) **anesthetic** *n* Narkose *f*; (≈ *substance*) Narkosemittel *nt*; ***general ~*** Vollnarkose *f*; ***local ~*** örtliche Betäubung; ***the nurse gave him a local ~*** die Schwester gab ihm eine Spritze zur örtlichen Betäubung **anaesthetist**, (*US*) **anesthetist** *n* Anästhesist(in) *m(f)* **anaesthetize**, (*US*) **anesthetize** *v/t* betäuben

anagram *n* Anagramm *nt*

anal *adj* anal, Anal-; ***~ intercourse*** Analverkehr *m*

analgesic *n* Schmerzmittel *nt*

analog(ue) *adj* TECH analog

analogy *n* Analogie *f*

analyse, (*esp US*) **analyze** *v/t* analysieren **analysis** *n, pl* ***analyses*** Analyse; ***what's your ~ of the situation?*** wie beurteilen Sie die Situation?; ***on (closer) ~*** bei genauerer Untersuchung **analyst** *n* Analytiker(in) *m(f)* **analytical** *adj*, **analytically** *adv* analytisch **analyze** *v/t* (*US*) = ***analyse***

anarchic(al) *adj* anarchisch **anarchism** *n* Anarchismus *m* **anarchist** *n* Anarchist(in) *m(f)* **anarchy** *n* Anarchie *f*

anathema *n* ein Gräuel *m*; ***voting Labour was ~ to them*** der Gedanke, Labour zu wählen, war ihnen ein Gräuel

anatomical *adj*, **anatomically** *adv* anatomisch **anatomy** *n* Anatomie *f*

ANC *abbr of* ***African National Congress*** ANC *m*, Afrikanischer Nationalkongress

ancestor *n* Vorfahr *m* **ancestral** *adj* seiner/ihrer Vorfahren; ***~ home*** Stammsitz *m* **ancestry** *n* (≈ *descent*) Abstammung *f*; (≈ *ancestors*) Ahnenreihe *f*; ***to trace one's ~*** seine Abstammung zurückverfolgen

anchor I *n* **1.** NAUT Anker *m*; ***to drop ~*** vor Anker gehen; ***to weigh ~*** den Anker lichten **2.** (*esp US* TV) Anchorman *m*, Anchorwoman *f* **II** *v/t* (NAUT, *fig*) verankern **III** *v/i* NAUT vor Anker gehen **anchorage** *n* NAUT Ankerplatz *m* **anchorman** *n, pl* ***-men*** (*esp US* TV) Anchorman *m* **anchorwoman** *n, pl* ***-women*** (*esp US* TV) Anchorwoman *f*

anchovy *n* Sardelle *f*

ancient I *adj* **1.** alt; ***in ~ times*** im Altertum; ***~ Rome*** das alte Rom; ***the ~ Romans*** die alten Römer; ***~ monument*** (*Br*) historisches Denkmal **2.** (*infml*) *person etc* uralt **II** *n* ***the ~s*** die Völker *or* Menschen des Altertums **ancient history** *n* (*lit*) Alte Geschichte; ***that's ~*** (*fig*) das ist schon längst Geschichte

ancillary *adj* (≈ *subordinate*) Neben-; (≈ *auxiliary*) Hilfs-; ***~ course*** UNIV Begleitkurs *m*; ***~ staff/workers*** Hilfskräfte *pl*

and *cj* **1.** und; ***nice ~ early*** schön früh; ***try ~ come*** versuch zu kommen; ***wait ~ see!*** abwarten!; ***don't go ~ spoil it!*** nun verdirb nicht alles!; ***one more ~ I'm finished*** noch eins, dann bin ich fertig; ***~ so on ~ so forth*** und so weiter und so fort **2.** (*in repetition*) und; ***better ~ better*** immer besser; ***for days ~ days*** tagelang; ***for miles ~ miles*** meilenweit **3.** ***three hundred ~ ten*** dreihundert(und)zehn; ***one ~ a half*** anderthalb

Andes *pl* Anden *pl*

androgynous *adj* androgyn

android *n* Androide *m*

anecdotal *adj* anekdotisch **anecdote** *n* Anekdote *f*

anemia *n* (*US*) = ***anaemia*** **anemic** *adj* (*US*) = ***anaemic***

anemone *n* BOT Anemone *f*

anesthesia *etc* (*US*) = ***anaesthesia*** *etc*

anew *adv* **1.** (≈ *again*) aufs neue; ***let's start ~*** fangen wir wieder von Neuem an **2.** (≈ *in a new way*) auf eine neue Art und Weise

angel *n* Engel *m* **angelic** *adj* (≈ *like an angel*) engelhaft

anger I *n* Ärger *m*; ***a fit of ~*** ein Wutanfall *m*; ***public ~*** öffentliche Entrüstung; ***to speak in ~*** im Zorn sprechen; ***to be filled with ~*** wütend sein **II** *v/t* ärgern

angina (pectoris) *n* Angina Pectoris *f*

angle[1] **I** *n* **1.** Winkel *m*; ***at an ~ of 40°*** in einem Winkel von 40°; ***at an ~*** schräg; ***he was wearing his hat at an ~*** er hatte seinen Hut schief aufgesetzt **2.** (≈ *projecting corner*) Ecke *f* **3.** (≈ *aspect*) Seite *f* **4.** (≈ *point of view*) Standpunkt *m* **II** *v/t lamp etc* ausrichten; *shot* im Winkel schießen/schlagen

angle[2] *v/i* (*esp Br* FISH) angeln ◆ **angle for** *v/i +prep obj* (*fig*) fischen nach; ***to ~ sth*** auf etw (*acc*) aus sein

Anglepoise (lamp)® *n* Gelenkleuchte *f*

angler *n* Angler(in) *m(f)*

Anglican I *n* Anglikaner(in) *m(f)* **II** *adj* anglikanisch **Anglicanism** *n* Anglikanismus *m*

anglicism *n* Anglizismus *m* **anglicize** *v/t* anglisieren

angling *n* (*esp Br*) Angeln *nt*

Anglo-American I *n* Angloamerikaner(in) *m(f)* **II** *adj* angloamerikanisch **Anglo-Indian I** *n* (*of British origin*) in Indien lebender Engländer *m*/lebende Engländerin *f*; (≈ *Eurasian*) Angloinder(in) *m(f)* **II** *adj* angloindisch **Anglo-Irish I** *pl* ***the ~*** die Angloiren *pl* **II** *adj* angloirisch **Anglophile** *n* Anglophile(r) *m/f(m)* **Anglo-Saxon I** *n* **1.** (≈ *person*) Angelsachse *m*, Angelsächsin *f* **2.** LING Angelsächsisch *nt* **II** *adj* angelsächsisch

angora I *adj* Angora-; ***~ wool*** Angorawolle *f* **II** *n* Angorawolle *f*

angrily *adv* wütend

angry *adj* (+*er*) zornig; *letter, look* wütend; ***to be ~*** wütend sein; ***to be ~ with*** *or* ***at sb*** über jdn verärgert sein; ***to be ~ at*** *or* ***about sth*** sich über etw (*acc*) ärgern; ***to get ~*** (***with*** *or* ***at sb/about sth***) (mit jdm/über etw *acc*) böse werden; ***you're not ~*** (***with me***), ***are you?*** du bist (mir) doch nicht böse(, oder)?; ***to be ~ with oneself*** sich über sich (*acc*) selbst ärgern; ***to make sb ~*** jdn ärgern

anguish *n* Qual *f*; ***to be in ~*** Qualen leiden; ***he wrung his hands in ~*** er rang die Hände in Verzweiflung; ***the news caused her great ~*** die Nachricht bereitete ihr großen Schmerz; ***the decision caused her great ~*** die Entscheidung bereitete ihr große Qual(en) **anguished** *adj* qualvoll

angular *adj shape* eckig; *features, prose* kantig

animal I *n* Tier *nt*; (≈ *brutal person*) Bestie *f*; ***man is a social ~*** der Mensch ist ein soziales Wesen **II** *adj attr* Tier-; *products, quality* tierisch; ***~ experiments*** Tierversuche *pl*; ***~ magnetism*** rein körperliche Anziehungskraft **Animal Libe-**

ration Front *n* (*Br*) *militante Tierschützerorganisation* **animal lover** *n* Tierfreund(in) *m*(*f*) **animal rights** *pl* Tierrechte *pl*; **~ *activist*** Tierschützer(in) *m*(*f*) **animal welfare** *n* Tierschutz *m*
animate *adj* belebt; *creatures* lebend **animated** *adj* lebhaft; **~ *cartoon/film*** Zeichentrickfilm *m* **animatedly** *adv* rege; *talk* lebhaft **animation** *n* Lebhaftigkeit *f*; FILM Animation *f*
animosity *n* Feindseligkeit *f* (*towards* gegenüber)
aniseed *n* (≈ *flavouring*) Anis *m*
ankle *n* Knöchel *m* **anklebone** *n* Sprungbein *nt* **ankle bracelet** *n* Fußkettchen *nt* **ankle-deep I** *adj* knöcheltief **II** *adv* ***he was ~ in water*** er stand bis an die Knöchel im Wasser **ankle sock** *n* Söckchen *nt*
annals *pl* Annalen *pl*; (*of society etc*) Bericht *m*
annex I *v/t* annektieren **II** *n* **1.** (*to document etc*) Anhang *m* **2.** (≈ *building*) Nebengebäude *nt*; (≈ *extension*) Anbau *m* **annexation** *n* Annexion *f* **annexe** *n* (*Br*) = ***annex*** II2
annihilate *v/t* vernichten **annihilation** *n* Vernichtung *f*
anniversary *n* Jahrestag *m*; (≈ *wedding anniversary*) Hochzeitstag *m*; **~ *gift*** Geschenk *nt* zum Jahrestag / Hochzeitstag; ***the ~ of his death*** sein Todestag *m*
annotate *v/t* mit Anmerkungen versehen
announce *v/t* bekannt geben; *radio programme* ansagen; (*over intercom*) durchsagen; *marriage etc* anzeigen; ***to ~ sb*** jdn melden; ***the arrival of flight BA 742 has just been ~d*** soeben ist die Ankunft des Fluges BA 742 gemeldet worden **announcement** *n* Bekanntmachung *f*; (*of speaker*) Ankündigung *f*; (*over intercom etc*) Durchsage *f*; (*on radio etc*) Ansage *f*; (*of marriage etc*) Anzeige *f* **announcer** *n* RADIO, TV Ansager(in) *m*(*f*)
annoy *v/t* (≈ *irritate*) ärgern; (≈ *upset*) aufregen; (≈ *pester*) belästigen; ***to be ~ed that ...*** verärgert sein, weil ...; ***to be ~ed with sb/about sth*** sich über jdn / etw ärgern; ***to get ~ed*** sich aufregen **annoyance** *n no pl* (≈ *irritation*) Ärger *m*; ***to his ~*** zu seinem Ärger **annoying** *adj* ärgerlich; *habit* lästig; ***the ~ thing*** (***about it***) ***is that ...*** das Ärgerliche (daran) ist, dass ... **annoyingly** *adv* aufreizend; ***~, the bus didn't turn up*** ärgerlicherweise kam der Bus nicht
annual I *n* **1.** BOT einjährige Pflanze **2.** (≈ *book*) Jahresalbum *nt* **II** *adj* jährlich; (≈ *of or for the year*) Jahres-; **~ *accounts*** Jahresbilanz *f* **annual general meeting** *n* Jahreshauptversammlung *f* **annually** *adv* jährlich **annual report** *n* Geschäftsbericht *m* **annuity** *n* (Leib)rente *f*
annul *v/t* annullieren; *contract*, *marriage* auflösen **annulment** *n* Annullierung *f*; (*of contract*, *marriage*) Auflösung *f*
Annunciation *n* BIBLE Mariä Verkündigung *f*
anoint *v/t* salben; ***to ~ sb king*** jdn zum König salben
anomaly *n* Anomalie *f*
anon[1] *adv* ***see you ~*** (*hum*) bis demnächst
anon[2] *adj abbr of* ***anonymous*** **anonymity** *n* Anonymität *f* **anonymous** *adj*, **anonymously** *adv* anonym
anorak *n* (*Br*) Anorak *m*
anorexia (nervosa) *n* Anorexie *f* **anorexic** *adj* magersüchtig
another I *adj* **1.** (≈ *additional*) noch eine(r, s); ***~ one*** noch eine(r, s); ***take ~ ten*** nehmen Sie noch (weitere) zehn; ***I don't want ~ drink!*** ich möchte nichts mehr trinken; ***without ~ word*** ohne ein weiteres Wort **2.** (≈ *similar*, *fig* ≈ *second*) ein zweiter, eine zweite, ein zweites; ***there is not ~ man like him*** so einen Mann gibt es nur einmal **3.** (≈ *different*) ein anderer, eine andere, ein anderes; ***that's quite ~ matter*** das ist etwas ganz anderes; ***~ time*** ein andermal **II** *pron* ein anderer, eine andere, ein anderes; ***have ~!*** nehmen Sie (doch) noch einen!; ***they help one ~*** sie helfen einander; ***at one time or ~*** irgendwann; ***what with one thing and ~*** bei all dem Trubel
Ansaphone® *n* Anrufbeantworter *m*
ANSI *abbr of* ***American National Standards Institute*** *amerikanischer Normenausschuss*
answer I *n* **1.** Antwort *f* (*to* auf +*acc*); ***to get an/no ~*** Antwort / keine Antwort bekommen; ***there was no ~*** (*to telephone*, *doorbell*) es hat sich niemand gemeldet; ***in ~ to my question*** auf meine Frage hin **2.** (≈ *solution*) Lösung *f* (*to* +*gen*); ***there's no easy ~*** es gibt dafür keine Patentlösung **II** *v/t* **1.** antworten auf (+*acc*); *person* antworten (+*dat*); *exam ques-*

tions, criticism beantworten; ***to ~ the telephone*** das Telefon abnehmen; ***to ~ the bell*** *or* ***door*** die Tür öffnen; ***shall I ~ it?*** (*phone*) soll ich rangehen?; (*door*) soll ich hingehen?; ***to ~ the call of nature*** (*hum*) dem Ruf der Natur folgen **2.** (≈ *fulfil*) *hope, expectation* erfüllen; *need* befriedigen; ***people who ~ that description*** Leute, auf die diese Beschreibung zutrifft **III** *v/i* antworten; ***if the phone rings, don't ~*** wenn das Telefon läutet, geh nicht ran ◆ **answer back I** *v/i* widersprechen; ***don't ~!*** keine Widerrede! **II** *v/t sep* ***to answer sb back*** jdm widersprechen ◆ **answer for** *v/i +prep obj* verantwortlich sein für; ***he has a lot to ~*** er hat eine Menge auf dem Gewissen ◆ **answer to** *v/i +prep obj* **1.** ***to ~ sb for sth*** jdm für etw Rechenschaft schuldig sein **2.** ***to ~ a description*** einer Beschreibung entsprechen **3.** ***to ~ the name of ...*** auf den Namen ... hören

answerable *adj* (≈ *responsible*) verantwortlich; ***to be ~ to sb*** (***for sth***) jdm gegenüber (für etw) verantwortlich sein **answering machine** *n* Anrufbeantworter *m*

answerphone *n* (*Br*) Anrufbeantworter *m*; ***~ message*** Ansage *f* auf dem Anrufbeantworter

ant *n* Ameise *f*

antacid *n* säurebindendes Mittel

antagonism *n* Antagonismus *m*; (*towards sb, change etc*) Feindseligkeit *f* (*to*(*wards*) gegenüber) **antagonist** *n* Gegner(in) *m*(*f*) **antagonistic** *adj* feindselig; ***to be ~ to*** *or* ***toward(s) sb/sth*** jdm/gegen etw feindselig gesinnt sein **antagonize** *v/t* gegen sich aufbringen

Antarctic I *adj* antarktisch **II** *n* ***the ~*** die Antarktis **Antarctica** *n* die Antarktis **Antarctic Circle** *n* südlicher Polarkreis **Antarctic Ocean** *n* Südpolarmeer *nt*

anteater *n* Ameisenbär *m*

antecedents *pl* (*of event*) Vorgeschichte *f*

antelope *n* Antilope *f*

antenatal *adj* vor der Geburt; ***~ care*** Schwangerschaftsfürsorge *f*; ***~ clinic*** Sprechstunde *f* für Schwangere

antenna *n* **1.** *pl* ***-e*** ZOOL Fühler *m* **2.** *pl* ***-e*** *or* ***-s*** RADIO, TV Antenne *f*

anteroom *n* Vorzimmer *nt*

anthem *n* Hymne *f*

ant hill *n* Ameisenhaufen *m*

anthology *n* Anthologie *f*

anthrax *n* Anthrax *m* (*tech*), Milzbrand *m*

anthropological *adj* anthropologisch **anthropologist** *n* Anthropologe *m*, Anthropologin *f* **anthropology** *n* Anthropologie *f*

anti (*infml*) **I** *adj pred* in Opposition (*infml*) **II** *prep* gegen (*+acc*)

anti-abortionist *n* Abtreibungsgegner(in) *m*(*f*) **anti-aircraft** *adj* Flugabwehr- **anti-American** *adj* antiamerikanisch **antiballistic missile** *n* Antiraketenrakete *f* **antibiotic** *n* Antibiotikum *nt* **antibody** *n* Antikörper *m*

anticipate *v/t* (≈ *expect*) erwarten; (≈ *see in advance*) vorhersehen; ***as ~d*** wie erwartet **anticipation** *n* **1.** (≈ *expectation*) Erwartung *f*; ***to wait in ~*** gespannt warten **2.** (≈ *seeing in advance*) Vorausberechnung *f*

anticlimax *n* Enttäuschung *f* **anticlockwise** *adv* (*esp Br*) gegen den Uhrzeigersinn

antics *pl* Eskapaden *pl*; (≈ *tricks*) Streiche *pl*; ***he's up to his old ~ again*** er macht wieder seine Mätzchen (*infml*)

anticyclone *n* Hoch(druckgebiet) *nt* **anti-dandruff** *adj* gegen Schuppen **antidepressant** *n* Antidepressivum *nt* **antidote** *n* Gegenmittel *nt* (*against, to, for* gegen) **antifreeze** *n* Frostschutz(mittel *nt*) *m* **antiglare** *adj* (*US*) blendfrei **anti-globalization** *adj* ***~ protester*** Globalisierungsgegner(in) *m*(*f*) **antihistamine** *n* Antihistamin(ikum) *nt* **anti-lock** *adj* ***~ braking system*** ABS-Bremsen *pl* **antimatter** *n* Antimaterie *f* **antinuclear** *adj* ***~ protesters*** Atomwaffengegner *pl*

antipathy *n* Antipathie *f* (*towards* gegen)

antipersonnel *adj* ***~ mine*** Antipersonenmine *f* **antiperspirant** *n* Antitranspirant *nt*

antipodean *adj* (*Br*) australisch und neuseeländisch **Antipodes** *pl* (*Br*) Australien und Neuseeland

antiquarian *adj books* antiquarisch; ***~ bookshop*** Antiquariat *nt* **antiquated** *adj* antiquiert **antique I** *adj* antik; ***~ pine*** Kiefer *f* antik **II** *n* Antiquität *f* **antique dealer** *n* Antiquitätenhändler(in) *m*(*f*) **antique shop** *n* Antiquitätengeschäft *nt* **antiquity** *n* **1.** (≈ *ancient times*) das Altertum; (≈ *Roman antiquity*) die Antike; ***in ~*** im Altertum/in der Antike **2.** **antiquities** *pl* (≈ *old things*) Altertümer *pl*

antiriot *adj* **~ *police*** Bereitschaftspolizei *f* **anti-Semite** *n* Antisemit(in) *m(f)* **anti-Semitic** *adj* antisemitisch **anti-Semitism** *n* Antisemitismus *m* **antiseptic I** *n* Antiseptikum *nt* **II** *adj* antiseptisch **anti-smoking** *adj campaign* Antiraucher- **antisocial** *adj* unsozial; ***I work ~ hours*** ich arbeite zu Zeiten, wo andere freihaben **antiterrorist** *adj* zur Terrorismusbekämpfung **antitheft device** *n* Diebstahlsicherung *f*

antithesis *n, pl* ***antitheses*** Antithese *f* (*to, of* zu)

anti-virus software *n* IT Antivirensoftware *f* **antivivisectionist** *n* Gegner(in) *m(f)* der Vivisektion **anti-wrinkle** *adj* **~ *cream*** Antifaltencreme *f*

antler *n* (***set*** *or* ***pair of***) **~*s*** Geweih *nt*

antonym *n* Antonym *nt*

anus *n* After *m*

anvil *n* Amboss *m* (*also* ANAT)

anxiety *n* Sorge *f*; ***to cause sb ~*** jdm Sorgen machen; ***in his ~ to get away*** weil er unbedingt wegkommen wollte

anxious *adj* **1.** besorgt; *person, thoughts* ängstlich; ***to be ~ about sb/sth*** um jdn/etw besorgt sein; ***to be ~ about doing sth*** Angst haben, etw zu tun **2.** *moment, wait* bang; ***it's been an ~ time for us all*** wir alle haben uns (in dieser Zeit) große Sorgen gemacht **3. *to be ~ to do sth*** bestrebt sein, etw zu tun; ***I am ~ that he should do it*** *or* ***for him to do it*** mir liegt viel daran, dass er es tut **anxiously** *adv* **1.** besorgt **2.** (≈ *keenly*) gespannt

any I *adj* **1.** (*in interrog, conditional, neg sentences* ≈ *any at all*) (*with sing n*) irgendein(e); (*with pl n*) irgendwelche; (*with uncountable n*) etwas; ***not ~*** kein/keine; ***if I had ~ plan/money*** (***at all***) wenn ich irgendeinen Plan/etwas Geld hätte; ***if it's ~ help*** (***at all***) wenn das (irgendwie) hilft; ***it won't do ~ good*** es wird nichts nützen; ***without ~ difficulty*** ohne jede Schwierigkeit **2.** (≈ *no matter which*) jede(r, s) (beliebige ...); (*with pl or uncountable n*) alle; ***~ one will do*** es ist jede(r, s) recht; ***~ one you like*** was du willst; ***you can come at ~ time*** du kannst jederzeit kommen; ***thank you — ~ time*** danke! – bitte!; ***~ old ...*** (*infml*) jede(r, s) x-beliebige ... (*infml*) **II** *pron* **1.** (*in interrog, conditional, neg sentences*) welche; ***I want to meet a psychologist, do you know ~?*** ich würde gerne einen Psychologen kennenlernen, kennen Sie einen?; ***I need some butter/stamps, do you have ~?*** ich brauche Butter/Briefmarken, haben Sie welche?; ***have you seen ~ of my ties?*** haben Sie eine von meinen Krawatten gesehen?; ***don't you have ~*** (***at all***)***?*** haben Sie (denn) (überhaupt) keinen/keine/keines?; ***he wasn't having ~*** (***of it/that***) (*infml*) er wollte nichts davon hören; ***few, if ~, will come*** wenn überhaupt, werden nur wenige kommen; ***if ~ of you can sing*** wenn (irgend)jemand von euch singen kann **2.** (≈ *no matter which*) alle; ***~ who do come ...*** alle, die kommen ... **III** *adv colder etc* noch; ***not ~ bigger*** *etc* nicht größer *etc*; ***we can't go ~ further*** wir können nicht mehr weiter gehen; ***are you feeling ~ better?*** geht es dir etwas besser?; ***do you want ~ more soup?*** willst du noch etwas Suppe?; ***don't you want ~ more tea?*** willst du keinen Tee mehr?; ***~ more offers?*** noch weitere Angebote?; ***I don't want ~ more*** (***at all***) ich möchte (überhaupt) nichts mehr

anybody I *pron* **1.** (irgend)jemand; ***not ... ~*** niemand, keine(r); (***does***) ***~ want my book?*** will jemand mein Buch?; ***I can't see ~*** ich kann niemand(en) sehen **2.** (≈ *no matter who*) jede(r); ***it's ~'s game*** das Spiel kann von jedem gewonnen werden; ***is there ~ else I can talk to?*** gibt es sonst jemand(en), mit dem ich sprechen kann?; ***I don't want to see ~ else*** ich möchte niemand anderen sehen **II** *n* (≈ *person of importance*) jemand; ***he's not just ~*** er ist nicht einfach irgendjemand; ***everybody who is ~ was there*** alles, was Rang und Namen hat, war dort

anyhow *adv* (≈ *at any rate*) = ***anyway***

anymore *adv* (*+vb*) nicht mehr; → ***any***

anyone *pron, n* = ***anybody***

anyplace *adv* (*US infml*) = ***anywhere***

anything I *pron* **1.** (irgend)etwas; ***not ~*** nichts; ***is it/isn't it worth ~?*** ist es etwas/gar nichts wert?; ***did/didn't he say ~ else?*** hat er (sonst) noch etwas/sonst (gar) nichts gesagt?; ***did/didn't they give you ~ at all?*** haben sie euch überhaupt etwas/überhaupt nichts gegeben?; ***are you doing ~ tonight?*** hast du heute Abend schon etwas vor?; ***he's as smart as ~*** (*infml*) er ist clever wie noch was (*infml*) **2.** (≈ *no matter what*) alles; ***~ you like*** (alles,) was du willst; ***I wouldn't do it for ~*** ich würde es um keinen Preis tun; ***~ else is impossible*** alles andere ist unmöglich; ***~ but that!*** alles, nur das nicht!; ***~ but!*** von wegen! **II** *adv* (*infml*) ***it isn't ~ like him*** das sieht ihm überhaupt nicht ähnlich; ***it didn't cost ~ like £100*** es kostete bei Weitem keine £ 100

anyway *adv* jedenfalls; (≈ *regardless*) trotzdem; ***~, that's what I think*** das ist jedenfalls meine Meinung; ***I told him not to, but he did it ~*** ich habe es ihm verboten, aber er hat es trotzdem gemacht; ***who cares, ~?*** überhaupt, wen kümmert es denn schon?

anyways *adv* (*US dial*) = ***anyway***

anywhere *adv* **1.** irgendwo; *go* irgendwohin; ***not ~*** nirgends / nirgendwohin; ***he'll never get ~*** er wird es zu nichts bringen; ***I wasn't getting ~*** ich kam (einfach) nicht weiter; ***I haven't found ~ to live yet*** ich habe noch nichts gefunden, wo ich wohnen kann; ***the cottage was miles from ~*** das Häuschen lag jwd (*infml*); ***there could be ~ between 50 and 100 people*** es könnten (schätzungsweise) 50 bis 100 Leute sein **2.** (≈ *no matter where*) überall; *go* überallhin; ***they could be ~*** sie könnten überall sein; ***~ you like*** wo / wohin du willst

apart *adv* **1.** auseinander; ***I can't tell them ~*** ich kann sie nicht auseinanderhalten; ***to live ~*** getrennt leben; ***to come*** *or* ***fall ~*** entzweigehen; ***her marriage is falling ~*** ihre Ehe geht in die Brüche; ***to take sth ~*** etw auseinandernehmen **2.** (≈ *to one side*) beiseite; (≈ *on one side*) abseits (*from +gen*); ***he stood ~ from the group*** er stand abseits von der Gruppe **3.** (≈ *excepted*) abgesehen von; ***~ from that, the gearbox is also faulty*** außerdem ist (auch) das Getriebe schadhaft

apartheid *n* Apartheid *f*

apartment *n* (*esp US*) Wohnung *f*; ***~ house*** *or* ***block*** *or* ***building*** Wohnblock *m*

apathetic *adj* apathisch **apathy** *n* Apathie *f*

ape *n* Affe *m*

apéritif *n* Aperitif *m*

aperture *n* Öffnung *f*; PHOT Blende *f*

apex *n*, *pl* ***-es*** *or* ***apices*** Spitze *f*; (*fig*) Höhepunkt *m*

APEX RAIL, AVIAT *abbr of* ***advance purchase excursion fare*** **I** *adj attr* Frühbucher- **II** *n* Frühbucherticket *nt*

aphrodisiac *n* Aphrodisiakum *nt*

apices *pl of* ***apex***

apiece *adv* pro Stück; (≈ *per person*) pro Person; ***I gave them two ~*** ich gab ihnen je zwei; ***they had two cakes ~*** sie hatten jeder zwei Kuchen

aplomb *n* Gelassenheit *f*; ***with ~*** gelassen

Apocalypse *n* Apokalypse *f* **apocalyptic** *adj* apokalyptisch

apolitical *adj* apolitisch

apologetic *adj* (≈ *making an apology*) entschuldigend *attr*; (≈ *regretful*) bedauernd *attr*; ***she wrote me an ~ letter*** sie schrieb mir und entschuldigte sich vielmals; ***he was most ~*** (***about it***) er entschuldigte sich vielmals (dafür) **apologetically** *adv* entschuldigend

apologize *v/i* sich entschuldigen (*to* bei); ***to ~ for sb / sth*** sich für jdn / etw entschuldigen **apology** *n* Entschuldigung *f*; ***to make*** *or* ***offer sb an ~*** jdn um Verzeihung bitten; ***Mr Jones sends his apologies*** Herr Jones lässt sich entschuldigen; ***I owe you an ~*** ich muss dich um Verzeihung bitten; ***I make no ~*** *or* ***apologies for the fact that ...*** ich entschuldige mich nicht dafür, dass ...

apoplectic *adj* (*infml*) cholerisch; ***~ fit*** MED Schlaganfall *m* **apoplexy** *n* Schlaganfall *m*

apostle *n* (*lit*, *fig*) Apostel *m*

apostrophe *n* GRAM Apostroph *m*

appal, (*US also*) **appall** *v/t* entsetzen; ***to be ~led*** (***at*** *or* ***by sth***) (über etw *acc*) entsetzt sein **appalling** *adj*, **appallingly** *adv* entsetzlich

apparatus *n* Apparat *m*; (*in gym*) Geräte *pl*; ***a piece of ~*** ein Gerät *nt*

apparel *n no pl* (*liter*, *US* COMM) Kleidung *f*

apparent *adj* **1.** (≈ *obvious*) offensichtlich; ***to be ~ to sb*** jdm klar sein; ***to become ~*** sich (deutlich) zeigen; ***for no ~ reason*** aus keinem ersichtlichen Grund **2.** (≈ *seeming*) scheinbar **apparently** *adv* anscheinend

apparition *n* Erscheinung *f*

appeal I *n* **1.** (≈ *request*) Appell *m* (*for* um); ***~ for funds*** Spendenappell *m*; ***to make an ~ to sb*** an jdn appellieren; (*charity etc*) einen Appell an jdn richten; ***to make an ~ to sb for sth*** jdn um etw bitten; (*charity etc*) jdn zu etw aufrufen

2. (*against decision*) Einspruch *m*; (JUR, *against sentence*) Berufung *f*; (*actual trial*) Revision *f*; ***he lost his ~*** er verlor in der Berufung; ***Court of Appeal*** Berufungsgericht *nt* **3.** (≈ *power of attraction*) Reiz *m* (*to* für); ***his music has (a) wide ~*** seine Musik spricht weite Kreise an **II** *v/i* **1.** (≈ *make request*) (dringend) bitten; ***to ~ to sb for sth*** jdn um etw bitten; ***to ~ to the public to do sth*** die Öffentlichkeit (dazu) aufrufen, etw zu tun **2.** (*against decision*) Einspruch erheben (*to* bei); JUR Berufung einlegen (*to* bei) **3.** (*for support, decision*) appellieren (*to* an +*acc*); SPORTS Beschwerde einlegen **4.** (≈ *be attractive*) reizen (*to sb* jdn); (*candidate, idea*) zusagen (*to sb* jdm) **appealing** *adj* **1.** (≈ *attractive*) attraktiv **2.** *look, voice* flehend

appear *v/i* **1.** (≈ *emerge*) erscheinen; ***to ~ from behind sth*** hinter etw (*dat*) auftauchen; ***to ~ in public*** sich in der Öffentlichkeit zeigen; ***to ~ in court*** vor Gericht erscheinen; ***to ~ as a witness*** als Zeuge / Zeugin auftreten **2.** (≈ *seem*) scheinen; ***he ~ed (to be) drunk*** er schien betrunken zu sein; ***it ~s that ...*** es hat den Anschein, dass ...; ***it ~s not*** anscheinend nicht; ***there ~s to be a mistake*** da scheint ein Irrtum vorzuliegen; ***it ~s to me that ...*** mir scheint, dass ...

appearance *n* **1.** (≈ *emergence*) Erscheinen *nt*; (*unexpected*) Auftauchen *nt no pl*; THEAT Auftritt *m*; ***to put in*** *or* ***make an ~*** sich sehen lassen **2.** (≈ *look*) Aussehen *nt*; (*esp of person*) Äußere(s) *nt*; ***for the sake of ~s*** um den Schein zu wahren; ***to keep up ~s*** den (äußeren) Schein wahren

appease *v/t* beschwichtigen **appeasement** *n* Beschwichtigung *f*

append *v/t notes etc* anhängen (*to* an +*acc*) (*also* IT) **appendage** *n* (*fig*) Anhängsel *nt* **appendectomy** *n* Blinddarmoperation *f* **appendicitis** *n* Blinddarmentzündung *f* **appendix** *n*, *pl* ***appendices*** *or* ***-es*** **1.** ANAT Blinddarm *m*; ***to have one's ~ out*** sich (*dat*) den Blinddarm herausnehmen lassen **2.** (*to book etc*) Anhang *m*

appetite *n* Appetit *m*; (*fig*) Verlangen *nt*; ***to have an/no ~ for sth*** Appetit / keinen Appetit auf etw (*acc*) haben; (*fig*) Verlangen / kein Verlangen nach etw haben; ***I hope you've got an ~*** ich hoffe, ihr habt Appetit!; ***to spoil one's ~*** sich (*dat*) den Appetit verderben **appetizer** *n* (≈ *food*) Appetitanreger *m*; (≈ *hors d'oeuvre*) Vorspeise *f*; (≈ *drink*) appetitanregendes Getränk **appetizing** *adj* appetitlich; *smell* lecker

applaud I *v/t* applaudieren; *efforts, courage* loben; *decision* begrüßen **II** *v/i* applaudieren **applause** *n no pl* Applaus *m*

apple *n* Apfel *m*; ***to be the ~ of sb's eye*** jds Liebling sein **apple-green** *adj* apfelgrün **apple pie** *n* ≈ gedeckter Apfelkuchen **apple sauce** *n* COOK Apfelmus *nt*

applet *n* IT Applet *nt*

appliance *n* Vorrichtung *f*; (≈ *household appliance*) Gerät *nt*

applicable *adj* anwendbar (*to* auf +*acc*); (*on forms*) zutreffend (*to* für); ***that isn't ~ to you*** das trifft auf Sie nicht zu **applicant** *n* (*for job*) Bewerber(in) *m(f)* (*for* um, für); (*for loan*) Antragsteller(in) *m(f)* (*for* für, auf +*acc*)

application *n* **1.** (*for job etc*) Bewerbung *f* (*for* um, für); (*for loan*) Antrag *m* (*for* auf +*acc*) **2.** (*of paint, ointment*) Auftragen *nt*; (*of rules, knowledge*) Anwendung *f*; ***"for external ~ only"*** MED „nur zur äußerlichen Anwendung" **3.** (≈ *diligence*) Fleiß *m* **application form** *n* Antragsformular *nt*; (*for job*) Bewerbungsbogen *m* **application program** *n* IT Anwendungsprogramm *nt* **application software** *n* IT Anwendersoftware *f* **applicator** *n* Aufträger *m*; (*for tampons*) Applikator *m*

applied *adj attr maths etc* angewandt

appliqué SEWING **I** *n* Applikationen *pl* **II** *adj attr* ***~ work*** Stickerei *f*

apply I *v/t paint, ointment* auftragen (*to* auf +*acc*); *dressing* anlegen; *pressure, rules, knowledge* anwenden (*to* auf +*acc*); *brakes* betätigen; ***to ~ oneself (to sth)*** sich (bei etw) anstrengen; ***that term can be applied to many things*** dieser Begriff trifft auf viele Dinge zu **II** *v/i* **1.** (≈ *make an application*) sich bewerben (*for* um, für); ***to ~ to sb for sth*** (*for job, grant*) sich bei jdm für etw bewerben; ***~ within*** Anfragen im Laden; ***she has applied to college*** sie hat sich um einen Studienplatz beworben **2.** (≈ *be applicable*) gelten (*to* für)

appoint *v/t* (*to a job*) einstellen; (*to a post*) ernennen; ***to ~ sb to an office*** jdn in ein Amt berufen; ***to ~ sb sth*** jdn zu etw ernennen; ***to ~ sb to do sth*** jdn dazu bestimmen, etw zu tun **appointed** *adj hour, place* festgesetzt; *task* zugewiesen; *representative* ernannt **appointee** *n* Ernannte(r) *m/f(m)*

appointment *n* **1.** Verabredung *f*; (≈ *business appointment, with doctor etc*) Termin *m* (*with* bei); ***to make an ~ with sb*** mit jdm eine Verabredung treffen / einen Termin vereinbaren; ***I made an ~ to see the doctor*** ich habe mir beim Arzt einen Termin geben lassen; ***do you have an ~?*** sind Sie angemeldet?; ***to keep an ~*** einen Termin einhalten; ***by ~*** auf Verabredung; (*on business, to see doctor, lawyer etc*) nach Vereinbarung **2.** (*to a job*) Einstellung *f*; (*to a post*) Ernennung *f* **appointment(s) book** *n* Terminkalender *m*

apportion *v/t* aufteilen; *duties* zuteilen; ***to ~ sth to sb*** jdm etw zuteilen

appraisal *n* (*of value, damage*) Abschätzung *f*; (*of ability*) Beurteilung *f* **appraise** *v/t value, damage* schätzen; *ability* einschätzen

appreciable *adj*, **appreciably** *adv* beträchtlich **appreciate I** *v/t* **1.** *dangers, problems etc* sich (*dat*) bewusst sein (+*gen*); *sb's wishes etc* Verständnis haben für; ***I ~ that you cannot come*** ich verstehe, dass ihr nicht kommen könnt **2.** (≈ *be grateful for*) zu schätzen wissen; ***thank you, I ~ it*** vielen Dank, sehr nett von Ihnen; ***I would ~ it if you could do this by tomorrow*** könnten Sie das bitte bis morgen erledigen? **3.** *art, music* schätzen **II** *v/i* FIN ***to ~ (in value)*** im Wert steigen **appreciation** *n* **1.** (*of problems, dangers*) Erkennen *nt* **2.** (≈ *respect*) Anerkennung *f*; (*of person*) Wertschätzung *f*; ***in ~ of sth*** zum Dank für etw; ***to show one's ~*** seine Dankbarkeit (be)zeigen **3.** (≈ *enjoyment, understanding*) Verständnis *nt*; (*of art*) Sinn *m* (*of* für); ***to write an ~ of sb/sth*** einen Bericht über jdn / etw schreiben **4.** (≈ *increase*) (Wert)steigerung *f* (*in* bei) **appreciative** *adj* anerkennend; (≈ *grateful*) dankbar

apprehend *v/t* festnehmen **apprehension** *n* (≈ *fear*) Besorgnis *f*; ***a feeling of ~*** eine dunkle Ahnung **apprehensive** *adj* ängstlich; ***to be ~ of sth*** etw befürchten; ***he was ~ about the future*** er schaute mit ängstlicher Sorge in die Zukunft **apprehensively** *adv* ängstlich

apprentice I *n* Lehrling *m*, Auszubildende(r) *m/f(m)*; ***~ electrician*** Elektrikerlehrling *m* **II** *v/t* ***to be ~d to sb*** bei jdm in die Lehre gehen **apprenticeship** *n* Lehre *f*; ***to serve one's ~*** seine Lehre absolvieren

approach I *v/i* (*physically*) sich nähern; (*date etc*) nahen **II** *v/t* **1.** (≈ *come near*) sich nähern (+*dat*); AVIAT anfliegen; (*fig*) heranreichen an (+*acc*); ***to ~ thirty*** auf die dreißig zugehen; ***the train is now ~ing platform 3*** der Zug hat Einfahrt auf Gleis 3; ***something ~ing a festive atmosphere*** eine annähernd festliche Stimmung **2.** *person, organization* herantreten an (+*acc*) (*about* wegen) **3.** *problem, task* angehen **III** *n* **1.** (≈ *drawing near*) (Heran)nahen *nt*; (*of troops*) Heranrücken *nt*; AVIAT Anflug *m* (*to* an +*acc*) **2.** (*to person, organization*) Herantreten *nt* **3.** (≈ *attitude*) Ansatz *m* (*to* zu); ***a positive ~ to teaching*** eine positive Einstellung zum Unterrichten; ***his ~ to the problem*** seine Art, an das Problem heranzugehen; ***try a different ~*** versuchs doch mal anders **approachable** *adj person* leicht zugänglich **approach path** *n* AVIAT Einflugschneise *f* **approach road** *n* (*to city etc*) Zufahrtsstraße *f*; (*to motorway*) (Autobahn)zubringer *m*; (≈ *slip road*) Auffahrt *f*

approbation *n* Zustimmung *f*; (*from critics*) Beifall *m*

appropriate[1] *adj* **1.** (≈ *fitting*) geeignet (*for, to* für); (*to a situation, occasion*) angemessen (*to* +*dat*); *name, remark* treffend; ***to be ~ for doing sth*** geeignet sein, etw zu tun **2.** (≈ *relevant*) entsprechend; *authority* zuständig; ***put a tick where ~*** Zutreffendes bitte ankreuzen; ***delete as ~*** Nichtzutreffendes streichen

appropriate[2] *v/t* sich (*dat*) aneignen

appropriately *adv* treffend; *dressed* passend (*for, to* für) **appropriateness** *n* (≈ *suitability, fittingness*) Eignung *f*; (*of dress, remark, name, for a particular occasion*) Angemessenheit *f*

appropriation *n* (*of land, property*) Beschlagnahmung *f*; (*of sb's ideas*) Aneignung *f*

approval *n* **1.** Anerkennung *f*; (≈ *consent*) Zustimmung *f* (*of* zu); ***to win sb's ~ (for sth)*** jds Zustimmung (für etw) gewinnen; ***to give one's ~ for sth*** seine Zustimmung zu etw geben; ***to meet***

with/have sb's ~ jds Zustimmung finden/haben; ***to show one's ~ of sth*** zeigen, dass man einer Sache (*dat*) zustimmt **2.** COMM ***on ~*** zur Probe; (*to look at*) zur Ansicht

approve I *v/t decision* billigen; *project* genehmigen **II** *v/i* ***to ~ of sb/sth*** von jdm/etw etwas halten; ***I don't ~ of him/it*** ich halte nichts von ihm/davon; ***I don't ~ of children smoking*** ich bin dagegen, dass Kinder rauchen **approving** *adj* anerkennend; (≈ *consenting*) zustimmend **approvingly** *adv* anerkennend

approx. *abbr of* ***approximately*** ca. **approximate I** *adj* ungefähr; ***these figures are only ~*** dies sind nur ungefähre Werte; ***three hours is the ~ time needed*** man braucht ungefähr drei Stunden **II** *v/i* ***to ~ to sth*** einer Sache (*dat*) in etwa entsprechen **III** *v/t* ***to ~ sth*** einer Sache (*dat*) in etwa entsprechen **approximately** *adv* ungefähr **approximation** *n* Annäherung *f* (*of, to* an *+acc*); (≈ *figure*) (An)näherungswert *m*; ***his story was an ~ of the truth*** seine Geschichte entsprach in etwa der Wahrheit

APR *abbr of* ***annual percentage rate*** Jahreszinssatz *m*

après-ski I *n* Après-Ski *nt* **II** *adj attr* Après-Ski-

apricot I *n* Aprikose *f*, Marille *f* (*Aus*) **II** *adj* (*a.* **apricot-coloured**) aprikosenfarben

April *n* April *m*; ***~ shower*** Aprilschauer *m*; → ***September*** **April fool** *n* Aprilnarr *m*; ***~!*** ≈ April, April!; ***to play an ~ on sb*** jdn in den April schicken **April Fools' Day** *n* der erste April

apron *n* Schürze *f* **apron strings** *pl* ***to be tied to sb's ~*** jdm am Schürzenzipfel hängen (*infml*)

apropos *prep* (*a.* **apropos of**) apropos (*+nom*)

apt *adj* (*+er*) **1.** (≈ *fitting*) passend **2.** ***to be ~ to do sth*** dazu neigen, etw zu tun

Apt. *abbr of* ***apartment*** Z, Zi

aptitude *n* Begabung *f* **aptitude test** *n* Eignungsprüfung *f*

aptly *adv* passend

aquajogging *n* Aquajogging *nt* **aqualung** *n* Tauchgerät *nt* **aquamarine I** *n* Aquamarin *m*; (≈ *colour*) Aquamarin *nt* **II** *adj* aquamarin **aquaplane** *v/i* (*car etc*) (auf nasser Straße) ins Rutschen geraten **aquaplaning** *n* Aquaplaning *nt*; ***in order to prevent the car from ~*** um ein Aquaplaning zu verhindern **aquarium** *n* Aquarium *nt* **Aquarius** *n* Wassermann *m* **aquarobics** *n sg* Aquarobic *nt* **aquatic** *adj* Wasser-; ***~ sports*** Wassersport *m*

aqueduct *n* Aquädukt *m or nt*

Arab I *n* Araber *m*, Araberin *f*; ***the ~s*** die Araber **II** *adj attr* arabisch; ***~ horse*** Araber *m* **Arabia** *n* Arabien *nt* **Arabian** *adj* arabisch **Arabic I** *n* Arabisch *nt* **II** *adj* arabisch

arable *adj* Acker-; ***~ farming*** Ackerbau *m*; ***~ land*** Ackerland *nt*

arbitrarily *adv* willkürlich **arbitrary** *adj* willkürlich

arbitrate I *v/t* schlichten **II** *v/i* vermitteln **arbitration** *n* Schlichtung *f*; ***to go to ~*** vor eine Schlichtungskommission gehen **arbitrator** *n* Vermittler(in) *m(f)*; *esp* IND Schlichter(in) *m(f)*

arc *n* Bogen *m*

arcade *n* ARCH Arkade *f*; (≈ *shopping arcade*) Passage *f*

arcane *adj* obskur

arch[1] I *n* **1.** Bogen *m* **2.** (*of foot*) Wölbung *f* **II** *v/t back* krümmen; *eyebrows* hochziehen; ***the cat ~ed its back*** die Katze machte einen Buckel

arch[2] *adj attr* Erz-; ***~ enemy*** Erzfeind(in) *m(f)*

archaeological, (*US*) **archeological** *adj* archäologisch **archaeologist**, (*US*) **archeologist** *n* Archäologe *m*, Archäologin *f* **archaeology**, (*US*) **archeology** *n* Archäologie *f*

archaic *adj* veraltet **archaism** *n* veralteter Ausdruck

archangel *n* Erzengel *m* **archbishop** *n* Erzbischof *m* **archdeacon** *n* Erzdiakon *m*

arched *adj* gewölbt; ***~ window*** (Rund)bogenfenster *nt*

archeological *etc* (*US*) = ***archaeological*** *etc*

archer *n* Bogenschütze *m*/-schützin *f* **archery** *n* Bogenschießen *nt*

archetypal *adj* archetypisch (*elev*); (≈ *typical*) typisch; ***he is the ~ millionaire*** er ist ein Millionär, wie er im Buche steht **archetype** *n* Archetyp(us) *m* (*form*)

archipelago *n*, *pl* **-(e)s** Archipel *m*

architect *n* Architekt(in) *m(f)*; ***he was the ~ of his own downfall*** er hat seinen Ruin selbst verursacht **architectural**

adj, **architecturally** *adv* architektonisch **architecture** *n* Architektur *f*
archive *n* Archiv *nt* (*also* IT); **~ *material*** Archivmaterial *nt* **archives** *pl* Archiv *nt* **archivist** *n* Archivar(in) *m*(*f*)
arch-rival *n* Erzrivale *m*, Erzrivalin *f*
archway *n* Torbogen *m*
arctic I *adj* arktisch **II** *n* ***the Arctic*** die Arktis **Arctic Circle** *n* nördlicher Polarkreis **Arctic Ocean** *n* Nordpolarmeer *nt*
ardent *adj* leidenschaftlich **ardently** *adv* leidenschaftlich; *desire*, *admire* glühend
arduous *adj* beschwerlich; *work* anstrengend; *task* mühselig
are *2nd person sg*, *1st*, *2nd*, *3rd person pl pres of* **be**
area *n* **1.** (*measure*) Fläche *f*; ***20 sq metres*** (*Br*) *or* ***meters*** (*US*) ***in ~*** eine Fläche von 20 Quadratmetern **2.** (≈ *region*) Gebiet *nt*; (≈ *neighbourhood*) Gegend *f*; (*piece of ground*) Gelände *nt*; (*on diagram etc*) Bereich *m*; ***in the ~*** in der Nähe; ***do you live in the ~?*** wohnen Sie hier (in der Gegend)?; ***in the London ~*** im Londoner Raum; ***protected ~*** Schutzgebiet *nt*; ***dining/sleeping ~*** Ess-/Schlafbereich *m*; ***no smoking ~*** Nichtraucherzone *f*; ***the (penalty) ~*** (*esp Br* FTBL) der Strafraum; ***a mountainous ~*** eine bergige Gegend; ***a wooded ~*** ein Waldstück *nt*; (*larger*) ein Waldgebiet *nt*; ***the infected ~s of the lungs*** die befallenen Teile *or* Stellen der Lunge **3.** (*fig*) Bereich *m*; ***his ~ of responsibility*** sein Verantwortungsbereich *m*; ***~ of interest*** Interessengebiet *nt* **area code** *n* TEL Vorwahl(nummer) *f* **area manager** *n* Gebietsleiter *m* **area office** *n* Bezirksbüro *nt*
arena *n* Arena *f*
aren't = ***are not***, ***am not***; → **be**
Argentina *n* Argentinien *nt* **Argentine** *n* ***the ~*** Argentinien *nt* **Argentinian I** *n* Argentinier(in) *m*(*f*) **II** *adj* argentinisch
arguable *adj* ***it is ~ that ...*** es lässt sich der Standpunkt vertreten, dass ...; (≈ *open to discussion*) ***it is ~ whether ...*** es ist (noch) die Frage, ob ... **arguably** *adv* wohl; ***this is ~ his best book*** dies dürfte sein bestes Buch sein
argue I *v/i* **1.** (≈ *dispute*) streiten; (≈ *quarrel*) sich streiten; (*about trivial things*) sich zanken; ***there's no arguing with him*** mit ihm kann man nicht reden; ***don't ~ with your mother!*** du sollst deiner Mutter nicht widersprechen!; ***there is no point in arguing*** da erübrigt sich jede (weitere) Diskussion **2.** ***to ~ for*** *or* ***in favour*** (*Br*) *or* ***favor*** (*US*) ***of/against sth*** für / gegen etw sprechen; ***this ~s in his favour*** (*Br*) *or* ***favor*** (*US*) das spricht zu seinen Gunsten **II** *v/t* **1.** *case*, *matter* diskutieren; ***a well ~d case*** ein gut begründeter Fall **2.** (≈ *maintain*) behaupten; ***he ~s that ...*** er vertritt den Standpunkt, dass ... ◆ **argue out** *v/t sep problem* ausdiskutieren; ***to argue sth out with sb*** etw mit jdm durchsprechen
argument *n* **1.** (≈ *discussion*) Diskussion *f*; ***for the sake of ~*** rein theoretisch **2.** (≈ *quarrel*) Auseinandersetzung *f*; ***to have an ~*** sich streiten; (*over sth trivial*) sich zanken **3.** (≈ *reason*) Argument *nt*; ***Professor Ayer's ~ is that ...*** Professor Ayers These lautet, dass ... **argumentative** *adj* streitsüchtig
aria *n* Arie *f*
arid *adj* dürr
Aries *n* ASTROL Widder *m*; ***she is (an) ~*** sie ist Widder
arise *pret* ***arose***, *past part* ***arisen*** *v/i* **1.** sich ergeben; (*question*, *problem*) aufkommen; ***should the need ~*** falls sich die Notwendigkeit ergibt **2.** (≈ *result*) ***to ~ out of*** *or* ***from sth*** sich aus etw ergeben
aristocracy *n* Aristokratie *f* **aristocrat** *n* Aristokrat(in) *m*(*f*) **aristocratic** *adj* aristokratisch
arithmetic *n* Rechnen *nt*
ark *n* ***Noah's ~*** die Arche Noah
arm[1] *n* **1.** ANAT Arm *m*; ***in one's ~s*** im Arm; ***to give sb one's ~*** (*Br*) jdm den Arm geben; ***to take sb in one's ~s*** jdn in die Arme nehmen; ***to hold sb in one's ~s*** jdn umarmen; ***to put*** *or* ***throw one's ~s around sb*** die Arme um jdn schlingen (*elev*); ***~ in ~*** Arm in Arm; ***to welcome sb with open ~s*** jdn mit offenen Armen empfangen; ***within ~'s reach*** in Reichweite; ***it cost him an ~ and a leg*** (*infml*) es kostete ihn ein Vermögen **2.** (≈ *sleeve*) Ärmel *m* **3.** (*of river*) (Fluss)arm *m*; (*of armchair*) (Arm)lehne *f*
arm[2] **I** *v/t* bewaffnen; ***to ~ sth with sth*** etw mit etw ausrüsten; ***to ~ oneself with sth*** sich mit etw bewaffnen **II** *v/i* aufrüsten **armaments** *pl* Ausrüstung *f*
armband *n* Armbinde *f*
armchair *n* Sessel *m*, Fauteuil *nt* (*Aus*)

armed *adj* bewaffnet **armed forces** *pl* Streitkräfte *pl* **armed robbery** *n* bewaffneter Raubüberfall

Armenia *n* Armenien *nt* **Armenian I** *adj* armenisch **II** *n* **1.** (≈ *person*) Armenier(in) *m(f)* **2.** LING Armenisch *nt*

armful *n* Arm *m* voll *no pl* **armhole** *n* Armloch *nt*

armistice *n* Waffenstillstand *m* **Armistice Day** *n* 11.11., *Tag des Waffenstillstands (1918)*

armour, (*US*) **armor** *n* Rüstung *f*; ***suit of ~*** Rüstung *f* **armoured**, (*US*) **armored** *adj* Panzer-; ***~ car*** Panzerwagen *m*; ***~ personnel carrier*** Schützenpanzer(wagen) *m* **armour-plated**, (*US*) **armor-plated** *adj* gepanzert **armour plating**, (*US*) **armor plating** *n* Panzerung *f* **armoury**, (*US*) **armory** *n* **1.** Arsenal *nt*, Waffenlager *nt* **2.** (*US* ≈ *factory*) Munitionsfabrik *f*

armpit *n* Achselhöhle *f* **armrest** *n* Armlehne *f*

arms *pl* **1.** (≈ *weapons*) Waffen *pl*; ***to take up ~ (against sb/sth)*** (gegen jdn/etw) zu den Waffen greifen; (*fig*) (gegen jdn/etw) zum Angriff übergehen; ***to be up in ~ (about sth)*** (*fig infml*) (über etw *acc*) empört sein **2.** HERALDRY Wappen *nt* **arms race** *n* Wettrüsten *nt*

army I *n* **1.** Armee *f*; ***~ of occupation*** Besatzungsarmee *f*; ***to be in the ~*** beim Militär sein; ***to join the ~*** zum Militär gehen **2.** (*fig*) Heer *nt* **II** *attr* Militär-; ***~ life*** Soldatenleben *nt*; ***~ officer*** Offizier(in) *m(f)* in der Armee

A-road *n* (*Br*) ≈ Bundesstraße *f*

aroma *n* Aroma *nt* **aromatherapy** *n* Aromatherapie *f* **aromatic** *adj* aromatisch

arose *pret of* ***arise***

around I *adv* herum, rum (*infml*); ***I looked all ~*** ich sah mich nach allen Seiten um; ***they came from all ~*** sie kamen von überall her; ***he turned ~*** er drehte sich um; ***for miles ~*** meilenweit im Umkreis; ***to travel ~*** herumreisen; ***is he ~?*** ist er da?; ***see you ~!*** (*infml*) bis bald! **II** *prep* **1.** (≈ *right round*) um; (*in a circle*) um ... herum **2.** (≈ *in, through*) ***to wander ~ the city*** durch die Stadt spazieren; ***to travel ~ Scotland*** durch Schottland reisen; ***the church must be ~ here somewhere*** die Kirche muss hier irgendwo sein **3.** (*with date*) um; (*with time of day*) gegen; (*with weight, price*) etwa; → ***round***

arouse *v/t* erregen

arr *abbr of* ***arrival***, ***arrives*** Ank.

arrange *v/t* **1.** (≈ *order*) ordnen; *objects* aufstellen; *books in library etc* anordnen; *flowers* arrangieren **2.** (≈ *see to, decide on*) vereinbaren; *party* arrangieren; ***I'll ~ for you to meet him*** ich arrangiere für Sie ein Treffen mit ihm; ***an ~d marriage*** eine arrangierte Ehe; ***if you could ~ to be there at five*** wenn du es so einrichten kannst, dass du um fünf Uhr da bist; ***a meeting has been ~d for next month*** nächsten Monat ist ein Treffen angesetzt **3.** MUS arrangieren **arrangement** *n* **1.** Anordnung *f*; ***a flower ~*** ein Blumenarrangement *nt* **2.** (≈ *agreement*) Vereinbarung *f*; (*to meet*) Verabredung *f*; ***a special ~*** eine Sonderregelung; ***to have/come to an ~ with sb*** eine Regelung mit jdm getroffen haben/treffen **3.** (*usu pl*) (≈ *plans*) Pläne *pl*; (≈ *preparations*) Vorbereitungen *pl*; ***to make ~s for sb/sth*** für jdn/etw Vorbereitungen treffen; ***to make ~s for sth to be done*** veranlassen, dass etw getan wird; ***to make one's own ~s*** selber zusehen(, wie ...); ***seating ~s*** Sitzordnung *f*

array *n* **1.** (≈ *collection*) Ansammlung *f*; (*of objects*) stattliche Reihe **2.** IT (Daten)feld *nt*

arrears *pl* Rückstände *pl*; ***to get*** *or* ***fall into ~*** in Rückstand kommen; ***to have ~ of £5000*** mit £ 5000 im Rückstand sein; ***to be paid in ~*** rückwirkend bezahlt werden

arrest I *v/t* festnehmen; (*with warrant*) verhaften **II** *n* Festnahme *f*; (*with warrant*) Verhaftung *f*; ***to be under ~*** festgenommen/verhaftet sein **arrest warrant** *n* Haftbefehl *m*

arrival *n* **1.** Ankunft *f no pl*; (*of goods, news*) Eintreffen *nt no pl*; ***on ~*** bei Ankunft; ***he was dead on ~*** bei seiner Einlieferung ins Krankenhaus wurde der Tod festgestellt; ***~ time*** Ankunftszeit *f*; ***~s*** RAIL, AVIAT Ankunft *f* **2.** (≈ *person*) Ankömmling *m*; ***new ~*** Neuankömmling *m* **arrivals lounge** *n* Ankunftshalle *f*

arrive *v/i* ankommen; ***to ~ home*** nach Hause kommen; (*esp after journey etc*) zu Hause ankommen; ***to ~ at a town/the airport*** in einer Stadt/am Flughafen ankommen; ***the train will ~ at platform***

10 der Zug fährt auf Gleis 10 ein; ***to ~ at a decision/result*** zu einer Entscheidung/einem Ergebnis kommen **arrogance** *n* Arroganz *f* **arrogant** *adj*, **arrogantly** *adv* arrogant **arrow** *n* Pfeil *m* **arrow key** *n* IT Pfeiltaste *f* **arse** (*Br sl*) **I** *n* Arsch *m* (*sl*); ***get your ~ in gear!*** setz mal deinen Arsch in Bewegung! (*sl*); ***tell him to get his ~ into my office*** sag ihm, er soll mal in meinem Büro antanzen (*infml*) **II** *v/t* ***I can't be ~d*** ich hab keinen Bock (*sl*) ◆ **arse about** *or* **around** *v/i* (*Br infml*) rumblödeln (*infml*)

arsehole *n* (*Br vulg*) Arschloch *nt* (*vulg*)

arsenal *n* MIL Arsenal *nt*; (*fig*) Waffenlager *nt*

arsenic *n* Arsen *nt*; ***~ poisoning*** Arsenvergiftung *f*

arson *n* Brandstiftung *f* **arsonist** *n* Brandstifter(in) *m(f)*

art I *n* **1.** Kunst *f*; ***the ~s*** die schönen Künste; ***there's an ~ to it*** das ist eine Kunst; ***~s and crafts*** Kunsthandwerk *nt* **2.** ***~s*** UNIV Geisteswissenschaften *pl*; ***~s minister*** Kulturminister(in) *m(f)* **II** *adj attr* Kunst- **art college** *n* Kunsthochschule *f*

artefact (*Br*), **artifact** *n* Artefakt *nt*

arterial *adj* ***~ road*** AUTO Fernverkehrsstraße *f* **artery** *n* **1.** ANAT Arterie *f* **2.** (*a.* **traffic artery**) Verkehrsader *f*

art gallery *n* Kunstgalerie *f* **art-house** *adj attr* ***~ film*** Experimentalfilm *m*; ***~ cinema*** ≈ Programmkino *nt*

arthritic *adj* arthritisch; ***she is ~*** sie hat Arthritis **arthritis** *n* Arthritis *f*

artichoke *n* Artischocke *f*

article *n* **1.** (≈ *item*) Gegenstand *m*; (*in list*) Posten *m*; COMM Artikel *m*; ***~ of furniture*** Möbelstück *nt*; ***~s of clothing*** Kleidungsstücke *pl* **2.** (*in newspaper, constitution, also* GRAM) Artikel *m*; (*of treaty, contract*) Paragraf *m*

articulate I *adj* klar; ***to be ~*** sich gut *or* klar ausdrücken können **II** *v/t* **1.** (≈ *pronounce*) artikulieren **2.** (≈ *state*) darlegen **III** *v/i* artikulieren **articulated lorry** (*Br*), **articulated truck** *n* Sattelschlepper *m* **articulately** *adv pronounce* artikuliert; *express oneself* klar

artifact *n* = ***artefact***

artificial *adj* künstlich; (*pej*) *smile, manner* gekünstelt; ***~ leather/silk*** Kunstleder *nt*/-seide *f*; ***~ limb*** Prothese *f*; ***you're so ~*** du bist nicht echt **artificial insemination** *n* künstliche Befruchtung **artificial intelligence** *n* künstliche Intelligenz **artificially** *adv* künstlich; (≈ *insincerely*) gekünstelt **artificial respiration** *n* künstliche Beatmung *f*

artillery *n* Artillerie *f*

artisan *n* Handwerker(in) *m(f)*

artist *n* Künstler(in) *m(f)*; ***~'s impression*** Zeichnung *f* **artiste** *n* Künstler(in) *m(f)*; (≈ *circus artiste*) Artist(in) *m(f)* **artistic** *adj* künstlerisch; (≈ *tasteful*) kunstvoll; (≈ *appreciative of art*) kunstverständig; ***she's very ~*** sie ist künstlerisch veranlagt *or* begabt/sehr kunstverständig **artistically** *adv* künstlerisch; (≈ *tastefully*) kunstvoll **artistic director** *n* künstlerischer Direktor, künstlerische Direktorin **artistry** *n* Kunst *f* **Art Nouveau** *n* Jugendstil *m* **art school** *n* Kunsthochschule *f* **arts degree** *n* Abschlussexamen *nt* der philosophischen Fakultät **Arts Faculty, Faculty of Arts** *n* philosophische Fakultät **artwork** *n* **1.** (*in book*) Bildmaterial *nt* **2.** (*for advert etc* ≈ *material ready for printing*) Druckvorlage *f* **3.** (≈ *painting etc*) Kunstwerk *nt* **arty** *adj* (+*er*) (*infml*) Künstler-; *person* auf Künstler machend (*pej*); *film* geschmäcklerisch **arty-farty** *adj* (*hum infml*) = ***arty***

Aryan I *n* Arier(in) *m(f)* **II** *adj* arisch

as I *cj* **1.** (≈ *when, while*) als, während **2.** (≈ *since*) da **3.** (≈ *although*) ***rich as he is I won't marry him*** obwohl er reich ist, werde ich ihn nicht heiraten; ***much as I admire her, ...*** sosehr ich sie auch bewundere, ...; ***be that as it may*** wie dem auch sei **4.** (*manner*) wie; ***do as you like*** machen Sie, was Sie wollen; ***leave it as it is*** lass das so; ***the first door as you go in*** die erste Tür, wenn Sie hereinkommen; ***knowing him as I do*** so wie ich ihn kenne; ***it is bad enough as it is*** es ist schon schlimm genug; ***as it were*** sozusagen **5.** (*phrases*) ***as if*** *or* ***though*** als ob; ***it isn't as if he didn't see me*** schließlich hat er mich ja gesehen; ***as for him*** (und) was ihn angeht; ***as from now*** ab jetzt; ***so as to*** (≈ *in order to*) um zu +*inf*; (*in such a way*) so, dass; ***he's not so silly as to do that*** er ist nicht so dumm, das zu tun **II** *adv* ***as ... as*** so ... wie; ***twice as old*** doppelt so alt; ***just as nice*** genauso nett; ***late as usual!*** wie immer zu spät!; ***as re-***

cently as yesterday erst gestern; ***she is very clever, as is her brother*** sie ist sehr intelligent, genau(so) wie ihr Bruder; ***as many/much as I could*** so viele/so viel ich (nur) konnte; ***there were as many as 100 people there*** es waren bestimmt 100 Leute da; ***the same man as was here yesterday*** derselbe Mann, der gestern hier war **III** *prep* **1.** (≈ *in the capacity of*) als; ***to treat sb as a child*** jdn wie ein Kind behandeln **2.** (*esp* ≈ *such as*) wie (zum Beispiel)

asap *abbr of* ***as soon as possible*** baldmöglichst

asbestos *n* Asbest *m*

ascend I *v/i* aufsteigen; ***in ~ing order*** in aufsteigender Reihenfolge **II** *v/t stairs* hinaufsteigen; *mountain* erklimmen (*elev*) **ascendancy, ascendency** *n* Vormachtstellung *f*; ***to gain (the) ~ over sb*** die Vorherrschaft über jdn gewinnen **Ascension** *n* ***the ~*** (Christi) Himmelfahrt *f* **Ascension Day** *n* Himmelfahrt(stag *m*) *nt* **ascent** *n* Aufstieg *m*; ***the ~ of Ben Nevis*** der Aufstieg auf den Ben Nevis

ascertain *v/t* ermitteln

ascetic I *adj* asketisch **II** *n* Asket *m*

ASCII *abbr of* ***American Standard Code for Information Interchange***; ***~ file*** ASCII-Datei *f*

ascorbic acid *n* Askorbinsäure *f*

ascribe *v/t* zuschreiben (*sth to sb* jdm etw); *importance, weight* beimessen (*to sth* einer Sache *dat*)

asexual *adj reproduction* ungeschlechtlich

ash[1] *n* (*a.* **ash tree**) Esche *f*

ash[2] *n* Asche *f*; ***~es*** Asche *f*; ***to reduce sth to ~es*** etw völlig niederbrennen; ***to rise from the ~es*** (*fig*) aus den Trümmern wiederauferstehen

ashamed *adj* beschämt; ***to be*** *or* ***feel ~ (of sb/sth)*** sich schämen (für jdn/etw); ***it's nothing to be ~ of*** deswegen braucht man sich nicht zu schämen; ***you ought to be ~ (of yourself)*** du solltest dich (was) schämen!

ashen-faced *adj* kreidebleich

ashore *adv* an Land; ***to run ~*** stranden; ***to put ~*** an Land gehen

ashtray *n* Aschenbecher *m* **Ash Wednesday** *n* Aschermittwoch *m*

Asia *n* Asien *nt* **Asia Minor** *n* Kleinasien *nt*

Asian, Asiatic I *adj* **1.** asiatisch **2.** (*Br*) indopakistanisch **II** *n* **1.** Asiat(in) *m(f)* **2.** (*Br*) Indopakistaner(in) *m(f)* **Asian-American I** *adj* asiatisch-amerikanisch **II** *n* Amerikaner(in) *m(f)* asiatischer Herkunft

aside *adv* **1.** zur Seite; ***to set sth ~ for sb*** etw für jdn beiseitelegen; ***to turn ~*** sich abwenden **2.** (*esp US*) ***~ from*** außer; ***~ from being chairman of this committee he is ...*** außer Vorsitzender dieses Ausschusses ist er auch ...

A-side *n* (*of record*) A-Seite *f*

ask I *v/t* **1.** fragen; *question* stellen; ***to ~ sb the way*** jdn nach dem Weg fragen; ***don't ~ me!*** (*infml*) frag mich nicht, was weiß ich! (*infml*) **2.** (≈ *invite*) einladen; (*in dancing*) auffordern **3.** (≈ *request*) bitten (*sb for sth* jdn um etw); (≈ *demand*) verlangen (*sth of sb* etw von jdm); ***to ~ sb to do sth*** jdn darum bitten, etw zu tun; ***that's ~ing too much*** das ist zu viel verlangt **4.** COMM *price* verlangen **II** *v/i* **1.** (≈ *inquire*) fragen; ***to ~ about sb/sth*** sich nach jdm/etw erkundigen **2.** (≈ *request*) bitten (*for sth* um etw); ***there's no harm in ~ing*** Fragen kostet nichts!; ***that's ~ing for trouble*** das kann ja nicht gut gehen; ***to ~ for Mr X*** Herrn X verlangen ◆ **ask after** *v/i +prep obj* sich erkundigen nach; ***tell her I was asking after her*** grüß sie schön von mir ◆ **ask around** *v/i* herumfragen ◆ **ask back** *v/t sep* **1.** (≈ *invite*) zu sich einladen **2.** ***they never asked me back again*** sie haben mich nie wieder eingeladen ◆ **ask in** *v/t sep* (*to house*) hereinbitten ◆ **ask out** *v/t sep* einladen ◆ **ask over** *v/t sep* zu sich einladen ◆ **ask round** *v/t sep* (*esp Br*) = ***ask over***

askance *adv* ***to look ~ at sb*** jdn entsetzt ansehen; ***to look ~ at a suggestion*** *etc* über einen Vorschlag *etc* die Nase rümpfen

askew *adj, adv* schief

asking *n no pl* ***to be had for the ~*** umsonst *or* leicht *or* mühelos zu haben sein; ***he could have had it for the ~*** er hätte es leicht bekommen können **asking price** *n* Verkaufspreis *m*

asleep *adj pred* **1.** schlafend; ***to be (fast*** *or* ***sound) ~*** (fest) schlafen; ***to fall ~*** einschlafen **2.** (*infml* ≈ *numb*) eingeschlafen

A/S level *n* (*Br* SCHOOL) *abbr of* ***Ad-***

vanced Supplementary level ≈ Fachabitur *nt*, ≈ Berufsmatura *f* (*Aus, Swiss*)
asocial *adj* ungesellig
asparagus *n no pl* Spargel *m*
aspect *n* **1.** (≈ *appearance*) Erscheinung *f*; (*of thing*) Aussehen *nt* **2.** (*of subject*) Aspekt *m*; ***what about the security ~?*** was ist mit der Sicherheit? **3.** (*of building*) ***to have a southerly ~*** Südlage haben
asphalt *n* Asphalt *m*
asphyxiate *v/t & v/i* ersticken; ***to be ~d*** ersticken **asphyxiation** *n* Erstickung *f*
aspic *n* COOK Aspik *m or nt*
aspirate *v/t* aspirieren **aspiration** *n* Aspiration *f*
aspire *v/i* ***to ~ to sth*** nach etw streben; ***to ~ to do sth*** danach streben, etw zu tun
aspirin *n* Kopfschmerztablette *f*
aspiring *adj* aufstrebend
ass[1] *n* (*lit, fig infml*) Esel *m*; ***to make an ~ of oneself*** sich lächerlich machen
ass[2] *n* (*US sl*) Arsch *m* (*sl*); ***to kick ~*** mit der Faust auf den Tisch hauen (*infml*); ***to work one's ~ off*** sich zu Tode schuften (*infml*); ***kiss my ~!*** du kannst mich mal am Arsch lecken! (*vulg*)
assail *v/t* angreifen; ***to be ~ed by doubts*** von Zweifeln geplagt werden **assailant** *n* Angreifer(in) *m(f)*
assassin *n* Attentäter(in) *m(f)* **assassinate** *v/t* ein Attentat verüben auf (*+acc*); ***Kennedy was ~d in Dallas*** Kennedy wurde in Dallas ermordet **assassination** *n* (geglücktes) Attentat (*of* auf *+acc*); ***~ attempt*** Attentat *nt*
assault **I** *n* **1.** MIL Sturm(angriff) *m* (*on* auf *+acc*); (*fig*) Angriff *m* (*on* gegen) **2.** JUR Körperverletzung *f*; ***sexual ~*** Notzucht *f* **II** *v/t* **1.** JUR tätlich werden gegen; (*sexually*) herfallen über (*+acc*); (≈ *rape*) sich vergehen an (*+dat*) **2.** MIL angreifen **assault course** *n* Übungsgelände *nt* **assault rifle** *n* Maschinengewehr *nt* **assault troops** *pl* Sturmtruppen *pl*
assemble **I** *v/t* zusammensetzen; *facts* zusammentragen; *team* zusammenstellen **II** *v/i* sich versammeln **assembly** *n* **1.** Versammlung *f*; ***the Welsh Assembly*** die walisische Versammlung **2.** SCHOOL Morgenandacht *f* **3.** (≈ *putting together*) Zusammenbau *m*; (*of machine*) Montage *f* **assembly hall** *n* SCHOOL Aula *f* **assembly line** *n* Montageband *nt* **Assembly Member** *n* Mitglied *nt* des walisischen Parlaments **assembly point** *n* Sammelplatz *m* **assembly worker** *n* Montagearbeiter(in) *m(f)*
assent **I** *n* Zustimmung *f* **II** *v/i* zustimmen; ***to ~ to sth*** einer Sache (*dat*) zustimmen
assert *v/t* behaupten; *one's innocence* beteuern; ***to ~ one's authority*** seine Autorität geltend machen; ***to ~ one's rights*** sein Recht behaupten; ***to ~ oneself*** sich durchsetzen (*over* gegenüber) **assertion** *n* Behauptung *f*; ***to make an ~*** eine Behauptung aufstellen **assertive** *adj*, **assertively** *adv* bestimmt **assertiveness** *n* Bestimmtheit *f*
assess *v/t* **1.** einschätzen; *proposal* abwägen; *damage* abschätzen **2.** *property* schätzen **assessment** *n* **1.** Einschätzung *f*; (*of damage*) Schätzung *f*; ***what's your ~ of the situation?*** wie sehen *or* beurteilen Sie die Lage? **2.** (*of property*) Schätzung *f* **assessor** *n* INSUR (Schadens)gutachter(in) *m(f)*; UNIV Prüfer(in) *m(f)*
asset *n* **1.** (*usu pl*) Vermögenswert *m*; (*on balance sheet*) Aktivposten *m*; ***~s*** Vermögen *nt*; (*on balance sheet*) Aktiva *pl*; ***personal ~s*** persönlicher Besitz **2.** (*fig*) ***he is one of our great ~s*** er ist einer unserer besten Leute
asshole *n* (*US sl*) Arschloch *nt* (*vulg*)
assiduous *adj*, **assiduously** *adv* gewissenhaft
assign *v/t* **1.** (≈ *allot*) zuweisen (*to sb* jdm) **2.** (≈ *appoint*) berufen; (*to task etc*) beauftragen (*to* mit); ***she was ~ed to this school*** sie wurde an diese Schule berufen **assignment** *n* **1.** (≈ *task*) Aufgabe *f*; (≈ *mission*) Auftrag *m*; ***to be on (an) ~*** einen Auftrag haben **2.** (≈ *appointment*) Berufung *f*; (*to task etc*) Beauftragung *f* (*to* mit) **3.** (≈ *allocation*) Zuweisung *f*
assimilate *v/t* aufnehmen **assimilation** *n* Aufnahme *f*
assist **I** *v/t* helfen (*+dat*); (≈ *act as an assistant to*) assistieren (*+dat*); ***to ~ sb with sth*** jdm bei etw behilflich sein; ***to ~ sb in doing sth*** jdm helfen, etw zu tun **II** *v/i* (≈ *help*) helfen; ***to ~ with sth*** bei etw helfen; ***to ~ in doing sth*** helfen, etw zu tun **assistance** *n* Hilfe *f*; ***to come to sb's ~*** jdm zu Hilfe kommen; ***can I be of any ~?*** kann ich irgendwie helfen?
assistant **I** *n* Assistent(in) *m(f)*; (≈ *shop assistant*) Verkäufer(in) *m(f)* **II** *adj attr* stellvertretend **assistant professor** *n* (*US*) Assistenz-Professor(in) *m(f)* **as-**

sistant referee *n* FTBL Schiedsrichterassistent(in) *m(f)*
associate I *n* (≈ *colleague*) Kollege *m*, Kollegin *f*; (COMM ≈ *partner*) Teilhaber(in) *m(f)* **II** *v/t* assoziieren; ***to ~ oneself with sb/sth*** sich jdm/einer Sache anschließen **III** *v/i* ***to ~ with*** verkehren mit **associate director** *n Direktor einer Firma, der jedoch nicht offiziell als solcher ernannt wurde* **associate member** *n* außerordentliches Mitglied **associate professor** *n* (*US*) außerordentlicher Professor, außerordentliche Professorin
association *n* **1.** *no pl* (≈ *associating*) Umgang *m*; (≈ *cooperation*) Zusammenarbeit *f* **2.** (≈ *organization*) Verband *m* **3.** (≈ *in mind*) Assoziation *f* (*with* an +*acc*)
assorted *adj* gemischt **assortment** *n* Mischung *f*; (*of goods*) Auswahl *f* (*of* an +*dat*)
asst *abbr of* ***assistant***
assume *v/t* **1.** annehmen; (≈ *presuppose*) voraussetzen; ***let us ~ that you are right*** nehmen wir an, Sie hätten recht; ***assuming (that) ...*** angenommen(, dass) ...; ***to ~ office*** sein Amt antreten; ***to ~ a look of innocence*** eine unschuldige Miene aufsetzen **2.** *control* übernehmen **assumed** *adj* ***~ name*** angenommener Name **assumption** *n* **1.** Annahme *f*; (≈ *presupposition*) Voraussetzung *f*; ***to go on the ~ that ...*** von der Voraussetzung ausgehen, dass ... **2.** (*of power*) Übernahme *f* **3.** ECCL ***the Assumption*** Mariä Himmelfahrt *f*
assurance *n* **1.** Versicherung *f*; (≈ *promise*) Zusicherung *f* **2.** (≈ *self-confidence*) Sicherheit *f* **3.** (*Br:*) (Lebens)versicherung *f* **assure** *v/t* **1.** ***to ~ sb of sth*** (*of willingness*) jdn einer Sache (*gen*) versichern; (*of support*) jdm etw zusichern; ***to ~ sb that ...*** jdm versichern/zusichern, dass ... **2.** *success* sichern; ***he is ~d of a warm welcome wherever he goes*** er kann sich überall eines herzlichen Empfanges sicher sein **3.** (*Br:*) *life* versichern **assured** *adj* sicher; ***to rest ~ that ...*** sicher sein, dass ... **assuredly** *adv* mit Sicherheit
asterisk *n* Sternchen *nt*
astern *adv* NAUT achtern
asteroid *n* Asteroid *m*
asthma *n* Asthma *nt* **asthmatic I** *n* Asthmatiker(in) *m(f)* **II** *adj* asthmatisch
astonish *v/t* erstaunen; ***to be ~ed*** erstaunt sein **astonishing** *adj*, **astonishingly** *adv* erstaunlich; ***~ly (enough)*** erstaunlicherweise **astonishment** *n* Erstaunen *nt* (*at* über +*acc*); ***she looked at me in ~*** sie sah mich erstaunt an
astound *v/t* sehr erstaunen; ***to be ~ed (at or by)*** höchst erstaunt sein (über +*acc*) **astounding** *adj*, **astoundingly** *adv* erstaunlich
astray *adj* ***to go ~*** (*Brief*) verloren gehen; ***to lead sb ~*** (*fig*) jdn vom rechten Weg abbringen
astride *prep* rittlings auf (+*dat*)
astringent *adj remark*, *humour* beißend
astrologer *n* Astrologe *m*, Astrologin *f* **astrological** *adj* astrologisch **astrology** *n* Astrologie *f*
astronaut *n* Astronaut(in) *m(f)*
astronomer *n* Astronom(in) *m(f)* **astronomical** *adj*, **astronomically** *adv* astronomisch **astronomy** *n* Astronomie *f*
astrophysics *n sg* Astrophysik *f*
astute *adj* schlau; *mind* scharf **astutely** *adv* scharfsinnig **astuteness** *n* Schlauheit *f*
asunder *adv* (*liter*) (≈ *apart*) auseinander; (≈ *in pieces*) entzwei
asylum *n* **1.** Asyl *nt*; ***to ask for (political) ~*** um (politisches) Asyl bitten **2.** (≈ *lunatic asylum*) (Irren)anstalt *f* **asylum-seeker** *n* Asylbewerber(in) *m(f)*
asymmetric(al) *adj* asymmetrisch **asymmetry** *n* Asymmetrie *f*
at *prep* **1.** (*position*) an (+*dat*), bei (+*dat*); (*with place*) in (+*dat*); ***at a table*** an einem Tisch; ***at the top*** an der Spitze; ***at home*** zu Hause; ***at the university*** (*US*), ***at university*** an *or* auf der Universität; ***at school*** in der Schule; ***at the hotel*** im Hotel; ***at my brother's*** bei meinem Bruder; ***at a party*** auf *or* bei einer Party; ***at the station*** am Bahnhof **2.** (*direction*) ***to point at sb/sth*** auf jdn/etw zeigen; ***to look at sb/sth*** jdn/etw ansehen **3.** (*time*, *order*) ***at ten o'clock*** um zehn Uhr; ***at night*** bei Nacht; ***at Christmas/Easter*** *etc* zu Weihnachten/Ostern *etc*; ***at your age/16 (years of age)*** in deinem Alter/mit 16 (Jahren); ***three at a time*** drei auf einmal; ***at the start/end*** am Anfang/Ende **4.** (*activity*) ***at play*** beim Spiel; ***at work*** bei der Arbeit; ***good at sth*** gut in etw (*dat*); ***while we are at it*** (*infml*) wenn wir schon mal da-

bei sind **5.** (*state*) ***to be at an advantage*** im Vorteil sein; ***at a profit*** mit Gewinn; ***I'd leave it at that*** ich würde es dabei belassen **6.** (≈ *as a result of, upon*) auf (*+acc*) ... (hin); ***at his request*** auf seine Bitte (hin); ***at that he left the room*** daraufhin verließ er das Zimmer **7.** *angry etc* über (*+acc*) **8.** (*rate, degree*) ***at 50 km/h*** mit 50 km/h; ***at 50p a pound*** für *or* zu 50 Pence pro Pfund; ***at 5% interest*** zu 5% Zinsen; ***at a high price*** zu einem hohen Preis; ***when the temperature is at 90°*** wenn die Temperatur auf 90° ist

ate *pret of* ***eat***

atheism *n* Atheismus *m* **atheist** *n* Atheist(in) *m(f)*

Athens *n* Athen *nt*

athlete *n* Athlet(in) *m(f)*; (≈ *specialist in track and field*) Leichtathlet(in) *m(f)* **athlete's foot** *n* Fußpilz *m* **athletic** *adj* sportlich; *build* athletisch **athletics** *n sg or pl* Leichtathletik *f*; ***~ meeting*** Leichtathletikwettkampf *m*

Atlantic I *n* (*a.* **Atlantic Ocean**) Atlantik *m* **II** *adj attr* atlantisch

atlas *n* Atlas *m*

atmosphere *n* Atmosphäre *f* **atmospheric** *adj* atmosphärisch **atmospheric pressure** *n* Luftdruck *m*

atom *n* Atom *nt* **atom bomb** *n* Atombombe *f* **atomic** *adj* atomar **atomic bomb** *n* Atombombe *f* **atomic energy** *n* Kernenergie *f* **Atomic Energy Authority** *n* (*Br*), **Atomic Energy Commission** *n* (*US*) Atomkommission *f* **atomic power** *n* **1.** Atomkraft *f* **2.** (≈ *propulsion*) Atomantrieb *m* **atomic structure** *n* Atombau *m*

atomizer *n* Zerstäuber *m*

atone *v/i* ***to ~ for sth*** (für) etw büßen **atonement** *n* Sühne *f*; ***in ~ for sth*** als Sühne für etw

A to Z® *n* Stadtplan *m* (*mit Straßenverzeichnis*)

atrocious *adj*, **atrociously** *adv* grauenhaft **atrocity** *n* Grausamkeit *f*

atrophy I *n* Schwund *m* **II** *v/i* verkümmern, schwinden

att *abbr of* ***attorney***

attach *v/t* **1.** (≈ *join*) befestigen (*to* an *+dat*); *to letter* beiheften; ***please find ~ed ...*** beigeheftet ...; ***to ~ conditions to sth*** Bedingungen an etw (*acc*) knüpfen **2.** ***to be ~ed to sb/sth*** (≈ *be fond of*) an jdm/etw hängen **3.** *importance* beimessen (*to +dat*)

attaché *n* Attaché *m* **attaché case** *n* Aktenkoffer *m*

attachment *n* **1.** (*for tool etc*) Zusatzteil *nt* **2.** (≈ *affection*) Zuneigung *f* (*to* zu) **3.** IT Anhang *m*, Attachment *nt*

attack I *n* **1.** Angriff *m* (*on* auf *+acc*); ***to be under ~*** angegriffen werden; ***to go on to the ~*** zum Angriff übergehen **2.** MED *etc* Anfall *m*; ***to have an ~ of nerves*** plötzlich Nerven bekommen **II** *v/t* **1.** angreifen; (*in robbery etc*) überfallen **2.** *problem* in Angriff nehmen **III** *v/i* angreifen; ***an ~ing side*** eine offensive Mannschaft **attacker** *n* Angreifer(in) *m(f)*

attain *v/t aim, rank* erreichen; *Unabhängigkeit* erlangen; *happiness* gelangen zu **attainable** *adj* erreichbar; *happiness, power* zu erlangen **attainment** *n* (*of happiness, power*) Erlangen *nt*

attempt I *v/t* versuchen; *task* sich versuchen an (*+dat*); ***~ed murder*** Mordversuch *m* **II** *n* Versuch *m*; (*on sb's life*) (Mord)anschlag *m* (*on* auf *+acc*); ***an ~ on the record*** ein Versuch, den Rekord zu brechen; ***to make an ~ at doing sth*** *or* ***to do sth*** versuchen, etw zu tun; ***at the first ~*** beim ersten Versuch

attend I *v/t* besuchen; *wedding* anwesend sein bei; ***well ~ed*** gut besucht **II** *v/i* anwesend sein; ***are you going to ~?*** gehen Sie hin? ◆ **attend to** *v/i +prep obj* (≈ *see to*) sich kümmern um; *work etc* Aufmerksamkeit widmen (*+dat*); *teacher, sb's remark* zuhören (*+dat*); *customers etc* bedienen; ***are you being attended to?*** werden Sie schon bedient?; ***that's being attended to*** das wird (bereits) erledigt

attendance *n* **1.** (≈ *being present*) Anwesenheit *f* (*at* bei); ***to be in ~ at sth*** bei etw anwesend sein **2.** (≈ *number present*) Teilnehmerzahl *f* **attendance record** *n* ***he doesn't have a very good ~*** er fehlt oft **attendant I** *n* (*in museum*) Aufseher(in) *m(f)* **II** *adj problems etc* (da)zugehörig

attention *n* **1.** *no pl* Aufmerksamkeit *f*; ***to call*** *or* ***draw sb's ~ to sth, to call*** *or* ***draw sth to sb's ~*** jdn auf etw (*acc*) aufmerksam machen; ***to turn one's ~ to sb/sth*** seine Aufmerksamkeit auf jdn/etw richten; ***to pay ~/no ~ to sb/sth*** jdn/etw beachten/nicht beachten; ***to pay ~ to the teacher*** dem Lehrer zuhören; ***to hold***

sb's ~ jdn fesseln; ***~!*** Achtung!; ***your ~, please*** ich bitte um Aufmerksamkeit; (*official announcement*) Achtung, Achtung!; ***it has come to my ~ that ...*** ich bin darauf aufmerksam geworden, dass ...; ***for the ~ of Miss Smith*** zu Händen von Frau Smith **2.** MIL ***to stand to ~*** stillstehen; ***~!*** stillgestanden! **Attention Deficit Disorder** *n* MED Aufmerksamkeits-Defizit-Syndrom *nt* **attention span** *n* Konzentrationsvermögen *nt* **attentive** *adj* aufmerksam; ***to be ~ to sb*** sich jdm gegenüber aufmerksam verhalten; ***to be ~ to sb's needs*** sich um jds Bedürfnisse kümmern **attentively** *adv* aufmerksam

attenuate *v/t* abschwächen; ***attenuating circumstances*** mildernde Umstände

attest *v/t* (≈ *testify to*) bescheinigen; (*on oath*) beschwören ◆ **attest to** *v/i +prep obj* bezeugen

attestation *n* (≈ *document*) Bescheinigung *f*

attic *n* Dachboden *m*, Estrich *m* (*Swiss*); (*lived-in*) Mansarde *f*; ***in the ~*** auf dem (Dach)boden

attire I *v/t* kleiden (*in* in *+acc*) **II** *n no pl* Kleidung *f*; ***ceremonial ~*** Festtracht *f*

attitude *n* (≈ *way of thinking*) Einstellung *f* (*to, towards* zu); (≈ *way of acting*) Haltung *f* (*to, towards* gegenüber); ***women with ~*** kämpferische Frauen

attn *abbr of* ***attention*** z. Hd. von

attorney *n* **1.** (≈ *representative*) Bevollmächtigte(r) *m/f(m)*; ***letter of ~*** (schriftliche) Vollmacht **2.** (*US* ≈ *lawyer*) (Rechts)anwalt *m*/-anwältin *f* **Attorney General** *n*, *pl* ***Attorneys General*** *or* ***Attorney Generals*** (*US*) ≈ Generalbundesanwalt *m*/-anwältin *f*; (*Br*) ≈ Justizminister(in) *m(f)*

attract *v/t* **1.** anziehen; (*idea etc*) ansprechen; ***she feels ~ed to him*** sie fühlt sich von ihm angezogen **2.** *attention etc* auf sich (*acc*) ziehen; *new members etc* anziehen; ***to ~ publicity*** (öffentliches) Aufsehen erregen **attraction** *n* **1.** (PHYS, *fig*) Anziehungskraft *f*; (*esp of big city etc*) Reiz *m* **2.** (≈ *attractive thing*) Attraktion *f*

attractive *adj* attraktiv; *smile* anziehend; *house, dress* reizvoll, fesch (*Aus*) **attractively** *adv* attraktiv; *dress, furnish* reizvoll; ***~ priced*** zum attraktiven Preis (*at* von) **attractiveness** *n* Attraktivität *f*; (*of view etc*) Reiz *m*

attributable *adj* ***to be ~ to sb/sth*** jdm/einer Sache zuzuschreiben sein **attribute I** *v/t* ***to ~ sth to sb*** jdm etw zuschreiben; ***to ~ sth to sth*** etw auf etw (*acc*) zurückführen; *importance etc* einer Sache (*dat*) etw beimessen **II** *n* Attribut *nt*

attrition *n* (*fig*) Zermürbung *f*

attune *v/t* (*fig*) abstimmen (*to* auf *+acc*); ***to become ~d to sth*** sich an etw (*acc*) gewöhnen

atypical *adj* atypisch

aubergine *n* Aubergine *f*, Melanzani *f* (*Aus*)

auburn *adj hair* rot-braun

auction I *n* Auktion *f*; ***to sell sth by ~*** etw versteigern; ***to put sth up for ~*** etw zur Versteigerung anbieten **II** *v/t* (*a.* **auction off**) versteigern **auctioneer** *n* Auktionator(in) *m(f)* **auction room(s)** *n(pl)* Auktionshalle *f*

audacious *adj*, **audaciously** *adv* **1.** (≈ *impudent*) dreist **2.** (≈ *bold*) kühn **audacity, audaciousness** *n* **1.** (≈ *impudence*) Dreistigkeit *f*; ***to have the ~ to do sth*** die Dreistigkeit besitzen, etw zu tun **2.** (≈ *boldness*) Kühnheit *f*

audible *adj*, **audibly** *adv* hörbar

audience *n* **1.** Publikum *nt no pl*; RADIO Zuhörerschaft *f* **2.** (≈ *formal interview*) Audienz *f* (*with* bei)

audio book *n* Hörbuch *nt* **audio cassette** *n* Audiokassette *f* **audio equipment** *n* (*in recording studio*) Audiogeräte *pl*; (≈ *hi-fi*) Stereoanlage *f* **audiotape I** *n* **1.** (Ton)band *m* **2.** (*US*) Kassette *f* **II** *v/t* auf (Ton)band/Kassette aufnehmen **audio typist** *n* Phonotypistin *f* **audiovisual** *adj* audiovisuell

audit I *n* Buchprüfung *f* **II** *v/t* prüfen

audition I *n* THEAT Vorsprechprobe *f*; (*of musician*) Probespiel *nt*; (*of singer*) Vorsingen *nt* **II** *v/t* vorsprechen/vorspielen/vorsingen lassen **III** *v/i* vorsprechen/vorspielen/vorsingen

auditor *n* COMM Buchprüfer(in) *m(f)*

auditorium *n* Auditorium *nt*

au fait *adj* ***to be ~ with sth*** mit etw vertraut sein

Aug *abbr of* ***August*** Aug

augment I *v/t* vermehren **II** *v/i* zunehmen **augmentation** *n* Vermehrung *f*; (*in numbers*) Zunahme *f*; MUS Augmentation *f*; ***breast ~*** Brustvergrößerung *f*

augur *v/i* ***to ~ well/ill*** etwas Gutes/nichts

Gutes verheißen
August *n* August *m*; → ***September***
auld *adj* (+*er*) (*Scot*) alt; ***for ~ lang syne*** um der alten Zeiten willen
aunt *n* Tante *f* **auntie, aunty** *n* (*esp Br infml*) Tante *f*; ***~!*** Tantchen!
au pair *n*, *pl* ***- -s*** (*a.* **au pair girl**) Au-pair (-Mädchen) *nt*
aura *n* Aura *f* (*elev*)
aural *adj* Gehör-; ***~ examination*** Hörtest *m*
auspices *pl* ***under the ~ of*** unter der Schirmherrschaft (+*gen*) **auspicious** *adj* günstig; *start* vielversprechend **auspiciously** *adv* vielversprechend
Aussie (*infml*) **I** *n* Australier(in) *m*(*f*) **II** *adj* australisch
austere *adj* streng; *room* karg **austerely** *adv* streng; *furnish* karg; *live* asketisch **austerity** *n* **1.** (≈ *severity*) Strenge *f*; (≈ *simplicity*) Schmucklosigkeit *f* **2.** (≈ *hardship*, *shortage*) ***~ budget*** Sparhaushalt *m*; ***~ measures*** Sparmaßnahmen *pl*
Australasia *n* Australien und Ozeanien *nt* **Australasian I** *n* Ozeanier(in) *m*(*f*) **II** *adj* ozeanisch
Australia *n* Australien *nt*
Australian I *n* Australier(in) *m*(*f*) **II** *adj* australisch
Austria *n* Österreich *nt*
Austrian I *n* Österreicher(in) *m*(*f*) **II** *adj* österreichisch
authentic *adj* authentisch; *antique*, *tears* echt **authentically** *adv* echt; *restored* authentisch **authenticate** *v/t* bestätigen; *document* beglaubigen, visieren (*Swiss*) **authentication** *n* Bestätigung *f*; (*of document*) Beglaubigung *f* **authenticity** *n* Echtheit *f*; (*of claim*) Berechtigung *f*
author *n* Autor(in) *m*(*f*); (*of report*) Verfasser(in) *m*(*f*)
authoritarian I *adj* autoritär **II** *n* autoritärer Mensch; ***to be an ~*** autoritär sein **authoritarianism** *n* Autoritarismus *m* **authoritative** *adj* **1.** (≈ *commanding*) bestimmt; *manner* Respekt einflößend **2.** (≈ *reliable*) zuverlässig **authoritatively** *adv* (≈ *with authority*) bestimmt; (≈ *reliably*) zuverlässig **authority** *n* **1.** (≈ *power*) Autorität *f*; (≈ *right*) Befugnis *f*; (≈ *specifically delegated power*) Vollmacht *f*; ***who's in ~ here?*** wer ist hier der Verantwortliche?; ***parental ~*** Autorität der Eltern; JUR elterliche Gewalt; ***to be in*** *or* ***have ~ over sb*** Weisungsbefugnis gegenüber jdm haben (*form*); ***on one's own ~*** auf eigene Verantwortung; ***to have the ~ to do sth*** berechtigt sein, etw zu tun; ***to give sb the ~ to do sth*** jdm die Vollmacht erteilen, etw zu tun **2.** (*also pl* ≈ *ruling body*) Behörde *f*; (≈ *body of people*) Verwaltung *f*; (≈ *power of ruler*) (Staats)gewalt *f*; ***the local ~*** *or* ***authorities*** die Gemeindeverwaltung; ***you must have respect for ~*** du musst Achtung gegenüber Respektspersonen haben **3.** (≈ *Experte etc*) (anerkannte) Autorität *f*; ***to have sth on good ~*** etw aus zuverlässiger Quelle wissen **authorization** *n* Genehmigung *f*; (≈ *right*) Recht *nt* **authorize** *v/t* **1.** (≈ *empower*) ermächtigen; ***to be ~d to do sth*** das Recht haben, etw zu tun **2.** (≈ *permit*) genehmigen **authorized** *adj person*, *bank* bevollmächtigt; *biography* autorisiert; ***"authorized personnel only"*** „Zutritt nur für Befugte"; ***~ signature*** Unterschrift *f* eines bevollmächtigten Vertreters
autism *n* Autismus *m* **autistic** *adj* autistisch
auto *n* (*US*) Auto *nt*
autobiographical *adj* autobiografisch **autobiography** *n* Autobiografie *f*
autocrat *n* Autokrat(in) *m*(*f*) **autocratic** *adj* autokratisch
Autocue® *n* (*Br* TV) Teleprompter® *m*
autofocus *n* PHOT Autofokus *m*
autograph I *n* Autogramm *nt* **II** *v/t* signieren
automat *n* (*US*) Automatenrestaurant *nt*
automate *v/t* automatisieren **automatic I** *adj* automatisch; ***~ rifle*** *or* ***weapon*** Schnellfeuergewehr *nt* **II** *n* **1.** (≈ *car*) Automatikwagen *m* **2.** (≈ *gun*) automatische Waffe **3.** (≈ *washing machine*) Waschautomat *m* **automatically** *adv* automatisch **automation** *n* Automatisierung *f* **automaton** *n*, *pl* ***-s*** *or* ***automata*** Roboter *m*
automobile *n* Auto(mobil) *nt*
autonomous *adj*, **autonomously** *adv* autonom **autonomy** *n* Autonomie *f*
autopilot *n* Autopilot *m*; ***on ~*** (*lit*) mit Autopilot; ***he was on ~*** (*fig*) er funktionierte wie ferngesteuert
autopsy *n* Autopsie *f*
autumn (*esp Br*) **I** *n* Herbst *m*; ***in*** (***the***) ***~*** im Herbst **II** *adj attr* Herbst-, herbstlich; ***~ leaves*** bunte (Herbst)blätter *pl* **au-**

tumnal *adj* herbstlich

auxiliary I *adj* Hilfs-; (≈ *additional*) zusätzlich; **~ *nurse*** Hilfspfleger *m*, Schwesternhelferin *f*; **~ *verb*** Hilfsverb *nt* **II** *n* (≈ *assistant*) Hilfskraft *f*; ***nursing ~*** Schwesternhelferin *f*

Av *abbr of* ***avenue***

avail I *v/r* ***to ~ oneself of sth*** von etw Gebrauch machen **II** *n* ***to no ~*** vergebens

availability *n* (*of object*) Erhältlichkeit *f*; (*of stock*) Vorrätigkeit *f*; (*of resources*) Verfügbarkeit *f*; ***offer subject to ~*** nur solange der Vorrat reicht; ***because of the limited ~ of seats*** weil nur eine begrenzte Anzahl an Plätzen zur Verfügung steht

available *adj object* erhältlich; (≈ *auf Lager*) vorrätig; *time*, *seats* frei; *resources* verfügbar; ***to be ~*** vorhanden sein; (≈ *at one's disposal*) zur Verfügung stehen; (*Mensch*) frei sein; ***to make sth ~ to sb*** jdm etw zur Verfügung stellen; *information* jdm etw zugänglich machen; ***the best dictionary ~*** das beste Wörterbuch, das es gibt; ***when will you be ~ to start in the new job?*** wann können Sie die Stelle antreten?

avalanche *n* (*lit*, *fig*) Lawine *f*

avant-garde I *n* Avantgarde *f* **II** *adj* avantgardistisch

Ave *abbr of* ***avenue***

avenge *v/t* rächen; ***to ~ oneself on sb*** (***for sth***) sich an jdm (für etw) rächen

avenue *n* Allee *f*

average I *n* Durchschnitt *m*; ***to do an ~ of 50 miles a day/3% a week*** durchschnittlich 50 Meilen pro Tag fahren/3% pro Woche erledigen; ***on ~*** durchschnittlich; ***above ~*** überdurchschnittlich; ***below ~*** unterdurchschnittlich; ***by the law of ~s*** aller Wahrscheinlichkeit nach **II** *adj* durchschnittlich; (≈ *not good or bad*) mittelmäßig; ***above/below ~*** über-/unterdurchschnittlich; ***the ~ man*** der Durchschnittsbürger; ***of ~ height*** von mittlerer Größe **III** *v/t* (≈ *do etc on average*) auf einen Schnitt von ... kommen; ***we ~d 80 km/h*** wir sind durchschnittlich 80 km/h gefahren ◆ **average out I** *v/t sep* ***if you average it out*** im Durchschnitt; ***it'll average itself out*** es wird sich ausgleichen **II** *v/i* **1.** durchschnittlich ausmachen (*at*, *to +acc*) **2.** (≈ *balance out*) sich ausgleichen

averse *adj pred* abgeneigt; ***I am not ~ to a glass of wine*** einem Glas Wein bin ich nicht abgeneigt **aversion** *n* Abneigung *f* (*to* gegen); ***he has an ~ to getting wet*** er hat eine Abscheu davor, nass zu werden

avert *v/t* abwenden; *accident* verhüten

aviary *n* Vogelhaus *nt*

aviation *n* die Luftfahrt

avid *adj* (≈ *keen*) begeistert; ***I am an ~ reader*** ich lese leidenschaftlich gern

avocado *n*, *pl* **-s** (*a.* **avocado pear**) Avocado(birne) *f*

avoid *v/t* vermeiden; *person* meiden; *obstacle* ausweichen (*+dat*); *duty* umgehen; ***in order to ~ being seen*** um nicht gesehen zu werden; ***I'm not going if I can possibly ~ it*** wenn es sich irgendwie vermeiden lässt, gehe ich nicht **avoidable** *adj* vermeidbar

await *v/t* erwarten; *decision* entgegensehen (*+dat*); ***the long ~ed day*** der lang ersehnte Tag; ***he is ~ing trial*** sein Fall steht noch zur Verhandlung an

awake *pret* **awoke**, *past part* **awoken** *or* **awaked I** *v/i* erwachen **II** *v/t* wecken **III** *adj pred* wach; ***to be/lie/stay ~*** wach sein/liegen/bleiben; ***to keep sb ~*** jdn wach halten; ***wide ~*** hellwach **awaken** *v/t & v/i =* ***awake*** **awakening** *n* Erwachen *nt*; ***a rude ~*** (*lit*, *fig*) ein böses Erwachen

award I *v/t prize*, *penalty etc* zuerkennen (*to sb* jdm); *prize*, *degree etc* verleihen (*to sb* jdm); ***to be ~ed damages*** Schadenersatz zugesprochen bekommen **II** *n* (≈ *prize*) Preis *m*; (*for bravery etc*) Auszeichnung *f*; ***to make an ~*** (***to sb***) einen Preis (an jdn) vergeben **award(s) ceremony** *n* FILM, THEAT, TV Preisverleihung *f* **award-winning** *adj* preisgekrönt

aware *adj esp pred* bewusst; ***to be ~ of sb/sth*** sich (*dat*) jds/einer Sache bewusst sein; ***I was not ~ that ...*** es war mir nicht bewusst, dass ...; ***not that I am ~ (of)*** nicht dass ich wüsste; ***as far as I am ~*** so viel ich weiß; ***to make sb ~ of sth*** jdm etw bewusst machen **awareness** *n* Bewusstsein *nt*

away I *adv* **1.** weg; ***three miles ~ (from here)*** drei Meilen von hier; ***lunch seemed a long time ~*** es schien noch lange bis zum Mittagessen zu sein; ***but he was ~ before I could say a word*** aber er war fort *or* weg, bevor ich den Mund auftun konnte; ***to look ~*** wegsehen; ***~ we go!*** los (gehts)!; ***they're ~!***

(*horses, runners etc*) sie sind gestartet; ***to give ~*** weggeben; ***to gamble ~*** verspielen **2.** (≈ *absent*) fort, weg; ***he's ~ in London*** er ist in London **3.** SPORTS ***to play ~*** auswärts spielen; ***they're ~ to Arsenal*** sie spielen auswärts bei Arsenal **4.** (≈ *continuously*) ***to work ~*** vor sich (*acc*) hin arbeiten **5.** ***ask ~!*** frag nur!; ***right*** *or* ***straight ~*** sofort **II** *adj attr* SPORTS Auswärts-; ***~ goal*** Auswärtstor *m*; ***~ match*** Auswärtsspiel *nt*; ***~ team*** Gastmannschaft *f*

awe *n* Ehrfurcht *f*; ***to be in ~ of sb*** Ehrfurcht vor jdm haben **awe-inspiring** *adj* Ehrfurcht gebietend **awesome** *adj* beeindruckend; (*esp US infml* ≈ *excellent*) irre (*infml*) **awe-stricken, awe-struck** *adj* von Ehrfurcht ergriffen

awful *adj* (*infml*) schrecklich; ***an ~ lot of money*** furchtbar viel Geld **awfully** *adv* (*infml*) schrecklich (*infml*) **awfulness** *n* Schrecklichkeit *f*

awhile *adv* (*liter*) eine Weile

awkward *adj* **1.** (≈ *difficult*) schwierig; *time, angle* ungünstig; ***to make things ~ for sb*** jdm Schwierigkeiten machen; ***~ customer*** übler Bursche (*infml*) **2.** (≈ *embarrassing*) peinlich; (≈ *embarrassed*) verlegen; *silence* betreten; ***I feel ~ about doing that*** es ist mir unangenehm, das zu tun; ***to feel ~ in sb's company*** sich in jds Gesellschaft (*dat*) nicht wohlfühlen **3.** (≈ *clumsy*) unbeholfen **awkwardly** *adv* **1.** (≈ *clumsily*) ungeschickt; *lie* unbequem **2.** (≈ *embarrassingly*) peinlich; (≈ *embarrassedly*) verlegen **awkwardness** *n* **1.** (≈ *difficulty*) Schwierigkeit *f*; (*of time, angle*) Ungünstigkeit *f* **2.** (≈ *discomfort*) Peinlichkeit *f* **3.** (≈ *embarrassment*) Verlegenheit *f* **4.** (≈ *clumsiness*) Unbeholfenheit *f*

awning *n* (*of shop*) Markise *f*; (≈ *caravan awning*) Vordach *nt*

awoke *pret of* ***awake*** **awoken** *past part of* ***awake***

AWOL MIL *abbr of* ***absent without leave***

awry *adj pred adv* ***to go ~*** schiefgehen

axe, (*US*) **ax I** *n* Axt *f*; ***to get*** *or* ***be given the ~*** (*employee*) abgesägt werden; (*project*) eingestellt werden **II** *v/t* streichen; *person* entlassen

axis *n, pl* ***axes*** Achse *f*

axle *n* Achse *f*

aye *int* (*esp Scot dial*) ja; ***~, ~, Sir*** NAUT jawohl, Herr Admiral *etc*

azalea *n* Azalee *f*

Azores *pl* Azoren *pl*

Aztec I *n* Azteke *m*, Aztekin *f* **II** *adj* aztekisch

azure *adj* azurblau; ***~ blue*** azurblau

B

B, b *n* B *nt*, b *nt*; SCHOOL zwei, gut; MUS H *nt*, h *nt*; ***B flat*** B *nt*, b *nt*; ***B sharp*** His *nt*, his *nt*

b *abbr of* ***born*** geb.

BA *abbr of* ***Bachelor of Arts***

babble I *n* Gemurmel *nt*; (*excited*) Geplapper *nt*; ***~ (of voices)*** Stimmengewirr *nt* **II** *v/i* plappern (*infml*)

babe *n* **1.** (*esp US infml*) Baby *nt* (*infml*) **2.** (*infml* ≈ *girl*) Mieze *f* (*infml*); (*as address*) Schätzchen *nt* (*infml*)

baboon *n* Pavian *m*

baby I *n* **1.** Baby *nt*; (*of animal*) Junge(s) *nt*; ***to have a ~*** ein Baby bekommen; ***since he/she was a ~*** von klein auf; ***don't be such a ~!*** stell dich nicht so an! (*infml*); ***to be left holding the ~*** (*Br infml*) der Dumme sein (*infml*); ***to throw out the ~ with the bathwater*** das Kind mit dem Bade ausschütten **2.** (*esp US infml, as address*) Schätzchen *nt* (*infml*) **II** *v/t* (*infml*) wie einen Säugling behandeln **baby blue** *n* Himmelblau *nt* **baby-blue** *adj* (*infml*) himmelblau **baby boom** *n* Babyboom *m* **baby boy** *n* kleiner Junge **baby brother** *n* kleiner Bruder **baby carriage** *n* (*US*) Kinderwagen *m* **baby clothes** *pl* Babywäsche *f* **baby-faced** *adj* milchgesichtig **baby food** *n* Babynahrung *f* **baby girl** *n* kleines Mädchen **babyish** *adj* kindisch **baby seat** *n* Baby(sicherheits)sitz *m* **baby sister** *n* kleine Schwester **baby-sit** *pret, past part* ***baby-sat*** *v/i* babysitten; ***she ~s for them*** sie geht bei ihnen babysitten **baby-sitter** *n* Babysitter(in) *m(f)* **baby-sitting** *n* Babysitting *nt* **baby-talk** *n* Kindersprache *f* **baby tooth** *n* Milchzahn *m* **baby-walker** *n* Laufstuhl *m*

bachelor *n* **1.** Junggeselle *m* **2.** UNIV ***Bachelor of Arts/Science/Education*** ≈ Magister *m* (der philosophischen/naturwissenschaftlichen Fakultät/der Erziehungswissenschaft) *of* ***Bachelor of Engineering/Medicine*** Baccalaureus *m* der Ingenieurwissenschaften/Medizin **bachelor flat** *n* Junggesellenwohnung *f*

bacillus *n*, *pl* ***bacilli*** Bazillus *m*

back I *n* **1.** (*of person, animal, book*) Rücken *m*; (*of chair*) (Rücken)lehne *f*; ***to break one's ~*** (*lit*) sich (*dat*) das Rückgrat brechen; (*fig*) sich abrackern; ***behind sb's ~*** (*fig*) hinter jds Rücken (*dat*); ***to put one's ~ into sth*** (*fig*) sich bei etw anstrengen; ***to put*** *or* ***get sb's ~ up*** jdn gegen sich aufbringen; ***to turn one's ~ on sb*** (*lit*) jdm den Rücken zuwenden; (*fig*) sich von jdm abwenden; ***get off my ~!*** (*infml*) lass mich endlich in Ruhe!; ***he's got the boss on his ~*** er hat seinen Chef auf dem Hals; ***to have one's ~ to the wall*** (*fig*) in die Enge getrieben sein; ***I was pleased to see the ~ of them*** (*infml*) ich war froh, sie endlich los zu sein (*infml*) **2.** (*not front*) Rückseite *f*; (*of hand, dress*) Rücken *m*; (*of material*) linke Seite; ***I know London like the ~ of my hand*** ich kenne London wie meine Westentasche; ***at the ~ of the cupboard*** hinten im Schrank; ***he drove into the ~ of me*** er ist mir hinten reingefahren (*infml*); ***at/on the ~ of the bus*** hinten im/am Bus; ***in the ~ (of a car)*** hinten (im Auto); ***it's been at the ~ of my mind*** es hat mich beschäftigt; ***right at the ~ of the cupboard*** ganz hinten im Schrank; ***at the ~ of beyond*** am Ende der Welt **II** *adj* Hinter- **III** *adv* **1.** zurück; **(*stand*) *~!*** zurück(treten)!; ***~ and forth*** hin und her; ***to pay sth ~*** etw zurückzahlen; ***to come ~*** zurückkommen; ***there and ~*** hin und zurück **2.** (≈ *again*) wieder; ***I'll never go ~*** da gehe ich nie wieder hin; ***~ in London*** zurück in London **3.** (≈ *ago*) ***a week ~*** vor einer Woche; ***as far ~ as the 18th century*** (≈ *dating back*) bis ins 18. Jahrhundert zurück; (*point in time*) schon im 18. Jahrhundert; ***~ in March, 1997*** im März 1997 **IV** *v/t* **1.** (≈ *support*) unterstützen **2.** BETTING wetten auf (+*acc*) **3.** *car* zurücksetzen; ***he ~ed his car into the tree/garage*** er fuhr rückwärts gegen den Baum/in die Garage **V** *v/i* (*car*) zurücksetzen; ***she ~ed into me*** sie fuhr rückwärts in mein Auto ◆ **back away** *v/i* zurückweichen (*from* vor +*dat*) ◆ **back down** *v/i* (*fig*) nachgeben ◆ **back off** *v/i* **1.** (≈ *step back*) zurückweichen **2.** (≈ *stop harassing*) sich zurückhalten; ***~!*** verschwinde! ◆ **back on to** *v/i* +*prep obj* hinten angrenzen an (+*acc*) ◆ **back out** *v/i* **1.** (*car etc*) rückwärts herausfahren **2.** (*fig: of deal etc*) aussteigen (*of, from* aus) (*infml*) ◆ **back up I** *v/i* **1.** (*car etc*) zurücksetzen **2.** (*traffic*) sich stauen **II** *v/t sep* **1.** (≈ *support*) unterstützen; (≈ *confirm*) *story* bestätigen; ***he can back me up in this*** er kann das bestätigen **2.** *car etc* zurückfahren **3.** IT sichern

backache *n* Rückenschmerzen *pl* **back alley** *n* Gasse *f* **back bench** *n* (*esp Br*) ***the ~es*** das Plenum **backbencher** *n* (*esp Br*) Abgeordnete(r) *m/f(m)* *or* Mandatar(in) *m(f)* (*Aus, auf den hinteren Reihen im Parlament*) **backbiting** *n* Lästern *nt* **backbone** *n* Rückgrat *nt* **backbreaking** *adj* erschöpfend **back burner** *n* ***to put sth on the ~*** (*fig infml*) etw zurückstellen **back catalogue** *n* MUS ältere Aufnahmen *pl*, Back-Katalog *m* **backchat** *n no pl* (*infml*) Widerrede *f* **back copy** *n* alte Ausgabe **back cover** *n* Rückseite *f* **backdate** *v/t* (zu)rückdatieren; ***salary increase ~d to May*** Gehaltserhöhung rückwirkend ab Mai **back door** *n* Hintertür *f*; ***by the ~*** (*fig*) durch die Hintertür **backdrop** *n* Hintergrund *m* **back end** *n* (≈ *rear*) hinteres Ende; ***at the ~ of the year*** gegen Ende des Jahres

backer *n* **1.** (≈ *supporter*) ***his ~s*** (diejenigen,) die ihn unterstützen **2.** COMM Geldgeber(in) *m(f)*

backfire *v/i* **1.** AUTO Fehlzündungen haben **2.** (*infml, plan etc*) ins Auge gehen (*infml*); ***it ~d on us*** der Schuss ging nach hinten los (*infml*) **backgammon** *n* Backgammon *nt* **back garden** *n* Garten *m* (hinterm Haus)

background I *n* **1.** Hintergrund *m* **2.** (*educational etc*) Werdegang *m*; (*social*) Verhältnisse *pl*; (≈ *family background*) Herkunft *f no pl*; ***children from all ~s*** Kinder aus allen Schichten **II** *adj* Hintergrund-; *reading* vertiefend; ***~ music***

Hintergrundmusik *f*; **~ *information*** Hintergrundinformationen *pl*

backhand I *n* SPORTS Rückhand *f no pl*; (*one stroke*) Rückhandschlag *m* **II** *adj* **~ *stroke*** Rückhandschlag *m* **III** *adv* mit der Rückhand **backhanded** *adj compliment* zweifelhaft **backhander** *n* **1.** SPORTS Rückhandschlag *m* **2.** (*infml ≈ bribe*) Schmiergeld *nt*; ***to give sb a ~*** jdn schmieren (*infml*)

backing *n* **1.** (*≈ support*) Unterstützung *f* **2.** MUS Begleitung *f*; **~ *singer*** Begleitsänger(in) *m(f)*; **~ *vocals*** Begleitung *f*

backlash *n* (*fig*) Gegenreaktion *f* **backless** *adj dress* rückenfrei **backlog** *n* Rückstände *pl*; ***I have a ~ of work*** ich bin mit der Arbeit im Rückstand **backpacker** *n* Rucksacktourist(in) *m(f)* **backpacking** *n* ***to go ~*** trampen **back pain** *n* Rückenschmerzen *pl* **back pay** *n* Nachzahlung *f* **back-pedal** *v/i* (*lit*) rückwärtstreten; (*fig infml*) einen Rückzieher machen (*infml*) (*on* bei) **back pocket** *n* Gesäßtasche *f* **back rest** *n* Rückenstütze *f* **back road** *n* kleine Landstraße **back seat** *n* Rücksitz *m* **back-seat driver** *n* ***she is a terrible ~*** sie redet beim Fahren immer rein **backside** *n* (*Br infml*) Hintern *m* (*infml*) **backslash** *n* IT Backslash *m* **backslide** *v/i* (*fig*) rückfällig werden **backspace** *v/t & v/i* TYPO zurücksetzen **backspace key** *n* Rücktaste *f* **backstage** *adv*, *adj* hinter den Kulissen **backstreet** *n* Seitensträßchen *nt* **backstreet abortion** *n* illegale Abtreibung **backstroke** *n* Rückenschwimmen *nt*; ***can you do the ~?*** können Sie rückenschwimmen? **back to back** *adv* Rücken an Rücken; (*things*) mit den Rückseiten aneinander **back-to-back** *adj* direkt aufeinanderfolgend *attr* **back to front** *adv* verkehrt herum **back tooth** *n* Backenzahn *m*, Stockzahn *m* (*Aus*) **backtrack** *v/i* (*over ground*) denselben Weg zurückgehen; (*on policy etc*) einen Rückzieher machen (*on sth* bei etw) **backup I** *n* **1.** Unterstützung *f* **2.** IT Sicherungskopie *f* **II** *adj* **1.** zur Unterstützung; **~ *plan*** Ausweichplan *m* **2.** IT **~ *copy*** Sicherungskopie *f*

backward I *adj* **1.** ***a ~ glance*** ein Blick zurück; ***a ~ step*** (*fig*) ein Schritt *m* zurück **2.** (*fig*) rückständig; (*pej*) *child* zurückgeblieben **II** *adv* = ***backwards*** **backwardness** *n* (*mental*) Zurückgebliebenheit *f*; (*of region*) Rückständigkeit *f*

backwards *adv* rückwärts; ***to fall ~*** nach hinten fallen; ***to walk ~ and forwards*** hin und her gehen; ***to bend over ~ to do sth*** (*infml*) sich (*dat*) ein Bein ausreißen, um etw zu tun (*infml*); ***I know it ~*** (*Br*) *or* **~ *and forwards*** (*US*) das kenne ich in- und auswendig

back yard *n* Hinterhof *m*; ***in one's own ~*** (*fig*) vor der eigenen Haustür

bacon *n* durchwachsener Speck; **~ *and eggs*** Eier mit Speck; ***to bring home the ~*** (*infml ≈ earn a living*) die Brötchen verdienen (*infml*)

bacteria *pl of* ***bacterium*** **bacterial** *adj* bakteriell **bacterium** *n*, *pl* ***bacteria*** Bakterie *f*

bad[1] *adj*, *comp* ***worse***, *sup* ***worst*** **1.** schlecht; *smell* übel; *Ausdruck* unanständig; (*≈ unmoralisch*) böse; (*≈ ungezogen*) unartig; ***it was a ~ thing to do*** das hättest du *etc* nicht tun sollen; ***he went through a ~ time*** er hat eine schlimme Zeit durchgemacht; ***I've had a really ~ day*** ich hatte einen furchtbaren Tag; ***to go ~*** schlecht werden; ***he's ~ at French*** er ist schlecht in Französisch; ***that's not a ~ idea!*** das ist keine schlechte Idee!; ***too ~ you couldn't make it*** (es ist) wirklich schade, dass Sie nicht kommen konnten; ***I feel really ~ about not having told him*** es tut mir wirklich leid, dass ich ihm das nicht gesagt habe; ***don't feel ~ about it*** machen Sie sich (*dat*) keine Gedanken (darüber) **2.** *Verletzung* schlimm; *accident*, *mistake*, *cold* schwer; *headache* stark; ***he's got it ~*** (*infml*) ihn hats schwer erwischt (*infml*) **3.** (*≈ unfavourable*) *time* ungünstig **4.** *stomach* krank; *leg* schlimm; ***the economy is in a ~ way*** (*Br*) es steht schlecht mit der Wirtschaft; ***I feel ~*** mir ist nicht gut; ***how is he? — he's not so ~*** wie geht es ihm? — nicht schlecht

bad[2] *pret of* ***bid***

bad blood *n* böses Blut; ***there is ~ between them*** sie haben ein gestörtes Verhältnis **bad cheque**, (*US*) **bad check** *n* (*not covered by funds*) ungedeckter Scheck

baddie *n* (*infml*) Bösewicht *m*

bade *pret of* ***bid***

badge *n* Abzeichen *nt*; (*metal*) Button *m*; (*on car etc*) Plakette *f*; (*≈ sticker*) Aufkleber *m*, Pickerl *nt* (*Aus*)

badger I *n* Dachs *m* **II** *v/t* zusetzen (*+dat*); ***to ~ sb for sth*** jdm mit etw in den Ohren liegen

bad hair day *n* (*infml*) Scheißtag *m* (*infml*), Tag *m*, an dem alles schiefgeht

badly *adv* **1.** schlecht; ***to do ~*** (*in exam etc*) schlecht abschneiden; FIN schlecht stehen; COMM schlecht gehen; ***to go ~*** schlecht laufen; ***to be ~ off*** schlecht dran sein; ***to think ~ of sb*** schlecht von jdm denken **2.** *wounded, mistaken* schwer **3.** (≈ *very much*) sehr; ***to want sth ~*** etw unbedingt wollen; ***I need it ~*** ich brauche es dringend

bad-mannered *adj* unhöflich

badminton *n* Federball *nt*; (*on court*) Badminton *nt*

bad-tempered *adj* schlecht gelaunt; ***to be ~*** schlechte Laune haben; (*as characteristic*) ein übellauniger Mensch sein

baffle *v/t* (≈ *confound*) verblüffen; (≈ *cause incomprehension*) vor ein Rätsel stellen; ***it really ~s me how ...*** es ist mir wirklich ein Rätsel, wie ... **baffling** *adj case* rätselhaft; ***I find it ~*** es ist mir ein Rätsel

bag I *n* **1.** Tasche *f*; (*with drawstrings*) Beutel *m*; (*for school*) Schultasche *f*; (*made of paper, plastic*) Tüte *f*; (≈ *sack*) Sack *m*; (≈ *suitcase*) Reisetasche *f*; ***~s*** (Reise)gepäck *nt*; ***to pack one's ~s*** seine Sachen packen; ***it's in the ~*** (*fig infml*) das ist gelaufen (*infml*); ***~s under the eyes*** (*black*) Ringe *pl* unter den Augen; (*of skin*) Tränensäcke *pl* **2.** (*infml*) ***~s of*** jede Menge (*infml*) **3.** (*pej infml*) ***(old) ~*** Schachtel *f* (*pej infml*); ***ugly old ~*** Schreckschraube *f* (*infml*) **II** *v/t* in Tüten/Säcke verpacken

bagel *n* Bagel *m*, *kleines, rundes Brötchen*

bagful *n* ***a ~ of groceries*** eine Tasche voll Lebensmittel

baggage *n* (≈ *luggage*) (Reise)gepäck *nt* **baggage allowance** *n* Freigepäck *nt* **baggage car** *n* Gepäckwagen *m* **baggage check** *n* Gepäckkontrolle *f* **baggage claim** *n* Gepäckausgabe *f* **baggage handler** *n* Gepäckmann *m* **baggage locker** *n* Gepäckschließfach *nt* **baggage reclaim** *n* Gepäckausgabe *f*

baggy *adj* (*+er*) (≈ *ill-fitting*) zu weit; (≈ *out of shape*) *trousers* ausgebeult; *jumper* ausgeleiert

bag lady *n* Stadtstreicherin *f*

bagpipe(s) *n*(*pl*) Dudelsack *m*

bag-snatcher *n* Handtaschendieb(in) *m*(*f*)

baguette *n* Baguette *f or nt*

Bahamas *pl* ***the ~*** die Bahamas *pl*

bail[1] *n* JUR Kaution *f*; ***to stand ~ for sb*** für jdn (die) Kaution stellen ◆ **bail out** *v/t sep* **1.** (*fig*) aus der Patsche helfen (*+dat*) (*infml*) **2.** *boat* = ***bale out***

bail[2] *v/i* = ***bale***[2]

bailiff *n* (JUR, *Br*: *a.* **sheriff's bailiff**) Amtsdiener(in) *m*(*f*); (*Br*: *for property*) Gerichtsvollzieher(in) *m*(*f*); (*US*) Gerichtsdiener(in) *m*(*f*)

bait I *n* Köder *m*; ***to take the ~*** anbeißen **II** *v/t* **1.** *hook* mit einem Köder versehen **2.** (≈ *torment*) *person* quälen

bake I *v/t* COOK backen; ***~d apples*** *pl* Bratäpfel *pl*; ***~d potatoes*** *pl* in der Schale gebackene Kartoffeln *pl* **II** *v/i* COOK backen; (*cake*) im (Back)ofen sein

baker *n* Bäcker(in) *m*(*f*); ***~'s (shop)*** Bäckerei *f* **baker's dozen** *n* 13 (Stück) **bakery** *n* Bäckerei *f* **baking I** *n* (*act*) (COOK) Backen *nt* **II** *adj* (*infml*) ***I'm ~*** ich komme um vor Hitze; ***it's ~ (hot) today*** es ist eine Affenhitze heute (*infml*) **baking dish** *n* Backform *f* **baking mitt** *n* (*US*) Topfhandschuh *m* **baking pan** *n* (*US*) Backblech *nt* **baking powder** *n* Backpulver *nt* **baking sheet** *n* Backblech *nt* **baking soda** *n* ≈ Backpulver *nt* **baking tin** *n* (*Br*) Backform *f* **baking tray** *n* (*Br*) Kuchenblech *nt*

Balaclava *n* Kapuzenmütze *f*

balance I *n* **1.** (≈ *apparatus*) Waage *f*; ***to be** or **hang in the ~*** (*fig*) in der Schwebe sein **2.** (≈ *counterpoise*) Gegengewicht *nt* (*to* zu); (*fig*) Ausgleich *m* (*to* für) **3.** (≈ *equilibrium*) Gleichgewicht *nt*; ***to keep/lose one's ~*** das Gleichgewicht (be)halten/verlieren; ***to throw sb off (his) ~*** jdn aus dem Gleichgewicht bringen; ***the right ~ of personalities in the team*** eine ausgewogene Mischung verschiedener Charaktere in der Mannschaft; ***the ~ of power*** das Gleichgewicht der Kräfte; ***on ~*** (*fig*) alles in allem **4.** COMM, FIN Saldo *m*; (*with bank*) Kontostand *m*; (*of company*) Bilanz *f*; ***~ in hand*** COMM Kassen(be)stand *m*; ***~ carried forward*** Saldoübertrag *m*; ***~ of payments/trade*** Zahlungs-/Handelsbilanz *f*; ***~ of trade surplus/deficit*** Handelsbilanzüberschuss *m*/-defizit *nt* **5.** (≈ *re-*

mainder) Rest *m*; ***to pay off the ~*** den Rest bezahlen; ***my father has promised to make up the ~*** mein Vater hat versprochen, die Differenz zu (be)zahlen **II** *v/t* **1.** (≈ *keep in equilibrium*) im Gleichgewicht halten; (≈ *bring into equilibrium*) ins Gleichgewicht bringen; ***the seal ~s a ball on its nose*** der Seehund balanciert einen Ball auf der Nase **2.** *needs* abwägen (*against* gegen); ***to ~ sth against sth*** etw einer Sache (*dat*) gegenüberstellen **3.** (≈ *make up for*) ausgleichen **4.** COMM, FIN *account* (≈ *add up*) abschließen; (≈ *make equal*) ausgleichen; *budget* ausgleichen; ***to ~ the books*** die Bilanz ziehen *or* machen **III** *v/i* **1.** (≈ *be in equilibrium*) Gleichgewicht halten; (*scales*) sich ausbalancieren; ***he ~d on one foot*** er balancierte auf einem Bein **2.** COMM, FIN ausgeglichen sein; ***the books don't ~*** die Abrechnung stimmt nicht; ***to make the books ~*** die Abrechnung ausgleichen ◆ **balance out I** *v/t sep* ausgleichen; ***they balance each other out*** sie halten sich die Waage **II** *v/i* sich ausgleichen

balanced *adj* ausgewogen; ***~ budget*** ausgeglichener Haushalt **balance sheet** *n* FIN Bilanz *f*; (≈ *document*) Bilanzaufstellung *f* **balancing act** *n* Balanceakt *m*

balcony *n* **1.** Balkon *m* **2.** THEAT oberster Rang

bald *adj* (+*er*) **1.** kahl; ***he is ~*** er hat eine Glatze; ***to go ~*** kahl werden; ***~ patch*** kahle Stelle **2.** *tyre* abgefahren **bald eagle** *n* weißköpfiger Seeadler **bald-faced** *adj* (*US*) *lie* unverfroren, unverschämt **baldheaded** *adj* kahl- *or* glatzköpfig **balding** *adj* ***he is ~*** er bekommt langsam eine Glatze **baldly** *adv* (*fig*) (≈ *bluntly*) unverblümt; (≈ *roughly*) grob **baldness** *n* Kahlheit *f* **baldy** *n* (*infml*) Glatzkopf *m*

bale[1] *n* (*of hay etc*) Bündel *nt*; (*out of combine harvester, of cotton*) Ballen *m*

bale[2] *v/i* NAUT schöpfen ◆ **bale out I** *v/i* **1.** AVIAT abspringen (*of* aus) **2.** NAUT schöpfen **II** *v/t sep* NAUT *water* schöpfen; *ship* ausschöpfen

Balearic *adj* ***the ~ Islands*** die Balearen *pl*

baleful *adj* (≈ *evil*) böse

balk, baulk *v/i* zurückschrecken (*at* vor +*dat*)

Balkan I *adj* Balkan- **II** *n* ***the ~s*** der Balkan

ball[1] *n* **1.** Ball *m*; (≈ *sphere*) Kugel *f*; (*of wool*) Knäuel *m*; (*Billiards*) Kugel *f*; ***to play ~*** Ball/Baseball spielen; ***the cat lay curled up in a ~*** die Katze hatte sich zusammengerollt; ***to keep the ~ rolling*** das Gespräch in Gang halten; ***to start the ~ rolling*** den Stein ins Rollen bringen; ***the ~ is in your court*** Sie sind am Ball (*infml*); ***to be on the ~*** (*infml*) am Ball sein (*infml*); ***to run with the ~*** (*US infml*) die Sache mit Volldampf vorantreiben (*infml*) **2.** ANAT ***~ of the foot*** Fußballen *m* **3.** (*sl*) (≈ *testicle*) Ei *nt usu pl* (*sl*); (*pl*) Eier *pl* (*sl*); ***~s*** (*infml* ≈ *courage*) Schneid *m* (*infml*)

ball[2] *n* **1.** (≈ *dance*) Ball *m* **2.** (*infml* ≈ *good time*) ***to have a ~*** sich prima amüsieren (*infml*)

ballad *n* MUS, LIT Ballade *f*

ball-and-socket joint *n* Kugelgelenk *nt*

ballast *n* (NAUT, AVIAT, *fig*) Ballast *m*

ball bearing *n* Kugellager *nt*; (≈ *ball*) Kugellagerkugel *f* **ball boy** *n* Balljunge *m*

ballerina *n* Ballerina *f*; (*principal*) Primaballerina *f*

ballet *n* Ballett *nt* **ballet dancer** *n* Balletttänzer(in) *m(f)* **ballet shoe** *n* Ballettschuh *m*

ball game *n* Ballspiel *nt*; ***it's a whole new ~*** (*fig infml*) das ist eine ganz andere Chose (*infml*) **ball girl** *n* Ballmädchen *nt*

ballistic *adj* ballistisch; ***to go ~*** (*infml*) an die Decke gehen (*infml*) **ballistic missile** *n* Raketengeschoss *nt* **ballistics** *n sg* Ballistik *f*

balloon I *n* AVIAT (Frei)ballon *m*; (*toy*) (Luft)ballon *m*; ***that went down like a lead ~*** (*infml*) das kam überhaupt nicht an **II** *v/i* (≈ *swell out*) sich blähen

ballot I *n* (≈ *vote*) Abstimmung *f*; (≈ *election*) Wahl *f*; ***first/second ~*** erster/zweiter Wahlgang; ***to hold a ~*** abstimmen **II** *v/t members* abstimmen lassen **ballot box** *n* Wahlurne *f* **ballot paper** *n* Stimmzettel *m* **ballot rigging** *n* Wahlbetrug *m*

ballpark *n* **1.** (*US*) Baseballstadion *nt* **2.** ***~ figure*** Richtzahl *f*

ballpoint (pen) *n* Kugelschreiber *m*

ballroom *n* Ballsaal *m* **ballroom dancing** *n* Gesellschaftstänze *pl*

balls-up, (*esp US*) **ball up** *n* (*infml*) Durcheinander *nt*; ***he made a complete ~ of the job*** er hat bei der Arbeit totale Scheiße gebaut (*sl*) ◆ **balls up**, (*esp US*)

ball up *v/t sep* (*infml*) verhunzen (*infml*)
balm *n* Balsam *m* **balmy** *adj* (+*er*) sanft
baloney *n* **1.** (*infml*) Quatsch *m* (*infml*) **2.** (*US ≈ sausage*) Mortadella *f*
Baltic I *adj* Ostsee-; (*≈ of Baltic States*) baltisch; ***the ~ States*** die baltischen Staaten **II** *n* ***the ~*** die Ostsee **Baltic Sea** *n* Ostsee *f*
balustrade *n* Balustrade *f*
bamboo I *n* Bambus *m* **II** *attr* ***~ shoots*** *pl* Bambussprossen *pl*
ban I *n* Verbot *nt*; COMM Embargo *nt*; ***to put a ~ on sth*** etw verbieten; ***a ~ on smoking*** Rauchverbot *nt* **II** *v/t* verbieten; *footballer etc* sperren; ***to ~ sb from doing sth*** jdm verbieten, etw zu tun; ***she was ~ned from driving*** ihr wurde Fahrverbot erteilt
banal *adj* banal
banana *n* Banane *f* **banana peel** *n* Bananenschale *f* **bananas** *adj pred* (*infml ≈ crazy*) bescheuert (*infml*); ***to go ~*** durchdrehen (*infml*) **banana skin** *n* Bananenschale *f*; ***to slip on a ~*** (*fig*) über eine Kleinigkeit stolpern **banana split** *n* COOK Bananensplit *nt*
band[1] *n* **1.** (*of cloth, iron*) Band *nt*; (*on machine*) Riemen *m* **2.** (*≈ stripe*) Streifen *m*
band[2] *n* **1.** Schar *f*; (*of robbers etc*) Bande *f* **2.** MUS Band *f*; (*≈ dance band*) Tanzkapelle *f*; (*brass band*) (Musik)kapelle *f* ◆ **band together** *v/i* sich zusammenschließen
bandage I *n* Verband *m* **II** *v/t* (*a.* **bandage up**) verbinden
Band-Aid® (*US*) *n* Heftpflaster *nt*
bandan(n)a *n* großes Schnupftuch; (*round neck*) Halstuch *nt*
B & B *n abbr of* ***bed and breakfast***
bandit *n* Bandit(in) *m*(*f*)
band leader *n* Bandleader(in) *m*(*f*) **bandmaster** *n* Kapellmeister *m* **bandsman** *n*, *pl* **-men** Musiker *m*; ***military ~*** Mitglied *nt* eines Musikkorps **bandstand** *n* Musikpavillon *m* **bandwagon** *n* ***to jump*** *or* ***climb on the ~*** (*fig infml*) auf den fahrenden Zug aufspringen **bandwidth** *n* RADIO, IT Bandbreite *f*
bandy *adj* ***~ legs*** O-Beine
◆ **bandy about** (*Brit*) *or* **around** *v/t sep* *sb's name* immer wieder nennen; *ideas* verbreiten; *figures*, *words* um sich werfen mit
bane *n* Fluch *m*; ***it's the ~ of my life*** das ist noch mal mein Ende (*infml*)
bang[1] **I** *n* **1.** (*≈ noise*) Knall *m*; (*of sth falling*) Plumps *m*; ***there was a ~ outside*** draußen hat es geknallt **2.** (*≈ violent blow*) Schlag *m* **II** *adv* **1.** ***to go ~*** knallen; (*balloon*) zerplatzen **2.** (*infml*) genau; ***his answer was ~ on*** seine Antwort war genau richtig; ***she came ~ on time*** sie war auf die Sekunde pünktlich; ***~ up to date*** brandaktuell (*infml*) **III** *int* peng; ***~ goes my chance of promotion*** (*infml*) und das wars dann mit der Beförderung (*infml*) **IV** *v/t* **1.** (*≈ thump*) schlagen; ***he ~ed his fist on the table*** er schlug mit der Faust auf den Tisch **2.** *door* zuschlagen **3.** *head*, *shin* sich (*dat*) anschlagen (*on* an +*dat*); ***to ~ one's head*** *etc* ***on sth*** mit dem Kopf *etc* gegen etw knallen (*infml*) **V** *v/i* (*door*) zuschlagen; (*fireworks*, *gun*) knallen; ***to ~ on*** *or* ***at sth*** gegen *or* an etw (*acc*) schlagen ◆ **bang about** (*Brit*) *or* **around I** *v/i* Krach machen **II** *v/t sep* Krach machen mit ◆ **bang down** *v/t sep* (hin)knallen (*infml*); *Deckel* zuknallen (*infml*); ***to ~ the receiver*** den Hörer aufknallen (*infml*) ◆ **bang into** *v/i +prep obj* prallen auf (+*acc*) ◆ **bang on about** *v/i +prep obj* (*Br infml*) schwafeln von (*infml*) ◆ **bang out** *v/t sep* ***to ~ a tune on the piano*** eine Melodie auf dem Klavier hämmern (*infml*) ◆ **bang up** *v/t sep* (*sl*) *prisoner* einbuchten (*infml*)
bang[2] *n* (*US ≈ fringe*) Pony *m*; ***~s*** Ponyfrisur *f*
banger *n* **1.** (*Br infml ≈ sausage*) Wurst *f* **2.** (*infml ≈ old car*) Klapperkiste *f* (*infml*) **3.** (*Br ≈ firework*) Knallkörper *m*
Bangladesh *n* Bangladesh *nt* **Bangladeshi I** *n* Bangladeshi *m*/*f*(*m*) **II** *adj* aus Bangladesh
bangle *n* Armreif(en) *m*
banish *v/t person* verbannen; *Sorgen* vertreiben **banishment** *n* Verbannung *f*
banister, bannister *n* (*a.* **banisters**) Geländer *nt*
banjo *n*, *pl* **-es** *or* (*US*) **-s** Banjo *nt*
bank[1] **I** *n* **1.** (*of earth*) Damm *m*; (*≈ slope*) Böschung *f*; ***~ of snow*** Schneeverwehung *f* **2.** (*of river*, *lake*) Ufer *nt*; ***we sat on the ~s of a river*** wir saßen an einem Flussufer **II** *v/i* AVIAT in die Querlage gehen
bank[2] **I** *n* Bank *f*; ***to keep*** *or* ***be the ~*** die Bank halten **II** *v/t* zur Bank bringen **III**

v/i ***where do you ~?*** bei welcher Bank haben Sie Ihr Konto? ◆ **bank on** *v/i +prep obj* sich verlassen auf (*+acc*); ***I was banking on your coming*** ich hatte fest damit gerechnet, dass du kommst

bank account *n* Bankkonto *nt* **bank balance** *n* Kontostand *m* **bankbook** *n* Sparbuch *nt* **bank card** *n* Scheckkarte *f* **bank charge** *n* Kontoführungsgebühr *f* **bank clerk** *n* Bankangestellte(r) *m/f(m)* **bank draft** *n* Bankwechsel *m* **banker** *n* FIN Bankier *m*, Banker(in) *m(f)* (*infml*); (*Gambling*) Bankhalter(in) *m(f)* **banker's card** *n* Scheckkarte *f* **banker's cheque** (*Br*), **banker's draft** (*US*) *n* Bankscheck *m* **banker's order** *n* Dauerauftrag *m* **bank giro** *n* Banküberweisung *f* **bank holiday** *n* (*Br*) öffentlicher Feiertag; (*US*) Bankfeiertag *m* **banking** **I** *n* Bankwesen *nt*; ***he wants to go into ~*** er will ins Bankfach gehen **II** *attr* Bank- **bank loan** *n* Bankkredit *m* **bank manager** *n* Filialleiter(in) *m(f)*; ***my ~*** der Filialleiter / die Filialleiterin meiner Bank

banknote *n* Banknote *f* **bank rate** *n* (*Br*) Diskontsatz *m* **bank robber** *n* Bankräuber(in) *m(f)* **bank robbery** *n* Bankraub *m*

bankrupt **I** *n* Bankrotteur(in) *m(f)* **II** *adj* bankrott; ***to go ~*** Bankrott machen **III** *v/t* zugrunde richten **bankruptcy** *n* Bankrott *m*; (*instance*) Konkurs *m* **bankruptcy proceedings** *pl* Konkursverfahren *nt*

bank sort code *n* Bankleitzahl *f* **bank statement** *n* Kontoauszug *m* **bank transfer** *n* Banküberweisung *f*

banned substance *n* SPORTS illegale *or* verbotene Substanz

banner *n* Banner *nt*; (*in processions*) Transparent *nt* **banner headlines** *n* Schlagzeilen *pl*

banning *n* Verbot *nt*; ***the ~ of cars from city centres*** (*Br*) *or* ***centers*** (*US*) das Fahrverbot in den Innenstädten

bannister *n* = ***banister***

banns *pl* ECCL Aufgebot *nt*; ***to read the ~*** das Aufgebot verlesen

banquet *n* Festessen *nt*

banter *n* Geplänkel *nt*

bap (bun) *n* (*Br*) weiches Brötchen

baptism *n* Taufe *f*; ***~ of fire*** (*fig*) Feuertaufe *f* **Baptist** *n* Baptist(in) *m(f)*; ***the ~ Church*** (≈ *people*) die Baptistengemeinde; (≈ *teaching*) der Baptismus

baptize *v/t* taufen

bar[1] **I** *n* **1.** (*of metal, wood*) Stange *f*; FTBL Querbalken *m*; (*of toffee etc*) Riegel *m*; ***~ of gold*** Goldbarren *m*; ***a ~ of chocolate, a chocolate ~*** (≈ *slab*) eine Tafel Schokolade; (≈ *Mars® bar etc*) ein Schokoladenriegel *m*; ***a ~ of soap*** ein Stück *nt* Seife; ***a two-~ electric fire*** ein Heizgerät *nt* mit zwei Heizstäben; (*of cage*) (Gitter)stab *m*; ***the window has ~s*** das Fenster ist vergittert; ***to put sb behind ~s*** jdn hinter Gitter bringen **2.** (SPORTS, *horizontal*) Reck *nt*; (*for high jump etc*) Latte *f*; ***~s*** *pl* (*parallel*) Barren *m*; (***wall***) ***~s*** Sprossenwand *f* **3.** (*fig*) ***to be a ~ to sth*** einer Sache (*dat*) im Wege stehen **4.** JUR ***the Bar*** die Anwaltschaft; ***to be called*** *or* (*US*) ***admitted to the Bar*** als Verteidiger zugelassen werden **5.** (*for drinks*) Lokal *nt*; (*esp expensive*) Bar *f*; (*part of pub*) Gaststube *f*; (≈ *counter*) Theke *f* **6.** MUS Takt *m*; (≈ *bar line*) Taktstrich *m* **II** *v/t* **1.** (≈ *obstruct*) blockieren; ***to ~ sb's way*** jdm den Weg versperren **2.** *window*, *door* versperren **3.** *person* ausschließen; *action*, *thing* untersagen; ***they've been ~red from the club*** sie haben Klubverbot

bar[2] *prep* ***~ none*** ohne Ausnahme; ***~ one*** außer einem

barb *n* (*of hook*) Widerhaken *m*

Barbados *n* Barbados *nt*

barbarian **I** *n* Barbar(in) *m(f)* **II** *adj* barbarisch **barbaric** *adj* barbarisch; *guard etc* grausam; (*fig infml*) *conditions* grauenhaft **barbarism** *n* Barbarei *f* **barbarity** *n* Barbarei *f*; (*fig*) Primitivität *f*; (≈ *cruelty*) Grausamkeit *f* **barbarous** *adj* (HIST, *fig*) barbarisch; (≈ *cruel*) grausam; *guard etc* roh; *accent* grauenhaft

barbecue **I** *n* COOK Grill *m*; (≈ *occasion*) Grillparty *f*, Barbecue *nt* **II** *v/t* grillen

barbed *adj* (*fig*) *remark* bissig **barbed wire** *n* Stacheldraht *m* **barbed-wire fence** *n* Stacheldrahtzaun *m*

barber *n* (Herren)friseur *m*; ***at / to the ~'s*** beim / zum Friseur **barbershop** **I** *n* (*US*) (Herren)friseurgeschäft *nt* **II** *adj* ***~ quartet*** Barbershop-Quartett *nt*

barbiturate *n* Barbiturat *nt*

bar chart *n* Balkendiagramm *nt* **bar code** *n* Strichcode *m*, Bar-Code *m* **bar code reader** *n* Strichcodeleser *m*

bare **I** *adj* (*+er*) **1.** (≈ *naked*) nackt; *room* leer; ***~ patch*** kahle Stelle; ***the ~ facts*** die nackten Tatsachen; ***with his ~ hands*** mit bloßen Händen **2.** (≈ *mere*) knapp; ***the ~ minimum*** das absolute Minimum **II** *v/t breast, leg* entblößen; *(at doctor's)* frei machen; *teeth* fletschen; ***to ~ one's soul*** seine Seele entblößen **bareback** *adv, adj* ohne Sattel **barefaced** *adj* (*fig*) unverschämt **barefoot(ed) I** *adv* barfuß **II** *adj* barfüßig **bareheaded** *adj, adv* ohne Kopfbedeckung **barelegged** *adj* mit bloßen Beinen **barely** *adv* (≈ *scarcely*) kaum **bareness** *n* (*of trees*) Kahlheit *f*; (*of room*) Leere *f*

bargain I *n* **1.** (≈ *transaction*) Handel *m*; ***to make*** *or* ***strike a ~*** sich einigen; ***I'll make a ~ with you*** ich mache Ihnen ein Angebot; ***to keep one's side of the ~*** sich an die Abmachung halten; ***you drive a hard ~*** Sie stellen ja harte Forderungen!; ***into the ~*** obendrein **2.** (≈ *cheap offer*) Sonderangebot *nt*; (≈ *thing bought*) Gelegenheitskauf *m*, Occasion *f* (*Swiss*); ***what a ~!*** das ist aber günstig! **II** *v/i* handeln (*for* um); (*in negotiations*) verhandeln ◆ **bargain for** *v/i +prep obj* ***I got more than I bargained for*** ich habe vielleicht mein blaues Wunder erlebt! (*infml*) ◆ **bargain on** *v/i +prep obj* zählen auf (*+acc*)

bargain hunter *n* ***the ~s*** Leute *pl* auf der Jagd nach Sonderangeboten **bargain-hunting** *n* ***to go ~*** auf Jagd nach Sonderangeboten gehen **bargaining** *n* Handeln *nt*; (≈ *negotiating*) Verhandeln *nt*; ***~ position*** Verhandlungsposition *f* **bargain offer** *n* Sonderangebot *nt* **bargain price** *n* Sonderpreis *m*; ***at a ~*** zum Sonderpreis **bargain sale** *n* Ausverkauf *m*

barge I *n* (*for freight*) Frachtkahn *m*; (*unpowered*) Schleppkahn *m*; (≈ *houseboat*) Hausboot *nt* **II** *v/t* ***he ~d his way into the room*** er ist (ins Zimmer) hereingeplatzt (*infml*); ***he ~d his way through the crowd*** er hat sich durch die Menge geboxt (*infml*) **III** *v/i* ***to ~ into a room*** (in ein Zimmer) hereinplatzen (*infml*); ***to ~ out of a room*** aus einem Zimmer hinausstürmen; ***he ~d through the crowd*** er drängte sich durch die Menge ◆ **barge in** *v/i* (*infml*) **1.** (≈ *enter suddenly*) hereinplatzen (*infml*) **2.** (≈ *interrupt*) dazwischenplatzen (*infml*) (*on* bei) ◆ **barge into** *v/i +prep obj person* (hinein)rennen in (*+acc*) (*infml*); *thing* rennen gegen (*infml*)

bargepole *n* ***I wouldn't touch him with a ~*** (*Br infml*) den würde ich noch nicht mal mit der Kneifzange anfassen (*infml*)

bar graph *n* IT Balkendiagramm *nt*

baritone I *n* Bariton *m* **II** *adj* Bariton-

bark[1] *n* (*of tree*) Rinde *f*, Borke *f*

bark[2] **I** *n* (*of dog*) Bellen *nt*; ***his ~ is worse than his bite*** (*prov*) Hunde, die bellen, beißen nicht (*prov*) **II** *v/i* bellen; ***to ~ at sb*** jdn anbellen; (*person*) jdn anfahren; ***to be ~ing up the wrong tree*** (*fig infml*) auf dem Holzweg sein (*infml*) ◆ **bark out** *v/t sep orders* bellen

barkeep(er) *n* (*US*) Gastwirt *m*; (≈ *bartender*) Barkeeper *m*

barking (mad) *adj* (*infml*) total verrückt

barley *n* Gerste *f* **barley sugar** *n* **1.** Malzzucker *m* **2.** (*sweet*) *hartes Zuckerbonbon* **barley water** *n Art Gerstenextrakt*; ***lemon ~*** konzentriertes Zitronengetränk

barmaid *n* Bardame *f* **barman** *n* Barkeeper *m*

barmy *adj* (*+er*) (*Br infml*) bekloppt (*infml*); *idea etc* blödsinnig (*infml*)

barn *n* **1.** Scheune *f*, Stadel *m* (*Aus, Swiss*) **2.** (*US, for trucks*) Depot *nt* **barn dance** *n* Bauerntanz *m* **barn owl** *n* Schleiereule *f* **barnyard** *n* (Bauern)hof *m*

barometer *n* Barometer *nt* **barometric pressure** *n* Luftdruck *m*

baron *n* Baron *m*; ***oil ~*** Ölmagnat *m*; ***press ~*** Pressezar *m* **baroness** *n* Baronin *f*; (*unmarried*) Baronesse *f*

baroque I *adj* barock, Barock- **II** *n* Barock *m or nt*

barracks *pl often with sg vb* MIL Kaserne *f*; ***to live in ~*** in der Kaserne wohnen

barrage *n* **1.** (*across river*) Staustufe *f* **2.** MIL Sperrfeuer *nt* **3.** (*fig*) Hagel *m*; ***he faced a ~ of questions*** er wurde mit Fragen beschossen

barred *adj* ***~ window*** Gitterfenster *nt*

barrel *n* **1.** Fass *nt*; (*for oil*) Tonne *f*; (≈ *measure*) Barrel *nt*; ***they've got us over a ~*** (*infml*) sie haben uns in der Zange (*infml*); ***it wasn't exactly a ~ of laughs*** (*infml*) es war nicht gerade komisch; ***he's a ~ of laughs*** (*infml*) er ist eine echte Spaßkanone (*infml*) **2.** (*of handgun*) Lauf *m* **barrel organ** *n* Leierkasten *m*

barren *adj* unfruchtbar **barrenness** *n* Unfruchtbarkeit *f*

barrette *n* (*US*) (Haar)spange *f*

barricade I *n* Barrikade *f* **II** *v/t* verbarrikadieren
barrier *n* **1.** (*natural*) Barriere *f*; (≈ *railing etc*) Schranke *f*; (≈ *crash barrier*) (Leit)planke *f* **2.** (*fig* ≈ *obstacle*) Hindernis *nt*; (*between people*) Schranke *f*; ***trade ~s*** Handelsschranken *pl*; ***language ~*** Sprachbarriere *f*; ***a ~ to success*** *etc* ein Hindernis für den Erfolg *etc*; ***to break down ~s*** Zäune niederreißen **barrier contraceptive** *n* mechanisches Verhütungsmittel **barrier cream** *n* Haut(schutz)creme *f*
barring *prep* ***~ accidents*** falls nichts passiert; ***~ one*** außer einem
barrister *n* (*Br*) Rechtsanwalt *m*/-anwältin *f*
barrow *n* Karren *m*
bar stool *n* Barhocker *m* **bartender** *n* (*US*) Barkeeper *m*; ***~!*** hallo!
barter *v/t & v/i* tauschen (*for* gegen)
base[1] **I** *n* **1.** (≈ *lowest part*) Basis *f*; (*for statue etc*) Sockel *m*; (*of lamp*, *mountain*) Fuß *m*; ***at the ~*** (***of***) unten (an +*dat*) **2.** (MIL, *for holidays*) Stützpunkt *m*, Basis *f*; ***to return to ~*** zum Stützpunkt *or* zur Basis zurückkehren **3.** BASEBALL Mal *nt*, Base *nt*; ***at*** *or* ***on second ~*** auf Mal *or* Base 2; ***to touch ~*** (*US infml*) sich melden (*with* bei); ***to touch*** *or* ***cover all the ~s*** (*US fig*) an alles denken **II** *v/t* **1.** (*fig*) *hopes*, *theory* basieren (*on* auf +*acc*); *relationship* bauen (*on* auf +*acc*); ***to be ~d on sth*** auf etw (*dat*) basieren; ***to ~ one's technique on sth*** in seiner Technik von etw ausgehen **2.** stationieren; ***the company is ~d in London*** die Firma hat ihren Sitz in London; ***my job is ~d in Glasgow*** ich arbeite in Glasgow
base[2] *adj* (+*er*) *metal* unedel
baseball *n* Baseball *m or nt* **baseball cap** *n* Baseballmütze *f*
base camp *n* Basislager *nt* **-based** *adj suf* ***London-based*** mit Sitz in London; ***to be computer-based*** auf Computerbasis arbeiten **baseless** *adj* unbegründet
baseline *n* TENNIS Grundlinie *f*
basement *n* Untergeschoss *nt*; ***~ flat*** (*Br*) *or* ***apartment*** Souterrainwohnung *f*
base rate *n* Leitzins *m*
bash (*infml*) **I** *n* **1.** Schlag *m* **2.** ***I'll have a ~*** (***at it***) ich probiers mal (*infml*) **II** *v/t car* eindellen (*infml*); ***to ~ one's head*** (***against*** *or* ***on sth***) sich (*dat*) den Kopf (an etw (*dat*)) anschlagen; ***to ~ sb on*** *or* ***over the head with sth*** jdm mit etw auf den Kopf hauen ◆ **bash in** *v/t sep* (*infml*) *door* einschlagen; *hat*, *car* eindellen (*infml*); ***to bash sb's head in*** jdm den Schädel einschlagen (*infml*) ◆ **bash up** *v/t sep* (*esp Br infml*) *car* demolieren (*infml*)
bashful *adj*, **bashfully** *adv* schüchtern, gschamig (*Aus*)
Basic IT *abbr of* ***beginner's all-purpose symbolic instruction code*** BASIC *nt*
basic I *adj* **1.** Grund-; *reason*, *issue* Haupt-; *points* wesentlich; *intention* eigentlich; ***there's no ~ difference*** es besteht kein grundlegender Unterschied; ***the ~ thing to remember is ...*** woran man vor allem denken muss, ist ...; ***his knowledge is rather ~*** er hat nur ziemlich elementare Kenntnisse; ***the furniture is rather ~*** die Möbel sind ziemlich primitiv; ***~ salary*** Grundgehalt *nt*; ***~ vocabulary*** Grundwortschatz *m* **2.** (≈ *essential*) notwendig **II** *pl* ***the ~s*** das Wesentliche; ***to get down to*** (***the***) ***~s*** zum Kern der Sache kommen; ***to get back to ~s*** sich auf das Wesentliche besinnen
basically *adv* im Grunde; (≈ *mainly*) hauptsächlich; ***is that correct? — ~ yes*** stimmt das? – im Prinzip, ja; ***that's ~ it*** das wärs im Wesentlichen **basic English** *n* englischer Grundwortschatz **basic rate** *n* (*of tax*) Eingangssteuersatz *m*; ***the ~ of income tax*** der Eingangssteuersatz bei Lohn- und Einkommensteuer
basil *n* BOT Basilikum *nt*
basin *n* **1.** Schüssel *f*; (≈ *wash basin*) (Wasch)becken *nt* **2.** GEOG Becken *nt*
basis *n*, *pl* ***bases*** Basis *f*; ***we're working on the ~ that ...*** wir gehen von der Annahme aus, dass ...; ***to be on a sound ~*** (*Firma*) auf festen Füßen stehen; ***on the ~ of this evidence*** aufgrund dieses Beweismaterials
bask *v/i* (*in sun*) sich aalen (*in* in +*dat*); (*in sb's favour etc*) sich sonnen (*in* in +*dat*)
basket *n* Korb *m*; (*for rolls etc*) Körbchen *nt* **basketball** *n* Basketball *m* **basket case** *n* (*sl*) hoffnungsloser Fall **basket chair** *n* Korbsessel *m*
Basle *n* Basel *nt*
Basque I *n* **1.** (≈ *person*) Baske *m*, Baskin *f* **2.** (≈ *language*) Baskisch *nt* **II** *adj* baskisch
bass MUS **I** *n* Bass *m* **II** *adj* Bass- **bass clef**

n Bassschlüssel *m* **bass drum** *n* große Trommel
bassoon *n* Fagott *nt*
bastard *n* **1.** (*lit*) uneheliches Kind **2.** (*sl* ≈ *person*) Scheißkerl *m* (*infml*); ***poor ~*** armes Schwein (*infml*); ***this question is a real ~*** diese Frage ist wirklich hundsgemein (*infml*) **bastardize** *v/t* (*fig*) verfälschen
baste *v/t* COOK (mit Fett) begießen
bastion *n* Bastion *f*
bat[1] *n* ZOOL Fledermaus *f*; ***he drove like a ~ out of hell*** er fuhr, wie wenn der Teufel hinter ihm her wäre; (***as***) ***blind as a ~*** stockblind (*infml*)
bat[2] SPORTS **I** *n* BASEBALL, CRICKET Schlagholz *nt*; TABLE TENNIS Schläger *m*; ***off one's own ~*** (*Br infml*) auf eigene Faust (*infml*); ***right off the ~*** (*US*) prompt **II** *v/t & v/i* BASEBALL, CRICKET schlagen
bat[3] *v/t* ***not to ~ an eyelid*** (*Br*) *or* ***eye*** (*US*) nicht mal mit der Wimper zucken
batch *n* (*of people*) Schwung *m* (*infml*); (*of things dispatched*) Sendung *f*; (*of letters, work*) Stoß *m* **batch command** *n* Batchbefehl *m* **batch file** *n* IT Batchdatei *f* **batch job** *n* Stapelverarbeitung *f* **batch processing** *n* IT Stapelverarbeitung *f*
bated *adj* ***with ~ breath*** mit angehaltenem Atem
bath I *n* **1.** Bad *nt*; ***to have*** *or* ***take a ~*** baden; ***to give sb a ~*** jdn baden **2.** (≈ *bathtub*) (Bade)wanne *f* **3.** (***swimming***) ***~s*** *pl* (Schwimm)bad *nt*; (***public***) ***~s*** *pl* Badeanstalt *f* **II** *v/t* (*Br*) baden **III** *v/i* (*Br*) (sich) baden **bathe I** *v/t* **1.** baden; (*with cotton wool etc*) waschen; ***to ~ one's eyes*** ein Augenbad machen; ***~d in tears*** tränenüberströmt; ***to be ~d in sweat*** schweißgebadet sein **2.** (*US*) = ***bath*** II **II** *v/i* baden **III** *n* Bad *nt*; ***to have*** *or* ***take a ~*** baden **bather** *n* Badende(r) *m/f(m)* **bathing cap** *n* Badekappe *f* **bathing costume** *n* Badeanzug *m* **bathing trunks** *pl* Badehose *f* **bathmat** *n* Badematte *f* **bathrobe** *n* Bademantel *m*
bathroom *n* Bad(ezimmer) *nt*; (*euph* ≈ *lavatory*) Toilette *f* **bathroom cabinet** *n* Toilettenschrank *m* **bathroom scales** *pl* Personenwaage *f* **bath salts** *pl* Badesalz *nt* **bathtowel** *n* Badetuch *nt* **bathtub** *n* Badewanne *f*
baton *n* **1.** MUS Taktstock *m* **2.** (*of policeman*) Schlagstock *m* **3.** (*in relay race*) Stab *m* **baton charge** *n* ***to make a ~*** Schlagstöcke einsetzen
batsman *n*, *pl* ***-men*** SPORTS Schlagmann *m*
battalion *n* (MIL, *fig*) Bataillon *nt*
batten *n* Latte *f* ◆ **batten down** *v/t sep* ***to ~ the hatches*** (*fig* ≈ *close doors*) alles dicht machen; (≈ *prepare oneself*) sich auf etwas gefasst machen
batter[1] *n* COOK Teig *m*
batter[2] *n* SPORTS Schlagmann *m*
batter[3] **I** *v/t* (≈ *hit*) einschlagen auf (+*acc*); (≈ *repeatedly*) prügeln **II** *v/i* schlagen; ***to ~ at the door*** an die Tür trommeln (*infml*) ◆ **batter down** *v/t sep door* einschlagen
battered *adj* übel zugerichtet; *Frau, Kleinkind* misshandelt; *hat, car* verbeult; *furniture, reputation* ramponiert (*infml*) **batterer** *n* ***wife-~*** prügelnder Ehemann; ***child-~*** prügelnder Vater, prügelnde Mutter **battering** *n* (*lit*) Prügel *pl*; ***he/it got*** *or* ***took a real ~*** er/es hat ganz schön was abgekriegt (*infml*)
battery *n* Batterie *f* **battery charger** *n* Ladegerät *nt* **battery farm** *n* Legebatterie *f* **battery farming** *n* Legebatterien *pl* **battery hen** *n* AGR Batteriehuhn *nt* **battery-operated** *adj* batteriegespeist **battery-powered** *adj* batteriebetrieben
battle I *n* (*lit*) Schlacht *f*; (*fig*) Kampf *m*; ***to fight a ~*** eine Schlacht schlagen; (*fig*) einen Kampf führen; ***to do ~ for sb/sth*** sich für jdn/etw einsetzen; ***killed in ~*** (im Kampf) gefallen; ***~ of wits*** Machtkampf *m*; ***~ of words*** Wortgefecht *nt*; ***~ of wills*** geistiger Wettstreit; ***that's half the ~*** damit ist schon viel gewonnen; ***getting an interview is only half the ~*** damit, dass man ein Interview bekommt, ist es noch nicht getan **II** *v/i* sich schlagen; (*fig*) kämpfen **III** *v/t* (*fig*) ***to ~ one's way through four qualifying matches*** sich durch vier Qualifikationsspiele durchschlagen ◆ **battle out** *v/t sep* ***to battle it out*** sich einen harten Kampf liefern
battle-axe, (*US*) **battle-ax** *n* (*infml* ≈ *woman*) Drachen *m* (*infml*) **battle cry** *n* Schlachtruf *m* **battlefield** *n* Schlachtfeld *nt* **battleground** *n* Schlachtfeld *nt* **battlements** *pl* Zinnen *pl* **battleship** *n* Schlachtschiff *nt*
batty *adj* (+*er*) (*Br infml*) verrückt
bauble *n* Flitter *m no pl*; ***~s*** Flitterzeug *nt*
baud *n* IT Baud *nt*
baulk *v/i* = ***balk***

Bavaria *n* Bayern *nt* **Bavarian I** *n* **1.** (≈ *person*) Bayer(in) *m(f)* **2.** (≈ *dialect*) Bayrisch *nt* **II** *adj* bay(e)risch

bawdy *adj* (+*er*) derb

bawl I *v/i* (≈ *shout*) brüllen; (*infml* ≈ *weep*) heulen (*infml*) **II** *v/t order* brüllen ◆ **bawl out** *v/t sep order* brüllen

bay[1] *n* Bucht *f*; ***Hudson Bay*** die Hudson Bay

bay[2] *n* **1.** (≈ *loading bay*) Ladeplatz *m* **2.** (≈ *parking bay*) Parkbucht *f*

bay[3] *n* ***to keep*** *or* ***hold sb/sth at ~*** jdn/etw in Schach halten

bay[4] **I** *adj horse* (kastanien)braun **II** *n* (≈ *horse*) Braune(r) *m*

bay leaf *n* Lorbeerblatt *nt*

bayonet *n* Bajonett *nt* **bayonet fitting** *n* ELEC Bajonettfassung *f*

bay window *n* Erkerfenster *nt*

bazaar *n* Basar *m*

BBC *abbr of* ***British Broadcasting Corporation*** BBC *f*

BBQ *abbr of* ***barbecue***

BC *abbr of* ***before Christ*** v. Chr.

be *pres* ***am, is, are***, *pret* ***was, were***, *past part* **been I** *copulative vb* **1.** sein; ***be sensible!*** sei vernünftig; ***who's that? — it's me/that's Mary*** wer ist das? — ich bins/das ist Mary; ***he is a soldier/a German*** er ist Soldat/Deutscher; ***he wants to be a doctor*** er möchte Arzt werden; ***he's a good student*** er ist ein guter Student; ***he's five*** er ist fünf; ***two times two is four*** zwei mal zwei ist vier **2.** (*referring to physical, mental state*) ***how are you?*** wie gehts?; ***she's not at all well*** es geht ihr gar nicht gut; ***to be hungry*** Hunger haben; ***I am hot*** mir ist heiß **3.** (≈ *cost*) kosten; ***how much is that?*** wie viel kostet das? **4.** (*with possessive*) gehören (+*dat*); ***that book is his*** das Buch gehört ihm **II** *v/aux* **1.** (*in continuous tenses*) ***what are you doing?*** was machst du da?; ***they're coming tomorrow*** sie kommen morgen; ***I have been waiting for you for half an hour*** ich warte schon seit einer halben Stunde auf Sie; ***will you be seeing her tomorrow?*** sehen *or* treffen Sie sie morgen?; ***I was packing my case when ...*** ich war gerade beim Kofferpacken, als ... **2.** (*in passive constructions*) werden; ***he was run over*** er ist überfahren worden; ***it is being repaired*** es wird gerade repariert; ***I will not be intimidated*** ich lasse mich nicht einschüchtern; ***they are to be married*** sie werden heiraten; ***the car is to be sold*** das Auto soll verkauft werden; ***what is to be done?*** was soll geschehen? **3.** (*with obligation, command*) ***I am to look after her*** ich soll mich um sie kümmern; ***I am not to be disturbed*** ich möchte nicht gestört werden; ***I wasn't to tell you his name*** (*but I did*) ich hätte Ihnen eigentlich nicht sagen sollen, wie er heißt **4.** (≈ *be destined*) ***she was never to return*** sie sollte nie zurückkehren **5.** (*with possibilities*) ***he was not to be persuaded*** er ließ sich nicht überreden; ***if it were*** *or* ***was to snow*** falls es schneien sollte; ***and if I were to tell him?*** und wenn ich es ihm sagen würde? **6.** (*in tag questions/short answers*) ***he's always late, isn't he? — yes he is*** er kommt doch immer zu spät, nicht? — ja, das stimmt; ***he's never late, is he? — yes he is*** er kommt nie zu spät, oder? — oh, doch; ***it's all done, is it? — yes it is/no it isn't*** es ist also alles erledigt? — ja/nein **III** *v/i* sein; (≈ *remain*) bleiben; ***we've been here a long time*** wir sind schon lange hier; ***let me be*** lass mich; ***be that as it may*** wie dem auch sei; ***I've been to Paris*** ich war schon (ein)mal in Paris; ***the milkman has already been*** der Milchmann war schon da; ***he has been and gone*** er war da und ist wieder gegangen; ***here is a book/are two books*** hier ist ein Buch/sind zwei Bücher; ***here/there you are*** (≈ *you've arrived*) da sind Sie ja; (≈ *take this*) hier/da, bitte; ***there he was sitting at the table*** da saß er nun am Tisch; ***nearby there are two churches*** in der Nähe sind zwei Kirchen **IV** *v/impers* sein; ***it is dark*** es ist dunkel; ***tomorrow is Friday*** morgen ist Freitag; ***it is 5 km to the nearest town*** es sind 5 km bis zur nächsten Stadt; ***it was us*** *or* ***we*** (*form*) ***who found it*** WIR haben das gefunden; ***were it not for the fact that I am a teacher, I would ...*** wenn ich kein Lehrer wäre, dann würde ich ...; ***were it not for him, if it weren't*** *or* ***wasn't for him*** wenn er nicht wäre; ***had it not been*** *or* ***if it hadn't been for him*** wenn er nicht gewesen wäre

beach *n* Strand *m*; ***on the ~*** am Strand **beach ball** *n* Wasserball *m* **beach buggy** *n* Strandbuggy *m* **beach towel** *n*

Strandtuch *nt* **beach volleyball** *n* Beachvolleyball *m*

beacon *n* Leuchtfeuer *nt*; (≈ *radio beacon*) Funkfeuer *nt*

bead *n* **1.** Perle *f*; ***(string of) ~s*** Perlenschnur *f*; (≈ *necklace*) Perlenkette *f* **2.** (*of sweat*) Tropfen *m* **beady** *adj* ***I've got my ~ eye on you*** (*infml*) ich beobachte Sie genau!

beagle *n* Beagle *m*

beak *n* Schnabel *m*

beaker *n* Becher *m*; CHEM *etc* Becherglas *nt*

be-all and end-all *n* ***the ~*** das A und O; ***it's not the ~*** das ist auch nicht alles

beam I *n* **1.** (BUILD, *of scales*) Balken *m* **2.** (*of light etc*) Strahl *m*; ***to be on full*** *or* ***high ~*** das Fernlicht eingeschaltet haben **II** *v/i* strahlen; ***to ~ down*** (*sun*) niederstrahlen; ***she was ~ing with joy*** sie strahlte übers ganze Gesicht **III** *v/t* RADIO, TV ausstrahlen **beaming** *adj* strahlend

bean *n* **1.** Bohne *f*; ***he hasn't (got) a ~*** (*Br infml*) er hat keinen roten Heller (*infml*) **2.** (*fig*) ***to be full of ~s*** (*infml*) putzmunter sein (*infml*) **beanbag** *n* (≈ *seat*) Sitzsack *m* **beanburger** *n* vegetarischer Hamburger (*mit Bohnen*) **beanfeast** *n* (*infml*) Schmaus *m* (*infml*) **beanpole** *n* Bohnenstange *f* **bean sprout** *n* Sojabohnensprosse *f*

bear[1] *pret* **bore**, *past part* **borne I** *v/t* **1.** tragen; *gift, message* mit sich führen; *mark, likeness* aufweisen; ***he was borne along by the crowd*** die Menge trug ihn mit (sich); ***it doesn't ~ thinking about*** man darf gar nicht daran denken **2.** *love, grudge* empfinden **3.** (≈ *endure*) ertragen; *pain* aushalten; *criticism, smell, noise etc* vertragen; ***she can't ~ being laughed at*** sie kann es nicht vertragen, wenn man über sie lacht **4.** (≈ *give birth to*) gebären; → ***born*** **II** *v/i* ***to ~ left/north*** sich links/nach Norden halten **III** *v/r* sich halten ◆ **bear away** *v/t sep* **1.** forttragen **2.** *victory etc* davontragen ◆ **bear down** *v/i* sich nahen (*elev*) ◆ **bear on** *v/i +prep obj* = **bear (up)on** ◆ **bear out** *v/t sep* bestätigen; ***to bear sb out in sth*** jdn in etw bestätigen ◆ **bear up** *v/i* sich halten; ***how are you? — bearing up!*** wie gehts? — man lebt! ◆ **bear (up)on** *v/i +prep obj* (≈ *relate to*) betreffen ◆ **bear with** *v/i +prep obj* ***if you would just ~ me for a couple of minutes*** wenn Sie sich vielleicht zwei Minuten gedulden wollen

bear[2] *n* **1.** Bär *m*; ***he is like a ~ with a sore head*** er ist ein richtiger Brummbär (*infml*) **2.** ASTRON ***the Great/Little Bear*** der Große/Kleine Bär *or* Wagen **3.** ST EX Baissespekulant *m*

bearable *adj* erträglich

beard *n* Bart *m* **bearded** *adj* bärtig

bearer *n* (≈ *carrier*) Träger(in) *m(f)*; (*of news, cheque*) Überbringer *m*; (*of name, passport*) Inhaber(in) *m(f)*

bear hug *n* ungestüme Umarmung

bearing *n* **1.** (≈ *posture*) Haltung *f* **2.** (≈ *influence*) Auswirkung *f* (*on* auf *+acc*); (≈ *connection*) Bezug *m* (*on* zu); ***to have some/no ~ on sth*** von Belang/belanglos für etw sein; (≈ *be/not be connected with*) einen gewissen/keinen Bezug zu etw haben **3.** ***to get*** *or* ***find one's ~s*** sich zurechtfinden; ***to lose one's ~s*** die Orientierung verlieren

bear market *n* ST EX Baisse *f*

beast *n* **1.** Tier *nt* **2.** (*infml* ≈ *person*) Biest *nt* **beastly** (*infml*) *adj* scheußlich

beat *vb*: *pret* **beat**, *past part* **beaten I** *n* **1.** Schlag *m*; (*repeated*) Schlagen *nt*; ***to the ~ of the drum*** zum Schlag der Trommeln **2.** (*of policeman*) Runde *f*; (≈ *district*) Revier *nt*; ***to be on the ~*** seine Runde machen **3.** MUS, POETRY Takt *m*; (*of baton*) Taktschlag *m* **II** *v/t* **1.** schlagen; ***to ~ a/one's way through sth*** einen/sich (*dat*) einen Weg durch etw bahnen; ***to ~ a/the drum*** trommeln; ***~ it!*** (*fig infml*) hau ab! (*infml*); ***the bird ~s its wings*** der Vogel schlägt mit den Flügeln; ***to ~ time (to the music)*** den Takt schlagen **2.** (≈ *defeat*) schlagen; *record* brechen; ***to ~ sb into second place*** jdn auf den zweiten Platz verweisen; ***you can't ~ real wool*** es geht doch nichts über reine Wolle; ***if you can't ~ them, join them*** (*infml*) wenn dus nicht besser machen kannst, dann mach es genauso; ***coffee ~s tea any day*** Kaffee ist allemal besser als Tee; ***it ~s me (how/why ...)*** (*infml*) es ist mir ein Rätsel(, wie/warum ...) (*infml*) **3.** *budget, crowds* zuvorkommen (*+dat*); ***I'll ~ you down to the beach*** ich bin vor dir am Strand; ***to ~ the deadline*** vor Ablauf der Frist fertig sein; ***to ~ sb to it*** jdm zuvorkommen **III** *v/i* schlagen; (*rain*) trommeln; ***to ~ on the door (with***

one's fists) (mit den Fäusten) gegen die Tür schlagen **IV** *adj* **1.** (*infml* ≈ *exhausted*) ***to be*** (***dead***) **~** total kaputt sein (*infml*) **2.** (*infml* ≈ *defeated*) ***to be* ~(*en*)** aufgeben müssen (*infml*); ***he doesn't know when he's* ~(*en*)** er gibt nicht auf (*infml*); ***this problem's got me* ~** mit dem Problem komme ich nicht klar (*infml*) ◆ **beat back** *v/t sep* zurückschlagen ◆ **beat down I** *v/i* (*rain*) herunterprasseln; (*sun*) herunterbrennen **II** *v/t sep* **1.** ***I managed to beat him down*** (***on the price***) ich konnte den Preis herunterhandeln **2.** *door* einrennen ◆ **beat in** *v/t sep* **1.** *door* einschlagen **2.** COOK *eggs etc* unterrühren ◆ **beat off** *v/t sep* abwehren ◆ **beat out** *v/t sep fire* ausschlagen; *rhythm* schlagen; (*on drum*) trommeln; ***to beat sb's brains out*** (*infml*) jdm den Schädel einschlagen (*infml*) ◆ **beat up** *v/t sep person* zusammenschlagen ◆ **beat up on** *v/i +prep obj* (*US infml*) (≈ *hit*) verhauen (*infml*); (≈ *bully*) einschüchtern

beaten I *past part of* **beat II** *adj earth* festgetreten; ***to be off the* ~ *track*** (*fig*) abgelegen sein **beating** *n* **1.** Prügel *pl*; ***to give sb a* ~** jdn verprügeln; ***to get a* ~** verprügelt werden **2.** (*of drums, heart, wings*) Schlagen *nt* **3.** (≈ *defeat*) Niederlage *f*; ***to take a* ~** (***at the hands of sb***) (von jdm) nach allen Regeln der Kunst geschlagen werden **4.** ***to take some* ~** nicht leicht zu übertreffen sein **beat-up** *adj* (*infml*) ramponiert (*infml*)

beautician *n* Kosmetiker(in) *m*(*f*)

beautiful *adj* schön; *idea, meal* wunderbar; *swimmer, piece of work* hervorragend **beautifully** *adv* schön; *prepared, simple* herrlich; *swim* sehr gut **beautify** *v/t* verschönern

beauty *n* **1.** Schönheit *f*; **~ *is in the eye of the beholder*** (*prov*) schön ist, was (einem) gefällt; ***the* ~ *of it is that ...*** das Schöne *or* Schönste daran ist, dass ... **2.** (≈ *good example*) Prachtexemplar *nt* **beauty contest** *n* Schönheitswettbewerb *m* **beauty parlour**, (*US*) **beauty parlor** *n* Schönheitssalon *m* **beauty queen** *n* Schönheitskönigin *f* **beauty salon, beauty shop** *n* Schönheitssalon *m* **beauty sleep** *n* (*hum*) Schlaf *m* **beauty spot** *n* **1.** Schönheitsfleck *m* **2.** (≈ *place*) schönes Fleckchen **beauty treatment** *n* kosmetische Behandlung

beaver *n* Biber *m* ◆ **beaver away** *v/i* (*infml*) schuften (*infml*) (*at* an *+dat*)

became *pret of* **become**

because I *cj* weil; (≈ *since also*) da; ***it was the more surprising* ~ *we were not expecting it*** es war umso überraschender, als wir es nicht erwartet hatten; ***why did you do it? — just* ~** (*infml*) warum hast du das getan? — darum **II** *prep* **~ of** wegen (*+gen or* (*inf*) *+dat*); ***I only did it* ~ *of you*** ich habe es nur deinetwegen getan

beck *n* ***to be at sb's* ~ *and call*** jdm voll und ganz zur Verfügung stehen

beckon *v/t & v/i* winken; ***he* ~*ed to her to follow*** (***him***) er gab ihr ein Zeichen, ihm zu folgen

become *pret* **became**, *past part* **become** *v/i* werden; ***it has* ~ *a rule*** es ist jetzt Vorschrift; ***it has* ~ *a nuisance/habit*** es ist lästig / zur Gewohnheit geworden; ***to* ~ *interested in sb/sth*** anfangen, sich für jdn / etw zu interessieren; ***to* ~ *king/a doctor*** König / Arzt werden; ***what has* ~ *of him?*** was ist aus ihm geworden?; ***what's to* ~ *of him?*** was soll aus ihm werden?

B Ed *abbr of* **Bachelor of Education**

bed *n* **1.** Bett *nt*; ***to go to* ~** zu *or* ins Bett gehen; ***to put sb to* ~** jdn ins *or* zu Bett bringen; ***to get into* ~** sich ins Bett legen; ***to get into* ~ *with sb*** mit jdm ins Bett steigen (*infml*); ***he must have got out of* ~ *on the wrong side*** (*infml*) er ist wohl mit dem linken Fuß zuerst aufgestanden; ***to be in* ~** im Bett sein; ***to make the* ~** das Bett machen; ***can I have a* ~ *for the night?*** kann ich hier / bei euch *etc* übernachten? **2.** (*of ore, coal*) Lager *nt*; ***a* ~ *of clay*** Lehmboden *m* **3.** (≈ *sea bed*) Grund *m*; (≈ *river bed*) Bett *nt* **4.** (≈ *flower bed*) Beet *nt* ◆ **bed down** *v/i* sein Lager aufschlagen; ***to* ~ *for the night*** sein Nachtlager aufschlagen

bed and breakfast *n* Übernachtung *f* mit Frühstück; (*a.* **bed and breakfast place**) Frühstückspension *f*; ***"bed and breakfast"*** „Fremdenzimmer" **bedbug** *n* Wanze *f* **bedclothes** *pl* (*Br*) Bettzeug *nt* **bedcover** *n* (≈ *bedspread*) Tagesdecke *f*; **~s** *pl* (≈ *bedclothes*) Bettzeug *nt* **bedding** *n* Bettzeug *nt* **bedding plant** *n* Setzling *m*

bedevil *v/t* erschweren

bedhead *n* Kopfteil *m* des Bettes

bedlam *n* (*fig*) Chaos *nt*

bed linen *n* Bettwäsche *f* **bedpan** *n* Bettpfanne *f*

bedraggled *adj* **1.** (≈ *wet*) triefnass **2.** (≈ *dirty*) verdreckt **3.** (≈ *untidy*) ungepflegt

bed rest *n* Bettruhe *f*; ***to follow/keep ~*** die Bettruhe befolgen/einhalten **bedridden** *adj* bettlägerig

bedroom *n* Schlafzimmer *nt* **bedside** *n* ***to be at sb's ~*** an jds Bett (*dat*) sein **bedside lamp** *n* Nachttischlampe *f* **bedside table** *n* Nachttisch *m* **bedsit(ter)** (*infml*), **bedsitting room** *n* (*Br*) möbliertes Zimmer **bedsore** *n* wund gelegene Stelle; ***to get ~s*** sich wund liegen **bedspread** *n* Tagesdecke *f* **bedstead** *n* Bettgestell *nt*

bedtime *n* Schlafenszeit *f*; ***it's ~*** es ist Schlafenszeit; ***his ~ is 10 o'clock*** er geht um 10 Uhr schlafen; ***it's past your ~*** du müsstest schon lange im Bett sein **bedtime story** *n* Gutenachtgeschichte *f*

bed-wetting *n* Bettnässen *nt*

bee *n* Biene *f*; ***to have a ~ in one's bonnet*** (*infml*) einen Tick haben (*infml*)

beech *n* **1.** (≈ *tree*) Buche *f* **2.** (≈ *wood*) Buche(nholz *nt*) *f*

beef **I** *n* Rindfleisch *nt* **II** *v/i* (*infml*) meckern (*infml*) (*about* über +*acc*) ◆ **beef up** *v/t sep* aufmotzen (*infml*)

beefburger *n* Hamburger *m* **beefeater** *n* Beefeater *m* **beefsteak** *n* Beefsteak *nt*

beefy *adj* (+*er*) fleischig

beehive *n* Bienenstock *m* **beekeeper** *n* Imker(in) *m*(*f*) **beeline** *n* ***to make a ~ for sb/sth*** schnurstracks auf jdn/etw zugehen

been *past part of* **be**

beep (*infml*) **I** *n* Tut(tut) *nt* (*infml*); ***leave your name and number after the ~*** hinterlassen Sie Ihren Namen und Ihre Nummer nach dem Signalton **II** *v/t* ***to ~ the*** *or* ***one's horn*** hupen **III** *v/i* tuten (*infml*); ***~ ~!*** tut, tut (*infml*) **beeper** *n* akustischer Zeichengeber, Piepser *m* (*infml*)

beer *n* Bier *nt*; ***two ~s, please*** zwei Bier, bitte **beer belly** *n* (*infml*) Bierbauch *m* (*infml*) **beer bottle** *n* Bierflasche *f* **beer garden** *n* (*Br*) Biergarten *m* **beer glass** *n* Bierglas *nt* **beer mat** *n* (*Br*) Bierdeckel *m*

bee sting *n* Bienenstich *m* **beeswax** *n* Bienenwachs *nt*

beet *n* Rübe *f*

beetle *n* Käfer *m*

beetroot *n* Rote Bete *or* Rübe

befit *v/t* (*form*) *sb* sich ziemen für (*elev*); *occasion* angemessen sein (+*dat*)

before **I** *prep* vor (+*dat*); (*with movement*) vor (+*acc*); ***the year ~ last*** das vorletzte Jahr; ***the day ~ yesterday*** vorgestern; ***the day ~ that*** der Tag davor; ***~ then*** vorher; ***you should have done it ~ now*** das hättest du schon (eher) gemacht haben sollen; ***~ long*** bald; ***~ everything else*** zuallererst; ***to come ~ sb/sth*** vor jdm/etw kommen; ***ladies ~ gentlemen*** Damen haben den Vortritt; ***~ my (very) eyes*** vor meinen Augen; ***the task ~ us*** die Aufgabe, vor der wir stehen **II** *adv* (≈ *before that*) davor; (≈ *before now*) vorher; ***have you been to Scotland ~?*** waren Sie schon einmal in Schottland?; ***I have seen*** *etc* ***this ~*** ich habe das schon einmal gesehen *etc*; ***never ~*** noch nie; ***(on) the evening/day ~*** am Abend/Tag vorher; ***(in) the year ~*** im Jahr davor; ***two hours ~*** zwei Stunden vorher; ***two days ~*** zwei Tage davor *or* zuvor; ***things continued as ~*** alles war wie gehabt; ***life went on as ~*** das Leben ging seinen gewohnten Gang; ***that chapter and the one ~*** dieses Kapitel und das davor **III** *cj* bevor; ***~ doing sth*** bevor man etw tut; ***you can't go ~ this is done*** du kannst erst gehen, wenn das gemacht ist; ***it will be a long time ~ he comes back*** es wird lange dauern, bis er zurückkommt **beforehand** *adv* im Voraus; ***you must tell me ~*** Sie müssen mir vorher Bescheid sagen **before-tax** *adj* vor Steuern

befriend *v/t* Umgang pflegen mit

beg **I** *v/t* **1.** *money* betteln um **2.** *forgiveness* bitten um; ***to ~ sth of sb*** jdn um etw bitten; ***he ~ged to be allowed to ...*** er bat darum, ... zu dürfen; ***I ~ to differ*** ich erlaube mir, anderer Meinung zu sein **3.** (≈ *entreat*) *sb* anflehen; ***I ~ you!*** ich flehe dich an! **4.** ***to ~ the question*** an der eigentlichen Frage vorbeigehen **II** *v/i* **1.** (*beggar*) betteln; (*dog*) Männchen machen **2.** (*for help etc*) bitten (*for* um); ***I ~ of you*** ich bitte Sie **3.** ***to go ~ging*** (*infml*) noch zu haben sein; (≈ *be unwanted*) keine Abnehmer finden

began *pret of* **begin**

beggar **I** *n* **1.** Bettler(in) *m*(*f*); ***~s can't be choosers*** (*prov*) in der Not frisst der Teufel Fliegen (*prov*) **2.** (*Br infml*) Kerl *m* (*infml*); ***poor ~!*** armer Kerl! (*infml*); ***a lucky ~*** ein Glückspilz *m* **II** *v/t* (*fig*) ***to ~***

belief nicht zu fassen sein

begin *pret* ***began***, *past part* ***begun*** **I** *v/t* **1.** beginnen, anfangen; *work* anfangen mit; *task* in Angriff nehmen; ***to ~ to do sth*** *or* ***doing sth*** anfangen *or* beginnen, etw zu tun; ***to ~ working on sth*** mit der Arbeit an etw (*dat*) beginnen; ***she ~s the job next week*** sie fängt nächste Woche (bei der Stelle) an; ***to ~ school*** in die Schule kommen; ***she began to feel tired*** sie wurde langsam müde; ***she's ~ning to understand*** sie fängt langsam an zu verstehen; ***I'd begun to think you weren't coming*** ich habe schon gedacht, du kommst nicht mehr **2.** (≈ *initiate*) anfangen; *custom* einführen; *firm, movement* gründen; *war* auslösen **II** *v/i* anfangen, beginnen; (*new play etc*) anlaufen; ***to ~ by doing sth*** etw zuerst (einmal) tun; ***he began by saying that ...*** er sagte einleitend, dass ...; ***~ning from Monday*** ab Montag; ***~ning from page 10*** von Seite 10 an; ***it all began when ...*** es fing alles damit an, dass ...; ***to ~ with there were only three*** anfänglich waren es nur drei; ***to ~ with, this is wrong, and ...*** erstens einmal ist das falsch, dann ...; ***to ~ on sth*** mit etw anfangen *or* beginnen

beginner *n* Anfänger(in) *m*(*f*); ***~'s luck*** Anfängerglück *nt*

beginning *n* Anfang *m*; (*of custom, movement*) Entstehen *nt no pl*; ***at the ~*** zuerst; ***at the ~ of sth*** am Anfang einer Sache (*gen*); ***at the ~ of July*** Anfang Juli; ***from the ~*** von Anfang an; ***from the ~ of the week/poem*** seit Anfang der Woche / vom Anfang des Gedichtes an; ***read the paragraph from the ~*** lesen Sie den Paragrafen von (ganz) vorne; ***from ~ to end*** von vorn bis hinten; (*temporal*) von Anfang bis Ende; ***to start again at*** *or* ***from the ~*** noch einmal von vorn anfangen; ***to begin at the ~*** ganz vorn anfangen; ***it was the ~ of the end for him*** das war der Anfang vom Ende für ihn; ***his humble ~s*** seine einfachen Anfänge

begonia *n* Begonie *f*

begrudge *v/t* **1.** (≈ *be reluctant*) ***to ~ doing sth*** etw widerwillig tun **2.** (≈ *envy*) missgönnen (*sb sth* jdm etw) **begrudgingly** *adv* widerwillig

beguiling *adj* betörend

begun *past part of* ***begin***

behalf *n* ***on*** *or* ***in*** (*US*) ***~ of*** für, im Interesse von; (*as spokesman*) im Namen von; (*as authorized representative*) im Auftrag von

behave I *v/i* sich verhalten; (≈ *be good*) sich benehmen; ***to ~ well/badly*** sich gut / schlecht benehmen; ***what a way to ~!*** was für ein Benehmen!; ***to ~ badly/well toward(s) sb*** jdn schlecht / gut behandeln; ***~!*** benimm dich! **II** *v/r* ***to ~ oneself*** sich benehmen; ***~ yourself!*** benimm dich! **behaviour**, (*US*) **behavior** *n* **1.** Benehmen *nt*; ***to be on one's best ~*** sich von seiner besten Seite zeigen **2.** (*towards others*) Verhalten *nt* (*to*(*wards*) gegenüber)

behead *v/t* enthaupten, köpfen

beheld *pret, past part of* ***behold***

behind I *prep* hinter (+*dat*); (*with motion*) hinter (+*acc*); ***come out from ~ the door*** komm hinter der Tür (her)vor; ***he came up ~ me*** er trat von hinten an mich heran; ***walk close ~ me*** gehen Sie dicht hinter mir; ***put it ~ the books*** stellen Sie es hinter die Bücher; ***what is ~ this incident?*** was steckt hinter diesem Vorfall?; ***to be ~ sb*** hinter jdm zurück sein; ***to be ~ schedule*** im Verzug sein; ***to be ~ the times*** (*fig*) hinter seiner Zeit zurück (-geblieben) sein; ***you must put the past ~ you*** Sie müssen Vergangenes vergangen sein lassen **II** *adv* **1.** (≈ *at rear*) hinten; (≈ *behind this, sb etc*) dahinter; ***from ~*** von hinten; ***to look ~*** zurückblicken **2.** ***to be ~ with one's studies*** mit seinen Studien im Rückstand sein **III** *n* (*infml*) Hinterteil *nt* (*infml*)

behold *pret, past part* ***beheld*** *v/t* (*liter*) erblicken (*liter*)

beige I *adj* beige **II** *n* Beige *nt*

being *n* **1.** (≈ *existence*) Dasein *nt*; ***to come into ~*** entstehen; ***to bring into ~*** ins Leben rufen **2.** (≈ *that which exists*) (Lebe)wesen *nt*; ***~s from outer space*** Wesen *pl* aus dem All

Belarus *n* GEOG Belarus *nt*

belated *adj*, **belatedly** *adv* verspätet

belch I *v/i* (*person*) rülpsen **II** *v/t* (*a.* **belch forth** *or* **out**) *smoke* ausstoßen **III** *n* Rülpser *m* (*infml*)

beleaguered *adj* (*fig*) unter Druck stehend

belfry *n* Glockenstube *f*

Belgian I *n* Belgier(in) *m*(*f*) **II** *adj* belgisch **Belgium** *n* Belgien *nt*

Belgrade *n* Belgrad *nt*

belie *v/t* **1.** (≈ *prove false*) widerlegen **2.** (≈ *give false impression of*) hinwegtäuschen über (+*acc*)

belief *n* Glaube *m* (*in* an +*acc*); (≈ *doctrine*) Lehre *f*; ***beyond ~*** unglaublich; ***in the ~ that ...*** im Glauben, dass ...; ***it is my ~ that ...*** ich bin der Überzeugung, dass ... **believable** *adj* glaubwürdig

believe I *v/t* glauben; ***I don't ~ you*** das glaube ich (Ihnen) nicht; ***don't you ~ it*** wers glaubt, wird selig (*infml*); ***~ you me!*** (*infml*) das können Sie mir glauben!; ***~ it or not*** ob Sies glauben oder nicht; ***would you ~ it!*** (*infml*) ist das (denn) die Möglichkeit (*infml*); ***I would never have ~d it of him*** das hätte ich nie von ihm geglaubt; ***he could hardly ~ his eyes*** er traute seinen Augen nicht; ***he is ~d to be ill*** es heißt, dass er krank ist; ***I ~ so/not*** ich glaube schon/nicht **II** *v/i* an Gott glauben ◆ **believe in** *v/i +prep obj* **1.** glauben an (+*acc*); ***he doesn't ~ doctors*** er hält nicht viel von Ärzten **2.** (≈ *support idea of*) ***to ~ sth*** (prinzipiell) für etw sein; ***he believes in getting up early*** er ist überzeugter Frühaufsteher; ***he believes in giving people a second chance*** er gibt prinzipiell jedem noch einmal eine Chance; ***I don't ~ compromises*** ich halte nichts von Kompromissen

believer *n* **1.** REL Gläubige(r) *m/f(m)* **2.** ***to be a (firm) ~ in sth*** (grundsätzlich) für etw sein

Belisha beacon *n* (*Br*) *gelbes Blinklicht an Zebrastreifen*

bell *n* **1.** Glocke *f*; (*small*) Glöckchen *nt*; (≈ *school bell, doorbell, of bicycle*) Klingel *f*; ***as clear as a ~*** *voice* glasklar; *hear, sound* laut und deutlich **2.** (≈ *sound of bell*) ***there's the ~*** es klingelt *or* läutet **bellboy** *n* (*esp US*) Page *m* **bellhop** *n* (*US*) = ***bellboy***

belligerence *n* (*of nation*) Kriegslust *f*; (*of person*) Streitlust *f* **belligerent** *adj nation* kriegslustig; *person* streitlustig; *speech* aggressiv **belligerently** *adv* streitlustig

bellow I *v/t & v/i* brüllen; ***to ~ at sb*** jdn anbrüllen **II** *n* Brüllen *nt*

bellows *pl* Blasebalg *m*; ***a pair of ~*** ein Blasebalg

bell pull *n* Klingelzug *m* **bell push** *n* Klingel *f* **bell-ringer** *n* Glöckner *m* **bell-ringing** *n* Glockenläuten *nt*

belly *n* Bauch *m* **bellyache** (*infml*) **I** *n* Bauchschmerzen *pl* **II** *v/i* murren (*about* über +*acc*) **bellybutton** *n* (*infml*) Bauchnabel *m* **belly dance** *n* Bauchtanz *m* **belly dancer** *n* Bauchtänzerin *f* **bellyflop** *n* Bauchklatscher *m* (*infml*); ***to do a ~*** einen Bauchklatscher machen (*infml*) **bellyful** *n* (*infml*) ***I've had a ~ of writing these letters*** ich habe die Nase voll davon, immer diese Briefe zu schreiben (*infml*) **belly laugh** *n* dröhnendes Lachen; ***he gave a great ~*** er lachte lauthals los **belly up** *adv* ***to go ~*** (*infml, company*) pleitegehen (*infml*)

belong *v/i* gehören (*to sb* jdm, *to sth* zu etw); ***who does it ~ to?*** wem gehört es?; ***to ~ together*** zusammengehören; ***to ~ to a club*** einem Klub angehören; ***to feel that one doesn't ~*** das Gefühl haben, dass man nicht dazugehört; ***it ~s under the heading of ...*** das fällt in die Rubrik der ... **belongings** *pl* Sachen *pl*, Besitz *m*; ***personal ~*** persönlicher Besitz; ***all his ~*** sein ganzes Hab und Gut

Belorussia *n* GEOG Weißrussland *nt*

beloved I *adj* geliebt **II** *n* ***dearly ~*** REL liebe Brüder und Schwestern im Herrn

below I *prep* unterhalb (+*gen*); (*with level etc also*) unter (+*dat or with motion* +*acc*); ***her skirt comes well ~ her knees*** *or* ***the knee*** ihr Rock geht bis weit unters Knie; ***to be ~ sb*** (*in rank*) (rangmäßig) unter jdm stehen **II** *adv* **1.** (≈ *lower down*) unten; ***in the valley ~*** drunten im Tal; ***one floor ~*** ein Stockwerk tiefer; ***the apartment ~*** die Wohnung darunter; (*below us*) die Wohnung unter uns; ***down ~*** unten; ***see ~*** siehe unten **2.** ***15 degrees ~*** 15 Grad unter null

belt I *n* **1.** (*on clothes, of land*) Gürtel *m*; (*for carrying etc, seat belt*) Gurt *m*; ***that was below the ~*** das war ein Schlag unter die Gürtellinie; ***to tighten one's ~*** (*fig*) den Gürtel enger schnallen; ***industrial ~*** Industriegürtel *m* **2.** TECH (Treib)-riemen *m*; (≈ *conveyor belt*) Band *nt* **II** *v/t* (*infml*) knallen (*infml*); ***she ~ed him one in the eye*** sie knallte ihm eins aufs Auge (*infml*) **III** *v/i* (*infml* ≈ *rush*) rasen (*infml*) ◆ **belt out** *v/t sep* (*infml*) *tune* schmettern (*infml*); (*on piano*) hämmern (*infml*) ◆ **belt up** *v/i* (*infml*) die Klappe halten (*infml*)

bemoan *v/t* beklagen

bemused *adj* ratlos; ***to be ~ by sth*** einer

Sache (*dat*) ratlos gegenüberstehen

bench *n* **1.** (≈ *seat*) Bank *f* **2.** (≈ *workbench*) Werkbank *f* **3.** SPORTS ***on the ~*** auf der Reservebank **benchmark** *n* (*fig*) Maßstab *m* **bench press** *n* SPORTS Bankdrücken *nt*

bend *vb*: *pret*, *past part* **bent** **I** *n* Biegung *f*; (*in road*) Kurve *f*; ***there is a ~ in the road*** die Straße macht (da) eine Kurve; ***to go/be round the ~*** (*Br infml*) verrückt werden/sein (*infml*); ***to drive sb round the ~*** (*Br infml*) jdn verrückt machen (*infml*) **II** *v/t* **1.** biegen; *head* beugen; ***to ~ sth out of shape*** etw verbiegen **2.** (*fig*) *rules*, *truth* es nicht so genau nehmen mit **III** *v/i* **1.** sich biegen; (*person*) sich beugen; ***this metal ~s easily*** (*a bad thing*) dieses Metall verbiegt sich leicht; (*a good thing*) dieses Metall lässt sich leicht biegen; ***my arm won't ~*** ich kann den Arm nicht biegen **2.** (*river*) eine Biegung machen; (*road*) eine Kurve machen ◆ **bend back** **I** *v/i* sich zurückbiegen; (*over backwards*) sich nach hinten biegen **II** *v/t sep* zurückbiegen ◆ **bend down** **I** *v/i* (*person*) sich bücken; ***she bent down to look at the baby*** sie beugte sich hinunter, um das Baby anzusehen **II** *v/t sep edges* nach unten biegen ◆ **bend over** **I** *v/i* (*person*) sich bücken; ***to ~ to look at sth*** sich nach vorn beugen, um etw anzusehen **II** *v/t sep* umbiegen

beneath **I** *prep* **1.** unter (*+dat or with motion +acc*); (*with level etc also*) unterhalb (*+gen*) **2.** (≈ *unworthy of*) ***it is ~ him*** das ist unter seiner Würde **II** *adv* unten

benefactor *n* Wohltäter *m* **beneficial** *adj* gut (*to* für); (≈ *advantageous*) günstig **beneficiary** *n* Nutznießer(in) *m*(*f*); (*of will etc*) Begünstigte(r) *m*/*f*(*m*)

benefit **I** *n* **1.** (≈ *advantage*) Vorteil *m*; (≈ *profit*) Gewinn *m*; ***to derive*** *or* ***get ~ from sth*** aus etw Nutzen ziehen; ***for the ~ of the poor*** für das Wohl der Armen; ***for your ~*** Ihretwegen; ***we should give him the ~ of the doubt*** wir sollten das zu seinen Gunsten auslegen **2.** (≈ *allowance*) Unterstützung *f*; ***to be on ~(s)*** staatliche Unterstützung erhalten **II** *v/t* guttun (*+dat*) **III** *v/i* profitieren (*from*, *by* von); ***he would ~ from a week off*** eine Woche Urlaub würde ihm guttun; ***I think you'll ~ from the experience*** ich glaube, diese Erfahrung wird Ihnen nützlich sein **benefit concert** *n* Benefizkonzert *nt*

Benelux *n* ***~ countries*** Beneluxstaaten *pl*

benevolence *n* Wohlwollen *nt* **benevolent** *adj* wohlwollend

BEng *abbr of* ***Bachelor of Engineering***

Bengali **I** *n* (≈ *language*) Bengali *nt*; (≈ *person*) Bengale *m*, Bengalin *f* **II** *adj* bengalisch

benign *adj* **1.** gütig **2.** MED *tumour* gutartig

bent **I** *pret*, *past part of* **bend** **II** *adj* **1.** gebogen; (≈ *out of shape*) verbogen **2.** ***to be ~ on sth/doing sth*** etw unbedingt wollen/tun wollen **III** *n* Neigung *f* (*for* zu); ***people with*** *or* ***of a musical ~*** Menschen mit einer musikalischen Veranlagung

benzene *n* Benzol *nt*

bequeath *v/t* vermachen (*to sb* jdm) **bequest** *n* (≈ *act*) Vermachen *nt* (*to* an *+acc*); (≈ *legacy*) Nachlass *m*

berate *v/t* (*liter*) schelten

bereaved *adj* leidtragend; ***the ~*** die Hinterbliebenen *pl* **bereavement** *n* Trauerfall *m*

bereft *adj* ***to be ~ of sth*** einer Sache (*gen*) bar sein (*elev*)

beret *n* Baskenmütze *f*

Bering Sea *n* Beringmeer *nt* **Bering Strait** *n* Beringstraße *f*

berk *n* (*Br infml*) Dussel *m* (*infml*)

Berlin *n* Berlin *nt*; ***the ~ Wall*** die Mauer

Bermuda shorts *pl* Bermudashorts *pl*

Berne *n* Bern *nt*

berry *n* Beere *f*

berserk *adj* wild; ***to go ~*** wild werden; (*audience*) zu toben anfangen; (≈ *go mad*) überschnappen (*infml*)

berth **I** *n* **1.** (*on ship*) Koje *f*; (*on train*) Schlafwagenplatz *m* **2.** (NAUT, *for ship*) Liegeplatz *m* **3.** ***to give sb/sth a wide ~*** (*fig*) einen (weiten) Bogen um jdn/etw machen **II** *v/i* anlegen **III** *v/t* ***where is she ~ed?*** wo liegt es?

beseech (*liter*) *v/t person* anflehen

beset *pret*, *past part* **beset** *v/t* ***to be ~ with difficulties*** voller Schwierigkeiten sein; ***~ by doubts*** von Zweifeln befallen

beside *prep* **1.** neben (*+dat or with motion +acc*); *road*, *river* an (*+dat or with motion +acc*); ***~ the road*** am Straßenrand **2.** ***to be ~ the point*** damit nichts zu tun haben; ***to be ~ oneself*** außer sich sein (*with* vor)

besides I *adv* (≈ *in addition*) außerdem; ***many more ~*** noch viele mehr; ***have you got any others ~?*** haben Sie noch andere? **II** *prep* außer; ***others ~ ourselves*** außer uns noch andere; ***there were three of us ~ Mary*** Mary nicht mitgerechnet, waren wir zu dritt; ***~ which he was unwell*** außerdem fühlte er sich nicht wohl

besiege *v/t* belagern

besotted *adj* völlig vernarrt (*with* in *+acc*)

bespoke *adj* ***a ~ tailor*** ein Maßschneider *m*

best I *adj sup of* ***good*** beste(r, s) *attr*; ***to be ~*** am besten sein; ***to be ~ of all*** am allerbesten sein; ***that was the ~ thing about her*** das war das Beste an ihr; ***it's ~ to wait*** das Beste ist zu warten; ***may the ~ man win!*** dem Besten der Sieg!; ***the ~ part of the year/my money*** fast das ganze Jahr/all mein Geld **II** *adv sup of* ***well*** am besten; *like* am liebsten; ***the ~ fitting dress*** das am besten passende Kleid; ***her ~ known novel*** ihr bekanntester Roman; ***he was ~ known for ...*** er war vor allem bekannt für ...; ***~ of all*** am allerbesten/-liebsten; ***as ~ I could*** so gut ich konnte; ***I thought it ~ to go*** ich hielt es für das Beste zu gehen; ***do as you think ~*** tun Sie, was Sie für richtig halten; ***you know ~*** Sie müssen es (am besten) wissen; ***you had ~ go now*** am besten gehen Sie jetzt **III** *n* ***the ~*** der/die/das Beste; ***his last book was his ~*** sein letztes Buch war sein bestes; ***they are the ~ of friends*** sie sind enge Freunde; ***to do one's ~*** sein Bestes tun; ***do the ~ you can!*** machen Sie es so gut Sie können!; ***it's the ~ I can do*** mehr kann ich nicht tun; ***to get the ~ out of sb/sth*** das Beste aus jdm/etw herausholen; ***to play the ~ of three*** nur so lange spielen, bis eine Partei zweimal gewonnen hat; ***to make the ~ of it/a bad job*** das Beste daraus machen; ***to make the ~ of one's opportunities*** seine Chancen voll nützen; ***it's all for the ~*** es ist nur zum Guten; ***to do sth for the ~*** etw in bester Absicht tun; ***to the ~ of my ability*** so gut ich kann/konnte; ***to the ~ of my knowledge*** meines Wissens; ***to look one's ~*** besonders gut aussehen; ***it's not enough (even) at the ~ of times*** das ist schon normalerweise nicht genug; ***at ~*** bestenfalls; ***all the ~*** alles Gute! **best-before date** *n* Haltbarkeitsdatum *nt* **best-dressed** *adj* bestgekleidet *attr*

bestial *adj* bestialisch **bestiality** *n* **1.** (*of behaviour*) Bestialität *f*; (*of person*) Brutalität *f* **2.** (≈ *act*) Gräueltat *f*

best man *n* Trauzeuge *m* (*des Bräutigams*)

bestow *v/t* ((*up*)*on sb* jdm) *gift* schenken; *honour* erweisen; *title*, *medal* verleihen

bestseller *n* Verkaufsschlager *m*; (≈ *book*) Bestseller *m* **bestselling** *adj article* absatzstark; *author* Erfolgs-; ***a ~ novel*** ein Bestseller *m*

bet *vb*: *pret*, *past part* ***bet*** **I** *n* Wette *f* (*on* auf *+acc*); ***to make*** *or* ***have a ~ with sb*** mit jdm wetten **II** *v/t* **1.** (*Gambling*) wetten; ***I ~ him £5*** ich habe mit ihm (um) £ 5 gewettet **2.** (*infml* ≈ *wager*) wetten; ***I ~ he'll come!*** wetten, dass er kommt! (*infml*); ***~ you I can!*** (*infml*) wetten, dass ich das kann! (*infml*) **III** *v/i* wetten; ***to ~ on a horse*** auf ein Pferd setzen; ***don't ~ on it*** darauf würde ich nicht wetten; ***you ~!*** (*infml*) und ob! (*infml*); ***want to ~?*** wetten?

beta-blocker *n* Betablocker *m*

betray *v/t* verraten (*to* an *+dat*); *trust* enttäuschen **betrayal** *n* Verrat *m* (*of* an *+dat*); ***a ~ of trust*** ein Vertrauensbruch *m*

better I *adj comp of* ***good*** besser; ***he's ~*** (≈ *recovered*) es geht ihm wieder besser; ***his foot is getting ~*** seinem Fuß geht es schon viel besser; ***I hope you get ~ soon*** hoffentlich sind Sie bald wieder gesund; ***~ and ~*** immer besser; ***that's ~!*** (*approval*) so ist es besser!; (*relief etc*) so!; ***it couldn't be ~*** es könnte gar nicht besser sein; ***the ~ part of an hour/my money*** fast eine Stunde/mein ganzes Geld; ***it would be ~ to go early*** es wäre besser, früh zu gehen; ***you would be ~ to go early*** Sie gehen besser früh; ***to go one ~*** einen Schritt weiter gehen; (*in offer*) höhergehen; ***this hat has seen ~ days*** dieser Hut hat auch schon bessere Tage gesehen (*infml*) **II** *adv comp of* ***well*** besser; *like* lieber; ***they are ~ off than we are*** sie sind besser dran als wir; ***he is ~ off where he is*** er ist besser dran, wo er ist (*infml*); ***I had ~ go*** ich gehe jetzt wohl besser; ***you'd ~ do what he says*** tun Sie lieber, was er sagt; ***I won't touch it — you'd ~ not!*** ich fasse es nicht an —

das will ich dir auch geraten haben **III** *n* ***all the ~, so much the ~*** umso besser; ***the sooner the ~*** je eher, desto besser; ***to get the ~ of sb*** (*person*) jdn unterkriegen (*infml*); (*problem etc*) jdm schwer zu schaffen machen **IV** *v/r* (*in social scale*) sich verbessern

betting *n* Wetten *nt* **betting shop** *n* Wettannahme *f* **betting slip** *n* Wettschein *m*

between I *prep* **1.** zwischen (*+dat*); (*with movement*) zwischen (*+acc*); ***I was sitting ~ them*** ich saß zwischen ihnen; ***sit down ~ those two boys*** setzen Sie sich zwischen diese beiden Jungen; ***in ~*** zwischen (*+dat / acc*); ***~ now and next week we must ...*** bis nächste Woche müssen wir ...; ***there's nothing ~ them*** (*no relationship*) zwischen ihnen ist nichts **2.** (≈ *amongst*) unter (*+dat / acc*); ***divide the sweets ~ the children*** verteilen Sie die Süßigkeiten unter die Kinder; ***we shared an apple ~ us*** wir teilten uns (*dat*) einen Apfel; ***that's just ~ ourselves*** das bleibt aber unter uns **3.** (≈ *jointly*) ***~ us/them*** zusammen; ***we have a car ~ the three of us*** wir haben zu dritt ein Auto **II** *adv* dazwischen; ***in ~*** dazwischen; ***the space/time ~*** der Raum / die Zeit dazwischen

beverage *n* Getränk *nt*

beware *v/i imp and inf only* ***to ~ of sb/sth*** sich vor jdm / etw hüten; ***to ~ of doing sth*** sich davor hüten, etw zu tun; ***"beware of the dog"*** „Vorsicht, bissiger Hund“; ***"beware of pickpockets"*** „vor Taschendieben wird gewarnt“

bewilder *v/t* verwirren **bewildered** *adj* verwirrt **bewildering** *adj* verwirrend **bewilderment** *n* (≈ *confusion*) Verwirrung *f*; ***in ~*** verwundert

bewitch *v/t* (*fig*) bezaubern **bewitching** *adj* bezaubernd

beyond I *prep* **1.** (≈ *on the other side of*) jenseits (*+gen*) (*elev*); (≈ *further than*) über (*+acc*) ... hinaus; ***~ the Alps*** jenseits der Alpen **2.** (*in time*) ***~ 6 o'clock*** nach 6 Uhr; ***~ the middle of June*** über Mitte Juni hinaus **3.** (≈ *surpassing*) ***a task ~ her abilities*** eine Aufgabe, die über ihre Fähigkeiten geht; ***that is ~ human understanding*** das übersteigt menschliches Verständnis; ***~ repair*** nicht mehr zu reparieren; ***that's ~ me*** das geht über meinen Verstand **4.** (*with neg, interrog*) außer; ***have you any money ~ what you have in the bank?*** haben Sie außer dem, was Sie auf der Bank haben, noch Geld?; ***~ this/that*** sonst **II** *adv* (≈ *on the other side of*) jenseits davon (*elev*); (≈ *after that*) danach; (≈ *further than that*) darüber hinaus; ***India and the lands ~*** Indien und die Gegenden jenseits davon; ***... a river, and ~ is a small field ...*** ein Fluss, und danach kommt ein kleines Feld

biannual *adj*, **biannually** *adv* **1.** zweimal jährlich **2.** (≈ *half-yearly*) halbjährlich

bias *n* (*of newspaper etc*) (einseitige) Ausrichtung *f* (*towards* auf *+acc*); (*of person*) Vorliebe *f* (*towards* für); ***to have a ~ against sth*** (*newspaper etc*) gegen etw eingestellt sein; (*person*) eine Abneigung gegen etw haben; ***to have a left-/right-wing ~*** nach links / rechts ausgerichtet sein **biased**, (*US*) **biassed** *adj* voreingenommen; ***~ in favour*** (*Br*) *or* ***favor*** (*US*) ***of/against*** voreingenommen für / gegen

bib *n* (*for baby*) Lätzchen *nt*

Bible *n* Bibel *f* **Bible-basher** *n* (*infml*) aufdringlicher Bibelfritze (*sl*) **Bible story** *n* biblische Geschichte **biblical** *adj* biblisch

bibliography *n* Bibliografie *f*

bicarbonate of soda *n* COOK ≈ Backpulver *nt*

bicentenary, bicentennial (*US*) **I** *n* zweihundertjähriges Jubiläum **II** *adj* zweihundertjährig

biceps *pl* Bizeps *m*

bicker *v/i* sich zanken; ***they are always ~ing*** sie liegen sich dauernd in den Haaren **bickering** *n* Gezänk *nt*

bicycle *n* Fahrrad *nt*, Velo *nt* (*Swiss*); ***to ride a ~*** Fahrrad fahren; → ***cycle***

bid I *v/t* **1.** *pret, past part* **bid** (*at auction*) bieten (*for* auf *+acc*) **2.** *pret, past part* **bid** CARDS reizen **3.** *pret* **bade** *or* **bad**, *past part* **bidden** (≈ *say*) ***to ~ sb farewell*** von jdm Abschied nehmen **II** *v/i* **1.** *pret, past part* **bid** (*at auction*) bieten **2.** *pret, past part* **bid** CARDS reizen **III** *n* **1.** (*at auction*) Gebot *nt* (*for* auf *+acc*); COMM Angebot *nt* (*for* für) **2.** CARDS Gebot *nt* **3.** (≈ *attempt*) Versuch *m*; ***to make a ~ for freedom*** versuchen, die Freiheit zu erlangen; ***in a ~ to stop smoking*** um das Rauchen aufzugeben **bidden** *past part of* **bid** **bidder** *n* ***to sell to the highest ~*** an den Meistbietenden verkaufen

bidding *n* **1.** (*at auction*) Bieten *nt* **2.** CARDS Reizen *nt*
bide *v/t* ***to ~ one's time*** den rechten Augenblick abwarten
bidet *n* Bidet *nt*
biennial *adj* zweijährlich
bifocal I *adj* Bifokal- **II** *n* **bifocals** *pl* Bifokalbrille *f*
big I *adj* (+*er*) **1.** groß; ***a ~ man*** ein großer, schwerer Mann; ***my ~ brother*** mein großer Bruder **2.** (≈ *important*) groß; ***to be ~ in publishing*** eine Größe im Verlagswesen sein; ***to be onto something ~*** (*infml*) einer großen Sache auf der Spur sein **3.** (≈ *conceited*) ***~ talk*** Angeberei *f* (*infml*); ***he's getting too ~ for his boots*** (*infml*, *employee*) er wird langsam größenwahnsinnig; ***to have a ~ head*** (*infml*) eingebildet sein **4.** (≈ *generous*, *iron*) großzügig; (≈ *forgiving*) großmütig; ***he was ~ enough to admit he was wrong*** er hatte die Größe zuzugeben, dass er unrecht hatte **5.** (*infml* ≈ *fashionable*) in (*infml*) **6.** (*fig phrases*) ***to earn ~ money*** das große Geld verdienen (*infml*); ***to have ~ ideas*** große Pläne haben; ***to have a ~ mouth*** (*infml*) eine große Klappe haben (*infml*); ***to do things in a ~ way*** alles im großen (Stil) tun; ***it's no ~ deal*** (*infml* ≈ *nothing special*) das ist nichts Besonderes; (≈ *quite all right*) (das ist) schon in Ordnung; ***~ deal!*** (*iron infml*) na und? (*infml*); ***what's the ~ idea?*** (*infml*) was soll denn das? (*infml*); ***our company is ~ on service*** (*infml*) unsere Firma ist ganz groß in puncto Kundendienst **II** *adv* ***to talk ~*** groß daherreden (*infml*); ***to think ~*** im großen Maßstab planen; ***to make it ~ (as a singer)*** (als Sänger(in)) ganz groß rauskommen (*infml*)
bigamist *n* Bigamist *m* **bigamy** *n* Bigamie *f*
Big Apple *n* ***the ~*** (*infml*) New York *nt* **big bang** *n* ASTRON Urknall *m* **big business** *n* Großkapital *nt*; ***to be ~*** das große Geschäft sein **big cat** *n* Großkatze *f* **big dipper** *n* **1.** (*Br*) Achterbahn *f* **2.** (*US* ASTRON) ***Big Dipper*** Großer Bär *or* Wagen **big game** *n* HUNT Großwild *nt* **bighead** *n* (*infml*) Angeber(in) *m*(*f*) (*infml*) **bigheaded** *adj* (*infml*) angeberisch (*infml*) **bigmouth** *n* (*infml*) Angeber(in) *m*(*f*) (*infml*); (≈ *blabbermouth*) Schwätzer(in) *m*(*f*) (*pej*) **big name** *n* (*infml* ≈ *person*) Größe *f* (*in* +*gen*); ***all the ~s were there*** alles, was Rang und Namen hat, war da
bigoted *adj* eifernd; REL bigott **bigotry** *n* eifernde Borniertheit; REL Bigotterie *f*
big shot *n* hohes Tier (*infml*) **big time** *n* (*infml*) ***to make*** *or* ***hit the ~*** groß einsteigen (*infml*) **big-time** *adv* (*infml*) ***they lost ~*** sie haben gewaltig verloren **big toe** *n* große Zehe **big top** *n* (≈ *tent*) Hauptzelt *nt* **big wheel** *n* (*Br*) Riesenrad *nt* **bigwig** *n* (*infml*) hohes Tier (*infml*); ***the local ~s*** die Honoratioren des Ortes
bike (*infml*) **I** *n* (Fahr)rad *nt*, Velo *nt* (*Swiss*); (≈ *motorbike*) Motorrad *nt*, Töff *m* (*Swiss*); ***on your ~!*** (*Br*) verschwinde! (*infml*) **II** *v/i* radeln (*infml*)
biker *n* (*infml*) Motorradfahrer *m*, Töfffahrer *m* (*Swiss*)
bikini *n* Bikini *m* **bikini line** *n* Bikinilinie *f*
bilateral *adj*, **bilaterally** *adv* bilateral
bilberry *n* Heidelbeere *f*
bile *n* **1.** MED Galle *f* **2.** (*fig* ≈ *anger*) Übellaunigkeit *f*
bilingual *adj*, **bilingually** *adv* zweisprachig; ***~ secretary*** Fremdsprachensekretär(in) *m*(*f*)
bill[1] *n* (*of bird*, *turtle*) Schnabel *m*
bill[2] **I** *n* **1.** (≈ *charges*) Rechnung *f*; ***could we have the ~ please?*** (*esp Br*) zahlen bitte! **2.** (*US* ≈ *banknote*) Banknote *f*; ***five-dollar ~*** Fünfdollarschein *m* **3.** THEAT Programm *nt*; ***to head*** *or* ***top the ~***, ***to be top of the ~*** Star *m* des Abends/der Saison sein **4.** PARL (Gesetz)entwurf *m*; ***the ~ was passed*** das Gesetz wurde verabschiedet **5.** *esp* COMM, FIN ***~ of exchange*** Wechsel *m*; ***~ of sale*** Verkaufsurkunde *f*; ***to give sb a clean ~ of health*** jdm (gute) Gesundheit bescheinigen; ***to fit the ~*** (*fig*) der/die/das Richtige sein **II** *v/t* eine Rechnung ausstellen (+*dat*); ***we won't ~ you for that, sir*** wir werden Ihnen das nicht berechnen
billboard *n* Reklametafel *f*
billet *v/t* MIL einquartieren (*on sb* bei jdm)
billiards *n* Billard *nt*
billion *n* Milliarde *f*; (*dated Br*) Billion *f*; ***~s of ...*** (*infml*) Tausende von ... **billionaire** *n* Milliardär(in) *m*(*f*) **billionth I** *adj* milliardste(r, s); (*dated Br*) billionste(r, s) **II** *n* Milliardstel *nt*; (*dated Br*) Billionstel *nt*

Bill of Rights *n* ≈ Grundgesetz *nt*
billow *v/i* (*sail*) sich blähen; (*dress etc*) sich bauschen; (*smoke*) in Schwaden vorüberziehen
billposter, billsticker *n* Plakatkleber *m*
billy goat *n* Ziegenbock *m*
bimbo *n* (*pej infml*) Häschen *nt* (*infml*)
bin *n* (*esp Br* ≈ *rubbish bin*) Mülleimer *m*, Mistkübel *m* (*Aus*); (≈ *dustbin*) Mülltonne *f*; (≈ *litter bin*) Abfallbehälter *m*
binary *adj* binär **binary code** *n* IT Binärcode *m* **binary number** *n* MAT binäre Zahl **binary system** *n* MAT Dualsystem *nt*, binäres System
bind *vb*: *pret, past part* ***bound*** **I** *v/t* **1.** binden (*to* an +*acc*); *person* fesseln; (*fig*) verbinden (*to* mit); ***bound hand and foot*** an Händen und Füßen gefesselt **2.** *wound, arm etc* verbinden **3.** (*by contract*) ***to ~ sb to sth*** jdn zu etw verpflichten; ***to ~ sb to do sth*** jdn verpflichten, etw zu tun **II** *n* (*infml*) ***to be*** **(*a bit of*)** ***a ~*** (*Br*) recht lästig sein ◆ **bind together** *v/t sep* (*lit*) zusammenbinden; (*fig*) verbinden ◆ **bind up** *v/t sep* **1.** *wound* verbinden **2.** (*fig*) ***to be bound up with*** *or* ***in sth*** eng mit etw verknüpft sein
binder *n* (*for papers*) Hefter *m* **binding I** *n* **1.** (*of book*) Einband *m*; (≈ *act*) Binden *nt* **2.** (*on skis*) Bindung *f* **II** *adj* bindend (*on* für)
binge (*infml*) **I** *n* ***to go on a ~*** (≈ *drinking*) auf eine Sauftour gehen (*infml*); (≈ *eating*) eine Fresstour machen (*infml*) **II** *v/i* auf eine Sauf-/Fresstour gehen (*infml*)
bingo *n* Bingo *nt*
bin liner *n* (*Br*) Mülltüte *f*
binoculars *pl* Fernglas *nt*; ***a pair of ~*** ein Fernglas *nt*
biochemical *adj* biochemisch **biochemist** *n* Biochemiker(in) *m*(*f*) **biochemistry** *n* Biochemie *f* **biodegradable** *adj* biologisch abbaubar **biodiesel** *n* Biodiesel *m* **biodiversity** *n* Artenvielfalt *f* **biodynamic** *adj* biodynamisch
biographer *n* Biograf(in) *m*(*f*) **biographic(al)** *adj* biografisch **biography** *n* Biografie *f*
biological *adj* biologisch; ***~ detergent*** Biowaschmittel *nt*; ***~ waste*** Bioabfall *m* **biologist** *n* Biologe *m*, Biologin *f*
biology *n* Biologie *f*
biomass *n* Biomasse *f*
bionic *adj* bionisch
biopsy *n* Biopsie *f*
biosphere *n* Biosphäre *f* **biotechnology** *n* Biotechnik *f* **bioterrorism** *n* Bioterrorismus *m* **bioweapon** *n* Biowaffe *f*
birch *n* **1.** Birke *f* **2.** (*for whipping*) Rute *f*
bird *n* **1.** Vogel *m*; ***to tell sb about the ~s and the bees*** jdm erzählen, wo die kleinen Kinder herkommen **2.** (*Br infml* ≈ *girl*) **birdbath** *n* Vogelbad *nt* **bird box** *n* Vogelhäuschen *nt* **bird brain** *n* (*infml*) ***to be a ~*** ein Spatzenhirn haben (*infml*) **birdcage** *n* Vogelbauer **bird flu** *n* Vogelgrippe *f* **bird sanctuary** *n* Vogelschutzgebiet *nt* **birdseed** *n* Vogelfutter *nt* **bird's-eye view** *n* Vogelperspektive *f*; ***to get a ~ of the town*** die Stadt aus der Vogelperspektive sehen **bird's nest** *n* Vogelnest *nt* **birdsong** *n* Vogelgesang *m* **bird table** *n* Futterplatz *m* (*für Vögel*) **bird-watcher** *n* Vogelbeobachter(in) *m*(*f*)
Biro® *n* (*Br*) Kugelschreiber *m*, Kuli *m* (*infml*)
birth *n* Geburt *f*; (*of movement etc*) Aufkommen *nt*; (*of new era*) Anbruch *m*; ***the country of his ~*** sein Geburtsland *nt*; ***blind from*** *or* ***since ~*** von Geburt an blind; ***to give ~ to*** gebären; ***to give ~*** entbinden; (*animal*) jungen; ***Scottish by ~*** gebürtiger Schotte; ***of low*** *or* ***humble ~*** von niedriger Geburt **birth certificate** *n* Geburtsurkunde *f* **birth control** *n* Geburtenkontrolle *f* **birthdate** *n* Geburtsdatum *nt*
birthday *n* Geburtstag *m*; ***what did you get for your ~?*** was hast du zum Geburtstag bekommen? **birthday cake** *n* Geburtstagskuchen *m or* -torte *f* **birthday card** *n* Geburtstagskarte *f* **birthday party** *n* Geburtstagsfeier *f*; (*for child*) Kindergeburtstag *m* **birthday suit** *n* (*infml*) ***in one's ~*** im Adams-/Evaskostüm (*infml*) **birthmark** *n* Muttermal *nt* **birthplace** *n* Geburtsort *m* **birth plan** *n* Geburtsplan *m* **birthrate** *n* Geburtenrate *f* **birthright** *n* Geburtsrecht *nt*
Biscay *n* ***the Bay of ~*** der Golf von Biskaya
biscuit *n* **1.** (*Br*) Keks *m*, Biskuit *nt* (*Swiss*); (≈ *dog biscuit*) Hundekuchen *m*; ***that takes the ~!*** (*Br infml*) das übertrifft alles **2.** (*US*) Brötchen *nt*
bisect *v/t* in zwei Teile teilen; MAT halbieren
bisexual I *adj* bisexuell **II** *n* Bisexuelle(r) *m*/*f*(*m*)

bishop *n* **1.** ECCL Bischof *m* **2.** CHESS Läufer *m* **bishopric** *n* (≈ *diocese*) Bistum *nt*

bison *n* (*American*) Bison *m*; (*European*) Wisent *m*

bistro *n* Bistro *nt*

bit[1] *n* **1.** (*for horse*) Gebissstange *f* **2.** (*of drill*) (Bohr)einsatz *m*

bit[2] **I** *n* **1.** (≈ *piece*) Stück *nt*; (*smaller*) Stückchen *nt*; (*of glass*) Scherbe *f*; (≈ *section: of book etc*) Teil *m*; (*place in book etc*) Stelle *f*; ***a few ~s of furniture*** ein paar Möbelstücke; ***a ~ of bread*** ein Stück Brot; ***I gave my ~ to my sister*** ich habe meiner Schwester meinen Teil gegeben; ***a ~*** (≈ *small amount*) ein bisschen; ***a ~ of advice*** ein Rat *m*; ***we had a ~ of trouble*** wir hatten ein wenig Ärger; ***it wasn't a ~ of help*** das war überhaupt keine Hilfe; ***there's quite a ~ of bread left*** es ist noch eine ganze Menge Brot da; ***in ~s and pieces*** (≈ *broken*) in tausend Stücken; ***bring all your ~s and pieces*** bring deine Siebensachen; ***to fall to pieces*** kaputtgehen; ***to pull*** *or* ***tear sth to ~s*** (*lit*) etw in Stücke reißen; (*fig*) keinen guten Faden an etw (*dat*) lassen; ***~ by ~*** Stück für Stück; (≈ *gradually*) nach und nach; ***it/he is every ~ as good as ...*** es/er ist genauso gut, wie ...; ***to do one's ~*** sein(en) Teil tun; ***a ~ of a bruise*** ein kleiner Fleck; ***he's a ~ of a rogue*** er ist ein ziemlicher Schlingel; ***she's a ~ of a connoisseur*** sie versteht einiges davon; ***it's a ~ of a nuisance*** das ist schon etwas ärgerlich **2.** (*with time*) ***a ~*** ein Weilchen *nt*; ***he's gone out for a ~*** er ist mal kurz weggegangen **3.** (*with cost*) ***a ~*** eine ganze Menge; ***it cost quite a ~*** das hat ganz schön (viel) gekostet (*infml*) **II** *adv* ***a ~*** ein bisschen; ***wasn't she a little ~ surprised?*** war sie nicht etwas erstaunt?; ***I'm not a (little) ~ surprised*** das wundert mich überhaupt nicht; ***quite a ~*** ziemlich viel

bit[3] *n* IT Bit *nt*

bit[4] *pret of* **bite**

bitch I *n* **1.** (*of dog*) Hündin *f* **2.** (*sl* ≈ *woman*) Miststück *nt* (*infml*); (*spiteful*) Hexe *f*; ***silly ~*** doofe Ziege (*infml*) **3.** (*infml*) ***to have a ~ (about sb/sth)*** (über jdn/etw) meckern (*infml*) **II** *v/i* (*infml*) meckern (*infml*) (*about* über +*acc*) **bitchiness** *n* Gehässigkeit *f* **bitchy** *adj* (+*er*) (*infml*) gehässig

bite *vb*: *pret* **bit**, *past part* **bitten I** *n* **1.** Biss *m*; (≈ *insect bite*) Stich *m*; ***he took a ~ (out) of the apple*** er biss in den Apfel **2.** FISH ***I've got a ~*** es hat einer angebissen **3.** (*of food*) Happen *m*; ***do you fancy a ~ (to eat)?*** möchten Sie etwas essen? **II** *v/t* beißen; (*insect*) stechen; ***to ~ one's nails*** an seinen Nägeln kauen; ***to ~ one's tongue/lip*** sich (*dat*) auf die Zunge/Lippen beißen; ***he won't ~ you*** (*fig infml*) er wird dich schon nicht beißen (*infml*); ***to ~ the dust*** (*infml*) dran glauben müssen (*infml*); ***he had been bitten by the travel bug*** ihn hatte das Reisefieber erwischt (*infml*); ***once bitten twice shy*** (*prov*) (ein) gebranntes Kind scheut das Feuer (*prov*) **III** *v/i* **1.** beißen; (*insects*) stechen **2.** (*fish, fig infml*) anbeißen ◆ **bite into** *v/i +prep obj* (hinein)beißen in (+*acc*) ◆ **bite off** *v/t sep* abbeißen; ***he won't bite your head off*** (*infml*) er wird dir schon nicht den Kopf abreißen; ***to ~ more than one can chew*** (*prov*) sich (*dat*) zu viel zumuten

bite-size(d) *adj* mundgerecht **biting** *adj* beißend; *wind* schneidend

bitmap *n* IT **1.** *no pl* (≈ *mode*) Bitmap *nt* **2.** (*a.* **bitmapped image**) Bitmap-Abbildung *f* **bitmapped** *adj* IT Bitmap-; ***~ graphics*** Bitmapgrafik *f* **bit part** *n* kleine Nebenrolle

bitten *past part of* **bite**

bitter I *adj* (+*er*) bitter; *wind* eisig; *enemy, struggle* erbittert; (≈ *embittered*) *person* verbittert; ***it's ~ today*** es ist heute bitterkalt; ***to the ~ end*** bis zum bitteren Ende **II** *adv* ***~ cold*** bitterkalt **III** *n* (*Br*) *halbdunkles obergäriges Bier* **bitterly** *adv* **1.** *disappointed, cold* bitter; *complain, weep* bitterlich; *oppose* erbittert **2.** (≈ *showing embitteredness*) verbittert **bitterness** *n* Bitterkeit *f*; (*of wind*) bittere Kälte; (*of struggle*) Erbittertheit *f* **bittersweet** *adj* bittersüß

biweekly I *adj* **1.** (≈ *twice a week*) ***~ meetings*** Konferenzen, die zweimal wöchentlich stattfinden **2.** (≈ *fortnightly*) vierzehntäglich **II** *adv* **1.** (≈ *twice a week*) zweimal in der Woche **2.** (≈ *fortnightly*) vierzehntäglich

bizarre *adj* bizarr

blab I *v/i* quatschen (*infml*); (≈ *tell secret*) plappern **II** *v/t* (*a.* **blab out**) *secret* ausplaudern

black I *adj* (+*er*) **1.** schwarz; ***~ man/wo-***

man Schwarze(r) *m/f(m)*; ***~ and blue*** grün und blau; ***~ and white photography*** Schwarz-Weiß-Fotografie *f*; ***the situation isn't so ~ and white as that*** die Situation ist nicht so eindeutig schwarz-weiß **2.** *prospects, mood* düster; ***maybe things aren't as ~ as they seem*** vielleicht ist alles gar nicht so schlimm, wie es aussieht; ***this was a ~ day for ...*** das war ein schwarzer Tag für ... **3.** (*fig* ≈ *angry*) böse **II** *n* **1.** Schwarz *nt*; ***he is dressed in ~*** er trägt Schwarz; ***it's written down in ~ and white*** es steht schwarz auf weiß geschrieben; ***in the ~*** FIN in den schwarzen Zahlen **2.** (≈ *negro*) Schwarze(r) *m/f(m)* ◆ **black out I** *v/i* das Bewusstsein verlieren **II** *v/t sep window* verdunkeln

black-and-white *adj* TV, PRINT schwarz-weiß **blackberry** *n* Brombeere *f* **blackbird** *n* Amsel *f* **blackboard** *n* Tafel *f*; ***to write sth on the ~*** etw an die Tafel schreiben **black book** *n* ***to be in sb's ~s*** bei jdm schlecht angeschrieben sein (*infml*) **black box** *n* AVIAT Flugschreiber *m* **black comedy** *n* schwarze Komödie **blackcurrant** *n* schwarze Johannisbeere, schwarze Ribisel (*Aus*) **black economy** *n* Schattenwirtschaft *f* **blacken** *v/t* **1.** schwarz machen; (*US* COOK) schwärzen; ***the walls were ~ed by the fire*** die Wände waren vom Feuer schwarz **2.** (*fig*) ***to ~ sb's name** or **reputation*** jdn schlechtmachen **black eye** *n* blaues Auge; ***to give sb a ~*** jdm ein blaues Auge schlagen **Black Forest** *n* Schwarzwald *m* **Black Forest gateau** *n* (*esp Br*) Schwarzwälder Kirschtorte *f* **blackhead** *n* Mitesser *m*, Bibeli *nt* (*Swiss*) **black hole** *n* (ASTRON, *fig*) schwarzes Loch **black humour**, (*US*) **black humor** *n* schwarzer Humor **black ice** *n* Glatteis *nt* **black list** *n* schwarze Liste **blacklist** *v/t* auf die schwarze Liste setzen **black magic** *n* Schwarze Kunst **blackmail I** *n* Erpressung *f* **II** *v/t* erpressen; ***to ~ sb into doing sth*** jdn durch Erpressung dazu zwingen, etw zu tun **blackmailer** *n* Erpresser(in) *m(f)* **black market I** *n* Schwarzmarkt *m* **II** *adj attr* Schwarzmarkt- **black marketeer** *n* Schwarzhändler(in) *m(f)* **blackout** *n* **1.** MED Ohnmachtsanfall *m*; ***I must have had a ~*** ich muss wohl in Ohnmacht gefallen sein **2.** (≈ *light failure*) Stromausfall *m* **3.** (≈ *news blackout*) Nachrichtensperre *f* **black pepper** *n* schwarzer Pfeffer **black pudding** *n* ≈ Blutwurst *f* **Black Sea** *n* Schwarzes Meer **black sheep** *n* (*fig*) schwarzes Schaf **blacksmith** *n* Hufschmied *m* **black spot** *n* (*a.* **accident black spot**) Gefahrenstelle *f* **black tie I** *n* (*on invitation*) Abendgarderobe *f* **II** *adj* mit Smokingzwang, in Abendgarderobe

bladder *n* ANAT, BOT Blase *f*

blade *n* **1.** (*of knife, tool*) Klinge *f* **2.** (*propeller*) Blatt *nt* **3.** (*of grass*) Halm *m*

blame I *v/t* die Schuld geben (*+dat*); ***to ~ sb for sth/sth on sb*** jdm die Schuld an etw (*dat*) geben; ***to ~ sth on sth*** die Schuld an etw (*dat*) auf etw (*acc*) schieben; ***you only have yourself to ~*** das hast du dir selbst zuzuschreiben; ***who/what is to ~ for this accident?*** wer/was ist schuld an diesem Unfall?; ***to ~ oneself for sth*** sich für etw verantwortlich fühlen; ***well, I don't ~ him*** das kann ich ihm nicht verdenken **II** *n* Schuld *f*; ***to put the ~ for sth on sb*** jdm die Schuld an etw (*dat*) geben; ***to take the ~*** die Schuld auf sich (*acc*) nehmen **blameless** *adj* schuldlos

blanch I *v/t* COOK *vegetables* blanchieren; *almonds* brühen **II** *v/i* (*person*) blass werden (*with* vor *+dat*)

blancmange *n* Pudding *m*

bland *adj* (*+er*) *food* fad

blank I *adj* (*+er*) **1.** *page, wall* leer; ***a ~ space*** eine Lücke; (*on form*) ein freies Feld; ***please leave ~*** bitte frei lassen **2.** (≈ *expressionless*) ausdruckslos; (≈ *uncomprehending*) verständnislos; ***to look ~*** (≈ *uncomprehending*) verständnislos dreinschauen; ***my mind** or **I went ~*** ich hatte ein Brett vor dem Kopf (*infml*) **II** *n* **1.** (≈ *void*) Leere *f*; ***my mind was a complete ~*** ich hatte totale Mattscheibe (*infml*); ***to draw a ~*** (*fig*) kein Glück haben **2.** (≈ *cartridge*) Platzpatrone *f* ◆ **blank out** *v/t sep thought etc* ausschalten

blank cheque, (*US*) **blank check** *n* Blankoscheck *m*; ***to give sb a ~*** (*fig*) jdm freie Hand geben

blanket I *n* Decke *f*; ***a ~ of snow*** eine Schneedecke **II** *adj attr statement* pauschal; *ban* generell

blankly *adv* (≈ *expressionlessly*) ausdruckslos; (≈ *uncomprehendingly*) ver-

ständnislos; ***she just looked at me ~*** sie sah mich nur groß an (*infml*)
blare I *n* Plärren *nt*; (*of trumpets*) Schmettern *nt* **II** *v/i* plärren; (*trumpets*) schmettern ◆ **blare out** *v/i* schallen; (*trumpets*) schmettern
blasé *adj* (≈ *indifferent*) gleichgültig
blaspheme *v/i* Gott lästern; ***to ~ against sb/sth*** (*lit, fig*) jdn/etw schmähen (*elev*) **blasphemous** *adj* (*lit, fig*) blasphemisch **blasphemy** *n* Blasphemie *f*
blast I *n* **1.** Windstoß *m*; (*of hot air*) Schwall *m*; ***a ~ of wind*** ein Windstoß; ***an icy ~*** ein eisiger Wind; ***a ~ from the past*** (*infml*) eine Erinnerung an vergangene Zeiten **2.** (≈ *sound*) ***the ship gave a long ~ on its foghorn*** das Schiff ließ sein Nebelhorn ertönen **3.** (≈ *explosion*) Explosion *f*; ***with the heating on (at) full ~*** mit der Heizung voll aufgedreht **II** *v/t* **1.** (*with powder*) sprengen **2.** *rocket* schießen; *air* blasen **III** *int* (*infml*) ***~ (it)!*** verdammt! (*infml*); ***~ this car!*** dieses verdammte Auto! (*infml*) ◆ **blast off** *v/i* (*rocket*) abheben ◆ **blast out** *v/i* (*music*) dröhnen
blasted *adj, adv* (*infml*) verdammt (*infml*) **blast furnace** *n* Hochofen *m* **blastoff** *n* Abschuss *m*
blatant *adj* offensichtlich; *error* krass; *liar* unverfroren; *disregard* offen **blatantly** *adv* offensichtlich; (≈ *openly*) offen; ***she ~ ignored it*** sie hat das schlicht und einfach ignoriert
blaze[1] I *n* **1.** (≈ *fire*) Feuer *nt*; ***six people died in the ~*** sechs Menschen kamen in den Flammen um **2.** ***a ~ of lights*** ein Lichtermeer *nt*; ***a ~ of colour*** (*Br*) *or* ***color*** (*US*) ein Meer *nt* von Farben **II** *v/i* **1.** (*sun, fire*) brennen; ***to ~ with anger*** vor Zorn glühen **2.** (*guns*) feuern; ***with all guns blazing*** aus allen Rohren feuernd
blaze[2] *v/t* ***to ~ a trail*** (*fig*) den Weg bahnen
blazer *n* Blazer *m* (*also* SCHOOL)
blazing *adj* **1.** brennend; *fire* lodernd; *sun* grell **2.** (*fig*) *row* furchtbar
bleach I *n* Bleichmittel *nt*; (≈ *household bleach*) Reinigungsmittel *nt* **II** *v/t* bleichen
bleak *adj* (*+er*) **1.** *landscape, place* öde **2.** *weather* rau **3.** (*fig*) trostlos **bleakness** *n* **1.** (*of landscape*) Öde *f* **2.** (*fig*) Trostlosigkeit *f*; (*of prospects*) Trübheit *f*
bleary *adj* (*+er*) *eyes* trübe; (*after sleep*) verschlafen **bleary-eyed** *adj* (*after sleep*) verschlafen
bleat *v/i* (*sheep, calf*) blöken; (*goat*) meckern
bleed *pret, past part* ***bled*** **I** *v/i* bluten; ***to ~ to death*** verbluten **II** *v/t* ***to ~ sb dry*** jdn total ausnehmen (*infml*); *radiator* (ent)lüften **bleeding I** *n* Blutung *f*; ***internal ~*** innere Blutungen *pl* **II** *adj* **1.** blutend **2.** (*Br infml*) verdammt (*infml*) **III** *adv* (*Br infml*) verdammt (*infml*)
bleep I *n* RADIO, TV Piepton *m* **II** *v/i* piepen **III** *v/t doctor* rufen **bleeper** *n* Piepser *m* (*infml*)
blemish I *n* Makel *m* **II** *v/t reputation* beflecken; ***~ed skin*** unreine Haut
blend I *n* Mischung *f*; ***a ~ of tea*** eine Teemischung **II** *v/t* **1.** (ver)mischen **2.** (COOK ≈ *stir*) einrühren; (*in blender*) mixen **III** *v/i* **1.** (*voices, colours*) verschmelzen **2.** (*a.* **blend in** ≈ *harmonize*) harmonieren ◆ **blend in I** *v/t sep flavouring* einrühren; *colour, tea* darunter mischen **II** *v/i* = ***blend*** III
blender *n* Mixer *m*
bless *v/t* segnen; ***God ~ (you)*** behüt dich/euch Gott; ***~ you!*** (*to sneezer*) Gesundheit!; ***to be ~ed with*** gesegnet sein mit **blessed** *adj* **1.** REL heilig; ***the Blessed X*** der selige X **2.** (*euph infml* ≈ *cursed*) verflixt (*infml*) **Blessed Virgin** *n* Heilige Jungfrau (Maria) **blessing** *n* Segen *m*; ***he can count his ~s*** da kann er von Glück sagen; ***it was a ~ in disguise*** es war schließlich doch ein Segen
blew *pret of* ***blow[2]***
blight I *n* (*fig*) ***these slums are a ~ upon the city*** diese Slums sind ein Schandfleck für die Stadt **II** *v/t* (*fig*) *hopes* vereiteln; ***to ~ sb's life*** jdm das Leben verderben
blimey *int* (*Br infml*) verflucht (*infml*)
blind I *adj* (*+er*) **1.** blind; ***to go ~*** erblinden; ***a ~ man/woman*** ein Blinder/eine Blinde; ***~ in one eye*** auf einem Auge blind; ***to be ~ to sth*** (*fig*) für etw blind sein; ***to turn a ~ eye to sth*** bei etw ein Auge zudrücken; ***~ faith (in sth)*** blindes Vertrauen (in etw *acc*) **2.** *corner* unübersichtlich **II** *v/t* **1.** (*light, sun*) blenden; ***the explosion ~ed him*** er ist durch die Explosion blind geworden **2.** (*fig, love etc*) blind machen (*to* für, gegen) **III** *n* **1.** ***the ~*** die Blinden *pl* **2.** (≈ *window shade,*

cloth) Rollo *nt*; (*slats*) Jalousie *f*; (*outside*) Rollladen *m* **IV** *adv* **1.** AVIAT *fly* blind **2.** COOK ***to bake sth ~*** etw vorbacken **3. *~ drunk*** (*infml*) sinnlos betrunken **blind alley** *n* Sackgasse *f* **blind date** *n* Rendezvous *nt* mit einem / einer Unbekannten **blinder** *n* (*US*) Scheuklappe *f* **blindfold I** *v/t* die Augen verbinden (+*dat*) **II** *n* Augenbinde *f* **III** *adj* ***I could do it ~*** (*infml*) das mach ich mit links (*infml*) **blinding** *adj light* blendend; *headache* furchtbar **blindingly** *adv* ***it is ~ obvious*** das sieht doch ein Blinder (*infml*) **blindly** *adv* blind(lings) **blind man's buff** *n* Blindekuh *no art* **blindness** *n* Blindheit *f* (*to* gegenüber) **blind spot** *n* AUTO, AVIAT toter Winkel; ***to have a ~ about sth*** einen blinden Fleck in Bezug auf etw (*acc*) haben **blind summit** *n* AUTO unübersichtliche Kuppe

blink I *n* Blinzeln *nt*; ***in the ~ of an eye*** im Nu; ***to be on the ~*** (*infml*) kaputt sein (*infml*) **II** *v/i* **1.** (*person*) blinzeln **2.** (*light*) blinken **III** *v/t* ***to ~ one's eyes*** mit den Augen zwinkern **blinker** *n* **blinkers** *pl* Scheuklappen *pl* **blinkered** *adj* **1.** (*fig*) engstirnig **2.** *horse* mit Scheuklappen **blinking** (*Br infml*) *adj*, *adv* verflixt (*infml*)

blip *n* leuchtender Punkt; (*fig*) kurzzeitiger Tiefpunkt

bliss *n* Glück *nt*; ***this is ~!*** das ist herrlich! **blissful** *adj time*, *feeling* herrlich; *smile* (glück)selig; ***in ~ ignorance of the fact that ...*** (*iron*) in keinster Weise ahnend, dass ... **blissfully** *adv peaceful* herrlich; ***~ happy*** überglücklich; ***he remained ~ ignorant of what was going on*** er ahnte in keinster Weise, was eigentlich vor sich ging

blister I *n* Blase *f* **II** *v/i* (*skin*) Blasen bekommen; (*paintwork*) Blasen werfen **blistered** *adj* ***to have ~ skin / hands*** Blasen auf der Haut / an den Händen haben; ***to be ~*** Blasen haben **blistering** *adj* **1.** *heat*, *sun* glühend; *pace* mörderisch **2.** (≈ *scathing*) vernichtend **blister pack** *n* (Klar)sichtpackung *f*

blithely *adv carry on* munter; *say* unbekümmert

blizzard *n* Schneesturm *m*

bloated *adj* **1.** aufgedunsen; ***I feel absolutely ~*** (*infml*) ich bin zum Platzen voll (*infml*) **2.** (*fig*: *with pride*) aufgeblasen (*with* vor +*dat*)

blob *n* (*of ink*) Klecks *m*; (*of paint*) Tupfer *m*; (*of ice cream*) Klacks *m*

bloc *n* POL Block *m*

block I *n* **1.** Block *m*; (≈ *executioner's block*) Richtblock *m*; ***~s*** (≈ *toys*) (Bau)klötze *pl*; ***to put one's head on the ~*** (*fig*) Kopf und Kragen riskieren; ***~ of flats*** (*Br*) Wohnblock *m*; ***she lived in the next ~*** (*esp US*) sie wohnte im nächsten Block **2.** (*in pipe*, MED) Verstopfung *f*; ***I've a mental ~ about it*** da habe ich totale Mattscheibe (*infml*) **3.** (*infml* ≈ *head*) ***to knock sb's ~ off*** jdm eins überziehen (*infml*) **4.** (*usu pl*: *a.* **starting block**) Startblock *m* **II** *v/t* **1.** blockieren; *traffic*, *progress* aufhalten; *pipe* verstopfen; ***to ~ sb's way*** jdm den Weg versperren **2.** IT blocken ◆ **block in** *v/t sep* (≈ *hem in*) einkeilen ◆ **block off** *v/t sep street* absperren ◆ **block out** *v/t sep* **1.** *light* nicht durchlassen; ***the trees are blocking out all the light*** die Bäume nehmen das ganze Licht weg **2.** *pain*, *past* verdrängen; *noise* unterdrücken ◆ **block up** *v/t sep* **1.** *gangway* blockieren; *pipe* verstopfen; ***my nose is*** *or* ***I'm all blocked up*** meine Nase ist völlig verstopft **2.** (≈ *fill in*) *hole* zustopfen

blockade I *n* MIL Blockade *f* **II** *v/t* blockieren **blockage** *n* Verstopfung *f* **blockbuster** *n* (*infml*) Knüller *m* (*infml*); (≈ *film*) Kinohit *m* (*infml*) **blockhead** *n* (*infml*) Dummkopf *m* **block letters** *pl* Blockschrift *f* **block vote** *n* Stimmenblock *m*

blog *n* INTERNET Blog *nt or m*

blogger *n* INTERNET Blogger(in) *m*(*f*)

bloke *n* (*Br infml*) Typ *m* (*infml*)

blond *adj* blond **blonde I** *adj* blond **II** *n* (≈ *woman*) Blondine *f*

blood *n* **1.** Blut *nt*; ***to give ~*** Blut spenden; ***to shed ~*** Blut vergießen; ***it makes my ~ boil*** das macht mich rasend; ***his ~ ran cold*** es lief ihm eiskalt über den Rücken; ***this firm needs new ~*** diese Firma braucht frisches Blut; ***it is like trying to get ~ from a stone*** (*prov*) das ist verlorene Liebesmüh **2.** (*fig*) ***it's in his ~*** das liegt ihm im Blut **blood bank** *n* Blutbank *f* **blood bath** *n* Blutbad *nt* **blood clot** *n* Blutgerinnsel *nt* **bloodcurdling** *adj* grauenerregend; ***they heard a ~ cry*** sie hörten einen Schrei, der ihnen das Blut in den Adern erstarren ließ (*elev*) **blood donor** *n* Blutspender(in) *m(f)* **blood group** *n* Blutgruppe *f* **bloodless** *adj* unblutig **blood poisoning** *n* Blutvergiftung *f* **blood pressure** *n* Blutdruck *m*; ***to have high ~*** hohen Blutdruck haben **blood-red** *adj* blutrot **blood relation** *n* Blutsverwandte(r) *m/f(m)* **blood sample** *n* MED Blutprobe *f* **bloodshed** *n* Blutvergießen *nt* **bloodshot** *adj* blutunterlaufen **blood sports** *pl Jagdsport, Hahnenkampf etc* **bloodstain** *n* Blutfleck *m* **bloodstained** *adj* blutbefleckt **bloodstream** *n* Blutkreislauf *m* **blood sugar** *n* Blutzucker *m*; ***~ level*** Blutzuckerspiegel *m* **blood test** *n* Blutprobe *f* **bloodthirsty** *adj* blutrünstig **blood transfusion** *n* (Blut)transfusion *f* **blood vessel** *n* Blutgefäß *nt* **bloody** **I** *adj (+er)* **1.** *(lit)* blutig **2.** *(Br infml)* verdammt *(infml)*; *genius, wonder* echt *(infml)*; ***~ hell!*** verdammt! *(infml)*; *(in amazement)* Menschenskind! *(infml)* **II** *adv (Br infml)* verdammt *(infml)*; *stupid* sau- *(infml)*; *brilliant* echt *(infml)*; ***not ~ likely*** da ist überhaupt nichts drin *(infml)*; ***he can ~ well do it himself*** das soll er schön alleine machen, verdammt noch mal! *(infml)* **bloody-minded** *adj (Br infml)* stur *(infml)*

bloom **I** *n* Blüte *f*; ***to be in (full) ~*** in (voller) Blüte stehen; ***to come into ~*** aufblühen **II** *v/i* blühen

blooming *adj (infml)* verflixt *(infml)*

blooper *n (US infml)* Schnitzer *m (infml)*

blossom **I** *n* Blüte *f*; ***in ~*** in Blüte **II** *v/i* blühen

blot **I** *n* **1.** *(of ink)* (Tinten)klecks *m* **2.** *(fig: on reputation)* Fleck *m (on* auf *+dat)*; ***a ~ on the landscape*** ein Schandfleck *m* in der Landschaft **II** *v/t ink* ablöschen ◆ **blot out** *v/t sep (fig) landscape, sun* verdecken; *memories* auslöschen

blotch *n* Fleck *m* **blotchy** *adj (+er) skin* fleckig; *paint* klecksig

blotting paper *n* Löschpapier *nt*

blouse *n* Bluse *f*

blow[1] *n* Schlag *m*; ***to come to ~s*** handgreiflich werden; ***at a (single)*** *or* ***one ~*** *(fig)* mit einem Schlag *(infml)*; ***to deal sb/sth a ~*** *(fig)* jdm/einer Sache einen Schlag versetzen; ***to strike a ~ for sth*** *(fig)* einer Sache *(dat)* einen großen Dienst erweisen

blow[2] *vb: pret* **blew**, *past part* **blown** **I** *v/i* **1.** *(wind)* wehen; ***there was a draught*** *(Br) or* ***draft*** *(US)* ***~ing in from the window*** es zog vom Fenster her; ***the door blew open/shut*** die Tür flog auf/zu **2.** *(person, horn)* blasen *(on* auf *+acc)*; ***then the whistle blew*** SPORTS da kam der Pfiff **3.** *(fuse)* durchbrennen **II** *v/t* **1.** *(breeze)* wehen; *(strong wind, draught, person)* blasen; *(gale etc)* treiben; ***the wind blew the ship off course*** der Wind trieb das Schiff vom Kurs ab; ***to ~ sb a kiss*** jdm eine Kusshand zuwerfen **2.** ***to ~ one's nose*** sich *(dat)* die Nase putzen **3.** *trumpet* blasen; *bubbles* machen; ***the referee blew his whistle*** der Schiedsrichter pfiff; ***to ~ one's own trumpet*** *(Brit) or* ***horn*** *(US) (fig)* sein eigenes Lob singen **4.** *valve, gasket* platzen lassen; ***I've ~n a fuse*** mir ist eine Sicherung durchgebrannt; ***to be ~n to pieces*** *(bridge, car)* in die Luft gesprengt werden; *(person)* zerfetzt werden **5.** *(infml ≈ spend extravagantly)* verpulvern *(infml)* **6.** *(Br infml)* ***~!*** Mist! *(infml)*; ***~ the expense!*** das ist doch wurscht, was es kostet *(infml)* **7.** *(infml)* ***to ~ one's chances of doing sth*** es sich *(dat)* verscherzen, etw zu tun; ***I think I've ~n it*** ich glaube, ich habs versaut *(infml)* ◆ **blow away** **I** *v/i* wegfliegen **II** *v/t sep* wegblasen ◆ **blow down** *v/t sep (lit)* umwehen ◆ **blow in** *v/t sep window etc* eindrücken ◆ **blow off** **I** *v/i* wegfliegen **II** *v/t sep* wegblasen; ***to blow sb's head off*** jdm eine Kugel durch den Kopf jagen *(infml)* ◆ **blow out** **I** *v/t sep* **1.** *candle* ausblasen **2.** ***to blow one's/sb's brains out*** sich/jdm eine Kugel durch den Kopf jagen *(infml)* **II** *v/r (storm)* sich legen ◆ **blow over** **I** *v/i* sich legen **II** *v/t sep tree etc* umstürzen ◆ **blow up** **I** *v/i* **1.** in die Luft fliegen; *(bomb)* explodieren **2.** *(gale, row)* ausbrechen **II** *v/t sep* **1.** *bridge, person* in die Luft jagen **2.** *tyre, balloon* aufblasen **3.** *photo* vergrößern **4.** *(fig ≈ exaggerate)* aufbauschen *(into* zu)

blow-dry **I** *n* ***to have a cut and ~*** sich *(dat)* die Haare schneiden und föhnen lassen **II** *v/t* föhnen **blow dryer** *n* Haartrockner *m* **blowlamp** *n* Lötlampe *f* **blown** *past part of* **blow**[2] **blowtorch** *n* Lötlampe *f* **blowy** *adj (+er)* windig

BLT *n abbr of* **bacon, lettuce and tomato** *Sandwich mit Schinkenspeck, Salat und Tomate*

blubber **I** *n* Walfischspeck *m* **II** *v/t & v/i (infml)* heulen *(infml)*

bludgeon *v/t* ***to ~ sb to death*** jdn zu Tode prügeln

blue **I** *adj* (+*er*) **1.** blau; ***~ with cold*** blau vor Kälte; ***until you're ~ in the face*** (*infml*) bis zum Gehtnichtmehr (*infml*); ***once in a ~ moon*** alle Jubeljahre (einmal) **2.** (*infml* ≈ *miserable*) melancholisch; ***to feel ~*** den Moralischen haben (*infml*) **3.** (*infml*) *language* derb; *joke* schlüpfrig; *Film* Porno- **II** *n* **1.** Blau *nt*; ***out of the ~*** (*fig infml*) aus heiterem Himmel (*infml*); ***to have the ~s*** (*infml*) den Moralischen haben (*infml*) **2.** MUS **the blues** *pl* der Blues **bluebell** *n* Sternhyazinthe *f* **blue beret** *n* Blauhelm *m* **blueberry** *n* Blau- *or* Heidelbeere *f* **blue-blooded** *adj* blaublütig **bluebottle** *n* Schmeißfliege *f* **blue cheese** *n* Blauschimmelkäse *m* **blue-chip** *adj company* erstklassig; *shares* Bluechip- **blue-collar** *adj* ***~ worker*** Arbeiter *m* **blue-eyed** *adj* blauäugig; ***sb's ~ boy*** (*fig*) jds Liebling(sjunge) *m* **blue jeans** *pl* Bluejeans *pl* **blueprint** *n* Blaupause *f*; (*fig*) Plan *m* **bluetit** *n* Blaumeise *f*

bluff **I** *v/t & v/i* bluffen; ***he ~ed his way through it*** er hat sich durchgeschummelt (*infml*) **II** *n* Bluff *m*; ***to call sb's ~*** es darauf ankommen lassen ◆ **bluff out** *v/t sep* ***to bluff one's way out of sth*** sich aus etw rausreden (*infml*)

bluish *adj* bläulich

blunder **I** *n* (dummer) Fehler; ***to make a ~*** einen Bock schießen (*infml*); (*socially*) einen Fauxpas begehen **II** *v/i* **1.** (≈ *make a blunder*) einen Bock schießen (*infml*); (*socially*) sich blamieren **2.** (≈ *move clumsily*) tappen (*into* gegen)

blunt **I** *adj* (+*er*) **1.** stumpf **2.** *person* geradeheraus *pred*; *message* unverblümt; ***he was very ~ about it*** er hat sich sehr deutlich ausgedrückt **II** *v/t* stumpf machen **bluntly** *adv speak* geradeheraus; ***he told us quite ~ what he thought*** er sagte uns ganz unverblümt seine Meinung **bluntness** *n* (≈ *outspokenness*) Unverblümtheit *f*

blur **I** *n* verschwommener Fleck; ***the trees became a ~*** man konnte die Bäume nur noch verschwommen erkennen; ***a ~ of colours*** (*Br*) *or* ***colors*** (*US*) ein buntes Durcheinander von Farben **II** *v/t* **1.** *outline*, *photograph* unscharf machen; ***to have ~red vision*** nur noch verschwommen sehen; ***to be/become ~red*** undeutlich sein / werden **2.** (*fig*) *senses*, *judgement* trüben; *meaning* verwischen **III** *v/i* verschwimmen

blurb *n* Informationen *pl*; (*on book cover*) Klappentext *m*

blurt (out) *v/t sep* herausplatzen mit (*infml*)

blush **I** *v/i* erröten (*with* vor +*dat*) **II** *n* Erröten *nt no pl* **blusher** *n* Rouge *nt*

bluster **I** *v/i* (*person*) ein großes Geschrei machen **II** *v/t* ***to ~ one's way out of sth*** etw lautstark abstreiten

blustery *adj* stürmisch

Blu-Tack® *n blaue Klebmasse, mit der z. B. Papier auf Beton befestigt werden kann*

Blvd. *abbr of* ***boulevard***

BMA *abbr of* ***British Medical Association*** *britischer Ärzteverband*

B-movie *n* B-Movie *nt*

BMX *abbr of* ***bicycle motocross*** (≈ *sport*) BMX-Radsport *m*; (≈ *bicycle*) BMX-Rad *nt*

BO (*infml*) *abbr of* ***body odour***

boa *n* Boa *f*; ***~ constrictor*** Boa constrictor *f*

boar *n* (≈ *male pig*) Eber *m*; (*wild*) Keiler *m*

board **I** *n* **1.** Brett *nt*; (≈ *blackboard*) Tafel *f*; (≈ *notice board*) Schwarzes Brett; (≈ *signboard*) Schild *nt*; (≈ *floorboard*) Diele *f* **2.** (≈ *provision of meals*) Verpflegung *f*; ***~ and lodging*** Kost und Logis; ***full/half ~*** Voll-/Halbpension *f* **3.** (≈ *group of officials*) Ausschuss *m*; (≈ *board of trustees*) Beirat *m*; (≈ *gas board etc*) Behörde *f*; (*of company*: *a.* **board of directors**) Vorstand *m*; (*of British, American company*) Verwaltungsrat *m*; (*including shareholders, advisers*) Aufsichtsrat *m*; ***to have a seat on the ~*** im Vorstand / Aufsichtsrat sein; ***~ of governors*** (*Br* SCHOOL) Verwaltungsrat *m*; ***Board of Trade*** (*Br*) Handelsministerium *nt*; (*US*) Handelskammer *f* **4.** NAUT, AVIAT ***on ~*** an Bord; ***to go on ~*** an Bord gehen; ***on ~ the ship/plane*** an Bord des Schiffes / Flugzeugs; ***on ~ the bus*** im Bus **5.** (*fig phrases*) ***across the ~*** allgemein; *agree*, *reject* pauschal; ***to go by the ~*** (*work*, *ideas*) unter den Tisch fallen; ***to take sth on ~*** (≈ *understand*) etw begreifen **II** *v/t ship*, *plane* besteigen; *train*, *bus* einsteigen in (+*acc*) **III** *v/i* **1.** in Pension sein (*with* bei) **2.** AVIAT die Maschine besteigen; ***flight ZA173 now ~ing at gate 13*** Passagiere des Fluges ZA173, bitte zum Flugsteig 13 ◆ **board up** *v/t sep window* mit Brettern vernageln

boarder *n* **1.** Pensionsgast *m* **2.** SCHOOL Internatsschüler(in) *m(f)* **board game** *n* Brettspiel *nt* **boarding card** *n* Bordkarte *f* **boarding house** *n* Pension *f* **boarding kennel** *n* Hundepension *f* **boarding pass** *n* Bordkarte *f* **boarding school** *n* Internat *nt* **board meeting** *n* Vorstandssitzung *f* **boardroom** *n* Vorstandsetage *f* **boardwalk** *n* (*US*) Holzsteg *m*; (*on beach*) hölzerne Uferpromenade

boast I *n* Prahlerei *f* **II** *v/i* prahlen (*about*, *of* mit *to sb* jdm gegenüber) **III** *v/t* **1.** (≈ *possess*) sich rühmen (*+gen*) (*elev*) **2.** (≈ *say boastfully*) prahlen **boastful** *adj*, **boastfully** *adv* prahlerisch **boasting** *n* Prahlerei *f* (*about*, *of* mit)

boat *n* Boot *nt*; (≈ *passenger boat*) Schiff *nt*; ***by ~*** mit dem Schiff; ***to miss the ~*** (*fig infml*) den Anschluss verpassen; ***to push the ~ out*** (*fig infml* ≈ *celebrate*) auf den Putz hauen (*infml*); ***we're all in the same ~*** (*fig infml*) wir sitzen alle in einem *or* im gleichen Boot **boat hire** *n* Bootsverleih *m* **boathouse** *n* Bootshaus *nt* **boating** *n* Bootfahren *nt*; ***to go ~*** eine Bootsfahrt machen; ***~ holiday/trip*** Bootsferien *pl*/-fahrt *f* **boatload** *n* Bootsladung *f* **boat race** *n* Regatta *f* **boat train** *n* Zug *m* mit Fähranschluss **boatyard** *n* Bootshandlung *f*; (*as dry dock*) Liegeplatz *m*

bob[1] **I** *v/i* sich auf und ab bewegen; ***to ~ (up and down) in*** *or* ***on the water*** auf dem Wasser schaukeln; (*cork etc*) sich im Wasser auf und ab bewegen; ***he ~bed out of sight*** er duckte sich **II** *v/t head* nicken mit **III** *n* (*of head*) Nicken *nt no pl* ◆ **bob down I** *v/i* sich ducken **II** *v/t sep one's head* ducken ◆ **bob up I** *v/i* auftauchen **II** *v/t sep* ***he bobbed his head up*** sein Kopf schnellte hoch

bob[2] *n* **1.** (≈ *haircut*) Bubikopf *m* **2.** ***a few bits and ~s*** so ein paar Dinge

bobbin *n* Spule *f*; (≈ *cotton reel*) Rolle *f*

bobble hat *n* (*Br*) Pudelmütze *f*

bobsleigh, (*US*) **bobsled I** *n* Bob *m* **II** *v/i* Bob fahren

bode *v/i* ***to ~ well/ill*** ein gutes/schlechtes Zeichen sein

bodge *v/t* = ***botch***

bodice *n* Mieder *nt*

bodily I *adj* (≈ *physical*) körperlich; ***~ needs*** leibliche Bedürfnisse *pl*; ***~ functions*** Körperfunktionen *pl* **II** *adv* (≈ *forcibly*) gewaltsam

body *n* **1.** Körper *m*; ***the ~ of Christ*** der Leib des Herrn; ***just enough to keep ~ and soul together*** gerade genug, um Leib und Seele zusammenzuhalten **2.** (≈ *corpse*) Leiche *f* **3.** (*of church*, *speech*, *army*: *a.* **main body**) Hauptteil *m*; ***the main ~ of the students*** das Gros der Studenten **4.** (≈ *group of people*) Gruppe *f*; ***the student ~*** die Studentenschaft; ***a large ~ of people*** eine große Menschenmenge; ***in a ~*** geschlossen **5.** (≈ *organization*) Organ *nt*; (≈ *committee*) Gremium *nt*; (≈ *corporation*) Körperschaft *f* **6.** (≈ *quantity*) ***a ~ of evidence*** Beweismaterial *nt* **7.** (*a.* **body stocking**) Body *m* **body blow** *n* (*fig*) Schlag *m* ins Kontor (*to*, *for* für) **body builder** *n* Bodybuilder(in) *m(f)* **body building** *n* Bodybuilding *nt* **body clock** *n* innere Uhr **bodyguard** *n* Leibwache *f* **body language** *n* Körpersprache *f* **body lotion** *n* Körperlotion *f* **body odour, body odor** (*US*) *n* Körpergeruch *m* **body piercing** *n* Piercing *nt* **body (repair) shop** *n* Karosseriewerkstatt *f* **body search** *n* Leibesvisitation *f* **body stocking** *n* Body(stocking) *m* **body warmer** *n* Thermoweste *f* **bodywork** *n* AUTO Karosserie *f*

bog *n* **1.** Sumpf *m* **2.** (*Br infml* ≈ *toilet*) Klo *nt* (*infml*), Häus(e)l *nt* (*Aus*) ◆ **bog down** *v/t sep* ***to get bogged down*** stecken bleiben; (*in details*) sich verzetteln

bogey, bogy *n*, *pl* **bogeys, bogies 1.** (*fig* ≈ *bugbear*) Schreckgespenst *nt* **2.** (*Br infml*) Popel *m* (*infml*) **bogeyman** *pl* ***bogeymen*** schwarzer Mann

boggle *v/i* ***the mind ~s*** das ist kaum auszumalen (*infml*)

boggy *adj* (*+er*) sumpfig

bog-standard *adj* (*Br infml*) stinknormal (*infml*)

bogus *adj name* falsch; *document* gefälscht; *company* Schwindel-; *claim* erfunden

Bohemia *n* **1.** GEOG Böhmen *nt* **2.** (*fig*) Boheme *f* **bohemian I** *n* Bohemien *m* **II** *adj lifestyle* unkonventionell

boil[1] *n* MED Furunkel *m*

boil[2] **I** *v/i* **1.** (*lit*) kochen; ***the kettle was ~ing*** das Wasser im Kessel kochte **2.**

(*fig infml*) ***~ing hot water*** kochend heißes Wasser; ***it was ~ing (hot) in the office*** es war eine Affenhitze im Büro (*infml*); ***I was ~ing (hot)*** mir war fürchterlich heiß **II** *v/t* kochen; ***~ed/hard ~ed egg*** weich/hart gekochtes Ei; ***~ed potatoes*** Salzkartoffeln *pl* **III** *n* ***to bring sth to the*** (*Br*) *or* ***a*** (*US*) ~ etw aufkochen lassen; ***to come to/go off the ~*** zu kochen anfangen/aufhören ◆ **boil down** (*fig*) ***to ~ to sth*** auf etw (*acc*) hinauslaufen; ***what it boils down to is that ...*** das läuft darauf hinaus, dass ... ◆ **boil over** *v/i* (*lit*) überkochen

boiled sweet *n* Bonbon *nt*, Zuckerl *nt* (*Aus*) **boiler** *n* (*domestic*) Boiler *m*; (*in ship*) (Dampf)kessel *m* **boiler room** *n* Kesselraum *m* **boiler suit** *n* (*Br*) Overall *m* **boiling point** *n* Siedepunkt *m*; ***at ~*** auf dem Siedepunkt; ***to reach ~*** den Siedepunkt erreichen; (*person*) auf dem Siedepunkt anlangen

boisterous *adj* ausgelassen

bok choy *n* (*US*) = ***pak-choi***

bold *adj* (+*er*) **1.** (≈ *brave*) mutig **2.** (≈ *impudent*) dreist **3.** *colours, pattern* kräftig; *style* kraftvoll **4.** TYPO fett; (≈ *secondary bold*) halbfett; ***~ type*** Fettdruck *m* **boldly** *adv* **1.** (≈ *bravely*) mutig **2.** (≈ *forthrightly*) dreist **3.** (≈ *strikingly*) auffallend **boldness** *n* **1.** (≈ *bravery*) Mut *m* **2.** (≈ *impudence*) Dreistigkeit *f* **3.** (*of colours, pattern*) Kräftigkeit *f*; (*of style*) Ausdruckskraft *f*

Bolivia *n* Bolivien *nt*

bollard *n* Poller *m*

bollocking *n* (*Br sl*) Schimpfkanonade *f* (*infml*); ***to give sb a ~*** jdn zur Sau machen (*infml*)

bollocks *pl* (*sl*) **1.** Eier *pl* (*sl*) **2.** (≈ *nonsense*) ***(that's) ~!*** Quatsch mit Soße! (*infml*)

Bolshevik I *n* Bolschewik *m* **II** *adj* bolschewistisch

bolster I *n* (*on bed*) Nackenrolle *f* **II** *v/t* (*a.* **bolster up**: *fig*) *economy* Auftrieb geben (+*dat*)

bolt I *n* **1.** (*on door etc*) Riegel *m* **2.** TECH Bolzen *m* **3.** (*of lightning*) Blitzstrahl *m*; ***it was like a ~ from the blue*** (*fig*) das war wie ein Blitz aus heiterem Himmel **4.** (≈ *dash*) ***he made a ~ for the door*** er machte einen Satz zur Tür; ***to make a ~ for it*** losrennen **II** *adv* ***~ upright*** kerzengerade **III** *v/i* **1.** (*horse*) durchgehen; (*person*) Reißaus nehmen (*infml*) **2.** (≈ *move quickly*) rasen **IV** *v/t* **1.** *door* verriegeln **2.** TECH verschrauben (*to* mit); ***to ~ together*** verschrauben **3.** (*a.* **bolt down**) *one's food* hinunterschlingen

bomb I *n* **1.** Bombe *f* **2.** (*Br infml*) ***the car goes like a ~*** das ist die reinste Rakete von Wagen (*infml*); ***the car cost a ~*** das Auto hat ein Bombengeld gekostet (*infml*); ***to make a ~*** eine Stange Geld verdienen (*infml*); ***to go down a ~*** Riesenanklang finden (*with* bei) (*infml*) **II** *v/t* bombardieren **III** *v/i* **1.** (*infml* ≈ *go fast*) fegen (*infml*) **2.** (*US infml* ≈ *fail*) durchfallen (*infml*) ◆ **bomb along** *v/i* (*infml*) dahinrasen (*infml*)

bombard *v/t* (MIL, *fig*) bombardieren **bombardment** *n* (MIL, *fig*) Bombardierung *f*

bombastic *adj* bombastisch

bomb attack *n* Bombenangriff *m* **bomb disposal** *n* Bombenräumung *f* **bomb disposal squad** *n* Bombenräumtrupp *m* **bomber** *n* **1.** (≈ *aircraft*) Bomber *m* **2.** (≈ *terrorist*) Bombenattentäter(in) *m(f)* **bomber jacket** *n* Fliegerjacke *f* **bombing I** *n* Bombenangriff *m* (*of* auf +*acc*) **II** *adj raid* Bomben- **bomb scare** *n* Bombenalarm *m* **bombshell** *n* (*fig*) ***this news was a ~*** die Nachricht schlug wie eine Bombe ein; ***to drop a*** *or* ***the ~***, ***to drop a ~*** die Bombe platzen lassen **bomb shelter** *n* Luftschutzkeller *m* **bomb site** *n* Trümmergrundstück *nt*

bona fide *adj* bona fide; *traveller, word, antique* echt; ***it's a ~ offer*** es ist ein Angebot auf Treu und Glauben

bonanza *n* (*fig*) Goldgrube *f*; ***the oil ~*** der Ölboom

bond I *n* **1.** (*fig* ≈ *link*) Bindung *f* **2. bonds** *pl* (*lit*) Fesseln *pl*; (*fig* ≈ *ties*) Bande *pl* (*elev*) **3.** COMM, FIN Pfandbrief *m*; ***government ~*** Staatsanleihe *f* **II** *v/i* **1.** (*glue*) binden **2.** ***to ~ with one's baby*** Liebe zu seinem Kind entwickeln; ***we ~ed immediately*** wir haben uns auf Anhieb gut verstanden

bondage *n* **1.** (*fig liter*) ***in ~ to sth*** einer Sache (*dat*) unterworfen **2.** (*sexual*) Fesseln *nt*; ***~ gear*** Sadomasoausrüstung *f*

bonded warehouse *n* Zolllager *nt*

bone I *n* Knochen *m*; (*of fish*) Gräte *f*; ***~s*** *pl* (*of the dead*) Gebeine *pl*; ***chilled to the ~*** völlig durchgefroren; ***to work one's fingers to the ~*** sich (*dat*) die Finger abarbeiten; ***~ of contention*** Zankapfel *m*; ***to have a ~ to pick with sb*** (*infml*) mit jdm ein Hühnchen zu rupfen haben (*infml*); ***I'll make no ~s about it, you're ...*** (*infml*) du bist, ehrlich gesagt, ...; ***I can feel it in my ~s*** das spüre ich in den Knochen **II** *v/t* die Knochen lösen aus; *fish* entgräten ◆ **bone up on** *v/i +prep obj* (*infml*) pauken (*infml*) **bone china** *n* feines Porzellan **bone dry** *adj pred*, **bone-dry** *adj attr* (*infml*) knochentrocken **bone idle** *adj* (*Br infml*) stinkfaul (*infml*) **bone structure** *n* (*of face*) Gesichtszüge *pl*

bonfire *n* Feuer *nt*; (*for celebration*) Freudenfeuer *nt* **bonfire night** *n* 5. November (*Jahrestag der Pulververschwörung*)

bonk (*infml*) *v/t & v/i* bumsen (*infml*)

bonkers *adj* (*esp Br infml*) meschugge (*infml*); ***to be ~*** spinnen (*infml*)

bonnet *n* **1.** (*woman's*) Haube *f*; (*baby's*) Häubchen *nt* **2.** (*Br* AUTO) Motorhaube *f*

bonnie, bonny *adj* (*esp Scot*) schön; *baby* prächtig

bonsai *n*, *pl* **-** Bonsai *nt*

bonus *n* **1.** Prämie *f*; (≈ *Christmas bonus*) Gratifikation *f*; ***~ scheme*** Prämiensystem *nt*; ***~ point*** Bonuspunkt *m* **2.** (*infml* ≈ *sth extra*) Zugabe *f*

bony *adj* (*+er*) knochig

boo[1] **I** *int* buh; ***he wouldn't say ~ to a goose*** (*infml*) er ist ein schüchternes Pflänzchen **II** *v/t speaker*, *referee* auspfeifen **III** *v/i* buhen **IV** *n* Buhruf *m*

boo[2] *n* (*US infml*) Freund(in) *m*(*f*), Partner(in) *m*(*f*)

boob I *n* **1.** (*Br infml* ≈ *mistake*) Schnitzer *m* (*infml*) **2.** (*infml* ≈ *breast*) Brust *f*; ***big ~s*** große Titten *pl or* Möpse *pl* (*sl*) **II** *v/i* (*Br infml*) einen Schnitzer machen (*infml*)

booby prize *n Scherzpreis für den schlechtesten Teilnehmer* **booby trap I** *n* MIL *etc* versteckte Bombe **II** *v/t* ***the suitcase was booby-trapped*** in dem Koffer war eine Bombe versteckt

booing *n* Buhrufen *nt*

book I *n* **1.** Buch *nt*; (≈ *exercise book*) Heft *nt*; ***the Book of Genesis*** die Genesis, das 1. Buch Mose; ***to bring sb to ~*** jdn zur Rechenschaft ziehen; ***to throw the ~ at sb*** (*infml*) jdn nach allen Regeln der Kunst fertigmachen (*infml*); ***to go by the ~*** sich an die Vorschriften halten; ***to be in sb's good/bad ~s*** bei jdm gut/schlecht angeschrieben sein (*infml*); ***I can read him like a ~*** ich kann in ihm lesen wie in einem Buch; ***he'll use every trick in the ~*** (*infml*) er wird alles und jedes versuchen; ***that counts as cheating in my ~*** (*infml*) für mich ist das Betrug **2.** (*of tickets*) Heft *nt*; ***~ of stamps*** Briefmarkenheftchen *nt* **3. books** *pl* COMM, FIN Bücher *pl*; ***to do the ~s for sb*** jdm die Bücher führen **II** *v/t* **1.** (≈ *reserve*) bestellen; *seat*, *room* buchen; *artiste* engagieren; ***fully ~ed*** (*performance*) ausverkauft; (*flight*) ausgebucht; (*hotel*) voll belegt; ***to ~ sb through to Hull*** RAIL jdn bis Hull durchbuchen **2.** (*infml*) *driver etc* aufschreiben (*infml*); *footballer* verwarnen; ***to be ~ed for speeding*** wegen zu schnellen Fahrens aufgeschrieben werden **III** *v/i* bestellen; (≈ *reserve seat*, *room also*) buchen; ***to ~ through to Hull*** bis Hull durchlösen ◆ **book in I** *v/i* (*in hotel etc*) sich eintragen; ***we booked in at*** *or* ***into the Hilton*** wir sind im Hilton abgestiegen **II** *v/t sep* ***to book sb into a hotel*** jdm ein Hotelzimmer reservieren lassen; ***we're booked in at*** *or* ***into the Hilton*** unsere Zimmer sind im Hilton reserviert ◆ **book up** *v/t sep* ***to be*** (***fully***) ***booked up*** (ganz) ausgebucht sein; (*performance*, *theatre*) ausverkauft sein

bookable *adj* **1.** im Vorverkauf erhältlich **2.** SPORTS ***a ~ offence*** (*Br*) *or* ***offense*** (*US*) ein Verstoß *m*, für den es eine Verwarnung gibt

bookcase *n* Bücherregal *nt*; (*with doors*) Bücherschrank *m* **book club** *n* Buchgemeinschaft *f* **book end** *n* Bücherstütze *f*

bookie *n* (*infml*) Buchmacher(in) *m*(*f*)

booking *n* Buchung *f*; (*of performer*) Engagement *nt*; ***to make a ~*** buchen; ***to cancel a ~*** den Tisch/die Karte *etc* abbestellen, die Reise/den Flug *etc* stornieren **booking clerk** *n* Fahrkartenverkäufer(in) *m*(*f*) **booking fee** *n* Buchungsgebühr *f* **booking office** *n* RAIL Fahrkartenschalter *m*; THEAT Vorverkaufsstelle *f* **book-keeper** *n* Buchhalter(in) *m*(*f*) **book-keeping** *n* Buchhaltung *f* **booklet** *n* Broschüre *f* **book lover** *n* Bücherfreund(in) *m*(*f*) **bookmaker** *n* Buchmacher(in) *m*(*f*) **bookmark I** *n* Lesezeichen *nt*; IT Bookmark *nt* **II** *v/t* IT ein Bookmark einrichten für **bookseller** *n* Buchhändler *m* **bookshelf** *n* Bücherbord *nt* **bookshelves** *pl* Bücherregal *nt* **bookshop** (*esp Br*), **bookstore** (*US*) *n* Buchhandlung *f* **bookstall** *n* Bücherstand *m* **bookstand** *n* (*US*) **1.** (≈ *bookrest*) Lesepult *nt* **2.** (≈ *bookcase*) Bücherregal *nt* **3.** (≈ *bookstall*: *in station*, *airport*) Bücherstand *m* **book token** *n* Buchgutschein *m* **bookworm** *n* (*fig*) Bücherwurm *m*

boom[1] *n* NAUT Baum *m*

boom[2] **I** *n* (*of guns*) Donnern *nt*; (*of voice*) Dröhnen *nt* **II** *v/i* (*voice*: *a.* **boom out**) dröhnen; (*guns*) donnern **III** *int* bum

boom[3] **I** *v/i* (*trade*) boomen (*infml*); ***business is ~ing*** das Geschäft blüht **II** *n* (*of business*, *fig*) Boom *m*

boomerang *n* Bumerang *m*

booming[1] *adj sound* dröhnend

booming[2] *adj economy*, *business* boomend

boon *n* Segen *m*

boor *n* Rüpel *m* **boorish** *adj*, **boorishly** *adv* rüpelhaft

boost I *n* Auftrieb *m no pl*; ELEC, AUTO Verstärkung *f*; ***to give sb/sth a ~*** jdm/einer Sache Auftrieb geben; ***to give a ~ to sb's morale*** jdm Auftrieb geben **II** *v/t production*, *sales*, *economy* ankurbeln; *profits*, *income* erhöhen; *confidence* stärken; *morale* heben **booster** *n* (MED: *a.* **booster shot**) Wiederholungsimpfung *f*

boot I *n* **1.** Stiefel *m*; ***the ~ is on the other foot*** (*fig*) es ist genau umgekehrt; ***to give sb the ~*** (*infml*) jdn rausschmeißen (*infml*); ***to get the ~*** (*infml*) rausgeschmissen werden (*infml*); ***to put the ~ into sb/sth*** (*Br fig infml*) jdn/etw niedermachen **2.** (*Br*, *of car etc*) Kofferraum *m* **II** *v/t* **1.** (*infml* ≈ *kick*) einen (Fuß)tritt geben (+*dat*) **2.** IT laden **III** *v/i* IT laden ◆ **boot out** *v/t sep* (*infml*) rausschmeißen (*infml*) ◆ **boot up** IT *v/t & v/i sep* booten

boot camp *n* (*US* MIL *infml*) Armee-Ausbildungslager *nt*

bootee *n* gestrickter Babyschuh

booth *n* **1.** (*at fair*) (Markt)bude *f*; (*at show*) (Messe)stand *m* **2.** (≈ *telephone booth*) Zelle *f*; (≈ *polling booth*) Kabine *f*; (*in restaurant*) Nische *f*

bootlace *n* Schnürsenkel *m* **bootleg** *adj whisky etc* schwarzgebrannt; *goods* schwarz hergestellt **bootlicker** *n* (*pej infml*) Speichellecker *m* (*pej infml*) **boot polish** *n* Schuhcreme *f* **bootstrap** *n* ***to pull oneself up by one's* (*own*) *~s*** (*infml*) sich aus eigener Kraft hocharbeiten

booty *n* Beute *f*

booze (*infml*) **I** *n* Alkohol *m*; ***keep off the ~*** lass das Saufen sein (*infml*); ***bring some ~*** bring was zu schlucken mit (*infml*) **II** *v/i* saufen (*infml*); ***to go out boozing*** saufen gehen (*infml*) **boozer** *n* **1.** (*pej infml* ≈ *drinker*) Säufer(in) *m*(*f*) (*pej infml*) **2.** (*Br infml* ≈ *pub*) Kneipe *f* (*infml*) **booze-up** *n* (*infml*) Besäufnis *nt* (*infml*) **boozy** *adj* (+*er*) (*infml*) *look*, *face* versoffen (*infml*); ***~ party*** Sauferei *f* (*infml*); ***~ lunch*** Essen *nt* mit reichlich zu trinken

bop I *n* **1.** (*infml* ≈ *dance*) Schwof *m* (*infml*) **2.** (*infml*) ***to give sb a ~ on the nose*** jdm eins auf die Nase geben **II** *v/i* (*infml* ≈ *dance*) schwofen (*infml*) **III** *v/t* (*infml*) ***to ~ sb on the head*** jdm eins auf den Kopf geben

border I *n* **1.** (≈ *edge*) Rand *m* **2.** (≈ *frontier*) Grenze *f*; ***on the French ~*** an der französischen Grenze; ***north/south of the ~*** (*Br*) in/nach Schottland/England **3.** (*in garden*) Rabatte *f* **4.** (*on dress*) Bordüre *f* **II** *v/t* **1.** *path* säumen; *estate etc* begrenzen; (*on all sides*) umschließen **2.** (≈ *border on*) grenzen an (+*acc*) ◆ **border on** *or* **upon** *v/i* +*prep obj* grenzen an (+*acc*)

border dispute *n* Grenzstreitigkeit *f* **border guard** *n* Grenzsoldat *m* **bordering** *adj* angrenzend **borderline I** *n* Grenze *f*; ***to be on the ~*** an der Grenze liegen **II** *adj* (*fig*) ***a ~ case*** ein Grenzfall *m*; ***it was a ~ pass*** er *etc* ist ganz knapp durchgekommen **border town** *n* Grenzstadt *f*

bore[1] **I** *v/t hole* bohren **II** *v/i* bohren (*for* nach) **III** *n* Kaliber *nt*; ***a 12 ~ shotgun*** eine Flinte vom Kaliber 12

bore[2] **I** *n* **1.** (≈ *person*) Langweiler *m* **2.** (≈ *situation etc*) ***to be a ~*** langweilig *or* (*Aus*) fad sein; ***it's such a ~ having to go*** es ist wirklich zu dumm, dass ich *etc* gehen muss **II** *v/t* langweilen; ***to ~ sb stiff*** *or* ***to tears*** (*infml*) jdn zu Tode langweilen; ***to be/get ~d*** sich langweilen; ***he is ~d with his job*** seine Arbeit langweilt ihn

bore[3] *pret of* **bear**[1]

boredom *n* Lang(e)weile *f*
boring *adj* langweilig, fad (*Aus*)
born I *past part of* **bear**[1]; ***to be ~*** geboren werden; ***I was ~ in 1988*** ich bin *or* wurde 1988 geboren; ***when were you ~?*** wann sind Sie geboren?; ***he was ~ into a rich family*** er wurde in eine reiche Familie hineingeboren; ***to be ~ deaf*** von Geburt an taub sein; ***the baby was ~ dead*** das Baby war eine Totgeburt; ***I wasn't ~ yesterday*** (*infml*) ich bin nicht von gestern (*infml*); ***there's one ~ every minute!*** (*fig infml*) die Dummen werden nicht alle! **II** *adj suf* (≈ *native of*) ***he is Chicago-~*** er ist ein gebürtiger Chicagoer; ***his French-~ wife*** seine Frau, die gebürtige Französin ist **III** *adj* geboren; ***he is a ~ teacher*** er ist der geborene Lehrer; ***an Englishman ~ and bred*** ein echter Engländer **born-again** *adj Christian etc* wiedergeboren
borne *past part of* **bear**[1]
borough *n* (*a.* **municipal borough**) Bezirk *m*
borrow I *v/t* (sich *dat*) borgen (*from* von); *amount from bank*, *car* sich (*dat*) leihen; *library book* ausleihen; (*fig*) *idea* übernehmen (*from* von); ***to ~ money from the bank*** Kredit bei der Bank aufnehmen **II** *v/i* borgen; (*from bank*) Kredit *m* aufnehmen **borrower** *n* (*of capital etc*) Kreditnehmer(in) *m*(*f*) **borrowing** *n* ***government ~*** staatliche Kreditaufnahme; ***consumer ~*** Verbraucherkredit *m*; ***~ requirements*** Kreditbedarf *m*
Bosnia *n* Bosnien *nt* **Bosnia-Herzegovina** *n* Bosnien und Herzegowina *nt* **Bosnian I** *adj* bosnisch **II** *n* Bosnier(in) *m*(*f*)
bosom I *n* **1.** Busen *m* **2.** (*fig*) ***in the ~ of his family*** im Schoß der Familie **II** *adj attr* Busen-
boss *n* Chef *m*, Boss *m* (*infml*); ***his wife is the ~*** seine Frau hat das Sagen; ***OK, you're the ~*** in Ordnung, du hast zu bestimmen ◆ **boss about** (*Brit*) *or* **around** *v/t sep* (*infml*) rumkommandieren (*infml*)
bossy *adj* (+*er*) herrisch
botanic(al) *adj* botanisch **botanist** *n* Botaniker(in) *m*(*f*) **botany** *n* Botanik *f*
botch *v/t* (*infml*: *a.* **botch up**) verpfuschen; *plans etc* vermasseln (*infml*); ***a ~ed job*** ein Pfusch *m* (*infml*) **botch-up** *n* (*infml*) Pfusch *m* (*infml*)
both I *adj* beide; ***~ (the) boys*** beide Jungen **II** *pron* beide; (*two different things*) beides; ***~ of them were there, they were ~ there*** sie waren (alle) beide da; ***~ of these answers are wrong*** beide Antworten sind falsch **III** *adv* ***~ ... and ...*** sowohl ... als auch ...; ***~ you and I*** wir beide; ***John and I ~ came*** John und ich sind beide gekommen; ***is it black or white? — ~*** ist es schwarz oder weiß? — beides; ***you and me ~*** (*infml*) wir zwei beide (*infml*)
bother I *v/t* **1.** stören; (≈ *annoy*) belästigen; (≈ *worry*) Sorgen machen (+*dat*); (*problem*, *question*) keine Ruhe lassen (+*dat*); ***I'm sorry to ~ you but ...*** es tut mir leid, dass ich Sie damit belästigen muss, aber ...; ***don't ~ your head about that*** zerbrechen Sie sich (*dat*) darüber nicht den Kopf; ***I shouldn't let it ~ you*** machen Sie sich mal keine Sorgen **2.** ***I can't be ~ed*** ich habe keine Lust; ***I can't be ~ed with people like him*** für solche Leute habe ich nichts übrig; ***I can't be ~ed to do that*** ich habe einfach keine Lust, das zu machen; ***do you want to stay or go? — I'm not ~ed*** willst du bleiben oder gehen? — das ist mir egal; ***I'm not ~ed about him/the money*** seinetwegen/wegen des Geldes mache ich mir keine Gedanken; ***don't ~ to do it again*** das brauchen Sie nicht nochmals zu tun; ***she didn't even ~ to ask*** sie hat gar nicht erst gefragt; ***please don't ~ getting up*** *or* ***to get up*** bitte, bleiben Sie doch sitzen **II** *v/i* sich kümmern (*about* um); (≈ *get worried*) sich (*dat*) Sorgen machen (*about* um); ***don't ~ about me!*** machen Sie sich meinetwegen keine Sorgen; (*sarcastic*) ist ja egal, was ich will; ***he/it is not worth ~ing about*** über ihn/darüber brauchen wir gar nicht zu reden; ***I'm not going to ~ with that*** das lasse ich; ***don't ~!*** nicht nötig!; ***you needn't have ~ed!*** das wäre nicht nötig gewesen! **III** *n* **1.** (≈ *nuisance*) Plage *f*; ***I know it's an awful ~ for you but ...*** ich weiß, dass Ihnen das fürchterliche Umstände macht, aber ... **2.** (≈ *trouble*) Ärger *m*; (≈ *difficulties*) Schwierigkeiten *pl*; ***we had a spot*** *or* ***bit of ~ with the car*** wir hatten Ärger mit dem Auto; ***I didn't have any ~ getting the visa*** es war kein Problem, das Visum zu bekommen; ***it wasn't any ~*** (≈ *don't mention it*) das ist gern gesche-

hen; (≈ *not difficult*) das war ganz einfach; ***the children were no ~ at all*** wir hatten mit den Kindern überhaupt keine Probleme; ***to go to a lot of ~ to do sth*** sich (*dat*) mit etw viel Mühe geben

bottle I *n* Flasche *f*; ***a ~ of wine*** eine Flasche Wein **II** *v/t* in Flaschen abfüllen ◆ **bottle out** *v/i* (*Br infml*) die Nerven verlieren ◆ **bottle up** *v/t sep emotion* in sich (*dat*) aufstauen

bottle bank *n* Altglascontainer *m* **bottled** *adj gas* in Flaschen; *beer* Flaschen- **bottle-feed** *v/t* aus der Flasche ernähren **bottleneck** *n* Engpass *m* **bottle-opener** *n* Flaschenöffner *m*

bottom I *n* **1.** (≈ *lowest part* ≈ *of box, glass*) Boden *m*; (*of mountain, pillar*) Fuß *m*; (*of page, screen*) unteres Ende; (*of list, road*) Ende *nt*; ***which end is the ~?*** wo ist unten?; ***at the ~ of the page/league/hill*** *etc* unten auf der Seite/in der Tabelle/am Berg *etc*; ***at the ~ of the mountain*** am Fuß des Berges; ***to be (at the) ~ of the class*** der/die Letzte in der Klasse sein; ***at the ~ of the garden*** hinten im Garten; ***~s up!*** hoch die Tassen (*infml*); ***from the ~ of my heart*** aus tiefstem Herzen; ***at ~*** (*fig*) im Grunde; ***the ~ dropped*** *or* ***fell out of the market*** die Marktlage hat einen Tiefstand erreicht **2.** (≈ *underside*) Unterseite *f*; ***on the ~ of the tin*** unten an der Dose **3.** (*of sea, river*) Grund *m*; ***at the ~ of the sea*** auf dem Meeresboden **4.** (*of person*) Hintern *m* (*infml*) **5.** (*fig, causally*) ***to be at the ~ of sth*** (*Mensch*) hinter etw (*dat*) stecken; (*Sache*) einer Sache (*dat*) zugrunde liegen; ***to get to the ~ of sth*** einer Sache (*dat*) auf den Grund kommen **6.** (*Br* AUTO) **~ (*gear*)** erster Gang; ***in ~ (gear)*** im ersten Gang **7.** ***tracksuit ~s*** Trainingsanzughose *f*; ***bikini ~(s)*** Bikiniunterteil *nt* **II** *adj attr* (≈ *lower*) untere(r, s); (≈ *lowest*) unterste(r, s); ***~ half*** (*of box*) untere Hälfte; (*of list, class*) zweite Hälfte **bottomless** *adj* ***a ~ pit*** (*fig*) ein Fass ohne Boden **bottom line** *n* (*fig*) ***that's the ~*** (≈ *decisive factor*) das ist das Entscheidende (dabei); (≈ *what it amounts to*) darauf läuft es im Endeffekt hinaus

bough *n* Ast *m*

bought *pret, past part of* **buy**

bouillon *n* Bouillon *f*, Rindsuppe *f* (*Aus*)

bouillon cube *n* (*US*) Brühwürfel *m*

boulder *n* Felsblock *m*

boulevard *n* Boulevard *m*

bounce I *v/i* **1.** (*ball etc*) springen; ***the child ~d up and down on the bed*** das Kind hüpfte auf dem Bett herum **2.** (*infml, cheque*) platzen (*infml*) **3.** IT = ***bounce back*** **II** *v/t* **1.** *ball* aufprallen lassen; ***he ~d the ball against the wall*** er warf den Ball gegen die Wand; ***he ~d the baby on his knee*** er ließ das Kind auf den Knien reiten **2.** IT = ***bounce back*** ◆ **bounce back I** *v/i* **1.** (IT: *e-mail*) bouncen, zurückprallen **2.** (*fig infml*) sich nicht unterkriegen lassen (*infml*) **II** *v/t* IT *e-mail* bouncen, zurückschicken ◆ **bounce off I** *v/t always separate* ***to bounce sth off sth*** etw von etw abprallen lassen; ***to bounce an idea off sb*** (*fig infml*) eine Idee an jdm testen (*infml*) **II** *v/i* abprallen

bouncer *n* (*infml*) Rausschmeißer(in) *m*(*f*) (*infml*) **bouncy** *adj* (+*er*) *mattress* federnd **bouncy castle®** *n* Hüpfburg *f*

bound[1] *n usu pl* Grenze *f*; ***within the ~s of probability*** im Bereich des Wahrscheinlichen; ***his ambition knows no ~s*** sein Ehrgeiz kennt keine Grenzen; ***the bar is out of ~s*** das Betreten des Lokals ist verboten; ***this part of town is out of ~s*** dieser Stadtteil ist Sperrzone

bound[2] **I** *n* Sprung *m* **II** *v/i* springen; ***the dog came ~ing up*** der Hund kam angesprungen

bound[3] **I** *pret, past part of* **bind II** *adj* **1.** gebunden; ***~ hand and foot*** an Händen und Füßen gebunden **2.** ***to be ~ to do sth*** etw bestimmt tun; ***it's ~ to happen*** das muss so kommen **3.** (≈ *obliged*) ***but I'm ~ to say...*** (*infml*) aber ich muss schon sagen ...

bound[4] *adj pred* ***to be ~ for London*** (≈ *heading for*) auf dem Weg nach London sein; (≈ *about to start*) nach London gehen; ***all passengers ~ for London will ...*** alle Passagiere nach London werden ...

boundary *n* Grenze *f* **boundary line** *n* Grenzlinie *f*; SPORTS Spielfeldgrenze *f* **boundless** *adj* grenzenlos

bountiful *adj* großzügig; *harvest, gifts* (über)reich

bouquet *n* **1.** Strauß *m* **2.** (*of wine*) Bukett *nt* **bouquet garni** *n* COOK Kräutermischung *f*

bourbon *n* (*a.* **bourbon whiskey**) Bourbon *m*

bourgeois I *n* Bürger(in) *m(f)*; (*pej*) Spießbürger(in) *m(f)* II *adj* bürgerlich; (*pej*) spießbürgerlich **bourgeoisie** *n* Bürgertum *nt*

bout *n* **1.** (*of flu etc*) Anfall *m*; ***a ~ of fever*** ein Fieberanfall *m*; ***a drinking ~*** eine Zecherei **2.** BOXING Kampf *m*

boutique *n* Boutique *f*

bow[1] *n* **1.** (*weapon, for violin etc*) Bogen *m*; ***a ~ and arrow*** Pfeil und Bogen *pl* **2.** (≈ *knot*) Schleife *f*

bow[2] I *n* Verbeugung *f*; ***to take a ~*** sich verbeugen II *v/i* **1.** sich verbeugen (*to sb* vor jdm) **2.** (*fig*) sich beugen (*before* vor +*dat*, *under* unter +*dat*, *to* +*dat*); ***to ~ to the inevitable*** sich in das Unvermeidliche fügen III *v/t* ***to ~ one's head*** den Kopf senken; (*in prayer*) sich verneigen ◆ **bow down** *v/i* (*lit*) sich beugen; ***to ~ to or before sb*** (*fig*) sich jdm beugen ◆ **bow out** *v/i* (*fig*) sich verabschieden; ***to ~ of sth*** sich aus etw zurückziehen

bow[3] *n often pl* Bug *m*; ***on the port ~*** backbord(s) voraus

bowed[1] *adj legs* krumm

bowed[2] *adj person* gebeugt; *shoulders* hängend

bowel *n usu pl* **1.** ANAT Eingeweide *nt usu pl*; ***a ~ movement*** Stuhl(gang) *m* **2.** (*fig*) ***the ~s of the earth*** das Erdinnere

bowl[1] *n* **1.** Schüssel *f*; (*fingerbowl*) Schale *f*; (*for sugar etc*) Schälchen *nt*; ***a ~ of milk*** eine Schale Milch **2.** (*of lavatory*) Becken *nt*

bowl[2] I *v/i* **1.** BOWLS, TENPIN Bowling spielen **2.** CRICKET werfen II *v/t* **1.** (≈ *roll*) *ball* rollen **2.** CRICKET *ball* werfen ◆ **bowl over** *v/t sep* (*fig*) umwerfen; ***he was bowled over by the news*** die Nachricht hat ihn (einfach) überwältigt

bow-legged *adj* o-beinig

bowler[1] *n* CRICKET Werfer *m*

bowler[2] *n* (*Br*: *a.* **bowler hat**) Melone *f*

bowling *n* **1.** CRICKET Werfen *nt* **2.** (≈ *tenpin bowling*) Bowling *nt*; ***to go ~*** bowlen gehen **bowling alley** *n* Bowlingbahn *f* **bowling green** *n* Rasenfläche *f* für Bowling **bowls** *n* Bowling *nt*

bow tie *n* Fliege *f*

box[1] I *v/t & v/i* SPORTS boxen; ***to ~ sb's ears*** jdn ohrfeigen *or* (*Aus*) watschen II *n* ***a ~ on the ears*** eine Ohrfeige, eine Watsche (*Aus*)

box[2] *n* **1.** (*of wood*) Kiste *f*; (≈ *cardboard box*) Karton *m*; (*of light cardboard* ≈ *matchbox*) Schachtel *f*; (*of chocolates etc*) Packung *f* **2.** (*on form*) Kästchen *nt* **3.** THEAT Loge *f* **4.** (*esp Br infml* ≈ *TV*) Glotze *f* (*infml*); ***what's on the ~?*** was gibts im Fernsehen?; ***I was watching the ~*** ich habe geglotzt (*infml*) ◆ **box in** *v/t sep parked car* einklemmen

boxcar *n* (*US* RAIL) (geschlossener) Güterwagen

boxer *n* **1.** SPORTS Boxer(in) *m(f)* **2.** (≈ *dog*) Boxer *m* **boxer briefs** *pl* Boxershorts *pl* (*eng anliegend*) **boxer shorts** *pl* Boxershorts *pl* **boxing** *n* Boxen *nt* **Boxing Day** *n* (*Br*) zweiter Weihnachts(feier)tag **boxing gloves** *pl* Boxhandschuhe *pl* **boxing match** *n* Boxkampf *m* **boxing ring** *n* Boxring *m*

box junction *n* MOT gelb schraffierte Kreuzung (*in die bei Stau nicht eingefahren werden darf*) **box number** *n* Chiffre *f*; (*at post office*) Postfach *nt* **box office** I *n* Kasse *f*, Kassa *f* (*Aus*) II *attr* ***~ success/hit*** Kassenschlager *m* **boxroom** *n* (*Br*) Abstellraum *m*

boy *n* **1.** Junge *m*, Bub *m* (*Aus, Swiss*); ***the Jones ~*** der Junge von Jones; ***~s will be ~s*** Jungen sind nun mal so **2.** (*infml* ≈ *fellow*) Knabe *m* (*infml*); ***the old ~*** (≈ *boss*) der Alte (*infml*); (≈ *father*) mein *etc* alter Herr **3.** (≈ *friend*) ***the ~s*** meine/seine Kumpels; ***our ~s*** (≈ *team*) unsere Jungs **4.** ***oh ~!*** (*infml*) Junge, Junge! (*infml*) **boy band** *n* MUS Boygroup *f*

boycott I *n* Boykott *m* II *v/t* boykottieren

boyfriend *n* Freund *m* **boyhood** *n* Kindheit *f*; (*as teenager*) Jugend(zeit) *f* **boyish** *adj* jungenhaft; *woman* knabenhaft

boy scout *n* Pfadfinder *m* **Boy Scouts** *n sg* Pfadfinder *pl*

bpi, BPI IT *abbr of* ***bits per inch*** BPI

bps, BPS IT *abbr of* ***bits per second*** BPS

bra *n abbr of* ***brassière*** BH *m*

brace I *n* (*on teeth*) Klammer *f*; MED Stützapparat *m* II *v/r* sich bereithalten; ***to ~ oneself for sth*** sich auf etw (*acc*) gefasst machen; ***~ yourself, I've got bad news for you*** mach dich auf eine schlechte Nachricht gefasst

bracelet *n* Armband *nt*; (≈ *bangle*) Armreif(en) *m*

braces *pl* (*Br*) Hosenträger *pl*; ***a pair of ~*** (ein Paar) Hosenträger

bracing *adj* anregend; *climate* Reiz-

bracken *n* Adlerfarn *m*

bracket I *n* **1.** (≈ *angle bracket*) Winkelträger *m*; (*for shelf*) (Regal)träger *m* **2.** TYPO, MUS Klammer *f*; ***in ~s*** in Klammern **3.** (≈ *group*) Gruppe *f* **II** *v/t* (*a.* **bracket together**) (*fig*) zusammenfassen

brag I *v/i* angeben (*about*, *of* mit) **II** *v/t* ***to ~ that*** damit angeben, dass **bragging** *n* Angeberei *f*

braid I *n* **1.** (*of hair*) Zopf *m* **2.** (≈ *trimming*) Borte *f* **II** *v/t* (≈ *plait*) flechten

Braille I *n* Blindenschrift *f* **II** *adj* Blindenschrift-

brain *n* **1.** ANAT Gehirn *nt*; ***he's got sex on the ~*** (*infml*) er hat nur Sex im Kopf **2. brains** *pl* ANAT Gehirn *nt*; COOK Hirn *nt* **3.** (≈ *mind*) Verstand *m*; ***~s*** *pl* (≈ *intelligence*) Intelligenz *f*, Grips *m* (*infml*); ***he has ~s*** er ist intelligent; ***use your ~s*** streng mal deinen Kopf an **brainbox** *n* (*hum infml*) Schlauberger *m* (*infml*) **brainchild** *n* Erfindung *f*; (≈ *idea*) Geistesprodukt *nt* **brain-damaged** *adj* hirngeschädigt **braindead** *adj* (ge)hirntot **brain drain** *n* Abwanderung *f* von Wissenschaftlern, Braindrain *m* **brain haemorrhage, brain hemorrhage** (*US*) *n* (Ge)hirnblutung *f* **brainless** *adj* hirnlos, dumm **brain scan** *n* Computertomografie *f* des Schädels **brainstorm** *n* (*US* ≈ *brainwave*) Geistesblitz *m* **brainstorming** *n* Brainstorming *nt*; ***to have a ~ session*** ein Brainstorming veranstalten **brain surgeon** *n* Hirnchirurg(in) *m*(*f*) **brain tumour**, (*US*) **brain tumor** *n* Gehirntumor *m* **brainwash** *v/t* einer Gehirnwäsche (*dat*) unterziehen; ***to ~ sb into believing*** *etc* ***that ...*** jdm (ständig) einreden, dass ... **brainwashing** *n* Gehirnwäsche *f* **brainwave** *n* (*Br*) Geistesblitz *m* **brainy** *adj* (+*er*) (*infml*) gescheit

braise *v/t* COOK schmoren

brake I *n* TECH Bremse *f*; ***to put the ~s on*** bremsen **II** *v/i* bremsen **brake disc** *n* Bremsscheibe *f* **brake fluid** *n* Bremsflüssigkeit *f* **brake light** *n* Bremslicht *nt* **brake lining** *n* Bremsbelag *m* **brake pad** *n* Bremsklotz *m* **brake pedal** *n* Bremspedal *nt* **brake shoe** *n* Bremsbacke *f* **braking** *n* Bremsen *nt* **braking distance** *n* Bremsweg *m*

bramble *n* (≈ *bush*) Brombeerstrauch *m*

bran *n* Kleie *f*

branch I *n* **1.** BOT Zweig *m*; (*growing from trunk*) Ast *m* **2.** (*of river*) Arm *m*; (*of road*) Abzweigung *f*; (*of family*) Zweig *m*; (*of railway*) Abzweig *m* **3.** (*in river, road, railway*) Gabelung *f* **4.** COMM Zweigstelle *f*, Ablage *f* (*Swiss*); ***main ~*** Haupt(geschäfts)stelle *f*; (*of store*) Hauptgeschäft *nt* **5.** (*of subject etc*) Zweig *m* **II** *v/i* (*river, road etc*) sich gabeln; (*in more than two*) sich verzweigen

◆ **branch off** *v/i* (*road*) abzweigen

◆ **branch out** *v/i* (*fig*) sein Geschäft ausdehnen (*into* auf +*acc*); ***to ~ on one's own*** sich selbstständig machen

branch line *n* RAIL Nebenlinie *f* **branch manager** *n* Filialleiter *m* **branch office** *n* Zweigstelle *f*, Ablage *f* (*Swiss*)

brand I *n* **1.** (≈ *make*) Marke *f* **2.** (*on cattle*) Brandzeichen *nt* **II** *v/t* **1.** *goods* mit seinem Warenzeichen versehen; ***~ed goods*** Markenartikel *pl* **2.** *cattle* mit einem Brandzeichen kennzeichnen **3.** (≈ *stigmatize*) brandmarken **branding** *n* Markenkennzeichnung *f*

brandish *v/t* schwingen

brand leader *n* führende Marke **brand name** *n* Markenname *m* **brand-new** *adj* nagelneu

brandy *n* Weinbrand *m*

brash *adj* (+*er*) dreist

brass I *n* **1.** Messing *nt* **2.** ***the ~*** MUS die Blechbläser *pl* **3.** (*infml*) ***the top ~*** die hohen Tiere (*infml*) **II** *adj* (≈ *made of brass*) Messing-; MUS Blech-; ***~ player*** Blechbläser *m*; ***~ section*** Blechbläser *pl* **brass band** *n* Blaskapelle *f*

brassière *n* (*dated*, *form*) Büstenhalter *m*

brass plaque, brass plate *n* Messingschild *nt*

brat *n* (*pej infml*) Balg *m or nt* (*infml*); (*esp girl*) Göre *f* (*infml*)

bravado *n* **1.** (≈ *showy bravery*) Draufgängertum *nt* **2.** (*hiding fear*) gespielte Tapferkeit

brave I *adj* (+*er*) mutig; (≈ *showing courage, suffering pain*) tapfer; ***be ~!*** nur Mut!; ***~ new world*** schöne neue Welt **II** *v/t* die Stirn bieten (+*dat*); *elements* trotzen (+*dat*) **bravely** *adv* tapfer **bravery** *n* Mut *m*

bravo *int* bravo!

brawl I *v/i* sich schlagen **II** *n* Schlägerei *f* **brawling** *n* Schlägereien *pl*

brawn *n* Muskelkraft *f*; ***he's all ~ and no brains*** er hat Muskeln, aber kein Gehirn

brawny *adj* (+*er*) muskulös
bray *v/i* (*ass*) schreien
brazen *adj* dreist; *lie* schamlos ◆ **brazen out** *v/t sep* ***to brazen it out*** durchhalten; (*by lying*) sich durchmogeln (*infml*)
brazenly *adv* dreist; *lie* schamlos
Brazil *n* Brasilien *nt* **brazil** *n* (*a.* **brazil nut**) Paranuss *f* **Brazilian I** *n* Brasilianer(in) *m*(*f*) **II** *adj* brasilianisch
breach I *n* **1.** Verstoß *m* (*of* gegen); ***a ~ of contract*** ein Vertragsbruch; ***~ of the peace*** JUR öffentliche Ruhestörung; ***a ~ of security*** ein Verstoß *m* gegen die Sicherheitsbestimmungen; ***~ of trust*** FIN Untreue *f* **2.** (*in wall etc, in security*) Lücke *f* **II** *v/t* **1.** *wall* eine Bresche schlagen in (+*acc*); *defences*, *security* durchbrechen **2.** *contract* verletzen
bread *n* **1.** Brot *nt*; ***a piece of ~ and butter*** ein Butterbrot *nt*; ***he knows which side his ~ is buttered*** (***on***) er weiß, wo was zu holen ist **2.** (≈ *livelihood*) ***writing is his ~ and butter*** er verdient sich seinen Lebensunterhalt mit Schreiben **3.** (*infml* ≈ *money*) Kohle *f* (*infml*) **breadbin** *n* (*Br*) Brotkasten *m* **breadboard** *n* Brot(schneide)brett *nt* **breadbox** *n* (*US*) Brotkasten *m* **breadcrumbs** *pl* COOK Paniermehl *nt*; ***in ~*** paniert **breadknife** *n* Brotmesser *nt* **breadline** *n* ***to be on the ~*** (*fig*) nur das Allernotwendigste zum Leben haben **bread roll** *n* Brötchen *nt* **breadstick** *n* Knabberstange *f*
breadth *n* Breite *f*; ***a hundred metres*** (*Br*) *or* ***meters*** (*US*) ***in ~*** hundert Meter breit
breadwinner *n* Brotverdiener(in) *m*(*f*)
break *vb*: *pret* **broke**, *past part* **broken I** *n* **1.** (≈ *fracture*) Bruch *m* **2.** (≈ *gap*) Lücke *f*; ***row upon row of houses without a ~*** Häuserzeile auf Häuserzeile, ohne Lücke **3.** (≈ *pause*, *also Br* SCHOOL) Pause *f*; ***without a ~*** ununterbrochen; ***to take*** *or* ***have a ~*** (eine) Pause machen; ***at ~*** SCHOOL in der Pause; ***give me a ~!*** (*infml*) nun mach mal halblang! (*infml*) **4.** (≈ *change*) Abwechslung *f*; ***~ in the weather*** Wetterumschwung *m* **5.** (≈ *respite*) Erholung *f* **6.** (≈ *holiday*) Urlaub *m* **7.** ***at ~ of day*** bei Tagesanbruch **8.** (*infml*) ***they made a ~ for it*** sie versuchten zu entkommen; ***we had a few lucky ~s*** wir haben ein paarmal Glück gehabt; ***she had her first big ~ in a Broadway play*** sie bekam ihre erste große Chance in einem Broadwaystück **II** *v/t* **1.** *bone* sich (*dat*) brechen; *stick* zerbrechen; (≈ *smash*) kaputt schlagen; *glass* zerbrechen; *window* einschlagen; *egg* aufbrechen; ***to ~ one's leg*** sich (*dat*) das Bein brechen **2.** *toy*, *chair* kaputt machen **3.** *promise*, *record*, *spell* brechen; *law*, *rule* verletzen **4.** *journey*, *silence* unterbrechen **5.** *skin* ritzen; *surface* durchbrechen **6.** (≈ *destroy*) *person* mürbemachen; *strike* brechen; *code* entziffern; ***to ~ sb*** (***financially***) jdn ruinieren; ***37p, well that won't exactly ~ the bank*** 37 Pence, na, davon gehe ich / gehen wir noch nicht bankrott **7.** *fall* dämpfen **8.** *news* mitteilen; ***how can I ~ it to her?*** wie soll ich es ihr sagen? **III** *v/i* **1.** (*bone*, *voice*) brechen; (*rope*) zerreißen; (≈ *smash*, *window*) kaputtgehen; (*glass*) zerbrechen; ***his voice is beginning to ~*** (*boy*) er kommt in den Stimmbruch **2.** (*watch*, *chair*) kaputtgehen **3.** (≈ *pause*) (eine) Pause machen; ***to ~ for lunch*** Mittagspause machen **4.** (*weather*) umschlagen **5.** (*wave*) sich brechen **6.** (*day*, *dawn*) anbrechen; (*storm*) losbrechen **7.** (*story*, *news*) bekannt werden **8.** (*company*) ***to ~ even*** seine (Un)kosten decken ◆ **break away 1.** (≈ *dash away*) weglaufen; (*prisoner*) sich losreißen; ***he broke away from the rest of the field*** er hängte das ganze Feld ab **2.** (≈ *cut ties*) sich trennen ◆ **break down I** *v/i* **1.** zusammenbrechen; (*negotiations*, *marriage*) scheitern **2.** (*vehicle*) eine Panne haben; (*machine*) versagen **3.** (*expenditure*) sich aufschlüsseln; (CHEM: *substance*) sich aufspalten (*into* in +*acc*) **II** *v/t sep* **1.** *door* einrennen; *wall* niederreißen **2.** *expenditure* aufschlüsseln; (≈ *change composition of*) umsetzen ◆ **break in I** *v/i* **1.** (≈ *interrupt*) unterbrechen (*on sb / sth* jdn / etw) **2.** (≈ *enter illegally*) einbrechen **II** *v/t sep door* aufbrechen ◆ **break into** *v/i* +*prep obj* **1.** *house* einbrechen in (+*acc*); *safe*, *car* aufbrechen **2.** *savings* anbrechen **3.** ***to ~ song*** zu singen anfangen ◆ **break off I** *v/i* abbrechen **II** *v/t sep* abbrechen; *engagement* lösen ◆ **break open** *v/t sep* aufbrechen ◆ **break out** *v/i* **1.** (*fire*, *war*) ausbrechen **2.** ***to ~ in a rash*** einen Ausschlag bekommen; ***he broke out in a sweat*** ihm brach der Schweiß aus **3.** (≈ *escape*) ausbrechen (*from*, *of* aus)

◆ **break through** **I** *v/i* durchbrechen **II** *v/i +prep obj* durchbrechen ◆ **break up** **I** *v/i* **1.** (*road, ice*) aufbrechen **2.** (*crowd*) auseinanderlaufen; (*meeting, partnership*) sich auflösen; (*marriage*) in die Brüche gehen; (*friends*) sich trennen; ***to ~ with sb*** sich von jdm trennen **3.** (*Br* SCHOOL) aufhören; ***when do you ~?*** wann hört bei euch die Schule auf? **4.** (*on mobile phone*) ***you're breaking up*** ich kann Sie nicht verstehen **II** *v/t sep* **1.** *ground* aufbrechen **2.** *marriage, home* zerstören; *meeting* (*police etc*) auflösen; ***he broke up the fight*** er trennte die Kämpfer; ***break it up!*** auseinander!

breakable *adj* zerbrechlich **breakage** *n* ***to pay for ~s*** für zerbrochene Ware bezahlen **breakaway** *adj group* Splitter- **break command** *n* IT Unterbrechungsbefehl *m* **break dance** *v/i* Breakdance tanzen

breakdown *n* **1.** (*of machine*) Betriebsschaden *m*; (*of vehicle*) Panne *f* **2.** (*of system,* MED) Zusammenbruch *m* **3.** (*of figures etc*) Aufschlüsselung *f* **breakdown service** *n* Pannendienst *m* **breakdown truck** *n* Abschleppwagen *m*

breaker *n* **1.** (≈ *wave*) Brecher *m* **2.** (*a.* **breaker's (yard)**) ***to send a vehicle to the ~'s (yard)*** ein Fahrzeug abwracken

breakeven point *n* Gewinnschwelle *f*

breakfast **I** *n* Frühstück *nt*, Morgenessen *nt* (*Swiss*); ***to have ~*** frühstücken; ***for ~*** zum Frühstück **II** *v/i* frühstücken; ***he ~ed on bacon and eggs*** er frühstückte Eier mit Speck **breakfast cereal** *n* Zerealien *pl* **breakfast television** *n* Frühstücksfernsehen *nt* **breakfast time** *n* Frühstückszeit *f*

break-in *n* Einbruch *m*; ***we've had a ~*** bei uns ist eingebrochen worden **breaking point** *n* (*fig*) ***she is at*** *or* ***has reached ~*** sie ist nervlich völlig am Ende (ihrer Kräfte) **breakneck** *adj* ***at ~ speed*** (*Br*) mit halsbrecherischer Geschwindigkeit **break-out** *n* Ausbruch *m* **breakthrough** *n* (MIL, *fig*) Durchbruch *m* **break-up** *n* (*of friendship*) Bruch *m*; (*of marriage*) Zerrüttung *f*; (*of partnership*) Auflösung *f* **breakwater** *n* Wellenbrecher *m*

breast *n* Brust *f* **breastbone** *n* Brustbein *nt*; (*of bird*) Brustknochen *m* **breast cancer** *n* Brustkrebs *m* **-breasted** *adj suf* ***a double-/single-breasted jacket*** ein Einreiher *m*/Zweireiher *m* **breast-fed** *adj* ***to be ~*** gestillt werden **breast-feed** *v/t & v/i* stillen **breast-feeding** *n* Stillen *nt* **breast milk** *n* Muttermilch *f* **breast pocket** *n* Brusttasche *f* **breaststroke** *n* Brustschwimmen *nt*; ***to swim*** *or* ***do the ~*** brustschwimmen

breath *n* **1.** Atem *m*; ***to take a deep ~*** einmal tief Luft holen; ***to have bad ~*** Mundgeruch haben; ***out of ~*** außer Atem; ***short of ~*** kurzatmig; ***to get one's ~ back*** wieder zu Atem kommen; ***in the same ~*** im selben Atemzug; ***to take sb's ~ away*** jdm den Atem verschlagen; ***to say sth under one's ~*** etw vor sich (*acc*) hin murmeln; ***you're wasting your ~*** du redest umsonst **2.** ***~ of wind*** Lüftchen *nt* **breathable** *adj fabric, garment* atmungsaktiv **breathalyze** *v/t* blasen lassen **Breathalyzer®** *n* Atem(luft)messgerät *nt*

breathe **I** *v/i* atmen; ***now we can ~ again*** jetzt können wir wieder frei atmen; ***I don't want him breathing down my neck*** ich will nicht, dass er mir die Hölle heiß macht (*infml*) **II** *v/t* **1.** *air* einatmen; ***to ~ one's last*** seinen letzten Atemzug tun **2.** (≈ *exhale*) atmen (*into* in *+acc*); ***he ~d garlic all over me*** er verströmte einen solchen Knoblauchgeruch; ***he ~d new life into the firm*** er brachte neues Leben in die Firma **3.** ***to ~ a sigh of relief*** erleichtert aufatmen; ***don't ~ a word of it!*** sag kein Sterbenswörtchen darüber! ◆ **breathe in** *v/i, v/t sep* einatmen ◆ **breathe out** *v/i, v/t sep* ausatmen

breather *n* Atempause *f*; ***to take*** *or* ***have a ~*** sich verschnaufen **breathing** *n* Atmung *f* **breathing apparatus** *n* Sauerstoffgerät *nt* **breathing space** *n* (*fig*) Atempause *f* **breathless** *adj* atemlos; ***~ with excitement*** ganz atemlos vor Aufregung **breathtaking** *adj* atemberaubend **breath test** *n* Atemalkoholtest *m*

bred *pret, past part of* **breed**

-bred *adj suf* -erzogen

breeches *pl* Kniehose *f*; (≈ *riding breeches*) Reithose *f*

breed *vb*: *pret, past part* **bred** **I** *n* Art *f* **II** *v/t animals* züchten **III** *v/i* (*animals*) Junge haben; (*birds*) brüten **breeder** *n* (≈ *person*) Züchter(in) *m*(*f*) **breeding** *n* **1.** (≈ *reproduction*) Fortpflanzung und

Aufzucht *f* der Jungen **2.** (≈ *rearing*) Zucht *f* **3.** (≈ *upbringing*: *a.* **good breeding**) gute Erziehung

breeze *n* Brise *f* ◆ **breeze in** *v/i* ***he breezed into the room*** er kam fröhlich ins Zimmer geschneit

breeze block *n* (*Br* BUILD) Ytong® *m* **breezily** *adv* (*fig*) frisch-fröhlich **breezy** *adj* (+*er*) **1.** *day*, *spot* windig **2.** *manner* frisch-fröhlich

brevity *n* Kürze *f*

brew I *n* **1.** (≈ *beer*) Bräu *nt* **2.** (*of tea*) Tee *m* **II** *v/t beer* brauen; *tea* aufbrühen **III** *v/i* **1.** (*beer*) gären; (*tea*) ziehen **2.** (*fig*) ***there's trouble ~ing*** da braut sich ein Konflikt zusammen **brewer** *n* Brauer *m* **brewery** *n* Brauerei *f*

bribe I *n* Bestechung *f*; ***to take a ~*** sich bestechen lassen; ***to offer sb a ~*** jdn bestechen wollen **II** *v/t* bestechen; ***to ~ sb to do sth*** jdn bestechen, damit er etw tut **bribery** *n* Bestechung *f*

bric-a-brac *n* Nippes *m*

brick *n* **1.** BUILD Backstein *m*; ***he came*** *or* ***was down on me like a ton of ~s*** (*infml*) er hat mich unheimlich fertiggemacht (*infml*) **2.** (≈ *toy*) (Bau)klotz *m*; ***box of*** (***building***) ***~s*** Baukasten *m* ◆ **brick up** *v/t sep window* zumauern

bricklayer *n* Maurer *m* **brick-red** *adj* ziegelrot **brick wall** *n* (*fig infml*) ***I might as well be talking to a ~*** ich könnte genauso gut gegen eine Wand reden; ***it's like banging one's head against a ~*** es ist, wie wenn man mit dem Kopf gegen die Wand rennt; ***to come up against*** *or* ***hit a ~*** plötzlich vor einer Mauer stehen **brickwork** *n* Backsteinmauerwerk *nt*

bridal *adj* Braut-; ***~ gown*** Hochzeitskleid *nt* **bridal suite** *n* Hochzeitssuite *f*

bride *n* Braut *f*

bridegroom *n* Bräutigam *m*

bridesmaid *n* Brautjungfer *f*

bridge[1] **I** *n* Brücke *f*; (*of nose*) Sattel *m*; ***to build ~s*** (*fig*) Brücken schlagen **II** *v/t* (*fig*) überbrücken; ***to ~ the gap*** (*fig*) die Zeit überbrücken

bridge[2] *n* CARDS Bridge *nt*

bridging loan *n* Überbrückungskredit *m*

bridle I *n* (*of horse*) Zaum *m* **II** *v/i* sich entrüstet wehren (*at* gegen) **bridle path** *n* Reitweg *m*

brief I *adj* (+*er*) kurz; ***in ~*** kurz; ***the news in ~*** Kurznachrichten *pl*; ***to be ~, ...*** um es kurz zu machen, ... **II** *n* **1.** JUR Auftrag *m* (*an einen Anwalt*); (≈ *document*) Unterlagen *pl* zu dem/einem Fall **2.** (≈ *instructions*) Auftrag *m* **III** *v/t* JUR instruieren **briefcase** *n* (Akten)tasche *f* **briefing** *n* (*a.* **briefing session**) Einsatzbesprechung *f* **briefly** *adv* kurz

briefs *pl* Slip *m*; ***a pair of ~*** ein Slip

brigade *n* MIL Brigade *f*

bright *adj* (+*er*) **1.** *light* hell; *colour* leuchtend; *star*, *eyes* strahlend; *day* heiter; ***~ red*** knallrot; ***it was really ~ outside*** es war wirklich sehr hell draußen; ***~ intervals*** METEO Aufheiterungen *pl* **2.** (≈ *cheerful*) fröhlich; ***I wasn't feeling too ~*** es ging mir nicht besonders gut; ***~ and early*** in aller Frühe **3.** (≈ *intelligent*) schlau; *child* aufgeweckt; *idea* glänzend; (*iron*) intelligent **4.** *prospects* glänzend; ***things aren't looking too ~*** es sieht nicht gerade rosig aus **brighten** (**up**) **I** *v/t sep* **1.** (≈ *make cheerful*) aufheitern **2.** (≈ *make bright*) aufhellen **II** *v/i* **1.** (*weather*) sich aufklären *or* aufheitern **2.** (*person*) fröhlicher werden **brightly** *adv* **1.** *shine*, *burn* hell; ***~ lit*** hell erleuchtet **2.** (≈ *cheerfully*) fröhlich **brightness** *n* (*of light*) Helligkeit *f*; (*of colour*) Leuchten *nt*; (*of star*, *eyes*) Strahlen *nt*

brilliance *n* **1.** (≈ *brightness*) Strahlen *nt* **2.** (*fig* ≈ *intelligence*) Großartigkeit *f*; (*of scientist*, *wit*) Brillanz *f* **brilliant I** *adj* **1.** (*fig*) großartig (*also iron*); *scientist*, *wit* brillant; *student* hervorragend; ***he is ~ with my children*** er versteht sich großartig mit meinen Kindern; ***to be ~ at sth/doing sth*** etw hervorragend können/tun können **2.** *sunshine*, *colour* strahlend **II** *int* (*infml*) super (*infml*) **brilliantly** *adv* **1.** *shine*, *lit* hell; ***~ coloured*** (*Br*) *or* **colored** (*US*) in kräftigen Farben **2.** (≈ *superbly*) großartig; *perform* brillant; *funny*, *simple* herrlich

brim I *n* Rand *m*; ***full to the ~*** (***with sth***) randvoll (mit etw) **II** *v/i* strotzen (*with* von *or* vor +*dat*); ***her eyes were ~ming with tears*** ihre Augen schwammen in Tränen ◆ **brim over** *v/i* überfließen (*with* vor +*dat*)

brimful *adj* (*lit*) randvoll; (*fig*) voll (*of*, *with* von)

brine *n* Sole *f*; (*for pickling*) Lake *f*

bring *pret*, *past part* **brought** *v/t* bringen; (*a.* **bring with one**) mitbringen; ***did you ~ the car*** *etc* ***?*** haben Sie den Wagen *etc* mitgebracht?; ***to ~ sb inside*** jdn hereinbringen; ***to ~ tears to sb's eyes*** jdm die Tränen in die Augen treiben; ***I cannot ~ myself to speak to him*** ich kann es nicht über mich bringen, mit ihm zu sprechen; ***to ~ sth to a close*** *or* ***an end*** etw zu Ende bringen; ***to ~ sth to sb's attention*** jdn auf etw (*acc*) aufmerksam machen ◆ **bring about** *v/t sep* herbeiführen ◆ **bring along** *v/t sep* mitbringen ◆ **bring back** *v/t sep* **1.** zurückbringen **2.** *custom* wiedereinführen; ***to bring sb back to life*** jdn wieder lebendig machen ◆ **bring down** *v/t sep* **1.** (≈ *shoot down*) herunterholen; (≈ *land*) herunterbringen; ***you'll bring the boss down on us*** da werden wir es mit dem Chef zu tun bekommen **2.** *government* zu Fall bringen **3.** (≈ *reduce*) senken; *swelling* reduzieren ◆ **bring forward** *v/t sep* **1.** *person*, *chair* nach vorne bringen **2.** *meeting* vorverlegen **3.** COMM ***amount brought forward*** Übertrag *m* ◆ **bring in** *v/t sep* **1.** (*lit*) hereinbringen (*prep obj*, *-to* in *+acc*); *harvest*, *income* einbringen **2.** (*fig*) *fashion* einführen; PARL *bill* einbringen; ***to bring sth into fashion*** etw in Mode bringen **3.** (≈ *involve*) *police etc* einschalten (*on* bei); ***don't bring him into it*** lass ihn aus der Sache raus; ***why bring that in?*** was hat das damit zu tun? ◆ **bring off** *v/t sep* zustande bringen; ***he brought it off!*** er hat es geschafft! (*infml*) ◆ **bring on** *v/t sep* **1.** (≈ *cause*) herbeiführen **2.** SPORTS *player* einsetzen **3.** ***to bring sth (up)on oneself*** sich (*dat*) etw selbst aufladen; ***you brought it (up)on yourself*** das hast du dir selbst zuzuschreiben ◆ **bring out** *v/t sep* **1.** (*lit*) (heraus)bringen (*of* aus); (*of pocket*) herausholen (*of* aus) **2.** (≈ *draw out*) *person* die Hemmungen nehmen (*+dat*) **3.** ***to ~ the best in sb*** das Beste in jdm zum Vorschein bringen **4.** (*a.* **bring out on strike**) auf die Straße schicken **5.** *new product*, *book* herausbringen **6.** (≈ *emphasize*) hervorheben **7.** ***to bring sb out in a rash*** bei jdm einen Ausschlag verursachen ◆ **bring over** *v/t sep* (*lit*) herüberbringen ◆ **bring round** (*esp Br*) *v/t sep* **1.** (*to house*) vorbeibringen **2.** *discussion* bringen (*to* auf *+acc*) **3.** *unconscious person* wieder zu Bewusstsein bringen **4.** (≈ *convert*) herumkriegen (*infml*) ◆ **bring to** *v/t always separate* ***to bring sb to*** jdn wieder zu Bewusstsein bringen ◆ **bring together** *v/t sep* zusammenbringen ◆ **bring up** *v/t sep* **1.** (*to a higher place*) heraufbringen; (*to the front*) hinbringen **2.** *amount* erhöhen (*to* auf *+acc*); *level*, *standards* anheben; ***to bring sb up to a certain standard*** jdn auf ein gewisses Niveau bringen **3.** *child* großziehen; (≈ *educate*) erziehen; ***to bring sb up to do sth*** jdn dazu erziehen, etw zu tun **4.** (≈ *vomit up*) brechen **5.** (≈ *mention*) zur Sprache bringen **6.** ***to bring sb up short*** jdn innehalten lassen ◆ **bring upon** *v/t sep* = ***bring on*** 3

bring-and-buy (sale) *n* (*Br*) Basar *m* (*wo mitgebrachte Sachen angeboten und verkauft werden*)

brink *n* Rand *m*; ***on the ~ of sth*** am Rande von etw; ***on the ~ of doing sth*** nahe daran, etw zu tun

brisk *adj* (*+er*) **1.** *person* forsch; *pace* flott; ***to go for a ~ walk*** einen ordentlichen Spaziergang machen **2.** (*fig*) *trade* lebhaft **briskly** *adv speak*, *act* forsch; *walk* flott

bristle I *n* Borste *f*; (*of beard*) Stoppel *f* **II** *v/i* (*fig*, *person*) zornig werden; ***to ~ with anger*** vor Wut schnauben **bristly** *adj* (*+er*) *chin* stoppelig; *hair*, *beard* borstig

Brit *n* (*infml*) Brite *m*, Britin *f*

Britain *n* Großbritannien *nt*

British I *adj* britisch; ***I'm ~*** ich bin Brite / Britin; ***~ English*** britisches Englisch **II** *n* ***the ~*** *pl* die Briten *pl* **British-Asian I** *adj* britisch-asiatisch **II** *n* Brite *m*/Britin *f* asiatischer Herkunft **British Council** *n* British Council *m*, *Organisation zur Förderung britischer Kultur im Ausland* **British Isles** *pl* ***the ~*** die Britischen Inseln **Briton** *n* Brite *m*, Britin *f*

Brittany *n* die Bretagne

brittle *adj* spröde; ***~ bones*** schwache Knochen

broach *v/t subject* anschneiden

B-road *n* (*Br*) ≈ Landstraße *f*

broad I *adj* (*+er*) **1.** (≈ *wide*) breit; ***to make ~er*** verbreitern **2.** *theory* umfassend; (≈ *general*) allgemein **3.** *distinction*, *outline* grob; *sense* weit **4.** *accent* stark **II** *n* (*US sl* ≈ *woman*) Tussi *f* (*pej*) **broadband** IT **I** *adj* Breitband- **II** *n* Breitband *nt* **broad bean** *n* Saubohne *f*

broadcast *vb*: *pret*, *past part* ***broadcast*** **I** *n* RADIO, TV Sendung *f*; (*of match etc*)

Übertragung *f* **II** *v/t* **1.** RADIO, TV senden; *event* übertragen **2.** (*fig*) *rumour* verbreiten **III** *v/i* (RADIO, TV, *station*) senden **broadcaster** *n* (RADIO, TV ≈ *announcer*) Rundfunk-/Fernsehsprecher(in) *m*(*f*); (≈ *personality*) Rundfunk-/Fernsehpersönlichkeit *f* **broadcasting I** *n* RADIO, TV Sendung *f*; (*of event*) Übertragung *f*; ***to work in ~*** beim Rundfunk/Fernsehen arbeiten **II** *attr* RADIO Rundfunk-; TV Fernseh-

broaden (out) I *v/t* (*sep*) (*fig*) *attitudes* aufgeschlossener machen; ***to broaden one's horizons*** (*fig*) seinen Horizont erweitern **II** *v/i* sich verbreitern **broad jump** *n* (*US* SPORTS) Weitsprung *m* **broadly** *adv* allgemein; *describe* grob; *agree* weitgehend; ***~ speaking*** ganz allgemein gesprochen **broad-minded** *adj* tolerant **broadsheet** *n* PRESS *großformatige Zeitung* **Broadway** *n* Broadway *m*

brocade I *n* Brokat *m* **II** *attr* Brokat-

broccoli *n* Brokkoli *pl*

brochure *n* Broschüre *f*

broil *v/t & v/i* COOK grillen

broke I *pret of* ***break*** **II** *adj pred* (*infml*) pleite (*infml*); ***to go ~*** Pleite machen (*infml*); ***to go for ~*** alles riskieren

broken I *past part of* ***break*** **II** *adj* **1.** kaputt; *bone* gebrochen; *glass etc* kaputt **2.** (*fig*) *heart, man, promise, English* gebrochen; *marriage* zerrüttet; ***from a ~ home*** aus zerrütteten Familienverhältnissen **broken-down** *adj* kaputt (*infml*) **brokenhearted** *adj* untröstlich

broker I *n* (ST EX, FIN) Makler *m* **II** *v/t* aushandeln

brolly *n* (*Br infml*) (Regen)schirm *m*

bronchitis *n* Bronchitis *f*

bronze I *n* Bronze *f* **II** *adj* Bronze- **Bronze Age** *n* Bronzezeit *f* **bronzed** *adj face, person* braun **bronzing** *adj* Bräunungs-

brooch *n* Brosche *f*

brood I *n* Brut *f* **II** *v/i* (*fig*) grübeln ◆ **brood over** *or* **(up)on** *v/i +prep obj* nachgrübeln über (*+acc*)

broody *adj* **1.** ***to be feeling ~*** (*hum infml*) den Wunsch nach einem Kind haben **2.** *person* grüblerisch; (≈ *sad, moody*) schwerblütig

brook *n* Bach *m*

broom *n* Besen *m* **broom cupboard** *n* Besenschrank *m* **broomstick** *n* Besenstiel *m*; ***a witch on her ~*** eine Hexe auf ihrem Besen

Bros *pl* COMM *abbr of* ***Brothers*** Gebr.

broth *n* Fleischbrühe *f*, Rindsuppe *f* (*Aus*); (≈ *thickened soup*) Suppe *f*

brothel *n* Bordell *nt*

brother *n*, *pl* ***-s*** *or* (*obs*, *Eccl*) ***brethren*** Bruder *m*; ***they are ~ and sister*** sie sind Geschwister; ***my ~s and sisters*** meine Geschwister; ***the Clarke ~s*** die Brüder Clarke; COMM die Gebrüder Clarke; ***oh ~!*** (*esp US infml*) Junge, Junge! (*infml*); ***his ~ officers*** seine Offizierskameraden **brotherhood** *n* (≈ *organization*) Bruderschaft *f*

brother-in-law *n*, *pl* ***brothers-in-law*** Schwager *m* **brotherly** *adj* brüderlich

brought *pret, past part of* ***bring***

brow *n* **1.** (≈ *eyebrow*) Braue *f* **2.** (≈ *forehead*) Stirn *f* **3.** (*of hill*) (Berg)kuppe *f*

browbeat *pret* ***browbeat***, *past part* ***browbeaten*** *v/t* unter (moralischen) Druck setzen; ***to ~ sb into doing sth*** jdn so unter Druck setzen, dass er etw tut

brown I *adj* (*+er*) braun **II** *n* Braun *nt* **III** *v/t* bräunen; *meat* anbraten **IV** *v/i* braun werden ◆ **brown off** *v/t* ***to be browned off with sb/sth*** (*esp Br infml*) jdn/etw satthaben (*infml*)

brown ale *n* Malzbier *nt* **brown bear** *n* Braunbär *m* **brown bread** *n* Grau- *or* Mischbrot *nt*; (*from wholemeal*) Vollkornbrot *nt* **brownfield** *adj site* Brachflächen- **brownie** *n* **1.** (≈ *cake*) *kleiner Schokoladenkuchen* **2.** ***Brownie*** (*in Guide Movement*) Wichtel *m* **Brownie points** *pl* Pluspunkte *pl*; ***to score ~ with sb*** sich bei jdm beliebt machen **brownish** *adj* bräunlich **brown paper** *n* Packpapier *nt* **brown rice** *n* geschälter Reis **brown sauce** *n* (*Br* COOK) braune Soße **brown sugar** *n* brauner Zucker

browse I *v/i* **1.** ***to ~ through a book*** in einem Buch schmökern; ***to ~ (around)*** sich umsehen **2.** IT browsen **II** *v/t* IT browsen **III** *n* ***to have a ~ (around)*** sich umsehen; ***to have a ~ through the books*** in den Büchern schmökern **browser** *n* IT Browser *m*

bruise I *n* blauer Fleck; (*on fruit*) Druckstelle *f* **II** *v/t* einen blauen Fleck/blaue Flecke(n) schlagen (*+dat*); *fruit* beschädigen; ***to ~ one's elbow*** sich (*dat*) einen blauen Fleck am Ellbogen holen **bruised** *adj* **1.** ***to be ~*** einen blauen Fleck/blaue Flecke haben; (*fruit*) eine

Druckstelle/Druckstellen haben; ***she has a ~ shoulder, her shoulder is ~*** sie hat einen blauen Fleck auf der Schulter **2.** (*fig*) *ego* verletzt **bruising** *n* Prellungen *pl*

brunch *n* Brunch *m*

brunette I *n* Brünette *f* **II** *adj* brünett

brunt *n* ***to bear the (main) ~ of the attack*** die volle Wucht des Angriffs tragen; ***to bear the (main) ~ of the costs*** die Hauptlast der Kosten tragen; ***to bear the ~*** das meiste abkriegen

brush I *n* **1.** Bürste *f*; (≈ *paintbrush, shaving brush, pastry brush*) Pinsel *m*; (≈ *hearth brush*) Besen *m*; (*with dustpan*) Handbesen *or* -feger *m*; ***to give sth a ~*** etw bürsten; ***to give one's hair a ~*** sich die Haare bürsten **2.** (≈ *undergrowth*) Unterholz *nt* **3.** (≈ *quarrel, incident*) ***to have a ~ with sb*** mit jdm aneinandergeraten **II** *v/t* **1.** (≈ *clean*) bürsten; (*with hand*) wischen; (≈ *sweep*) fegen, wischen (*Swiss*); ***to ~ one's teeth*** sich (*dat*) die Zähne putzen; ***to ~ one's hair*** sich (*dat*) das Haar bürsten **2.** (≈ *sweep*) fegen, wischen (*Swiss*) **3.** (≈ *touch lightly*) streifen ◆ **brush against** *v/i +prep obj* streifen ◆ **brush aside** *v/t sep obstacle, person* zur Seite schieben ◆ **brush away** *v/t sep* verscheuchen ◆ **brush off** *v/t sep* **1.** *mud* abbürsten **2.** (*infml*) *person* abblitzen lassen (*infml*); *suggestion, criticism* zurückweisen ◆ **brush past** *v/i* streifen (*prep obj +acc*) ◆ **brush up** *v/t sep* (*fig*: *a.* **brush up on**) *subject* auffrischen

brushoff *n* (*infml*) ***to give sb the ~*** jdn abblitzen lassen (*infml*) **brushstroke** *n* Pinselstrich *m*

brusque *adj* (*+er*), **brusquely** *adv* brüsk; *reply* schroff

Brussels *n* Brüssel *nt* **Brussels sprouts** *pl* Rosenkohl *m*, Kohlsprossen *pl* (*Aus*)

brutal *adj* brutal **brutality** *n* Brutalität *f* **brutalize** *v/t* brutalisieren **brutally** *adv* brutal **brute I** *n* brutaler Kerl **II** *adj attr* roh; ***by ~ force*** mit roher Gewalt **brutish** *adj* viehisch, brutal

BSc *abbr of* ***Bachelor of Science***

BSE *abbr of* ***bovine spongiform encephalopathy*** BSE *f*

B-side *n* (*of record*) B-Seite *f*

BST *abbr of* ***British Summer Time, British Standard Time***

BT *abbr of* ***British Telecom*** *britisches Telekommunikationsunternehmen*

bubble I *n* Blase *f*; ***to blow ~s*** Blasen machen; ***the ~ has burst*** (*fig*) alles ist wie eine Seifenblase zerplatzt **II** *v/i* **1.** (*liquid*) sprudeln; (*wine*) perlen **2.** (≈ *make bubbling noise*) blubbern (*infml*); (*cooking liquid etc*) brodeln; (*stream*) plätschern **3.** (*fig*) ***to ~ with enthusiasm*** fast platzen vor Begeisterung ◆ **bubble over** *v/i* (*lit*) überschäumen; (*fig*) übersprudeln (*with* vor *+dat*)

bubble bath *n* Schaumbad *nt* **bubble gum** *n* Bubblegum *m* **bubble-jet printer** *n* IT Bubblejet-Drucker *m* **bubble memory** *n* IT Blasenspeicher *m* **bubble pack** *n* (Klar)sichtpackung *f*; (*a.* **bubble wrap**) Luftpolsterfolie *f* **bubbly I** *adj* (*+er*) **1.** (*lit*) sprudelnd **2.** (*fig infml*) *personality* temperamentvoll **II** *n* (*infml*) Schampus *m* (*infml*)

Bucharest *n* Bukarest *nt*

buck I *n* **1.** (≈ *deer*) Bock *m*; (≈ *rabbit*) Rammler *m* **2.** (*US infml* ≈ *dollar*) Dollar *m*; ***20 ~s*** 20 Dollar; ***to make a ~*** Geld verdienen; ***to make a fast*** *or* ***quick ~*** (*also Br*) schnell Kohle machen (*infml*) **3.** ***to pass the ~*** den schwarzen Peter weitergeben **II** *v/i* (*horse*) bocken **III** *v/t* ***you can't ~ the market*** gegen den Markt kommt man nicht an; ***to ~ the trend*** sich dem Trend widersetzen ◆ **buck up** (*infml*) **I** *v/i* **1.** (≈ *hurry up*) sich ranhalten (*infml*) **2.** (≈ *cheer up*) aufleben; ***~!*** Kopf hoch! **II** *v/t sep* **1.** (≈ *make cheerful*) aufmuntern **2.** ***to buck one's ideas up*** sich zusammenreißen (*infml*)

bucket I *n* Eimer *m*; ***a ~ of water*** ein Eimer *m* Wasser **II** *v/i* (*Br infml*) ***it's ~ing (down)!*** es gießt wie aus Kübeln (*infml*) **bucketful** *n* Eimer *m*; ***by the ~*** (*fig infml*) tonnenweise (*infml*) **bucket shop** *n* FIN Schwindelmakler *m*; (≈ *travel agency*) Agentur *f* für Billigreisen

Buckingham Palace *n* der Buckingham-Palast

buckle I *n* Schnalle *f* **II** *v/t* **1.** *belt, shoes* zuschnallen **2.** *wheel etc* verbiegen; (≈ *dent*) verbeulen **III** *v/i* sich verbiegen ◆ **buckle down** *v/i* (*infml*) sich dahinter klemmen (*infml*); ***to ~ to a task*** sich hinter eine Aufgabe klemmen (*infml*)

buckskin *n* Wildleder *nt*

buckwheat *n* Buchweizen *m*

bud I *n* Knospe *f*; ***to be in ~*** Knospen treiben **II** *v/i* Knospen treiben; (*tree also*)

ausschlagen
Budapest *n* Budapest *nt*
Buddha *n* Buddha *m* **Buddhism** *n* Buddhismus *m* **Buddhist I** *n* Buddhist(in) *m(f)* **II** *adj* buddhistisch
budding *adj* (*fig*) *poet etc* angehend
buddy *n* (*US infml*) Kumpel *m*, Spezi *m* (*Aus*)
budge I *v/i* **1.** sich bewegen; ***~ up*** *or* ***over!*** mach Platz! **2.** (*fig ≈ give way*) nachgeben; ***I will not ~ an inch*** ich werde keinen Fingerbreit nachgeben **II** *v/t* (*≈ move*) (von der Stelle) bewegen
budgerigar *n* Wellensittich *m*
budget I *n* Etat *m*, Budget *nt* **II** *v/i* haushalten **III** *v/t money*, *time* verplanen; *costs* einplanen ◆ **budget for** *v/i +prep obj* (im Etat) einplanen
-budget *suf* ***low-budget*** mit bescheidenen Mitteln finanziert; ***big-budget*** aufwendig (finanziert) **budget account** *n* Kundenkonto *nt* **budget day** *n* PARL ≈ Haushaltsdebatte *f* **budget deficit** *n* Haushaltsdefizit *nt* **budget holiday** *n* Billigreise *f* **budgeting** *n* Budgetierung *f* **budget speech** *n* PARL Etatrede *f*
budgie *n* (*infml*) *abbr of* **budgerigar** Wellensittich *m*
buff[1] I *n* **1.** ***in the ~*** nackt **2.** (*≈ colour*) Gelbbraun *nt* **II** *adj* gelbbraun **III** *v/t metal* polieren
buff[2] *n* (*infml ≈ movie etc buff*) Fan *m* (*infml*)
buffalo *n*, *pl* ***-es***, *collective pl* **-** Büffel *m*
buffer *n also* IT Puffer *m*; RAIL Prellbock *m* **buffering** *n* IT Pufferung *f* **buffer state** *n* POL Pufferstaat *m* **buffer zone** *n* Pufferzone *f*
buffet[1] *v/t* hin und her werfen; ***~ed by the wind*** vom Wind gerüttelt
buffet[2] *n* Büffet *nt*; (*Br* RAIL) Speisewagen *m*; (*≈ meal*) Stehimbiss *m*; (*≈ cold buffet*) kaltes Büffett; ***~ lunch*** Stehimbiss *m* **buffet car** *n* (*Br* RAIL) Speisewagen *m*
bug I *n* **1.** *also* IT Wanze *f*; (*infml ≈ any insect*) Käfer *m*; ***~s*** *pl* Ungeziefer *nt* **2.** (*infml ≈ virus*) Bazillus *f*; ***he picked up a ~*** er hat sich (*dat*) eine Krankheit geholt; ***there must be a ~ going about*** das geht zurzeit um **3.** (*infml*) ***she's got the travel ~*** die Reiselust hat sie gepackt **II** *v/t* **1.** *room* Wanzen *pl* installieren in (*+dat*) (*infml*); ***this room is ~ged*** das Zimmer ist verwanzt (*infml*) **2.** (*infml ≈ worry*) stören; (*≈ annoy*) nerven (*infml*) **bugbear** *n* Schreckgespenst *nt*
bug-free *adj* IT fehlerfrei
bugger I *n* (*infml*) Scheißkerl *m* (*infml*); ***you lucky ~!*** du hast vielleicht ein Schwein! (*infml*) **II** *int* (*Br infml*) ***~ (it)!*** Scheiße! (*infml*); ***~ this car!*** dieses Scheißauto! (*infml*); ***~ him*** dieser Scheißkerl (*infml*); (*≈ he can get lost*) der kann mich mal (*infml*) ◆ **bugger about** *or* **around** (*Br infml*) **I** *v/i* (*≈ laze about etc*) rumgammeln (*infml*); ***to ~ with sth*** an etw (*dat*) rumpfuschen (*infml*) **II** *v/t sep* verarschen (*infml*) ◆ **bugger off** *v/i* (*Br infml*) abhauen (*infml*) ◆ **bugger up** *v/t sep* (*Br infml*) versauen (*infml*)
bugger all *n* (*Br infml*) rein gar nichts
buggered *adj* (*Br infml*) (*≈ kaputt*) im Arsch (*sl*); ***I'm ~ if I'll do it*** ich denke nicht im Traum daran, es zu tun
bugging device *n* Abhörgerät *nt*
buggy *n* (*a.* **baby buggy**)® (*Br*) Sportwagen *m*; (*US*) Kinderwagen *m*
bugle *n* Bügelhorn *nt*
build *vb*: *pret*, *past part* ***built*** **I** *n* Körperbau *m* **II** *v/t* **1.** bauen; ***the house is being built*** das Haus ist im Bau **2.** (*fig*) *career etc* aufbauen; *future* schaffen **III** *v/i* bauen ◆ **build in** *v/t sep* (*lit*, *fig*) einbauen ◆ **build on I** *v/t sep* anbauen; ***to build sth onto sth*** etw an etw (*acc*) anbauen **II** *v/i +prep obj* bauen auf (*+acc*) ◆ **build up I** *v/i* (*business*) wachsen; (*residue*) sich ablagern; (*≈ increase*) zunehmen; ***the music builds up to a huge crescendo*** die Musik steigert sich zu einem gewaltigen Crescendo; (*traffic*) sich verdichten; (*queue*) sich bilden **II** *v/t sep* aufbauen (*into* zu); *pressure* steigern; *sb's confidence* stärken; ***porridge builds you up*** von Porridge wirst du groß und stark; ***to ~ sb's hopes*** jdm Hoffnung(en) machen; ***to ~ a reputation*** sich (*dat*) einen Namen machen
builder *n* (*≈ worker*) Bauarbeiter(in) *m(f)*; (*≈ contractor*) Bauunternehmer *m*; ***~'s merchant*** Baustoffhändler *m*
building *n* **1.** Gebäude *nt*; ***it's the next ~ but one*** das ist zwei Häuser weiter **2.** (*≈ constructing*) Bauen *nt* **building block** *n* Bauklotz *m*; (*fig*) Baustein *m* **building contractor** *n* Bauunternehmer *m* **building materials** *pl* Baumaterial *nt* **building site** *n* Baustelle *f* **building society**

n (*Br*) Bausparkasse *f* **building trade** *n* Baugewerbe *nt* **build-up** *n* **1.** (*infml*) Werbung *f*; ***the chairman gave the speaker a tremendous ~*** der Vorsitzende hat den Redner ganz groß angekündigt **2.** (*of pressure*) Steigerung *f*; ***a ~ of traffic*** eine Verkehrsverdichtung **built I** *pret, past part of* **build II** *adj* ***heavily/slightly ~*** kräftig/zierlich gebaut **built-in** *adj cupboard etc* Einbau- **built-up** *adj* ***~ area*** bebautes Gebiet; MOT geschlossene Ortschaft

bulb *n* **1.** Zwiebel *f*; (*of garlic*) Knolle *f* **2.** ELEC (Glüh)birne *f* **bulbous** *adj plant* knollig; (≈ *bulb-shaped*) *growth etc* knotig; ***~ nose*** Knollennase *f*

Bulgaria *n* Bulgarien *nt* **Bulgarian I** *adj* bulgarisch **II** *n* **1.** Bulgare *m*, Bulgarin *f* **2.** LING Bulgarisch *nt*

bulge I *n* Wölbung *f*; (*irregular*) Unebenheit *f*; ***what's that ~ in your pocket?*** was steht denn in deiner Tasche so vor? **II** *v/i* **1.** (*a.* **bulge out** ≈ *swell*) (an)schwellen; (*metal, sides of box*) sich wölben; (≈ *stick out*) vorstehen; ***his eyes were bulging*** (*fig*) er bekam Stielaugen (*infml*) **2.** (*pocket, sack*) prall gefüllt sein; (*cheek*) voll sein **bulging** *adj stomach* prall; *pockets* prall gefüllt

bulimia *n* Bulimie *f* **bulimic I** *adj* bulimisch **II** *n* Bulimiker(in) *m*(*f*)

bulk *n* **1.** (≈ *size*) Größe *f*; (≈ *large shape*) massige Form; (*of person*) massige Gestalt **2.** (*a.* **great bulk**) größter Teil **3.** COMM ***in ~*** en gros **bulk buying** *n* Großeinkauf *m* **bulky** *adj* (*+er*) **1.** *object* sperrig; ***~ goods*** Sperrgut *nt* **2.** *person* massig

bull *n* **1.** Stier *m*; (*for breeding*) Bulle *m*; ***to take the ~ by the horns*** (*fig*) den Stier bei den Hörnern packen; ***like a ~ in a china shop*** (*infml*) wie ein Elefant im Porzellanladen (*infml*) **2.** (≈ *elephant, whale etc*) Bulle *m*; ***a ~ elephant*** ein Elefantenbulle *m* **3.** ST EX Haussespekulant(in) *m*(*f*) **4.** (*infml* ≈ *nonsense*) Quatsch *m* (*infml*) **bull bars** *pl* AUTO Kuhfänger *m* **bulldog** *n* Bulldogge *f* **bulldog clip** *n* (*Br*) Papierklammer *f* **bulldozer** *n* Bulldozer *m*

bullet *n* Kugel *f*; ***to bite the ~*** in den sauren Apfel beißen (*infml*) **bullet hole** *n* Einschuss(loch *nt*) *m*

bulletin *n* Bulletin *nt* **bulletin board** *n* (*US* ≈ *notice board*, IT) Schwarzes Brett

bulletproof *adj* kugelsicher **bullet wound** *n* Schussverletzung *f*

bullfighting *n* Stierkampf *m*

bullion *n no pl* Gold-/Silberbarren *pl*

bullish *adj* ***to be ~ about sth*** in Bezug auf etw (*acc*) zuversichtlich sein

bull market *n* ST EX Haussemarkt *m*

bullock *n* Ochse *m*

bullring *n* Stierkampfarena *f* **bull's-eye** *n* Scheibenmittelpunkt *m*; (≈ *hit*) Schuss *m* ins Schwarze **bullshit** (*sl*) **I** *n* (*fig*) Scheiß *m* (*infml*) **II** *int* ach Quatsch (*infml*) **III** *v/i* Scheiß erzählen (*infml*) **IV** *v/t* ***to ~ sb*** jdm Scheiß erzählen (*infml*)

bully I *n* Tyrann *m*; ***you great big ~*** du Rüpel **II** *v/t* tyrannisieren; (*using violence*) drangsalieren; ***to ~ sb into doing sth*** jdn so unter Druck setzen, dass er *etc* etw tut; ***to ~ one's way into sth*** sich gewaltsam Zutritt zu etw verschaffen **bully-boy** *adj attr* ***~ tactics*** Einschüchterungstaktik *f* **bullying I** *adj* tyrannisch **II** *n* Tyrannisieren *nt*; (*with violence*) Drangsalieren *nt*; (≈ *coercion*) Anwendung *f* von Druck (*of* auf *+acc*)

bulwark *n* (*lit, fig*) Bollwerk *nt*

bum¹ *n* (*esp Br infml*) Hintern *m* (*infml*)

bum² (*infml*) **I** *n* (*esp US* ≈ *good-for-nothing*) Rumtreiber *m* (*infml*); (≈ *down-and-out*) Penner *m* (*infml*) **II** *adj* (≈ *bad*) beschissen (*infml*) **III** *v/t money, food* schnorren (*infml*) (*off sb* bei jdm); ***could I ~ a lift into town?*** kannst du mich in die Stadt mitnehmen?
◆ **bum about** (*Brit*) *or* **around** (*infml*) **I** *v/i* rumgammeln (*infml*) **II** *v/i +prep obj* ziehen durch (*infml*)

bum bag *n* Gürteltasche *f*

bumblebee *n* Hummel *f*

bumbling *adj* (≈ *clumsy*) schusselig (*infml*); ***some ~ idiot*** irgend so ein Vollidiot (*infml*)

bumf *n* = ***bumph***

bummer *n* (*infml*) ***what a ~*** (≈ *nuisance etc*) so 'ne Scheiße (*infml*)

bump I *n* **1.** (≈ *blow, noise*) Bums *m* (*infml*); ***to get a ~ on the head*** sich (*dat*) den Kopf anschlagen; ***the car has had a few ~s*** mit dem Auto hat es ein paarmal gebumst (*infml*) **2.** (*on any surface*) Unebenheit *f*; (*on head etc*) Beule *f*; (*on car*) Delle *f* **II** *v/t* stoßen (*+Obj* gegen); *one's own car* eine Delle fahren in (*+acc*); *another car* auffahren auf (+*acc*); ***to ~ one's head*** sich (*dat*) den Kopf anstoßen (*on*, *against* an +*dat*) ◆ **bump into** *v/i* +*prep obj* **1.** (≈ *knock into*) stoßen gegen; (*driver*, *car*) fahren gegen; *another car* fahren auf (+*acc*) **2.** (*infml* ≈ *meet*) begegnen (+*dat*), treffen ◆ **bump off** *v/t sep* (*infml*) abmurksen (*infml*) ◆ **bump up** *v/t sep* (*infml*) (*to* auf +*acc*) *prices*, *total* erhöhen; *salary* aufbessern

bumper **I** *n* (*of car*) Stoßstange *f* **II** *adj* ~ ***crop*** Rekordernte *f*; ***a special ~ edition*** eine Riesensonderausgabe **bumper car** *n* Autoskooter *m* **bumper sticker** *n* AUTO Aufkleber *m*, Pickerl *nt* (*Aus*)

bumph *n* (*Br infml*) Papierkram *m* (*infml*)

bumpkin *n* (*a.* **country bumpkin**) (Bauern)tölpel *m*

bumpy *adj* (+*er*) *surface* uneben; *road*, *drive* holp(e)rig; *flight* unruhig

bun *n* **1.** (≈ *bread*) Brötchen *nt*; (≈ *iced bun etc*) süßes Teilchen **2.** (≈ *hairstyle*) Knoten *m*

bunch *n* **1.** (*of flowers*) Strauß *m*; (*of bananas*) Büschel *nt*; ***a ~ of roses*** ein Strauß *m* Rosen; ***a ~ of flowers*** ein Blumenstrauß *m*; ***~ of grapes*** Weintraube *f*; ***~ of keys*** Schlüsselbund *m*; ***the best of the ~*** die Allerbesten; (*things*) das Beste vom Besten **2.** (*infml*, *of people*) Haufen *m* (*infml*); ***a small ~ of tourists*** eine kleine Gruppe Touristen **3.** (*infml*) ***thanks a ~*** (*esp iron*) schönen Dank ◆ **bunch together** *or* **up** *v/i* (*people*) Grüppchen bilden

bundle **I** *n* **1.** Bündel *nt*; ***to tie sth in a ~*** etw bündeln **2.** (*fig*) ***a ~ of*** eine ganze Menge; ***he is a ~ of nerves*** er ist ein Nervenbündel; ***it cost a ~*** (*infml*) das hat eine Stange Geld gekostet (*infml*) **II** *v/t* **1.** (≈ *tie in a bundle*) bündeln; ***~d software*** IT Softwarepaket *nt* **2.** (*hastig*) *things* stopfen; *people* verfrachten ◆ **bundle off** *v/t sep person* schaffen ◆ **bundle up** *v/t sep* bündeln

bung (*Br*) **I** *n* (*of cask*) Spund(zapfen) *m* **II** *v/t* (*Br infml* ≈ *throw*) schmeißen (*infml*) ◆ **bung up** *v/t sep* (*infml*) *pipe* verstopfen; ***I'm all bunged up*** meine Nase ist verstopft

bungalow *n* Bungalow *m*

bungee jumping *n* Bungeespringen *nt*

bungle verpfuschen

bunion *n* Ballen *m*

bunk[1] *n* ***to do a ~*** (*Br infml*) türmen (*infml*) ◆ **bunk off** *v/i* (*Br* SCHOOL *infml*) schwänzen

bunk[2] *n* (*in ship*) Koje *f*; (*in dormitory*) Bett *nt* **bunk beds** *pl* Etagenbett *nt*

bunker *n* (GOLF, MIL) Bunker *m*

bunny *n* (*a.* **bunny rabbit**) Hase *m*

Bunsen (burner) *n* Bunsenbrenner *m*

bunting *n* Wimpel *pl*

buoy *n* Boje *f* ◆ **buoy up** *v/t sep* (*fig*, FIN) Auftrieb geben (+*dat*); *sb's hopes* beleben

buoyant *adj* **1.** *ship* schwimmend **2.** (*fig*) *mood* heiter **3.** FIN *market* fest; *trading* rege

burble *v/i* **1.** (*stream*) plätschern **2.** (*fig*, *Mensch*) plappern; (*baby*) gurgeln; ***what's he burbling (on) about?*** (*infml*) worüber quasselt er eigentlich? (*infml*)

burden **I** *n* **1.** (*lit*) Last *f* **2.** (*fig*) Belastung *f* (*on*, *to* für); ***I don't want to be a ~ to you*** ich möchte Ihnen nicht zur Last fallen; ***the ~ of proof is on him*** er muss den Beweis dafür liefern **II** *v/t* belasten

bureau *n* **1.** (*Br* ≈ *desk*) Sekretär *m* **2.** (*US* ≈ *chest of drawers*) Kommode *f* **3.** (≈ *office*) Büro *nt* **4.** (≈ *government department*) Behörde *f*

bureaucracy *n* Bürokratie *f* **bureaucrat** *n* Bürokrat *m* **bureaucratic** *adj* bürokratisch

bureau de change *n*, *pl* ***bureaux de change*** Wechselstube *f*

burgeoning *adj industry*, *market* boomend; *career* Erfolg versprechend; *demand* wachsend

burger *n* (*infml*) Hamburger *m* **burger bar** *n* Imbissstube *f*

burglar *n* Einbrecher(in) *m*(*f*) **burglar alarm** *n* Alarmanlage *f* **burglarize** *v/t* (*US*) einbrechen in (+*acc*); ***the place/he was ~d*** in dem Gebäude/bei ihm wurde eingebrochen **burglarproof** *adj* einbruchsicher **burglary** *n* Einbruch *m*; (≈ *offence*) (Einbruchs)diebstahl *m* **burgle** *v/t* (*Br*) einbrechen in (+*acc*); ***the place/he was ~d*** in dem Gebäude/bei ihm wurde eingebrochen

burial *n* Beerdigung *f*; ***Christian ~*** christliches Begräbnis **burial ground** *n* Begräbnisstätte *f*

burly *adj* (+*er*) kräftig

Burma *n* Birma *nt*

burn *vb*: *pret*, *past part* **burnt** (*Brit*) *or* **burned** **I** *n* (*on skin*) Brandwunde *f*;

(*on material*) Brandfleck *m*; ***severe ~s*** schwere Verbrennungen *pl* **II** *v/t* **1.** verbrennen; *building* niederbrennen; ***to ~ oneself*** sich verbrennen; ***to be ~ed to death*** verbrannt werden; (*in accident*) verbrennen; ***to ~ a hole in sth*** ein Loch in etw (*acc*) brennen; ***to ~ one's fingers*** sich (*dat*) die Finger verbrennen; ***he's got money to ~*** (*fig*) er hat Geld wie Heu; ***to ~ one's bridges*** (*Br fig*) alle Brücken hinter sich (*dat*) abbrechen **2.** *toast etc* verbrennen lassen; (*slightly*) anbrennen lassen; (*sun*) *person*, *skin* verbrennen **3.** IT *CD*, *DVD* brennen **III** *v/i* **1.** brennen; ***to ~ to death*** verbrennen **2.** (*pastry etc*) verbrennen; (*slightly*) anbrennen; ***she ~s easily*** sie bekommt leicht einen Sonnenbrand ◆ **burn down I** *v/i* (*house etc*) abbrennen; (*candle*) herunterbrennen **II** *v/t sep* abbrennen ◆ **burn out I** *v/i* (*fire*, *candle*) ausgehen **II** *v/r* **1.** (*candle*) herunterbrennen; (*fire*) ausbrennen **2.** (*fig infml*) ***to burn oneself out*** sich kaputtmachen (*infml*) **III** *v/t sep usu pass* ***burned out cars*** ausgebrannte Autos; ***he is burned out*** (*infml*) er hat sich völlig verausgabt ◆ **burn up** *v/t sep fuel*, *energy* verbrauchen

burner *n* (*of gas cooker*, *lamp*) Brenner *m*

burning I *adj* brennend; *ambition* glühend **II** *n* ***I can smell ~*** es riecht verbrannt **burnt** *adj* (*Br*) verbrannt

burp (*infml*) **I** *v/i* rülpsen (*infml*); (*baby*) aufstoßen **II** *n* Rülpser *m* (*infml*)

burrow I *n* (*of rabbit etc*) Bau *m* **II** *v/i* graben

bursary *n* (*Br*) Stipendium *nt*

burst *vb*: *pret*, *past part* **burst I** *n* **1.** (*of shell etc*) Explosion *f* **2.** (*in pipe etc*) Bruch *m* **3.** (*of activity etc*) Ausbruch *m*; ***~ of laughter*** Lachsalve *f*; ***~ of applause*** Beifallssturm *m*; ***~ of speed*** Spurt *m*; ***a ~ of automatic gunfire*** eine Maschinengewehrsalve **II** *v/i* **1.** platzen; ***to ~ open*** aufspringen; ***to be full to ~ing*** zum Platzen voll sein; ***to be ~ing with health*** vor Gesundheit strotzen; ***to be ~ing with pride*** vor Stolz platzen; ***if I eat any more, I'll ~*** (*infml*) wenn ich noch mehr esse, platze ich (*infml*); ***I'm ~ing*** (*infml ≈ need the toilet*) ich muss ganz dringend (*infml*) **2.** ***to ~ into tears*** in Tränen ausbrechen; ***to ~ into flames*** in Flammen aufgehen; ***he ~ into the room*** er platzte ins Zimmer; ***to ~ into song*** lossingen **III** *v/t balloon*, *bubble*, *tyre* zum Platzen bringen; (*person*) kaputtmachen (*infml*); *pipe* sprengen; ***the river has ~ its banks*** der Fluss ist über die Ufer getreten ◆ **burst in** *v/i* hineinstürzen; ***he ~ on us*** er platzte bei uns herein ◆ **burst out** *v/i* **1.** ***to ~ of a room*** aus einem Zimmer stürzen **2.** ***to ~ laughing*** in Gelächter ausbrechen

bury *v/t* **1.** begraben; *treasure* vergraben; ***where is he buried?*** wo liegt *or* ist er begraben?; ***that's all dead and buried*** (*fig*) das ist schon lange passé (*infml*); ***buried by an avalanche*** von einer Lawine verschüttet; ***to ~ one's head in the sand*** (*fig*) den Kopf in den Sand stecken **2.** *fingers* vergraben (*in* in +*dat*); *claws*, *teeth* schlagen (*in* in +*acc*); ***to ~ one's face in one's hands*** das Gesicht in den Händen vergraben

bus[1] **I** *n*, *pl* **-es** *or* (*US*) **-ses** Bus *m*; ***by ~*** mit dem Bus **II** *v/t* (*esp US*) mit dem Bus befördern

bus[2] *n* IT (Daten)bus *m*

bus boy *n* (*US*) Bedienungshilfe *f*

bus conductor *n* Busschaffner *m* **bus driver** *n* Busfahrer(in) *m*(*f*)

bush *n* **1.** (*≈ shrub*) Busch *m*; (*a.* **bushes**) Gebüsch *nt*; ***to beat about*** (*Br*) *or* ***around the ~*** (*fig*) um den heißen Brei herumreden **2.** (*in Africa*, *Australia*) Busch *m* **bushfire** *n* Buschfeuer *nt*

bushy *adj* (+*er*) buschig

busily *adv* (*≈ actively*, *eagerly*) eifrig

business *n* **1.** *no pl* Geschäft *nt*; (*≈ line of business*) Branche *f*; ***a small ~*** ein kleines Unternehmen; ***a family ~*** ein Familienunternehmen *nt*; ***to go into/set up in ~ with sb*** mit jdm ein Geschäft gründen; ***what line of ~ is she in?*** was macht sie beruflich?; ***to be in the publishing/insurance ~*** im Verlagswesen/in der Versicherungsbranche tätig sein; ***to go out of ~*** zumachen; ***to do ~ with sb*** Geschäfte *pl* mit jdm machen; ***"business as usual"*** das Geschäft bleibt geöffnet; ***it's ~ as usual*** alles geht wie gewohnt weiter; ***how's ~?*** wie gehen die Geschäfte?; ***~ is good*** die Geschäfte gehen gut; ***on ~*** geschäftlich; ***to know one's ~*** seine Sache verstehen; ***to get down to ~*** zur Sache kommen; ***you shouldn't mix ~ with pleasure*** man sollte Geschäftliches und Vergnügen trennen **2.** (*fig* *infml*) ***to mean ~*** es ernst meinen **3.** (≈ *concern*) Sache *f*; ***that's my ~*** das ist meine Sache; ***that's no ~ of yours, that's none of your ~*** das geht dich nichts an; ***to make it one's ~ to do sth*** es sich (*dat*) zur Aufgabe machen, etw zu tun; ***you've no ~ doing that*** du hast kein Recht, das zu tun; ***moving house can be a stressful ~*** ein Umzug kann ganz schön stressig sein **business activity** *n* Geschäftstätigkeit *f* **business address** *n* Geschäftsadresse *f* **business associate** *n* Geschäftspartner(in) *m(f)* **business card** *n* (Visiten)karte *f* **business centre**, (*US*) **business center** *n* Geschäftszentrum *nt* **business class** *n* Businessklasse *f* **business expenses** *pl* Spesen *pl* **business hours** *pl* Geschäftsstunden *pl* **business letter** *n* Geschäftsbrief *m* **businesslike** *adj manner* geschäftsmäßig; (≈ *efficient*) *person* nüchtern **business lunch** *n* Geschäftsessen *nt*

businessman *n* Geschäftsmann *m* **business management** *n* Betriebswirtschaft(slehre) *f* **business park** *n* Industriegelände *nt* **business people** *pl* Geschäftsleute *pl* **business practice** *n* Geschäftspraxis *f* **business proposition** *n* (≈ *proposal*) Geschäftsangebot *nt*; (≈ *idea*) Geschäftsvorhaben *nt* **business school** *n* Wirtschaftsschule *f* **business sector** *n* Geschäftsbereich *m* **business sense** *n* Geschäftssinn *m* **business studies** *pl* Wirtschaftslehre *f* **business suit** *n* Straßenanzug *m* **business trip** *n* Geschäftsreise *f*

businesswoman *n* Geschäftsfrau *f*

busk *v/i als Straßenmusikant vor Kinos etc spielen* **busker** *n* Straßenmusikant *m*

bus lane *n* Busspur *f* **busload** *n* ***a ~ of children*** eine Busladung Kinder **bus pass** *n* Seniorenkarte *f* für Busse; (*for the disabled*) Behindertenkarte *f* für Busse **bus route** *n* Buslinie *f*; ***we're not on a ~*** wir haben keine Busverbindungen **bus service** *n* Busverbindung *f*; (≈ *network*) Busverbindungen *pl* **bus shelter** *n* Wartehäuschen *nt* **bus station** *n* Busbahnhof *m*

bus stop *n* Bushaltestelle *f*

bust[1] *n* Büste *f*; ANAT Busen *m*; ***~ measurement*** Oberweite *f*

bust[2] *vb*: *pret*, *past part* **bust** (*infml*) **I** *adj* **1.** (≈ *broken*) kaputt (*infml*) **2.** (≈ *bankrupt*) pleite (*infml*) **II** *adv* ***to go ~*** pleite gehen (*infml*) **III** *v/t* (≈ *break*) kaputt machen (*infml*) **IV** *v/i* (≈ *break*) kaputtgehen (*infml*) **-buster** *suf* (*infml*) -brecher; ***crime-buster*** Verbrechensbekämpfer(in) *m(f)*

bus ticket *n* Busfahrschein *m*

bustle I *n* Betrieb *m* (*of* in +*dat*) **II** *v/i* ***to ~ about*** geschäftig hin und her eilen (*infml*); ***the marketplace was bustling with activity*** auf dem Markt herrschte ein reges Treiben

bust-up *n* (*infml*) Krach *m* (*infml*); ***they had a ~*** sie haben Krach gehabt (*infml*)

busway *n* (*US*) Busspur *f*

busy I *adj* (+*er*) **1.** *person* beschäftigt; ***are you ~?*** haben Sie gerade Zeit?; (*in business*) haben Sie viel zu tun?; ***I'll come back when you're less ~*** ich komme wieder, wenn Sie mehr Zeit haben; ***to keep sb/oneself ~*** jdn/sich selbst beschäftigen; ***I was ~ studying*** ich war gerade beim Lernen **2.** *life, time* bewegt; *place* belebt; (*with traffic*) *street* stark befahren; ***it's been a ~ day/week*** heute/diese Woche war viel los; ***have you had a ~ day?*** hast du heute viel zu tun gehabt?; ***he leads a very ~ life*** bei ihm ist immer etwas los **3.** (*esp US*) *telephone line* besetzt **II** *v/r* ***to ~ oneself doing sth*** sich damit beschäftigen, etw zu tun; ***to ~ oneself with sth*** sich mit etw beschäftigen **busybody** *n* Wichtigtuer *m* **busy signal** *n* (*esp US* TEL) Besetztzeichen *nt*

but I *cj* **1.** aber; ***~ you must know that ...*** Sie müssen aber wissen, dass ...; ***they all went ~ I didn't*** sie sind alle gegangen, nur ich nicht; ***~ then he couldn't have known that*** aber er hat das ja gar nicht wissen können; ***~ then you must be my brother!*** dann müssen Sie ja mein Bruder sein!; ***~ then it is well paid*** aber dafür wird es gut bezahlt **2.** ***not X ~ Y*** nicht X sondern Y **II** *adv* ***I cannot (help) ~ think that ...*** ich kann nicht umhin zu denken, dass ...; ***one cannot (help) ~ admire him*** man kann ihn nur bewundern; ***you can ~ try*** du kannst es immerhin versuchen; ***I had no alternative ~ to leave*** mir blieb keine andere Wahl als zu gehen **III** *prep* ***no one ~ me could do it*** nur ich konnte es tun; ***anything ~ that!*** (alles,) nur das nicht!; ***it was anything ~ simple*** das war alles andere als einfach; ***he was nothing ~ trouble*** er hat nur Schwierigkeiten gemacht; ***the last house ~ one*** das vorletzte Haus; ***the next street ~ one*** die übernächste Straße; ***~ for you I would be dead*** wenn Sie nicht gewesen wären, wäre ich tot; ***I could definitely live in Scotland, ~ for the weather*** ich könnte ganz bestimmt in Schottland leben, wenn das Wetter nicht wäre

butane *n* Butan *nt*

butcher I *n* Fleischer *m*, Fleischhauer *m* (*Aus*); ***~'s (shop)*** Fleischerei *f*; ***at the ~'s*** beim Fleischer **II** *v/t* schlachten; *people* abschlachten

butler *n* Butler *m*

butt[1] *n* (*a.* **butt end**) dickes Ende; (*of rifle*) (Gewehr)kolben *m*; (*of cigarette*) Stummel *m*

butt[2] *n* (*infml* ≈ *cigarette*) Kippe *f* (*infml*)

butt[3] *n* (*fig*) ***she's always the ~ of his jokes*** sie ist immer (die) Zielscheibe seines Spottes

butt[4] *v/t* mit dem Kopf stoßen ◆ **butt in** *v/i* sich einmischen (*on* in *+acc*)

butt[5] *n* (*US infml* ≈ *backside*) Arsch *m* (*vulg*); ***get up off your ~*** setz mal deinen Arsch in Bewegung (*sl*) **butt call** *n* (*US infml*) *unbeabsichtigter Anruf durch Sitzen auf dem Handy*

butter I *n* Butter *f*; ***she looks as if ~ wouldn't melt in her mouth*** sie sieht aus, als ob sie kein Wässerchen trüben könnte **II** *v/t bread etc* buttern ◆ **butter up** *v/t sep* (*infml*) um den Bart gehen (*+dat*) (*infml*) **butter bean** *n* Mondbohne *f* **buttercup** *n* Butterblume *f* **butter dish** *n* Butterdose *f* **butterfingered** *adj* (*infml*) tollpatschig (*infml*)

butterfly *n* **1.** Schmetterling *m*; ***I've got/I get butterflies (in my stomach)*** mir ist/wird ganz flau im Magen (*infml*) **2.** SWIMMING Butterfly *m*

buttermilk *n* Buttermilch *f* **butterscotch** *adj* Karamell-

buttock *n* (Hinter)backe *f*; ***~s*** *pl* Gesäß *nt*

button I *n* Knopf *m*; ***his answer was right on the ~*** (*infml*) seine Antwort hat voll ins Schwarze getroffen (*infml*) **II** *v/t* zuknöpfen **III** *v/i* (*garment*) geknöpft werden ◆ **button up** *v/t sep* zuknöpfen

button-down *adj* ***~ collar*** Button-down--Kragen *m* **buttonhole I** *n* **1.** Knopfloch *nt* **2.** (≈ *flower*) Blume *f* im Knopfloch **II** *v/t* (*fig*) zu fassen bekommen **button mushroom** *n* junger Champignon

buxom *adj* drall

buy *vb*: *pret*, *past part* **bought I** *v/t* **1.** kaufen; ***to ~ and sell goods*** Waren an- und verkaufen **2.** (*fig*) *time* gewinnen **3.** ***to ~ sth*** (*infml* ≈ *accept*) etw akzeptieren **II** *v/i* kaufen **III** *n* (*infml*) Kauf *m*; ***to be a good ~*** ein guter Kauf sein ◆ **buy back** *v/t sep* zurückkaufen ◆ **buy in** *v/t sep goods* einkaufen ◆ **buy into** *v/i +prep obj* COMM sich einkaufen in (*+acc*) ◆ **buy off** *v/t sep* (*infml* ≈ *bribe*) kaufen (*infml*) ◆ **buy out** *v/t sep shareholders etc* auszahlen; *firm* aufkaufen ◆ **buy up** *v/t sep* aufkaufen

buyer *n* Käufer *m*; (≈ *agent*) Einkäufer *m*

buyout *n* Aufkauf *m*

buzz I *v/i* **1.** (*insect, device*) summen **2.** ***my ears are ~ing*** mir dröhnen die Ohren; ***my head is ~ing*** (*with ideas etc*) mir schwirrt der Kopf; ***the city was ~ing with excitement*** die Stadt war in heller Aufregung **II** *v/t* (≈ *call*) (mit dem Summer) rufen **III** *n* **1.** (*of conversation*) Gemurmel *nt*; ***~ of anticipation*** erwartungsvolles Gemurmel **2.** (*infml* ≈ *telephone call*) ***to give sb a ~*** jdn anrufen **3.** (*infml* ≈ *thrill*) ***I get a ~ from driving fast*** ich verspüre einen Kitzel, wenn ich schnell fahre ◆ **buzz off** *v/i* (*Br infml*) abzischen (*infml*)

buzzard *n* Bussard *m*

buzzer *n* Summer *m*

buzz word *n* Modewort *nt*

b/w *abbr of* **black and white** S/W

by I *prep* **1.** (≈ *close to*) bei, an (*+dat*); (*with movement*) an (*+acc*); (≈ *next to*) neben (*+dat*); (*with movement*) neben (*+acc*); ***by the window*** am *or* beim Fenster; ***by the sea*** an der See; ***come and sit by me*** komm, setz dich neben mich **2.** (≈ *via*) über (*+acc*) **3.** (≈ *past*) ***to rush*** *etc* ***by sb/sth*** an jdm/etw vorbeieilen *etc* **4.** ***by day/night*** bei Tag/Nacht **5.** (≈ *not later than*) bis; ***can you do it by tomorrow?*** kannst du es bis morgen machen?; ***by tomorrow I'll be in France*** morgen werde ich in Frankreich sein; ***by the time I got there, he had gone*** bis ich dorthin kam, war er gegangen; ***but by that time*** *or* ***by then it will be too late*** aber dann ist es schon zu spät; ***by now*** inzwischen **6.** ***by the hour*** stundenweise; ***one by one*** einer nach dem anderen; ***two by two*** paarweise; ***letters came in by the hundred*** Hunderte von Briefen kamen **7.** (*indicating cause*) von; ***killed by a bullet*** von einer Kugel getötet **8.** ***by bus/car/bicycle*** mit dem Bus/Auto/Fahrrad; ***to pay by cheque*** (*Br*) *or* ***check*** (*US*) mit Scheck bezahlen; ***made by hand*** handgearbeitet; ***to know sb by name/sight*** jdn dem Namen nach/vom Sehen her kennen; ***to lead sb by the hand*** jdn an der Hand führen; ***by myself/himself*** *etc* allein **9.** ***by saving hard he managed to ...*** durch eisernes Sparen gelang es ihm ...; ***by turning this knob*** wenn Sie an diesem Knopf drehen **10.** (*according to*) nach; ***by my watch*** nach meiner Uhr; ***to call sb/sth by his/its proper name*** jdn/etw beim richtigen Namen nennen; ***if it's OK by you*** *etc* wenn es Ihnen *etc* recht ist; ***it's all right by me*** von mir aus gern **11.** (*measuring difference*) um; ***broader by a foot*** um einen Fuß breiter; ***it missed me by inches*** es verfehlte mich um Zentimeter **12.** ***to divide/multiply by*** dividieren durch/multiplizieren mit; ***20 feet by 30*** 20 mal 30 Fuß; ***I swear by Almighty God*** ich schwöre beim allmächtigen Gott; ***by the way*** übrigens **II** *adv* **1.** ***to pass by*** *etc* vorbeikommen *etc* **2.** (≈ *in reserve*) ***to put by*** beiseitelegen **3.** ***by and large*** im Großen und Ganzen

bye *int* (*infml*) tschüs(s), servus! (*Aus*); **~ *for now!*** bis bald!

bye-bye *int* (*infml*) Wiedersehen (*infml*)

by(e)-election *n* Nachwahl *f*

Byelorussia *n* Weißrussland *nt*

bylaw, bye-law *n* Verordnung *f* **bylaws** *pl* (*US, of company*) Satzung *f* **bypass I** *n* (≈ *road*) Umgehungsstraße *f*, Umfahrung(sstraße) *f* (*Aus*); MED Bypass *m* **II** *v/t* umgehen **bypass operation** *n* Bypassoperation *f* **bypass surgery** *n* Bypasschirurgie *f* **by-product** *n* Nebenprodukt *nt* **byroad** *n* Neben- *or* Seitenstraße *f* **bystander** *n* Zuschauer *m*; ***innocent* ~** unbeteiligter Zuschauer

byte *n* IT Byte *nt*

byword *n* ***to become a ~ for sth*** gleichbedeutend mit etw werden

C

C, c C, c *nt*; ***C sharp*** Cis *nt*; ***C flat*** Ces *nt*

C *abbr of* ***centigrade*** C

c *abbr of* ***cent*** c, ct

CA 1. *abbr of* ***chartered accountant*** **2.** *abbr of* ***Central America***

c/a *abbr of* ***current account***

cab *n* **1.** (≈ *taxi*) Taxi *nt* **2.** (*of lorry*) Führerhaus *nt*

cabaret *n* Varieté *nt*; (*satirical*) Kabarett *nt*

cabbage *n* Kohl *m*

cabbie, cabby *n* (*infml*) Taxifahrer(in) *m(f)* **cab driver** *n* Taxifahrer(in) *m(f)*

cabin *n* **1.** (≈ *hut*) Hütte *f* **2.** NAUT Kajüte *f* **3.** AVIAT Passagierraum *m* **cabin attendant** *n* AVIAT Flugbegleiter(in) *m(f)* **cabin crew** *n* AVIAT Flugbegleitpersonal *nt*

cabinet *n* **1.** Schränkchen *nt*; (*for display*) Vitrine *f* **2.** PARL Kabinett *nt* **cabinet minister** *n* Minister(in) *m(f)* **cabinet reshuffle** *n* (*Br* POL) Kabinettsumbildung *f*

cable *n* **1.** Tau *nt*; (*of wire*) Kabel *nt* **2.** ELEC Kabel *nt* **3.** (≈ *cablegram*) Telegramm *nt* **4.** (≈ *cable television*) Kabelfernsehen *nt* **cable car** *n* Drahtseilbahn *f* **cable channel** *n* Kabelkanal *m* **cable railway** *n* Bergbahn *f* **cable television** *n* Kabelfernsehen *nt*

caboodle *n* (*infml*) ***the whole*** (***kit and***) **~** das ganze Zeug(s) (*infml*), der ganze Kram (*infml*)

cacao *n* Kakao *m*

cache *n* **1.** Versteck *nt* **2.** (IT: *a.* **cache memory**) Zwischenspeicher *m*

cackle I *n* **1.** (*of hens*) Gackern *nt* **2.** (≈ *laughter*) (meckerndes) Lachen **II** *v/i* (*hens*) gackern; (≈ *laugh*) meckernd lachen

cactus *n, pl* ***-es*** *or* ***cacti*** Kaktus *m*

CAD *abbr of* ***computer-aided design*** CAD

cadaver *n* Kadaver *m*; (*of humans*) Leiche *f*

CAD/CAM *abbr of* ***computer-aided design/computer-aided manufacture*** CAD/CAM

caddie GOLF **I** *n* Caddie *m* **II** *v/i* Caddie

sein

caddy *n* **1.** (≈ *tea caddy*) Büchse *f* **2.** (*US* ≈ *shopping trolley*) Einkaufswagen *m* **3.** = ***caddie*** I

cadence *n* MUS Kadenz *f*

cadet *n* MIL *etc* Kadett *m*

cadge *v/t* & *v/i* (*Br infml*) schnorren (*infml*) (*from sb* bei *or* von jdm); ***could I ~ a lift with you?*** könnten Sie mich vielleicht (ein Stück) mitnehmen?

Caesar *n* Cäsar *m*

Caesarean, (*US*) **Cesarean** *n* (MED: *a.* **Caesarean section**) Kaiserschnitt *m*; ***she had a*** (***baby by***) ***~*** sie hatte einen Kaiserschnitt

Caesarian, (*US*) **Cesarian** *n* = ***Caesarean***

café *n* Café *nt*, Kaffeehaus *nt* (*Aus*)

cafeteria *n* Cafeteria *f*

cafetière *n* Kaffeebereiter *m*

caff *n* (*Br infml*) Café *nt*, Kaffeehaus *nt* (*Aus*)

caffein(e) *n* Koffein *nt*

cage *n* Käfig *m*

cagey *adj* (*infml*) vorsichtig; (≈ *evasive*) ausweichend

cagoule *n* Windhemd *nt*

cahoots *n* (*infml*) ***to be in ~ with sb*** mit jdm unter einer Decke stecken

cairn *n* Steinpyramide *f*

Cairo *n* Kairo *nt*

cajole *v/t* gut zureden (*+dat*); ***to ~ sb into doing sth*** jdn dazu bringen, etw zu tun

cake I *n* Kuchen *m*; (≈ *gateau*) Torte *f*; (≈ *bun, individual cake*) Gebäckstück *nt*; ***a piece of ~*** (*fig infml*) ein Kinderspiel *nt*; ***to sell like hot ~s*** weggehen wie warme Semmeln (*infml*); ***you can't have your ~ and eat it*** (*prov*) beides auf einmal geht nicht **II** *v/t* ***my shoes are ~d with*** *or* ***in mud*** meine Schuhe sind völlig verdreckt **cake mix** *n* Backmischung *f* **cake mixture** *n* Kuchenteig *m* **cake pan** *n* (*US*) Kuchenform *f* **cake shop** *n* Konditorei *f* **cake tin** *n* (*Br, for baking*) Kuchenform *f*; (*for storage*) Kuchenbüchse *f*

calamity *n* Katastrophe *f*

calcium *n* Kalzium *nt*

calculate *v/t* **1.** berechnen **2.** (*fig* ≈ *estimate*) kalkulieren **calculated** *adj* (≈ *deliberate*) berechnet; ***a ~ risk*** ein kalkuliertes Risiko **calculating** *adj* berechnend **calculation** *n* Berechnung *f*; (≈ *critical estimation*) Schätzung *f*; ***you're out in your ~s*** du hast dich verrechnet

calculator *n* Rechner *m* **calculus** *n* MAT Infinitesimalrechnung *f*

Caledonia *n* Kaledonien *nt*

calendar *n* **1.** Kalender *m* **2.** (≈ *schedule*) Terminkalender *m*; ***~ of events*** Veranstaltungskalender *m* **calendar month** *n* Kalendermonat *m*

calf[1] *n, pl* ***calves*** **1.** Kalb *nt* **2.** (≈ *elephant, seal etc*) Junge(s) *nt*

calf[2] *n, pl* ***calves*** ANAT Wade *f*

calfskin *n* Kalb(s)leder *nt*

calibre, (*US*) **caliber** *n* (*lit, fig*) Kaliber *nt*

California *n* Kalifornien *nt* **Californian** *adj* kalifornisch

call I *n* **1.** (≈ *cry*) Ruf *m*; ***to give sb a ~*** jdn (herbei)rufen; (≈ *wake sb*) jdn wecken; ***a ~ for help*** ein Hilferuf *m* **2.** (≈ *telephone call*) Gespräch *nt*; ***to give sb a ~*** jdn anrufen; ***to take a ~*** ein Gespräch entgegennehmen **3.** (≈ *summons*) Aufruf *m*; (*fig* ≈ *lure*) Ruf *m*; ***to be on ~*** Bereitschaftsdienst haben; ***he acted above and beyond the ~ of duty*** er handelte über die bloße Pflichterfüllung hinaus **4.** (≈ *visit*) Besuch *m*; ***I have several ~s to make*** ich muss noch einige Besuche machen **5.** (≈ *demand*) Inanspruchnahme *f*; COMM Nachfrage *f* (*for* nach); ***to have many ~s on one's time*** zeitlich sehr in Anspruch genommen sein **6.** (≈ *need*) Grund *m*; ***there is no ~ for you to worry*** es besteht kein Grund zur Sorge **II** *v/t* **1.** (≈ *shout out, summon*) rufen; *meeting* einberufen; *elections* ausschreiben; *strike* ausrufen; JUR *witness* aufrufen; ***the landlord ~ed time*** der Wirt rief „Feierabend"; ***the ball was ~ed out*** der Ball wurde für „aus" erklärt **2.** (≈ *name, consider*) nennen; ***to be ~ed*** heißen; ***what's he ~ed?*** wie heißt er?; ***what do you ~ your cat?*** wie heißt deine Katze?; ***she ~s me lazy*** sie nennt mich faul; ***what's this ~ed in German?*** wie heißt das auf Deutsch?; ***let's ~ it a day*** machen wir Schluss für heute; ***~ it £5*** sagen wir £ 5 **3.** (≈ *telephone*) anrufen; (≈ *contact by radio*) rufen **III** *v/i* **1.** (≈ *shout*) rufen; ***to ~ for help*** um Hilfe rufen; ***to ~ to sb*** jdm zurufen **2.** (≈ *visit*) vorbeikommen; ***she ~ed to see her mother*** sie machte einen Besuch bei ihrer Mutter; ***the gasman ~ed*** der Gasmann kam **3.** TEL anrufen; (*by radio*) rufen; ***who's ~ing, please?*** wer spricht da bitte?; ***thanks for ~ing*** vielen Dank für den Anruf ◆ **call (a)round** *v/i* (*infml*) vorbeikommen ◆ **call at** *v/i +prep obj* (*person*) vorbeigehen bei; RAIL halten in (*+dat*); ***a train for Lisbon calling at ...*** ein Zug nach Lissabon über ... ◆ **call away** *v/t sep* wegrufen; ***I was called away on business*** ich wurde geschäftlich abgerufen; ***he was called away from the meeting*** er wurde aus der Sitzung gerufen ◆ **call back** *v/t & v/i sep* zurückrufen ◆ **call for** *v/i +prep obj* **1.** (≈ *send for*) rufen; *food* kommen lassen **2.** (≈ *ask for*) verlangen (nach); *courage* verlangen; ***that calls for a drink!*** darauf müssen wir einen trinken!; ***that calls for a celebration!*** das muss gefeiert werden! **3.** (≈ *collect*) abholen ◆ **call in** *v/i* vorbeigehen (*at, on* bei) ◆ **call off** *v/t sep appointment, strike* absagen; *deal* rückgängig machen; (≈ *end*) abbrechen; *engagement* lösen ◆ **call on** *v/i +prep obj* **1.** (≈ *visit*) besuchen **2.** = ***call upon*** ◆ **call out I** *v/i* rufen **II** *v/t sep* **1.** *names* aufrufen **2.** *doctor* rufen; *fire brigade* alarmieren ◆ **call out for** *v/i +prep obj food* verlangen; *help* rufen um ◆ **call over** *v/t sep* herbeirufen, zu sich rufen ◆ **call up I** *v/t sep* **1.** (*Br* MIL) *reservist* einberufen; *reinforcements* mobilisieren **2.** SPORTS berufen (*to* in *+acc*) **3.** TEL anrufen **4.** (*fig*) *memories* (herauf)beschwören **II** *v/i* TEL anrufen ◆ **call upon** *v/i +prep obj* ***to ~ sb to do sth*** jdn bitten, etw zu tun; ***to ~ sb's generosity*** an jds Großzügigkeit (*acc*) appellieren

call box *n* (*Br*) Telefonzelle *f* **call centre** *n* (*Br*) Callcenter *nt* **caller** *n* **1.** (≈ *visitor*) Besucher(in) *m(f)* **2.** TEL Anrufer(in) *m(f)* **caller display** (*Br*), **caller ID** (*US*) *n* TEL Anruferkennung *f* **call forwarding** *n* TEL Anrufweiterschaltung *f* **callgirl** *n* Callgirl *nt*

calligraphy *n* Kalligrafie *f*

calling *n* Berufung *f* **calling card** *n* Visitenkarte *f*

callisthenics, (*US*) **calisthenics** *n sg or pl* Gymnastik *f*

callous *adj*, **callously** *adv* herzlos **callousness** *n* Herzlosigkeit *f*

call-out charge, call-out fee *n* Anfahrtkosten *pl* **call screening** *n* TEL Call Screening *nt*, *Sperrung bestimmter Rufnummernbereiche* **call-up** *n* (*Br*) (MIL) Einberufung *f*; SPORTS Berufung *f* (*to* in *+acc*) **call-up papers** *pl* (*Br* MIL) Einberufungsbescheid *m*

callus *n* MED Schwiele *f*

call waiting *n* TEL Anklopffunktion *f*

calm I *adj* (*+er*) ruhig; ***keep ~!*** bleib ruhig!; (***cool,***) ***~ and collected*** ruhig und gelassen **II** *n* Ruhe *f*; ***the ~ before the storm*** die Ruhe vor dem Sturm **III** *v/t* beruhigen; ***to ~ sb's fears*** jdn beruhigen ◆ **calm down I** *v/t sep* beruhigen **II** *v/i* sich beruhigen; (*wind*) abflauen

calming *adj* beruhigend **calmly** *adv* ruhig **calmness** *n* (*of person*) Ruhe *f*

calorie *n* Kalorie *f*; ***low on ~s*** kalorienarm

calorie-conscious *adj* kalorienbewusst

calves *pl of* ***calf***[1, 2]

CAM *abbr of* ***computer-aided manufacture*** CAM

camaraderie *n* Kameradschaft *f*

Cambodia *n* Kambodscha *nt*

camcorder *n* Camcorder *m*

came *pret of* ***come***

camel I *n* Kamel *nt* **II** *attr coat* kamelhaarfarben

cameo *n* **1.** (≈ *jewellery*) Kamee *f* **2.** (*a.* **cameo part**) Miniaturrolle *f*

camera *n* Kamera *f*; (*for stills also*) Fotoapparat *m* **camera crew** *n* Kamerateam *nt* **cameraman** *n* Kameramann *m* **camera-shy** *adj* kamerascheu **camerawoman** *n* Kamerafrau *f* **camerawork** *n* Kameraführung *f*

camisole *n* Mieder *nt*

camomile *n* Kamille *f*; ***~ tea*** Kamillentee *m*

camouflage I *n* Tarnung *f* **II** *v/t* tarnen

camp[1] **I** *n* Lager *nt*; ***to pitch ~*** Zelte *or* ein Lager aufschlagen; ***to strike*** *or* ***break ~*** das Lager *or* die Zelte abbrechen; ***to have a foot in both ~s*** mit beiden Seiten zu tun haben **II** *v/i* zelten; MIL lagern; ***to go ~ing*** zelten (gehen) ◆ **camp out** *v/i* zelten

camp[2] *adj* (≈ *effeminate*) tuntenhaft (*infml*)

campaign I *n* **1.** MIL Feldzug *m* **2.** (*fig*) Kampagne *f* **II** *v/i* **1.** MIL Krieg führen **2.** (*fig*) (*for* für) (*against* gegen) sich einsetzen **campaigner** *n* (*for sth*) Befürworter(in) *m(f)* (*for +gen*); (*against sth*) Gegner(in) *m(f)* (*against +gen*)

camp bed *n* (*Br*) Campingliege *f* **camper** *n* Camper(in) *m(f)* **camper van** *n* Wohnmobil *nt* **campfire** *n* Lagerfeuer *nt* **campground** *n* (*US*) Campingplatz *m*

camping *n* Camping *nt* **camping gas** *n* (*US*) Campinggas *nt* **camping site, camp site** *n* Campingplatz *m*

campus *n* Campus *m*

can[1] *pret* **could** *modal aux vb* können; (≈ *may*) dürfen; ***~ you come tomorrow?*** kannst du morgen kommen?; ***I ~'t*** *or* ***~not go to the theatre*** ich kann nicht ins Theater (gehen); ***he'll help you all he ~*** er wird tun, was in seinen Kräften steht; ***as soon as it ~ be arranged*** sobald es sich machen lässt; ***could you tell me ...*** können *or* könnten Sie mir sagen, ...; ***~ you speak German?*** können *or* sprechen Sie Deutsch?; ***~ I come too?*** kann ich mitkommen?; ***~*** *or* ***could I take some more?*** darf ich mir noch etwas nehmen?; ***how ~/could you say such a thing!*** wie können/konnten Sie nur *or* bloß so etwas sagen!; ***where ~ it be?*** wo kann das bloß sein?; ***you ~'t be serious*** das kann doch wohl nicht dein Ernst sein; ***it could be that he's got lost*** vielleicht hat er sich verlaufen; ***you could try telephoning him*** Sie könnten ihn ja mal anrufen; ***you could have told me*** das hätten Sie mir auch sagen können; ***we could do with some new furniture*** wir könnten neue Möbel gebrauchen; ***I could do with a drink now*** ich könnte jetzt etwas zu trinken vertragen; ***this room could do with a coat of paint*** das Zimmer könnte mal wieder gestrichen werden; ***he looks as though he could do with a haircut*** ich glaube, er müsste sich (*dat*) mal wieder die Haare schneiden lassen

can[2] *n* **1.** (≈ *large container*) Kanister *m*; (*esp US* ≈ *garbage can*) (Müll)eimer *m* **2.** (≈ *tin*) Dose *f*; ***a ~ of beer*** eine Dose Bier; ***a beer ~*** eine Bierdose

Canada *n* Kanada *nt*

Canadian I *adj* kanadisch **II** *n* Kanadier(in) *m(f)*

canal *n* Kanal *m*

canapé *n* Appetithappen *m*

Canaries *pl* = ***Canary Isles*** **canary** *n* Kanarienvogel *m* **Canary Isles** *pl* Kanarische Inseln *pl*

cancel I *v/t* **1.** (≈ *call off*) absagen; (*officially*) stornieren; *plans* aufgeben; *train* streichen; ***the train has been ~led*** (*Br*) *or* ***~ed*** (*US*) der Zug fällt aus **2.** (≈ *revoke*) rückgängig machen; *order* stornieren; *subscription* kündigen **3.** *ticket* entwerten **II** *v/i* absagen ◆ **cancel out** *v/t sep* MAT aufheben; (*fig*) zunichtemachen; ***to cancel each other out*** MAT sich aufheben; (*fig*) sich gegenseitig aufheben

cancellation *n* **1.** (≈ *calling off*) Absage *f*; (*official*) Stornierung *f*; (*of plans*) Aufgabe *f*; (*of train*) Streichung *f* **2.** (≈ *annulment*) Rückgängigmachung *f*; (*of order*) Stornierung *f*; (*of subscription*) Kündigung *f*

cancer *n* MED Krebs *m*; ***~ of the throat*** Kehlkopfkrebs *m*; ***Cancer*** ASTROL Krebs *m*; ***he's (a) Cancer*** er ist Krebs

cancerous *adj* krebsartig

candelabra *n* Kandelaber *m*

candid *adj* offen

candidacy *n* Kandidatur *f* **candidate** *n* Kandidat(in) *m(f)*; ***to stand as (a) ~*** kandidieren; ***the obese are prime ~s for heart disease*** Fettleibige stehen auf der Liste der Herzinfarktkandidaten ganz oben

candidly *adv* offen; ***to speak ~*** offen *or* ehrlich sein

candied *adj* COOK kandiert; ***~ peel*** (*of lemon*) Zitronat *nt*; (*of orange*) Orangeat *nt*

candle *n* Kerze *f* **candlelight** *n* Kerzenlicht *nt*; ***by ~*** im Kerzenschein; ***a ~ dinner*** ein Essen *nt* bei Kerzenlicht **candlestick** *n* Kerzenhalter *m*

candour, (*US*) **candor** *n* Offenheit *f*

candy *n* (*US* ≈ *sweet*) Bonbon *m or nt*, Zuckerl *nt* (*Aus*); (≈ *sweets*) Süßigkeiten *pl* **candy bar** *n* (*US*) Schokoladenriegel *m* **candyfloss** *n* (*Br*) Zuckerwatte *f* **candy store** *n* (*US*) Süßwarenhandlung *f*

cane I *n* **1.** (≈ *of bamboo*) Rohr *nt* **2.** (≈ *walking stick*) (Spazier)stock *m*, Stecken *m* (*esp Aus, Swiss*); (≈ *for punishing*) (Rohr)stock *m*; ***to get the ~*** Prügel bekommen **II** *v/t* mit dem Stock schlagen **cane sugar** *n* Rohrzucker *m*

canine I *n* (*a.* **canine tooth**) Eckzahn *m* **II** *adj* Hunde-

canister *n* Behälter *m*

cannabis *n* Cannabis *m*

canned *adj* **1.** (*US*) Dosen-; ***~ beer*** Dosenbier *nt*; ***~ goods*** Konserven *pl* **2.** (*infml*) ***~ music*** Musikberieselung *f* (*infml*); ***~ laughter*** Gelächter *nt* vom Band

cannibal *n* Kannibale *m*, Kannibalin *f*

cannibalism *n* Kannibalismus *m*
cannibalization *n* ECON Kannibalisierung *f*
cannon *n* MIL Kanone *f* **cannonball** *n* Kanonenkugel *f*
cannot *neg of* ***can***[1]
canny *adj* (*+er*) vorsichtig
canoe I *n* Kanu *nt* **II** *v/i* Kanu fahren **canoeing** *n* Kanusport *m*
canon *n* (≈ *priest*) Kanoniker *m*
canonize *v/t* ECCL heiligsprechen
canon law *n* ECCL kanonisches Recht
can-opener *n* Dosenöffner *m*
canopy *n* Markise *f*; (*of bed*) Baldachin *m*
can't *contraction* = ***can not***
cantaloup(e) *n* Honigmelone *f*
cantankerous *adj* mürrisch
canteen *n* (≈ *restaurant*) Kantine *f*; (*in university*) Mensa *f*
canter *v/i* langsam galoppieren
canton *n* Kanton *m*
Cantonese I *adj* kantonesisch **II** *n* **1.** Kantonese *m*, Kantonesin *f* **2.** LING Kantonesisch *nt*
canvas *n* Leinwand *f*; (*for sails*) Segeltuch *nt*; (*for tent*) Zeltbahn *f*; ***under ~*** im Zelt; ***~ shoes*** Segeltuchschuhe *pl*
canvass I *v/t* **1.** POL *district* Wahlwerbung machen in (*+dat*); *person* für seine Partei zu gewinnen suchen **2.** *customers* werben; *opinions* erforschen **II** *v/i* **1.** POL um Stimmen werben **2.** COMM werben **canvasser** *n* **1.** POL Wahlhelfer(in) *m*(*f*) **2.** COMM Vertreter(in) *m*(*f*) **canvassing** *n* **1.** POL Wahlwerbung *f* **2.** COMM Klinkenputzen *nt* (*infml*)
canyon, (*US*) **cañon** *n* Cañon *m* **canyoning** *n* SPORTS Canyoning *nt*
CAP *abbr of* ***Common Agricultural Policy*** GAP *f*
cap I *n* **1.** (≈ *hat*) Mütze *f*; (*for swimming*) Badekappe *f*; ***if the ~ fits(, wear it)*** (*Br prov*) wem die Jacke passt(, der soll sie sich (*dat*) anziehen) **2.** (*Br* SPORTS) ***he has won 50 ~s for Scotland*** er ist 50 Mal mit der schottischen Mannschaft angetreten **3.** (≈ *lid*) Verschluss *m*; (*of pen, valve*) Kappe *f* **4.** (≈ *contraceptive*) Pessar *nt* **II** *v/t* **1.** SPORTS ***~ped player*** Nationalspieler(in) *m*(*f*); ***he was ~ped four times for England*** er wurde viermal für die englische Nationalmannschaft aufgestellt **2.** ***and then to ~ it all ...*** und, um dem Ganzen die Krone aufzusetzen ...; ***they ~ped spending at £50,000*** die Ausgaben wurden bei £ 50.000 gedeckelt
capability *n* **1.** Fähigkeit *f*; ***sth is within sb's capabilities*** jd ist zu etw fähig; ***sth is beyond sb's capabilities*** etw übersteigt jds Fähigkeiten **2.** MIL Potenzial *nt* **capable** *adj* **1.** kompetent **2.** ***to be ~ of doing sth*** etw tun können; ***to be ~ of sth*** zu etw fähig sein; ***it's ~ of speeds of up to ...*** es erreicht Geschwindigkeiten bis zu ... **capably** *adv* kompetent
capacity *n* **1.** (≈ *cubic content etc*) Fassungsvermögen *nt*; (≈ *maximum output*) Kapazität *f*; ***seating ~ of 400*** 400 Sitzplätze; ***working at full ~*** voll ausgelastet; ***the Stones played to ~ audiences*** die Stones spielten vor ausverkauften Sälen **2.** (≈ *ability*) Fähigkeit *f*; ***his ~ for learning*** seine Aufnahmefähigkeit **3.** (≈ *role*) Eigenschaft *f*; ***speaking in his official ~ as mayor, he said ...*** er sagte in seiner Eigenschaft als Bürgermeister ...
cape[1] *n* Cape *nt*
cape[2] *n* GEOG Kap *nt* **Cape gooseberry** *n* Kapstachelbeere *f*, Physalis *f* **Cape Horn** *n* Kap *nt* Hoorn **Cape of Good Hope** *n* Kap *nt* der guten Hoffnung
caper[1] **I** *v/i* herumtollen **II** *n* (≈ *prank*) Eskapade *f*
caper[2] *n* BOT, COOK Kaper *f*
Cape Town *n* Kapstadt *nt*
capful *n* ***one ~ to one litre of water*** eine Verschlusskappe auf einen Liter Wasser
capillary *n* Kapillare *f*
capital I *n* **1.** (*a.* **capital city**) Hauptstadt *f*; (*fig* ≈ *centre*) Zentrum *nt* **2.** (*a.* **capital letter**) Großbuchstabe *m*; ***small ~s*** Kapitälchen *pl* (*tech*); ***please write in ~s*** bitte in Blockschrift schreiben! **3.** *no pl* (FIN, *fig*) Kapital *nt*; ***to make ~ out of sth*** (*fig*) aus etw Kapital schlagen **II** *adj letter* Groß-; ***love with a ~ L*** die große Liebe **capital assets** *pl* Kapitalvermögen *nt* **capital expenditure** *n* Kapitalaufwendungen *pl* **capital gains tax** *n* Kapitalertragssteuer *f* **capital investment** *n* Kapitalanlage *f* **capitalism** *n* Kapitalismus *m* **capitalist I** *n* Kapitalist(in) *m*(*f*) **II** *adj* kapitalistisch ◆ **capitalize on** *v/i +prep* (*fig*) Kapital schlagen aus
capital offence *n* Kapitalverbrechen *nt*
capital punishment *n* die Todesstrafe
Capitol *n* Kapitol *nt*

capitulate *v/i* kapitulieren (*to* vor *+dat*) **capitulation** *n* Kapitulation *f*
cappuccino *n* Cappuccino *m*
caprice *n* Laune(nhaftigkeit) *f* **capricious** *adj* launisch
Capricorn *n* Steinbock *m*; ***I'm (a) ~*** ich bin Steinbock
capsicum *n* Pfefferschote *f*
capsize **I** *v/i* kentern **II** *v/t* zum Kentern bringen
capsule *n* Kapsel *f*
captain **I** *n* MIL Hauptmann *m*; NAUT, AVIAT, SPORTS Kapitän *m*; ***yes, ~!*** jawohl, Herr Hauptmann / Kapitän!; ***~ of industry*** Industriekapitän *m* **II** *v/t team* anführen; *ship* befehligen **captaincy** *n* Befehl *m*; SPORTS Führung *f*; ***under his ~*** mit ihm als Kapitän
caption **I** *n* Überschrift *f*; (*under cartoon*) Bildunterschrift *f* **II** *v/t* betiteln
captivate *v/t* faszinieren **captivating** *adj* bezaubernd **captive** **I** *n* Gefangene(r) *m*/*f*(*m*); ***to take sb ~*** jdn gefangen nehmen; ***to hold sb ~*** jdn gefangen halten **II** *adj* ***a ~ audience*** ein unfreiwilliges Publikum **captive market** *n* Monopol-Absatzmarkt *m* **captivity** *n* Gefangenschaft *f*
captor *n* ***his ~s treated him kindly*** er wurde nach seiner Gefangennahme gut behandelt **capture** **I** *v/t* **1.** *town* einnehmen; *treasure* erobern; *person* gefangennehmen; *animal* (ein)fangen **2.** (*fig*) *attention* erregen **3.** IT *data* erfassen **II** *n* Eroberung *f*; (*of escapee*) Gefangennahme *f*; (*of animal*) Einfangen *nt*; (IT, *of data*) Erfassung *f*
car *n* **1.** Auto *nt*; ***by ~*** mit dem Auto; ***~ ride*** Autofahrt *f* **2.** (≈ *tram car*) Wagen *m* **car accident** *n* Autounfall *m*, Havarie *f* (*Aus*)
carafe *n* Karaffe *f*
car alarm *n* Auto-Alarmanlage *f*
caramel *n* (≈ *substance*) Karamell *m*; (≈ *sweet*) Karamelle *f*
carat *n* Karat *nt*; ***nine ~ gold*** neunkarätiges Gold
caravan *n* **1.** (*Br* AUTO) Wohnwagen *m*; ***~ holiday*** Ferien *pl* im Wohnwagen **2.** (≈ *circus caravan*) Zirkuswagen *m* **caravan site** *n* Campingplatz *m* für Wohnwagen
caraway seeds *pl* Kümmel(körner *pl*) *m*
carbohydrate *n* Kohle(n)hydrat *nt*
car bomb *n* Autobombe *f*
carbon *n* CHEM Kohlenstoff *m* **carbonated** *adj* mit Kohlensäure (versetzt) **carbon copy** *n* Durchschlag *m*; ***to be a ~ of sth*** das genaue Ebenbild einer Sache (*gen*) sein **carbon dating** *n* Kohlenstoffdatierung *f* **carbon dioxide** *n* Kohlendioxid *nt* **carbon monoxide** *n* Kohlenmonoxid *nt*
car-boot sale *n* ≈ Flohmarkt *m*
carburettor, (*US*) **carburetor** *n* Vergaser *m*
carcass *n* (≈ *corpse*) Leiche *f*; (*of animal*) Kadaver *m*
car chase *n* Verfolgungsjagd *f* (*mit dem Auto*)
carcinogen *n* Karzinogen *nt* **carcinogenic** *adj* karzinogen
car crash *n* (Auto)unfall *m*, Havarie *f* (*Aus*)
card *n* **1.** *no pl* (≈ *cardboard*) Pappe *f* **2.** (≈ *greetings, business card etc*) Karte *f* **3.** (≈ *cheque / credit card*) (Scheck-/Kredit)-karte *f* **4.** (≈ *playing card*) (Spiel)karte *f*; ***to play ~s*** Karten spielen; ***to lose money at ~s*** Geld beim Kartenspiel verlieren; ***game of ~s*** Kartenspiel *nt* **5.** (*fig*) ***to put*** *or* ***lay one's ~s on the table*** seine Karten aufdecken; ***to play one's ~s right*** geschickt taktieren; ***to hold all the ~s*** alle Trümpfe in der Hand haben; ***to play*** *or* ***keep one's ~s close to one's chest*** *or* (*US*) ***close to the vest*** sich (*dat*) nicht in die Karten sehen lassen; ***it's on the ~s*** das ist zu erwarten
cardamom *n* Kardamom *m or nt*
cardboard **I** *n* Pappe *f* **II** *attr* Papp- **cardboard box** *n* (Papp)karton *m* **card game** *n* Kartenspiel *nt*
cardiac arrest *n* Herzstillstand *m*
cardigan *n* Strickjacke *f*, Janker *m* (*Aus*)
cardinal **I** *n* ECCL Kardinal *m* **II** *adj* (≈ *chief*) Haupt- **cardinal number** *n* Kardinalzahl *f* **cardinal sin** *n* Todsünde *f*
card index *n* Kartei *f*; (*in library*) Katalog *m*
cardio- *pref* Kardio-; ***cardiogram*** Kardiogramm *nt* **cardiologist** *n* Kardiologe *m*, Kardiologin *f* **cardiology** *n* Kardiologie *f* **cardiovascular** *adj* kardiovaskulär
cardphone *n* Kartentelefon *nt* **card player** *n* Kartenspieler(in) *m*(*f*) **card trick** *n* Kartenkunststück *nt*
care **I** *n* **1.** (≈ *worry*) Sorge *f* (*of* um); ***he hasn't a ~ in the world*** er hat keinerlei Sorgen **2.** (≈ *carefulness*) Sorgfalt *f*; ***this***

word should be used with ~ dieses Wort sollte sorgfältig *or* mit Sorgfalt gebraucht werden; ***paint strippers need to be used with ~*** Abbeizmittel müssen vorsichtig angewandt werden; ***"handle with ~"*** „Vorsicht, zerbrechlich"; ***to take ~*** (≈ *be careful*) aufpassen; ***take ~ he doesn't cheat you*** sehen Sie sich vor, dass er Sie nicht betrügt; ***bye-bye, take ~*** tschüs(s), machs gut; ***to take ~ to do sth*** sich bemühen, etw zu tun; ***to take ~ over*** *or* ***with sth/in doing sth*** etw sorgfältig tun **3.** (*von Zähnen etc*) Pflege *f*; ***to take ~ of sth*** (≈ *maintain*) auf etw (*acc*) aufpassen; *one's appearance, car* etw pflegen; (≈ *sorgsam behandeln*) etw schonen; ***to take ~ of oneself*** sich um sich selbst kümmern; (*as regards health*) sich schonen **4.** (*of old people*) Versorgung *f*; ***medical ~*** ärztliche Versorgung; ***to take ~ of sb*** sich um jdn kümmern; *one's family* für jdn sorgen **5.** (≈ *protection*) Obhut *f*; ***~ of*** (*Br*), ***in ~ of*** (*US*) bei; ***in*** *or* ***under sb's ~*** in jds (*dat*) Obhut; ***to take a child into ~*** ein Kind in Pflege nehmen; ***to be taken into ~*** in Pflege gegeben werden; ***to take ~ of sth*** *valuables etc* auf etw (*acc*) aufpassen; *animals etc* sich um etw kümmern; ***that takes ~ of him/it*** das wäre erledigt; ***let me take ~ of that*** überlassen Sie das mir; ***that can take ~ of itself*** das wird sich schon irgendwie geben **II** *v/i* ***I don't ~*** das ist mir egal; ***for all I ~*** meinetwegen; ***who ~s?*** na und?; ***to ~ about sth*** Wert auf etw (*acc*) legen; ***that's all he ~s about*** alles andere ist ihm egal; ***he ~s deeply about her*** sie liegt ihm sehr am Herzen; ***he doesn't ~ about her*** sie ist ihm gleichgültig **III** *v/t* **1.** ***I don't ~ what people say*** es ist mir egal, was die Leute sagen; ***what do I ~?*** was geht mich das an?; ***I couldn't ~ less*** das ist mir doch völlig egal **2.** ***to ~ to do sth*** etw gerne tun wollen; ***I wouldn't ~ to meet him*** ich würde keinen gesteigerten Wert darauf legen, ihn kennenzulernen ◆ **care for** *v/i +prep obj* **1.** (≈ *look after*) sich kümmern um; *furniture etc* pflegen; ***well cared-for*** gepflegt **2.** ***I don't ~ that suggestion/him*** dieser Vorschlag/er sagt mir nicht zu; ***would you ~ a cup of tea?*** hätten Sie gerne eine Tasse Tee?; ***I've never much cared for his films*** ich habe mir noch nie viel aus seinen Filmen gemacht; ***but you know I do ~ you*** aber du weißt doch, dass du mir viel bedeutest

career I *n* Karriere *f*; (≈ *profession, job*) Beruf *m*; (≈ *working life*) Laufbahn *f*; ***to make a ~ for oneself*** Karriere machen **II** *attr* Karriere-; *soldier* Berufs-; ***a good/bad ~ move*** ein karrierefördernder/karriereschädlicher Schritt **III** *v/i* rasen **Careers Adviser** *n* Berufsberater(in) *m(f)* **careers guidance** *n* Berufsberatung *f* **Careers Officer** *n* → ***Careers Adviser*** **career woman** *n* Karrierefrau *f*

carefree *adj* sorglos

careful *adj* sorgfältig; (≈ *cautious*) vorsichtig; (*with money etc*) sparsam; ***~!*** Vorsicht!; ***to be ~*** aufpassen (*of* auf *+acc*); ***be ~ with the glasses*** sei mit den Gläsern vorsichtig; ***she's very ~ about what she eats*** sie achtet genau darauf, was sie isst; ***to be ~ about doing sth*** es sich gut überlegen, ob man etw tun soll; ***be ~ (that) they don't hear you*** gib acht, damit *or* dass sie dich nicht hören; ***be ~ not to drop it*** pass auf, dass du das nicht fallen lässt; ***he is very ~ with his money*** er hält sein Geld gut zusammen **carefully** *adv* sorgfältig; (≈ *cautiously*) vorsichtig; *consider* gründlich; *listen* gut; *explain* genau **carefulness** *n* Sorgfalt *f*; (≈ *caution*) Vorsicht *f* **care home** *n* Pflegeheim *nt* **care label** *n* Pflegeetikett *nt*

careless *adj person, work* nachlässig; *driving* leichtsinnig; *remark* gedankenlos; ***~ mistake*** Flüchtigkeitsfehler *m*; ***how ~ of me!*** wie dumm von mir; (≈ *clumsy*) wie ungeschickt von mir **carelessly** *adv* **1.** (≈ *negligently*) unvorsichtigerweise **2.** *say* gedankenlos; *throw* achtlos **carelessness** *n* (*of person, work*) Nachlässigkeit *f*

carer *n* im Sozialbereich Tätige(r) *m/f(m)*; ***the elderly and their ~s*** Senioren und ihre Fürsorgenden

caress I *n* Liebkosung *f* **II** *v/t* streicheln, liebkosen

caretaker *n* Hausmeister(in) *m(f)*, Abwart(in) *m(f)* (*Swiss*) **care worker** *n* *Heimbetreuer(in) für Kinder, Geisteskranke oder alte Menschen* **careworn** *adj* von Sorgen gezeichnet

car ferry *n* Autofähre *f*

cargo *n* Fracht *f*

car hire *n* Autovermietung *f*

Caribbean I *adj* karibisch; **~ *Sea*** Karibisches Meer; ***a ~ island*** eine Insel in der Karibik **II** *n* Karibik *f*

caricature I *n* Karikatur *f* **II** *v/t* karikieren

caring *adj attitude* mitfühlend; *husband* liebevoll; *society* mitmenschlich; **~ *profession*** Sozialberuf *m*

car insurance *n* Kfz-Versicherung *f*

Carinthia *n* GEOG Kärnten *nt*

car jack *n* Wagenheber *m* **carjacking** *n* Carjacking *nt*, Autoraub *m* **car keys** *pl* Autoschlüssel *pl* **carload** *n* **1.** AUTO Wagenladung *f* **2.** (*US* RAIL) Waggonladung *f*

carnage *n* Blutbad *nt*

carnal *adj* fleischlich; **~ *desires*** sinnliche Begierden *pl*

carnation *n* Nelke *f*

carnival I *n* Volksfest *nt*; (*based on religion*) Karneval *m* **II** *attr* Fest-, Karnevals-

carnivore *n* Fleischfresser *m* **carnivorous** *adj* fleischfressend

carol *n* Lied *nt* **carol singers** *pl* ≈ Sternsinger *pl* **carol singing** *n* Weihnachtssingen *nt*

carousel *n* Karussell *nt*, Ringelspiel *nt* (*Aus*)

car owner *n* Autohalter(in) *m(f)*

carp[1] *n* (≈ *fish*) Karpfen *m*

carp[2] *v/i* nörgeln, raunzen (*Aus*), sempern (*Aus*)

car park *n* (*Br*, *open-air*) Parkplatz *m*; (*covered*) Parkhaus *nt*; **~ *ticket*** Parkschein *m* **car parking** *n* **~ *facilities are available*** Parkplatz vorhanden

carpenter *n* Zimmermann *m*, Zimmerfrau *f*; (*for furniture*) Tischler(in) *m(f)* **carpentry** *n* Zimmerhandwerk *nt*; (*as hobby*) Tischlern *nt*

carpet I *n* Teppich *m*; (*fitted*) Teppichboden *m* **II** *v/t* (mit Teppichen / Teppichboden) auslegen **carpet-sweeper** *n* Teppichkehrer *m* **carpet tile** *n* Teppichfliese *f*

car phone *n* Autotelefon *nt* **carpool** *n* **1.** (≈ *people*) Fahrgemeinschaft *f* **2.** (≈ *vehicles*) Fuhrpark *m* **carport** *n* Einstellplatz *m* **car radio** *n* Autoradio *nt* **car rental** *n* (*US*) Autovermietung *f*

carriage *n* **1.** (*horse-drawn*) Kutsche *f* **2.** (*Br* RAIL) Wagen *m* **3.** (COMM ≈ *conveyance*) Beförderung *f*; **~ *paid*** frei Haus

carriageway *n* (*Br*) Fahrbahn *f*

carrier *n* **1.** (≈ *haulier*) Spediteur *m* **2.** (*of disease*) Überträger *m* **3.** (≈ *aircraft carrier*) Flugzeugträger *m* **4.** (*Br*: *a.* **carrier bag**) Tragetasche *f* **carrier pigeon** *n* Brieftaube *f*

carrion *n* Aas *nt*

carrot *n* Mohrrübe *f*; (*fig*) Köder *m* **carrot-and-stick** *adj* **~ *policy*** Politik *f* von Zuckerbrot und Peitsche **carrot cake** *n* Karottenkuchen *m*

carry I *v/t* **1.** tragen; *money* bei sich haben; ***to ~ sth about*** *or* ***around with one*** etw mit sich herumtragen **2.** (*vehicle*) befördern; ***this coach carries 30 people*** dieser Bus kann 30 Personen befördern; ***the current carried them along*** die Strömung trieb sie mit sich **3.** (*fig*) ***this job carries a lot of responsibility*** dieser Posten bringt viel Verantwortung mit sich; ***the offence carries a penalty of £50*** darauf steht eine Geldstrafe von £ 50 **4.** COMM *stock* führen **5.** (TECH, *pipe*) führen; (*wire*) übertragen **6.** ***the motion was carried unanimously*** der Antrag wurde einstimmig angenommen **7.** ***he carries himself well*** er hat eine gute Haltung **8.** MED ***people ~ing the AIDS virus*** Menschen, die das Aidsvirus in sich (*dat*) tragen; ***to be ~ing a child*** schwanger sein **9.** MAT ***... and ~ 2*** ... übertrage *or* behalte 2 **II** *v/i* (*sound*) tragen; ***the sound of the alphorn carried for miles*** der Klang des Alphorns war meilenweit zu hören ◆ **carry away** *v/t sep* **1.** (*lit*) (hin)wegtragen **2.** (*fig*) ***to get carried away*** sich nicht mehr bremsen können (*infml*); ***don't get carried away!*** übertreibs nicht!; ***to be carried away by one's feelings*** sich (in seine Gefühle) hineinsteigern ◆ **carry forward** *v/t sep* FIN vortragen ◆ **carry off** *v/t sep* **1.** (≈ *seize*) wegtragen **2.** *prizes* gewinnen **3.** ***to carry it off*** es hinkriegen (*infml*) ◆ **carry on I** *v/i* **1.** (≈ *continue*) weitermachen; (*life*) weitergehen **2.** (*infml* ≈ *talk*) reden und reden; (≈ *make a scene*) ein Theater machen (*infml*); ***to ~ about sth*** sich über etw (*acc*) auslassen **3.** (≈ *have an affair*) etwas haben (*infml*) **II** *v/t sep* **1.** *tradition*, *business* fortführen **2.** *conversation* führen ◆ **carry out** *v/t sep* **1.** (*lit*) heraustragen **2.** (*fig*) *order*, *job* ausführen; *promises* erfüllen; *plan*, *search* durchführen; *threats* wahr machen ◆ **carry**

over *v/t sep* FIN vortragen ◆ **carry through** *v/t sep* zu Ende führen
carryall *n* (*US*) (Einkaufs-/Reise)tasche *f* **carrycot** *n* (*Br*) Babytragetasche *f* **carry-on** *n* (*infml*) Theater *nt* (*infml*) **carry-out** (*US, Scot*) *n* (≈ *meal, drink*) Speisen *pl*/Getränke *pl* zum Mitnehmen; ***let's get a ~*** kaufen wir uns etwas zum Mitnehmen
carsick *adj* ***I used to get ~*** früher wurde mir beim Autofahren immer schlecht
cart I *n* Karren *m* **II** *v/t* (*fig infml*) mit sich schleppen ◆ **cart away** *or* **off** *v/t sep* abtransportieren
carte blanche *n no pl* ***to give sb ~*** jdm eine Blankovollmacht geben
cartel *n* Kartell *nt*
carthorse *n* Zugpferd *nt*
cartilage *n* Knorpel *m*
cartload *n* Wagenladung *f*
carton *n* (Papp)karton *m*; (*of cigarettes*) Stange *f*; (*of milk*) Tüte *f*
cartoon *n* **1.** Cartoon *m or nt*; (≈ *single picture*) Karikatur *f* **2.** FILM, TV (Zeichen)trickfilm *m* **cartoon character** *n* Comicfigur *f* **cartoonist** *n* **1.** Karikaturist(in) *m*(*f*) **2.** (FILM, TV) Trickzeichner(in) *m*(*f*) **cartoon strip** *n* (*esp Br*) Cartoon *m or nt*
cartridge *n* (*for rifle, pen*) Patrone *f*; PHOT Kassette *f* **cartridge belt** *n* Patronengurt *m*
cartwheel *n* (*lit*) Wagenrad *nt*; SPORTS Rad *nt*; ***to turn*** *or* ***do ~s*** Rad schlagen
carve I *v/t* **1.** *wood* schnitzen; *stone etc* (be)hauen; ***~d in(to) the wood*** in das Holz geschnitzt; ***~d in(to) the stone*** in den Stein gehauen **2.** COOK tranchieren **II** *v/i* COOK tranchieren ◆ **carve out** *v/t sep* ***to ~ a career for oneself*** sich (*dat*) eine Karriere aufbauen ◆ **carve up** *v/t sep* **1.** *meat* aufschneiden **2.** (*fig*) *inheritance* verteilen; *country* aufteilen
carvery *n* Buffet *nt* **carving** *n* ART Skulptur *f*; (*in wood*) Holzschnitt *m* **carving knife** *n* Tranchiermesser *nt*
carwash *n* Autowaschanlage *f*
cascade I *n* Kaskade *f* **II** *v/i* (*a.* **cascade down**) (*onto* auf *+acc*) (in Kaskaden) herabfallen
case¹ *n* **1.** Fall *m*; ***is that the ~ with you?*** ist das bei Ihnen der Fall?; ***as the ~ may be*** je nachdem; ***in most ~s*** meist(ens); ***in ~*** falls; (***just***) ***in ~*** für alle Fälle; ***in ~ of emergency*** im Notfall; ***in any ~*** sowieso; ***in this/that ~*** in dem Fall; ***to win one's ~*** JUR seinen Prozess gewinnen; ***the ~ for the defence*** die Verteidigung; ***in the ~ Higgins v Schwarz*** in der Sache Higgins gegen Schwarz; ***the ~ for/against capital punishment*** die Argumente für/gegen die Todesstrafe; ***to have a good ~*** JUR gute Chancen haben durchzukommen; ***there's a very good ~ for adopting this method*** es spricht sehr viel dafür, diese Methode zu übernehmen; ***to put one's ~*** seinen Fall darlegen; ***to put the ~ for sth*** etw vertreten; ***to be on the ~*** am Ball sein **2.** GRAM Fall *m*; ***in the genitive ~*** im Genitiv **3.** (*infml* ≈ *person*) Type *f* (*infml*); ***a hopeless ~*** ein hoffnungsloser Fall
case² *n* **1.** (≈ *suitcase*) Koffer *m*; (≈ *packing case*) Kiste *f*; (≈ *display case*) Vitrine *f* **2.** (*for spectacles*) Etui *nt*; (*for CD*) Hülle *f*; (*for musical instrument*) Kasten *m* **3.** TYPO ***upper/lower ~*** groß-/kleingeschrieben
case history *n* MED Krankengeschichte *f*; SOCIOL, PSYCH Vorgeschichte *f*
casement *n* (≈ *window*) Flügelfenster *nt*
case study *n* Fallstudie *f*
cash I *n* **1.** Bargeld *nt*; ***~ in hand*** Barbestand *m*; ***to pay (in) ~*** bar bezahlen; ***how much do you have in ready ~?*** wie viel Geld haben Sie verfügbar?; ***~ in advance*** Vorauszahlung *f*; ***~ on delivery*** per Nachnahme **2.** (≈ *money*) Geld *nt*; ***to be short of ~*** knapp bei Kasse sein (*infml*); ***I'm out of ~*** ich bin blank (*infml*) **II** *v/t cheque* einlösen ◆ **cash in I** *v/t sep* einlösen **II** *v/i* ***to ~ on sth*** aus etw Kapital schlagen
cash-and-carry *n* (*for retailers*) Cash and Carry *m*; (*for public*) Verbrauchermarkt *m* **cashback** *n* Barauszahlung *f* (*zusätzlich zu dem Preis der gekauften Ware, wenn man mit Bankkarte bezahlt*); ***I'd like £10 ~, please*** und ich hätte gern zusätzlich £ 10 in bar **cashbook** *n* Kassenbuch *nt* **cash box** *n* (Geld)kassette *f* **cash card** *n* (Geld)automatenkarte *f* **cash desk** *n* (*Br*) Kasse *f*, Kassa *f* (*Aus*) **cash discount** *n* Skonto *m or nt* **cash dispenser** *n* (*Br*) Geldautomat *m*
cashew *n* Cashewnuss *f*
cash flow I *n* Cashflow *m* **II** *attr* ***cash-flow problems*** Liquiditätsprobleme *pl*
cashier *n* Kassierer(in) *m*(*f*) **cashier's check** *n* (*US*) Bankscheck *m* **cashless**

adj bargeldlos **cash machine** *n* (*esp US*) Geldautomat *m*
cashmere *n* Kaschmir *m*
cash payment *n* Barzahlung *f* **cash point** *n* (*Br*) Geldautomat *m* **cash price** *n* Bar(zahlungs)preis *m* **cash register** *n* Registrierkasse *f* **cash transaction** *n* Bargeldtransfer *m*
casing *n* TECH Gehäuse *nt*
casino *n* (Spiel)kasino *nt*
cask *n* Fass *nt*
casket *n* **1.** Schatulle *f* **2.** (*US* ≈ *coffin*) Sarg *m*
Caspian Sea *n* Kaspisches Meer
casserole *n* COOK Schmortopf *m*; ***a lamb ~*** eine Lammkasserolle
cassette *n* Kassette *f* **cassette deck** *n* Kassettendeck *nt*
cassette player, cassette recorder *n* Kassettenrekorder *m* **cassette radio** *n* Radiorekorder *m*
cassock *n* Talar *m*
cast *vb*: *pret, past part* **cast I** *n* **1.** (≈ *plaster cast*) Gipsverband *m* **2.** THEAT Besetzung *f* **II** *v/t* **1.** (≈ *throw*) werfen; *net* auswerfen; ***to ~ one's vote*** seine Stimme abgeben; ***to ~ one's eyes over sth*** einen Blick auf etw (*acc*) werfen; ***to ~ a shadow*** einen Schatten werfen (*on* auf *+acc*) **2.** TECH, ART gießen **3.** THEAT ***they ~ him as the villain*** sie haben ihm die Rolle des Schurken gegeben **III** *v/i* FISH die Angel auswerfen ◆ **cast about** (*Brit*) *or* **around for** *v/i +prep obj* zu finden versuchen; ***he was casting about** or **around for something to say*** er suchte nach Worten ◆ **cast aside** *v/t sep cares* ablegen; *person* fallen lassen ◆ **cast back** *v/t sep* ***to cast one's thoughts** or **mind back*** seine Gedanken zurückschweifen lassen (*to* in *+acc*) ◆ **cast off** *v/t & v/i sep* **1.** NAUT losmachen **2.** KNITTING abketten ◆ **cast on** *v/t & v/i sep* KNITTING anschlagen ◆ **cast out** *v/t sep* (*liter*) vertreiben; *demons* austreiben
castaway *n* Schiffbrüchige(r) *m/f(m)*
caste I *n* Kaste *f* **II** *adj attr* Kasten-
caster *n* = ***castor*** **caster sugar** *n* (*Br*) Sandzucker *m*
castigate *v/t* geißeln
casting vote *n* ausschlaggebende Stimme
cast iron I *n* Gusseisen *nt* **II** *adj* ***cast-iron*** **1.** (*lit*) gusseisern **2.** (*fig*) *constitution* eisern; *alibi* hieb- und stichfest
castle *n* **1.** Schloss *nt*; (≈ *medieval fortress*) Burg *f* **2.** CHESS Turm *m*
castoffs *pl* (*Br infml*) abgelegte Kleider *pl*; ***she's one of his ~*** (*fig infml*) sie ist eine seiner ausrangierten Freundinnen (*infml*)
castor *n* (≈ *wheel*) Rad *nt* **castor oil** *n* Rizinus(öl) *nt*
castrate *v/t* kastrieren **castration** *n* Kastration *f*
casual *adj* **1.** (≈ *not planned*) zufällig; *acquaintance, glance* flüchtig **2.** (≈ *careless*) lässig; *attitude* gleichgültig; *remark* beiläufig; ***it was just a ~ remark*** das habe ich/hat er *etc* nur so gesagt; ***he was very ~ about it*** es war ihm offensichtlich gleichgültig; (*in reaction*) das hat ihn kaltgelassen (*infml*); ***the ~ observer*** der oberflächliche Betrachter **3.** (≈ *informal*) zwanglos; *clothes* leger; ***a ~ shirt*** ein Freizeithemd *nt*; ***he was wearing ~ clothes*** er war leger gekleidet **4.** *work* Gelegenheits-; *affair* locker **casually** *adv* **1.** (≈ *without emotion*) ungerührt **2.** (≈ *incidentally*) beiläufig; (≈ *without seriousness*) lässig; *dressed* leger
casualty *n* **1.** Opfer *nt* **2.** (*a.* **casualty unit**) Notaufnahme *f*; ***to go to ~*** in die Notaufnahme gehen; ***to be in ~*** in der Notaufnahme sein **casualty ward** *n* Unfallstation *f*
cat *n* Katze *f*; ***to let the ~ out of the bag*** die Katze aus dem Sack lassen; ***to play a ~-and-mouse game with sb*** mit jdm Katz und Maus spielen; ***there isn't room to swing a ~*** (*infml*) man kann sich nicht rühren(, so eng ist es); ***to be like a ~ on hot bricks** or **on a hot tin roof*** wie auf glühenden Kohlen sitzen; ***that's put the ~ among the pigeons!*** da hast du *etc* aber was (Schönes) angerichtet!; ***he doesn't have a ~ in hell's chance of winning*** er hat nicht die geringste Chance zu gewinnen; ***when** or **while the ~'s away the mice will play*** (*prov*) wenn die Katze aus dem Haus ist, tanzen die Mäuse (*prov*); ***has the ~ got your tongue?*** (*infml*) du hast wohl die Sprache verloren?
catacombs *pl* Katakomben *pl*
catalogue, (*US*) **catalog I** *n* **1.** Katalog *m* **2.** ***a ~ of errors*** eine Serie von Fehlern **II** *v/t* katalogisieren
catalyst *n* Katalysator *m*

catalytic converter *n* AUTO Katalysator *m*

catamaran *n* Katamaran *m*

catapult I *n* (*Br*) Schleuder *f* **II** *v/t* katapultieren

cataract *n* MED grauer Star

catarrh *n* Katarrh *m*

catastrophe *n* Katastrophe *f*; ***to end in ~*** in einer Katastrophe enden **catastrophic** *adj* katastrophal

catcall *n* THEAT **~s** *pl* Pfiffe und Buhrufe *pl*

catch *vb*: *pret*, *past part* **caught I** *n* **1.** (*of ball etc*) ***to make a (good) ~*** (gut) fangen; ***he missed an easy ~*** er hat einen leichten Ball nicht gefangen **2.** FISH Fang *m* **3.** (≈ *snag*) Haken *m*; ***there's a ~!*** die Sache hat einen Haken **4.** (*for fastening*) Verschluss *m* **II** *v/t* **1.** fangen; *thief* fassen; (*infml* ≈ *manage to see*) erwischen (*infml*); ***to ~ sb's arm***, ***to ~ sb by the arm*** jdn am Arm fassen; ***glass which ~es the light*** Glas, in dem sich das Licht spiegelt; ***to ~ sight/a glimpse of sb/sth*** jdn/etw erblicken; ***to ~ sb's attention/eye*** jdn auf sich (*acc*) aufmerksam machen **2.** (≈ *take by surprise*) erwischen; ***to ~ sb by surprise*** jdn überraschen; ***to be caught unprepared*** nicht darauf vorbereitet sein; ***to ~ sb at a bad time*** jdm ungelegen kommen; ***I caught him flirting with my wife*** ich habe ihn (dabei) erwischt, wie er mit meiner Frau flirtete; ***you won't ~ me signing any contract*** (*infml*) ich unterschreibe doch keinen Vertrag; ***caught in the act*** auf frischer Tat ertappt; ***we were caught in a storm*** wir wurden von einem Unwetter überrascht; ***to ~ sb on the wrong foot*** *or* ***off balance*** (*fig*) jdn überrumpeln **3.** (≈ *take*) *bus etc* nehmen **4.** (≈ *be in time for*) *bus* erreichen; ***if I hurry I'll ~ the end of the film*** wenn ich mich beeile kriege ich das Ende des Films noch mit (*infml*) **5.** ***I caught my finger in the car door*** ich habe mir den Finger in der Wagentür eingeklemmt; ***he caught his foot in the grating*** er ist mit dem Fuß im Gitter hängen geblieben **6.** (≈ *hear*) mitkriegen (*infml*) **7.** ***to ~ an illness*** sich (*dat*) eine Krankheit zuziehen; ***he's always ~ing cold(s)*** er erkältet sich leicht; ***you'll ~ your death (of cold)!*** du holst dir den Tod! (*infml*); ***to ~ one's breath*** Luft holen; ***the blow caught him on the arm*** der Schlag traf ihn am Arm; ***you'll ~ it!*** (*Br infml*) du kannst (aber) was erleben! (*infml*) **III** *v/i* (≈ *get stuck*) klemmen; (≈ *get entangled*) sich verfangen; ***her dress caught in the door*** sie blieb mit ihrem Kleid in der Tür hängen ◆ **catch on** *v/i* (*infml*) **1.** (≈ *become popular*) ankommen **2.** (≈ *understand*) kapieren (*infml*) ◆ **catch out** *v/t sep* (*fig*) überführen; (*with trick question etc*) hereinlegen (*infml*) ◆ **catch up I** *v/i* aufholen; ***to ~ on one's sleep*** Schlaf nachholen; ***to ~ on*** *or* ***with one's work*** Arbeit nachholen; ***to ~ with sb*** jdn einholen **II** *v/t sep* **1.** ***to catch sb up*** jdn einholen **2.** ***to get caught up in sth*** (≈ *entangled*) sich in etw (*dat*) verfangen; *in traffic* in etw (*acc*) kommen

catch-22 *n* ***a ~ situation*** (*infml*) eine Zwickmühle **catchall** *n* allgemeine Bezeichnung/Klausel *etc* **catcher** *n* Fänger *m* **catching** *adj* (MED, *fig*) ansteckend **catchment area** *n* Einzugsgebiet *nt* **catch phrase** *n* Slogan *m* **catchword** *n* Schlagwort *nt* **catchy** *adj* (+*er*) *tune* eingängig; *title* einprägsam

catechism *n* Katechismus *m*

categorical *adj* kategorisch; ***he was quite ~ about it*** er hat das mit Bestimmtheit gesagt **categorically** *adv state*, *deny* kategorisch; *say* mit Bestimmtheit **categorize** *v/t* kategorisieren **category** *n* Kategorie *f*

◆ **cater for** *v/i* +*prep obj* **1.** (≈ *serve with food*) mit Speisen und Getränken versorgen **2.** (≈ *provide for*) ausgerichtet sein auf (+*acc*); (*a.* **cater to**) *needs*, *tastes* gerecht werden (+*dat*)

caterer *n* Lieferfirma *f* für Speisen und Getränke; (*for parties etc*) Partyservice *m* **catering** *n* Versorgung *f* mit Speisen und Getränken (*for* +*gen*); ***who's doing the ~?*** wer liefert das Essen und die Getränke?; ***~ trade*** (Hotel- und) Gaststättengewerbe *nt* **catering service** *n* Partyservice *m*

caterpillar *n* ZOOL Raupe *f*

catfish *n* Wels *m*, Katzenfisch *m* **cat flap** *n* Katzenklappe *f*

cathartic *adj* LIT, PHIL kathartisch

cathedral *n* Dom *m*, Kathedrale *f*; ***~ town/city*** Domstadt *f*

catheter *n* Katheter *m*

cathode-ray tube *n* Kat(h)odenstrahlröhre *f*

Catholic I *adj* ECCL katholisch; ***the ~ Church*** die katholische Kirche II *n* Katholik(in) *m(f)* **Catholicism** *n* Katholizismus *m*

catkin *n* BOT Kätzchen *nt* **cat litter** *n* Katzenstreu *f* **catnap** I *n* ***to have a ~*** ein Nickerchen *nt* machen (*infml*) II *v/i* dösen

CAT scan *n* Computertomografie *f*

Catseye® *n* (*Br* AUTO) Katzenauge *nt*

catsup *n* (*US*) = ***ketchup***

cattle *pl* Rind(vieh) *nt*; ***500 head of ~*** 500 Rinder **cattle-grid**, (*US*) **cattle guard** *n* Weidenrost *m* **cattle market** *n* Viehmarkt *m* **cattle shed** *n* Viehstall *m* **cattle truck** *n* RAIL Viehwagen *m*

catty *adj* (*+er*) gehässig

catwalk *n* Laufsteg *m*

Caucasian I *adj* kaukasisch II *n* Kaukasier(in) *m(f)*

caucus *n* (*US*) Sitzung *f*

caught *pret*, *past part of* ***catch***

cauldron *n* großer Kessel

cauliflower *n* Blumenkohl *m*, Karfiol *m* (*Aus*)

cause I *n* **1.** Ursache *f* (*of* für); ***~ and effect*** Ursache und Wirkung; ***what was the ~ of the fire?*** wodurch ist das Feuer entstanden? **2.** (≈ *reason*) Grund *m*; ***the ~ of his failure*** der Grund für sein Versagen; ***with (good) ~*** mit (triftigem) Grund; ***there's no ~ for alarm*** es besteht kein Grund zur Aufregung; ***you have every ~ to be worried*** du hast allen Anlass zur Sorge **3.** (≈ *purpose*) Sache *f*; ***to work for*** *or* ***in a good ~*** sich für eine gute Sache einsetzen; ***he died for the ~ of peace*** er starb für den Frieden; ***it's all in a good ~*** es ist für eine gute Sache II *v/t* verursachen; ***to ~ sb grief*** jdm Kummer machen; ***to ~ sb to do sth*** (*form*) jdn veranlassen, etw zu tun (*form*)

causeway *n* Damm *m*

caustic *adj* (CHEM, *fig*) ätzend; *remark* bissig **caustic soda** *n* Ätznatron *nt*

caution I *n* **1.** Vorsicht *f*; ***"caution!"*** „Vorsicht!"; ***to act with ~*** Vorsicht walten lassen **2.** (≈ *warning*) Warnung *f*; (*official*) Verwarnung *f* II *v/t* ***to ~ sb*** jdn warnen (*against* vor *+dat*); (*officially*) jdn verwarnen; ***to ~ sb against doing sth*** jdn davor warnen, etw zu tun **cautious** *adj* vorsichtig; ***to give sth a ~ welcome*** etw mit verhaltener Zustimmung aufnehmen **cautiously** *adv* vorsichtig; ***~ optimistic*** verhalten optimistisch

cavalcade *n* Kavalkade *f*

cavalier *adj* unbekümmert

cavalry *n* Kavallerie *f* **cavalry officer** *n* Kavallerieoffizier *m*

cave *n* Höhle *f* ◆ **cave in** *v/i* **1.** (≈ *collapse*) einstürzen **2.** (*infml* ≈ *yield*) nachgeben

caveman *n* Höhlenmensch *m* **cave painting** *n* Höhlenmalerei *f*

cavern *n* Höhle *f* **cavernous** *adj* tief

caviar(e) *n* Kaviar *m*

cavity *n* Hohlraum *m*; (*in tooth*) Loch *nt*; ***nasal ~*** Nasenhöhle *f* **cavity wall** *n* Hohlwand *f*; ***~ insulation*** Schaumisolierung *f*

cavort *v/i* tollen, toben

cayenne pepper *n* Cayennepfeffer *m*

CB *abbr of* ***Citizens' Band*** CB; ***CB radio*** CB-Funk *m*

CBE (*Br*) *abbr of* ***Commander of the Order of the British Empire*** *britischer Verdienstorden*

CBI (*Br*) *abbr of* ***Confederation of British Industry*** ≈ BDI

CBS *abbr of* ***Columbia Broadcasting System*** CBS

cc[1] *abbr of* ***cubic centimetre*** cc, cm^3

cc[2] *abbr of* ***carbon copy*** *n* Kopie *f*; ***cc: ...*** Kopie (an): ...

CCTV *n abbr of* ***closed-circuit television***

CD *abbr of* ***compact disc*** CD *f*; ***CD player*** CD-Spieler *m*; ***CD writer*** CD-Brenner *m*, CD-Rekorder *m*

CD-R *n* IT *abbr of* ***compact disk - recordable*** CD-R *f*, (einmal) beschreibbare CD

CD-ROM *abbr of* ***compact disk - read only memory*** CD-ROM *f*; ***~ drive*** CD-ROM-Laufwerk *nt*

CD-RW *n* IT *abbr of* ***compact disk - rewritable*** CD-RW *f*, wiederbeschreibbare CD

CDT (*US*) *abbr of* ***Central Daylight Time***

cease I *v/i* enden; (*noise*) verstummen II *v/t* beenden; *fire*, *trading* einstellen; ***to ~ doing sth*** aufhören, etw zu tun **cease-fire** *n* Feuerpause *f*; (*longer*) Waffenruhe *f* **ceaseless** *adj* endlos **ceaselessly** *adv* unaufhörlich

cedar *n* **1.** Zeder *f* **2.** (*a.* **cedarwood**) Zedernholz *nt*

cede *v/t territory* abtreten (*to* an *+acc*)

Ceefax® *n Videotext der BBC*

ceiling *n* **1.** (Zimmer)decke *f* **2.** (*fig*) Höchstgrenze *f*, Plafond *m* (*Swiss*) **celebrate I** *v/t* **1.** feiern **2.** *mass* zelebrieren; *communion* feiern **II** *v/i* feiern **celebrated** *adj* gefeiert (*for* wegen) **celebration** *n* **1.** (≈ *party*) Feier *f*; (≈ *act of celebrating*) Feiern *nt*; ***in ~ of*** zur Feier (+*gen*) **2.** (*of mass*) Zelebration *f*; (*of communion*) Feier *f* **celebratory** *adj meal*, *drink* zur Feier des Tages **celebrity** *n* Berühmtheit *f*

celeriac *n* (Knollen)sellerie *f*

celery *n* Stangensellerie *m or f*; ***three stalks of ~*** drei Stangen Sellerie

celestial *adj* ASTRON Himmels-

celibacy *n* Zölibat *nt or m* **celibate** *adj* REL keusch

cell *n* **1.** Zelle *f*; ***~ wall*** Zellwand *f* **2.** (*US infml*) = ***cellphone***

cellar *n* Keller *m*

cellist *n* Cellist(in) *m*(*f*) **cello, 'cello** *n* Cello *nt*

Cellophane® *n* Cellophan® *nt*

cellphone *n* (*esp US*) Handy *nt*, Mobiltelefon *nt* **cellular** *adj* zellular, Zell- **cellular phone** *n* Mobiltelefon *nt*

cellulite *n* Cellulitis *f*

celluloid *n* Zelluloid *nt*

cellulose *n* Zellstoff *m*

Celsius *adj* Celsius-; ***30 degrees ~*** 30 Grad Celsius

Celt *n* Kelte *m*, Keltin *f* **Celtic** *adj* keltisch

cement I *n* Zement *m* **II** *v/t* zementieren; (*fig*) festigen **cement mixer** *n* Betonmischmaschine *f*

cemetery *n* Friedhof *m*

cenotaph *n* Mahnmal *nt*

censor I *n* Zensor *m* **II** *v/t* zensieren **censorship** *n* Zensur *f*; ***press ~, ~ of the press*** Pressezensur *f*

census *n* Volkszählung *f*

cent *n* Cent *m*; ***I haven't a ~*** (*US*) ich habe keinen Cent

centenary *n* hundertster Jahrestag **centennial** *n* (*esp US*) Hundertjahrfeier *f*

center *n* (*US*) = ***centre***

centigrade *adj* Celsius-; ***one degree ~*** ein Grad Celsius **centilitre,** (*US*) **centiliter** *n* Zentiliter *m or nt*

centimetre, (*US*) **centimeter** *n* Zentimeter *m or nt* **centipede** *n* Tausendfüßler *m*

central *adj* **1.** zentral, Zentral-; (≈ *main*) Haupt-; ***the ~ area of the city*** das Innenstadtgebiet; ***~ London*** das Zentrum von London **2.** (*fig*) wesentlich; *importance*, *issue* zentral; ***to be ~ to sth*** das Wesentliche an etw (*dat*) sein **Central America** *n* Mittelamerika *nt* **Central American** *adj* mittelamerikanisch **central bank** *n* FIN Zentral(noten)bank *f* **Central Europe** *n* Mitteleuropa *nt* **Central European** *adj* mitteleuropäisch **Central European Time** *n* mitteleuropäische Zeit **central government** *n* Zentralregierung *f* **central heating** *n* Zentralheizung *f* **centralization** *n* Zentralisierung *f* **centralize** *v/t* zentralisieren **central locking** *n* Zentralverriegelung *f* **centrally** *adv* zentral; ***~ heated*** zentralbeheizt **central nervous system** *n* Zentralnervensystem *nt* **central processing unit** *n* IT Zentraleinheit *f* **central reservation** *n* Mittelstreifen *m* **Central Standard Time** *n* Central Standard Time *f*

centre, (*US*) **center I** *n* **1.** Zentrum *nt* **2.** (≈ *middle*, POL) Mitte *f*; (*of circle*) Mittelpunkt *m*; (≈ *town centre*) Stadtmitte *f*; (≈ *city centre*) Zentrum *nt*; ***~ of gravity*** Schwerpunkt *m*; ***she always wants to be the ~ of attention*** sie will immer im Mittelpunkt stehen; ***the man at the ~ of the controversy*** der Mann im Mittelpunkt der Kontroverse; ***left of ~*** POL links der Mitte; ***party of the ~*** Partei *f* der Mitte **II** *v/t* **1.** zentrieren **2.** ***to be ~d on sth*** sich auf etw (*acc*) konzentrieren ◆ **centre (up)on** *v/i +prep obj* kreisen um

centre back, (*US*) **center back** *n* SPORTS Vorstopper(in) *m*(*f*) **centrefold,** (*US*) **centerfold** *n doppelseitiges Bild in der Mitte einer Zeitschrift* **centre forward,** (*US*) **center forward** *n* SPORTS Mittelstürmer(in) *m*(*f*) **centre half,** (*US*) **center half** *n* SPORTS Stopper(in) *m*(*f*) **centre party,** (*US*) **center party** *n* Partei *f* der Mitte **centrepiece,** (*US*) **centerpiece** *n* (*fig*) (*of meeting*, *statement*) Kernstück *nt*; (*of novel*, *work*) Herzstück *nt*; (*of show*) Hauptattraktion *f*

centrifugal *adj* ***~ force*** Fliehkraft *f*

century *n* Jahrhundert *nt*; ***in the twentieth ~*** im zwanzigsten Jahrhundert; (*written*) im 20. Jahrhundert

CEO (*US*) *abbr of* ***chief executive officer***

ceramic *adj* keramisch **ceramics** *n* **1.** *sg* (≈ *art*) Keramik *f* **2.** *pl* (≈ *articles*) Keramik(en *pl*) *f*

cereal *n* **1.** (≈ *crop*) Getreide *nt* **2.** (≈ *food*) Zerealien *pl*

cerebral *adj* **~ palsy** zerebrale Lähmung **ceremonial** *adj* zeremoniell **ceremoniously** *adv* mit großem Zeremoniell **ceremony** *n* **1.** Zeremonie *f* **2.** (≈ *formality*) Förmlichkeit(en *pl*) *f*; ***to stand on ~*** förmlich sein

cert[1] *abbr of* ***certificate***

cert[2] *n* (*Br infml*) ***a (dead) ~*** eine todsichere Sache (*infml*)

certain I *adj* **1.** sicher; (≈ *inevitable*) gewiss; ***are you ~ of*** *or* ***about that?*** sind Sie sich (*dat*) dessen sicher?; ***is he ~?*** weiß er das genau?; ***I don't know for ~, but ...*** ich bin mir nicht ganz sicher, aber ...; ***I can't say for ~*** ich kann das nicht genau sagen; ***he is ~ to come*** er wird ganz bestimmt kommen; ***to make ~ of sth*** für etw sorgen; ***be ~ to tell him*** vergessen Sie bitte nicht, ihm das zu sagen **2.** *attr* (≈ *nicht konkret*) gewiss; *conditions* bestimmt; ***a ~ gentleman*** ein gewisser Herr; ***to a ~ extent*** *or* ***degree*** in gewisser Hinsicht; ***of a ~ age*** in einem gewissen Alter **II** *pron* einige; ***~ of you*** einige von euch

certainly *adv* (≈ *admittedly*) sicher(lich); (≈ *without doubt*) bestimmt; ***~ not!*** ganz bestimmt nicht; ***I ~ will not!*** ich denke nicht daran!; ***~!*** sicher! **certainty** *n* Gewissheit *f*; ***his success is a ~*** er wird mit Sicherheit Erfolg haben; ***it's a ~ that ...*** es ist absolut sicher, dass ...

certifiable *adj* (*infml*) nicht zurechnungsfähig **certificate** *n* Bescheinigung *f*; (*of qualifications, health*) Zeugnis *nt*; FILM Freigabe *f* **certified mail** *n* (*US*) Einschreiben *nt* **certify** *v/t* bescheinigen; JUR beglaubigen; ***this is to ~ that ...*** hiermit wird bestätigt, dass ...; ***she was certified dead*** sie wurde für tot erklärt; ***the painting has been certified (as) genuine*** das Gemälde wurde als echt erklärt

cervical cancer *n* Gebärmutterhalskrebs *m* **cervical smear** *n* Abstrich *m*

Cesarean, Cesarian *n* (*US*) = ***Caesarean***

cessation *n* Ende *nt*; (*of hostilities*) Einstellung *f*

cesspit, cesspool *n* Jauchegrube *f*, Güllengrube *f* (*Swiss*)

CET *abbr of* ***Central European Time*** MEZ

cf *abbr of* ***confer*** vgl.

CFC *abbr of* ***chlorofluorocarbon*** FCKW *m*

chafe I *v/t* (auf)scheuern; ***his shirt ~d his neck*** sein (Hemd)kragen scheuerte (ihn) **II** *v/i* **1.** sich aufscheuern **2.** (*fig*) sich ärgern (*at, against* über +*acc*)

chaffinch *n* Buchfink *m*

chain I *n* Kette *f*; (*of mountains*) (Berg)kette *f*; ***~ of shops*** Ladenkette *f*; ***~ of events*** Kette von Ereignissen; ***~ of command*** MIL Befehlskette *f*; (*in management*) Weisungskette *f* **II** *v/t* anketten; ***to ~ sb/sth to sth*** jdn/etw an etw (*acc*) ketten ◆ **chain up** *v/t sep prisoner* in Ketten legen; *dog* an die Kette legen

chain letter *n* Kettenbrief *m* **chain mail** *n* Kettenhemd *nt* **chain reaction** *n* Kettenreaktion *f* **chain saw** *n* Kettensäge *f* **chain-smoke** *v/i* kettenrauchen **chain smoker** *n* Kettenraucher(in) *m(f)* **chain store** *n* Kettenladen *m*

chair I *n* **1.** Stuhl *m*, Sessel *m* (*Aus*); (≈ *armchair*) Sessel *m*, Fauteuil *nt* (*Aus*); ***please take a ~*** bitte nehmen Sie Platz! **2.** (*in committees etc*) Vorsitz *m*; ***to be in/take the ~*** den Vorsitz führen **3.** (≈ *professorship*) Lehrstuhl *m* (*of* für) **II** *v/t* den Vorsitz führen bei **chairlift** *n* Sessellift *m*

chairman *n* Vorsitzende(r) *m/f(m)*; ***Mr/Madam Chairman*** Herr Vorsitzender/Frau Vorsitzende **chairmanship** *n* Vorsitz *m*

chairperson *n* Vorsitzende(r) *m/f(m)*

chairwoman *n* Vorsitzende *f*

chalet *n* Chalet *nt*

chalk *n* Kreide *f*; ***not by a long ~*** (*Br infml*) bei Weitem nicht; ***they're as different as ~ and cheese*** (*Br*) sie sind (so verschieden) wie Tag und Nacht

challenge I *n* **1.** Herausforderung *f* (*to* an +*acc*); (*fig* ≈ *demands*) Anforderung(en *pl*) *f*; ***to issue a ~ to sb*** jdn herausfordern; ***this job is a ~*** bei dieser Arbeit ist man gefordert; ***I see this task as a ~*** ich sehe diese Aufgabe als Herausforderung; ***those who rose to the ~*** diejenigen, die sich der Herausforderung stellten **2.** (*for leadership etc*) Griff *m* (*for* nach); ***a direct ~ to his authority*** eine direkte Infragestellung seiner Autorität **II** *v/t* **1.** (*to race etc*) herausfordern; ***to ~ sb to do sth*** wetten, dass jd etw nicht (tun) kann; ***to ~ sb to a duel*** jdn zum Duell fordern; ***to ~ sb to a game*** jdn zu einer Partie herausfordern **2.** (*fig* ≈ *make demands on*) fordern **3.**

(*fig*) *sb's authority* infrage stellen **-challenged** *adj suf* (*usu hum*) ***vertically--challenged*** zu kurz geraten (*hum*); ***intellectually-challenged*** geistig minderbemittelt (*infml*) **challenger** *n* Herausforderer *m*, Herausforderin *f* **challenging** *adj* **1.** (≈ *provocative*) herausfordernd **2.** (≈ *demanding*) anspruchsvoll

chamber *n* **1.** (*old*) Gemach *nt* (*old*) **2.** ***Chamber of Commerce*** Handelskammer *f*; ***the Upper/Lower Chamber*** PARL die Erste/Zweite Kammer **chambermaid** *n* Zimmermädchen *nt* **chamber music** *n* Kammermusik *f* **chamber orchestra** *n* Kammerorchester *nt* **chamber pot** *n* Nachttopf *m*

chameleon *n* (ZOOL, *fig*) Chamäleon *nt*

champagne *n* Sekt *m*; (≈ *French champagne*) Champagner *m*; ***~ glass*** Sekt-/Champagnerglas *nt*

champion I *n* **1.** SPORTS Meister(in) *m*(*f*); ***~s*** (≈ *team*) Meister *m*; ***world ~*** Weltmeister(in) *m*(*f*); ***heavyweight ~ of the world*** Weltmeister *m* im Schwergewicht **2.** (*of a cause*) Verfechter *m* **II** *v/t* eintreten für **championship** *n* **1.** SPORTS Meisterschaft *f* **2. championships** *pl* Meisterschaftskämpfe *pl*

chance I *n* **1.** (≈ *coincidence*) Zufall *m*; (≈ *luck*) Glück *nt*; ***by ~*** zufällig; ***would you by any ~ be able to help?*** könnten Sie mir vielleicht behilflich sein? **2.** (≈ *possibility*) Chance(n *pl*) *f*; (≈ *probability*) Möglichkeit *f*; ***(the) ~s are that ...*** wahrscheinlich ...; ***what are the ~s of his coming?*** wie groß ist die Wahrscheinlichkeit, dass er kommt?; ***is there any ~ of us meeting again?*** könnten wir uns vielleicht wiedersehen?; ***he doesn't stand*** *or* ***hasn't got a ~*** er hat keine(rlei) Chance(n); ***he has a good ~ of winning*** er hat gute Aussicht zu gewinnen; ***to be in with a ~*** eine Chance haben; ***no ~!*** (*infml*) nee! (*infml*); ***you won't get another ~*** das ist eine einmalige Gelegenheit; ***I had the ~ to go*** *or* ***of going*** ich hatte (die) Gelegenheit, dahin zu gehen; ***now's your ~!*** das ist deine Chance! **3.** (≈ *risk*) Risiko *nt*; ***to take a ~*** es darauf ankommen lassen; ***he's not taking any ~s*** er geht kein Risiko ein **II** *attr* zufällig; ***~ meeting*** zufällige Begegnung **III** *v/t* ***I'll ~ it!*** (*infml*) ich versuchs mal (*infml*) ◆ **chance (up)on** *v/i +prep obj person* zufällig treffen; *thing* zufällig stoßen auf (+*acc*)

chancellor *n* Kanzler *m*; ***Chancellor*** (***of the Exchequer***) (*Br*) Schatzkanzler(in) *m*(*f*)

chandelier *n* Kronleuchter *m*

change I *n* **1.** (≈ *alteration*) Veränderung *f*; (≈ *modification also*) Änderung *f* (*to +gen*); ***a ~ for the better/worse*** eine Verbesserung/Verschlechterung; ***~ of address*** Adressenänderung *f*; ***a ~ in the weather*** eine Wetterveränderung; ***no ~*** unverändert; ***I need a ~ of scene*** ich brauche Tapetenwechsel; ***to make ~s*** (***to sth***) (an etw *dat*) (Ver)änderungen *pl* vornehmen; ***I didn't have a ~ of clothes with me*** ich hatte nichts zum Wechseln mit **2.** (≈ *variety*) Abwechslung *f*; (***just***) ***for a ~*** zur Abwechslung (mal); ***that makes a ~*** das ist mal was anderes **3.** (*of one thing for another*) Wechsel *m*; ***a ~ of government*** ein Regierungswechsel *m* **4.** *no pl* (≈ *money*) Wechselgeld *nt*; (≈ *small change*) Kleingeld *nt*; ***can you give me ~ for a pound?*** können Sie mir ein Pfund wechseln?; ***I haven't got any ~*** ich habe kein Kleingeld; ***you won't get much ~ out of £5*** von £ 5 wird wohl nicht viel übrig bleiben; ***keep the ~*** der Rest ist für Sie **II** *v/t* **1.** wechseln; *address*, *name* ändern; ***to ~ trains*** *etc* umsteigen; ***to ~ one's clothes*** sich umziehen; ***to ~ a wheel/the oil*** ein Rad/das Öl wechseln; ***to ~ a baby's nappy*** (*Br*) *or* ***diaper*** (*US*) (bei einem Baby) die Windeln wechseln; ***to ~ the sheets*** *or* ***the bed*** die Bettwäsche wechseln; ***to ~ hands*** den Besitzer wechseln; ***she ~d places with him*** er und sie tauschten die Plätze **2.** (≈ *alter*) (ver)ändern; *person*, *ideas* ändern; (≈ *transform*) verwandeln; ***to ~ sb/sth into sth*** jdn/etw in etw (*acc*) verwandeln **3.** (≈ *exchange*) umtauschen; ***she ~d the dress for one of a different colour*** sie tauschte das Kleid gegen ein andersfarbiges um **4.** (*Br* AUTO) ***to ~ gear*** schalten **III** *v/i* **1.** (≈ *alter*) sich ändern; (*traffic lights*) umspringen (*to* auf +*acc*); ***to ~ from sth into ...*** sich aus etw in ... (*acc*) verwandeln **2.** (≈ *change clothes*) sich umziehen; ***she ~d into an old skirt*** sie zog sich einen alten Rock an; ***I'll just ~ out of these old clothes*** ich muss mir noch die alten Sachen ausziehen **3.** (≈ *change trains etc*) umsteigen; ***all ~!*** alle aussteigen! **4.** ***to ~ to a different system*** auf ein anderes System umstellen; ***I ~d to philosophy from chemistry*** ich habe von Chemie zu Philosophie gewechselt ◆ **change around** *v/t sep* = ***change round*** II ◆ **change down** *v/i* (*Br* AUTO) in einen niedrigeren Gang schalten ◆ **change over I** *v/i* **1.** (≈ *to sth different*) sich umstellen (*to* auf *+acc*); ***we have just changed over from gas to electricity*** hier *or* bei uns ist gerade von Gas auf Strom umgestellt worden **2.** (≈ *exchange activities etc*) wechseln **II** *v/t sep* austauschen ◆ **change round** (*esp Br*) **I** *v/i* = ***change over*** I **II** *v/t sep room* umräumen; *furniture* umstellen ◆ **change up** *v/i* (*Br* AUTO) in einen höheren Gang schalten

changeable *adj character* unbeständig; *weather* wechselhaft; *mood* wechselnd **change machine** *n* Geldwechsler *m* **changeover** *n* Umstellung *f* (*to* auf *+acc*) **changing** *adj* wechselnd **changing room** *n* (*in store*) Ankleideraum *m*; SPORTS Umkleideraum *m*

channel I *n* **1.** (≈ *strait, also* TV, RADIO) Kanal *m*; ***the (English) Channel*** der Ärmelkanal **2.** (*fig, usu pl*) (*of bureaucracy etc*) Dienstweg *m*; (*of information etc*) Kanal *m*; ***to go through the official ~s*** den Dienstweg gehen **3.** (≈ *groove*) Furche *f* **II** *v/t* **1.** *water* (hindurch)leiten **2.** (*fig*) lenken (*into* auf *+acc*) **Channel ferry** *n* (*Br*) Kanalfähre *f* **channel-hopping** *n* (*Br* TV *infml*) Zappen *nt* (*infml*) **Channel Islands** *pl* Kanalinseln *pl* **channel-surfing** *n* (*esp US* TV *infml*) = ***channel-hopping*** **Channel Tunnel** *n* Kanaltunnel *m*

chant I *n* Gesang *m*; (*of football fans etc*) Sprechchor *m* **II** *v/t* im (Sprech)chor rufen; ECCL singen **III** *v/i* Sprechchöre anstimmen; ECCL singen

chaos *n* Chaos *nt*; ***complete ~*** ein totales Durcheinander **chaotic** *adj* chaotisch

chap[1] *v/t* spröde machen; ***~ped lips*** aufgesprungene Lippen *pl*

chap[2] *n* (*Br infml* ≈ *man*) Typ *m* (*infml*)

chapel *n* Kapelle *f*

chaperon(e) I *n* Anstandsdame *f* **II** *v/t* Anstandsdame spielen bei

chaplain *n* Kaplan *m* **chaplaincy** *n* Diensträume *pl* eines Kaplans

chapter *n* Kapitel *nt*

char[1] *v/t* verkohlen

char[2] (*Br infml*) *n* (*a.* **charwoman, charlady**) Putzfrau *f*

character *n* **1.** Charakter *m*; (*of people*) Wesen *nt no pl*; ***it's out of ~ for him to do that*** es ist eigentlich nicht seine Art, so etwas zu tun; ***to be of good/bad ~*** ein guter/schlechter Mensch sein; ***she has no ~*** sie hat keine eigene Note **2.** (*in novel*) (Roman)figur *f*; THEAT Gestalt *f* **3.** (≈ *original person*) Original *nt*; (*infml* ≈ *person*) Typ *m* (*infml*) **4.** TYPO, IT Zeichen *nt* **characteristic I** *adj* charakteristisch (*of* für) **II** *n* (typisches) Merkmal **characterization** *n* (*in a novel etc*) Personenbeschreibung *f*; (*of one character*) Charakterisierung *f* **characterize** *v/t* charakterisieren **character set** *n* IT Zeichensatz *m* **character space** *n* IT Zeichenplatz *m*

charade *n* Scharade *f*; (*fig*) Farce *f*

char-broiled *adj* (*US*) = ***char-grilled***

charcoal *n* Holzkohle *f*

charge I *n* **1.** JUR Anklage *f* (*of* wegen); ***convicted on all three ~s*** in allen drei Anklagepunkten für schuldig befunden; ***on a ~ of murder*** wegen Mordverdacht **2.** (≈ *attack*) Angriff *m* **3.** (≈ *fee*) Gebühr *f*; ***what's the ~?*** was kostet das?; ***to make a ~ (of £5) for sth*** (£ 5 für) etw berechnen; ***there's an extra ~ for delivery*** die Lieferung wird zusätzlich berechnet; ***free of ~*** kostenlos, gratis; ***delivered free of ~*** Lieferung frei Haus **4.** (≈ *explosive charge*) (Spreng)ladung *f*; ELEC, PHYS Ladung *f* **5.** ***to be in ~*** die Verantwortung haben; ***who is in ~ here?*** wer ist hier der Verantwortliche?; ***to be in ~ of sth*** für etw die Verantwortung haben; (*of department*) etw leiten; ***to put sb in ~ of sth*** jdm die Verantwortung für etw übertragen; (*of department*) jdm die Leitung von etw übertragen; ***the children were placed in their aunt's ~*** die Kinder wurden der Obhut der Tante anvertraut; ***to take ~ of sth*** etw übernehmen; ***he took ~ of the situation*** er nahm die Sache in die Hand **II** *v/t* **1.** JUR anklagen; (*fig*) beschuldigen; ***to ~ sb with doing sth*** jdm vorwerfen, etw getan zu haben **2.** (≈ *attack*) stürmen **3.** *fee* berechnen; ***I won't ~ you for that*** ich berechne Ihnen nichts dafür **4.** (≈ *record as debt*) in Rechnung stellen; ***please ~ all these purchases to my account*** bitte setzen Sie diese Einkäufe auf meine Rechnung

5. *battery* (auf)laden 6. (*form ≈ give as responsibility*) ***to ~ sb with sth*** jdn mit etw beauftragen **III** *v/i* 1. (≈ *attack*) stürmen; (*at people*) angreifen (*at sb* jdn); ***~!*** vorwärts! 2. (*infml ≈ rush*) rennen; ***he~d into the room*** er stürmte ins Zimmer **chargeable** *adj* ***to be ~ to sb*** auf jds Kosten (*acc*) gehen **charge account** *n* Kunden(kredit)konto *nt* **charge card** *n* Kundenkreditkarte *f* **charged** *adj* geladen **chargé d'affaires** *n* Chargé d'affaires *m* **charger** *n* (≈ *battery charger*) Ladegerät *nt*

char-grilled *adj* (*Br*) vom Holzkohlengrill

chariot *n* Streitwagen *m* (*liter*)

charisma *n* Charisma *nt* **charismatic** *adj* charismatisch

charitable *adj* menschenfreundlich; *organization* karitativ; ***to have ~ status*** als gemeinnützig anerkannt sein **charity** *n* 1. (≈ *kindness*) Menschenfreundlichkeit *f* 2. ***to live on ~*** von Almosen leben 3. (≈ *charitable society*) karitative Organisation; ***to work for ~*** für die Wohlfahrt arbeiten; ***a collection for ~*** eine Sammlung für wohltätige Zwecke

charlady *n* (*Br*) Reinemache- *or* Putzfrau *f*

charlatan *n* Scharlatan *m*

charm I *n* 1. (≈ *attractiveness*) Charme *m no pl*; ***feminine ~s*** (weibliche) Reize *pl*; ***to turn on the ~*** seinen (ganzen) Charme spielen lassen 2. (≈ *spell*) Bann *m* 3. (≈ *amulet*) Talisman *m* **II** *v/t* bezaubern; ***to ~ one's way out of sth*** sich mit Charme vor etw (*dat*) drücken

charming *adj* charmant; ***~!*** (*iron*) wie reizend! (*iron*)

chart I *n* 1. Tabelle *f*; (≈ *graph*) Diagramm *nt*; (≈ *map, weather chart*) Karte *f*; ***on a ~*** in einer Tabelle / einem Diagramm 2. **charts** *pl* (≈ *top twenty*) Charts *pl* **II** *v/t progress* auswerten

charter I *n* Charta *f*; (≈ *town charter*) Gründungsurkunde *f* **II** *v/t plane* chartern **chartered accountant** *n* (*Br*) staatlich geprüfter Bilanzbuchhalter, staatlich geprüfte Bilanzbuchhalterin **charter flight** *n* Charterflug *m* **charter plane** *n* Charterflugzeug *nt*

charwoman *n* (*Br*) = ***charlady***

chase I *n* Verfolgungsjagd *f*; ***a car ~*** eine Verfolgungsjagd im Auto; ***to give ~*** die Verfolgung aufnehmen; ***to cut to the ~*** (*esp US infml*) zum Kern der Sache kommen **II** *v/t* jagen; (≈ *follow*) verfolgen **III** *v/i* ***to ~ after sb*** hinter jdm herrennen (*infml*); (*in vehicle*) hinter jdm herrasen (*infml*); ***to ~ around*** herumrasen (*infml*) ◆ **chase away** *or* **off** *v/t sep* wegjagen ◆ **chase down** *v/t sep* (*US ≈ catch*) aufspüren ◆ **chase up** *v/t sep person* rankriegen (*infml*); *information etc* ranschaffen (*infml*)

chaser *n* ***have a whisky ~*** trinken Sie einen Whisky dazu

chasm *n* Kluft *f*

chassis *n* Chassis *nt*

chaste *adj* (+*er*) keusch **chasten** *v/t* ***~ed by ...*** durch ... zur Einsicht gelangt

chastise *v/t* (*verbally*) schelten

chastity *n* Keuschheit *f*

chat I *n* Unterhaltung *f*; ***could we have a ~ about it?*** können wir uns mal darüber unterhalten? **II** *v/i* plaudern ◆ **chat up** *v/t sep* (*Br infml*) *person* einreden auf (+*acc*); *prospective girl-/boyfriend* anquatschen (*infml*)

chat line *n* IT Chatline *f* **chat room** *n* IT Chatroom *m* **chat show** *n* (*Br*) Talkshow *f* **chatter I** *n* (*of person*) Geschwätz *nt* **II** *v/i* (*person*) schwatzen; (*teeth*) klappern **chatterbox** *n* Quasselstrippe *f* (*infml*) **chattering I** *n* Geschwätz *nt* **II** *adj* ***the ~ classes*** (*Br pej infml*) das Bildungsbürgertum **chatty** *adj* (+*er*) geschwätzig; ***written in a ~ style*** im Plauderton geschrieben

chauffeur *n* Chauffeur *m*

chauvinism *n* Chauvinismus *m* **chauvinist I** *n* männlicher Chauvinist **II** *adj* (***male***) ***~ pig*** Chauvinistenschwein *nt* (*infml*) **chauvinistic** *adj* chauvinistisch

cheap I *adj* (+*er*) *also adv* billig; ***to feel ~*** sich (*dat*) schäbig vorkommen; ***it doesn't come ~*** es ist nicht billig; ***it's ~ at the price*** es ist spottbillig **II** *n* ***to buy sth on the ~*** (*infml*) etw für einen Pappenstiel kaufen (*infml*); ***to make sth on the ~*** (*infml*) etw ganz billig produzieren **cheapen** *v/t* (*fig*) schlechtmachen **cheaply** *adv* billig; *make, live* günstig **cheapness** *n* (≈ *inexpensiveness*) billiger Preis **cheapskate** *n* (*infml*) Knauser *m* (*infml*)

cheat I *v/t* betrügen; ***to ~ sb out of sth*** jdn um etw betrügen **II** *v/i* betrügen; (*in exam etc*) mogeln (*infml*) **III** *n* Betrüger(in) *m(f)*; (*in exam etc*) Mogler(in) *m(f)* *(infml)* ◆ **cheat on** *v/i +prep obj* betrügen

cheating *n* Betrug *m*; *(in exam etc)* Mogeln *m* *(infml)*

Chechenia, Chechnya *n* Tschetschenien *nt*

check I *n* **1.** *(≈ examination)* Überprüfung *f*; ***to keep a ~ on sb/sth*** jdn/etw überwachen **2.** ***to hold** or **keep sb in ~*** jdn in Schach halten; ***to keep one's temper in ~*** sich beherrschen **3.** *(≈ pattern)* Karo(muster) *nt* **4.** *(US ≈ cheque)* Scheck *m*; *(≈ bill)* Rechnung *f* **5.** *(US ≈ tick)* Haken *m* **II** *v/t* **1.** *(≈ examine)* überprüfen; ***to ~ whether** or **if ...*** nachprüfen, ob ... **2.** *(≈ control)* kontrollieren; *(≈ stop)* aufhalten **3.** AVIAT *luggage* einchecken; *(US)* *coat etc* abgeben **III** *v/i* *(≈ make sure)* nachfragen *(with* bei); *(≈ have a look)* nachsehen; ***I was just ~ing*** ich wollte nur nachprüfen ◆ **check in I** *v/i* *(at airport)* einchecken; *(at hotel)* sich anmelden; ***what time do you have to ~?*** wann musst du am Flughafen sein? **II** *v/t sep* *(at airport)* *luggage* einchecken; *(at hotel)* anmelden ◆ **check off** *v/t sep* *(esp US)* abhaken ◆ **check out I** *v/i* sich abmelden; *(≈ leave hotel)* abreisen; *(≈ sign out)* sich austragen **II** *v/t sep* *facts* überprüfen; ***check it out with the boss*** klären Sie das mit dem Chef ab ◆ **check over** *v/t sep* überprüfen ◆ **check through** *v/t sep* **1.** *account* durchsehen **2.** ***they checked my bags through to Berlin*** mein Gepäck wurde nach Berlin durchgecheckt ◆ **check up** *v/i* überprüfen ◆ **check up on** *v/i +prep obj* überprüfen; *sb* kontrollieren

checkbook *n* *(US)* Scheckbuch *nt* **check card** *n* *(US)* Scheckkarte *f*

checked *adj* *(in pattern)* kariert; ***~ pattern*** Karomuster *nt*

checker *n* **1.** *(US, in supermarket)* Kassierer(in) *m(f)* **2.** *(US, for coats etc)* Garderobenfrau *f*/-mann *m*

checkers *n* *(US)* Damespiel *nt*; ***to play ~*** Dame spielen

check-in (desk) *n* AVIAT Abflugschalter *m*; *(US, in hotel)* Rezeption *f* **checking** *n* Kontrolle *f* **checking account** *n* *(US)* Girokonto *nt* **check list** *n* Checkliste *f* **checkmate I** *n* Schachmatt *nt*; ***~!*** matt! **II** *v/t* matt setzen **checkout** *n* Kasse *f*, Kassa *f* *(Aus)* **checkpoint** *n* Kontrollpunkt *m* **checkroom** *n* *(US* THEAT) Garderobe *f*; RAIL Gepäckaufbewahrung *f* **checkup** *n* MED Check-up *m*; ***to have a ~/go for a ~*** einen Check-up machen lassen

cheddar *n* Cheddar(käse) *m*

cheek *n* **1.** Backe *f*; ***to turn the other ~*** die andere Wange hinhalten **2.** *(Br ≈ impudence)* Frechheit *f*; ***to have the ~ to do sth*** die Frechheit haben, etw zu tun; ***enough of your ~!*** jetzt reichts aber! **cheekbone** *n* Wangenknochen *m* **cheekily** *adv* *(Br)* frech **cheeky** *adj* *(+er)* *(Br)* frech; ***it's a bit ~ asking for another pay rise so soon*** es ist etwas unverschämt, schon wieder eine Gehaltserhöhung zu verlangen

cheep I *n* Piep *m*, Piepser *m* **II** *v/i* piepsen

cheer I *n* **1.** Beifallsruf *m*; *(≈ cheering)* Jubel *m*; ***three ~s for Mike!*** ein dreifaches Hurra für Mike!; ***~s!*** *(infml ≈ your health)* prost! **2.** *(≈ comfort)* Aufmunterung *f* **II** *v/t* *person* zujubeln *(+dat)*; *event* bejubeln **III** *v/i* jubeln ◆ **cheer on** *v/t sep* anfeuern ◆ **cheer up I** *v/t sep* aufmuntern; *place* aufheitern **II** *v/i* *(person)* vergnügter werden; *(things)* besser werden; ***~!*** lass den Kopf nicht hängen!

cheerful *adj* fröhlich; *place, colour etc* heiter; *news* erfreulich, gefreut *(Swiss)*; *tune* fröhlich; ***to be ~ about sth*** in Bezug auf etw optimistisch sein **cheerfully** *adv* fröhlich **cheering I** *n* Jubel *m* **II** *adj* jubelnd **cheerio** *int* *(esp Br infml)* Wiedersehen *(infml)*; *(to friends)* tschüs(s) *(infml)*, servus! *(Aus)* **cheerleader** *n* Anführer *m* **cheers** *int* → ***cheer*** I **cheery** *adj* *(+er)* fröhlich, vergnügt

cheese *n* Käse *m*; ***say ~!*** PHOT bitte recht freundlich **cheeseboard** *n* Käsebrett *nt*; *(≈ course)* Käseplatte *f* **cheeseburger** *n* Cheeseburger *m* **cheesecake** *n* COOK Käsekuchen *m* **cheesecloth** *n* Käseleinen *nt* **cheesed off** *adj* *(Br infml)* angeödet *(infml)*

cheetah *n* Gepard *m*

chef *n* Küchenchef *m*; *(as profession)* Koch *m*

chemical I *adj* chemisch **II** *n* Chemikalie *f* **chemical engineering** *n* Chemotechnik *f* **chemical toilet** *n* Chemietoilette *f* **chemist** *n* **1.** Chemiker(in) *m(f)* **2.** *(Br: in shop)* Drogist(in) *m(f)*; *(dispensing)* Apotheker(in) *m(f)*; ***~'s shop*** Drogerie

f; (*dispensing*) Apotheke *f*
chemistry *n* Chemie *f*; ***the ~ between us was perfect*** wir haben uns sofort vertragen
chemo *n* (*infml*) Chemo *f* (*infml*) **chemotherapy** *n* Chemotherapie *f*
cheque, (*US*) **check** *n* Scheck *m*; ***a ~ for £100*** ein Scheck über £ 100; ***to pay by ~*** mit (einem) Scheck bezahlen **cheque account** *n* Girokonto *nt* **chequebook**, (*US*) **checkbook** *n* Scheckbuch *nt* **cheque card** *n* Scheckkarte *f*
chequered, (*US*) **checkered** *adj* (*fig*) *history* bewegt
cherish *v/t feelings*, *hope* hegen; *idea* sich hingeben (*+dat*); ***to ~ sb's memory*** jds Andenken in Ehren halten **cherished** *adj belief* lang gehegt; ***her most ~ possessions*** die Dinge, an denen sie am meisten hängt
cherry I *n* Kirsche *f* **II** *adj* (*colour*) kirschrot; COOK Kirsch- **cherry blossom** *n* Kirschblüte *f* **cherry-pick** (*fig infml*) **I** *v/t* die Rosinen herauspicken aus (*infml*) **II** *v/i* sich (*dat*) die Rosinen herauspicken (*infml*) **cherry picker** *n* (≈ *vehicle*) Bockkran *m* **cherry tomato** *n* Kirsch- *or* Cherrytomate *f*
cherub *n* **1.** *pl* ***-im*** ECCL Cherub *m* **2.** *pl* ***-s*** ART Putte *f*
chess *n* Schach(spiel) *nt* **chessboard** *n* Schachbrett *nt* **chessman, chesspiece** *n* Schachfigur *f* **chess set** *n* Schachspiel *nt*
chest[1] *n* (*for tools etc*) Kiste *f*; (≈ *piece of furniture*) Truhe *f*; ***~ of drawers*** Kommode *f*
chest[2] *n* ANAT Brust *f*; ***to get sth off one's ~*** (*fig infml*) sich (*dat*) etw von der Seele reden; ***~ muscle*** Brustmuskel *m*; ***~ pains*** Schmerzen *pl* in der Brust **chest infection** *n* Lungeninfekt *m*
chestnut I *n* **1.** (≈ *nut*, *tree*) Kastanie *f* **2.** (≈ *colour*) Kastanienbraun *nt* **3.** (≈ *horse*) Fuchs *m* **II** *adj* kastanienbraun
chesty *adj* (*+er*) (*Br infml*) *cough* rau
chew *v/t* kauen; ***don't ~ your fingernails*** kaue nicht an deinen Nägeln ◆ **chew on** *v/i +prep obj* **1.** (*lit*) (herum)kauen auf (*+dat*) **2.** (*a.* **chew over**: *infml*) *problem* sich (*dat*) durch den Kopf gehen lassen
chewing gum *n* Kaugummi *m or nt*
chewy *adj meat* zäh; *sweets* weich
chic *adj* (*+er*) chic
chick *n* **1.** (*of chicken*) Küken *nt*; (≈ *young bird*) Junge(s) *nt* **2.** (*infml* ≈ *girl*) Mieze *f* (*infml*)
chicken I *n* Huhn *nt*; (*for roasting*) Hähnchen *nt*; ***~ liver*** Geflügelleber *f*; ***to run around like a headless ~*** wie ein kopfloses Huhn herumlaufen; ***don't count your ~s*** (***before they're hatched***) (*prov*) man soll den Tag nicht vor dem Abend loben (*prov*) **II** *adj* (*infml*) feig; ***he's ~*** er ist ein Feigling ◆ **chicken out** *v/i* (*infml*) kneifen (*infml*)
chicken farmer *n* Hühnerzüchter *m*
chicken feed *n* (*infml* ≈ *insignificant sum*) Peanuts *pl* (*infml*) **chickenpox** *n* Windpocken *pl* **chickenshit** (*US sl*) **I** *n* **1.** (≈ *coward*) Memme *f* (*pej infml*) **2.** *no pl* ***to be ~*** (≈ *be worthless*) Scheiße sein (*sl*) **II** *adj* **1.** (≈ *cowardly*) feige **2.** (≈ *worthless*) beschissen (*infml*) **chicken wire** *n* Hühnerdraht *m*
chickpea *n* Kichererbse *f*
chicory *n* Chicorée *f or m*
chief I *n*, *pl* ***-s*** (*of organization*) Leiter(in) *m*(*f*); (*of tribe*) Häuptling *m*; (*infml* ≈ *boss*) Chef *m*; ***~ of police*** Polizeipräsident(in) *or* -chef(in) *m*(*f*); ***~ of staff*** MIL Stabschef(in) *m*(*f*) **II** *adj* **1.** (≈ *most important*) wichtigste(r, s) **2.** (≈ *most senior*) Haupt-; ***~ executive*** leitender Direktor, leitende Direktorin; ***~ executive officer*** Generaldirektor *m* **chief constable** *n* (*Br*) Polizeipräsident(in) *m*(*f*) **chiefly** *adv* hauptsächlich
chiffon I *n* Chiffon *m* **II** *adj* Chiffon-
child *n*, *pl* ***children*** Kind *nt*; ***when I was a ~*** in *or* zu meiner Kindheit **child abuse** *n* Kindesmisshandlung *f*; (*sexually*) Notzucht *f* mit Kindern **child-bearing I** *n* Mutterschaft *f* **II** *adj* ***of ~ age*** im gebärfähigen Alter **child benefit** *n* (*Br*) Kindergeld *nt* **childbirth** *n* Geburt *f*; ***to die in ~*** bei der Geburt sterben **childcare** *n* Kinderbetreuung *f*
childhood *n* Kindheit *f* **childish** *adj*, **childishly** *adv* (*pej*) kindisch **childishness** *n* (*pej*) kindisches Gehabe **childless** *adj* kinderlos **childlike** *adj* kindlich **child lock** *n* Kindersicherung *f* **childminder** *n* (*Br*) Tagesmutter *f* **childminding** *n* (*Br*) Beaufsichtigung *f* von Kindern **child molester** *n Person, die Kinder (sexuell) belästigt* **child prodigy** *n* Wunderkind *nt* **childproof** *adj* kindersicher **children** *pl of* ***child*** **child seat** *n*

Kindersitz *m* **child's play** *n* ein Kinderspiel *nt*

Chile *n* Chile *nt* **Chilean I** *adj* chilenisch **II** *n* Chilene *m*, Chilenin *f*

chill I *n* **1.** Frische *f*; ***there's quite a ~ in the air*** es ist ziemlich frisch **2.** MED fieberhafte Erkältung; ***to catch a ~*** sich verkühlen **II** *adj* frisch **III** *v/t* **1.** kühlen; ***I was ~ed to the bone*** die Kälte ging mir bis auf die Knochen **2.** (*fig*) *blood* gefrieren lassen **IV** *v/i* (*infml*) chillen (*sl*), relaxen (*sl*) ◆ **chill out** *v/i* (*infml*) relaxen (*sl*)

chilli, (*US*) **chili** *n* Peperoni *pl*; (≈ *spice, meal*) Chili *m*

chilling *adj* schreckenerregend

chilly *adj* (+*er*) kühl; ***I feel ~*** mich fröstelts

chime I *n* Glockenspiel *nt*; (*of doorbell*) Läuten *nt no pl* **II** *v/i* läuten ◆ **chime in** *v/i* (*infml*) sich einschalten

chimney *n* Schornstein *m* **chimneypot** *n* Schornsteinkopf *m* **chimney sweep** *n* Schornsteinfeger *m*

chimp (*infml*), **chimpanzee** *n* Schimpanse *m*

chin *n* Kinn *nt*; ***keep your ~ up!*** Kopf hoch!; ***he took it on the ~*** (*fig infml*) er hats mit Fassung getragen

China *n* China *nt*

china I *n* Porzellan *nt* **II** *adj* Porzellan-

china clay *n* Kaolin *m*

Chinatown *n* Chinesenviertel *nt*

Chinese I *n* **1.** (≈ *person*) Chinese *m*, Chinesin *f* **2.** (≈ *language*) Chinesisch *nt* **II** *adj* chinesisch; ***~ restaurant*** Chinarestaurant *nt* **Chinese leaves** *n* Chinakohl *m*

chink[1] *n* Ritze *f*; (*in door*) Spalt *m*; ***a ~ of light*** ein dünner Lichtstrahl

chink[2] *v/i* klirren; (*coins*) klimpern

chinos *pl* FASHION Chinos *pl*

chin strap *n* Kinnriemen *m*

chip I *n* **1.** Splitter *m*; (*of wood*) Span *m*; ***chocolate ~s*** ≈ Schokoladenstreusel *pl*; ***he's a ~ off the old block*** er ist ganz der Vater; ***to have a ~ on one's shoulder*** einen Komplex haben (*about* wegen) **2.** (*Br* ≈ *potato stick*) Pomme frite *m or nt usu pl*; (*US* ≈ *potato slice*) Chip *m usu pl* **3.** (*in crockery etc*) abgestoßene Ecke; ***this cup has a ~*** diese Tasse ist angeschlagen **4.** (*in poker*, IT) Chip *m*; ***when the ~s are down*** wenn es drauf ankommt **II** *v/t* **1.** *cup, stone* anschlagen; *paint* abstoßen; *wood* beschädigen **2.** SPORTS *ball* chippen ◆ **chip away at** *v/i +prep obj authority, system* unterminieren; *debts* reduzieren, verringern ◆ **chip in** *v/i* (*infml*) **1.** (≈ *interrupt*) sich einschalten **2.** ***he chipped in with £3*** er steuerte £ 3 bei ◆ **chip off** *v/t sep paint etc* wegschlagen

chipboard *n* Spanholz *nt*

chipmunk *n* Backenhörnchen *nt*

chip pan *n* Fritteuse *f* **chipped** *adj* **1.** *cup* angeschlagen; *paint* abgesplittert **2.** (*Br* COOK) ***~ potatoes*** Pommes frites *pl*

chippings *pl* (*of wood*) Späne *pl*; (≈ *road chippings*) Schotter *m* **chippy** *n* (*Br infml*) Pommesbude *f* (*infml*) **chip shop** *n* (*Br*) Imbissbude *f* **chip shot** *n* GOLF Chip(shot) *m*; TENNIS Chip *m*

chiropodist *n* Fußpfleger(in) *m(f)* **chiropody** *n* Fußpflege *f* **chiropractor** *n* Chiropraktiker(in) *m(f)*

chirp *v/i* (*birds*) zwitschern; (*crickets*) zirpen **chirpy** *adj* (+*er*) (*infml*) munter

chisel I *n* Meißel *m*; (*for wood*) Beitel *m* **II** *v/t* meißeln; (*in wood*) stemmen

chit *n* (*a.* **chit of paper**) Zettel *m*

chitchat *n* (*infml*) Geschwätz *nt*

chivalrous *adj*, **chivalrously** *adv* ritterlich **chivalry** *n* Ritterlichkeit *f*

chives *n* Schnittlauch *m*

chlorine *n* Chlor *nt*

chlorofluorocarbon *n* Chlorfluorkohlenwasserstoff *m*

chloroform *n* Chloroform *nt*

chlorophyll *n* Chlorophyll *nt*

choc-ice *n* Eismohrle *nt*, *Eiscreme mit Schokoladenüberzug*

chock-a-block *adj* (*esp Br infml*), **chock-full** *adj* (*infml*) knüppelvoll (*infml*)

chocoholic *n* (*infml*) Schokoladensüchtige(r) *m/f(m)*, Schokosüchtige(r) *m/f(m)* (*infml*); ***to be a ~*** nach Schokolade süchtig sein

chocolate I *n* Schokolade *f*; (***hot*** *or* ***drinking***) **~** Schokolade *f*; ***a ~*** eine Praline **II** *adj* Schokoladen- **chocolate bar** *n* (≈ *slab*) Tafel *f* Schokolade; (≈ *Mars® bar etc*) Schokoladenriegel *m* **chocolate biscuit** *n* Schokoladenkeks *m* **chocolate cake** *n* Schokoladenkuchen *m*

choice I *n* **1.** Wahl *f*; ***it's your ~*** du hast die Wahl; ***to make a ~*** eine Wahl treffen; ***I didn't do it from ~*** ich habe es mir nicht ausgesucht; ***he had no or little ~ but to obey*** er hatte keine (andere) Wahl als zu gehören; ***it was your ~*** du wolltest es ja so; ***the drug/weapon of ~*** die bevorzugte Droge/Waffe **2.** (≈ *variety*) Auswahl *f* (*of* an +*dat*, von) **II** *adj* COMM Qualitäts-

choir *n* Chor *m* **choirboy** *n* Chorknabe *m* **choir master** *n* Chorleiter *m*

choke I *v/t person* ersticken; (≈ *throttle*) (er)würgen; ***in a voice ~d with tears/emotion*** mit tränenerstickter/tief bewegter Stimme **II** *v/i* ersticken (*on* an +*dat*) **III** *n* AUTO Choke *m* ◆ **choke back** *v/t sep tears* unterdrücken

choking *adj smoke* beißend

cholera *n* Cholera *f*

cholesterol *n* Cholesterin *nt*

chomp *v/t* laut mahlen; (*person*) mampfen (*infml*)

choose *pret* ***chose***, *past part* ***chosen*** **I** *v/t* **1.** (aus)wählen; ***to ~ a team*** eine Mannschaft auswählen *or* zusammenstellen; ***they chose him as their leader*** *or* ***to be their leader*** sie wählten ihn zu ihrem Anführer **2.** ***to ~ to do sth*** es vorziehen, etw zu tun **II** *v/i* ***to ~*** (***between*** *or* ***among/from***) wählen (zwischen +*dat*/aus *or* unter +*dat*); ***there is nothing*** *or* ***little to ~ between them*** sie sind gleich gut **choos(e)y** *adj* (+*er*) wählerisch

chop¹ I *n* **1.** COOK Kotelett *nt* **2.** (*infml*) ***to get the ~*** (≈ *be axed*) dem Rotstift zum Opfer fallen; (≈ *be fired*) rausgeschmissen werden (*infml*) **II** *v/t* hacken; *meat etc* klein schneiden ◆ **chop down** *v/t sep tree* fällen ◆ **chop off** *v/t sep* abschlagen ◆ **chop up** *v/t sep* zerhacken

chop² *v/i* ***to ~ and change*** (***one's mind***) ständig seine Meinung ändern

chopper *n* **1.** (≈ *axe*) Hackbeil *nt* **2.** (*infml* ≈ *helicopter*) Hubschrauber *m* **chopping block** *n* Hackklotz *m*; (*for wood, executions etc*) Block *m* **chopping board** *n* (*Br*) Hackbrett *nt* **chopping knife** *n* (*Br*) Hackmesser *nt*; (*with rounded blade*) Wiegemesser *nt* **choppy** *adj* (+*er*) *sea* kabbelig

chopstick *n* Stäbchen *nt*

choral *adj* Chor-; ***~ society*** Gesangverein *m*

chord *n* MUS Akkord *m*; ***to strike the right ~*** (*fig*) den richtigen Ton treffen

chore *n* lästige Pflicht; ***~s*** *pl* Hausarbeit *f*; ***to do the ~s*** die Hausarbeit erledigen

choreographer *n* Choreograf(in) *m(f)* **choreography** *n* Choreografie *f*

chorister *n* (Kirchen)chormitglied *nt*; (≈ *boy*) Chorknabe *m*

chortle *v/i* gluckern

chorus *n* **1.** (≈ *refrain*) Refrain *m* **2.** (≈ *singers*) Chor *m*; (≈ *dancers*) Tanzgruppe *f* **chorus line** *n* Revue *f*

chose *pret of* ***choose*** **chosen I** *past part of* ***choose*** **II** *adj* ***the ~ few*** die wenigen Auserwählten

choux pastry *n* Brandteig *m*

chowder *n* sämige Fischsuppe

Christ I *n* Christus *m* **II** *int* (*sl*) Herrgott (*infml*) **christen** *v/t* taufen; ***to ~ sb after sb*** jdn nach jdm (be)nennen **christening** *n* Taufe *f*

Christian I *n* Christ *m* **II** *adj* christlich **Christianity** *n* Christentum *nt* **Christian name** *n* Vorname *m*

Christmas *n* Weihnachten *nt*; ***are you going home for ~?*** fährst du (über) Weihnachten nach Hause?; ***what did you get for ~?*** was hast du zu Weihnachten bekommen?; ***merry*** *or* ***happy ~!*** frohe *or* fröhliche Weihnachten! **Christmas box** *n* (*Br*) Trinkgeld *nt* zu Weihnachten **Christmas cake** *n Früchtekuchen mit Zuckerguss zu Weihnachten* **Christmas card** *n* Weihnachtskarte *f* **Christmas carol** *n* Weihnachtslied *nt* **Christmas Day** *n* der erste Weihnachtstag; ***on ~*** am ersten (Weihnachts)feiertag **Christmas Eve** *n* Heiligabend *m*; ***on ~*** Heiligabend **Christmas present** *n* Weihnachtsgeschenk *nt*, Christkindl *nt* (*Aus*) **Christmas pudding** *n* Plumpudding *m* **Christmastide, Christmas time** *n* Weihnachtszeit *f* **Christmas tree** *n* Weihnachtsbaum *m*

chrome *n* Chrom *nt*

chromosome *n* Chromosom *nt*

chronic *adj* **1.** chronisch; ***Chronic Fatigue Syndrome*** chronisches Erschöpfungssyndrom **2.** (*infml* ≈ *terrible*) miserabel (*infml*) **chronically** *adv* chronisch

chronicle I *n* Chronik *f* **II** *v/t* aufzeichnen

chronological *adj* chronologisch; ***in ~ order*** in chronologischer Reihenfolge **chronologically** *adv* chronologisch; ***~ arranged*** in chronologischer Reihenfolge **chronology** *n* Chronologie *f*

chrysanthemum *n* Chrysantheme *f*

chubby *adj* (+*er*) rundlich; ***~ cheeks*** Pausbacken *pl*

chuck *v/t* (*infml*) **1.** (≈ *throw*) schmeißen (*infml*) **2.** (*infml*) *girlfriend etc* Schluss machen mit; *job* hinschmeißen (*infml*)

◆ **chuck away** *v/t sep* (*infml* ≈ *throw out*) wegschmeißen (*infml*); *money* aus dem Fenster schmeißen (*infml*) ◆ **chuck in** *v/t sep* (*Br infml*) *job* hinschmeißen (*infml*); ***to chuck it (all) in*** den Laden hinschmeißen (*infml*) ◆ **chuck out** *v/t sep* (*infml*) rausschmeißen (*infml*); ***to be chucked out*** rausfliegen (*of* aus) (*infml*)

chuckle *v/i* leise in sich (*acc*) hineinlachen

chuffed *adj* (*Br infml*) vergnügt und zufrieden

chug *v/i* tuckern ◆ **chug along** *v/i* entlangtuckern; (*fig infml*) gut vorankommen

chum *n* (*infml*) Kumpel *m* (*infml*), Spezi *m* (*Aus*) **chummy** *adj* (+*er*) (*infml*) kameradschaftlich; ***to be ~ with sb*** mit jdm sehr dicke sein (*infml*)

chunk *n* großes Stück; (*of meat*) Batzen *m*; (*of stone*) Brocken *m* **chunky** *adj* (+*er*) (*infml*) stämmig; *knitwear* dick, klobig

Chunnel *n* (*infml*) Kanaltunnel *m*

church *n* Kirche *f*; ***to go to ~*** in die Kirche gehen; ***the Church of England*** die anglikanische Kirche **churchgoer** *n* Kirchgänger(in) *m*(*f*) **church hall** *n* Gemeindehalle *f* **church service** *n* Gottesdienst *m* **churchyard** *n* Friedhof *m*

churlish *adj*, **churlishly** *adv* ungehobelt

churn I *n* **1.** (*for butter*) Butterfass *nt* **2.** (*Br* ≈ *milk churn*) Milchkanne *f* **II** *v/t mud etc* aufwühlen **III** *v/i* ***his stomach was ~ing*** sein Magen revoltierte ◆ **churn out** *v/t sep* am laufenden Band produzieren ◆ **churn up** *v/t sep* aufwühlen

chute *n* Rutsche *f*; (≈ *garbage chute*) Müllschlucker *m*

chutney *n* Chutney *m*

CIA *abbr of* ***Central Intelligence Agency*** CIA *m*

CID (*Br*) *abbr of* ***Criminal Investigation Department*** ≈ Kripo *f*

cider *n* Cidre *m*

cig *n* (*infml* ≈ *cigarette*) Zigarette *f*

cigar *n* Zigarre *f*

cigarette *n* Zigarette *f* **cigarette case** *n* Zigarettenetui *nt* **cigarette end** *n* Zigarettenstummel *m* **cigarette holder** *n* Zigarettenspitze *f* **cigarette lighter** *n* Feuerzeug *nt* **cigarette machine** *n* Zigarettenautomat *m* **cigarette paper** *n* Zigarettenpapier *nt*

cinch *n* (*infml*) ***it's a ~*** (≈ *easy*) das ist ein Kinderspiel

cinder *n* **~s** *pl* Asche *f*; ***burnt to a ~*** (*Br fig*) verkohlt **Cinderella** *n* (*lit*, *fig*) Aschenputtel *nt*

cine camera *n* (*Br*) (Schmal)filmkamera *f* **cine film** *n* (*Br*) Schmalfilm *m*

cinema *n* (*esp Br*) Kino *nt*; ***at/to the ~*** im/ins Kino **cinemagoer** *n* Kinogänger(in) *m*(*f*)

cinnamon I *n* Zimt *m* **II** *adj attr* Zimt-

cipher *n* (≈ *code*) Chiffre *f*; ***in ~*** chiffriert

circa *prep* zirka

circle I *n* **1.** Kreis *m*; ***to stand in a ~*** im Kreis stehen; ***to have come full ~*** (*fig*) wieder da sein, wo man angefangen hat; ***we're just going round in ~s*** (*fig*) wir bewegen uns nur im Kreise; ***a close ~ of friends*** ein enger Freundeskreis; ***in political ~s*** in politischen Kreisen; ***he's moving in different ~s now*** er verkehrt jetzt in anderen Kreisen **2.** (*Br* THEAT) Rang *m* **II** *v/t* **1.** (≈ *move around*) kreisen um; ***the enemy ~d the town*** der Feind kreiste die Stadt ein **2.** (≈ *draw a circle round*) einen Kreis machen um; ***~d in red*** rot umkringelt **III** *v/i* (≈ *fly in a circle*) kreisen ◆ **circle around** *v/i* (*birds*) Kreise ziehen; (*plane*) kreisen

circuit *n* **1.** (≈ *journey around etc*) Rundgang *m*/-fahrt *f*/-reise *f* (*of* um); ***to make a ~ of sth*** um etw herumgehen/-fahren; ***three ~s of the racetrack*** drei Runden auf der Rennbahn **2.** ELEC Stromkreis *m*; (≈ *apparatus*) Schaltung *f* **circuit board** *n* TECH Platine *f* **circuit breaker** *n* Stromkreisunterbrecher *m* **circuit diagram** *n* Schaltplan *m* **circuitous** *adj* umständlich **circuitry** *n* Schaltkreise *pl* **circuit training** *n* Zirkeltraining *nt*

circular I *adj* kreisförmig; ***~ motion*** Kreisbewegung *f* **II** *n* (*in firm*) Rundschreiben *nt*; (≈ *advertisement*) Wurfsendung *f* **circulate I** *v/i* **1.** zirkulieren; (*traffic*) fließen; (*rumour*) kursieren **2.** (*at party*) die Runde machen **II** *v/t rumour* in Umlauf bringen; *memo etc* zirkulieren lassen **circulation** *n* **1.** MED Kreislauf *m*; ***to have poor ~*** Kreislaufstörungen haben; ***this coin was withdrawn from*** *or* ***taken out of ~*** diese Münze wurde aus dem Verkehr gezogen; ***to be out of ~*** (*infml*) (*person*) von der Bildfläche verschwunden sein;

(*criminal, politician*) aus dem Verkehr gezogen worden sein **2.** (*of newspaper etc*) Auflage(nziffer) *f* **circulatory** *adj* Kreislauf-; ***~ system*** Blutkreislauf *m*
circumcise *v/t* beschneiden **circumcision** *n* Beschneidung *f*
circumference *n* Umfang *m*; ***the tree is 10 ft in ~*** der Baum hat einen Umfang von 10 Fuß
circumnavigate *v/t* umfahren **circumnavigation** *n* Fahrt *f* (*of* um); (*in yacht also*) Umseglung *f*; ***~ of the globe*** Fahrt *f* um die Welt; Weltumseglung *f*
circumscribe *v/t* (≈ *restrict*) eingrenzen
circumspect *adj* umsichtig
circumstance *n* Umstand *m*; ***in*** *or* ***under the ~s*** unter diesen Umständen; ***in*** *or* ***under no ~s*** unter gar keinen Umständen; ***in certain ~s*** unter Umständen **circumstantial** *adj* JUR ***~ evidence*** Indizienbeweis *m*; ***the case against him is purely ~*** sein Fall beruht allein auf Indizienbeweisen
circumvent *v/t* umgehen
circus *n* Zirkus *m*
cirrhosis *n* Zirrhose *f*
CIS *abbr of* ***Commonwealth of Independent States*** GUS *f*
cissy *n* = ***sissy***
cistern *n* Zisterne *f*; (*of WC*) Spülkasten *m*
cite *v/t* (≈ *quote*) zitieren
citizen *n* **1.** Bürger(in) *m*(*f*) **2.** (*of a state*) (Staats)bürger(in) *m*(*f*); ***French ~*** französischer Staatsbürger, französische Staatsbürgerin **Citizens' Advice Bureau** *n* (*Br*) ≈ Bürgerberatungsstelle *f*
citizenship *n* Staatsbürgerschaft *f*
citric acid *n* Zitronensäure *f* **citrus** *n* ***~ fruits*** Zitrusfrüchte *pl*
city *n* **1.** Stadt *f*, Großstadt *f*; ***the ~ of Glasgow*** die Stadt Glasgow **2.** (*in London*) ***the City*** die City **city centre**, (*US*) **city center** *n* Stadtzentrum *nt* **city dweller** *n* Stadtbewohner(in) *m*(*f*) **city father** *n* Stadtverordnete(r) *m*; ***the ~s*** die Stadtväter *pl*
city hall *n* Rathaus *nt*; (*US* ≈ *municipal government*) Stadtverwaltung *f* **city life** *n* (Groß)stadtleben *nt* **cityscape** *n* (Groß)stadtlandschaft *f*
civic *adj* Bürger-; *duties* als Bürger; *authorities* städtisch
civil *adj* **1.** (≈ *of society*) bürgerlich **2.** (≈ *polite*) höflich; ***to be ~ to sb*** höflich zu jdm sein **3.** JUR zivilrechtlich **civil defence**, (*US*) **civil defense** *n* Zivilschutz *m* **civil disobedience** *n* ziviler Ungehorsam **civil engineer** *n* Bauingenieur(in) *m*(*f*) **civil engineering** *n* Hoch- und Tiefbau *m* **civilian I** *n* Zivilist(in) *m*(*f*) **II** *adj* zivil, Zivil-; ***in ~ clothes*** in Zivil; ***~ casualties*** Verluste *pl* unter der Zivilbevölkerung **civilization** *n* **1.** (≈ *civilized world*) Zivilisation *f* **2.** (*of Greeks etc*) Kultur *f* **civilize** *v/t* zivilisieren **civilized** *adj* **1.** zivilisiert; ***all ~ nations*** alle Kulturnationen **2.** *conditions, hour* zivil **civil law** *n* bürgerliches Recht **civil liberty** *n* Bürgerrecht *nt* **civil marriage** *n* standesamtliche Trauung **civil rights I** *pl* (staats)bürgerliche Rechte *pl* **II** *attr* Bürgerrechts- **civil servant** *n* ≈ Staatsbeamte(r) *m*, Staatsbeamtin *f* **civil service** *n* ≈ Staatsdienst *m* (*ohne Richter und Lehrer*); (≈ *civil servants collectively*) Beamtenschaft *f* **civil war** *n* Bürgerkrieg *m*
CJD *abbr of* ***Creutzfeldt-Jakob disease*** CJK *f*
cl *abbr of* ***centilitre(s)*** cl
clad *adj* (*liter*) gekleidet
claim I *v/t* **1.** (≈ *demand*) Anspruch *m* erheben auf (+*acc*); *benefits* (≈ *apply for*) beantragen; (≈ *draw*) beanspruchen; ***to ~ sth as one's own*** etw für sich beanspruchen; ***the fighting ~ed many lives*** die Kämpfe forderten viele Menschenleben **2.** (≈ *assert*) behaupten **II** *v/i* **1.** INSUR Ansprüche geltend machen **2.** ***to ~ for sth*** sich (*dat*) etw zurückzahlen lassen; ***you can ~ for your travelling expenses*** Sie können sich (*dat*) Ihre Reisekosten zurückerstatten lassen **III** *n* **1.** (≈ *demand*) Anspruch *m*; (≈ *pay claim*) Forderung *f*; ***his ~ to the property*** sein Anspruch auf das Grundstück; ***to lay ~ to sth*** Anspruch auf etw (*acc*) erheben; ***to put in a ~ (for sth)*** etw beantragen; ***~ for damages*** Schadensersatzanspruch *m* **2.** (≈ *assertion*) Behauptung *f*; ***to make a ~*** eine Behauptung aufstellen; ***I make no ~ to be a genius*** ich erhebe nicht den Anspruch, ein Genie zu sein ◆ **claim back** *v/t sep* zurückfordern; ***to claim sth back (as expenses)*** sich (*dat*) etw zurückzahlen lassen
claimant *n* (*for social security etc*) Antragsteller(in) *m*(*f*); JUR Kläger(in) *m*(*f*)
clairvoyant *n* Hellseher(in) *m*(*f*)
clam *n* Venusmuschel *f* ◆ **clam up** *v/i*

(*infml*) keinen Piep (mehr) sagen (*infml*)

clamber *v/i* klettern; ***to ~ up a hill*** auf einen Berg klettern

clammy *adj* (*+er*) feucht

clamour, (*US*) **clamor I** *n* lautstark erhobene Forderung (*for* nach) **II** *v/i* ***to ~ for sth*** nach etw schreien; ***the men were ~ing to go home*** die Männer forderten lautstark die Heimkehr

clamp I *n* Schraubzwinge *f*; MED, ELEC Klemme *f*; (*for car*) Parkkralle *f* **II** *v/t* (ein)spannen; *car* eine Parkkralle befestigen an (*+dat*) ◆ **clamp down** *v/i* (*fig*) rigoros durchgreifen ◆ **clamp down on** *v/i +prep obj person* an die Kandare nehmen; *activities* einen Riegel vorschieben (*+dat*)

clampdown *n* Schlag *m* (*on* gegen)

clandestine *adj* geheim; *meeting* Geheim-

clang I *n* Klappern *nt* **II** *v/i* klappern **III** *v/t* klappern mit **clanger** *n* (*Br infml*) Schnitzer *m* (*infml*); ***to drop a ~*** ins Fettnäpfchen treten (*infml*)

clank I *n* Klirren *nt* **II** *v/t* klirren mit **III** *v/i* klirren

clap I *n* Klatschen *nt no pl*; ***a ~ of thunder*** ein Donnerschlag *m*; ***give him a ~!*** klatscht ihm Beifall!; ***a ~ on the back*** ein Schlag *m* auf die Schulter **II** *v/t* Beifall klatschen (*+dat*); ***to ~ one's hands*** in die Hände klatschen; ***to ~ sb on the back*** jdm auf die Schulter klopfen; ***he ~ped his hand over my mouth*** er hielt mir den Mund zu; ***to ~ eyes on sb/sth*** (*infml*) jdn / etw zu sehen kriegen (*infml*) **III** *v/i* (Beifall) klatschen

clapped-out *adj attr*, **clapped out** *adj pred* (*infml*) klapprig; ***a ~ old car*** eine alte Klapperkiste (*infml*) **clapper** *n* ***to go/drive/work like the ~s*** (*Br infml*) ein Mordstempo draufhaben (*infml*) **clapping** *n* Beifall *m* **claptrap** *n* (*infml*) Geschwafel *nt* (*infml*)

claret roter Bordeauxwein

clarification *n* Klarstellung *f*; ***I'd like a little ~ on this point*** ich hätte diesen Punkt gerne näher erläutert **clarify** *v/t* klären; *text* erklären; *statement* näher erläutern

clarinet *n* Klarinette *f*

clarity *n* Klarheit *f*

clash I *v/i* **1.** (*demonstrators*) zusammenstoßen **2.** (*colours*) sich beißen; (*films*) sich überschneiden; ***we ~ too much*** wir passen einfach nicht zusammen **II** *n* **1.** (*of demonstrators*) Zusammenstoß *m*; (*between people*) Konflikt *m* **2.** (*of personalities*) Unvereinbarkeit *f*; ***a ~ of interests*** eine Interessenkollision

clasp I *n* (*on brooch etc*) (Schnapp)verschluss *m* **II** *v/t* (er)greifen; ***to ~ sb's hand*** jds Hand ergreifen; ***to ~ one's hands (together)*** die Hände falten; ***to ~ sb in one's arms*** jdn in die Arme nehmen

class I *n* **1.** (≈ *group, also* SCHOOL) Klasse *f*; ***they're just not in the same ~*** man kann sie einfach nicht vergleichen; ***in a ~ of its own*** weitaus das Beste; ***I don't like her ~es*** ihr Unterricht gefällt mir nicht; ***the French ~*** (≈ *lesson*) die Französischstunde; (≈ *people*) die Französischklasse; ***the ~ of 1980*** der Jahrgang 1980, *die Schul-/Universitätsabgänger etc des Jahres 1980* **2.** (≈ *social rank*) gesellschaftliche Stellung; ***the ruling ~*** die herrschende Klasse **3.** (*Br* UNIV, *of degree*) Prädikat *nt*; ***a first-~ degree*** ein Prädikatsexamen *nt*; ***second-~ degree*** ≈ Prädikat Gut **4.** (*infml* ≈ *quality*) Stil *m*; ***to have ~*** (*person*) Format haben **II** *adj* (*infml*) erstklassig **III** *v/t* einordnen

class-conscious *adj* standesbewusst, klassenbewusst **class distinction** *n* Klassenunterschied *m*

classic I *adj* klassisch; ***a ~ example of sth*** ein klassisches Beispiel für etw **II** *n* Klassiker *m*

classical *adj* klassisch; *architecture* klassizistisch; *education* humanistisch; ***~ music*** klassische Musik; ***the ~ world*** die antike Welt **classics** *n sg* UNIV Altphilologie *f*

classification *n* Klassifizierung *f* **classified** *adj* in Klassen eingeteilt; ***~ ad(vertisement)*** Kleinanzeige *f*; ***~ information*** MIL Verschlusssache *f*; POL Geheimsache *f* **classify** *v/t* klassifizieren

classless *adj society* klassenlos **classmate** *n* Mitschüler(in) *m(f)* **class reunion** *n* Klassentreffen *nt* **classroom** *n* Klassenzimmer *nt* **classroom assistant** *n* Assistenzlehrkraft *f* **class system** *n* Klassensystem *nt*

classy *adj* (*+er*) (*infml*) nobel (*infml*)

clatter I *n* Geklapper *nt* **II** *v/i* klappern

clause *n* **1.** GRAM Satz *m* **2.** JUR *etc* Klausel *f*

claustrophobia *n* Klaustrophobie *f*

claustrophobic *adj* klaustrophob(isch); ***it's so ~ in here*** hier kriegt man Platzangst (*infml*)

claw I *n* Kralle *f*; (*of lobster etc*) Schere *f* **II** *v/t* kratzen; ***they ~ed their way out from under the rubble*** sie wühlten sich aus dem Schutt hervor; ***he ~ed his way to the top*** (*fig*) er hat sich an die Spitze durchgeboxt **III** *v/i* ***to ~ at sth*** sich an etw (*acc*) krallen

clay *n* Lehm *m* **clay court** *n* TENNIS Sandplatz *m* **clay pigeon shooting** *n* Tontaubenschießen *nt*

clean I *adj* (+*er*) **1.** sauber; ***to wash sth ~*** etw abwaschen; ***to wipe a disk ~*** IT alle Daten von einer Diskette löschen; ***to make a ~ start*** ganz von vorne anfangen; (*in life*) ein neues Leben anfangen; ***he has a ~ record*** gegen ihn liegt nichts vor; ***a ~ driving licence*** ein Führerschein *m* ohne Strafpunkte; ***a ~ break*** (*fig*) ein klares Ende **2.** *joke* stubenrein **3.** ***to make a ~ breast of sth*** etw gestehen **II** *adv* glatt; ***I ~ forgot*** das habe ich glatt(weg) vergessen (*infml*); ***he got ~ away*** er verschwand spurlos; ***to cut ~ through sth*** etw ganz durchschneiden / durchschlagen *etc*; ***to come ~*** (*infml*) auspacken (*infml*); ***to come ~ about sth*** etw gestehen **III** *v/t* sauber machen; *nails, paintbrush* reinigen; *window, shoes, vegetables* putzen; *fish, wound* säubern; (≈ *wash*) (ab)waschen; (≈ *wipe*) abwischen; ***to ~ one's hands*** (≈ *wash*) sich (*dat*) die Hände waschen *or* (*mit Tuch*) abwischen; ***to ~ one's teeth*** sich (*dat*) die Zähne putzen; ***~ the dirt off your face*** wisch dir den Schmutz vom Gesicht! **IV** *v/i* reinigen **V** *n* ***to give sth a ~***; → *vt* ◆ **clean off** *v/t sep* (≈ *wash*) abwaschen; (≈ *wipe*) abwischen; *dirt* entfernen ◆ **clean out** *v/t sep* (*lit*) gründlich sauber machen ◆ **clean up I** *v/t sep* **1.** (*lit*) sauber machen; *building* reinigen; *mess* aufräumen **2.** (*fig*) ***the new mayor cleaned up the city*** der neue Bürgermeister hat für Sauberkeit in der Stadt gesorgt; ***to ~ television*** den Bildschirm (von Gewalt, Sex *etc*) säubern **II** *v/i* (*lit*) aufräumen

clean-cut *adj person* gepflegt; ***~ features*** klare Gesichtszüge *pl* **cleaner** *n* **1.** (≈ *person*) Reinemachefrau *f*; ***the ~s*** das Reinigungspersonal **2.** (≈ *shop*) ***~'s*** Reinigung *f* **3.** (≈ *substance*) Reinigungsmittel *nt* **cleaning** *n* ***the ladies who do the ~*** die Frauen, die (hier) sauber machen; ***~ fluid*** Reinigungsflüssigkeit *f* **cleaning lady** *n* Reinemachefrau *f* **cleanliness** *n* Reinlichkeit *f* **clean-living** *adj* anständig **cleanly** *adv* sauber; ***the bone broke ~*** es war ein glatter Knochenbruch **cleanness** *n* Sauberkeit *f* **clean-out** *n* ***to give sth a ~*** etw sauber machen **cleanse** *v/t* reinigen **cleanser** *n* (≈ *detergent*) Reinigungsmittel *nt*; (*for skin*) Reinigungsmilch *f* **clean-shaven** *adj* glatt rasiert **cleansing** *adj* Reinigungs- **cleansing department** *n* Stadtreinigung *f*

clear I *adj* (+*er*) **1.** klar; *complexion* rein; *photograph* scharf; ***on a ~ day*** bei klarem Wetter; ***to be ~ to sb*** jdm klar sein; ***you weren't very ~*** du hast dich nicht sehr klar ausgedrückt; ***is that ~?*** alles klar?; ***let's get this ~, I'm the boss*** eins wollen wir mal klarstellen, ich bin hier der Chef; ***to be ~ on*** *or* ***about sth*** (sich *dat*) über etw (*acc*) im Klaren sein; ***to make oneself ~*** sich klar ausdrücken; ***to make it ~ to sb that ...*** es jdm (unmissverständlich) klarmachen, dass ...; ***a ~ profit*** ein Reingewinn *m*; ***to have a ~ lead*** klar führen **2.** (≈ *free*) frei; ***to be ~ of sth*** frei von etw sein; ***we're now ~ of debts*** jetzt sind wir schuldenfrei; ***the bottom of the door should be about 3 mm ~ of the floor*** zwischen Tür und Fußboden müssen etwa 3 mm Luft sein; ***at last we were/got ~ of the prison walls*** endlich hatten wir die Gefängnismauern hinter uns **3.** (≈ *ahead*, *Br*) ***Rangers are now three points ~ of Celtic*** Rangers liegt jetzt drei Punkte vor Celtic **II** *n* ***to be in the ~*** (≈ *free from suspicion*) frei von jedem Verdacht sein; ***we're not in the ~ yet*** (≈ *not out of difficulties*) wir sind noch nicht aus allem heraus **III** *adv* **1.** ***loud and ~*** laut und deutlich **2.** (≈ *completely*) ***he got ~ away*** er verschwand spurlos **3.** ***he leapt ~ of the burning car*** er rettete sich durch einen Sprung aus dem brennenden Auto; ***to steer*** *or* ***keep ~ of sb*** jdm aus dem Wege gehen; ***to steer*** *or* ***keep ~ of sth*** etw meiden; ***to steer*** *or* ***keep ~ of a place*** um einen Ort einen großen Bogen machen; ***exit, keep ~*** Ausfahrt frei halten!; ***stand ~ of the doors!*** bitte von den Türen zurücktreten! **IV** *v/t* **1.** *pipe* reinigen; *blockage* beseitigen; *land, road* räumen; IT *screen* löschen; ***to ~ the table*** den Tisch abräumen; ***to ~ a space for sth*** für etw Platz schaffen; ***to ~ the way for sb/sth*** den Weg für jdn / etw frei machen; ***to ~ a way through the crowd*** sich (*dat*) einen Weg durch die Menge bahnen; ***to ~ a room*** (*of people*) ein Zimmer räumen; (*of things*) ein Zimmer ausräumen; ***to ~ one's head*** (wieder) einen klaren Kopf bekommen **2.** *snow, rubbish* räumen **3.** JUR *person* freisprechen; *one's name* rein waschen **4.** ***he ~ed the bar easily*** er übersprang die Latte mit Leichtigkeit; ***raise the car till the wheel ~s the ground*** das Auto anheben, bis das Rad den Boden nicht mehr berührt **5.** *debt* begleichen **6.** *stock* räumen **7.** (≈ *approve*) abfertigen; ***to ~ a cheque*** *or* (*US*) ***check*** bestätigen, dass ein Scheck gedeckt ist; ***you'll have to ~ that with management*** Sie müssen das mit der Firmenleitung regeln; ***~ed by security*** von den Sicherheitsbehörden für unbedenklich erklärt **V** *v/i* (*weather*) aufklaren; (*mist, smoke*) sich auflösen ◆ **clear away I** *v/t sep* wegräumen **II** *v/i* **1.** (*mist etc*) sich auflösen **2.** (≈ *clear away the dishes*) den Tisch abräumen ◆ **clear off** *v/i* (*Br infml*) abhauen (*infml*) ◆ **clear out I** *v/t sep* ausräumen **II** *v/i* (*infml* ≈ *leave*) verschwinden (*infml*) ◆ **clear up I** *v/t sep* **1.** *matter* klären; *mystery* aufklären **2.** (≈ *tidy*) aufräumen; *litter* wegräumen **II** *v/i* **1.** (*weather*) (sich) aufklären **2.** (≈ *tidy up*) aufräumen

clearance *n* **1.** (≈ *act of clearing*) Beseitigung *f* **2.** (*by customs*) Abfertigung *f*; (*by security*) Unbedenklichkeitserklärung *f* **clearance sale** *n* COMM Räumungsverkauf *m* **clear-cut** *adj* klar; *issue* klar umrissen **clear-headed** *adj person, decision* besonnen **clearing** *n* (*in forest*) Lichtung *f* **clearing house** *n* Clearingstelle *f* **clearly** *adv* **1.** (≈ *distinctly*) klar; ***~ visible*** klar zu sehen **2.** (≈ *obviously*) eindeutig; ***~ we cannot allow ...*** wir können keinesfalls zulassen ...; ***this ~ can't be true*** das kann auf keinen Fall stimmen **clearness** *n* Klarheit *f*; (*of complexion*) Reinheit *f* **clear-sighted** *adj* (*fig*) scharfsichtig

cleavage *n* Dekolleté *nt*

cleaver *n* Hackbeil *nt*

clef *n* (Noten)schlüssel *m*

cleft I *adj* gespalten; ***a ~ chin*** ein Kinn *nt* mit Grübchen **II** *n* Spalte *f*; (*in chin*) Grübchen *nt* **cleft palate** *n* Wolfsrachen *m*

clematis *n* Klematis *f*

clemency *n* Milde *f* (*towards sb* jdm gegenüber); ***the prisoner was shown ~*** dem Gefangenen wurde eine milde Behandlung zuteil

clementine *n* Klementine *f*

clench *v/t fist* ballen; *teeth* zusammenbeißen; (≈ *grasp firmly*) packen

clergy *pl* Klerus *m* **clergyman** *n, pl* **-men** Geistliche(r) *m* **clergywoman -women** *pl n* Geistliche *f*

cleric *n* Geistliche(r) *m*

clerical *adj* **1.** ***~ work/job*** Schreib- *or* Büroarbeit *f*; ***~ worker*** Schreib- *or* Bürokraft *f*; ***~ staff*** Schreibkräfte *pl*; ***~ error*** Versehen *nt*; (*in wording etc*) Schreibfehler *m* **2.** ECCL geistlich

clerk *n* **1.** (Büro)angestellte(r) *m/f(m)* **2.** (≈ *secretary*) Schriftführer(in) *m(f)* **3.** (*US* ≈ *shop assistant*) Verkäufer(in) *m(f)* **4.** (*US, in hotel*) Hotelsekretär(in) *m(f)*

clever *adj* **1.** schlau **2.** (≈ *ingenious, skilful, witty*) klug; *device* raffiniert; ***to be ~ at sth*** in etw (*dat*) geschickt sein; ***he is ~ at raising money*** er ist geschickt, wenn es darum geht, Geld aufzubringen **cleverly** *adv* geschickt; (≈ *wittily*) schlau **cleverness** *n* **1.** (≈ *intelligence*) Schlauheit *f* **2.** (≈ *skill, ingenuity*) Klugheit *f* **3.** (≈ *cunning*) Schläue *pl*

cliché *n* Klischee *nt* **clichéd** *adj* klischeehaft

click I *n* Klicken *nt*; (*of light switch*) Knipsen *nt*; (*of fingers*) Schnipsen *nt* **II** *v/i* **1.** klicken; (*light switch*) knipsen; (*fingers*) schnipsen **2.** (*infml*) ***suddenly it all ~ed (into place)*** plötzlich hatte es gefunkt (*infml*); ***some people you ~ with straight away*** mit manchen Leuten versteht man sich auf Anhieb **III** *v/t fingers* schnippen mit; ***to ~ sth into place*** etw einschnappen lassen ◆ **click on** *v/i* IT ***to ~ the mouse*** mit der Maus klicken; ***to ~ an icon*** ein Icon anklicken

clickable *adj* IT anklickbar

client *n* Kunde *m*, Kundin *f*; (*of solicitor*) Klient(in) *m(f)* **clientele** *n* Kundschaft *f*

cliff *n* Klippe *f* **cliffhanger** *n* Superthriller *m* (*infml*) **clifftop** *n* ***a house on a ~*** ein

Haus oben auf einem Felsen
climactic *adj* ***a ~ scene*** ein Höhepunkt
climate *n* Klima *nt*; ***to move to a warmer ~*** in eine wärmere Gegend ziehen; ***~ conference*** Klimakonferenz *f* **climatic** *adj* Klima-
climax *n* Höhepunkt *m*
climb I *v/t* **1.** (*a.* **climb up**) klettern auf (+*acc*); *hill* steigen auf (+*acc*); *ladder, steps* hoch- *or* hinaufsteigen; *cliffs* hochklettern; ***my car can't ~ that hill*** mein Auto schafft den Berg nicht; ***to ~ a rope*** an einem Seil hochklettern **2.** (*a.* **climb over**) *wall etc* klettern über (+*acc*) **II** *v/i* klettern; (*as mountaineer*) bergsteigen; (*into train, car etc*) steigen (*into* in +*acc*); (*prices, aircraft*) steigen **III** *n* **1.** ***we're going out for a ~*** wir machen eine Bergtour; (*as mountaineers*) wir gehen bergsteigen **2.** (*of aircraft*) Steigflug *m*; ***the plane went into a steep ~*** das Flugzeug zog steil nach oben ◆ **climb down I** *v/i* (*from tree*) herunterklettern; (*from ladder*) heruntersteigen **II** *v/i +prep obj tree* herunterklettern von; *ladder* heruntersteigen ◆ **climb in** *v/i* einsteigen ◆ **climb up I** *v/i* = ***climb*** II **II** *v/i +prep obj ladder etc* hinaufsteigen; *tree* hochklettern
climb-down *n* (*fig*) Abstieg *m* **climber** *n* (≈ *mountaineer*) Bergsteiger(in) *m*(*f*); (≈ *rock climber*) Kletterer(in) *m*(*f*) **climbing I** *adj* **1.** Berg(steiger)-; (≈ *rock climbing*) Kletter-; *accident* beim Bergsteigen **2.** *plant* Kletter- **II** *n* Bergsteigen *nt*; (≈ *rock climbing*) Klettern *nt*; ***to go ~*** bergsteigen/klettern gehen
clinch *v/t argument* zum Abschluss bringen; ***to ~ the deal*** den Handel perfekt machen; ***that ~es it*** damit ist der Fall erledigt **clincher** *n* (*infml*) ***that was the ~*** das gab den Ausschlag
cling *pret, past part* ***clung*** *v/i* (≈ *hold on*) sich klammern (*to* an +*acc*); (*clothes*) sich anschmiegen (*to* +*dat*); ***to ~ together*** sich aneinanderklammern; (*lovers*) sich umschlingen; ***she clung around her father's neck*** sie hing ihrem Vater am Hals **clingfilm** *n* Frischhaltefolie *f* **clinging** *adj garment* sich anschmiegend; ***she's the ~ sort*** sie ist wie eine Klette (*infml*) **clingwrap** *n* (*US*) Frischhaltefolie *f*
clinic *n* Klinik *f* **clinical** *adj* **1.** MED klinisch **2.** (*fig*) nüchtern **clinical depression** *n* klinische Depression **clinically** *adv* klinisch; ***~ depressed*** klinisch depressiv
clink I *v/t* klirren lassen; ***to ~ glasses with sb*** mit jdm anstoßen **II** *v/i* klirren
clip[1] **I** *n* (≈ *fastener*) Klammer *f* **II** *v/t* ***to ~ sth onto sth*** etw an etw (*acc*) anklemmen **III** *v/i* ***to ~ on*** (***to sth***) (an etw *acc*) angeklemmt werden; ***to ~ together*** zusammengeklemmt werden
clip[2] **I** *v/t* **1.** (≈ *trim*) scheren; *hedge also, fingernails* schneiden **2.** (*a.* **clip out**) *article* ausschneiden; (*a.* **clip off**) *hair* abschneiden **3.** (*car, bullet*) streifen **II** *n* **1.** ***to give the hedge a ~*** die Hecke (be)schneiden **2.** ***he gave him a ~ round the ear*** er gab ihm eins hinter die Ohren (*infml*) **3.** (*from film*) Clip *m*
clip art *n* IT Clip-Art *f* **clipboard** *n* Klemmbrett *nt* **clip-on** *adj tie* zum Anstecken; ***~ earrings*** Klips *pl*; ***~ sunglasses*** Sonnenklip *m* **clippers** *pl* (*a.* **pair of clippers**) Schere *f*; (*for hair*) Haarschneidemaschine *f*; (*for fingernails*) Nagelzange *f* **clipping** *n* (≈ *newspaper clipping*) Ausschnitt *m*
clique *n* Clique *f*
clitoris *n* Klitoris *f*
cloak I *n* (*lit*) Umhang *m*; (*fig*) Schleier *m*; ***under the ~ of darkness*** im Schutz der Dunkelheit **II** *v/t* (*fig*) verhüllen **cloak-and-dagger** *adj* geheimnisumwittert **cloakroom** *n* **1.** (*Br*: *for coats*) Garderobe *f* **2.** (*Br euph*) Waschraum *m* (*euph*)
clobber (*infml*) **I** *n* (*Br* ≈ *belongings*) Zeug *nt* (*infml*); (≈ *clothes*) Klamotten *pl* (*infml*) **II** *v/t* (≈ *hit, defeat*) ***to get ~ed*** eins übergebraten kriegen (*infml*)
clock *n* **1.** Uhr *f*; ***round the ~*** rund um die Uhr; ***against the ~*** SPORTS nach *or* auf Zeit; ***to work against the ~*** gegen die Uhr arbeiten; ***to beat the ~*** schneller als vorgesehen fertig sein; ***to put the ~ back/forward*** die Uhr zurückstellen/vorstellen; ***to turn the ~ back*** (*fig*) die Zeit zurückdrehen; ***to watch the ~*** (*infml*) dauernd auf die Uhr sehen **2.** (*infml*) ***it's got 100,000 miles on the ~*** es hat einen Tachostand von 100.000 Meilen ◆ **clock in** *or* **on** *v/i* (den Arbeitsbeginn) stempeln *or* stechen ◆ **clock off** *or* **out** *v/i* (das Arbeitsende) stempeln *or* stechen ◆ **clock up** *v/t sep speed* fahren

clock face *n* Zifferblatt *nt* **clockmaker** *n* Uhrmacher(in) *m(f)* **clock radio** *n* Radiouhr *f* **clock tower** *n* Uhrenturm *m* **clock-watching** *n* Auf-die-Uhr-Schauen *nt* **clockwise** *adj*, *adv* im Uhrzeigersinn **clockwork I** *n* (*of toy*) Aufziehmechanismus *m*; ***like ~*** wie am Schnürchen **II** *attr* **1.** *train*, *car* aufziehbar **2.** ***with ~ regularity*** mit der Regelmäßigkeit eines Uhrwerks

clod *n* (*of earth*) Klumpen *m*

clog I *n* (≈ *shoe*) Holzschuh *m*; ***~s*** *pl* (*modern*) Clogs *pl* **II** *v/t* (*a.* **clog up**) *pipe etc* verstopfen; ***~ged with traffic*** verstopft **III** *v/i* (*a.* **clog up**, *pipe etc*) verstopfen

cloister *n* **1.** (≈ *covered walk*) Kreuzgang *m* **2.** (≈ *monastery*) Kloster *nt* **cloistered** *adj* (*fig*) weltabgeschieden

clone I *n* Klon *m* **II** *v/t* klonen

close[1] **I** *adj* (+*er*) **1.** (≈ *near*) in der Nähe (*to* +*gen*, von); ***is Glasgow ~ to Edinburgh?*** liegt Glasgow in der Nähe von Edinburgh?; ***you're very ~*** (*in guessing etc*) du bist dicht dran; ***at ~ quarters*** aus unmittelbarer Nähe; ***we use this pub because it's the ~st*** wir gehen in dieses Lokal, weil es am nächsten ist **2.** (*in time*) nahe (bevorstehend) **3.** (*fig*) *friend*, *connection* eng; *relative* nahe; *resemblance* groß; ***they were very ~ (to each other)*** sie standen sich sehr nahe **4.** *examination* genau; ***now pay ~ attention to me*** jetzt hör mir gut zu; ***you have to pay very ~ attention to the traffic signs*** du musst genau auf die Verkehrszeichen achten **5.** (≈ *stuffy*) schwül; (*indoors*) stickig **6.** *fight*, *result* knapp; ***a ~(-fought) match*** ein (ganz) knappes Spiel; ***a ~ finish*** ein Kopf-an-Kopf-Rennen *nt*; ***it was a ~ thing*** *or* ***call*** das war knapp!; ***the vote was too ~ to call*** der Ausgang der Abstimmung war völlig offen **II** *adv* (+*er*) nahe; ***~ by*** in der Nähe; ***stay ~ to me*** bleib dicht bei mir; ***~ to the ground*** nahe am Boden; ***he followed ~ behind me*** er ging dicht hinter mir; ***don't stand too ~ to the fire*** stell dich nicht zu nahe ans Feuer; ***to be ~ to tears*** den Tränen nahe sein; ***~ together*** nahe zusammen; ***this pattern comes ~st to the sort of thing we wanted*** dieses Muster kommt dem, was wir uns vorgestellt haben, am nächsten; (***from***) ***~ up*** von Nahem

close[2] **I** *v/t* **1.** (≈ *shut*) schließen; (*permanently*) *factory* stilllegen; *road* sperren; ***to ~ one's eyes/ears to sth*** sich einer Sache gegenüber blind/taub stellen; ***to ~ ranks*** (MIL, *fig*) die Reihen schließen **2.** *meeting* beenden; *bank account etc* auflösen; ***the matter is ~d*** der Fall ist abgeschlossen **II** *v/i* **1.** (≈ *shut*) sich schließen; (≈ *can be shut*) zugehen; (*shop*, *factory*) schließen, zumachen; (*factory*: *permanently*) stillgelegt werden; ***his eyes ~d*** die Augen fielen ihm zu **2.** ST EX schließen **III** *n* Ende *nt*; ***to come to a ~*** enden; ***to draw to a ~*** sich dem Ende nähern; ***to bring sth to a ~*** etw beenden ◆ **close down I** *v/i* (*business etc*) schließen, zumachen (*infml*); (*factory*: *permanently*) stillgelegt werden **II** *v/t sep business etc* schließen; *factory* (*permanently*) stilllegen ◆ **close in** *v/i* (*night*) hereinbrechen; (*days*) kürzer werden; (*enemy etc*) bedrohlich nahe kommen; ***to ~ on sb*** jdm auf den Leib rücken; ***the police are closing in on him*** die Polizei zieht das Netz um ihn zu; (*physically*) die Polizisten umzingeln ihn ◆ **close off** *v/t sep* (ab)sperren ◆ **close on** *v/i* +*prep obj* einholen ◆ **close up** *v/t sep house*, *shop* zumachen

closed *adj* geschlossen; *road* gesperrt; ***behind ~ doors*** hinter verschlossenen Türen; **"*closed*"** „geschlossen"; ***sorry, we're ~*** tut uns leid, wir haben geschlossen; ***~ circuit*** ELEC geschlossener Stromkreis

closed-circuit television *n* interne Fernsehanlage; (*for supervision*) Fernsehüberwachungsanlage *f* **closed shop** *n* ***we have a ~*** wir haben Gewerkschaftszwang

close-fitting *adj* eng anliegend **close-knit** *adj*, *comp* **closer-knit** *community* eng *or* fest zusammengewachsen **closely** *adv* **1.** eng; *related* nah(e); *follow* (*in time*) dicht; ***he was ~ followed by a policeman*** ein Polizist ging dicht hinter ihm; ***the match was ~ contested*** der Spielausgang war hart umkämpft **2.** *listen etc* genau; ***a ~-guarded secret*** ein streng gehütetes Geheimnis **closeness** *n* **1.** Nähe *f* **2.** (*fig*, *of friendship*) Innigkeit *f* **close-run** *adj*, *comp* **closer-run** ***it was a ~ thing*** es war eine knappe Sache **close season** *n* **1.** FTBL Saisonpause *f* **2.**

HUNT, FISH Schonzeit *f* **close-set** *adj, comp* ***closer-set*** *eyes* eng zusammenstehend
closet *n* (*US*) Wandschrank *m*, Wandkasten *m* (*Aus, Swiss*); ***to come out of the ~*** (*fig*) sich outen
close-up *n* Nahaufnahme *f*; ***in ~*** in Nahaufnahme; (*face*) in Großaufnahme
closing I *n* Schließung *f*; (*of factory: permanently*) Stilllegung *f* **II** *adj* **1.** *remarks etc* abschließend; ***~ arguments*** JUR Schlussplädoyers *pl* **2.** ST EX ***~ prices*** Schlusskurse *pl* **closing date** *n* Einsendeschluss *m* **closing-down sale** *n* COMM Räumungsverkauf *m* **closing time** *n* Ladenschluss *m*; (*Br, in pub*) Sperrstunde *f*
closure *n* Schließung *f*; (*of road*) Sperrung *f*
clot I *n* (*of blood*) (Blut)gerinnsel *nt* **II** *v/i* (*blood*) gerinnen
cloth *n* **1.** Stoff *m* **2.** (≈ *dishcloth etc*) Tuch *nt*; (*for cleaning also*) Lappen *m* **3.** (≈ *tablecloth*) Tischdecke *f*
clothe *pret, past part* **clothed** *v/t* anziehen
clothes *pl* Kleider *pl*; ***his mother still washes his ~*** seine Mutter macht ihm immer noch die Wäsche; ***with one's ~ on/off*** an-/ausgezogen; ***to put on/take off one's ~*** sich an-/ausziehen **clothes basket** *n* Wäschekorb *m* **clothes brush** *n* Kleiderbürste *f* **clothes hanger** *n* Kleiderbügel *m* **clothes horse** *n* Wäscheständer *m* **clothes line** *n* Wäscheleine *f* **clothes peg**, (*US*) **clothes pin** *n* Wäscheklammer *f* **clothes shop** *n* Bekleidungsgeschäft *nt* **clothing** *n* Kleidung *f*, Gewand *nt* (*Aus*)
clotted cream *n* dicke Sahne (*aus erhitzter Milch*)
cloud I *n* Wolke *f*; (*of smoke*) Schwaden *m*; ***to have one's head in the ~s*** in höheren Regionen schweben; ***to be on ~ nine*** (*infml*) im siebten Himmel schweben (*infml*); ***every ~ has a silver lining*** (*prov*) kein Unglück ist so groß, es hat sein Glück im Schoß (*prov*) **II** *v/t* (*fig*) trüben; ***to ~ the issue*** die Angelegenheit verschleiern ◆ **cloud over** *v/i* (*sky*) sich bewölken
cloudburst *n* Wolkenbruch *m* **cloud-cuckoo-land** *n* ***you're living in ~*** du lebst auf dem Mond (*infml*) **cloudless** *adj* wolkenlos **cloudy** *adj* (*+er*) **1.** *sky* bewölkt; ***it's getting ~*** es bewölkt sich **2.** *liquid etc* trüb
clout I *n* **1.** (*infml* ≈ *blow*) Schlag *m*; ***to give sb a ~*** jdm eine runterhauen (*infml*) **2.** (*political*) Schlagkraft *f* **II** *v/t* (*infml*) hauen (*infml*)
clove *n* **1.** Gewürznelke *f* **2.** ***~ of garlic*** Knoblauchzehe *f*
clover *n* Klee *m*
clown I *n* Clown *m*; (*pej infml*) Trottel *m*; ***to act the ~*** den Clown spielen **II** *v/i* (*a.* **clown about** *or* **around**) herumblödeln (*infml*)
club I *n* **1.** (≈ *weapon*) Knüppel *m* **2.** (≈ *golf club*) Golfschläger *m* **3.** **clubs** *pl* CARDS Kreuz *nt*; ***the nine of ~s*** die Kreuzneun **4.** (≈ *society*) Klub *m*, Verein *m*; (≈ *night club*) Klub *m*; FTBL Verein *m*; ***join the ~!*** (*infml*) gratuliere! du auch!; ***the London ~ scene*** das Nachtleben von London **II** *v/t* einknüppeln auf (*+acc*) **III** *v/i* ***to go clubbing*** Nachtklubs besuchen ◆ **club together** *v/i* (*Br*) zusammenlegen
clubhouse *n* Klubhaus *nt* **club member** *n* Vereins- *or* Klubmitglied *nt*
cluck *v/i* gackern
clue *n* Anhaltspunkt *m*; (*in crosswords*) Frage *f*; ***to find a/the ~ to sth*** den Schlüssel zu etw finden; ***I'll give you a ~*** ich gebe dir einen Tipp; ***I haven't a ~!*** (ich hab) keine Ahnung! ◆ **clue up** *v/t sep* (*infml*) ***to be clued up on*** *or* ***about sth*** über etw (*acc*) im Bilde sein; (*about subject*) mit etw vertraut sein
clueless *adj* (*infml*) ahnungslos
clump I *n* (*of trees*) Gruppe *f*; (*of earth*) Klumpen *m* **II** *v/i* trampeln
clumsily *adv* ungeschickt; (≈ *inelegant*) schwerfällig **clumsiness** *n* Ungeschicklichkeit *f*; (≈ *ungainliness*) Schwerfälligkeit *f* **clumsy** *adj* (*+er*) **1.** ungeschickt; (≈ *inelegant*) schwerfällig **2.** *mistake* dumm
clung *pret, past part of* **cling**
clunk *n* dumpfes Geräusch
cluster I *n* Gruppe *f* **II** *v/i* (*people*) sich drängen *or* scharen
clutch I *n* **1.** AUTO Kupplung *f*; ***to let in/out the ~*** ein-/auskuppeln **2.** (*fig*) ***to fall into sb's ~es*** jdm in die Hände fallen **II** *v/t* (≈ *grab*) umklammern; (≈ *hold tightly*) umklammert halten ◆ **clutch at** *v/i +prep obj* (*lit*) schnappen nach (*+dat*); (*fig*) sich klammern an (*+acc*)
clutter I *n* Durcheinander *nt* **II** *v/t* (*a.* **clutter up**) zu voll machen (*infml*)/stellen;

to be ~ed with sth (*mind, room, drawer etc*) mit etw vollgestopft sein; (*floor, desk etc*) mit etw übersät sein
cm *abbr of* ***centimetre*** cm
CO *abbr of* ***Commanding Officer***
Co 1. *abbr of* ***company*** KG *f* **2.** *abbr of* ***county***
co- *pref* Mit-, mit-
c/o *abbr of* ***care of*** bei, c/o
coach I *n* **1.** (*horsedrawn*) Kutsche *f* **2.** RAIL (Eisenbahn)wagen *m* **3.** (*Br* ≈ *motor coach*) (Reise)bus *m*; ***by ~*** mit dem Bus; ***~ travel/journeys*** Busreisen *pl*; ***~ driver*** Busfahrer *m* **4.** SPORTS Trainer *m* **II** *v/t* **1.** SPORTS trainieren **2.** ***to ~ sb for an exam*** jdn aufs Examen vorbereiten **coaching** *n* SPORTS Training *nt*; (≈ *tutoring*) Nachhilfe *f* **coachload** *n* (*Br*) = ***busload*** **coach party** *n* (*Br*) Busreisegruppe *f* **coach station** *n* (*Br*) Busbahnhof *m* **coach trip** *n* (*Br*) Busfahrt *f*
coagulate *v/i* (*blood*) gerinnen; (*milk*) dick werden
coal *n* Kohle *f*
coalesce *v/i* (*fig*) sich vereinigen
coalface *n* (*Br*) Streb *m* **coal fire** *n* Kamin *m* **coal-fired** *adj* Kohle(n)-; ***~ power station*** Kohlekraftwerk *nt*
coalition *n* Koalition *f*; ***~ agreement*** Koalitionsvereinbarung *f*; ***~ government*** Koalitionsregierung *f*
coal mine *n* Zeche *f* **coal miner** *n* Bergmann *m* **coal-mining** *n* Kohle(n)bergbau *m*
coarse *adj* (*+er*) **1.** grob **2.** (≈ *uncouth*) gewöhnlich; *joke* derb **coarsen** *v/t skin* gerben **coarseness** *n* **1.** (*of texture*) Grobheit *f* **2.** (*fig* ≈ *vulgarity*) Gewöhnlichkeit *f*; (*of manners also*) Grobheit *f*; (*of joke also*) Unanständigkeit *f*; (*of sb's language*) Derbheit *f*
coast I *n* Küste *f*; ***on the ~*** am Meer; ***we're going to the ~*** wir fahren ans Meer; ***the ~ is clear*** (*fig*) die Luft ist rein **II** *v/i* **1.** (*car, cyclist, in neutral*) (im Leerlauf) fahren **2.** (*fig*) ***to be ~ing along*** mühelos vorankommen **coastal** *adj* Küsten-; ***~ traffic*** Küstenschifffahrt *f*
coaster *n* (≈ *mat*) Untersetzer *m*
coastguard *n* Küstenwache *f* **coastline** *n* Küste *f*
coat I *n* **1.** Mantel *m*; (≈ *doctor's coat etc also*) (Arzt)kittel *m* **2.** HERALDRY ***~ of arms*** Wappen *nt* **3.** (*of animal*) Fell *nt* **4.** (*of paint etc*) Anstrich *m*; ***give it a second ~*** (*of paint*) streich es noch einmal **II** *v/t* (*with paint etc*) streichen; ***to be ~ed with mud*** mit einer Schmutzschicht überzogen sein **coat hanger** *n* Kleiderbügel *m* **coat hook** *n* Kleiderhaken *m* **coating** *n* Überzug *m* **coat stand** *n* Garderobenständer *m*
co-author *n* Mitautor(in) *m(f)*
coax *v/t* überreden; ***to ~ sb into doing sth*** jdn beschwatzen, etw zu tun (*infml*); ***to ~ sth out of sb*** jdm etw entlocken
cob *n* ***corn on the ~*** Maiskolben *m*
cobble I *n* (*a.* **cobblestone**) Kopfstein *m* **II** *v/t* ***a ~d street*** eine Straße mit Kopfsteinpflaster ◆ **cobble together** *v/t sep* (*infml*) zusammenschustern
cobbler *n* Schuster *m*
cobblestone *n* Kopfstein *m*
COBOL *abbr of* ***common business oriented language*** COBOL
cobweb *n* Spinnennetz *nt*; ***a brisk walk will blow away the ~s*** (*fig*) ein ordentlicher Spaziergang und man hat wieder einen klaren Kopf
cocaine *n* Kokain *nt*
cochineal *n* Koschenille *f*
cock I *n* **1.** (≈ *rooster*) Hahn *m* **2.** (≈ *male bird*) Männchen *nt* **3.** (*sl* ≈ *penis*) Schwanz *m* (*sl*) **II** *v/t ears* spitzen ◆ **cock up** *v/t sep* (*Br infml*) versauen (*infml*)
cock-a-doodle-doo *n* Kikeriki *nt* **cock-a-hoop** *adj* ganz aus dem Häuschen **cock-a-leekie (soup)** *n* Lauchsuppe *f* mit Huhn
cockatiel *n* Nymphensittich *m*
cockatoo *n* Kakadu *m*
cockerel *n* junger Hahn
cockeyed *adj* (*infml* ≈ *crooked*) schief
cockily *adv* (*infml*) großspurig
cockle *n* Herzmuschel *f*
cockney I *n* **1.** (≈ *dialect*) Cockney *nt* **2.** (≈ *person*) Cockney *m* **II** *adj* Cockney-
cockpit *n* Cockpit *nt*
cockroach *n* Kakerlak *m*
cocktail *n* Cocktail *m* **cocktail bar** *n* Cocktailbar *f* **cocktail cabinet** *n* Hausbar *f* **cocktail lounge** *n* Cocktailbar *f* **cocktail stick** *n* Cocktailspieß *m* **cocktail waiter** *n* (*esp US*) Getränkekellner *m* **cocktail waitress** *n* (*esp US*) Getränkekellnerin *f*
cockup *n* (*Br infml*) ***to be a ~*** in die Hose gehen (*infml*); ***to make a ~ of sth*** bei *or* mit etw Scheiße bauen (*infml*) **cocky**

adj (+*er*) (*infml*) großspurig
cocoa *n* Kakao *m*
coconut I *n* Kokosnuss *f* II *attr* Kokos- **coconut oil** *n* Kokosöl *nt*
cocoon I *n* Kokon *m* II *v/t* einhüllen
COD *abbr of* ***cash*** (*Brit*) *or* ***collect*** (*US*) ***on delivery***
cod *n* Kabeljau *m*
code I *n* **1.** (≈ *cipher*, IT) Code *m*; ***in ~*** verschlüsselt; ***to put into ~*** verschlüsseln **2.** (≈ *rules*) Kodex *m*; ***~ of conduct*** Verhaltenskodex *m*; ***~ of practice*** Verfahrensregeln *pl* **3.** TEL Vorwahl *f* **4.** ***post*** *or* ***zip*** (*US*) ***~*** Postleitzahl *f* II *v/t* verschlüsseln; IT codieren **coded** *adj* **1.** codiert **2.** *reference* versteckt; ***in ~ language*** in verschlüsselter *or* codierter Sprache
codeine *n* Codein *nt*
code name *n* Deckname *m* **code number** *n* Kennziffer *f* **co-determination** *n* IND Mitbestimmung *f* **code word** *n* Codewort *nt* **coding** *n* **1.** Chiffrieren *nt*; ***a new ~ system*** ein neues Chiffriersystem **2.** (IT ≈ *codes*) Codierung(en *pl*) *f*
cod-liver oil *n* Lebertran *m*
co-ed, coed I *n* (*infml*, *Br* ≈ *school*) gemischte Schule II *adj* gemischt **coeducational** *adj school* Koedukations-
coerce *v/t* zwingen; ***to ~ sb into doing sth*** jdn dazu zwingen, etw zu tun **coercion** *n* Zwang *m*
coexist *v/i* nebeneinander bestehen; ***to ~ with*** *or* ***alongside sb/sth*** neben jdm/etw bestehen **coexistence** *n* Koexistenz *f*
C of E *abbr of* ***Church of England***
coffee *n* Kaffee *m*; ***two ~s, please*** zwei Kaffee, bitte **coffee bar** *n* Café *nt*, Kaffeehaus *nt* (*Aus*) **coffee bean** *n* Kaffeebohne *f* **coffee break** *n* Kaffeepause *f* **coffee cup** *n* Kaffeetasse *f* **coffee filter** *n* Kaffeefilter *m* **coffee grinder** *n* Kaffeemühle *f* **coffee grounds** *pl* Kaffeesatz *m* **coffee machine** *n* (≈ *coffee maker*) Kaffeemaschine *f* **coffee maker** *n* Kaffeemaschine *f* **coffee mill** *n* Kaffeemühle *f* **coffeepot** *n* Kaffeekanne *f* **coffee shop** *n* Café *nt*, Kaffeehaus *nt* (*Aus*), Imbissstube *f* **coffee table** *n* Couchtisch *m* **coffee-table** *adj* ***~ book*** Bildband *m*
coffer *n* (*fig*) ***the ~s*** die Schatulle
coffin *n* Sarg *m*
cog *n* TECH Zahn *m*; (≈ *cogwheel*) Zahnrad *nt*; ***he's only a ~ in the machine*** (*fig*) er ist nur ein Rädchen im Getriebe
cognac *n* Kognak *m*; (*French*) Cognac® *m*
cognate *adj* verwandt
cognitive *adj* kognitiv
cognoscenti *pl* Kenner *pl*
cogwheel *n* Zahnrad *nt*
cohabit *v/i* zusammenleben
cohere *v/i* **1.** (*lit*) zusammenhängen **2.** (*fig*, *community*) eine Einheit bilden; (*reasoning etc*) kohärent sein **coherence** *n* (*of argument*) Kohärenz *f*; ***his speech lacked ~*** seiner Rede (*dat*) fehlte der Zusammenhang **coherent** *adj* **1.** (≈ *comprehensible*) zusammenhängend **2.** (≈ *cohesive*) *logic*, *reasoning etc* kohärent **coherently** *adv* **1.** (≈ *comprehensibly*) zusammenhängend **2.** (≈ *cohesively*) kohärent **cohesion** *n* (*of group*) Zusammenhalt *m*
coiffure *n* Haartracht *f*
coil I *n* **1.** (*of rope etc*) Rolle *f*; (*of smoke*) Kringel *m*; (*of hair*) Kranz *m* **2.** ELEC Spule *f* **3.** (≈ *contraceptive*) Spirale *f* II *v/t* aufwickeln; ***to ~ sth round sth*** etw um etw wickeln
coin I *n* Münze *f*; ***the other side of the ~*** (*fig*) die Kehrseite der Medaille; ***they are two sides of the same ~*** das sind zwei Seiten derselben Sache II *v/t phrase* prägen; ***..., to ~ a phrase*** ..., um mich mal so auszudrücken **coinage** *n* (≈ *system*) Währung *f* **coin box** *n* (≈ *telephone*) Münzfernsprecher *m*
coincide *v/i* **1.** (*in time*, *place*) zusammenfallen **2.** (≈ *agree*) übereinstimmen; ***the two concerts ~*** die beiden Konzerte finden zur gleichen Zeit statt **coincidence** *n* Zufall *m*; ***what a ~!*** welch ein Zufall! **coincidental** *adj*, **coincidentally** *adv* zufällig
coin-operated *adj* Münz-; ***~ machine*** Münzautomat *m*
Coke® *n* (*infml*) (Coca-)Cola® *f*
coke *n* (*infml* ≈ *cocaine*) Koks *m* (*infml*)
Col *abbr of* ***Colonel***
col *abbr of* ***column*** Sp.
colander *n* Sieb *nt*
cold I *adj* (+*er*) **1.** kalt; ***~ meats*** Aufschnitt *m*; ***I am ~*** mir ist kalt; ***my hands are ~*** ich habe kalte Hände; ***if you get ~*** wenn es dir zu kalt wird; ***in ~ blood*** kaltblütig; ***to get ~ feet*** (*fig infml*) kalte Füße kriegen (*infml*); ***that brought him out in a ~ sweat*** dabei brach ihm der kalte Schweiß aus; ***to throw ~ water on sb's***

plans (*infml*) jdm eine kalte Dusche geben **2.** (*fig*) kalt; *reception* betont kühl; (≈ *dispassionate*) kühl; ***to be ~ to sb*** jdn kühl behandeln; ***that leaves me ~*** das lässt mich kalt **3.** (*infml*) ***to be out ~*** bewusstlos sein; (≈ *knocked out*) k. o. sein **II** *n* **1.** Kälte *f*; ***to feel the ~*** kälteempfindlich sein; ***to be left out in the ~*** (*fig*) ausgeschlossen werden **2.** MED Erkältung *f*; (≈ *runny nose*) Schnupfen *m*; ***to have a ~*** erkältet sein; (≈ *runny nose*) einen Schnupfen haben; ***to catch*** (***a***) ***~*** sich erkälten **cold-blooded** *adj* (ZOOL, *fig*) kaltblütig **cold calling** *n* (COMM) (*on phone*) unaufgeforderte Telefonwerbung **cold cuts** *pl* (*US*) Aufschnitt *m* **cold-hearted** *adj* kaltherzig **coldly** *adv* kalt; *answer, receive* betont kühl **coldness** *n* Kälte *f*; (*of answer, reception*) betonte Kühle **cold room** *n* Kühlraum *m* **cold shoulder** *n* (*infml*) ***to give sb the ~*** jdm die kalte Schulter zeigen **cold sore** *n* MED Bläschenausschlag *m* **cold start** *n* AUTO, IT Kaltstart *m* **cold storage** *n* Kühllagerung *f* **cold turkey** (*infml*) **I** *adj* ***a ~ cure*** ein kalter Entzug (*sl*) **II** *adv* ***to come off drugs ~*** einen kalten Entzug machen (*sl*) **cold war** *n* kalter Krieg

coleslaw *n* Krautsalat *m*

colic *n* Kolik *f*

collaborate *v/i* **1.** ***to ~ with sb on*** *or* ***in sth*** mit jdm bei etw zusammenarbeiten **2.** (*with enemy*) kollaborieren **collaboration** *n* **1.** (≈ *working together*) Zusammenarbeit *f*; (*of one party*) Mitarbeit *f* **2.** (*with enemy*) Kollaboration *f* **collaborative** *adj* gemeinschaftlich **collaborator** *n* **1.** Mitarbeiter(in) *m*(*f*) **2.** (*with enemy*) Kollaborateur(in) *m*(*f*)

collage *n* Collage *f*

collapse I *v/i* **1.** zusammenbrechen; (*negotiations*) scheitern; (*prices, government*) stürzen; ***they all ~d with laughter*** sie konnten sich alle vor Lachen nicht mehr halten; ***she ~d onto her bed, exhausted*** sie plumpste erschöpft aufs Bett **2.** (*table etc*) sich zusammenklappen lassen **II** *n* Zusammenbruch *m*; (*of negotiations*) Scheitern *nt*; (*of government*) Sturz *m* **collapsible** *adj table* zusammenklappbar; ***~ umbrella*** Taschenschirm *m*

collar I *n* **1.** Kragen *m*; ***he got hold of him by the ~*** er packte ihn am Kragen **2.** (*for dogs*) Halsband *nt* **II** *v/t* (≈ *capture*) fassen **collarbone** *n* Schlüsselbein *nt* **collar size** *n* Kragenweite *f*

collate *v/t* zusammentragen

collateral *n* FIN (zusätzliche) Sicherheit **collateral damage** *n* MIL, POL Kollateralschaden *m*

colleague *n* Kollege *m*, Kollegin *f*

collect I *v/t* **1.** sammeln; *empty glasses* einsammeln; *litter* aufsammeln; *prize* bekommen; *belongings* zusammenpacken; *taxes* einziehen; *fares* kassieren; (≈ *accumulate*) ansammeln; *dust* anziehen **2.** (≈ *fetch*) abholen (*from* bei) **II** *v/i* **1.** (≈ *gather*) sich ansammeln; (*dust*) sich absetzen **2.** (≈ *collect money*) kassieren; (*for charity*) sammeln **III** *adv* (*US*) ***to pay ~*** bei Empfang bezahlen; ***to call ~*** ein R-Gespräch führen ◆ **collect up** *v/t sep* einsammeln; *litter* aufsammeln; *belongings* zusammenpacken

collect call *n* (*US*) R-Gespräch *nt* **collected** *adj* **1.** ***the ~ works of Oscar Wilde*** Oscar Wildes gesammelte Werke **2.** (≈ *calm*) ruhig

collection *n* **1.** (≈ *group of people, objects*) Ansammlung *f*; (*of stamps etc*) Sammlung *f* **2.** (*from letter box*) Leerung *f*; (*for charity*) Sammlung *f*; (*in church*) Kollekte *f*; ***to hold a ~ for sb/sth*** für jdn / etw eine Sammlung durchführen **collective** *adj* kollektiv **collective bargaining** *n* Tarifverhandlungen *pl* **collectively** *adv* gemeinsam **collective noun** *n* GRAM Kollektivum *nt* **collector** *n* (*of stamps etc*) Sammler(in) *m*(*f*); ***~'s item*** Sammler-

college *n* **1.** College *nt*; ***to go to ~*** studieren; ***to start ~*** sein Studium beginnen; ***we met at ~*** wir haben uns im Studium kennengelernt **2.** (*of music etc*) Fachhochschule *f*; ***College of Art*** Kunstakademie *f* **collegiate** *adj* College-; ***~ life*** das Collegeleben

collide *v/i* (*lit*) zusammenstoßen; NAUT kollidieren; ***to ~ with sb*** mit jdm zusammenstoßen; ***to ~ with sth*** gegen etw prallen

colliery *n* Zeche *f*

collision *n* (*lit*) Zusammenstoß *m*; (*fig*) Konflikt *m*; NAUT Kollision *f*; ***on a ~ course*** auf Kollisionskurs

colloquial *adj* umgangssprachlich **colloquialism** *n* umgangssprachlicher Ausdruck

collude *v/i* gemeinsame Sache machen **collusion** *n* (geheime) Absprache; ***they're acting in ~*** sie haben sich abgesprochen

Cologne *n* Köln *nt*

cologne *n* Kölnischwasser *nt*

colon[1] *n* ANAT Dickdarm *m*

colon[2] *n* GRAM Doppelpunkt *m*

colonel *n* Oberst *m*; (*as address*) Herr Oberst

colonial *adj* Kolonial-, kolonial **colonialism** *n* Kolonialismus *m* **colonialist I** *adj* kolonialistisch **II** *n* Kolonialist(in) *m*(*f*)

colonist *n* Siedler(in) *m*(*f*) **colonization** *n* Kolonisation *f* **colonize** *v/t* kolonisieren

colonnade *n* Säulengang *m*

colony *n* Kolonie *f*

color *etc* (*US*) = ***colour*** *etc*

colossal *adj* gewaltig; *mistake* ungeheuer; *man, city* riesig

colostomy *n* MED Kolostomie *f*; ***~ bag*** Kolostomiebeutel *m*

colour, (*US*) **color I** *n* **1.** Farbe *f*; ***what ~ is it?*** welche Farbe hat es?; ***red in ~*** rot; ***the film was in ~*** der Film war in Farbe; ***~ illustration*** farbige Illustration **2.** (≈ *complexion*) (Gesichts)farbe *f*; ***to bring the ~ back to sb's cheeks*** jdm wieder Farbe geben; ***he had gone a funny ~*** er nahm eine komische Farbe an **3.** (*racial*) Hautfarbe *f*; ***to add ~ to a story*** einer Geschichte (*dat*) Farbe geben **4. colours** *pl* SPORTS (Sport)abzeichen *nt*; ***to show one's true ~s*** (*fig*) sein wahres Gesicht zeigen **II** *v/t* **1.** (*lit*) anmalen; ART kolorieren; (≈ *dye*) färben **2.** (*fig*) beeinflussen **III** *v/i* (*person*: *a.* **colour up**) erröten ◆ **colour in** *v/t sep* anmalen; ART kolorieren

colourant, (*US*) **colorant** *n* Farbstoff *m*

colour-blind, (*US*) **color-blind** *adj* farbenblind **colour-code**, (*US*) **color-code** *v/t* farbig kennzeichnen *or* codieren **coloured**, (*US*) **colored** *adj* **1.** bunt **2.** *person* farbig **-coloured**, (*US*) **-colored** *adj suf* ***yellow-coloured*** gelb; ***straw-coloured*** strohfarben **colourfast**, (*US*) **colorfast** *adj* farbecht **colourful**, (*US*) **colorful** *adj* **1.** (*lit*) bunt; *spectacle* farbenprächtig **2.** (*fig*) *account etc* farbig; *life* (bunt) bewegt; *personality* (bunt) schillernd; ***his ~ past*** seine bewegte Vergangenheit **3.** (*euph*) *language* derb **colourfully**, (*US*) **colorfully** *adv* bunt **colouring**, (*US*) **coloring** *n* **1.** (≈ *substance*) Farbstoff *m* **2.** (≈ *colours*) Farben *pl* **colouring book**, (*US*) **coloring book** *n* Malbuch *nt* **colourless**, (*US*) **colorless** *adj* farblos **colour photograph**, (*US*) **color photograph** *n* Farbfoto *nt* **colour printer**, (*US*) **color printer** *n* Farbdrucker *m* **colour scheme**, (*US*) **color scheme** *n* Farbzusammenstellung *f* **colour supplement**, (*US*) **color supplement** *n* Magazin *nt* **colour television**, (*US*) **color television** *n* Farbfernsehen *nt*; (≈ *set*) Farbfernseher *m*

colt *n* Hengstfohlen *nt*

Co Ltd *abbr of* ***company limited*** GmbH *f*

Columbus Day *n* (*US*) *amerikanischer Feiertag am zweiten Montag im Oktober, an dem die Entdeckung Amerikas durch Kolumbus gefeiert wird*

column *n* **1.** (ARCH, *of smoke*) Säule *f* **2.** (*of vehicles*) Kolonne *f*; (*on page*) Spalte *f*; (≈ *newspaper article*) Kolumne *f* **columnist** *n* Kolumnist(in) *m*(*f*)

coma *n* Koma *nt*; ***to be in a ~*** im Koma liegen; ***to fall into a ~*** ins Koma fallen

comb I *n* **1.** Kamm *m* **2.** ***to give one's hair a ~*** sich kämmen **II** *v/t* **1.** *hair* kämmen; ***to ~ one's hair*** sich kämmen **2.** (≈ *search*) durchkämmen; *newspapers* durchforsten ◆ **comb out** *v/t sep hair* auskämmen ◆ **comb through** *v/i +prep obj files etc* durchgehen; *shops* durchstöbern

combat I *n* Kampf *m* **II** *v/t* bekämpfen

combatant *n* Kombattant *m* **combative** *adj* (≈ *pugnacious*) kämpferisch; (≈ *competitive*) aggressiv **combat jacket** *n* Feldjacke *f* **combat troops** *pl* Kampftruppen *pl* **combat trousers** *pl* (*Br*) Armeehosen *pl*

combination *n* Kombination *f*; (≈ *combining*) Vereinigung *f*; (*of events*) Verkettung *f*; ***in ~*** zusammen, gemeinsam; ***an unusual colour ~*** eine ungewöhnliche Farbzusammenstellung **combination lock** *n* Kombinationsschloss *nt* **combination sandwich** *n* (*US*) gemischt belegtes Sandwich

combine I *v/t* kombinieren **II** *v/i* sich zusammenschließen **III** *n* **1.** ECON Konzern *m* **2.** (AGR: *a.* **combine harvester**) Mähdrescher *m* **combined** *adj* gemeinsam; *talents*, *efforts* vereint; *forces* vereinigt; ***~ with*** in Kombination mit

combustible *adj* brennbar **combustion** *n* Verbrennung *f*

come *pret* **came**, *past part* **come I** *v/i* **1.** kommen; (≈ *extend*) reichen (*to* an/in/bis *etc +acc*); ***they came to a town/castle*** sie kamen in eine Stadt/zu einem Schloss; ***~ and get it!*** (das) Essen ist fertig!; ***I don't know whether I'm coming or going*** ich weiß nicht (mehr), wo mir der Kopf steht (*infml*); ***~ and see me soon*** besuchen Sie mich bald einmal; ***he has ~ a long way*** er hat einen weiten Weg hinter sich; (*fig*) er ist weit gekommen; ***he came running into the room*** er kam ins Zimmer gerannt; ***he came hurrying/laughing into the room*** er eilte/kam lachend ins Zimmer; ***coming!*** ich komme (gleich)!; ***Christmas is coming*** bald ist Weihnachten; ***May ~s before June*** Mai kommt vor Juni; ***the adjective must ~ before the noun*** das Adjektiv muss vor dem Substantiv stehen; ***the weeks to ~*** die nächsten Wochen; ***that must ~ first*** das muss an erster Stelle kommen **2.** (≈ *happen*) geschehen; ***~ what may*** ganz gleich, was geschieht; ***you could see it coming*** das konnte man ja kommen sehen; ***she had it coming to her*** (*infml*) das musste ja so kommen **3.** ***how ~?*** (*infml*) wieso?; ***how ~ you're so late?*** wieso kommst du so spät? **4.** (≈ *be, become*) werden; ***his dreams came true*** seine Träume wurden wahr; ***the handle has ~ loose*** der Griff hat sich gelockert **5.** (COMM ≈ *be available*) erhältlich sein; ***milk now ~s in plastic bottles*** es gibt jetzt Milch in Plastikflaschen **6.** (*+infin*) ***I have ~ to believe him*** mittlerweile glaube ich ihm; ***(now I) ~ to think of it*** wenn ich es mir recht überlege **7.** (*infml uses*) ***I've known him for three years ~ January*** im Januar kenne ich ihn drei Jahre; ***~ again?*** wie bitte?; ***she is as vain as they ~*** sie ist so eingebildet wie nur was (*infml*) **8.** (*infml* ≈ *have orgasm*) kommen (*infml*) **II** *v/t* (*Br infml* ≈ *act*) spielen; ***don't ~ the innocent with me*** spielen Sie hier bloß nicht den Unschuldigen! ◆ **come about** *v/i impers* (≈ *happen*) passieren; ***this is why it came about*** das ist so gekommen ◆ **come across I** *v/i* **1.** (≈ *cross*) herüberkommen **2.** (≈ *be understood*) verstanden werden **3.** (≈ *make an impression*) wirken; ***he wants to ~ as a tough guy*** er mimt gerne den starken Mann (*infml*) **II** *v/i +prep obj* treffen auf (*+acc*); ***if you ~ my watch ...*** wenn du zufällig meine Uhr siehst ◆ **come after I** *v/i +prep obj* **1.** (*in sequence*) kommen nach; ***the noun comes after the verb*** das Substantiv steht nach dem Verb **2.** (≈ *pursue*) herkommen hinter (*+dat*) **3.** (≈ *follow later*) nachkommen **II** *v/i* (≈ *follow later*) nachkommen ◆ **come along** *v/i* **1.** (≈ *hurry up, make effort*: *a.* **come on**) kommen **2.** (≈ *attend, accompany*) mitkommen; ***~ with me*** kommen Sie mal (bitte) mit **3.** (≈ *develop*: *a.* **come on**) ***to be coming along*** sich machen; ***how is your broken arm? — it's coming along nicely*** was macht dein gebrochener Arm? – dem gehts ganz gut **4.** (≈ *turn up*) kommen; (*chance etc*) sich ergeben ◆ **come apart** *v/i* (≈ *fall to pieces*) auseinanderfallen; (≈ *be able to be taken apart*) zerlegbar sein ◆ **come (a)round** *v/i* **1.** ***the road was blocked and we had to ~ by the farm*** die Straße war blockiert, sodass wir einen Umweg über den Bauernhof machen mussten **2.** (≈ *call round*) vorbeikommen **3.** (≈ *change one's opinions*) es sich (*dat*) anders überlegen; ***eventually he came (a)round to our way of thinking*** schließlich machte er sich (*dat*) unsere Denkungsart zu eigen **4.** (≈ *regain consciousness*) wieder zu sich (*dat*) kommen ◆ **come at** *v/i +prep obj* (≈ *attack*) *sb* losgehen auf (*+acc*) ◆ **come away** *v/i* **1.** (≈ *leave*) (weg)gehen; ***~ with me for a few days*** fahr doch ein paar Tage mit mir weg!; ***~ from there!*** komm da weg! **2.** (≈ *become detached*) abgehen ◆ **come back** *v/i* **1.** (≈ *return*) zurückkommen; (≈ *drive back*) zurückfahren; ***can I ~ to you on that one?*** kann ich später darauf zurückkommen?; ***the colour is coming back to her cheeks*** langsam bekommt sie wieder Farbe **2.** ***his name is coming back to me*** langsam erinnere ich mich wieder an seinen Namen; ***ah yes, it's all coming back*** ach ja, jetzt fällt mir alles wieder ein; ***they came back into the game with a superb goal*** sie fanden mit einem wunderbaren Tor ins Spielgeschehen zurück ◆ **come before** *v/t* (JUR, *person*) gebracht werden vor (*+acc*) ◆ **come between** *v/i +prep obj* *lovers* treten zwischen (*+acc*) ◆ **come by I** *v/i +prep obj* (≈ *obtain*) kriegen **II** *v/i* (≈ *visit*) vorbeikommen ◆ **come close to** *v/i +prep obj* = ***come near to*** ◆ **come down** *v/i* **1.** (*from ladder, stairs*) herunterkommen; (*rain*) fallen; ***~ from there at once!*** komm da sofort runter! **2.** (*prices*) sinken **3.** (≈ *be a question of*) ankommen (*to* auf *+acc*); ***when it comes down to it*** letzten Endes **4.** ***you've ~ in the world a bit*** du bist aber ganz schön tief gesunken **5.** (≈ *reach*) reichen (*to* bis auf *+acc*, zu); ***her hair comes down to her shoulders*** die Haare gehen ihr bis auf die Schultern **6.** (*tradition, story etc*) überliefert werden ◆ **come down on** *v/i +prep obj* ***you've got to ~ one side or the other*** du musst dich so oder so entscheiden ◆ **come down with** *v/i +prep obj illness* kriegen ◆ **come for** *v/i +prep obj* kommen wegen ◆ **come forward** *v/i* **1.** (≈ *make oneself known*) sich melden **2.** ***to ~ with help*** Hilfe anbieten; ***to ~ with a good suggestion*** mit einem guten Vorschlag kommen ◆ **come from** *v/i +prep obj* kommen aus; ***where does he/it ~?*** wo kommt er/das her?; ***I know where you're coming from*** (*infml*) ich weiß, was du meinst ◆ **come in** *v/i* **1.** (≈ *enter*) (he)reinkommen; ***~!*** herein! **2.** (≈ *arrive*) ankommen **3.** (*tide*) kommen **4.** (*report etc*) hereinkommen; ***a report has just ~ of…*** uns ist gerade eine Meldung über… zugegangen **5.** ***he came in fourth*** er wurde Vierter **6.** ***he has £15,000 coming in every year*** er hat £ 15.000 im Jahr **7.** ***where do I ~?*** welche Rolle spiele ich dabei?; ***that will ~ handy*** (*infml*) *or* ***useful*** das kann ich/man noch gut gebrauchen ◆ **come in for** *v/i +prep obj attention* erregen; *criticism etc also* einstecken müssen ◆ **come in on** *v/i +prep obj venture etc* sich beteiligen an (*+dat*) ◆ **come into** *v/i +prep obj* **1.** (≈ *inherit*) erben **2.** ***I don't see where I ~ all this*** ich verstehe nicht, was ich mit der ganzen Sache zu tun habe; ***to ~ one's own*** zeigen, was in einem steckt; ***to ~ being*** entstehen; ***to ~ sb's possession*** in jds Besitz (*acc*) gelangen ◆ **come near to** *v/i +prep obj* nahe kommen (*+dat*); ***to ~ doing sth*** drauf und dran sein, etw zu tun; ***he came near to committing suicide*** er war *or* stand kurz vor dem Selbstmord ◆ **come of** *v/i +prep obj* ***nothing came of it*** es ist nichts daraus geworden; ***that's what comes of disobeying!*** das kommt davon, wenn man nicht hören will! ◆ **come off I** *v/i* **1.** (*off bicycle etc*) runterfallen **2.** (*button, paint etc*) abgehen **3.** (*stains*) weg- *or* rausgehen **4.** (≈ *take place*) stattfinden **5.** (*attempts etc*) klappen (*infml*) **6.** (≈ *acquit oneself*) abschneiden; ***he came off well in comparison to his brother*** im Vergleich zu seinem Bruder ist er gut weggekommen **II** *v/i +prep obj* **1.** *bicycle etc* fallen von **2.** (*button, paint, stain*) abgehen von **3.** *drugs* aufhören mit **4.** (*infml*) ***~ it!*** nun mach mal halblang! (*infml*) ◆ **come on I** *v/i* **1.** = ***come along*** 1; ***~!*** komm! **2.** (*Br* ≈ *progress*) = ***come along*** 3 **3.** ***I've a cold coming on*** ich kriege eine Erkältung **4.** (SPORTS: *player*) ins Spiel kommen; (THEAT, *actor*) auftreten **II** *v/i +prep obj* = ***come (up)on*** ◆ **come on to** *v/i +prep obj* (*esp US infml* ≈ *make advances to*) anmachen (*infml*) ◆ **come out** *v/i* **1.** (he)rauskommen; ***to ~ of a room*** *etc* aus einem Zimmer *etc* kommen; ***to ~ fighting*** (*fig*) sich kämpferisch geben; ***he came out in a rash*** er bekam einen Ausschlag; ***to ~ against/in favour of sth*** sich gegen/für etw aussprechen; ***to ~ of sth badly/well*** bei etw schlecht/nicht schlecht wegkommen; ***to ~ on top*** sich durchsetzen **2.** (*book*) erscheinen; (*new product*) auf den Markt kommen; (*film*) (in den Kinos) anlaufen; (≈ *become known*) bekannt werden **3.** IND ***to ~ (on strike)*** in den Streik treten **4.** PHOT ***the photo of the hills hasn't ~ very well*** das Foto von den Bergen ist nicht sehr gut geworden **5.** (*splinter, stains etc*) (he)rausgehen **6.** (≈ *total*) betragen; ***the total comes out at £500*** das Ganze beläuft sich auf (*+acc*) *or* macht (*infml*) £ 500 **7.** (*homosexual*) sich outen ◆ **come out with** *v/i +prep obj remarks* loslassen (*infml*) ◆ **come over I** *v/i* **1.** (*lit*) herüberkommen; ***he came over to England*** er kam nach England **2.** (≈ *change allegiance*) ***he came over to our side*** er trat auf unsere Seite über **3.** (*infml* ≈ *become suddenly*) werden; ***I came over (all) queer*** mir wurde ganz komisch (*infml*) **II** *v/i +prep obj* (*feelings*) überkommen; ***what's ~ you?*** was ist denn (auf einmal) mit dir los? ◆ **come round** *v/i* **1.** (≈ *call round*) vorbeikommen *or* -schauen **2.** (≈ *recur*) ***Christmas has ~ again*** nun ist wieder Weihnachten **3.** (≈ *change one's opinions*) es sich (*dat*) anders überlegen; (≈ *throw off bad mood*) wieder vernünftig werden (*infml*) **4.** (≈ *regain consciousness*) wieder zu sich (*dat*) kommen ◆ **come through I** *v/i* durchkommen; ***your papers haven't ~ yet*** Ihre Papiere sind noch nicht fertig; ***his divorce has ~*** seine Scheidung ist durch (*infml*) **II** *v/i +prep obj illness, danger* überstehen ◆ **come to I** *v/i* (*a.* **come to oneself**) wieder zu sich kommen **II** *v/i +prep obj* **1.** ***that didn't ~ anything*** daraus ist nichts geworden **2.** *impers* ***when it comes to mathematics ...*** wenn es um Mathematik geht, ...; ***let's hope it never comes to a court case*** *or* ***to court*** wollen wir hoffen, dass es nie zum Prozess kommt; ***it comes to the same thing*** das läuft auf dasselbe hinaus **3.** (*price, bill*) ***how much does it ~?*** wie viel macht das?; ***it comes to £20*** es kommt auf £ 20 **4.** ***to ~ a decision*** zu einer Entscheidung kommen; ***what is the world coming to!*** wohin soll das noch führen! ◆ **come together** *v/i* zusammenkommen ◆ **come under** *v/i +prep obj category* kommen unter (*+acc*) ◆ **come up** *v/i* **1.** (*lit*) hochkommen; (*sun, moon*) aufgehen; ***do you ~ to town often?*** kommen Sie oft in die Stadt?; ***he came up to me with a smile*** er kam lächelnd auf mich zu **2.** (*plants*) herauskommen **3.** (*for discussion*) aufkommen; (*name*) erwähnt werden; ***I'm afraid something has ~*** ich bin leider verhindert **4.** (*number in lottery etc*) gewinnen; ***to ~ for sale*** zum Verkauf kommen; ***my contract will soon ~ for renewal*** mein Vertrag muss bald verlängert werden **5.** (*post, job*) frei werden **6.** (*exams, election*) bevorstehen ◆ **come up against** *v/i +prep obj* stoßen auf (*+acc*); *opposing team* treffen auf (*+acc*) ◆ **come (up)on** *v/i +prep obj* (≈ *find*) stoßen auf (*+acc*) ◆ **come up to** *v/i +prep obj* **1.** (≈ *reach up to*) reichen bis zu *or* an (*+acc*) **2.** *expectations* entsprechen (*+dat*) **3.** (*infml* ≈ *approach*) ***she's coming up to twenty*** sie wird bald zwanzig; ***it's just coming up to 10 o'clock*** es ist gleich 10 Uhr ◆ **come up with** *v/i +prep obj answer, idea* haben; *plan* sich (*dat*) ausdenken; *suggestion* machen; ***let me know if you ~ anything*** sagen Sie mir Bescheid, falls Ihnen etwas einfällt

comeback *n* (THEAT *etc*, *fig*) Comeback *nt*; ***to make*** *or* ***stage a ~*** ein Comeback machen

comedian *n* Komiker(in) *m*(*f*) **comedienne** *n* Komikerin *f*

comedown *n* (*infml*) Abstieg *m*

comedy *n* Komödie *f*

come-on *n* (*infml* ≈ *lure*) Köder *m* (*fig*); ***to give sb the ~*** jdn anmachen (*infml*)

comer *n* ***this competition is open to all ~s*** an diesem Wettbewerb kann sich jeder beteiligen

comet *n* Komet *m*

comeuppance *n* (*infml*) ***to get one's ~*** die Quittung kriegen (*infml*)

comfort I *n* **1.** Komfort *m*; ***to live in ~*** komfortabel leben; ***with all modern ~s*** mit allem Komfort **2.** (≈ *consolation*) Trost *m*; ***to take ~ from the fact that ...*** sich damit trösten, dass ...; ***you are a great ~ to me*** es beruhigt mich sehr, dass Sie da sind; ***it is no ~*** *or* ***of little ~ to know that ...*** es ist nicht sehr tröstlich zu wissen, dass ...; ***too close for ~*** bedrohlich nahe **II** *v/t* trösten

comfortable *adj* **1.** bequem; *room* komfortabel; *temperature* angenehm; ***to make sb/oneself ~*** es jdm / sich bequem machen; ***the patient is ~*** der Patient ist wohlauf **2.** (*fig*) *life* angenehm; *lead* sicher; *winner* überlegen; ***to feel ~ with sb/sth*** sich bei jdm / etw wohlfühlen; ***I'm not very ~ about it*** mir ist nicht ganz wohl bei der Sache **comfortably** *adv* **1.** bequem; *furnished* komfortabel **2.** (*fig*) *win* sicher; *live* angenehm; *afford* gut und gern; ***they are ~ off*** es geht ihnen gut **comfort eating** *n* Frustessen *nt* (*infml*) **comforter** *n* (*US* ≈ *quilt*) Deckbett *nt* **comforting** *adj* tröstlich **comfort station** *n* (*US*) öffentliche Toilette **comfy** *adj* (*+er*) (*infml*) *chair* bequem; *room* gemütlich; ***are you ~?*** sitzt / liegst du bequem?

comic I *adj* komisch; ***~ actor*** Komödiendarsteller(in) *m*(*f*); ***~ verse*** humoristische Gedichte *pl* **II** *n* **1.** (≈ *person*) Komiker(in) *m*(*f*) **2.** (≈ *magazine*) Comicheft(chen) *nt* **3.** (*US*) ***~s*** Comics *pl* **comical** *adj*, **comically** *adv* komisch **comic**

book *n* Comicbuch *nt* **comic strip** *n* Comicstrip *m*
coming I *n* Kommen *nt*; ***~(s) and going(s)*** Kommen und Gehen *nt*; ***~ of age*** Erreichung *f* der Volljährigkeit **II** *adj* (*lit*, *fig*) kommend; ***the ~ election*** die bevorstehende Wahl
comma *n* Komma *nt*
command I *v/t* **1.** (≈ *order*) befehlen **2.** *army*, *ship* kommandieren **3.** ***to ~ sb's respect*** jdm Respekt abnötigen **II** *n* **1.** (≈ *order*, *also* IT) Befehl *m*; ***at/by the ~ of*** auf Befehl *+gen*; ***on ~*** auf Befehl **2.** (MIL ≈ *authority*) Kommando *nt*; ***to be in ~*** das Kommando haben (*of* über *+acc*); ***to take ~*** das Kommando übernehmen (*of +gen*); ***under his ~*** unter seinem Kommando; ***to be second in ~*** zweiter Befehlshaber sein **3.** (*fig* ≈ *mastery*) Beherrschung *f*; ***his ~ of English is excellent*** er beherrscht das Englische ausgezeichnet; ***I am at your ~*** ich stehe zu Ihrer Verfügung **commandant** *n* MIL Kommandant(in) *m(f)* **commandeer** *v/t* (MIL, *fig*) beschlagnahmen **commander** *n* MIL, AVIAT Kommandant(in) *m(f)*; NAUT Fregattenkapitän(in) *m(f)* **commander in chief** *n*, *pl* ***commanders in chief*** Oberbefehlshaber(in) *m(f)* **commanding** *adj position* führend; *voice* Kommando- (*pej*); ***to have a ~ lead*** überlegen führen **commanding officer** *n* MIL befehlshabender Offizier **commandment** *n* BIBLE Gebot *nt* **commando** *n*, *pl* ***-s*** (MIL) (≈ *soldier*) Angehörige(r) *m* eines Kommando(trupp)s; (≈ *unit*) Kommando(trupp *m*) *nt*
commemorate *v/t* gedenken (*+gen*) **commemoration** *n* Gedenken *nt*; ***in ~ of*** zum Gedenken an (*+acc*) **commemorative** *adj* Gedenk-
commence (*form*) **I** *v/i* beginnen **II** *v/t* beginnen (*+Obj* mit *+dat*); ***to ~ doing sth*** mit etw anfangen
commend *v/t* (≈ *praise*) loben **commendable** *adj* lobenswert **commendation** *n* (≈ *award*) Auszeichnung *f*
commensurate *adj* entsprechend (*with* *+dat*); ***to be ~ with sth*** einer Sache (*dat*) entsprechen
comment I *n* Bemerkung *f* (*on*, *about* über *+acc*, zu); (*official*) Kommentar *m* (*on* zu); (≈ *textual note etc*) Anmerkung *f*; ***no ~*** kein Kommentar!; ***to make a ~*** eine Bemerkung machen **II** *v/i* sich äußern (*on* über *+acc*, zu) **III** *v/t* bemerken **commentary** *n* Kommentar *m* (*on* zu) **commentate** *v/i* RADIO, TV Reporter(in) *m(f)* sein (*on* bei) **commentator** *n* RADIO, TV Reporter(in) *m(f)*
commerce *n* Handel *m*
commercial I *adj* Handels-; *premises*, *vehicle* Geschäfts-; *production*, *radio*, *success* kommerziell; (*pej*) *music etc* kommerziell; ***of no ~ value*** ohne Verkaufswert; ***it makes good ~ sense*** das lässt sich kaufmännisch durchaus vertreten **II** *n* RADIO, TV Werbespot *m*; ***during the ~s*** während der (Fernseh)werbung **commercial bank** *n* Handelsbank *f* **commercial break** *n* Werbepause *f* **commercialism** *n* Kommerzialisierung *f* **commercialization** *n* Kommerzialisierung *f* **commercialize** *v/t* kommerzialisieren **commercially** *adv* geschäftlich; *manufacture*, *succeed* kommerziell
commiserate *v/i* mitfühlen (*with* mit) **commiseration** *n* ***my ~s*** herzliches Beileid (*on* zu)
commission I *n* **1.** (*for painting etc*) Auftrag *m* **2.** COMM Provision *f*; ***on ~*** auf Provision(sbasis); ***to charge ~*** eine Kommission berechnen **3.** (≈ *committee*) Kommission *f*; ***the (EC) Commission*** die EG-Kommission **II** *v/t painting* in Auftrag geben; ***to ~ sb to do sth*** jdn damit beauftragen, etw zu tun **commissioned officer** *n* Offizier *m* **commissioner** *n* Polizeipräsident(in) *m(f)*
commit I *v/t* **1.** (≈ *perpetrate*) begehen **2.** ***to ~ sb (to prison)*** jdn ins Gefängnis einweisen; ***to have sb ~ted (to an asylum)*** jdn in eine Anstalt einweisen lassen; ***to ~ sb for trial*** jdn einem Gericht überstellen; ***to ~ sb/sth to sb's care*** jdn / etw jds Obhut (*dat*) anvertrauen **3.** (≈ *involve*, *obligate*) festlegen (*to* auf *+acc*); ***to ~ resources to a project*** Mittel für ein Projekt einsetzen; ***that doesn't ~ you to buying the book*** das verpflichtet Sie nicht zum Kauf des Buches **II** *v/i* ***to ~ to sth*** sich zu etw verpflichten **III** *v/r* sich festlegen (*to* auf *+acc*); ***you have to ~ yourself totally to the cause*** man muss sich voll und ganz für die Sache einsetzen; ***the government has ~ted itself to reforms*** die Regierung hat sich zu Reformen verpflichtet **commitment** *n* (≈ *obligation*) Verpflichtung *f*; (≈ *dedication*) Engagement *nt*; ***his family ~s***

seine familiären Verpflichtungen *pl*; ***his teaching ~s*** seine Lehrverpflichtungen *pl*; ***to make a ~ to do sth*** (*form*) sich verpflichten, etw zu tun; ***he is frightened of ~*** er hat Angst davor, sich festzulegen

committed *adj* (≈ *dedicated*) engagiert; ***he is so ~ to his work that ...*** er geht so in seiner Arbeit auf, dass ...; ***all his life he has been ~ to this cause*** er hat sich sein Leben lang für diese Sache eingesetzt

committee *n* Ausschuss *m*; ***to be*** *or* ***sit on a ~*** in einem Ausschuss sitzen; ***~ meeting*** Ausschusssitzung *f*; ***~ member*** Ausschussmitglied *nt*

commode *n* **1.** (≈ *chest of drawers*) Kommode *f* **2.** (≈ *night-commode*) (Nacht)-stuhl *m*

commodity *n* Ware *f*; (*agricultural*) Erzeugnis *nt*

common I *adj* (+*er*) **1.** (≈ *shared*) gemeinsam; ***~ land*** Allmende *f*; ***it is ~ knowledge that ...*** es ist allgemein bekannt, dass ...; ***to find ~ ground*** eine gemeinsame Basis finden; ***sth is ~ to everyone/sth*** alle haben / etw hat etw gemein **2.** (≈ *frequently seen etc*) häufig; *bird* (weit)-verbreitet; *belief, custom* (weit)verbreitet **3.** (≈ *usual*) normal; ***it's quite a ~ sight*** das sieht man ziemlich häufig; ***it's ~ for visitors to feel ill here*** Besucher fühlen sich hier häufig krank **4.** (≈ *ordinary*) gewöhnlich; ***the ~ man*** der Normalbürger; ***the ~ people*** die einfachen Leute **II** *n* **1.** (≈ *land*) Anger *m* **2.** ***to have sth in ~ (with sb/sth)*** etw (mit jdm / etw) gemein haben; ***to have a lot/nothing in ~*** viele / keine Gemeinsamkeiten haben; ***in ~ with many other people ...*** (genauso) wie viele andere ... **Common Agricultural Policy** *n* gemeinsame Agrarpolitik **common cold** *n* Schnupfen *m* **common denominator** *n* ***lowest ~*** (MAT, *fig*) kleinster gemeinsamer Nenner **commoner** *n* Bürgerliche(r) *m*/*f*(*m*) **common factor** *n* gemeinsamer Teiler **common law** *n* Gewohnheitsrecht *nt* **common-law** *adj* ***she is his ~ wife*** sie lebt mit ihm in eheähnlicher Gemeinschaft **commonly** *adv* (≈ *often*) häufig; (≈ *widely*) gemeinhin; ***a ~ held belief*** eine weitverbreitete Ansicht; ***(more) ~ known as ...*** besser bekannt als ... **Common Market** *n* Gemeinsamer Markt **common-or-garden** *adj* (*Br*) Feld-, Wald- und Wiesen- (*infml*) **commonplace I** *adj* alltäglich **II** *n* Gemeinplatz *m* **common room** *n* Aufenthaltsraum *m* **Commons** *pl* ***the ~*** PARL das Unterhaus **common sense** *n* gesunder Menschenverstand **common-sense** *adj* vernünftig **commonwealth** *n* ***the (British) Commonwealth*** das Commonwealth

commotion *n* Aufregung *f usu no indef art*; (≈ *noise*) Lärm *m*; ***to cause a ~*** Aufsehen erregen

communal *adj* **1.** (≈ *of a community*) Gemeinde-; ***~ life*** Gemeinschaftsleben *nt* **2.** (≈ *owned, used in common*) gemeinsam **communally** *adv* gemeinsam; ***to be ~ owned*** Gemein- *or* Gemeinschaftseigentum sein **commune** *n* Kommune *f*

communicate I *v/t Neuigkeit etc* übermitteln; *ideas, feelings* vermitteln **II** *v/i* **1.** (≈ *be in communication*) in Verbindung stehen **2.** (≈ *exchange thoughts*) sich verständigen **communication** *n* **1.** (≈ *communicating*) Kommunikation *f*; (*of ideas, information*) Vermittlung *f*; ***means of ~*** Kommunikationsmittel *nt*; ***to be in ~ with sb*** mit jdm in Verbindung stehen (*about* wegen); ***~s breakdown*** gestörte Kommunikation **2.** (≈ *exchanging of ideas*) Verständigung *f* **3.** (≈ *message*) Mitteilung *f* **4.** ***~s*** (≈ *roads etc*) Kommunikationsnetz *nt*; ***they're trying to restore ~s*** man versucht, die Verbindung wiederherzustellen **5.** ***~s*** TEL Telekommunikation *f* **communication cord** *n* (*Br* RAIL) ≈ Notbremse *f* **communication skills** *pl* Kommunikationsfähigkeit *f* **communications satellite** *n* Nachrichtensatellit *m* **communications software** *n* Kommunikationssoftware *f* **communicative** *adj* mitteilsam

communion *n* **1.** (≈ *intercourse etc*) Zwiesprache *f* **2.** (ECCL: *a.* **Communion**) (*Protestant*) Abendmahl *nt*; (*Catholic*) Kommunion *f*; ***to take ~*** die Kommunion / das Abendmahl empfangen

communiqué *n* Kommuniqué *nt*

communism *n* Kommunismus *m* **communist I** *n* Kommunist(in) *m*(*f*) **II** *adj* kommunistisch **Communist Party** *n* kommunistische Partei

community *n* Gemeinschaft *f*; ***the ~ at large*** das ganze Volk; ***a sense of ~*** (ein) Gemeinschaftsgefühl *nt*; ***to work in the ~*** im Sozialbereich tätig sein **community centre**, (*US*) **community center** *n* Gemeindezentrum *nt* **community**

chest *n* (*US*) Wohltätigkeitsfonds *m* **community college** *n* (*US*) *College zur Berufsausbildung und Vorbereitung auf ein Hochschulstudium* **community service** *n* JUR Sozialdienst *m*

commute I *v/t* umwandeln **II** *v/i* pendeln **III** *n* Pendelfahrt *f* **commuter** *n* Pendler(in) *m(f)*; ***the ~ belt*** das Einzugsgebiet; ***~ train*** Pendlerzug *m* **commuting** *n* Pendeln *nt*; ***within ~ distance*** nahe genug, um zu pendeln

compact[1] **I** *adj* (+*er*) kompakt; *soil, snow* fest **II** *v/t snow, soil* festtreten/-fahren *etc*

compact[2] *n* (≈ *powder compact*) Puderdose *f*

compact disc *n* Compact Disc *f*; ***~ player*** CD-Spieler *m*

companion *n* **1.** Begleiter(in) *m(f)*; ***travelling ~*** Reisebegleiter(in) *m(f)*; ***drinking ~*** Zechgenosse *m*, -genossin *f* **2.** (≈ *friend*) Freund(in) *m(f)* **companionship** *n* Gesellschaft *f*

company I *n* **1.** Gesellschaft *f*; ***to keep sb ~*** jdm Gesellschaft leisten; ***I enjoy his ~*** ich bin gern mit ihm zusammen; ***he's good ~*** seine Gesellschaft ist angenehm; ***she has a cat, it's ~ for her*** sie hält sich eine Katze, da hat sie (wenigstens) Gesellschaft; ***you'll be in good ~ if ...*** wenn du ..., bist du in guter Gesellschaft **2.** (≈ *guests*) Besuch *m* **3.** COMM Firma *f*; ***Smith & Company, Smith & Co.*** Smith & Co.; ***publishing ~*** Verlag *m*; ***a clothes ~*** ein Textilbetrieb *m* **4.** THEAT (Schauspiel)truppe *f* **5.** MIL Kompanie *f* **II** *attr* Firmen- **company car** *n* Firmenwagen *m* **company director** *n* Direktor(in) *m(f)* **company law** *n* Gesellschaftsrecht *nt* **company pension** *n* Betriebsrente *f* **company policy** *n* Geschäftspolitik *f*

comparable *adj* vergleichbar (*with, to* mit) **comparably** *adv* ähnlich **comparative I** *adj* **1.** *religion etc* vergleichend **2.** (≈ *relative*) relativ; ***to live in ~ luxury*** relativ luxuriös leben **II** *n* GRAM Komparativ *m* **comparatively** *adv* verhältnismäßig

compare I *v/t* vergleichen (*with, to* mit); ***~d with*** *or* ***to*** im Vergleich zu; ***to ~ notes*** Eindrücke/Erfahrungen austauschen **II** *v/i* sich vergleichen lassen (*with* mit); ***it ~s badly/well*** es schneidet vergleichsweise schlecht/gut ab; ***how do the two cars ~ in terms of speed?*** wie sieht ein Geschwindigkeitsvergleich der beiden Wagen aus? **comparison** *n* Vergleich *m* (*to* mit); ***in*** *or* ***by ~*** vergleichsweise; ***in*** *or* ***by ~ with*** im Vergleich zu; ***to make*** *or* ***draw a ~*** einen Vergleich anstellen; ***there's no ~*** das ist gar kein Vergleich

compartment *n* (*in desk etc*) Fach *nt*; RAIL Abteil *nt* **compartmentalize** *v/t* aufsplittern

compass *n* **1.** Kompass *m* **2. compasses** *pl* (*a.* **pair of compasses**) Zirkel *m* **compass bearing** *n* Kompasspeilung *f*

compassion *n* Mitleid *nt* (*for* mit) **compassionate** *adj* mitfühlend; ***on ~ grounds*** aus familiären Gründen **compassionate leave** *n* Beurlaubung *f* wegen einer dringenden Familienangelegenheit

compatibility *n* Vereinbarkeit *f*; MED Verträglichkeit *f*; IT Kompatibilität *f* **compatible** *adj* vereinbar; MED verträglich; IT kompatibel; ***to be ~*** (*people*) zueinanderpassen; ***an IBM-~ computer*** ein IBM-kompatibler Computer

compatriot *n* Landsmann *m*, Landsmännin *f*

compel *v/t* (≈ *force*) zwingen **compelling** *adj* zwingend; *performance* bezwingend; ***to make a ~ case for sth*** schlagende Beweise für etw liefern

compendium *n* Handbuch *nt*; ***~ of games*** Spielemagazin *nt*

compensate *v/t* entschädigen; MECH ausgleichen ◆ **compensate for** *v/i* +*prep obj* (*in money etc*) ersetzen; (≈ *make up for*) wieder wettmachen

compensation *n* Entschädigung *f*; ***in ~*** als Entschädigung **compensatory** *adj* kompensierend

compère (*Br*) **I** *n* Conférencier *m* **II** *v/t* ***to ~ a show*** bei einer Show der Conférencier sein

compete *v/i* **1.** konkurrieren; ***to ~ with each other*** sich (gegenseitig) Konkurrenz machen; ***to ~ for sth*** um etw kämpfen; ***his poetry can't ~ with Eliot's*** seine Gedichte können sich nicht mit denen Eliots messen **2.** SPORTS teilnehmen; ***to ~ with/against sb*** gegen jdn kämpfen

competence, competency *n* Fähigkeit *f*; ***his ~ in handling money*** sein Geschick im Umgang mit Geld **competent** *adj* fähig; (*in a particular field*) kompetent; (≈ *adequate*) angemessen; ***to be ~ to do sth*** kompetent *or* fähig sein, etw

zu tun **competently** *adv* kompetent
competition *n* **1.** *no pl* Konkurrenz *f* (*for* um); ***unfair* ~** unlauterer Wettbewerb; ***to be in ~ with sb*** mit jdm konkurrieren **2.** (≈ *contest*) Wettbewerb *m*; (*in newspapers etc*) Preisausschreiben *nt* **competitive** *adj* **1.** *attitude* vom Konkurrenzdenken geprägt; *sport* (Wett)kampf-; ***~ spirit*** Konkurrenzgeist *m*; (*of team*) Kampfgeist *m*; ***he's very ~*** (*in job etc*) er ist sehr ehrgeizig **2.** COMM wettbewerbsfähig; ***a highly ~ market*** ein Markt mit starker Konkurrenz **competitively** *adv* **1.** ***to be ~ priced*** im Preis konkurrenzfähig sein **2.** *schwimmen etc* in Wettkämpfen **competitiveness** *n* (≈ *competitive spirit*) Konkurrenzgeist *m*
competitor *n* **1.** (SPORTS, *in contest*) Teilnehmer(in) *m*(*f*); ***to be a ~*** teilnehmen **2.** COMM Konkurrent(in) *m*(*f*); ***our ~s*** unsere Konkurrenz
compilation *n* Zusammenstellung *f*; (*of material*) Sammlung *f* **compile** *v/t* zusammenstellen; *material* sammeln; IT kompilieren **compiler** *n* (*of dictionary*) Verfasser(in) *m*(*f*); IT Compiler *m*
complacency *n* Selbstzufriedenheit *f* **complacent** *adj*, **complacently** *adv* selbstzufrieden
complain *v/i* sich beklagen (*about* über +*acc*); (≈ *to make a formal complaint*) sich beschweren (*about* über +*acc*, *to* bei); ***(I) can't ~*** (*infml*) ich kann nicht klagen (*infml*); ***to ~ of sth*** über etw (*acc*) klagen; ***she's always ~ing*** sie muss sich immer beklagen
complaint *n* **1.** Klage *f*; (≈ *formal complaint*) Beschwerde *f* (*to* bei); ***I have no cause for ~*** ich kann mich nicht beklagen; ***~s department*** COMM Reklamationsabteilung *f* **2.** (≈ *illness*) Beschwerden *pl*; ***a very rare ~*** eine sehr seltene Krankheit
complement **I** *n* (≈ *full number*) volle Stärke; ***we've got our full ~ in the office now*** unser Büro ist jetzt voll besetzt **II** *v/t* (≈ *add to*) ergänzen; (≈ *make perfect*) vervollkommnen; ***to ~ each other*** sich ergänzen **complementary** *adj* Komplementär-
complete **I** *adj* **1.** (≈ *entire*) ganz *attr*; (≈ *having the required numbers*) vollzählig; ***my happiness was ~*** mein Glück war vollkommen; ***the ~ works of Shakespeare*** die gesammelten Werke Shakespeares; ***~ with*** komplett mit **2.** *attr* (≈ *absolute*) völlig; *beginner, disaster* total; *surprise* voll; ***we were ~ strangers*** wir waren uns völlig fremd **II** *v/t* **1.** vervollständigen; *team* vollzählig machen; *education* abrunden; ***that ~s my collection*** damit ist meine Sammlung vollständig **2.** (≈ *finish*) beenden; *building, work* fertigstellen; *prison sentence* verbüßen; ***~ this phrase*** ergänzen Sie diesen Ausspruch; ***it's not ~d yet*** es ist noch nicht fertig **3.** *form* ausfüllen
completely *adv* vollkommen; ***he's ~ wrong*** er hat völlig unrecht **completeness** *n* Vollständigkeit *f* **completion** *n* (≈ *finishing*) Fertigstellung *f*; (*of project, course*) Abschluss *m*; ***to be near ~*** kurz vor dem Abschluss stehen; ***to bring sth to ~*** etw zum Abschluss bringen; ***on ~ of the course*** nach Abschluss des Kurses
complex **I** *adj* komplex; *pattern, paragraph* kompliziert **II** *n* Komplex *m*; ***industrial ~*** Industriekomplex *m*; ***he has a ~ about his ears*** er hat Komplexe wegen seiner Ohren
complexion *n* **1.** Teint *m*; (≈ *skin colour*) Gesichtsfarbe *f* **2.** (*fig* ≈ *aspect*) Anstrich *m*, Aspekt *m*; ***to put a new** etc **~ on sth*** etw in einem neuen *etc* Licht erscheinen lassen
complexity *n* Komplexität *f*
compliance *n* Einverständnis *nt*; (*with rules etc*) Einhalten *nt* (*with* +*gen*); ***in ~ with the law*** dem Gesetz gemäß **compliant** *adj* entgegenkommend; (≈ *submissive*) nachgiebig
complicate *v/t* komplizieren **complicated** *adj* kompliziert **complication** *n* Komplikation *f*
complicity *n* Mittäterschaft *f* (*in* bei)
compliment **I** *n* **1.** Kompliment *nt* (*on* zu, wegen); ***to pay sb a ~*** jdm ein Kompliment machen; ***my ~s to the chef*** mein Kompliment dem Koch/der Köchin **2. compliments** *pl* (*form*) Grüße *pl*; **"*with the ~s of Mr X/the management*"** „mit den besten Empfehlungen von Herrn X/der Geschäftsleitung" **II** *v/t* ein Kompliment/Komplimente machen (+*dat*) (*on* wegen, zu) **complimentary** *adj* **1.** (≈ *praising*) schmeichelhaft; ***to be ~ about sb/sth*** sich schmeichelhaft über jdn/etw äußern **2.** (≈ *free*) Frei-; ***~ copy*** Freiexemplar *nt*; (*of magazine*) Werbe-

nummer *f* **compliments slip** *n* COMM Empfehlungszettel *m*

comply *v/i* (*person*) einwilligen; (*object, system etc*) die Bedingungen erfüllen; ***to ~ with sth*** einer Sache (*dat*) entsprechen; (*system*) in Einklang mit etw stehen; ***to ~ with a request*** einer Bitte nachkommen; ***to ~ with the rules*** sich an die Regeln halten

component **I** *n* (Bestand)teil **II** *adj* ***a ~ part*** ein (Bestand)teil *m*; ***the ~ parts of a machine*** die einzelnen Maschinenteile *pl*

compose *v/t* **1.** *music* komponieren; *letter* abfassen; *poem* verfassen **2.** (≈ *constitute*) bilden; ***to be ~d of*** sich zusammensetzen aus; ***water is ~d of ...*** Wasser besteht aus ... **3.** ***to ~ oneself*** sich sammeln; ***to ~ one's thoughts*** Ordnung in seine Gedanken bringen **composed** *adj* (≈ *calm*) gelassen

composer *n* MUS Komponist(in) *m*(*f*)

composite *adj* zusammengesetzt **composition** *n* **1.** (≈ *arrangement*, MUS, ART) Komposition *f* **2.** (SCHOOL ≈ *essay*) Aufsatz *m* **3.** (≈ *constitution*) Zusammensetzung *f*

compost *n* Kompost *m*; ***~ heap*** Komposthaufen *m*

composure *n* Beherrschung *f*; ***to lose one's ~*** die Beherrschung verlieren; ***to regain one's ~*** seine Selbstbeherrschung wiederfinden

compound[1] **I** *n* CHEM Verbindung *f* **II** *adj* GRAM zusammengesetzt **III** *v/t* verschlimmern; *problem* vergrößern

compound[2] *n* (≈ *enclosed area*) Lager *nt*; (≈ *living quarters*) Siedlung *f*; (*in zoo*) Gehege *nt*

compound fracture *n* MED offener *or* komplizierter Bruch **compound interest** *n* FIN Zinseszins *m*

comprehend *v/t* verstehen **comprehensible** *adj* verständlich **comprehension** *n* **1.** (≈ *understanding*) Verständnis *nt*; (≈ *ability to understand*) Begriffsvermögen *nt*; ***that is beyond my ~*** das übersteigt mein Begriffsvermögen; (*behaviour*) das ist mir unbegreiflich **2.** (≈ *school exercise*) Fragen *pl* zum Textverständnis **comprehensive** **I** *adj* umfassend; (***fully***) ***~ insurance*** Vollkasko(versicherung *f*) *nt* **II** *n* (*Br*) Gesamtschule *f* **comprehensively** *adv* umfassend **comprehensive school** *n* (*Br*) Gesamtschule *f*

compress *v/t* komprimieren (*into* auf +*acc*); *materials* zusammenpressen (*into* zu) **compressed air** *n* Druck- *or* Pressluft *f*

comprise *v/t* bestehen aus

compromise **I** *n* Kompromiss *m*; ***to reach a ~*** einen Kompromiss schließen **II** *adj attr* Kompromiss- **III** *v/i* Kompromisse schließen (*about* in +*dat*); ***we agreed to ~*** wir einigten uns auf einen Kompromiss **IV** *v/t sb* kompromittieren; ***to ~ oneself*** sich kompromittieren; ***to ~ one's reputation*** seinem guten Ruf schaden; ***to ~ one's principles*** seinen Prinzipien untreu werden **compromising** *adj* kompromittierend

compulsion *n* Zwang *m*; PSYCH innerer Zwang; ***you are under no ~*** niemand zwingt Sie **compulsive** *adj* zwanghaft; ***he is a ~ eater*** er hat die Esssucht; ***he is a ~ liar*** er hat einen krankhaften Trieb zu lügen; ***it makes ~ reading*** das muss man einfach lesen **compulsively** *adv* zwanghaft **compulsory** *adj* obligatorisch; *measures* Zwangs-; *subject* Pflicht-

computation *n* Berechnung *f* **computational** *adj* Computer- **compute** *v/t* berechnen (*at* auf +*acc*), errechnen

computer *n* Computer *m*; ***to put/have sth on ~*** etw im Computer speichern/(gespeichert) haben; ***it's all done by ~*** das geht alles per Computer; ***~ skills*** Computerkenntnisse *pl* **computer-aided design** *n* rechnergestützter Entwurf **computer-aided manufacturing** *n* computergestützte Fertigung **computer-based** *adj* auf Computerbasis **computer-controlled** *adj* rechnergesteuert **computer dating** *n* Partnervermittlung *f* per Computer; ***~ agency*** *or* ***bureau*** Partnervermittlungsbüro *nt* auf Computerbasis **computer-designed** *adj* mit Computerunterstützung entworfen **computer error** *n* Computerfehler *m* **computer freak** *n* (*infml*) Computerfreak *m* (*infml*) **computer game** *n* Computerspiel *nt* **computer-generated** *adj* computergeneriert **computer graphics** *n pl* Computergrafik *f* **computerization** *n* (*of information etc*) Computerisierung *f*; ***the ~ of the factory*** die Umstellung der Fabrik auf Computer **computerize** *v/t information* computerisieren; *com-*

pany, methods auf Computer *or* EDV umstellen **computer language** *n* Computersprache *f* **computer literate** *adj* ***to be ~*** sich mit Computern auskennen **computer model** *n* Computermodell *nt* **computer network** *n* Computernetzwerk *nt* **computer-operated** *adj* computergesteuert **computer operator** *n* Operator(in) *m(f)* **computer printout** *n* (Computer)ausdruck *m* **computer program** *n* (Computer)programm *nt* **computer programmer** *n* Programmierer(in) *m(f)* **computer-readable** *adj* computerlesbar **computer science** *n* Informatik *f* **computer studies** *pl* Computerwissenschaft *f* **computer virus** *n* Computervirus *m* **computing** *n* (≈ *subject*) Computerwissenschaft *f*; ***her husband's in ~*** ihr Mann ist in der Computerbranche

comrade *n* Kamerad *m*; POL Genosse *m*, Genossin *f* **comradeship** *n* Kameradschaft(lichkeit) *f*

con[1] *adv*, *n* → ***pro***[2]

con[2] (*infml*) **I** *n* Schwindel *m*, Pflanz *m* (*Aus*); ***it's a ~!*** das ist alles Schwindel **II** *v/t* hereinlegen (*infml*); ***to ~ sb out of sth*** jdn um etw bringen; ***to ~ sb into doing sth*** jdn durch einen faulen Trick dazu bringen, dass er etw tut (*infml*) **con artist** *n* (*infml*) Schwindler(in) *m(f)*

concave *adj* konkav; *mirror* Konkav-

conceal *v/t* verbergen; ***why did they ~ this information from us?*** warum hat man uns diese Informationen vorenthalten? **concealed** *adj* verborgen; *entrance* verdeckt **concealment** *n* (*of facts*) Verheimlichung *f*; (*of evidence*) Unterschlagung *f*

concede *v/t* **1.** *lands* abtreten (*to* an +*acc*); ***to ~ victory to sb*** vor jdm kapitulieren; ***to ~ a match*** (≈ *give up*) aufgeben; (≈ *lose*) ein Match abgeben; ***to ~ a penalty*** einen Elfmeter verursachen; ***to ~ a point to sb*** SPORTS einen Punkt an jdn abgeben **2.** (≈ *admit*, *grant*) zugeben; *right* zugestehen (*to sb* jdm); ***to ~ defeat*** sich geschlagen geben

conceit *n* Einbildung *f* **conceited** *adj* eingebildet

conceivable *adj* denkbar; ***it is hardly ~ that ...*** es ist kaum denkbar, dass ... **conceivably** *adv* ***she may ~ be right*** es ist durchaus denkbar, dass sie recht hat

conceive I *v/t* **1.** *child* empfangen **2.** (≈ *imagine*) sich (*dat*) vorstellen; *idea* haben **II** *v/i* (*woman*) empfangen

◆ **conceive of** *v/i* +*prep obj* sich (*dat*) vorstellen

concentrate I *v/t* konzentrieren (*on* auf +*acc*); ***to ~ all one's energies on sth*** sich (voll und) ganz auf etw (*acc*) konzentrieren; ***to ~ one's mind on sth*** sich auf etw (*acc*) konzentrieren **II** *v/i* sich konzentrieren; ***to ~ on doing sth*** sich darauf konzentrieren, etw zu tun **concentrated** *adj* konzentriert; ***~ orange juice*** Orangensaftkonzentrat *nt* **concentration** *n* **1.** Konzentration *f*; ***powers of ~*** Konzentrationsfähigkeit *f* **2.** (≈ *gathering*) Ansammlung *f* **concentration camp** *n* Konzentrationslager *nt*, KZ *nt*

concentric *adj* konzentrisch

concept *n* Begriff *m*; (≈ *conception*) Vorstellung *f*; ***our ~ of the world*** unser Weltbild *nt*; ***his ~ of marriage*** seine Vorstellungen von der Ehe **conception** *n* **1.** (≈ *idea*) Vorstellung *f*; (≈ *way sth is conceived*) Konzeption *f*; ***he has no ~ of how difficult it is*** er hat keine Vorstellung, wie schwer das ist **2.** (*of child*) die Empfängnis **conceptual** *adj thinking* begrifflich **conceptualize** *v/t* in Begriffe fassen

concern I *n* **1.** (≈ *business*) Angelegenheit(en *pl*) *f*; (≈ *matter of importance*) Anliegen *nt*; ***the day-to-day ~s of government*** die täglichen Regierungsgeschäfte; ***it's no ~ of his*** das geht ihn nichts an **2.** COMM Konzern *m* **3.** (≈ *anxiety*) Sorge *f*; ***the situation is causing ~*** die Lage ist besorgniserregend; ***there's some/no cause for ~*** es besteht Grund/kein Grund zur Sorge; ***to do sth out of ~ for sb*** etw aus Sorge um jdn tun; ***he showed great ~ for your safety*** er war sehr um Ihre Sicherheit besorgt **4.** (≈ *importance*) Bedeutung *f*; ***issues of national ~*** Fragen *pl* von nationalem Interesse; ***to be of little/great ~ to sb*** jdm nicht/sehr wichtig sein **II** *v/t* **1.** (≈ *be about*) handeln von; ***it ~s the following issue*** es geht um die folgende Frage; ***the last chapter is ~ed with ...*** das letzte Kapitel behandelt ... **2.** (≈ *affect*) betreffen; ***that doesn't ~ you*** das betrifft Sie nicht; (*as snub*) das geht Sie nichts an; ***where money is ~ed*** wenn es um Geld geht; ***as far as the money is ~ed*** was das Geld betrifft; ***as far as he is***

~ed it's just another job, but ... für ihn ist es nur ein anderer Job, aber ...; ***as far as I'm ~ed you can do what you like*** von mir aus kannst du tun und lassen, was du willst; ***the department ~ed*** (≈ *involved*) die betreffende Abteilung; ***the persons ~ed*** die Betroffenen **3.** (≈ *interest*) ***he is only ~ed with facts*** ihn interessieren nur die Fakten; ***we should be ~ed more with*** *or* ***about quality*** Qualität sollte uns ein größeres Anliegen sein; ***there's no need for you to ~ yourself about that*** darum brauchen Sie sich nicht zu kümmern **4.** (≈ *worry*) ***to be ~ed about sth*** sich (*dat*) um etw Sorgen machen; ***I was very ~ed to hear about your illness*** ich habe mir Sorgen gemacht, als ich von Ihrer Krankheit hörte; ***I am ~ed to hear that ...*** es beunruhigt mich, dass ...; ***~ed parents*** besorgte Eltern **concerning** *prep* bezüglich (+*gen*)

concert *n* MUS Konzert *nt*; ***were you at the ~?*** waren Sie in dem Konzert?; ***Madonna in ~*** Madonna live **concerted** *adj* konzertiert **concertgoer** *n* Konzertbesucher(in) *m(f)* **concert hall** *n* Konzerthalle *f* **concertina** *n* Konzertina *f* **concerto** *n* Konzert *nt* **concert pianist** *n* Pianist(in) *m(f)*

concession *n* Zugeständnis *nt* (*to* an +*acc*); COMM Konzession *f*; ***to make ~s to sb*** jdm Zugeständnisse machen **concessionary** *adj rates, fares* verbilligt

conciliation *n* Schlichtung *f* **conciliatory** *adj* versöhnlich

concise *adj*, **concisely** *adv* präzis(e)

conclude I *v/t* **1.** (≈ *end*) beenden **2.** *deal* abschließen **3.** (≈ *infer*) folgern (*from* aus) **4.** (≈ *decide*) zu dem Schluss kommen **II** *v/i* enden; ***I would like to ~ by saying ...*** abschließend möchte ich sagen ... **concluding** *adj remarks* abschließend **conclusion** *n* **1.** (≈ *end*) Abschluss *m*; (*of essay etc*) Schluss *m*; ***in ~*** abschließend **2.** Schluss(folgerung *f*) *m*; ***what ~ do you draw*** *or* ***reach from all this?*** welchen Schluss ziehen Sie daraus? **conclusive** *adj* (≈ *convincing*) überzeugend; JUR *evidence* einschlägig; *proof* eindeutig **conclusively** *adv prove* eindeutig

concoct *v/t* COOK *etc* (zu)bereiten; (*hum*) kreieren **concoction** *n* (≈ *food*) Kreation *f*; (≈ *drink*) Gebräu *nt*

concourse *n* (≈ *place*) Eingangshalle *f*; (*US*, *in park*) freier Platz

concrete[1] *adj measures* konkret

concrete[2] **I** *n* Beton *m* **II** *adj* Beton- **concrete mixer** *n* Betonmischmaschine *f*

concur *v/i* übereinstimmen **concurrent** *adj* gleichzeitig; ***to be ~ with sth*** mit etw zusammentreffen **concurrently** *adv* gleichzeitig

concuss *v/t* ***to be ~ed*** eine Gehirnerschütterung haben **concussion** *n* Gehirnerschütterung *f*

condemn *v/t* **1.** verurteilen; ***to ~ sb to death*** jdn zum Tode verurteilen **2.** (*fig*) verdammen (*to* zu) **3.** *building* für abbruchreif erklären **condemnation** *n* Verurteilung *f*

condensation *n* (*on window panes etc*) Kondenswasser *nt*; ***the windows are covered with ~*** die Fenster sind beschlagen **condense I** *v/t* **1.** kondensieren **2.** (≈ *shorten*) zusammenfassen **II** *v/i* (*gas*) kondensieren **condensed milk** *n* Kondensmilch *f*

condescend *v/i* ***to ~ to do sth*** sich herablassen, etw zu tun **condescending** *adj* (*pej*) herablassend; ***to be ~ to*** *or* ***toward(s) sb*** jdn herablassend behandeln **condescendingly** *adv* (*pej*) herablassend **condescension** *n* (*pej*) Herablassung *f*; (≈ *attitude also*) herablassende Haltung

condiment *n* Würze *f*

condition I *n* **1.** (≈ *determining factor*) Bedingung *f*; (≈ *prerequisite*) Voraussetzung *f*; ***on ~ that ...*** unter der Bedingung, dass ...; ***on no ~*** auf keinen Fall; ***he made it a ~ that ...*** er machte es zur Bedingung, dass ... **2. conditions** *pl* (≈ *circumstances*) Verhältnisse *pl*; ***working ~s*** Arbeitsbedingungen *pl*; ***living ~s*** Wohnverhältnisse *pl*; ***weather ~s*** die Wetterlage **3.** *no pl* (≈ *state*) Zustand *m*; ***it is in bad ~*** es ist in schlechtem Zustand; ***he is in a critical ~*** sein Zustand ist kritisch; ***you're in no ~ to drive*** du bist nicht mehr fahrtüchtig; ***to be out of ~*** keine Kondition haben; ***to keep in/get into ~*** in Form bleiben/kommen **4.** MED Beschwerden *pl*; ***heart ~*** Herzdrüsenleiden *nt*; ***he has a heart ~*** er ist herzkrank **II** *v/t* **1.** (≈ *determine*) bedingen; ***to be ~ed by*** bedingt sein durch **2.** (PSYCH *etc* ≈ *train*) konditionieren **conditional I** *adj* **1.** bedingt **2.** GRAM konditional, Konditional-; ***the ~ tense*** der Konditional **II** *n* GRAM

Konditional *m* **conditioner** *n* (*for hair*) Pflegespülung *f*; (*for washing*) Weichspüler *m* **conditioning shampoo** *n* Pflegeshampoo *nt*

condolence *n* ***please accept my ~s on the death of your mother*** (meine) aufrichtige Anteilnahme zum Tode Ihrer Mutter

condom *n* Kondom *nt or m*

condominium *n* (*US*) **1.** (≈ *house*) ≈ Haus *nt* mit Eigentumswohnungen **2.** (≈ *apartment*) ≈ Eigentumswohnung *f*

condone *v/t* (stillschweigend) hinwegsehen über (+*acc*)

conducive *adj* förderlich (*to* +*dat*)

conduct I *n* (≈ *behaviour*) Benehmen *nt* (*towards* gegenüber) **II** *v/t* **1.** führen; *investigation* durchführen; ***~ed tour* (*of*)** Führung *f* (durch); ***he ~ed his own defence*** er übernahm seine eigene Verteidigung **2.** MUS dirigieren **3.** PHYS leiten; *lightning* ableiten **III** *v/i* MUS dirigieren **IV** *v/r* sich benehmen

conductor *n* **1.** MUS Dirigent(in) *m*(*f*) **2.** (≈ *bus conductor*) Schaffner *m*, Kondukteur *m* (*Swiss*); (*US* RAIL) Zugführer *m* **3.** PHYS Leiter *m*; (≈ *lightning conductor*) Blitzableiter *m* **conductress** *n* (*on bus etc*) Schaffnerin *f*, Kondukteurin *f* (*Swiss*)

conduit *n* Leitungsrohr *nt*; ELEC Rohrkabel *nt*

cone *n* **1.** Kegel *m*; (≈ *traffic cone*) Leitkegel *m* **2.** BOT Zapfen *m* **3.** (≈ *ice-cream cone*) (Eis)tüte *f*

confectionery *n* Süßwaren *pl*

confederacy *n* POL Bündnis *nt*; (*of nations*) Konföderation *f* **confederate** *adj* konföderiert **confederation** *n* Bund *m*; ***the Swiss Confederation*** die Schweizerische Eidgenossenschaft

confer I *v/t* (*on, upon sb* jdm) verleihen **II** *v/i* sich beraten **conference** *n* Konferenz *f*; (*more informal*) Besprechung *f* **conference call** *n* TEL Konferenzschaltung *f* **conference room** *n* Konferenzzimmer *nt*

confess I *v/t* **1.** zugeben **2.** ECCL *Sünden* bekennen; (*to priest*) beichten **II** *v/i* **1.** gestehen (*to* +*acc*); ***to ~ to sth*** etw gestehen **2.** ECCL beichten **confession** *n* **1.** Eingeständnis *nt*; (*of guilt, crime etc*) Geständnis *nt*; ***I have a ~ to make*** ich muss dir etwas gestehen **2.** ECCL Beichte *f*; ***to hear ~*** (die) Beichte hören **confessional** *n* Beichtstuhl *m*

confetti *n no pl* Konfetti *nt*

confidant *n* Vertraute(r) *m* **confidante** *n* Vertraute *f*

confide *v/t* anvertrauen (*to sb* jdm) ◆ **confide in** *v/i* +*prep obj* sich anvertrauen (+*dat*); ***to ~ sb about sth*** jdm etw anvertrauen

confidence *n* **1.** (≈ *trust*) Vertrauen *nt* (*in* zu); (≈ *confident expectation*) Zuversicht *f*; ***to have (every/no) ~ in sb/sth*** (volles/kein) Vertrauen zu jdm/etw haben; ***I have every ~ that ...*** ich bin ganz zuversichtlich, dass ...; ***to put one's ~ in sb/sth*** auf jdn/etw bauen; ***motion/vote of no ~*** Misstrauensantrag *m*/-votum *nt* **2.** (≈ *self-confidence*) (Selbst)vertrauen *nt* **3.** ***in (strict) ~*** (streng) vertraulich; ***to take sb into one's ~*** jdn ins Vertrauen ziehen **confidence trick** *n* Schwindel *m*, Pflanz *m* (*Aus*) **confidence trickster** *n* = ***con man*** **confident** *adj* **1.** (≈ *sure*) überzeugt; *look etc* zuversichtlich; ***to be ~ of success*** vom Erfolg überzeugt sein; ***to be/feel ~ about sth*** in Bezug auf etw zuversichtlich sein **2.** (≈ *self-assured*) (selbst)sicher **confidential** *adj* vertraulich; ***to treat sth as ~*** etw vertraulich behandeln **confidentiality** *n* Vertraulichkeit *f* **confidently** *adv* **1.** zuversichtlich **2.** (≈ *self-confidently*) selbstsicher

configure *v/t* IT konfigurieren

confine I *v/t* **1.** *person* (ein)sperren; ***to be ~d to the house*** nicht aus dem Haus können; ***to be ~d to barracks*** Kasernenarrest haben **2.** *remarks* beschränken (*to* auf +*acc*); ***to ~ oneself to doing sth*** sich darauf beschränken, etw zu tun **II confines** *pl* Grenzen *pl* **confined** *adj space* begrenzt **confinement** *n* (≈ *act*) Einsperren *nt*; (≈ *state*) Eingesperrtsein *nt*

confirm *v/t* **1.** bestätigen **2.** ECCL konfirmieren; *Roman Catholic* firmen **confirmation** *n* **1.** Bestätigung *f* **2.** ECCL Konfirmation *f*; (*of Roman Catholics*) Firmung *f* **confirmed** *adj* **1.** erklärt; *atheist* überzeugt; *bachelor* eingefleischt **2.** *booking* bestätigt

confiscate *v/t* beschlagnahmen; ***to ~ sth from sb*** jdm etw abnehmen **confiscation** *n* Beschlagnahme *f*

conflate *v/t* zusammenfassen

conflict I *n* Konflikt *m*; (≈ *fighting*) Zusammenstoß *m*; ***to be in ~ with sb/sth*** mit jdm/etw im Konflikt liegen; ***to come***

into ~ with sb/sth mit jdm/etw in Konflikt geraten; *~ of interests* Interessenkonflikt *m* **II** *v/i* im Widerspruch stehen (*with* zu) **conflicting** *adj* widersprüchlich

conform *v/i* entsprechen (*to +dat*); (*people*) sich anpassen (*to* an *+acc*) **conformist I** *adj* konformistisch **II** *n* Konformist *m* **conformity** *n* **1.** (≈ *uniformity*) Konformismus *m* **2.** (≈ *compliance*) Übereinstimmung *f*; (*socially*) Anpassung *f* (*with* an *+acc*)

confound *v/t* **1.** verblüffen **2. confounded** *adj* (*infml*) verflixt (*infml*)

confront *v/t* **1.** (≈ *face*) gegenübertreten (*+dat*); (*problems, decisions*) sich stellen (*+dat*) **2.** *to ~ sb with sb/sth* jdn mit jdm/etw konfrontieren; *to be ~ed with sth* mit etw konfrontiert sein **confrontation** *n* Konfrontation *f*

confuse *v/t* **1.** *people* verwirren; *situation* verworren machen; *don't ~ the issue!* bring (jetzt) nicht alles durcheinander! **2.** (≈ *mix up*) verwechseln **confused** *adj* konfus **confusing** *adj* verwirrend **confusion** *n* **1.** (≈ *disorder*) Durcheinander *nt*; *to be in ~* durcheinander sein; *to throw everything into ~* alles durcheinanderbringen **2.** (≈ *perplexity*) Verwirrung *f*

congeal *v/i* erstarren; (*blood*) gerinnen

congenial *adj* ansprechend; *atmosphere* angenehm

congenital *adj* angeboren

congested *adj* überfüllt; (*with traffic*) verstopft **congestion** *n* Stau *m*; *the ~ in the city centre is getting so bad ...* die Verstopfung in der Innenstadt nimmt derartige Ausmaße an ... **congestion charge** *n* City-Maut *f*

conglomerate *n* Konglomerat *nt*

congratulate *v/t* gratulieren (*+dat*)

congratulations I *pl* Glückwünsche *pl*; *to offer one's ~* jdm gratulieren **II** *int* herzlichen Glückwunsch!; *~ on ...!* herzlichen Glückwunsch zu ...! **congratulatory** *adj* Glückwunsch-

congregate *v/i* sich sammeln **congregation** *n* ECCL Gemeinde *f*

congress *n* **1.** (≈ *meeting*) Kongress *m*; (*of political party*) Parteitag *m* **2. Congress** (*US etc* POL) der Kongress **congressional** *adj* Kongress- **Congressman** *n, pl* *-men* Kongressabgeordnete(r) *m* **Congresswoman** *n, pl* *-women* Kongressabgeordnete *f*

conifer *n* Nadelbaum *m*; *~s* Nadelhölzer *pl* **coniferous** *adj* Nadel-

conjecture I *v/t* vermuten **II** *v/i* Vermutungen anstellen **III** *n* Vermutung *f*

conjugal *adj* ehelich; *state* Ehe-

conjugate *v/t* GRAM konjugieren **conjugation** *n* GRAM Konjugation *f*

conjunction *n* **1.** GRAM Konjunktion *f* **2.** *in ~ with the new evidence* in Verbindung mit dem neuen Beweismaterial; *the programme was produced in ~ with the NBC* das Programm wurde in Zusammenarbeit mit NBC aufgezeichnet

conjunctivitis *n* MED Bindehautentzündung *f*

conjure *v/t & v/i* zaubern; *to ~ something out of nothing* etwas aus dem Nichts herbeizaubern ◆ **conjure up** *v/t sep memories etc* heraufbeschwören

conjurer *n* Zauberkünstler(in) *m(f)* **conjuring** *n* Zaubern *nt*; *~ trick* Zaubertrick *m* **conjuror** *n* = *conjurer*

◆ **conk out** *v/i* (*infml*) den Geist aufgeben

conker *n* (*Br infml*) (Ross)kastanie *f*

con man *n, pl* **con men** (*infml*) Schwindler *m*, Bauernfänger *m* (*infml*)

connect I *v/t* **1.** verbinden (*to, with* mit) (*also* IT); (ELEC *etc*: *a.* **connect up**) anschließen (*to* an *+acc*); *I'll ~ you* TEL ich verbinde (Sie); *to be ~ed* miteinander verbunden sein; *to be ~ed with* (*of ideas*) eine Beziehung haben zu; *he's ~ed with the university* er hat mit der Universität zu tun **2.** (*fig* ≈ *associate*) in Verbindung bringen; *I always ~ Paris with springtime* ich verbinde Paris immer mit Frühling **II** *v/i* **1.** (≈ *join, two parts etc*) Kontakt haben; *~ing rooms* angrenzende Zimmer *pl* (*mit Verbindungstür*) **2.** RAIL, AVIAT *etc* Anschluss haben (*with* an *+acc*); *~ing flight* Anschlussflug *m* ◆ **connect up** *v/t sep* ELEC *etc* anschließen (*to, with* an *+acc*)

connection *n* **1.** Verbindung *f* (*to, with* zu, mit); (*to mains*) Anschluss *m* (*to* an *+acc*); *~ charge* TEL Anschlussgebühr *f* **2.** (*fig*) Zusammenhang *m*; *in ~ with* in Zusammenhang mit **3.** (≈ *business connection*) Beziehung *f* (*with* zu); *to have ~s* Beziehungen haben **4.** RAIL *etc* Anschluss *m* **connector** *n* (≈ *device*) Verbindungsstück *nt*; ELEC Lüsterklem-

me *f*
connive *v/i* (≈ *conspire*) sich verschwören
connoisseur *n* Kenner *m*
connotation *n* Assoziation *f*
conquer *v/t* **1.** (*lit*) *country* erobern; *enemy* besiegen **2.** (*fig*) bezwingen **conqueror** *n* Eroberer *m*, Eroberin *f* **conquest** *n* Eroberung *f*; (*of enemy etc*) Sieg *m* (*of* über +*acc*)
conscience *n* Gewissen *nt*; ***to have a clear/guilty ~*** ein reines/böses Gewissen haben (*about* wegen); ***with an easy ~*** mit ruhigem Gewissen; ***she/it is on my ~*** ich habe ihretwegen/deswegen Gewissensbisse **conscientious** *adj* gewissenhaft **conscientiously** *adv* gewissenhaft **conscientious objector** *n* MIL Kriegsdienstverweigerer *m* (*aus Gewissensgründen*)
conscious *adj* **1.** MED bei Bewusstsein **2.** (≈ *aware*) bewusst; ***to be ~ of sth*** sich (*dat*) einer Sache (*gen*) bewusst sein; ***I was ~ that*** es war mir bewusst, dass; ***environmentally ~*** umweltbewusst **-conscious** *adj suf* -bewusst **consciously** *adv* bewusst **consciousness** *n* Bewusstsein *nt*; ***to lose ~*** das Bewusstsein verlieren
conscript I *v/t* einberufen **II** *n* (*Br*) Wehrpflichtige(r) *m* **conscripted** *adj soldier* einberufen; *troops* aus Wehrpflichtigen bestehend **conscription** *n* Wehrpflicht *f*
consecrate *v/t* weihen **consecration** *n* Weihe *f*; (*in Mass*) Wandlung *f*
consecutive *adj* aufeinanderfolgend; *numbers* fortlaufend; ***on four ~ days*** vier Tage hintereinander **consecutively** *adv* nacheinander; *numbered* fortlaufend
consensus *n* Übereinstimmung *f*; ***what's the ~?*** was ist die allgemeine Meinung?; ***the ~ is that ...*** man ist allgemein der Meinung, dass ...; ***there was no ~ (among them)*** sie waren sich nicht einig
consent I *v/i* zustimmen (*to* +*dat*); ***to ~ to do sth*** sich bereit erklären, etw zu tun; ***to ~ to sb doing sth*** damit einverstanden sein, dass jd etw tut **II** *n* Zustimmung *f* (*to* zu); ***he is by general ~ ...*** man hält ihn allgemein für ...
consequence *n* **1.** (≈ *result*) Folge *f*; ***in ~*** folglich; ***as a ~ of ...*** als Folge (+*gen*); ***to face the ~s*** die Folgen tragen **2.** (≈ *importance*) Wichtigkeit *f*; ***it's of no ~*** das spielt keine Rolle **consequent** *adj attr* daraus folgend **consequently** *adv* folglich
conservation *n* Erhaltung *f* **conservation area** *n* Naturschutzgebiet *nt*; (*in town*) unter Denkmalschutz stehendes Gebiet **conservationist** *n* Umweltschützer(in) *m(f)*; (*as regards old buildings etc*) Denkmalpfleger(in) *m(f)*
conservatism *n* Konservatismus *m* **conservative I** *adj* konservativ; (≈ *cautious*) vorsichtig; ***the Conservative Party*** (*Br*) die Konservative Partei **II** *n* (POL: *a.* **Conservative**) Konservative(r) *m/f(m)* **conservatively** *adv* konservativ; *estimate*, *invest* vorsichtig
conservatory *n* Wintergarten *m* **conserve** *v/t* erhalten; *strength* schonen; *energy* sparen
consider *v/t* **1.** *idea*, *offer* nachdenken über (+*acc*); *possibilities* sich (*dat*) überlegen **2.** (≈ *have in mind*) in Erwägung ziehen; ***I'm ~ing going abroad*** ich spiele mit dem Gedanken, ins Ausland zu gehen **3.** (≈ *entertain*) in Betracht ziehen; ***I won't even ~ it!*** ich denke nicht daran!; ***I'm sure he would never ~ doing anything criminal*** ich bin überzeugt, es käme ihm nie in den Sinn, etwas Kriminelles zu tun **4.** (≈ *take into account*) denken an (+*acc*); *cost*, *difficulties*, *facts* berücksichtigen; ***when one ~s that ...*** wenn man bedenkt, dass ...; ***all things ~ed*** alles in allem; ***~ my position*** überlegen Sie sich meine Lage; ***~ this case, for example*** nehmen Sie zum Beispiel diesen Fall; ***have you ~ed going by train?*** haben Sie daran gedacht, mit dem Zug zu fahren? **5.** (≈ *regard as*) betrachten als; *person* halten für; ***to ~ sb to be ...*** jdn für ... halten; ***to ~ oneself lucky*** sich glücklich schätzen; ***~ it done!*** schon so gut wie geschehen! **6.** (≈ *look at*) (eingehend) betrachten
considerable *adj* beträchtlich; *interest*, *income* groß; *number*, *achievement etc* beachtlich; ***to a ~ extent*** *or* ***degree*** weitgehend; ***for some ~ time*** für eine ganze Zeit **considerably** *adv older* beträchtlich **considerate** *adj* rücksichtsvoll (*to* (*-wards*) gegenüber); (≈ *kind*) aufmerksam **considerately** *adv* rücksichtsvoll **consideration** *n* **1.** *no pl* (≈ *careful thought*) Überlegung *f*; ***I'll give it my ~***

ich werde es mir überlegen **2.** *no pl* ***to take sth into ~*** etw berücksichtigen; ***taking everything into ~*** alles in allem; ***the matter is under ~*** die Sache wird zurzeit geprüft (*form*); ***in ~ of*** (≈ *in view of*) mit Rücksicht auf (+*acc*) **3.** *no pl* (≈ *thoughtfulness*) Rücksicht *f* (*for* auf +*acc*); ***to show*** *or* ***have ~ for sb*** Rücksicht auf jdn nehmen; ***his lack of ~*** (***for others***) seine Rücksichtslosigkeit (anderen gegenüber) **4.** (≈ *factor*) Faktor *m*; ***money is not a ~*** Geld spielt keine Rolle **considered** *adj opinion* ernsthaft **considering I** *prep* wenn man ... (*acc*) bedenkt **II** *cj* wenn man bedenkt **III** *adv* ***it's not too bad ~*** es ist eigentlich gar nicht so schlecht

consign *v/t* (≈ *commit*) übergeben (*to* +*dat*); ***it was ~ed to the rubbish heap*** es landete auf dem Abfallhaufen **consignment** *n* Sendung *f* **consignment note** *n* COMM Frachtbrief *m*

consist *v/i* ***to ~ of*** bestehen aus; ***his happiness ~s in helping others*** sein Glück besteht darin, anderen zu helfen

consistency *n* **1.** *no pl* Konsequenz *f*; ***his statements lack ~*** seine Aussagen widersprechen sich **2.** *no pl* (*of performance*) Stetigkeit *f*; (*of style*) Einheitlichkeit *f* **3.** (*of substance*) Konsistenz *f* **consistent** *adj* **1.** konsequent **2.** *performance* stetig; *style* einheitlich **3.** (≈ *in agreement*) ***to be ~ with sth*** einer Sache (*dat*) entsprechen **consistently** *adv* **1.** *behave* konsequent; *fail* ständig; *reject* hartnäckig **2.** (≈ *uniformly*) einheitlich

consolation *n* Trost *m no pl*; ***it is some ~ to know that ...*** es ist tröstlich zu wissen, dass ...; ***old age has its ~s*** das Alter hat auch seine guten Seiten **consolation prize** *n* Trostpreis *m*

console[1] *v/t* trösten

console[2] *n* (Kontroll)pult *nt*

consolidate *v/t* **1.** (≈ *confirm*) festigen **2.** (≈ *combine*) zusammenlegen; *companies* zusammenschließen **consolidation** *n* (≈ *strengthening*) Festigung *f*

consommé *n* Kraftbrühe *f*

consonant *n* PHON Konsonant *m*

consortium *n* Konsortium *nt*

conspicuous *adj* auffällig; *lack of sympathy etc* offensichtlich; ***to be/make oneself ~*** auffallen; ***he was ~ by his absence*** er glänzte durch Abwesenheit **conspicuously** *adv silent*, *uneasy* auffällig

conspiracy *n* Verschwörung *f*; ***a ~ of silence*** ein verabredetes Schweigen **conspirator** *n* Verschwörer(in) *m*(*f*) **conspiratorial** *adj* verschwörerisch **conspire** *v/i* (*people*) sich verschwören (*against* gegen); ***to ~*** (***together***) ***to do sth*** sich verabreden, etw zu tun

constable *n* (*Br* ≈ *police constable*) Polizist(in) *m*(*f*) **constabulary** *n* (*Br*) Polizei *f no pl*

constancy *n* (*of support*) Beständigkeit *f*; (*of friend*, *lover*) Treue *f* **constant I** *adj* **1.** *interruptions* ständig **2.** *temperature* konstant **3.** *affection* beständig **II** *n* Konstante *f* **constantly** *adv* (an)dauernd

constellation *n* Konstellation *f*

consternation *n* (≈ *dismay*) Bestürzung *f*; (≈ *worry*) Sorge *f*; ***in ~*** bestürzt; ***to cause ~*** Grund zur Sorge geben; (*news*) Bestürzung auslösen

constipated *adj* ***he is ~*** er hat Verstopfung **constipation** *n no pl* Verstopfung *f*

constituency *n* POL Wahlkreis *m* **constituent I** *adj* ***~ part*** Bestandteil *m* **II** *n* **1.** POL Wähler(in) *m*(*f*) **2.** (≈ *part*) Bestandteil *m*

constitute *v/t* **1.** (≈ *make up*) bilden **2.** (≈ *amount to*) darstellen; ***that ~s a lie*** das ist eine glatte Lüge

constitution *n* **1.** POL Verfassung *f*; (*of club etc*) Satzung *f* **2.** (*of person*) Konstitution *f*; ***to have a strong ~*** eine starke Konstitution haben **constitutional** *adj* POL Verfassungs-; *monarchy* konstitutionell

constrained *adj* gezwungen; ***to feel ~ by sth*** sich durch etw eingeengt sehen **constraint** *n* **1.** (≈ *compulsion*) Zwang *m* **2.** (≈ *restriction*) Beschränkung *f*

constrict *v/t* **1.** (≈ *compress*) einzwängen **2.** (≈ *hamper*) behindern **constriction** *n* (*of movements*) Behinderung *f*

construct *v/t* bauen; *sentence* bilden; *novel etc* aufbauen; *theory* entwickeln **construction** *n* **1.** (*of building*, *road*) Bau *m*; ***under ~*** in *or* im Bau; ***sentence ~*** Satzbau *m* **2.** (≈ *sth constructed*) Bau *m*; (≈ *bridge*, *also* GRAM) Konstruktion *f* **construction industry** *n* Bauindustrie *f* **construction site** *n* Baustelle *f* **construction worker** *n* Bauarbeiter(in) *m*(*f*) **constructive** *adj*, **constructively** *adv* konstruktiv

consul *n* Konsul *m* **consulate** *n* Konsulat *nt*

consult I *v/t* konsultieren; *dictionary* nachschlagen in (+*dat*); *map* nachsehen auf (+*dat*); ***he did it without ~ing anyone*** er hat das getan, ohne jemanden zu fragen **II** *v/i* (≈ *confer*) sich beraten **consultancy** *n* (≈ *business*) Beratungsbüro *nt* **consultant I** *n* **1.** (*Br* MED) Facharzt *m*/-ärztin *f* (*am Krankenhaus*) **2.** (*other professions*) Berater(in) *m*(*f*); **~s** (≈ *business*) Beratungsbüro *nt* **II** *adj attr* beratend **consultation** *n* Besprechung *f*; (*of doctor, lawyer*) Konsultation *f* (*of* +*gen*); ***in ~ with*** in gemeinsamer Beratung mit **consulting hours** *pl* MED Sprechstunde *f*, Ordination *f* (*Aus*) **consulting room** *n* MED Sprechzimmer *nt*, Ordination *f* (*Aus*)

consumable *n* Konsumgut *nt*; **~s** IT Verbrauchsmaterial *nt* **consume** *v/t* **1.** *food, drink* zu sich nehmen; ECON konsumieren **2.** (*fire*) vernichten; *fuel* verbrauchen; *energy* aufbrauchen **consumer** *n* Verbraucher(in) *m*(*f*) **consumer borrowing** *n* Kreditaufnahme *f* durch Verbraucher **consumer demand** *n* Nachfrage *f* **consumer goods** *pl* Konsumgüter *pl* **consumer group** *n* Verbrauchergruppe *f* **consumerism** *n* Konsumdenken *nt* **consumer profile** *n* Verbraucherprofil *nt* **consumer protection** *n* Verbraucherschutz *m* **consumer society** *n* Konsumgesellschaft *f* **consumer spending** *n* Verbraucherausgaben *pl* **consuming** *adj ambition* glühend

consummate I *adj skill* vollendet **II** *v/t marriage* vollziehen

consumption *n* Konsum *m*; (*of non-edible products*) Verbrauch *m*; ***not fit for human ~*** zum Verzehr ungeeignet; ***world ~ of oil*** Weltölverbrauch *m*

contact I *n* **1.** Kontakt *m*; ***to be in ~ with sb/sth*** (≈ *in communication*) mit jdm/etw in Kontakt stehen; ***to keep in ~ with sb*** mit jdm in Kontakt bleiben; ***to come into ~ with sb/sth*** mit jdm/etw in Berührung kommen; ***he has no ~ with his family*** er hat keinen Kontakt zu seiner Familie; ***I'll get in ~*** ich werde von mir hören lassen; ***how can we get in(to) ~ with him?*** wie können wir ihn erreichen?; ***to make ~*** (≈ *get in touch*) sich miteinander in Verbindung setzen; ***to lose ~*** (***with sb/sth***) den Kontakt (zu jdm/etw) verlieren **2.** (≈ *person*) Kontaktperson *f*; **~s** *pl* Kontakte *pl* **II** *v/t person* sich in Verbindung setzen mit; *police* sich wenden an (+*acc*); ***I've been trying to ~ you for hours*** ich versuche schon seit Stunden, Sie zu erreichen **contact lens** *n* Kontaktlinse *f*

contagious *adj* (MED, *fig*) ansteckend

contain *v/t* **1.** (≈ *hold within itself*) enthalten **2.** (*box, room*) fassen **3.** *emotions, oneself* beherrschen; *disease, inflation* in Grenzen halten; ***he could hardly ~ himself*** er konnte kaum an sich (*acc*) halten

container I *n* **1.** Behälter *m* **2.** (COMM, *for transport*) Container *m* **II** *adj attr* Container-; **~ *ship*** Containerschiff *nt*

contaminate *v/t* verschmutzen; (≈ *poison*) vergiften; (*radioactivity*) verseuchen **contamination** *n no pl* Verschmutzung *f*; (*by poison*) Vergiftung *f*; (*by radioactivity*) Verseuchung *f*

contd *abbr of* ***continued*** Forts., Fortsetzung *f*

contemplate *v/t* **1.** (≈ *look at*) betrachten **2.** (≈ *reflect upon*) nachdenken über (+*acc*); (≈ *consider*) in Erwägung ziehen; ***he would never ~ violence*** der Gedanke an Gewalttätigkeit würde ihm nie kommen; ***to ~ doing sth*** daran denken, etw zu tun **contemplation** *n no pl* (≈ *deep thought*) Besinnung *f*

contemporary I *adj* **1.** (≈ *of the same time*) *events* gleichzeitig; *literature* zeitgenössisch **2.** (≈ *present*) *life* heutig; *art* zeitgenössisch **II** *n* Altersgenosse *m*/-genossin *f*; (*in history*) Zeitgenosse *m*/-genossin *f*

contempt *n* **1.** Verachtung *f*; ***to hold in ~*** verachten; ***beneath ~*** unter aller Kritik **2.** JUR ***to be in ~*** (***of court***) das Gericht missachten **contemptible** *adj* verachtenswert **contemptuous** *adj* verächtlich; *person* herablassend

contend I *v/i* **1.** (≈ *compete*) kämpfen; ***then you'll have me to ~ with*** dann bekommst du es mit mir zu tun **2.** ***to ~ with sb/sth*** mit jdm/etw fertig werden **II** *v/t* behaupten **contender** *n* Kandidat(in) *m*(*f*); SPORTS Wettkämpfer(in) *m*(*f*) (*for* um)

content[1] **I** *adj pred* zufrieden; ***to be/feel ~*** zufrieden sein; ***she's quite ~ to stay at home*** sie bleibt ganz gern zu Hause **II** *v/t* ***to ~ oneself with*** sich zufriedengeben mit; ***to ~ oneself with doing sth*** sich damit zufriedengeben, etw zu tun

content[2] *n* **1. contents** *pl* (*of room, book etc*) Inhalt *m*; ***(table of) ~s*** Inhaltsverzeichnis *nt* **2.** *no pl* (≈ *component*) Gehalt *m*

contented *adj*, **contentedly** *adv* zufrieden

contention *n* **1.** ***that is no longer in ~*** das steht nicht mehr zur Debatte **2.** (≈ *argument*) Behauptung *f* **3.** (*in contest*) ***to be in ~*** (***for sth***) Chancen (auf etw *acc*) haben **contentious** *adj* umstritten

contentment *n* Zufriedenheit *f*

contest I *n* (*for* um) Kampf *m*; (≈ *beauty contest etc*) Wettbewerb *m*; ***it's no ~*** das ist ein ungleicher Kampf **II** *v/t* **1.** (≈ *fight over*) kämpfen um **2.** (≈ *dispute*) bestreiten; JUR *will* anfechten **contestant** *n* (Wettbewerbs)teilnehmer(in) *m(f)*; (*in quiz*) Kandidat(in) *m(f)*

context *n* Zusammenhang *m*; (***taken***) ***out of ~*** aus dem Zusammenhang gerissen

continent *n* GEOG Kontinent *m*; (≈ *mainland*) Festland *nt*; ***the Continent*** (***of Europe***) (*Br*) Kontinentaleuropa *nt*; ***on the Continent*** in Europa **continental** *adj* **1.** GEOG kontinental **2.** (*Br*) europäisch; *holidays* in Europa **continental breakfast** *n* kleines Frühstück **continental quilt** *n* Steppdecke *f*

contingency *n* Eventualität *f*; ***a ~ plan*** ein Ausweichplan *m*

contingent *n* Kontingent *nt*; MIL Trupp *m*

continual *adj*, **continually** *adv* (≈ *frequent*) ständig; (≈ *unceasing*) ununterbrochen **continuation** *n* **1.** Fortsetzung *f* **2.** (≈ *resumption*) Wiederaufnahme *f*

continue I *v/t* fortsetzen; ***to ~ doing*** *or* ***to do sth*** etw weiter tun; ***to ~ to read, to ~ reading*** weiterlesen; ***to be ~d*** Fortsetzung folgt; ***~d on p 10*** Fortsetzung auf Seite 10 **II** *v/i* (*person*) weitermachen; (*crisis*) (an)dauern; (*weather*) anhalten; (≈ *road, concert etc*) weitergehen; ***to ~ on one's way*** weiterfahren; (*on foot*) weitergehen; ***he ~d after a short pause*** er redete / schrieb / las *etc* nach einer kurzen Pause weiter; ***to ~ with one's work*** mit seiner Arbeit weitermachen; ***please ~*** bitte machen Sie weiter; (*in talking*) fahren Sie fort; ***he ~s to be optimistic*** er ist nach wie vor optimistisch; ***to ~ at university / with a company / as sb's secretary*** auf der Universität / bei einer Firma / jds Sekretärin bleiben **continuity** *n* Kontinuität *f* **continuous** *adj* dauernd; *line* durchgezogen; *rise, movement etc* stetig; ***to be in ~ use*** ständig in Benutzung sein; ***~ assessment*** Beurteilung *f* der Leistungen während des ganzen Jahres; ***~ tense*** GRAM Verlaufsform *f* **continuously** *adv* (≈ *repeatedly*) dauernd; (≈ *ceaselessly*) ununterbrochen; *rise, move* stetig

contort *v/t* verziehen (*into* zu); ***a face ~ed with pain*** ein schmerzverzerrtes Gesicht **contortion** *n* (*esp of acrobat*) Verrenkung *f*; (*of features*) Verzerrung *f*

contortionist *n* Schlangenmensch *m*

contour *n* **1.** Kontur *f* **2.** GEOG Höhenlinie *f* **contour line** *n* Höhenlinie *f* **contour map** *n* Höhenlinienkarte *f*

contra- *pref* Gegen-, Kontra-

contraband *n no pl* Schmuggelware *f*

contraception *n* Empfängnisverhütung *f*

contraceptive I *n* empfängnisverhütendes Mittel **II** *adj* empfängnisverhütend; *pill* Antibaby-

contract[1] **I** *n* (≈ *agreement*) Vertrag *m*; (COMM ≈ *order*) Auftrag *m*; ***to enter into*** *or* ***make a ~*** einen Vertrag eingehen; ***to be under ~*** unter Vertrag stehen (*to* bei, mit) **II** *v/t debts* machen; *illness* erkranken an (+*dat*) **III** *v/i* COMM ***to ~ to do sth*** sich vertraglich verpflichten, etw zu tun ◆ **contract out I** *v/i* sich nicht anschließen (*of* +*dat*) **II** *v/t sep* COMM außer Haus machen lassen (*to* von)

contract[2] *v/i* (*muscle, metal etc*) sich zusammenziehen

contract bridge *n* Kontrakt-Bridge *nt*

contraction *n* **1.** (*of metal, muscles*) Zusammenziehen *nt* **2.** (*in childbirth*) ***~s*** Wehen *pl*

contractor *n* (≈ *individual*) Auftragnehmer *m*; (≈ *building contractor*) Bauunternehmer *m*; ***that is done by outside ~s*** damit ist eine andere Firma beauftragt

contractual *adj* vertraglich

contradict *v/t* (*person*) widersprechen (+*dat*); ***to ~ oneself*** sich (*dat*) widersprechen **contradiction** *n* Widerspruch *m* (*of* zu); ***full of ~s*** voller Widersprüchlichkeiten **contradictory** *adj* widersprüchlich

contraflow *n* MOT Gegenverkehr *m*

contralto I *n* Alt *m* **II** *adj voice* Alt-

contraption *n* (*infml*) Apparat *m* (*infml*)

contrary I *adj* (≈ *opposite*) entgegengesetzt; (≈ *conflicting*) gegensätzlich; ***sth is ~ to sth*** etw steht im Gegensatz zu etw; ***~ to what I expected*** entgegen meinen Erwartungen **II** *n* Gegenteil *nt*; ***on the ~*** im Gegenteil; ***unless you hear to the ~*** sofern Sie nichts Gegenteiliges hören; ***quite the ~*** ganz im Gegenteil

contrast I *n* Gegensatz *m* (*with*, *to* zu, *between* zwischen); (≈ *striking difference*, *also* TV) Kontrast *m* (*with*, *to* zu); ***by*** *or* ***in ~*** im Gegensatz dazu; ***to be in ~ with*** *or* ***to sth*** im Gegensatz / in Kontrast zu etw stehen **II** *v/t* gegenüberstellen (*with +dat*) **III** *v/i* im Gegensatz *or* in Kontrast stehen (*with* zu) **contrasting** *adj opinions etc* gegensätzlich; *colours* kontrastierend

contravene *v/t* verstoßen gegen **contravention** *n* ***to be in ~ of ...*** gegen ... verstoßen

contribute I *v/t* beitragen (*to* zu); *money*, *supplies* beisteuern (*to* zu); (*to charity*) spenden (*to* für) **II** *v/i* beitragen (*to* zu); (*to pension*, *newspaper*, *society*) einen Beitrag leisten (*to* zu); (*to present*) beisteuern (*to* zu); (*to charity*) spenden (*to* für) **contribution** *n* Beitrag *m* (*to* zu); ***to make a ~ to sth*** einen Beitrag zu etw leisten **contributor** *n* (*to magazine etc*) Mitarbeiter(in) *m(f)* (*to* an *+dat*); (*of goods*, *money*) Spender(in) *m(f)* **contributory** *adj* **1.** ***it's certainly a ~ factor*** es ist sicherlich ein Faktor, der mit eine Rolle spielt **2.** *pension scheme* beitragspflichtig

con trick *n* (*infml*) Schwindel *m*, Pflanz *m* (*Aus*)

contrive *v/t* **1.** (≈ *devise*) entwickeln; (≈ *make*) fabrizieren; ***to ~ a means of doing sth*** einen Weg finden, etw zu tun **2.** (≈ *manage*, *arrange*) bewerkstelligen; ***to ~ to do sth*** es fertigbringen, etw zu tun **contrived** *adj* gestellt

control I *n* **1.** *no pl* (≈ *management*, *supervision*) Aufsicht *f* (*of* über *+acc*); (*of money*) Verwaltung *f* (*of +gen*); (*of situation*, *emotion*) Beherrschung *f* (*of +gen*); (≈ *self-control*) (Selbst)beherrschung *f*; (*over territory*) Gewalt *f* (*over* über *+acc*); (*of prices*, *disease*) Kontrolle *f* (*of +gen*); ***his ~ of the ball*** seine Ballführung; ***to be in ~ of sth***, ***to have ~ of sth*** *business*, *office* etw leiten; *money* etw verwalten; ***to be in ~ of sth***, ***to have sth under ~*** etw in der Hand haben; *car*, *pollution* etw unter Kontrolle haben; ***to have no ~ over sb/sth*** keinen Einfluss auf jdn / etw haben; ***to lose ~ (of sth)*** (etw) nicht mehr in der Hand haben; *of car* die Kontrolle (über etw *acc*) verlieren; ***to lose ~ of oneself*** die Beherrschung verlieren; ***to be/get out of ~*** (*child*, *class*) außer Rand und Band sein / geraten; (*situation*, *car*) außer Kontrolle sein / geraten; (*prices*, *disease*, *pollution*) sich jeglicher Kontrolle (*dat*) entziehen; ***to be under ~*** unter Kontrolle sein; (*children*, *class*) sich benehmen; ***everything is under ~*** wir / sie *etc* haben die Sache im Griff (*infml*); ***circumstances beyond our ~*** nicht in unserer Hand liegende Umstände **2.** (≈ *knob*, *switch*) Regler *m*; (*of vehicle*, *machine*) Schalter *m*; ***to be at the ~s*** (*of airliner*) am Kontrollpult sitzen **II** *v/t* kontrollieren; *business* leiten; *organization* in der Hand haben; *animal*, *child* fertig werden mit; *traffic* regeln; *emotions*, *movements* beherrschen; *temperature*, *speed* regulieren; ***to ~ oneself*** sich beherrschen **control centre**, (*US*) **control center** *n* Kontrollzentrum *nt* **control desk** *n* Steuer- *or* Schaltpult *nt*; TV, RADIO Regiepult *nt* **control freak** *n* (*infml*) ***most men are total ~s*** die meisten Männer müssen immer alles unter Kontrolle haben **control key** *n* IT Control-Taste *f* **controlled** *adj* ***~ drugs*** *or* ***substances*** verschreibungspflichtige Medikamente *pl* **controller** *n* **1.** (≈ *director*: RADIO) Intendant(in) *m(f)* **2.** (≈ *financial head*) Leiter(in) *m(f)* des Rechnungswesens **controlling** *adj attr body* Aufsichts- **control panel** *n* Schalttafel *f*; (*on aircraft*, *TV*) Bedienungsfeld *nt* **control room** *n* Kontrollraum *m*; MIL (Operations)zentrale *f*; (*of police*) Zentrale *f* **control tower** *n* AVIAT Kontrollturm *m*

controversial *adj* umstritten **controversy** *n* Streit *m*

conundrum *n* Rätsel *nt*

conurbation *n* Ballungsgebiet *nt*

convalesce *v/i* genesen (*from*, *after* von) **convalescence** *n* (≈ *period*) Genesung(szeit) *f*

convection oven *n* (*US*) Umluftherd *m*

convene I *v/t meeting* einberufen **II** *v/i* zusammenkommen; (*parliament*, *court*) zusammentreten

convenience *n* **1.** *no pl* (≈ *amenity*) Annehmlichkeit *f*; ***for the sake of ~*** aus praktischen Gründen; ***with all modern ~s*** mit allem modernen Komfort **2.** *no pl* ***at your own ~*** wann es Ihnen passt (*infml*); ***at your earliest ~*** COMM möglichst bald **convenience foods** *pl* Fertiggerichte *pl*

convenient *adj* (≈ *useful*) praktisch; *area* günstig gelegen; *time* günstig; ***if it is ~*** wenn es Ihnen (so) passt; ***is tomorrow ~ (for you)?*** passt (es) Ihnen morgen?; ***the trams are very ~*** (≈ *nearby*) die Straßenbahnhaltestellen liegen sehr günstig; (≈ *useful*) die Straßenbahn ist sehr praktisch **conveniently** *adv* günstigerweise; *situated* günstig

convent *n* (Frauen)kloster *nt*

convention *n* **1.** Brauch *m*; (≈ *social rule*) Konvention *f* **2.** (≈ *agreement*) Abkommen *nt* **3.** (≈ *conference*) Konferenz *f*; POL Versammlung *f* **conventional** *adj* konventionell, herkömmlich; *style* traditionell; ***~ medicine*** konventionelle Medizin **conventionally** *adv* konventionell

converge *v/i* (*lines*) zusammenlaufen (*at* in *or* an +*dat*); MAT, PHYS konvergieren (*at* in +*dat*); ***to ~ on sb/sth/New York*** von überallher zu jdm/etw/nach New York strömen **convergence** *n* (*fig*, *of views etc*) Annäherung *f*; ***~ criteria*** (*in EU*) Konvergenzkriterien *pl*

conversation *n* Unterhaltung *f*; SCHOOL Konversation *f*; ***to make ~*** Konversation machen; ***to get into/be in ~ with sb*** mit jdm ins Gespräch kommen/im Gespräch sein; ***to have a ~ with sb (about sth)*** sich mit jdm (über etw *acc*) unterhalten **conversational** *adj* Unterhaltungs-; ***~ German*** gesprochenes Deutsch **conversationally** *adv write* im Plauderton **conversationalist** *n* guter Gesprächspartner, gute Gesprächspartnerin; ***not much of a ~*** nicht gerade ein Konversationsgenie

converse[1] *v/i* (*form*) sich unterhalten

converse[2] *n* (≈ *opposite*) Gegenteil *nt* **conversely** *adv* umgekehrt

conversion *n* **1.** Konversion *f* (*into* in +*acc*); (*of van etc*) Umrüstung *f*; (*of building*) Umbau *m* (*into* zu); ***~ table*** Umrechnungstabelle *f* **2.** (REL, *fig*) Bekehrung *f* **convert I** *n* Bekehrte(r) *m*/*f*(*m*); (*to another denomination*) Konvertit *m*; ***to become a ~ to sth*** (*lit*, *fig*) sich zu etw bekehren **II** *v/t* **1.** (≈ *transform*) konvertieren (*into* in +*acc*); *van etc* umrüsten; *attic* ausbauen (*into* zu); *building* umbauen (*into* zu) **2.** (REL, *fig*) bekehren (*to* zu); (*to another denomination*) konvertieren **III** *v/i* sich verwandeln lassen (*into* in +*acc*) **converted** *adj* umgebaut; *loft* ausgebaut **convertible I** *adj* verwandelbar **II** *n* (≈ *car*) Cabrio *nt*

convex *adj* konvex, Konvex-

convey *v/t* **1.** (≈ *transport*) befördern **2.** *opinion*, *idea* vermitteln; *meaning* klarmachen; *message*, *best wishes* übermitteln **conveyancing** *n* JUR (Eigentums)übertragung *f* **conveyor belt** *n* Fließband *nt*; (*for transport*, *supply*) Förderband *nt*

convict I *n* Sträfling *m* **II** *v/t* JUR verurteilen (*of* wegen); ***a ~ed criminal*** ein verurteilter Verbrecher, eine verurteilte Verbrecherin **conviction** *n* **1.** JUR Verurteilung *f*; ***previous ~s*** Vorstrafen **2.** (≈ *belief*) Überzeugung *f*; ***his speech lacked ~*** seine Rede klang wenig überzeugend; ***his fundamental political ~s*** seine politische Gesinnung

convince *v/t* überzeugen; ***I'm trying to ~ him that ...*** ich versuche, ihn davon zu überzeugen, dass ... **convinced** *adj* überzeugt **convincing** *adj*, **convincingly** *adv* überzeugend

convivial *adj* **1.** heiter und unbeschwert **2.** (≈ *sociable*) gesellig

convoluted *adj* verwickelt

convoy *n* (*fig*) Konvoi *m*; ***in ~*** im Konvoi

convulsion *n* MED Schüttelkrampf *m no pl*

coo *v/i* gurren

cook I *n* Koch *m*, Köchin *f*; ***she is a good ~*** sie kocht gut; ***too many ~s (spoil the broth)*** (*prov*) viele Köche verderben den Brei (*prov*) **II** *v/t food* zubereiten; (*in water etc*) kochen; (≈ *fry*, *roast*) braten; ***a ~ed meal*** eine warme Mahlzeit; ***a ~ed breakfast*** ein Frühstück *nt* mit warmen Gerichten **III** *v/i* kochen; (≈ *fry*, *roast*) braten; ***the pie takes half an hour to ~*** die Pastete ist in einer halben Stunde fertig **cookbook** *n* Kochbuch *nt*

cooker *n* (*esp Br*) Herd *m* **cooker hood** *n* (*Br*) Abzugshaube *f* **cookery** *n* Kochen *nt*; ***French ~*** französische Küche **cookery book** *n* Kochbuch *nt*

cookie, cooky *n* **1.** (*US*) Keks *m*, Biskuit *nt* (*Swiss*); ***Christmas ~*** Weihnachtsplätzchen *nt* **2.** IT Cookie *nt*

cooking *n* Kochen *nt*; (≈ *food*) Essen *nt*; ***French ~*** französisches Essen; ***his ~ is atrocious*** er kocht miserabel **cooking apple** *n* Kochapfel *m*

cool I *adj* (+*er*) **1.** kühl; ***serve ~*** kalt *or* (gut) gekühlt servieren; ***"keep in a ~ place"*** „kühl aufbewahren" **2.** (≈ *calm*) besonnen; ***to keep ~*** einen kühlen Kopf behalten; ***keep ~!*** reg dich nicht auf! **3.** (≈ *audacious*) kaltblütig; ***a ~ customer*** (*infml*) ein cooler Typ (*infml*) **4.** (*infml* ≈ *great*) cool (*sl*); ***to act ~*** sich cool geben (*sl*) **II** *n* **1.** Kühle *f* **2.** (*infml*) ***keep your ~!*** reg dich nicht auf!; ***to lose one's ~*** durchdrehen (*infml*) **III** *v/t* **1.** kühlen; (≈ *cool down*) abkühlen **2.** (*infml*) ***~ it!*** reg dich ab! (*infml*) **IV** *v/i* abkühlen ◆ **cool down I** *v/i* **1.** (*lit*) abkühlen; (*person*) sich abkühlen **2.** (≈ *calm down*) sich beruhigen; ***to let things ~*** die Sache etwas ruhen lassen **II** *v/t sep* abkühlen ◆ **cool off** *v/i* sich abkühlen

cool bag *n* Kühltasche *f* **cool box** *n* Kühlbox *f* **cooling** *adj drink*, *shower* kühlend; *effect* (ab)kühlend; *affection* abnehmend; *enthusiasm*, *interest* nachlassend **coolly** *adv* **1.** (≈ *calmly*) ruhig **2.** (≈ *in an unfriendly way*) kühl **3.** (≈ *audaciously*) kaltblütig **coolness** *n* **1.** Kühle *f* **2.** (≈ *calmness*) Besonnenheit *f* **3.** (≈ *audacity*) Kaltblütigkeit *f*

coop *n* (*a.* **hen coop**) Hühnerstall *m* ◆ **coop up** *v/t sep person* einsperren; *several people* zusammenpferchen (*infml*)

co-op *n* (≈ *shop*) Konsum *m* **cooperate** *v/i* zusammenarbeiten **cooperation** *n* Zusammenarbeit *f* **cooperative I** *adj* **1.** kooperativ **2.** *firm* auf Genossenschaftsbasis; ***~ farm*** Bauernhof *m* auf Genossenschaftsbasis **II** *n* Genossenschaft *f* **cooperative bank** *n* (*US*) Genossenschaftsbank *f*

coopt *v/t* selbst (hinzu)wählen; ***he was ~ed onto the committee*** er wurde vom Komitee selbst dazugewählt

coordinate I *n* Koordinate *f*; ***~s*** (≈ *clothes*) Kleidung *f* zum Kombinieren **II** *v/t* koordinieren; ***to ~ one thing with another*** eine Sache auf eine andere abstimmen **coordinated** *adj* koordiniert **coordination** *n* Koordination *f* **coordinator** *n* Koordinator(in) *m*(*f*)

cop I *n* (*infml*) Polizist(in) *m*(*f*), Bulle *m* (*pej infml*) **II** *v/t* (*infml*) ***you're going to ~ it*** du wirst Ärger kriegen (*infml*) ◆ **cop out** *v/i* (*infml*) aussteigen (*infml*) (*of* aus)

cope *v/i* zurechtkommen; (*with work*) es schaffen; ***to ~ with*** fertig werden mit; ***I can't ~ with all this work*** ich bin mit all der Arbeit überfordert

Copenhagen *n* Kopenhagen *nt*

copier *n* Kopierer *m*

co-pilot *n* Kopilot(in) *m*(*f*)

copious *adj* reichlich; ***~ amounts of sth*** reichliche Mengen von etw

cop-out *n* (*infml*) Rückzieher *m* (*infml*); ***this solution is just a ~*** diese Lösung weicht dem Problem nur aus

copper *n* **1.** (≈ *metal*) Kupfer *nt* **2.** (≈ *colour*) Kupferrot *nt* **3.** (*esp Br infml* ≈ *coin*) ***~s*** Kleingeld *nt* **4.** (*infml* ≈ *policeman*) Polizist(in) *m*(*f*), Bulle *m* (*pej infml*)

co-produce *v/t* koproduzieren

copse *n* Wäldchen *nt*

copulate *v/i* kopulieren **copulation** *n* Kopulation *f*

copy I *n* **1.** Kopie *f*; PHOT Abzug *m*; ***to take or make a ~ of sth*** eine Kopie von etw machen; ***to write out a fair ~*** etw ins Reine schreiben **2.** (*of book etc*) Exemplar *nt*; ***a ~ of today's "Times"*** die „Times" von heute **3.** PRESS *etc* Text *m* **II** *v/i* (≈ *imitate*) nachahmen; SCHOOL *etc* abschreiben **III** *v/t* **1.** (≈ *make a copy of*) kopieren; (≈ *write out again*) abschreiben; ***to ~ sth to a disk*** etw auf eine Diskette kopieren **2.** (≈ *imitate*) nachmachen **3.** SCHOOL *etc sb else's work* abschreiben; ***to ~ Brecht*** (von) Brecht abschreiben **copycat I** *n* (*infml*) Nachahmer(in) *m*(*f*) **II** *adj attr* ***his was a ~ crime*** er war ein Nachahmungstäter **copy editor** *n* PRESS Redakteur(in) *m*(*f*) **copying machine** *n* Kopiergerät *nt* **copy-protected** *adj* IT kopiergeschützt **copyright** *n* Urheberrecht *nt* **copywriter** *n* Werbetexter(in) *m*(*f*)

coral *n* Koralle *f* **coral reef** *n* Korallenriff *nt*

cord I *n* **1.** Schnur *f*; (*for clothes*) Kordel *f* **2. cords** *pl* (*a.* **a pair of cords**) Kordhose *f*, Schnürlsamthose *f* (*Aus*) **II** *attr* (*Br*) Kord-, Schnürlsamt- (*Aus*)

cordial I *adj* freundlich **II** *n* (≈ *drink*) Fruchtsaftkonzentrat *nt*

cordless *adj* schnurlos
cordon *n* Kordon *m* ◆ **cordon off** *v/t sep* absperren
cordon bleu *adj cook* vorzüglich; *recipe, dish* exquisit
corduroy *n* Kordsamt *m*, Schnürlsamt *m* (*Aus*)
core I *n* Kern *m*; (*of apple*) Kerngehäuse *nt*; (*of rock*) Innere(s) *nt*; ***rotten to the ~*** (*fig*) durch und durch schlecht; ***shaken to the ~*** zutiefst erschüttert **II** *adj attr issue* Kern-; *subject* Haupt-; ***~ activity*** *or* ***business*** COMM Kerngeschäft *nt* **III** *v/t fruit* entkernen; *apple* das Kerngehäuse (+*gen*) entfernen **corer** *n* COOK Apfelstecher *m*
Corfu *n* Korfu *nt*
coriander *n* Koriander *m*
cork I *n* **1.** *no pl* (≈ *substance*) Kork *m* **2.** (≈ *stopper*) Korken *m* **II** *v/t* zu- *or* verkorken **III** *adj* Kork- **corked** *adj* ***the wine is ~*** der Wein schmeckt nach Kork **corkscrew** *n* Korkenzieher *m*
corn[1] *n* **1.** *no pl* (*Br* ≈ *cereal*) Getreide *nt* **2.** (≈ *seed of corn*) Korn *nt* **3.** *no pl* (*esp US* ≈ *maize*) Mais *m*
corn[2] *n* (*on foot*) Hühnerauge *nt*; ***~ plaster*** Hühneraugenpflaster *nt*
corn bread *n* (*US*) Maisbrot *nt* **corncob** *n* Maiskolben *m*
cornea *n* Hornhaut *f*
corned beef *n* Corned Beef *nt*
corner I *n* Ecke *f*; FTBL *also* Corner *m* (*Aus, Swiss*); (*of mouth* ≈ *place*) Winkel *m*; (*in road*) Kurve *f*; ***at*** *or* ***on the ~*** an der Ecke; ***it's just round the ~*** (≈ *near*) es ist gleich um die Ecke; (*infml* ≈ *about to happen*) das steht kurz bevor; ***to turn the ~*** (*lit*) um die Ecke biegen; ***we've turned the ~ now*** (*fig*) wir sind jetzt über den Berg; ***out of the ~ of one's eye*** aus dem Augenwinkel (heraus); ***to cut ~s*** (*fig*) das Verfahren abkürzen; ***to drive*** *or* ***force sb into a ~*** (*fig*) jdn in die Enge treiben; ***to fight one's ~*** (*esp Br fig*) für seine Sache kämpfen; ***in every ~ of Europe/the globe*** in allen (Ecken und) Winkeln Europas/der Erde; ***an attractive ~ of Britain*** eine reizvolle Gegend Großbritanniens; ***to take a ~*** FTBL eine Ecke ausführen **II** *v/t* **1.** in die Enge treiben **2.** COMM *the market* monopolisieren **III** *v/i* ***this car ~s well*** dieses Auto hat eine gute Kurvenlage **-cornered** *adj suf* -eckig; ***three-cornered*** dreieckig **corner kick** *n* FTBL Eckstoß *m*, Corner *m* (*Aus, Swiss*) **corner seat** *n* RAIL Eckplatz *m* **corner shop** *n* Laden *m* an der Ecke **cornerstone** *n* Grundstein *m* **corner store** *n* (*US*) = ***corner shop***
cornet *n* **1.** MUS Kornett *nt* **2.** (≈ *ice-cream cornet*) (Eis)tüte *f*
cornfield *n* (*Br*) Kornfeld *nt*; (*US*) Maisfeld *nt* **cornflakes** *pl* Cornflakes *pl* **cornflour** *n* (*Br*) Stärkemehl *nt* **cornflower** *n* Kornblume *f*
cornice *n* ARCH (Ge)sims *nt*
Cornish *adj* aus Cornwall **Cornish pasty** *n* (*Br*) *Gebäckstück aus Blätterteig mit Fleischfüllung*
cornmeal *n* (*US*) Maismehl *nt* **cornstarch** *n* (*US*) Stärkemehl *nt*
cornucopia *n* (*fig*) Fülle *f*
corny *adj* (+*er*) (*infml*) **1.** *joke* blöd (*infml*) **2.** (≈ *sentimental*) kitschig
coronary I *adj* MED Koronar- (*tech*); ***~ failure*** Herzversagen *nt* (*infml*) **II** *n* Herzinfarkt *m*
coronation *n* Krönung *f*
coroner *n Beamter, der Todesfälle untersucht, die nicht eindeutig eine natürliche Ursache haben*
coronet *n* Krone *f*
corp. *abbr of* ***corporation***
corporal *n* MIL Stabsunteroffizier(in) *m(f)*
corporal punishment *n* Prügelstrafe *f*
corporate *adj* **1.** (≈ *of a group*) gemeinsam **2.** (*of a corporation*) korporativ; (*of a company*) Firmen-; JUR Korporations-; ***~ finance*** Unternehmensfinanzen *pl*; ***~ identity*** Corporate Identity *f*; ***~ image*** Firmenimage *nt*; ***to move up the ~ ladder*** in der Firma aufsteigen **corporate hospitality** *n Unterhaltung und Bewirtung von Firmenkunden* **corporate law** *n* Gesellschaftsrecht *nt* **corporation** *n* **1.** (≈ *municipal corporation*) Gemeinde *f* **2.** (*Br* COMM) Handelsgesellschaft *f*; (*US* COMM) Gesellschaft *f* mit beschränkter Haftung; ***joint-stock ~*** (*US*) Aktiengesellschft *f*; ***private ~*** Privatunternehmen *nt*; ***public ~*** staatliches Unternehmen **corporation tax** *n* Körperschaftssteuer *f*
corps *n, pl* - MIL Korps *nt* **corps de ballet** *n* Corps de Ballet *nt*
corpse *n* Leiche *f*
corpulent *adj* korpulent

corpus *n* **1.** (≈ *collection*) Korpus *m* **2.** (≈ *main body*) Großteil *m*; ***the main ~ of his work*** der Hauptteil seiner Arbeit
Corpus Christi *n* ECCL Fronleichnam *m*
corpuscle *n* ***blood ~*** Blutkörperchen *nt*
corral *n* Korral *m*
correct **I** *adj* **1.** (≈ *right*) richtig; ***to be ~*** (*person*) recht haben; ***am I ~ in thinking that ...?*** gehe ich recht in der Annahme, dass ...?; ***~ change only*** nur abgezähltes Geld **2.** (≈ *proper*) korrekt; ***it's the ~ thing to do*** das gehört sich so; ***she was ~ to reject the offer*** es war richtig, dass sie das Angebot abgelehnt hat **II** *v/t* korrigieren; ***~ me if I'm wrong*** Sie können mich gern berichtigen; ***I stand ~ed*** ich nehme alles zurück **correcting fluid** *n* Korrekturflüssigkeit *f*
correction *n* Korrektur *f*; ***to do one's ~s*** SCHOOL die Verbesserung machen **correctional** *adj* (*US*) ***the ~ system*** das Justizvollzugssystem; ***~ facility*** Justizvollzugsanstalt *f* **corrective** **I** *adj* korrigierend; ***to take ~ action*** korrigierend eingreifen; ***to have ~ surgery*** sich einem korrigierenden Eingriff unterziehen **II** *n* Korrektiv *nt* **correctly** *adv* **1.** (≈ *accurately*) richtig; ***if I remember ~*** wenn ich mich recht entsinne **2.** *behave* korrekt **correctness** *n* (*of behaviour etc*) Korrektheit *f*
correlate **I** *v/t* zueinander in Beziehung setzen **II** *v/i* sich entsprechen; ***to ~ with sth*** mit etw in Beziehung stehen **correlation** *n* (≈ *correspondence*) Beziehung *f*; (≈ *close relationship*) enger Zusammenhang
correspond *v/i* **1.** (≈ *be equivalent*) entsprechen (*to, with +dat*); (*to one another*) sich entsprechen **2.** (≈ *exchange letters*) korrespondieren (*with* mit) **correspondence** *n* **1.** (≈ *equivalence*) Übereinstimmung *f* **2.** (≈ *letter-writing*) Korrespondenz *f*; (*in newspaper*) Leserbriefe *pl*; ***to be in ~ with sb*** mit jdm korrespondieren; (*private*) mit jdm in Briefwechsel stehen **correspondence course** *n* Fernkurs *m* **correspondent** *n* PRESS Korrespondent(in) *m(f)* **corresponding** *adj* entsprechend **correspondingly** *adv* (dem)entsprechend
corridor *n* Korridor *m*; (*in train, bus*) Gang *m*; ***in the ~s of power*** an den Schalthebeln der Macht
corroborate *v/t* bestätigen **corroboration** *n* Bestätigung *f*; ***in ~ of*** zur Unterstützung (*+gen*) **corroborative** *adj* erhärtend *attr*
corrode **I** *v/t* zerfressen **II** *v/i* korrodieren **corroded** *adj* korrodiert **corrosion** *n* Korrosion *f* **corrosive** *adj* korrosiv
corrugated *adj* gewellt; ***~ cardboard*** dicke Wellpappe **corrugated iron** *n* Wellblech *nt*
corrupt **I** *adj* verdorben; (≈ *open to bribery*) korrupt; IT *disk* nicht lesbar **II** *v/t* verderben; (*form* ≈ *bribe*) bestechen; IT *data* zerstören; ***to become ~ed*** (*text*) korrumpiert werden **corruptible** *adj* korrumpierbar **corruption** *n* **1.** (≈ *act*) Korruption *f*; (IT, *of data*) Zerstörung *f* **2.** (≈ *corrupt nature*) Verdorbenheit *f*
corruptly *adv* korrupt
corset *n*, **corsets** *pl* Korsett *nt*
Corsica *n* Korsika *nt*
cortège *n* (≈ *procession*) Prozession *f*; (≈ *funeral cortège*) Leichenzug *m*
cortisone *n* Kortison *nt*
cos[1] *abbr of* ***cosine*** cos
cos[2] *n* (*a.* **cos lettuce**) Romagnasalat *m*
cos[3] *cj* (*infml*) = ***because***
cosily, (*US*) **cozily** *adv* behaglich
cosine *n* Kosinus *m*
cosiness, (*US*) **coziness** *n* Gemütlichkeit *f*; (≈ *warmth*) mollige Wärme
cosmetic **I** *adj* kosmetisch **II** *n* Kosmetikum *nt* **cosmetic surgery** *n* kosmetische Chirurgie; ***she's had ~*** sie hat eine Schönheitsoperation gehabt
cosmic *adj* kosmisch **cosmology** *n* Kosmologie *f*
cosmopolitan *adj* kosmopolitisch
cosmos *n* Kosmos *m*
cosset *v/t* verwöhnen
cost *vb*: *pret, past part* ***cost*** **I** *v/t* **1.** kosten; ***how much does it ~?*** wie viel kostet es?; ***how much will it ~ to have it repaired?*** wie viel kostet die Reparatur?; ***it ~ him a lot of time*** es kostete ihn viel Zeit; ***that mistake could ~ you your life*** der Fehler könnte dich das Leben kosten; ***it'll ~ you*** (*infml*) das kostet dich was (*infml*) **2.** *pret, past part* ***costed*** (≈ *work out cost of*) veranschlagen **II** *n* **1.** (*lit*) Kosten *pl* (*of* für); ***to bear the ~ of sth*** die Kosten für etw tragen; ***the ~ of petrol these days*** die Benzinpreise heutzutage; ***at little ~ to oneself*** ohne große eigene Kosten; ***to buy/sell at ~*** zum Selbstkostenpreis kaufen/verkaufen **2.** (*fig*) Preis

m; ***at all ~s, at any ~*** um jeden Preis; ***at the ~ of one's health*** *etc* auf Kosten seiner Gesundheit *etc*; ***at great personal ~*** unter großen eigenen Kosten; ***he found out to his ~ that …*** er machte die bittere Erfahrung, dass … **3. costs** *pl* JUR Kosten *pl*; ***to be ordered to pay ~s*** zur Übernahme der Kosten verurteilt werden

co-star I *n* einer der Hauptdarsteller; ***Burton and Taylor were ~s*** Burton und Taylor spielten die Hauptrollen **II** *v/t* ***the film ~s R. Burton*** der Film zeigt R. Burton in einer der Hauptrollen **III** *v/i* als Hauptdarsteller auftreten

Costa Rica *n* Costa Rica *nt*

cost-cutting I *n* Kostenverringerung *f* **II** *adj attr* ***~ exercise*** kostendämpfende Maßnahmen *pl* **cost-effective** *adj* rentabel **cost-effectiveness** *n* Rentabilität *f* **costing** *n* Kalkulation *f* **costly** *adj* teuer **cost of living** *n* Lebenshaltungskosten *pl* **cost price** *n* Selbstkostenpreis *m* **cost-saving** *adj* kostensparend

costume *n* Kostüm *nt*; (≈ *bathing costume*) Badeanzug *m* **costume drama** *n* (≈ *film*) Kostümfilm *m*; (TV ≈ *series*) Serie *f* in historischen Kostümen **costume jewellery** *n* Modeschmuck *m*

cosy, (*US*) **cozy I** *adj* (*+er*) gemütlich; (≈ *warm*) mollig warm; (*fig*) *chat* gemütlich **II** *n* (≈ *tea cosy*) Wärmer *m*

cot *n* (*esp Br* ≈ *child's bed*) Kinderbett *nt*; (*US* ≈ *camp bed*) Feldbett *nt* **cot death** *n* (*Br*) plötzlicher Kindstod

cottage *n* Häuschen *nt* **cottage cheese** *n* Hüttenkäse *m* **cottage industry** *n* Manufaktur *f* **cottage pie** *n* *Hackfleisch mit Kartoffelbrei überbacken*

cotton I *n* Baumwolle *f*; (≈ *fabric*) Baumwollstoff *m*; (≈ *thread*) (Baumwoll)garn *nt* **II** *adj* Baumwoll- ◆ **cotton on** *v/i* (*Br infml*) es kapieren (*infml*); ***to ~ to sth*** etw checken (*infml*)

cotton bud *n* (*Br*) Wattestäbchen *nt* **cotton candy** *n* (*US*) Zuckerwatte *f* **cotton pad** *n* Wattepad *nt* **cotton-picking** *adj* (*US infml*) verflucht (*infml*) **cotton wool** *n* (*Br*) Watte *f*

couch *n* Sofa *nt*; (≈ *doctor's couch*) Liege *f*; (≈ *psychiatrist's couch*) Couch *f* **couchette** *n* RAIL Liegewagen(platz) *m* **couch potato** *n* (*infml*) Couchpotato *f*

cough I *n* Husten *m*; ***he has a bit of a ~*** er hat etwas Husten; ***a smoker's ~*** Raucherhusten *m* **II** *v/t & v/i* husten ◆ **cough up I** *v/t sep* (*lit*) aushusten **II** *v/t insep* (*fig infml*) *money* rausrücken (*infml*) **III** *v/i* (*fig infml*) blechen (*infml*)

cough mixture *n* Hustensaft *m* **cough sweet** *n* (*Br*) Hustenbonbon *nt*, Hustenzuckerl *nt* (*Aus*) **cough syrup** *n* Hustensaft *m*

could *pret of* ***can***[1]

couldn't *contraction* = ***could not***

council I *n* Rat *m*; ***city/town ~*** Stadtrat *m*; ***to be on the ~*** Ratsmitglied sein; ***Council of Europe*** Europarat *m*; ***Council of Ministers*** POL Ministerrat *m* **II** *adj attr* ***~ meeting*** Ratssitzung *f* **council estate** *n* (*Br*) Sozialwohnungssiedlung *f* **council flat** *n* (*Br*) Sozialwohnung *f* **council house** *n* (*Br*) Sozialwohnung *f* **council housing** *n* sozialer Wohnungsbau **councillor**, (*US*) **councilor** *n* Ratsmitglied *nt*; (≈ *town councillor*) Stadtrat *m*/-rätin *f*; ***~ Smith*** Herr Stadtrat/Frau Stadträtin Smith **council tax** *n* (*Br*) Kommunalsteuer *f*

counsel I *n* **1.** (*form* ≈ *advice*) Rat (-schlag) *m*; ***to keep one's own ~*** seine Meinung für sich behalten **2.** *pl* - JUR Rechtsanwalt *m*; ***~ for the defence/prosecution*** Verteidiger(in) *m(f)*/Vertreter(in) *m(f)* der Anklage **II** *v/t person* beraten; *action* empfehlen; ***to ~ sb to do sth*** jdm raten, etw zu tun **counselling**, (*US*) **counseling** *n* Beratung *f*; (*by therapist*) Therapie *f*; ***to need ~*** professionelle Hilfe brauchen; ***to go for** or **have ~*** zur Beratung/Therapie gehen **counsellor**, (*US*) **counselor** *n* **1.** (≈ *adviser*) Berater(in) *m(f)* **2.** (*US*, *Ir* ≈ *lawyer*) Rechtsanwalt *m*/-anwältin *f*

count[1] **I** *n* **1.** (*with numbers*) Zählung *f*; ***she lost ~ when she was interrupted*** sie kam mit dem Zählen durcheinander, als sie unterbrochen wurde; ***I've lost all ~ of her boyfriends*** ich habe die Übersicht über ihre Freunde vollkommen verloren; ***to keep ~*** (***of sth***) (etw) mitzählen; ***at the last ~*** bei der letzten Zählung; ***on the ~ of three*** bei drei gehts los **2.** (JUR ≈ *charge*) Anklagepunkt *m*; ***you're wrong on both ~s*** (*fig*) Sie haben in beiden Punkten unrecht **II** *v/t* **1.** (*with numbers*) (ab)zählen; *votes* (aus)zählen; ***I only ~ed ten people*** ich habe nur zehn Leute gezählt **2.** (≈ *consider*) ansehen; (≈ *include*) mitrechnen; ***to ~ sb*** (***as***) ***a***

friend jdn als Freund ansehen; ***you should ~ yourself lucky to be alive*** Sie können noch von Glück sagen, dass Sie noch leben; ***not ~ing the children*** die Kinder nicht mitgerechnet **III** *v/i* **1.** (*with numbers*) zählen; ***to ~ to ten*** bis zehn zählen; ***~ing from today*** von heute an (gerechnet) **2.** (≈ *be considered*) angesehen werden; (≈ *be included*) mitgerechnet werden; (≈ *be important*) wichtig sein; ***the children don't ~*** die Kinder zählen nicht; ***that doesn't ~*** das zählt nicht; ***every minute/it all ~s*** jede Minute ist/das ist alles wichtig; ***to ~ against sb*** gegen jdn sprechen ◆ **count down** *v/i* den Countdown durchführen ◆ **count for** *v/i +prep obj* ***to ~ a lot*** sehr viel bedeuten; ***to ~ nothing*** nichts gelten ◆ **count in** *v/t sep* mitzählen; ***to count sb in on sth*** davon ausgehen *or* damit rechnen, dass jd bei etw mitmacht; ***you can count me in!*** Sie können mit mir rechnen ◆ **count on** *v/i +prep obj* rechnen mit; ***to ~ doing sth*** die Absicht haben, etw zu tun; ***you can ~ him to help you*** du kannst auf seine Hilfe zählen ◆ **count out** *v/t sep* **1.** *money etc* abzählen **2.** (*infml*) (***you can***) ***count me out!*** ohne mich! ◆ **count up** *v/t sep* zusammenzählen

count[2] *n* Graf *m*

countable *adj* zählbar (GRAM) **countdown** *n* Countdown *m*

countenance *n* Gesichtsausdruck *m*

counter I *n* **1.** (*in shop*) Ladentisch *m*; (*in café*) Theke *f*; (*in bank*) Schalter *m*; ***medicines which can be bought over the ~*** Medikamente, die man rezeptfrei bekommt **2.** (≈ *disc*) Spielmarke *f* **3.** TECH Zähler *m* **II** *v/t & v/i* kontern (*also* SPORTS) **III** *adv* ***~ to*** gegen (*+acc*); ***the results are ~ to expectations*** die Ergebnisse widersprechen den Erwartungen **counteract** *v/t* entgegenwirken (*+dat*) **counterargument** *n* Gegenargument *nt* **counterattack I** *n* Gegenangriff *m* **II** *v/t & v/i* zurückschlagen **counterbalance I** *n* Gegengewicht *nt* **II** *v/t* ausgleichen **counterclaim** *n* JUR Gegenanspruch *m* **counter clerk** *n* (*in bank etc*) Angestellte(r) *m/f(m)* im Schalterdienst; (*in post office etc*) Schalterbeamte(r) *m*/-beamtin *f* **counterclockwise** *adj, adv* (*US*) = ***anticlockwise*** **counterespionage** *n* Spionageabwehr *f* **counterfeit I** *adj* gefälscht; ***~ money*** Falschgeld *nt* **II** *n* Fälschung *f* **III** *v/t* fälschen **counterfoil** *n* Kontrollabschnitt *m* **counterintelligence** *n* = ***counterespionage*** **countermand** *v/t* aufheben **countermeasure** *n* Gegenmaßnahme *f* **counteroffensive** *n* MIL Gegenoffensive *f* **counterpart** *n* Gegenstück *nt* **counterpoint** *n* (MUS, *fig*) Kontrapunkt *m* **counterproductive** *adj* widersinnig; *criticism, measures* kontraproduktiv **counter-revolution** *n* Konterrevolution *f* **counter-revolutionary** *adj* konterrevolutionär **countersign** *v/t* gegenzeichnen **counter staff** *pl* (*in shop*) Verkäufer *pl* **counterweight** *n* Gegengewicht *nt*

countess *n* Gräfin *f*

countless *adj* unzählig *attr*

country *n* **1.** (≈ *state*) Land *nt*; ***his own ~*** seine Heimat; ***to go to the ~*** Neuwahlen ausschreiben; ***~ of origin*** COMM Ursprungsland *nt* **2.** *no pl* (*as opposed to town*) Land *nt*; (≈ *countryside also*) Landschaft *f*; ***in/to the ~*** auf dem/aufs Land; ***this is good fishing ~*** das ist eine gute Fischgegend; ***this is mining ~*** dies ist ein Bergbaugebiet **country and western** *n* Country-und-Western-Musik *f* **country-and-western** *adj* Country-und Western- **country club** *n Klub auf dem Lande* **country code** *n* **1.** TEL internationale Vorwahl **2.** (*Br* ≈ *set of rules*) Verhaltenskodex *m* für Besucher auf dem Lande **country dancing** *n* Volkstanz *m* **country dweller** *n* Landbewohner(in) *m(f)* **country house** *n* Landhaus *nt* **country life** *n* das Landleben **countryman** *n* **1.** (≈ *compatriot*) Landsmann *m*; ***his fellow countrymen*** seine Landsleute **2.** (≈ *country dweller*) Landmann *m* **country music** *n* Countrymusik *f* **country people** *pl* Leute *pl* vom Land(e) **country road** *n* Landstraße *f* **countryside** *n* (≈ *scenery*) Landschaft *f*; (≈ *rural area*) Land *nt* **country-wide** *adj* landesweit **countrywoman** *n* **1.** (≈ *compatriot*) Landsmännin *f* **2.** (≈ *country dweller*) Landfrau *f*

county *n* (*Br*) Grafschaft *f*; (*US*) (Verwaltungs)bezirk *m* **county council** *n* (*Br*) Grafschaftsrat *m* **county seat** *n* (*US*) *Hauptstadt eines Verwaltungsbezirkes* **county town** *n* (*Br*) *Hauptstadt einer Grafschaft*

coup *n* (≈ *successful action*) Coup *m*; (≈

coup d'état) Staatsstreich *m* **coup de grâce** *n* Gnadenstoß *m* **coup d'état** *n* Staatsstreich *m*

couple I *n* **1.** (≈ *pair*) Paar *nt*; (≈ *married couple*) Ehepaar *nt*; ***in ~s*** paarweise **2.** (*infml*) ***a ~*** (≈ *two*) zwei; (≈ *several*) ein paar; ***a ~ of letters*** *etc* ein paar Briefe *etc*; ***a ~ of times*** ein paarmal; ***a ~ of hours*** ungefähr zwei Stunden **II** *v/t* (≈ *link*) verbinden; *carriages etc* koppeln; ***smoking ~d with poor diet ...*** Rauchen in Verbindung mit schlechter Ernährung ... **coupler** *n* IT Koppler *m* **couplet** *n* Verspaar *nt* **coupling** *n* **1.** (≈ *linking*) Verbindung *f*; (*of carriages etc*) Kopplung *f* **2.** (≈ *linking device*) Kupplung *f*

coupon *n* Gutschein *m*

courage *n* Mut *m*; ***to have the ~ of one's convictions*** Zivilcourage haben; ***to take one's ~ in both hands*** sein Herz in beide Hände nehmen **courageous** *adj* mutig; (≈ *with courage of convictions*) couragiert **courageously** *adv fight* mutig; *criticize* couragiert

courgette *n* (*Br*) Zucchini *f*

courier *n* **1.** (≈ *messenger*) Kurier *m*; ***by ~*** per Kurier **2.** (≈ *tourist guide*) Reiseleiter(in) *m*(*f*)

course *n* **1.** (*of plane* ≈ *race course*) Kurs *m*; (*of river, history*) Lauf *m*; (≈ *golf course*) Platz *m*; (*fig, of relationship*) Verlauf *m*; (*of action etc*) Vorgehensweise *f*; ***to change*** *or* ***alter ~*** den Kurs ändern; ***to be on/off ~*** auf Kurs sein / vom Kurs abgekommen sein; ***to be on ~ for sth*** (*fig*) gute Aussichten auf etw (*acc*) haben; ***to let sth take*** *or* ***run its ~*** einer Sache (*dat*) ihren Lauf lassen; ***the affair has run its ~*** die Angelegenheit ist zu einem Ende gekommen; ***which ~ of action did you take?*** wie sind Sie vorgegangen?; ***the best ~ of action would be ...*** das Beste wäre ...; ***in the ~ of the meeting*** während der Versammlung; ***in the ~ of time*** im Laufe der Zeit **2.** ***of ~*** natürlich; ***of ~!*** natürlich!; ***don't you like me? — of ~ I do*** magst du mich nicht? — doch, natürlich; ***he's rather young, of ~, but ...*** er ist natürlich ziemlich jung, aber ... **3.** SCHOOL, UNIV Studium *nt*; (≈ *summer course etc*) Kurs(us) *m*; (*at work*) Lehrgang *m*; ***to go on a French ~*** einen Französischkurs(us) besuchen; ***a ~ in first aid*** ein Erste-Hilfe-Kurs; ***a ~ of lectures***, ***a lecture ~*** eine Vorlesungsreihe **4.** COOK Gang *m*; ***a three-~ meal*** ein Essen *nt* mit drei Gängen

court I *n* **1.** JUR Gericht *nt*; (≈ *room*) Gerichtssaal *m*; ***to appear in ~*** vor Gericht erscheinen; ***to take sb to ~*** jdn verklagen; ***to go to ~ over a matter*** eine Sache vor Gericht bringen **2.** (*royal*) Hof *m* **3.** SPORTS Platz *m*; (*for squash*) Halle *f* **II** *v/t jds Gunst* werben um; *danger* herausfordern **III** *v/i* (*dated*) ***they were ~ing at the time*** zu der Zeit gingen sie zusammen **court appearance** *n* Erscheinen *nt* vor Gericht **court case** *n* JUR Gerichtsverfahren *nt*, Prozess *m*

courteous *adj*, **courteously** *adv* höflich **courtesy** *n* Höflichkeit *f*; ***~ of*** freundlicherweise zur Verfügung gestellt von **courtesy bus** *n* gebührenfreier Bus

court fine *n* JUR Ordnungsgeld *nt* **court hearing** *n* JUR Gerichtsverhandlung *f* **courthouse** *n* JUR Gerichtsgebäude *nt* **court martial** *n*, *pl* ***court martials*** *or* ***courts martial*** MIL Militärgericht *nt* **court-martial** *v/t* vor das / ein Militärgericht stellen (*for* wegen) **court order** *n* JUR gerichtliche Verfügung **courtroom** *n* JUR Gerichtssaal *m* **courtship** *n* (*dated*) (Braut)werbung *f* (*dated*) (*of* um); ***during their ~*** während er um sie warb **court shoe** *n* Pumps *m* **courtyard** *n* Hof *m*

couscous *n* Couscous *m*

cousin *n* Cousin *m*, Cousine *f*; ***Kevin and Susan are ~s*** Kevin und Susan sind Cousin und Cousine

cove *n* GEOG (kleine) Bucht

covenant *n* Schwur *m*; BIBLE Bund *m*; JUR Verpflichtung *f* zu regelmäßigen Spenden

Coventry *n* ***to send sb to ~*** (*Br infml*) jdn schneiden (*infml*)

cover I *n* **1.** (≈ *lid*) Deckel *m*; (≈ *loose cover*) Bezug *m*; (*for typewriter etc*) Hülle *f*; (*on lorries*) Plane *f*; (≈ *blanket*) (Bett)decke *f*; ***he put a ~ over it*** er deckte es zu; ***she pulled the ~s up to her chin*** sie zog die Decke bis ans Kinn (hoch) **2.** (*of book*) Einband *m*; (*of magazine*) Umschlag *m*; (≈ *dust cover*) (Schutz)umschlag *m*; ***to read a book from ~ to ~*** ein Buch von der ersten bis zur letzten Seite lesen; ***on the ~*** auf dem Einband / Umschlag; (*of magazine*) auf der Titelseite **3.** *no pl* (≈ *pro-*

tection) Schutz *m* (*from* vor *+dat*, gegen); MIL Deckung *f* (*from* vor *+dat*, gegen); ***to take ~*** (*from rain*) sich unterstellen; MIL in Deckung gehen (*from* vor *+dat*); ***the car should be kept under ~*** das Auto sollte abgedeckt sein; ***under ~ of darkness*** im Schutz(e) der Dunkelheit **4.** (*Br*) (COMM, FIN) Deckung *f*; (≈ *insurance cover*) Versicherung *f*; ***to take out ~ for a car*** ein Auto versichern; ***to take out ~ against fire*** eine Feuerversicherung abschließen; ***to get ~ for sth*** etw versichern (lassen); ***do you have adequate ~?*** sind Sie ausreichend versichert? **5.** (≈ *assumed identity*) Tarnung *f*; ***to operate under ~*** als Agent tätig sein **II** *v/t* **1.** (≈ *put cover on*) bedecken; (≈ *cover over*) zudecken; (*with loose cover*) *chair etc* beziehen; ***a ~ed way*** ein überdachter Weg; ***the mountain was ~ed with*** *or* ***in snow*** der Berg war schneebedeckt; ***you're all ~ed with dog hairs*** du bist voller Hundehaare **2.** *mistake, tracks* verdecken; ***to ~ one's face with one's hands*** sein Gesicht in den Händen verbergen **3.** (≈ *protect, also* FIN) decken; INSUR versichern; ***will £30 ~ the drinks?*** reichen £ 30 für die Getränke?; ***he gave me £30 to ~ the drinks*** er gab mir £ 30 für Getränke; ***he only said that to ~ himself*** er hat das nur gesagt, um sich abzudecken **4.** (≈ *point a gun at etc*) sichern; ***to keep sb ~ed*** jdn in Schach halten **5.** (≈ *include*) behandeln; *eventualities* vorsehen; ***what does your travel insurance ~ you for?*** was deckt deine Reiseversicherung ab? **6.** (PRESS ≈ *report on*) berichten über (*+acc*) **7.** *distance* zurücklegen **8.** MUS *song* neu interpretieren ◆ **cover for** *v/i +prep obj absent person* vertreten ◆ **cover over** *v/t sep* zudecken; (*for protection*) abdecken ◆ **cover up I** *v/i* ***to ~ for sb*** jdn decken **II** *v/t sep* **1.** zudecken **2.** *facts* vertuschen

coverage *n no pl* (*in media*) Berichterstattung *f* (*of* über *+acc*); ***the games got excellent TV ~*** die Spiele wurden ausführlich im Fernsehen gebracht **coverall** *n usu pl* (*US*) Overall *m* **cover charge** *n* Kosten *pl* für ein Gedeck **covered market** *n* überdachter Markt **cover girl** *n* Titelmädchen *nt*, Covergirl *nt* **covering** *n* Decke *f*; ***a ~ of snow*** eine Schneedecke **covering letter**, (*US*) **cover letter** *n* Begleitbrief *m* **cover note** *n* Deckungszusage *f* **cover price** *n* Einzel(exemplar)preis *m* **cover story** *n* Titelgeschichte *f*

covert *adj*, **covertly** *adv* heimlich

cover-up *n* Vertuschung *f* **cover version** *n* MUS Coverversion *f*

covet *v/t* begehren

cow[1] *n* **1.** Kuh *f*; ***till the ~s come home*** (*fig infml*) bis in alle Ewigkeit (*infml*) **2.** (*pej infml* ≈ *woman, stupid*) Kuh *f* (*infml*); (*nasty*) gemeine Ziege (*infml*); ***cheeky ~!*** freches Stück! (*infml*)

cow[2] *v/t* einschüchtern

coward *n* Feigling *m* **cowardice, cowardliness** *n* Feigheit *f* **cowardly** *adj* feig(e)

cowbell *n* Kuhglocke *f* **cowboy** *n* **1.** Cowboy *m*; ***to play ~s and Indians*** Indianer spielen **2.** (*fig infml, dishonest*) Gauner *m* (*infml*) **cowboy hat** *n* Cowboyhut *m*

cower *v/i* sich ducken; (*squatting*) kauern; ***he stood ~ing in a corner*** er stand geduckt in einer Ecke

cowgirl *n* Cowgirl *nt* **cowhand** *n* Hilfscowboy *m*; (*on farm*) Stallknecht *m* **cowhide** *n* **1.** (*untanned*) Kuhhaut *f* **2.** (*no pl* ≈ *leather*) Rindsleder *nt* **3.** (*US* ≈ *whip*) Lederpeitsche *f*

cowl *n* Kapuze *f*

cowpat *n* Kuhfladen *m* **cowshed** *n* Kuhstall *m*

cox *n* Steuermann *m*

coy *adj* (*+er*) (≈ *shy*) verschämt; (≈ *coquettish*) neckisch; ***to be ~ about sth*** (≈ *shy*) in Bezug auf etw (*acc*) verschämt tun **coyly** *adv* (≈ *shyly*) schüchtern, gschamig (*Aus*)

coyote *n* Kojote *m*

cozy *adj* (*US*) = **cosy**

C/P COMM *abbr of* ***carriage paid*** frachtfrei

CPU *abbr of* **central processing unit** CPU *f*

crab *n* Krabbe *f* **crab apple** *n* **1.** (≈ *fruit*) Holzapfel *m* **2.** (≈ *tree*) Holzapfelbaum *m* **crabby** *adj* (*+er*) griesgrämig **crabmeat** *n* Krabbenfleisch *nt*

crack I *n* **1.** Riss *m*; (*between floorboards etc*) Ritze *f*; (≈ *wider hole etc*) Spalte *f*; (*in pottery etc*) Sprung *m*; ***leave the window open a ~*** lass das Fenster einen Spalt offen; ***at the ~ of dawn*** in aller Frühe; ***to fall*** *or* ***slip through the ~s*** (*US fig*) durch die Maschen schlüpfen **2.** (≈ *sharp noise*) Knacks *m*; (*of gun, whip*) Knall(en *nt no pl*) *m* **3.** (≈ *sharp blow*)

Schlag *m*; ***to give oneself a ~ on the head*** sich (*dat*) den Kopf anschlagen **4.** (*infml ≈ joke*) Witz *m*; ***to make a ~ about sb/sth*** einen Witz über jdn/etw reißen **5.** (*infml*) ***to have a ~ at sth*** etw mal probieren (*infml*) **6.** DRUGS Crack *nt* **II** *adj attr* erstklassig; MIL Elite-; ***~ shot*** Meisterschütze *m*, Meisterschützin *f* **III** *v/t* **1.** *pottery* einen Sprung machen in (+*acc*); *ice* einen Riss/Risse machen in (+*acc*) **2.** *nuts, safe* knacken; (*fig infml*) *code* knacken; *case, problem* lösen; ***I've ~ed it*** (≈ *solved it*) ich habs! **3.** *joke* reißen **4.** *whip* knallen mit; *finger* knacken mit; ***to ~ the whip*** (*fig*) die Peitsche schwingen **5.** ***he ~ed his head against the pavement*** er krachte mit dem Kopf aufs Pflaster **IV** *v/i* **1.** (*pottery*) einen Sprung/Sprünge bekommen; (*ice*) einen Riss/Risse bekommen; (*lips*) rissig werden **2.** (≈ *break*) brechen **3.** (≈ *make a cracking sound*) knacken; (*whip, gun*) knallen **4.** (*infml*) ***to get ~ing*** loslegen (*infml*); ***to get ~ing with*** *or* ***on sth*** mit etw loslegen (*infml*); ***get ~ing!*** los jetzt! **5.** = **crack up** I; ***he ~ed under the strain*** er ist unter der Belastung zusammengebrochen ◆ **crack down** *v/i* hart durchgreifen (*on* bei) ◆ **crack on** *v/i* (*Br infml*) weitermachen ◆ **crack open** *v/t sep* aufbrechen; ***to ~ the champagne*** die Sektkorken knallen lassen ◆ **crack up I** *v/i* (*fig infml, person*) durchdrehen (*infml*); (*under strain*) zusammenbrechen; ***I/he must be cracking up*** (*hum*) so fängts an (*infml*) **II** *v/t sep* (*infml*) ***it's not all it's cracked up to be*** so toll ist es dann auch wieder nicht

crackdown *n* (*infml*) scharfes Durchgreifen **cracked** *adj plate, ice* gesprungen; *bone* angebrochen; (≈ *broken*) gebrochen; *surface* rissig; *lips* aufgesprungen **cracker** *n* **1.** (≈ *biscuit*) Cracker *m* **2.** (≈ *Christmas cracker*) Knallbonbon *nt* **crackers** *adj pred* (*Br infml*) übergeschnappt (*infml*) **cracking** *adj* (*infml*) *pace* scharf

crackle I *v/i* (*fire*) knistern; (*telephone line*) knacken **II** *n* Knacken *nt* **crackling** *n no pl* **1.** = **crackle** **2.** COOK Kruste *f* (*des Schweinebratens*)

crackpot (*infml*) **I** *n* Spinner(in) *m(f)* (*infml*) **II** *adj* verrückt

cradle I *n* Wiege *f*; (*of phone*) Gabel *f*; ***from the ~ to the grave*** von der Wiege bis zur Bahre **II** *v/t* an sich (*acc*) drücken; ***he was cradling his injured arm*** er hielt sich (*dat*) seinen verletzten Arm; ***to ~ sb/sth in one's arms*** jdn/etw fest in den Armen halten

craft *n* **1.** (≈ *handicraft*) Kunsthandwerk *nt* **2.** *no pl* (≈ *skill*) Kunst *f* **3.** *pl* **craft** (≈ *boat*) Boot *nt* **craft fair** *n* Kunstgewerbemarkt *m* **craftily** *adv* clever **craftiness** *n* Cleverness *f* **craftsman** *n*, *pl* **-men** Kunsthandwerker *m* **craftsmanship** *n* Handwerkskunst *f* **craftswoman** *n* **-women** *pl* Kunsthandwerkerin *f* **crafty** *adj* (+*er*) clever; ***he's a ~ one*** (*infml*) er ist ein ganz Schlauer (*infml*)

crag *n* Fels *m* **craggy** *adj* (+*er*) zerklüftet; *face* kantig

cram I *v/t* (≈ *fill*) vollstopfen; (≈ *stuff in*) hineinstopfen (*in(to)* in +*acc*); *people* hineinzwängen (*in(to)* in +*acc*); ***the room was ~med*** (***with furniture***) der Raum war (mit Möbeln) vollgestopft; ***we were all ~med into one room*** wir waren alle in einem Zimmer zusammengepfercht **II** *v/i* (≈ *swot*) pauken (*infml*) ◆ **cram in** *v/i* (*people*) sich hineinquetschen (*-to* in +*acc*)

cram-full *adj* (*infml*) vollgestopft (*of* mit)

cramp I *n* MED Krampf *m*; ***to have ~ in one's leg*** einen Krampf im Bein haben **II** *v/t* (*fig*) ***to ~ sb's style*** jdm im Weg sein **cramped** *adj space* beschränkt; *room* beengt; ***we are very ~ (for space)*** wir sind räumlich sehr beschränkt

crampon *n* Steigeisen *nt*

cranberry *n* Preiselbeere *f*; ***~ sauce*** Preiselbeersoße *f*

crane I *n* **1.** Kran *m*; ***~ driver*** Kranführer(in) *m(f)* **2.** ORN Kranich *m* **II** *v/t* ***to ~ one's neck*** sich (*dat*) fast den Hals verrenken (*infml*) **III** *v/i* (*a.* **crane forward**) den Hals recken

cranefly *n* Schnake *f*

cranium *n*, *pl* ***crania*** ANAT Schädel *m*

crank[1] *n* (≈ *eccentric person*) Spinner(in) *m(f)* (*infml*); (*US* ≈ *cross person*) Griesgram *m*

crank[2] **I** *n* MECH Kurbel *f* **II** *v/t* (*a.* **crank up**) ankurbeln **crankshaft** *n* AUTO Kurbelwelle *f*

cranky *adj* (+*er*) **1.** (≈ *eccentric*) verrückt **2.** (*esp US* ≈ *bad-tempered*) griesgrämig

cranny *n* Ritze *f*

crap I *n* **1.** (*sl*) Scheiße *f* (*vulg*) **2.** (*infml* ≈

rubbish) Scheiße *f* (*infml*); ***a load of ~*** große Scheiße (*infml*) **II** *v/i* (*sl*) scheißen (*vulg*) **III** *adj attr* (*infml*) Scheiß- (*infml*)

crap game *n* (*US*) Würfelspiel *nt* (*mit zwei Würfeln*)

crappy *adj* (+*er*) (*infml*) beschissen (*infml*)

crash I *n* **1.** (≈ *noise*) Krach(en *nt no pl*) *m no pl*; ***there was a ~ upstairs*** es hat oben gekracht; ***with a ~*** krachend **2.** (≈ *accident*) Unfall *m*, Havarie *f* (*Aus*); (*with several cars*) Karambolage *f*; (≈ *plane crash*) (Flugzeug)unglück *nt*; ***to be in a (car) ~*** in einen (Auto)unfall verwickelt sein; ***to have a ~*** einen (Auto)unfall haben; (≈ *cause it*) einen Unfall verursachen **3.** FIN Zusammenbruch *m*; ST EX Börsenkrach *m* **4.** IT Absturz *m* **II** *adv* krach; ***he went ~ into a tree*** er krachte gegen einen Baum **III** *v/t* **1.** *car* einen Unfall haben mit; *plane* abstürzen mit; ***to ~ one's car into sth*** mit dem Auto gegen etw krachen **2.** IT *program*, *system* zum Absturz bringen **3.** (*infml*) ***to ~ a party*** uneingeladen zu einer Party gehen **IV** *v/i* **1.** einen Unfall haben; (*plane*, IT) abstürzen; ***to ~ into sth*** gegen etw (*acc*) krachen **2.** (≈ *move with a crash*) krachen; ***to ~ to the ground*** zu Boden krachen; ***the whole roof came ~ing down (on him)*** das ganze Dach krachte auf ihn herunter **3.** FIN Pleite machen (*infml*) **4.** (*infml*: *a.* **crash out**) (≈ *sleep*) knacken (*sl*) **crash barrier** *n* Leitplanke *f* **crash course** *n* Intensivkurs *m* **crash diet** *n* Radikalkur *f*

crash helmet *n* Sturzhelm *m* **crash-land I** *v/i* bruchlanden **II** *v/t* bruchlanden mit **crash-landing** *n* Bruchlandung *f* **crash test** *n* MOT Crashtest *m*

crass *adj* (+*er*) krass; (≈ *coarse*) unfein **crassly** *adv* krass; *behave* unfein **crassness** *n* (≈ *insensitivity*) Krassheit *f*; (≈ *coarseness*) Derbheit *f*

crate *n* Kiste *f*; (≈ *beer crate*) Kasten *m*

crater *n* Krater *m*

cravat(te) *n* Halstuch *nt*

crave *v/t* (≈ *desire*) sich sehnen nach ◆ **crave for** *v/i +prep obj* sich sehnen nach

craving *n* Verlangen *nt*; ***to have a ~ for sth*** Verlangen nach etw haben

crawl I *n* **1.** ***we could only go at a ~*** wir kamen nur im Schneckentempo voran **2.** (≈ *swimming stroke*) Kraul(stil) *m*; ***to do the ~*** kraulen **II** *v/i* **1.** (*person*, *traffic*) kriechen; (*baby*) krabbeln; ***he tried to ~ away*** er versuchte wegzukriechen **2.** (≈ *be infested*) wimmeln (*with* von); ***the street was ~ing with police*** auf der Straße wimmelte es von Polizisten **3.** ***he makes my skin ~*** wenn ich ihn sehe, kriege ich eine Gänsehaut **4.** (*infml* ≈ *suck up*) kriechen (*to* vor +*dat*); ***he went ~ing to teacher*** er ist gleich zum Lehrer gerannt **crawler lane** *n* (*Br* AUTO) Kriechspur *f*

crayfish *n* **1.** (*freshwater*) Flusskrebs *m* **2.** (*saltwater*) Languste *f*

crayon I *n* (≈ *pencil*) Buntstift *m*; (≈ *wax crayon*) Wachs(mal)stift *m*; (≈ *chalk crayon*) Pastellstift *m* **II** *v/t & v/i* (mit Bunt-/Wachsmalstiften) malen

craze I *n* Fimmel *m* (*infml*); ***there's a ~ for collecting old things just now*** es ist zurzeit große Mode, alte Sachen zu sammeln **II** *v/t* ***a ~d gunman*** ein Amokschütze *m*; ***he had a ~d look on his face*** er hatte den Gesichtsausdruck eines Wahnsinnigen **crazily** *adv* **1.** *skid*, *whirl* wie verrückt **2.** (≈ *madly*) verrückt **craziness** *n* Verrücktheit *f* **crazy** *adj* (+*er*) verrückt (*with* vor +*dat*); ***to drive sb ~*** jdn verrückt machen; ***to go ~*** verrückt werden; ***like ~*** (*infml*) wie verrückt (*infml*); ***to be ~ about sb/sth*** ganz verrückt auf jdn/etw sein (*infml*); ***football-~*** fußballverrückt (*infml*) **crazy golf** *n* (*Br*) Minigolf *nt* **crazy paving** *n* Mosaikpflaster *nt*

creak I *n* Knarren *nt no pl*; (*of hinges*, *bed springs*) Quietschen *nt no pl* **II** *v/i* knarren; (*hinges*, *bed springs*) quietschen **creaky** *adj* (+*er*) (*lit*) knarrend; *hinges*, *bed springs* quietschend

cream I *n* **1.** Sahne *f*, Obers *m* (*Aus*), Nidel *m* (*Swiss*); (≈ *artificial cream*, *lotion*) Creme *f*; ***~ of asparagus/chicken soup*** Spargel-/Hühnercremesuppe *f* **2.** (≈ *colour*) Creme(farbe *f*) *nt* **3.** (*fig* ≈ *best*) die Besten; ***the ~ of the crop*** (≈ *people*) die Elite; (≈ *things*) das Nonplusultra **II** *adj* **1.** (*colour*) creme *inv*, cremefarben **2.** (≈ *made with cream*) Sahne-, Creme- **III** *v/t* *butter* cremig rühren ◆ **cream off** *v/t sep* (*fig*) absahnen

cream cake *n* Sahnetorte *f*; (*small*) Sahnetörtchen *nt* **cream cheese** *n* (Doppelrahm)frischkäse *m* **creamer** *n* (*US* ≈

jug) Sahnekännchen *nt* **cream puff** *n* Windbeutel *m* **cream tea** *n* Nachmittagstee *m* **creamy** *adj* (*+er*) (≈ *tasting of cream*) sahnig; (≈ *smooth*) cremig

crease I *n* Falte *f*; (≈ *deliberate fold, in material*) Kniff *m*; (*ironed, in trousers etc*) (Bügel)falte *f* **II** *v/t* (*deliberately*) *clothes* Falten/eine Falte machen in (*+acc*); *material, paper* Kniffe/einen Kniff machen in (*+acc*); (*unintentionally*) zerknittern **crease-proof, crease-resistant** *adj* knitterfrei

create *v/t* schaffen; *the world, man* erschaffen; *draught, noise* verursachen; *impression* machen; *problems* (*person*) schaffen; (*action, event*) verursachen; IT *file* anlegen **creation** *n* **1.** *no pl* Schaffung *f*; (*of the world, man*) Erschaffung *f* **2.** *no pl* ***the Creation*** die Schöpfung; ***the whole of ~*** die Schöpfung **3.** (≈ *created object*, ART) Werk *nt* **creative** *adj power etc* schöpferisch; *approach, person* kreativ; ***the ~ use of language*** kreativer Sprachgebrauch **creative accounting** *n* kreative Buchführung *f* (*um einen falschen Eindruck vom erzielten Gewinn zu erwecken*) **creatively** *adv* kreativ **creative writing** *n* dichterisches Schreiben **creativity** *n* schöpferische Begabung; (*of approach*) Kreativität *f* **creator** *n* Schöpfer(in) *m*(*f*)

creature *n* Geschöpf *nt* **creature comforts** *pl* leibliches Wohl

crèche *n* (*Br* ≈ *day nursery*) (Kinder)-krippe *f*; (*esp US* ≈ *children's home*) Kinderheim *nt*

credence *n no pl* ***to lend ~ to sth*** etw glaubwürdig machen; ***to give*** *or* ***attach ~ to sth*** einer Sache (*dat*) Glauben schenken **credentials** *pl* (≈ *references*) Referenzen *pl*; (≈ *identity papers*) (Ausweis)papiere *pl*; ***to present one's ~*** seine Papiere vorlegen

credibility *n* Glaubwürdigkeit *f* **credible** *adj* glaubwürdig **credibly** *adv* glaubhaft

credit I *n* **1.** *no pl* FIN Kredit *m*; (*in pub etc*) Stundung *f*; ***the bank will let me have £5,000 ~*** die Bank räumt mir einen Kredit von £ 5.000 ein; ***to buy on ~*** auf Kredit kaufen; ***his ~ is good*** er ist kreditwürdig; (*in small shop*) er ist vertrauenswürdig; ***to give sb*** (***unlimited***) ***~*** jdm (unbegrenzt) Kredit geben **2.** (FIN ≈ *money possessed*) (Gut)haben *nt*; (COMM ≈ *sum of money*) Kreditposten *m*; ***to be in ~*** Geld *nt* auf dem Konto haben; ***to keep one's account in ~*** sein Konto nicht überziehen; ***the ~s and debits*** Soll und Haben *nt*; ***how much have we got to our ~?*** wie viel haben wir auf dem Konto? **3.** *no pl* (≈ *honour*) Ehre *f*; (≈ *recognition*) Anerkennung *f*; ***he's a ~ to his family*** er macht seiner Familie Ehre; ***that's to his ~*** das ehrt ihn; ***her generosity does her ~*** ihre Großzügigkeit macht ihr alle Ehre; ***to come out of sth with ~*** ehrenvoll aus etw hervorgehen; ***to get all the ~*** die ganze Anerkennung einstecken; ***to take the ~ for sth*** das Verdienst für etw in Anspruch nehmen; ***~ where ~ is due*** (*prov*) Ehre, wem Ehre gebührt (*prov*) **4.** *no pl* (≈ *belief*) Glaube *m*; ***to give ~ to sth*** etw glauben **5.** (*esp US* UNIV) Schein *m* **6. credits** *pl* FILM *etc* Vor-/Nachspann *m* **II** *v/t* **1.** (≈ *believe*) glauben; ***would you ~ it!*** ist das denn die Möglichkeit! **2.** (≈ *attribute*) zuschreiben (*+dat*); ***I ~ed him with more sense*** ich habe ihn für vernünftiger gehalten; ***he was ~ed with having invented it*** die Erfindung wurde ihm zugeschrieben **3.** FIN gutschreiben; ***to ~ a sum to sb's account*** jds Konto (*dat*) einen Betrag gutschreiben (lassen) **creditable** *adj* lobenswert **creditably** *adv* löblich **credit account** *n* Kreditkonto *nt* **credit balance** *n* Kontostand *m* **credit card** *n* Kreditkarte *f* **credit check** *n* Überprüfung *f* der Kreditwürdigkeit; ***to run a ~ on sb*** jds Kreditwürdigkeit überprüfen **credit facilities** *pl* Kreditmöglichkeiten *pl* **credit limit** *n* Kreditrahmen *m* **credit note** *n* Gutschrift *f* **creditor** *n* Gläubiger *m* **credit rating** *n* Kreditwürdigkeit *f* **credit risk** *n* ***to be a good/poor ~*** ein geringes/großes Kreditrisiko darstellen **credit side** *n* Habenseite *f*; ***on the ~ he's young*** für ihn spricht, dass er jung ist **credit status** *n* Kreditstatus *m* **credit union** *n* Kreditgenossenschaft *f* **creditworthiness** *n* Kreditwürdigkeit *f* **creditworthy** *adj* kreditwürdig

credo *n* Glaubensbekenntnis *nt* **credulity** *n no pl* Leichtgläubigkeit *f* **credulous** *adj* leichtgläubig **creed** *n* (*fig*) Credo *nt*

creek *n* (*esp Br* ≈ *inlet*) (kleine) Bucht; (*US* ≈ *brook*) Bach *m*; ***to be up the ~*** (***without a paddle***) (*infml*) in der Tinte sitzen (*infml*)

creep *vb*: *pret, past part* **crept I** *v/i* schleichen; (*with body close to ground, insects*) kriechen; ***the water level crept higher*** der Wasserspiegel kletterte höher; ***the story made my flesh ~*** bei der Geschichte bekam ich eine Gänsehaut **II** *n* **1.** (*infml* ≈ *unpleasant person*) Widerling *m* (*infml*) **2.** (*infml*) ***he gives me the ~s*** er ist mir nicht geheuer; ***this old house gives me the ~s*** in dem alten Haus ist es mir nicht geheuer ◆ **creep in** *v/i* (*mistakes, doubts*) sich einschleichen (*-to* in *+acc*) ◆ **creep up** *v/i* sich heranschleichen (*on* an *+acc*); (*prices*) (in die Höhe) klettern

creepy *adj* (*+er*) unheimlich **creepy-crawly** (*infml*) *n* Krabbeltier *nt*

cremate *v/t* einäschern **cremation** *n* Einäscherung *f* **crematorium**, (*esp US*) **crematory** *n* Krematorium *nt*

crème de la crème *n* Crème de la Crème *f*

Creole I *n* LING Kreolisch *nt* **II** *adj* kreolisch; ***he is ~*** er ist Kreole

creosote I *n* Kreosot *nt* **II** *v/t* mit Kreosot streichen

crêpe I *n* **1.** TEX Krepp *m* **2.** COOK Crêpe *m* **II** *adj* Krepp- **crêpe paper** *n* Krepppapier *nt*

crept *pret, past part of* ***creep***

crescendo *n* MUS Crescendo *nt*; (*fig*) Zunahme *f*

crescent *n* Halbmond *m*; (*in street names*) Weg *m* (*halbmondförmig verlaufende Straße*)

cress *n* (Garten)kresse *f*

crest *n* **1.** (*of bird*) Haube *f*; (*of cock, hill, wave*) Kamm *m*; ***he's riding on the ~ of a wave*** (*fig*) er schwimmt im Augenblick oben **2.** HERALDRY Helmzierde *f*; (≈ *coat of arms*) Wappen *nt* **crestfallen** *adj* niedergeschlagen

Crete *n* Kreta *nt*

cretin *n* (*infml*) Schwachkopf *m* (*infml*) **cretinous** *adj* (*infml*) schwachsinnig

Creutzfeldt-Jakob disease *n no pl* Creutzfeldt-Jakob-Krankheit *f*

crevasse *n* (Gletscher)spalte *f*

crevice *n* Spalte *f*

crew *n* **1.** Besatzung *f*; ***50 passengers and 20 ~*** 50 Passagiere und 20 Mann Besatzung **2.** (*Br infml* ≈ *gang*) Bande *f* **crew cut** *n* Bürstenschnitt *m* **crew member** *n* Besatzungsmitglied *nt* **crew neck** *n* runder Halsausschnitt; (*a.* **crew-neck pullover** *or* **sweater**) Pullover *m* mit rundem Halsausschnitt

crib *n* **1.** (*US* ≈ *cot*) Kinderbett *nt* **2.** (≈ *manger*) Krippe *f* **crib death** *n* (*US*) plötzlicher Kindstod

crick I *n* ***a ~ in one's neck*** ein steifes Genick **II** *v/t* ***to ~ one's back*** sich (*dat*) einen steifen Rücken zuziehen

cricket[1] *n* (≈ *insect*) Grille *f*

cricket[2] *n* SPORTS Kricket *nt*; ***that's not ~*** (*fig infml*) das ist nicht fair **cricket bat** *n* (Kricket)schlagholz *nt* **cricketer** *n* Kricketspieler(in) *m(f)* **cricket match** *n* Kricketspiel *nt* **cricket pitch** *n* Kricketfeld *nt*

crime *n* Straftat *f*; (≈ *serious crime also, fig*) Verbrechen *nt*; ***it's a ~ to throw away all that good food*** es ist eine Schande, all das gute Essen wegzuwerfen; ***~ is on the increase*** die Zahl der Verbrechen nimmt zu

Crimea *n* GEOG Krim *f* **Crimean** *adj* Krim-

crime prevention *n* Verbrechensverhütung *f* **crime rate** *n* Verbrechensrate *f* **crime scene** *n* Tatort *m* **crime wave** *n* Verbrechenswelle *f*

criminal I *n* Straftäter(in) *m(f)* (*form*), Kriminelle(r) *m/f(m)*; (*guilty of serious crimes also, fig*) Verbrecher(in) *m(f)* **II** *adj* **1.** kriminell; ***~ law*** Strafrecht *nt*; ***to have a ~ record*** vorbestraft sein **2.** (*fig*) kriminell **criminal charge** *n* ***she faces ~s*** sie wird eines Verbrechens angeklagt **criminal code** *n* Strafgesetzbuch *nt* **criminal court** *n* Strafkammer *m* **criminality** *n* Kriminalität *f* **criminalize** *v/t* kriminalisieren **criminal lawyer** *n* Anwalt *m*/Anwältin *f* für Strafsachen; (*specializing in defence*) Strafverteidiger(in) *m(f)* **criminally** *adv* kriminell, verbrecherisch **criminal offence**, (*US*) **criminal offense** *n* strafbare Handlung **criminologist** *n* Kriminologe *m*, Kriminologin *f* **criminology** *n* Kriminologie *f*

crimp *v/t* (mit der Brennschere) wellen

crimson I *adj* purpurrot; ***to turn*** *or* ***go ~*** knallrot werden (*infml*) **II** *n* Purpurrot *nt*

cringe *v/i* zurückschrecken (*at* vor *+dat*); (*fig*) schaudern; ***he ~d at the thought*** er *or* ihn schauderte bei dem Gedanken; ***he ~d when she mispronounced his name*** er zuckte zusammen, als sie seinen Namen falsch aussprach

crinkle I *n* (Knitter)falte *f* **II** *v/t* (zer)knittern **III** *v/i* knittern **crinkled** *adj* zerknittert **crinkly** *adj (+er) paper etc* zerknittert; *edges* wellig

cripple I *n* Krüppel *m* **II** *v/t person* zum Krüppel machen; *ship, plane* aktionsunfähig machen; (*fig*) lähmen; ***~d with rheumatism*** von Rheuma praktisch gelähmt **crippling** *adj* lähmend; *taxes* erdrückend; ***a ~ disease*** ein Leiden, das einen bewegungsunfähig macht; ***a ~ blow*** ein schwerer Schlag

crisis *n, pl* ***crises*** Krise *f*; ***to reach ~ point*** den Höhepunkt erreichen; ***in times of ~*** in Krisenzeiten **crisis centre** *n* Einsatzzentrum *nt* (*für Krisenfälle*) **crisis management** *n* Krisenmanagement *nt*

crisp I *adj (+er) apple* knackig; *biscuits* knusprig, resch (*Aus*); *snow* verharscht; *manner* knapp; *air* frisch; *ten-pound note* brandneu **II** *n* (*Br ≈ potato crisp*) Chip *m*; ***burned to a ~*** völlig verbrutzelt **crispbread** *n* Knäckebrot *nt* **crisply** *adv* knackig; *baked, fried* knusprig, resch (*Aus*); *write, speak* knapp **crispy** *adj* (+*er*) (*infml*) knusprig, resch (*Aus*)

crisscross *adj pattern* Kreuz-

criterion *n, pl* ***criteria*** Kriterium *nt*

critic *n* Kritiker(in) *m(f)*; ***literary ~*** Literaturkritiker(in) *m(f)*; ***he's his own worst ~*** er kritisiert sich selbst am meisten; ***she is a constant ~ of the government*** sie kritisiert die Regierung ständig **critical** *adj* kritisch; MED *person* in kritischem Zustand; ***the book was a ~ success*** das Buch kam bei den Kritikern an; ***to cast a ~ eye over sth*** sich (*dat*) etw kritisch ansehen; ***to be ~ of sb/sth*** jdn/etw kritisieren; ***it is ~ (for us) to understand what is happening*** es ist (für uns) von entscheidender Bedeutung zu wissen, was vorgeht; ***of ~ importance*** von entscheidender Bedeutung **critically** *adv* **1.** (*≈ finding fault*) kritisch **2.** *ill* schwer **3.** ***to be ~ important*** von entscheidender Bedeutung sein **4.** ***~ acclaimed*** in den Kritiken gelobt

criticism *n* Kritik *f*; ***literary ~*** Literaturkritik *f*; ***to come in for a lot of ~*** schwer kritisiert werden

criticize *v/t & v/i* kritisieren; ***to ~ sb for sth*** jdn für etw kritisieren; ***I ~d her for always being late*** ich kritisierte sie dafür, dass sie immer zu spät kommt **critique** *n* Kritik *f*

critter *n* (*US dial*) = ***creature***

croak *v/t & v/i* (*frog*) quaken; (*raven, person*) krächzen

Croat *n* (*≈ person*) Kroate *m*, Kroatin *f*; LING Kroatisch *nt* **Croatia** *n* Kroatien *nt* **Croatian I** *n* = ***Croat*** **II** *adj* kroatisch; ***she is ~*** sie ist Kroatin

crochet I *n* (*a.* **crochet work**) Häkelei *f*; ***~ hook*** Häkelnadel *f* **II** *v/t & v/i* häkeln

crockery *n* (*Br*) Geschirr *nt*

crocodile *n* Krokodil *nt* **crocodile tears** *pl* Krokodilstränen *pl*; ***to shed ~*** Krokodilstränen vergießen

crocus *n* Krokus *m*

croissant *n* Hörnchen *nt*, Kipferl *nt* (*Aus*)

crony *n* Freund(in) *m(f)*

crook I *n* **1.** (*≈ dishonest person*) Gauner *m* (*infml*) **2.** (*of shepherd*) Hirtenstab *m* **II** *v/t finger* krümmen; *arm* beugen **crooked** *adj* krumm; *smile* schief; *person* unehrlich **crookedly** *adv* schief

croon I *v/t* leise singen **II** *v/i* leise singen **crooner** *n* Sänger *m* (sentimentaler Lieder)

crop I *n* **1.** (*≈ produce*) Ernte *f*; (*≈ species grown*) (Feld)frucht *f*; (*fig ≈ large number*) Schwung *m*; ***a good ~ of potatoes*** eine gute Kartoffelernte; ***to bring the ~s in*** die Ernte einbringen; ***a ~ of problems*** (*infml*) eine Reihe von Problemen **2.** (*of bird*) Kropf *m* **3.** (*≈ hunting crop*) Reitpeitsche *f* **II** *v/t hair* stutzen; ***the goat ~ped the grass*** die Ziege fraß das Gras ab; ***~ped hair*** kurz geschnittenes Haar ◆ **crop up** *v/i* aufkommen; ***something's cropped up*** es ist etwas dazwischengekommen

cropper *n* (*Br infml*) ***to come a ~*** (*lit ≈ fall*) hinfliegen (*infml*); (*fig ≈ fail*) auf die Nase fallen

crop top *n* FASHION bauchfreies Shirt *or* Top

croquet *n* Krocket(spiel) *nt*

croquette *n* Krokette *f*

cross[1] **I** *n* **1.** Kreuz *nt*; ***to make the sign of the Cross*** das Kreuzzeichen machen; ***we all have our ~ to bear*** wir haben alle unser Kreuz zu tragen **2.** (*≈ hybrid*) Kreuzung *f*; (*fig*) Mittelding *nt*; ***a ~ between a laugh and a bark*** eine Mischung aus Lachen und Bellen **3.** FTBL Flanke *f* **II** *attr street, line etc* Quer- **III** *v/t* **1.** *road, river, mountains* überqueren; *picket line etc* überschreiten; *country, room* durchqueren; ***to ~ sb's path***

(*fig*) jdm über den Weg laufen; ***it ~ed my mind that ...*** es fiel mir ein, dass ...; ***we'll ~ that bridge when we come to it*** lassen wir das Problem mal auf uns zukommen **2.** (≈ *intersect*, *create hybrids of*) kreuzen; ***to ~ one's legs*** die Beine übereinanderschlagen; ***to ~ one's arms*** die Arme verschränken; ***I'm keeping my fingers ~ed*** (***for you***) (*infml*) ich drücke (dir) die Daumen (*infml*) **3.** *letter*, *t* einen Querstrich machen durch; ***a ~ed cheque*** ein Verrechnungsscheck *m*; ***to ~ sth through*** etw durchstreichen **4.** ***to ~ oneself*** sich bekreuzigen **5.** (≈ *go against*) ***to ~ sb*** jdn verärgern **IV** *v/i* **1.** (*across road*) die Straße überqueren; (*across Channel etc*) hinüberfahren **2.** (*paths*, *letters*) sich kreuzen; ***our paths have ~ed several times*** (*fig*) unsere Wege haben sich öfters gekreuzt ◆ **cross off** *v/t sep* streichen (*prep obj* aus, von) ◆ **cross out** *v/t sep* ausstreichen ◆ **cross over** *v/i* **1.** (≈ *cross the road*) die Straße überqueren **2.** (≈ *change sides*) überwechseln (*to* zu)

cross[2] *adj* (*+er*) böse; ***to be ~ with sb*** mit jdm *or* auf jdn böse sein

crossbar *n* (*of bicycle*) Stange *f*; SPORTS Querlatte *f* **cross-border** *adj* COMM grenzüberschreitend **crossbow** *n* (Stand)armbrust *f* **crossbreed I** *n* Kreuzung *f* **II** *v/t* kreuzen **cross-Channel** *adj attr* Kanal- **crosscheck** *v/t* überprüfen **cross-country I** *adj* Querfeldein-; ***~ skiing*** Langlauf *m* **II** *adv* querfeldein **III** *n* (≈ *race*) Querfeldeinrennen *nt* **cross-dress** *v/i* sich als Transvestit kleiden **cross-dresser** *n* Transvestit *m* **cross-dressing** *n* Transvestismus *m* **cross-examination** *n* Kreuzverhör *nt* (*of* über *+acc*) **cross-examine** *v/t* ins Kreuzverhör nehmen **cross-eyed** *adj* schielend; ***to be ~*** schielen **cross-fertilization** *n no pl* BOT Kreuzbefruchtung *f* **cross-fertilize** *v/t* BOT kreuzbefruchten **crossfire** *n* Kreuzfeuer *nt*; ***to be caught in the ~*** ins Kreuzfeuer geraten

crossing *n* **1.** (≈ *act*) Überquerung *f*; (≈ *sea crossing*) Überfahrt *f* **2.** (≈ *crossing place*) Übergang *m*; (≈ *crossroads*) Kreuzung *f*

cross-legged *adj*, *adv* (*on ground*) im Schneidersitz **crossly** *adv* böse **cross-party** *adj* POL *talks* parteienübergreifend; *support* überparteilich **cross-purposes** *pl* ***to be*** *or* ***talk at ~*** aneinander vorbeireden **cross-refer** *v/t* verweisen (*to* auf *+acc*) **cross-reference** *n* (Quer)verweis *m* (*to* auf *+acc*)

crossroads *n sg or pl* (*lit*) Kreuzung *f*; (*fig*) Scheideweg *m* **cross section** *n* Querschnitt *m*; ***a ~ of the population*** ein Querschnitt durch die Bevölkerung **cross-stitch** *n* SEWING Kreuzstich *m* **cross-town** *adj* (*US*) quer durch die Stadt **crosswalk** *n* (*US*) Fußgängerüberweg *m* **crossways, crosswise** *adv* quer **crossword (puzzle)** *n* Kreuzworträtsel *nt*

crotch *n* (*of trousers*) Schritt *m*; ANAT Unterleib *m*

crotchet *n* (*Br* MUS) Viertelnote *f*; ***~ rest*** Viertelpause *f*

crotchety *adj* (*infml*) miesepetrig (*infml*)

crouch *v/i* sich zusammenkauern; ***to ~ down*** sich niederkauern

croupier *n* Croupier *m*

crouton *n* Croûton *m*

crow[1] *n* ORN Krähe *f*; ***as the ~ flies*** (in der) Luftlinie

crow[2] **I** *n* (*of cock*) Krähen *nt no pl* **II** *v/i* **1.** (*cock*) krähen **2.** (*fig* ≈ *boast*) angeben; (≈ *exult*) hämisch frohlocken (*over* über *+acc*)

crowbar *n* Brecheisen *nt*

crowd I *n* **1.** Menschenmenge *f*; (SPORTS, THEAT) Zuschauermenge *f*; ***to get lost in the ~(s)*** in der Menge verloren gehen; ***~s of people*** Menschenmassen *pl*; ***there was quite a ~*** es waren eine ganze Menge Leute da; ***a whole ~ of us*** ein ganzer Haufen von uns (*infml*) **2.** (≈ *clique*) Clique *f*; ***the university ~*** die Uni-Clique; ***the usual ~*** die üblichen Leute **3.** *no pl* ***to follow the ~*** mit der Herde laufen; ***she hates to be just one of the ~*** sie geht nicht gern in der Masse unter **II** *v/i* (sich) drängen; ***to ~ (a)round*** sich herumdrängen; ***to ~ (a)round sb/sth*** (sich) um jdn / etw herumdrängen **III** *v/t* ***to ~ the streets*** die Straßen bevölkern ◆ **crowd out** *v/t sep* ***the pub was crowded out*** das Lokal war gerammelt voll (*infml*)

crowded *adj* **1.** *train etc* überfüllt; ***the streets/shops are ~*** es ist voll auf den Straßen / in den Geschäften; ***~ with people*** voller Menschen **2.** *city* überbevölkert **crowd pleaser** *n* (≈ *person*) Publikumsliebling *m*; (≈ *event etc*) Publikumserfolg *m* **crowd puller** *n* Kassenmagnet *m*

crown I *n* **1.** Krone *f*; ***to be heir to the ~*** Thronfolger(in) *m(f)* sein **2.** (*of head*) Wirbel *m*; (*of hill*) Kuppe *f* **II** *v/t* krönen; ***he was ~ed king*** er ist zum König gekrönt worden **crown court** *n Bezirksgericht für Strafsachen* **crowning** *adj* ***that symphony was his ~ glory*** diese Sinfonie war die Krönung seines Werkes **crown jewels** *pl* Kronjuwelen *pl* **crown prince** *n* Kronprinz *m* **crown princess** *n* Kronprinzessin *f*

crow's feet *pl* Krähenfüße *pl* **crow's nest** *n* NAUT Mastkorb *m*

crucial *adj* **1.** (≈ *decisive*) entscheidend (*to* für) **2.** (≈ *very important*) äußerst wichtig **crucially** *adv* ausschlaggebend; ***~ important*** von entscheidender Bedeutung

crucible *n* (Schmelz)tiegel *m*

crucifix *n* Kruzifix *nt* **crucifixion** *n* Kreuzigung *f* **crucify** *v/t* **1.** (*lit*) kreuzigen **2.** (*fig infml*) *person* in der Luft zerreißen (*infml*)

crude I *adj* (+*er*) **1.** (≈ *unprocessed*) Roh-, roh **2.** (≈ *vulgar*) derb **3.** (≈ *unsophisticated*) primitiv; *sketch* grob; *attempt* unbeholfen **II** *n* Rohöl *nt* **crudely** *adv* **1.** (≈ *vulgarly*) derb **2.** (≈ *unsophisticatedly*) primitiv; *behave* ungehobelt; ***to put it ~*** um es ganz grob auszudrücken **crudeness, crudity** *n* **1.** (≈ *vulgarity*) Derbheit *f* **2.** (≈ *lack of sophistication*) Primitivität *f* **crude oil** *n* Rohöl *nt*

crudités *pl rohes Gemüse, serviert mit Dips*

cruel *adj* grausam (*to* zu); ***to be ~ to animals*** ein Tierquäler sein; ***to be ~ to one's dog*** seinen Hund quälen; ***don't be ~!*** sei nicht so gemein! **cruelly** *adv* grausam **cruelty** *n* Grausamkeit *f* (*to* gegenüber); ***~ to children*** Kindesmisshandlung *f*; ***~ to animals*** Tierquälerei *f* **cruelty-free** *adj cosmetics* nicht an Tieren getestet

cruet *n* Gewürzständer *m*

cruise I *v/i* **1.** (*car*) Dauergeschwindigkeit fahren; ***we were cruising along the road*** wir fuhren (gemächlich) die Straße entlang; ***we are now cruising at a height of ...*** wir fliegen nun in einer Flughöhe von ... **2.** (*fig*) ***to ~ to victory*** einen leichten Sieg erringen **II** *v/t* (*ship*) befahren; (*car*) *streets* fahren auf (+*dat*); *area* abfahren **III** *n* Kreuzfahrt *f*; ***to go on a ~*** eine Kreuzfahrt machen **cruise missile** *n* Marschflugkörper *m* **cruiser** *n* NAUT Kreuzer *m*; (≈ *pleasure cruiser*) Vergnügungsjacht *f*

crumb *n* Krümel *m*; ***that's one ~ of comfort*** das ist (wenigstens) ein winziger Trost **crumble I** *v/t* zerkrümeln; ***to ~ sth into/onto sth*** etw in/auf etw (*acc*) krümeln **II** *v/i* (*brick*) bröckeln; (*cake etc*) krümeln; (*earth, building*) zerbröckeln; (*fig: resistance*) sich auflösen **III** *n* (*Br* COOK) Obst *nt* mit Streusel; (≈ *topping*) Streusel *pl*; ***rhubarb ~*** *mit Streuseln bestreutes, überbackenes Rhabarberdessert* **crumbly** *adj* (+*er*) *stone, earth* bröckelig; *cake* krümelig

crummy *adj* (+*er*) (*infml*) mies (*infml*)

crumpet *n* COOK *süßes, pfannkuchenartiges Gebäck*

crumple I *v/t* (*a.* **crumple up** ≈ *crease*) zerknittern; (≈ *screw up*) zusammenknüllen; *metal* eindrücken **II** *v/i* zusammenbrechen; (*metal*) zusammengedrückt werden

crunch I *v/t* **1.** *biscuit etc* mampfen (*infml*); ***he ~ed the ice underfoot*** das Eis zersplitterte unter seinen Füßen; ***to ~ the gears*** AUTO die Gänge reinwürgen (*infml*) **2.** IT verarbeiten **II** *v/i* (*gravel etc*) knirschen; ***he ~ed across the gravel*** er ging mit knirschenden Schritten über den Kies; ***he was ~ing on a carrot*** er mampfte eine Möhre (*infml*) **III** *n* **1.** (≈ *sound*) Krachen *nt*; (*of gravel etc*) Knirschen *nt* **2.** (*infml*) ***the ~*** der große Krach; ***when it comes to the ~*** wenn der entscheidende Moment kommt **3.** SPORTS ***~ machine*** Bauchmuskelmaschine *f* **crunches** *pl* Bauchpressen *pl* **crunchy** *adj* (+*er*) *apple* knackig; *biscuit* knusprig, resch (*Aus*)

crusade I *n* Kreuzzug *m* **II** *v/i* einen Kreuzzug/Kreuzzüge führen **crusader** *n* HIST Kreuzfahrer *m*; (*fig*) Apostel *m*

crush I *n* **1.** (≈ *crowd*) Gedrängel *nt*; ***it'll be a bit of a ~*** es wird ein bisschen eng werden **2.** (*infml*) ***to have a ~ on sb*** in jdn verschossen sein (*infml*); ***schoolgirl ~*** Schulmädchenschwärmerei *f* **3.** (≈ *drink*) Saftgetränk *nt* **II** *v/t* **1.** quetschen; (≈ *damage*) *fruit etc* zerdrücken; (*Auto etc*) zerquetschen; (≈ *kill*) zu Tode quetschen; *garlic* (zer)stoßen; *ice* stoßen; *metal* zusammenpressen; *clothes, paper* zerknittern; ***I was ~ed between two***

enormous men in the plane ich war im Flugzeug zwischen zwei fetten Männern eingequetscht; ***to ~ sb into sth*** jdn in etw (*acc*) quetschen; ***to ~ sth into sth*** etw in etw (*acc*) stopfen **2.** (*fig*) *enemy* vernichten; *opposition* niederschlagen **crushing** *adj defeat* zerschmetternd; *blow* vernichtend

crust *n* Kruste *f*; ***the earth's ~*** die Erdkruste; ***to earn a ~*** (*infml*) seinen Lebensunterhalt verdienen

crustacean *n* Schalentier *nt*

crusty *adj* (*+er*) knusprig, resch (*Aus*)

crutch *n* **1.** (*for walking*) Krücke *f* **2.** = ***crotch***

crux *n* Kern *m*

cry I *n* **1.** Schrei *m*; (≈ *call*) Ruf *m*; ***to give a ~*** (auf)schreien; ***a ~ of pain*** ein Schmerzensschrei *m*; ***a ~ for help*** ein Hilferuf *m*; ***he gave a ~ for help*** er rief um Hilfe **2.** (≈ *weep*) ***to have a good ~*** sich einmal richtig ausweinen **II** *v/i* **1.** (≈ *weep*) weinen; (*baby*) schreien; ***she was ~ing for her teddy bear*** sie weinte nach ihrem Teddy **2.** (≈ *call*) rufen; (*louder*) schreien; ***to ~ for help*** um Hilfe rufen/schreien **III** *v/t* **1.** (≈ *shout out*) rufen; (*louder*) schreien **2.** (≈ *weep*) weinen; ***to ~ one's eyes out*** sich (*dat*) die Augen ausweinen; ***to ~ oneself to sleep*** sich in den Schlaf weinen ◆ **cry off** *v/i* (*Br*) einen Rückzieher machen ◆ **cry out** *v/i* **1.** aufschreien; ***to ~ to sb*** jdm etwas zuschreien; ***well, for crying out loud!*** (*infml*) na, das darf doch wohl nicht wahr sein! (*infml*) **2.** (*fig*) ***to be crying out for sth*** nach etw schreien

crybaby *n* (*infml*) Heulsuse *f* (*infml*) **crying I** *adj* (*fig*) ***it is a ~ shame*** es ist jammerschade **II** *n* (≈ *weeping*) Weinen *nt*; (*of baby*) Schreien *nt*

crypt *n* Krypta *f*; (≈ *burial crypt*) Gruft *f*

cryptic *adj remark etc* hintergründig; *clue etc* verschlüsselt **cryptically** *adv* hintergründig

crystal I *n* Kristall *m* **II** *adj* Kristall- **crystal ball** *n* Glaskugel *f* **crystal-clear** *adj* glasklar **crystallize** *v/i* (*lit*) kristallisieren; (*fig*) feste Form annehmen **crystallized** *adj* kristallisiert; *fruit* kandiert

CS gas *n* ≈ Tränengas *nt*

CST *abbr of* ***Central Standard Time***

ct 1. *abbr of* ***cent*** **2.** *abbr of* ***carat***

cub *n* **1.** (*of animal*) Junge(s) *nt* **2. *Cub*** (≈ *Cub Scout*) Wölfling *m*

Cuba *n* Kuba *nt* **Cuban I** *adj* kubanisch **II** *n* Kubaner(in) *m(f)*

cubbyhole *n* Kabuff *nt*

cube I *n* **1.** Würfel *m* **2.** MAT dritte Potenz **II** *v/t* MAT hoch 3 nehmen; ***four ~d*** vier hoch drei **cube root** *n* Kubikwurzel *f* **cube sugar** *n* Würfelzucker *m* **cubic** *adj* Kubik-; ***~ metre*** Kubikmeter **cubic capacity** *n* Fassungsvermögen *nt*; (*of engine*) Hubraum *m*

cubicle *n* Kabine *f*; (*in toilets*) (Einzel)-toilette *f*

cubism *n* Kubismus *m* **cubist I** *n* Kubist(in) *m(f)* **II** *adj* kubistisch

Cub Scout *n* Wölfling *m*

cuckoo *n* Kuckuck *m* **cuckoo clock** *n* Kuckucksuhr *f*

cucumber *n* (Salat)gurke *f*; ***as cool as a ~*** seelenruhig

cud *n* ***to chew the ~*** (*lit*) wiederkäuen

cuddle I *n* Liebkosung *f*; ***to give sb a ~*** jdn in den Arm nehmen; ***to have a ~*** schmusen **II** *v/t* in den Arm nehmen **III** *v/i* schmusen ◆ **cuddle up** *v/i* sich kuscheln (*to, against* an *+acc*); ***to ~ in bed*** sich im Bett zusammenkuscheln

cuddly *adj* (*+er*) knuddelig (*infml*) **cuddly toy** *n* Schmusetier *nt* (*infml*)

cudgel *n* (*Br*) Knüppel *m*

cue *n* **1.** (THEAT, *fig*) Stichwort *nt*; FILM, TV Zeichen *nt* zum Aufnahmebeginn; MUS Einsatz *m*; ***to take one's ~ from sb*** sich nach jdm richten **2.** BILLIARDS Queue *nt*

cue ball *n* Spielball *m*

cuff[1] *n* **1.** Manschette *f*; ***off the ~*** aus dem Stegreif **2.** (*US*: *of trousers*) (Hosen)aufschlag *m*

cuff[2] *v/t* (≈ *strike*) einen Klaps geben (*+dat*)

cuff link *n* Manschettenknopf *m*

cuisine *n* Küche *f*

cul-de-sac *n* Sackgasse *f*

culinary *adj* kulinarisch; *skill etc* im Kochen

cull I *n Erlegen überschüssiger Tierbestände* **II** *v/t* (≈ *kill as surplus*) (als überschüssig) erlegen

culminate *v/i* (*fig*) (≈ *climax*) gipfeln (*in* in *+dat*); (≈ *end*) herauslaufen (*in* auf *+acc*) **culmination** *n* (*fig*) (≈ *high point*) Höhepunkt *m*; (≈ *end*) Ende *nt*

culottes *pl* Hosenrock *m*; ***a pair of ~*** ein Hosenrock

culpability *n* (*form*) Schuld *f* **culpable** *adj* (*form*) schuldig **culprit** *n* Schuldige(r) *m/f(m)*; JUR Täter(in) *m(f)*; *(infml)* (≈ *person causing trouble*) Übeltäter(in) *m(f)*

cult I *n* (REL, *fig*) Kult *m* **II** *attr* Kult-

cultivate *v/t* **1.** *(lit)* kultivieren; *crop etc* anbauen **2.** *(fig) links etc* pflegen **cultivated** *adj* (AGR, *fig*) kultiviert **cultivation** *n* **1.** *(lit)* Kultivieren *nt*; *(of crop etc)* Anbau *m* **2.** *(fig: of links etc)* Pflege *f* *(of* von) **cultivator** *n* (≈ *machine*) Grubber *m*

cult movie *n* Kultfilm *m*

cultural *adj* Kultur-; *similarities, events* kulturell; ***~ differences*** kulturelle Unterschiede *pl* **culturally** *adv* kulturell

culture *n* Kultur *f*; *(of animals)* Zucht *f*; ***a man of ~/of no ~*** ein Mann mit/ohne Kultur; ***to study German ~*** die deutsche Kultur studieren **cultured** *adj* kultiviert

culture shock *n* Kulturschock *m*

cum *prep* ***a sort of sofa-~-bed*** eine Art von Sofa und Bett in einem

cumbersome *adj clothing* (be)hinderlich; *style* schwerfällig; *procedure* beschwerlich

cumin *n* Kreuzkümmel *m*

cumulative *adj* gesamt **cumulative interest** *n* FIN Zins und Zinseszins **cumulatively** *adv* kumulativ

cunnilingus *n* Cunnilingus *m*

cunning I *n* Schlauheit *f* **II** *adj plan, person* schlau; *expression* verschmitzt **cunningly** *adv* schlau; ***a ~ designed little gadget*** ein clever ausgedachtes Ding

cunt *n (vulg)* (≈ *vagina*) Fotze *f (vulg)*; *(term of abuse)* Arsch *m (vulg)*

cup I *n* Tasse *f*; (≈ *goblet, football cup etc*) Pokal *m*; (≈ *mug*) Becher *m*; (COOK, *standard measure*) 8 fl oz = 0,22 l; ***a ~ of tea*** eine Tasse Tee; ***that's not my ~ of tea*** *(fig infml)* das ist nicht mein Fall; ***they're out of the Cup*** sie sind aus dem Pokal(wettbewerb) ausgeschieden **II** *v/t hands* hohl machen; ***to ~ one's hand to one's ear*** die Hand ans Ohr halten

cupboard *n* Schrank *m*, Kasten *m (Aus, Swiss)* **cupcake** *n kleiner, runder Kuchen* **Cup Final** *n* Pokalendspiel *nt* **cupful** *n, pl* ***cupsful, cupfuls*** Tasse(voll) *f*

cupid *n* Amorette *f*; ***Cupid*** Amor *m*

cupola *n* ARCH Kuppel *f*

cuppa *n (Br infml)* Tasse Tee *f*

cup size *n (of bra)* Körbchengröße *f* **cup tie** *n* Pokalspiel *nt* **Cup Winners' Cup** *n* FTBL Europapokal *m* der Pokalsieger

curable *adj* heilbar

curate *n (Catholic)* Kurat *m*; *(Protestant)* Vikar(in) *m(f)*

curator *n (of museum etc)* Kustos *m*

curb I *n* **1.** *(fig)* Behinderung *f*; ***to put a ~ on sth*** etw einschränken **2.** *(esp US* ≈ *curbstone)* = ***kerb*** **II** *v/t (fig)* zügeln; *spending* dämpfen; *immigration etc* bremsen *(infml)* **curbside** *adj (US)* Straßenrand *m*; ***~ parking*** (≈ *short-term parking*) Kurzparken *nt*

curd *n (often pl)* Quark *m*, Topfen *m (Aus)* **curd cheese** *n* Weißkäse *m*

curdle I *v/t* gerinnen lassen **II** *v/i* gerinnen; ***his blood ~d*** das Blut gerann ihm in den Adern

cure I *v/t* **1.** MED heilen; ***to be ~d (of sth)*** (von etw) geheilt sein **2.** *(fig) inflation etc* abhelfen (+*dat*); ***to ~ sb of sth*** jdm etw austreiben **3.** *food* haltbar machen; (≈ *salt*) pökeln; (≈ *smoke*) räuchern, selchen *(Aus)*; (≈ *dry*) trocknen **II** *v/i (food)* ***it is left to ~*** (≈ *to salt*) es wird zum Pökeln eingelegt; (≈ *to smoke*) es wird zum Räuchern aufgehängt; (≈ *to dry*) es wird zum Trocknen ausgebreitet **III** *n* (MED) (≈ *remedy*) (Heil)mittel *nt (for* gegen); (≈ *treatment*) Heilverfahren *nt (for sb* für jdn, *for sth* gegen etw); (≈ *health cure*) Kur *f*; *(fig* ≈ *remedy)* Mittel *nt (for* gegen); ***there's no ~ for that*** *(lit)* das ist unheilbar; *(fig)* dagegen kann man nichts machen **cure-all** *n* Allheilmittel *nt*

curfew *n* Ausgangssperre *f*; ***to be under ~*** unter Ausgangssperre stehen

curio *n* Kuriosität *f* **curiosity** *n no pl* (≈ *inquisitiveness*) Neugier *f*; *(for knowledge)* Wissbegier(de) *f*; ***out of*** *or* ***from ~*** aus Neugier

curious *adj* **1.** (≈ *inquisitive*) neugierig; ***I'm ~ to know what he'll do*** ich bin mal gespannt, was er macht; ***I'm ~ to know how he did it*** ich bin neugierig zu erfahren, wie er das gemacht hat; ***why do you ask? — I'm just ~*** warum fragst du? — nur so **2.** (≈ *odd*) sonderbar; ***how ~!*** wie seltsam! **curiously** *adv* **1.** (≈ *inquisitively*) neugierig **2.** (≈ *oddly*) seltsam; ***~ (enough), he didn't object*** merkwürdigerweise hatte er nichts dagegen

curl I *n (of hair)* Locke *f* **II** *v/t hair* locken; *(with curlers)* in Locken legen; *(in tight curls)* kräuseln; *edges* umbiegen **III** *v/i* (*hair*) sich locken; (*tightly*) sich kräuseln; (*naturally*) lockig sein; (*paper*) sich wellen ◆ **curl up I** *v/i* (*animal, person*) sich zusammenrollen; (*paper*) sich wellen; ***to ~ in bed*** sich ins Bett kuscheln; ***to ~ with a good book*** es sich (*dat*) mit einem guten Buch gemütlich machen **II** *v/t sep* wellen; *edges* hochbiegen; ***to curl oneself/itself up*** sich zusammenkugeln

curler *n* (≈ *hair curler*) Lockenwickel *m*; ***to put one's ~s in*** sich (*dat*) die Haare eindrehen; ***my hair was in ~s*** ich hatte Lockenwickel im Haar

curlew *n* Brachvogel *m*

curling *n* SPORTS Curling *nt* **curling tongs**, (*US*) **curling iron** *pl* Lockenschere *f*; (*electric*) Lockenstab *m* **curly** *adj* (+*er*) *hair* lockig; (*tighter*) kraus; *tail* geringelt; *pattern* verschnörkelt **curly-haired** *adj* lockig; (*tighter*) krausköpfig

currant *n* **1.** (≈ *dried fruit*) Korinthe *f* **2.** BOT Johannisbeere *f*, Ribisel *f* (*Aus*); ***~ bush*** Johannisbeerstrauch *m*, Ribiselstrauch *m* (*Aus*) **currant bun** *n* Rosinenbrötchen *nt*

currency *n* **1.** FIN Währung *f*; ***foreign ~*** Devisen *pl* **2.** ***to gain ~*** sich verbreiten **currency market** *n* Devisenmarkt *m*

current I *adj* (≈ *present*) gegenwärtig; *policy, price* aktuell; *research, month etc* laufend; *edition* letzte(r, s); *opinion* verbreitet; ***~ affairs*** aktuelle Fragen *pl*; ***in ~ use*** allgemein gebräuchlich **II** *n* **1.** (*of water*) Strömung *f*; (*of air*) Luftströmung *f*; ***with/against the ~*** mit dem/gegen den Strom **2.** ELEC Strom *m* **3.** (*fig: of events etc*) Trend *m* **current account** *n* Girokonto *nt* **current assets** *pl* Umlaufvermögen *nt* **current capital** *n* (*US*) Betriebskapital *nt* **current expenses** *pl* laufende Ausgaben *pl* **currently** *adv* gegenwärtig

curricula *pl of* ***curriculum*** **curricular** *adj* lehrplanmäßig **curriculum** *n, pl* ***curricula*** Lehrplan *m*; ***to be on the ~*** auf dem Lehrplan stehen **curriculum vitae** *n* (*Br*) Lebenslauf *m*

curry[1] COOK *n* (≈ *spice*) Curry *m or nt*; (≈ *dish*) Curry *nt*; ***~ sauce*** Currysoße *f*

curry[2] *v/t* ***to ~ favour*** (***with sb***) sich (bei jdm) einschmeicheln

curry powder *n* Currypulver *nt*

curse I *n* Fluch *m*; (*infml* ≈ *nuisance*) Plage *f* (*infml*); ***the ~ of drunkenness*** der Fluch des Alkohols; ***to be under a ~*** unter einem Fluch stehen; ***to put sb under a ~*** jdn mit einem Fluch belegen **II** *v/t* **1.** (≈ *put a curse on*) verfluchen; ***~ you/it!*** (*infml*) verflucht! (*infml*); ***where is he now, ~ him!*** (*infml*) wo steckt er jetzt, der verfluchte Kerl! (*infml*) **2.** (≈ *swear at or about*) fluchen über (+*acc*) **3.** (*fig*) ***to be ~d with sb/sth*** mit jdm/etw geschlagen sein **III** *v/i* fluchen **cursed** *adj* (*infml*) verflucht (*infml*)

cursor *n* IT Cursor *m*

cursorily *adv* flüchtig **cursory** *adj* flüchtig

curt *adj* (+*er*) *person* kurz angebunden; *letter, refusal* knapp; ***to be ~ with sb*** zu jdm kurz angebunden sein

curtail *v/t* kürzen

curtain *n* Vorhang *m*; (≈ *net curtain*) Gardine *f*; ***to draw*** *or* ***pull the ~s*** (≈ *open*) den Vorhang/die Vorhänge aufziehen; (≈ *close*) den Vorhang/die Vorhänge zuziehen; ***the ~ rises/falls*** der Vorhang hebt sich/fällt ◆ **curtain off** *v/t sep* durch einen Vorhang/Vorhänge abtrennen

curtain call *n* THEAT Vorhang *m*; ***to take a ~*** vor den Vorhang treten **curtain hook** *n* Gardinengleithaken *m* **curtain pole** *n* Vorhangstange *f* **curtain rail** *n* Vorhangschiene *f* **curtain ring** *n* Gardinenring *m*

curtly *adv reply* knapp; *refuse* kurzerhand

curtsey, (*US*) **curtsy I** *n* Knicks *m* **II** *v/i* knicksen (*to* vor +*dat*)

curvaceous *adj* üppig **curvature** *n* Krümmung *f*; (*misshapen*) Verkrümmung *f*; ***~ of the spine*** (*normal*) Rückgratkrümmung *f*; (*abnormal*) Rückgratverkrümmung *f* **curve I** *n* Kurve *f*; (*of body, vase etc*) Rundung *f*; (*of river*) Biegung *f*; ***there's a ~ in the road*** die Straße macht einen Bogen **II** *v/t* biegen **III** *v/i* **1.** (*line, road*) einen Bogen machen; (*river*) eine Biegung machen **2.** (≈ *be curved*) sich wölben; (*metal strip etc*) sich biegen **curved** *adj line* gebogen; *surface* gewölbt

cushion I *n* Kissen *nt*; (≈ *pad, fig* ≈ *buffer*) Polster *nt*; ***~ cover*** Kissenbezug *m* **II** *v/t fall, blow* dämpfen

cushy *adj* (+*er*) (*infml*) bequem; ***a ~ job*** ein ruhiger Job

cusp *n* ***on the ~ of*** (*fig*) an der Schwelle zu

cussword *n* (*US infml*) Kraftausdruck *m*

custard *n* (≈ *pouring custard*) ≈ Vanillesoße *f*; (≈ *set custard*) ≈ Vanillepudding *m*

custodial *adj* (*form*) ***~ sentence*** Gefängnisstrafe *f* **custodian** *n* (*of museum*) Aufseher(in) *m*(*f*); (*of treasure*) Hüter(in) *m*(*f*) **custody** *n* **1.** (≈ *keeping*) Obhut *f*; (JUR, *of children*) Sorgerecht *nt* (*of* für, über +*acc*); (≈ *guardianship*) Vormundschaft *f* (*of* für, über +*acc*); ***to put*** *or* ***place sth in sb's ~*** etw jdm zur Aufbewahrung anvertrauen; ***the mother was awarded ~ of the children after the divorce*** der Mutter wurde bei der Scheidung das Sorgerecht über die Kinder zugesprochen **2.** (≈ *police detention*) (polizeilicher) Gewahrsam; ***to take sb into ~*** jdn verhaften

custom I *n* **1.** (≈ *convention*) Brauch *m* **2.** (≈ *habit*) (An)gewohnheit *f*; ***it was his ~ to rest each afternoon*** er pflegte am Nachmittag zu ruhen (*elev*) **3.** *no pl* COMM Kundschaft *f*; ***to take one's ~ elsewhere*** woanders Kunde werden **4. customs** *pl* Zoll *m*; ***to go through ~s*** durch den Zoll gehen **II** *adj* (*US*) *suit* maßgefertigt; *carpenter* auf Bestellung arbeitend **customarily** *adv* üblicherweise **customary** *adj* (≈ *conventional*) üblich; (≈ *habitual*) gewohnt; ***it's ~ to wear a tie*** man trägt normalerweise *or* gewöhnlich eine Krawatte **custom-built** *adj* speziell angefertigt

customer *n* **1.** COMM Kunde *m*, Kundin *f*; ***our ~s*** unsere Kundschaft **2.** (*infml* ≈ *person*) Kunde *m* (*infml*) **customer service(s)** *n* Kundendienst *m*; ***~ department*** Kundendienstabteilung *f*

customize *v/t* auf Bestellung fertigen **custom-made** *adj clothes* maßgefertigt; *furniture*, *car* speziell angefertigt

customs authorities *pl* Zollbehörden *pl* **customs declaration** *n* Zollerklärung *f* **customs officer** *n* Zollbeamte(r) *m*, Zollbeamtin *f*

cut *vb*: *pret*, *past part* **cut I** *n* **1.** Schnitt *m*; (≈ *wound*) Schnittwunde *f*; ***to make a ~ in sth*** in etw (*acc*) einen Einschnitt machen; ***his hair could do with a ~*** seine Haare könnten mal wieder geschnitten werden; ***it's a ~ above the rest*** es ist den anderen um einiges überlegen; ***the ~ and thrust of politics*** das Spannungsfeld der Politik; ***the ~ and thrust of the debate*** die Hitze der Debatte **2.** (*in prices*) Senkung *f*; (*in salaries*, *expenditure*, *text*, *film etc*) Kürzung *f*; (*in working hours*) (Ver)kürzung *f*; (*in production*) Einschränkung *f*; ***a ~ in taxes*** eine Steuersenkung; ***a 1% ~ in interest rates*** eine 1%ige Senkung des Zinssatzes; ***he had to take a ~ in salary*** er musste eine Gehaltskürzung hinnehmen **3.** (*of meat*) Stück *nt* **4.** (≈ *share*, *infml*) (An)teil *m*; ***to take one's ~*** sich (*dat*) seinen Teil *or* Anteil nehmen **5.** ELEC ***power/electricity ~*** Stromausfall *m* **II** *adj* geschnitten; *grass* gemäht; ***to have a ~ lip*** eine Schnittwunde an der Lippe haben; ***~ flowers*** Schnittblumen *pl* **III** *v/t* **1.** (≈ *make cut in*) schneiden; *cake* anschneiden; *rope* durchschneiden; *grass* mähen; ***to ~ one's finger*** sich (*dat*) am Finger schneiden; ***to ~ one's nails*** sich (*dat*) die Nägel schneiden; ***to ~ oneself (shaving)*** sich (beim Rasieren) schneiden; ***to ~ sth in half/three*** etw halbieren / dritteln; ***to ~ a hole in sth*** ein Loch in etw (*acc*) schneiden; ***to ~ to pieces*** zerstückeln; ***to ~ open*** aufschneiden; ***he ~ his head open*** er hat sich (*dat*) den Kopf aufgeschlagen; ***to have*** *or* ***get one's hair ~*** sich (*dat*) die Haare schneiden lassen; ***to ~ sb loose*** jdn losschneiden **2.** (≈ *shape*) *glass*, *diamond* schleifen; *fabric* zuschneiden; *key* anfertigen **3.** *ties*, *links* abbrechen **4.** *prices* herabsetzen; *working hours*, *expenses*, *salary*, *film* kürzen; *production* verringern **5.** *part of text*, *film* streichen; ***to ~ and paste text*** IT Text ausschneiden und einfügen **6.** CARDS ***to ~ the cards/the pack*** abheben **7.** *engine* abstellen **8.** (*set structures*) ***to ~ sb short*** jdm das Wort abschneiden; ***to ~ sth short*** etw vorzeitig abbrechen; ***to ~ a long story short*** der langen Rede kurzer Sinn; ***to ~ sb dead*** (*Br*) jdn wie Luft behandeln; ***to ~ a tooth*** zahnen; ***aren't you ~ting it a bit fine?*** (*Br*) ist das nicht ein bisschen knapp?; ***to ~ one's losses*** eine Sache abschließen, ehe der Schaden (noch) größer wird **IV** *v/i* **1.** (*knife*, *scissors*) schneiden; ***to ~ loose*** (*fig*) sich losmachen; ***to ~ both ways*** (*fig*) ein zweischneidiges Schwert sein; ***to ~ and run*** abhauen (*infml*) **2.** (FILM ≈ *change scenes*) überblenden (*to* zu); (≈ *stop filming*) abbrechen; ***~!*** Schnitt! ◆ **cut across** *v/i* +*prep obj* **1.** (*lit*) hinübergehen/-fahren *etc* (*prep obj* über +*acc*); ***if you ~ the fields*** wenn Sie über die Felder gehen **2.** (*fig*) ***this problem cuts across all ages*** dieses Problem betrifft alle Altersgruppen ◆ **cut back I** *v/i* **1.** (≈ *go back*) zurückgehen/-fahren; FILM zurückblenden **2.** (≈ *reduce expenditure etc*) sich einschränken; ***to ~ on expenses*** *etc* die Ausgaben *etc* einschränken; ***to ~ on smoking/sweets*** weniger rauchen/Süßigkeiten essen **II** *v/t sep* **1.** *plants* zurückschneiden **2.** *production* zurückschrauben; *outgoings* einschränken ◆ **cut down I** *v/t sep* **1.** *tree* fällen **2.** *number, expenses* einschränken; *text* zusammenstreichen (*to* auf *+acc*); ***to cut sb down to size*** jdn auf seinen Platz verweisen **II** *v/i* sich einschränken; ***to ~ on sth*** etw einschränken; ***to ~ on sweets*** weniger Süßigkeiten essen ◆ **cut in** *v/i* **1.** (≈ *interrupt*) sich einschalten (*on* in *+acc*); ***to ~ on sb*** jdn unterbrechen **2.** AUTO sich direkt vor ein anderes/das andere Auto hineindrängen; ***to ~ in front of sb*** jdn schneiden ◆ **cut into** *v/i +prep obj* **1.** *cake* anschneiden **2.** (*fig*) *savings* ein Loch reißen in (*+acc*); *holidays* verkürzen ◆ **cut off** *v/t sep* **1.** abschneiden; ***we're very ~ out here*** wir leben hier draußen sehr abgeschieden; ***to cut sb off in the middle of a sentence*** jdn mitten im Satz unterbrechen **2.** (≈ *disinherit*) enterben **3.** *gas etc* abstellen; ***we've been ~*** TEL wir sind unterbrochen worden ◆ **cut out I** *v/i* (*engine*) aussetzen **II** *v/t sep* **1.** ausschneiden; *dress* zuschneiden **2.** (≈ *delete*) (heraus)streichen; *smoking etc* aufhören mit; ***double glazing cuts out the noise*** Doppelfenster verhindern, dass der Lärm hereindringt; ***cut it out!*** (*infml*) lass das (sein)! (*infml*); ***and you can ~ the self-pity for a start!*** und mit Selbstmitleid brauchst du gar nicht erst zu kommen! **3.** (*fig*) ***to be ~ for sth*** zu etw geeignet sein; ***he's not ~ to be a doctor*** er ist nicht zum Arzt geeignet **4.** ***to have one's work ~*** alle Hände voll zu tun haben ◆ **cut through** *v/t sep* ***we ~ the housing estate*** wir gingen/fuhren durch die Siedlung ◆ **cut up** *v/t sep* **1.** *meat* aufschneiden; *wood* spalten **2.** AUTO ***to cut sb up*** jdn schneiden

cut-and-dried *adj* (*fig*) festgelegt; ***as far as he's concerned the whole issue is now ~*** für ihn ist die ganze Angelegenheit erledigt **cut-and-paste** *adj* (*US*) ***a ~ job*** eine zusammengestückelte Arbeit (*usu pej*) **cutback** *n* Kürzung *f*

cute *adj* (+*er*) **1.** (*infml* ≈ *sweet*) süß **2.** (*esp US infml* ≈ *clever*) prima (*infml*); (≈ *shrewd*) schlau, clever (*infml*)

cut glass *n* geschliffenes Glas **cut-glass** *adj* (*lit*) aus geschliffenem Glas

cuticle *n* (*of nail*) Nagelhaut *f*

cutlery *n no pl* (*esp Br*) Besteck *nt*

cutlet *n* Schnitzel *nt*

cut loaf *n* aufgeschnittenes Brot **cutoff** *n* **1.** (TECH, *device*) Ausschaltmechanismus *m* **2.** (*a.* **cutoff point**) Trennlinie *f* **cutout I** *n* **1.** (≈ *model*) Ausschneidemodell *nt* **2.** ELEC Sperre *f* **II** *adj* **1.** *model etc* zum Ausschneiden **2.** ELEC Abschalt- **cut-price** *adj* zu Schleuderpreisen; ***~ offer*** Billigangebot *nt* **cut-rate** *adj* zu verbilligtem Tarif **cutter** *n* ***a pair of (wire) ~s*** eine Drahtschere **cut-throat** *adj competition* mörderisch **cutting I** *n* **1.** Schneiden *nt*; (*of grass*) Mähen *nt*; (*of cake*) Anschneiden *nt* **2.** (*of glass, jewel*) Schliff *m*; (*of key*) Anfertigung *f* **3.** (*of prices*) Herabsetzung *f*; (*of working hours*) Verkürzung *f*; (*of expenses, salary*) Kürzung *f* **4.** (≈ *editing*, FILM) Schnitt *m*; (*of part of text*) Streichung *f* **5.** (*Br* ≈ *railway cutting*) Durchstich *m* **6.** (*Br: from newspaper*) Ausschnitt *m* **7.** HORT Ableger *m*; ***to take a ~*** einen Ableger nehmen **II** *adj* **1.** scharf; ***to be at the ~ edge of sth*** in etw (*dat*) führend sein **2.** (*fig*) *remark* spitz **cutting board** *n* (*US*) = ***chopping board*** **cutting edge** *n* **1.** (≈ *blade*) Schneide *f*, Schnittkante *f* **2.** *no pl* (≈ *most advanced stage*) letzter Stand (*of gen*) **cutting room** *n* FILM Schneideraum *m*; ***to end up on the ~ floor*** (*fig*) im Papierkorb enden

cuttlefish *n* Sepie *f*

cut up *adj* (*infml*) ***he was very ~ about it*** das hat ihn schwer getroffen

CV *abbr of* ***curriculum vitae***

cwt *abbr of* ***hundredweight***

cyanide *n* Zyanid *nt*

cybercafé *n* Internetcafé *nt* **cybernetics** *n sg* Kybernetik *f* **cyberspace** *n* Cyberspace *m*

cycle I *n* **1.** Zyklus *m*; (*of events*) Gang *m* **2.** (≈ *bicycle*) (Fahr)rad *nt* **II** *v/i* mit dem (Fahr)rad fahren **cycle lane** *n* (Fahr)-radweg *m* **cycle path** *n* (Fahr)radweg *m* **cycler** *n* (*US*) = ***cyclist*** **cycle race** *n* Radrennen *nt* **cycle rack** *n* Fahrradständer *m* **cycle shed** *n* Fahrradstand *m* **cycle track** *n* (≈ *path*) (Fahr)radweg *m*; (*for racing*) Radrennbahn *f* **cyclic(al)** *adj* zyklisch; ECON konjunkturbedingt **cycling** *n* Radfahren *nt*; ***I enjoy ~*** ich fahre gern Rad **cycling holiday** *n* Urlaub *m* mit dem Fahrrad **cycling shorts** *pl* Radlerhose *f* **cycling tour** *n* Radtour *f* **cyclist** *n* (Fahr)radfahrer(in) *m(f)*

cyclone *n* Zyklon *m*; ***~ cellar*** (*US*) *tiefer Keller zum Schutz vor Zyklonen*

cygnet *n* Schwanjunge(s) *nt*

cylinder *n* MAT, AUTO Zylinder *m*; ***a four-~ car*** ein vierzylindriges Auto; ***to be firing on all ~s*** (*fig*) in Fahrt sein **cylinder capacity** *n* AUTO Hubraum *m* **cylinder head** *n* AUTO Zylinderkopf *m* **cylindrical** *adj* zylindrisch

cymbal *n* Beckenteller *m*; ***~s*** Becken *nt*

cynic *n* Zyniker(in) *m(f)* **cynical** *adj*, **cynically** *adv* zynisch; ***he was very ~ about it*** er äußerte sich sehr zynisch dazu **cynicism** *n* Zynismus *m*

cypher *n* = ***cipher***

Cypriot I *adj* zypriotisch **II** *n* Zypriot(in) *m(f)* **Cyprus** *n* Zypern *nt*

Cyrillic *adj* kyrillisch

cyst *n* Zyste *f* **cystic fibrosis** *n* zystische Fibrose

czar *n* Zar *m*

Czech I *adj* tschechisch **II** *n* **1.** Tscheche *m*, Tschechin *f* **2.** LING Tschechisch *nt* **Czechoslovakia** *n* HIST die Tschechoslowakei **Czech Republic** *n* Tschechien *nt*, Tschechische Republik

D

D, d *n* D *nt*, d *nt*; SCHOOL ausreichend; ***D sharp*** Dis *nt*, dis *nt*; ***D flat*** Des *nt*, des *nt*

d 1. (*Br old*) *abbr of* **pence 2.** *abbr of* ***died*** gest.

'd = ***had***, ***would***

DA (*US*) *abbr of* ***District Attorney***

dab[1] **I** *n* Klecks *m*; (*of cream, powder etc*) Tupfer *m*; (*of liquid, glue etc*) Tropfen *m*; ***a ~ of ointment*** *etc* ein bisschen Salbe *etc*; ***to give sth a ~ of paint*** etw überstreichen **II** *v/t* (*with powder etc*) betupfen; (*with towel etc*) tupfen; ***to ~ one's eyes*** sich (*dat*) die Augen tupfen; ***she ~bed ointment on the wound*** sie betupfte sich (*dat*) die Wunde mit Salbe

dab[2] *adj* (*infml*) ***to be a ~ hand at sth*** gut in etw (*dat*) sein; ***to be a ~ hand at doing sth*** sich darauf verstehen, etw zu tun

dabble *v/i* (*fig*) ***to ~ in/at sth*** sich (nebenbei) mit etw beschäftigen; ***he ~s in stocks and shares*** er versucht sich an der Börse

dacha *n* Datsche *f*

dachshund *n* Dackel *m*

dad, daddy *n* (*infml*) Papa *m* (*infml*) **daddy-longlegs** *n*, *pl* **-** (*Br*) Schnake *f*; (*US*) Weberknecht *m*

daffodil *n* Narzisse *f*

daft *adj* (+*er*) doof (*infml*); ***what a ~ thing to do*** so was Doofes (*infml*); ***he's ~ about football*** (*infml*) er ist verrückt nach Fußball (*infml*)

dagger *n* Dolch *m*; ***to be at ~s drawn with sb*** (*fig*) mit jdm auf (dem) Kriegsfuß stehen; ***to look ~s at sb*** (*Br*) jdn mit Blicken durchbohren

dahlia *n* Dahlie *f*

daily I *adj*, *adv* täglich; ***~ newspaper*** Tageszeitung *f*; ***~ wage*** Tageslohn *m*; ***~ grind*** täglicher Trott; ***~ life*** der Alltag; ***he is employed on a ~ basis*** er ist tageweise angestellt **II** *n* (≈ *newspaper*) Tageszeitung *f* **daily bread** *n* (*fig*) ***to earn one's ~*** sich (*dat*) sein Brot verdienen

daintily *adv* zierlich; *move* anmutig **dainty** *adj* (+*er*) **1.** zierlich; *movement* anmutig **2.** (≈ *refined*) geziert

dairy *n* Molkerei *f* **dairy cattle** *pl* Milchvieh *nt* **dairy cow** *n* Milchkuh *f* **dairy farm** *n* auf Milchviehhaltung spezialisierter Bauernhof **dairy farming** *n* Milchviehhaltung *f* **dairy produce** *n*, **dairy products** *pl* Milchprodukte *pl*

dais *n* Podium *nt*

daisy *n* Gänseblümchen *nt*; ***to be pushing up the daisies*** (*infml*) sich (*dat*) die Radieschen von unten besehen (*hum*) **daisywheel** *n* TYPO, IT Typenrad *m* **daisywheel printer** *n* Typenraddrucker *m*

dale *n* (*N Engl liter*) Tal *nt*

Dalmatian *n* (≈ *dog*) Dalmatiner *m*

dam I *n* Damm *m* **II** *v/t* (*a.* **dam up**) (auf)-

stauen; *valley* eindämmen

damage I *n* **1.** Schaden *m* (*to* an +*dat*); ***to do a lot of ~*** großen Schaden anrichten; ***to do sb/sth a lot of ~*** jdm/einer Sache (*dat*) großen Schaden zufügen; ***it did no ~ to his reputation*** das hat seinem Ruf nicht geschadet; ***the ~ is done*** (*fig*) es ist passiert **2. damages** *pl* JUR Schadenersatz *m* **3.** (*infml* ≈ *cost*) ***what's the ~?*** was kostet der Spaß? (*infml*) **II** *v/t* schaden (+*dat*); *machine, furniture, tree* beschädigen; ***to ~ one's eyesight*** sich (*dat*) die Augen verderben; ***to ~ one's chances*** sich (*dat*) die Chancen verderben **damage limitation** *n* Schadensbegrenzung *f* **damaging** *adj* schädlich; *remarks* abträglich; ***to be ~ to sb/sth*** schädlich für jdn/etw sein

dame *n* **1. *Dame*** (*Br*) *Titel der weiblichen Träger des „Order of the British Empire"* **2.** THEAT (komische) Alte

dammit *int* (*infml*) verdammt (*infml*); ***it weighs 2 kilos as near as ~*** es wiegt so gut wie 2 Kilo

damn I *int* (*infml*) verdammt (*infml*) **II** *n* (*infml*) ***he doesn't give a ~*** er schert sich einen Dreck (darum) (*infml*); ***I don't give a ~*** das ist mir piepegal (*infml*) **III** *adj attr* (*infml*) verdammt; ***it's a ~ nuisance*** das ist ein verdammter Mist (*infml*); ***a ~ sight better*** verdammt viel besser (*infml*); ***I can't see a ~ thing*** verdammt (noch mal), ich kann überhaupt nichts sehen (*infml*) **IV** *adv* (*infml*) verdammt; ***I should ~ well think so*** das will ich doch stark annehmen; ***pretty ~ good/quick*** verdammt gut/schnell (*infml*); ***you're ~ right*** du hast völlig recht **V** *v/t* **1.** REL verdammen **2.** (≈ *judge and condemn*) verurteilen; *book etc* verreißen **3.** (*infml*) ***~ him/you!*** (*annoyed*) verdammt! (*infml*); ***~ it!*** verdammt (noch mal)! (*infml*); ***well, I'll be ~ed!*** Donnerwetter! (*infml*); ***I'll be ~ed if I'll go there*** ich denk nicht (im Schlaf) dran, da hinzugehen (*infml*); ***I'll be ~ed if I know*** weiß der Teufel (*infml*) **damnation I** *n* (ECCL) (≈ *act*) Verdammung *f*; (≈ *state of damnation*) Verdammnis *f* **II** *int* (*infml*) verdammt (*infml*)

damned I *adj* **1.** *soul* verdammt **2.** (*infml*) = ***damn*** III **II** *adv* = ***damn*** IV **III** *n* (ECCL, *liter*) ***the ~*** *pl* die Verdammten *pl* **damnedest** *n* ***to do*** *or* ***try one's ~*** (*infml*) verdammt noch mal sein Möglichstes tun (*infml*)

damning *adj* vernichtend; *evidence* belastend

damp I *adj* (+*er*) feucht **II** *n* Feuchtigkeit *f* **III** *v/t* **1.** anfeuchten **2.** *sounds, enthusiasm* dämpfen; (*a.* **damp down**) *fire* ersticken **dampen** *v/t* = ***damp*** III **damper** *n* ***to put a ~ on sth*** einer Sache (*dat*) einen Dämpfer aufsetzen **dampness** *n* Feuchtigkeit *f* **damp-proof** *adj* ***~ course*** Dämmschicht *f*

damson *n* (≈ *fruit*) Damaszenerpflaume *f*

dance I *n* Tanz *m*; ***~ class*** Tanzstunde *f*; ***may I have the next ~?*** darf ich um den nächsten Tanz bitten?; ***to go to a ~*** tanzen gehen **II** *v/t* tanzen **III** *v/i* **1.** tanzen; ***would you like to ~?*** möchten Sie tanzen? **2.** (≈ *move here and there*) ***to ~ about*** (herum)tänzeln; ***to ~ up and down*** auf- und abhüpfen; ***to ~ for joy*** einen Freudentanz aufführen **dance band** *n* Tanzkapelle *f* **dance floor** *n* Tanzboden *m* **dance hall** *n* Tanzsaal *m* **dance music** *n* Tanzmusik *f* **dancer** *n* Tänzer(in) *m*(*f*) **dance theatre**, (*US*) **dance theater** *n* Tanztheater *nt* **dancing I** *n* Tanzen *nt* **II** *attr* Tanz- **dancing girl** *n* Tänzerin *f*

dandelion *n* Löwenzahn *m*

dandruff *n* Schuppen *pl*

Dane *n* Däne *m*, Dänin *f*

danger *n* **1.** Gefahr *f*; ***the ~s of smoking*** die mit dem Rauchen verbundenen Gefahren; ***to put sb/sth in ~*** jdn/etw gefährden; ***to be in ~ of doing sth*** Gefahr laufen, etw zu tun; ***the species is in ~ of extinction*** die Art ist vom Aussterben bedroht; ***out of ~*** außer Gefahr; ***there is a ~ of fire*** es besteht Feuergefahr; ***there is a ~ of his getting lost*** es besteht die Gefahr, dass er sich verirrt; ***to be a ~ to sb/sth*** für jdn/etw eine Gefahr bedeuten; ***he's a ~ to himself*** er bringt sich selbst in Gefahr **2. *"danger"*** „Achtung, Lebensgefahr!"; MOT „Gefahrenstelle"; ***"danger, keep out"*** „Zutritt verboten, Lebensgefahr!" **danger money** *n* Gefahrenzulage *f*

dangerous *adj* gefährlich; *driving* rücksichtslos; ***the Bronx can be a ~ place*** die Bronx kann gefährlich sein; ***this is a ~ game we're playing*** wir spielen hier gefährlich **dangerously** *adv* gefährlich;

low, high bedenklich; *drive* rücksichtslos; ***the deadline is getting ~ close*** der Termin rückt bedenklich nahe; ***she was ~ ill*** sie war todkrank; ***let's live ~ for once*** lass uns einmal etwas riskieren **danger signal** *n* Warnsignal *nt*

dangle I *v/t* baumeln lassen **II** *v/i* baumeln

Danish I *adj* dänisch **II** *n* (≈ *language*) Dänisch *nt* **Danish blue (cheese)** *n* Blauschimmelkäse *m* **Danish pastry** *n* Plundergebäck *nt*

dank *adj* (unangenehm) feucht

Danube *n* Donau *f*

dappled *adj* **1.** *light* gefleckt **2.** *horse* scheckig

dare I *v/i* (≈ *be bold enough*) es wagen; (≈ *have the confidence*) sich trauen; ***he wouldn't ~!*** er wird sich schwer hüten; ***you ~!*** untersteh dich!; ***how ~ you!*** was fällt dir ein! **II** *v/t* **1.** ***to ~ (to) do sth*** (es) wagen, etw zu tun; ***he wouldn't ~ say anything bad about his boss*** er wird sich hüten, etwas Schlechtes über seinen Chef zu sagen; ***how ~ you say such things?*** wie kannst du es wagen, so etwas zu sagen? **2.** (≈ *challenge*) ***go on, I ~ you!*** (trau dich doch, du) Feigling!; ***are you daring me?*** wetten, dass? (*infml*); ***(I) ~ you to jump off*** spring doch, du Feigling! **III** *n* Mutprobe *f*; ***to do sth for a ~*** etw als Mutprobe tun **daredevil I** *n* Waghals *m* **II** *adj* waghalsig **daring I** *adj* **1.** (≈ *courageous*) mutig; *attempt* kühn; *escape* waghalsig **2.** (≈ *audacious*) wagemutig; *writer, book* gewagt **II** *n* Wagemut *m* **daringly** *adv* mutig, kühn (*elev*)

dark I *adj* (+*er*) dunkel; ***it's getting ~*** es wird dunkel; ***a ~ blue*** ein dunkles Blau **II** *n* **1.** ***the ~*** die Dunkelheit; ***they aren't afraid of the ~*** sie haben keine Angst vor der Dunkelheit; ***after/before ~*** nach/vor Einbruch der Dunkelheit; ***we'll be back after ~*** wir kommen wieder, wenn es dunkel ist **2.** (*fig*) ***to be in the ~ (about sth)*** keine Ahnung (von etw) haben; ***to keep sb in the ~ (about sth)*** jdn (über etw *acc*) im Dunkeln lassen **dark age** *n* ***the Dark Ages*** das frühe Mittelalter; ***to be living in the ~s*** (*pej*) im finstersten Mittelalter leben **dark chocolate** *n* Zartbitterschokolade *f* **darken I** *v/t* (*lit*) dunkel machen **II** *v/i* (*lit*) dunkel werden; (*sky*) sich verdunkeln; (*before storm*) sich verfinstern **dark-eyed** *adj* dunkeläugig **dark glasses** *pl* Sonnenbrille *f*; (*of blind person*) dunkle Brille **dark horse** *n* (*fig*) stilles Wasser **darkness** *n* (*lit*) Dunkelheit *f*; ***in total ~*** in völliger Dunkelheit; ***the house was in ~*** das Haus lag im Dunkeln **darkroom** *n* PHOT Dunkelkammer *f* **dark-skinned** *adj* dunkelhäutig

darling *n* **1.** Schatz *m*; (*esp child*) Schätzchen *nt*; ***he is the ~ of the crowds*** er ist der Publikumsliebling; ***be a ~ and ...*** sei ein Schatz und ... **2.** (*form of address*) Liebling *m*

darn[1] SEWING *v/t* stopfen

darn[2] (*a.* **darned**) (*infml*) **I** *adj* verdammt (*infml*); ***a ~ sight better*** ein ganzes Ende besser (*infml*) **II** *adv* verdammt (*infml*); ***we'll do as we ~ well please*** wir machen genau das, was wir wollen; ***~ near impossible*** so gut wie unmöglich **III** *v/t* ***~ it!*** verflixt noch mal! (*infml*) **darned** *adj, adv* (*infml*) = **darn[2]**

dart I *n* **1.** (*movement*) Satz *m* **2.** SPORTS (Wurf)pfeil *m* **II** *v/i* flitzen; (*fish*) schnellen; ***to ~ out*** (*person*) hinausflitzen; (*fish, tongue*) herausschnellen; ***to ~ in*** (*person*) hereinstürzen; ***he ~ed behind a bush*** er hechtete hinter einen Busch **III** *v/t look* werfen; ***to ~ a glance at sb*** jdm einen Blick zuwerfen **dart board** *n* Dartscheibe *f* **darts** *n sg* Darts *nt*

dash I *n* **1.** Jagd *f*; ***he made a ~ for the door*** er stürzte auf die Tür zu; ***she made a ~ for it*** sie rannte, so schnell sie konnte; ***to make a ~ for freedom*** versuchen, in die Freiheit zu entkommen; ***it was a mad ~ to the hospital*** wir/sie *etc* eilten Hals über Kopf zum Krankenhaus **2.** (≈ *small amount*) ***a ~ of*** etwas; ***a ~ of colour*** (*Br*) *or* ***color*** (*US*) ein Farbtupfer *m* **3.** TYPO Gedankenstrich *m* **II** *v/t* **1.** (≈ *throw*) schleudern; ***to ~ sth to pieces*** etw in tausend Stücke zerschlagen **2.** *sb's hopes* zunichtemachen **3.** (*infml*) = **darn[2]** III **III** *v/i* **1.** sausen (*infml*); ***to ~ into a room*** in ein Zimmer stürmen; ***to ~ away/back/up*** fort-/zurück-/hinaufstürzen **2.** (≈ *knock*) schlagen; (*waves*) peitschen ◆ **dash off I** *v/i* losstürzen; ***sorry to have to ~ like this*** es tut mir leid, dass ich so forthetzen muss **II** *v/t sep letter* hinwerfen

dashboard *n* Armaturenbrett *nt*

dashing (*dated*) *adj* **1.** (≈ *showy, stylish*) *person* schneidig, flott, fesch (*esp Aus*) **2.** (≈ *spirited*) *person* temperamentvoll; (≈ *dynamic*) dynamisch; ***a ~ young officer*** ein zackiger junger Offizier
DAT *n abbr of* ***digital audio tape*** DAT *nt*
data *pl usu with sg vb* Daten *pl* **data analysis** *n* Datenanalyse *f* **data bank** *n* Datenbank *f* **database** *n* Datenbank *f*; ***~ manager*** Datenbankmanager(in) *m(f)* **data capture** *n* Datenerfassung *f* **data carrier** *n* Datenträger *m* **data file** *n* Datei *f* **data processing** *n* Datenverarbeitung *f* **data projector** *n* Beamer *m* **data protection** *n* Datenschutz *m* **data retrieval** *n* Datenabruf *m* **data transfer** *n* Datentransfer *m* **data transmission** *n* Datenübertragung *f*
date[1] *n* (≈ *fruit*) Dattel *f*
date[2] **I** *n* **1.** Datum *nt*; (≈ *historical date*) Jahreszahl *f*; (*for appointment*) Termin *m*; ***~ of birth*** Geburtsdatum *nt*; ***what's the ~ today?*** welches Datum haben wir heute?; ***to ~*** bis heute **2.** (≈ *appointment*) Verabredung *f*; (*with girlfriend etc*) Rendezvous *nt*; ***who's his ~?*** mit wem trifft er sich?; ***his ~ didn't show up*** diejenige, mit der er ausgehen wollte, hat ihn versetzt (*infml*); ***to make a ~ with sb*** sich mit jdm verabreden; ***I've got a lunch ~ today*** ich habe mich heute zum Mittagessen verabredet **II** *v/t* **1.** mit dem Datum versehen; *letter etc* datieren; ***a letter ~d the seventh of August*** ein vom siebten August datierter Brief **2.** (≈ *establish age of*) *work of art etc* datieren **3.** *girlfriend etc* ausgehen mit; (*regularly*) gehen mit (*infml*) **III** *v/i* **1.** ***to ~ back to*** zurückdatieren auf (+*acc*); ***to ~ from*** zurückgehen auf (+*acc*); (*antique etc*) stammen aus **2.** (*couple*) miteinander gehen **dated** *adj* altmodisch **date rape** *n Vergewaltigung nach einem Rendezvous* **date-rape drug** *n* Vergewaltigungsdroge *f* **dating agency** *n* Partnervermittlung *f*
dative I *n* Dativ *m*; ***in the ~*** im Dativ **II** *adj* ***~ object*** Dativobjekt *nt*; ***the ~ case*** der Dativ
daub *v/t walls* beschmieren; *paint* schmieren; *grease, mud* streichen
daughter *n* Tochter *f*
daughter-in-law *n, pl* ***daughters-in-law*** Schwiegertochter *f*
daunt *v/t* ***to be ~ed by sth*** sich von etw entmutigen lassen **daunting** *adj* entmutigend
dawdle *v/i* trödeln **dawdler** *n* Trödler(in) *m(f)*, Tandler(in) *m(f)* (*Aus*)
dawn I *n* (Morgen)dämmerung *f*; (*no art: time of day*) Tagesanbruch *m*; ***at ~*** bei Tagesanbruch; ***it's almost ~*** es ist fast Morgen; ***from ~ to dusk*** von morgens bis abends **II** *v/i* **1.** ***day was already ~ing*** es dämmerte schon **2.** (*fig, new age etc*) anbrechen **3.** (*infml*) ***to ~ (up)on sb*** jdm zum Bewusstsein kommen; ***it ~ed on him that ...*** es wurde ihm langsam klar, dass ... **dawn chorus** *n* Morgenkonzert *nt* der Vögel **dawn raid** *n* (*by police*) Razzia *f* (*in den frühen Morgenstunden*)
day *n* **1.** Tag *m*; ***it will arrive any ~ now*** es muss jeden Tag kommen; ***what ~ is it today?*** welcher Tag ist heute?; ***twice a ~*** zweimal täglich; ***the ~ before yesterday*** vorgestern; ***the ~ after/before, the following/previous ~*** am Tag danach / zuvor; ***the ~ after tomorrow*** übermorgen; ***from that ~ on(wards)*** von dem Tag an; ***two years ago to the ~*** auf den Tag genau vor zwei Jahren; ***one ~*** eines Tages; ***one of these ~s*** irgendwann (einmal); ***~ in, ~ out*** tagein, tagaus; ***they went to London for the ~*** sie machten einen Tagesausflug nach London; ***for ~s*** tagelang; ***~ after ~*** Tag für Tag; ***~ by ~*** jeden Tag; ***the other ~*** neulich; ***at the end of the ~*** (*fig*) letzten Endes; ***to live from ~ to ~*** von einem Tag auf den andern leben; ***today of all ~s*** ausgerechnet heute; ***some ~ soon*** demnächst; ***I remember it to this ~*** daran erinnere ich mich noch heute; ***all ~*** den ganzen Tag; ***to travel during the ~*** *or* ***by ~*** tagsüber reisen; ***at that time of ~*** zu der Tageszeit; ***to be paid by the ~*** tageweise bezahlt werden; ***let's call it a ~*** machen wir Schluss; ***to have a nice ~*** einen schönen Tag verbringen; ***to have a lazy ~*** einen Tag faulenzen; ***have a nice ~!*** viel Spaß!; (*esp US, said by storekeeper etc*) schönen Tag noch!; ***did you have a nice ~?*** wars schön?; ***did you have a good ~ at the office?*** wie wars im Büro?; ***what a ~!*** (*terrible*) so ein fürchterlicher Tag!; ***that'll be the ~*** das möcht ich sehen **2.** (*period of time: often pl*) ***these ~s*** heutzutage; ***what are you doing these ~s?*** was machst du denn so?; ***in this ~ and***

age heutzutage; ***in ~s to come*** künftig; ***in his younger ~s*** als er noch jünger war; ***the happiest ~s of my life*** die glücklichste Zeit meines Lebens; ***those were the ~s*** das waren noch Zeiten; ***in the old ~s*** früher; ***in the good old ~s*** in der guten alten Zeit; ***it's early ~s yet*** es ist noch zu früh; ***this material has seen better ~s*** dieser Stoff hat (auch) schon bessere Tage gesehen; ***famous in her ~*** in ihrer Zeit berühmt **3.** *no pl* (≈ *contest*) ***to win*** *or* ***carry the ~*** den Sieg bringen; ***to save the ~*** den Kampf retten **daybreak** *n* Tagesanbruch *m*; ***at ~*** bei Tagesanbruch **daycare** *n* ***to be in ~*** (*child*) in einer Tagesstätte untergebracht sein **day(care) centre**, (*US*) **day(-care) center** *n* (*for children*) Tagesstätte *f*; (*for old people*) Altentagesstätte *f* **daydream I** *n* Tagtraum *m* **II** *v/i* (mit offenen Augen) träumen **daydreamer** *n* Träumer(in) *m*(*f*) **day labourer**, (*US*) **day laborer** *n* Tagelöhner(in) *m*(*f*) **daylight** *n* Tageslicht *nt*; ***in broad ~*** am hellichten Tage; ***to scare the living ~s out of sb*** (*infml*) jdm einen fürchterlichen Schreck einjagen (*infml*) **daylight robbery** *n* (*Br infml*) Halsabschneiderei *f* (*infml*) **daylight saving time** *n* (*esp US*) Sommerzeit *f* **day nursery** *n* Kindertagesstätte *f* **day-old** *adj strike, ceasefire* seit einem Tag andauernd; *food, newspaper* vom Vortag **day pupil** *n* SCHOOL Externe(r) *m*/*f*(*m*) **day release** *n* (*Br*) *tageweise Freistellung von Angestellten zur Weiterbildung* **day return (ticket)** *n* (*Br* RAIL) Tagesrückfahrkarte *f* **day ticket** *n* (*Br* RAIL) Tagesrückfahrkarte *f* **daytime I** *n* Tag *m*; ***in the ~*** tagsüber **II** *attr* am Tage; ***what's your ~ phone number?*** unter welcher Nummer sind Sie tagsüber erreichbar?; ***~ television*** Vor- und Nachmittagsprogramm *nt* **day-to-day** *adj* täglich; *occurrence* alltäglich; ***on a ~ basis*** tageweise **day trader** *n* ST EX Day-Trader(in) *m*(*f*) **day trip** *n* Tagesausflug *m* **day-tripper** *n* Tagesausflügler(in) *m*(*f*)

daze *n* Benommenheit *f*; ***in a ~*** ganz benommen **dazed** *adj* benommen

dazzle *v/t* blenden **dazzling** *adj* (*lit*) blendend

DC 1. *abbr of* ***direct current*** **2.** *abbr of* ***District of Columbia***

D/D *abbr of* ***direct debit***

D-day *n* (HIST, *fig*) der Tag X

deactivate *v/t* entschärfen

dead I *adj* **1.** tot; ***he has been ~ for two years*** er ist seit zwei Jahren tot; ***to shoot sb ~*** jdn erschießen; ***over my ~ body*** (*infml*) nur über meine Leiche (*infml*) **2.** *limbs* abgestorben; ***my hand's gone ~*** ich habe kein Gefühl in meiner Hand; ***to be ~ to the world*** tief und fest schlafen **3.** TEL tot; ***to go ~*** ausfallen **4.** (≈ *absolute*) völlig; ***~ silence*** Totenstille *f*; ***to come to a ~ stop*** völlig zum Stillstand kommen **5.** (*infml* ≈ *exhausted*) völlig kaputt (*infml*); ***she looked half ~*** sie sah völlig kaputt aus (*infml*); ***I'm ~ on my feet*** ich bin zum Umfallen kaputt (*infml*) **II** *adv* **1.** (≈ *exactly*) genau; ***~ straight*** schnurgerade; ***to be ~ on time*** auf die Minute pünktlich kommen **2.** (*Br infml* ≈ *very*) total (*infml*); ***~ tired*** totmüde; ***you're ~ right*** Sie haben völlig recht; ***he was ~ lucky*** er hat irrsinnig Glück gehabt; ***~ slow*** ganz langsam; ***to be ~ certain about sth*** (*infml*) bei etw todsicher sein; ***he's ~ against it*** er ist total dagegen **3.** ***to stop ~*** abrupt stehen bleiben **III** *n* **1.** ***the ~*** *pl* die Toten *pl* **2.** ***in the*** *or* ***at ~ of night*** mitten in der Nacht **dead centre**, (*US*) **dead center** *n* genaue Mitte; ***to hit sth ~*** etw genau in die Mitte treffen **deaden** *v/t pain* mildern; *sound* dämpfen; *feeling* abstumpfen **dead end** *n* Sackgasse *f*; ***to come to a ~*** (*lit, road*) in einer Sackgasse enden; (*driver*) an eine Sackgasse kommen; (*fig*) in eine Sackgasse geraten **dead-end** *adj attr* ***~ street*** (*esp US*) Sackgasse *f*; ***a ~ job*** ein Job *m* ohne Aufstiegsmöglichkeiten **dead heat** *n* totes Rennen **deadline** *n* (letzter) Termin; ***to fix*** *or* ***set a ~*** eine Frist setzen; ***to work to a ~*** auf einen Termin hinarbeiten **deadlock** *n* ***to reach (a) ~*** in eine Sackgasse geraten; ***to end in ~*** sich festfahren **deadlocked** *adj negotiations, talks* festgefahren **deadly I** *adj* (+*er*) tödlich; ***their ~ enemy*** ihr Todfeind *m* **II** *adv* ***~ dull*** todlangweilig (*infml*); ***he was ~ serious*** er meinte es todernst; ***~ poisonous*** tödlich **deadpan** *adj face* unbewegt; *style, humour* trocken; ***with a ~ expression*** mit unbeweglicher Miene **Dead Sea** *n* Totes Meer **dead weight** *n* TECH Eigengewicht *nt*

deaf I *adj* (+*er*) taub; ***as ~ as a (door)post***

stocktaub **II** *n* ***the ~*** *pl* die Tauben *pl* **deaf aid** *n* Hörgerät *nt* **deaf-and-dumb** *adj* taubstumm **deafen** *v/t* (*lit*) taub machen **deafening** *adj noise* ohrenbetäubend; ***a ~ silence*** ein eisiges Schweigen **deaf-mute** *n* Taubstumme(r) *m/f(m)* **deafness** *n* Taubheit *f* (*to* gegenüber)

deal[1] **I** *n* (≈ *amount*) Menge *f*; ***a good*** *or* ***great ~ of*** eine Menge; ***not a great ~ of*** nicht (besonders) viel; ***and that's saying a great ~*** und damit ist schon viel gesagt; ***to mean a great ~ to sb*** jdm viel bedeuten **II** *adv* ***a good*** *or* ***great ~*** viel

deal[2] *vb*: *pret, past part* **dealt I** *n* **1.** (*a.* **business deal**) Geschäft *nt*; (≈ *arrangement*) Handel *m*; ***to do*** *or* ***make a ~ with sb*** mit jdm ein Geschäft machen; ***it's a ~*** abgemacht! **2.** (*infml*) ***to give sb a fair ~*** jdn anständig behandeln **II** *v/t* **1.** (*a.* **deal out**) *cards* geben **2.** *drugs* dealen (*infml*) **III** *v/i* **1.** CARDS geben **2.** (*in drugs*) dealen (*infml*) ◆ **deal in** *v/i +prep obj* COMM handeln mit ◆ **deal out** *v/t sep* verteilen (*to* an *+acc*); *cards* (aus)geben (*to +dat*); ***to ~ punishment*** Strafen verhängen ◆ **deal with** *v/i +prep obj* **1.** (≈ *do business with*) verhandeln mit **2.** (≈ *handle*) sich kümmern um; *emotions* umgehen mit; COMM *orders* erledigen; ***let's ~ the adjectives first*** behandeln wir zuerst die Adjektive; ***you bad boy, I'll ~ you later*** (*infml*) dich nehm ich mir später vor, du Lausebengel! (*infml*) **3.** (*book etc*) handeln von; (*author*) sich befassen mit

dealer *n* **1.** COMM Händler(in) *m(f)*; (≈ *wholesaler*) Großhändler(in) *m(f)* **2.** (*in drugs*) Dealer(in) *m(f)* (*infml*) **3.** CARDS Kartengeber *m* **dealing** *n* **1.** (≈ *trading*) Handel *m*; (*in drugs*) Dealen *nt* **2. dealings** *pl* COMM Geschäfte *pl*; (*generally*) Umgang *m*; ***to have ~s with sb*** mit jdm zu tun haben **dealt** *pret*, *past part of* **deal**[2]

dean *n* ECCL, UNIV Dekan(in) *m(f)*

dear I *adj* (*+er*) **1.** lieb; ***she is a ~ friend of mine*** sie ist eine sehr gute Freundin von mir; ***that is my ~est wish*** das ist mein sehnlichster Wunsch; ***these memories are very ~ to him*** diese Erinnerungen sind ihm teuer **2.** (≈ *lovable, sweet*) süß **3.** (*in letter etc*) ***~ John*** lieber John!; ***~ Sir*** sehr geehrter Herr X!; ***~ Madam*** sehr geehrte Frau X!; ***~ Sir or Madam*** sehr geehrte Damen und Herren!; ***~ Mr Kemp*** sehr geehrter Herr Kemp!; (*less formal*) lieber Herr Kemp! **4.** (≈ *expensive*) teuer **II** *int* ***oh ~!*** oje! **III** *n* ***hello/thank you ~*** hallo / vielen Dank; ***Robert ~*** (mein lieber) Robert; ***yes, ~*** (*husband to wife etc*) ja, Liebling **IV** *adv* teuer; ***this will cost them ~*** das wird sie teuer zu stehen kommen **dearly** *adv* **1.** *love* von ganzem Herzen; ***I would ~ love to marry*** ich würde liebend gern heiraten **2.** (*fig*) ***he paid ~*** (***for it***) er hat es teuer bezahlt

death *n* Tod *m*; ***~ by drowning*** Tod durch Ertrinken; ***to be burned to ~*** verbrennen; (*at stake*) verbrannt werden; ***to starve to ~*** verhungern; ***to bleed to ~*** verbluten; ***to freeze to ~*** erfrieren; ***a fight to the ~*** ein Kampf auf Leben und Tod; ***to put sb to ~*** jdn hinrichten; ***to drink oneself to ~*** sich zu Tode trinken; ***to be at ~'s door*** an der Schwelle des Todes stehen; ***it will be the ~ of you*** (*infml*) das wird dein Tod sein; ***he will be the ~ of me*** (*infml*) er bringt mich noch ins Grab; ***to catch one's ~*** (***of cold***) (*infml*) sich (*dat*) den Tod holen; ***I am sick to ~ of all this*** (*infml*) ich bin das alles gründlich satt; ***he looked like ~ warmed up*** (*Br infml*) *or* ***over*** (*US infml*) er sah wie der Tod auf Urlaub aus (*infml*) **deathbed** *n* Sterbebett *nt*; ***to be on one's ~*** auf dem Sterbebett liegen **deathblow** *n* Todesstoß *m* **death camp** *n* Vernichtungslager *nt* **death certificate** *n* Totenschein *m* **death duties** *pl* (*Br*) Erbschaftssteuern *pl* **deathly I** *adj* ***~ hush*** *or* ***silence*** Totenstille *f* **II** *adv* ***~ pale*** totenblass; ***~ quiet*** totenstill **death penalty** *n* Todesstrafe *f* **death row** *n* Todestrakt *m* **death sentence** *n* Todesurteil *nt* **death threat** *n* Morddrohung *f* **death toll** *n* Zahl *f* der (Todes)opfer **deathtrap** *n* Todesfalle *f* **death warrant** *n* ***to sign one's own ~*** (*fig*) sein eigenes Todesurteil unterschreiben

débâcle *n* Debakel *nt* (*over* bei)

debase *v/t* **1.** *person* entwürdigen **2.** *virtues, qualities* herabsetzen

debatable *adj* fraglich **debate I** *v/t & v/i* debattieren (*with* mit, *about* über *acc*); ***he was debating whether or not to go*** er überlegte hin und her, ob er gehen sollte **II** *n* Debatte *f*

debauchery *n* Ausschweifung *f*; ***a life of ~*** ein ausschweifendes Leben

debilitate *v/t* schwächen **debilitating** *adj* schwächend; *lack of funds etc* lähmend
debit I *n* Debet *nt*; (*with bank*) Sollsaldo *nt*; **~ account** Debetkonto *nt* **II** *v/t* ***to ~ sb/sb's account* (*with a sum*)** jdn/jds Konto (mit einer Summe) belasten **debit card** *n* Kundenkarte *f*
debrief *v/t* befragen; ***to be ~ed*** Bericht erstatten
debris *n* Trümmer *pl*; GEOL Geröll *nt*
debt *n* (≈ *obligation*) Schuld *f*; (≈ *money owed*) Schulden *pl*; ***to be in ~*** verschuldet sein (*to* gegenüber); ***to be £5 in ~*** £ 5 Schulden haben (*to* bei); ***he is in my ~*** (*for money*) er hat Schulden bei mir; (*for help etc*) er steht in meiner Schuld; ***to run*** *or* ***get into ~*** sich verschulden; ***to get out of ~*** aus den Schulden herauskommen; ***to repay a ~*** eine Schuld begleichen **debtor** *n* Schuldner(in) *m(f)*
debt relief *n* Schuldenerleichterung *m*
debug *v/t* IT entwanzen; ***~ging program*** Fehlerkorrekturprogramm *nt* **debugger** *n* IT Debugger *m*
début *n* Debüt *nt*; ***to make one's ~*** THEAT debütieren; ***~ album*** Debütalbum *nt*
débutant, (*US*) **debutant** *n* Debütant *m* **débutante**, (*US*) **debutante** *n* Debütantin *f*
Dec *abbr of* ***December*** Dez.
decade *n* Jahrzehnt *nt*
decadence *n* Dekadenz *f* **decadent** *adj* dekadent
decaff *n abbr of* ***decaffeinated*** (*infml*) Koffeinfreie(r) *m* (*infml*) **decaffeinated** *adj* koffeinfrei
decanter *n* Karaffe *f*
decapitate *v/t* enthaupten (*elev*)
decathlete *n* Zehnkämpfer *m* **decathlon** *n* Zehnkampf *m*
decay I *v/i* verfallen; (*flesh, vegetable matter*) verwesen; (*tooth*) faulen **II** *n* Verfall *m*; (*of flesh, vegetable matter*) Verwesung *f*; ***tooth ~*** Zahnfäule *f*; ***to fall into ~*** verfallen **decayed** *adj tooth* faul; *body, vegetable matter* verwest
deceased (JUR, *form*) **I** *adj* verstorben **II** *n* ***the ~*** der/die Tote *or* Verstorbene; (*pl*) die Verstorbenen *pl*
deceit *n* Täuschung *f* **deceitful** *adj* betrügerisch **deceitfully** *adv* betrügerischerweise; *behave* betrügerisch **deceitfulness** *n* Falschheit *f* **deceive** *v/t* täuschen; *wife* betrügen; ***to ~ oneself*** sich (*dat*) selbst etwas vormachen
decelerate *v/i* (*car, train*) langsamer werden; (*driver*) die Geschwindigkeit herabsetzen
December *n* Dezember *m*; → ***September***
decency *n* Anstand *m*; ***it's only common ~ to ...*** es gehört sich einfach, zu ...; ***he could have had the ~ to tell me*** er hätte es mir anständigerweise auch sagen können **decent** *adj* anständig; ***are you ~?*** (*infml*) bist du schon salonfähig? (*infml*); ***to do the ~ thing*** das einzig Anständige tun **decently** *adv* anständig
decentralization *n* Dezentralisierung *f*
decentralize *v/t & v/i* dezentralisieren
decentralized *adj* dezentral
deception *n* (≈ *act of deceiving*) Täuschung *f*; (*of wife etc*) Betrug *m* **deceptive** *adj* irreführend; ***to be ~*** täuschen; ***appearances can be ~*** der Schein trügt
deceptively *adv easy* täuschend; *powerful* überraschend; *mild* trügerisch; ***to look ~ like sb/sth*** jdm/einer Sache täuschend ähnlich sehen
decide I *v/t* entscheiden, beschließen; ***what did you ~?*** (*yes or no*) wie habt ihr euch entschieden?; (*what measures*) was habt ihr beschlossen?; ***did you ~ anything?*** habt ihr irgendwelche Entscheidungen getroffen?; ***I have ~d we are making a mistake*** ich bin zu der Ansicht gekommen, dass wir einen Fehler machen; ***I'll ~ what we do!*** ich bestimme, was wir tun! **II** *v/i* (sich) entscheiden; ***to ~ for/against sth*** (sich) für/gegen etw entscheiden ◆ **decide on** *v/i +prep obj* sich entscheiden für
decided *adj improvement* entschieden; *advantage* deutlich **decidedly** *adv* entschieden; ***he's ~ uncomfortable about it*** es ist ihm gar nicht wohl dabei; ***~ dangerous*** ausgesprochen gefährlich **decider** *n* (*Br* ≈ *game*) Entscheidungsspiel *nt*; (≈ *goal*) Entscheidungstreffer *m* **deciding** *adj* entscheidend
deciduous *adj* ***~ tree/forest*** Laubbaum *m*/-wald *m*
decimal I *adj* Dezimal- **II** *n* Dezimalzahl *f* **decimal point** *n* Komma *nt*
decimate *v/t* dezimieren
decipher *v/t* entziffern
decision *n* Entscheidung *f* (*on* über *+acc*), Entschluss *m*; (*esp of committee etc*) Beschluss *m*; ***to make a ~*** eine Entscheidung treffen; ***it's your ~*** das musst

du entscheiden; ***to come to a ~*** zu einer Entscheidung kommen; ***I've come to the ~ that it's a waste of time*** ich bin zu dem Schluss gekommen, dass es Zeitverschwendung ist; ***~s, ~s!*** immer diese Entscheidungen! **decision-making** *adj attr* ***~ skills*** Entschlusskraft *f*; ***the ~ process*** der Entscheidungsprozess **decisive** *adj* **1.** (≈ *crucial*) entscheidend **2.** *manner* entschlossen; *person* entschlussfreudig **decisively** *adv change* entscheidend; *defeat* deutlich **decisiveness** *n* Entschlossenheit *f*

deck *n* **1.** (*of bus*, *ship*) Deck *nt*; ***on ~*** auf Deck; ***to go up on ~*** an Deck gehen; ***top*** *or* ***upper ~*** Oberdeck *nt* **2.** ***a ~ of cards*** ein Kartenspiel *nt* **deck chair** *n* Liegestuhl *m* **-decker** *n suf* -decker *m* **decking** *n* (≈ *wooden floor*) Deck *nt*

declaration *n* Erklärung *f*; CUSTOMS Deklaration *f* (*form*); ***~ of love*** Liebeserklärung *f*; ***~ of bankruptcy*** Konkursanmeldung *f*; ***to make a ~*** eine Erklärung abgeben; ***~ of war*** Kriegserklärung *f*

declare *v/t intentions* erklären; *results* bekannt geben; *goods* angeben; ***have you anything to ~?*** haben Sie etwas zu verzollen?; ***to ~ one's support*** seine Unterstützung zum Ausdruck bringen; ***to ~ war*** (***on sb***) (jdm) den Krieg erklären; ***to ~ a state of emergency*** den Notstand ausrufen; ***to ~ independence*** sich für unabhängig erklären; ***to ~ sb bankrupt*** jdn für bankrott erklären; ***to ~ sb the winner*** jdn zum Sieger erklären **declared** *adj* erklärt

declension *n* GRAM Deklination *f* **decline I** *n* Rückgang *m*; (*of empire*) Niedergang *m*; ***to be on the*** *or* ***in ~***, ***to go*** *or* ***fall into ~*** (*business*) zurückgehen; (*empire*) verfallen **II** *v/t* **1.** *invitation* ablehnen **2.** GRAM deklinieren **III** *v/i* **1.** (*business*) zurückgehen; (*value*) geringer werden; (*popularity*, *influence*) abnehmen **2.** GRAM dekliniert werden

decode *v/t* decodieren **decoder** *n* Decoder *m*

décolletage *n* Dekolleté *nt*

decompose *v/i* sich zersetzen **decomposition** *n* Zersetzung *f*

decongestant *n* abschwellendes Mittel

decontaminate *v/t* entgiften; (*from radioactivity*) entseuchen

décor *n* Ausstattung *f*

decorate *v/t cake* verzieren; *street*, *Christmas tree* schmücken; *room* tapezieren; (≈ *paint*) (an)streichen; (*for special occasion*) dekorieren **decorating** *n* Tapezieren *nt*; (≈ *painting*) Streichen *nt* **decoration** *n* (*on cake*, *hat etc*) Verzierung *f*; (*on Christmas tree*, *in street*) Schmuck *m no pl*; ***Christmas ~s*** Weihnachtsschmuck *m*; ***interior ~*** Innenausstattung *f* **decorative** *adj* dekorativ **decorator** *n* (*Br*) Maler(in) *m*(*f*)

decorum *n* Anstand *m*

decoy *n* Köder *m*; (*person*) Lockvogel *m*; ***police ~*** Lockvogel *m* der Polizei; ***~ manoeuvre*** (*Br*) *or* ***maneuver*** (*US*) Falle *f*

decrease I *v/i* abnehmen; (*strength*) nachlassen **II** *v/t* reduzieren **III** *n* Abnahme *f*; (*in figures*, *production*) Rückgang *m*; (*in strength*) Nachlassen *nt* **decreasingly** *adv* immer weniger

decree I *n* Anordnung *f*; (POL: *of king etc*) Erlass *m*; JUR Verfügung *f*; (*of court*) Entscheid *m* **II** *v/t* verordnen; ***he ~d an annual holiday on 1st April*** er erklärte den 1. April zum Feiertag **decree absolute** *n* JUR endgültiges Scheidungsurteil **decree nisi** *n* JUR vorläufiges Scheidungsurteil

decrepit *adj* altersschwach; *building* baufällig

dedicate *v/t* widmen (*to sb* jdm); ***to ~ oneself*** *or* ***one's life to sb/sth*** sich *or* sein Leben jdm/einer Sache widmen **dedicated** *adj* **1.** *attitude* hingebungsvoll; *service*, *fans* treu; (*in one's work*) engagiert; ***a ~ nurse*** eine Krankenschwester, die mit Leib und Seele bei der Sache ist; ***she's ~ to her students*** sie engagiert sich sehr für ihre Studenten **2.** ***~ word processor*** dediziertes Textverarbeitungssystem **dedication** *n* **1.** (≈ *quality*) Hingabe *f* (*to* an *+acc*) **2.** (*in book*) Widmung *f*

deduce *v/t* schließen (*from* aus)

deduct *v/t* abziehen (*from* von); ***to ~ sth from the price*** etw vom Preis ablassen; ***after ~ing 5%*** nach Abzug von 5% **deductible** *adj* abziehbar; (≈ *tax deductible*) absetzbar **deduction** *n* **1.** Abzug *m*; (*from price*) Nachlass *m* (*from* für, auf *+acc*) **2.** ***by a process of ~*** durch Folgern

deed *n* **1.** Tat *f*; ***good ~*** gute Tat; ***evil ~*** Übeltat *f*; ***in ~*** tatsächlich **2.** JUR Übertragungsurkunde *f*; ***~ of covenant*** Vertragsurkunde *f*

deem *v/t* ***to ~ sb/sth (to be) sth*** jdn/etw für etw erachten (*elev*) *or* halten; ***it was ~ed necessary*** man hielt es für nötig

deep I *adj* (+*er*) tief; (≈ *wide*) breit; (≈ *profound*) tiefsinnig; *concern* groß; ***the pond/snow was 4 feet ~*** der Teich war/der Schnee lag 4 Fuß tief; ***two feet ~ in snow*** mit zwei Fuß Schnee bedeckt; ***two feet ~ in water*** zwei Fuß tief unter Wasser; ***the ~ end*** (*of pool*) das Tiefe; ***to go off (at) the ~ end*** (*fig infml*) auf die Palme gehen (*infml*); ***to be thrown in at the ~ end*** (*fig*) gleich zu Anfang richtig ranmüssen (*infml*); ***the spectators stood ten ~*** die Zuschauer standen zu zehnt hintereinander; ***~est sympathy*** aufrichtiges Beileid; ***~ down, she knew he was right*** im Innersten wusste sie, dass er recht hatte; ***~ in conversation*** ins Gespräch vertieft; ***to be in ~ trouble*** in großen Schwierigkeiten sein **II** *adv* (+*er*) tief; ***~ into the night*** bis tief in die Nacht hinein **deepen I** *v/t* vertiefen; *mystery* vergrößern; *crisis* verschärfen **II** *v/i* tiefer werden; (*sorrow*, *concern*) zunehmen; (*mystery*) größer werden; (*divisions*) sich vertiefen; (*crisis*) sich verschärfen **deepening** *adj sorrow*, *concern etc* zunehmend; *crisis* sich verschärfend; *mystery* sich vertiefend **deep-fat fryer** *n* Fritteuse *f* **deepfreeze** *n* Tiefkühltruhe *f*; (*upright*) Gefrierschrank *m* **deep-fry** *v/t* frittieren **deeply** *adv* tief; *worried*, *unhappy*, *suspicious* äußerst; *move*, *shock*, *grateful* zutiefst; *love* sehr; ***~ committed*** stark engagiert; ***they are ~ embarrassed by it*** es ist ihnen äußerst peinlich; ***to fall ~ in love*** sich sehr verlieben **deep-pan pizza** *n* Pfannenpizza *f* **deep-rooted** *adj*, *comp* ***deeper-rooted*** (*fig*) tief verwurzelt **deep-sea** *adj* Tiefsee- **deep-seated** *adj*, *comp* ***deeper-seated*** tief sitzend **deep-set** *adj*, *comp* ***deeper-set*** tief liegend **deep space** *n* der äußere Weltraum **deep vein thrombosis** *n* MED tiefe Venenthrombose

deer *n*, *pl* **-** (≈ *roe deer*) Reh *nt*; (≈ *stag*) Hirsch *m*; (*collectively*) Rotwild *nt*

de-escalate *v/t* deeskalieren

deface *v/t* verunstalten

defamatory *adj* diffamierend

default I *n* **1.** ***to win by ~*** kampflos gewinnen **2.** IT Default *m*, Voreinstellung *f* **II** *attr* IT *parameter* voreingestellt; ***~ drive*** Standardlaufwerk *nt* **III** *v/i* (≈ *not perform duty*) säumig sein

defeat I *n* Niederlage *f*; (*of bill*) Ablehnung *f*; ***their ~ of the enemy*** ihr Sieg über den Feind; ***to admit ~*** sich geschlagen geben; ***to suffer a ~*** eine Niederlage erleiden **II** *v/t army*, *team* besiegen; *bill* ablehnen; ***that would be ~ing the purpose of the exercise*** dann verliert die Übung ihren Sinn

defect[1] *n* Fehler *m*; (*in mechanism*) Defekt *m*

defect[2] *v/i* POL sich absetzen; ***to ~ to the enemy*** zum Feind überlaufen **defection** *n* POL Überlaufen *nt*

defective *adj* fehlerhaft; *machine*, *gene* defekt

defence, (*US*) **defense** *n* **1.** *no pl* Verteidigung *f no pl*; ***in his ~*** zu seiner Verteidigung; ***to come to sb's ~*** jdn verteidigen; ***his only ~ was ...*** seine einzige Rechtfertigung war ... **2.** (≈ *form of protection*) Abwehrmaßnahme *f*; (MIL ≈ *fortification etc*) Befestigung *f*; ***as a ~ against*** als Schutz gegen; ***his ~s were down*** er war wehrlos **defence counsel**, (*US*) **defense counsel** *n* Verteidiger(in) *m(f)* **defenceless**, (*US*) **defenseless** *adj* schutzlos **defence mechanism** *n* PHYSIOL, PSYCH Abwehrmechanismus *m* **defence minister**, (*US*) **defense minister** *n* Verteidigungsminister(in) *m(f)*

defend *v/t* verteidigen (*against* gegen) **defendant** *n* Angeklagte(r) *m/f(m)*; (*in civil cases*) Beklagte(r) *m/f(m)* **defender** *n* Verteidiger(in) *m(f)* **defending** *adj* ***the ~ champions*** die Titelverteidiger *pl*

defense *etc* (*US*) = ***defence** etc* **defensive I** *adj* defensiv **II** *n* ***to be on the ~*** (MIL, *fig*) in der Defensive sein **defensively** *adv also* SPORTS defensiv

defer *v/t* verschieben; ***to ~ doing sth*** es verschieben, etw zu tun

deference *n* Achtung *f*; ***out of*** *or* ***in ~ to*** aus Achtung (*dat*) vor **deferential** *adj* respektvoll

deferred payment *n* Zahlungsaufschub *m*; (*US*: *by instalments*) Ratenzahlung *f*

defiance *n* Trotz *m* (*of sb* jdm gegenüber); (*of order*, *law*) Missachtung *f* (*of* +*gen*); ***an act of ~*** eine Trotzhandlung; ***in ~ of sb/sth*** jdm/etw zum Trotz **defiant** *adj* trotzig; (≈ *rebellious*) aufsässig; (≈ *challenging*) herausfordernd **defiantly** *adv* trotzig; *resist* standhaft

deficiency *n* Mangel *m*; FIN Defizit *nt*; (≈ *defect, in character, system*) Schwäche *f*; ***iron ~*** Eisenmangel *m* **deficient** *adj* unzulänglich; ***sb/sth is ~ in sth*** jdm/einer Sache fehlt es an etw (*dat*) **deficit** *n* Defizit *nt*

definable *adj* definierbar; *boundaries, duties* bestimmbar **define** *v/t* definieren; *duties etc* festlegen

definite *adj* **1.** definitiv; *answer, decision* klar; *agreement, date, plan* fest; ***is that ~?*** ist das sicher?; ***for ~*** mit Bestimmtheit **2.** *mark* deutlich; *advantage, improvement* eindeutig; *possibility* echt **3.** *manner* bestimmt; ***she was very ~ about it*** sie war sich (*dat*) sehr sicher **definite article** *n* GRAM bestimmter Artikel **definitely** *adv* **1.** *decide, say* endgültig; ***it's not ~ arranged/agreed yet*** es steht noch nicht fest **2.** (≈ *clearly*) eindeutig; (≈ *certainly*) bestimmt; (≈ *whatever happens*) auf jeden Fall; ***~ not*** auf keinen Fall; ***he ~ wanted to come*** er wollte bestimmt kommen **definition** *n* **1.** (*of word, concept*) Definition *f*; ***by ~*** definitionsgemäß **2.** (*of duties, boundaries*) Festlegung *f* **3.** PHOT, TV Bildschärfe *f* **definitive** *adj victory, answer* entschieden; *book* maßgeblich (*on* für)

deflate *v/t* die Luft ablassen aus; ***he felt a bit ~d when ...*** es war ein ziemlicher Dämpfer für ihn, dass ... **deflation** *n* FIN Deflation *f*

deflect *v/t* ablenken; *ball* abfälschen; PHYS *light* beugen **deflection** *n* Ablenkung *f*; (*of ball*) Abfälschung *f*; (PHYS, *of light*) Beugung *f*

deforestation *n* Entwaldung *f*

deformed *adj* deformiert; TECH verformt **deformity** *n* Deformität *f*

defraud *v/t* ***to ~ sb of sth*** jdn um etw betrügen

defrost I *v/t fridge* abtauen; *food* auftauen **II** *v/i* (*fridge*) abtauen; (*food*) auftauen

deft *adj* (+*er*), **deftly** *adv* geschickt

defunct *adj* (*fig*) *institution etc* eingegangen; *law* außer Kraft

defuse *v/t* entschärfen

defy *v/t* **1.** *person* sich widersetzen (+*dat*); *orders, law, danger* trotzen (+*dat*) **2.** (*fig*) widerstehen (+*dat*); ***to ~ description*** jeder Beschreibung spotten; ***that defies belief!*** das ist ja unglaublich!; ***to ~ gravity*** den Gesetzen der Schwerkraft widersprechen

degenerate *v/i* degenerieren; (*people, morals*) entarten; ***the demonstration ~d into violence*** die Demonstration artete in Gewalttätigkeiten aus **degeneration** *n* Degeneration *f*

degradation *n* Erniedrigung *f*; GEOL Erosion *f*; CHEM Abbau *m* **degrade I** *v/t* erniedrigen; CHEM abbauen; ***to ~ oneself*** sich erniedrigen **II** *v/i* CHEM sich abbauen **degrading** *adj* erniedrigend

degree *n* **1.** Grad *m no pl*; ***an angle of 90 ~s*** ein Winkel *m* von 90 Grad; ***first ~ murder*** Mord *m*; ***second ~ murder*** Totschlag *m* **2.** (*of risk etc*) Maß *nt*; ***some** or **a certain ~ of*** ein gewisses Maß an (+*dat*); ***to some ~, to a (certain) ~*** in gewissem Maße; ***to such a ~ that ...*** in solchem Maße, dass ... **3.** UNIV akademischer Grad; ***to get one's ~*** seinen akademischen Grad erhalten; ***to do a ~*** studieren; ***when did you do your ~?*** wann haben Sie das Examen gemacht?; ***I'm doing a ~ in languages*** ich studiere Sprachwissenschaften; ***I've got a ~ in Business Studies*** ich habe einen Hochschulabschluss in Wirtschaftslehre **degree course** *n Universitätskurs, der mit dem ersten akademischen Grad abschließt*

dehumanize *v/t* entmenschlichen

dehydrated *adj* dehydriert; *foods* getrocknet; *person, skin* ausgetrocknet **dehydration** *n* Austrocknung *f*

de-icer *n* Enteiser *m*; (≈ *spray for cars*) Defroster *m*

deign *v/t* ***to ~ to do sth*** sich herablassen, etw zu tun

deity *n* Gottheit *f*

déjà vu *n* Déjà-vu-Erlebnis *nt*; ***a feeling** or **sense of ~*** das Gefühl, das schon einmal gesehen zu haben

dejected *adj*, **dejectedly** *adv* deprimiert **dejection** *n* Depression *f*

delay I *v/t* **1.** (≈ *postpone*) verschieben; ***to ~ doing sth*** es verschieben, etw zu tun; ***he ~ed paying until ...*** er wartete so lange mit dem Zahlen, bis ...; ***rain ~ed play*** der Beginn des Spiels verzögerte sich wegen Regens **2.** *person, traffic* aufhalten **II** *v/i* warten; ***to ~ in doing sth*** es verschieben, etw zu tun; ***he ~ed in paying the bill*** er schob die Zahlung der Rechnung hinaus **III** *n* (≈ *hold-up*) Aufenthalt *m*; (*to traffic*) Stockung *f*; (*to train,* *plane*) Verspätung *f*; (≈ *time lapse*) Verzögerung *f*; ***roadworks are causing ~s of up to 1 hour*** Straßenbauarbeiten verursachen Staus bis zu 1 Stunde; **"*delays possible* (*until* ...)"** „Staugefahr! (bis ...)"; ***there are ~s to all flights*** alle Flüge haben Verspätung; ***without ~*** unverzüglich; ***without further ~*** ohne weitere Verzögerung **delaying** *adj* verzögernd; ***~ tactics*** Verzögerungstaktik *f*

delegate I *v/t* delegieren; *authority* übertragen (*to sb* jdm); ***to ~ sb to do sth*** jdn damit beauftragen, etw zu tun **II** *v/i* delegieren **III** *n* Delegierte(r) *m/f(m)* **delegation** *n* Delegation *f*

delete *v/t* streichen; IT löschen; **"*delete where applicable*"** „Nichtzutreffendes (bitte) streichen" **delete key** *n* IT Löschtaste *f* **deletion** *n* Streichung *f*; IT Löschung *f*; ***to make a ~*** etwas streichen

deli *n* (*infml*) = ***delicatessen***

deliberate I *adj* **1.** (≈ *intentional*) absichtlich; *attempt*, *insult*, *lie* bewusst **2.** (≈ *thoughtful*) besonnen; *movement* bedächtig **II** *v/i* (≈ *ponder*) nachdenken (*on*, *upon* über *+acc*); (≈ *discuss*) sich beraten (*on*, *upon* über *+acc*, wegen) **III** *v/t* (≈ *ponder*) bedenken; (≈ *discuss*) beraten **deliberately** *adv* **1.** (≈ *intentionally*) absichtlich; ***the blaze was started ~*** der Brand wurde vorsätzlich gelegt **2.** (≈ *thoughtfully*) überlegt; *move* bedächtig **deliberation** *n* **1.** (≈ *consideration*) Überlegung *f* (*on* zu) **2. deliberations** *pl* (≈ *discussions*) Beratungen *pl* (*of*, *on* über *+acc*)

delicacy *n* **1.** = ***delicateness*** **2.** (≈ *food*) Delikatesse *f* **delicate I** *adj* **1.** fein; *health* zart; *person*, *china* zerbrechlich; *stomach* empfindlich; ***she's feeling a bit ~ after the party*** nach der Party fühlt sie sich etwas angeschlagen **2.** *operation*, *subject*, *situation* heikel **II delicates** *pl* (≈ *fabrics*) Feinwäsche *f* **delicately** *adv* **1.** *move* zart **2.** *scented* fein; ***~ flavoured*** (*Br*) *or* ***flavored*** (*US*) mit einem delikaten Geschmack **3.** (≈ *tactfully*) taktvoll **delicateness** *n* **1.** Zartheit *f* **2.** (≈ *sensitivity*: *of task*) Feinheit *f* **3.** (*of operation*, *subject*, *situation*) heikle Natur

delicatessen *n* Feinkostgeschäft *nt*

delicious *adj* **1.** *food etc* köstlich **2.** (≈ *delightful*) herrlich **deliciously** *adv* **1.** *tender*, *creamy* köstlich **2.** *warm*, *fragrant* herrlich

delight I *n* Freude *f*; ***to my ~*** zu meiner Freude; ***he takes great ~ in doing that*** es bereitet ihm große Freude, das zu tun; ***he's a ~ to watch*** es ist eine Freude, ihm zuzusehen **II** *v/i* sich erfreuen (*in* an *+dat*)

delighted *adj* (*with* über *+acc*) erfreut; ***to be ~*** sich sehr freuen (*at* über *+acc*, *that* dass); ***absolutely ~*** hocherfreut; ***~ to meet you!*** sehr angenehm!; ***I'd be ~ to help you*** ich würde Ihnen sehr gern helfen

delightful *adj* reizend; *weather*, *party* wunderbar **delightfully** *adv* wunderbar

delinquency *n* Kriminalität *f* **delinquent I** *adj* straffällig **II** *n* Delinquent(in) *m(f)*

delirious *adj* MED im Delirium; (*fig*) im Taumel; ***to be ~ with joy*** im Freudentaumel sein **deliriously** *adv* ***~ happy*** euphorisch; MED im Delirium **delirium** *n* MED Delirium *nt*; (*fig*) Taumel *m*

deliver I *v/t* **1.** *goods* liefern; *message* überbringen; (*on regular basis*) zustellen; ***to ~ sth to sb*** jdm etw liefern/überbringen/zustellen; ***he ~ed the goods to the door*** er lieferte die Waren ins Haus; ***~ed free of charge*** frei Haus (geliefert); ***to ~ the goods*** (*fig infml*) es bringen (*sl*) **2.** *speech* halten; *ultimatum* stellen; *verdict* verkünden **3.** MED *baby* zur Welt bringen **II** *v/i* (*lit*) liefern **delivery** *n* **1.** (*of goods*) (Aus)lieferung *f*; (*of parcels*, *letters*) Zustellung *f*; ***please allow 28 days for ~*** die Lieferzeit kann bis zu 28 Tagen betragen **2.** MED Entbindung *f* **3.** (*of speaker*) Vortragsweise *f* **delivery boy** *n* Bote *m* **delivery charge** *n* Lieferkosten *pl*; (*for mail*) Zustellgebühr *f* **delivery costs** *pl* Versandkosten *pl* **delivery date** *n* Liefertermin *m* **delivery man** *n* Lieferant *m* **delivery note** *n* Lieferschein *m* **delivery room** *n* Kreißsaal *m* **delivery service** *n* Zustelldienst *m* **delivery van** *n* Lieferwagen *m*

delta *n* Delta *nt*

delude *v/t* täuschen; ***to ~ oneself*** sich (*dat*) etwas vormachen; ***stop deluding yourself that ...*** hör auf, dir vorzumachen, dass ... **deluded** *adj* voller Illusionen

deluge *n* (*lit*) Überschwemmung *f*; (*of rain*) Guss *m*; (*fig*) Flut *f*

delusion *n* Illusion *f*; PSYCH Wahnvorstellung *f*; ***to be under a ~*** in einem Wahn leben; ***to have ~s of grandeur*** den Größenwahn haben

de luxe *adj* Luxus-; ***~ model*** Luxusmodell *nt*; ***~ version*** De-Luxe-Ausführung *f*

delve *v/i* (*into book*) sich vertiefen (*into* in +*acc*); ***to ~ in(to) one's pocket*** tief in die Tasche greifen; ***to ~ into the past*** die Vergangenheit erforschen

demand I *v/t* verlangen; *time* beanspruchen; ***he ~ed money*** er wollte Geld haben; ***he ~ed to know what had happened*** er verlangte zu wissen, was passiert war; ***he ~ed to see my passport*** er wollte meinen Pass sehen **II** *n* **1.** Forderung *f* (*for* nach); ***by popular ~*** auf allgemeinen Wunsch; ***to be available on ~*** auf Wunsch erhältlich sein; ***to make ~s on sb*** Forderungen an jdn stellen **2.** *no pl* COMM Nachfrage *f*; ***there's no ~ for it*** es besteht keine Nachfrage danach; ***to be in (great) ~*** sehr gefragt sein

demanding *adj child*, *job* anstrengend; *teacher*, *boss* anspruchsvoll

demarcate *v/t* abgrenzen, demarkieren

demean I *v/r* sich erniedrigen; ***I will not ~ myself by doing that*** ich werde mich nicht dazu hergeben, das zu tun **II** *v/t* erniedrigen **demeaning** *adj* erniedrigend

demeanour, (*US*) **demeanor** *n* (≈ *behaviour*) Benehmen *nt*; (≈ *bearing*) Haltung *f*

demented *adj* verrückt **dementia** *n* Schwachsinn *m*

demerara (sugar) *n* brauner Rohrzucker

demerge *v/t company* entflechten

demi *pref* Halb-, halb- **demigod** *n* Halbgott *m*, Halbgöttin *f*

demilitarization *n* Entmilitarisierung *f* **demilitarize** *v/t* entmilitarisieren; ***~d zone*** entmilitarisierte Zone

demise *n* (≈ *death*) Tod *m*; (*fig*) Ende *nt*

demister *n* Gebläse *nt*

demo I *n abbr of* ***demonstration*** Demo(nstration) *f* **II** *adj attr* ***~ tape*** Demoband *nt*

demobilize *v/t* demobilisieren

democracy *n* Demokratie *f* **democrat** *n* Demokrat(in) *m*(*f*) **democratic** *adj* **1.** demokratisch; ***the Social Democratic Party*** die Sozialdemokratische Partei; ***the Christian Democratic Party*** die Christlich-Demokratische Partei **2.** ***Democratic*** (*US* POL) der Demokratischen Partei; ***the Democratic Party*** die Demokratische Partei **democratically** *adv* demokratisch

demolish *v/t building* abbrechen; (*fig*) *opponent* vernichten; (*hum*) *cake etc* vertilgen **demolition** *n* Abbruch *m*

demolition squad *n* Abbruchkolonne *f*

demon *n* Dämon *m*; (*infml* ≈ *child*) Teufel *m* **demonic** *adj* dämonisch **demonize** *v/t* dämonisieren

demonstrate I *v/t* beweisen; (*by example*) demonstrieren; *appliance*, *operation* vorführen **II** *v/i* demonstrieren

demonstration *n* Beweis *m*; (*by example*) Demonstration *f* (*also* POL *etc*); (*of appliance*, *operation*) Vorführung *f*; ***he gave us a ~*** er zeigte es uns **demonstration model** *n* Vorführmodell *m* **demonstrative** *adj* demonstrativ **demonstrator** *n* **1.** COMM Vorführer(in) *m*(*f*) (von technischen Geräten) **2.** POL Demonstrant(in) *m*(*f*)

demoralize *v/t* entmutigen; *troops etc* demoralisieren **demoralizing** *adj* entmutigend; (*for troops etc*) demoralisierend

demote *v/t* MIL degradieren (*to* zu); (*in business etc*) zurückstufen; ***to be ~d*** SPORTS absteigen **demotion** *n* MIL Degradierung *f*; (*in business etc*) Zurückstufung *f*; SPORTS Abstieg *m*

demotivate *v/t* demotivieren

den *n* **1.** (*of lion etc*) Höhle *f*; (*of fox*) Bau *m* **2.** (≈ *room*) Bude *f* (*infml*)

denationalize *v/t* entstaatlichen

denial *n* **1.** (*of guilt*) Leugnen *nt* **2.** (≈ *refusal*) Ablehnung *f*; (*of rights*) Verweigerung *f*

denim I *n* **1.** Jeansstoff *m* **2. denims** *pl* Jeans *pl* **II** *adj attr* Jeans-

Denmark *n* Dänemark *nt*

denomination *n* **1.** ECCL Konfession *f* **2.** (≈ *name*, *naming*) Bezeichnung *f* **3.** (*of money*) Nennbetrag *m*

denote *v/t* bedeuten; (*symbol*, *word*) bezeichnen

denounce *v/t* **1.** (≈ *accuse*) anprangern; (≈ *inform against*) denunzieren (*sb to sb* jdn bei jdm) **2.** *alcohol etc* verurteilen

dense *adj* (+*er*) **1.** *Nebel*, *Wald* dicht; *crowd* dicht gedrängt **2.** (*infml* ≈ *slow*) begriffsstutzig (*infml*) **densely** *adv populated*, *wooded* dicht **density** *n* Dichte *f*; ***population ~*** Bevölkerungsdichte *f*

dent I *n* (*in metal*) Beule *f*; (*in wood*) Kerbe *f* **II** *v/t car* verbeulen; *wood* eine Delle machen in (+*acc*); (*infml*) *pride* anknacksen (*infml*)

dental *adj* Zahn-; *treatment* zahnärztlich **dental floss** *n* Zahnseide *f* **dental hygiene** *n* Zahnpflege *f* **dental nurse** *n* Zahnarzthelfer(in) *m*(*f*) **dental surgeon** *n* Zahnarzt *m*/-ärztin *f*

dentist *n* Zahnarzt *m*, Zahnärztin *f*; ***at the ~('s)*** beim Zahnarzt **dentistry** *n* Zahnmedizin *f* **dentures** *pl* Zahnprothese *f*; (*full*) Gebiss *nt*

denunciation *n* (≈ *accusation*) Anprangerung *f*; (≈ *informing*) Denunziation *f*; (≈ *condemnation*) Verurteilung *f*

deny *v/t* **1.** *accusation etc* bestreiten; *existence of God* leugnen; (*officially*) dementieren; ***do you ~ having said that?*** bestreiten *or* leugnen Sie, das gesagt zu haben?; ***there's no ~ing it*** das lässt sich nicht bestreiten **2.** ***to ~ sb's request*** jdm seine Bitte abschlagen; ***to ~ sb his rights*** jdm seine Rechte vorenthalten; ***to ~ sb access*** (***to sth***) jdm den Zugang (zu etw) verwehren; ***to ~ sb credit*** jdm den Kredit verweigern; ***I can't ~ her anything*** ich kann ihr nichts abschlagen; ***why should I ~ myself these little comforts?*** warum sollte ich mir das bisschen Komfort nicht gönnen?

deodorant *n* Deodorant *nt*

dep. *abbr of* **departs, departure** Abf.

depart *v/i* weggehen; (*on journey*) abreisen; ***the train at platform 6 ~ing for ...*** der Zug auf Bahnsteig 6 nach ...; ***to be ready to ~*** (*person*) startbereit sein; ***the visitors were about to ~*** die Gäste waren im Begriff aufzubrechen **departed I** *adj* (≈ *dead*) verstorben **II** *n* ***the*** (***dear***) ***~*** der/die (liebe) Verstorbene

department *n* **1.** Abteilung *f*; (*in civil service*) Ressort *nt*; ***Department of Transport*** (*Br*) *or* ***Transportation*** (*US*) Verkehrsministerium *nt* **2.** SCHOOL, UNIV Fachbereich *m* **departmental** *adj* Abteilungs-; SCHOOL, UNIV Fachbereichs-; (*in civil service*) des Ressorts

department store *n* Kaufhaus *nt*

departure *n* **1.** (*of person*) Weggang *m*; (*on journey*) Abreise *f* (*from* aus); (*of vehicle*) Abfahrt *f*; (*of plane*) Abflug *m*; ***"departures"*** „Abfahrt"; (*at airport*) „Abflug" **2.** (*fig* ≈ *change*) neue Richtung *f* **departure board** *n* RAIL Abfahrtstafel *f*; AVIAT Abfluganzeige *f* **departure gate** *n* Ausgang *m* **departure lounge** *n* Abflughalle *f*; (*for single flight*) Warteraum *m* **departure time** *n* AVIAT Abflugzeit *f*; (RAIL, *bus*) Abfahrtzeit *f*

depend *v/i* **1.** abhängen (*on sb/sth* von jdm/etw); ***it ~s on what you mean by reasonable*** es kommt darauf an, was Sie unter vernünftig verstehen; ***how long are you staying? — it ~s*** wie lange bleiben Sie? — das kommt darauf an; ***it all ~s on ...*** das kommt ganz auf ... an; ***~ing on his mood*** je nach seiner Laune; ***~ing on how late we arrive*** je nachdem, wie spät wir ankommen **2.** (≈ *rely*) sich verlassen (*on, upon* auf +*acc*); ***you can ~ (up)on it!*** darauf können Sie sich verlassen! **3.** (*person* ≈ *be dependent on*) ***to ~ on*** angewiesen sein auf (+*acc*) **dependable** *adj* zuverlässig **dependant, dependent** *n* Abhängige(r) *m/f*(*m*); ***do you have ~s?*** haben Sie Angehörige? **dependence** *n* Abhängigkeit *f* (*on, upon* von); ***drug/alcohol ~*** Drogen-/Alkoholabhängigkeit *f* **dependency** *n* = ***dependence*** **dependent I** *adj* abhängig; ***~ on insulin*** insulinabhängig; ***to be ~ on*** *or* ***upon sb/sth*** von jdm/etw abhängig sein; ***to be ~ on charity/sb's goodwill*** auf Almosen/jds Wohlwollen angewiesen sein; ***to be ~ on*** *or* ***upon sb/sth for sth*** für etw auf jdn/etw angewiesen sein **II** *n* = ***dependant***

depict *v/t* darstellen **depiction** *n* Darstellung *f*

depilatory I *adj* enthaarend; ***~ cream*** Enthaarungscreme *f* **II** *n* Enthaarungsmittel *nt*

deplete *v/t* **1.** (≈ *exhaust*) erschöpfen **2.** (≈ *reduce*) verringern **depletion** *n* **1.** (≈ *exhausting*) Erschöpfung *f* **2.** (≈ *reduction*) Verringerung *f*; (*of stock, membership*) Abnahme *f*

deplorable *adj* (≈ *dreadful*) schrecklich; (≈ *disgraceful*) schändlich; ***it is ~ that ...*** es ist eine Schande, dass ... **deplore** *v/t* **1.** (≈ *regret*) bedauern **2.** (≈ *disapprove of*) missbilligen

deploy *v/t* (MIL, *fig*) einsetzen; ***the number of troops ~ed in Germany*** die Zahl der in Deutschland stationierten Streitkräfte **deployment** *n* (MIL, *fig*) Einsatz *m*; (≈ *positioning*) Stationierung *f*

deport *v/t prisoner* deportieren; *foreign national* abschieben **deportation** *n* (*of prisoner*) Deportation *f*; (*of foreign national*) Abschiebung *f*

depose *v/t* absetzen

deposit I *v/t* **1.** (≈ *put down*) hinlegen; (*upright*) hinstellen **2.** *money* deponieren (*in or with* bei); ***I ~ed £500 in my account*** ich zahlte £ 500 auf mein Konto ein **II** *n* **1.** (COMM ≈ *part payment*) Anzahlung *f*; (≈ *returnable security*) Kaution *f*; (*for bottle*) Pfand *nt*, Depot *nt* (*Swiss*); ***to put down a ~ of £1000 on a car*** eine Anzahlung von £ 1000 für ein Auto leisten **2.** (*in wine*, GEOL) Ablagerung *f*; (≈ *of ore*) (Lager)stätte *f* **deposit account** *n* Sparkonto *nt*

depot *n* **1.** (≈ *bus garage etc*) Depot *nt*; (≈ *store*) Lager(haus) *nt* **2.** (*US* RAIL) Bahnhof *m*

depraved *adj* verworfen **depravity** *n* Verworfenheit *f*

deprecating *adj*, **deprecatingly** *adv* missbilligend

depreciate *v/i* an Wert verlieren

depress *v/t person* deprimieren; *market* schwächen **depressed** *adj* **1.** deprimiert (*about* über +*acc*); MED depressiv; ***to look ~*** niedergeschlagen aussehen **2.** ECON *market* flau; *economy* geschwächt **depressing** *adj* deprimierend; ***these figures make ~ reading*** es ist deprimierend, diese Zahlen zu lesen **depressingly** *adv* deprimierend; ***it all sounded ~ familiar*** es hörte sich alles nur zu vertraut an **depression** *n* **1.** Depression *f*; MED Depressionen *pl* **2.** METEO Tief (-druckgebiet) *nt* **3.** ECON Flaute *f*; ***the Depression*** die Weltwirtschaftskrise

deprivation *n* **1.** (≈ *depriving*) Entzug *m*; (≈ *loss*) Verlust *m*; (*of rights*) Beraubung *f* **2.** (≈ *state*) Entbehrung *f* **deprive** *v/t* ***to ~ sb of sth*** jdn einer Sache (*gen*) berauben; (*of a right*) jdm etw vorenthalten; ***the team was ~d of the injured Owen*** die Mannschaft musste ohne den verletzten Owen auskommen; ***she was ~d of sleep*** sie litt an Schlafmangel **deprived** *adj person*, *background*, *area* benachteiligt; *childhood* arm; ***the ~ areas of the city*** die Armenviertel der Stadt

dept *abbr of* ***department*** Abt.

depth *n* **1.** Tiefe *f*; ***at a ~ of 3 feet*** in 3 Fuß Tiefe; ***to be out of one's ~*** (*lit*, *fig*) den Boden unter den Füßen verlieren; ***in ~*** eingehend; *interview* ausführlich **2.** ***~(s)*** Tiefen *pl*; ***in the ~s of despair*** in tiefster Verzweiflung; ***in the ~s of winter/the forest*** im tiefsten Winter/Wald; ***in the ~s of the countryside*** auf dem flachen Land; ***to sink to new ~s*** so tief wie nie zuvor sinken

deputize *v/i* vertreten (*for sb* jdn) **deputy I** *n* **1.** Stellvertreter(in) *m(f)* **2.** (*a.* **deputy sheriff**) Hilfssheriff *m* **II** *adj attr* stellvertretend

derail *v/t* entgleisen lassen; (*fig*) scheitern lassen; ***to be ~ed*** entgleisen **derailment** *n* Entgleisung *f*

deranged *adj mind* verwirrt; *person* geistesgestört

deregulate *v/t* deregulieren; *buses etc* dem freien Wettbewerb überlassen **deregulation** *n* Deregulierung *f*; (*of buses etc*) Wettbewerbsfreiheit *f* (*of* für)

derelict *adj* verfallen

deride *v/t* verspotten **derision** *n* Spott *m*; ***to be greeted with ~*** mit Spott aufgenommen werden **derisive** *adj* spöttisch **derisory** *adj* **1.** *amount* lächerlich **2.** = ***derisive***

derivation *n* Ableitung *f*; CHEM Derivation *f* **derivative I** *adj* abgeleitet; (*fig*) nachgeahmt **II** *n* Ableitung *f* **derive I** *v/t idea*, *name*, *origins* ableiten (*from* von); *profit* ziehen (*from* aus); *satisfaction* gewinnen (*from* aus) **II** *v/i* ***to ~ from*** sich ableiten von; (*power*, *fortune*) beruhen auf (+*dat*); (*ideas*) stammen von

dermatitis *n* Hautentzündung *f* **dermatologist** *n* Hautarzt *m*, Hautärztin *f* **dermatology** *n* Dermatologie *f*

derogatory *adj* abfällig

descend I *v/i* **1.** (*person*) hinuntergehen; (*lift*, *vehicle*) hinunterfahren; (*road*) hinunterführen; (*hill*) abfallen **2.** (≈ *have as ancestor*) abstammen (*from* von) **3.** (≈ *attack*) herfallen (*on*, *upon* über +*acc*); (*sadness etc*) befallen (*on*, *upon sb* jdn); (*silence*) sich senken (*on*, *upon* über +*acc*) **4.** (*infml* ≈ *visit*) ***to ~ (up)on sb*** jdn überfallen (*infml*); ***thousands of fans are expected to ~ on the city*** man erwartet, dass Tausende von Fans die Stadt überlaufen **5.** ***to ~ into chaos*** in Chaos versinken **II** *v/t* **1.** *stairs* hinuntergehen **2.** ***to be ~ed from*** abstammen von

descendant *n* Nachkomme *m* **descent** *n* **1.** (*of person*) Hinuntergehen *nt*; (*from mountain*, *of plane*) Abstieg *m*; ***~ by parachute*** Fallschirmabsprung *m* **2.** (≈ *ancestry*) Abstammung *f*; ***of noble ~*** von adliger Abstammung **3.** (*fig*, *into crime etc*) Absinken *nt* (*into* in +*acc*); (*into chaos*, *madness*) Versinken *nt* (*into* in +*acc*)

descramble *v/t* TEL entschlüsseln
describe *v/t* beschreiben; ***~ him for us*** beschreiben Sie ihn uns (*dat*); ***to ~ oneself/sb as ...*** sich/jdn als ... bezeichnen; ***the police ~ him as dangerous*** die Polizei bezeichnet ihn als gefährlich; ***he is ~d as being tall with short fair hair*** er wird als groß mit kurzen blonden Haaren beschrieben
description *n* **1.** Beschreibung *f*; ***she gave a detailed ~ of what had happened*** sie beschrieb ausführlich, was vorgefallen war; ***to answer (to)*** *or* ***fit the ~ of ...*** der Beschreibung als ... entsprechen; ***do you know anyone of this ~?*** kennen Sie jemanden, auf den diese Beschreibung zutrifft? **2.** (≈ *sort*) Art *f*; ***vehicles of every ~*** *or* ***of all ~s*** Fahrzeuge aller Art **descriptive** *adj* beschreibend; *account* anschaulich
desecrate *v/t* schänden **desecration** *n* Schändung *f*
desegregation *n* Aufhebung *f* der Rassentrennung (*of* in +*dat*), Desegregation *f*
desensitize *v/t* MED desensibilisieren; ***to become ~d to sth*** (*fig*) einer Sache (*dat*) gegenüber abstumpfen
desert[1] **I** *n* Wüste *f* **II** *adj attr* Wüsten-
desert[2] **I** *v/t* (≈ *leave*) verlassen; (≈ *abandon*) im Stich lassen; ***by the time the police arrived the place was ~ed*** als die Polizei eintraf, war niemand mehr da; ***in winter the place is ~ed*** im Winter ist der Ort verlassen **II** *v/i* (MIL, *fig*) desertieren **deserted** *adj* (≈ *abandoned*) verlassen; *place* unbewohnt; *street* menschenleer **deserter** *n* (MIL, *fig*) Deserteur(in) *m(f)* **desertion** *n* (≈ *act*) Verlassen *nt*; MIL Desertion *f*; (*fig*) Fahnenflucht *f*
desert island *n* einsame Insel
deserve *v/t* verdienen; ***he ~s to win*** er verdient den Sieg; ***he ~s to be punished*** er verdient es, bestraft zu werden; ***she ~s better*** sie hat etwas Besseres verdient **deservedly** *adv* verdientermaßen; ***and ~ so*** und das zu Recht **deserving** *adj* verdienstvoll; *winner* verdient
desiccated *adj* getrocknet
design I *n* **1.** (*of building*, *picture*, *dress etc*) Entwurf *m*; (*of car*, *machine*) Konstruktion *f*; ***it was a good/faulty ~*** es war gut/schlecht konstruiert **2.** *no pl* (*as subject*) Design *nt* **3.** (≈ *pattern*) Muster *nt* **4.** (≈ *intention*) Absicht *f*; ***by ~*** absichtlich; ***to have ~s on sb/sth*** es auf jdn/etw abgesehen haben **II** *v/t* **1.** (≈ *draw*) entwerfen; *machine* konstruieren; ***a well ~ed machine*** eine gut durchkonstruierte Maschine **2.** ***to be ~ed for sb/sth*** für jdn/etw bestimmt sein; ***this magazine is ~ed to appeal to young people*** diese Zeitschrift soll junge Leute ansprechen
designate *v/t* **1.** (≈ *appoint*) ernennen; ***to ~ sb as sth*** jdn zu etw ernennen **2.** (≈ *specify*) bestimmen; ***smoking is permitted in ~d areas*** Rauchen ist in den dafür bestimmten Bereichen erlaubt; ***to be the ~d driver*** als Fahrer bestimmt sein
designer I *n* **1.** Designer(in) **2.** (≈ *fashion designer*) Modeschöpfer(in) *m(f)* **3.** (*of machines etc*) Konstrukteur(in) *m(f)* **II** *adj attr* Designer-; ***~ clothes*** Designerkleider *pl*; ***~ stubble*** Dreitagebart *m*
design fault *n* Designfehler *m*
desirability *n* Wünschbarkeit *f* **desirable** *adj* **1.** wünschenswert; *action* erwünscht; *goal* erstrebenswert **2.** *position*, *offer* reizvoll **3.** *woman* begehrenswert **desire I** *n* Wunsch *m* (*for* nach); (≈ *longing*) Sehnsucht *f* (*for* nach); (*sexual*) Verlangen *nt* (*for* nach); ***a ~ for peace*** ein Verlangen *nt* nach Frieden; ***heart's ~*** Herzenswunsch *m*; ***I have no ~ to see him*** ich habe kein Verlangen, ihn zu sehen; ***I have no ~ to cause you any trouble*** ich möchte Ihnen keine Unannehmlichkeiten bereiten **II** *v/t* wünschen; *object* sich (*dat*) wünschen; *woman* begehren; *peace* verlangen nach; ***if ~d*** auf Wunsch; ***to have the ~d effect*** die gewünschte Wirkung haben; ***it leaves much*** *or* ***a lot to be ~d*** das lässt viel zu wünschen übrig; ***it leaves something to be ~d*** es lässt zu wünschen übrig
desk *n* Schreibtisch *m*; (*for pupils*) Pult *nt*; (*in shop*) Kasse *f*, Kassa *f* (*Aus*); (*in hotel*) Empfang *m* **desk calendar** *n* (*US*) Tischkalender *m* **desk clerk** *n* (*US*) Empfangschef *m*, Empfangsdame *f* **desk job** *n* Bürojob *m* **desk lamp** *n* Schreibtischlampe *f* **desktop computer** *n* Desktopcomputer *m* **desktop publishing** *n* Desktop-Publishing *nt*
desolate *adj* trostlos; *place* verwüstet; *feeling*, *cry* verzweifelt **desolation** *n* **1.** (*by war*) Verwüstung *f* **2.** (*of landscape* ≈ *grief*) Trostlosigkeit *f*

despair I *n* Verzweiflung *f* (*about*, *at* über +*acc*); ***he was filled with ~*** Verzweiflung überkam ihn; ***to be in ~*** verzweifelt sein **II** *v/i* verzweifeln; ***to ~ of doing sth*** alle Hoffnung aufgeben, etw zu tun **despairing** *adj*, **despairingly** *adv* verzweifelt

despatch *v/t*, *n* (*esp Br*) = ***dispatch***

desperate *adj* **1.** verzweifelt; *criminal* zum Äußersten entschlossen; *solution* extrem; ***to get*** *or* ***grow ~*** verzweifeln; ***things are ~*** die Lage ist extrem; ***the ~ plight of the refugees*** die schreckliche Not der Flüchtlinge; ***to be ~ to do sth*** etw unbedingt tun wollen; ***to be ~ for sth*** etw unbedingt brauchen; ***are you going out with Jim? you must be ~!*** (*infml hum*) du gehst mit Jim aus? dir muss es ja wirklich schlecht gehen!; ***I'm not that ~!*** so schlimm ist es auch wieder nicht! **2.** *need*, *shortage* dringend; ***to be in ~ need of sth*** etw dringend brauchen; ***a building in ~ need of repair*** ein Gebäude, das dringend repariert werden muss **desperately** *adv* **1.** *fight*, *look for*, *try* verzweifelt **2.** *need* dringend; *want* unbedingt **3.** *important*, *sad* äußerst; ***~ ill*** schwer krank; ***to be ~ worried (about sth)*** sich (*dat*) (über etw *acc*) schreckliche Sorgen machen; ***I'm not ~ worried*** ich mache mir keine allzu großen Sorgen; ***to be ~ keen to do sth*** etw unbedingt tun wollen; ***I'm not ~ keen on ...*** ich bin nicht besonders scharf auf (*acc*) ...; ***~ unhappy*** todunglücklich; ***to try ~ hard to do sth*** verzweifelt versuchen, etw zu tun **desperation** *n* Verzweiflung *f*

despicable *adj* verabscheuungswürdig; *person* verachtenswert **despicably** *adv* (+*vb*) abscheulich

despise *v/t* verachten; ***to ~ oneself (for sth)*** sich selbst (wegen etw) verachten

despite *prep* trotz (+*gen*); ***~ his warnings*** seinen Warnungen zum Trotz; ***~ what she says*** trotz allem, was sie sagt

despondent *adj* niedergeschlagen

despot *n* Despot(in) *m(f)*

dessert *n* Nachtisch *m*; ***for ~*** zum Nachtisch **dessertspoon** *n* Dessertlöffel *m*

destabilization *n* Destabilisierung *f* **destabilize** *v/t* destabilisieren

destination *n* (*of person*) Reiseziel *nt*; (*of goods*) Bestimmungsort *m* **destine** *v/t* (≈ *set apart*, *predestine*) bestimmen; ***to be ~d to do sth*** dazu bestimmt sein, etw zu tun; ***we were ~d to meet*** das Schicksal hat es so gewollt, dass wir uns begegnen; ***I was ~d never to see them again*** ich sollte sie nie (mehr) wiedersehen **destined** *adj* ***~ for*** unterwegs nach; *goods* für **destiny** *n* Schicksal *nt*; ***to control one's own ~*** sein Schicksal selbst in die Hand nehmen

destitute *adj* mittellos

destroy *v/t* zerstören; *watch etc* kaputt machen; *documents*, *trace*, *person* vernichten; *animal* einschläfern; *hopes*, *chances* zunichtemachen; ***to be ~ed by fire*** durch Brand vernichtet werden

destroyer *n* NAUT Zerstörer *m*

destruction *n* **1.** (≈ *destroying*) Zerstörung *f*; (*of people*, *documents*) Vernichtung *f* **2.** (≈ *damage*) Verwüstung *f* **destructive** *adj* destruktiv; *power*, *nature* zerstörerisch **destructiveness** *n* Destruktivität *f*; (*of fire*, *war*) zerstörende Wirkung; (*of weapon*) Zerstörungskraft *f*

detach *v/t rope*, *cart* loslösen; *section of form* abtrennen; *part of machine*, *hood* abnehmen (*from* von) **detachable** *adj part of machine*, *collar* abnehmbar; *section of document* abtrennbar (*from* von)

detached *adj* **1.** *manner* distanziert **2.** (*Br*) ***~ house*** Einzelhaus *nt*

detail *n* Detail *nt*; (*particular*) Einzelheit *f*; ***in ~*** im Detail; ***in great ~***, ***please send me further ~s*** bitte schicken Sie mir nähere Einzelheiten; ***to go into ~s*** ins Detail gehen; ***his attention to ~*** seine Aufmerksamkeit für das Detail **detailed** *adj* ausführlich; *analysis* eingehend; *knowledge*, *work*, *results*, *picture* detailliert

detain *v/t* (*police*) in Haft nehmen; ***to be ~ed*** (≈ *be arrested*) verhaftet werden; (≈ *be in detention*) sich in Haft befinden; ***to ~ sb for questioning*** jdn zur Vernehmung festhalten

detect *v/t* entdecken; (≈ *make out*) ausfindig machen; *crime* aufdecken; *movement*, *noise* wahrnehmen **detection** *n* **1.** (*of crime*, *fault*) Entdeckung *f*; ***to avoid*** *or* ***escape ~*** nicht entdeckt werden **2.** (*of gases*, *mines*) Aufspürung *f* **detective** *n* Detektiv(in) *m(f)*; (≈ *police detective*) Kriminalbeamte(r) *m*/-beamtin *f* **detective agency** *n* Detektivbüro *nt* **detective constable** *n* (*Br*) Kriminalbeamte(r) *m*/-beamtin *f* **detective inspector**

n Kriminalinspektor(in) *m(f)* **detective sergeant** *n* Kriminalmeister(in) *m(f)* **detective story** *n* Kriminalgeschichte *f*, Krimi *m* (*infml*) **detective work** *n* kriminalistische Arbeit **detector** *n* TECH Detektor *m*

detention *n* (≈ *captivity*) Haft *f*; (≈ *act*) Festnahme *f*; SCHOOL Nachsitzen *nt*; ***he's in ~*** SCHOOL er sitzt nach **detention centre**, (*US*) **detention center** *n* Jugendstrafanstalt *f*

deter *v/t* (≈ *prevent*) abhalten; (≈ *discourage*) abschrecken; ***to ~ sb from sth*** jdn von etw abhalten; ***to ~ sb from doing sth*** jdn davon abhalten, etw zu tun

detergent *n* Reinigungsmittel *nt*; (≈ *soap powder etc*) Waschmittel *nt*

deteriorate *v/i* sich verschlechtern; (*materials*) verderben; (*profits*) zurückgehen **deterioration** *n* Verschlechterung *f*; (*of materials*) Verderben *nt*

determinate *adj number, direction* bestimmt; *concept* festgelegt **determination** *n* Entschlossenheit *f*; ***he has great ~*** er ist ein Mensch von großer Entschlusskraft **determine** *v/t* bestimmen; *conditions, price* festlegen

determined *adj* entschlossen; ***to make a ~ effort*** *or* ***attempt to do sth*** sein Möglichstes tun, um etw zu tun; ***he is ~ that ...*** er hat (fest) beschlossen, dass ...; ***to be ~ to do sth*** fest entschlossen sein, etw zu tun; ***he's ~ to make me lose my temper*** er legt es darauf an, dass ich wütend werde

deterrent I *n* Abschreckungsmittel *nt*; ***to be a ~*** abschrecken **II** *adj* abschreckend

detest *v/t* hassen; ***I ~ having to get up early*** ich hasse es, früh aufstehen zu müssen **detestable** *adj* widerwärtig, abscheulich

detonate I *v/i* (*fuse*) zünden; (*bomb*) detonieren **II** *v/t* zur Explosion bringen **detonator** *n* Zündkapsel *f*

detour *n* **1.** Umweg *m*; ***to make a ~*** einen Umweg machen **2.** (*for traffic*) Umleitung *f*

detox *n* (*infml*) Entzug *m* (*infml*) **detoxification** *n* Entgiftung *f*

detract *v/i* ***to ~ from sth*** einer Sache (*dat*) Abbruch tun

detriment *n* Schaden *m*; ***to the ~ of sth*** zum Schaden von etw **detrimental** *adj* schädlich; (*to case, cause*) abträglich (*to dat*); ***to be ~ to sb/sth*** jdm / einer Sache (*dat*) schaden

deuce *n* TENNIS Einstand *m*

Deutschmark *n* HIST D-Mark *f*

devaluation *n* Abwertung *f* **devalue** *v/t* abwerten

devastate *v/t* **1.** *town, land* verwüsten; *economy* zugrunde richten **2.** (*infml* ≈ *overwhelm*) umhauen (*infml*); ***I was ~d*** das hat mich umgehauen (*infml*); ***they were ~d by the news*** die Nachricht hat sie tief erschüttert **devastating** *adj* **1.** (≈ *destructive*) verheerend; ***to be ~ to*** *or* ***for sth, to have a ~ effect on sth*** verheerende Folgen für etw haben **2.** (*fig*) *effect* schrecklich; *news* niederschmetternd; *attack, performance* unschlagbar; *defeat, blow* vernichtend; ***a ~ loss*** ein vernichtender Verlust; ***to be ~ for sb*** jdn niederschmettern **devastation** *n* Verwüstung *f*

develop I *v/t* **1.** entwickeln **2.** *region, ground* erschließen; *old part of a town* sanieren; *cold* sich (*dat*) zuziehen **II** *v/i* sich entwickeln; (*talent, plot etc*) sich entfalten; ***to ~ into sth*** sich zu etw entwickeln **developer** *n* **1.** = ***property developer*** **2.** ***late ~*** Spätentwickler(in) *m(f)* **developing** *adj crisis* aufkommend; *economy* sich entwickelnd; ***the ~ world*** die Entwicklungsländer *pl* **developing country** *n* Entwicklungsland *nt*

development *n* **1.** Entwicklung *f*; ***to await (further) ~s*** neue Entwicklungen abwarten **2.** (*of area, new town*) Erschließung *f*; (*of old part of town*) Sanierung *f*; ***industrial ~*** Gewerbegebiet *nt*; ***office ~*** Bürokomplex *m*; ***we live in a new ~*** wir leben in einer neuen Siedlung **developmental** *adj* Entwicklungs-; ***~ aid*** *or* ***assistance*** POL Entwicklungshilfe *f*; ***~ stage*** Entwicklungsphase *f* **development grant** *n* Entwicklungsförderung *f*

deviate *v/i* abweichen (*from* von) **deviation** *n* Abweichung *f*

device *n* **1.** Gerät *nt*; ***(explosive) ~*** Sprengkörper *m* **2.** ***to leave sb to his own ~s*** jdn sich (*dat*) selbst überlassen

devil *n* **1.** Teufel *m*; (≈ *object*) Plage *f*; ***you little ~!*** du kleiner Satansbraten!; ***go on, be a ~*** los, nur zu, riskiers! (*infml*) **2.** (*infml*) ***I had a ~ of a job getting here*** es war verdammt schwierig, hierherzukommen (*infml*); ***who the ~ ...?*** wer zum Teufel ...? **3.** ***to be between the Devil and the deep blue sea*** sich in einer Zwickmühle befinden; ***go to the ~!*** (*infml*) scher dich zum Teufel! (*infml*); ***speak of the ~!*** wenn man vom Teufel spricht!; ***better the ~ you know*** (***than the ~ you don't***) (*prov*) von zwei Übeln wählt man besser das, was man schon kennt **devilish** *adj* teuflisch **devil's advocate** *n* ***to play ~*** den Advocatus Diaboli spielen

devious *adj person* verschlagen; *means* hinterhältig; *plan, game, attempt* trickreich; ***by ~ means*** auf die krumme Tour (*infml*); ***to have a ~ mind*** ganz schön schlau sein **deviously** *adv* (+*vb*) mit List und Tücke **deviousness** *n* Verschlagenheit *f*

devise *v/t scheme, style* sich (*dat*) ausdenken; *means* finden; *plan* schmieden; *strategy* ausarbeiten

devoid *adj* ***~ of*** ohne

devolution *n* (*of power*) Übertragung *f* (*from ... to* von ... auf +*acc*); POL Dezentralisierung *f* **devolve** *v/t* übertragen; (*on, upon* auf +*acc*) ***a ~d government*** eine dezentralisierte Regierung

devote *v/t* widmen (*to dat*); *one's energies* konzentrieren (*to* auf +*acc*); *building* verwenden (*to* für) **devoted** *adj wife, father* liebend; *servant, fan* treu; *admirer* eifrig; ***to be ~ to sb*** jdn innig lieben; (*servant, fan*) jdm treu ergeben sein; ***to be ~ to one's family*** in seiner Familie völlig aufgehen **devotedly** *adv* hingebungsvoll; *serve, follow* treu; *support* eifrig **devotion** *n* (*to friend, wife etc*) Ergebenheit *f* (*to* gegenüber); (*to work*) Hingabe *f* (*to* an +*acc*); ***~ to duty*** Pflichteifer *m*

devour *v/t* verschlingen

devout *adj person, Muslim* fromm; *Marxist, follower* überzeugt **devoutly** *adv* (REL, +*adj*) tief; (+*vb*) fromm

dew *n* Tau *m*

dexterity *n* Geschick *nt*

DfEE (*Br*) *abbr of* ***Department for Education and Employment*** Ministerium *nt* für Bildung und Arbeit

diabesity *n* Diabetes *m* wegen Fettleibigkeit **diabetes** *n* Diabetes *m* **diabetic I** *adj* **1.** zuckerkrank **2.** *chocolate, drugs* für Diabetiker **II** *n* Diabetiker(in) *m*(*f*)

diabolic, diabolical *adj* (*infml*) entsetzlich; ***diabolical weather*** Sauwetter *nt* (*infml*)

diagnose *v/t* diagnostizieren **diagnosis** *n, pl* ***diagnoses*** Diagnose *f*; ***to make a ~*** eine Diagnose stellen **diagnostic** *adj* diagnostisch **diagnostics** *n sg or pl* Diagnose *f*

diagonal I *adj* diagonal **II** *n* Diagonale *f* **diagonally** *adv* diagonal; (≈ *crossways*) schräg; ***he crossed the street ~*** er ging schräg über die Straße; ***~ opposite sb/sth*** jdm/einer Sache (*dat*) schräg gegenüber

diagram *n* Diagramm *nt*; (≈ *chart*) grafische Darstellung; ***as shown in the ~*** wie das Diagramm/die grafische Darstellung zeigt

dial I *n* (*of clock*) Zifferblatt *nt*; (*of gauge*) Skala *f*; TEL Nummernscheibe *f*; (*on radio etc*) Einstellskala *f* **II** *v/t & v/i* TEL wählen; ***to ~ direct*** durchwählen; ***you can ~ London direct*** man kann nach London durchwählen; ***to ~ 999*** den Notruf wählen

dialect I *n* Dialekt *m*; (*local, rural also*) Mundart *f*; ***the country people spoke in ~*** die Landbevölkerung sprach Dialekt **II** *attr* Dialekt-

dialling code *n* (*Br* TEL) Vorwahl(nummer) *f* **dialling tone** *n* (*Br* TEL) Amtszeichen *nt*

dialogue, (*US*) **dialog** *n* Dialog *m*; ***~ box*** IT Dialogfeld *nt*

dial tone *n* (*US* TEL) Amtszeichen *nt* **dial-up** *adj attr* IT Wähl-; ***~ link*** Wählverbindung *f*; ***~ modem*** (Wähl)modem *nt*

dialysis *n* Dialyse *f*

diameter *n* Durchmesser *m*; ***to be one foot in ~*** einen Durchmesser von einem Fuß haben

diamond *n* **1.** Diamant *m* **2. diamonds** *pl* CARDS Karo *nt*; ***the seven of ~s*** die Karosieben; ***~ bracelet*** Diamantarmband *nt* **diamond jubilee** *n* 60-jähriges Jubiläum **diamond-shaped** *adj* rautenförmig **diamond wedding** *n* diamantene Hochzeit

diaper *n* (*US*) Windel *f*

diaphragm *n* ANAT, PHYS Diaphragma *nt*; PHOT Blende *f*; (≈ *contraceptive*) Pessar *nt*

diarrhoea, (*US*) **diarrhea** *n* Durchfall *m*

diary *n* (*of personal experience*) Tagebuch *nt*; (*for noting dates*) (Termin)kalender *m*; ***to keep a ~*** Tagebuch führen; ***desk/pocket ~*** Schreibtisch-/Taschenkalender *m*; ***I've got it in my ~*** es steht in meinem (Termin)kalender

dice I *n*, *pl* **-** Würfel *m*; ***to roll the ~*** würfeln **II** *v/t* COOK in Würfel schneiden

dick *n* (*sl* ≈ *penis*) Schwanz *m* (*sl*) **dickhead** *n* (*pej infml*) Idiot *m* (*infml*)

dicky bow *n* (*Br* ≈ *bow tie*) Fliege *f*

dictate *v/t & v/i* diktieren ◆ **dictate to** *v/i +prep obj* diktieren (*+dat*); ***I won't be dictated to*** ich lasse mir keine Vorschriften machen

dictation *n* Diktat *nt*

dictator *n* Diktator(in) *m(f)* **dictatorial** *adj*, **dictatorially** *adv* diktatorisch **dictatorship** *n* (POL, *fig*) Diktatur *f*

diction *n* (≈ *way of speaking*) Diktion *f*

dictionary *n* Wörterbuch *nt*

did *pret of* **do**

didactic *adj* didaktisch

didn't = ***did not***; → ***do***

die I *v/i* **1.** (*lit*) sterben; ***to ~ of*** *or* ***from hunger/pneumonia*** vor Hunger / an Lungenentzündung sterben; ***he ~d from his injuries*** er erlag seinen Verletzungen; ***he ~d a hero*** er starb als Held; ***to be dying*** im Sterben liegen; ***never say ~!*** nur nicht aufgeben!; ***to ~ laughing*** (*infml*) sich totlachen (*infml*); ***I'd rather ~!*** (*infml*) lieber würde ich sterben! **2.** (*fig infml*) ***to be dying to do sth*** darauf brennen, etw zu tun; ***I'm dying to know what happened*** ich bin schrecklich gespannt zu hören, was passiert ist; ***I'm dying for a cigarette*** ich brauche jetzt unbedingt eine Zigarette; ***I'm dying of thirst*** ich verdurste fast; ***I'm dying for him to visit*** ich kann seinen Besuch kaum noch abwarten **II** *v/t* ***to ~ a hero's/a violent death*** den Heldentod / eines gewaltsamen Todes sterben ◆ **die away** *v/i* (*sound*) schwächer werden; (*wind*) sich legen ◆ **die down** *v/i* nachlassen; (*fire*) herunterbrennen; (*noise*) schwächer werden ◆ **die off** *v/i* (hin)wegsterben ◆ **die out** *v/i* aussterben

die-hard *adj* zäh; (*pej*) reaktionär

diesel *n* Diesel *m* **diesel oil** *n* Dieselöl *nt*

diet I *n* Nahrung *f*; (≈ *special diet*) Diät *f*; (≈ *slimming diet*) Schlankheitskur *f*; ***to put sb on a ~*** jdm eine Schlankheitskur verordnen; ***to be/go on a ~*** eine Schlankheitskur machen **II** *v/i* eine Schlankheitskur machen **dietician** *n* Diätist(in) *m(f)*

differ *v/i* **1.** (≈ *be different*) sich unterscheiden (*from* von) **2.** ***to ~ with sb over sth*** über etw (*acc*) anderer Meinung sein als jd

difference *n* **1.** Unterschied *m* (*in*, *between* zwischen *+dat*); ***that makes a big ~ to me*** das ist für mich ein großer Unterschied; ***to make a ~ to sth*** einen Unterschied bei etw machen; ***that makes a big*** *or* ***a lot of ~***, ***that makes all the ~*** das ändert die Sache völlig; ***what ~ does it make if ...?*** was macht es schon, wenn ...?; ***it makes no ~***, ***it doesn't make any ~*** es ist egal; ***it makes no ~ to me*** das ist mir egal; ***for all the ~ it makes*** obwohl es ja eigentlich egal ist; ***I can't tell the ~*** ich kann keinen Unterschied erkennen; ***a job with a ~*** (*infml*) ein Job, der mal was anderes ist **2.** (*between amounts*) Differenz *f* **3.** (≈ *quarrel*) Auseinandersetzung *f*; ***a ~ of opinion*** eine Meinungsverschiedenheit; ***to settle one's ~s*** die Differenzen beilegen

different I *adj* andere(r, s), anders *pred* (*from*, *to* als); *two people*, *things* (≈ *various*) verschieden; ***completely ~*** völlig verschieden; (≈ *changed*) völlig verändert; ***that's ~!*** das ist was anderes!; ***in what way are they ~?*** wie unterscheiden sie sich?; ***to feel (like) a ~ person*** ein ganz anderer Mensch sein; ***to do something ~*** etwas anderes tun; ***that's quite a ~ matter*** das ist etwas völlig anderes; ***he wants to be ~*** er will unbedingt anders sein **II** *adv* anders; ***he doesn't know any ~*** (*with behaviour*) er weiß es nicht besser **differential** *n* Unterschied *m* (*between* zwischen) **differentiate** *v/t & v/i* unterscheiden **differently** *adv* anders (*from* als); (*from one another*) unterschiedlich

difficult *adj* schwer; *person*, *situation*, *book* schwierig; ***the ~ thing is that ...*** die Schwierigkeit liegt darin, dass ...; ***it was a ~ decision to make*** es war eine schwere Entscheidung; ***it was ~ for him to leave her*** es fiel ihm schwer, sie zu verlassen; ***it's ~ for youngsters*** *or* ***youngsters find it ~ to get a job*** junge Leute haben Schwierigkeiten, eine Stelle zu finden; ***he's ~ to get on with*** es ist schwer, mit ihm auszukommen; ***to make it ~ for sb*** es jdm nicht leicht machen; ***to have a ~ time (doing sth)*** Schwierigkei-

ten haben(, etw zu tun); ***to put sb in a ~ position*** jdn in eine schwierige Lage bringen; ***to be ~ (about sth)*** (wegen etw) Schwierigkeiten machen
difficulty *n* Schwierigkeit *f*; ***with/without ~*** mit/ohne Schwierigkeiten; ***he had ~ (in) setting up in business*** es fiel ihm nicht leicht, sich selbstständig zu machen; ***she had great ~ (in) breathing*** sie konnte kaum atmen; ***in ~*** *or* ***difficulties*** in Schwierigkeiten; ***to get into difficulties*** in Schwierigkeiten geraten
diffident *adj* zurückhaltend, bescheiden; *smile* zaghaft
diffuse *v/t tension* abbauen
dig *vb*: *pret, past part* **dug I** *v/t* **1.** graben; *garden* umgraben; *grave* ausheben **2.** (≈ *poke, thrust*) bohren (*sth into sth* etw in etw *acc*); ***to ~ sb in the ribs*** jdn in die Rippen stoßen **II** *v/i* graben; TECH schürfen; ***to ~ for minerals*** Erz schürfen **III** *n* (*Br*) Stoß *m*; ***to give sb a ~ in the ribs*** jdm einen Rippenstoß geben ◆ **dig around** *v/i* (*infml*) herumsuchen ◆ **dig in I** *v/i* (*infml* ≈ *eat*) reinhauen (*infml*) **II** *v/t sep* ***to dig one's heels in*** (*fig*) sich auf die Hinterbeine stellen (*infml*) ◆ **dig into** *v/i +prep obj* ***to dig (deep) into one's pockets*** (*fig*) tief in die Tasche greifen ◆ **dig out** *v/t sep* ausgraben (*of* aus) ◆ **dig up** *v/t sep* ausgraben; *earth* aufwühlen; *garden* umgraben; ***where did you dig her up?*** (*infml*) wo hast du die denn aufgegabelt? (*infml*)
digest *v/t & v/i* verdauen **digestible** *adj* verdaulich **digestion** *n* Verdauung *f* **digestive I** *adj* Verdauungs- **II** *n* **1.** (*US* ≈ *aperitif*) Aperitif *m* **2.** (*Br*, *a.* **digestive biscuit**) *Keks aus Roggenmehl* **digestive system** *n* Verdauungssystem *nt*
digger *n* (TECH ≈ *excavator*) Bagger *m*
digicam *n* IT Digitalkamera *f*
digit *n* **1.** (≈ *finger*) Finger *m* **2.** (≈ *toe*) Zehe *f* **3.** MAT Ziffer *f*; ***a four-~ number*** eine vierstellige Zahl
digital *adj* Digital-; ***~ display*** Digitalanzeige *f*; ***~ technology*** Digitaltechnik *f* **digital audio tape** *n* DAT-Band *nt* **digital camera** *n* Digitalkamera *f* **digitally** *adv* digital; ***~ remastered*** digital aufbereitet; ***~ recorded*** im Digitalverfahren aufgenommen **digital radio** *n* digitales Radio **digital recording** *n* Digitalaufnahme *f* **digital television, digital TV** *n* digitales Fernsehen
digitize *v/t* IT digitalisieren
dignified *adj person* (ehr)würdig; *manner, face* würdevoll **dignitary** *n* Würdenträger(in) *m(f)* **dignity** *n* Würde *f*; ***to die with ~*** in Würde sterben; ***to lose one's ~*** sich blamieren
digress *v/i* abschweifen
dike *n* = ***dyke***
dilapidated *adj* verfallen
dilate *v/i* (*pupils*) sich erweitern
dildo *n* Dildo *m*
dilemma *n* Dilemma *nt*; ***to be in a ~*** sich in einem Dilemma befinden; ***to place sb in a ~*** jdn in ein Dilemma bringen (*infml*)
diligence *n* Fleiß *m* **diligent** *adj person* fleißig; *search, work* sorgfältig **diligently** *adv* fleißig; (≈ *carefully*) sorgfältig
dill *n* Dill *m* **dill pickle** *n* saure Gurke (*mit Dill eingelegt*)
dilute I *v/t* verdünnen; ***~ to taste*** nach Geschmack verdünnen **II** *adj* verdünnt
dim I *adj* (+*er*) **1.** *light* schwach; *room* dunkel; ***the room grew ~*** im Zimmer wurde es dunkel **2.** (≈ *vague*) undeutlich; *memory* dunkel; ***I have a ~ recollection of it*** ich erinnere mich nur (noch) dunkel daran **3.** (*infml* ≈ *stupid*) beschränkt (*infml*) **II** *v/t light* dämpfen; ***to ~ the lights*** THEAT das Licht langsam ausgehen lassen **III** *v/i* (*light*) schwach werden
dime *n* (*US*) Zehncentstück *nt*
dimension *n* Dimension *f*; (≈ *measurement*) Maß *nt* **-dimensional** *adj suf* -dimensional
diminish I *v/t* verringern **II** *v/i* sich verringern; ***to ~ in size*** kleiner werden; ***to ~ in value*** im Wert sinken
diminutive I *adj* winzig, klein; GRAM diminutiv **II** *n* GRAM Verkleinerungsform *f*
dimly *adv* **1.** *shine* schwach **2.** (≈ *vaguely*) undeutlich; *see* verschwommen; ***I was ~ aware that ...*** es war mir undeutlich bewusst, dass ... **dimmer** *n* ELEC Dimmer *m*; ***~s*** *pl* (*US* AUTO) Abblendlicht *nt*; (≈ *sidelights*) Begrenzungsleuchten *pl* **dimmer switch** *n* Dimmer *m* **dimness** *n* **1.** (*of light*) Schwäche *f*; ***the ~ of the room*** das Halbdunkel im Zimmer **2.** (*of shape*) Undeutlichkeit *f*
dimple *n* (*on cheek, chin*) Grübchen *nt*
din *n* Lärm *m*; ***an infernal ~*** ein Höllenlärm *m*

dine *v/i* speisen (*on* etw); ***they~d on caviare every night*** sie aßen jeden Abend Kaviar **diner** *n* **1.** (≈ *person*) Speisende(r) *m/f(m)*; (*in restaurant*) Gast *m* **2.** (≈ *café etc*) Esslokal *nt*
dinghy *n* Dingi *nt*; (*collapsible*) Schlauchboot *nt*
dinginess *n* Unansehnlichkeit *f* **dingy** *adj* (*+er*) düster
dining car *n* Speisewagen *m* **dining hall** *n* Speisesaal *m*
dining room *n* Esszimmer *nt*; (*in hotel*) Speiseraum *m* **dining table** *n* Esstisch *m*
dinky *adj* **1.** (*Br infml* ≈ *cute*) schnuckelig (*infml*) **2.** (*US infml* ≈ *small*) winzig
dinner *n* (≈ *evening meal*) Abendessen *nt*, Nachtmahl *nt* (*Aus*), Nachtessen *nt* (*Swiss*); (*formal*) Essen *nt*; (≈ *lunch*) Mittagessen *nt*; ***to be eating*** *or* ***having one's ~*** zu Abend/Mittag essen; ***we're having people to ~*** wir haben Gäste zum Essen; ***~'s ready*** das Essen ist fertig; ***to finish one's ~*** zu Ende essen; ***to go out to ~*** (*in restaurant*) auswärts essen (gehen) **dinner-dance** *n Abendessen mit Tanz* **dinner jacket** *n* Smokingjacke *f* **dinner money** *n* (*Br* SCHOOL) Essensgeld *nt* **dinner party** *n* Abendgesellschaft *f* (mit Essen); ***to have*** *or* ***give a small ~*** ein kleines Essen geben **dinner plate** *n* Tafelteller *m* **dinner service** *n* Tafelservice *nt* **dinner table** *n* Tafel *f*
dinnertime *n* Essenszeit *f*
dinosaur *n* Dinosaurier *m*
diocese *n* Diözese *f*
diode *n* Diode *f*
dioxide *n* Dioxid *nt*
Dip *abbr of* ***diploma***
dip I *v/t* **1.** (*in(to)* in *+acc*) (*into liquid*) tauchen; *bread* (ein)tunken; ***to ~ sth in flour/egg*** etw in Mehl/Ei wälzen **2.** (*into bag*) *hand* stecken **3.** (*Br* AUTO) *headlights* abblenden; ***~ped headlights*** Abblendlicht *nt* **II** *v/i* (*ground*) sich senken; (*temperature*, *prices*) fallen **III** *n* **1.** ***to go for a*** *or* ***to have a ~*** kurz mal schwimmen gehen **2.** (≈ *hollow*) Bodensenke *f*; (≈ *slope*) Abfall *m* **3.** (*in prices etc*) Fallen *nt* **4.** COOK Dip *m* ◆ **dip into** *v/i +prep obj* **1.** (*fig*) ***to ~ one's pocket*** tief in die Tasche greifen; ***to ~ one's savings*** an seine Ersparnisse gehen **2.** *book* einen kurzen Blick werfen in (*+acc*)
diphtheria *n* Diphtherie *f*
diphthong *n* Diphthong *m*
diploma *n* Diplom *nt*
diplomacy *n* Diplomatie *f*; ***to use ~*** diplomatisch vorgehen **diplomat** *n* Diplomat(in) *m(f)* **diplomatic** *adj* diplomatisch **diplomatic bag** *n* (*Br*) Diplomatenpost *f* **diplomatic immunity** *n* Immunität *f* **diplomatic pouch** *n* (*US*) Diplomatenpost *f* **diplomatic service** *n* diplomatischer Dienst
dipper *n* (*US* ASTRON) ***the Big*** *or* ***Great/Little Dipper*** der Große/Kleine Wagen *or* Bär
dippy *adj* (*infml*) meschugge (*infml*)
dip rod *n* (*US*) = ***dipstick*** **dipstick** *n* Ölmessstab *m*
DIP switch *n* IT DIP-Schalter *m*
dip switch *n* AUTO Abblendschalter *m*
dire *adj* **1.** *consequences* verheerend; *warning*, *prediction*, *threat* unheilvoll; *effects* katastrophal; *situation* miserabel; ***in ~ poverty*** in äußerster Armut; ***to be in ~ need of sth*** etw dringend brauchen; ***to be in ~ straits*** in einer ernsten Notlage sein **2.** (*infml* ≈ *awful*) mies (*infml*)
direct I *adj* direkt; *responsibility*, *cause* unmittelbar; *train* durchgehend; *opposite* genau; ***to be a ~ descendant of sb*** ein direkter Nachkomme von jdm sein; ***to pay by ~ debit*** (*Br*) *or* ***deposit*** (*US*) per Einzugsauftrag bezahlen; ***avoid ~ sunlight*** direkte Sonneneinstrahlung meiden; ***to take a ~ hit*** einen Volltreffer einstecken **II** *v/t* **1.** *remark*, *letter* richten (*to* an *+acc*); *efforts*, *look* richten (*towards* auf *+acc*); *anger* auslassen (*towards* an *+acc*); ***the violence was ~ed against the police*** die Gewalttätigkeiten richteten sich gegen die Polizei; ***to ~ sb's attention to sb/sth*** jds Aufmerksamkeit auf jdn/etw lenken; ***can you ~ me to the town hall?*** können Sie mir den Weg zum Rathaus sagen? **2.** *business* leiten; *traffic* regeln **3.** (≈ *order*) anweisen (*sb to do sth* jdn, etw zu tun) **4.** *film*, *play* Regie führen bei; *radio/TV programme* leiten **III** *adv* direkt **direct access** *n* IT Direktzugriff *m* **direct action** *n* direkte Aktion; ***to take ~*** direkt handeln **direct current** *n* ELEC Gleichstrom *m* **direct flight** *n* Direktflug *m*
direction *n* **1.** Richtung *f*; ***in the wrong/right ~*** in die falsche/richtige Richtung; ***in the ~ of Hamburg/the hotel*** in Rich-

tung Hamburg/des Hotels; ***a sense of ~*** (*lit*) Orientierungssinn *m* **2.** (*of company etc*) Leitung *f* **3.** (*of film, play*) Regie *f*; (*of radio/TV programme*) Leitung *f* **4. directions** *pl* (≈ *instructions*) Anweisungen *pl*; (*to a place*) Angaben *pl*; (*for use*) (Gebrauchs)anweisung *f* **directive** *n* Direktive *f* **directly** *adv* direkt; (≈ *at once*) sofort; (≈ *shortly*) gleich; ***he is ~ descended from X*** er stammt in direkter Linie von X ab; ***~ responsible*** unmittelbar verantwortlich **direct object** *n* GRAM direktes Objekt **director** *n* Direktor(in) *m(f)*; FILM, THEAT Regisseur(in) *m(f)* **director's chair** *n* FILM Regiestuhl *m* **director's cut** *n* FILM vom Regisseur geschnittene Fassung **directory** *n* **1.** Adressbuch *nt*; (≈ *telephone directory*) Telefonbuch *nt*; (≈ *trade directory*) Branchenverzeichnis *nt*; ***~ inquiries*** (*Br*) *or* ***assistance*** (*US*) (TEL) (Fernsprech)auskunft *f* **2.** IT Directory *nt*

dirt *n* Schmutz *m*; (≈ *soil*) Erde *f*; (≈ *excrement*) Dreck *m*; ***to be covered in ~*** völlig verschmutzt sein; ***to treat sb like ~*** jdn wie (den letzten) Dreck behandeln (*infml*) **dirt-cheap** *adj, adv* (*infml*) spottbillig (*infml*) **dirt track** *n* Feldweg *m*; SPORTS Aschenbahn *f*

dirty I *adj* (*+er*) schmutzig; *player* unfair; *book, film, word* unanständig; ***to get sth ~*** etw schmutzig machen; ***to do the ~ deed*** (*Br usu hum*) die Übeltat vollbringen; ***a ~ mind*** eine schmutzige Fantasie; ***~ old man*** (*pej, hum*) alter Lustmolch (*infml*); ***to give sb a ~ look*** (*infml*) jdm einen giftigen Blick zuwerfen (*infml*) **II** *v/t* beschmutzen **dirty bomb** *n* (MIL *sl*) schmutzige Bombe **dirty trick** *n* gemeiner Trick **dirty weekend** *n* (*hum infml*) Liebeswochenende *nt* **dirty work** *n* ***to do sb's ~*** (*fig*) sich (*dat*) für jdn die Finger schmutzig machen

disability *n* Behinderung *f* **disable** *v/t* **1.** *person* zum/zur Behinderten machen **2.** *gun* unbrauchbar machen **disabled I** *adj* behindert; ***severely/partially ~*** schwer/leicht behindert; ***physically ~*** körperbehindert; ***mentally ~*** geistig behindert; ***~ toilet*** Behindertentoilette *f* **II** *pl* ***the ~*** die Behinderten *pl*

disadvantage *n* Nachteil *m*; ***to be at a ~*** im Nachteil sein; ***to put sb at a ~*** jdn benachteiligen **disadvantaged** *adj* benachteiligt **disadvantageous** *adj*, **disadvantageously** *adv* nachteilig

disaffected *adj* entfremdet; ***to become ~*** sich entfremden

disagree *v/i* **1.** (*with person, views*) nicht übereinstimmen; (*with suggestion etc*) nicht einverstanden sein; (*two people*) sich (*dat*) nicht einig sein **2.** (≈ *quarrel*) eine Meinungsverschiedenheit haben **3.** (*climate, food*) ***to ~ with sb*** jdm nicht bekommen; ***garlic ~s with me*** ich vertrage keinen Knoblauch **disagreeable** *adj* unangenehm; *person* unsympathisch **disagreement** *n* **1.** (*with opinion, between opinions*) Uneinigkeit *f* **2.** (≈ *quarrel*) Meinungsverschiedenheit *f*

disallow *v/t* nicht anerkennen

disappear *v/i* verschwinden; ***he ~ed from sight*** er verschwand; ***to ~ into thin air*** sich in Luft auflösen **disappearance** *n* Verschwinden *nt*

disappoint *v/t* enttäuschen **disappointed** *adj* enttäuscht; ***she was ~ to learn that ...*** sie war enttäuscht, als sie erfuhr, dass ...; ***to be ~ that ...*** enttäuscht (darüber) sein, dass ...; ***to be ~ in*** *or* ***with*** *or* ***by sb/sth*** von jdm/etw enttäuscht sein **disappointing** *adj* enttäuschend; ***how ~!*** so eine Enttäuschung! **disappointment** *n* Enttäuschung *f*

disapproval *n* Missbilligung *f* **disapprove** *v/i* dagegen sein; ***to ~ of sb*** jdn ablehnen; ***to ~ of sth*** etw missbilligen **disapproving** *adj*, **disapprovingly** *adv* missbilligend

disarm I *v/t* entwaffnen **II** *v/i* MIL abrüsten **disarmament** *n* Abrüstung *f*

disarray *n* Unordnung *f*; ***to be in ~*** (*thoughts, organization*) durcheinander sein

disassemble *v/t* auseinandernehmen

disassociate *v/t* = ***dissociate***

disaster *n* Katastrophe *f*; (≈ *fiasco*) Fiasko *nt* **disaster area** *n* Katastrophengebiet *nt* **disaster movie** *n* Katastrophenfilm *m* **disastrous** *adj* katastrophal; ***to be ~ for sb/sth*** katastrophale Folgen für jdn/etw haben **disastrously** *adv* katastrophal; ***it all went ~ wrong*** es was eine Katastrophe

disband I *v/t* auflösen **II** *v/i* (*army, club*) sich auflösen

disbelief *n* Ungläubigkeit *f*; ***in ~*** ungläubig **disbelieve** *v/t* nicht glauben

disc, (*esp US*) **disk** *n* **1.** Scheibe *f*; ANAT

Bandscheibe *f* **2.** (≈ *record*, IT) Platte *f*; (≈ *CD*) CD *f*
discard *v/t* ausrangieren; *idea*, *plan* verwerfen
discerning *adj clientele*, *reader* anspruchsvoll, kritisch; *eye*, *ear* fein
discharge I *v/t* **1.** *prisoner*, *patient* entlassen; ***he ~d himself (from hospital)*** er hat das Krankenhaus auf eigene Verantwortung verlassen **2.** (≈ *emit*, ELEC) entladen; *liquid*, *gas* ausstoßen; ***the factory was discharging toxic gas into the atmosphere*** aus der Fabrik strömten giftige Gase in die Atmosphäre; ***to ~ effluents into a river*** Abwässer in einen Fluss einleiten **II** *n* **1.** (*of soldier*) Abschied *m* **2.** ELEC Entladung *f*; (*of gas*) Ausströmen *nt*; (*of liquid*) Ausfluss *m*; (*of pus*) Absonderung *f*
disciple *n* (*lit*) Jünger *m*; (*fig*) Schüler(in) *m(f)*
disciplinary *adj* Disziplinar-; *matters* disziplinarisch; ***~ proceedings*** *or* ***procedures*** Disziplinarverfahren *nt* **discipline I** *n* Disziplin *f*; ***to maintain ~*** die Disziplin aufrechterhalten **II** *v/t* disziplinieren **disciplined** *adj* diszipliniert
disc jockey *n* Diskjockey *m*
disclaimer *n* Dementi *nt*; ***to issue a ~*** eine Gegenerklärung abgeben
disclose *v/t secret* enthüllen; *news*, *identity* bekannt geben; *income* angeben **disclosure** *n* **1.** (*of secret*) Enthüllung *f*; (*of news*, *identity*) Bekanntgabe *f* **2.** (≈ *fact etc revealed*) Mitteilung *f*
disco *n* Disco *f*
discolour, (*US*) **discolor I** *v/t* verfärben **II** *v/i* sich verfärben **discoloured**, (*US*) **discolored** *adj* verfärbt
discomfort *n* (*lit*) Beschwerden *pl*; (*fig* ≈ *uneasiness*) Unbehagen *nt*
disconcert *v/t* beunruhigen **disconcerting** *adj* beunruhigend
disconnect *v/t pipe etc* trennen; *TV*, *iron* ausschalten; *gas*, *electricity* abstellen
discontent *n* Unzufriedenheit *f* **discontented** *adj*, **discontentedly** *adv* unzufrieden
discontinue *v/t* aufgeben; *conversation*, *treatment*, *project* abbrechen; *use* beenden; COMM *line* auslaufen lassen; *production* einstellen; ***a ~d line*** COMM eine ausgelaufene Serie
discord *n* Uneinigkeit *f*
discotheque *n* Diskothek *f*
discount *n* Rabatt *m*; (*for cash*) Skonto *nt or m*; ***to give a ~ on sth*** Rabatt auf etw (*acc*) geben; ***to give sb a 5% ~*** jdm 5% Rabatt / Skonto geben; ***at a ~*** auf Rabatt / Skonto **discount rate** *n* FIN Diskontsatz *m* **discount store** *n* Discountgeschäft *nt*
discourage *v/t* **1.** (≈ *dishearten*) entmutigen **2.** ***to ~ sb from doing sth*** jdm abraten, etw zu tun; (*successfully*) jdn davon abbringen, etw zu tun **3.** (≈ *deter*) abhalten; *advances*, *speculation* zu verhindern suchen; *smoking* unterbinden **discouraging** *adj*, **discouragingly** *adv* entmutigend
discover *v/t* entdecken; *culprit* finden; *secret*, *truth* herausfinden; *cause* feststellen; *mistake* bemerken
discovery *n* Entdeckung *f*
discredit I *v/t* (≈ *cast slur / doubt on*) diskreditieren **II** *n no pl* Misskredit *m* **discredited** *adj* diskreditiert
discreet *adj* diskret; *tie* dezent; ***at a ~ distance*** in einer diskreten Entfernung; ***to maintain a ~ presence*** eine unauffällige Präsenz aufrechterhalten; ***to be ~ about sth*** etw diskret behandeln **discreetly** *adv* diskret; *dressed*, *decorated* dezent
discrepancy *n* Diskrepanz *f* (*between* zwischen *+dat*)
discretion *n* **1.** Diskretion *f* **2.** (≈ *freedom of decision*) Ermessen *nt*; ***to leave sth to sb's ~*** etw in jds Ermessen (*acc*) stellen; ***use your own ~*** Sie müssen nach eigenem Ermessen handeln
discriminate *v/i* **1.** unterscheiden (*between* zwischen *+dat*) **2.** (≈ *make unfair distinction*) Unterschiede machen (*between* zwischen *+dat*); ***to ~ in favour*** (*Br*) *or* ***favor*** (*US*) ***of / against sb*** jdn bevorzugen / benachteiligen ◆ **discriminate against** *v/i +prep obj* diskriminieren; ***they were discriminated against*** sie wurden diskriminiert
discriminating *adj person* anspruchsvoll; *eye* kritisch **discrimination** *n* **1.** Diskriminierung *f*; ***racial ~*** Rassendiskriminierung *f*; ***sex(ual) ~*** Diskriminierung *f* aufgrund des Geschlechts **2.** (≈ *differentiation*) Unterscheidung *f* (*between* zwischen *+dat*) **discriminatory** *adj* diskriminierend
discus *n* Diskus *m*; ***in the ~*** SPORTS im Diskuswerfen
discuss *v/t* besprechen; *politics*, *theory*

diskutieren
discussion *n* Diskussion *f* (*of, about* über *+acc*); (≈ *meeting*) Besprechung *f*; ***after much*** *or* ***a lot of ~*** nach langen Diskussionen; ***to be under ~*** zur Diskussion stehen; ***that is still under ~*** das ist noch in der Diskussion; ***open to ~*** zur Diskussion gestellt; ***a subject for ~*** ein Diskussionsthema *nt*; ***to come up for ~*** zur Diskussion gestellt werden
disdain I *v/t* verachten **II** *n* Verachtung *f*
disdainful *adj*, **disdainfully** *adv* herablassend; *look* verächtlich
disease *n* Krankheit *f* **diseased** *adj* krank; *tissue* befallen
disembark *v/i* von Bord gehen **disembarkation** *n* Landung *f*
disenfranchise *v/t person* die bürgerlichen Ehrenrechte aberkennen (*+dat*)
disengage *v/t* **1.** lösen (*from* aus) **2.** ***to ~ the clutch*** AUTO auskuppeln
disentangle *v/t* entwirren; ***to ~ oneself*** (***from sth***) (*lit*) sich (aus etw) lösen; (*fig*) sich (von etw) lösen
disfavour, (*US*) **disfavor** *n* (≈ *displeasure*) Ungnade *f*; (≈ *dislike*) Missfallen *nt*; ***to fall into ~*** (***with***) in Ungnade fallen (bei)
disfigure *v/t* verunstalten; *landscape* verschandeln
disgrace I *n* Schande *f* (*to* für); (*person*) Schandfleck *m* (*to +gen*); ***you're a complete ~!*** mit dir kann man sich wirklich nur blamieren!; ***the cost of rented accommodation is a ~*** es ist eine Schande, wie teuer Mietwohnungen sind; ***in ~*** mit Schimpf und Schande; ***to bring ~ (up)on sb*** jdm Schande machen; ***to be in ~*** in Ungnade (gefallen) sein (*with* bei) **II** *v/t* Schande machen (*+dat*); *family* Schande bringen über (*+acc*); ***to ~ oneself*** sich blamieren **disgraceful** *adj* erbärmlich (schlecht); *behaviour, scenes* skandalös; ***it's quite ~ how ...*** es ist wirklich eine Schande, wie ... **disgracefully** *adv* schändlich
disgruntled *adj* verstimmt
disguise I *v/t* unkenntlich machen; *voice* verstellen; *dislike* verbergen; *taste* kaschieren; *facts* verschleiern; ***to ~ oneself/sb as*** sich/jdn verkleiden als **II** *n* (*lit*) Verkleidung *f*; ***in ~*** verkleidet
disgust I *n* Ekel *m*; (*at sb's behaviour*) Empörung *f*; ***in ~*** voller Ekel/Empörung; ***much to his ~ they left*** sehr zu seiner Empörung gingen sie **II** *v/t* (*person, sight*) anekeln; (*actions*) empören **disgusted** *adj* angeekelt; (*at sb's behaviour*) empört; ***to be ~ with sb*** empört über jdn sein; ***to be ~ with sth*** angewidert von etw sein; ***I was ~ with myself*** ich war mir selbst zuwider **disgusting** *adj* **1.** *behaviour* widerlich; (≈ *nauseating*) ekelhaft **2.** *book, film* anstößig; (≈ *obscene*) obszön; ***don't be ~*** sei nicht so ordinär **3.** (≈ *disgraceful*) unerhört
disgustingly *adv* ekelhaft
dish *n* **1.** Schale *f*; (*for serving*) Schüssel *f* **2. dishes** *pl* (≈ *crockery*) Geschirr *nt*; ***to do the ~es*** abwaschen **3.** (≈ *food*) Gericht *nt*; ***pasta ~es*** Nudelgerichte *pl* **4.** (*a.* **dish aerial** (*Brit*) *or* **antenna** (*US*)) Parabolantenne *f*, Schüssel *f* (*infml*)
◆ **dish out** *v/t sep* (*infml*) austeilen
◆ **dish up I** *v/t sep* (*lit*) auf dem Teller anrichten **II** *v/i* anrichten
disharmony *n* Disharmonie *f*
dishcloth *n* (*for drying*) Geschirrtuch *nt*; (*for washing*) Spültuch *nt*
dishearten *v/t* entmutigen **disheartening** *adj*, **dishearteningly** *adv* entmutigend
dishevelled, (*US*) **disheveled** *adj hair* zerzaust; *person* ungepflegt
dishonest *adj* unehrlich; (≈ *lying*) verlogen; *scheme* unlauter **dishonestly** *adv* **1.** unehrlich; *pretend, claim* unehrlicherweise **2.** (≈ *deceitfully*) betrügerisch; (≈ *with intent to deceive*) in betrügerischer Absicht **dishonesty** *n* Unehrlichkeit *f*; (≈ *lying*) Verlogenheit *f*; (*of scheme*) Unlauterkeit *f*
dishonour, (*US*) **dishonor I** *n* Schande *f*; ***to bring ~ (up)on sb*** Schande über jdn bringen **II** *v/t* schänden; *family* Schande machen (*+dat*) **dishonourable**, (*US*) **dishonorable** *adj*, **dishonourably**, (*US*) **dishonorably** *adv* unehrenhaft
dishtowel *n* (*US, Scot*) Geschirrtuch *nt*
dishwasher *n* (≈ *machine*) (Geschirr)-spülmaschine *f* **dishwasher-proof** *adj* spülmaschinenfest **dishwater** *n* Spülwasser *nt*
dishy *adj* (*+er*) (*infml*) *woman, man* toll (*infml*)
disillusion *v/t* desillusionieren
disincentive *n* Entmutigung *f*
disinclination *n* Abneigung *f* **disinclined** *adj* abgeneigt
disinfect *v/t* desinfizieren **disinfectant** *n*

Desinfektionsmittel *nt*
disinherit *v/t* enterben
disintegrate *v/i* zerfallen; (*rock*) auseinanderbröckeln; (*group*) sich auflösen; (*marriage, society*) zusammenbrechen
disintegration *n* Zerfall *m*; (*of rock*) Auseinanderbröckeln *nt*; (*of group*) Auflösung *f*; (*of marriage, society*) Zusammenbruch *m*
disinterest *n* Desinteresse *nt* (*in* an +*dat*)
disinterested *adj* desinteressiert
disjointed *adj* unzusammenhängend
disk *n* IT Platte *f*; (≈ *floppy disk*) Diskette *f*; ***on ~*** auf Platte / Diskette **disk drive** *n* Diskettenlaufwerk *nt*; (≈ *hard disk drive*) Festplattenlaufwerk *nt* **diskette** *n* Diskette *f* **disk operating system** *n* Betriebssystem *nt* **disk space** *n* Speicherkapazität *f*
dislike I *v/t* nicht mögen; ***to ~ doing sth*** etw ungern tun; ***I ~ him/it intensely*** ich mag ihn / es überhaupt nicht; ***I don't ~ it*** ich habe nichts dagegen **II** *n* Abneigung *f* (*of* gegen); ***to take a ~ to sb/sth*** eine Abneigung gegen jdn / etw entwickeln
dislocate *v/t* MED verrenken; ***to ~ one's shoulder*** sich (*dat*) den Arm auskugeln
dislodge *v/t obstruction* lösen; (*mit Stock etc*) herausstochern
disloyal *adj* illoyal; ***to be ~ to sb*** jdm gegenüber nicht loyal sein **disloyalty** *n* Illoyalität *f* (*to* gegenüber)
dismal *adj place, prospect, weather* trostlos; *performance* miserabel **dismally** *adv fail* kläglich
dismantle *v/t* auseinandernehmen; *scaffolding* abbauen
dismay I *n* Bestürzung *f*; ***in ~*** bestürzt **II** *v/t* bestürzen
dismember *v/t* zerstückeln
dismiss *v/t* **1.** (*from job, presence*) entlassen; *assembly* auflösen; ***~!*** wegtreten!; **"*class ~ed*"** „ihr dürft gehen" **2.** *speculation, claims* abtun; ***to ~ sth from one's mind*** etw verwerfen **3.** JUR *appeal* abweisen **dismissal** *n* **1.** Entlassung *f* **2.** JUR Abweisung *f* **dismissive** *adj remark* wegwerfend; *gesture* abweisend **dismissively** *adv* abweisend
dismount *v/i* absteigen
disobedience *n* Ungehorsam *m* (*to* gegenüber) **disobedient** *adj* ungehorsam **disobey** *v/t* nicht gehorchen (+*dat*); *law* übertreten
disorder *n* **1.** Durcheinander *nt*; ***in ~*** durcheinander **2.** (POL ≈ *rioting*) Unruhen *pl* **3.** MED Funktionsstörung *f*; ***eating ~*** Störung *f* des Essverhaltens **disorderly** *adj* **1.** (≈ *untidy*) unordentlich; *queue* ungeordnet **2.** (≈ *unruly*) *person* wild; *crowd* undiszipliniert; *conduct* ungehörig
disorganized *adj* systemlos; *life, person* chaotisch; ***he is completely ~*** bei ihm geht alles drunter und drüber
disorient, disorientate *v/t* verwirren
disown *v/t* verleugnen
disparaging *adj*, **disparagingly** *adv* geringschätzig
dispatch I *v/t letter, goods etc* senden; *person, troops etc* (ent)senden **II** *n* (≈ *report*) Depesche *f* **dispatch note** *n* (*with goods*) Begleitschein *m* **dispatch rider** *n* Melder(in) *m*(*f*)
dispel *v/t doubts, fears* zerstreuen; *myth* zerstören
dispensable *adj* entbehrlich **dispense** *v/t* verteilen (*to* an +*acc*); (*machine*) ausgeben; ***to ~ justice*** Recht sprechen ◆ **dispense with** *v/i +prep obj* verzichten auf (+*acc*)
dispenser *n* (≈ *container*) Spender *m*; (≈ *slot machine*) Automat *m* **dispensing** *adj* ***~ chemist*** Apotheker(in) *m*(*f*)
dispersal *n* Verstreuen *nt*; (*of crowd*) Auflösung *f* **disperse I** *v/t* verstreuen; BOT *seed* verteilen; *crowd* auflösen; (*fig*) *knowledge etc* verbreiten **II** *v/i* sich auflösen
dispirited *adj* entmutigt
displace *v/t* verschieben; *people* vertreiben **displaced person** *n* Vertriebene(r) *m*/*f*(*m*) **displacement** *n* Verschiebung *f*; (*of people*) Vertreibung *f*; (≈ *replacement*) Ablösung *f*
display I *v/t* **1.** (≈ *show*) *object* zeigen; *feelings* zur Schau stellen; *power* demonstrieren; *notice* aushängen; (*on screen*) anzeigen **2.** *goods* ausstellen **II** *n* **1.** (*of object*) Zeigen *nt*; (*of feelings*) Zurschaustellung *f*; (*of power*) Demonstration *f*; ***to make a great ~ of sth*** etw groß zur Schau stellen; ***to make a great ~ of doing sth*** etw betont auffällig tun; ***to be/go on ~*** ausgestellt sein / werden; ***these are only for ~*** die sind nur zur Ansicht **2.** (≈ *of paintings etc*) Ausstellung *f*; (≈ *dancing display etc*) Vorführung *f*; (≈ *military display*) Schau *f*; ***firework ~*** (öffentliches) Feuerwerk **3.**

COMM Auslage *f* **display cabinet** *n* Schaukasten *m* **display case** *n* Vitrine *f* **display unit** *n* IT Bildschirmgerät *nt*
displease *v/t* missfallen (*+dat*) **displeasure** *n* Missfallen *nt* (*at* über *+acc*)
disposable *adj* Wegwerf-; **~ *razor*** Wegwerfrasierer *m*; **~ *nappy*** (*Br*) Wegwerfwindel *f*; **~ *needle*** Einwegnadel *f*; **~ *contact lenses*** Kontaktlinsen *pl* zum Wegwerfen **disposal** *n* **1.** Loswerden *nt*; (*of litter, body*) Beseitigung *f* **2. *the means at sb's ~*** die jdm zur Verfügung stehenden Mittel; ***to put sth at sb's ~*** jdm etw zur Verfügung stellen; ***to be at sb's ~*** jdm zur Verfügung stehen ◆ **dispose of** *v/i +prep obj* loswerden; *litter, body* beseitigen; (≈ *kill*) eliminieren
disposed *adj* (*form*) ***to be ~ to do sth*** (≈ *prepared*) bereit sein, etw zu tun; (≈ *inclined*) etw tun wollen; ***to be well ~ to(-wards) sth*** einer Sache (*dat*) wohlwollend gegenüberstehen **disposition** *n* Veranlagung *f*; ***her cheerful ~*** ihre fröhliche Art
dispossess *v/t* enteignen
disproportionate *adj* ***to be ~ (to sth)*** in keinem Verhältnis (zu etw) stehen; ***a ~ amount of money*** ein unverhältnismäßig hoher Geldbetrag **disproportionately** *adv* (*+adj*) unverhältnismäßig; ***~ large numbers of ...*** unverhältnismäßig viele ...
disprove *v/t* widerlegen
dispute **I** *v/t* **1.** *statement* bestreiten; *claim, will* anfechten **2.** *subject* sich streiten über (*+acc*); ***the issue was hotly ~d*** das Thema wurde hitzig diskutiert **3.** (≈ *contest*) kämpfen um; *territory* beanspruchen **II** *n* **1.** *no pl* (≈ *controversy*) Disput *m*; ***to be beyond ~*** außer Frage stehen; ***there is some ~ about which horse won*** es ist umstritten, welches Pferd gewonnen hat **2.** (≈ *quarrel*) Streit *m* **3.** IND Auseinandersetzung *f*
disqualification *n* Ausschluss *m*; SPORTS Disqualifikation *f*; **~ *(from driving)*** Führerscheinentzug *m* **disqualify** *v/t* untauglich machen (*from* für); SPORTS *etc* disqualifizieren; ***to ~ sb from driving*** jdm den Führerschein entziehen
disquiet **I** *v/t* beunruhigen **II** *n* Unruhe *f*
disregard **I** *v/t* ignorieren **II** *n* Missachtung *f* (*for gen*); ***to show complete ~ for sth*** etw völlig außer Acht lassen
disrepair *n* Baufälligkeit *f*; ***in a state of ~*** baufällig; ***to fall into ~*** verfallen
disreputable *adj person, hotel, bar* verrufen; *conduct* unehrenhaft **disrepute** *n* schlechter Ruf; ***to bring sth into ~*** etw in Verruf bringen
disrespect *n* Respektlosigkeit *f* (*for* gegenüber); ***to show ~ for sth*** keinen Respekt vor etw (*dat*) haben **disrespectful** *adj*, **disrespectfully** *adv* respektlos
disrupt *v/t* stören **disruption** *n* Störung *f* **disruptive** *adj* störend; *effect* zerstörerisch
dissatisfaction *n* Unzufriedenheit *f* **dissatisfactory** *adj* unbefriedigend (*to* für) **dissatisfied** *adj* unzufrieden
dissect *v/t animal* sezieren; (*fig*) *report, theory also* zergliedern
dissent *n* Nichtübereinstimmung *f* **dissenting** *adj attr* abweichend
dissertation *n* wissenschaftliche Arbeit; (*for PhD*) Dissertation *f*
disservice *n* ***to do oneself/sb a ~*** sich/jdm einen schlechten Dienst erweisen
dissident **I** *n* Dissident(in) *m*(*f*) **II** *adj* dissident
dissimilar *adj* unterschiedlich (*to* von); *two things* verschieden; ***not ~ (to sb/sth)*** (jdm/einer Sache) nicht ungleich *or* nicht unähnlich
dissipate *v/t* (≈ *dispel*) *fog* auflösen; *heat* ableiten; *doubts, fears* zerstreuen; *tension* lösen
dissociate *v/t* trennen (*from* von); ***to ~ oneself from sb/sth*** sich von jdm/etw distanzieren
dissolute *adj person, way of life* zügellos
dissolve **I** *v/t* auflösen **II** *v/i* sich (auf)lösen; ***it ~s in water*** es ist wasserlöslich, es löst sich in Wasser
dissuade *v/t* ***to ~ sb from doing sth*** jdn davon abbringen, etw zu tun
distance **I** *n* Entfernung *f*; (≈ *gap*) Abstand *m*; (≈ *distance covered*) Strecke *f*; ***at a ~ of two feet*** in zwei Fuß Entfernung; ***the ~ between the railway lines*** der Abstand zwischen den Eisenbahnschienen; ***what's the ~ between London and Glasgow?*** wie weit ist es von London nach Glasgow?; ***in the ~*** in der Ferne; ***to gaze into the ~*** in die Ferne starren; ***he admired her from a ~*** (*fig*) er bewunderte sie aus der Ferne; ***it's within walking ~*** es ist zu Fuß erreichbar; ***a short ~ away*** ganz in der Nähe; ***it's quite a ~ (away)*** es ist ziemlich

weit (entfernt); ***the race is over a ~ of 3 miles*** das Rennen geht über eine Distanz von 3 Meilen; ***to keep one's ~*** Abstand halten **II** *v/t* ***to ~ oneself/sb from sb/sth*** sich/jdn von jdm/etw distanzieren

distant I *adj* (*in space, time*) fern; *sound, relative, memory* entfernt; ***the ~ mountains*** die Berge in der Ferne; ***in the not too ~ future*** in nicht allzu ferner Zukunft **II** *adv* (*in time, space*) entfernt **distantly** *adv* ***~ related*** (***to sb***) entfernt (mit jdm) verwandt

distaste *n* Widerwille *m* (*for* gegen) **distasteful** *adj* unangenehm

distil, (*US*) **distill** *v/t* CHEM destillieren; *whisky etc* brennen **distillery** *n* Destillerie *f*, Brennerei *f*

distinct *adj* **1.** *parts, types* verschieden; ***as ~ from*** im Unterschied zu **2.** (≈ *definite*) deutlich; *flavour* bestimmt; ***to have ~ memories of sb/sth*** sich deutlich an jdn/etw erinnern; ***to get the ~ idea*** *or* ***impression that ...*** den deutlichen Eindruck bekommen, dass ...; ***to have the ~ feeling that ...*** das bestimmte Gefühl haben, dass ...; ***to have a ~ advantage*** (***over sb***) (jdm gegenüber) deutlich im Vorteil sein; ***there is a ~ possibility that ...*** es besteht eindeutig die Möglichkeit, dass ... **distinction** *n* **1.** (≈ *difference*) Unterschied *m*; ***to make*** *or* ***draw a ~*** (***between two things***) (zwischen zwei Dingen) unterscheiden **2.** SCHOOL, UNIV Auszeichnung *f*; ***he got a ~ in French*** er hat das Französischexamen mit Auszeichnung bestanden **distinctive** *adj* unverwechselbar; *feature, sound* unverkennbar; *voice, dress* (≈ *characteristic*) charakteristisch; (≈ *striking*) auffällig; ***~ features*** (*of person*) besondere Kennzeichen **distinctly** *adv* **1.** (≈ *clearly*) deutlich **2.** (≈ *decidedly*) eindeutig; *odd, uneasy* ausgesprochen

distinguish I *v/t* **1.** unterscheiden **2.** *shape* erkennen **II** *v/i* ***to ~ between*** unterscheiden zwischen (*+dat*) **III** *v/r* sich auszeichnen **distinguishable** *adj* unterscheidbar; ***to be*** (***barely***) ***~ from sth*** (kaum) von etw zu unterscheiden sein; ***to be ~ by sth*** an etw (*dat*) erkennbar sein **distinguished** *adj guest* angesehen; *scholar, writer* angesehen; *career* glänzend **distinguishing** *adj* kennzeichnend; ***he has no ~ features*** er hat keine besonderen Kennzeichen

distort *v/t* verzerren; *facts* verdrehen **distorted** *adj* verzerrt; *face* entstellt **distortion** *n* Verzerrung *f*; (*of facts*) Verdrehung *f*

distract *v/t* ablenken; ***to ~ sb's attention*** jdn ablenken **distracted** *adj* **1.** (≈ *preoccupied*) zerstreut **2.** (≈ *worried*) beunruhigt **distraction** *n* **1.** *no pl* (≈ *lack of attention*) Unaufmerksamkeit *f* **2.** (≈ *interruption*) Ablenkung *f* **3.** ***to drive sb to ~*** jdn zur Verzweiflung treiben

distraught *adj* verzweifelt

distress I *n* **1.** Verzweiflung *f*; (*physical*) Leiden *nt*; (*mental*) Kummer *m* **2.** (≈ *danger*) Not *f*; ***to be in ~*** (*ship*) in Seenot sein; (*plane*) in Not sein; ***~ call*** Notsignal *nt* **II** *v/t* Kummer machen (*+dat*); ***don't ~ yourself*** machen Sie sich (*dat*) keine Sorgen! **distressed** *adj* bekümmert; (≈ *grief-stricken*) erschüttert (*about* von) **distressing** *adj* erschreckend **distress signal** *n* Notsignal *nt*

distribute *v/t* verteilen (*to* an *+acc*); COMM *goods* vertreiben (*to, among* an *+acc*) **distribution** *n* (≈ *act*) Verteilung *f*; (≈ *spread*) Verbreitung *f*; (*Comm*: *of goods*) Vertrieb *m*; ***~ network*** Vertriebsnetz *nt*; ***~ system*** Vertriebssystem *nt* **distributor** *n* Verteiler(in) *m(f)*; (COMM ≈ *wholesaler*) Großhändler *m*; (≈ *retailer*) Händler(in) *m(f)*

district *n* (*of country*) Gebiet *nt*; (*of town*) Viertel *nt*; (≈ *geographical area*) Gegend *f*; (≈ *administrative area*) (Verwaltungs)bezirk *m*; ***shopping/business ~*** Geschäftsviertel *nt* **district attorney** *n* (*US*) Bezirksstaatsanwalt *m*/-anwältin *f* **district council** *n* (*Br*) Bezirksregierung *f* **district court** *n* (*US* JUR) Bezirksgericht *nt*

distrust I *v/t* misstrauen (*+dat*) **II** *n* Misstrauen *nt* (*of* gegenüber) **distrustful** *adj* misstrauisch (*of* gegenüber)

disturb I *v/t* stören; (≈ *alarm*) beunruhigen; ***sorry to ~ you*** entschuldigen Sie bitte die Störung; ***to ~ the peace*** die Ruhe stören **II** *v/i* stören; ***"please do not ~"*** „bitte nicht stören" **disturbance** *n* **1.** (*social*) Unruhe *f*; (*in street*) (Ruhe)störung *f*; ***to cause*** *or* ***create a ~*** Unruhe/eine Ruhestörung verursachen **2.** (≈ *interruption*) Störung *f* **disturbed** *adj* **1.** PSYCH gestört **2.** (≈ *worried*) beunruhigt (*about, at, by* über *+acc*) **disturbing** *adj*

beunruhigend; ***some viewers may find these scenes ~*** einige Zuschauer könnten an diesen Szenen Anstoß nehmen
disunite *v/t* spalten, entzweien **disunity** *n* Uneinigkeit *f*
disuse *n* ***to fall into ~*** nicht mehr benutzt werden **disused** *adj building* leer stehend; *mine* stillgelegt
ditch I *n* Graben *m* **II** *v/t* (*infml*) *person* abhängen (*infml*); *boyfriend* abservieren (*infml*); *plan* baden gehen lassen (*infml*)
dither *v/i* zaudern; ***to ~ over sth*** mit etw zaudern; ***to ~ over how/whether ...*** schwanken, wie/ob ...
ditto *n* ***I'd like coffee — ~ (for me)*** (*infml*) ich möchte Kaffee — dito *or* ich auch
divan *n* Diwan *m*; ***~ bed*** Liege *f*
dive *vb*: *pret* ***dived*** *or* (*US*) ***dove***, *past part* ***dived*** **I** *n* **1.** Sprung *m*; (*by plane*) Sturzflug *m*; ***to make a ~ for sth*** (*fig infml*) sich auf etw (*acc*) stürzen **2.** (*pej infml* ≈ *club etc*) Spelunke *f* (*infml*) **II** *v/i* **1.** springen; (*under water*) tauchen; (*submarine*) untertauchen; (*plane*) einen Sturzflug machen; ***the goalkeeper ~d for the ball*** der Torwart hechtete nach dem Ball **2.** (*infml*) ***he ~d under the table*** er verschwand blitzschnell unter dem Tisch; ***to ~ for cover*** eilig in Deckung gehen; ***he ~d into a taxi*** er stürzte (sich) in ein Taxi ◆ **dive in** *v/i* **1.** (*swimmer*) hineinspringen **2.** (*infml* ≈ *start to eat*) ***~!*** hau(t) rein! (*infml*)
diver *n* Taucher(in) *m(f)*; (*off high board*) Turmspringer(in) *m(f)*; (*off springboard*) Kunstspringer(in) *m(f)*
diverge *v/i* abweichen (*from* von); (*two things*) voneinander abweichen
diverse *adj* **1.** (*with singular noun*) gemischt; *range* breit **2.** (*with plural noun*) unterschiedlich; *interests* vielfältig **diversification** *n* Abwechslung *f*; (*of business etc*) Diversifikation *f* **diversify I** *v/t* abwechslungsreich(er) gestalten; *business etc* diversifizieren **II** *v/i* COMM diversifizieren
diversion *n* **1.** (*of traffic*, *stream*) Umleitung *f* **2.** (≈ *relaxation*) Unterhaltung *f* **3.** (MIL, *fig*) Ablenkung *f*; ***to create a ~*** ablenken; ***as a ~*** um abzulenken
diversity *n* Vielfalt *f*
divert *v/t traffic*, *stream* umleiten; *attention* ablenken; *blow* abwenden; *investment* umlenken
divide I *v/t* **1.** (≈ *separate*) trennen **2.** (≈ *split into parts*, MAT) teilen (*into* in +*acc*); (*in order to distribute*) aufteilen; ***the river ~s the city into two*** der Fluss teilt die Stadt; ***to ~ 6 into 36, to ~ 36 by 6*** 36 durch 6 teilen **3.** (≈ *share out*) verteilen **4.** (≈ *cause disagreement among*) entzweien **II** *v/i* sich teilen; ***to ~ into groups*** sich in Gruppen aufteilen **III** *n* ***the cultural ~*** die Kluft zwischen den Kulturen ◆ **divide off I** *v/i* sich (ab)trennen **II** *v/t sep* (ab)trennen ◆ **divide out** *v/t sep* aufteilen (*among* unter +*acc or dat*) ◆ **divide up I** *v/i* = ***divide*** II **II** *v/t sep* = ***divide*** I 2, 3
divided *adj* geteilt; *government* zerstritten; ***to have ~ loyalties*** nicht zu vereinbarende Pflichten haben; ***to be ~ on*** *or* ***over sth*** sich in etw (*dat*) nicht einig sein
divided highway *n* (*US*) ≈ Schnellstraße *f*
dividend *n* FIN Dividende *f*; ***to pay ~s*** (*fig*) sich bezahlt machen
dividing *adj* (ab)trennend **dividing line** *n* Trennlinie *f*
divine *adj* (REL, *fig infml*) göttlich
diving *n* (*under water*) Tauchen *nt*; (*into water*) Springen *nt*; SPORTS Wasserspringen *nt* **diving board** *n* (Sprung)brett *nt* **diving suit** *n* Taucheranzug *m*
divinity *n* **1.** (≈ *divine quality*) Göttlichkeit *f* **2.** (≈ *theology*) Theologie *f*
division *n* **1.** Teilung *f*; MAT Teilen *nt* **2.** (*in administration*) Abteilung *f*; (*in company*) Geschäftsbereich *m* **3.** (*fig*: *between classes etc*) Schranke *f* **4.** (*fig* ≈ *discord*) Uneinigkeit *f* **5.** SPORTS Liga *f*
divorce I *n* JUR Scheidung *f* (*from* von); ***he wants a ~*** er will sich scheiden lassen; ***to get a ~ (from sb)*** sich (von jdm) scheiden lassen **II** *v/t* sich scheiden lassen von; ***to get ~d*** sich scheiden lassen **III** *v/i* sich scheiden lassen
divorced *adj* JUR geschieden (*from* von)
divorcee *n* Geschiedene(r) *m/f(m)*; ***she is a ~*** sie ist geschieden
DIY (*Br*) *abbr of* ***do-it-yourself*** *n* Heimwerken *nt*; ***she was doing some ~*** sie machte einige Heimwerkerarbeiten **DIY shop, DIY store** *n* Baumarkt *m*
dizziness *n* Schwindel *m* **dizzy** *adj* (+*er*) schwindelig; ***I'm (feeling) ~*** mir ist schwindelig (*from* von); ***~ spell*** Schwindelanfall *m*
DJ *abbr of* ***disc jockey***

DNA *abbr of* **de(s)oxyribonucleic acid** DNS *f* **DNA profiling** *n* genetischer Fingerabdruck **DNA test** *n* Gentest *m*

do *vb*: *pret* **did**, *past part* **done I** *aux vb* **1.** (*interrogative*, *negative*) ***do you understand?*** verstehen Sie?; ***I don't*** *or* ***do not understand*** ich verstehe nicht; ***what did he say?*** was hat er gesagt?; ***didn't you*** *or* ***did you not know?*** haben Sie das nicht gewusst?; ***don't be silly!*** sei nicht albern! **2.** (*in question tags*) oder; ***you know him, don't you?*** Sie kennen ihn (doch), oder?; ***you don't know him, do you?*** Sie kennen ihn also nicht, oder?; ***so you know them, do you?*** (*in surprise*) Sie kennen sie also wirklich!; ***he does understand, doesn't he?*** das versteht er doch, oder? **3.** (*substitute for another verb*) ***you speak better German than I do*** Sie sprechen besser Deutsch als ich; ***so do I*** ich auch; ***neither do I*** ich auch nicht; ***I don't like cheese but he does*** ich mag keinen Käse, aber er schon; ***they said he would go and he did*** sie sagten, er würde gehen und das tat er (dann) auch **4.** (*in tag responses*) ***do you see them often? — yes, I do/no, I don't*** sehen Sie sie oft? — ja/nein; ***you didn't go, did you? — yes, I did*** Sie sind nicht gegangen, oder? — doch; ***they speak French — oh, do they?*** sie sprechen Französisch — ja?, ach, wirklich?; ***they speak German — do they really?*** sie sprechen Deutsch — wirklich?; ***may I come in? — do!*** darf ich hereinkommen? — ja, bitte; ***shall I open the window? — no, don't!*** soll ich das Fenster öffnen? — nein, bitte nicht!; ***who broke the window? — I did*** wer hat das Fenster eingeschlagen? — ich **5.** (*for emphasis*) ***DO come!*** (*esp Br*) kommen Sie doch (bitte)!; ***DO shut up!*** (*esp Br*) sei doch (endlich) ruhig!; ***it's very expensive, but I DO like it*** es ist zwar sehr teuer, aber es gefällt mir nun mal; ***so you DO know them!*** Sie kennen sie also doch! **II** *v/t* **1.** tun, machen; ***I've done a stupid thing*** ich habe da was Dummes gemacht; ***it can't be done*** es lässt sich nicht machen; ***can you do it by yourself?*** schaffst du das allein?; ***to do the housework/one's homework*** die Hausarbeit/seine Hausaufgaben machen; ***could you do this letter please*** tippen Sie bitte diesen Brief; ***you do the painting and I'll do the papering*** du streichst an und ich tapeziere; ***to do one's make-up*** sich schminken; ***to do one's hair*** sich frisieren; ***to do one's teeth*** (*Br*) sich (*dat*) die Zähne putzen; ***to do the dishes*** spülen; ***to do the washing*** Wäsche waschen; ***to do the ironing*** bügeln, glätten (*Swiss*); ***he can't do anything about it*** er kann nichts daran ändern; ***are you doing anything this evening?*** haben Sie heute Abend schon etwas vor?; ***we'll have to do something about this*** wir müssen da etwas unternehmen; ***does that do anything for you?*** macht dich das an? (*infml*); ***Brecht doesn't do anything for me*** Brecht sagt mir nichts; ***I've done everything I can*** ich habe alles getan, was ich kann; ***I've got nothing to do*** ich habe nichts zu tun; ***I shall do nothing of the sort*** ich werde nichts dergleichen tun; ***he does nothing but complain*** er nörgelt immer nur; ***what's to be done?*** was ist da zu tun?; ***but what can you do?*** aber was kann man da machen?; ***what do you want me to do (about it)?*** und was soll ich da machen?; ***well, do what you can*** mach, was du kannst; ***what have you done to him?*** was haben Sie mit ihm gemacht?; ***now what have you done!*** was hast du jetzt bloß wieder angestellt *or* gemacht?; ***what are you doing on Saturday?*** was machen Sie am Sonnabend?; ***how do you do it?*** (*in amazement*) wie machen Sie das bloß?; ***what does your father do?*** was macht Ihr Vater (beruflich)?; ***that's done it*** (*infml*) da haben wir die Bescherung! (*infml*); ***that does it!*** jetzt reichts mir! **2.** (≈ *provide*) ***what can I do for you?*** was kann ich für Sie tun?; ***sorry, we don't do lunches*** wir haben leider keinen Mittagstisch; ***we do a wide range of herbal teas*** wir führen eine große Auswahl an Kräutertees; ***who did the food for your reception?*** wer hat bei Ihrem Empfang für das Essen gesorgt? **3.** (≈ *beenden*, *in pret*, *ptp only*) ***the work's done now*** die Arbeit ist gemacht *or* fertig; ***I haven't done*** (*Br*) *or* ***I'm not done telling you what I think of you*** mit dir bin ich noch lange nicht fertig; ***done!*** (≈ *agreed*) abgemacht!; ***are you done?*** (*infml*) bist du endlich fertig?; ***it's all over and done***

with (≈ *is finished*) das ist alles erledigt; (≈ *has happened*) das ist alles vorbei **4.** (≈ *study*) durchnehmen; ***I've never done any German*** ich habe nie Deutsch gelernt **5.** COOK machen (*infml*); ***to do the cooking*** kochen; ***well done*** durch (-gebraten); ***is the meat done?*** ist das Fleisch durch? **6.** ***to do a play*** ein Stück aufführen; ***to do a film*** einen Film machen **7.** (≈ *mimic*) nachmachen **8.** (≈ *see sights of*) besuchen **9.** AUTO *etc* fahren; ***this car can do 100*** das Auto fährt 100 **10.** (≈ *be suitable for*, *infml*) passen (*sb* jdm); (≈ *be sufficient for*) reichen (*sb* jdm); ***that will do me nicely*** das reicht allemal **11.** (*infml*, *in prison*) *6 years etc* sitzen **III** *v/i* **1.** (≈ *act*) ***do as I do*** mach es wie ich; ***he did well to take advice*** er tat gut daran, sich beraten zu lassen; ***he did right*** es war richtig von ihm; ***he did right/well to go*** es war richtig/gut, dass er gegangen ist **2.** (≈ *get on*, *fare*) ***how are you doing?*** wie gehts (Ihnen)?; ***I'm not doing so badly*** es geht mir gar nicht so schlecht; ***he's doing well at school*** er ist gut in der Schule; ***his business is doing well*** sein Geschäft geht gut; ***how do you do?*** guten Tag! **3.** (≈ *be suitable*) gehen; ***that will never do!*** das geht nicht!; ***this room will do*** das Zimmer ist in Ordnung **4.** (≈ *be sufficient*) reichen; ***will £10 do?*** reichen £ 10?; ***you'll have to make do with £10*** £ 10 müssen Ihnen reichen; ***that'll do!*** jetzt reichts aber! **IV** *n* (*Br infml* ≈ *event*) Veranstaltung *f*; (≈ *party*) Fete *f* (*infml*) ◆ **do away with** *v/i +prep obj* abschaffen ◆ **do for** *v/i +prep obj* (*infml* ≈ *finish off*) *person* fertigmachen (*infml*); *project* zunichtemachen; ***to be done for*** (*person*) erledigt sein (*infml*); (*project*) gestorben sein (*infml*) ◆ **do in** *v/t sep* (*infml*) **1.** (≈ *kill*) um die Ecke bringen (*infml*) **2.** ***to be*** *or* ***feel done in*** fertig sein (*infml*) ◆ **do up** *v/t sep* **1.** (≈ *fasten*) zumachen **2.** *house* (neu) herrichten ◆ **do with** *v/i +prep obj* **1.** brauchen; ***I could ~ a cup of tea*** ich könnte eine Tasse Tee vertragen (*infml*); ***it could ~ a clean*** es müsste mal sauber gemacht werden **2.** ***what has that got to ~ it?*** was hat das damit zu tun?; ***that has*** *or* ***is nothing to ~ you!*** das geht Sie gar nichts an!; ***it has something to ~ her being adopted*** es hat etwas damit zu tun, dass sie adoptiert wurde; ***it has to ~ ...*** dabei geht es um ...; ***money has a lot to ~ it*** Geld spielt eine große Rolle dabei **3.** ***what have you done with my gloves/your hair?*** was hast du mit meinen Handschuhen/deinem Haar gemacht?; ***he doesn't know what to ~ himself*** er weiß nicht, was er mit sich anfangen soll **4.** ***to be done with sb/sth*** mit jdm/etw fertig sein ◆ **do without** *v/i +prep obj* auskommen ohne; ***I can ~ your advice*** Sie können sich Ihren Rat sparen; ***I could have done without that!*** das hätte mir (wirklich) erspart bleiben können

d.o.b. *abbr of* **date of birth**

doc *n* (*infml*) *abbr of* **doctor**

docile *adj* sanftmütig

dock[1] *n* Dock *nt*; **~s** *pl* Hafen *m*

dock[2] *n* JUR Anklagebank *f*; ***to stand in the ~*** auf der Anklagebank sitzen

dock[3] *v/t wages* kürzen; *points* abziehen; ***to ~ £100 off sb's wages*** jds Lohn um £ 100 kürzen

dockland *n* Hafenviertel *nt* **dockyard** *n* Werft *f*

doctor *n* **1.** MED Arzt *m*, Ärztin *f*; ***the ~'s*** (≈ *surgery*) der Arzt; ***to go to the ~*** zum Arzt gehen; ***to send for the ~*** den Arzt holen; ***he is a ~*** er ist Arzt; ***a woman ~*** eine Ärztin; ***to be under ~'s orders*** in ärztlicher Behandlung sein; ***it's just what the ~ ordered*** (*fig infml*) das ist genau das Richtige **2.** UNIV *etc* Doktor *m*; ***to get one's ~'s degree*** promovieren, seinen Doktor machen; ***Dear Doctor Smith*** Sehr geehrter Herr Dr./Sehr geehrte Frau Dr. Smith **doctorate** *n* Doktorwürde *f*; ***he's still doing his ~*** er sitzt immer noch an seiner Doktorarbeit

doctrine *n* Doktrin *f*, Lehre *f*

document **I** *n* Dokument *nt* **II** *v/t* dokumentieren; *case* beurkunden **documentary** **I** *adj* dokumentarisch **II** *n* (FILM, TV) Dokumentarfilm *m* **documentation** *n* Dokumentation *f*

docusoap *n* TV Dokusoap *f*

doddle *n* (*Br infml*) ***it was a ~*** es war ein Kinderspiel

dodge **I** *v/t* ausweichen (*+dat*); *military service* sich drücken vor (*+dat*) **II** *v/i* ausweichen; ***to ~ out of the way*** zur Seite springen; ***to ~ behind a tree*** hinter einen Baum springen **dodgem®** *n* (Auto)-skooter *m*

dodgy *adj* (*Br infml*) **1.** *person*, *business* zwielichtig; *area* zweifelhaft; *plan* unsicher; *situation* verzwickt (*infml*); ***there's something ~ about him*** er ist nicht ganz koscher (*infml*); ***he's on ~ ground*** er befindet sich auf unsicherem Boden **2.** *back*, *heart* schwach; *part* defekt

doe *n* (*roe deer*) Reh *nt*; (*red deer*) Hirschkuh *f*

does *3rd person sg of* **do** **doesn't** *contraction* = ***does not***

dog I *n* **1.** Hund *m* **2.** (*fig*) ***it's ~ eat ~*** es ist ein Kampf aller gegen alle; ***to work like a ~*** (*infml*) wie ein Pferd arbeiten (*infml*) **II** *v/t* verfolgen; ***~ged by controversy*** von Kontroversen verfolgt **dog biscuit** *n* Hundekuchen *m* **dog collar** *n* (*lit*) Hundehalsband *nt*; (*vicar's*) Kollar *nt* **dog-eared** *adj* mit Eselsohren **dog food** *n* Hundefutter *nt*

dogged *adj* zäh; *determination*, *resistance*, *pursuit* hartnäckig **doggedly** *adv* beharrlich

doggie, doggy *n* (*infml*) Hündchen *nt*

dog licence, (*US*) **dog license** *n* Hundemarke *f*

dogma *n* Dogma *nt* **dogmatic** *adj* dogmatisch; ***to be very ~ about sth*** in etw (*dat*) sehr dogmatisch sein

do-gooder *n* (*pej*) Weltverbesserer *m*, Weltverbesserin *f*

dogsbody *n* (*Br*) ***she's/he's the general ~*** sie/er ist (das) Mädchen für alles **dog show** *n* Hundeausstellung *f* **dog-tired** *adj* hundemüde

doily *n* (Zier)deckchen *nt*

doing *n* **1.** Tun *nt*; ***this is your ~*** das ist dein Werk; ***it was none of my ~*** ich hatte nichts damit zu tun; ***that takes some ~*** da gehört (schon) etwas dazu **2. doings** *pl* (*infml*) Taten *pl* **do-it-yourself** *adj*, *n* = ***DIY***

doldrums *pl* ***to be in the ~*** (*people*) Trübsal blasen; (*business etc*) in einer Flaute stecken

dole *n* (*Br infml*) Arbeitslosenunterstützung *f*, Alu *f* (*infml*); ***to go/be on the ~*** stempeln (gehen) ◆ **dole out** *v/t sep* austeilen

dole money *n* (*Br infml*) Arbeitslosenunterstützung *f*

doll *n* Puppe *f*

dollar *n* Dollar *m* **dollar bill** *n* Dollarnote *f* **dollar sign** *n* Dollarzeichen *nt*

dollop *n* (*infml*) Schlag *m* (*infml*)

doll's house, (*US*) **doll house** *n* Puppenhaus *nt* **dolly** *n* (*infml*) Püppchen *nt*

dolomite *n* Dolomit *m*; ***the Dolomites*** die Dolomiten *pl*

dolphin *n* Delfin *m*

domain *n* (*fig*) Domäne *f*; IT Domain *nt* **domain name** *n* IT Domainname *m*

dome *n* ARCH Kuppel *f*

domestic *adj* **1.** häuslich; ***~ quarrel*** Ehekrach *m*; ***~ appliances*** Haushaltsgeräte *pl*; ***for ~ use*** für den Hausgebrauch **2.** *esp* POL, COMM inländisch; *issues* innenpolitisch; ***~ trade*** Binnenhandel *m* **domesticated** *adj* domestiziert; *person* häuslich **domestic economy** *n* POL Binnenwirtschaft *f* **domestic flight** *n* Inlandflug *m* **domestic market** *n* POL, COMM Binnenmarkt *m* **domestic policy, domestic politics** *n* Innenpolitik *f* **domestic servant** *n* Hausangestellte(r) *m/f(m)* **domestic violence** *n* Gewalt *f* in der Familie

dominance *n* Vorherrschaft *f* (*over* über +*acc*) **dominant** *adj* dominierend; *gene* dominant; ***to be ~ or the ~ force in sth*** etw dominieren **dominate** *v/t* & *v/i* dominieren **domination** *n* (Vor)herrschaft *f* **domineering** *adj* herrisch

Dominican Republic *n* Dominikanische Republik

dominion *n* **1.** *no pl* Herrschaft *f* (*over* über +*acc*) **2.** (≈ *territory*) Herrschaftsgebiet *nt*

domino *n*, *pl* **-es** Domino(stein) *m*; ***a game of ~es*** ein Dominospiel *nt*

don *n* (*Br* UNIV) *Universitätsdozent(in) besonders in Oxford und Cambridge*

donate *v/t* & *v/i* spenden **donation** *n* (≈ *act*) Spenden *nt*; (≈ *gift*) Spende *f*; ***to make a ~ of £10,000*** £ 10.000 spenden

done I *past part of* **do II** *adj* **1.** *work* erledigt; *vegetables* gar; *meat* durch; *cake* durchgebacken; ***to get sth ~*** etw fertig kriegen; ***is it ~ yet?*** ist es schon erledigt?; (*infml*) ***the butter is (all) ~*** die Butter ist alle **2.** ***it's not the ~ thing*** das tut man nicht

donkey *n* Esel *m* **donkey's years** *pl* (*infml*) ***she's been here for ~*** (*infml*) sie ist schon eine Ewigkeit hier **donkey-work** *n* Routinearbeit *f*, Dreckarbeit *f* (*infml*)

donor *n* Spender(in) *m(f)* **donor card** *n* Organspenderausweis *m*

don't *contraction* = ***do not***

donut *n* (*esp US*) = ***doughnut***

doodah, doodad (*US*) *n* (*infml*) Dingsda

nt (*infml*)
doodle I *v/i* Männchen malen **II** *v/t* kritzeln **III** *n* Gekritzel *nt*
doom I *n* **1.** (≈ *fate*) Schicksal *nt* **2.** (≈ *ruin*) Verhängnis *nt*; ***it's not all gloom and ~*** so schlimm ist es ja alles gar nicht **II** *v/t* verdammen; ***to be ~ed*** verloren sein; ***~ed to failure*** zum Scheitern verurteilt
doomsday *n* der Jüngste Tag
door *n* **1.** Tür *f*; (≈ *entrance*: *to cinema etc*) Eingang *m*; ***there's someone at the ~*** da ist jemand an der Tür; ***was that the ~?*** hat es geklingelt/geklopft?; ***to answer the ~*** die Tür aufmachen; ***to see sb to the ~*** jdn zur Tür bringen; ***to pay at the ~*** an der (Abend)kasse zahlen; ***three ~s away*** drei Häuser weiter **2.** (*phrases*) ***by*** *or* ***through the back ~*** durch ein Hintertürchen; ***to have a foot*** *or* ***toe in the ~*** mit einem Fuß drin sein; ***to be at death's ~*** an der Schwelle des Todes stehen (*elev*); ***to show sb the ~*** jdm die Tür weisen; ***to shut*** *or* ***slam the ~ in sb's face*** jdm die Tür vor der Nase zumachen; ***out of ~s*** im Freien; ***behind closed ~s*** hinter verschlossenen Türen
doorbell *n* Türklingel *f*; ***there's the ~*** es hat geklingelt **door chain** *n* Sicherheitskette *f* **doorframe** *n* Türrahmen *m* **doorhandle** *n* Türklinke *f*, Türfalle *f* (*Swiss*); (≈ *knob*) Türknauf *m* **doorknob** *n* Türknauf *m* **doorknocker** *n* Türklopfer *m* **doorman** *n* (*of hotel*) Portier *m*; (*of nightclub etc*) Rausschmeißer *m* **doormat** *n* Fußmatte *f*; (*fig*) Fußabtreter *m* **doorstep** *n* Eingangsstufe *f*; ***the bus stop is just on my ~*** (*fig*) die Bushaltestelle ist direkt vor meiner Tür **doorstop** *n*, **doorstopper** *n* Türstopper *m* **door-to-door** *adj attr*, **door to door** *adj pred* **1.** ***~ salesman*** Vertreter *m* **2.** *delivery* von Haus zu Haus; ***police are carrying out ~ inquiries*** die Polizei befragt alle Anwohner **doorway** *n* (*of room*) Tür *f*; (*of building*) Eingang *m*
dope I *n no pl* SPORTS Aufputschmittel *nt* **II** *v/t* dopen **dope test** *n* (SPORTS *infml*) Dopingkontrolle *f* **dopey, dopy** *adj* (+*er*) (*infml* ≈ *stupid*) bekloppt (*infml*); (≈ *sleepy*) benebelt (*infml*)
dorm (*infml*) *abbr of* **dormitory** **dormant** *adj volcano* untätig; *plant*, *bank account* ruhend; ***~ state*** Ruhezustand *m*; ***to remain ~*** ruhen; (*virus*) schlummern
dormer (window) *n* Mansardenfenster *nt*
dormitory *n* Schlafsaal *m*; (*US* ≈ *building*) Wohnheim *nt*; ***~ suburb*** *or* ***town*** Schlafstadt *f*
DOS IT *abbr of* ***disk operating system*** DOS *nt*
dosage *n* Dosis *f* **dose I** *n* **1.** MED Dosis *f*; (*fig*) Ration *f*; ***he needs a ~ of his own medicine*** (*fig*) man sollte es ihm mit gleicher Münze heimzahlen; ***in small/large ~s*** (*fig*) in kleinen/großen Mengen; ***she's all right in small ~s*** sie ist nur (für) kurze Zeit zu ertragen **2.** (*infml* ≈ *of illness*) Anfall *m*; ***she's just had a ~ of the flu*** sie hat gerade Grippe gehabt **II** *v/t person* Arznei geben (+*dat*)
doss (*Br infml*) **I** *n* Schlafplatz *m* **II** *v/i* (*a.* **doss down**) sich hinhauen (*infml*)
dossier *n* Dossier *m or nt*
dot I *n* **1.** Punkt *m* **2.** ***to arrive on the ~*** auf die Minute pünktlich (an)kommen; ***at 3 o'clock on the ~*** haargenau um 3 Uhr **II** *v/t* **1.** ***~ted line*** punktierte Linie; ***to tear along the ~ted line*** entlang der punktierten Linie abtrennen; ***to sign on the ~ted line*** (*fig*) formell zustimmen **2.** (≈ *sprinkle*) verstreuen; ***pictures ~ted around the room*** im Zimmer verteilte Bilder **dotcom, dot.com** *n* (*a.* **dot-com company**) Internetfirma *f*
dote on *v/i* +*prep obj* abgöttisch lieben
doting *adj* ***her ~ parents*** ihre sie abgöttisch liebenden Eltern
dot matrix (printer) *n* Matrixdrucker *m*
dotty *adj* (+*er*) (*Br infml*) kauzig
double I *adv* **1.** doppelt so viel; *count* doppelt; ***~ the size (of)*** doppelt so groß (wie); ***~ the amount*** doppelt so viel; ***we paid her ~ what she was getting before*** wir zahlten ihr das Doppelte von dem, was sie vorher bekam **2.** ***to bend ~*** sich krümmen; ***to fold sth ~*** etw einmal falten **II** *adj* **1.** (≈ *twice as much*) doppelt **2.** (≈ *in pairs*) Doppel-; ***it is spelled with a ~ p*** es wird mit zwei p geschrieben; ***my phone number is 9, ~ 3, 2, 4*** meine Telefonnummer ist neun drei drei zwei vier **III** *n* **1.** (*twice*) das Doppelte **2.** (≈ *person*) Doppelgänger(in) *m(f)*; (FILM, THEAT) Double *nt* **3.** ***at the ~*** *also* MIL im Laufschritt; (*fig*) im Eiltempo; ***on the ~*** (*fig*) auf der Stelle **IV** *v/t* verdoppeln **V** *v/i* **1.** sich verdoppeln **2.** ***this bedroom ~s as a study*** dieses Schlafzimmer dient auch als Arbeits-

zimmer ◆ **double back** *v/i* kehrtmachen ◆ **double over** *v/i* = ***double up*** ◆ **double up** *v/i* (≈ *bend over*) sich krümmen

double act *n esp* THEAT Zweigespann *nt* **double agent** *n* Doppelagent(in) *m(f)* **double-barrelled name**, (*US*) **double-barreled name** *n* Doppelname *m* **double-barrelled shotgun**, (*US*) **double-barreled shotgun** *n* doppelläufiges Gewehr **double bass** *n* Kontrabass *m* **double bed** *n* Doppelbett *nt* **double-book** *v/t room*, *seat* zweimal reservieren; *flight* zweimal buchen **double-check** *v/t & v/i* noch einmal (über)prüfen **double chin** *n* Doppelkinn *nt* **double-click** IT *v/t & v/i* doppelklicken (*on* auf *+acc*) **double cream** *n* Schlagsahne *f*, (Schlag)obers *m* (*Aus*) **double-cross** (*infml*) *v/t* ein Doppelspiel *or* falsches Spiel treiben mit **double-dealing I** *n* Betrügerei(en) *f(pl)* **II** *adj* betrügerisch **double-decker** *n* Doppeldecker *m* **double density** *adj* IT mit doppelter Dichte **double doors** *pl* Flügeltür *f* **double Dutch** *n* (*esp Br*) Kauderwelsch *nt*; ***it was ~ to me*** das waren für mich böhmische Dörfer **double entendre** *n* (*esp Br*) Zweideutigkeit *f* **double figures** *pl* zweistellige Zahlen *pl* **double glazing** *n* Doppelfenster *pl* **double knot** *n* Doppelknoten *m* **double life** *n* Doppelleben *nt* **double meaning** *n* ***it has a ~*** es ist doppeldeutig **double-park** *v/i* in der zweiten Reihe parken **double-quick** (*infml*) **I** *adv* im Nu **II** *adj* ***in ~ time*** im Nu

double room *n* Doppelzimmer *nt* **doubles** *n sg or pl* SPORTS Doppel *nt*; ***to play ~*** im Doppel spielen **double-sided** *adj* IT zweiseitig **double-space** *v/t* TYPO mit doppeltem Zeilenabstand drucken **double spacing** *n* doppelter Zeilenabstand **double take** *n* ***he did a ~*** er musste zweimal hingucken **double vision** *n* MED ***he suffered from ~*** er sah doppelt **double whammy** *n* Doppelschlag *m* **double yellow lines** *pl gelbe Doppellinie am Fahrbahnrand zur Kennzeichnung des absoluten Halteverbots* **doubly** *adv* doppelt; ***to make ~ sure*** (**that ...**) ganz sichergehen(, dass ...)

doubt I *n* Zweifel *m*; ***to have one's ~s about sth*** (so) seine Bedenken hinsichtlich einer Sache (*gen*) haben; ***I have my ~s about her*** ich habe bei ihr (so) meine Bedenken; ***I have no ~s about taking the job*** ich habe keine Bedenken, die Stelle anzunehmen; ***there's no ~ about it*** daran gibt es keinen Zweifel; ***I have no ~ about it*** ich bezweifle das nicht; ***to cast ~ on sth*** etw in Zweifel ziehen; ***I am in no ~ as to what*** *or* ***about what he means*** ich bin mir völlig im Klaren darüber, was er meint; ***the outcome is still in ~*** das Ergebnis ist noch ungewiss; ***when in ~*** im Zweifelsfall; ***no ~ he will come tomorrow*** höchstwahrscheinlich kommt er morgen; ***without*** (***a***) ***~*** ohne Zweifel **II** *v/t* bezweifeln; *honesty*, *truth* anzweifeln; ***I'm sorry I ~ed you*** (*your loyalty etc*) es tut mir leid, dass ich an dir gezweifelt habe; ***I don't ~ it*** das bezweifle ich (auch gar) nicht; ***I ~ whether he will come*** ich bezweifle, dass er kommen wird **doubtful** *adj* **1.** (*usu pred* ≈ *unconvinced*) unsicher; ***I'm still ~*** ich habe noch Bedenken; ***to be ~ about sth*** an etw (*dat*) zweifeln; ***to be ~ about doing sth*** Bedenken haben, ob man etw tun soll; ***I was ~ whether I could manage it*** ich bezweifelte, ob ich es schaffen könnte **2.** (≈ *unlikely*) unwahrscheinlich; ***it is ~ that...*** es ist zweifelhaft, ob ... **3.** *reputation* fragwürdig; *outcome* ungewiss; *taste*, *quality* zweifelhaft; ***it is ~ whether ...*** es ist fraglich, ob ...

dough *n* **1.** Teig *m* **2.** (*infml* ≈ *money*) Kohle *f* (*infml*) **doughnut** *n* (*Br*) Berliner (Pfannkuchen) *m*

dour *adj* verdrießlich

douse *v/t* Wasser schütten über (*+acc*); ***to ~ sb/sth in*** *or* ***with petrol*** jdn/etw mit Benzin übergießen

dove[1] *n* Taube *f*

dove[2] (*US*) *pret of* **dive**

dowdy *adj* (*+er*) ohne jeden Schick

down I *adv* **1.** (*indicating movement*, *towards speaker*) herunter; (*away from speaker*) hinunter; (*downstairs*) nach unten; ***to jump ~*** herunter-/hinunterspringen; ***on his way ~ from the summit*** auf seinem Weg vom Gipfel herab/hinab; ***on the way ~ to London*** auf dem Weg nach London runter (*infml*); ***all the way ~ to the bottom*** bis ganz nach unten; ***~ with ...!*** nieder mit ...! **2.** (*indicating position*) unten; ***~ there*** da unten; ***~ here*** hier unten; ***head ~*** mit dem Kopf nach unten; ***I'll be ~ in a minute*** ich komme sofort runter; ***I've been ~ with flu*** ich habe mit Grippe (im Bett) gelegen **3.** ***he came ~ from London yesterday*** er kam gestern aus London; ***he's ~ at his brother's*** er ist bei seinem Bruder; ***he lives ~ South*** er wohnt im Süden; ***his temperature is ~*** sein Fieber ist zurückgegangen; ***interest rates are ~ to/by 3%*** der Zinssatz ist auf/um 3% gefallen; ***he's ~ to his last £10*** er hat nur noch £ 10; ***they're still three goals ~*** sie liegen immer noch mit drei Toren zurück; ***I've got it ~ in my diary*** ich habe es in meinem Kalender notiert; ***let's get it ~ on paper*** halten wir es schriftlich fest; ***to be ~ for the next race*** für das nächste Rennen gemeldet sein; ***from the biggest ~*** vom Größten angefangen; ***~ through the ages*** von jeher; ***~ to*** (≈ *until*) bis zu; ***from 1700 ~ to the present*** von 1700 bis zur Gegenwart; ***to be ~ to sb/sth*** an jdm/etw liegen; ***it's ~ to you to decide*** die Entscheidung liegt bei Ihnen; ***I've put ~ a deposit on a new bike*** ich habe eine Anzahlung für ein neues Fahrrad gemacht **II** *prep* **1.** ***to go ~ the hill*** *etc* den Berg *etc* hinuntergehen; ***he ran his finger ~ the list*** er ging (mit dem Finger) die Liste durch; ***he's already halfway ~ the hill*** er ist schon auf halbem Wege nach unten; ***the other skiers were further ~ the slope*** die anderen Skifahrer waren weiter unten; ***she lives ~ the street*** sie wohnt weiter die Straße entlang; ***he was walking ~ the street*** er ging die Straße entlang; ***if you look ~ this road*** wenn Sie diese Straße hinunterblicken **2.** (*Br infml*) ***he's gone ~ the pub*** er ist in die Kneipe gegangen; ***she's ~ the shops*** sie ist einkaufen gegangen **III** *adj* (*infml*) **1.** ***he was (feeling) a bit ~*** er fühlte sich ein wenig down (*infml*) **2.** (≈ *not working*) ***to be ~*** außer Betrieb sein; IT abgestürzt sein **IV** *v/t beer etc* runterkippen (*infml*); ***to ~ tools*** die Arbeit niederlegen **down-and-out** *n* Penner(in) *m(f)* (*infml*) **down arrow** *n* IT Abwärtspfeil *m* **downcast** *adj* entmutigt **downfall** *n* **1.** Sturz *m* **2.** (≈ *cause of ruin*) Ruin *m* **downgrade** *v/t hotel, job* herunterstufen; *person* degradieren **down-hearted** *adj* entmutigt **downhill I** *adv* bergab; ***to go ~*** heruntergehen/-fahren; (*road*) bergab gehen; ***the economy is going ~*** mit der Wirtschaft geht es bergab; ***things just went steadily ~*** es ging immer mehr bergab **II** *adj* **1.** ***~ slope*** Abhang *m*; ***the path is ~ for two miles*** der Weg führt zwei Meilen bergab; ***it was ~ all the way after that*** danach wurde alles viel einfacher **2.** SKI ***~ skiing*** Abfahrtslauf *m* **III** *n* SKI Abfahrtslauf *m*

Downing Street *n* die Downing Street; (≈ *the government*) die britische Regierung

download IT **I** *v/t* (herunter)laden **II** *v/i* ***it won't ~*** Runterladen ist nicht möglich **III** *attr* ladbar **downloadable** *adj* IT herunterladbar **down-market I** *adj product* für den Massenmarkt; ***this restaurant is more ~*** dieses Restaurant ist weniger exklusiv **II** *adv* ***to go ~*** sich auf den Massenmarkt ausrichten **down payment** *n* FIN Anzahlung *f* **downplay** *v/t* herunterspielen (*infml*) **downpour** *n* Wolkenbruch *m* **downright I** *adv* ausgesprochen; *rude, disgusting* geradezu **II** *adj* ***a ~ lie*** eine glatte Lüge **downriver** *adv* flussabwärts (*from* von); ***~ from Bonn*** unterhalb von Bonn **downshift** *v/i in eine schlechter bezahlte Stelle überwechseln*, runterschalten (*infml*) **downside** *n* Kehrseite *f* **downsize** *v/t* verkleinern **downsizing** COMM, IT *n* Downsizing *nt*

Down's syndrome MED **I** *n* Downsyndrom *nt* **II** *attr* ***a ~ baby*** ein an Downsyndrom leidendes Kind

downstairs I *adv go, come* nach unten; *be, sleep etc* unten **II** *adj* ***the ~ phone*** das Telefon unten; ***~ apartment*** Parterrewohnung *f*; ***our ~ neighbours*** (*Br*) *or* ***neighbors*** (*US*) die Nachbarn unter uns; ***the woman ~*** die Frau von unten **III** *n* ***the ~*** das Erdgeschoss **downstate** (*US*) *adj* ***in ~ Illinois*** im Süden von Illinois **downstream** *adv* flussabwärts **down-to-earth** *adj* nüchtern; ***he's very ~*** er steht mit beiden Füßen auf der Erde **downtown** (*esp US*) **I** *adv go* in die (Innen)stadt; *live, be situated* in der (Innen)stadt **II** *adj* ***~ Chicago*** die Innenstadt von Chicago **downtrodden** *adj* unterdrückt **downturn** *n* (*in business*) Rückgang *m*; ***to take a ~*** zurückgehen; ***his fortunes took a ~*** sein Glücksstern sank **down under** (*infml*) **I** *n* (≈ *Australia*) Australien *nt*; (≈ *New Zealand*) Neuseeland *nt* **II** *adv be, live* in Australien/Neuseeland; *go* nach Australien/

Neuseeland **downward I** *adv* (*a.* **downwards**) nach unten; ***to work ~(s)*** sich nach unten vorarbeiten; ***to slope ~(s)*** abfallen; ***face ~(s)*** (*person*) mit dem Gesicht nach unten; (*book*) mit der aufgeschlagenen Seite nach unten; ***everyone from the Queen ~(s)*** jeder, bei der Königin angefangen **II** *adj stroke* nach unten; ***~ movement*** Abwärtsbewegung *f*; ***~ slope*** Abhang *m*; ***~ trend*** Abwärtstrend *m*; ***to take a ~ turn*** sich zum Schlechteren wenden **downwind** *adv* in Windrichtung (*of, from +gen*)

dowry *n* Mitgift *f*

dowse *v/t* = ***douse***

doz *abbr of* **dozen**

doze I *n* Nickerchen *nt*; ***to have a ~*** dösen **II** *v/i* (vor sich hin) dösen ◆ **doze off** *v/i* einnicken

dozen *n* Dutzend *nt*; ***80p a ~*** 80 Pence das Dutzend; ***two ~ eggs*** zwei Dutzend Eier; ***half a ~*** ein halbes Dutzend; ***~s*** jede Menge; (*fig infml*) eine ganze Menge; ***~s of times*** (*infml*) x-mal (*infml*); ***there were ~s of incidents like this one*** (*infml*) es gab Dutzende solcher Vorfälle; ***~s of people came*** (*infml*) Dutzende von Leuten kamen

dpi IT *abbr of* **dots per inch** dpi

dpt *abbr of* **department** Abt.

Dr *abbr of* **doctor** Dr.

drab *adj* (+*er*) trist; *life, activities* eintönig **drably** *adv dressed* trist; *painted* in tristen Farben

draft I *n* **1.** Entwurf *m* **2.** (*US* MIL) Einberufung *f* (zum Wehrdienst) **3.** (*US*) = ***draught*** **4.** IT Draft(druck) *m* **II** *v/t* **1.** entwerfen **2.** (*US* MIL) einziehen; ***he was ~ed into the England squad*** er wurde für die englische Nationalmannschaft aufgestellt **III** *attr* IT ***~ mode*** Draft-Modus *m* **draft letter** *n* Entwurf *m* eines / des Briefes **draft version** *n* Entwurf *m*

drag I *n* **1.** ***it was a long ~ up to the top of the hill*** es war ein langer, mühseliger Aufstieg zum Gipfel **2.** (*infml*) ***what a ~!*** (*boring*) Mann, ist der / die/das langweilig! (*infml*); (*nuisance*) so'n Mist (*infml*) **3.** (*infml* ≈ *on cigarette*) Zug *m* (*on, at* an +*dat*); ***give me a ~*** lass mich mal ziehen **4.** (*infml*) ***in ~*** in Frauenkleidung **II** *v/t* **1.** schleppen; ***he ~ged her out of/into the car*** er zerrte sie aus dem / in das Auto; ***she ~ged me to the library every Friday*** sie schleppte mich jeden Freitag in die Bücherei; ***to ~ one's feet or heels*** (*fig*) die Sache schleifen lassen **2.** (IT, *with mouse*) *text, window* ziehen **III** *v/i* **1.** (≈ *trail along*) schleifen; (*feet*) schlurfen **2.** (*fig, time, work*) sich hinziehen; (*book*) sich in die Länge ziehen; (*conversation*) sich (mühsam) hinschleppen ◆ **drag along** *v/t sep* mitschleppen ◆ **drag apart** *v/t sep* auseinanderzerren ◆ **drag away** *v/t sep* wegschleppen; ***if you can drag yourself away from the television for a second ...*** wenn du dich vielleicht mal für eine Sekunde vom Fernsehen losreißen könntest ... ◆ **drag behind I** *v/t +prep obj* ***to drag sb/sth behind one*** jdn / etw hinter sich (*dat*) herschleppen **II** *v/i* (*fig*) zurückbleiben ◆ **drag down** *v/t sep* (*lit*) herunterziehen; (*fig*) mit sich ziehen ◆ **drag in** *v/t sep* (*lit*) hineinziehen; ***look what the cat's dragged in*** (*fig infml*) sieh mal, wer da kommt ◆ **drag off** *v/t sep* (*lit*) wegzerren; (*fig*) wegschleppen; ***to drag sb off to a concert*** jdn in ein Konzert schleppen ◆ **drag on** *v/i* sich in die Länge ziehen; (*conversation*) sich hinschleppen ◆ **drag out** *v/t sep* **1.** *meeting etc* in die Länge ziehen **2.** ***eventually I had to drag it out of him*** schließlich musste ich es ihm aus der Nase ziehen (*infml*)

drag and drop *n* IT Drag-and-Drop *nt* **drag lift** *n* SKI Schlepplift *m*

dragon *n* Drache *m* **dragonfly** *n* Libelle *f*

drag queen *n* (*infml*) Tunte *f* (*infml*)

drain I *n* **1.** (≈ *pipe*) Rohr *nt*; (*under sink etc*) Abfluss *m*; (*under the ground*) Kanalisationsrohr *nt*; (≈ *drain cover*) Rost *m*; ***to pour money down the ~*** (*fig infml*) das Geld zum Fenster hinauswerfen; ***I had to watch all our efforts go down the ~*** ich musste zusehen, wie alle unsere Bemühungen zunichte(gemacht) wurden **2.** (*on resources etc*) Belastung *f* (*on +gen*) **II** *v/t* **1.** (*lit*) drainieren; *land* entwässern; *vegetables* abgießen; (≈ *let drain*) abtropfen lassen **2.** (*fig*) ***to feel ~ed*** sich ausgelaugt fühlen **3.** *glass* leeren **III** *v/i* **1.** (*vegetables, dishes*) abtropfen **2.** (*fig*) ***the blood ~ed from his face*** das Blut wich aus seinem Gesicht ◆ **drain away** *v/i* (*liquid*) ablaufen; (*strength*) dahinschwinden ◆ **drain off** *v/t sep* abgießen; (≈ *let* *drain)* abtropfen lassen

drainage *n* **1.** (≈ *draining*) Dränage *f*; (*of land*) Entwässerung *f* **2.** (≈ *system*) Entwässerungssystem *nt*; (*in house, town*) Kanalisation *f* **draining board**, (*US*) **drain board** *n* Ablauf *m* **drainpipe** *n* Abflussrohr *nt*

dram *n* (*Br* ≈ *small drink*) Schluck *m* (Whisky)

drama *n* Drama *nt*; ***to make a ~ out of a crisis*** eine Krise dramatisieren **drama queen** *n* (*pej infml*) Schauspielerin *f* (*pej infml*) **dramatic** *adj* dramatisch **dramatist** *n* Dramatiker(in) *m(f)* **dramatize** *v/t* dramatisieren

drank *pret of* **drink**

drape I *v/t* ***to ~ sth over sth*** etw über etw (*acc*) drapieren **II** *n* **drapes** *pl* (*US*) Gardinen *pl*

drastic *adj* drastisch; *change* einschneidend; ***to take ~ action*** drastische Maßnahmen ergreifen **drastically** *adv* drastisch; *change, different* radikal

draught, (*US*) **draft** *n* **1.** (Luft)zug *m*; ***there's a terrible ~ in here*** hier zieht es fürchterlich **2.** (≈ *draught beer*) Fassbier *nt*; ***on ~*** vom Fass **3. draughts** *pl* (*Br* ≈ *game*) Damespiel *nt*; (*+pl vb* ≈ *pieces*) Damesteine *pl* **4.** (≈ *rough sketch*) = ***draft*** **draught beer**, (*US*) **draft beer** *n* Fassbier *nt* **draughtboard** *n* (*Br*) Damebrett *nt* **draughtsman**, (*US*) **draftsman** *n*, *pl* **-men** (*of plans*) Zeichner *m*; (*of documents etc*) Verfasser *m* **draughty**, (*US*) **drafty** *adj* (*+er*) zugig; ***it's ~ in here*** hier zieht es

draw[1] *pret* **drew**, *past part* **drawn I** *v/t* zeichnen; *line* ziehen; ***we must ~ the line somewhere*** (*fig*) irgendwo muss Schluss sein; ***I ~ the line at cheating*** (*personally*) Mogeln kommt für mich nicht infrage **II** *v/i* zeichnen

draw[2] *vb*: *pret* **drew**, *past part* **drawn I** *v/t* **1.** ziehen; *curtains* (≈ *open*) aufziehen; (≈ *shut*) zuziehen; ***he drew his chair nearer the fire*** er rückte seinen Stuhl näher an den Kamin heran **2.** (≈ *take*) holen; ***to ~ inspiration from sb/sth*** sich von jdm/etw inspirieren lassen; ***to ~ strength from sth*** Kraft aus etw schöpfen; ***to ~ comfort from sth*** sich mit etw trösten; ***to ~ money from the bank*** Geld (vom Konto) abheben; ***to ~ dole*** Arbeitslosenunterstützung beziehen; ***to ~ one's pension*** seine Rente bekommen **3.** ***the play has ~n a lot of criticism*** das Theaterstück hat viel Kritik auf sich (*acc*) gezogen; ***he refuses to be ~n*** er lässt sich auf nichts ein **4.** *interest* erregen; *customer, crowd* anlocken; ***to feel ~n toward(s) sb*** sich zu jdm hingezogen fühlen **5.** *conclusion, comparison* ziehen; *distinction* treffen **6.** SPORTS ***to ~ a match*** unentschieden spielen **7.** (≈ *choose*) ziehen; ***we've been ~n (to play) away*** wir sind für ein Auswärtsspiel gezogen worden **II** *v/i* **1.** kommen; ***he drew to one side*** er ging/fuhr zur Seite; ***to ~ to an end*** *or* ***to a close*** zu Ende gehen; ***the two horses drew level*** die beiden Pferde zogen gleich; ***to ~ near*** herankommen (*to* an *+acc*); ***he drew nearer*** *or* ***closer (to it)*** er kam (immer) näher (heran); ***Christmas is ~ing nearer*** Weihnachten rückt näher **2.** SPORTS unentschieden spielen; ***they drew 2-2*** sie trennten sich 2:2 unentschieden **III** *n* **1.** (≈ *lottery*) Ziehung *f*; (*for sports competitions*) Auslosung *f* **2.** SPORTS Unentschieden *nt*; ***the match ended in a ~*** das Spiel endete unentschieden ◆ **draw alongside** *v/i* heranfahren/-kommen (*+prep obj* an *+acc*) ◆ **draw apart** *v/i* (≈ *move away*) sich lösen ◆ **draw aside** *v/t sep person* beiseitenehmen ◆ **draw away** *v/i* **1.** (≈ *move off, car etc*) losfahren **2.** (*runner etc*) davonziehen (*from sb* jdm) **3.** (≈ *move away*: *person*) sich entfernen; ***she drew away from him when he put his arm around her*** sie rückte von ihm ab, als er den Arm um sie legte ◆ **draw back I** *v/i* zurückweichen **II** *v/t sep* zurückziehen; *curtains* aufziehen ◆ **draw in I** *v/i* (*train*) einfahren; (*car*) anhalten **II** *v/t sep crowds* anziehen ◆ **draw into** *v/t sep* (≈ *involve*) hineinziehen ◆ **draw off** *v/i* (*car*) losfahren ◆ **draw on I** *v/i* ***as the night drew on*** mit fortschreitender Nacht **II** *v/i +prep obj* (*a.* **draw upon**) sich stützen auf (*+acc*); ***the author draws on his experiences in the desert*** der Autor schöpft aus seinen Erfahrungen in der Wüste ◆ **draw out I** *v/i* (*train*) ausfahren; (*car*) herausfahren (*of* aus) **II** *v/t sep* **1.** (≈ *take out*) herausziehen; *money* abheben **2.** (≈ *prolong*) in die Länge ziehen ◆ **draw together** *v/t sep* (*lit, fig*) miteinander verknüpfen ◆ **draw up I** *v/i* (≈ *stop*) (an)halten **II** *v/t sep* **1.** (≈ *formu-*

late) entwerfen; *will* aufsetzen; *list* aufstellen **2.** *chair* heranziehen ◆ **draw upon** *v/i +prep obj* = **draw on** II
drawback *n* Nachteil *m*
drawbridge *n* Zugbrücke *f*
drawer *n* (*in desk etc*) Schublade *f*
drawing *n* Zeichnung *f*; ***I'm no good at ~*** ich kann nicht gut zeichnen **drawing board** *n* Reißbrett *nt*; ***it's back to the ~*** (*fig*) das muss noch einmal ganz neu überdacht werden **drawing paper** *n* Zeichenpapier *nt* **drawing pin** *n* (*Br*) Reißzwecke *f* **drawing room** *n* Wohnzimmer *nt*; (*in mansion*) Salon *m*
drawl **I** *v/t* schleppend aussprechen **II** *n* schleppende Sprache; ***a southern ~*** ein schleppender südlicher Dialekt
drawn **I** *past part of* **draw**[1,2] **II** *adj* **1.** *curtains* zugezogen; *blinds* heruntergezogen **2.** (*from worry*) abgehärmt **3.** *match* unentschieden **drawstring** *n* Kordel *f* zum Zuziehen
dread **I** *v/t* sich fürchten vor (+*dat*); ***I'm ~ing Christmas this year*** dieses Jahr graut es mir schon vor Weihnachten; ***I ~ to think what may happen*** ich wage nicht daran zu denken, was passieren könnte; ***I'm ~ing seeing her again*** ich denke mit Schrecken an ein Wiedersehen mit ihr; ***he ~s going to the dentist*** er hat schreckliche Angst davor, zum Zahnarzt zu gehen **II** *n* ***a sense of ~*** ein Angstgefühl *nt*; ***the thought filled me with ~*** bei dem Gedanken wurde mir angst und bange; ***to live in ~ of being found out*** in ständiger Angst davor leben, entdeckt zu werden **dreadful** *adj* schrecklich; *weather* furchtbar; ***what a ~ thing to happen*** wie furchtbar, dass das passieren musste; ***to feel ~*** (≈ *ill*) sich elend fühlen; ***I feel ~ about it*** (≈ *mortified*) es ist mir schrecklich peinlich **dreadfully** *adv* schrecklich
dreadlocks *pl* Dreadlocks *pl*
dream *vb*: *pret*, *past part* **dreamt** (*Brit*) *or* **dreamed** **I** *n* Traum *m*; ***to have a bad ~*** schlecht träumen; ***the whole business was like a bad ~*** die ganze Angelegenheit war wie ein böser Traum; ***sweet ~s!*** träume süß!; ***to have a ~ about sb/sth*** von jdm/etw träumen; ***it worked like a ~*** (*infml*) das ging wie im Traum; ***she goes round in a ~*** sie lebt wie im Traum; ***the woman of his ~s*** die Frau seiner Träume; ***never in my wildest ~s did I think I'd win*** ich hätte in meinen kühnsten Träumen nicht gedacht, dass ich gewinnen würde; ***all his ~s came true*** all seine Träume gingen in Erfüllung; ***it was a ~ come true*** es war ein Traum, der wahrgeworden war **II** *v/i* träumen (*about*, *of* von) **III** *v/t* träumen; ***he ~s of being free one day*** er träumt davon, eines Tages frei zu sein; ***I would never have ~ed of doing such a thing*** ich hätte nicht im Traum daran gedacht, so etwas zu tun; ***I wouldn't ~ of it*** das würde mir nicht im Traum einfallen; ***I never ~ed (that) ...*** ich hätte mir nie träumen lassen, dass ... **IV** *adj attr* Traum- ◆ **dream up** *v/t sep* (*infml*) sich (*dat*) ausdenken; ***where did you dream that up?*** wie bist du denn bloß darauf gekommen?
dreamer *n* Träumer(in) *m*(*f*) **dreamily** *adv* verträumt **dreamt** (*Br*) *pret*, *past part of* **dream** **dreamy** *adj* (+*er*) verträumt
dreariness *n* Trostlosigkeit *f*; (*of job*, *life*) Eintönigkeit *f* **dreary** *adj* (+*er*) trostlos; *job* eintönig; *book* langweilig, fad (*Aus*)
dredge *v/t* *river*, *canal* ausbaggern, schlämmen
drench *v/t* durchnässen; ***I'm absolutely ~ed*** ich bin durch und durch nass; ***to be ~ed in sweat*** schweißgebadet sein
dress **I** *n* Kleid *nt* **II** *v/t* **1.** anziehen; ***to get ~ed*** sich anziehen; ***to ~ sb in sth*** jdm etw anziehen; ***~ed in black*** schwarz gekleidet; ***he was ~ed in a suit*** er trug einen Anzug **2.** COOK *salad* anmachen; *chicken* bratfertig machen; ***~ed crab*** farcierter Krebs **3.** *wound* verbinden **III** *v/i* sich anziehen; ***to ~ in black*** sich schwarz kleiden; ***to ~ for dinner*** sich zum Essen umziehen ◆ **dress down** **I** *v/t sep* ***to dress sb down*** jdn herunterputzen (*infml*) **II** *v/i* sich betont lässig kleiden ◆ **dress up** *v/i* **1.** (*in smart clothes*) sich fein machen **2.** (*in fancy dress*) sich verkleiden; ***he came dressed up as Santa Claus*** er kam als Weihnachtsmann (verkleidet)
dress circle *n* erster Rang **dresser** *n* **1.** Anrichte *f* **2.** (*US* ≈ *dressing table*) Frisierkommode *f* **dressing** *n* **1.** MED Verband *m* **2.** COOK Dressing *nt* **dressing-down** *n* (*infml*) Standpauke *f* (*infml*); ***to give sb a ~*** jdn herunterputzen (*infml*) **dressing gown** *n* Morgenman-

tel *m*; (*in towelling*) Bademantel *m* **dressing room** *n* THEAT (Künstler)garderobe *f*; SPORTS Umkleidekabine *f* **dressing table** *n* Frisierkommode *f* **dressmaker** *n* (Damen)schneider(in) *m*(*f*) **dress rehearsal** *n* Generalprobe *f* **dress sense** *n* ***her ~ is appalling*** sie zieht sich fürchterlich an

drew *pret of* **draw**[1, 2]

dribble I *v/i* **1.** (*liquids*) tropfen **2.** (*person*) sabbern **3.** SPORTS dribbeln **II** *v/t* **1.** SPORTS ***to ~ the ball*** mit dem Ball dribbeln **2.** (*baby etc*) kleckern; ***he ~d milk down his chin*** er kleckerte sich (*dat*) Milch übers Kinn **III** *n* **1.** (*of water*) ein paar Tropfen **2.** (*of saliva*) Tropfen *m*

dried I *pret, past part of* **dry II** *adj* getrocknet; *blood* eingetrocknet; ***~ yeast*** Trockenhefe *f* **dried flowers** *pl* Trockenblumen *pl* **dried fruit** *n* Dörrobst *nt* **drier** *n* = ***dryer***

drift I *v/i* **1.** treiben; (*sand*) wehen **2.** (*fig, person*) sich treiben lassen; ***to let things ~*** die Dinge treiben lassen; ***he was ~ing aimlessly along*** (*in life etc*) er lebte planlos in den Tag hinein; ***young people are ~ing away from the villages*** junge Leute wandern aus den Dörfern ab; ***the audience started ~ing away*** das Publikum begann wegzugehen **II** *n* **1.** (*of sand, snow*) Verwehung *f* **2.** (≈ *meaning*) Tendenz *f*; ***I caught the ~ of what he said*** ich verstand, worauf er hinauswollte; ***if you get my ~*** wenn Sie mich richtig verstehen ◆ **drift off** *v/i* ***to ~ (to sleep)*** einschlafen

drifter *n* (≈ *person*) Gammler(in) *m*(*f*); ***he's a bit of a ~*** ihn hälts nirgends lange

driftwood *n* Treibholz *nt*

drill I *n* Bohrer *m* **II** *v/t* bohren; *teeth* anbohren **III** *v/i* bohren; ***to ~ for oil*** nach Öl bohren

drink *vb*: *pret* **drank**, *past part* **drunk I** *n* **1.** Getränk *nt*; ***food and ~*** Essen und Getränke; ***may I have a ~?*** kann ich etwas zu trinken haben?; ***would you like a ~ of water?*** möchten Sie etwas Wasser? **2.** (*alcoholic*) Drink *m*; ***have a ~!*** trink doch was!; ***can I get you a ~?*** kann ich Ihnen etwas zu trinken holen?; ***I need a ~!*** ich brauche was zu trinken!; ***he likes a ~*** er trinkt gern (einen); ***the ~s are on me*** die Getränke zahle ich; ***the ~s are on the house*** die Getränke gehen auf Kosten des Hauses **3.** *no pl* (≈ *alcohol*) Alkohol *m*; ***he has a ~ problem*** er trinkt; ***to be the worse for ~*** betrunken sein; ***to take to ~*** zu trinken anfangen; ***his worries drove him to ~*** vor lauter Sorgen fing er an zu trinken **II** *v/t* trinken; ***is the water fit to ~?*** ist das Trinkwasser? **III** *v/i* trinken; ***he doesn't ~*** er trinkt nicht; ***his father drank*** sein Vater war Trinker; ***to go out ~ing*** einen trinken gehen; ***to ~ to sb/sth*** auf jdn/etw trinken; ***I'll ~ to that*** darauf trinke ich ◆ **drink up** *v/i, v/t sep* austrinken; ***~!*** trink aus!

drinkable *adj* trinkbar **drink-driver** *n* (*Br*) angetrunkener Autofahrer, angetrunkene Autofahrerin **drink-driving** (*Br*) *n* Trunkenheit *f* am Steuer **drinker** *n* Trinker(in) *m*(*f*); ***he's a heavy ~*** er ist ein starker Trinker **drinking I** *n* Trinken *nt*; ***his ~ caused his marriage to break up*** an seiner Trunksucht ging seine Ehe in die Brüche; ***underage ~*** der Alkoholkonsum von Minderjährigen **II** *adj* Trink-; ***~ spree*** Sauftour *f* (*infml*) **drinking chocolate** *n* Trinkschokolade *f* **drinking fountain** *n* Trinkwasserbrunnen *m* **drinking problem** *n* Alkoholproblem *nt* **drinking water** *n* Trinkwasser *nt* **drinks machine** *n* Getränkeautomat *m*

drip I *v/i* tropfen; ***to be ~ping with sweat*** schweißgebadet sein; ***to be ~ping with blood*** vor Blut triefen **II** *v/t* tropfen **III** *n* **1.** (≈ *sound*) Tropfen *nt* **2.** (≈ *drop*) Tropfen *m* **3.** MED Tropf *m*; ***to be on a ~*** am Tropf hängen **4.** (*infml: person*) Waschlappen *m* (*infml*) **drip-dry I** *adj shirt* bügelfrei **II** *v/t* tropfnass aufhängen **dripping I** *adj* **1. ~ (wet)** tropfnass **2.** *tap* tropfend **II** *n* Tropfen *nt*

drive *vb*: *pret* **drove**, *past part* **driven I** *n* **1.** AUTO (Auto)fahrt *f*; ***to go for a ~*** ein bisschen (raus)fahren; ***he took her for a ~*** er machte mit ihr eine Spazierfahrt; ***it's about one hour's ~*** es ist etwa eine Stunde Fahrt (entfernt) **2.** (*a.* **driveway**) Einfahrt *f*; (*longer*) Auffahrt *f* **3.** PSYCH *etc* Trieb *m*; ***sex ~*** Sexualtrieb *m* **4.** (≈ *energy*) Schwung *m* **5.** COMM, POL *etc* Aktion *f* **6.** MECH ***front-wheel/rear-wheel ~*** Vorderrad-/Hinterradantrieb *m*; ***left-hand ~*** Linkssteuerung *f* **7.** IT Laufwerk *nt* **II** *v/t* **1.** treiben; ***to ~ sb out of the country*** jdn aus dem Land (ver)treiben; ***to ~ sb mad*** jdn verrückt machen; ***to ~ sb to murder*** jdn zum Mord treiben **2.**

vehicle, passenger fahren; ***I'll ~ you home*** ich fahre Sie nach Hause **3.** *motor (belt, shaft)* antreiben; *(electricity)* betreiben **4.** (≈ *force to work hard*) hart herannehmen **III** *v/i* **1.** fahren; ***can you*** *or* ***do you ~?*** fahren Sie Auto?; ***he's learning to ~*** er lernt Auto fahren; ***did you come by train? — no, we drove*** sind Sie mit der Bahn gekommen? – nein, wir sind mit dem Auto gefahren; ***it's cheaper to ~*** mit dem Auto ist es billiger **2.** *(rain)* schlagen ◆ **drive along** *v/i (vehicle, person)* dahinfahren ◆ **drive at** *v/i +prep obj (fig ≈ mean)* hinauswollen auf (*+acc*) ◆ **drive away I** *v/i* wegfahren **II** *v/t sep person, cares* vertreiben ◆ **drive back I** *v/i* zurückfahren **II** *v/t sep* **1.** (≈ *cause to retreat*) zurückdrängen **2.** *(in vehicle)* zurückfahren ◆ **drive home** *v/t sep nail* einschlagen; *argument* einhämmern ◆ **drive in I** *v/i* (hinein)fahren; ***he drove into the garage*** er fuhr in die Garage **II** *v/t sep nail* (hin)einschlagen ◆ **drive off I** *v/i* abfahren **II** *v/t sep* **1.** *enemy* vertreiben **2.** ***he was driven off in an ambulance*** er wurde in einem Krankenwagen weggebracht *or* abtransportiert ◆ **drive on** *v/i* weiterfahren ◆ **drive out** *v/t sep person* hinaustreiben ◆ **drive over I** *v/i* hinüberfahren **II** *v/t always separate (in car)* hinüberfahren ◆ **drive up I** *v/i* vorfahren **II** *v/t prices* in die Höhe treiben

drive-by *adj shooting, crime* aus dem fahrenden Auto heraus **drive-in I** *adj* ***~ cinema*** *(esp Br)* Autokino *nt*; ***~ restaurant*** Drive-in-Restaurant *nt* **II** *n* (≈ *restaurant*) Drive-in *m*

drivel *n (pej)* Blödsinn *m*

driven *past part of* **drive -driven** *adj suf* -betrieben; ***battery-driven*** batteriebetrieben

driver *n* **1.** Fahrer(in) *m(f)*; ***~'s seat*** *(lit)* Fahrersitz *m* **2.** IT Treiber *m*

driver's license *n (US)* Führerschein *m*

drive-through, *(esp US)* **drive-thru I** *n* Drive-in *m* **II** *adj restaurant* Drive-in-

driveway *n* Auffahrt *f*; *(longer)* Zufahrtsstraße *f* **driving I** *n* Fahren *nt*; ***I don't like ~*** ich fahre nicht gern (Auto) **II** *adj* **1.** ***the ~ force behind sth*** die treibende Kraft bei etw **2.** ***~ rain*** peitschender Regen; ***~ snow*** Schneetreiben *nt* **driving conditions** *pl* Straßenverhältnisse *pl* **driving instructor** *n* Fahrlehrer(in) *m(f)* **driving lesson** *n* Fahrstunde *f*

driving licence *n (Br)* Führerschein *m* **driving mirror** *n* Rückspiegel *m* **driving offence**, *(US)* **driving offense** *n* Verkehrsdelikt *nt* **driving school** *n* Fahrschule *f* **driving seat** *n* Fahrersitz *m*; ***to be in the ~*** *(fig)* die Zügel in der Hand haben **driving test** *n* Fahrprüfung *f*

drizzle I *n* Nieselregen *m* **II** *v/i* nieseln **III** *v/t (pour over)* träufeln **drizzly** *adj* ***it's ~*** es nieselt

drone I *n (of bees)* Summen *nt*; *(of engine)* Brummen *nt* **II** *v/i* **1.** *(bee)* summen; *(engine)* brummen **2.** (*a.* **drone on**) eintönig sprechen; ***he ~d on and on for hours*** er redete stundenlang in seinem monotonen Tonfall

drool *v/i* sabbern; *(animal)* geifern ◆ **drool over** *v/i +prep obj* richtig verliebt sein in (*+acc*); ***he sat there drooling over a copy of Playboy*** er geilte sich an einem Playboyheft auf *(sl)*

droop *v/i* **1.** *(lit, shoulders)* hängen; *(head)* herunterfallen; *(eyelids)* herunterhängen; *(with sleepiness)* zufallen; *(flowers)* die Köpfe hängen lassen **2.** *(fig)* erlahmen **droopy** *adj* schlaff; *tail* herabhängend; *moustache* nach unten hängend; *eyelids* herunterhängend

drop I *n* **1.** *(of liquid)* Tropfen *m*; ***a ~ of blood*** ein Tropfen *m* Blut; ***a ~ of wine?*** ein Schlückchen *nt* Wein? **2.** *(in temperature, prices)* Rückgang *m (in gen)*; *(sudden)* Sturz *m (in gen)*; ***a ~ in prices*** ein Preisrückgang *m*/-sturz *m* **3.** (≈ *in level*) Höhenunterschied *m*; ***there's a ~ of ten feet down to the ledge*** bis zu dem Felsvorsprung geht es zehn Fuß hinunter; ***it was a sheer ~ from the top of the cliff into the sea*** die Klippen fielen schroff zum Meer ab **II** *v/t* **1.** (≈ *allow to fall*) fallen lassen; *bomb* abwerfen; ***I ~ped my watch*** meine Uhr ist runtergefallen; ***don't ~ it!*** lass es nicht fallen!; ***he ~ped his heavy cases on the floor*** er setzte *or* stellte seine schweren Koffer auf dem Boden ab **2.** *(from car) person* absetzen; *thing* abliefern **3.** *remark, name* fallen lassen; *hint* machen **4.** ***to ~ sb a note*** *or* ***a line*** jdm ein paar Zeilen schreiben **5.** (≈ *omit*) auslassen; *(deliberately)* weglassen *(from* in *+dat)*; ***the paper refused to ~ the story*** die Zeitung weigerte sich, die Geschichte fallen zu lassen **6.** (≈ *abandon*) aufgeben; *idea*, *friend* fallen lassen; *conversation* abbrechen; JUR *case* niederschlagen; ***you'd better ~ the idea*** schlagen Sie sich (*dat*) das aus dem Kopf; ***to ~ sb from a team*** jdn aus einer Mannschaft nehmen; ***let's ~ the subject*** lassen wir das Thema; ***~ it!*** (*infml*) hör auf (damit)!; ***~ everything!*** (*infml*) lass alles stehen und liegen! **III** *v/i* **1.** (≈ *fall*, *object*) (herunter)fallen; (*temperature etc*) sinken; (*wind*) sich legen **2.** (*to the ground*) fallen; ***to ~ to the ground*** sich zu Boden fallen lassen; ***I'm ready to ~*** (*infml*) ich bin zum Umfallen müde (*infml*); ***she danced till she ~ped*** (*infml*) sie tanzte bis zum Umfallen (*infml*); ***to ~ dead*** tot umfallen; ***~ dead!*** (*infml*) geh zum Teufel! (*infml*) **3.** (≈ *end*, *conversation etc*) aufhören; ***to let sth ~*** etw auf sich beruhen lassen; ***shall we let it ~?*** sollen wir es darauf beruhen lassen? ◆ **drop back** *v/i* zurückfallen ◆ **drop behind** *v/i* zurückfallen; ***to ~ sb*** hinter jdn zurückfallen ◆ **drop by** *v/i* (*infml*) vorbeikommen ◆ **drop down I** *v/i* herunterfallen; ***he dropped down behind the hedge*** er duckte sich hinter die Hecke; ***to ~ dead*** tot umfallen; ***he has dropped down to eighth*** er ist auf den achten Platz zurückgefallen **II** *v/t sep* fallen lassen ◆ **drop in** *v/i* (*infml*) vorbeikommen; ***I've just dropped in for a minute*** ich wollte nur mal kurz hereinschauen ◆ **drop off I** *v/i* **1.** (≈ *fall down*) abfallen; (≈ *come off*, *handle etc*) abgehen **2.** (≈ *fall asleep*) einschlafen **II** *v/t sep person* absetzen; *parcel* abliefern ◆ **drop out** *v/i* **1.** (*of box etc*) herausfallen (*of* aus) **2.** (*from competition etc*) ausscheiden (*of* aus); ***to ~ of a race*** (*before it*) an einem Rennen nicht teilnehmen; (*during it*) aus dem Rennen ausscheiden; ***he dropped out of the course*** er gab den Kurs auf; ***to ~ of society*** aus der Gesellschaft aussteigen (*infml*); ***to ~ of school*** (*Br*) die Schule vorzeitig verlassen; (*US*) die Universität vorzeitig verlassen

drop-down menu *n* IT Dropdown-Menü *nt* **drop-in centre** *n* (*Br*) Tagesstätte *f* **droplet** *n* Tröpfchen *nt* **dropout** *n* (*from society*) Aussteiger(in) *m*(*f*) (*infml*); (≈ *university dropout*) Studienabbrecher(in) *m*(*f*) **droppings** *pl* Kot *m*

drought *n* Dürre *f*

drove[1] *n* Schar *f*; ***they came in ~s*** sie kamen in hellen Scharen

drove[2] *pret of* **drive**

drown I *v/i* ertrinken **II** *v/t* **1.** ertränken; ***to be ~ed*** ertrinken; ***to ~ one's sorrows*** seine Sorgen ertränken **2.** (*a.* **drown out**) *noise*, *voice* übertönen

drowse *v/i* (vor sich (*acc*) hin) dösen **drowsiness** *n* Schläfrigkeit *f*; (*after sleep*) Verschlafenheit *f*; ***to cause ~*** schläfrig machen **drowsy** *adj* (+*er*) schläfrig; (*after sleep*) verschlafen

drudgery *n* stumpfsinnige Plackerei

drug I *n* **1.** MED, PHARM Medikament *nt*; (*inducing unconsciousness*) Betäubungsmittel *nt*; SPORTS Dopingmittel *nt*; ***he's on ~s*** MED er muss Medikamente nehmen **2.** (≈ *addictive substance*) Droge *f*; ***to be on ~s*** drogensüchtig sein; ***to take ~s*** Drogen nehmen **II** *v/t* (≈ *render unconscious*) betäuben **drug abuse** *n* Drogenmissbrauch *m*; **~ prevention** Drogenprävention *f* **drug addict** *n* Drogensüchtige(r) *m*/*f*(*m*) **drug addiction** *n* Drogensucht *f* **drug dealer** *n* Drogenhändler(in) *m*(*f*) **drugged** *adj* ***to be ~*** unter Beruhigungsmitteln stehen; ***he seemed ~*** er schien wie betäubt **druggist** *n* (*US*) Drogist(in) *m*(*f*) **drug pusher** *n* Dealer(in) *m*(*f*) (*infml*) **drugs raid** *n* Drogenrazzia *f* **drugs test** *n* Dopingtest *m*

drugstore *n* (*US*) Drugstore *m* **drug taking** *n* Einnehmen *nt* von Drogen **drug traffic, drug trafficking** *n* Drogenhandel *m* **drug trafficker** *n* Drogenschieber(in) *m*(*f*) **drug user** *n* Drogenbenutzer(in) *m*(*f*)

drum I *n* **1.** MUS Trommel *f*; ***the ~s*** (*pop*, *jazz*) das Schlagzeug **2.** (*for oil*) Tonne *f* **II** *v/i* (MUS, *fig*) trommeln **III** *v/t* ***to ~ one's fingers on the table*** mit den Fingern auf den Tisch trommeln ◆ **drum into** *v/t always separate* ***to drum sth into sb*** jdm etw eintrichtern (*infml*) ◆ **drum up** *v/t sep enthusiasm* wecken; *support* auftreiben

drumbeat *n* Trommelschlag *m* **drummer** *n* (*in band*) Schlagzeuger(in) *m*(*f*) **drumstick** *n* **1.** MUS Trommelschlägel *or* -stock *m* **2.** (*on chicken etc*) Keule *f*

drunk I *past part of* **drink II** *adj* (+*er*) **1.** betrunken; ***he was slightly ~*** er war leicht betrunken; ***to get ~*** betrunken werden (*on* von); (*on purpose*) sich betrinken (*on* mit); ***to be as ~ as a lord*** *or* ***skunk*** (*infml*) blau wie ein Veilchen sein (*infml*) **2.** (*fig*) ***to be ~ with*** *or* ***on success*** vom Erfolg berauscht sein; ***to be ~ with*** *or* ***on power*** im Machtrausch sein **III** *n* Betrunkene(r) *m*/*f*(*m*); (*habitual*) Trinker(in) *m*(*f*) **drunkard** *n* Trinker(in) *m*(*f*) **drunk driver** *n* (*esp US*) angetrunkener Autofahrer, angetrunkene Autofahrerin **drunk driving, drunken driving** *n* (*esp US*) Trunkenheit *f* am Steuer **drunken** *adj* betrunken; *evening* feuchtfröhlich; ***in a ~ rage*** in einem Wutanfall im Vollrausch; ***in a ~ stupor*** im Vollrausch **drunkenly** *adv* betrunken; *behave* wie ein Betrunkener / eine Betrunkene **drunkenness** *n* (≈ *state*) Betrunkenheit *f*; (≈ *habit*) Trunksucht *f* **drunkometer** *n* (*US*) = ***Breathalyzer®***

dry *pret*, *past part* **dried I** *v*/*t* trocknen; ***to ~ oneself*** sich abtrocknen; ***he dried his hands*** er trocknete sich (*dat*) die Hände ab; ***to ~ the dishes*** das Geschirr abtrocknen; ***to ~ one's eyes*** sich (*dat*) die Tränen abwischen **II** *v*/*i* **1.** (≈ *become dry*) trocknen **2.** (≈ *dry dishes*) abtrocknen **III** *adj* trocken; ***to run ~*** (*river*) austrocknen; ***~ spell*** Trockenperiode *f*; ***the ~ season*** die Trockenzeit; ***to rub oneself ~*** sich abrubbeln; ***~ bread*** trocken Brot **IV** *n* ***to give sth a ~*** etw trocknen ◆ **dry off I** *v*/*i* trocknen **II** *v*/*t sep* abtrocknen ◆ **dry out I** *v*/*i* (*clothes*) trocknen; (*ground*, *skin etc*) austrocknen **II** *v*/*t sep clothes* trocknen; *ground*, *skin* austrocknen ◆ **dry up I** *v*/*i* **1.** (*stream*) austrocknen; (*moisture*) trocknen; (*inspiration*, *income*) versiegen **2.** (≈ *dry dishes*) abtrocknen **II** *v*/*t sep dishes* abtrocknen; *river bed* austrocknen

dry-clean *v*/*t* chemisch reinigen; ***to have a dress ~ed*** ein Kleid chemisch reinigen lassen **dry-cleaner's** *n* chemische Reinigung **dry-cleaning** *n* chemische Reinigung **dryer** *n* **1.** (*for clothes*) Wäschetrockner *m* **2.** (*for hands*) Händetrockner *m* **3.** (*for hair*: *over head*) Trockenhaube *f* **dry ice** *n* Trockeneis *nt* **drying-up** *n* Abtrocknen *nt*; ***to do the ~*** abtrocknen **dryness** *n* Trockenheit *f* **dry-roasted** *adj* trocken geröstet **dry rot** *n* (Haus)schwamm *m* **dry run** *n* Probe *f*

DSL *abbr of* ***digital subscriber line*** DSL; ***~ connection*** DSL-Anschluss *m*

DST (*esp US*) *abbr of* ***daylight saving time***

DTI (*Br*) *abbr of* ***Department of Trade and Industry*** ≈ Handelsministerium *nt*

DTP *abbr of* ***desktop publishing*** DTP *nt*

dual *adj* **1.** (≈ *double*) doppelt **2.** (≈ *two kinds of*) zweierlei **dual carriageway** *n* (*Br*) ≈ Schnellstraße *f* **dual nationality** *n* doppelte Staatsangehörigkeit **dual-purpose** *adj* zweifach verwendbar

dub *v*/*t film* synchronisieren; ***the film was ~bed into French*** der Film war französisch synchronisiert **dubbing** *n* FILM Synchronisation *f*

dubious *adj* **1.** (≈ *questionable*) zweifelhaft; *idea*, *claim*, *basis* fragwürdig; ***it sounds ~ to me*** ich habe da meine Zweifel **2.** (≈ *uncertain*) unsicher; ***I was ~ at first, but he convinced me*** ich hatte zuerst Bedenken, aber er überzeugte mich; ***to be ~ about sth*** etw anzweifeln

duchess *n* Herzogin *f* **duchy** *n* Herzogtum *nt*

duck I *n* Ente *f*; ***to take to sth like a ~ to water*** bei etw gleich in seinem Element sein; ***it's (like) water off a ~'s back to him*** das prallt alles an ihm ab **II** *v*/*i* **1.** (*a.* **duck down**) sich ducken **2.** ***he ~ed out of the room*** er verschwand aus dem Zimmer **III** *v*/*t* **1.** (*under water*) untertauchen **2.** *Frage*, *Schlag* ausweichen (+*dat*) **duckling** *n* Entenküken *nt*

duct *n* **1.** ANAT Röhre *f* **2.** (*for liquid*, *gas*) (Rohr)leitung *f*; ELEC Rohr *nt*

dud (*infml*) **I** *adj* **1.** nutzlos; ***~ batteries*** Batterien, die nichts taugen **2.** (≈ *counterfeit*) gefälscht **II** *n* (≈ *bomb*) Blindgänger *m*; (≈ *coin*) Fälschung *f*; (≈ *person*) Niete *f* (*infml*); ***this battery is a ~*** diese Batterie taugt nichts

dude *n* (*US infml*) Kerl *m* (*infml*)

due I *adj* **1.** (≈ *expected*) fällig; ***to be ~*** (*plane*, *train*, *bus*) ankommen sollen; (*elections*, *results*) anstehen; ***the train was ~ ten minutes ago*** der Zug sollte vor 10 Minuten ankommen; ***when is the baby ~?*** wann soll das Baby kommen?; ***the results are ~ at the end of the month*** die Ergebnisse sind Ende des Monats fällig; ***he is ~ back tomorrow*** er soll morgen zurückkommen; ***to be ~ out*** herauskommen sollen; ***he is ~ to speak about now*** er müsste jetzt gerade seine Rede halten; ***the building is ~ to be demolished*** das Gebäude soll demnächst abgerissen werden; ***he is ~ for a rise*** (*Br*) *or* ***raise*** (*US*) ihm steht eine Gehaltserhöhung zu; ***she is ~ for promotion*** sie ist mit einer Beförderung an der Reihe; ***the prisoner is ~ for release*** *or* ***~ to be released*** der Gefangene soll jetzt entlassen werden; ***the car is ~ for a service*** das Auto muss zur Inspektion; ***~ date*** FIN Fälligkeitstermin *m* **2.** *attention* gebührend; *care* nötig; ***in ~ course*** zu gegebener Zeit; ***with (all) ~ respect*** bei allem Respekt (*to* für) **3.** (≈ *owed*) ***to be ~*** (*money*) ausstehen; ***to be ~ to sb*** (*money*, *leave*) jdm zustehen; ***to be ~ a couple of days off*** ein paar freie Tage verdient haben **4.** ***~ to*** (≈ *owing to*) aufgrund +*gen*; (≈ *caused by*) durch; ***his death was ~ to natural causes*** er ist eines natürlichen Todes gestorben **II** *n* **1. dues** *pl* (≈ *subscription*) (Mitglieds)beitrag *m* **2.** ***to give him his ~, he did at least try*** eins muss man ihm lassen, er hat es wenigstens versucht **III** *adv* ***~ north*** direkt nach Norden; ***~ east of the village*** in Richtung Osten des Dorfes

duel I *n* Duell *nt* **II** *v/i* sich duellieren

duet *n* Duo *nt*; (*for voices*) Duett *nt*

duffel bag *n* Matchbeutel *m* **duffel coat** *n* Dufflecoat *m*

dug *pret*, *past part of* **dig**

duke *n* Herzog *m* **dukedom** *n* (≈ *territory*) Herzogtum *nt*; (≈ *title*) Herzogswürde *f*

dull I *adj* (+*er*) **1.** *light*, *weather* trüb; *glow* schwach; *colour*, *eyes*, *metal* matt; ***it will be ~ at first*** (*weather forecast*) es wird anfangs bewölkt **2.** (≈ *boring*) langweilig, fad (*Aus*); ***there's never a ~ moment*** man langweilt sich keinen Augenblick **3.** *sound*, *ache* dumpf **II** *v/t* **1.** *pain* betäuben; *senses* abstumpfen **2.** *sound* dämpfen **dullness** *n* **1.** (*of light*) Trübheit *f*; (*of colours*, *eyes*, *hair*, *paintwork*, *metal*) Mattheit *f*; (*of weather*, *day*) Trübheit *f*; (*of sky*) Bedecktheit *f* **2.** (≈ *boring nature*) Langweiligkeit *f* **3.** (≈ *listlessness*, ST EX, COMM, *of market*) Flauheit *f* **dully** *adv* **1.** (≈ *dimly*) matt, schwach **2.** *throb*, *ache*, *feel* dumpf

duly *adv* **1.** *elect*, *sign* ordnungsgemäß; ***to be ~ impressed*** gebührend beeindruckt sein **2.** (≈ *as expected*) wie erwartet; ***he ~ obliged*** er tat es dann auch

dumb *adj* (+*er*) **1.** stumm; (≈ *silent*) sprachlos; ***she was struck ~ with fear*** die Angst verschlug ihr die Sprache **2.** (*esp US infml*) doof (*infml*); ***that was a ~ thing to do*** wie kann man nur so etwas Dummes machen!; ***to play ~*** sich dumm stellen ◆ **dumb down** *v/t sep* anspruchsloser machen

dumbbell *n* SPORTS Hantel *f* **dumbfound** *v/t* verblüffen **dumbing down** *n* Verdummung *f* **dumb waiter** *n* Speiseaufzug *m*

dummy I *n* **1.** (≈ *sham*) Attrappe *f*; (*for clothes*) Schaufensterpuppe *f* **2.** (*Br* ≈ *baby's teat*) Schnuller *m* **3.** (*infml* ≈ *fool*) Idiot *m* (*infml*) **II** *adj attr* unecht; ***a ~ bomb*** eine Bombenattrappe **dummy run** *n* Probe *f*, Übung *f*

dump I *n* **1.** (*Br*, *for rubbish*) Müllkippe *f* **2.** MIL Depot *nt* **3.** (*pej infml*) (≈ *town*) Kaff *nt* (*infml*); (≈ *building*) Dreckloch *nt* (*pej infml*) **4.** (*infml*) ***to be down in the ~s*** down sein (*infml*) **II** *v/t* **1.** (≈ *get rid of*) abladen; *bags etc* (≈ *drop*) fallen lassen; (≈ *leave*) lassen; (*infml*) *boyfriend* abschieben; *car* abstellen; ***to ~ sb/sth on sb*** jdn/etw bei jdm abladen **2.** IT dumpen **dumper** *n* (≈ *dump truck*) Kipper *m* **dumping** *n* (*of load*, *rubbish*) Abladen *nt*; ***"no ~"*** (*Br*) „Schuttabladen verboten!" **dumping ground** *n* (*fig*) Abladeplatz *m*

dumpling *n* COOK Kloß *m*

Dumpster® *n* (*US*) (Müll)container *m*

dump truck *n* Kipper *m*

dumpy *adj* pummelig

dunce *n* Dummkopf *m*

dune *n* Düne *f*

dung *n* Dung *m*; (AGR ≈ *manure*) Mist *m*

dungarees (*esp Br*) *pl* Latzhose *f*; ***a pair of ~*** eine Latzhose

dungeon *n* Verlies *nt*

dunk *v/t* (ein)tunken

dunno = (***I***) ***don't know***

duo *n* Duo *nt*

dupe *v/t* überlisten; ***he was ~d into believing it*** er fiel darauf rein

duplex *n* (*esp US*) = ***duplex apartment/house*** **duplex apartment** *n* (*esp US*) zweistöckige Wohnung **duplex house** *n* (*US*) Zweifamilienhaus *nt*

duplicate I *v/t* **1.** (*on machine*) kopieren **2.** *success etc* wiederholen; (*wastefully*) zweimal machen **II** *n* Kopie *f*; (*of key*) Zweitschlüssel *m*; ***in ~*** in doppelter Ausfertigung **III** *adj* zweifach; ***a ~ copy*** eine

Kopie; ***a ~ key*** ein Zweitschlüssel *m* **duplication** *n* (*of documents*) Vervielfältigung *f*; (*of efforts, work*) Wiederholung *f*
duplicity *n* Doppelspiel *nt*
durability *n* **1.** (*of product, material*) Strapazierfähigkeit *f* **2.** (*of peace, relationship*) Dauerhaftigkeit *f* **durable** *adj* **1.** *material* strapazierfähig; ***CDs are more ~ than tapes*** CDs halten länger als Kassetten **2.** *peace, relationship* dauerhaft **duration** *n* Dauer *f*; ***for the ~ of*** für die Dauer (+*gen*)
duress *n* ***under ~*** unter Zwang
Durex® *n* Gummi *m* (*infml*)
during *prep* während (+*gen*)
dusk *n* (≈ *twilight*) (Abend)dämmerung *f*; ***at ~*** bei Einbruch der Dunkelheit **dusky** *adj* (+*er*) (*liter*) *skin, colour* dunkel; *person* dunkelhäutig; ***~ pink*** altrosa
dust I *n no pl* Staub *m*; ***covered in ~*** staubbedeckt; ***to gather ~*** verstauben; ***to give sth a ~*** etw abstauben **II** *v/t* **1.** *furniture* abstauben; *room* Staub wischen in (+*dat*); ***it's (all) done and ~ed*** (*Br fig infml*) das ist (alles) unter Dach und Fach **2.** COOK bestäuben **III** *v/i* Staub wischen ◆ **dust down** *v/t sep* (*with brush*) abbürsten; (*with hand*) abklopfen; ***to dust oneself down*** (*fig*) sich rein waschen ◆ **dust off** *v/t sep dirt* wegwischen; ***to dust oneself off*** (*fig*) sich rein waschen
dustbin *n* (*Br*) Mülltonne *f* **dustbin man** *n* (*Br*) = ***dustman*** **dust cover** *n* (*on book*) (Schutz)umschlag *m*; (*on furniture*) Schonbezug *m* **duster** *n* Staubtuch *nt*; SCHOOL (Tafel)schwamm *m* **dusting** *n* **1.** Staubwischen *nt*; ***to do the ~*** Staub wischen **2.** ***a ~ of snow*** eine dünne Schneedecke **dust jacket** *n* (Schutz)umschlag *m* **dustman** *n* (*Br*) Müllmann *m* **dustpan** *n* Kehrschaufel *f* **dusty** *adj* (+*er*) staubig; *furniture, book* verstaubt
Dutch I *adj* holländisch; ***a ~ man*** ein Holländer *m*; ***a ~ woman*** eine Holländerin; ***he is ~*** er ist Holländer **II** *n* **1.** (≈ *people*) ***the ~*** die Holländer *pl* **2.** (≈ *language*) Holländisch *nt* **III** *adv* ***to go ~ (with sb)*** (*infml*) (mit jdm) getrennte Kasse machen **Dutch cap** *n* (≈ *diaphragm*) Pessar *nt* **Dutch courage** *n* (*infml*) ***to give oneself ~*** sich (*dat*) Mut antrinken (*from* mit)
Dutchman *n* Holländer *m*
Dutchwoman *n* Holländerin *f*
dutiful *adj* pflichtbewusst
duty *n* **1.** Pflicht *f*; ***to do one's ~ (by sb)*** seine Pflicht (gegenüber jdm) tun; ***to report for ~*** sich zum Dienst melden; ***to be on ~*** (*doctor etc*) im Dienst sein; SCHOOL *etc* Aufsicht haben; ***who's on ~ tomorrow?*** wer hat morgen Dienst / Aufsicht?; ***he went on ~ at 9*** sein Dienst fing um 9 an; ***to be off ~*** nicht im Dienst sein; ***he comes off ~ at 9*** sein Dienst endet um 9 **2.** FIN Zoll *m*; ***to pay ~ on sth*** Zoll auf etw (*acc*) zahlen **duty-free** *adj, adv* zollfrei **duty-free allowance** *n* Zollkontingent *nt*, Freimenge *f* **duty-free shop** *n* Duty-free-Shop *m* **duty officer** *n* Offizier *m* vom Dienst **duty roster** *n* Dienstplan *m*
duvet *n* Steppdecke *f*
DV cam *n* digitale Videokamera, DV-Cam *f*
DVD *n abbr of* ***digital versatile*** *or* ***video disc*** DVD *f* **DVD player** *n* DVD-Player *m* **DVD-Rom** *n* DVD-Rom *f*
DVT *abbr of* ***deep vein thrombosis***
dwarf I *n*, *pl* ***dwarves*** Zwerg *m* **II** *adj* ***~ shrubs*** Zwergsträucher *pl* **III** *v/t* ***to be ~ed by sb/sth*** neben jdm / etw klein erscheinen
dwell *pret, past part* **dwelt** *v/i* (*liter*) weilen (*elev*) ◆ **dwell (up)on** *v/i +prep obj* verweilen bei; ***to ~ the past*** sich ständig mit der Vergangenheit befassen; ***let's not ~ it*** wir wollen uns nicht (länger) damit aufhalten
dwelling *n* (*form*) Wohnung *f*; ***~ house*** Wohnhaus *nt* **dwelt** *pret, past part of* ***dwell***
dwindle *v/i* (*numbers*) zurückgehen; (*supplies*) schrumpfen **dwindling** *adj numbers* zurückgehend; *supplies* schwindend
dye I *n* Farbstoff *m*; ***hair ~*** Haarfärbemittel *nt*; ***food ~*** Lebensmittelfarbe *f* **II** *v/t* färben; ***~d blonde hair*** blond gefärbtes Haar
dying I *pp of* ***die*** **II** *adj* **1.** (*lit*) sterbend; *plant* eingehend; *words* letzte(r, s) **2.** (*fig*) *industry, art* aussterbend; *minutes* letzte(r, s) **III** *n* ***the ~*** *pl* die Sterbenden
dyke, (*US*) **dike** *n* **1.** Deich *m* **2.** (*sl* ≈ *lesbian*) Lesbe *f* (*infml*)
dynamic I *adj* dynamisch **II** *n* Dynamik *f* **dynamics** *n sg or pl* Dynamik *f* **dynamism** *n* Dynamismus *m*; (*of person*) Dynamik *f*

dynamite *n* (*lit*) Dynamit *nt*; (*fig*) Sprengstoff *m*
dynamo *n* Dynamo *m*; AUTO Lichtmaschine *f*
dynasty *n* Dynastie *f*
dysentery *n* Ruhr *f*
dysfunctional *adj* dysfunktional
dyslexia *n* Legasthenie *f* **dyslexic I** *adj* legasthenisch; ***she is ~*** sie ist Legasthenikerin **II** *n* Legastheniker(in) *m(f)*

E

E, e *n* E *nt*, e *nt*; ***E flat*** Es *nt*, es *nt*; ***E sharp*** Eis *nt*, eis *nt*
E *abbr of* **east** O
e- *pref* (≈ *electronic*) E-, elektronisch
each I *adj* jede(r, s); ***~ one of us*** jeder von uns; ***~ and every one of us*** jeder Einzelne von uns **II** *pron* **1.** jede(r, s); ***~ of them gave their*** *or* ***his opinion*** jeder sagte seine Meinung **2.** ***~ other*** sich; ***they haven't seen ~ other for a long time*** sie haben sich lange nicht gesehen; ***you must help ~ other*** ihr müsst euch gegenseitig helfen; ***on top of ~ other*** aufeinander; ***next to ~ other*** nebeneinander; ***they went to ~ other's house(s)*** sie besuchten einander zu Hause **III** *adv* je; ***we gave them one apple ~*** wir haben ihnen je einen Apfel gegeben; ***the books are £10 ~*** die Bücher kosten je £ 10; ***carnations at 50p ~*** Nelken zu 50 Pence das Stück
eager *adj* eifrig; *response* begeistert; ***to be ~ to do sth*** etw unbedingt tun wollen
eagerly *adv* eifrig; *await*, *anticipate* gespannt; *accept* bereitwillig; ***~ awaited*** mit Spannung erwartet **eagerness** *n* Eifer *m*
eagle *n* Adler *m*
ear[1] *n* **1.** Ohr *nt*; ***to keep one's ~s open*** die Ohren offen halten; ***to be all ~s*** ganz Ohr sein; ***to lend an ~*** zuhören; ***it goes in one ~ and out the other*** das geht zum einen Ohr hinein und zum anderen wieder hinaus; ***to be up to one's ~s in work*** bis über beide Ohren in Arbeit stecken; ***he's got money*** *etc* ***coming out of his ~s*** (*infml*) er hat Geld *etc* ohne Ende (*infml*) **2.** ***to have a good ~ for music*** ein feines Gehör für Musik haben; ***to play it by ~*** (*fig*) improvisieren
ear[2] *n* (*of grain*) Ähre *f*
earache *n* Ohrenschmerzen *pl* **eardrum** *n* Trommelfell *nt* **earful** *n* (*infml*) ***to get an ~*** mit einer Flut von Beschimpfungen überschüttet werden; ***to give sb an ~*** jdn zusammenstauchen (*infml*)
earhole *n* (*Br infml*) Ohr *nt*, Löffel *m* (*infml*)
earl *n* Graf *m*
earlier I *adj comp of* **early** früher; ***at an ~ date*** früher **II** *adv* ***~ (on)*** früher; ***~ (on) in the novel*** an einer früheren Stelle in dem Roman; ***~ (on) today*** heute (vor einigen Stunden); ***~ (on) this year*** früher in diesem Jahr; ***I cannot do it ~ than Thursday*** ich kann es nicht eher als Donnerstag machen
ear lobe *n* Ohrläppchen *nt*
early I *adv* **1.** ***~ (on)*** früh; ***~ in 1915/in February*** Anfang 1915/Februar; ***~ (on) in the year*** Anfang des Jahres; ***~ (on) in his/her/their*** *etc* ***life*** in jungen Jahren; ***~ (on) in the race*** zu Anfang des Rennens; ***~ (on) in the evening*** am frühen Abend; ***as ~ as*** (≈ *already*) schon; ***~ this month/year*** Anfang des Monats/Jahres; ***~ today/this morning*** heute früh; ***the earliest he can come is tomorrow*** er kann frühestens morgen kommen **2.** (≈ *before the expected time*) früher (als erwartet); (≈ *too early*) zu früh; ***she left ten minutes ~*** sie ist zehn Minuten früher gegangen; ***to be five minutes ~*** fünf Minuten zu früh kommen; ***he left school ~*** (*went home*) er ging früher von der Schule nach Hause; (*finished education*) er ging vorzeitig von der Schule ab; ***to get up/go to bed ~*** früh aufstehen/ins Bett gehen **II** *adj* (+*er*) **1.** früh; *death* vorzeitig; ***an ~ morning drive*** eine Spritztour am frühen Morgen; ***we had an ~ lunch*** wir aßen früh zu Mittag; ***in ~ winter*** zu Winteranfang; ***the ~ days*** die ersten Tage; ***~ January*** Anfang Januar; ***in the ~ 1980s*** Anfang der Achtzigerjahre; ***to have an ~ night*** früh ins Bett gehen; ***until*** *or* ***into the ~ hours*** bis in die frühen Morgenstunden;

her ~ life ihre jungen Jahre; ***at an ~ age*** in jungen Jahren; ***from an ~ age*** von klein auf; ***to be in one's ~ thirties*** Anfang dreißig sein; ***it's ~ days*** (***yet***) (*esp Br*) wir *etc* sind noch im Anfangsstadium **2.** *man* frühgeschichtlich; ***~ baroque*** Frühbarock *m* **3.** (≈ *soon*) bald; ***at the earliest possible moment*** so bald wie irgend möglich **early bird** *n* (*in morning*) Frühaufsteher(in) *m*(*f*) **early closing** *n* ***it's ~ today*** die Geschäfte sind heute Nachmittag geschlossen **early retirement** *n* ***to take ~*** vorzeitig in den Ruhestand gehen **early riser** *n* Frühaufsteher(in) *m*(*f*) **early warning system** *n* Frühwarnsystem *nt*

earmark *v/t* (*fig*) vorsehen **earmuffs** *pl* Ohrenschützer *pl*

earn *v/t* verdienen; FIN *interest* bringen; ***to ~ one's keep/a living*** Kost und Logis/seinen Lebensunterhalt verdienen; ***this ~ed him a lot of respect*** das trug ihm große Achtung ein; ***he's ~ed it*** das hat er sich (*dat*) verdient

earnest I *adj person* ernst; *discussion* ernsthaft **II** *n* ***in ~*** (≈ *for real*) richtig; ***to be in ~ about sth*** etw ernst meinen **earnestly** *adv say*, *ask* ernst; *discuss*, *try*, *explain* ernsthaft; *hope* innig

earnings *pl* (*of person*) Verdienst *m*; (*of a business*) Einkünfte *pl*

ear, nose and throat *adj attr* Hals-Nasen-Ohren-; ***~ specialist*** Hals-Nasen-Ohren-Facharzt *m*/-ärztin *f* **earphones** *pl* Kopfhörer *pl* **earpiece** *n* Hörer *m* **ear piercing** *n* Durchstechen *nt* der Ohrläppchen **earplug** *n* Ohropax® *nt* **earring** *n* Ohrring *m* **earset** *n* Earset *nt*, Ohrhörer *m* **earshot** *n* ***out of/within ~*** außer/in Hörweite **ear-splitting** *adj* ohrenbetäubend

earth I *n* **1.** Erde *f*; ***the ~, Earth*** die Erde; ***on ~*** auf der Erde; ***to the ends of the ~*** bis ans Ende der Welt; ***where/who*** *etc* ***on ~ ...?*** (*infml*) wo/wer *etc* ... bloß?; ***what on ~ ...?*** (*infml*) was in aller Welt ...? (*infml*); ***nothing on ~ will stop me now*** keine Macht der Welt hält mich jetzt noch auf; ***there's no reason on ~ why ...*** es gibt keinen erdenklichen Grund, warum ...; ***it cost the ~*** (*Br infml*) das hat eine schöne Stange Geld gekostet (*infml*); ***to come back down to ~*** (*fig*) wieder auf den Boden der Tatsachen (zurück)kommen; ***to bring sb down to ~*** (***with a bump***) (*fig*) jdn (unsanft) wieder auf den Boden der Tatsachen zurückholen **2.** (*of fox etc*) Bau *m* **II** *v/t* (*Br* ELEC) erden **earthenware I** *n* **1.** (≈ *material*) Ton *m* **2.** (≈ *dishes etc*) Tongeschirr *nt* **II** *adj* aus Ton, Ton- **earthly** *adj* **1.** irdisch **2.** ***there's no ~ reason why ...*** es gibt nicht den geringsten Grund, warum ... **earthquake** *n* Erdbeben *nt* **earth-shattering** *adj* (*fig*) welterschütternd **earth tremor** *n* Erdstoß *m* **earthworm** *n* Regenwurm *m* **earthy** *adj* **1.** *smell* erdig **2.** (*fig*) *person* urtümlich, urchig (*Swiss*); *humour*, *language* derb

earwax *n* Ohrenschmalz *nt* **earwig** *n* Ohrwurm *m*

ease I *n* **1.** ***I am never at ~ in his company*** in seiner Gesellschaft fühle ich mich immer befangen; ***to be*** *or* ***feel at ~ with oneself*** sich (in seiner Haut) wohlfühlen; ***to put sb at*** (***his/her***) ***~*** jdm die Befangenheit nehmen; ***to put*** *or* ***set sb's mind at ~*** jdn beruhigen; (***stand***) ***at ~!*** MIL rührt euch! **2.** (≈ *absence of difficulty*) Leichtigkeit *f*; ***with*** (***the greatest of***) ***~*** mit (größter) Leichtigkeit; ***for ~ of use*** um die Benutzung zu erleichtern **II** *v/t* **1.** *pain* lindern; ***to ~ the burden on sb*** jdm eine Last abnehmen **2.** *rope* lockern; *pressure*, *tension* verringern; *situation* entspannen; ***he ~d the lid off*** er löste den Deckel behutsam ab; ***he ~d his way through the hole*** er schob sich vorsichtig durch das Loch **III** *v/i* nachlassen

◆ **ease off** *or* **up** *v/i* **1.** (≈ *slow down*) langsamer werden; ***the doctor told him to ease up a bit at work*** der Arzt riet ihm, bei der Arbeit etwas kürzerzutreten **2.** (*pain*, *rain*) nachlassen

easel *n* Staffelei *f*

easily *adv* **1.** leicht; ***~ accessible*** (*place*) leicht zu erreichen; ***he learnt to swim ~*** er lernte mühelos schwimmen; ***it could just as ~ happen here*** es könnte genauso gut hier passieren **2.** ***it's ~ 25 miles*** es sind gut und gerne 25 Meilen; ***they are ~ the best*** sie sind mit Abstand die Besten **3.** *talk*, *breathe* ganz entspannt

east I *n* ***the ~*** der Osten; ***in the ~*** im Osten; ***to the ~*** nach Osten; ***to the ~ of*** östlich von; ***the wind is coming from the ~*** der Wind kommt von Ost(en); ***the ~ of France*** der Osten Frankreichs; ***East-West relations*** Ost-West-Beziehungen *pl* **II** *adv* (≈ *eastward*) nach Osten; ***the***

kitchen faces ~ die Küche liegt nach Osten; ***~ of Paris/the river*** östlich von Paris/des Flusses **III** *adj* Ost-; ***~ coast*** Ostküste *f* **East Berlin** *n* Ostberlin *nt* **eastbound** *adj* (in) Richtung Osten; ***the ~ carriageway of the M4*** (*Br*) die M4 in Richtung Osten

Easter I *n* Ostern *nt*; ***at ~*** an *or* zu Ostern **II** *adj attr* Oster- **Easter bunny** *n* Osterhase *m* **Easter egg** *n* Osterei *nt*

easterly *adj* östlich, Ost-; ***an ~ wind*** ein Ostwind *m*; ***in an ~ direction*** in östlicher Richtung

Easter Monday *n* Ostermontag *m*

eastern *adj* Ost-, östlich; ***Eastern Europe*** Osteuropa *nt* **easterner** *n* (*esp US*) Oststaatler(in) *m(f)*; ***he's an ~*** er kommt aus dem Osten **easternmost** *adj* östlichste(r, s)

Easter Sunday *n* Ostersonntag *m*

East European I *adj* osteuropäisch **II** *n* Osteuropäer(in) *m(f)* **East German I** *adj* ostdeutsch **II** *n* Ostdeutsche(r) *m/f(m)* **East Germany** *n* Ostdeutschland *nt*; (≈ *GDR*) die DDR **eastward I** *adv* (*a.* **eastwards**) nach Osten **II** *adj direction* östlich **eastwardly** *adv*, *adj* = ***eastward***

easy I *adj* (*+er*) leicht; *option*, *solution* einfach; ***it's ~ to forget that ...*** man vergisst leicht, dass ...; ***it's ~ for her*** sie hat es leicht; ***that's ~ for you to say*** du hast gut reden; ***he was an ~ winner*** er hat mühelos gewonnen; ***that's the ~ part*** das ist das Einfache; ***it's an ~ mistake to make*** den Fehler kann man leicht machen; ***to be within ~ reach of sth*** etw leicht erreichen können; ***as ~ as pie*** kinderleicht; ***easier said than done*** leichter gesagt als getan; ***to take the ~ way out*** es sich (*dat*) leicht machen; ***she is ~ to get on with*** mit ihr kann man gut auskommen; ***to have it ~, to have an ~ time (of it)*** es leicht haben; ***~ prey*** eine leichte Beute; ***to be ~ on the eye/ear*** angenehm anzusehen/anzuhören sein; ***at an ~ pace*** in gemütlichem Tempo; ***I don't feel ~ about it*** es ist mir nicht recht **II** *adv* (*infml*) ***to go ~ on sb*** nicht so streng mit jdm sein; ***to go ~ on sth*** mit etw sparsam umgehen; ***to take it ~, to take things ~*** (≈ *rest*) sich schonen; ***take it ~!*** (≈ *calm down*) immer mit der Ruhe!; ***~ does it*** immer sachte **easy chair** *n* Sessel *m*, Fauteuil *nt* (*Aus*) **easy-going** *adj* gelassen **easy listening** *n* leichte Musik, Unterhaltungsmusik *f* **easy money** *n* leicht verdientes Geld; ***you can make ~*** Sie können leicht Geld machen **easy touch** *n* ***to be an ~*** (*infml*) nicht Nein sagen können

eat *vb*: *pret* **ate**, *past part* **eaten** *v/t & v/i* (*person*) essen; (*animal*) fressen; ***to ~ one's breakfast*** frühstücken; ***to ~ one's lunch/dinner*** zu Mittag/Abend essen; ***he was forced to ~ his words*** er musste alles zurücknehmen; ***he won't ~ you*** (*infml*) er wird dich schon nicht fressen (*infml*); ***what's ~ing you?*** (*infml*) was hast du denn? ◆ **eat away at** *v/i +prep obj* **1.** (*acid*, *rust*) anfressen **2.** (*fig*) *finances* angreifen ◆ **eat into** *v/i +prep obj metal* anfressen; *capital* angreifen; *time* verkürzen ◆ **eat out I** *v/i* zum Essen ausgehen **II** *v/t sep* ***Elvis Presley, eat your heart out*** Elvis Presley, da kannst du vor Neid erblassen ◆ **eat up I** *v/t sep* **1.** (*lit*) aufessen; (*animal*) auffressen **2.** (*fig*) verbrauchen **II** *v/i* aufessen

eaten *past part of* **eat** **eater** *n* Esser(in) *m(f)* **eating** *n* Essen *nt* **eating disorder** *n* Essstörung *f*

eau de Cologne *n* Kölnischwasser *nt*

eaves *pl* Dachvorsprung *m*

eavesdrop *v/i* (heimlich) lauschen; ***to ~ on a conversation*** ein Gespräch belauschen

ebb I *n* Ebbe *f*; ***~ and flow*** (*fig*) Auf und Ab *nt*; ***at a low ~*** (*fig*) auf einem Tiefstand **II** *v/i* **1.** (*tide*) zurückgehen **2.** (*fig*: *a.* **ebb away**, *enthusiasm etc*) verebben; (*life*) zu Ende gehen **ebb tide** *n* Ebbe *f*

e-book *n* Onlinebuch *nt*

ebullient *adj person* überschwänglich; *spirits*, *mood* übersprudelnd

e-business *n* **1.** (≈ *company*) Internetfirma *f* **2.** (≈ *commerce*) E-Business *nt*

EC *abbr of* ***European Community*** EG *f*

e-card *n* E-Card *f*, elektronische Grußkarte

e-cash *n* E-Cash *nt*, elektronische Geldüberweisung

ECB *abbr of* ***European Central Bank*** EZB *f*

eccentric I *adj* exzentrisch **II** *n* Exzentriker(in) *m(f)* **eccentricity** *n* Exzentrizität *f*

ecclesiastical *adj* kirchlich

ECG *abbr of* ***electrocardiogram*** EKG *nt*

echo I *n* Echo *nt*; (*fig*) Anklang *m* (*of* an +*acc*) **II** *v/t* (*fig*) wiedergeben **III** *v/i* (*sounds*) widerhallen; (*room*, *footsteps*) hallen; ***her words ~ed in his ears*** ihre Worte hallten ihm in den Ohren
éclair *n* Liebesknochen *m*
eclectic *adj* eklektisch
eclipse I *n* ASTRON Finsternis *f*; ***~ of the sun/moon*** Sonnen-/Mondfinsternis *f* **II** *v/t* (*fig*) in den Schatten stellen
eco- *pref* Öko-, öko- **ecofriendly** *adj* (*Br*) umweltfreundlich **ecological** *adj* ökologisch; ***~ disaster*** Umweltkatastrophe *f*; ***~ damage*** Umweltschäden *pl* **ecologist** *n* Ökologe *m*, Ökologin *f* **ecology** *n* Ökologie *f*
e-commerce *n* E-Commerce *m*
economic *adj* **1.** Wirtschafts-; ***~ growth*** Wirtschaftswachstum *nt* **2.** (≈ *cost-effective*) *price*, *rent* wirtschaftlich **economical** *adj* sparsam; ***to be ~ with sth*** mit etw haushalten; ***they were ~ with the truth*** sie haben es mit der Wahrheit nicht so genau genommen; ***an ~ style*** LIT ein prägnanter Stil **economically** *adv* **1.** wirtschaftlich; ***after the war, the country suffered ~*** nach dem Krieg litt die Wirtschaft des Landes **2.** (≈ *thriftily*) sparsam; ***to use sth ~*** mit etw sparsam umgehen **economic migrant, economic refugee** *n* Wirtschaftsmigrant(in) *m*(*f*)
economics *n* **1.** *sg or pl* Wirtschaftswissenschaften *pl* **2.** *pl* ***the ~ of the situation*** die wirtschaftliche Seite der Situation **economist** *n* Wirtschaftswissenschaftler(in) *m*(*f*)
economize *v/i* sparen ◆ **economize on** *v/i +prep obj* sparen
economy *n* **1.** (*system*) Wirtschaft *f no pl* **2.** (≈ *saving*) Einsparung *f*; ***a false ~*** falsche Sparsamkeit **economy class** *n* Touristenklasse *f* **economy drive** *n* Sparmaßnahmen *pl* **economy size** *n* Sparpackung *f*
ecosystem *n* Ökosystem *nt* **ecotourism** *n* Ökotourismus *m* **eco-warrior** *n* (*infml*) Ökokämpfer(in) *m*(*f*)
ecstasy *n* **1.** Ekstase *f*; ***to be in ~*** ekstatisch sein **2.** (≈ *drug*) Ecstasy *nt* **ecstatic** *adj* ekstatisch
ecumenical *adj* (*form*) ökumenisch
eczema *n* Ekzem *nt*
ed 1. *abbr of* ***editor*** Hrsg. **2.** *abbr of* ***edition*** Ausg.
eddy *n* Wirbel *m*
Eden *n* (*also fig*) ***Garden of ~*** Garten *m* Eden
edge I *n* **1.** (*of knife*) Schneide *f*; ***to take the ~ off sth*** (*fig*) *sensation* etw der Wirkung (*gen*) berauben; *pain* etw lindern; ***the noise sets my teeth on ~*** das Geräusch geht mir durch und durch; ***to be on ~*** nervös sein; ***there was an ~ to his voice*** seine Stimme klang ärgerlich; ***to have the ~ on sb/sth*** jdm/etw überlegen sein; ***it gives her/it that extra ~*** darin besteht eben der kleine Unterschied **2.** (≈ *outer limit*) Rand *m*; (*of brick*) Kante *f*; (*of lake*, *river*, *sea*) Ufer *nt*; ***at the ~ of the road*** am Straßenrand; ***the film had us on the ~ of our seats*** der Film war unheimlich spannend **II** *v/t* **1.** (≈ *put a border on*) einfassen; ***~d in black*** mit einem schwarzen Rand **2.** ***to ~ one's way toward(s) sth*** (*slowly*) sich allmählich auf etw (*acc*) zubewegen; ***she ~d her way through the crowd*** sie schlängelte sich durch die Menge **III** *v/i* sich schieben; ***to ~ toward(s) the door*** sich zur Tür stehlen; ***he ~d past me*** er schob sich an mir vorbei ◆ **edge out** *v/t sep* beiseitedrängen; ***Germany edged England out of the final*** Deutschland verdrängte England aus dem Endspiel
edgeways, edgewise (*US*) *adv* hochkant; ***I couldn't get a word in ~*** ich bin überhaupt nicht zu Wort gekommen
edgy *adj* (+*er*) nervös
EDI *abbr of* ***electronic data interchange***
edible *adj* essbar
edict *n* Erlass *m*
edifice *n* Gebäude *nt*
Edinburgh *n* Edinburg(h) *nt*
edit *v/t* *newspaper*, *magazine* herausgeben; *book*, *text* redigieren; *film* schneiden; IT editieren ◆ **edit out** *v/t sep* herausnehmen; (*from film*, *tape*) herausschneiden; *character* (*from story*) herausstreichen
editable *adj* IT *file* editierbar **editing** *n* (*of newspaper*, *magazine*) Herausgabe *f*; (*of book*, *text*) Redaktion *f*; (*of film*) Schnitt *m*; IT Editieren *nt* **edition** *n* Ausgabe *f*; (≈ *impression*) Auflage *f* **editor** *n* Herausgeber(in) *m*(*f*); (*publisher's*) (Verlags)lektor(in) *m*(*f*); FILM Cutter(in) *m*(*f*); ***sports ~*** Sportredakteur(in) *m*(*f*) **editorial I** *adj* redaktionell **II** *n* Leitartikel *m*

EDP *abbr of* ***electronic data processing*** EDV *f*
educate *v/t* **1.** SCHOOL, UNIV erziehen; ***he was ~d at Eton*** er ist in Eton zur Schule gegangen **2.** *public* informieren; ***we need to ~ our children about drugs*** wir müssen dafür sorgen, dass unsere Kinder über Drogen Bescheid wissen **educated** *adj* gebildet; ***to make an ~ guess*** eine fundierte *or* wohlbegründete Vermutung anstellen
education *n* Erziehung *f*; (≈ *studies, training*) Ausbildung *f*; (≈ *knowledge*) Bildung *f*; ***College of Education*** pädagogische Hochschule; ***(local) ~ authority*** Schulbehörde *f*; ***to get an ~*** eine Ausbildung bekommen; ***she had a university ~*** sie hatte eine Universitätsausbildung; ***she had little ~*** sie war ziemlich ungebildet **educational** *adj* **1.** (≈ *academic*) erzieherisch; (*at school level*) schulisch; ***~ system*** (≈ *institutions*) Bildungswesen *nt*; (≈ *structure*) Bildungssystem *nt* **2.** (≈ *teaching*) *issue* pädagogisch **3.** *experience, video* lehrreich; ***~ film*** Lehrfilm *m*; ***~ toy*** pädagogisch wertvolles Spielzeug **educationally** *adv* ***~ subnormal*** lernbehindert
edutainment *n* Edutainment *nt*
Edwardian *adj* Edwardianisch; ***~ England*** England in der Zeit Eduards VII.
EEC *n* (*dated*) *abbr of* ***European Economic Community*** EG *f*, EWG *f* (*dated*)
EEG *abbr of* ***electroencephalogram*** EEG *nt*
eel *n* Aal *m*
eerie, eery *adj* (*+er*) unheimlich **eerily** *adv* (*+vb*) unheimlich; (*+adj*) auf unheimliche Weise; ***the whole town was ~ quiet*** in der ganzen Stadt herrschte eine unheimliche Stille
effect *n* **1.** Wirkung *f*; (≈ *repercussion*) Auswirkung *f*; ***alcohol has the ~ of dulling your senses*** Alkohol bewirkt eine Abstumpfung der Sinne; ***the ~ of this is that ...*** das hat zur Folge, dass ...; ***to feel the ~s of the drugs*** die Wirkung der Drogen spüren; ***to no ~*** erfolglos; ***to have an ~ on sb/sth*** eine Wirkung auf jdn/etw haben; ***to have no ~*** keine Wirkung haben; ***to take ~*** (*drug*) wirken; ***with immediate ~*** mit sofortiger Wirkung; ***with ~ from 3 March*** mit Wirkung vom 3. März; ***to create an ~*** einen Effekt erzielen; ***only for ~*** nur zum Effekt; ***we received a letter to the ~ that ...*** wir erhielten ein Schreiben des Inhalts, dass ...; ***... or words to that ~*** ... oder etwas in diesem Sinne **2.** (≈ *reality*) ***in ~*** in Wirklichkeit **3.** (*of laws*) ***to come into*** *or* ***take ~*** in Kraft treten **effective** *adj* **1.** *way, measures* effektiv; *means, treatment, deterrent* wirksam; *combination* wirkungsvoll; ***to be ~ in doing sth*** bewirken, dass etw geschieht; ***to be ~ against sth*** (*drug*) gegen etw wirken **2.** (≈ *operative*) in Kraft; ***a new law, ~ from*** *or* ***becoming ~ on 1 August*** ein neues Gesetz, das am 1. August in Kraft tritt **effectively** *adv* **1.** (≈ *successfully*) wirksam; *function, work* effektiv **2.** (≈ *in effect*) effektiv **effectiveness** *n* Wirksamkeit *f*; (*of strategy*) Effektivität *f*
effeminate *adj* feminin
effervescent *adj* sprudelnd
efficacy *n* Wirksamkeit *f*
efficiency *n* (*of person*) Fähigkeit *f*; (*of machine, organization*) Leistungsfähigkeit *f*; (*of method*) Wirksamkeit *f*; (*of engine*) Sparsamkeit *f* **efficient** *adj person* fähig; *machine, organization* leistungsfähig; *engine* sparsam; *service* gut; *method* wirksam; *way, use* rationell; ***to be ~ at (doing) sth*** etw gut können **efficiently** *adv* effektiv; ***to work more ~*** rationeller arbeiten
effigy *n* Bildnis *nt*
effluent *n* Abwasser *nt*
effort *n* **1.** (≈ *attempt*) Versuch *m*; (≈ *hard work*) Anstrengung *f*; ***to make an ~ to do sth*** sich bemühen, etw zu tun; ***to make the ~ to do sth*** sich (*dat*) die Mühe machen, etw zu tun; ***to make every ~*** *or* ***a great ~ to do sth*** sich sehr bemühen, etw zu tun; ***he made no ~ to be polite*** er machte sich (*dat*) nicht die Mühe, höflich zu sein; ***it's an ~*** es kostet einige Mühe; ***come on, make an ~*** komm, streng dich an; ***it's worth the ~*** die Mühe lohnt sich **2.** (≈ *campaign*) Aktion *f* **3.** (*infml*) Unternehmen *nt*; ***it was a pretty poor ~*** das war eine ziemlich schwache Leistung; ***it's not bad for a first ~*** das ist nicht schlecht für den Anfang **effortless** *adj* mühelos **effortlessly** *adv* mühelos
effusive *adj* überschwänglich; (≈ *gushing*) exaltiert
E-fit *n* elektronisch erstelltes Fahndungsfoto

EFL *abbr of* ***English as a Foreign Language*** Englisch als Fremdsprache
eg *abbr of* ***exempli gratia*** (≈ *for example*) z. B.
EGA IT *abbr of* ***enhanced graphics adapter*** EGA *m*
egalitarian *adj* egalitär **egalitarianism** *n* Egalitarismus *m*
egg *n* Ei *nt*; ***to put all one's ~s in one basket*** (*prov*) alles auf eine Karte setzen ◆ **egg on** *v/t sep* anstacheln
egg cup *n* Eierbecher *m* **eggplant** *n* (*US*) Aubergine *f*, Melanzani *f* (*Aus*) **eggshell** *n* Eierschale *f* **egg timer** *n* Eieruhr *f* **egg whisk** *n* Schneebesen *m* **egg white** *n* Eiweiß *nt* **egg yolk** *n* Eigelb *nt*
ego *n* PSYCH Ego *nt*; (≈ *self-esteem*) Selbstbewusstsein *nt*; (≈ *conceit*) Einbildung *f*; ***his ~ won't allow him to admit he is wrong*** sein Stolz lässt ihn nie zugeben, dass er unrecht hat **egocentric** *adj* egozentrisch **egoism** *n* Egoismus *m* **egoistic(al)** *adj* egoistisch **egotism** *n* Ichbezogenheit *f* **egotist** *n* ichbezogener Mensch **egotistic(al)** *adj* ichbezogen **ego trip** *n* (*infml*) Egotrip *m* (*infml*)
Egypt *n* Ägypten *nt* **Egyptian I** *adj* ägyptisch **II** *n* Ägypter(in) *m(f)*
EIB *abbr of* ***European Investment Bank***
eiderdown *n* (≈ *quilt*) Federbett *nt*
eight I *adj* acht **II** *n* Acht *f*; → ***six***
eighteen I *adj* achtzehn **II** *n* Achtzehn *f*
eighteenth I *adj* achtzehnte(r, s) **II** *n* **1.** (≈ *fraction*) Achtzehntel *nt* **2.** (*of series*) Achtzehnte(r, s); → ***sixteenth***
eighth I *adj* achte(r, s) **II** *n* **1.** (≈ *fraction*) Achtel *nt* **2.** (*of series*) Achte(r, s); → ***sixth*** **eighth note** *n* (*US* MUS) Achtelnote *f*
eightieth I *adj* achtzigste(r, s) **II** *n* **1.** (≈ *fraction*) Achtzigstel *nt* **2.** (*of series*) Achtzigste(r, s); → ***sixtieth***
eighty I *adj* achtzig **II** *n* Achtzig *f*; → ***sixty***
Eire *n* Irland *nt*
either I *adj, pron* **1.** (≈ *one or other*) eine(r, s) (von beiden); ***there are two boxes on the table, take ~ (of them)*** auf dem Tisch liegen zwei Schachteln, nimm eine davon **2.** (≈ *each, both*) jede(r, s), beide *pl*; ***~ day would suit me*** beide Tage passen mir; ***which bus will you take? — ~ (will do)*** welchen Bus wollen Sie nehmen? — das ist egal; ***on ~ side of the street*** auf beiden Seiten der Straße; ***it wasn't in ~ (box)*** es war in keiner der beiden (Kisten) **II** *adv, cj* **1.** (*after neg statement*) auch nicht; ***I haven't ~*** ich auch nicht **2.** ***~ ... or*** entweder ... oder; (*after a negative*) weder ... noch; ***he must be ~ lazy or stupid*** er muss entweder faul oder dumm sein; ***I have never been to ~ Paris or Rome*** ich bin weder in Paris noch in Rom gewesen **3.** ***she inherited some money and not an insignificant amount ~*** sie hat Geld geerbt, und (zwar) gar nicht so wenig
ejaculate *v/i* PHYSIOL ejakulieren **ejaculation** *n* PHYSIOL Ejakulation *f*
eject I *v/t* **1.** *tenant* hinauswerfen **2.** *cartridge* auswerfen **II** *v/i* (*pilot*) den Schleudersitz betätigen **ejector seat**, (*US*) **ejection seat** *n* AVIAT Schleudersitz *m*
eke out *v/t sep supplies* strecken; *money* aufbessern; ***to ~ a living*** sich (recht und schlecht) durchschlagen
EKG *n* (*US*) = ***ECG***
elaborate I *adj* **1.** (≈ *complex*) kompliziert; (≈ *sophisticated*) ausgeklügelt; *scheme* groß angelegt; *precautions, plans* umfangreich; *preparations* ausführlich; *design* aufwendig **2.** (≈ *lavish, ornate*) kunstvoll **II** *v/i* ***would you care to*** *or* ***could you ~ on that?*** könnten Sie darauf näher eingehen? **elaborately** *adv* **1.** (≈ *in detail*) ausführlich; (≈ *complexly*) kompliziert; ***an ~ staged press conference*** eine mit großem Aufwand veranstaltete Pressekonferenz **2.** (≈ *ornately, lavishly*) kunstvoll
élan *n* Elan *m*
elapse *v/i* vergehen
elastic I *adj* elastisch; ***~ waist*** Taille *f* mit Gummizug **II** *n* Gummi(band *nt*) *m*; ***a piece of ~*** ein Gummiband *nt* **elasticated** *adj* elastisch; ***~ waist*** Taille *f* mit Gummizug **elastic band** *n* (*esp Br*) Gummiband *nt* **elasticity** *n* Elastizität *f* **Elastoplast®** *n* (*Br*) Heftpflaster *nt*
elated *adj* begeistert **elation** *n* Begeisterung (*at* über *+acc*)
elbow I *n* Ellbogen *m* **II** *v/t* ***he ~ed his way through the crowd*** er boxte sich durch die Menge; ***to ~ sb aside*** jdn beiseitestoßen; ***he ~ed me in the stomach*** er stieß mir *or* mich mit dem Ellbogen in den Magen **elbow grease** *n* (*infml*) Muskelkraft *f* **elbowroom** *n* (*infml*) Ellbogenfreiheit *f* (*infml*)
elder¹ I *adj attr comp of* **old** **1.** *brother etc*

ältere(r, s) **2.** (≈ *senior*) ***Pliny the ~*** Plinius der Ältere **II** *n* **1.** ***respect your ~s*** du musst Respekt vor Älteren haben **2.** (*of tribe, Church*) Älteste(r) *m*

elder[2] *n* BOT Holunder *m*, Holler *m* (*Aus*)

elderberry *n* Holunderbeere *f*, Hollerbeere *f* (*Aus*); ***~ wine*** Holunder- *or* (*Aus*) Hollerwein *m*

elderly *adj* ältlich, ältere(r, s) *attr* **elder statesman** *n* (alt)erfahrener Staatsmann **eldest I** *adj attr sup of* **old** älteste(r, s) **II** *n* ***the ~*** der/die/das Älteste; (*pl*) die Ältesten *pl*; ***the ~ of four children*** das älteste von vier Kindern; ***my ~*** (*infml*) mein Ältester, meine Älteste

elect I *v/t* **1.** wählen; ***he was ~ed chairman*** er wurde zum Vorsitzenden gewählt; ***to ~ sb to the Senate*** jdn in den Senat wählen **2.** (≈ *choose*) sich entscheiden für; ***to ~ to do sth*** sich dafür entscheiden, etw zu tun **II** *adj* ***the president ~*** der designierte Präsident

election *n* Wahl *f* **election campaign** *n* Wahlkampf *m* **electioneering** *n* (≈ *campaign*) Wahlkampf *m*; (≈ *propaganda*) Wahlpropaganda *f* **elective** *n* (*US*: SCHOOL, UNIV) Wahlfach *nt* **electoral** *adj* Wahl-; ***~ process*** Wahlverfahren *nt*; ***~ system*** Wahlsystem *nt* **electoral register, electoral roll** *n* Wählerverzeichnis *nt* **electorate** *n* Wählerschaft *f*

electric I *adj* **1.** (≈ *powered by electricity*) elektrisch; (≈ *carrying electricity*) Strom-; ***~ car/vehicle*** Elektroauto *nt*; ***~ razor*** Elektrorasierer *m*; ***~ kettle*** elektrischer Wasserkocher **2.** (*fig*) wie elektrisiert **II** *n* **1.** (*infml* ≈ *electricity*) Elektrizität *f* **2. electrics** *pl* Strom *m*; AUTO Elektrik *f*

electrical *adj* elektrisch; ***~ appliance*** Elektrogerät *nt* **electrical engineer** *n* Elektrotechniker(in) *m(f)*; (*with degree*) Elektroingenieur(in) *m(f)* **electrical engineering** *n* Elektrotechnik *f* **electrically** *adv* elektrisch; ***an ~ powered car*** ein Wagen *m* mit Elektroantrieb **electric bill** *n* (*infml*) Stromrechnung *f* **electric blanket** *n* Heizdecke *f* **electric chair** *n* elektrischer Stuhl **electric cooker** *n* Elektroherd *m* **electric fence** *n* Elektrozaun *m* **electric fire** *n* elektrisches Heizgerät **electric guitar** *n* E-Gitarre *f* **electric heater** *n* elektrisches Heizgerät

electrician *n* Elektriker(in) *m(f)*

electricity *n* Elektrizität *f*; (≈ *electric power for use*) (elektrischer) Strom; ***~ price*** Strompreis *m*; ***~ production*** Stromerzeugung *f* **electricity meter** *n* Stromzähler *m* **electric light** *n* elektrisches Licht **electric organ** *n* elektrische Orgel **electric shock** *n* Stromschlag *m*; MED Elektroschock *m* **electric toothbrush** *n* elektrische Zahnbürste **electrify** *v/t* **1.** RAIL elektrifizieren **2.** (*fig*) elektrisieren **electrocardiogram** *n* Elektrokardiogramm *nt* **electrocute** *v/t* durch einen (Strom)schlag töten; (≈ *execute*) auf dem elektrischen Stuhl hinrichten **electrode** *n* Elektrode *f* **electrolysis** *n* Elektrolyse *f* **electromagnetic** *adj* elektromagnetisch **electron** *n* Elektron *nt*

electronic *adj*, **electronically** *adv* elektronisch **electronic banking** *n* elektronischer Zahlungsverkehr **electronic data interchange** *n* IT elektronischer Datenaustausch **electronic data processing** *n* IT elektronische Datenverarbeitung **electronic engineering** *n* Elektronik *f* **electronic mail** *n* E-Mail *f* **electronics** *n* **1.** *sg* (*subject*) Elektronik *f* **2.** *pl* (*of machine etc*) Elektronik *f* **electronic surveillance** *n* elektronische Überwachung **electronic tagging** *n* elektronische Fußfesseln *pl* **electroplated** *adj* (galvanisch) versilbert/verchromt *etc* **electroshock therapy** *n* Elektroschocktherapie *f*

elegance *n* Eleganz *f* **elegant** *adj*, **elegantly** *adv* elegant

elegy *n* Elegie *f*

element *n* Element *nt*; ***one of the key ~s of the peace plan*** einer der grundlegenden Bestandteile des Friedensplans; ***an ~ of danger*** ein Gefahrenelement *nt*; ***an ~ of truth*** eine Spur von Wahrheit; ***a criminal ~*** ein paar Kriminelle; ***to be in one's ~*** in seinem Element sein **elemental** *adj* (*liter*) elementar; ***~ force*** Naturgewalt *f* **elementary** *adj* **1.** *fact* grundlegend; ***~ mistake*** Grundfehler *m* **2.** SCHOOL *level* Elementar-; ***~ skills/knowledge*** Grundkenntnisse *pl*; ***~ maths*** Elementarmathematik *f* **elementary school** *n* (*US*) Grundschule *f*

elephant *n* Elefant *m*

elevate *v/t* **1.** heben; *blood pressure etc* erhöhen **2.** (*fig*) *mind* erbauen **3.** ***to ~ sb to the peerage*** jdn in den Adelsstand erheben **elevated** *adj* **1.** (≈ *raised*) erhöht; ***~ railway*** (*Br*) *or* ***railroad*** (*US*) Hochbahn *f*; ***the ~ section of the M4*** die als Hochstraße gebaute Strecke der M4 **2.** *status, style, language* gehoben **elevation** *n* (*above sea level*) Höhe *f* über dem Meeresspiegel **elevator** *n* (*US*) Fahrstuhl *m*

eleven **I** *n* Elf *f*; ***the second ~*** FTBL die zweite Mannschaft **II** *adj* elf; → ***six*** **elevenses** *n sg or pl* (*Br*) zweites Frühstück, Znüni *nt* (*Swiss*)

eleventh **I** *adj* elfte(r, s); ***at the ~ hour*** (*fig*) fünf Minuten vor zwölf **II** *n* **1.** (≈ *fraction*) Elftel *nt* **2.** (*of series*) Elfte(r, s); → ***sixth***

elf *n, pl* ***elves*** Kobold *m*

elicit *v/t* entlocken (*from sb* jdm); *support* gewinnen (*from sb* jds)

eligibility *n* Berechtigung *f* **eligible** *adj* infrage kommend; (*for competition etc*) teilnahmeberechtigt; (*for grants etc*) berechtigt; (*for membership*) aufnahmeberechtigt; ***to be ~ for a job*** für einen Posten infrage kommen; ***to be ~ for a pension*** pensionsberechtigt sein; ***an ~ bachelor*** ein begehrter Junggeselle

eliminate *v/t* **1.** ausschließen; *competitor* ausschalten; *poverty, waste* ein Ende machen (*+dat*); *problem* beseitigen; ***our team was ~d*** unsere Mannschaft ist ausgeschieden **2.** (≈ *kill*) eliminieren **elimination** *n* **1.** Ausschluss *m*; (*of competitor*) Ausschaltung *f*; (*of poverty, waste*) Beendung *f*; (*of problem*) Beseitigung *f*; ***by (a) process of ~*** durch negative Auslese **2.** (≈ *killing*) Eliminierung *f*

elite **I** *n* (*often pej*) Elite *f* **II** *adj* Elite-; ***~ group*** Elitegruppe *f* **elitism** *n* Elitedenken *nt* **elitist** **I** *adj* elitär **II** *n* elitär Denkende(r) *m/f(m)*; ***he's an ~*** er denkt elitär

Elizabethan **I** *adj* elisabethanisch **II** *n* Elisabethaner(in) *m(f)*

elk *n* Elch *m*

elliptic(al) *adj* MAT *etc* elliptisch

elm *n* Ulme *f*

elocution *n* Sprechtechnik *f*; ***~ lessons*** Sprechunterricht *m*

elongate *v/t* verlängern; (≈ *stretch out*) strecken **elongated** *adj* verlängert; (≈ *stretched*) ausgestreckt; *shape* länglich

elope *v/i* durchbrennen (*infml*), um zu heiraten

eloquence *n* (*of person*) Redegewandtheit *f*; (*of speech, words*) Gewandtheit *f* **eloquent** *adj speech, words* gewandt; *person* redegewandt **eloquently** *adv express* mit beredten Worten; *demonstrate* deutlich

else *adv* **1.** (*after pron*) andere(r, s); ***anybody ~ would have done it*** jeder andere hätte es gemacht; ***is there anybody ~ there?*** (*in addition*) ist sonst (noch) jemand da?; ***does anybody ~ want it?*** will jemand anders es haben?; ***somebody ~*** sonst jemand; ***I'd prefer something ~*** ich möchte lieber etwas anderes; ***have you anything ~ to say?*** haben Sie sonst noch etwas zu sagen?; ***do you find this species anywhere ~?*** findet man die Gattung auch anderswo?; ***they haven't got anywhere ~ to go*** sie können sonst nirgends anders hingehen; ***this is somebody ~'s umbrella*** dieser Schirm gehört jemand anders; ***something ~*** sonst etwas; ***that car is something ~*** (*infml*) das Auto ist einfach spitze (*infml*); ***if all ~ fails*** wenn alle Stricke reißen; ***above all ~*** vor allen Dingen; ***anything ~?*** (*in shop*) sonst noch etwas?; ***everyone/everything ~*** alle anderen/alles andere; ***everywhere ~*** überall sonst; ***somewhere*** *or* ***someplace*** (*esp US*) ~ woanders; (*with motion*) woandershin; ***from somewhere ~*** woandersher **2.** (*after pron, neg*) ***nobody ~, no one ~*** sonst niemand; ***nothing ~*** sonst nichts; ***what do you want? — nothing ~, thank you*** was möchten Sie? — danke, nichts weiter; ***if nothing ~, you'll enjoy it*** auf jeden Fall wird es dir Spaß machen; ***there's nothing ~ for it but to ...*** da gibt es keinen anderen Ausweg, als zu ...; ***nowhere ~*** sonst nirgends *or* nirgendwo; (*with motion*) sonst nirgendwohin; ***there's not much ~ we can do*** wir können kaum etwas anderes tun **3.** (*after interrog*) ***where/who/what ~?*** wo/wer/was sonst?; ***who ~ but John?*** wer anders als John?; ***how ~ can I do it?*** wie kann ich es denn sonst machen?; ***what ~ could I have done?*** was hätte ich sonst tun können? **4.** (≈ *otherwise, if not*) sonst; ***do it now (or) ~ you'll be punished*** tu es jetzt, sonst setzt es Strafe; ***do it or ~ ...!*** mach das, sonst ...!; ***he's either a genius or ~ he's mad*** er ist entweder ein Genie oder aber verrückt

elsewhere *adv* woanders; ***to go ~*** woandershin gehen; ***her thoughts were ~*** sie war mit ihren Gedanken woanders

ELT *abbr of* ***English Language Teaching***
elucidate *v/t text* erklären; *situation* erhellen
elude *v/t police, enemy* entkommen (*+dat*); ***to ~ capture*** entkommen; ***sleep ~d her*** sie konnte keinen Schlaf finden; ***the name ~s me*** der Name ist mir entfallen **elusive** *adj* **1.** *target, success* schwer erreichbar; (≈ *unattainable*) unerreichbar; ***financial success proved ~*** der finanzielle Erfolg wollte sich nicht einstellen **2.** *person* schwer zu erreichen; *prey* schwer zu fangen
elves *pl of* ***elf***
emaciated *adj* ausgezehrt
E-mail, e-mail I *n* E-Mail *f* **II** *v/t* ***to ~ sb*** jdm eine E-Mail schicken; ***to ~ sth*** etw per E-Mail schicken
emanate *v/i* ausgehen (*from* von); (*odour*) ausströmen (*from* von)
emancipate *v/t women* emanzipieren; *slaves* freilassen; *people* befreien **emancipated** *adj woman, outlook* emanzipiert **emancipation** *n* Emanzipation *f*; (*of slave*) Freilassung *f*; (*of people*) Befreiung *f*
emasculate *v/t* (≈ *weaken*) entkräften
embalm *v/t* einbalsamieren
embankment *n* (Ufer)böschung *f*; (*for railway*) Bahndamm *m*; (≈ *dam*) (Ufer)damm *m*
embargo *n, pl* ***-es*** Embargo *nt*; ***trade ~*** Handelsembargo *nt*; ***to place/lift an ~ on sth*** ein Embargo über etw (*acc*) verhängen/aufheben
embark *v/i* **1.** NAUT sich einschiffen **2.** (*fig*) ***to ~ up(on) sth*** etw beginnen **embarkation** *n* Einschiffung *f* **embarkation papers** *pl* Bordpapiere *pl*
embarrass *v/t* in Verlegenheit bringen; (*generosity etc*) beschämen; ***she was ~ed by the question*** die Frage war ihr peinlich **embarrassed** *adj* verlegen; ***I am/feel so ~ (about it)*** es ist mir so peinlich; ***she was ~ to be seen with him*** *or* ***about being seen with him*** es war ihr peinlich, mit ihm gesehen zu werden **embarrassing** *adj* peinlich **embarrassingly** *adv* auf peinliche Weise; (*introducing sentence*) peinlicherweise; ***it was ~ bad*** es war so schlecht, dass es schon peinlich war **embarrassment** *n* Verlegenheit *f*; ***to cause ~ to sb*** jdn in Verlegenheit bringen; ***to my great ~ she ...*** sie ..., was mir sehr peinlich war; ***she's an ~ to her family*** sie blamiert die ganze Familie (*infml*)
embassy *n* Botschaft *f*
embattled *adj* (*fig*) *government* bedrängt
embed *v/t* **1.** einlassen; ***the car was firmly ~ded in the mud*** das Auto steckte im Schlamm fest; ***the bullet ~ded itself in the wall*** die Kugel bohrte sich in die Wand **2.** IT ***~ded commands*** eingebettete Befehle
embellish *v/t* schmücken; (*fig*) *account* ausschmücken; *truth* beschönigen
embers *pl* Glut *f*
embezzle *v/t* unterschlagen **embezzlement** *n* Unterschlagung *f*
embitter *v/t* verbittern
emblazon *v/t* ***the name "Jones" was ~ed on the cover*** der Name „Jones" prangte auf dem Umschlag
emblem *n* Emblem *nt* **emblematic** *adj* emblematisch (*of* für)
embodiment *n* Verkörperung *f*; ***to be the ~ of evil*** das Böse in Person sein **embody** *v/t* **1.** *ideal etc* verkörpern **2.** (≈ *include*) enthalten
embossed *adj* geprägt; *design* erhaben
embrace I *v/t* **1.** umarmen; ***they ~d each other*** sie umarmten sich **2.** *religion* annehmen; *cause* sich annehmen (*+gen*) **3.** (≈ *include*) umfassen **II** *v/i* sich umarmen **III** *n* Umarmung *f*
embroider I *v/t cloth* besticken; *pattern* sticken **II** *v/i* sticken **embroidered** *adj material etc* bestickt; *design* (auf)gestickt (*on* auf *+acc*) **embroidery** *n* Stickerei *f*
embroil *v/t* ***to become ~ed in a dispute*** in einen Streit verwickelt werden
embryo *n* Embryo *m* **embryonic** *adj* (*esp fig*) keimhaft
emcee *n* Conférencier *m*; (*at private functions*) Zeremonienmeister(in) *m(f)*
emerald I *n* **1.** (≈ *stone*) Smaragd *m* **2.** (≈ *colour*) Smaragdgrün *nt* **II** *adj* smaragden; ***~ ring*** Smaragdring *m* **Emerald Isle** *n* ***the ~*** die Grüne Insel
emerge *v/i* **1.** auftauchen; ***one arm ~d from beneath the blanket*** ein Arm tauchte unter der Decke hervor; ***he ~d from the house*** er kam aus dem Haus; ***he ~d (as) the winner*** er ging als Sieger hervor **2.** (*life, new nation*) entstehen **3.** (*truth etc*) sich herausstellen **emergence** *n* Auftauchen *nt*; (*of new nation etc*) Entstehung *f*; (*of theory*) Aufkommen

nt

emergency I *n* Notfall *m*; (*particular situation*) Notlage *f*; ***in an ~, in case of ~*** im Notfall; ***to declare a state of ~*** den Notstand erklären; ***the doctor's been called out on an ~*** der Arzt ist zu einem Notfall gerufen worden **II** *adj* **1.** (≈ *in/for an emergency*) Not-; *meeting* außerordentlich; *repair* notdürftig; ***~ regulations*** Notverordnung *f*; ***to undergo ~ surgery*** sich einer Notoperation unterziehen; ***~ plan/procedure*** Plan *m*/Maßnahmen *pl* für den Notfall; ***for ~ use only*** nur für den Notfall **2.** (≈ *for a disaster*) Katastrophen-; ***~ relief*** Katastrophenhilfe *f* **3.** (≈ *for state of emergency*) Notstands-; ***~ powers*** Notstandsvollmachten *pl* **emergency brake** *n* Notbremse *f* **emergency call** *n* Notruf *m* **emergency cord** *n* RAIL Notbremse *f* **emergency exit** *n* Notausgang *m* **emergency landing** *n* Notlandung *f* **emergency room** *n* (*US*) Unfallstation *f* **emergency services** *pl* Notdienst *m* **emergency stop** *n* AUTO Vollbremsung *f* **emergency ward** *n* Unfallstation *f*

emergent *adj* (*form*) *nation etc* aufstrebend

emeritus *adj* emeritiert; ***~ professor, professor ~*** Professor emeritus *m*

emigrant *n* Auswanderer *m*, Auswanderin *f*; (*esp for political reasons*) Emigrant(in) *m*(*f*) **emigrate** *v/i* auswandern; (*esp for political reasons*) emigrieren **emigration** *n* Auswanderung *f*; (*esp for political reasons*) Emigration *f* **émigré** *n* Emigrant(in) *m*(*f*)

eminence *n* (≈ *distinction*) hohes Ansehen **eminent** *adj person* angesehen **eminently** *adv sensible* ausgesprochen; *desirable* überaus; ***~ suitable*** vorzüglich geeignet; ***to be ~ capable of sth*** eindeutig zu etw fähig sein

emir *n* Emir m **emirate** *n* Emirat *nt*

emissary *n* Abgesandte(r) *m*/*f*(*m*)

emission *n* Ausstrahlung *f*; (*of fumes*) Emission *f* (*tech*); (*of gas*) Ausströmen *nt*; (*of vapour, smoke: continuous*) Abgabe *f* **emission-free** *adj* MOT schadstofffrei **emit** *v/t light* ausstrahlen; *radiation* emittieren (*tech*); *sound* abgeben; *gas* ausströmen; *vapour, smoke* (*continuously*) abgeben

emoticon *n* IT Emoticon *nt* **emotion** *n* **1.** Gefühl *nt* **2.** *no pl* (≈ *state*) (Gemüts)bewegung *f*; ***to show no ~*** unbewegt bleiben **emotional** *adj* emotional; *problem, trauma* seelisch; *support, development* psychologisch; *farewell* gefühlvoll; ***to become** or **get ~*** sich aufregen; ***~ outburst*** Gefühlsausbruch *m*; ***~ state*** Gemütszustand *m* **emotional blackmail** *n* psychologische Erpressung **emotionally** *adv* **1.** (≈ *psychologically*) seelisch; ***I don't want to get ~ involved*** ich will mich nicht ernsthaft engagieren; ***~ disturbed*** seelisch gestört **2.** (≈ *in emotional manner*) emotional; ***~ charged*** spannungsgeladen **emotionless** *adj voice etc* ausdruckslos **emotive** *adj issue* emotional; *word* emotional gefärbt

empathize *v/i* sich hineinversetzen (*with* in +*acc*) **empathy** *n* Einfühlungsvermögen *nt*

emperor *n* Kaiser *m*

emphasis *n* Betonung *f*; ***to put ~ on a word*** ein Wort betonen; ***to say sth with ~*** etw nachdrücklich betonen; ***to put the ~ on sth*** etw betonen; ***to put the ~ on doing sth*** Wert darauf legen, etw zu tun; ***there is too much ~ on research*** die Forschung steht zu sehr im Vordergrund **emphasize** *v/t* betonen **emphatic** *adj* **1.** (≈ *forceful*) entschieden; *denial* energisch; ***to be ~ (that ...)*** (*person*) darauf bestehen(, dass ...); ***to be ~ about sth*** auf etw (*dat*) bestehen **2.** *victory* klar; *defeat* schwer **emphatically** *adv* **1.** *say* nachdrücklich; *reject, deny* entschieden **2.** (≈ *definitely*) eindeutig

empire *n* **1.** Reich *nt*; (*worldwide*) Weltreich *nt*; ***the Holy Roman Empire*** das Heilige Römische Reich (deutscher Nation); ***the British Empire*** das Britische Weltreich **2.** (*fig, esp* COMM) Imperium *nt*; ***his business ~*** sein Geschäftsimperium *nt*

empirical *adj* empirisch

employ *v/t* **1.** *person* beschäftigen; (≈ *take on*) anstellen; *private detective* beauftragen; ***he has been ~ed with us for 15 years*** er ist schon seit 15 Jahren bei uns; ***to be ~ed in doing sth*** damit beschäftigt sein, etw zu tun **2.** *method, skill etc* anwenden; ***they ~ed the services of a chemist to help them*** sie zogen einen Chemiker heran, um ihnen zu helfen **employable** *adj person* anstellbar

employee *n* Angestellte(r) *m*/*f*(*m*); ***~s and employers*** Arbeitnehmer und Ar-

beitgeber; ***the ~s*** (*of one firm*) die Belegschaft
employer *n* Arbeitgeber(in) *m*(*f*); ***~s' federation*** Arbeitgeberverband *m*
employment *n* **1.** Arbeit *f*; ***to seek ~*** Arbeit suchen; ***how long is it since you were last in ~?*** wann hatten Sie Ihre letzte Stellung?; ***conditions/contract of ~*** Arbeitsbedingungen *pl*/-vertrag *m* **2.** (≈ *act of employing*) Beschäftigung *f*; (≈ *taking on*) Einstellen *nt* **3.** (*of method, skill*) Anwendung *f* **employment agency** *n* Stellenvermittlung *f*
emporium *n* Warenhaus *nt*
empower *v/t* **1.** ***to ~ sb to do sth*** jdn ermächtigen, etw zu tun **2.** *minorities etc* stärken
empress *n* Kaiserin *f*
emptiness *n* Leere *f*
empty I *adj* (+*er*) leer; *house* leer stehend *attr*; *seat* frei; *expression* ausdruckslos; ***to feel ~*** (*fig*) ein Gefühl der Leere haben; ***there were no ~ seats*** es waren keine Plätze frei; ***on an ~ stomach*** mit leerem Magen; *take drug, alcohol* auf leeren Magen **II** *n usu pl* ***empties*** Leergut *nt* **III** *v/t* **1.** leeren; *box, room* ausräumen; *tank* ablassen; *lorry* abladen **2.** *contents* ausgießen **IV** *v/i* (*rivers*) münden (*into* in +*acc*) ◆ **empty out** *v/t sep* ausleeren
empty-handed *adj* ***to return ~*** mit leeren Händen zurückkehren **empty-headed** *adj* strohdumm **empty nesters** *pl Eltern, deren Kinder erwachsen und aus dem Haus sind*
EMS *abbr of* ***European Monetary System*** EWS *nt*
EMU *abbr of* ***European Monetary Union*** EWU *nt*
emulate *v/t* **1.** nacheifern (+*dat*); ***I tried to ~ his success*** ich versuchte, es ihm gleichzutun **2.** IT emulieren
emulsion *n* (*a.* **emulsion paint**) Emulsionsfarbe *f*
enable *v/t* ***to ~ sb to do sth*** es jdm ermöglichen, etw zu tun
enact *v/t* POL *law* erlassen
enamel I *n* Email *nt*; (≈ *paint*) Emaillack *m*; (*of teeth*) Zahnschmelz *m* **II** *adj* Email-; ***~ paint*** Emaillack *m*
enamour, (*US*) **enamor** *v/t* ***to be ~ed of sth*** von etw angetan sein; ***she was not exactly ~ed of the idea*** sie war von der Idee nicht gerade begeistert
encapsulate *v/t* (*fig*) zusammenfassen
encase *v/t* verkleiden (*in* mit); *wires* umgeben (*in* mit)
enchant *v/t* entzücken; ***to be ~ed by sth*** von etw *or* über etw (*acc*) entzückt sein
enchanting *adj* entzückend
encircle *v/t* umgeben; (*troops*) einkreisen; *building* umstellen
enc(l) *abbr of* ***enclosure(s)*** Anl.
enclave *n* Enklave *f*
enclose *v/t* **1.** (≈ *surround*) umgeben; (*with fence etc*) einzäunen **2.** (*in envelope*) beilegen (*in, with dat*); ***I am enclosing the original with the translation*** anbei die Übersetzung sowie der Originaltext **enclosed** *adj* **1.** *area* geschlossen **2.** (*in letter*) beiliegend; ***a photo was ~ in the letter*** dem Brief lag ein Foto bei; ***please find ~ ...*** in der Anlage *or* beiliegend finden Sie ... **enclosure** *n* **1.** (≈ *ground enclosed*) eingezäuntes Grundstück; (*for animals*) Gehege *nt* **2.** (≈ *document etc enclosed*) Anlage *f*
encode *v/t also* IT codieren
encompass *v/t* umfassen
encore I *int* Zugabe **II** *n* Zugabe *f*
encounter I *v/t enemy, opposition* treffen auf (+*acc*); *difficulties, resistance* stoßen auf (+*acc*); (*liter*) *person* begegnen (+*dat*) **II** *n* Begegnung *f*; ***sexual ~*** sexuelle Erfahrung
encourage *v/t person* ermutigen; (≈ *motivate*) anregen; *projects, investments* fördern; *team* anfeuern; ***to be ~d by sth*** durch etw neuen Mut schöpfen; ***to ~ sb to do sth*** jdn ermutigen, etw zu tun **encouragement** *n* Ermutigung *f*; (≈ *motivation*) Anregung *f*; (≈ *support*) Unterstützung *f*; ***to give sb (a lot of) ~*** jdn (sehr) ermuntern **encouraging** *adj* ermutigend; ***I found him very ~*** er hat mir sehr viel Mut gemacht **encouragingly** *adv* ermutigend; (+*adj*) erfreulich; (*introducing sentence*) erfreulicherweise
encroach *v/i* ***to ~ (up)on*** *land* vordringen in (+*acc*); *sphere, rights* eingreifen in (+*acc*); *time* in Anspruch nehmen **encroachment** *n* (*on land*) Vordringen *nt*; (*on rights*) Eingriff *m*; (*on time*) Beanspruchung *f*
encrust *v/t* ***~ed with earth*** erdverkrustet; ***a jewel-~ed brooch*** eine juwelenbesetzte Brosche
encryption *n* IT, TEL, TV Verschlüsselung *f*
encumbrance *n* Belastung *f*; (*person*)

Last *f*

encyclop(a)edia *n* Lexikon *nt* **encyclop(a)edic** *adj* enzyklopädisch

end I *n* **1.** Ende *nt*; (*of finger*) Spitze *f*; ***our house is the fourth from the ~*** unser Haus ist das viertletzte; ***to the ~s of the earth*** bis ans Ende der Welt; ***from ~ to ~*** von einem Ende zum anderen; ***who'll meet you at the other ~?*** wer holt dich ab, wenn du ankommst?; ***Lisa's on the other ~ (of the phone)*** Lisa ist am Telefon; ***for hours on ~*** stundenlang ununterbrochen; ***~ to ~*** mit den Enden aneinander; ***to change ~s*** SPORTS die Seiten wechseln; ***to make ~s meet*** (*fig*) zurechtkommen (*infml*); ***to see no further than the ~ of one's nose*** nicht weiter sehen als seine Nase (reicht); ***at our/your ~*** bei uns/Ihnen; ***how are things at your ~?*** wie sieht es bei Ihnen aus?; ***at the ~*** (≈ *to conclude*) schließlich; ***at/toward(s) the ~ of December*** Ende/gegen Ende Dezember; ***at the ~ of the war*** am Ende des Krieges; ***at the ~ of the book*** am Schluss des Buches; ***at the ~ of the day*** (*fig*) letzten Endes; ***as far as I'm concerned, that's the ~ of the matter!*** für mich ist die Sache erledigt; ***we shall never hear the ~ of it*** das werden wir noch lange zu hören kriegen; ***to be at an ~*** zu Ende sein; ***to be at the ~ of one's patience/strength*** mit seiner Geduld/seinen Kräften am Ende sein; ***to watch a film to the ~*** einen Film bis zu Ende ansehen; ***that's the ~ of him*** er ist erledigt; ***that's the ~ of that*** das ist damit erledigt; ***to bring to an ~*** zu Ende bringen; ***to come to an ~*** zu Ende gehen; ***to get to the ~ of the road/book*** ans Ende der Straße/zum Schluss des Buches kommen; ***in the ~*** schließlich; ***to put an ~ to sth*** einer Sache (*dat*) ein Ende setzen; ***he met a violent ~*** er starb einen gewaltsamen Tod **2.** (*of candle, cigarette*) Stummel *m* **3.** ***we met no ~ of famous people*** (*esp Br*) wir trafen viele berühmte Leute; ***it pleased her no ~*** (*esp Br*) das hat ihr irrsinnig gefallen (*infml*) **4.** (≈ *purpose*) Zweck *m*; ***to what ~?*** (*form*) zu welchem Zweck?; ***an ~ in itself*** Selbstzweck *no art* **II** *adj attr* letzte(r, s); ***the ~ house*** das letzte Haus **III** *v/t* beenden; ***to ~ it all*** (≈ *commit suicide*) Schluss machen **IV** *v/i* enden; ***we ~ed with a song*** zum Schluss sangen wir ein Lied; ***to be ~ing*** zu Ende gehen; ***to ~ by doing sth*** schließlich etw tun; ***to ~ in an "s"*** auf „s" enden; ***an argument which ~ed in a fight*** ein Streit, der mit einer Schlägerei endete ◆ **end up** *v/i* enden; ***to ~ doing sth*** schließlich etw tun; ***to ~ (as) a lawyer*** schließlich Rechtsanwalt werden; ***to ~ (as) an alcoholic*** als Alkoholiker enden; ***we ended up at Joe's*** wir landeten schließlich bei Joe (*infml*); ***you'll ~ in trouble*** Sie werden noch Ärger bekommen

endanger *v/t* gefährden **endangered** *adj* vom Aussterben bedroht

endear *v/t* beliebt machen (*to* bei); ***to ~ oneself to sb*** sich bei jdm beliebt machen **endearing** *adj* liebenswert **endearment** *n* ***term of ~*** Kosename *m*

endeavour, (*US*) **endeavor I** *n* Anstrengung *f*; ***in an ~ to please her*** um ihr eine Freude zu machen **II** *v/t* sich anstrengen

endemic *adj* endemisch; ***~ to*** endemisch in (*dat*)

endgame *n* Endspiel *nt* **ending** *n* (*of story*) Ausgang *m*; (≈ *last part*) Ende *nt*; (*of word*) Endung *f*; ***a happy ~*** ein Happy End

endive *n* Endiviensalat *m*

endless *adj* **1.** endlos; *variety* unendlich; *supply* unbegrenzt; ***the list is ~*** die Liste nimmt kein Ende **2.** (≈ *countless*) unzählig; ***the possibilities are ~*** es gibt unendlich viele Möglichkeiten **3.** *road* endlos (lang); *queue* endlos lang **endlessly** *adv* endlos

endorse *v/t* **1.** *cheque* indossieren **2.** (*Br* JUR) ***I had my licence ~d*** ich bekam einen Strafvermerk auf meinem Führerschein **3.** (≈ *approve*) billigen; *product, company* empfehlen **endorsement** *n* (*of opinion*) Billigung *f*; (*for product, company*) Empfehlung *f*

endow *v/t* **1.** *institution* eine Stiftung machen an (*+acc*) **2.** (*fig*) ***to be ~ed with a natural talent for singing*** ein sängerisches Naturtalent sein; ***she's well ~ed*** (*hum*) sie ist von der Natur reichlich ausgestattet (worden) **endowment** *n* Stiftung *f* **endowment mortgage** *n* Hypothek *f* mit Lebensversicherung **endowment policy** *n* Kapitallebensversicherung *f*

end product *n* Endprodukt *nt*; (*fig*) Produkt *nt* **end result** *n* Endergebnis *nt*

endurance *n* Durchhaltevermögen *nt* **endurance test** *n* Belastungsprobe *f* **endure I** *v/t* **1.** *pain* erleiden **2.** (≈ *put up with*) ertragen; ***she can't ~ being laughed at*** sie kann es nicht vertragen, wenn man über sie lacht **II** *v/i* bestehen **enduring** *adj* dauerhaft; *love*, *belief* beständig; *popularity* bleibend

end user *n* Endverbraucher(in) *m(f)* **endways, endwise** *adv* mit dem Ende zuerst; (≈ *end to end*) mit den Enden aneinander

enema *n* Einlauf *m*

enemy I *n* (*lit*, *fig*) Feind(in) *m(f)*; ***to make enemies*** sich (*dat*) Feinde machen; ***he is his own worst ~*** er schadet sich (*dat*) selbst am meisten **II** *adj attr* feindlich; *position* des Feindes

energetic *adj* energiegeladen; (≈ *active*) aktiv; (≈ *strenuous*) anstrengend; ***to be very ~*** viel Energie haben **energetically** *adv protest*, *work* energisch; *dance* voller Energie **energize** *v/t* (*fig*) *person* neue Energie geben (+*dat*)

energy *n* Energie *f*; ***chocolate gives you ~*** Schokolade gibt neue Energie; ***to save one's ~ for sth*** seine Kräfte für etw aufsparen **energy conservation** *n* Energieeinsparung *f* **energy-efficient** *adj* energiesparend **energy-saving** *adj* energiesparend; ***~ measures*** Energiesparmaßnahmen *pl* **energy tax** *n* Energiesteuer *f*

enforce *v/t* durchführen; *discipline* sorgen für; *decision*, *ban* durchsetzen; ***the police ~ the law*** die Polizei sorgt für die Einhaltung der Gesetze **enforcement** *n* Durchführung *f*

Eng. 1. *abbr of* **England 2.** *abbr of* **English** engl.

engage I *v/t* **1.** *worker* anstellen; *performer* engagieren; *lawyer* sich (*dat*) nehmen; ***to ~ the services of sb*** jdn anstellen/engagieren; *of lawyer* sich (*dat*) jdn nehmen **2.** *attention* in Anspruch nehmen; ***to ~ sb in conversation*** jdn in ein Gespräch verwickeln **3.** AUTO ***to ~ the clutch*** (ein)kuppeln **II** *v/i* ***to ~ in sth*** sich an etw (*dat*) beteiligen; ***to ~ in conversation*** sich unterhalten; ***to ~ with the enemy*** MIL den Feind angreifen

engaged *adj* **1.** ***~*** (***to be married***) verlobt (*to* mit); ***to get*** *or* ***become ~*** (***to sb***) sich (mit jdm) verloben **2.** *toilet* besetzt **3.** (*form*) ***to be otherwise ~*** (*at present*) anderweitig beschäftigt sein; ***to be ~ in sth*** mit etw beschäftigt sein; ***to be ~ in doing sth*** dabei sein, etw zu tun **engaged tone** *n* TEL Besetztzeichen *nt* **engagement** *n* **1.** (≈ *appointment*) Verabredung *f*; ***a dinner ~*** eine Verabredung zum Essen **2.** (≈ *betrothal*) Verlobung *f* **engagement ring** *n* Verlobungsring *m* **engaging** *adj person* angenehm; *character* einnehmend

engender *v/t* (*fig*) erzeugen

engine *n* **1.** Maschine *f*; (*of car*, *plane etc*) Motor *m* **2.** RAIL Lokomotive *f* **-engined** *adj suf* -motorig; ***twin-engined*** zweimotorig **engine driver** *n* (*Br*) Lok(omotiv)-führer(in) *m(f)*

engineer I *n* **1.** TECH Techniker(in) *m(f)*; (*with degree*) Ingenieur(in) *m(f)* **2.** (*US* RAIL) Lokführer(in) *m(f)* **II** *v/t* **1.** TECH konstruieren **2.** (*fig*) *campaign* organisieren; *downfall* einfädeln

engineering *n* TECH Technik *f*; (≈ *mechanical engineering*) Maschinenbau *m*; (≈ *engineering profession*) Ingenieurwesen *nt*; ***a brilliant piece of ~*** eine Meisterkonstruktion

England I *n* England *nt* **II** *adj attr* ***the ~ team*** die englische Mannschaft

English I *adj* englisch; ***he is ~*** er ist Engländer; ***he's an ~ teacher*** er ist Englischlehrer; (***full***) ***~ breakfast*** englisches Frühstück **II** *n* **1.** ***the ~*** *pl* die Engländer *pl* **2.** LING Englisch *nt*; (*as university subject*) Anglistik *f*; ***can you speak ~?*** können Sie Englisch?; ***he doesn't speak ~*** er spricht kein Englisch; ***"English spoken"*** „hier wird Englisch gesprochen"; ***they were speaking ~*** sie unterhielten sich auf Englisch; ***he speaks very good ~*** er spricht ein sehr gutes Englisch; ***in ~*** auf Englisch; ***to translate sth into/from ~*** etw ins Englische/aus dem Englischen übersetzen **English Channel** *n* Ärmelkanal *m*

Englishman *n* Engländer *m* **English muffin** *n* (*US* COOK) *flaches Milchbrötchen, das meist getoastet gegessen wird* **English speaker** *n* Englischsprachige(r) *m/f(m)* **English-speaking** *adj* englischsprachig

Englishwoman *n* Engländerin *f*

engrave *v/t metal etc* gravieren; *design* eingravieren **engraved** *adj glass*, *metal* graviert; *design*, *letter* eingraviert **engraving** *n* (≈ *copy*) (Kupfer-/Stahl)stich *m*; (*from wood*) Holzschnitt *m*; (≈ *de-*

sign) Gravierung *f*

engross *v/t* ***to become ~ed in one's work*** sich in seine Arbeit vertiefen; ***to be ~ed in conversation*** ins Gespräch vertieft sein **engrossing** *adj* fesselnd

engulf *v/t* verschlingen; ***to be ~ed by flames*** in Flammen stehen

enhance *v/t* verbessern; *price, value, chances* erhöhen

enigma *n* Rätsel *nt* **enigmatic** *adj*, **enigmatically** *adv* rätselhaft

enjoy I *v/t* genießen; *success* haben; *good health* sich erfreuen (+*gen*) (*elev*); ***he ~s swimming*** er schwimmt gern; ***he ~ed writing the book*** es hat ihm Freude gemacht, das Buch zu schreiben; ***I ~ed the concert*** das Konzert hat mir gefallen; ***he ~ed the meal*** das Essen hat ihm gut geschmeckt; ***I didn't ~ it at all*** es hat mir überhaupt keinen Spaß gemacht; ***to ~ life*** das Leben genießen; ***did you ~ your meal?*** hat Ihnen das Essen gefallen? **II** *v/r* ***to ~ oneself*** sich amüsieren; ***~ yourself!*** viel Spaß! **enjoyable** *adj* nett; *film, book* unterhaltsam; *evening* angenehm **enjoyment** *n* Vergnügen *nt*; ***she gets a lot of ~ from reading*** Lesen macht ihr großen Spaß

enlarge I *v/t* vergrößern; *hole* erweitern **II** *v/i* ***to ~ (up)on sth*** auf etw (*acc*) näher eingehen **enlargement** *n* PHOT Vergrößerung *f*

enlighten *v/t* aufklären (*on, as to, about* über +*acc*) **enlightened** *adj* aufgeklärt **enlightening** *adj* aufschlussreich **enlightenment** *n* ***the Enlightenment*** die Aufklärung

enlist I *v/i* sich melden (*in* zu) **II** *v/t recruits* einziehen; *support* gewinnen; ***I had to ~ his help*** ich musste seine Hilfe in Anspruch nehmen

enliven *v/t* beleben

en masse *adv* alle zusammen

enmity *n* Feindschaft *f*

enormity *n* **1.** *no pl* (*of action*) ungeheures Ausmaß **2.** (*of crime*) Ungeheuerlichkeit *f* **enormous** *adj* riesig; *person* (≈ *fat*) ungeheuer dick; (≈ *tall*) riesig groß; *quantity, effort, relief* ungeheuer; ***he has ~ talent*** er hat enorm viel Talent; ***~ amounts of money*** Unsummen *pl*; ***an ~ amount of work*** eine Unmenge Arbeit **enormously** *adv* (+*vb*) enorm; (+*adj*) ungeheuer

enough I *adj* genug; ***~ sugar/apples*** genug *or* genügend Zucker/Äpfel; ***~ trouble/problems*** genug Ärger/Probleme; ***proof ~*** Beweis genug **II** *pron* genug (*of* von); ***I had not seen ~ of his work*** ich hatte noch nicht genug von seiner Arbeit gesehen; ***I hope it's ~*** ich hoffe, es reicht; ***two years was ~*** zwei Jahre reichten; ***this noise is ~ to drive me mad*** dieser Lärm macht mich noch ganz verrückt; ***one song was ~ to show he couldn't sing*** ein Lied genügte, um zu zeigen, dass er nicht singen konnte; ***I've got ~ to worry about*** ich habe genug Sorgen; ***~ is ~*** was zu viel ist, ist zu viel; ***~ said*** mehr braucht man nicht zu sagen; ***I've had ~*** ich habe genug; (*in exasperation*) jetzt reichts mir aber (*infml*); ***that's ~!*** jetzt reicht es aber! **III** *adv* **1.** (≈ *sufficiently*) genug; ***to be punished ~*** genug bestraft sein; ***he knows well ~ what I said*** er weiß ganz genau, was ich gesagt habe **2.** ***to be happy ~*** einigermaßen zufrieden sein; ***to be happy ~ to do sth*** etw so weit ganz gern tun; ***she sounded sincere ~*** sie schien so weit ganz ehrlich; ***it is easy ~ to make them yourself*** man kann sie ohne Weiteres selbst machen; ***easily ~*** ohne größere Schwierigkeiten **3.** ***oddly*** *or* ***funnily ~*** komischerweise

enquire *etc* = **inquire** *etc*

enrage *v/t* wütend machen

enrapture *v/t* entzücken, bezaubern

enrich *v/t* bereichern; *soil, food* anreichern **enriched** *adj* ***~ with vitamins*** mit Vitaminen angereichert

enrol, (*US*) **enroll I** *v/t* einschreiben; *members* aufnehmen; *schoolchild* (*parents*) anmelden **II** *v/i* sich einschreiben; (*for course, at school*) sich anmelden **enrolment**, (*US*) **enrollment** *n* Einschreibung *f*; (*for course, at school*) Anmeldung *f*; UNIV Immatrikulation *f*

en route *adv* unterwegs; ***~ to/for/from*** auf dem Weg zu/nach/von

ensemble *n* **1.** Ensemble *nt* **2.** (≈ *collection*) Ansammlung *f*

enshrine *v/t* (*fig*) bewahren

ensign *n* **1.** (≈ *flag*) Nationalflagge *f* **2.** (*US* NAUT) Fähnrich *m* zur See

enslave *v/t* zum Sklaven machen

ensnare *v/t* (*lit*) fangen; (*fig*) umgarnen

ensue *v/i* folgen (*from* aus) **ensuing** *adj* darauf folgend *attr*

en suite *adj* ***~ room*** Zimmer *nt* mit eigenem Bad

ensure *v/t* sicherstellen; (≈ *secure*) sichern; ***will you ~ that I get a seat?*** sorgen Sie dafür, dass ich einen Platz bekomme?

ENT *abbr of* ***ear, nose and throat***; ***~ department*** HNO-Abteilung *f*

entail *v/t* mit sich bringen; *work* erforderlich machen; ***what is ~ed in buying a house?*** was ist zum Hauskauf alles erforderlich?; ***this will ~ (my) buying a new car*** das bringt mit sich *or* macht es erforderlich, dass ich mir ein neues Auto kaufen muss

entangle *v/t* **1.** ***to become ~d in sth*** sich in etw (*dat*) verfangen **2.** (≈ *get into a tangle*) ***to become ~d*** sich verwirren **3.** (*fig, in affair etc*) verwickeln (*in* in +*acc*)

enter I *v/t* **1.** (*towards speaker*) hereinkommen in (+*acc*); (*away from speaker*) hineingehen in (+*acc*); *building etc* betreten; (≈ *drive into*) *car park etc* einfahren in (+*acc*); *country* einreisen in (+*acc*); ***the dispute is ~ing its fifth year*** die Auseinandersetzung zieht sich jetzt schon ins fünfte Jahr hin; ***the thought never ~ed my head*** *or* ***mind*** so etwas wäre mir nie eingefallen **2.** (≈ *become a member of*) eintreten in (+*acc*); ***to ~ the Church*** Geistlicher werden; ***to ~ a profession*** einen Beruf ergreifen **3.** (≈ *record*) eintragen (*in* in +*acc*); IT eingeben; ***to ~ sb's/one's name*** jdn/sich eintragen **4.** (≈ *enrol, for exam etc*) anmelden **5.** (≈ *go in for*) *race* sich beteiligen an (+*dat*) **II** *v/i* **1.** (*towards speaker*) hereinkommen; (*away from speaker*) hineingehen; (≈ *walk in*) eintreten; (≈ *drive in*) einfahren **2.** THEAT auftreten **3.** (*for race, exam etc*) sich melden (*for* zu) **III** *n* IT ***hit ~*** Enter drücken ◆ **enter into** *v/i* +*prep obj* **1.** *relations, negotiations* aufnehmen; *alliance* schließen; ***to ~ conversation with sb*** ein Gespräch mit jdm anknüpfen; ***to ~ correspondence with sb*** mit jdm in Briefwechsel treten **2.** (≈ *figure in*) eine Rolle spielen bei

enter key *n* IT Enter-Taste *f*

enterprise *n* **1.** *no pl* (≈ *initiative*) Initiative *f* **2.** (≈ *undertaking, firm*) Unternehmen *nt*; ***private ~*** privates Unternehmertum **enterprising** *adj person* einfallsreich

entertain I *v/t* **1.** (*to meal*) bewirten **2.** (≈ *amuse*) unterhalten; (*humorously*) belustigen **3.** *thought* sich tragen mit; *suspicion* hegen; *hope* nähren **II** *v/i* Gäste haben **entertainer** *n* Entertainer(in) *m*(*f*)

entertaining I *adj* (≈ *fun*) unterhaltsam; (≈ *amusing*) amüsant **II** *n* die Bewirtung von Gästen; ***she does a lot of ~*** sie hat oft Gäste

entertainment *n* (≈ *amusement*) Unterhaltung *f*; (*professional*) Entertainment *nt* **entertainment industry** *n* Unterhaltungsindustrie *f*

enthral, (*US*) **enthrall** *v/t* begeistern **enthralling** *adj* spannend

enthuse *v/i* schwärmen (*over* von) **enthusiasm** *n* **1.** Begeisterung *f*; ***she showed little ~ for the scheme*** sie zeigte sich von dem Plan nicht sehr begeistert; ***I can't work up any ~ for the idea*** ich kann mich für die Idee nicht begeistern **2.** (≈ *passion*) Leidenschaft *f* **enthusiast** *n* Enthusiast(in) *m*(*f*); ***he's a rock-and-roll ~*** er ist begeisterter Rock 'n' Roll-Anhänger **enthusiastic** *adj* begeistert; ***he was very ~ about the plan*** er war von dem Plan äußerst begeistert; ***to be ~ about doing sth*** etw mit Begeisterung tun **enthusiastically** *adv* begeistert

entice *v/t* locken; ***to ~ sb to do sth*** *or* ***into doing sth*** jdn dazu verleiten, etw zu tun; ***to ~ sb away*** jdn weglocken **enticing** *adj* verlockend

entire *adj* ganz; *cost, career* gesamt **entirely** *adv* **1.** ganz; ***the accident was ~ the fault of the other driver*** der andere Fahrer hatte die ganze Schuld an dem Unfall **2.** (*emph* ≈ *totally*) völlig; ***I agree ~*** ich stimme voll und ganz zu; ***to be another matter ~*** *or* ***an ~ different matter*** etwas ganz *or* völlig anderes sein **entirety** *n* ***in its ~*** in seiner Gesamtheit

entitle *v/t* **1.** ***it is ~d ...*** es hat den Titel ... **2.** ***to ~ sb to sth*** jdn zu etw berechtigen; *to compensation etc* jdm den Anspruch auf etw (*acc*) geben; ***to ~ sb to do sth*** jdn dazu berechtigen, etw zu tun; ***to be ~d to sth*** das Recht auf etw (*acc*) haben; *to compensation etc* Anspruch auf etw (*acc*) haben; ***to be ~d to do sth*** das Recht haben, etw zu tun; ***I'm ~d to my own opinion*** ich kann mir meine eigene Meinung bilden **entitlement** *n* Berechtigung *f* (*to* zu); (*to compensation etc*) Anspruch *m* (*to* auf +*acc*); ***what is your hol-***

iday~? (*Br*) wie viel Urlaub steht Ihnen zu?
entity *n* Wesen *nt*
entourage *n* Entourage *f*
entrails *pl* (*lit*) Eingeweide *pl*
entrance[1] *v/t* in Entzücken versetzen; ***to be ~d*** verzückt sein; ***to be ~d by/with sth*** von etw entzückt sein
entrance[2] *n* **1.** (≈ *way in*) Eingang *m*; (*for vehicles*) Einfahrt *f* **2.** (≈ *entering, admission*) Eintritt *m* (*to* in +*acc*); THEAT Auftritt *m*; (*to club etc*) Zutritt *m* (*to* zu); ***to make one's ~*** THEAT auftreten; (*fig*) erscheinen; ***to gain ~ to a university*** die Zulassung zu einer Universität erhalten **entrance examination** *n* Aufnahmeprüfung *f* **entrance fee** *n* (*for museum etc*) Eintrittsgeld *nt* **entrance hall** *n* Eingangshalle *f* **entrance qualifications** *pl* Zulassungsanforderungen *pl*
entrant *n* (*in contest*) Teilnehmer(in) *m*(*f*); (*in exam*) Prüfling *m*
entreat *v/t* anflehen **entreaty** *n* dringende Bitte
entrée *n* (*Br* ≈ *starter*) Vorspeise *f*; (*esp US* ≈ *main course*) Hauptgericht *nt*
entrenched *adj position* unbeugsam; *belief, attitude* fest verwurzelt
entrepreneur *n* Unternehmer(in) *m*(*f*) **entrepreneurial** *adj* unternehmerisch
entrust *v/t* anvertrauen (*to sb* jdm); ***to ~ a child to sb's care*** ein Kind jds Obhut anvertrauen; ***to ~ sb with a task*** jdn mit einer Aufgabe betrauen; ***to ~ sb with a secret*** jdm ein Geheimnis anvertrauen
entry *n* **1.** (*into* in +*acc*) Eintritt *m*; (*by car etc*) Einfahrt *f*; (*into country*) Einreise *f*; ***"no ~"*** (*on door etc*) „Zutritt verboten"; (*on street*) „keine Einfahrt" **2.** (≈ *way in*) Eingang *m*; (*for vehicles*) Einfahrt *f* **3.** (*in diary, dictionary etc*) Eintrag *m*; ***the dictionary has 30,000 entries*** das Wörterbuch enthält 30.000 Stichwörter **4.** (*of competitor*) Meldung *f*; ***the closing date for entries is Friday*** der Einsendeschluss ist Freitag **entry form** *n* Anmeldeformular *nt* **entry permit** *n* Passierschein *m*; (*into country*) Einreiseerlaubnis *f* **entry phone** *n* Türsprechanlage *f* **entry visa** *n* Einreisevisum *nt* **entryway** *n* (*US*) Eingang *m*; (*for vehicles*) Einfahrt *f*
entwine *v/t* ineinanderschlingen
E number *n* E-Nummer *f*
enumerate *v/t* aufzählen
envelop *v/t* einhüllen; ***flames ~ed the house*** das Haus war von Flammen eingehüllt
envelope *n* (Brief)umschlag *m*
enviable *adj* beneidenswert **envious** *adj* neidisch; ***to be ~ of sb/sth*** auf jdn/etw neidisch sein **enviously** *adv* neidisch
environment *n* Umwelt *f*; (*of town etc, physical surroundings*) Umgebung *f*; (≈ *cultural surroundings*) Milieu *nt* **Environment Agency** *n* (*Br*) Umweltbehörde *f* **environmental** *adj* **1.** Umwelt-; ***~ disaster*** Umweltkatastrophe *f*; ***~ expert*** Umweltexperte *m*/-expertin *f*; ***~ impact*** Auswirkung *f* auf die Umwelt **2.** (≈ *protecting the environment*) Umweltschutz-; ***~ group*** Umweltschutzorganisation *f* **3.** (≈ *relating to surroundings*) umgebungsbedingt **environmentalism** *n* Umweltbewusstsein *nt* **environmentalist** *n* Umweltschützer(in) *m*(*f*) **environmentally** *adv* umwelt-; ***~ correct*** umweltgerecht; ***~ conscious*** *or* ***aware*** umweltbewusst; ***~ friendly/unfriendly*** umweltfreundlich/-feindlich **Environmental Protection Agency** *n* (*US* ADMIN) ≈ Umweltministerium *nt* **environs** *pl* Umgebung *f*
envisage *v/t* sich (*dat*) vorstellen
envoy *n* Bote *m*, Botin *f*; (≈ *diplomat*) Gesandte(r) *m*/*f*(*m*)
envy **I** *n* Neid *m* **II** *v/t* beneiden; ***to ~ sb sth*** jdn um etw beneiden
enzyme *n* Enzym *nt*
ephemeral *adj* kurzlebig
epic **I** *adj poetry* episch; *novel* monumental; *performance, struggle* gewaltig; *journey* lang und abenteuerlich; ***~ film*** Monumentalfilm *m* **II** *n* Epos *nt*
epicentre, (*US*) **epicenter** *n* Epizentrum *nt*
epidemic *n* Epidemie *f* (*also fig*)
epidural *n* Epiduralanästhesie *f*
epilepsy *n* Epilepsie *f* **epileptic** **I** *adj* epileptisch; ***~ fit*** epileptischer Anfall; ***he is ~*** er ist Epileptiker **II** *n* Epileptiker(in) *m*(*f*)
epilogue, (*US*) **epilog** *n* Epilog *m*
Epiphany *n* das Dreikönigsfest
episcopal *adj* bischöflich
episode *n* **1.** Episode *f*; (*of story*, TV, RADIO) Fortsetzung *f* **2.** (≈ *incident*) Vorfall *m* **episodic** *adj* episodenhaft
epistle *n* BIBLE Brief *m* (*to* an +*acc*)

epitaph *n* Epitaph *nt*
epithet *n* Beiname *m*
epitome *n* Inbegriff *m* (*of* +*gen*, an +*dat*) **epitomize** *v/t* verkörpern
epoch *n* Epoche *f*
equal I *adj* gleich; ***an ~ amount of land*** gleich viel Land; ***~ numbers of men and women*** gleich viele Männer und Frauen; ***to be ~ in size*** (***to***) gleich groß sein (wie); ***a is ~ to b*** a ist gleich b; ***an amount ~ to the purchase price*** eine dem Kaufpreis entsprechende Summe; ***other things being ~*** wenn nichts dazwischenkommt; ***~ opportunities*** Chancengleichheit *f*; ***~ rights for women*** die Gleichberechtigung der Frau; ***to be on ~ terms*** (***with sb***) (mit jdm) gleichgestellt sein; ***to be ~ to the task*** der Aufgabe gewachsen sein; ***to feel ~ to sth*** sich zu etw imstande fühlen **II** *n* (*in rank*) Gleichgestellte(r) *m/f(m)*; ***she is his ~*** sie ist ihm ebenbürtig; ***to treat sb as an ~*** jdn als ebenbürtig behandeln; ***to have no ~*** nicht seinesgleichen haben; (≈ *be unsurpassed*) unübertroffen sein **III** *v/i* ***three times three ~s nine*** drei mal drei (ist) gleich neun; ***let x ~ 3*** x sei (gleich) 3 **IV** *v/t* (≈ *match*, *rival*) gleichkommen (+*dat*) **equality** *n* Gleichheit *f* **equalize** *v/i* SPORTS ausgleichen **equalizer** *n* **1.** (*Br* SPORTS) Ausgleich *m*; FTBL *etc* Ausgleichstreffer *m*; ***to score*** *or* ***get the ~*** den Ausgleich erzielen **2.** (*US hum infml* ≈ *gun*) Kanone *f* (*sl*) **equally** *adv* **1.** *divide* gleichmäßig; ***~ spaced*** in gleichmäßigen Abständen; (*in time*) in regelmäßigen Abständen **2.** (≈ *in the same way*) (+*adj*) genauso; ***all foreigners should be treated ~*** alle Ausländer sollten gleich behandelt werden **equals sign** *n* Gleichheitszeichen *nt*
equate *v/t* **1.** (≈ *identify*) gleichsetzen **2.** (≈ *treat as same*) auf die gleiche Stufe stellen **equation** *n* (MAT, *fig*) Gleichung *f*; ***that doesn't even enter the ~*** das steht doch überhaupt nicht zur Debatte
equator *n* Äquator *m*; ***at the ~*** am Äquator **equatorial** *adj* äquatorial, Äquatorial-
equestrian *adj* Reit-, Reiter-; ***~ events*** Reitveranstaltung *f*; (*tournament*) Reitturnier *nt*
equidistant *adj* gleich weit entfernt (*from* von)
equilateral *adj* gleichseitig
equilibrium *n* Gleichgewicht *nt*; ***to keep/lose one's ~*** das Gleichgewicht halten/verlieren
equinox *n* Tagundnachtgleiche *f*; ***the spring ~*** die Frühjahrs-Tagundnachtgleiche
equip *v/t army*, *person* ausrüsten; *kitchen* ausstatten; ***he is well ~ped for the job*** (*fig*) er hat das nötige Rüstzeug für die Stelle **equipment** *n no pl* (*of person*) Ausrüstung *f*; ***laboratory ~*** Laborausstattung *f*; ***office ~*** Büroeinrichtung *f*; ***electrical ~*** Elektrogeräte *pl*; ***kitchen ~*** Küchengeräte *pl*
equitable *adj*, **equitably** *adv* gerecht
equities *pl* FIN Stammaktien *pl*
equivalent I *adj* **1.** (≈ *equal*) gleichwertig; ***that's ~ to saying ...*** das ist gleichbedeutend damit, zu sagen ... **2.** (≈ *corresponding*) entsprechend; ***it is ~ to £30*** das entspricht £ 30 **II** *n* Äquivalent *nt*; (≈ *counterpart*) Pendant *nt*; ***that is the ~ of ...*** das entspricht ... (*dat*); ***what is the ~ in euros?*** was ist der Gegenwert in Euro?; ***the American ~ of ...*** das amerikanische Pendant zu ...
equivocal *adj* (*form*) **1.** *response* zweideutig; *position*, *results* unklar **2.** *attitude* zwiespältig; *person* ambivalent **equivocate** *v/i* ausweichen
ER (*US*) *abbr of* ***emergency room***
era *n* Ära *f*; GEOL Erdzeitalter *nt*; ***the Christian ~*** (die) christliche Zeitrechnung
eradicate *v/t* ausrotten **eradication** *n* Ausrottung *f*
erase *v/t* ausradieren; (*from tape*, IT) löschen **eraser** *n* Radiergummi *nt or m*
erect I *v/t building* bauen; *statue*, *memorial* errichten (*to sb* jdm); *scaffolding* aufstellen; *tent* aufschlagen; (*fig*) *barrier* errichten **II** *adj* **1.** aufrecht; ***to stand ~*** gerade stehen; ***to walk ~*** aufrecht gehen **2.** PHYSIOL *penis*, *nipples* steif **erection** *n* **1.** (*of building*) (Er)bauen *nt*; (*of statue*, *memorial*, *barrier*) Errichten *nt* **2.** PHYSIOL Erektion *f*
ergonomic *adj* ergonomisch
ERM *n abbr of* ***Exchange Rate Mechanism***
ermine *n* Hermelin *m*
erode *v/t* auswaschen; (*fig*) *confidence*, *beliefs* untergraben; *authority* unterminieren

erogenous *adj* erogen
erosion *n* Erosion *f*; (*fig*, *of authority*) Unterminierung *f*
erotic *adj*, **erotically** *adv* erotisch **eroticism** *n* Erotik *f*
err *v/i* sich irren; ***to ~ in one's judgement*** sich in seinem Urteil irren; ***it is better to ~ on the side of caution*** man sollte im Zweifelsfall lieber zu vorsichtig sein
errand *n* (≈ *shopping etc*) Besorgung *f*; (*to give a message etc*) Botengang *m*; ***to send sb on an ~*** jdn auf Besorgungen / einen Botengang schicken
errant *adj ways* sündig; *husband etc* untreu
erratic *adj* unberechenbar; *progress*, *rhythm* ungleichmäßig; *performance* variabel; *movement* unkontrolliert; ***to be*** (***very***) ***~*** (*figures*) (stark) schwanken; ***~ mood swings*** starke Stimmungsschwankungen *pl*; ***his ~ driving*** sein unberechenbarer Fahrstil
erroneous *adj* falsch; *assumption*, *belief* irrig **erroneously** *adv* fälschlicherweise
error *n* **1.** (≈ *mistake*) Fehler *m* **2.** (≈ *wrongness*) Irrtum *m*; ***in ~*** irrtümlicherweise; ***to see the ~ of one's ways*** seine Fehler einsehen **error message** *n* IT Fehlermeldung *f*
erudite *adj* gelehrt **erudition** *n* Gelehrsamkeit *f*
erupt *v/i* ausbrechen; (*fig*) explodieren; ***her face had ~ed in spots*** sie hatte im ganzen Gesicht Pickel bekommen **eruption** *n* Ausbruch *m*
escalate I *v/t war* ausweiten **II** *v/i* eskalieren; (*costs*) in die Höhe schnellen **escalation** *n* Eskalation *f* **escalator** *n* Rolltreppe *f*
escalope *n* Schnitzel *nt*
escapade *n* Eskapade *f*
escape I *v/i* **1.** fliehen (*from* aus); (*from pursuers*, *captivity*) entkommen (*from +dat*); (*from prison*, *cage etc*) ausbrechen (*from* aus); (*water*) auslaufen (*from* aus); (*gas*) ausströmen (*from* aus); ***an ~d prisoner/tiger*** ein entflohener Häftling / entsprungener Tiger; ***he ~d from the fire*** er ist dem Feuer entkommen; ***to ~ from poverty*** der Armut entkommen **2.** (≈ *be spared*) davonkommen **II** *v/t* **1.** *pursuers* entkommen (*+dat*) **2.** *consequences*, *disaster*, *detection* entgehen (*+dat*); ***no department will ~ these cuts*** keine Abteilung wird von diesen Kürzungen verschont bleiben; ***he narrowly ~d injury*** er ist gerade noch unverletzt davongekommen; ***he narrowly ~d being run over*** er wäre um ein Haar überfahren worden; ***but you can't ~ the fact that ...*** aber du kannst nicht abstreiten, dass ... **3.** ***his name ~s me*** sein Name ist mir entfallen; ***nothing ~s him*** ihm entgeht nichts **III** *n* **1.** (*from prison etc*) Ausbruch *m*; (*from a country*) Flucht *f* (*from* aus); (*fig*) Flucht *f* (*from* vor); ***to make one's ~*** ausbrechen; ***to have a miraculous ~*** auf wunderbare Weise davonkommen; ***there's no ~*** (*fig*) es gibt keinen Ausweg **2.** (*of gas*) Ausströmen *nt*; ***due to an ~ of gas*** aufgrund ausströmenden Gases **3.** IT ***hit ~*** Escape drücken **escape attempt**, **escape bid** *n* Fluchtversuch *m* **escape chute** *n* (*on plane*) Notrutsche *f* **escape clause** *n* JUR Rücktrittsklausel *f* **escape key** *n* IT Escape-Taste *f* **escape route** *n* Fluchtweg *m* **escapism** *n* Wirklichkeitsflucht *f* **escapist** *adj* eskapistisch **escapologist** *n* Entfesselungskünstler(in) *m*(*f*)
eschew *v/t* (*old*, *liter*) scheuen, (ver)meiden
escort I *n* **1.** Geleitschutz *m*; (*vehicles etc*) Eskorte *f*; ***under ~*** unter Bewachung; ***motorcycle ~*** Motorradeskorte *f* **2.** (≈ *male companion*) Begleiter *m*; (≈ *hired female*) Hostess *f* **II** *v/t* begleiten **escort agency** *n* Hostessenagentur *f*
Eskimo (*pej*) **I** *adj* Eskimo-, eskimoisch **II** *n* Eskimo *m*, Eskimofrau *f*
ESL *abbr of* ***English as a Second Language***
esophagus *n* (*esp US*) = ***oesophagus***
esoteric *adj* esoterisch
esp. *abbr of* ***especially*** bes.
especial *adj* besondere(r, s)
especially *adv* **1.** (≈ *particularly*) besonders; ***not ~*** nicht besonders; (***more***) ***~ as ...*** vor allem, weil ...; ***~ in summer*** vor allem im Sommer; ***why Jim ~?*** warum gerade Jim? **2.** (≈ *specifically*) eigens; ***I came ~ to see you*** ich bin eigens gekommen, um dich zu sehen; ***to do sth ~ for sb/sth*** etw speziell für jdn / etw tun
espionage *n* Spionage *f*
esplanade *n* (Strand)promenade *f*
espresso *n* ~ (***coffee***) Espresso *m*
esquire *n* (*Br*) ***James Jones, Esq*** Herrn James Jones

essay *n* Essay *m or nt*; *esp* SCHOOL Aufsatz *m*

essence *n* **1.** Wesen *nt*; ***in ~*** im Wesentlichen; ***time is of the ~*** Zeit ist von entscheidender Bedeutung; ***the novel captures the ~ of life in the city*** der Roman fängt das Leben in der Stadt perfekt ein **2.** CHEM, COOK Essenz *f* **essential I** *adj* **1.** (≈ *vital*) unbedingt notwendig; *services, supplies* lebenswichtig; ***it is ~ to act quickly*** schnelles Handeln ist unbedingt erforderlich; ***it is ~ that you understand this*** du musst das unbedingt verstehen; ***~ for good health*** für die Gesundheit unerlässlich **2.** (≈ *basic*) wesentlich; *question, role* entscheidend; ***I don't doubt his ~ goodness*** ich zweifle nicht an, dass er im Grunde ein guter Mensch ist **II** *n* ***just bring the ~s*** bring nur das Allernotwendigste mit; ***with only the bare ~s*** nur mit dem Allernotwendigsten ausgestattet; ***the ~s of German grammar*** die Grundlagen *pl* der deutschen Grammatik **essentially** *adv* (≈ *fundamentally*) im Wesentlichen; (≈ *basically*) im Grunde genommen

est. 1. *abbr of* ***established*** gegr. **2.** *abbr of* ***estimated***

establish I *v/t* **1.** (≈ *found*) gründen; *relations* aufnehmen; *links* anknüpfen; *peace* stiften; *order* (wieder) herstellen; *reputation* sich (*dat*) verschaffen **2.** (≈ *prove*) beweisen; ***we have ~ed that ...*** wir haben bewiesen *or* gezeigt, dass ... **3.** *identity, facts* ermitteln **II** *v/r* sich etablieren; ***he has now firmly ~ed himself in the company*** er ist jetzt in der Firma fest etabliert **established** *adj* etabliert; ***it's an ~ practice*** *or* ***custom*** es ist allgemein üblich; ***well ~ as sth*** (≈ *recognized*) allgemein als etw anerkannt; ***it's an ~ fact that ...*** es steht fest, dass ...; ***~ 1850*** COMM *etc* gegründet 1850 **establishment** *n* **1.** (*of relations, links*) Aufnahme *f*; (*of company*) Gründung *f* **2.** (≈ *institution etc*) Institution *f*; ***commercial ~*** kommerzielles Unternehmen **3.** ***the Establishment*** das Establishment

estate *n* **1.** (≈ *land*) Gut *nt*; ***country ~*** Landgut *nt*; ***family ~*** Familienbesitz *m* **2.** (JUR ≈ *possessions of deceased*) Nachlass *m*; ***to leave one's ~ to sb*** jdm seinen ganzen Besitz vermachen *or* hinterlassen **3.** (*esp Br* ≈ *housing estate*) Siedlung *f*; (≈ *trading estate*) Industriegelände *nt* **estate agent** *n* (*Br*) Immobilienmakler(in) *m(f)* **estate car** *n* (*Br*) Kombi (-wagen) *m*

esteem I *v/t person* hoch schätzen **II** *n* Wertschätzung *f*; ***to hold sb/sth in (high) ~*** jdn/etw (hoch) schätzen; ***to be held in great ~*** sehr geschätzt werden; ***he went down in my ~*** er ist in meiner Achtung gesunken

esthete *etc* (*esp US*) *n* = ***aesthete*** *etc*

estimable *adj* schätzenswert

estimate I *n* **1.** Schätzung *f*; ***it is just an ~*** das ist nur geschätzt; ***at a rough ~*** grob geschätzt **2.** (COMM, *of cost*) (Kosten)voranschlag *m*; ***to get an ~*** einen (Kosten)voranschlag einholen **II** *v/t* schätzen; ***his wealth is ~d at ...*** sein Vermögen wird auf ... geschätzt; ***I ~ she must be 40*** ich schätze sie auf 40 **estimation** *n* **1.** Einschätzung *f* **2.** (≈ *esteem*) Achtung *f*; ***he went up/down in my ~*** er ist in meiner Achtung gestiegen/gesunken

Estonia *n* Estland *nt* **Estonian I** *adj* estnisch **II** *n* **1.** Este *m*, Estin *f* **2.** LING Estnisch *nt*

estrange *v/t* ***they are ~d*** (*married couple*) sie haben sich auseinandergelebt; ***his ~d wife*** seine von ihm getrennt lebende Frau

estrogen *n* (*US*) = ***oestrogen***

estuary *n* Mündung *f*

ET (*US*) *abbr of* ***Eastern Time*** Ostküstenzeit *f*

ETA *abbr of* ***estimated time of arrival*** voraussichtliche Ankunft

e-tailer *n* E-Tailer *m*, elektronischer Einzelhändler

etc. *abbr of* ***et cetera*** etc., usw. **etcetera** *adv* und so weiter, et cetera

etch I *v/i* ätzen; (*in copper*) in Kupfer stechen; (*in other metals*) radieren **II** *v/t* ätzen; (*in copper*) in Kupfer stechen; (*in other metals*) radieren; ***the event was ~ed on her mind*** das Ereignis hatte sich ihr ins Gedächtnis eingegraben **etching** *n* Ätzung *f*; (*in copper*) Kupferstich *m*; (*in other metals*) Radierung *f*

eternal *adj* **1.** (≈ *everlasting*) ewig **2.** (≈ *incessant*) endlos **eternally** *adv* ewig; *optimistic* immer; ***to be ~ grateful (to sb/for sth)*** (jdm/für etw) ewig dankbar sein

eternity *n* Ewigkeit *f*; REL das ewige Leben

ether *n* (CHEM, *poet*) Äther *m* **ethereal** *adj*

ätherisch
ethic *n* Ethik *f* **ethical** *adj* (≈ *morally right*) ethisch *attr*; (*of ethics*) Moral-; ***it is not ~ to ...*** es ist unethisch, zu ... **ethically** *adv* ethisch; (≈ *with correct ethics*) ethisch einwandfrei **ethics** *n* **1.** *sg* (≈ *system*) Ethik *f* **2.** *pl* (≈ *morality*) Moral *f*
Ethiopia *n* Äthiopien *nt*
ethnic *adj* **1.** (≈ *racial*) ethnisch; ***~ violence*** Rassenkrawalle *pl*; ***~ Germans*** Volksdeutsche *pl* **2.** *clothes* folkloristisch; ***~ music*** Folklore *f* **ethnically** *adv* ethnisch **ethnic cleansing** *n* (*euph*) ethnische Säuberung
ethos *n* Ethos *nt*
e-ticket *n* E-Ticket *nt*
etiquette *n* Etikette *f*
etymological *adj*, **etymologically** *adv* etymologisch **etymology** *n* Etymologie *f*
EU *abbr of* **European Union** EU *f*
eucalyptus *n* Eukalyptus *m*
Eucharist *n* ECCL Abendmahlsgottesdienst *m*; ***the ~*** das (heilige) Abendmahl
eulogy *n* Lobesrede *f*
eunuch *n* Eunuch *m*
euphemism *n* Euphemismus *m* **euphemistic** *adj* euphemistisch **euphemistically** *adv* euphemistisch, verhüllend; ***to be ~ described/known as ...*** beschönigend als ... bezeichnet werden/bekannt sein
euphoria *n* Euphorie *f* **euphoric** *adj* euphorisch
Eurasian **I** *adj* eurasisch **II** *n* Eurasier(in) *m(f)*
euro *n* Euro *m* **eurocentric** *adj* eurozentrisch **Eurocheque**, (*US*) **Eurocheck** *n* Eurocheque *m* **Eurocrat** *n* Eurokrat(in) *m(f)* **Euro MP** *n* (*infml*) Europaabgeordnete(r) *m/f(m)*
Europe *n* Europa *nt*
European **I** *adj* europäisch **II** *n* Europäer(in) *m(f)* **European Central Bank** *n* Europäische Zentralbank **European Commission** *n* Europäische Kommission **European Community** *n* Europäische Gemeinschaft **European Convention** *n* EU-Konvent *m* **European Council** *n* Europäischer Rat **European Court of Justice** *n* Europäischer Gerichtshof **European Economic Community** *n* Europäische Wirtschaftsgemeinschaft **European Investment Bank** *n* Europäische Investitionsbank **European Monetary System** *n* Europäisches Währungssystem **European Monetary Union** *n* Europäische Währungsunion **European Parliament** *n* Europäisches Parlament
European Union *n* Europäische Union
Euro-sceptic *n* Euroskeptiker(in) *m(f)*
euro zone *n* Eurozone *f*
euthanasia *n* Euthanasie *f*
evacuate *v/t* räumen; *women, children* evakuieren (*from* aus, *to* nach) **evacuation** *n* Räumung *f*; (*of women, children*) Evakuierung *f* **evacuee** *n* Evakuierte(r) *m/f(m)*
evade *v/t* *blow, question* ausweichen (+*dat*); *pursuit, pursuers* entkommen (+*dat*); *justice, capture* sich entziehen (+*dat*); ***to ~ taxes*** Steuern hinterziehen
evaluate *v/t house, worth etc* schätzen (*at* auf +*acc*); *damages* festsetzen (*at* auf +*acc*); *chances, performance* beurteilen; *evidence, results* auswerten **evaluation** *n* (*of house, worth etc*) Schätzung *f*; (*of chances, performance*) Beurteilung *f*; (*of evidence, results*) Auswertung *f*
evangelic(al) *adj* evangelikal **evangelist** *n* (≈ *preacher*) Prediger(in) *m(f)*
evaporate *v/i* **1.** (*liquid*) verdunsten **2.** (*fig*) sich in Luft auflösen; (*hopes*) sich zerschlagen **evaporated milk** *n* Kondensmilch *f*
evasion *n* (*of question etc*) Ausweichen *nt* (*of* vor +*dat*); (*of tax*) Hinterziehung *f*
evasive *adj* ausweichend; ***they were ~ about it*** sie redeten drum herum; ***to take ~ action*** ein Ausweichmanöver machen **evasively** *adv* ausweichend
eve *n* Vorabend *m*; ***on the ~ of*** am Vorabend von *or* +*gen*
even **I** *adj* **1.** *surface* eben **2.** (≈ *regular*) gleichmäßig **3.** *quantities, values* gleich; ***they are an ~ match*** sie sind einander ebenbürtig; ***I will get ~ with you for that*** das werde ich dir heimzahlen; ***that makes us ~*** (*fig*) damit sind wir quitt; ***he has an ~ chance of winning*** seine Gewinnchancen stehen fifty-fifty (*infml*); ***to break ~*** die Kosten decken **4.** *number* gerade **II** *adv* **1.** sogar; ***it'll be difficult, impossible ~*** das wird schwierig sein, wenn nicht (so)gar unmöglich **2.** (*with comp adj*) sogar noch; ***that's ~ better*** das ist sogar (noch) besser **3.** (*with neg*) ***not ~*** nicht einmal; ***without ~ a smile*** ohne auch nur zu lä-

cheln **4. ~ *if*** selbst wenn; ***~ though*** obwohl; ***but ~ then*** aber sogar dann; ***~ so*** (aber) trotzdem ◆ **even out I** *v/i* (*prices*) sich einpendeln **II** *v/t sep* ***that should even things out a bit*** dadurch müsste ein gewisser Ausgleich erzielt werden ◆ **even up I** *v/t sep* ***that will even things up*** das wird die Sache etwas ausgleichen **II** *v/i* ***can we ~ later?*** können wir später abrechnen?

even-handed *adj*, **even-handedly** *adv* gerecht, fair

evening *n* Abend *m*; ***in the ~*** abends, am Abend; ***this/tomorrow/yesterday ~*** heute/morgen/gestern Abend; ***that ~*** an jenem Abend; ***on the ~ of the twenty-ninth*** am Abend des 29.; ***one ~ as I ...*** eines Abends, als ich ...; ***every Monday ~*** jeden Montagabend; ***all ~*** den ganzen Abend (lang) **evening class** *n* Abendkurs *m*; ***to go to*** *or* ***take ~es*** *or* ***an ~ in French*** einen Abendkurs in Französisch besuchen **evening dress** *n* (*men's*) Abendanzug *m*; (*women's*) Abendkleid *nt* **evening gown** *n* Abendkleid *nt* **evening paper** *n* Abendzeitung *f* **evening wear** *n* Abendkleidung *f*

evenly *adv* gleichmäßig; *divide* in gleiche Teile; ***the contestants were ~ matched*** die Gegner waren einander ebenbürtig; ***your weight should be ~ balanced (between your two feet)*** Sie sollten Ihr Gewicht gleichmäßig (auf beide Füße) verteilen; ***public opinion seems to be ~ divided*** die öffentliche Meinung scheint in zwei gleich große Lager gespalten zu sein **evenness** *n* (*of ground*) Ebenheit *f*

evensong *n* Abendgottesdienst *m*

event *n* **1.** (≈ *happening*) Ereignis *nt*; ***in the normal course of ~s*** normalerweise **2.** (≈ *organized function*) Veranstaltung *f*; SPORTS Wettkampf *m* **3. *in the ~ of her death*** im Falle ihres Todes; ***in the ~ of fire*** im Brandfall; ***in the unlikely ~ that ...*** falls, was sehr unwahrscheinlich ist, ...; ***in any ~ I can't give you my permission*** ich kann dir jedenfalls nicht meine Erlaubnis geben; ***at all ~s*** auf jeden Fall

eventful *adj* ereignisreich

eventual *adj* ***he predicted the ~ fall of the government*** er hat vorausgesagt, dass die Regierung am Ende *or* schließlich zu Fall kommen würde; ***the ~ success of the project is not in doubt*** es besteht kein Zweifel, dass das Vorhaben letzten Endes Erfolg haben wird; ***he lost to the ~ winner*** er verlor gegen den späteren Gewinner **eventuality** *n* Eventualität *f*; ***be ready for any ~*** sei auf alle Eventualitäten gefasst **eventually** *adv* schließlich; (≈ *one day*) eines Tages; (≈ *in the long term*) auf lange Sicht

ever *adv* **1.** je(mals); ***not ~*** nie; ***nothing ~ happens*** es passiert nie etwas; ***it hardly ~ snows here*** hier schneit es kaum (jemals); ***if I ~ catch you doing that again*** wenn ich dich noch einmal dabei erwische; ***seldom, if ~*** selten, wenn überhaupt; ***he's a rascal if ~ there was one*** er ist ein richtig gehender kleiner Halunke; ***don't you ~ say that again!*** sag das ja nie mehr!; ***have you ~ been to Glasgow?*** bist du schon einmal in Glasgow gewesen?; ***did you ~ see*** *or* ***have you ~ seen anything so strange?*** hast du schon jemals so etwas Merkwürdiges gesehen?; ***more beautiful than ~ (before)*** schöner denn je (zuvor); ***the first ... ~*** der *etc* allererste ...; ***I'll never, ~ forgive myself*** das werde ich mir nie im Leben verzeihen **2. *~ since I was a boy*** seit ich ein Junge war; ***~ since I have lived here ...*** seitdem ich hier lebe ...; ***~ since (then)*** seitdem; ***for ~*** für immer; ***it seemed to go on for ~*** es schien ewig zu dauern; ***~ increasing power*** ständig wachsende Macht; ***an ~ present feeling*** ein ständiges Gefühl; ***all she ~ does is complain*** sie tut nichts anderes als sich ständig zu beschweren **3. *she's the best grandmother ~*** sie ist die beste Großmutter, die es gibt; ***what ~ shall we do?*** was sollen wir bloß machen?; ***why ~ not?*** warum denn bloß nicht? **4.** (*infml*) ***~ so/such*** unheimlich; ***~ so slightly drunk*** ein ganz klein wenig betrunken; ***he's ~ such a nice man*** er ist ein ungemein netter Mensch; ***I am ~ so sorry*** es tut mir schrecklich leid; ***thank you ~ so much*** ganz herzlichen Dank

Everest *n* (***Mount***) ***~*** der (Mount) Everest

evergreen I *adj* immergrün **II** *n* Nadelbaum *m* **everlasting** *adj* ewig; ***to his ~ shame*** zu seiner ewigen Schande **evermore** *adv* (*liter*) auf immer und ewig; ***for ~*** in alle Ewigkeit

every *adj* **1.** jede(r, s); ***you must examine ~ one*** Sie müssen jeden (Einzelnen) untersuchen; **~ man for himself** jeder für sich; **in ~ way** (≈ *in all respects*) in jeder Hinsicht; **he is ~ bit as clever as his brother** er ist ganz genauso schlau wie sein Bruder; **~ single time I ...** immer wenn ich ...; **~ fifth day, ~ five days** alle fünf Tage; **write on ~ other page** bitte jede zweite Seite beschreiben; **one in ~ twenty people** jeder zwanzigste Mensch; **~ so often, ~ once in a while, ~ now and then** *or* **again** ab und zu; **his ~ word** jedes Wort, das er sagte **2. I have ~ confidence in him** ich habe volles Vertrauen zu ihm; **I have/there is ~ hope that ...** ich habe allen Grund/es besteht aller Grund zu der Hoffnung, dass ...; **there was ~ prospect of success** es bestand alle Aussicht auf Erfolg

everybody *pron* jeder(mann), alle *pl*; **~ has finished** alle sind fertig; **it's not ~ who can afford a big house** nicht jeder kann sich (*dat*) ein großes Haus leisten

everyday *adj* (all)täglich; **~ clothes** Alltagskleidung *f*; **to be an ~ occurrence** (all)täglich vorkommen; **for ~ use** für den täglichen Gebrauch; **~ life** der Alltag

everyone *pron* = **everybody**

everything *n* alles; **~ possible** alles Mögliche; **~ you have** alles, was du hast; **is ~ all right?** ist alles in Ordnung?; **money isn't ~** Geld ist nicht alles

everywhere *adv* überall; (*with direction*) überallhin; **from ~** von überallher; **~ you look there's a mistake** wo man auch hinsieht, findet man Fehler

evict *v/t* zur Räumung zwingen (*from +gen*); **they were ~ed** sie wurden zum Verlassen ihrer Wohnung gezwungen **eviction** *n* Ausweisung *f* **eviction order** *n* Räumungsbefehl *m*

evidence *n* **1.** Beweis *m*, Beweise *pl*; **there is no ~ that ...** es deutet nichts darauf hin, dass ... **2.** JUR Beweismaterial *nt*; (*object etc*) Beweisstück *nt*; (≈ *testimony*) Aussage *f*; **we haven't got any ~** wir haben keinerlei Beweise; **for lack of ~** aus Mangel an Beweisen; **all the ~ was against him** alles sprach gegen ihn; **to give ~** aussagen **3. to be in ~** sichtbar sein **evident** *adj*, **evidently** *adv* offensichtlich

evil I *n* **1.** Böse(s) *nt* **2.** (≈ *bad thing or activity*) Übel *nt*; **the lesser/greater of two ~s** das kleinere/größere Übel **II** *adj person*, *spell* böse; *influence*, *reputation* schlecht; *place* verhext; **~ deed** Übeltat *f*; **with ~ intent** mit *or* aus böser Absicht

evocative *adj* atmosphärisch; **to be ~ of sth** etw heraufbeschwören **evoke** *v/t* heraufbeschwören; *response* hervorrufen

evolution *n* Evolution *f* **evolutionary** *adj* evolutionär; **~ theory** Evolutionstheorie *f* **evolve I** *v/t* entwickeln **II** *v/i* sich entwickeln

ewe *n* Mutterschaf *nt*

ex *n* (*infml*) Verflossene(r) *m/f(m)* (*infml*) **ex-** *pref* ehemalig, Ex-; **~wife** Exfrau *f*

exacerbate *v/t pain*, *problem* verschlimmern; *situation* verschärfen

exact I *adj* genau; **to be ~ about sth** etw genau darlegen; **do you have the ~ amount?** haben Sie es passend?; **until this ~ moment** bis genau zu diesem Augenblick; **the ~ same thing** genau das Gleiche; **he's 47 to be ~** er ist 47, um genau zu sein **II** *v/t* (*form*) *money*, *revenge* fordern; *payment* eintreiben **exacting** *adj person*, *task* anspruchsvoll; *standards* hoch **exactly** *adv* genau; **I wanted to know ~ where my mother was buried** ich wollte genau wissen, wo meine Mutter begraben war; **that's ~ what I was thinking** genau das habe ich auch gedacht; **at ~ five o'clock** um Punkt fünf Uhr; **at ~ 9.43 a.m./the right time** genau um 9.43 Uhr/zur richtigen Zeit; **I want to get things ~ right** ich will es ganz richtig machen; **who ~ will be in charge?** wer wird eigentlich die Verantwortung haben?; **you mean we are stuck? — ~** wir sitzen also fest? — stimmt genau; **is she sick? — not ~** ist sie krank? — eigentlich nicht; **not ~** (*iron* ≈ *hardly*) nicht gerade **exactness** *n* Genauigkeit *f*

exaggerate I *v/t* **1.** übertreiben; **he ~d what really happened** er hat das, was wirklich geschehen war, übertrieben dargestellt **2.** *effect* verstärken **II** *v/i* übertreiben **exaggerated** *adj* übertrieben **exaggeration** *n* Übertreibung *f*; **a bit of an ~** leicht übertrieben

exaltation *n* (≈ *feeling*) Begeisterung *f* **exalted** *adj position*, *style* hoch

exam *n* Prüfung *f* **examination** *n* **1.** SCHOOL, UNIV *etc* Prüfung *f*; **geography ~** Geografieprüfung *f* **2.** (≈ *inspection*)

Untersuchung *f*; (*of machine, premises, passports*) Kontrolle *f*; ***the matter is still under ~*** die Angelegenheit wird noch geprüft *or* untersucht; ***she underwent a thorough ~*** sie wurde gründlich untersucht **3.** (JUR, *of witness*) Verhör *nt*; (*of case, documents*) Untersuchung *f* **examine** *v/t* **1.** (*for* auf *+acc*) untersuchen; *documents, accounts* prüfen; *machine, passports, luggage* kontrollieren; ***you need (to have) your head ~d*** (*infml*) du solltest dich mal auf deinen Geisteszustand untersuchen lassen **2.** *pupil, candidate* prüfen (*in* in *+dat*, *on* über *+acc*) **3.** JUR *witness* verhören **examiner** *n* SCHOOL, UNIV Prüfer(in) *m(f)*

example *n* Beispiel *nt*; ***for ~*** zum Beispiel; ***to set a good ~*** ein gutes Beispiel geben; ***to follow sb's ~*** jds Beispiel folgen; ***to take sth as an ~*** sich (*dat*) an etw ein Beispiel nehmen; ***to make an ~ of sb*** an jdm ein Exempel statuieren

exasperate *v/t* zur Verzweiflung bringen; ***to become*** *or* ***get ~d*** verzweifeln (*with* an *+dat*) **exasperating** *adj* ärgerlich; *delay, job* leidig *attr*; *person* nervig (*infml*); ***it's so ~ not to be able to buy a newspaper*** es ist wirklich zum Verzweifeln, dass man keine Zeitung bekommen kann **exasperation** *n* Verzweiflung *f* (*with* über *+acc*)

excavate *v/t ground* ausschachten; (*machine*) ausbaggern; ARCHEOL *site* Ausgrabungen machen auf (*+dat*) **excavation** *n* **1.** ARCHEOL (Aus)grabung *f*; ***~s*** (≈ *site*) Ausgrabungsstätte *f* **2.** (*of tunnel etc*) Graben *nt* **excavator** *n* (≈ *machine*) Bagger *m*

exceed *v/t* **1.** (*in value, amount*) übersteigen (*by* um); ***to ~ 5 kilos in weight*** das Gewicht von 5 kg übersteigen; ***a fine not ~ing £500*** eine Geldstrafe bis zu £ 500 **2.** (≈ *go beyond*) hinausgehen über (*+acc*); *expectations* übertreffen; *limits, powers* überschreiten **exceedingly** *adv* (*+adj, adv*) äußerst

excel I *v/i* sich auszeichnen **II** *v/t* ***to ~ oneself*** (*often iron*) sich selbst übertreffen **excellence** *n* hervorragende Qualität; ***academic ~*** höchste wissenschaftliche Qualität **Excellency** *n* ***Your/His ~*** Eure/Seine Exzellenz

excellent *adj*, **excellently** *adv* hervorragend

except I *prep* außer (*+dat*); ***what can they do ~ wait?*** was können sie (anders) tun als warten?; ***~ for*** abgesehen von; ***~ that ...*** außer dass ...; ***~ for the fact that*** abgesehen davon, dass ...; ***~ if*** es sei denn(, dass); ***~ when*** außer wenn **II** *cj* (≈ *only*) doch **III** *v/t* ausnehmen **excepting** *prep* außer; ***not ~ X*** X nicht ausgenommen

exception *n* **1.** Ausnahme *f*; ***to make an ~*** eine Ausnahme machen; ***with the ~ of*** mit Ausnahme von; ***this case is an ~ to the rule*** dieser Fall ist eine Ausnahme; ***the ~ proves the rule*** (*prov*) Ausnahmen bestätigen die Regel (*prov*); ***sb/sth is no ~*** jd/etw ist keine Ausnahme **2.** ***to take ~ to sth*** Anstoß *m* an etw (*dat*) nehmen **exceptional** *adj* außergewöhnlich; ***of ~ quality*** außergewöhnlich gut; ***~ case*** Ausnahmefall *m*; ***in ~ cases, in*** *or* ***under ~ circumstances*** in Ausnahmefällen **exceptionally** *adv* außergewöhnlich

excerpt *n* Auszug *m*

excess I *n* **1.** Übermaß *nt* (*of* an *+dat*); ***to drink to ~*** übermäßig trinken; ***he does everything to ~*** er übertreibt bei allem; ***to be in ~ of*** hinausgehen über (*+acc*); ***a figure in ~ of ...*** eine Zahl über (*+dat*) ... **2. excesses** *pl* Exzesse *pl*; (*drinking, sex etc*) Ausschweifungen *pl* **3.** (≈ *amount left over*) Überschuss *m* **II** *adj* überschüssig; ***~ fat*** Fettpolster *nt* **excess baggage** *n* Übergewicht *nt* **excessive** *adj* übermäßig; *price, profits, speed* überhöht; *demands* übertrieben; ***~ amounts of*** übermäßig viel; ***~ drinking*** übermäßiger Alkoholgenuss **excessively** *adv* (*+vb*) übermäßig; *drink* zu viel; (*+adj*) allzu **excess weight** *n* Übergewicht *nt*

exchange I *v/t books, glances, seats* tauschen; *foreign currency* wechseln (*for* in *+acc*); *information, views, phone numbers* austauschen; ***to ~ words*** einen Wortwechsel haben; ***to ~ letters*** einen Briefwechsel führen; ***to ~ greetings*** sich grüßen; ***to ~ insults*** sich gegenseitig beleidigen; ***to ~ one thing for another*** eine Sache gegen eine andere austauschen *or* (*in Laden*) umtauschen **II** *n* **1.** (*of prisoners, views*) Austausch *m*; (*of one bought item for another*) Umtausch *m*; ***in ~*** dafür; ***in ~ for money*** gegen Geld; ***in ~ for lending me your car*** dafür, dass Sie mir Ihr Auto geliehen haben **2.** ST EX Börse *f*

3. (***telephone***) **~** Fernamt *nt* **exchange rate** *n* Wechselkurs *m* **Exchange Rate Mechanism** *n* FIN Wechselkursmechanismus *m* **exchange student** *n* Austauschstudent(in) *m(f)*
exchequer *n* Finanzministerium *nt*
excise duties *pl* (*Br*), **excise tax** *n* (*US*) Verbrauchssteuern *pl*
excitable *adj* leicht erregbar **excite** *v/t* **1.** aufregen; (≈ *rouse enthusiasm in*) begeistern; ***the whole village was ~d by the news*** das ganze Dorf war über die Nachricht in Aufregung **2.** *passion*, *desire* erregen; *interest*, *curiosity* wecken
excited *adj* aufgeregt; (≈ *agitated*) erregt; (≈ *enthusiastic*) begeistert; ***to be ~ that...*** begeistert darüber sein, dass ...; ***to be ~ about sth*** von etw begeistert sein; (≈ *looking forward*) sich auf etw (*acc*) freuen; ***to become*** *or* ***get ~*** (***about sth***) sich (über etw *acc*) aufregen; ***to get ~*** (*sexually*) erregt werden; ***it was nothing to get ~ about*** es war nichts Besonderes
excitedly *adv* aufgeregt **excitement** *n* Aufregung *f*; ***there was great ~ when ...*** es herrschte große Aufregung, als ...; ***what's all the ~ about?*** wozu die ganze Aufregung?; ***his novel has caused great ~*** sein Roman hat große Begeisterung ausgelöst
exciting *adj* aufregend; *player* sensationell; *prospect* reizvoll; (≈ *full of suspense*) spannend
excl **1.** *abbr of* **excluding** **2.** *abbr of* **exclusive** exkl.
exclaim **I** *v/i* ***he ~ed in surprise when he saw it*** er schrie überrascht auf, als er es sah **II** *v/t* ausrufen **exclamation** *n* Ausruf *m* **exclamation mark**, (*US*) **exclamation point** *n* Ausrufezeichen *nt*
exclude *v/t* ausschließen; ***to ~ sb from the team/an occupation*** jdn aus der Mannschaft/von einer Beschäftigung ausschließen; ***to ~ a child from school*** ein Kind vom Schulunterricht ausschließen; ***to ~ sb from doing sth*** jdn davon ausschließen, etw zu tun; ***£200 excluding VAT*** (*Br*) £ 200 ohne Mehrwertsteuer; ***everything excluding the house*** alles ausgenommen das Haus **exclusion** *n* Ausschluss *m* (*from* von); ***she thought about her job to the ~ of everything else*** sie dachte ausschließlich an ihre Arbeit **exclusive** **I** *adj* **1.** exklusiv; *use* alleinig; ***~ interview*** Exklusivinterview *nt*; ***~ offer*** Exklusivangebot *nt*; ***~ rights to sth*** Alleinrechte *pl* an etw (*dat*); PRESS Exklusivrechte *pl* an etw (*dat*) **2.** (≈ *not inclusive*) exklusive *inv*; ***they are mutually ~*** sie schließen einander aus **II** *n* (PRESS ≈ *story*) Exklusivbericht *m*; (≈ *interview*) Exklusivinterview *nt* **exclusively** *adv* ausschließlich; PRESS exklusiv
excommunicate *v/t* exkommunizieren
excrement *n* Kot *m* **excrete** *v/t* ausscheiden
excruciating *adj* unerträglich; *sight*, *experience* fürchterlich; ***I was in ~ pain*** ich hatte unerträgliche Schmerzen
excursion *n* Ausflug *m*; ***to go on an ~*** einen Ausflug machen
excusable *adj* verzeihlich
excuse **I** *v/t* **1.** (≈ *seek to justify*) entschuldigen; ***he ~d himself for being late*** er entschuldigte sich, dass er zu spät kam **2.** (≈ *pardon*) ***to ~ sb*** jdm verzeihen; ***to ~ sb for having done sth*** jdm verzeihen, dass er etw getan hat; ***~ me for interrupting*** entschuldigen Sie bitte die Störung; ***~ me!*** Entschuldigung!; (*indignant*) erlauben Sie mal! **3.** ***to ~ sb from*** (***doing***) ***sth*** jdm etw erlassen; ***you are ~d*** (*to children*) ihr könnt gehen; ***can I be ~d?*** darf ich mal verschwinden (*infml*)?; ***and now if you will ~ me I have work to do*** und nun entschuldigen Sie mich bitte, ich habe zu arbeiten **II** *n* **1.** (≈ *justification*) Entschuldigung *f*; ***they had no ~ for attacking him*** sie hatten keinen Grund, ihn anzugreifen; ***to give sth as an ~*** etw zu seiner Entschuldigung vorbringen **2.** (≈ *pretext*) Ausrede *f*; ***to make ~s for sb/sth*** jdn/etw entschuldigen; ***I have a good ~ for not going*** ich habe eine gute Ausrede, warum ich nicht hingehen kann; ***he's only making ~s*** er sucht nur nach einer Ausrede; ***a good ~ for a party*** ein guter Grund, eine Party zu feiern
ex-directory *adj* (*Br*) ***to be ~*** nicht im Telefonbuch stehen
executable *adj* ***~ file*** IT Programmdatei *f*
execute *v/t* **1.** *order*, *movement* ausführen **2.** IT ausführen **3.** *criminal* hinrichten
execution *n* **1.** (*of duties*) Erfüllung *f*; ***in the ~ of his duties*** bei der Ausübung seines Amtes **2.** (*as punishment*) Hinrichtung *f* **executioner** *n* Henker *m*
executive **I** *n* **1.** (≈ *person*) Manager(in)

m(f); ***senior ~*** Geschäftsführer(in) *m(f)* **2.** COMM, POL Vorstand *m*; ***to be on the ~*** Vorstandsmitglied sein **3.** ***the ~*** (POL, *part of government*) die Exekutive **II** *adj* **1.** *position* leitend; ***~ power*** Exekutivgewalt *f*; ***~ decision*** Managemententscheidung *f* **2.** (≈ *luxury*) für gehobene Ansprüche **executive board** *n* Vorstand *m* **executive committee** *n* Vorstand *m* **executor** *n* (*of will*) Testamentsvollstrecker *m*

exemplary *adj* beispielhaft (*in sth* in etw *dat*) **exemplify** *v/t* veranschaulichen

exempt I *adj* befreit (*from* von); ***diplomats are ~*** Diplomaten sind ausgenommen **II** *v/t person* befreien; ***to ~ sb from doing sth*** jdn davon befreien, etw zu tun; ***to ~ sth from a ban*** etw von einem Verbot ausnehmen **exemption** *n* Befreiung *f*; ***~ from taxes*** Steuerfreiheit *f*

exercise I *n* **1.** Übung *f*; ***to do one's ~s in the morning*** Morgengymnastik machen; ***to go on ~s*** MIL eine Übung machen **2.** *no pl* (*physical*) Bewegung *f*; ***physical ~*** (körperliche) Bewegung **3.** ***it was a pointless ~*** es war völlig sinnlos; ***it was a useful ~ in public relations*** für die Public Relations war es nützlich **II** *v/t body, mind* trainieren; *power, right* ausüben **III** *v/i* ***if you ~ regularly ...*** wenn Sie sich viel bewegen ...; ***you don't ~ enough*** du hast zu wenig Bewegung **exercise bike** *n* Heimtrainer *m* **exercise book** *n* Heft *nt*

exert I *v/t pressure, power* ausüben (*on* auf *+acc*); *force* anwenden **II** *v/r* sich anstrengen **exertion** *n* (≈ *effort*) Anstrengung *f*; ***rugby requires strenuous physical ~*** Rugby fordert unermüdlichen körperlichen Einsatz; ***after the day's ~s*** nach des Tages Mühen

exhale *v/i* ausatmen

exhaust I *v/t* erschöpfen; ***we have ~ed the subject*** wir haben das Thema erschöpfend behandelt **II** *n* (*esp Br* AUTO *etc*) Auspuff *m* **exhausted** *adj* erschöpft; *savings* aufgebraucht; ***she was ~ from digging the garden*** sie war erschöpft, weil sie den Garten umgegraben hatte; ***his patience was ~*** er war mit seiner Geduld am Ende **exhaust fumes** *pl* Auspuffgase *pl* **exhausting** *adj* anstrengend **exhaustion** *n* Erschöpfung *f* **exhaustive** *adj list* vollständig; *search* gründlich **exhaust pipe** *n* (*esp Br*) Auspuffrohr *nt*

exhibit I *v/t* **1.** *paintings etc* ausstellen **2.** *skill* zeigen **II** *v/i* ausstellen **III** *n* **1.** (*in exhibition*) Ausstellungsstück *nt* **2.** JUR Beweisstück *nt*

exhibition *n* **1.** (*of paintings etc*) Ausstellung *f* **2.** ***to make an ~ of oneself*** ein Theater machen (*infml*) **exhibition centre**, (*US*) **exhibition center** *n* Ausstellungszentrum *nt*; (*for trade fair*) Messegelände *nt* **exhibitionist** *n* Exhibitionist(in) *m(f)* **exhibitor** *n* Aussteller(in) *m(f)*

exhilarated *adj* ***to feel ~*** in Hochstimmung sein **exhilarating** *adj experience* aufregend; *feeling* berauschend **exhilaration** *n* Hochgefühl *nt*

exhort *v/t* ermahnen

exhume *v/t* exhumieren

exile I *n* **1.** (≈ *person*) Verbannte(r) *m/f(m)* **2.** (≈ *banishment*) Verbannung *f*; ***to go into ~*** ins Exil gehen; ***in ~*** im Exil **II** *v/t* verbannen (*from* aus)

exist *v/i* existieren; ***it doesn't ~*** das gibt es nicht; ***doubts still ~*** noch bestehen Zweifel; ***the understanding which ~s between the two countries*** das Einvernehmen zwischen den beiden Ländern; ***the possibility ~s that ...*** es besteht die Möglichkeit, dass ...; ***she ~s on very little*** sie kommt mit sehr wenig aus

existence *n* **1.** Existenz *f*; ***to be in ~*** existieren, bestehen; ***to come into ~*** entstehen; ***the only one in ~*** der Einzige, den es gibt **2.** (≈ *life*) Leben *nt*; ***means of ~*** Lebensunterhalt *m* **existent** *adj* existent **existentialism** *n* Existenzialismus *m* **existing** *adj* bestehend; *circumstances* gegenwärtig

exit I *n* **1.** (*from stage*) Abgang *m*; (*from competition*) Ausscheiden *nt*; ***to make an/one's ~*** (*from stage*) abgehen; (*from room*) hinausgehen **2.** (≈ *way out*) Ausgang *m*; (*for vehicles*) Ausfahrt *f* **II** *v/i* hinausgehen; (*from stage*) abgehen; IT das Programm *etc* verlassen **III** *v/t* IT verlassen **exit poll** *n bei Wahlen unmittelbar nach Verlassen der Wahllokale durchgeführte Umfrage* **exit visa** *n* Ausreisevisum *nt*

exodus *n* (*from country*) Abwanderung *f*; (BIBLE, *also fig*) Exodus *m*; ***general ~*** allgemeiner Aufbruch

exonerate *v/t* entlasten (*from* von)

exorbitant *adj* überhöht **exorbitantly**

adv **~ *priced*** *or* ***expensive*** maßlos teuer
exorcism *n* Exorzismus *m* **exorcize** *v/t* exorzieren
exotic *adj* exotisch; ***~ dancer*** exotischer Tänzer, exotische Tänzerin; ***~ holidays*** (*esp Br*) *or* ***vacation*** (*US*) Urlaub *m* in exotischen Ländern
expand I *v/t* ausdehnen; *business*, *production*, *knowledge* erweitern **II** *v/i* CHEM, PHYS sich ausdehnen; (*business*, *economy*, *knowledge*) wachsen; (*trade*, *production*) zunehmen; (*horizons*) sich erweitern; ***we want to ~*** wir wollen expandieren *or* (uns) vergrößern; ***the market is ~ing*** der Markt wächst ◆ **expand (up)on** *v/t subject* weiter ausführen
expanse *n* Fläche *f*; (*of ocean etc*) Weite *f no pl*; ***a vast ~ of grass*** eine riesige Grasfläche; ***an ~ of woodland*** ein Waldgebiet *nt* **expansion** *n* Ausdehnung *f*; (*of business*, *trade*, *production*) Erweiterung *f*; (*territorial*, *economic*) Expansion *f* **expansion board** *n* IT Erweiterungsplatine *f* **expansion card** *n* IT Erweiterungskarte *f* **expansion slot** *n* IT Erweiterungssteckplatz *m* **expansive** *adj person* mitteilsam; ***to be in an ~ mood*** in gesprächiger Stimmung sein
expat *n*, *adj* = ***expatriate*** **expatriate I** *n* im Ausland Lebende(r) *m/f(m)*; ***British ~s*** im Ausland lebende Briten **II** *adj* im Ausland lebend; ***~ community*** Ausländergemeinde *f*
expect I *v/t* **1.** erwarten; *esp sth bad* rechnen mit; ***that was to be ~ed*** das war zu erwarten; ***I know what to ~*** ich weiß, was mich erwartet; ***I ~ed as much*** das habe ich erwartet; ***he failed as (we had) ~ed*** er fiel, wie erwartet, durch; ***to ~ to do sth*** erwarten *or* damit rechnen, etw zu tun; ***it is hardly to be ~ed that ...*** es ist kaum zu erwarten *or* damit zu rechnen, dass ...; ***the talks are ~ed to last two days*** die Gespräche sollen zwei Tage dauern; ***she is ~ed to resign tomorrow*** es wird erwartet, dass sie morgen zurücktritt; ***you can't ~ me to agree to that!*** Sie erwarten doch wohl nicht, dass ich dem zustimme!; ***to ~ sth of*** *or* ***from sb*** etw von jdm erwarten; ***to ~ sb to do sth*** erwarten, dass jd etw tut; ***what do you ~ me to do about it?*** was soll ich da tun?; ***are we ~ed to tip the waiter?*** müssen wir dem Kellner Trinkgeld geben?; ***I will be ~ing you tomorrow*** ich erwarte dich morgen; ***we'll ~ you when we see you*** (*infml*) wenn ihr kommt, dann kommt ihr (*infml*) **2.** (≈ *suppose*) glauben; ***yes, I ~ so*** ja, ich glaube schon; ***no, I ~ not*** nein, ich glaube nicht; ***I ~ it will rain*** es wird wohl regnen; ***I ~ you're tired*** Sie werden sicher müde sein; ***I ~ he turned it down*** ich nehme an, er hat abgelehnt **II** *v/i* ***she's ~ing*** sie erwartet ein Kind **expectancy** *n* Erwartung *f* **expectant** *adj* (≈ *eagerly waiting*) erwartungsvoll **expectantly** *adv* erwartungsvoll; *wait* gespannt **expectation** *n* Erwartung *f*; ***against all ~(s)*** wider Erwarten; ***to exceed all ~(s)*** alle Erwartungen übertreffen **expected** *adj* erwartet
expedient *adj* (≈ *politic*) zweckdienlich; (≈ *advisable*) ratsam
expedite *v/t* beschleunigen
expedition *n* Expedition *f*; ***shopping ~*** Einkaufstour *f*; ***to go on an ~*** auf (eine) Expedition gehen; ***to go on a shopping ~*** eine Einkaufstour machen
expel *v/t* **1.** (*officially*, *from country*) ausweisen, ausschaffen (*Swiss*) (*from* aus); (*from school*) verweisen (*from* von, *+gen*) **2.** *gas*, *liquid* ausstoßen
expend *v/t* verwenden (*on* auf *+acc*, *on doing sth* darauf, etw zu tun) **expendable** *adj* (*form*) entbehrlich **expenditure** *n* (≈ *money spent*) Ausgaben *pl* **expense** *n* **1.** Kosten *pl*; ***at my ~*** auf meine Kosten; ***at great ~*** mit hohen Kosten; ***they went to the ~ of installing a lift*** sie gaben viel Geld dafür aus, einen Lift einzubauen; ***at sb's ~, at the ~ of sb*** auf jds Kosten (*acc*) **2.** (COMM, *usu pl*) Spesen *pl* **expense account** *n* Spesenkonto *nt* **expenses-paid** *adj* ***an all-~ holiday*** ein Gratisurlaub *m*
expensive *adj* teuer; ***they were too ~ for most people*** die meisten Leute konnten sie sich nicht leisten **expensively** *adv* teuer
experience I *n* **1.** Erfahrung *f*; ***to know sth from ~*** etw aus Erfahrung wissen; ***to speak from ~*** aus eigener Erfahrung sprechen; ***he has no ~ of living in the country*** er kennt das Landleben nicht; ***I gained a lot of useful ~*** ich habe viele nützliche Erfahrungen gemacht; ***have you had any ~ of driving a bus?*** haben Sie Erfahrung im Busfahren?; ***~ in a job/in business*** Berufs-/Geschäftserfahrung *f*; ***to have a lot of teaching ~*** große

Erfahrung als Lehrer(in) haben; ***he is working in a factory to gain ~*** er arbeitet in einer Fabrik, um praktische Erfahrungen zu sammeln **2.** (≈ *event experienced*) Erlebnis *nt*; ***I had a nasty ~*** mir ist etwas Unangenehmes passiert; ***it was a new ~ for me*** es war völlig neu für mich **II** *v/t* **1.** *pain, hunger* erfahren; *difficult times* durchmachen; *problems* haben **2.** (≈ *feel*) fühlen **experienced** *adj* erfahren; ***we need someone more ~*** wir brauchen jemanden, der mehr Erfahrung hat; ***to be ~ in sth*** in etw (*dat*) Erfahrung haben

experiment I *n* Versuch *m*; ***to do an ~*** einen Versuch machen; ***as an ~*** versuchsweise **II** *v/i* experimentieren (*on, with* mit) **experimental** *adj* experimentell; ***to be at an*** *or* ***in the ~ stage*** sich im Versuchsstadium befinden **experimentation** *n* Experimentieren *nt*

expert I *n* Experte *m*, Expertin *f*; (≈ *professional*) Fachmann *m*, Fachfrau *f*; JUR Sachverständige(r) *m/f(m)*; ***he is an ~ on the subject*** er ist Fachmann auf diesem Gebiet **II** *adj* **1.** *driver etc* meisterhaft; ***to be ~ at doing sth*** es hervorragend verstehen, etw zu tun **2.** *advice, help* fachmännisch; ***an ~ opinion*** ein Gutachten *nt* **expertise** *n* Sachverstand *m* (*in* in +*dat*, auf dem Gebiet +*gen*) **expertly** *adv* meisterhaft; *drive* geschickt **expert witness** *n* Sachverständige(r) *m/f(m)*

expire *v/i* (*lease etc*) ablaufen **expiry** *n* Ablauf *m*; ***~ date*** Ablauftermin *m*

explain I *v/t* erklären (*to sb* jdm); ***that is easy to ~, that is easily ~ed*** das lässt sich leicht erklären; ***he wanted to see me but wouldn't ~ why*** er wollte mich sehen, sagte aber nicht, warum **II** *v/r* sich rechtfertigen; ***~ yourself!*** was soll das? **III** *v/i* es erklären; ***please ~*** bitte erklären Sie das ◆ **explain away** *v/t sep* eine Erklärung finden für

explanation *n* Erklärung *f*; ***it needs some ~*** es bedarf einer Erklärung **explanatory** *adj* erklärend

expletive *n* Kraftausdruck *m*

explicit *adj statement, description* (klar und) deutlich; *instructions, reference* ausdrücklich; (*esp sexually*) *details* eindeutig; ***sexually ~*** sexuell explizit **explicitly** *adv* **1.** *state* deutlich **2.** *forbid, mention* ausdrücklich; (+*adj*) eindeutig

explode I *v/i* explodieren; ***to ~ with anger*** vor Wut platzen (*infml*) **II** *v/t* **1.** sprengen **2.** (*fig*) *theory* zu Fall bringen

exploit I *n* (*heroic*) Heldentat *f*; ***~s*** Abenteuer *pl* **II** *v/t workers* ausbeuten; *friend, weakness* ausnutzen; *resources* nutzen **exploitation** *n* (*of workers*) Ausbeutung *f*; (*of friend, weakness*) Ausnutzung *f*

exploration *n* (*of country, area*) Erforschung *f*; (*of town*) Erkundung *f* **exploratory** *adj* exploratorisch; ***~ talks*** Sondierungsgespräche *pl*; ***~ trip/expedition*** Erkundungsfahrt *f*/-expedition *f*; ***an ~ operation*** MED eine Explorationsoperation **explore I** *v/t country, unknown territory* erforschen; *question, prospects* untersuchen (*also* MED); *options* prüfen **II** *v/i* ***to go exploring*** auf Entdeckungsreise gehen; ***he went off into the village to ~*** er ging auf Entdeckungsreise ins Dorf **explorer** *n* Forscher(in) *m(f)*

explosion *n* Explosion *f* **explosive I** *n* Sprengstoff *m* **II** *adj* explosiv; *temper* aufbrausend; ***~ device*** Sprengsatz *m*; ***~ charge*** Sprengladung *f*

exponent *n* (*of theory*) Vertreter(in) *m(f)*

export I *v/t & v/i* exportieren **II** *n* Export *m* **III** *adj attr* Export- **export duty** *n* Export- *or* Ausfuhrzoll *m* **exporter** *n* **1.** Exporteur *m* (*of* von) **2.** (≈ *country*) Exportland *nt* (*of* für) **export licence**, (*US*) **export license** *n* Exportgenehmigung *f* **export trade** *n* Exporthandel *m*

expose *v/t* **1.** *rocks, wire* freilegen **2.** (*to danger etc*) aussetzen (*to dat*) **3.** *one's ignorance* offenbaren; ***to ~ oneself*** (*indecently*) sich entblößen **4.** *abuse* aufdecken; *scandal, plot* enthüllen; *person* entlarven **5.** PHOT belichten **exposed** *adj* **1.** *position* ungeschützt; (*fig*) exponiert; ***to feel ~*** sich verletzlich fühlen; ***to be ~ to sth*** (*person*) einer Sache (*dat*) ausgesetzt sein **2.** *part of body* unbedeckt; *wiring* frei liegend; ***to feel ~*** (*fig* ≈ *insecure*) sich allen Blicken ausgesetzt fühlen **exposure** *n* **1.** (*to sunlight, air*) Aussetzung *f* (*to* +*dat*); ***to be suffering from ~*** MED an Unterkühlung leiden; ***to die of ~*** MED erfrieren **2.** (*of person*) Entlarvung *f*; (*of crime*) Aufdeckung *f* **3.** PHOT Belichtung(szeit) *f* **4.** MEDIA Publicity *f*

expound *v/t theory* darlegen

express I *v/t* ausdrücken; ***to ~ oneself*** sich ausdrücken; ***if I may ~ my opinion***

wenn ich meine Meinung äußern darf; ***the feeling which is ~ed here*** das Gefühl, das hier zum Ausdruck kommt **II** *adj* **1.** *order, permission* ausdrücklich; *purpose* bestimmt **2.** ***by ~ mail*** per Eilzustellung; ***~ service*** Expressdienst *m* **III** *adv* ***to send a letter ~*** einen Brief per Express schicken **IV** *n* (≈ *train*) Schnellzug *m*; (≈ *bus*) Schnellbus *m* **express delivery** *n* Eilzustellung *f*

expression *n* (Gesichts)ausdruck *m*; ***as an ~ of our gratitude*** zum Ausdruck unserer Dankbarkeit; ***to give ~ to sth*** etw zum Ausdruck bringen **expressionism** *n* Expressionismus *m* **expressionist I** *n* Expressionist(in) *m(f)* **II** *adj* expressionistisch **expressionless** *adj* ausdruckslos **expressive** *adj* ausdrucksvoll **expressly** *adv* **1.** *forbid, state* ausdrücklich **2.** ***he did it ~ to annoy me*** er hat es absichtlich getan, um mich zu ärgern

express train *n* Schnellzug *m* **expressway** *n* Schnellstraße *f*

expropriate *v/t* enteignen

expulsion *n* (*from a country*) Ausweisung *f* (*from* aus); (*from school*) Verweisung *f*

exquisite *adj* erlesen; *food* köstlich; *features, view* bezaubernd **exquisitely** *adv dress* erlesen; *crafted* aufs kunstvollste

ex-serviceman *n, pl* ***-men*** Exsoldat *m* **ex-servicewoman** *n, pl* ***-women*** Exsoldatin *f*

ext *abbr of* ***extension*** App.

extend I *v/t* **1.** *arms* ausstrecken **2.** *visit, deadline* verlängern **3.** *powers* ausdehnen; *house* anbauen an (+*acc*); *property* vergrößern; ***to ~ one's lead*** seine Führung ausbauen **4.** (*to sb* jdm) *hospitality* erweisen; *invitation, thanks etc* aussprechen; ***to ~ a welcome to sb*** jdn willkommen heißen **II** *v/i* (*wall, garden*) sich erstrecken (*to, as far as* bis); (*ladder*) sich ausziehen lassen; (*meetings etc*) sich hinziehen **extended family** *n* Großfamilie *f* **extended memory** *n* IT erweiterter Arbeitsspeicher **extension** *n* **1.** Verlängerung *f*; (*of house*) Anbau *m* **2.** TEL (Neben)anschluss *m*; ***~ 3714*** Apparat 3714 **extension cable** *n* Verlängerungskabel *nt* **extension lead** *n* Verlängerungsschnur *f* **extensive** *adj area, tour* ausgedehnt; *plans, powers* weitreichend; *research, collection, repairs, knowledge* umfangreich; *burns* großflächig; *damage* beträchtlich; *experience* reich; *network* weitverzweigt; ***the facilities available are very ~*** es steht eine Vielzahl von Einrichtungen zur Verfügung; ***we had fairly ~ discussions*** wir haben es ziemlich ausführlich diskutiert **extensively** *adv travel, write* viel; *use* häufig; *research, report, discuss* ausführlich; *alter* beträchtlich; ***the clubhouse was ~ damaged*** an dem Klubhaus entstand ein beträchtlicher Schaden; ***this edition has been ~ revised*** diese Ausgabe ist grundlegend überarbeitet worden

extent *n* **1.** (≈ *length*) Länge *f*; (≈ *size*) Ausdehnung *f* **2.** (*of knowledge, alterations, power*) Umfang *m*; (*of damage*) Ausmaß *nt* **3.** (≈ *degree*) Grad *m*; ***to some ~*** bis zu einem gewissen Grade; ***to what ~*** inwieweit; ***to a certain ~*** in gewissem Maße; ***to a large/lesser ~*** in hohem/geringerem Maße; ***to such an ~ that ...*** dermaßen, dass ...

extenuate *v/t* ***extenuating circumstances*** mildernde Umstände

exterior I *n* Äußere(s) *nt*; ***on the ~*** außen **II** *adj* Außen-; ***~ wall*** Außenwand *f*; ***~ decoration/paintwork*** Außenanstrich *m*

exterminate *v/t* ausrotten **extermination** *n* Ausrottung *f*

external *adj* **1.** äußere(r, s); *dimensions* Außen-; ***the ~ walls of the house*** die Außenwände des Hauses; ***~ appearance*** Aussehen *nt*; ***for ~ use*** PHARM zur äußerlichen Anwendung; ***~ call*** TEL externes Gespräch **2.** *affairs, policy* auswärtig **3.** *examiner* extern **external borders** *pl* (*of country*) Landesgrenzen *pl* **externalize** *v/t* externalisieren **externally** *adv* **1.** *use* äußerlich; ***he remained ~ calm*** er blieb äußerlich ruhig **2.** POL außenpolitisch **external trade** *n* Außenhandel *m*

extinct *adj* ausgestorben; *volcano* erloschen; (*fig*) *way of life* untergegangen; ***to become ~*** aussterben **extinction** *n* Aussterben *nt*; ***this animal was hunted to ~*** diese Tierart wurde durch Jagen ausgerottet

extinguish *v/t fire, candle* (aus)löschen; *cigarette* ausmachen; *light* löschen **extinguisher** *n* Feuerlöscher *m*

extol *v/t* rühmen

extort *v/t money* erpressen (*from* von) **extortion** *n* (*of money*) Erpressung *f*; ***this is sheer ~!*** (*infml*) das ist ja Wucher! **extortionate** *adj rate, amount* horrend; *rent, bill* maßlos hoch; ***~ prices*** Wucherpreise *pl* **extortionist** *n* (≈ *blackmailer*) Erpresser(in) *m(f)*; (≈ *profiteer*) Wucherer *m*, Wucherin *f*

extra I *adj* zusätzlich; ***we need an ~ chair*** wir brauchen noch einen Stuhl; ***to work ~ hours*** Überstunden machen; ***to make an ~ effort*** sich besonders anstrengen; ***~ troops were called in*** es wurde Verstärkung gerufen; ***take ~ care!*** sei besonders vorsichtig!; ***an ~ £30 a week*** £ 30 mehr pro Woche; ***send 75p ~ for postage and packing*** schicken Sie zusätzlich 75 Pence für Porto und Verpackung; ***there is no ~ charge for breakfast*** das Frühstück wird nicht zusätzlich berechnet; ***available at no ~ cost*** ohne Aufpreis erhältlich **II** *adv* **1.** *pay, cost* mehr; ***breakfast costs ~*** das Frühstück wird zusätzlich berechnet; ***post and packing ~*** zuzüglich Porto und Verpackung **2.** (≈ *especially*) besonders **III** *n* **1. extras** *pl* (≈ *extra expenses*) zusätzliche Kosten *pl*; (*for machine*) Zubehör *nt*; (*for car*) Extras *pl* **2.** (FILM, THEAT) Statist(in) *m(f)*

extra- *pref* **1.** (≈ *outside*) außer- **2.** (≈ *especially*) extra; ***~large*** *eggs* extra groß; *T-shirt* übergroß

extract I *v/t* **1.** herausnehmen; *cork etc* (heraus)ziehen (*from* aus); *juice, oil, DNA* gewinnen (*from* aus); *tooth* ziehen; *bullet* entfernen **2.** (*fig*) *information* entlocken (*from +dat*) **II** *n* **1.** (*from book etc*) Auszug *m* **2.** MED, COOK Extrakt *m* **extraction** *n* **1.** (*oil, DNA*) Gewinnung *f* **2.** DENTISTRY ***he had to have an ~*** ihm musste ein Zahn gezogen werden **3.** (≈ *descent*) Herkunft *f* **extractor** *n* (*for juice*) Entsafter *m* **extractor fan** *n* Sauglüfter *m*

extracurricular *adj* außerhalb des Stundenplans; ***~ activity*** (*esp hum*) Freizeitaktivität *f* (*hum*)

extradite *v/t* ausliefern **extradition** *n* Auslieferung *f*

extramarital *adj* außerehelich

extraneous *adj* (*form*) unwesentlich

extraordinarily *adv* außerordentlich; *high, good etc* ungemein

extraordinary *adj* **1.** *person, career* außergewöhnlich; *success, courage* außerordentlich; *behaviour, appearance* eigenartig; *tale, adventure* seltsam; ***it's ~ to think that ...*** es ist (schon) eigenartig, wenn man denkt, dass ...; ***what an ~ thing to say!*** wie kann man nur so etwas sagen!; ***it's ~ how much he resembles his brother*** es ist erstaunlich, wie sehr er seinem Bruder ähnelt **2.** (*Br form*) *measure* außerordentlich; ***~ meeting*** Sondersitzung *f* **extraordinary general meeting** *n* außerordentliche Hauptversammlung

extrapolate *v/t & v/i* extrapolieren (*from* aus)

extrasensory *adj* außersinnlich; ***~ perception*** außersinnliche Wahrnehmung

extra-special *adj* ganz besondere(r, s); ***to take ~ care over sth*** sich (*dat*) besonders viel Mühe mit etw geben

extraterrestrial I *adj* außerirdisch **II** *n* außerirdisches Lebewesen

extra time *n* SPORTS Verlängerung *f*; ***we had to play ~*** der Schiedsrichter ließ nachspielen

extravagance *n* Luxus *m no pl*; (≈ *wastefulness*) Verschwendung *f*; ***if you can't forgive her little ~s*** wenn Sie es ihr nicht verzeihen können, dass sie sich ab und zu einen kleinen Luxus leistet **extravagant** *adj* **1.** (≈ *wasteful*) *person* verschwenderisch; *taste, habit* teuer; ***your ~ spending habits*** deine Angewohnheit, das Geld mit vollen Händen auszugeben **2.** *gift* extravagant; *lifestyle* aufwendig **3.** *behaviour, praise, claim* übertrieben **extravaganza** *n* Ausstattungsstück *nt*

extreme I *adj* äußerste(r, s); *discomfort, sensitivity, danger* größte(r, s); *example, conditions, behaviour* extrem; *measures* drastisch; *difficulty, pressure* ungeheuer; *poverty* bitterste(r, s); ***of ~ importance*** äußerst wichtig; ***~ case*** Extremfall *m*; ***fascists of the ~ right*** extrem rechts stehende Faschisten; ***at the ~ left of the picture*** ganz links im Bild **II** *n* Extrem *nt*; ***~s of temperature*** extreme Temperaturen *pl*; ***in the ~*** im höchsten Grade; ***to go from one ~ to the other*** von einem Extrem ins andere fallen; ***to go to ~s*** es übertreiben; ***to take*** *or* ***carry sth to ~s*** etw bis zum Extrem treiben **extremely** *adv* äußerst; *important, high* extrem; ***was it difficult? — ~!*** war es schwierig? — sehr! **extremism**

n Extremismus *m* **extremist I** *n* Extremist(in) *m*(*f*) **II** *adj* extremistisch; **~ group** Extremistengruppe *f* **extremity** *n* **1.** äußerstes Ende **2. extremities** *pl* (≈ *hands and feet*) Extremitäten *pl*

extricate *v/t* befreien; (*fig*) retten; ***to ~ oneself from sth*** sich aus etw befreien

extrovert I *adj* extrovertiert **II** *n* extrovertierter Mensch **extroverted** *adj* (*esp US*) extrovertiert

exuberance *n* (*of person*) Überschwänglichkeit *f*; (*of style*) Vitalität *f* **exuberant** *adj person* überschwänglich; *mood* überschäumend; *style* übersprudelnd **exuberantly** *adv* überschwänglich; (*esp of child*) übermütig

exude *v/t* **1.** *liquid* ausscheiden; *smell* ausströmen **2.** (*fig*) *confidence* ausstrahlen

exult *v/i* frohlocken; ***~ing in his freedom*** seine Freiheit genießend **exultant** *adj expression*, *cry* triumphierend; ***he was ~*** er jubelte; ***~ mood*** Jubelstimmung *f*

eye I *n* Auge *nt*; (*of needle*) Öhr *nt*; ***with tears in her ~s*** mit Tränen in den Augen; ***with one's ~s closed*** mit geschlossenen Augen; ***as far as the ~ can see*** so weit das Auge reicht; ***that's one in the ~ for him*** (*infml*) da hat er eins aufs Dach gekriegt (*infml*); ***to cast*** *or* ***run one's ~ over sth*** etw überfliegen; ***to look sb (straight) in the ~*** jdm in die Augen sehen; ***to set ~s on sb/sth*** jdn/etw zu Gesicht bekommen; ***a strange sight met our ~s*** ein seltsamer Anblick bot sich uns; ***use your ~s!*** hast du keine Augen im Kopf?; ***with one's own ~s*** mit eigenen Augen; ***before my very ~s*** (direkt) vor meinen Augen; ***it was there all the time right in front of my ~s*** es lag schon die ganze Zeit da, direkt vor meiner Nase; ***I don't have ~s in the back of my head*** ich hab doch hinten keine Augen; ***to keep an ~ on sb/sth*** (≈ *look after*) auf jdn/etw aufpassen; ***the police are keeping an ~ on him*** (≈ *have him under surveillance*) die Polizei beobachtet ihn; ***to take one's ~s off sb/sth*** die Augen *or* den Blick von jdm/etw abwenden; ***to keep one's ~s open*** *or* ***peeled*** (*infml*) die Augen offen halten; ***to keep an ~ open*** *or* ***out for sth*** nach etw Ausschau halten; ***to keep an ~ on expenditure*** auf die Ausgaben achten *or* aufpassen; ***to open sb's ~s to sb/sth*** jdm die Augen über jdn/etw öffnen; ***to close*** *or* ***shut one's ~s to sth*** die Augen vor etw (*dat*) verschließen; ***to see ~ to ~ with sb*** mit jdm einer Meinung sein; ***to make ~s at sb*** jdm schöne Augen machen; ***to catch sb's ~*** jds Aufmerksamkeit erregen; ***the dress caught my ~*** das Kleid fiel mir ins Auge; ***in the ~s of the law*** in den Augen des Gesetzes; ***with a critical ~*** mit kritischem Blick; ***with an ~ to the future*** im Hinblick auf die Zukunft; ***with an ~ to buying sth*** in der Absicht, etw zu kaufen; ***I've got my ~ on you*** ich beobachte dich genau; ***to have one's ~ on sth*** (≈ *want*) auf etw (*acc*) ein Auge geworfen haben; ***to have a keen ~ for sth*** einen scharfen Blick für etw haben; ***he has a good ~ for colour*** er hat ein Auge für Farbe; ***an ~ for detail*** ein Blick fürs Detail; ***to be up to one's ~s in work*** (*Br infml*) in Arbeit ersticken (*infml*); ***to be up to one's ~s in debt*** (*Br infml*) bis über beide Ohren verschuldet sein (*infml*) **II** *v/t* anstarren ◆ **eye up** *v/t sep* mustern

eyeball *n* Augapfel *m*; ***to be ~ to ~*** sich Auge in Auge gegenüberstehen; ***drugged up to the ~s*** (*esp Br infml*) total zugedröhnt (*infml*) **eyebath** *n* Augenbadewanne *f* **eyebrow** *n* Augenbraue *f*; ***that will raise a few ~s*** da werden sich einige wundern **eyebrow pencil** *n* Augenbrauenstift *m* **eye candy** *n* (*infml*) Augenschmaus *m*, was fürs Auge (*infml*) **eye-catching** *adj* auffallend; *poster* auffällig **eye contact** *n* ***to make ~ with sb*** Blickkontakt mit jdm aufnehmen **eyecup** *n* (*US*) Augenbadewanne *f* **-eyed** *adj suf* -äugig; ***green-eyed*** grünäugig **eyedrops** *pl* Augentropfen *pl* **eyeful** *n* ***he got an ~ of soda water*** er bekam Selterswasser ins Auge; ***I opened the bathroom door and got quite an ~*** ich öffnete die Badezimmertür und sah allerhand (*infml*) **eyeglasses** *pl* (*US*) Brille *f* **eyelash** *n* Augenwimper *f* **eyelet** *n* Öse *f* **eyelevel** *adj attr grill* in Augenhöhe

eyelid *n* Augenlid *nt* **eyeliner** *n* Eyeliner *m* **eye-opener** *n* ***that was a real ~ to me*** das hat mir die Augen geöffnet **eye patch** *n* Augenklappe *f* **eyepiece** *n* Okular *nt* **eye shadow** *n* Lidschatten *m* **eyesight** *n* Sehkraft *f*; ***to have good/poor ~*** gute/schlechte Augen haben; ***his ~ is failing*** seine Augen lassen

nach **eyesore** *n* Schandfleck *m* **eyestrain** *n* Überanstrengung *f* der Augen **eye test** *n* Augentest *m* **eyewash** *n* (*fig infml*) Gewäsch *nt* (*infml*); (≈ *deception*) Augenwischerei *f* **eyewear** *n* *Brillen*, *Kontaktlinsen etc*, Eyewear *f* **eyewitness** *n* Augenzeuge *m*/-zeugin *f*
e-zine *n* IT Internetmagazin *nt*

F

F, f *n* F *nt*, f *nt*; ***F sharp*** Fis *nt*, fis *nt*; ***F flat*** Fes *nt*, fes *nt*
F *abbr of* **Fahrenheit** F
f *abbr of* **feminine** f
FA *abbr of* **Football Association** Britischer Fußballbund
fab *adj* (*infml*) *abbr of* **fabulous** toll (*infml*)
fable *n* Fabel *f*
fabric *n* **1.** TEX Stoff *m* **2.** (*fig: of society etc*) Gefüge *nt*
fabricate *v/t story* erfinden; *evidence* fälschen **fabrication** *n* Erfindung *f*; ***it's (a) pure ~*** das ist ein reines Märchen *or* (eine) reine Erfindung
fabulous *adj* sagenhaft (*infml*) **fabulously** *adv wealthy*, *expensive* sagenhaft (*infml*); (*infml* ≈ *wonderfully*) fantastisch (*infml*)
façade *n* Fassade *f*
face I *n* **1.** Gesicht *nt*; (*of clock*) Zifferblatt *nt*; (≈ *rock face*) (Steil)wand *f*; ***we were standing ~ to ~*** wir standen einander Auge in Auge gegenüber; ***to come ~ to ~ with sb*** jdn treffen; ***he told him so to his ~*** er sagte ihm das (offen) ins Gesicht; ***he shut the door in my ~*** er schlug mir die Tür vor der Nase zu; ***he laughed in my ~*** er lachte mir ins Gesicht; ***to be able to look sb in the ~*** jdm in die Augen sehen können; ***to throw sth back in sb's ~*** jdm etw wieder vorhalten; ***in the ~ of great difficulties*** *etc* angesichts *or* trotz größter Schwierigkeiten *etc*; ***to save/lose ~*** das Gesicht wahren/verlieren; ***to put sth ~ up(-wards)/down(wards)*** etw mit der Vorderseite nach oben/unten legen; ***to be ~ up(wards)/down(wards)*** (*person*) mit dem Gesicht nach oben/unten liegen; (*thing*) mit der Vorderseite nach oben/unten liegen; ***the changing ~ of politics*** das sich wandelnde Gesicht der Politik; ***he/it vanished off the ~ of the earth*** (*infml*) er/es war wie vom Erdboden verschwunden; ***on the ~ of it*** so, wie es aussieht **2.** (≈ *expression*) Gesicht(sausdruck *m*) *nt*; ***to make*** *or* ***pull a ~*** das Gesicht verziehen; ***to make*** *or* ***pull ~s/a funny ~*** Grimassen/eine Grimasse schneiden (*at sb* jdm); ***to put a brave ~ on it*** sich (*dat*) nichts anmerken lassen **II** *v/t* **1.** gegenüber sein (+*dat*), gegenüberstehen/-liegen *etc* (+*dat*); (*window*) *north* gehen nach; *garden etc* liegen zu; (*building*, *room*) *north* liegen nach; ***to ~ the light*** (*person*) mit dem Gesicht zum Licht stehen/sitzen *etc*; ***~ the front!*** sieh nach vorn!; ***~ this way!*** bitte sehen Sie hierher!; ***the wall facing you*** die Wand Ihnen gegenüber **2.** (*fig*) *possibility* rechnen müssen mit; ***to ~ death*** dem Tod ins Auge sehen; ***to ~ financial ruin*** vor dem finanziellen Ruin stehen; ***to be ~d with sth*** sich einer Sache (*dat*) gegenübersehen; ***the problem facing us*** das Problem, mit dem wir konfrontiert sind; ***to be ~d with a bill for £100*** eine Rechnung über £ 100 präsentiert bekommen **3.** *situation*, *danger*, *criticism* sich stellen (+*dat*); *enemy* gegenübertreten (+*dat*); ***to ~ (the) facts*** den Tatsachen ins Auge sehen; ***let's ~ it*** machen wir uns doch nichts vor **4.** (*infml* ≈ *put up with*) verkraften (*infml*); *another cake etc* runterkriegen (*infml*); ***I can't ~ seeing anyone*** ich kann einfach niemanden sehen; ***I can't ~ it*** (*infml*) ich bringe es einfach nicht über mich **III** *v/i* (*house*, *room*) liegen (*towards*, *onto* zu); (*window*) gehen (*onto*, *towards* auf +*acc*, zu); ***he was facing away from me*** er saß mit dem Rücken zu mir; ***they were all facing toward(s) the window*** sie saßen alle mit dem Gesicht zum Fenster (hin); ***the house ~s south/toward(s) the sea*** das Haus liegt nach Süden/zum Meer hin ◆ **face up to** *v/i* +*prep obj fact* ins Gesicht sehen (+*dat*); *reality*, *problems* sich auseinan-

dersetzen mit; ***he won't ~ the fact that ...*** er will es nicht wahrhaben, dass ...

face cloth *n* Waschlappen *m* **face cream** *n* Gesichtscreme *f* **faceless** *adj* (*fig*) anonym **face-lift** *n* (*lit*) Facelift(ing) *nt*; ***to have a ~*** sich (*dat*) das Gesicht liften lassen **face mask** *n* COSMETICS Gesichtsmaske *f* **face pack** *n* Gesichtspackung *f* **face powder** *n* Gesichtspuder *m* **face-saving** *adj* ***a ~ measure*** eine Maßnahme, die dazu dient, das Gesicht zu wahren

facet *n* (*lit*) Facette *f*; (*fig*) Seite *f*

facetious *adj* spöttisch

face-to-face *adj* persönlich; *contact* direkt **face value** *n* ***to take sth at ~*** (*fig*) etw für bare Münze nehmen **facial** *adj* Gesichts-; ***~ expression*** Gesichtsausdruck *m*

facile *adj* (*pej*) *solution* simpel; *remark* nichtssagend **facilitate** *v/t* erleichtern

facility *n* Einrichtung *f*; ***we have no facilities for disposing of toxic waste*** wir haben keine Möglichkeit zur Beseitigung von Giftmüll; ***a hotel with all facilities*** ein Hotel mit allem Komfort; ***facilities for the disabled*** Einrichtungen *pl* für Behinderte; ***cooking facilities*** Kochgelegenheit *f*; ***toilet facilities*** Toiletten *pl*; ***credit ~*** Kredit *m*

facing *adj* ***on the ~ page*** auf der gegenüberliegenden Seite

facsimile *n* Faksimile *nt*

fact *n* **1.** Tatsache *f*; (*historical etc*) Faktum *nt*; ***hard ~s*** nackte Tatsachen *pl*; ***~s and figures*** Fakten und Zahlen; ***despite the ~ that ...*** der Tatsache zum Trotz, dass ...; ***to know for a ~ that ...*** ganz sicher wissen, dass; ***the ~ (of the matter) is that ...*** die Sache ist die, dass ...; ***... and that's a ~*** ... darüber besteht kein Zweifel!; ***is that a ~?*** tatsächlich? **2.** *no pl* (≈ *reality*) Wirklichkeit *f*; ***~ and fiction*** Dichtung und Wahrheit; ***based on ~*** auf Tatsachen beruhend **3.** ***in (actual) ~*** eigentlich; (≈ *in reality*) tatsächlich; (*to make previous statement more precise*) nämlich; ***in ~, as a matter of ~*** eigentlich; (*to intensify previous statement*) sogar; ***I don't suppose you know him? — in (actual) ~*** *or* ***as a matter of ~ I do*** Sie kennen ihn nicht zufällig? — doch, eigentlich schon; ***do you know him? — in (actual) ~*** *or* ***as a matter of ~ I do*** kennen Sie ihn? — jawohl; ***it won't be easy, in ~*** *or* ***as a matter of ~ it'll be very difficult*** es wird nicht einfach sein, es wird sogar sehr schwierig sein; ***as a matter of ~ we were just talking about you*** wir haben (nämlich) eben von Ihnen geredet **fact-finding** *adj* ***~ mission*** Erkundungsmission *f*

faction *n* (≈ *group*) (Partei)gruppe *f*; POL Fraktion *f*; (≈ *splinter group*) Splittergruppe *f*

fact of life *n* **1.** ***that's just a ~*** so ist es nun mal im Leben **2. facts of life** *pl* (*sexual*) ***to tell sb the facts of life*** jdn aufklären; ***to know the facts of life*** aufgeklärt sein

factor *n* Faktor *m*; ***to be a ~ in determining sth*** etw mitbestimmen; ***by a ~ of three*** *etc* mit einem Faktor von drei *etc*

factory *n* Fabrik *f* **factory farming** *n* industriell betriebene Viehzucht **factory floor** *n* Produktionsstätte *f*

factsheet *n* Informationsblatt *nt* **factual** *adj evidence* auf Tatsachen beruhend; *account* sachlich; ***~ information*** Sachinformationen *pl*; ***~ error*** Sachfehler *m*; ***the book is largely ~*** das Buch beruht zum größten Teil auf Tatsachen

faculty *n* **1.** (≈ *power of mind*) Fähigkeit *f*; ***mental faculties*** geistige Fähigkeiten *pl*; ***~ of hearing/sight*** Hör-/Sehvermögen *nt*; ***to be in (full) possession of (all) one's faculties*** im Vollbesitz seiner Kräfte sein **2.** UNIV Fakultät *f*; ***the medical ~, the ~ of medicine*** die medizinische Fakultät

fad *n* Tick *m* (*infml*); (≈ *fashion*) Masche *f* (*infml*); ***it's just a ~*** das ist nur ein momentaner Tick (*infml*)

fade I *v/i* **1.** verblassen; (*flower, beauty*) verblühen; (*sight, feeling*) schwinden (*elev*); (*hopes*) zerrinnen; (*sound*) verklingen; (*radio signal*) schwächer werden; ***hopes are fading of finding any more survivors*** die Hoffnung, noch weitere Überlebende zu finden, wird immer geringer; ***to ~ into the background*** (*person*) sich im Hintergrund halten **2.** RADIO, TV, FILM ***to ~ to another scene*** (allmählich) zu einer anderen Szene überblenden **II** *v/t* ausbleichen ◆ **fade away** *v/i* (*sound*) verklingen ◆ **fade in** *v/t sep* RADIO, TV, FILM allmählich einblenden ◆ **fade out** *v/t sep* RADIO, TV, FILM abblenden

faded *adj* verblasst; *flowers, beauty* verblüht; ***a pair of ~ jeans*** verblichene

Jeans *pl*
faeces, (*US*) **feces** *pl* Kot *m*
fag *n* **1.** (*Br infml* ≈ *cigarette*) Kippe *f* (*infml*) **2.** (*esp US sl* ≈ *homosexual*) Schwule(r) *m* (*infml*) **fag end** *n* (*Br infml* ≈ *cigarette end*) Kippe *f* (*infml*) **fagot** *n* (*esp US sl* ≈ *homosexual*) Schwule(r) *m* (*infml*)
Fahrenheit *n* Fahrenheit *nt*
fail I *v/i* **1.** keinen Erfolg haben; (*in mission etc*) versagen; (*plan, experiment, marriage*) scheitern; (*attempt*) fehlschlagen; (*candidate*) durchfallen; (*business*) eingehen; ***he ~ed in his attempt to take control of the company*** sein Versuch, die Leitung der Firma zu übernehmen, schlug fehl; ***to ~ in one's duty*** seine Pflicht nicht tun; ***if all else ~s*** wenn alle Stricke reißen; ***to ~ miserably*** kläglich scheitern **2.** (*health*) sich verschlechtern; (*eyesight*) nachlassen **3.** (*battery, engine*) ausfallen; (*brakes, heart etc*) versagen; ***the crops ~ed*** die Ernte fiel aus **II** *v/t* **1.** *candidate* durchfallen lassen; *subject* durchfallen in (+*dat*); ***to ~ an exam*** eine Prüfung nicht bestehen **2.** (≈ *let down*) im Stich lassen; ***words ~ me*** mir fehlen die Worte **3.** ***to ~ to do sth*** etw nicht tun; ***she ~ed to lose weight*** es gelang ihr nicht abzunehmen; ***she never ~s to amaze me*** sie versetzt mich immer wieder in Erstaunen; ***I ~ to see why*** es ist mir völlig unklar, warum; (*indignantly*) ich sehe gar nicht ein, warum **III** *n* ***without ~*** auf jeden Fall; (≈ *inevitably*) garantiert **failed** *adj* gescheitert; *company* bankrott; *writer* verhindert **failing I** *n* Fehler *m* **II** *prep* ***~ this/that*** (oder) sonst, und wenn das nicht möglich ist; ***~ which*** ansonsten **fail-safe** *adj* (ab)gesichert; *method* hundertprozentig sicher; *mechanism, system* störungssicher
failure *n* **1.** Misserfolg *m*; (*of plan, experiment, marriage*) Scheitern *nt*; (*of attempt*) Fehlschlag *m*; (*of business*) Eingehen *nt*; (≈ *unsuccessful person*) Versager(in) *m(f)* (*at* in +*dat*); ***because of his ~ to act*** weil er nicht gehandelt hat **2.** (*of generator*) Ausfall *m*; (*of brakes*) Versagen *nt*; ***liver ~*** Leberversagen *nt*
faint I *adj* (+*er*) **1.** schwach; *tracks, line* undeutlich; *mark* blass; *colour* verblasst; *sound, hope, smile* leise; ***your voice is very ~*** (*on telephone*) man hört dich kaum; ***I have a ~ memory of that day*** ich kann mich schwach an den Tag erinnern; ***I haven't the ~est idea*** (*emph*) ich habe nicht die geringste Ahnung **2.** *pred* MED ***she was*** *or* ***felt ~*** sie war einer Ohnmacht nahe **II** *v/i* MED in Ohnmacht fallen (*with, from* vor +*dat*) **III** *n* MED ***she fell to the ground in a ~*** sie fiel ohnmächtig zu Boden **faint-hearted** *adj* zaghaft; ***it's not for the ~*** es ist nichts für ängstliche Gemüter **faintly** *adv shine* schwach; *smell, smile, absurd* leicht; ***the words are just ~ visible*** die Worte sind gerade noch sichtbar; ***I could hear the siren ~*** ich konnte die Sirene gerade noch hören
fair[1] **I** *adj* (+*er*) **1.** gerecht, fair (*to or on sb* jdm gegenüber, gegen jdn); ***he tried to be ~ to everybody*** er versuchte, allen gegenüber gerecht zu sein; ***~ point*** *or* ***comment*** das lässt sich (natürlich) nicht abstreiten; ***it is ~ to say that ...*** man kann wohl sagen, dass ...; ***to be ~, ...*** man muss (fairerweise) dazusagen, dass ...; ***it's only ~ to ask him*** man sollte ihn fairerweise fragen; ***~ enough!*** na gut **2.** *sum* ziemlich groß; ***a ~ amount of money*** ziemlich viel Geld; ***it's a ~ way*** es ist ziemlich weit; ***a ~ number of students*** ziemlich viele Studenten; ***a ~ chance of success*** ziemlich gute Erfolgsaussichten **3.** *assessment, idea* ziemlich gut; ***I've a ~ idea that he's going to resign*** ich bin mir ziemlich sicher, dass er zurücktreten wird **4.** *person, hair* blond **5.** (≈ *fair-skinned*) *person* hellhäutig; *skin* hell **6.** *weather* heiter **II** *adv* ***to play ~*** fair sein; SPORTS fair spielen; ***they beat us ~ and square*** sie haben uns deutlich geschlagen
fair[2] *n* (Jahr)markt *m*; (≈ *funfair*) Volksfest *nt*; COMM Messe *f*
fair copy *n* Reinschrift *f*; ***to write out a ~ of sth*** etw ins Reine schreiben **fair game** *n* (*fig*) Freiwild *nt* **fairground** *n* Festplatz *m* **fair-haired** *adj* blond **fairly** *adv* **1.** (≈ *moderately*) ziemlich; ***~ recently*** erst kürzlich **2.** *treat* gerecht **3.** (≈ *really*) geradezu; ***we ~ flew along*** wir sausten nur so dahin **fair-minded** *adj* gerecht **fairness** *n* Gerechtigkeit *f*; ***in all ~*** gerechterweise **fair play** *n* (SPORTS, *fig*) Fairplay *nt* **fair trade** *n* Fairer Handel (*mit Entwicklungsländern*); (*US*) Preisbindung *f* **fairway** *n* GOLF Fairway *nt* **fair-weather** *adj* ***a ~ friend*** ein Freund, der

nur in guten Zeiten ein Freund ist

fairy *n* Fee *f* **fairy godmother** *n* gute Fee **fairy lights** *pl* bunte Lichter *pl* **fairy story, fairy tale** *n* Märchen *nt* **fairy-tale** *adj* (*fig*) märchenhaft

fait accompli *n* vollendete Tatsache

faith *n* **1.** (≈ *trust*) Vertrauen *nt* (*in* zu); (*in human nature etc*, *religious faith*) Glaube *m* (*in* an +*acc*); ***to have ~ in sb*** jdm (ver)trauen; ***to have ~ in sth*** Vertrauen in etw (*acc*) haben; ***to act in good/bad ~*** in gutem Glauben/böser Absicht handeln **2.** (≈ *religion*) Glaube *m no pl* **3.** (≈ *promise*) ***to keep ~ with sb*** jdm treu bleiben, jdm die Treue halten (*elev*)

faithful *adj* **1.** treu; ***to be ~ to sb/sth*** jdm/einer Sache treu sein **2.** *copy* originalgetreu **faithfully** *adv* **1.** ***Yours ~*** (*Br*: *on letter*) hochachtungsvoll **2.** *restore* originalgetreu; *reproduce* genau **faith healer** *n* Gesundbeter(in) *m(f)*

fake I *adj* unecht; *banknote*, *painting* gefälscht; ***~ fur*** Pelzimitation *f*; ***a ~ suntan*** Bräune *f* aus der Flasche **II** *n* (≈ *object*) Fälschung *f*; (*jewellery*) Imitation *f*; (≈ *person*) Schwindler(in) *m(f)*; ***the painting was a ~*** das Gemälde war gefälscht **III** *v/t* vortäuschen; *picture*, *results etc* fälschen; *burglary*, *crash* fingieren

falcon *n* Falke *m*

Falkland Islands, Falklands *pl* Falklandinseln *pl*

fall *vb*: *pret* ***fell***, *past part* ***fallen*** **I** *n* **1.** Fall *m no pl*; ***to break sb's ~*** jds Fall auffangen; ***she had a bad ~*** sie ist schwer gestürzt; ***~ of rain*** Regenfall *m*; ***there was another heavy ~ (of snow)*** es hat wieder viel geschneit **2.** (*of town etc*) Einnahme *f*; (*of government*) Sturz *m* **3.** (≈ *lowering*) Sinken *nt*; (*sudden*) Sturz *m*; (*in temperature*) Abfall *m*; (*in membership*) Abnahme *f* **4.** (≈ *waterfall*: *a.* **falls**) Wasserfall *m*; ***Niagara Falls*** die Niagarafälle **5.** (*US* ≈ *autumn*) Herbst *m*; ***in the ~*** im Herbst **II** *v/i* **1.** fallen; (SPORTS, *from a height*, *badly*) stürzen; (*object*) herunterfallen; (*membership etc*) abnehmen; ***to ~ to one's death*** tödlich abstürzen; ***to ~ into a trap*** in die Falle gehen; ***his face fell*** er machte ein langes Gesicht; ***to ~ in battle*** fallen; ***her eyes fell on a strange object*** (*fig*) ihr Blick fiel auf einen merkwürdigen Gegenstand **2.** (*city*) eingenommen werden; (*government*) gestürzt werden **3.** (*night*) hereinbrechen **4.** (*Easter etc*) fallen (*on* auf +*acc*); (≈ *be classified*) fallen (*under* unter +*acc*); ***that ~s within/outside the scope of ...*** das fällt in/nicht in den Bereich ... **5.** (≈ *be divisible*) sich gliedern (*into* in +*acc*); ***to ~ into categories*** sich in Kategorien gliedern lassen **6.** (≈ *become*) werden; ***to ~ asleep*** einschlafen; ***to ~ ill*** krank werden; ***to ~ in love with sb*** sich in jdn verlieben **7.** ***to ~ into decline*** (*building*) verkommen; ***to ~ into a deep sleep*** in tiefen Schlaf fallen; ***to ~ into bad habits*** in schlechte Gewohnheiten verfallen; ***to ~ apart*** *or* ***to pieces*** aus dem Leim gehen (*infml*); (*company*, *sb's life*) aus den Fugen geraten; ***I fell apart when he left me*** meine Welt brach zusammen, als er mich verließ ◆ **fall about** (*a.* **fall about laughing**) *v/i* (*Br infml*) sich kranklachen (*infml*) ◆ **fall away** *v/i* **1.** (*ground*) abfallen **2.** = ***fall off*** ◆ **fall back** *v/i* zurückweichen (*also* MIL) ◆ **fall back (up)on** *v/i +prep obj* zurückgreifen auf (+*acc*) ◆ **fall behind** *v/i* **1.** (*in race*, *at school etc*) zurückfallen (*prep obj* hinter +*acc*) **2.** (*with rent*, *work etc*) in Rückstand geraten ◆ **fall down** *v/i* **1.** (*person*) hinfallen; (*object*) herunterfallen; (*house etc*) einstürzen **2.** (*down stairs*, *cliff*) hinunterfallen (*prep obj* +*acc*) ◆ **fall for** *v/i +prep obj* **1.** ***I really fell for him*** er hatte es mir angetan **2.** *sales talk* hereinfallen auf (+*acc*) ◆ **fall in** *v/i* **1.** (*into water etc*) hineinfallen **2.** (≈ *collapse*) einstürzen **3.** MIL ***~!*** antreten! ◆ **fall in with** *v/i +prep obj* (≈ *meet*) sich anschließen (+*dat*); *bad company* geraten in (+*acc*) ◆ **fall off** *v/i* **1.** (*lit*) herunterfallen (*prep obj* von) **2.** (≈ *decrease*) abnehmen ◆ **fall on** *v/i +prep obj* **1.** (≈ *trip on*) fallen über (+*acc*) **2.** (*duty*, *decision*, *task*) zufallen (+*dat*); (*blame*) treffen (+*acc*); ***the responsibility falls on your shoulders*** Sie tragen *or* haben die Verantwortung **3.** (≈ *attack*) herfallen über (+*acc*) ◆ **fall out** *v/i* **1.** herausfallen; ***to ~ of sth*** aus etw fallen **2.** (≈ *quarrel*) sich (zer)streiten **3.** MIL wegtreten ◆ **fall over I** *v/i* (*person*) hinfallen; (*object*) umfallen **II** *v/i +prep obj* **1.** (≈ *trip over*) fallen über (+*acc*); ***they were falling over each other to get the book*** sie drängelten sich, um das Buch zu bekommen **2.** ***to ~ oneself to do sth*** sich (*dat*) die größte Mühe ge-

ben, etw zu tun ◆ **fall through** *v/i* (*plan*) ins Wasser fallen ◆ **fall to** *v/i* (≈ *be responsibility of*) zufallen (+*dat*)
fallacy *n* Irrtum *m*
fallen *past part of* ***fall*** **fall guy** *n* (*esp US infml* ≈ *scapegoat*) Sündenbock *m*
fallibility *n* Fehlbarkeit *f* **fallible** *adj* fehlbar
falling *adj* fallend; *membership* abnehmend **falling-off** *n* = ***fall-off*** **falling-out** *n* (≈ *quarrel*) Streit *m* **falling star** *n* Sternschnuppe *f* **fall-off** *n* Abnahme *f* **fallout** *n* radioaktiver Niederschlag
fallow *adj* AGR brachliegend; ***most of the fields are*** (***lying***) **~** die meisten Felder liegen brach
false *adj* (+*er*) falsch; *eyelashes* künstlich; *papers* gefälscht; ***that's a ~ economy*** das ist am falschen Ort gespart; ***~ imprisonment*** willkürliche Inhaftierung; ***under*** *or* ***by ~ pretences*** (*Br*) *or* ***pretenses*** (*US*) unter Vorspiegelung falscher Tatsachen; ***to ring ~*** nicht echt klingen **false alarm** *n* falscher Alarm **false friend** *n* LING falscher Freund **falsehood** *n* Unwahrheit *f* **falsely** *adv accused, convicted* zu Unrecht; *report* fälschlicherweise **false move** *n* ***one ~, and ...*** (*fig*) ein kleiner Fehler und ... **false start** *n* Fehlstart *m* **false teeth** *pl* (künstliches) Gebiss **falsification** *n* (Ver)fälschung *f* **falsify** *v/t* fälschen; *results* verfälschen
falter *v/i* (*speaker*) stocken; (*steps*) zögern **faltering** *adj voice* stockend; (≈ *hesitating*) zögernd; *economy* geschwächt
fame *n* Ruhm *m*; ***~ and fortune*** Ruhm und Reichtum
familial *adj* familiär
familiar *adj* **1.** *surroundings, sight* gewohnt; *figure, voice* vertraut; *person, feeling* bekannt; *title, song* geläufig; *complaint* häufig; ***his face is ~*** das Gesicht ist mir bekannt; ***to be ~ to sb*** jdm bekannt sein; ***it looks very ~*** es kommt mir sehr bekannt vor; ***that sounds ~*** das habe ich doch schon mal gehört; ***I am ~ with the word*** das Wort ist mir bekannt *or* vertraut; ***are you ~ with these modern techniques?*** wissen Sie über diese modernen Techniken Bescheid? **2.** *tone* familiär; (≈ *overfriendly*) plumpvertraulich; ***to be on ~ terms with sb*** mit jdm auf vertrautem Fuß stehen **familiarity** *n no pl* Vertrautheit *f* **familiarize** *v/t* ***to ~ sb/oneself with sth*** jdn/sich mit etw vertraut machen
family I *n* Familie *f*; (*including cousins etc*) Verwandtschaft *f*; ***to start a ~*** eine Familie gründen; ***has he any ~?*** hat er Familie?; ***it runs in the ~*** das liegt in der Familie; ***he's one of the ~*** er gehört zur Familie **II** *attr* Familien-; ***~ business*** Familienunternehmen *nt*; ***a ~ friend*** ein Freund/eine Freundin der Familie **family business** *n* Familienbetrieb *m* **family circle** *n* Familienkreis *m* **family company** *n* Familienbetrieb *m* **family doctor** *n* Hausarzt *m*/-ärztin *f* **family man** *n* Familienvater *m*
family name *n* Familienname *m* **family planning** *n* Familienplanung *f* **family planning clinic** *n* Familienberatungsstelle *f* **family room** *n* **1.** (*esp US: in house*) Wohnzimmer *nt* **2.** (*Br: in pub*) *für Kinder zugelassener Raum in einem Lokal* **family-size** *adj* in Haushaltsgröße; *packet* Familien- **family tree** *n* Stammbaum *m* **family values** *pl* traditionelle (Familien)werte *pl*
famine *n* Hungersnot *f* **famished** *adj* (*infml*) ausgehungert; ***I'm ~*** ich sterbe vor Hunger (*infml*)
famous *adj* berühmt (*for* durch, für) **famously** *adv* (≈ *notoriously*) bekanntermaßen
fan[1] I *n* **1.** (*hand-held*) Fächer *m* **2.** (*mechanical*) Ventilator *m* **II** *v/t* ***to ~ sb/oneself*** jdm/sich (Luft) zufächeln; ***to ~ the flames*** (*fig*) Öl ins Feuer gießen ◆ **fan out** *v/i* (*searchers etc*) ausschwärmen
fan[2] *n* (≈ *supporter*) Fan *m*; ***I'm quite a ~ of yours*** ich bin ein richtiger Verehrer von Ihnen
fan-assisted *adj* ***~ oven*** Umluftherd *m*
fanatic *n* Fanatiker(in) *m*(*f*) **fanatical** *adj* fanatisch; ***he is ~ about it*** es geht ihm über alles; ***I'm ~ about fitness*** ich bin ein Fitnessfanatiker **fanaticism** *n* Fanatismus *m*
fan belt *n* Keilriemen *m*
fanciful *adj* **1.** *idea* fantastisch **2.** (≈ *unrealistic*) unrealistisch; ***I think you're being somewhat ~*** ich glaube, das ist etwas weit hergeholt
fan club *n* Fanklub *m*
fancy I *v/t* **1.** (≈ *like*) ***I ~ that car*** das Auto gefällt mir; ***he fancies a house on Crete*** er hätte gern ein Haus auf Kreta; ***I didn't***

~ that job die Stelle hat mich nicht gereizt; ***do you ~ a walk/beer?*** hast du Lust zu einem Spaziergang/auf ein Bier?; ***she fancies doing that*** (≈ *would like to*) sie würde das gern tun; (≈ *feels like it*) sie hätte Lust, das zu tun; ***I don't ~ him*** ich finde ihn nicht attraktiv; ***I don't ~ my chances of getting that job*** ich rechne mir keine großen Chancen aus, die Stelle zu bekommen **2.** (≈ *imagine*) sich (*dat*) einbilden; (≈ *think*) glauben **3.** ***~ doing that!*** so was(, das) zu tun!; ***~ that!*** (*infml*) (nein) so was!; ***~ him winning!*** wer hätte gedacht, dass er gewinnt! **II** *v/r* von sich eingenommen sein; ***he fancies himself as an expert*** er hält sich für einen Experten **III** *n* ***a passing ~*** nur so eine Laune; ***he's taken a ~ to her*** sie hat es ihm angetan; ***to take*** *or* ***catch sb's ~*** jdm gefallen **IV** *adj* (*+er*) **1.** (*infml*) *clothes* ausgefallen; *hairdo, manoeuvre* kunstvoll; *food* raffiniert; ***nothing ~*** nichts Ausgefallenes **2.** (*often pej infml*) *house, car* chic (*infml*); *restaurant* nobel **fancy dress** *n* (Masken)kostüm *nt*; ***is it ~?*** geht man da verkleidet hin?; ***they came in ~*** sie kamen verkleidet; ***fancy-dress party*** Kostümfest *nt* **fancy goods** *pl* Geschenkartikel *pl*

fanfare *n* Fanfare *f*; ***trumpet ~*** Trompetenstoß *m*

fang *n* (*of snake*) Giftzahn *m*; (*of wolf*) Fang *m*

fan heater *n* Heizlüfter *m*

fan mail *n* Verehrerpost *f*

fanny *n* **1.** (*esp US infml*) Po *m* (*infml*) **2.** (*Br sl*) Möse *f* (*vulg*) **fanny pack** *n* FASHION Gürteltasche *f*

fantasize *v/i* fantasieren; (≈ *dream*) Fantasievorstellungen haben (*about* von) **fantastic I** *int* (*infml*) fantastisch! **II** *adj* (*infml*) fantastisch; ***a ~ amount of, ~ amounts of*** wahnsinnig viel (*infml*) **fantastically** *adv* (*infml*) wahnsinnig (*infml*) **fantasy** *n* Fantasie *f*

fanzine *n* Fanmagazin *nt*

FAQ *n* IT *abbr of* ***frequently asked questions*** häufig gestellte Fragen *pl*

far *comp* ***further, farther***, *sup* ***furthest, farthest*** **I** *adv* **1.** weit; ***we don't live ~*** *or* ***we live not ~ from here*** wir wohnen nicht weit von hier; ***I'll go with you as ~ as the gate*** ich begleite dich bis zum Tor; ***~ and wide*** weit und breit; ***from ~ and near*** *or* ***wide*** von nah und fern; ***~ away*** weit weg; ***I won't be ~ off*** *or* ***away*** ich bin ganz in der Nähe; ***have you come ~?*** kommen Sie von weit her?; ***how ~ have you got with your plans?*** wie weit sind Sie mit Ihren Plänen (gekommen)?; ***~ better*** weit besser **2.** (*in time*) ***as ~ back as 1945*** schon (im Jahr) 1945; ***~ into the night*** bis spät in die Nacht **3.** ***as*** *or* ***so ~ as I'm concerned*** was mich betrifft; ***it's all right as ~ as it goes*** das ist so weit ganz gut; ***in so ~ as*** insofern als; ***by ~ the best, the best by ~*** bei Weitem der/die/das Beste; ***~ from satisfactory*** alles andere als befriedigend; ***~ from liking him I find him quite unpleasant*** ich mag ihn nicht, ich finde ihn (im Gegenteil) sogar ausgesprochen unsympathisch; ***~ from it!*** (ganz) im Gegenteil; ***~ be it from me to ...*** es sei mir fern, zu ...; ***so ~*** (≈ *up to now*) bisher; (≈ *up to this point*) so weit; ***so ~ so good*** so weit, so gut; ***to go ~*** (*supplies etc*) weit reichen; (*person* ≈ *succeed*) es weit bringen; ***I would go so ~ as to say ...*** ich würde so weit gehen zu sagen ...; ***that's going too ~*** das geht zu weit; ***not ~ off*** (*in space*) nicht weit; (*in guess, aim*) fast (getroffen); ***the weekend isn't ~ off now*** es ist nicht mehr lang bis zum Wochenende **II** *adj* hintere(r, s); ***the ~ end of the room*** das andere Ende des Zimmers; ***the ~ door*** die Tür am anderen Ende des Zimmers; ***on the ~ side of*** auf der anderen Seite von; ***in the ~ distance*** in weiter Ferne; ***it's a ~ cry from ...*** (*fig*) das ist etwas ganz anderes als ... **faraway, far-away** *adj* **1.** *place* entlegen; *country* fern; *sound* weit entfernt **2.** *look* verträumt

farce *n* Farce *f* **farcical** *adj* (*fig*) absurd

fare I *n* **1.** Fahrpreis *m*; (*on plane*) Flugpreis *m*; (*on boat*) Preis *m* für die Überfahrt; (≈ *money*) Fahrgeld *nt* **2.** (*old, form* ≈ *food*) Kost *f*; ***traditional Christmas ~*** ein traditionelles Weihnachtsessen **II** *v/i* ***he ~d well*** es ging ihm gut; ***the dollar ~d well on the stock exchange*** der Dollar schnitt an der Börse gut ab

Far East *n* ***the ~*** der Ferne Osten

fare-dodger *n* Schwarzfahrer(in) *m(f)*

fare stage *n* Tarifgrenze *f*

farewell *n* Abschied *m*; ***to say*** *or* ***make one's ~s*** sich verabschieden; (*before a longer absence*) Abschied nehmen; ***to bid sb ~*** jdm Auf Wiedersehen sagen;

~ speech Abschiedsrede *f*
far-fetched *adj* weit hergeholt **far-flung** *adj* (≈ *distant*) abgelegen
farm I *n* Bauernhof *m*; (*bigger*) Gutshof *m*; (*in US, Australia*) Farm *f*; ***chicken ~*** Hühnerfarm *f* **II** *attr* landwirtschaftlich; ***~ labourer*** (*Br*) *or* ***laborer*** (*US*) Landarbeiter(in) *m(f)*; ***~ animals*** Tiere *pl* auf dem Bauernhof **III** *v/t land* bebauen; *livestock* halten; *mink etc* züchten **IV** *v/i* Landwirtschaft betreiben ◆ **farm out** *v/t sep work* vergeben (*on, to* an *+acc*)
farmer *n* Bauer *m*, Bäuerin *f*; (*in US, Australia*) Farmer(in) *m(f)*; ***~'s wife*** Bäuerin *f* **farmers' market** *n* Bauernmarkt *m* **farmhand** *n* Landarbeiter(in) *m(f)* **farmhouse** *n* Bauernhaus *nt* **farming** *n* Landwirtschaft *f* **farmland** *n* Ackerland *nt* **farm produce** *n* landwirtschaftliches Erzeugnis **farmyard** *n* Hof *m*
far-off *adj* **1.** (*in the past*) weit zurückliegend; (*in the future*) weit entfernt **2.** *place* fern **far-reaching** *adj* weitreichend **far-sighted** *adj* (*fig*) weitblickend
fart (*infml*) **I** *n* **1.** Furz *m* (*infml*) **2.** ***he's a boring old ~*** er ist ein langweiliger alter Knacker (*infml*) **II** *v/i* furzen (*infml*)
farther *comp of* **far I** *adv* = **further I II** *adj* weiter entfernt; ***at the ~ end*** am anderen Ende **farthest** *adj, adv sup of* **far**; ***the ~ point of the island*** der am weitesten entfernte Punkt der Insel
fascia *n* (*for mobile phone*) Oberschale *f*
fascinate *v/t* faszinieren **fascinating** *adj* faszinierend **fascination** *n* Faszination *f*; ***to watch in ~*** gebannt zusehen; ***his ~ with the cinema*** die Faszination, die das Kino auf ihn ausübt
fascism *n* Faschismus *m* **fascist I** *n* Faschist(in) *m(f)* **II** *adj* faschistisch
fashion I *n* **1.** *no pl* (≈ *manner*) Art (und Weise) *f*; (***in the***) ***Indian ~*** auf Indianerart; ***in the usual ~*** wie üblich; ***in a similar ~*** auf ähnliche Weise; ***to do sth after a ~*** etw recht und schlecht machen **2.** (*in clothing*) Mode *f*; (***back***) ***in ~*** (wieder) modern; ***it's all the ~*** es ist große Mode; ***to come into/go out of ~*** in Mode/aus der Mode kommen; ***she always wears the latest ~s*** sie ist immer nach der neuesten Mode gekleidet **II** *v/t* formen **fashionable** *adj clothes, look* modisch; *restaurant, area* chic; ***to become ~*** in Mode kommen **fashionably** *adv* modisch **fashion-conscious** *adj* modebewusst **fashion designer** *n* Modezeichner(in) *m(f)* **fashion magazine** *n* Modezeitschrift *f* **fashion parade** *n* Modenschau *f* **fashion show** *n* Modenschau *f* **fashion victim** *n* (*pej infml*) Opfer *nt* der Mode, Fashion Victim *nt*
fast[1] *adj* (*+er*) *adv* schnell; ***she's a ~ runner*** sie kann schnell laufen; ***to pull a ~ one*** (***on sb***) (*infml*) jdn übers Ohr hauen (*infml*); ***to be ~*** (*clock*) vorgehen; ***to be five minutes ~*** fünf Minuten vorgehen
fast[2] I *adj* **1.** (≈ *secure*) fest **2.** *dye* farbecht **II** *adv* **1.** (≈ *securely*) fest; ***to stick ~*** festsitzen; (*with glue*) festkleben **2.** ***to be ~ asleep*** fest schlafen
fast[3] I *v/i* (≈ *not eat*) fasten **II** *n* Fasten *nt*; (≈ *period of fasting*) Fastenzeit *f*
fast-breeder reactor *n* Schneller Brüter
fasten I *v/t* (≈ *attach*) befestigen (*to, onto* an *+dat*); (≈ *do up*) *buttons, dress etc* zumachen; (≈ *lock*) *door* (ab)schließen; ***to ~ one's seat belt*** sich anschnallen; ***to ~ two things together*** zwei Dinge aneinander befestigen **II** *v/i* sich schließen lassen; ***the dress ~s at the back*** das Kleid wird hinten zugemacht; ***these two pieces ~ together*** diese zwei Teile werden miteinander verbunden ◆ **fasten on** *v/t sep* festmachen (*+prep obj, -to* an *+dat*) ◆ **fasten up** *v/t sep dress etc* zumachen; ***could you fasten me up?*** (*infml*) kannst du mir zumachen? (*infml*)
fastener, fastening *n* Verschluss *m*
fast food *n* Fast Food *nt* **fast-food restaurant** *n* Fast-Food-Restaurant *nt* **fast-forward** *v/t & v/i* vorspulen
fastidious *adj* genau (*about* in Bezug auf *+acc*)
fast lane *n* Überholspur *f*; ***life in the ~*** (*fig*) das hektische Leben **fast-track** *v/t process, procedure* im Schnellverfahren durchführen
fat I *adj* (*+er*) **1.** dick; (*infml*) *profit* üppig; ***to get*** *or* ***become ~*** dick werden **2.** (*iron infml*) ***that's a ~ lot of good*** das bringt doch überhaupt nichts; ***~ lot of help she was*** sie war 'ne schöne Hilfe! (*iron infml*); ***~ chance!*** schön wärs! **II** *n* ANAT, COOK, CHEM Fett *nt*; ***reduce the ~ in your diet*** reduzieren Sie den Fettgehalt Ihrer Ernährung
fatal *adj* **1.** tödlich (*to, for* für); ***he had a ~ accident*** er ist tödlich verunglückt **2.**

mistake verhängnisvoll; ***to be prove ~ to*** *or* ***for sb/sth*** das Ende für jdn/etw bedeuten; ***it would be ~ to do that*** es wäre verhängnisvoll, das zu tun **fatalistic** *adj* fatalistisch **fatality** *n* Todesfall *m*; (*in accident, war etc*) (Todes)opfer *nt*; ***there were no fatalities*** es gab keine Todesopfer **fatally** *adv* **1.** *injured* tödlich **2.** *damage* auf Dauer; ***to be ~ flawed*** fatale Mängel aufweisen

fate *n* Schicksal *nt*; ***to leave sth to ~*** etw dem Schicksal überlassen **fated** *adj* ***to be ~ to be unsuccessful*** zum Scheitern verurteilt sein; ***they were ~ never to meet again*** es war ihnen bestimmt, sich nie wiederzusehen **fateful** *adj day* schicksalhaft; *decision* verhängnisvoll

fat-free *adj food etc* fettfrei

father I *n* **1.** Vater *m* (*to sb* jdm); (≈ *priest*) Pater *m*; ***like ~ like son*** der Apfel fällt nicht weit vom Stamm; **(*our*) *Father*** Vater *m* (unser) **2. *~s*** *pl* (≈ *ancestors*) Väter *pl* **II** *v/t child etc* zeugen **Father Christmas** *n* (*Br*) der Weihnachtsmann **father figure** *n* Vaterfigur *f* **fatherhood** *n* Vaterschaft *f*

father-in-law *n*, *pl* ***fathers-in-law*** Schwiegervater *m* **fatherland** *n* Vaterland *nt* **fatherly** *adj* väterlich **Father's Day** *n* Vatertag *m*

fathom I *n* Faden *m* **II** *v/t* (*infml*: *a.* **fathom out**) verstehen; ***I just can't ~ him*** **(*out*)** er ist mir ein Rätsel; ***I couldn't ~ it*** **(*out*)** ich kam der Sache nicht auf den Grund

fatigue *n* **1.** Erschöpfung *f* **2.** (TECH ≈ *metal fatigue*) Ermüdung *f* **3. fatigues** *pl* MIL Arbeitsanzug *m*

fatten *v/t* (*a.* **fatten up**) *animals* mästen; *people* herausfüttern (*infml*) **fattening** *adj* dick machend; ***chocolate is ~*** Schokolade macht dick **fatty I** *adj* (*+er*) fett; (≈ *greasy*) fettig **II** *n* (*infml*) Dickerchen *nt* (*infml*)

fatuous *adj* albern

faucet *n* (*US*) Hahn *m*

fault I *n* **1.** Fehler *m*; TECH Defekt *m*; ***to find ~ with sb/sth*** etwas an jdm/etw auszusetzen haben; ***he was at ~*** er war im Unrecht **2.** *no pl* ***it won't be my ~ if ...*** es ist nicht meine Schuld, wenn ...; ***whose ~ is it?*** wer ist schuld (daran)? **3.** GEOL Verwerfung *f* **II** *v/t* ***I can't ~ it/him*** ich habe nichts daran/an ihm auszusetzen **fault-finding I** *adj* krittelig **II** *n* Krittelei *f* **faultless** *adj* fehlerlos; *English* fehlerfrei **fault line** *n* GEOL Verwerfungslinie *f* **faulty** *adj* (*+er*) TECH defekt; COMM fehlerhaft; *logic* falsch

fauna *n* Fauna *f*

faux pas *n* Fauxpas *m*

fava bean *n* (*US*) dicke Bohne

favour, (*US*) **favor I** *n* **1.** *no pl* (≈ *goodwill*) Gunst *f*; ***to find ~ with sb*** bei jdm Anklang finden; ***to be in ~ with sb*** bei jdm gut angeschrieben sein; (*fashion, writer etc*) bei jdm beliebt sein; ***to be/fall out of ~*** in Ungnade (gefallen) sein/fallen **2.** ***to be in ~ of sth*** für etw sein; ***to be in ~ of doing sth*** dafür sein, etw zu tun; ***a point in his ~*** ein Punkt zu seinen Gunsten; ***the judge ruled in his ~*** der Richter entschied zu seinen Gunsten; ***all those in ~ raise their hands*** alle, die dafür sind, Hand hoch; ***he rejected socialism in ~ of the market economy*** er lehnte den Sozialismus ab und bevorzugte stattdessen die Marktwirtschaft **3.** (≈ *partiality*) Vergünstigung *f*; ***to show ~ to sb*** jdn bevorzugen **4.** (≈ *act of kindness*) Gefallen *m*; ***to ask a ~ of sb*** jdn um einen Gefallen bitten; ***to do sb a ~*** jdm einen Gefallen tun; ***would you do me the ~ of returning my library books?*** wären Sie bitte so freundlich und würden meine Bücher in die Bücherei zurückbringen?; ***as a ~ to him*** ihm zuliebe **II** *v/t* **1.** *idea* für gut halten; (≈ *prefer*) bevorzugen **2.** (*US* ≈ *resemble*) ähneln (*+dat*) **favourable**, (*US*) **favorable** *adj* **1.** (≈ *positive*) positiv; ***her request met with a ~ response*** ihre Bitte stieß auf Zustimmung **2.** (≈ *beneficial*) günstig (*to* für); *comparison* vorteilhaft; ***to show sth in a ~ light*** etw in einem günstigen Licht zeigen; ***on ~ terms*** zu günstigen Bedingungen; ***conditions are ~ for development*** für die Entwicklung herrschen günstige Bedingungen **favourably**, (*US*) **favorably** *adv* **1.** *respond* positiv; *receive, think* wohlwollend; ***he was ~ impressed by it*** er war davon sehr angetan; ***to be ~ disposed*** *or* ***inclined to*****(*wards*)** ***sb/sth*** jdm/einer Sache gewogen sein (*elev*) **2.** (≈ *advantageously*) günstig; ***to compare ~*** im Vergleich gut abschneiden

favourite, (*US*) **favorite I** *n* **1.** (≈ *person*) Liebling *m*; (HIST, *pej*) Günstling *m* **2.** (≈ *thing*) ***this one is my ~*** das habe ich am liebsten; ***this book is my ~*** das ist mein Lieblingsbuch **3.** SPORTS Favorit(in) *m(f)*; ***Chelsea are the ~s*** Chelsea ist (der) Favorit **II** *adj attr* Lieblings-; ***my ~ film*** mein Lieblingsfilm *m* **favouritism**, (*US*) **favoritism** *n* Vetternwirtschaft *f* (*infml*)

fawn[1] **I** *n* **1.** Hirschkalb *nt*; (*of roe deer*) Rehkitz *nt* **2.** (≈ *colour*) Beige *nt* **II** *adj* (*colour*) beige

fawn[2] *v/i* (*fig*) katzbuckeln (*on, upon or over* vor *+dat*)

fax I *n* Fax *nt*; ***to send sth by ~*** etw faxen **II** *v/t* faxen **fax machine** *n* = ***fax*** **fax number** *n* (Tele)faxnummer *f*

faze *v/t* (*infml*) verdattern (*infml*); ***the question didn't ~ me at all*** die Frage brachte mich keineswegs aus der Fassung

FBI (*US*) *abbr of* ***Federal Bureau of Investigation*** FBI *nt*

fear I *n* **1.** Angst *f* (*of* vor *+dat*), Furcht *f* (*of* vor *+dat*); ***~ of failure/flying*** Versagens-/Flugangst *f*; ***there are ~s that ...*** es wird befürchtet, dass ...; ***to be in ~ of sb/sth*** Angst vor jdm/etw haben; ***she talked quietly for ~ of waking the baby*** sie sprach leise, um das Baby nicht aufzuwecken **2.** *no pl* ***no ~!*** (*infml*) nie im Leben! (*infml*); ***there's no ~ of that happening again*** keine Angst, das passiert so leicht nicht wieder **II** *v/t* (be)fürchten; ***he's a man to be ~ed*** er ist ein Mann, den man fürchten muss; ***many women ~ to go out at night*** viele Frauen haben Angst davor, abends auszugehen **III** *v/i* ***to ~ for*** fürchten für *or* um; ***never ~!*** keine Angst! **fearful** *adj* **1.** (≈ *apprehensive*) ängstlich; ***to be ~ of sb/sth*** Angst vor jdm/etw haben; ***I was ~ of waking her*** ich befürchtete, dass ich sie aufwecken würde **2.** (≈ *frightening*) furchtbar **fearless** *adj*, **fearlessly** *adv* furchtlos **fearsome** *adj* furchterregend

feasibility *n* (*of plan etc*) Durchführbarkeit *f* **feasibility study** *n* Machbarkeitsstudie *f* **feasible** *adj* **1.** (≈ *practicable*) möglich; *plan* durchführbar **2.** (≈ *plausible*) plausibel

feast I *n* **1.** (≈ *banquet*) Festessen *nt*; ***a ~ for the eyes*** eine Augenweide **2.** ECCL, REL Fest *nt*; ***~ day*** Feiertag *m* **II** *v/i* (*lit*) Festgelage *pl*/ein Festgelage halten; ***to ~ on sth*** sich an etw (*dat*) gütlich tun **III** *v/t* ***to ~ one's eyes on sb/sth*** seine Augen an jdm/etw weiden

feat *n* Leistung *f*; (*heroic etc*) Heldentat *f*

feather *n* Feder *f*; ***~s*** (≈ *plumage*) Gefieder *nt*; ***as light as a ~*** federleicht; ***they are birds of a ~*** sie sind vom gleichen Schlag **feather bed** *n* mit Federn gefüllte Matratze **featherbrained** *adj* dümmlich **feather duster** *n* Staubwedel *m*

feature I *n* **1.** (*facial*) (Gesichts)zug *m* **2.** (≈ *characteristic*) Merkmal *nt*; ***special ~*** Besonderheit *f* **3.** (*of room etc*) herausragendes Merkmal; ***to make a ~ of sth*** etw besonders betonen; ***the main ~*** die Hauptattraktion **4.** PRESS, RADIO, TV Feature *nt* **II** *v/t* **1.** PRESS *story* bringen **2.** ***this film ~s an English actress*** in diesem Film spielt eine englische Schauspielerin mit; ***the album ~s their latest hit single*** auf dem Album ist auch ihre neueste Hitsingle **III** *v/i* (≈ *occur*) vorkommen; ***the story ~d on all today's front pages*** die Geschichte war heute auf allen Titelseiten **feature film** *n* Spielfilm *m* **feature-length** *adj film* mit Spielfilmlänge

Feb *abbr of* ***February*** Febr.

February *n* Februar *m*, Feber *m* (*Aus*); → ***September***

feces *pl* (*US*) = ***faeces***

Fed *n* (*US*) Zentralbank *f* der USA

fed[1] *pret, past part of* ***feed***

fed[2] *n* (*US infml*) FBI-Agent(in) *m(f)*

federal *adj* Bundes-; *system etc* föderalistisch (*also US* HIST); ***~ state*** Bundesstaat *m*; ***the Federal Republic of Germany*** die Bundesrepublik Deutschland; ***Federal Reserve*** (***Bank***) (*US*) Zentralbank *f* **federalism** *n* Föderalismus *m* **federation** *n* Föderation *f*

fed up *adj* (*infml*) ***I'm ~*** ich habe die Nase voll (*infml*); ***I'm ~ with him*** ich habe ihn satt; ***I'm ~ waiting for him*** ich habe es satt, auf ihn zu warten

fee *n* Gebühr *f*; (*of doctor, lawyer*) Honorar *nt*; (≈ *membership fee*) Beitrag *m*; (***school***) ***~s*** Schulgeld *nt*

feeble *adj* (*+er*) schwach; *attempt* kläglich; *excuse* faul (*infml*) **feeble-minded** *adj* dümmlich **feebly** *adv* schwach; *smile* kläglich; *say* wenig überzeugend

feed *vb*: *pret, past part* **fed I** *n* **1.** (≈ *meal, of animals*) Fütterung *f*; (*of baby*) Mahlzeit *f* **2.** (≈ *food, of animals*) Futter *nt*; ***when is the baby's next ~?*** wann wird das Baby wieder gefüttert? **3.** (TECH, *to computer*) Eingabe *f* (*into* in +*acc*) **II** *v/t* **1.** (≈ *provide food for*) *person*, *army* verpflegen; *family* ernähren **2.** (≈ *give food to*) *baby*, *animal* füttern; *plant* düngen; ***to ~ sth to sb*** jdm etw zu essen geben **3.** *machine* versorgen; *fire* etwas legen auf (+*acc*); (*fig*) *imagination* nähren; ***he steals to ~ his heroin habit*** er stiehlt, um sich mit Heroin zu versorgen; ***to ~ sth into a machine*** etw in eine Maschine geben; ***to ~ information (in)to a computer*** Informationen in einen Computer eingeben **4.** (TECH ≈ *insert*) führen **III** *v/i* (*animal*) fressen; (*baby*) gefüttert werden ◆ **feed in** *v/t sep wire etc* einführen (*prep obj* in +*acc*); *information* eingeben (*prep obj* in +*acc*) ◆ **feed on I** *v/i* +*prep obj* sich (er)nähren von; (*fig*) sich nähren von **II** *v/t sep* +*prep obj* ***to feed sb on sth*** *animal*, *baby* jdn mit etw füttern; *person* jdn mit etw ernähren

feedback *n* (*fig*) Feedback *nt*; ***to provide more ~ on sth*** ausführlicher über etw (*acc*) berichten **feeder I** *n* **1.** (*for birds*) Futterhalter *m* **2.** (≈ *road*) Zubringer (-straße *f*) *m*; (≈ *air*, *bus*, *rail service*) Zubringerlinie *f* **II** *attr* Zubringer- **feeding bottle** *n* Flasche *f* **feeding time** *n* (*for animal*) Fütterungszeit *f*; (*for baby*) Zeit *f* für die Mahlzeit

feel *vb*: *pret*, *past part* **felt I** *v/t* **1.** (≈ *touch*) fühlen; (*examining*) befühlen; ***to ~ one's way*** sich vortasten; ***I'm still ~ing my way (in my new job)*** ich versuche noch, mich (in meiner neuen Stelle) zurechtzufinden **2.** *prick*, *sun etc* spüren; ***I can't ~ anything in my left leg*** ich habe kein Gefühl im linken Bein; ***I felt it move*** ich spürte, wie es sich bewegte **3.** *joy*, *fear etc* empfinden; *effects* spüren **4.** (≈ *be affected by*) *heat*, *loss* leiden unter (+*dat*); ***I felt that!*** (*pain*) das hat wehgetan! **5.** (≈ *think*) glauben; ***what do you ~ about him/it?*** was halten Sie von ihm/davon?; ***it was felt that ...*** man war der Meinung, dass ...; ***he felt it necessary*** er hielt es für notwendig **II** *v/i* **1.** (*person*) sich fühlen; ***I ~ sick*** mir ist schlecht; ***to ~ certain/hungry*** sicher/hungrig sein; ***I ~ cold*** mir ist kalt; ***I felt sad*** mir war traurig zumute; ***I felt as though I'd never been away*** mir war, als ob ich nie weg gewesen wäre; ***I felt as if I was going to be sick*** ich dachte, mir würde schlecht werden; ***how do you ~ about him?*** (*emotionally*) was empfinden Sie für ihn?; ***you can imagine what I felt like*** *or* ***how I felt*** Sie können sich (*dat*) vorstellen, wie mir zumute war; ***what does it ~ like*** *or* ***how does it ~ to be all alone?*** wie fühlt man sich so ganz allein?; ***what does it ~ like*** *or* ***how does it ~ to be the boss?*** wie fühlt man sich als Chef? **2.** (≈ *feel to the touch*) sich anfühlen; ***the room ~s warm*** das Zimmer kommt einem warm vor **3.** (≈ *think*) meinen; ***how do you ~ about him/going for a walk?*** was halten Sie von ihm/von einem Spaziergang?; ***that's just how I ~*** das meine ich auch **4.** ***to ~ like*** (≈ *have desire for*) Lust haben auf (+*acc*); ***I ~ like something to eat*** ich möchte jetzt gern etwas essen; ***I ~ like going for a walk*** ich habe Lust spazieren zu gehen; ***I felt like screaming*** ich hätte am liebsten geschrien **III** *n no pl* ***let me have a ~!*** lass (mich) mal fühlen!; ***it has a papery ~*** es fühlt sich wie Papier an; ***the room has a cosy ~*** das Zimmer hat eine gemütliche Atmosphäre; (*fig*) ***to get a ~ for sth*** ein Gefühl *nt* für etw bekommen ◆ **feel for** *v/i* +*prep obj* **1.** (≈ *sympathize with*) Mitgefühl haben mit; ***I ~ you*** Sie tun mir leid **2.** (≈ *search for*) tasten nach; (*in pocket etc*) kramen nach ◆ **feel up to** *v/i* +*prep obj* sich gewachsen fühlen (+*dat*)

feel-bad *adj* ***~ factor*** Frustfaktor *m* **feeler** *n* **1.** ZOOL Fühler *m* **2.** (*fig*) ***to put out ~s*** seine Fühler ausstrecken **feel-good** *adj* Feelgood-; ***~ factor*** Feelgoodfaktor *m*

feeling *n* **1.** Gefühl *nt*; ***I've lost all ~ in my right arm*** ich habe kein Gefühl mehr im rechten Arm; ***I know the ~*** ich weiß, wie das ist **2.** (≈ *presentiment*) (Vor)gefühl *nt*; ***I've a funny ~ she won't come*** ich hab so das Gefühl, dass sie nicht kommt **3.** (≈ *opinion*: *a.* **feelings**) Meinung *f* (*on* zu); ***there was a general ~ that ...*** man war allgemein der Ansicht, dass ...; ***there's been a lot of bad ~ about this decision*** wegen dieser Entscheidung hat es viel böses Blut gegeben **4.** ***~s*** Gefühle *pl*; ***to have ~s for sb*** Gefühle für jdn haben; ***you've hurt his ~s*** Sie haben ihn verletzt; ***no hard ~s?*** nimm es mir nicht übel

fee-paying *adj school* gebührenpflichtig; *student* Gebühren zahlend

feet *pl of* **foot**
feign *v/t* vortäuschen; ***to ~ illness*** sich krank stellen **feigned** *adj* vorgeblich *attr*
feint I *n* SPORTS Finte *f* **II** *v/i* SPORTS eine Finte anwenden (*also fig*)
feisty *adj* (+*er*) robust
feline *adj* (*lit*) Katzen-; (*fig*) katzenhaft
fell[1] *pret of* **fall**
fell[2] *n* (≈ *skin*) Fell *nt*
fell[3] *v/t tree* fällen; *person* niederstrecken
fellatio *n* Fellatio *f*
fellow[1] *n* **1.** Mann *m*, Typ *m* (*infml*); ***poor ~!*** der Arme!; ***this journalist ~*** dieser komische Journalist **2.** (≈ *comrade*) Kumpel *m* (*infml*), Spezi *m* (*Aus*) **3.** UNIV Fellow *m* **4.** (*of a society*) Mitglied *nt*
fellow[2] *pref* ***our ~ bankers/doctors*** unsere Berufskollegen *pl*; ***~ student*** Kommilitone *m*, Kommilitonin *f*; ***~ member*** (*in club*) Klubkamerad(in) *m*(*f*); (*in party*) Parteigenosse *m*/-genossin *f*; ***~ sufferer*** Leidensgenosse *m*/-genossin *f*; ***~ worker*** Kollege *m*, Kollegin *f*; ***he is a ~ lexicographer*** er ist auch Lexikograf; ***"my ~ Americans..."*** „meine lieben amerikanischen Mitbürger..." **fellow citizen** *n* Mitbürger(in) *m*(*f*) **fellow countrymen** *pl* Landsleute *pl* **fellow men** *pl* Mitmenschen *pl* **fellowship** *n* **1.** *no pl* Kameradschaft *f* **2.** (UNIV ≈ *scholarship*) Forschungsstipendium *nt*; (≈ *job*) *Position eines Fellow* **fellow traveller**, (*US*) **fellow traveler** *n* (*lit*) Mitreisende(r) *m*/*f*(*m*)
felon *n* (Schwer)verbrecher(in) *m*(*f*) **felony** *n* (schweres) Verbrechen
felt[1] *pret, past part of* **feel**
felt[2] **I** *n* Filz *m* **II** *adj attr* Filz- **felt-tip (pen)** *n* Filzstift *m*
female I *adj* weiblich; *rights* Frauen-; ***a ~ doctor*** eine Ärztin; ***a ~ companion*** eine Gesellschafterin; ***a ~ football team*** eine Damenfußballmannschaft **II** *n* **1.** (≈ *animal*) Weibchen *nt* **2.** (*infml* ≈ *woman*) Frau *f*; (*pej*) Weib *nt* (*pej*)
feminine I *adj* feminin; *beauty, qualities* weiblich **II** *n* GRAM Femininum *nt* **feminine hygiene** *n* Monatshygiene *f*; ***~ products*** Monatshygieneartikel *pl* **femininity** *n* Weiblichkeit *f* **feminism** *n* Feminismus *m* **feminist I** *n* Feminist(in) *m*(*f*) **II** *adj* feministisch; ***the ~ movement*** die Frauenbewegung
femur *n* Oberschenkelknochen *m*
fen *n* Moorland *nt*; ***the Fens*** *die Niederungen in East Anglia*
fence I *n* Zaun *m*; SPORTS Hindernis *nt*; ***to sit on the ~*** (*fig*) neutral bleiben **II** *v/i* SPORTS fechten ◆ **fence in** *v/t sep* (*lit*) einzäunen ◆ **fence off** *v/t sep* abzäunen
fencing *n* **1.** SPORTS Fechten *nt* **2.** (≈ *fences*) Zaun *m*
fend *v/i* ***to ~ for oneself*** für sich (selbst) sorgen ◆ **fend off** *v/t sep* abwehren
fender *n* **1.** (*in front of fire*) Kamingitter *nt* **2.** (*US*) (*on car*) Kotflügel *m*; (*on bicycle etc*) Schutzblech *nt*
fennel *n* BOT Fenchel *m*
feral *adj attr* verwildert; ***~ cat*** Wildkatze *f*
ferment I *n* (*fig*) Unruhe *f*; ***the city was in ~*** es brodelte in der Stadt **II** *v/i* gären **III** *v/t* (*lit*) fermentieren **fermentation** *n* Gärung *f*
fern *n* Farn(kraut *nt*) *m*
ferocious *adj* wild; *dog* äußerst bissig; *look* grimmig; *battle* erbittert; *argument* heftig; *attack* brutal **ferociously** *adv fight, argue* heftig; *attack* aufs Schärfste; *glare* grimmig; *bark* wütend **ferocity** *n* (*of animal*) Wildheit *f*; (*of dog*) Bissigkeit *f*; (*of battle, argument*) Heftigkeit *f*; (*of attack*) Brutalität *f*
ferret I *n* Frettchen *nt* **II** *v/i* (*a.* **ferret about** *or* **around**) herumstöbern ◆ **ferret out** *v/t sep* (*Br infml*) aufstöbern
Ferris wheel *n* Riesenrad *nt*
ferrous *adj* Eisen-
ferry I *n* Fähre *f* **II** *v/t* (*a.* **ferry across** *or* **over**) (*by boat*) übersetzen; (*by car etc*) transportieren; ***to ~ sb across a river*** jdn über einen Fluss setzen; ***to ~ sb/sth back and forth*** jdn / etw hin- und herbringen **ferry service** *n* Fährdienst *m*
fertile *adj* fruchtbar; ***this is ~ ground for racists*** das ist fruchtbarer Boden für Rassisten **fertility** *n* Fruchtbarkeit *f* **fertilization** *n* Befruchtung *f* **fertilize** *v/t* befruchten; *soil* düngen **fertilizer** *n* Dünger *m*
fervent *adj* leidenschaftlich; *hope* inbrünstig (*elev*) **fervently** *adv* leidenschaftlich; *hope, wish, pray* inbrünstig (*elev*) **fervour**, (*US*) **fervor** *n* Leidenschaftlichkeit *f*
fester *v/i* eitern; (*fig, resentment etc*) nagen
festival *n* **1.** ECCL *etc* Fest *nt* **2.** (*cultural*) Festival *nt* **festive** *adj* festlich; ***the ~ season*** die Festzeit **festivity** *n* (≈ *celebration*) Feier *f*; ***festivities*** *pl* Feierlichkei-

ten *pl*
festoon *v/t* ***to ~ sth with sth*** etw mit etw schmücken; ***to be ~ed with sth*** mit etw behängt sein
feta (cheese) *n* Feta(käse) *m*
fetal *adj (esp US)* = ***foetal***
fetch I *v/t* **1.** (≈ *bring*) holen; (≈ *collect*) abholen; ***would you ~ a handkerchief for me*** *or* ***~ me a handkerchief?*** kannst du mir ein Taschentuch holen (gehen)?; ***she ~ed in the washing*** sie holte die Wäsche herein **2.** (≈ *bring in*) *£10 etc* (ein)bringen **II** *v/i* ***to ~ and carry for sb*** bei jdm Mädchen für alles sein **fetching** *adj* attraktiv
fête I *n* Fest *nt* **II** *v/t* feiern
fetid *adj* übel riechend
fetish *n* Fetisch *m*; ***to have a ~ for leather/cleanliness*** einen Leder-/Sauberkeitstick haben (*infml*)
fetters *pl* Fesseln *pl*
fettle *n* ***to be in fine ~*** in bester Form sein; (*as regards health also*) in bester Verfassung sein (*infml*)
fetus *n* (*US*) = ***foetus***
feud (*lit, fig*) **I** *n* Fehde *f* **II** *v/i* sich befehden
feudal *adj* Feudal-, feudal; ***~ system*** Feudalsystem *nt* **feudalism** *n* Feudalismus *m*
fever *n* **1.** Fieber *nt no pl*; ***to have a ~*** Fieber haben **2.** (*fig*) Aufregung *f*; ***election ~*** Wahlfieber *nt*; ***in a ~ of excitement*** in fieberhafter Erregung **feverish** *adj* **1.** (≈ *frantic*) fieberhaft **2.** MED ***to be ~*** Fieber haben **feverishly** *adv work, try* fieberhaft **fever pitch** *n* ***to reach ~*** den Siedepunkt erreichen
few *adj (+er) pron* **1.** (≈ *not many*) wenige; ***~ people come to see him*** nur wenige Leute besuchen ihn; ***~ and far between*** dünn gesät; ***as ~ as ten cigarettes a day*** schon zehn Zigaretten am Tag; ***there were 3 too ~*** es waren 3 zu wenig da; ***he is one of the ~ people who ...*** er ist einer der wenigen, die ...; ***~ of them came*** wenige von ihnen kamen; ***there are too ~ of you*** ihr seid zu wenige **2.** ***a ~*** ein paar; ***a ~ more days*** noch ein paar Tage; ***a ~ times*** ein paar Male; ***there were quite a ~ waiting*** ziemlich viele warteten; ***he's had a ~ (too many)*** er hat einen über den Durst getrunken; ***quite a ~ books*** ziemlich viele Bücher; ***in the next ~ days*** in den nächsten paar Tagen; ***every ~ days*** alle paar Tage; ***a ~ more*** ein paar mehr; ***quite a ~*** eine ganze Menge; ***the ~ who knew him*** die wenigen, die ihn kannten **fewer** *adj, pron comp of* **few** weniger; ***no ~ than*** nicht weniger als **fewest** *sup of* **few I** *adj* die wenigsten **II** *pron* die wenigsten, am wenigsten
fiancé *n* Verlobte(r) *m* **fiancée** *n* Verlobte *f*
fiasco *n, pl* **-s,** (*US also*) **-es** Fiasko *nt*
fib (*infml*) **I** *n* Flunkerei *f* (*infml*); ***don't tell ~s*** flunker nicht! (*infml*) **II** *v/i* flunkern (*infml*)
fibre, (*US*) **fiber** *n* **1.** Faser *f* **2.** (≈ *roughage*) Ballaststoffe *pl* **3.** (*fig*) ***moral ~*** Charakterstärke *f* **fibreglass,** (*US*) **fiberglass I** *n* Glasfaser *f* **II** *adj* aus Glasfaser **fibre optics,** (*US*) **fiber optics** *n sg* Faseroptik *f*
fickle *adj* launenhaft
fiction *n* **1.** *no pl* LIT Prosaliteratur *f*; ***you'll find that under ~*** das finden Sie unter Belletristik; ***work of ~*** Erzählung *f*; (*longer*) Roman *m* **2.** (≈ *invention*) (freie) Erfindung; ***that's pure ~*** das ist frei erfunden **fictional** *adj* **1.** (≈ *invented*) erfunden; *drama* fiktional **2.** (≈ *relating to fiction*) erzählerisch; ***his ~ writing*** seine erzählenden Schriften **fictitious** *adj* **1.** *name* falsch **2.** LIT *character* erfunden
fiddle I *n* **1.** (MUS *infml*) Fiedel *f* (*infml*); ***to play second ~ to sb*** (*fig*) in jds Schatten (*dat*) stehen; ***as fit as a ~*** kerngesund **2.** (*Br infml* ≈ *swindle*) Schiebung *f*; (*with money*) faule Geschäfte *pl* (*infml*); ***tax ~*** Steuermanipulation *f*; ***to be on the ~*** krumme Dinger machen (*infml*) **II** *v/t* (*Br infml*) *accounts* frisieren (*infml*); ***he ~d it so that ...*** er hat es so hingebogen, dass ... ◆ **fiddle about** (*Brit*) *or* **around** *v/i* ***to fiddle about*** *or* ***around with sth*** an etw (*dat*) herumspielen; (≈ *fidget with*) mit etw herumspielen
fiddler *n* (MUS *infml*) Geiger(in) *m(f)* **fiddly** *adj* (*+er*) (*Br*) *job* knifflig (*infml*); *controls etc* umständlich
fidelity *n* Treue *f* (*to* zu)
fidget I *v/i* (*a.* **fidget about** *or* **around**) zappeln **II** *n* (≈ *person*) Zappelphilipp *m* (*infml*) **fidgety** *adj* zappelig; *audience* unruhig
field I *n* **1.** Feld *nt*; (≈ *area of grass*) Wiese *f*; (*for cows etc*) Weide *f*; ***corn ~*** Getreidefeld *nt*; ***potato ~*** Kartoffelacker *m*; ***in***

the ~s auf dem Feld; ***~ of battle*** Schlachtfeld *nt*; ***~ of vision*** Blickfeld *nt* **2.** (*for football etc*) Platz *m*; ***sports*** *or* ***games ~*** Sportplatz *m* **3.** (*of study etc*) Gebiet *nt*; ***what ~ are you in?*** auf welchem Gebiet arbeiten Sie? **4.** (≈ *practical operation*) Praxis *f*; ***work in the ~*** Feldforschung *f* **5.** IT Datenfeld *nt* **II** *v/t* **1.** *ball* auffangen und zurückwerfen; (*fig*) *question etc* abblocken; ***he had to ~ calls from customers*** er musste Kunden am Telefon abwimmeln (*infml*) **2.** *team* auf den Platz schicken **3.** POL *candidate* aufstellen **III** *v/i* BASEBALL *etc* als Fänger spielen **field day** *n* (*fig*) ***I had a ~*** ich hatte meinen großen Tag

fielder *n* BASEBALL *etc* Fänger(in) *m*(*f*) **field event** *n* ATHLETICS *Disziplin, die nicht auf der Aschenbahn ausgetragen wird* **field hockey** *n* (*US*) Hockey *nt* **field sports** *pl* Sport *m* im Freien (*Jagen und Fischen*) **field study** *n* Feldstudie *f* **field test** *n* Feldversuch *m* **field-test** *v/t* in einem Feldversuch/in Feldversuchen testen **field work** *n* (*of surveyor etc*) Arbeit *f* im Gelände; (*of sociologist etc*) Feldforschung *f*

fiend *n* **1.** (≈ *evil spirit*) Dämon *m*; (≈ *person*) Teufel *m* **2.** (*infml* ≈ *addict*) Fanatiker(in) *m*(*f*); ***tennis ~*** Tennisnarr *m* **fiendish** *adj* **1.** (≈ *cruel*) teuflisch; ***he took a ~ delight in doing it*** es machte ihm eine höllische Freude, es zu tun **2.** (*infml*) *plan* höllisch raffiniert (*infml*) **3.** (*infml*) *problem* verzwickt (*infml*) **fiendishly** *adv* (*infml*) *difficult* höllisch (*infml*)

fierce *adj* (+*er*) *animal* aggressiv; *person, look* grimmig; *fighting, resistance* erbittert; *debate* heftig; *attack, competition* scharf; *heat* glühend; ***he has a ~ temper*** er braust schnell auf **fiercely** *adv oppose, fight* heftig; *criticize* scharf; *defend, argue* leidenschaftlich; *competitive, loyal* äußerst; ***the fire was burning ~*** es brannte lichterloh

fiery *adj* (+*er*) *inferno, heat* glühend; *temperament* hitzig; *speech* feurig; ***to have a ~ temper*** ein Hitzkopf *m* sein

FIFA *abbr of* ***Federation of International Football Associations*** FIFA *f*

fifteen I *adj* fünfzehn **II** *n* Fünfzehn *f*

fifteenth I *adj* fünfzehnte(r, s) **II** *n* **1.** Fünfzehnte(r, s) **2.** (≈ *part, fraction*) Fünfzehntel *nt*; → ***sixteenth***

fifth I *adj* fünfte(r, s) **II** *n* **1.** Fünfte(r, s) **2.** (≈ *part, fraction*) Fünftel *nt* **3.** MUS Quinte *f* **4.** ***to take the ~*** (*US infml*) die Aussage verweigern; → ***sixth***

fiftieth I *adj* fünfzigste(r, s) **II** *n* **1.** Fünfzigste(r, s) **2.** (≈ *part, fraction*) Fünfzigstel *nt*; → ***sixth***

fifty I *adj* fünfzig **II** *n* Fünfzig *f*; → ***sixty*** **fifty-fifty I** *adv* fifty-fifty (*infml*); ***to go ~ (with sb)*** (mit jdm) fifty-fifty machen (*infml*) **II** *adj* ***he has a ~ chance of survival*** er hat eine fünfzigprozentige Überlebenschance

fig *n* Feige *f*

fig. *abbr of* ***figure(s)*** Abb.

fight *vb*: *pret, past part* ***fought*** **I** *n* **1.** Kampf *m*; (≈ *fist fight*) Schlägerei *f*; (≈ *argument*) Streit *m*; ***to have a ~ with sb*** sich mit jdm schlagen; (≈ *argue*) sich mit jdm streiten; ***to put up a good ~*** sich tapfer schlagen; ***do you want a ~?*** du willst dich wohl mit mir anlegen?; ***he won't give in without a ~*** er ergibt sich nicht kampflos; ***the ~ for survival*** der Kampf ums Überleben **2.** (≈ *fighting spirit*) Kampfgeist *m*; ***there was no ~ left in him*** sein Kampfgeist war erloschen **II** *v/i* kämpfen; (≈ *have punch-up etc*) sich schlagen; (≈ *argue*) sich streiten; ***to ~ against disease*** Krankheiten bekämpfen; ***to ~ for sb/sth*** um jdn/etw kämpfen; ***to ~ for breath*** nach Atem ringen **III** *v/t person* kämpfen mit *or* gegen; (≈ *have punch-up with*) sich schlagen mit; *fire, disease, crime, inflation* bekämpfen; ***to ~ a duel*** sich duellieren; ***to ~ one's way through the crowd*** sich durch die Menge kämpfen ◆ **fight back I** *v/i* (*in fight*) zurückschlagen; MIL Widerstand leisten; SPORTS zurückkämpfen **II** *v/t sep tears etc* unterdrücken ◆ **fight off** *v/t sep* abwehren; ***I'm still trying to ~ this cold*** ich kämpfe immer noch mit dieser Erkältung ◆ **fight out** *v/t sep* ***to fight it out*** es untereinander ausfechten

fighter *n* **1.** Kämpfer(in) *m*(*f*); BOXING Fighter *m*; ***he's a ~*** (*fig*) er ist eine Kämpfernatur **2.** (AVIAT ≈ *plane*) Jagdflugzeug *nt* **fighter pilot** *n* Jagdflieger *m* **fighting** *n* MIL Gefecht *nt*; (≈ *punch-ups etc*) Prügeleien *pl*; ***~ broke out*** Kämpfe brachen aus **fighting chance** *n* ***he's in with a ~*** er hat eine Chance, wenn er sich anstrengt **fighting fit** *adj* (*Br infml*) topfit (*infml*) **fighting**

spirit *n* Kampfgeist *m*
fig leaf *n* Feigenblatt *nt*
figment *n* ***it's all a ~ of his imagination*** das ist alles eine Ausgeburt seiner Fantasie
figurative *adj language* bildlich; *sense* übertragen **figuratively** *adv* im übertragenen Sinn
figure I *n* **1.** (≈ *number*) Zahl *f*; (≈ *digit*) Ziffer *f*; (≈ *sum*) Summe *f*; ***he didn't want to put a ~ on it*** er wollte keine Zahlen nennen; ***he's good at ~s*** er ist ein guter Rechner; ***to reach double ~s*** in die zweistelligen Zahlen gehen; ***a three-~ sum*** eine dreistellige Summe **2.** (*in geometry* ≈ *shapeliness*) Figur *f*; ***~ (of) eight*** Acht *f*; ***to lose one's ~*** seine Figur verlieren; ***she's a fine ~ of a woman*** sie ist eine stattliche Frau; ***he's a fine ~ of a man*** er ist ein Bild von einem Mann **3.** (≈ *human form*) Gestalt *f* **4.** (≈ *personality*) Persönlichkeit *f*; ***the great ~s of history*** die Großen der Geschichte; ***a key public ~*** eine Schlüsselfigur des öffentlichen Lebens; ***~ of fun*** Witzfigur *f* **5.** LIT ***~ of speech*** Redensart *f*; ***it's just a ~ of speech*** das sagt man doch nur so **II** *v/t* **1.** (*esp US infml* ≈ *think*) glauben **2.** (*US infml* ≈ *figure out*) begreifen **III** *v/i* **1.** (≈ *appear*) erscheinen; ***he ~d prominently in my plans*** er spielte eine bedeutende Rolle in meinen Plänen **2.** (*infml*) ***that ~s*** das hätte ich mir denken können ◆ **figure on** *v/i +prep obj* (*esp US*) rechnen mit ◆ **figure out** *v/t sep* **1.** (≈ *understand*) begreifen **2.** (≈ *work out*) ausrechnen; *answer, how to do sth* herausbekommen
figurehead *n* (NAUT, *fig*) Galionsfigur *f* **figure skating** *n* Eiskunstlaufen *nt* **figurine** *n* Figurine *f*
Fiji *n* Fidschi-Inseln *pl*
filament *n* ELEC (Glüh)faden *m*
file[1] **I** *n* Feile *f* **II** *v/t* feilen; ***to ~ one's nails*** sich (*dat*) die Fingernägel feilen
file[2] **I** *n* **1.** (≈ *holder*) Aktenordner *m*; ***it's in the ~s somewhere*** das muss irgendwo bei den Akten sein **2.** (≈ *documents*) Akte *f* (*on sb* über jdn, *on sth* zu etw); ***have we got that on ~?*** haben wir das bei den Akten?; ***to open*** *or* ***start a ~ on sb/sth*** eine Akte über jdn/zu etw anlegen; ***to keep sb/sth on ~*** jds Unterlagen/die Unterlagen über etw (*acc*) zurückbehalten; ***the Kowalski ~*** die Akte Kowalski **3.** IT Datei *f*; ***to have sth on ~*** etw im Computer gespeichert haben **II** *v/t* **1.** *documents* ablegen **2.** PRESS *report* einsenden **3.** JUR *complaint* erheben; (*law*)*suit* anstrengen **III** *v/i* ***to ~ for divorce*** die Scheidung einreichen; ***to ~ for bankruptcy*** Konkurs anmelden
file[3] **I** *n* (≈ *row*) Reihe *f*; ***in single ~*** im Gänsemarsch; MIL in Reihe **II** *v/i* ***to ~ in*** hereinmarschieren; ***they ~d out of the classroom*** sie gingen hintereinander aus dem Klassenzimmer; ***the troops ~d past the general*** die Truppen marschierten am General vorbei
file cabinet *n* (*US*) Aktenschrank *m* **file management** *n* IT Dateiverwaltung *f* **file manager** *n* IT Dateimanager *m* **filename** *n* IT Dateiname *m*
filet *n* (*US*) = ***fillet***
filial *adj duties* Kindes-
filing *n* (*of documents*) Ablegen *nt*; ***have you done the ~?*** haben Sie die Akten schon abgelegt? **filing cabinet** *n* Aktenschrank *m* **filings** *pl* Späne *pl* **filing system** *n* Ablagesystem *nt* **filing tray** *n* Ablagekorb *m*
fill I *v/t* **1.** füllen; *teeth* plombieren; (*fig*) (aus)füllen; ***I had three teeth ~ed*** ich bekam drei Zähne plombiert *or* gefüllt **2.** (≈ *permeate*) erfüllen; ***~ed with admiration*** voller Bewunderung; ***~ed with emotion*** gefühlsgeladen **3.** *position* (*employer*) besetzen; *role* übernehmen; ***the position is already ~ed*** die Stelle ist schon besetzt **II** *v/i* sich füllen **III** *n* ***to drink one's ~*** seinen Durst löschen; ***to eat one's ~*** sich satt essen; ***I've had my ~ of him*** (*infml*) ich habe von ihm die Nase voll (*infml*) ◆ **fill in I** *v/i* ***to ~ for sb*** für jdn einspringen **II** *v/t sep* **1.** *hole* auffüllen; ***he's just filling in time*** er überbrückt nur die Zeit **2.** *form* ausfüllen; *name, word* eintragen **3.** ***to fill sb in (on sth)*** jdn (über etw *acc*) aufklären ◆ **fill out I** *v/i* (*person*) fülliger werden; (*face*) voller werden **II** *v/t sep form* ausfüllen ◆ **fill up I** *v/i* **1.** AUTO (auf)tanken **2.** (*hall etc*) sich füllen **II** *v/t sep tank, cup* vollfüllen; (*driver*) volltanken; *hole* füllen; ***that pie has really filled me up*** ich fühle mich wirklich voll nach dieser Pastete; ***you need something to fill you up*** du brauchst was Sättigendes
filler *n* **1.** BUILD Spachtelmasse *f* **2.** PRESS, TV (Lücken)füller *m*

fillet I *n* COOK Filet *nt*; ***~ of beef*** Rinderfilet *nt* **II** *v/t* COOK filetieren **fillet steak** *n* Filetsteak *nt*
filling I *n* Füllung *f*; ***I had to have three ~s*** ich musste mir drei Zähne plombieren lassen **II** *adj food* sättigend, währschaft (*Swiss*)
filling station *n* Tankstelle *f*
filly *n* Stutfohlen *nt*
film I *n* Film *m*; (*of dust*) Schicht *f*; ***to make*** *or* ***shoot a ~*** einen Film drehen *or* machen; ***to make a ~*** (*actor*) einen Film machen; ***to go to*** (***see***) ***a ~*** ins Kino gehen **II** *v/t play* verfilmen; *scene* filmen; *people* einen Film machen von **III** *v/i* filmen; ***we start ~ing*** *or* ***~ing starts tomorrow*** die Dreharbeiten fangen morgen an **film clip** *n* Filmausschnitt *m* **film festival** *n* Filmfestspiele *pl* **film industry** *n* Filmindustrie *f* **film maker** *n* Filmemacher(in) *m(f)* **film script** *n* Drehbuch *nt* **film star** *n* Filmstar *m* **film studio** *n* Filmstudio *nt* **film version** *n* Verfilmung *f*
Filofax® *n* Filofax® *m*
filter I *n* Filter *m*; PHOT, MECH Filter *nt or m* **II** *v/t* filtern **III** *v/i* (*light*) durchscheinen; (*liquid, sound*) durchsickern ◆ **filter in** *v/i* (*people*) allmählich eindringen ◆ **filter out I** *v/i* (*people*) einer nach dem anderen herausgehen **II** *v/t sep* (*lit*) herausfiltern
filter coffee *n* Filterkaffee *m* **filter lane** *n* (*Br*) Abbiegespur *f* **filter paper** *n* Filterpapier *nt* **filter tip** *n* Filter *m* **filter-tipped** *adj* ***~ cigarette*** Filterzigarette *f*
filth *n* (*lit*) Schmutz *m*; (*fig*) Schweinerei *f* (*infml*) **filthy** *adj* (+*er*) dreckig; *habit* ekelhaft; *magazine* obszön; ***to live in ~ conditions*** im Dreck leben; ***you've got a ~ mind!*** du hast eine schmutzige Fantasie!
fin *n* **1.** (*of fish*) Flosse *f* **2.** AVIAT Seitenleitwerk *nt*
final I *adj* **1.** (≈ *last*) letzte(r, s); ***~ round*** letzte Runde; (*in a tournament*) Endrunde *f*; ***~ stage(s)*** Endstadium *nt*; ***~ chapter*** Schlusskapitel *m* **2.** *result, version* endgültig; ***~ score*** Endergebnis *nt*; ***that's my ~ offer*** das ist mein letztes Angebot; ***the judges' decision is ~*** die Preisrichter haben das letzte Wort; ***... and that's ~!*** ... und damit basta! (*infml*) **II** *n* **1.** *esp* SPORTS Finale *nt*; (*of quiz*) Endrunde *f*; (≈ *game*) Endspiel *nt*; (≈ *race*) Endlauf *m*; ***to get to the ~*** ins Finale kommen; ***World Cup Final*** FTBL Endspiel *nt* der Fußballweltmeisterschaft; ***the ~s*** das Finale; die Endrunde **2. finals** *pl* (*Br* UNIV) Abschlussprüfung *f* **final demand** *n* letzte Mahnung *or* Zahlungsaufforderung *f* **finale** *n* Finale *nt* **finalist** *n* SPORTS Finalist(in) *m(f)* **finality** *n* (*of decision etc*) Endgültigkeit *f* **finalize** *v/t arrangements, details* endgültig festlegen; *deal* zum Abschluss bringen
finally *adv* **1.** (≈ *eventually*) schließlich; (≈ *at last*) endlich **2.** (≈ *lastly*) zum Schluss **3.** *decide* endgültig **final whistle** *n* FTBL Schlusspfiff *m*; ***to blow the ~*** das Spiel abpfeifen
finance I *n* **1.** Finanzen *pl*; ***high ~*** Hochfinanz *f* **2.** (≈ *money*) Geld *nt*; ***it's a question of ~*** das ist eine Geldfrage; ***~s*** Finanzen *pl* **II** *v/t* finanzieren **finance director** *n* Leiter(in) *m(f)* der Finanzabteilung **financial** *adj* **1.** *problems* finanziell; ***~ resources*** Geldmittel *pl* **2.** ST EX, ECON Finanz-; ***on the ~ markets*** auf den Finanzmärkten; ***~ investment*** Geldanlage *f* **financial adviser, financial consultant** *n* Finanzberater(in) *m(f)* **financial director** *n* COMM Leiter(in) *m(f)* der Finanzabteilung **financially** *adv* finanziell; ***the company is ~ sound*** die Finanzlage der Firma ist gesund; ***~ viable*** rentabel **financial services** *pl* Finanzdienstleistungen *pl* **financial year** *n* (*Br*) Geschäftsjahr *nt* **financier** *n* Finanzier *m*
finch *n* Fink *m*
find *vb*: *pret, past part* **found I** *v/t* **1.** finden; ***it's nowhere to be found*** es lässt sich nirgendwo finden; ***to ~ pleasure in sth*** Freude an etw (*dat*) haben; ***he was found dead in bed*** er wurde tot im Bett aufgefunden; ***where am I going to ~ the time?*** wo nehme ich nur die Zeit her?; ***I don't ~ it easy to tell you this*** es fällt mir nicht leicht, Ihnen das zu sagen; ***he always found languages easy*** ihm fielen Sprachen immer leicht; ***I ~ it impossible to understand him*** ich kann ihn einfach nicht verstehen; ***I found myself smiling*** ich musste unwillkürlich lächeln; ***I ~ myself in an impossible situation*** ich befinde mich in einer unmöglichen Situation; ***one day he suddenly found himself out of a job*** eines Tages

war er plötzlich arbeitslos; ***this flower is found all over England*** diese Blume findet man in ganz England **2.** (≈ *supply*) besorgen (*sb sth* jdm etw); ***go and ~ me a needle*** hol mir doch mal eine Nadel; ***we'll have to ~ him a desk*** wir müssen einen Schreibtisch für ihn finden **3.** (≈ *discover*) feststellen; *cause* herausfinden; ***we found the car wouldn't start*** es stellte sich heraus, dass das Auto nicht ansprang; ***you will ~ that I am right*** Sie werden sehen, dass ich recht habe **4.** JUR ***to ~ sb guilty/not guilty*** jdn schuldig sprechen/freisprechen; ***how do you ~ the accused?*** wie lautet Ihr Urteil? **5.** IT suchen; ***~ and replace*** suchen und ersetzen **II** *v/i* JUR ***to ~ for/against the accused*** den Angeklagten freisprechen/verurteilen **III** *n* Fund *m* ◆ **find out I** *v/t sep* herausfinden; (≈ *discover misdeeds of*) erwischen; (≈ *come to know about*) auf die Schliche kommen (+*dat*) (*infml*); ***you've been found out*** du bist ertappt (*infml*) **II** *v/i* es herausfinden; ***to ~ about sb/sth*** (≈ *discover existence of*) jdn/etw entdecken; ***to help children ~ about other countries*** Kindern dabei helfen, etwas über andere Länder herauszufinden

finder *n* Finder(in) *m*(*f*) **finding** *n* **~s** *pl* Ergebnis(se) *nt*(*pl*); (*medical*) Befund *m*

fine[1] I *n* JUR Geldstrafe *f*; (*driving*) Bußgeld *nt* **II** *v/t* JUR zu einer Geldstrafe verurteilen; ***he was ~d £100*** er musste £ 100 Strafe bezahlen; ***he was ~d for speeding*** er hat einen Strafzettel für zu schnelles Fahren bekommen

fine[2] I *adj* (+*er*) **1.** (≈ *excellent*) ausgezeichnet; *building, view* herrlich; *performance, player* großartig; ***you're doing a ~ job*** Sie machen Ihre Sache ganz ausgezeichnet; ***she's a ~ woman*** sie ist eine bewundernswerte Frau; (*in stature*) sie ist eine stattliche Frau **2.** (≈ *acceptable*) in Ordnung; ***any more? — no, that's ~*** noch etwas? – nein, danke; ***everything's going to be just ~*** es wird schon alles gut gehen; ***these apples are ~ for cooking*** diese Äpfel eignen sich (gut) zum Kochen; ***the doctor said it was ~ for me to play*** der Arzt sagte, ich dürfte ohne Weiteres spielen; ***you look ~ (to me)*** (ich finde,)du siehst gut aus; ***your idea sounds ~*** Ihre Idee hört sich gut an; ***she is ~*** (≈ *in good health*) es geht ihr gut; (≈ *things are going well*) mit ihr ist alles in Ordnung; ***how are you? — ~, thanks*** wie geht es Ihnen? – danke, gut; ***a glass of water and I'll be ~*** nach einem Glas Wasser wird es mir wieder gut gehen; ***that's ~ with*** *or* ***by me*** ich habe nichts dagegen **3.** (≈ *high-quality, delicate*) fein; *wine, china* erlesen; *clothes* ausgesucht; *material* dünn; *house* vornehm; *features* zart; ***the ~st ingredients*** die erlesensten Zutaten; ***a ~ rain*** Nieselregen *m*; ***to read the ~ print*** das Kleingedruckte lesen; ***not to put too ~ a point on it*** um ganz offen zu sein **4.** *weather, day* schön; ***when it is/was ~*** bei schönem Wetter; ***one ~ day*** eines schönen Tages **5.** (*iron*) *friend etc* schön (*iron*); ***you're a ~ one to talk!*** du kannst gerade reden! **II** *adv* **1.** (≈ *well*) tadellos; ***you're doing ~*** Sie machen Ihre Sache gut; (*healthwise*) Sie machen gute Fortschritte; ***we get on ~*** wir kommen ausgezeichnet miteinander aus **2.** *slice* dünn **fine art** *n* **1.** *usu pl* schöne Künste *pl* **2.** ***he's got it down to a ~*** er hat den Bogen heraus (*infml*) **finely** *adv* fein; *slice* dünn; ***the case is ~ balanced*** der Fall kann sich so oder so entscheiden; ***~ tuned*** *engine* genau eingestellt **finery** *n* ***wedding guests in all their ~*** Hochzeitsgäste in vollem Staat

finesse *n* Gewandtheit *f*

fine-tooth comb *n* ***to go over sth with a ~*** etw genau unter die Lupe nehmen **fine-tune** *v/t* (*lit, fig*) fein abstimmen **fine-tuning** *n* Feinabstimmung *f*

finger I *n* Finger *m*; ***she can twist him round her little ~*** sie kann ihn um den (kleinen) Finger wickeln; ***I didn't lay a ~ on her*** ich habe sie nicht angerührt; ***he wouldn't lift a ~ to help me*** er würde keinen Finger rühren, um mir zu helfen; ***I can't put my ~ on it, but ...*** ich kann es nicht genau ausmachen, aber ...; ***you've put your ~ on it there*** da haben Sie den kritischen Punkt berührt; ***pull your ~ out!*** (*Br infml*) es wird Zeit, dass du Nägel mit Köpfen machst! (*infml*); ***to give sb the ~*** (*esp US infml*) jdm den Stinkefinger zeigen (*infml*) **II** *v/t* (≈ *touch*) anfassen **finger buffet** *n* Buffet *nt* mit Appetithappen **fingermark** *n* Fingerabdruck *m* **fingernail** *n* Fingernagel *m* **finger-pointing** *n* Fingerzeigen *nt*, Beschuldigen *nt* **fingerprint** *n* Fingerabdruck *m*; ***to take sb's ~s*** jdm Fingerabdrücke abnehmen **fingertip** *n* Fingerspitze *f*; ***to have sth at one's ~s*** etw parat haben (*infml*)

finicky *adj* pingelig (*infml*); (*about food etc*) wählerisch

finish I *n* **1.** (≈ *end*) Ende *nt*; (*of race*) Finish *nt*; (≈ *finishing line*) Ziel *nt*; ***from start to ~*** von Anfang bis Ende **2.** (*of industrial products*) Finish *nt*; (*of pottery*) Oberfläche *f* **II** *v/t* **1.** beenden; *education, course* abschließen; *piece of work* erledigen; ***he's ~ed the painting*** er ist mit dem Bild fertig; ***to have ~ed doing sth*** damit fertig sein, etw zu tun; ***when I ~ eating ...*** wenn ich mit dem Essen fertig bin, ...; ***to ~ writing sth*** etw zu Ende schreiben; ***when do you ~ work?*** wann machen Sie Feierabend?; ***she never lets him ~*** (***what he's saying***) sie lässt ihn nie ausreden; ***give me time to ~ my drink*** lass mich austrinken; ***~ what you're doing*** mach fertig, was du angefangen hast **2.** (≈ *ruin*) ruinieren; (≈ *kill, infml* ≈ *exhaust*) den Rest geben (+*dat*) (*infml*); ***another strike could ~ the firm*** noch ein Streik könnte das Ende für die Firma bedeuten **3.** *surface, product* fertig bearbeiten **III** *v/i* **1.** aus sein; (*person: with task etc*) fertig sein; (≈ *come to an end, finish work*) aufhören; (*piece of music etc*) enden; ***my course ~es this week*** mein Kurs geht diese Woche zu Ende; ***we'll ~ by singing a song*** wir wollen mit einem Lied schließen; ***I've ~ed*** ich bin fertig **2.** SPORTS das Ziel erreichen; ***to ~ first*** als Erster durchs Ziel gehen ◆ **finish off** *v/t sep* **1.** *piece of work* fertig machen; *job* erledigen; ***to ~ a letter*** einen Brief zu Ende schreiben **2.** *food* aufessen; *drink* austrinken **3.** (≈ *kill*) den Gnadenstoß geben (+*dat*) **4.** (≈ *do for*) *person* den Rest geben (+*dat*) (*infml*) ◆ **finish up** *v/i* (*in a place*) landen (*infml*); ***he finished up a nervous wreck*** er war zum Schluss ein Nervenbündel; ***you'll ~ wishing you'd never started*** du wünschst dir bestimmt noch, du hättest gar nicht erst angefangen ◆ **finish with** *v/i +prep obj* **1.** (≈ *no longer need*) nicht mehr brauchen; ***I've finished with the paper*** ich bin mit der Zeitung fertig **2.** ***I've finished with him*** (*with boyfriend*) ich habe mit ihm Schluss gemacht

finished *adj* **1.** fertig; ***I'm nearly ~*** ich bin fast fertig; ***to be ~ doing sth*** (*US*) damit fertig sein, etw zu tun; ***to be ~ with sb/sth*** mit jdm/etw fertig sein; (≈ *fed up*) von jdm/etw nichts mehr wissen wollen; ***I'm ~ with politics*** mit der Politik ist es für mich vorbei; ***~ goods*** Fertigprodukte *pl*; ***the ~ article*** (≈ *object*) das fertige Produkt; (≈ *piece of writing, work of art*) die endgültige Version **2.** (≈ *used up*) *things* aufgebraucht; (≈ *over*) zu Ende; ***the wine is ~*** es ist kein Wein mehr da **3.** (*infml*) ***to be ~*** (*politician etc*) erledigt sein (*infml*) (*as* als); ***we're ~, it's ~ between us*** es ist aus zwischen uns **4.** (≈ *treated*) *product* fertig bearbeitet **finishing line** *n* Ziellinie *f*

finite *adj* begrenzt; ***a ~ number*** eine begrenzte Zahl; MAT eine endliche Zahl; ***coal and oil are ~ resources*** Kohle und Öl sind nicht erneuerbare Ressourcen

Finland *n* Finnland *nt* **Finn** *n* Finne *m*, Finnin *f* **Finnish I** *adj* finnisch; ***he is ~*** er ist Finne; ***she is ~*** sie ist Finnin **II** *n* LING Finnisch *nt*

fiord *n* Fjord *m*

fir *n* Tanne *f* **fir cone** *n* Tannenzapfen *m*

fire I *n* **1.** Feuer *nt*; ***the house was on ~*** das Haus brannte; ***to set ~ to sth, to set sth on ~*** etw anzünden; (*so as to destroy*) etw in Brand stecken; ***to catch ~*** Feuer fangen; ***you're playing with ~*** (*fig*) du spielst mit dem Feuer; ***to open ~ on sb*** das Feuer auf jdn eröffnen; ***cannon ~*** Kanonenschüsse *pl*; ***to come under ~*** unter Beschuss geraten **2.** (≈ *house fire etc*) Brand *m*; ***there was a ~ next door*** nebenan hat es gebrannt; ***fire!*** Feuer! **3.** (*in grate*) (Kamin)feuer *nt*; (≈ *electric fire, gas fire*) Ofen *m* **II** *v/t* **1.** *pottery* brennen **2.** (*fig*) *imagination* beflügeln; ***to ~ sb with enthusiasm*** jdn begeistern **3.** *gun, arrow* abschießen; *shot* abgeben; *rocket* zünden; ***to ~ a gun at sb*** auf jdn schießen; ***to ~ questions at sb*** Fragen auf jdn abfeuern **4.** (*infml* ≈ *dismiss*) feuern (*infml*) **III** *v/i* **1.** (≈ *shoot*) schießen (*at* auf +*acc*); ***~!*** (gebt) Feuer! **2.** (*engine*) zünden; ***the engine is only firing on three cylinders*** der Motor läuft nur auf drei Zylindern ◆ **fire away** *v/i* (*infml*) losschießen (*infml*) ◆ **fire off** *v/t sep* abfeuern; *letter*

loslassen ◆ **fire up** *v/t sep* (*fig*) anfeuern
fire alarm *n* Feueralarm *m*; (≈ *apparatus*) Feuermelder *m* **firearm** *n* Feuerwaffe *f* **fireball** *n* **1.** (*of explosion etc*) Feuerball *m* **2.** (*fig infml* ≈ *person*) Energiebündel *nt* (*infml*) **fire brigade** *n* (*Br*) Feuerwehr *f* **firecracker** *n* Knallkörper *m* **fire department** *n* (*US*) Feuerwehr *f* **fire door** *n* Feuertür *f* **fire drill** *n* Probealarm *m* **fire-eater** *n* Feuerschlucker *m* **fire engine** *n* Feuerwehrauto *nt* **fire escape** *n* (≈ *staircase*) Feuertreppe *f*; (≈ *ladder*) Feuerleiter *f* **fire exit** *n* Notausgang *m* **fire-extinguisher** *n* Feuerlöscher *m* **firefighter** *n* Feuerwehrmann *m*/-frau *f* **firefighting** *adj attr techniques*, *team* zur Feuerbekämpfung; **~ *equipment*** Feuerlöschgeräte *pl* **fire hazard** *n* ***to be a ~*** feuergefährlich sein **firehouse** *n* (*US*) Feuerwache *f* **fire hydrant** *n* Hydrant *m* **firelight** *n* Schein *m* des Feuers **firelighter** *n* Feueranzünder *m* **fireman** *n* Feuerwehrmann *m* **fireplace** *n* Kamin *m* **firepower** *n* Feuerkraft *f* **fire prevention** *n* Brandschutz *m* **fireproof** *adj* feuerfest **fire raising** *n* (*esp Br*) Brandstiftung *f* **fire regulations** *pl* Brandschutzbestimmungen *pl* **fire retardant** *adj* Feuer hemmend **fireside** *n* ***to sit by the ~*** am Kamin sitzen **fire station** *n* Feuerwache *f* **fire truck** *n* (*US*) = ***fire engine*** **firewall** *n* IT Firewall *f* **firewoman** *n* Feuerwehrfrau *f* **firewood** *n* Brennholz *nt* **fireworks** *pl* **1.** Feuerwerkskörper *pl* **2.** (≈ *display*) Feuerwerk *nt* **firing** *n* MIL Feuer *nt*; (*of gun*) Abfeuern *nt* **firing line** *n* (MIL, *fig*) Schusslinie *f*; ***to be in the ~*** in der Schusslinie stehen **firing squad** *n* Exekutionskommando *nt*

firm[1] *n* Firma *f*; ***~ of lawyers*** Rechtsanwaltsbüro *nt*

firm[2] **I** *adj* (*+er*) fest; *stomach* straff; *hold* sicher, stabil; *decision* endgültig; *manner, action* entschlossen; *measure* durchgreifend; ***to get*** *or* ***take a ~ hold on sth*** etw festhalten; ***to have a ~ understanding of sth*** etw gut verstehen; ***to set a ~ date for sth*** einen festen Termin für etw vereinbaren; ***to be ~ about sth*** auf etw (*dat*) bestehen; ***to be ~ with sb*** jdm gegenüber bestimmt auftreten; ***she's ~ with the children*** sie ist streng mit den Kindern; ***to take a ~ stand*** *or* ***line against sth*** energisch gegen etw vorgehen; ***they are ~ friends*** sie sind eng befreundet; ***to be a ~ favourite*** (*Br*) *or* ***favorite*** (*US*) (***with sb***) (bei jdm) sehr beliebt sein **II** *adv* ***to hold sth ~*** etw festhalten; ***to stand*** *or* ***hold ~*** standhaft bleiben ◆ **firm up** *v/t sep muscles* kräftigen; *thighs* straffen

firmly *adv* **1.** (≈ *securely*) fest; *fix* sicher; ***it was held ~ in place with a pin*** es wurde von einer Nadel festgehalten; ***to be ~ committed to sth*** sich voll für etw einsetzen **2.** *say* bestimmt; ***I shall tell her quite ~ that ...*** ich werde ihr klipp und klar sagen, dass ... **firmness** *n* (*of person, manner*) Entschlossenheit *f*; (≈ *strictness*) Strenge *f*

first I *adj* erste(r, s); ***his ~ novel*** sein Erstlingsroman *m*; ***he was ~ in the queue*** (*Br*) *or* ***in line*** (*US*) er war der Erste in der Schlange; ***he was ~ in Latin*** er war der Beste in Latein; ***who's ~?*** wer ist der Erste?; ***the ~ time I saw her ...*** als ich sie zum ersten Mal sah, ...; ***in ~ place*** SPORTS *etc* an erster Stelle; ***in the ~ place*** zunächst einmal; ***why didn't you say so in the ~ place?*** warum hast du denn das nicht gleich gesagt? **II** *adv* **1.** zuerst; *arrive*, *leave* als Erste(r, s); ***~ come ~ served*** (*prov*) wer zuerst kommt, mahlt zuerst (*prov*); ***you*** (***go***) ***~*** nach Ihnen; ***he says ~ one thing then another*** er sagt mal so, mal so; ***he always puts his job ~*** seine Arbeit kommt bei ihm immer vor allen anderen Dingen **2.** (≈ *before all else*) zunächst; (*in listing*) erstens; ***~ of all*** vor allem; ***~ and foremost*** zuallererst **3.** (≈ *for the first time*) zum ersten Mal; ***when this model was ~ introduced*** zu Anfang, als das Modell herauskam; ***when it ~ became known that ...*** als erstmals bekannt wurde, dass ...; ***this work was ~ performed in 1997*** dieses Werk wurde 1997 uraufgeführt **4.** (≈ *before*: *in time*) (zu)erst; ***I must finish this ~*** ich muss das erst fertig machen **5.** ***I'd die ~!*** lieber würde ich sterben! **III** *n* **1.** ***the ~*** der/die/das Erste; (≈ *former*) der/die/das Erstere; ***he was the ~ to finish*** er war als Erster fertig; (*in race*) er ging als Erster durchs Ziel; ***this is the ~ I've heard of it*** das ist mir ja ganz neu; ***the ~ he knew about it was when he saw it in the paper*** er hat erst davon erfahren, als er es in der Zeitung las; ***at ~*** zuerst, zunächst; ***from the ~*** von Anfang an **2.**

(*Br* UNIV) Eins *f*; ***he got a ~*** er bestand (sein Examen) mit „Eins" *or* „sehr gut" **3.** AUTO ~ ***gear*** der erste Gang; ***in ~*** im ersten Gang **first aid** *n* Erste Hilfe **first-aid kit** *n* Verband(s)kasten *m* **first-born I** *adj* erstgeboren **II** *n* Erstgeborene(r) *m*/*f*(*m*)

first class I *n* erste Klasse **II** *adj pred* ***that's absolutely ~!*** das ist einfach spitze! (*infml*) **first-class I** *adj attr* **1.** (≈ *excellent*) erstklassig; ***he's a ~ cook*** er ist ein erstklassiger Koch **2.** *ticket* erster Klasse; ***a ~ compartment*** ein Erste-Klasse-Abteil *nt*; ***~ passengers*** Reisende *pl* in der ersten Klasse **3.** POST ~ ***stamp*** *Briefmarke für die bevorzugt beförderte Post*; ~ ***letter*** *bevorzugt beförderter Brief* **4.** (*Br* UNIV) ~ ***(honours) degree*** Examen *nt* mit „Eins" *or* „sehr gut"; ***he graduated with ~ honours*** er machte sein Examen mit „Eins" *or* „sehr gut" **II** *adv* **1.** *travel* erster Klasse **2.** POST ***to send sth ~*** etw mit der bevorzugt beförderten Post schicken **first cousin** *n* Cousin *m*/Cousine *f* ersten Grades **first-degree** *adj burns etc* ersten Grades *pred* **first edition** *n* Erstausgabe *f* **first form** *n* (*Br* SCHOOL) erste Klasse **first-former** *n* (*Br* SCHOOL) Erstklässler(in) *m*(*f*) **first-hand I** *adj* aus erster Hand; ***to have ~ knowledge of sth*** etw aus eigener Erfahrung kennen; ***they have ~ experience of charitable organizations*** sie haben persönlich Erfahrungen mit Wohlfahrtsverbänden gemacht **II** *adv hear*, *experience* persönlich **First Lady** *n* First Lady *f* **first language** *n* Muttersprache *f* **firstly** *adv* zuerst; ~ ***it's not yours and secondly ...*** erstens einmal gehört es nicht dir und zweitens ... **First Minister** *n* (*Br* POL) Erster Minister, Erste Ministerin

first name *n* Vorname *m*; ***they're on ~ terms*** sie reden sich mit Vornamen an **first night** *n* THEAT Premiere *f* **first person** *n* ***the ~ plural*** die erste Person Plural; ***the story is in the ~*** die Geschichte wird von einem Icherzähler/einer Icherzählerin erzählt **first-rate** *adj* erstklassig **first thing I** *n* ***she just says the ~ that comes into her head*** sie sagt einfach das, was ihr zuerst einfällt; ***the ~ (to do) is to ...*** als Erstes muss man ...; ***the ~ to remember is that she hates formality*** man muss vor allem daran denken, dass sie Förmlichkeit nicht mag; ***~s first*** eins nach dem anderen; (≈ *most important first*) das Wichtigste zuerst; ***he doesn't know the ~ about cars*** von Autos hat er nicht die geringste Ahnung **II** *adv* gleich; ***I'll go ~ in the morning*** ich gehe gleich morgen früh; ***I'm not at my best ~ (in the morning)*** früh am Morgen bin ich nicht gerade in Hochform **first-time buyer** *n jd, der zum ersten Mal ein Haus/eine Wohnung kauft*, Erstkäufer(in) *m*(*f*) **First World War** *n* ***the ~*** der Erste Weltkrieg

firth *n* (*Scot*) Förde *f*, Meeresarm *m*

fir tree *n* Tannenbaum *m*

fiscal *adj* finanziell; ~ ***policy*** Finanzpolitik *f*

fish I *n*, *pl* **-** *or* (*verschiedene Arten*) **-es** Fisch *m*; ***to drink like a ~*** (*infml*) wie ein Loch saufen (*infml*); ***like a ~ out of water*** wie ein Fisch auf dem Trockenen; ***there are plenty more ~ in the sea*** (*fig infml*) es gibt noch mehr (davon) auf der Welt **II** *v*/*i* fischen; (*with rod*) angeln; ***to go ~ing*** fischen/angeln gehen ◆ **fish for** *v*/*i +prep obj* **1.** (*lit*) fischen; (*with rod*) angeln **2.** (*fig*) *compliments* fischen nach; ***they were fishing for information*** sie waren auf Informationen aus ◆ **fish out** *v*/*t sep* herausfischen (*of or from sth* aus etw)

fish and chips *n* (*Br*) Fish and Chips *nt*

fishbone *n* (Fisch)gräte *f* **fish cake** *n* Fischfrikadelle *f* **fisherman** *n*, *pl* **-men** Fischer *m*; (*amateur*) Angler *m* **fish farm** *n* Fischzucht(anlage) *f* **fishfinger** *n* Fischstäbchen *nt* **fish-hook** *n* Angelhaken *m* **fishing** *n* Fischen *nt*; (*with rod*) Angeln *nt*; (*as industry*) Fischerei *f* **fishing boat** *n* Fischerboot *nt* **fishing line** *n* Angelschnur *f* **fishing net** *n* Fischnetz *nt* **fishing rod** *n* Angelrute *f* **fishing tackle** *n* (*for sport*) Angelgeräte *pl* **fishing village** *n* Fischerdorf *nt* **fishmonger** *n* (*Br*) Fischhändler(in) *m*(*f*) **fishmonger's** *n* (*Br*) Fischgeschäft *nt* **fish pond** *n* Fischteich *m* **fish slice** *n* (*for serving*) Fischvorlegemesser *nt* **fish stick** *n* (*US*) = ***fishfinger*** **fish tank** *n* Aquarium *nt* **fishy** *adj* (*+er*) **1.** ~ ***smell*** Fischgeruch *m* **2.** (*infml*) verdächtig; ***something ~ is going on*** hier ist was faul (*infml*)

fissure *n* Riss *m*; (*deep*) Kluft *f*; (*narrow*) Spalt *m*

fist *n* Faust *f* **fistful** *n* Handvoll *f*; ***a ~ of***

pound coins eine Handvoll Pfundmünzen

fit[1] **I** *adj* (*+er*) **1.** (≈ *suitable*) geeignet; ***~ to eat*** essbar; ***~ to drink*** trinkbar; ***she's not ~ to be a mother*** sie ist als Mutter völlig ungeeignet **2.** (≈ *right and proper*) richtig; ***I'll do as I think*** *or* ***see ~*** ich handle, wie ich es für richtig halte; ***to see ~ to do sth*** es für richtig *or* angebracht halten, etw zu tun **3.** (*in health*) gesund; *sportsman etc* fit; ***she is not yet ~ to travel*** sie ist noch nicht reisefähig **4.** ***to be ~ to drop*** (*Br*) zum Umfallen müde sein **II** *n* (*of clothes*) Passform *f*; ***it is a very good/bad ~*** es sitzt wie angegossen/nicht gut; ***it's a bit of a tight ~*** (*clothes*) es ist etwas eng; (*parking*) es geht so gerade (noch) **III** *v/t* **1.** (*cover etc*) passen auf (*+acc*); (*key etc*) passen in (*+acc*); (*clothes etc*) passen (*+dat*); ***"one size ~s all"*** „Einheitsgröße"; ***that part won't ~ this machine*** das Teil passt nicht für diese Maschine; ***she was ~ted for her wedding dress*** ihr Hochzeitskleid wurde ihr angepasst **2.** (≈ *attach*) anbringen (*to* an *+dat*); (≈ *put in*) einbauen (*in* in *+acc*); (≈ *furnish with*) ausstatten; ***to ~ a car with an alarm*** eine Alarmanlage in ein Auto einbauen; ***to have a new kitchen ~ted*** eine neue Küche einbauen lassen **3.** *facts* entsprechen (*+dat*) **IV** *v/i* **1.** (*dress etc, key*) passen **2.** (≈ *correspond*) zusammenpassen; ***the facts don't ~*** die Fakten sind widersprüchlich; ***it all ~s*** es passt alles zusammen ◆ **fit in I** *v/t sep* **1.** (≈ *find space for*) unterbringen; ***you can fit five people into this car*** in diesem Auto haben fünf Personen Platz **2.** (≈ *find time for*) *person* einen Termin geben (*+dat*); *meeting* unterbringen; (≈ *squeeze in*) einschieben; ***Sir Charles could fit you in at 3 o'clock*** um 3 Uhr hätte Sir Charles Zeit für Sie **II** *v/i* (≈ *go into place*) hineinpassen; ***the clothes won't ~ (to) the case*** die Sachen passen nicht in den Koffer; ***how does this ~?*** wie passt das ins Ganze?; ***to ~ with sth*** (*plans*) in etw (*acc*) passen; ***he doesn't ~ here*** er passt nicht hierhin ◆ **fit on I** *v/i* **1.** (≈ *be right size, shape*) passen **2.** (≈ *be fixed*) angebracht sein **II** *v/t sep* (≈ *put in place, fix on*) anbringen ◆ **fit out** *v/t sep ship, person* ausstatten; ***they've fitted one room out as an office*** sie haben eines der Zimmer als Büro eingerichtet ◆ **fit up** *v/t sep* ***to fit sb/sth up with sth*** jdn/etw mit etw ausstatten

fit[2] *n* (MED, *fig*) Anfall *m*; ***~ of coughing*** Hustenanfall *m*; ***in a ~ of anger*** in einem Anfall von Wut; ***in ~s and starts*** stoßweise; ***to be in ~s (of laughter)*** sich vor Lachen biegen (*infml*); ***he'd have a ~*** (*fig infml*) er würde (ja) einen Anfall kriegen (*infml*)

fitful *adj* unbeständig; *progress* stoßweise; *sleep* unruhig **fitfully** *adv sleep* unruhig; *work* sporadisch

fitness *n* (≈ *condition*) Fitness *f* **fitness instructor** *n* Fitnesstrainer(in) *m(f)*

fitted *adj* **1.** ***to be ~ with sth*** mit etw ausgestattet sein **2.** (≈ *built-in*) Einbau-; *bedroom* mit Einbauelementen; ***~ wardrobe*** Einbauschrank *m*; ***~ units*** Einbauelemente *pl*; ***~ kitchen*** Einbauküche *f* **3.** *jacket* tailliert; ***~ carpet*** (*Br*) Teppichboden *m*; ***~ sheet*** Spannbetttuch *nt* **4.** (*form* ≈ *suited*) ***to be ~ to do sth*** sich dazu eignen, etw zu tun

fitter *n* (TECH, *for machines*) (Maschinen)schlosser(in) *m(f)* **fitting I** *adj* passend; *punishment* angemessen **II** *n* **1.** (*of clothes*) Anprobe *f* **2.** (≈ *part*) Zubehörteil *nt*; ***~s*** Ausstattung *f*; ***bathroom ~s*** Badezimmereinrichtung *f*; ***electrical ~s*** Elektroinstallationen *pl* **fittingly** *adv* (*+adj*) angemessen **fitting room** *n* Anproberaum *m*; (≈ *cubicle*) Anprobekabine *f*

five I *adj* fünf **II** *n* Fünf *f*; → ***six*** **five-a-side** *adj* mit fünf Spielern pro Mannschaft **fivefold I** *adj* fünffach **II** *adv* um das Fünffache **fiver** *n* (*infml*) Fünfpfund-/Fünfdollarschein *m* **five-star hotel** *n* Fünf-Sterne-Hotel *nt*

fix I *v/t* **1.** (≈ *make firm*) befestigen (*sth to sth* etw an/auf etw *dat*); (*fig*) *images* verankern; ***to ~ sth in one's mind*** sich (*dat*) etw fest einprägen **2.** *eyes, attention* richten (*on, upon* auf *+acc*); *camera* richten (*on* auf *+acc*); ***everybody's attention was ~ed on her*** alle sahen sie wie gebannt an **3.** *date, price* festlegen; (≈ *agree on*) ausmachen; ***nothing has been ~ed yet*** es ist noch nichts fest (ausgemacht *or* beschlossen worden) **4.** (≈ *arrange*) arrangieren; *tickets etc* besorgen, organisieren (*infml*); ***have you got anything ~ed for tonight?*** haben Sie (für) heute Abend schon etwas vor? **5.** (*infml* ≈ *get even with*) ***I'll ~ him*** dem werd ichs besorgen (*infml*) **6.** (≈ *repair*) in Ordnung bringen **7.** *drink*, *meal* machen; ***to ~ one's hair*** sich frisieren **8.** (*infml*) *race*, *fight* manipulieren; *prices* absprechen; ***the whole thing was ~ed*** das war eine abgekartete Sache (*infml*) **II** *n* **1.** (*infml*) ***to be in a ~*** in der Klemme sitzen (*infml*) **2.** (*infml*: *of drugs*) Druck *m* (*sl*); ***I need my daily ~ of chocolate*** (*infml*) ich brauche meine tägliche Schokoladenration **3.** (*infml*) ***the fight was a ~*** der Kampf war eine abgekartete Sache (*infml*) ◆ **fix on** *v/t sep* festmachen (*prep obj* auf +*dat*); (≈ *fit on*) anbringen ◆ **fix together** *v/t sep* zusammenmachen (*infml*) ◆ **fix up** *v/t sep* **1.** (≈ *arrange*) arrangieren; *holidays etc* festmachen; ***have you got anything fixed up for this evening?*** haben Sie (für) heute Abend schon etwas vor? **2.** ***to fix sb up with sth*** jdm etw verschaffen **3.** *house* einrichten

fixation *n* PSYCH Fixierung *f*; ***she has a ~ about*** *or* ***on cleanliness*** sie hat einen Sauberkeitsfimmel (*infml*) **fixative** *n* Fixativ *nt* **fixed** *adj* **1.** *amount*, *time* fest (-gesetzt); *position* unveränderlich; ***there's no ~ agenda*** es gibt keine feste Tagesordnung; ***of no ~ abode*** *or* ***address*** JUR ohne festen Wohnsitz; ***~ assets*** ECON Anlagevermögen *nt*; ***~ price*** Festpreis *m*; ***~ rate*** FIN fester Zinssatz; ***~ mortgage rate*** festverzinsliches Hypothekendarlehen; ***~ penalty*** pauschale Geldbuße **2.** *idea* fest; *smile*, *grin* starr **3.** *election*, *game* manipuliert; ***the whole thing was ~*** das war eine abgekartete Sache (*infml*) **4.** (*infml*) ***how are we ~ for time?*** wie siehts mit der Zeit aus?; ***how are you ~ for money*** *etc* ***?*** wie siehts bei dir mit Geld *etc* aus? **fixed assets** *pl* COMM feste Anlagen *pl* **fixed-interest** *adj* ***~ loan*** Festzinsanleihe *f* **fixedly** *adv* starr **fixed-rate** *adj* Festzins-; ***~ mortgage*** Festzinshypothek *f* **fixed-term contract** *n* Zeitvertrag *m*, befristeter Vertrag **fixings** *pl* (*US* COOK) Beilagen *pl* **fixture** *n* **1.** ***~s*** Ausstattung *f*; ***~s and fittings*** Anschlüsse und unbewegliches Inventar (*form*) **2.** (*Br* SPORTS) Spiel *nt*, Match *nt* (*esp Aus*)

fizz *v/i* perlen

fizzle *v/i* zischen ◆ **fizzle out** *v/i* (*firework*, *enthusiasm*) verpuffen; (*plan*) im Sande verlaufen

fizzy *adj* (+*er*) sprudelnd; ***to be ~*** sprudeln; ***a ~ drink*** eine Brause

fjord *n* Fjord *m*

F key *n* IT Funktionstaste *f*

fl. *abbr of* **floor** St.

flab *n* (*infml*) Speck *m*; ***to fight the ~*** (*hum*) etwas für die schlanke Linie tun

flabbergast *v/t* (*infml*) verblüffen; ***I was ~ed to see him*** ich war platt, als ich ihn sah (*infml*)

flabby *adj* (+*er*) schlaff; ***he's getting ~*** er setzt Speck an

flaccid *adj* (*liter*) schlaff; *prose* kraftlos

flag[1] *n* Fahne *f*; (*small*) Fähnchen *nt*; NAUT Flagge *f*; ***to fly the ~*** (***for***) (*fig*) die Fahne hochhalten (für) ◆ **flag down** *v/t sep* *taxi*, *person* anhalten

flag[2] *v/i* erlahmen; ***he's ~ging*** er wird müde

flag[3] *n* (*a.* **flagstone**) Steinplatte *f*

flag day *n* **1.** (*Br*) *Tag, an dem eine Straßensammlung für einen wohltätigen Zweck durchgeführt wird* **2. Flag Day** (*US*) *14. Juni, Gedenktag der Einführung der amerikanischen Nationalflagge*

flagged *adj floor* gefliest

flagon *n* (≈ *bottle*) Flasche *f*; (≈ *jug*) Krug *m*

flagpole *n* Fahnenstange *f*

flagrant *adj* eklatant; *disregard* unverhohlen

flagship I *n* **II** *adj attr* Vorzeige-; ***~ store*** Vorzeigeladen *m* **flagstone** *n* (Stein-)platte *f*, Fliese *f*, Plättli *nt* (*Swiss*)

flail I *v/t* ***he ~ed his arms about*** *or* ***around wildly*** er schlug wild (mit den Armen) um sich **II** *v/i* ***to ~*** (***about***) herumfuchteln

flair *n* (≈ *talent*) Talent *nt*; (≈ *stylishness*) Flair *nt*

flak *n* (*fig*) ***he's been getting a lot of ~*** (***for it***) er ist (dafür) mächtig unter Beschuss geraten (*infml*)

flake I *n* (*of snow*, *soap*) Flocke *f*; (*of paint*) Splitter *m*; (*of skin*) Schuppe *f*; (*of chocolate*) Raspel *m* **II** *v/i* (*stone etc*) abbröckeln; (*paint*) abblättern ◆ **flake off** *v/i* (*plaster*) abbröckeln; (*paint etc*) abblättern; (*skin*) sich schälen ◆ **flake out** *v/i* (*infml* ≈ *become exhausted*) abschlaffen (*infml*); (≈ *fall asleep*) einpennen (*infml*)

flak jacket *n* kugelsichere Weste

flaky *adj* (+*er*) **1.** *paint* brüchig; *crust*

blättrig; *skin* schuppig **2.** (*esp US* ≈ *mad*) verrückt **flaky pastry** *n* Blätterteig *m*
flamboyance *n* Extravaganz *f* **flamboyant** *adj* extravagant; *gesture* großartig
flame I *n* **1.** Flamme *f*; ***the house was in ~s*** das Haus stand in Flammen **2.** IT Flame *f*, (persönlicher) Angriff **II** *v/t* IT ***to ~ sb*** jdm eine Flame schicken **flame retardant** *adj* Feuer hemmend **flaming** *adj* **1.** lodernd; ***~ red hair*** feuerrotes Haar; ***to have a ~ row (with sb)*** sich (mit jdm) streiten, dass die Fetzen fliegen (*infml*) **2.** (*Br infml* ≈ *bloody*) verdammt (*infml*); ***it's a ~ nuisance*** Mensch, das ist vielleicht ein Mist (*infml*)
flamingo *n*, *pl* **-(e)s** Flamingo *m*
flammable *adj* feuergefährlich
flan *n* Kuchen *m*; ***fruit ~*** Obstkuchen *m*
flan case *n* Tortenboden *m*
flank I *n* (*of animal*, MIL) Flanke *f* **II** *v/t* flankieren
flannel I *n* **1.** Flanell *m* **2.** (*Br* ≈ *face flannel*) Waschlappen *m* **II** *adj* Flanell- **flannelette** *n* (*Br*) Baumwollflanell *m*; ***~ sheet*** Biberbetttuch *nt*
flap I *n* **1.** (*of pocket*) Klappe *f*; (*of tent*) Eingang *m* **2.** (*Br infml*) ***to get in(to) a ~*** in helle Aufregung geraten **II** *v/i* **1.** (*wings*) schlagen; (*sails etc*) flattern; ***his coat ~ped about his legs*** der Mantel schlackerte ihm um die Beine (*infml*) **2.** (*Br infml*) in heller Aufregung sein; ***don't ~*** reg dich nicht auf **III** *v/t* ***to ~ its wings*** mit den Flügeln schlagen; ***to ~ one's arms*** mit den Armen rudern
flapjack *n* (*US*) Pfannkuchen *m*; (*Br*) Haferkeks *m*, Haferbiskuit *nt* (*Swiss*)
flare I *n* **1.** (≈ *signal*) Leuchtsignal *nt* **2.** FASHION **(*a pair of*) *~s*** (*Br infml*) eine Schlaghose **II** *v/i* **1.** (*match*) aufleuchten **2.** (*trousers*) ausgestellt sein **3.** (*fig*, *trouble*) aufflammen; ***tempers ~d*** die Gemüter erhitzten sich ◆ **flare up** *v/i* (*situation*) aufflackern; ***his acne flared up*** seine Akne trat wieder auf; ***she flared up at me*** sie fuhr mich an
flared *adj trousers* ausgestellt
flash I *n* **1.** (*of light*) Aufblinken *nt no pl*; (*very bright*) Aufblitzen *nt no pl*; (*of metal*, *jewels etc*) Blitzen *nt no pl*; ***there was a sudden ~ of light*** plötzlich blitzte es hell auf; ***~ of lightning*** Blitz *m* **2.** (*fig*) ***~ of colour*** (*Br*) *or* ***color*** (*US*) Farbtupfer *m*; ***~ of inspiration*** Geistesblitz *m*; ***in a ~*** wie der Blitz; ***as quick as a ~*** blitzschnell **3.** PHOT Blitz(licht *nt*) *m*; ***to use a ~*** Blitzlicht benutzen **II** *v/i* **1.** (*light*) aufblinken; (*very brightly*) aufblitzen; (*repeatedly*) blinken; (*metal*, *jewels*) blitzen; ***to ~ on and off*** immer wieder aufblinken **2.** ***to ~ past*** *or* ***by*** vorbeisausen *etc*; (*holidays etc*) vorbeifliegen; ***the thought ~ed through my mind that ...*** mir kam plötzlich der Gedanke, dass ... **III** *v/t* **1.** *light* aufleuchten lassen; ***to ~ one's headlights at sb*** jdn mit der Lichthupe anblinken; ***she ~ed him a look of contempt/gratitude*** sie blitzte ihn verächtlich/dankbar an **2.** (*infml* ≈ *show*: *a.* **flash around**) protzen mit; *identity card* kurz vorzeigen; ***don't ~ all that money around*** wedel nicht so mit dem vielen Geld herum (*infml*) **IV** *adj* (*infml* ≈ *showy*) protzig (*pej*); (≈ *smart*) chic ◆ **flash back** *v/i* FILM zurückblenden (*to* auf *+acc*); ***his mind flashed back to the events of the last year*** er erinnerte sich plötzlich an die Ereignisse des letzten Jahres
flashback *n* FILM Rückblende *f* **flash card** *n* SCHOOL Leselernkarte *f* **flasher** *n* (*infml*) Exhibitionist(in) *m*(*f*) **flash flood** *n* flutartige Überschwemmung
flashlight *n* (*esp US*) Taschenlampe *f*
flashy *adj* (*+er*) auffällig
flask *n* **1.** Flakon *m*; CHEM Glaskolben *m* **2.** (≈ *hip flask*) Flachmann *m* (*infml*) **3.** (≈ *vacuum flask*) Thermosflasche® *f*
flat[1] **I** *adj* (*+er*) **1.** flach; *tyre*, *feet* platt; *surface* eben; ***he stood ~ against the wall*** er stand platt gegen die Wand gedrückt; ***as ~ as a pancake*** (*infml*, *tyre*) total platt; (*countryside*) total flach; ***to fall ~ on one's face*** auf die Nase fallen; ***to lie ~*** flach liegen **2.** (*fig*) fade; *trade* lustlos; *battery* leer; *beer* schal; ***to fall ~*** (*joke*) nicht ankommen **3.** *refusal* deutlich **4.** MUS *instrument* zu tief (gestimmt); *voice* zu tief **5.** COMM Pauschal-; ***~ rate*** Pauschale *f* **II** *adv* **1.** *turn down* kategorisch; ***he told me ~ (out) that ...*** er sagte mir klipp und klar, dass ...; ***in ten seconds ~*** in sage und schreibe (nur) zehn Sekunden; ***~ broke*** (*infml*) total pleite (*infml*); ***to go ~ out*** voll aufdrehen (*infml*); ***to work ~ out*** auf Hochtouren arbeiten **2.** MUS ***to sing/play ~*** zu tief singen/spielen **III** *n* **1.** (*of hand*) Fläche *f*; (*of blade*) flache Seite **2.** MUS Erniedrigungszeichen *nt* **3.** AUTO Platte(r) *m*

(*infml*)

flat² *n* (*esp Br*) Wohnung *f*

flat bench *n* SPORTS Flachbank *f* **flat-chested** *adj* flachbrüstig **flat feet** *pl* Plattfüße *pl* **flat-hunting** *n* (*Br*) Wohnungssuche *f*; ***to go/be~*** auf Wohnungssuche gehen/sein **flatly** *adv refuse, deny* kategorisch; *contradict* aufs Schärfste; ***to be~ opposed to sth*** etw rundweg ablehnen **flatmate** *n* (*Br*) Mitbewohner(in) *m*(*f*) **flatness** *n* (*of surface*) Ebenheit *f* **flat-pack** *adj* ***~ furniture*** Möbel *pl* zur Selbstmontage **flat racing** *n* Flachrennen *nt* **flat screen** *n*, **flat-screen monitor** *n* IT Flachbildschirm *m*

flatten I *v/t* **1.** *path, field* ebnen; (*storm etc*) *crops* niederdrücken; *town* dem Erdboden gleichmachen **2.** (*fig ≈ knock down*) niederschlagen **II** *v/r* ***to~ oneself against sth*** sich platt gegen *or* an etw drücken ◆ **flatten out I** *v/i* (*countryside*) flach(er) werden **II** *v/t sep path* ebnen; *paper* glätten

flatter *v/t* schmeicheln (+*dat*); ***I was very ~ed by his remark*** ich fühlte mich von seiner Bemerkung sehr geschmeichelt; ***don't ~ yourself!*** bilde dir ja nichts ein! **flatterer** *n* Schmeichler(in) *m*(*f*) **flattering** *adj* schmeichelhaft; *colour* vorteilhaft **flattery** *n* Schmeicheleien *pl*

flatulence *n* Blähung(en) *f*(*pl*)

flatware *n* (*US*) Besteck *nt*

flaunt *v/t* zur Schau stellen; ***to~ oneself*** sich groß in Szene setzen

flautist *n* Flötist(in) *m*(*f*)

flavour, (*US*) **flavor I** *n* (≈ *taste*) Geschmack *m*; (≈ *flavouring*) Aroma *nt*; (*fig*) Beigeschmack *m*; ***strawberry-~ ice cream*** Eis *nt* mit Erdbeergeschmack; ***he is ~ of the month*** (*infml*) er ist diesen Monat in (*infml*) **II** *v/t* Geschmack verleihen (+*dat*); ***pineapple-~ed*** mit Ananasgeschmack **flavouring**, (*US*) **flavoring** *n* COOK Aroma(stoff *m*) *nt*; ***rum~*** Rumaroma *nt* **flavourless**, (*US*) **flavorless** *adj* geschmacklos

flaw *n* (*lit*) Fehler *m* **flawed** *adj* fehlerhaft; ***his logic was ~*** seine Logik enthielt Fehler **flawless** *adj performance* fehlerlos; *complexion* makellos; ***~ English*** fehlerloses Englisch

flax *n* BOT Flachs *m*

flay *v/t* (≈ *skin*) häuten

flea *n* Floh *m* **flea market** *n* Flohmarkt *m*

fleck I *n* (*of red etc*) Tupfen *m*; (*of mud, paint*) (≈ *blotch*) Fleck(en) *m*; (≈ *speckle*) Spritzer *m*; (*of dust*) Teilchen *nt* **II** *v/t* ***~ed wool*** melierte Wolle; ***blue~ed with white*** blau mit weißen Tupfen

fled *pret, past part of* ***flee***

fledg(e)ling I *n* ORN Jungvogel *m* **II** *adj democracy* jung

flee *pret, past part* ***fled*** **I** *v/i* fliehen (*from* vor +*dat*) **II** *v/t town, country* fliehen aus; *danger* entfliehen (+*dat*)

fleece I *n* Vlies *nt*; (≈ *fabric*) Webpelz *m* **II** *v/t* (*fig infml*) ***to ~ sb*** jdn schröpfen

fleecy *adj* flauschig

fleet *n* **1.** NAUT Geschwader *nt*; (≈ *navy*) Flotte *f* **2.** (*of cars etc*) (Fuhr)park *m*; ***he owns a~ of trucks*** er hat einen Lastwagenpark

fleeting *adj* flüchtig; ***a ~ visit*** eine Stippvisite (*infml*); ***to catch a ~ glimpse of sb/sth*** einen flüchtigen Blick auf jdn/etw werfen können

Flemish I *adj* flämisch **II** *n* LING Flämisch *nt*

flesh *n* Fleisch *nt*; (*of fruit*) (Frucht)fleisch *nt*; (*of vegetable*) Mark *nt*; ***one's own~ and blood*** sein eigen(es) Fleisch und Blut; ***I'm only ~ and blood*** ich bin auch nur aus Fleisch und Blut; ***in the~*** in Person ◆ **flesh out** *v/t sep* ausgestalten; *details* eingehen auf (+*acc*)

flesh-coloured, (*US*) **flesh-colored** *adj* fleischfarben **flesh wound** *n* Fleischwunde *f* **fleshy** *adj* (+*er*) fleischig

flew *pret of* ***fly²***

flex I *n* (*Br*) Schnur *f*; (*heavy duty*) Kabel *nt* **II** *v/t arm etc* beugen; ***to ~ one's muscles*** seine Muskeln spielen lassen

flexibility *n* **1.** (*lit*) Biegsamkeit *f* **2.** (*fig*) Flexibilität *f* **flexible** *adj* **1.** (*lit*) biegsam **2.** (*fig*) flexibel; ***to work ~ hours*** Gleitzeit arbeiten; ***to be ~ about sth*** in Bezug auf etw (*acc*) flexibel sein

flex(i)time *n* Gleitzeit *f*

flick I *n* (*with finger*) Schnipsen *nt no pl*; ***with a ~ of the whip*** mit einem Peitschenschnalzen; ***a ~ of the wrist*** eine schnelle Drehung des Handgelenks **II** *v/t whip* knallen mit; *fingers* schnalzen mit; (*with fingers*) *switch* anknipsen; *dust* wegschnipsen; ***she ~ed her hair out of her eyes*** sie strich sich (*dat*) die Haare aus den Augen; ***he ~ed the piece of paper onto the floor*** er schnipste das Papier auf den Fußboden

◆ **flick through** *v/i +prep obj book* (schnell) durchblättern; *pages* (schnell) umblättern; *TV channels* (schnell) wechseln
flicker I *v/i* (*flame, light*) flackern; (*TV*) flimmern; ***a smile ~ed across his face*** ein Lächeln huschte über sein Gesicht **II** *n* (*of flame, light*) Flackern *nt*; (*of TV*) Flimmern *nt*
flick knife *n* (*Br*) Klappmesser *nt*
flicks *pl* (*infml*) Kintopp *m* (*infml*); ***to/at the ~*** in den/im Kintopp (*infml*)
flier *n* **1.** (AVIAT ≈ *pilot*) Flieger(in) *m*(*f*); ***to be a good/bad ~*** (*person*) Fliegen gut/nicht vertragen **2.** (≈ *leaflet*) Flugblatt *nt*
flies *pl* (*Br*: *on trousers*) (Hosen)schlitz *m*
flight[1] *n* **1.** Flug *m*; ***in ~*** (*bird*) im Flug; AVIAT in der Luft **2.** (*group*) ***to be in the top ~*** (*fig*) zur Spitze gehören **3.** ***~ of fancy*** geistiger Höhenflug **4.** ***~*** (***of stairs***) Treppe *f*, Stiege *f* (*Aus*)
flight[2] *n* Flucht *f*; ***to put the enemy to ~*** den Feind in die Flucht schlagen; ***to take ~*** die Flucht ergreifen
flight attendant *n* Flugbegleiter(in) *m*(*f*) **flight bag** *n* Schultertasche *f* **flight deck** *n* **1.** NAUT Flugdeck *nt* **2.** AVIAT Cockpit *nt* **flight number** *n* Flugnummer *f* **flight path** *n* Flugbahn *f* **flight recorder** *n* Flugschreiber *m* **flight simulator** *n* Simulator *m* **flighty** *adj* (*+er*) (≈ *fickle*) unbeständig; (≈ *empty-headed*) gedankenlos
flimsy *adj* (*+er*) **1.** *structure* leicht gebaut; *material* dünn; *box* instabil **2.** (*fig*) *evidence* dürftig; *excuse* fadenscheinig
flinch *v/i* **1.** zurückzucken; ***without ~ing*** ohne mit der Wimper zu zucken **2.** (*fig*) ***to ~ from sth*** vor etw (*dat*) zurückschrecken
fling *vb*: *pret, past part* **flung I** *n* **1.** (*fig infml*) ***to have a final ~*** sich noch einmal richtig austoben **2.** (*infml* ≈ *relationship*) ***to have a ~*** (***with sb***) eine Affäre (mit jdm) haben **II** *v/t* schleudern; ***to ~ the window open*** das Fenster aufstoßen; ***the door was flung open*** die Tür flog auf; ***to ~ one's arms round sb's neck*** jdm die Arme um den Hals werfen; ***to ~ oneself into a chair/to the ground*** sich in einen Sessel/auf den Boden werfen ◆ **fling off** *v/t sep* (*lit*) *coat* abwerfen ◆ **fling out** *v/t sep object* wegwerfen; *person* hinauswerfen ◆ **fling up** *v/t sep* ***to fling one's arms up in horror*** entsetzt die Hände über dem Kopf zusammenschlagen
flint *n* Feuerstein *m*
flip I *n* ***by the ~ of a coin*** durch Hochwerfen einer Münze **II** *v/t* schnippen; *switch* knipsen; ***to ~ a coin*** eine Münze werfen **III** *v/i* (*infml*) durchdrehen (*infml*) ◆ **flip over I** *v/t sep* umdrehen **II** *v/i* (*plane*) sich in der Luft (um)drehen ◆ **flip through** *v/i +prep obj book* durchblättern; *pages* umblättern
flip chart *n* Flipchart *f* **flip-flop** *n* (*Br*) Gummilatsche *f* (*infml*)
flippant *adj* leichtfertig
flipper *n* Flosse *f*
flip phone *n* TEL Klapphandy *nt*, Klapp-Handy *nt*
flipping *adj, adv* (*Br infml emph*) verdammt (*infml*)
flip side *n* (*of record*) B-Seite *f*
flirt I *v/i* flirten; ***to ~ with an idea*** mit einem Gedanken spielen; ***to ~ with danger*** die Gefahr herausfordern **II** *n* ***he is just a ~*** er will nur flirten **flirtation** *n* Flirt *m*; (≈ *flirting*) Flirten *nt* **flirtatious** *adj* kokett **flirty** *adj* kokett
flit I *v/i* (*bats, butterflies etc*) flattern; (*person, image*) huschen; ***to ~ in and out*** (*person*) rein- und rausflitzen **II** *n* (*Br*) ***to do a*** (***moonlight***) ***~*** bei Nacht und Nebel umziehen
float I *n* **1.** (*on fishing line, in cistern*) Schwimmer *m* **2.** (≈ *vehicle*) Festwagen *m* **II** *v/i* (*on water*) schwimmen; (≈ *move gently*) treiben; (*in air*) schweben; ***the body ~ed*** (***up***) ***to the surface*** die Leiche kam an die Wasseroberfläche **III** *v/t* COMM, FIN *company* gründen; (*fig*) *ideas* in den Raum stellen **floating voter** *n* (*fig*) Wechselwähler *m*
flock I *n* **1.** (*of sheep, also* ECCL) Herde *f*; (*of birds*) Schwarm *m* **2.** (*of people*) Haufen *m* (*infml*) **II** *v/i* in Scharen kommen; ***to ~ around sb*** sich um jdn scharen
flog *v/t* **1.** auspeitschen; ***you're ~ging a dead horse*** (*esp Br infml*) Sie verschwenden Ihre Zeit **2.** (*Br infml* ≈ *sell*) verscherbeln (*infml*) **flogging** *n* Tracht *f* Prügel; JUR Prügelstrafe *f*; (*of thief, mutineer*) Auspeitschen *nt*
flood I *n* Flut *f*; ***~s*** Überschwemmung *f*; ***the river is in ~*** der Fluss führt Hochwasser; ***she was in ~s of tears*** sie war in Tränen gebadet **II** *v/t* überschwemmen; ***the cellar was ~ed*** der Keller

war überschwemmt *or* stand unter Wasser; ***to ~ the engine*** den Motor absaufen lassen (*infml*); ***~ed with complaints*** mit Beschwerden überhäuft; ***~ed with light*** lichtdurchflutet **III** *v/i* **1.** (*river*) über die Ufer treten, überborden (*Swiss*); (*bath etc*) überlaufen; (*cellar*) unter Wasser stehen; (*land*) überschwemmt werden **2.** (*people*) strömen ◆ **flood back** *v/i* (*memories*) wieder aufwallen ◆ **flood in** *v/i* ***the letters just flooded in*** wir/sie *etc* hatten eine Flut von Briefen

floodgate *n* Schleusentor *nt*; ***to open the ~s*** (*fig*) Tür und Tor öffnen (*to +dat*) **flooding** *n* Überschwemmung *f* **floodlight** *n* Scheinwerfer *m* **floodlighting** *n* Flutlicht(anlage *f*) *nt* **floodlit** *adj* ***~ football match*** Fußballspiel *nt* unter Flutlicht **flood protection** *n* Hochwasserschutz *m* **flood tide** *n* Flut *f*

floor I *n* **1.** (Fuß)boden *m*; (≈ *dance floor*) Tanzfläche *f*; ***ocean ~*** Meeresgrund *m*; ***stone/tiled ~*** Stein-/Fliesenboden *m*; ***to take to the ~*** (≈ *dance*) aufs Parkett gehen; ***to hold*** *or* ***have the ~*** (*speaker*) das Wort haben **2.** (≈ *storey*) Stock *m*; ***first ~*** (*Br*) erster Stock; (*US*) Erdgeschoss *nt*; ***on the second ~*** (*Br*) im zweiten Stock; (*US*) im ersten Stock **3.** (≈ *main part of chamber*) Plenarsaal *m*; (*of stock exchange*) Parkett *nt* **II** *v/t* **1.** (≈ *knock down*) zu Boden schlagen **2.** (≈ *bewilder*) verblüffen **floor area** *n* Bodenfläche *f* **floorboard** *n* Diele *f* **floor cloth** *n* Scheuer- *or* Putzlappen *m* **floor exercise** *n* Bodenübung *f* **flooring** *n* **1.** (≈ *floor*) (Fuß)boden *m* **2.** (≈ *material*) Fußbodenbelag *m* **floor plan** *n* Grundriss *m* (eines Stockwerkes) **floor polish** *n* Bohnerwachs *nt* **floor space** *n* Stellraum *m*; ***if you've got a sleeping bag we have plenty of ~*** wenn du einen Schlafsack hast, wir haben viel Platz auf dem Fußboden **floor trading** *n* ST EX Parketthandel *m* **floorwalker** *n* (*US* COMM) Ladenaufsicht *f*

floozie, floozy *n* (*infml*) Flittchen *nt* (*infml*)

flop I *v/i* **1.** (*person*) sich fallen lassen **2.** (*thing*) fallen **3.** (*infml*) (*scheme*) ein Reinfall *nt* sein (*infml*); (*play*) durchfallen **II** *n* (*infml*) Flop *m* (*infml*) **floppy I** *adj* (+*er*) schlaff; ***~ hat*** Schlapphut *m* **II** *n* (≈ *disk*) Diskette *f*

floppy disk *n* IT Diskette *f*; ***~ drive*** Diskettenlaufwerk *nt*

flora *n* Flora *f* **floral** *adj* **1.** *wallpaper etc* geblümt; ***~ design*** *or* ***pattern*** Blumenmuster *nt* **2.** (≈ *made of flowers*) Blumen- **florid** *adj* (*usu pej*) *language* schwülstig (*pej*) **florist** *n* Florist(in) *m(f)*; ***~'s (shop)*** Blumengeschäft *nt*

floss I *n* Zahnseide *f* **II** *v/t* mit Zahnseide reinigen **III** *v/i* sich (*dat*) die Zähne mit Zahnseide reinigen

flotation *n* (COMM: *of firm*) Gründung *f*; ST EX Börseneinführung *f*

flotilla *n* Flotille *f*

flotsam *n* ***~ and jetsam*** (*floating*) Treibgut *nt*; (*washed ashore*) Strandgut *nt*

flounce *v/i* stolzieren; ***to ~ out*** herausstolzieren

flounder[1] *n* (≈ *fish*) Flunder *f*

flounder[2] *v/i* sich abstrampeln; ***we ~ed about in the mud*** wir quälten uns mühselig im Schlamm; ***the economy was ~ing*** der Wirtschaft ging es schlecht

flour *n* Mehl *nt*

flourish I *v/i* (*plants etc, person*) (prächtig) gedeihen; (*business*) florieren; ***crime ~ed in poor areas*** in den armen Gegenden gedieh das Verbrechen **II** *v/t stick etc* herumwedeln mit **III** *n* **1.** (≈ *decoration etc*) Schnörkel *m* **2.** (≈ *movement*) eleganter Schwung **flourishing** *adj* florierend *attr*; *career* erfolgreich; *plant* prächtig gedeihend *attr*

floury *adj* mehlig

flout *v/t* sich hinwegsetzen über (+*acc*)

flow I *v/i* **1.** fließen; ***where the river ~s into the sea*** wo der Fluss ins Meer mündet; ***to keep the traffic ~ing*** den Verkehr nicht ins Stocken kommen lassen **2.** (*hair etc*) wallen **II** *n* Fluss *m*; ***the ~ of traffic*** der Verkehrsfluss; ***to go with the ~*** (*fig*) mit dem Strom schwimmen; ***he was in full ~*** er war richtig in Fahrt **flow chart, flow diagram** *n* Flussdiagramm *nt*

flower I *n* Blume *f*; (≈ *blossom*) Blüte *f*; ***to be in ~*** in Blüte stehen **II** *v/i* blühen **flower arrangement** *n* Blumengesteck *nt* **flower arranging** *n* Blumenstecken *nt* **flowerbed** *n* Blumenbeet *nt* **flowering** *adj* Blüten-; ***~ plant*** Blütenpflanze *f*; ***~ shrub*** Zierstrauch *m* **flowerpot** *n* Blumentopf *m* **flower shop** *n* Blumenladen *m* **flowery** *adj* **1.** *wallpaper etc* geblümt **2.** (*fig*) blumig

flowing *adj* fließend; *gown* wallend; *style*

flüssig
flown *past part of* **fly²**
fl. oz. *abbr of* **fluid ounce(s)**
flu *n* Grippe *f*; ***to get*** *or* ***catch/have (the) ~*** (die *or* eine) Grippe bekommen/haben
fluctuate *v/i* schwanken **fluctuation** *n* Schwankung *f*
flue *n* Rauchfang *m*
fluency *n* **1.** (*in a foreign language*) fließendes Sprechen; ***this job requires ~ in German*** für diese Stelle ist fließendes Deutsch Voraussetzung; ***~ in two foreign languages is a requirement*** die Beherrschung von zwei Fremdsprachen ist Voraussetzung **2.** (*in native language*) Gewandtheit *f* **fluent** *adj* **1.** (*in a foreign language*) ***to be ~*** die Sprache fließend sprechen; ***to be ~ in German, to speak ~ German*** fließend Deutsch sprechen; ***she is ~ in six languages*** sie beherrscht sechs Sprachen fließend **2.** (*in native language*) gewandt **3.** *action* flüssig **fluently** *adv speak, write* (*in a foreign language*) fließend; (*in native language*) flüssig
fluff I *n no pl* (*on animals*) Flaum *m*; (*from material*) Fusseln *pl*; ***a bit of ~*** eine Fussel **II** *v/t* **1.** *pillow* aufschütteln **2.** *entrance* vermasseln (*infml*) ◆ **fluff up** *v/t sep pillow etc* aufschütteln
fluffy *adj* (*+er*) **1.** *slippers* flauschig; *rabbit* flaumweich; ***~ white clouds*** weiße Schäfchenwolken; ***~ toy*** Kuscheltier *nt* **2.** *rice* locker; *cake mixture* schaumig
fluid I *n* Flüssigkeit *f* **II** *adj* flüssig; *shape* fließend **fluid ounce** *n Flüssigkeitsmaß* (*Brit*: *=28,4 ml*, *US*: *=29,6 ml*)
fluke *n* (*infml*) ***it was a (pure) ~*** das war (einfach) Dusel (*infml*)
flummox *v/t* (*infml*) durcheinanderbringen; ***to be ~ed by sth*** durch etw aus dem Konzept gebracht werden (*infml*)
flung *pret, past part of* **fling**
flunk *v/t* (*infml*) *test* verhauen (*infml*); ***to ~ German/an exam*** in Deutsch/bei einer Prüfung durchfallen (*infml*)
fluorescent *adj colour* leuchtend; *paint* fluoreszierend **fluorescent light** *n* Neonlampe *f* **fluorescent lighting** *n* Neonbeleuchtung *f*
fluoride *n* Fluorid *nt*; ***~ toothpaste*** Fluorzahnpasta *f*
flurry *n* **1.** (*of snow*) Gestöber *nt* **2.** (*fig*) ***a ~ of activity*** eine Hektik; ***a ~ of excitement*** hektische Aufregung
flush¹ I *n* **1.** (*≈ lavatory flush*) (Wasser)spülung *f* **2.** (*≈ blush*) Röte *f* **II** *v/i* **1.** (*face*) rot werden (*with* vor *+dat*) **2.** (*lavatory*) spülen **III** *v/t* spülen; ***to ~ the lavatory*** *or* ***toilet*** spülen; ***to ~ sth down the toilet*** etw die Toilette hinunterspülen ◆ **flush away** *v/t sep* wegspülen ◆ **flush out** *v/t sep* **1.** *sink* ausspülen **2.** *spies* aufspüren
flush² *adj pred* bündig; ***cupboards ~ with the wall*** Schränke, die mit der Wand abschließen
flushed *adj* ***to be ~ with success/happiness*** über seinen Erfolg/vor Glück strahlen
fluster *v/t* nervös machen; (*≈ confuse*) durcheinanderbringen; ***to be ~ed*** nervös *or* aufgeregt sein; (*≈ confused*) durcheinander sein
flute *n* MUS Querflöte *f* **flutist** *n* (*US*) = ***flautist***
flutter I *v/i* (*flag, bird etc*) flattern **II** *v/t fan* wedeln mit; *wings* flattern mit; ***to ~ one's eyelashes*** mit den Wimpern klimpern (*hum*) **III** *n* **1.** ***all of a ~*** in heller Aufregung **2.** (*Br infml*) ***to have a ~*** (*≈ gamble*) sein Glück (beim Wetten) versuchen
flux *n* Fluss *m*; ***in a state of ~*** im Fluss
fly¹ *n* Fliege *f*; ***he wouldn't hurt a ~*** er könnte keiner Fliege etwas zuleide tun; ***that's the only ~ in the ointment*** (*infml*) das ist das einzige Haar in der Suppe
fly² *vb*: *pret* **flew**, *past part* **flown I** *v/i* fliegen; (*time*) (ver)fliegen; (*flag*) wehen; ***time flies!*** wie die Zeit vergeht!; ***the door flew open*** die Tür flog auf; ***to ~ into a rage*** einen Wutanfall bekommen; ***to ~ at sb*** (*infml*) auf jdn losgehen; ***he really let ~*** er legte kräftig los; ***to send sb/sth ~ing*** jdn/etw umwerfen (*infml*); ***to go ~ing*** (*person*) hinfallen; ***to ~ in the face of authority/tradition*** sich über jede Autorität/alle Traditionen hinwegsetzen **II** *v/t* fliegen; *kite* steigen lassen; *flag* wehen lassen ◆ **fly away** *v/i* (*bird*) wegfliegen ◆ **fly in** *v/t & v/i* einfliegen; ***she flew in this morning*** sie ist heute Morgen mit dem Flugzeug angekommen ◆ **fly off** *v/i* **1.** (*plane, person*) abfliegen; (*bird*) wegfliegen; ***to ~ to the south*** nach Süden fliegen **2.** (*hat, lid etc*) wegfliegen ◆ **fly out I** *v/i* ausfliegen;

I ~ tomorrow ich fliege morgen hin **II** *v/t sep* (*to an area*) hinfliegen; (*out of an area*) ausfliegen ◆ **fly past I** *v/i* **1.** vorbeifliegen **2.** (*time*) verfliegen **II** *v/i +prep obj* ***to ~ sth*** an etw (*dat*) vorbeifliegen

fly[3] *n* (*on trousers*) (Hosen)schlitz *m*

fly-by-night *adj* FIN, COMM *operation* windig (*infml*) **fly-fishing** *n* Fliegenfischen *nt*

flying I *adj glass* herumfliegend **II** *n* Fliegen *nt*; ***he likes ~*** er fliegt gerne; ***he's afraid of ~*** er hat Flugangst **flying boat** *n* Flugboot *nt* **flying colours**, (*US*) **flying colors** *pl* ***to pass with ~*** glänzend abschneiden **flying leap** *n* ***to take a ~*** einen großen Satz machen **flying saucer** *n* fliegende Untertasse **flying start** *n* ***to get off to a ~*** SPORTS hervorragend wegkommen (*infml*); (*fig*) einen glänzenden Start haben **flying visit** *n* Stippvisite *f*

flyleaf *n* Vorsatzblatt *nt* **flyover** *n* **1.** Überführung *f* **2.** (*US* ≈ *fly-past*) Luftparade *f* **flypaper** *n* Fliegenfänger *m* **fly-past** *n* (*Br*) Luftparade *f* **fly sheet** *n* Überzelt *nt* **fly spray** *n* Fliegenspray *m* **fly swat(-ter)** *n* Fliegenklatsche *f* **fly-tipping** *n* illegales Müllabladen **flywheel** *n* Schwungrad *nt*

FM *abbr of* ***frequency modulation*** FM

foal I *n* Fohlen *nt* **II** *v/i* fohlen

foam I *n* Schaum *m* **II** *v/i* schäumen; ***to ~ at the mouth*** (*lit*) Schaum vorm Mund *or* (*Tier*) vorm Maul haben; (*fig*) schäumen **foam rubber** *n* Schaumgummi *m* **foamy** *adj* (*+er*) schäumend

fob *v/t* (*esp Br*) ***to ~ sb off*** jdn abspeisen; ***to ~ sth off on sb*** jdm etw andrehen

focal point *n* Brennpunkt *m*; ***his family is the ~ of his life*** seine Familie ist der Mittelpunkt seines Lebens **focus I** *n*, *pl* ***foci*** Brennpunkt *m*; ***in ~*** *camera* (scharf) eingestellt; *photo* scharf; ***out of ~*** *camera* unscharf eingestellt; *photo* unscharf; ***to keep sth in ~*** (*fig*) etw im Blickfeld behalten; ***he was the ~ of attention*** er stand im Mittelpunkt **II** *v/t instrument* einstellen (*on* auf *+acc*); *light* bündeln; (*fig*) *efforts* konzentrieren (*on* auf *+acc*); ***to ~ one's mind*** sich konzentrieren; ***I should like to ~ your attention on a new problem*** ich möchte Ihre Aufmerksamkeit auf ein neues Problem lenken **III** *v/i* ***to ~ on sth*** sich auf etw (*acc*) konzentrieren; ***I can't ~ properly*** ich kann nicht mehr klar sehen **focus(s)ed** *adj* (*fig*) fokussiert

fodder *n* Futter *nt*

foe *n* (*liter*) Widersacher(in) *m(f)* (*elev*)

foetal, (*esp US*) **fetal** *adj* fötal **foetus**, (*esp US*) **fetus** *n* Fötus *m*

fog I *n* Nebel *m* **II** *v/t & v/i* (*a.* **fog up** *or* **over**) beschlagen **fogbound** *adj ship*, *plane* durch Nebel festgehalten; *airport* wegen Nebel(s) geschlossen; ***the main road to Edinburgh is ~*** auf der Hauptstraße nach Edinburgh herrscht dichter Nebel

fogey *n* (*infml*) ***old ~*** alter Kauz (*infml*)

foggy *adj* (*+er*) **1.** neb(e)lig **2.** (*fig*) ***I haven't the foggiest*** (***idea***) (*infml*) ich habe keinen blassen Schimmer (*infml*) **foghorn** *n* NAUT Nebelhorn *nt* **fog lamp**, **fog light** *n* AUTO Nebelscheinwerfer *m*

fogy *n* = ***fogey***

foible *n* Eigenheit *f*

foil[1] *n* (≈ *metal sheet*) Folie *f*

foil[2] *v/t plans* durchkreuzen; *attempts* vereiteln

foist *v/t* ***to ~ sth*** (***off***) ***on sb*** *goods* jdm etw andrehen; *task* etw auf jdn abschieben

fold I *n* Falte *f*; ***~s of skin*** Hautfalten *pl*; ***~s of fat*** Fettwülste *pl* **II** *v/t* **1.** *paper*, *blanket* zusammenfalten; ***to ~ a newspaper in two*** eine Zeitung falten; ***to ~ one's arms*** die Arme verschränken; ***she ~ed her hands in her lap*** sie faltete die Hände im Schoß zusammen **2.** (≈ *wrap up*) einwickeln (*in* in *+acc*) **3.** COOK ***to ~ sth into sth*** etw unter etw (*acc*) heben **III** *v/i* **1.** (*table*) sich zusammenklappen lassen **2.** (*business*) eingehen ◆ **fold away** *v/i* (*table*) zusammenklappbar sein ◆ **fold back** *v/t sep bedclothes* zurückschlagen ◆ **fold down** *v/t sep corner* kniffen ◆ **fold up** *v/t sep paper* zusammenfalten

folder *n* **1.** (*for papers*) Aktenmappe *f* **2.** IT Ordner *m* **folding** *adj attr* Klapp-; ***~ chair*** Klappstuhl *m* **folding doors** *pl* Falttür *f*

foliage *n* Blätter *pl*

folk *pl* (*a.* **folks**: *infml* ≈ *people*) Leute *pl*; ***a lot of ~(s) believe ...*** viele (Leute) glauben ...; ***old ~*** alte Menschen; ***my ~s*** meine Leute (*infml*) **folk dance** *n* Volkstanz *m* **folklore** *n* Folklore *f* **folk music** *n* Volksmusik *f* **folk singer** *n* Sänger(in) *m(f)* von Volksliedern; (*modern songs*) Folksänger(in) *m(f)* **folk song** *n* Volkslied *nt*; (*modern*) Folksong *m* **folksy** *adj*

(*US*) *manner* herzlich **folk tale** *n* Volksmärchen *nt*

follicle *n* Follikel *nt*

follow I *v/t* folgen (*+dat*); *course, career, news* verfolgen; *fashion* mitmachen; *advice, instructions* befolgen; *athletics etc* sich interessieren für; *speech* (genau) verfolgen; ***he ~ed me about*** er folgte mir überallhin; ***he ~ed me out*** er folgte mir nach draußen; ***we're being ~ed*** wir werden verfolgt; ***he arrived first, ~ed by the ambassador*** er kam als Erster, gefolgt vom Botschafter; ***the dinner will be ~ed by a concert*** im Anschluss an das Essen findet ein Konzert statt; ***how do you ~ that?*** das ist kaum zu überbieten; ***I love lasagne ~ed by ice cream*** besonders gern mag ich Lasagne und danach Eis; ***do you ~ me?*** können Sie mir folgen?; ***to ~ one's heart*** auf die Stimme seines Herzens hören; ***which team do you ~?*** für welche Mannschaft sind Sie? **II** *v/i* folgen; ***his argument was as ~s*** er argumentierte folgendermaßen; ***to ~ in sb's footsteps*** (*fig*) in jds Fußstapfen (*acc*) treten; ***it doesn't ~ that ...*** daraus folgt nicht, dass ...; ***that doesn't ~*** nicht unbedingt!; ***I don't ~*** das verstehe ich nicht ◆ **follow on** *v/i* nachkommen ◆ **follow through** *v/i* ***to ~ with sth*** (*with plan*) etw zu Ende verfolgen; (*with threat*) etw wahr machen ◆ **follow up** *v/t sep* **1.** *request* nachgehen (*+dat*); *offer* aufgreifen **2.** (≈ *investigate further*) sich näher beschäftigen mit; *matter* weiterverfolgen **3.** *success* ausbauen

follower *n* Anhänger(in) *m*(*f*); ***to be a ~ of fashion*** sehr modebewusst sein; ***he's a ~ of Blair*** er ist Blair-Anhänger **following I** *adj* **1.** folgend; ***the ~ day*** der nächste *or* (darauf) folgende Tag **2.** ***a ~ wind*** Rückenwind *m* **II** *n* **1.** (≈ *followers*) Anhängerschaft *f* **2.** ***he said the ~*** er sagte Folgendes **III** *prep* nach **follow-up** *n* Fortsetzung *f* (*to +gen*)

folly *n* Verrücktheit *f*; ***it is sheer ~*** es ist der reinste Wahnsinn

fond *adj* (*+er*) **1.** ***to be ~ of sb/sth*** jdn/etw mögen; ***she is very ~ of animals*** sie ist sehr tierlieb(end); ***to become*** *or* ***grow ~ of sb/sth*** jdn/etw lieb gewinnen; ***to be ~ of doing sth*** etw gern tun **2.** *parent, look* liebevoll; ***to have ~ memories of sth*** schöne Erinnerungen an etw (*acc*) haben **3.** (≈ *foolish, vain*) ***in the ~ hope/belief that ...*** in der vergeblichen Hoffnung, dass ...

fondant *n* Fondant *m*

fondle *v/t* (zärtlich) spielen mit; (≈ *stroke*) streicheln **fondly** *adv* **1.** liebevoll; ***to remember sb ~*** jdn in bester Erinnerung behalten; ***to remember sth ~*** sich gern an etw (*acc*) erinnern **2.** (≈ *naively*) naiverweise **fondness** *n* (*for people*) Zuneigung *f* (*for* zu); (*for food, place etc*) Vorliebe *f* (*for* für)

fondue *n* Fondue *nt*; ***~ set*** Fondueset *nt*

font *n* TYPO Schrift *f*

food *n* Essen *nt*; (*for animals*) Futter *nt*; (≈ *nourishment*) Nahrung *f*; (≈ *foodstuff*) Nahrungsmittel *nt*; (≈ *groceries*) Lebensmittel *pl*; ***dog and cat ~*** Hunde- und Katzenfutter; ***~ and drink*** Essen und Trinken; ***I haven't any ~*** ich habe nichts zu essen; ***~ for thought*** Stoff *m* zum Nachdenken **food additives** *pl* chemische Zusätze *pl* **food chain** *n* Nahrungskette *f* **food combining** *n* Trennkost *f* **food industry** *n* Lebensmittelindustrie *f* **food parcel** *n* Lebensmittelpaket *nt* **food poisoning** *n* Lebensmittelvergiftung *f* **food processor** *n* Küchenmaschine *f* **food stamp** *n* (*US*) Lebensmittelmarke *f* **foodstuff** *n* Nahrungsmittel *nt* **food technology** *n also* BRIT SCHOOL Lebensmitteltechnologie *f*

fool I *n* Dummkopf *m*; ***don't be a ~!*** sei nicht (so) dumm!; ***he was a ~ not to accept*** es war dumm von ihm, nicht anzunehmen; ***to be ~ enough to ...*** so dumm *or* blöd (*infml*) sein, zu ...; ***to play*** *or* ***act the ~*** herumalbern; ***to make a ~ of sb*** jdn lächerlich machen; ***he made a ~ of himself*** er hat sich blamiert **II** *v/i* herumalbern; ***to ~ with sb/sth*** mit jdm/etw spielen; ***stop ~ing (around)!*** lass den Blödsinn! **III** *v/t* zum Narren halten; (≈ *trick*) hereinlegen (*infml*); (*disguise etc*) täuschen; ***I was completely ~ed*** ich bin vollkommen darauf hereingefallen; ***you had me ~ed*** ich habe das tatsächlich geglaubt; ***they ~ed him into believing that ...*** sie haben ihm weisgemacht, dass ... ◆ **fool about** (*Brit*) *or* **fool around** *v/i* **1.** (≈ *waste time*) herumtrödeln **2.** (≈ *play the fool*) herumalbern; ***to fool about*** *or* ***around with sth*** mit etw Blödsinn machen **3.** (*sexually*) ***he's fooling around with my wife*** er treibt seine Spielchen mit meiner

Frau

foolhardy *adj* tollkühn **foolish** *adj* dumm; ***don't do anything ~*** mach keinen Unsinn; ***what a ~ thing to do*** wie kann man nur so dumm sein; ***it made him look ~*** dadurch hat er sich blamiert **foolishly** *adv act* unklug; *say* dummerweise **foolishness** *n* Dummheit *f* **foolproof** *adj method* unfehlbar; *recipe* idiotensicher (*infml*)

foot I *n, pl* ***feet*** Fuß *m*; (*of bed*) Fußende *nt*; ***to be on one's feet*** auf den Beinen sein; ***to get back on one's feet*** wieder auf die Beine kommen; ***on ~*** zu Fuß; ***I'll never set ~ here again!*** hier kriegen mich keine zehn Pferde mehr her! (*infml*); ***the first time he set ~ in the office*** als er das erste Mal das Büro betrat; ***to get to one's feet*** aufstehen; ***to jump to one's feet*** aufspringen; ***to put one's feet up*** (*lit*) die Füße hochlegen; (*fig*) es sich (*dat*) bequem machen; ***he never puts a ~ wrong*** (*fig*) er macht nie einen Fehler; ***3 ~ or feet long*** 3 Fuß lang; ***he's 6 ~ 3*** ≈ er ist 1,90 m; ***to put one's ~ down*** (≈ *act with authority*) ein Machtwort sprechen; AUTO Gas geben; ***to put one's ~ in it*** ins Fettnäpfchen treten; ***to find one's feet*** sich eingewöhnen; ***to get/be under sb's feet*** jdm im Wege stehen *or* sein; ***to get off on the wrong ~*** einen schlechten Start haben; ***to stand on one's own two feet*** auf eigenen Füßen stehen; ***a nice area, my ~!*** (*infml*) und das soll eine schöne Gegend sein! **II** *v/t bill* bezahlen **footage** *n* **1.** (≈ *length*) Gesamtlänge *f* (*in Fuß*) **2.** (*of film*) Filmmeter *pl* **foot-and-mouth (disease)** *n* (*Br*) Maul- und Klauenseuche *f*

football *n* **1.** Fußball *m* **2.** (≈ *American football*) (American) Football *m* **football boot** *n* Fußballschuh *m* **footballer** *n* **1.** (*Br*) Fußball(spiel)er(in) *m*(*f*) **2.** (*in American football*) Footballspieler *m* **football hooligan** *n* Fußballrowdy *or* -hooligan *m* **football pools** *pl* Fußballtoto *nt or m*

footbridge *n* Fußgängerbrücke *f* **-footed** *adj suf* -füßig; ***four-footed*** vierfüßig **footer** *n* IT Fußzeile *f* **foothills** *pl* (Gebirgs)ausläufer *pl* **foothold** *n* Halt *m*; ***to gain a ~*** (*fig*) Fuß fassen **footing** *n* **1.** (*lit*) ***to lose one's ~*** den Halt verlieren **2.** (*fig*) (≈ *foundation*) Basis *f*; (≈ *relationship*) Beziehung *f*; ***on an equal ~*** auf gleicher Basis **footlights** *pl* THEAT Rampenlicht *nt* **footman** *n* Lakai *m* **footnote** *n* Fußnote *f*; (*fig*) Anmerkung *f* **foot passenger** *n* Fußgänger(in) *m*(*f*), Fußpassagier(in) *m*(*f*) **footpath** *n* Fußweg *m* **footprint** *n* Fußabdruck *m* **footprints** *pl* Fußspuren *pl* **footrest** *n* Fußstütze *f* **footsore** *adj* ***to be ~*** wunde Füße haben **footstep** *n* Schritt *m* **footstool** *n* Fußbank *f* **footwear** *n* Schuhe *pl* **footwork** *n no pl* SPORTS Beinarbeit *f*

for I *prep* **1.** für; (*purpose*) zu, für; (*destination*) nach; ***a letter ~ me*** ein Brief für mich; ***destined ~ greatness*** zu Höherem bestimmt; ***what ~?*** wofür?, wozu?; ***what is this knife ~?*** wozu dient dieses Messer?; ***he does it ~ pleasure*** er macht es zum *or* aus Vergnügen; ***what did you do that ~?*** warum *or* wozu haben Sie das getan?; ***a bag ~ carrying books (in)*** eine Tasche, um Bücher zu tragen; ***to go to Spain ~ one's holidays*** nach Spanien in Urlaub fahren; ***the train ~ Stuttgart*** der Zug nach Stuttgart; ***to leave ~ the USA*** in die USA *or* nach Amerika abreisen; ***it's not ~ me to say*** es steht mir nicht zu, mich dazu zu äußern; ***I'll speak to her ~ you if you like*** wenn Sie wollen, rede ich an Ihrer Stelle *or* für Sie mit ihr; ***D ~ Daniel*** D wie Daniel; ***are you ~ or against it?*** sind Sie dafür oder dagegen?; ***I'm all ~ helping him*** ich bin sehr dafür, ihm zu helfen; ***~ my part*** was mich betrifft; ***as ~ him*** was ihn betrifft; ***what do you want ~ your birthday?*** was wünschst du dir zum Geburtstag?; ***it's all very well ~ you to talk*** Sie haben gut reden; ***~ further information see page 77*** weitere Informationen finden Sie auf Seite 77; ***his knack ~ saying the wrong thing*** sein Talent, das Falsche zu sagen **2.** (≈ *because of*) aus; ***~ this reason*** aus diesem Grund; ***to go to prison ~ theft*** wegen Diebstahls ins Gefängnis wandern; ***to choose sb ~ his ability*** jdn wegen seiner Fähigkeiten wählen; ***if it were not ~ him*** wenn er nicht wäre **3.** (≈ *in spite of*) trotz (+*gen or* (*inf*) +*dat*) **4.** (*in time*) seit; (*with future tense*) für; ***I have not seen her ~ two years*** ich habe sie seit zwei Jahren nicht gesehen; ***he walked ~ two hours*** er ist zwei Stunden lang marschiert; ***I am going away ~ a few days*** ich werde (für *or* auf) ein paar Tage wegfahren; ***I shall be away ~ a month*** ich werde einen Monat (lang) weg sein; ***he won't be back ~ a week*** er wird erst in einer Woche zurück sein; ***can you get it done ~ Monday?*** können Sie es bis *or* für Montag fertig haben?; ***~ a while/time*** (für) eine Weile/einige Zeit; ***the meeting was scheduled ~ 9 o'clock*** die Besprechung sollte um 9 Uhr stattfinden **5.** (*distance*) ***we walked ~ two miles*** wir sind zwei Meilen weit gelaufen; ***there are roadworks on the M8 ~ two miles*** auf der M8 gibt es eine zwei Meilen lange Baustelle; ***~ miles*** meilenweit **6.** ***it's easy ~ him to do it*** er kann das leicht tun; ***I brought it ~ you to see*** ich habe es mitgebracht, damit Sie es sich (*dat*) ansehen können; ***the best thing would be ~ you to leave*** das Beste wäre, wenn Sie weggingen; ***there's still time ~ him to come*** er kann immer noch kommen; ***you're (in) ~ it!*** (*infml*) jetzt bist du dran! (*infml*) **II** *cj* denn **III** *adj pred* (≈ *in favour*) dafür

forage *v/i* nach Futter suchen; (*fig* ≈ *rummage*) herumstöbern (*for* nach)

foray *n* (Raub)überfall *m*; (*fig*) Ausflug *m* (*into* in +*acc*)

forbad(e) *pret of* **forbid**

forbid *pret* **forbad(e)**, *past part* **forbidden** *v/t* verbieten; ***to ~ sb to do sth*** jdm verbieten, etw zu tun; ***God*** *or* ***Heaven ~!*** Gott behüte *or* bewahre! **forbidden** *adj* verboten; ***they are ~ to enter*** sie dürfen nicht hereinkommen; ***smoking is (strictly) ~*** Rauchen ist (streng) verboten; ***~ subject*** Tabuthema *nt* **forbidding** *adj person* Furcht einflößend; *place* unwirtlich; *prospect* düster

force I *n* **1.** *no pl* (≈ *physical strength, power*) Kraft *f*; (*of impact*) Wucht *f*; (≈ *physical coercion*) Gewalt *f*; ***by*** *or* ***through sheer ~ of numbers*** aufgrund zahlenmäßiger Überlegenheit; ***there is a ~ 5 wind blowing*** es herrscht Windstärke 5; ***they were there in ~*** sie waren in großer Zahl da; ***to come into/be in ~*** in Kraft treten/sein **2.** *no pl* (*fig*) (*of argument*) Überzeugungskraft *f*; ***by ~ of habit*** aus Gewohnheit; ***the ~ of circumstances*** der Druck der Verhältnisse **3.** (≈ *powerful thing, person*) Macht *f*; ***there are various ~s at work here*** hier sind verschiedene Kräfte am Werk; ***he is a powerful ~ in the reform movement*** er ist ein einflussreicher Mann in der Reformbewegung **4.** ***the ~s*** MIL die Streitkräfte *pl*; ***the (police) ~*** die Polizei; ***to join ~s*** sich zusammentun **II** *v/t* **1.** (≈ *compel*) zwingen; ***to ~ sb/oneself to do sth*** jdn/sich zwingen, etw zu tun; ***he was ~d to conclude that ...*** er sah sich zu der Folgerung gezwungen *or* gedrängt, dass ...; ***to ~ sth (up)on sb*** jdm etw aufdrängen; ***he ~d himself on her*** (*sexually*) er tat ihr Gewalt an; ***to ~ a smile*** gezwungen lächeln **2.** (≈ *obtain by force*) erzwingen; ***he ~d a confession out of me*** er erzwang ein Geständnis von mir; ***to ~ an error*** SPORTS einen Fehler erzwingen **3.** (≈ *break open*) aufbrechen **4.** (≈ *push*) ***to ~ books into a box*** Bücher in eine Kiste zwängen; ***if it won't open/go in, don't ~ it*** wenn es nicht aufgeht/passt, wende keine Gewalt an; ***to ~ one's way into sth*** sich (*dat*) gewaltsam Zugang zu etw verschaffen; ***to ~ a car off the road*** ein Auto von der Fahrbahn drängen ◆ **force back** *v/t sep tears* unterdrücken ◆ **force down** *v/t sep food* hinunterquälen ◆ **force off** *v/t sep lid* mit Gewalt abmachen

forced *adj* **1.** (≈ *imposed*) Zwangs-; *repatriation* gewaltsam **2.** *smile, conversation* gezwungen **forced labour**, (*US*) **forced labor** *n* Zwangsarbeit *f* **force-feed** *vb*: *pret, past part* **force-fed** *v/t* zwangsernähren **forceful** *adj* **1.** *blow* kräftig **2.** *manner* energisch; *character* stark; *style, reminder* eindringlich; *argument* überzeugend **forcefully** *adv* **1.** *remove* gewaltsam **2.** *act* entschlossen; *argue* eindringlich **forcefulness** *n* (*of person, manner, action*) energische *or* entschlossene Art; (*of character, personality*) Stärke *f*; (*of argument* ≈ *strength*) Eindringlichkeit *f*; (≈ *conviction*) Überzeugungskraft *f*

forceps *pl* (*a.* **pair of forceps**) Zange *f*

forcible *adj*, **forcibly** *adv* gewaltsam

ford I *n* Furt *f* **II** *v/t* durchqueren

fore I *n* ***to come to the ~*** ins Blickfeld geraten **II** *adj attr* vordere(r, s) **forearm** *n* Unterarm *m* **forebear** *n* (*form*) Vorfahr(in) *m*(*f*) **foreboding** *n* (≈ *presentiment*) (Vor)ahnung *f*; (≈ *disquiet*) ungutes Gefühl **forecast I** *v/t* voraussagen **II** *n* Vorhersage *f* **forecaster** *n* METEO Meteorologe *m*, Meteorologin *f* **forecourt** *n* Vorhof *m* **forefather** *n* Ahn *m*, Vorfahr *m* **forefinger** *n* Zeigefinger *m* **forefront** *n* ***at the ~ of*** an der Spitze (+*gen*) **forego** *pret* **forewent**, *past part* **foregone** *v/t* verzichten auf (+*acc*) **foregone I** *past part of* **forego II** *adj* ***it was a ~ conclusion*** es stand von vornherein fest **foreground** *n* Vordergrund *m*; ***in the ~*** im Vordergrund **forehand** SPORTS **I** *n* Vorhand *f* **II** *attr* Vorhand-

forehead *n* Stirn *f*

foreign *adj* **1.** *person* ausländisch; *food, customs* fremdländisch; ***to be ~*** (*person*) Ausländer(in) *m(f)* sein; ***~ countries*** das Ausland; ***~ travel*** Auslandsreisen *pl*; ***~ news*** Auslandsnachrichten *pl* **2.** (≈ *alien*) Fremd-; ***~ body*** Fremdkörper *m*; ***to be ~ to sb*** jdm fremd sein **foreign affairs** *pl* Außenpolitik *f* **foreign aid** *n* Entwicklungshilfe *f* **foreign correspondent** *n* Auslandskorrespondent(in) *m(f)* **foreign currency** *n* Devisen *pl*

foreigner *n* Ausländer(in) *m(f)* **foreign exchange** *n* ***on the ~s*** an den Devisenbörsen **foreign language I** *n* Fremdsprache *f* **II** *attr film* fremdsprachig; ***~ assistant*** Fremdsprachenassistent(in) *m(f)* **Foreign Minister** *n* Außenminister(in) *m(f)* **Foreign Office** *n* (*Br*) Auswärtiges Amt **foreign policy** *n* POL Außenpolitik *f* **Foreign Secretary** *n* (*Br*) Außenminister(in) *m(f)* **foreign trade** *n* Außenhandel *m*

foreleg *n* Vorderbein *nt* **foreman** *n, pl* **-men** (*in factory*) Vorarbeiter *m*; (*on building site*) Polier *m* **foremost I** *adj* führend; ***~ among them was John*** John führte mit ihnen **II** *adv* vor allem **forename** *n* Vorname *m*

forensic *adj* forensisch; (*Med*) gerichtsmedizinisch **forensic medicine** *n* Gerichtsmedizin *f* **forensic science** *n* Kriminaltechnik *f*

foreplay *n* Vorspiel *nt* **forerunner** *n* Vorläufer *m* **foresee** *pret* **foresaw**, *past part* **foreseen** *v/t* vorhersehen **foreseeable** *adj* voraussehbar; ***in the ~ future*** in absehbarer Zeit **foreshadow** *v/t* ahnen lassen **foresight** *n* Weitblick *m* **foreskin** *n* Vorhaut *f*

forest *n* Wald *m*; (*for lumber etc*) Forst *m*

forestall *v/t sb* zuvorkommen (+*dat*)

forester *n* Förster(in) *m(f)* **forest ranger** *n* (*US*) Förster(in) *m(f)* **forestry** *n* Forstwirtschaft *f*

foretaste *n* Vorgeschmack *m*; ***to give sb a ~ of sth*** jdm einen Vorgeschmack von etw geben **foretell** *pret, past part* **foretold** *v/t* vorhersagen

forever *adv* **1.** ewig; *remember, go on* immer; ***Scotland ~!*** ein Hoch auf Schottland!; ***it takes ~*** (*infml*) es dauert ewig (*infml*); ***these slate roofs last ~*** (*infml*) diese Schieferdächer halten ewig **2.** *change* unwiderruflich; ***the old social order was gone ~*** das alte Gesellschaftssystem war für immer verschwunden; ***to be ~ doing sth*** (*infml*) (an)dauernd *or* ständig etw tun

forewarn *v/t* vorher warnen **forewent** *pret of* **forego** **foreword** *n* Vorwort *nt*

forfeit I 1. *esp* JUR verwirken **2.** (*fig*) *one's life* einbüßen; *right, place* verlieren **II** *n esp* JUR Strafe *f*; (*fig*) Einbuße *f*; (*in game*) Pfand *nt* **forfeiture** *n* Verlust *m*, Einbuße *f*; (*of claim*) Verwirkung *f*

forgave *pret of* **forgive**

forge I *n* Schmiede *f* **II** *v/t* **1.** *metal, plan* schmieden; *alliance* schließen **2.** *signature* fälschen **III** *v/i* ***to ~ ahead*** vorwärtskommen **forger** *n* Fälscher(in) *m(f)* **forgery** *n* Fälschung *f*; ***the signature was a ~*** die Unterschrift war gefälscht

forget *pret* **forgot**, *past part* **forgotten I** *v/t* vergessen; *ability, language* verlernen; ***and don't you ~ it!*** und dass du das ja nicht vergisst!; ***to ~ to do sth*** vergessen, etw zu tun; ***I ~ his name*** sein Name ist mir entfallen; ***not ~ting ...*** nicht zu vergessen ...; ***~ it!*** schon gut!; ***you might as well ~ it*** (*infml*) das kannst du vergessen (*infml*) **II** *v/i* es vergessen; ***don't ~!*** vergiss (es) nicht!; ***I never ~*** ich vergesse nie etwas **III** *v/r* sich vergessen ◆ **forget about** *v/i +prep obj* vergessen

forgetful *adj* vergesslich **forgetfulness** *n* Vergesslichkeit *f* **forget-me-not** *n* BOT Vergissmeinnicht *nt* **forgettable** *adj* ***it was an instantly ~ game*** es war ein Spiel, das man sofort vergessen konnte

forgivable *adj* verzeihbar

forgive *pret* **forgave**, *past part* **forgiven** *v/t* verzeihen; *sin* vergeben; ***to ~ sb for sth*** jdm etw verzeihen; ***to ~ sb for doing sth*** jdm verzeihen, dass er/sie etw getan hat **forgiveness** *n no pl* ***to ask/beg (sb's) ~*** (jdn) um Verzeihung *or* Vergebung (*esp* ECCL) bitten **forgiving** *adj* versöhnlich

forgo *pret* **forwent**, *past part* **forgone** *v/t* = **forego**

forgot *pret of* ***forget*** **forgotten** *past part of* ***forget***
fork I *n* **1.** Gabel *f* **2.** (*in road*) Gabelung *f*; ***take the left ~*** nehmen Sie die linke Abzweigung **II** *v/i* (*road, branch*) sich gabeln; ***to ~*** (***to the***) ***right*** (*road*) nach rechts abzweigen ◆ **fork out** (*infml*) *v/i, v/t sep* blechen (*infml*)
forked *adj* gegabelt; *tongue* gespalten
fork-lift (truck) (*infml*) *n* Gabelstapler *m*
forlorn *adj* **1.** (≈ *desolate*) verlassen; (≈ *miserable*) trostlos **2.** *attempt* verzweifelt; ***in the ~ hope of finding a better life*** in der verzweifelten Hoffnung auf ein besseres Leben **forlornly** *adv* **1.** *stand, wait* einsam und verlassen; *stare* verloren **2.** *hope, try* verzweifelt; (≈ *vainly*) vergeblich
form I *n* **1.** Form *f*; (*of person*) Gestalt *f*; ***~ of address*** Anrede *f*; ***a ~ of apology*** eine Art der Entschuldigung; ***in the ~ of*** in Form von *or +gen*; ***in tablet ~*** in Tablettenform; ***to be in fine ~*** in guter Form sein; ***to be on/off ~*** in / außer Form sein; ***he was in great ~ that evening*** er war an dem Abend in Hochform; ***on past ~*** auf dem Papier **2.** (≈ *document*) Formular *nt* **3.** (*Br* SCHOOL) Klasse *f* **II** *v/t* **1.** *object, character* formen (*into* zu) **2.** *liking, idea* entwickeln; *friendship* schließen; *opinion* sich (*dat*) bilden; *plan* entwerfen **3.** *government, part, circle* bilden; *company* gründen; ***to ~ a queue*** (*Br*) *or* ***line*** (*US*) eine Schlange bilden **III** *v/i* (≈ *take shape*) Gestalt annehmen
formal *adj* **1.** *person, language* förmlich; *talks, statement etc* formell; *occasion* feierlich; ***to make a ~ apology*** sich in aller Form entschuldigen; ***~ dress*** Gesellschaftskleidung *f* **2.** *style* formal **3.** *education* ordentlich **formality** *n* **1.** *no pl* (*of person, ceremony etc*) Förmlichkeit *f* **2.** (≈ *matter of form*) Formalität *f* **formalize** *v/t rules* formalisieren; *agreement* formell bekräftigen **formally** *adv behave, dress* förmlich; *announce etc* offiziell; *apologize* in aller Form; ***~ charged*** JUR offiziell angeklagt
format I *n* (*as regards size*) Format *nt*; (*as regards content*) Aufmachung *f*; RADIO, TV Struktur *f* **II** *v/t* IT formatieren **formation** *n* **1.** (≈ *act of forming*) Formung *f*; (*of government, committee*) Bildung *f*; (*of company*) Gründung *f* **2.** (*of aircraft*) Formation *f*; ***battle ~*** Gefechtsaufstellung *f* **formative** *adj* prägend; ***her ~ years*** die charakterbildenden Jahre in ihrem Leben
former I *adj* **1.** *president, employee, hospital* ehemalig; *place, authority etc* früher; ***his ~ wife*** seine Exfrau; ***in ~ times*** *or* ***days*** in früheren Zeiten **2.** ***the ~ alternative*** die erstere Alternative **II** *n* ***the ~*** der / die/das Erstere; (*more than one*) die Ersteren *pl*
-former *n suf* (*Br* SCHOOL) -klässler(in) *m(f)*; ***fifth-former*** Fünftklässler(in) *m(f)*
formerly *adv* früher; ***the ~ communist countries*** die ehemals kommunistischen Länder; ***we had ~ agreed that ...*** wir hatten uns seinerzeit darauf geeinigt, dass ...
form feed *n* IT Papiervorschub *m*
Formica® *n* Schichtstoff(platte *f*) *m*
formidable *adj challenge, achievement, strength* gewaltig; *person, reputation* beeindruckend; *opponent* mächtig; *talents* außerordentlich **formidably** *adv* hervorragend; ***~ gifted*** *or* ***talented*** außerordentlich begabt *or* talentiert
form letter *n* IT Formbrief *m*
formula *n, pl* **-s** *or* **-e 1.** Formel *f*; (*for lotion etc*) Rezeptur *f*; ***there's no sure ~ for success*** es gibt kein Patentrezept für Erfolg; ***all his books follow the same ~*** alle seine Bücher sind nach demselben Rezept geschrieben **2.** *no pl* (*a.* **formula milk**) Säuglingsmilch *f*
Formula One *n* MOTORING RACING Formel 1 **formulate** *v/t* formulieren **formulation** *n* Formulierung *f*
forsake *pret* ***forsook***, *past part* ***forsaken*** *v/t* verlassen
forswear *pret* ***forswore***, *past part* ***forsworn*** *v/t* abschwören (*+dat*)
fort *n* MIL Fort *nt*; ***to hold the ~*** (*fig*) die Stellung halten
forte *n* (≈ *strong point*) Stärke *f*
forth *adv* (*form, dated*) **1.** (≈ *out*) heraus-; (≈ *forward*) hervor-; ***to come ~*** herauskommen **2.** ***and so ~*** und so weiter **forthcoming** *adj* (*form*) **1.** *attr event* bevorstehend; *album* in Kürze erscheinend; *film* in Kürze anlaufend **2.** ***to be ~*** (*money*) zur Verfügung gestellt werden; (*aid*) geleistet werden **3.** ***to be ~ about sth*** offen über etw (*acc*) reden; ***not to be ~ on*** *or* ***about sth*** sich über etw (*acc*) zurückhalten **forthright** *adj* (≈ *direct*) direkt; (≈

frank) offen
fortieth I *adj* vierzigste(r, s) **II** *n* **1.** (≈ *fraction*) Vierzigstel *nt* **2.** (*in series*) Vierzigste(r, s); → ***sixth***
fortifications *pl* MIL Befestigungen *pl*
fortified wine *n* weinhaltiges Getränk
fortify *v/t* MIL *town* befestigen; *person* bestärken
fortitude *n* (innere) Kraft
fortnight *n* (*esp Br*) vierzehn Tage **fortnightly** (*esp Br*) **I** *adj* vierzehntäglich; ***~ visits*** Besuche *pl* alle vierzehn Tage **II** *adv* alle vierzehn Tage
fortress *n* Festung *f*
fortuitous *adj*, **fortuitously** *adv* zufällig
fortunate *adj* glücklich; ***we are ~ that ...*** wir können von Glück reden, dass ...; ***it is ~ that ...*** es ist ein Glück, dass ...; ***it was ~ for him/Mr Fox that...*** es war sein Glück/ein Glück für Mr Fox, dass ...
fortunately *adv* zum Glück; ***~ for me, my friend noticed it*** zu meinem Glück hat mein Freund es bemerkt **fortune** *n* **1.** (≈ *fate*) Schicksal *nt*; ***she followed his ~s with interest*** sie verfolgte sein Geschick mit Interesse; ***he had the good ~ to have rich parents*** er hatte das Glück, reiche Eltern zu haben; ***to tell sb's ~*** jdm wahrsagen **2.** (≈ *money*) Vermögen *nt*; ***to make a ~*** ein Vermögen machen; ***to make one's ~*** sein Glück machen; ***it costs a ~*** es kostet ein Vermögen **fortune-teller** *n* Wahrsager(in) *m(f)*
forty I *adj* vierzig; ***to have ~ winks*** (*infml*) ein Nickerchen machen (*infml*) **II** *n* Vierzig *f*; → ***sixty***
forum *n* Forum *nt*
forward I *adv* **1.** (*a.* **forwards** ≈ *onwards*) vorwärts; (≈ *to the front*) nach vorn; ***to take two steps ~*** zwei Schritte vortreten; ***to rush ~*** sich vorstürzen; ***to go straight ~*** geradeaus gehen; ***he drove backward(s) and ~(s) between the station and the house*** er fuhr zwischen Haus und Bahnhof hin und her **2.** (*in time*) ***from this time ~*** (≈ *from then*) seitdem; (≈ *from now*) von jetzt an **3.** ***to come ~*** sich melden; ***to bring ~ new evidence*** neue Beweise *pl* vorlegen **II** *adj* **1.** (*in place*) vordere(r, s); (*in direction*) Vorwärts-; ***this seat is too far ~*** dieser Sitz ist zu weit vorn **2.** *planning* Voraus- **3.** (≈ *presumptuous*) dreist **III** *n* SPORTS Stürmer(in) *m(f)* **IV** *v/t* **1.** *career* voranbringen **2.** *letter* nachsenden; *information, e-mail* weiterleiten **forwarding address** *n* Nachsendeadresse *f* **forward-looking** *adj* fortschrittlich **forwards** *adv* = ***forward*** I1 **forward slash** *n* TYPO Slash *m*, Schrägstrich *m*
forwent *pret of* ***forgo***
fossil *n* (*lit*) Fossil *nt* **fossil fuel** *n* fossiler Brennstoff *m* **fossilized** *adj* versteinert
foster I *adj attr* ADMIN Pflege-; ***their children are in ~ care*** ihre Kinder sind in Pflege **II** *v/t* **1.** *child* in Pflege nehmen **2.** *development* fördern **foster child** *n* Pflegekind *nt* **foster family** *n* Pflegefamilie *f* **foster home** *n* Pflegestelle *f* **foster parents** *pl* Pflegeeltern *pl*
fought *pret, past part of* ***fight***
foul I *adj* **1.** *place, taste* widerlich; *water* faulig; *air* stickig; *smell* ekelhaft **2.** *behaviour* abscheulich; *day* scheußlich (*infml*); ***he was really ~ to her*** er war wirklich gemein *or* fies (*infml*) zu ihr; ***she has a ~ temper*** sie ist ein ganz übellauniger Mensch; ***to be in a ~ mood*** *or* ***temper*** eine ganz miese Laune haben (*infml*); ***~ weather*** scheußliches Wetter **3.** (≈ *offensive*) anstößig; ***~ language*** Schimpfwörter *pl* **4.** ***to fall ~ of the law*** mit dem Gesetz in Konflikt geraten; ***to fall ~ of sb*** es sich (*dat*) mit jdm verderben **II** *v/t* **1.** *air* verpesten; *pavement* verunreinigen **2.** SPORTS foulen **III** *n* SPORTS Foul *nt* **foul-mouthed** *adj* unflätig **foul play** *n* **1.** SPORTS unfaires Spiel **2.** (*fig*) ***the police do not suspect ~*** die Polizei hat keinen Verdacht auf einen unnatürlichen Tod
found[1] *pret, past part of* ***find***
found[2] *v/t* (≈ *set up*) gründen; ***to ~ sth (up)on sth*** *opinion* etw auf etw (*dat*) gründen; ***our society is ~ed on this*** das ist die Grundlage unserer Gesellschaft; ***the novel is ~ed on fact*** der Roman basiert auf Tatsachen **foundation** *n* **1.** (≈ *institution*) Stiftung *f*; ***research ~*** Forschungsstiftung *f* **2.** ***~s*** *pl* (*of house etc*) Fundament *nt* **3.** (*fig* ≈ *basis*) Grundlage *f*; ***to be without ~*** (*rumours*) jeder Grundlage entbehren **4.** (≈ *make-up*) Grundierungscreme *f* **foundation stone** *n* Grundstein *m*
founder[1] *n* Gründer(in) *m(f)*; (*of charity*) Stifter(in) *m(f)*
founder[2] *v/i* **1.** (*ship*) sinken **2.** (*fig: project*) scheitern
founder member *n* Gründungsmitglied

nt **Founding Fathers** *pl* (*US*) Väter *pl*
foundry *n* Gießerei *f*
fount *n* **1.** (*fig* ≈ *source*) Quelle *f* **2.** TYPO Schrift *f*
fountain *n* Brunnen *m* **fountain pen** *n* Füllfederhalter *m*
four I *adj* vier **II** *n* Vier *f*; ***on all ~s*** auf allen vieren; → ***six*** **four-door** *adj attr* viertürig **four-figure** *adj attr* vierstellig **fourfold I** *adj* vierfach **II** *adv* um das Vierfache **four-leaf clover** *n* vierblättriges Kleeblatt **four-legged** *adj* vierbeinig **four-letter word** *n* Vulgärausdruck *m* **four-part** *adj attr series, programme* vierteilig; *plan* aus vier Teilen bestehend; MUS für vier Stimmen; *harmony, choir* vierstimmig **four-poster (bed)** *n* Himmelbett *nt* **four-seater I** *adj* viersitzig **II** *n* Viersitzer *m* **foursome** *n* Quartett *nt* **four-star** *adj* Vier-Sterne-; ***~ hotel/restaurant*** Vier-Sterne-Hotel/-Restaurant *nt* **four-star petrol** *n* (*Br*) Super(benzin) *nt*
fourteen I *adj* vierzehn **II** *n* Vierzehn *f*
fourteenth I *adj* vierzehnte(r, s) **II** *n* **1.** (≈ *fraction*) Vierzehntel *nt* **2.** (*of series*) Vierzehnte(r, s); → ***sixteenth***
fourth I *adj* vierte(r, s) **II** *n* **1.** (≈ *fraction*) Viertel *nt* **2.** (*in series*) Vierte(r, s); ***in ~*** AUTO im vierten Gang; → ***sixth*** **fourthly** *adv* viertens **four-wheel drive** *n* Vierradantrieb *m* **four-wheeler** *n* (*US*) Quad *nt*
fowl *n* (≈ *poultry*) Geflügel *nt*; (≈ *one bird*) Huhn *nt etc*
fox I *n* Fuchs *m* **II** *v/t* verblüffen **foxglove** *n* BOT Fingerhut *m* **fox-hunting** *n* Fuchsjagd *f*; ***to go ~*** auf die *or* zur Fuchsjagd gehen
foyer *n* (*in theatre*) Foyer *nt*; (*esp US, in house*) Diele *f*
Fr 1. *abbr of* ***Father*** **2.** *abbr of* ***Friar***
fracas *n* Tumult *m*
fraction *n* **1.** MAT Bruch *m* **2.** (*fig*) Bruchteil *m*; ***move it just a ~*** verrücke es (um) eine Spur; ***for a ~ of a second*** einen Augenblick lang **fractional** *adj* MAT Bruch-; (*fig*) geringfügig; ***~ part*** Bruchteil *m* **fractionally** *adv less, slower* geringfügig; *rise* um einen Bruchteil
fractious *adj* verdrießlich; *child* aufsässig
fracture I *n* Bruch *m* **II** *v/t & v/i* brechen; ***he ~d his shoulder*** er hat sich (*dat*) die Schulter gebrochen; ***~d skull*** Schädelbruch *m*
fragile *adj object* zerbrechlich; *structure* fragil; ***"fragile (handle) with care"*** „Vorsicht, zerbrechlich!"; ***to feel ~*** (*infml*) sich angeschlagen fühlen **fragility** *n* (*of glass, china, object*) Zerbrechlichkeit *f*; (*of fabric*) Feinheit *f*; (*of health*) Zartheit *f*; (*of peace, ceasefire*) Brüchigkeit *f*; (*of mental state, economy*) Labilität *f*
fragment I *n* Bruchstück *nt*; (*of glass*) Scherbe *f*; (*of programme etc*) Bruchteil *m* **II** *v/i* (*fig, society*) zerfallen **fragmentary** *adj* (*lit, fig*) fragmentarisch, bruchstückhaft **fragmentation** *n* (*of society*) Zerfall *m* **fragmented** *adj* bruchstückhaft; (≈ *broken up*) unzusammenhängend
fragrance *n* Duft *m* **fragrant** *adj* duftend; ***~ smell*** Duft *m*
frail *adj* (+*er*) *person* gebrechlich; *health* zart; *structure* fragil; ***to look ~*** (*of person*) schwach aussehen **frailty** *n* (*of person*) Gebrechlichkeit *f*
frame I *n* **1.** Rahmen *m*; (*of building, ship*) Gerippe *nt*; (*of spectacles*: *a.* **frames**) Gestell *nt* **2. *~ of mind*** (≈ *mental state*) Verfassung *f*; (≈ *mood*) Stimmung *f*; ***in a cheerful ~ of mind*** in fröhlicher Stimmung **3.** FILM, PHOT (Einzel)bild *nt* **II** *v/t* **1.** *picture* rahmen; (*fig*) *face etc* ein- *or* umrahmen **2.** *answer, question* formulieren **3.** (*infml*) ***he said he had been ~d*** er sagte, man habe ihm die Sache angehängt (*infml*) **framework** *n* (*lit*) Grundgerüst *nt*; (*fig, of essay etc*) Gerippe *nt*; (*of society etc*) grundlegende Struktur; ***within the ~ of ...*** im Rahmen (+*gen*) ...
France *n* Frankreich *nt*
franchise *n* **1.** POL Wahlrecht *nt* **2.** COMM Franchise *f*
Franco- *in cpds* Französisch-, Franko-
frank[1] *adj* (+*er*) offen; ***to be ~ with sb*** offen mit *or* zu jdm sein; ***to be (perfectly) ~ (with you)*** um (ganz) ehrlich zu sein
frank[2] *v/t letter* frankieren; (≈ *postmark*) stempeln
frankfurter *n* (Frankfurter) Würstchen *nt*
frankincense *n* Weihrauch *m*
franking machine *n* Frankiermaschine *f*
frankly *adv* **1.** *talk* offen **2.** (≈ *to be frank*) ehrlich gesagt; ***quite ~, I don't care*** um ganz ehrlich zu sein, es ist mir egal
frankness *n* Offenheit *f*
frantic *adj* **1.** *person, search* verzweifelt; ***I was ~*** ich war außer mir; ***to drive sb ~*** jdn zur Verzweiflung treiben **2.** *day* hek-

tisch; **~ activity** (*generally*) hektisches Treiben; (*particular instance*) fieberhafte Tätigkeit **frantically** *adv* **1.** *try, search* verzweifelt **2.** *work, run around* hektisch; *wave, scribble* wie wild

fraternal *adj* brüderlich **fraternity** *n* (≈ *community*) Vereinigung *f*; (*US* UNIV) Verbindung *f*; ***the legal ~*** die Juristen *pl*; ***the criminal ~*** die Kriminellen *pl*

fraternize *v/i* (freundschaftlichen) Umgang haben (*with* mit)

fraud *n* **1.** (*no pl*) Betrug *m*; (≈ *trick*) Schwindel *m* **2.** (≈ *person*) Betrüger(in) *m(f)*; (*feigning illness*) Simulant(in) *m(f)* **fraudulent** *adj* betrügerisch **fraudulently** *adv act* betrügerisch; *obtain* auf betrügerische Weise

fraught *adj* **1.** ***~ with difficulty*** voller Schwierigkeiten; ***~ with danger*** gefahrvoll **2.** *atmosphere* gespannt; *person* angespannt

fray[1] *n* ***to enter the ~*** (*fig*) sich in den Kampf *or* Streit einschalten

fray[2] *v/i* (*cloth*) (aus)fransen; (*rope*) sich durchscheuern; ***tempers began to ~*** die Gemüter begannen sich zu erhitzen

frayed *adj jeans etc* ausgefranst; ***tempers were ~*** die Gemüter waren erhitzt

frazzle I *n* (*infml*) ***burnt to a ~*** (*Br*) völlig verkohlt; ***worn to a ~*** (≈ *exhausted*) total kaputt (*infml*) **II** *v/t* (*US infml* ≈ *fray*) ausfransen

freak I *n* **1.** (≈ *person, animal*) Missgeburt *f*; ***~ of nature*** Laune *f* der Natur **2.** (*infml*) ***health ~*** Gesundheitsfreak *m* (*infml*) **3.** (*infml* ≈ *weird person*) Irre(r) *m/f(m)* **II** *adj weather, conditions* anormal; *storm* ungewöhnlich stark; *accident* verrückt ◆ **freak out** (*infml*) **I** *v/i* ausflippen (*infml*) **II** *v/t sep* ***it freaked me out*** dabei bin ich ausgeflippt (*infml*)

freakish *adj weather* launisch

freckle *n* Sommersprosse *f* **freckled, freckly** *adj* sommersprossig

free I *adj* (*+er*) **1.** frei; ***as ~ as a bird*** frei wie ein Vogel; ***to go ~*** freigelassen werden; ***you're ~ to choose*** die Wahl steht Ihnen frei; ***you're ~ to go now*** Sie können jetzt gehen(, wenn Sie wollen); ***(do) feel ~ to ask questions*** fragen Sie ruhig; ***feel ~!*** (*infml*) bitte, gern(e)!; ***his arms were left ~*** (≈ *not tied*) seine Arme waren frei (gelassen); ***~ elections*** freie Wahlen *pl*; ***~ from worry*** sorgenfrei; ***~ from blame*** frei von Schuld; ***~ of sth*** frei von etw; ***~ of fear*** ohne Angst; ***at last I was ~ of her*** endlich war ich sie los; ***I wasn't ~ earlier*** (≈ *was occupied*) ich hatte nicht eher Zeit **2.** (≈ *costing nothing*) kostenlos; COMM gratis; ***it's ~*** das kostet nichts; ***admission ~*** Eintritt frei; ***to get sth ~*** etw umsonst bekommen; ***we got in ~*** *or* ***for ~*** (*infml*) wir kamen umsonst rein; ***~ delivery*** (porto)freier Versand **3.** ***to be ~ with one's money*** großzügig mit seinem Geld umgehen; ***to be ~ with one's advice*** Ratschläge erteilen **II** *v/t* (≈ *release*) freilassen; (≈ *help escape*) befreien; (≈ *untie*) losbinden ◆ **free up** *v/t person, time* frei machen; *money* verfügbar machen

-free *adj suf* -frei **free-and-easy** *adj attr*, **free and easy** *adj pred* ungezwungen; (*morally*) locker **freebie, freebee** *n* (*infml*) Werbegeschenk *nt*

freedom *n* Freiheit *f*; ***~ of speech*** Redefreiheit *f*; ***to give sb (the) ~ to do sth*** jdm (die) Freiheit lassen, etw zu tun **freedom fighter** *n* Freiheitskämpfer(in) *m(f)* **free enterprise** *n* freies Unternehmertum **Freefone®** *n* (*Br*) ***call ~ 0800*** rufen Sie gebührenfrei unter 0800 an; ***~ number*** gebührenfreie Telefonnummer **free-for-all** *n* (≈ *fight*) allgemeine Schlägerei **free gift** *n* (Gratis)geschenk *nt* **freehand** *adv* aus freier Hand **freehold I** *n* Besitzrecht *nt* **II** *adj* ***~ property*** freier Grundbesitz **free house** *n* (*Br*) *Wirtshaus, das nicht an eine bestimmte Brauerei gebunden ist* **free kick** *n* SPORTS Freistoß *m* **freelance I** *adj journalist* frei (-schaffend); *work* freiberuflich **II** *adv* freiberuflich **III** *n* (*a.* **freelancer**) Freiberufler(in) *m(f)*; (*with particular firm*) freier Mitarbeiter, freie Mitarbeiterin **freeloader** *n* (*infml*) Schmarotzer(in) *m(f)* **freely** *adv* **1.** (≈ *liberally*) großzügig; ***to use sth ~*** reichlich von etw Gebrauch machen; ***I ~ admit that ...*** ich gebe gern zu, dass ... **2.** *move, talk* frei; *flow* ungehindert; ***to be ~ available*** ohne Schwierigkeiten zu haben sein **free-market economy** *n* freie Marktwirtschaft **Freemason** *n* Freimaurer *m* **freemasonry** *n* Freimaurerei *f* **Freepost®** *n* ***"Freepost"*** ≈ „Gebühr zahlt Empfänger" **free-range** *adj* (*Br*) *hen* frei laufend; *pig* aus Freilandhaltung; ***~ eggs*** Eier *pl* von frei laufenden Hühnern **free sample** *n* Gratisprobe *f* **free speech** *n*

Redefreiheit *f* **freestanding** *adj* frei stehend **freestyle** *n* SWIMMING Freistil *m* **free time** *n* freie Zeit; (≈ *leisure*) Freizeit *f* **free-to-air** *adj* (*Br* TV) *programme, channel* frei empfangbar **free trade** *n* Freihandel *m* **freeware** *n* IT Freeware *f*
freeway *n* (*US*) Autobahn *f* **freewheel** *v/i* im Freilauf fahren **free will** *n* ***he did it of his own ~*** er hat es aus freien Stücken getan
freeze *vb*: *pret* **froze**, *past part* **frozen** **I** *v/i* **1.** METEO frieren; (*liquids*) gefrieren; (*lake*) zufrieren; (*pipes*) einfrieren; ***to ~ to death*** (*lit*) erfrieren; ***meat ~s well*** Fleisch lässt sich gut einfrieren **2.** (*fig: smile*) erstarren **3.** (≈ *keep still*) in der Bewegung verharren; ***~!*** keine Bewegung! **II** *v/t* **1.** *water* gefrieren; COOK einfrieren **2.** ECON *assets* festlegen; *credit, account* einfrieren; (≈ *stop*) *film* anhalten **III** *n* **1.** METEO Frost *m* **2.** ECON Stopp *m*; ***a wage(s) ~, a ~ on wages*** ein Lohnstopp *m* ◆ **freeze over** *v/i* (*lake, river*) überfrieren ◆ **freeze up** *v/i* zufrieren; (*pipes*) einfrieren
freeze-dry *v/t* gefriertrocknen
freezer *n* Tiefkühltruhe *f*; (*upright*) Gefrierschrank *m*; (*Br* ≈ *fridge compartment*) Gefrierfach *nt* **freezing** **I** *adj* **1.** (*lit*) *temperature* unter null; ***~ weather*** Frostwetter *nt* **2.** (≈ *extremely cold*) eiskalt; *wind* eisig; ***in the ~ cold*** bei klirrender Kälte; ***it's ~ (cold)*** es ist eiskalt; ***I'm ~*** mir ist eiskalt; ***my hands/feet are ~*** meine Hände/Füße sind eiskalt **II** *n* **1.** COOK Einfrieren *nt* **2.** (≈ *freezing point*) der Gefrierpunkt; ***above/below ~*** über/unter null **freezing point** *n* Gefrierpunkt *m*; ***below ~*** unter null
freight *n* Fracht *f* **freight depot** *n* (*US*) Güterbahnhof *m* **freighter** *n* NAUT Frachter *m* **freight train** *n* Güterzug *m*
French **I** *adj* französisch; ***he is ~*** er ist Franzose **II** *n* **1.** LING Französisch *nt*; ***in ~*** auf französisch **2.** ***the ~*** *pl* die Franzosen *pl* **French bean** *n* grüne Bohne, Fisole *f* (*Aus*) **French bread** *n* Baguette *nt* **French doors** *pl* Verandatür *f* **French dressing** *n* COOK **1.** (*Br* ≈ *oil and vinegar*) Vinaigrette *f* **2.** (*US* ≈ *tomato dressing*) French Dressing *nt* **French fries** *pl* Pommes frites *pl* **French horn** *n* MUS (Wald)horn *nt* **French kiss** *n* Zungenkuss *m* **French loaf** *n* Baguette *f*
Frenchman *n* Franzose *m* **French stick** *n* Baguette *f* **French toast** *n in Ei getunktes gebratenes Brot* **French windows** *pl* Verandatür *f*
Frenchwoman *n* Französin *f*
frenetic *adj* hektisch; *dancing* wild **frenetically** *adv* (+*vb*) wie wild; *work* fieberhaft; *dance* frenetisch
frenzied *adj activity, efforts* fieberhaft; *attack* wild **frenzy** *n* Raserei *f*; ***in a ~*** in wilder Aufregung; ***he worked himself up into a ~*** er steigerte sich in eine Raserei (hinein); ***~ of activity*** hektische Betriebsamkeit; ***~ of excitement*** helle Aufregung
frequency *n* Häufigkeit *f*; PHYS Frequenz *f*; ***high/low ~*** Hoch-/Niederfrequenz *f*
frequent **I** *adj* häufig; *reports* zahlreich; ***there are ~ trains*** es verkehren viele Züge; ***violent clashes were a ~ occurrence*** es kam oft zu gewalttätigen Zusammenstößen **II** *v/t* (*form*) *place* (oft) besuchen **frequently** *adv* oft, häufig
fresco *n* Fresko(gemälde) *nt*
fresh **I** *adj* frisch; *instructions* neu; *allegations, reports* weitere(r, s); *attack* erneut; *approach* erfrischend; ***~ supplies*** Nachschub *m*; ***to make a ~ start*** neu anfangen; ***as ~ as a daisy*** taufrisch **II** *adv* **1.** (≈ *straight*) ***young men ~ out of university*** junge Männer, die frisch von der Universität kommen; ***cakes ~ from the oven*** ofenfrische Kuchen **2.** (*infml*) ***we're ~ out of cheese*** uns ist gerade der Käse ausgegangen; ***they are ~ out of ideas*** ihnen sind die Ideen ausgegangen **fresh air** *n* frische Luft; ***to go out into the ~*** an die frische Luft gehen; ***to go for a breath of ~*** frische Luft schnappen gehen; ***to be (like) a breath of ~*** (*fig*) wirklich erfrischend sein **freshen** **I** *v/i* (*wind*) auffrischen; (*air*) frisch werden **II** *v/t* ***chewing gum to ~ the breath*** Kaugummi, um den Atem zu erfrischen ◆ **freshen up** **I** *v/i & v/r* (*person*) sich frisch machen **II** *v/t sep room etc* frischer aussehen lassen; *image* aufmöbeln (*infml*)
fresher *n* (*Br* UNIV *infml*) Erstsemester *nt* (*infml*) **freshly** *adv* frisch; ***a ~ baked cake*** ein frisch gebackener Kuchen **freshman** *n*, *pl* ***-men*** (*US* UNIV) Erstsemester *nt* (*infml*) **freshness** *n* Frische *f* **freshwater** *adj attr* ***~ fish*** Süßwasserfisch *m*
fret[1] *v/i* sich (*dat*) Sorgen machen (*about*

um); ***don't ~*** beruhige dich
fret[2] *n* (*on guitar etc*) Bund *m*
fretful *adj child* quengelig; *adult* wehleidig
fret saw *n* Laubsäge *f*
Freudian slip *n* (*spoken*) freudscher Versprecher
FRG *abbr of* ***Federal Republic of Germany*** BRD *f*
Fri *abbr of* ***Friday*** Fr.
friar *n* Mönch *m*; ***Friar John*** Bruder John
fricassee I *n* Frikassee *nt* **II** *v/t* frikassieren
friction *n* **1.** Reibung *f* **2.** (*fig*) Reibereien *pl*; ***there is constant ~ between them*** sie reiben sich ständig aneinander
Friday *n* Freitag *m*; → ***Tuesday***
fridge *n* Kühlschrank *m* **fridge-freezer** *n* Kühl-Gefrierkombination *f*
fried I *pret, past part of* **fry II** *adj* gebraten; ***~ egg*** Spiegelei *nt*; ***~ potatoes*** Bratkartoffeln *pl*
friend *n* Freund(in) *m*(*f*); (*less intimate*) Bekannte(r) *m*/*f*(*m*); ***to become*** *or* ***make ~s with sb*** mit jdm Freundschaft schließen; ***he makes ~s easily*** er findet leicht Freunde; ***he's no ~ of mine*** er ist nicht mein Freund; ***to be ~s with sb*** mit jdm befreundet sein; ***we're just (good) ~s*** da ist nichts, wir sind nur gut befreundet **friendliness** *n* Freundlichkeit *f*; (*of relations, advice*) Freundschaftlichkeit *f*
friendly I *adj* (*+er*) **1.** *person* freundlich; *argument, advice* freundschaftlich; *dog* zutraulich; ***to be ~ to sb*** freundlich zu jdm sein; ***to be ~ (with sb)*** (mit jdm) befreundet sein; ***~ relations*** freundschaftliche Beziehungen *pl*; ***to be on ~ terms with sb*** mit jdm auf freundschaftlichem Fuße stehen; ***to become*** *or* ***get ~ with sb*** sich mit jdm anfreunden **2.** POL *nation* befreundet; *government* freundlich gesinnt (*to +dat*) **II** *n* (SPORTS ≈ *match*) Freundschaftsspiel *nt*
friendship *n* Freundschaft *f*
frier *n* COOK Fritteuse *f* **fries** *pl* (*esp US infml*) Pommes *pl* (*infml*)
Friesian (≈ *cow*) Deutsche Schwarzbunte *f*
frieze *n* (ARCH ≈ *picture*) Fries *m*; (≈ *thin band*) Zierstreifen *m*
frigate *n* NAUT Fregatte *f*
fright *n* Schreck(en) *m*; ***to get a ~*** sich erschrecken; ***to give sb a ~*** jdm einen Schreck(en) einjagen
frighten *v/t* (≈ *give a sudden fright*) erschrecken; (≈ *make scared*) Angst machen (*+dat*); ***to be ~ed by sth*** vor etw (*dat*) erschrecken; ***to ~ the life out of sb*** jdn zu Tode erschrecken ◆ **frighten away** *or* **off** *v/t sep* abschrecken; (*deliberately*) verscheuchen
frightened *adj person* ängstlich; *look* angsterfüllt; ***to be ~ (of sb/sth)*** (vor jdm/etw) Angst haben; ***don't be ~*** hab keine Angst; ***they were ~ (that) there would be another earthquake*** sie hatten Angst (davor), dass es noch ein Erdbeben geben könnte **frightening** *adj experience* furchterregend; *situation, sight, thought, story* erschreckend; ***to look ~*** zum Fürchten aussehen; ***it is ~ to think what could happen*** es ist beängstigend, wenn man denkt, was alles passieren könnte **frightful** *adj* (*infml*) furchtbar
frigid *adj* (*sexually*) frigide
frill *n* **1.** (*on shirt*) Rüsche *f* **2.** (*fig*) ***with all the ~s*** mit allem Drum und Dran (*infml*); ***a simple meal without ~s*** ein schlichtes Essen **frilly** *adj* (*+er*) *clothing* mit Rüschen; ***to be ~*** Rüschen haben; ***~ dress*** Rüschenkleid *nt*
fringe *n* **1.** (*on shawl*) Fransen *pl* **2.** (*Br* ≈ *hair*) Pony *m* **3.** (*fig* ≈ *periphery*) Rand *m*; ***on the ~ of the forest*** am Waldrand; ***the ~s of a city*** die Randbezirke *pl* einer Stadt **fringe benefits** *pl* zusätzliche Leistungen *pl* **fringed** *adj skirt, shawl* mit Fransen; *lampshade* mit Fransenkante **fringe group** *n* Randgruppe *f* **fringe theatre**, (*US*) **fringe theater** *n* avantgardistisches Theater
Frisbee® *n* Frisbee® *nt*
frisk *v/t suspect etc* filzen (*infml*)
frisky *adj* (*+er*) verspielt
fritter[1] *v/t* (*Br*: *a.* **fritter away**) vergeuden
fritter[2] *n* COOK Beignet *m*
frivolity *n* Frivolität *f* **frivolous** *adj attitude, remark* frivol; *activity* albern
frizzy *adj* (*+er*) *hair* kraus
fro *adv* → ***to***; → ***to-ing and fro-ing***
frock *n* Kleid *nt*
frog *n* Frosch *m*; ***to have a ~ in one's throat*** einen Frosch im Hals haben **frogman** *n* Froschmann *m* **frogmarch** *v/t* (*Br*) (weg)schleifen **frogspawn** *n* Froschlaich *m* **frog suit** *n* Taucheranzug *m*
frolic *vb*: *pret, past part* **frolicked** *v/i* (*a.

frolic about *or* **around**) herumtoben

from *prep* **1.** (*indicating starting place, source, removal*) von (+*dat*); (*indicating origin ≈ out of*) aus (+*dat*); ***he has come ~ London*** er ist von London gekommen; ***he comes*** *or* ***is ~ Germany*** er ist aus Deutschland; ***where does he come ~?, where is he ~?*** woher stammt er?; ***the train ~ Manchester*** der Zug aus Manchester; ***the train ~ Manchester to London*** der Zug von Manchester nach London; ***~ house to house*** von Haus zu Haus; ***a representative ~ the company*** ein Vertreter der Firma; ***to take sth ~ sb*** jdm etw wegnehmen; ***to steal sth ~ sb*** jdm etw stehlen; ***where did you get that ~?*** wo hast du das her?; ***I got it ~ the supermarket/Kathy*** ich habe es aus dem Supermarkt/von Kathy; ***quotation ~ "Hamlet"/the Bible/Shakespeare*** Zitat *nt* aus „Hamlet"/aus der Bibel/nach Shakespeare; ***translated ~ the English*** aus dem Englischen übersetzt; ***made ~ ...*** aus ... hergestellt; ***he ran away ~ home*** er rannte von zu Hause weg; ***he escaped ~ prison*** er entkam aus dem Gefängnis; ***~ inside*** von innen; ***~ experience*** aus Erfahrung; ***to stop sb ~ doing sth*** jdn davon zurückhalten, etw zu tun **2.** (*indicating time, in past*) seit (+*dat*); (*in future*) ab (+*dat*), von (+*dat*) ... an; ***~ last week until*** *or* ***to yesterday*** von letzter Woche bis gestern; ***~ now on*** von jetzt an, ab jetzt; ***~ then on*** von da an; ***~ time to time*** von Zeit zu Zeit; ***as ~ the 6th May*** vom 6. Mai an, ab (dem) 6. Mai; ***5 years ~ now*** in 5 Jahren **3.** (*indicating distance*) von (+*dat*) (... weg); (*from town etc*) von (+*dat*) ... (entfernt); ***to work away ~ home*** außer Haus arbeiten **4.** (*indicating lowest amount*) ab (+*dat*); ***~ £2 (upwards)*** ab £ 2 (aufwärts); ***dresses (ranging) ~ £60 to £80*** Kleider *pl* zwischen £ 60 und £ 80 **5.** (*indicating change*) ***things went ~ bad to worse*** es wurde immer schlimmer; ***he went ~ office boy to director*** er stieg vom Laufjungen zum Direktor auf; ***a price increase ~ £1 to £1.50*** eine Preiserhöhung von £ 1 auf £ 1,50 **6.** (*indicating difference*) ***he is quite different ~ the others*** er ist ganz anders als die andern; ***to tell black ~ white*** Schwarz und Weiß auseinanderhalten **7.** (≈ *due to*) ***weak ~ hunger*** schwach vor Hunger; ***to suffer ~ sth*** an etw (*dat*) leiden; ***to shelter ~ the rain*** sich vor dem Regen unterstellen; ***to protect sb ~ sth*** jdn vor etw (*dat*) schützen; ***to judge ~ recent reports ...*** nach neueren Berichten zu urteilen ...; ***~ the look of things ...*** (so) wie die Sache aussieht ... **8.** MAT ***3 ~ 8 leaves 5*** 8 weniger 3 ist 5; ***take 12 ~ 18*** nimm 12 von 18 weg; ***£10 will be deducted ~ your account*** £ 10 werden von Ihrem Konto abgebucht **9.** +*prep* ***~ over/across sth*** über etw (*acc*) hinweg; ***~ beneath sth*** unter etw (*dat*) hervor; ***~ among the trees*** zwischen den Bäumen hervor; ***~ inside the house*** von drinnen

fromage frais *n* ≈ Quark *m*, ≈ Topfen *m* (*Aus*)

frond *n* **1.** (*of fern*) Farnwedel *m* **2.** (*of palm*) Palmwedel *m*

front I *n* **1.** (≈ *forward side, exterior*) Vorderseite *f*; (≈ *forward part*) Vorderteil *nt*; (≈ *façade*) Vorderfront *f*; ***in ~*** vorne; ***in ~ of sb/sth*** vor jdm/etw; ***at the ~ of*** (*inside*) vorne in (+*dat*); (*outside*) vor (+*dat*); (≈ *at the head of*) an der Spitze (+*gen*); ***look in ~ of you*** blicken Sie nach vorne; ***the ~ of the queue*** (*Br*) *or* ***line*** (*US*) die Spitze der Schlange; ***she spilled tea down the ~ of her dress*** sie verschüttete Tee vorn über ihr Kleid **2.** MIL, POL, METEO Front *f*; ***on the wages ~*** was die Löhne betrifft **3.** (*Br*: *of sea*) Strandpromenade *f* **4.** (≈ *outward appearance*) Fassade *f*; ***to put on a bold ~*** eine tapfere Miene zur Schau stellen; ***it's just a ~*** das ist nur Fassade **II** *adv* ***up ~*** vorne; ***50% up ~*** 50% Vorschuss **III** *v/t organization* leiten **IV** *adj* vorderste(r, s), Vorder-; *page* erste(r, s); ***~ tooth/wheel*** Vorderzahn *m*/-rad *nt*; ***~ row*** erste *or* vorderste Reihe **frontal** *adj attr* ***~ attack*** Frontalangriff *m* **front bench** *n* PARL vorderste Reihe (*wo die führenden Politiker sitzen*) **frontbencher** *n* PARL führendes Fraktionsmitglied **front door** *n* Haustür *f* **front garden** *n* Vorgarten *m*

frontier *n* Grenze *f*

front line *n* Front(linie) *f* **frontline** *adj* MIL Front- **front man** *n* (*pej*) Strohmann *m* **front page** *n* Titelseite *f* **front-page** *adj attr news* auf der ersten Seite; ***to be*** *or* ***make ~ news*** Schlagzeilen machen **frontrunner** *n* (*fig*) Spitzenreiter(in) *m*(*f*) **front seat** *n* Platz *m* in der ersten Reihe; AUTO Vordersitz *m* **front-seat passenger** *n* MOT Beifahrer(in) *m(f)* **front-wheel drive** *n* Vorderradantrieb *m*

frost I *n* Frost *m*; (*on leaves etc*) Raureif *m* **II** *v/t* (*esp US*) *cake* mit Zuckerguss überziehen **frostbite** *n* Frostbeulen *pl*; (*more serious*) Erfrierungen *pl* **frosted** *adj* (*esp US* ≈ *iced*) mit Zuckerguss überzogen **frosted glass** *n* Milchglas *nt* **frosting** *n* (*esp US*) Zuckerguss *m* **frosty** *adj* (+*er*) frostig; *ground* von Raureif bedeckt; *look* eisig; **~ *weather*** Frostwetter *nt*

froth I *n* (*on liquids*, MED) Schaum *m* **II** *v/i* schäumen; ***the dog was ~ing at the mouth*** der Hund hatte Schaum vor dem Maul; ***he was ~ing at the mouth*** (***with rage***) er schäumte vor Wut **frothy** *adj* (+*er*) schäumend; *mixture* schaumig

frown I *n* Stirnrunzeln *nt no pl*; ***to give a ~*** die Stirn(e) runzeln **II** *v/i* die Stirn(e) runzeln (*at* über +*acc*) ◆ **frown (up)on** *v/i* +*prep obj* (*fig*) missbilligen; ***this practice is frowned (up)on*** diese Gewohnheit ist verpönt

froze *pret of* ***freeze*** **frozen I** *past part of* ***freeze*** **II** *adj* **1.** *ground* gefroren; *pipe* eingefroren; **~ *hard*** hart gefroren; **~ (*over*)** *lake* zugefroren; **~ *solid*** ganz zugefroren **2.** *meat* tiefgekühlt; **~ *peas*** gefrorene Erbsen **3.** (*infml*) *person* eiskalt; ***I'm ~*** mir ist eiskalt; ***to be ~ stiff*** steif gefroren sein **4.** (≈ *rigid*) starr; **~ *in horror*** starr vor Schreck **frozen food** *n* Tiefkühlkost *f*

frugal *adj person* genügsam; *meal* karg

fruit *n* (*as collective*) Obst *nt*; (BOT, *fig*) Frucht *f*; ***would you like some or a piece of ~?*** möchten Sie etwas Obst? **fruitcake** *n* englischer Kuchen **fruit cocktail** *n* Obstsalat *m* **fruitful** *adj meeting* fruchtbar; *attempt* erfolgreich **fruition** *n* ***to come to ~*** sich verwirklichen **fruitless** *adj* fruchtlos; *attempt* vergeblich **fruit machine** *n* (*Br*) Spielautomat *m* **fruit salad** *n* Obstsalat *m* **fruit tree** *n* Obstbaum *m* **fruity** *adj* (+*er*) **1.** *taste* fruchtig **2.** *voice* volltönend

frump *n* (*pej*) Vogelscheuche *f* (*infml*) **frumpy** *adj* (*pej*) ohne jeden Schick

frustrate *v/t person* frustrieren; *plans* durchkreuzen; ***he was ~d in his efforts*** seine Anstrengungen waren vergebens **frustrated** *adj* frustriert; ***I get ~ when ...*** es frustriert mich, wenn ...; ***he's a ~ poet*** er wäre gern ein Dichter **frustrating** *adj* frustrierend **frustration** *n* Frustration *f no pl*

fry I *v/t meat etc* (in der Pfanne) braten; ***to ~ an egg*** ein Ei in die Pfanne schlagen **II** *v/i* braten **III** *n* (*US*) Barbecue *nt* **fryer** *n* COOK Fritteuse *f* **frying pan** *n* Bratpfanne *f*; ***to jump out of the ~ into the fire*** (*prov*) vom Regen in die Traufe kommen (*prov*) **fry-up** *n* Pfannengericht *nt*

FT *abbr of* ***Financial Times*** *britische Wirtschaftszeitung*

ft *abbr of* ***foot / feet*** ft

fuchsia *n* Fuchsie *f*

fuck (*vulg*) **I** *v/t* **1.** (*lit*) ficken (*vulg*) **2. *~ you!*** leck mich am Arsch (*vulg*); ***~ him!*** der kann mich doch am Arsch lecken (*vulg*) **II** *v/i* ficken (*vulg*) **III** *n* **1.** (*lit*) Fick *m* (*vulg*) **2. *I don't give a ~*** ich kümmere mich einen Scheiß darum (*infml*); ***who the ~ is that?*** wer ist denn das, verdammt noch mal? (*infml*) **IV** *int* (verdammte) Scheiße (*infml*) ◆ **fuck off** *v/i* (*vulg*) sich verpissen (*sl*); ***~!*** verpiss dich! (*sl*) ◆ **fuck up** (*vulg*) **I** *v/t sep* versauen (*infml*); *piece of work* verpfuschen (*infml*); ***she is really fucked up*** sie ist total verkorkst (*infml*); ***heroin will really fuck you up*** Heroin macht dich echt kaputt (*infml*) **II** *v/i* Scheiß machen (*infml*)

fuck all (*vulg*) *n* einen Scheiß (*sl*); ***he knows ~ about it*** er hat null Ahnung (*infml*); ***I've done ~ all day*** ich hab den ganzen Tag nichts auf die Reihe gekriegt (*infml*) **fucker** *n* (*vulg*) Arsch *m* (*vulg*), Arschloch *nt* (*vulg*) **fucking** (*vulg*) **I** *adj* Scheiß- (*infml*); ***this ~ machine*** diese Scheißmaschine (*infml*); ***~ hell!*** verdammte Scheiße! (*infml*) **II** *adv* ***it's ~ cold*** es ist arschkalt (*infml*); ***a ~ awful film*** ein total beschissener Film (*infml*)

fuddy-duddy *n* (*infml*) ***an old ~*** ein alter Kauz

fudge I *n* COOK Fondant *m* **II** *v/t issue* ausweichen (+*dat*)

fuel I *n* Brennstoff *m*; (*for vehicle*) Kraftstoff *m*; (≈ *petrol*) Benzin *nt*; AVIAT Treibstoff *m*; ***to add ~ to the flames or fire*** (*fig*) Öl in die Flammen *or* ins Feuer gießen **II** *v/t* (≈ *drive*) antreiben; (*fig*) *conflict* schüren; *speculation* Nahrung geben (+*dat*); ***power stations fuelled*** (*Br*) *or* ***fueled*** (*US*) ***by oil*** mit

Öl befeuerte Kraftwerke **fuel gauge** *n* Benzinuhr *f* **fueling station** *n* (*US*) Tankstelle *f* **fuel-injected** *adj* **~ *engine*** Einspritzmotor *m* **fuel injection** *n* (Benzin)einspritzung *f* **fuel pump** *n* Benzinpumpe *f* **fuel tank** *n* Öltank *m*

fugitive I *n* Flüchtling *m* (*from* vor +*dat*) **II** *adj* flüchtig

fulfil, (*US*) **fulfill** *v/t* erfüllen; *task* ausführen; *ambition* verwirklichen; ***to be** or **feel ~led*** Erfüllung finden **fulfilling** *adj* ***a ~ job*** ein Beruf, in dem man Erfüllung findet **fulfilment**, (*US*) **fulfillment** *n* Erfüllung *f*

full I *adj* (+*er*) voll; *figure*, *skirt* füllig; *report* vollständig; ***to be ~ of ...*** voller (+*gen*) *or* voll von ... sein; ***don't talk with your mouth ~*** sprich nicht mit vollem Mund; ***with his arms ~*** mit vollgeladenen Armen; ***I have a ~ day ahead of me*** ich habe einen ausgefüllten Tag vor mir; ***I am ~ (up)*** (*infml*) ich bin voll (bis obenhin) (*infml*); ***we are ~ up for July*** wir sind für Juli völlig ausgebucht; ***at ~ speed*** in voller Fahrt; ***to make ~ use of sth*** etw voll ausnutzen; ***that's a ~ day's work*** damit habe ich *etc* den ganzen Tag zu tun; ***I waited two ~ hours*** ich habe zwei ganze Stunden gewartet; ***the ~ details*** die genauen Einzelheiten; ***to be ~ of oneself*** von sich (selbst) eingenommen sein; ***she was ~ of it*** sie hat gar nicht mehr aufgehört, davon zu reden **II** *adv* ***it is a ~ five miles from here*** es sind gute fünf Meilen von hier; ***I know ~ well that...*** ich weiß sehr wohl, dass ... **III** *n* ***in ~*** ganz, vollständig; ***to write one's name in ~*** seinen Namen ausschreiben; ***to pay in ~*** den vollen Betrag bezahlen **fullback** *n* SPORTS Verteidiger(in) *m*(*f*) **full beam** *n* (*Br* AUTO) Fernlicht *nt*; ***to drive (with one's headlights) on ~*** mit Fernlicht fahren **full-blooded** *adj* (≈ *vigorous*) kräftig; ***he's a ~ Scot*** er ist Vollblutschotte **full-blown** *adj affair*, *war* richtig gehend; *heart attack* richtig; ***~ Aids*** Vollbild-Aids *nt* **full-bodied** *adj wine* vollmundig **full-cream milk** *n* Vollmilch *f* **full employment** *n* Vollbeschäftigung *f* **full-face** *adj portrait* mit zugewandtem Gesicht; ***~ photograph*** En-Face-Foto *nt* (*tech*) **full-fledged** *adj* (*US*) = ***fully fledged*** **full-frontal** *adj* Nackt-; (*fig*) *assault* direkt; ***the ~ nudity in this play*** die völlig nackten Schauspieler in diesem Stück **full-grown** *adj* ausgewachsen **full house** *n* THEAT *etc* volles Haus; ***they played to a ~*** sie spielten vor vollem Haus **full-length** *adj* **1.** *film* abendfüllend; *novel* vollständig **2.** *dress* (boden)lang; *boots* hoch; *curtains* bodenlang; ***~ mirror*** großer Spiegel(, in dem man sich ganz sehen kann); ***~ portrait*** Ganzporträt *nt* **full member** *n* Vollmitglied *nt* **full moon** *n* Vollmond *m* **full name** *n* Vor- und Zuname *m* **full-page** *adj* ganzseitig **full professor** *n* UNIV Ordinarius *m* **full-scale** *adj* **1.** *war*, *riot* richtig gehend; *investigation* gründlich; *search* groß angelegt **2.** *drawing* in Originalgröße **full-size(d)** *adj bicycle etc* richtig (groß) **full-sized** *adj model* lebensgroß **full stop** *n* (*esp Br* GRAM) Punkt *m*; ***to come to a ~*** zum völligen Stillstand kommen; ***I'm not going, ~!*** (*infml*) ich gehe nicht und damit basta (*infml*) **full time I** *n* SPORTS reguläre Spielzeit; ***at ~*** nach Ablauf der regulären Spielzeit; ***the whistle blew for ~*** das Spiel wurde abgepfiffen **II** *adv work* ganztags **full-time** *adj* **1.** *worker* ganztags angestellt; ***~ job*** Ganztagsstelle *f*; ***it's a ~ job*** (*fig infml*) es hält einen ganz schön auf Trab (*infml*); ***~ work*** Ganztagsarbeit *f*; ***~ student*** Vollzeitstudent(in) *m*(*f*) **2.** SPORTS ***the ~ score*** der Schlussstand **fully** *adv fit*, *conscious* völlig; *operational*, *qualified* voll; *understand*, *recover* voll und ganz; ***~ automatic*** vollautomatisch; ***~ booked*** ausgebucht; ***~ clothed*** (ganz) angezogen; ***a ~-equipped kitchen*** eine komplett ausgestattete Küche **fully fledged** *adj member* richtig; *doctor etc* voll qualifiziert **fully qualified** *adj* voll qualifiziert

fumble I *v/i* (*a.* **fumble about** *or* **around**) umhertasten; ***to ~ (about) for sth*** nach etw tasten; (*in pocket*, *drawer*) nach etw wühlen **II** *v/t* vermasseln (*infml*); ***to ~ the ball*** den Ball nicht sicher fangen

fume *v/i* (*fig infml*, *person*) wütend sein **fumes** *pl* Dämpfe *pl*; (*of car*) Abgase *pl*; **petrol** (*Br*) *or* **gas** (*US*) **~** Benzindämpfe *pl* **fumigate** *v/t* ausräuchern

fun I *n* Spaß *m*, Hetz *f* (*Aus*); ***to have great ~ doing sth*** viel Spaß daran haben, etw zu tun; ***this is ~!*** das macht Spaß!; ***we just did it for ~*** wir haben das nur aus Spaß gemacht; ***to spoil the ~*** den Spaß verderben; ***it's ~ doing this*** es macht Spaß, das zu tun; ***it's no***

~ living on your own es macht nicht gerade Spaß, allein zu leben; ***he is great ~*** man kriegt mit ihm viel Spaß (*infml*); ***the party was good ~*** die Party hat viel Spaß gemacht; ***that sounds like ~*** das klingt gut; ***I was just having a bit of ~*** ich hab doch nur Spaß gemacht; ***to make ~ of sb/sth*** sich über jdn/etw lustig machen **II** *adj attr* (*infml*) ***squash is a ~ game*** Squash macht Spaß; ***he's a real ~ person*** er ist wirklich ein lustiger Kerl

function I *n* **1.** (*of heart, tool etc*) Funktion *f* (*also* MAT) **2.** (≈ *meeting*) Veranstaltung *f*; (≈ *official ceremony*) Feier *f* **II** *v/i* funktionieren; ***to ~ as*** fungieren als

functional *adj* **1.** (≈ *able to operate*) funktionsfähig **2.** (≈ *utilitarian*) zweckmäßig; ***~ food*** Functional Food *nt* **functionary** *n* Funktionär(in) *m(f)* **function key** *n* IT Funktionstaste *f*

fund I *n* **1.** FIN Fonds *m* **2. funds** *pl* Mittel *pl*; ***public ~s*** öffentliche Mittel *pl*; ***to be short of ~s*** knapp bei Kasse sein (*infml*) **II** *v/t* finanzieren

fundamental I *adj* **1.** *issue* grundlegend; *reason* eigentlich; *point* zentral; *part* wesentlich; ***~ principle*** Grundprinzip *nt*; ***of ~ importance*** von grundlegender Bedeutung **2.** *problem, difference* grundsätzlich; *change* grundlegend; *mistake* fundamental; ***~ structure*** Grundstruktur *f* **II** *pl* ***~s*** (*of subject*) Grundbegriffe *pl* **fundamentalism** *n* Fundamentalismus *m* **fundamentalist I** *adj* fundamentalistisch **II** *n* Fundamentalist(in) *m(f)* **fundamentally** *adv* im Grunde (genommen); *different, wrong* grundlegend; *disagree* grundsätzlich; ***the treaty is ~ flawed*** der Vertrag enthält grundlegende Fehler

funding *n* Finanzierung *f* **fundraiser** *n* Spendensammler(in) *m(f)* **fundraising** *n* Geldbeschaffung *f*; ***~ campaign*** Aktion *f* zur Geldbeschaffung; (*for donations*) Spendenaktion *f*

funeral *n* Beerdigung *f*; ***were you at his ~?*** waren Sie auf seiner Beerdigung? **funeral director** *n* Beerdigungsunternehmer(in) *m(f)* **funeral home** *n* (*US*) Leichenhalle *f* **funeral parlour** *n* (*Br*) Leichenhalle *f* **funeral service** *n* Trauergottesdienst *m*

funfair *n* Kirmes *f*

fungal *adj* Pilz-; ***~ infection*** Pilzinfektion *f* **fungi** *pl of* ***fungus*** **fungicide** *n* Fungizid *nt* **fungus** *n, pl* ***fungi*** BOT, MED Pilz *m*

fun-loving *adj* lebenslustig

funnel I *n* **1.** (*for pouring*) Trichter *m* **2.** NAUT, RAIL Schornstein *m* **II** *v/t* (*fig*) schleusen

funnily *adv* **1.** (≈ *strangely*) komisch **2.** (≈ *amusingly*) amüsant

funny I *adj* (*+er*) **1.** (≈ *comical, odd*) komisch; (≈ *witty*) witzig; ***don't try to be ~*** (*infml*) mach keine Witze!; ***to see the ~ side of sth*** das Lustige an etw (*dat*) sehen; ***it's not ~!*** das ist überhaupt nicht komisch!; ***there's something ~ about that place*** der Ort ist irgendwie merkwürdig; (***it's***) ***~*** (***that***) ***you should say that*** komisch, dass Sie das sagen; ***I just feel a bit ~*** (*infml*) mir ist ein bisschen komisch; ***I feel ~ about seeing her again*** (*infml*) mir ist komisch dabei zumute, sie wiederzusehen; ***she's a bit ~*** (***in the head***) sie spinnt ein bisschen (*infml*) **2.** (*infml*) ***~ business*** faule Sachen *pl* (*infml*); ***there's something ~ going on here*** hier ist doch was faul (*infml*); ***don't try anything ~*** keine faulen Tricks! (*infml*) **II** *pl* ***the funnies*** (*US* PRESS *infml*) die Comicstrips *pl* **funny bone** *n* Musikantenknochen *m* **fun run** *n* Volkslauf *m* (*oft für wohltätige Zwecke durchgeführt*)

fur I *n* **1.** (*on animal*) Fell *nt*; (*for clothing*) Pelz *m*; ***the cat has beautiful ~*** die Katze hat ein wunderschönes Fell; ***a ~-lined coat*** ein pelzgefütterter Mantel **2. furs** *pl* Pelze *pl* **II** *attr* Pelz-; ***~ coat/collar*** Pelzmantel *m*/-kragen *m* ◆ **fur up** *v/i* (*kettle*) verkalken

furious *adj* **1.** wütend; *debate, attack* heftig; ***he was ~ that they had ignored him*** er war wütend darüber, dass sie ihn ignoriert hatten; ***to be ~ about sth*** wütend über etw (*acc*) sein; ***to be ~ at*** *or* ***with sb*** (***for doing sth***) wütend auf jdn sein(, weil er/sie etw getan hat) **2.** *pace* rasend; ***at a ~ pace*** in rasendem Tempo; ***the jokes came fast and ~*** die Witze kamen Schlag auf Schlag **furiously** *adv* **1.** *react* wütend **2.** *scribble, search* wie wild

furl *v/t sail, flag* einrollen; *umbrella* zusammenrollen

furlong *n* Achtelmeile *f*

furnace *n* Hochofen *m*; METAL Schmelzofen *m*

furnish *v/t* **1.** *house* einrichten; ***~ed room*** möbliertes Zimmer **2.** ***to ~ sb with sth***

jdm etw liefern **furnishings** *pl* Mobiliar *nt*; (*with carpets etc*) Einrichtung *f*; ***with ~ and fittings*** voll eingerichtet
furniture *n* Möbel *pl*; ***a piece of ~*** ein Möbelstück *nt*; ***I must buy some ~*** ich muss Möbel kaufen
furore, (*US*) **furor** *n* Protest(e) *m(pl)*; ***to cause a ~*** einen Skandal verursachen
furred *adj tongue* belegt
furrow I *n* AGR Furche *f*; (*on brow*) Runzel *f* **II** *v/t brow* runzeln
furry *adj* (*+er*) **1.** *body* haarig; *tail* buschig; ***~ animal*** Tier *nt* mit Pelz; ***the kitten is so soft and ~*** das Kätzchen ist so weich und kuschelig **2.** *material* flauschig; ***~ toy*** Plüschtier *nt*
further I *adv comp of* **far** weiter; ***~ on*** weiter entfernt; ***~ back*** (*in place, time*) weiter zurück; (≈ *in the past*) früher; ***nothing could be ~ from the truth*** nichts könnte weiter von der Wahrheit entfernt sein; ***he has decided not to take the matter any ~*** er hat beschlossen, die Angelegenheit auf sich beruhen zu lassen; ***in order to make the soup go ~*** um die Suppe zu strecken; ***~, I would like to say that ...*** darüber hinaus möchte ich sagen, dass ... **II** *adj* **1.** = ***farther*** **2.** (≈ *additional*) weiter; ***will there be anything ~?*** kann ich sonst noch etwas für Sie tun?; ***~ details*** nähere *or* weitere Einzelheiten *pl* **III** *v/t interests, cause* fördern; ***to ~ one's education*** sich weiterbilden; ***to ~ one's career*** beruflich vorankommen **further education** *n* Weiterbildung *f* **furthermore** *adv* außerdem, weiters (*Aus*) **furthermost** *adj* äußerste(r, s) **furthest I** *adv* am weitesten; ***these fields are ~ (away) from his farm*** diese Felder liegen am weitesten von seinem Hof entfernt; ***this is the ~ north you can go*** dies ist der nördlichste Punkt, den man erreichen kann; ***it was the ~ the Irish team had ever got*** so weit war die irische Mannschaft noch nie gekommen **II** *adj* am weitesten entfernt; ***the ~ of the three villages*** das entfernteste von den drei Dörfern; ***5 km at the ~*** höchstens 5 km
furtive *adj* verdächtig; *look* verstohlen
fury *n* Wut *f*; ***in a ~*** wütend
fuse, (*US*) **fuze I** *v/t* **1.** *metals* verschmelzen **2.** (*Br* ELEC) ***to ~ the lights*** die Sicherung durchbrennen lassen **3.** (*fig*) vereinigen **II** *v/i* **1.** (*metals*) sich verbinden; (*bones*) zusammenwachsen **2.** (*Br* ELEC) durchbrennen; ***the lights ~d*** die Sicherung war durchgebrannt **3.** (*fig*: *a.* **fuse together**) sich vereinigen **III** *n* **1.** ELEC Sicherung *f*; ***to blow the ~s*** die Sicherung durchbrennen lassen **2.** (*in bombs etc*) Zündschnur *f*; ***to light the ~*** die Zündschnur anzünden; ***she has got a short ~*** (*fig infml*) sie explodiert schnell
fuse box *n* Sicherungskasten *m* **fused** *adj plug etc* gesichert
fuselage *n* (Flugzeug)rumpf *m*
fusillade *n* Salve *f*
fusion *n* (*fig*) Verschmelzung *f*; PHYS (Kern)fusion *f*
fuss I *n* Theater *nt* (*infml*); ***I don't know what all the ~ is about*** ich weiß wirklich nicht, was der ganze Wirbel soll (*infml*); ***without (any) ~*** ohne großes Theater (*infml*); ***to cause a ~*** Theater machen (*infml*); ***to kick up a ~*** Krach schlagen (*infml*); ***to make a ~ about sth*** viel Wirbel um etw machen (*infml*); ***to make a ~ of sb*** um jdn viel Wirbel machen (*infml*) **II** *v/i* sich (unnötig) aufregen; ***don't ~, mother!*** ist ja gut, Mutter! ◆ **fuss over** *v/i +prep obj details* Theater machen um; *guests* sich (*dat*) große Umstände machen mit
fussed *adj* (*Br infml*) ***I'm not ~ (about it)*** es ist mir egal **fusspot** *n* (*Br infml*) Umstandskrämer(in) *m(f)* (*infml*) **fussy** *adj* (*+er*) (≈ *choosy*) wählerisch; (≈ *petty*) kleinlich; (≈ *precise*) genau; ***to be ~ about one's appearance*** großen Wert auf sein Äußeres legen; ***she is not ~ about her food*** sie ist beim Essen nicht wählerisch; ***the child is a ~ eater*** das Kind ist beim Essen wählerisch; ***I'm not ~*** (*infml*) das ist mir egal
fusty *adj* (*+er*) muffig
futile *adj* sinnlos **futility** *n* Sinnlosigkeit *f*
futon *n* Futon *m*
future I *n* **1.** Zukunft *f*; ***in ~*** in Zukunft; ***in the foreseeable ~*** in absehbarer Zeit; ***what plans do you have for the ~?*** was für Zukunftspläne haben Sie?; ***the ~*** GRAM das Futur **2.** ST EX **futures** *pl* Termingeschäfte *pl* **II** *adj attr* **1.** (zu)künftig; ***at a*** *or* ***some ~ date*** zu einem späteren Zeitpunkt; ***his ~ plans*** seine Zukunftspläne; ***in ~ years*** in den kommenden Jahren; ***you can keep it for ~ reference*** Sie können es behalten, um später darauf Bezug zu nehmen **2.** GRAM ***the ~***

tense das Futur **futuristic** *adj* futuristisch
fuze *n, v/t & v/i (US)* = ***fuse***
fuzz *n* Flaum *m* **fuzzy** *adj* (+*er*) **1.** *material* flauschig **2.** *picture, memory* verschwommen
fwd *abbr of* ***forward***
f-word *n (infml)* ***I try not to use the ~ in front of the children*** ich versuche, vor den Kindern möglichst keine schlimmen Flüche zu gebrauchen
FYI *abbr of* ***for your information*** zu Ihrer Information

G

G, g *n* G *nt*, g *nt*; ***G sharp*** Gis *nt*, gis *nt*; ***G flat*** Ges *nt*, ges *nt*
G *(US) abbr of* ***general audience*** FILM jugendfrei
g *abbr of* ***gram(s), gramme(s)*** g
gab *(infml)* **I** *n* ***to have the gift of the ~*** nicht auf den Mund gefallen sein **II** *v/i* quasseln *(infml)*
gabble *(Br)* **I** *v/i* brabbeln *(infml)* **II** *v/t prayer* herunterrasseln *(infml)*; *excuse* brabbeln *(infml)*
gable *n* Giebel *m* **gabled** *adj* ***~ house/roof*** Giebelhaus/-dach *nt*
gadget *n* Gerät *nt*; ***the latest electronic ~*** die neueste elektronische Spielerei **gadgetry** *n* Geräte *pl*
Gaelic I *adj* gälisch **II** *n* LING Gälisch *nt*
gaffe *n* Fauxpas *m*; *(verbal)* taktlose Bemerkung; ***to make a ~*** einen Fauxpas begehen; *(by saying sth)* ins Fettnäpfchen treten *(infml)*
gag I *n* **1.** Knebel *m* **2.** (≈ *joke*) Gag *m* **II** *v/t* knebeln **III** *v/i* **1.** (≈ *retch*) würgen (*on* an +*dat*) **2.** ***to be ~ging for sth*** *(infml)* scharf auf etw *(acc)* sein
gaga *adj (Br infml)* plemplem *(infml)*; *old person* verkalkt *(infml)*
gage *n, v/t (US)* = ***gauge***
gaggle *n (of geese)* Herde *f*
gaily *adv* (≈ *happily*) fröhlich; *painted* farbenfroh
gain I *n* **1.** *no pl* (≈ *advantage*) Vorteil *m*; (≈ *profit*) Profit *m*; ***his loss is our ~*** sein Verlust ist unser Gewinn **2. gains** *pl* (≈ *winnings*) Gewinn *m*; (≈ *profits*) Gewinne *pl* **3.** (≈ *increase*) (*in* +*gen*) Zunahme *f*; ***~ in weight, weight ~*** Gewichtszunahme *f* **II** *v/t* gewinnen; *knowledge* erwerben; *advantage, respect, access* sich *(dat)* verschaffen; *control, the lead* übernehmen; *points* erzielen; (≈ *achieve*) *nothing etc* erreichen; ***what does he hope to ~ by it?*** was verspricht er sich *(dat)* davon?; ***to ~ independence*** unabhängig werden; ***to ~ sb's confidence*** jds Vertrauen erlangen; ***to ~ experience*** Erfahrungen sammeln; ***to ~ ground*** (an) Boden gewinnen; *(rumours)* sich verbreiten; ***to ~ time*** Zeit gewinnen; ***he ~ed a reputation as ...*** er hat sich *(dat)* einen Namen als ... gemacht; ***to ~ speed*** schneller werden; ***she has ~ed weight*** sie hat zugenommen; ***to ~ popularity*** an Beliebtheit *(dat)* gewinnen; ***my watch ~s five minutes each day*** meine Uhr geht fünf Minuten pro Tag vor **III** *v/i* **1.** *(watch)* vorgehen **2.** (≈ *close gap*) aufholen **3.** (≈ *profit*) profitieren (*by* von); ***society would ~ from that*** das wäre für die Gesellschaft von Vorteil; ***we stood to ~ from the decision*** die Entscheidung war für uns von Vorteil **4.** ***to ~ in confidence*** mehr Selbstvertrauen bekommen; ***to ~ in popularity*** an Beliebtheit *(dat)* gewinnen ◆ **gain on** *v/i +prep obj* einholen
gainful *adj* einträglich; ***to be in ~ employment*** erwerbstätig sein **gainfully** *adv* ***~ employed*** erwerbstätig
gait *n* Gang *m*; *(of horse)* Gangart *f*
gala *n* großes Fest; THEAT, FILM Galaveranstaltung *f*; ***swimming/sports ~*** großes Schwimm-/Sportfest
galaxy *n* ASTRON Sternsystem *nt*; ***the Galaxy*** die Milchstraße
gale *n* **1.** Sturm *m*; ***it was blowing a ~*** ein Sturm tobte; ***~ force 8*** Sturmstärke 8 **2.** *(fig)* ***~s of laughter*** Lachsalven *pl* **gale-force winds** *pl* orkanartige Winde **gale warning** *n* Sturmwarnung *f*
gall I *n (infml)* ***to have the ~ to do sth*** die Frechheit besitzen, etw zu tun **II** *v/t (fig)* maßlos ärgern
gallant *adj* **1.** (≈ *courageous*) tapfer **2.** (≈

chivalrous) ritterlich **gallantly** *adv* **1.** (≈ *courageously*) tapfer **2.** (≈ *chivalrously*) ritterlich **gallantry** *n* **1.** (≈ *bravery*) Tapferkeit *f* **2.** (≈ *attentiveness to women*) Galanterie *f*

gall bladder *n* Gallenblase *f*

galleon *n* Galeone *f*

gallery *n* **1.** (≈ *balcony, corridor*) Galerie *f*; THEAT Balkon *m* **2.** ART (Kunst)galerie *f*

galley *n* (NAUT) (≈ *ship*) Galeere *f*; (≈ *kitchen*) Kombüse *f*

Gallic *adj* gallisch

galling *adj* äußerst ärgerlich

gallivant *v/i* ***to ~ about*** *or* ***around*** sich herumtreiben, strawanzen (*Aus*)

gallon *n* Gallone *f*

gallop I *n* Galopp *m*; ***at a ~*** im Galopp; ***at full ~*** im gestreckten Galopp **II** *v/i* galoppieren

gallows *n* Galgen *m*; ***to send/bring sb to the ~*** jdn an den Galgen bringen

gallstone *n* Gallenstein *m*

galore *adv* in Hülle und Fülle

galvanize *v/t* (*fig*) elektrisieren; ***to ~ sb into doing*** *or* ***to do sth*** jdm einen Stoß geben, etw sofort zu tun **galvanized** *adj steel* galvanisiert

gamble I *n* (*fig*) Risiko *nt*; ***it's a ~*** es ist riskant; ***I'll take a ~ on it/him*** ich riskiere es/es mit ihm **II** *v/i* **1.** (*lit*) (um Geld) spielen (*with* mit); (*on horses etc*) wetten **2.** (*fig*) ***to ~ on sth*** sich auf etw (*acc*) verlassen **III** *v/t* **1.** *money* einsetzen; ***to ~ sth on sth*** etw auf etw (*acc*) setzen **2.** (*fig*) aufs Spiel setzen ◆ **gamble away** *v/t sep* verspielen

gambler *n* Spieler(in) *m(f)* **gambling** *n* Spielen *nt* (um Geld); (*on horses etc*) Wetten *nt*

gambol *v/i* herumtollen; (*lambs*) herumspringen

game[1] *n* **1.** Spiel *nt*; (≈ *sport*) Sport(art *f*) *m*; (≈ *scheme*) Vorhaben *nt*; (*of billiards, board games etc*) Partie *f*; ***to have*** *or* ***play a ~ of football/chess*** *etc* Fußball/Schach *etc* spielen; ***do you fancy a quick ~ of chess?*** hättest du Lust, ein bisschen Schach zu spielen?; ***he had a good ~*** er spielte gut; ***~ of chance*** Glücksspiel *nt*; ***~ set and match to X*** Satz und Spiel (geht an) X; ***one ~ all*** eins beide; ***to play ~s with sb*** (*fig*) mit jdm spielen; ***the ~ is up*** das Spiel ist aus; ***two can play at that ~*** wie du mir, so ich dir (*infml*); ***to beat sb at his own ~*** jdn mit den eigenen Waffen schlagen; ***to give the ~ away*** alles verderben; ***I wonder what his ~ is?*** ich frage mich, was er im Schilde führt; ***to be ahead of the ~*** (*fig*) um eine Nasenlänge voraus sein **2.** **games** *pl* (≈ *sports event*) Spiele *pl* **3.** **games** *sg* SCHOOL Sport *m* **4.** (*infml*) Branche *f*; ***how long have you been in this ~?*** wie lange machen Sie das schon? **5.** HUNT, COOK Wild *nt*

game[2] *adj* (≈ *brave*) mutig; ***to be ~*** (≈ *willing*) mitmachen; ***to be ~ for anything*** für alles zu haben sein; ***to be ~ for a laugh*** jeden Spaß mitmachen

game bird *n* Federwild *nt no pl* **gamekeeper** *n* Wildhüter(in) *m(f)* **gamely** *adv* (≈ *bravely*) mutig **game reserve** *n* Wildschutzgebiet *nt* **game show** *n* TV Spielshow *f* **gamesmanship** *n* Ablenkungsmanöver *pl* **games software** *n* Software *f* für Computerspiele **game warden** *n* Jagdaufseher *m* **gaming** *n* = ***gambling***

gammon *n* (≈ *bacon*) leicht geräucherter *or* (*Aus*) geselchter Vorderschinken; (≈ *ham*) (gekochter) Schinken; ***~ steak*** *dicke Scheibe Vorderschinken zum Braten oder Grillen*

gammy *adj* (*Br infml*) lahm

gamut *n* (*fig*) Skala *f*

gander *n* Gänserich *m*

gang *n* Haufen *m*; (*of criminals, youths*) Bande *f*; (*of friends etc*) Clique *f*; ***there was a whole ~ of them*** es war ein ganzer Haufen ◆ **gang up** *v/i* sich zusammentun; ***to ~ against*** *or* ***on sb*** sich gegen jdn verbünden

gangland *adj* Unterwelt-

gangling *adj* schlaksig

gangplank *n* Laufplanke *f*

gangrene *n* Brand *m*

gangster *n* Gangster(in) *m(f)*

gangway *n* **1.** NAUT Landungsbrücke *f* **2.** (≈ *passage*) Gang *m*

gantry *n* (*for crane*) Portal *nt*; (*on motorway*) Schilderbrücke *f*; RAIL Signalbrücke *f*

gaol *n*, *v/t* = ***jail***

gap *n* Lücke *f*; (≈ *chink*) Spalt *m*; (*in surface*) Riss *m*; (*fig, in conversation*) Pause *f*; (≈ *gulf*) Kluft *f*; ***to close the ~*** (*in race*) (den Abstand) aufholen; ***a ~ in one's knowledge*** eine Bildungslücke; ***a four-year ~*** ein Abstand *m* von vier Jahren

gape *v/i* **1.** (*chasm etc*) klaffen **2.** (≈ *stare*) gaffen; ***to ~ at sb/sth*** jdn/etw (mit offenem Mund) anstarren **gaping** *adj hole* riesig; *chasm* klaffend
gap year *n* (*Br* SCHOOL) Überbrückungsjahr *nt*
garage *n* **1.** (*for parking*) Garage *f* **2.** (*Br*) (*for petrol*) Tankstelle *f*; (*for repairs etc*) (Reparatur)werkstatt *f* **garage sale** *n meist in einer Garage durchgeführter Verkauf von Haushaltsgegenständen und Trödel*
garbage *n* (*lit: esp US*) Müll *m*; (*fig* ≈ *useless things*) Schund *m*; (≈ *nonsense*) Quatsch *m* (*infml*); IT Garbage *m* **garbage can** *n* (*US*) Mülleimer *m*, Mistkübel *m* (*Aus*); (*outside*) Mülltonne *f* **garbage collector** *n* (*US*) Müllarbeiter *m*; ***the ~s*** die Müllabfuhr **garbage disposal unit** *n* (*esp US*) Müllschlucker *m* **garbage man** *n* (*US*) = ***garbage collector***
garble *v/t* ***to ~ one's words*** sich beim Sprechen überschlagen **garbled** *adj message*, *instructions* konfus; *account* wirr
garden I *n* Garten *m*; ***the Garden of Eden*** der Garten Eden **II** *v/i* im Garten arbeiten **garden apartment** *n* (*US*) Souterrainwohnung *f* **garden centre**, (*US*) **garden center** *n* Gartencenter *nt* **gardener** *n* Gärtner(in) *m*(*f*) **garden flat** *n* (*Br*) Souterrainwohnung *f* **gardening** *n* Gartenarbeit *f*; ***she loves ~*** sie arbeitet gerne im Garten; ***~ tools*** Gartengeräte *pl* **garden party** *n* Gartenparty *f* **garden path** *n* ***to lead sb up*** (*esp Br*) *or* ***down*** (*esp US*) ***the ~*** (*fig*) jdn an der Nase herumführen (*infml*)
gargantuan *adj* gewaltig
gargle I *v/i* gurgeln **II** *n* (≈ *liquid*) Gurgelwasser *nt*
gargoyle *n* Wasserspeier *m*
garish *adj* (*pej*) *colours*, *neon sign* grell; *clothes* knallbunt
garland *n* Girlande *f*
garlic *n* Knoblauch *m* **garlic bread** *n* Knoblauchbrot *nt* **garlic crusher** *n* Knoblauchpresse *f* **garlic mushrooms** *pl fritierte Pilze mit Knoblauch* **garlic press** *n* Knoblauchpresse *f*
garment *n* Kleidungsstück *nt*
garner *v/t* sammeln; *support* gewinnen
garnet *n* Granat *m*
garnish I *v/t* garnieren **II** *n* Garnierung *f*
garret *n* Mansarde *f*
garrison I *n* Garnison *f* **II** *v/t troops* in Garnison legen; ***to be ~ed*** in Garnison liegen
garrulous *adj* geschwätzig
garter *n* Strumpfband *nt*; (*US*) Strumpfhalter *m* **garter belt** *n* (*US*) Strumpfgürtel *m*
gas I *n* **1.** Gas *nt*; ***to cook with ~*** mit Gas kochen **2.** (*US* ≈ *petrol*) Benzin *nt*; ***to step on the ~*** Gas geben **3.** (≈ *anaesthetic*) Lachgas *nt* **4.** MIL (Gift)gas *nt* **II** *v/t* vergasen; ***to ~ oneself*** sich mit Gas vergiften **gasbag** *n* (*infml*) Quasselstrippe *f* (*infml*) **gas chamber** *n* Gaskammer *f* **gas cooker** *n* Gasherd *m* **gaseous** *adj* gasförmig **gas fire** *n* Gasofen *m*
gash I *n* (≈ *wound*) klaffende Wunde; (≈ *slash*) tiefe Kerbe **II** *v/t* aufschlitzen; ***he fell and ~ed his knee*** er ist gestürzt und hat sich (*dat*) dabei das Knie aufgeschlagen
gas heater *n* Gasofen *m* **gas jet** *n* Gasdüse *f*
gasket *n* TECH Dichtung *f*
gas main *n* Gasleitung *f* **gasman** *n* Gasmann *m* (*infml*) **gas mask** *n* Gasmaske *f* **gas meter** *n* Gasuhr *f* **gasolene, gasoline** *n* (*US*) Benzin *nt* **gas oven** *n* Gasherd *m*
gasp I *n* (*for breath*) tiefer Atemzug; ***to give a ~ (of surprise/fear*** *etc*) (vor Überraschung/Angst *etc*) nach Luft schnappen (*infml*) **II** *v/i* (*continually*) keuchen; (*once*) tief einatmen; (*with surprise etc*) nach Luft schnappen (*infml*); ***to ~ for breath*** *or* ***air*** nach Atem ringen; ***he ~ed with astonishment*** er war so erstaunt, dass es ihm den Atem verschlug; ***I'm ~ing for a cup of tea*** (*infml*) ich lechze nach einer Tasse Tee (*infml*)
gas pipe *n* Gasleitung *f* **gas pump** *n* (*US*) Zapfsäule *f* **gas ring** *n* Gasbrenner *m*; (*portable*) Gaskocher *m* **gas station** *n* (*US*) Tankstelle *f* **gas stove** *n* Gasherd *m*; (*portable*) Gaskocher *m* **gas tank** *n* (*US*) Benzintank *m* **gas tap** *n* Gashahn *m*
gastric *adj* Magen-, gastrisch (*tech*) **gastric flu** *n* Darmgrippe *f* **gastric juices** *pl* Magensäfte *pl* **gastric ulcer** *n* Magengeschwür *nt* **gastroenteritis** *n* Magen-Darm-Entzündung *f* **gastronomic** *adj* gastronomisch **gastronomy** *n* Gastronomie *f*
gasworks *n sg or pl* Gaswerk *nt*

gate *n* Tor *nt*; (*small ≈ garden gate*) Pforte *f*; (*in airport*) Flugsteig *m*
gateau *n*, *pl* **gateaux** (*esp Br*) Torte *f*
gate-crash *v/t* (*infml*) ***to ~ a party*** in eine Party reinplatzen (*infml*) **gate-crasher** *n* ungeladener Gast **gatehouse** *n* Pförtnerhaus *nt* **gate money** *n* SPORTS Einnahmen *pl* **gatepost** *n* Torpfosten *m*
gateway *n* Tor *nt* (*to* zu)
gather I *v/t* **1.** (*≈ collect*) sammeln; *people* versammeln; *flowers* pflücken; *harvest* einbringen; *support* gewinnen; (*≈ collect up*) *broken glass etc* aufsammeln; *one's belongings* (zusammen)packen; ***to ~ one's strength*** Kräfte sammeln; ***to ~ one's thoughts*** seine Gedanken ordnen; ***it just sat there ~ing dust*** es stand nur da und verstaubte **2.** ***to ~ speed*** schneller werden; ***to ~ strength*** stärker werden **3.** (*≈ infer*) schließen (*from* aus); ***I ~ed that*** das dachte ich mir; ***from what*** *or* ***as far as I can ~*** (so) wie ich es sehe; ***I ~ she won't be coming*** ich nehme an, dass sie nicht kommt; ***as you might have ~ed ...*** wie Sie vielleicht bemerkt haben ... **4.** SEWING raffen; (*at seam*) fassen **II** *v/i* (*people*) sich versammeln; (*objects*, *dust etc*) sich (an)sammeln; (*clouds*) sich zusammenziehen ◆ **gather (a)round** *v/i* zusammenkommen; ***come on, children, ~!*** kommt alle her, Kinder! ◆ **gather together** *v/t sep* einsammeln; *one's belongings* zusammenpacken; *people* versammeln ◆ **gather up** *v/t sep* aufsammeln; *one's belongings* zusammenpacken; *skirts* (hoch)raffen
gathering I *n* Versammlung *f*; ***family ~*** Familientreffen *nt*; ***a social ~*** ein geselliges Beisammensein **II** *adj storm* aufziehend
GATT HIST *abbr of* ***General Agreement on Tariffs and Trade*** GATT *nt*
gauche *adj* (*socially*) unbeholfen
gaudily *adv* knallbunt **gaudy** *adj* (+*er*) knallig (*infml*)
gauge I *n* **1.** (*≈ instrument*) Messgerät *nt*; ***pressure ~*** Druckmesser *m* **2.** RAIL Spurweite *f* **3.** (*fig*) Maßstab *m* (*of* für) **II** *v/t* (*fig*) *character*, *progress* beurteilen; *reaction* abschätzen; *mood* einschätzen; (*≈ guess*) schätzen; ***I tried to ~ whether she was pleased or not*** ich versuchte zu beurteilen, ob sie sich freute oder nicht
gaunt *adj* (*≈ haggard*) hager; (*≈ emaciated*) abgezehrt
gauntlet[1] *n* ***to throw down the ~*** (*fig*) den Fehdehandschuh hinwerfen
gauntlet[2] *n* ***to*** (***have to***) ***run the ~ of sth*** einer Sache (*dat*) ausgesetzt sein
gauze *n* Gaze *f*
gave *pret of* ***give***
gawk (*infml*) *v/i* = ***gawp***
gawky *adj* schlaksig
gawp *v/i* (*Br infml*) glotzen (*infml*); ***to ~ at sb/sth*** jdn/etw anglotzen (*infml*)
gay I *adj* (+*er*) *person* schwul (*infml*); ***~ bar*** Schwulenkneipe *f*; ***the ~ community*** die Schwulen *pl* **II** *n* Schwule(r) *m/f(m)*
gaze I *n* Blick *m*; ***in the public ~*** im Blickpunkt der Öffentlichkeit **II** *v/i* starren; ***to ~ at sb/sth*** jdn/etw anstarren; ***they ~d into each other's eyes*** sie blickten sich tief in die Augen
gazebo *n* Gartenlaube *f*
gazelle *n* Gazelle *f*
gazette *n* (*≈ magazine*) Zeitung *f*; (*≈ government publication*) Amtsblatt *nt*
GB *abbr of* ***Great Britain*** GB *nt*, Großbritannien *nt*
gbh *abbr of* ***grievous bodily harm***
GCSE (*Br*) *abbr of* ***General Certificate of Secondary Education*** ≈ mittlere Reife
GDP *abbr of* ***gross domestic product*** BIP *nt*
GDR HIST *abbr of* ***German Democratic Republic*** DDR *f*
gear I *n* **1.** AUTO *etc* Gang *m*; ***~s*** *pl* Getriebe *nt*; (*on bicycle*) Gangschaltung *f*; ***a bicycle with three ~s*** ein Fahrrad *nt* mit Dreigangschaltung; ***the car is in ~*** der Gang ist eingelegt; ***the car is/you're not in ~*** das Auto ist im Leerlauf; ***to change*** (*esp Br*) *or* ***shift*** (*US*) ***~*** schalten; ***to change*** (*esp Br*) *or* ***shift*** (*US*) ***into third ~*** in den dritten Gang schalten; ***to get one's brain in(to) ~*** (*infml*) seine Gehirnwindungen in Gang setzen **2.** (*infml ≈ equipment*) Zeug *nt* (*infml*); (*≈ belongings*, *clothing*) Sachen *pl* (*infml*) **II** *v/t* (*fig*) ausrichten (*to* auf +*acc*); ***to be ~ed to(wards) sb/sth*** auf jdn/etw abgestellt sein; (*person*, *needs*) auf jdn/etw ausgerichtet sein ◆ **gear up** *v/t sep* ***to gear oneself up for sth*** (*fig*) sich auf etw (*acc*) einstellen
gearbox *n* Getriebe *nt* **gear lever**, (*US*) **gear shift**, **gear stick** *n* Schaltknüppel

m
gee *int* **1.** (*esp US infml*) Mensch (*infml*) **2. ~ *up!*** hü!
geek *n* (*esp US infml*) Waschlappen *m* (*infml*) **geek-speak** *n* (*esp US infml*) Fachchinesisch *nt* (*infml*)
geese *pl of* ***goose***
geezer *n* (*infml*) Kerl *m* (*infml*); ***old ~*** Opa *m* (*infml*)
Geiger counter *n* Geigerzähler *m*
gel I *n* Gel *nt* **II** *v/i* gelieren; (*fig, people*) sich verstehen
gelatin(e) *n* Gelatine *f* **gelatinous** *adj* gelatineartig
gelignite *n* Plastiksprengstoff *m*
gem *n* Edelstein *m*; (*fig ≈ person*) Juwel *nt*; (*of collection etc*) Prachtstück *nt*; ***thanks Pat, you're a ~*** danke, Pat, du bist ein Schatz
Gemini *n* Zwillinge *pl*; ***he's (a) ~*** er ist Zwilling
gemstone *n* Edelstein *m*
gen *n* (*Br infml*) Informationen *pl* ◆ **gen up** *v/i* (*Br infml*) ***to ~ on sth*** sich über etw (*acc*) informieren
gen. *abbr of* ***general(ly)*** allg.
gender *n* Geschlecht *nt*; ***what ~ is this word?*** welches Geschlecht hat dieses Wort?; ***the feminine/masculine/neuter ~*** das Femininum/Maskulinum/Neutrum
gene *n* Gen *nt*
genealogy *n* Genealogie *f*
genera *pl of* ***genus***
general I *adj* allgemein; ***to be ~*** (*wording*) allgemein gehalten sein; (*≈ vague*) unbestimmt sein; ***his ~ appearance*** sein Aussehen im Allgemeinen; ***there was ~ agreement among the two groups*** die beiden Gruppen waren sich grundsätzlich einig; ***I've got the ~ idea*** ich habe eine Vorstellung, worum es geht; ***in ~ terms*** generell; ***in the ~ direction of the village*** ungefähr in Richtung des Dorfes; ***as a ~ rule*** im Allgemeinen **II** *n* **1.** ***in ~*** im Allgemeinen **2.** MIL General(in) *m(f)* **general anaesthetic**, (*US*) **general anesthetic** *n* Vollnarkose *f* **General Certificate of Secondary Education** *n* (*Br*) Abschluss *m* der Sekundarstufe, ≈ mittlere Reife **general dealer** *n* (*US*) = ***general store*** **general delivery** *adv* (*US, Canada*) postlagernd **general election** *n* Parlamentswahlen *pl* **general headquarters** *n sg or pl* MIL Generalkommando *nt* **generality** *n* ***to talk in generalities*** ganz allgemein sprechen **generalization** *n* Verallgemeinerung *f* **generalize** *v/t & v/i* verallgemeinern; ***to ~ about sth*** etw verallgemeinern **general knowledge** *n* Allgemeinwissen *nt*
generally *adv* **1.** (*≈ on the whole*) im Großen und Ganzen **2.** (*≈ usually*) im Allgemeinen; ***they are ~ cheapest*** sie sind in der Regel am billigsten; ***~ speaking*** im Allgemeinen **3.** *accepted* allgemein; *available* überall **general manager** *n* Hauptgeschäftsführer(in) *m(f)* **general meeting** *n* Vollversammlung *f*; (*of shareholders etc*) Hauptversammlung *f* **general practice** *n* (*Br* MED) Allgemeinmedizin *f*; ***to be in ~*** praktischer Arzt/praktische Ärztin sein **general practitioner** *n* Arzt *m*/Ärztin *f* für Allgemeinmedizin **general public** *n* Öffentlichkeit *f* **general-purpose** *adj* Universal-; ***~ cleaner*** Universalreiniger *m* **General Secretary** *n* Generalsekretär(in) *m(f)* **general store** *n* Gemischtwarenhandlung *f* **general strike** *n* Generalstreik *m*
generate *v/t* erzeugen; *income* einbringen; *excitement* hervorrufen **generation** *n* **1.** Generation *f* **2.** (*≈ act of generating*) Erzeugung *f* **generation gap** *n* ***the ~*** Generationsunterschied *m* **generator** *n* Generator *m*
generic *adj* artmäßig; ***~ name or term*** Oberbegriff *m*; ***~ brand*** (*US*) Hausmarke *f* **generic drug** *n* Generikum *nt*
generosity *n* Großzügigkeit *f*
generous *adj* **1.** großzügig; *terms* günstig; *portion* reichlich; ***to be ~ in one's praise*** mit Lob nicht geizen; ***with the ~ support of ...*** mit großzügiger Unterstützung von ... **2.** (*≈ kind*) großmütig **generously** *adv* **1.** *give* großzügigerweise; *reward* großzügig; ***please give ~ (to ...)*** wir bitten um großzügige Spenden (für ...) **2.** *offer, agree* großmütigerweise
genesis *n, pl* ***geneses*** Entstehung *f*
genetic *adj* genetisch **genetically** *adv* genetisch; ***~ engineered*** genmanipuliert; ***~ modified*** gentechnisch verändert **genetic engineering** *n* Gentechnologie *f* **geneticist** *n* Genetiker(in) *m(f)* **genetics** *n sg* Genetik *f*
Geneva *n* Genf *nt*; ***Lake ~*** der Genfer See
genial *adj person* herzlich; *atmosphere* angenehm; ***a ~ host*** ein warmherziger

Gastgeber
genie *n* dienstbarer Geist
genii *pl of* ***genius***
genital *adj* Geschlechts-, Genital-; ***~ organs*** Geschlechtsorgane *pl* **genitals** *pl* Geschlechtsteile *pl*
genitive I *n* GRAM Genitiv *m*; ***in the ~*** im Genitiv **II** *adj* Genitiv-; ***~ case*** Genitiv *m*
genius *n, pl* ***-es*** *or* ***genii*** Genie *nt*; (≈ *mental capacity*) Schöpferkraft *f*; ***a man of ~*** ein Genie *nt*; ***to have a ~ for sth/doing sth*** (≈ *talent*) eine besondere Gabe für etw haben/dafür haben, etw zu tun
genocide *n* Völkermord *m*
genome *n* Genom *nt*
genre *n* Genre *nt* (*elev*)
gent *n* (*infml*) *abbr of* ***gentleman*** Herr *m*; ***where is the ~s?*** (*Br* ≈ *lavatory*) wo ist die Herrentoilette?
genteel *adj* vornehm **gentility** *n* Vornehmheit *f*
gentle *adj* (*+er*) **1.** sanft; *pressure, breeze* leicht; *pace, exercise* gemächlich; ***cook over a ~ heat*** bei geringer Hitze kochen; ***to be ~ with sb*** sanft mit jdm umgehen; ***to be ~ with sth*** vorsichtig mit etw umgehen **2.** (≈ *mild*) mild; *persuasion* freundlich; ***a ~ hint*** eine zarte Andeutung; ***a ~ reminder*** ein zarter Wink
gentleman *n, pl* ***-men*** **1.** (*well-mannered, well-born*) Gentleman *m* **2.** (≈ *man*) Herr *m*; ***gentlemen!*** meine Herren! **gentlemanly** *adj* ritterlich, gentlemanlike *pred*; ***that is hardly ~ conduct*** dieses Verhalten gehört sich nicht für einen Gentleman **gentlemen's agreement** *n* Gentlemen's Agreement *nt*; (*esp in business*) Vereinbarung *f* auf Treu und Glauben **gentleness** *n* Sanftheit *f* **gently** *adv* sanft; *cook* langsam; *treat* schonend; ***she needs to be handled ~*** mit ihr muss man behutsam umgehen; ***~ does it!*** sachte, sachte!
gentry *pl* niederer Adel
genuine *adj* **1.** (≈ *not fake*) echt; ***the picture is ~*** *or* ***the ~ article*** das Bild ist echt **2.** (≈ *sincere*) aufrichtig; *concern, interest* ernsthaft; *offer* ernst gemeint; *mistake* wirklich; ***she looked at me in ~ astonishment*** sie sah mich aufrichtig erstaunt an **3.** (≈ *not affected*) *person* natürlich **genuinely** *adv* wirklich; ***they are ~ concerned*** sie machen sich ernsthafte Sorgen **genuineness** *n* **1.** (≈ *authenticity*) Echtheit *f* **2.** (≈ *honesty, sincerity*) Aufrichtigkeit *f*
genus *n, pl* ***genera*** BIOL Gattung *f*
geographic(al) *adj* geografisch
geography *n* Geografie *f*
geological *adj* geologisch **geologist** *n* Geologe *m*, Geologin *f* **geology** *n* Geologie *f*
geometric(al) *adj* geometrisch **geometry** *n* MAT Geometrie *f*; ***~ set*** (Zirkelkasten *m* mit) Zeichengarnitur *f*
Georgian *adj* (*Br*) georgianisch
geranium *n* Geranie *f*
gerbil *n* Wüstenspringmaus *f*
geriatric *adj* **1.** MED geriatrisch **2.** (*pej infml*) altersschwach **geriatric care** *n* Altenpflege *f* **geriatrics** *n sg* Geriatrie *f*
germ *n* Keim *m*
German I *adj* deutsch; ***he is ~*** er ist Deutscher; ***she is ~*** sie ist Deutsche **II** *n* **1.** (≈ *person*) Deutsche(r) *m/f(m)*; ***the ~s*** die Deutschen **2.** LING Deutsch *nt*; ***~ lessons*** Deutschunterricht *m*; ***in ~*** auf Deutsch **German Democratic Republic** *n* HIST Deutsche Demokratische Republik **Germanic** *adj* HIST, LING germanisch **German measles** *n sg* Röteln *pl* **German shepherd (dog)**, (*US*) **German sheep dog** *n* Deutscher Schäferhund **German-speaking** *adj* deutschsprachig; ***~ Switzerland*** die Deutschschweiz
Germany *n* Deutschland *nt*
germ-free *adj* keimfrei
germinate *v/i* keimen; (*fig*) aufkeimen (*elev*) **germination** *n* (*lit*) Keimung *f*
germ warfare *n* bakteriologische Kriegsführung
gerund *n* Gerundium *nt*
gestation *n* (*lit, of animals*) Trächtigkeit *f*; (*of humans*) Schwangerschaft *f*; (*fig*) Reifwerden *nt*
gesticulate *v/i* gestikulieren; ***to ~ at sb/sth*** auf jdn/etw deuten
gesture I *n* Geste *f*; ***to make a ~*** eine Geste machen; ***a ~ of defiance*** eine herausfordernde Geste; ***as a ~ of goodwill*** als Zeichen des guten Willens **II** *v/i* gestikulieren; ***to ~ at sb/sth*** auf jdn/etw deuten; ***he ~d with his head toward(s) the safe*** er deutete mit dem Kopf auf den Safe
get *pret* ***got***, *past part* ***got*** *or* (*US*) ***gotten*** **I** *v/t* **1.** (≈ *receive*) bekommen, kriegen (*infml*); *sun* abbekommen; *wound* sich (*dat*) zuziehen; *time, characteristics* ha-

ben (*from* von); (≈ *take*) *bus* fahren mit; ***where did you ~ it (from)?*** woher hast du das?; ***he got the idea for his book while he was abroad*** die Idee zu dem Buch kam ihm, als er im Ausland war; ***I got quite a surprise*** ich war ziemlich überrascht; ***I ~ the feeling that ...*** ich habe das Gefühl, dass ...; ***to ~ sb by the leg*** jdn am Bein packen; ***(I've) got him!*** (*infml*) ich hab ihn! (*infml*); ***(I've) got it!*** (*infml*) ich habs! (*infml*); ***I'll ~ you for that!*** (*infml*) das wirst du mir büßen!; ***you've got me there!*** (*infml*) da bin ich überfragt; ***what do you ~ from it?*** was hast du davon? **2.** (≈ *obtain*) *object* sich (*dat*) besorgen; *finance*, *job* finden; (≈ *buy*) kaufen; *car, cat* sich (*dat*) anschaffen; ***to ~ sb/oneself sth, to ~ sth for sb/oneself*** jdm / sich etw besorgen; ***to need to ~ sth*** etw brauchen; ***to ~ a glimpse of sb/sth*** jdn / etw kurz zu sehen bekommen; ***we could ~ a taxi*** wir könnten (uns *dat*) ein Taxi nehmen; ***could you ~ me a taxi?*** könnten Sie mir ein Taxi rufen?; ***~ a load of that!*** (*infml*) hat man Töne! (*infml*) **3.** (≈ *fetch*) holen; ***to ~ sb from the station*** jdn vom Bahnhof abholen; ***can I ~ you a drink?*** möchten Sie etwas zu trinken?; ***I got him a drink*** ich habe ihm etwas zu trinken geholt **4.** (≈ *hit*) treffen **5.** (TEL ≈ *contact*) erreichen; ***you've got the wrong number*** Sie sind falsch verbunden **6.** *meal* machen; ***I'll ~ you some breakfast*** ich mache dir etwas zum Frühstück **7.** (≈ *eat*) essen; ***to ~ breakfast*** frühstücken; ***to ~ lunch*** zu Mittag essen; ***to ~ a snack*** eine Kleinigkeit essen **8.** (≈ *take*) bringen; ***to ~ sb to hospital*** jdn ins Krankenhaus bringen; ***they managed to ~ him home*** sie schafften ihn nach Hause; ***where does that ~ us?*** (*infml*) was bringt uns (*dat*) das? (*infml*); ***this discussion isn't ~ting us anywhere*** diese Diskussion führt zu nichts; ***to ~ sth to sb*** jdm etw zukommen lassen; (≈ *take it oneself*) jdm etw bringen **9.** (≈ *understand*) kapieren (*infml*); (≈ *make a note of*) notieren; ***I don't ~ it*** (*infml*) da komme ich nicht mit (*infml*); ***I don't ~ you*** ich verstehe nicht, was du meinst; ***~ it?*** (*infml*) kapiert? (*infml*) **10.** (*to form passive*) werden; ***when did it last ~ painted?*** wann ist es zuletzt gestrichen worden?; ***I got paid*** ich wurde bezahlt **11.** ***to ~ sb to do sth*** (≈ *have sth done by sb*) etw von jdm machen lassen; (≈ *persuade sb*) jdn dazu bringen, etw zu tun; ***I'll ~ him to phone you back*** ich sage ihm, er soll zurückrufen; ***you'll never ~ him to understand*** du wirst es nie schaffen, dass er das versteht; ***you'll ~ yourself thrown out*** du bringst es so weit, dass du hinausgeworfen wirst; ***has she got the baby dressed yet?*** hat sie das Baby schon angezogen?; ***to ~ the washing done*** die Wäsche waschen; ***to ~ some work done*** Arbeit erledigen; ***to ~ things done*** was fertig kriegen (*infml*); ***to ~ sth made for sb/oneself*** jdm / sich etw machen lassen; ***I'll ~ the house painted soon*** (*by sb else*) ich lasse bald das Haus streichen; ***did you ~ your expenses paid?*** haben Sie Ihre Spesen erstattet bekommen?; ***to ~ sb/sth ready*** jdn / etw fertig machen; ***to ~ sth clean/open*** etw sauber kriegen / aufkriegen (*infml*); ***to ~ sb drunk*** jdn betrunken machen; ***to ~ one's hands dirty*** (*lit*, *fig*) sich (*dat*) die Hände schmutzig machen; ***he can't ~ the lid to stay open*** er kriegt es nicht hin, dass der Deckel aufbleibt (*infml*); ***can you ~ these two pieces to fit together?*** kriegen Sie die beiden Teile zusammen?; ***to ~ sth going*** *machine* etw in Gang bringen; *party* etw in Fahrt bringen; ***to ~ sb talking*** jdn zum Sprechen bringen; ***to have got sth*** (*Br* ≈ *have*) etw haben **II** *v/i* **1.** (≈ *arrive*) kommen; ***to ~ home*** nach Hause kommen; ***to ~ here*** hier ankommen; ***can you ~ to work by bus?*** kannst du mit dem Bus zur Arbeit fahren?; ***I've got as far as page 16*** ich bin auf Seite 16; ***to ~ there*** (*fig infml* ≈ *succeed*) es schaffen (*infml*); ***how's the work going? — we're ~ting there!*** wie geht die Arbeit voran? — langsam wirds was! (*infml*); ***to ~ somewhere/nowhere*** (*with work, in discussion etc*) weiterkommen / nicht weiterkommen; ***to ~ somewhere/nowhere (with sb)*** (bei jdm) etwas / nichts erreichen; ***you won't ~ far on £10*** mit £ 10 kommst du nicht weit **2.** (≈ *become*) werden; ***I'm ~ting cold*** mir wird es kalt; ***to ~ dressed*** *etc* sich anziehen *etc*; ***to ~ married*** heiraten; ***I'm ~ting bored*** ich langweile mich langsam; ***how stupid can you ~?*** wie kann man nur so dumm sein?; ***to ~ started*** anfangen; ***to ~ to know sb/sth*** jdn/etw kennenlernen; ***how did you ~ to know about that?*** wie hast du davon erfahren?; ***to ~ to like sb*** jdn sympathisch finden; ***to ~ to like sth*** an etw (*dat*) Gefallen finden; ***to ~ to do sth*** die Möglichkeit haben, etw zu tun; ***to ~ to see sb/sth*** jdn/etw zu sehen bekommen; ***to ~ to work*** sich an die Arbeit machen; ***to ~ working*** *etc* anfangen zu arbeiten *etc*; ***I got talking to him*** ich kam mit ihm ins Gespräch; ***to ~ going*** (*person* ≈ *leave*) aufbrechen; (*party etc*) in Schwung kommen; ***to have got to do sth*** etw tun müssen; ***I've got to*** ich muss **III** *v/r* (≈ *convey oneself*) gehen; (≈ *come*) kommen; ***I had to ~ myself to the hospital*** ich musste ins Krankenhaus (gehen); ***to ~ oneself pregnant*** schwanger werden; ***to ~ oneself washed*** sich waschen; ***you'll ~ yourself killed if you go on driving like that*** du bringst dich noch um, wenn du weiter so fährst ◆ **get about** *v/i* (*Br*) (*prep obj* in +*dat*) **1.** (*person*) sich bewegen können; (*to different places*) herumkommen **2.** (*news*) sich herumsprechen; (*rumour*) sich verbreiten ◆ **get across I** *v/i* **1.** (≈ *cross*) hinüberkommen; (+*prep obj*) *road, river* kommen über (+*acc*) **2.** (*meaning*) klar werden (*to* +*dat*) **II** *v/t always separate* **1.** (≈ *transport*) herüberbringen; (+*prep obj*) (herüber)bringen/-bekommen über (+*acc*) **2.** *one's ideas* verständlich machen (*to sb* jdm) ◆ **get ahead** *v/i* vorankommen (*in* in +*dat*); ***to ~ of sb*** (*in race* ≈ *overtake*) jdn überholen ◆ **get along** *v/i* **1.** (≈ *go*) gehen; ***I must be getting along*** ich muss jetzt gehen **2.** (≈ *manage*) zurechtkommen **3.** (≈ *progress*) vorankommen **4.** (≈ *be on good terms*) auskommen (*with* mit); ***they ~ quite well*** sie kommen ganz gut miteinander aus ◆ **get around I** *v/i* = ***get about*** **II** *v/t & v/i* +*prep obj* = ***get round*** ◆ **get around to** *v/i* +*prep obj* = ***get round to*** ◆ **get at** *v/i* +*prep obj* **1.** (≈ *gain access to*) herankommen an (+*acc*); *food, money* gehen an (+*acc*); ***don't let him ~ the whisky*** lass ihn nicht an den Whisky (ran) **2.** *truth* herausbekommen **3.** (*infml* ≈ *mean*) hinauswollen auf (+*acc*); ***what are you getting at?*** worauf willst du hinaus? **4.** ***to ~ sb*** (*infml*) an jdm etwas auszusetzen haben (*infml*) ◆ **get away I** *v/i* wegkommen; (*prisoner*) entkommen (*from sb* jdm); ***I'd like to ~ early today*** ich würde heute gern früher gehen; ***you can't ~*** *or* ***there's no getting away from the fact that ...*** man kommt nicht um die Tatsache herum, dass ...; ***to ~ from it all*** sich von allem frei machen **II** *v/t always separate* ***get her away from here*** sehen Sie zu, dass sie hier wegkommt; ***get him/that dog away from me*** schaff ihn mir/schaff mir den Hund vom Leib ◆ **get away with** *v/i* +*prep obj* (*infml*) ***he'll*** (*etc*) ***never ~ that*** das wird nicht gut gehen; ***he got away with it*** er ist ungeschoren davongekommen (*infml*) ◆ **get back I** *v/i* (≈ *come back*) zurückkommen; (≈ *go back*) zurückgehen; ***to ~*** (***home***) nach Hause kommen; ***to ~ to bed*** wieder ins Bett gehen; ***to ~ to work*** (*after interruption etc*) wieder arbeiten können; (*after break*) wieder arbeiten gehen; ***~!*** zurück(treten)! **II** *v/t sep* **1.** (≈ *recover*) zurückbekommen **2.** (≈ *bring back*) zurückbringen **3.** ***I'll get you back for that*** das werde ich dir heimzahlen ◆ **get back at** *v/i* +*prep obj* (*infml*) sich rächen an (+*dat*); ***to ~ sb for sth*** jdm etw heimzahlen (*infml*) ◆ **get back to** *v/i* +*prep obj* (≈ *contact again*) sich wieder in Verbindung setzen mit; ***I'll ~ you on that*** ich werde darauf zurückkommen ◆ **get behind** *v/i* **1.** +*prep obj tree* sich stellen hinter (+*acc*); ***to ~ the wheel*** sich ans *or* hinter das Steuer setzen **2.** (*fig, with schedule*) in Rückstand kommen ◆ **get by** *v/i* **1.** ***to let sb ~*** jdn vorbeilassen **2.** (*infml*) ***she could just about ~ in German*** mit ihren Deutschkenntnissen könnte sie gerade so durchkommen (*infml*) **3.** (*infml* ≈ *manage*) durchkommen (*infml*); ***she gets by on very little money*** sie kommt mit sehr wenig Geld aus ◆ **get down I** *v/i* **1.** (≈ *descend*) heruntersteigen (*prep obj, from* von); (≈ *manage to get down, in commands*) herunterkommen (*prep obj, from* +*acc*); ***to ~ the stairs*** die Treppe hinuntergehen **2.** (≈ *bend down*) sich bücken; (*to hide*) sich ducken; ***to ~ on all fours*** sich auf alle Viere begeben **II** *v/t sep* **1.** (≈ *take down*) herunternehmen; (≈ *carry down*) herunterbringen **2.** (≈ *swallow*) *food* hinunterbringen **3.** (*infml* ≈ *depress*) fertigmachen (*infml*) ◆ **get**

down to *v/i +prep obj* sich machen an (*+acc*); ***to ~ business*** zur Sache kommen ◆ **get in I** *v/i* **1.** (≈ *enter*) hereinkommen (*prep obj, -to* in *+acc*); (*into car etc*) einsteigen (*prep obj, -to* in *+acc*); ***the smoke got in(to) my eyes*** ich habe Rauch in die Augen bekommen (*infml*) **2.** (*train, bus*) ankommen (*-to* in *+dat*); (*plane*) landen **3.** (≈ *get home*) nach Hause kommen **II** *v/t sep* **1.** (≈ *bring in*) hereinbringen (*prep obj, -to* in *+acc*) **2.** (≈ *fit*) hineinbekommen (*-to* in *+acc*); (*fig*) *request* anbringen **3.** *groceries* holen; ***to ~ supplies*** sich (*dat*) Vorräte zulegen **4.** *plumber* kommen lassen ◆ **get in on** *v/i +prep obj* (*infml*) mitmachen bei (*infml*); ***to ~ the act*** mitmischen (*infml*) ◆ **get into I** *v/i +prep obj*; → **get in** I1 **1.** *debt, trouble etc* geraten in (*+acc*); *fight* verwickelt werden in (*+acc*); ***to ~ bed*** sich ins Bett legen; ***what's got into him?*** (*infml*) was ist bloß in ihn gefahren? (*infml*) **2.** *book* sich einlesen bei; *work* sich einarbeiten in (*+acc*) **3.** (≈ *put on*) anziehen; (≈ *fit into*) hineinkommen in (*+acc*) **II** *v/t +prep obj always separate debt etc* bringen in (*+acc*); ***to get oneself into trouble*** sich in Schwierigkeiten (*acc*) bringen ◆ **get in with** *v/i +prep obj* **1.** (≈ *associate with*) Anschluss finden an (*+acc*) **2.** (≈ *ingratiate oneself with*) sich gut stellen mit ◆ **get off I** *v/i* **1.** (*from bus etc*) aussteigen (*prep obj* aus); (*from bicycle, horse*) absteigen (*prep obj* von); ***to tell sb where to ~*** (*infml*) jdm gründlich die Meinung sagen (*infml*) **2.** (*from ladder, furniture*) heruntersteigen (*prep obj* von); ***~!*** (≈ *let me go*) lass (mich) los! **3.** (≈ *weggehen*) loskommen; ***it's time you got off to school*** es ist Zeit, dass ihr in die Schule geht; ***I'll see if I can ~ (work) early*** ich werde mal sehen, ob ich früher (von der Arbeit) wegkann (*infml*); ***what time do you ~ work?*** wann hören Sie mit der Arbeit auf? **4.** *+prep obj* (≈ *be excused*) *homework, task etc* nicht machen müssen; ***he got off tidying up his room*** er kam darum herum, sein Zimmer aufräumen zu müssen (*infml*) **5.** (*fig* ≈ *be let off*) davonkommen (*infml*) **II** *v/t* **1.** *sep* (≈ *remove*) wegbekommen (*prep obj* von); *clothes* ausziehen; *lid* heruntertun (*prep obj* von); (≈ *take away from*) abnehmen (*prep obj +dat*); ***get your dirty hands off my clean shirt*** nimm deine schmutzigen Hände von meinem sauberen Hemd; ***get him off my property!*** schaffen Sie ihn von meinem Grundstück! **2.** *+prep obj always separate* (*infml* ≈ *obtain*) kriegen (*infml*) (*prep obj* von); ***I got that idea off John*** ich habe die Idee von John **3.** *sep mail* losschicken; ***to get sb off to school*** jdn für die Schule fertig machen **4.** *sep day* freibekommen ◆ **get off with** *v/i +prep obj* (*infml*) aufreißen (*infml*) ◆ **get on I** *v/i* **1.** (≈ *climb on*) hinaufsteigen; (*+prep obj*) (hinauf)steigen auf (*+acc*); (*on train etc*) einsteigen (*prep obj, -to* in *+acc*); (*on bicycle, horse etc*) aufsteigen (*prep obj, -to* auf *+acc*) **2.** (≈ *continue*) weitermachen **3.** ***time is getting on*** es wird langsam spät; ***he is getting on*** er wird langsam alt **4.** (≈ *progress*) vorankommen; (*patient, pupil*) Fortschritte machen; ***to ~ in the world*** es zu etwas bringen **5.** (≈ *fare*) zurechtkommen; ***how did you ~ in the exam?*** wie gings (dir) in der Prüfung?; ***how are you getting on?*** wie gehts? **6.** (≈ *have a good relationship*) sich verstehen **II** *v/t sep* (*prep obj* auf *+acc*) *clothes* anziehen; *lid* drauftun ◆ **get on for** *v/i +prep obj* (*time, person in age*) zugehen auf (*+acc*); ***he's getting on for 40*** er geht auf die 40 zu; ***there were getting on for 60 people there*** es waren fast 60 Leute da ◆ **get on to** *v/i +prep obj* (*infml* ≈ *contact*) sich in Verbindung setzen mit; ***I'll ~ him about it*** ich werde ihn daraufhin ansprechen ◆ **get onto** *v/i +prep obj*; → **get on** I1 ◆ **get on with** *v/i +prep obj* (≈ *continue*) weitermachen mit; (≈ *manage to get on with*) weiterkommen mit; ***~ it!*** nun mach schon! (*infml*); ***to let sb ~ sth*** jdn etw machen lassen; ***this will do to be getting on with*** das tuts wohl für den Anfang (*infml*) ◆ **get out I** *v/i* **1.** herauskommen (*of* aus); (≈ *climb out*) herausklettern (*of* aus); (*of bus, car*) aussteigen (*of* aus) **2.** (≈ *leave*) weggehen (*of* aus); (*animal, prisoner*) entkommen; (*news*) an die Öffentlichkeit dringen; ***he has to ~ of the country*** er muss das Land verlassen; ***~!*** raus! (*infml*); ***~ of my house!*** raus aus meinem Haus! (*infml*); ***to ~ of bed*** aufstehen **3.** (≈ *go walking etc*) weggehen; ***you ought to ~ more*** Sie müssten mehr rauskommen (*infml*); ***to ~ and about*** herumkommen **II** *v/t sep* **1.** (≈ *remove*) (*of* aus) herausmachen; *people* hinausbringen; (≈ *manage to get out*) hinausbekommen; ***I couldn't get it out of my head*** *or* ***mind*** ich konnte es nicht vergessen **2.** (≈ *take out*) herausholen (*of* aus) **3.** (≈ *withdraw*) *money* abheben (*of* von) ◆ **get out of I** *v/i +prep obj*; → ***get out*** I *obligation, punishment* herumkommen um; ***you can't ~ it now*** jetzt kannst du nicht mehr anders; ***I'll ~ practice*** ich verlerne es; ***to ~ the habit of doing sth*** sich (*dat*) abgewöhnen, etw zu tun **II** *v/t +prep obj always separate confession, truth* herausbekommen aus; *money* herausholen aus; *pleasure* haben an (*+dat*); ***to get the best/most out of sb/sth*** das Beste aus jdm herausholen/etw machen; → ***get out*** II ◆ **get over I** *v/i* **1.** (≈ *cross*) hinübergehen (*prep obj* über *+acc*); (≈ *climb over*) hinüberklettern; (*+prep obj*) klettern über (*+acc*) **2.** *+prep obj disappointment, experience* (hin)wegkommen über (*+acc*); *shock, illness* sich erholen von; ***I can't ~ it*** (*infml*) da komm ich nicht drüber weg (*infml*) **II** *v/t sep ideas etc* verständlich machen (*to dat*) ◆ **get over with** *v/t always separate* hinter sich (*acc*) bringen; ***let's get it over with*** bringen wirs hinter uns ◆ **get past** *v/i* = ***get by*** 1 ◆ **get round** (*esp Br*) **I** *v/i* herumkommen (*prep obj* um); *difficulty, law* umgehen **II** *v/t always separate +prep obj* ***I still can't get my head round it*** (*infml*) ich kann es immer noch nicht begreifen ◆ **get round to** *v/i +prep obj* (*esp Br infml*) ***to ~ sth*** zu etw kommen; ***to ~ doing sth*** dazu kommen, etw zu tun ◆ **get through I** *v/i* **1.** (*through gap etc*) durchkommen (*prep obj* durch) **2.** ***to ~ to the final*** in die Endrunde kommen **3.** TEL durchkommen (*infml*) (*to sb* zu jdm, *to Germany* nach Deutschland) **4.** (≈ *be understood*) ***he has finally got through to her*** endlich hat er es geschafft, dass sie es begreift **5.** *+prep obj work* erledigen; *bottle* leer machen; *days, time* herumbekommen; (≈ *consume*) verbrauchen; *food* aufessen **II** *v/t always separate* **1.** *proposal* durchbringen (*prep obj* durch); ***to get sb through an exam*** (*teacher*) jdn durchs Examen bringen **2.** *message* durchgeben (*to +dat*); *supplies* durchbringen **3.** (≈ *make understand*) ***to get sth through (to sb)*** (jdm) etw klarmachen ◆ **get to** *v/i +prep obj* **1.** (≈ *arrive at*) kommen zu; *hotel, town etc* ankommen in (*+dat*); ***where did you ~ last night?*** wo bist du gestern Abend abgeblieben? (*infml*) **2.** (*infml*) ***I got to thinking/wondering*** ich hab mir überlegt/mich gefragt **3.** (*infml* ≈ *annoy*) aufregen; ***don't let them ~ you*** ärgere dich nicht über sie ◆ **get together I** *v/i* zusammenkommen; (≈ *combine forces*) sich zusammenschließen; ***why don't we ~ later?*** warum treffen wir uns nicht später? **II** *v/t sep people, collection* zusammenbringen; *money* zusammenbekommen; ***to get one's things together*** seine Sachen zusammenpacken ◆ **get under** *v/i* darunter kriechen; (*under umbrella etc*) darunter kommen; (*+prep obj*) kriechen/kommen unter (*+acc*) ◆ **get up I** *v/i* **1.** (≈ *stand up, get out of bed*) aufstehen **2.** (≈ *climb up*) hinaufsteigen (*prep obj* auf *+acc*); (*vehicle*) hinaufkommen (*prep obj +acc*); ***he couldn't ~ the stairs*** er kam nicht die Treppe hinauf **II** *v/t* **1.** *always separate* (≈ *out of bed*) aus dem Bett holen; (≈ *help to stand up*) aufhelfen (*+dat*) **2.** *sep* ***to ~ speed*** sich beschleunigen; ***to get one's strength up*** wieder neue Kräfte sammeln; ***to ~ an appetite*** (*infml*) Hunger bekommen (*infml*) ◆ **get up to** *v/i +prep obj* **1.** (≈ *reach*) erreichen; *page* kommen bis; ***as soon as he got up to me*** sobald er neben mir stand **2.** (≈ *be involved in*) anstellen (*infml*); ***what have you been getting up to?*** was hast du getrieben? (*infml*)

getaway I *n* Flucht *f*; ***to make one's ~*** sich davonmachen (*infml*) **II** *adj attr* ***~ car*** Fluchtauto *nt* **get-together** *n* (*infml*) Treffen *nt*; ***family ~*** Familientreffen *nt* **get-up** *n* (*infml*) Aufmachung *f* (*infml*) **get-well card** *n* Karte *f* mit Genesungswünschen

geyser *n* GEOL Geysir *m*

ghastly *adj* (*+er*) **1.** (*infml* ≈ *dreadful*) schrecklich **2.** *crime* grausig

gherkin *n* Gewürzgurke *f*

ghetto *n* Getto *nt* **ghetto blaster** *n* (*infml*) Gettoblaster *m* (*infml*)

ghost *n* **1.** Gespenst *nt*; (*of sb*) Geist *m* **2.** (*fig*) ***I don't have*** *or* ***stand the ~ of a chance*** ich habe nicht die geringste

Chance; ***to give up the ~*** (*dated infml*) seinen *or* den Geist aufgeben **ghostly** *adj* (*+er*) gespenstisch **ghost story** *n* Geister- *or* Gespenstergeschichte *f* **ghost town** *n* Geisterstadt *f* **ghost train** *n* (*Br, at funfair*) Geisterbahn *f*

ghoul *n* Ghul *m*

GHQ *abbr of* ***General Headquarters***

GHz *abbr of* ***gigahertz*** GHz

GI (*US*) *abbr of* ***government issue*** *n* GI *m*

giant I *n* Riese *m*; (*fig*) (führende) Größe; (≈ *company*) Gigant *m*; ***a ~ of a man*** ein Riese (von einem Mann); ***publishing ~*** Großverlag *m* **II** *adj* riesig; ***~ panda*** *n* Riesenpanda *m*

gibber *v/i* (*ape*) schnattern; ***a ~ing idiot*** ein daherplappernder Idiot **gibberish** *n* Quatsch *m* (*infml*); (≈ *foreign language*) Kauderwelsch *nt*

gibe *n* Spöttelei *f*

giblets *pl* Geflügelinnereien *pl*

Gibraltar *n* Gibraltar *nt*

giddiness *n* Schwindelgefühl *nt* **giddy** *adj* (*+er*) **1.** (*lit*) schwind(e)lig; ***I feel ~*** mir ist schwind(e)lig **2.** *heights* schwindelnd **3.** (*fig* ≈ *excited*) ausgelassen

gift *n* **1.** Geschenk *nt*; ***that question was a ~*** (*infml*) die Frage war ja geschenkt (*infml*) **2.** (≈ *talent*) Gabe *f*; ***to have a ~ for sth*** ein Talent *nt* für etw haben; ***she has a ~ for teaching*** sie hat eine Begabung zur Lehrerin; ***he has a ~ for music*** er ist musikalisch begabt **gift certificate** *n* (*US*) Geschenkgutschein *m* **gifted** *adj* begabt (*in* für) **gift token, gift voucher** *n* Geschenkgutschein *m* **giftwrap I** *v/t* in Geschenkpapier einwickeln **II** *n* Geschenkpapier *nt*

gig *n* (*infml* ≈ *concert*) Konzert *nt*, Gig *m* (*infml*); ***to do a ~*** ein Konzert geben, auftreten

gigabyte *n* IT Gigabyte *nt*

gigantic *adj* riesig

giggle I *n* Gekicher *nt no pl*; ***to get the ~s*** anfangen herumzukichern **II** *v/i* kichern **giggly** *adj* (*+er*) albern

gill *n* (*of fish*) Kieme *f*

gilt I *n* (≈ *material*) Vergoldung *f* **II** *adj* vergoldet

gimmick *n* effekthaschender Gag; (≈ *gadget*) Spielerei *f*; COMM verkaufsfördernde Maßnahme **gimmickry** *n* Effekthascherei *f*; (*in advertising*) Gags *pl*; (≈ *gadgetry*) Spielereien *pl* **gimmicky** *adj* effekthascherisch

gin *n* (≈ *drink*) Gin *m*; ***~ and tonic*** Gin Tonic *m*

ginger I *n* Ingwer *m* **II** *adj* **1.** COOK Ingwer- **2.** *hair* kupferrot; *cat* rötlich gelb **ginger ale** *n* Gingerale *nt* **ginger beer** *n* Ingwerlimonade *f* **gingerbread I** *n* Lebkuchen *m* (*mit Ingwergeschmack*) **II** *adj attr* Lebkuchen- **gingerly** *adv* vorsichtig

gingham *n* Gingan *m*

gipsy *n, adj* = ***gypsy***

giraffe *n* Giraffe *f*

girder *n* Träger *m*

girdle *n* Hüfthalter *m*

girl *n* Mädchen *nt*, Dirndl *nt* (*Aus*); (≈ *daughter*) Tochter *f*; (≈ *girlfriend*) Freundin *f*; ***an English ~*** eine Engländerin; ***I'm going out with the ~s tonight*** ich gehe heute Abend mit meinen Freundinnen aus **girl Friday** *n* Allroundsekretärin *f*

girlfriend *n* Freundin *f* **Girl Guide** *n* (*Br*) Pfadfinderin *f* **girlhood** *n* Mädchenzeit *f*, Jugend *f*; ***in her ~*** in ihrer Jugend **girlie, girly** *adj attr* (*infml*) girliehaft; *magazine* Girlie- **girlish** *adj* mädchenhaft **Girl Scout** *n* (*US*) Pfadfinderin *f*

giro *n* (*Br*) (≈ *bank giro*) Giro(verkehr *m*) *nt*; (≈ *post-office giro*) Postscheckverkehr *m*; ***~ (cheque)*** SOCIAL SECURITY Sozialhilfeüberweisung *f*; ***to pay a bill by ~*** eine Rechnung durch Überweisung bezahlen

girth *n* Umfang *m*

gismo *n* (*infml*) = ***gizmo***

gist *n no pl* Wesentliche(s) *nt*; ***I got the ~ of it*** das Wesentliche habe ich verstanden

git *n* (*infml*) Schwachkopf *m*

give *vb*: *pret* ***gave***, *past part* ***given*** **I** *v/t* **1.** geben; ***to ~ sb sth or sth to sb*** jdm etw geben; ***the teacher gave us three exercises*** der Lehrer hat uns drei Übungen gegeben; ***to ~ sb one's cold*** (*infml*) jdn mit seiner Erkältung anstecken; ***to ~ sth for sth*** (≈ *pay*) etw für etw ausgeben; (≈ *exchange*) etw gegen etw tauschen; ***what will you ~ me for it?*** was gibst du mir dafür?; ***how much did you ~ for it?*** wie viel hast du dafür bezahlt?; ***six foot, ~ or take a few inches*** ungefähr sechs Fuß **2.** (*as present*) schenken; (≈ *donate*) spenden; ***to ~ sb sth or sth to sb*** jdm etw schenken; ***it was ~n to me by my uncle*** ich habe es von meinem Onkel geschenkt bekommen **3.** *trouble*, *pleasure* machen; ***to ~ sb support*** jdn unterstützen; ***to be ~n a choice*** die Wahl haben; ***to ~ sb a smile*** jdn anlächeln; ***to ~ sb a push*** jdm einen Stoß geben; ***to ~ one's hair a brush*** sich (*dat*) die Haare bürsten; ***who gave you that idea?*** wer hat dich denn auf die Idee gebracht?; ***what ~s you that idea?*** wie kommst du denn auf die Idee?; ***it ~s me great pleasure to ...*** es ist mir eine große Freude ...; ***to ~ sb a shock*** jdm einen Schock versetzen; ***to ~ a cry*** aufschreien; ***to ~ way*** (≈ *yield*) nachgeben (*to +dat*); ***~ way to oncoming traffic*** (*Br*) der Gegenverkehr hat Vorfahrt; **"*give way*"** (*Br* MOT) „Vorfahrt beachten!", „Vortritt beachten!" (*Swiss*) **4.** (≈ *punish with*) erteilen; ***he gave the child a smack*** er gab dem Kind einen Klaps; ***to ~ sb five years*** jdn zu fünf Jahren verurteilen; ***~ yourself time to recover*** lassen Sie sich Zeit, um sich zu erholen; ***it's an improvement, I'll ~ you that*** es ist eine Verbesserung, das gestehe ich (dir) ein; ***he's a good worker, I'll ~ him that*** eines muss man ihm lassen, er arbeitet gut **5.** (≈ *tell*) *information*, *details*, *description*, *answer*, *advice* geben; *one's name* angeben; *decision*, *opinion*, *results* mitteilen; ***~ him my regards*** richten Sie ihm (schöne) Grüße von mir aus; ***to ~ sb a warning*** jdn warnen **6.** *party* geben; *speech* halten; *toast* ausbringen (*to sb* auf jdn); ***~ us a song*** sing uns was vor; ***the child gave a little jump of excitement*** das Kind machte vor Aufregung einen kleinen Luftsprung; ***he gave a shrug*** er zuckte mit den Schultern **II** *v/i* **1.** (≈ *collapse*, *yield*) nachgeben; (*rope*, *cable*) reißen **2.** (≈ *give money etc*) spenden; ***you have to be prepared to ~ and take*** (*fig*) man muss zu Kompromissen bereit sein **III** *n* Nachgiebigkeit *f*; (*of bed*) Federung *f* ◆ **give away** *v/t sep* **1.** weggeben; *gift*, *advantage* verschenken **2.** *bride* zum Altar führen **3.** *prizes etc* vergeben **4.** (*fig* ≈ *betray*) verraten (*to sb* an jdn); ***to give the game away*** (*infml*) alles verraten ◆ **give back** *v/t sep* zurückgeben ◆ **give in I** *v/i* (≈ *surrender*) sich ergeben (*to sb* jdm); (*in game*) aufgeben; (≈ *back down*) nachgeben (*to +dat*); ***to ~ to temptation*** der Versuchung erliegen **II** *v/t sep essay* einreichen ◆ **give off** *v/t insep heat* abgeben; *smell* verbreiten ◆ **give out I** *v/i* (*supplies*, *strength*) zu Ende gehen; (*engine*) versagen; ***my voice gave out*** mir versagte die Stimme **II** *v/t sep* **1.** (≈ *distribute*) austeilen **2.** (≈ *announce*) bekannt geben **III** *v/t insep* = ***give off*** ◆ **give over I** *v/t sep* (≈ *hand over*) übergeben (*to +dat*) **II** *v/i* (*dial infml* ≈ *stop*) aufhören **III** *v/i +prep obj* aufhören; ***~ tickling me!*** hör auf, mich zu kitzeln! ◆ **give up I** *v/i* aufgeben **II** *v/t sep* **1.** aufgeben; ***to ~ doing sth*** es aufgeben, etw zu tun; ***I'm trying to ~ smoking*** ich versuche, das Rauchen aufzugeben; ***to give sb/sth up as lost*** jdn/etw verloren geben **2.** *seat* frei machen (*to* für); ***to give oneself up*** sich ergeben ◆ **give up on** *v/i +prep obj* abschreiben

give-and-take *n* (gegenseitiges) Geben und Nehmen **giveaway** *n* ***it was a real ~ when he said ...*** er verriet sich, als er sagte ... **given I** *past part of* **give II** *adj* **1.** (*with indef art*) bestimmt; (*with def art*) angegeben; ***in a ~ period*** in einem bestimmten Zeitraum; ***within the ~ period*** im angegebenen Zeitraum **2.** ***~ name*** (*esp US*) Vorname *m* **3.** ***to be ~ to sth*** zu etw neigen; ***I'm not ~ to drinking on my own*** ich habe nicht die Angewohnheit, allein zu trinken **III** *cj* ***~ that he ...*** angesichts der Tatsache, dass er ...; ***~ time, we can do it*** wenn wir genug Zeit haben, können wir es schaffen; ***~ the chance, I would ...*** wenn ich die Gelegenheit hätte, würde ich ... **giver** *n* Spender(in) *m*(*f*)

gizmo *n* (*infml*) Ding *nt* (*infml*)

glacé *adj* kandiert

glacier *n* Gletscher *m*

glad *adj* (*+er*) *pred* froh; ***to be ~ about sth*** sich über etw (*acc*) freuen; ***I'm ~ (about that)*** das freut mich; ***to be ~ of sth*** froh über etw (*acc*) sein; ***we'd be ~ of your help*** wir wären froh, wenn Sie uns helfen könnten; ***I'd be ~ of your opinion on this*** ich würde gerne Ihre Meinung dazu hören; ***I'm ~ you like it*** ich freue mich, dass es Ihnen gefällt; ***I'll be ~ to show you everything*** ich zeige Ihnen gerne alles **gladden** *v/t* erfreuen

glade *n* Lichtung *f*

gladiator *n* Gladiator *m*

gladly *adv* gern(e)

glamor *n* (*US*) = ***glamour*** **glamorize** *v/t*

idealisieren; *violence* verherrlichen **glamorous** *adj* glamourös; *occasion* glanzvoll **glamour**, (*US*) **glamor** *n* Glamour *m*; (*of occasion*) Glanz *m*

glance I *n* Blick *m*; ***at first ~*** auf den ersten Blick; ***to take a quick ~ at sth*** einen kurzen Blick auf etw (*acc*) werfen; ***we exchanged ~s*** wir sahen uns kurz an **II** *v/i* blicken; ***to ~ at sb/sth*** jdn/etw kurz ansehen; ***to ~ at** or **through a report*** einen kurzen Blick in einen Bericht werfen ◆ **glance off** *v/i* (*prep obj* von) (*bullet etc*) abprallen

gland *n* Drüse *f* **glandular** *adj* ***~ fever*** Drüsenfieber *nt*

glare I *n* **1.** greller Schein; ***the ~ of the sun*** das grelle Sonnenlicht **2.** (≈ *stare*) stechender Blick **II** *v/i* **1.** (*light, sun*) grell scheinen **2.** (≈ *stare*) (zornig) starren; ***to ~ at sb/sth*** jdn/etw zornig anstarren **glaring** *adj* **1.** *sun, light* grell **2.** *example, omission* eklatant **glaringly** *adv* ***~ obvious*** *fact, statement* überdeutlich; ***it was ~ obvious that he had no idea*** es war nur zu ersichtlich, dass er keine Ahnung hatte

glass I *n* **1.** Glas *nt*; ***a pane of ~*** eine Glasscheibe; ***a ~ of wine*** ein Glas Wein **2.** (≈ *spectacles*) ***~es*** *pl*, ***pair of ~es*** Brille *f* **II** *adj attr* Glas- **glass ceiling** *n* (*fig*) gläserne Decke; ***she hit the ~*** sie kam als Frau beruflich nicht mehr weiter **glass fibre**, (*US*) **glass fiber** *n* Glasfaser *f* **glassful** *n* Glas *nt* **glasshouse** *n* (*Br* HORT) Gewächshaus *nt* **glassy** *adj* (*+er*) *surface, sea etc* spiegelglatt; ***~-eyed*** *look* glasig

glaucoma *n* grüner Star

glaze I *n* Glasur *f* **II** *v/t* **1.** *window* verglasen **2.** *pottery, cake* glasieren **III** *v/i* (*eyes: a.* **glaze over**) glasig werden; ***she had a ~d look in her eyes*** sie hatte einen glasigen Blick **glazier** *n* Glaser(in) *m(f)* **glazing** *n* Glasur *f*

gleam I *n* Schimmer *m*; (*of metal, water*) Schimmern *nt*; ***a ~ of light*** ein Lichtschimmer *m*; ***he had a ~ in his eye*** seine Augen funkelten **II** *v/i* schimmern; (*eyes*) funkeln **gleaming** *adj* schimmernd; *eyes* funkelnd; ***~ white*** strahlend weiß

glean *v/t* (*fig*) herausbekommen; ***to ~ sth from sb/sth*** etw von jdm erfahren/einer Sache (*dat*) entnehmen

glee *n* Freude *f*; (*malicious*) Schadenfreude *f*; ***he shouted with ~*** er stieß einen Freudenschrei aus **gleeful** *adj* vergnügt; (*maliciously*) schadenfroh

glen *n* Tal *nt*

glib *adj* (*+er*) *person* zungenfertig; *reply* leichtzüngig

glide *v/i* gleiten; (*through the air*) schweben; (*plane*) im Gleitflug fliegen **glider** *n* AVIAT Segelflugzeug *nt* **gliding** *n* AVIAT Segelfliegen *nt*

glimmer I *n* **1.** (*of light etc*) Schimmer *m* **2.** (*fig*) = ***gleam*** I **II** *v/i* (*light*) schimmern; (*fire*) glimmen

glimpse I *n* Blick *m*; ***to catch a ~ of sb/sth*** einen flüchtigen Blick auf jdn/etw werfen können **II** *v/t* einen Blick erhaschen von

glint I *n* Glitzern *nt no pl*; ***a ~ of light*** ein glitzernder Lichtstrahl; ***he has a wicked ~ in his eyes*** seine Augen funkeln böse **II** *v/i* glitzern; (*eyes*) funkeln

glisten *v/i* glänzen; (*dewdrops*) glitzern

glitch *n* IT Funktionsstörung *f*; ***a technical ~*** eine technische Panne

glitter I *n* Glitzern *nt*; (*for decoration*) Glitzerstaub *m* **II** *v/i* glitzern; (*eyes, diamonds*) funkeln **glittering** *adj* glitzernd; *eyes, diamonds* funkelnd; *occasion* glanzvoll

glitzy *adj* (*+er*) (*infml*) *occasion* glanzvoll

gloat *v/i* (*with pride*) sich großtun (*over, about* mit); (*over sb's misfortune*) sich hämisch freuen (*over, about* über *+acc*); ***there's no need to ~ (over me)!*** das ist kein Grund zur Schadenfreude!

global *adj* global; *recession* weltweit; ***~ peace*** Weltfrieden *m* **global economy** *n* Weltwirtschaft *f* **globalization** *n* Globalisierung *f* **globalize** *v/t & v/i* globalisieren **globally** *adv* **1.** (≈ *worldwide*) global **2.** (≈ *universally*) allgemein **global trade** *n* Welthandel *m* **global village** *n* Weltdorf *nt* **global warming** *n* Erwärmung *f* der Erdatmosphäre **globe** *n* (≈ *sphere*) Kugel *f*; (≈ *map*) Globus *m*; ***all over the ~*** auf der ganzen Erde *or* Welt **globe artichoke** *n* Artischocke *f* **globetrotter** *n* Globetrotter(in) *m(f)* **globetrotting I** *n* Globetrotten *nt* **II** *attr* globetrottend

globule *n* Kügelchen *nt*; (*of oil, water*) Tröpfchen *nt*

gloom *n* **1.** (≈ *darkness*) Düsterkeit *f* **2.** (≈ *sadness*) düstere Stimmung **gloomily** *adv* niedergeschlagen; (≈ *pessimistically*) pessimistisch **gloomy** *adj* (*+er*) düster; *weather, light* trüb; *person* niedergeschlagen; (≈ *pessimistic*) pessimistisch (*about* über +*acc*); *outlook* trübe; ***he is very ~ about his chances of success*** er beurteilt seine Erfolgschancen sehr pessimistisch

glorification *n* Verherrlichung *f* **glorified** *adj* ***I'm just a ~ secretary*** ich bin nur eine bessere Sekretärin **glorify** *v/t* verherrlichen **glorious** *adj* **1.** (≈ *splendid*) herrlich **2.** *career* glanzvoll; *victory* ruhmreich **gloriously** *adv* herrlich; ***~ happy*** überglücklich **glory I** *n* **1.** (≈ *honour*) Ruhm *m*; ***moment of ~*** Ruhmesstunde *f* **2.** (≈ *magnificence*) Herrlichkeit *f*; ***they restored the car to its former ~*** sie restaurierten das Auto, bis es seine frühere Schönheit wiedererlangt hatte **II** *v/i* ***to ~ in one's/sb's success*** sich in seinem/jds Erfolg sonnen

gloss[1] *n* Glanz *m*; ***~ finish*** (PHOT: *on paper*) Glanz(beschichtung *f*) *m*; (*of paint*) Lackanstrich *m* ◆ **gloss over** *v/t sep* **1.** (≈ *conceal*) vertuschen **2.** (≈ *make light of*) beschönigen

gloss[2] *n* (≈ *explanation*) Erläuterung *f*; ***to put a ~ on sth*** etw interpretieren

glossary *n* Glossar *nt*

gloss (paint) *n* Glanzlack(farbe *f*) *m* **glossy** *adj* (+*er*) glänzend; ***~ magazine*** (Hochglanz)magazin *nt*; ***~ paper/paint*** Glanzpapier *nt*/-lack *m*; ***~ print*** PHOT Hochglanzbild *nt*

glove *n* (Finger)handschuh *m*; ***to fit (sb) like a ~*** (jdm) wie angegossen passen **glove compartment** *n* AUTO Handschuhfach *nt* **glove puppet** *n* (*Br*) Handpuppe *f*

glow I *v/i* glühen; (*hands of clock*) leuchten; (*lamp*) scheinen; ***she/her cheeks ~ed with health*** sie hatte ein blühendes Aussehen; ***to ~ with pride*** vor Stolz glühen **II** *n* Glühen *nt*; (*of lamp*) Schein *m*; (*of fire*) Glut *f*; ***her face had a healthy ~*** ihr Gesicht hatte eine blühende Farbe

glower *v/i* ***to ~ at sb*** jdn finster ansehen

glowing *adj account* begeistert; ***to speak of sb/sth in ~ terms*** voller Begeisterung von jdm/etw sprechen **glow-worm** *n* Glühwürmchen *nt*

glucose *n* Traubenzucker *m*

glue I *n* Leim *m*, Pick *m* (*Aus*) **II** *v/t* kleben, picken (*Aus*); ***to ~ sth down/on*** etw fest-/ankleben; ***to ~ sth to sth*** etw an etw (*dat*) festkleben; ***to keep one's eyes ~d to sb/sth*** jdn/etw nicht aus den Augen lassen; ***he's been ~d to the TV all evening*** er hängt schon den ganzen Abend vorm Fernseher (*infml*); ***we were ~d to our seats*** wir saßen wie gebannt auf unseren Plätzen **glue-sniffing** *n* (Klebstoff)schnüffeln *nt*, Pickschnüffeln *m* (*Aus*)

glum *adj* (+*er*) niedergeschlagen **glumly** *adv* niedergeschlagen

glut *n* Schwemme *f*

glute *n usu pl* (*infml*) Hintern *m* (*infml*)

gluten *n* Gluten *nt*

glutinous *adj* klebrig

glutton *n* Vielfraß *m*; ***she's a ~ for punishment*** sie ist die reinste Masochistin (*infml*) **gluttonous** *adj* (*lit, fig*) unersättlich; *person* gefräßig **gluttony** *n* Völlerei *f*

glycerin(e) *n* Glyzerin *nt*

GM *abbr of* ***genetically modified***

gm *abbr of* ***gram(s), gramme(s)*** g

GMO *n abbr of* ***genetically modified organism*** genetisch veränderter Organismus, GVO *m*

GMT *abbr of* ***Greenwich Mean Time*** WEZ

gnarled *adj tree* knorrig; *fingers* knotig

gnash *v/t* ***to ~ one's teeth*** mit den Zähnen knirschen

gnat *n* (Stech)mücke *f*

gnaw I *v/t* nagen an (+*dat*); *hole* nagen **II** *v/i* nagen; ***to ~ at*** *or* ***on sth*** an etw (*dat*) nagen; ***to ~ at sb*** (*fig*) jdn quälen **gnawing** *adj doubt, pain* nagend; *fear* quälend

gnome *n* Gnom *m*; (*in garden*) Gartenzwerg *m*

GNP *abbr of* ***gross national product***

GNVQ (*Br* SCHOOL) *abbr of* ***General National Vocational Qualification*** ≈ Berufsschulabschluss *m*

go *vb*: *pret* **went**, *past part* **gone I** *v/i* **1.** gehen; (*vehicle*) fahren; (*plane*) fliegen; (≈ *travel*) reisen; (*road*) führen; ***the doll goes everywhere with her*** sie nimmt die Puppe überallhin mit; ***you go first*** geh du zuerst!; ***you go next*** du bist der Nächste; ***there you go*** (*giving sth*) bitte; (≈ *I told you so*) na bitte; ***here we go again!*** (*infml*) jetzt geht das schon wieder los! (*infml*); ***where do we go from here?*** (*lit*) wo gehen wir anschließend hin?; (*fig*) und was (wird) jetzt?; ***to go to church*** in die Kirche gehen; ***to go to evening classes*** Abendkurse besuchen; ***to go to work*** zur Arbeit gehen; ***what shall I go in?*** was soll ich anziehen?; ***the garden goes down to the river*** der Garten geht bis zum Fluss hinunter; ***to go to France*** nach Frankreich fahren; ***I have to go to the doctor*** ich muss zum Arzt (gehen); ***to go to war*** Krieg führen (*over* wegen); ***to go to sb for sth*** (≈ *ask sb*) jdn wegen etw fragen; (≈ *fetch from sb*) bei jdm etw holen; ***to go on a journey*** eine Reise machen; ***to go on a course*** einen Kurs machen; ***to go on holiday*** (*Br*) *or* ***vacation*** (*US*) in Urlaub gehen; ***to go for a walk*** spazieren gehen; ***to go for a newspaper*** eine Zeitung holen gehen; ***go and shut the door*** mach mal die Tür zu; ***he's gone and lost his new watch*** (*infml*) er hat seine neue Uhr verloren; ***now you've gone and done it!*** (*infml*) na, jetzt hast du es geschafft!; ***to go shopping*** einkaufen gehen; ***to go looking for sb/sth*** nach jdm/etw suchen **2.** (≈ *depart*) gehen; (*vehicle*) (ab)fahren; (*plane*) (ab)fliegen; ***has he gone yet?*** ist er schon weg?; ***we must go*** *or* ***be going*** (*infml*) wir müssen gehen; ***go!*** SPORTS los!; ***here goes!*** jetzt gehts los! (*infml*) **3.** (≈ *vanish*) verschwinden; (≈ *be used up*) aufgebraucht werden; (*time*) vergehen; ***it is*** *or* ***has gone*** (≈ *disappeared*) es ist weg; ***where has it gone?*** wo ist es geblieben?; ***all his money goes on computer games*** er gibt sein ganzes Geld für Computerspiele aus; ***£75 a week goes on rent*** £ 75 die Woche sind für die Miete (weg); ***it's just gone three*** es ist kurz nach drei; ***two days to go till ...*** noch zwei Tage bis ...; ***two exams down and one to go*** zwei Prüfungen geschafft und eine kommt noch **4.** (≈ *be got rid of*) verschwinden; (≈ *be abolished*) abgeschafft werden; ***that settee will have to go*** das Sofa muss weg; ***hundreds of jobs will go*** Hunderte von Stellen werden verloren gehen **5.** (≈ *be sold*) ***the hats aren't going very well*** die Hüte gehen nicht sehr gut (weg); ***it went for £5*** es ging für £ 5 weg; ***how much did the house go for?*** für wie viel wurde das Haus verkauft?; ***going, going, gone!*** zum Ersten, zum Zweiten, und zum Dritten!; ***he has gone so far as to accuse me*** er ist so weit gegangen, mich zu beschuldigen **6.** (*prize etc*) gehen (*to* an *+acc*) **7.** (*watch*) gehen; (*car, machine*) laufen; ***to make sth go*** etw in Gang bringen; ***to get going*** in Schwung kommen; ***to get sth going*** etw in Gang bringen; *Party* etw in Fahrt bringen; ***to keep going*** (*person*) wèitermachen; (*machine etc*) weiterlaufen; (*car*) weiterfahren; ***keep going!*** weiter!; ***to keep the fire going*** das Feuer anbehalten; ***this prospect kept her going*** diese Aussicht hat sie durchhalten lassen; ***here's £50 to keep you going*** hier hast du erst mal £ 50 **8.** (*event, evening*) verlaufen; ***how does the story go?*** wie war die Geschichte noch mal?; ***we'll see how things go*** (*infml*) wir werden sehen, wie es läuft (*infml*); ***the way things are going I'll ...*** so wie es aussieht, werde ich ...; ***she has a lot going for her*** sie ist gut dran; ***how's it going?*** (*infml*) wie gehts (denn so)? (*infml*); ***how did it go?*** wie wars?; ***how's the essay going?*** was macht der Aufsatz?; ***everything is going well*** alles läuft gut; ***if everything goes well*** wenn alles gut geht **9.** (≈ *fail*) kaputtgehen; (*strength, eyesight etc*) nachlassen; (*brakes*) versagen; ***his mind is going*** er lässt geistig sehr nach **10.** (≈ *become*) werden; ***to go deaf*** taub werden; ***to go hungry*** hungern; ***I went cold*** mir wurde kalt; ***to go to sleep*** einschlafen **11.** (≈ *fit*) gehen, passen; (≈ *belong*) hingehören; (*in drawer etc*) (hin)kommen; (≈ *match*) dazu passen; ***4 into 12 goes 3*** 4 geht in 12 dreimal; ***4 into 3 won't go*** 3 durch 4 geht nicht **12.** (≈ *make a sound*) machen; ***to go bang*** peng machen; ***there goes the bell*** es klingelt **13.** ***anything goes!*** alles ist erlaubt; ***that goes for me too*** (≈ *I agree with that*) das meine ich auch; ***there are several jobs going*** es sind mehrere Stellen zu haben; ***large fries to go*** (*US*) eine große Portion Pommes zum Mitnehmen; ***the money goes to help the poor*** das Geld soll den Armen helfen; ***the money will go toward(s) a new car*** das ist Geld für ein neues Auto; ***he's not bad as bosses go*** verglichen mit anderen Chefs ist er nicht übel **II** *aux vb* ***I'm/I was going to do it*** ich werde/wollte es tun; ***I had been going to do it*** ich habe es tun wollen; ***it's going to rain*** es wird wohl regnen **III** *v/t* **1.** *route* gehen; (*vehicle*) fahren; ***to go it alone*** sich selbstständig machen; ***my mind went a complete blank*** ich hatte ein Brett vor dem Kopf (*infml*) **2.** (≈ *say, infml*) sagen **IV** *n, pl* ***goes*** **1.** (≈ *energy, infml*) Schwung *m*; ***to be on the go*** auf Trab sein (*infml*); ***he's got two women on the go*** er hat zwei Frauen gleichzeitig; ***it's all go*** es ist immer was los (*infml*) **2.** (≈ *attempt*) Versuch *m*; ***at the first go*** auf Anhieb (*infml*); ***at the second go*** beim zweiten Versuch; ***at*** *or* ***in one go*** auf einen Schlag (*infml*); (*drink*) in einem Zug (*infml*); ***to have a go*** (*Br*) es probieren; ***to have a go at doing sth*** versuchen, etw zu tun; ***have a go!*** versuchs *or* probiers (*infml*) doch mal!; ***to have a go at sb*** (*infml* ≈ *criticize*) jdn runterputzen (*infml*) **3.** (≈ *turn*) ***it's your go*** du bist an der Reihe; ***miss one go*** (*Br*) einmal aussetzen; ***can I have a go?*** darf ich mal? **4.** ***to make a go of sth*** in etw (*dat*) Erfolg haben; ***from the word go*** von Anfang an ◆ **go about I** *v/i* **1.** (*Br*) herumlaufen; ***to ~ with sb*** mit jdm zusammen sein **2.** (*Br*) (*flu etc*) umgehen **II** *v/i +prep obj* **1.** *task* anpacken; ***how does one ~ finding a job?*** wie bekommt man eine Stelle? **2.** *work* erledigen; ***to ~ one's business*** sich um seine eigenen Geschäfte kümmern ◆ **go across I** *v/i +prep obj* überqueren **II** *v/i* hinübergehen; (*by vehicle*) hinüberfahren ◆ **go after** *v/i +prep obj* **1.** (≈ *follow*) nachgehen (*+dat*); (*in vehicle*) nachfahren (*+dat*); ***the police went after the escaped criminal*** die Polizei hat den entkommenen Verbrecher gejagt **2.** (≈ *try to obtain*) anstreben ◆ **go against** *v/i +prep obj* **1.** (*luck*) sein gegen; (*events*) ungünstig verlaufen für; ***the verdict went against her*** das Urteil fiel zu ihren Ungunsten aus; ***the vote went against her*** sie verlor die Abstimmung **2.** (≈ *be contrary to*) im Widerspruch stehen zu; *principles* gehen gegen; (≈ *oppose*) *person* sich widersetzen (*+dat*); *wishes* zuwiderhandeln (*+dat*) ◆ **go ahead** *v/i* **1.** (≈ *go in front*) vorangehen; (*in race*) sich an die Spitze setzen; (≈ *go earlier*) vorausgehen; (*in vehicle*) vorausfahren; ***to ~ of sb*** vor jdm gehen; sich vor jdn setzen; jdm vorausgehen/-fahren **2.** (≈ *proceed, person*) es machen; (*project*) vorangehen; (*event*) stattfinden; ***~!*** nur zu!; ***to ~ with sth*** etw durchführen ◆ **go along** *v/i* **1.** (≈ *walk along*) entlanggehen; (*to an event*) hingehen; ***to ~ to sth*** zu etw gehen; ***as one goes along*** (≈ *bit by bit*) nach und nach; (≈ *at the same time*) nebenbei; ***I made the story up as I went along*** ich habe mir die Geschichte beim Erzählen ausgedacht **2.** (≈ *accompany*) mitgehen (*with* mit) **3.** (≈ *agree*) zustimmen (*with +dat*) ◆ **go around** *v/i* = **go about** I, **go round** ◆ **go away** *v/i* (weg)gehen; (*for a holiday*) wegfahren ◆ **go back** *v/i* **1.** (≈ *return*) zurückgehen; (≈ *revert*) zurückkehren (*to* zu); ***they have to ~ to Germany/school*** sie müssen wieder nach Deutschland zurück/zur Schule; ***when do the schools ~?*** wann fängt die Schule wieder an?; ***to ~ to the beginning*** wieder von vorn anfangen; ***there's no going back*** es gibt kein Zurück mehr **2.** (≈ *date back*) zurückreichen (*to* bis zu); ***we ~ a long way*** wir kennen uns schon ewig **3.** (*clock*) zurückgestellt werden ◆ **go back on** *v/i +prep obj* zurücknehmen; *decision* rückgängig machen; ***I never ~ my word*** was ich versprochen habe, halte ich auch ◆ **go before I** *v/i* (≈ *happen before*) vorangehen; ***everything that had gone before*** alles Vorhergehende **II** *v/i +prep obj* ***to ~ the court*** vor Gericht erscheinen ◆ **go beyond** *v/i +prep obj* hinausgehen über (*+acc*) ◆ **go by I** *v/i* vorbeigehen (*prep obj* an *+dat*); (*vehicle*) vorbeifahren (*prep obj* an *+dat*); (*time*) vergehen; ***as time went by*** mit der Zeit; ***in days gone by*** in längst vergangenen Tagen **II** *v/i +prep obj* **1.** (≈ *base decision on*) gehen nach; *watch etc* sich richten nach; *rules* sich halten an (*+acc*); ***if that's anything to ~*** wenn man danach gehen kann; ***going by what he said*** nach dem, was er sagte **2.** ***to ~ the name of Smith*** Smith heißen ◆ **go down** *v/i* **1.** hinuntergehen (*prep obj +acc*); (*by vehicle, lift*) hinunterfahren (*prep obj +acc*); (*sun, ship*) untergehen; (*plane*) abstürzen; ***to ~ on one's knees*** sich hinknien; (*to apologize*) auf die Knie fallen **2.** (≈ *be accepted*) ankommen (*with* bei); ***that won't ~ well with him*** das wird er nicht gut finden **3.** (*floods, swelling*) zurückgehen; (*prices*) sinken; ***he has gone down in my estimation*** er ist in meiner Achtung gesunken; ***to ~ in his-***

tory in die Geschichte eingehen; ***to ~ with a cold*** eine Erkältung bekommen **4.** (≈ *go as far as*) gehen (*to* bis); ***I'll ~ to the bottom of the page*** ich werde die Seite noch fertig machen **5.** IT ausfallen **6.** (SPORTS ≈ *be relegated*) absteigen; (≈ *be defeated*) verlieren; ***they went down 2-1 to Rangers*** sie verloren 2:1 gegen Rangers ◆ **go for** *v/i +prep obj* **1.** (*infml* ≈ *attack*) losgehen auf (+*acc*) (*infml*) **2.** (*infml* ≈ *like*) gut finden; (≈ *choose*) nehmen; ***~ it!*** nichts wie ran! (*infml*) ◆ **go in** *v/i* **1.** (≈ *enter*) hineingehen **2.** (*sun*) verschwinden **3.** (≈ *fit in*) hineinpassen ◆ **go in for** *v/i +prep obj* **1.** *competition* teilnehmen an (+*dat*) **2.** ***to ~ sports*** sich für Sport interessieren ◆ **go into** *v/i +prep obj* **1.** *building*, *politics* gehen in (+*acc*); *army etc* gehen zu; ***to ~ teaching*** Lehrer(in) werden **2.** (≈ *crash into*) *car* (hinein)fahren in (+*acc*); *wall* fahren gegen **3.** *trance* fallen in (+*acc*); ***to ~ hysterics*** hysterisch werden **4.** (≈ *look into*) sich befassen mit; (≈ *treat*) abhandeln; ***to ~ detail*** auf Einzelheiten eingehen; ***a lot of effort has gone into it*** da steckt viel Mühe drin ◆ **go off I** *v/i* **1.** (≈ *leave*) weggehen; (*by vehicle*) wegfahren (*on* mit); ***he went off to the States*** er fuhr in die Staaten; ***to ~ with sb/sth*** (*illicitly*) mit jdm / etw auf und davon gehen (*infml*) **2.** (*light*) ausgehen; (*electricity*) wegbleiben **3.** (*gun etc*) losgehen; (*alarm clock*) klingeln **4.** (*Br*, *food*) schlecht werden; (*milk*) sauer werden **5.** (≈ *take place*) verlaufen; ***to ~ well/badly*** gut / schlecht gehen **II** *v/i +prep obj* (*Br*) nicht mehr mögen; ***I've gone off him*** ich mache mir nichts mehr aus ihm ◆ **go on I** *v/i* **1.** (≈ *fit*) passen (*prep obj* auf +*acc*) **2.** (*light*) angehen **3.** (≈ *walk on*) weitergehen; (*by vehicle*) weiterfahren; ***to ~ with sth*** mit etw weitermachen; ***to ~ trying*** es weiter(hin) versuchen; ***~ with your work*** arbeitet weiter; ***to ~ speaking*** weitersprechen; ***~, tell me!*** na, sag schon!; ***to have enough to be going on with*** fürs Erste genug haben; ***he went on to say that ...*** dann sagte er, dass ...; ***I can't ~*** ich kann nicht mehr **4.** (≈ *talk incessantly*) unaufhörlich reden; ***don't ~ (about it)*** nun hör aber (damit) auf; ***to ~ about sb/sth*** stundenlang von jdm / etw erzählen **5.** (≈ *happen*) passieren; (*party etc*) im Gange sein; ***this has been going on for a long time*** das geht schon lange so; ***what's going on here?*** was geht hier vor? **6.** (*time*) vergehen; ***as time goes on*** im Laufe der Zeit **7.** THEAT auftreten **II** *v/i +prep obj* **1.** *bus*, *bike etc* fahren mit; *tour* machen; ***to ~ the swings*** auf die Schaukel gehen **2.** (≈ *be guided by*) gehen nach; ***we've got nothing to ~*** wir haben keine Anhaltspunkte **3.** ***to ~ the dole*** (*Br*) stempeln gehen (*infml*); ***to ~ a diet*** eine Schlankheitskur machen; ***to ~ the pill*** die Pille nehmen; ***to ~ television*** im Fernsehen auftreten **4.** (≈ *approach*) *fifty etc* zugehen auf (+*acc*) ◆ **go on for** *v/i +prep obj fifty* zugehen auf (+*acc*); ***there were going on for twenty people there*** es waren fast zwanzig Leute da ◆ **go out** *v/i* **1.** (≈ *leave*) hinausgehen; ***to ~ of a room*** aus einem Zimmer gehen **2.** (*shopping etc*) weggehen; (*to theatre etc* ≈ *be extinguished*, *fire*) ausgehen; (*with girl-/boyfriend*) gehen; ***to ~ for a meal*** essen gehen; ***to ~ to work*** arbeiten gehen; ***to ~ on strike*** in den Streik treten **3.** (*tide*) zurückgehen **4.** ***my heart went out to him*** ich fühlte mit ihm mit; ***the fun had gone out of it*** es machte keinen Spaß mehr **5.** (SPORTS ≈ *be defeated*) ausscheiden **6.** (≈ *strive*) ***to go all out*** sich ins Zeug legen (*for* für) **7.** (RADIO, TV: *programme*) ausgestrahlt werden ◆ **go over I** *v/i* **1.** (≈ *cross*) hinübergehen; (*by vehicle*) hinüberfahren **2.** (≈ *change allegiance*, *diet etc*) übergehen (*to* zu) **3.** (TV, RADIO, *to another studio etc*) umschalten **II** *v/i +prep obj* durchgehen; ***to ~ sth in one's mind*** etw überdenken ◆ **go past** *v/i* vorbeigehen (*prep obj* an +*dat*); (*vehicle*) vorbeifahren (*prep obj* an +*dat*); (*time*) vergehen ◆ **go round** *v/i* (*esp Br*) **1.** (≈ *spin*) sich drehen **2.** (≈ *make a detour*) ***to ~ sth*** um etw herumgehen/-fahren; ***to ~ the long way*** ganz außen herumgehen/-fahren **3.** (≈ *visit*) vorbeigehen (*to* bei) **4.** (≈ *tour*, *round museum etc*) herumgehen (*prep obj* in +*dat*) **5.** (≈ *be sufficient*) (aus)reichen; ***there's enough food to ~*** es ist genügend zu essen da **6.** +*prep obj* (≈ *encircle*) herumgehen um **7.** = **go about I** ◆ **go through I** *v/i* durchgehen; (*deal*) abgeschlossen werden; (*divorce*, *bill*) durchkommen; SPORTS sich qualifizieren (*to* für) **II** *v/i +prep obj* **1.** *hole*, *cus-*

toms etc gehen durch **2.** *formalities* durchmachen **3.** *list, lesson* durchgehen **4.** *pocket* durchsuchen **5.** (≈ *use up*) aufbrauchen; *money* ausgeben ◆ **go through with** *v/i +prep obj crime* ausführen; ***she couldn't ~ it*** sie brachte es nicht fertig ◆ **go together** *v/i* (≈ *harmonize*) zusammenpassen ◆ **go under I** *v/i* (*ship, person*) untergehen; (*company*) eingehen (*infml*) **II** *v/i +prep obj* **1.** (≈ *pass under*) durchgehen unter (*+dat*); (≈ *fit under*) passen unter (*+acc*) **2.** ***to ~ the name of Jones*** als Jones bekannt sein ◆ **go up** *v/i* **1.** (*price etc*) steigen **2.** (≈ *climb*) hinaufsteigen (*prep obj +acc*); ***to ~ to bed*** nach oben gehen **3.** (*lift* ≈ *travel north*) hochfahren; (THEAT: *curtain*) hochgehen; (≈ *be built*) gebaut werden **4.** ***to ~ in flames*** in Flammen aufgehen **5.** (*cheer*) ertönen ◆ **go with** *v/i +prep obj* **1.** *sb* gehen mit **2.** (≈ *harmonize with*) passen zu ◆ **go without I** *v/i +prep obj* nicht haben; ***to ~ food*** nichts essen; ***to ~ breakfast*** nicht frühstücken; ***to have to ~ sth*** auf etw (*acc*) verzichten müssen **II** *v/i* darauf verzichten

goad *v/t* aufreizen; ***to ~ sb into sth*** jdn zu etw anstacheln

go-ahead I *adj* fortschrittlich **II** *n* ***to give sb/sth the ~*** jdm/für etw grünes Licht geben

goal *n* **1.** SPORTS Tor *nt*; ***to score a ~*** ein Tor erzielen **2.** (≈ *aim*) Ziel *nt*; ***to set (oneself) a ~*** (sich *dat*) ein Ziel setzen **goal area** *n* Torraum *m* **goal difference** *n* Tordifferenz *f* **goalie** *n* (*infml*) Tormann *m*/-frau *f* **goalkeeper** *n* Torhüter(in) *m(f)* **goal kick** *n* Abstoß *m* (vom Tor) **goal line** *n* Torlinie *f* **goalmouth** *n* unmittelbarer Torbereich **goalpost** *n* Torpfosten *m*; ***to move the ~s*** (*fig infml*) die Spielregeln (ver)ändern

goat *n* Ziege *f*; ***to get sb's ~*** (*infml*) jdn auf die Palme bringen (*infml*) **goatee (beard)** *n* Spitzbart *m* **goat's cheese** *n* Ziegenkäse *m*

gob[1] *v/i* (*Br infml*) spucken; ***to ~ at sb*** jdn anspucken

gob[2] *n* (*Br infml* ≈ *mouth*) Schnauze *f* (*infml*); ***shut your ~!*** halt die Schnauze! (*infml*)

gobble *v/t* verschlingen ◆ **gobble down** *v/t sep* hinunterschlingen ◆ **gobble up** *v/t sep* verschlingen

gobbledegook, gobbledygook *n* (*infml*) Kauderwelsch *nt*

go-between *n, pl* **-s** Vermittler(in) *m(f)*

goblet *n* Pokal *m*

goblin *n* Kobold *m*

gobsmacked *adj* (*infml*) platt (*infml*)

go-cart *n* (≈ *child's cart*) Seifenkiste *f*; SPORTS Gokart *m*

god *n* Gott *m*; ***God willing*** so Gott will; ***God (only) knows*** (*infml*) wer weiß; ***for God's sake!*** (*infml*) um Himmels willen (*infml*); ***what/why in God's name ...?*** um Himmels willen, was/warum ...? **god-awful** *adj* (*infml*) beschissen (*infml*) **godchild** *n* Patenkind *nt* **goddammit** *int* verdammt noch mal! (*infml*) **goddamn, goddam** *adj* (*esp US infml*) gottverdammt (*infml*); ***it's no ~ use!*** es hat überhaupt keinen Zweck, verdammt noch mal! (*infml*) **goddamned** *adj* = ***goddamn*** **goddaughter** *n* Patentochter *f* **goddess** *n* Göttin *f* **godfather** *n* Pate *m*; ***my ~*** mein Patenonkel *m* **godforsaken** *adj* (*infml*) gottverlassen **godless** *adj* gottlos **godmother** *n* Patin *f*; ***my ~*** meine Patentante *f* **godparent** *n* Pate *m*, Patin *f* **godsend** *n* Geschenk *nt* des Himmels **godson** *n* Patensohn *m*

-goer *n suf* -gänger(in) *m(f)*; ***cinemagoer*** Kinogänger(in) *m(f)*

goes *3rd person sg pres of* **go**

go-getter *n* (*infml*) Ellbogentyp *m* (*pej infml*)

goggle *v/i* starren; ***to ~ at sb/sth*** jdn/etw anstarren **goggles** *pl* Schutzbrille *f*

going I *pp of* **go II** *n* **1.** (≈ *departure*) Weggang *m* **2.** ***it's slow ~*** es geht nur langsam voran; ***that's good ~*** das ist ein flottes Tempo; ***it's heavy ~ talking to him*** es ist sehr mühsam, sich mit ihm zu unterhalten; ***while the ~ is good*** (noch) rechtzeitig **III** *adj* **1.** *rate* üblich **2.** (*after superl: infml*) ***the best thing ~*** das Beste überhaupt **3.** ***to sell a business as a ~ concern*** ein bestehendes Unternehmen verkaufen **going-over** *n* Untersuchung *f*; ***to give sth a good ~*** *contract* etw gründlich prüfen **goings-on** *pl* (*infml*) Dinge *pl*

go-kart *n* Gokart *m*

gold I *n* **1.** Gold *nt* **2.** (*infml* ≈ *gold medal*) Goldmedaille *f* **II** *adj* golden; ***~ jewellery*** (*Br*) *or* ***jewelry*** (*US*) Goldschmuck *m*; ***~ coin*** Goldmünze *f* **gold disc** *n* goldene Schallplatte **gold dust** *n* ***to be***

(***like***) ~ (*fig*) sehr schwer zu finden sein **golden** *adj* golden; *hair* goldblond; ***fry until*** ~ anbräunen; ***a ~ opportunity*** eine einmalige Gelegenheit **golden age** *n* (*fig*) Blütezeit *f* **golden eagle** *n* Steinadler *m* **golden goal** *n* FTBL Golden Goal *nt* **golden jubilee** *n* goldenes Jubiläum **golden rule** *n* goldene Regel; ***my ~ is never to ...*** ich mache es mir zu Regel, niemals zu ... **golden syrup** *n* (*Br*) (gelber) Sirup **golden wedding (anniversary)** *n* goldene Hochzeit **goldfish** *n* Goldfisch *m* **goldfish bowl** *n* Goldfischglas *nt* **gold leaf** *n* Blattgold *nt* **gold medal** *n* Goldmedaille *f* **gold mine** *n* Goldgrube *f* **gold-plate** *v/t* vergolden **gold rush** *n* Goldrausch *m* **goldsmith** *n* Goldschmied(in) *m*(*f*)

golf *n* Golf *nt* **golf bag** *n* Golftasche *f* **golf ball** *n* Golfball *m* **golf club** *n* **1.** (≈ *instrument*) Golfschläger *m* **2.** (≈ *association*) Golfklub *m* **golf course** *n* Golfplatz *m* **golfer** *n* Golfer(in) *m*(*f*)

gondola *n* Gondel *f*

gone I *past part of* **go II** *adj pred* (*infml* ≈ *pregnant*) ***she was 6 months ~*** sie war im 7. Monat **III** *prep* ***it's just ~ three*** es ist gerade drei Uhr vorbei

gong *n* **1.** Gong *m* **2.** (*Br infml* ≈ *medal*) Blech *nt* (*infml*)

gonna (*incorrect*) = ***going to***

gonorrhoea, (*US*) **gonorrhea** *n* Gonorrhö *f*, Tripper *m*

goo *n* (*infml*) Schmiere *f* (*infml*)

good I *adj*, *comp* ***better***, *sup* ***best*** **1.** gut; ***that's a ~ one!*** (*joke*) das ist ein guter Witz; (*usu iron*: *excuse*) wers glaubt, wird selig! (*infml*); ***you've done a ~ day's work*** du hast gute Arbeit (für einen Tag) geleistet; ***a ~ meal*** eine ordentliche Mahlzeit; ***to be ~ with people*** gut mit Menschen umgehen können; ***it's too ~ to be true*** es ist zu schön, um wahr zu sein; ***to be ~ for sb*** gut für jdn sein; ***it's a ~ thing*** *or* ***job I was there*** (nur) gut, dass ich dort war; ***~ nature*** Gutmütigkeit *f*; ***to be ~ to sb*** gut zu jdm sein; ***that's very ~ of you*** das ist sehr nett von Ihnen; (***it was***) ***~ of you to come*** nett, dass Sie gekommen sind; ***would you be ~ enough to tell me ...*** wären Sie so nett, mir zu sagen ... (*also iron*); ***~ old Charles!*** der gute alte Charles!; ***the car is ~ for another few years*** das Auto hält noch ein paar Jahre; ***she's ~ for nothing*** sie ist ein Nichtsnutz; ***that's always ~ for a laugh*** darüber kann man immer lachen; ***to have a ~ cry*** sich ausweinen; ***to have a ~ laugh*** so richtig lachen (*infml*); ***to take a ~ look at sth*** sich (*dat*) etw gut ansehen; ***it's a ~ 8 km*** es sind gute 8 km; ***a ~ many people*** ziemlich viele Leute; ***~ morning*** guten Morgen; ***to be ~ at sth*** gut in etw (*dat*) sein; ***to be ~ at sport/languages*** gut im Sport/in Sprachen sein; ***to be ~ at sewing*** gut nähen können; ***I'm not very ~ at it*** ich kann es nicht besonders gut; ***that's ~ enough*** das reicht; ***if he gives his word, that's ~ enough for me*** wenn er sein Wort gibt, reicht mir das; ***it's just not ~ enough!*** so geht das nicht!; ***to feel ~*** sich wohlfühlen; ***I don't feel too ~ about it*** mir ist nicht ganz wohl dabei; ***to make ~*** *mistake* wiedergutmachen; *threat* wahr machen; ***to make ~ one's losses*** seine Verluste wettmachen; ***as ~ as new*** so gut wie neu; ***he as ~ as called me a liar*** er nannte mich praktisch einen Lügner **2.** *holiday*, *evening* schön; ***did you have a ~ day?*** wie wars heute?; ***to have a ~ time*** sich gut amüsieren; ***have a ~ time!*** viel Spaß! **3.** (≈ *well-behaved*) artig; (***as***) ***~ as gold*** mustergültig; ***be a ~ girl/boy and ...*** sei so lieb und ...; ***~ girl/boy!*** (≈ *well done*) gut!; ***that's a ~ dog!*** guter Hund! **4.** *eye*, *leg* gesund **5.** (*in exclamations*) gut, prima; (***it's***) ***~ to see you*** (es ist) schön, dich zu sehen; ***~ grief*** *or* ***gracious!*** ach du liebe Güte! (*infml*); ***~ for you etc!*** gut!, prima! **6.** (*emphatic use*) schön; ***a ~ strong stick*** ein schön(er) starker Stock; ***~ and hard*** (*infml*) ganz schön fest (*infml*); ***~ and proper*** (*infml*) ganz anständig (*infml*) **II** *adv* gut; ***how are you? — ~!*** wie gehts? — gut! **III** *n* **1.** Gute(s) *nt*; ***~ and evil*** Gut und Böse; ***to do ~*** Gutes tun; ***to be up to no ~*** (*infml*) nichts Gutes im Schilde führen (*infml*) **2.** (≈ *benefit*) Wohl *nt*; ***for the ~ of the nation*** zum Wohl(e) der Nation; ***I did it for your own ~*** ich habe es nur gut mit dir gemeint; ***for the ~ of one's health*** *etc* seiner Gesundheit *etc* zuliebe; ***he'll come to no ~*** mit ihm wird es noch ein böses Ende nehmen; ***what's the ~ of hurrying?*** wozu eigentlich die Eile?; ***if that is any ~ to you*** wenn es dir hilft; ***to do*** (***some***) ***~*** (etwas) helfen *or* nützen; ***to do sb ~*** jdm helfen; (*rest, medicine etc*) jdm guttun; ***what ~ will that do you?*** was hast du davon?; ***that's no ~*** das ist nichts; ***he's no ~ to us*** er nützt uns (*dat*) nichts; ***it's no ~ doing it like that*** es hat keinen Sinn, das so zu machen; ***he's no ~ at it*** er kann es nicht **3.** ***for ~*** für immer

goodbye I *n* Abschied *m*; ***to say ~*** sich verabschieden; ***to wish sb ~, to say ~ to sb*** sich von jdm verabschieden; ***to say ~ to sth*** einer Sache (*dat*) Lebewohl sagen **II** *int* auf Wiedersehen, servus! (*Aus*) **III** *adj attr* Abschieds- **good-for--nothing** *n* Nichtsnutz *m*, Fink *m* (*Swiss*) **Good Friday** *n* Karfreitag *m* **good-humoured,** (*US*) **good-humored** *adj person* (*by nature*) gutmütig; (*on a certain occasion*) gut gelaunt; *event* friedlich

good-looking *adj* gut aussehend **good--natured** *adj person* gutmütig; *demonstration* friedlich; *fun* harmlos **goodness** *n* Güte *f*; ***out of the ~ of his/her heart*** aus reiner Herzensgüte; ***~ knows*** weiß der Himmel (*infml*); ***for ~' sake*** um Himmels willen (*infml*); **(*my*) *~!*** meine Güte! (*infml*) **goodnight** *adj attr* ***~ kiss*** Gutenachtkuss *m* **goods** *pl* Güter *pl*; ***leather ~*** Lederwaren *pl*; ***stolen ~*** Diebesgut *nt*; ***~ train*** Güterzug *m*; ***if we don't come up with the ~ on time*** (*infml*) wenn wir es nicht rechtzeitig schaffen **good-sized** *adj* ziemlich groß **good-tempered** *adj person* verträglich; *animal* gutartig; *behaviour* gutmütig **goodwill** *n* Wohlwollen *nt*; (*between nations*) Goodwill *m*; ***a gesture of ~*** ein Zeichen seines/ihres *etc* guten Willens **goody** (*infml*) *n* (≈ *delicacy*) Leckerbissen *m*; (≈ *sweet*) Süßigkeit *f* **goody--goody** (*infml*) *n* Musterkind *nt* (*infml*)

gooey *adj* (+*er*) (*infml* ≈ *sticky*) klebrig

goof (*infml*) *v/i* **1.** (≈ *blunder*) danebenhauen (*infml*) **2.** (*US* ≈ *loiter*: *a.* **goof around**) (herum)trödeln; ***to ~ off*** abzwitschern (*infml*) **goofy** *adj* (+*er*) (*infml*) doof (*infml*)

goose *n*, *pl* ***geese*** Gans *f* **gooseberry** *n* Stachelbeere *f* **goose bumps** *pl*, **goose flesh** *n* Gänsehaut *f* **goose pimples** *pl* (*Br*) Gänsehaut *f* **goose-step** *v/i* im Stechschritt marschieren

gopher *n* Taschenratte *f*

gore[1] *n* (*liter*) Blut *nt*

gore[2] *v/t* durchbohren

gorge I *n* GEOG Schlucht *f* **II** *v/r* schlemmen; ***to ~ (oneself) on sth*** etw verschlingen

gorgeous *adj* **1.** (≈ *lovely*) herrlich **2.** (*infml* ≈ *beautiful*) hinreißend; *present* toll (*infml*)

gorilla *n* Gorilla *m*

gormless *adj* (*Br infml*) doof (*infml*)

gory *adj* blutrünstig; *murder, detail* blutig

gosh *int* Mensch (*infml*), Mann (*infml*)

gospel *n* BIBLE Evangelium *nt*; ***the Gospels*** die Evangelien *pl* **gospel truth** *n* (*infml*) reine Wahrheit

gossip I *n* **1.** Klatsch *m*; (≈ *chat*) Schwatz *m*; ***to have a ~ with sb*** mit jdm schwatzen **2.** (≈ *person*) Klatschbase *f* **II** *v/i* schwatzen; (*maliciously*) klatschen **gossip column** *n* Klatschkolumne *or* -spalte *f*

got *pret*, *past part of* ***get***

Gothic *adj* gotisch

gotta *contraction* = ***got to***; ***I ~ go*** ich muss gehen

gotten (*esp US*) *past part of* ***get***

gouge *v/t* bohren; ***the river ~d a channel in the mountainside*** der Fluss grub sich (*dat*) sein Bett in den Berg ◆ **gouge out** *v/t sep* herausbohren; ***to gouge sb's eyes out*** jdm die Augen ausstechen

goulash *n* Gulasch *nt*

gourd *n* Flaschenkürbis *m*; (*dried*) Kürbisflasche *f*

gourmet *n* Feinschmecker(in) *m*(*f*)

gout *n* MED Gicht *f*

Gov *abbr of* ***governor***

govern I *v/t* **1.** *country* regieren; *province, school etc* verwalten **2.** (*laws etc*) bestimmen; *decision, actions* beeinflussen **II** *v/i* POL regieren **governess** *n* Gouvernante *f* **governing body** *n* leitendes Gremium

government I *n* **1.** Regierung *f* **2.** (≈ *system*) Regierungsform *f* **II** *attr* Regierungs-, der Regierung; ***~ official*** Regierungsbeamter *m*/-beamtin *f*; ***~ backing*** staatliche Unterstützung; ***~ intervention*** staatlicher Eingriff **governmental** *adj* Regierungs- **government department** *n* Ministerium *nt* **government--funded** *adj* mit staatlichen Mitteln finanziert **government spending** *n* öffentliche Ausgaben *pl* **governor** *n* **1.** (*of state etc*) Gouverneur(in) *m*(*f*) **2.** (*esp Br, of prison*) Direktor(in) *m*(*f*); (*of school*) ≈ Mitglied *nt* des Schulbeirats; **the (board of) ~s** der Vorstand; (*of school*) ≈ der Schulbeirat **governor general** *n* Generalgouverneur(in) *m(f)*

govt *abbr of* **government** Reg.

gown *n* Kleid *nt*; (≈ *evening gown*) Robe *f*; (*in hospital*) Kittel *m*; (*of judge*) Talar *m*; **wedding ~** Hochzeitskleid *nt*

GP (*Br*) *abbr of* **general practitioner**; **to go to one's GP** zu seinem Hausarzt / seiner Hausärztin gehen

GPS *n abbr of* **global positioning system** GPS *nt*

grab I *n* **to make a ~ at** *or* **for sth** nach etw greifen; **to be up for ~s** (*infml*) zu haben sein (*infml*) **II** *v/t* **1.** packen; (≈ *take*) wegschnappen (*infml*); (*infml* ≈ *catch*) *person* schnappen (*infml*); *chance* beim Schopf ergreifen (*infml*); **he ~bed (hold of) my sleeve** er packte mich am Ärmel; **I'll just ~ a sandwich** (*infml*) ich esse nur schnell ein Sandwich **2.** (*infml*) **how does that ~ you?** wie findest du das? **III** *v/i* **to ~ at** greifen nach; **he ~bed at the chance of promotion** er ließ sich die Chance, befördert zu werden, nicht entgehen

grace I *n* **1.** *no pl* Anmut *f*; **to do sth with (a) good/bad ~** etw anstandslos / widerwillig *or* unwillig tun **2.** (≈ *respite*) Zahlungsfrist *f*; **to give sb a few days' ~** jdm ein paar Tage Zeit lassen **3.** (≈ *prayer*) **to say ~** das Tischgebet sprechen **4.** (≈ *mercy*) Gnade *f*; **by the ~ of God** durch die Gnade Gottes; **to fall from ~** in Ungnade fallen **II** *v/t* (≈ *honour*) beehren (*with* mit); *event etc* sich (*dat*) die Ehre geben bei (+*dat*) **graceful** *adj* anmutig; *bow*, *manner* elegant **gracefully** *adv* **1.** anmutig **2.** *accept*, *withdraw* anstandslos; **to grow old ~** in Würde alt werden **gracious I** *adj* (*form* ≈ *courteous*) liebenswürdig **II** *int* (*dated*) **good** *or* **goodness ~ (me)!** ach du meine Güte!

gradation *n* Abstufung *f*

grade I *n* **1.** (≈ *level*) Niveau *nt*; (*of goods*) (Güte)klasse *f*; **to make the ~** (*fig infml*) es schaffen (*infml*) **2.** (≈ *job grade*) Position *f*; (≈ *salary grade*) Gehaltsstufe *f* **3.** (SCHOOL ≈ *mark*) Note *f*; (*esp US* ≈ *class*) Klasse *f*; **to get good/poor ~s** gute / schlechte Noten bekommen **II** *v/t* **1.** *goods* klassifizieren; *students etc* einstufen **2.** (*US* SCHOOL ≈ *mark*) benoten **grade crossing** *n* (*US*) Bahnübergang *m* **-grader** *n suf* (*US* SCHOOL) -klässler(in) *m(f)*; **sixth-grader** Sechstklässler(in) *m(f)* **grade school** *n* (*US*) ≈ Grundschule *f*

gradient *n* (*esp Br*) Neigung *f*; **a ~ of 1 in 10** eine Steigung / ein Gefälle von 10%

gradual *adj* allmählich; *progress* langsam; *slope* sanft **gradually** *adv* allmählich; *slope* sanft

graduate I *n* (*Br* UNIV) (Hochschul)absolvent(in) *m(f)*; (≈ *person with degree*) Akademiker(in) *m(f)*; (*US* SCHOOL) Schulabgänger(in) *m(f)*; **high-school ~** (*US*) ≈ Abiturient(in) *m(f)*, ≈ Maturant(in) *m(f)* (*Aus, Swiss*) **II** *v/i* UNIV graduieren; (*US* SCHOOL) die Abschlussprüfung bestehen (*from* an +*dat*); **to ~ in English** einen Hochschulabschluss in Englisch machen; **she ~d to television from radio** sie arbeitete sich vom Radio zum Fernsehen hoch **graduate** *in cpds* (*Br*) für Akademiker; *unemployment* unter den Akademikern **graduate school** *n* (*US*) *Hochschulabteilung für Studenten mit abgeschlossenem Studium* **graduate student** *n* (*US*) *Student(in) mit abgeschlossenem Studium* **graduation** *n* (UNIV, *US* SCHOOL) Abschlussfeier *f*

graffiti *pl* Graffiti *pl* **graffiti artist** *n* Graffitikünstler(in) *m(f)*

graft I *n* **1.** MED Transplantat *nt* **2.** (*esp US infml* ≈ *corruption*) Mauschelei *f* (*infml*) **3.** (*Br infml* ≈ *hard work*) Schufterei *f* (*infml*) **II** *v/t* MED übertragen (*on* auf +*acc*)

grail *n* Gral *m*

grain *n* **1.** *no pl* Getreide *nt* **2.** (*of corn etc*) Korn *nt*; (*fig: of truth*) Körnchen *nt* **3.** (*of wood*) Maserung *f*; **it goes against the** (*Br*) *or* **my** (*US*) **~** (*fig*) es geht einem gegen den Strich **grainy** *adj* (+*er*) *photograph* unscharf

gram, gramme *n* Gramm *nt*

grammar *n* Grammatik *f*; **that is bad ~** das ist grammat(ikal)isch falsch **grammar school** *n* (*Br*) ≈ Gymnasium *nt*; (*US*) ≈ Mittelschule *f* (*Stufe zwischen Grundschule und Höherer Schule*) **grammatical** *adj* **1.** grammatisch; **~ error** Grammatikfehler *m* **2.** (≈ *correct*) grammat(ikal)isch richtig; **his English is not ~** sein Englisch ist grammatikalisch falsch **grammatically** *adv* **~ correct** grammat(ikal)isch richtig

gramme *n* = **gram**

gramophone *n* (*Br old*) Grammofon *nt*; ***~ record*** Schallplatte *f*
gran *n* (*infml*) Oma *f* (*infml*)
granary *n* Kornkammer *f*
grand I *adj* (*+er*) (≈ *imposing*) grandios; *building* prachtvoll; *gesture* großartig; *ideas* hochfliegend; *manner* vornehm; ***on a ~ scale*** im großen Rahmen; ***~ occasion*** feierlicher Anlass; ***the ~ opening*** die große Eröffnung **II** *n* (FIN *infml*) Riese *m* (*infml*); ***ten ~*** zehn Riesen (*infml*)
grandchild *n* Enkel(kind *nt*) *m*
grand(d)ad *n* (*infml*) Opa *m* (*infml*)
granddaughter *n* Enkelin *f*
grandfather *n* Großvater *m* **grandfather clock** *n* Standuhr *f* **grand finale** *n* großes Finale **grandiose** *adj* (*pej*) *style* schwülstig; *idea* hochfliegend **grand jury** *n* (*US* JUR) Großes Geschworenengericht **grandly** *adv* **1.** (≈ *impressively*) eindrucksvoll; *named* grandios; ***it is ~ described as/called/titled ...*** es trägt die grandiose Bezeichnung ... **2.** (≈ *pompously*) großspurig; *say* hochtrabend
grandma *n* (*infml*) Oma *f* (*infml*)
grandmother *n* Großmutter *f*
grandpa *n* (*infml*) Opa *m* (*infml*)
grandparent *n* Großvater *m*/-mutter *f*
grandparents *pl* Großeltern *pl* **grand piano** *n* Flügel *m* **grand slam** *n* ***to win the ~*** SPORTS alle Wettbewerbe gewinnen
grandson *n* Enkel(sohn) *m* **grandstand** *n* Haupttribüne *f* **grand total** *n* Gesamtsumme *f*; ***a ~ of £50*** insgesamt £ 50
granite *n* Granit *m*
granny, grannie *n* (*infml*) Oma *f* (*infml*)
grant I *v/t* **1.** gewähren (*sb* jdm); *permission, visa* erteilen (*sb* jdm); *request* stattgeben (*+dat*) (*form*); *wish* erfüllen; ***to ~ an amnesty to sb*** jdn amnestieren **2.** (≈ *admit*) zugestehen; ***to take sb/sth for ~ed*** jdn/etw als selbstverständlich hinnehmen; ***to take it for ~ed that ...*** es selbstverständlich finden, dass ... **II** *n* (*of money*) Subvention *f*; (*for studying etc*) Stipendium *nt* **grant-maintained** *adj* staatlich finanziert
granulated sugar *n* Zuckerraffinade *f*
granule *n* Körnchen *nt*
grape *n* (Wein)traube *f*; ***a bunch of ~s*** eine (ganze) Weintraube **grapefruit** *n* Grapefruit *f* **grapevine** *n* Weinstock *m*; ***I heard it on** or **through the ~*** es ist mir zu Ohren gekommen
graph *n* Diagramm *nt* **graphic** *adj* **1.** *account* anschaulich; (*unpleasant*) drastisch; ***to describe sth in ~ detail*** etw in allen Einzelheiten anschaulich darstellen **2.** ART grafisch **graphically** *adv* anschaulich; (*unpleasantly*) auf drastische Art **graphical user interface** *n* IT grafische Benutzeroberfläche **graphic artist** *n* Grafiker(in) *m(f)* **graphic arts** *pl*, **graphic design** *n* Grafik *f* **graphic designer** *n* Grafiker(in) *m(f)* **graphic equalizer** *n* (Graphic) Equalizer *m*
graphics I *pl* **1.** (≈ *drawings*) Zeichnungen *pl* **2.** IT Grafik *f* **II** *adj attr* IT Grafik-
graphics card *n* IT Grafikkarte *f*
graphite *n* Grafit *m*
graph paper *n* Millimeterpapier *nt*
grapple *v/i* (*lit*) kämpfen; ***to ~ with a problem*** sich mit einem Problem herumschlagen
grasp I *n* **1.** (≈ *hold*) Griff *m*; ***the knife slipped from her ~*** das Messer rutschte ihr aus der Hand; ***when fame was within their ~*** als Ruhm in greifbare Nähe gerückt war **2.** (*fig* ≈ *understanding*) Verständnis *nt*; ***to have a good ~ of sth*** etw gut beherrschen **II** *v/t* **1.** (≈ *catch hold of*) ergreifen; (≈ *hold tightly*) festhalten; ***he ~ed the bundle in his arms*** er hielt das Bündel in den Armen **2.** (*fig* ≈ *understand*) begreifen **III** *v/i* ***to ~ at sth*** (*lit*) nach etw greifen; (*fig*) sich auf etw (*acc*) stürzen **grasping** *adj* (*fig*) habgierig
grass I *n* **1.** Gras *nt*; ***blade of ~*** Grashalm *m* **2.** *no pl* (≈ *lawn*) Rasen *m*; (≈ *pasture*) Weide(land *nt*) *f* **3.** (*infml* ≈ *marijuana*) Gras *nt* (*infml*) **II** *v/i* (*Br infml*) singen (*infml*) (*to* bei); ***to ~ on sb*** jdn verpfeifen (*infml*) **grasshopper** *n* Heuschrecke *f*
grassland *n* Grasland *nt* **grass roots** *pl* Basis *f* **grass-roots** *adj attr* Basis-, an der Basis; ***at ~ level*** an der Basis; ***a ~ movement*** eine Bürgerinitiative
grass snake *n* Ringelnatter *f* **grassy** *adj* (*+er*) grasig; ***~ slope*** Grashang *m*
grate[1] *n* (≈ *grid*) Gitter *nt*; (*in fire*) (Feuer)rost *m*
grate[2] **I** *v/t* COOK reiben **II** *v/i* (*fig*) wehtun (*on sb* jdm); ***to ~ on sb's nerves*** jdm auf die Nerven gehen
grateful *adj* dankbar; ***I'm ~ to you for buying the tickets*** ich bin dir dankbar (dafür), dass du die Karten gekauft hast
gratefully *adv* dankbar
grater *n* Reibe *f*

gratification *n* Genugtuung *f* **gratify** *v/t* **1.** (≈ *give pleasure*) erfreuen; ***I was gratified to hear that ...*** ich habe mit Genugtuung gehört, dass ... **2.** (≈ *satisfy*) zufriedenstellen **gratifying** *adj* (sehr) erfreulich; ***it is ~ to learn that ...*** es ist erfreulich zu erfahren, dass ...

grating[1] *n* Gitter *nt*

grating[2] *adj* kratzend; *sound* quietschend; *voice* schrill

gratitude *n* Dankbarkeit *f* (*to* gegenüber)

gratuitous *adj* überflüssig **gratuity** *n* Gratifikation *f*; (*form* ≈ *tip*) Trinkgeld *nt*

grave[1] *n* Grab *nt*; ***to turn in one's ~*** sich im Grabe herumdrehen; ***to dig one's own ~*** (*fig*) sein eigenes Grab graben *or* schaufeln

grave[2] *adj* (+*er*) *danger*, *difficulty* groß; *situation*, *person* ernst; *mistake*, *illness* schwer; *doubt* stark

grave digger *n* Totengräber(in) *m*(*f*)

gravel I *n* Kies *m*; (*large*) Schotter *m* **II** *adj attr* Kies-; *drive* mit Kies bedeckt

gravely *adv* **1.** *ill*, *wounded* schwer; ***~ concerned*** ernstlich besorgt **2.** *say* ernst

gravestone *n* Grabstein *m* **graveyard** *n* Friedhof *m*

gravitate *v/i* (*lit*) angezogen werden (*to*(*-wards*) von); (*fig*) hingezogen werden (*to*(*wards*) zu) **gravitational** *adj* Gravitations- **gravity** *n* **1.** PHYS Schwerkraft *f*; ***centre*** (*Br*) *or* ***center*** (*US*) ***of ~*** Schwerpunkt *m* **2.** (*of person*, *situation*) Ernst *m*; (*of mistake*, *crime*) Schwere *f*; ***the ~ of the news*** die schlimmen Nachrichten

gravy *n* (COOK ≈ *juice*) Bratensaft *m*; (≈ *sauce*) Soße *f* **gravy boat** *n* Sauciere *f*

gray *n*, *adj*, *v/i* (*US*) = ***grey***

graze[1] **I** *v/i* (*cattle etc*) weiden **II** *v/t cattle* weiden lassen

graze[2] **I** *v/t* (≈ *touch lightly*) streifen; ***to ~ one's knees*** sich (*dat*) die Knie aufschürfen; ***to ~ oneself*** sich (*dat*) die Haut aufschürfen **II** *n* Abschürfung *f*

GRE (*US* UNIV) *abbr of* ***Graduate Record Examination*** *Zulassungsprüfung für ein weiterführendes Studium*

grease I *n* Fett *nt*; (≈ *lubricant*) Schmiere *f* **II** *v/t* fetten; AUTO, TECH schmieren **greasepaint** *n* THEAT (Fett)schminke *f* **greaseproof** *adj* ***~ paper*** Pergamentpapier *nt* **greasy** *adj* (+*er*) *food* fett; *hair*, *skin* fettig; *surface* rutschig

great I *adj* (+*er*) **1.** groß; (≈ *huge*) riesig; ***there is a ~ need for economic development*** wirtschaftliche Entwicklung ist dringend nötig; ***of no ~ importance*** ziemlich unwichtig; ***in ~ detail*** ganz ausführlich; ***to take a ~ interest in sth*** sich sehr für etw interessieren; ***he did not live to a ~ age*** er erreichte kein hohes Alter; ***with ~ difficulty*** mit großen Schwierigkeiten; ***to a ~ extent*** in hohem Maße; ***it was ~ fun*** es hat großen Spaß gemacht; ***a ~ many***, ***a ~ number of*** sehr viele; ***his ~est work*** sein Hauptwerk *nt*; ***he was a ~ friend of my father*** er war mit meinem Vater sehr gut befreundet; ***to be a ~ believer in sth*** sehr viel von etw halten; ***to be a ~ believer in doing sth*** grundsätzlich dafür sein, etw zu tun **2.** (*infml* ≈ *terrific*) toll (*infml*), prima (*infml*); ***this whisk is ~ for sauces*** dieser Schneebesen eignet sich besonders gut für Soßen; ***to be ~ at football*** ein großer Fußballspieler sein; ***to feel ~*** sich toll *or* prima fühlen (*infml*); ***my wife isn't feeling so ~*** meiner Frau geht es nicht besonders gut **3.** (≈ *excellent*) ausgezeichnet; ***one of the ~ footballers of our generation*** einer der großen Fußballspieler unserer Generation **II** *int* (*infml*) toll (*infml*); ***oh ~*** (*iron*) na wunderbar **III** *adv* **1.** (*infml* ≈ *well*) ***she's doing ~*** (*in job*) sie macht sich hervorragend; (*healthwise*) sie macht große Fortschritte; ***everything's going ~*** alles läuft nach Plan **2.** ***~ big*** (*emph infml*) riesengroß **IV** *n usu pl* (≈ *person*) Größe *f*

great ape *n* Menschenaffe *m* **great-aunt** *n* Großtante *f*

Great Britain *n* Großbritannien *nt* **Great Dane** *n* Deutsche Dogge **greater** *adj comp of* ***great*** größer; ***of ~ importance is ...*** noch wichtiger ist ... **Greater London** *n* Groß-London *nt* **greatest I** *adj sup of* ***great*** größte(r, s); ***with the ~ (of) pleasure*** mit dem größten Vergnügen **II** *n* ***he's the ~*** (*infml*) er ist der Größte

great-grandchild *n* Urenkel(in) *m*(*f*) **great-granddaughter** *n* Urenkelin *f* **great-grandfather** *n* Urgroßvater *m* **great-grandmother** *n* Urgroßmutter *f*

great-grandparents *pl* Urgroßeltern *pl* **great-grandson** *n* Urenkel *m* **Great Lakes** *pl* ***the ~*** die Großen Seen *pl* **greatly** *adv increase*, *exaggerated* stark; *admire*, *surprise* sehr; ***he was not ~ sur-***

prised er war nicht besonders überrascht **great-nephew** *n* Großneffe *m* **great-niece** *n* Großnichte *f* **great-uncle** *n* Großonkel *m*

Greece *n* Griechenland *nt*

greed *n* Gier *f* (*for* nach *+dat*); (≈ *gluttony*) Gefräßigkeit *f*; ***~ for money/power*** Geld-/Machtgier *f* **greedily** *adv* gierig **greediness** *n* Gierigkeit *f*; (≈ *gluttony*) Gefräßigkeit *f* **greedy** *adj* (*+er*) gierig (*for* auf *+acc*, nach); (≈ *gluttonous*) gefräßig; ***~ for power*** machtgierig; ***don't be so ~!*** sei nicht so unbescheiden

Greek I *adj* griechisch; ***he is ~*** er ist Grieche **II** *n* **1.** LING Griechisch *nt*; ***Ancient ~*** Altgriechisch *nt*; ***it's all ~ to me*** (*infml*) das sind böhmische Dörfer für mich (*infml*) **2.** (≈ *person*) Grieche *m*, Griechin *f*

green I *adj* (*+er*) grün; *consumer* umweltbewusst; *product*, *technology* umweltfreundlich; ***to be ~ with envy*** blass vor Neid sein **II** *n* **1.** (≈ *colour* ≈ *putting green*) Grün *nt* **2.** (≈ *area of grass*) Grünfläche *f*; (***village***) **~** Dorfwiese *f* **3. greens** *pl* (≈ *vegetables*) Grüngemüse *nt* **4.** POL ***the Greens*** die Grünen *pl* **III** *adv* POL grün **greenback** *n* (*US infml*) Lappen *m* (*sl*), Geldschein *m* **green bean** *n* grüne Bohne, Fisole *f* (*Aus*) **green belt** *n* Grüngürtel *m* **green card** *n* **1.** (*US* ≈ *residence permit*) Aufenthaltsgenehmigung *f* **2.** (*Br* INSUR) grüne Versicherungskarte **greenery** *n* Grün *nt*; (≈ *foliage*) grünes Laub **greenfield** *adj* ***~ site*** Bauplatz *m* im Grünen **green fingers** *pl* (*Br*) ***to have ~*** eine Hand für Pflanzen haben **greenfly** *n* Blattlaus *f* **greengrocer** *n* (*esp Br*) (Obst- und) Gemüsehändler(in) *m*(*f*); ***at the ~'s*** (***shop***) im Gemüseladen **greenhorn** *n* (*infml*, *inexperienced*) Greenhorn *nt*; (*gullible*) Einfaltspinsel *m* **greenhouse** *n* Gewächshaus *nt* **greenhouse effect** *n* Treibhauseffekt *m* **greenhouse gas** *n* Treibhausgas *nt* **greenish** *adj* grünlich **green light** *n* grünes Licht; ***to give sb/sth the ~*** jdm/einer Sache grünes Licht geben **green man** *n* (*at street crossing*) grünes Licht; (*as said to children*) grünes Männchen **green onion** *n* (*US*) Frühlingszwiebel *f* **Green Party** *n* ***the ~*** die Grünen *pl* **green pepper** *n* (grüne) Paprikaschote **greenroom** *n* THEAT ≈ Garderobe *f* **green thumb** *n* (*US*) = ***green fingers***

Greenwich (Mean) Time *n* westeuropäische Zeit *f*

greet *v/t* (≈ *welcome*) begrüßen; (≈ *receive*) empfangen; (≈ *say hello to*) grüßen; *news* aufnehmen **greeting** *n* Gruß *m*; ***~s*** Grüße *pl*; ***to send ~s to sb*** Grüße an jdn senden; (*through sb else*) jdn grüßen lassen **greetings card** *n* Grußkarte *f*

gregarious *adj* gesellig

grenade *n* Granate *f*

grew *pret of* ***grow***

grey, (*US*) **gray I** *adj* (*+er*) **1.** grau; *sky* trüb; ***to go*** *or* ***turn ~*** (*person*, *hair*) grau werden **2.** *vote* Senioren- **II** *n* (≈ *colour*) Grau *nt* **grey area** *n* (*fig*) Grauzone *f* **grey-haired** *adj* grauhaarig **greyhound** *n* Windhund *m* **greyish**, (*US*) **grayish** *adj* gräulich **grey matter** *n* (MED *infml*) graue Zellen *pl* **grey squirrel** *n* Grauhörnchen *nt*

grid *n* **1.** (≈ *grating*, *on map*) Gitter *nt* **2. *the*** (***national***) **~** ELEC das Überland(leitungs)netz

griddle *n* COOK *gusseiserne Platte zum Pfannkuchenbacken*

gridiron *n* **1.** COOK (Brat)rost *m* **2.** (*US* FTBL) Spielfeld *nt* **gridlock** *n* MOT totaler Stau; ***total ~*** MOT Verkehrskollaps *m* **gridlocked** *adj road* völlig verstopft **grid reference** *n* Planquadratangabe *f*

grief *n* Leid *nt*; (*because of loss*) große Trauer; ***to come to ~*** Schaden erleiden; (≈ *fail*) scheitern **grief-stricken** *adj* tieftraurig **grievance** *n* Klage *f*; (≈ *resentment*) Groll *m*; ***to have a ~ against sb for sth*** jdm etw übel nehmen **grieve I** *v/t* Kummer bereiten (*+dat*); ***it ~s me to see that ...*** ich sehe mit Schmerz *or* Kummer, dass ... **II** *v/i* trauern (*at*, *about* über *+acc*); ***to ~ for sb/sth*** um jdn/etw trauern **grievous** *adj* (*form*) schwer; *error* schwerwiegend; ***~ bodily harm*** JUR schwere Körperverletzung

grill I *n* **1.** (COOK, *on cooker etc*) Grill *m*; (≈ *gridiron*) (Brat)rost *m*; (≈ *food*) Grillgericht *nt* **2.** = ***grille* II** *v/t* **1.** COOK grillen **2.** (*infml*) ***to ~ sb about sth*** jdn über etw (*acc*) ausquetschen (*infml*)

grille *n* Gitter *nt*; (*on window*) Fenstergitter *nt*; (*to speak through*) Sprechgitter *nt*

grilling *n* **1.** COOK Grillen *nt* **2.** (≈ *interrogation*) strenges Verhör **grill pan** *n* (*Br*) Grillpfanne *f*

grim *adj* (*+er*) **1.** (≈ *terrible*) grauenvoll;

reminder grauenhaft; *situation* ernst; (≈ *depressing*) trostlos; (≈ *stern*) grimmig; ***to look ~*** (*situation, future*) trostlos aussehen; (*person*) ein grimmiges Gesicht machen; ***the Grim Reaper*** der Sensenmann **2.** (*infml* ≈ *lousy*) fürchterlich (*infml*); ***to feel ~*** (≈ *unwell*) sich elend *or* mies (*infml*) fühlen

grimace I *n* Grimasse *f* **II** *v/i* Grimassen schneiden

grime *n* Dreck *m*

grimly *adv* **1.** *hold on* verbissen **2.** (≈ *sternly*) mit grimmiger Miene

grimy *adj* dreckig

grin I *n* (*showing pleasure*) Lächeln *nt*; (*showing scorn, stupidity*) Grinsen *nt* **II** *v/i* (*with pleasure*) lächeln; (*in scorn, stupidly*) grinsen; ***to ~ and bear it*** gute Miene zum bösen Spiel machen; ***to ~ at sb*** jdn anlächeln / angrinsen

grind *vb*: *pret, past part* ***ground*** **I** *v/t* **1.** (≈ *crush*) zermahlen; *coffee, flour* mahlen; ***to ~ one's teeth*** mit den Zähnen knirschen **2.** *lens, knife* schleifen **II** *v/i* ***to ~ to a halt*** *or* ***standstill*** (*lit*) quietschend zum Stehen kommen; (*fig*) stocken; (*production etc*) zum Erliegen kommen **III** *n* (*fig infml* ≈ *drudgery*) Schufterei *f* (*infml*); (*US infml* ≈ *swot*) Streber(in) *m(f)* (*infml*); ***the daily ~*** der tägliche Trott; ***it's a real ~*** das ist ganz schön mühsam (*infml*) ◆ **grind down** *v/t sep* (*fig*) zermürben ◆ **grind up** *v/t sep* zermahlen

grinder *n* **1.** (≈ *meat grinder*) Fleischwolf *m* **2.** (≈ *coffee grinder*) Kaffeemühle *f*

grinding *adj* **1.** ***to come to a ~ halt*** völlig zum Stillstand kommen **2.** *poverty* (er)drückend **grindstone** *n* ***to keep one's nose to the ~*** hart arbeiten; ***back to the ~*** wieder in die Tretmühle (*hum*)

grip I *n* **1.** Griff *m*; (*on rope, on road*) Halt *m*; ***to get a ~ on the rope*** am Seil Halt finden; ***these shoes have got a good ~*** diese Schuhe greifen gut; ***to get a ~ on sth*** (*on situation etc*) etw in den Griff bekommen; ***to get a ~ on oneself*** (*infml*) sich zusammenreißen (*infml*); ***to let go*** *or* ***release one's ~*** loslassen (*on sth* etw); ***to lose one's ~*** (*lit*) den Halt verlieren; (*fig*) nachlassen; ***to lose one's ~ on reality*** den Bezug zur Wirklichkeit verlieren; ***the country is in the ~ of a general strike*** das Land ist von einem Generalstreik lahmgelegt; ***to get*** *or* ***come to ~s with sth*** etw in den Griff bekommen **2.** (*esp Br* ≈ *hair grip*) Klemmchen *nt* **II** *v/t* packen; ***the tyre*** (*Br*) *or* ***tire*** (*US*) ***~s the road well*** der Reifen greift gut **III** *v/i* greifen

gripe I *v/i* (*infml*) meckern (*infml*) **II** *n* (*infml*) Meckerei *f* (*infml*)

gripping *adj* packend

grisly *adj* (+*er*) grausig

grist *n* ***it's all ~ to his/the mill*** das kann er / man alles verwerten; (*for complaint*) das ist Wasser auf seine Mühle

gristle *n* Knorpel *m* **gristly** *adj* (+*er*) knorpelig

grit I *n* (≈ *dust*) Staub *m*; (≈ *gravel*) Splitt *m*; (*for roads*) Streusand *m* **II** *v/t* **1.** *road etc* streuen **2.** ***to ~ one's teeth*** die Zähne zusammenbeißen **gritty** *adj* (+*er*) **1.** (*fig*) *determination* zäh **2.** (*fig*) *drama* wirklichkeitsnah; *portrayal* ungeschminkt

grizzly *n* (*a.* **grizzly bear**) Grizzly(bär) *m*

groan I *n* Stöhnen *nt no pl*; ***to let out*** *or* ***give a ~*** (auf)stöhnen **II** *v/i* stöhnen (*with* vor +*dat*); (*planks*) ächzen (*with* vor +*dat*); ***the table ~ed under the weight*** der Tisch ächzte unter der Last

grocer *n* Lebensmittelhändler(in) *m(f)*; ***at the ~'s*** im Lebensmittelladen **grocery** *n* **1.** Lebensmittelgeschäft *nt* **2. groceries** *pl* Lebensmittel *pl*

groggy *adj* (+*er*) (*infml*) groggy *pred inv* (*infml*)

groin *n* ANAT Leiste *f*; ***to kick sb in the ~*** jdn in den Unterleib treten

groom I *n* **1.** (*in stables*) Stallbursche *m* **2.** (≈ *bridegroom*) Bräutigam *m* **II** *v/t* **1.** *horse* striegeln; ***to ~ oneself*** sich putzen; ***well ~ed*** gepflegt **2.** ***he's being ~ed for the Presidency*** er wird als zukünftiger Präsidentschaftskandidat aufgebaut

groove *n* Rille *f*

groovy *adj* (+*er*) (*infml*) irre (*sl*)

grope I *v/i* (*a.* **grope around** *or* **about**) (herum)tasten (*for* nach); (*for words*) suchen (*for* nach); ***to be groping in the dark*** im Dunkeln tappen; (≈ *try things at random*) vor sich (*acc*) hin wursteln (*infml*) **II** *v/t* (*infml*) *girlfriend* befummeln (*infml*); ***to ~ one's way*** sich vorwärtstasten **III** *n* (*infml*) ***to have a ~*** fummeln (*infml*)

gross[1] *n no pl* Gros *nt*

gross[2] **I** *adj* (+*er*) **1.** *exaggeration, error* grob; ***that is a ~ understatement*** das ist stark untertrieben **2.** (≈ *fat*) fett **3.**

(*infml* ≈ *disgusting*) abstoßend **4.** (≈ *total*) Gesamt-; (≈ *before deductions*) Brutto-; ***~ amount*** Gesamtbetrag *m*; ***~ income*** Bruttoeinkommen *nt* **II** *v/t* brutto verdienen **gross domestic product** *n* ECON Bruttoinlandsprodukt *nt* **grossly** *adv unfair*, *irresponsible* äußerst; *exaggerate* stark **gross national product** *n* ECON Bruttosozialprodukt *nt*

grotesque *adj* grotesk; *idea* absurd **grotesquely** *adv* auf groteske Art; *swollen* grauenhaft

grotto *n*, *pl* **-(e)s** Grotte *f*

grotty *adj* (+*er*) (*infml*) **1.** (≈ *foul*) grausig (*infml*); (≈ *filthy*) verdreckt (*infml*) **2.** (≈ *lousy*) mies (*infml*)

grouch *n* **1.** (≈ *complaint*) Klage *f*; ***to have a ~*** schimpfen (*about* über +*acc*) **2.** (*infml* ≈ *person*) Muffel *m* (*infml*) **grouchy** *adj* (+*er*) griesgrämig

ground[1] **I** *n* **1.** Boden *m*; ***hilly ~*** hügeliges Gelände; ***there is common ~ between us*** uns verbindet einiges; ***to be on dangerous ~*** (*fig*) sich auf gefährlichem Boden bewegen; ***on familiar ~*** auf vertrautem Boden; ***to gain/lose ~*** Boden gewinnen/verlieren; ***to lose ~ to sb/sth*** gegenüber jdm/etw an Boden verlieren; ***to give ~ to sb/sth*** vor jdm/etw zurückweichen; ***to break new ~*** neue Gebiete erschließen; ***to prepare the ~ for sth*** den Boden für etw vorbereiten; ***to cover a lot of ~*** (*fig*) eine Menge Dinge behandeln; ***to stand one's ~*** (*lit*) nicht von der Stelle weichen; (*fig*) seinen Mann stehen; ***above/below ~*** über/unter der Erde; ***to fall to the ~*** (*lit*) zu Boden fallen; ***to burn sth to the ~*** etw niederbrennen; ***it suits me down to the ~*** das ist ideal für mich; ***to get off the ~*** (*plane etc*) abheben; (*fig*: *project etc*) sich realisieren; ***to go to ~*** untertauchen (*infml*) **2.** (≈ *pitch*) Platz *m* **3. grounds** *pl* (≈ *premises*) Gelände *nt*; (≈ *gardens*) Anlagen *pl* **4. grounds** *pl* (≈ *sediment*) Satz *m* **5.** (*US* ELEC) Erde *f* **6.** (≈ *reason*) Grund *m*; ***to have ~(s) for sth*** Grund zu etw haben; ***~s for dismissal*** Entlassungsgrund *m*/-gründe *pl*; ***on the ~s of...*** aufgrund ... (*gen*); ***on the ~s that ...*** mit der Begründung, dass ...; ***on health ~s*** aus gesundheitlichen Gründen **II** *v/t* **1.** AVIAT *plane* aus dem Verkehr ziehen; ***to be ~ed by bad weather*** wegen schlechten Wetters nicht starten können **2.** *child* Hausarrest erteilen (+*dat*); ***she was ~ed for a week*** sie hatte eine Woche Hausarrest **3.** (*US* ELEC) erden **4.** ***to be ~ed on sth*** sich auf etw (*acc*) gründen

ground[2] **I** *pret*, *past part of* **grind II** *adj coffee* gemahlen; ***freshly ~ black pepper*** frisch gemahlener schwarzer Pfeffer; ***~ meat*** (*US*) Hackfleisch *nt*, Faschierte(s) *nt* (*Aus*)

ground-breaking *adj* umwälzend; *research etc* bahnbrechend **ground control** *n* AVIAT Bodenkontrolle *f* **ground crew** *n* Bodenpersonal *nt* **ground floor** *n* Erdgeschoss *nt*, Erdgeschoß *nt* (*Aus*) **ground frost** *n* Bodenfrost *m* **grounding** *n* Grundwissen *nt*; ***to give sb a ~ in English*** jdm die Grundlagen *pl* des Englischen beibringen **groundkeeper** *n* (*US*) = ***groundsman*** **groundless** *adj* grundlos **ground level** *n* Boden *m*; ***below ~*** unter dem Boden **groundnut** *n* Erdnuss *f* **ground plan** *n* Grundriss *m* **ground rules** *pl* Grundregeln *pl* **groundsheet** *n* Zeltboden(plane *f*) *m* **groundsman** *n*, *pl* **-men** (*esp Br*) Platzwart *m* **ground staff** *n* AVIAT Bodenpersonal *nt*; SPORTS Platzwarte *pl* **ground water** *n* Grundwasser *nt* **groundwork** *n* Vorarbeit *f*; ***to do the ~ for sth*** die Vorarbeit für etw leisten **ground zero** *n* **1.** (*of nuclear explosion*) Bodennullpunkt *m* **2.** HIST ***Ground Zero*** Ground Zero *m*, *Gelände in New York*, *auf dem das World Trade Center stand*

group **I** *n* Gruppe *f*; ***a ~ of people*** eine Gruppe Menschen; ***a ~ of trees*** eine Baumgruppe **II** *attr* Gruppen-; *activities* in der Gruppe **III** *v/t* gruppieren; ***to ~ together*** zusammentun **group booking** *n* Gruppenbuchung *f* **grouping** *n* Gruppierung *f*

grouse[1] *n*, *pl* **-** Waldhuhn *nt*; (≈ *red grouse*) Schottisches Moor(schnee)huhn

grouse[2] (*Br infml*) *v/i* meckern (*infml*) (*about* über +*acc*)

grove *n* Hain *m*

grovel *v/i* kriechen; ***to ~ to*** *or* ***before sb*** (*fig*) vor jdm kriechen **grovelling**, (*US*) **groveling** *n* Kriecherei *f* (*infml*)

grow *pret* ***grew***, *past part* ***grown*** **I** *v/t* **1.** *plants* ziehen; (*commercially*) anbauen; (≈ *cultivate*) züchten **2.** ***to ~ a beard*** sich (*dat*) einen Bart wachsen lassen **II** *v/i* **1.** wachsen; (*in numbers*) zunehmen; (*in* *size*) sich vergrößern; ***to ~ in popularity*** immer beliebter werden; ***fears were ~ing for her safety*** man machte sich zunehmend Sorgen um ihre Sicherheit; ***the economy is ~ing by 2% a year*** die Wirtschaft wächst um 2% pro Jahr; ***pressure is ~ing for him to resign*** er gerät zunehmend unter Druck zurückzutreten **2.** (≈ *become*) werden; ***to ~ to be sth*** allmählich etw sein; ***to ~ to hate sb*** jdn hassen lernen; ***I've ~n to like him*** ich habe ihn mit der Zeit lieb gewonnen; ***to ~ used to sth*** sich an etw (*acc*) gewöhnen ◆ **grow apart** *v/i* (*fig*) sich auseinanderentwickeln ◆ **grow from** *v/i +prep obj* (≈ *arise from*) entstehen aus ◆ **grow into** *v/i +prep obj* **1.** *clothes, job* hineinwachsen in (+*acc*) **2.** (≈ *become*) sich entwickeln zu; ***to ~ a man/woman*** zum Mann/zur Frau heranwachsen ◆ **grow on** *v/i +prep obj* ***it'll ~ you*** das wird dir mit der Zeit gefallen ◆ **grow out** *v/i* (*perm, colour*) herauswachsen ◆ **grow out of** *v/i +prep obj* **1.** *clothes* herauswachsen aus; ***to ~ a habit*** eine Angewohnheit ablegen **2.** (≈ *arise from*) entstehen aus ◆ **grow up** *v/i* (≈ *spend childhood*) aufwachsen; (≈ *become adult*) erwachsen werden; (*fig, city*) entstehen; ***what are you going to do when you ~?*** was willst du mal werden, wenn du groß bist?; ***~!, when are you going to ~?*** werde endlich erwachsen!

grower *n* (*of fruit, vegetables*) Anbauer(in) *m(f)*; (*of flowers*) Züchter(in) *m(f)* **growing** *adj* wachsend; *child* heranwachsend; *importance, number etc* zunehmend

growl I *n* Knurren *nt no pl* **II** *v/i* knurren; ***to ~ at sb*** jdn anknurren **III** *v/t answer* knurren

grown I *past part of* ***grow*** **II** *adj* erwachsen; ***fully ~*** ausgewachsen **grown-up I** *adj* erwachsen; ***they have a ~ family*** sie haben schon erwachsene Kinder **II** *n* Erwachsene(r) *m/f(m)*

growth *n* **1.** Wachstum *nt*; (*in quantity, fig: of interest etc*) Zunahme *f*; (*in size*) Vergrößerung *f*; (*of capital etc*) Zuwachs *m*; ***~ industry*** Wachstumsindustrie *f*; ***~ rate*** ECON Wachstumsrate *f* **2.** (≈ *plants*) Vegetation *f*; (*of one plant*) Triebe *pl* **3.** MED Wucherung *f*

grub I *n* **1.** (≈ *larva*) Larve *f* **2.** (*infml* ≈ *food*) Fressalien *pl* (*hum infml*) **II** *v/i* (*a.* **grub about** *or* **around**) wühlen (*in* in +*dat*, *for* nach)

grubby *adj* (+*er*) dreckig; *person, clothes* schmuddelig (*infml*)

grudge I *n* Groll *m* (*against* gegen); ***to bear sb a ~, to have a ~ against sb*** jdm grollen; ***I bear him no ~*** ich trage ihm das nicht nach **II** *v/t* ***to ~ sb sth*** jdm etw nicht gönnen; ***I don't ~ you your success*** ich gönne Ihnen Ihren Erfolg **grudging** *adj* widerwillig

gruelling, (*US*) **grueling** *adj schedule, journey* (äußerst) anstrengend; *pace* mörderisch (*infml*); *race* (äußerst) strapaziös

gruesome *adj* grausig

gruff *adj*, **gruffly** *adv* barsch

grumble *v/i* murren, sempern (*Aus*) (*about, over* über +*acc*)

grumpily *adv* (*infml*) mürrisch **grumpy** *adj* (+*er*) (*infml*) mürrisch

grunge *n* Grunge *nt* **grungy** *adj* (*infml*) mies (*infml*)

grunt I *n* Grunzen *nt no pl*; (*of pain, in exertion*) Ächzen *nt no pl* **II** *v/i* grunzen; (*with pain, exertion*) ächzen **III** *v/t* knurren

G-string *n* Tangahöschen *nt*

guarantee I *n* Garantie *f* (*of* für); ***to have*** *or* ***carry a 6-month ~*** 6 Monate Garantie haben; ***there is a year's ~ on this watch*** auf der Uhr ist ein Jahr Garantie; ***while it is still under ~*** solange noch Garantie darauf ist; ***that's no ~ that ...*** das heißt noch lange nicht, dass ... **II** *v/t* garantieren (*sb sth* jdm etw); ***I can't ~ (that) he will be any good*** ich kann nicht dafür garantieren, dass er gut ist **guaranteed** *adj* garantiert; ***to be ~ for three months*** (*goods*) drei Monate Garantie haben

guarantor *n* Garant(in) *m(f)*; JUR *also* Bürge *m*, Bürgin *f*

guard I *n* **1.** (≈ *soldier*) Wache *f*; ***to change ~*** Wachablösung machen; ***to be under ~*** bewacht werden; ***to keep sb/sth under ~*** jdn/etw bewachen; ***to be on ~, to stand ~*** Wache stehen; ***to stand ~ over sth*** etw bewachen **2.** (≈ *security guard*) Sicherheitsbeamte(r) *m*/-beamtin *f*; (*in park etc*) Wächter(in) *m(f)*; (*esp US* ≈ *prison guard*) Gefängniswärter(in) *m(f)*; (*Br* RAIL) Zugbegleiter(in) *m(f)*, Kondukteur(in) *m(f)* (*Swiss*) **3.** ***to drop*** *or* ***lower one's ~***

(*lit*) seine Deckung vernachlässigen; (*fig*) seine Reserve aufgeben; ***the invitation caught me off ~*** ich war auf die Einladung nicht vorbereitet; ***to be on one's ~*** (***against sth***) (*fig*) (vor etw *dat*) auf der Hut sein; ***to put sb on his ~*** (***against sth***) jdn (vor etw *dat*) warnen **4.** (≈ *safety device*) Schutz *m* (*against* gegen); (*on machinery*) Schutz (-vorrichtung *f*) *m* **II** *v/t prisoner, place, valuables* bewachen; *treasure* hüten; *luggage* aufpassen auf (+*acc*); *person, place* schützen (*from, against* vor +*dat*); ***a closely ~ed secret*** ein streng gehütetes Geheimnis ◆ **guard against** *v/i +prep obj being cheated etc* sich in Acht nehmen vor (+*dat*); *illness, attack* vorbeugen (+*dat*); ***you must ~ catching cold*** Sie müssen aufpassen, dass Sie sich nicht erkälten

guard dog *n* Wachhund *m* **guard duty** *n* ***to be on ~*** auf Wache sein **guarded** *adj response etc* vorsichtig **guardian** *n* Hüter(in); JUR Vormund *m* **guardrail** *n* Schutzgeländer *nt* **guardsman** *n, pl* ***-men*** Gardist *m* **guard's van** *n* (*Br* RAIL) Dienstwagen *m*

Guernsey *n* Guernsey *nt*

guer(r)illa I *n* Guerillero *m*, Guerillera *f* **II** *attr* Guerilla- **guer(r)illa war, guer(r)illa warfare** *n* Guerillakrieg *m*

guess I *n* Vermutung *f*; (≈ *estimate*) Schätzung *f*; ***to have*** *or* ***make a ~*** (***at sth***) (etw) raten; (≈ *estimate*) (etw) schätzen; ***it's a good ~*** gut geschätzt; ***it was just a lucky ~*** das war ein Zufallstreffer *m*; ***I'll give you three ~es*** dreimal darfst du raten; ***at a rough ~*** grob geschätzt; ***your ~ is as good as mine!*** (*infml*) da kann ich auch nur raten!; ***it's anybody's ~*** (*infml*) das wissen die Götter (*infml*) **II** *v/i* **1.** raten; ***to keep sb ~ing*** jdn im Ungewissen lassen; ***you'll never ~!*** das wirst du nie erraten **2.** (*esp US*) ***I ~ not*** wohl nicht; ***he's right, I ~*** er hat wohl recht; ***I think he's right — I ~ so*** ich glaube, er hat recht — ja, das hat er wohl **III** *v/t* **1.** (≈ *surmise*) raten; (≈ *surmise correctly*) erraten; (≈ *estimate*) schätzen; ***I ~ed as much*** das habe ich mir schon gedacht; ***you'll never ~ who ...*** das errätst du nie, wer ...; ***~ what!*** (*infml*) stell dir vor! (*infml*) **2.** (*esp US* ≈ *suppose*) ***I ~ we'll just have to wait and see*** wir werden wohl abwarten müssen **guesswork** *n* (reine) Vermutung

guest *n* Gast *m*; ***~ of honour*** (*Br*) *or* ***honor*** (*US*) Ehrengast *m*; ***be my ~*** (*infml*) nur zu! (*infml*) **guest appearance** *n* Gastauftritt *m*; ***to make a ~*** als Gast auftreten **guesthouse** *n* (Fremden)pension *f* **guest list** *n* Gästeliste *f* **guest room** *n* Gästezimmer *nt* **guest speaker** *n* Gastredner(in) *m*(*f*)

guffaw I *n* schallendes Lachen *no pl* **II** *v/i* schallend (los)lachen

GUI *abbr of* ***graphical user interface***

guidance *n* (≈ *direction*) Leitung *f*; (≈ *counselling*) Beratung *f* (*on* über +*acc*); (*from superior etc*) Anleitung *f*; ***to give sb ~ on sth*** jdn bei etw beraten

guide I *n* **1.** Führer(in) *m*(*f*); (*fig* ≈ *pointer*) Anhaltspunkt *m* (*to* für); (≈ *model*) Leitbild *nt* **2.** (*Br* ≈ *Girl Guide*) Pfadfinderin *f* **3.** (≈ *instructions*) Anleitung *f*; (≈ *manual*) Handbuch *nt* (*to* +*gen*); (≈ *travel guide*) Führer *m*; ***as a rough ~*** als Faustregel **II** *v/t people* führen; ***to be ~d by sb/sth*** (*person*) sich von jdm/etw leiten lassen **guidebook** *n* (Reise)führer *m* (*to* von) **guided missile** *n* ferngelenktes Geschoss **guide dog** *n* Blindenhund *m* **guided tour** *n* Führung *f* (*of* durch) **guideline** *n* Richtlinie *f*; ***safety ~s*** Sicherheitshinweise *pl*; ***I gave her a few ~s on looking after a kitten*** ich gab ihr ein paar Hinweise, wie man eine junge Katze versorgt **guiding** *attr* ***~ force*** leitende Kraft; ***~ principle*** Leitmotiv *nt*; ***~ star*** Leitstern *m*

guild *n* HIST Zunft *f*; (≈ *association*) Verein *m*

guile *n* (Arg)list *f*

guillotine I *n* **1.** Guillotine *f* **2.** (*for paper*) (Papier)schneidemaschine *f* **II** *v/t* mit der Guillotine hinrichten

guilt *n* Schuld *f* (*for, of* an +*dat*); ***feelings of ~*** Schuldgefühle *pl*; ***~ complex*** Schuldkomplex *m* **guiltily** *adv* schuldbewusst

guilty *adj* (+*er*) **1.** *smile, silence* schuldbewusst; *secret, pleasure* mit Schuldgefühlen verbunden; ***~ conscience*** schlechtes Gewissen; ***~ feelings*** Schuldgefühle *pl*; ***to feel ~*** (***about doing sth***) ein schlechtes Gewissen haben(, weil man etw tut/getan hat); ***to make sb feel ~*** jdm ein schlechtes Gewissen einreden **2.** (≈ *to blame*) schuldig (*of sth* einer Sache *gen*); ***the ~ person*** der/die Schuldige; ***the ~ party*** die schuldige Partei; ***to find sb ~/not ~*** (***of sth***) jdn (einer Sache *gen*) für schuldig/nicht schuldig befinden; ***to plead*** (***not***) ***~ to a crime*** sich eines Verbrechens (nicht) schuldig bekennen; ***a ~ verdict***, ***a verdict of ~*** ein Schuldspruch *m*; ***a not ~ verdict***, ***a verdict of not ~*** ein Freispruch *m*; ***their parents are ~ of gross neglect*** ihre Eltern haben sich grobe Fahrlässigkeit zuschulden kommen lassen; ***we're all ~ of neglecting the problem*** uns trifft alle die Schuld, dass das Problem vernachlässigt wurde

guinea pig *n* Meerschweinchen *nt*; (*fig*) Versuchskaninchen *nt*

guise *n* (≈ *disguise*) Gestalt *f*; (≈ *pretence*) Vorwand *m*; ***in the ~ of a clown*** als Clown verkleidet; ***under the ~ of doing sth*** unter dem Vorwand, etw zu tun

guitar *n* Gitarre *f* **guitarist** *n* Gitarrist(in) *m*(*f*)

gulch *n* (*US*) Schlucht *f*

gulf *n* **1.** (≈ *bay*) Golf *m*; ***the Gulf of Mexico*** der Golf von Mexiko **2.** (≈ *chasm*) tiefe Kluft **Gulf States** *pl* ***the ~*** die Golfstaaten *pl* **Gulf Stream** *n* Golfstrom *m* **Gulf War** *n* Golfkrieg *m*

gull *n* Möwe *f*

gullible *adj* leichtgläubig

gully *n* **1.** (≈ *ravine*) Schlucht *f*, Tobel *m* (*Aus*) **2.** (≈ *narrow channel*) Rinne *f*

gulp **I** *n* Schluck *m*; ***in one ~*** auf einen Schluck **II** *v/t* (*a.* **gulp down**) *drink* runterstürzen; *food* runterschlingen **III** *v/i* (≈ *try to swallow*) würgen

gum[1] *n* ANAT Zahnfleisch *nt no pl*

gum[2] **I** *n* **1.** Gummi *nt* **2.** (≈ *glue*) Klebstoff *m*, Pick *m* (*Aus*) **3.** (≈ *chewing gum*) Kaugummi *m* **II** *v/t* kleben, picken (*Aus*) **gummy** *adj* (+*er*) klebrig; *eyes* verklebt

gumption *n* (*infml*) Grips *m* (*infml*)

gumshield *n* Zahnschutz *m*

gun **I** *n* (≈ *cannon etc*) Kanone *f*; (≈ *rifle*) Gewehr *nt*; (≈ *pistol*) Pistole *f*; ***to carry a ~*** (mit einer Schusswaffe) bewaffnet sein; ***to draw a ~ on sb*** jdn mit einer Schusswaffe bedrohen; ***big ~*** (*fig infml*) hohes *or* großes Tier (*infml*) (*in* in +*dat*); ***to stick to one's ~s*** nicht nachgeben; ***to jump the ~*** (*fig*) voreilig handeln; ***to be going great ~s*** (*Br infml*, *team*, *person*) toll in Schwung *or* Fahrt sein (*infml*); (*car*) wie geschmiert laufen (*infml*); (*business*) gut in Schuss sein (*infml*) **II** *v/t* (≈ *kill*: *a.* **gun down**) *person* erschießen **III** *v/i* (*infml*) ***to be ~ning for sb*** (*fig*) jdn auf dem Kieker haben (*infml*) **gunboat** *n* Kanonenboot *nt* **gunfight** *n* Schießerei *f* **gunfighter** *n* Revolverheld *m* **gunfire** *n* Schießerei *f*; MIL Geschützfeuer *nt*

gunge *n* (*Br infml*) klebriges Zeug (*infml*)

gunk *n* (*esp US infml*) = ***gunge***

gunman *n* (mit einer Schusswaffe) Bewaffnete(r) *m*; ***they saw the ~*** sie haben den Schützen gesehen **gunner** *n* MIL Artillerist *m* **gunpoint** *n* ***to hold sb at ~*** jdn mit einer Schusswaffe bedrohen **gunpowder** *n* Schießpulver *nt* **gunrunner** *n* Waffenschmuggler(in) *or* -schieber(in) *m*(*f*) **gunrunning** *n* Waffenschmuggel *m* **gunshot** *n* Schuss *m*; ***~ wound*** Schusswunde *f*

gurgle **I** *n* (*of liquid*) Gluckern *nt no pl*; (*of baby*) Glucksen *nt no pl* **II** *v/i* (*liquid*) gluckern; (*person*) glucksen (*with* vor +*dat*)

gurney *n* (*US*) (Trag)bahre *f*

gush **I** *n* (*of liquid*) Strahl *m*; (*of words*) Schwall *m*; (*of emotion*) Ausbruch *m* **II** *v/i* **1.** (*a.* **gush out**) herausschießen **2.** (*infml* ≈ *talk*) schwärmen (*infml*) (*about*, *over* von) **gushing** *adj* **1.** *water* (heraus)schießend **2.** (*fig*) überschwänglich

gusset *n* Zwickel *m*

gust **I** *n* (*of wind*) Bö(e) *f*; ***a ~ of cold air*** ein Schwall *m* kalte Luft; ***~s of up to 100 km/h*** Böen von bis zu 100 km/h **II** *v/i* böig wehen

gusto *n* Begeisterung *f*; ***to do sth with ~*** etw mit Genuss tun

gusty *adj* (+*er*) böig

gut **I** *n* **1.** (≈ *alimentary canal*) Darm *m* **2.** (≈ *paunch*) Bauch *m* **3.** *usu pl* (*infml* ≈ *stomach*) Eingeweide *nt*; ***to slog*** *or* ***work one's ~s out*** (*infml*) wie blöd schuften (*infml*); ***to hate sb's ~s*** (*infml*) jdn auf den Tod nicht ausstehen können (*infml*); ***~ reaction*** rein gefühlsmäßige Reaktion, Bauchentscheidung *f*; ***my ~ feeling is that ...*** rein gefühlsmäßig würde ich sagen, dass ... **4. guts** *pl* (*infml* ≈ *courage*) Mumm *m* (*infml*) **II** *v/t* **1.** *animal* ausnehmen **2.** (*fire*) ausbrennen; (≈ *remove contents*) ausräumen; ***it was completely ~ted by the fire*** es war völlig ausgebrannt **gutless** *adj* (*fig infml*) fei-

ge **gutsy** *adj* (*infml*) *person* mutig; *performance* kämpferisch **gutted** *adj* (*esp Br infml*) ***I was ~*** ich war total am Boden (*infml*); ***he was ~ by the news*** die Nachricht machte ihn völlig fertig (*infml*)
gutter I *n* (*on roof*) Dachrinne *f*; (*in street*) Gosse *f* **II** *v/i* (*flame*) flackern **guttering** *n* Regenrinnen *pl* **gutter press** *n* (*Br pej*) Boulevardpresse *f*
guttural *adj* guttural
guy[1] *n* (*infml*) Typ *m* (*infml*); ***hey, you ~s*** he Leute (*infml*); ***are you ~s ready?*** seid ihr fertig?
guy[2] *n* (*a.* **guy-rope**) Halteseil *nt*; (*for tent*) Zeltschnur *f*
guzzle (*infml*) **I** *v/i* (≈ *eat*) futtern (*infml*); (≈ *drink*) schlürfen **II** *v/t* (≈ *eat*) futtern (*infml*); (≈ *drink*) schlürfen; *fuel* saufen (*infml*)
gym *n* **1.** (≈ *gymnasium*) Turnhalle *f* **2.** (*for working out*) Fitnesscenter *nt* **3.** (≈ *gymnastics*) Turnen *nt* **gymnasium** *n*, *pl* **-s** *or* (*form*) ***gymnasia*** Turnhalle *f* **gymnast** *n* Turner(in) *m*(*f*) **gymnastic** *adj* turnerisch; ***~ exercises*** Turnübungen **gymnastics** *n* **1.** *sg* (≈ *discipline*) Gymnastik *f*, *no pl*; (*with apparatus*) Turnen *nt no pl* **2.** *pl* (≈ *exercises*) Übungen *pl* **gym shoe** *n* (*Br*) Turnschuh *m* **gym teacher** *n* Turnlehrer(in) *m*(*f*) **gym trainer** *n* Fitnesstrainer(in) *m*(*f*)
gynaecological, (*US*) **gynecological** *adj* gynäkologisch **gynaecologist**, (*US*) **gynecologist** *n* Gynäkologe *m*, Gynäkologin *f* **gynaecology**, (*US*) **gynecology** *n* Gynäkologie *f*
gypsy I *n* Zigeuner(in) *m*(*f*) (*usu pej*); ***gypsies*** Sinti und Roma *pl* **II** *adj* Zigeuner- (*usu pej*)
gyrate *v/i* (≈ *whirl*) (herum)wirbeln; (≈ *rotate*) sich drehen; (*dancer*) sich drehen und winden
gyroscope *n* Gyroskop *nt*

H

H, h *n* H *nt*, h *nt*
h *abbr of* ***hour***(***s***) h
haberdashery *n* (*Br*) Kurzwaren *pl*; (*US* ≈ *articles*) Herrenbekleidung *f*
habit *n* **1.** Gewohnheit *f*; (*esp undesirable*) (An)gewohnheit *f*; ***to be in the ~ of doing sth*** die Angewohnheit haben, etw zu tun; ***it became a ~*** es wurde zur Gewohnheit; ***from*** (***force of***) ***~*** aus Gewohnheit; ***I don't make a ~ of inviting strangers in*** (für) gewöhnlich bitte ich Fremde nicht herein; ***to get into/to get sb into the ~ of doing sth*** sich/jdm angewöhnen, etw zu tun; ***to get into bad ~s*** in schlechte Gewohnheiten verfallen; ***to get out of/to get sb out of the ~ of doing sth*** sich/jdm abgewöhnen, etw zu tun; ***to have a ~ of doing sth*** die Angewohnheit haben, etw zu tun **2.** (≈ *addiction*) Sucht *f*; ***to have a cocaine ~*** kokainsüchtig sein **3.** (≈ *costume*, *esp monk's*) Habit *nt or m*
habitable *adj* bewohnbar **habitat** *n* Heimat *f* **habitation** *n* ***unfit for human ~*** menschenunwürdig
habitual *adj* **1.** (≈ *customary*) gewohnt **2.** (≈ *regular*) gewohnheitsmäßig; ***~ criminal*** Gewohnheitsverbrecher(in) *m*(*f*) **habitually** *adv* ständig; (≈ *regularly*) regelmäßig
hack[1] **I** *v/t* **1.** (≈ *cut*) hacken; ***to ~ sb/sth to pieces*** (*lit*) jdn/etw zerstückeln **2.** (*infml* ≈ *cope*) ***to ~ it*** es bringen (*sl*) **II** *v/i* hacken (*also* IT); ***he ~ed at the branch*** er schlug auf den Ast; ***to ~ into the system*** in das System eindringen
hack[2] *n* **1.** (*pej* ≈ *literary hack*) Schreiberling *m* **2.** (*US* ≈ *taxi*) Taxi *nt*
hacker *n* IT Hacker(in) *m*(*f*) **hacking I** *adj* ***~ cough*** trockener Husten **II** *n* IT Hacken *nt*
hackles *pl* ***to get sb's ~ up*** jdn auf die Palme bringen (*infml*)
hackneyed *adj* (*Br*) abgedroschen (*infml*)
hacksaw *n* Metallsäge *f*
had *pret*, *past part of* ***have***
haddock *n* Schellfisch *m*
hadn't *contraction* = ***had not***
haemoglobin, (*US*) **hemoglobin** *n* Hämoglobin *nt* **haemophilia**, (*US*) **hemophilia** *n* Bluterkrankheit *f* **haemophiliac**, (*US*) **hemophiliac** *n* Bluter *m* **haemorrhage**, (*US*) **hemorrhage I** *n* Blutung

f **II** *v/i* bluten **haemorrhoids**, (*US*) **hemorrhoids** *pl* Hämorr(ho)iden *pl*
hag *n* Hexe *f*
haggard *adj* ausgezehrt; (*from tiredness*) abgespannt
haggis *n schottisches Gericht aus gehackten Schafsinnereien und Hafer im Schafsmagen*
haggle *v/i* feilschen (*about or over* um)
haggling *n* Gefeilsche *nt*
Hague *n* ***the ~*** Den Haag *nt*
hail[1] **I** *n* Hagel *m*; ***a ~ of blows*** ein Hagel von Schlägen; ***in a ~ of bullets*** im Kugelhagel **II** *v/i* hageln
hail[2] **I** *v/t* **1.** ***to ~ sb/sth as sth*** jdn/etw als etw feiern **2.** (≈ *call loudly*) zurufen (*+dat*); *taxi* anhalten; ***within ~ing distance*** in Rufweite **II** *v/i* ***they ~ from ...*** sie kommen aus ... **III** *int* ***the Hail Mary*** das Ave Maria
hailstone *n* Hagelkorn *nt* **hailstorm** *n* Hagel(schauer) *m*
hair I *n* **1.** (*collective*) Haare *pl*, Haar *nt*; (≈ *total body hair*) Behaarung *f*; ***body ~*** Körperbehaarung *f*; ***to do one's ~*** sich frisieren; ***to have one's ~ cut*** sich (*dat*) die Haare schneiden lassen; ***to let one's ~ down*** (*fig*) aus sich (*dat*) herausgehen; ***keep your ~ on!*** (*Br infml*) ruhig Blut! **2.** (≈ *single hair, of animal*) Haar *nt*; ***not a ~ out of place*** (*fig*) wie aus dem Ei gepellt; ***I'm allergic to cat ~*** ich bin gegen Katzenhaare allergisch **II** *attr* Haar- **hairband** *n* Haarband *nt* **hairbrush** *n* Haarbürste *f* **hair clip** *n* Clip *m*
haircut *n* Haarschnitt *m*; ***to have*** *or* ***get a ~*** sich (*dat*) die Haare schneiden lassen
hairdo *n* (*infml*) Frisur *f*
hairdresser *n* Friseur *m*, Friseuse *f*; ***the ~'s*** der Friseur **hairdressing** *n* Frisieren *nt* **hairdressing salon** *n* Friseursalon *m* **hairdrier** *n* Haartrockner *m*; (*hand-held also*) Föhn *m* **-haired** *adj suf* -haarig; ***long-haired*** langhaarig **hair gel** *n* (Haar)gel *nt* **hairgrip** *n* (*Br*) Haarklemme *f* **hairline** *n* Haaransatz *m* **hairline crack** *n* Haarriss *m* **hairline fracture** *n* Haarriss *m* **hairnet** *n* Haarnetz *nt* **hairpiece** *n* Haarteil *nt*; (*for men*) Toupet *nt* **hairpin** *n* Haarnadel *f* **hairpin (bend)** *n* Haarnadelkurve *f* **hair-raising** *adj* haarsträubend **hair remover** *n* Haarentferner *m* **hair restorer** *n* Haarwuchsmittel *nt* **hair's breadth** *n* Haaresbreite *f*; ***he was within a ~ of winning*** er hätte um ein Haar gewonnen **hair slide** *n* (*Br*) Haarspange *f* **hairsplitting** *n* Haarspalterei *f* **hairspray** *n* Haarspray *m or nt* **hairstyle** *n* Frisur *f* **hair stylist** *n* Coiffeur *m*, Coiffeuse *f* **hairy** *adj* (*+er*) *person, spider* behaart; *chest* haarig
hake *n* See- *or* Meerhecht *m*
half I *n, pl* ***halves*** **1.** Hälfte *f*; ***the first ~ of the year*** die erste Jahreshälfte; ***to cut sth in ~*** etw halbieren; ***to tear sth in ~*** etw durchreißen; ***~ of it/them*** die Hälfte davon/von ihnen; ***~ the money*** die Hälfte des Geldes; ***~ a million dollars*** eine halbe Million Dollar; ***he gave me ~*** er gab mir die Hälfte; ***~ an hour*** eine halbe Stunde; ***he's not ~ the man he used to be*** er ist längst nicht mehr das, was er einmal war; ***to go halves*** (***with sb on sth***) (mit jdm mit etw) halbe-halbe machen (*infml*); ***bigger by ~*** anderthalbmal so groß; ***to increase sth by ~*** etw um die Hälfte vergrößern; ***he is too clever by ~*** (*Br infml*) das ist ein richtiger Schlaumeier; ***one and a ~*** eineinhalb, anderthalb; ***an hour and a ~*** eineinhalb *or* anderthalb Stunden; ***he's two and a ~*** er ist zweieinhalb; ***he doesn't do things by halves*** er macht keine halben Sachen; ***~ and ~*** halb und halb; ***my better*** (*hum*) *or* ***other ~*** meine bessere Hälfte **2.** (SPORTS, *of match*) Halbzeit *f* **3.** (≈ *travel, admission fee* ≈ *child's ticket*) halbe Karte (*infml*); ***two and a ~*** (***to London***) zweieinhalb(mal London) **4.** (≈ *beer*) kleines Bier **II** *adj* halb; ***at*** *or* ***for ~ price*** zum halben Preis; ***~ man ~ beast*** halb Mensch, halb Tier **III** *adv* **1.** halb; ***I ~ thought ...*** ich hätte fast gedacht ...; ***the work is only ~ done*** die Arbeit ist erst zur Hälfte erledigt; ***to be ~ asleep*** schon fast schlafen; ***~ laughing, ~ crying*** halb lachend, halb weinend; ***he only ~ understands*** er begreift *or* versteht nur die Hälfte; ***she's ~ German*** sie ist zur Hälfte Deutsche; ***it's ~ past three*** *or* ***~ three*** es ist halb vier; ***he is ~ as big as his sister*** er ist halb so groß wie seine Schwester; ***~ as big again*** anderthalbmal so groß; ***he earns ~ as much as you*** er verdient halb so viel wie Sie **2.** (*Br infml*) ***he's not ~ stupid*** er ist unheimlich dumm; ***it didn't ~ rain*** es HAT vielleicht geregnet; ***not ~!*** und wie! **half-a-dozen** *n* halbes Dutzend **half-baked** *adj* (*fig*) un-

ausgegoren **half board** *n* Halbpension *f* **half bottle** *n* ***a ~ of wine*** eine kleine Flasche Wein **half-breed** *n* **1.** (*dated* ≈ *person*) Mischling *m* **2.** (≈ *horse*) Halbblüter *m* **half-brother** *n* Halbbruder *m* **half-caste** *n* (*dated, pej*) Mischling *m* **half-circle** *n* Halbkreis *m* **half-day** *n* (≈ *holiday*) halber freier Tag; ***we've got a ~*** wir haben einen halben Tag frei **half-dead** *adj* (*lit, fig*) halb tot (*with* vor *+dat*) **half-dozen** *n* halbes Dutzend **half-dressed** *adj* halb bekleidet **half-empty** *adj* halb leer **half-fare** *n* halber Fahrpreis **half-full** *adj* halb voll **half-hearted** *adj* halbherzig; *manner* lustlos; ***he was rather ~ about accepting*** er nahm ohne rechte Lust an **half-heartedly** *adv* halben Herzens; ***to do sth ~*** etw ohne rechte Überzeugung *or* Lust tun **half-hour** *n* halbe Stunde **half-hourly I** *adv* alle halbe Stunde **II** *adj* halbstündlich **half-mast** *n* ***at ~*** (auf) halbmast **half measure** *n* halbe Maßnahme **half-moon** *n* Halbmond *m* **half-note** *n* (*US* MUS) halbe Note **half-pay** *n* halber Lohn; (*of salaried employee*) halbes Gehalt **half-pint** *n* **1.** ≈ Viertelliter *m or nt* **2.** (*of beer*) kleines Bier **half-pipe** *n* SPORTS Halfpipe *f* **half-price** *adj, adv* zum halben Preis; ***to be ~*** die Hälfte kosten **half-sister** *n* Halbschwester *f* **half term** *n* (*Br*) Ferien *pl* in der Mitte des Trimesters; ***we get three days at ~*** wir haben drei Tage Ferien in der Mitte des Trimesters **half-time I** *n* SPORTS Halbzeit *f*; ***at ~*** zur Halbzeit **II** *attr* Halbzeit-, zur Halbzeit; ***~ score*** Halbzeitstand *m* **half-truth** *n* Halbwahrheit *f* **half volley** *n* TENNIS Halfvolley *m* **halfway I** *adj attr measures* halb; ***when we reached the ~ stage*** *or* ***point on our journey*** als wir die Hälfte der Reise hinter uns (*dat*) hatten; ***we're past the ~ stage*** wir haben die Hälfte geschafft **II** *adv* ***~ to*** auf halbem Weg nach; ***we drove ~ to London*** wir fuhren die halbe Strecke nach London; ***~ between ...*** (genau) zwischen ...; ***I live ~ up the hill*** ich wohne auf halber Höhe des Berges; ***~ through a book*** halb durch ein Buch (durch); ***she dropped out ~ through the race*** nach der Hälfte des Rennens gab sie auf; ***to meet sb ~*** jdm (auf halbem Weg) entgegenkommen **halfway house** *n* (*fig*) Zwischending *nt* **halfwit** *n* (*fig*) Schwachkopf *m*

half-yearly *adv* halbjährlich

halibut *n* Heilbutt *m*

halitosis *n* schlechter Mundgeruch

hall *n* **1.** (≈ *entrance hall*) Diele *f* **2.** (≈ *large building*) Halle *f*; (≈ *large room*) Saal *m*; (≈ *village hall*) Gemeindehaus *nt*; (≈ *school hall*) Aula *f* **3.** (≈ *mansion*) Herrenhaus *nt*; (*Br*: *a.* **hall of residence**) Studenten(wohn)heim *nt* **4.** (*US* ≈ *corridor*) Gang *m*

hallelujah I *int* halleluja **II** *n* Halleluja *nt*

hallmark *n* **1.** (Feingehalts)stempel *m* **2.** (*fig*) Kennzeichen *nt* (*of +gen*, für)

hallo *int, n* = ***hello***

hallowed *adj* geheiligt; ***on ~ ground*** auf heiligem Boden

Halloween, Hallowe'en *n* Halloween *nt*

hallucinate *v/i* halluzinieren **hallucination** *n* Halluzination *f* **hallucinatory** *adj drug* Halluzinationen hervorrufend *attr*, halluzinogen (*tech*); *state, effect* halluzinatorisch

hallway *n* Flur *m*

halo *n, pl* **-(e)s** Heiligenschein *m*

halt I *n* Pause *f*; ***to come to a ~*** zum Stillstand kommen; ***to bring sth to a ~*** etw zum Stillstand bringen; ***to call a ~ to sth*** einer Sache (*dat*) ein Ende machen; ***the government called for a ~ to the fighting*** die Regierung verlangte die Einstellung der Kämpfe **II** *v/i* zum Stillstand kommen; (*person*) stehen bleiben; MIL haltmachen **III** *v/t* zum Stillstand bringen; *fighting* einstellen **IV** *int* halt

halter *n* (*horse's*) Halfter *nt* **halterneck** *adj* rückenfrei mit Nackenverschluss

halting *adj voice* zögernd; *speech* stockend; *German* holprig

halt sign *n* AUTO Stoppschild *nt*

halve *v/t* **1.** (≈ *separate*) halbieren **2.** (≈ *reduce by half*) auf die Hälfte reduzieren

halves *pl of* ***half***

ham *n* COOK Schinken *m*; ***~ sandwich*** Schinkenbrot *nt* ◆ **ham up** *v/t sep* (*infml*) ***to ham it up*** zu dick auftragen

hamburger *n* Hamburger *m* **ham-fisted** *adj* ungeschickt

hamlet *n* kleines Dorf

hammer I *n* Hammer *m*; ***to go at it ~ and tongs*** (*infml*) sich ins Zeug legen (*infml*); (≈ *quarrel*) sich in die Wolle kriegen (*infml*); ***to go/come under the ~*** unter den Hammer kommen **II** *v/t* **1.** hämmern; ***to ~ a nail into a wall*** einen Nagel in die Wand schlagen **2.**

(*infml* ≈ *defeat badly*) eine Schlappe beibringen *+dat* (*infml*) **III** *v/i* hämmern; ***to ~ on the door*** an die Tür hämmern ◆ **hammer home** *v/t sep* Nachdruck verleihen (*+dat*); ***he tried to hammer it home to the pupils that ...*** er versuchte, den Schülern einzubläuen *or* einzuhämmern, dass... ◆ **hammer out** *v/t sep* (*fig*) *agreement* ausarbeiten; *tune* hämmern

hammering *n* (*esp Br infml* ≈ *defeat*) Schlappe *f* (*infml*); ***our team took a ~*** unsere Mannschaft musste eine Schlappe einstecken (*infml*)

hammock *n* Hängematte *f*

hamper[1] *n* (*esp Br*) (≈ *basket*) Korb *m*; (*as present*) Geschenkkorb *m*

hamper[2] *v/t* behindern; ***to be ~ed (by sth)*** (durch etw) gehandicapt sein; ***the police were ~ed in their search by the shortage of clues*** der Mangel an Hinweisen erschwerte der Polizei die Suche

hamster *n* Hamster *m*

hamstring *n* ANAT Kniesehne *f*

hand I *n* **1.** Hand *f*; (*of clock*) Zeiger *m*; ***on (one's) ~s and knees*** auf allen vieren; ***to take sb by the ~*** jdn an die Hand nehmen; ***~ in ~*** Hand in Hand; ***to go ~ in ~ with sth*** mit etw einhergehen *or* Hand in Hand gehen; ***~s up!*** Hände hoch!; ***~s up who knows the answer*** Hand hoch, wer es weiß; ***~s off!*** (*infml*) Hände weg!; ***keep your ~s off my wife*** lass die Finger von meiner Frau!; ***made by ~*** handgearbeitet; ***to deliver a letter by ~*** einen Brief persönlich überbringen; ***to live (from) ~ to mouth*** von der Hand in den Mund leben; ***with a heavy/firm ~*** (*fig*) mit harter/fester Hand; ***to get one's ~s dirty*** (*fig*) sich (*dat*) die Hände schmutzig machen **2.** (≈ *side*) Seite *f*; ***on my right ~*** rechts von mir; ***on the one ~ ... on the other ~ ...*** einerseits ..., andererseits ... **3.** ***your future is in your own ~s*** Sie haben Ihre Zukunft (selbst) in der Hand; ***he put the matter in the ~s of his lawyer*** er übergab die Sache seinem Anwalt; ***to put oneself in(to) sb's ~s*** sich jdm anvertrauen; ***to fall into the ~s of sb*** jdm in die Hände fallen; ***to fall into the wrong ~s*** in die falschen Hände geraten; ***to be in good ~s*** in guten Händen sein; ***to change ~s*** den Besitzer wechseln; ***he suffered terribly at the ~s of the enemy*** er machte in den Händen des Feindes Schreckliches durch; ***he has too much time on his ~s*** er hat zu viel Zeit zur Verfügung; ***he has five children on his ~s*** er hat fünf Kinder am Hals (*infml*); ***everything she could get her ~s on*** alles, was sie in die Finger bekommen konnte; ***just wait till I get my ~s on him!*** warte nur, bis ich ihn zwischen die Finger kriege! (*infml*); ***to take sb/sth off sb's ~s*** jdm jdn/etw abnehmen **4.** (≈ *worker*) Arbeiter(in) *m(f)*; ***all ~s on deck!*** alle Mann an Deck! **5.** (≈ *handwriting*) Handschrift *f* **6.** (*of horse*) ≈ 10 cm **7.** CARDS Blatt *nt*; (≈ *game*) Runde *f* **8.** ***to ask for a lady's ~ (in marriage)*** um die Hand einer Dame anhalten; ***to have one's ~s full with sb/sth*** mit jdm/etw alle Hände voll zu tun haben; ***to wait on sb ~ and foot*** jdn von vorne und hinten bedienen; ***to have a ~ in sth*** an etw (*dat*) beteiligt sein; ***I had no ~ in it*** ich hatte damit nichts zu tun; ***to keep one's ~ in*** in Übung bleiben; ***to lend or give sb a ~*** jdm behilflich sein; ***give me a ~!*** hilf mir mal!; ***to force sb's ~*** jdn zwingen; ***to be ~ in glove with sb*** mit jdm unter einer Decke stecken; ***to win ~s down*** mühelos *or* spielend gewinnen; ***to have the upper ~*** die Oberhand behalten; ***to get or gain the upper ~ (of sb)*** (über jdn) die Oberhand gewinnen; ***they gave him a big ~*** sie gaben ihm großen Applaus; ***let's give our guest a big ~*** und nun großen Beifall für unseren Gast; ***to be an old ~ (at sth)*** ein alter Hase (in etw *dat*) sein; ***to keep sth at ~*** etw in Reichweite haben; ***at first ~*** aus erster Hand; ***he had the situation well in ~*** er hatte die Situation im Griff; ***to take sb in ~*** (≈ *discipline*) jdn in die Hand nehmen; (≈ *look after*) jdn in Obhut nehmen; ***he still had £600 in ~*** er hatte £ 600 übrig; ***the matter in ~*** die vorliegende Angelegenheit; ***we still have a game in ~*** wir haben noch ein Spiel ausstehen; ***there were no experts on ~*** es standen keine Experten zur Verfügung; ***to eat out of sb's ~*** jdm aus der Hand fressen; ***things got out of ~*** die Dinge sind außer Kontrolle geraten; ***I dismissed the idea out of ~*** ich verwarf die Idee sofort; ***I don't have the letter to ~*** ich habe den Brief gerade nicht zur Hand **II** *v/t* geben (*sth to* *sb*, *sb sth* jdm etw); ***you've got to ~ it to him*** (*fig infml*) das muss man ihm lassen (*infml*) ◆ **hand (a)round** *v/t sep* herumreichen; (≈ *distribute*) austeilen ◆ **hand back** *v/t sep* zurückgeben ◆ **hand down** *v/t sep* **1.** (*fig*) weitergeben; *tradition* überliefern; *heirloom etc* vererben (*to +dat*); ***the farm's been handed down from generation to generation*** der Hof ist durch die Generationen weitervererbt worden **2.** JUR *sentence* fällen ◆ **hand in** *v/t sep* abgeben; *resignation* einreichen ◆ **hand on** *v/t sep* weitergeben (*to* an *+acc*) ◆ **hand out** *v/t sep* verteilen (*to sb* an jdn); *advice* erteilen (*to sb* jdm) ◆ **hand over** *v/t sep* (≈ *pass over*) (herüber)reichen (*to dat*); (≈ *hand on*) weitergeben (*to* an *+acc*); (≈ *give up*) (her)geben (*to dat*); *prisoner* übergeben (*to dat*); (*to another state*) ausliefern; *powers* abgeben (*to* an *+acc*); *controls*, *property* übergeben (*to dat*, an *+acc*); ***I now hand you over to our correspondent*** ich übergebe nun an unseren Korrespondenten ◆ **hand up** *v/t sep* hinaufreichen

handbag *n* Handtasche *f* **hand baggage** *n* Handgepäck *nt* **handball I** *n* **1.** (≈ *game*) Handball *m* **2.** (FTBL ≈ *foul*) Handspiel *nt* **II** *int* FTBL Hand **hand basin** *n* Handwaschbecken *nt* **handbill** *n* Handzettel *m* **handbook** *n* Handbuch *nt* **handbrake** *n* (*esp Br*) Handbremse *f* **hand-carved** *adj* handgeschnitzt **hand cream** *n* Handcreme *f* **handcuff** *v/t* Handschellen anlegen (*+dat*) **handcuffs** *pl* Handschellen *pl* **handdrier** *n* Händetrockner *m* **handful** *n* **1.** Handvoll *f*; (*of hair*) Büschel *nt* **2.** (*fig*) ***those children are a ~*** die Kinder können einen ganz schön in Trab halten **hand grenade** *n* Handgranate *f* **handgun** *n* Handfeuerwaffe *f* **hand-held** *adj computer* Handheld-

handicap I *n* **1.** SPORTS Handicap *nt* **2.** (≈ *disadvantage*) Handicap *nt*; (*physical*, *mental*) Behinderung *f* **II** *v/t* ***to be (physically/mentally) ~ped*** (körperlich/geistig) behindert sein; ***~ped children*** behinderte Kinder *pl*

handicraft *n* (≈ *work*) Kunsthandwerk *nt*; ***~s*** (≈ *products*) Kunstgewerbe *nt*

handily *adv situated* günstig

handiwork *n no pl* **1.** (*lit*) Arbeit *f*; (≈ *needlework etc*) Handarbeit *f*; ***examples of the children's ~*** Werkarbeiten/Handarbeiten *pl* der Kinder **2.** (*fig*) Werk *nt*; (*pej*) Machwerk *nt*

handkerchief *n* Taschentuch *nt*, Nastuch *nt* (*Swiss*)

handle I *n* Griff *m*; (*of door*) Klinke *f*, (Tür)falle *f* (*Swiss*); (*esp of broom*, *saucepan*) Stiel *m*; (*of basket*, *cup*) Henkel *m*; ***to fly off the ~*** (*infml*) an die Decke gehen (*infml*); ***to have/get a ~ on sth*** (*infml*) etw im Griff haben/in den Griff bekommen **II** *v/t* **1.** (≈ *touch*) berühren; ***be careful how you ~ that*** gehen Sie vorsichtig damit um; ***"handle with care"*** „Vorsicht - zerbrechlich" **2.** (≈ *deal with*) umgehen mit; *matter*, *problem* sich befassen mit; (≈ *succeed in coping with*) fertig werden mit; (≈ *resolve*) erledigen; *vehicle* steuern; ***how would you ~ the situation?*** wie würden Sie sich in der Situation verhalten?; ***I can't ~ pressure*** ich komme unter Druck nicht zurecht; ***you keep quiet, I'll ~ this*** sei still, lass mich mal machen **3.** COMM *goods* handeln mit *or* in (*+dat*); *orders* bearbeiten **III** *v/i* (*ship*, *plane*) sich steuern lassen; (*car*) sich fahren lassen **handlebar(s)** *n*(*pl*) Lenkstange *f* **handler** *n* (≈ *dog-handler*) Hundeführer(in) *m*(*f*); ***baggage ~*** Gepäckmann *m* **handling** *n* Umgang *m* (*of* mit); (*of matter*, *problem*) Behandlung *f* (*of +gen*); (≈ *official handling of matters*) Bearbeitung *f*; ***her adroit ~ of the economy*** ihre geschickte Handhabung der Wirtschaft; ***his ~ of the matter*** die Art, wie er die Angelegenheit angefasst hat; ***his successful ~ of the crisis*** seine Bewältigung der Krise **handling charge** *n* Bearbeitungsgebühr *f*; (*in banking*) Kontoführungsgebühren *pl*

hand lotion *n* Handlotion *f* **hand luggage** *n* (*Br*) Handgepäck *nt* **handmade** *adj* handgearbeitet; ***this is ~*** das ist Handarbeit **hand mirror** *n* Handspiegel *m* **hand-operated** *adj* handbedient, handbetrieben **hand-out** *n* **1.** (≈ *money*) (Geld)zuwendung *f* **2.** (≈ *food*) Essensspende *f*; (*in school*) Arbeitsblatt *nt* **handover** *n* POL Übergabe *f*; ***~ of power*** Machtübergabe *f* **hand-picked** *adj* (*fig*) sorgfältig ausgewählt **hand puppet** *n* (*US*) Handpuppe *f* **handrail** *n* (*of stairs etc*) Geländer *nt*; (*of ship*) Reling *f* **handset** *n* TEL Hörer *m* **hands-free**

adj Freisprech-; **~ kit** Freisprechset *nt or* -anlage *f* **handshake** *n* Händedruck *m* **hands-off** *adj* passiv

handsome *adj* **1.** (≈ *good-looking*) gut aussehend; *face, features* attraktiv; (≈ *elegant*) elegant; ***he is ~*** er sieht gut aus **2.** *profit* ansehnlich; *reward* großzügig; *victory* deutlich **handsomely** *adv pay* großzügig; *reward* reichlich; *win* überlegen

hands-on *adj* aktiv, engagiert **handstand** *n* Handstand *m* **hand-to-hand** *adj* ***~ fighting*** Nahkampf *m* **hand-to--mouth** *adj* kümmerlich **hand towel** *n* Händehandtuch *nt*

handwriting *n* Handschrift *f* **handwritten** *adj* handgeschrieben **handy** *adj* (+*er*) **1.** *device* praktisch; *hint* nützlich; *size* handlich; ***to come in ~*** sich als nützlich erweisen; ***my experience as a teacher comes in ~*** meine Lehrerfahrung kommt mir zugute **2.** (≈ *skilful*) geschickt; ***to be ~ with a tool*** mit einem Werkzeug gut umgehen können **3.** (≈ *conveniently close*) in der Nähe; ***the house is (very) ~ for the shops*** das Haus liegt (ganz) in der Nähe der Geschäfte; ***to keep*** *or* ***have sth ~*** etw griffbereit haben **handyman** *n*, *pl* **-men** Heimwerker *m*; (*as job*) Hilfskraft *f*

hang *vb*: *pret*, *past part* **hung I** *v/t* **1.** hängen; *painting*, *curtains*, *clothes* aufhängen; ***to ~ wallpaper*** tapezieren; ***to ~ sth from sth*** etw an etw (*dat*) aufhängen; ***to ~ one's head*** den Kopf hängen lassen **2.** *pret*, *past part* **hanged** *criminal* hängen; ***to ~ oneself*** sich erhängen **3.** (*infml*) ***~ the cost!*** ist doch piepegal, was es kostet (*infml*) **II** *v/i* **1.** (*curtains, painting*) hängen (*on* an +*dat*, *from* von); (*clothes, hair*) fallen **2.** (*gloom etc*) hängen (*over* über +*dat*) **3.** (*criminal*) gehängt werden; ***to be sentenced to ~*** zum Tod durch Erhängen verurteilt werden **III** *n no pl* (*infml*) ***to get the ~ of sth*** den (richtigen) Dreh bei etw herauskriegen (*infml*) ◆ **hang about** (*Brit*) *or* **around I** *v/i* (*infml*) warten; (≈ *loiter*) sich herumtreiben (*infml*), strawanzen (*Aus*); ***to keep sb hanging around*** jdn warten lassen; ***to hang around with sb*** sich mit jdm herumtreiben (*infml*); ***hang about, I'm just coming*** wart mal, ich komm ja schon; (*infml*) ***he doesn't hang around*** (≈ *move quickly*) er ist einer von der schnellen Truppe (*infml*) **II** *v/i +prep obj* ***to hang around a place*** sich an einem Ort herumtreiben (*infml*) ◆ **hang back** *v/i* (*lit*) sich zurückhalten ◆ **hang down** *v/i* herunterhängen ◆ **hang in** *v/i* (*infml*) ***just ~ there!*** bleib am Ball (*infml*) ◆ **hang on I** *v/i* **1.** (≈ *hold*) sich festhalten (*to sth* an etw *dat*) **2.** (≈ *hold out*) durchhalten; (*infml* ≈ *wait*) warten; ***~ (a minute)*** einen Augenblick (mal) **II** *v/i +prep obj* ***he hangs on her every word*** er hängt an ihren Lippen; ***everything hangs on his decision*** alles hängt von seiner Entscheidung ab ◆ **hang on to** *v/i +prep obj* **1.** (*lit* ≈ *hold on to*) festhalten; (*fig*) *hope* sich klammern an (+*acc*) **2.** (≈ *keep*) behalten; ***to ~ power*** sich an die Macht klammern ◆ **hang out I** *v/i* **1.** (*tongue etc*) heraushängen **2.** (*infml*) sich aufhalten **II** *v/t sep* hinaushängen ◆ **hang together** *v/i* (*argument, ideas*) folgerichtig *or* zusammenhängend sein; (*alibi*) keinen Widerspruch enthalten; (*story, report etc*) zusammenhängen ◆ **hang up I** *v/i* TEL auflegen; ***he hung up on me*** er legte einfach auf **II** *v/t sep picture* aufhängen; *receiver* auflegen ◆ **hang upon** *v/i +prep obj* = **hang on** II

hangar *n* Hangar *m*

hanger *n* (*for clothes*) (Kleider)bügel *m* **hanger-on** *n*, *pl* **hangers-on** Satellit *m* **hang-glider** *n* (≈ *device*) Drachen *m* **hang-gliding** *n* Drachenfliegen *nt* **hanging** *n* **1.** (*of criminal*) Hinrichtung *f* (durch den Strang) **2. hangings** *pl* (≈ *tapestry*) Wandbehänge *pl* **hanging basket** *n* Blumenampel *f* **hangman** *n* Henker *m*; (≈ *game*) Galgen *m* **hang--out** *n* (*infml*) Stammlokal *nt*; (*of group*) Treff *m* (*infml*) **hangover** *n* Kater *m* (*infml*) **hang-up** *n* (*infml*) Komplex *m* (*about* wegen)

hanker *v/i* sich sehnen (*for or after sth* nach etw) **hankering** *n* Sehnsucht *f*; ***to have a ~ for sth*** Sehnsucht nach etw haben

hankie, hanky *n* (*infml*) Taschentuch *nt*, Nastuch *nt* (*Swiss*)

hanky-panky *n* (*infml*, *esp Br*) Gefummel *nt* (*infml*)

Hanover *n* Hannover *nt*

haphazard *adj* willkürlich; ***in a ~ way*** planlos

happen *v/i* **1.** (≈ *occur*) geschehen; (*spe-*

cial event) sich ereignen; (*unexpected or unpleasant event*) passieren; ***it ~ed like this ...*** es war so ...; ***what's ~ing?*** was ist los?; ***it just ~ed*** es ist (ganz) von allein passiert *or* gekommen; ***as if nothing had ~ed*** als ob nichts geschehen *or* gewesen wäre; ***don't let it ~ again*** dass das nicht noch mal passiert!; ***what has ~ed to him?*** was ist ihm passiert?; (≈ *what has become of him*) was ist aus ihm geworden?; ***if anything should ~ to me*** wenn mir etwas zustoßen *or* passieren sollte; ***it all ~ed so quickly*** es ging alles so schnell **2.** ***to ~ to do sth*** zufällig(erweise) etw tun; ***do you ~ to know whether ...?*** wissen Sie zufällig, ob ...?; ***I picked up the nearest paper, which ~ed to be the Daily Mail*** ich nahm die erstbeste Zeitung zur Hand, es war zufällig die Daily Mail; ***as it ~s I don't like that kind of thing*** so etwas mag ich nun einmal nicht **happening** *n* Ereignis *nt*; (*not planned*) Vorfall *m*; ***there have been some strange ~s in that house*** in dem Haus sind sonderbare Dinge vorgegangen

happily *adv* **1.** glücklich; *say*, *play* vergnügt; ***it all ended ~*** es ging alles gut aus; ***they lived ~ ever after*** (*in fairy tales*) und wenn sie nicht gestorben sind, dann leben sie noch heute **2.** (≈ *harmoniously*) *live together*, *combine* harmonisch **3.** (≈ *gladly*) gern; ***I would ~ have lent her the money*** ich hätte ihr das Geld ohne weiteres geliehen **4.** (≈ *fortunately*) glücklicherweise **happiness** *n* Glück *nt*; (≈ *contentment*) Zufriedenheit *f*

happy *adj* (*+er*) **1.** glücklich; ***the ~ couple*** das Brautpaar; ***a ~ ending*** ein Happy End *nt*; ***~ birthday*** (***to you***) herzlichen Glückwunsch zum Geburtstag; ***Happy Easter/Christmas*** frohe Ostern/Weihnachten **2.** (≈ *content*) (***not***) ***to be ~ about*** *or* ***with sth*** mit etw (nicht) zufrieden sein; ***to be ~ to do sth*** (≈ *willing*) etw gern tun; (≈ *relieved*) froh sein, etw zu tun; ***I was ~ to hear that you passed your exam*** es hat mich gefreut zu hören, dass du die Prüfung bestanden hast **happy-go-lucky** *adj* unbekümmert **happy hour** *n Zeit, in der Getränke zu ermäßigten Preisen angeboten werden*

harangue *v/t* eine (Straf)predigt halten (*+dat*)

harass *v/t* belästigen; ***don't ~ me*** dräng mich doch nicht so! **harassed** *adj* abgespannt; ***a ~ father*** ein (viel) geplagter Vater **harassment** *n* (≈ *act*) Belästigung *f*; ***racial ~*** rassistisch motivierte Schikanierung; ***sexual ~*** sexuelle Belästigung

harbour, (*US*) **harbor I** *n* Hafen *m* **II** *v/t* **1.** *criminal etc* Unterschlupf gewähren (*+dat*) **2.** *doubts*, *resentment* hegen

hard I *adj* (*+er*) **1.** hart; *winter*, *frost* streng; ***as ~ as rocks*** *or* ***iron*** steinhart; ***he leaves all the ~ work to me*** die ganze Schwerarbeit überlässt er mir; ***to be a ~ worker*** sehr fleißig sein; ***it was ~ going*** man kam nur mühsam voran; ***to be ~ on sb*** (*person*) streng mit jdm sein; ***to be ~ on sth*** (≈ *cause strain*) etw strapazieren; ***to have a ~ time*** es nicht leicht haben; ***I had a ~ time finding a job*** ich hatte Schwierigkeiten, eine Stelle zu finden; ***to give sb a ~ time*** jdm das Leben schwer machen; ***there are no ~ feelings between them*** sie sind einander nicht böse; ***no ~ feelings?*** nimm es mir nicht übel; ***to be as ~ as nails*** knallhart sein (*infml*) **2.** (≈ *difficult*) schwer, schwierig; ***~ to understand*** schwer verständlich; ***that is a very ~ question to answer*** diese Frage lässt sich nur schwer beantworten; ***she is ~ to please*** man kann ihr kaum etwas recht machen; ***it's ~ to tell*** es ist schwer zu sagen; ***I find it ~ to believe*** ich kann es kaum glauben; ***she found it ~ to make friends*** es fiel ihr schwer, Freunde zu finden; ***to play ~ to get*** so tun, als sei man nicht interessiert **3.** *tug*, *kick* kräftig; *blow* heftig; ***to give sb/sth a ~ push*** jdm/etw einen harten Stoß versetzen; ***it was a ~ blow*** (***for them***) (*fig*) es war ein schwerer Schlag (für sie) **4.** *facts* gesichert; ***~ evidence*** sichere Beweise *pl* **II** *adv work* hart; *run* sehr schnell; *breathe* schwer; *study* eifrig; *listen* genau; *think* scharf; *push*, *pull* kräftig; *rain* stark; ***I've been ~ at work since this morning*** ich bin seit heute Morgen um schwer am Werk; ***she works ~ at keeping herself fit*** sie gibt sich viel Mühe, sich fit zu halten; ***to try ~*** sich wirklich Mühe geben; ***no matter how ~ I try ...*** wie sehr ich mich auch anstrenge, ...; ***to be ~ pushed*** *or* ***put to do sth*** es sehr schwer finden, etw zu tun; ***to be ~ done by*** übel dran sein; ***they are ~ hit by the cuts*** sie sind von den Kürzungen schwer getroffen; **~ left** scharf links; **to follow ~ upon sth** unmittelbar auf etw (*acc*) folgen **hard and fast** *adj* fest **hardback I** *adj* (*a.* **hardbacked**) *book* gebunden **II** *n* gebundene Ausgabe **hardboard** *n* Hartfaserplatte *f* **hard-boiled** *adj egg* hart gekocht **hard cash** *n* Bargeld *nt* **hard copy** *n* Ausdruck *m* **hard core** *n* (*fig*) harter Kern **hard-core** *adj* **1.** *pornography* hart; **~ film** harter Pornofilm **2.** *members* zum harten Kern gehörend **hardcover** *adj*, *n* (*US*) = **hardback hard currency** *n* harte Währung

hard disk *n* IT Festplatte *f* **hard disk drive** *n* Festplattenlaufwerk *nt* **hard drug** *n* harte Droge **hard-earned** *adj cash* sauer verdient; *victory* hart erkämpft **hard-edged** *adj* (*fig*) hart, kompromisslos; *reality* hart **harden I** *v/t steel* härten; **this ~ed his attitude** dadurch hat sich seine Haltung verhärtet; **to ~ oneself to sth** (*physically*) sich gegen etw abhärten; (*emotionally*) gegen etw unempfindlich werden **II** *v/i* (*substance*) hart werden; (*fig*, *attitude*) sich verhärten; **his face ~ed** sein Gesicht bekam einen harten Ausdruck **hardened** *adj steel* gehärtet; *troops* abgehärtet; *arteries* verkalkt; **~ criminal** Gewohnheitsverbrecher(in) *m*(*f*); **you become ~ to it after a while** daran gewöhnt man sich mit der Zeit **hard-fought** *adj battle* erbittert; *victory* hart erkämpft; *game* hart **hard hat** *n* Schutzhelm *m* **hardhearted** *adj* hartherzig **hard-hitting** *adj report* äußerst kritisch **hard labour**, (*US*) **hard labor** *n* Zwangsarbeit *f* **hard left** *n* POL **the ~** die extreme Linke **hard line** *n* **to take a ~** eine harte Linie verfolgen **hardline** *adj* kompromisslos **hardliner** *n* Hardliner(in) *m*(*f*) (*esp* POL) **hard luck** *n* (*infml*) Pech *nt* (*on* für); **~!** Pech gehabt!

hardly *adv* **1.** (≈ *barely*) kaum; **~ ever** fast nie; **~ any money** fast kein Geld; **it's worth ~ anything** es ist fast nichts wert; **you've ~ eaten anything** du hast (ja) kaum etwas gegessen; **there was ~ anywhere to go** man konnte fast nirgends hingehen **2.** (≈ *certainly not*) wohl kaum

hardness *n* **1.** Härte *f* **2.** (≈ *difficulty*) Schwierigkeit *f* **hard-nosed** *adj* (*infml*) *person* abgebrüht (*infml*); *attitude* rücksichtslos **hard on** *n* (*sl*) Ständer *m* (*infml*); **to have a ~** einen stehen haben (*infml*) **hard-pressed** *adj* hart bedrängt; **to be ~ to do sth** es sehr schwer finden, etw zu tun **hard right** *n* POL **the ~** die extreme Rechte **hard sell** *n* aggressive Verkaufstaktik **hardship** *n* (≈ *condition*) Not *f*; (≈ *deprivation*) Entbehrung *f* **hard shoulder** *n* (*Br*) Seitenstreifen *m*

hardware I *n* **1.** Eisenwaren *pl*; (≈ *household goods*) Haushaltswaren *pl* **2.** IT Hardware *f* **II** *attr* **1. ~ shop** *or* **store** Eisenwarenhandlung *f* **2.** IT Hardware- **hard-wearing** *adj* widerstandsfähig; *clothes* strapazierfähig **hard-won** *adj* schwer erkämpft **hardwood** *n* Hartholz *nt* **hard-working** *adj* fleißig

hardy *adj* (+*er*) *person*, *animal* robust; *plant* winterhart

hare I *n* (Feld)hase *m* **II** *v/i* (*Br infml*) flitzen (*infml*) **harebrained** *adj* verrückt

harelip *n* Hasenscharte *f*

harem *n* Harem *m*

haricot *n* **~ (bean)** Gartenbohne *f*

◆ **hark back to** *v/i +prep obj* **this custom harks back to the days when ...** dieser Brauch geht auf die Zeit zurück, als ...

harm I *n* (*bodily*) Verletzung *f*; (*material*, *psychological*) Schaden *m*; **to do ~ to sb** jdm eine Verletzung / jdm Schaden zufügen; **to do ~ to sth** einer Sache (*dat*) schaden; **you could do somebody/yourself ~ with that knife** mit dem Messer können Sie jemanden / sich verletzen; **he never did anyone any ~** er hat keiner Fliege jemals etwas zuleide getan; **you will come to no ~** es wird Ihnen nichts geschehen; **it will do more ~ than good** es wird mehr schaden als nützen; **it won't do you any ~** es wird dir nicht schaden; **to mean no ~** es nicht böse meinen; **no ~ done** es ist nichts Schlimmes passiert; **there's no ~ in asking** es kann nicht schaden, zu fragen; **where's** *or* **what's the ~ in that?** was kann denn das schaden?; **to keep** *or* **stay out of ~'s way** der Gefahr (*dat*) aus dem Weg gehen; **I've put those tablets in the cupboard out of ~'s way** ich habe die Tabletten im Schrank in Sicherheit gebracht **II** *v/t person* verletzen; *thing*, *environment* schaden (+*dat*) **harmful** *adj* schädlich (*to* für) **harmless** *adj* harmlos **harmlessly** *adv* harmlos; **the missile exploded ~ outside the town** die Rakete explodierte außerhalb der Stadt, ohne Schaden anzurichten

harmonic *adj* harmonisch **harmonica** *n*

Harmonika *f* **harmonious** *adj*, **harmoniously** *adv* harmonisch **harmonize I** *v/t* harmonisieren; *ideas etc* miteinander in Einklang bringen **II** *v/i* **1.** (*colours etc*) harmonieren **2.** MUS mehrstimmig singen **harmony** *n* Harmonie *f*; (*fig*) Eintracht *f*; ***to live in perfect ~ with sb*** in Eintracht mit jdm leben

harness I *n* **1.** Geschirr *nt*; ***to work in ~*** (*fig*) zusammenarbeiten **2.** (*of parachute*) Gurtwerk *nt*; (*for baby*) Laufgurt *m* **II** *v/t* **1.** *horse* anschirren; ***to ~ a horse to a carriage*** ein Pferd vor einen Wagen spannen **2.** (≈ *utilize*) nutzen

harp *n* Harfe *f* ◆ **harp on** *v/i* (*infml*) ***to ~ sth*** auf etw (*dat*) herumreiten; ***he's always harping on about ...*** er spricht ständig von ...

harpoon I *n* Harpune *f* **II** *v/t* harpunieren

harpsichord *n* Cembalo *nt*

harrowing *adj story* erschütternd; *experience* grauenhaft

harry *v/t* (≈ *hassle*) bedrängen

harsh *adj* (+*er*) *winter* streng; *climate*, *environment*, *sound* rau; *conditions*, *treatment* hart; *criticism* scharf; *light* grell; *reality* bitter; ***to be ~ with sb*** jdn hart anfassen; ***don't be too ~ with him*** sei nicht zu streng mit *or* hart zu ihm **harshly** *adv* **1.** *judge*, *treat* streng; *criticize* scharf **2.** *say* schroff; ***he never once spoke ~ to her*** (≈ *unkindly*) er sprach sie nie in einem scharfen Ton an **harshness** *n* Härte *f*; (*of climate*, *environment*) Rauheit *f*; (*of criticism*) Schärfe *f*

harvest I *n* Ernte *f*; ***a bumper potato ~*** eine Rekordkartoffelernte **II** *v/t* (≈ *reap*) ernten **harvest festival** *n* Erntedankfest *nt*

has *3rd person sg pres of* **have has-been** *n* (*pej*) vergangene Größe

hash *n* **1.** (*fig*) ***to make a ~ of sth*** etw vermasseln (*infml*) **2.** TEL Doppelkreuz *nt* **3.** (*infml* ≈ *hashish*) Hasch *nt* (*infml*) **hash browns** *pl* ≈ Kartoffelpuffer *pl*, Erdäpfelpuffer *pl* (*Aus*)

hashish *n* Haschisch *nt*

hasn't *contraction* = ***has not***

hassle (*infml*) **I** *n* **1.** Auseinandersetzung *f* **2.** (≈ *bother*) Mühe *f*; ***we had a real ~ getting these tickets*** es hat uns (*dat*) viel Mühe gemacht, diese Karten zu bekommen; ***getting there is such a ~*** es ist so umständlich, dorthin zu kommen **II** *v/t* bedrängen; ***stop hassling me*** lass mich in Ruhe!; ***I'm feeling a bit ~d*** ich fühle mich etwas im Stress (*infml*)

haste *n* Eile *f*; (*nervous*) Hast *f*; ***to do sth in ~*** etw in Eile tun; ***to make ~ to do sth*** sich beeilen, etw zu tun **hasten I** *v/i* sich beeilen; ***I ~ to add that ...*** ich muss allerdings hinzufügen, dass ... **II** *v/t* beschleunigen **hastily** *adv* **1.** *arranged* eilig; *dress*, *eat* hastig; *add* schnell **2.** (≈ *too quickly*) übereilt **hasty** *adj* (+*er*) **1.** hastig; *departure* plötzlich; ***to beat a ~ retreat*** sich schnellstens aus dem Staub machen (*infml*) **2.** (≈ *too quick*) übereilt; ***don't be ~!*** nicht so schnell!; ***I had been too ~*** ich hatte voreilig gehandelt

hat *n* **1.** Hut *m*; ***to put on one's ~*** den *or* seinen Hut aufsetzen; ***to take one's ~ off*** den Hut abnehmen **2.** (*fig*) ***I'll eat my ~ if ...*** ich fresse einen Besen, wenn ... (*infml*); ***I take my ~ off to him*** Hut ab vor ihm!; ***to keep sth under one's ~*** (*infml*) etw für sich behalten; ***at the drop of a ~*** auf der Stelle; ***that's old ~*** (*infml*) das ist ein alter Hut (*infml*) **hatbox** *n* Hutschachtel *f*

hatch[1] **I** *v/t* (*a.* **hatch out**) ausbrüten **II** *v/i* (*a.* **hatch out**: *bird*) ausschlüpfen; ***when will the eggs ~?*** wann schlüpfen die Jungen aus?

hatch[2] *n* **1.** NAUT Luke *f*; (*in floor*, *ceiling*) Bodenluke *f* **2.** (***service***) **~** Durchreiche *f* **3.** ***down the ~!*** (*infml*) hoch die Tassen! (*infml*) **hatchback** *n* Hecktürmodell *nt*

hatchet *n* Beil *nt*; ***to bury the ~*** (*fig*) das Kriegsbeil begraben **hatchet job** *n* (*infml*) ***to do a ~ on sb*** jdn fertigmachen (*infml*)

hatchway *n* = ***hatch***[2] 1

hate I *v/t* hassen; ***to ~ to do sth*** *or* ***doing sth*** es hassen, etw zu tun; ***I ~ seeing*** *or* ***to see her in pain*** ich kann es nicht ertragen, sie leiden zu sehen; ***I ~ it when ...*** ich kann es nicht ausstehen, wenn ...; ***I ~ to bother you*** es ist mir sehr unangenehm, dass ich Sie belästigen muss; ***I ~ to admit it but ...*** es fällt mir sehr schwer, das zugeben zu müssen, aber ...; ***she ~s me having any fun*** sie kann es nicht haben, wenn ich Spaß habe; ***I'd ~ to think I'd never see him again*** ich könnte den Gedanken, ihn nie wiederzusehen, nicht ertragen **II** *n* Hass *m* (*for*, *of* auf +*acc*); ***one of his pet ~s is plastic cutlery/having to wait*** Plastikbesteck/Warten ist ihm ein Gräuel **hate campaign** *n*

Hasskampagne *f* **hated** *adj* verhasst **hateful** *adj* abscheulich; *person* unausstehlich **hate mail** *n* beleidigende Briefe *pl*

hatpin *n* Hutnadel *f*

hatred *n* Hass *m* (*for, of* auf +*acc*); ***racial ~*** Rassenhass *m*

hat stand, (*US*) **hat tree** *n* Garderobenständer *m* **hat trick** *n* Hattrick *m*; ***to score a ~*** einen Hattrick erzielen

haughty *adj* (+*er*) überheblich; *look* geringschätzig

haul I *n* **1.** (≈ *journey*) ***it's a long ~*** es ist ein weiter Weg; ***short/long/medium ~ aircraft*** Kurz-/Lang-/Mittelstreckenflugzeug *nt*; ***over the long ~*** (*esp US*) langfristig **2.** (*fig* ≈ *booty*) Beute *f*; (*of cocaine etc*) Fund *m* **II** *v/t* **1.** (≈ *pull*) ziehen; ***he ~ed himself to his feet*** er wuchtete sich wieder auf die Beine **2.** (≈ *transport*) befördern ◆ **haul in** *v/t sep* einholen; *rope* einziehen

haulage *n* (*Br*) Transport *m* **haulage business** *n* (*esp Br*) (≈ *firm*) Transportunternehmen *nt*, Spedition(sfirma) *f*; (≈ *trade*) Speditionsbranche *f* **haulier**, (*US*) **hauler** *n* (≈ *company*) Spedition *f*

haunch *n* ***~es*** Gesäß *nt*; (*of animal*) Hinterbacken *pl*; ***to squat on one's ~es*** in der Hocke sitzen

haunt I *v/t* **1.** (*ghost*) spuken in (+*dat*) **2.** *person* verfolgen; (*memory*) nicht loslassen **II** *n* (*of person* ≈ *pub etc*) Stammlokal *nt*; (≈ *favourite resort*) Lieblingsort *m*; ***her usual childhood ~s*** Stätten, die sie in ihrer Kindheit oft aufsuchte **haunted** *adj* **1.** Spuk-; ***~ castle*** Spukschloss *nt*; ***this place is ~*** hier spukt es; ***is it ~?*** spukt es da? **2.** *look* gequält **haunting** *adj* eindringlich; *music* schwermütig

have *pret, past part* **had**, *3rd person sg pres* **has I** *aux vb* **1.** haben; ***I ~/had seen*** ich habe/hatte gesehen; ***had I seen him, if I had seen him*** wenn ich ihn gesehen hätte; ***having seen him*** (≈ *after I had*) als ich ihn gesehen hatte; ***having realized this*** (≈ *since I had*) nachdem ich das erkannt hatte; ***I ~ lived*** *or* ***~ been living here for 10 years*** ich wohne *or* lebe schon 10 Jahre hier **2.** sein; ***to ~ gone*** gegangen sein; ***you HAVE grown!*** du bist aber gewachsen!; ***to ~ been*** gewesen sein **3.** (*in tag questions etc*) ***you've seen her, ~n't you?*** du hast sie gesehen, oder nicht?; ***you ~n't seen her, ~ you?*** du hast sie nicht gesehen, oder?; ***you ~n't seen her — yes, I ~*** du hast sie nicht gesehen — doch; ***you've made a mistake — no, I ~n't*** du hast einen Fehler gemacht — nein(, hab ich nicht); ***I ~ seen a ghost — ~ you?*** ich habe ein Gespenst gesehen — tatsächlich? **II** *modal aux* ***to ~ to do sth*** etw tun müssen; ***I ~ (got*** *esp Brit****) to do it*** ich muss es tun *or* machen; ***she was having to get up at 6 o'clock*** sie musste um 6 Uhr aufstehen; ***you didn't ~ to tell her*** das hätten Sie ihr nicht unbedingt sagen müssen *or* brauchen **III** *v/t* **1.** haben; ***~ you (got*** *esp Brit****)*** *or* ***do you ~ a car?*** hast du ein Auto?; ***I ~n't (got*** *esp Brit****)*** *or* ***I don't ~ a pen*** ich habe keinen Kugelschreiber; ***I ~ (got*** *esp Brit****) work/a translation to do*** ich habe zu arbeiten/eine Übersetzung zu erledigen; ***I must ~ more time*** ich brauche mehr Zeit; ***I must ~ something to eat*** ich muss dringend etwas zu essen haben; ***thanks for having me*** vielen Dank für Ihre Gastfreundschaft; ***he has diabetes*** er ist zuckerkrank; ***to ~ a heart attack*** einen Herzinfarkt bekommen; ***I've (got*** *(esp Br)****) a headache*** ich habe Kopfschmerzen; ***to ~ a pleasant evening*** einen netten Abend verbringen; ***to ~ a good time*** Spaß haben; ***~ a good time!*** viel Spaß!; ***to ~ a walk*** einen Spaziergang machen; ***to ~ a swim*** schwimmen gehen; ***to ~ a baby*** ein Baby bekommen; ***he had the audience in hysterics*** das Publikum kugelte sich vor Lachen; ***he had the police baffled*** die Polizei stand vor einem Rätsel; ***as rumour*** (*Br*) *or* ***rumor*** (*US*) ***has it*** Gerüchten zufolge; ***I won't ~ this sort of rudeness!*** diese Unhöflichkeit lasse ich mir ganz einfach nicht bieten; ***I won't ~ him insulted*** ich lasse es nicht zu *or* dulde es nicht, dass man ihn beleidigt; ***to let sb ~ sth*** jdm etw geben **2.** ***to ~ breakfast*** frühstücken; ***to ~ lunch*** zu Mittag essen; ***to ~ tea with sb*** mit jdm (zusammen) Tee trinken; ***will you ~ tea or coffee?*** möchten Sie lieber Tee oder Kaffee?; ***will you ~ a drink/cigarette?*** möchten Sie etwas zu trinken/eine Zigarette?; ***what will you ~? — I'll ~ the steak*** was möchten Sie gern(e)? — ich hätte gern das Steak; ***he had a cigarette*** er rauchte eine Zigarette **3.** (≈

hold) (gepackt) haben; ***he had*** (***got*** (*esp Br*)) ***me by the throat*** er hatte mich am Hals gepackt; ***you ~ me there*** da bin ich überfragt **4.** *party* geben; *meeting* abhalten **5.** (≈ *wish*) mögen; ***which one will you ~?*** welche(n, s) möchten Sie haben *or* hätten Sie gern? **6.** ***to ~ sth done*** etw tun lassen; ***to ~ one's hair cut*** sich (*dat*) die Haare schneiden lassen; ***he had his car stolen*** man hat ihm sein Auto gestohlen; ***I've had three windows broken*** (bei) mir sind drei Fenster eingeworfen worden; ***to ~ sb do sth*** jdn etw tun lassen; ***I had my friends turn against me*** ich musste es erleben, wie *or* dass sich meine Freunde gegen mich wandten; ***that coat has had it*** (*infml*) der Mantel ist im Eimer (*infml*); ***if I miss the bus, I've had it*** (*infml*) wenn ich den Bus verpasse, bin ich geliefert (*infml*); ***let him ~ it!*** (*infml*) gibs ihm! (*infml*); ***~ it your own way*** halten Sie es, wie Sie wollen; ***you've been had!*** (*infml*) da hat man dich übers Ohr gehauen (*infml*) ◆ **have around** *v/t always separate* ***he's a useful man to ~*** es ist ganz praktisch, ihn zur Hand zu haben ◆ **have back** *v/t sep* zurückhaben ◆ **have in** *v/t always separate* **1.** (*in the house*) im Haus haben **2.** ***to have it in for sb*** (*infml*) jdn auf dem Kieker haben (*infml*) **3.** ***I didn't know he had it in him*** ich hätte ihm das nicht zugetraut ◆ **have off** *v/t always separate* ***to have it off with sb*** (*Br infml*) es mit jdm treiben (*infml*) ◆ **have on I** *v/t sep* (≈ *wear*) anhaben **II** *v/t always separate* **1.** (≈ *have arranged*) vorhaben; (≈ *be busy with*) zu tun haben **2.** (*infml* ≈ *trick*) übers Ohr hauen (*infml*); (≈ *tease*) auf den Arm nehmen (*infml*), pflanzen (*Aus*) ◆ **have out** *v/t always separate* **1.** (≈ *have taken out*) herausgenommen bekommen; ***he had his tonsils out*** ihm wurden die Mandeln herausgenommen **2.** (≈ *discuss*) ***I'll have it out with him*** ich werde mit ihm reden ◆ **have over** *or* (*esp Brit*) **round** *v/t always separate* (bei sich) zu Besuch haben; (≈ *invite*) (zu sich) einladen

haven *n* (*fig*) Zufluchtsstätte *f*

haven't *contraction* = ***have not*** **haves** *pl* (*infml*) ***the ~ and the have-nots*** die Betuchten und die Habenichtse

havoc *n* verheerender Schaden; (≈ *chaos*) Chaos *nt*; ***to cause or create ~*** ein Chaos verursachen; ***to wreak ~ in/on/with sth, to play ~ with sth*** bei etw verheerenden Schaden anrichten; ***this wreaked ~ with their plans*** das brachte ihre Pläne völlig durcheinander

Hawaii *n* Hawaii *nt*

hawk[1] *n* **1.** ORN Habicht *m*; ***to watch sb like a ~*** jdn ganz genau beobachten **2.** (*fig* ≈ *politician*) Falke *m*

hawk[2] *v/t* hausieren (gehen) mit; (*in street*) verkaufen **hawker** *n* Hausierer(in) *m*(*f*); (*in street*) Straßenhändler(in) *m*(*f*)

hawk-eyed *adj* scharfsichtig

hawthorn *n* (*a.* **hawthorn bush/tree**) Weißdorn *m*

hay *n* Heu *nt*; ***to make ~ while the sun shines*** (*prov*) das Eisen schmieden, solange es heiß ist (*prov*) **hay fever** *n* Heuschnupfen *m* **hayrick, haystack** *n* Heuhaufen *m* **haywire** *adj pred* (*infml*) ***to go ~*** durchdrehen (*infml*); (*plans*) über den Haufen geworfen werden (*infml*); (*machinery*) verrückt spielen (*infml*)

hazard I *n* **1.** Gefahr *f*; (≈ *risk*) Risiko *nt*; ***it's a fire ~*** es stellt eine Feuergefahr dar; ***to pose a ~ (to sb/sth)*** eine Gefahr (für jdn/etw) darstellen **2. hazards** *pl* (AUTO: *a.* **hazard (warning) lights**) Warnblinklicht *nt* **II** *v/t* riskieren; ***if I might ~ a suggestion*** wenn ich mir einen Vorschlag erlauben darf; ***to ~ a guess*** (es) wagen, eine Vermutung anzustellen **hazardous** *adj* gefährlich; (≈ *risky*) riskant; ***such jobs are ~ to one's health*** solche Arbeiten gefährden die Gesundheit **hazardous waste** *n* Sondermüll *m*

haze *n* **1.** Dunst *m* **2.** (*fig*) ***he was in a ~*** er war vollkommen verwirrt

hazel *adj* (*colour*) haselnussbraun **hazelnut** *n* Haselnuss *f*

hazy *adj* (+*er*) *weather* diesig; *sunshine* trübe; *outline* verschwommen; *details* unklar; ***I'm a bit ~ about that*** ich bin mir nicht ganz im Klaren darüber

H-bomb *n* H-Bombe *f*

he I *pers pr* er; ***Harry Rigg? who's he?*** Harry Rigg? wer ist das denn? **II** *n* ***it's a he*** (*infml*) es ist ein Er **III** *pref* männlich

head I *n* **1.** Kopf *m*; (*of arrow*) Spitze *f*; (*of bed*) Kopf(ende *nt*) *m*; (*on beer*) Blume *f*; ***from ~ to foot*** von Kopf bis Fuß; ***he***

can hold his ~ high er kann sich sehen lassen; ***~s or tails?*** Kopf oder Zahl?; ***~s you win*** bei Kopf gewinnst du; ***to keep one's ~ above water*** (*fig*) sich über Wasser halten; ***to go to one's ~*** einem zu Kopf steigen; ***I can't make ~ nor tail of it*** daraus werde ich nicht schlau; ***use your ~*** streng deinen Kopf an; ***it never entered his ~ that ...*** es kam ihm nie in den Sinn, dass ...; ***we put our ~s together*** wir haben unsere Köpfe zusammengesteckt; ***the joke went over his ~*** er verstand den Witz nicht; ***to keep one's ~*** den Kopf nicht verlieren; ***to lose one's ~*** den Kopf verlieren; ***~ of steam*** Dampfdruck *m*; ***at the ~ of the page/stairs*** oben auf der Seite / an der Treppe; ***at the ~ of the table*** am Kopf(ende) des Tisches; ***at the ~ of the queue*** (*Br*) an der Spitze der Schlange; ***a*** *or* ***per ~*** pro Kopf; ***to be ~ and shoulders above sb*** (*fig*) jdm haushoch überlegen sein; ***to fall ~ over heels in love with sb*** sich bis über beide Ohren in jdn verlieben; ***to fall ~ over heels down the stairs*** kopfüber die Treppe herunterfallen; ***to stand on one's ~*** auf dem Kopf stehen; ***to turn sth on its ~*** (*fig*) etw umkehren; ***to laugh one's ~ off*** (*infml*) sich fast totlachen (*infml*); ***to shout one's ~ off*** (*infml*) sich (*dat*) die Lunge aus dem Leib schreien (*infml*); ***to scream one's ~ off*** (*infml*) aus vollem Halse schreien; ***he can't get it into his ~ that ...*** es will ihm nicht in den Kopf, dass ...; ***I can't get it into his ~ that ...*** ich kann es ihm nicht begreiflich machen, dass ...; ***to take it into one's ~ to do sth*** sich (*dat*) in den Kopf setzen, etw zu tun; ***don't put ideas into his ~*** bring ihn bloß nicht auf dumme Gedanken!; ***to get sb/sth out of one's ~*** sich (*dat*) jdn / etw aus dem Kopf schlagen; ***he is off his ~*** (*Br infml*) er ist (ja) nicht (ganz) bei Trost (*infml*); ***he has a good ~ for figures*** er ist ein guter Rechner; ***you need a good ~ for heights*** Sie müssen schwindelfrei sein; ***to come to a ~*** sich zuspitzen; ***to bring matters to a ~*** die Sache auf die Spitze treiben **2.** ***twenty ~ of cattle*** zwanzig Stück Vieh **3.** (*of family*) Oberhaupt *nt*; (*of organization*) Chef(in) *m*(*f*); (*of department*) Leiter(in) *m*(*f*); SCHOOL Schulleiter(in) *m*(*f*); ***~ of department*** (*in business*) Abteilungsleiter(in) *m*(*f*); SCHOOL, UNIV Fachbereichsleiter(in) *m*(*f*); ***~ of state*** Staatsoberhaupt *nt* **II** *v/t* **1.** (≈ *be at the head of*) anführen; (≈ *be in charge of*) führen; *team* leiten; ***a coalition government ~ed by Mrs Merkel*** eine Koalitionsregierung unter der Führung von Frau Merkel **2.** ***in the chapter ~ed ...*** in dem Kapitel mit der Überschrift ... **3.** FTBL köpfen **III** *v/i* gehen; (*vehicle*) fahren; ***the tornado was ~ing our way*** der Tornado kam auf uns zu ◆ **head back** *v/i* zurückgehen/-fahren; ***it's time we were heading back now*** es ist Zeit, sich auf den Rückweg zu machen ◆ **head for** *v/i +prep obj* **1.** *place*, *person* zugehen / zufahren auf (*+acc*); *town*, *direction* gehen / fahren in Richtung (*+gen*); *door*, *pub* zusteuern auf (*+acc*) (*infml*); ***where are you heading*** *or* ***headed for?*** wo gehen / fahren Sie hin? **2.** (*fig*) zusteuern auf (*+acc*); ***you're heading for trouble*** du bist auf dem besten Weg, Ärger zu bekommen; ***to ~ victory/defeat*** auf einen Sieg / eine Niederlage zusteuern ◆ **head off I** *v/t sep* **1.** (≈ *divert*) umdirigieren **2.** *war*, *strike* abwenden **II** *v/i* (≈ *set off*) sich aufmachen

headache *n* Kopfschmerzen *pl*; (*infml* ≈ *problem*) Problem *nt*; ***to have a ~*** Kopfschmerzen haben; ***this is a bit of a ~ (for us)*** das macht *or* bereitet uns ziemliches Kopfzerbrechen **headband** *n* Stirnband *nt* **headboard** *n* Kopfteil *nt* **head boy** *n* *vom Schulleiter bestimmter Schulsprecher* **headbutt** *v/t* mit dem Kopf stoßen **head cold** *n* Kopfgrippe *f* **headcount** *n* ***to have*** *or* ***take a ~*** abzählen **headdress** *n* Kopfschmuck *m* **headed notepaper** *n* Schreibpapier *nt* mit Briefkopf **header** *n* FTBL Kopfball *m*, Köpfler *m* (*Aus*, *Swiss*) **headfirst** *adv* kopfüber **headgear** *n* Kopfbedeckung *f* **head girl** *n* *vom Schulleiter bestimmte Schulsprecherin* **head-hunt** *v/t* abwerben **head-hunter** *n* (*fig*) Headhunter(in) *m*(*f*) **heading** *n* Überschrift *f* **headlamp, headlight** *n* Scheinwerfer *m* **headland** *n* Landspitze *f* **headlight** *n* = ***headlamp***

headline *n* PRESS Schlagzeile *f*; ***he is always in the ~s*** er macht immer Schlagzeilen; ***to hit*** *or* ***make the ~s*** Schlagzeilen machen; ***the news ~s*** Kurznachrichten *pl* **headline news** *n no pl* ***to be ~*** in den Schlagzeilen sein **headlong** *adv* Hals über Kopf (*infml*); *fall* vornüber;

he ran ~ down the stairs er rannte in Windeseile die Treppe hinunter

headmaster *n* (*esp Br*) Schulleiter *m*

headmistress *n* (*esp Br*) Schulleiterin *f*

head office *n* Zentrale *f* **head-on I** *adv* **1.** *collide* frontal **2.** (*fig*) *tackle* direkt; ***to confront sb/sth ~*** jdm/einer Sache ohne Umschweife entgegentreten **II** *adj* ***~ collision*** Frontalzusammenstoß *m* **headphones** *pl* Kopfhörer *pl* **headquarters** *n sg or pl* MIL Hauptquartier *nt*; (*of business*) Zentrale *f* **headrest** *n* Kopfstütze *f* **headroom** *n* lichte Höhe; (*in car*) Kopfraum *m* **headscarf** *n* Kopftuch *nt* **headset** *n* Kopfhörer *pl* **head start** *n* Vorsprung *m* (*on sb* jdm gegenüber) **headstone** *n* Grabstein *m* **headstrong** *adj* dickköpfig **head teacher** *n* (*Br*) = ***headmaster***, ***headmistress*** **head waiter** *n* Oberkellner *m* **headway** *n* ***to make ~*** vorankommen **headwind** *n* Gegenwind *m* **headword** *n* (*in dictionary*) Stichwort *nt* **heady** *adj* (*+er*) berauschend

heal I *v/i* heilen **II** *v/t* **1.** MED heilen **2.** (*fig*) *differences etc* beilegen ◆ **heal up** *v/i* zuheilen

healer *n* Heiler(in) *m*(*f*) (*elev*) **healing I** *n* Heilung *f*; (*of wound*) (Zu)heilen *nt* **II** *adj* MED Heil-, heilend; ***~ process*** Heilprozess *m*

health *n* Gesundheit *f*; ***in good ~*** bei guter Gesundheit; ***to suffer from poor*** *or* ***bad ~*** kränklich sein; ***to be good/bad for one's ~*** gesund/ungesund sein; ***~ and safety regulations*** Arbeitsschutzvorschriften *pl*; ***to drink (to) sb's ~*** auf jds Wohl (*acc*) trinken; ***your ~!*** zum Wohl! **health authority** *n* Gesundheitsbehörde *f* **health care** *n* Gesundheitsfürsorge *f* **health centre** *n* (*Br* MED) Ärztezentrum *nt* **health club** *n* Fitnesscenter *nt* **health-conscious** *adj* gesundheitsbewusst **health farm** *n* Gesundheitsfarm *f* **health food** *n* Reformkost *f* **health food shop** (*Br*), **health food store** (*esp US*) *n* Bioladen *m* **healthily** *adv eat*, *live* gesund; *grow* kräftig **health insurance** *n* Krankenversicherung *f* **health problem** *n* ***to have ~s*** gesundheitliche Probleme haben **health resort** *n* Kurort *m* **Health Service** *n* (*Br*) ***the ~*** das Gesundheitswesen **health warning** *n* (*on cigarette packet*) (gesundheitlicher) Warnhinweis

healthy *adj* (*+er*) gesund; ***to earn a ~ profit*** einen ansehnlichen Gewinn machen

heap I *n* Haufen *m*; ***he fell in a ~ on the floor*** er sackte zu Boden; ***at the bottom/top of the ~*** (*fig*) ganz unten/oben; ***~s of*** (*infml*) ein(en) Haufen (*infml*); ***~s of times*** zigmal (*infml*); ***~s of enthusiasm*** jede Menge Enthusiasmus (*infml*) **II** *v/t* häufen; ***to ~ praise on sb/sth*** jdn/etw mit Lob überschütten; ***a ~ed spoonful*** ein gehäufter Löffel ◆ **heap up** *v/t sep* aufhäufen

hear *pret*, *past part* **heard I** *v/t* hören; ***I ~d him say that ...*** ich habe ihn sagen hören, dass ...; ***there wasn't a sound to be ~d*** es war kein Laut zu hören; ***to make oneself ~d*** sich (*dat*) Gehör verschaffen; ***you're not going, do you ~ me!*** du gehst nicht, hörst du (mich)!; ***I ~ you play chess*** ich höre, Sie spielen Schach; ***I've ~d it all before*** ich habe das schon hundertmal gehört; ***I must be ~ing things*** ich glaube, ich höre nicht richtig; ***to ~ a case*** JUR einen Fall verhandeln; ***to ~ evidence*** JUR Zeugen vernehmen **II** *v/i* hören; ***he cannot ~ very well*** er hört nicht sehr gut; ***~, ~!*** (sehr) richtig!; PARL hört!, hört!; ***he's left his wife — yes, so I ~*** er hat seine Frau verlassen — ja, ich habe es gehört; ***to ~ about sth*** von etw erfahren; ***never ~d of him/it*** nie (von ihm/davon) gehört; ***he was never ~d of again*** man hat nie wieder etwas von ihm gehört; ***I've never ~d of such a thing!*** das ist ja unerhört! ◆ **hear of** *v/i +prep obj* (*fig*) ***I won't ~ it*** ich will davon (gar) nichts hören ◆ **hear out** *v/t sep person* ausreden lassen

heard *pret*, *past part of* **hear** **hearing** *n* **1.** Gehör *nt*; ***to have a keen sense of ~*** ein gutes Gehör haben **2.** ***within/out of ~*** in/außer Hörweite **3.** POL Anhörung *f*; JUR Verhandlung *f*; ***disciplinary ~*** Disziplinarverfahren *nt* **hearing aid** *n* Hörgerät *nt* **hearsay** *n* Gerüchte *pl*; ***to know sth from*** *or* ***by ~*** etw vom Hörensagen wissen

hearse *n* Leichenwagen *m*

heart *n* **1.** Herz *nt*; ***to break sb's ~*** jdm das Herz brechen; ***to have a change of ~*** sich anders besinnen; ***to be close*** *or* ***dear to one's ~*** jdm am Herzen liegen; ***to learn sth (off) by ~*** etw auswendig lernen; ***he knew in his ~ she was right*** er wusste im Grunde seines Herzens, dass sie recht hatte; ***with all my ~*** von ganzem Herzen; ***from the bottom of one's ~*** aus tiefstem Herzen; ***to put (one's) ~ and soul into sth*** sich mit Leib und Seele einer Sache (*dat*) widmen; ***to take sth to ~*** sich (*dat*) etw zu Herzen nehmen; ***we (only) have your interests at ~*** uns liegen doch nur Ihre Interessen am Herzen; ***to set one's ~ on sth*** sein Herz an etw (*acc*) hängen (*elev*); ***to one's ~'s content*** nach Herzenslust; ***most men are boys at ~*** die meisten Männer sind im Grunde (ihres Herzens) noch richtige Kinder; ***his ~ isn't in it*** er ist nicht mit dem Herzen dabei; ***to give sb ~*** jdm Mut machen; ***to lose ~*** den Mut verlieren; ***to take ~*** Mut fassen; ***her ~ is in the right place*** (*infml*) sie hat das Herz auf dem rechten Fleck (*infml*); ***to have a ~ of stone*** ein Herz aus Stein haben; ***my ~ was in my mouth*** (*infml*) mir schlug das Herz bis zum Hals; ***I didn't have the ~ to say no*** ich brachte es nicht übers Herz, Nein zu sagen; ***she has a ~ of gold*** sie hat ein goldenes Herz; ***my ~ sank*** mein Mut sank; (*with apprehension*) mir wurde bang ums Herz; ***in the ~ of the forest*** mitten im Wald; ***the ~ of the matter*** der Kern der Sache **2. hearts** *pl* CARDS Herz *nt*; BRIDGE Coeur *nt*; ***queen of ~s*** Herz-/Coeurdame *f* **heartache** *n* Kummer *m* **heart attack** *n* Herzanfall *m*; (≈ *thrombosis*) Herzinfarkt *m*; ***I nearly had a ~*** (*fig infml*) ich habe fast einen Herzschlag gekriegt (*infml*) **heartbeat** *n* Herzschlag *m* **heartbreak** *n* großer Kummer **heartbreaking** *adj* herzzerreißend **heartbroken** *adj* todunglücklich **heartburn** *n* Sodbrennen *nt* **heart condition** *n* Herzleiden *nt*; ***he has a ~*** er ist herzleidend **heart disease** *n* Herzkrankheit *f* **hearten** *v/t* ermutigen **heartening** *adj* ermutigend **heart failure** *n* Herzversagen *nt*; ***he suffered ~*** sein Herz hat versagt **heartfelt** *adj thanks*, *apology* aufrichtig; *tribute*, *appeal* tief empfunden

hearth *n* Feuerstelle *f*; (≈ *whole fireplace*) Kamin *m*

heartily *adv* **1.** *laugh*, *say* herzlich; *eat* tüchtig **2.** *recommend* uneingeschränkt; *agree* voll und ganz; *welcome* von Herzen; ***to be ~ sick of sth*** etw herzlich leid sein **heartless** *adj* herzlos; (≈ *cruel also*) grausam **heartlessly** *adv* grausam **heart-rending** *adj* herzzerreißend **heartstrings** *pl* ***to pull*** *or* ***tug at sb's ~*** jdn zu Tränen rühren **heart-throb** *n* (*infml*) Schwarm *m* (*infml*) **heart-to-heart I** *adj* ganz offen; ***to have a ~ talk with sb*** sich mit jdm ganz offen aussprechen **II** *n* offene Aussprache; ***it's time we had a ~*** es ist Zeit, dass wir uns einmal offen aussprechen **heart transplant** *n* Herztransplantation *f* **heart trouble** *n* Herzbeschwerden *pl* **heart-warming** *adj* herzerfreuend **hearty** *adj* (+*er*) **1.** *laugh*, *greeting* herzlich; *manner* raubeinig **2.** *endorsement* uneingeschränkt; *dislike* tief; ***~ welcome*** herzlicher Empfang **3.** *meal* herzhaft, währschaft (*Swiss*); *appetite* gesund; ***to be a ~ eater*** einen gesunden Appetit haben

heat I *n* **1.** Hitze *f*; (*pleasant*, PHYS) Wärme *f*; ***on*** *or* ***over (a) low ~*** bei schwacher Hitze; ***in the ~ of the moment*** in der Hitze des Gefechts; (*when upset*) in der Erregung **2.** SPORTS Vorlauf *m*; BOXING *etc* Vorkampf *m* **3. *on*** (*Br*) *or* ***in*** (*esp US*) ***~*** brünstig; (*dog*, *cat*) läufig **II** *v/t* erhitzen; *room* heizen; *house*, *pool* beheizen **III** *v/i* warm werden ◆ **heat up I** *v/i* sich erwärmen **II** *v/t sep* erwärmen; *food* aufwärmen

heated *adj* **1.** (*lit*) *swimming pool etc* beheizt; *room* geheizt; *towel rail* heizbar **2.** (*fig*) *debate* hitzig; *exchange* heftig **heatedly** *adv* hitzig; *argue* heftig **heater** *n* Ofen *m*; (*in car*) Heizung *f*

heath *n* Heide *f*

heathen I *adj* heidnisch **II** *n* Heide *m*, Heidin *f*

heather *n* Heidekraut *nt*

heating *n* Heizung *f* **heating engineer** *n* Heizungsinstallateur(in) *m(f)* **heatproof** *adj* hitzebeständig **heat rash** *n* Hitzeausschlag *m* **heat recovery** *n* Wärmerückgewinnung *f* **heat-resistant** *adj* hitzebeständig **heatstroke** *n* Hitzschlag *m* **heat wave** *n* Hitzewelle *f*

heave I *v/t* **1.** (≈ *lift*) (hoch)hieven (*onto* auf +*acc*); (≈ *drag*) schleppen **2.** (≈ *throw*) werfen **3.** *sigh* ausstoßen **II** *v/i* **1.** (≈ *pull*) hieven **2.** (*waves*, *bosom*) wogen (*elev*); (*stomach*) sich umdrehen

heaven *n* Himmel *m*; ***the ~s*** (*liter*) der Himmel; ***in ~*** im Himmel; ***to go to ~*** in den Himmel kommen; ***he is in (sev-***

enth) ~ er ist im siebten Himmel; ***it was ~*** es war einfach himmlisch; (***good***) ***~s!*** (du) lieber Himmel! (*infml*); ***would you like to? — (good) ~s no!*** möchten Sie? — um Himmels willen, bloß nicht!; ***~ knows what ...*** weiß der Himmel, was ... (*infml*); ***~ forbid!*** bloß nicht, um Himmels willen! (*infml*); ***for ~'s sake!*** um Himmels willen!; ***what in ~'s name ...?*** was um Himmels willen ...? **heavenly** *adj* **1.** himmlisch, Himmels-; ***~ body*** Himmelskörper *m* **2.** (*infml* ≈ *delightful*) himmlisch

heavily *adv* stark; *populated* dicht; *armed, breathe, lean, fall* schwer; *guarded* streng; *move* schwerfällig; ***~ disguised*** völlig unkenntlich gemacht; ***to lose ~*** hoch verlieren; ***to be ~ involved in*** *or* ***with sth*** sehr viel mit etw zu tun haben; ***to be ~ into sth*** (*infml*) voll auf etw (*acc*) abfahren (*infml*); ***to be ~ outnumbered*** zahlenmäßig stark unterlegen sein; ***to be ~ defeated*** eine schwere Niederlage erleiden; ***~ laden*** schwer beladen; ***~ built*** kräftig gebaut

heavy *adj* (+*er*) **1.** schwer; *rain, traffic, drinker, period* stark; *fall* hart; ***with a ~ heart*** schweren Herzens; ***~ breathing*** schweres Atmen; ***the conversation was ~ going*** die Unterhaltung war mühsam; ***this book is very ~ going*** das Buch liest sich schwer **2.** *silence* bedrückend; *sky* bedeckt **heavy-duty** *adj* strapazierfähig **heavy goods vehicle** *n* Lastkraftwagen *m* **heavy-handed** *adj* schwerfällig **heavy industry** *n* Schwerindustrie *f* **heavy metal** *n* MUS Heavymetal *m* **heavyweight** *n* **1.** SPORTS Schwergewichtler(in) *m*(*f*) **2.** (*fig infml*) großes Tier (*infml*); ***the literary ~s*** die literarischen Größen *pl*

Hebrew I *adj* hebräisch **II** *n* **1.** Hebräer(in) *m*(*f*) **2.** LING Hebräisch *nt*

Hebrides *pl* Hebriden *pl*

heck *int* (*infml*) ***oh ~!*** zum Kuckuck! (*infml*); ***ah, what the ~!*** ach, was solls! (*infml*); ***what the ~ do you mean?*** was zum Kuckuck soll das heißen? (*infml*); ***I've a ~ of a lot to do*** ich habe irrsinnig viel zu tun (*infml*)

heckle I *v/t* (durch Zwischenrufe) stören **II** *v/i* Zwischenrufe machen **heckler** *n* Zwischenrufer(in) *m*(*f*) **heckling** *n* Zwischenrufe *pl*

hectare *n* Hektar *m or nt*

hectic *adj* hektisch

he'd *contraction* = ***he would, he had***

hedge I *n* Hecke *f* **II** *v/i* ausweichen **III** *v/t* ***to ~ one's bets*** auf Nummer sicher gehen (*infml*) **hedgehog** *n* Igel *m* **hedgerow** *n* Hecke *f* **hedge trimmer** *n* Elektroheckenschere *f*

hedonism *n* Hedonismus *m*

heed I *n* ***to pay ~ to sb/sth, to take ~ of sb/sth*** jdm / einer Sache Beachtung schenken **II** *v/t* beachten; ***he never ~s my advice*** er hört nie auf meinen Rat **heedless** *adj* ***to be ~ of sth*** etw nicht beachten

heel I *n* Ferse *f*; (*of shoe*) Absatz *m*; ***to be right on sb's ~s*** jdm auf den Fersen folgen; ***the police were hot on our ~s*** die Polizei war uns dicht auf den Fersen; ***to be down at ~*** heruntergekommen sein; ***to take to one's ~s*** sich aus dem Staub(e) machen; ***~!*** (*to dog*) (bei) Fuß!; ***to bring sb to ~*** jdn an die Kandare nehmen (*infml*) **II** *v/t* ***these shoes need ~ing*** diese Schuhe brauchen neue Absätze

hefty *adj* (+*er*) (*infml*) *person* kräftig (gebaut); *object* massiv; *fine, punch* saftig (*infml*)

heifer *n* Färse *f*

height *n* **1.** Höhe *f*; (*of person*) Größe *f*; ***to be six feet in ~*** sechs Fuß hoch sein; ***what ~ are you?*** wie groß sind Sie?; ***you can raise the ~ of the saddle*** du kannst den Sattel höherstellen; ***at shoulder ~*** in Schulterhöhe; ***at the ~ of his power*** auf der Höhe seiner Macht; ***the ~ of luxury*** das Nonplusultra an Luxus; ***at the ~ of the season*** in der Hauptsaison; ***at the ~ of summer*** im Hochsommer; ***at its ~ the company employed 12,000 people*** in ihrer Glanzzeit hatte die Firma 12.000 Angestellte; ***during the war emigration was at its ~*** im Krieg erreichte die Auswanderungswelle ihren Höhepunkt; ***to be the ~ of fashion*** der letzte Schrei sein **2. heights** *pl* Höhen *pl*; ***to be afraid of ~s*** nicht schwindelfrei sein **heighten I** *v/t* (≈ *raise*) höhermachen; (≈ *emphasize*) hervorheben; *feelings, tension* verstärken; ***~ed awareness*** erhöhte Aufmerksamkeit **II** *v/i* (*fig*) wachsen

heinous *adj* abscheulich

heir *n* Erbe *m*, Erbin *f* (*to* +*gen*); ***~ to the throne*** Thronfolger(in) *m*(*f*) **heiress** *n*

Erbin *f* **heirloom** *n* Erbstück *nt*
heist *n* (*esp US infml*) Raubüberfall *m*
held *pret, past part of* ***hold***
helicopter *n* Hubschrauber *m* **helipad** *n* Hubschrauberlandeplatz *m* **heliport** *n* Heliport *m* **heliskiing** *n* Heliskiing *nt* (*Skifahren mit einem Hubschrauber, der den Skifahrer auf den Gipfel fliegt*)
helium *n* Helium *nt*
hell *n* **1.** Hölle *f*; ***to go to ~*** (*lit*) in die Hölle kommen; ***all ~ broke loose*** die Hölle war los; ***it's ~ working there*** es ist die reine Hölle, dort zu arbeiten; ***a living ~*** die Hölle auf Erden; ***to go through ~*** Höllenqualen ausstehen; ***she made his life ~*** sie machte ihm das Leben zur Hölle; ***to give sb ~*** (*infml ≈ tell off*) jdm die Hölle heiß machen; ***there'll be ~ to pay when he finds out*** wenn er das erfährt, ist der Teufel los (*infml*); ***to play ~ with sth*** etw total durcheinanderbringen; ***I did it (just) for the ~ of it*** (*infml*) ich habe es nur zum Spaß gemacht; ***~ for leather*** was das Zeug hält; ***the mother-in-law from ~*** die böse Schwiegermutter, wie sie im Buche steht; ***the holiday from ~*** der absolut katastrophale Urlaub **2.** (*infml*) ***a ~ of a noise*** ein Höllenlärm *m* (*infml*); ***I was angry as ~*** ich war stinksauer (*infml*); ***to work like ~*** arbeiten, was das Zeug hält; ***to run like ~*** laufen, was die Beine hergeben; ***it hurts like ~*** es tut wahnsinnig weh (*infml*); ***we had a*** *or* ***one ~ of a time*** (*≈ bad, difficult*) es war grauenhaft; (*≈ good*) wir haben uns prima amüsiert (*infml*); ***a ~ of a lot*** verdammt viel (*infml*); ***she's a*** *or* ***one ~ of a girl*** die ist schwer in Ordnung (*infml*); ***that's one*** *or* ***a ~ of a climb*** das ist eine wahnsinnige Kletterei (*infml*); ***to ~ with you*** hol dich der Teufel (*infml*); ***to ~ with it!*** verdammt noch mal (*infml*); ***go to ~!*** scher dich zum Teufel! (*infml*); ***where the ~ is it?*** wo ist es denn, verdammt noch mal? (*infml*); ***you scared the ~ out of me*** du hast mich zu Tode erschreckt; ***like ~ he will!*** den Teufel wird er tun (*infml*); ***what the ~*** was solls (*infml*)
he'll *contraction* = ***he shall, he will***
hellbent *adj* versessen (*on* auf +*acc*) **hellish** *adj* (*fig infml*) höllisch (*infml*); *traffic, cold* mörderisch (*infml*); ***it's ~*** es ist die reinste Hölle (*infml*) **hellishly** *adv* (*infml*) *hot* höllisch (*infml*); *difficult* verteufelt (*infml*)
hello I *int* hallo, servus (*Aus*), grüezi (*Swiss*); ***say ~ to your aunt*** sag deiner Tante mal schön „Guten Tag!"; ***say ~ to your parents (from me)*** grüß deine Eltern (von mir) **II** *n* Hallo *nt*
hell-raiser *n* (*infml*) ausschweifender Mensch
helm *n* NAUT Steuer *nt*
helmet *n* Helm *m*
help I *n no pl* Hilfe *f*; ***with his brother's ~*** mithilfe seines Bruders; ***his ~ with the project*** seine Mithilfe an dem Projekt; ***to ask sb for ~*** jdn um Hilfe bitten; ***to be of ~ to sb*** jdm helfen; ***he isn't much ~ to me*** er ist mir keine große Hilfe **II** *v/t* **1.** helfen (+*dat*); ***to ~ sb (to) do sth*** jdm (dabei) helfen, etw zu tun; ***to ~ sb with the cooking/his bags*** jdm beim Kochen/mit seinen Taschen helfen; ***~!*** Hilfe!; ***can I ~ you?*** kann ich (Ihnen) behilflich sein?; ***that won't ~ you*** das wird Ihnen nichts nützen; ***to ~ sb on/off with his/her*** *etc* ***coat*** jdm in den/aus dem Mantel helfen; ***to ~ sb up*** (*from floor etc*) jdm aufhelfen **2.** ***to ~ oneself to sth*** sich (*dat*) etw nehmen; (*infml ≈ steal*) etw mitgehen lassen; ***~ yourself!*** nehmen Sie sich doch! **3.** ***he can't ~ it*** er kann nichts dafür; ***not if I can ~ it*** nicht, wenn es nach mir geht; ***I couldn't ~ laughing*** ich konnte mir nicht helfen, ich musste (einfach) lachen; ***I couldn't ~ thinking ...*** ich konnte nicht umhin zu denken ...; ***it can't be ~ed*** das lässt sich nicht ändern **III** *v/i* helfen; ***and your attitude didn't ~ either*** und Ihre Einstellung war auch nicht gerade hilfreich ◆ **help out I** *v/i* aushelfen (*with* bei) **II** *v/t sep* helfen (+*dat*) (*with* mit)
help desk *n telefonischer Informationsdienst*, Support *m* **helper** *n* Helfer(in) *m*(*f*); (*≈ assistant*) Gehilfe *m*, Gehilfin *f* **helpful** *adj* **1.** (*≈ willing to help*) hilfsbereit; (*≈ giving help*) hilfreich **2.** *advice, tool* nützlich **helpfully** *adv* **1.** (*≈ willing to help*) hilfsbereit; (*≈ giving help*) hilfreich **2.** (*≈ thoughtfully*) liebenswürdigerweise **helping I** *n* Portion *f*; ***to take a second ~ of sth*** sich (*dat*) noch einmal von etw nehmen **II** *adj attr* ***to give*** *or* ***lend a ~ hand to sb*** jdm behilflich sein **helpless** *adj* hilflos; ***he was ~ to prevent it*** er konnte es nicht verhin-

dern; ***she was ~ with laughter*** sie konnte sich vor Lachen kaum halten **helplessly** *adv* hilflos; *watch* machtlos **helplessness** *n* Hilflosigkeit *f*; (≈ *powerlessness*) Machtlosigkeit *f* **helpline** *n* Informationsdienst *m* **help screen** *n* IT Hilfsbildschirm *m*

helter-skelter *adv* Hals über Kopf (*infml*)

hem I *n* Saum *m* **II** *v/t* säumen ◆ **hem in** *v/t sep* einschließen; (*fig*) einengen

he-man *n*, *pl* ***-men*** (*infml*) sehr männlicher Typ

hemisphere *n* Hemisphäre *f*; ***in the northern ~*** auf der nördlichen Halbkugel

hemline *n* Saum *m*

hemo- *in cpds* (*US*) = ***haemo-***

hemp *n* BOT Hanf *m*

hen *n* **1.** Henne *f* **2.** (≈ *female bird*) Weibchen *nt*

hence *adv* **1.** (≈ *for this reason*) also; ***~ the name*** daher der Name **2.** ***two years ~*** in zwei Jahren **henceforth** *adv* von nun an

henchman *n*, *pl* ***-men*** (*pej*) Spießgeselle *m*

henna I *n* Henna *f* **II** *v/t* mit Henna färben

hen night *n für die Braut vor der Hochzeit arrangierte Damengesellschaft* **hen party** *n* (*infml*) Damenkränzchen *nt*; (*before wedding*) *für die Braut vor der Hochzeit arrangierte Damengesellschaft*

henpeck *v/t* ***he is ~ed*** er steht unterm Pantoffel (*infml*)

hepatitis *n* Hepatitis *f*

her I *pers pr* (*dir obj*, *with prep +acc*) sie; (*indir obj*, *with prep +dat*) ihr; ***it's ~*** sie ists **II** *poss adj* ihr; → ***my***

herald I *n* (*fig*) (Vor)bote *m* (*elev*) **II** *v/t* ankündigen; ***tonight's game is being ~ed as the match of the season*** das Spiel heute Abend wird als die Begegnung der Saison groß herausgebracht

heraldry *n* Wappenkunde *f*

herb *n* Kraut *nt* **herbaceous** *adj* krautig **herbaceous border** *n* Staudenrabatte *f* **herbal** *adj* Kräuter-; ***~ tea*** Kräutertee *m* **herb garden** *n* Kräutergarten *m* **herbicide** *n* Herbizid *nt* **herbivorous** *adj* (*form*) pflanzenfressend

herd I *n* (*of cattle etc*) Herde *f*; (*of deer*) Rudel *nt* **II** *v/t* treiben **herdsman** *n* Hirte *m*

here *adv* hier; (*with motion*) hierher, hierhin; ***come ~!*** komm her!; ***~ I am*** da *or* hier bin ich; ***~'s the taxi*** das Taxi ist da; ***~ he comes*** da kommt *or* ist er ja; ***this one ~*** der/die/das hier *or* da; ***~ and now*** auf der Stelle; ***I won't be ~ for lunch*** ich bin zum Mittagessen nicht da; ***~ and there*** hier und da; ***near ~*** (hier) in der Nähe; ***I've read down to ~*** ich habe bis hierher *or* hierhin gelesen; ***it's in/over ~*** es ist hier (drin)/hier drüben; ***put it in ~*** stellen Sie es hierherein; ***~ you are*** (*giving sb sth*) hier(, bitte); (*on finding sb*) da bist du ja!; ***~ we are, home again*** so, da wären wir also wieder zu Hause; ***~ we go again, another crisis*** da hätten wir also wieder eine Krise; ***~ goes!*** dann mal los; ***~, let me do that*** komm, lass mich das mal machen; ***~'s to you!*** auf Ihr Wohl!; ***it's neither ~ nor there*** es spielt keine Rolle; ***I've had it up to ~ (with him/it)*** (*infml*) ich habe die Nase voll (von ihm/davon) (*infml*) **hereabouts** *adv* hier (in der Gegend) **hereby** *adv* (*form*) hiermit

hereditary *adj* erblich; ***~ disease*** Erbkrankheit *f*; ***~ peer*** *Peer, der seine Peerswürde geerbt hat* **heredity** *n* Vererbung *f*

heresy *n* Ketzerei *f* **heretic** *n* Ketzer(in) *m(f)*

herewith *adv* (*form*) hiermit

heritage *n* Erbe *nt*

hermaphrodite *n* Zwitter *m*

hermetically *adv* ***~ sealed*** hermetisch verschlossen

hermit *n* Einsiedler(in) *m(f)*

hernia *n* (Eingeweide)bruch *m*

hero *n*, *pl* ***-es*** Held *m* **heroic I** *adj* **1.** heldenhaft; (≈ *brave*) mutig; *action* heroisch; ***~ action*** *or* ***deed*** Heldentat *f*; ***~ attempt*** tapferer Versuch **2.** LIT Helden- **II** *n* **heroics** *pl* Heldentaten *pl*

heroin *n* Heroin *nt*; ***~ addict*** Heroinsüchtige(r) *m/f(m)*

heroine *n* Heldin *f* **heroism** *n* Heldentum *nt*; (≈ *daring*) Kühnheit *f*

heron *n* Reiher *m*

hero worship *n* Verehrung *f* (*of +gen*); (*of pop star etc*) Schwärmerei *f* (*of* für)

herpes *n* MED Herpes *m*

herring *n* Hering *m* **herringbone** *adj attr* ***~ pattern*** Fischgrät(en)muster *nt*

hers *poss pr* ihre(r, s); → ***mine***[1]

herself *pers pr* **1.** (*dir and indir obj*, *with prep*) sich; → ***myself*** **2.** (*emph*) (sie) selbst

he's *contraction* = ***he is***, ***he has***

hesitancy *n* Zögern *nt*; (≈ *indecision*) Unschlüssigkeit *f* **hesitant** *adj* zögernd; (≈ *undecided*) unschlüssig

hesitate *v/i* zögern; (*in speech*) stocken; ***I am still hesitating about what I should do*** ich bin mir immer noch nicht schlüssig, was ich tun soll; ***don't ~ to contact me*** zögern Sie nicht, sich an mich zu wenden **hesitation** *n* Zögern *nt*; ***after some/a moment's ~*** nach einigem/kurzem Zögern

heterogeneous *adj* heterogen

heterosexual I *adj* heterosexuell **II** *n* Heterosexuelle(r) *m/f(m)* **heterosexuality** *n* Heterosexualität *f*

het up *adj* (*Br infml*) aufgeregt; ***to get ~ about/over sth*** sich über etw (*acc*)/wegen einer Sache (*gen*) aufregen

hew *pret* ***hewed***, *past part* ***hewn*** *or* ***hewed*** *v/t* hauen

hexagon *n* Sechseck *nt* **hexagonal** *adj* sechseckig

heyday *n* Glanzzeit *f*

HGV (*Br*) *abbr of* ***heavy goods vehicle*** Lkw *m*

hi *int* hallo, servus (*Aus*), grüezi (*Swiss*)

hiatus *n* Lücke *f*

hibernate *v/i* Winterschlaf halten **hibernation** *n* (*lit*, *fig*) Winterschlaf *m*

hiccough, hiccup I *n* Schluckauf *m*; (*fig infml* ≈ *problem*) Problemchen *nt* (*infml*); ***to have the ~s*** den Schluckauf haben; ***without any ~s*** ohne Störungen **II** *v/i* hicksen (*dial*); ***he started ~ing*** er bekam den Schluckauf

hick *n* (*US infml*) Hinterwäldler(in) *m(f)* (*infml*)

hide[1] *vb*: *pret* ***hid***, *past part* ***hid*** *or* ***hidden*** **I** *v/t* verstecken (*from* vor +*dat*); *truth*, *feelings* verbergen (*from* vor +*dat*); *moon*, *rust* verdecken; ***hidden from view*** nicht zu sehen; ***there is a hidden agenda*** da steckt noch etwas anderes dahinter **II** *v/i* sich verstecken (*from sb* vor jdm); ***he was hiding in the cupboard*** er hielt sich im Schrank versteckt **III** *n* Versteck *nt* ◆ **hide away I** *v/i* sich verstecken **II** *v/t sep* verstecken ◆ **hide out** *v/i* sich verstecken

hide[2] *n* (*of animal*) Haut *f*; (*on furry animal*) Fell *nt*

hide-and-seek, (*US*) **hide-and-go-seek** *n* Versteckspiel *nt*; ***to play ~*** Verstecken spielen **hideaway** *n* Versteck *nt*; (≈ *refuge*) Zufluchtsort *m*

hideous *adj* grauenhaft **hideously** *adv* grauenhaft; (*emph*) *expensive* schrecklich; ***~ ugly*** potthässlich (*infml*)

hideout *n* Versteck *nt*

hiding[1] *n* ***to be in ~*** sich versteckt halten; ***to go into ~*** untertauchen

hiding[2] *n* **1.** (≈ *beating*) Tracht *f* Prügel; ***to give sb a good ~*** jdm eine Tracht Prügel geben **2.** (*infml*) ***the team got a real ~*** die Mannschaft musste eine schwere Schlappe einstecken (*infml*)

hiding place *n* Versteck *nt*

hierarchic(al) *adj* hierarchisch **hierarchy** *n* Hierarchie *f*

hieroglyphics *pl* Hieroglyphen *pl*

higgledy-piggledy *adj*, *adv* durcheinander

high I *adj* (+*er*) **1.** hoch *pred*, hohe(r, s) *attr*; *altitude* groß; *wind* stark; ***a building 80 metres*** (*Br*) *or* ***meters*** (*US*) ***~***, ***an 80-metre*** (*Br*) *or* ***80-meter*** (*US*) ***~ building*** ein 80 Meter hohes Gebäude; ***on one of the ~er floors*** in einem der oberen Stockwerke; ***the river is quite ~*** der Fluss führt ziemlich viel Wasser; ***to be left ~ and dry*** auf dem Trockenen sitzen (*infml*); ***on the ~est authority*** von höchster Stelle; ***to be ~ and mighty*** erhaben tun; ***of the ~est calibre*** (*Br*) *or* ***caliber*** (*US*)/***quality*** von bestem Format/bester Qualität; ***casualties were ~*** es gab viele Opfer; MIL es gab hohe Verluste; ***the temperature was in the ~ twenties*** die Temperatur lag bei fast 30 Grad; ***to pay a ~ price for sth*** etw teuer bezahlen; ***to the ~est degree*** im höchsten Grad *or* Maß; ***in ~ spirits*** in Hochstimmung; ***~ in fat*** fettreich; ***it's ~ time you went home*** es wird höchste Zeit, dass du nach Hause gehst **2.** (*infml*, *on drugs*) high (*infml*); ***to get ~ on cocaine*** sich mit Kokain anturnen (*sl*) **II** *adv* (+*er*) hoch; ***~ up*** (*position*) hoch oben; (*motion*) hoch hinauf; ***~er up the hill was a small farm*** etwas weiter oben am Berg lag ein kleiner Bauernhof; ***~ up in the organization*** weit oben in der Organisationsstruktur; ***one floor ~er*** ein Stockwerk höher; ***to go as ~ as £200*** bis zu £ 200 (hoch) gehen; ***feelings ran ~*** die Gemüter erhitzten sich; ***to search ~ and low*** überall suchen **III** *n* **1.** ***the pound has reached a new ~*** das Pfund hat einen neuen Höchststand erreicht; ***sales have reached an all-***

time ~ die Verkaufszahlen sind so hoch wie nie zuvor; ***the ~s and lows of my career*** die Höhen und Tiefen *pl* meiner Laufbahn **2.** METEO Hoch *nt* **high altar** *n* Hochaltar *m* **high beam** *n* AUTO Fernlicht *nt* **highbrow** *adj interests* intellektuell; *tastes, music* anspruchsvoll **highchair** *n* Hochstuhl *m* **High Church** *n* Hochkirche *f* **high-class** *adj* erstklassig **high court** *n* oberstes Gericht **high-density** *adj* IT *disk* mit hoher Schreibdichte **high-energy** *adj* energiereich **higher I** *adj comp of* **high II** *n* ***Higher*** (*Scot*) ≈ Abiturabschluss *m*, ≈ Matura *f* (*Aus, Swiss*); ***to take one's Highers*** ≈ das Abitur machen; ***three Highers*** ≈ das Abitur in drei Fächern **higher education** *n* Hochschulbildung *f* **Higher National Certificate** *n* (*Br*) ≈ Berufsschulabschluss *m* **Higher National Diploma** *n* (*Br*) *Qualifikationsnachweis in technischen Fächern* **high explosive** *n* hochexplosiver Sprengstoff **high-fibre,** (*US*) **high-fiber** *adj* ballaststoffreich **high-flier, high-flyer** *n* (*infml*) Senkrechtstarter(in) *m(f)* **high-flying** *adj* (*fig*) *businessman etc* erfolgreich; *lifestyle* exklusiv **high ground** *n* **1.** hoch liegendes Land **2.** (*fig*) ***to claim the moral ~*** die moralische Überlegenheit für sich beanspruchen **high-handed** *adj* selbstherrlich; *treatment* arrogant **high-heeled** *adj* hochhackig **high heels** *pl* hohe Absätze *pl* **high-interest** *adj* FIN hochverzinslich **high jinks** *pl* (*infml*) ausgelassene Späße *pl* **high jump** *n* SPORTS Hochsprung *m* **highland** *adj* hochländisch **Highlands** *pl* (schottische) Highlands *pl* **high-level** *adj talks* auf höchster Ebene; IT *language* höher **highlight I** *n* **1.** ***~s*** (*in hair*) Strähnchen *pl* **2.** (*fig*) Höhepunkt *m* **II** *v/t* **1.** *problem* ein Schlaglicht werfen auf (+*acc*) **2.** (*with highlighter*) hervorheben; (*on computer*) markieren **highlighter** *n* Textmarker *m* **highly** *adv* **1.** (≈ *extremely*) äußerst; *inflammable* leicht; *unusual, significant* höchst; ***to be ~ critical of sb/sth*** jdn/etw scharf kritisieren; ***~ trained*** äußerst gut ausgebildet; *skilled worker* hoch qualifiziert; ***~ skilled*** äußerst geschickt; *worker, workforce* hoch qualifiziert; ***~ respected*** hoch geachtet; ***~ intelligent*** hochintelligent; ***~ unlikely*** *or* ***improbable*** äußerst *or* höchst unwahrscheinlich **2.** *regard* hoch; ***to speak ~ of sb/sth*** sich sehr positiv über jdn/etw äußern; ***to think ~ of sb/sth*** eine hohe Meinung von jdm/etw haben; ***~ recommended*** sehr empfehlenswert **highly strung** *adj* (*Br*) nervös **High Mass** *n* Hochamt *nt* **high-minded** *adj ideals* hoch **highness** *n* ***Her/Your Highness*** Ihre/Eure Hoheit **high-performance** *adj* Hochleistungs- **high-pitched** *adj* hoch; *scream* schrill **high point** *n* Höhepunkt *m* **high-powered** *adj* **1.** *machine, computer* leistungsfähig; *gun* leistungsstark **2.** *job* anspruchsvoll **high-pressure** *adj* METEO ***~ area*** Hochdruckgebiet *nt* **high priest** *n* Hohepriester *m* **high priestess** *n* Hohepriesterin *f* **high-profile** *adj* profiliert **high-quality** *adj* hochwertig **high-ranking** *adj* hoch(rangig) **high-resolution** *adj* hochauflösend **high-rise** *adj* ***~ building*** Hochhaus *nt*; ***~ office*** (***block***) Bürohochhaus *nt*; ***~ flats*** (*Br*) (Wohn)hochhaus *nt* **high-risk** *adj* risikoreich; ***~ group*** Risikogruppe *f*
high school *n* (*Br*) ≈ Oberschule *f* (*für 11 bis 18-Jährige*); (*US*) ≈ Oberschule *f* (*für 15 bis 18-Jährige*) **high-scoring** *adj game* torreich **high seas** *pl* ***the ~*** die Meere *pl*; ***on the ~*** auf hoher See **high season** *n* Hochsaison *f* **high-security** *adj* ***~ prison*** Hochsicherheitsgefängnis *nt* **high-sided** *adj* ***~ vehicle*** hohes Fahrzeug **high society** *n* Highsociety *f* **high-speed** *adj* schnell; ***~ car chase*** wilde Verfolgungsjagd im Auto; ***~ train*** Hochgeschwindigkeitszug *m*; ***~ film*** hochempfindlicher Film **high spirits** *pl* Hochstimmung *f*; ***youthful ~*** jugendlicher Übermut **high street** *n* (*Br*) Hauptstraße *f*; ***~ banks*** Geschäftsbanken *pl*; ***~ shops*** Geschäfte *pl* in der Innenstadt **high-strung** *adj* (*US*) nervös **high tea** *n* (frühes) Abendessen *or* Nachtmahl (*Aus*) *or* Nachtessen (*Swiss*) **hightech** *n, adj* = ***hi tech, hi-tech*** **high technology** *n* Hochtechnologie *f*
high tide *n* Flut *f*, Hochwasser *nt* **high treason** *n* Hochverrat *m* **high-up** *adj person* hochgestellt **highway** *n* **1.** (*US*) Highway *m*, ≈ Autobahn *f* **2.** (*Br*) Landstraße *f*; ***public ~*** öffentliche Straße **Highway Code** *n* (*Br*) Straßenverkehrsordnung *f* **high wire** *n* Drahtseil *nt*
hijack I *v/t* entführen; (*fig*) für sich beanspruchen **II** *n* Entführung *f* **hijacker** *n*

Entführer(in) *m(f)* **hijacking** *n* Entführung *f*

hike I *v/i* wandern **II** *n* **1.** (*lit*) Wanderung *f* **2.** (*fig: in rates*) Erhöhung *f* ◆ **hike up** *v/t sep prices* erhöhen

hiker *n* Wanderer *m*, Wanderin *f* **hiking** *n* Wandern *nt* **hiking boots** *pl* Wanderstiefel *pl*

hilarious *adj* urkomisch (*infml*) **hilariously** *adv* sehr amüsant **hilarity** *n* Heiterkeit *f*; (≈ *gaiety*) Fröhlichkeit *f*; (≈ *laughter*) Gelächter *nt*

hill *n* Hügel *m*; (*higher*) Berg *m*; (≈ *incline*) Hang *m*; ***to park on a ~*** am Berg parken; ***to be over the ~*** (*fig infml*) die besten Jahre hinter sich (*dat*) haben **hillbilly** (*US infml*) *n* Hinterwäldler(in) *m(f)* (*pej*) **hillock** *n* Hügel *m* **hillside** *n* Hang *m* **hilltop** *n* Gipfel *m* **hill-walker** *n* Bergwanderer *m*, Bergwanderin *f* **hill-walking** *n* Bergwandern *nt* **hilly** *adj* (+*er*) hüg(e)lig

hilt *n* Heft *nt*; ***(up) to the ~*** (*fig*) voll und ganz

him *pers pr* **1.** (*dir obj, with prep +acc*) ihn; (*indir obj, with prep +dat*) ihm **2.** (*emph*) er; ***it's ~*** er ists

himself *pers pr* **1.** (*dir and indir obj, with prep*) sich; → ***myself*** **2.** (*emph*) (er) selbst

hind[1] *n* ZOOL Hirschkuh *f*

hind[2] *adj* Hinter-; ***~ legs*** Hinterbeine *pl*

hinder *v/t* (≈ *impede*) behindern; ***to ~ sb from doing sth*** jdn daran hindern, etw zu tun

Hindi *n* Hindi *nt*

hindquarters *pl* Hinterteil *nt*; (*of horse*) Hinterhand *f*

hindrance *n* Behinderung *f*; (≈ *obstacle*) Hindernis *nt* (*to* für); ***the children are a ~*** die Kinder sind hinderlich

hindsight *n* ***with ~ it's easy to criticize*** im Nachhinein ist es leicht zu kritisieren; ***it was, in ~, a mistaken judgement*** es war, rückblickend betrachtet, ein Fehlurteil

Hindu I *adj* hinduistisch **II** *n* Hindu *m* **Hinduism** *n* Hinduismus *m*

hinge I *n* (*of door*) Angel *f*; (*of box etc*) Scharnier *nt* **II** *v/i* (*fig*) abhängen (*on* von)

hint I *n* **1.** (≈ *suggestion*) Andeutung *f*; ***to give a/no ~ of sth*** etw ahnen lassen/nicht ahnen lassen; ***to drop sb a ~*** jdm einen Wink geben; ***OK, I can take a ~*** schon recht, ich verstehe **2.** (≈ *trace*) Spur *f*; ***a ~ of garlic*** eine Spur Knoblauch; ***a ~ of irony*** ein Hauch *m* von Spott; ***with just a ~ of sadness in his smile*** mit einem leichten Anflug von Traurigkeit in seinem Lächeln; ***at the first ~ of trouble*** beim ersten Zeichen von Ärger **3.** (≈ *tip*) Tipp *m* **II** *v/t* andeuten (*to* gegenüber) ◆ **hint at** *v/i +prep obj* ***he hinted at changes in the cabinet*** er deutete an, dass es Umbesetzungen im Kabinett geben würde; ***he hinted at my involvement in the affair*** er spielte auf meine Rolle in der Affäre an

hinterland *n* Hinterland *nt*

hip[1] *n* Hüfte *f*; ***with one's hands on one's ~s*** die Arme in die Hüften gestemmt

hip[2] *int* ***~! ~!, hurrah!*** hipp hipp, hurra!

hip[3] *adj* (*infml*) hip (*infml*)

hipbone *n* ANAT Hüftbein *nt* **hip flask** *n* Flachmann *m* (*infml*) **hip hop** *n* MUS Hip-Hop *m*

hippie *n* = ***hippy***

hippo *n* (*infml*) Nilpferd *nt*

hip pocket *n* Gesäßtasche *f*

hippopotamus *n, pl* ***-es*** *or* ***hippopotami*** Flusspferd *nt*

hippy, hippie *n* Hippie *m*

hip replacement *n* Hüftoperation *f* **hipsters** *pl* Hipsters *pl*, Hüfthose *f*

hire (*esp Br*) **I** *n* (≈ *rental*) Mieten *nt*; (*of suit*) Leihen *nt*; (≈ *employment*) Einstellen *nt*; ***the hall is available for ~*** man kann den Saal mieten; ***for ~*** (*taxi*) frei **II** *v/t* **1.** (≈ *rent*) mieten; *suit* leihen; ***~d car*** Mietwagen *m* **2.** (≈ *employ*) einstellen ◆ **hire out** *v/t sep* (*esp Br*) vermieten

hire-purchase *n* (*Br*) Ratenkauf *m*; ***on ~*** auf Teilzahlung; ***~ agreement*** Teilzahlungs(kauf)vertrag *m*

his I *poss adj* sein; → ***my*** **II** *poss pr* seine(r, s); → ***mine***[1]

Hispanic I *adj* hispanisch **II** *n* Hispanoamerikaner(in) *m(f)*

hiss I *v/i* zischen; (*cat*) fauchen **II** *v/t* zischen **III** *n* Zischen *nt*; (*of cat*) Fauchen *nt*

historian *n* Historiker(in) *m(f)* **historic** *adj* historisch **historical** *adj* historisch; ***~ research*** Geschichtsforschung *f* **historically** *adv* **1.** (≈ *traditionally*) traditionellerweise **2.** *important* historisch

history *n* Geschichte *f*; ***that's all ~ now*** (*fig*) das gehört jetzt alles der Vergangenheit an; ***he's ~*** er ist schon lange vergessen; ***he has a ~ of violence*** er hat eine Vorgeschichte als Gewalttäter; ***he has a ~ of heart disease*** er hat schon lange ein Herzleiden

histrionics *pl* theatralisches Getue

hit *vb*: *pret, past part* ***hit*** **I** *n* **1.** (≈ *blow*) Schlag *m*; (*on target*) Treffer *m* **2.** (≈ *success*) Erfolg *m*; (≈ *song*) Hit *m*; ***to be a ~ with sb*** bei jdm gut ankommen **3.** (IT ≈ *visit to website*) Hit *m* **II** *v/t* **1.** (≈ *strike*) schlagen; IT *key* drücken; ***to ~ one's head against sth*** sich (*dat*) den Kopf an etw (*dat*) stoßen; ***he ~ his head on the table*** er schlug mit dem Kopf auf dem Tisch auf; ***the car ~ a tree*** das Auto fuhr gegen einen Baum; ***he was ~ by a stone*** er wurde von einem Stein getroffen; ***the tree was ~ by lightning*** der Baum wurde vom Blitz getroffen; ***you won't know what has ~ you*** (*infml*) du wirst dein blaues Wunder erleben (*infml*) **2.** *target* treffen; *speed, level* erreichen; ***you've ~ it*** (***on the head***) (*fig*) du hast es (genau) getroffen; ***he's been ~ in the leg*** (≈ *wounded*) er ist am Bein getroffen worden **3.** (≈ *affect adversely*) betreffen; ***to be hard ~ by sth*** von etw schwer getroffen werden **4.** (≈ *come to*) *beaches etc* erreichen; ***to ~ the rush hour*** in den Stoßverkehr kommen; ***to ~ a problem*** ein Problem stoßen **5.** (*fig infml*) ***to ~ the bottle*** zur Flasche greifen; ***to ~ the roof*** in die Luft gehen (*infml*); ***to ~ the road*** sich auf die Socken machen (*infml*) **III** *v/i* (≈ *strike*) schlagen ◆ **hit back** *v/i, v/t sep* zurückschlagen; ***he ~ at his critics*** er gab seinen Kritikern Kontra ◆ **hit off** *v/t sep* ***to hit it off with sb*** (*infml*) prima mit jdm auskommen (*infml*) ◆ **hit on** *v/i +prep obj* **1.** stoßen auf (*+acc*) **2.** (*esp US infml* ≈ *chat up*) anmachen (*infml*) ◆ **hit out** *v/i* **1.** (*lit*) einschlagen (*at sb* auf jdn) **2.** (*fig*) ***to ~ at sb/sth*** jdn/etw attackieren ◆ **hit upon** *v/i +prep obj* = **hit on** 1

hit-and-miss *adj* = ***hit-or-miss*** **hit-and-run** *adj* ***~ accident*** Unfall *m* mit Fahrerflucht; ***~ driver*** unfallflüchtiger Fahrer, unfallflüchtige Fahrerin

hitch I *n* Haken *m*; (*in plan*) Problem *nt*; ***a technical ~*** eine technische Panne; ***without a ~*** reibungslos; ***there's been a ~*** da ist ein Problem aufgetaucht **II** *v/t* **1.** (≈ *fasten*) festmachen (*sth to sth* etw an etw *dat*) **2.** (*infml*) ***to get ~ed*** heiraten **3.** ***to ~ a lift*** *or* ***ride*** trampen; ***she ~ed a lift*** *or* ***ride with a truck driver*** ein Lastwagenfahrer nahm sie mit **III** *v/i* (*esp Br*) trampen ◆ **hitch up** *v/t sep* **1.** *trailer etc* anhängen **2.** *skirt* hochziehen

hitcher *n* (*esp Br infml*) Anhalter(in) *m(f)*

hitchhike *v/i* per Anhalter fahren, trampen **hitchhiker** *n* Anhalter(in) *m(f)* **hitchhiking** *n* Trampen *nt*

hi tech *n* Spitzentechnologie *f* **hi-tech** *adj* Hightech-

hither *adv* ***~ and thither*** (*liter*) hierhin und dorthin **hitherto** *adv* bisher

hit list *n* Abschussliste *f* **hitman** *n* (*infml*) Killer *m* (*infml*) **hit-or-miss** *adj* auf gut Glück *pred* **hit parade** *n* Hitparade *f* **hit record** *n* Hit *m* **hits counter** *n* INTERNET Besucherzähler *m*, Counter *m* **hit squad** *n* Killerkommando *nt*

HIV *abbr of* ***human immunodeficiency virus*** HIV *nt*; ***~ positive*** HIV-positiv

hive *n* **1.** (≈ *beehive*) Bienenstock *m*; (≈ *bees*) (Bienen)schwarm *m* **2.** (*fig*) ***the office was a ~ of activity*** das Büro glich einem Bienenhaus

HM *abbr of* ***His/Her Majesty*** S. M./I. M.

HMS (*Br*) *abbr of* ***His/Her Majesty's Ship*** HMS *f*

HNC (*Br*) *abbr of* ***Higher National Certificate***

HND (*Br*) *abbr of* ***Higher National Diploma***

hoard I *n* Vorrat *m*; ***a ~ of weapons*** ein Waffenlager *nt*; ***~ of money*** gehortetes Geld **II** *v/t* (*a.* **hoard up**) *food etc* hamstern; *supplies, weapons* horten **hoarder** *n* Hamsterer *m*, Hamsterin *f*

hoarding[1] *n* (*of food etc*) Hamstern *nt*

hoarding[2] *n* (*Br*) (***advertising***) ~ Plakatwand *f*

hoarfrost *n* (Rau)reif *m*

hoarse *adj* (*+er*) heiser; ***you sound rather ~*** deine Stimme klingt heiser

hoax *n* (≈ *joke*) Streich *m*; (≈ *false alarm*) blinder Alarm **hoax call** *n* ***a ~*** ein blinder Alarm

hob *n* (*on cooker*) Kochfeld *nt*

hobble I *v/i* humpeln **II** *v/t* (*fig*) behindern

hobby *n* Hobby *nt* **hobbyhorse** *n* Steckenpferd *nt*

hobnob *v/i* ***she's been seen hobnobbing with the chairman*** sie ist viel mit dem Vorsitzenden zusammen gesehen worden

hobo *n* (*US* ≈ *tramp*) Penner *m* (*infml*)

Hobson's choice *n* ***it's ~*** da habe ich (wohl) keine andere Wahl

hockey *n* Hockey *nt*; (*US*) Eishockey *nt*

hockey player *n* Hockeyspieler(in) *m*(*f*); (*US*) Eishockeyspieler(in) *m*(*f*)

hockey stick *n* Hockeyschläger *m*

hodgepodge *n* (*US*) = ***hotchpotch***

hoe I *n* Hacke *f* **II** *v/t & v/i* hacken

hog I *n* (Mast)schwein *nt*; (*US* ≈ *pig*) Schwein *nt* **II** *v/t* (*infml*) in Beschlag nehmen; ***a lot of drivers ~ the middle of the road*** viele Fahrer meinen, sie hätten die Straßenmitte gepachtet (*infml*); ***to ~ the limelight*** alle Aufmerksamkeit für sich beanspruchen

Hogmanay *n* (*Scot*) Silvester *nt*

hogwash *n* (*infml* ≈ *nonsense*) Quatsch *m*

hoist I *v/t* hochheben; (≈ *pull up*) hochziehen; *flag* hissen; *sails* aufziehen **II** *n* Hebevorrichtung *f*

hold *vb*: *pret*, *past part* **held I** *n* **1.** (≈ *grip*) Griff *m*; ***to have/catch ~ of sth*** (*lit*) etw festhalten/packen; ***to keep ~ of sth*** etw nicht loslassen; (≈ *keep*) etw behalten; ***to grab ~ of sb/sth*** jdn/etw packen; ***grab ~ of my hand*** fass mich bei der Hand; ***to get ~ of sth*** sich an etw (*dat*) festhalten; (*fig* ≈ *obtain*) etw finden *or* auftreiben (*infml*); *drugs* etw in die Finger bekommen; *story* etw in Erfahrung bringen; ***to get ~ of sb*** (*fig*) jdn auftreiben (*infml*); (*on phone etc*) jdn erreichen; ***to lose one's ~*** den Halt verlieren; ***to take ~*** (*idea*) sich durchsetzen; (*fire*) sich ausbreiten; ***to be on ~*** warten; (*fig*) auf Eis liegen; ***to put sb on ~*** TEL jdn auf Wartestellung schalten; ***to put sth on ~*** (*fig*) etw auf Eis legen; ***when those two have a row, there are no ~s barred*** (*fig*) wenn die beiden sich streiten, dann kennen sie nichts mehr (*infml*) **2.** (≈ *influence*) Einfluss *m* (*over* auf +*acc*); ***to have a ~ over*** *or* ***on sb*** (großen) Einfluss auf jdn ausüben; ***he hasn't got any ~ on*** *or* ***over me*** er kann mir nichts anhaben; ***the president has consolidated his ~ on power*** der Präsident hat seine Macht gefestigt **3.** NAUT, AVIAT Frachtraum *m* **II** *v/t* **1.** (≈ *grasp*) halten; ***to ~ sb/sth tight*** jdn/etw (ganz) festhalten; ***this car ~s the road well*** dieses Auto hat eine gute Straßenlage; ***to ~ sth in place*** etw (fest)halten; ***to ~ hands*** sich an der Hand halten; (*lovers*, *children etc*) Händchen halten **2.** (≈ *contain*) enthalten; (*bottle etc*) fassen; (*bus*, *hall etc*) Platz haben für; ***this room ~s twenty people*** in diesem Raum haben zwanzig Personen Platz; ***what does the future ~?*** was bringt die Zukunft? **3.** (≈ *believe*) meinen; (≈ *maintain*) behaupten; ***I have always held that ...*** ich habe schon immer behauptet, dass ...; ***to ~ the view*** *or* ***opinion that ...*** die Meinung vertreten, dass ...; ***to ~ sb responsible (for sth)*** jdn (für etw) verantwortlich machen **4.** *hostages etc* festhalten; ***to ~ sb (prisoner)*** jdn gefangen halten; ***to ~ sb hostage*** jdn als Geisel festhalten; ***there's no ~ing him*** er ist nicht zu bremsen (*infml*); ***~ the line!*** bleiben Sie am Apparat!; ***she can/can't ~ her drink*** (*esp Br*) sie verträgt was/nichts; ***to ~ one's fire*** nicht schießen; ***to ~ one's breath*** (*lit*) den Atem anhalten; ***don't ~ your breath!*** (*iron*) erwarte nicht zu viel!; ***~ it!*** (*infml*) Moment mal (*infml*); ***~ it there!*** so ist gut **5.** *post* innehaben; *passport*, *permit* haben; *power*, *shares* besitzen; SPORTS *record* halten; MIL *position* halten; ***to ~ office*** im Amt sein; ***to ~ one's own*** sich behaupten (können); ***to ~ sb's attention*** jds Aufmerksamkeit fesseln; ***I'll ~ you to that!*** ich werde Sie beim Wort nehmen **6.** *meeting*, *election* abhalten; *talks* führen; *party* geben; ECCL *service* (ab)halten; ***to ~ a conversation*** eine Unterhaltung führen **III** *v/i* **1.** (*rope*, *nail etc*) halten; ***to ~ firm*** *or* ***fast*** halten; ***to ~ still*** still halten; ***to ~ tight*** festhalten; ***will the weather ~?*** wird sich das Wetter wohl halten?; ***if his luck ~s*** wenn ihm das Glück treu bleibt **2.** TEL ***please ~!*** bitte bleiben Sie am Apparat! **3.** (≈ *be valid*) gelten; ***to ~ good*** (*rule*, *promise etc*) gelten ◆ **hold against** *v/t always separate* ***to hold sth against sb*** jdm etw übel nehmen ◆ **hold back I** *v/i* sich zurückhalten; (≈ *fail to act*) zögern **II** *v/t sep* **1.** *crowd* zurückhalten; *floods* (auf)stauen; *emotions* unterdrücken; ***to hold sb back from doing sth*** jdn daran hindern, etw zu tun **2.** (≈ *hinder*) daran hindern, voranzukommen **3.** (≈ *withhold*) verheimlichen ◆ **hold down** *v/t sep* **1.** (*on ground*) niederhalten; (*in place*) (fest)halten **2.** *job* haben; ***he can't hold any job down for long*** er kann sich in keiner Stellung lange halten ◆ **hold in** *v/t sep stomach* einziehen ◆ **hold off I** *v/i* **1.** (≈ *not act*) warten; (*enemy*) nicht angreifen; ***they held off eating until she arrived*** sie warteten mit dem Essen, bis sie kam **2.** (*rain*) ausbleiben; ***I hope the rain holds off*** ich hoffe, dass es nicht regnet **II** *v/t sep attack* abwehren ◆ **hold on I** *v/i* **1.** (*lit* ≈ *maintain grip*) sich festhalten **2.** (≈ *endure*) aushalten **3.** (≈ *wait*) warten; **~ (*a minute*)*!*** Moment!; ***now ~ a minute!*** Moment mal! **II** *v/t sep* (fest)halten; ***to be held on by sth*** mit etw befestigt sein ◆ **hold on to** *v/i +prep obj* **1.** (*lit*) festhalten; ***they held on to each other*** sie hielten sich aneinander fest **2.** (*fig*) *hope* nicht aufgeben **3.** (≈ *keep*) behalten; *position* beibehalten; ***to ~ the lead*** in Führung bleiben; ***to ~ power*** sich an der Macht halten ◆ **hold out I** *v/i* **1.** (*supplies etc*) reichen **2.** (≈ *endure*) aushalten; (≈ *refuse to yield*) nicht nachgeben; ***to ~ for sth*** auf etw (*dat*) bestehen **II** *v/t sep* **1.** (*lit*) ausstrecken; ***to ~ sth to sb*** jdm etw hinhalten; ***hold your hand out*** halt die Hand auf; ***she held out her arms*** sie breitete die Arme aus **2.** (*fig*) ***I held out little hope of seeing him again*** ich machte mir nur wenig Hoffnung, ihn wiederzusehen ◆ **hold to** *v/i +prep obj* festhalten an (*+dat*); ***I ~ my belief that ...*** ich bleibe dabei, dass ... ◆ **hold together** *v/i, v/t sep* zusammenhalten ◆ **hold up I** *v/i* (*theory*) sich halten lassen **II** *v/t sep* **1.** (≈ *raise*) hochheben; ***~ your hand*** heb die Hand; ***to hold sth up to the light*** etw gegen das Licht halten **2.** (≈ *support*) stützen; (*from beneath*) tragen **3.** ***to hold sb up as an example*** jdn als Beispiel hinstellen **4.** (≈ *stop*) anhalten; (≈ *delay*) *people* aufhalten; *traffic, production* ins Stocken bringen **5.** *bank* überfallen ◆ **hold with** *v/i +prep obj* (*infml*) ***I don't ~ that*** ich bin gegen so was (*infml*)

holdall *n* Reisetasche *f* **holder** *n* **1.** (≈ *person*) Besitzer(in) *m(f)*; (*of title, passport*) Inhaber(in) *m(f)* **2.** (≈ *object*) Halter *m*; (≈ *cigarette-holder*) Spitze *f* **holding** *n* **1.** (FIN, *of shares*) Anteil *m* (*in* an *+dat*) **2.** (*of land*) Landgut *nt* **holding company** *n* Holding(gesellschaft) *f* **hold-up** *n* **1.** (≈ *delay*) Verzögerung *f*; (*of traffic*) Stockung *f*; ***what's the ~?*** warum dauert das so lange? **2.** (≈ *robbery*) bewaffneter Raubüberfall

hole *n* **1.** Loch *nt*; (*fox's*) Bau *m*; ***to be full of ~s*** (*fig, plot, story*) viele Schwächen aufweisen; (*argument, theory*) unhaltbar sein **2.** (*infml* ≈ *awkward situation*) ***to be in a ~*** in der Patsche sitzen (*infml*); ***to get sb out of a ~*** jdm aus der Patsche *or* Klemme helfen (*infml*) **3.** (*pej infml*) Loch *nt* (*infml*); (≈ *town*) Kaff *nt* (*infml*) ◆ **hole up** *v/i* (*infml*) sich verkriechen (*infml*)

hole puncher *n* Locher *m*

holiday I *n* **1.** (≈ *day off*) freier Tag; (≈ *public holiday*) Feiertag *m*; ***to take a ~*** einen Tag frei nehmen **2.** (*esp Br* ≈ *period*) *often pl* Ferien *pl* (*esp* SCHOOL), Urlaub *m*; ***the Christmas ~s*** die Weihnachtsferien *pl*; ***on ~*** in den Ferien, auf *or* im Urlaub; ***to go on ~*** Ferien/Urlaub machen; ***to take a month's ~*** einen Monat Urlaub nehmen **II** *v/i* (*esp Br*) Urlaub machen **holiday camp** *n* Feriendorf *nt* **holiday entitlement** *n* Urlaubsanspruch *m* **holiday home** *n* Ferienhaus *nt*/-wohnung *f* **holiday-maker** *n* Urlauber(in) *m(f)* **holiday resort** *n* Ferienort *m* **holiday season** *n* Urlaubszeit *f*

holiness *n* Heiligkeit *f*; ***His/Your Holiness*** ECCL Seine/Eure Heiligkeit

holistic *adj* holistisch

Holland *n* Holland *nt*

holler *v/t & v/i* (*infml*: *a.* **holler out**) brüllen

hollow I *adj* hohl; (≈ *meaningless*) leer; *victory* geschenkt; (≈ *insincere*) unaufrichtig **II** *n* **1.** (≈ *cavity*) Höhlung *f* **2.** (≈ *depression*) Vertiefung *f*; (≈ *valley*) (Boden)senke *f* ◆ **hollow out** *v/t sep* aushöhlen

holly *n* Stechpalme *f*

holocaust *n* **1.** Inferno *nt* **2.** (*in Third Reich*) Holocaust *m*

hologram *n* Hologramm *nt*

hols (*Br infml*) *abbr of* **holidays**

holster *n* (Pistolen)halfter *nt or f*

holy *adj* REL heilig; *ground* geweiht **Holy Bible** *n* ***the ~*** die Heilige Schrift **Holy Communion** *n* das heilige Abendmahl **Holy Father** *n* ***the ~*** (≈ *the Pope*) der Heilige Vater **Holy Ghost** *n* = ***Holy Spirit*** **Holy Land** *n* ***the ~*** das Heilige Land

Holy Spirit *n* ***the ~*** der Heilige Geist **holy water** *n* Weihwasser *nt* **Holy Week** *n* Karwoche *f*

homage *n* Huldigung *f*; ***to pay ~ to sb*** jdm huldigen

home I *n* **1.** (≈ *where one lives*) Zuhause *nt*; (≈ *house*) Haus *nt*; (≈ *country*, *area etc*) Heimat *f*; ***his ~ is in Brussels*** er ist in Brüssel zu Hause; ***Bournemouth is his second ~*** Bournemouth ist seine zweite Heimat (geworden); ***he invited us round to his ~*** er hat uns zu sich (nach Hause) eingeladen; ***away from ~*** von zu Hause weg; ***he worked away from ~*** er hat auswärts gearbeitet; ***at ~*** zu Hause; SPORTS auf eigenem Platz; ***to be*** *or* ***feel at ~ with sb*** sich in jds Gegenwart (*dat*) wohlfühlen; ***he doesn't feel at ~ with English*** er fühlt sich im Englischen nicht sicher *or* zu Hause; ***to make oneself at ~*** es sich (*dat*) gemütlich machen; ***to make sb feel at ~*** es jdm gemütlich machen; ***to leave ~*** von zu Hause weggehen; ***Scotland is the ~ of the haggis*** Schottland ist die Heimat des Haggis; ***the city is ~ to some 1,500 students*** in dieser Stadt wohnen etwa 1.500 Studenten **2.** (≈ *institution*) Heim *nt*; (*for orphans*) Waisenhaus *nt* **II** *adv* **1.** zu Hause; (*with verb of motion*) nach Hause; ***to come ~*** nach Hause kommen, heimkommen; ***to go ~*** (*to house*) nach Hause gehen/fahren; (*to country*) heimfahren; ***to get ~*** nach Hause kommen; ***I have to get ~ before ten*** ich muss vor zehn zu Hause sein; ***to return ~ from abroad*** aus dem Ausland zurückkommen **2.** ***to bring sth ~ to sb*** jdm etw klarmachen; ***sth comes ~ to sb*** etw wird jdm schmerzlich bewusst ◆ **home in** *v/i* (*missiles*) sich ausrichten (*on sth* auf etw *acc*); ***to ~ on a target*** ein Ziel finden *or* selbstständig ansteuern; ***he homed in on the essential point*** er hat den wichtigsten Punkt herausgegriffen

home address *n* Privatanschrift *f* **home-baked** *adj* selbst gebacken **home banking** *n* Homebanking *nt* **home-brew** *n* selbst gebrautes Bier **homecoming** *n* Heimkehr *f* **home computer** *n* Heimcomputer *m* **home cooking** *n* Hausmannskost *f* **Home Counties** *pl Grafschaften, die an London angrenzen* **home economics** *n sg* Hauswirtschaft(slehre) *f* **home entertainment system** *n* Home-Entertainment-System *nt* **home game** *n* SPORTS Heimspiel *nt* **home ground** *n* SPORTS eigener Platz; ***to be on ~*** (*fig*) sich auf vertrautem Terrain bewegen **home-grown** *adj vegetables* selbst gezogen; (*fig*) *talent* heimisch **home help** *n* Haushaltshilfe *f* **home key** *n* IT Hometaste *f* **homeland** *n* Heimat(-land *nt*) *f* **homeless I** *adj* obdachlos **II** *pl* ***the ~*** die Obdachlosen *pl* **homelessness** *n* Obdachlosigkeit *f* **home life** *n* Familienleben *nt* **homely** *adj* (*+er*) **1.** *atmosphere* behaglich **2.** *food* bürgerlich **3.** (*US*) *person* unscheinbar **home-made** *adj* selbst gemacht **homemaker** *n* (*US*) Hausfrau *f* **home movie** *n* Amateurfilm *m* **home news** *n* Meldungen *pl* aus dem Inland **Home Office** *n* (*Br*) Innenministerium *nt*

homeopath *etc* (*US*) = ***homoeopath*** *etc*

homeowner *n* (*of house*) Hauseigentümer(in) *m*(*f*); (*of flat*) Wohnungseigentümer(in) *m*(*f*) **home page** *n* IT Homepage *f* **home rule** *n* Selbstverwaltung *f* **home run** *n* BASEBALL Homerun *m*; ***to hit a ~*** um alle vier Male laufen **Home Secretary** *n* (*Br*) Innenminister(in) *m*(*f*) **home shopping** *n* Homeshopping *nt* **homesick** *adj* ***to be ~*** Heimweh haben (*for* nach) **homestead** *n* **1.** Heimstätte *f* **2.** (*US*) Heimstätte *f* für Siedler **home straight, home stretch** *n* SPORTS Zielgerade *f*; ***we're in the ~ now*** (*fig infml*) das Ende ist in Sicht **home team** *n* SPORTS Gastgeber *pl* **home town,** (*US*) **hometown** *n* Heimatstadt *f* **home truth** *n* (*Br*) bittere Wahrheit; ***to tell sb a few ~s*** jdm die Augen öffnen **home video** *n* Amateurvideo *nt* **homeward** *adj* ***~ journey*** Heimreise *f*; ***we are ~ bound*** es geht Richtung Heimat **homeward(s)** *adv* nach Hause *or* (*Aus*, *Sw*) nachhause

homework *n* SCHOOL Hausaufgaben *pl*; ***to give sb sth as ~*** jdm etw aufgeben **homeworker** *n* Heimarbeiter(in) *m*(*f*) **homeworking** *n* Heimarbeit *f* **homey** *adj* (*+er*) (*US infml*) gemütlich

homicidal *adj* gemeingefährlich; ***that man is a ~ maniac*** dieser Mann ist ein mordgieriger Verrückter **homicide** *n* Totschlag *m*

homily *n* Predigt *f*

homing pigeon *n* Brieftaube *f*

homoeopath, (*US*) **homeopath** *n* Homöopath(in) *m(f)* **homoeopathic**, (*US*) **homeopathic** *adj* homöopathisch **homoeopathy**, (*US*) **homeopathy** *n* Homöopathie *f*

homogeneous *adj* homogen **homogenize** *v/t* homogenisieren **homogenous** *adj* homogen

homophobia *n* Homophobie *f* **homophobic** *adj* homophob

homosexual I *adj* homosexuell **II** *n* Homosexuelle(r) *m/f(m)* **homosexuality** *n* Homosexualität *f*

homy *adj* (+*er*) (*US infml*) = ***homey***

Hon 1. *abbr of* **honorary 2.** *abbr of* **Honourable**

hone *v/t blade* schleifen; (*fig*) *skills* vervollkommnen

honest I *adj* **1.** ehrlich; ***to be ~ with sb*** jdm die Wahrheit sagen; ***to be ~ about sth*** etw ehrlich darstellen; ***to be perfectly ~ (with you) ...*** um (ganz) ehrlich zu sein ...; ***the ~ truth*** die reine Wahrheit **2.** (≈ *law-abiding*, *decent*) *person* redlich; ***to make an ~ living*** sein Geld redlich verdienen **3.** *mistake* echt **II** *adv* (*infml*) ***it's true, ~ it is*** es stimmt, ganz ehrlich **honestly** *adv* ehrlich; *expect* wirklich; ***I don't mind, ~*** es ist mir wirklich egal; ***quite ~ I don't remember it*** ehrlich gesagt *or* um ehrlich zu sein, ich kann mich daran nicht erinnern; ***~!*** (*showing exasperation*) also wirklich! **honesty** *n* Ehrlichkeit *f*; (≈ *being law-abiding*, *decent*) Redlichkeit *f*; ***in all ~*** ganz ehrlich

honey *n* **1.** Honig *m* **2.** (*infml* ≈ *dear*) Schätzchen *nt* **honeybee** *n* (Honig)biene *f* **honeycomb** *n* (Bienen)wabe *f* **honeydew melon** *n* Honigmelone *f* **honeymoon I** *n* Flitterwochen *pl*; (≈ *trip*) Hochzeitsreise *f*; ***to be on one's ~*** in den Flitterwochen / auf Hochzeitsreise sein **II** *v/i* seine Hochzeitsreise machen; ***they are ~ing in Spain*** sie sind in Spanien auf Hochzeitsreise **honeysuckle** *n* Geißblatt *nt*

honk I *v/i* **1.** (*car*) hupen **2.** (*geese*) schreien **II** *v/t horn* drücken auf (+*acc*)

honor *etc* (*US*) = ***honour*** *etc* **honorary** *adj* Ehren- **honorary degree** *n ehrenhalber verliehener akademischer Grad*

honour, (*US*) **honor I** *n* **1.** Ehre *f*; ***sense of ~*** Ehrgefühl *nt*; ***man of ~*** Ehrenmann *m*; ***in ~ of sb/sth*** zu Ehren von jdm / etw; ***if you would do me the ~ of accepting*** (*form*) wenn Sie mir die Ehre erweisen würden anzunehmen (*elev*) **2.** ***Your Honour*** Hohes Gericht; ***His Honour*** das Gericht **3.** (≈ *distinction*) ***~s*** Auszeichnung(en) *f(pl)* **4.** ***to do the ~s*** (*infml*) den Gastgeber spielen **5.** UNIV ***~s*** (*a.* **honours degree**) *akademischer Grad mit Prüfung im Spezialfach*; ***to get first-class ~s*** das Examen mit Auszeichnung *or* „sehr gut" bestehen **II** *v/t* **1.** *person* ehren; ***I would be ~ed*** es wäre mir eine Ehre; ***I should be ~ed if you ...*** ich würde mich geehrt fühlen, wenn Sie ... **2.** *cheque* annehmen; *debt* begleichen; *promise* halten; *agreement* erfüllen **honourable**, (*US*) **honorable** *adj* **1.** ehrenhaft; *discharge* ehrenvoll **2.** (*Br* PARL) ***the Honourable member for X*** der (Herr)/die (Frau) Abgeordnete für X **honourably**, (*US*) **honorably** *adv* in Ehren; *behave* ehrenhaft **honours degree** *n* = ***honour*** I5 **honours list** *n* (*Br*) Liste *f* der Titel- und Rangverleihungen (*die zweimal im Jahr veröffentlicht wird*)

hooch *n* (*esp US infml*) Stoff *m* (*sl*)

hood *n* **1.** Kapuze *f* **2.** (AUTO ≈ *roof*) Verdeck *nt*; (*US* ≈ *bonnet*) (Motor)haube *f*; (*on cooker*) Abzugshaube *f*

hoodlum *n* Rowdy *m*; (≈ *gangster*) Gangster *m* (*infml*)

hoodwink *v/t* (*infml*) (he)reinlegen (*infml*); ***to ~ sb into doing sth*** jdn dazu verleiten, etw zu tun

hoof *n*, *pl* **-s** *or* **hooves** Huf *m*

hook I *n* Haken *m*; ***he fell for it ~, line and sinker*** er ging auf den Leim; ***by ~ or by crook*** auf Biegen und Brechen; ***that lets me off the ~*** (*infml*) damit bin ich aus dem Schneider (*infml*); ***to leave the phone off the ~*** den Hörer neben das Telefon legen; (*unintentionally*) nicht auflegen; ***the phone was ringing off the ~*** (*US infml*) das Telefon klingelte pausenlos **II** *v/t* **1.** ***to ~ a trailer to a car*** einen Anhänger an ein Auto hängen; ***to ~ one's arm around sth*** seinen Arm um etw schlingen **2.** ***to be/get ~ed on sth*** (*infml*) *on drugs* von etw abhängig sein / werden; *on film*, *place etc* auf etw (*acc*) stehen (*infml*); ***he's ~ed on the idea*** er ist von der Idee besessen ◆ **hook on I** *v/i* (an)gehakt werden (*to* an +*acc*) **II** *v/t sep* anhaken (*to* an +*acc*) ◆ **hook up I** *v/i* ***to ~ with sb*** sich jdm anschließen **II** *v/t sep* **1.** *dress etc* zuhaken **2.** *trailer* ankoppeln **3.** *computer etc* anschließen (*to* an *+acc*); RADIO, TV anschließen (*with* an *+acc*)

hook and eye *n* Haken und Öse *no art, pl vb* **hooked** *adj* **~ *nose*** Hakennase *f*

hooker *n* (*esp US infml*) Nutte *f* (*infml*)

hooky *n* (*US infml*) ***to play* ~** (die) Schule schwänzen (*infml*)

hooligan *n* Rowdy *m* **hooliganism** *n* Rowdytum *nt*

hoop *n* Reifen *m*; (*in basketball*) Korb *m*

hooray *int* = ***hurrah***

hoot I *n* **1.** (*of owl*) Schrei *m*; **~*s of laughter*** johlendes Gelächter; ***I don't care*** *or* ***give a* ~** *or* ***two* ~*s*** (*infml*) das ist mir piepegal (*infml*) *or* völlig schnuppe (*infml*); ***to be a* ~** (*infml*) zum Schreien (komisch) sein **2.** AUTO Hupen *nt no pl* **II** *v/i* **1.** (*owl*) schreien; ***to* ~ *with laughter*** in johlendes Gelächter ausbrechen **2.** AUTO hupen **III** *v/t* (*esp Br* AUTO) ***to* ~ *one's/the horn*** hupen **hooter** *n* (*Br*) **1.** AUTO Hupe *f*; (*at factory*) Sirene *f* **2.** (*infml* ≈ *nose*) Zinken *m* (*infml*)

Hoover® *n* (*Br*) Staubsauger *m*

hoover (*Br*) *v/t & v/i* (staub)saugen ◆ **hoover up** *v/i +prep obj* (staub)saugen

hoovering *n* ***to do the* ~** (staub)saugen

hooves *pl of* ***hoof***

hop[1] I *n* **1.** (kleiner) Sprung; (*of rabbit*) Satz *m*; ***to catch sb on the* ~** (*fig infml*) jdn überraschen *or* überrumpeln **2.** (AVIAT *infml*) ***a short* ~** ein Katzensprung *m* (*infml*) **II** *v/i* (*animal*) hüpfen; (*rabbit*) hoppeln; (*person*) (auf einem Bein) hüpfen; ***to* ~ *on*** aufsteigen; ***to* ~ *on a train*** in einen Zug einsteigen; ***he* ~*ped on his bicycle*** er schwang sich auf sein Fahrrad; ***he* ~*ped over the wall*** er sprang über die Mauer **III** *v/t* (*Br infml*) **~ *it!*** zieh Leine (*infml*)

hop[2] *n* BOT Hopfen *m*

hope I *n* Hoffnung *f*; ***beyond* ~** hoffnungslos; ***in the* ~ *of doing sth*** in der Hoffnung, etw zu tun; ***to have*** (***high*** *or* ***great***) **~*s of doing sth*** hoffen, etw zu tun; ***don't get your* ~*s up*** mach dir keine großen Hoffnungen; ***there's no* ~ *of that*** da braucht man sich gar keine Hoffnungen zu machen; ***to give up* ~ *of doing sth*** die Hoffnung aufgeben, etw zu tun; ***some* ~*!*** (*infml*) schön wärs! (*infml*); ***she hasn't got a* ~ *in hell of passing her exams*** (*infml*) es besteht nicht die geringste Chance, dass sie ihre Prüfung besteht **II** *v/i* hoffen (*for* auf *+acc*); ***to* ~ *for the best*** das Beste hoffen; ***a pay rise would be too much to* ~ *for*** auf eine Gehaltserhöhung braucht man sich (*dat*) gar keine Hoffnungen zu machen; ***I* ~ *so*** hoffentlich; ***I* ~ *not*** hoffentlich nicht **III** *v/t* hoffen; ***I* ~ *to see you*** hoffentlich sehe ich Sie; ***the party cannot* ~ *to win*** für die Partei besteht keine Hoffnung zu gewinnen; ***to* ~ *against* ~ *that ...*** trotz allem die Hoffnung nicht aufgeben, dass ... **hopeful I** *adj* **1.** hoffnungsvoll; ***he was still* ~** (***that ...***) er machte sich (*dat*) immer noch Hoffnungen(, dass ...); ***they weren't very* ~** sie hatten keine große Hoffnung; ***he was feeling more* ~** er war optimistischer **2.** ***it is not a* ~ *sign*** es ist kein gutes Zeichen **II** *n* ***presidential* ~*s*** Anwärter *pl* auf die Präsidentschaft **hopefully** *adv* **1.** hoffnungsvoll **2.** (*infml* ≈ *with any luck*) hoffentlich

hopeless *adj* hoffnungslos; *attempt*, *task* aussichtslos; *drunk*, *romantic* unverbesserlich; ***she's a* ~ *manager*** als Managerin ist sie ein hoffnungsloser Fall; ***I'm* ~ *at maths*** in Mathe bin ich ein hoffnungsloser Fall; ***to be* ~ *at doing sth*** etw überhaupt nicht können **hopelessly** *adv* **~ *confused*** völlig verwirrt; ***I feel* ~ *inadequate*** ich komme mir völlig minderwertig vor; ***he got* ~ *lost*** er hat sich hoffnungslos verirrt **hopelessness** *n* (*of situation*) Hoffnungslosigkeit *f*

hopping mad *adj* (*infml*) fuchsteufelswild (*infml*) **hopscotch** *n* Hopse *f* (*infml*) **hop, skip and jump** *n*, **hop, step and jump** *n* Dreisprung *m*; ***it's a* ~ *from here*** es ist nur ein Katzensprung von hier

horde *n* (*infml*) Masse *f*; (*of children etc*) Horde *f* (*pej*)

horizon *n* Horizont *m*; ***on the* ~** am Horizont; (*fig*) in Sicht; ***below the* ~** hinter dem Horizont **horizontal** *adj* horizontal; **~ *line*** Waag(e)rechte *f* **horizontal bar** *n* Reck *nt* **horizontally** *adv* horizontal

hormone *n* Hormon *nt* **hormone replacement therapy** *n* Hormonersatztherapie *f*

horn *n* **1.** Horn *nt*; ***to lock* ~*s*** (*fig*) die Klingen kreuzen **2.** AUTO Hupe *f*; NAUT

(Signal)horn *nt*; ***to sound** or **blow the ~*** AUTO hupen; NAUT tuten
hornet *n* Hornisse *f*
horn-rimmed *adj **~ glasses*** Hornbrille *f*
horny *adj* (*+er*) **1.** (*≈ like horn*) hornartig; *hands etc* schwielig **2.** (*infml*) (*≈ sexually aroused*) geil (*infml*)
horoscope *n* Horoskop *nt*
horrendous *adj* **1.** *accident*, *experience* grauenhaft; *crime*, *attack* abscheulich **2.** (*infml*) *conditions* fürchterlich (*infml*); *loss*, *price* horrend; ***children's shoes are a ~ price*** Kinderschuhe sind horrend teuer **horrendously** *adv* (*infml*) *expensive* horrend
horrible *adj* **1.** (*infml*) schrecklich (*infml*); *food* grauenhaft (*infml*); *clothes*, *colour*, *taste* scheußlich; *person* gemein; ***to be ~ to sb*** gemein zu jdm sein **2.** *death*, *accident* grauenhaft **horribly** *adv* **1.** grauenhaft; ***they died ~*** sie starben einen grauenhaften Tod **2.** (*infml*) *drunk*, *expensive* schrecklich (*infml*) **horrid** *adj* schrecklich; ***don't be so ~*** sei nicht so gemein (*infml*) **horrific** *adj* entsetzlich **horrifically** *adv* grauenhaft **horrify** *v/t* entsetzen; ***it horrifies me to think what ...*** ich denke (nur) mit Entsetzen daran, was ... **horrifying** *adj* schrecklich **horror I** *n* **1.** Entsetzen *nt*; (*≈ dislike*) Horror *m* (*of* vor *+dat*); ***to have a ~ of sth*** einen Horror vor etw (*dat*) haben; ***to have a ~ of doing sth*** einen Horror davor haben, etw zu tun; ***they watched in ~*** sie sahen entsetzt zu **2.** *usu pl* (*of war etc*) Schrecken *m* **3.** (*infml*) ***you little ~!*** du kleines Ungeheuer! (*infml*) **II** *attr* Horror-; ***~ film/story*** Horrorfilm *m*/-geschichte *f* **horror-stricken, horror-struck** *adj* von Entsetzen gepackt
hors d'oeuvre *n* Vorspeise *f*
horse *n* Pferd *nt*; ***to eat like a ~*** wie ein Scheunendrescher *m* essen *or* fressen (*infml*); ***I could eat a ~*** ich könnte ein ganzes Pferd essen; ***straight from the ~'s mouth*** aus erster Hand ◆ **horse about** (*Brit*) *or* **around** *v/i* (*infml*) herumalbern (*infml*)
horseback *n **on ~*** zu Pferd **horsebox** *n* (*≈ van*) Pferdetransporter *m*; (*≈ trailer*) Pferdetransportwagen *m* **horse chestnut** *n* Rosskastanie *f* **horse-drawn** *adj **~ cart*** Pferdewagen *m*; ***~ carriage*** Kutsche *f* **horseman** *n* Reiter *m* **horseplay** *n* Alberei *f* **horsepower** *n* Pferdestärke *f*; ***a 200 ~ engine*** ein Motor mit 200 PS **horse race** *n* Pferderennen *nt* **horse racing** *n* Pferderennsport *m*; (*≈ races*) Pferderennen *pl* **horseradish** *n* Meerrettich *m*, Kren *m* (*Aus*) **horse-riding** *n* Reiten *nt* **horseshoe** *n* Hufeisen *nt* **horse trading** *n* (*fig*) Kuhhandel *m* **horsewoman** *n* Reiterin *f*
horticultural *adj* Garten(bau)-; ***~ show*** Gartenbauausstellung *f* **horticulture** *n* Gartenbau(kunst *f*) *m*
hose I *n* Schlauch *m* **II** *v/t* (*a.* **hose down**) abspritzen **hosepipe** *n* (*esp Br*) Schlauch *m*
hosiery *n* Strumpfwaren *pl*
hospice *n* Pflegeheim *nt* (*für unheilbar Kranke*)
hospitable *adj* **1.** *person* gastfreundlich; ***to be ~ to sb*** jdn gastfreundlich *or* gastlich aufnehmen **2.** *place*, *climate* gastlich
hospital *n* Krankenhaus *nt*, Spital *nt* (*Aus*, *Swiss*); ***in** or* (*US*) ***in the ~*** im Krankenhaus
hospitality *n* Gastfreundschaft *f*
hospitalize *v/t* ins Krankenhaus *or* (*Aus*, *Swiss*) Spital einweisen; ***he was ~d for three months*** er lag drei Monate lang im Krankenhaus
Host *n* ECCL Hostie *f*
host[1] I *n* Gastgeber(in) *m*(*f*); ***to be** or **play ~ to sb*** jds Gastgeber(in) *m*(*f*) sein **II** *v/t TV programme* Gastgeber(in) sein bei; (*country*, *city*) *event* ausrichten
host[2] *n* Menge *f*; ***he has a ~ of friends*** er hat eine Menge Freunde
hostage *n* Geisel *f*; ***to take/hold sb ~*** jdn als Geisel nehmen/halten **hostage-taker** *n* Geiselnehmer(in) *m*(*f*)
hostel *n* (Wohn)heim *nt*
hostess *n* **1.** Gastgeberin *f*; ***to be** or **play ~ to sb*** jds Gastgeberin sein **2.** (*in nightclub etc*) Hostess *f* **3.** (*≈ air hostess*) Stewardess *f*
hostile *adj* (*≈ antagonistic*) feindselig; *society*, *press* feindlich (gesinnt); *forces*, *bid* feindlich; *Bedingungen* unwirtlich; ***to be ~ to sb*** sich jdm gegenüber feindselig verhalten; ***to be ~ to** or **toward(s) sth*** einer Sache (*dat*) feindlich gegenüberstehen **hostility** *n* **1.** Feindseligkeit *f*; (*between people*) Feindschaft *f*; ***he feels no ~ toward(s) anybody*** er ist niemandem feindlich gesinnt; ***~ to foreigners*** Ausländerfeindlichkeit *f* **2. hostilities** *pl* Feindseligkeiten *pl*

hot I *adj* (+*er*) **1.** heiß; *meal*, *tap*, *drink* warm; ***I am or feel ~*** mir ist (es) heiß; ***with ~ and cold water*** mit warm und kalt Wasser; ***the room was ~*** in dem Zimmer war es heiß; ***I'm getting ~*** mir wird (es) warm **2.** *curry etc* scharf **3.** (*infml* ≈ *good*) stark (*infml*); ***he's pretty ~ at maths*** in Mathe ist er ganz schön stark (*infml*) **4.** (*fig*) ***to be*** (***a***) ***~ favourite*** (*Br*) *or* ***favorite*** (*US*) der große Favorit sein; ***~ tip*** heißer Tipp; ***~ news*** das Neuste vom Neuen; ***~ off the press*** gerade erschienen; ***to get into ~ water*** in Schwulitäten kommen (*infml*); ***to get*** (***all***) ***~ and bothered*** (*infml*) ganz aufgeregt werden (*about* wegen); ***to get ~ under the collar about sth*** wegen etw in Rage geraten **II** *adv* (+*er*) ***he keeps blowing ~ and cold*** er sagt einmal hü und einmal hott **III** *n* ***to have the ~s for sb*** (*infml*) auf jdn scharf sein (*infml*) ◆ **hot up** *v/i* (*infml*) ***things are hotting up in the Middle East*** die Lage im Nahen Osten verschärft sich; ***things are hotting up*** es geht langsam los

hot air *n* (*fig*) leeres Gerede **hot-air balloon** *n* Heißluftballon *m* **hotbed** *n* (*fig*) Nährboden *m* (*of* für) **hot-blooded** *adj* heißblütig

hotchpotch *n* (*Br*) Mischmasch *m*

hot dog *n* Hot dog *m or nt*

hotel *n* Hotel *nt* **hotelier** *n* Hotelier *m* **hotel manager** *n* Hoteldirektor(in) *m*(*f*) **hotel room** *n* Hotelzimmer *nt*

hot flushes *pl* MED fliegende Hitze **hothead** *n* Hitzkopf *m* **hot-headed** *adj* hitzköpfig **hothouse I** *n* Treibhaus *nt* **II** *adj attr* (*lit*) Treibhaus- **hot key** *n* IT Hotkey *m*, Abkürzungstaste *f* **hot line** *n* POL heißer Draht; TV *etc* Hotline *f* **hotly** *adv* **1.** *debate*, *deny* heftig; *contest*, *dispute* heiß **2.** ***he was ~ pursued by two policemen*** zwei Polizisten waren ihm dicht auf den Fersen (*infml*) **hotplate** *n* (*of stove*) Kochplatte *f* **hot potato** *n* (*fig infml*) heißes Eisen **hot seat** *n* ***to be in the ~*** auf dem Schleudersitz sein **hotshot** (*infml*) *n* Ass *nt* (*infml*) **hot spot** *n* POL Krisenherd *m*; (*infml* ≈ *club etc*) heißer Schuppen (*infml*) **hot spring** *n* heiße Quelle **hot stuff** *n* (*infml*) ***this is ~*** (≈ *very good*) das ist große Klasse (*infml*); (≈ *provocative*) das ist Zündstoff; ***she's/he's ~*** (≈ *very good*) sie / er ist große Klasse (*infml*); (≈ *very sexy*) das ist eine scharfe Braut (*sl*)/ein scharfer Typ (*infml*) **hot-tempered** *adj* leicht aufbrausend **hot-water** *adj attr* Heißwasser- **hot-water bottle** *n* Wärmflasche *f*, Bettflasche *f* (*Swiss*)

hoummos, houm(o)us *n orientalische Creme aus Kichererbsen*, *Sesam und Knoblauch*

hound I *n* HUNT (Jagd)hund *m* **II** *v/t* hetzen; ***to be ~ed by the press*** von der Presse verfolgt werden ◆ **hound out** *v/t sep* verjagen

hour *n* **1.** Stunde *f*; ***half an ~***, ***a half ~*** eine halbe Stunde; ***three-quarters of an ~*** eine Dreiviertelstunde; ***a quarter of an ~*** eine viertel Stunde; ***an ~ and a half*** anderthalb *or* eineinhalb Stunden; ***it's two ~s' walk*** es sind zwei Stunden zu Fuß; ***at fifteen hundred ~s*** (*spoken*) um fünfzehn Uhr; ***~ after ~*** Stunde um Stunde; ***on the ~*** zur vollen Stunde; ***every ~ on the ~*** jede volle Stunde; ***20 minutes past the ~*** 20 Minuten nach; ***at all ~s*** (***of the day and night***) zu jeder (Tages- und Nacht)zeit; ***what! at this ~ of the night!*** was! zu dieser nachtschlafenden Zeit!; ***to drive at 50 kilometres an ~*** 50 Kilometer in der Stunde fahren; ***to be paid by the ~*** stundenweise bezahlt werden; ***for ~s*** stundenlang; ***he took ~s to do it*** er brauchte stundenlang dazu; ***the man/hero of the ~*** der Mann / Held der Stunde **2. hours** *pl* (*of shops etc*) Geschäftszeit(en) *f*(*pl*); (*of pubs etc*) Öffnungszeiten *pl*; (≈ *office hours*) Dienststunden *pl*; (≈ *working hours etc*) Arbeitszeit *f*; (*of doctor etc*) Sprechstunde *f*, Ordination *f* (*Aus*); ***out of/after ~s*** (*in pubs*) außerhalb der gesetzlich erlaubten Zeit; (*in office etc*) außerhalb der Arbeitszeit / nach Dienstschluss; ***to work long ~s*** einen langen Arbeitstag haben **hourglass** *n* Sanduhr *f* **hour hand** *n* kleiner Zeiger **hourly I** *adj* **1.** stündlich; ***an ~ bus service*** ein stündlich verkehrender Bus; ***at ~ intervals*** stündlich; ***at two-~ intervals*** alle zwei Stunden **2.** *earnings* pro Stunde; ***~ wage or pay*** Stundenlohn *m*; ***~ rate*** Stundensatz *m*; ***on an ~ basis*** stundenweise **II** *adv* **1.** (*lit*) jede Stunde **2.** *pay* stundenweise

house I *n*, *pl* ***houses*** **1.** Haus *nt*; (≈ *household*) Haushalt *m*; ***at my ~*** bei mir (zu Hause *or* zuhause (*Aus*, *Swiss*)); ***to my ~*** zu mir (nach Hause *or* nachhause (*Aus, Swiss*)); ***to keep ~*** (***for sb***) (jdm) den Haushalt führen; ***they set up ~ together*** sie gründeten einen gemeinsamen Hausstand; ***to put*** *or* ***set one's ~ in order*** (*fig*) seine Angelegenheiten in Ordnung bringen; ***they get on like a ~ on fire*** (*infml*) sie kommen ausgezeichnet miteinander aus; ***as safe as ~s*** (*Br*) bombensicher (*infml*); ***the upper/lower ~*** POL das Ober-/Unterhaus; ***House of Commons/Lords*** (*Br*) (britisches) Unter-/Oberhaus; ***House of Representatives*** (*US*) Repräsentantenhaus *nt*; ***the Houses of Parliament*** das Parlament(sgebäude); ***on the ~*** auf Kosten des Hauses; ***we ordered a bottle of ~ red*** wir bestellten eine Flasche von dem roten Hauswein; ***to bring the ~ down*** (*infml*) ein Bombenerfolg (beim Publikum) sein (*infml*) **2.** (*in boarding school*) Gruppenhaus *nt* **3.** ***full ~*** CARDS Full House *nt*; (≈ *bingo*) volle Karte **II** *v/t* unterbringen; ***this building ~s ten families*** in diesem Gebäude sind zehn Familien untergebracht **house arrest** *n* Hausarrest *m* **housebound** *adj* ans Haus gefesselt **housebreaking** *n* Einbruch(sdiebstahl) *m* **house-broken** *adj* (*US*) stubenrein **housecoat** *n* Morgenmantel *m* **houseguest** *n* (Haus)gast *m*

household I *n* Haushalt *m* **II** *attr* Haushalts-; ***~ appliance*** Haushaltsgerät *nt*; ***~ chores*** Hausarbeit *f* **householder** *n* Haus-/Wohnungsinhaber(in) *m*(*f*) **household name** *n* ***to be a ~*** ein Begriff sein; ***to become a ~*** zu einem Begriff werden **household waste** *n* Hausmüll *m* **house-hunt** *v/i* auf Haussuche sein; ***they have started ~ing*** sie haben angefangen, nach einem Haus zu suchen **househusband** *n* Hausmann *m* **housekeeper** *n* Haushälterin *f* **housekeeping** *n* **1.** Haushalten *nt* **2.** (*Br: a.* **housekeeping money**) Haushaltsgeld *nt* **housemate** *n* ***my ~s*** meine Mitbewohner **House music** *n* Hausmusik *f* **house plant** *n* Zimmerpflanze *f* **house-proud** *adj* ***she is ~*** sie ist eine penible Hausfrau **house rules** *pl* Hausordnung *f* **house-to-house** *adj* ***to conduct ~ inquiries*** von Haus zu Haus gehen und fragen **house-trained** *adj* stubenrein **house-warming (party)** *n* Einzugsparty *f*; ***to have a ~*** Einzug feiern **housewife** *n* Hausfrau *f* **house wine** *n* Hauswein *m* **housework** *n* Hausarbeit *f* **housing** *n* **1.** (*act*) Unterbringung *f* **2.** (≈ *houses*) Wohnungen *pl* **3.** TECH Gehäuse *nt* **housing association** *n* Wohnungsbaugesellschaft *f* **housing benefit** *n* (*Br*) Wohngeld *nt* **housing development**, (*Br also*) **housing estate** *n* Wohnsiedlung *f*

hovel *n* armselige Hütte; (*fig pej*) Bruchbude *f*

hover *v/i* **1.** schweben; ***he was ~ing between life and death*** er schwebte zwischen Leben und Tod; ***the exchange rate is ~ing around 110 yen to the dollar*** der Wechselkurs bewegt sich um die 110 Yen für den Dollar **2.** (*fig* ≈ *stand around*) herumstehen; ***don't ~ over me*** geh endlich weg ◆ **hover about** (*Brit*) *or* **around** *v/i* herumlungern; ***he was hovering around, waiting to speak to us*** er strich um uns herum und wartete auf eine Gelegenheit, mit uns zu sprechen

hovercraft *n* Luftkissenboot *nt*

how *adv* **1.** wie; ***~ come?*** (*infml*) wieso (denn das)?; ***~ do you mean?*** (*infml*) wie meinst du das?; ***~ is it that we*** *or* ***~ come*** (*infml*) ***we earn less?*** wieso *or* warum verdienen wir denn weniger?; ***~ do you know that?*** woher wissen Sie das?; ***I'd like to learn ~ to swim*** ich würde gerne schwimmen lernen; ***~ nice!*** wie nett!; ***~ much*** (*+vb*) wie sehr; (*+n, adj, adv, vbs of action*) wie viel; ***~ many*** wie viel, wie viele; ***~ would you like to ...?*** hätten Sie Lust, ... zu ...?; ***~ do you do?*** guten Tag/Abend!; ***~ are you?*** wie geht es Ihnen?; ***~'s work?*** was macht die Arbeit? (*infml*); ***~ are things at school?*** wie gehts in der Schule?; ***~ did the job interview go?*** wie ist das Bewerbungsgespräch gelaufen?; ***~ about ...?*** wie wäre es mit ...?; ***~ about it?*** (*about suggestion*) wie wäre es damit?; ***~ about going for a walk?*** wie wärs mit einem Spaziergang?; ***I've had enough, ~ about you?*** mir reichts, wie siehts bei dir aus?; ***and ~!*** und ob *or* wie!; ***~ he's grown!*** er ist aber groß geworden **2.** (≈ *that*) dass

however I *cj* jedoch, aber **II** *adv* **1.** (≈ *no matter how*) wie ... auch; (≈ *in whatever way*) wie; ***~ you do it*** wie immer du es machst; ***~ much you cry*** und wenn du noch so weinst; ***wait 30 minutes or ~ long it takes*** warte eine halbe Stunde oder so lange, wie es dauert **2.** (*in question*) wie ... bloß; ***~ did you manage it?*** wie hast du das bloß geschafft?

howl **I** *n* Schrei *m*; (*of animal, wind*) Heulen *nt no pl*; ***~s of laughter*** brüllendes Gelächter; ***~s*** (***of protest***) Protestgeschrei *nt* **II** *v/i* (*person*) brüllen; (*animal*) jaulen; (*wind* ≈ *weep*) heulen; (*baby*) schreien; ***to ~ with laughter*** in brüllendes Gelächter ausbrechen **III** *v/t* hinausbrüllen **howler** *n* (*Br infml*) Schnitzer *m* (*infml*); ***he made a real ~*** da hat er sich (*dat*) einen Hammer geleistet (*infml*)

HP, hp **1.** *abbr of* ***hire purchase*** **2.** *abbr of* ***horse power*** PS

HQ *abbr of* ***headquarters***

hr *abbr of* ***hour*** Std.

HRH *abbr of* ***His/ Her Royal Highness*** S. M./I. M.

HRT *abbr of* ***hormone replacement therapy***

HST (*US*) *abbr of* ***Hawaiian Standard Time*** hawaiische Zeit

ht *abbr of* ***height***

HTML IT *abbr of* ***hypertext mark-up language*** HTML

hub *n* **1.** (*of wheel*) (Rad)nabe *f* **2.** (*fig*) Mittelpunkt *m*

hubbub *n* Tumult *m*; ***a ~ of voices*** ein Stimmengewirr *nt*

hubcap *n* Radkappe *f*

huddle **I** *n* (wirrer) Haufen *m*; (*of people*) Gruppe *f*; ***in a ~*** dicht zusammengedrängt **II** *v/i* (*a.* **to be huddled**) (sich) kauern; ***they ~d under the umbrella*** sie drängten sich unter dem Schirm zusammen; ***we ~d around the fire*** wir saßen eng zusammengedrängt um das Feuer herum ◆ **huddle together** *v/i* sich aneinanderkauern; ***to be huddled together*** aneinanderkauern

hue *n* (≈ *colour*) Farbe *f*; (≈ *shade*) Schattierung *f*

huff *n* ***to be/go off in a ~*** beleidigt sein/abziehen (*infml*) **huffy** *adj* (*+er*) (≈ *in a huff*) beleidigt; (≈ *touchy*) empfindlich; ***to get/be ~ about sth*** wegen etw eingeschnappt (*infml*) *or* beleidigt sein

hug **I** *n* Umarmung *f*; ***to give sb a ~*** jdn umarmen **II** *v/t* **1.** (≈ *hold close*) umarmen **2.** (≈ *keep close to*) sich dicht halten an (*+acc*) **III** *v/i* sich umarmen

huge *adj* (*+er*) riesig; *appetite, disappointment, deficit* Riesen- (*infml*); *effort* gewaltig; ***a ~ job*** eine Riesenarbeit (*infml*); ***~ numbers of these children*** ungeheuer viele von diesen Kindern **hugely** *adv* (*emph*) außerordentlich; ***the whole thing is ~ enjoyable*** das Ganze macht ungeheuer viel Spaß **hugeness** *n* riesiges Ausmaß

hulk *n* **1.** NAUT (Schiffs)rumpf *m* **2.** (*infml* ≈ *person*) Hüne *m* (*infml*) **hulking** *adj* ***~ great, great ~*** massig

hull[1] *n* NAUT Schiffskörper *m*

hull[2] **I** *n* Hülse *f* **II** *v/t* schälen

hullabaloo *n* (*Br infml*) Spektakel *m*

hullo *int* (*Br*) = ***hello***

hum **I** *n* (*of insect, person*) Summen *nt*; (*of engine*) Brummen *nt*; (*of small machine etc*) Surren *nt*; (*of voices*) Gemurmel *nt* **II** *v/i* **1.** (*insect, person*) summen; (*engine*) brummen; (*small machine*) surren **2.** (*fig infml*) in Schwung kommen; ***the headquarters was ~ming with activity*** im Hauptquartier ging es zu wie in einem Bienenstock **3.** ***to ~ and haw*** (*infml*) herumdrucksen (*infml*) (*over, about* um) **III** *v/t* summen

human **I** *adj* menschlich; *health* des Menschen; ***~ error*** menschliches Versagen; ***~ shield*** menschlicher Schutzschild; ***I'm only ~*** ich bin auch nur ein Mensch **II** *n* Mensch *m* **human being** *n* Mensch *m* **humane** *adj* human **humanely** *adv treat* human; *kill* (möglichst) schmerzlos **human interest** *n* (*in newspaper story etc*) Emotionalität *f*; ***a ~ story*** eine ergreifende Story **humanism** *n* Humanismus *m* **humanitarian** **I** *n* Vertreter(in) *m*(*f*) des Humanitätsgedankens **II** *adj* humanitär **humanitarianism** *n* Humanitarismus *m* **humanity** *n* **1.** (≈ *mankind*) die Menschheit **2.** (≈ *humaneness*) Humanität *f* **3. humanities** *pl* Geisteswissenschaften *pl* **humanize** *v/t* humanisieren **humankind** *n* die Menschheit **humanly** *adv* menschlich; ***as far as ~ possible*** soweit überhaupt möglich; ***to do all that is ~ possible*** alles Menschenmögliche tun **human nature** *n* die menschliche Natur; ***it's ~ to do that*** es liegt (nun einmal) in der Natur des Menschen, das zu tun **human race** *n* ***the ~*** die Menschheit **human resources** *pl* ECON Arbeitskräftepotenzial *nt* **human resources department** *n* Personalabteilung *f* **human rights** *pl* Menschenrechte *pl*; **~ *organization*** Menschenrechtsorganisation *f*

humble I *adj* (+*er*) bescheiden; *clerk* einfach; *origins* niedrig; ***my ~ apologies!*** ich bitte inständig um Verzeihung! **II** *v/t* demütigen; ***to be/feel ~d*** sich (*dat*) klein vorkommen

humbug *n* **1.** (*Br* ≈ *sweet*) Pfefferminzbonbon *m or nt* **2.** (*infml* ≈ *talk*) Humbug *m*

humdrum *adj* stumpfsinnig

humid *adj* feucht; ***it's ~ today*** es ist schwül heute **humidifier** *n* Luftbefeuchter *m* **humidity** *n* (Luft)feuchtigkeit *f*

humiliate *v/t* demütigen **humiliating** *adj defeat* demütigend **humiliation** *n* Demütigung *f* **humility** *n* Demut *f*; (≈ *unassumingness*) Bescheidenheit *f*

humming *n* Summen *nt* **hummingbird** *n* Kolibri *m*

hummus *n* = ***hoummos***

humor *etc* (*US*) = ***humour*** *etc* **humorous** *adj* humorvoll; *situation* komisch; *idea* witzig **humorously** *adv* humorvoll; *reflect*, *say* heiter

humour, (*US*) **humor I** *n* **1.** Humor *m*; ***a sense of ~*** (Sinn *m* für) Humor *m* **2.** (≈ *mood*) Stimmung *f*; ***to be in a good ~*** gute Laune haben; ***with good ~*** gut gelaunt **II** *v/t* ***to ~ sb*** jdm seinen Willen lassen; ***do it just to ~ him*** tus doch, damit er seinen Willen hat **humourless**, (*US*) **humorless** *adj* humorlos

hump I *n* **1.** ANAT Buckel *m*; (*of camel*) Höcker *m* **2.** (≈ *hillock*) Hügel *m* **3.** (*Br infml*) ***he's got the ~*** er ist sauer (*infml*) **II** *v/t* (*infml* ≈ *carry*) schleppen

humpbacked *adj bridge* gewölbt

hunch I *n* Gefühl *nt*; ***to act on a ~*** einem inneren Gefühl zufolge handeln; ***your ~ paid off*** du hattest die richtige Ahnung, es hat sich gelohnt **II** *v/t* (*a.* **hunch up**) ***to ~ one's shoulders*** die Schultern hochziehen; ***he was ~ed over his desk*** er saß über seinen Schreibtisch gebeugt

hunchback *n* Buck(e)lige(r) *m*/*f*(*m*) **hunchbacked** *adj* buck(e)lig

hundred I *adj* hundert; ***a** or **one ~ years*** (ein)hundert Jahre; ***two/several ~ years*** zweihundert/mehrere hundert Jahre; ***a** or **one ~ and one*** (*lit*) (ein)hundert(und)eins; (*fig*) tausend; ***(one) ~ and first*** hundert(und)erste(r, s); ***a** or **one ~ thousand*** (ein)hunderttausend; ***a** or **one ~ per cent*** hundert Prozent; ***a** or **(one) ~ per cent increase*** eine Erhöhung von *or* um hundert Prozent; ***I'm not a** or **one ~ per cent sure*** ich bin nicht hundertprozentig sicher **II** *n* hundert *num*; (*written figure*) Hundert *f*; ***~s*** Hunderte *pl*; ***one in a ~*** einer unter hundert; ***eighty out of a ~*** achtzig von hundert; ***~s of times*** hundertmal; ***~s and ~s*** Hunderte und Aberhunderte; ***~s of** or **and thousands*** Hunderttausende *pl*; ***he earns nine ~ a month*** er verdient neunhundert im Monat; ***to live to be a ~*** hundert Jahre alt werden; ***they came in their ~s** or **by the ~*** sie kamen zu hunderten **hundredfold** *adj*, *adv* hundertfach; ***to increase a ~*** um das Hundertfache steigern

hundredth I *adj* **1.** (*in series*) hundertste(r, s) **2.** (*of fraction*) hundertstel **II** *n* **1.** Hundertste(r, s) **2.** (≈ *fraction*) Hundertstel *nt*; → ***sixth*** **hundredweight** *n* Zentner *m*; (*Br*) 50,8 kg; (*US*) 45,4 kg

hung *pret*, *past part of* ***hang***

Hungarian I *adj* ungarisch **II** *n* **1.** Ungar(in) *m*(*f*) **2.** LING Ungarisch *nt*

Hungary *n* Ungarn *nt*

hunger *n* Hunger *m* (*for* nach); ***to die of ~*** verhungern ◆ **hunger after** *or* **for** *v/i* +*prep obj* (*liter*) hungern nach

hunger strike *n* ***to be on (a) ~*** sich im Hungerstreik befinden; ***to go on (a) ~*** in (den) Hungerstreik treten

hung over *adj* ***to be ~*** einen Kater haben (*infml*) **hung parliament** *n* Parlament *nt* ohne klare Mehrheitsverhältnisse; ***the election resulted in a ~*** die Wahl führte zu einem parlamentarischen Patt

hungrily *adv* (*lit*, *fig*) hungrig

hungry *adj* (+*er*) hungrig; ***to be** or **feel/get ~*** Hunger haben/bekommen; ***to go ~*** hungern; ***~ for power*** machthungrig; ***to be ~ for news*** sehnsüchtig auf Nachricht warten

hung up *adj* (*infml*) ***to be/get ~ about sth*** wegen etw einen Knacks weghaben (*infml*)/durchdrehen (*infml*); ***he's ~ on her*** (*infml*) er steht auf sie (*sl*)

hunk *n* **1.** Stück *nt* **2.** (*fig infml* ≈ *man*) ***a gorgeous ~*** ein MANN! (*infml*)

hunky-dory *adj* (*infml*) ***that's ~*** das ist in Ordnung

hunt I *n* Jagd *f*; (*fig* ≈ *search*) Suche *f*; ***the ~ is on*** die Suche hat begonnen; ***to have a ~ for sth*** nach etw fahnden (*infml*) **II** *v/t* HUNT jagen; *criminal* fahnden nach;

missing person, article etc suchen **III** *v/i* **1.** HUNT jagen; ***to go ~ing*** auf die Jagd gehen **2.** (≈ *search*) suchen (*for, after* nach); ***he is ~ing for a job*** er sucht eine Stelle ◆ **hunt down** *v/t sep* (unerbittlich) Jagd machen auf (+*acc*); (≈ *capture*) zur Strecke bringen ◆ **hunt out** *v/t sep* heraussuchen

hunter *n* Jäger(in) *m(f)* **hunting** *n* die Jagd

hurdle *n* (SPORTS, *fig*) Hürde *f*; ***~s sg*** (≈ *race*) Hürdenlauf *m*; ***the 100m ~s*** (die) 100 m Hürden; ***to fall at the first ~*** (*fig*) (schon) über die erste *or* bei der ersten Hürde stolpern **hurdler** *n* SPORTS Hürdenläufer(in) *m(f)*

hurl *v/t* schleudern; ***to ~ insults at sb*** jdm Beleidigungen entgegenschleudern

hurly-burly *n* Rummel *m* (*infml*); ***the ~ of politics*** der Rummel der Politik

hurrah, hurray *int* hurra; ***~ for the king!*** ein Hoch dem König!

hurricane *n* Orkan *m*; (*tropical*) Hurrikan *m*

hurried *adj* eilig; *ceremony* hastig durchgeführt; *departure* überstürzt **hurriedly** *adv* eilig; *say* hastig; *leave* in großer Eile

hurry I *n* Eile *f*; ***in my ~ to get it finished ...*** vor lauter Eile, damit fertig zu werden ...; ***to do sth in a ~*** etw schnell *or* hastig tun; ***I need it in a ~*** ich brauche es eilig; ***to be in a ~*** es eilig haben; ***I won't do that again in a ~!*** (*infml*) das mache ich so schnell nicht wieder!; ***what's the ~?*** was soll die Eile?; ***there's no ~*** es eilt nicht **II** *v/i* sich beeilen; (≈ *run/go quickly*) laufen; ***there's no need to ~*** kein Grund zur Eile; ***don't ~!*** lass dir Zeit! **III** *v/t person* (≈ *make act quickly*) (zur Eile) antreiben; (≈ *make move quickly*) scheuchen (*infml*); *work etc* beschleunigen; (≈ *do too quickly*) überstürzen; ***don't ~ me*** hetz mich nicht so! ◆ **hurry along I** *v/i* sich beeilen; ***~ there, please!*** schnell weitergehen, bitte! **II** *v/t sep person* weiterdrängen; (*with work etc*) zur Eile antreiben; *things, work etc* vorantreiben ◆ **hurry up I** *v/i* sich beeilen; ***~!*** Beeilung!; ***~ and put your coat on!*** mach schon und zieh dir deinen Mantel an! **II** *v/t sep person* zur Eile antreiben; *work* vorantreiben

hurt *vb*: *pret, past part* **hurt I** *v/t* **1.** (≈ *cause pain*) wehtun (+*dat*); (≈ *injure*) verletzen; ***to ~ oneself*** sich (*dat*) wehtun; ***to ~ one's arm*** sich (*dat*) am Arm wehtun; (≈ *injure*) sich (*dat*) den Arm verletzen; ***my arm is ~ing me*** mir tut der Arm weh; ***if you go on like that someone is bound to get ~*** wenn ihr so weitermacht, verletzt sich bestimmt noch jemand **2.** (≈ *harm*) schaden (+*dat*); ***it won't ~ him to wait*** es schadet ihm gar nicht(s), wenn er etwas warten muss **II** *v/i* **1.** (≈ *be painful, fig*) wehtun; ***that ~s!*** das tut weh! **2.** (≈ *do harm*) schaden **III** *n* Schmerz *m*; (*to feelings*) Verletzung *f* (*to +gen*) **IV** *adj limb, feelings* verletzt; *look* gekränkt **hurtful** *adj* verletzend

hurtle *v/i* rasen; ***the car was hurtling along*** das Auto sauste dahin; ***he came hurtling round the corner*** er kam um die Ecke gerast

husband I *n* Ehemann *m*; ***my ~*** mein Mann; ***they are ~ and wife*** sie sind Eheleute *or* verheiratet **II** *v/t resources* sparsam umgehen mit **husbandry** *n* (≈ *farming*) Landwirtschaft *f*

hush I *v/t person* zum Schweigen bringen **II** *v/i* still sein **III** *n* Stille *f*; ***a ~ fell over the crowd*** die Menge verstummte plötzlich **IV** *int* pst; ***~, ~, it's all right*** sch, sch, es ist ja gut ◆ **hush up** *v/t sep* vertuschen

hushed *adj voices* gedämpft; *crowd* schweigend; *courtroom* still; ***in ~ tones*** mit gedämpfter Stimme **hush-hush** *adj* (*infml*) streng geheim

husk *n* Schale *f*; (*of wheat*) Spelze *f*

husky[1] *adj* (+*er*) rau; (≈ *hoarse*) heiser

husky[2] *n* (≈ *dog*) Schlittenhund *m*

hussy *n* **1.** (≈ *pert girl*) Fratz *m* (*infml*) **2.** (≈ *whorish woman*) Flittchen *nt* (*pej*)

hustings *pl* (*Br*) (≈ *campaign*) Wahlkampf *m*; (≈ *meeting*) Wahlveranstaltung *f*

hustle I *n* ***~ and bustle*** geschäftiges Treiben **II** *v/t* ***to ~ sb out of a building*** jdn schnell aus einem Gebäude befördern (*infml*)

hut *n* Hütte *f*

hutch *n* Verschlag *m*

hyacinth *n* Hyazinthe *f*

hyaena, hyena *n* Hyäne *f*

hybrid I *n* BOT, ZOOL Kreuzung *f*; (*fig*) Mischform *f* **II** *adj* BOT, ZOOL Misch-; ***~ vehicle*** Hybridfahrzeug *nt*

hydrant *n* Hydrant *m*

hydrate *v/t* hydratisieren

hydraulic *adj* hydraulisch **hydraulics** *n*

sg Hydraulik *f*
hydrocarbon *n* Kohlenwasserstoff *m* **hydrochloric acid** *n* Salzsäure *f* **hydroelectric power** *n* durch Wasserkraft erzeugte Energie **hydroelectric power station** *n* Wasserkraftwerk *nt* **hydrofoil** *n* (≈ *boat*) Tragflächenboot *nt* **hydrogen** *n* Wasserstoff *m* **hydrogen bomb** *n* Wasserstoffbombe *f* **hydrotherapy** *n* Wasserbehandlung *f*
hyena *n* = ***hyaena***
hygiene *n* Hygiene *f*; ***personal ~*** Körperpflege *f* **hygienic** *adj* hygienisch
hymn *n* Kirchenlied *nt* **hymn book** *n* Gesangbuch *nt*
hype (*infml*) **I** *n* Publicity *f*; ***media ~*** Medienrummel *m* (*infml*); ***all this ~ about ...*** dieser ganze Rummel um ... (*infml*) **II** *v/t* (*a.* **hype up**) Publicity machen für; ***the film was ~d up too much*** um den Film wurde zu viel Rummel gemacht (*infml*) **hyped up** *adj* (*infml*) aufgeputscht; (≈ *excited*) aufgedreht (*infml*)
hyperactive *adj* überaktiv; ***a ~ thyroid*** eine Überfunktion der Schilddrüse **hypercritical** *adj* übertrieben kritisch **hyperlink** IT **I** *n* Hyperlink *m* **II** *v/t* per Hyperlink verbinden **hypermarket** *n* (*Br*) Verbrauchermarkt *m* **hypersensitive** *adj* überempfindlich **hypertension** *n* Hypertonie *f*, erhöhter Blutdruck **hypertext** *n* IT Hypertext *m* **hyperventilate** *v/i* hyperventilieren
hyphen *n* Bindestrich *m*; (*at end of line*) Trenn(ungs)strich *m* **hyphenate** *v/t* mit Bindestrich schreiben; ***~d word*** Bindestrichwort *nt* **hyphenation** *n* Silbentrennung *f*
hypnosis *n* Hypnose *f*; ***under ~*** unter Hypnose **hypnotherapy** *n* Hypnotherapie *f* **hypnotic** *adj* **1.** *trance* hypnotisch; ***~ state*** Hypnosezustand *m* **2.** *music, eyes* hypnotisierend **hypnotism** *n* Hypnotismus *m* **hypnotist** *n* Hypnotiseur(in) *m(f)* **hypnotize** *v/t* hypnotisieren; ***to be ~d by sb/sth*** (≈ *fascinated*) von jdm/etw wie hypnotisiert sein
hypo- *pref* hypo-; ***hypoallergenic*** hypoallergen
hypochondria *n* Hypochondrie *f* **hypochondriac** *n* Hypochonder *m*
hypocrisy *n* Heuchelei *f* **hypocrite** *n* Heuchler(in) *m(f)* **hypocritical** *adj* heuchlerisch
hypodermic needle *n* (Injektions)nadel *f* **hypodermic syringe** *n* (Injektions)-spritze *f*
hypothermia *n* Unterkühlung *f*
hypothesis *n*, *pl* ***hypotheses*** Hypothese *f* **hypothetical** *adj* hypothetisch **hypothetically** *adv* theoretisch
hysterectomy *n* Hysterektomie *f* (*tech*)
hysteria *n* Hysterie *f* **hysterical** *adj* **1.** hysterisch **2.** (*infml* ≈ *hilarious*) wahnsinnig komisch (*infml*) **hysterically** *adv* **1.** hysterisch **2.** (*infml*) ***~ funny*** wahnsinnig komisch (*infml*) **hysterics** *pl* Hysterie *f*; ***to have ~*** hysterisch werden; (*fig infml* ≈ *laugh*) sich totlachen
Hz *abbr of* ***hertz*** Hz

I

I[1], **i** *n* I *nt*, i *nt*
I[2] *pers pr* ich
ibid *abbr of* ***ibidem*** ib., ibd.
ice I *n* **1.** Eis *nt*; (*on roads*) (Glatt)eis *nt*; ***to be as cold as ~*** eiskalt sein; ***my hands are like ~*** ich habe eiskalte Hände; ***to put sth on ~*** (*fig*) etw auf Eis legen; ***to break the ~*** (*fig*) das Eis brechen; ***to be skating on thin ~*** (*fig*) sich aufs Glatteis begeben/begeben haben; ***that cuts no ~ with me*** (*infml*) das kommt bei mir nicht an **2.** (*Br* ≈ *ice cream*) (Speise)eis *nt* **II** *v/t cake* mit Zuckerguss überziehen ◆ **ice over** *v/i* zufrieren; (*windscreen*) vereisen ◆ **ice up** *v/i* (*windscreen etc*) vereisen; (*pipes etc*) einfrieren
ice age *n* Eiszeit *f* **ice axe**, (*US*) **ice ax** *n* Eispickel *m* **iceberg** *n* Eisberg *m* **iceberg lettuce** *n* Eisbergsalat *m* **icebound** *adj port, lake* zugefroren; *ship, place* vom Eis eingeschlossen **icebox** *n* (*Br: in refrigerator*) Eisfach *nt*; (*US*) Eisschrank *m* **icebreaker** *n* Eisbrecher *m* **ice bucket** *n* Eiskühler *m* **icecap** *n* (*polar*) Eiskappe *f* **ice-cold** *adj* eiskalt **ice-cool** *adj* (*fig*) *person* supercool (*infml*)
ice cream *n* Eis *nt* **ice-cream cone, ice-**

cream cornet *n* Eistüte *f* **ice-cream parlour**, (*US*) **ice-cream parlor** *n* Eisdiele *f* **ice cube** *n* Eiswürfel *m* **iced** *adj* **1.** *drink* eisgekühlt; ***~ tea*** Eistee *m* **2.** *bun* mit Zuckerguss überzogen **ice dancing** *n* Eistanz *m* **ice floe** *n* Eisscholle *f* **ice hockey** *n* Eishockey *nt* **Iceland** *n* Island *nt* **Icelandic I** *adj* isländisch **II** *n* LING Isländisch *nt* **ice lolly** *n* (*Br*) Eis *nt* am Stiel **ice pack** *n* (*on head*) Eisbeutel *m* **ice pick** *n* Eispickel *m* **ice rink** *n* (Kunst)eisbahn *f* **ice-skate** *v/i* Schlittschuh laufen **ice skate** *n* Schlittschuh *m* **ice-skater** *n* Schlittschuhläufer(in) *m(f)*; (≈ *figure-skater*) Eiskunstläufer(in) *m(f)* **ice-skating** *n* Schlittschuhlaufen *nt*; (≈ *figure-skating*) Eiskunstlauf *m* **ice storm** *n* (*US*) Eissturm *m* **ice water** *n* Eiswasser *nt* **icicle** *n* Eiszapfen *m* **icily** *adv* (*fig*) eisig; *smile* kalt **icing** *n* COOK Zuckerguss *m*; ***this is the ~ on the cake*** (*fig*) das ist die Krönung des Ganzen **icing sugar** *n* (*Br*) Puderzucker *m*

icon *n* **1.** Ikone *f* **2.** IT Icon *nt* **iconic** *adj* (*culturally*) ***an ~ figure*** eine Ikone

ICU *abbr of* ***intensive care unit***

icy *adj* (*+er*) **1.** *road* vereist; ***the ~ conditions on the roads*** das Glatteis auf den Straßen; ***when it's ~*** bei Glatteis **2.** *wind, hands* eiskalt; ***~ cold*** eiskalt **3.** (*fig*) *stare* eisig; *reception* frostig

ID *n abbr of* ***identification***, ***identity***; ***I don't have any ID on me*** ich habe keinen Ausweis dabei

I'd *contraction* = ***I would***, ***I had***

ID card *n* Ausweis *m*; (*state-issued*) Personalausweis *m*

idea *n* **1.** Idee *f*; (*esp sudden*) Einfall *m*; ***good ~!*** gute Idee!; ***that's not a bad ~*** das ist keine schlechte Idee; ***the very ~!*** (nein,) so was!; ***the very ~ of eating horse meat revolts me*** der bloße Gedanke an Pferdefleisch ekelt mich; ***he is full of*** (***bright***) ***~s*** ihm fehlt es nie an (guten) Ideen; ***to hit upon the ~ of doing sth*** den plötzlichen Einfall haben, etw zu tun; ***that gives me an ~, we could ...*** da fällt mir ein, wir könnten ...; ***he got the ~ for his novel while having a bath*** die Idee zu seinem Roman kam ihm in der Badewanne; ***he's got the ~ into his head that ...*** er bildet sich (*dat*) ein, dass ...; ***where did you get the ~ that I was ill?*** wie kommst du auf den Gedanken, dass ich krank war?; ***don't you go getting ~s about promotion*** machen Sie sich (*dat*) nur keine falschen Hoffnungen auf eine Beförderung; ***to put ~s into sb's head*** jdm einen Floh ins Ohr setzen; ***the ~ was to meet at 6*** wir wollten uns um 6 treffen; ***what's the big ~?*** (*infml*) was soll das denn?; ***the ~ is to reduce expenditure*** es geht darum, die Ausgaben zu senken; ***that's the ~*** genau (das ists)!; ***you're getting the ~*** Sie verstehen langsam, worum es geht **2.** (≈ *opinion*) Meinung *f*; (≈ *conception*) Vorstellung *f*; ***if that's your ~ of fun*** wenn Sie das lustig finden; ***this isn't my ~ of a holiday*** so stelle ich mir den Urlaub nicht vor **3.** (≈ *knowledge*) Ahnung *f*; ***you've no ~ how worried I've been*** du kannst dir nicht vorstellen, welche Sorgen ich mir gemacht habe; (***I've***) ***no ~*** (ich habe) keine Ahnung; ***I've got some ~*** (***of***) ***what this is all about*** ich weiß so ungefähr, worum es hier geht; ***I have an ~ that ...*** ich habe so das Gefühl, dass ...; ***could you give me an ~ of how long ...?*** könnten Sie mir ungefähr sagen, wie lange ...?; ***to give you an ~ of how difficult it is*** um Ihnen eine Vorstellung davon zu vermitteln, wie schwierig es ist

ideal I *n* Ideal *nt* (*of +gen*) **II** *adj* ideal; ***~ solution*** Ideallösung *f*; ***he is ~*** *or* ***the ~ person for the job*** er ist für den Job ideal geeignet; ***in an ~ world*** im Idealfall **idealism** *n* Idealismus *m* **idealist** *n* Idealist(in) *m(f)* **idealistic** *adj* idealistisch **idealize** *v/t* idealisieren **ideally** *adv* **1.** (*introducing sentence*) idealerweise **2.** *suited* ideal

identical *adj* (≈ *exactly alike*) identisch; (≈ *same*) der-/die-/dasselbe; ***~ twins*** eineiige Zwillinge *pl*; ***we have ~ views*** wir haben die gleichen Ansichten

identifiable *adj* identifizierbar; ***he is ~ by his red hair*** er ist an seinem roten Haar zu erkennen **identification** *n* **1.** (*of criminal etc*) Identifizierung *f*; (*fig, of problems*) Erkennen *nt* **2.** (≈ *papers*) Ausweispapiere *pl* **3.** (≈ *sympathy*) Identifikation *f* **identification parade** *n* Gegenüberstellung *f* (zur Identifikation des Täters) **identifier** *n* IT Kennzeichnung *f* **identify I** *v/t* identifizieren; *plant etc* bestimmen; (≈ *recognize*) erkennen; ***to ~ one's goals*** sich (*dat*) Ziele setzen; ***to***

~ sb/sth by sth jdn/etw an etw (*dat*) erkennen **II** *v/r* **1.** ***to ~ oneself*** sich ausweisen **2.** ***to ~ oneself with sb/sth*** sich mit jdm/etw identifizieren **III** *v/i* (*with film hero etc*) sich identifizieren **Identikit®** *n* **~** (***picture***) Phantombild *nt* **identity** *n* Identität *f*; ***to prove one's ~*** sich ausweisen; ***proof of ~*** Legitimation *f* **identity card** *n* Ausweis *m*; (*state-issued*) Personalausweis *m* **identity crisis** *n* Identitätskrise *f* **identity papers** *pl* Ausweispapiere *pl* **identity parade** *n* Gegenüberstellung *f*

ideological *adj* ideologisch **ideology** *n* Ideologie *f*

idiom *n* **1.** (≈ *phrase*) Redewendung *f* **2.** (≈ *language*) Sprache *f*, Idiom *nt* **idiomatic** *adj* idiomatisch; ***to speak ~ German*** idiomatisch richtiges Deutsch sprechen; ***an ~ expression*** eine Redensart

idiosyncrasy *n* Eigenart *f* **idiosyncratic** *adj* eigenartig

idiot *n* Idiot *m*; ***what an ~!*** so ein Idiot *or* Dummkopf!; ***what an ~ I am/was!*** ich Idiot!; ***to feel like an ~*** sich dumm vorkommen **idiotic** *adj* idiotisch

idle I *adj* **1.** (≈ *not working*) *person* müßig; *moment* ruhig; ***his car was lying ~*** sein Auto stand unbenutzt herum **2.** (≈ *lazy*) faul **3.** (*in industry*) *person* unbeschäftigt; *machine* stillstehend *attr*, außer Betrieb; ***the machine stood ~*** die Maschine stand still **4.** *promise*, *threat* leer; *speculation* müßig; ***~ curiosity*** pure Neugier **II** *v/i* (*person*) faulenzen; ***a day spent idling on the river*** ein Tag, den man untätig auf dem Wasser verbringt ◆ **idle away** *v/t sep one's time etc* vertrödeln

idleness *n* **1.** (≈ *state of not working*) Untätigkeit *f*; (*pleasurable*) Müßiggang (*liter*) *m* **2.** (≈ *laziness*) Faulheit *f* **idler** *n* Faulenzer(in) *m(f)* **idly** *adv* **1.** (≈ *without working*) untätig; (≈ *pleasurably*) müßig; ***to stand ~ by*** untätig herumstehen **2.** (≈ *lazily*) faul **3.** *watch* gedankenverloren

idol *n* (*lit*) Götze *m*; (*fig*, FILM, TV *etc*) Idol *nt* **idolatry** *n* (*lit*) Götzendienst *m*; (*fig*) Vergötterung *f* **idolize** *v/t* abgöttisch verehren; ***to ~ sth*** etw anbeten

I'd've *contraction* = ***I would have***

idyll *n* **1.** LIT Idylle *f* **2.** (*fig*) Idyll *nt* **idyllic** *adj* idyllisch

i.e. *abbr of* **id est** i.e., d.h.

if I *cj* wenn; (≈ *in case also*) falls; (≈ *whether, in direct clause*) ob; ***I would be really pleased if you could do it*** wenn Sie das tun könnten, wäre ich sehr froh; ***I wonder if he'll come*** ich bin gespannt, ob er kommt; ***what if ...?*** was ist, wenn ...?; ***I'll let you know if and when I come to a decision*** ich werde Ihnen mitteilen, ob und wenn ich mich entschieden habe; (***even***) ***if*** auch wenn; ***even if they are poor, at least they are happy*** sie sind zwar arm, aber wenigstens glücklich; ***if only I had known!*** wenn ich das nur gewusst hätte!; ***he acts as if he were*** *or* ***was*** (*infml*) ***rich*** er tut so, als ob er reich wäre; ***it's not as if I meant to hurt her*** es ist nicht so, dass ich ihr hätte wehtun wollen; ***if necessary*** falls nötig; ***if so*** wenn ja; ***if not*** falls nicht; ***this is difficult, if not impossible*** das ist schwer, wenn nicht sogar unmöglich; ***if I were you*** an Ihrer Stelle; ***if anything this one is bigger*** wenn überhaupt, dann ist dieses hier größer; ***if I know Pete, he'll ...*** so wie ich Pete kenne, wird er ...; ***well, if it isn't old Jim!*** (*infml*) ich werd verrückt, das ist doch der Jim (*infml*) **II** *n* ***ifs and buts*** Wenn und Aber *nt*

igloo *n* Iglu *m or nt*

ignite I *v/t* entzünden; (*fig*) erwecken **II** *v/i* sich entzünden **ignition** *n* AUTO Zündung *f* **ignition key** *n* Zündschlüssel *m*

ignominious *adj* schmachvoll

ignoramus *n* Ignorant(in) *m(f)* **ignorance** *n* Unwissenheit *f*; (*of subject*) Unkenntnis *f*; ***to keep sb in ~ of sth*** jdn in Unkenntnis über etw (*acc*) lassen **ignorant** *adj* **1.** unwissend; (*of plan*) nicht informiert (*of* über *+acc*); ***to be ~ of the facts*** die Tatsachen nicht kennen **2.** (≈ *ill-mannered*) ungehobelt **ignore** *v/t* ignorieren; *remark* übergehen; ***I'll ~ that*** (*remark*) ich habe nichts gehört

ikon *n* = ***icon***

ilk *n* ***people of that ~*** solche Leute

ill I *adj* **1.** *pred* (≈ *sick*) krank; ***to fall*** *or* ***be taken ~*** krank werden; ***I feel ~*** mir ist nicht gut; ***he is ~ with fever*** er hat Fieber; ***to be ~ with chicken pox*** an Windpocken erkrankt sein **2.** *comp* ***worse***, *sup* ***worst*** *effects* unerwünscht; ***~ will*** böses Blut; ***I don't bear them any ~ will*** ich trage ihnen nichts nach; ***to suffer ~***

health gesundheitlich angeschlagen sein; ***due to ~ health*** aus Gesundheitsgründen **II** *n* **1.** (*liter*) ***to bode ~*** Böses ahnen lassen; ***to speak ~ of sb*** schlecht über jdn reden **2. ills** *pl* (≈ *misfortunes*) Missstände *pl* **III** *adv* schlecht
ill. *abbr of* ***illustrated***, ***illustration*** Abb., Abbildung *f*
I'll *contraction* = ***I will***, ***I shall***
ill-advised *adj* unklug; ***you would be ~ to trust her*** Sie wären schlecht beraten, wenn Sie ihr trauten **ill-at-ease** *adj* unbehaglich **ill-conceived** *adj plan* schlecht durchdacht **ill-disposed** *adj* ***to be ~ to(wards) sb*** jdm übel gesinnt sein
illegal *adj* unrechtmäßig; (≈ *against a specific law*) gesetzwidrig; *trade*, *immigration*, *drugs* illegal; *substance*, *organization* verboten **illegality** *n* Unrechtmäßigkeit *f*; (*against a specific law*) Gesetzwidrigkeit *f*; (*of trade*, *drug*, *organization*) Illegalität *f* **illegally** *adv* (≈ *against the law*) unrechtmäßig; (≈ *against a specific law*) gesetzwidrig; ***~ imported*** illegal eingeführt; ***they were convicted of ~ possessing a handgun*** sie wurden wegen unerlaubten Besitzes einer Handfeuerwaffe verurteilt
illegible *adj*, **illegibly** *adv* unleserlich
illegitimacy *n* (*of child*) Unehelichkeit *f*
illegitimate *adj* **1.** *child* unehelich **2.** *argument* unzulässig
ill-fated *adj* verhängnisvoll **ill-fitting** *adj clothes*, *dentures* schlecht sitzend; *shoes* schlecht passend **ill-gotten gains** *pl* unrechtmäßiger Gewinn
illicit *adj* illegal; *affair* verboten; ***~ trade*** Schwarzhandel *m*
ill-informed *adj person* schlecht informiert (*about* über)
illiteracy *n* Analphabetentum *nt* **illiterate** **I** *adj* des Schreibens und Lesens unkundig; *population* analphabetisch; ***he's ~*** er ist Analphabet; ***many people are computer-~*** viele Menschen kennen sich nicht mit Computern aus **II** *n* Analphabet(in) *m*(*f*)
ill-judged *adj* unklug **ill-mannered** *adj* unhöflich **ill-matched** *adj* nicht zusammenpassend; ***they're ~*** sie passen nicht zueinander **ill-natured** *adj* bösartig
illness *n* Krankheit *f*
illogical *adj* unlogisch
ill-tempered *adj* (*habitually*) missmutig, übellaunig; (*on particular occasion*) schlecht gelaunt *pred* **ill-timed** *adj* unpassend **ill-treat** *v/t* misshandeln **ill-treatment** *n* Misshandlung *f*
illuminate *v/t* **1.** *room*, *building* beleuchten; ***~d sign*** Leuchtzeichen *nt* **2.** (*fig*) *subject* erläutern **illuminating** *adj* (≈ *instructive*) aufschlussreich **illumination** *n* (*of room*, *building*) Beleuchtung *f* **illuminations** *pl* festliche Beleuchtung
illusion *n* Illusion *f*; (≈ *misperception*) Täuschung *f*; ***to be under the ~ that ...*** sich (*dat*) einbilden, dass ...; ***to be under*** *or* ***have no ~s*** sich (*dat*) keine Illusionen machen; ***it gives the ~ of space*** es vermittelt die Illusion von räumlicher Weite **illusionist** *n* Illusionist(in) *m*(*f*) **illusory** *adj* illusorisch
illustrate *v/t* illustrieren; ***his lecture was ~d by coloured slides*** er veranschaulichte seinen Vortrag mit Farbdias; ***~d (magazine)*** Illustrierte *f* **illustration** *n* **1.** (≈ *picture*) Illustration *f* **2.** (*fig*) (≈ *example*) Beispiel *nt* **illustrative** *adj* veranschaulichend; ***~ of*** beispielhaft für **illustrator** *n* Illustrator(in) *m*(*f*)
illustrious *adj* glanzvoll; *person* berühmt
I'm *contraction* = ***I am***
image *n* **1.** Bild *nt*; (≈ *mental picture also*) Vorstellung *f* **2.** (≈ *likeness*) Abbild *nt*; ***he is the ~ of his father*** er ist seinem Vater wie aus dem Gesicht geschnitten **3.** (≈ *public face*) Image *nt*; ***brand ~*** Markenimage *nt* **imagery** *n* Metaphorik *f*; ***visual ~*** Bildersymbolik *f* **imaginable** *adj* vorstellbar; ***the easiest/fastest way ~*** der denkbar einfachste/schnellste Weg **imaginary** *adj danger* eingebildet; *friend* erfunden; ***~ world*** Fantasiewelt *f*
imagination *n* (*creative*) Fantasie *f*; (*self-deceptive*) Einbildung *f*; ***to have (a lively*** *or* ***vivid) ~*** (eine lebhafte *or* rege) Fantasie haben; ***use your ~*** lassen Sie Ihre Fantasie spielen; ***to lack ~*** fantasielos *or* einfallslos sein; ***it's just your ~!*** das bilden Sie sich (*dat*) nur ein!; ***to capture sb's ~*** jdn in seinen Bann ziehen **imaginative** *adj*, **imaginatively** *adv* fantasievoll
imagine *v/t* **1.** sich (*dat*) vorstellen; ***~ you're rich*** stellen Sie sich mal vor, Sie wären reich; ***you can ~ how I felt*** Sie können sich vorstellen, wie mir zumute war; ***I can't ~ living there*** ich kann

mir nicht vorstellen, dort zu leben **2.** (≈ *be under the illusion that*) sich (*dat*) einbilden; ***don't ~ that ...*** bilden Sie sich nur nicht ein, dass ...; ***you're (just) imagining things*** (*infml*) Sie bilden sich das alles nur ein **3.** (≈ *suppose*) annehmen; ***is that her father? — I would ~ so*** ist das ihr Vater? — ich denke schon; ***I would never have ~d he could have done that*** ich hätte nie gedacht, dass er das tun würde

imbalance *n* Unausgeglichenheit *f*

imbecile *n* Schwachkopf *m*

imbue *v/t* (*fig*) durchdringen

IMF *abbr of* ***International Monetary Fund*** IWF *m*

imitate *v/t* imitieren, nachahmen **imitation I** *n* Imitation *f*, Nachahmung *f*; ***to do an ~ of sb*** jdn imitieren *or* nachahmen **II** *adj* unecht, künstlich; ***~ leather*** Kunstleder *nt*; ***~ jewellery*** unechter Schmuck **imitative** *adj* nachahmend, imitierend **imitator** *n* Nachahmer(in) *m*(*f*), Imitator(in) *m*(*f*)

immaculate *adj* untadelig

immaterial *adj* unwesentlich; ***that's (quite) ~*** das spielt keine Rolle, das ist egal

immature *adj* unreif **immaturity** *n* Unreife *f*

immeasurable *adj* unermesslich

immediacy *n* **1.** Unmittelbarkeit *f* **2.** (≈ *urgency*) Dringlichkeit *f* **immediate** *adj* **1.** unmittelbar; *impact*, *successor* direkt; *reaction* sofortig; ***the ~ family*** die engste Familie; ***our ~ plan is to go to France*** wir fahren zuerst einmal nach Frankreich; ***to take ~ action*** sofort handeln; ***with ~ effect*** mit sofortiger Wirkung; ***the matter requires your ~ attention*** die Sache bedarf sofort Ihrer Aufmerksamkeit **2.** *problem*, *concern* dringendste(r, s); ***my ~ concern was for the children*** mein erster Gedanke galt den Kindern

immediately I *adv* **1.** (≈ *at once*) sofort, gleich; *return*, *depart* umgehend; ***~ before that*** unmittelbar davor **2.** (≈ *directly*) unmittelbar **II** *cj* (*Br*) sobald

immemorial *adj* uralt; ***from time ~*** seit undenklichen Zeiten

immense *adj* enorm; *ocean* gewaltig; *achievement* großartig **immensely** *adv* enorm

immerse *v/t* **1.** (*lit*) eintauchen (*in* in +*acc*); ***to ~ sth in water*** etw in Wasser tauchen; ***to be ~d in water*** unter Wasser sein **2.** (*fig*) ***to ~ oneself in one's work*** sich in seine Arbeit vertiefen **immersion heater** *n* (*Br*) Boiler *m*

immigrant I *n* Einwanderer *m*, Einwanderin *f* **II** *attr* ***the ~ community*** die Einwanderer *pl* **immigrant workers** *pl* ausländische Arbeitnehmer *pl* **immigrate** *v/i* einwandern (*to* in +*dat*)

immigration *n* Einwanderung *f*; (*a.* **immigration control**) Einwanderungsstelle *f* **immigration authorities** *pl*, **immigration department** *n* Einwanderungsbehörde *f* **immigration officer** *n* (*at customs*) Grenzbeamte(r) *m*/-beamtin *f*

imminent *adj* nahe bevorstehend; ***to be ~*** nahe bevorstehen

immobile *adj* unbeweglich; (≈ *not able to move*) bewegungslos **immobilize** *v/t car, broken limb* stilllegen; *army* bewegungsunfähig machen; ***to be ~d by fear/pain*** sich vor Angst/Schmerzen nicht bewegen können **immobilizer** *n* AUTO Wegfahrsperre *f*

immoderate *adj desire* übermäßig; *views* übertrieben, extrem

immodest *adj* **1.** unbescheiden **2.** (≈ *indecent*) unanständig

immoral *adj* unmoralisch **immorality** *n* Unmoral *f* **immorally** *adv* unmoralisch

immortal I *adj* unsterblich; *life* ewig **II** *n* Unsterbliche(r) *m*/*f*(*m*) **immortality** *n* Unsterblichkeit *f* **immortalize** *v/t* verewigen

immovable *adj* (*lit*) unbeweglich; (*fig*) *obstacle* unüberwindlich

immune *adj* **1.** MED immun (*from*, *to* gegen) **2.** (*fig*) sicher (*from*, *to* vor +*dat*); (*to criticism etc*) immun (*to* gegen); ***~ from prosecution*** vor Strafverfolgung geschützt **immune system** *n* Immunsystem *nt* **immunity** *n* Immunität *f* (*to*, *against* gegen); ***~ from prosecution*** Schutz *m* vor Strafverfolgung **immunization** *n* Immunisierung *f* **immunize** *v/t* immunisieren

imp *n* Kobold *m*; (*infml* ≈ *child*) Racker *m* (*infml*)

impact *n* Aufprall *m* (*on*, *against* auf +*acc*); (*of two moving objects*) Zusammenprall *m*; (≈ *force*) Wucht *f*; (*fig*) (Aus)wirkung *f* (*on* auf +*acc*); ***on ~ (with)*** beim Aufprall (auf +*acc*)/Zusammenprall (mit) *etc*; ***his speech had a great***

~ on his audience seine Rede machte großen Eindruck auf seine Zuhörer

impair *v/t* beeinträchtigen; *health* schaden (+*dat*) **impairment** *n* Schaden *m*; ***visual ~*** Sehschaden *m*

impale *v/t* aufspießen (*on* auf +*dat*)

impart *v/t* **1.** *information* übermitteln; *knowledge* vermitteln **2.** (≈ *bestow*) verleihen

impartial *adj* unparteiisch **impartiality** *n* Unparteilichkeit *f* **impartially** *adv act* unparteiisch; *judge* unvoreingenommen

impassable *adj* unpassierbar

impasse *n* (*fig*) Sackgasse *f*; ***to have reached an ~*** sich festgefahren haben

impassioned *adj* leidenschaftlich

impassive *adj*, **impassively** *adv* gelassen

impatience *n* Ungeduld *f* **impatient** *adj* ungeduldig; ***to be ~ to do sth*** unbedingt etw tun wollen **impatiently** *adv* ungeduldig

impeach *v/t* JUR (eines Amtsvergehens) anklagen; (*US*) *president* ein Amtsenthebungsverfahren einleiten gegen **impeachment** *n* JUR Anklage *f* (*wegen eines Amtsvergehens*); (*US*: *of president*) Amtsenthebungsverfahren *nt*

impeccable *adj*, **impeccably** *adv* tadellos

impede *v/t person* hindern; *traffic, process* behindern **impediment** *n* **1.** Hindernis *nt* **2.** MED Behinderung *f*; ***speech ~*** Sprachfehler *m*

impel *v/t* ***to ~ sb to do sth*** jdn (dazu) nötigen, etw zu tun

impending *adj* bevorstehend; ***a sense of ~ doom*** eine Ahnung von unmittelbar drohendem Unheil

impenetrable *adj* undurchdringlich; *fortress* uneinnehmbar; *mystery* unergründlich

imperative I *adj need* dringend **II** *n* **1. 2.** GRAM Imperativ *m*; ***in the ~*** im Imperativ

imperceptible *adj* (*to sb* für jdn) nicht wahrnehmbar **imperceptibly** *adv* kaum wahrnehmbar

imperfect I *adj* unvollkommen; *goods* fehlerhaft **II** *n* GRAM Imperfekt *nt* **imperfection** *n* Mangel *m* **imperfectly** *adv* unvollkommen; (≈ *incompletely*) unvollständig

imperial *adj* **1.** (≈ *of empire*) Reichs- **2.** (≈ *of emperor*) kaiserlich, Kaiser- **3.** *weights* englisch **imperialism** *n* Imperialismus *m* (*often pej*)

imperil *v/t* gefährden

impermanent *adj* unbeständig

impermeable *adj* undurchlässig

impersonal *adj* unpersönlich (*also* GRAM) **impersonally** *adv* unpersönlich

impersonate *v/t* **1.** (≈ *pretend to be*) sich ausgeben als **2.** (≈ *take off*) imitieren, nachahmen **impersonation** *n* Imitation *f*, Nachahmung *f*; ***he does ~s of politicians*** er imitiert Politiker; ***his Elvis ~*** seine Elvis-Imitation **impersonator** *n* Imitator(in) *m*(*f*)

impertinence *n* Unverschämtheit *f* **impertinent** *adj* unverschämt (*to* zu, gegenüber)

imperturbable *adj* unerschütterlich; ***he is completely ~*** er ist durch nichts zu erschüttern

impervious *adj* **1.** undurchlässig; ***~ to water*** wasserundurchlässig **2.** (*fig*) unzugänglich (*to* für); (*to criticism*) unberührt (*to* von)

impetuous *adj* ungestüm

impetus *n* Impuls *m*; (≈ *momentum*) Schwung *m*

impinge *v/i* (*on sb's life*) beeinflussen (*on* +*acc*); (*on sb's rights etc*) einschränken (*on* +*acc*)

impish *adj* schelmisch

implacable *adj*, **implacably** *adv* unerbittlich

implant I *v/t* **1.** (*fig*) einimpfen (*in sb* jdm) **2.** MED implantieren **II** *n* MED Implantat *nt*

implausible *adj* nicht plausibel

implement I *n* Gerät *nt*; (≈ *tool*) Werkzeug *nt* **II** *v/t law* vollziehen; *measure etc* durchführen **implementation** *n* (*of law*) Vollzug *m*; (*of plan etc*) Durchführung *f*

implicate *v/t* ***to ~ sb in sth*** jdn in etw verwickeln **implication** *n* Implikation *f*; ***by ~*** implizit **implicit** *adj* **1.** implizit; *threat* indirekt; ***to be ~ in sth*** durch etw impliziert werden; *in contract etc* in etw (*dat*) impliziert sein **2.** *belief* absolut **implicitly** *adv* **1.** implizit **2.** ***to trust sb ~*** jdm blind vertrauen **implied** *adj* impliziert

implode *v/i* implodieren

implore *v/t* anflehen **imploring** *adj*, **imploringly** *adv* flehentlich

imply *v/t* **1.** (≈ *suggest*) andeuten, implizieren; ***are you ~ing or do you mean to ~ that ...?*** wollen Sie damit vielleicht sagen *or* andeuten, dass ...? **2.** (≈ *lead to conclusion*) schließen lassen auf (+*acc*) **3.** (≈ *involve*) bedeuten

impolite *adj* unhöflich (*to sb* jdm gegenüber)

import I *n* **1.** COMM Import *m* **2.** (*of speech etc*) Bedeutung *f* **II** *v/t* importieren

importance *n* Wichtigkeit *f*; ***to be of great ~*** äußerst wichtig sein; ***to attach the greatest ~ to sth*** einer Sache (*dat*) größten Wert *or* größte Wichtigkeit beimessen

important *adj* wichtig; (≈ *influential*) einflussreich; ***that's not ~*** das ist unwichtig; ***it's not ~*** (≈ *doesn't matter*) das macht nichts; ***the (most) ~ thing is to stay fit*** das Wichtigste *or* die Hauptsache ist, fit zu bleiben; ***he's trying to sound ~*** er spielt sich auf; ***to make sb feel ~*** jdm das Gefühl geben, er/sie sei wichtig **importantly** *adv* **1.** (*usu pej* ≈ *self-importantly*) wichtigtuerisch (*pej*) **2.** ***... and, more ~, ...*** ... und, was noch wichtiger ist, ...

importation *n* Import *m* **import duty** *n* Importzoll *m* **imported** *adj* importiert, Import-; ***~ goods/cars*** Importwaren/-autos *pl* **importer** *n* Importeur(in) *m*(*f*) (*of* von)

impose I *v/t* **1.** *conditions*, *opinions* aufzwingen (*on sb* jdm); *fine*, *sentence* verhängen (*on* gegen); ***to ~ a tax on sth*** etw mit einer Steuer belegen **2.** ***to ~ oneself on sb*** sich jdm aufdrängen; ***he ~d himself on them for three months*** er ließ sich einfach drei Monate bei ihnen nieder **II** *v/i* zur Last fallen (*on sb* jdm) **imposing** *adj* beeindruckend **imposition** *n* Zumutung *f* (*on* für); ***I'd love to stay if it's not too much of an ~ (on you)*** ich würde liebend gern bleiben, wenn ich Ihnen nicht zur Last falle

impossibility *n* Unmöglichkeit *f*

impossible I *adj* **1.** unmöglich; ***~!*** ausgeschlossen!; ***it is ~ for him to leave*** er kann unmöglich gehen; ***this cooker is ~ to clean*** es ist unmöglich, diesen Herd sauber zu kriegen; ***to make it ~ for sb to do sth*** es jdm unmöglich machen, etw zu tun **2.** *situation* aussichtslos; ***an ~ choice*** eine unmögliche Wahl; ***you put me in an ~ position*** du bringst mich in eine unmögliche Lage **3.** (*infml*) *person* unmöglich (*infml*) **II** *n* Unmögliche(s) *nt*; ***to do the ~*** (*in general*) Unmögliches tun; (*in particular case*) das Unmögliche tun **impossibly** *adv* unmöglich; ***an ~ high standard*** ein unerreichbar hohes Niveau

imposter, impostor *n* Betrüger(in) *m*(*f*)

impotence *n* **1.** (*sexual*) Impotenz *f* **2.** (*fig*) Machtlosigkeit *f* **impotent** *adj* **1.** (*sexually*) impotent **2.** (*fig*) machtlos

impound *v/t* **1.** *assets* beschlagnahmen **2.** *car* abschleppen (lassen)

impoverish *v/t* in Armut bringen **impoverished** *adj* arm

impracticable *adj* impraktikabel **impractical** *adj* unpraktisch **impracticality** *n* Unbrauchbarkeit *f*

imprecise *adj*, **imprecisely** *adv* ungenau **imprecision** *n* Ungenauigkeit *f*

impregnable *adj* MIL *fortress* uneinnehmbar; (*fig*) *position* unerschütterlich

impregnate *v/t* BIOL befruchten

impress I *v/t* **1.** *person* beeindrucken; (≈ *arouse admiration in*) imponieren (+*dat*); ***he doesn't ~ me as a politician*** als Politiker macht er keinen Eindruck auf mich **2.** (≈ *fix in mind*) einschärfen (*on sb* jdm); *idea* (deutlich) klarmachen (*on sb* jdm) **II** *v/i* Eindruck machen; (*deliberately*) Eindruck schinden (*infml*)

impression *n* **1.** Eindruck *m*; (≈ *feeling*) Gefühl *nt*; ***the theatre made a lasting ~ on me*** das Theater beeindruckte mich tief; ***his words made an ~*** seine Worte machten Eindruck; ***to give sb the ~ that ...*** jdm den Eindruck vermitteln, dass ...; ***he gave the ~ of being unhappy*** er wirkte unglücklich; ***I was under the ~ that ...*** ich hatte den Eindruck, dass ... **2.** (≈ *take-off*) Nachahmung *f*, Imitation *f*; ***to do an ~ of sb*** jdn nachahmen **impressionable** *adj* für Eindrücke empfänglich; ***at an ~ age*** in einem Alter, in dem man für Eindrücke besonders empfänglich ist **impressionism** *n* Impressionismus *m* **impressionist** *n* **1.** Impressionist(in) *m*(*f*) **2.** (≈ *impersonator*) Imitator(in) *m*(*f*) **impressive** *adj* beeindruckend **impressively** *adv* eindrucksvoll

imprint *v/t* (*fig*) einprägen (*on sb* jdm); ***to be ~ed on sb's mind*** sich jdm eingeprägt haben

imprison *v/t* inhaftieren; ***to be ~ed*** gefangen sein **imprisonment** *n* (≈ *action*) Inhaftierung *f*; (≈ *state*) Gefangenschaft *f*; ***to sentence sb to life ~*** jdn zu lebens-

länglicher Freiheitsstrafe verurteilen
improbability *n* Unwahrscheinlichkeit *f*
improbable *adj* unwahrscheinlich
impromptu *adj* improvisiert; ***an ~ speech*** eine Stegreifrede
improper *adj* (≈ *unsuitable*) unpassend; (≈ *indecent*) unanständig; *use* unsachgemäß; ***~ use of drugs/one's position*** Drogen-/Amtsmissbrauch *m* **improperly** *adv act* unpassend; *use* unsachgemäß; (≈ *indecently*) unanständig **impropriety** *n* Unschicklichkeit *f*; ***financial ~*** finanzielles Fehlverhalten
improve I *v/t* verbessern; *knowledge* erweitern; *appearance* verschönern; *production* steigern; ***to ~ one's mind*** sich weiterbilden **II** *v/i* sich verbessern; (*appearance*) schöner werden; (*production*) steigen; ***the invalid is improving*** dem Kranken geht es besser; ***things are improving*** es sieht schon besser aus **III** *v/r* ***to ~ oneself*** an sich (*dat*) arbeiten ◆ **improve (up)on** *v/i +prep obj* **1.** besser machen; *performance* verbessern **2.** *offer* überbieten
improved *adj* verbessert **improvement** *n* Verbesserung *f*; (*of appearance*) Verschönerung *f*; (*in production*) Steigerung *f*; (*in health*) Besserung *f*; ***an ~ on the previous one*** eine Verbesserung gegenüber dem Früheren; ***to carry out ~s to a house*** Ausbesserungs-/Verschönerungsarbeiten an einem Haus vornehmen
improvisation *n* Improvisation *f* **improvise** *v/t & v/i* improvisieren
imprudent *adj*, **imprudently** *adv* unklug
impudence *n* Unverschämtheit *f* **impudent** *adj*, **impudently** *adv* unverschämt
impulse *n* Impuls *m*; (≈ *driving force*) (Stoß)kraft *f*; ***on ~*** impulsiv; ***an ~ buy*** ein Impulsivkauf *m* **impulse buying** *n* impulsives *or* spontanes Kaufen **impulsive** *adj* impulsiv
impunity *n* Straflosigkeit *f*; ***with ~*** ungestraft
impure *adj* unrein; *motives* unsauber **impurity** *n* Unreinheit *f*
in I *prep* **1.** in (*+dat*); (*with motion*) in (*+acc*); ***it was in the bag*** es war in der Tasche; ***he put it in the bag*** er steckte es in die Tasche; ***in here/there*** hier/da drin (*infml*); (*with motion*) hier/da hinein; ***in the street*** auf der/die Straße; ***in (the) church*** in der Kirche; ***in Germany/Switzerland/the United States*** in Deutschland/der Schweiz/den Vereinigten Staaten; ***the highest mountain in Scotland*** der höchste Berg Schottlands *or* in Schottland; ***the best in the class*** der Klassenbeste; ***he doesn't have it in him to ...*** er bringt es nicht fertig, ... zu ... **2.** (*dates, seasons, time of day*) in (*+dat*); ***in 1999*** (im Jahre) 1999; ***in May 1999*** im Mai 1999; ***in the sixties*** in den Sechzigerjahren; ***in (the) spring*** im Frühling; ***in the morning(s)*** morgens, am Vormittag; ***in the afternoon*** nachmittags, am Nachmittag; ***in the daytime*** tagsüber; ***in those days*** damals; ***she is in her thirties*** sie ist in den Dreißigern; ***in old age*** im Alter; ***in my childhood*** in meiner Kindheit; ***she did it in three hours*** sie machte es in drei Stunden; ***in a week('s time)*** in einer Woche; ***I haven't seen him in years*** ich habe ihn jahrelang nicht mehr gesehen; ***in a moment*** *or* ***minute*** sofort **3.** (*quantities*) zu; ***to walk in twos*** zu zweit gehen; ***in small quantities*** in kleinen Mengen **4.** (*ratios*) ***he has a one in 500 chance of winning*** er hat eine Gewinnchance von eins zu 500; ***one (man) in ten*** jeder Zehnte; ***one book in ten*** jedes zehnte Buch; ***one in five children*** ein Kind von fünf; ***a tax of twenty pence in the pound*** ein Steuersatz von zwanzig Prozent; ***there are 12 inches in a foot*** ein Fuß hat 12 Zoll **5.** (*manner, state*) ***to speak in a loud voice*** mit lauter Stimme sprechen; ***to speak in German*** Deutsch reden; ***to pay in dollars*** mit *or* in Dollar bezahlen; ***to stand in a row/in groups*** in einer Reihe/in Gruppen stehen; ***in this way*** so, auf diese Weise; ***she squealed in delight*** sie quietschte vor Vergnügen; ***in surprise*** überrascht; ***to live in luxury*** im Luxus leben; ***in his shirt*** im Hemd; ***dressed in white*** weiß gekleidet; ***to write in ink*** mit Tinte schreiben; ***in marble*** in Marmor, marmorn; ***a rise in prices*** ein Preisanstieg *m*; ***ten feet in height*** zehn Fuß hoch; ***the latest thing in hats*** der letzte Schrei bei Hüten **6.** (*occupation*) ***he is in the army*** er ist beim Militär; ***he is in banking*** er ist im Bankwesen (tätig) **7.** ***in saying this, I ...*** wenn ich das sage, ... ich; ***in trying to save him she fell into the water herself*** beim Ver-

such, ihn zu retten, fiel sie selbst ins Wasser; ***in that*** (≈ *seeing that*) insofern als; ***the plan was unrealistic in that it didn't take account of the fact that ...*** der Plan war unrealistisch, da *or* weil er nicht berücksichtigte, dass ... **II** *adv* da; ***there is nobody in*** es ist niemand da / zu Hause; ***the tide is in*** es ist Flut; ***he's in for a surprise*** er kann sich auf eine Überraschung gefasst machen; ***we are in for rain*** uns (*dat*) steht Regen bevor; ***to have it in for sb*** (*infml*) es auf jdn abgesehen haben (*infml*); ***to be in on sth*** an einer Sache beteiligt sein; *on secret etc* über etw (*acc*) Bescheid wissen; ***to be (well) in with sb*** sich gut mit jdm verstehen **III** *adj* (*infml*) in *inv* (*infml*); ***long skirts are in*** lange Röcke sind in (*infml*); ***the in thing is to ...*** es ist zurzeit in (*infml*) *or* Mode, zu ... **IV** *n* **1.** ***the ins and outs*** die Einzelheiten *pl*; ***to know the ins and outs of sth*** bei einer Sache genau Bescheid wissen **2.** (*US* POL) ***the ins*** die Regierungspartei

inability *n* Unfähigkeit *f*; ***~ to pay*** Zahlungsunfähigkeit *f*

inaccessible *adj* **1.** unzugänglich (*to sb / sth* für jdn / etw); ***to be ~ by land / sea*** auf dem Landweg / Seeweg nicht erreichbar sein **2.** (*fig*) *music, novel* unverständlich

inaccuracy *n* Ungenauigkeit *f*; (≈ *incorrectness*) Unrichtigkeit *f* **inaccurate** *adj* ungenau; (≈ *not correct*) unrichtig; ***she was ~ in her judgement of the situation*** ihre Beurteilung der Lage traf nicht zu; ***it is ~ to say that ...*** es ist nicht richtig zu sagen, dass ... **inaccurately** *adv* ungenau; (≈ *incorrectly*) unrichtig

inaction *n* Untätigkeit *f* **inactive** *adj* untätig; *mind* träge **inactivity** *n* Untätigkeit *f*

inadequacy *n* Unzulänglichkeit *f*; (*of measures*) Unangemessenheit *f* **inadequate** *adj* unzulänglich; ***she makes him feel ~*** sie gibt ihm das Gefühl der Unzulänglichkeit

inadmissible *adj* unzulässig

inadvertently *adv* versehentlich

inadvisable *adj* unratsam

inalienable *adj rights* unveräußerlich

inane *adj* dumm

inanimate *adj* leblos

inapplicable *adj answer* unzutreffend; *rules* nicht anwendbar (*to sb* auf jdn)

inappropriate *adj* unpassend; *time* ungünstig; ***you have come at a most ~ time*** Sie kommen sehr ungelegen **inappropriately** *adv* unpassend

inapt *adj* ungeschickt

inarticulate *adj* unklar ausgedrückt; ***she's very ~*** sie kann sich nur schlecht ausdrücken

inasmuch *adv* ***~ as*** da, weil; (≈ *to the extent that*) insofern als

inattention *n* Unaufmerksamkeit *f*; ***~ to detail*** Ungenauigkeit *f* im Detail **inattentive** *adj* unaufmerksam

inaudible *adj*, **inaudibly** *adv* unhörbar (*to* für)

inaugural *adj lecture* Antritts-; *meeting, speech* Eröffnungs- **inaugurate** *v/t* **1.** *president etc* in sein / ihr Amt einführen **2.** *building* einweihen **inauguration** *n* **1.** (*of president etc*) Amtseinführung *f* **2.** (*of building*) Einweihung *f*

inauspicious *adj* Unheil verheißend; ***to get off to an ~ start*** (*campaign*) sich nicht gerade vielversprechend anlassen

in-between *adj* (*infml*) Mittel-; ***it is sort of ~*** es ist so ein Mittelding; ***~ stage*** Zwischenstadium *nt*

inborn *adj* angeboren

inbound *adj flight* ankommend

inbox *n* EMAIL Posteingang *m*

inbred *adj* angeboren (*in sb* jdm) **inbreeding** *n* Inzucht *f*

inbuilt *adj safety features etc* integriert; *dislike* instinktiv

Inc (*US*) *abbr of* ***Incorporated***

incalculable *adj* unermesslich

incandescent *adj* (*lit*) (weiß) glühend

incantation *n* Zauber(spruch) *m*

incapability *n* Unfähigkeit *f* **incapable** *adj* unfähig; ***to be ~ of doing sth*** nicht imstande sein, etw zu tun; ***she is physically ~ of lifting it*** sie ist körperlich nicht in der Lage, es zu heben; ***~ of working*** arbeitsunfähig

incapacitate *v/t* unfähig machen (*from doing sth* etw zu tun); ***~d by his broken ankle*** durch seinen gebrochenen Knöchel behindert **incapacity** *n* Unfähigkeit *f* (*for* für) **incapacity benefit** *n* (*Br*) Invalidenunterstützung *f*

in-car *adj attr* Auto-; *stereo* im Auto; ***~ computer*** Autocomputer *m*

incarcerate *v/t* einkerkern **incarceration** *n* (≈ *act*) Einkerkerung *f*; (≈ *period*) Kerkerhaft *f*

incarnate *adj* ***he's the devil ~*** er ist der

Teufel in Person

incautious *adj*, **incautiously** *adv* unvorsichtig

incendiary *adj* Brand- **incendiary device** *n* Brandsatz *m*

incense[1] *v/t* wütend machen; **~d** wütend (*at*, *by* über +*acc*)

incense[2] *n* ECCL Weihrauch *m*

incentive *n* Anreiz *m*; **~ scheme** IND Anreizsystem *nt*

inception *n* Beginn *m*

incessant *adj* unaufhörlich

incest *n* Inzest *m* **incestuous** *adj* blutschänderisch

inch I *n* Zoll *m*; ***3.5 ~ disk*** 3,5-Zoll-Diskette *f*; ***he came within an ~ of being killed*** er ist dem Tod um Haaresbreite entgangen; ***they beat him (to) within an ~ of his life*** sie haben ihn so geschlagen, dass er fast gestorben wäre; ***the lorry missed me by ~es*** der Lastwagen hat mich um Haaresbreite verfehlt; ***he knows every ~ of the area*** er kennt die Gegend wie seine Westentasche; ***he is every ~ a soldier*** er ist jeder Zoll ein Soldat; ***they searched every ~ of the room*** sie durchsuchten das Zimmer Zentimeter für Zentimeter **II** *v/i* ***to ~ forward*** sich millimeterweise vorwärtsschieben **III** *v/t* langsam manövrieren; ***he ~ed his way through*** er schob sich langsam durch

incidence *n* Häufigkeit *f*; ***a high ~ of crime*** eine hohe Verbrechensquote **incident** *n* **1.** Ereignis *nt*, Vorfall *m*; ***a day full of ~*** ein ereignisreicher Tag; ***an ~ from his childhood*** ein Kindheitserlebnis *nt* **2.** (*diplomatic etc*) Zwischenfall *m*; (≈ *disturbance etc*) Vorfall *m*; ***without ~*** ohne Zwischenfälle **incidental** *adj* nebensächlich; *remark* beiläufig **incidentally** *adv* übrigens **incidental music** *n* Begleitmusik *f*

incinerate *v/t* verbrennen **incineration** *n* Verbrennung *f* **incinerator** *n* (Müll)verbrennungsanlage *f*

incision *n* Schnitt *m*; MED Einschnitt *m*

incisive *adj style*, *tone* prägnant; *person* scharfsinnig **incisively** *adv speak* prägnant; *argue* scharfsinnig **incisor** *n* Schneidezahn *m*

incite *v/t* aufhetzen; *violence* aufhetzen zu **incitement** *n no pl* Aufhetzung *f*

incl *abbr of* ***inclusive***, ***including*** incl., inkl.

inclement *adj weather* rau

inclination *n* Neigung *f*; ***my (natural) ~ is to carry on*** ich neige dazu, weiterzumachen; ***I have no ~ to see him again*** ich habe keinerlei Bedürfnis, ihn wiederzusehen; ***he showed no ~ to leave*** er schien nicht gehen zu wollen **incline I** *v/t* **1.** *head* neigen **2.** (≈ *dispose*) veranlassen; ***this ~s me to think that he must be lying*** das lässt mich vermuten, dass er lügt **II** *v/i* **1.** (≈ *slope*) sich neigen; (*ground*) abfallen **2.** (≈ *tend towards*) neigen **III** *n* Neigung *f*; (*of hill*) Abhang *m* **incline bench** *n* SPORTS Schrägbank *f*

inclined *adj* ***to be ~ to do sth*** (≈ *wish to*) Lust haben, etw zu tun; (≈ *have tendency to*) dazu neigen, etw zu tun; ***I am ~ to think that ...*** ich neige zu der Ansicht, dass ...; ***I'm ~ to disagree*** ich möchte da doch widersprechen; ***it's ~ to break*** das bricht leicht; ***if you feel ~*** wenn Sie Lust haben *or* dazu aufgelegt sind; ***if you're that way ~*** wenn Ihnen so etwas liegt; ***artistically ~*** künstlerisch veranlagt

include *v/t* einschließen, enthalten; (*on list*, *in group etc*) aufnehmen; ***your name is not ~d on the list*** Ihr Name ist nicht auf der Liste; ***service not ~d*** Bedienung nicht inbegriffen; ***everyone, children ~d*** alle einschließlich der Kinder; ***does that ~ me?*** gilt das auch für mich? **including** *prep* einschließlich, inklusive; ***that makes seven ~ you*** mit Ihnen sind das sieben; ***many people, ~ my father, had been invited*** viele Leute, darunter mein Vater, waren eingeladen; ***~ the service charge, ~ service*** Bedienung (mit) inbegriffen; ***up to and ~ March 4th*** bis einschließlich 4. März **inclusion** *n* Aufnahme *f* **inclusive** *adj* inklusive; ***~ price*** Inklusivpreis *m*; ***from 1st to 6th May ~*** vom 1. bis einschließlich 6. Mai

incognito *adv* inkognito

incoherent *adj style*, *speech* zusammenhanglos; *person* sich undeutlich ausdrückend; *drunk etc* schwer verständlich **incoherently** *adv* zusammenhanglos

income *n* Einkommen *nt*; ***low-~ families*** einkommensschwache Familien *pl* **income bracket** *n* Einkommensklasse *f*

income support *n* (*Br*) ≈ Sozialhilfe *f*

income tax *n* Lohnsteuer *f*; (*on private income*) Einkommensteuer *f*

incoming *adj* **1.** ankommend; *mail* eingehend; **~ *tide*** Flut *f*; ***to receive* ~ (*phone*) *calls*** (Telefon)anrufe entgegennehmen **2.** *president etc* neu

incommunicado *adj pred* ohne jede Verbindung zur Außenwelt; ***to be* ~** (*fig*) für niemanden zu sprechen sein

incomparable *adj* nicht vergleichbar; *beauty*, *skill* unvergleichlich

incompatibility *n* (*of characters*, *ideas*) Unvereinbarkeit *f*; (*of drugs*, *colours*) Unverträglichkeit *f*; (*of technical systems*) Inkompatibilität *f*; ***divorce on grounds of* ~** Scheidung aufgrund der Unvereinbarkeit der Charaktere der Ehepartner **incompatible** *adj characters*, *ideas* unvereinbar; *technical systems* nicht kompatibel; *drugs*, *colours* nicht miteinander verträglich; ***we are* ~, *she said*** wir passen überhaupt nicht zusammen *or* zueinander, sagte sie; ***to be* ~ *with sb/sth*** nicht zu jdm/etw passen

incompetence *n* Unfähigkeit *f* **incompetent** *adj* unfähig; *management* inkompetent; *piece of work* unzulänglich **incompetently** *adv* schlecht

incomplete *adj collection* unvollständig; *information* lückenhaft

incomprehensible *adj* unverständlich (*to sb* jdm)

incomprehension *n* Unverständnis *nt*

inconceivable *adj* unvorstellbar

inconclusive *adj result* unbestimmt; *discussion*, *investigation* ergebnislos; *evidence* nicht überzeugend **inconclusively** *adv* ergebnislos

incongruity *n no pl* (*of remark*, *presence*) Unpassende(s); (*of situation*) Absurdität *f*; (*of behaviour*) Unangebrachtheit *f* **incongruous** *adj couple*, *mixture* wenig zusammenpassend *attr*; *thing to do*, *remark* unpassend; *behaviour* unangebracht

inconsequential *adj* unbedeutend

inconsiderable *adj* unerheblich

inconsiderate *adj*, **inconsiderately** *adv* rücksichtslos

inconsistency *n* **1.** (≈ *contradictoriness*) Widersprüchlichkeit *f* **2.** (*of work etc*) Unbeständigkeit *f* **inconsistent** *adj* **1.** (≈ *contradictory*) widersprüchlich; ***to be* ~ *with sth*** zu etw im Widerspruch stehen **2.** *work* unbeständig; *person* inkonsequent **inconsistently** *adv* **1.** *argue*, *behave* widersprüchlich **2.** *work* ungleichmäßig

inconsolable *adj* untröstlich

inconspicuous *adj* unauffällig; ***to make oneself* ~** so wenig Aufsehen wie möglich erregen

incontestable *adj* unbestreitbar

incontinence *n* MED Inkontinenz *f* **incontinent** *adj* MED inkontinent

incontrovertible *adj* unbestreitbar; *evidence* unwiderlegbar

inconvenience **I** *n* Unannehmlichkeit *f* (*to sb* für jdn); ***it was something of an* ~ *not having a car*** es war eine ziemlich lästige *or* leidige Angelegenheit, kein Auto zu haben; ***I don't want to cause you any* ~** ich möchte Ihnen keine Umstände machen **II** *v/t* Unannehmlichkeiten bereiten (*+dat*); ***don't* ~ *yourself*** machen Sie keine Umstände **inconvenient** *adj* ungünstig; ***if it's* ~, *I can come later*** wenn es Ihnen ungelegen ist, kann ich später kommen; ***it is* ~ *to have to wait*** es ist lästig, warten zu müssen **inconveniently** *adv* ungünstig

incorporate *v/t* **1.** (≈ *integrate*) aufnehmen (*into* in *+acc*) **2.** (≈ *contain*) enthalten **3.** **~*d company*** (*US*) Aktiengesellschaft *f* **incorporation** *n* Aufnahme *f* (*into*, *in* in *+acc*)

incorrect *adj* **1.** falsch; ***that is* ~** das stimmt nicht; ***you are* ~** Sie haben unrecht **2.** *behaviour* inkorrekt **incorrectly** *adv* (≈ *wrongly*) falsch; (≈ *improperly*) inkorrekt; ***I had* ~ *assumed that …*** ich hatte fälschlich(erweise) angenommen, dass …

incorrigible *adj* unverbesserlich

incorruptible *adj person* charakterstark; (≈ *not bribable*) unbestechlich

increase **I** *v/i* zunehmen; (*taxes*) erhöht werden; (*strength*) wachsen; (*price*, *sales*, *demand*) steigen; ***to* ~ *in breadth/size/number*** breiter/größer/mehr werden; ***to* ~ *in size/number*** größer/mehr werden; ***industrial output* ~*d by 2% last year*** die Industrieproduktion wuchs im letzten Jahr um 2% **II** *v/t* vergrößern; *noise*, *effort* verstärken; *trade*, *sales* erweitern; *taxes*, *price*, *speed*, *demand* erhöhen; *chances* verbessern; ***he* ~*d his efforts*** er strengte sich mehr an; ***they* ~*d her salary by £2,000*** sie erhöhten ihr Jahresgehalt um £ 2.000 **III** *n* Zunahme *f*; (*in size*) Vergrößerung *f*; (*in *speed*) Erhöhung *f* (*in +gen*); (*in sales*) Zuwachs *m*; (*of demand*) Verstärkung *f*; (*of salary*) Gehaltserhöhung *f*; ***to get an ~ of £5 per week*** £ 5 pro Woche mehr bekommen; ***to be on the ~*** ständig zunehmen; ***~ in value*** Wertsteigerung *f*; ***rent ~*** Mieterhöhung *f* **increasing** *adj* zunehmend; ***an ~ number of people*** mehr und mehr Leute; ***there are ~ signs that ...*** es gibt immer mehr Anzeichen dafür, dass ... **increasingly** *adv* zunehmend; ***~, people are finding that ...*** man findet in zunehmendem Maße, dass ...

incredible *adj* unglaublich; *scenery, music* sagenhaft; ***it seems ~ to me that ...*** ich kann es nicht fassen, dass ...; ***you're ~*** (*infml*) du bist wirklich unschlagbar **incredibly** *adv* unglaublich, unwahrscheinlich; ***~, he wasn't there*** unglaublicherweise war er nicht da

incredulity *n* Ungläubigkeit *f* **incredulous** *adj*, **incredulously** *adv* ungläubig

increment *n* Zuwachs *m* **incremental** *adj* (*Br*) zunehmend; ***~ costs*** Grenzkosten *pl*

incriminate *v/t* belasten **incriminating, incriminatory** *adj* belastend

in-crowd *n* (*infml*) Schickeria *f* (*infml*)

incubate I *v/t egg* ausbrüten; *bacteria* züchten **II** *v/i* ausgebrütet werden **incubation** *n* (*of egg*) Ausbrüten *nt*; (*of bacteria*) Züchten *nt* **incubator** *n* (*for babies*) Brutkasten *m*

incumbent (*form*) **I** *adj* ***to be ~ upon sb*** jdm obliegen (*form*) **II** *n* Amtsinhaber(in) *m*(*f*)

incur *v/t* **1.** ***to ~ the wrath of sb*** jds Zorn auf sich (*acc*) ziehen **2.** FIN *loss* erleiden; *expenses* machen

incurable *adj* MED unheilbar; (*fig*) unverbesserlich

incursion *n* Einfall *m* (*into* in *+acc*)

indebted *adj* **1.** (*fig*) verpflichtet; ***to be ~ to sb for sth*** jdm für etw (zu Dank) verpflichtet sein **2.** FIN verschuldet (*to sb* bei jdm) **indebtedness** *n* (*fig*) Verpflichtung *f* (*to* gegenüber); FIN Verschuldung *f*

indecency *n* Unanständigkeit *f* **indecent** *adj* unanständig; *joke* schmutzig; *amount* unerhört; ***with ~ haste*** mit ungebührlicher Eile *or* Hast **indecent assault** *n* Notzucht *f* **indecently** *adv* unanständig; ***to be ~ assaulted*** sexuell missbraucht werden

indecipherable *adj* nicht zu entziffernd *attr*

indecision *n* Unentschlossenheit *f* **indecisive** *adj* **1.** *person* unentschlossen (*in or about or over sth* in Bezug auf etw *acc*) **2.** *vote* ergebnislos; *result* nicht eindeutig

indeed *adv* **1.** tatsächlich; ***I feel, ~ I know he is right*** ich habe das Gefühl, ja ich weiß (sogar), dass er recht hat; ***isn't that strange? — ~ (it is)*** ist das nicht seltsam? – allerdings; ***are you coming? — ~ I am!*** kommst du? – aber natürlich; ***are you pleased? — yes, ~!*** bist du zufrieden? – oh ja, das kann man wohl sagen!; ***did you/is it/has she** etc **~?*** tatsächlich?; ***~?*** ach wirklich?; ***where ~?*** ja, wo?; ***if ~ ...*** falls ... wirklich **2.** (*as intensifier*) wirklich; ***very ... ~*** wirklich sehr ...; ***thank you very much ~*** vielen herzlichen Dank

indefatigable *adj*, **indefatigably** *adv* unermüdlich

indefensible *adj behaviour etc* unentschuldbar; *policy* unhaltbar; ***morally ~*** moralisch nicht vertretbar

indefinable *adj colour* undefinierbar; *feeling* unbestimmt

indefinite *adj* unbestimmt **indefinite article** *n* GRAM unbestimmter Artikel **indefinitely** *adv wait etc* endlos; *postpone, close* auf unbestimmte Zeit; ***we can't go on like this ~*** wir können nicht endlos so weitermachen

indelible *adj* (*fig*) *impression* unauslöschlich

indelicate *adj person* taktlos

indent *v/t* TYPO einrücken **indentation** *n* (*in edge*) Kerbe *f*; TYPO Einrückung *f*

independence *n* Unabhängigkeit *f* (*of* von); ***to gain** or **achieve/declare ~*** die Unabhängigkeit erlangen/erklären **Independence Day** *n* (*US*) der Unabhängigkeitstag

independent I *adj* unabhängig (*of sb/sth* von jdm/etw); ***a man of ~ means*** eine Person mit Privateinkommen; ***to become ~*** (*country*) die Unabhängigkeit erlangen; ***~ retailer*** (*US*) selbstständiger Einzelhändler, selbstständige Einzelhändlerin **II** *n* POL Unabhängige(r) *m/f*(*m*) **independently** *adv* unabhängig (*of sb/sth* von jdm/etw); *live* ohne fremde Hilfe; *work* selbstständig; ***they each***

came ~ to the same conclusion sie kamen unabhängig voneinander zur gleichen Schlussfolgerung **independent school** *n* unabhängige Schule

in-depth *adj* gründlich; *interview* ausführlich

indescribable *adj* unbeschreiblich; (*infml* ≈ *terrible*) schrecklich

indestructible *adj* unzerstörbar

indeterminate *adj* unbestimmt; ***of ~ sex*** von unbestimmbarem Geschlecht

index *n* **1.** *pl* ***-es*** (*in book*) Index *m*; (*in library*) Katalog *m*; (≈ *card index*) Kartei *f* **2.** *pl* ***-es*** *or* ***indices*** (≈ *number showing ratio*) Index *m*; ***cost-of-living ~*** Lebenshaltungskostenindex *m* **index card** *n* Karteikarte *f* **index finger** *n* Zeigefinger *m* **index-linked** *adj rate* indexgebunden; *pensions* dynamisch

India *n* Indien *nt* **India ink** *n* (*US*) Tusche *f*

Indian I *adj* **1.** indisch **2.** (≈ *American Indian*) indianisch, Indianer- **II** *n* **1.** Inder(in) *m*(*f*) **2.** (≈ *American Indian*) Indianer(in) *m*(*f*) **Indian ink** *n* Tusche *f* **Indian Ocean** *n* Indischer Ozean **Indian summer** *n* Altweibersommer *m*

indicate I *v/t* **1.** zeigen; (≈ *point to*) zeigen auf (+*acc*); ***large towns are ~d in red*** Großstädte sind rot gekennzeichnet; ***to ~ one's intention to do sth*** seine Absicht anzeigen, etw zu tun **2.** (≈ *suggest*) erkennen lassen; ***opinion polls ~ that ...*** die Meinungsumfragen deuten darauf hin, dass ... **3.** *temperature* (an)zeigen **II** *v/i* (*esp Br* AUTO) blinken **indication** *n* (An)zeichen *nt* (*of* für); ***he gave a clear ~ of his intentions*** er ließ seine Absichten deutlich erkennen; ***he gave no ~ that he was ready*** nichts wies darauf hin, dass er bereit war; ***that is some ~ of what we can expect*** das gibt uns einen Vorgeschmack auf das, was wir zu erwarten haben **indicative I** *adj* **1.** bezeichnend (*of* für); ***to be ~ of sth*** auf etw (*acc*) hindeuten **2.** GRAM ***~ mood*** Indikativ *m* **II** *n* GRAM Indikativ *m*; ***in the ~*** im Indikativ, in der Wirklichkeitsform **indicator** *n* (≈ *instrument*) Anzeiger *m*; (≈ *needle*) Zeiger *m*; (*esp Br* AUTO) Blinker *m*; (*fig*) Messlatte *f*; ***pressure ~*** Druckmesser *m*; ***this is an ~ of economic recovery*** dies ist ein Indikator für den Aufschwung

indices *pl of* ***index***

indict *v/t* anklagen (*on a charge of sth* einer Sache *gen*); (*US* JUR) Anklage erheben gegen (*for* wegen +*gen*) **indictment** *n* (*of person*) Anschuldigung *f*; ***to be an ~ of sth*** (*fig*) ein Armutszeugnis *nt* für etw sein

indifference *n* Gleichgültigkeit *f* (*to, towards* gegenüber); ***it's a matter of complete ~ to me*** das ist mir völlig egal *or* gleichgültig **indifferent** *adj* **1.** gleichgültig (*to, towards* gegenüber); ***he is quite ~ about it/to her*** es/sie ist ihm ziemlich gleichgültig **2.** (≈ *mediocre*) mittelmäßig

indigenous *adj* einheimisch (*to* in +*dat*); ***plants ~ to Canada*** in Kanada heimische Pflanzen

indigestible *adj* MED unverdaulich **indigestion** *n* Verdauungsbeschwerden *pl*

indignant *adj*, **indignantly** *adv* entrüstet (*at, about, with* über +*acc*) **indignation** *n* Entrüstung *f* (*at, about, with* über +*acc*)

indignity *n* Demütigung *f*

indigo *adj* indigofarben

indirect *adj* indirekt; ***by an ~ route*** auf Umwegen; ***to make an ~ reference to sb/sth*** auf jdn/etw anspielen *or* indirekt Bezug nehmen **indirectly** *adv* indirekt **indirect object** *n* GRAM Dativobjekt *nt* **indirect speech** *n* GRAM indirekte Rede

indiscernible *adj* nicht erkennbar; *noise* nicht wahrnehmbar

indiscipline *n* Disziplinlosigkeit *f*

indiscreet *adj* indiskret; (≈ *tactless*) taktlos; ***to be ~ about sth*** in Bezug auf etw (*acc*) indiskret sein **indiscreetly** *adv* indiskret; (≈ *tactlessly*) taktlos **indiscretion** *n* **1.** Indiskretion *f*; (≈ *tactlessness*) Taktlosigkeit *f* **2.** (≈ *affair*) Affäre *f*

indiscriminate *adj* wahllos; *choice* willkürlich **indiscriminately** *adv* wahllos; *choose* willkürlich

indispensable *adj* unentbehrlich

indisposed *adj* (≈ *unwell*) indisponiert (*elev*)

indisputable *adj* unbestreitbar; *evidence* unanfechtbar

indistinct *adj* unklar; *noise* schwach **indistinctly** *adv see* verschwommen; *speak* undeutlich; *remember* dunkel

indistinguishable *adj* nicht unterscheidbar; ***the twins are ~ (from one another)*** man kann die Zwillinge nicht (voneinander) unterscheiden

individual I *adj* **1.** (≈ *separate*) einzeln; ***~ cases*** Einzelfälle *pl* **2.** (≈ *own*) eigen; ***~ portion*** Einzelportion *f* **3.** (≈ *distinctive*)

individuell **II** *n* Individuum *nt* **individualistic** *adj* individualistisch **individuality** *n* Individualität *f* **individually** *adv* individuell; (≈ *separately*) einzeln
indivisible *adj* unteilbar
Indo- *pref* Indo-
indoctrinate *v/t* indoktrinieren **indoctrination** *n* Indoktrination *f*
indolence *n* Trägheit *f* **indolent** *adj* träge
indomitable *adj person, courage* unbezwingbar; *will* eisern
Indonesia *n* Indonesien *nt* **Indonesian I** *adj* indonesisch **II** *n* Indonesier(in) *m(f)*
indoor *adj* Innen-; ***~ market*** überdachter Markt; ***~ plant*** Zimmerpflanze *f*; ***~ swimming pool*** (*public*) Hallenbad *nt*
indoors *adv* drin(nen) (*infml*), innen; (≈ *at home*) zu Hause; (≈ *into house*) ins Haus; ***to stay ~*** im Haus bleiben; ***go and play ~*** geh ins Haus *or* nach drinnen spielen
indorse *etc* = ***endorse***
induce *v/t* **1.** ***to ~ sb to do sth*** jdn dazu bringen, etw zu tun **2.** *reaction, sleep* herbeiführen; *vomiting* verursachen; *labour* einleiten; ***a stress-/drug-~d condition*** ein durch Stress/Drogen ausgelöstes Leiden
induction *n* **1.** (*of bishop etc*) Amtseinführung *f*; (*of employee*) Einarbeitung *f*; (*US* MIL) Einberufung *f* **2.** (*of labour*) Einleitung *f* **induction course** *n* Einführungskurs *m*
indulge I *v/t* nachgeben (*+dat*); (≈ *overindulge*) *children* verwöhnen; ***he ~s her every whim*** er erfüllt ihr jeden Wunsch; ***she ~d herself with a glass of wine*** sie gönnte sich (*dat*) ein Glas Wein **II** *v/i* ***to ~ in sth*** sich (*dat*) etw gönnen; *in vice, daydreams* sich einer Sache (*dat*) hingeben; ***dessert came, but I didn't ~*** (*infml*) der Nachtisch kam, aber ich konnte mich beherrschen **indulgence** *n* **1.** Nachsicht *f*; (≈ *overindulgence*) Verwöhnung *f* **2.** (≈ *thing indulged in*) Luxus *m*; (≈ *food, pleasure*) Genuss *m* **indulgent** *adj*, **indulgently** *adv* nachsichtig (*to* gegenüber)
industrial *adj* industriell, Industrie-; ***~ nation*** Industriestaat *m*; ***the Industrial Revolution*** die industrielle Revolution **industrial action** *n* Arbeitskampfmaßnahmen *pl*; ***to take ~*** in den Ausstand treten **industrial dispute** *n* Auseinandersetzungen *pl* zwischen Arbeitgebern und Arbeitnehmern; (*about pay also*) Tarifkonflikt *m*; (≈ *strike*) Streik *m* **industrial estate** *n* (*Br*) Industriegebiet *nt* **industrialist** *n* Industrielle(r) *m/f(m)* **industrialization** *n* Industrialisierung *f* **industrialize** *v/t & v/i* industrialisieren; ***~d nation*** Industrienation *f* **industrial park** *n* (*US*) Industriegelände *nt* **industrial relations** *pl* Beziehungen *pl* zwischen Arbeitgebern und Gewerkschaften **industrial site** *n* Industriegelände *nt* **industrial tribunal** *n* Arbeitsgericht *nt* **industrial unrest** *n* Arbeitsunruhen *pl* **industrial waste** *n* Industriemüll *m* **industrious** *adj*, **industriously** *adv* fleißig
industry *n* Industrie *f*; ***heavy ~*** Schwerindustrie *f*
inebriated *adj* (*form*) betrunken
inedible *adj* nicht essbar; (≈ *unpleasant*) ungenießbar
ineffable *adj* (*form*) unsäglich (*elev*)
ineffective *adj* ineffektiv; *person, management* unfähig; ***to be ~ against sth*** nicht wirksam gegen etw sein **ineffectively** *adv* ineffektiv **ineffectiveness** *n* Ineffektivität *f*; (*of person*) Unfähigkeit *f* **ineffectual** *adj* ineffektiv
inefficiency *n* (*of person*) Unfähigkeit *f*; (*of machine*) geringe Leistung; (*of company*) Unproduktivität *f* **inefficient** *adj person* unfähig; *machine* leistungsschwach; *method* unrationell; *company* unproduktiv; ***to be ~ at doing sth*** etw schlecht machen **inefficiently** *adv* schlecht; ***to work ~*** (*person*) unrationell arbeiten; (*machine*) unwirtschaftlich arbeiten
inelegant *adj*, **inelegantly** *adv* unelegant
ineligible *adj* (*for benefits*) nicht berechtigt (*for* zu Leistungen *+gen*); (*for job, office*) ungeeignet; ***~ for military service*** wehruntauglich; ***to be ~ for a pension*** nicht pensionsberechtigt sein
inept *adj* ungeschickt **ineptitude, ineptness** *n* Ungeschick *nt*
inequality *n* Ungleichheit *f*
inert *adj* unbeweglich **inert gas** *n* CHEM Edelgas *nt* **inertia** *n* Trägheit *f*
inescapable *adj* unvermeidlich; *fact* unausweichlich
inessential *adj* unwesentlich
inestimable *adj* unschätzbar
inevitability *n* Unvermeidlichkeit *f* **inevitable I** *adj* unvermeidlich; ***defeat***

seemed ~ die Niederlage schien unabwendbar **II** *n* ***the ~*** das Unvermeidliche **inevitably** *adv* zwangsläufig; ***one question ~ leads to another*** eine Frage zieht unweigerlich weitere nach sich; ***~, he got drunk*** es konnte ja nicht ausbleiben, dass er sich betrank; ***as ~ happens on these occasions*** wie es bei solchen Anlässen immer ist
inexact *adj* ungenau
inexcusable *adj* unverzeihlich
inexhaustible *adj* unerschöpflich
inexorable *adj* unaufhaltsam
inexpensive *adj*, **inexpensively** *adv* billig
inexperience *n* Unerfahrenheit *f* **inexperienced** *adj* unerfahren; *skier etc* ungeübt; ***to be ~ in doing sth*** wenig Erfahrung darin haben, etw zu tun
inexpertly *adv* unfachmännisch
inexplicable *adj* unerklärlich **inexplicably** *adv* (*+adj*) unerklärlich; (*+vb*) unerklärlicherweise
inexpressible *adj* unbeschreiblich
inextricable *adj tangle* unentwirrbar; *link* untrennbar **inextricably** *adv entangled* unentwirrbar; *linked* untrennbar
infallibility *n* Unfehlbarkeit *f* **infallible** *adj* unfehlbar
infamous *adj* berüchtigt (*for* wegen) **infamy** *n* Verrufenheit *f*
infancy *n* frühe Kindheit; (*fig*) Anfangsstadium *nt*; ***in early ~*** in frühester Kindheit; ***when radio was still in its ~*** als das Radio noch in den Kinderschuhen steckte **infant** *n* (≈ *baby*) Säugling *m*; (≈ *young child*) Kleinkind *nt*; ***she teaches ~s*** sie unterrichtet Grundschulkinder; ***~ class*** (*Br*) *erste und zweite Grundschulklasse* **infantile** *adj* (≈ *childish*) kindisch **infant mortality** *n* Säuglingssterblichkeit *f*
infantry *n* MIL Infanterie *f* **infantryman** *n*, *pl* **-men** Infanterist *m*
infant school *n* (*Br*) *Grundschule für die ersten beiden Jahrgänge*
infatuated *adj* vernarrt (*with* in *+acc*); ***to become ~ with sb*** sich in jdn vernarren **infatuation** *n* Vernarrtheit *f* (*with* in *+acc*)
infect *v/t wound, blood* infizieren; *person* anstecken; ***to be ~ed with sth*** sich mit etw angesteckt haben; ***his wound became ~ed*** seine Wunde entzündete sich **infected** *adj* infiziert
infection *n* Infektion *f*
infectious *adj* ansteckend
infer *v/t* **1.** (≈ *deduce*) schließen (*from* aus) **2.** (≈ *imply*) andeuten **inference** *n* Schluss(folgerung *f*) *m*
inferior I *adj* (*in quality*) minderwertig; *person* unterlegen; (*in rank*) untergeordnet; ***an ~ workman*** ein weniger guter Handwerker; ***to be ~ to sth*** (*in quality*) von minderer Qualität sein als etw; ***to be ~ to sb*** jdm unterlegen sein; (*in rank*) jdm untergeordnet sein; ***he feels ~*** er kommt sich (*dat*) unterlegen *or* minderwertig vor **II** *n* ***one's ~s*** (*in rank*) seine Untergebenen *pl* **inferiority** *n* (*in quality*) Minderwertigkeit *f*; (*of person*) Unterlegenheit *f* (*to* gegenüber); (*in rank*) untergeordnete Stellung **inferiority complex** *n* Minderwertigkeitskomplex *m*
infernal *adj* (*infml*) *nuisance* verteufelt; *noise* höllisch **inferno** *n* Flammenmeer *nt*; ***a blazing ~*** ein flammendes Inferno
infertile *adj soil, person* unfruchtbar; *animal* fortpflanzungsunfähig **infertility** *n* (*of person*) Unfruchtbarkeit *f* **infertility treatment** *n* Sterilitätsbehandlung *f*
infest *v/t* (*rats, lice*) herfallen über (*+acc*); ***to be ~ed with rats*** mit Ratten verseucht sein
infidel *n* HIST, REL Ungläubige(r) *m/f(m)* **infidelity** *n* Untreue *f*
in-fighting *n* (*fig*) interner Machtkampf
infiltrate *v/t* POL *organization* unterwandern; *spies* einschleusen **infiltration** *n* POL Unterwanderung *f* **infiltrator** *n* POL Unterwanderer *m*
infinite *adj* (*lit*) unendlich; *possibilities* unendlich viele **infinitely** *adv* unendlich; *better* unendlich viel **infinitesimal** *adj* unendlich klein
infinitive *n* GRAM Infinitiv *m*; ***in the ~*** im Infinitiv
infinity *n* (*lit*) Unendlichkeit *f*; MAT das Unendliche; ***to ~*** (bis) ins Unendliche
infirm *adj* gebrechlich **infirmary** *n* (≈ *hospital*) Krankenhaus *nt*, Spital *nt* (*Aus, Swiss*); (*in school etc*) Krankenzimmer *nt*; (*in prison*) Krankenstation *f* **infirmity** *n* Gebrechlichkeit *f*; ***the infirmities of (old) age*** die Altersgebrechen *pl*
inflame *v/t* **1.** MED entzünden; ***to become ~d*** sich entzünden **2.** *situation* anheizen **inflammable** *adj* (*lit*) feuergefährlich;

fabric leicht entflammbar; ***"highly ~"*** „feuergefährlich" **inflammation** *n* MED Entzündung *f* **inflammatory** *adj rhetoric* aufrührerisch; ***~ speech/pamphlet*** Hetzrede/-schrift *f*

inflatable I *adj* aufblasbar; ***~ dinghy*** Schlauchboot *nt* **II** *n* (≈ *boat*) Gummiboot *nt* **inflate I** *v/t* **1.** (*lit*) aufpumpen; (*by mouth*) aufblasen **2.** ECON *prices* hochtreiben **II** *v/i* (*lit*) sich mit Luft füllen **inflated** *adj price* überhöht; *ego* übersteigert **inflation** *n* ECON Inflation *f*; ***~ rate*** Inflationsrate *f* **inflationary** *adj* inflationär; ***~ pressures/politics*** Inflationsdruck *m*/-politik *f*

inflected *adj* GRAM *form, ending* flektiert, gebeugt; *language* flektierend **inflection** *n* = ***inflexion***

inflexibility *n* (*fig*) Unbeugsamkeit *f* **inflexible** *adj* (*lit*) starr; (*fig*) unbeugsam

inflexion *n* **1.** (GRAM, *of word*) Flexion *f* **2.** (*of voice*) Tonfall *m*

inflict *v/t punishment* verhängen (*on, upon* gegen); *suffering, damage* zufügen (*on or upon sb* jdm); *defeat* beibringen (*on or upon sb* jdm) **infliction** *n* (*of suffering*) Zufügen *nt*

in-flight *adj* während des Fluges; *service* an Bord; ***~ magazine*** Bordmagazin *nt*

inflow *n* **1.** (*of water, air*) (≈ *action*) Zustrom *m*, Zufließen *nt*; ***~ pipe*** Zuflussrohr *nt* **2.** (*fig*) (*of people, goods*) Zustrom *m*; (*of ideas etc*) Eindringen *nt*

influence I *n* Einfluss *m* (*over* auf *+acc*); ***to have an ~ on sb/sth*** (*person*) Einfluss auf jdn/etw haben; ***the book had*** *or* ***was a great ~ on him*** das Buch hat ihn stark beeinflusst; ***he was a great ~ in ...*** er war ein bedeutender Faktor bei ...; ***to use one's ~*** seinen Einfluss einsetzen; ***a man of ~*** eine einflussreiche Person; ***under the ~ of sb/sth*** unter jds Einfluss/dem Einfluss einer Sache; ***under the ~ of drink*** unter Alkoholeinfluss; ***under the ~*** (*infml*) betrunken; ***one of my early ~s was Beckett*** einer der Schriftsteller, die mich schon früh beeinflusst haben, war Beckett **II** *v/t* beeinflussen; ***to be easily ~d*** leicht beeinflussbar *or* zu beeinflussen sein **influential** *adj* einflussreich

influenza *n* Grippe *f*

influx *n* (*of capital, goods*) Zufuhr *f*; (*of people*) Zustrom *m*

info *n* (*infml*) = ***information***

inform I *v/t* informieren (*about* über *+acc*); ***to ~ sb of sth*** jdn über etw informieren; ***I am pleased to ~ you that ...*** ich freue mich, Ihnen mitteilen zu können, dass ...; ***to ~ the police*** die Polizei verständigen; ***to keep sb ~ed*** jdn auf dem Laufenden halten (*of* über *+acc*) **II** *v/i* ***to ~ against*** *or* ***on sb*** jdn denunzieren

informal *adj* **1.** *esp* POL *meeting* nicht formell; *visit* inoffiziell **2.** *atmosphere, manner* zwanglos; *language* ungezwungen **informality** *n* **1.** (*esp* POL, *of meeting*) nicht formeller Charakter; (*of visit*) inoffizieller Charakter **2.** (*of atmosphere, manner*) Zwanglosigkeit *f*; (*of language*) informeller Charakter **informally** *adv* **1.** (≈ *unofficially*) inoffiziell **2.** (≈ *casually*) zwanglos

informant *n* **1.** Informant(in) *m(f)*; ***according to my ~ the book is out of print*** wie man mir mitteilt, ist das Buch vergriffen **2.** (***police***) **~** Polizeispitzel *m*

information *n* Informationen *pl*; ***a piece of ~*** eine Auskunft *or* Information; ***for your ~*** zu Ihrer Information; (*indignantly*) damit Sie es wissen; ***to give sb ~ about*** *or* ***on sb/sth*** jdm Auskunft *or* Informationen über jdn/etw geben; ***to get ~ about*** *or* ***on sb/sth*** sich über jdn/etw informieren; ***"information"*** „Auskunft"; ***we have no ~ about that*** wir wissen darüber nicht Bescheid; ***for further ~ please contact this number ...*** Näheres erfahren Sie unter Telefonnummer ... **information desk** *n* Informationsschalter *m* **information pack** *n* Informationsmaterial *nt* **information superhighway** *n* Datenautobahn *f* **information technology** *n* Informationstechnik *f* **informative** *adj* aufschlussreich **informed** *adj observer* informiert; *guess* fundiert **informer** *n* Informant(in) *m(f)*; ***police ~*** Polizeispitzel *m*

infotainment *n* TV Infotainment *nt*

infrared *adj* infrarot

infrastructure *n* Infrastruktur *f*

infrequency *n* Seltenheit *f* **infrequent** *adj* selten; ***at ~ intervals*** in großen Abständen **infrequently** *adv* selten

infringe I *v/t* verstoßen gegen; *rights* verletzen **II** *v/i* ***to ~ (up)on sb's rights*** jds Rechte verletzen **infringement** *n* ***an ~ (of a rule)*** ein Regelverstoß *m*; ***the ~ of sb's rights*** die Verletzung von jds

Rechten

infuriate *v/t* zur Raserei bringen **infuriating** *adj* (äußerst) ärgerlich; ***an ~ person*** ein Mensch, der einen rasend machen kann

infuse I *v/t courage etc* einflößen (*into sb* jdm) **II** *v/i* ziehen **infusion** *n* (*tea-like*) Tee *m*

ingenious *adj*, **ingeniously** *adv* genial

ingenuity *n* Genialität *f*

ingenuous *adj* **1.** aufrichtig **2.** (≈ *naïve*) naiv

ingot *n* Barren *m*

ingrained *adj* **1.** (*fig*) *habit* eingefleischt; *prejudice* tief verwurzelt; ***to be (deeply) ~*** fest verwurzelt sein **2.** *dirt* tief eingedrungen

ingratiate *v/r* ***to ~ oneself with sb*** sich bei jdm einschmeicheln

ingratitude *n* Undank *m*; ***sb's ~*** jds Undankbarkeit *f*

ingredient *n* Bestandteil *m*; (*for recipe*) Zutat *f*; ***all the ~s for success*** alles, was man zum Erfolg braucht

ingrowing *adj* MED eingewachsen

inhabit *v/t* bewohnen; (*animals*) leben in (*+dat*) **inhabitable** *adj* bewohnbar **inhabitant** *n* Bewohner(in) *m(f)*

inhale I *v/t* einatmen; MED inhalieren **II** *v/i* (*in smoking*) inhalieren; ***do you ~?*** rauchen Sie auf Lunge? **inhaler** *n* Inhalationsapparat *m*

inherent *adj* innewohnend, eigen (*to, in +dat*) **inherently** *adv* von Natur aus

inherit *v/t & v/i* erben; ***the problems which we ~ed from the last government*** die Probleme, die uns die letzte Regierung hinterlassen *or* vererbt hat **inheritance** *n* Erbe *nt* **inherited** *adj* ererbt

inhibit *v/t* hemmen; *ability* beeinträchtigen **inhibited** *adj* gehemmt **inhibition** *n* Hemmung *f*; ***he has no ~s about speaking French*** er hat keine Hemmungen, Französisch zu sprechen

inhospitable *adj* ungastlich; *climate, terrain* unwirtlich

in-house I *adj* hausintern; *staff* im Haus **II** *adv* hausintern

inhuman *adj* unmenschlich **inhumane** *adj* inhuman; *treatment* menschenunwürdig **inhumanity** *n* Unmenschlichkeit *f*

inimitable *adj* unnachahmlich

iniquitous *adj* ungeheuerlich

initial I *adj* anfänglich, Anfangs-; ***my ~ reaction*** meine anfängliche Reaktion; ***in the ~ stages*** im Anfangsstadium **II** *n* Initiale *f* **III** *v/t document* mit seinen Initialen unterzeichnen **initially** *adv* anfangs

initiate *v/t* **1.** (≈ *set in motion*) den Anstoß geben zu, initiieren (*elev*); *discussion* eröffnen **2.** (*into club etc*) feierlich aufnehmen **3.** (≈ *instruct*) einweihen; ***to ~ sb into sth*** jdn in etw (*acc*) einführen **initiation** *n* (*into society*) Aufnahme *f* **initiation ceremony** *n* Aufnahmezeremonie *f* **initiative** *n* Initiative *f*; ***to take the ~*** die Initiative ergreifen; ***on one's own ~*** aus eigener Initiative; ***to have the ~*** überlegen sein; ***to lose the ~*** seine Überlegenheit verlieren **initiator** *n* Initiator(in) *m(f)*

inject *v/t* (ein)spritzen; *drugs* spritzen; ***to ~ sb with sth*** MED jdm etw spritzen; ***he ~ed new life into the team*** er brachte neues Leben in das Team **injection** *n* Injektion *f*; ***to give sb an ~*** jdm eine Injektion geben; ***a £250 million cash ~*** eine Finanzspritze von 250 Millionen Pfund

injudicious *adj*, **injudiciously** *adv* unklug

injunction *n* JUR gerichtliche Verfügung; ***to take out a court ~*** eine gerichtliche Verfügung erwirken

injure *v/t* verletzen; *reputation* schaden (*+dat*); ***to ~ one's leg*** sich (*dat*) das Bein verletzen; ***how many were ~d?, how many ~d were there?*** wie viele Verletzte gab es?; ***the ~d*** die Verletzten *pl*; ***the ~d party*** JUR der/die Geschädigte **injurious** *adj* schädlich

injury *n* Verletzung *f* (*to +gen*); ***to do sb/oneself an ~*** jdn/sich verletzen; ***to play ~ time*** (*Br* SPORTS) *or* ***~ overtime*** (*US* SPORTS) nachspielen

injustice *n* Ungerechtigkeit *f*; ***to do sb an ~*** jdm unrecht tun

ink *n* Tinte *f*; ART Tusche *f*; TYPO Druckfarbe *f* **ink drawing** *n* Tuschzeichnung *f* **ink-jet (printer)** *n* Tintenstrahldrucker *m*

inkling *n* dunkle Ahnung; ***he didn't have an ~*** er hatte nicht die leiseste Ahnung

ink pad *n* Stempelkissen *nt* **inkstain** *n* Tintenfleck *m* **inky** *adj* (*+er*) (*lit*) tintenbeschmiert; ***~ fingers*** Tintenfinger *pl*

inlaid *adj* eingelegt

inland I *adj* binnenländisch; ***~ town*** Stadt *f* im Landesinneren; ***~ waterway*** Binnenwasserstraße *f* **II** *adv* landeinwärts **inland lake** *n* Binnensee *m* **Inland Revenue** *n* (*Br*) ≈ Finanzamt *nt* **inland sea** *n* Binnenmeer *nt*

inlaw *n* angeheirateter Verwandter, angeheiratete Verwandte; ***~s*** (≈ *parents-in--law*) Schwiegereltern *pl*

inlay *n* Einlegearbeit *f*, Intarsien *pl*

inlet *n* **1.** (*of sea*) Meeresarm *m*; (*of river*) Flussarm *m* **2.** TECH Zuleitung *f*

in-line skates *pl* Inline-Skates *pl*

inmate *n* Insasse *m*, Insassin *f*

inmost *adj* = ***innermost***

inn *n* Gasthaus *nt*

innards *pl* Innereien *pl*

innate *adj* angeboren **innately** *adv* von Natur aus

inner *adj* innere(r, s); ***~ city*** Innenstadt *f* **inner-city** *adj attr* Innenstadt-; (≈ *of cities generally*) in den Innenstädten; *problem* der Innenstadt / der Innenstädte **innermost** *adj* innerste(r, s) **inner tube** *n* Schlauch *m*

innings *n* CRICKET Innenrunde *f*; ***he has had a good ~*** er hatte ein langes, ausgefülltes Leben

innkeeper *n* (Gast)wirt(in) *m*(*f*)

innocence *n* Unschuld *f* **innocent I** *adj* **1.** unschuldig; ***she is ~ of the crime*** sie ist an dem Verbrechen unschuldig **2.** *question* naiv; *remark* arglos **II** *n* Unschuld *f* **innocently** *adv* unschuldig; ***the quarrel began ~ enough*** der Streit begann ganz harmlos

innocuous *adj*, **innocuously** *adv* harmlos

innovate *v/i* Neuerungen einführen **innovation** *n* Innovation *f* **innovative** *adj* innovativ; *idea* originell **innovator** *n* Neuerer *m*, Neuerin *f*

innuendo *n*, *pl* ***-es*** versteckte Andeutung; ***sexual ~*** sexuelle Anspielung

innumerable *adj* unzählig

inoculate *v/t* impfen (*against* gegen) **inoculation** *n* Impfung *f*

inoffensive *adj* harmlos

inoperable *adj* inoperabel

inoperative *adj* **1.** *law* außer Kraft **2.** ***to be ~*** (*machine*) nicht funktionieren

inopportune *adj* inopportun; ***to be ~*** ungelegen kommen

inordinate *adj* unmäßig; *number*, *sum* übermäßig; *demand* übertrieben **inordinately** *adv* unmäßig; *large* übermäßig

inorganic *adj* anorganisch

inpatient *n* stationär behandelter Patient / behandelte Patientin

input I *n* **1.** (*into computer*) Eingabe *f*; (*of capital*) Investition *f*; (*into project etc*) Beitrag *m* **2.** (≈ *input terminal*) Eingang *m* **II** *v/t* IT eingeben

inquest *n* JUR gerichtliche Untersuchung der Todesursache; (*fig*) Manöverkritik *f*

inquire I *v/t* sich erkundigen nach; ***he ~d whether...*** er erkundigte sich, ob ... **II** *v/i* sich erkundigen (*about* nach); ***"inquire within"*** „Näheres im Geschäft" ◆ **inquire about** *or* **after** *v/i +prep obj* sich erkundigen nach ◆ **inquire into** *v/i +prep obj* untersuchen

inquiring *adj* fragend; *mind* forschend

inquiry *n* **1.** (≈ *question*) Anfrage *f* (*about* über *+acc*); (*for direction etc*) Erkundigung *f* (*about* über *+acc*, nach); ***to make inquiries*** Erkundigungen einziehen; (*police etc*) Nachforschungen anstellen (*about sb* über jdn, *about sth* nach etw); ***he is helping the police with their inquiries*** (*euph*) er wird von der Polizei vernommen **2.** (≈ *investigation*) Untersuchung *f*; ***to hold an ~ into the cause of the accident*** eine Untersuchung der Unfallursache durchführen

inquisitive *adj* neugierig

inroad *n* (*fig*) ***the Japanese are making ~s into the British market*** die Japaner dringen in den britischen Markt ein

insane I *adj* (*lit*) geisteskrank; (*fig infml*) wahnsinnig; ***to drive sb ~*** (*lit*) jdn um den Verstand bringen; (*fig infml*) jdn wahnsinnig machen **II** *pl* ***the ~*** die Geisteskranken *pl* **insanely** *adv* irrsinnig

insanitary *adj* unhygienisch

insanity *n* Wahnsinn *m*

insatiable *adj* unersättlich

inscribe *v/t* **1.** (*sth on sth* etw in etw *acc*) (*on ring etc*) eingravieren; (*on stone, wood*) einmeißeln **2.** *book* eine Widmung schreiben in (*+acc*); ***a watch, ~d ...*** eine Uhr mit der Widmung ... **inscription** *n* **1.** Inschrift *f*; (*on coin*) Aufschrift *f* **2.** (*in book*) Widmung *f*

inscrutable *adj* unergründlich (*to* für)

insect *n* Insekt *nt* **insect bite** *n* Insektenstich *m* **insecticide** *n* Insektengift *nt*, Insektizid *nt* (*form*) **insect repellent** *n* Insektenbekämpfungsmittel *nt*

insecure *adj* **1.** unsicher; ***if they feel ~ in their jobs*** wenn sie sich in ihrem Arbeitsplatz nicht sicher fühlen **2.** *load* un-

gesichert **insecurity** *n* Unsicherheit *f*
inseminate *v/t* befruchten; *cattle* besamen **insemination** *n* Befruchtung *f*; (*of cattle*) Besamung *f*
insensitive *adj* **1.** (≈ *uncaring*) gefühllos; *remark* taktlos; ***to be ~ to** or **about sb's feelings*** auf jds Gefühle keine Rücksicht nehmen **2.** (≈ *unappreciative*) unempfänglich **3.** (*physically*) unempfindlich (*to* gegen); ***~ to pain*** schmerzunempfindlich **insensitivity** *n* (≈ *uncaring attitude*) Gefühllosigkeit *f* (*towards* gegenüber); (*of remark*) Taktlosigkeit *f*
inseparable *adj* untrennbar; *friends* unzertrennlich; ***these two issues are ~*** diese beiden Fragen sind untrennbar miteinander verbunden **inseparably** *adv* untrennbar
insert I *v/t* (≈ *stick into*) hineinstecken; (≈ *place in*) hineinlegen; (≈ *place between*) einfügen; *coin* einwerfen; IT *disk* einlegen; ***to ~ sth in(to) sth*** (≈ *stick into*) etw in etw (*acc*) stecken; (≈ *place in*) etw in etw (*acc*) hineinlegen; (≈ *place between*) etw in etw (*acc*) einfügen **II** *n* (*in book*) Einlage *f*; (≈ *advertisement*) Inserat *nt* **insertion** *n* (≈ *sticking into*) Hineinstecken *nt*; (≈ *placing in*) Hineinlegen *nt*; (≈ *placing between*) Einfügen *nt*
in-service *adj attr* ***~ training*** (berufsbegleitende) Fortbildung
inset *n* (*a.* **inset map**) Nebenkarte *f*; (*on diagram*) Nebenbild *nt*
inshore I *adj* Küsten- **II** *adv* in Küstennähe
inside I *n* **1.** Innere(s) *nt*; (*of pavement*) Innenseite *f*; ***you'll have to ask someone on the ~*** Sie müssen einen Insider *or* Eingeweihten fragen; ***locked from** or **on the ~*** von innen verschlossen; ***the wind blew the umbrella ~ out*** der Wind hat den Schirm umgestülpt; ***your sweater's ~ out*** du hast deinen Pullover links herum an; ***to turn sth ~ out*** etw umdrehen; ***to know sth ~ out*** etw in- und auswendig kennen **2.** (*infml* ≈ *stomach*: *a.* **insides**) Eingeweide *nt* **II** *adj* Innen-, innere(r, s); ***~ leg measurement*** innere Beinlänge; ***~ pocket*** Innentasche *f* **III** *adv* innen; (≈ *indoors*) drin(nen); (*direction*) nach innen, herein; ***look ~*** sehen Sie hinein; (≈ *search*) sehen Sie innen nach; ***come ~!*** kommen Sie herein!; ***let's go ~*** gehen wir hinein; ***I heard music coming from ~*** ich hörte von innen Musik; ***to be ~*** (*infml* ≈ *in prison*) sitzen (*infml*) **IV** *prep* (*esp US*: *a.* **inside of**) **1.** (*place*) innen in (+*dat*); (*direction*) in (+*acc*) ... (hinein); ***don't let him come ~ the house*** lassen Sie ihn nicht ins Haus (herein); ***he was waiting ~ the house*** er wartete im Haus **2.** (*time*) innerhalb **inside information** *n* Insiderinformationen *pl* **inside lane** *n* SPORTS Innenbahn *f*; AUTO Innenspur *f* **insider** *n* Insider(in) *m*(*f*) **insider dealing, insider trading** *n* FIN Insiderhandel *m*
insidious *adj*, **insidiously** *adv* heimtückisch
insight *n* **1.** *no pl* Verständnis *nt*; ***his ~ into my problems*** sein Verständnis für meine Probleme **2.** Einblick *m* (*into* in +*acc*); ***to gain (an) ~ into sth*** (einen) Einblick in etw gewinnen
insignia *pl* Insignien *pl*
insignificance *n* Bedeutungslosigkeit *f* **insignificant** *adj* unbedeutend
insincere *adj* unaufrichtig **insincerity** *n* Unaufrichtigkeit *f*
insinuate *v/t* andeuten (*sth to sb* etw jdm gegenüber); ***what are you insinuating?*** was wollen Sie damit sagen? **insinuation** *n* Anspielung *f* (*about* auf +*acc*); ***he objected strongly to any ~ that ...*** er wehrte sich heftig gegen jede Andeutung, dass ...
insipid *adj* fade; *colour* langweilig, fad (*Aus*)
insist I *v/i* ***I ~!*** ich bestehe darauf!; ***if you ~*** wenn Sie darauf bestehen; ***he ~s on his innocence*** er behauptet beharrlich, unschuldig zu sein; ***to ~ on a point*** auf einem Punkt beharren; ***to ~ on doing sth*** darauf bestehen, etw zu tun; ***he will ~ on calling her by the wrong name*** er redet sie beharrlich beim falschen Namen an **II** *v/t* ***to ~ that ...*** darauf beharren *or* bestehen, dass ...; ***he ~s that he is innocent*** er behauptet beharrlich, unschuldig zu sein **insistence** *n* Bestehen *nt* (*on* auf +*dat*); ***I did it at his ~*** ich tat es auf sein Drängen **insistent** *adj* **1.** *person* hartnäckig; *salesman etc* aufdringlich; ***he was most ~ about it*** er bestand hartnäckig darauf **2.** *demand* nachdrücklich **insistently** *adv* mit Nachdruck
insofar *adv* ***~ as*** soweit
insole *n* Einlegesohle *f*
insolence *n* Unverschämtheit *f* **insolent**

adj, **insolently** *adv* unverschämt
insoluble *adj* **1.** *substance* unlöslich **2.** *problem* unlösbar
insolvency *n* Zahlungsunfähigkeit *f* **insolvent** *adj* zahlungsunfähig
insomnia *n* Schlaflosigkeit *f* **insomniac** *n* ***to be an ~*** an Schlaflosigkeit leiden
insomuch *adv* = ***inasmuch***
inspect *v/t* prüfen; *school etc* inspizieren; ***to ~ sth for sth*** etw auf etw (*acc*) (hin) prüfen *or* kontrollieren **inspection** *n* Prüfung *f*; (*of school etc*) Inspektion *f*; ***to make an ~ of sth*** etw kontrollieren *or* prüfen; *of school etc* etw inspizieren; ***on ~*** bei näherer Betrachtung **inspector** *n* (*on buses*) Kontrolleur(in) *m(f)*, Kondukteur(in) *m(f)* (*Swiss*); (*of schools*) Schulrat *m*, Schulrätin *f*; (*of police*) Polizeiinspektor(in) *m(f)*; (*higher*) Kommissar(in) *m(f)*
inspiration *n* Inspiration *f* (*for* zu *or* für); ***he gets his ~ from ...*** er lässt sich von ... inspirieren; ***his courage has been an ~ to us all*** sein Mut hat uns alle inspiriert
inspirational *adj* inspirativ **inspire** *v/t* **1.** *respect* einflößen (*in sb* jdm); *hope etc* (er)wecken (*in* in *+dat*); *hate* hervorrufen (*in* bei) **2.** *person* inspirieren; ***the book was ~d by a real person*** die Inspiration zu dem Buch kommt von einer wirklichen Person **inspired** *adj* genial; *performer etc* inspiriert; ***it was an ~ choice*** das war genial gewählt **inspiring** *adj* inspirierend
instability *n* Instabilität *f*
install *v/t* installieren; *bathroom* einbauen; *person* (in ein Amt) einführen; ***to have electricity ~ed*** ans Elektrizitätsnetz angeschlossen werden **installation** *n* **1.** (≈ *action*) Installation *f*; (*of telephone*) Anschluss *m*; (*of kitchen etc*) Einbau *m*; ***~ program*** IT Installationsprogramm *nt* **2.** (≈ *machine etc*) Anlage *f* **installment plan** *n* (*US*) Ratenzahlung *f*; ***to buy on the ~*** auf Raten kaufen **instalment**, (*US*) **installment** *n* **1.** (*of story, serial*) Fortsetzung *f*; RADIO, TV (Sende)folge *f* **2.** FIN, COMM Rate *f*; ***monthly ~*** Monatsrate *f*; ***to pay in*** *or* ***by ~s*** in Raten *or* ratenweise bezahlen
instance *n* (≈ *example*) Beispiel *nt*; (≈ *case*) Fall *m*; ***for ~*** zum Beispiel; ***in the first ~*** zunächst (einmal)
instant I *adj* **1.** unmittelbar **2.** COOK Instant-; ***~ mashed potatoes*** fertiger Kartoffelbrei **II** *n* Augenblick *m*; ***this ~*** auf der Stelle; ***it was all over in an ~*** in einem Augenblick war alles vorbei; ***he left the ~ he heard the news*** er ging sofort, als er die Nachricht hörte **instant access** *n* FIN, IT sofortiger Zugriff (*to* auf) **instantaneous** *adj* unmittelbar; ***death was ~*** der Tod trat sofort ein **instantaneously** *adv* sofort **instant camera** *n* Sofortbildkamera *f* **instant coffee** *n* Instantkaffee *m* **instantly** *adv* sofort **instant messaging** *n* INTERNET Instant Messaging *nt* **instant replay** *n* TV Wiederholung *f*
instead I *prep* ***~ of*** statt (*+gen or* (*inf*) *+dat*), anstelle von; ***~ of going to school*** (an)statt zur Schule zu gehen; ***~ of that*** stattdessen; ***his brother came ~ of him*** sein Bruder kam an seiner Stelle **II** *adv* stattdessen; ***if he doesn't want to go, I'll go ~*** wenn er nicht gehen will, gehe ich (stattdessen)
instep *n* ANAT Spann *m*
instigate *v/t* anstiften; *violence* aufrufen zu; *reform etc* initiieren **instigation** *n* ***at sb's ~*** auf jds Veranlassung **instigator** *n* (*of crime etc*) Anstifter(in) *m(f)*; (*of reform etc*) Initiator(in) *m(f)*
instil, (*US*) **instill** *v/t* einflößen (*into sb* jdm); *knowledge, discipline* beibringen (*into sb* jdm)
instinct *n* Instinkt *m*; ***the survival ~*** der Überlebenstrieb; ***by*** *or* ***from ~*** instinktiv; ***to follow one's ~s*** sich auf seinen Instinkt verlassen **instinctive** *adj*, **instinctively** *adv* instinktiv
institute I *v/t* **1.** *reforms etc* einführen; *search* einleiten **2.** JUR *inquiry* einleiten; *proceedings* anstrengen (*against* gegen) **II** *n* Institut *nt*; ***Institute of Technology*** technische Hochschule; ***women's ~*** Frauenverein *m* **institution** *n* Institution *f*; (≈ *building*) Anstalt *f* **institutional** *adj* institutionell; ***~ care*** Anstaltspflege *f* **institutionalized** *adj* institutionalisiert
in-store *adj attr* im Laden
instruct *v/t* **1.** (≈ *teach*) unterrichten **2.** (≈ *tell*) anweisen; (≈ *command*) die Anweisung erteilen (*+dat*) **instruction** *n* **1.** (≈ *teaching*) Unterricht *m* **2.** (≈ *order, command*) Anweisung *f*; ***what were your ~s?*** welche Instruktionen *or* Anweisungen hatten Sie?; ***~s for use*** Gebrauchsanweisung *f*; ***~ manual*** TECH Bedienungsanleitung *f* **instructive** *adj* ins-

truktiv **instructor** *n* Lehrer *m*; (*US*) Dozent *m* **instructress** *n* Lehrerin *f*; (*US*) Dozentin *f*

instrument *n* **1.** Instrument *nt* **2.** (*fig*) Werkzeug *nt* **instrumental** *adj* **1.** *role* entscheidend; ***to be ~ in sth*** bei etw eine entscheidende Rolle spielen **2.** MUS Instrumental-; ***~ music/version*** Instrumentalmusik *f*/-version *f* **instrumentalist** *n* Instrumentalist(in) *m(f)* **instrumentation** *n* Instrumentation *f* **instrument panel** *n* AVIAT Instrumententafel *f*; AUTO Armaturenbrett *nt*

insubordinate *adj* aufsässig **insubordination** *n* Aufsässigkeit *f*

insubstantial *adj* wenig substanziell; *accusation* gegenstandslos; *amount* gering (-fügig); *meal* dürftig

insufferable *adj*, **insufferably** *adv* unerträglich

insufficient *adj* nicht genügend; ***~ evidence*** Mangel *m* an Beweisen; ***~ funds*** FIN mangelnde Deckung **insufficiently** *adv* unzulänglich

insular *adj* (≈ *narrow-minded*) engstirnig

insulate *v/t* (*lit*) isolieren **insulating material** *n* Isoliermaterial *nt* **insulating tape** *n* Isolierband *nt* **insulation** *n* (*lit*) Isolierung *f*; (≈ *material*) Isoliermaterial *nt*

insulin *n* Insulin® *nt*

insult I *v/t* beleidigen **II** *n* Beleidigung *f*; ***an ~ to my intelligence*** eine Beleidigung meiner Intelligenz; ***to add ~ to injury*** das Ganze noch schlimmer machen **insulting** *adj* beleidigend; *question* unverschämt; ***he was very ~ to her*** er hat sich ihr gegenüber sehr beleidigend geäußert **insultingly** *adv* beleidigend; *behave* in beleidigender Weise

insuperable *adj* unüberwindlich

insurance *n* Versicherung *f*; ***to take out ~*** eine Versicherung abschließen (*against* gegen) **insurance broker** *n* Versicherungsmakler(in) *m(f)* **insurance company** *n* Versicherungsgesellschaft *f* **insurance policy** *n* Versicherungspolice *f*; ***to take out an ~*** eine Versicherung abschließen

insure *v/t* versichern (lassen) (*against* gegen); ***he ~d his house contents for £10,000*** er schloss eine Hausratsversicherung über £ 10.000 ab; ***to ~ one's life*** eine Lebensversicherung abschließen **insured** *adj* versichert (*by*, *with* bei); ***~ against fire*** feuerversichert **insurer** *n* Versicherer *m*

insurmountable *adj* unüberwindlich

insurrection *n* Aufstand *m*

intact *adj* intakt; ***not one window was left ~*** kein einziges Fenster blieb ganz *or* heil; ***his confidence remained ~*** sein Vertrauen blieb ungebrochen *or* unerschüttert

intake *n* **1.** ***food ~*** Nahrungsaufnahme *f*; (***sharp***) ***~ of breath*** (plötzlicher) Atemzug **2.** (SCHOOL, *of immigrants*) Aufnahme *f*

intangible *adj* unbestimmbar

integer *n* ganze Zahl

integral *adj* wesentlich; ***to be ~ to sth*** ein wesentlicher Bestandteil einer Sache (*gen*) sein

integrate *v/t* integrieren; ***to ~ sb/sth into*** *or* ***with sth*** jdn / etw in etw (*acc*) integrieren; ***to ~ sth with sth*** etw auf etw (*acc*) abstimmen **integrated** *adj* integriert; *plan* einheitlich; *school* ohne Rassentrennung **integration** *n* Integration *f* (*into* in +*acc*); (***racial***) ***~*** Rassenintegration *f*

integrity *n* **1.** (≈ *honesty*) Integrität *f* **2.** (≈ *wholeness*) Einheit *f*

intellect *n* Intellekt *m* **intellectual I** *adj* intellektuell; *freedom*, *property* geistig **II** *n* Intellektuelle(r) *m/f(m)*

intelligence *n* **1.** Intelligenz *f* **2.** (≈ *information*) Informationen *pl* **3.** MIL *etc* Nachrichtendienst *m* **intelligence service** *n* POL Nachrichtendienst *m*

intelligent *adj*, **intelligently** *adv* intelligent **intelligentsia** *n* Intelligenz *f* **intelligible** *adj* verständlich (*to sb* für jdn)

intend *v/t* beabsichtigen; ***I ~ed no harm*** es war (von mir) nicht böse gemeint; (*with action*) ich hatte nichts Böses beabsichtigt; ***it was ~ed as a compliment*** das sollte ein Kompliment sein; ***I wondered what he ~ed by that remark*** ich fragte mich, was er mit dieser Bemerkung beabsichtigte; ***this park is ~ed for the general public*** dieser Park ist für die Öffentlichkeit bestimmt; ***I ~ to leave next year*** ich beabsichtige *or* habe vor, nächstes Jahr zu gehen; ***what do you ~ to do about it?*** was beabsichtigen Sie, dagegen zu tun?; ***this is ~ed to help me*** das soll mir helfen; ***did you ~ that to happen?*** hatten Sie das beabsichtigt?

intended I *adj effect* beabsichtigt; *vic-*

tim ausgeguckt; *target* anvisiert **II** *n* **my ~** (*infml*) mein Zukünftiger (*infml*), meine Zukünftige (*infml*)

intense *adj* intensiv; *disappointment* bitter; *pressure* enorm; *joy* riesig; *heat* ungeheuer; *desire* brennend; *competition, fighting, speculation* heftig; *hatred* rasend; *person* ernsthaft **intensely** *adv* **1.** (≈ *extremely*) äußerst; ***I dislike it ~*** ich kann es absolut nicht ausstehen **2.** *stare, study* intensiv **intensification** *n* Intensivierung *f* **intensify I** *v/t* intensivieren; *fears* verstärken; *conflict* verschärfen **II** *v/i* zunehmen **intensity** *n* Intensität *f* **intensive** *adj* intensiv, Intensiv-; ***to be in ~ care*** MED auf der Intensivstation sein; ***~ care unit*** Intensivstation *f*; ***~ farming*** intensive Landwirtschaft **intensively** *adv* intensiv

intent I *n* Absicht *f*; ***to all ~s and purposes*** im Grunde **II** *adj* **1.** *look* durchdringend **2. *to be ~ on achieving sth*** fest entschlossen sein, etw zu erreichen; ***they were ~ on winning*** sie wollten unbedingt gewinnen **intention** *n* Absicht *f*; ***what was your ~ in publishing the article?*** mit welcher Absicht haben Sie den Artikel veröffentlicht?; ***it is my ~ to punish you severely*** ich beabsichtige, Sie streng zu bestrafen; ***I have every ~ of doing it*** ich habe die feste Absicht, das zu tun; ***to have no ~ of doing sth*** nicht die Absicht haben, etw zu tun; ***with the best of ~s*** in der besten Absicht; ***with the ~ of ...*** in der Absicht zu ... **intentional** *adj* absichtlich **intentionally** *adv* absichtlich

intently *adv* konzentriert

inter *v/t* (*form*) bestatten

inter- *pref* zwischen-, Zwischen-; (*esp with foreign words*) inter-, Inter-; ***interpersonal*** zwischenmenschlich

interact *v/i* aufeinanderwirken; PSYCH, SOCIOL interagieren **interaction** *n* gegenseitige Einwirkung; PSYCH, SOCIOL Interaktion *f* **interactive** *adj* interaktiv

interbreed *v/i* (≈ *inbreed*) sich untereinander vermehren; (≈ *crossbreed*) sich kreuzen

intercede *v/i* sich einsetzen (*with* bei, *for, on behalf of* für); (*in argument*) vermitteln

intercept *v/t* abfangen; ***they ~ed the enemy*** sie schnitten dem Feind den Weg ab

intercession *n* Fürsprache *f*; (*in argument*) Vermittlung *f*

interchange *n* **1.** (*of roads*) Kreuzung *f*; (*of motorways*) (Autobahn)kreuz *nt* **2.** (≈ *exchange*) Austausch *m* **interchangeable** *adj* austauschbar **interchangeably** *adv* ***they are used ~*** sie können ausgetauscht werden

intercity *adj* Intercity-

intercom *n* (Gegen)sprechanlage *f*; (*in ship, plane*) Bordverständigungsanlage *f*

interconnect I *v/t* ***~ed events*** zusammenhängende Ereignisse **II** *v/i* in Zusammenhang stehen

intercontinental *adj* interkontinental, Interkontinental-

intercourse *n* Verkehr *m*; (***sexual***) **~** (Geschlechts)verkehr *m*

intercultural *adj* interkulturell

interdepartmental *adj* *relations* zwischen den Abteilungen; *committee* abteilungsübergreifend

interdependent *adj* wechselseitig voneinander abhängig

interest I *n* **1.** Interesse *nt* (*in* für); ***do you have any ~ in chess?*** interessieren Sie sich für Schach?; ***to take an ~ in sb/sth*** sich für jdn/etw interessieren; ***to show (an) ~ in sb/sth*** Interesse für jdn/etw zeigen; ***is it of any ~ to you?*** (≈ *do you want it?*) sind Sie daran interessiert?; ***he has lost ~*** er hat das Interesse verloren; ***his ~s are ...*** er interessiert sich für ...; ***in the ~(s) of sth*** im Interesse einer Sache (*gen*) **2.** FIN Zinsen *pl* **3.** (COMM ≈ *stake*) Anteil *m*; ***German ~s in Africa*** deutsche Interessen *pl* in Afrika **II** *v/t* interessieren (*in* für, an +*dat*); ***to ~ sb in doing sth*** jdn dafür interessieren, etw zu tun; ***can I ~ you in a drink?*** kann ich Sie zu etwas Alkoholischem überreden?

interested *adj* **1.** interessiert (*in* an +*dat*); ***I'm not ~*** das interessiert mich nicht; ***to be ~ in sb/sth*** sich für jdn/etw interessieren, an jdm/etw interessiert sein; ***I'm going to the cinema, are you ~ (in coming)?*** ich gehe ins Kino, haben Sie Lust mitzukommen?; ***I'm selling my car, are you ~?*** ich verkaufe meinen Wagen, sind Sie interessiert?; ***the company is ~ in expanding its sales*** die Firma hat Interesse daran *or* ist daran interessiert, ihren Absatz zu vergrößern; ***to get***

sb~ (**in sth**) jdn (für etw) interessieren **2.** **he is an ~ party** er ist befangen, er ist daran beteiligt

interest-free *adj*, *adv* zinslos

interest group *n* Interessengruppe *f*

interesting *adj* interessant; **the ~ thing about it is that ...** das Interessante daran ist, dass ... **interestingly** *adv* **~ enough, I saw him yesterday** interessanterweise habe ich ihn gestern gesehen

interest rate *n* FIN Zinssatz *m*

interface *n* **1.** Grenzfläche *f* **2.** IT Schnittstelle *f*

interfere *v/i* sich einmischen (*in* in +*acc*); (*with machinery, property*) sich zu schaffen machen (*with* an +*dat*); (*euph: sexually*) sich vergehen (*with* an +*dat*); **don't ~ with the machine** lass die Finger von der Maschine; **to ~ with sth** (≈ *disrupt*) etw stören; *with work* etw beeinträchtigen; **to ~ with sb's plans** jds Pläne durchkreuzen **interference** *n* **1.** (≈ *meddling*) Einmischung *f* **2.** (≈ *disruption*, RADIO, TV) Störung *f* (*with* +*gen*) **interfering** *adj person* sich ständig einmischend

intergovernmental *adj* zwischenstaatlich

interim **I** *n* Zwischenzeit *f*; **in the ~** in der Zwischenzeit **II** *adj* vorläufig; **~ agreement** Übergangsabkommen *nt*; **~ report** Zwischenbericht *m*; **~ government** Übergangsregierung *f*

interior **I** *adj* Innen-; **~ minister** Innenminister(in) *m(f)*; **~ ministry** Innenministerium *nt* **II** *n* (*of country*) Innere(s) *nt*; (*of house*) Innenausstattung *f*; **Department of the Interior** (*US*) Innenministerium *nt*; **the ~ of the house has been newly decorated** das Haus ist innen neu gemacht **interior decoration** *n* Innenausstattung *f* **interior decorator** *n* Innenausstatter(in) *m(f)* **interior design** *n* Innenarchitektur *f* **interior designer** *n* Innenarchitekt(in) *m(f)*

interject *v/t* einwerfen **interjection** *n* (≈ *exclamation*) Ausruf *m*; (≈ *remark*) Einwurf *m*

interlink *v/i* ineinanderhängen; (*fig: theories etc*) zusammenhängen

interlock *v/i* ineinandergreifen

interlocutor *n* Gesprächspartner(in) *m(f)*

interloper *n* Eindringling *m*

interlude *n* Periode *f*; (THEAT) (≈ *interval*) Pause *f*; (≈ *performance*) Zwischenspiel *nt*; MUS Interludium *nt*

intermarry *v/i* untereinander heiraten

intermediary **I** *n* (Ver)mittler(in) *m(f)* **II** *adj* **1.** (≈ *intermediate*) mittlere(r, s) **2.** (≈ *mediating*) vermittelnd

intermediate *adj* Zwischen-; *French etc* für fortgeschrittene Anfänger; **~ stage** Zwischenstadium *nt*; **the ~ stations** die dazwischenliegenden Bahnhöfe; **an ~ student** ein fortgeschrittener Anfänger, eine fortgeschrittene Anfängerin

interminable *adj* endlos

intermingle *v/i* sich mischen (*with* unter +*acc*)

intermission *n* THEAT, FILM Pause *f*

intermittent *adj* periodisch auftretend **intermittently** *adv* periodisch

intern[1] *v/t person* internieren

intern[2] *n* (*US*) **1.** (≈ *junior doctor*) Assistenzarzt *m*/-ärztin *f* **2.** (≈ *trainee*) Praktikant(in) *m(f)*

internal *adj* innere(r, s); (≈ *within country*) Binnen-; (≈ *within organization*) intern; **~ call** internes *or* innerbetriebliches Gespräch; **~ flight** Inlandsflug *m*; **Internal Revenue Service** (*US*) Finanzamt *nt*; **~ wall** Innenwand *f* **internal affairs** *pl* innere Angelegenheiten *pl* **internal bleeding** *n* innere Blutungen *pl* **internal combustion engine** *n* Verbrennungsmotor *m* **internalize** *v/t* verinnerlichen **internally** *adv* innen, im Inneren; (≈ *in body*) innerlich; (≈ *in country*) landesintern; (≈ *in organization*) intern; **"not to be taken ~"** „nicht zum Einnehmen" **internal market** *n* ECON Binnenmarkt *m*; (*within organization*) marktwirtschaftliche Struktur

international **I** *adj* international; **~ code** TEL internationale Vorwahl; **~ money order** Auslandsanweisung *f* **II** *n* SPORTS **1.** (≈ *match*) Länderspiel *nt* **2.** (≈ *player*) Nationalspieler(in) *m(f)* **International Court of Justice** *n* Internationaler Gerichtshof **International Date Line** *n* Datumsgrenze *f* **internationalize** *v/t* internationalisieren **international law** *n* internationales Recht **internationally** *adv* international; *compete* auf internationaler Ebene **International Monetary Fund** *n* ECON Internationaler Währungsfonds **International Phonetic Alphabet** *n* internationale Lautschrift

internee *n* Internierte(r) *m*/*f*(*m*)
Internet *n* ***the ~*** das Internet; ***to surf the ~*** im Internet surfen **Internet banking** *n* Internetbanking *nt* **Internet café** *n* Internetcafé *nt* **Internet connection** *n* Internet-Anschluss *m* **Internet service provider** *n* Internet-Anbieter *m*
internment *n* Internierung *f*
internship *n* (*US*) **1.** MED Medizinalpraktikum *nt* **2.** (*as trainee*) Praktikum *nt*
interplay *n* Zusammenspiel *nt*
interpose *v*/*t* **1.** *object* dazwischenstellen/-legen; ***to ~ oneself between ...*** sich zwischen ... (*acc*) stellen **2.** *remark* einwerfen
interpret I *v*/*t* **1.** (≈ *translate orally*) dolmetschen **2.** (≈ *explain*) interpretieren; *dream* deuten; ***how would you ~ what he said?*** wie würden Sie seine Worte verstehen *or* auffassen? **II** *v*/*i* dolmetschen **interpretation** *n* (≈ *explanation*) Interpretation *f*; (*of dream*) Deutung *f*
interpreter *n* **1.** Dolmetscher(in) *m*(*f*) **2.** IT Interpreter *m* **interpreting** *n* (≈ *profession*) Dolmetschen *nt*
interrelate I *v*/*t* ***to be ~d*** zueinander in Beziehung stehen **II** *v*/*i* zueinander in Beziehung stehen
interrogate *v*/*t* verhören **interrogation** *n* Verhör *nt* **interrogative I** *adj* GRAM Interrogativ-; ***~ pronoun/clause*** Interrogativpronomen *nt*/-satz *m* **II** *n* (GRAM ≈ *pronoun*) Interrogativpronomen *nt*; (≈ *mood*) Interrogativ *m*; ***in the ~*** in der Frageform **interrogator** *n* Vernehmungsbeamte(r) *m*/*f*(*m*) (*form*); ***my ~s*** die, die mich verhören
interrupt I *v*/*t* unterbrechen **II** *v*/*i* unterbrechen; (≈ *interrupt sb's work etc*) stören; ***stop ~ing!*** fall mir/ihm *etc* nicht dauernd ins Wort! **interruption** *n* Unterbrechung *f*
intersect *v*/*i* sich kreuzen; GEOMETRY sich schneiden **intersection** *n* (≈ *crossroads*) Kreuzung *f*; GEOMETRY Schnittpunkt *m*; ***point of ~*** Schnittpunkt *m*
intersperse *v*/*t* verteilen; ***~d with sth*** mit etw dazwischen; ***a speech ~d with quotations*** eine mit Zitaten gespickte Rede; ***periods of sunshine ~d with showers*** von Schauern unterbrochener Sonnenschein
interstate I *adj* (*US*) zwischen den (US-‑Bundes)staaten; ***~ highway*** Interstate Highway *m* **II** *n* (*US*) Interstate (Highway) *m*
intertwine *v*/*i* sich ineinander verschlingen
interval *n* **1.** (*in space, time*) Abstand *m*; ***at ~s*** in Abständen; ***at two-weekly ~s*** in Abständen von zwei Wochen; ***sunny ~s*** METEO Aufheiterungen *pl* **2.** THEAT *etc* Pause *f*
intervene *v*/*i* (*person*) intervenieren; (*event, fate*) dazwischenkommen **intervening** *adj* dazwischenliegend; ***in the ~ period*** in der Zwischenzeit **intervention** *n* Intervention *f*
interview I *n* **1.** (*for job*) Vorstellungsgespräch *nt*; (*with authorities etc*) Gespräch *nt* **2.** PRESS, TV *etc* Interview *nt* **II** *v*/*t* **1.** *job applicant* ein/das Vorstellungsgespräch führen mit **2.** PRESS, TV *etc* interviewen **interviewee** *n* (*for job*) Kandidat(in) *m*(*f*) (für die Stelle); PRESS, TV *etc* Interviewte(r) *m*/*f*(*m*) **interviewer** *n* (*for job*) Leiter(in) *m*(*f*) des Vorstellungsgesprächs; PRESS, TV *etc* Interviewer(in) *m*(*f*)
interwar *adj* zwischen den Weltkriegen
interweave I *v*/*t* verweben **II** *v*/*i* sich verweben
intestate *adj* JUR ***to die ~*** ohne Testament sterben
intestinal *adj* Darm- **intestine** *n* Darm *m*; ***small/large ~*** Dünn-/Dickdarm *m*
intimacy *n* Vertrautheit *f*
intimate[1] *adj* eng; (*sexually, fig*) intim; ***to be on ~ terms with sb*** mit jdm auf vertraulichem Fuß stehen; ***to be/become ~ with sb*** mit jdm vertraut sein/werden; (*sexually*) mit jdm intim sein/werden; ***to have an ~ knowledge of sth*** über etw (*acc*) in allen Einzelheiten Bescheid wissen
intimate[2] *v*/*t* andeuten; ***he ~d to them that they should stop*** er gab ihnen zu verstehen, dass sie aufhören sollten
intimately *adv acquainted* bestens; *related* eng; *know* genau
intimidate *v*/*t* einschüchtern; ***they ~d him into not telling the police*** sie schüchterten ihn so ein, dass er der Polizei nichts erzählte **intimidation** *n* Einschüchterung *f*
into *prep* **1.** in (+*acc*); *crash* gegen; ***to translate sth ~ French*** etw ins Französische übersetzen; ***to change euros ~ pounds*** Euro in Pfund umtauschen; ***to divide 3 ~ 9*** 9 durch 3 teilen *or* divi-

dieren; ***3 ~ 9 goes 3*** 3 geht dreimal in 9; ***he's well ~ his sixties*** er ist in den späten Sechzigern; ***research ~ cancer*** Krebsforschung *f* **2.** (*infml*) ***to be ~ sb/sth*** (≈ *like*) auf jdn / etw (*acc*) stehen (*infml*); ***to be ~ sth*** (≈ *use*) *drugs etc* etw nehmen; ***he's ~ wine*** (≈ *likes*) er ist Weinliebhaber; (≈ *is expert*) er ist Weinkenner; ***he's ~ computers*** er ist Computerfan (*infml*)

intolerable *adj*, **intolerably** *adv* unerträglich **intolerance** *n* Intoleranz *f* (*of* gegenüber) **intolerant** *adj* intolerant (*of* gegenüber)

intonation *n* Intonation *f*

intoxicated *adj* berauscht; ***to become ~*** sich berauschen (*by*, *with* an +*dat*, von); ***~ by** or **with success*** vom Erfolg berauscht **intoxication** *n* Rausch *m*; ***in a state of ~*** (*form*) im Rausch

intractable *adj problem* hartnäckig

intranet *n* IT Intranet *nt*

intransigence *n* Unnachgiebigkeit *f* **intransigent** *adj* unnachgiebig

intransitive *adj* intransitiv

intrastate *adj* (*US*) innerhalb des (Bundes)staates

intrauterine device *n* Intrauterinpessar *nt*

intravenous *adj* intravenös; ***~ drug user*** Drogenabhängige(r) *m/f(m)*, der / die intravenös spritzt

in-tray *n* Ablage *f* für Eingänge

intrepid *adj* kühn

intricacy *n* Kompliziertheit *f*; (*of chess etc*) Feinheit *f* **intricate** *adj*, **intricately** *adv* kompliziert

intrigue I *v/i* intrigieren **II** *v/t* (≈ *arouse interest of*) faszinieren; (≈ *arouse curiosity of*) neugierig machen; ***to be ~d with** or **by sth*** von etw fasziniert sein; ***I would be ~d to know why ...*** es würde mich schon interessieren, warum ... **III** *n* (≈ *plot*) Intrige *f* **intriguing** *adj* faszinierend

intrinsic *adj value* immanent; (≈ *essential*) wesentlich **intrinsically** *adv* an sich

intro *n* (*infml*) *abbr of* ***introduction*** Intro *nt* (*infml*)

introduce *v/t* **1.** (*to person*) vorstellen (*to sb* jdm); (*to subject*) einführen (*to* in +*acc*); ***I don't think we've been ~d*** ich glaube nicht, dass wir uns kennen; ***allow me to** or **let me ~ myself*** darf ich mich vorstellen? **2.** *practice*, *reform* einführen; PARL *bill* einbringen; *subject* einleiten; *speaker* ankündigen; ***to ~ sth onto the market*** etw auf dem Markt einführen

introduction *n* **1.** (*to person*) Vorstellung *f*; ***to make the ~s*** die Vorstellung übernehmen; ***letter of ~*** Einführungsschreiben *nt* **2.** (*to book*, *music*) Einleitung *f* (*to* zu) **3.** (*of practice*, *reform etc*) Einführung *f*; (*of bill*) Einbringen *nt*; ***an ~ to French*** (≈ *elementary course*) eine Einführung ins Französische **introductory** *adj paragraph* einleitend; *remarks* einführend; *course*, *offer* Einführungs-

introspection *n* Selbstbeobachtung *f*, Introspektion *f* **introspective** *adj* introspektiv

introvert *n* PSYCH Introvertierte(r) *m/f(m)*; ***to be an ~*** introvertiert sein **introverted** *adj* introvertiert

intrude *v/i* stören; ***to ~ on sb*** jdn stören; ***to ~ on sb's privacy*** jds Privatsphäre verletzen **intruder** *n* Eindringling *m* **intrusion** *n* Störung *f*; ***forgive the ~, I just wanted to ask ...*** entschuldigen Sie, wenn ich hier so eindringe, ich wollte nur fragen ... **intrusive** *adj person* aufdringlich; *presence* störend

intuition *n* Intuition *f* **intuitive** *adj* intuitiv

inundate *v/t* überschwemmen; (*with work*) überhäufen; ***have you a lot of work on? — I'm ~d*** haben Sie viel Arbeit? – ich ersticke darin

invade *v/t* MIL einmarschieren in (+*acc*); (*fig*) überfallen **invader** *n* MIL Invasor *m* **invading** *adj* einmarschierend; ***~ army*** Invasionsarmee *f*

invalid[1] **I** *adj* **1.** krank; (≈ *disabled*) körperbehindert **2.** (≈ *for invalids*) Kranken-, Invaliden- **II** *n* Kranke(r) *m/f(m)*; (≈ *disabled person*) Körperbehinderte(r) *m/f(m)*

invalid[2] *adj esp* JUR ungültig; ***to declare sth ~*** etw für ungültig erklären **invalidate** *v/t* ungültig machen

invaluable *adj* unbezahlbar; *help*, *contribution* unschätzbar; *advice* von unschätzbarem Wert; ***to be ~ (to sb)*** (für jdn) von unschätzbarem Wert sein

invariable *adj* unveränderlich **invariably** *adv* ständig

invasion *n* Invasion *f*; (*of privacy etc*) Eingriff *m* (*of* in +*acc*); ***the German ~ of Poland*** der Einmarsch *or* Einfall der Deutschen in Polen **invasive** *adj* MED invasiv

invective *n* Beschimpfungen *pl* (*against +gen*)

invent *v/t* erfinden

invention *n* **1.** Erfindung *f* **2.** (≈ *inventiveness*) Fantasie *f* **inventive** *adj* **1.** *powers* schöpferisch; *design, menu* einfallsreich **2.** (≈ *resourceful*) erfinderisch **inventiveness** *n* Einfallsreichtum *m* **inventor** *n* Erfinder(in) *m(f)*

inventory *n* Bestandsaufnahme *f*; ***to make*** *or* ***take an ~ of sth*** Inventar von etw *or* den Bestand einer Sache (*gen*) aufnehmen

inverse I *adj* umgekehrt **II** *n* Gegenteil *nt* **inversion** *n* (*fig*) Umkehrung *f* **invert** *v/t* umkehren

invertebrate *n* Wirbellose(r) *m*

inverted commas *pl* (*Br*) Anführungszeichen *pl*; ***his new job, in ~*** sein sogenannter neuer Job

invest I *v/t* **1.** FIN investieren (*in* in *+acc or dat*) **2.** (*form*) ***to ~ sb/sth with sth*** jdm/einer Sache etw verleihen **II** *v/i* investieren (*in* in *+acc or dat, with* bei); ***to ~ in a new car*** sich (*dat*) ein neues Auto anschaffen

investigate I *v/t* untersuchen; ***to ~ a case*** in einem Fall ermitteln **II** *v/i* nachforschen; (*police*) ermitteln **investigation** *n* **1.** Untersuchung *f* (*into +gen*); ***to order an ~ into*** *or* ***of sth*** anordnen, dass in einer Sache (*dat*) ermittelt wird; ***on ~ it turned out that ...*** bei näherer Untersuchung stellte (es) sich heraus, dass ...; ***to be under ~*** überprüft werden; ***he is under ~*** (*by police*) gegen ihn wird ermittelt **2.** (≈ *scientific research*) Forschung *f* **investigative** *adj* investigativ; ***~ journalism*** Enthüllungsjournalismus *m* **investigator** *n* Ermittler(in) *m(f)*; (≈ *private investigator*) (Privat)detektiv(in) *m(f)*

investiture *n* (*of president etc*) Amtseinführung *f*; (*of royalty*) Investitur *f*

investment *n* FIN Investition *f*; ***we need more ~ in industry*** in die Industrie muss mehr investiert werden; ***foreign ~*** Auslandsinvestition(en *pl*) *f*; ***this company is a good ~*** diese Firma ist eine gute (Kapital)anlage; ***a portable TV is a good ~*** ein tragbarer Fernseher macht sich bezahlt **investment grant** *n* ECON Investitionszulage *f* **investment trust** *n* Investmenttrust *m* **investor** *n* Investor(in) *m(f)*

inveterate *adj hatred* tief verwurzelt; *liar* unverbesserlich; ***~ criminal*** Gewohnheitsverbrecher(in) *m(f)*

invigilate (*Br*) **I** *v/t* Aufsicht führen bei **II** *v/i* Aufsicht führen **invigilator** *n* (*Br*) Aufsichtsperson *f*

invigorate *v/t* beleben, kräftigen **invigorating** *adj climate* gesund; *sea air* erfrischend

invincible *adj* unbesiegbar

inviolable *adj* unantastbar; *law, oath* heilig

invisible *adj* unsichtbar; ***~ to the naked eye*** mit dem bloßen Auge nicht erkennbar **invisible earnings** *pl* ECON geldwerte Leistungen *pl*

invitation *n* Einladung *f*; ***by ~ (only)*** nur auf Einladung; ***at sb's ~*** auf jds Aufforderung (*acc*) (hin); ***~ to tender*** Ausschreibung *f*

invite I *v/t* **1.** *person* einladen; ***to ~ sb to do sth*** jdn auffordern, etw zu tun **2.** *suggestions* bitten um; *ridicule* auslösen **II** *n* (*infml*) Einladung *f* ◆ **invite (a)round** *v/t sep* (zu sich) einladen ◆ **invite in** *v/t sep* hereinbitten; ***could I invite you in for (a) coffee?*** möchten Sie auf eine Tasse Kaffee hereinkommen? ◆ **invite out** *v/t sep* einladen; ***I invited her out*** ich habe sie gefragt, ob sie mit mir ausgehen möchte; ***to invite sb out for a meal*** jdn in ein Restaurant einladen

inviting *adj* einladend; *prospect, meal* verlockend

in vitro *adj* BIOL ***~ fertilization*** In-vitro-Fertilisation, künstliche Befruchtung

invoice I *n* (Waren)rechnung *f* **II** *v/t goods* berechnen; ***to ~ sb for sth*** jdm für etw eine Rechnung ausstellen; ***we'll ~ you*** wir senden Ihnen die Rechnung

invoke *v/t* **1.** *God, the law* anrufen **2.** *treaty etc* sich berufen auf (*+acc*)

involuntarily *adv* unabsichtlich; (≈ *automatically*) unwillkürlich **involuntary** *adj* unbeabsichtigt; *repatriation* unfreiwillig; *twitch etc* unwillkürlich

involve *v/t* **1.** (≈ *entangle*) verwickeln (*sb in sth* jdn in etw *acc*); (≈ *include*) beteiligen (*sb in sth* jdn an etw *dat*); (≈ *concern*) betreffen; ***the book doesn't ~ the reader*** das Buch fesselt *or* packt den Leser nicht; ***it wouldn't ~ you at all*** du hättest damit gar nichts zu tun; ***to be ~d in***

sth etwas mit etw zu tun haben; ***to get ~d in sth*** in etw (*acc*) verwickelt werden; ***to ~ oneself in sth*** sich in etw (*dat*) engagieren; ***I didn't want to get ~d*** ich wollte damit/mit ihm *etc* nichts zu tun haben; ***the person ~d*** die betreffende Person; ***to be/get ~d with sth*** etwas mit etw zu tun haben; (≈ *have part in*) an etw (*dat*) beteiligt sein; ***to be ~d with sb*** (*sexually*) mit jdm ein Verhältnis haben; ***to get ~d with sb*** sich mit jdm einlassen (*pej*); ***he got ~d with a girl*** er hat eine Beziehung mit einem Mädchen angefangen **2.** (≈ *entail*) mit sich bringen; (≈ *encompass*) umfassen; (≈ *mean*) bedeuten; ***what does the job ~?*** worin besteht die Arbeit?; ***will the post ~ much foreign travel?*** ist der Posten mit vielen Auslandsreisen verbunden?; ***he doesn't understand what's ~d*** er weiß nicht, worum es geht; ***about £1,000 was ~d*** es ging dabei um etwa £ 1.000; ***it would ~ moving to Germany*** das würde bedeuten, nach Deutschland umzuziehen
involved *adj* kompliziert **involvement** *n* Beteiligung *f* (*in* an +*dat*); (*in crime etc*) Verwicklung *f* (*in* in +*acc*); ***she denied any ~ in*** *or* ***with drugs*** sie leugnete, dass sie etwas mit Drogen zu tun hatte
invulnerable *adj* unverwundbar; *fortress* uneinnehmbar; *position* unangreifbar
inward I *adj* **1.** (≈ *inner*) innere(r, s) **2.** (≈ *incoming*) nach innen **II** *adv* = ***inwards*** **inward-looking** *adj* in sich gekehrt **inwardly** *adv* innerlich **inwards** *adv* nach innen
in-your-face, in-yer-face *adj* (*infml*) *attitude etc* provokativ
iodine *n* Jod *nt*
ion *n* Ion *nt*
iota *n* ***not one ~*** nicht ein Jota
IOU *abbr of* ***I owe you*** Schuldschein *m*
IPA *abbr of* ***International Phonetic Alphabet***
IQ *abbr of* ***intelligence quotient*** IQ *m*, Intelligenzquotient *m*; ***IQ test*** Intelligenztest *m*
IRA *abbr of* ***Irish Republican Army*** IRA *f*
Iran *n* (der) Iran **Iranian I** *adj* iranisch **II** *n* Iraner(in) *m(f)*
Iraq *n* (der) Irak **Iraqi I** *adj* irakisch **II** *n* Iraker(in) *m(f)*
irascible *adj* reizbar
irate *adj* zornig; *crowd* wütend
Ireland *n* Irland *nt*; ***Northern ~*** Nordirland *nt*; ***Republic of ~*** Republik *f* Irland
iris *n* Iris *f*
Irish I *adj* irisch; ***~man*** Ire *m*; ***~woman*** Irin *f* **II** *n* **1.** *pl* ***the ~*** die Iren *pl* **2.** LING Irisch *nt* **Irish Sea** *n* Irische See
irksome *adj* lästig
iron I *n* **1.** Eisen *nt*; ***to pump ~*** (*infml*) Krafttraining machen **2.** (≈ *electric iron*) Bügeleisen *nt*; ***he has too many ~s in the fire*** er macht zu viel auf einmal; ***to strike while the ~ is hot*** (*prov*) das Eisen schmieden, solange es heiß ist (*prov*) **II** *adj* **1.** (≈ *made of iron*) Eisen-, eisern **2.** (*fig*) eisern **III** *v/t & v/i* bügeln, glätten (*Swiss*) ◆ **iron out** *v/t sep* ausbügeln
Iron Age *n* Eisenzeit *f* **Iron Curtain** *n* Eiserne(r) Vorhang
ironic(al) *adj* ironisch; ***it's really ~*** das ist wirklich witzig (*infml*) **ironically** *adv* ironisch; ***and then, ~, it was he himself who had to do it*** und dann hat ausgerechnet er es tun müssen
ironing *n* **1.** (≈ *process*) Bügeln *nt*, Glätten *nt* (*Swiss*) **2.** (≈ *clothes*) Bügelwäsche *f*; ***to do the ~*** (die Wäsche) bügeln *or* (*Swiss*) glätten **ironing board** *n* Bügelbrett *nt*
ironmonger's (shop) *n* (*Br*) Eisen- und Haushaltswarenhandlung *f*
irony *n* Ironie *f no pl*; ***the ~ of it is that ...*** das Ironische daran ist, dass ...
irrational *adj* irrational
irreconcilable *adj* unvereinbar
irredeemable *adj loss* unwiederbringlich **irredeemably** *adv lost* rettungslos; ***democracy was ~ damaged*** die Demokratie hatte irreparablen Schaden genommen
irrefutable *adj* unbestreitbar
irregular *adj* **1.** (≈ *uneven*, GRAM) unregelmäßig; *shape* ungleichmäßig; *surface* uneben; ***he's been a bit ~ recently*** (*infml*) er hat in letzter Zeit ziemlich unregelmäßigen Stuhlgang **2.** (≈ *contrary to rules*) unvorschriftsmäßig; ***well, it's a bit ~, but I'll ...*** eigentlich dürfte ich das nicht tun, aber ich ... **irregularity** *n* **1.** (≈ *unevenness*) Unregelmäßigkeit *f*; (*of shape*) Ungleichmäßigkeit *f*; (*of surface*) Unebenheit *f* **2.** (≈ *non-observation of rules*) Unvorschriftsmäßigkeit *f* **irregularly** *adv* (≈ *unevenly*) unregelmäßig; *shaped* ungleichmäßig; *occur etc* in unregelmäßigen Abständen

irrelevance *n* Irrelevanz *f no pl*; ***it's become something of an ~*** es ist ziemlich irrelevant geworden **irrelevant** *adj* irrelevant; *information* unwesentlich; ***these issues are ~ to the younger generation*** diese Fragen sind für die jüngere Generation irrelevant

irreparable *adj* irreparabel **irreparably** *adv* irreparabel; ***his reputation was ~ damaged*** sein Ruf war unwiderruflich geschädigt

irreplaceable *adj* unersetzlich

irrepressible *adj urge*, *energy* unbezähmbar; *person* nicht kleinzukriegen

irreproachable *adj* tadellos

irresistible *adj* unwiderstehlich (*to* für)

irresolute *adj* unentschlossen

irrespective *adj* ***~ of*** ungeachtet (*+gen*); ***~ of whether they want to or not*** egal, ob sie wollen oder nicht

irresponsibility *n* (*of action*) Unverantwortlichkeit *f*; (*of person*) Verantwortungslosigkeit *f* **irresponsible** *adj action* unverantwortlich; *person* verantwortungslos **irresponsibly** *adv* unverantwortlich

irretrievable *adj* nicht mehr wiederzubekommen; *loss* unersetzlich; ***the information is ~*** die Information kann nicht mehr abgerufen werden **irretrievably** *adv* ***~ lost*** für immer verloren; ***~ damaged*** irreparabel

irreverent *adj behaviour* unehrerbietig; *remark*, *book* respektlos

irreversible *adj* nicht rückgängig zu machen; *decision* unwiderruflich; *damage* bleibend **irreversibly** *adv* für immer; ***the peace process has been ~ damaged*** der Friedensprozess hat einen nicht wiedergutzumachenden Schaden davongetragen

irrevocable *adj*, **irrevocably** *adv* unwiderruflich

irrigate *v/t* bewässern **irrigation** *n* AGR Bewässerung *f*

irritable *adj* (*as characteristic*) reizbar; (*on occasion*) gereizt **irritant** *n* MED Reizerreger *m*; (*≈ noise etc*) Ärgernis *nt* **irritate** *v/t* (*≈ annoy*) ärgern; (*deliberately*, MED) reizen; (*≈ get on nerves of*) irritieren; ***to get ~d*** ärgerlich werden; ***I get ~d with him*** er ärgert mich **irritating** *adj* ärgerlich; *cough* lästig; ***I find his jokes ~*** seine Witze regen mich auf; ***the ~ thing is that ...*** das Ärgerliche ist, dass ... **irritation** *n* **1.** (*≈ state*) Ärger *m*; (*≈ thing that irritates*) Ärgernis *nt* **2.** MED Reizung *f*

IRS *abbr of* ***Internal Revenue Service***

is *3rd person sg pres of* ***be***

ISA *n abbr of* ***Individual Savings Account*** (*Br* FIN) *von Zinsabschlagsteuer befreites Sparkonto*

ISDN *abbr of* ***Integrated Services Digital Network*** ISDN *nt*

Islam *n* (*≈ religion*) der Islam **Islamic** *adj* islamisch

island *n* Insel *f* **islander** *n* Inselbewohner(in) *m*(*f*) **isle** *n* ***the Isle of Man/Wight*** die Insel Man/Wight

isn't *contraction* = ***is not***

isobar *n* Isobare *f*

isolate *v/t* **1.** isolieren; (*≈ separate*) absondern; ***to ~ oneself from other people*** sich (von anderen) abkapseln **2.** (*≈ pinpoint*) herausfinden **isolated** *adj* **1.** isoliert; (*≈ remote*) abgelegen; *existence* zurückgezogen; ***the islanders feel ~*** die Inselbewohner fühlen sich von der Außenwelt abgeschnitten **2.** (*≈ single*) einzeln **isolation** *n* (*≈ state*) Isoliertheit *f*; (*≈ remoteness*) Abgelegenheit *f*; ***he was in ~ for three months*** (*in hospital*) er war drei Monate auf der Isolierstation; ***to live in ~*** zurückgezogen leben; ***to consider sth in ~*** etw gesondert *or* isoliert betrachten **isolation ward** *n* Isolierstation *f*

isosceles *adj* ***~ triangle*** gleichschenkliges Dreieck

ISP IT *abbr of* ***Internet service provider***

Israel *n* Israel *nt* **Israeli I** *adj* israelisch **II** *n* Israeli *m*/*f*(*m*)

issue I *v/t documents etc* ausstellen; *tickets*, *banknotes*, *ammunition* ausgeben; *stamps* herausgeben; *order* erteilen (*to +dat*); *warning*, *declaration* abgeben; *ultimatum* stellen; ***to ~ sth to sb/sb with sth*** etw an jdn ausgeben; ***all troops are ~d with ...*** alle Truppen sind mit ... ausgerüstet **II** *v/i* (*liquid*, *gas*) austreten (*from* aus) **III** *n* **1.** (*≈ question*) Frage *f*; (*≈ matter*) Angelegenheit *f*; (*problematic*) Problem *nt*; ***she raised the ~ of human rights*** sie brachte die Frage der Menschenrechte zur Sprache; ***the whole future of the country is at ~*** es geht um die Zukunft des Landes; ***this matter is not at ~*** diese Angelegenheit steht nicht zur Debatte; ***to take ~ with***

sb over sth jdm in etw (*dat*) widersprechen; ***to make an ~ of sth*** etw aufbauschen; ***to avoid the ~*** ausweichen **2.** ***to force the ~*** eine Entscheidung erzwingen **3.** (*of banknotes etc*) Ausgabe *f* **4.** (≈ *magazine etc*) Ausgabe *f*

IT *abbr of* ***information technology***

it I *pron* **1.** (*subj*) er/sie/es; (*dir obj*) ihn/sie/es; (*indir obj*) ihm/ihr/ihm; ***of it*** davon; ***under*** *etc* ***it*** darunter *etc*; ***who is it? — it's me*** *or* (*form*) ***I*** wer ist da? — ich (bins); ***what is it?*** was ist das?; (≈ *what's the matter?*) was ist los?; ***that's not it*** (≈ *not the trouble*) das ist es (gar) nicht; (≈ *not the point*) darum gehts gar nicht; ***the cheek of it!*** so eine Frechheit!; ***I like it here*** mir gefällt es hier **2.** (*indef subject*) es; ***it's raining*** es regnet; ***yes, it is a problem*** ja, das ist ein Problem; ***it seems simple to me*** mir scheint das ganz einfach; ***if it hadn't been for her, we would have come*** wenn sie nicht gewesen wäre, wären wir gekommen; ***it wasn't me*** ICH wars nicht; ***I don't think it (is) wise of you ...*** ich halte es für unklug, wenn du ...; ***it is said that ...*** man sagt, dass ...; ***it was him*** *or* ***he*** (*form*) ***who asked her*** ER hat sie gefragt; ***it's his appearance I object to*** ich habe nur etwas gegen sein Äußeres **3.** (*inf phrases*) ***that's it!*** (*agreement*) ja, genau!; (*annoyed*) jetzt reichts mir!; ***this is it!*** (*before action*) jetzt gehts los! **II** *n* (*infml*) **1.** (*in games*) ***you're it!*** du bist! **2.** ***he thinks he's it*** er bildet sich (*dat*) ein, er sei sonst wer

Italian I *adj* italienisch **II** *n* **1.** Italiener(in) *m*(*f*) **2.** LING Italienisch *nt*

italic I *adj* kursiv **II** *n* **italics** *pl* Kursivschrift *f*; ***in ~s*** kursiv (gedruckt)

Italy *n* Italien *nt*

itch I *n* (*lit*) Jucken *nt*; ***I have an ~*** mich juckt es; ***I have the ~ to do sth*** es reizt *or* juckt (*infml*) mich, etw zu tun **II** *v/i* **1.** (*lit*) jucken; ***my back is ~ing*** mir *or* mich juckt der Rücken **2.** (*fig infml*) ***he is ~ing to ...*** es reizt ihn, zu ... **itchy** *adj* (+*er*) **1.** (≈ *itching*) juckend; ***my back is ~*** mein Rücken juckt; ***I've got an ~ leg*** mir juckt das Bein; ***I've got ~ feet*** (*infml*) ich will hier weg (*infml*) **2.** *cloth* kratzig

it'd *contraction* = ***it would, it had***

item *n* **1.** (*on agenda etc*) Punkt *m*; (COMM: *in account book*) (Rechnungs)posten *m*; (≈ *article*) Gegenstand *m*; ***~s of clothing*** Kleidungsstücke *pl* **2.** (*of news*) Bericht *m*; (*short*: RADIO, TV) Meldung *f* **3.** (*infml*) ***Lynn and Craig are an ~*** zwischen Lynn und Craig spielt sich was ab (*infml*) **itemize** *v/t* einzeln aufführen

itinerant *adj* umherziehend; ***an ~ lifestyle*** ein Wanderleben *nt*; ***~ worker*** Wanderarbeiter(in) *m*(*f*) **itinerary** *n* **1.** (≈ *route*) (Reise)route *f* **2.** (≈ *map*) Straßenkarte *f*

it'll *contraction* = ***it will, it shall***

its *poss adj* sein(e)/ihr(e)/sein(e)

it's *contraction* = ***it is, it has***

itself *pron* **1.** (*reflexive*) sich **2.** (*emph*) selbst; ***and now we come to the text ~*** und jetzt kommen wir zum Text selbst; ***the frame ~ is worth £1,000*** der Rahmen allein ist £ 1.000 wert; ***she has been kindness ~*** sie war die Freundlichkeit in Person; ***in ~, the amount is not important*** der Betrag an sich ist unwichtig **3.** ***by ~*** (≈ *alone*) allein; (≈ *automatically*) von selbst; ***seen by ~*** einzeln betrachtet; ***the bomb went off by ~*** die Bombe ging von selbst los

ITV (*Br*) *abbr of* ***Independent Television*** *britische Fernsehanstalt*

IUD *abbr of* ***intrauterine device***

I've *contraction* = ***I have***

IVF *abbr of* ***in vitro fertilization***

ivory I *n* Elfenbein *nt* **II** *adj* **1.** elfenbeinern **2.** (*colour*) elfenbeinfarben **ivory tower** *n* (*fig*) Elfenbeinturm *m*

ivy *n* Efeu *m* **Ivy League** *n* (*US*) Eliteuniversitäten *pl* der USA

J

J, j *n* J *nt*, j *nt*
jab I *v/t* (*with elbow*) stoßen; (*with knife*) stechen; ***she ~bed the jellyfish with a stick*** sie pik(s)te mit einem Stock in die Qualle (hinein) (*infml*); ***he ~bed his finger at the map*** er tippte mit dem Finger auf die Karte **II** *v/i* stoßen (*at sb* nach jdm) **III** *n* **1.** (*with elbow*) Stoß *m*; (*with needle*) Stich *m* **2.** (*Br infml ≈ injection*) Spritze *f*
jabber *v/i* (*a.* **jabber away**) plappern
jack *n* **1.** AUTO Wagenheber *m* **2.** CARDS Bube *m*
jackdaw *n* Dohle *f*
jacket *n* **1.** Jacke *f*, Janker *m* (*Aus*); (≈ *tailored jacket*) Jackett *nt* **2.** (*of book*) Schutzumschlag *m*; (*US*: *of record*) Plattenhülle *f* **3.** ***~ potatoes*** (in der Schale) gebackene Kartoffeln *pl*
jack-in-the-box *n* Schachtel- *or* Kastenteufel *m* **jackknife** *v/i* ***the lorry ~d*** der Lastwagenanhänger hat sich quer gestellt **jack of all trades** *n* ***to be*** (***a***) ***~*** (*prov*) ein Hansdampf *m* in allen Gassen sein **jackpot** *n* Jackpot *m*; (*in lottery etc*) Hauptgewinn *m*; ***to hit the ~*** (*in lottery*) den Hauptgewinn bekommen; (*fig*) das große Los ziehen
Jacuzzi® *n* Jacuzzi® *m*, Sprudelbad *nt*
jade I *n* (≈ *stone*) Jade *m or f*; (≈ *colour*) Jadegrün *nt* **II** *adj* Jade-; (*colour*) jadegrün
jaded *adj* (≈ *mentally dulled*) stumpfsinnig; (*from overindulgence etc*) übersättigt; *appearance* verbraucht
jagged *adj* zackig; *tear* ausgefranst; *rocks* zerklüftet; *mountains* spitz
jail I *n* Gefängnis *nt*; ***in ~*** im Gefängnis; ***to go to ~*** ins Gefängnis kommen **II** *v/t* ins Gefängnis sperren **jailbreak** *n* Ausbruch *m* (*aus dem Gefängnis*) **jailhouse** *n* (*US*) Gefängnis *nt* **jail sentence** *n* Gefängnisstrafe *f*
jam¹ *n* (*Br*) Marmelade *f*
jam² I *n* **1.** (≈ *traffic jam*) (Verkehrs)stau *m* **2.** (≈ *blockage*) Stauung *f* **3.** (*infml ≈ tight spot*) ***to be in a ~*** in der Klemme sitzen (*infml*); ***to get sb/oneself out of a ~*** jdn/sich aus der Patsche ziehen (*infml*) **II** *v/t* **1.** (≈ *wedge*) festklemmen; (*between two things*) einklemmen; ***they had him ~med up against the wall*** sie hatten ihn gegen die Wand gedrängt; ***it's ~med*** es klemmt; ***he ~med his finger in the door*** er hat sich (*dat*) den Finger in der Tür eingeklemmt **2.** (≈ *cram*) (*into* in *+acc*) *things* stopfen; *people* quetschen; ***to be ~med together*** (*things*) zusammengezwängt sein; (*people*) zusammengedrängt sein **3.** *street etc* verstopfen; *phone lines* blockieren **4.** ***to ~ one's foot on the brake*** eine Vollbremsung machen **III** *v/i* (*brake*) sich verklemmen; (*gun*) Ladehemmung haben; (*window etc*) klemmen; ***the key ~med in the lock*** der Schlüssel blieb im Schloss stecken ◆ **jam in** *v/t sep* einkeilen; ***he was jammed in by the crowd*** er war in der Menge eingekeilt ◆ **jam on** *v/t sep* **1.** ***to ~ the brakes*** eine Vollbremsung machen **2.** ***to ~ one's hat*** sich (*dat*) den Hut aufstülpen
Jamaica *n* Jamaika *nt*
jamb *n* (*of door/window*) (Tür-/Fenster)-pfosten *m*
jam jar *n* (*Br*) Marmeladenglas *nt*
jammy *adj* (*+er*) (*Br infml*) Glücks-; ***a ~ shot*** ein Glückstreffer *m*
jam-packed *adj* überfüllt; ***~ with tourists*** voller Touristen **jam tart** *n* Marmeladenkuchen *m*, Marmeladentörtchen *nt*
Jan *abbr of* ***January*** Jan.
jangle I *v/i* (*bells*) bimmeln (*infml*) **II** *v/t money* klimpern mit; *keys* rasseln mit
janitor *n* Hausmeister(in) *m(f)*, Abwart(in) *m(f)* (*Swiss*)
January *n* Januar *m*, Jänner *m* (*Aus*); → ***September***
Japan *n* Japan *nt*
Japanese I *adj* japanisch **II** *n* **1.** Japaner(in) *m(f)* **2.** LING Japanisch *nt*
jar¹ *n* (*for jam etc*) Glas *nt*
jar² I *n* (≈ *jolt*) Ruck *m* **II** *v/i* (*note*) schauerlich klingen; (*colours*) sich beißen (*infml*) **III** *v/t knee* sich (*dat*) stauchen; (≈ *jolt continuously*) durchrütteln ◆ **jar on** *v/i +prep obj* Schauer über den Rücken jagen (*+dat*)
jargon *n* Jargon *m*
jasmin(e) *n* Jasmin *m*

jaundice *n* Gelbsucht *f*
jaunt *n* Spritztour *f*; ***to go for a ~*** eine Spritztour machen
jauntily *adv* munter, fröhlich; ***with his hat perched ~ over one ear*** den Hut keck auf einem Ohr **jaunty** *adj* (+*er*) munter
javelin *n* Speer *m*; ***in the ~*** SPORTS im Speerwurf
jaw *n* Kiefer *m*, Kinnlade *f*; ***the lion opened its ~s*** der Löwe riss seinen Rachen auf; ***his ~ dropped*** sein Unterkiefer klappte herunter **jawbone** *n* Kieferknochen *m*
jay *n* Eichelhäher *m*
jaywalking *n* Unachtsamkeit *f* (eines Fußgängers) im Straßenverkehr
jazz I *n* MUS Jazz *m* **II** *attr* Jazz- ◆ **jazz up** *v/t sep* aufmöbeln (*infml*)
jazzy *adj* (+*er*) **1.** *colour, dress, tie* knallig (*infml*); *pattern* auffallend **2.** *music* verjazzt
JCB® *n* Erdräummaschine *f*
jealous *adj husband etc* eifersüchtig; (*of sb's success etc*) neidisch; ***to be ~ of sb*** auf jdn eifersüchtig sein; (≈ *envious*) jdn beneiden **jealously** *adv* **1.** eifersüchtig **2.** (≈ *enviously*) neidisch **jealousy** *n* **1.** Eifersucht *f* (*of* auf +*acc*) **2.** (≈ *envy*) Neid *m*
jeans *pl* Jeans *pl*; ***a pair of ~*** (ein Paar) Jeans *pl*
Jeep® *n* Jeep® *m*
jeer I *n* **~s** Johlen *nt no pl* **II** *v/i* höhnische Bemerkungen machen; (≈ *boo*) buhen; ***to ~ at sb*** jdn (laut) verhöhnen **III** *v/t* verhöhnen **jeering** *n* höhnische Bemerkungen *pl*; (≈ *booing*) Gejohle *nt*
Jehovah's Witness *n* Zeuge *m*/Zeugin *f* Jehovas
Jell-O® *n* (*US*) Wackelpeter *m* (*infml*) **jelly** *n* Gelee *nt*; (*esp Br* ≈ *dessert*) Wackelpeter *m* (*infml*); (*esp US* ≈ *jam*) Marmelade *f*; (*round meat etc*) Aspik *m or nt*; ***my legs were like ~*** ich hatte Pudding in den Beinen (*infml*) **jelly baby** *n* (*Br*) ≈ Gummibärchen *nt* **jellyfish** *n* Qualle *f* **jelly jar** *n* (*US*) = ***jam jar***
jeopardize *v/t* gefährden **jeopardy** *n* Gefahr *f*; ***in ~*** gefährdet; ***to put sb/sth in ~*** jdn/etw gefährden
jerk I *n* **1.** Ruck *m*; (≈ *twitch*) Zucken *nt no pl*; ***to give sth a ~*** einer Sache (*dat*) einen Ruck geben; *rope* an etw (*dat*) ruckartig ziehen; ***the train stopped with a ~*** der Zug hielt mit einem Ruck an **2.** (*infml* ≈ *person*) Trottel *m* (*infml*) **II** *v/t* rucken an (+*dat*); ***the impact ~ed his head forward/back*** beim Aufprall wurde sein Kopf nach vorn/hinten geschleudert; ***he ~ed his head back*** er riss den Kopf zurück **III** *v/i* ***the car ~ed forward*** der Wagen machte einen Ruck nach vorn; ***the car ~ed to a stop*** das Auto hielt ruckweise an ◆ **jerk off** *v/i* (*sl*) sich (*dat*) einen runterholen (*infml*)
jerky *adj* (+*er*) ruckartig
Jersey *n* **1.** Jersey *nt* **2.** (≈ *cow*) Jersey(-rind) *nt*
jersey *n* Pullover *m*; FTBL *etc* Trikot *nt*, Leiberl *nt* (*Aus*), Leibchen *nt* (*Aus, Swiss*)
Jerusalem *n* Jerusalem *nt* **Jerusalem artichoke** *n* Erdartischocke *f*
jest *n* Scherz *m*, Witz *m*; ***in ~*** im Spaß **jester** *n* HIST Narr *m*
Jesuit *n* Jesuit *m*
Jesus I *n* Jesus *m*; ***~ Christ*** Jesus Christus **II** *int* (*sl*) Mensch (*infml*); ***~ Christ!*** Menschenskind! (*infml*)
jet I *n* **1.** (*of water*) Strahl *m*; ***a thin ~ of water*** ein dünner Wasserstrahl **2.** (≈ *nozzle*) Düse *f* **3.** (*a.* **jet plane**) Düsenflugzeug *nt*, Jet *m* **II** *attr* AVIAT Düsen-, Jet- ◆ **jet off** *v/i* düsen (*infml*) (*to* nach)
jet-black *adj* kohl(pech)rabenschwarz
jet engine *n* Düsentriebwerk *nt* **jet fighter** *n* Düsenjäger *m* **jet foil** *n* Tragflügelboot *nt* **jet lag** *n* Jetlag *nt*; ***he's suffering from ~*** er hat Jetlag **jetlagged** *adj* ***to be ~*** an Jetlag leiden **jet plane** *n* Düsenflugzeug *nt* **jet propulsion** *n* Düsenantrieb *m* **jet-propelled** *adj* mit Düsenantrieb **jet set** *n* Jetset *m* **jet-setter** *n* Jetsetter(in) *m(f)* **jet ski** *n* Wassermotorrad *nt*
jettison *v/t* **1.** NAUT, AVIAT (als Ballast) abwerfen **2.** (*fig*) *plan* über Bord werfen; *articles* wegwerfen
jetty *n* Pier *m*
Jew *n* Jude *m*, Jüdin *f*
jewel *n* Edelstein *m*; (≈ *piece of jewellery*) Schmuckstück *nt* **jeweller**, (*US*) **jeweler** *n* Juwelier(in) *m(f)*; (*making jewellery*) Goldschmied(in) *m(f)*; ***at the ~'s (shop)*** beim Juwelier
jewellery, (*US*) **jewelry** *n* Schmuck *m no pl*; ***a piece of ~*** ein Schmuckstück *nt*
Jewish *adj* jüdisch
jibe *n* = ***gibe***
jiffy, jiff *n* (*infml*) Minütchen *nt* (*infml*); ***I***

won't be a ~ ich komme sofort *or* gleich; (≈ *back soon*) ich bin sofort *or* gleich wieder da; ***in a ~*** sofort **Jiffy bag®** *n* (*Br*) (gepolsterte) Versandtasche

jig I *n lebhafter Volkstanz* **II** *v/i* (*fig*: *a.* **jig about**) herumhüpfen; ***to ~ up and down*** herumspringen

jiggle I *v/t* wackeln mit; *handle* rütteln an (*+dat*) **II** *v/i* (*a.* **jiggle about**) herumzappeln

jigsaw *n* **1.** TECH Tischlerbandsäge *f* **2.** (*a.* **jigsaw puzzle**) Puzzle(spiel) *nt*

jilt *v/t lover* den Laufpass geben (*+dat*); ***~ed*** verschmäht

jingle I *n* (***advertising***) **~** Jingle *m* **II** *v/i* (*keys etc*) klimpern; (*bells*) bimmeln **III** *v/t keys* klimpern mit; *bells* bimmeln lassen

jingoism *n* Hurrapatriotismus *m*

jinx *n* ***there must be*** *or* ***there's a ~ on it*** das ist verhext; ***to put a ~ on sth*** etw verhexen **jinxed** *adj* verhext

jitters *pl* (*infml*) ***he had the ~*** er hatte das große Zittern (*infml*); ***to give sb the ~*** jdn ganz rappelig machen (*infml*) **jittery** *adj* (*infml*) rappelig (*infml*)

jive *v/i* swingen

Jnr *abbr of* ***junior*** jun., jr.

job *n* **1.** (≈ *piece of work*) Arbeit *f*; ***I have a ~ to do*** ich habe zu tun; ***I have a little ~ for you*** ich habe da eine kleine Arbeit *or* Aufgabe für Sie; ***to make a good ~ of sth*** bei etw gute Arbeit leisten; ***we could do a better ~ of running the company*** wir könnten die Firma besser leiten; ***I had a ~ convincing him*** es war gar nicht so einfach, ihn zu überzeugen **2.** (≈ *employment*) Stelle *f*, Job *m* (*infml*); ***to look for/get/have a ~*** eine Stelle suchen/bekommen/haben; ***to lose one's ~*** seine Stelle verlieren; ***500 ~s lost*** 500 Arbeitsplätze verloren gegangen **3.** (≈ *duty*) Aufgabe *f*; ***that's not my ~*** dafür bin ich nicht zuständig; ***it's not my ~ to tell him*** es ist nicht meine Aufgabe, ihm das zu sagen; ***I had the ~ of breaking the news to her*** es fiel mir zu, ihr die Nachricht beizubringen; ***he's not doing his ~*** er erfüllt seine Aufgabe(n) nicht; ***I'm only doing my ~*** ich tue nur meine Pflicht **4.** ***that's a good ~!*** so ein Glück; ***it's a good ~ I brought my cheque book*** nur gut, dass ich mein Scheckbuch mitgenommen habe; ***to give sb/sth up as a bad ~*** jdn/etw aufgeben; ***to make the best of a bad ~*** das Beste daraus machen; ***that should do the ~*** das müsste hinhauen (*infml*); ***this is just the ~*** das ist genau das Richtige **5.** (*infml* ≈ *operation*) Korrektur *f*; ***to have a nose ~*** eine Nasenkorrektur machen lassen **job advertisement** *n* Stellenanzeige *f* **jobbing** *adj* Gelegenheits- **Jobcentre** *n* (*Br*) Arbeitsamt *nt* **job creation** *n* Arbeitsbeschaffung *f*; ***~ scheme*** Arbeitsbeschaffungsmaßnahme *f* **job cuts** *pl* Arbeitsplatzabbau *m* **job description** *n* Tätigkeitsbeschreibung *f* **job-hunting** *n* Jobsuche *f*; ***to be ~*** auf Jobsuche sein **job interview** *n* Vorstellungsgespräch *nt* **jobless** *adj* arbeitslos **job loss** *n* ***there were 1,000 ~es*** 1 000 Arbeitsplätze gingen verloren **job lot** *n* COMM (Waren)posten *m* **job satisfaction** *n* Zufriedenheit *f* am Arbeitsplatz **job security** *n* Arbeitsplatzsicherheit *f* **jobseeker** *n* Arbeitssuchende(r) *m/f*(*m*); ***~'s allowance*** (*Br*) Arbeitslosengeld *nt* **job sharing** *n* Jobsharing *nt*

jockey I *n* Jockey *m* **II** *v/i* ***to ~ for position*** (*fig*) rangeln **jockey shorts** *pl* Jockey-shorts *pl*

jockstrap *n* Suspensorium *nt*

jocular *adj* lustig

jodhpurs *pl* Reithose(n) *f*(*pl*)

jog I *v/t* stoßen an (*+acc*) *or* gegen; *person* anstoßen; ***to ~ sb's memory*** jds Gedächtnis (*dat*) nachhelfen **II** *v/i* trotten; SPORTS joggen **III** *n* SPORTS Dauerlauf *m*; ***to go for a ~*** SPORTS joggen (gehen) ◆ **jog along** *v/i* **1.** (≈ *go along*: *person*, *vehicle*) entlangzuckeln **2.** (*fig*) vor sich (*acc*) hin wursteln (*infml*)

jogger *n* Jogger(in) *m*(*f*) **jogging** *n* Jogging *nt*, Joggen *nt* **jogging pants** *pl* Jogginghose *f*

john *n* (*esp US infml*) (≈ *toilet*) Klo *nt* (*infml*), Häus(e)l *nt* (*Aus*)

John Bull *n* die Engländer *pl*

John Doe *n* (*US*) Otto Normalverbraucher *m* (*infml*)

John Hancock *n* (*infml* ≈ *signature*) Friedrich Wilhelm *m* (*infml*)

join I *v/t* **1.** (≈ *unite*) verbinden (*to* mit); ***to ~ two things together*** zwei Dinge (miteinander) verbinden; ***to ~ hands*** sich (*dat*) *or* einander die Hände reichen **2.** *army* gehen zu; *the EU* beitreten (*+dat*); *political party*, *club* eintreten in (*+acc*); *firm* anfangen bei; *group* sich anschließen (+*dat*); ***to ~ the queue*** sich in die Schlange stellen; ***he ~ed us in France*** er stieß in Frankreich zu uns; ***I'll ~ you in five minutes*** ich bin in fünf Minuten bei Ihnen; ***may I ~ you?*** kann ich mich Ihnen anschließen?; (≈ *sit with you*) darf ich mich zu Ihnen setzen?; (*in game etc*) kann ich mitmachen?; ***will you ~ us?*** machen Sie mit?; (≈ *sit with us*) wollen Sie sich (nicht) zu uns setzen?; (≈ *come with us*) kommen Sie mit?; ***will you ~ me in a drink?*** trinken Sie ein Glas mit mir? **3.** (*river, road*) einmünden in (+*acc*) **II** *v/i* **1.** (*a.* **join together**) (≈ *be attached*) (miteinander) verbunden sein; (≈ *be attachable*) sich (miteinander) verbinden lassen; (*rivers*) zusammenfließen; (*roads*) sich treffen; ***to ~ together in doing sth*** etw gemeinsam tun **2.** (*club member*) beitreten **III** *n* Naht(-stelle) *f* ◆ **join in** *v/i* (*in activity*) mitmachen (*prep obj* bei); (*in protest*) sich anschließen (*prep obj* +*dat*); (*in conversation*) sich beteiligen (*prep obj* an +*dat*); ***everybody joined in the chorus*** sie sangen alle zusammen den Refrain; ***he didn't want to ~ the fun*** er wollte nicht mitmachen ◆ **join up I** *v/i* **1.** (*Br* MIL) Soldat werden **2.** (*roads etc*) sich treffen **II** *v/t sep* (miteinander) verbinden

joiner *n* Schreiner(in) *m(f)*

joint I *n* **1.** ANAT Gelenk *nt*; ***ankle ~*** Knöchel *m* **2.** (*in woodwork*) Fuge *f*; (*in pipe etc*) Verbindung(sstelle) *f* **3.** (*Br* COOK) Braten *m*; ***a ~ of beef*** ein Rinderbraten *m* **4.** (*infml*) (≈ *place*) Laden *m* (*infml*) **5.** (*infml: of marijuana*) Joint *m* (*infml*) **II** *adj attr* gemeinsam; *strength* vereint; ***he finished ~ second*** *or* ***in ~ second place*** (*Br*) er belegte gemeinsam mit einem anderen den zweiten Platz; ***it was a ~ effort*** das ist in Gemeinschaftsarbeit entstanden **joint account** *n* gemeinsames Konto **jointed** *adj* mit Gelenken versehen **jointly** *adv* gemeinsam; ***to be ~ owned by ...*** im gemeinsamen Besitz von ... sein **joint owner** *n* Mitbesitzer(in) *m(f)* **joint ownership** *n* Mitbesitz *m* **joint stock** *n* Aktienkapital *nt* **joint stock company** *n* ≈ Kapitalgesellschaft *f* **joint venture** *n* Jointventure *nt* (COMM)

joist *n* Balken *m*; (*of metal, concrete*) Träger *m*

joke I *n* Witz *m*; (≈ *hoax*) Scherz *m*; (≈ *prank*) Streich *m*; ***for a ~*** zum Spaß; ***I don't see the ~*** ich möchte wissen, was daran so lustig ist *or* sein soll; ***he can't take a ~*** er versteht keinen Spaß; ***what a ~!*** zum Totlachen! (*infml*); ***it's no ~*** das ist nicht witzig; ***this is getting beyond a ~*** (*Br*) das geht (langsam) zu weit; ***to play a ~ on sb*** jdm einen Streich spielen; ***to make a ~ of sth*** Witze über etw (*acc*) machen; ***to make ~s about sb/sth*** sich über jdn/etw lustig machen **II** *v/i* Witze machen (*about* über +*acc*); (≈ *pull sb's leg*) Spaß machen; ***I'm not joking*** ich meine das ernst; ***you must be joking!*** das soll wohl ein Witz sein; ***you're joking!*** mach keine Witze! **joker** *n* **1.** (≈ *person*) Witzbold *m* **2.** CARDS Joker *m* **joking I** *adj tone* scherzhaft; ***it's no ~ matter*** darüber macht man keine Witze **II** *n* Witze *pl*; ***~ apart*** *or* ***aside*** Spaß beiseite **jokingly** *adv* im Spaß **joky** *adj* lustig

jolly I *adj* (+*er*) (*esp Br*) vergnügt **II** *adv* (*dated Br infml*) ganz schön (*infml*); *nice* mächtig (*infml*); ***~ good*** prima (*infml*); ***I should ~ well hope/think so!*** das will ich auch hoffen/gemeint haben!

jolt I *v/i* (*vehicle*) holpern; (≈ *give one jolt*) einen Ruck machen **II** *v/t* (*lit*) (≈ *shake*) durchschütteln; (*once*) einen Ruck geben (+*dat*); (*fig*) aufrütteln; ***she was ~ed awake*** sie wurde wach gerüttelt **III** *n* **1.** (≈ *jerk*) Ruck *m* **2.** (*fig infml*) Schock *m*

jostle I *v/i* drängeln **II** *v/t* anrempeln

jot *n* (*infml*) Körnchen *nt*; ***it won't do a ~ of good*** das nützt gar nichts; ***this won't affect my decision one ~*** das wird meine Entscheidung nicht im Geringsten beeinflussen ◆ **jot down** *v/t sep* sich (*dat*) notieren; ***to ~ notes*** Notizen machen

jotter *n* (*Br*) Notizheft(chen) *nt*

journal *n* **1.** (≈ *magazine*) Zeitschrift *f* **2.** (≈ *diary*) Tagebuch *nt*; ***to keep a ~*** Tagebuch führen **journalese** *n* Pressejargon *m* **journalism** *n* Journalismus *m* **journalist** *n* Journalist(in) *m(f)*

journey I *n* Reise *f*; ***to go on a ~*** verreisen; ***it's a ~ of 50 miles*** es liegt 50 Meilen entfernt; ***it's a two-day ~ to get to ... from here*** man braucht zwei Tage, um von hier nach ... zu kommen; ***a train ~*** eine Zugfahrt; ***the ~ home*** die Heimreise; ***he has quite a ~ to get to work*** er muss ziemlich weit fahren, um zur Ar-

beit zu kommen; ***a ~ of discovery*** eine Entdeckungsreise **II** *v/i* reisen
jovial *adj* fröhlich
jowl *n* (*often pl*) Hängebacke *f*
joy *n* **1.** Freude *f*; ***to my great ~*** zu meiner großen Freude; ***this car is a ~ to drive*** es ist eine Freude, dieses Auto zu fahren; ***one of the ~s of this job is ...*** eine der erfreulichen Seiten dieses Berufs ist ... **2.** *no pl* (*Br infml* ≈ *success*) Erfolg *m*; ***any ~?*** hat es geklappt? (*infml*); ***you won't get any ~ out of him*** bei ihm werden Sie keinen Erfolg haben **joyful** *adj* freudig **joyous** *adj* (*liter*) freudig **joyrider** *n* Joyrider(in) *m*(*f*), Strolchenfahrer(in) *m*(*f*) (*Swiss*) **joyriding** *n* Joyriding *nt*, Strolchenfahrten *pl* (*Swiss*) **joystick** *n* AVIAT Steuerknüppel *m*; IT Joystick *m*
JPEG *n abbr of* ***Joint Photographic Experts Group*** JPEG *nt*
Jr *abbr of* ***junior*** jr., jun.
jubilant *adj* überglücklich **jubilation** *n* Jubel *m* **jubilee** *n* Jubiläum *nt*
Judaism *n* Judaismus *m*
judder *v/i* (*Br*) erzittern; (*car etc*) ruckeln; ***the train ~ed to a halt*** der Zug kam ruckartig zum Stehen
judge I *n* **1.** JUR Richter(in) *m*(*f*); (*of competition*) Preisrichter(in) *m*(*f*); SPORTS Kampfrichter(in) *m*(*f*) **2.** (*fig*) Kenner(in) *m*(*f*); ***a good ~ of character*** ein guter Menschenkenner; ***I'll be the ~ of that*** das müssen Sie mich schon selbst beurteilen lassen **II** *v/t* **1.** JUR *case* verhandeln **2.** *competition* bewerten; SPORTS Kampfrichter sein bei **3.** (*fig* ≈ *pass judgement on*) ein Urteil fällen über (+*acc*); ***you shouldn't ~ people by appearances*** Sie sollten Menschen nicht nach ihrem Äußeren beurteilen; ***you can ~ for yourself*** Sie können es selbst beurteilen; ***how would you ~ him?*** wie würden Sie ihn beurteilen *or* einschätzen? **4.** *speed etc* einschätzen **III** *v/i* **1.** (*at competition*) Preisrichter sein **2.** (*fig*) (≈ *pass judgement*) ein Urteil fällen; (≈ *form an opinion*) (be)urteilen; ***as** or **so far as one can ~*** soweit man (es) beurteilen kann; ***judging by sth*** nach etw zu urteilen; ***to ~ by appearances*** nach dem Äußeren urteilen; ***he let me ~ for myself*** er überließ es meinem Urteil
judg(e)ment *n* **1.** JUR (Gerichts)urteil *nt*; ***to pass** or **give ~*** das Urteil sprechen (*on* über +*acc*) **2.** (≈ *opinion*) Meinung *f*; (*of speed etc*) Einschätzung *f*; ***in my ~*** meiner Meinung nach; ***against one's better ~*** wider besseres Wissen **3.** (≈ *discernment*) Urteilsvermögen *nt* **judg(e)mental** *adj* wertend **Judg(e)ment Day** *n* Tag *m* des Jüngsten Gerichts
judicial *adj* JUR gerichtlich; ***~ system*** Justizsystem *nt* **judiciary** *n* Gerichtsbehörden *pl*
judo *n* Judo *nt*
jug *n* (*with lid*) Kanne *f*; (*without lid*) Krug *m*
juggernaut *n* (*Br*) Schwerlaster *m*
juggle I *v/i* jonglieren **II** *v/t balls* jonglieren (mit); *figures* so hindrehen, dass sie passen; ***many women have to ~ (the demands of) family and career*** viele Frauen müssen (die Anforderungen von) Familie und Beruf miteinander vereinbaren **juggler** *n* (*lit*) Jongleur(in) *m*(*f*)
jugular *n* **~ (vein)** Drosselvene *f*
juice *n* (*lit*, *fig infml*) Saft *m* **juicy** *adj* (+*er*) saftig
jukebox *n* Jukebox *f*
Jul *abbr of* ***July***
July *n* Juli *m*; → ***September***
jumble I *v/t* (*a.* **jumble up**) **1.** (*lit*) durcheinanderwerfen; ***~d up*** durcheinander; ***a ~d mass of wires*** ein Wirrwarr *m* von Kabeln; ***his clothes are ~d together on the bed*** seine Kleider liegen in einem unordentlichen Haufen auf dem Bett **2.** (*fig*) *facts* durcheinanderbringen **II** *n* **1.** (*of objects*) Durcheinander *nt*; (*of words*) Wirrwarr *m* **2.** *no pl* (*for jumble sale*) gebrauchte Sachen *pl* **jumble sale** *n* (*Br*) ≈ Flohmarkt *m*; (*for charity*) Wohltätigkeitsbasar *m*
jumbo *n* (≈ *jumbo jet*) Jumbo(jet) *m* **jumbo-sized** *adj* riesig, Riesen-
jump I *n* **1.** Sprung *m*; (*on race-course*) Hindernis *nt*; (*of prices*) (sprunghafter) Anstieg **2.** (≈ *start*) ***to give a ~*** zusammenfahren **II** *v/i* **1.** springen; (*prices*) sprunghaft ansteigen; ***to ~ for joy*** einen Freudensprung machen; ***to ~ to one's feet*** aufspringen; ***to ~ to conclusions*** vorschnelle Schlüsse ziehen; ***~ to it!*** mach schon!; ***the film suddenly ~s from the 18th into the 20th century*** der Film macht plötzlich einen Sprung vom 18. ins 20. Jahrhundert; ***if you keep ~ing***

from one thing to another wenn Sie nie an einer Sache bleiben **2.** (≈ *start*) zusammenzucken; ***you made me ~*** du hast mich (aber) erschreckt **III** *v/t fence etc* überspringen; ***to ~ the lights*** bei Rot über die Kreuzung fahren; ***to ~ the queue*** (*Br*) sich vordrängeln ◆ **jump at** *v/i +prep obj chance* sofort beim Schopf ergreifen ◆ **jump down** *v/i* herunterspringen (*from* von); ***to ~ sb's throat*** jdn anfahren ◆ **jump in** *v/i* hineinspringen; ***~!*** (*to car*) steig ein! ◆ **jump off** *v/i* herunterspringen (*prep obj* von); (*from train, bus*) aussteigen (*prep obj* aus); (*when moving*) abspringen (*prep obj* von) ◆ **jump on** *v/i* (*lit, onto vehicle*) einsteigen (*prep obj, -to* in *+acc*); ***to ~(to) sb/sth*** auf jdn/etw springen ◆ **jump out** *v/i* hinausspringen; (*from vehicle*) aussteigen (*of* aus); (*when moving*) abspringen (*of* von); ***to ~ of the window*** aus dem Fenster springen ◆ **jump up** *v/i* hochspringen; (*onto sth*) hinaufspringen (*onto* auf *+acc*)

jumper *n* **1.** (*Br*) Pullover *m* **2.** (*US* ≈ *dress*) Trägerkleid *nt* **jumper cables** *n* (*US* AUTO) = ***jump leads*** **jump leads** *pl* (*Br* AUTO) Starthilfekabel *nt* **jump rope** *n* (*US*) Hüpf- *or* Sprungseil *nt* **jump suit** *n* Overall *m* **jumpy** *adj* (*+er*) (*infml*) *person* nervös

Jun *abbr of* ***June***

junction *n* RAIL Gleisanschluss *m*; (*of roads*) Kreuzung *f* **junction box** *n* ELEC Verteilerkasten *m*

juncture *n* ***at this ~*** zu diesem Zeitpunkt

June *n* Juni *m*; → ***September***

jungle *n* Dschungel *m*

junior I *adj* **1.** (≈ *younger*) jünger; ***Hiram Schwarz, ~*** Hiram Schwarz junior **2.** *employee* untergeordnet; *officer* rangniedriger; ***to be ~ to sb*** unter jdm stehen **3.** SPORTS Junioren- **II** *n* **1.** ***he is two years my ~*** er ist zwei Jahre jünger als ich **2.** (*Br* SCHOOL) Grundschüler(in) *m(f)* **3.** (*US* UNIV) *Student(in) im vorletzten Studienjahr* **junior high (school)** *n* (*US*) ≈ Mittelschule *f* **junior minister** *n* Staatssekretär(in) *m(f)* **junior partner** *n* jüngerer Teilhaber; (*in coalition*) kleinerer (Koalitions)partner **junior school** *n* (*Br*) Grundschule *f*

junk *n* **1.** (≈ *discarded objects*) Trödel *m* **2.** (*infml* ≈ *trash*) Ramsch *m* **junk car** *n* Schrottauto *nt* (*infml*) **junk food** *n* Junkfood *nt* (*infml*) **junkie** *n* (*infml*) Junkie *m* (*infml*) **junk mail** *n* (Post)wurfsendungen *pl* **junk shop** *n* Trödelladen *m*

Jupiter *n* Jupiter *m*

jurisdiction *n* Gerichtsbarkeit *f*; (≈ *range of authority*) Zuständigkeit(sbereich *m*) *f*

juror *n* Schöffe *m*, Schöffin *f*; (*for capital crimes*) Geschworene(r) *m/f(m)* **jury** *n* **1.** JUR ***the ~*** die Schöffen *pl*; (*for capital crimes*) die Geschworenen *pl*; ***to sit*** *or* ***be on the ~*** Schöffe/Geschworener sein **2.** (*for competition*) Jury *f* **jury service** *n* Schöffenamt *nt*; (*for capital crimes*) Amt *nt* des Geschworenen

just[1] *adv* **1.** (*with time*) gerade; ***they have ~ left*** sie sind gerade gegangen; ***she left ~ before I came*** sie war, kurz bevor ich kam, weggegangen; ***~ after lunch*** gleich nach dem Mittagessen; ***he's ~ coming*** er kommt gerade; ***I'm ~ coming*** ich komme ja schon; ***I was ~ going to ...*** ich wollte gerade ...; ***~ as I was going*** gerade, als ich gehen wollte; ***~ now*** (*in past*) gerade erst; ***not ~ now*** im Moment nicht; ***~ now?*** jetzt gleich? **2.** (≈ *barely*) gerade noch; ***it ~ missed*** es hat beinahe getroffen; ***I've got only ~ enough to live on*** mir reicht es gerade so noch zum Leben; ***I arrived ~ in time*** ich bin gerade (noch) rechtzeitig gekommen **3.** (≈ *exactly*) genau; ***that's ~ like you*** das sieht dir ähnlich; ***that's ~ it!*** das ist es ja gerade!; ***that's ~ what I was going to say*** genau das wollte ich (auch) sagen **4.** (≈ *only*) nur, bloß; ***~ you and me*** nur wir beide; ***he's ~ a boy*** er ist doch noch ein Junge; ***I ~ don't like it*** ich mag es eben nicht; ***~ like that*** (ganz) einfach so; ***you can't ~ assume ...*** Sie können doch nicht ohne Weiteres annehmen ...; ***it's ~ not good enough*** es ist einfach nicht gut genug **5.** (*with position*) gleich; ***~ above the trees*** direkt über den Bäumen; ***put it ~ over there*** stells mal da drüben hin; ***~ here*** (genau) hier **6.** (≈ *absolutely*) wirklich; ***it's ~ terrible*** das ist ja schrecklich! **7.** ***~ as*** genauso; ***the blue hat is ~ as nice as the red one*** der blaue Hut ist genauso hübsch wie der rote; ***it's ~ as well ...*** nur gut, dass ...; ***~ as I thought!*** ich habe es mir doch gedacht!; ***~ about*** in etwa; ***I am ~ about ready*** ich bin so gut wie fertig; ***did he make it in time? — ~ about*** hat ers (rechtzeitig) geschafft? —

so gerade; ***I am ~ about fed up with it!*** (*infml*) so langsam aber sicher hängt es mir zum Hals raus (*infml*); ***~ listen*** hör mal; ***~ shut up!*** sei bloß still!; ***~ wait here a moment*** warten Sie hier mal (für) einen Augenblick; ***~ a moment!*** Moment mal!; ***I can ~ see him as a soldier*** ich kann ihn mir gut als Soldat vorstellen; ***can I ~ finish this?*** kann ich das eben noch fertig machen?

just[2] *adj* (*+er*) gerecht (*to* gegenüber); ***I had ~ cause to be alarmed*** ich hatte guten Grund, beunruhigt zu sein

justice *n* **1.** Gerechtigkeit *f*; (*system*) Justiz *f*; ***to bring sb to ~*** jdn vor Gericht bringen; ***to do him ~*** um ihm gegenüber gerecht zu sein; ***this photograph doesn't do her ~*** auf diesem Foto ist sie nicht gut getroffen; ***you didn't do yourself ~ in the exams*** Sie haben im Examen nicht gezeigt, was Sie können; ***ministry of ~*** (*Br*), ***Department of Justice*** (*US*) Justizministerium *nt* **2.** (≈ *judge*) Richter(in) *m*(*f*); ***Justice of the Peace*** Friedensrichter(in) *m*(*f*)

justifiable *adj* gerechtfertigt **justifiably** *adv* mit *or* zu Recht **justification** *n* Rechtfertigung *f* (*of +gen*, *for* für); ***as (a) ~ for his action*** zur Rechtfertigung seiner Handlungsweise **justify** *v/t* **1.** rechtfertigen (*sth to sb* etw vor jdm *or* jdm gegenüber); ***he was justified in doing that*** es war gerechtfertigt, dass er das tat **2.** TYPO justieren; IT ausrichten **justly** *adv* zu Recht; *treat* gerecht

jut *v/i* (*a.* **jut out**) hervorstehen; ***the peninsula ~s out into the sea*** die Halbinsel ragt ins Meer hinaus; ***to ~ out over the street*** über die Straße hinausragen

juvenile I *n* ADMIN Jugendliche(r) *m*/*f*(*m*) **II** *adj* für Jugendliche; ***~ crime*** Jugendkriminalität *f* **juvenile delinquency** *n* Jugendkriminalität *f* **juvenile delinquent** *n* jugendlicher Straftäter, jugendliche Straftäterin

juxtapose *v/t* nebeneinanderstellen

K

K, k *n* K *nt*, k *nt*

K *abbr* (*in salaries etc*) -tausend; ***15 K*** 15.000

k *n* IT *abbr of* ***kilobyte*** KB

kaleidoscope *n* Kaleidoskop *nt*

kangaroo *n* Känguru *nt*

karaoke *n* Karaoke *nt*

karate *n* Karate *nt*

kayak *n* Kajak *m or nt*

kcal *abbr of* ***kilocalorie*** kcal

kebab *n* Kebab *m*

keel *n* NAUT Kiel *m*; ***he put the business back on an even ~*** er brachte das Geschäft wieder auf die Beine (*infml*) ◆ **keel over** *v/i* (*fig infml*) umkippen

keen *adj* (*+er*) **1.** *interest* stark; *intelligence* scharf; *sight* gut **2.** (≈ *enthusiastic*) begeistert; (≈ *interested*) stark interessiert; ***~ to learn*** lernbegierig; ***to be ~ on sb*** von jdm sehr angetan sein; (*sexually*) scharf auf jdn sein (*infml*); *on pop group etc* von jdm begeistert sein; ***to be ~ on sth*** etw sehr gern mögen; ***to be ~ on doing sth*** (≈ *like to do*) etw mit Begeisterung tun; ***to be ~ to do sth*** scharf darauf sein, etw zu tun (*infml*); ***to be ~ on dancing*** leidenschaftlicher Tänzer sein; ***he is very ~ on golf*** er ist ein Golffan *m*; ***I'm not very ~ on him*** ich bin von ihm / nicht gerade begeistert; ***he's not ~ on her coming*** er legt keinen (gesteigerten) Wert darauf, dass sie kommt; ***he's very ~ for us to go*** er legt sehr großen Wert darauf, dass wir gehen **3.** *blade*, *wind* scharf **keenly** *adv* **1.** *feel* leidenschaftlich; *interested* stark **2.** (≈ *enthusiastically*) mit Begeisterung; ***~ awaited*** mit Ungeduld erwartet **keenness** *n* (≈ *enthusiasm*) Begeisterung *f*; (*of applicant, learner*) starkes Interesse

keep *vb*: *pret*, *past part* **kept I** *v/t* **1.** (≈ *retain*) behalten; ***you can ~ this book*** du kannst dieses Buch behalten; ***to ~ a place for sb*** einen Platz für jdn frei halten; ***to ~ a note of sth*** sich (*dat*) etw notieren **2.** (≈ *maintain*) halten; ***he kept his hands in his pockets*** er hat die Hände in der Tasche gelassen; ***the garden was well kept*** der Garten war (gut) gepflegt; ***to ~ sb waiting*** jdn warten lassen; ***can't you ~ him talking?*** können Sie ihn nicht in ein Gespräch verwickeln?; ***to ~ the traffic moving*** den Verkehr am Fließen halten; ***to ~ the conversation going*** das Gespräch in Gang halten; ***to ~ one's dress clean*** sein Kleid nicht schmutzig machen; ***to ~ sb quiet*** dafür sorgen, dass jd still ist; ***just to ~ her happy*** damit sie zufrieden ist; ***to ~ sb alive*** jdn am Leben halten; ***to ~ oneself busy*** sich selbst beschäftigen; ***to ~ oneself warm*** sich warm halten **3.** (≈ *have in certain place*) aufbewahren; ***where do you ~ your spoons?*** wo sind die Löffel? **4.** (≈ *put aside*) aufheben; ***I've been ~ing it for you*** ich habe es für Sie aufgehoben **5.** (≈ *detain*) aufhalten; ***I mustn't ~ you*** ich will Sie nicht aufhalten; ***what kept you?*** wo waren Sie denn so lang?; ***what's ~ing him?*** wo bleibt er denn?; ***to ~ sb prisoner*** jdn gefangen halten; ***they kept him in hospital*** sie haben ihn im Krankenhaus behalten **6.** *shop* führen; *pigs* halten **7.** (≈ *support*) versorgen; ***I earn enough to ~ myself*** ich verdiene genug für mich (selbst) zum Leben; ***I have six children to ~*** ich habe sechs Kinder zu unterhalten **8.** *promise* halten; *rule* befolgen; *appointment* einhalten **9.** *diary etc* führen (*of* über *+acc*) **II** *v/i* **1.** ***to ~ to the left*** sich links halten; AUTO links fahren **2.** (≈ *remain*) bleiben; ***how are you ~ing?*** wie geht es Ihnen so?; ***to ~ fit*** fit bleiben; ***to ~ quiet*** still sein; ***to ~ silent*** schweigen; ***to ~ calm*** ruhig bleiben; ***to ~ doing sth*** (≈ *not stop*) etw weiter tun; (*constantly*) etw dauernd tun; ***to ~ walking*** weitergehen; ***~ going*** machen Sie weiter; ***I ~ hoping she's still alive*** ich hoffe immer noch, dass sie noch lebt; ***I ~ thinking ...*** ich denke immer ... **3.** (*food etc*) sich halten **III** *n* (≈ *livelihood, food*) Unterhalt *m*; ***I got £300 a week and my ~*** ich bekam £ 300 pro Woche und freie Kost und Logis; ***to earn one's ~*** seinen Lebensunterhalt verdienen; ***for ~s*** (*infml*) für immer ◆ **keep at I** *v/i +prep obj* weitermachen mit; ***~ it*** machen Sie weiter so **II** *v/t +prep obj* ***to keep sb (hard) at it*** jdn hart rannehmen (*infml*) ◆ **keep away I** *v/i* (*lit*) wegbleiben; ***~!*** nicht näher kommen!; ***~ from that place*** gehen Sie da nicht hin; ***I just can't ~*** es zieht mich immer wieder hin; ***~ from him*** lassen Sie die Finger von ihm **II** *v/t always separate* fernhalten (*from* von); ***to keep sth away from sth*** etw nicht an etw (*acc*) kommen lassen; ***to keep sb away from school*** jdn nicht in die Schule (gehen) lassen ◆ **keep back I** *v/i* zurückbleiben; ***~!*** bleiben Sie, wo Sie sind!; ***please ~ from the edge*** bitte gehen Sie nicht zu nahe an den Rand **II** *v/t sep* **1.** *person*, *hair* zurückhalten; *tears* unterdrücken; ***to keep sb/sth back from sb*** jdn/etw von jdm abhalten **2.** *money* einbehalten; *information* verschweigen (*from sb* jdm) ◆ **keep down I** *v/i* unten bleiben **II** *v/t sep* **1.** *head* ducken; ***keep your voices down*** reden Sie nicht so laut **2.** *weeds etc* unter Kontrolle halten; *taxes*, *prices* niedrig halten; *costs* drücken; ***to keep numbers down*** die Zahlen gering halten; ***to keep one's weight down*** nicht zunehmen **3.** *food* bei sich behalten ◆ **keep from** *v/t +prep obj* **1.** *sb* hindern an (*+dat*); ***I couldn't keep him from doing it*** ich konnte ihn nicht daran hindern *or* davon abhalten, das zu tun; ***the bells keep me from sleeping*** die Glocken lassen mich nicht schlafen; ***keep them from getting wet*** verhindern Sie es, dass sie nass werden; ***to keep sb from harm*** jdn vor Schaden (*dat*) bewahren **2.** ***to keep sth from sb*** jdm etw verschweigen; ***can you keep this from your mother?*** können Sie das vor Ihrer Mutter geheim halten *or* verbergen? ◆ **keep in** *v/t sep schoolboy* nachsitzen lassen; ***his parents have kept him in*** seine Eltern haben ihn nicht gehen lassen ◆ **keep in with** *v/i +prep obj* sich gut stellen mit; ***he's just trying to ~ her*** er will sich nur bei ihr lieb Kind machen ◆ **keep off I** *v/i* (*person*) wegbleiben; ***if the rain keeps off*** wenn es nicht regnet; ***"keep off!"*** „Betreten verboten!" **II** *v/t sep person* fernhalten (*prep obj* von); *one's hands* wegnehmen (*prep obj* von); ***to keep one's mind off sth*** nicht an etw (*acc*) denken; ***keep your hands off*** Hände weg! **III** *v/i +prep obj* vermeiden; ***"keep off the grass"*** „Betreten des Rasens verboten" ◆ **keep on I** *v/i* **1.** (≈ *continue*) weitermachen; ***to ~ doing sth*** etw weiter tun; (*incessantly*) etw dauernd tun; ***I ~ telling you*** ich sage dir ja immer; ***to ~ at sb*** (*infml*) dauernd an jdm herummeckern (*infml*); ***they kept on at him until he agreed*** sie haben ihm so lange keine Ruhe gelassen, bis er zustimmte; ***to ~ about sth*** (*infml*) unaufhörlich von etw reden; ***there's no need to ~ about it*** (*infml*) es ist wirklich nicht nötig, ewig darauf herumzuhacken (*infml*) **2.** (≈ *keep going*) weitergehen/-fahren; ***keep straight on*** immer geradeaus **II** *v/t sep* **1.** *employee* weiterbeschäftigen **2.** *coat etc* anbehalten; *hat* aufbehalten ◆ **keep out I** *v/i* (*of room, building*) draußen bleiben; (*of area*) etw nicht betreten; ***"keep out"*** „Zutritt verboten"; ***to ~ of the sun*** nicht in die Sonne gehen; ***to ~ of sight*** sich nicht zeigen; ***you ~ of this!*** halten Sie sich da raus! **II** *v/t sep person* nicht hereinlassen (*of* in +*acc*); *light, rain* abhalten; ***this screen keeps the sun out of your eyes*** diese Blende schützt Ihre Augen vor Sonne ◆ **keep to I** *v/i* +*prep obj* ***~ the main road*** bleiben Sie auf der Hauptstraße; ***to ~ the schedule/plan*** den Zeitplan einhalten; ***to ~ the speed limit*** sich an die Geschwindigkeitsbegrenzung halten; ***to ~ the subject*** beim Thema bleiben; ***to keep (oneself) to oneself*** nicht sehr gesellig sein; ***they keep (themselves) to themselves*** (*as a group*) sie bleiben unter sich **II** *v/t* +*prep obj* ***to keep sb to his word/promise*** jdn beim Wort nehmen; ***to keep sth to a minimum*** etw auf ein Minimum beschränken; ***to keep sth to oneself*** etw für sich behalten; ***keep your hands to yourself!*** nehmen Sie Ihre Hände weg! ◆ **keep together** *v/t sep* zusammen aufbewahren; (≈ *unite*) *things, people* zusammenhalten ◆ **keep up I** *v/i* **1.** (*rain*) (an)dauern; (*strength*) nicht nachlassen **2.** ***to ~ (with sb/sth)*** (mit jdm / etw) Schritt halten; (*in comprehension*) (jdm / einer Sache) folgen können; ***to ~ with the news*** sich auf dem Laufenden halten **II** *v/t sep* **1.** *tent* aufrecht halten; ***to keep his trousers up*** damit die Hose nicht herunterrutscht **2.** (≈ *not stop*) nicht aufhören mit; *study etc* fortsetzen; *quality, prices* aufrechterhalten; *speed* halten; ***I try to ~ my Spanish*** ich versuche, mit meinem Spanisch nicht aus der Übung zu kommen; ***to keep one's morale up*** den Mut nicht verlieren; ***keep it up!*** (machen Sie) weiter so!; ***he couldn't keep it up*** er hat schlappgemacht (*infml*) **3.** (≈ *from bed*) am Schlafengehen hindern; ***that child kept me up all night*** das Kind hat mich die ganze Nacht nicht schlafen lassen

keeper *n* (*in zoo*) Wärter(in) *m*(*f*); (*Br infml* ≈ *goalkeeper*) Torhüter(in) *m*(*f*) **keep fit** *n* Fitnessübungen *pl* **keeping** *n* ***in ~ with*** in Einklang mit **keepsake** *n* Andenken *nt*

keg *n* **1.** kleines Fass **2.** (*a.* **keg beer**) Bier *nt* vom Fass

kennel *n* **1.** Hundehütte *f* **2.** ***~s*** (*boarding*) (Hunde)heim *nt*; ***to put a dog in ~s*** einen Hund in Pflege geben

Kenya *n* Kenia *nt*

kept *pret, past part of* ***keep***

kerb *n* (*Br*) Bordkante *f* **kerb crawler** *n* Freier *m* im Autostrich (*infml*) **kerb crawling** *n* Autostrich *m*

kernel *n* Kern *m*

kerosene *n* Kerosin *nt*

kestrel *n* Turmfalke *m*

ketchup *n* Ketchup *nt or m*

kettle *n* Kessel *m*; ***I'll put the ~ on*** ich stelle mal eben (Kaffee-/Tee)wasser auf; ***the ~'s boiling*** das Wasser kocht

key I *n* **1.** Schlüssel *m* **2.** (≈ *answers*) Lösungen *pl*; SCHOOL Schlüssel *m*; (*for maps etc*) Zeichenerklärung *f* **3.** (*of piano*, IT) Taste *f* **4.** MUS Tonart *f*; ***to sing off ~*** falsch singen **II** *adj attr* Schlüssel-; *witness* wichtigste(r, s) **III** *v/t* IT *text* eingeben ◆ **key in** *v/t sep* IT eingeben ◆ **key up** *v/t sep* ***to be keyed up about sth*** wegen etw ganz aufgedreht sein (*infml*)

keyboard *n* (*of piano*) Klaviatur *f*; IT Tastatur *f*; ***~ skills*** IT Fertigkeiten *pl* in der Texterfassung **key card** *n* Schlüsselkarte *f* **keyhole** *n* Schlüsselloch *nt* **keynote** *adj attr* ***~ speech*** programmatische Rede **keypad** *n* IT Tastenfeld *nt* **keyring** *n* Schlüsselring *m* **keyword** *n* (≈ *significant word*) Schlüsselwort *nt*; (*in index*) Schlagwort *nt*

kg *abbr of* ***kilogramme(s), kilogram(s)*** kg

khaki I *n* Khaki *nt* **II** *adj* khaki(braun *or* -farben)

kick I *n* **1.** Tritt *m*; ***to give sth a ~*** einer Sache (*dat*) einen Tritt versetzen; ***what he needs is a good ~ up the backside*** *or* ***in the pants*** (*infml*) er braucht mal einen kräftigen Tritt in den Hintern (*infml*) **2.** (*infml*) ***she gets a ~ out of it*** es macht ihr einen Riesenspaß (*infml*); ***to do sth for ~s*** etw zum Spaß tun; ***how***

do you get your ~s? was machen Sie zu ihrem Vergnügen? **II** *v/i* (*person*) treten; (*animal*) ausschlagen **III** *v/t* **1.** einen Tritt versetzen (+*dat*); *football* kicken (*infml*); ***to ~ sb in the stomach*** jdm in den Bauch treten; ***to ~ the bucket*** (*infml*) ins Gras beißen (*infml*); ***I could have ~ed myself*** (*infml*) ich hätte mir in den Hintern beißen können (*infml*) **2.** (*infml*) ***to ~ the habit*** es sich (*dat*) abgewöhnen ◆ **kick about** (*Brit*) *or* **around I** *v/i* (*infml*) (*person*) rumhängen (*infml*) (*prep obj* in +*dat*); (*thing*) rumliegen (*infml*) (*prep obj* in +*dat*) **II** *v/t sep* ***to kick a ball about*** *or* ***around*** (herum)bolzen (*infml*) ◆ **kick down** *v/t sep door* eintreten ◆ **kick in I** *v/t sep door* eintreten; ***to kick sb's teeth in*** jdm die Zähne einschlagen **II** *v/i* (*drug etc*) wirken ◆ **kick off I** *v/i* FTBL anstoßen; (*fig infml*) losgehen (*infml*); ***who's going to ~?*** (*fig infml*) wer fängt an? **II** *v/t sep* wegtreten; *shoes* von sich schleudern; ***they kicked him off the committee*** (*infml*) sie warfen ihn aus dem Ausschuss ◆ **kick out** *v/t sep* hinauswerfen (*of* aus) ◆ **kick up** *v/t sep* (*fig infml*) ***to ~ a fuss*** Krach schlagen (*infml*)

kickboxing *n* Kickboxen *nt* **kickoff** *n* SPORTS Anstoß *m*

kid I *n* **1.** (≈ *goat*) Kitz *nt* **2.** (*infml* ≈ *child*) Kind *nt*; ***when I was a ~*** als ich klein war; ***to get the ~s to bed*** die Kleinen ins Bett bringen; ***it's ~'s stuff*** (≈ *for children*) das ist was für kleine Kinder (*infml*); (≈ *easy*) das ist doch ein Kinderspiel **II** *adj attr* (*infml*) ***~ sister*** kleine Schwester **III** *v/t* (*infml*) ***to ~ sb*** (≈ *tease*) jdn aufziehen (*infml*); (≈ *deceive*) jdn an der Nase rumführen (*infml*); ***don't ~ yourself!*** machen Sie sich doch nichts vor!; ***who is she trying to ~?, who is she ~ding?*** wem will sie was weismachen? **IV** *v/i* (*infml*) Jux machen (*infml*); ***no ~ding*** im Ernst; ***you've got to be ~ding!*** das ist doch wohl nicht dein Ernst! **kid gloves** *pl* Glacéhandschuhe *pl*; ***to handle*** *or* ***treat sb with ~*** (*fig*) jdn mit Samthandschuhen anfassen

kidnap *v/t* entführen, kidnappen **kidnapper** *n* Entführer(in) *m*(*f*), Kidnapper(in) *m*(*f*) **kidnapping** *n* Entführung *f*

kidney *n* Niere *f* **kidney bean** *n* Kidneybohne *f* **kidney stone** *n* MED Nierenstein *m*

kill I *v/t* **1.** töten, umbringen; *pain* beseitigen; *weeds* vernichten; ***to be ~ed in action*** fallen; ***to be ~ed in battle/in the war*** im Kampf/Krieg fallen; ***to be ~ed in a car accident*** bei einem Autounfall ums Leben kommen; ***she ~ed herself*** sie brachte sich um; ***many people were ~ed by the plague*** viele Menschen sind der Pest zum Opfer gefallen; ***to ~ time*** die Zeit totschlagen; ***we have two hours to ~*** wir haben noch zwei Stunden übrig; ***to ~ two birds with one stone*** (*prov*) zwei Fliegen mit einer Klappe schlagen (*prov*); ***she was ~ing herself (laughing)*** (*infml*) sie hat sich totgelacht (*infml*); ***a few more weeks won't ~ you*** (*infml*) noch ein paar Wochen bringen dich nicht um (*infml*); ***my feet are ~ing me*** (*infml*) mir brennen die Füße; ***I'll do it (even) if it ~s me*** (*infml*) ich mache es, und wenn es mich umbringt (*infml*) **2.** TECH *engine etc* abschalten **II** *v/i* töten; ***cigarettes can ~*** Zigaretten können tödlich sein **III** *n* ***to move in for the ~*** (*fig*) zum entscheidenden Schlag ausholen ◆ **kill off** *v/t sep* **1.** vernichten, töten **2.** (*fig*) *speculation* ein Ende machen (+*dat*)

killer *n* Killer(in) *m*(*f*) (*infml*); ***this disease is a ~*** diese Krankheit ist tödlich; ***it's a ~*** (*infml, race, job etc*) das ist der glatte Mord (*infml*) **killer whale** *n* Schwertwal *m* **killing** *n* **1.** Töten *nt*; ***three more ~s in Belfast*** drei weitere Morde in Belfast **2.** (*fig*) ***to make a ~*** einen Riesengewinn machen **killjoy** *n* Spielverderber(in) *m*(*f*)

kiln *n* (Brenn)ofen *m*

kilo *n* Kilo *nt* **kilobyte** *n* Kilobyte *nt*

kilogramme, (*US*) **kilogram** *n* Kilogramm *nt* **kilohertz** *n* Kilohertz *nt*

kilometre, (*US*) **kilometer** *n* Kilometer *m*

kilowatt *n* Kilowatt *nt*; ***~-hour*** Kilowattstunde *f*

kilt *n* Kilt *m*, Schottenrock *m*

kin *n* Familie *f*

kind[1] *n* Art *f*; (*of coffee, paint etc*) Sorte *f*; ***several ~s of flour*** mehrere Mehlsorten; ***this ~ of book*** diese Art Buch; ***all ~s of ...*** alle möglichen ...; ***what ~ of ...?*** was für ein(e) ...?; ***the only one of its ~*** das Einzige seiner Art; ***a funny ~ of name*** ein komischer Name; ***he's not that ~ of person*** so ist er nicht; ***they're two of a ~*** die beiden sind vom gleichen Typ; (*people*) sie sind vom gleichen Schlag; ***this ~ of thing*** so etwas; ***you know the ~ of thing I mean*** Sie wissen, was ich meine; ***... of all ~s*** alle möglichen ...; ***something of the ~*** so etwas Ähnliches; ***you'll do nothing of the ~*** du wirst das schön bleiben lassen!; ***it's not my ~ of holiday*** solche Ferien sind nicht mein Fall (*infml*); ***a ~ of ...*** eine Art ..., so ein(e) ...; ***he was ~ of worried-looking*** (*infml*) er sah irgendwie bedrückt aus; ***are you nervous? — ~ of*** (*infml*) bist du nervös? – ja, schon (*infml*); ***payment in ~*** Bezahlung *f* in Naturalien

kind[2] *adj* (*+er*) *person* nett (*to* zu); *face, words* freundlich; ***he's ~ to animals*** er ist gut zu Tieren; ***would you be ~ enough to open the door*** wären Sie so nett, die Tür zu öffnen; ***it was very ~ of you*** das war wirklich nett von Ihnen

kindergarten *n* Kindergarten *m*

kind-hearted *adj* gütig

kindle *v/t* entfachen

kindliness *n* Freundlichkeit *f* **kindly I** *adv* **1.** *act, treat* freundlich; *give* großzügig; ***I don't take ~ to not being asked*** es ärgert mich, wenn ich nicht gefragt werde **2.** ***~ shut the door*** machen Sie doch bitte die Tür zu **II** *adj* (*+er*) freundlich

kindness *n* **1.** *no pl* Freundlichkeit *f* (*towards* gegenüber); ***out of the ~ of one's heart*** aus reiner Nächstenliebe **2.** (≈ *act of kindness*) Gefälligkeit *f*

kindred I *n no pl* Verwandtschaft *f* **II** *adj* verwandt; ***~ spirit*** Gleichgesinnte(r) *m/f(m)*

kinetic *adj* kinetisch

king *n* König *m*; ***to live like a ~*** leben wie ein Fürst

kingdom *n* **1.** (*lit*) Königreich *nt* **2.** REL ***~ of heaven*** Himmelreich *nt*; ***to blow sth to ~ come*** (*infml*) etw in die Luft jagen (*infml*); ***you can go on doing that till ~ come*** (*infml*) Sie können (so) bis in alle Ewigkeit weitermachen **3.** ***the animal ~*** das Tierreich **kingpin** *n* (*fig* ≈ *person*) Stütze *f* **king prawn** *n* Königskrabbe *f* **king-size(d)** *adj* (*infml*) großformatig; *cigarettes* Kingsize; *bed* extra groß

kink *n* (*in rope etc*) Knick *m*; (*in hair*) Welle *f* **kinky** *adj* (*+er*) (*infml*) abartig; *underwear, leather gear* sexy *inv*

kinship *n* Verwandtschaft *f*

kiosk *n* **1.** Kiosk *m* **2.** (*Br* TEL) (Telefon)-zelle *f*

kip (*Br infml*) **I** *n* Schläfchen *nt*; ***I've got to get some ~*** ich muss mal 'ne Runde pennen (*infml*) **II** *v/i* (*a.* **kip down**) pennen (*infml*)

kipper *n* Räucherhering *m*

kirk *n* (*Scot*) Kirche *f*

kiss I *n* Kuss *m*, Busserl *nt* (*Aus*); ***~ of life*** Mund-zu-Mund-Beatmung *f*; ***that will be the ~ of death for them*** das wird ihnen den Todesstoß versetzen **II** *v/t* küssen, busseln (*Aus*); ***to ~ sb's cheek*** jdn auf die Wange küssen; ***to ~ sb good night*** jdm einen Gutenachtkuss geben; ***to ~ sth goodbye*** (*fig infml*) sich (*dat*) etw abschminken (*infml*) **III** *v/i* küssen, busseln (*Aus*); (≈ *kiss each other*) sich küssen; ***to ~ and make up*** sich mit einem Kuss versöhnen

kit *n* **1.** (≈ *equipment, clothes*) Ausrüstung *f*; ***gym ~*** Sportzeug *nt*; ***get your ~ off!*** (*infml*) zieh dich aus! **2.** (≈ *belongings*) Sachen *pl* **3.** (*for self-assembly*) Bastelsatz *m* ◆ **kit out** *or* **up** *v/t sep* (*Br*) ausrüsten; (≈ *clothe*) einkleiden

kitbag *n* Seesack *m*

kitchen *n* Küche *f* **kitchenette** *n* Kochnische *f* **kitchen foil** *n* Alufolie *f* **kitchen garden** *n* Gemüsegarten *m* **kitchen knife** *n* Küchenmesser *nt* **kitchen roll** *n* Küchenrolle *f* **kitchen scales** *pl* Küchenwaage *f* **kitchen sink** *n* ***I've packed everything but the ~*** (*infml*) ich habe den ganzen Hausrat eingepackt **kitchen unit** *n* Küchenschrank *m*

kite *n* Drachen *m*; ***to fly a ~*** (*lit*) einen Drachen steigen lassen

Kite mark *n* (*Br*) *dreieckiges Gütezeichen*

kitschy *adj* (*+er*) kitschig

kitten *n* Kätzchen *nt*; ***to have ~s*** (*fig infml*) Zustände kriegen (*infml*)

kitty *n* (gemeinsame) Kasse

kiwi *n* **1.** Kiwi *m* **2.** (*a.* **kiwi fruit**) Kiwi (-frucht) *f* **3.** (*infml* ≈ *New Zealander*) Neuseeländer(in) *m(f)*, Kiwi *m* (*infml*)

Kleenex® *n* Taschentuch *nt*, Nastuch *nt* (*Swiss*)

km *abbr of* ***kilometre(s)*** km

km/h, kmph *abbr of* ***kilometres per hour*** km/h

knack *n* Trick *m*; (≈ *talent*) Talent *nt*; ***there's a (special) ~ to opening it*** da ist ein Trick dabei, wie man das aufbekommt; ***you'll soon get the ~ of it*** Sie werden den Dreh bald rausbekommen

knackered *adj* (*Br infml*) **1.** (≈ *exhaust-*

ed) geschafft (*infml*) **2.** (≈ *broken*) kaputt (*infml*)

knapsack *n* Proviantbeutel *m*

knead *v/t dough* kneten; *muscles* massieren

knee I *n* Knie *nt*; ***to be on one's ~s*** auf den Knien liegen; ***to go*** (**down**) ***on one's ~s*** (*lit*) niederknien **II** *v/t* ***to ~ sb in the groin*** jdm das Knie zwischen die Beine stoßen **kneecap** *n* Kniescheibe *f* **knee-deep** *adj* knietief **knee-high** *adj* kniehoch

kneel *pret, past part* ***knelt*** *or* ***kneeled*** *v/i* (*before* vor +*dat*) knien; (*a.* **kneel down**) niederknien **knee-length** *adj skirt* knielang; *boots* kniehoch; ***~ socks*** Kniestrümpfe *pl* **kneepad** *n* Knieschützer *m* **knelt** *pret, past part of* ***kneel***

knew *pret of* ***know***

knickers *pl* (*Br*) Schlüpfer *m*; ***don't get your ~ in a twist!*** (*infml*) dreh nicht gleich durch! (*infml*)

knick-knack *n* ***~s*** Krimskrams *m*

knife I *n*, *pl* ***knives*** Messer *nt*; ***~, fork and spoon*** Besteck *nt*; ***you could have cut the atmosphere with a ~*** die Stimmung war zum Zerreißen gespannt **II** *v/t* einstechen auf (+*acc*) **knife edge** *n* ***to be balanced on a ~*** (*fig*) auf Messers Schneide stehen **knife-point** *n* ***to hold sb at ~*** jdn mit einem Messer bedrohen

knight I *n* Ritter *m*; CHESS Springer *m* **II** *v/t* zum Ritter schlagen **knighthood** *n* Ritterstand *m*; ***to receive a ~*** in den Adelsstand erhoben werden

knit *pret, past part* ***knitted*** *or* ***knit*** **I** *v/t* stricken; ***~ three, purl two*** drei rechts, zwei links **II** *v/i* **1.** stricken **2.** (*bones*: *a.* **knit together**) verwachsen **knitted** *adj* gestrickt; *dress etc* Strick- **knitting** *n* Stricken *nt*; (≈ *material being knitted*) Strickzeug *nt* **knitting machine** *n* Strickmaschine *f* **knitting needle** *n* Stricknadel *f* **knitwear** *n* Strickwaren *pl*

knives *pl of* ***knife***

knob *n* **1.** (*on door*) Knauf *m*; (*on instrument etc*) Knopf *m* **2.** ***a ~ of butter*** ein Stich *m* Butter **3.** (*sl* ≈ *penis*) Lanze *f* (*sl*) **knobbly** *adj* (+*er*) *surface* uneben; ***~ knees*** Knubbelknie *pl* (*infml*)

knock I *n* **1.** (*esp Br*) (≈ *blow*) Stoß *m*; ***I got a ~ on the head*** ich habe einen Schlag auf den Kopf bekommen; ***the car took a few ~s*** mit dem Auto hat es ein paarmal gebumst (*infml*) **2.** ***there was a ~ at the door*** es hat (an der Tür) geklopft; ***I heard a ~*** ich habe es klopfen hören **3.** (*esp Br*) (*fig* ≈ *setback*) (Rück)-schlag *m* **II** *v/t* **1.** stoßen; (*with hand, tool etc*) schlagen; *one's head etc* anstoßen (*on* an +*dat*); (≈ *nudge, jolt*) stoßen gegen; ***to ~ one's head*** *etc* sich (*dat*) den Kopf *etc* anstoßen; ***he ~ed his foot against the table*** er stieß mit dem Fuß gegen den Tisch; ***to ~ sb to the ground*** jdn zu Boden werfen; ***to ~ sb unconscious*** jdn bewusstlos werden lassen; (*person*) jdn bewusstlos schlagen; ***he ~ed some holes in the side of the box*** er machte ein paar Löcher in die Seite der Kiste; ***she ~ed the glass to the ground*** sie stieß gegen das Glas und es fiel zu Boden **2.** (*infml* ≈ *criticize*) (he)runtermachen (*infml*) **III** *v/i* **1.** klopfen; ***to ~ at*** *or* ***on the door*** anklopfen; ***to ~ at*** *or* ***on the window*** gegen das Fenster klopfen **2.** (≈ *bump*) stoßen (*into, against* gegen); ***he ~ed into the gatepost*** er rammte den Türpfosten; ***his knees were ~ing*** ihm zitterten die Knie

◆ **knock about** (*Brit*) *or* **around I** *v/i* (*infml*) **1.** (*person*) herumziehen (*prep obj* in +*dat*) **2.** (*object*) herumliegen (*prep obj* in +*dat*) **II** *v/t sep* **1.** (≈ *ill-treat*) verprügeln **2.** (≈ *damage*) beschädigen **3.** ***to knock a ball about*** *or* ***around*** ein paar Bälle schlagen ◆ **knock back** *v/t sep* (*infml*) ***he knocked back his whisky*** er kippte sich (*dat*) den Whisky hinter die Binde (*infml*) ◆ **knock down** *v/t sep* **1.** umwerfen; *opponent* niederschlagen; (*car*) anfahren; *building* abreißen; ***she was knocked down and killed*** sie wurde überfahren **2.** *price* (*buyer*) herunterhandeln (*to* auf +*acc*) ◆ **knock off I** *v/i* (*infml*) Feierabend machen (*infml*) **II** *v/t sep* **1.** (*lit*) *vase, person etc* hinunterstoßen **2.** (*infml* ≈ *reduce price by*) nachlassen (*for sb* jdm) **3.** (*infml*) *essay* hinhauen (*infml*) **4.** (*infml*) ***to ~ work*** Feierabend machen; ***knock it off!*** nun hör schon auf! ◆ **knock on** *v/i* (*Br infml*) ***he's knocking on for fifty*** er geht auf die fünfzig zu ◆ **knock out** *v/t sep* **1.** *tooth* ausschlagen; *Nagel* herausschlagen (*of* aus) **2.** (≈ *stun*) bewusstlos werden lassen; (*by hitting*) bewusstlos schlagen **3.** (*from competition*) besiegen (*of* in +*dat*); ***to***

be knocked out ausscheiden (*of* aus) ◆ **knock over** *v/t sep* umwerfen; (*car*) anfahren ◆ **knock up** *v/t sep meal* auf die Beine stellen (*infml*); *shelter* zusammenzimmern

knockdown *adj attr* ***~ price*** Schleuderpreis *m* **knocker** *n* **1.** (≈ *door knocker*) (Tür)klopfer *m* **2.** (*infml*) ***~s*** Titten *pl* (*sl*) **knock-kneed** *adj* x-beinig; ***to be ~*** X-Beine haben **knock-on effect** *n* (*Br*) Folgewirkungen *pl* (*on* auf *+acc*) **knockout I** *n* **1.** BOXING K. o. *m* **2.** (*infml* ≈ *person*) Wucht *f* (*infml*) **II** *attr* ***~ competition*** Ausscheidungskampf *m*

knot I *n* **1.** Knoten *m*; ***to tie/untie a ~*** einen Knoten machen/aufmachen; ***to tie the ~*** (*fig*) den Bund fürs Leben schließen **2.** (*in wood*) Verwachsung *f* **II** *v/t* einen Knoten machen in (*+acc*); (≈ *knot together*) verknoten

know *vb*: *pret* **knew**, *past part* **known I** *v/t* **1.** (≈ *have knowledge about*) wissen; *answer, facts* kennen; ***to know what one is talking about*** wissen, wovon man redet; ***he might even be dead for all I know*** vielleicht ist er sogar tot, was weiß ich; ***that's worth knowing*** das ist ja interessant; ***before you know where you are*** ehe man sichs versieht; ***she's angry! — don't I know it!*** (*infml*) sie ist wütend! — wem sagst du das! (*infml*) **2.** (≈ *be acquainted with*) kennen; ***if I know John, he'll already be there*** wie ich John kenne, ist er schon da; ***he didn't want to know me*** er wollte nichts mit mir zu tun haben **3.** (≈ *recognize*) erkennen; ***to know sb by his voice*** jdn an der Stimme erkennen; ***the welfare system as we know it*** das uns bekannte Wohlfahrtssystem **4.** (≈ *be able to distinguish*) unterscheiden können; ***do you know the difference between...?*** wissen Sie, was der Unterschied zwischen ... ist? **5.** (≈ *experience*) erleben; ***I've never known it to rain so heavily*** so einen starken Regen habe ich noch nie erlebt; ***to know that ...*** wissen, dass ...; ***to know how to do sth*** etw tun können; ***I don't know how you can say that!*** wie kannst du das nur sagen!; ***to get to know sb*** jdn kennenlernen; ***to get to know sth*** *methods etc* etw lernen; *habits etc* etw herausfinden; ***to get to know a place*** einen Ort kennenlernen; ***to let sb know sth*** jdm von etw Bescheid geben; ***(if you) know what I mean*** du weißt schon; ***there's no knowing what he'll do*** man weiß nie, was er noch tut; ***what do you know!*** (*infml*) sieh mal einer an!; ***to be known (to sb)*** (jdm) bekannt sein; ***it is (well) known that ...*** es ist (allgemein) bekannt, dass ...; ***to be known for sth*** für etw bekannt sein; ***he is known as Mr Smith*** man kennt ihn als Herrn Smith; ***she wishes to be known as Mrs White*** sie möchte Frau White genannt werden; ***to make sth known*** etw bekannt machen; ***to make oneself known*** sich melden (*to sb* bei jdm); ***to become known*** bekannt werden; ***to let it be known that ...*** bekannt geben, dass ... **II** *v/i* wissen; ***who knows?*** wer weiß?; ***I know!*** ich weiß!; (*having a good idea*) ich weiß was!; ***I don't know*** (das) weiß ich nicht; ***as far as I know*** soviel ich weiß; ***he just didn't want to know*** er wollte einfach nicht hören; ***I wouldn't know*** (*infml*) weiß ich (doch) nicht (*infml*); ***how should I know?*** wie soll ich das wissen?; ***I know better than that*** ich bin ja nicht ganz dumm; ***I know better than to say something like that*** ich werde mich hüten, so etwas zu sagen; ***he/you ought to have known better*** das war dumm (von ihm/dir); ***they don't know any better*** sie kennens nicht anders; ***OK, you know best*** o.k., Sie müssens wissen; ***you know, we could ...*** weißt du, wir könnten ...; ***it's raining, you know*** es regnet; ***wear the black dress, you know, the one with the red belt*** zieh das schwarze Kleid an, du weißt schon, das mit dem roten Gürtel; ***you never know*** man kann nie wissen **III** *n* ***to be in the know*** (*infml*) Bescheid wissen (*infml*)

◆ **know about I** *v/i +prep obj history* sich auskennen in (*+dat*); *women, horses* sich auskennen mit; (≈ *have been told about*) wissen von; ***I ~ that*** das weiß ich; ***did you ~ Maggie?*** weißt du über Maggie Bescheid?; ***to get to ~ sb/sth*** von jdm/etw hören; ***I don't ~ that*** davon weiß ich nichts; (≈ *don't agree*) da bin ich aber nicht so sicher; ***I don't ~ you, but I'm hungry*** ich weiß nicht, wie es Ihnen geht, aber ich habe Hunger **II** *v/t sep +prep obj* ***to know a lot about sth*** viel über etw (*acc*) wissen; (*in history etc*) in etw (*dat*) gut Bescheid wissen; (*about* *cars, horses etc*) viel von etw verstehen; ***I know all about that*** da kenne ich mich aus; (≈ *I'm aware of that*) das weiß ich; (≈ *I've been told about it*) ich weiß Bescheid ◆ **know of** *v/i +prep obj café, method* kennen; *sb* gehört haben von; ***not that I ~*** nicht, dass ich wüsste

know-all *n* (*Br infml*) Alleswisser(in) *m*(*f*) **know-how** *n* Know-how *nt* **knowing** *adj smile* wissend **knowingly** *adv* **1.** (≈ *consciously*) absichtlich **2.** *smile* wissend **know-it-all** *n* (*US infml*) = ***know-all***

knowledge *n* **1.** (≈ *understanding*) Wissen *nt*; ***to have ~ of*** wissen von; ***to have no ~ of*** nichts wissen von; ***to my ~*** soviel ich weiß; ***not to my ~*** nicht, dass ich wüsste **2.** (≈ *facts learned*) Kenntnisse *pl*; ***my ~ of English*** meine Englischkenntnisse *pl*; ***my ~ of D.H. Lawrence*** was ich von D. H. Lawrence kenne; ***the police have no ~ of him*** die Polizei weiß nichts über ihn **knowledgeable** *adj* kenntnisreich; ***to be ~*** viel wissen (*about* über *+acc*) **known I** *past part of* ***know*** **II** *adj* bekannt

knuckle *n* (Finger)knöchel *m*; (*of meat*) Hachse *f* ◆ **knuckle down** *v/i* (*infml*) sich dahinter klemmen (*infml*) ◆ **knuckle under** *v/i* (*infml*) spuren (*infml*); (*to demands*) sich beugen (*to* +*dat*)

Koran *n* Koran *m*

Korea *n* Korea *nt* **Korean I** *adj* koreanisch; ***~ war*** Koreakrieg *m* **II** *n* Koreaner(in) *m*(*f*)

kosher *adj* **1.** koscher **2.** (*infml*) in Ordnung

kph *abbr of* ***kilometres per hour*** kph

Kraut *n, adj als Schimpfwort gebrauchte Bezeichnung für Deutsche und Deutsches*, Piefke *m* (*Aus*)

Kremlin *n* ***the ~*** der Kreml

kumquat *n* Kumquat *f, kleine Orange*

kw *abbr of* ***kilowatt(s)*** kW

L

L, l *n* L *nt*, l *nt*

L 1. (*Br* MOT) *abbr of* ***Learner*** **2.** *abbr of* ***large***

l 1. *abbr of* ***litre(s)*** l. **2.** *abbr of* ***left*** l

lab *abbr of* ***laboratory***

label I *n* **1.** (*lit*) Etikett *nt*; (*tied on*) Anhänger *m*; (*adhesive*) Aufkleber *m*, Pickerl *nt* (*Aus*) **2.** (*of record company*) Label *nt* **II** *v/t* **1.** (*lit*) etikettieren; (≈ *write on*) beschriften; ***the bottle was labelled*** (*Br*) *or* ***labeled*** (*US*) ***"poison"*** die Flasche trug die Aufschrift „Gift“ **2.** (*fig, pej*) abstempeln

labor *etc* (*US*) = ***labour*** *etc*; **labor union** (*US*) Gewerkschaft *f* **labor day** *n* (*US*) ≈ Tag *m* der Arbeit

laboratory *n* Labor(atorium) *nt*; ***~ assistant*** Laborant(in) *m*(*f*)

laborious *adj* mühsam

labour, (*US*) **labor I** *n* **1.** (≈ *work*) Arbeit *f*; ***it was a ~ of love*** ich/er *etc* tat es aus Liebe zur Sache **2.** (≈ *persons*) Arbeitskräfte *pl* **3.** (*Br* POL) ***Labour*** die Labour Party **4.** MED Wehen *pl*; ***to be in ~*** in den Wehen liegen; ***to go into ~*** die Wehen bekommen **II** *v/t point* auswalzen **III** *v/i* **1.** (*in fields etc*) arbeiten **2.** (≈ *move etc with effort*) sich quälen; ***to ~ up a hill*** sich einen Hügel hinaufquälen **labour camp** *n* Arbeitslager *nt* **Labour Day** *n* der Tag der Arbeit **laboured** *adj* schwerfällig; *breathing* schwer **labourer** *n* (Hilfs)arbeiter(in) *m*(*f*); (≈ *farm labourer*) Landarbeiter(in) *m*(*f*) **labour force** *n* Arbeiterschaft *f* **labour-intensive** *adj* arbeitsintensiv **labour market** *n* Arbeitsmarkt *m* **labour pains** *pl* Wehen *pl* **Labour Party** *n* (*Br*) Labour Party *f* **labour-saving** *adj* arbeitssparend

Labrador (≈ *dog*) *n* Labradorhund *m*

labyrinth *n* Labyrinth *nt*

lace I *n* **1.** (≈ *fabric*) Spitze *f* **2.** (*of shoe*) Schnürsenkel *m* **II** *v/t* **1.** *shoe* zubinden **2.** ***to ~ a drink with drugs/poison*** Drogen/Gift in ein Getränk mischen; ***~d with brandy*** mit einem Schuss Weinbrand ◆ **lace up** *v/t sep* (zu)schnüren

laceration *n* Fleischwunde *f*; (≈ *tear*) Risswunde *f*

lace-up (shoe) *n* Schnürschuh *m*

lack I *n* Mangel *m*; ***for*** *or* ***through ~ of sth*** aus Mangel an etw (*dat*); ***though it***

wasn't for ~ of trying nicht, dass er sich *etc* nicht bemüht hätte; ***there was a complete ~ of interest*** es bestand überhaupt kein Interesse; ***~ of time*** Zeitmangel *m*; ***there was no ~ of applicants*** es fehlte nicht an Bewerbern **II** *v/t* ***they ~ talent*** es fehlt ihnen an Talent **III** *v/i* ***to be ~ing*** fehlen; ***he is ~ing in confidence*** ihm fehlt es an Selbstvertrauen; ***he is completely ~ing in any sort of decency*** er besitzt überhaupt keinen Anstand

lackadaisical *adj* lustlos

lackey *n* (*lit*, *fig*) Lakai *m*

lacking *adj* ***to be found ~*** sich nicht bewähren **lacklustre**, (*US*) **lackluster** *adj* langweilig, fad (*Aus*)

lacquer I *n* **1.** Lack *m* **2.** (≈ *hair lacquer*) Haarspray *nt* **II** *v/t* lackieren; *hair* sprayen

lactose *n* Laktose *f*

lacy *adj* (*+er*) Spitzen-; ***~ underwear*** Spitzenunterwäsche

lad *n* Junge *m*, Bub *m* (*Aus*, *Swiss*); (*in stable etc*) Bursche *m*; ***young ~*** junger Mann; ***he's a bit of a ~*** (*infml*) er ist ein ziemlicher Draufgänger; ***he likes a night out with the ~s*** (*Br infml*) er geht gern mal mit seinen Kumpels weg (*infml*)

ladder I *n* **1.** Leiter *f*; ***to be at the top of the ~*** ganz oben auf der Leiter stehen; ***to move up the social/career ~*** gesellschaftlich/beruflich aufsteigen **2.** (*Br*: *in stocking*) Laufmasche *f* **II** *v/t* (*Br*) ***I've ~ed my tights*** ich habe mir eine Laufmasche geholt **III** *v/i* (*Br*: *stocking*) Laufmaschen bekommen

laden *adj* beladen (*with* mit)

ladle I *n* (Schöpf)kelle *f* **II** *v/t* schöpfen ◆ **ladle out** *v/t sep* austeilen

lady *n* **1.** Dame *f*; ***"Ladies"*** „Damen"; ***where is the ladies?*** wo ist die Damentoilette?; ***ladies and gentlemen!*** sehr geehrte Damen und Herren!; ***ladies' bicycle*** Damen(fahr)rad *nt* **2.** (≈ *noble*) Adlige *f*; ***Lady*** (*as a title*) Lady *f* **ladybird**, (*US*) **ladybug** *n* Marienkäfer *m* **lady doctor** *n* Ärztin *f* **lady-in-waiting** *n* Ehren- *or* Hofdame *f* **lady-killer** *n* (*infml*) Herzensbrecher *m* **ladylike** *adj* damenhaft

lag[1] **I** *n* (≈ *time-lag*) Zeitabstand *m* **II** *v/i* (*in pace*) zurückbleiben ◆ **lag behind** *v/i* zurückbleiben; ***the government is lagging behind in the polls*** die Regierung liegt in den Meinungsumfragen zurück

lag[2] *v/t pipe* isolieren

lager *n* helles Bier; ***a glass of ~*** ein (Glas) Helles

lagging *n* Isolierschicht *f*; (≈ *material*) Isoliermaterial *nt*

lagoon *n* Lagune *f*

laid *pret*, *past part of* **lay**[3] **laid-back** *adj* (*infml*) cool (*infml*)

lain *past part of* **lie**[2]

lair *n* Lager *nt*; (≈ *den*) Bau *m*

laity *n* Laien *pl*

lake *n* See *m* **Lake District** *n* Lake District *m* (*Seengebiet im NW Englands*)

lamb *n* **1.** (≈ *young sheep*) Lamm *nt* **2.** (≈ *meat*) Lamm(fleisch) *nt* **3.** ***you poor ~!*** du armes Lämmchen!; ***like a ~ to the slaughter*** wie das Lamm zur Schlachtbank **lamb chop** *n* Lammkotelett *nt* **lambswool** *n* Lammwolle *f*

lame *adj* (*+er*) **1.** lahm; ***to be ~ in one leg*** auf einem Bein lahm sein; ***the animal was ~*** das Tier lahmte **2.** (*fig*) *excuse* faul

lament I *n* **1.** (Weh)klage *f* **2.** LIT, MUS Klagelied *nt* **II** *v/t* ***to ~ the fact that ...*** die Tatsache bedauern, dass ... **lamentable** *adj* beklagenswert

laminated *adj* geschichtet; *card* laminiert; ***~ glass*** Verbundglas *nt*; ***~ plastic*** Resopal® *nt*

lamp *n* Lampe *f*; (*in street*) Laterne *f* **lamplight** *n* ***by ~*** bei Lampenlicht; ***in the ~*** im Schein der Lampe(n)

lampoon *v/t* verspotten

lamppost *n* Laternenpfahl *m* **lampshade** *n* Lampenschirm *m*

LAN IT *abbr of* ***local area network*** LAN *nt*

lance I *n* Lanze *f* **II** *v/t* MED öffnen **lance corporal** *n* Obergefreite(r) *m/f*(*m*)

land I *n* **1.** Land *nt*; (≈ *soil*) Boden *m*; ***by ~*** auf dem Landweg; ***to see how the ~ lies*** (*fig*) die Lage peilen; ***to work on the ~*** das Land bebauen; ***to live off the ~*** sich vom Lande ernähren **2.** (*as property*) Grund und Boden *m*; (≈ *estates*) Ländereien *pl*; ***to own ~*** Land besitzen; ***a piece of ~*** ein Stück *nt* Land; (*for building*) ein Grundstück *nt* **II** *v/t* **1.** *passengers* absetzen; *troops* landen; *goods* (*from boat*) an Land bringen; *fish on hook* an Land ziehen; ***to ~ a plane*** (mit einem Flugzeug) landen **2.** (*infml*

≈ *obtain*) kriegen (*infml*); *job* an Land ziehen (*infml*) **3.** (*Br infml*) *blow* landen (*infml*); ***he ~ed him one, he ~ed him a punch on the jaw*** er versetzte ihm einen Kinnhaken **4.** (*infml* ≈ *place*) bringen; ***behaviour*** (*Br*) *or* ***behavior*** (*US*) ***like that will ~ you in jail*** bei einem solchen Betragen wirst du noch mal im Gefängnis landen; ***it ~ed me in a mess*** dadurch bin ich in einen ganz schönen Schlamassel gekommen (*infml*); ***I've ~ed myself in a real mess*** ich bin (ganz schön) in die Klemme geraten (*infml*) **5.** (*infml*) ***to ~ sb with sth*** jdm etw andrehen (*infml*); ***I got ~ed with him for two hours*** ich hatte ihn zwei Stunden lang auf dem Hals **III** *v/i* landen; (*from ship*) an Land gehen; ***we're coming in to ~*** wir setzen zur Landung an; ***the bomb ~ed on the building*** die Bombe fiel auf das Gebäude; ***to ~ on one's feet*** (*lit*) auf den Füßen landen; (*fig*) auf die Füße fallen; ***to ~ on one's head*** auf den Kopf fallen ◆ **land up** *v/i* (*infml*) landen (*infml*); ***you'll ~ in trouble*** du wirst noch mal Ärger bekommen; ***I landed up with nothing*** ich hatte schließlich nichts mehr

landed *adj* ***~ gentry*** Landadel *m* **landing** *n* **1.** AVIAT Landung *f* **2.** (*on stairs*) Treppenabsatz *m*, Stiegenabsatz *m* (*Aus*) **landing card** *n* Einreisekarte *f* **landing gear** *n* Fahrgestell *nt* **landing strip** *n* Landebahn *f* **landlady** *n* (*of flat etc*) Vermieterin *f*; (*of pub*) Wirtin *f* **land line** *n* TEL Landkabel *nt* **landlocked** *adj* von Land eingeschlossen **landlord** *nm* (*of flat etc*) Vermieter *m*; (*of pub*) Wirt *m* **landmark I** *n* **1.** NAUT Landmarke *f* **2.** (≈ *well-known thing*) Wahrzeichen *nt*; (*fig*) Meilenstein *m* **II** *adj ruling* historisch **land mine** *n* Landmine *f* **landowner** *n* Grundbesitzer(in) *m(f)* **land register** *n* (*Br*) Grundbuch *nt* **landscape I** *n* Landschaft *f* **II** *v/t garden* gärtnerisch gestalten **landscape gardening** *n* Landschaftsgärtnerei *f* **landslide** *n* Erdrutsch *m*

lane *n* (*in country*) Sträßchen *nt*; (*in town*) Gasse *f*; SPORTS Bahn *f*; (*on road*) Spur *f*; (≈ *shipping lane*) Schifffahrtsweg *m*; ***"get in ~"*** „einordnen“

language *n* Sprache *f*; ***your ~ is appalling*** deine Ausdrucksweise ist entsetzlich; ***bad ~*** Kraftausdrücke *pl*; ***strong ~*** Schimpfwörter *pl* **language barrier** *n* Sprachbarriere *f* **language course** *n* Sprachkurs(us) *m* **language lab(oratory)** *n* Sprachlabor *nt* **language school** *n* Sprachschule *f*

languid *adj* träge

languish *v/i* schmachten

lank *adj hair* strähnig

lanky *adj* (*+er*) schlaksig

lantern *n* Laterne *f*

lap[1] *n* Schoß *m*; ***in*** *or* ***on her ~*** auf dem/ihrem Schoß; ***to live in the ~ of luxury*** ein Luxusleben führen

lap[2] SPORTS **I** *n* (≈ *round*) Runde *f*; (*fig* ≈ *stage*) Etappe *f* **II** *v/t* überrunden

lap[3] *v/i* (*waves*) plätschern (*against* an *+acc*) ◆ **lap up** *v/t sep* **1.** *liquid* auflecken **2.** *praise* genießen

lapel *n* Revers *nt or m*

lapse I *n* **1.** (≈ *error*) Fehler *m*; (*moral*) Fehltritt *m*; ***he had a ~ of concentration*** seine Konzentration ließ nach; ***memory ~s*** Gedächtnisschwäche *f*; ***a serious security ~*** ein schwerer Verstoß gegen die Sicherheitsvorkehrungen **2.** (*of time*) Zeitraum *m*; ***time ~*** Zeitraum *m*; ***a ~ in the conversation*** eine Gesprächspause **II** *v/i* **1.** (≈ *decline*) verfallen (*into* in *+acc*); ***he ~d into silence*** er versank in Schweigen; ***he ~d into a coma*** er sank in ein Koma **2.** (≈ *expire*) ablaufen; ***after two months have ~d*** nach (Ablauf von) zwei Monaten **lapsed** *adj Catholic* abtrünnig

laptop IT **I** *n* Laptop *m* **II** *attr* Laptop-

larch *n* (*a.* **larch tree**) Lärche *f*

lard *n* Schweineschmalz *nt*

larder *n* (*esp Br*) (≈ *room*) Speisekammer *f*; (≈ *cupboard*) Speiseschrank *m*

large I *adj* (*+er*) groß; *person* korpulent; *meal* reichlich; ***~ print*** Großdruck *m*; ***a ~r size*** eine größere Größe; ***as ~ as life*** in voller Lebensgröße **II** *n* **1.** ***the world at ~*** die Allgemeinheit **2.** ***to be at ~*** (≈ *free*) frei herumlaufen

largely *adv* zum größten Teil **large-print** *adj book* in Großdruck **large-scale** *adj* groß angelegt; *changes* in großem Rahmen; *map* in großem Maßstab **largesse** *n* Großzügigkeit *f*

lark[1] *n* ORN Lerche *f*

lark[2] *n* (*infml, esp Br* ≈ *fun*) Spaß *m*, Hetz *f* (*Aus*); ***to do sth for a ~*** etw (nur) zum Spaß machen ◆ **lark about** *or* **around** *v/i* (*Br infml*) herumblödeln

larva *n*, *pl* **-e** Larve *f*
laryngitis *n* Kehlkopfentzündung *f* **larynx** *n* Kehlkopf *m*
lascivious *adj* lasziv (*elev*)
laser *n* Laser *m* **laser disc** *n* Laserdisc *f* **laser printer** *n* Laserdrucker *m* **laser surgery** *n* Laserchirurgie *f*
lash[1] *n* (≈ *eyelash*) Wimper *f*
lash[2] **I** *n* (*as punishment*) (Peitschen)schlag *m* **II** *v/t* **1.** (≈ *beat*) peitschen; (*rain*) peitschen gegen **2.** (≈ *tie*) festbinden (*to* an +*dat*); ***to ~ sth together*** etw zusammenbinden **III** *v/i* ***to ~ against*** peitschen gegen ◆ **lash out** *v/i* **1.** (*physically*) (wild) um sich schlagen; ***to ~ at sb*** auf jdn losgehen **2.** (*in words*) vom Leder ziehen (*infml*); ***to ~ at sb*** gegen jdn wettern
lass *n* (junges) Mädchen
lasso I *n*, *pl* **-(e)s** Lasso *m or nt* **II** *v/t* mit dem Lasso einfangen
last[1] **I** *adj* letzte(r, s); ***he was ~ to arrive*** er kam als Letzter an; ***the ~ person*** der Letzte; ***the ~ but one***, ***the second ~*** der/die/das Vorletzte; ***~ Monday*** letzten Montag; ***~ year*** letztes Jahr; ***~ but not least*** nicht zuletzt, last not least; ***the ~ thing*** das Letzte; ***that was the ~ thing I expected*** damit hatte ich am wenigsten gerechnet **II** *n* der/die/das Letzte; ***he was the ~ to leave*** er ging als Letzter; ***I'm always the ~ to know*** ich erfahre immer alles als Letzter; ***the ~ of his money*** sein letztes Geld; ***the ~ of the cake*** der Rest des Kuchens; ***that was the ~ we saw of him*** danach haben wir ihn nicht mehr gesehen; ***the ~ I heard, they were getting married*** das Letzte, was ich gehört habe, war, dass sie heiraten; ***we shall never hear the ~ of it*** das werden wir noch lange zu hören kriegen; ***at ~*** endlich; ***at long ~*** schließlich und endlich **III** *adv* ***when did you ~ have a bath?*** wann hast du das letzte Mal gebadet?; ***he spoke ~*** er sprach als Letzter; ***the horse came in ~*** das Pferd ging als letztes durchs Ziel
last[2] **I** *v/t* ***the car has ~ed me eight years*** das Auto hat acht Jahre (lang) gehalten; ***these cigarettes will ~ me a week*** diese Zigaretten reichen mir eine Woche; ***he won't ~ the week*** er hält die Woche nicht durch **II** *v/i* (≈ *continue*) dauern; (≈ *remain intact*) halten; ***it can't ~*** es hält nicht an; ***it won't ~*** es wird nicht lange so bleiben; ***it's too good to ~*** das ist zu schön, um wahr zu sein; ***he won't ~ long in this job*** er wird in dieser Stelle nicht alt werden (*infml*); ***the boss only ~ed a week*** der Chef blieb nur eine Woche
last-ditch *adj* allerletzte(r, s); *attempt* in letzter Minute
lasting *adj relationship* dauerhaft; *shame etc* anhaltend
lastly *adv* schließlich **last-minute** *adj* in letzter Minute **last rites** *pl* Letzte Ölung
latch *n* Riegel *m*; ***to be on the ~*** nicht verschlossen sein; ***to leave the door on the ~*** die Tür nur einklinken ◆ **latch on** *v/i* (*infml*) **1.** (≈ *attach o.s.*) sich anschließen (*to* +*dat*) **2.** (≈ *understand*) kapieren (*infml*)
late I *adj* (+*er*) **1.** spät; ***to be ~ (for sth)*** (zu etw) zu spät kommen; ***the bus is (five minutes) ~*** der Bus hat (fünf Minuten) Verspätung; ***he is ~ with his rent*** er hat seine Miete noch nicht bezahlt; ***that made me ~ for work*** dadurch bin ich zu spät zur Arbeit gekommen; ***due to the ~ arrival of ...*** wegen der verspäteten Ankunft ... (+*gen*); ***it's too ~ in the day (for you) to do that*** es ist zu spät (für dich), das noch zu tun; ***it's getting ~*** es ist schon spät; ***~ train*** Spätzug *m*; ***they work ~ hours*** sie arbeiten bis spät (am Abend); ***they had a ~ dinner yesterday*** sie haben gestern spät zu Abend gegessen; ***"late opening until 7pm"*** „verlängerte Öffnungszeiten bis 19 Uhr"; ***he's a ~ developer*** er ist ein Spätentwickler; ***they scored two ~ goals*** sie erzielten zwei Tore in den letzten Spielminuten; ***in the ~ eighties*** Ende der Achtzigerjahre; ***a man in his ~ eighties*** ein Mann hoch in den Achtzigern; ***in the ~ morning*** am späten Vormittag; ***in ~ June*** Ende Juni **2.** (≈ *deceased*) verstorben; ***the ~ John F. Kennedy*** John F. Kennedy **II** *adv* spät; ***to arrive ~*** (*person*) zu spät kommen; (*train*) Verspätung haben; ***I'll be home ~ today*** ich komme heute spät nach Hause; ***the train was running ~*** der Zug hatte Verspätung; ***the baby was born two weeks ~*** das Baby kam zwei Wochen nach dem Termin; ***we're running ~*** wir sind spät dran; ***better ~ than never*** besser spät als gar nicht; ***to stay up ~*** lange aufbleiben; ***the chemist is open ~*** die Apotheke hat

länger geöffnet; ***to work ~ at the office*** länger im Büro arbeiten; ***~ at night*** spät abends; ***~ last night*** spät gestern Abend; ***~ into the night*** bis spät in die Nacht; ***~ in the afternoon*** am späten Nachmittag; ***~ in the year*** (gegen) Ende des Jahres; ***they scored ~ in the second half*** gegen Ende der zweiten Halbzeit gelang ihnen ein Treffer; ***we decided rather ~ in the day to come too*** wir haben uns ziemlich spät entschlossen, auch zu kommen; ***of ~*** in letzter Zeit; ***it was as ~ as 1900 before child labour*** (*Br*) *or* ***labor*** (*US*) ***was abolished*** erst 1900 wurde die Kinderarbeit abgeschafft **latecomer** *n* Nachzügler(in) *m(f)* (*infml*)

lately *adv* in letzter Zeit **late-night** *adj* ***~ movie*** Spätfilm *m*; ***~ shopping*** Einkauf *m* am (späten) Abend

latent *adj* latent; *energy* ungenutzt

later *adj*, *adv* später; ***at a ~ time*** später; ***the weather cleared up ~ (on) in the day*** das Wetter klärte sich im Laufe des Tages auf; ***~ (on) in the play*** im weiteren Verlauf des Stückes; ***I'll tell you ~ (on)*** ich erzähle es dir später; ***see you ~!*** bis später; ***no ~ than Monday*** bis spätestens Montag

lateral *adj*, **laterally** *adv* seitlich

latest **I** *adj* **1.** *fashion* neu(e)ste(r, s); *technology* modernste(r, s); ***the ~ news*** das Neu(e)ste; ***the ~ attempt*** der jüngste Versuch **2.** späteste(r, s); ***what is the ~ date you can come?*** wann kannst du spätestens kommen? **II** *n* ***the ~ in a series*** der jüngste in einer Reihe; ***what's the ~ (about John)?*** was gibts Neues (über John)?; ***wait till you hear the ~!*** warte, bis du das Neueste gehört hast!; ***at the ~*** spätestens

latex *n* Latex *m*

lathe *n* Drehbank *f*

lather *n* (Seifen)schaum *m*; ***to work oneself up into a ~ (about sth)*** (*infml*) sich (über etw *acc*) aufregen

Latin **I** *adj charm* südländisch **II** *n* LING Latein(isch) *nt* **Latin America** *n* Lateinamerika *nt* **Latin American** **I** *adj* lateinamerikanisch **II** *n* Lateinamerikaner(in) *m(f)*

latitude *n* Breite *f*; (*fig*) Spielraum *m*

latrine *n* Latrine *f*

latter **I** *adj* **1.** (≈ *second*) letztere(r, s) **2.** ***the ~ part of the book/story is better*** gegen Ende wird das Buch/die Geschichte besser; ***the ~ half of the week*** die zweite Hälfte der Woche **II** *n* ***the ~*** der/die/das/Letztere **latter-day** *adj* modern **latterly** *adv* (≈ *recently*) in letzter Zeit

lattice *n* Gitter *nt*

Latvia *n* Lettland *nt*

laudable *adj* lobenswert

laugh **I** *n* **1.** Lachen *nt*; ***with a ~*** lachend; ***she gave a loud ~*** sie lachte laut auf; ***to have a good ~ about sth*** sich köstlich über etw (*acc*) amüsieren; ***it'll give us a ~*** (*infml*) das wird lustig; ***to have the last ~*** es jdm zeigen (*infml*); ***to get a ~*** einen Lacherfolg verbuchen **2.** (*infml* ≈ *fun*) ***what a ~*** (das ist ja) zum Totlachen (*infml*)!; ***for a ~*** aus Spaß; ***it'll be a ~*** es wird bestimmt lustig; ***he's a (good) ~*** er ist urkomisch (*infml*) **II** *v/i* lachen (*about*, *at* über +*acc*); ***to ~ at sb*** sich über jdn lustig machen; ***you'll be ~ing on the other side of your face*** (*Br*) *or* ***mouth*** (*US*) ***soon*** dir wird das Lachen noch vergehen; ***to ~ out loud*** laut auflachen; ***to ~ in sb's face*** jdm ins Gesicht lachen; ***don't make me ~!*** (*iron infml*) dass ich nicht lache! (*infml*) ◆ **laugh off** *v/t* **1.** *always separate* ***to laugh one's head off*** sich totlachen (*infml*) **2.** *sep* (≈ *dismiss*) mit einem Lachen abtun

laughable *adj* lachhaft **laughing** **I** *adj* ***it's no ~ matter*** das ist nicht zum Lachen **II** *n* Lachen *nt* **laughing gas** *n* Lachgas *nt* **laughing stock** *n* Witzfigur *f*

laughter *n* Gelächter *nt*

launch **I** *n* **1.** (≈ *vessel*) Barkasse *f* **2.** (*of ship*) Stapellauf *m*; (*of rocket*) Abschuss *m* **3.** (*of company*) Gründung *f*; (*of product*) Einführung *f*; (*of film*, *book*) Lancierung *f* **II** *v/t* **1.** *vessel* vom Stapel lassen; *lifeboat* aussetzen; *rocket* abschießen **2.** *company* gründen; *product* einführen; *film*, *book* lancieren; *investigation* in die Wege leiten; *career* starten; ***the attack was ~ed at 15.00 hours*** der Angriff fand um 15.00 Uhr statt; ***to ~ a takeover bid*** COMM ein Übernahmeangebot machen ◆ **launch into** *v/i* +*prep obj* angreifen; ***he launched into a description of his house*** er legte mit einer Beschreibung seines Hauses los (*infml*)

launch(ing) pad *n* Abschussrampe *f*

launder *v/t* waschen und bügeln *or* (*Swiss*) glätten; (*fig*) *money* waschen **Launderette®, laundrette** *n* (*Br*) Waschsalon *m* **Laundromat®** *n* (*US*) Waschsalon *m*

laundry *n* **1.** (≈ *establishment*) Wäscherei *f* **2.** (≈ *clothes*) Wäsche *f*; ***to do the ~*** (Wäsche) waschen **laundry basket** *n* Wäschekorb *m*

laurel *n* Lorbeer *m*; ***to rest on one's ~s*** sich auf seinen Lorbeeren ausruhen

lava *n* Lava *f*

lavatory *n* Toilette *f* **lavatory attendant** *n* Toilettenfrau *f*/-mann *m* **lavatory paper** *n* Toilettenpapier *nt* **lavatory seat** *n* Toilettensitz *m*

lavender *n* Lavendel *m*

lavish I *adj gifts* großzügig; *praise* überschwänglich; *banquet* üppig; ***to be ~ with sth*** mit etw verschwenderisch umgehen **II** *v/t* ***to ~ sth on sb*** jdn mit etw überhäufen **lavishly** *adv equipped* großzügig; *praise* überschwänglich; *entertain* reichlich; ***~ furnished*** luxuriös eingerichtet

law *n* **1.** Gesetz *nt*; (≈ *system*) Recht *nt*; ***it's the ~*** das ist Gesetz; ***to become ~*** rechtskräftig werden; ***is there a ~ against it?*** ist das verboten?; ***under French ~*** nach französischem Recht; ***he is above the ~*** er steht über dem Gesetz; ***to keep within the ~*** sich im Rahmen des Gesetzes bewegen; ***in ~*** vor dem Gesetz; ***civil/criminal ~*** Zivil-/Strafrecht *nt*; ***to practise*** (*Br*) *or* ***practice*** (*US*) ***~*** eine Anwaltspraxis haben; ***to take the ~ into one's own hands*** das Recht selbst in die Hand nehmen; ***~ and order*** Recht und Ordnung **2.** (*as study*) Jura *no art* **3.** ***the ~*** (*infml*) die Bullen (*sl*) **law-abiding** *adj* gesetzestreu **law court** *n* Gerichtshof *m* **lawful** *adj* rechtmäßig **lawfully** *adv* rechtmäßig; ***he is ~ entitled to compensation*** er hat einen Rechtsanspruch auf Entschädigung **lawless** *adj act* gesetzwidrig; *society* gesetzlos **lawlessness** *n* Gesetzlosigkeit *f*

lawn *n* Rasen *m no pl* **lawn mower** *n* Rasenmäher *m* **lawn tennis** *n* Rasentennis *nt*

law school *n* (*US*) juristische Fakultät

lawsuit *n* Prozess *m*; ***to bring a ~ against sb*** gegen jdn einen Prozess anstrengen

lawyer *n* (Rechts)anwalt *m*, (Rechts)anwältin *f*

lax *adj* (+*er*) lax; *morals* locker; ***to be ~ about sth*** etw vernachlässigen

laxative I *adj* abführend **II** *n* Abführmittel *nt*

laxity *n* Laxheit *f*

lay[1] *adj* Laien-

lay[2] *pret of* **lie**[2]

lay[3] *vb*: *pret, past part* **laid I** *v/t* **1.** legen (*sth on sth* etw auf etw *acc*); *wreath* niederlegen; *cable* verlegen; *carpet* (ver)legen; ***to ~ (one's) hands on*** (≈ *get hold of*) erwischen; (≈ *find*) finden **2.** *plans* schmieden; (*esp Br*) *table* decken; ***to ~ a trap for sb*** jdm eine Falle stellen; ***to ~ the blame for sth on sb/sth*** jdm/einer Sache die Schuld an etw (*dat*) geben; ***to ~ waste*** verwüsten **3.** *eggs* (*hen*) legen; (*fish, insects*) ablegen; ***to ~ bets on sth*** auf etw (*acc*) wetten **II** *v/i* (*hen*) legen ◆ **lay about I** *v/i* um sich schlagen **II** *v/t sep* losschlagen gegen ◆ **lay aside** *v/t sep work etc* weglegen; (≈ *save*) auf die Seite legen ◆ **lay down** *v/t sep* **1.** *book etc* hinlegen; ***he laid his bag down on the table*** er legte seine Tasche auf den Tisch **2.** ***to ~ one's arms*** die Waffen niederlegen; ***to ~ one's life*** sein Leben geben **3.** *rules* aufstellen; ***to ~ the law*** (*infml*) Vorschriften machen (*to sb* jdm) ◆ **lay into** *v/i +prep obj* (*infml*) ***to ~ sb*** auf jdn losgehen; (*verbally*) jdn fertigmachen (*infml*) ◆ **lay off I** *v/i* (*infml*) aufhören (*prep obj* mit); ***you'll have to ~ smoking*** du wirst das Rauchen aufgeben müssen (*infml*); ***~ my little brother, will you!*** lass bloß meinen kleinen Bruder in Ruhe! **II** *v/t sep workers* entlassen; ***to be laid off*** Feierschichten einlegen müssen; (*permanently*) entlassen werden ◆ **lay on** *v/t sep entertainment* sorgen für; *extra buses* einsetzen ◆ **lay out** *v/t sep* **1.** (≈ *spread out*) ausbreiten **2.** (≈ *present*) darlegen **3.** *clothes* zurechtlegen; *corpse* (waschen und) aufbahren **4.** (≈ *arrange*) anlegen ◆ **lay over** *v/i* (*US*) Aufenthalt haben ◆ **lay up** *v/t sep* ***to be laid up (in bed)*** auf der Nase (*infml*) *or* im Bett liegen

layabout *n* (*Br*) Arbeitsscheue(r) *m/f*(*m*)

lay-by *n* (*Br*) (*in town*) Parkbucht *f*; (*in country*) Parkplatz *m*

layer I *n* Schicht *f*, Lage *f*; ***to arrange sth in ~s*** etw schichten; ***several ~s of cloth-***

ing mehrere Kleidungsstücke übereinander **II** *v/t* **1.** *hair* abstufen **2.** *vegetables etc* schichten

layman *n* Laie *m* **lay-off** *n* ***further ~s were unavoidable*** weitere Arbeiter mussten entlassen werden **layout** *n* Anordnung *f*; TYPO Layout *nt*; ***we have changed the ~ of this office*** wir haben dieses Büro anders aufgeteilt **layover** *n* (*US*) Aufenthalt *m* **layperson** *n* Laie *m*

laze *v/i* (*a.* **laze about, laze around**) faulenzen **lazily** *adv* faul; (≈ *languidly*) träge **laziness** *n* Faulheit *f*

lazy *adj* (*+er*) **1.** faul; ***to be ~ about doing sth*** zu faul sein, etw zu tun **2.** (≈ *slow-moving*) träge; *evening* gemütlich **lazybones** *n sg* (*infml*) Faulpelz *m*

lb *n* (*weight*) ≈ Pfd.

LCD *abbr of* ***liquid crystal display*** LCD *nt*

lead[1] *n* **1.** (≈ *metal*) Blei *nt* **2.** (*in pencil*) Mine *f*

lead[2] *vb*: *pret, past part* ***led*** **I** *n* **1.** (≈ *leading position*) Führung *f*; ***to be in the ~*** in Führung liegen; ***to take the ~, to move into the ~*** in Führung gehen; (*in league*) Tabellenführer werden **2.** (≈ *distance, time ahead*) Vorsprung *m*; ***to have two minutes' ~ over sb*** zwei Minuten Vorsprung vor jdm haben **3.** (≈ *example*) ***to take the ~*** mit gutem Beispiel vorangehen **4.** (≈ *clue*) Anhaltspunkt *m*; ***the police have a ~*** die Polizei hat eine Spur **5.** (THEAT) (≈ *part*) Hauptrolle *f*; (≈ *person*) Hauptdarsteller(in) *m(f)* **6.** (≈ *leash*) Leine *f*; ***on a ~*** an der Leine **7.** ELEC Kabel *nt* **II** *v/t* **1.** führen; ***to ~ sb in*** jdn hineinführen; ***that road will ~ you back to the station*** auf dieser Straße kommen Sie zum Bahnhof zurück; ***to ~ the way*** vorangehen; ***all this talk is ~ing us nowhere*** dieses ganze Gerede bringt uns nicht weiter; ***to ~ sb to do sth*** jdn dazu bringen, etw zu tun; ***what led him to change his mind?*** wie kam er dazu, seine Meinung zu ändern?; ***I am led to believe that ...*** ich habe Grund zu der Annahme, dass ...; ***to ~ sb into trouble*** jdn in Schwierigkeiten bringen **2.** (≈ *be leader of*) (an)führen; *team* leiten; ***to ~ a party*** den Parteivorsitz führen **3.** (≈ *be first in*) anführen; ***they led us by 30 seconds*** sie lagen mit 30 Sekunden vor uns (*dat*); ***Britain ~s the world in textiles*** Großbritannien ist auf dem Gebiet der Textilproduktion führend in der Welt **III** *v/i* **1.** führen; ***it ~s into that room*** es führt zu diesem Raum; ***all this talk is ~ing nowhere*** dieses ganze Gerede führt zu nichts; ***remarks like that could ~ to trouble*** solche Bemerkungen können unangenehme Folgen haben **2.** (≈ *go in front*) vorangehen; (*in race*) in Führung liegen ◆ **lead away** *v/t sep* wegführen; *prisoner* abführen ◆ **lead off** *v/i* (*street*) abgehen; ***several streets led off the square*** mehrere Straßen gingen von dem Platz ab ◆ **lead on** *v/t sep* (≈ *deceive*) anführen (*infml*) ◆ **lead on to** *v/i +prep obj* führen zu ◆ **lead up I** *v/t sep* führen (*to* zu); ***to lead sb up the garden path*** (*fig*) jdn an der Nase herumführen **II** *v/i* ***the events that led up to the war*** die Ereignisse, die dem Krieg vorausgingen; ***what are you leading up to?*** worauf willst du hinaus?; ***what's all this leading up to?*** was soll das Ganze?

leaded *adj petrol* verbleit **leaden** *adj* bleiern; *steps* bleischwer

leader *n* **1.** Führer(in) *m(f)*; (*of party*) Vorsitzende(r) *m/f(m)*; (*military*) Befehlshaber(in) *m(f)*; (*of gang*) Anführer(in) *m(f)*; (*of project*) Leiter(in) *m(f)*; (SPORTS, *in league*) Tabellenführer *m*; (*in race*) der / die Erste; (*of orchestra*) Konzertmeister(in) *m(f)*; ***to be the ~*** (*in race*) in Führung liegen; ***the ~s*** (*in race*) die Spitzengruppe; ***~ of the opposition*** Oppositionsführer(in) *m(f)* **2.** (*Br* PRESS) Leitartikel *m* **leadership** *n* Führung *f*; (≈ *office*) Vorsitz *m*; ***under the ~ of*** unter (der) Führung von

lead-free I *adj* bleifrei **II** *n* bleifreies Benzin

leading *adj* **1.** (≈ *first*) vorderste(r, s) **2.** *person, writer, politician, company* führend; ***~ product/sportsman*** Spitzenprodukt *nt*/-sportler *m*; ***~ role*** THEAT Hauptrolle *f*; (*fig*) führende Rolle (*in* bei) **leading article** *n* Leitartikel *m* **leading lady** *n* Hauptdarstellerin *f* **leading light** *n* Nummer eins *f* **leading man** *n* Hauptdarsteller *m* **leading question** *n* Suggestivfrage *f*

lead singer *n* Leadsänger(in) *m(f)* **lead story** *n* Hauptartikel *m*

leaf I *n, pl* ***leaves*** **1.** Blatt *nt*; ***he swept the leaves into a pile*** er fegte das Laub auf einen Haufen **2.** (*of paper*) Blatt *nt*; ***to***

take a ~ out of** or **from sb's book sich (*dat*) von jdm eine Scheibe abschneiden; ***to turn over a new ~*** einen neuen Anfang machen **II** *v/i* ***to ~ through a book*** ein Buch durchblättern **leaflet** *n* Prospekt *m*; (≈ *single page*) Handzettel *m*; (≈ *handout*) Flugblatt *nt* **leafy** *adj tree* belaubt; *lane* grün

league *n* Liga *f*; ***League of Nations*** Völkerbund *m*; ***to be in ~ with sb*** mit jdm gemeinsame Sache machen; ***the club is top of the ~*** der Klub ist Tabellenführer; ***he was not in the same ~*** (*fig*) er hatte nicht das gleiche Format; ***this is way out of your ~!*** das ist einige Nummern zu groß für dich! **league table** *n* Tabelle *f*; (*esp Br*, *of schools etc*) Leistungstabelle *f*

leak I *n* undichte Stelle; (*in container*) Loch *nt*; (≈ *escape of liquid*) Leck *nt*; ***to have a ~*** undicht sein; (*bucket etc*) lecken **II** *v/t* **1.** (*lit*) durchlassen; *fuel* verlieren; ***that tank is ~ing acid*** aus diesem Tank läuft Säure aus **2.** (*fig*) *information etc* zuspielen (*to sb* jdm) **III** *v/i* (*ship*, *receptacle*) lecken; (*roof*) undicht sein; (*pen*, *liquid*) auslaufen; (*gas*) ausströmen; ***water is ~ing (in) through the roof*** es regnet durch (das Dach durch) ◆ **leak out** *v/i* **1.** (*liquid*) auslaufen **2.** (*news*) durchsickern

leakage *n* (≈ *act*) Auslaufen *nt* **leaky** *adj* (*+er*) undicht; *boat also* leck

lean[1] *adj* (*+er*) mager; *person* hager; ***to go through a ~ patch*** eine Durststrecke durchlaufen

lean[2] *pret*, *past part* **leant** (*esp Brit*) *or* ***leaned*** **I** *v/t* **1.** lehnen (*against* gegen, an *+acc*); ***to ~ one's head on sb's shoulder*** seinen Kopf an jds Schulter (*acc*) lehnen **2.** (≈ *rest*) aufstützen (*on* auf *+dat or acc*); ***to ~ one's elbow on sth*** sich mit dem Ellbogen auf etw (*acc*) stützen **II** *v/i* **1.** (≈ *be off vertical*) sich neigen (*to* nach); ***he ~ed across the counter*** er beugte sich über den Ladentisch **2.** (≈ *rest*) sich lehnen; ***she ~ed on my arm*** sie stützte sich auf meinen Arm; ***to ~ on one's elbow*** sich mit dem Ellbogen aufstützen **3.** ***to ~ toward(s) socialism*** zum Sozialismus tendieren ◆ **lean back** *v/i* sich zurücklehnen ◆ **lean forward** *v/i* sich vorbeugen ◆ **lean on** *v/i* (≈ *depend on*) ***to ~ sb*** sich auf jdn verlassen; (*infml* ≈ *put pressure on*) jdn bearbeiten (*infml*) ◆ **lean out** *v/i* sich hinauslehnen (*of* aus)

leaning I *adj* schräg, schief **II** *n* Neigung *f*

leant (*esp Br*) *pret*, *past part of* **lean[2]**

leap *vb*: *pret*, *past part* **leapt** (*esp Brit*) *or* ***leaped*** **I** *n* Sprung *m*; (*fig*: *in profits etc*) sprunghafter Anstieg; ***a great ~ forward*** (*fig*) ein großer Sprung nach vorn; ***a ~ into the unknown***, ***a ~ in the dark*** (*fig*) ein Sprung ins Ungewisse; ***by ~s and bounds*** (*fig*) sprunghaft **II** *v/i* springen; ***to ~ to one's feet*** aufspringen; ***the shares ~t by 21p*** die Aktien stiegen mit einem Sprung um 21 Pence ◆ **leap at** *v/i +prep obj* ***to ~ a chance*** eine Gelegenheit beim Schopf packen ◆ **leap out** *v/i* hinausspringen (*of* aus *+dat*); ***he leapt out of the car*** er sprang aus dem Auto ◆ **leap up** *v/i* (*prices*) sprunghaft ansteigen

leapfrog *n* Bockspringen *nt*; ***to play ~*** Bockspringen spielen **leapt** (*esp Br*) *pret*, *past part of* **leap** **leap year** *n* Schaltjahr *nt*

learn *pret*, *past part* **learnt** (*Brit*) *or* ***learned*** **I** *v/t* **1.** lernen; *poem etc* auswendig lernen; ***I ~ed (how) to swim*** ich habe schwimmen gelernt **2.** (≈ *be informed*) erfahren **II** *v/i* **1.** lernen; ***to ~ from experience*** aus der Erfahrung *or* durch Erfahrung lernen **2.** (≈ *find out*) erfahren (*about*, *of* von) **learned** *adj* gelehrt; ***a ~ man*** ein Gelehrter *m* **learner** *n* **1.** Lerner(in) *m(f)* **2.** (≈ *learner driver*) Fahrschüler(in) *m(f)* **learning** *n* (≈ *act*) Lernen *nt*; ***a man of ~*** ein Gelehrter *m* **learning curve** *n* ***to be on a steep ~*** viel dazulernen **learnt** (*Br*) *pret*, *past part of* **learn**

lease I *n* Pacht *f*; (≈ *contract*) Pachtvertrag *m*; (*of flat*) Miete *f*; (≈ *contract*) Mietvertrag *m*; (*of equipment*) Leasing *nt*; (≈ *contract*) Leasingvertrag *m*; ***a new ~ of life*** ein neuer Aufschwung **II** *v/t* (≈ *take*) pachten (*from* von); *flat* mieten (*from* von); *equipment* leasen (*from* von); (≈ *give*: *a.* **lease out**) verpachten (*to* an *+acc*); *flat* vermieten (*to* an *+acc*); *equipment* leasen (*to* an *+acc*) **leasehold I** *n* Pachtbesitz *m*; (≈ *contract*) Pachtvertrag *m* **II** *adj* gepachtet; ***~ property*** Pachtbesitz *m* **leaseholder** *n* Pächter(in) *m(f)*

leash *n* Leine *f*; ***on a ~*** an der Leine

leasing *n* Leasing *nt*

least I *adj* **1.** geringste(r, s) **2.** (*with un-*

countable nouns) wenigste(r, s); ***he has the ~ money*** er hat am wenigsten Geld **II** *adv* **1.** (+*vb*) am wenigsten; ***~ of all would I wish to offend him*** auf gar keinen Fall möchte ich ihn beleidigen **2.** (+*adj*) ***the ~ expensive car*** das billigste Auto; ***the ~ talented player*** der am wenigsten talentierte Spieler; ***the ~ known*** der / die/das Unbekannteste; ***not the ~ bit*** kein bisschen **III** *n* ***the ~*** der / die/das Geringste; ***that's the ~ of my worries*** darüber mache ich mir die wenigsten Sorgen; ***it's the ~ I can do*** das ist das wenigste, was ich tun kann; ***at ~*** wenigstens; ***there were at ~ eight*** es waren mindestens acht da; ***we need three at the very ~*** allermindestens brauchen wir drei; ***all nations love football, not ~ the British*** alle Völker lieben Fußball, nicht zuletzt die Briten; ***he was not in the ~ upset*** er war kein bisschen verärgert; ***to say the ~*** um es milde zu sagen

leather I *n* Leder *nt* **II** *adj* Leder-, ledern; ***~ jacket/shoes*** Lederjacke *f*/-schuhe *pl*

leathery *adj skin* ledern

leave *vb*: *pret*, *past part* **left I** *n* **1.** (≈ *permission*) Erlaubnis *f*; ***to ask sb's ~ to do sth*** jdn um Erlaubnis bitten, etw zu tun **2.** (≈ *time off*) Urlaub *m*; ***to be on ~*** auf Urlaub sein; ***I've got ~ to attend the conference*** ich habe freibekommen, um an der Konferenz teilzunehmen; ***~ of absence*** Beurlaubung *f* **3.** ***to take ~ of sb*** sich von jdm verabschieden; ***to take ~ of one's senses*** den Verstand verlieren **II** *v/t* **1.** *place*, *person* verlassen; ***the train left the station*** der Zug fuhr aus dem Bahnhof; ***when the plane left Rome*** als das Flugzeug von Rom abflog; ***when he left Rome*** als er von Rom wegging / wegfuhr *etc*; ***to ~ the country*** das Land verlassen; (*permanently*) auswandern; ***to ~ home*** von zu Hause weggehen; ***to ~ school*** die Schule verlassen; ***to ~ the table*** vom Tisch aufstehen; ***to ~ one's job*** seine Stelle aufgeben; ***to ~ the road*** (≈ *crash*) von der Straße abkommen; (≈ *turn off*) von der Straße abbiegen; ***I'll ~ you at the station*** (*in car*) ich setze dich am Bahnhof ab **2.** (≈ *cause to remain*) lassen; *message*, *scar* hinterlassen; ***I'll ~ my address with you*** ich lasse Ihnen meine Adresse da; ***to ~ one's supper*** sein Abendessen stehen lassen; ***this ~s me free for the afternoon*** dadurch habe ich den Nachmittag frei; ***~ the dog alone*** lass den Hund in Ruhe; ***to ~ sb to do sth*** es jdm überlassen, etw zu tun; ***I'll ~ you to it*** ich lasse Sie jetzt allein weitermachen; ***let's ~ it at that*** lassen wir es dabei (bewenden); ***to ~ sth to the last minute*** mit etw bis zur letzten Minute warten; ***let's ~ this now*** (≈ *stop*) lassen wir das jetzt mal **3.** (≈ *forget*) liegen lassen, stehen lassen **4.** (*after death*) *money* hinterlassen **5.** ***to be left*** (≈ *remain*) übrig bleiben; ***all I have left*** alles, was ich noch habe; ***I've (got) £6 left*** ich habe noch 6 Pfund (übrig); ***how many are there left?*** wie viele sind noch übrig?; ***3 from 10 ~s 7*** 10 minus 3 ist 7; ***there was nothing left for me to do but to sell it*** mir blieb nichts anderes übrig, als es zu verkaufen **6.** (≈ *entrust*) überlassen (*up to sb* jdm); ***~ it to me*** lass mich nur machen; ***to ~ sth to chance*** etw dem Zufall überlassen **III** *v/i* (*person*) (weg)gehen; (*in vehicle*) abfahren; (*in plane*) abfliegen; ***we ~ for Sweden tomorrow*** wir fahren morgen nach Schweden ◆ **leave behind** *v/t sep* **1.** *car* zurücklassen; *chaos* hinterlassen; *the past* hinter sich (*dat*) lassen; ***we've left all that behind us*** das alles liegt hinter uns; ***he left all his fellow students behind*** er stellte alle seine Kommilitonen in den Schatten **2.** (≈ *forget*) liegen lassen ◆ **leave off I** *v/t sep lid* nicht drauftun; *lights* auslassen; ***you left her name off the list*** Sie haben ihren Namen nicht in die Liste aufgenommen **II** *v/i*, *v/i +prep obj* (*infml*) aufhören; ***~!*** lass das!; ***he picked up where he left off*** er machte weiter, wo er aufgehört hatte ◆ **leave on** *v/t sep clothes* anbehalten; *lights* anlassen ◆ **leave out** *v/t sep* **1.** (≈ *not bring in*) draußen lassen **2.** (≈ *omit*) auslassen; (≈ *exclude*) *people* ausschließen (*of* von); ***you leave my wife out of this*** lassen Sie meine Frau aus dem Spiel; ***he got left out of things*** er wurde nicht mit einbezogen **3.** (≈ *not put away*) liegen lassen ◆ **leave over** *v/t sep* ***to be left over*** übrig (geblieben) sein

leaves *pl of* ***leaf***

leaving party *n* Abschiedsfeier *or* -party *f*

lecher *n* Lüstling *m*; (*hum*) Lustmolch *m*

lecherous *adj* lüstern

lectern *n* Pult *nt*
lecture I *n* **1.** Vortrag *m*; UNIV Vorlesung *f*; ***to give a ~*** einen Vortrag / eine Vorlesung halten (*to* für, *on sth* über etw *acc*) **2.** (≈ *scolding*) (Straf)predigt *f* **II** *v/t* **1.** ***to ~ sb on sth*** jdm einen Vortrag / eine Vorlesung über etw (*acc*) halten; ***he ~s us in French*** wir hören bei ihm (Vorlesungen in) Französisch **2.** (≈ *scold*) ***to ~ sb*** jdm eine Strafpredigt halten (*on* wegen) **III** *v/i* einen Vortrag halten; UNIV eine Vorlesung halten; ***he ~s in English*** er ist Dozent für Anglistik; ***he ~s at Princeton*** er lehrt in Princeton **lecture hall** *n* Hörsaal *m* **lecture notes** *pl* (*professor's*) Manuskript *nt*; (*student's*) Aufzeichnungen *pl*; (≈ *handout*) Vorlesungsskript *nt* **lecturer** *n* Dozent(in) *m(f)*; (≈ *speaker*) Redner(in) *m(f)*; ***assistant ~*** ≈ Assistent(in) *m(f)*; ***senior ~*** *Dozent(in) in höherer Position* **lectureship** *n* Dozentenstelle *f* **lecture theatre**, (*US*) **lecture theater** *n* Hörsaal *m*
led *pret, past part of* ***lead***[2]
ledge *n* Leiste *f*; (*of window*) (*inside*) Fensterbrett *nt*; (*outside*) (Fenster)sims *nt or m*; (≈ *mountain ledge*) (Fels)vorsprung *m*
ledger *n* Hauptbuch *nt*
leech *n* Blutegel *m*
leek *n* Porree *m*
leer I *n* anzügliches Grinsen **II** *v/i* ***he ~ed at the girl*** er warf dem Mädchen lüsterne Blicke zu
leeway *n* (*fig*) Spielraum *m*; (*in a decision*) Freiheit *f*; ***he has given them too much ~*** er hat ihnen zu viel Freiheit *or* Spielraum gelassen
left[1] *pret, past part of* ***leave***
left[2] **I** *adj* linke(r, s); ***no ~ turn*** Linksabbiegen verboten; ***he's got two ~ feet*** (*infml*) er ist sehr ungelenk **II** *adv* links (*of* von); ***keep ~*** links fahren **III** *n* **1.** Linke(r, s); ***on the ~*** links (*of* von); ***on or to sb's ~*** links von jdm; ***take the first (on the) ~ after the church*** biegen Sie hinter der Kirche die erste (Straße) links ab; ***the third*** *etc* ***... from the ~*** der / die/das dritte *etc* ... von links; ***to keep to the ~*** sich links halten **2.** POL Linke *f*; ***to move to the ~*** nach links rücken **left back** *n* linker Verteidiger **left-click** IT **I** *v/i* links klicken **II** *v/t* links klicken auf (*+acc*) **left-hand** *adj* ***~ drive*** Linkssteuerung *f*; ***~ side*** linke Seite; ***he stood on the ~ side of the king*** er stand zur Linken des Königs; ***take the ~ turn*** bieg links ab **left-handed I** *adj* linkshändig; *tool* für Linkshänder; ***both the children are ~*** beide Kinder sind Linkshänder **II** *adv* mit links **left-hander** *n* Linkshänder(in) *m(f)* **leftist** *adj* linksgerichtet
left-luggage locker *n* (*Br*) Gepäckschließfach *nt* **left-luggage (office)** *n* (*Br*) Gepäckaufbewahrung *f*
left-of-centre, (*US*) **left-of-center** *adj politician* links von der Mitte stehend; ***~ party*** Mitte-Links-Partei *f*
leftover I *adj* übrig geblieben **II** *n* **1.** ***~s*** (Über)reste *pl* **2.** (*fig*) ***to be a ~ from the past*** ein Überbleibsel *nt* aus der Vergangenheit sein
left wing *n* linker Flügel; ***on the ~*** POL, SPORTS auf dem linken Flügel **left-wing** *adj* linke(r, s) **left-winger** *n* POL Linke(r) *m/f(m)*; SPORTS Linksaußen *m*
leg *n* **1.** Bein *nt*; ***to be on one's last ~s*** auf dem letzten Loch pfeifen (*infml*); ***he hasn't (got) a ~ to stand on*** (*fig* ≈ *no excuse*) er kann sich nicht herausreden; (≈ *no proof*) das kann er nicht belegen **2.** (*as food*) Keule *f*, Schlögel *m* (*Aus*); ***~ of lamb*** Lammkeule *f*, Lammschlögel *m* (*Aus*) **3.** (≈ *stage*) Etappe *f*
legacy *n* Vermächtnis *nt*; (*fig pej*) Hinterlassenschaft *f*
legal *adj* **1.** (≈ *lawful*) legal; *obligation, limit* gesetzlich; ***to make sth ~*** etw legalisieren; ***it is not ~ to sell drink to children*** es ist gesetzlich verboten, Alkohol an Kinder zu verkaufen; ***~ limit*** Promillegrenze *f*; ***women had no ~ status*** Frauen waren nicht rechtsfähig **2.** (≈ *relating to the law*) Rechts-; *matters, advice* juristisch; *inquiry* gerichtlich; ***for ~ reasons*** aus rechtlichen Gründen; ***~ charges or fees or costs*** (*solicitor's*) Anwaltskosten *pl*; (*court's*) Gerichtskosten *pl*; ***the British ~ system*** das britische Rechtssystem; ***the ~ profession*** die Juristenschaft **legal action** *n* Klage *f*; ***to take ~ against sb*** gegen jdn Klage erheben **legal adviser** *n* Rechtsberater(in) *m(f)* **legal aid** *n* Rechtshilfe *f* **legality** *n* Legalität *f*; (*of claim*) Rechtmäßigkeit *f*; (*of contract, decision*) Rechtsgültigkeit *f* **legalize** *v/t* legalisieren **legally** *adv acquire* legal; *married* rechtmäßig; *obliged* gesetzlich; ***~ responsible*** vor dem Gesetz verantwortlich; ***to be ~ entitled to sth*** einen

Rechtsanspruch auf etw (*acc*) haben; **~ *binding*** rechtsverbindlich **legal tender** *n* gesetzliches Zahlungsmittel
legend *n* Legende *f*; (*fictitious*) Sage *f*; ***to become a ~ in one's lifetime*** schon zu Lebzeiten zur Legende werden **legendary** *adj* **1.** legendär **2.** (≈ *famous*) berühmt
-legged *adj suf* -beinig; ***bare-legged*** ohne Strümpfe **leggings** *pl* Leggings *pl*
legible *adj* lesbar **legibly** *adv* lesbar; *write* leserlich
legion *n* Legion *f* **legionary** *n* Legionär *m*
legislate *v/i* Gesetze / ein Gesetz erlassen **legislation** *n* (≈ *laws*) Gesetze *pl* **legislative** *adj* gesetzgebend **legitimacy** *n* Rechtmäßigkeit *f* **legitimate** *adj* **1.** legitim; *excuse* begründet **2.** *child* ehelich **legitimately** *adv* legitim; (≈ *with reason*) berechtigterweise **legitimize** *v/t* legitimieren
legless *adj* (*Br infml*) sternhagelvoll (*infml*) **leg press** *n* SPORTS Beinpresse *f* **legroom** *n* Beinfreiheit *f* **leg-up** *n* ***to give sb a ~*** jdm hochhelfen
leisure *n* Freizeit *f*; ***do it at your ~*** tun Sie es, wenn Sie Zeit dazu haben **leisure activities** *pl* Freizeitbeschäftigungen *pl* **leisure centre** *n* (*Br*) Freizeitzentrum *nt* **leisure hours** *pl* Freizeit *f* **leisurely** *adj* geruhsam; ***to go at a ~ pace*** (*person*) gemächlich gehen; ***to have a ~ breakfast*** in aller Ruhe frühstücken **leisure time** *n* Freizeit *f* **leisurewear** *n* Freizeitbekleidung *f*
lemma *pl* **-s** *or* **-ta** *n* LING Lemma *nt*
lemon I *n* Zitrone *f* **II** *adj* Zitronen- **lemonade** *n* Limonade *f*, Kracherl *nt* (*Aus*); (*with lemon flavour*) Zitronenlimonade *f* **lemon grass** *n* BOT, COOK Zitronengras *nt* **lemon juice** *n* Zitronensaft *m* **lemon sole** *n* Rotzunge *f* **lemon squeezer** *n* Zitronenpresse *f*
lend *pret, past part* **lent I** *v/t* **1.** leihen (*to sb* jdm); (*banks*) *money* verleihen (*to* an +*acc*) **2.** (*fig* ≈ *give*) verleihen (*to* +*dat*); ***to ~ (one's) support to sb/sth*** jdn / etw unterstützen; ***to ~ a hand*** helfen **II** *v/r* ***to ~ oneself to sth*** (≈ *be suitable*) sich für etw eignen ◆ **lend out** *v/t sep* verleihen
lender *n* (*professional*) Geldverleiher(in) *m(f)* **lending library** *n* Leihbücherei *f* **lending rate** *n* (Darlehens)zinssatz *m*
length *n* **1.** Länge *f*; ***to be 4 feet in ~*** 4 Fuß lang sein; ***what ~ is it?*** wie lang ist es?; ***along the whole ~ of the river*** den ganzen Fluss entlang **2.** (*of rope*) Stück *nt*; (*of pool*) Bahn *f* **3.** (*of time*) Dauer *f*; ***for any ~ of time*** für längere Zeit; ***at ~*** ausführlich **4.** ***to go to any ~s to do sth*** vor nichts zurückschrecken, um etw zu tun; ***to go to great ~s to do sth*** sich (*dat*) sehr viel Mühe geben, um etw zu tun **lengthen I** *v/t* verlängern; *clothes* länger machen; ***to ~ one's stride*** größere Schritte machen **II** *v/i* länger werden **lengthways, lengthwise I** *adj* Längen-, Längs- **II** *adv* der Länge nach **lengthy** *adj* (+*er*) sehr lang; (≈ *dragging on*) langwierig; *speech* ausführlich, langatmig (*pej*); *meeting* lang andauernd
lenience, leniency *n* Nachsicht *f* (*towards* gegenüber); (*of judge, sentence*) Milde *f* **lenient** *adj* nachsichtig (*towards* gegenüber); *judge, sentence* milde; ***to be ~ with sb*** mit jdm milde umgehen **leniently** *adv* nachsichtig; *judge* milde
lens *n* Linse *f*; (*in spectacles*) Glas *nt*; (≈ *camera part*) Objektiv *nt*; (*for stamps etc*) Lupe *f* **lens cap** *n* Schutzkappe *f*
Lent *n* Fastenzeit *f*
lent *pret, past part of* **lend**
lentil *n* Linse *f*
Leo *n* ASTROL Löwe *m*; ***he's (a) ~*** er ist Löwe
leopard *n* Leopard *m*
leotard *n* Trikot *nt*, Leiberl *nt* (*Aus*), Leibchen *nt* (*Aus, Swiss*); GYMNASTICS Gymnastikanzug *m*
leper *n* Leprakranke(r) *m/f(m)* **leprosy** *n* Lepra *f*
lesbian I *adj* lesbisch; ***~ and gay rights*** Rechte *pl* der Lesben und Schwulen **II** *n* Lesbe *f* (*infml*)
lesion *n* Verletzung *f*
less I *adj, adv, n* weniger; ***~ noise, please!*** nicht so laut, bitte!; ***to grow ~*** weniger werden; (≈ *decrease*) abnehmen; ***~ and ~*** immer weniger; ***she saw him ~ and ~ (often)*** sie sah ihn immer seltener; ***a sum ~ than £1*** eine Summe unter £ 1; ***it's nothing ~ than disgraceful*** es ist wirklich eine Schande; ***~ beautiful*** nicht so schön; ***~ quickly*** nicht so schnell; ***none the ~*** nichtsdestoweniger; ***can't you let me have it for ~?*** können Sie es mir nicht etwas billiger lassen?; ***~ of that!*** komm mir nicht so! **II** *prep* weniger; COMM abzüglich; ***6 ~ 4***

is 2 6 weniger 4 ist 2 **lessen I** *v/t* verringern; *impact* abschwächen; *pain* lindern **II** *v/i* nachlassen **lesser** *adj* geringer; ***to a ~ extent*** in geringerem Maße; ***a ~ amount*** ein kleinerer Betrag

lesson *n* **1.** SCHOOL *etc* Stunde *f*; (≈ *unit of study*) Lektion *f*; ***~s*** Unterricht *m*; ***a French ~*** eine Französischstunde; ***to give*** *or* ***teach a ~*** eine Stunde geben **2.** (*fig*) Lehre *f*; ***he has learned his ~*** er hat seine Lektion gelernt; ***to teach sb a ~*** jdm eine Lektion erteilen

lest *cj* (*form* ≈ *in order that ... not*) damit ... nicht

let *pret, past part* ***let*** *v/t* **1.** lassen; ***to ~ sb do sth*** jdn etw tun lassen; ***she ~ me borrow the car*** sie lieh mir das Auto; ***we can't ~ that happen*** wir dürfen das nicht zulassen; ***he wants to but I won't ~ him*** er möchte gern, aber ich lasse ihn nicht *or* erlaube es ihm nicht; ***~ me know what you think*** sagen Sie mir (Bescheid), was Sie davon halten; ***to ~ sb be*** jdn (in Ruhe) lassen; ***to ~ sb/sth go, to ~ go of sb/sth*** jdn/etw loslassen; ***to ~ oneself go*** (≈ *neglect oneself*) sich gehen lassen; ***we'll ~ it pass*** *or* ***go this once*** (≈ *disregard*) *error* wir wollen es mal durchgehen lassen **2.** ***~ alone*** (≈ *much less*) geschweige denn **3.** ***~'s go!*** gehen wir!; ***yes, ~'s*** oh ja!; ***~'s not*** lieber nicht; ***don't ~'s*** *or* ***~'s not fight*** wir wollen uns doch nicht streiten; ***~'s be friends*** wir wollen Freunde sein; ***~ him try (it)!*** das soll er nur versuchen!; ***~ me think*** *or* ***see, where did I put it?*** warte mal, wo habe ich das nur hingetan?; ***~ us pray*** lasst uns beten; ***~ us suppose ...*** nehmen wir (mal) an, dass ... **4.** (*esp Br* ≈ *hire out*) vermieten; ***"to ~"*** „zu vermieten"; ***we can't find a house to ~*** wir können kein Haus finden, das zu mieten ist ◆ **let down** *v/t sep* **1.** (≈ *lower*) herunterlassen; ***I tried to let him down gently*** (*fig*) ich versuchte, ihm das schonend beizubringen **2.** *dress* länger machen; *hem* auslassen **3.** ***to let a tyre*** (*Br*) *or* ***tire*** (*US*) ***down*** die Luft aus einem Reifen lassen **4.** (≈ *fail to help*) ***to let sb down*** jdn im Stich lassen (*over* mit); ***the weather let us down*** das Wetter machte uns einen Strich durch die Rechnung **5.** (≈ *disappoint*) enttäuschen; ***to feel ~*** enttäuscht sein; ***to let oneself down*** sich blamieren ◆ **let in** *v/t sep* **1.** *water* durchlassen **2.** *air, visitor* hereinlassen; (*to club etc*) zulassen (*to* zu); ***he let himself in (with his key)*** er schloss die Tür auf und ging hinein; ***to let oneself in for sth*** sich auf etw (*acc*) einlassen; ***to let sb in on sth*** jdn in etw (*acc*) einweihen ◆ **let off I** *v/t sep* **1.** *gun* abfeuern **2.** *firework* hochgehen lassen **3.** *gases* absondern; *smell* verbreiten; ***to ~ steam*** Dampf ablassen **II** *v/t always separate* **1.** ***to let sb off*** jdm etw durchgehen lassen; ***I'll let you off this time*** diesmal drücke ich noch ein Auge zu; ***to let sb off with a warning*** jdn mit einer Verwarnung davonkommen lassen **2.** (≈ *allow to go*) gehen lassen; ***we were ~ early*** wir durften früher gehen ◆ **let on** *v/i* (*infml*) verraten; ***don't ~ you know*** lass dir bloß nicht anmerken, dass du das weißt ◆ **let out** *v/t sep* **1.** *cat, air* herauslassen; ***I'll let myself out*** ich finde alleine hinaus; ***to ~ a groan*** (auf)stöhnen **2.** *prisoner* entlassen ◆ **let through** *v/t sep* durchlassen ◆ **let up** *v/i* (≈ *ease up*) nachlassen

letdown *n* (*infml*) Enttäuschung *f*

lethal *adj* **1.** tödlich; ***~ injection*** Todesspritze *f* **2.** (*fig*) *opponent* äußerst gefährlich

lethargic *adj* träge **lethargy** *n* Trägheit *f*

let's *contraction* = **let us**

letter *n* **1.** (*of alphabet*) Buchstabe *m*; ***to the ~*** buchstabengetreu **2.** (≈ *message*) Brief *m*; COMM *etc* Schreiben *nt* (*form*) (*to* an +*acc*); ***by ~*** schriftlich; ***to write a ~ of complaint/apology*** sich schriftlich beschweren/entschuldigen; ***~ of recommendation*** (*US*) Arbeitszeugnis *nt* **3.** LIT ***~s*** Literatur *f* **letter bomb** *n* Briefbombe *f*

letter box *n* (*Br*) Briefkasten *m* **letterhead** *n* Briefkopf *m* **lettering** *n* Beschriftung *f* **letters page** *n* PRESS Leserbriefseite *f*

lettuce *n* Kopfsalat *m*

let-up *n* (*infml*) Pause *f*; (≈ *easing up*) Nachlassen *nt*

leukaemia, (*US*) **leukemia** *n* Leukämie *f*

level I *adj* **1.** *surface* eben; *spoonful* gestrichen **2.** (≈ *at the same height*) auf gleicher Höhe (*with* mit); (≈ *parallel*) parallel (*with* zu); ***the bedroom is ~ with the ground*** das Schlafzimmer liegt ebenerdig **3.** (≈ *equal*) gleichauf; (*fig*) gleich gut; ***Jones was almost ~ with the win-***

ner Jones kam fast auf gleiche Höhe mit dem Sieger **4.** (≈ *steady*) *tone of voice* ruhig; (≈ *well-balanced*) ausgeglichen; ***to have a ~ head*** einen kühlen Kopf haben **II** *adv* ***~ with*** in Höhe (+*gen*); ***it should lie ~ with ...*** es sollte gleich hoch sein wie ...; ***to draw ~ with sb*** mit jdm gleichziehen **III** *n* **1.** (≈ *altitude*) Höhe *f*; ***on a ~*** (***with***) auf gleicher Höhe (mit); ***at eye ~*** in Augenhöhe; ***the trees were very tall, almost at roof ~*** die Bäume waren sehr hoch, sie reichten fast bis zum Dach **2.** (≈ *storey*) Etage *f* **3.** (≈ *position on scale*) Ebene *f*; (*social etc*) Niveau *nt*; ***to raise the ~ of the conversation*** der Unterhaltung etwas mehr Niveau geben; ***if profit stays at the same ~*** wenn sich der Gewinn auf dem gleichen Stand hält; ***the ~ of inflation*** die Inflationsrate; ***a high ~ of interest*** sehr großes Interesse; ***a high ~ of support*** sehr viel Unterstützung; ***the talks were held at a very high ~*** die Gespräche fanden auf hoher Ebene statt; ***on a purely personal ~*** rein persönlich **4.** (≈ *amount*) ***a high ~ of hydrogen*** ein hoher Wasserstoffanteil; ***the ~ of alcohol in the blood*** der Alkoholspiegel im Blut; ***cholesterol ~*** Cholesterinspiegel *m*; ***the ~ of violence*** das Ausmaß der Gewalttätigkeit **IV** *v/t* **1.** *ground* einebnen; *town* dem Erdboden gleichmachen **2.** *weapon* richten (*at* auf +*acc*); *accusation* erheben (*at* gegen) **3.** SPORTS ***to ~ the match*** den Ausgleich erzielen; ***to ~ the score*** gleichziehen ◆ **level out** *v/i* (*a.* **level off**, *ground*) eben werden; (*fig*) sich einpendeln

level crossing *n* (*Br*) (beschrankter) Bahnübergang **level-headed** *adj* ausgeglichen

lever I *n* Hebel *m*; (*fig*) Druckmittel *nt* **II** *v/t* (hoch)stemmen; ***he ~ed the machine-part into place*** er hob das Maschinenteil durch Hebelwirkung an seinen Platz; ***he ~ed the box open*** er stemmte die Kiste auf **leverage** *n* Hebelkraft *f*; (*fig*) Einfluss *m*; ***to use sth as ~*** (*fig*) etw als Druckmittel benutzen

levy I *n* (≈ *act*) (Steuer)einziehung *f*; (≈ *tax*) Steuer *f* **II** *v/t tax* erheben

lewd *adj* (+*er*) unanständig; *remark* anzüglich

lexicon *n* Wörterbuch *nt*; (*in linguistics*) Lexikon *nt*

liability *n* **1.** (≈ *burden*) Belastung *f* **2.** (≈ *responsibility*) Haftung *f*; ***we accept no ~ for ...*** wir übernehmen keine Haftung für ... **3.** FIN ***liabilities*** Verbindlichkeiten *pl* **liable** *adj* **1.** ***to be ~ for*** *or* ***to sth*** einer Sache (*dat*) unterliegen; ***to be ~ for tax*** steuerpflichtig sein; ***to be ~ to prosecution*** der Strafverfolgung unterliegen **2.** (≈ *prone to*) anfällig **3.** (≈ *responsible*) ***to be ~ for sth*** für etw haftbar sein **4.** ***to be ~ to do sth*** (*in future*) wahrscheinlich etw tun (werden); (*habitually*) dazu neigen, etw zu tun; ***we are ~ to get shot here*** wir können hier leicht beschossen werden; ***if you don't write it down I'm ~ to forget it*** wenn Sie das nicht aufschreiben, kann es durchaus sein, dass ich es vergesse; ***the car is ~ to run out of petrol*** (*Br*) *or* ***gas*** (*US*) ***any minute*** dem Auto kann jede Minute das Benzin ausgehen

liaise *v/i* (≈ *be the contact person*) als Verbindungsperson fungieren; (≈ *be in contact*) in Verbindung stehen; ***social services and health workers ~ closely*** das Sozialamt und der Gesundheitsdienst arbeiten eng zusammen **liaison** *n* **1.** (≈ *coordination*) Verbindung *f* **2.** (≈ *affair*) Liaison *f*

liar *n* Lügner(in) *m*(*f*)

lib *n abbr of* **liberation**

Lib Dem (*Br* POL) *abbr of* **Liberal Democrat**

libel I *n* (schriftlich geäußerte) Verleumdung (*on* +*gen*) **II** *v/t* verleumden **libellous**, (*US*) **libelous** *adj* verleumderisch

liberal I *adj* **1.** *offer* großzügig; *helping* reichlich; ***to be ~ with one's praise/comments*** mit Lob / seinen Kommentaren freigebig sein; ***to be ~ with one's praise*** mit Lob freigebig sein **2.** (≈ *broad-minded*, POL) liberal **II** *n* POL Liberale(r) *m*/*f*(*m*) **liberal arts** *pl* ***the ~*** (*esp US*) die geisteswissenschaftlichen Fächer **Liberal Democrat** (*Br* POL) **I** *n* Liberaldemokrat(in) *m*(*f*) **II** *adj* liberaldemokratisch; *policy* der Liberaldemokraten **liberalism** *n* Liberalität *f*; ***Liberalism*** POL der Liberalismus **liberalization** *n* Liberalisierung *f* **liberalize** *v/t* liberalisieren **liberally** *adv* (≈ *generously*) großzügig; (≈ *in large quantities*) reichlich **liberal-minded** *adj* liberal

liberate *v/t* befreien **liberated** *adj women* emanzipiert **liberation** *n* Befreiung *f* **liberty** *n* **1.** Freiheit *f*; ***to be at ~ to do sth*** (≈

be permitted) etw tun dürfen **2.** ***I have taken the ~ of giving your name*** ich habe mir erlaubt, Ihren Namen anzugeben
libido *n* Libido *f*
Libra *n* Waage *f*; ***she's*** (***a***) **~** sie ist Waage
librarian *n* Bibliothekar(in) *m*(*f*)
library *n* **1.** Bibliothek *f*; (*public*) Bücherei *f* **2.** (≈ *collection of books*) (Bücher)-sammlung *f* **library book** *n* Leihbuch *nt* **library ticket** *n* Leserausweis *m*
lice *pl of* ***louse***
licence, (*US*) **license** *n* **1.** Genehmigung *f*; COMM Lizenz *f*; (≈ *driving licence*) Führerschein *m*; (≈ *hunting licence*) Jagdschein *m*; ***you have to have a*** (***television***) **~** man muss Fernsehgebühren bezahlen; ***a ~ to practise medicine*** (*Br*), ***a license to practice medicine*** (*US*) die Approbation; ***the restaurant has lost its ~*** das Restaurant hat seine Schankerlaubnis verloren **2.** (≈ *freedom*) Freiheit *f* **licence fee** *n* (*Br* TV) ≈ Fernsehgebühr *f* **licence number**, (*US*) **license number** *n* AUTO Kraftfahrzeug- *or* Kfz-Kennzeichen *nt* **licence plate**, (*US*) **license plate** *n* AUTO Nummernschild *nt* **license I** *n* (*US*) = ***licence*** **II** *v/t* eine Lizenz/Konzession vergeben an (*+acc*); ***to be ~d to do sth*** die Genehmigung haben, etw zu tun; ***we are not ~d to sell alcohol*** wir haben keine Schankerlaubnis **licensed** *adj* **1.** *pilot* mit Pilotenschein; *physician* approbiert **2. ~ *bar*** Lokal *nt* mit Schankerlaubnis; ***fully ~*** mit voller Schankerlaubnis **licensee** *n* (*of bar*) Inhaber(in) *m*(*f*) einer Schankerlaubnis **licensing** *adj* **~ *hours*** Ausschankzeiten *pl*; **~ *laws*** Gesetz *nt* über den Ausschank und Verkauf alkoholischer Getränke
lichen *n* Flechte *f*
lick I *n* **1.** ***to give sth a ~*** an etw (*dat*) lecken **2.** (*infml*) ***a ~ of paint*** etwas Farbe **II** *v/t* **1.** lecken; ***he ~ed the ice cream*** er leckte am Eis; ***to ~ one's lips*** sich (*dat*) die Lippen lecken; (*fig*) sich (*dat*) die Finger lecken; ***to ~ sb's boots*** (*fig*) vor jdm kriechen (*infml*) **2.** (*flames*) züngeln an (*+dat*) **3.** (*infml* ≈ *defeat*) in die Pfanne hauen (*infml*); ***I think we've got it ~ed*** ich glaube, wir haben die Sache jetzt im Griff
licorice *n* = ***liquorice***
lid *n* Deckel *m*; ***to keep a ~ on sth*** etw unter Kontrolle halten; *on information* etw geheim halten
lie[1] I *n* Lüge *f*; ***to tell a ~*** lügen; ***I tell a ~, it's tomorrow*** ich hab mich vertan, es ist morgen **II** *v/i* lügen; ***to ~ to sb*** jdn belügen
lie[2] *vb*: *pret* ***lay***, *past part* ***lain*** **I** *n* (≈ *position*) Lage *f* **II** *v/i* liegen; (≈ *lie down*) sich legen; ***~ on your back*** leg dich auf den Rücken; ***the runner lying third*** (*esp Br*) der Läufer auf dem dritten Platz; ***our road lay along the river*** unsere Straße führte am Fluss entlang; ***to ~ asleep*** (daliegen und) schlafen; ***to ~ dying*** im Sterben liegen; ***to ~ low*** untertauchen; ***that responsibility ~s with your department*** dafür ist Ihre Abteilung verantwortlich ◆ **lie about** (*Brit*) *or* **around** *v/i* herumliegen ◆ **lie ahead** *v/i* ***what lies ahead of us*** was vor uns liegt, was uns (*dat*) bevorsteht ◆ **lie back** *v/i* (≈ *recline*) sich zurücklehnen ◆ **lie behind** *v/i +prep obj decision* stehen hinter (*+dat*) ◆ **lie down** *v/i* **1.** (*lit*) sich hinlegen; ***he lay down on the bed*** er legte sich aufs Bett **2.** (*fig*) ***he won't take that lying down!*** das lässt er sich nicht bieten! ◆ **lie in** *v/i* (≈ *stay in bed*) im Bett bleiben
lie detector *n* Lügendetektor *m*
lie-down *n* (*infml*) ***to have a ~*** ein Nickerchen machen (*infml*) **lie-in** *n* (*Br infml*) ***to have a ~*** (sich) ausschlafen
lieu *n* (*form*) ***money in ~*** stattdessen Geld; ***in ~ of X*** anstelle von X; ***I work weekends and get time off in ~*** (*esp Br*) ich arbeite an Wochenenden und kann mir dafür (an anderen Tagen) freinehmen
lieutenant *n* Leutnant *m*; (*Br*) Oberleutnant *m*
life *n*, *pl* ***lives*** **1.** Leben *nt*; ***plant ~*** die Pflanzenwelt; ***this is a matter of ~ and death*** hier geht es um Leben und Tod; ***to bring sb back to ~*** jdn wiederbeleben; ***his book brings history to ~*** sein Buch lässt die Geschichte lebendig werden; ***to come to ~*** (*fig*) lebendig werden; ***at my time of ~*** in meinem Alter; ***a job for ~*** eine Stelle auf Lebenszeit; ***he's doing ~*** (***for murder***) (*infml*) er sitzt lebenslänglich (wegen Mord) (*infml*); ***he got ~*** (*infml*) er hat lebenslänglich gekriegt (*infml*); ***how many lives were lost?*** wie viele (Menschen) sind ums Leben gekommen?; ***to take one's own ~***

sich (*dat*) das Leben nehmen; ***to save sb's ~*** (*lit*) jdm das Leben retten; (*fig*) jdn retten; ***I couldn't do it to save my ~*** ich kann es beim besten Willen nicht; ***the church is my ~*** die Kirche ist mein ganzes Leben; ***early in ~, in early ~*** in frühen Jahren; ***later in ~, in later ~*** in späteren Jahren; ***she leads a busy ~*** bei ihr ist immer etwas los; ***all his ~*** sein ganzes Leben lang; ***I've never been to London in my ~*** ich war in meinem ganzen Leben noch nicht in London; ***to fight for one's ~*** um sein Leben kämpfen; ***run for your lives!*** rennt um euer Leben!; ***I can't for the ~ of me ...*** (*infml*) ich kann beim besten Willen nicht ...; ***never in my ~ have I heard such nonsense*** ich habe noch nie im Leben so einen Unsinn gehört; ***not on your ~!*** (*infml*) ich bin doch nicht verrückt! (*infml*); ***get a ~!*** (*infml*) sonst hast du keine Probleme? (*infml*); ***it seemed to have a ~ of its own*** es scheint seinen eigenen Willen zu haben; ***full of ~*** lebhaft; ***the city centre*** (*Br*) *or* ***center*** (*US*) ***was full of ~*** im Stadtzentrum ging es sehr lebhaft zu; ***he is the ~ and soul*** (*Br*) *or* **~** (*US*) ***of every party*** er bringt Leben in jede Party; ***village ~*** das Leben auf dem Dorf; ***this is the ~!*** ja, ist das ein Leben!; ***that's ~*** so ist das Leben; ***the good ~*** das süße Leben **2.** (≈ *useful or active life*) Lebensdauer *f* **3.** (≈ *biography*) Biografie *f* **life assurance** *n* (*Br*) Lebensversicherung *f* **lifebelt** *n* Rettungsgürtel *m* **lifeboat** *n* Rettungsboot *nt* **lifebuoy** *n* Rettungsring *m* **life cycle** *n* Lebenszyklus *m* **life expectancy** *n* Lebenserwartung *f* **lifeguard** *n* (*on beach*) Rettungsschwimmer(in) *m*(*f*); (*in baths*) Bademeister(in) *m*(*f*) **life imprisonment** *n* lebenslängliche Freiheitsstrafe **life insurance** *n* = ***life assurance*** **life jacket** *n* Schwimmweste *f* **lifeless** *adj* leblos **lifelike** *adj* lebensecht **lifeline** *n* (*fig*) Rettungsanker *m*; ***the telephone is a ~ for many old people*** das Telefon ist für viele alte Leute lebenswichtig **lifelong** *adj* lebenslang; ***they are ~ friends*** sie sind schon ihr Leben lang Freunde; ***his ~ devotion to the cause*** die Sache, in deren Dienst er sein Leben gestellt hat **life membership** *n* Mitgliedschaft *f* auf Lebenszeit **life-or-death** *adj* ***~ struggle*** Kampf *m* auf Leben und Tod **life peer** *n* Peer *m* auf Lebenszeit **life preserver** *n* (*US*) Schwimmweste *f* **life raft** *n* Rettungsfloß *nt* **life-saver** *n* (*fig*) Retter *m* in der Not; ***it was a real ~!*** das hat mich gerettet **life-saving I** *n* Rettungsschwimmen *nt* **II** *adj apparatus* zur Lebensrettung; *drug* lebensrettend **life sentence** *n* lebenslängliche Freiheitsstrafe **life-size(d)** *adj* lebensgroß **lifespan** *n* (*of people*) Lebenserwartung *f* **life story** *n* Lebensgeschichte *f* **lifestyle** *n* Lebensstil *m* **life support machine** *n* Herz-Lungen-Maschine *f* **life support system** *n* Lebenserhaltungssystem *nt* **life-threatening** *adj* lebensbedrohend **lifetime** *n* **1.** Lebenszeit *f*; (*of battery, animal*) Lebensdauer *f*; ***once in a ~*** einmal im Leben; ***during*** *or* ***in my ~*** während meines Lebens; ***the chance of a ~*** eine einmalige Chance **2.** (*fig*) Ewigkeit *f*

lift I *n* **1.** (≈ *lifting*) ***give me a ~ up*** heb mich mal hoch **2.** (*emotional*) ***to give sb a ~*** jdn aufmuntern **3.** (*in car etc*) Mitfahrgelegenheit *f*; ***to give sb a ~*** jdn mitnehmen; ***want a ~?*** möchten Sie mitkommen?, soll ich dich fahren? **4.** (*Br* ≈ *elevator*) Fahrstuhl *m*; (*for goods*) Aufzug *m*; ***he took the ~*** er fuhr mit dem Fahrstuhl **II** *v/t* **1.** (*a.* **lift up**) hochheben; *head* heben **2.** (*fig*: *a.* **lift up**) ***to ~ the spirits*** die Stimmung heben; ***the news ~ed him out of his depression*** durch die Nachricht verflog seine Niedergeschlagenheit **3.** *restrictions etc* aufheben **4.** (*infml* ≈ *steal*) klauen (*infml*); (≈ *plagiarize*) abkupfern (*infml*) **III** *v/i* (*mist*) sich lichten; (*mood*) sich heben **liftoff** *n* SPACE Start *m*; ***we have ~*** der Start ist erfolgt

ligament *n* Band *nt*; ***he's torn a ~ in his shoulder*** er hat einen Bänderriss in der Schulter

light[1] *vb*: *pret, past part* **lit** *or* **lighted I** *n* **1.** Licht *nt*; (≈ *lamp*) Lampe *f*; ***by the ~ of a candle*** im Schein einer Kerze; ***at first ~*** bei Tagesanbruch; ***to shed ~ on sth*** (*fig*) Licht in etw (*acc*) bringen; ***to see sb/sth in a different ~*** jdn/etw in einem anderen Licht sehen; ***to see sth in a new ~*** etw mit anderen Augen betrachten; ***in the ~ of*** angesichts (+*gen*); ***to bring sth to ~*** etw ans Tageslicht bringen; ***to come to ~*** ans Tageslicht kommen; ***finally I saw the ~*** (*infml*) endlich ging mir ein

Licht auf (*infml*); ***to see the ~ of day*** (*report*) veröffentlicht werden; (*project*) verwirklicht werden; ***put out the ~s*** mach das Licht aus; (***traffic***) ***~s*** Ampel *f*; ***the ~s*** (*of a car*) die Beleuchtung; ***~s out!*** Licht aus(machen)! **2.** ***have you*** (***got***) ***a ~?*** haben Sie Feuer?; ***to set ~ to sth*** etw anzünden **II** *adj* (+*er*) hell; ***~ green*** hellgrün; ***it's getting ~*** es wird hell **III** *v/t* **1.** (≈ *illuminate*) beleuchten; *lamp* anmachen **2.** (≈ *ignite*) anzünden **IV** *v/i* ***this fire won't ~*** das Feuer geht nicht an ◆ **light up I** *v/i* **1.** (≈ *be lit*, *eyes*) aufleuchten; (*face*) sich erhellen **2.** ***the men took out their pipes and lit up*** die Männer holten ihre Pfeifen hervor und zündeten sie an **II** *v/t sep* **1.** beleuchten; ***a smile lit up his face*** ein Lächeln erhellte sein Gesicht; ***Piccadilly Circus was all lit up*** der Piccadilly Circus war hell erleuchtet; ***flames lit up the night sky*** Flammen erleuchteten den Nachthimmel **2.** *cigarette etc* anzünden

light[2] **I** *adj* (+*er*) leicht; ***~ industry*** Leichtindustrie *f*; ***~ opera*** Operette *f*; ***~ reading*** Unterhaltungslektüre *f*; ***with a ~ heart*** leichten Herzens; ***as ~ as a feather*** federleicht; ***to make ~ of one's difficulties*** seine Schwierigkeiten auf die leichte Schulter nehmen; ***you shouldn't make ~ of her problems*** du solltest dich über ihre Probleme nicht lustig machen; ***to make ~ work of*** spielend fertig werden mit **II** *adv* ***to travel ~*** mit leichtem Gepäck reisen ◆ **light (up)on** *v/i +prep obj* (*infml*) entdecken

light bulb *n* Glühlampe *or* -birne *f*

light-coloured, (*US*) **light-colored** *adj*, *comp* ***lighter-colo(u)red***, *sup* ***lightest-colo(u)red*** hell **light cream** *n* (*US*) Sahne *f*, Obers *m* (*Aus*), Nidel *m* (*Swiss*, *mit geringem Fettgehalt*)

lighten[1] **I** *v/t* erhellen; *colour* aufhellen **II** *v/i* hell werden; (*mood*) sich heben

lighten[2] *v/t load* leichter machen; ***to ~ sb's workload*** jdm etwas Arbeit abnehmen

◆ **lighten up** *v/i* (*infml*) die Dinge leichter nehmen; ***~!*** nimms leicht!

lighter *n* Feuerzeug *nt* **lighter fuel** *n* Feuerzeugbenzin *nt*

light-fingered *adj*, *comp* ***lighter-fingered***, *sup* ***lightest-fingered*** langfingerig **light fitting, light fixture** *n* (≈ *light-bulb holder*) Fassung *f*; (≈ *bracket*) (Lampen)halterung *f* **light-headed** *adj*, *comp* ***lighter-headed***, *sup* ***lightest-headed*** benebelt (*infml*) **light-hearted** *adj* unbeschwert; *comedy* leicht **light-heartedly** *adv* unbekümmert; (≈ *jokingly*) scherzhaft **lighthouse** *n* Leuchtturm *m* **lighting** *n* Beleuchtung *f* **lightish** *adj colour* hell **lightly** *adv* **1.** leicht; *tread* leise; ***to sleep ~*** einen leichten Schlaf haben; ***to get off ~*** glimpflich davonkommen; ***to touch ~ on a subject*** ein Thema nur berühren *or* streifen **2.** ***to speak ~ of sb/sth*** sich abfällig über jdn / etw äußern; ***to treat sth too ~*** etw nicht ernst genug nehmen; ***a responsibility not to be ~ undertaken*** eine Verantwortung, die man nicht unüberlegt auf sich nehmen sollte **light meter** *n* Belichtungsmesser *m* **lightness** *n* Helligkeit *f*

lightning I *n* Blitz *m*; ***a flash of ~*** ein Blitz *m*; (*doing damage*) ein Blitzschlag *m*; ***struck by ~*** vom Blitz getroffen; ***we had some ~ an hour ago*** vor einer Stunde hat es geblitzt; ***like*** (***greased***) ***~*** wie der Blitz **II** *attr* blitzschnell, Blitz-; ***~ strike*** spontaner Streik; ***with ~ speed*** blitzschnell; ***~ visit*** Blitzbesuch *m* **lightning conductor**, (*US*) **lightning rod** *n* Blitzableiter *m*

light pen *n* IT Lichtgriffel *m* **light show** *n* Lightshow *f* **light switch** *n* Lichtschalter *m* **lightweight I** *adj* leicht; (*fig*) schwach **II** *n* Leichtgewicht *nt* **light year** *n* Lichtjahr *nt*

likable *adj* = **likeable**

like[1] **I** *adj* (≈ *similar*) ähnlich **II** *prep* wie; ***to be ~ sb*** jdm ähnlich sein; ***they are very ~ each other*** sie sind sich (*dat*) sehr ähnlich; ***to look ~ sb*** jdm ähnlich sehen; ***what's he ~?*** wie ist er?; ***he's bought a car - what is it ~?*** er hat sich ein Auto gekauft - wie sieht es aus?; ***she was ~ a sister to me*** sie war wie eine Schwester zu mir; ***that's just ~ him!*** das sieht ihm ähnlich!; ***it's not ~ him*** es ist nicht seine Art; ***I never saw anything ~ it*** so (et)was habe ich noch nie gesehen; ***that's more ~ it!*** so ist es schon besser!; ***that hat's nothing ~ as nice as this one*** der Hut ist bei Weitem nicht so hübsch wie dieser; ***there's nothing ~ a nice cup of tea!*** es geht nichts über eine schöne Tasse Tee!; ***is this what you had in mind? — it's something/nothing ~ it***

hattest du dir so etwas vorgestellt? — ja, so ähnlich / nein, überhaupt nicht; ***Americans are ~ that*** so sind die Amerikaner; ***people ~ that*** solche Leute; ***a car ~ that*** so ein Auto; ***I found one ~ it*** ich habe ein Ähnliches gefunden; ***it will cost something ~ £10*** es wird so ungefähr £ 10 kosten; ***that sounds ~ a good idea*** das hört sich gut an; ***~ mad*** (*Br infml*), ***~ anything*** (*infml*) wie verrückt (*infml*); ***it wasn't ~ that at all*** so wars doch gar nicht **III** *cj* (*strictly incorrect*) ***~ I said*** wie gesagt **IV** *n* ***we shall not see his ~ again*** so etwas wie ihn bekommen wir nicht wieder (*infml*); ***and the ~, and such ~*** und dergleichen; ***I've no time for the ~s of him*** (*infml*) mit solchen Leuten gebe ich mich nicht ab (*infml*)

like² **I** *v/t* **1.** *person* mögen, gernhaben; ***how do you ~ him?*** wie gefällt er dir?; ***I don't ~ him*** ich kann ihn nicht leiden; ***he is well ~d here*** er ist hier sehr beliebt **2.** ***I ~ black shoes*** ich mag schwarze Schuhe, mir gefallen schwarze Schuhe; ***I ~ it*** das gefällt mir; ***I ~ football*** (≈ *playing*) ich spiele gerne Fußball; (≈ *watching*) ich finde Fußball gut; ***I ~ dancing*** ich tanze gern; ***we ~ it here*** es gefällt uns hier; ***that's one of the things I ~ about you*** das ist eines der Dinge, die ich an dir mag; ***how do you ~ London?*** wie gefällt Ihnen London?; ***how would you ~ to go for a walk?*** was hältst du von einem Spaziergang? **3.** ***I'd ~ an explanation*** ich hätte gerne eine Erklärung; ***I should ~ more time*** ich würde mir gerne noch etwas Zeit lassen; ***they would have ~d to come*** sie wären gern gekommen; ***I should ~ you to do it*** ich möchte, dass du es tust; ***whether he ~s it or not*** ob es ihm passt oder nicht; ***I didn't ~ to disturb him*** ich wollte ihn nicht stören; ***what would you ~?*** was hätten *or* möchten Sie gern?; ***would you ~ a drink?*** möchten Sie etwas trinken? **II** *v/i* ***as you ~*** wie Sie wollen; ***if you ~*** wenn Sie wollen **-like** *adj suf* -ähnlich, -artig **likeable** (*Br*), **likable** *adj* sympathisch, gefreut (*Swiss*)

likelihood *n* Wahrscheinlichkeit *f*; ***the ~ is that ...*** es ist wahrscheinlich, dass ...; ***is there any ~ of him coming?*** besteht die Möglichkeit, dass er kommt? **likely** **I** *adj* (*+er*) **1.** wahrscheinlich; ***he is not ~ to come*** es ist unwahrscheinlich, dass er kommt; ***they are ~ to refuse*** sie werden wahrscheinlich ablehnen; ***a ~ story!*** (*iron*) das soll mal einer glauben! **2.** (*infml* ≈ *suitable*) geeignet; ***he is a ~ person for the job*** er kommt für die Stelle infrage; ***~ candidates*** aussichtsreiche Kandidaten **II** *adv* wahrscheinlich; ***it's more ~ to be early than late*** es wird eher früh als spät werden; ***not ~!*** (*infml iron infml*) wohl kaum (*infml*)

like-minded *adj* gleich gesinnt; ***~ people*** Gleichgesinnte *pl* **liken** *v/t* vergleichen (*to* mit) **likeness** *n* Ähnlichkeit *f*; ***the painting is a good ~ of him*** er ist auf dem Gemälde gut getroffen **likewise** *adv* ebenso; ***he did ~*** er tat das Gleiche; ***have a nice weekend — ~*** schönes Wochenende! – danke gleichfalls! **liking** *n* ***to have a ~ for sb*** jdn gernhaben; ***she took a ~ to him*** er war ihr sympathisch; ***to have a ~ for sth*** eine Vorliebe für etw haben; ***to be to sb's ~*** nach jds Geschmack sein

lilac **I** *n* **1.** (≈ *plant*) Flieder *m* **2.** (≈ *colour*) (Zart)lila *nt* **II** *adj* (zart)lila

Lilo® *n* (*Br*) Luftmatratze *f*

lilt *n* singender Tonfall **lilting** *adj accent* singend; *tune* beschwingt

lily *n* Lilie *f*

limb *n* **1.** ANAT Glied *nt*; ***~s*** *pl* Gliedmaßen *pl*; ***to tear sb ~ from ~*** jdn in Stücke reißen; ***to risk life and ~*** Leib und Leben riskieren **2.** ***to be out on a ~*** (*fig*) exponiert sein; ***to go out on a ~*** (*fig*) sich exponieren ◆ **limber up** *v/i* Lockerungsübungen machen

limbo *n* (*fig*) Übergangsstadium *nt*; ***our plans are in ~*** unsere Pläne sind in der Schwebe; ***I'm in a sort of ~*** ich hänge in der Luft (*infml*)

lime¹ *n* GEOL Kalk *m*

lime² *n* (BOT ≈ *linden*, *a.* **lime tree**) Linde(nbaum *m*) *f*

lime³ *n* (BOT ≈ *citrus fruit*) Limone(lle) *f*

limelight *n* Rampenlicht *nt*; ***to be in the ~*** im Licht der Öffentlichkeit stehen

limerick *n* Limerick *m*

limestone *n* Kalkstein *m*

limit **I** *n* **1.** Grenze *f*; (≈ *limitation*) Begrenzung *f*; (≈ *speed limit*) Geschwindigkeitsbegrenzung *f*; COMM Limit *nt*; ***the city ~s*** die Stadtgrenzen *pl*; ***a 40-mile ~*** eine Vierzigmeilengrenze;

the 50 km/h ~ die Geschwindigkeitsbegrenzung von 50 Stundenkilometern; ***is there any ~ on the size?*** ist die Größe beschränkt?; ***to put a ~ on sth*** etw begrenzen; ***there is a ~ to what one person can do*** ein Mensch kann nur so viel tun und nicht mehr; ***off ~s to military personnel*** Zutritt für Militär verboten; ***over the ~*** zu viel; ***your baggage is over the ~*** Ihr Gepäck hat Übergewicht; ***you shouldn't drive, you're over the ~*** du solltest dich nicht ans Steuer setzen, du hast zu viel getrunken; ***he was three times over the ~*** er hatte dreimal so viel Promille wie gesetzlich erlaubt; ***50 pages is my ~*** 50 Seiten sind mein Limit **2.** (*infml*) ***that's the ~!*** das ist die Höhe (*infml*); ***that child is the ~!*** dieses Kind ist eine Zumutung! (*infml*) **II** *v/t* begrenzen; *freedom, spending* einschränken; ***to ~ sb/sth to sth*** jdn/etw auf etw (*acc*) beschränken **limitation** *n* Beschränkung *f*; (*of freedom, spending*) Einschränkung *f*; ***damage ~*** Schadensbegrenzung *f*; ***there is no ~ on exports of coal*** es gibt keine Beschränkungen für den Kohleexport; ***to have one's/its ~s*** seine Grenzen haben **limited** *adj* **1.** begrenzt; ***this offer is for a ~ period only*** dieses Angebot ist (zeitlich) befristet; ***this is only true to a ~ extent*** dies ist nur in gewissem Maße wahr **2.** (*esp Br* COMM) *liability* beschränkt; ***ABC Travel Limited*** ≈ ABC-Reisen GmbH **limited company** *n* (*esp Br* COMM) ≈ Gesellschaft *f* mit beschränkter Haftung **limited edition** *n* limitierte Auflage **limited liability company** *n* (*esp Br* COMM) = ***limited company*** **limitless** *adj* grenzenlos

limo *n* (*infml*) Limousine *f* **limousine** *n* Limousine *f*

limp[1] **I** *n* Hinken *nt*, Hatschen *nt* (*Aus*); ***to walk with a ~*** hinken, hatschen (*Aus*) **II** *v/i* hinken, hatschen (*Aus*)

limp[2] *adj* (*+er*) schlapp; *flowers* welk

limpet *n* Napfschnecke *f*; ***to stick to sb like a ~*** (*infml*) wie eine Klette an jdm hängen

limply *adv* schlapp

linchpin *n* (*fig*) Stütze *f*

linden *n* (*a.* **linden tree**) Linde *f*

line[1] **I** *n* **1.** (*for washing, fishing*) Leine *f* **2.** (*on paper etc*) Linie *f* **3.** (≈ *wrinkle*) Falte *f* **4.** (≈ *boundary*) Grenze *f*; ***the*** (***fine*** *or* ***thin***) ***~ between right and wrong*** der (feine) Unterschied zwischen Recht und Unrecht; ***to draw a ~ between*** (*fig*) einen Unterschied machen zwischen **5.** (≈ *row, of people, cars*) (*side by side*) Reihe *f*; (*US* ≈ *queue*) Schlange *f*; SPORTS Linie *f*; ***in*** (***a***) ***~*** in einer Reihe; ***in a straight ~*** geradlinig; ***a ~ of traffic*** eine Autoschlange; ***to stand in ~*** Schlange stehen; ***to be in ~*** (*buildings etc*) geradlinig sein; ***to be in ~*** (***with***) (*fig*) in Einklang stehen (mit); ***to keep sb in ~*** (*fig*) dafür sorgen, dass jd nicht aus der Reihe tanzt; ***to bring sth into ~*** (***with sth***) (*fig*) etw auf die gleiche Linie (wie etw) bringen; ***to fall*** *or* ***get into ~*** (≈ *abreast*) sich in Reih und Glied aufstellen; (≈ *behind one another*) sich in einer Reihe aufstellen; ***to be out of ~*** nicht geradlinig sein; ***to step out of ~*** (*fig*) aus der Reihe tanzen; ***he was descended from a long ~ of farmers*** er stammte aus einem alten Bauerngeschlecht; ***it's the latest in a long ~ of tragedies*** es ist die neueste Tragödie in einer ganzen Serie; ***to be next in ~*** als Nächste(r) an der Reihe sein; ***to draw up the battle ~s*** *or* ***the ~s of battle*** (*fig*) (Kampf)stellung beziehen; ***enemy ~s*** feindliche Stellungen *pl*; ***~s of communication*** Verbindungswege *pl* **6.** (≈ *company, of aircraft etc*) Linie *f*; (≈ *shipping company*) Reederei *f* **7.** RAIL Strecke *f*; ***~s*** *pl* Gleise *pl*; ***to reach the end of the ~*** (*fig*) am Ende sein **8.** TEL Leitung *f*; ***this is a very bad ~*** die Verbindung ist sehr schlecht; ***to be on the ~ to sb*** mit jdm telefonieren; ***hold the ~*** bleiben Sie am Apparat! **9.** (*written*) Zeile *f*; ***the teacher gave me 200 ~s*** der Lehrer ließ mich 200 mal ... schreiben; ***to learn one's ~s*** seinen Text auswendig lernen; ***to drop sb a ~*** jdm ein paar Zeilen schreiben **10.** (≈ *direction*) ***~ of attack*** (*fig*) Taktik *f*; ***~ of thought*** Denkrichtung *f*; ***to be on the right ~s*** (*fig*) auf dem richtigen Weg sein; ***he took the ~ that ...*** er vertrat den Standpunkt, dass ... **11.** (≈ *field*) Branche *f*; ***what's his ~ (of work)?*** was macht er beruflich?; ***it's all in the ~ of duty*** das gehört zu meinen/seinen *etc* Pflichten **12.** (*in shop* ≈ *range*) Kollektion *f* **13.** ***somewhere along the ~*** irgendwann; ***all along the ~*** (*fig*) auf der ganzen Linie; ***to be along the ~s of ...*** ungefähr so etwas wie ... sein; ***some-***

thing along these ~s etwas in dieser Art; ***I was thinking along the same ~s*** ich hatte etwas Ähnliches gedacht; ***to put one's life*** *etc* ***on the ~*** (*infml*) sein Leben *etc* riskieren **II** *v/t* (≈ *border*) säumen; ***the streets were ~d with cheering crowds*** eine jubelnde Menge säumte die Straßen; ***portraits ~d the walls*** an den Wänden hing ein Porträt neben dem andern ◆ **line up I** *v/i* (≈ *stand in line*) sich aufstellen; (≈ *queue*) sich anstellen **II** *v/t sep* **1.** *prisoners* antreten lassen; *books* in einer Reihe aufstellen **2.** *entertainment* sorgen für; ***what have you got lined up for me today?*** was haben Sie heute für mich geplant?; ***I've lined up a meeting with the directors*** ich habe ein Treffen mit den Direktoren arrangiert

line[2] *v/t clothes* füttern; *pipe* auskleiden; ***~ the box with paper*** den Karton mit Papier auskleiden; ***the membranes which ~ the stomach*** die Schleimhäute, die den Magen auskleiden; ***to ~ one's pockets*** (*fig*) in die eigene Tasche wirtschaften (*infml*)

lineage *n* Abstammung *f*

linear *adj* linear

lined *adj face* faltig; *paper* liniert **line dancing** *n* Line-Country-Dance *m* **line drawing** *n* Zeichnung *f* **line manager** *n* Vorgesetzte(r) *m/f(m)*

linen I *n* Leinen *nt*; (≈ *sheets etc*) Wäsche *f* **II** *adj* Leinen- **linen basket** *n* (*esp Br*) Wäschekorb *m* **linen closet, linen cupboard** *n* Wäscheschrank *m*

line printer *n* IT Zeilendrucker *m*

liner *n* (≈ *ship*) Liniendampfer *m*

linesman *n, pl* ***-men*** SPORTS Linienrichter *m* **line spacing** *n* Zeilenabstand *m* **line-up** *n* SPORTS Aufstellung *f*; ***she picked the thief out of the ~*** sie erkannte den Dieb bei der Gegenüberstellung

linger *v/i* **1.** (*a.* **linger on**) (zurück)bleiben, verweilen (*liter*); (*doubts*) zurückbleiben; (*scent*) sich halten; ***many of the guests ~ed in the hall*** viele Gäste standen noch im Flur herum; ***to ~ over a meal*** sich (*dat*) bei einer Mahlzeit Zeit lassen **2.** (≈ *delay*) sich aufhalten

lingerie *n* (Damen)unterwäsche *f*

lingering *adj* ausgedehnt; *doubt* zurückbleibend; *kiss* innig

lingo *n* (*infml*) Sprache *f*; (≈ *jargon*) Jargon *m* **linguist** *n* **1.** (≈ *speaker of languages*) Sprachkundige(r) *m/f(m)* **2.** (≈ *specialist in linguistics*) Linguist(in) *m(f)* **linguistic** *adj* **1.** (≈ *of language*) sprachlich; ***~ competence*** *or* ***ability*** Sprachfähigkeit *f* **2.** (≈ *of linguistics*) linguistisch **linguistics** *n sg* Linguistik *f*

lining *n* **1.** (*of clothes etc*) Futter *nt* **2.** (*of brake*) (Brems)belag *m* **3.** ***the ~ of the stomach*** die Magenschleimhaut

link I *n* **1.** (*of chain, fig*) Glied *nt*; (*person*) Verbindungsmann *m*/-frau *f* **2.** (≈ *connection*) Verbindung *f*; ***a rail ~*** eine Bahnverbindung; ***cultural ~s*** kulturelle Beziehungen *pl*; ***the strong ~s between Britain and Australia*** die engen Beziehungen zwischen Großbritannien und Australien **3.** IT Link *m* **II** *v/t* **1.** verbinden; ***to ~ arms*** sich unterhaken (*with* bei); ***do you think these murders are ~ed?*** glauben Sie, dass zwischen den Morden eine Verbindung besteht?; ***his name has been ~ed with several famous women*** sein Name ist mit mehreren berühmten Frauen in Verbindung gebracht worden **2.** IT per Link verbinden **III** *v/i* **1.** ***to ~*** (***together***) (*parts of story*) sich zusammenfügen lassen; (*parts of machine*) verbunden werden **2.** IT ***to ~ to a site*** einen Link zu einer Website haben ◆ **link up I** *v/i* zusammenkommen **II** *v/t sep* miteinander verbinden

link road *n* (*Br*) Verbindungsstraße *f*

linkup *n* Verbindung *f*

lino (*esp Br*), **linoleum** *n* Linoleum *nt*

linseed *n* Leinsamen *m* **linseed oil** *n* Leinöl *nt*

lintel *n* ARCH Sturz *m*

lion *n* Löwe *m*; ***the ~'s share*** der Löwenanteil **lioness** *n* Löwin *f*

lip *n* **1.** ANAT Lippe *f*; ***to keep a stiff upper ~*** Haltung bewahren; ***to lick one's ~s*** sich (*dat*) die Lippen lecken; ***the question on everyone's ~s*** die Frage, die sich (*dat*) jeder stellt **2.** (*of cup*) Rand *m* **3.** (*infml* ≈ *cheek*) Frechheit *f*; ***none of your ~!*** sei nicht so frech **lip gloss** *n* Lipgloss *m*

liposuction *n* Fettabsaugung *f*

lip-read *v/i* von den Lippen ablesen **lip ring** *n* Lippenring *m* **lip salve** *n* Lippenpflegestift *m* **lip service** *n* ***to pay ~ to an idea*** ein Lippenbekenntnis zu einer Idee ablegen **lipstick** *n* Lippenstift *m*

liquefy I *v/t* verflüssigen **II** *v/i* sich verflüssigen

liqueur *n* Likör *m*
liquid I *adj* flüssig **II** *n* Flüssigkeit *f* **liquidate** *v/t* liquidieren **liquidation** *n* COMM Liquidation *f*; ***to go into ~*** in Liquidation gehen **liquid-crystal** *adj* ***~ display*** Flüssigkristallanzeige *f* **liquidize** *v/t* (im Mixer) pürieren **liquidizer** *n* Mixgerät *nt*
liquor *n* (≈ *whisky etc*) Spirituosen *pl*; (≈ *alcohol*) Alkohol *m*
liquorice, licorice *n* Lakritze *f*
liquor store *n* (*US*) ≈ Wein- und Spirituosengeschäft *nt*
Lisbon *n* Lissabon *nt*
lisp I *n* Lispeln *nt*; ***to speak with a ~*** lispeln **II** *v/t & v/i* lispeln
list[1] I *n* Liste *f*; (≈ *shopping list*) Einkaufszettel *m*; ***it's not on the ~*** es steht nicht auf der Liste; ***~ of names*** Namensliste *f*; (*esp in book*) Namensverzeichnis *nt* **II** *v/t* notieren; (*verbally*) aufzählen; ***it is not ~ed*** es ist nicht aufgeführt
list[2] NAUT *v/i* Schlagseite haben
listed *adj* (*Br*) *building* unter Denkmalschutz (stehend *attr*); ***it's a ~ building*** es steht unter Denkmalschutz
listen *v/i* **1.** (≈ *hear*) hören (*to sth* etw *acc*); ***to ~ to the radio*** Radio hören; ***if you ~ hard, you can hear the sea*** wenn du genau hinhörst, kannst du das Meer hören; ***she ~ed carefully to everything he said*** sie hörte ihm genau zu; ***to ~ for sth*** auf etw (*acc*) horchen; ***to ~ for sb*** horchen *or* hören, ob jd kommt **2.** (≈ *heed*) zuhören; ***~ to me!*** hör mir zu!; ***~, I know what we'll do*** pass auf, ich weiß, was wir machen; ***don't ~ to him*** hör nicht auf ihn ◆ **listen in** *v/i* mithören (*on sth* etw *acc*); ***I'd like to ~ on*** *or* ***to your discussion*** ich möchte mir Ihre Diskussion mit anhören
listener *n* Zuhörer(in) *m(f)*; RADIO Hörer(in) *m(f)*; ***to be a good ~*** gut zuhören können
listing *n* **1.** Verzeichnis *nt* **2. listings** TV, RADIO, FILM Programm *nt*
listless *adj* lustlos
lit *pret, past part of* ***light[1]***
litany *n* Litanei *f*
liter *n* (*US*) = ***litre***
literacy *n* Fähigkeit *f* lesen und schreiben zu können; ***~ test*** Lese- und Schreibtest *m*
literal *adj* **1.** *meaning* wörtlich; ***in the ~ sense (of the word)*** im wörtlichen Sinne **2.** ***that is the ~ truth*** das ist die reine Wahrheit **literally** *adv* **1.** (≈ *word for word*) (wort)wörtlich; ***to take sb/sth ~*** jdn/etw wörtlich nehmen **2.** (≈ *really*) buchstäblich; ***I was ~ shaking with fear*** ich zitterte regelrecht vor Angst
literary *adj* literarisch; ***the ~ scene*** die Literaturszene **literary critic** *n* Literaturkritiker(in) *m(f)* **literary criticism** *n* Literaturwissenschaft *f* **literate** *adj* **1.** ***to be ~*** lesen und schreiben können **2.** (≈ *well-educated*) gebildet
literature *n* Literatur *f*; (*infml* ≈ *brochures etc*) Informationsmaterial *nt*
lithe *adj* (+*er*) geschmeidig
lithograph *n* Lithografie *f*
Lithuania *n* Litauen *nt*
litigation *n* Prozess *m*
litmus paper *n* Lackmuspapier *nt* **litmus test** *n* (*fig*) entscheidender Test
litre, (*US*) **liter** *n* Liter *m or nt*
litter I *n* **1.** Abfälle *pl*; (≈ *papers, wrappings*) Papier *nt*; ***the park was strewn with ~*** der Park war mit Papier und Abfällen übersät **2.** ZOOL Wurf *m* **3.** (≈ *cat litter*) Katzenstreu *f* **II** *v/t* ***to be ~ed with sth*** mit etw übersät sein; ***glass ~ed the streets*** Glasscherben lagen überall auf den Straßen herum **litter bin** *n* (*Br*) Abfalleimer *m*, Mistkübel *m* (*Aus*); (*bigger*) Abfalltonne *f* **litter lout** *n* (*infml*) Umweltverschmutzer(in) *m(f)*, Dreckspatz *m* (*infml*)
little I *adj* klein; ***a ~ house*** ein Häuschen *nt*; ***the ~ ones*** die Kleinen *pl*; ***a nice ~ profit*** ein hübscher Gewinn; ***he will have his ~ joke*** er will auch einmal ein Witzchen machen; ***a ~ while ago*** vor Kurzem; ***in a ~ while*** bald **II** *adv, n* **1.** wenig; ***of ~ importance*** von geringer Bedeutung; ***~ better than*** kaum besser als; ***~ more than a month ago*** vor kaum einem Monat; ***~ did I think that ...*** ich hätte kaum gedacht, dass ...; ***~ does he know that ...*** er hat keine Ahnung, dass ...; ***as ~ as possible*** so wenig wie möglich; ***to spend ~ or nothing*** so gut wie (gar) nichts ausgeben; ***every ~ helps*** Kleinvieh macht auch Mist (*prov*); ***he had ~ to say*** er hatte nicht viel zu sagen; ***I see very ~ of her nowadays*** ich sehe sie in letzter Zeit sehr selten; ***there was ~ we could do*** wir konnten nicht viel tun; ***~ by ~*** nach und nach **2.** ***a ~*** ein wenig, ein bisschen; ***a ~ (bit)***

hot ein bisschen heiß; ***with a ~ effort*** mit etwas Anstrengung; ***I'll give you a ~ advice*** ich gebe dir einen kleinen Tipp; ***a ~ after five*** kurz nach fünf; ***we walked on for a ~*** wir liefen noch ein bisschen weiter; ***for a ~*** für ein Weilchen

liturgy *n* Liturgie *f*

live[1] **I** *v/t life* führen; ***to ~ one's own life*** sein eigenes Leben leben **II** *v/i* **1.** leben; ***long ~ Queen Anne!*** lang lebe Königin Anne!; ***to ~ and let ~*** leben und leben lassen; ***to ~ like a king*** wie Gott in Frankreich leben; ***not many people ~ to be a hundred*** nicht viele Menschen werden hundert (Jahre alt); ***to ~ to a ripe old age*** ein hohes Alter erreichen; ***his name will ~ for ever*** sein Ruhm wird nie vergehen; ***his music will ~ for ever*** seine Musik ist unvergänglich; ***he ~d through two wars*** er hat zwei Kriege miterlebt; ***to ~ through an experience*** eine Erfahrung durchmachen; ***you'll ~ to regret it*** das wirst du noch bereuen **2.** (≈ *reside*) wohnen; (*animals*) leben; ***he ~s at 19 Marktstraße*** er wohnt in der Marktstraße Nr. 19; ***he ~s with his parents*** er wohnt bei seinen Eltern; ***a house not fit to ~ in*** ein unbewohnbares Haus ◆ **live down** *v/t sep* ***he'll never live it down*** das wird man ihm nie vergessen ◆ **live in** *v/i* im Haus *etc* wohnen ◆ **live off** *v/i +prep obj* **1.** ***to ~ one's relations*** auf Kosten seiner Verwandten leben **2.** = ***live on*** II ◆ **live on I** *v/i* (≈ *continue*) weiterleben **II** *v/i +prep obj* ***to ~ eggs*** sich von Eiern ernähren; ***to earn enough to ~*** genug verdienen, um davon zu leben ◆ **live out** *v/t sep life* verbringen ◆ **live together** *v/i* zusammenleben ◆ **live up** *v/t always separate* ***to live it up*** (*infml*) die Puppen tanzen lassen (*infml*) ◆ **live up to** *v/i +prep obj* ***to ~ expectations*** den Vorstellungen entsprechen; ***to ~ one's reputation*** seinem Ruf gerecht werden; ***he's got a lot to ~*** in ihn werden große Erwartungen gesetzt

live[2] **I** *adj* **1.** (≈ *alive*) lebend; ***a real ~ duke*** ein waschechter Herzog **2.** *shell* scharf; ELEC geladen **3.** RADIO, TV live; ***a ~ programme*** (*Br*) *or* ***program*** (*US*) eine Livesendung **II** *adv* RADIO, TV live

live-in *adj cook* im Haus wohnend

livelihood *n* Lebensunterhalt *m*; ***fishing is their ~*** sie verdienen ihren Lebensunterhalt mit Fischfang; ***to earn a ~*** sich (*dat*) seinen Lebensunterhalt verdienen

liveliness *n* Lebhaftigkeit *f* **lively** *adj* (*+er*) lebhaft; *account*, *imagination* lebendig; *tune* schwungvoll; ***things are getting ~*** es geht hoch her (*infml*); ***look ~!*** mach schnell! **liven up I** *v/t sep* beleben **II** *v/i* in Schwung kommen; (*person*) aufleben

liver *n* Leber *f* **liver sausage, liverwurst** (*esp US*) *n* Leberwurst *f*

lives *pl of* **life**

livestock *n* Vieh *nt*

livid *adj* (*infml* ≈ *furious*) wütend (*about*, *at* über *+acc*)

living I *adj* lebend; *example* lebendig; ***the greatest ~ playwright*** der bedeutendste noch lebende Dramatiker; ***I have no ~ relatives*** ich habe keine Verwandten mehr; ***a ~ creature*** ein Lebewesen *nt*; **(*with*)*in ~ memory*** seit Menschengedenken **II** *n* **1. the living** *pl* die Lebenden *pl* **2.** ***healthy ~*** gesundes Leben **3.** (≈ *livelihood*) Lebensunterhalt *m*; ***to earn*** *or* ***make a ~*** sich (*dat*) seinen Lebensunterhalt verdienen; ***what does he do for a ~?*** womit verdient er sich (*dat*) seinen Lebensunterhalt?; ***to work for one's ~*** arbeiten, um sich (*dat*) seinen Lebensunterhalt zu verdienen **living conditions** *pl* Wohnverhältnisse *pl* **living expenses** *pl* Spesen *pl* **living quarters** *pl* Wohnräume *pl*; (*for soldiers*, *sailors*) Quartier *nt*

living room *n* Wohnzimmer *nt*

lizard *n* Eidechse *f*

llama *n* Lama *nt*

load I *n* **1.** Last *f*; (*on girder etc*) Belastung *f*; (≈ *cargo*) Ladung *f*; **(*work*) ~** (Arbeits)pensum *nt*; ***I put a ~ in the washing machine*** ich habe die Maschine mit Wäsche gefüllt; ***that's a ~ off my mind!*** da fällt mir ein Stein vom Herzen! **2.** (ELEC, *supplied*) Leistung *f*; (*carried*) Spannung *f* **3.** (*infml*) ***~s of, a ~ of*** jede Menge (*infml*); ***we have ~s*** wir haben jede Menge (*infml*); ***it's a ~ of old rubbish*** (*Br*) das ist alles Blödsinn (*infml*); ***get a ~ of this!*** (≈ *listen*) hör dir das mal an!; (≈ *look*) guck dir das mal an! (*infml*) **II** *v/t* laden; *lorry etc* beladen; ***the ship was ~ed with bananas*** das Schiff hatte Bananen geladen; ***to ~ a camera*** einen Film (in einen Fotoapparat) einlegen **III** *v/i* laden ◆ **load up I** *v/i* aufladen **II** *v/t sep* **1.** *lorry* beladen; *goods* aufladen **2.** IT laden

loaded *adj* beladen; *dice* präpariert; *gun, software* geladen; ***a ~ question*** eine Fangfrage; ***he's ~*** (*infml*) (≈ *rich*) er ist stinkreich (*infml*) **loading bay** *n* Ladeplatz *m*

loaf *n, pl* ***loaves*** Brot *nt*; (*unsliced*) (Brot)laib *m*; ***a ~ of bread*** ein (Laib) Brot; ***a small white ~*** ein kleines Weißbrot ◆ **loaf about** (*Brit*) *or* **around** *v/i* (*infml*) faulenzen

loafer *n* (≈ *shoe*) Halbschuh *m*

loan I *n* **1.** (≈ *thing lent*) Leihgabe *f*; (*from bank etc*) Darlehen *nt*; ***my friend let me have the money as a ~*** mein Freund hat mir das Geld geliehen; ***he let me have the money as a ~*** er hat mir das Geld geliehen **2.** ***he gave me the ~ of his bicycle*** er hat mir sein Fahrrad geliehen; ***it's on ~*** es ist geliehen; (≈ *out on loan*) es ist ausgeliehen; ***to have sth on ~*** etw geliehen haben (*from* von) **II** *v/t* leihen (*to sb* jdm) **loan shark** *n* (*infml*) Kredithai *m* (*infml*)

loath, loth *adj* ***to be ~ to do sth*** etw ungern tun; ***he was ~ for us to go*** er ließ uns ungern gehen

loathe *v/t* verabscheuen; *spinach, jazz etc* nicht ausstehen können; ***I ~ doing it*** ich hasse es, das zu tun **loathing** *n* Abscheu *m*

loaves *pl of* ***loaf***

lob I *n* TENNIS Lob *m* **II** *v/t ball* lobben; (≈ *throw*) in hohem Bogen werfen; ***he ~bed the grenade over the wall*** er warf die Granate im hohen Bogen über die Mauer

lobby I *n* Eingangshalle *f*; (*of hotel, theatre*) Foyer *nt*; POL Lobby *f* **II** *v/t* ***to ~ one's Member of Parliament*** auf seinen Abgeordneten Einfluss nehmen **III** *v/i* ***the farmers are ~ing for higher subsidies*** die Bauernlobby will höhere Subventionen durchsetzen

lobe *n* (ANAT) (*of ear*) Ohrläppchen *nt*

lobster *n* Hummer *m*

local I *adj* örtlich; (≈ *in this area*) hiesig; (≈ *in that area*) dortig; ***~ radio station*** Regionalsender *m*; ***~ newspaper*** Lokalzeitung *f*; ***the ~ residents*** die Ortsansässigen; ***~ community*** Kommune *f*; ***at ~ level*** auf lokaler Ebene; ***~ train*** Nahverkehrszug *m*; ***~ time*** Ortszeit *f*; ***go into your ~ branch*** gehen Sie zu Ihrer Zweigstelle; ***~ anaesthetic*** *or* ***anesthetic*** (*US*) örtliche Betäubung **II** *n* **1.** (*Br infml* ≈ *pub*) ***the ~*** das Stammlokal **2.** (*born in*) Einheimische(r) *m/f(m)*; (*living in*) Einwohner(in) *m(f)* **local area network** *n* IT lokales Rechnernetz, LAN *nt* **local authority** *n* Kommunalbehörde *f*

local call *n* TEL Ortsgespräch *nt*

local education authority *n* örtliche Schulbehörde **local government** *n* Kommunalverwaltung *f*; ***~ elections*** Kommunalwahlen *pl* **locality** *n* Gegend *f* **localize** *v/t* ***this custom is very ~d*** die Sitte ist auf wenige Orte begrenzt **locally** *adv* am Ort; ***I prefer to shop ~*** ich kaufe lieber im Ort ein; ***was she well-known ~?*** war sie in dieser Gegend sehr bekannt?; ***~ grown*** in der Region angebaut

lo-carb *adj* = ***low-carb***

locate *v/t* **1.** ***to be ~d at*** *or* ***in*** sich befinden in (+*dat*); ***the hotel is centrally ~d*** das Hotel liegt zentral **2.** (≈ *find*) ausfindig machen **location** *n* **1.** (≈ *position*) Lage *f*; (*of building*) Standort *m*; ***this would be an ideal ~ for the airport*** das wäre ein ideales Gelände für den Flughafen **2.** (≈ *positioning, siting*) ***they discussed the ~ of the proposed airport*** sie diskutierten, wo der geplante Flughafen gebaut werden sollte **3.** FILM Drehort *m*; ***to be on ~ in Mexico*** (*person*) bei Außenaufnahmen in Mexiko sein; ***part of the film was shot on ~ in Mexico*** ein Teil der Außenaufnahmen für den Film wurde in Mexiko gedreht

loch *n* (*Scot*) See *m*

lock[1] *n* (*of hair*) Locke *f*

lock[2] **I** *n* **1.** (*on door*) Schloss *nt*; ***to put sth under ~ and key*** etw wegschließen **2.** (≈ *canal lock*) Schleuse *f* **II** *v/t door etc* ab- *or* zuschließen; ***to ~ sb in a room*** jdn in einem Zimmer einschließen; ***~ed in combat*** in Kämpfe verwickelt; ***they were ~ed in each other's arms*** sie hielten sich fest umschlungen; ***this bar ~s the wheel in position*** diese Stange hält das Rad fest **III** *v/i* schließen; (*wheel*) blockieren ◆ **lock away** *v/t sep* wegschließen; *person* einsperren ◆ **lock in** *v/t sep* einschließen; ***to be locked in*** eingesperrt sein ◆ **lock on** *v/i* ***the missile locks onto its target*** das Geschoss richtet sich auf das Ziel ◆ **lock out** *v/t sep* *workers* aussperren; ***I've locked myself out*** ich habe mich ausgesperrt ◆ **lock up I** *v/t sep* abschließen; *person* einsperren; ***to lock sth up in sth*** etw in etw (*dat*) einschließen **II** *v/i* abschließen

locker *n* Schließfach *nt*; NAUT, MIL Spind *m* **locker room** *n* Umkleideraum *m*

locket *n* Medaillon *nt*

lockout *n* Aussperrung *f* **locksmith** *n* Schlosser(in) *m(f)*

locomotive *n* Lokomotive *f*

locum (tenens) *n* (*Br*) Vertreter(in) *m(f)*

locust *n* Heuschrecke *f*

lodge I *n* (*in grounds*) Pförtnerhaus *nt*; (≈ *shooting lodge etc*) Hütte *f* **II** *v/t* **1.** (*Br*) *person* unterbringen **2.** *complaint* einlegen (*with* bei); ***to ~ an appeal*** Einspruch erheben; JUR Berufung einlegen **3.** (≈ *insert*) ***to be ~d*** (fest)stecken **III** *v/i* **1.** (*Br* ≈ *live*) (zur *or* in Untermiete) wohnen (*with sb*, *at sb's* bei jdm) **2.** (*object*) stecken bleiben **lodger** *n* Untermieter(in) *m(f)* **lodging** *n* **1.** Unterkunft *f* **2. lodgings** *pl* ein möbliertes Zimmer

loft *n* Boden *m*, Estrich *m* (*Swiss*); ***in the ~*** auf dem Boden **loft conversion** *n* Dachausbau *m*

loftily *adv* hochmütig **lofty** *adj* (*+er*) **1.** *ambitions* hochfliegend **2.** (≈ *haughty*) hochmütig

log[1] *n* Baumstamm *m*; (*for a fire*) Scheit *nt*; ***to sleep like a ~*** wie ein Stein schlafen

log[2] **I** *n* (≈ *record*) Aufzeichnungen *pl*; NAUT Logbuch *nt*; ***to keep a ~ of sth*** über etw (*acc*) Buch führen **II** *v/t* Buch führen über (*+acc*); NAUT (ins Logbuch) eintragen; ***details are ~ged in the computer*** Einzelheiten sind im Computer gespeichert ◆ **log in** *v/i* IT einloggen ◆ **log off** IT *v/i* ausloggen ◆ **log on** IT *v/i* einloggen ◆ **log out** *v/i* IT ausloggen

logarithm *n* Logarithmus *m*

logbook *n* NAUT Logbuch *nt*; AVIAT Bordbuch *nt*; (*of lorries*) Fahrtenbuch *nt* **log cabin** *n* Blockhaus *nt*

loggerheads *pl* ***to be at ~*** (***with sb***) (*esp Br*) sich (*dat*) (mit jdm) in den Haaren liegen (*infml*)

logic *n* Logik *f*; ***there's no ~ in that*** das ist völlig unlogisch **logical** *adj* logisch

logistic *adj* logistisch **logistics** *n sg* Logistik *f*

logo *n* Logo *nt*

loiter *v/i* herumlungern

loll *v/i* **1.** sich lümmeln **2.** (*head*) hängen; (*tongue*) heraushängen ◆ **loll about** (*Brit*) *or* **around** *v/i* herumlümmeln

lollipop *n* Lutscher *m* **lollipop lady** *n* (*Br infml*) ≈ Schülerlotsin *f* **lollipop man** *n* (*Br infml*) ≈ Schülerlotse *m* **lolly** *n* (*esp Br infml* ≈ *lollipop*) Lutscher *m*; ***an ice ~*** ein Eis *nt* am Stiel

London I *n* London *nt* **II** *adj* Londoner **Londoner** *n* Londoner(in) *m(f)*

lone *adj* (≈ *single*) einzeln; (≈ *isolated*) einsam; ***~ parent*** Alleinerziehende(r) *m/f(m)*; ***~ parent family*** Einelternfamilie *f* **loneliness** *n* Einsamkeit *f*

lonely *adj* (*+er*) einsam; ***~ hearts column*** Kontaktanzeigen *pl*; ***~ hearts club*** Singletreff *m* **loner** *n* Einzelgänger(in) *m(f)* **lonesome** *adj* (*esp US*) einsam

long[1] **I** *adj* (*+er*) lang; *journey* weit; ***it is 6 feet ~*** es ist 6 Fuß lang; ***to pull a ~ face*** ein langes Gesicht machen; ***it's a ~ way*** das ist weit; ***a ~ memory*** ein gutes Gedächtnis; ***it's a ~ time since I saw her*** ich habe sie schon lange nicht mehr gesehen; ***he's been here*** (***for***) ***a ~ time*** er ist schon lange hier; ***she was abroad for a ~ time*** sie war (eine) lange Zeit im Ausland; ***to take a ~ look at sth*** etw lange *or* ausgiebig betrachten; ***how ~ is the film?*** wie lange dauert der Film? **II** *adv* lang(e); ***don't be ~!*** beeil dich!; ***don't be too ~ about it*** lass dir nicht zu viel Zeit; ***I shan't be ~*** (*in finishing*) ich bin gleich fertig; (*in returning*) ich bin gleich wieder da; ***all night ~*** die ganze Nacht; ***~ ago*** vor langer Zeit; ***not ~ ago*** vor Kurzem; ***not ~ before I met you*** kurz bevor ich dich kennenlernte; ***as ~ as, so ~ as*** (≈ *provided that*) solange; ***I can't wait any ~er*** ich kann nicht mehr länger warten; ***if that noise goes on any ~er*** wenn der Lärm weitergeht; ***no ~er*** (≈ *not any more*) nicht mehr; ***so ~!*** (*infml*) tschüs(s)! (*infml*), servus! (*Aus*) **III** *n* ***before ~*** bald; ***are you going for ~?*** werden Sie länger weg sein?; ***it won't take ~*** das dauert nicht lange; ***I won't take ~*** ich brauche nicht lange (dazu)

long[2] *v/i* sich sehnen (*for* nach); ***he ~ed for his wife to return*** er wartete sehnsüchtig auf die Rückkehr seiner Frau; ***he is ~ing for me to make a mistake*** er möchte zu gern, dass ich einen Fehler mache; ***I am ~ing to go abroad*** ich brenne darauf, ins Ausland zu gehen; ***I'm ~ing to see that film*** ich will den Film unbedingt sehen

long-distance I *adj* ***~ call*** Ferngespräch *nt*; ***~ lorry driver*** (*Br*) Fernfahrer(in) *m(f)*; ***~ flight*** Langstreckenflug *m*; ***~ runner*** Langstreckenläufer(in) *m(f)*; ***~ journey*** Fernreise *f* **II** *adv* ***to call ~*** ein Ferngespräch führen **long division** *n* schriftliche Division **long-drawn-out** *adj speech* langatmig; *process* langwierig

longed-for *adj* ersehnt

long-grain *adj* ***~ rice*** Langkornreis *m* **long-haired** *adj* langhaarig **longhand** *adv* in Langschrift **long-haul** *adj* ***~ truck driver*** Fernfahrer(in) *m(f)*

longing I *adj* sehnsüchtig **II** *n* Sehnsucht *f* (*for* nach) **longingly** *adv* sehnsüchtig

longish *adj* ziemlich lang

longitude *n* Länge *f*

long johns *pl* (*infml*) lange Unterhosen *pl* **long jump** *n* Weitsprung *m* **long-life** *adj battery etc* mit langer Lebensdauer **long-life milk** *n* H-Milch *f* **long-lived** *adj* langlebig; *success* dauerhaft **long-lost** *adj person* verloren geglaubt **long-playing** *adj* ***~ record*** Langspielplatte *f* **long-range** *adj gun* mit hoher Reichweite; *forecast* langfristig; ***~ missile*** Langstreckenrakete *f* **long-running** *adj series* lange laufend; *feud* lange andauernd **longshoreman** *n* (*US*) Hafenarbeiter *m* **long shot** *n* (*infml*) ***it's a ~, but ...*** es ist gewagt, aber ...; ***not by a ~*** bei Weitem nicht **long-sighted** *adj* weitsichtig **long-standing** *adj* alt; *friendship* langjährig **long-stay** *adj* (*Br*) *car park* Dauer- **long-suffering** *adj* schwer geprüft **long term** *n* ***in the ~*** langfristig gesehen **long-term** *adj* langfristig; ***~ memory*** Langzeitgedächtnis *nt*; ***the ~ unemployed*** die Langzeitarbeitslosen *pl* **long vacation** *n* UNIV (Sommer)semesterferien *pl*; SCHOOL große Ferien *pl* **long wave** *n* Langwelle *f* **long-winded** *adj* umständlich; *speech* langatmig

loo *n* (*Br infml*) Klo *nt* (*infml*), Häus(e)l *nt* (*Aus*); ***to go to the ~*** aufs Klo gehen (*infml*); ***in the ~*** auf dem Klo (*infml*)

look I *n* **1.** (≈ *glance*) Blick *m*; ***she gave me a dirty ~*** sie warf mir einen vernichtenden Blick zu; ***she gave me a ~ of disbelief*** sie sah mich ungläubig an; ***to have*** *or* ***take a ~ at sth*** sich (*dat*) etw ansehen; ***can I have a ~?*** darf ich mal sehen?; ***to take a good ~ at sth*** sich (*dat*) etw genau ansehen; ***to have a ~ for sth*** sich nach etw umsehen; ***to have a ~ (a)round*** sich umsehen; ***shall we have a ~ (a)round the town?*** sollen wir uns (*dat*) die Stadt ansehen? **2.** (≈ *appearance*) Aussehen *nt*; ***there was a ~ of despair in his eyes*** ein verzweifelter Blick war in seinen Augen; ***I don't like the ~ of him*** er gefällt mir gar nicht; ***by the ~ of him*** so, wie er aussieht **3. looks** *pl* Aussehen *nt*; ***good ~s*** gutes Aussehen **II** *v/t* ***he ~s his age*** man sieht ihm sein Alter an; ***he's not ~ing himself these days*** er sieht in letzter Zeit ganz verändert aus; ***I want to ~ my best tonight*** ich möchte heute Abend besonders gut aussehen; ***~ what you've done!*** sieh dir mal an, was du da angestellt hast!; ***~ where you're going!*** pass auf, wo du hintrittst!; ***~ who's here!*** guck mal, wer da ist! (*infml*) **III** *v/i* **1.** (≈ *see*) gucken (*infml*); ***to ~ (a)round*** sich umsehen; ***to ~ carefully*** genau hinsehen; ***to ~ and see*** nachsehen; ***~ here!*** hör (mal) zu!; ***~, I know you're tired, but ...*** ich weiß ja, dass du müde bist, aber ...; ***~, there's a better solution*** da gibt es doch eine bessere Lösung; ***~ before you leap*** (*prov*) erst wägen, dann wagen (*prov*) **2.** (≈ *search*) suchen **3.** (≈ *seem*) aussehen; ***it ~s all right to me*** es scheint mir in Ordnung zu sein; ***how does it ~ to you?*** was meinst du dazu?; ***the car ~s about 10 years old*** das Auto sieht so aus, als ob es 10 Jahre alt wäre; ***to ~ like*** aussehen wie; ***the picture doesn't ~ like him*** das Bild sieht ihm nicht ähnlich; ***it ~s like rain*** es sieht nach Regen aus; ***it ~s as if we'll be late*** es sieht (so) aus, als würden wir zu spät kommen ◆ **look after** *v/i +prep obj* **1.** sich kümmern um; ***to ~ oneself*** auf sich (*acc*) aufpassen **2.** (*temporarily*) sehen nach; *children* aufpassen auf (*+acc*) ◆ **look ahead** *v/i* (*fig*) vorausschauen ◆ **look around** *v/i* sich umsehen (*for sth* nach etw) ◆ **look at** *v/i +prep obj* **1.** (≈ *observe*) ansehen; ***~ him!*** sieh dir den an!; ***~ the time*** so spät ist es schon; ***he looked at his watch*** er sah auf die Uhr **2.** (≈ *examine*) sich (*dat*) ansehen **3.** (≈ *view*) betrachten **4.** *possibilities* sich (*dat*) überlegen ◆ **look away** *v/i* wegsehen ◆ **look back** *v/i* sich umsehen; (*fig*) zurückblicken (*on sth, to sth* auf etw *acc*); ***he's never looked back*** (*fig infml*) es ist ständig mit ihm bergauf gegangen ◆ **look down** *v/i* hinuntersehen ◆ **look down on** *v/i +prep obj* herabsehen auf (*+acc*) ◆ **look for** *v/i +prep obj* suchen; ***he's looking for trouble*** er wird sich (*dat*) Ärger einhandeln; (*actively*) er sucht Streit ◆ **look forward to** *v/i +prep obj* sich freuen auf (*+acc*) ◆ **look in** *v/i* (≈ *visit*) vorbeikommen (*on sb* bei jdm) ◆ **look into** *v/i +prep obj* **1.** ***to ~ sb's face*** jdm ins Gesicht sehen; ***to ~ the future*** in die Zukunft sehen *or* blicken **2.** (≈ *investigate*) untersuchen; *matter* prüfen ◆ **look on** *v/i* **1.** zusehen **2.** ***to ~to*** (*window*) (hinaus)gehen auf (*+acc*); (*building*) liegen an (*+dat*) **3.** *+prep obj* (*a.* **look upon**) betrachten ◆ **look out** *v/i* **1.** (*of window etc*) hinaussehen; ***to ~ (of) the window*** zum Fenster hinaussehen **2.** (≈ *take care*) aufpassen; ***~!*** Vorsicht! ◆ **look out for** *v/i +prep obj* **1.** (≈ *try to find*) Ausschau halten nach **2.** ***~ pickpockets*** nimm dich vor Taschendieben in Acht ◆ **look over** *v/t sep notes* durchsehen ◆ **look round** *v/i* (*esp Br*) = ***look around*** ◆ **look through I** *v/i +prep obj* ***he looked through the window*** er sah zum Fenster herein/hinaus **II** *v/t sep* (≈ *examine*) durchsehen; (≈ *read*) durchlesen ◆ **look to** *v/i +prep obj* **1.** (≈ *rely on*) sich verlassen auf (*+acc*); ***they looked to him to solve the problem*** sie verließen sich darauf, dass er das Problem lösen würde; ***we ~ you for support*** wir rechnen auf Ihre *or* mit Ihrer Hilfe **2.** ***to ~ the future*** in die Zukunft blicken ◆ **look toward(s)** *v/i +prep obj* blicken auf (*+acc*); (*room*) liegen *or* hinausgehen nach ◆ **look up I** *v/i* **1.** (*lit*) aufblicken **2.** (≈ *improve*) besser werden; ***things are looking up*** es geht bergauf **II** *v/t sep* **1.** (≈ *visit*) ***to look sb up*** bei jdm vorbeischauen **2.** *word* nachschlagen; *phone number* heraussuchen ◆ **look upon** *v/i +prep obj* = ***look on*** ◆ **look up to** *v/i +prep obj* ***to ~ sb*** zu jdm aufsehen

lookalike *n* Doppelgänger(in) *m(f)*; ***a Rupert Murdoch ~*** ein Doppelgänger von Rupert Murdoch **look-in** *n* (*infml*) Chance *f* **lookout** *n* **1.** ***~ tower*** Beobachtungsturm *m* **2.** (MIL ≈ *person*) Wachtposten *m* **3.** ***to be on the ~ for, to keep a ~ for*** = ***look out for***

loom[1] *n* Webstuhl *m*

loom[2] *v/i* (*a.* **loom ahead** *or* **up**) sich abzeichnen; (*exams*) bedrohlich näher rücken; ***to ~ up out of the mist*** bedrohlich aus dem Nebel auftauchen; ***to ~ large*** eine große Rolle spielen

loony (*infml*) **I** *adj* (*+er*) bekloppt (*infml*) **II** *n* Verrückte(r) *m/f(m)* (*infml*) **loony bin** *n* (*infml*) Klapsmühle *f* (*infml*)

loop I *n* **1.** Schlaufe *f*; (*of wire*) Schlinge *f* **2.** AVIAT ***to ~ the ~*** einen Looping machen **3.** IT Schleife *f* **II** *v/t rope etc* schlingen

loophole *n* (*fig*) Hintertürchen *nt*; ***a ~ in the law*** eine Lücke im Gesetz

loose I *adj* (*+er*) **1.** lose; *morals, arrangement* locker; *dress* weit; *tooth, screw, translation* frei; ***a ~ connection*** ELEC ein Wackelkontakt *m*; ***to come ~*** (*screw etc*) sich lockern; (*cover etc*) sich (los)lösen; (*button*) abgehen; ***~ talk*** leichtfertiges Gerede **2.** ***to break*** *or* ***get ~*** (*person, animal*) sich losreißen (*from* von); (≈ *break out*) ausbrechen; ***to turn ~*** *animal* frei herumlaufen lassen; *prisoner* freilassen; ***to be at a ~ end*** (*fig*) nichts mit sich anzufangen wissen; ***to tie up the ~ ends*** (*fig*) ein paar offene Probleme lösen **II** *n* (*infml*) ***to be on the ~*** frei herumlaufen **III** *v/t* **1.** (≈ *untie*) losmachen **2.** (≈ *slacken*) lockern **loose change** *n* Kleingeld *nt* **loose-fitting** *adj* weit **loose-leaf** *n* ***~ binder*** Ringbuch *nt*; ***~ pad*** Ringbucheinlage *f* **loosely** *adv* **1.** lose, locker **2.** ***~ based on Shakespeare*** frei nach Shakespeare

loosen I *v/t* **1.** lösen **2.** (≈ *slacken*) lockern; *belt* weiter machen; *collar* aufmachen; ***to ~ one's grip on sth*** (*lit*) seinen Griff um etw lockern; (*fig*) *on the party, on power* etw nicht mehr so fest im Griff haben **II** *v/i* sich lockern ◆ **loosen up I** *v/t sep muscles* lockern; *soil* auflockern **II** *v/i* (*muscles*) locker werden; (*athlete*) sich (auf)lockern

loot I *n* Beute *f* **II** *v/t & v/i* plündern **looter** *n* Plünderer *m*

lop *v/t* (*a.* **lop off**) abhacken

lopsided *adj* schief

lord I *n* **1.** (≈ *master*) Herr *m* **2.** (*Br* ≈ *nobleman*) Lord *m*; ***the (House of) Lords*** das Oberhaus **3.** REL ***Lord*** Herr *m*; ***the Lord (our) God*** Gott, der Herr; **(*good*) *Lord!*** (*infml*) ach, du lieber Himmel! (*infml*); ***Lord knows*** (*infml*) wer weiß

II *v/t* ***to ~ it over sb*** jdn herumkommandieren **Lord Chancellor** *n* (*Br*) Lordkanzler *m* **Lord Mayor** *n* (*Br*) ≈ Oberbürgermeister *m* **Lordship** *n* ***His/Your ~*** Seine/Eure Lordschaft **Lord's Prayer** *n* REL ***the ~*** das Vaterunser

lore *n* Überlieferungen *pl*

Lorraine *n* GEOG Lothringen *nt*

lorry *n* (*Br*) Last(kraft)wagen *m*, Lkw *m* **lorry driver** *n* (*Br*) Lkw-Fahrer(in) *m*(*f*)

lose *pret, past part* **lost I** *v/t* **1.** verlieren; *pursuer* abschütteln; ***to ~ one's job*** die Stelle verlieren; ***many men ~ their hair*** vielen Männern gehen die Haare aus; ***to ~ one's way*** (*lit*) sich verirren; (*fig*) die Richtung verlieren; ***that mistake lost him the game*** dieser Fehler kostete ihn den Sieg; ***she lost her brother in the war*** sie hat ihren Bruder im Krieg verloren; ***he lost the use of his legs in the accident*** seit dem Unfall kann er seine Beine nicht mehr bewegen; ***to ~ no time in doing sth*** etw sofort tun; ***my watch lost three hours*** meine Uhr ist drei Stunden nachgegangen **2.** *opportunity* verpassen **3.** ***to be lost*** (*things*) verschwunden sein; (*people*) sich verlaufen haben; ***I can't follow the reasoning, I'm lost*** ich kann der Argumentation nicht folgen, ich verstehe nichts mehr; ***he was soon lost in the crowd*** er hatte sich bald in der Menge verloren; ***to be lost at sea*** auf See geblieben sein; ***all is (not) lost!*** (noch ist nicht) alles verloren!; ***to get lost*** sich verirren; (*boxes etc*) verloren gehen; ***get lost!*** (*infml*) verschwinde! (*infml*); ***to give sth up for lost*** etw abschreiben; ***I'm lost without my watch*** ohne meine Uhr bin ich verloren *or* aufgeschmissen (*infml*); ***classical music is lost on him*** er hat keinen Sinn für klassische Musik; ***the joke was lost on her*** der Witz kam bei ihr nicht an; ***to be lost for words*** sprachlos sein; ***to be lost in thought*** in Gedanken versunken sein **II** *v/i* verlieren; (*watch*) nachgehen; ***you can't ~*** du kannst nichts verlieren ◆ **lose out** *v/i* (*infml*) schlecht wegkommen (*infml*); ***to ~ to sb/sth*** von jdm/etw verdrängt werden

loser *n* Verlierer(in) *m*(*f*); ***what a ~!*** (*infml*) was für eine Null! (*infml*) **losing** *adj* ***the ~ team*** die unterlegene Mannschaft; ***to fight a ~ battle*** einen aussichtslosen Kampf führen; ***to be on the ~ side*** verlieren

loss *n* **1.** Verlust *m*; ***hair ~*** Haarausfall *m*; ***weight ~*** Gewichtsverlust *m*; ***memory ~*** Gedächtnisverlust *m*; ***the factory closed with the ~ of 300 jobs*** bei der Schließung der Fabrik gingen 300 Stellen verloren; ***he felt her ~ very deeply*** ihr Tod war ein schwerer Verlust für ihn; ***there was a heavy ~ of life*** viele kamen ums Leben; ***job ~es*** Stellenkürzungen *pl*; ***his business is running at a ~*** er arbeitet mit Verlust; ***to sell sth at a ~*** etw mit Verlust verkaufen; ***it's your ~*** es ist deine Sache; ***a dead ~*** (*Br infml*) ein böser Reinfall (*infml*); (≈ *person*) ein hoffnungsloser Fall (*infml*); ***to cut one's ~es*** (*fig*) Schluss machen, ehe der Schaden (noch) größer wird **2.** ***to be at a ~*** nicht mehr weiterwissen; ***we are at a ~ for what to do*** wir wissen nicht mehr aus noch ein; ***to be at a ~ to explain sth*** etw nicht erklären können; ***to be at a ~ for words*** nicht wissen, was man sagen soll

lost I *pret, past part of* **lose II** *adj attr* verloren; *cause* aussichtslos; *person* vermisst, abgängig (*esp Aus*); *dog* entlaufen; *glasses etc* verlegt **lost-and-found (department)** *n* (*US*) Fundbüro *nt* **lost property** *n* (*Br*) **1.** (≈ *items*) Fundstücke *pl* **2.** = ***lost property office*** **lost property office** *n* (*Br*) Fundbüro *nt*

lot[1] *n* **1.** ***to draw ~s*** losen, Lose ziehen; ***they drew ~s to see who would begin*** sie losten aus, wer anfangen sollte **2.** (≈ *destiny, at auction*) Los *nt*; ***to throw in one's ~ with sb*** sich mit jdm zusammentun; ***to improve one's ~*** seine Lage verbessern **3.** (≈ *plot*) Parzelle *f*; ***building ~*** Bauplatz *m*; ***parking ~*** (*US*) Parkplatz *m* **4.** (*esp Br*) ***where shall I put this ~?*** wo soll ich das Zeug hintun? (*infml*); ***can you carry that ~ by yourself?*** kannst du das (alles) alleine tragen?; ***divide the books up into three ~s*** teile die Bücher in drei Stapel ein; ***he is a bad ~*** (*infml*) er taugt nichts **5.** (*esp Br infml* ≈ *group*) Haufen *m*; ***are you ~ coming to the pub?*** kommt ihr (alle) in die Kneipe? **6.** ***the ~*** (*infml*) alle; alles; ***that's the ~*** das ist alles

lot[2] *n, adv* ***a ~, ~s*** viel; ***a ~ of*** viel; ***a ~ of money*** eine Menge Geld; ***a ~ of books, ~s of books*** viele Bücher; ***such a ~*** so viel; ***what a ~!*** was für eine Menge!; ***such a ~ of books*** so viele Bücher; ***~s and ~s of mistakes*** eine Unmenge Fehler; ***we see a ~ of John*** wir sehen John sehr oft; ***things have changed a ~*** es hat sich Vieles geändert; ***I like him a ~*** ich mag ihn sehr; ***I feel ~s*** *or* ***a ~ better*** es geht mir sehr viel besser

lotion *n* Lotion *f*

lottery *n* Lotterie *f*

loud I *adj* (*+er*) **1.** laut; *protest* lautstark **2.** *tie* knallbunt **II** *adv* laut; ***~ and clear*** laut und deutlich; ***to say sth out ~*** etw laut sagen **loud-hailer** *n* Megafon *nt* **loudly** *adv* laut; *criticize* lautstark **loudmouth** *n* (*infml*) Großmaul *nt* (*infml*) **loudness** *n* Lautstärke *f* **loudspeaker** *n* Lautsprecher *m*

lounge I *n* (*in house*) Wohnzimmer *nt*; (*in hotel*) Gesellschaftsraum *m*; (*at airport*) Warteraum *m* **II** *v/i* faulenzen; ***to ~ about*** (*Br*) *or* ***around*** herumliegen/-sitzen; ***to ~ against a wall*** sich lässig gegen eine Mauer lehnen **lounge bar** *n* Salon *m* (*vornehmerer Teil einer Gaststätte*)

louse *n*, *pl* ***lice*** ZOOL Laus *f* **lousy** *adj* (*infml*) mies (*infml*); *trick etc* fies (*infml*); ***I'm ~ at arithmetic*** in Mathe bin ich miserabel (*infml*); ***he is a ~ golfer*** er spielt miserabel Golf (*infml*); ***to feel ~*** sich mies fühlen (*infml*); ***a ~ £3*** lausige drei Pfund (*infml*)

lout *n* Rüpel *m* **loutish** *adj* rüpelhaft

louvre, (*US*) **louver** *n* Jalousie *f*

lovable, loveable *adj* liebenswert

love I *n* **1.** Liebe *f*; ***to have a ~ for*** *or* ***of sth*** etw sehr lieben; ***~ of learning*** Freude *f* am Lernen; ***~ of adventure*** Abenteuerlust *f*; ***~ of books*** Liebe *f* zu Büchern; ***for the ~ of*** aus Liebe zu; ***to be in ~ (with sb)*** (in jdn) verliebt sein; ***to fall in ~ (with sb)*** sich (in jdn) verlieben; ***to make ~*** miteinander schlafen; ***to make ~ to sb*** mit jdm schlafen; ***yes, (my) ~*** ja, Liebling; ***the ~ of my life*** die große Liebe meines Lebens **2.** (≈ *greetings*) ***with all my ~*** mit herzlichen Grüßen; ***~ from Anna*** herzliche Grüße von Anna; ***give him my ~*** grüß ihn von mir; ***he sends his ~*** er lässt grüßen **3.** (*infml*: *form of address*) mein Lieber/meine Liebe **4.** TENNIS null **II** *v/t* lieben; (≈ *like*) gern mögen; ***they ~ each other*** sie lieben sich; ***I ~ tennis*** ich mag Tennis sehr gern; ***I'd ~ a cup of tea*** ich hätte (liebend) gern(e) eine Tasse Tee; ***I'd ~ to come*** ich würde sehr gern kommen; ***we'd ~ you to come*** wir würden uns sehr freuen, wenn du kommen würdest; ***I ~ the way she smiles*** ich mag es, wie sie lächelt **III** *v/i* lieben **loveable** *adj* = ***lovable*** **love affair** *n* Verhältnis *nt* **lovebite** *n* Knutschfleck *m* (*infml*) **love-hate relationship** *n* Hassliebe *f*; ***they have a ~*** zwischen ihnen besteht eine Hassliebe **loveless** *adj marriage* ohne Liebe **love letter** *n* Liebesbrief *m* **love life** *n* Liebesleben *nt*

lovely *adj* (*+er*) (≈ *beautiful*) wunderschön; *baby* niedlich; (≈ *likeable*) liebenswürdig; *smile* gewinnend; ***that dress looks ~ on you*** dieses Kleid steht dir sehr gut; ***we had a ~ time*** es war sehr schön; ***it's ~ and warm*** es ist schön warm; ***have a ~ holiday*** (*esp Br*) *or* ***vacation*** (*US*)***!*** schöne Ferien!; ***it's been ~ to see you*** es war schön, dich zu sehen **lovemaking** *n* (*sexual*) Liebe *f* **lover** *n* **1.** Liebhaber(in) *m*(*f*); ***the ~s*** das Liebespaar **2.** ***a ~ of books*** ein(e) Bücherfreund(in) *m*(*f*); ***a ~ of good food*** ein(e) Liebhaber(in) *m*(*f*) von gutem Essen; ***music-~*** Musikliebhaber(in) *m*(*f*) *or* -freund(in) *m*(*f*) **lovesick** *adj* liebeskrank; ***to be ~*** Liebeskummer *m* haben **love song** *n* Liebeslied *nt* **love story** *n* Liebesgeschichte *f* **loving** *adj* liebend; *relationship* liebevoll; ***your ~ son ...*** in Liebe Euer Sohn ... **lovingly** *adv* liebevoll

low I *adj* (*+er*) niedrig; *bow*, *note* tief; *density*, *quality* gering; *food supplies* knapp; ***the sun was ~ in the sky*** die Sonne stand tief am Himmel; ***the river is ~*** der Fluss führt wenig Wasser; ***a ridge of ~ pressure*** ein Tiefdruckkeil *m*; ***to speak in a ~ voice*** leise sprechen; ***how ~ can you get!*** wie kann man nur so tief sinken!; ***to feel ~*** niedergeschlagen sein **II** *adv aim* nach unten; *speak* leise; *fly*, *bow* tief; ***he's been laid ~ with the flu*** (*Br*) er liegt mit Grippe im Bett; ***to run*** *or* ***get ~*** knapp werden; ***we are getting ~ on petrol*** (*Br*) *or* ***gas*** (*US*) uns (*dat*) geht das Benzin aus **III** *n* (METEO, *fig*) Tief *nt*; ***to reach a new ~*** einen neuen Tiefstand erreichen **low-alcohol** *adj* alkoholarm **lowbrow** *adj* (geistig) anspruchslos **low-cal** *adj* (*infml*), **low-calorie** *adj* kalorienarm **low-carb** *adj* (*infml*) kohlenhydratarm **low-cost** *adj* preiswert **Low Countries** *pl* ***the ~*** die Niederlande *pl* **low-cut** *adj dress* tief ausgeschnitten **lowdown** *n* (*infml*) Informationen *pl*; ***what's the ~ on Kowalski?*** was wissen *or* haben (*infml*) wir über Kowalski?; ***he gave me the ~ on it*** er hat mich darüber aufgeklärt **low-emission** *adj car* schadstoffarm, abgasarm

lower I *adj* **1.** (*in height*) niedriger; *part, limb* untere(r, s); *note* tiefer; GEOG Nieder-; ***the Lower Rhine*** der Niederrhein; ***~ leg*** Unterschenkel *m*; ***the ~ of the two holes*** das untere der beiden Löcher; ***the ~ deck*** (*of bus*) das untere Deck; (*of ship*) das Unterdeck **2.** *rank, level, animals* niedere(r, s); ***the ~ classes*** SOCIOL die unteren Schichten; ***a ~ middle-class family*** eine Familie aus der unteren Mittelschicht; ***the ~ school*** die unteren Klassen **II** *adv* tiefer; ***~ down the mountain*** weiter unten am Berg; ***~ down the list*** weiter unten auf der Liste **III** *v/t* **1.** *boat, load* herunterlassen; *eyes, gun* senken; *flag* einholen; ***he ~ed himself into an armchair*** er ließ sich in einen Sessel nieder **2.** *pressure, risk* verringern; *price, temperature* senken; ***~ your voice*** sprich leiser; ***to ~ oneself*** sich hinunterlassen **lower case I** *n* Kleinbuchstaben *pl* **II** *adj* klein **Lower Chamber** *n* Unterhaus *nt* **lower-class** *adj* der Unterschicht **lower-income** *adj* mit niedrigem Einkommen **lower sixth (form)** *n* (*Br* SCHOOL) *vorletztes Schuljahr* **low-fat** *adj milk, cheese* fettarm, Mager- **low-flying** *adj* ***~ plane*** Tiefflieger *m* **low-heeled** *adj* mit flachem Absatz **low-income** *adj* einkommensschwach **low-key** *adj approach* gelassen; *reception* reserviert **lowland I** *n* ***the Lowlands of Scotland*** das schottische Tiefland; ***the ~s of Central Europe*** die Tiefebenen *pl* Mitteleuropas **II** *adj* des Flachlands; (*of Scotland*) des Tieflands **low-level** *adj radiation* niedrig **lowlife** *n* niederes Milieu **lowly** *adj* (*+er*) bescheiden **low-lying** *adj* tief gelegen **low-necked** *adj* tief ausgeschnitten **low-pitched** *adj* tief **low-profile** *adj* wenig profiliert **low-rise** *attr* niedrig (gebaut) **low season** *n* Nebensaison *f* **low-tar** *adj* teerarm **low-tech** *adj* nicht mit Hightech ausgestattet; ***it's pretty ~*** es ist nicht gerade hightech **low tide, low water** *n* Niedrigwasser *nt*; ***at ~*** bei Niedrigwasser **low-wage** *adj attr* Niedriglohn-

loyal *adj* (*+er*) **1.** treu; ***he was very ~ to his friends*** er hielt (treu) zu seinen Freunden; ***he remained ~ to his wife/the king*** er blieb seiner Frau / dem König treu **2.** (*to party etc*) loyal (*to* gegenüber) **loyalist I** *n* Loyalist(in) *m*(*f*) **II** *adj* loyal; *troops* regierungstreu **loyally** *adv* **1.** treu **2.** (≈ *without emotional involvement*) loyal **loyalty** *n* **1.** Treue *f* **2.** (*to party etc*) Loyalität *f* **loyalty card** *n* (*Br* COMM) Paybackkarte *f*

lozenge *n* **1.** MED Pastille *f* **2.** (≈ *shape*) Raute *f*

LP *abbr of* ***long player, long-playing record*** LP *f*

LPG *abbr of* ***liquefied petroleum gas*** Autogas *nt*

L-plate *n Schild mit der Aufschrift „L" (für Fahrschüler)*

LSD *abbr of* ***lysergic acid diethylamide*** LSD *nt*

Ltd *abbr of* ***Limited*** GmbH

lubricant *n* Schmiermittel *nt* **lubricate** *v/t* schmieren

lucid *adj* (*+er*) **1.** klar **2.** (≈ *sane*) ***he was ~ for a few minutes*** ein paar Minuten lang war er bei klarem Verstand **lucidly** *adv* klar; *explain* einleuchtend; *write* verständlich

luck *n* Glück *nt*; ***by ~*** durch einen glücklichen Zufall; ***bad ~*** Pech *nt*; ***bad ~!*** so ein Pech!; ***good ~*** Glück *nt*; ***good ~!*** viel Glück!; ***no such ~!*** schön wärs! (*infml*); ***just my ~!*** Pech (gehabt), wie immer!; ***with any ~*** mit etwas Glück; ***any ~?*** (≈ *did it work?*) hats geklappt?; (≈ *did you find it?*) hast du es gefunden?; ***worse ~!*** wie schade; ***to be in ~*** Glück haben; ***to be out of ~*** kein Glück haben; ***he was a bit down on his ~*** er hatte eine Pechsträhne; ***to bring sb good/bad ~*** jdm Glück / Unglück bringen; ***as ~ would have it*** wie es der Zufall wollte; ***Bernstein kisses his cuff links for ~*** Bernstein küsst seine Manschettenknöpfe, damit sie ihm Glück bringen; ***to try one's ~*** sein Glück versuchen **luckily** *adv* glücklicherweise; ***~ for me*** zu meinem Glück

lucky *adj* (*+er*) Glücks-; *coincidence, winner* glücklich; ***you ~ thing!, ~ you!*** du Glückliche(r) *m*/*f*(*m*); ***the ~ winner*** der glückliche Gewinner, die glückliche

Gewinnerin; ***to be ~*** Glück haben; ***I was ~ enough to meet him*** ich hatte das (große) Glück, ihn kennenzulernen; ***you are ~ to be alive*** du kannst von Glück sagen, dass du noch lebst; ***you were ~ to catch him*** du hast Glück gehabt, dass du ihn erwischt hast; ***you'll be ~ to make it in time*** wenn du das noch schaffst, hast du (aber) Glück; ***I want another £500 — you'll be ~!*** ich will noch mal £ 500 haben – viel Glück!; ***to be ~ that ...*** Glück haben, dass ...; ***~ charm*** Glücksbringer *m*; ***it must be my ~ day*** ich habe wohl heute meinen Glückstag; ***to be ~*** (*number etc*) Glück bringen; ***it was ~ I stopped him*** ein Glück, dass ich ihn aufgehalten habe; ***that was a ~ escape*** da habe ich/hast du *etc* noch mal Glück gehabt **lucky dip** *n* ≈ Glückstopf *m*

lucrative *adj* lukrativ

ludicrous *adj* lächerlich; *idea, prices* haarsträubend **ludicrously** *adv* grotesk; *small* lächerlich; *high* haarsträubend; ***~ expensive*** absurd teuer

lug *v/t* schleppen

luggage *n* Gepäck *nt* **luggage allowance** *n* AVIAT Freigepäck *nt* **luggage locker** *n* Gepäckschließfach *nt* **luggage rack** *n* RAIL *etc* Gepäckablage *f* **luggage trolley** *n* Kofferkuli *m* **luggage van** *n* (*Br* RAIL) Gepäckwagen *m*

lukewarm *adj* lauwarm; ***he's ~ about*** *or* ***on the idea/about her*** er ist von der Idee/von ihr nur mäßig begeistert

lull I *n* Pause *f*; ***a ~ in the fighting*** eine Gefechtspause **II** *v/t* ***to ~ a baby to sleep*** ein Baby in den Schlaf wiegen; ***he ~ed them into a false sense of security*** er wiegte sie in trügerische Sicherheit

lullaby *n* Schlaflied *nt*

lumbago *n* Hexenschuss *m*

lumber¹ I *n* (*esp US*) (Bau)holz *nt* **II** *v/t* (*Br infml*) ***to ~ sb with sth*** jdm etw aufhalsen (*infml*); ***I got ~ed with her for the evening*** ich hatte sie den ganzen Abend auf dem Hals (*infml*)

lumber² *v/i* (*cart*) rumpeln; (*elephant, person*) trampeln

lumberjack *n* Holzfäller *m* **lumber room** *n* Rumpelkammer *f* **lumberyard** *n* (*US*) Holzlager *nt*

luminary *n* (*fig*) Koryphäe *f* **luminous** *adj* leuchtend; ***~ paint*** Leuchtfarbe *f*

lump I *n* **1.** Klumpen *m*; (*of sugar*) Stück *nt* **2.** (≈ *swelling*) Beule *f*; (*inside the body*) Geschwulst *f*; ***with a ~ in one's throat*** (*fig*) mit einem Kloß im Hals; ***it brings a ~ to my throat*** dabei schnürt sich mir die Kehle zu **II** *v/t* (*esp Br infml*) ***if he doesn't like it he can ~ it*** wenns ihm nicht passt, hat er eben Pech gehabt (*infml*) ◆ **lump together** *v/t sep* **1.** (≈ *put together*) zusammentun **2.** (≈ *judge together*) in einen Topf werfen

lump sum *n* Pauschalbetrag *m*; ***to pay sth in a ~*** etw pauschal bezahlen **lumpy** *adj* (+*er*) *liquid, mattress* klumpig; ***to go ~*** (*sauce, rice*) klumpen

lunacy *n* Wahnsinn *m*

lunar *adj* Mond- **lunar eclipse** *n* Mondfinsternis *f*

lunatic I *adj* wahnsinnig **II** *n* Wahnsinnige(r) *m/f(m)* **lunatic asylum** *n* Irrenanstalt *f*

lunch I *n* Mittagessen *nt*; ***to have ~*** (zu) Mittag essen; ***let's do ~*** (*infml*) wir sollten uns zum Mittagessen treffen; ***how long do you get for ~?*** wie lange haben Sie Mittagspause?; ***he's at ~*** er ist beim Mittagessen **II** *v/i* (zu) Mittag essen **lunchbox** *n* Lunchbox *f* **lunch break** *n* Mittagspause *f* **luncheon** *n* (*form*) Mittagessen *nt* **luncheon meat** *n* Frühstücksfleisch *nt* **luncheon voucher** *n* Essensmarke *f* **lunch hour** *n* Mittagsstunde *f*; (≈ *lunch break*) Mittagspause *f* **lunchpail** *n* (*US*) Lunchbox *f* **lunchtime** *n* Mittagspause *f*; ***they arrived at ~*** sie kamen gegen Mittag an

lung *n* Lunge *f* **lung cancer** *n* Lungenkrebs *m*

lunge I *n* Satz *m* nach vorn **II** *v/i* (sich) stürzen; ***to ~ at sb*** sich auf jdn stürzen

lurch¹ *n* ***to leave sb in the ~*** (*infml*) jdn hängen lassen (*infml*)

lurch² I *n* ***to give a ~*** einen Ruck machen **II** *v/i* **1.** einen Ruck machen **2.** (≈ *move with lurches*) sich ruckartig bewegen; ***the train ~ed to a standstill*** der Zug kam mit einem Ruck zum Stehen

lure I *n* Lockmittel *nt*; (*fig: of sea etc*) Verlockungen *pl* **II** *v/t* anlocken; ***to ~ sb away from sth*** jdn von etw weglocken; ***to ~ sb into a trap*** jdn in eine Falle locken

lurid *adj* **1.** *colour* grell **2.** (*fig*) *description* reißerisch; *detail* widerlich

lurk *v/i* lauern; ***a nasty suspicion ~ed at the back of his mind*** er hegte einen

fürchterlichen Verdacht ◆ **lurk about** (*Brit*) *or* **around** *v/i* herumschleichen
lurking *adj* heimlich; *doubt* nagend
luscious *adj* **1.** (≈ *delicious*) köstlich **2.** *girl* zum Anbeißen (*infml*); *figure* üppig
lush *adj* **1.** *grass* saftig; *vegetation* üppig **2.** (*infml*) *hotel* feudal
lust I *n* Wollust *f*; (≈ *greed*) Gier *f* (*for* nach); ***~ for power*** Machtgier *f* **II** *v/i* ***to ~ after*** (*sexually*) begehren (+*acc*); (*greedily*) gieren nach **lustful** *adj* lüstern **lustily** *adv eat* herzhaft; *sing* aus voller Kehle; *cry, cheer* aus vollem Hals(e)
lustre, (*US*) **luster** *n* **1.** Schimmer *m* **2.** (*fig*) Glanz *m*
lute *n* Laute *f*
Luxembourg *n* Luxemburg *nt*
luxuriant *adj* üppig **luxuriate** *v/i* ***to ~ in sth*** (*people*) sich in etw (*dat*) aalen **luxurious** *adj* luxuriös; ***a ~ hotel*** ein Luxushotel *nt* **luxury I** *n* Luxus *m*; ***to live a life of ~*** ein Luxusleben führen **II** *adj attr* Luxus-
LW *abbr of* ***long wave*** LW
lychee *n* Litschi *f*
Lycra® *n* Lycra® *nt*
lying I *adj* verlogen **II** *n* Lügen *nt*; ***that would be ~*** das wäre gelogen
lynch *v/t* lynchen
lyric I *adj* lyrisch **II** *n* (*often pl*: *of pop song*) Text *m* **lyrical** *adj* lyrisch; ***to wax ~ about sth*** über etw (*acc*) ins Schwärmen geraten **lyricist** *n* MUS Texter(in) *m*(*f*)

M

M, m *n* M *nt*, m *nt*
M *abbr of* ***medium***
m 1. *abbr of* ***million(s)*** Mio. **2.** *abbr of* ***metre(s)*** m **3.** *abbr of* ***mile(s)*** **4.** *abbr of* ***masculine*** m.
MA *abbr of* ***Master of Arts*** M. A.
ma *n* (*infml*) Mama *f* (*infml*)
ma'am *n* gnä' Frau *f* (*form*); → ***madam***
mac *n* (*Br infml*) Regenmantel *m*
macabre *adj* makaber
macaroni *n* Makkaroni *pl*
macaroon *n* Makrone *f*
mace *n* (*mayor's*) Amtsstab *m*
Macedonia *n* Mazedonien *nt*
machete *n* Buschmesser *nt*
machination *n usu pl* Machenschaften *pl*
machine I *n* Maschine *f*; (≈ *vending machine*) Automat *m* **II** *v/t* TECH maschinell herstellen **machine gun** *n* Maschinengewehr *nt* **machine language** *n* IT Maschinensprache *f* **machine operator** *n* Maschinenarbeiter(in) *m*(*f*) **machine-readable** *adj* IT maschinenlesbar **machinery** *n* Maschinerie *f*; ***the ~ of government*** der Regierungsapparat **machine tool** *n* Werkzeugmaschine *f* **machine-washable** *adj* waschmaschinenfest **machinist** *n* TECH Maschinist(in) *m*(*f*); SEWING Näherin *f*
macho *adj* macho *pred*, Macho-
mackerel *n* Makrele *f*
mackintosh *n* Regenmantel *m*
macro *n* IT Makro *nt* **macro-** *pref* makro-, Makro- **macrobiotic** *adj* makrobiotisch **macrocosm** *n* Makrokosmos *m*
mad I *adj* (+*er*) **1.** wahnsinnig (*with* vor +*dat*); (≈ *insane*) geisteskrank; (*infml* ≈ *crazy*) verrückt; ***to go ~*** wahnsinnig werden; (*lit*) den Verstand verlieren; ***to drive sb ~*** jdn wahnsinnig machen; (*lit*) jdn um den Verstand bringen; ***it's enough to drive you ~*** es ist zum Verrücktwerden; ***you must be ~!*** du bist wohl wahnsinnig!; ***I must have been ~ to believe him*** ich war wohl von Sinnen, ihm zu glauben; ***they made a ~ rush*** *or* ***dash for the door*** sie stürzten wie wild zur Tür; ***why the ~ rush?*** warum diese Hektik? **2.** (*infml* ≈ *angry*) sauer (*infml*); ***to be ~ at sb*** auf jdn sauer sein (*infml*); ***to be ~ about sth*** über etw (*acc*) sauer sein (*infml*); ***this makes me ~*** das bringt mich auf die Palme (*infml*) **3.** (*esp Br infml* ≈ *keen*) ***to be ~ about*** *or* ***on sth*** auf etw (*acc*) verrückt sein; ***I'm not exactly ~ about this job*** ich bin nicht gerade versessen auf diesen Job; ***I'm (just) ~ about you*** ich bin (ganz) verrückt nach dir!; ***don't go ~!*** (≈ *don't overdo it*) übertreib es nicht **II** *adv* (*infml*) ***like ~*** wie verrückt; ***he ran like ~*** er rannte wie wild
madam *n* gnädige Frau (*old, form*); ***can I help you, ~?*** kann ich Ihnen behilflich

sein?; ***Dear Madam*** (*esp Br*) sehr geehrte gnädige Frau

madcap *adj idea* versponnen **mad cow disease** *n* Rinderwahn(sinn) *m* **madden** *v/t* ärgern **maddening** *adj* unerträglich; *habit* aufreizend **maddeningly** *adv* unerträglich; ***the train ride was ~ slow*** es war zum Verrücktwerden, wie langsam der Zug fuhr

made *pret, past part of* ***make*** **made-to-measure** *adj* (*Br*) maßgeschneidert; *curtains* nach Maß; ***~ suit*** Maßanzug *m* **made-up** *adj* **1.** (≈ *invented*) erfunden **2.** (≈ *wearing make-up*) geschminkt

madhouse *n* Irrenhaus *nt* **madly** *adv* **1.** wie verrückt **2.** (*infml* ≈ *extremely*) wahnsinnig; ***to be ~ in love*** (***with sb***) bis über beide Ohren (in jdn) verliebt sein **madman** *n, pl* ***-men*** Verrückte(r) *m* **madness** *n* Wahnsinn *m* **madwoman** *n* Verrückte *f*

Mafia *n* Mafia *f*

mag *n* (*infml*) Magazin *nt*; ***porn ~*** Pornoheft *nt*

magazine *n* **1.** Magazin *nt* **2.** (MIL ≈ *store*) Depot *nt* **magazine rack** *n* Zeitungsständer *m*

maggot *n* Made *f*

Magi *pl* ***the ~*** die Heiligen Drei Könige

magic I *n* **1.** Magie *f*; ***a display of ~*** ein paar Zauberkunststücke; ***he made the spoon disappear by ~*** er zauberte den Löffel weg; ***as if by ~*** wie durch Zauberei; ***it worked like ~*** (*infml*) es klappte wie am Schnürchen (*infml*) **2.** (≈ *charm*) Zauber *m* **II** *adj* **1.** Zauber-; *powers* magisch; ***he hasn't lost his ~ touch*** er hat nichts von seiner Genialität verloren **2.** (*infml* ≈ *fantastic*) toll (*infml*) **magical** *adj powers* magisch; *atmosphere* unwirklich **magically** *adv* wunderbar; ***~ transformed*** auf wunderbare Weise verwandelt **magic carpet** *n* fliegender Teppich **magician** *n* Magier *m*; (≈ *conjuror*) Zauberkünstler(in) *m*(*f*); ***I'm not a ~!*** ich kann doch nicht hexen! **magic spell** *n* Zauber *m*; (≈ *words*) Zauberspruch *m*; ***to cast a ~ on sb*** jdn verzaubern **magic wand** *n* Zauberstab *m*; ***to wave a ~*** den Zauberstab schwingen

magistrate *n* Schiedsmann *m*/-frau *f* **magistrates' court** *n* (*Br*) Schiedsgericht *nt*

magnanimity *n* Großmut *f* **magnanimous** *adj* großmütig

magnate *n* Magnat *m*

magnesium *n* Magnesium *nt*

magnet *n* Magnet *m* **magnetic** *adj* (*lit*) magnetisch; ***he has a ~ personality*** er hat ein sehr anziehendes Wesen **magnetic disk** *n* IT Magnetplatte *f* **magnetic field** *n* Magnetfeld *nt* **magnetic strip, magnetic stripe** *n* Magnetstreifen *m* **magnetism** *n* Magnetismus *m*; (*fig*) Anziehungskraft *f*

magnification *n* Vergrößerung *f*; ***high/low ~*** starke/geringe Vergrößerung

magnificence *n* **1.** Großartigkeit *f* **2.** (≈ *appearance*) Pracht *f* **magnificent** *adj* **1.** großartig; ***he has done a ~ job*** er hat das ganz hervorragend gemacht **2.** (≈ *in appearance*) prächtig **magnificently** *adv* großartig

magnify *v/t* **1.** vergrößern **2.** (≈ *exaggerate*) aufbauschen **magnifying glass** *n* Vergrößerungsglas *nt*

magnitude *n* Ausmaß *nt*; (≈ *importance*) Bedeutung *f*; ***operations of this ~*** Vorhaben dieser Größenordnung

magnolia *n* Magnolie *f*

magpie *n* Elster *f*

mahogany I *n* Mahagoni *nt* **II** *adj* Mahagoni-

maid *n* (≈ *servant*) Dienstmädchen *nt*; (*in hotel*) Zimmermädchen *nt*

maiden I *n* (*liter*) Mädchen *nt*, Dirndl *nt* (*Aus*) **II** *adj attr* Jungfern-; ***~ voyage*** Jungfernfahrt *f* **maiden name** *n* Mädchenname *m*

maid of honour, (*US*) **maid of honor** *n* Brautjungfer *f* **maidservant** *n* Hausmädchen *nt*

mail I *n* Post *f*; INTERNET *also* Mail *f*; ***to send sth by ~*** etw mit der Post schicken; ***is there any ~ for me?*** ist Post für mich da? **II** *v/t* **1.** aufgeben; (≈ *put in letter box*) einwerfen; (≈ *send by mail*) mit der Post schicken **2.** (≈ *send by e-mail*) per E-Mail senden, mailen (*infml*); ***to ~ sb*** jdm eine E-Mail senden **mailbag** *n* Postsack *m* **mailbox** *n* **1.** (*US*) Briefkasten *m* **2.** IT Mailbox *f* **mailing address** *n* (*US*) Postanschrift *f* **mailing list** *n* Adressenliste *f*

mailman *n* (*US*) Briefträger *m* **mail merge** *n* IT Mailmerge *nt* **mail order** *n* Postversand *m* **mail-order** *adj* ***~ catalogue*** (*Br*) *or* ***catalog*** (*US*) Versandhauskatalog *m*; ***~ firm*** Versandhaus *nt* **mailroom** *n* (*esp US*) Poststelle *f* **mail-**

shot *n* (*Br*) Mailshot *m* **mail van** *n* (*on roads*) Postauto *nt*; (*Br* RAIL) Postwagen *m* **mailwoman** *n* (*US*) Briefträgerin *f*

maim *v/t* (≈ *mutilate*) verstümmeln; (≈ *cripple*) zum Krüppel machen; ***to be ~ed for life*** sein Leben lang ein Krüppel bleiben

main I *adj attr* Haupt-; ***the ~ thing is to ...*** die Hauptsache ist, dass ...; ***the ~ thing is you're still alive*** Hauptsache, du lebst noch **II** *n* **1.** (≈ *pipe*) Hauptleitung *f*; ***the ~s*** (*of town*) das öffentliche Versorgungsnetz; (*for electricity*) das Stromnetz; (*of house*) der Haupthahn; (*for electricity*) der Hauptschalter; ***the water/electricity was switched off at the ~s*** der Haupthahn/Hauptschalter für Wasser/Elektrizität wurde abgeschaltet **2.** ***in the ~*** im Großen und Ganzen **main clause** *n* GRAM Hauptsatz *m* **main course** *n* Hauptgericht *nt* **mainframe (computer)** *n* Mainframe *m* **mainframe network** *n* IT vernetzte Großanlage **mainland** *n* Festland *nt*; ***on the ~ of Europe*** auf dem europäischen Festland **main line** *n* RAIL Hauptstrecke *f* **mainly** *adv* hauptsächlich **main office** *n* Zentrale *f* **main road** *n* Hauptstraße *f* **mains-operated, mains-powered** *adj* für Netzbetrieb **mainstay** *n* (*fig*) Stütze *f* **mainstream I** *n* Hauptrichtung *f* **II** *adj* **1.** *politician* der Mitte; *opinion* vorherrschend; *education* regulär; ***~ society*** die Mitte der Gesellschaft **2.** ***~ cinema*** Mainstreamkino *nt* **main street** *n* Hauptstraße *f*

maintain *v/t* **1.** (≈ *keep up*) aufrechterhalten; *peace* wahren; *speed* beibehalten; ***to ~ sth at a constant temperature*** etw bei gleichbleibender Temperatur halten **2.** *family* unterhalten **3.** *machine* warten; *roads* instand halten; ***products which help to ~ healthy skin*** Produkte, die die Haut gesund erhalten **4.** (≈ *claim*) behaupten; ***he still ~ed his innocence*** er beteuerte immer noch seine Unschuld **maintenance** *n* **1.** (≈ *keeping up*) Aufrechterhaltung *f*; (*of peace*) Wahrung *f* **2.** (*Br*) (*of family*) Unterhalt *m*; (≈ *social security*) Unterstützung *f*; ***he has to pay ~*** er ist unterhaltspflichtig **3.** (*of machine*) Wartung *f*; (*of road etc*) Instandhaltung *f*; (*of gardens*) Pflege *f*; (≈ *cost*) Unterhalt *m* **maintenance costs** *pl* Unterhaltskosten *pl* **maintenance payments** *pl* Unterhaltszahlungen *pl*

maisonette *n* Appartement *nt*

maître d' *n* (*US*) Oberkellner *m*

maize *n* Mais *m*

majestic *adj* majestätisch **majesty** *n* Majestät *f*; ***His/Her Majesty*** Seine/Ihre Majestät; ***Your Majesty*** Eure Majestät

major I *adj* **1.** Haupt-; (≈ *important*) bedeutend; (≈ *extensive*) groß; *cause* wesentlich; *incident* schwerwiegend; *role* führend; ***a ~ road*** eine Hauptverkehrsstraße; ***a ~ operation*** eine größere Operation **2.** MUS Dur-; ***~ key*** Durtonart *f*; ***A ~*** A-Dur *nt* **II** *n* **1.** MIL Major(in) *m(f)* **2.** (*US* ≈ *subject*) Hauptfach *nt*; ***he's a psychology ~*** Psychologie ist/war sein Hauptfach **III** *v/i* (*US*) ***to ~ in French*** Französisch als Hauptfach studieren

Majorca *n* Mallorca *nt*

majorette *n* Majorette *f*

majority *n* **1.** Mehrheit *f*; ***to be in a*** *or* ***the ~*** in der Mehrzahl sein; ***to be in a ~ of 3*** eine Mehrheit von 3 Stimmen haben; ***to have/get a ~*** die Mehrheit haben/bekommen **2.** JUR Volljährigkeit *f* **majority decision** *n* Mehrheitsbeschluss *m*

make *vb*: *pret*, *past part* **made I** *v/t* **1.** machen; *bread* backen; *cars* herstellen; *dress* nähen; *coffee* kochen; *peace* stiften; *speech* halten; *choice*, *decision* treffen; ***she made it into a suit*** sie machte einen Anzug daraus; ***to ~ a guess*** raten; ***made in Germany*** in Deutschland hergestellt; ***it's made of gold*** es ist aus Gold; ***to show what one is made of*** zeigen, was in einem steckt; ***the job is made for him*** die Arbeit ist wie für ihn geschaffen; ***they're made for each other*** sie sind wie geschaffen füreinander; ***to ~ sb happy*** jdn glücklich machen; ***he was made a judge*** man ernannte ihn zum Richter; ***Shearer made it 1-0*** Shearer erzielte das 1:0; ***we decided to ~ a day/night of it*** wir beschlossen, den ganzen Tag dafür zu nehmen/(die Nacht) durchzumachen; ***to ~ something of oneself*** etwas aus sich machen; ***he's got it made*** (*infml*) er hat ausgesorgt; ***you've made my day*** ich könnte dir um den Hals fallen! (*infml*) **2.** ***to ~ sb do sth*** (≈ *cause to do*) jdn dazu bringen, etw zu tun; (≈ *compel to do*) jdn zwingen, etw zu tun; ***what made you come to this town?*** was hat Sie dazu veranlasst, in diese Stadt zu kommen?; ***what ~s you say that?*** warum sagst du das?; ***what ~s you think you can do it?*** was macht Sie glauben, dass Sie es schaffen können?; ***you can't ~ me!*** mich kann keiner zwingen!; ***what made it explode?*** was hat die Explosion bewirkt?; ***it ~s the room look smaller*** es lässt den Raum kleiner wirken; ***the chemical ~s the plant grow faster*** die Chemikalie bewirkt, dass die Pflanze schneller wächst; ***that made the cloth shrink*** dadurch ging der Stoff ein; ***to ~ do with sth*** sich mit etw begnügen; ***to ~ do with less money*** mit weniger Geld auskommen **3.** *money* verdienen; *profit, fortune* machen (*on* bei) **4.** (≈ *reach, achieve*) schaffen; ***we made good time*** wir kamen schnell voran; ***sorry I couldn't ~ your party*** tut mir leid, ich habe es einfach nicht zu deiner Party geschafft; ***we'll never ~ the airport in time*** wir kommen garantiert nicht rechtzeitig zum Flughafen; ***to ~ it*** (≈ *succeed*) es schaffen; ***he just made it*** er hat es gerade noch geschafft; ***he'll never ~ it through the winter*** er wird den Winter nie überstehen **5.** (≈ *be*) abgeben; ***he made a good father*** er gab einen guten Vater ab; ***he'll never ~ a soldier*** aus dem wird nie ein Soldat; ***he'd ~ a good teacher*** er wäre ein guter Lehrer; ***they ~ a good couple*** sie sind ein gutes Paar **6.** (≈ *equal*) (er)geben; ***2 plus 2 ~s 4*** 2 und 2 ist 4; ***that ~s £55 you owe me*** Sie schulden mir damit (nun) £ 55; ***how much does that ~ altogether?*** was macht das insgesamt? **7.** (≈ *reckon*) schätzen auf (+*acc*); ***I ~ the total 107*** ich komme auf 107; ***what time do you ~ it?*** wie spät hast du es?; ***I ~ it 3.15*** ich habe 3.15 Uhr; ***I ~ it 3 miles*** ich schätze 3 Meilen; ***shall we ~ it 7 o'clock?*** sagen wir 7 Uhr? **II** *v/i* ***to ~ as if to do sth*** Anstalten machen, etw zu tun; (*as deception*) so tun, als wolle man etw tun; ***to ~ like...*** (*infml*) so tun, als ob... **III** *v/r* ***to ~ oneself comfortable*** es sich (*dat*) bequem machen; ***you'll ~ yourself ill!*** du machst dich damit krank!; ***to ~ oneself heard*** sich (*dat*) Gehör verschaffen; ***to ~ oneself understood*** sich verständlich machen; ***to ~ oneself sth*** sich (*dat*) etw machen; ***she made herself a lot of money on the deal*** sie hat bei dem Geschäft eine Menge Geld verdient; ***to ~ oneself do sth*** sich dazu zwingen, etw zu tun; ***he's just made himself look ridiculous*** er hat sich nur lächerlich gemacht **IV** *n* (≈ *brand*) Marke *f*; ***what ~ of car do you have?*** welche (Auto)marke fahren Sie?

◆ **make for** *v/i +prep obj* **1.** (≈ *head for*) zuhalten auf (+*acc*); (*vehicle*) losfahren auf (+*acc*); ***we are making for London*** wir wollen nach London; (*by vehicle*) wir fahren Richtung London **2.** (≈ *promote*) führen zu ◆ **make of** *v/i +prep obj* halten von; ***don't make too much of it*** überbewerten Sie es nicht ◆ **make off** *v/i* sich davonmachen ◆ **make out** *v/t sep* **1.** *cheque* ausstellen (*to* auf +*acc*); *list* aufstellen **2.** (≈ *see*) ausmachen; (≈ *decipher*) entziffern; (≈ *understand*) verstehen; ***I can't ~ what he wants*** ich komme nicht dahinter, was er will **3.** (≈ *claim*) behaupten **4.** ***to ~ that...*** es so hinstellen, als ob ...; ***he made out that he was hurt*** er tat, als sei er verletzt; ***to make sb out to be clever/a genius*** jdn als klug/Genie hinstellen ◆ **make up I** *v/t sep* **1.** (≈ *constitute*) bilden; ***to be made up of*** bestehen aus **2.** *food, bed* zurechtmachen; *parcel* packen; *list, team* zusammenstellen **3.** ***to make it up (with sb)*** sich (mit jdm) aussöhnen **4.** *face* schminken; ***to make sb/oneself up*** jdn/sich schminken **5.** ***to ~ one's mind (to do sth)*** sich (dazu) entschließen(, etw zu tun); ***my mind is made up*** mein Entschluss steht fest; ***to ~ one's mind about sb/sth*** sich (*dat*) eine Meinung über jdn/etw bilden; ***I can't ~ my mind about him*** ich weiß nicht, was ich von ihm halten soll **6.** (≈ *invent*) erfinden; ***you're making that up!*** jetzt schwindelst du aber! (*infml*) **7.** (≈ *complete*) vollständig machen; ***I'll ~ the other £20*** ich komme für die restlichen £ 20 auf **8.** *loss* ausgleichen; *time* aufholen; ***to make it up to sb (for sth)*** jdm etw wiedergutmachen **II** *v/i* (*after quarrel*) sich wieder vertragen ◆ **make up for** *v/i +prep obj* ***to ~ sth*** etw ausgleichen; ***to ~ lost time*** verlorene Zeit aufholen; ***that still doesn't ~ the fact that you were very rude*** das macht noch lange nicht ungeschehen, dass du sehr unhöflich warst

make-believe I *adj attr* Fantasie- **II** *n* Fantasie *f* **make-or-break** *adj attr* (*infml*) entscheidend **makeover** *n* (≈ *beauty treatment*) Schönheitskur *f*; (*of building*) Verschönerung *f* **maker** *n* (≈ *manufacturer*) Hersteller(in) *m*(*f*) **makeshift** *adj* improvisiert; *tool* behelfsmäßig; **~ *accommodation*** Notunterkunft *f*

make-up *n* **1.** Make-up *nt*; THEAT Maske *f*; ***she spends hours on her ~*** sie braucht Stunden zum Schminken **2.** (*of team etc*) Zusammenstellung *f*; (≈ *character*) Veranlagung *f* **make-up bag** *n* Kosmetiktasche *f* **making** *n* **1.** (≈ *production*) Herstellung *f*; ***the film was three months in the ~*** der Film wurde in drei Monaten gedreht; ***a star in the ~*** ein werdender Star; ***it's a disaster in the ~*** es bahnt sich eine Katastrophe an; ***her problems are of her own ~*** an ihren Problemen ist sie selbst schuld; ***it was the ~ of him*** das hat ihn zu dem gemacht, was er (heute) ist **2.** **makings** *pl* Voraussetzungen *pl* (*of* zu); ***he has the ~s of an actor*** er hat das Zeug zu einem Schauspieler; ***the situation has all the ~s of a strike*** die Situation bietet alle Voraussetzungen für einen Streik

maladjusted *adj* verhaltensgestört

malady *n* Leiden *nt*

malaise *n* (*fig*) Unbehagen *nt*

malaria *n* Malaria *f*

malcontent *n* Unzufriedene(r) *m*/*f*(*m*)

male **I** *adj* männlich; *choir*, *voice* Männer-; ***a ~ doctor*** ein Arzt *m*; ***~ nurse*** Krankenpfleger *m*; ***~ crocodile*** Krokodilmännchen *nt* **II** *n* (≈ *animal*) Männchen *nt*; (*infml* ≈ *man*) Mann *m* **male chauvinism** *n* Chauvinismus *m* **male chauvinist** *n* Chauvi *m* (*infml*)

malevolence *n* Boshaftigkeit *f* **malevolent** *adj* boshaft

malformed *adj* missgebildet

malfunction **I** *n* (*of liver etc*) Funktionsstörung *f*; (*of machine*) Defekt *m* **II** *v/i* (*liver etc*) nicht richtig arbeiten; (*machine*) nicht richtig funktionieren

malice *n* Bosheit *f* **malicious** *adj* boshaft; *action* böswillig; *phone call* bedrohend **maliciously** *adv act* böswillig; *say* boshaft

malign **I** *adj* (*liter*) *influence* unheilvoll **II** *v/t* verleumden; (≈ *run down*) schlechtmachen

malignant *adj* bösartig

malingerer *n* Simulant(in) *m*(*f*)

mall *n* (*US*: *a.* **shopping mall**) Einkaufszentrum *nt*

mallard *n* Stockente *f*

malleable *adj* formbar

mallet *n* Holzhammer *m*

malnourished *adj* (*form*) unterernährt **malnutrition** *n* Unterernährung *f*

malpractice *n* Berufsvergehen *nt*

malt *n* Malz *nt*

maltreat *v/t* schlecht behandeln; (*using violence*) misshandeln **maltreatment** *n* schlechte Behandlung; (*violent*) Misshandlung *f*

malt whisky *n* Malt Whisky *m*

mam(m)a *n* (*infml*) Mama *f* (*infml*)

mammal *n* Säugetier *nt*

mammary *adj* Brust-; ***~ gland*** Brustdrüse *f*

mammoth **I** *n* Mammut *nt* **II** *adj* Mammut-; *proportions* riesig

man **I** *n*, *pl* **men** **1.** Mann *m*; ***to make a ~ out of sb*** jdn zum Mann machen; ***he took it like a ~*** er hat es wie ein Mann ertragen; ***~ and wife*** Mann und Frau; ***the ~ in the street*** der Mann auf der Straße; ***~ of God*** Mann *m* Gottes; ***~ of letters*** (≈ *writer*) Literat *m*; (≈ *scholar*) Gelehrter *m*; ***~ of property*** vermögender Mann; ***a ~ of the world*** ein Mann *m* von Welt; ***to be ~ enough*** Manns genug sein; ***~'s bicycle*** Herrenfahrrad *nt*; ***the right ~*** der Richtige; ***you've come to the right ~*** da sind Sie bei mir richtig; ***he's not the ~ for the job*** er ist nicht der Richtige für diese Aufgabe; ***he's not a ~ to ...*** er ist nicht der Typ, der ...; ***he's a family ~*** er ist sehr häuslich; ***it's got to be a local ~*** es muss jemand aus dieser Gegend sein; ***follow me, men!*** mir nach, Leute! **2.** (≈ *human race*: *a.* **Man**) der Mensch, die Menschen **3.** (≈ *person*) man; ***no ~*** niemand; ***any ~*** jeder; ***that ~!*** dieser Mensch!; ***they are communists to a ~*** sie sind allesamt Kommunisten **II** *v/t ship* bemannen; *barricades* besetzen; *pump*, *telephone* bedienen; ***the ship is ~ned by a crew of 30*** das Schiff hat 30 Mann Besatzung

manacle *n usu pl* Ketten *pl*

manage **I** *v/t* **1.** *company* leiten; *affairs* regeln; *resources* einteilen; *pop group* managen **2.** (≈ *handle*) *person*, *animal* zurechtkommen mit **3.** *task* bewältigen; ***two hours is the most I can ~*** ich kann mir höchstens zwei Stunden erlauben;

I'll ~ it das werde ich schon schaffen; ***he ~d it very well*** er hat das sehr gut gemacht; ***can you ~ the cases?*** kannst du die Koffer (allein) tragen?; ***thanks, I can ~ them*** danke, das geht schon; ***she can't ~ the stairs*** sie schafft die Treppe nicht; ***can you ~ two more in the car?*** kriegst du noch zwei Leute in dein Auto? (*infml*); ***can you ~ 8 o'clock?*** 8 Uhr, ginge *or* geht das?; ***can you ~ another cup?*** darfs noch eine Tasse sein?; ***I could ~ another piece of cake*** ich könnte noch ein Stück Kuchen vertragen; ***she ~d a weak smile*** sie brachte ein schwaches Lächeln über sich (*acc*); ***to ~ to do sth*** es schaffen, etw zu tun; ***we have ~d to reduce our costs*** es ist uns gelungen, die Kosten zu senken; ***he ~d to control himself*** es gelang ihm, sich zu beherrschen **II** *v/i* zurechtkommen; ***can you ~?*** geht es?; ***thanks, I can ~*** danke, es geht schon; ***how do you ~?*** wie schaffen Sie das bloß?; ***to ~ without sth*** ohne etw auskommen; ***I can ~ by myself*** ich komme (schon) allein zurecht; ***how do you ~ on £100 a week?*** wie kommen Sie mit £100 pro Woche aus? **manageable** *adj amount*, *task* zu bewältigen; *hair* leicht frisierbar; *number* überschaubar; ***the situation is ~*** die Situation lässt sich in den Griff bekommen; ***pieces of a more ~ size*** Stücke, die leichter zu handhaben sind

management *n* **1.** (≈ *act*) Leitung *f*; (*of money*) Verwaltung *f*; (*of affairs*) Regelung *f*; ***time ~*** Zeitmanagement *nt* **2.** (≈ *persons*) Unternehmensleitung *f*; (*of single unit or small factory*) Betriebsleitung *f*; (*non-commercial*) Leitung *f*; **"under new ~"** „neuer Inhaber"; (*shop*) „neu eröffnet" **management consultant** *n* Unternehmensberater(in) *m(f)* **management team** *n* Führungsriege *f*

manager *n* COMM *etc* Geschäftsführer(in) *m(f)*; (*of small firm*) Betriebsleiter(in) *m(f)*; (*of bank*, *chain store*) Filialleiter(in) *m(f)*; (*of department*) Abteilungsleiter(in) *m(f)*; (*of hotel*) Direktor(in) *m(f)*; (*of pop group etc*) Manager(in) *m(f)*; (*of football team etc*) Trainer(in) *m(f)*; **sales ~** Verkaufsleiter(in) *m(f)* **manageress** *n* COMM *etc* Geschäftsführerin *f*; (*of chain store*) Filialleiterin *f*; (*of hotel*) Direktorin *f* **managerial** *adj* geschäftlich; (≈ *executive*) Management-; *staff* leitend; ***at ~ level*** auf der Führungsebene; ***proven ~ skills*** nachgewiesene Leitungsfähigkeit *f* **managing director** *n* Geschäftsführer(in) *m(f)*

mandarin *n* **1.** (≈ *official*) hoher Funktionär **2.** LING ***Mandarin*** Hochchinesisch *nt* **3.** (≈ *fruit*) Mandarine *f*

mandate *n* Auftrag *m*; POL Mandat *nt*

mandatory *adj* **1.** obligatorisch **2.** JUR *sentence etc* vorgeschrieben

mandolin(e) *n* Mandoline *f*

mane *n* Mähne *f*

man-eating *adj* menschenfressend

maneuver *n*, *v/t & v/i* (*US*) = ***manoeuvre***

manfully *adv* mutig

manger *n* Krippe *f*

mangetout *n* (*Br*: *a.* **mangetout pea**) Zuckererbse *f*

mangle *v/t* (*a.* **mangle up**) (übel) zurichten

mango *n* **1.** (≈ *fruit*) Mango *f* **2.** (≈ *tree*) Mangobaum *m*

mangy *adj* (+*er*) *dog* räudig

manhandle *v/t* **1.** *person* grob behandeln; ***he was ~d into the back of the van*** er wurde recht unsanft in den Laderaum des Wagens verfrachtet **2.** *piano etc* hieven **manhole** *n* Kanalschacht *m* **manhood** *n* **1.** (≈ *state*) Mannesalter *nt* **2.** (≈ *manliness*) Männlichkeit *f* **man-hour** *n* Arbeitsstunde *f*

mania *n* Manie *f*; ***he has a ~ for collecting things*** er hat einen Sammeltick (*infml*) **maniac** *n* **1.** Wahnsinnige(r) *m/f(m)* **2.** (*fig*) ***sports ~s*** Sportfanatiker *pl*; ***you ~*** du bist ja wahnsinnig!

manic *adj* **1.** *activity* fieberhaft; *person* rasend **2.** PSYCH manisch **manic-depressive I** *adj* manisch-depressiv **II** *n* Manisch-Depressive(r) *m/f(m)*

manicure I *n* Maniküre *f*; ***to have a ~*** sich (*dat*) (die Hände) maniküren lassen **II** *v/t* maniküren **manicured** *adj nails* manikürt; *lawn* gepflegt

manifest I *adj* offenbar **II** *v/t* bekunden **III** *v/r* sich zeigen; SCI, PSYCH *etc* sich manifestieren **manifestation** *n* Anzeichen *nt* **manifestly** *adv* offensichtlich **manifesto** *n*, *pl* **-(e)s** Manifest *nt*

manifold *adj* vielfältig

manila, manilla *n* ***~ envelopes*** braune Umschläge

manipulate *v/t* **1.** manipulieren; ***to ~ sb into doing sth*** jdn so manipulieren, dass er/sie etw tut **2.** *machine etc* handhaben **manipulation** *n* Manipulation *f* **manipulative** *adj* (*pej*) manipulativ; ***he was very ~*** er konnte andere sehr gut manipulieren

mankind *n* die Menschheit **manly** *adj* (*+er*) männlich **man-made** *adj* **1.** (≈ *artificial*) künstlich; ***~ fibres*** (*Br*) *or* ***fibers*** (*US*) Kunstfasern *pl* **2.** *disaster* vom Menschen verursacht **manned** *adj satellite etc* bemannt

manner *n* **1.** Art *f*; ***in this ~*** auf diese Art und Weise; ***in the Spanish ~*** im spanischen Stil; ***in such a ~ that ...*** so ..., dass ...; ***in a ~ of speaking*** sozusagen; ***all ~ of birds*** die verschiedensten Arten von Vögeln; ***we saw all ~ of interesting things*** wir sahen so manches Interessante **2. manners** *pl* (*good etc*) Benehmen *nt*; ***it's bad ~s to ...*** es gehört sich nicht, zu ...; ***he has no ~s*** er kann sich nicht benehmen **mannerism** *n* (*in behaviour*) Eigenheit *f*

mannish *adj* männlich wirkend

manoeuvrable, (*US*) **maneuverable** *adj* manövrierfähig; ***easily ~*** leicht zu manövrieren **manoeuvre**, (*US*) **maneuver** **I** *n* **1. manoeuvres** *pl* MIL Manöver *nt or pl* **2.** (≈ *plan*) Manöver *nt* **II** *v/t & v/i* manövrieren; ***to ~ a gun into position*** ein Geschütz in Stellung bringen; ***to ~ for position*** sich in eine günstige Position manövrieren; ***room to ~*** Spielraum *m*

manor *n* (Land)gut *nt* **manor house** *n* Herrenhaus *nt*

manpower *n* Leistungspotenzial *nt*; MIL Stärke *f* **manservant** *n*, *pl* ***menservants*** Diener *m*

mansion *n* Villa *f*; (*of ancient family*) Herrenhaus *nt*

manslaughter *n* Totschlag *m*

mantelpiece *n* Kaminsims *nt or m*

man-to-man *adj*, *adv* von Mann zu Mann

manual **I** *adj* manuell; *labour* körperlich; ***~ labourer*** (*Br*) *or* ***laborer*** (*US*) Schwerarbeiter(in) *m(f)*; ***~ worker*** Handarbeiter(in) *m(f)* **II** *n* (≈ *book*) Handbuch *nt* **manual gearbox** *n* (*Br*) Schaltgetriebe *nt* **manually** *adv* manuell; ***~ operated*** handbetrieben **manual transmission** *n* Schaltgetriebe *nt*

manufacture **I** *n* Herstellung *f* **II** *v/t* (*lit*) herstellen; ***~d goods*** Industriegüter *pl* **manufacturer** *n* Hersteller *m* **manufacturing** **I** *adj* Herstellungs-; *industry* verarbeitend; ***~ company*** Herstellerfirma *f* **II** *n* Herstellung *f*

manure *n* Mist *m*; (*esp artificial*) Dünger *m*

manuscript *n* Manuskript *nt*

Manx *adj* der Insel Man

many *adj*, *pron* viele; ***she has ~*** sie hat viele (davon); ***as ~ again*** noch einmal so viele; ***there's one too ~*** einer ist zu viel; ***he's had one too ~*** (*infml*) er hat einen zu viel getrunken (*infml*); ***a good/great ~ houses*** eine (ganze) Anzahl Häuser; ***~ a time*** so manches Mal **many-coloured**, (*US*) **many-colored** *adj* vielfarbig **many-sided** *adj* vielseitig

map *n* (Land)karte *f*; (*of town*) Stadtplan *m*; ***this will put Cheam on the ~*** (*fig*) das wird Cheam zu einem Namen verhelfen ◆ **map out** *v/t sep* (*fig* ≈ *plan*) entwerfen

maple *n* Ahorn *m* **maple syrup** *n* Ahornsirup *m*

Mar *abbr of* **March** Mrz.

mar *v/t* verderben; *beauty* mindern

marathon **I** *n* (*lit*) Marathon(lauf) *m*; ***~ runner*** Marathonläufer(in) *m(f)* **II** *adj* Marathon-

marauder *n* Plünderer *m*, Plünderin *f*

marble **I** *n* **1.** Marmor *m* **2.** (≈ *glass ball*) Murmel *f*; ***he's lost his ~s*** (*infml*) er hat nicht mehr alle Tassen im Schrank (*infml*) **II** *adj* Marmor- **marbled** *adj* marmoriert; ***~ effect*** Marmoreffekt *m*

March *n* März *m*; → ***September***

march **I** *n* **1.** MIL, MUS Marsch *m*; (≈ *demonstration*) Demonstration *f* **2.** (*of time*) Lauf *m* **II** *v/t & v/i* marschieren; ***to ~ sb off*** jdn abführen; ***forward ~!*** vorwärts(, marsch)!; ***quick ~!*** im Laufschritt, marsch!; ***she ~ed straight up to him*** sie marschierte schnurstracks auf ihn zu **marcher** *n* (*in demo*) Demonstrant(in) *m(f)* **marching orders** *pl* (*Br*) ***the new manager got his ~*** der neue Manager ist gegangen worden (*infml*); ***she gave him his ~*** sie hat ihm den Laufpass gegeben

marchioness *n* Marquise *f*

Mardi Gras *n* Karneval *m*

mare *n* Stute *f*

margarine, marge (*infml*) *n* Margarine *f*

margin *n* **1.** (*on page*) Rand *m*; ***a note (written) in the ~*** eine Randbemerkung **2.** (≈ *extra amount*) Spielraum *m*; ***to allow for a ~ of error*** etwaige Fehler mit einkalkulieren; ***by a narrow ~*** knapp

3. (COMM: *a.* **profit margin**) Gewinnspanne *f* **marginal** *adj* **1.** *difference* geringfügig **2.** SOCIOL *groups* randständig **3.** (*Br* PARL) *seat* mit knapper Mehrheit **marginalize** *v/t* marginalisieren (*elev*) **marginally** *adv* geringfügig; *faster etc* etwas

marigold *n* Tagetes *f*

marihuana, marijuana *n* Marihuana *nt*

marina *n* Jachthafen *m*

marinade *n* Marinade *f* **marinate** *v/t* marinieren

marine I *adj* Meeres- **II** *n* Marineinfanterist(in) *m(f)*; ***the ~s*** die Marinetruppen *pl* **mariner** *n* Seemann *m*

marionette *n* Marionette *f*

marital *adj* ehelich **marital status** *n* Familienstand *m*

maritime *adj* See-; ***~ regions*** Küstenregionen *pl*

marjoram *n* Majoran *m*

mark[1] *n* (HIST ≈ *currency*) Mark *f*

mark[2] I *n* **1.** (≈ *stain*) Fleck *m*; (≈ *scratch*) Kratzer *m*; (*on skin*) Mal *nt*; ***to make a ~ on sth*** einen Fleck / Kratzer auf etw (*acc*) machen; ***dirty ~s*** Schmutzflecken *pl* **2.** (*in exam*) Note *f*; ***high** or **good ~s*** gute Noten *pl*; ***there are no ~s for guessing*** (*fig*) das ist ja wohl nicht schwer zu erraten; ***he gets full ~s for punctuality*** (*fig*) in Pünktlichkeit verdient er eine Eins **3.** (≈ *sign*) Zeichen *nt*; ***the ~s of genius*** geniale Züge **4.** ***the temperature reached the 35° ~*** die Temperatur stieg bis auf 35° an **5.** ***Cooper Mark II*** Cooper, II **6.** ***to be quick off the ~*** SPORTS einen guten Start haben; (*fig*) blitzschnell handeln; ***to be slow off the ~*** SPORTS einen schlechten Start haben; (*fig*) nicht schnell genug reagieren; ***to be up to the ~*** den Anforderungen entsprechen; ***to leave one's ~ (on sth)*** seine Spuren (an etw *dat*) hinterlassen; ***to make one's ~*** sich (*dat*) einen Namen machen; ***on your ~s!*** auf die Plätze!; ***to be wide of the ~*** (*fig*) danebentippen; ***to hit the ~*** ins Schwarze treffen **II** *v/t* **1.** (*adversely*) beschädigen; (≈ *stain*) schmutzig machen; (≈ *scratch*) zerkratzen **2.** (*for recognition*) markieren; ***the bottle was ~ed "poison"*** die Flasche trug die Aufschrift „Gift"; ***~ where you have stopped in your reading*** mach dir ein Zeichen, bis wohin du gelesen hast; ***to ~ sth with an asterisk*** etw mit einem Sternchen versehen; ***the teacher ~ed him absent*** der Lehrer trug ihn als fehlend ein; ***it's not ~ed on the map*** es ist nicht auf der Karte eingezeichnet; ***it's ~ed with a blue dot*** es ist mit einem blauen Punkt gekennzeichnet **3.** (≈ *characterize*) kennzeichnen; ***a decade ~ed by violence*** ein Jahrzehnt, das im Zeichen der Gewalt stand; ***to ~ a change of policy*** auf einen politischen Kurswechsel hindeuten; ***it ~ed the end of an era*** damit ging eine Ära zu Ende **4.** *exam* korrigieren (und benoten); ***to ~ sth wrong*** etw anstreichen **5.** ***~ my words*** das kann ich dir sagen **6.** SPORTS *opponent* decken ◆ **mark down** *v/t sep price* heruntersetzen ◆ **mark off** *v/t sep* kennzeichnen; *danger area etc* absperren ◆ **mark out** *v/t sep* **1.** *tennis court etc* abstecken **2.** (≈ *note*) bestimmen (*for* für); ***he's been marked out for promotion*** er ist zur Beförderung vorgesehen ◆ **mark up** *v/t sep price* erhöhen

marked *adj* **1.** *contrast* deutlich; *improvement* spürbar; ***in ~ contrast (to sb/sth)*** in scharfem Gegensatz (zu jdm / etw) **2.** ***he's a ~ man*** er steht auf der schwarzen Liste **markedly** *adv improve* merklich; *quicker, more* wesentlich **marker** *n* **1.** Marke *f* **2.** (*for exams*) Korrektor(in) *m(f)* **3.** FTBL Beschatter(in) *m(f)* **4.** (≈ *pen*) Markierstift *m*

market I *n* **1.** Markt *m*; ***at the ~*** auf dem Markt; ***to go to ~*** auf den Markt gehen; ***to be in the ~ for sth*** an etw (*dat*) interessiert sein; ***to be on the ~*** auf dem Markt sein; ***to come on(to) the ~*** auf den Markt kommen; ***to put on the ~*** *house* zum Verkauf anbieten **2.** (≈ *stock market*) Börse *f* **II** *v/t* vertreiben; ***to ~ a product*** ein Produkt auf den Markt bringen **marketable** *adj* marktfähig **market day** *n* Markttag *m* **market economy** *n* Marktwirtschaft *f* **market forces** *pl* Marktkräfte *pl* **market garden** *n* Gemüseanbaubetrieb *m* **marketing** *n* Marketing *nt* **market leader** *n* Marktführer *m* **marketplace** *n* **1.** Marktplatz *m* **2.** (≈ *world of trade*) Markt *m* **market price** *n* Marktpreis *m*; ***at ~s*** zu Marktpreisen **market research** *n* Marktforschung *f* **market sector** *n* Marktsegment *nt or* -sektor *m* **market share** *n* Marktanteil *m* **market town** *n* Marktstädtchen *nt* **market trader** *n* (*Br*) Markthändler(in) *m(f)* **market value** *n* Marktwert *m*

marking *n* **1.** Markierung *f*; (*on animal*) Zeichnung *f* **2.** (≈ *correcting*) Korrektur *f*; (≈ *grading*) Benotung *f* **3.** SPORTS Deckung *f*

marksman *n, pl* ***-men*** Schütze *m*; (*police etc*) Scharfschütze *m*

mark-up *n* Handelsspanne *f*; (≈ *amount added*) Preisaufschlag *m*; ***~ price*** Verkaufspreis *m*

marmalade *n* Marmelade *f* aus Zitrusfrüchten; **(*orange*) ~** Orangenmarmelade *f*

maroon[1] *adj* kastanienbraun

maroon[2] *v/t* ***~ed*** von der Außenwelt abgeschnitten; ***~ed by floods*** vom Hochwasser eingeschlossen

marquee *n* Festzelt *nt*

marquess, marquis *n* Marquis *m*

marriage *n* (*state*) Ehe *f*; (≈ *wedding*) Hochzeit *f*; (≈ *marriage ceremony*) Trauung *f*; ***~ of convenience*** Vernunftehe *f*; ***to be related by ~*** miteinander verschwägert sein; ***an offer of ~*** ein Heiratsantrag *m* **marriage ceremony** *n* Trauzeremonie *f* **marriage certificate** *n* Heiratsurkunde *f* **marriage guidance counsellor,** (*US*) **marriage guidance counselor** *n* Eheberater(in) *m(f)* **marriage licence,** (*US*) **marriage license** *n* Eheerlaubnis *f* **marriage vow** *n* Ehegelübde *nt*

married *adj* verheiratet (*to sb* mit jdm); ***just*** *or* ***newly ~*** frisch vermählt; ***~ couple*** Ehepaar *nt*; ***~ couple's allowance*** Steuerfreibetrag *m* für Verheiratete; ***~ life*** das Eheleben; ***he is a ~ man*** er ist verheiratet **married name** *n* Ehename *m*

marrow *n* **1.** ANAT (Knochen)mark *nt*; ***to be frozen to the ~*** völlig durchgefroren sein **2.** (*Br* BOT) Gartenkürbis *m* **marrowbone** *n* Markknochen *m*

marry I *v/t* **1.** (≈ *get married to*) heiraten; ***will you ~ me?*** willst du mich heiraten? **2.** (*priest*) trauen **II** *v/i* (*a.* **get married**) heiraten; ***to ~ into a rich family*** in eine reiche Familie einheiraten ◆ **marry off** *v/t sep* an den Mann/die Frau bringen (*infml*); ***he has married off his daughter to a rich young lawyer*** er hat dafür gesorgt, dass seine Tochter einen reichen jungen Anwalt heiratet

Mars *n* Mars *m*

marsh *n* Sumpf *m*

marshal I *n* (*at demo etc*) Ordner(in) *m(f)* **II** *v/t* (≈ *lead*) geleiten, führen

marshland *n* Marschland *nt* **marshmallow** *n* (≈ *sweet*) Marshmallow *nt* **marshy** *adj* (+*er*) sumpfig

marsupial *n* Beuteltier *nt*

martial *adj music* kriegerisch **martial art** *n* ***the ~s*** die Kampfkunst **martial law** *n* Kriegsrecht *nt*

Martian *n* Marsmensch *m*

martyr I *n* Märtyrer(in) *m(f)* **II** *v/t* ***thousands of Christians were ~ed*** Tausende von Christen starben den Märtyrertod **martyrdom** *n* (≈ *suffering*) Martyrium *nt*; (≈ *death*) Märtyrertod *m*

marvel I *n* Wunder *nt*; ***it's a ~ to me how he does it*** (*infml*) es ist mir einfach unerklärlich, wie er das macht **II** *v/i* staunen (*at* über +*acc*) **marvellous,** (*US*) **marvelous** *adj* wunderbar; ***isn't it ~?*** ist das nicht herrlich?; ***they've done a ~ job*** das haben sie hervorragend gemacht **marvellously,** (*US*) **marvelously** *adv* (*with adj*) herrlich; (*with vb*) großartig

Marxism *n* der Marxismus **Marxist I** *adj* marxistisch **II** *n* Marxist(in) *m(f)*

marzipan *n* Marzipan *nt or m*

mascara *n* Wimperntusche *f*

mascot *n* Maskottchen *nt*

masculine I *adj* männlich; *woman* maskulin; GRAM maskulin **II** *n* GRAM Maskulinum *nt* **masculinity** *n* Männlichkeit *f*

mash I *n* Brei *m*; (≈ *potatoes*) Püree *nt* **II** *v/t* zerstampfen **mashed** *adj* ***~ potatoes*** Kartoffelbrei *m*, Kartoffelstock *m* (*Swiss*), Erdäpfelpüree *nt* (*Aus*) **masher** *n* (*for potatoes*) Kartoffelstampfer *m*

mask I *n* Maske *f*; ***surgeon's ~*** Mundschutz *m* **II** *v/t* maskieren **masked** *adj* maskiert **masked ball** *n* Maskenball *m*

masochism *n* Masochismus *m* **masochist** *n* Masochist(in) *m(f)* **masochistic** *adj* masochistisch

mason *n* **1.** Steinmetz(in) *m(f)* **2.** (≈ *freemason*) Freimaurer *m* **masonic** *adj* Freimaurer- **masonry** *n* Mauerwerk *nt*

masquerade I *n* Maskerade *f* **II** *v/i* ***to ~ as ...*** (*fig*) sich ausgeben als ...

mass[1] *n* ECCL Messe *f*; ***to go to ~*** zur Messe gehen

mass[2] **I** *n* **1.** Masse *f*; (*of people*) Menge *f*; ***a ~ of snow*** eine Schneemasse; ***a ~ of rubble*** ein Schutthaufen *m*; ***the ~es*** die Masse(n *pl*); ***the great ~ of the pop-***

ulation die (breite) Masse der Bevölkerung **2. masses** *pl* (*infml*) massenhaft; ***he has ~es of money*** er hat massenhaft Geld; ***the factory is producing ~es of cars*** die Fabrik produziert Unmengen von Autos; ***I've got ~es to do*** ich habe noch massig zu tun (*infml*) **II** *v/i* MIL sich massieren; (*demonstrators etc*) sich versammeln; ***they're ~ing for an attack*** sie sammeln sich zum Angriff

massacre I *n* Massaker *nt* **II** *v/t* massakrieren

massage I *n* Massage *f* **II** *v/t* massieren **massage parlour**, (*US*) **massage parlor** *n* Massagesalon *m*

mass destruction *n* ***weapons of ~*** Massenvernichtungswaffen *pl* **massed** *adj troops* zusammengezogen; *people* dicht gedrängt; ***~ ranks*** dicht gedrängte Reihen

masseur *n* Masseur *m* **masseuse** *n* Masseuse *f*

mass grave *n* Massengrab *nt* **mass hysteria** *n* Massenhysterie *f*

massive *adj* riesig; *task* gewaltig; *attack*, *support*, *heart attack* massiv; ***on a ~ scale*** in riesigem Umfang **massively** *adv* enorm

mass market *n* Massenmarkt *m* **mass media** *pl* Massenmedien *pl* **mass meeting** *n* Massenveranstaltung *f* **mass murderer** *n* Massenmörder(in) *m(f)* **mass-produce** *v/t* in Massenproduktion herstellen **mass production** *n* Massenproduktion *f* **mass protests** *pl* Massenproteste *pl* **mass tourism** *n* Massentourismus *m* **mass unemployment** *n* Massenarbeitslosigkeit *f*

mast *n* NAUT Mast(baum) *m*; RADIO *etc* Sendeturm *m*

mastectomy *n* Brustamputation *f*

master I *n* **1.** (*of house etc*) Herr *m*; ***to be ~ of the situation*** Herr *m* der Lage sein **2.** NAUT Kapitän *m* **3.** (≈ *musician etc*) Meister(in) *m(f)* **4.** (≈ *teacher*) Lehrer *m* **II** *v/t* meistern; *emotions* unter Kontrolle bringen; *technique* beherrschen **master bedroom** *n* großes Schlafzimmer **master copy** *n* Original *nt* **master craftsman** *n* Handwerksmeister *m* **master disk** *n* Hauptplatte *f* **master file** *n* IT Stammdatei *f* **masterful** *adj* gebieterisch **master key** *n* Generalschlüssel *m* **masterly** *adj* meisterhaft **mastermind I** *n* (führender) Kopf **II** *v/t* ***who ~ed the robbery?*** wer steckt hinter dem Raubüberfall? **Master of Arts/Science** *n* ≈ Magister *m* (der philosophischen/naturwissenschaftlichen Fakultät) **master of ceremonies** *n* (*at function*) Zeremonienmeister(in) *m(f)*; (*on stage*) Conférencier *m* **masterpiece** *n* Meisterwerk *nt* **master plan** *n* Gesamtplan *m* **masterstroke** *n* Meisterstück *nt* **master tape** *n* Originalband *nt*; IT Stammband *nt* **masterwork** *n* Meisterwerk *nt* **mastery** *n* (*of language etc*) Beherrschung *f*; (≈ *skill*) Können *nt*

masturbate *v/i* masturbieren **masturbation** *n* Masturbation *f*

mat *n* Matte *f*; (≈ *door mat*) Fußmatte *f*; (*on table*) Untersetzer *m*

match[1] *n* Streichholz *nt*

match[2] **I** *n* **1.** ***to be*** *or* ***make a good ~*** gut zusammenpassen; ***I want a ~ for this yellow paint*** ich möchte Farbe in diesem Gelbton; ***to be a/no ~ for sb*** jdm gewachsen/nicht gewachsen sein; ***to meet one's ~*** seinen Meister finden **2.** (≈ *marriage*) ***she made a good ~*** sie hat eine gute Partie gemacht **3.** SPORTS Wettkampf *m*; (≈ *team game*) Spiel *nt*, Match *nt* (*esp Aus*); TENNIS Match *nt*; BOXING Kampf *m*; ***athletics ~*** Leichtathletikkampf *m*; ***we must have another ~ some time*** wir müssen wieder einmal gegeneinander spielen **II** *v/t* **1.** (≈ *pair off*) (einander) anpassen **2.** (≈ *equal*) gleichkommen (*+dat*) (*in* an *+dat*); ***a quality that has never been ~ed since*** eine Qualität, die bislang unerreicht ist **3.** (≈ *correspond to*) entsprechen (*+dat*) **4.** (*clothes*, *colours*) passen zu; ***to ~ textures and fabrics so that ...*** Strukturen und Stoffe so aufeinander abstimmen, dass ... **5.** ***to be ~ed against sb*** gegen jdn antreten; ***to ~ one's strength against sb*** seine Kräfte mit jdm messen **III** *v/i* zusammenpassen; ***with a skirt to ~*** mit (dazu) passendem Rock ◆ **match up I** *v/i* zusammenpassen **II** *v/t sep colours* aufeinander abstimmen; ***I matched the lampshade up with the wallpaper*** ich fand den passenden Lampenschirm zu der Tapete

matchbook *n* (*esp US*) Streichholzheftchen *nt* **matchbox** *n* Streichholzschachtel *f*

matched *adj* zusammenpassend; ***they're well ~*** (*couple*) die beiden passen gut zusammen; ***the boxers were well ~*** die Boxer waren einander ebenbürtig **matching** *adj* (dazu) passend; ***they form a ~ pair*** sie passen zusammen; ***a ~ set of wine glasses*** ein Satz *m* Weingläser **matchmaker** *n* Ehestifter(in) *m(f)*, Kuppler(in) *m(f)* (*pej*)

match point *n* TENNIS Matchball *m*

matchstick *n* Streichholz *nt*

mate I *n* **1.** (≈ *helper*) Gehilfe *m*, Gehilfin *f* **2.** NAUT Maat *m* **3.** (*of animal*) (*male*) Männchen *nt*; (*female*) Weibchen *nt*; ***his ~*** das Weibchen **4.** (*infml* ≈ *friend*) Freund(in) *m(f)*; ***listen, ~*** hör mal, Freundchen! (*infml*) **II** *v/i* ZOOL sich paaren

material I *adj* **1.** materiell; ***~ damage*** Sachschaden *m* **2.** *esp* JUR *witness* wesentlich **II** *n* (*a.* **materials**) *pl* Material *nt*; (*for report etc* ≈ *cloth*) Stoff *m*; ***raw ~s*** Rohstoffe *pl*; ***writing ~s*** Schreibzeug *nt* **materialism** *n* Materialismus *m* **materialistic** *adj* materialistisch **materialize** *v/i* sich verwirklichen; ***the meeting never ~d*** das Treffen kam nie zustande; ***the money never ~d*** von dem Geld habe ich *etc* nie etwas gesehen

maternal *adj* mütterlich; ***~ grandfather*** Großvater mütterlicherseits; ***~ affection*** *or* ***love*** Mutterliebe *f* **maternity allowance, maternity benefit** *n* (*Br*) Mutterschaftshilfe *f* **maternity dress** *n* Umstandskleid *nt* **maternity leave** *n* Mutterschaftsurlaub *m* **maternity pay** *n* (*Br*) Mutterschaftsgeld *nt* (*als Lohnfortzahlung*) **maternity rights** *pl* Anspruchsberechtigung *f* von Müttern **maternity ward** *n* Entbindungsstation *f*

math *n* (*US infml*) Mathe *f* (*infml*) **mathematical** *adj* mathematisch **mathematician** *n* Mathematiker(in) *m(f)*

mathematics *n sg* Mathematik *f* **maths** *n sg* (*Br infml*) Mathe *f* (*infml*)

matinée *n* Matinee *f*; (*in the afternoon*) Frühvorstellung *f*

mating *n* Paarung *f* **mating call** *n* Lockruf *m* **mating season** *n* Paarungszeit *f*

matriarch *n* Matriarchin *f* **matriarchal** *adj* matriarchalisch **matriarchy** *n* Matriarchat *nt*

matriculate *v/i* sich immatrikulieren **matriculation** *n* Immatrikulation *f*

matrimonial *adj* ehelich **matrimony** *n* (*form*) Ehe *f*

matron *n* (*in hospital*) Oberin *f*; (*in school*) Schwester *f* **matronly** *adj* matronenhaft

matt *adj* matt; ***a paint with a ~ finish*** ein Mattlack *m*

matted *adj* verfilzt; ***hair ~ with blood/mud*** mit Blut/Schlamm verkrustetes Haar

matter I *n* **1.** (≈ *substance*) die Materie **2.** (*particular kind*) Stoff *m*; ***vegetable ~*** pflanzliche Stoffe *pl* **3.** (≈ *question*) Sache *f*; (≈ *topic*) Thema *nt*; ***a ~ of great urgency*** eine äußerst dringende Angelegenheit; ***there's the ~ of my expenses*** da ist (noch) die Sache mit meinen Ausgaben; ***that's quite another ~*** das ist etwas (ganz) anderes; ***it will be no easy ~ (to) ...*** es wird nicht einfach sein, zu ...; ***the ~ is closed*** der Fall ist erledigt; ***for that ~*** eigentlich; ***it's a ~ of time*** das ist eine Frage der Zeit; ***it's a ~ of opinion*** das ist Ansichtssache; ***it's a ~ of adjusting this part exactly*** es geht darum, dieses Teil genau einzustellen; ***it's a ~ of life and death*** es geht um Leben und Tod; ***it will be a ~ of a few weeks*** es wird ein paar Wochen dauern; ***in a ~ of minutes*** innerhalb von Minuten; ***it's not just a ~ of increasing the money supply*** es ist nicht damit getan, die Geldzufuhr zu erhöhen; ***as a ~ of course*** selbstverständlich; ***no ~!*** macht nichts; ***no ~ how*** *etc* ***...*** egal, wie *etc* ...; ***no ~ how you do it*** wie du es auch machst; ***no ~ how hard he tried*** so sehr er sich auch anstrengte; ***sth is the ~ with sb/sth*** etw ist mit jdm/etw los; (*ill*) etw fehlt jdm; ***what's the ~?*** was ist (denn) los?; ***what's the ~ with you this morning? — nothing's the ~*** was hast du denn heute Morgen? — gar nichts; ***something's the ~ with the lights*** mit dem Licht ist irgendetwas nicht in Ordnung **4. matters** *pl* Angelegenheiten *pl*; ***to make ~s worse*** zu allem Unglück (noch) **II** *v/i* ***it doesn't ~*** macht nichts; ***I forgot it, does it ~? — yes, it does ~*** ich habs vergessen, ist das schlimm? — ja, das ist schlimm; ***why should it ~ to me?*** warum sollte mir das etwas ausmachen?; ***it doesn't ~ to me what you do*** es ist mir (ganz) egal, was du machst; ***the things which ~ in life*** was im Leben wichtig ist **matter-of-fact** *adj* sachlich; ***he was very ~ about it*** er blieb sehr sachlich

matting *n* Matten *pl*
mattress *n* Matratze *f*
mature I *adj (+er)* reif; *wine* ausgereift **II** *v/i* **1.** (*person*) reifer werden **2.** (*wine, cheese*) reifen **3.** COMM fällig werden **maturely** *adv behave* vernünftig **mature student** *n* Spätstudierende(r) *m/f(m)*
maturity *n* **1.** Reife *f*; ***to reach ~*** (*person*) erwachsen werden; (*legally*) volljährig werden **2.** COMM Fälligkeit *f*
maudlin *adj* sentimental
maul *v/t* übel zurichten
mausoleum *n* Mausoleum *nt*
mauve I *adj* mauve **II** *n* Mauvein *nt*
maverick *n* Einzelgänger(in) *m(f)*
mawkish *adj* sentimental
max *n abbr of* ***maximum*** max.
maxim *n* Maxime *f*
maximize *v/t* maximieren **maximum I** *adj attr* Höchst-; *length* maximal; ***~ penalty*** Höchststrafe *f*; ***~ fine*** maximale Geldstrafe; ***for ~ effect*** um die größte Wirkung zu erzielen; ***he scored ~ points*** er hat die höchste Punktzahl erreicht; ***~ security prison*** Hochsicherheitsgefängnis *nt* **II** *n, pl* ***-s*** *or* ***maxima*** Maximum *nt*; ***up to a ~ of £8*** bis zu maximal £8; ***temperatures reached a ~ of 34°*** die Höchsttemperatur betrug 34° **III** *adv* (≈ *at the most*) maximal; ***drink two cups of coffee a day ~*** trinken Sie maximal zwei Tassen Kaffee pro Tag
May *n* Mai *m*
may *v/i, pret* ***might***; → ***might***[1] **1.** (*possibility: a.* **might**) können; ***it ~ rain*** es könnte regnen; ***it ~ be that ...*** es könnte sein, dass ...; ***although it ~ have been useful*** obwohl es hätte nützlich sein können; ***he ~ not be hungry*** vielleicht hat er keinen Hunger; ***they ~ be brothers*** es könnte sein, dass sie Brüder sind; ***that's as ~ be*** (*not might*) das mag ja sein(, aber ...); ***you ~ well ask*** das kann man wohl fragen **2.** (*permission*) dürfen; ***~ I go now?*** darf ich jetzt gehen? **3.** ***I had hoped he might succeed this time*** ich hatte gehofft, es würde ihm diesmal gelingen; ***we ~*** *or* ***might as well go*** ich glaube, wir können (ruhig) gehen; ***~ you be very happy together*** ich wünsche euch, dass ihr sehr glücklich miteinander werdet; ***~ the Lord have mercy on your soul*** der Herr sei deiner Seele gnädig; ***who ~*** *or* ***might you be?*** und wer sind Sie?
maybe *adv* vielleicht; ***that's as ~*** kann schon sein; ***~, ~ not*** vielleicht, vielleicht auch nicht
May Day *n* der 1. Mai **Mayday** *n* Maydaysignal *nt*; (*said*) Mayday
mayhem *n* Chaos *nt*
mayo *n* (*US infml*) Majo *f* (*infml*) **mayonnaise** *n* Mayonnaise *f*
mayor *n* Bürgermeister(in) *m(f)* **mayoress** *n* Frau *f* Bürgermeister; (≈ *lady mayor*) Bürgermeisterin *f*
maypole *n* Maibaum *m*
maze *n* Irrgarten *m*; (≈ *puzzle*) Labyrinth *nt*; (*fig*) Gewirr *nt*
MB[1] *abbr of* ***Bachelor of Medicine***
MB[2] *abbr of* ***megabyte*** MB, Mbyte
MBA *abbr of* ***Master of Business Administration***; ***he's doing an ~*** er studiert Betriebswirtschaft
MBE *abbr of* ***Member of the Order of the British Empire*** *britischer Verdienstorden*
MC *abbr of* ***Master of Ceremonies***
MD 1. *abbr of* ***Doctor of Medicine*** Dr. med. **2.** *abbr of* ***managing director***
me *pron* **1.** (*dir obj, with prep +acc*) mich; (*indir obj, with prep +dat*) mir; ***he's older than me*** er ist älter als ich **2.** (*emph*) ich; ***it's me*** ich bins
meadow *n* Wiese *f*; ***in the ~*** auf der Wiese
meagre, (*US*) **meager** *adj* spärlich; *amount* kläglich; ***he earns a ~ £500 a month*** er verdient magere £500 im Monat
meal[1] *n* Schrot(mehl *nt*) *m*
meal[2] *n* Mahlzeit *f*; (≈ *food*) Essen *nt*; ***come round for a ~*** komm zum Essen (zu uns); ***to go for a ~*** essen gehen; ***to have a (good) ~*** (gut) essen; ***to make a ~ of sth*** (*infml*) etw auf sehr umständliche Art machen **mealtime** *n* Essenszeit *f*; ***at ~s*** während des Essens
mean[1] *adj (+er)* **1.** (*esp Br* ≈ *miserly*) geizig; ***you ~ thing!*** du Geizhals! **2.** (≈ *unkind*) gemein; ***you ~ thing!*** du Miststück! (*infml*) **3.** *birth* niedrig **4.** (≈ *vicious*) bösartig **5.** ***he is no ~ player*** er ist ein beachtlicher Spieler; ***he plays a ~ game of poker*** er ist ein ausgefuchster Pokerspieler (*infml*); ***that's no ~ feat*** diese Aufgabe ist nicht zu unterschätzen
mean[2] *n* MAT Mittelwert *m*
mean[3] *pret, past part* ***meant*** *v/t* **1.** bedeuten; (*person* ≈ *refer to*) meinen; ***what do***

you ~ by that? was willst du damit sagen?; ***the name ~s nothing to me*** der Name sagt mir nichts; ***it ~s starting all over again*** das bedeutet, dass wir wieder ganz von vorne anfangen müssen; ***he ~s a lot to me*** er bedeutet mir viel **2.** (≈ *intend*) beabsichtigen; ***to ~ to do sth*** etw tun wollen; (≈ *do on purpose*) etw absichtlich tun; ***to be ~t for sb/sth*** für jdn/etw bestimmt sein; ***sth is ~t to be sth*** etw soll etw sein; ***of course it hurt, I ~t it to*** *or* ***it was ~t to*** natürlich tat das weh, das war Absicht; ***I ~t it as a joke*** das sollte ein Witz sein; ***I was ~t to do that*** ich hätte das tun sollen; ***I thought it was ~t to be hot in the south*** ich dachte immer, dass es im Süden so heiß sei; ***this pad is ~t for drawing*** dieser Block ist zum Zeichnen gedacht; ***he ~s well/no harm*** er meint es gut/nicht böse; ***to ~ sb no harm*** es gut mit jdm meinen; (*physically*) jdm nichts tun wollen; ***I ~t no harm by what I said*** was ich da gesagt habe, war nicht böse gemeint **3.** (≈ *be serious about*) ernst meinen; ***I ~ it!*** das ist mein Ernst!; ***do you ~ to say you're not coming?*** willst du damit sagen, dass du nicht kommst?; ***I ~ what I say*** ich sage das im Ernst

meander *v/i* (*river*) sich (dahin)schlängeln; (*person, walking*) schlendern

meaning *n* Bedeutung *f*; ***what's the ~ of (the word) "hick"?*** was soll das Wort „hick" bedeuten?; ***you don't know the ~ of love*** du weißt ja gar nicht, was Liebe ist; ***what's the ~ of this?*** was hat denn das zu bedeuten? **meaningful** *adj* **1.** *statement* mit Bedeutung; *poem, look* bedeutungsvoll; ***to be ~*** eine Bedeutung haben **2.** (≈ *purposeful*) sinnvoll; *relationship* tiefer gehend **meaningfully** *adv* **1.** *look* bedeutungsvoll; *say, add* vielsagend **2.** *spend one's time, participate, negotiate* sinnvoll **meaningless** *adj* bedeutungslos; ***my life is ~*** mein Leben hat keinen Sinn

meanly *adv behave* gemein **meanness** *n* **1.** (*esp Br* ≈ *miserliness*) Geiz *m* **2.** (≈ *unkindness*) Gemeinheit *f* **3.** (≈ *viciousness*) Bösartigkeit *f*

means *n* **1.** *sg* (≈ *method*) Möglichkeit *f*; (≈ *instrument*) Mittel *nt*; ***a ~ of transport*** ein Beförderungsmittel *nt*; ***a ~ of escape*** eine Fluchtmöglichkeit; ***a ~ to an end*** ein Mittel *nt* zum Zweck; ***there is no ~ of doing it*** es ist unmöglich, das zu tun; ***is there any ~ of doing it?*** ist es irgendwie möglich, das zu tun?; ***we've no ~ of knowing*** wir können nicht wissen; ***by ~ of sth*** durch etw; ***by ~ of doing sth*** dadurch, dass man etw tut **2.** *sg* ***by all ~!*** (aber) selbstverständlich!; ***by no ~*** keineswegs **3.** *pl* (≈ *wherewithal*) Mittel *pl*; ***a man of ~*** ein vermögender Mann; ***to live beyond one's ~*** über seine Verhältnisse leben **means test** *n* Vermögensveranlagung *f*

meant *pret, past part of* **mean**[3]

meantime **I** *adv* inzwischen **II** *n* ***in the ~*** in der Zwischenzeit

meanwhile *adv* inzwischen

measles *n sg* Masern *pl*

measly *adj* (*+er*) (*infml*) mick(e)rig (*infml*)

measurably *adv* deutlich

measure **I** *n* **1.** Maß *nt*; (*fig*) Maßstab *m* (*of* für); ***a ~ of length*** ein Längenmaß *nt*; ***to have sth made to ~*** etw nach Maß anfertigen lassen; ***the furniture has been made to ~*** die Möbel sind Maßarbeit; ***beyond ~*** grenzenlos; ***some ~ of*** ein gewisses Maß an **2.** (≈ *amount measured*) Menge *f*; ***a small ~ of flour*** ein wenig Mehl; ***for good ~*** sicherheitshalber; ***to get the ~ of sb/sth*** jdn/etw (richtig) einschätzen **3.** (≈ *step*) Maßnahme *f*; ***to take ~s to do sth*** Maßnahmen ergreifen, um etw zu tun **II** *v/t* messen; (*fig*) beurteilen **III** *v/i* messen; ***what does it ~?*** wie groß ist es? ◆ **measure out** *v/t sep* abmessen; *weights* abwiegen ◆ **measure up** *v/i* ***he didn't ~*** er hat enttäuscht; ***to ~ to sth*** an etw (*acc*) herankommen

measured *adj tone* bedächtig; *response* maßvoll; ***at a ~ pace*** in gemäßigtem Tempo **measurement** *n* **1.** (≈ *act*) Messung *f* **2.** (≈ *measure*) Maß *nt*; (≈ *figure*) Messwert *m*; (*fig*) Maßstab *m*; ***to take sb's ~s*** an jdm *or* bei jdm Maß nehmen

measuring jug *n* Messbecher *m*

meat *n* Fleisch *nt*; ***assorted cold ~s*** Aufschnitt *m* **meatball** *n* Fleischkloß *m* **meat loaf** *n* ≈ Fleischkäse *m* **meaty** *adj* (*+er*) **1.** mit viel Fleisch; ***~ chunks*** Fleischbrocken *pl* **2.** *hands* fleischig **3.** (*fig*) *role* anspruchsvoll

Mecca *n* Mekka *nt*

mechanic *n* Mechaniker(in) *m*(*f*)

mechanical *adj* mechanisch; *toy* technisch; ***a ~ device*** ein Mechanismus *m*

mechanical engineer *n* Maschinenbauer(in) *m(f)* **mechanical engineering** *n* Maschinenbau *m* **mechanics** *n* **1.** *sg* Mechanik *f* **2.** *pl* (*fig: of writing etc*) Technik *f* **mechanism** *n* Mechanismus *m* **mechanization** *n* Mechanisierung *f* **mechanize** *v/t* mechanisieren
medal *n* Medaille *f*; (≈ *decoration*) Orden *m* **medallion** *n* Medaillon *nt*; (≈ *medal*) Medaille *f* **medallist**, (*US*) **medalist** *n* Medaillengewinner(in) *m(f)*
meddle *v/i* (≈ *interfere*) sich einmischen (*in* in +*acc*); (≈ *tamper*) sich zu schaffen machen (*with* an +*dat*); ***to ~ with sb*** sich mit jdm einlassen **meddlesome** *adj*, **meddling** *adj attr* ***she's a ~ old busybody*** sie mischt sich dauernd in alles ein
media *n pl of* ***medium*** Medien *pl*; ***he works in the ~*** er ist im Mediensektor tätig; ***to get ~ coverage*** Publicity bekommen
mediaeval *adj* = ***medieval***
media event *n* Medienereignis *nt*
median *adj* mittlere(r, s) **median strip** *n* (*US*) Mittelstreifen *m*
media studies *pl* Medienwissenschaft *f*
mediate *v/i* vermitteln *v/t* aushandeln **mediation** *n* Vermittlung *f* **mediator** *n* Vermittler(in) *m(f)*
medic *n* (*infml*) Mediziner(in) *m(f)* (*infml*) **Medicaid** *n* (*US*) *staatliche Krankenversicherung und Gesundheitsfürsorge für Einkommensschwache unter 65 in den USA*
medical I *adj* medizinisch; *treatment, staff* ärztlich; ***the ~ profession*** die Ärzteschaft; ***~ condition*** Erkrankung *f* **II** *n* (ärztliche) Untersuchung **medical assistant** *n* medizinischer Assistent, medizinische Assistentin **medical certificate** *n* ärztliches Attest **medical history** *n* ***her ~*** ihre Krankengeschichte **medical insurance** *n* Krankenversicherung *f* **medical officer** *n* **1.** MIL Stabsarzt *m* **2.** (≈ *official*) Amtsarzt *m* **medical practice** *n* (≈ *business*) Arztpraxis *f*, Ordination *f* (*Aus*) **medical practitioner** *n* Arzt *m*, Ärztin *f* **medical school** *n* ≈ medizinische Fakultät **medical science** *n* die ärztliche Wissenschaft **medical student** *n* Medizinstudent(in) *m(f)* **Medicare** *n* (*US*) *staatliche Krankenversicherung und Gesundheitsfürsorge für ältere Bürger in den USA* **medicated** *adj* medizinisch **medication** *n* Medikamente *pl*
medicinal *adj* Heil-, heilend; ***for ~ purposes*** zu medizinischen Zwecken; ***the ~ properties of various herbs*** die Heilkraft verschiedener Kräuter
medicine *n* **1.** Medizin *f* (*infml*); (≈ *single preparation*) Medikament *nt*; ***to take one's ~*** seine Arznei einnehmen; ***to give sb a taste of his own ~*** (*fig*) es jdm mit gleicher Münze heimzahlen **2.** (≈ *science*) Medizin *f*; ***to practise*** (*Br*) *or* ***practice*** (*US*) ***~*** den Arztberuf ausüben
medieval *adj* mittelalterlich; ***in ~ times*** im Mittelalter
mediocre *adj* mittelmäßig **mediocrity** *n* Mittelmäßigkeit *f*
meditate *v/i* nachdenken (*upon, on* über +*acc*); REL, PHIL meditieren **meditation** *n* Nachdenken *nt*; REL, PHIL Meditation *f*
Mediterranean I *n* Mittelmeer *nt*; ***in the ~*** (≈ *in region*) am Mittelmeer **II** *adj* Mittelmeer-; *character* südländisch; ***~ cruise*** Kreuzfahrt *f* im Mittelmeer **Mediterranean Sea** *n* ***the ~*** das Mittelmeer
medium I *adj* mittlere(r, s); *steak* medium; (≈ *medium-sized*) mittelgroß; ***of ~ height/size*** mittelgroß; ***cook over a ~ heat*** bei mittlerer Hitze kochen; ***in/over the ~ term*** mittelfristig **II** *n, pl* ***media*** *or* ***-s*** **1.** (≈ *means*) Mittel *nt*; TV, RADIO, PRESS Medium *nt*; ART Ausdrucksmittel *nt*; ***advertising ~*** Werbeträger *m* **2.** ***to strike a happy ~*** den goldenen Mittelweg finden **3.** (≈ *spiritualist*) Medium *nt* **medium-dry** *adj* halbtrocken **medium-range** *adj* ***~ aircraft*** Mittelstreckenflugzeug *nt* **medium-rare** *adj* rosa **medium-sized** *adj* mittelgroß **medium wave** *n* Mittelwelle *f*
medley *n* Gemisch *nt*; MUS Medley *nt*
meek *adj* (+*er*) sanft(mütig); (*pej*) duckmäuserisch **meekly** *adv* sanft; (*pej*) duckmäuserisch; *agree* widerspruchslos; *submit, accept* widerstandslos
meet *vb: pret, past part* ***met*** **I** *v/t* **1.** treffen; ***to arrange to ~ sb*** sich mit jdm verabreden; ***to ~ a challenge*** sich einer Herausforderung (*dat*) stellen; ***there's more to it than ~s the eye*** da steckt mehr dahinter, als man auf den ersten Blick meint **2.** (≈ *get to know*) kennenlernen; (≈ *be introduced to*) bekannt gemacht werden mit; ***pleased to ~ you!*** guten Tag/Abend **3.** (≈ *collect*) abholen (*at* an

+*dat*, von) **4.** *target* erfüllen; *requirement* gerecht werden (+*dat*); *needs* decken **II** *v/i* **1.** (≈ *encounter*) (*people*) sich begegnen; (*by arrangement*) sich treffen; (*committee etc*) zusammenkommen; SPORTS aufeinandertreffen; ***to ~ halfway*** einen Kompromiss schließen **2.** (≈ *become acquainted*) sich kennenlernen; (≈ *be introduced*) bekannt gemacht werden; ***we've met before*** wir kennen uns bereits; ***haven't we met before?*** sind wir uns nicht schon mal begegnet? **3.** (≈ *join*) sich treffen; (≈ *converge*) sich vereinigen; (≈ *intersect*) sich schneiden; (≈ *touch*) sich berühren; ***our eyes met*** unsere Blicke trafen sich **III** *n* (*US* ATHLETICS) Sportfest *nt* ◆ **meet up** *v/i* sich treffen ◆ **meet with** *v/i +prep obj* **1.** *opposition* stoßen auf (+*acc*); *success*, *accident* haben; *approval* finden; ***I was met with a blank stare*** sie / er *etc* starrte mich unwissend an **2.** *person* treffen

meeting *n* **1.** Begegnung *f*; (*arranged*) Treffen *nt*; (≈ *business meeting*) Besprechung *f*; ***the minister had a ~ with the ambassador*** der Minister traf zu Gesprächen mit dem Botschafter zusammen **2.** (*of committee*) Sitzung *f*; (*of members*, *employees*) Versammlung *f*; ***the committee has three ~s a year*** der Ausschuss tagt dreimal im Jahr **3.** SPORTS Veranstaltung *f*; (*between teams*, *opponents*) Begegnung *f* **meeting place** *n* Treffpunkt *m*

mega- *pref* Mega- **megabyte** *n* IT Megabyte *nt*; ***a 40-~ memory*** ein 40-Megabyte-Speicher *m*

megalomania *n* Größenwahn *m* **megalomaniac** *n* Größenwahnsinnige(r) *m/f*(*m*)

megaphone *n* Megafon *nt* **megastar** *n* Megastar *m* **megastore** *n* Großmarkt *m*

melancholic *adj* melancholisch **melancholy I** *adj* melancholisch; *place* trist **II** *n* Melancholie *f*

mellow I *adj* (+*er*) **1.** *wine* ausgereift; *flavour* mild; *colour*, *light* warm; *voice* sanft **2.** *person* abgeklärt **II** *v/i* (*person*) abgeklärter werden

melodic *adj*, **melodically** *adv* melodisch **melodious** *adj* melodiös, melodisch

melodrama *n* Melodrama *nt* **melodramatic** *adj*, **melodramatically** *adv* melodramatisch

melody *n* Melodie *f*

melon *n* Melone *f*

melt I *v/t* **1.** (*lit*) schmelzen; *butter* zerlassen **2.** (*fig*) *heart etc* erweichen **II** *v/i* **1.** schmelzen **2.** (*fig*: *person*) dahinschmelzen ◆ **melt away** *v/i* **1.** (*lit*) (weg)schmelzen **2.** (*fig*) sich auflösen; (*crowd*) dahinschmelzen; (*anger*) verfliegen ◆ **melt down** *v/t sep* einschmelzen

meltdown *n* Kernschmelze *f*; (≈ *disaster*) Katastrophe *f* **melting pot** *n* (*fig*) Schmelztiegel *m*

member *n* **1.** Mitglied *nt*; ***~ of the family*** Familienmitglied *nt*; ***if any ~ of the audience ...*** falls einer der Zuschauer / Zuhörer ...; ***the ~ states*** die Mitgliedsstaaten *pl* **2.** PARL Abgeordnete(r) *m/f*(*m*), Mandatar(in) *m*(*f*) (*Aus*); ***~ of parliament*** Parlamentsmitglied *nt*

membership *n* **1.** Mitgliedschaft *f* (*of* in +*dat*) **2.** (≈ *number of members*) Mitgliederzahl *f* **membership card** *n* Mitgliedsausweis *m* **membership fee** *n* Mitgliedsbeitrag *m*

membrane *n* Membran *f*

memento *n*, *pl* **-(e)s** Andenken *nt* (*of* an +*acc*)

memo *n abbr of* ***memorandum*** Memo *nt*

memoir *n* **1.** Kurzbiografie *f* **2. memoirs** *pl* Memoiren *pl* **memo pad** *n* Notizblock *m* **memorable** *adj* unvergesslich; (≈ *important*) denkwürdig **memorandum** *n*, *pl* ***memoranda*** Mitteilung *f* **memorial I** *adj* Gedenk- **II** *n* Denkmal *nt* (*to* für) **Memorial Day** *n* (*US*) ≈ Volkstrauertag *m* **memorial service** *n* Gedenkgottesdienst *m* **memorize** *v/t* sich (*dat*) einprägen

memory *n* **1.** Gedächtnis *nt*; ***from ~*** aus dem Kopf; ***to lose one's ~*** sein Gedächtnis verlieren; ***to commit sth to ~*** sich (*dat*) etw einprägen; ***~ for faces*** Personengedächtnis *nt*; ***if my ~ serves me right*** wenn ich mich recht entsinne **2.** (≈ *thing remembered*) Erinnerung *f* (*of* an +*acc*); ***I have no ~ of it*** ich kann mich nicht daran erinnern; ***he had happy memories of his father*** er verband angenehme Erinnerungen mit seinem Vater; ***in ~ of*** zur Erinnerung an (+*acc*) **3.** IT Speicher *m* **memory bank** *n* IT Datenbank *f* **memory expansion card** *n* IT Speichererweiterungskarte *f* **memory stick** *n* IT Memory Stick *m*

men *pl of* ***man***

menace I *n* **1.** Bedrohung *f* (*to* +*gen*) **2.**

(*infml* ≈ *nuisance*) (Land)plage *f*; ***she's a ~ on the roads*** sie gefährdet den ganzen Verkehr **II** *v/t* bedrohen **menacing** *adj* drohend; ***to look ~*** bedrohlich aussehen **menacingly** *adv* drohend; ***..., he said ~*** ..., sagte er mit drohender Stimme
mend I *n* ***to be on the ~*** sich (langsam) erholen **II** *v/t* **1.** reparieren; *clothes* flicken **2.** ***to ~ one's ways*** sich bessern; ***you'd better ~ your ways*** das muss aber anders werden mit dir! **III** *v/i* (*bone*) (ver)heilen
menial *adj* niedrig
meningitis *n* Hirnhautentzündung *f*
menopause *n* Wechseljahre *pl*
men's room *n* (*esp US*) Herrentoilette *f*
menstrual cycle *n* Menstruationszyklus *m* **menstruate** *v/i* menstruieren **menstruation** *n* Menstruation *f*
menswear *n* Herrenbekleidung *f*
mental *adj* **1.** geistig; *strain* psychisch; ***to make a ~ note of sth*** sich (*dat*) etw merken; ***~ process*** Denkvorgang *m* **2.** (*infml* ≈ *mad*) übergeschnappt (*infml*)
mental arithmetic *n* Kopfrechnen *nt*
mental block *n* ***to have a ~*** ein Brett vor dem Kopf haben (*infml*) **mental breakdown** *n* Nervenzusammenbruch *m* **mental health** *n* Geisteszustand *m*
mental hospital *n* Nervenklinik *f* **mental illness** *n* Geisteskrankheit *f* **mentality** *n* Mentalität *f* **mentally** *adv* geistig; ***~ handicapped*** geistig behindert; ***he is ~ ill*** er ist geisteskrank
menthol *n* Menthol *nt*
mention I *n* Erwähnung *f*; ***to get*** *or* ***receive a ~*** erwähnt werden; ***to give sb/sth a ~*** jdn/etw erwähnen; ***there is no ~ of it*** es wird nicht erwähnt; ***his contribution deserves special ~*** sein Beitrag verdient es, besonders hervorgehoben zu werden **II** *v/t* erwähnen (*to sb* jdm gegenüber); ***not to ~ ...*** nicht zu vergessen ...; ***France and Spain, not to ~ Holland*** Frankreich und Spanien, von Holland ganz zu schweigen; ***don't ~ it!*** (bitte,) gern geschehen!; ***to ~ sb in one's will*** jdn in seinem Testament berücksichtigen
mentor *n* Mentor(in) *m*(*f*)
menu *n* (≈ *bill of fare*) Speisekarte *f*; (≈ *dishes*) Menü *nt* (*also* IT); ***may we see the ~?*** können Sie uns bitte die Karte bringen?; ***what's on the ~?*** was gibt es heute (zu essen)? **menu bar** *n* IT Menüzeile *f* **menu-driven** *adj* IT menügesteuert
MEP *abbr of* ***Member of the European Parliament*** Mitglied *nt* des Europäischen Parlaments
mercenary I *adj* (≈ *greedy*) geldgierig; ***don't be so ~*** sei doch nicht so hinter dem Geld her (*infml*) **II** *n* Söldner(in) *m*(*f*)
merchandise *n* (Handels)ware *f* **merchant** *n* Kaufmann *m*/-frau *f*; ***corn ~*** Getreidehändler(in) *m*(*f*) **merchant bank** *n* (*Br*) Handelsbank *f* **merchant marine** *n* (*US*) Handelsmarine *f* **merchant navy** *n* (*Br*) Handelsmarine *f*
merciful *adj* gnädig (*to sb* jdm gegenüber) **mercifully** *adv* **1.** *act* barmherzig; *treat sb* gnädig **2.** (≈ *fortunately*) glücklicherweise **merciless** *adj* unbarmherzig **mercilessly** *adv* erbarmungslos
Mercury *n* Merkur *m*
mercury *n* Quecksilber *nt*
mercy *n* **1.** *no pl* (≈ *compassion*) Erbarmen *nt*; (≈ *action*) Gnade *f*; ***to beg for ~*** um Gnade bitten; ***to have ~/no ~ on sb*** mit jdm Erbarmen/kein Erbarmen haben; ***to show sb ~/no ~*** Erbarmen/kein Erbarmen mit jdm haben; ***to be at the ~ of sb/sth*** jdm/einer Sache (*dat*) ausgeliefert sein; ***we're at your ~*** wir sind in Ihrer Hand **2.** (*infml* ≈ *blessing*) Segen *m*
mere *adj* **1.** bloß; ***he's a ~ clerk*** er ist bloß ein kleiner Angestellter; ***a ~ 3%/two hours*** bloß 3%/zwei Stunden; ***the ~ thought of food made me hungry*** schon beim Gedanken an Essen bekam ich Hunger **2.** ***the ~st ...*** der/die/das kleinste ...
merely *adv* lediglich, bloß
merge I *v/i* **1.** zusammenkommen; (*colours*) ineinander übergehen; (*roads*) zusammenführen; (*US* AUTO) sich einordnen; ***to ~ with sth*** sich mit etw vereinen; ***to ~ (in) with/into the crowd*** in der Menge untergehen/untertauchen; ***to ~ into sth*** in etw (*acc*) übergehen **2.** COMM fusionieren **II** *v/t* **1.** miteinander vereinen; IT *files* mischen **2.** COMM fusionieren
merger *n* COMM Fusion *f*
meringue *n* Baiser *nt*
merit I *n* (≈ *achievement*) Verdienst *nt*; (≈ *advantage*) Vorzug *m*; ***a work of great literary ~*** ein Werk von großem literarischem Wert; ***she was elected on ~*** sie

gewann die Wahl aufgrund persönlicher Fähigkeiten; ***to judge a case on its ~s*** einen Fall gesondert behandeln; ***to pass an exam with ~*** ein Examen mit Auszeichnung bestehen **II** *v/t* verdienen

mermaid *n* Meerjungfrau *f*

merrily *adv* vergnügt **merriment** *n* Heiterkeit *f*; (≈ *laughter*) Gelächter *nt* **merry** *adj* (+*er*) **1.** fröhlich; ***Merry Christmas!*** frohe Weihnachten! **2.** (*Br infml* ≈ *tipsy*) beschwipst (*infml*) **merry-go--round** *n* Karussell *nt*, Ringelspiel *nt* (*Aus*)

mesh I *n* **1.** (≈ *hole*) Masche *f* **2.** (≈ *wire mesh*) Maschendraht *m* **II** *v/i* **1.** MECH eingreifen (*with* in +*acc*) **2.** (*fig*: *views*) sich vereinen lassen

mesmerize *v/t* hypnotisieren; (*fig*) fesseln; ***the audience sat ~d*** die Zuschauer saßen wie gebannt **mesmerizing** *adj effect* hypnotisch; *smile* faszinierend

mess[1] **I** *n* **1.** Durcheinander *nt*; (*dirty*) Schweinerei *f*; ***to be (in) a ~*** in einem fürchterlichen Zustand sein; (≈ *disorganized*) ein einziges Durcheinander sein; (*fig*: *one's life etc*) verkorkst sein (*infml*); ***to be a ~*** (*piece of work*) eine Schweinerei sein (*infml*); (*person*) (*in appearance*) unordentlich aussehen; (*psychologically*) verkorkst sein (*infml*); ***to make a ~*** (≈ *be untidy*) Unordnung machen; (≈ *be dirty*) eine Schweinerei machen (*infml*); ***to make a ~ of sth*** (≈ *bungle*) etw verpfuschen; *of one's life* etw verkorksen (*infml*); ***you've really made a ~ of things*** du hast alles total vermasselt (*infml*); ***what a ~!*** das sieht ja vielleicht aus!; (*fig*) ein schöner Schlamassel! (*infml*); ***I'm not tidying up your ~*** ich räume nicht für dich auf **2.** (≈ *predicament*) Schwierigkeiten *pl* **3.** (*euph* ≈ *excreta*) Dreck *m*; ***the cat has made a ~ on the carpet*** die Katze hat auf den Teppich gemacht **II** *v/i* = ***mess about*** II ◆ **mess about** (*Brit*) *or* **around** (*infml*) **I** *v/t sep person* an der Nase herumführen (*infml*) **II** *v/i* **1.** (≈ *play the fool*) herumalbern **2.** (≈ *do nothing*) herumgammeln (*infml*) **3.** (≈ *tinker*) herumfummeln (*infml*) (*with* an +*dat*); (*as hobby etc*) herumbasteln (*with* an +*dat*) (*infml*) **4.** ***he was messing about*** *or* ***around with my wife*** er trieb es mit meiner Frau ◆ **mess up** *v/t sep* durcheinanderbringen; (≈ *make dirty*) verdrecken; (≈ *botch*) verpfuschen; *life* verkorksen (*infml*); ***that's really messed things up*** das hat wirklich alles verdorben

mess[2] *n* MIL Kasino *nt*; (*on ships*) Messe *f*

message *n* **1.** Nachricht *f*; (≈ *report*) Meldung *f*; ***to give sb a ~*** (*verbal*) jdm etwas ausrichten; (*written*) jdm eine Nachricht geben; ***would you give John a ~ (for me)?*** könnten Sie John etwas (von mir) ausrichten?; ***to send sb a ~*** jdn benachrichtigen; ***to leave a ~ for sb*** (*written*) jdm eine Nachricht hinterlassen; (*verbal*) jdm etwas ausrichten lassen; ***can I take a ~ (for him)?*** (*on telephone*) kann ich (ihm) etwas ausrichten? **2.** (≈ *moral*) Botschaft *f*; ***to get one's ~ across to sb*** es jdm verständlich machen **3.** (*fig infml*) ***to get the ~*** kapieren (*infml*) **message board** *n* INTERNET Forum *nt*, Message Board *nt* **messenger** *n* Bote *m*, Botin *f*

Messiah *n* Messias *m*

messily *adv* unordentlich

mess kit *n* (*US*) Essgeschirr *nt*

messy *adj* (+*er*) **1.** (≈ *dirty*) schmutzig **2.** (≈ *untidy*) unordentlich; ***he's a ~ eater*** er kann nicht ordentlich essen **3.** (*fig*) *situation* verfahren; *process* schwierig

met *pret*, *past part of* ***meet***

meta- *pref* meta-, Meta- **metabolic** *adj* Stoffwechsel-, metabolisch **metabolism** *n* Stoffwechsel *m*

metal *n* Metall *nt* **metal detector** *n* Metallsuchgerät *nt* **metallic** *adj* metallisch; ***~ paint*** Metalliclack *m*; ***~ blue*** blaumetallic; ***a ~ blue car*** ein Auto *nt* in Blaumetallic **metallurgy** *n* Metallurgie *f* **metalwork** *n* Metall *nt*; ***we did ~ at school*** wir haben in der Schule Metallarbeiten gemacht

metamorphosis *n*, *pl* ***metamorphoses*** Metamorphose *f*; (*fig*) Verwandlung *f*

metaphor *n* Metapher *f* **metaphorical** *adj* metaphorisch **metaphorically** *adv* metaphorisch; ***~ speaking*** bildlich gesprochen

metaphysical *adj* metaphysisch

mete *v/t* ***to ~ out punishment to sb*** jdn bestrafen

meteor *n* Meteor *m* **meteoric** *adj* (*fig*) kometenhaft **meteorite** *n* Meteorit *m*

meteorological *adj* meteorologisch **meteorologist** *n* Meteorologe *m*, Meteorologin *f* **meteorology** *n* Meteorologie *f*

meter[1] **I** *n* Zähler *m*; (≈ *water meter*) Wasseruhr *f*; (≈ *parking meter*) Parkuhr *f*; ***to turn the water off at the ~*** das Wasser am Hauptschalter abstellen **II** *v/t* messen
meter[2] *n* (*US*) = ***metre***
methane *n* Methan *nt*
method *n* Methode *f*; (≈ *process*) Verfahren *nt*; ***~ of payment*** Zahlungsweise *f*
methodical *adj*, **methodically** *adv* methodisch
Methodist I *adj* methodistisch **II** *n* Methodist(in) *m*(*f*)
meths *n sg abbr of* ***methylated spirits***
methylated spirits *n sg* Äthylalkohol *m*
meticulous *adj* genau; ***to be ~ about sth*** es mit etw sehr genau nehmen **meticulously** *adv* sorgfältig
me time *n* Ichzeit *f*
met office *n* (*Br*) Wetteramt *nt*
metre, (*US*) **meter** *n* **1.** Meter *m or nt* **2.** POETRY Metrum *nt* **metric** *adj* metrisch; ***to go ~*** auf das metrische Maßsystem umstellen
metronome *n* Metronom *nt*
metropolis *n* Metropole *f* **metropolitan** *adj* weltstädtisch **metrosexual** *adj* metrosexuell
mettle *n* Courage *f*
mew I *n* Miau(en) *nt* **II** *v/i* miauen
Mexican I *adj* mexikanisch **II** *n* Mexikaner(in) *m*(*f*) **Mexico** *n* Mexiko *nt*
mezzanine *n* Mezzanin *nt*
mg *abbr of* ***milligram(s), milligramme(s)*** mg
MI5 (*Br*) *abbr of* ***Military Intelligence, section 5*** MI5 *m*, *Spionageabwehrdienst der britischen Regierung*
MI6 (*Br*) *abbr of* ***Military Intelligence, section 6*** MI6 *m*, *britischer Auslandsgeheimdienst*
miaow (*Br*) **I** *n* Miau(en) *nt* **II** *v/i* miauen
mice *pl of* ***mouse***
mickey *n* (*Br infml*) ***to take the ~ out of sb*** jdn auf den Arm nehmen (*infml*), jdn pflanzen (*Aus*); ***are you taking the ~?*** du willst mich/ihn *etc* wohl auf den Arm nehmen (*infml*)
micro- *pref* mikro-, Mikro- **microbe** *n* Mikrobe *f* **microbiology** *n* Mikrobiologie *f* **microchip** *n* Mikrochip *nt* **microcomputer** *n* Mikrocomputer *m* **microcosm** *n* Mikrokosmos *m* **microfibre**, (*US*) **microfiber** *n* Mikrofaser *f* **microfiche** *n* Mikrofiche *m or nt* **microfilm** *n* Mikrofilm *m* **microlight** *n* Ultraleichtflugzeug *nt* **microorganism** *n* Mikroorganismus *m* **microphone** *n* Mikrofon *nt* **microprocessor** *n* Mikroprozessor *m* **micro scooter** *n* Mini-Roller *m*, City-Roller *m* **microscope** *n* Mikroskop *nt* **microscopic** *adj* (*in size*) mikroskopisch (klein); ***in ~ detail*** bis ins kleinste Detail **microsurgery** *n* Mikrochirurgie *f* **microwavable** *adj* mikrowellengeeignet **microwave** *n* Mikrowelle *f* **microwave oven** *n* Mikrowellenherd *m*
mid *adj* ***in ~ June*** Mitte Juni; ***in the ~ 1950s*** Mitte der Fünfzigerjahre; ***temperatures in the ~ eighties*** Temperaturen um 85° Fahrenheit; ***to be in one's ~ forties*** Mitte vierzig sein; ***in ~ morning/afternoon*** am Vormittag/Nachmittag; ***a ~-morning break*** eine Frühstückspause; ***a ~-morning snack*** ein zweites Frühstück; ***in ~ air*** in der Luft; ***in ~ flight*** während des Flugs **midday I** *n* Mittag *m*; ***at ~*** mittags **II** *adj attr* mittäglich; ***~ meal*** Mittagessen *nt*; ***~ sun*** Mittagssonne *f*
middle I *n* Mitte *f*; (*of book, film etc*) Mittelteil *m*; (*of fruit etc*) Innere(s) *nt*; ***in the ~ of the table*** mitten auf dem Tisch; ***in the ~ of the night/day*** mitten in der Nacht/am Tag; ***in the ~ of nowhere*** am Ende der Welt; ***in the ~ of summer*** mitten im Sommer; (≈ *height of summer season*) im Hochsommer; ***in the ~ of May*** Mitte Mai; ***we were in the ~ of lunch*** wir waren mitten beim Essen; ***to be in the ~ of doing sth*** mitten dabei sein, etw zu tun; ***down the ~*** in der Mitte **II** *adj* mittlere(r, s); ***to be in one's ~ twenties*** Mitte zwanzig sein **middle age** *n* mittleres Lebensalter **middle-aged** *adj* in den mittleren Jahren **Middle Ages** *pl* Mittelalter *nt* **Middle America** *n* (≈ *class*) die amerikanische Mittelschicht **middle-class** *adj* bürgerlich **middle class(es)** *n*(*pl*) Mittelstand *m* **middle-distance runner** *n* Mittelstreckenläufer(in) *m*(*f*) **Middle East** *n* Naher Osten **Middle England** *n* (*fig* ≈ *middle classes*) die englische Mittelschicht **middle finger** *n* Mittelfinger *m* **middle-income** *adj family* mit mittlerem Einkommen **middleman** *n* Mittelsmann *m*; COMM Zwischenhändler *m* **middle management** *n* mittleres Management **middle name** *n* zweiter (Vor)name; ***modesty is my ~*** (*fig*) ich bin die Be-

scheidenheit in Person **middle-of-the--road** *adj* **1.** (≈ *moderate*) gemäßigt **2.** (≈ *conventional*) konventionell **middle school** *n* (*Br*) *Schule für 9-12-jährige* **middling** *adj* mittelmäßig; ***how are you? — ~*** wie geht es dir? – einigermaßen (*infml*) **midfield I** *n* Mittelfeld *nt* **II** *adj* Mittelfeld-; ***~ player*** Mittelfeldspieler(in) *m(f)*

midge *n* (*Br*) Mücke *f*

midget I *n* Liliputaner(in) *m(f)* **II** *adj* winzig

Midlands *pl* ***the ~*** die Midlands **midlife crisis** *n* Midlife-Crisis *f*

midnight I *n* Mitternacht *f*; ***at ~*** um Mitternacht **II** *adj attr* mitternächtlich, Mitternachts-; ***~ mass*** Mitternachtsmesse *f*; ***the ~ hour*** die Mitternachtsstunde **midpoint** *n* mittlerer Punkt **midriff** *n* Taille *f*

midst *n* Mitte *f*; ***in the ~ of*** mitten in; ***in our ~*** unter uns **midstream** *n* ***in ~*** (*lit*) in der Mitte des Flusses; (*fig*) auf halber Strecke **midsummer I** *n* Hochsommer *m* **II** *adj* im Hochsommer **Midsummer's Day** *n* Sommersonnenwende *f* **midterm** *adj* ***~ elections*** POL Zwischenwahlen *pl* **midway I** *adv* auf halbem Weg; ***Düsseldorf is ~ between Krefeld and Cologne*** Düsseldorf liegt auf halber Strecke zwischen Krefeld und Köln; ***~ through sth*** mitten in etw (*dat*) **II** *adj* ***we've now reached the ~ point*** *or* ***stage in the project*** das Projekt ist jetzt zur Hälfte fertig **midweek I** *adv* mitten in der Woche **II** *adj attr* ***he booked a ~ flight*** er buchte einen Flug für Mitte der Woche **Midwest** *n* Mittelwesten *m* **Midwestern** *adj* mittelwestlich

midwife *n, pl* ***-wives*** Hebamme *f*

midwinter I *n* Wintermitte *f* **II** *adj* mittwinterlich

miff *v/t* (*infml*) ***to be ~ed about sth*** über etw (*acc*) verärgert sein

might[1] *pret of* **may**; ***they ~ be brothers*** sie könnten Brüder sein; ***as you ~ expect*** wie zu erwarten war; ***you ~ try Smith's*** Sie könnten es ja mal bei Smiths versuchen; ***he ~ at least have apologized*** er hätte sich wenigstens entschuldigen können; ***I ~ have known*** das hätte ich mir denken können; ***she was thinking of what ~ have been*** sie dachte an das, was hätte sein können

might[2] *n* Macht *f*; ***with all one's ~*** mit aller Kraft **mightily** *adv* (*infml*) ***~ impressive*** höchst beeindruckend; ***I was ~ relieved*** ich war überaus erleichtert

mightn't *contraction* = ***might not***

mighty I *adj* **1.** *army* mächtig **2.** (≈ *massive*) gewaltig; *cheer* lautstark **II** *adv* (*esp US infml*) mächtig (*infml*)

migraine *n* Migräne *f*

migrant I *adj* ***~ bird*** Zugvogel *m*; ***~ worker*** Migrant(in) *m(f)* **II** *n* **1.** (≈ *bird*) Zugvogel *m* **2.** (≈ *worker*) Migrant(in) *m(f)*

migrate *v/i* (ab)wandern; (*birds*) nach Süden ziehen **migration** *n* Wanderung *f*; (*of birds*) (Vogel)zug *m* **migratory** *adj* ***~ worker*** Wanderarbeiter(in) *m(f)*; ***~ birds*** Zugvögel *pl*

mike *n* (*infml*) Mikro *nt* (*infml*)

Milan *n* Mailand *nt*

mild I *adj* (*+er*) mild; *breeze, cigarettes* leicht; *person* sanft **II** *n* (*Br*) *leichtes dunkles Bier*

mildew *n* Schimmel *m*; (*on plants*) Mehltau *m*

mildly *adv* leicht; *say* sanft; ***to put it ~*** gelinde gesagt **mildness** *n* Milde *f*; (*of breeze*) Sanftheit *f*; (*of person*) Sanftmütigkeit *f*

mile *n* Meile *f*; ***how many ~s per gallon does your car do?*** wie viel verbraucht Ihr Auto?; ***a fifty-~ journey*** eine Fahrt von fünfzig Meilen; ***~s*** (***and ~s***) (*infml*) meilenweit; ***they live ~s away*** sie wohnen meilenweit weg; ***sorry, I was ~s away*** (*infml*) tut mir leid, ich war mit meinen Gedanken ganz woanders (*infml*); ***it stands out a ~*** das sieht ja ein Blinder (mit Krückstock) (*infml*); ***he's ~s better at tennis*** er spielt hundertmal besser Tennis (*infml*) **mileage** *n* Meilen *pl*; (*on odometer*) Meilenstand *m* **mileometer** *n* (*Br*) ≈ Kilometerzähler *m* **milestone** *n* Meilenstein *m*

militant I *adj* militant **II** *n* militantes Element

militarism *n* Militarismus *m* **militaristic** *adj* militaristisch

military I *adj* militärisch; ***~ personnel*** Militärangehörige *pl* **II** *n* ***the ~*** das Militär **military base** *n* Militärstützpunkt *m* **military police** *n* Militärpolizei *f* **military policeman** *n* Militärpolizist *m* **military service** *n* Militärdienst *m*, Präsenzdienst *m* (*Aus*); ***to do one's ~*** seinen Militärdienst ableisten; ***he's doing his ~*** er ist gerade beim Militär

militia *n* Miliz *f* **militiaman** *n, pl* ***-men*** Milizsoldat *m*

milk I *n* Milch *f*; ***it's no use crying over spilled ~*** (*prov*) was passiert ist, ist passiert **II** *v/t* melken **milk bar** *n* Milchbar *f* **milk chocolate** *n* Vollmilchschokolade *f* **milk float** *n* Milchauto *nt* **milking** *n* Melken *nt* **milkman** *n* Milchmann *m* **milkshake** *n* Milchshake *m* **milk tooth** *n* Milchzahn *m* **milky** *adj* (*+er*) milchig; ***~ coffee*** Milchkaffee *m* **Milky Way** *n* Milchstraße *f*

mill *n* **1.** Mühle *f*; ***in training you're really put through the ~*** (*infml*) im Training wird man ganz schön hart rangenommen (*infml*) **2.** (≈ *paper mill etc*) Fabrik *f*; (*for cloth*) Weberei *f* ◆ **mill about** (*Brit*) *or* **around** *v/i* umherlaufen

millennium *n*, *pl* ***-s*** *or* ***millennia*** Jahrtausend *nt*

miller *n* Müller(in) *m(f)*

millet *n* Hirse *f*

milli- *pref* Milli-; ***millisecond*** Millisekunde *f* **milligram(me)** *n* Milligramm *nt* **millilitre**, (*US*) **milliliter** *n* Milliliter *m or nt* **millimetre**, (*US*) **millimeter** *n* Millimeter *m or nt*

million *n* Million *f*; ***4 ~ people*** 4 Millionen Menschen; ***for ~s and ~s of years*** für Millionen und Abermillionen von Jahren; ***she's one in a ~*** (*infml*) sie ist einsame Klasse (*infml*); ***~s of times*** (*infml*) tausendmal **millionaire** *n* Millionär *m* **millionairess** *n* Millionärin *f*

millionth I *adj* **1.** (≈ *fraction*) millionstel **2.** (*in series*) millionste(r, s) **II** *n* Millionstel *nt*

millipede *n* Tausendfüß(l)er *m*

millpond *n* Mühlteich *m*

millstone *n* Mahlstein *m*; ***she's a ~ around his neck*** sie ist für ihn ein Klotz am Bein

mime I *n* Pantomime *f* **II** *v/t* pantomimisch darstellen **III** *v/i* Pantomimen spielen **mime artist** *n* Pantomine *m*, Pantomimin *f*

mimic I *n* Imitator(in) *m(f)*; ***he's a very good ~*** er kann sehr gut Geräusche/andere Leute nachahmen **II** *v/t* nachahmen **mimicry** *n* Nachahmung *f*

min 1. *abbr of* ***minute(s)*** min **2.** *abbr of* ***minimum*** min.

mince I *n* (*esp Br*) Hackfleisch *nt*, Faschierte(s) *nt* (*Aus*) **II** *v/t* (*esp Br*) durch den Fleischwolf drehen, faschieren (*Aus*); ***he doesn't ~ his words*** er nimmt kein Blatt vor den Mund **III** *v/i* (*Br*) (≈ *walk*) tänzeln **mincemeat** *n süße Gebäckfüllung aus Dörrobst und Sirup*; ***to make ~ of sb*** (*infml*) (*physically*) Hackfleisch aus jdm machen (*infml*); (*verbally*) jdn zur Schnecke machen (*infml*) **mince pie** *n mit Mincemeat gefülltes Gebäck* **mincer** *n* (*esp Br*) Fleischwolf *m*

mind I *n* **1.** (≈ *intellect*) Geist *m*, Verstand *m*; (≈ *thoughts*) Gedanken *pl*; ***it's all in the ~*** das ist alles Einbildung; ***to blow sb's ~*** (*infml*) jdn umwerfen (*infml*); ***to have a logical ~*** logisch veranlagt sein; ***state*** *or* ***frame of ~*** Geisteszustand *m*; ***to put*** *or* ***set one's ~ to sth*** sich anstrengen, etw zu tun; ***he had something on his ~*** ihn beschäftigte etwas; ***I've a lot on my ~*** ich muss mich um (so) viele Dinge kümmern; ***you are always on my ~*** ich denke ständig an dich; ***keep your ~ on the job*** bleib mit den Gedanken bei der Arbeit; ***she couldn't get the song out of her ~*** das Lied ging ihr nicht aus dem Kopf; ***to take sb's ~ off sth*** jdn etw vergessen lassen; ***my ~ isn't on my work*** ich kann mich nicht auf meine Arbeit konzentrieren; ***the idea never entered my ~*** daran hatte ich überhaupt nicht gedacht; ***nothing was further from my ~*** nichts lag mir ferner; ***in my ~'s eye*** vor meinem inneren Auge; ***to bring sth to ~*** an etw (*acc*) erinnern; ***it's a question of ~ over matter*** es ist eine Willensfrage **2.** (≈ *inclination*) Lust *f*; (≈ *intention*) Absicht *f*; ***I've a good ~ to ...*** ich hätte große Lust, zu ... **3.** (≈ *opinion*) Meinung *f*; ***to make up one's ~*** sich entscheiden; ***to change one's ~*** seine Meinung ändern (*about* über *+acc*); ***to be in two ~s about sth*** sich (*dat*) über etw (*acc*) nicht im Klaren sein; ***to have a ~ of one's own*** (*person*) eine eigene Meinung haben; (*hum, machine etc*) seine Mucken haben (*infml*) **4.** (≈ *sanity*) Verstand *m*; ***to lose one's ~*** den Verstand verlieren; ***nobody in his right ~*** kein normaler Mensch **5.** ***to bear sth in ~*** etw nicht vergessen; ***to bear sb in ~*** an jdn denken; ***with this in ~ ...*** mit diesem Gedanken im Hinterkopf ...; ***to have sb/sth in ~*** an jdn/etw denken; ***it puts me in ~ of sb/sth*** es weckt in mir Erinnerungen an jdn/etw; ***to go out of one's ~*** den Verstand verlieren;

I'm bored out of my ~ ich langweile mich zu Tode **II** *v/t* **1.** (≈ *be careful of, look after*) aufpassen auf (*+acc*); (≈ *pay attention to*) achten auf (*+acc*); ***~ what you're doing!*** pass (doch) auf!; ***~ your language!*** drück dich anständig aus!; ***~ the step!*** (*Br*) Vorsicht Stufe!; ***~ your head!*** (*Br*) Kopf einziehen (*infml*); ***~ your own business*** kümmern Sie sich um Ihre eigenen Angelegenheiten **2.** (≈ *care about*) sich kümmern um; (≈ *object to*) etwas haben gegen; ***I don't ~ the cold*** die Kälte macht mir nichts aus; ***I don't ~ what he does*** es ist mir egal, was er macht; ***do you ~ coming with me?*** würde es dir etwas ausmachen mitzukommen?; ***would you ~ opening the door?*** wären Sie so freundlich, die Tür aufzumachen?; ***do you ~ my smoking?*** macht es Ihnen etwas aus, wenn ich rauche?; ***don't ~ me*** lass dich (durch mich) nicht stören; ***I wouldn't ~ a cup of tea*** ich hätte nichts gegen eine Tasse Tee; ***never ~ that now*** das ist jetzt nicht wichtig; ***never ~ him*** kümmere dich nicht um ihn **III** *v/i* **1.** (≈ *care, worry*) sich (*dat*) etwas daraus machen; (≈ *object*) etwas dagegen haben; ***nobody seemed to ~*** niemand schien etwas dagegen zu haben; ***I'd prefer to stand, if you don't ~*** ich würde lieber stehen, wenn es Ihnen recht ist; ***do you ~?*** macht es Ihnen etwas aus?; ***do you ~!*** (*iron*) ich möchte doch sehr bitten!; ***I don't ~ if I do*** ich hätte nichts dagegen; ***never ~*** macht nichts; (*in exasperation*) schon gut; ***never ~, you'll find another*** mach dir nichts draus, du findest bestimmt einen anderen; ***oh, never ~, I'll do it myself*** ach, schon gut, ich mache es selbst; ***never ~ about that now!*** das ist doch jetzt nicht wichtig; ***I'm not going to finish school, never ~ go to university*** ich werde die Schule nicht beenden und schon gar nicht zur Universität gehen **2.** ***~ you get that done*** sieh zu, dass du das fertig bekommst; ***~ you*** allerdings; ***~ you, he did try*** er hat es immerhin versucht; ***he's quite good, ~ you*** er ist eigentlich ganz gut ◆ **mind out** *v/i* (*Br*) aufpassen (*for* auf *+acc*)

mind-blowing *adj* (*infml*) Wahnsinns- (*infml*) **mind-boggling** *adj* (*infml*) irrsinnig (*infml*) **-minded** *adj suf* ***she's very politically-minded*** sie interessiert sich sehr für Politik **minder** *n* (*infml*) Aufpasser(in) *m*(*f*) **mindful** *adj* ***to be ~ of sth*** etw bedenken **mindless** *adj destruction* sinnlos; *routine* stumpfsinnig **mind-reader** *n* Gedankenleser(in) *m*(*f*) **mindset** *n* Mentalität *f*

mine[1] *poss pr* meine(r, s); ***this car is ~*** dieses Auto gehört mir; ***his friends and ~*** seine und meine Freunde; ***a friend of ~*** ein Freund von mir; ***a favourite*** (*Br*) *or* ***favorite*** (*US*) ***expression of ~*** einer meiner Lieblingsausdrücke

mine[2] **I** *n* **1.** MIN Bergwerk *nt*; ***to work down the ~s*** unter Tage arbeiten **2.** MIL *etc* Mine *f* **3.** (*fig*) ***he is a ~ of information*** er ist ein wandelndes Lexikon (*infml*) **II** *v/t coal* fördern **III** *v/i* ***to ~ for sth*** nach etw graben **minefield** *n* Minenfeld *nt*; ***to enter a (political) ~*** sich auf (politisch) gefährliches Terrain begeben **miner** *n* Bergarbeiter(in) *m*(*f*)

mineral I *n* Mineral *nt* **II** *adj* mineralisch; ***~ deposits*** Mineralbestände *pl* **mineral water** *n* Mineralwasser *nt*

minesweeper *n* Minensucher *m*

mingle *v/i* sich vermischen; (*people*) sich untereinander vermischen; (*at party*) sich unter die Gäste mischen

mini- *pref* Mini- **miniature I** *n* ART Miniatur *f*; (≈ *bottle*) Miniflasche *f*; ***in ~*** im Kleinen **II** *adj attr* Miniatur- **miniature golf** *n* Minigolf *nt* **minibar** *n* Minibar *f* **mini-break** *n* Kurzurlaub *m* **minibus** *n* Kleinbus *m* **minicab** *n* Kleintaxi *nt* **minicam** *n* Minicam *f* **Minidisc®** *n* MUS Minidisc *f*; ***~ player*** Minidisc-Spieler *m*

minim *n* (*Br* MUS) halbe Note

minimal *adj* minimal; ***at ~ cost*** zu minimalen Kosten; ***with ~ effort*** mit minimalem Aufwand **minimalism** *n* Minimalismus *m* **minimize** *v/t* minimieren (*form*) **minimum I** *n* Minimum *nt*; ***what is the ~ you will accept?*** was ist für Sie das Minimum *or* der Mindestbetrag?; ***a ~ of 2 hours/10 people*** mindestens 2 Stunden/10 Leute; ***to keep sth to a ~*** etw auf ein Minimum beschränken **II** *adj attr* Mindest-; ***~ age*** Mindestalter *nt*; ***~ temperature*** Tiefsttemperatur *f* **minimum wage** *n* Mindestlohn *m*

mining *n* MIN Bergbau *m* **mining industry** *n* Bergbau *m* **mining town** *n* Bergarbeiterstadt *f*

minion *n* (*fig*) Trabant *m*

miniskirt *n* Minirock *m*, Minijupe *m*

(*Swiss*)

minister I *n* **1.** POL Minister(in) *m(f)* **2.** ECCL Pfarrer(in) *m(f)* **II** *v/i* ***to ~ to sb*** sich um jdn kümmern; ***to ~ to sb's needs*** jds Bedürfnisse (*acc*) befriedigen **ministerial** *adj* POL ministeriell; ***~ post*** Ministerposten *m*; ***his ~ duties*** seine Pflichten als Minister **ministry** *n* **1.** POL Ministerium *nt*; ***~ of education*** Bildungsministerium *nt* **2.** ECCL ***to go into the ~*** Geistliche(r) werden

mink *n* Nerz *m*; ***~ coat*** Nerzmantel *m*

minor I *adj* **1.** (≈ *smaller*) kleiner; (≈ *less important*) unbedeutend; *offence, operation* leicht; ***~ road*** Nebenstraße *f* **2.** MUS Moll-; ***~ key*** Molltonart *f*; ***G ~*** g-Moll *nt* **II** *n* **1.** JUR Minderjährige(r) *m/f(m)* **2.** (*US* UNIV) Nebenfach *nt* **III** *v/i* (*US* UNIV) im Nebenfach studieren (*in +acc*)

Minorca *n* Menorca *nt*

minority I *n* Minderheit *f*; ***to be in a*** *or* ***the ~*** in der Minderheit sein **II** *adj attr* Minderheits-; ***~ group*** Minderheit *f*; ***(ethnic) ~ students*** Studenten *pl*, die einer (ethnischen) Minderheit angehören **minority government** *n* Minderheitsregierung *f*

minor league *adj* ***~ baseball*** (*US*) Baseball *m or nt* in den unteren Ligen

minster *n* Münster *nt*

minstrel *n* Spielmann *m*

mint¹ I *n* Münzanstalt *f*; ***to be worth a ~*** (*infml*) unbezahlbar sein **II** *adj* ***in ~ condition*** in tadellosem Zustand **III** *v/t* prägen

mint² *n* **1.** BOT Minze *f* **2.** (≈ *sweet*) Pfefferminz *nt* **mint sauce** *n* Minzsoße *f* **mint tea** *n* Pfefferminztee *m*

minus I *prep* **1.** minus; ***£100 ~ taxes*** £ 100 abzüglich (der) Steuern **2.** (≈ *without*) ohne **II** *adj* Minus-; ***~ point*** Minuspunkt *m*; ***~ three degrees*** drei Grad minus; ***an A ~*** eine Eins minus **III** *n* (≈ *sign*) Minus (-zeichen) *nt*

minuscule *adj* winzig

minus sign *n* Minuszeichen *nt*

minute¹ *n* **1.** (*of time*) Minute *f*; ***it's 23 ~s past 3*** es ist 3 Uhr und 23 Minuten; ***in a ~*** gleich; ***this ~!*** auf der Stelle!; ***I shan't be a ~*** es dauert nicht lang; ***just a ~!*** einen Moment bitte!; ***any ~ (now)*** jeden Augenblick; ***tell me the ~ he comes*** sag mir sofort Bescheid, wenn er kommt; ***have you got a ~?*** hast du mal eine Minute Zeit?; ***I don't believe for a*** *or* ***one ~ that ...*** ich glaube nicht einen Augenblick, dass...; ***at the last ~*** in letzter Minute **2.** (≈ *official note*) ***~s*** Protokoll *nt*; ***to take the ~s*** das Protokoll führen

minute² *adj* (≈ *small*) winzig; *detail* kleinste(r, s)

minute hand *n* Minutenzeiger *m*

minutiae *pl* genaue Einzelheiten *pl*

miracle *n* Wunder *nt*; ***to work*** *or* ***perform ~s*** (*lit*) Wunder vollbringen; ***I can't work ~s*** ich kann nicht hexen; ***by some ~*** (*fig*) wie durch ein Wunder; ***it'll take a ~ for us*** *or* ***we'll need a ~ to be finished on time*** da müsste schon ein Wunder geschehen, wenn wir noch rechtzeitig fertig werden sollen **miracle drug** *n* Wunderdroge *f* **miraculous** *adj* **1.** *escape* wundersam; ***that is nothing/little short of ~*** das grenzt an ein Wunder **2.** (≈ *wonderful*) wunderbar **miraculously** *adv* ***~ the baby was unhurt*** es war wie ein Wunder, dass das Baby unverletzt blieb

mirage *n* Fata Morgana *f*; (*fig*) Trugbild *nt*

mire *n* Morast *m*

mirror I *n* Spiegel *m* **II** *v/t* (wider)spiegeln **mirror image** *n* Spiegelbild *nt*

mirth *n* Heiterkeit *f*

misadventure *n* Missgeschick *nt*

misanthrope *n* Misanthrop(in) *m(f)*

misapply *v/t* falsch anwenden

misapprehension *n* Missverständnis *nt*; ***he was under the ~ that ...*** er hatte fälschlicherweise angenommen, dass ...

misappropriate *v/t* entwenden; *money* veruntreuen

misbehave *v/i* sich schlecht benehmen

miscalculate I *v/t* falsch berechnen; (≈ *misjudge*) falsch einschätzen **II** *v/i* sich verrechnen; (≈ *misjudge*) sich verschätzen **miscalculation** *n* Rechenfehler *m*; (≈ *wrong estimation*) Fehlkalkulation *f*; (≈ *misjudgement*) Fehleinschätzung *f*

miscarriage *n* **1.** MED Fehlgeburt *f* **2.** ***~ of justice*** Justizirrtum *m* **miscarry** *v/i* MED eine Fehlgeburt haben

miscellaneous *adj* verschieden; ***~ expenses/income*** sonstige Aufwendungen/Erträge

mischief *n* **1.** (≈ *roguery*) Schalk *m*; (≈ *foolish behaviour*) Unfug *m*; ***he's always getting into ~*** er stellt dauernd etwas an; ***to keep out of ~*** keinen Unfug machen **2.** ***to cause ~*** Unfrieden stiften **3.** (≈ *damage, physical injury*) Schaden *m*; ***to do sb/oneself a ~*** jdm/sich Schaden zufügen; (*physically*) jdm/sich etwas (an)tun **mischievous** *adj* (≈ *roguish*) verschmitzt; ***her son is really ~*** ihr Sohn ist ein Schlingel **mischievously** *adv* (≈ *roguishly*) *smile, say* verschmitzt

misconceived *adj idea* falsch **misconception** *n* fälschliche Annahme

misconduct *n* schlechtes Benehmen; ***gross ~*** grobes Fehlverhalten

misconstrue *v/t* missdeuten, falsch auslegen; ***you have ~d my meaning*** Sie haben mich falsch verstanden

misdemeanour, (*US*) **misdemeanor** *n* JUR Vergehen *nt*

misdiagnose *v/t* MED *illness* falsch diagnostizieren

misdirect *v/t letter* fehlleiten; *person* in die falsche Richtung schicken

miser *n* Geizhals *m*

miserable *adj* **1.** (≈ *unhappy*) unglücklich; (≈ *ill-tempered*) griesgrämig; ***to make life ~ for sb***, ***to make sb's life ~*** jdm das Leben zur Qual machen **2.** *weather* grässlich; *existence* erbärmlich; *place* trostlos **3.** (≈ *contemptible*) jämmerlich; *sum* kläglich; ***to be a ~ failure*** kläglich versagen **miserably** *adv* **1.** (≈ *unhappily*) unglücklich **2.** *fail* kläglich

miserly *adj* geizig; *offer* knauserig; ***a ~ £8*** mickrige £ 8 (*infml*); ***to be ~ with sth*** mit etw geizen

misery *n* **1.** (≈ *sadness*) Trauer *f* **2.** (≈ *suffering*) Qualen *pl*; (≈ *wretchedness*) Elend *nt*; ***to make sb's life a ~*** jdm das Leben zur Hölle machen; ***to put an animal out of its ~*** ein Tier von seinen Qualen erlösen; ***to put sb out of his ~*** (*fig*) jdn nicht länger auf die Folter spannen

misfire *v/i* (*engine*) fehlzünden; (*plan*) fehlschlagen

misfit *n* Außenseiter(in) *m(f)*

misfortune *n* **1.** (≈ *ill fortune*) (schweres) Schicksal *nt* **2.** (≈ *bad luck*) Pech *nt no pl*; ***it was my ~*** *or* ***I had the ~ to ...*** ich hatte das Pech, zu ...

misgiving *n* Bedenken *pl*; ***I had ~s about the scheme*** bei dem Vorhaben war mir nicht ganz wohl

misguided *adj* töricht; *opinions* irrig

mishandle *v/t case* falsch handhaben

mishap *n* Missgeschick *nt*; ***he's had a slight ~*** ihm ist ein kleines Missgeschick passiert

mishear *pret, past part* **misheard** **I** *v/t* falsch hören **II** *v/i* sich verhören

mishmash *n* Mischmasch *m*

misinform *v/t* falsch informieren; ***you've been ~ed*** Sie sind falsch informiert **misinformation** *n* Fehlinformation(en *pl*) *f*

misinterpret *v/t* falsch auslegen; ***he ~ed her silence as agreement*** er deutete ihr Schweigen fälschlich als Zustimmung **misinterpretation** *n* falsche Auslegung

misjudge *v/t* falsch einschätzen **misjudgement** *n* Fehleinschätzung *f*

mislay *pret, past part* **mislaid** *v/t* verlegen

mislead *pret, past part* **misled** *v/t* irreführen; ***you have been misled*** Sie irren *or* täuschen sich **misleading** *adj* irreführend **misled** *pret, past part of* **mislead**

mismanage *v/t company* schlecht verwalten; *affair* schlecht handhaben **mismanagement** *n* Misswirtschaft *f*

mismatch *n* ***to be a ~*** nicht zusammenpassen

misogynist *n* Frauenfeind *m*

misplace *v/t* verlegen

misprint *n* Druckfehler *m*

mispronounce *v/t* falsch aussprechen

misquote *v/t* falsch zitieren

misread *pret, past part* **misread** *v/t* falsch lesen; (≈ *misinterpret*) falsch verstehen

misrepresent *v/t* falsch darstellen

miss[1] **I** *n* **1.** (≈ *shot*) Fehlschuss *m*; ***his first shot was a ~*** sein erster Schuss ging daneben; ***it was a near ~*** (*fig*) das war eine knappe Sache; ***we had a near ~ with that car*** wir wären fast mit diesem Auto zusammengestoßen **2.** ***to give sth a ~*** (*infml*) sich (*dat*) etw schenken **II** *v/t* **1.** (≈ *fail to catch, attend etc: by accident*) verpassen; (≈ *fail to hear or perceive*) nicht mitbekommen; ***to ~ breakfast*** nicht frühstücken; (≈ *be too late for*) das Frühstück verpassen; ***they ~ed each other in the crowd*** sie verpassten sich in der Menge; ***to ~ the boat*** *or* ***bus*** (*fig*) den Anschluss verpassen; ***he ~ed school for a week*** er hat eine Woche lang die Schule versäumt; ***~ a turn*** einmal aussetzen; ***he doesn't ~ much*** (*infml*) ihm entgeht so schnell nichts **2.** (≈ *fail to achieve*) *prize* nicht bekommen; ***he narrowly ~ed being first/becoming president*** er wäre beinahe auf den ersten Platz gekommen/Präsident geworden **3.** (≈ *avoid*) *obstacle* (noch) ausweichen können (+*dat*); (≈ *es-*

cape) entgehen (+*dat*); ***the car just ~ed the tree*** das Auto wäre um ein Haar gegen den Baum gefahren **4.** (≈ *overlook*) übersehen **5.** (≈ *regret absence of*) vermissen; ***I ~ him*** er fehlt mir; ***he won't be ~ed*** keiner wird ihn vermissen **III** *v/i* (≈ *not hit*) nicht treffen; (*shooting*) danebenschießen; (≈ *not catch*) danebengreifen ◆ **miss out I** *v/t sep* auslassen; *last line etc* weglassen **II** *v/i* (*infml*) zu kurz kommen; ***to ~ on sth*** etw verpassen

miss² *n* ***Miss*** Fräulein *nt*, Frl. *abbr*

misshapen *adj* missgebildet

missile *n* **1.** (≈ *stone etc*) (Wurf)geschoss *nt* **2.** (≈ *rocket*) Rakete *f*

missing *adj* (≈ *lost*) *person* vermisst, abgängig (*esp Aus*); *object* verschwunden; (≈ *not there*) fehlend; ***to be ~/have gone ~*** fehlen; (*person*) vermisst werden; ***to go ~*** (*person*) vermisst werden; (*object*) verloren gehen; ***~ in action*** vermisst **missing person** *n* Vermisste(r) *m*/*f*(*m*)

mission *n* **1.** (≈ *task*) Auftrag *m*; (≈ *calling*) Berufung *f*; (MIL ≈ *operation*) Einsatz *m*; ***~ accomplished*** (MIL, *fig*) Befehl ausgeführt **2.** (≈ *people on mission*) Delegation *f*

missionary I *n* Missionar(in) *m*(*f*) **II** *adj* missionarisch

misspell *pret*, *past part* ***misspelled*** *or* ***misspelt*** *v/t* falsch schreiben

misspent *adj* ***I regret my ~ youth*** ich bedaure es, meine Jugend so vergeudet zu haben

mist *n* Nebel *m* ◆ **mist over** *v/i* (*a.* **mist up**) (sich) beschlagen

mistake I *n* Fehler *m*; ***to make a ~*** (*in writing etc*) einen Fehler machen; (≈ *be mistaken*) sich irren; ***to make the ~ of asking too much*** den Fehler machen, zu viel zu verlangen; ***by ~*** aus Versehen; ***there must be some ~*** da muss ein Fehler vorliegen **II** *v/t*, *pret* ***mistook***, *past part* ***mistaken*** falsch verstehen; ***there's no mistaking her writing*** ihre Schrift ist unverkennbar; ***there's no mistaking what he meant*** er hat sich unmissverständlich ausgedrückt; ***there was no mistaking his anger*** er war eindeutig wütend; ***to ~ A for B*** A mit B verwechseln; ***to be ~n about sth/sb*** sich in etw/jdm irren; ***to be ~n in thinking that ...*** fälschlicherweise annehmen, dass ...; ***if I am not ~n ...*** wenn mich nicht alles täuscht ... **mistaken** *adj idea* falsch; ***a case of ~ identity*** eine Verwechslung **mistakenly** *adv* irrtümlicherweise

mister *n* Herr *m*

mistime *v/t* einen ungünstigen Zeitpunkt wählen für

mistletoe *n* Mistel *f*; (≈ *sprig*) Mistelzweig *m*

mistook *pret of* ***mistake***

mistranslate *v/t* falsch übersetzen

mistreat *v/t* schlecht behandeln; (*violently*) misshandeln **mistreatment** *n* schlechte Behandlung; (*violent*) Misshandlung *f*

mistress *n* **1.** (*of house*, *dog*) Herrin *f* **2.** (≈ *lover*) Geliebte *f*

mistrust I *n* Misstrauen *nt* (*of* gegenüber) **II** *v/t* misstrauen (+*dat*) **mistrustful** *adj* misstrauisch; ***to be ~ of sb/sth*** jdm/einer Sache misstrauen

misty *adj* (+*er*) neblig

misunderstand *pret*, *past part* ***misunderstood*** **I** *v/t* missverstehen; ***don't ~ me ...*** verstehen Sie mich nicht falsch ... **II** *v/i* ***I think you've misunderstood*** ich glaube, Sie haben das missverstanden **misunderstanding** *n* Missverständnis *nt*; ***there must be some ~*** da muss ein Missverständnis vorliegen **misunderstood I** *past part of* ***misunderstand*** **II** *adj* unverstanden; *artist* verkannt

misuse I *n* Missbrauch *m*; ***~ of power/authority*** Macht-/Amtsmissbrauch *m* **II** *v/t* missbrauchen

mite¹ *n* ZOOL Milbe *f*

mite² *adv* (*infml*) ***a ~ surprised*** etwas überrascht

mitigate *v/t* ***mitigating circumstances*** mildernde Umstände *pl*

mitt *n* **1.** = ***mitten*** **2.** (≈ *baseball glove*) Baseballhandschuh *m* **mitten** *n* Fausthandschuh *m*

mix I *n* Mischung *f*; ***a real ~ of people*** eine bunte Mischung von Menschen; ***a broad racial ~*** ein breites Spektrum verschiedener Rassen **II** *v/t* (ver)mischen; *drinks* (≈ *prepare*) mixen; *ingredients* verrühren; *dough* zubereiten; *salad* wenden; ***you shouldn't ~ your drinks*** man sollte nicht mehrere Sachen durcheinandertrinken; ***to ~ sth into sth*** etw unter etw (*acc*) mengen; ***I never ~ business with*** *or* ***and pleasure*** ich vermische nie Geschäftliches und Privates **III** *v/i* **1.** (≈ *combine*) sich mischen lassen

2. (≈ *go together*) zusammenpassen **3.** (*people*) (≈ *mingle*) sich vermischen; (≈ *associate*) miteinander verkehren; ***he finds it hard to ~*** er ist nicht sehr gesellig ◆ **mix in** *v/t sep egg* unterrühren ◆ **mix up** *v/t sep* **1.** (≈ *get in a muddle*) durcheinanderbringen; (≈ *confuse*) verwechseln **2.** ***to be mixed up in sth*** in etw (*acc*) verwickelt sein; ***he's got himself mixed up with that gang*** er hat sich mit dieser Bande eingelassen

mixed *adj* gemischt; (≈ *good and bad*) unterschiedlich; ***~ nuts*** Nussmischung *f*; ***of ~ race*** *or* ***parentage*** gemischtrassig; ***a class of ~ ability*** eine Klasse mit Schülern unterschiedlicher Leistungsstärke; ***to have ~ feelings about sth*** etw mit gemischten Gefühlen betrachten **mixed-ability** *adj group* mit unterschiedlicher Leistungsstärke **mixed bag** *n* bunte Mischung **mixed blessing** *n* ***it's a ~*** das ist ein zweischneidiges Schwert **mixed doubles** *pl* SPORTS gemischtes Doppel **mixed grill** *n* Grillteller *m* **mixed-race** *adj* gemischtrassig **mixed-up** *adj attr*, **mixed up** *adj pred* durcheinander *pred*; (≈ *muddled*) *person also*, *ideas* konfus; ***I'm all mixed up*** ich bin völlig durcheinander; ***he got all mixed up*** er hat alles durcheinandergebracht **mixer** *n* **1.** (≈ *food mixer*) Mixer *m*; (≈ *cement mixer*) Mischmaschine *f* **2.** *Tonic etc zum Auffüllen von alkoholischen Mixgetränken*

mixture *n* Mischung *f*; COOK Gemisch *nt*; (≈ *cake mixture*) Teig *m*; ***fold the eggs into the cheese ~*** heben Sie die Eier in die Käsemischung unter **mix-up** *n* Durcheinander *nt*; (≈ *mistake*) Verwechslung *f*; ***there seemed to be some ~ about which train ...*** es schien völlig unklar, welchen Zug ...; ***there must have been a ~*** da muss irgendetwas schiefgelaufen sein (*infml*)

ml 1. *abbr of* ***millilitre*** ml **2.** *abbr of* ***mile***

mm *abbr of* ***millimetre(s)*** mm

mo *n* (*infml*) *abbr of* ***moment***

moan I *n* **1.** (≈ *groan*) Stöhnen *nt* **2.** ***to have a ~ about sth*** über etw (*acc*) jammern **II** *v/i* **1.** (≈ *groan*) stöhnen **2.** (≈ *grumble*) jammern, sempern (*Aus*) (*about* über *+acc*) **III** *v/t* ***..., he ~ed ...*** stöhnte er **moaning** *n* **1.** Stöhnen *nt* **2.** (≈ *grumbling*) Gestöhn(e) *nt*

moat *n* Wassergraben *m*; (*of castle*) Burggraben *m*

mob I *n* **1.** (≈ *crowd*) Horde *f*; (*violent*) Mob *m no pl* **2.** (*infml*) (≈ *criminal gang*) Bande *f* **II** *v/t* herfallen über (*+acc*); *pop star* belagern

mobile I *adj* **1.** *person* beweglich **2.** *X-ray unit etc* fahrbar; *laboratory* mobil **II** *n* **1.** (≈ *mobile phone*) Handy *nt* **2.** (≈ *decoration*) Mobile *nt* **mobile home** *n* Wohnwagen *m*

mobile phone *n* Handy *nt* **mobility** *n* (*of person*) Beweglichkeit *f*; (*of work force*) Mobilität *f*; ***a car gives you ~*** ein Auto macht Sie beweglicher **mobilization** *n* Mobilisierung *f* **mobilize I** *v/t* mobilisieren **II** *v/i* mobil machen

moccasin *n* Mokassin *m*

mocha *n* Mokka *m*

mock I *n* **mocks** (*Br* SCHOOL *infml*) Probeprüfungen *pl* **II** *adj attr examination* simuliert; *execution* gestellt; ***~ leather*** Kunstleder *nt* **III** *v/t* sich lustig machen über (*+acc*) **IV** *v/i* ***don't ~*** mokier dich nicht! **mockery** *n* **1.** Spott *m* **2.** ***to make a ~ of sth*** etw lächerlich machen **mocking** *adj*, **mockingly** *adv* spöttisch

MOD (*Br*) *abbr of* ***Ministry of Defence*** *britisches Verteidigungsministerium*

modal *adj* modal; ***~ verb*** Modalverb *nt*

mod cons *pl* (*Br infml*) *abbr of* ***modern conveniences*** mod. Komf.

mode *n* **1.** (≈ *way*) Art *f* (und Weise); (≈ *form*) Form *f*; ***~ of transport*** Transportmittel *nt* **2.** IT Modus *m*, Mode *m*

model I *n* **1.** Modell *nt*; (≈ *fashion model*) Mannequin *nt*; (≈ *male model*) Dressman *m* **2.** (≈ *perfect example*) Muster *nt* (*of* an *+dat*); ***to hold sb up as a ~*** jdn als Vorbild hinstellen **II** *adj* **1.** Modell-; ***~ railway*** (*Br*) *or* ***railroad*** (*US*) Modelleisenbahn *f* **2.** (≈ *perfect*) vorbildlich; ***~ pupil*** Musterschüler(in) *m(f)* **III** *v/t* **1.** ***to ~ X on Y*** Y als Muster für X benutzen; ***X is modelled*** (*Br*) *or* ***modeled*** (*US*) ***on Y*** Y dient als Muster für X; ***the system was modelled*** (*Br*) *or* ***modeled*** (*US*) ***on the American one*** das System war nach amerikanischem Muster aufgebaut; ***to ~ oneself on sb*** sich (*dat*) jdn zum Vorbild nehmen **2.** *dress etc* vorführen **IV** *v/i* FASHION als Mannequin / Dressman arbeiten **modelling**, (*US*) **modeling** *n* ***to do some ~*** FASHION als Mannequin / Dressman arbeiten

modem *n* Modem *nt*

moderate I *adj* gemäßigt; *increase* mäßig; *improvement* leicht; *demands* vernünftig; *drinker* maßvoll; *success* bescheiden; ***a ~ amount*** einigermaßen viel **II** *n* POL Gemäßigte(r) *m/f(m)* **III** *v/t* mäßigen **moderately** *adv* **1.** (*with adj / adv*) einigermaßen; *increase*, *decline* mäßig; ***a ~ priced suit*** ein nicht allzu teurer Anzug **2.** *eat*, *exercise* in Maßen **moderation** *n* Mäßigung *f*; ***in ~*** mit Maß(en)

modern *adj* modern; *history* neuere und neueste; ***Modern Greek*** *etc* Neugriechisch *nt etc* **modern-day** *adj* modern; ***~ America*** das heutige Amerika **modernism** *n* Modernismus *m* **modernist I** *adj* modernistisch **II** *n* Modernist(in) *m(f)* **modernization** *n* Modernisierung *f* **modernize** *v/t* modernisieren **modern languages** *pl* neuere Sprachen *pl*; UNIV Neuphilologie *f*

modest *adj* bescheiden; *price* mäßig; ***to be ~ about one's successes*** nicht mit seinen Erfolgen prahlen; ***on a ~ scale*** in bescheidenem Rahmen **modesty** *n* Bescheidenheit *f*

modicum *n* ***a ~ (of)*** ein wenig

modification *n* (Ver)änderung *f*; (*of wording*) Modifizierung *f*; ***to make ~s to sth*** (Ver)änderungen an etw (*dat*) vornehmen; etw modifizieren **modifier** *n* GRAM Bestimmungswort *nt* **modify** *v/t* (ver)ändern; *wording* modifizieren

modular *adj* aus Elementen zusammengesetzt; IT modular; (*esp Br* SCHOOL, UNIV) modular aufgebaut

modulate *v/t & v/i* MUS, RADIO modulieren **modulation** *n* MUS, RADIO Modulation *f*

module *n* (Bau)element *nt*; (*in education*) Kurs *m*; IT Modul *nt*; SPACE Raumkapsel *f*

mohair *n* Mohair *m*

moist *adj* (*+er*) feucht (*from*, *with* vor *+dat*) **moisten** *v/t* anfeuchten **moisture** *n* Feuchtigkeit *f* **moisturizer, moisturizing cream** *n* Feuchtigkeitscreme *f*

molar (tooth) *n* Backenzahn *m*, Stockzahn *m* (*Aus*)

molasses *n* Melasse *f*

mold *etc* (*US*) = ***mould*** *etc*

mole[1] *n* ANAT Leberfleck *m*

mole[2] *n* ZOOL Maulwurf *m*, Schermaus *f* (*Swiss*); (*infml* ≈ *secret agent*) Spion(in) *m(f)* **molehill** *n* Maulwurfshaufen *m*

molecular *adj* Molekular- **molecule** *n* Molekül *nt*

molest *v/t* belästigen

mollusc *n* Weichtier *nt*

mollycoddle *v/t* verhätscheln

molt *v/i* (*US*) = ***moult***

molten *adj* geschmolzen; *lava* flüssig

mom *n* (*US infml*) = ***mum***[2]

moment *n* Augenblick *m*; ***any ~ now***, ***(at) any ~*** jeden Augenblick; ***at the ~*** im Augenblick; ***not at the ~*** im Augenblick nicht; ***at this (particular) ~ in time*** augenblicklich; ***for the ~*** vorläufig; ***not for a*** *or* ***one ~ ...*** nie(mals) ...; ***I didn't hesitate for a ~*** ich habe keinen Augenblick gezögert; ***in a ~*** gleich; ***to leave things until the last ~*** alles erst im letzten Moment erledigen; ***just a ~!***, ***wait a ~!*** Moment mal!; ***I shan't be a ~*** ich bin gleich wieder da; (≈ *nearly ready*) ich bin gleich so weit; ***I have just this ~ heard about it*** ich habe es eben *or* gerade erst erfahren; ***we haven't a ~ to lose*** wir haben keine Minute zu verlieren; ***not a ~'s peace*** keine ruhige Minute; ***one ~ she was laughing, the next she was crying*** zuerst lachte sie, einen Moment später weinte sie; ***the ~ I saw him I knew ...*** als ich ihn sah, wusste ich sofort ...; ***tell me the ~ he comes*** sagen Sie mir sofort Bescheid, wenn er kommt; ***the ~ of truth*** die Stunde der Wahrheit; ***the film has its ~s*** streckenweise hat der Film was (*infml*) **momentarily** *adv* (für) einen Augenblick **momentary** *adj* kurz; *lapse* momentan; ***there was a ~ silence*** einen Augenblick lang herrschte Stille

momentous *adj* bedeutungsvoll

momentum *n* Schwung *m*; ***to gather*** *or* ***gain ~*** (*lit*) sich beschleunigen; (*fig*) in Gang kommen; ***to lose ~*** Schwung verlieren

Mon *abbr of* ***Monday*** Mo

monarch *n* Monarch(in) *m(f)* **monarchist** *n* Monarchist(in) *m(f)* **monarchy** *n* Monarchie *f*

monastery *n* (Mönchs)kloster *nt* **monastic** *adj* klösterlich; ***~ order*** Mönchsorden *m*

Monday *n* Montag *m*; → ***Tuesday***

monetary *adj* währungspolitisch; ***~ policy*** Währungspolitik *f*; ***~ union*** Währungsunion *f* **monetary unit** *n* Währungseinheit *f*

money *n* Geld *nt*; ***to make ~*** (*person*) (viel) Geld verdienen; (*business*) etwas einbringen; ***to lose ~*** (*person*) Geld verlieren; (*business*) Verluste haben; ***to be in the ~*** (*infml*) Geld wie Heu haben; ***what's the ~ like in this job?*** wie wird der Job bezahlt?; ***to earn good ~*** gut verdienen; ***to get one's ~'s worth*** etwas für sein Geld bekommen; ***to put one's ~ where one's mouth is*** (*infml*) (nicht nur reden, sondern) Taten sprechen lassen **money belt** *n* ≈ Gürteltasche *f* **moneybox** *n* Sparbüchse *f* **money laundering** *n* Geldwäsche *f* **moneylender** *n* Geldverleiher(in) *m*(*f*) **money market** *n* Geldmarkt *m* **money order** *n* Zahlungsanweisung *f* **money-spinner** *n* (*infml*) Verkaufsschlager *m* (*infml*) **money supply** *n* Geldvolumen *nt*

mongrel *n* Promenadenmischung *f*; (*pej*) Köter *m*

monitor I *n* **1.** SCHOOL ***book ~*** Bücherwart(in) *m*(*f*) **2.** (TV, TECH ≈ *screen*) Monitor *m* **3.** (≈ *observer*) Überwacher(in) *m*(*f*) **II** *v/t* **1.** *telephone conversation* abhören; *TV programme* mithören **2.** (≈ *check*) überwachen; *expenditure etc* kontrollieren

monk *n* Mönch *m*

monkey I *n* Affe *m*; (*fig* ≈ *child*) Schlingel *m*; ***I don't give a ~'s*** (*Br infml*) das ist mir scheißegal (*infml*) **II** *v/i* ***to ~ around*** (*infml*) herumalbern; ***to ~ around with sth*** an etw (*dat*) herumfummeln (*infml*) **monkey business** *n* (*infml*) ***no ~!*** mach(t) mir keine Sachen! (*infml*) **monkey wrench** *n* Engländer *m*

mono I *n* Mono *nt* **II** *adj* Mono-, mono-

monochrome *adj* monochrom

monocle *n* Monokel *nt*

monogamous *adj* monogam **monogamy** *n* Monogamie *f*

monolingual *adj* einsprachig

monolithic *adj* (*fig*) gigantisch

monologue, (*US*) **monolog** *n* Monolog *m*

monopolization *n* (*lit*) Monopolisierung *f* **monopolize** *v/t* (*lit*) *market* monopolisieren; (*fig*) *person etc* mit Beschlag belegen; *conversation* beherrschen **monopoly** *n* (*lit*) Monopol *nt*

monorail *n* Einschienenbahn *f*

monosyllabic *adj* (*fig*) einsilbig

monotone *n* monotoner Klang; (≈ *voice*) monotone Stimme **monotonous** *adj* monoton; ***it's getting ~*** es wird allmählich langweilig **monotony** *n* Monotonie *f*

monoxide *n* Monoxid *nt*

monsoon *n* Monsun *m*; ***the ~s, the ~ season*** die Monsunzeit

monster I *n* **1.** (≈ *big thing*) Ungetüm *nt*; (≈ *animal*) Ungeheuer *nt* **2.** (≈ *abnormal animal*) Monster *nt* **3.** (≈ *cruel person*) Unmensch *m* **II** *attr* (≈ *enormous*) riesenhaft **monstrosity** *n* (≈ *thing*) Monstrosität *f* **monstrous** *adj* **1.** (≈ *huge*) riesig **2.** (≈ *horrible*) abscheulich; *crime* grässlich

montage *n* Montage *f*

month *n* Monat *m*; ***in*** *or* ***for ~s*** seit Langem; ***it went on for ~s*** es hat sich monatelang hingezogen; ***one ~'s salary*** ein Monatsgehalt; ***by the ~*** monatlich

monthly I *adj*, *adv* monatlich; ***~ magazine*** Monats(zeit)schrift *f*; ***~ salary*** Monatsgehalt *nt*; ***they have ~ meetings*** sie treffen sich einmal im Monat; ***to pay on a ~ basis*** monatlich zahlen; ***twice ~*** zweimal pro Monat **II** *n* Monats(zeit)-schrift *f*

monty *n* (*infml*) ***the full ~*** absolut alles

monument *n* Denkmal *nt*; (*fig*) Zeugnis *nt* (*to +gen*) **monumental** *adj* enorm; ***on a ~ scale*** *disaster* von riesigem Ausmaß; *building* monumental

moo *v/i* muhen

mooch (*infml*) *v/i* tigern (*infml*); ***I spent all day just ~ing about*** (*Br*) *or* ***around the house*** ich habe den ganzen Tag zu Hause herumgegammelt (*infml*)

mood[1] *n* (*of party etc*) Stimmung *f*; (*of one person*) Laune *f*; ***he's in one of his ~s*** er hat mal wieder eine seiner Launen; ***he was in a good/bad ~*** er hatte gute/schlechte Laune; ***to be in a cheerful ~*** gut aufgelegt sein; ***to be in a festive/forgiving ~*** feierlich/versöhnlich gestimmt sein; ***I'm in no ~ for laughing*** mir ist nicht nach *or* zum Lachen zumute; ***to be in the ~ for sth*** zu etw aufgelegt sein; ***to be in the ~ to do sth*** dazu aufgelegt sein, etw zu tun; ***to be in no ~ to do sth*** nicht in der Stimmung sein, etw zu tun; ***I'm not in the ~ to work*** ich habe keine Lust zum Arbeiten; ***I'm not in the ~*** ich bin nicht dazu aufgelegt

mood[2] *n* GRAM Modus *m*; ***indicative ~*** Indikativ *m*

moodiness *n* Launenhaftigkeit *f* **moody** *adj* (*+er*) launisch; (≈ *bad-tempered*) schlecht gelaunt

moon *n* Mond *m*; ***is there a ~ tonight?*** scheint heute der Mond?; ***when the ~ is full*** bei Vollmond; ***to promise sb the ~*** jdm das Blaue vom Himmel versprechen; ***to be over the ~*** (*infml*) überglücklich sein ◆ **moon about** (*Brit*) *or* **around** *v/i* (vor sich *acc* hin) träumen; ***to moon about*** *or* ***around (in) the house*** zu Hause hocken

moonbeam *n* Mondstrahl *m* **moonless** *adj* mondlos **moonlight I** *n* Mondlicht *nt*; ***it was ~*** der Mond schien **II** *v/i* (*infml*) schwarzarbeiten, pfuschen (*Aus*) **moonlighting** *n* (*infml*) Schwarzarbeit *f*, Pfusch *m* (*Aus*) **moonlit** *adj object* mondbeschienen; *landscape* mondhell **moonshine** *n* (≈ *moonlight*) Mondschein *m*

moor[1] *n* (Hoch)moor *nt*

moor[2] *v/t & v/i* festmachen **mooring** *n* (≈ *place*) Anlegeplatz *m*; ***~s*** (≈ *ropes*) Verankerung *f*

moose *n*, *pl* **-** Elch *m*

moot *adj* ***a ~ point*** eine fragliche Sache

mop I *n* (≈ *floor mop*) Mopp *m*; ***her ~ of curls*** ihr Wuschelkopf *m* **II** *v/t floor* wischen; ***to ~ one's brow*** sich (*dat*) den Schweiß von der Stirn wischen ◆ **mop up I** *v/t sep water etc* aufwischen; ***she mopped up the sauce with a piece of bread*** sie tunkte die Soße mit einem Stück Brot auf **II** *v/i* (auf)wischen

mope *v/i* Trübsal blasen (*infml*) ◆ **mope about** (*Brit*) *or* **around** *v/i* mit einer Jammermiene herumlaufen; ***to mope about*** *or* ***around the house*** zu Hause hocken und Trübsal blasen (*infml*)

moped *n* Moped *nt*

moral I *adj* moralisch; ***~ values*** sittliche Werte *pl*; ***to give sb ~ support*** jdn moralisch unterstützen **II** *n* **1.** (≈ *lesson*) Moral *f* **2. morals** *pl* (≈ *principles*) Moral *f*

morale *n* Moral *f*; ***to boost sb's ~*** jdm (moralischen) Auftrieb geben

moralistic *adj* moralisierend **morality** *n* Moralität *f*; (≈ *moral system*) Ethik *f* **moralize** *v/i* moralisieren **morally** *adv* (≈ *ethically*) moralisch

morass *n* ***a ~ of problems*** ein Wust *m* von Problemen

moratorium *n* Stopp *m*; (*on treaty etc*) Moratorium *nt*

morbid *adj* krankhaft; *sense of humour etc* makaber; *thoughts* düster; *person* trübsinnig; ***don't be so ~!*** sieh doch nicht alles so schwarz!

more I *n*, *pron* mehr; (*countable*) noch welche; ***~ and ~*** immer mehr; ***three ~*** noch drei; ***many/much ~*** viel mehr; ***not many/much ~*** nicht mehr viele/viel; ***no ~*** nichts mehr; (*countable*) keine mehr; ***some ~*** noch etwas; (*countable*) noch welche; ***there isn't/aren't any ~*** mehr gibt es nicht; (*left over*) es ist nichts/es sind keine mehr da; ***is/are there any ~?*** gibt es noch mehr?; (*left over*) ist noch etwas/sind noch welche da?; ***even ~*** noch mehr; ***let's say no ~ about it*** reden wir nicht mehr darüber; ***there's ~ to come*** das ist noch nicht alles; ***what ~ do you want?*** was willst du denn noch?; ***there's ~ to it*** da steckt (noch) mehr dahinter; ***there's ~ to bringing up children than ...*** zum Kindererziehen gehört mehr als ...; ***and what's ~, ...*** und außerdem ...; ***(all) the ~*** umso mehr; ***the ~ you give him, the ~ he wants*** je mehr du ihm gibst, desto mehr verlangt er; ***the ~ the merrier*** je mehr, desto besser **II** *adj* mehr; (*in addition*) noch mehr; ***two ~ bottles*** noch zwei Flaschen; ***a lot/a little ~ money*** viel/etwas mehr Geld; ***a few ~ weeks*** noch ein paar Wochen; ***no ~ friends*** keine Freunde mehr; ***no ~ squabbling!*** Schluss mit dem Zanken!; ***do you want some ~ tea/books?*** möchten Sie noch etwas Tee/noch ein paar Bücher?; ***there isn't any ~ wine*** es ist kein Wein mehr da; ***there aren't any ~ books*** mehr Bücher gibt es nicht; (*here*, *at the moment*) es sind keine Bücher mehr da **III** *adv* **1.** mehr; ***~ and ~*** immer mehr; ***it will weigh/grow a bit ~*** es wird etwas mehr wiegen/noch etwas wachsen; ***to like sth ~*** etw lieber mögen; ***~ than*** mehr als; ***it will ~ than meet the demand*** das wird die Nachfrage mehr als genügend befriedigen; ***he's ~ lazy than stupid*** er ist eher faul als dumm; ***no ~ than*** nicht mehr als; ***he's ~ like a brother to me*** er ist eher wie ein Bruder (für mich); ***once ~*** noch einmal; ***no ~, not any ~*** nicht mehr; ***to be no ~*** (*thing*) nicht mehr existieren; ***if he comes here any ~ ...*** wenn er noch länger hierherkommt ...; ***~ or less*** mehr oder weniger; ***neither ~ nor less, no ~, no less*** nicht mehr und nicht weniger **2.** (*comp of adj*, *adv*) -er (*than*

als); **~ beautiful** schöner; **~ and ~ beautiful** immer schöner; **~ seriously** ernster; **no ~ stupid than I am** (auch) nicht dümmer als ich **moreover** *adv* zudem
morgue *n* Leichenschauhaus *nt*
Mormon I *adj* mormonisch; **~ church** Mormonenkirche *f* II *n* Mormone *m*, Mormonin *f*
morning I *n* Morgen *m*; **in the ~** morgens; (≈ *tomorrow*) morgen früh; **early in the ~** am frühen Morgen; (≈ *tomorrow*) morgen früh; **(at) 7 in the ~** (um) 7 Uhr morgens; **at 2 in the ~** um 2 Uhr früh; **this/yesterday ~** heute / gestern Morgen; **tomorrow ~** morgen früh; **it was the ~ after** es war am nächsten Morgen II *attr* am Morgen; (*regular*) morgendlich; **~ flight** Vormittagsflug *m* **morning paper** *n* Morgenzeitung *f* **morning sickness** *n* (Schwangerschafts)übelkeit *f*
Morocco *n* Marokko *nt*
moron *n* (*infml*) Trottel *m* (*infml*) **moronic** *adj* (*infml*) idiotisch (*infml*)
morose *adj*, **morosely** *adv* missmutig
morphine *n* Morphium *nt*
morphology *n* Morphologie *f*
morse *n* (*a.* **Morse code**) Morseschrift *f*
morsel *n* (*of food*) Bissen *m*
mortal I *adj* **1.** sterblich **2.** (≈ *causing death*) tödlich; **to deal (sb/sth) a ~ blow** (jdm / einer Sache) einen tödlichen Schlag versetzen; **~ enemy** Todfeind(in) *m(f)* II *n* Sterbliche(r) *m/f(m)* **mortality** *n* **~ rate** Sterblichkeitsziffer *f* **mortally** *adv* tödlich; **~ ill** todkrank **mortal sin** *n* Todsünde *f*
mortar *n* Mörtel *m* **mortarboard** *n* UNIV Doktorhut *m*
mortgage I *n* Hypothek *f* (*on* auf *+acc / dat*); **a ~ for £50,000** eine Hypothek über £ 50.000 II *v/t* hypothekarisch belasten **mortgage rate** *n* Hypothekenzinssatz *m*
mortician *n* (*US*) Bestattungsunternehmer(in) *m(f)*
mortify *v/t* **he was mortified** es war ihm äußerst peinlich
mortuary *n* Leichenhalle *f*
mosaic *n* Mosaik *nt*
Moscow *n* Moskau *nt*
Moselle *n* Mosel *f*
Moslem I *adj* muslimisch II *n* Muslim(in) *m(f)*
mosque *n* Moschee *f*
mosquito *n*, *pl* **-es** Stechmücke *f*; (*in tropics*) Moskito *m*
moss *n* Moos *nt* **mossy** *adj* (*+er*) moosbedeckt
most I *adj sup* **1.** meiste(r, s); *pleasure etc* größte(r, s); **who has (the) ~ money?** wer hat am meisten Geld?; **for the ~ part** größtenteils; (≈ *by and large*) im Großen und Ganzen **2.** (≈ *the majority of*) die meisten; **~ people** die meisten (Leute) II *n*, *pron* (*uncountable*) das meiste; (*countable*) die meisten; **~ of it** das meiste; **~ of them** die meisten (von ihnen); **~ of the money** das meiste Geld; **~ of his friends** die meisten seiner Freunde; **~ of the day** fast den ganzen Tag über; **~ of the time** die meiste Zeit; (≈ *usually*) meist(ens); **at ~** höchstens; **to make the ~ of sth** (≈ *make good use of*) etw voll ausnützen; (≈ *enjoy*) etw in vollen Zügen genießen III *adv* **1.** *sup* (*+vbs*) am meisten; (*+adj*) -ste(r, s); (*+adv*) am -sten; **the ~ beautiful ...** der / die/das schönste ...; **what ~ displeased him ...**, **what displeased him ~ ...** was ihm am meisten missfiel ...; **~ of all** am allermeisten **2.** (≈ *very*) äußerst; **~ likely** höchstwahrscheinlich
mostly *adv* (≈ *principally*) hauptsächlich; (≈ *most of the time*) meistens; (≈ *by and large*) zum größten Teil; **they are ~ women** die meisten sind Frauen
MOT (*Br*) I *n* **~ (test)** ≈ TÜV *m*; **it failed its ~** ≈ es ist nicht durch den TÜV gekommen II *v/t* **to get one's car ~'d** ≈ sein Auto zum TÜV bringen; **I got my car ~'d** (*successfully*) ≈ mein Auto ist durch den TÜV gekommen
motel *n* Motel *nt*
moth *n* **1.** Nachtfalter *m* **2.** (*wool-eating*) Motte *f* **mothball** *n* Mottenkugel *f*
mother I *n* Mutter *f*; **she's a ~ of three** sie hat drei Kinder II *attr* Mutter- III *v/t* (≈ *cosset*) bemuttern **motherboard** *n* IT Mutterplatine *f* **mother country** *n* (≈ *native country*) Heimat *f*; (≈ *head of empire*) Mutterland *nt* **mother figure** *n* Mutterfigur *f* **motherhood** *n* Mutterschaft *f*
mother-in-law *n*, *pl* **mothers-in-law** Schwiegermutter *f* **motherland** *n* Heimat *f* **motherly** *adj* mütterlich **mother-of-pearl** I *n* Perlmutt *nt* II *adj* Perlmutt- **Mother's Day** *n* Muttertag *m* **mother-to-be** *n*, *pl* **mothers-to-be** werdende Mutter **mother tongue** *n* Mutterspra-

che *f*
motif *n* ART, MUS Motiv *nt*; SEWING Muster *nt*
motion I *n* **1.** Bewegung *f*; ***to be in ~*** sich bewegen; (*train etc*) fahren; ***to set*** *or* ***put sth in ~*** etw in Gang setzen; ***to go through the ~s of doing sth*** etw der Form halber tun **2.** (≈ *proposal*) Antrag *m* **II** *v/t* ***to ~ sb to do sth*** jdm ein Zeichen geben, dass er etw tun solle; ***he ~ed me to a chair*** er wies mir einen Stuhl an **III** *v/i* ***to ~ to sb to do sth*** jdm ein Zeichen geben, dass er etw tun solle **motionless** *adj* reg(ungs)los; ***to stand ~*** bewegungslos dastehen **motion picture** *n* (*esp US*) Film *m* **motion sickness** *n* MED Kinetose *f* (*tech*), Seekrankheit *f*; (*in the air*) Luftkrankheit *f*; (*in car*) Autokrankheit *f*
motivate *v/t* motivieren **motivated** *adj* motiviert; ***he's not ~ enough*** es fehlt ihm die nötige Motivation **motivation** *n* Motivation *f* **motive** *n* Motiv *nt* **motiveless** *adj* unmotiviert
motley *adj* kunterbunt
motor I *n* **1.** Motor *m* **2.** (*Br infml* ≈ *car*) Auto *nt* **II** *attr* **1.** PHYSIOL motorisch **2.** (≈ *relating to motor vehicles*) Kraftfahrzeug- **motorbike** *n* Motorrad *nt*, Töff *m* (*Swiss*) **motorboat** *n* Motorboot *nt* **motorcade** *n* Fahrzeugkolonne *f* **motorcar** *n* (*form*) Auto *nt*
motorcycle *n* Motorrad *nt*, Töff *m* (*Swiss*) **motorcycling** *n* Motorradfahren *nt*, Töfffahren *nt* (*Swiss*); SPORTS Motorradsport *m* **motorcyclist** *n* Motorradfahrer(in) *m(f)*, Töfffahrer(in) *m(f)* (*Swiss*) **motor industry** *n* Kraftfahrzeugindustrie *f* **motoring** (*esp Br*) **I** *adj attr* Auto-; ***~ offence*** Verkehrsdelikt *nt* **II** *n* ***school of ~*** Fahrschule *f* **motorist** *n* Autofahrer(in) *m(f)* **motorize** *v/t* ***to be ~d*** motorisiert sein **motor lodge** *n* (*US*) Motel *nt* **motor mechanic** *n* Kraftfahrzeugmechaniker(in) *m(f)* **motor racing** *n* Rennsport *m* **motor sport** *n* Motorsport *m* **motor vehicle** *n* (*form*) Kraftfahrzeug *nt*
motorway *n* (*Br*) Autobahn *f*; ***~ driving*** das Fahren auf der Autobahn
mottled *adj* gesprenkelt
motto *n*, *pl* **-es** Motto *nt*
mould[1], (*US*) **mold I** *n* **1.** (≈ *shape*) Form *f* **2.** (*fig*) ***to be cast in*** *or* ***from the same/a different ~*** (*people*) vom gleichen/von einem anderen Schlag sein; ***to break the ~*** (*fig*) mit der Tradition brechen **II** *v/t* formen (*into* zu)
mould[2], (*US*) **mold** *n* (≈ *fungus*) Schimmel *m* **mouldy**, (*US*) **moldy** *adj* (+*er*) verschimmelt; ***to go ~*** (*food*) verschimmeln
moult, (*US*) **molt** *v/i* (*bird*) sich mausern; (*mammals*) sich haaren
mound *n* **1.** (≈ *hill*) Hügel *m*; (≈ *earthwork*) Wall *m*; BASEBALL Wurfmal *nt* **2.** (≈ *pile*) Haufen *m*; (*of books*) Stapel *m*
Mount *n* ***~ Etna*** *etc* der Ätna *etc*; ***~ Everest*** Mount Everest *m*; ***on ~ Sinai*** auf dem Berg(e) Sinai
mount I *n* **1.** (≈ *horse etc*) Reittier *nt* **2.** (*of machine*) Sockel *m*; (*of jewel*) Fassung *f*; (*of picture*) Passepartout *nt* **II** *v/t* **1.** (≈ *climb onto*) besteigen **2.** (≈ *place in/on mount*) montieren; *picture* aufziehen; *jewel* (ein)fassen **3.** *attack*, *expedition* organisieren; ***to ~ a guard*** eine Wache aufstellen **4.** (≈ *mate with*) bespringen **III** *v/i* **1.** (≈ *get on*) aufsteigen; (*on horse*) aufsitzen **2.** (*a.* **mount up**) zunehmen; (*evidence*) sich häufen; ***the death toll has ~ed to 800*** die Todesziffer ist auf 800 gestiegen; ***pressure is ~ing on him to resign*** er sieht sich wachsendem Druck ausgesetzt, zurückzutreten
mountain *n* Berg *m*; ***in the ~s*** in den Bergen; ***to make a ~ out of a molehill*** aus einer Mücke einen Elefanten machen (*infml*) **mountain bike** *n* Mountainbike *nt* **mountain chain** *n* Bergkette *f* **mountaineer** *n* Bergsteiger(in) *m(f)* **mountaineering** *n* Bergsteigen *nt* **mountainous** *adj* gebirgig; (*fig* ≈ *huge*) riesig **mountain range** *n* Gebirgszug *m* **mountainside** *n* (Berg)hang *m*
mounted *adj* (≈ *on horseback*) beritten
Mountie *n* (*infml*) *berittener kanadischer Polizist*
mounting *adj* wachsend; ***there is ~ evidence that ...*** es häufen sich die Beweise dafür, dass ...
mourn I *v/t* betrauern; (*fig*) nachtrauern (+*dat*) **II** *v/i* trauern; ***to ~ for*** *or* ***over sb*** um jdn trauern **mourner** *n* Trauernde(r) *m/f(m)* **mournful** *adj person*, *occasion* traurig; *cry* klagend **mourning** *n* (≈ *period etc*) Trauerzeit *f*; (≈ *dress*) Trauer(-kleidung) *f*; ***to be in ~ for sb*** um jdn trauern; ***next Tuesday has been de-***

clared a day of national ~ für den kommenden Dienstag wurde Staatstrauer angeordnet

mouse *n*, *pl* ***mice*** Maus *f* (*also* IT) **mouse button** *n* IT Maustaste *f* **mouse click** *n* IT Mausklick *m* **mousehole** *n* Mauseloch *nt* **mouse mat, mouse pad** *n* Mauspad *nt*, Mausmatte *f* **mousetrap** *n* Mausefalle *f* **mousey** *adj* = ***mousy***

mousse *n* **1.** Creme(speise) *f* **2.** (*a.* **styling mousse**) Schaumfestiger *m*

moustache, (*US*) **mustache** *n* Schnurrbart *m*, Schnauz *m* (*Swiss*)

mousy, mousey *adj* (+*er*) *colour* mausgrau

mouth I *n* (*of person*) Mund *m*; (*of animal*) Maul *nt*; (*of bird*) Rachen *m*; (*of bottle etc*) Öffnung *f*; (*of river*) Mündung *f*; ***to keep one's*** (***big***) ***~ shut*** (***about sth***) (*infml*) (über etw *acc*) die Klappe halten (*infml*); ***me and my big ~!*** (*infml*) ich konnte wieder nicht die Klappe halten (*infml*); ***he has three ~s to feed*** er hat drei Mäuler zu stopfen (*infml*) **II** *v/t* (*soundlessly*) mit Lippensprache sagen **mouthful** *n* (*of drink*) Schluck *m*; (*of food*) Bissen *m*; (*fig*) (≈ *difficult word*) Zungenbrecher *m* **mouth organ** *n* Mundharmonika *f* **mouthpiece** *n* Mundstück *nt*; (*fig*) Sprachrohr *nt* **mouth-to-mouth** *adj* ***~ resuscitation*** Mund-zu-Mund-Beatmung *f* **mouthwash** *n* Mundwasser *nt* **mouthwatering** *adj* lecker; (*fig*) verlockend

movable *adj* beweglich

move I *v/t* **1.** bewegen; *wheel* (an)treiben; *objects*, *furniture* woanders hinstellen; (≈ *move away*) wegstellen; (≈ *shift about*) umräumen; *chair* rücken; *vehicle* wegfahren; (≈ *remove*) *obstacle* aus dem Weg räumen; *chess piece etc* ziehen mit; (≈ *take away*) *arm* wegnehmen; *hand* wegziehen; *patient* (≈ *transfer*) verlegen; *employee* versetzen; ***to ~ sth to a different place*** etw an einen anderen Platz stellen; ***I can't ~ this handle*** der Griff lässt sich nicht bewegen; ***you'll have to ~ these books*** Sie müssen diese Bücher wegräumen; ***his parents ~d him to another school*** seine Eltern haben ihn in eine andere Schule getan **2.** (≈ *change location/timing of*) verlegen; (IT ≈ *postpone*) verschieben; ***we've been ~d to a new office*** wir mussten in ein anderes Büro umziehen; ***to ~ house*** (*Br*) umziehen, zügeln (*Swiss*) **3.** (≈ *cause emotion in*) rühren; (≈ *upset*) erschüttern; ***to be ~d*** gerührt/erschüttert sein; ***to ~ sb to tears*** jdn zu Tränen rühren; ***to ~ sb to do sth*** jdn dazu bringen, etw zu tun **II** *v/i* **1.** sich bewegen; (*vehicle*) fahren; (*traffic*) vorankommen; ***the wheel began to ~*** das Rad setzte sich in Bewegung; ***nothing ~d*** nichts rührte sich; ***don't ~!*** stillhalten!; ***to keep moving*** nicht stehen bleiben; ***to keep sb/sth moving*** jdn/etw in Gang halten; ***to ~ away from sth*** sich von etw entfernen; ***to ~ closer to sth*** sich einer Sache (*dat*) nähern; ***things are moving at last*** endlich kommen die Dinge in Gang; ***to ~ with the times*** mit der Zeit gehen; ***to ~ in royal circles*** in königlichen Kreisen verkehren **2.** (≈ *move house*) umziehen, zügeln (*Swiss*); ***we ~d to London/to a bigger house*** wir sind nach London/in ein größeres Haus umgezogen; ***they ~d to Germany*** sie sind nach Deutschland gezogen **3.** (≈ *change place*) gehen; (*in vehicle*) fahren; ***he has ~d to room 52*** er ist jetzt in Zimmer 52; ***she has ~d to a different company*** sie hat die Firma gewechselt; ***~!*** weitergehen!; (≈ *go away*) verschwinden Sie!; ***don't ~*** gehen Sie nicht weg **4.** (≈ *go fast*, *infml*) ein Tempo draufhaben (*infml*); ***he can really ~*** der ist unheimlich schnell (*infml*) **5.** (≈ *act*, *fig*) etwas unternehmen; ***we'll have to ~ quickly*** wir müssen schnell handeln **III** *n* **1.** (*in game*) Zug *m*; (*fig*) (≈ *step*) Schritt *m*; (≈ *measure taken*) Maßnahme *f*; ***it's my ~*** ich bin am Zug; ***to make a ~*** einen Zug machen; ***to make the first ~*** (*fig*) den ersten Zug machen **2.** (≈ *movement*) Bewegung *f*; ***to watch sb's every ~*** jdn nicht aus den Augen lassen; ***it's time we made a ~*** es wird Zeit, dass wir gehen; ***to make a ~ to do sth*** (*fig*) Anstalten machen, etw zu tun; ***to be on the ~*** unterwegs sein; ***to get a ~ on*** (*infml* ≈ *hurry up*) sich beeilen; ***get a ~ on!*** nun mach schon! (*infml*) **3.** (*of house etc*) Umzug *m*; (*to different job*) Stellenwechsel *m*

◆ **move about** (*Br*) **I** *v/t sep* umarrangieren; *furniture* umräumen **II** *v/i* sich (hin und her) bewegen; (≈ *travel*) unterwegs sein; ***I can hear him moving about*** ich höre ihn herumlaufen ◆ **move along I** *v/t sep* weiterrücken; ***they are***

trying to move things along sie versuchen, die Dinge voranzutreiben **II** *v/i* (*along seat etc*) aufrücken; (*along pavement*) weitergehen ◆ **move around** *v/t & v/i sep* = ***move about*** ◆ **move aside** **I** *v/t sep* zur Seite schieben **II** *v/i* zur Seite gehen ◆ **move away I** *v/t sep* wegräumen; ***to move sb away from sb/sth*** jdn von jdm / etw entfernen **II** *v/i* **1.** (≈ *leave*) weggehen; (*vehicle*) losfahren; (≈ *move house*) wegziehen (*from* aus, von) **2.** (*fig*) sich entfernen (*from* von) ◆ **move back I** *v/t sep* **1.** (*to former place*) zurückstellen; (*into old house*) wieder unterbringen (*into* in *+dat*) **2.** (*to the rear*) *things* zurückschieben; *car* zurückfahren **II** *v/i* **1.** (*to former place*) zurückkommen; (*into house*) wieder einziehen (*into* in *+acc*) **2.** (*to the rear*) zurückweichen; ***~, please!*** bitte zurücktreten! ◆ **move down I** *v/t sep* (*downwards*) (weiter) nach unten stellen; (*along*) (weiter) nach hinten stellen **II** *v/i* (*downwards*) nach unten rücken; (*along*) weiterrücken; (*in bus etc*) nach hinten aufrücken; ***he had to ~ a year*** (*pupil*) er musste eine Klasse zurück ◆ **move forward I** *v/t sep* **1.** *person* vorgehen lassen; *chair* vorziehen; *car* vorfahren **2.** (*fig*) *event* vorverlegen **II** *v/i* (*person*) vorrücken; (*car*) vorwärtsfahren ◆ **move in** *v/i* **1.** (*into accommodation*) einziehen (*-to* in *+acc*) **2.** (≈ *come closer*) sich nähern (*on dat*); (*police, troops*) anrücken; (*workers*) (an)kommen ◆ **move off I** *v/t sep* wegschicken **II** *v/i* (≈ *go away*) weggehen ◆ **move on I** *v/t sep* ***the policeman moved them on*** der Polizist forderte sie auf weiterzugehen **II** *v/i* (*people*) weitergehen; (*vehicles*) weiterfahren; ***it's about time I was moving on*** (*fig, to new job etc*) es wird Zeit, dass ich (mal) etwas anderes mache; ***time is moving on*** die Zeit vergeht ◆ **move out I** *v/t sep* **1.** (*of room*) hinausräumen **2.** *troops* abziehen; ***they moved everybody out of the danger zone*** alle mussten die Gefahrenzone räumen **II** *v/i* (*of house*) ausziehen; (≈ *withdraw* ≈ *YYY, troops*) abziehen ◆ **move over I** *v/t sep* herüberschieben; ***he moved the car over to the side*** er fuhr an die Seite heran **II** *v/i* zur Seite rücken; ***~!*** rück mal ein Stück! (*infml*); ***to ~ to a new system*** ein neues System einführen ◆ **move up I** *v/t sep* (weiter) nach oben stellen; (≈ *promote*) befördern; *pupil* versetzen; ***they moved him up two places*** sie haben ihn zwei Plätze vorgerückt **II** *v/i* (*fig*) aufsteigen

moveable *adj* = ***movable***

movement *n* **1.** Bewegung *f*; (*fig* ≈ *trend*) Trend *m* (*towards* zu); ***the ~ of traffic*** der Verkehrsfluss **2.** (≈ *transport*) Beförderung *f* **3.** MUS Satz *m* **mover** *n* **1.** (≈ *walker, dancer etc*) ***he is a good/poor*** *etc* ***~*** seine Bewegungen sind schön / plump *etc* **2.** ***to be a fast ~*** (*infml*) von der schnellen Truppe sein (*infml*)

movie *n* (*esp US*) Film *m*; (***the***) ***~s*** der Film; ***to go to the ~s*** ins Kino gehen **moviegoer** *n* Kinogänger(in) *m(f)* **movie star** *n* Filmstar *m* **movie theater** *n* Kino *nt*

moving *adj* **1.** beweglich **2.** (≈ *touching*) ergreifend **moving company** *n* (*US*) Umzugsunternehmen *nt*

mow *pret* ***mowed***, *past part* ***mown*** *or* ***mowed*** *v/t & v/i* mähen ◆ **mow down** *v/t sep* (*fig*) niedermähen

mower *n* Rasenmäher *m* **mown** *past part of* ***mow***

MP (*Br* POL) *abbr of* ***Member of Parliament***

MP3® *n* MP3®; ***~ player*** MP3-Player *m*

MPEG *n abbr of* ***Moving Pictures Experts Group*** MPEG *nt*

mpg *abbr of* ***miles per gallon***

mph *abbr of* ***miles per hour***

MPV *n abbr of* ***multi-purpose vehicle*** Minivan *m*

Mr *abbr of* ***Mister*** Herr *m*

MRI *n* MED *abbr of* ***magnetic resonance imaging*** Kernspintomografie *f*

Mrs *abbr of* ***Mistress*** Frau *f*

MS *n abbr of* ***multiple sclerosis***

Ms *n* Frau *f* (*auch für Unverheiratete*)

MSc *abbr of* ***Master of Science***

MSP (*Br* POL) *abbr of* ***Member of the Scottish Parliament*** Abgeordnete(r) *m/f(m) or* Mandatar(in) *m(f)* (*Aus*) des schottischen Parlaments

Mt *abbr of* ***Mount***

mth *abbr of* ***month***

much I *adj, n* viel *inv*; ***how ~*** wie viel *inv*; ***not ~*** nicht viel; ***that ~*** so viel; ***but that ~ I do know*** aber DAS weiß ich; ***we don't see ~ of each other*** wir sehen uns nur selten; ***it's not up to ~*** (*infml*) es ist nicht gerade berühmt (*infml*); ***I'm not ~ of a***

cook ich bin keine große Köchin; ***that wasn't ~ of a party*** die Party war nicht gerade besonders; ***I find that a bit*** (***too***) ***~ after all I've done for him*** nach allem was ich für ihn getan habe, finde ich das ein ziemlich starkes Stück (*infml*); ***that insult was too ~ for me*** die Beleidigung ging mir zu weit; ***this job is too ~ for me*** ich bin der Arbeit nicht gewachsen; ***far too ~*** viel zu viel; (***just***) ***as ~*** genauso viel *inv*; ***not as ~*** nicht so viel; ***as ~ as you want*** so viel du willst; ***as ~ as £2m*** zwei Millionen Pfund; ***as ~ again*** noch einmal so viel; ***I thought as ~*** das habe ich mir gedacht; ***so ~*** so viel *inv*; ***it's not so ~ a problem of modernization as ...*** es ist nicht so sehr ein Problem der Modernisierung, als ...; ***I couldn't make ~ of that chapter*** mit dem Kapitel konnte ich nicht viel anfangen (*infml*) **II** *adv* **1.** viel; ***a ~-admired woman*** eine viel bewunderte Frau; ***so ~*** so viel; so sehr; ***too ~*** zu viel, zu sehr; ***I like it very ~*** es gefällt mir sehr gut; ***I don't like him ~*** ich kann ihn nicht besonders leiden; ***thank you very ~*** vielen Dank; ***I don't ~ care*** *or* ***care ~*** es ist mir ziemlich egal; ***however ~ he tries*** wie sehr er sich auch bemüht; ***~ as I like him*** sosehr ich ihn mag **2.** (≈ *by far*) weitaus; ***I would ~ rather stay*** ich würde viel lieber bleiben **3.** (≈ *almost*) beinahe; ***they are produced in ~ the same way*** sie werden auf sehr ähnliche Art hergestellt

muck *n* (≈ *dirt*) Dreck *m*; (≈ *manure*) Mist *m* ◆ **muck about** *or* **around** (*Br infml*) **I** *v/t sep* ***to muck sb about*** jdn verarschen (*infml*) **II** *v/i* **1.** herumalbern (*infml*) **2.** (≈ *tinker with*) herumfummeln (*with* an +*dat*) ◆ **muck in** *v/i* (*Br infml*) mit anpacken (*infml*) ◆ **muck out** (*Br*) **I** *v/t sep* (aus)misten **II** *v/i* ausmisten ◆ **muck up** *v/t sep* (*Br infml* ≈ *spoil*) vermasseln (*infml*)

mucky *adj* (+*er*) schmutzig; ***you ~ pup!*** (*Br infml*) du Ferkel! (*infml*)

mucous *adj* schleimig, Schleim-

mucus *n* Schleim *m*

mud *n* **1.** Schlamm *m*; (*on roads etc*) Matsch *m* **2.** (*fig*) ***his name is ~*** (*infml*) er ist unten durch (*infml*)

muddle I *n* Durcheinander *nt*; ***to get in*** (***-to***) ***a ~*** (*things*) durcheinandergeraten; (*person*) konfus werden; ***to get oneself in***(***to***) ***a ~ over sth*** mit etw nicht klarkommen (*infml*); ***to be in a ~*** völlig durcheinander sein **II** *v/t* durcheinanderbringen; *two things* verwechseln; *person* verwirren ◆ **muddle along** *v/i* vor sich (*acc*) hinwursteln (*infml*) ◆ **muddle through** *v/i* sich (irgendwie) durchschlagen ◆ **muddle up** *v/t sep* = ***muddle*** II

muddled *adj* konfus; *thoughts* wirr; ***to get ~*** (***up***) (*things*) durcheinandergeraten; (*person*) konfus werden

muddy *adj* (+*er*) schmutzig; *ground* matschig; ***I'm all ~*** ich bin ganz voll Schlamm

mudflap *n* Schmutzfänger *m* **mudguard** *n* (*Br*) (*on cycles*) Schutzblech *nt*; (*on cars*) Kotflügel *m* **mudpack** *n* Schlammpackung *f*

muesli *n* Müsli *nt*

muff[1] *n* Muff *m*

muff[2] *v/t* (*infml*) vermasseln (*infml*); *shot* danebensetzen (*infml*)

muffin *n* **1.** Muffin *m*, *kleiner Kuchen* **2.** (*Br*) *weiches, flaches Milchbrötchen, meist warm gegessen*

muffle *v/t* dämpfen **muffled** *adj* gedämpft

muffler *n* (*US* AUTO) Auspuff(topf) *m*

mug I *n* **1.** (≈ *cup*) Becher *m*, Haferl *nt* (*Aus*); (*for beer*) Krug *m* **2.** (*esp Br infml* ≈ *dupe*) Trottel *m* (*infml*) **II** *v/t* überfallen ◆ **mug up** *v/t sep* (*Br infml*: *a.* **mug up on**) ***to mug sth/one's French up, to ~ on sth/one's French*** etw/Französisch pauken (*infml*)

mugger *n* Straßenräuber(in) *m*(*f*) **mugging** *n* Straßenraub *m no pl*

muggy *adj* (+*er*) schwül; *heat* drückend

mulch HORT **I** *n* Krümelschicht *f* **II** *v/t* abdecken

mule[1] *n* Maultier *nt*; (***as***) ***stubborn as a ~*** (so) störrisch wie ein Maulesel

mule[2] *n* (≈ *slipper*) Pantoffel *m*

◆ **mull over** *v/t sep* sich (*dat*) durch den Kopf gehen lassen

mulled wine *n* Glühwein *m*

multicoloured, (*US*) **multicolored** *adj* mehrfarbig; *material* bunt **multicultural** *adj* multikulturell **multifocals** *pl* Gleitsichtgläser *pl*; (≈ *spectacles*) Gleitsichtbrille *f* **multilateral** *adj* POL multilateral **multilingual** *adj* mehrsprachig **multimedia** *adj* multimedial; IT Multimedia- **multimillionaire** *n* Multimillionär(in) *m*(*f*) **multinational I** *n* Multi *m* (*infml*) **II** *adj* multinational **multiparty** *adj* POL

Mehrparteien-

multiple I *adj* **1.** (*with sing n*) mehrfach; **~ collision** Massenkarambolage *f* **2.** (*with pl n*) mehrere; ***he died of ~ injuries*** er erlag seinen zahlreichen Verletzungen **II** *n* MAT Vielfache(s) *nt*; ***eggs are usually sold in ~s of six*** Eier werden gewöhnlich in Einheiten zu je sechs verkauft **multiple choice** *n* Multiple-Choice-Verfahren *nt* **multiple sclerosis** *n* multiple Sklerose **multiplex I** *n* (≈ *cinema*) Multiplexkino *nt* **II** *adj* TECH Mehrfach-, Vielfach- **multiplication** *n* MAT Multiplikation *f* **multiplication sign** *n* MAT Multiplikationszeichen *nt* **multiplication table** *n* MAT Multiplikationstabelle *f*; ***he knows his ~s*** er kann das Einmaleins **multiplicity** *n* Vielzahl *f*

multiply I *v/t* MAT multiplizieren; ***4 multiplied by 6 is 24*** 4 mal 6 ist 24 **II** *v/i* **1.** (*fig*) sich vervielfachen **2.** (≈ *breed*) sich vermehren

multipurpose *adj* Mehrzweck- **multiracial** *adj* gemischtrassig **multistorey**, (*US*) **multistory** *adj* mehrstöckig; **~ *flats*** (*Br*), ***multistory apartments*** (*US*) (Wohn)hochhäuser *pl*; **~ *car park*** (*Br*) Park(hoch)haus *nt* **multitasking** *n* IT Multitasking *nt*

multitude *n* Menge *f*; ***a ~ of*** eine Vielzahl von, eine Menge

multivitamin I *n* Multivitaminpräparat *nt* **II** *adj* Multivitamin-

mum[1] *adj* (*infml*) ***to keep ~*** den Mund halten (*about* über *+acc*) (*infml*)

mum[2] *n* (*Br infml*) Mutter *f*; (*as address*) Mutti *f* (*infml*)

mumble I *v/t* murmeln **II** *v/i* vor sich hin murmeln

mumbo jumbo *n* (≈ *empty ritual, superstition*) Hokuspokus *m*; (≈ *gibberish*) Kauderwelsch *nt*

mummy[1] *n* (≈ *corpse*) Mumie *f*

mummy[2] *n* (*Br infml* ≈ *mother*) Mama *f* (*infml*)

mumps *n sg* Mumps *m or f* (*infml*) *no art*

munch *v/t & v/i* mampfen (*infml*)

mundane *adj* (*fig*) alltäglich

Munich *n* München *nt*

municipal *adj* städtisch; **~ *elections*** Gemeinderatswahl *f* **municipality** *n* Gemeinde *f*

munition *n usu pl* Waffen *pl* und Munition *f*

mural *n* Wandgemälde *nt*

murder I *n* **1.** (*lit*) Mord *m*; ***the ~ of John F. Kennedy*** der Mord an John F. Kennedy **2.** (*fig infml*) ***it was ~*** es war mörderisch; ***it'll be ~*** es wird schrecklich werden; ***to get away with ~*** sich (*dat*) alles erlauben können **II** *v/t* (*lit*) ermorden **murderer** *n* Mörder(in) *m(f)* **murderess** *n* Mörderin *f* **murderous** *adj* blutrünstig; **~ *attack*** Mordanschlag *m*

murk *n* **1.** Düsternis *f* **2.** (*in water*) trübes Wasser **murky** *adj* (*+er*) trüb; *street* düster; *past* dunkel; ***it's really ~ outside*** draußen ist es so düster

murmur I *n* Murmeln *nt*; ***there was a ~ of discontent*** ein unzufriedenes Murmeln erhob sich; ***without a ~*** ohne zu murren **II** *v/t* murmeln; (*with discontent*) murren **III** *v/i* murmeln; (*with discontent*) murren (*about, against* über *+acc*); (*fig*) rauschen **murmuring** *n* **~s** (***of discontent***) Unmutsäußerungen *pl* (*from +gen*)

muscle *n* Muskel *m*; (*fig* ≈ *power*) Macht *f*; ***he never moved a ~*** er rührte sich nicht ◆ **muscle in** *v/i* (*infml*) mitmischen (*infml*) (*on* bei)

muscle building *n* Muskelaufbau *m* **muscl(e)y** *adj* (*infml*) muskelbepackt (*infml*) **muscular** *adj* **1.** Muskel-; **~ *cramp*** *or* ***spasm*** Muskelkrampf *m* **2.** *torso* muskulös **muscular dystrophy** *n* Muskelschwund *m*

muse I *v/i* nachgrübeln (*about, on* über *+acc*) **II** *n* Muse *f*

museum *n* Museum *nt*

mush *n* Brei *m*

mushroom I *n* (essbarer) Pilz, Schwammerl *nt* (*Aus*); (≈ *button mushroom*) Champignon *m* **II** *attr* Pilz- **III** *v/i* (≈ *grow rapidly*) wie die Pilze aus dem Boden schießen; ***unemployment has ~ed*** die Arbeitslosigkeit ist explosionsartig angestiegen

mushy *adj* (*+er*) matschig; *consistency* breiig; ***to go ~*** zu Brei werden **mushy peas** *pl* Erbsenmus *nt*

music *n* Musik *f*; (≈ *written score*) Noten *pl*; ***to set*** *or* ***put sth to ~*** etw vertonen; ***it was*** (***like***) ***~ to my ears*** das war Musik in meinen Ohren; ***to face the ~*** (*fig*) dafür gradestehen

musical I *adj* **1.** musikalisch; **~ *note*** Note *f* **2.** (≈ *tuneful*) melodisch **II** *n* Musical *nt* **musical box** *n* Spieluhr *f* **musical chairs** *n sg* Reise *f* nach Jerusalem **mu-**

sical instrument *n* Musikinstrument *nt* **musically** *adv* musikalisch **musical score** *n* (*written*) Partitur *f*; (*for film etc*) Musik *f* **music box** *n* Spieldose *f* **music hall** *n* Varieté *nt*
musician *n* Musiker(in) *m*(*f*) **music stand** *n* Notenständer *m*
musk *n* Moschus *m* **musky** *adj* (+*er*) ~ ***smell*** *or* ***scent*** Moschusduft *m*
Muslim *adj*, *n* = ***Moslem***
muslin *n* Musselin *m*
muss (*US infml*) *v/t* (*a.* **muss up**) in Unordnung bringen
mussel *n* (Mies)muschel *f*
must I *vb / aux present tense only* **1.** müssen; ***you ~ (go and) see this church*** Sie müssen sich (*dat*) diese Kirche unbedingt ansehen; ***if you ~ know*** wenn du es unbedingt wissen willst; ***~ I?*** muss das sein?; ***I ~ have lost it*** ich muss es wohl verloren haben; ***he ~ be older than that*** er muss älter sein; ***I ~ have been dreaming*** da habe ich wohl geträumt; ***you ~ be crazy!*** du bist ja wahnsinnig! **2.** (*in neg sentences*) dürfen; ***I ~n't forget that*** ich darf das nicht vergessen **II** *n* (*infml*) Muss *nt*; ***a sense of humour*** (*Br*) *or* ***humor*** (*US*) ***is a ~*** man braucht unbedingt Humor
mustache *n* (*US*) = ***moustache***
mustard I *n* Senf *m* **II** *attr* Senf-
muster *v/t* (*fig*: *a.* **muster up**) *courage* aufbringen
mustn't *contraction* = ***must not***
musty *adj* (+*er*) moderig
mutant *n* Mutation *f* **mutation** *n* Variante *f*; BIOL Mutation *f*
mute *adj* stumm **muted** *adj* gedämpft; (*fig*) leise
mutilate *v/t* verstümmeln **mutilation** *n* Verstümmelung *f*
mutinous *adj* NAUT meuterisch; (*fig*) rebellisch **mutiny I** *n* Meuterei *f* **II** *v/i* meutern
mutter I *n* Murmeln *nt* **II** *v/t* murmeln **III** *v/i* murmeln; (*with discontent*) murren **muttering** *n* Gemurmel *nt no pl*
mutton *n* Hammel(fleisch *nt*) *m*
mutual *adj trust etc* gegenseitig; *efforts* beiderseitig; *interest etc* gemeinsam; ***the feeling is ~*** das beruht (ganz) auf Gegenseitigkeit **mutually** *adv* beide; *beneficial* für beide Seiten
Muzak® *n* Berieselungsmusik *f* (*infml*)
muzzle I *n* **1.** (≈ *snout*) Maul *nt* **2.** (*for dog etc*) Maulkorb *m* **3.** (*of gun*) Mündung *f* **II** *v/t animal* einen Maulkorb umlegen (+*dat*)
MW *abbr of* ***medium wave*** MW
my *poss adj* mein; ***I've hurt my leg*** ich habe mir das Bein verletzt; ***in my country*** bei uns
myriad I *n* ***a ~ of*** Myriaden von **II** *adj* unzählige
myrrh *n* Myrrhe *f*
myself *pers pr* **1.** (*dir obj*, *with prep +acc*) mich; (*indir obj*, *with prep +dat*) mir; ***I said to ~*** ich sagte mir; ***singing to ~*** vor mich hin singend; ***I wanted to see (it) for ~*** ich wollte es selbst sehen **2.** (*emph*) (ich) selbst; ***my wife and ~*** meine Frau und ich; ***I thought so ~*** das habe ich auch gedacht; ***... if I say so*** *or* ***it ~*** ... auch wenn ich es selbst sage; ***(all) by ~*** (ganz) allein(e) **3.** (≈ *one's normal self*) ***I'm not (feeling) ~ today*** mit mir ist heute etwas nicht in Ordnung; ***I just tried to be ~*** ich versuchte, mich ganz natürlich zu benehmen
mysterious *adj* mysteriös; *stranger* geheimnisvoll; ***for some ~ reason*** aus unerfindlichen Gründen
mystery *n* (≈ *puzzle*) Rätsel *nt*; (≈ *secret*) Geheimnis *nt*; ***to be shrouded*** *or* ***surrounded in ~*** von einem Geheimnis umgeben sein **mystery story** *n* Kriminalgeschichte *f* **mystery tour** *n* Fahrt *f* ins Blaue
mystic *n* Mystiker(in) *m*(*f*) **mystical** *adj* mystisch **mysticism** *n* Mystizismus *m*
mystified *adj* verblüfft; ***I am ~ as to how this could happen*** es ist mir ein Rätsel, wie das passieren konnte **mystify** *v/t* vor ein Rätsel stellen **mystifying** *adj* rätselhaft
mystique *n* geheimnisvoller Nimbus
myth *n* Mythos *m*; (*fig*) Märchen *nt* **mythical** *adj* **1.** (*of myth*) mythisch; ***the ~ figure/character of Arthur*** die Sagengestalt des Artus **2.** *proportions*, *figure* legendär **3.** (≈ *unreal*) fantastisch **mythological** *adj* mythologisch **mythology** *n* Mythologie *f*

N

N, n *n* N *nt*, n *nt*
N *abbr of* **north** N
n/a *abbr of* **not applicable** entf.
nab *v/t* (*infml*) **1.** (≈ *catch*) erwischen **2.** (≈ *take*) sich (*dat*) grapschen (*infml*); ***somebody had ~bed my seat*** mir hatte jemand den Platz geklaut (*infml*)
nadir *n* **1.** ASTRON Nadir *m* **2.** (*fig*) Tiefstpunkt *m*
naff *adj* (*Br infml*) **1.** (≈ *stupid*) blöd (*infml*) **2.** *design, car* ordinär
nag[1] **I** *v/t* (≈ *find fault with*) herumnörgeln an (+*dat*); (≈ *pester*) keine Ruhe lassen (+*dat*) (*for* wegen); ***don't ~ me*** nun lass mich doch in Ruhe!; ***to ~ sb about sth*** jdm wegen etw keine Ruhe lassen; ***to ~ sb to do sth*** jdm schwer zusetzen, damit er etw tut **II** *v/i* (≈ *find fault*) herumnörgeln; (≈ *be insistent*) keine Ruhe geben; ***stop ~ging*** hör auf zu meckern (*infml*) **III** *n* Nörgler(in) *m*(*f*); (*pestering*) Quälgeist *m*
nag[2] *n* Mähre *f*
nagging *adj pain* dumpf; *doubt* quälend
nail I *n* Nagel *m*; ***as hard as ~s*** knallhart (*infml*); ***to hit the ~ on the head*** (*fig*) den Nagel auf den Kopf treffen; ***to be a ~ in sb's coffin*** (*fig*) ein Nagel zu jds Sarg sein **II** *v/t* **1.** nageln; ***to ~ sth to the floor*** etw an den Boden nageln **2.** (*infml*) ***to ~ sb*** sich (*dat*) jdn schnappen (*infml*); (≈ *charge*) jdn drankriegen (*infml*) ◆ **nail down** *v/t sep* festnageln
nail-biting *adj* (*infml*) *match* spannungsgeladen **nailbrush** *n* Nagelbürste *f* **nail clippers** *pl* Nagelzwicker *m* **nailfile** *n* Nagelfeile *f* **nail polish** *n* Nagellack *m* **nail polish remover** *n* Nagellackentferner *m* **nail scissors** *pl* Nagelschere *f* **nail varnish** *n* (*Br*) Nagellack *m*
naïve *adj* (+*er*) naiv
naked *adj* nackt; *flame* ungeschützt; ***invisible to the ~ eye*** mit bloßem Auge nicht erkennbar
name I *n* **1.** Name *m*; ***what's your ~?*** wie heißen Sie?; ***my ~ is ...*** ich heiße ...; ***what's the ~ of this street?*** wie heißt diese Straße?; ***a man by the ~ of Gunn*** ein Mann namens Gunn; ***to know sb by ~*** jdn mit Namen kennen; ***to refer to sb/sth by ~*** jdn/etw namentlich *or* mit Namen nennen; ***what ~ shall I say?*** wie ist Ihr Name, bitte?; (*on telephone*) wer ist am Apparat?; (*before showing sb in*) wen darf ich melden?; ***in the ~ of*** im Namen (+*gen*); ***I'll put your ~ down*** (*on list, in register etc*) ich trage dich ein; (*for school, class etc*) ich melde dich an (*for* zu, *for a school* in einer Schule); ***to call sb ~s*** jdn beschimpfen; ***not to have a penny/cent to one's ~*** völlig pleite sein (*infml*) **2.** (≈ *reputation*) Ruf *m*; ***to have a good/bad ~*** einen guten/schlechten Ruf haben; ***to get a bad ~*** in Verruf kommen; ***to give sb a bad ~*** jdn in Verruf bringen; ***to make a ~ for oneself as*** sich (*dat*) einen Namen machen als **II** *v/t* **1.** *person* nennen; *ship etc* einen Namen geben (+*dat*); ***I ~ this child/ship X*** ich taufe dieses Kind/Schiff auf den Namen X; ***the child is ~d Peter*** das Kind hat den Namen Peter; ***they refused to ~ the victim*** sie hielten den Namen des Opfers geheim; ***to ~ ~s*** Namen nennen; ***~ three US states*** nennen Sie drei US-Staaten; ***you ~ it, he's done it*** es gibt nichts, was er noch nicht gemacht hat **2.** (≈ *appoint*) ernennen; ***to ~ sb as leader*** jdn zum Führer ernennen; ***they ~d her as the winner of the award*** sie haben ihr den Preis verliehen; ***to ~ sb as one's heir*** jdn zu seinem Erben bestimmen **name-dropping** *n* (*infml*) Angeberei *f* mit berühmten Bekannten **nameless** *adj* ***a person who shall remain ~*** jemand, der ungenannt bleiben soll **namely** *adv* nämlich **nameplate** *n* Namensschild *nt* **namesake** *n* Namensvetter(in) *m*(*f*) **name tag** *n* (≈ *badge*) Namensschild *nt*
nan(a) *n* Oma *f* (*infml*)
nan bread *n warm serviertes, fladenförmiges Weißbrot als Beilage zu indischen Fleischgerichten*
nanny *n* Kindermädchen *nt*
nanotechnology *n* Nanotechnologie *f*
nap I *n* Nickerchen *nt*; ***afternoon ~*** Nachmittagsschläfchen *nt*; ***to have or take a ~*** ein Nickerchen machen **II** *v/i* ***to catch sb ~ping*** (*fig*) jdn überrumpeln

nape *n* **~ of the/one's neck** Genick *nt*
napkin *n* Serviette *f*
Naples *n* Neapel *nt*
nappy *n* (*Br*) Windel *f* **nappy rash** *n* **Jonathan's got ~** Jonathan ist wund
narcissism *n* Narzissmus *m* **narcissistic** *adj* narzisstisch
narcotic *n* **1. ~(s)** Rauschgift *nt* **2.** MED Narkotikum *nt*
narrate *v/t* erzählen **narration** *n* Erzählung *f* **narrative I** *n* (≈ *story*) Erzählung *f*; (≈ *account*) Schilderung *f* **II** *adj* erzählend **narrator** *n* Erzähler(in) *m*(*f*); **first-person ~** Icherzähler(in) *m*(*f*)
narrow I *adj* (+*er*) eng; *hips* schmal; *views* engstirnig; *defeat*, *lead* knapp; **to have a ~ escape** mit knapper Not davonkommen **II** *v/t road etc* verengen; **they decided to ~ the focus of their investigation** sie beschlossen, ihre Untersuchung einzuengen **III** *v/i* sich verengen ◆ **narrow down** *v/t sep* (*to* auf +*acc*) beschränken; **that narrows it down a bit** dadurch wird die Auswahl kleiner
narrowly *adv* **1.** *fail*, *avoid* knapp; *escape* mit knapper Not; **he ~ escaped being knocked down** er wäre beinahe überfahren worden **2.** *define* eng; **to focus too ~ on sth** sich zu sehr auf etw (*acc*) beschränken **narrow-minded** *adj*, **narrow-mindedly** *adv* engstirnig **narrow-mindedness** *n* Engstirnigkeit *f*
nasal *adj* **1.** ANAT, MED Nasen- **2.** LING nasal; *voice* näselnd **nasal spray** *n* Nasenspray *nt*
nastily *adv* gemein; **to speak ~ to sb** zu jdm gehässig sein **nasty** *adj* (+*er*) **1.** (≈ *unpleasant*) scheußlich; *weather*, *habit*, *names* abscheulich; *surprise*, *fall* böse; *situation*, *accident* schlimm; *virus*, *bend* gefährlich; **that's a ~-looking cut** der Schnitt sieht böse aus; **to turn ~** (*person*) unangenehm werden; (*weather*) schlecht umschlagen **2.** (≈ *malicious*) gemein; **he has a ~ temper** mit ihm ist nicht gut Kirschen essen; **to be ~ about sb** gemein über jdn reden; **that was a ~ thing to say/do** das war gemein; **what a ~ man** was für ein ekelhafter Mensch
nation *n* Nation *f*; **to address the ~** zum Volk sprechen; **the whole ~ watched him do it** das ganze Land sah ihm dabei zu
national I *adj* national; *strike*, *scandal* landesweit; *press etc* überregional; **the ~ average** der Landesdurchschnitt; **~ character** Nationalcharakter *m*; **~ language** Landessprache *f* **II** *n* Staatsbürger(in) *m*(*f*); **foreign ~** Ausländer(in) *m*(*f*) **national anthem** *n* Nationalhymne *f* **national costume, national dress** *n* Nationaltracht *f* **national debt** *n* Staatsverschuldung *f* **national flag** *n* Nationalflagge *f* **National Front** *n* (*Br*) *rechtsradikale Partei* **National Guard** *n* (*esp US*) Nationalgarde *f* **National Health (Service)** *n* (*Br*) staatlicher Gesundheitsdienst; **I got it on the ~** ≈ das hat die Krankenkasse bezahlt **national holiday** *n* gesetzlicher Feiertag **national insurance** *n* (*Br*) Sozialversicherung *f*; **~ contributions** Sozialversicherungsbeiträge *pl* **nationalism** *n* Nationalismus *m* **nationalist I** *adj* nationalistisch **II** *n* Nationalist(in) *m*(*f*) **nationalistic** *adj* nationalistisch
nationality *n* Staatsangehörigkeit *f*; **what ~ is he?** welche Staatsangehörigkeit hat er?; **she is of German ~** sie hat die deutsche Staatsangehörigkeit **nationalize** *v/t* verstaatlichen **National Lottery** *n* (*Br*) ≈ Lotto *nt* **nationally** *adv* (≈ *nationwide*) landesweit **national park** *n* Nationalpark *m* **national security** *n* Staatssicherheit *f* **national service** *n* Wehrdienst *m*, Präsenzdienst *m* (*Aus*) **National Trust** *n* (*Br*) National Trust *m*, *Natur- und Denkmalschutzverein in Großbritannien* **nationwide** *adj*, *adv* landesweit; **we have 300 branches ~** wir haben 300 Niederlassungen im ganzen Land
native I *adj* einheimisch; *population* eingeboren; **~ town** Heimatstadt *f*; **~ language** Muttersprache *f*; **a ~ German** ein gebürtiger Deutscher, eine gebürtige Deutsche; **an animal ~ to India** ein in Indien beheimatetes Tier **II** *n* **1.** (≈ *person*) Einheimische(r) *m/f*(*m*); (*in colonies*) Eingeborene(r) *m/f*(*m*); **a ~ of Britain** ein gebürtiger Brite, eine gebürtige Britin **2. to be a ~ of ...** (*plant*, *animal*) in ... beheimatet sein
Native American I *adj* indianisch **II** *n* Indianer(in) *m*(*f*) **native country** *n* Heimatland *nt* **native speaker** *n* Muttersprachler(in) *m*(*f*); **I'm not a ~ of English** Englisch ist nicht meine Muttersprache

nativity *n* ***the Nativity*** Christi Geburt *f*; ***~ play*** Krippenspiel *nt*
NATO *abbr of* ***North Atlantic Treaty Organization*** NATO *f*
natter (*Br infml*) **I** *v/i* schwatzen (*infml*) **II** *n* ***to have a ~*** einen Schwatz halten (*infml*)
natty *adj* (*+er*) (*infml*) chic
natural I *adj* **1.** natürlich; *laws*, *silk* Natur-; *mistake* verständlich; ***~ resources*** Rohstoffquellen *pl*; ***it is (only) ~ for him to think ...*** es ist nur natürlich, dass er denkt ...; ***the ~ world*** die Natur; ***to die of ~ causes*** eines natürlichen Todes sterben; ***~ remedy*** Naturheilmittel *nt*; ***she is a ~ blonde*** sie ist von Natur aus blond **2.** *ability* angeboren; ***a ~ talent*** eine natürliche Begabung; ***he is a ~ comedian*** er ist der geborene Komiker **3.** *parents* leiblich **II** *n* **1.** (MUS) (≈ *symbol*) Auflösungszeichen *nt*; ***D ~*** D, d **2.** (*infml* ≈ *person*) Naturtalent *nt* **natural childbirth** *n* natürliche Geburt **natural disaster** *n* Naturkatastrophe *f* **natural gas** *n* Erdgas *nt* **natural history** *n* Naturkunde *f* **naturalist** *n* Naturforscher(in) *m(f)* **naturalistic** *adj* naturalistisch **naturalization** *n* Einbürgerung *f*; ***~ papers*** Einbürgerungsurkunde *f* **naturalize** *v/t person* einbürgern; ***to become ~d*** eingebürgert werden **naturally** *adv* **1.** natürlich; (≈ *understandably*) verständlicherweise **2.** (≈ *by nature*) von Natur aus; ***he is ~ artistic/lazy*** er ist künstlerisch veranlagt/von Natur aus faul; ***to do what comes ~*** seiner Natur folgen; ***it comes ~ to him*** das fällt ihm leicht **natural science** *n* Naturwissenschaft *f*
nature *n* **1.** Natur *f*; ***Nature*** die Natur; ***laws of ~*** Naturgesetze *pl*; ***it is not in my ~ to say that*** es entspricht nicht meiner Art, das zu sagen; ***it is in the ~ of young people to want to travel*** es liegt im Wesen junger Menschen, reisen zu wollen **2.** (*of object*) Beschaffenheit *f*; ***the ~ of the case is such ...*** der Fall liegt so ... **3.** (≈ *type*) Art *f*; ***things of this ~*** derartiges; ***... or something of that ~*** ... oder etwas in der Art **nature reserve** *n* Naturschutzgebiet *nt* **nature study** *n* Naturkunde *f* **nature trail** *n* Naturlehrpfad *m*
naturism *n* Freikörperkultur *f*, FKK *no art* **naturist I** *n* FKK-Anhänger(in) *m(f)* **II** *adj* FKK-; ***~ beach*** FKK-Strand *m*
naughtily *adv* frech; *behave* unartig **naughty** *adj* (*+er*) **1.** frech; *child*, *dog* unartig; ***it was ~ of him to break it*** das war aber gar nicht lieb von ihm, dass er das kaputt gemacht hat **2.** *joke*, *word* unanständig
nausea *n* MED Übelkeit *f* **nauseating** *adj* ekelerregend **nauseous** *adj* MED ***that made me (feel) ~*** dabei wurde mir übel
nautical *adj* nautisch **nautical mile** *n* Seemeile *f*
naval *adj* der Marine **naval base** *n* Flottenbasis *f* **naval battle** *n* Seeschlacht *f* **naval officer** *n* Marineoffizier(in) *m(f)*
nave *n* (*of church*) Hauptschiff *nt*
navel *n* ANAT Nabel *m* **navel piercing** *n* Nabelpiercing *nt*
navigable *adj* schiffbar **navigate I** *v/i* (*in plane*, *ship*) navigieren; (*in car*) den Fahrer dirigieren; ***I don't know the route, you'll have to ~*** ich kenne die Strecke nicht, du musst mich dirigieren **II** *v/t* **1.** *aircraft*, *ship* navigieren **2.** (≈ *journey through*) durchfahren; (*plane*) durchfliegen; *ocean* durchqueren **navigation** *n* Navigation *f* **navigator** *n* NAUT Navigationsoffizier(in) *m(f)*; AVIAT Navigator(in) *m(f)*; MOT Beifahrer(in) *m(f)*
navy I *n* **1.** (Kriegs)marine *f*; ***to serve in the ~*** in der Marine dienen **2.** (*a.* **navy blue**) Marineblau *nt* **II** *adj* **1.** *attr* Marine- **2.** (*a.* **navy-blue**) marineblau
NB *abbr of* ***nota bene*** NB
NBC 1. (*US*) *abbr of* ***National Broadcasting Company*** NBC *f* **2.** MIL *abbr of* ***nuclear, biological and chemical*** ABC-
NE *abbr of* ***north-east*** NO
near (*+er*) **I** *adv* **1.** nahe; ***he lives quite ~*** er wohnt ganz in der Nähe; ***you live ~er/~est*** du wohnst näher/am nächsten; ***could you move ~er together?*** könnten Sie enger zusammenrücken?; ***that was the ~est I ever got to seeing him*** da hätte ich ihn fast gesehen; ***to be ~ at hand*** zur Hand sein; (*shops*) in der Nähe sein; (*help*) ganz nahe sein **2.** (≈ *accurately*) genau; ***as ~ as I can tell*** soweit ich es beurteilen kann; ***(that's) ~ enough*** das haut so ungefähr hin (*infml*) **3.** (≈ *almost*) fast; ***he very ~ succeeded*** fast wäre es ihm gelungen **4.** (*negative*) ***it's nowhere ~ enough*** das ist bei Weitem nicht genug; ***we're not ~er (to) solving the problem*** wir sind der Lösung des

Problems kein bisschen näher gekommen; ***he is nowhere*** *or* ***not anywhere ~ as clever as you*** er ist bei Weitem nicht so klug wie du **II** *prep* (*a.* **near to**) **1.** nahe an (+*dat*); (*with motion*) nahe an (+*acc*); (≈ *in the vicinity of*) in der Nähe von *or* +*gen*; ***the hotel is very ~*** **(*to*)** ***the station*** das Hotel liegt ganz in der Nähe des Bahnhofs; ***move the chair ~er*** **(*to*)** ***the table*** rücken Sie den Stuhl näher an den Tisch; ***to get ~/~er*** **(*to*)** ***sb/sth*** nahe/näher an jdn/etw herankommen; ***keep ~ me*** bleib in meiner Nähe; ***~ here/there*** hier/dort in der Nähe; ***don't come ~ me*** komm mir nicht zu nahe; ***~*** **(*to*)** ***where ...*** nahe der Stelle, wo ...; ***to be ~est to sth*** einer Sache (*dat*) am nächsten sein; ***take the chair ~est*** **(*to*)** ***you*** nehmen Sie den Stuhl direkt neben Ihnen; ***to be ~*** **(*to*)** ***tears*** den Tränen nahe sein; ***the project is ~*** **(*to*)** ***completion*** das Projekt steht vor seinem Abschluss **2.** (*in time*) gegen; ***~ death*** dem Tode nahe; ***come back ~er*** **(*to*)** ***3 o'clock*** kommen Sie gegen 3 Uhr wieder; ***~ the end of the play*** gegen Ende des Stücks; ***I'm ~ the end of the book*** ich habe das Buch fast zu Ende gelesen; ***her birthday is ~*** **(*to*)** ***mine*** ihr und mein Geburtstag liegen nahe beieinander **3.** (≈ *similar to*) ähnlich (+*dat*); ***German is ~er*** **(*to*)** ***Dutch than English is*** Deutsch ist dem Holländischen ähnlicher als Englisch **III** *adj* **1.** nahe; ***to be ~*** in der Nähe sein; (*danger, end*) nahe sein; (*event*) bevorstehen; ***to be ~er/~est*** näher/am nächsten sein; ***it looks very ~*** es sieht so aus, als ob es ganz nah wäre; ***his answer was ~er than mine/~est*** seine Antwort traf eher zu als meine/traf die Sachlage am ehesten **2.** (*fig*) *escape* knapp; ***a ~ disaster*** fast ein Unglück *nt*; ***his ~est rival*** sein schärfster Rivale, seine schärfste Rivalin; ***round up the figure to the ~est pound*** runden Sie die Zahl auf das nächste Pfund auf; ***£50 or ~est offer*** COMM Verhandlungsbasis £ 50; ***that's the ~est thing you'll get to an answer*** eine bessere Antwort kannst du kaum erwarten; ***my ~est and dearest*** meine Lieben *pl* **IV** *v/t* sich nähern (+*dat*); ***to be ~ing sth*** (*fig*) auf etw (*acc*) zugehen; ***she was ~ing fifty*** sie ging auf die Fünfzig zu; ***to ~ completion*** kurz vor dem Abschluss stehen **V** *v/i* näher rücken **nearby I** *adv* (*a.* **near by**) in der Nähe **II** *adj* nahe gelegen **Near East** *n* Naher Osten; ***in the ~*** im Nahen Osten

nearly *adv* fast; ***I ~ laughed*** ich hätte fast gelacht; ***we are ~ there*** (*at a place*) wir sind fast da; (*with a job*) wir sind fast so weit; ***he very ~ drowned*** er wäre um ein Haar ertrunken; ***not ~*** bei Weitem nicht **nearly-new** *adj* ***~ shop*** Second-Hand-Laden *m* **near miss** *n* AVIAT Beinahezusammenstoß *m* **nearside** AUTO **I** *adj* auf der Beifahrerseite **II** *n* Beifahrerseite *f* **near-sighted** *adj* kurzsichtig **near thing** *n* ***that was a ~*** das war knapp

neat *adj* (+*er*) **1.** (≈ *tidy*) ordentlich; *appearance* gepflegt; ***~ and tidy*** hübsch ordentlich **2.** *fit* genau **3.** *solution* elegant; *trick* schlau **4.** (*esp Br*) ***to drink one's whisky ~*** Whisky pur trinken **5.** (*US infml* ≈ *excellent*) prima (*infml*) **neatly** *adv* **1.** (≈ *tidily*) ordentlich **2.** (≈ *skilfully*) gewandt **neatness** *n* Ordentlichkeit *f*

necessarily *adv* notwendigerweise; ***not ~*** nicht unbedingt

necessary I *adj* **1.** notwendig; ***it is ~ to ...*** man muss ...; ***is it really ~ for me to come?*** muss ich denn wirklich kommen?; ***it's not ~ for you to come*** Sie brauchen nicht zu kommen; ***all the ~ qualifications*** alle erforderlichen Qualifikationen; ***if/when ~*** wenn nötig; ***that won't be ~*** das wird nicht nötig sein; ***to make the ~ arrangements*** die notwendigen Maßnahmen treffen; ***to do everything ~*** alles Nötige tun **2.** *change* unausweichlich **II** *n usu pl* ***the ~*** *or* ***necessaries*** das Notwendige **necessitate** *v/t* notwendig machen **necessity** *n* Notwendigkeit *f*; ***out of ~*** aus Not; ***the bare necessities*** das Notwendigste

neck *n* **1.** Hals *m*; ***to break one's ~*** sich (*dat*) den Hals brechen; ***to risk one's ~*** Kopf und Kragen riskieren; ***to save one's ~*** seinen Hals aus der Schlinge ziehen; ***to be up to one's ~ in work*** bis über den Hals in der Arbeit stecken; ***to stick one's ~ out*** seinen Kopf riskieren; ***in this ~ of the woods*** (*infml*) in diesen Breiten **2.** (*of dress etc*) Ausschnitt *m*; ***it has a high ~*** es ist hochgeschlossen **neck and neck** *adv* Kopf an Kopf **necklace** *n* (Hals)kette *f* **neckline** *n* Ausschnitt *m* **necktie** *n* (*esp US*) Krawatte *f*

nectar *n* Nektar *m*

nectarine *n* Nektarine *f*
née *adj* ***Mrs Smith, ~ Jones*** Frau Smith, geborene Jones
need I *n* **1.** *no pl* (≈ *necessity*) Notwendigkeit *f* (*for +gen*); ***if ~ be*** nötigenfalls; (***there is***) ***no ~ for sth*** etw ist nicht nötig; (***there is***) ***no ~ to do sth*** etw braucht nicht getan werden; ***to be*** (***badly***) ***in ~ of sth*** etw (dringend) brauchen; ***in ~ of repair*** reparaturbedürftig; ***to have no ~ of sth*** etw nicht brauchen **2.** *no pl* (≈ *misfortune*) Not *f*; ***in time***(***s***) ***of ~*** in schwierigen Zeiten; ***those in ~*** die Notleidenden *pl* **3.** (≈ *requirement*) Bedürfnis *nt*; ***your ~ is greater than mine*** Sie haben es nötiger als ich; ***there is a great ~ for ...*** es besteht ein großer Bedarf an (*+dat*) ... **II** *v/t* brauchen; ***much ~ed*** dringend notwendig; ***just what I ~ed*** genau das Richtige; ***that's all I ~ed*** (*iron*) das hat mir gerade noch gefehlt; ***this incident ~s some explanation*** dieser Vorfall bedarf einer Erklärung (*gen*); ***it ~s a coat of paint*** es muss gestrichen werden; ***sth ~s doing*** etw muss gemacht werden; ***to ~ to do sth*** etw tun müssen; ***not to ~ to do sth*** etw nicht zu tun brauchen; ***you shouldn't ~ to be told*** das müsste man dir nicht erst sagen müssen **III** *vb / aux* **1.** (*positive*) müssen; ***~ he go?*** muss er gehen?; ***no-one ~ go*** *or* ***~s to go home yet*** es braucht noch keiner nach Hause zu gehen; ***you only ~ed to ask*** du hättest nur (zu) fragen brauchen **2.** (*negative*) brauchen; ***we ~n't have gone*** wir hätten gar nicht gehen brauchen; ***you ~n't have bothered*** das war nicht nötig; ***that ~n't be the case*** das muss nicht unbedingt der Fall sein
needle *n* Nadel *f*; ***it's like looking for a ~ in a haystack*** es ist, als ob man eine Stecknadel im Heuhaufen suchte
needless *adj* unnötig; *death*, *destruction* sinnlos; ***~ to say, ...*** natürlich ... **needlessly** *adv* unnötig(erweise); *destroy*, *kill* sinnlos; ***you are worrying quite ~*** Ihre Sorgen sind vollkommen unbegründet
needlework *n* Handarbeit *f*
needy I *adj* (*+er*) bedürftig **II** *n* ***the ~*** die Bedürftigen *pl*
negate *v/t* zunichtemachen **negative I** *adj* negativ; *answer* verneinend; GRAM verneint **II** *n* **1.** Verneinung *f*; ***to answer in the ~*** eine verneinende Antwort geben; ***put this sentence into the ~*** verneinen Sie diesen Satz **2.** PHOT Negativ *nt* **III** *int* nein
neglect I *v/t* vernachlässigen; ***to ~ to do sth*** es versäumen, etw zu tun **II** *n* Nachlässigkeit *f*; ***to be in a state of ~*** verwahrlost sein **neglected** *adj* vernachlässigt; *garden etc* verwahrlost **neglectful** *adj* nachlässig
néglijé(**e**) *n* Neglijé *nt*
negligence *n* Nachlässigkeit *f*; (*causing danger*, JUR) Fahrlässigkeit *f* **negligent** *adj* nachlässig; (*causing danger*, *damage*) fahrlässig **negligently** *adv* nachlässig; (≈ *causing danger*, *damage*) fahrlässig
negligible *adj* unwesentlich
negotiable *adj* ***these terms are ~*** über diese Bedingungen kann verhandelt werden **negotiate I** *v/t* **1.** (≈ *discuss*) verhandeln über (*+acc*); (≈ *bring about*) aushandeln **2.** *bend* nehmen **II** *v/i* verhandeln (*for* über *+acc*) **negotiation** *n* Verhandlung *f*; ***the matter is still under ~*** über diese Sache wird noch verhandelt **negotiator** *n* Unterhändler(in) *m*(*f*)
Negro I *adj* Schwarzen- **II** *n* Schwarze(r) *m*/*f*(*m*)
neigh *v/i* wiehern
neighbour, (*US*) **neighbor** *n* Nachbar(in) *m*(*f*); (*at table*) Tischnachbar(in) *m*(*f*)
neighbourhood, (*US*) **neighborhood** *n* (≈ *district*) Gegend *f*; (≈ *people*) Nachbarschaft *f* **neighbouring**, (*US*) **neighboring** *adj* benachbart; ***~ village*** Nachbardorf *nt* **neighbourly**, (*US*) **neighborly** *adj person* nachbarlich; *act* gutnachbarlich
neither I *adv* ***~ ... nor*** weder ... noch; ***he ~ knows nor cares*** er weiß es nicht und will es auch nicht wissen **II** *cj* auch nicht; ***if you don't go, ~ shall I*** wenn du nicht gehst, gehe ich auch nicht; ***he didn't do it*** (***and***) ***~ did his sister*** weder er noch seine Schwester haben es getan **III** *adj* keine(r, s) (der beiden); ***~ one of them*** keiner von beiden **IV** *pron* keine(r, s); ***~ of them*** keiner von beiden
neoclassical *adj* klassizistisch
neon *adj attr* Neon-
neo-Nazi I *n* Neonazi *m* **II** *adj* neonazistisch
neon sign *n* (≈ *name*) Neonschild *nt*; (≈ *advertisement*) Neonreklame *f*

nephew *n* Neffe *m*
Neptune *n* ASTRON, MYTH Neptun *m*
nerd *n* (*infml*) Dumpfbacke *f* (*sl*); ***computer ~*** Computerfreak *m* (*infml*)
nerve *n* **1.** Nerv *m*; ***to get on sb's ~s*** (*infml*) jdm auf die Nerven gehen; ***to touch a ~*** einen wunden Punkt berühren **2.** *no pl* (≈ *courage*) Mut *m*; ***to lose one's ~*** die Nerven verlieren; ***to have the ~ to do sth*** sich trauen, etw zu tun **3.** *no pl* (*infml* ≈ *impudence*) Frechheit *f*; ***to have the ~ to do sth*** die Frechheit besitzen, etw zu tun; ***he's got a ~!*** der hat Nerven! (*infml*) **nerve centre**, (*US*) **nerve center** *n* (*fig*) Schaltzentrale *f* **nerve-racking, nerve-wracking** *adj* nervenaufreibend
nervous *adj* **1.** *disorder* nervös; ***~ tension*** Nervenanspannung *f* **2.** (≈ *timid*) ängstlich; (≈ *on edge*) nervös; ***to be*** *or* ***feel ~*** (≈ *be afraid*) Angst haben; (≈ *be worried*) sich (*dat*) Sorgen machen; (≈ *be on edge*) nervös sein; ***I am ~ about the exam*** mir ist bange vor dem Examen; ***I was rather ~ about giving him the job*** mir war nicht wohl bei dem Gedanken, ihm die Stelle zu geben; ***I am rather ~ about diving*** ich habe eine ziemliche Angst vor dem Tauchen **nervous breakdown** *n* Nervenzusammenbruch *m* **nervous energy** *n* Vitalität *f* **nervously** *adv* (≈ *apprehensively*) ängstlich; (≈ *on edge*) nervös **nervous system** *n* Nervensystem *nt* **nervous wreck** *n* (*infml*) ***to be a ~*** mit den Nerven völlig am Ende sein
nest I *n* **1.** Nest *nt* **2.** (*of boxes etc*) Satz *m* **II** *v/i* nisten **nest egg** *n* (*fig*) Notgroschen *m*
nestle *v/i* ***to ~ up to sb*** sich an jdn schmiegen; ***to ~ against sb*** sich an jdn anschmiegen; ***the village nestling in the hills*** das Dorf, das zwischen den Bergen eingebettet liegt
Net *n* (*infml*) ***the ~*** IT das Internet
net[1] **I** *n* **1.** Netz *nt*; ***to slip through the ~*** (*criminal*) durch die Maschen schlüpfen **2.** (*for curtains*) Tüll *m* **II** *v/t fish* mit dem Netz fangen
net[2] *adj* **1.** *price, weight* Netto-; ***~ disposable income*** verfügbares Nettoeinkommen **2.** (*fig*) End-; ***~ result*** Endergebnis *nt*
netball *n* (*Br*) Korbball *m* **net curtain** *n* (*Br*) Tüllgardine *f*
Netherlands *pl* ***the ~*** die Niederlande *pl*
netiquette *n* IT Netiquette *f*
net profit *n* Reingewinn *m*
netspeak *n* (INTERNET, *infml*) Chat-Slang *m* (*infml*), Internetjargon *m*
netting *n* Netz *nt*; (≈ *wire netting*) Maschendraht *m*; (*for curtains etc*) Tüll *m*
nettle I *n* BOT Nessel *f*; ***to grasp the ~*** (*fig*) in den sauren Apfel beißen **II** *v/t* (*fig infml*) *person* wurmen (*infml*)
net weight *n* Nettogewicht *nt*
network I *n* **1.** Netz *nt* **2.** RADIO, TV Sendenetz *nt*; ELEC, IT Netzwerk *nt*; ***~ driver/server*** IT Netzwerktreiber *m*/-server *m* **II** *v/t programme* im ganzen Netzbereich ausstrahlen; IT vernetzen **III** *v/i* (*people*) im Netzwerk arbeiten **networking** *n* **1.** IT Networking *nt* **2.** (≈ *making contacts*) Knüpfen *nt* von Kontakten
neurological *adj* neurologisch **neurologist** *n* Neurologe *m*, Neurologin *f* **neurology** *n* Neurologie *f* **neurosis** *n*, *pl* ***neuroses*** Neurose *f* **neurosurgery** *n* Neurochirurgie *f* **neurotic I** *adj* neurotisch; ***to be ~ about sth*** in Bezug auf etw (*acc*) neurotisch sein **II** *n* Neurotiker(in) *m(f)*
neuter I *adj* GRAM sächlich **II** *v/t cat, dog* kastrieren
neutral I *adj* neutral; (≈ *colourless*) farblos **II** *n* **1.** (≈ *person*) Neutrale(r) *m/f(m)* **2.** AUTO Leerlauf *m*; ***to be in ~*** im Leerlauf sein; ***to put the car in ~*** den Gang herausnehmen **neutrality** *n* Neutralität *f* **neutralize** *v/t* neutralisieren
neutron *n* Neutron *nt*
never *adv* **1.** nie, niemals (*elev*); ***~ again*** nie wieder; ***~ before*** noch nie; ***~ even*** nicht einmal **2.** (*emph* ≈ *not*) ***I ~ slept a wink*** (*infml*) ich habe kein Auge zugetan; ***Spurs were beaten — ~!*** (*infml*) Spurs ist geschlagen worden — nein!; ***well I ~ (did)!*** (*infml*) nein, so was!; ***~ fear*** keine Angst **never-ending** *adj* endlos **nevertheless** *adv* dennoch
new *adj* (*+er*) neu; ***the ~ people at number five*** die Neuen in Nummer fünf; ***that's nothing ~*** das ist nichts Neues; ***what's ~?*** (*infml*) was gibts Neues? (*infml*); ***I'm ~ to this job*** ich bin neu in dieser Stelle; ***she's ~ to the game*** SPORTS sie ist erst seit Kurzem bei diesem Sport dabei; (*fig*) sie ist neu auf diesem Gebiet **New Age Traveller** *n* (*Br*) Aussteiger(in) *m(f)* **new blood** *n* (*fig*) frisches Blut **newborn** *adj* neugeboren **newcomer**

n Neuankömmling *m*; (*in job etc*) Neuling *m* (*to* in +*dat*); ***they are ~s to this town*** sie sind neu in dieser Stadt **New England** *n* Neuengland *nt* **newfangled** *adj* neumodisch **new-found** *adj happiness* neu(gefunden); *confidence* neugeschöpft **Newfoundland** *n* Neufundland *nt* **newish** *adj* ziemlich neu **newly** *adv* frisch; ***~ made*** ganz neu; *bread, cake etc* frisch gebacken; ***~ arrived*** neu angekommen; ***~ married*** frisch vermählt **newlyweds** *pl* (*infml*) Frischvermählte *pl* **new moon** *n* Neumond *m*; ***there's a ~ tonight*** heute Nacht ist Neumond

news *n no pl* **1.** (≈ *report*) Nachricht *f*; (≈ *recent development*) Neuigkeit(en) *f*(*pl*); ***a piece of ~*** eine Neuigkeit; ***I have no ~ of him*** ich habe nicht von ihm gehört; ***there is no ~*** es gibt nichts Neues zu berichten; ***have you heard the ~?*** haben Sie schon (das Neueste) gehört?; ***tell us your ~*** erzähl uns das Neueste; ***I have ~ for you*** (*iron*) ich habe eine Überraschung für dich; ***good ~*** gute Nachrichten; ***that's bad ~ for ...*** das ist ein schwerer Schlag für ...; ***who will break the ~ to him?*** wer wird es ihm sagen *or* beibringen?; ***that is ~ to me!*** das ist mir ganz neu! **2.** PRESS, RADIO, TV Nachrichten *pl*; ***~ in brief*** Kurznachrichten *pl*; ***financial ~*** Wirtschaftsbericht *m*; ***it was on the ~*** das kam in den Nachrichten; ***to be in the ~*** von sich reden machen **news agency** *n* Nachrichtenagentur *f* **newsagent** *n* (*Br*) Zeitungshändler(in) *m*(*f*) **news bulletin** *n* Bulletin *nt* **newscaster** *n* Nachrichtensprecher(in) *m*(*f*) **newsdealer** *n* (*US*) Zeitungshändler(in) *m*(*f*) **newsflash** *n* Kurzmeldung *f* **newsgroup** *n* INTERNET Newsgroup *f* **news headlines** *pl* Kurznachrichten *pl* **newsletter** *n* Rundschreiben *nt*

newspaper *n* Zeitung *f*; ***daily ~*** Tageszeitung *f* **newspaper article** *n* Zeitungsartikel *m* **newsreader** *n* Nachrichtensprecher(in) *m*(*f*) **newsroom** *n* Nachrichtenredaktion *f* **newsstand** *n* Zeitungsstand *m*

new-style *adj* im neuen Stil

news vendor *n* Zeitungsverkäufer(in) *m*(*f*) **newsworthy** *adj* ***to be ~*** Neuigkeitswert haben

newt *n* Wassermolch *m*

New Testament *n* ***the ~*** das Neue Testament **new wave I** *n* neue Welle **II** *adj attr* der neuen Welle **New World** *n* ***the ~*** die Neue Welt

New Year *n* neues Jahr; (≈ *New Year's Day*) Neujahr *nt*; ***to see in the ~*** das neue Jahr begrüßen; ***Happy ~!*** (ein) gutes neues Jahr!; ***at ~*** an Neujahr; ***~ resolution*** (guter) Vorsatz für das neue Jahr **New Year's Day** *n* Neujahr *nt*

New Year's Eve *n* Silvester *nt*

New Zealand I *n* Neuseeland *nt* **II** *adj attr* neuseeländisch

New Zealander *n* Neuseeländer(in) *m*(*f*)

next I *adj* nächste(r, s); ***he came back the ~ day*** er kam am nächsten Tag wieder; ***(the) ~ time*** das nächste Mal; ***(the) ~ moment*** im nächsten Moment; ***from one moment to the ~*** von einem Moment zum anderen; ***this time ~ week*** nächste Woche um diese Zeit; ***the year after ~*** übernächstes Jahr; ***the ~ day but one*** der übernächste Tag; ***who's ~?*** wer ist der Nächste?; ***you're ~*** Sie sind an der Reihe; ***my name is ~ on the list*** mein Name kommt als nächster auf der Liste; ***the ~ but one*** der/die/das Übernächste; ***the ~ thing I knew I ...*** bevor ich wusste, wie mir geschah, ... ich ...; (*after fainting etc*) das Nächste, woran ich mich erinnern kann, war, dass ich ...; ***the ~ size up/down*** die nächstkleinere/nächstgrößere Größe **II** *adv* **1.** (≈ *the next time*) das nächste Mal; (≈ *afterwards*) danach; ***what shall we do ~?*** und was sollen wir als Nächstes machen?; ***whatever ~?*** (*in surprise*) Sachen gibts! (*infml*) **2.** ***~ to sb/sth*** neben jdm/etw; (*with motion*) neben jdn/etw; ***the ~ to last row*** die vorletzte Reihe; ***~ to nothing*** so gut wie nichts; ***~ to impossible*** nahezu unmöglich **3.** ***the ~ best*** der/die/das Nächstbeste; ***this is the ~ best thing*** das ist das Nächstbeste; ***the ~ oldest boy*** der zweitälteste Junge **III** *n* Nächste(r) *m*/*f*(*m*)

next door *adv* nebenan; ***let's go ~*** gehen wir nach nebenan; ***they live ~ to us*** sie wohnen (direkt) neben uns; ***he has the room ~ to me*** er hat das Zimmer neben mir; ***we live ~ to each other*** wir wohnen Tür an Tür; ***the boy ~*** der Junge von nebenan **next-door** *adj* ***the ~ neighbour*** (*Br*) *or* ***neighbor*** (*US*) der direkte Nachbar; ***we are ~ neighbours*** (*Br*) *or* ***neighbors*** (*US*) wir wohnen Tür an Tür; ***the ~ house*** das Nebenhaus **next of kin** *n, pl* - nächster Verwandter,

nächste Verwandte
NFL (*US*) *abbr of* ***National Football League*** *amerikanische Fußball-Nationalliga*
NGO *abbr of* ***nongovernmental organization*** Nicht-Regierungs-Organisation *f*, NRO *f*
NHS (*Br*) *abbr of* ***National Health Service***
nib *n* Feder *f*
nibble **I** *v/t* knabbern **II** *v/i* (*at* an *+dat*) knabbern **III** *n* ***~s*** (*Br*) Knabbereien *pl*
nice *adj* (*+er*) **1.** nett, fesch (*Aus*); *weather, smell, meal, work* gut; *feeling, car* schön; ***to have a ~ time*** sich gut amüsieren; ***have a ~ day!*** (*esp US*) schönen Tag noch!; ***the ~ thing about Venice*** das Schöne an Venedig; ***it's ~ to see you again*** es freut mich, Sie wieder zu treffen; ***it's been ~ meeting you*** ich habe mich gefreut, Sie kennenzulernen; ***I had a ~ rest*** ich habe mich schön ausgeruht; ***~ one!*** toll! (*infml*) **2.** (*intensifier*) schön; ***a ~ long bath*** ein schönes, langes Bad; ***~ and warm*** schön warm; ***take it ~ and easy*** überanstrengen Sie sich nicht **3.** (*iron*) ***you're in a ~ mess*** du sitzt schön im Schlamassel (*infml*); ***that's a ~ way to talk to your mother*** das ist ja eine schöne Art, mit deiner Mutter zu sprechen **nice-looking** *adj* schön; *woman, man* gut aussehend; ***to be ~*** gut aussehen **nicely** *adv* (≈ *pleasantly*) nett; (≈ *well*) *go, speak, behave, placed* gut; ***to be coming along ~*** sich gut machen; ***to ask ~*** höflich fragen; ***say thank you ~!*** sag mal schön Danke!; ***that will do ~*** das reicht vollauf; ***he's doing very ~ for himself*** er ist sehr gut gestellt, er scheffelt Geld (*infml*); ***to be ~ spoken*** sich gepflegt ausdrücken; ***~ done*** gut gemacht **niceties** *pl* Feinheiten *pl*
niche *n* Nische *f*; (*fig*) Plätzchen *nt*
nick[1] **I** *n* **1.** Kerbe *f* **2.** ***in the ~ of time*** gerade noch (rechtzeitig) **3.** (*Br infml*) ***in good/bad ~*** gut/nicht gut in Schuss (*infml*) **II** *v/t* ***to ~ oneself*** (*infml*) sich schneiden
nick[2] (*Br*) **I** *v/t* (*infml*) **1.** (≈ *arrest*) einsperren (*infml*) **2.** (≈ *steal*) klauen (*infml*) **II** *n* (*infml* ≈ *prison*) Knast *m* (*infml*)
nickel *n* **1.** (≈ *metal*) Nickel *nt* **2.** (*US*) Fünfcentstück *nt* **nickel-plated** *adj* vernickelt
nickname **I** *n* Spitzname *m* **II** *v/t* ***they ~d him Baldy*** sie gaben ihm den Spitznamen Baldy
nicotine *n* Nikotin *nt* **nicotine patch** *n* Nikotinpflaster *nt*
niece *n* Nichte *f*
nifty *adj* (*+er*) (*infml*) flott (*infml*); *gadget* schlau (*infml*); ***a ~ little car*** ein netter kleiner Flitzer (*infml*)
niggardly *adj person* knaus(e)rig; *amount* armselig
niggle **I** *v/i* (≈ *complain*) herumkritteln (*infml*) (*about* an *+dat*) **II** *v/t* (≈ *worry*) quälen **niggling** *adj doubt, pain* quälend; *feeling* ungut
nigh **I** *adj* (*old, liter*) nahe **II** *adv* ***~ on*** nahezu (*elev*)
night **I** *n* Nacht *f*; (≈ *evening*, THEAT) Abend *m*; ***last ~*** gestern Abend; letzte Nacht; ***tomorrow ~*** morgen Abend/Nacht; ***on Friday ~*** Freitagabend/-nacht; ***11 o'clock at ~*** 11 Uhr nachts; ***6 o'clock at ~*** 6 Uhr abends; ***she works at ~*** sie arbeitet nachts; ***in/during the ~*** in/während der Nacht; ***the ~ before*** am Abend/die Nacht zuvor; ***the ~ before last*** vorgestern Abend/vorletzte Nacht; ***to spend the ~ at a hotel*** in einem Hotel übernachten; ***to have a good/bad ~*** *or* ***~'s sleep*** gut/schlecht schlafen; ***~-~!*** (*infml*) gut Nacht! (*infml*); ***all ~ (long)*** die ganze Nacht; ***to have a ~ out*** (abends) ausgehen; ***to have an early ~*** früh schlafen gehen; ***to be on ~s*** Nachtdienst haben; (*shift worker*) Nachtschicht haben **II** *adv* ***~s*** (*esp US*) nachts **nightcap** *n* (≈ *drink*) Schlaftrunk *m* (*infml*) **nightclub** *n* Nachtklub *m* **nightdress** *n* Nachthemd *nt* **nightfall** *n* ***at ~*** bei Einbruch der Dunkelheit **nightgown** *n* Nachthemd *nt* **nightie** *n* (*infml*) Nachthemd *nt* **nightingale** *n* Nachtigall *f* **nightlife** *n* Nachtleben *nt* **night-light** *n* (*for child etc*) Nachtlicht *nt* **nightly** **I** *adj* (≈ *every night*) (all)nächtlich; (≈ *every evening*) (all)abendlich **II** *adv* (≈ *every night*) jede Nacht; (≈ *every evening*) jeden Abend **nightmare** *n* Albtraum *m*; ***that was a ~ of a journey*** die Reise war ein Albtraum **night owl** *n* (*infml*) Nachteule *f* (*infml*) **night safe** *n* Nachttresor *m* **night school** *n* Abendschule *f* **night shift** *n* Nachtschicht *f*; ***to be on ~*** Nachtschicht haben **nightshirt** *n* (Herren)nachthemd *nt* **nightspot** *n* Nachtlo-

kal *nt* **night stick** *n* (*US*) Schlagstock *m*
night-time I *n* Nacht *f*; ***at ~*** nachts II *adj attr* nächtlich; ***~ temperature*** Nachttemperatur *f* **night watchman** *n* Nachtwächter(in) *m(f)*
nihilistic *adj* nihilistisch
nil *n* (≈ *zero*) null; (≈ *nothing*) nichts; ***the score was one-~*** es stand eins zu null; → ***zero***
Nile *n* Nil *m*
nimble *adj* (+*er*) (≈ *quick*) flink; (≈ *agile*) gelenkig; *mind* beweglich **nimbly** *adv* gelenkig
nine I *adj* neun; ***~ times out of ten*** in neun Zehntel der Fälle II *n* Neun *f*; ***dressed (up) to the ~s*** in Schale (*infml*); ***to call 999*** (*Br*) ***or 911*** (*US*) den Notruf wählen; → ***six*** **nine-eleven, 9/11** *n die Angriffe auf das World Trade Center am 11. September 2001*
nineteen I *adj* neunzehn II *n* Neunzehn *f*; ***she talks ~ to the dozen*** (*Br infml*) sie redet wie ein Wasserfall (*infml*)
nineteenth I *adj* **1.** (*in series*) neunzehnte(r, s) **2.** (*as fraction*) neunzehntel II *n* **1.** Neunzehnte(r, s) **2.** (≈ *fraction*) Neunzehntel *nt*; → ***sixteenth***
ninetieth I *adj* **1.** (*in series*) neunzigste(r, s) **2.** (*as fraction*) neunzigstel II *n* **1.** Neunzigste(r, s) **2.** (≈ *fraction*) Neunzigstel *nt*
nine-to-five *adj* Büro-; ***~ job*** Bürojob *m*
ninety I *adj* neunzig II *n* Neunzig *f*; → ***sixty***
ninth I *adj* **1.** (*in series*) neunte(r, s) **2.** (*as fraction*) neuntel II *n* **1.** Neunte(r, s) **2.** (≈ *fraction*) Neuntel *nt*; → ***sixth***
nip[1] I *n* **1.** (≈ *pinch*) Kniff *m*; (≈ *bite*: *from animal etc*) Biss *m* **2.** ***there's a ~ in the air*** es ist ganz schön frisch II *v/t* **1.** (≈ *pinch*) kneifen, zwicken (*Aus*); ***the dog ~ped his ankle*** der Hund hat ihn am Knöchel gezwickt **2.** ***to ~ sth in the bud*** (*fig*) etw im Keim ersticken III *v/i* (*Br infml*) sausen (*infml*); ***to ~ up(stairs)*** hochflitzen (*infml*); ***I'll just ~ down to the shops*** ich gehe mal kurz einkaufen (*infml*)
◆ **nip out** *v/i* (*Br infml*) kurz weggehen (*infml*)
nip[2] *n* (*infml* ≈ *drink*) Schlückchen *nt*
nipple *n* ANAT Brustwarze *f*, Nippel *m* (*infml*); (*US*: *on baby's bottle*) Sauger *m*
nippy *adj* (+*er*) **1.** (*Br infml*) flott; *car* spritzig **2.** *weather* frisch
nit *n* **1.** ZOOL Nisse *f* **2.** (*Br infml*) Schwachkopf *m* (*infml*) **nit-pick** *v/i* (*infml*) pingelig sein (*infml*)
nitrate *n* Nitrat *nt*
nitric acid *n* Salpetersäure *f*
nitrogen *n* Stickstoff *m*
nitty-gritty *n* (*infml*) ***to get down to the ~*** zur Sache kommen
nitwit *n* (*infml*) Schwachkopf *m* (*infml*)
No, no *abbr of* ***number*** Nr.
no I *adv* **1.** (*negative*) nein; ***to answer no*** mit Nein antworten **2.** (*with comp*) nicht; ***I can bear it no longer*** ich kann es nicht länger ertragen; ***I have no more money*** ich habe kein Geld mehr; ***he returned to England in an aircraft carrier no less*** er kehrte auf nichts Geringerem als einem Flugzeugträger nach England zurück II *adj* kein; ***no one person could do it*** keiner könnte das allein tun; ***no other man*** kein anderer; ***it's of no interest*** das ist belanglos; ***it's no use*** *or* ***no good*** das hat keinen Zweck; ***no smoking*** Rauchen verboten; ***there's no telling what he'll do*** man kann nie wissen, was er tun wird; ***there's no denying it*** es lässt sich nicht leugnen; ***there's no pleasing him*** ihm kann man es auch nie recht machen; ***he's no genius*** er ist nicht gerade ein Genie; ***this is no place for children*** das ist hier nichts für Kinder; ***in no time*** im Nu; ***at no little expense*** zu großen Kosten; ***there is no such thing*** so etwas gibt es nicht; ***I'll do no such thing*** ich werde mich hüten III *n*, *pl* **-es** Nein *nt*; (≈ *no vote*) Neinstimme *f*; ***I won't take no for an answer*** ich bestehe darauf
Nobel *n* ***~ prize*** Nobelpreis *m*; ***~ peace prize*** Friedensnobelpreis *m*
nobility *n no pl* **1.** (≈ *people*) (Hoch)adel *m* **2.** (≈ *quality*) Edle(s) *nt* **noble** I *adj* (+*er*) **1.** (≈ *aristocratic*) adlig; ***to be of ~ birth*** adlig sein **2.** (≈ *fine*) *person, deed, thought etc* nobel; *attempt* heldenhaft II *n* Adlige(r) *m/f(m)* **nobleman** *n* Adlige(r) *m* **noblewoman** *n* Adlige *f* **nobly** *adv* **1.** (≈ *finely*) vornehm; (≈ *bravely*) heldenhaft **2.** (*infml* ≈ *selflessly*) großmütig
nobody I *pron* niemand; ***~ else*** sonst niemand; ***~ else but you can do it*** außer dir kann das niemand; ***~ else offered to give them money*** sonst hat sich niemand angeboten, ihnen Geld zu geben; ***like ~'s business*** wie nichts II *n* Nie-

mand *m no pl*
no-claim(s) bonus *n* Schadenfreiheitsrabatt *m*
nocturnal *adj* nächtlich; ***~ animal*** Nachttier *nt*
nod I *n* Nicken *nt*; ***to give a ~*** nicken **II** *v/i* nicken; ***to ~ to sb*** jdm zunicken; ***to ~ toward(s) sth*** mit dem Kopf auf etw zeigen **III** *v/t* ***to ~ one's head*** mit dem Kopf nicken ◆ **nod off** *v/i* einnicken (*infml*)
node *n* **1.** Knoten *m* **2.** IT Node *m*, Knoten *m*
nodule *n* Knötchen *nt*
no-frills *adj attr deal* ohne (alle) Extras; *style* einfach **no-go area** *n* Sperrgebiet *nt* **no-good** *adj* nichtsnutzig **no-holds-barred** *adj* kompromisslos
noise *n* Geräusch *nt*; (*loud, irritating*) Lärm *m*; ***what was that ~?*** was war das für ein Geräusch?; ***the ~ of the traffic*** der Straßenlärm; ***it made a lot of ~*** es war sehr laut; ***don't make a ~!*** sei leise!; ***stop making such a ~*** hör auf, solchen Lärm zu machen **noiselessly** *adv* geräuschlos **noise level** *n* Geräuschpegel *m* **noisily** *adv* laut; *protest* lautstark
noisy *adj* (*+er*) laut; *protest* lautstark; ***this is a ~ house*** in dem Haus ist es laut
nomad *n* Nomade *m*, Nomadin *f* **nomadic** *adj* nomadisch; ***~ lifestyle*** Nomadenleben *nt*
no-man's-land *n* Niemandsland *nt*
nominal *adj* nominell **nominal value** *n* Nennwert *m*
nominate *v/t* **1.** (≈ *appoint*) ernennen; ***he was ~d chairman*** er wurde zum Vorsitzenden ernannt **2.** (≈ *propose*) nominieren; ***he was ~d for the presidency*** er wurde als Präsidentschaftskandidat aufgestellt; ***to ~ sb for sth*** jdn für etw nominieren **nomination** *n* **1.** (≈ *appointment*) Ernennung *f* **2.** (≈ *proposal*) Nominierung *f*
nominative GRAM **I** *n* Nominativ *m* **II** *adj* ***(the) ~ case*** der Nominativ
nominee *n* Kandidat(in) *m(f)*
nonaggression *n* ***~ treaty*** Nichtangriffspakt *m* **nonalcoholic** *adj* alkoholfrei **nonattendance** *n* Nichtteilnahme *f* (*at* an *+dat*)
nonchalance *n* Lässigkeit *f* **nonchalant** *adj*, **nonchalantly** *adv* lässig
noncommissioned *adj* MIL ***~ officer*** Unteroffizier(in) *m(f)* **noncommittal** *adj* zurückhaltend; ***to be ~ about whether ...*** sich nicht festlegen, ob ... **noncommittally** *adv* unverbindlich **nonconformist I** *n* Nonkonformist(in) *m(f)* **II** *adj* nonkonformistisch **nondescript** *adj taste, colour* unbestimmbar; *appearance* unauffällig **nondrinker** *n* Nichttrinker(in) *m(f)* **nondriver** *n* Nichtfahrer(in) *m(f)*
none I *pron* keine(r, s); ***~ of the boys/them*** keiner der Jungen/von ihnen; ***~ of the girls*** keines der Mädchen; ***~ of this/the cake*** nichts davon/von dem Kuchen; ***~ of this is any good*** das ist alles nicht gut; ***do you have any bread/apples? — ~ (at all)*** haben Sie Brot/Äpfel? — nein, gar keines/keine; ***there is ~ left*** es ist nichts übrig; ***their guest was ~ other than ...*** ihr Gast war kein anderer als ...; ***he would have ~ of it*** er wollte davon nichts wissen **II** *adv* ***to be ~ the wiser*** um nichts schlauer sein; ***she looks ~ the worse for her ordeal*** trotz allem, was sie durchzustehen hatte, sieht sie gut aus; ***he was ~ too happy about it*** er war darüber gar nicht erfreut; ***~ too sure/easy*** durchaus nicht sicher/einfach
nonentity *n* unbedeutende Figur **nonessential I** *adj* unnötig **II** *n* **nonessentials** *pl* nicht (lebens)notwendige Dinge *pl*
nonetheless *adv* trotzdem
nonevent *n* (*infml*) Reinfall *m* (*infml*)
nonexecutive *adj* ***~ director*** ≈ Aufsichtsratsmitglied *nt* (*ohne Entscheidungsbefugnis*) **nonexistent** *adj* nicht vorhanden; ***discipline is ~ here*** hier herrscht keine Disziplin **non-fat** *adj* fettlos **nonfattening** *adj* nicht dick machend *attr*; ***fruit is ~*** Obst macht nicht dick **nonfiction I** *n* Sachbücher *pl* **II** *adj* ***~ book*** Sachbuch *nt* **nonflammable** *adj* nicht entzündbar **nonmember** *n* ***open to ~s*** Gäste willkommen **non-negotiable** *adj* ***the price is ~*** über den Preis lässt sich nicht verhandeln
no-no *n* (*infml*) ***that's a ~!*** das gibts nicht!
no-nonsense *adj* (kühl und) sachlich
nonpayment *n* Nichtzahlung *f* **nonplus** *v/t* ***completely ~sed*** völlig verdutzt
nonpolitical *adj* nicht politisch **non-profit-making**, (*US*) **nonprofit** *adj* keinen Gewinn anstrebend *attr* **non-redeemable** *adj* FIN nicht einlösbar **non-renewable** *adj* nicht erneuerbar **nonresident** *n* Nicht(orts)ansässige(r)

m/f(m); (*in hotel*) nicht im Haus wohnender Gast; ***open to ~s*** auch für Nichthotelgäste **nonreturnable** *adj* ***~ bottle*** Einwegflasche *f*; ***~ deposit*** Anzahlung *f*
nonsense *n no pl* Unsinn *m*; (≈ *silly behaviour*) Dummheiten *pl*; ***~!*** Unsinn!; ***I've had enough of this ~*** jetzt reichts mir aber; ***what's all this ~ about a cut in salary?*** was soll all das Gerede von einer Gehaltskürzung?; ***he will stand no ~ from anybody*** er lässt nicht mit sich spaßen **nonsensical** *adj* unsinnig
nonslip *adj* rutschfest **nonsmoker** *n* Nichtraucher(in) *m(f)* **nonsmoking** *adj* Nichtraucher-; ***we have a ~ policy*** bei uns herrscht Rauchverbot **nonstarter** *n* (*fig* ≈ *idea*) Blindgänger *m* **nonstick** *adj* antihaftbeschichtet **nonstop** **I** *adj train* durchgehend; *journey* ohne Unterbrechung; ***~ flight*** Nonstop-Flug *m* **II** *adv work* ununterbrochen; *fly* nonstop **nonswimmer** *n* Nichtschwimmer(in) *m(f)* **nontaxable** *adj* nicht steuerpflichtig **nontoxic** *adj* ungiftig **nonverbal** *adj* nicht verbal **nonviolence** *n* Gewaltlosigkeit *f* **nonviolent** *adj* gewaltlos; *crime, offender* nicht gewalttätig
noodle *n* COOK Nudel *f*
nook *n* Winkel *m*; ***in every ~ and cranny*** in jedem Winkel
nookie, nooky *n* (*infml*) ***to have a bit of ~*** (ein bisschen) bumsen (*infml*)
noon **I** *n* Mittag *m*; ***at ~*** um 12 Uhr mittags **II** *adj* 12-Uhr-
no-one, no one *pron* = ***nobody***
noontime (*esp US*) **I** *n* Mittagszeit *f*; ***at ~*** um die Mittagsstunde (*elev*) **II** *adj* zur Mittagszeit
noose *n* Schlinge *f*
nope *adv* (*infml*) ne(e) (*dial*), nein
no place *adv* (*esp US infml*) = ***nowhere***
nor *cj* **1.** noch; ***neither ... ~*** weder ... noch **2.** (≈ *and not*) und ... auch nicht; ***I shan't go, ~ will you*** ich gehe nicht, und du auch nicht; ***~ do I*** ich auch nicht
Nordic *adj* nordisch; ***~ walking*** Nordic Walking *nt*
norm *n* Norm *f*
normal **I** *adj* normal; (≈ *customary*) üblich; ***it's ~ practice*** das ist so üblich; ***he is not his ~ self*** er ist so anders; ***a higher than ~ risk of infection*** ein Infektionsrisiko, das über dem Normalen liegt **II** *n no pl* ***below ~*** unter dem Durchschnitt; ***her temperature is below/above ~*** sie hat Untertemperatur/erhöhte Temperatur; ***when things are back to*** *or* ***return to ~*** wenn sich alles wieder normalisiert hat; ***carry on as ~*** machen Sie normal weiter **normality** *n* Normalität *f*; ***to return to ~*** sich wieder normalisieren **normally** *adv* **1.** (≈ *usually*) normalerweise **2.** (≈ *in normal way*) normal
Norman **I** *adj* normannisch; ***the ~ Conquest*** der normannische Eroberungszug **II** *n* Normanne *m*, Normannin *f*
Normandy *n* Normandie *f*
Norse *adj* altnordisch
north **I** *n* Norden *m*; ***in/from the ~*** im/aus dem Norden; ***to the ~ of*** nördlich von; ***the wind is in the ~*** es ist Nordwind; ***to face ~*** nach Norden liegen; ***the North of Scotland*** Nordschottland *nt* **II** *adj attr* Nord-; ***North German*** norddeutsch **III** *adv* nach Norden; ***~ of*** nördlich von **North Africa** *n* Nordafrika *nt* **North America** *n* Nordamerika *nt* **North American** **I** *adj* nordamerikanisch **II** *n* Nordamerikaner(in) *m(f)* **North Atlantic** *n* Nordatlantik *m* **northbound** *adj carriageway* nach Norden (führend); *traffic* in Richtung Norden **northeast** **I** *n* Nordosten *m*; ***in the ~*** im Nordosten; ***from the ~*** von Nordost **II** *adj* Nordost-, nordöstlich; ***~ England*** Nordostengland *nt* **III** *adv* nach Nordosten; ***~ of*** nordöstlich von **northeasterly** *adj* nordöstlich **northerly** *adj* nördlich
northern *adj* nördlich; ***~ Germany*** Norddeutschland *nt*; ***Northern Irish*** nordirisch **northerner** *n* Nordengländer(in) *m(f) etc*; ***he is a ~*** er kommt aus dem Norden (des Landes) **Northern Ireland** *n* Nordirland *nt* **northernmost** *adj* nördlichste(r, s) **North Pole** *n* Nordpol *m* **North Sea** **I** *n* Nordsee *f* **II** *adj* Nordsee- **North-South divide** *n* Nord-Süd-Gefälle *nt* **northward** **I** *adj* nördlich **II** *adv* (*a.* **northwards**) nordwärts **northwest** **I** *n* Nordwesten *m* **II** *adj* Nordwest-, nordwestlich; ***~ England*** Nordwestengland *nt* **III** *adv* nach Nordwest(en); ***~ of*** nordwestlich von **northwesterly** *adj* nordwestlich
Norway *n* Norwegen *nt*
Norwegian **I** *adj* norwegisch **II** *n* **1.** Norweger(in) *m(f)* **2.** LING Norwegisch *nt*
Nos., nos. *abbr of* ***numbers*** Nrn.
nose **I** *n* Nase *f*; ***to hold one's ~*** sich (*dat*)

die Nase zuhalten; ***my ~ is bleeding*** ich habe Nasenbluten; ***follow your ~*** immer der Nase nach; ***she always has her ~ in a book*** sie hat dauernd den Kopf in einem Buch (vergraben); ***to do sth under sb's ~*** etw vor jds Augen tun; ***it was right under his ~*** er hatte es direkt vor der Nase; ***he can't see beyond*** *or* ***further than the end of his ~*** er kann nicht weiter sehen, als sein eigener Schatten reicht; ***to get up sb's ~*** (*fig infml*) jdm auf den Geist gehen (*infml*); ***to poke one's ~ into sth*** (*fig*) seine Nase in etw (*acc*) stecken; ***you keep your ~ out of this*** (*infml*) halt du dich da raus (*infml*); ***to cut off one's ~ to spite one's face*** (*prov*) sich ins eigene Fleisch schneiden; ***to look down one's ~ at sb/sth*** auf jdn/etw herabblicken; ***to pay through the ~*** (*infml*) sich dumm und dämlich zahlen (*infml*); ***~ to tail*** *cars* Stoßstange an Stoßstange **II** *v/t* ***the car ~d its way into the stream of traffic*** das Auto schob sich in den fließenden Verkehr vor ◆ **nose about** (*Brit*) *or* **around** *v/i* herumschnüffeln (*infml*)

nosebleed *n* Nasenbluten *nt*; ***to have a ~*** Nasenbluten haben **nosedive I** *n* AVIAT Sturzflug *m*; ***the company's profits took a ~*** mit der Firma ging es rapide bergab **II** *v/i* (*plane*) im Sturzflug herabgehen; (*fig*) den Bach runtergehen (*infml*) **nosedrops** *pl* Nasentropfen *pl* **nose ring** *n* Nasenring *m* **nosey** *adj* = ***nosy***

nosh (*Br sl*) *n* (≈ *food*) Futter *nt* (*infml*)

no-smoking *adj* = ***nonsmoking***

nostalgia *n* Nostalgie *f* (*for* nach); ***to feel ~ for sth*** sich nach etw zurücksehnen **nostalgic** *adj* nostalgisch; (≈ *wistful*) wehmütig; ***to feel ~ for sth*** sich nach etw zurücksehnen

nostril *n* Nasenloch *nt*; (*of horse etc*) Nüster *f*

nosy *adj* (*+er*) (*infml*) neugierig **nosy parker** *n* (*Br infml*) Schnüffler(in) *m(f)* (*infml*)

not *adv* **1.** nicht; ***he told me ~ to do that*** er sagte, ich solle das nicht tun; ***~ a word*** kein Wort; ***~ a bit*** kein bisschen; ***~ one of them*** kein Einziger; ***~ a thing*** überhaupt nichts; ***~ any more*** nicht mehr; ***~ yet*** noch nicht; ***~ even*** nicht einmal; ***~ so*** (*as reply*) nein; ***he's decided ~ to do it — I should think/hope ~*** er hat sich entschlossen, es nicht zu tun — das möchte ich auch meinen/hoffen; ***~ at all*** (≈ *in no way*) überhaupt nicht; (≈ *you're welcome*) gern geschehen; ***~ that I care*** nicht, dass es mir etwas ausmacht(e); ***~ that I know of*** nicht, dass ich wüsste; ***it's ~ that I don't believe him*** ich glaube ihm ja **2.** (*in tag questions*) ***it's hot, isn't it?*** es ist heiß, nicht wahr *or* nicht? (*infml*); ***isn't it hot?*** (es ist) heiß, nicht wahr?; ***isn't he naughty!*** ist er nicht frech?; ***you are coming, aren't you*** Sie kommen doch, oder?

notable *adj* **1.** (≈ *eminent*) bedeutend; (≈ *big*) beträchtlich **2.** (≈ *conspicuous*) auffallend; ***with a few ~ exceptions*** bis auf einige rühmliche Ausnahmen **notably** *adv* **1.** (≈ *strikingly*) auffallend **2.** (≈ *in particular*) insbesondere; ***most ~*** vor allem

notary (public) *n* Notar(in) *m(f)*

notch *n* Kerbe *f* ◆ **notch up** *v/t sep points* erzielen; *success* verzeichnen können

note I *n* **1.** Notiz *f*; (≈ *letter*) Briefchen *nt*; ***~s*** (≈ *summary*) Aufzeichnungen *pl*; (≈ *draft*) Konzept *nt*; ***to speak without ~s*** frei sprechen; ***to leave sb a ~*** jdm ein paar Zeilen hinterlassen; ***to take*** *or* ***make ~s*** Notizen machen; ***to take*** *or* ***make a ~ of sth*** sich (*dat*) etw notieren **2.** *no pl* ***to take ~ of sth*** von etw Notiz nehmen **3.** *no pl* ***nothing of ~*** nichts Erwähnenswertes **4.** (MUS ≈ *sign*) Note *f*; (≈ *quality* ≈ *sound*) Ton *m*; ***to play the right/wrong ~*** richtig/falsch spielen; ***to strike the right ~*** (*fig*) den richtigen Ton treffen; ***on a personal ~*** persönlich gesprochen; ***on a more positive ~*** aus positiver Sicht; ***to sound a ~ of caution*** zur Vorsicht mahnen; ***there was a ~ of warning in his voice*** seine Stimme hatte einen warnenden Unterton **5.** (*Br* FIN) Schein *m*; ***a £5 ~, a five-pound ~*** ein Fünfpfundschein *m* **II** *v/t* **1.** (≈ *notice*) bemerken **2.** (≈ *pay attention to*) beachten **3.** = ***note down*** ◆ **note down** *v/t sep* notieren; (*as reminder*) sich (*dat*) notieren

notebook *n* Notizbuch *nt*; ***~*** **(*computer*)** Notebook *m* **noted** *adj* berühmt (*for* für, wegen) **notelet** *n* Briefkarte *f* **notepad** *n* Notizblock *m* **notepaper** *n* Briefpapier *nt* **noteworthy** *adj* beachtenswert

nothing I *n*, *pron*, *adv* nichts; ***it was reduced to ~*** es blieb nichts davon übrig;

it was all or ~ es ging um alles oder nichts; ***£500 is ~ to her*** £ 500 sind für sie gar nichts; ***it came to ~*** da ist nichts draus geworden; ***I can make ~ of it*** das sagt mir nichts; ***he thinks ~ of doing that*** er findet nichts dabei(, das zu tun); ***think ~ of it*** keine Ursache!; ***there was ~ doing at the club*** (*infml*) im Klub war nichts los; ***for ~*** umsonst; ***there's ~ (else) for it but to leave*** da bleibt einem nichts übrig als zu gehen; ***there was ~ in it for me*** das hat sich für mich nicht gelohnt; ***there's ~ in the rumour*** (*Br*) *or* ***rumor*** (*US*) an dem Gerücht ist nichts (Wahres); ***there's ~ to it*** (*infml*) das ist kinderleicht (*infml*); ***~ but*** nur; ***~ else*** sonst nichts; ***~ more*** sonst nichts; ***I'd like ~ more than that*** ich möchte nichts lieber als das; ***~ much*** nicht viel; ***~ if not polite*** äußerst höflich; ***~ new*** nichts Neues; ***it was ~ like as big*** es war lange nicht so groß **II** *n* **1.** MAT Null *f* **2.** (≈ *thing, person*) Nichts *nt*; ***thank you — it was ~*** danke — das war doch selbstverständlich; ***what's wrong with you? — (it's) ~*** was ist mit dir los? — nichts **nothingness** *n* Nichts *nt*

no through road *n* ***it's a ~*** es ist keine Durchfahrt

notice I *n* **1.** (≈ *warning*) Bescheid *m*; (≈ *written notification*) Mitteilung *f*; (*of future event*) Ankündigung *f*; ***we need three weeks' ~*** wir müssen drei Wochen vorher Bescheid wissen; ***to give ~ of sth*** von etw Bescheid geben; ***to give sb ~ of sth*** jdm etw mitteilen; ***he didn't give us much ~*** er hat uns nicht viel Zeit gegeben; ***at short ~*** kurzfristig; ***at a moment's ~*** jederzeit; ***at three days' ~*** innerhalb von drei Tagen; ***until further ~*** bis auf Weiteres **2.** (*on notice board etc*) Anschlag *m*; (≈ *sign*) Schild *nt*; (*of birth*) Anzeige *f*; ***I saw a ~ in the paper about the concert*** ich habe das Konzert in der Zeitung angekündigt gesehen **3.** (*to end employment, residence*) Kündigung *f*; ***to give sb ~*** jdm kündigen; ***to give*** *or* ***hand*** *or* ***turn*** (*US*) ***in one's ~*** kündigen; ***a month's ~*** eine einmonatige Kündigungsfrist; ***she gave me*** *or* ***I was given a month's ~*** mir wurde zum nächsten Monat gekündigt **4.** ***to take ~ of sth*** von etw Notiz nehmen; (≈ *heed*) etw beachten; ***to take no ~ of sb/sth*** von jdm/etw keine Notiz nehmen; ***take no ~!*** kümmern Sie sich nicht darum!; ***to bring sth to sb's ~*** jdn auf etw (*acc*) aufmerksam machen; (*in letter etc*) jdn von etw in Kenntnis setzen **II** *v/t* bemerken; (≈ *recognize*) zur Kenntnis nehmen; ***without my noticing it*** ohne dass ich etwas bemerkt habe; ***I ~d her hesitating*** ich merkte, dass sie zögerte; ***to get oneself ~d*** auf sich (*acc*) aufmerksam machen; (*negatively*) auffallen **noticeable** *adj* erkennbar; (≈ *visible*) sichtbar; (≈ *obvious*) deutlich; *relief etc* merklich; ***the stain is very ~*** der Fleck fällt ziemlich auf; ***it is ~ that ...*** man merkt, dass ... **noticeably** *adv* deutlich; *relieved etc* sichtlich **notice board** *n* (*esp Br*) Anschlagbrett *nt*

notification *n* Benachrichtigung *f* **notify** *v/t* benachrichtigen; ***to ~ sb of sth*** jdn von etw benachrichtigen; *authorities* jdm etw melden

notion *n* (≈ *idea*) Idee *f*; (≈ *conception*) Vorstellung *f*; (≈ *vague knowledge*) Ahnung *f*; ***I have no ~ of time*** ich habe überhaupt kein Zeitgefühl; ***he got the ~ (into his head) that she wouldn't help him*** irgendwie hat er sich (*dat*) eingebildet, sie würde ihm nicht helfen

notoriety *n* traurige Berühmtheit **notorious** *adj* berüchtigt; *gambler* notorisch; ***a ~ woman*** eine Frau von schlechtem Ruf **notoriously** *adv* bekanntlich; ***it is ~ difficult to treat*** es lässt sich bekanntlich nur sehr schwer behandeln; ***to be ~ unreliable*** für seine Unzuverlässigkeit berüchtigt sein

notwithstanding (*form*) **I** *prep* ungeachtet (+*gen*) (*form*) **II** *adv* nichtsdestotrotz

nougat *n* Nugat *m*

nought *n* **1.** (≈ *number*) Null *f* **2.** (*liter*) Nichts *nt*; ***to come to ~*** sich zerschlagen

noughties *pl* (*infml*) *das erste Jahrzehnt des dritten Jahrtausends*, Nullerjahre *pl* (*infml*)

noun *n* Substantiv *nt*

nourish *v/t* **1.** (*lit*) nähren; *person* ernähren **2.** (*fig*) *hopes etc* hegen **nourishing** *adj* nahrhaft, währschaft (*Swiss*) **nourishment** *n* Nahrung *f*

nouveau riche *n*, *pl* ***-x -s*** Neureiche(r) *m/f(m)*

Nov *abbr of* ***November*** Nov.

Nova Scotia *n* Neuschottland *nt*

novel[1] *n* Roman *m*

novel[2] *adj* neu(artig)

novelist *n* Romanschriftsteller(in) *m(f)* **novella** *n* Novelle *f*
novelty *n* **1.** Neuheit *f*; ***the ~ has worn off*** der Reiz des Neuen ist vorbei **2.** (≈ *trinket*) Krimskrams *m*
November *n* November *m*; → ***September***
novice *n* (*fig*) Anfänger(in) *m(f)* (*at* bei)
now I *adv* jetzt; (≈ *immediately*) sofort; (≈ *at this very moment*) gerade; (≈ *nowadays*) heute; ***just ~*** gerade; (≈ *immediately*) sofort; ***it's ~ or never*** jetzt oder nie; ***what is it ~?*** was ist denn nun schon wieder?; ***by ~*** inzwischen; ***before ~*** bis jetzt; ***we'd have heard before ~*** das hätten wir (inzwischen) schon gehört; ***for ~*** vorläufig; ***even ~*** selbst jetzt noch; ***any day ~*** jetzt jeden Tag; ***from ~ on(wards)*** von nun an; ***between ~ and the end of the week*** bis zum Ende der Woche; ***in three days from ~*** (heute) in drei Tagen; ***(every) ~ and then, ~ and again*** ab und zu **II** *cj* ***~ (that) you've seen him*** jetzt, wo Sie ihn gesehen haben **III** *int* also; ***~, ~!*** na, na!; ***well ~*** also; ***~ then*** also (jetzt); ***~, why didn't I think of that?*** warum habe ich bloß nicht daran gedacht?
nowadays *adv* heute
no way *adv* → ***way***
nowhere *adv* nirgendwo; (*with motion*) nirgendwohin; ***they have ~ (else) to go*** sie können (sonst) nirgends unterkommen; ***there was ~ to hide*** man konnte sich nirgends verstecken; ***to appear out of ~*** aus heiterem Himmel auftauchen; ***we're getting ~*** wir kommen nicht weiter; ***rudeness will get you ~*** Grobheit bringt dir gar nichts ein
no-win situation *n* ***it's a ~*** wie mans macht ists falsch
noxious *adj* **1.** (≈ *harmful*) schädlich **2.** (≈ *toxic*) giftig
nozzle *n* Düse *f*
nuance *n* Nuance *f*
nubile *adj* gut entwickelt
nuclear *adj* Atom-; *fuel* nuklear **nuclear deterrent** *n* nukleares Abschreckungsmittel **nuclear disarmament** *n* nukleare Abrüstung **nuclear energy** *n* = ***nuclear power*** **nuclear family** *n* Kleinfamilie *f* **nuclear-free** *adj* atomwaffenfrei **nuclear missile** *n* Atomrakete *f* **nuclear physics** *n* Kernphysik *f* **nuclear power** *n* Atomkraft *f* **nuclear power station** *n* Atomkraftwerk *nt* **nuclear reactor** *n* Atomreaktor *m* **nuclear reprocessing plant** *n* nukleare Wiederaufbereitungsanlage **nuclear test** *n* Atom(waffen)test *m* **nuclear war** *n* Atomkrieg *m* **nuclear waste** *n* Atommüll *m* **nuclear weapon** *n* Atomwaffe *f*
nucleus *n* ***nuclei*** *pl* Kern *m*
nude I *adj* nackt; ART Akt-; ***~ figure*** Akt *m* **II** *n* ART Akt *m*; ***in the ~*** nackt
nudge I *v/t* anstoßen **II** *n* Stups *m*
nudist *n* Nudist(in) *m(f)* **nudist beach** *n* Nacktbadestrand *m* **nudity** *n* Nacktheit *f*
nugget *n* Klumpen *m*; (*fig: of information*) Brocken *m*
nuisance *n* **1.** (≈ *person*) Plage *f*; ***sorry to be a ~*** entschuldigen Sie, wenn ich störe; ***to make a ~ of oneself*** lästig werden **2.** (≈ *thing*) ***to be a ~*** lästig sein; (*annoying*) ärgerlich sein; ***what a ~*** wie ärgerlich **nuisance call** *n* TEL Schockanruf *m*; ***~s*** *pl* Telefonterror *m* (*infml*)
null *adj* JUR (null und) nichtig **nullify** *v/t* annullieren
numb I *adj* (*+er*) taub; (*emotionally*) benommen; ***hands ~ with cold*** Hände, die vor Kälte taub sind **II** *v/t* (*cold*) taub machen; (*injection, fig*) betäuben
number I *n* **1.** MAT Zahl *f*; (≈ *numeral*) Ziffer *f* **2.** (≈ *amount*) Anzahl *f*; ***a ~ of problems*** eine (ganze) Anzahl von Problemen; ***large ~s of people*** (sehr) viele Leute; ***on a ~ of occasions*** des Öfteren; ***boys and girls in equal ~s*** ebenso viele Jungen wie Mädchen; ***in a small ~ of cases*** in wenigen Fällen; ***ten in ~*** zehn an der Zahl; ***to be found in large ~s*** zahlreich vorhanden sein; ***in small/large ~s*** in kleinen/großen Mengen; ***any ~ can play*** beliebig viele Spieler können teilnehmen **3.** (*of house etc*) Nummer *f*; ***at ~ 4*** (in) Nummer 4; ***the ~ 47 bus*** die Buslinie 47; ***I've got the wrong ~*** ich habe mich verwählt; ***it was a wrong ~*** ich/er *etc* war falsch verbunden; ***the ~ one tennis player*** (*infml*) der Tennisspieler Nummer eins (*infml*); ***the single went straight to*** *or* ***straight in at ~ one*** die Single stieg gleich auf Nummer eins ein; ***to look after ~ one*** (*infml*) (vor allem) an sich (*acc*) selbst denken **4.** (≈ *act*) Nummer *f*; (≈ *dress*) Kreation *f* **5.** ***one of their/our ~*** eine(r) aus ihren/unseren Reihen **II** *v/t* **1.** (≈ *give a number to*) nummerieren **2.** (≈

amount to) zählen (*among* zu); ***the group ~ed 50*** es waren 50 (Leute in der Gruppe); ***his days are ~ed*** seine Tage sind gezählt **numbering** *n* Nummerierung *f* **numberplate** *n* (*Br*) Nummernschild *nt* **numbers lock** *n* IT Zahlenverriegelung *f*

numbly *adv* benommen **numbness** *n* Taubheit *f*

numeracy *n* Rechnen *nt* **numeral** *n* Ziffer *f* **numerate** *adj* rechenkundig; ***to be ~*** rechnen können **numeric** *adj* ***~ keypad*** numerisches Tastenfeld **numerical** *adj order* numerisch; *superiority* zahlenmäßig **numerically** *adv* zahlenmäßig; ***~ controlled*** numerisch gesteuert **numerous** *adj* zahlreich; ***on ~ occasions*** bei vielen Gelegenheiten

nun *n* Nonne *f*

Nuremberg *n* Nürnberg *nt*

nurse I *n* (Kranken)schwester *f*; (≈ *nanny*) Kindermädchen *nt*; ***male ~*** Krankenpfleger *m* **II** *v/t* **1.** pflegen; ***to ~ sb back to health*** jdn gesund pflegen; ***he stood there nursing his bruised arm*** er stand da und hielt seinen verletzten Arm **2.** (≈ *suckle*) *child* stillen

nursery *n* **1.** (≈ *room*) Kinderzimmer *nt* **2.** (≈ *institution*) Kindergarten *m*; (*all-day*) Kindertagesstätte *f* **3.** AGR, HORT Gärtnerei *f*; (*for trees*) Baumschule *f* **nursery nurse** *n* Kindermädchen *nt* **nursery rhyme** *n* Kinderreim *m* **nursery school** *n* Kindergarten *m* **nursery school teacher** *n* Kindergärtner(in) *m(f)* **nursery slope** *n* SKI Idiotenhügel *m* (*hum*)

nursing I *n* **1.** (≈ *care*) Pflege *f* **2.** (≈ *profession*) Krankenpflege *f* **II** *adj attr* Pflege-; ***~ staff*** Pflegepersonal *nt*; ***the ~ profession*** die Krankenpflege; (≈ *nurses collectively*) die Pflegeberufe *pl* **nursing home** *n* Pflegeheim *nt*

nurture *v/t talent* entwickeln; *idea* hegen

nut *n* **1.** BOT Nuss *f*; ***a tough ~ to crack*** (*fig*) eine harte Nuss **2.** (*infml* ≈ *person*) Spinner(in) *m(f)* (*infml*) **3.** MECH (Schrauben)mutter *f* **nutcase** *n* (*infml*) Spinner(in) *m(f)* (*infml*) **nutcracker** *n*, **nutcrackers** *pl* Nussknacker *m* **nutmeg** *n* Muskatnuss *f*

nutrient *n* Nährstoff *m* **nutrition** *n* Ernährung *f* **nutritional** *adj* Nähr-; ***~ value*** Nährwert *m*; ***~ information*** Nährwertangaben *pl* **nutritionist** *n* Ernährungswissenschaftler(in) *m(f)* **nutritious** *adj* nahrhaft, währschaft (*Swiss*)

nuts *adj pred* (*infml*) ***to be ~*** spinnen (*infml*); ***to be ~ about sb/sth*** ganz verrückt nach jdm / auf etw (*acc*) sein (*infml*) **nutshell** *n* ***in a ~*** (*fig*) mit einem Wort **nutter** *n* (*Br infml*) Spinner(in) *m(f)* (*infml*); (*dangerous*) Verrückte(r) *m/f(m)*; ***he's a ~*** er hat einen Stich (*infml*) **nutty** *adj* (*+er*) **1.** (≈ *like nuts*) nussartig; (≈ *with nuts*) mit Nüssen **2.** (*infml* ≈ *crazy*) bekloppt (*infml*)

nuzzle I *v/t* beschnüffeln **II** *v/i* ***to ~ (up) against sb*** (*person*, *animal*) sich an jdn schmiegen

NW *abbr of* ***north-west*** NW

nylon I *n* **1.** TEX Nylon® *nt* **2. nylons** *pl* Nylonstrümpfe *pl* **II** *adj* Nylon-®; ***~ shirt*** Nylonhemd *nt*

nymph *n* MYTH Nymphe *f*

nymphomaniac *n* Nymphomanin *f*

NZ *abbr of* ***New Zealand***

O

O, o *n* O *nt*, o *nt*

oaf *n* Flegel *m*

oak *n* Eiche *f*

OAP (*Br*) *abbr of* ***old-age pensioner***

oar *n* Ruder *nt*

oasis *n*, *pl* ***oases*** Oase *f*

oat *n usu pl* Hafer *m*; ***~s*** *pl* COOK Haferflocken *pl* **oatcake** *n* Haferkeks *m*, Haferbiskuit *nt* (*Swiss*)

oath *n* **1.** Schwur *m*; JUR Eid *m*; ***to take*** *or* ***swear an ~*** schwören; JUR einen Eid leisten; ***he took an ~ of loyalty to the government*** er schwor der Regierung Loyalität; ***to be under ~*** JUR unter Eid stehen **2.** (≈ *curse*) Fluch *m*

oatmeal *n no pl* Haferschrot *m*

OBE *abbr of* ***Officer of the Order of the British Empire*** *britischer Verdienstorden*

obedience *n no pl* Gehorsam *m* **obedi-**

ent *adj* gehorsam; ***to be ~*** gehorchen (*to dat*) **obediently** *adv* gehorsam
obelisk *n* ARCH Obelisk *m*
obese *adj* fettleibig **obesity** *n* Fettleibigkeit *f*
obey I *v/t* gehorchen (*+dat*); *rules, order* befolgen; ***I expect to be ~ed*** ich erwarte, dass man meine Anordnungen befolgt **II** *v/i* gehorchen
obituary *n* Nachruf *m*
object[1] *n* **1.** (≈ *thing*) Gegenstand *m*; ***he was an ~ of scorn*** er war die Zielscheibe der Verachtung **2.** (≈ *aim*) Ziel *nt*; ***the ~ of the exercise*** der Zweck der Übung; ***that defeats the ~*** das verfehlt seinen Zweck **3.** ***money is no ~*** Geld spielt keine Rolle **4.** GRAM Objekt *nt*
object[2] **I** *v/i* dagegen sein; (≈ *protest*) protestieren; (≈ *raise objection*) Einwände erheben; ***to ~ to sth*** etw missbilligen; ***I don't ~ to that*** ich habe nichts dagegen (einzuwenden); ***he ~s to my drinking*** er nimmt daran Anstoß, dass ich trinke; ***I ~ to people smoking in my house*** ich verbitte mir, dass in meinem Haus geraucht wird; ***I ~ to him bossing me around*** ich wehre mich dagegen, dass er mich (so) herumkommandiert **II** *v/t* einwenden
objection *n* Einwand *m* (*to* gegen); ***to make an ~ (to sth)*** einen Einwand (gegen etw) machen; ***I have no ~ to his going away*** ich habe nichts dagegen (einzuwenden), dass er weggeht; ***are there any ~s?*** irgendwelche Einwände?; ***~!*** JUR Einspruch! **objectionable** *adj* störend; *remark* anstößig; ***he's a most ~ person*** er ist unausstehlich
objective I *adj* objektiv **II** *n* (≈ *aim*) Ziel *nt* **objectivity** *n* Objektivität *f*
objector *n* Gegner(in) *m(f)* (*to +gen*)
objet d'art *n* Kunstgegenstand *m*
obligation *n* Verpflichtung *f*; ***to be under an ~ to do sth*** verpflichtet sein, etw zu tun **obligatory** *adj* obligatorisch; ***~ subject*** Pflichtfach *nt*; ***biology is ~*** Biologie ist Pflicht; ***attendance is ~*** Anwesenheit ist vorgeschrieben; ***identity cards were made ~*** Personalausweise wurden Vorschrift **oblige I** *v/t* **1.** (≈ *compel*) zwingen; (*because of duty*) verpflichten (*sb to do sth* jdn, etw zu tun); ***to feel ~d to do sth*** sich verpflichtet fühlen, etw zu tun; ***you are not ~d to answer this question*** Sie brauchen diese Frage nicht zu beantworten **2.** (≈ *do a favour to*) einen Gefallen tun (*+dat*); ***much ~d!*** herzlichen Dank!; ***I am much ~d to you for this!*** ich bin Ihnen dafür sehr dankbar **II** *v/i* ***she is always ready to ~*** sie ist immer sehr gefällig; ***anything to ~*** stets zu Diensten! **obliging** *adj* entgegenkommend **obligingly** *adv* entgegenkommenderweise
oblique I *adj* **1.** *line* schräg; *angle* schief **2.** (*fig*) indirekt **II** *n* Schrägstrich *m* **obliquely** *adv* (*fig*) indirekt
obliterate *v/t* auslöschen; *city* vernichten
oblivion *n* Vergessenheit *f*; ***to fall into ~*** in Vergessenheit geraten **oblivious** *adj* ***to be ~ of*** *or* ***to sth*** sich (*dat*) einer Sache (*gen*) nicht bewusst sein; ***he was quite ~ of his surroundings*** er nahm seine Umgebung gar nicht wahr **obliviously** *adv* ***to carry on ~*** einfach (unbeirrt) weitermachen
oblong I *adj* rechteckig **II** *n* Rechteck *nt*
obnoxious *adj* widerwärtig; *behaviour* unausstehlich; ***an ~ person*** ein Ekel *nt* (*infml*) **obnoxiously** *adv* widerlich; *behave* unausstehlich
oboe *n* Oboe *f*
obscene *adj* obszön; ***~ publication*** Veröffentlichung *f* mit pornografischem Inhalt **obscenity** *n* Obszönität *f*; ***he used an ~*** er gebrauchte einen ordinären Ausdruck
obscure I *adj* (*+er*) **1.** (≈ *hard to understand*) dunkel; *style* undurchsichtig; *language, poet* schwer verständlich; ***for some ~ reason*** aus einem unerfindlichen Grund **2.** (≈ *unknown*) obskur; *poet* unbekannt **II** *v/t* **1.** *view* verdecken **2.** *truth* verschleiern **obscurely** *adv* undeutlich **obscurity** *n* **1.** (*of style, argument*) Unklarheit *f* **2.** *no pl* (*of birth, origins*) Dunkel *nt*; ***to live in ~*** zurückgezogen leben; ***to sink into ~*** in Vergessenheit geraten
obsequious *adj* unterwürfig (*to*(*wards*) gegenüber)
observable *adj* erkennbar **observance** *n* (*of law*) Befolgung *f* **observant** *adj* aufmerksam; ***that's very ~ of you*** das hast du aber gut bemerkt **observation** *n* **1.** Beobachtung *f*; ***to keep sb/sth under ~*** jdn/etw unter Beobachtung halten; (*by police*) jdn/etw observieren (*form*); ***he's in hospital for ~*** er ist zur Beobachtung im Krankenhaus **2.** (≈ *remark*) Bemerkung *f* **observatory** *n* Observatori-

um *nt* **observe** *v/t* **1.** beobachten; (*police*) überwachen **2.** (≈ *remark*) bemerken **3.** (≈ *obey*) achten auf (+*acc*); *rule*, *custom* einhalten; *anniversary etc* begehen; ***to ~ a minute's silence*** eine Schweigeminute einlegen **observer** *n* Zuschauer(in) *m*(*f*); MIL, POL Beobachter(in) *m*(*f*)

obsess *v/t* ***to be ~ed by*** *or* ***with sb/sth*** von jdm / etw besessen sein **obsession** *n* **1.** (≈ *fixed idea*) fixe Idee; (≈ *fear etc*) Zwangsvorstellung *f* **2.** (≈ *state*) Besessenheit *f* (*with* von); ***this ~ with order*** dieser Ordnungswahn *m* **obsessive** *adj* zwanghaft; ***to be ~ about sth*** von etw besessen sein; ***to become ~*** zum Zwang werden **obsessively** *adv* wie besessen

obsolescent *adj* ***to be ~*** anfangen zu veralten; (*machine*) technisch (fast) überholt sein **obsolete** *adj* überholt; ***to become ~*** veralten

obstacle *n* Hindernis *nt*; ***to be an ~ to sb/sth*** jdm / einer Sache im Weg(e) stehen

obstetrician *n* Geburtshelfer(in) *m*(*f*)

obstetrics *n sg* Geburtshilfe *f*

obstinacy *n* Hartnäckigkeit *f* **obstinate** *adj* hartnäckig

obstruct *v/t* **1.** (≈ *block*) blockieren; *view* versperren; ***you're ~ing my view*** Sie versperren mir die Sicht **2.** (≈ *hinder*) behindern; SPORTS sperren; ***to ~ the police*** die Arbeit der Polizei behindern **obstruction** *n* **1.** (≈ *hindering*) Behinderung *f*; SPORTS Sperren *nt*; ***to cause an ~*** den Verkehr behindern **2.** (≈ *obstacle*) Hindernis *nt*; ***there is an ~ in the pipe*** das Rohr ist verstopft **obstructive** *adj* obstruktiv

obtain *v/t* erhalten; *knowledge* erwerben; ***to ~ sth through hard work*** etw durch harte Arbeit erreichen; *possession* sich (*dat*) etw mühsam erarbeiten; ***to ~ sth for sb*** jdm etw beschaffen; ***they ~ed the release of the hostages*** sie erreichten die Freilassung der Geiseln **obtainable** *adj* erhältlich

obtrusive *adj* aufdringlich; *building* zu auffällig

obtuse *adj* **1.** GEOMETRY stumpf **2.** *person* begriffsstutzig

obverse *n* Kehrseite *f*

obvious *adj* offensichtlich; (≈ *not subtle*) plump; *fact* eindeutig; *dislike* sichtlich; ***that's the ~ solution*** das ist die nächstliegende Lösung; ***for ~ reasons*** aus naheliegenden Gründen; ***it was ~ he didn't want to come*** er wollte offensichtlich nicht kommen; ***it's quite ~ he doesn't understand*** es ist doch klar, dass er nicht versteht; ***I would have thought that was perfectly ~*** das liegt doch auf der Hand; (≈ *noticeable*) das springt doch ins Auge; ***with the ~ exception of ...*** natürlich mit Ausnahme von ... **obviously** *adv* offensichtlich; ***he's ~ French*** er ist eindeutig ein Franzose; ***~!*** natürlich!; ***~ he's not going to like it*** das wird ihm natürlich nicht gefallen; ***he's ~ not going to get the job*** er bekommt die Stelle nicht, das ist ja klar (*infml*)

occasion *n* **1.** (≈ *point in time*) Gelegenheit *f*; ***on that ~*** zu jener Gelegenheit; ***on another ~*** ein anderes Mal; ***on several ~s*** mehrmals; **(*on*) *the first ~*** beim ersten Mal; ***to rise to the ~*** sich der Lage gewachsen zeigen **2.** (≈ *special time*) Ereignis *nt*; ***on the ~ of his birthday*** anlässlich seines Geburtstages (*elev*) **3.** (≈ *reason*) Anlass *m*; ***should the ~ arise*** sollte es nötig werden **occasional** *adj* gelegentlich; ***he likes an*** *or* ***the ~ cigar*** er raucht gelegentlich ganz gern eine Zigarre; ***she made ~ visits to England*** sie fuhr ab und zu nach England **occasionally** *adv* gelegentlich; ***very ~*** sehr selten

occult **I** *adj* okkult **II** *n* Okkulte(s) *nt*

occupancy *n* Bewohnen *nt*; (≈ *period*) Wohndauer *f* **occupant** *n* (*of house*) Bewohner(in) *m*(*f*); (*of post*) Inhaber(in) *m*(*f*); (*of car*) Insasse *m*, Insassin *f*

occupation *n* **1.** (≈ *employment*) Beruf *m*; ***what is his ~?*** was ist er von Beruf? **2.** (≈ *pastime*) Beschäftigung *f* **3.** MIL Okkupation *f*; ***army of ~*** Besatzungsarmee *f* **occupational** *adj* Berufs-, beruflich **occupational pension (scheme)** *n* betriebliche Altersversorgung **occupational therapy** *n* Beschäftigungstherapie *f*

occupied *adj* **1.** *house*, *seat* belegt; ***a room ~ by four people*** ein von vier Personen bewohntes Zimmer **2.** MIL *etc country* besetzt **3.** (≈ *busy*) beschäftigt; ***to keep sb ~*** jdn beschäftigen; ***he kept his mind ~*** er beschäftigte sich geistig

occupier *n* (*of house*) Bewohner(in) *m*(*f*)

occupy *v/t* **1.** *house* bewohnen; *seat* belegen **2.** MIL *etc* besetzen **3.** *post* innehaben

4. (≈ *take up*) beanspruchen; *space* einnehmen; *time* in Anspruch nehmen **5.** (≈ *busy*) beschäftigen

occur *v/i* **1.** (*event*) geschehen; (*difficulty*) sich ergeben; (*change*) stattfinden; ***that doesn't ~ very often*** das gibt es nicht oft **2.** (≈ *be found*) vorkommen **3.** (≈ *come to mind*) einfallen (*to sb* jdm); ***it ~s to me that ...*** ich habe den Eindruck, dass ...; ***it just ~red to me*** es ist mir gerade eingefallen; ***it never ~red to me*** darauf bin ich noch nie gekommen; ***it didn't even ~ to him to ask*** er kam erst gar nicht auf den Gedanken, zu fragen **occurrence** *n* **1.** (≈ *event*) Ereignis *nt* **2.** (≈ *taking place*) Auftreten *nt*; ***further ~s of this nature must be avoided*** weitere Vorkommnisse dieser Art müssen vermieden werden

ocean *n* Ozean *m* **ocean-going** *adj* hochseetauglich **Oceania** *n* Ozeanien *nt* **ocean liner** *n* Ozeandampfer *m* **oceanography** *n* Meereskunde *f*

o'clock *adv* ***at 5 ~*** um 5 Uhr; ***5 ~ in the morning/evening*** 5 Uhr morgens/abends; ***the 9 ~ train*** der 9-Uhr-Zug

Oct *abbr of* ***October*** Okt.

octagon *n* Achteck *nt* **octagonal** *adj* achteckig

octane *n* Oktan *nt*

octave *n* MUS Oktave *f*

October *n* Oktober *m*; → ***September***

octopus *n* Tintenfisch *m*

OD (*infml*) *v/i* eine Überdosis nehmen

odd I *adj* (*+er*) **1.** (≈ *peculiar*) seltsam; ***how ~*** (wie) seltsam; ***the ~ thing about it is that ...*** das Merkwürdige daran ist, dass ...; ***it seemed ~ to me*** es kam mir komisch vor **2.** *number* ungerade **3.** *shoe*, *glove* einzeln; ***he is (the) ~ one out*** er ist überzählig; (*in character*) er steht (immer) abseits; ***in each group underline the word which is the ~ man*** *or* ***one out*** unterstreichen Sie in jeder Gruppe das nicht dazugehörige Wort **4.** ***600-~ pounds*** gut 600 Pfund **5.** (≈ *surplus*) übrig; ***the ~ one left over*** der/die/das Überzählige **6.** ***at ~ times*** ab und zu; ***he likes the ~ drink*** er trinkt gerne mal einen; ***he does all the ~ jobs*** er macht alles, was an Arbeit anfällt **II** *adv* (*infml*) ***he was acting a bit ~*** er benahm sich etwas komisch **oddball** (*infml*) *n* Spinner(in) *m(f)* **oddity** *n* (≈ *odd thing*) Kuriosität *f* **odd-jobman** Mädchen *nt* für alles **oddly** *adv* merkwürdig; ***an ~ shaped room*** ein Raum, der eine seltsame Form hat **oddment** *n usu pl* Restposten *m*

odds *pl* **1.** BETTING Odds *pl*; (*of bookmaker*) Kurse *pl*; ***the ~ are 6 to 1*** die Chancen stehen 6 zu 1; ***to pay over the ~*** (*infml*) zu viel bezahlen **2.** (≈ *chances*) Chance(n) *f(pl)*; ***the ~ were against us*** alles sprach gegen uns; ***the ~ were in our favour*** (*Br*) *or* ***favor*** (*US*) alles sprach für uns; ***against all the ~*** entgegen allen Erwartungen; ***the ~ are that ...*** es sieht ganz so aus, als ob ... **3.** ***to be at ~ with sb over sth*** mit jdm in etw (*dat*) nicht übereinstimmen **odds and ends** *pl* Krimskrams *m* **odds-on I** *adj* ***the ~ favourite*** (*Br*) *or* ***favorite*** (*US*) der klare Favorit **II** *adv* ***it's ~ that ...*** es ist so gut wie sicher, dass ...

ode *n* Ode *f* (*to*, *on* an *+acc*)

odious *adj person* abstoßend; *action* abscheulich

odometer *n* Kilometerzähler *m*

odour, (*US*) **odor** *n* Geruch *m* **odourless**, (*US*) **odorless** *adj* geruchlos

Odyssey *n* Odyssee *f*

OECD *abbr of* ***Organization for Economic Cooperation and Development*** OECD *f*

oesophagus, (*US*) **esophagus** *n* Speiseröhre *f*

oestrogen *n* (*Br*) Östrogen *nt*

of *prep* **1.** von (*+dat*); ***the wife of the doctor*** die Frau des Arztes, die Frau vom Arzt; ***a friend of ours*** ein Freund/eine Freundin von uns; ***of it*** davon; ***the first of May*** der Erste Mai; ***that damn dog of theirs*** (*infml*) ihr verdammter Hund (*infml*); ***it is very kind of you*** es ist sehr freundlich von Ihnen; ***south of Paris*** südlich von Paris; ***a quarter of six*** (*US*) Viertel vor sechs; ***fear of God*** Gottesfurcht *f*; ***his love of his father*** die Liebe zu seinem Vater; ***the whole of the house*** das ganze Haus; ***half of the house*** das halbe Haus; ***how many of them?*** wie viele (davon)?; ***there were six of us*** wir waren zu sechst; ***he is not one of us*** er gehört nicht zu uns; ***one of the best*** einer der Besten; ***he asked the six of us to lunch*** er lud uns sechs zum Mittagessen ein; ***of the ten only one was absent*** von den zehn fehlte nur einer; ***today of all days*** ausgerechnet heute; ***you of all people*** gerade Sie; ***he warned us of the danger*** er warnte uns vor der Gefahr; ***what of it?*** ja und? **2.** (*indicating cause*) ***he died of cancer*** er starb an Krebs; ***he died of hunger*** er verhungerte; ***it tastes of garlic*** es schmeckt nach Knoblauch **3.** (*indicating material*) aus **4.** (*indicating quality etc*) ***a man of courage*** ein mutiger Mensch; ***a girl of ten*** ein zehnjähriges Mädchen; ***the city of Paris*** die Stadt Paris; ***that idiot of a waiter*** dieser Idiot von Kellner **5.** (*in time phrases*) ***of late*** in letzter Zeit; ***of an evening*** (*infml*) abends

off I *adv* **1.** (*distance*) ***the house is 5 km ~*** das Haus ist 5 km entfernt; ***it's a long way ~*** das ist weit weg; (*time*) das liegt in weiter Ferne; ***August isn't very far ~*** es ist nicht mehr lang bis August **2.** (*departure*) ***to be/go ~*** gehen; ***he's ~ to school*** er ist zur Schule gegangen; ***I must be ~*** ich muss (jetzt) weg (*infml*); ***where are you ~ to?*** wohin gehen Sie denn?; ***~ we go!*** los!; ***they're ~*** SPORTS sie sind vom Start; ***she's ~ again*** (*infml* ≈ *complaining etc*) sie legt schon wieder los (*infml*) **3.** (*removal*) ***he helped me ~ with my coat*** er half mir aus dem Mantel; ***the handle has come ~*** der Griff ist abgegangen **4.** (≈ *discount*) ***3% ~*** COMM 3% Nachlass; ***to give sb £5 ~*** jdm £ 5 Ermäßigung geben; ***he let me have £5 ~*** er gab es mir (um) £ 5 billiger **5.** (≈ *not at work*) ***to have time ~ to do sth*** (Zeit) freibekommen haben, um etw zu tun; ***I've got a day ~*** ich habe einen Tag frei (-bekommen); ***to be ~ sick*** wegen Krankheit fehlen **6.** ***~ and on, on and ~*** ab und zu; ***straight ~*** gleich **II** *adj* **1.** *attr day etc* schlecht; ***I'm having an ~ day today*** ich bin heute nicht in Form **2.** *pred* (*Br* ≈ *not fresh*) verdorben; *milk* schlecht; ***to go ~*** schlecht werden **3.** *pred match, talks* abgesagt; ***I'm afraid veal is ~ today*** Kalbfleisch gibt es heute leider nicht; ***their engagement is ~*** ihre Verlobung ist gelöst **4.** *TV, light, machine* aus(geschaltet); *tap* zu(gedreht); ***the electricity was ~*** der Strom war abgeschaltet **5.** ***they are badly/well ~*** sie sind nicht gut/(ganz) gut gestellt; ***he is better ~ staying in England*** er steht sich in England besser; ***he was quite a bit ~ in his calculations*** er hatte sich in seinen Berechnungen ziemlich vertan **6.** *pred* (*infml*) ***that's a bit ~!*** das ist ein dicker Hund! (*infml*) **III** *prep* **1.** von (+*dat*); ***he jumped ~ the roof*** er sprang vom Dach; ***I got it ~ my friend*** (*infml*) ich habs von meinem Freund (gekriegt) (*infml*); ***we live ~ cheese on toast*** wir leben von Käse und Toastbrot; ***he got £2 ~ the shirt*** er bekam das Hemd £ 2 billiger; ***the lid had been left ~ the tin*** jemand hatte den Deckel nicht wieder auf die Büchse getan **2.** ***the house was just ~ the main road*** das Haus lag in unmittelbarer Nähe der Hauptstraße; ***a road ~ Bank Street*** eine Querstraße zur Bank Street; ***~ the map*** nicht auf der Karte; ***I'm ~ sausages*** Wurst kann mich zurzeit nicht reizen **off air** *adv* TV, RADIO nicht auf Sendung; ***to go ~*** (*broadcast*) enden

offal *n no pl* Innereien *pl*

offbeat *adj* unkonventionell **off-centre**, (*US*) **off-center I** *adj* nicht in der Mitte **II** *adv* schief **off chance** *n* ***I just did it on the ~*** ich habe es auf gut Glück getan; ***I came on the ~ of seeing her*** ich kam in der Hoffnung, sie vielleicht zu sehen **off-colour**, (*US*) **off-color** *adj* (*esp Br* ≈ *unwell*) unwohl; ***to feel/be ~*** sich nicht wohlfühlen **off-duty** *adj attr* außer Dienst

offence, (*US*) **offense** *n* **1.** JUR Straftat *f*; (*minor*) Vergehen *nt*; ***to commit an ~*** sich strafbar machen; ***it is an ~ to ...*** ... ist bei Strafe verboten **2.** *no pl* (*to sb's feelings*) Kränkung *f*; (*to decency*) Anstoß *m*; ***to cause ~ to sb*** jdn kränken; ***to take ~ at sth*** wegen etw gekränkt sein; ***no ~ to the Germans, of course!*** damit will ich natürlich nichts gegen die Deutschen gesagt haben; ***no ~ (meant)*** nichts für ungut **3.** (*US* ≈ *part of team*) Angriff *m*

offend I *v/t* (≈ *hurt*) kränken; (≈ *be disagreeable to*) Anstoß erregen bei **II** *v/i* (ein) Unrecht tun ◆ **offend against** *v/i +prep obj* verstoßen gegen

offended *adj* beleidigt; ***to be ~ by sth*** sich von etw verletzt fühlen **offender** *n* (Straf)täter(in) *m(f)*; ***sex ~*** Sexualstraftäter(in) *m(f)* **offending** *adj* **1.** *person* zuwiderhandelnd **2.** (≈ *causing problem*) störend; *part* defekt

offense *n* (*US*) = ***offence*** **offensive I** *adj* **1.** MIL Offensiv- **2.** *smell* abstoßend; *language, film* anstößig; *remark, behaviour* beleidigend; ***to find sb/sth ~*** jdn/etw abstoßend finden; ***he was ~ to her*** er beleidigte sie **II** *n* (MIL, SPORTS) Offensive *f*; ***to take the ~*** in die Offensive gehen; ***to go on to the ~*** zum Angriff übergehen **offensively** *adv* (≈ *unpleasantly*) widerlich; (*in moral sense*) anstößig; (≈ *abusively*) beleidigend

offer I *n* Angebot *nt*; ***did you have many ~s of help?*** haben Ihnen viele Leute ihre Hilfe angeboten?; ***any ~s?*** ist jemand interessiert?; ***he made me an ~ (of £50)*** er machte mir ein Angebot (von £ 50); ***on ~*** (≈ *on special offer*) im Angebot **II** *v/t* **1.** anbieten; *reward, prize* aussetzen; ***to ~ to do sth*** anbieten, etw zu tun; (≈ *offer one's services*) sich bereit erklären, etw zu tun; ***he ~ed to help*** er bot seine Hilfe an; ***did he ~ to?*** hat er sich angeboten?; ***to ~ an opinion*** sich (dazu) äußern; ***to ~ one's resignation*** seinen Rücktritt anbieten **2.** *resistance* bieten **III** *v/i* ***did he ~?*** hat er es angeboten? **offering** *n* Gabe *f*; (REL) (≈ *collection*) Opfergabe *f*; (≈ *sacrifice*) Opfer *nt*

offhand I *adj* lässig; ***to be ~ with sb*** sich jdm gegenüber lässig benehmen **II** *adv* so ohne Weiteres; ***I couldn't tell you ~*** das könnte ich Ihnen auf Anhieb nicht sagen

office *n* **1.** Büro *nt*; (≈ *part of organization*) Abteilung *f*; (≈ *branch*) Geschäftsstelle *f*; ***at the ~*** im Büro **2.** (≈ *position*) Amt *nt*; ***to take ~*** das Amt antreten; ***to be in*** *or* ***hold ~*** im Amt sein **office block** *n* Bürogebäude *nt* **office chair** *n* Bürostuhl *m* **office holder** *n* Amtsinhaber(in) *m(f)* **office hours** *pl* Dienstzeit *f*; (*on sign*) Geschäftszeiten *pl*; ***to work ~*** normale Arbeitszeiten haben **office job** *n* Stelle *f* im Büro **office manager(ess)** *n* Büroleiter(in) *m(f)* **office party** *n* Büroparty *f*

officer *n* **1.** MIL, NAUT, AVIAT Offizier(in) *m(f)* **2.** (≈ *official*) Beamte(r) *m*, Beamtin *f* **3.** (≈ *police officer*) Polizist(in) *m(f)*

office supplies *pl* Bürobedarf *m* **office worker** *n* Büroangestellte(r) *m/f(m)*

official I *adj* offiziell; (≈ *formal*) formell; ***~ language*** Amtssprache *f*; ***is that ~?*** ist das amtlich?; (≈ *publicly announced*) ist das offiziell? **II** *n* (≈ *railway official etc*) Beamte(r) *m*, Beamtin *f*; (*of club, trade union*) Funktionär(in) *m(f)* **officialdom** *n* (*pej*) Beamtentum *nt* **officialese** *n* Behördensprache *f* **officially** *adv* offiziell **officiate** *v/t* amtieren (*at* bei) **officious** *adj* (dienst)beflissen

offing *n* ***in the ~*** in Sicht

off key *adj pred* MUS falsch **off-licence** *n* (*Br*) Wein- und Spirituosenhandlung *f* **off limits** *adj pred* ***this area is ~*** das Betreten dieses Gebiets ist verboten; ***this room is ~ to*** *or* ***for the kids*** die Kinder dürfen diesen Raum nicht betreten; → ***limit*** **off line** IT **I** *adj pred* offline **II** *adv* off line; ***to go ~*** auf Offlinebetrieb schalten **off-load** *v/t goods* entladen; *passengers* aussteigen lassen **off-peak** *adj* ***~ electricity*** Nachtstrom *m*; ***at ~ times, during ~ hours*** außerhalb der Stoßzeiten; TEL außerhalb der Spitzenzeiten; ***~ service*** RAIL Zugverkehr *m* außerhalb der Hauptverkehrszeit **off-putting** *adj* (*esp Br*) *behaviour, sight* abstoßend; *idea* wenig ermutigend; (≈ *daunting*) entmutigend **off-road** *adj driving* im Gelände; ***~ vehicle*** Geländefahrzeug *nt* **off-screen** *adj, adv* FILM, TV im wirklichen Leben **off season** *n* Nebensaison *f*; ***in the ~*** außerhalb der Saison **off-season** *adj* außerhalb der Saison **offset** *pret, past part* **offset** *v/t* ausgleichen **offshoot** *n* (*fig*) (*of organization*) Nebenzweig *m* **offshore I** *adj* **1.** *island* küstennah; *wind* ablandig; *oilfield* im Meer **2.** FIN im Ausland **II** *adv* ***20 miles ~*** 20 Meilen vor der Küste **offside I** *adj* **1.** SPORTS im Abseits; ***to be ~*** (*player*) im Abseits sein **2.** AUTO auf der Fahrerseite **II** *n* AUTO Fahrerseite *f* **III** *adv* SPORTS abseits **offspring** *n pl* (*form, hum, of people*) Nachkommen *pl*; (*of animals*) Junge *pl* **offstage I** *adj* hinter den Kulissen; *voice* aus den Kulissen **II** *adv go, walk* von der Bühne; *stand* hinter den Kulissen **off-street parking** *n* (≈ *single place*) Stellplatz *m*; (≈ *spaces*) Stellplätze *pl* **off-the-cuff** *adj* aus dem Stegreif **off-the-peg** *adj attr*, **off the peg** *adj pred* (*Br*), **off-the-rack** *adj attr*, **off the rack** *adj pred* (*US*) von der Stange **off-the-record** *adj attr*, **off the record** *adj pred* inoffiziell; (≈ *confidential*) vertraulich **off-the-shoulder** *adj dress* schulterfrei **off-the-wall** *adj attr*, **off the wall** *adj pred* (*infml*) irre (*infml*), verrückt **off-white I** *adj* gebrochen weiß **II** *n* gebrochenes Weiß

oft *adv* (*liter*) oft

often *adv* oft; ***more ~ than not*** meistens; ***every so ~*** öfters; ***how ~?*** wie oft?; ***it is not ~ that ...*** es kommt selten vor, dass ...
ogle *v/t* kein Auge lassen von
ogre *n* (*fig*) Ungeheuer *nt*
oh *int* ach; (*surprised*, *disappointed*) oh; ***oh good!*** prima! (*infml*); ***oh well*** na ja!; ***oh dear!*** o je!
OHP *abbr of* ***overhead projector***
oil I *n* **1.** Öl *nt* **2.** (≈ *petroleum*) (Erd)öl *nt*; ***to strike ~*** auf Öl stoßen **3.** ART ***to paint in ~s*** in Öl malen **II** *v/t* ölen **oilcan** *n* Ölkanne *f* **oil company** *n* Ölkonzern *m* **oilfield** *n* Ölfeld *nt* **oil-fired** *adj* Öl-, mit Öl befeuert; ***~ power station*** Ölkraftwerk *nt* **oil lamp** *n* Öllampe *f* **oil paint** *n* Ölfarbe *f* **oil painting** *n* (≈ *picture*) Ölgemälde *nt*; (≈ *art*) Ölmalerei *f* **oil platform** *n* Bohrinsel *f* **oil refinery** *n* (Erd)ölraffinerie *f* **oil rig** *n* (Öl)bohrinsel *f* **oil slick** *n* Ölteppich *m* **oil spill** *n* Ölkatastrophe *f* **oil tanker** *n* (≈ *ship*) (Öl)tanker *m*; (≈ *lorry*) Tankwagen *m* **oil well** *n* Ölquelle *f* **oily** *adj* (*+er*) ölig; *hair*, *skin*, *food* fettig; *fingers* voller Öl; ***~ fish*** Fisch *m* mit hohem Ölgehalt
ointment *n* Salbe *f*
OK, okay (*infml*) **I** *int* okay (*infml*); ***OK, OK!*** ist ja gut! (*infml*); ***OK, let's go!*** also, gehen wir! **II** *adj* in Ordnung, okay (*infml*); ***that's OK with*** *or* ***by me*** von mir aus; ***is it OK (with you) if ...?*** macht es (dir) etwas aus, wenn ...?; ***how's your mother? — she's OK*** wie gehts deiner Mutter? — gut *or* (*schlechter*) so einigermaßen (*infml*); ***I feel OK*** es geht mir einigermaßen (*infml*); ***to be OK (for time)*** (noch) genug (Zeit) haben; ***is that OK?*** geht das?; ***what do you think of him? — he's OK*** was halten Sie von ihm? — der ist in Ordnung (*infml*) **III** *adv* **1.** (≈ *well*) gut; (≈ *not too badly*) einigermaßen (gut); ***to do OK*** ganz gut zurechtkommen; ***can you manage it OK?*** kommst du damit klar? **2.** (≈ *admittedly*) na gut; ***OK it's difficult but ...*** zugegeben, es ist schwer, aber ... **IV** *v/t plan* gutheißen; ***you have to OK it with the boss*** das muss der Chef bewilligen
ol' *adj* (*esp US infml*) = ***old***
old I *adj* (*+er*) **1.** alt; ***~ people*** *or* ***folk(s)*** alte Leute; ***~ Mr Smith, ~ man Smith*** (*esp US*) der alte (Herr) Smith; ***40 years ~*** 40 Jahre alt; ***at ten months ~*** im Alter von zehn Monaten; ***two-year-~*** Zweijährige(r) *m*/*f*(*m*); ***the ~ (part of) town*** die Altstadt; ***in the ~ days*** früher; ***the good ~ days*** die gute alte Zeit; ***my ~ school*** meine alte Schule **2.** (*infml*) ***she dresses any ~ how*** die ist vielleicht immer angezogen (*infml*); ***any ~ thing*** irgendwas; ***any ~ bottle*** irgendeine Flasche; ***good ~ Tim*** (*infml*) der gute alte Tim; ***always the same ~ excuse*** immer wieder dieselbe Ausrede **II** *n pl* (≈ *old people*) ***the ~*** die Alten
old age *n* das Alter; ***in one's ~*** im Alter **old-age pension** *n* (Alters)rente *f* **old-age pensioner** *n* Rentner(in) *m*(*f*) **old boy** *n* (*Br* SCHOOL) Ehemalige(r) *m* **olden** *adj* (*liter*) ***in ~ times*** *or* ***days*** in alten Zeiten
old-fashioned *adj* altmodisch **old girl** *n* (*Br* SCHOOL) Ehemalige *f* **Old Glory** *n* (*US* ≈ *flag*) das Sternenbanner **old hand** *n* alter Hase (*at sth* in etw *dat*) **old lady** *n* (*infml*) ***my ~*** meine Alte (*infml*) **old maid** *n* alte Jungfer **old man** *n* (*infml*) ***my ~*** mein Alter (*infml*) **old people's home** *n* Altenheim *nt* **old-style** *adj* im alten Stil **Old Testament** *n* BIBLE Altes Testament **old-timer** *n* Veteran(in) *m*(*f*) **old wives' tale** *n* Ammenmärchen *nt*
O level *n* (*Br formerly*) ≈ mittlere Reife; ***to do one's ~s*** ≈ die mittlere Reife machen; ***to have an ~ in English*** ≈ bis zur mittleren Reife Englisch gelernt haben; ***3 ~s*** ≈ die mittlere Reife in 3 Fächern
oligarchy *n* Oligarchie *f*
olive I *n* **1.** Olive *f*; (*a.* **olive tree**) Olivenbaum *m* **2.** (≈ *colour*) Olive *nt* **II** *adj* (*a.* **olive-coloured**) olivgrün **olive oil** *n* Olivenöl *nt*
Olympic I *adj* olympisch; ***~ medallist*** (*Br*) *or* ***medalist*** (*US*) Olympiamedaillengewinner(in) *m*(*f*) **II** *n* **Olympics** *pl* ***the ~s*** die Olympiade **Olympic champion** *n* Olympiasieger(in) *m*(*f*) **Olympic Games** *pl* ***the ~*** die Olympischen Spiele
ombudsman *n*, *pl* ***-men*** Ombudsmann *m*
omelette, (*US*) **omelet** *n* Omelett(e) *nt*
omen *n* Omen *nt*
ominous *adj* bedrohlich; ***that's ~*** das lässt nichts Gutes ahnen; ***that sounds/looks ~*** (*fig*) das verspricht nichts Gutes **ominously** *adv* bedrohlich; *say* in einem Unheil verkündenden

Ton

omission *n* (≈ *omitting*) Auslassen *nt*; (≈ *thing left out*) Auslassung *f*

omit *v/t* **1.** (≈ *leave out*) auslassen **2.** (≈ *fail*) (*to do sth* etw zu tun) unterlassen; (*accidentally*) versäumen

omnibus *n* (*a.* **omnibus edition**) (≈ *book*) Sammelband *m*

omnipotence *n no pl* Omnipotenz *f* **omnipotent** *adj* omnipotent

omnipresent *adj* allgegenwärtig

omniscient *adj* allwissend

omnivore *n* Allesfresser *m* **omnivorous** *adj* (*lit*) allesfressend; ***an ~ reader*** ein Vielfraß *m*, was Bücher angeht

on I *prep* **1.** (*indicating position*) auf (+*dat*); (*with motion*) auf (+*acc*); (*on vertical surface, part of body*) an (+*dat*); (*with motion*) an (+*acc*); ***the book is on the table*** das Buch ist auf dem Tisch; ***he put the book on the table*** er legte das Buch auf den Tisch; ***he hung it on the wall*** er hängte es an die Wand; ***on the coast*** am Meer; ***with a smile on her face*** mit einem Lächeln auf den Lippen; ***a ring on his finger*** ein Ring am Finger; ***on TV/the radio*** im Fernsehen/Radio; ***on video*** auf Video; ***on computer*** auf Computer (*dat*); ***who's on his show?*** wer ist in seiner Show?; ***I have no money on me*** ich habe kein Geld bei mir; ***on the train*** im Zug; → ***onto*** **2.** (≈ *by means of*) ***we went on the train/bus*** wir fuhren mit dem Zug/Bus; ***on a bicycle*** mit dem (Fahr)rad; ***to run on oil*** mit Öl betrieben werden; ***on the violin*** auf der Geige; ***on drums*** am Schlagzeug **3.** (≈ *about*) über (+*acc*) **4.** (*in expressions of time*) an (+*dat*); ***on Sunday*** (am) Sonntag; ***on Sundays*** sonntags; ***on December the first*** am ersten Dezember; ***on or about the twentieth*** um den Zwanzigsten herum **5.** (≈ *at the time of*) bei (+*dat*); ***on examination*** bei der Untersuchung; ***on hearing this he left*** als er das hörte, ging er **6.** (≈ *as a result of*) auf ... (*acc*) hin; ***on receiving my letter*** auf meinen Brief hin **7.** (*indicating membership*) in (+*dat*); ***he is on the committee*** er sitzt im Ausschuss; ***he is on the teaching staff*** er gehört zum Lehrpersonal **8.** (≈ *compared with*) im Vergleich zu; ***prices are up on last year('s)*** im Vergleich zum letzten Jahr sind die Preise gestiegen; ***year on year*** jährlich **9.** ***to be on drugs*** Drogen nehmen; ***what is he on?*** (*infml*) er tickt wohl nicht ganz richtig! (*infml*); ***I'm on £28,000 a year*** ich bekomme £ 28.000 im Jahr; ***he retired on a good pension*** er trat mit einer guten Rente in den Ruhestand; ***this round is on me*** diese Runde geht auf meine Kosten **II** *adv* **1.** ***he screwed the lid on*** er schraubte den Deckel drauf; ***she had nothing on*** sie hatte nichts an; ***he had his hat on crooked*** er hatte den Hut schief auf; ***sideways on*** längs **2.** ***from that day on*** von diesem Tag an; ***she went on and on*** sie hörte gar nicht mehr auf; ***he's always on at me to get my hair cut*** er liegt mir dauernd in den Ohren, dass ich mir die Haare schneiden lassen soll; ***she's always on about her experiences in Italy*** (*infml*) sie kommt dauernd mit ihren Italienerfahrungen (*infml*); ***what's he on about?*** wovon redet er nun schon wieder? **III** *adj* **1.** *lights, TV* an; *electricity* an(gestellt); ***to leave the engine on*** den Motor laufen lassen; ***the "on" switch*** der Einschalter **2.** *lid* drauf **3.** (≈ *taking place*) ***there's a match on at the moment*** ein Spiel ist gerade im Gang; ***there's a match on tomorrow*** morgen findet ein Spiel statt; ***I have nothing on tonight*** ich habe heute Abend nichts vor; ***what's on in London?*** was ist los in London?; ***the search is on for a new managing director*** jetzt wird nach einem neuen Geschäftsführer gesucht; ***to be on*** (*in theatre, cinema*) gegeben werden; (*on TV, radio*) gesendet werden; ***what's on tonight?*** was steht heute Abend auf dem Programm?; ***tell me when Madonna is on*** sagen Sie mir, wenn Madonna dran ist **4.** ***you're on!*** abgemacht!; ***are you on for dinner?*** sehen wir uns zum Abendessen?; ***it's just not on*** (*Br infml*) das ist einfach nicht drin (*infml*)

once I *adv* **1.** einmal; ***~ a week*** einmal in der Woche; ***~ again*** *or* ***more*** noch einmal; ***~ again we find that ...*** wir stellen erneut fest, dass ...; ***~ or twice*** (*fig*) nur ein paarmal; ***~ and for all*** ein für alle Mal; (***every***) ***~ in a while*** ab und zu mal; (***just***) ***this ~*** dieses eine Mal; ***for ~*** ausnahmsweise einmal; ***he was ~ famous*** er war früher einmal berühmt; ***~ upon a time there was ...*** es war einmal ... **2.** ***at ~*** (≈ *immediately*) sofort; (≈ *at the same time*) auf einmal; ***all at ~*** auf einmal; (≈ *suddenly*) ganz plötzlich; ***they came all at ~*** sie kamen alle zur gleichen Zeit **II** *cj* wenn; (*with past tense*) als; ***~ you understand, it's easy*** wenn Sie es einmal verstehen, ist es einfach; ***~ the sun had set, it turned cold*** als die Sonne erst einmal untergegangen war, wurde es kalt

oncoming *adj car* entgegenkommend; ***the ~ traffic*** der Gegenverkehr

one I *adj* **1.** (≈ *number*) ein/eine/ein; (*counting*) eins; ***~ person too many*** einer zu viel; ***~ girl was pretty, the other was ugly*** das eine Mädchen war hübsch, das andere hässlich; ***the baby is ~ (year old)*** das Kind ist ein Jahr (alt); ***it is ~ (o'clock)*** es ist ein Uhr; ***~ hundred pounds*** (ein)hundert Pfund **2.** ***~ day ...*** eines Tages ...; ***~ day next week*** nächste Woche einmal; ***~ day soon*** bald einmal **3.** ***~ Mr Smith*** ein gewisser Herr Smith; ***my ~ (and only) hope*** meine einzige Hoffnung; ***the ~ and only Brigitte Bardot*** die unvergleichliche Brigitte Bardot; ***they all came in the ~ car*** sie kamen alle in dem einen Auto; ***~ and the same thing*** ein und dasselbe **II** *pron* **1.** eine(r, s); ***the ~ who ...*** der(jenige), der .../die(-jenige), die .../das(jenige), das ...; ***he/that was the ~*** er/das wars; ***the red ~*** der/die/das Rote; ***he has some very fine ~s*** er hat sehr Schöne; ***my ~*** (*infml*) meiner/meine/mein(e)s; ***not (a single) ~ of them*** nicht eine(r, s) von ihnen; ***any ~*** irgendeine(r, s); ***every ~*** jede(r, s); ***this ~*** diese(r, s); ***that ~*** der/die/das, jene(r, s) (*elev*); ***which ~?*** welche(r, s)?; ***I am not much of a ~ for cakes*** (*infml*) ich bin kein großer Freund von Kuchen (*infml*); ***he's never ~ to say no*** er sagt nie Nein; ***I, for ~, ...*** ich, zum Beispiel, ...; ***~ by ~*** einzeln; ***~ after the other*** eine(r, s) nach dem/der anderen; ***take ~ or the other*** nehmen Sie das eine oder das andere; ***he is ~ of us*** er ist einer von uns **2.** (*impers*) (*nom*) man; (*acc*) einen; (*dat*) einem; ***~ must learn*** man muss lernen; ***to hurt ~'s foot*** sich (*dat*) den Fuß verletzen **III** *n* (≈ *written figure*) Eins *f*; ***in ~s and twos*** in kleinen Gruppen; ***(all) in ~*** in einem; ***to be ~ up on sb*** (*infml*) jdm eins voraus sein; ***Rangers were ~ up*** Rangers hatten ein Tor Vorsprung **one-act play** *n* Einakter *m* **one another** = ***each other***; → ***each*** **one-armed bandit** *n* (*infml*) einarmiger Bandit **one-day** *adj course* eintägig **one-dimensional** *adj* eindimensional **one-man band** *n* Einmannkapelle *f*; (*fig infml*) Einmannbetrieb *m* **one-man show** *n* Einmannshow *f* **one-night stand** *n* (*fig*) One-Night-Stand *m* **one-off** (*Br infml*) **I** *adj* einmalig **II** *n* ***a ~*** etwas Einmaliges; ***that mistake*** *etc* ***was just a ~*** dieser Fehler *etc* war eine Ausnahme **one-one, one-on-one** *adj, adv, n* (*US*) = ***one-to-one*** **one-parent family** *n* Einelternteilfamilie *f* **one-party** *adj* POL ***~ state*** Einparteienstaat *m* **one-piece I** *adj* einteilig **II** *n* (≈ *bathing costume*) Einteiler *m* **one-room** *attr*, **one-roomed** *adj* ***~ flat*** (*Br*) *or* ***apartment*** Einzimmerwohnung *f*

onerous *adj* schwer

oneself *pron* **1.** (*dir and indir, with prep*) sich; (≈ *oneself personally*) sich selbst **2.** (*emph*) (sich) selbst; → ***myself***

one-sided *adj* einseitig **one-time** *adj* ehemalig **one-to-one I** *adj meeting* unter vier Augen; ***~ tuition*** Einzelunterricht *m* **II** *adv* unter vier Augen **III** *n* ***to have a ~ with sb*** ein Gespräch *nt* unter vier Augen mit jdm führen **one-touch** *adj* Berührungs- **one-track** *adj* ***he's got a ~ mind*** der hat immer nur das eine im Sinn **one-way** *adj traffic etc* in einer Richtung; ***~ street*** Einbahnstraße *f*; ***~ system*** System *nt* von Einbahnstraßen; ***~ ticket*** (*US* RAIL) einfache Fahrkarte; ***~ trip*** einfache Fahrt **one-woman** *adj* Einfrau-; ***~ show*** Einfraushow *f*

ongoing *adj* laufend; (≈ *long-term*) *development*, *relationship* andauernd; ***~ crisis*** Dauerkrise *f*; ***this is an ~ situation*** diese Situation ist von Dauer

onion *n* Zwiebel *f* **onion soup** *n* Zwiebelsuppe *f*

on line IT *adj pred*, *adv* online; ***to go ~*** auf Onlinebetrieb schalten **on-line** *adj attr* IT Online-; ***~ banking*** Online-Banking *nt*

onlooker *n* Zuschauer(in) *m(f)*

only I *adj attr* einzige(r, s); ***he's an ~ child*** er ist ein Einzelkind *nt*; ***the ~ one*** *or* ***person*** der/die Einzige; ***the ~ ones*** *or* ***people*** die Einzigen; ***he was the ~ one to leave*** er ist als Einziger gegangen; ***the***

~ thing das Einzige; ***the ~ thing I have against it is that ...*** ich habe nur eins dagegen einzuwenden, nämlich, dass ...; ***the ~ thing*** *or* ***problem is ...*** nur ...; ***my ~ wish*** das Einzige, was ich mir wünsche **II** *adv* nur; ***it's ~ five o'clock*** es ist erst fünf Uhr; ***~ yesterday*** erst gestern; ***I ~ hope he gets here in time*** ich hoffe nur, dass es noch rechtzeitig hier eintrifft; ***you ~ have to ask*** Sie brauchen nur zu fragen; ***"members ~"*** „(Zutritt) nur für Mitglieder"; ***I'd be ~ too pleased to help*** ich würde nur zu gerne helfen; ***if ~ that hadn't happened*** wenn das nur nicht passiert wäre; ***we ~ just caught the train*** wir haben den Zug gerade noch gekriegt; ***he has ~ just arrived*** er ist gerade erst angekommen; ***not ~ ... but also ...*** nicht nur ..., sondern auch ... **III** *cj* bloß, nur; ***I would do it myself, ~ I haven't time*** ich würde es selbst machen, ich habe nur keine Zeit

ono *abbr of* **or near(est) offer**

on-off switch *n* Ein- und Ausschalter *m*

onrush *n* (*of people*) Ansturm *m*

on-screen I *adj* **1.** IT auf dem Bildschirm **2.** TV Bildschirm-; FILM Film- **II** *adv* FILM auf der Leinwand; TV, IT auf dem Bildschirm

onset *n* Beginn *m*; (*of illness*) Ausbruch *m*

onshore I *adj* an Land; ***~ wind*** Seewind *m* **II** *adv* (*a.* **on shore**) an Land

onside *adv* FTBL nicht im Abseits

on-site *adj* vor Ort

onslaught *n* Angriff (*on* auf *+acc*)

on-the-job training *n* Ausbildung *f* am Arbeitsplatz **on-the-spot** *adj fine* an Ort und Stelle verhängt; *decision* an Ort und Stelle; *reporting* vom Ort des Geschehens

onto *prep* **1.** (≈ *upon*) auf (*+acc*); (*on sth vertical*) an (*+acc*); ***to clip sth ~ sth*** etw an etw (*acc*) anklemmen; ***to get ~ the committee*** in den Ausschuss kommen **2.** ***to come ~ the market*** auf den Markt kommen; ***to get ~ the next chapter*** zum nächsten Kapitel kommen; ***to be ~*** *or* ***on to sb*** (≈ *find sb out*) jdm auf die Schliche gekommen sein (*infml*); (*police*) jdm auf der Spur sein; ***I think we're ~ something*** ich glaube, hier sind wir auf etwas gestoßen

onus *n no pl* Pflicht *f*; (≈ *burden*) Last *f*; ***the ~ is on him*** es liegt an ihm

onward I *adj* ***~ flight*** Anschlussflug *m*; ***~ journey*** Weiterreise *f* **II** *adv* (*a.* **onwards**) vorwärts; *march* weiter; ***from this time ~*** von der Zeit an

oomph *n* (*infml* ≈ *energy*) Pep *m* (*infml*)

ooze I *n* Schlamm *m* **II** *v/i* (*lit*) triefen; (*wound*) nässen; (*resin, mud, glue*) (heraus)quellen **III** *v/t* **1.** absondern; *blood* triefen von; ***my shoes were oozing water*** das Wasser quoll mir aus den Schuhen **2.** (*fig*) *charm* triefen von (*pej*); *confidence* strotzen von ◆ **ooze out** *v/i* herausquellen; (*water etc*) heraussickern

op *n* (*infml*) = ***operation***

opaque *adj* opak; *glass* undurchsichtig; *stockings* blickdicht

open I *adj* **1.** offen; (≈ *open for business*) geöffnet; *view* frei (*to* für); *meeting* öffentlich; ***to hold the door ~*** die Tür offen halten; ***the baker is ~*** der Bäcker hat geöffnet; ***in the ~ air*** im Freien; ***~ to traffic*** für den Verkehr freigegeben; ***"road ~ to traffic"*** „Durchfahrt frei"; ***to be ~ to sb*** (*competition, membership, possibility*) jdm offenstehen; (*place*) für jdn geöffnet sein; (*park*) jdm zur Verfügung stehen; ***~ to the public*** der Öffentlichkeit zugänglich; ***she gave us an ~ invitation to visit*** sie lud uns ein, jederzeit bei ihr vorbeizukommen; ***to be ~ to suggestions*** Vorschlägen gegenüber offen sein; ***I'm ~ to persuasion*** ich lasse mich gern überreden; ***to keep one's options ~*** es offenlassen; ***to keep an ~ mind*** alles offenlassen; ***to be ~ to debate*** zur Debatte stehen **2.** (≈ *officially in use*) *building* eingeweiht; *road* (offiziell) freigegeben **3.** ***to be ~ to criticism*** der Kritik ausgesetzt sein; ***to lay oneself ~ to criticism/attack*** sich der Kritik/Angriffen aussetzen; ***to be ~ to abuse*** sich leicht missbrauchen lassen **II** *n* ***in the ~*** (≈ *outside*) im Freien; (≈ *on open ground*) auf freiem Feld; ***to bring sth out into the ~*** mit etw nicht länger hinterm Berg halten **III** *v/t* **1.** öffnen **2.** (*officially*) *exhibition* eröffnen; *building* einweihen **3.** *trial, account, shop* eröffnen; *debate* beginnen; *school* einrichten; ***to ~ fire*** MIL das Feuer eröffnen (*on* auf *+acc*) **IV** *v/i* **1.** aufgehen; (*eyes, door, flower*) sich öffnen; ***I couldn't get the box to ~*** ich habe die Schachtel nicht aufbekommen **2.** (*shop, museum*) öffnen **3.** (≈ *start*) beginnen; ***the play ~s next week*** das Stück wird ab nächster Woche gegeben ◆ **open on to** *v/i +prep obj* (*door*) gehen auf (*+acc*) ◆ **open out I** *v/i* **1.** (*river, street*) sich verbreitern (*into* zu) **2.** (*map*) sich ausfalten lassen **II** *v/t sep map* auseinanderfalten ◆ **open up I** *v/i* **1.** (*fig*) (*prospects*) sich eröffnen **2.** (≈ *become expansive*) gesprächiger werden; ***to get sb to ~*** jdn zum Reden bringen **3.** (≈ *unlock doors*) aufschließen; ***~!*** aufmachen! **II** *v/t sep* **1.** *mine, new horizons* erschließen **2.** *house etc* aufschließen **3.** (≈ *start*) *shop* eröffnen

open-air *adj* im Freien **open-air concert** *n* Freilichtkonzert *nt* **open-air swimming pool** *n* Freibad *nt* **open-air theatre**, (*US*) **open-air theater** *n* Freilichtbühne *f* **open day** *n* (*Br*) Tag *m* der offenen Tür **open-ended** *adj* (*fig*) *contract* zeitlich nicht begrenzt; *offer* unbegrenzt

opener *n* Öffner *m* **open-face sandwich** *n* (*US*) belegtes Brot **open-heart surgery** *n* Eingriff *m* am offenen Herzen **open house** *n* ***to keep ~*** ein offenes Haus führen **opening I** *n* **1.** Öffnung *f*; (*in traffic*) Lücke *f*; (≈ *clearing*) Lichtung *f* **2.** (≈ *beginning*) Anfang *m* **3.** (≈ *official opening*) Eröffnung *f*; (*of motorway*) Freigabe *f* (für den Verkehr) **4.** (≈ *vacancy*) (freie) Stelle **II** *attr* (≈ *initial*) erste(r, s); *remarks* einführend; ***~ speech*** Eröffnungsrede *f* **opening ceremony** *n* Eröffnungsfeierlichkeiten *pl* **opening hours** *pl* Öffnungszeiten *pl* **opening night** *n* Eröffnungsvorstellung *f* (am Abend) **opening time** *n* Öffnungszeit *f*; ***what are the bank's ~s?*** wann hat die Bank geöffnet? **openly** *adv* offen; (≈ *publicly*) öffentlich; ***he was ~ gay*** er machte keinen Hehl aus seiner Homosexualität **open-minded** *adj* aufgeschlossen **open-mouthed** *adj* mit offenem Mund **open-necked** *adj shirt* mit offenem Kragen **openness** *n* Offenheit *f* **open-plan** *adj* ***~ office*** Großraumbüro *nt* **open sandwich** *n* (*Br*) belegtes Brot **Open University** *n* (*Br*) Fernuniversität *f*; ***to do an ~ course*** ein Fernstudium machen *or* absolvieren

opera *n* Oper *f*; ***to go to the ~*** in die Oper gehen

operable *adj* MED operabel

opera house *n* Opernhaus *nt* **opera singer** *n* Opernsänger(in) *m(f)*

operate I *v/i* **1.** (*machine*) funktionieren; (≈ *be powered*) betrieben werden (*by, on* mit); (≈ *be in operation*) laufen; ***to ~ at maximum capacity*** Höchstleistung bringen **2.** (*law*) sich auswirken; (*system*) arbeiten **3.** (≈ *carry on business*) operieren; (*airport etc*) in Betrieb sein; ***I don't like the way he ~s*** ich mag seine Methoden nicht **4.** MED operieren (*on sb/sth* jdn/etw); ***to be ~d on*** operiert werden **II** *v/t* **1.** (*person*) *machine* bedienen; (*lever etc*) betätigen; (*electricity etc*) betreiben **2.** *business* führen

operatic *adj* Opern-

operating *adj attr* **1.** TECH, COMM Betriebs-; ***~ costs*** *or* ***expenses*** Betriebsausgaben *pl* **2.** MED Operations- **operating room** *n* (*US* MED) Operationssaal *m* **operating system** *n* IT Betriebssystem *nt* **operating theatre** *n* (*Br* MED) Operationssaal *m*

operation *n* **1.** ***to be in ~*** (*machine*) in Betrieb sein; (*law*) in Kraft sein; ***to come into ~*** (*law*) in Kraft treten; (*plan*) zur Anwendung gelangen **2.** MED Operation *f* (*on* an *+dat*); ***to have an ~*** operiert werden; ***to have a heart ~*** sich einer Herzoperation unterziehen; ***to have an ~ for a hernia*** wegen eines Bruchs operiert werden **3.** (≈ *enterprise, Mil*) Operation *f* **4.** IT Arbeitsgang *m*, Operation *f* **operational** *adj* **1.** (≈ *ready for use*) *machine* betriebsbereit; *army unit etc* einsatzbereit **2.** (≈ *in use*) *machine, airport* in Betrieb; *army unit etc* im Einsatz **3.** TECH, COMM Betriebs-; MIL Einsatz-; *problems* operativ **operative I** *adj measure* wirksam; *law* geltend; *system* operativ **II** *n* (*of machinery*) Maschinenarbeiter(in) *m(f)*; (≈ *spy*) Agent(in) *m(f)*

operator *n* **1.** TEL ≈ Vermittlung *f* **2.** (*of machinery*) (Maschinen)arbeiter(in) *m(f)*; (*of computer etc*) Operator(in) *m(f)* **3.** (≈ *private company*) Unternehmen *nt*; (≈ *company owner*) Unternehmer(in) *m(f)* **4.** (*infml*) ***to be a smooth ~*** raffiniert vorgehen

operetta *n* Operette *f*

ophthalmic *adj* Augen- **ophthalmologist** *n* Ophthalmologe *m*, Ophthalmologin *f*

opinion *n* Meinung *f* (*about, on* zu); (*professional*) Gutachten *nt*; ***in my ~*** meiner Meinung nach; ***in the ~ of the experts*** nach Ansicht der Experten; ***to be of***

the ~ that ... der Meinung sein, dass ...; ***to ask sb's ~*** jdn nach seiner Meinung fragen; ***it is a matter of ~*** das ist Ansichtssache; ***to have a good*** *or* ***high/low*** *or* ***poor ~ of sb/sth*** eine gute/schlechte Meinung von jdm/etw haben; ***it is the ~ of the court that ...*** das Gericht ist zu der Auffassung gekommen, dass ...; ***to seek*** *or* ***get a second ~*** *esp* MED ein zweites Gutachten einholen **opinionated** *adj* rechthaberisch **opinion poll** *n* Meinungsumfrage *f*

opium *n* Opium *nt*

opponent *n* Gegner(in) *m(f)*

opportune *adj time* günstig; *event* rechtzeitig; ***at an ~ moment*** zu einem günstigen Zeitpunkt **opportunism** *n* Opportunismus *m* **opportunist** **I** *n* Opportunist(in) *m(f)* **II** *adj* opportunistisch

opportunity *n* **1.** Gelegenheit *f*; ***at the first ~*** bei der erstbesten Gelegenheit; ***to take the ~ to do sth*** die Gelegenheit nutzen, etw zu tun; ***as soon as I get the ~*** sobald sich die Gelegenheit ergibt **2.** (≈ *to better oneself*) Chance *f*; ***opportunities for promotion*** Aufstiegschancen *pl*; ***equality of ~*** Chancengleichheit *f*

oppose *v/t* **1.** (≈ *be against*) ablehnen; (≈ *fight against*) sich entgegensetzen (+*dat*); *orders, plans* sich widersetzen (+*dat*); ***he ~s our coming*** er ist absolut dagegen, dass wir kommen **2.** (*candidate*) kandidieren gegen **opposed** *adj* **1.** *pred* dagegen; ***to be ~ to sb/sth*** gegen jdn/etw sein; ***I am ~ to your going away*** ich bin dagegen, dass Sie gehen **2.** ***as ~ to*** im Gegensatz zu **opposing** *adj team* gegnerisch; *views* gegensätzlich; ***to be on ~ sides*** auf entgegengesetzten Seiten stehen

opposite **I** *adj* entgegengesetzt (*to*, *from* +*dat*, zu); (≈ *facing*) gegenüberliegend *attr*; ***to be ~*** gegenüberliegen *etc*; ***on the ~ page*** auf der gegenüberliegenden Seite; ***in the ~ direction*** in entgegengesetzter Richtung; ***the ~ sex*** das andere Geschlecht; ***it had the ~ effect*** es bewirkte das genaue Gegenteil **II** *n* Gegenteil *nt*; ***quite the ~!*** ganz im Gegenteil! **III** *adv* gegenüber; ***they sat ~*** sie saßen uns *etc* gegenüber **IV** *prep* gegenüber (+*dat*); ***~ one another*** sich gegenüber; ***they live ~ us*** sie wohnen uns gegenüber **opposite number** *n* Pendant *nt*

opposition *n* **1.** Opposition *f*; ***the Opposition*** (*esp Br* PARL) die Opposition **2.** SPORTS Gegner *pl*

oppress *v/t* **1.** (≈ *tyrannize*) unterdrücken **2.** (≈ *weigh down*) bedrücken **oppression** *n* Unterdrückung *f* **oppressive** *adj* **1.** *regime* repressiv **2.** (*fig*) drückend; *mood* bedrückend

opt *v/i* ***to ~ for sth*** sich für etw entscheiden; ***to ~ to do sth*** sich entscheiden, etw zu tun ◆ **opt in** *v/i* beitreten (+*dat*) ◆ **opt out** *v/i* sich anders entscheiden; (*of scheme*) kündigen (*of* +*acc*); (*Br: hospital*) aus der Kontrolle der Kommunalverwaltung austreten

optic, optical *adj* optisch **optical character reader** *n* IT optischer Klarschriftleser **optical disk** *n* optische Platte **optical fibre**, (*US*) **optical fiber** *n* (≈ *material*) Glasfaser *f*; (≈ *cable*) Glasfaserkabel *nt* **optical illusion** *n* optische Täuschung **optician** *n* Optiker(in) *m(f)* **optic nerve** *n* Sehnerv *m* **optics** *n sg* Optik *f*

optimal *adj* optimal

optimism *n* Optimismus *m* **optimist** *n* Optimist(in) *m(f)* **optimistic** *adj* optimistisch; ***to be ~ about sth*** in Bezug auf etw (*acc*) optimistisch sein; ***I'm not very ~ about it*** da bin ich nicht sehr optimistisch **optimistically** *adv* optimistisch

optimize *v/t* optimieren **optimum** *adj* optimal

option *n* **1.** (≈ *choice*) Wahl *f no pl*; (≈ *course of action*) Möglichkeit *f*; ***you have the ~ of leaving or staying*** Sie haben die Wahl, ob Sie gehen oder bleiben wollen; ***to give sb the ~ of doing sth*** jdm die Wahl lassen, etw zu tun; ***I have little/no ~*** mir bleibt kaum eine/keine andere Wahl; ***he had no ~ but to come*** ihm blieb nichts anderes übrig, als zu kommen; ***to keep one's ~s open*** sich (*dat*) alle Möglichkeiten offenlassen **2.** UNIV, SCHOOL Wahlfach *nt* **optional** *adj* (≈ *not compulsory*) freiwillig; (≈ *not basic*) *trim, mirror etc* auf Wunsch erhältlich; ***"evening dress ~"*** „Abendkleidung nicht Vorschrift“; ***~ extras*** Extras *pl*; ***~ subject*** SCHOOL, UNIV Wahlfach *nt*

optometrist *n* (*US* ≈ *optician*) Optiker(in) *m(f)*

opt-out *adj attr* ***~ clause*** Rücktrittsklausel *f*

or *cj* **1.** oder; ***he could not read or write*** er konnte weder lesen noch schreiben; ***in a day or two*** in ein bis zwei Tagen **2.** (≈ *that is*) (oder) auch; ***Rhodesia, or rather, Zimbabwe*** Rhodesien, beziehungsweise Simbabwe **3.** (≈ *otherwise*) sonst; ***you'd better go or (else) you'll be late*** gehen Sie jetzt besser, sonst kommen Sie zu spät

oracle *n* Orakel *nt*; (≈ *person*) Seher(in) *m(f)*

oral I *adj* **1.** oral; *vaccine* oral verabreicht **2.** (≈ *verbal*) mündlich **II** *n* Mündliche(s) *nt* **orally** *adv* **1.** oral **2.** (≈ *verbally*) mündlich **oral sex** *n* Oralverkehr *m*

orange I *n* **1.** (≈ *fruit*) Orange *f*; (≈ *drink*) Orangensaft *m* **2.** (≈ *colour*) Orange *nt* **II** *adj* **1.** Orangen- **2.** (*colour*) orange *inv*, orange(n)farben **orange juice** *n* Orangensaft *m* **Orange Order** *n* Oranienorden *m*, *protestantische Vereinigung* **orange squash** *n* (*Br*) Orangenkonzentrat *nt*; (*diluted*) Orangengetränk *nt*

orang-outang, orang-utan *n* Orang-Utan *m*

orator *n* Redner(in) *m(f)* **oratory** *n* Redekunst *f*

orbit I *n* (≈ *path*) Umlaufbahn *f*; (≈ *single circuit*) Umkreisung *f*; ***to be in ~ ((a)round the earth)*** in der (Erd)umlaufbahn sein; ***to go into ~ ((a)round the sun)*** in die (Sonnen)umlaufbahn eintreten **II** *v/t* umkreisen **orbital** *n* (*a.* **orbital motorway**) Ringautobahn *f*

orchard *n* Obstgarten *m*; (*commercial*) Obstplantage *f*; ***apple/cherry ~*** Obstgarten *m* mit Apfel-/Kirschbäumen; (*commercial*) Apfel-/Kirschplantage *f*

orchestra *n* Orchester *nt* **orchestral** *adj* Orchester-; ***~ music*** Orchestermusik *f* **orchestra pit** *n* Orchestergraben *m* **orchestrate** *v/t* orchestrieren **orchestrated** *adj* (*fig*) *campaign* gezielt

orchid *n* Orchidee *f*

ordain *v/t* **1.** ECCL *priest* weihen **2.** (≈ *decree*) bestimmen; (*ruler*) verfügen

ordeal *n* Tortur *f*; (≈ *torment*) Qual *f*

order I *n* **1.** (≈ *sequence*) (Reihen)folge *f*; ***are they in ~/in the right ~?*** sind sie geordnet/in der richtigen Reihenfolge?; ***in ~ of preference/merit*** in der bevorzugten/in der ihren Auszeichnungen entsprechenden Reihenfolge; ***to put sth in (the right) ~*** etw ordnen; ***to be in the wrong ~*** durcheinander sein **2.** (≈ *system, discipline*) Ordnung *f*; ***his passport was in ~*** sein Pass war in Ordnung; ***to put one's affairs in ~*** Ordnung in seine Angelegenheiten bringen; ***to keep ~*** die Ordnung wahren; ***to keep the children in ~*** die Kinder unter Kontrolle halten; ***to be out of ~*** (*at meeting etc*) gegen die Verfahrensordnung verstoßen; (*fig*) aus dem Rahmen fallen; ***to call the meeting to ~*** die Versammlung zur Ordnung rufen; ***congratulations are in ~*** Glückwünsche sind angebracht **3.** (≈ *working condition*) Zustand *m*; ***to be out of ~*** nicht funktionieren; ***"out of ~"*** „außer Betrieb“ **4.** (≈ *command*) Befehl *m*; ***I don't take ~s from anyone*** ich lasse mir von niemandem befehlen; ***to be under ~s to do sth*** Instruktionen haben, etw zu tun **5.** (*in restaurant etc*, COMM) Bestellung *f*; (≈ *contract to supply*) Auftrag *m*; ***to place an ~ with sb*** eine Bestellung bei jdm aufgeben/jdm einen Auftrag geben; ***to be on ~*** bestellt sein; ***two ~s of French fries*** (*esp US*) zwei Portionen Pommes frites; ***made to ~*** auf Bestellung (gemacht *or* hergestellt) **6.** ***in ~ to do sth*** um etw zu tun; ***in ~ that*** damit **7.** (*fig* ≈ *class, degree*) Art *f*; ***something in the ~ of ten per cent*** in der Größenordnung von zehn Prozent; ***something in the ~ of one in ten applicants*** etwa einer von zehn Bewerbern **8.** (ECCL: *of monks etc*) Orden *m* **9. orders** *pl* **(*holy*) *~s*** ECCL Weihe *f*; (*of priesthood*) Priesterweihe *f*; ***to take (holy) ~s*** die Weihe empfangen **II** *v/t* **1.** (≈ *command*) befehlen; ***to ~ sb to do sth*** jdm befehlen, etw zu tun; ***to ~ sb's arrest*** jds Verhaftung anordnen; ***he ~ed his gun to be brought (to him)*** er ließ sich (*dat*) sein Gewehr bringen **2.** *one's affairs* ordnen **3.** *goods, dinner, taxi* bestellen; (*to be manufactured*) in Auftrag geben (*from sb* bei jdm) **III** *v/i* bestellen ◆ **order about** (*Brit*) *or* **around** *v/t sep* herumkommandieren

order confirmation *n* Auftragsbestätigung *f* **order form** *n* Bestellformular *nt*

orderly I *adj* **1.** (≈ *methodical*) ordentlich; *person* methodisch; ***in an ~ manner*** geordnet **2.** *demonstration* friedlich **II** *n* **(*medical*) ~** Pfleger(in) *m(f)*; MIL Sanitäter(in) *m(f)*

ordinal number *n* MAT Ordinalzahl *f*

ordinarily *adv* gewöhnlich

ordinary I *adj* gewöhnlich; (≈ *average*)

durchschnittlich; ***the ~ Englishman*** der normale Engländer **II** *n* ***out of the ~*** außergewöhnlich; ***nothing/something out of the ~*** nichts / etwas Außergewöhnliches

ordination *n* Ordination *f*

ordnance MIL *n* (≈ *artillery*) (Wehr)material *nt*

ore *n* Erz *nt*

oregano *n* Oregano *m*

organ *n* **1.** Organ *nt*; (≈ *mouthpiece*) Sprachrohr *nt* **2.** MUS Orgel *f* **organ donor** *n* Organspender(in) *m(f)*

organic *adj* **1.** (SCI, MED, *fig*) organisch **2.** *vegetables* biodynamisch; ***~ wine*** Wein *m* aus biologisch kontrolliertem Anbau; ***~ meat*** Fleisch *nt* aus biologisch kontrollierter Zucht **organically** *adv* organisch; *farm also* biodynamisch **organic chemistry** *n* organische Chemie **organic farm** *n* Bio-Landwirtschaftsbetrieb *m*

organism *n* Organismus *m*

organist *n* Organist(in) *m(f)*

organization *n* Organisation *f* **1.** (≈ *arrangement*) Ordnung *f* **2.** COMM Unternehmen *nt* **organizational** *adj* organisatorisch **organize** *v/t* (≈ *systematize*) ordnen; (≈ *arrange*) organisieren; *time* (*into groups*) einteilen; *food, for party* sorgen für; ***to get (oneself) ~d*** (≈ *get ready*) alles vorbereiten; (≈ *sort things out*) seine Sachen in Ordnung bringen; ***to ~ things so that ...*** es so einrichten, dass ...; ***they ~d (it) for me to go to London*** sie haben meine Londonreise arrangiert **organized** *adj* organisiert; ***he isn't very ~*** bei ihm geht alles drunter und drüber (*infml*); ***you have to be ~*** du musst mit System vorgehen **organizer** *n* **1.** Organisator(in) *m(f)* **2.** = ***personal organizer***

organ transplant *n* (≈ *operation*) Organtransplantation *f*

orgasm *n* Orgasmus *m*

orgy *n* Orgie *f*

orient I *n* (*a.* **Orient**) Orient *m* **II** *v/t* = ***orientate*** **oriental** *adj* orientalisch; ***~ rug*** Orientteppich *m*

orientate I *v/r* sich orientieren (*by* an +*dat*, *by the map* nach der Karte) **II** *v/t* ausrichten (*towards* auf +*acc*); *thinking* orientieren (*towards* an +*dat*); ***money-~d*** materiell ausgerichtet; ***family-~d*** familienorientiert **orientation** *n* (*fig*) Orientierung *f*; (≈ *leaning*) Ausrichtung *f* (*towards* auf +*acc*); ***sexual ~*** sexuelle Orientierung **-oriented** *adj suf* -orientiert **orienteering** *n* Orientierungslauf *m*

orifice *n* Öffnung *f*

origin *n* Ursprung *m*; (*of person*) Herkunft *f*; ***to have its ~ in sth*** auf etw (*acc*) zurückgehen; ***country of ~*** Herkunftsland *nt*; ***nobody knew the ~ of that story*** niemand wusste, wie die Geschichte entstanden war

original I *adj* **1.** (≈ *first*) ursprünglich; ***~ inhabitants*** Ureinwohner *pl*; ***~ version*** (*of book*) Urfassung *f*; (*of film*) Originalversion *f* **2.** *painting* original; *idea, writer* originell **II** *n* Original *nt* **originality** *n* Originalität *f* **originally** *adv* ursprünglich **original sin** *n* die Erbsünde

originate I *v/t* hervorbringen **II** *v/i* **1.** entstehen; ***to ~ from a country*** aus einem Land stammen **2.** (*US*: *bus etc*) ausgehen (*in* von) **originator** *n* (*of idea*) Urheber(in) *m(f)*

Orkney Islands, Orkneys *pl* Orkneyinseln *pl*

ornament *n* **1.** (≈ *decorative object*) Verzierung *f*; (*on mantelpiece etc*) Ziergegenstand *m* **2.** *no pl* (≈ *ornamentation*) Ornamente *pl* **ornamental** *adj* dekorativ; ***to be purely ~*** zur Verzierung (da) sein; ***~ garden*** Ziergarten *m* **ornamentation** *n* Verzierungen *pl* **ornate** *adj* kunstvoll; *style* reich **ornately** *adv* kunstvoll; *written* in reicher Sprache

ornithologist *n* Ornithologe *m*, Ornithologin *f* **ornithology** *n* Ornithologie *f*

orphan I *n* Waisenkind *nt*; ***the accident left him an ~*** der Unfall machte ihn zum Waisenkind **II** *v/t* zur Waise machen; ***to be ~ed*** zur Waise werden **orphanage** *n* Waisenhaus *nt*

orthodontic *adj* kieferorthopädisch

orthodox *adj* **1.** REL orthodox; ***the Orthodox (Eastern) Church*** die orthodoxe (Ost)kirche **2.** (*fig*) konventionell; *approach* orthodox **orthodoxy** *n* **1.** (*fig*) Konventionalität *f*; (*of view, method, approach etc*) Orthodoxie *f* **2.** (≈ *orthodox belief, practice etc*) orthodoxe Konvention

orthopaedic, (*US*) **orthopedic** *adj* orthopädisch; ***~ surgeon*** orthopädischer Chirurg, orthopädische Chirurgin

oscillate *v/i* PHYS schwingen; (*needle, fig*) schwanken

ostensible *adj*, **ostensibly** *adv* angeblich
ostentation *n* (*of wealth etc*) Pomp *m*; (*of skills etc*) Großtuerei *f* **ostentatious** *adj* **1.** (≈ *pretentious*) pompös **2.** (≈ *conspicuous*) ostentativ
osteopath *n* Osteopath(in) *m(f)*
ostracize *v/t* ächten
ostrich *n* Strauß *m*
other **I** *adj, pron* andere(r, s); ***~ people*** andere (Leute); ***any ~ questions?*** sonst noch Fragen?; ***no ~ questions*** sonst keine Fragen; ***it was none ~ than my father*** es war niemand anders als mein Vater; ***the ~ day*** neulich; ***some ~ time*** (*in future*) ein andermal; ***every ~ ...*** jede(r, s) zweite ...; ***~ than*** (≈ *except*) außer (+*dat*); ***some time or ~*** irgendwann (einmal); ***some writer or ~*** irgendein Schriftsteller; ***he doesn't like hurting ~s*** er mag niemandem wehtun; ***there are 6 ~s*** da sind noch 6 (andere); ***there were no ~s there*** es waren sonst keine da; ***something/someone or ~*** irgendetwas/-jemand; ***can you tell one from the ~?*** kannst du sie auseinanderhalten? **II** *adv* ***I've never seen her ~ than with her husband*** ich habe sie immer nur mit ihrem Mann gesehen; ***somehow or ~*** irgendwie; ***somewhere or ~*** irgendwo
otherwise **I** *adv* **1.** (≈ *in a different way*) anders; ***I am ~ engaged*** (*form*) ich bin anderweitig beschäftigt; ***Richard I, ~ known as the Lionheart*** Richard I., auch bekannt als Löwenherz; ***you seem to think ~*** Sie scheinen anderer Meinung zu sein **2.** (≈ *in other respects*) ansonsten **II** *cj* (≈ *or else*) sonst **otherworldly** *adj* weltfern
OTT (*infml*) *abbr of* ***over the top***
otter *n* Otter *m*
ouch *int* autsch
ought *v/aux* ***I ~ to do it*** ich sollte es tun; ***he ~ to have come*** er hätte kommen sollen; ***~ I to go too? — yes, you ~ (to)/no, you ~n't (to)*** sollte ich auch (hin)gehen? — ja doch/nein, das sollen Sie nicht; ***~n't you to have left by now?*** hätten Sie nicht schon gehen müssen?; ***you ~ to see that film*** den Film sollten Sie sehen; ***you ~ to have seen his face*** sein Gesicht hätten Sie sehen müssen; ***she ~ to have been a teacher*** sie hätte Lehrerin werden sollen; ***he ~ to win the race*** er müsste (eigentlich) das Rennen gewinnen; ***he ~ to have left by now*** er müsste inzwischen gegangen sein; ***... and I ~ to know!*** ... und ich muss es doch wissen!
ounce *n* Unze *f*; ***there's not an ~ of truth in it*** daran ist kein Fünkchen Wahrheit
our *poss adj* unser; ***Our Father*** Vater unser; → ***my***
ours *poss pr* unsere(r, s); → ***mine***
ourselves *pers pr* (*dir, indir obj +prep*) uns; (*emph*) selbst; → ***myself***
oust *v/t* herausbekommen; *politician* ausbooten (*infml*); ***to ~ sb from office/his position*** jdn aus seinem Amt/seiner Stellung entfernen *or* (*durch Intrige*) hinausmanövrieren; ***to ~ sb from power*** jdn von der Macht verdrängen
out **I** *adv* **1.** (≈ *not in container, car etc*) außen; (≈ *not in building, room*) draußen; (*indicating motion*) (*from inside*) hinaus; (*from outside*) heraus; ***to be ~*** weg sein; (*to visitors*) nicht da sein; ***they are ~ shopping*** sie sind zum Einkaufen (gegangen); ***she was ~ all night*** sie war die ganze Nacht weg; ***~ here/there*** hier/dort draußen; ***~ you go!*** hinaus mit dir! (*infml*); ***at weekends I like to be ~ and about*** an den Wochenenden will ich (immer) raus; ***we had a day ~ in London*** wir haben einen Tag in London verbracht; ***the book is ~*** (*from library*) das Buch ist ausgeliehen; ***school is ~*** die Schule ist aus; ***the tide is ~*** es ist Ebbe; ***their secret was ~*** ihr Geheimnis war herausgekommen; ***~ with it!*** heraus damit!; ***before the day is ~*** vor Ende des Tages **2.** ***when he was ~ in Russia*** als er in Russland war; ***to go ~ to China*** nach China fahren; ***the boat was ten miles ~*** das Schiff war zehn Meilen weit draußen **3.** ***to be ~*** (*sun*) (he)raus sein; (*stars, moon*) am Himmel sein; (*flowers*) blühen; (≈ *be published*) herausgekommen sein; ***when will it be ~?*** (≈ *be published*) wann kommt es heraus?; ***there's a warrant ~ for him*** *or* ***for his arrest*** es besteht Haftbefehl gegen ihn **4.** (*light, fire,* SPORTS) aus; (*stain*) (he)raus; ***to be ~*** (*unconscious*) bewusstlos sein **5.** ***his calculations were ~*** er hatte sich in seinen Berechnungen geirrt; ***you're not far ~*** Sie haben es fast (getroffen); ***we were £5 ~*** wir hatten uns um £ 5 verrechnet **6.** ***to be ~ for sth*** auf etw (*acc*) aus sein; ***he's ~ to get her*** er ist hinter ihr her; ***he's just ~ to make money*** ihm geht es nur um Geld **II** *n* → ***in*** **III** *prep* aus

(+*dat*); ***to go ~ the door*** zur Tür hinausgehen; → ***out of*** **IV** *v/t homosexual* outen **out-and-out** *adj liar, lie* ausgemacht; *racist* eingefleischt; *winner* überragend **outback** *n* (*in Australia*) ***the ~*** das Hinterland **outbid** *pret, past part* ***outbid*** *v/t* überbieten **outboard** *adj* ***~ motor*** Außenbordmotor *m* **outbound** *adj* ***~ flight*** Hinflug *m* **outbox** *n* EMAIL Postausgang *m* **outbreak** *n* Ausbruch *m* **outbuilding** *n* Nebengebäude *nt* **outburst** *n* Ausbruch *m*; ***~ of anger*** Wutanfall *m* **outcast** *n* Ausgestoßene(r) *m/f(m)* **outclass** *v/t* in den Schatten stellen **outcome** *n* Ergebnis *nt* **outcrop** *n* GEOL ***an ~*** (***of rock***) eine Felsnase **outcry** *n* Aufschrei *m* der Empörung (*against* über *+acc*); (≈ *public protest*) Protestwelle *f* (*against* gegen); ***to cause an ~ against sb/sth*** zu lautstarkem Protest gegen jdn/etw führen **outdated** *adj idea* überholt; *equipment, method* veraltet; *practice* überkommen **outdid** *pret of* ***outdo*** **outdistance** *v/t* hinter sich (*dat*) lassen **outdo** *pret* ***outdid***, *past part* ***outdone*** *v/t* übertreffen (*sb in sth* jdn an etw *dat*); ***but Jimmy was not to be ~ne*** aber Jimmy wollte da nicht zurückstehen **outdoor** *adj* im Freien; ***~ café*** Café *nt* im Freien; (*in street*) Straßencafé *nt*; ***~ clothes*** Kleidung *f* für draußen; ***~ swimming pool*** Freibad *nt*

outdoors **I** *adv* im Freien; ***to go ~*** nach draußen gehen **II** *n* ***the great ~*** (*hum*) die freie Natur

outer *adj attr* äußere(r, s) **Outer London** *n* die Peripherie Londons **outermost** *adj* äußerste(r, s) **outer space** *n* der Weltraum

outfit *n* **1.** (≈ *clothes*) Kleidung *f*, Gewand *nt* (*Aus*); (≈ *fancy dress*) Kostüm *nt* **2.** (*infml* ≈ *organization*) Verein *m* (*infml*) **outfitter** *n* ***gentlemen's ~'s*** Herrenausstatter *m*; ***sports ~'s*** Sport(artikel)geschäft *nt* **outflank** *v/t* MIL von den Flanken angreifen **outflow** *n* (*of water etc*) Ausfluss *m*; (*of money*) Abfluss *m*; (*of refugees*) Strom *m* **outgoing** **I** *adj* **1.** *office holder* scheidend; *flight* hinausgehend; *call* abgehend **2.** *personality* kontaktfreudig **II** *pl* ***~s*** Ausgaben *pl* **outgrow** *pret* ***outgrew***, *past part* ***outgrown*** *v/t* **1.** *clothes* herauswachsen aus **2.** *habit* entwachsen (*+dat*) **outhouse** *n* Seitengebäude *nt*

outing *n* **1.** Ausflug *m*; ***school/firm's ~*** Schul-/Betriebsausflug *m*; ***to go on an ~*** einen Ausflug machen **2.** (*of homosexual*) Outen *nt*

outlandish *adj* absonderlich; *appearance* ausgefallen **outlast** *v/t* (*thing*) länger halten als; (*idea etc*) überdauern **outlaw** **I** *n* Geächtete(r) *m/f(m)*; (*in Western etc*) Bandit *m* **II** *v/t* ächten **outlay** *n* (Kosten)aufwand *m*, Kosten *pl* **outlet** *n* **1.** (*for water etc*) Abfluss *m*; (*of river*) Ausfluss *m* **2.** (≈ *shop*) Verkaufsstelle *f* **3.** (*fig, for emotion*) Ventil *nt* **outline** **I** *n* **1.** Umriss *m*; (≈ *silhouette*) Silhouette *f*; ***he drew the ~ of a head*** er zeichnete einen Kopf im Umriss **2.** (*fig* ≈ *summary*) Abriss *m*; ***just give*** (***me***) ***the broad ~s*** umreißen Sie es (mir) grob **II** *v/t* **1.** ***the mountain was ~d against the sky*** die Umrisse des Berges zeichneten sich gegen den Himmel ab **2.** (≈ *summarize*) umreißen **outlive** *v/t person* überleben; ***to have ~d its usefulness*** ausgedient haben **outlook** *n* **1.** (≈ *view*) Aussicht *f* (*over* über *+acc*, *on to* auf *+acc*) **2.** (≈ *prospects*, *Met*) Aussichten *pl* **3.** (≈ *attitude*) Einstellung *f*; ***his ~*** (***up***)***on life*** seine Lebensauffassung; ***narrow ~*** beschränkter Horizont **outlying** *adj* (≈ *distant*) entlegen; (≈ *outside town*) umliegend; ***~ district*** Außenbezirk *m* **outmanoeuvre,** (*US*) **outmaneuver** *v/t* (*fig*) ausmanövrieren **outmoded** *adj* altmodisch; *technology* veraltet **outnumber** *v/t* zahlenmäßig überlegen sein (*+dat*); ***we were ~ed*** (***by them***) wir waren (ihnen) zahlenmäßig unterlegen

out of *prep* **1.** (≈ *outside, away from, position*) nicht in (*+dat*); (*motion*) aus (*+dat*); (*fig*) außer (*+dat*); ***I'll be ~ town*** ich werde nicht in der Stadt sein; ***~ the country*** außer Landes; ***he went ~ the door*** er ging zur Tür hinaus; ***to look ~ the window*** aus dem Fenster sehen; ***I saw him ~ the window*** ich sah ihn durchs Fenster; ***to keep ~ the sun*** nicht in die Sonne gehen; ***~ danger*** außer Gefahr; ***he's ~ the tournament*** er ist aus dem Turnier ausgeschieden; ***he feels ~ it*** (*infml*) er fühlt sich ausgeschlossen; ***10 miles ~ London*** 10 Meilen außerhalb Londons **2.** (*cause, origins*) aus (*+dat*); ***~ curiosity*** aus Neugier; ***to drink ~ a glass*** aus einem Glas trinken; ***made ~ silver*** aus Silber (gemacht) **3.** (≈ *from among*) von (+*dat*); ***in seven cases ~ ten*** in sieben von zehn Fällen; ***he picked one ~ the pile*** er nahm einen aus dem Stapel (heraus) **4.** ***we are ~ money*** wir haben kein Geld mehr

out-of-bounds *adj* ***~ area*** Sperrgebiet *nt* **out-of-court** *adj* außergerichtlich **out-of-date** *adj attr*, **out of date** *adj pred* **1.** *methods*, *ideas* veraltet **2.** *ticket* abgelaufen; *food* mit abgelaufenem Verfallsdatum **out-of-doors** *adv* = ***outdoors*** **out-of-place** *adj attr*, **out of place** *adj pred remark etc* unangebracht, deplatziert **out-of-pocket** *adj attr*, **out of pocket** *adj pred* (*Br*) ***to be out of pocket*** draufzahlen; ***I was £5 out of pocket*** ich habe £ 5 aus eigener Tasche bezahlt **out-of-the-way** *adj attr*, **out of the way** *adj pred* (≈ *remote*) abgelegen **out-of-town** *adj cinema* außerstädtisch **outpace** *v/t* schneller sein als **outpatient** *n* ambulanter Patient, ambulante Patientin; ***~s'*** (***department***) Ambulanz *f* **outperform** *v/t* ausstechen (*infml*) **outplay** *v/t* SPORTS besser spielen als **outpost** *n* Vorposten *m* **outpouring** *n often pl* Erguss *m* **output** *n* Produktion *f*; ELEC Leistung *f*; (≈ *of computer*) Output *m or nt*

outrage I *n* **1.** (≈ *wicked deed*) Untat *f*; (*cruel*) Gräueltat *f* **2.** (≈ *injustice*) Skandal *m* **3.** (≈ *sense of outrage*) Entrüstung *f* (*at* über +*acc*) **II** *v/t person* empören **outraged** *adj* empört (*at*, *about* über +*acc*) **outrageous** *adj remark*, *price*, *behaviour* unerhört; *demand*, *lie* unverschämt; *clothes etc* unmöglich (*infml*); ***it's absolutely ~ that ...*** es ist einfach unerhört, dass ... **outrageously** *adv expensive* unerhört

outran *pret of* ***outrun***

outrider *n* (*on motorcycle*) Kradbegleiter(in) *m*(*f*)

outright I *adv* **1.** *reject* rundweg; *own* vollständig; ***to win ~*** einen klaren Sieg davontragen **2.** (≈ *at once*) sofort; ***he was killed ~*** er war sofort tot **3.** (≈ *openly*) geradeheraus **II** *adj* total; *lie* glatt (*infml*); *majority* absolut; *winner* klar

outrun *pret* ***outran***, *past part* ***outrun*** *v/t* schneller laufen als; (≈ *outdistance*) davonlaufen (+*dat*) **outset** *n* Anfang *m*; ***at the ~*** zu Anfang **outshine** *pret*, *past part* ***outshone*** *v/t* (*fig*) in den Schatten stellen

outside I *n* Außenseite *f*; ***the ~ of the car is green*** das Auto ist (von) außen grün; ***to open the door from the ~*** die Tür von außen öffnen; ***to overtake on the ~*** (*Br*) außen überholen **II** *adj* **1.** (≈ *external*) äußere(r, s); *examiner* extern; ***an ~ broadcast from Wimbledon*** eine Sendung aus Wimbledon; ***~ line*** TEL Amtsleitung *f* **2.** ***an ~ chance*** eine kleine Chance **III** *adv* außen; (*of house*, *room*, *vehicle*) draußen; ***to be ~*** draußen sein; ***to go ~*** nach draußen gehen **IV** *prep* (*a.* **outside of**) außerhalb (+*gen*); ***~ California*** außerhalb Kaliforniens; ***~ London*** außerhalb von London; ***to go ~ sth*** aus etw gehen; ***he went ~ the house*** er ging nach draußen; ***~ the door*** vor der Tür; ***the car ~ the house*** das Auto vorm Haus; ***~ office hours*** nach Büroschluss **outside lane** *n* Überholspur *f* **outside line** *n* TEL Amtsanschluss *m* **outsider** *n* Außenseiter(in) *m*(*f*) **outside toilet** *n* Außentoilette *f* **outside wall** *n* Außenwand *f* **outside world** *n* Außenwelt *f*

outsize *adj* übergroß **outskirts** *pl* (*of town*) Stadtrand *m* **outsmart** *v/t* (*infml*) überlisten **outsource** *v/t* ECON *work* outsourcen, auslagern **outspoken** *adj person*, *speech*, *book* freimütig; *attack* direkt

outstanding *adj* **1.** (≈ *exceptional*) hervorragend; *talent*, *beauty* außerordentlich **2.** (≈ *prominent*) bemerkenswert **3.** *business* unerledigt; *amount*, *bill* ausstehend; ***~ debts*** Außenstände *pl* **outstandingly** *adv* hervorragend; *good*, *beautiful* außergewöhnlich

outstay *v/t* ***I don't want to ~ my welcome*** ich will eure Gastfreundschaft nicht überbeanspruchen **outstretched** *adj* ausgestreckt; *arms also* ausgebreitet **outstrip** *v/t* (*fig*) übertreffen (*in* an +*dat*) **outtake** *n* Outtake *m* **out tray** *n* Ablage *f* für Ausgänge **outvote** *v/t* überstimmen

outward I *adj* **1.** *appearance* äußere(r, s); ***he put on an ~ show of confidence*** er gab sich den Anstrich von Selbstsicherheit **2.** ***~ journey*** Hinreise *f*; ***~ flight*** Hinflug *m* **II** *adv* nach außen; ***~ bound*** *ship* auslaufend **outwardly** *adv* nach außen hin **outwards** *adv* nach außen

outweigh *v/t* mehr Gewicht haben als **outwit** *v/t* überlisten

outworker *n* **1.** (*away from the office/factory*) Außenarbeiter(in) *m(f)* **2.** (≈ *homeworker*) Heimarbeiter(in) *m(f)*

oval *adj* oval

ovary *n* ANAT Eierstock *m*

ovation *n* Ovation *f*; ***to give sb an ~*** jdm eine Ovation darbringen

oven *n* COOK (Back)ofen *m*, Backrohr *nt* (*Aus*); ***to cook in a hot/moderate/slow ~*** bei starker/mittlerer/schwacher Hitze backen; ***it's like an ~ in here*** hier ist ja der reinste Backofen **oven glove** *n* (*Br*) Topfhandschuh *m* **ovenproof** *adj* feuerfest **oven-ready** *adj* bratfertig

over I *prep* **1.** (*indicating motion*) über (+*acc*); (*indicating position*) über (+*dat*); ***he spilled coffee ~ it*** er goss Kaffee darüber; ***to hit sb ~ the head*** jdm auf den Kopf schlagen; ***to look ~ the wall*** über die Mauer schauen; ***~ the page*** auf der nächsten Seite; ***he looked ~ my shoulder*** er sah mir über die Schulter; ***the house ~ the road*** das Haus gegenüber; ***it's just ~ the road from us*** das ist von uns (aus) nur über die Straße; ***the bridge ~ the river*** die Brücke über den Fluss; ***we're ~ the main obstacles now*** wir haben jetzt die größten Hindernisse hinter uns (*dat*) **2.** (≈ *across every part of*) ***they came from all ~ England*** sie kamen aus ganz England; ***you've got ink all ~ you*** Sie sind ganz voller Tinte **3.** (≈ *more than, longer than*) über (+*acc*); (≈ *during*) während (+*gen*), in (+*dat*); ***~ and above that*** darüber hinaus, weiters (*Aus*); ***well ~ a year ago*** vor gut einem Jahr; ***~ Christmas*** über Weihnachten; ***~ the summer*** den Sommer über; ***~ the years*** im Laufe der Jahre; ***the visits were spread ~ several months*** die Besuche verteilten sich über mehrere Monate **4.** ***let's discuss that ~ dinner*** besprechen wir das beim Essen; ***they'll be a long time ~ it*** sie werden dazu lange brauchen; ***~ the phone*** am Telefon; ***a voice came ~ the intercom*** eine Stimme kam über die Sprechanlage **5.** (≈ *about*) über (+*acc*); ***it's not worth arguing ~*** es lohnt (sich) nicht, darüber zu streiten **II** *adv* **1.** (≈ *across*) hinüber, herüber; (≈ *on the other side*) drüben; ***come ~ tonight*** kommen Sie heute Abend vorbei; ***he is ~ here/there*** er ist hier/dort drüben; ***~ to you!*** Sie sind daran; ***and now ~ to Paris where ...*** und nun (schalten wir um) nach Paris, wo ...; ***to go ~ to America*** nach Amerika fahren; ***famous the world ~*** in der ganzen Welt berühmt; ***I've been looking for it all ~*** ich habe überall danach gesucht; ***I am aching all ~*** mir tut alles weh; ***he was shaking all ~*** er zitterte am ganzen Leib; ***I'm wet all ~*** ich bin völlig nass; ***that's Fred all ~*** das ist typisch (für) Fred **2.** (≈ *ended*) zu Ende; ***the danger was ~*** es bestand keine Gefahr mehr; ***when this is ~*** wenn das vorbei ist; ***it's all ~ between us*** es ist aus zwischen uns **3.** ***to start (all) ~ again*** (*Br*) *or* ***~*** (*US*) noch einmal (ganz) von vorn anfangen; ***~ and ~ (again)*** immer (und immer) wieder; ***he did it five times ~*** er hat es fünfmal wiederholt **4.** (≈ *remaining*) übrig; ***there was no meat (left) ~*** es war kein Fleisch mehr übrig **5.** ***children of 8 and ~*** Kinder ab 8; ***three hours or ~*** drei oder mehr Stunden **6.** TEL ***come in, please, ~*** bitte kommen, over; ***~ and out*** Ende der Durchsage; AVIAT over and out **overact** *v/i* übertreiben **overactive** *adj* überaktiv **overage** *adj* zu alt

overall[1] **I** *adj* **1.** gesamt, Gesamt-; ***~ majority*** absolute Mehrheit; ***~ control*** vollständige Kontrolle **2.** (≈ *general*) allgemein; ***the ~ effect of this was to ...*** dies hatte das Endergebnis, dass ... **II** *adv* **1.** insgesamt; ***he came second ~*** SPORTS er belegte in der Gesamtwertung den zweiten Platz **2.** (≈ *in general*) im Großen und Ganzen

overall[2] *n* (*Br*) Kittel *m* **overalls** *pl* Overall *m*; (*US* ≈ *dungarees*) Latzhose *f*

overambitious *adj* zu ehrgeizig **overanxious** *adj* übertrieben besorgt **overarm** *adj, adv* SPORTS *throw* mit gestrecktem (erhobenem) Arm **overate** *pret of* **overeat** **overawe** *v/t* (≈ *intimidate*) einschüchtern **overbalance** *v/i* aus dem Gleichgewicht kommen

overbearing *adj* herrisch

overboard *adv* **1.** NAUT über Bord; ***to fall ~*** über Bord gehen *or* fallen; ***man ~!*** Mann über Bord! **2.** (*fig infml*) ***there's no need to go ~ (about it)*** übertreib es nicht **overbook** *v/i* zu viele Buchungen vornehmen **overburden** *v/t* (*fig*) überlasten **overcame** *pret of* **overcome** **overcast** *adj* bedeckt **overcautious** *adj* übervorsichtig **overcharge I** *v/t per-*

son zu viel berechnen (+*dat*) (*for* für); ***they ~d me by £2*** sie haben mir £ 2 zu viel berechnet **II** *v/i* zu viel verlangen (*for* für) **overcoat** *n* Mantel *m* **overcome** *pret* ***overcame***, *past part* ***overcome*** *v/t enemy* überwältigen; *nerves, obstacle* überwinden; ***he was ~ by the fumes*** die giftigen Gase machten ihn bewusstlos; ***he was ~ by by emotion*** Rührung übermannte ihn; ***he was ~ by remorse*** Reue überkam ihn; ***~*** (***with emotion***) ergriffen **overcompensate** *v/i* ***to ~ for sth*** etw überkompensieren **overconfident** *adj* übertrieben selbstsicher **overcook** *v/t* verbraten; (≈ *boil*) verkochen **overcrowded** *adj* überfüllt; (≈ *overpopulated*) überbevölkert **overcrowding** *n* Überfüllung *f*; (*of town*) Überbevölkerung *f*

overdo *pret* ***overdid***, *past part* ***overdone*** *v/t* **1.** (≈ *exaggerate*) übertreiben; ***you are ~ing it*** (≈ *going too far*) Sie gehen zu weit; (≈ *tiring yourself*) Sie übernehmen sich; ***I'm afraid you've rather overdone it with the garlic*** ich fürchte, du hast es mit dem Knoblauch etwas zu gut gemeint **2.** *meat* verbraten; *vegetables* verkochen **overdone** *adj* **1.** (≈ *exaggerated*) übertrieben **2.** *meat* verbraten; *vegetables* verkocht

overdose I *n* (*lit*) Überdosis *f* **II** *v/i* eine Überdosis nehmen; ***to ~ on heroin*** eine Überdosis Heroin nehmen

overdraft *n* Kontoüberziehung *f*; ***to have an ~ of £100*** (≈ *be in debt*) sein Konto um £ 100 überzogen haben **overdraft facility** *n* Überziehungskredit *m* **overdrawn** *adj* FIN *account* überzogen; ***to be ~ by £100*** sein Konto um £ 100 überzogen haben

overdress *v/t* ***to be ~ed*** zu vornehm angezogen sein **overdue** *adj* überfällig; *sum of money* fällig; ***long ~*** schon seit Langem fällig **overeager** *adj* übereifrig **overeat** *pret* ***overate***, *past part* ***overeaten*** *v/i* sich überessen **overeating** *n* Überessen *nt* **overemphasis** *n* Überbetonung *f* **overemphasize** *v/t* überbetonen **overenthusiastic** *adj* übertrieben begeistert **overestimate I** *v/t* überschätzen **II** *n* zu hohe Schätzung **overexcited** *adj person* überreizt; *children* aufgedreht **overexpose** *v/t* PHOT überbelichten **overfamiliar** *adj* ***to be ~ with sb*** etwas zu vertraulich mit jdm sein; ***I'm not ~ with their methods*** ich bin nicht allzu vertraut mit ihren Methoden **overfeed** *pret, past part* ***overfed*** *v/t* überfüttern **overfill** *v/t* überfüllen

overflow I *n* (≈ *outlet*) Überlauf *m* **II** *v/t* ***the river has ~ed its banks*** der Fluss ist über die Ufer getreten **III** *v/i* **1.** (*liquid, river, container*) überlaufen; (*room*) überfüllt sein; ***full to ~ing*** *bowl, cup* zum Überlaufen voll; *room* überfüllt; ***the crowd at the meeting ~ed into the street*** die Leute bei der Versammlung standen bis auf die Straße **2.** (*fig*) überfließen (*with* von) **overflow pipe** *n* Überlaufrohr *nt*

overgrown *adj* überwachsen (*with* von) **overhang** *vb*: *pret, past part* ***overhung*** **I** *v/t* hängen über (+*acc*); (*rocks*) hinausragen über (+*acc*) **II** *n* Überhang *m* **overhaul I** *n* Überholung *f* **II** *v/t engine* überholen; *plans* überprüfen

overhead[1] *adv* oben; (≈ *in the sky*) am Himmel; ***a plane flew ~*** ein Flugzeug flog über uns *etc* (*acc*) (hinweg)

overhead[2] *n* (*US*) = ***overheads***

overhead cable *n* Hochspannungsleitung *f* **overhead projector** *n* Overheadprojektor *m* **overheads** *pl* (*Br*) allgemeine Unkosten *pl* **overhear** *pret, past part* ***overheard*** *v/t* zufällig mit anhören; ***we don't want him to ~ us*** wir wollen nicht, dass er uns zuhören kann; ***I ~d them plotting*** ich hörte zufällig, wie sie etwas ausheckten **overheat I** *v/t engine* überhitzen; *room* überheizen **II** *v/i* (*engine*) heiß laufen **overheated** *adj* heiß gelaufen; *room* überheizt **overhung** *pret, past part of* ***overhang*** **overimpressed** *adj* ***I'm not ~ with him*** er imponiert mir nicht besonders

overjoyed *adj* überglücklich (*at, by, with* über +*acc*)

overkill *n* ***to be ~*** des Guten zu viel sein **overladen** *adj* überladen **overlaid** *pret, past part of* ***overlay*** **overland I** *adj* auf dem Landweg **II** *adv* über Land **overlap I** *n* Überschneidung *f*; (*spatial*) Überlappung *f* **II** *v/i* **1.** (*tiles*) überlappen **2.** (*dates*) sich überschneiden; (*ideas*) sich teilweise decken **III** *v/t* liegen über (+*dat*) **overlay** *vb*: *pret, past part* ***overlaid*** *v/t* überziehen **overleaf** *adv* umseitig; ***the illustration ~*** die umseitige Abbildung **overload** *v/t* überladen; ELEC, MECH überlasten **overlook** *v/t* **1.** (≈ *look* *onto*) überblicken; ***a room ~ing the park*** ein Zimmer mit Blick auf den Park **2.** (≈ *not notice*) übersehen **3.** (≈ *ignore*) hinwegsehen über (*+acc*); ***I am prepared to ~ it this time*** diesmal will ich noch ein Auge zudrücken

overly *adv* allzu

overnight I *adv* über Nacht; ***we drove ~*** wir sind die Nacht durchgefahren; ***to stay ~*** (***with sb***) (bei jdm) übernachten **II** *adj* **1.** Nacht-; ***~ accommodation*** Übernachtungsmöglichkeit *f* **2.** (*fig* ≈ *sudden*) ganz plötzlich; ***an ~ success*** ein Blitzerfolg *m* **overnight bag** *n* Reisetasche *f* **overnight stay** *n* Übernachtung *f*

overpass *n* Überführung *f* **overpay** *pret, past part* **overpaid** *v/t* überbezahlen **overpopulated** *adj* überbevölkert **overpopulation** *n* Überbevölkerung *f*

overpower *v/t* überwältigen **overpowering** *adj* überwältigend; *smell* penetrant; *person* aufdringlich; ***I felt an ~ desire ...*** ich fühlte den unwiderstehlichen Drang, ...

overprice *v/t* ***at £50 it's ~d*** £ 50 ist zu viel dafür **overproduction** *n* Überproduktion *f* **overprotective** *adj* überängstlich **overran** *pret of* **overrun overrate** *v/t* ***to be ~d*** überschätzt werden **overreach** *v/i* sich übernehmen **overreact** *v/i* übertrieben reagieren (*to* auf *+acc*)

override *pret* **overrode**, *past part* **overridden** *v/t decision* aufheben **overriding** *adj principle* vorrangig; *priority* vordringlich

overripe *adj* überreif **overrode** *pret of* **override overrule** *v/t* ablehnen; *decision* aufheben; ***we were ~d*** unser Vorschlag/unsere Entscheidung *etc* wurde abgelehnt **overrun** *pret* **overran**, *past part* **overrun I** *v/t* **1.** (*weeds*) überwuchern; ***to be ~ by tourists/mice*** von Touristen überlaufen/voller Mäuse sein **2.** (*troops*) einfallen in (*+dat*) **3.** *mark* hinauslaufen über (*+acc*) **II** *v/i* (*in time*) überziehen; ***his speech overran by ten minutes*** seine Rede dauerte zehn Minuten zu lang

overseas I *adj* **1.** (≈ *beyond the sea*) in Übersee *pred*; *market* überseeisch **2.** (≈ *abroad*) ausländisch; ***an ~ visitor*** ein Besucher *m* aus dem Ausland; ***~ trip*** Auslandsreise *f* **II** *adv* ***to be ~*** in Übersee/im Ausland sein; ***to go ~*** nach Übersee/ins Ausland gehen; ***from ~*** aus Übersee/dem Ausland

oversee *pret* **oversaw**, *past part* **overseen** *v/t* beaufsichtigen **overseer** *n* Aufseher(in) *m(f)*; (≈ *foreman*) Vorarbeiter(in) *m(f)* **oversensitive** *adj* überempfindlich **overshadow** *v/t* überschatten **overshoot** *pret, past part* **overshot** *v/t target, runway* hinausschießen über (*+acc*) **oversight** *n* Versehen *nt*; ***through an ~*** aus Versehen **oversimplification** *n* (zu) grobe Vereinfachung **oversimplify** *v/t* zu sehr vereinfachen **oversleep** *pret, past part* **overslept** *v/i* verschlafen **overspend** *vb*: *pret, past part* **overspent** *v/i* zu viel ausgeben; ***we've overspent by £10*** wir haben £ 10 zu viel ausgegeben **overstaffed** *adj* überbesetzt **overstate** *v/t* übertreiben **overstatement** *n* Übertreibung *f* **overstay** *v/t* = ***outstay*** **overstep** *v/t* überschreiten; ***to ~ the mark*** zu weit gehen **overstretch** *v/t* (*fig*) *resources* zu sehr belasten; ***to ~ oneself*** sich übernehmen **oversubscribe** *v/t* FIN überzeichnen; ***the zoo outing was ~d*** zu viele (Leute) hatten sich für den Ausflug in den Zoo angemeldet

overt *adj* offen; *hostility* unverhohlen

overtake *pret* **overtook**, *past part* **overtaken I** *v/t* **1.** *competitor* einholen; *runner, car etc* überholen **2.** (*by fate*) ereilen (*elev*) **II** *v/i* überholen **overtaking** *n* Überholen *nt* **overtax** *v/t* (*fig*) überlasten **over-the-counter** *adj drugs* nicht rezeptpflichtig **overthrow** *vb*: *pret* **overthrew**, *past part* **overthrown I** *n* (*of dictator etc*) Sturz *m* **II** *v/t* stürzen **overtime I** *n* **1.** Überstunden *pl*; ***I am doing ~*** ich mache Überstunden **2.** (*US* SPORTS) Verlängerung *f* **II** *adv* ***to work ~*** Überstunden machen **overtime pay** *n* Überstundenlohn *m* **overtone** *n* (*fig*) Unterton *m* **overtook** *pret of* **overtake**

overture *n* **1.** MUS Ouvertüre *f* **2.** *usu pl* ***to make ~s to sb*** Annäherungsversuche bei jdm machen

overturn I *v/t* **1.** (*lit*) umkippen; *boat* zum Kentern bringen **2.** (*fig*) *regime* stürzen; *ban, conviction* aufheben **II** *v/i* (*chair*) umkippen; (*boat*) kentern **overuse I** *n* übermäßiger Gebrauch **II** *v/t* übermäßig oft gebrauchen **overview** *n* Überblick *m* (*of* über *+acc*) **overweight** *adj person* übergewichtig; ***to be five kilos***

~ fünf Kilo Übergewicht haben; ***you're ~*** Sie haben Übergewicht
overwhelm *v/t* **1.** überwältigen; ***he was ~ed when they gave him the present*** er war zutiefst gerührt, als sie ihm das Geschenk gaben **2.** (*fig, with praise, work*) überhäufen **overwhelming** *adj* überwältigend; *desire* unwiderstehlich; ***they won despite ~ odds*** sie gewannen obwohl ihre Chancen sehr schlecht standen **overwhelmingly** *adv reject* mit überwältigender Mehrheit; *positive* größtenteils
overwork I *n* Überarbeitung *f* **II** *v/t person* überanstrengen **III** *v/i* sich überarbeiten **overwrite** *pret* ***overwrote***, *past part* ***overwritten*** *v/t & v/i* IT überschreiben **overwrought** *adj* überreizt **overzealous** *adj* übereifrig
ovulate *v/i* ovulieren **ovulation** *n* Eisprung *m*
owe I *v/t* **1.** *money* schulden (*sb sth, sth to sb* jdm etw); ***how much do I ~ you?*** (*in shop etc*) was bin ich schuldig? **2.** *loyalty* schulden (*to sb* jdm) **3.** *life, success* verdanken (*sth to sb* jdm etw); ***you ~ it to yourself to keep fit*** du bist es dir schuldig, fit zu bleiben; ***you ~ me an explanation*** du bist mir eine Erklärung schuldig **II** *v/i* ***to ~ sb for sth*** jdm Geld für etw schulden; ***I still ~ him for the meal*** ich muss ihm das Essen noch bezahlen **owing I** *adj* unbezahlt; ***how much is still ~?*** wie viel steht noch aus? **II** *prep* ***~ to*** infolge (+*gen*); ***~ to the circumstances*** umständehalber
owl *n* Eule *f*
own[1] *v/t* **1.** (≈ *possess*) besitzen; ***who ~s that?*** wem gehört das?; ***he looks as if he ~s the place*** er sieht so aus, als wäre er hier zu Hause **2.** (≈ *admit*) zugeben ◆ **own up** *v/i* es zugeben; ***to ~ to sth*** etw zugeben; ***he owned up to stealing the money*** er gab zu, das Geld gestohlen zu haben
own[2] **I** *adj attr* eigen; ***his ~ car*** sein eigenes Auto; ***one's ~ car*** ein eigenes Auto; ***he does*** (***all***) ***his ~ cooking*** er kocht für sich selbst; ***thank you, I'm quite capable of finding my ~ way out*** danke, ich finde sehr gut alleine hinaus **II** *pron* **1.** ***to make sth one's ~*** sich (*dat*) etw zu eigen machen; ***a house of one's ~*** ein eigenes Haus; ***I have money of my ~*** ich habe selbst Geld; ***it has a beauty all its ~*** *or* ***of its ~*** es hat eine ganz eigene Schönheit **2.** ***to get one's ~ back on sb*** (*esp Br*) es jdm heimzahlen; (***all***) ***on one's ~*** (ganz) allein; ***on its ~*** von selbst; ***the goalkeeper came into his ~ with a series of brilliant saves*** der Torwart zeigte sich von seiner besten Seite, als er eine Reihe von Bällen geradezu fantastisch abwehrte **own brand** *n* Hausmarke *f*
owner *n* Besitzer(in) *m(f)*; (*of shop, firm*) Inhaber(in) *m(f)*; (*of dogs, car*) Halter(in) *m(f)* **owner-occupier** *n* Bewohner(in) *m(f)* im eigenen Haus **ownership** *n* Besitz *m*; ***under new ~*** unter neuer Leitung
own goal *n* Eigentor *nt*; ***to score an ~*** ein Eigentor schießen
ox *n*, *pl* ***-en*** Ochse *m*
Oxbridge I *n* Oxford und/oder Cambridge **II** *adj people* der Universität (*gen*) Oxford oder Cambridge
oxide *n* CHEM Oxid *nt* **oxidize** *v/t & v/i* oxidieren
oxtail soup *n* Ochsenschwanzsuppe *f*
oxygen *n* Sauerstoff *m* **oxygen mask** *n* Sauerstoffmaske *f*
oyster *n* Auster *f*; ***the world's his ~*** die Welt steht ihm offen
oz *abbr of* ***ounce***(***s***)
ozone *n* Ozon *nt* **ozone-friendly** *adj* FCKW-frei **ozone layer** *n* Ozonschicht *f*; ***a hole in the ~*** ein Ozonloch *nt*

P

P, p *n* P *nt*, p *nt*
p 1. *abbr of* ***page*** S. **2.** *abbr of* ***penny, pence***
PA 1. *abbr of* ***personal assistant*** **2.** *abbr of* ***public address*** (***system***)
pa *n* (*infml*) Papa *m* (*infml*)
p.a. *abbr of* ***per annum***
pace I *n* **1.** (≈ *step*) Schritt *m*; ***to put sb through his ~s*** (*fig*) jdn auf Herz und Nieren prüfen **2.** (≈ *speed*) Tempo *nt*;

at a good ~ recht schnell; ***at a slow ~*** langsam; ***at one's own ~*** in seinem eigenen Tempo; ***to keep ~ with sth*** mit etw mitkommen; ***to set the ~*** das Tempo angeben; ***to quicken one's ~*** seinen Schritt beschleunigen; (*working*) sein Tempo beschleunigen; ***I'm getting old, I can't stand the ~ any more*** (*infml*) ich werde alt, ich kann nicht mehr mithalten **II** *v/t* auf und ab gehen in (+*dat*) **III** *v/i* ***to ~ up and down*** auf und ab gehen **pacemaker** *n* **I** MED Schrittmacher *m* **II** SPORTS Tempomacher(in) *m*(*f*)

Pacific *n* ***the ~*** (***Ocean***) der Pazifik; ***a ~ island*** eine Insel im Pazifik; ***the ~ Rim*** die Pazifikanrainerstaaten *pl* **Pacific Standard Time** *n* pazifische Zeit

pacifier *n* (*US*: *for baby*) Schnuller *m* **pacifism** *n* Pazifismus *m* **pacifist** *n* Pazifist(in) *m*(*f*) **pacify** *v/t baby* beruhigen; *critics* besänftigen

pack I *n* **1.** (*on animal*) Last *f* **2.** (≈ *rucksack*) Rucksack *m*; MIL Gepäck *nt no pl* **3.** (≈ *packet*) Paket *nt*; (*esp US*: *of cigarettes*) Packung *f*; ***a ~ of six*** ein Sechserpack *m* **4.** (*of wolves*) Rudel *nt* **5.** (*pej* ≈ *group*) Horde *f*; ***a ~ of thieves*** eine Diebesbande; ***it's all a ~ of lies*** es ist alles erlogen **6.** (*of cards*) (Karten)spiel *nt* **II** *v/t* **1.** *crate etc* vollpacken; *meat in tin etc* abpacken **2.** *case* packen; *clothes etc* einpacken; ***the box was ~ed full of explosives*** die Kiste war voll mit Sprengstoff; ***to be ~ed*** (≈ *full*) gerammelt voll sein (*infml*); ***a weekend ~ed with excitement*** ein Wochenende voller aufregender Erlebnisse **3.** *soil etc* festdrücken; ***the snow on the path was ~ed hard*** der Schnee auf dem Weg war festgetrampelt; ***the film ~s a real punch*** (*fig*) der Film ist total spannend **III** *v/i* **1.** (*person*) packen **2.** ***the crowds ~ed into the stadium*** die Menge drängte sich in das Stadion; ***we all ~ed into one car*** wir haben uns alle in ein Auto gezwängt **3.** (*infml*) ***to send sb ~ing*** jdn kurz abfertigen ◆ **pack away** *v/t sep* wegpacken; ***I've packed all your books away in the attic*** ich habe alle deine Bücher auf den Boden geräumt ◆ **pack in I** *v/t sep* **1.** *people* hineinpferchen in (+*acc*) **2.** (*Br infml*) *job* hinschmeißen (*infml*); *activity* Schluss machen mit; ***pack it in!*** lass es gut sein! **II** *v/i* (*Br infml*) (*engine*) seinen Geist aufgeben (*hum*); (*person*) Feierabend machen (*infml*) ◆ **pack off** *v/t sep* ***she packed them off to bed*** sie schickte sie ins Bett ◆ **pack out** *v/t sep usu pass* ***to be packed out*** überfüllt sein ◆ **pack up I** *v/t sep* zusammenpacken **II** *v/i* **1.** packen; ***he just packed up and left*** er packte seine Sachen und ging **2.** (*Br infml*) (*engine*) seinen Geist aufgeben (*hum*); (*person*) Feierabend machen (*infml*)

package I *n* Paket *nt*; ***software ~*** Softwarepaket *nt* **II** *v/t goods* verpacken **package deal** *n* Pauschalangebot *nt* **package holiday, package tour** *n* Pauschalreise *f* **packaging** *n* **1.** (≈ *material*) Verpackung *f* **2.** (≈ *presentation*) Präsentation *f*

packed lunch *n* (*Br*) Lunchpaket *nt*

packet *n* (*esp Br*) **1.** Paket *nt*; (*of cigarettes* ≈ *small box*) Schachtel *f* **2.** (*Br infml*) ***to make a ~*** ein Schweinegeld verdienen (*infml*); ***that must have cost a ~*** das muss ein Heidengeld gekostet haben (*infml*) **packet soup** *n* (*esp Br*) Tütensuppe *f*

pack ice *n* Packeis *nt*

packing *n* (≈ *act*) Packen *nt*; (≈ *material*) Verpackung *f*; ***to do one's ~*** packen **packing case** *n* Kiste *f*

pact *n* Pakt *m*; ***to make a ~ with sb*** mit jdm einen Pakt schließen

pad[1] *v/i* ***to ~ around*** (*Br*) umhertapsen

pad[2] **I** *n* **1.** (*for comfort etc*) Polster *nt*; (*for protection*) Schützer *m*; (≈ *brake pad etc*) Belag *m* **2.** (*of paper*) Block *m* **3.** (*infml* ≈ *home*) Bude *f* (*infml*) **II** *v/t* polstern ◆ **pad out** *v/t sep* (*fig*) *essay* auffüllen

padded *adj shoulders*, *bra* wattiert; *seat* gepolstert; ***~ envelope*** gefütterter (Brief)umschlag **padding** *n* (≈ *material*) Polsterung *f*

paddle I *n* **1.** (≈ *oar*) Paddel *nt* **2.** ***to have a ~*** durchs Wasser waten **II** *v/t boat* paddeln **III** *v/i* **1.** (*in boat*) paddeln **2.** (*in water*) waten **paddle boat** *n* Raddampfer *m*; (*small*) Paddelboot *nt* **paddle steamer** *n* Raddampfer *m* **paddling pool** *n* (*Br*) Planschbecken *nt*

paddock *n* Koppel *f*; (*of racecourse*) Sattelplatz *m*

paddy *n* (*a.* **paddy field**) Reisfeld *nt*

padlock I *n* Vorhängeschloss *nt* **II** *v/t* (mit einem Vorhängeschloss) verschließen

paediatric, (*US*) **pediatric** *adj* Kinder- **paediatrician**, (*US*) **pediatrician** *n* Kinderarzt *m*/-ärztin *f* **paediatrics**, (*US*) **pediatrics** *n* Kinderheilkunde *f*

paedophile, (*US*) **pedophile** *n* Pädophile(r) *m*/*f*(*m*)

pagan I *adj* heidnisch **II** *n* Heide *m*, Heidin *f* **paganism** *n* Heidentum *nt*

page[1] **I** *n* (*a.* **pageboy**) Page *m* **II** *v/t* ***to ~ sb*** jdn ausrufen lassen; ***paging Mr Cousin*** Herr Cousin, bitte!

page[2] *n* Seite *f*; ***on ~ 14*** auf Seite 14; ***write on both sides of the ~*** beschreiben Sie beide Seiten; ***to be on the same ~*** (*US ≈ in agreement*) auf der gleichen Wellenlänge liegen

pageant *n* (*≈ show*) Historienspiel *nt*; (*≈ procession*) Festzug *m* **pageantry** *n* Prunk *m*

pageboy *n* Page *m*; (*Br ≈ at wedding*) *Junge, der bei der Hochzeitszeremonie assistiert* **page break** *n* IT Seitenwechsel *m* **page number** *n* Seitenzahl *f* **page preview** *n* IT Preview *m* **page printer** *n* IT Seitendrucker *m* **pager** *n* TEL Funkempfänger *m* **pagination** *n* Paginierung *f*

pagoda *n* Pagode *f*

paid I *pret, past part of* ***pay*** **II** *adj* **1.** *work* bezahlt **2.** (*esp Br*) ***to put ~ to sth*** etw zunichtemachen; ***that's put ~ to my weekend*** damit ist mein Wochenende geplatzt **III** *n* ***the low/well ~*** die Gering-/Gutverdienenden *pl* **paid-up** *adj* ***fully ~ member*** Mitglied *nt* ohne Beitragsrückstände

pail *n* Eimer *m*

pain I *n* **1.** Schmerz *m*; (*mental*) Qualen *pl*; ***to be in ~*** Schmerzen haben; ***he screamed in ~*** er schrie vor Schmerzen; ***chest ~s*** Brustschmerzen *pl*; ***my ankle is causing me a lot of ~*** mein Knöchel tut mir sehr weh; ***I felt a ~ in my leg*** ich hatte Schmerzen im Bein **2. pains** *pl* (*≈ efforts*) Mühe *f*; ***to be at (great) ~s to do sth*** sich (*dat*) (große) Mühe geben, etw zu tun; ***to take ~s to do sth*** sich (*dat*) Mühe geben, etw zu tun; ***she takes great ~s with her appearance*** sie verwendet sehr viel Sorgfalt auf ihr Äußeres **3.** ***on or under ~ of death*** bei Todesstrafe **4.** (*infml*: *a.* **pain in the neck** *or* **arse** *Br sl*) ***to be a (real) ~*** einem auf den Wecker gehen (*infml*) **II** *v/t* (*mentally*) schmerzen; ***it ~s me to see their ignorance*** ihre Unwissenheit tut schon weh **pained** *adj expression* schmerzerfüllt

painful *adj injury* schmerzhaft; (*≈ distressing*) schmerzlich; ***is it ~?*** tut es weh? **painfully** *adv* **1.** (*physically*) schmerzhaft; *move* unter Schmerzen **2.** (*≈ very*) schrecklich; *thin* furchtbar; ***it was ~ obvious*** es war nicht zu übersehen **painkiller** *n* schmerzstillendes Mittel **painless** *adj* schmerzlos; ***don't worry, it's quite ~*** (*infml*) keine Angst, es tut gar nicht weh **painstaking** *adj*, **painstakingly** *adv* sorgfältig

paint I *n* **1.** Farbe *f*; (*on car*) Lack *m* **2. paints** *pl* Farben *pl*; ***box of ~s*** Farbkasten *m* **II** *v/t* **1.** *wall* streichen; *car* lackieren; ***to ~ one's face*** (*with make-up*) sich anmalen (*infml*); ***to ~ the town red*** (*infml*) die Stadt unsicher machen (*infml*) **2.** *picture* malen; ***he ~ed a very convincing picture of life on the moon*** er zeichnete ein sehr überzeugendes Bild vom Leben auf dem Mond **III** *v/i* malen; (*≈ decorate*) (an)streichen **paintbox** *n* Farbkasten *m* **paintbrush** *n* Pinsel *m*

painter *n* ART Maler(in) *m*(*f*); (*≈ decorator*) Anstreicher(in) *m*(*f*)

painting *n* **1.** (*≈ picture*) Gemälde *nt* **2.** *no pl* ART Malerei *f* **paint pot** *n* Farbtopf *m* **paint stripper** *n* Abbeizmittel *nt* **paintwork** *n* (*on car etc*) Lack *m*; (*on wall*) Anstrich *m*

pair I *n* Paar *nt*; ***these socks are a ~*** diese beiden Socken gehören zusammen; ***a ~ of scissors*** eine Schere; ***a new ~*** (*of trousers*) eine neue; (*of shoes*) ein Paar neue; ***I've only got one ~ of hands*** ich habe auch nur zwei Hände; ***to be*** *or* ***have a safe ~ of hands*** zuverlässig sein; ***in ~s*** paarweise; *hunt, go out* zu zweit **II** *v/t* ***I was ~ed with Bob for the next round*** in der nächsten Runde musste ich mit Bob ein Paar bilden ◆ **pair off I** *v/t sep* in Zweiergruppen einteilen **II** *v/i* Paare bilden (*with* mit)

pajamas *pl* (*US*) = ***pyjamas***

pak-choi *n* (*Br*) Pak Choi *m*, chinesischer Blätterkohl

Paki (*pej infml*) **I** *n* (*≈ person*) Pakistani *m*/*f*(*m*) **II** *adj* pakistanisch **Pakistan** *n* Pakistan *nt* **Pakistani I** *adj* pakistanisch **II** *n* Pakistani *m*/*f*(*m*)

pal *n* (*infml*) Kumpel *m* (*infml*), Spezi *m*

(*Aus*)

palace *n* Palast *m*; ***royal ~*** (Königs)-schloss *nt*

palatable *adj* **1.** genießbar **2.** (*fig*) attraktiv **palate** *n* (*lit*) Gaumen *m*

palatial *adj* palastartig

palaver *n* (*infml*) Theater *nt* (*infml*)

pale I *adj* (+*er*) blass; (*unhealthily*) bleich; *light*, *moon* fahl; ***~ green*** zartgrün **II** *v/i* (*person*) erbleichen; ***to ~ (into insignificance) alongside sth*** neben etw (*dat*) bedeutungslos sein **paleness** *n* Blässe *f*

Palestine *n* Palästina *nt* **Palestinian I** *adj* palästinensisch **II** *n* Palästinenser(in) *m*(*f*)

palette *n* Palette *f* **palette knife** *n* Palettenmesser *nt*

palisade *n* Palisade *f*

pallbearer *n* Sargträger(in) *m*(*f*)

pallet *n* Palette *f*

pallid *adj* blass; (≈ *unhealthy looking*) bleich **pallor** *n* Blässe *f*

pally *adj* (+*er*) (*Br infml*) ***they're very ~*** sie sind dicke Freunde (*infml*); ***to be ~ with sb*** mit jdm gut Freund sein; ***to get ~ with sb*** sich mit jdm anfreunden

palm¹ *n* BOT Palme *f*

palm² *n* ANAT Handteller *m*; ***he had the audience in the ~ of his hand*** er hielt das Publikum ganz in seinem Bann; ***to read sb's ~*** jdm aus der Hand lesen ◆ **palm off** *v/t sep* (*infml*) *rubbish* andrehen (*on*(*to*) *sb* jdm) (*infml*); *person* abspeisen (*infml*); ***they palmed him off on me*** sie haben ihn mir aufgehalst (*infml*)

palmcorder *n* Palmcorder *m* **palmistry** *n* Handlesekunst *f*

palm leaf *n* Palmwedel *m* **palm oil** *n* Palmöl *nt* **Palm Sunday** *n* Palmsonntag *m*

palmtop *n* IT Palmtop *m*

palm tree *n* Palme *f*

palpable *adj* vollkommen **palpably** *adv* eindeutig

palpitate *v/i* (*heart*) heftig klopfen **palpitation** *n* Herzklopfen *nt*; ***to have ~s*** Herzklopfen haben

palsy *n* Lähmung *f*

paltry *adj* armselig; ***he gave some ~ excuse*** er brachte irgendeine armselige Entschuldigung hervor

pamper *v/t* verwöhnen

pamphlet *n* (*informative*) Broschüre *f*; (*political*, *flyer*) Flugblatt *nt*

pan *n* COOK Pfanne *f*; (≈ *saucepan*) Topf *m* ◆ **pan out** *v/i* (*infml*) sich entwickeln; ***it didn't ~*** es hat nicht geklappt (*infml*)

panache *n* Schwung *m*

Panama *n* ***~ Canal*** Panamakanal *m*

Pan-American *adj* panamerikanisch

pancake *n* Pfannkuchen *m*; (*stuffed also*) Palatschinke *f* (*Aus*)

pancreas *n* Bauchspeicheldrüse *f*

panda *n* Panda *m* **panda car** *n* (*Br*) (Funk)streifenwagen *m*

pandemonium *n* Chaos *nt*

pander *v/i* nachgeben (*to* +*dat*); ***to ~ to sb's whims*** jds Launen (*acc*) befriedigen wollen

p and p *abbr of* ***post(age) and packing***

pane *n* Glasscheibe *f*

panel *n* **1.** (*of wood*) Tafel *f*; (*in door*) Feld *nt* **2.** (*of instruments etc*) Schalttafel *f*; ***instrument ~*** Armaturenbrett *nt*; (*on machine*) Kontrolltafel *f* **3.** (*of interviewers etc*) Gremium *nt*; (*in discussion*) Diskussionsrunde *f*; (*in quiz*) Rateteam *nt*; ***a ~ of judges*** eine Jury **panel discussion** *n* Podiumsdiskussion *f* **panel game** *n* Ratespiel *nt* **panelled**, (*US*) **paneled** *adj* paneeliert **panelling**, (*US*) **paneling** *n* Täfelung *f* **panellist**, (*US*) **panelist** *n* Diskussionsteilnehmer(in) *m*(*f*)

pang *n* ***a ~ of conscience*** Gewissensbisse *pl*; ***a ~ of jealousy*** ein Eifersuchtsanfall *m*; ***~s of hunger*** quälender Hunger

panic *vb*: *pret*, *past part* **panicked I** *n* Panik *f*; ***in a (blind) ~*** in (heller) Panik; ***to flee in ~*** panikartig die Flucht ergreifen; ***the country was thrown into a (state of) ~*** das Land wurde von Panik erfasst **II** *v/i* in Panik geraten; ***don't ~*** nur keine Panik! **III** *v/t* Panik auslösen unter (+*dat*) **panic attack** *n* PSYCH Panikanfall *m*; ***to have a ~*** einen Panikanfall bekommen **panicky** *adj person* überängstlich; ***to feel ~*** panische Angst haben **panic-stricken** *adj* von panischem Schrecken ergriffen; *look* panisch

pannier *n* (*on motor-cycle etc*) Satteltasche *f*

panorama *n* Panorama *nt* (*of* +*gen*) **panoramic** *adj* Panorama- **panoramic view** *n* Panoramablick *m*; ***a ~ of the hills*** ein Blick *m* auf das Bergpanorama

pansy *n* **1.** BOT Stiefmütterchen *nt* **2.** (*Br pej* ≈ *homosexual*) Schwuchtel *f* (*pej infml*)

pant *v/i* keuchen; (*dog*) hecheln; ***to ~ for breath*** nach Luft schnappen (*infml*)
panther *n* Panther *m*
panties *pl* Höschen *nt*; ***a pair of ~*** ein Höschen *nt*
pantomime *n* **1.** (*in GB*) ≈ Weihnachtsmärchen *nt* **2.** (≈ *mime*) Pantomime *f*
pantry *n* Speisekammer *f*
pants I *pl* (*esp US* ≈ *trousers*) Hose *f*; (*Br* ≈ *underpants*) Unterhose *f*; ***a pair of ~*** eine Hose/Unterhose; ***to charm the ~ off sb*** (*infml*) jdm um den Bart gehen **II** *adj* (*Br infml* ≈ *awful*) ***to be ~*** beknackt *or* beschissen sein (*infml*) **pantsuit** *n* (*US*) Hosenanzug *m* **pantyhose** *n* (*US*) Strumpfhose *f* **panty-liner** *n* Slipeinlage *f*
papal *adj* päpstlich
papaya *n* Papayabaum *f*; (≈ *fruit*) Papaya *f*
paper I *n* **1.** Papier *nt*; ***to get*** *or* ***put sth down on ~*** etw schriftlich festhalten **2.** (≈ *newspaper*) Zeitung *f*; ***in the ~s*** in der Zeitung **3. papers** *pl* (≈ *identity papers*) Papiere *pl* **4.** (≈ *exam*) (UNIV) Klausur *f*; SCHOOL Arbeit *f* **5.** (*academic*) Referat *nt* **II** *v/t* *room* tapezieren **paperback** *n* Taschenbuch *nt* **paper bag** *n* Papiertüte *f* **paperboy** *n* Zeitungsjunge *m* **paper chain** *n* Girlande *f* **paperclip** *n* Büroklammer *f* **paper cup** *n* Pappbecher *m* **paper feed** *n* IT Papiervorschub *m* **paper girl** *n* Zeitungsmädchen *nt* **paper money** *n* Papiergeld *nt* **paper plate** *n* Pappteller *m* **paper round** *n* (*Br*) ***to do a ~*** Zeitungen austragen **paper route** *n* (*US*) = ***paper round*** **paper shop** *n* (*Br*) Zeitungsladen *m* **paper-thin** *adj* hauchdünn **paper tissue** *n* Papiertuch *nt* **paper tray** *n* IT Papierschacht *m* **paperweight** *n* Briefbeschwerer *m* **paperwork** *n* Schreibarbeit *f*
papier mâché I *n* Pappmaschee *nt* **II** *adj* aus Pappmaschee
paprika *n* Paprika *m*
par *n* **1.** ***to be on a ~ with sb/sth*** sich mit jdm/etw messen können **2.** ***below ~*** (*fig*) unter Niveau; ***I'm feeling below ~*** ich fühle mich nicht auf der Höhe **3.** GOLF Par *nt*; ***~ three*** Par 3; ***that's ~ for the course for him*** (*fig infml*) das kann man von ihm erwarten
parable *n* Parabel *f*
paracetamol *n* Schmerztablette *f*
parachute I *n* Fallschirm *m* **II** *v/i* (*a.* **parachute down**) (mit dem Fallschirm) abspringen **parachute drop** *n* (*of supplies*) (Fallschirm)abwurf *m* **parachute jump** *n* Absprung *m* (mit dem Fallschirm) **parachutist** *n* Fallschirmspringer(in) *m*(*f*)
parade I *n* (≈ *procession*) Umzug *m*; (MIL, *of circus* ≈ *display*) Parade *f*; ***to be on ~*** MIL eine Parade abhalten **II** *v/t* **1.** *troops* aufmarschieren lassen; *placards* vor sich her tragen **2.** (≈ *show off*) zur Schau stellen **III** *v/i* MIL aufmarschieren; ***to ~ through the town*** (*strikers*) durch die Stadt ziehen; ***to ~ up and down*** (≈ *show off*) auf und ab stolzieren
paradise *n* Paradies *nt*; ***a shopper's ~*** ein Einkaufsparadies *nt*; ***an architect's ~*** ein Paradies *nt* für Architekten
paradox *n* Paradox *nt* **paradoxical** *adj* paradox **paradoxically** *adv* paradoxerweise
paraffin *n* Paraffin *nt*
paragliding *n* Gleitschirmfliegen *nt*
paragraph *n* Abschnitt *m*
paralegal (*esp US*) *n* Rechtsassistent(in) *m*(*f*)
parallel I *adj* parallel; *development* parallel verlaufend; ***~ to*** *or* ***with*** parallel zu *or* mit; ***~ interface*** IT Parallelschnittstelle *f*; ***the two systems developed along ~ lines*** die Entwicklung der beiden Systeme verlief vergleichbar **II** *adv* ***to run ~*** parallel verlaufen (*to sth* zu etw) **III** *n* (*fig*) Parallele *f*; ***without ~*** ohne Parallele; ***to draw a ~ between X and Y*** eine Parallele zwischen X und Y ziehen **IV** *v/t* (*fig*) gleichen (+*dat*); ***a case ~led only by...*** ein Fall, zu dem es nur eine einzige Parallele gibt, nämlich ...
Paralympics *n* SPORTS Paralympics *pl*
paralysis *n*, *pl* ***paralyses*** Lähmung *f* **paralytic** (*Br infml* ≈ *very drunk*) voll dicht (*sl*) **paralyze** *v/t* **1.** (*lit*) lähmen **2.** (*fig*) lahmlegen **paralyzed** *adj* **1.** (*lit*) gelähmt; ***he was left ~*** er behielt Lähmungen zurück; ***~ from the waist down*** von der Hüfte abwärts gelähmt **2.** (*fig*) ***to be ~ with fear*** vor Angst (wie) gelähmt sein **paralyzing** *adj* (*fig*) lähmend
paramedic *n* Sanitäter(in) *m*(*f*)
parameters *pl* Rahmen *m*
paramilitary *adj* paramilitärisch
paramount *adj* Haupt-; ***to be ~*** Priorität haben; ***of ~ importance*** von höchster Wichtigkeit

paranoia *n* Paranoia *f*; (*infml*) Verfolgungswahn *m* **paranoid** *adj* paranoid; ***or am I just being ~?*** oder bilde ich mir das nur ein?; ***to be ~ about sth*** von etw Wahnvorstellungen haben
paranormal I *adj* paranormal **II** *n* ***the ~*** das Paranormale
parapet *n* (*on rampart, of bridge*) Brüstung *f*; ***to put one's head above the ~*** (*fig*) sich in die Schusslinie begeben
paraphernalia *pl* Drum und Dran *nt*
paraphrase *v/t* umschreiben
paraplegic *n* Paraplegiker(in) *m(f)* (*tech*)
parasite *n* (*lit*) Parasit *m*; (*fig*) Schmarotzer(in) *m(f)*
parasol *n* Sonnenschirm *m*
paratrooper *n* Fallschirmjäger(in) *m(f)* **paratroops** *pl* Fallschirmjäger *pl*
parboil *v/t* vorkochen
parcel *n* (*esp Br*) Paket *nt* ◆ **parcel up** *v/t sep* als Paket verpacken
parcel bomb *n* (*Br*) Paketbombe *f*
parched *adj* ausgetrocknet; ***I'm ~*** ich habe furchtbaren Durst
parchment *n* Pergament *nt*
pardon I *n* **1.** JUR Begnadigung *f*; ***to grant sb a ~*** jdn begnadigen **2.** ***to beg sb's ~*** jdn um Verzeihung bitten; ***~?*** (*Br*), ***I beg your ~?*** (*Br*) (wie) bitte?; ***I beg your ~*** (*apology*) Entschuldigung; (*in surprise*) erlauben Sie mal! **II** *v/t* **1.** JUR begnadigen **2.** (≈ *forgive*) verzeihen; ***to ~ sb for sth*** jdm etw verzeihen; ***~ me, but could you ...?*** entschuldigen Sie bitte, könnten Sie ...?; ***~ me!*** Entschuldigung!; ***~ me?*** (*US*) (wie) bitte?
◆ **pare down** *v/t sep* (*fig*) *expenses* einschränken
parent *n* Elternteil *m*; ***parents*** Eltern *pl* **parentage** *n* Herkunft *f*; ***children of racially mixed ~*** gemischtrassige Kinder *pl* **parental** *adj* elterlich *attr*; ***~ leave*** Elternschaftsurlaub *m* **parental leave** *n* Elternurlaub *m* **parent company** *n* Muttergesellschaft *f*
parenthesis *n, pl* ***parentheses*** Klammer *f*; ***in ~*** in Klammern
parenthood *n* Elternschaft *f* **parents-in-law** *pl* Schwiegereltern *pl* **parent teacher association** *n* SCHOOL Lehrer- und Elternverband *m*
parish *n* Gemeinde *f* **parish church** *n* Pfarrkirche *f* **parish council** *n* Gemeinderat *m* **parishioner** *n* Gemeinde(mit)glied *nt* **parish priest** *n* Pfarrer *m*
parity *n* **1.** (≈ *equality*) Gleichstellung *f* **2.** FIN, SCI, IT Parität *f*
park I *n* Park *m*; ***national ~*** Nationalpark *m* **II** *v/t* **1.** *car* parken; *bicycle* abstellen; ***a ~ed car*** ein parkendes Auto **2.** (*infml* ≈ *put*) abstellen; ***he ~ed himself right in front of the fire*** er pflanzte sich direkt vor den Kamin (*infml*) **III** *v/i* parken; ***there was nowhere to ~*** es gab nirgendwo einen Parkplatz; ***to find a place to ~*** einen Parkplatz finden **park-and-ride** *n* Park-and-Ride-System *nt* **park bench** *n* Parkbank *f*
parking *n* Parken *nt*; ***there's no ~ on this street*** in dieser Straße ist Parken verboten *or* ist Parkverbot; ***"no ~"*** „Parken verboten"; ***"parking for 50 cars"*** „50 (Park)plätze" **parking attendant** *n* Parkplatzwächter(in) *m(f)* **parking bay** *n* Parkbucht *f* **parking fine** *n* Geldbuße *f* (für Parkvergehen) **parking garage** *n* (*US*) Parkhaus *nt*
parking lot *n* (*US*) Parkplatz *m* **parking meter** *n* Parkuhr *f* **parking place** *n* Parkplatz *m* **parking space** *n* Parkplatz *m* **parking ticket** *n* Strafzettel *m*
Parkinson's (disease) *n* parkinsonsche Krankheit
park keeper *n* Parkwächter(in) *m(f)* **parkland** *n* Grünland *nt* **park ranger, park warden** *n* (*in national park*) Aufseher(in) *m(f)* in einem Nationalpark **parkway** *n* (*US*) Allee *f*
parliament *n* Parlament *nt*; ***the German ~*** der Bundestag; ***the Swiss ~*** die Bundesversammlung; ***the Austrian ~*** der Nationalrat **parliamentary** *adj* parlamentarisch; ***~ seat*** Parlamentssitz *m* **parliamentary candidate** *n* Parlamentskandidat(in) *m(f)* **parliamentary election** *n* Parlamentswahlen *pl*
parlour, (*US*) **parlor** *n* (≈ *beauty parlour etc*) Salon *m*; ***ice-cream ~*** Eisdiele *f* **parlour game**, (*US*) **parlor game** *n* Gesellschaftsspiel *nt*
parody I *n* **1.** Parodie *f* (*of* auf +*acc*) **2.** (≈ *travesty*) Abklatsch *m* **II** *v/t* parodieren
parole I *n* JUR Bewährung *f*; (≈ *temporary release*) Strafunterbrechung *f*; ***to let sb out on ~*** jdn auf Bewährung entlassen; (*temporarily*) jdm Strafunterbrechung gewähren; ***to be on ~*** unter Bewährung stehen; (*temporarily*) auf Kurzurlaub sein **II** *v/t* auf Bewährung entlassen; (*temporarily*) Strafunterbrechung ge-

währen (+*dat*)
parquet *n* Parkett *nt*; **~ floor** Parkett(fuß)boden *m*
parrot *n* Papagei *m*; ***he felt as sick as a ~*** (*Br infml*) ihm war kotzübel (*infml*) **parrot-fashion** *adv* ***to repeat sth ~*** etw wie ein Papagei nachplappern; ***to learn sth ~*** etw stur auswendig lernen
parry *v/t & v/i* (*fig*) parieren; BOXING abwehren
parsley *n* Petersilie *f*
parsnip *n* Pastinake *f*
parson *n* Pfarrer *m* **parsonage** *n* Pfarrhaus *nt*
part I *n* **1.** Teil *m*; ***the best ~*** das Beste; ***in ~*** teilweise; ***a ~ of the country/city I don't know*** eine Gegend, die ich nicht kenne; ***for the most ~*** zum größten Teil; ***in the latter ~ of the year*** gegen Ende des Jahres; ***it's all ~ of growing up*** das gehört alles zum Erwachsenwerden dazu; ***it is ~ and parcel of the job*** das gehört zu der Arbeit dazu; ***spare ~*** Ersatzteil *nt* **2.** GRAM **~ *of speech*** Wortart *f* **3.** (*of series*) Folge *f*; (*of serial*) Fortsetzung *f*; ***end of ~ one*** TV Ende des ersten Teils **4.** (≈ *share, role*) (An)teil *m*; THEAT Rolle *f*; ***to play one's ~*** (*fig*) seinen Beitrag leisten; ***to take ~ in sth*** an etw (*dat*) teilnehmen; ***who is taking ~?*** wer macht mit?; ***he's taking ~ in the play*** er spielt in dem Stück mit; ***he looks the ~*** (*fig*) so sieht (d)er auch aus; ***to play a ~*** eine Rolle spielen; ***to play no ~ in sth*** (*person*) nicht an etw (*dat*) beteiligt sein; ***we want no ~ of it*** wir wollen damit nichts zu tun haben **5. parts** *pl* (≈ *region*) Gegend *f*; ***from all ~s*** von überall her; ***in or around these ~s*** in dieser Gegend; ***in foreign ~s*** in fremden Ländern; ***he's not from these ~s*** er ist nicht aus dieser Gegend **6.** (≈ *side*) Seite *f*; ***to take sb's ~*** für jdn Partei ergreifen; ***for my ~*** was mich betrifft; ***on my ~*** meinerseits; ***on the ~ of*** seitens (+*gen*) **7.** (*US*: *in hair*) Scheitel *m* **II** *adv* teils, teilweise; ***~ one and ~ the other*** teils, teils; ***~ iron and ~ copper*** teils aus Eisen und teils aus Kupfer **III** *v/t* **1.** *hair* scheiteln **2.** (≈ *separate*) trennen; ***to ~ sb from sb/sth*** jdn von jdm/etw trennen; ***till death us do ~*** bis dass der Tod uns scheidet; ***to ~ company with sb/sth*** sich von jdm/etw trennen **IV** *v/i* **1.** (≈ *divide*) sich teilen; (*curtains*) sich öffnen; ***her lips ~ed in a smile*** ihre Lippen öffneten sich zu einem Lächeln **2.** (≈ *separate*) (*people*) sich trennen; (*things*) sich lösen; ***to ~ from sb*** sich von jdm trennen; ***we ~ed friends*** wir gingen als Freunde auseinander; ***to ~ with sth*** sich von etw trennen; ***to ~ with money*** Geld ausgeben
parterre *n* (*US*) Parterre *nt*
part exchange *n* ***to offer sth in ~*** etw in Zahlung geben
partial *adj* teilweise; ***a ~ success*** ein Teilerfolg *m*; ***to make a ~ recovery*** eine teilweise Erholung durchmachen **partially** *adv* teilweise; ***~ deaf*** eingeschränkt hörfähig **partially sighted** *adj* eingeschränkt sehfähig
participant *n* Teilnehmer(in) *m(f)* (*in* an +*dat*) **participate** *v/i* sich beteiligen (*in* an +*dat*); ***to ~ in sport*** SCHOOL am Schulsport teilnehmen **participation** *n* Beteiligung *f*; (*in competition etc*) Teilnahme *f*
participle *n* Partizip *nt*
particle *n* (*of sand etc*) Körnchen *nt*; PHYS Teilchen *nt*
particular I *adj* **1.** ***this ~ house*** dies (eine) Haus; ***in this ~ instance*** in diesem besonderen Fall; ***one ~ city*** eine bestimmte Stadt **2.** (≈ *special*) besondere(r, s); ***in ~*** insbesondere; ***the wine in ~ was excellent*** vor allem der Wein war hervorragend; ***nothing in ~*** nichts Besonderes; ***is there anything in ~ you'd like?*** haben Sie einen besonderen Wunsch?; ***did you want to speak to anyone in ~?*** wollten Sie mit jemand(em) Bestimmtem sprechen?; ***for no ~ reason*** aus keinem besonderen Grund; ***at a ~ time*** zu einer bestimmten Zeit; ***at that ~ time*** zu (genau) diesem Zeitpunkt; ***to be of ~ concern to sb*** jdm ein besonderes Anliegen sein **3.** (≈ *fussy*) eigen; (≈ *choosy*) wählerisch; ***he is very ~ about cleanliness*** er nimmt es mit der Sauberkeit; ***he's ~ about his car*** er ist sehr eigen mit seinem Auto (*infml*) **II** *n* **particulars** *pl* Einzelheiten *pl*; (*about person*) Personalien *pl*; ***for further ~s apply to ...*** weitere Auskünfte erteilt ... **particularly** *adv* besonders; ***do you want it ~ for tomorrow?*** brauchen Sie es unbedingt morgen?; ***not ~*** nicht besonders; ***it's important, ~ since ...*** es ist wichtig, zumal ...
parting I *n* **1.** Abschied *m* **2.** (*Br*: *in hair*) Scheitel *m* **II** *adj* abschließend; ***his ~ words*** seine Abschiedsworte *pl*

partisan *n* MIL Partisan(in) *m(f)*
partition I *n* **1.** Teilung *f* **2.** (≈ *wall*) Trennwand *f* **II** *v/t country* teilen; *room* aufteilen
part load *n* COMM Teilladung *f*
partly *adv* teilweise
partner *n* Partner(in) *m(f)* **partnership** *n* **1.** Partnerschaft *f*; ***to do sth in ~ with sb*** etw mit jdm gemeinsam machen **2.** COMM Personengesellschaft *f*; ***to enter into a ~*** in eine Gesellschaft eintreten; ***to go into ~ with sb*** mit jdm eine Personengesellschaft gründen
part owner *n* Mitbesitzer(in) *m(f)* **part payment** *n* Teilzahlung *f* **part-time I** *adj* ***~ job*** Teilzeitarbeit *f*; ***I'm just ~*** ich arbeite nur Teilzeit; ***on a ~ basis*** auf Teilzeitbasis **II** *adv* ***can I do the job ~?*** kann ich (auf) Teilzeit arbeiten?; ***she only teaches ~*** sie unterrichtet nur stundenweise; ***she is studying ~*** sie ist Teilzeitstudentin
party I *n* **1.** (POL, JUR, *fig*) Partei *f*; ***to be a member of the ~*** Parteimitglied sein; ***a third ~*** ein Dritter *m* **2.** (≈ *group*) Gruppe *f*; ***a ~ of tourists*** eine Reisegesellschaft **3.** (≈ *celebration*) Party *f*; (*formal*) Gesellschaft *f*; ***to have a ~*** eine Party geben; ***at the ~*** auf der Party; (*more formal*) bei der Gesellschaft **II** *v/i* (*infml*) feiern **party dress** *n* Partykleid *nt* **partygoer** *n* Partygänger(in) *m(f)* **party political broadcast** *n* parteipolitische Sendung **party pooper** *n* (*infml*) Partymuffel *m* (*infml*)
pass I *n* **1.** (≈ *permit*) Ausweis *m*; MIL *etc* Passierschein *m* **2.** GEOG, SPORTS Pass *m* **3.** ***things had come to such a ~ that ...*** die Lage hatte sich so zugespitzt, dass ... **4.** ***to make a ~ at sb*** bei jdm Annäherungsversuche machen **II** *v/t* **1.** (≈ *move past*) vorbeigehen an (+*dat*); ***he ~ed me without even saying hello*** er ging ohne zu grüßen an mir vorbei **2.** (≈ *overtake*) überholen **3.** *frontier etc* passieren **4.** (≈ *hand*) reichen; ***they ~ed the photograph around*** sie reichten das Foto herum; ***~ (me) the salt, please*** reich mir doch bitte das Salz!; ***the characteristics which he ~ed to his son*** die Eigenschaften, die er an seinen Sohn weitergab **5.** *exam* bestehen; *candidate* bestehen lassen **6.** *motion* annehmen; PARL verabschieden **7.** SPORTS ***to ~ the ball to sb*** jdm den Ball zuspielen **8.** ***~ the thread through the hole*** führen Sie den Faden durch die Öffnung **9.** *time* verbringen; ***he did it to ~ the time*** er tat das, um sich (*dat*) die Zeit zu vertreiben **10.** JUR *sentence* verhängen; *judgement* fällen; ***to ~ comment (on sth)*** einen Kommentar (zu etw) abgeben **11.** *blood* ausscheiden; ***to ~ water*** Wasser lassen **III** *v/i* **1.** (≈ *move past*) vorbeigehen/-fahren; ***the street was too narrow for the cars to ~*** die Straße war so eng, dass die Wagen nicht aneinander vorbeikamen; ***we ~ed in the corridor*** wir gingen im Korridor aneinander vorbei **2.** (≈ *overtake*) überholen **3.** ***what has ~ed between us*** was sich zwischen uns zugetragen hat; ***if you ~ by the grocer's ...*** wenn du beim Kaufmann vorbeikommst ...; ***the procession ~ed down the street*** die Prozession zog die Straße entlang; ***the virus ~es easily from one person to another*** der Virus ist leicht von einer Person auf die andere übertragbar; ***the land has now ~ed into private hands*** das Land ist jetzt in Privatbesitz übergegangen; ***to ~ out of sight*** außer Sichtweite geraten; ***the thread ~es through this hole*** der Faden geht durch diese Öffnung **4.** (*time*: a. **pass by**) vergehen; (*deadline*) verfallen **5.** (*anger, era etc*) vorübergehen; (*storm*) vorüberziehen; (*rain*) vorbeigehen; ***to let an opportunity ~*** eine Gelegenheit verstreichen lassen **6.** (≈ *be acceptable*) gehen; ***to let sth ~*** etw durchgehen lassen; ***let it ~!*** vergiss es! **7.** (≈ *be accepted*) angesehen werden (*for or as sth* als etw); ***this little room has to ~ for an office*** dieses kleine Zimmer dient als Büro; ***she could ~ for 25*** sie könnte für 25 durchgehen **8.** (*in exam*) bestehen **9.** SPORTS abspielen; ***to ~ to sb*** jdm zuspielen **10.** CARDS passen; ***(I) ~!*** passe!
◆ **pass away** *v/i* (*euph* ≈ *die*) entschlafen ◆ **pass by I** *v/i* vorbeigehen; (*car etc*) vorbeifahren; (*time*) vergehen **II** *v/t sep* (≈ *ignore*) übergehen; ***life has passed her by*** das Leben ist an ihr vorübergegangen ◆ **pass down** *v/t sep traditions* überliefern (*to* +*dat*); *characteristics* weitergeben (*to* an +*acc*) ◆ **pass off I** *v/i* **1.** (≈ *take place*) ablaufen **2.** (≈ *be taken as*) durchgehen (*as* als) **II** *v/t sep* ***to pass sb/sth off as sth*** jdn/etw als etw ausgeben ◆ **pass on I** *v/i* **1.**

(*euph* ≈ *die*) entschlafen **2.** (≈ *proceed*) übergehen (*to* zu) **II** *v/t sep news, cost etc* weitergeben; *disease* übertragen; ***pass it on!*** weitersagen!; ***take a leaflet and pass them on*** nehmen Sie ein Blatt und geben Sie die anderen weiter ◆ **pass out** *v/i* (≈ *faint*) in Ohnmacht fallen ◆ **pass over** *v/t sep* übergehen ◆ **pass round** *v/t sep* herumreichen; ***to be passed round*** herumgereicht werden, die Runde machen (*infml*) ◆ **pass through** *v/i* ***I'm only passing through*** ich bin nur auf der Durchreise ◆ **pass up** *v/t sep chance* vorübergehen lassen

passable *adj* **1.** passierbar **2.** (≈ *tolerable*) passabel

passage *n* **1.** (≈ *transition*) Übergang *m*; ***in*** *or* ***with the ~ of time*** mit der Zeit **2.** (≈ *right of passage*) Durchreisegenehmigung *f* **3.** (≈ *corridor*) Gang *m*; ***secret ~*** Geheimgang *m* **4.** (*in book, Mus*) Passage *f*; ***a ~ from Shakespeare*** eine Shakespearestelle **passageway** *n* Durchgang *m*

passbook *n* Sparbuch *nt*

passenger *n* **1.** (*on bus, in taxi*) Fahrgast *m*; (*on train*) Reisende(r) *m/f(m)*; (*on ship, plane*) Passagier(in) *m(f)* **2.** (*in car, on motorcycle*) Beifahrer(in) *m(f)* **passenger aircraft** *n* Passagierflugzeug *nt* **passenger door** *n* Beifahrertür *f* **passenger ferry** *n* Personenfähre *f* **passenger seat** *n* Beifahrersitz *m*

passer-by *n, pl* ***passers-by*** Passant(in) *m(f)* **passing I** *n* **1.** Vorübergehen *nt*; ***to mention sth in ~*** etw beiläufig erwähnen **2.** (≈ *overtaking*) Überholen *nt* **3.** (*euph* ≈ *death*) Heimgang *m* **4.** FTBL Ballabgabe *f* **II** *adj* **1.** *car* vorbeifahrend; ***with each ~ day*** mit jedem Tag, der vergeht **2.** *thought, interest* flüchtig; *comments* beiläufig; ***to make (a) ~ reference to sth*** auf etw (*acc*) beiläufig hinweisen; ***to bear a ~ resemblance to sb/sth*** mit jdm/etw eine flüchtige Ähnlichkeit haben

passion *n* Leidenschaft *f*; (≈ *fervour*) Leidenschaftlichkeit *f*; ***to have a ~ for sth*** eine Leidenschaft für etw haben; ***his ~ is Mozart*** Mozart ist seine Passion **passionate** *adj* leidenschaftlich; ***to be ~ about sth*** für etw eine Leidenschaft haben **passionately** *adv* leidenschaftlich; ***to be ~ fond of sth*** etw unwahrscheinlich gernhaben **passion fruit** *n* Passionsfrucht *f* **Passion play** *n* Passionsspiel *nt* **Passion Week** *n* Karwoche *f*

passive I *adj* **1.** passiv **2.** GRAM Passiv-; ***~ form*** Passivform *f* **II** *n* GRAM Passiv *nt*; ***in the ~*** im Passiv **passively** *adv* passiv; *accept* widerspruchslos; *watch etc* tatenlos **passive smoking** *n* Passivrauchen *nt*

passkey *n* Hauptschlüssel *m*

Passover *n* Passah *nt*

passport *n* (Reise)pass *m*; (*fig*) Schlüssel *m* (*to* zu) **passport control** *n* Passkontrolle *f* **passport holder** *n* Passinhaber(in) *m(f)*; ***are you a British ~?*** haben Sie einen britischen Pass? **passport office** *n* Passamt *nt*

password *n* Kennwort *nt*; IT Passwort *nt*

past I *adj* **1.** frühe(r, s) *attr*; ***for some time ~*** seit einiger Zeit; ***all that is now ~*** das ist jetzt alles vorüber; ***in the ~ week*** vergangene Woche **2.** GRAM ***~ tense*** Vergangenheit *f* **II** *n* Vergangenheit *f*; ***in the ~*** in der Vergangenheit; ***to be a thing of the ~*** der Vergangenheit (*dat*) angehören; ***that's all in the ~ now*** das ist jetzt alles Vergangenheit; ***the verb is in the ~*** das Verb steht in der Vergangenheit **III** *prep* **1.** (*motion*) an (+*dat*) ... vorbei; (*position* ≈ *beyond*) hinter (+*dat*) **2.** (*time*) nach (+*dat*); ***ten (minutes) ~ three*** zehn (Minuten) nach drei; ***half ~ four*** halb fünf; ***a quarter ~ nine*** Viertel nach neun; ***it's ~ 12*** es ist schon nach 12; ***the trains run at a quarter ~ the hour*** die Züge gehen jeweils um Viertel nach; ***it's (well) ~ your bedtime*** du solltest schon längst im Bett liegen **3.** (≈ *beyond*) über (+*acc*); ***~ forty*** über vierzig; ***the patient is ~ saving*** der Patient ist nicht mehr zu retten; ***we're ~ caring*** es kümmert uns nicht mehr; ***to be ~ sth*** für etw zu alt sein; ***I wouldn't put it ~ him*** (*infml*) ich würde es ihm schon zutrauen **IV** *adv* vorüber; ***to walk ~*** vorübergehen; ***to run ~*** vorbeirennen

pasta *n* Nudeln *pl*

paste I *n* **1.** (*for sticking*) Kleister *m* **2.** (≈ *spread*) Brotaufstrich *m*; (≈ *tomato paste*) Mark *nt* **II** *v/t wallpaper etc* einkleistern; IT einfügen; ***to ~ sth to sth*** etw an etw (*acc*) kleben

pastel I *n* (≈ *crayon*) Pastellstift *m*; (≈ *colour*) Pastellton *m* **II** *adj attr* ***~ colour*** (*Br*) *or* ***color*** (*US*) Pastellfarbe *f*; ***~ drawing*** Pastellzeichnung *f*

pasteurize *v/t* pasteurisieren

pastille *n* Pastille *f*

pastime *n* Zeitvertreib *m*
pastor *n* Pfarrer(in) *m(f)* **pastoral** *adj land* ländlich; ART, MUS, ECCL pastoral; *duties* seelsorgerisch
past participle *n* Partizip Perfekt *nt* **past perfect** *n* Plusquamperfekt *nt*
pastry *n* Teig *m*; (≈ *cake etc*) Stückchen *nt*; ***pastries*** *pl* Gebäck *nt*
pasture *n* **1.** (≈ *field*) Weide *f*; ***to move on to ~s new*** (*fig*) sich (*dat*) etwas Neues suchen **2.** *no pl* (*a.* **pasture land**) Weideland *nt*
pasty[1] *adj colour* blässlich; *look* kränklich
pasty[2] *n* (*esp Br*) Pastete *f*
pasty-faced *adj* bleichgesichtig
pat[1] *n* **1.** (*of butter*) Portion *f* **2.** ***cow ~*** Kuhfladen *m*
pat[2] *adv* ***to know sth off ~*** etw wie aus dem Effeff können (*infml*); ***to learn sth off ~*** etw in- und auswendig lernen
pat[3] **I** *n* Klaps *m*; ***he gave his nephew a ~ on the head*** er tätschelte seinem Neffen den Kopf; ***to give one's horse a ~*** sein Pferd tätscheln; ***to give sb a ~ on the back*** (*fig*) jdm auf die Schulter klopfen; ***that's a ~ on the back for you*** das ist ein Kompliment für dich **II** *v/t* tätscheln; ***to ~ sb on the head*** jdm den Kopf tätscheln; ***to ~ sth dry*** etw trocken tupfen; ***to ~ sb on the back*** (*lit*) jdm auf den Rücken klopfen; (*fig*) jdm auf die Schulter klopfen ◆ **pat down** *v/t sep* festklopfen; *hair* festdrücken
patch I *n* **1.** (*for mending*) Flicken *m* **2.** (≈ *eye patch*) Augenklappe *f* **3.** (≈ *small area, stain*) Fleck *m*; (*of land*) Stück *nt*; (*of garden*) Beet *nt*; (≈ *part*) Stelle *f*; (*infml, of policeman etc*) Revier *nt*; ***a ~ of blue sky*** ein Stückchen *nt* blauer Himmel; ***he's going through a bad ~*** ihm gehts nicht sonderlich gut; ***it's/he's not a ~ on ...*** (*Br infml*) das/er ist gar nichts gegen ... **II** *v/t* flicken ◆ **patch up** *v/t sep* zusammenflicken; *quarrel* beilegen; ***I want to patch things up between us*** ich möchte unsere Beziehung wieder ins Lot bringen
patchwork *n* Patchwork *nt*; ***~ quilt*** Flickendecke *f* **patchy** *adj* (+*er*) **1.** *knowledge* lückenhaft **2.** (*lit*) *beard* licht; ***~ fog*** stellenweise Nebel
pâté *n* Pastete *f*
patent I *n* Patent *nt* **II** *v/t* patentieren lassen **patent leather** *n* Lackleder *nt*; ***~ shoes*** Lackschuhe *pl* **patently** *adv* offensichtlich; ***~ obvious*** ganz offensichtlich
paternal *adj* väterlich; ***my ~ grandmother etc*** meine Großmutter *etc* väterlicherseits **paternity** *n* Vaterschaft *f* **paternity leave** *n* Vaterschaftsurlaub *m*
path *n* Weg *m*; (≈ *trajectory*) Bahn *f*; IT Pfad *m*
pathetic *adj* **1.** (≈ *piteous*) mitleiderregend; ***a ~ sight*** ein Bild des Jammers **2.** (≈ *poor*) erbärmlich; ***honestly you're ~*** ehrlich, dich kann man zu nichts brauchen **pathetically** *adv* **1.** (≈ *piteously*) mitleiderregend; ***~ thin*** erschreckend dünn **2.** *slow* erbärmlich
path name *n* IT Pfad(name) *m*
pathological *adj* (*lit, fig*) pathologisch **pathologically** *adv* krankhaft **pathologist** *n* Pathologe *m*, Pathologin *f* **pathology** *n* (*science*) Pathologie *f*
pathway *n* Weg *m*
patience *n* **1.** Geduld *f*; ***to lose ~ (with sb/sth)*** (mit jdm/etw) die Geduld verlieren; ***to try*** *or* ***test sb's ~*** jds Geduld auf die Probe stellen **2.** (*Br* CARDS) Patience *f*; ***to play ~*** eine Patience legen
patient I *adj* geduldig; ***to be ~ with sb/sth*** mit jdm/etw geduldig sein **II** *n* Patient(in) *m(f)* **patiently** *adv* geduldig
patio *n* Terrasse *f*; ***~ door(s)*** Terrassentür *f*
patriarchal *adj* patriarchalisch **patriarchy** *n* Patriarchat *nt*
patriot *n* Patriot(in) *m(f)* **patriotic** *adj*, **patriotically** *adv* patriotisch **patriotism** *n* Patriotismus *m*
patrol I *n* (*police*) Streife *f*; MIL Patrouille *f*; ***the navy carry out*** *or* ***make weekly ~s of the area*** die Marine patrouilliert das Gebiet wöchentlich; ***on ~*** MIL auf Patrouille; (*police*) auf Streife **II** *v/t* MIL patrouillieren; (*policeman, watchman*) seine Runden machen in (+*dat*) **III** *v/i* MIL patrouillieren; (*policeman*) seine Streife machen; (*watchman*) seine Runden machen **patrol car** *n* Streifenwagen *m* **patrolman** *n* (*US*) Polizist *m* **patrol wagon** *n* (*US*) Gefangenenwagen *m* **patrolwoman** *n* (*US*) Polizistin *f*
patron *n* (*of shop*) Kunde *m*, Kundin *f*; (*of restaurant, hotel*) Gast *m*; (*of society*) Schirmherr(in) *m(f)*; (*of artist*) Förderer *m*, Förderin *f*; ***~ of the arts*** Kunstmäzen(in) *m(f)* **patronage** *n* Schirmherr-

schaft *f*; ***his lifelong ~ of the arts*** seine lebenslange Förderung der Künste **patronize** *v/t* **1.** (≈ *treat condescendingly*) herablassend behandeln **2.** (≈ *support*) fördern **patronizing** *adj* herablassend; ***to be ~ toward(s) sb*** jdn herablassend behandeln **patron saint** *n* Schutzpatron(in) *m(f)*

patter I *n* **1.** (*of feet*) Getrippel *nt*; (*of rain*) Platschen *nt* **2.** (*of salesman etc*) Sprüche *pl* (*infml*) **II** *v/i* (*feet*) trippeln; (*rain*: *a.* **patter down**) platschen

pattern I *n* **1.** Muster *nt*; (*fig*: *set*) Schema *nt*; ***to make a ~*** ein Muster bilden; ***there's a distinct ~/no ~ to these crimes*** in diesen Verbrechen steckt ein bestimmtes Schema / kein Schema; ***the ~ of events*** der Ablauf der Ereignisse; ***eating ~s*** Essverhalten *nt*; ***to follow the usual/same ~*** nach dem üblichen / gleichen Schema verlaufen **2.** SEWING Schnittmuster *nt*; KNITTING Strickanleitung *f* **3.** (*fig* ≈ *model*) Vorbild *nt* **II** *v/t* (*esp US* ≈ *model*) machen (*on* nach); ***to be ~ed on sth*** einer Sache (*dat*) nachgebildet sein **patterned** *adj* gemustert

paunch *n* Bauch *m*

pauper *n* Arme(r) *m/f(m)*

pause I *n* Pause *f*; ***a pregnant ~*** ein vielsagendes Schweigen; ***there was a ~ while ...*** es entstand eine Pause, während ... **II** *v/i* stehen bleiben; (*speaker*) innehalten; ***he ~d for breath*** er machte eine Pause, um Luft zu holen; ***to ~ for thought*** (zum Nachdenken) innehalten; ***he spoke for thirty minutes without once pausing*** er sprach eine halbe Stunde ohne eine einzige Pause; ***it made him ~*** das machte ihn nachdenklich

pave *v/t* befestigen (*in*, *with* mit); *road* pflastern; ***to ~ the way for sb/sth*** (*fig*) jdm / einer Sache (*dat*) den Weg ebnen **pavement** *n* (*Br*) Gehsteig *m*; (*US* ≈ *paved road*) Straße *f*

pavilion *n* Pavillon *m*; (*Br* SPORTS) Klubhaus *nt*

paving stone *n* Platte *f*

paw I *n* (*of animal*) Pfote *f*; (*of lion*, *bear*) Tatze *f*; (*pej infml* ≈ *hand*) Pfote *f* (*infml*) **II** *v/t* (≈ *touch*) tätscheln **III** *v/i* ***to ~ at sb/sth*** jdn / etw betätscheln

pawn[1] *n* CHESS Bauer *m*; (*fig*) Schachfigur *f*

pawn[2] *v/t* verpfänden **pawnbroker** *n* Pfandleiher(in) *m(f)* **pawnbroker's (shop), pawnshop** *n* Pfandhaus *nt*

pay *vb*: *pret*, *past part* **paid I** *n* Lohn *m*; (≈ *salary*) Gehalt *nt*; MIL Sold *m*; ***three months' ~*** drei Monatslöhne; (*of salaried employees*) drei Monatsgehälter; ***what's the ~ like?*** wie ist die Bezahlung?; ***it comes out of my ~*** es wird mir vom Lohn / Gehalt abgezogen **II** *v/t* **1.** zahlen; *person*, *bill*, *debt* bezahlen; ***how much is there still to ~?*** wie viel steht noch aus?; ***to be*** *or* ***get paid*** seinen Lohn / sein Gehalt bekommen; ***to ~ the price for sth*** den Preis für etw zahlen **2.** ***to ~ (sb/a place) a visit***, ***to ~ a visit to sb/a place*** jdn / einen Ort besuchen; ***to ~ a visit to the doctor*** den Arzt aufsuchen **III** *v/i* **1.** zahlen; ***they ~ well for this sort of work*** diese Arbeit wird gut bezahlt; ***to ~ for sth*** etw bezahlen; ***it's already paid for*** es ist schon bezahlt; ***to ~ for sb*** für jdn zahlen; ***I'll ~ for you this time*** dieses Mal zahle ich; ***they paid for her to go to America*** sie zahlten ihr die Reise nach Amerika **2.** (≈ *be profitable*) sich lohnen; ***crime doesn't ~*** (*prov*) Verbrechen lohnt sich nicht **3.** (*fig* ≈ *suffer*) ***to ~ for sth*** für etw bezahlen; ***you'll ~ for that!*** dafür wirst du (mir) büßen; ***to make sb ~ (for sth)*** jdn (für etw) büßen lassen ◆ **pay back** *v/t sep* **1.** *money* zurückzahlen **2.** ***to pay sb back*** (*for insult*) es jdm heimzahlen ◆ **pay in** *v/i*, *v/t sep* einzahlen; ***to pay money into an account*** Geld auf ein Konto einzahlen ◆ **pay off I** *v/t sep debt* abbezahlen; *mortgage* abtragen **II** *v/i* sich auszahlen ◆ **pay out I** *v/t sep money* ausgeben **II** *v/i* bezahlen ◆ **pay up** *v/i* zahlen

payable *adj* zahlbar; (≈ *due*) fällig; ***to make a cheque*** (*Br*) *or* ***check*** (*US*) ***~ to sb*** einen Scheck auf jdn ausstellen

pay-and-display *adj* (*Br*) ***~ parking space*** *Parkplatz, auf dem der Parkschein sichtbar im Wagen ausgelegt werden muss* **pay-as-you-earn** *attr* ***~ tax system*** Lohnsteuerabzugsverfahren *nt*

pay-as-you-go (mobile phone) *n* Handy *nt* mit Guthabenkarte **payback** *n* (*fig* ≈ *revenge*) Rache *f*; ***it's ~ time*** die Zeit der Rache ist gekommen **pay cheque**, (*US*) **paycheck** *n* Lohn-/Gehaltsscheck *m* **pay claim** *n* Lohn-/Gehaltsforderung *f* **payday** *n* Zahltag *m*

PAYE (*Br*) *abbr of* ***pay-as-you-earn***

payee *n* Zahlungsempfänger(in) *m(f)* **payer** *n* Zahler(in) *m(f)* **pay increase** *n* Lohn-/Gehaltserhöhung *f* **paying** *adj* ***~ guest*** zahlender Gast **paying-in slip** *n* (*Br*) Einzahlungsschein *m* **payment** *n* (≈ *paying*) Bezahlung *f*; (*of debt, mortgage*) Rückzahlung *f*; (*of interest etc* ≈ *sum paid*) Zahlung *f*; ***three monthly ~s*** drei Monatsraten; ***in ~ of a debt*** in Begleichung einer Schuld; ***on ~ of*** bei Begleichung/Bezahlung von; ***to make a ~*** eine Zahlung leisten; ***to stop ~s*** die Zahlungen *pl* einstellen **payoff** *n* **1.** (≈ *final payment*) Abschlusszahlung *f* **2.** (*infml* ≈ *bribe*) Bestechungsgeld *nt* **payout** *n* (*from insurance*) (Aus)zahlung *f* **pay packet** *n* Lohntüte *f* **pay-per-view** *attr* Pay-per-View- **payphone** *n* Münzfernsprecher *m* **pay rise** *n* Lohn-/Gehaltserhöhung *f* **payroll** *n* ***they have 500 people on the ~*** sie haben 500 Beschäftigte **payslip** *n* Lohn-/Gehaltsstreifen *m* **pay talks** *pl* Lohnverhandlungen *pl*; (*for profession, area of industry*) Tarifverhandlungen *pl* **pay television, pay TV** *n* Pay-TV *nt*

PC (*Br*) **1.** *abbr of* ***Police Constable*** **2.** *abbr of* ***personal computer*** PC *m* **3.** *abbr of* ***politically correct***

pcm *abbr of* ***per calendar month*** monatl.

PDA *n* IT *abbr of* ***personal digital assistant*** PDA *m*

PDF *n* IT *abbr of* ***portable document format*** PDF *nt*

PDQ (*infml*) *abbr of* ***pretty damned quick*** verdammt schnell (*infml*)

PDSA (*Br*) *abbr of* ***People's Dispensary for Sick Animals*** *kostenloses Behandlungszentrum für Haustiere*

PE *abbr of* ***physical education***

pea *n* Erbse *f*

peace *n* **1.** Frieden *m*; ***to be at ~ with sb/sth*** mit jdm/etw in Frieden leben; ***the two countries are at ~*** zwischen den beiden Ländern herrscht Frieden; ***to make (one's) ~ (with sb)*** sich (mit jdm) versöhnen; ***to make ~ between ...*** Frieden stiften zwischen (+*dat*) ...; ***to keep the ~*** (JUR, *citizen*) die öffentliche Ordnung wahren **2.** (≈ *tranquillity*) Ruhe *f*; ***~ of mind*** innere Ruhe; ***~ and quiet*** Ruhe und Frieden; ***to give sb some ~*** jdn in Ruhe *or* Frieden lassen; ***to give sb no ~*** jdm keine Ruhe lassen; ***to get some ~*** zur Ruhe kommen **peace campaigner** *n* Friedenskämpfer(in) *m(f)* **peaceful** *adj* friedlich; (≈ *peaceable*) friedfertig; *sleep etc* ruhig **peacefully** *adv* friedlich; ***to die ~*** sanft sterben **peacefulness** *n* Friedlichkeit *f*; (*of place*) Ruhe *f*; ***the ~ of the demonstration*** der friedliche Charakter der Demonstration **peacekeeper** *n* Friedenswächter(in) *m(f)* **peacekeeping I** *n* Friedenssicherung *f* **II** *adj* zur Friedenssicherung; ***~ troops*** Friedenstruppen *pl*; ***UN troops have a purely ~ role*** die UN-Truppen sind eine reine Friedenstruppe; ***a ~ operation*** Maßnahmen *pl* zur Sicherung des Friedens **peace-loving** *adj* friedliebend **peacemaker** *n* Friedensstifter(in) *m(f)* **peace process** *n* Friedensprozess *m* **peace talks** *pl* Friedensverhandlungen *pl* **peacetime** *n* Friedenszeiten *pl*

peach I *n* (≈ *fruit*) Pfirsich *m* **II** *adj* pfirsichfarben

peacock *n* Pfau *m* **pea-green** *adj* erbsengrün

peak I *n* **1.** (*of mountain*) Gipfel *m*; (≈ *point*) Spitze *f* **2.** (*of cap*) Schirm *m* **3.** (≈ *maximum*) Höhepunkt *m*; ***when his career was at its ~*** als er auf dem Höhepunkt seiner Karriere war **II** *adj attr* höchste(r, s); ***in ~ condition*** in Höchstform; ***at ~ time*** TV, RADIO zur Hauptsendezeit **III** *v/i* den Höchststand erreichen; (*athlete*) seine Spitzenform erreichen; ***inflation ~ed at 9%*** die Inflationsrate erreichte ihren Höchstwert bei 9% **peaked** *adj cap etc* spitz **peak hours** *pl* (*of traffic*) Hauptverkehrszeit *f*; TEL, ELEC Hauptbelastungszeit *f* **peak rate** *n* TEL Höchsttarif *m* **peak season** *n* Hochsaison *f* **peak-time** *adj* (*Br*) zu Spitzenzeiten; ***~ traffic*** Stoßverkehr *m*; ***~ train services*** Zugverbindungen *pl* während der Hauptbelastungszeit **peak times** *pl* Hauptbelastungszeit *f*

peaky *adj* (+*er*) (*Br infml*) *complexion* blass; *face* abgehärmt; *look, child* kränklich

peal I *n* ***~ of bells*** Glockenläuten *nt*; ***~s of laughter*** schallendes Gelächter; ***~ of thunder*** Donnerrollen *nt* **II** *v/i* (*bell*) läuten

peanut *n* Erdnuss *f*; ***the pay is ~s*** die Bezahlung ist lächerlich (*infml*) **peanut butter** *n* Erdnussbutter *f*

peapod *n* Erbsenschote *f*

pear *n* **1.** Birne *f* **2.** (≈ *tree*) Birnbaum *m*
pearl I *n* Perle *f*; ***~ of wisdom*** weiser Spruch **II** *adj* ***~ necklace*** Perlenkette *f* **pearly-white** *adj* strahlend weiß; *teeth* perlweiß
pear-shaped *adj* birnenförmig; ***to go ~*** (*Br fig infml*) völlig danebengehen (*infml*)
peasant I *n* (*lit*) (armer) Bauer, (arme) Bäuerin **II** *adj attr* bäuerlich; ***~ boy*** Bauernjunge *m*; ***~ farmer*** (armer) Bauer **peasantry** *n* Bauernschaft *f*
peat *n* Torf *m*
pebble *n* Kieselstein *m* **pebbly** *adj* steinig
pecan *n* Pecannuss *f*
peck I *n* (*infml* ≈ *kiss*) Küsschen *nt* **II** *v/t* (*bird*) picken **III** *v/i* picken (*at* nach) **pecking order** *n* Hackordnung *f* **peckish** *adj* (*Br infml*) ***I'm (feeling) a bit ~*** ich könnte was zwischen die Zähne gebrauchen (*infml*)
pecs *pl* (*infml*) *abbr of* ***pectorals*** (Brust)-muskeln *pl*; ***big ~*** Muckis *pl* (*infml*)
peculiar *adj* **1.** (≈ *strange*) seltsam **2.** (≈ *exclusive*) eigentümlich; ***to be ~ to sth*** für etw eigentümlich sein; ***his own ~ style*** der ihm eigene Stil **peculiarity** *n* **1.** (≈ *strangeness*) Seltsamkeit *f* **2.** (≈ *unusual feature*) Eigentümlichkeit *f* **peculiarly** *adv* seltsam
pedagogical *adj* (*form*) pädagogisch
pedal I *n* Pedal *nt*; (*on bin etc*) Trethebel *m* **II** *v/i* treten; ***he ~led for all he was worth*** er trat in die Pedale, er strampelte (*infml*) so sehr er konnte **pedal bin** *n* (*Br*) Treteimer *m* **pedal boat** *n* Tretboot *nt* **pedal car** *n* Tretauto *nt*
pedantic *adj* pedantisch; ***to be ~ about sth*** in Bezug auf etw (*acc*) pedantisch sein
peddle *v/t* verkaufen; ***to ~ drugs*** mit Drogen handeln
pedestal *n* Sockel *m*; ***to put*** *or* ***set sb (up) on a ~*** (*fig*) jdn in den Himmel heben
pedestrian I *n* Fußgänger(in) *m*(*f*) **II** *adj attr* ***~ lights*** Fußgängerampel *f*; ***~ precinct*** *or* (*US*) ***zone*** Fußgängerzone *f* **pedestrian crossing** *n* Fußgängerüberweg *m* **pedestrianize** *v/t* in eine Fußgängerzone umwandeln
pediatric *etc* (*US*) = ***paediatric*** *etc*
pedicure *n* Pediküre *f*
pedigree I *n* Stammbaum *m* **II** *attr* reinrassig
pedophile *etc* (*US*) = ***paedophile*** *etc*
pee (*infml*) **I** *n* Urin *m*, Pipi *nt* (*baby talk*); ***to need a ~*** pinkeln müssen (*infml*) **II** *v/i* pinkeln (*infml*)
peek I *n* kurzer Blick; (*furtive*) verstohlener Blick; ***to take*** *or* ***have a ~*** kurz / verstohlen gucken (*at* nach); ***to get a ~ at sb / sth*** jdn / etw kurz zu sehen bekommen **II** *v/i* gucken (*at* nach)
peel I *n* Schale *f* **II** *v/t* schälen **III** *v/i* (*wallpaper*) sich lösen; (*paint*) abblättern; (*skin*) sich schälen ◆ **peel away** *v/i* sich lösen (*from* von) ◆ **peel off I** *v/t sep* (*+prep obj* von) *tape*, *wallpaper* abziehen; *wrapper*, *glove* abstreifen **II** *v/i* = ***peel away***
peep[1] **I** *n* (*of bird etc*) Piep *m*; (*of horn, infml: of person*) Ton *m*; ***~! ~!*** (*of horn*) tut! tut! **II** *v/i* (*bird etc*) piepen; (*horn*) tuten **III** *v/t* ***I ~ed my horn at him*** ich habe ihn angehupt (*infml*)
peep[2] **I** *n* (≈ *look*) kurzer Blick; (*furtive*) verstohlener Blick; ***to get a ~ at sth*** etw kurz zu sehen bekommen; ***to take a ~ (at sth)*** kurz / verstohlen (nach etw) gucken **II** *v/i* gucken (*at* nach); ***to ~ from behind sth*** hinter etw (*dat*) hervorschauen; ***no ~ing!, don't ~!*** (aber) nicht gucken! ◆ **peep out** *v/i* herausgucken; ***the sun peeped out from behind the clouds*** die Sonne kam hinter den Wolken hervor
peephole *n* Guckloch *nt*; (*in door*) Spion *m* **Peeping Tom** *n* Spanner *m* (*infml*), Voyeur *m* **peepshow** *n* Peepshow *f*
peer[1] *n* **1.** (≈ *noble*) Peer *m* **2.** (≈ *equal*) Gleichrangige(r) *m*/*f*(*m*); ***he was well-liked by his ~s*** er war bei seinesgleichen beliebt
peer[2] *v/i* ***to ~ at sb / sth*** jdn / etw anstarren; (*short-sightedly*) jdn / etw anschielen; ***to ~ through the fog*** angestrengt versuchen, im Nebel etwas zu erkennen
peerage *n* **1.** (≈ *peers*) Adelsstand *m*; (*in GB*) Peers *pl* **2.** (≈ *rank*) Adelswürde *f*; (*in GB*) Peerswürde *f*; ***to get a ~*** geadelt werden **peer group** *n* Peergroup *f* **peer pressure** *n* Gruppendruck *m* (*vonseiten Gleichaltriger*)
peeved *adj* (*infml*) eingeschnappt **peevish** *adj* gereizt
peg I *n* (≈ *stake*) Pflock *m*; (≈ *tent peg*) Hering *m*; (*Br* ≈ *clothes peg*) (Wäsche)-klammer *f*; ***off the ~*** von der Stange; ***to take*** *or* ***bring sb down a ~ or two*** (*infml*) jdm einen Dämpfer geben **II** *v/t* (*with*

stake) anpflocken; (*with clothes peg*) anklammern; (*with tent peg*) festpflocken

pejorative *adj*, **pejoratively** *adv* abwertend

pekin(g)ese *n*, *pl* **-** (≈ *dog*) Pekinese *m*

pelican crossing *n* (*Br*) Fußgängerüberweg *m* (*mit Ampel*)

pellet *n* Kügelchen *nt*; (*for gun*) Schrotkugel *m*

pelt I *v/t* schleudern (*at* nach); ***to ~ sb/sth (with sth)*** jdn/etw (mit etw) bewerfen **II** *v/i* (*infml* ≈ *go fast*) pesen (*infml*) **III** *n* (*infml*) ***at full ~*** volle Pulle (*infml*) ◆ **pelt down** *v/i* ***it's pelting down*** es regnet in Strömen

pelvis *n* Becken *nt*

pen[1] *n* (≈ *fountain pen*) Füller *m*; (≈ *ball-point pen*) Kugelschreiber *m*; ***to put ~ to paper*** zur Feder greifen

pen[2] *n* (*for cattle etc*) Pferch *m*; (*for sheep*) Hürde *f*; (*for pigs*) Koben *m*

penal *adj* ***~ reform*** Strafrechtsreform *f* **penal code** *n* Strafgesetzbuch *nt* **penal colony** *n* Strafkolonie *f* **penalize** *v/t* **1.** bestrafen **2.** (*fig*) benachteiligen **penal system** *n* Strafrecht *nt* **penalty** *n* **1.** (≈ *punishment*) Strafe *f*; (*for late payment*) Säumniszuschlag *m*; ***the ~ (for this) is death*** darauf steht die Todesstrafe; ***"penalty £50"*** „bei Zuwiderhandlung wird eine Geldstrafe von £ 50 erhoben"; ***to carry the death ~*** mit dem Tod bestraft werden; ***to pay the ~*** dafür büßen **2.** SPORTS Strafstoß *m*; FTBL Elfmeter *m*, Penalty *m* (*Swiss*) **penalty area** *n* Strafraum *m* **penalty kick** *n* Strafstoß *m*, Penalty *m* (*Swiss*) **penalty point** *n* AUTO, JUR, SPORTS Strafpunkt *m* **penalty shoot-out** *n* FTBL Elfmeterschießen *nt*, Penaltyschiessen *nt* (*Swiss*) **penalty spot** *n* FTBL Elfmeterpunkt *m*, Penaltypunkt *m* (*Swiss*)

penance *n* REL Buße *f*; (*fig*) Strafe *f*; ***to do ~*** Buße tun; (*fig*) büßen

pence *n pl of* ***penny*** Pence *pl*

pencil I *n* Bleistift *m* **II** *attr* Bleistift- ◆ **pencil in** *v/t sep* (*provisionally*) vorläufig vormerken; ***can I pencil you in for Tuesday?*** kann ich Sie erst mal für Dienstag vormerken?

pencil case *n* Federmäppchen *nt* **pencil sharpener** *n* (Bleistift)spitzer *m*

pendant *n* Anhänger *m*

pending I *adj* anstehend; ***to be ~*** (*decision etc*) noch anstehen **II** *prep* ***~ a decision*** bis eine Entscheidung getroffen worden ist

pendulum *n* Pendel *nt*

penetrate I *v/t* eindringen in (+*acc*); *walls etc* durchdringen **II** *v/i* eindringen; (≈ *go right through*) durchdringen **penetrating** *adj gaze* durchdringend; *analysis* treffend **penetration** *n* Eindringen *nt* (*into* in +*acc*); (≈ *going right through*) Durchdringen *nt* (*of* +*gen*); (*during sex*) Penetration *f* **penetrative** *adj* ***~ sex*** penetrativer Sex

pen friend *n* Brieffreund(in) *m(f)*

penguin *n* Pinguin *m*

penicillin *n* Penizillin *nt*

peninsula *n* Halbinsel *f*

penis *n* Penis *m*

penitence *n* Reue *f* **penitent** *adj* reuig **penitentiary** *n* (*esp US*) Strafanstalt *f*

penknife *n* Taschenmesser *nt*

penniless *adj* mittellos; ***to be ~*** kein Geld haben

penny *n*, *pl* ***pennies*** *or* (*sum*) ***pence*** Penny *m*; (*US*) Centstück *nt*; ***to spend a ~*** (*Br infml*) mal eben verschwinden (*infml*); ***the ~ dropped*** (*infml*) der Groschen ist gefallen (*infml*)

pen pal *n* (*infml*) Brieffreund(in) *m(f)*

pension *n* Rente *f*; ***company ~*** betriebliche Altersversorgung; ***to get a ~*** eine Rente *etc* beziehen **pensioner** *n* Rentner(in) *m(f)* **pension fund** *n* Rentenfonds *m* **pension scheme** *n* Rentenversicherung *f*

pensive *adj*, **pensively** *adv* nachdenklich

pentagon *n* ***the Pentagon*** das Pentagon **pentathlon** *n* Fünfkampf *m*

Pentecost *n* (*Jewish*) Erntefest *nt*; (*Christian*) Pfingsten *nt*

penthouse *n* Penthouse *nt*

pent up *adj pred*, **pent-up** *adj attr emotions etc* aufgestaut

penultimate *adj* vorletzte(r, s)

people *pl* **1.** Menschen *pl*, Leute *pl*; ***French ~*** die Franzosen *pl*; ***all ~ with red hair*** alle Rothaarigen; ***some ~ don't like it*** manche Leute mögen es nicht; ***why me of all ~?*** warum ausgerechnet ich/mich?; ***of all ~ who do you think I should meet?*** stell dir mal vor, wen ich getroffen habe?; ***what do you ~ think?*** was haltet ihr denn davon?; ***poor ~*** arme Leute *pl*; ***disabled ~*** Behinderte *pl*; ***middle-aged ~*** Menschen *pl* mittleren Alters; ***old ~*** Senioren *pl*; ***city ~***

Stadtmenschen *pl*; ***country*** ~ Menschen *pl* vom Land; ***some*** ~! Leute gibts!; ***some*** ~ ***have all the luck*** manche Leute haben einfach Glück **2.** (≈ *inhabitants*) Bevölkerung *f*; ***Madrid has over 5 million*** ~ Madrid hat über 5 Millionen Einwohner **3.** (≈ *one, they*) man; (≈ *people in general*) die Leute; ~ ***say that ...*** man sagt, dass ...; ***what will*** ~ ***think!*** was sollen die Leute denken! **4.** (≈ *nation, masses*) Volk *nt*; ***People's Republic*** *etc* Volksrepublik *f etc* **people carrier** *n* AUTO Großraumlimousine *f*, Van *m*

pep *n* (*infml*) Pep *m* (*infml*) ◆ **pep up** *v/t sep* (*infml*) Schwung bringen in (+*acc*); *food* pikanter machen; *person* munter machen

pepper *n* Pfeffer *m*; (≈ *green, red pepper*) Paprika *m*; ***two*** ~***s*** zwei Paprikaschoten **peppercorn** *n* Pfefferkorn *nt* **pepper mill** *n* Pfeffermühle *f* **peppermint** *n* Pfefferminz *nt* **pepper pot** *n* Pfefferstreuer *m* **peppery** *adj* gepfeffert

pep talk *n* (*infml*) ***to give sb a*** ~ jdm ein paar aufmunternde Worte sagen

per *prep* pro; ***£500*** ~ ***annum*** £ 500 im Jahr; ***60 km*** ~ ***hour*** 60 km pro Stunde; ***£2*** ~ ***dozen*** das Dutzend für £ 2 **per capita** *adj* Pro-Kopf-

perceive *v/t* wahrnehmen; (≈ *realize*) erkennen; ***to*** ~ ***oneself as ...*** sich als ... empfinden

per cent, (*US*) **percent** *n* Prozent *nt*; ***a 10*** ~ ***discount*** 10 Prozent Rabatt; ***a ten*** ~ ***increase*** eine zehnprozentige Steigerung; ***I'm 99*** ~ ***certain that ...*** ich bin (zu) 99 Prozent sicher, dass ... **percentage I** *n* Prozentsatz *m*; (≈ *proportion*) Teil *m*; ***what*** ~***?*** wie viel Prozent? **II** *attr* ***on a*** ~ ***basis*** auf Prozentbasis

perceptible *adj* wahrnehmbar; *improvement* spürbar **perceptibly** *adv* merklich **perception** *n* **1.** *no pl* Wahrnehmung *f*; ***his powers of*** ~ sein Wahrnehmungsvermögen *nt* **2.** (≈ *conception*) Auffassung *f* (*of* von) **3.** *no pl* (≈ *perceptiveness*) Einsicht *f* **perceptive** *adj* scharfsinnig **perceptiveness** *n* Scharfsinnigkeit *f*

perch I *n* (*of bird*) Stange *f*; (*in tree*) Ast *m* **II** *v/i* hocken; (≈ *alight*) sich niederlassen **perched** *adj* **1.** (≈ *situated*) ~ ***on*** thronend auf +*dat*; ***a village*** ~ ***on a hillside*** ein Dorf, das auf dem Hang thront **2.** (≈ *seated*) ***to be*** ~ ***on sth*** auf etw (*dat*) hocken **3.** ***with his glasses*** ~ ***on the end of his nose*** mit der Brille auf der Nasenspitze

percolator *n* Kaffeemaschine *f*

percussion *n* MUS Schlagzeug *nt* **percussion instrument** *n* MUS Schlaginstrument *nt* **percussionist** *n* Schlagzeuger(in) *m*(*f*)

perennial *adj plant* mehrjährig; (≈ *perpetual*) immerwährend

perfect I *adj* **1.** perfekt; ***to be*** ~ ***for doing sth*** bestens geeignet sein, um etw zu tun; ***the*** ~ ***moment*** genau der richtige Augenblick; ***in a*** ~ ***world*** in einer idealen Welt **2.** (≈ *absolute*) völlig; ***a*** ~ ***stranger*** ein wildfremder Mensch **3.** GRAM ~ ***tense*** Perfekt *nt* **II** *n* GRAM Perfekt *nt*; ***in the*** ~ im Perfekt **III** *v/t* vervollkommnen; *technique* perfektionieren **perfection** *n* **1.** Perfektion *f* **2.** (≈ *perfecting*) Perfektionierung *f* **perfectionist** *n* Perfektionist(in) *m*(*f*) **perfectly** *adv* **1.** (≈ *completely*) perfekt; ***the climate suited us*** ~ das Klima war ideal für uns; ***I understand you*** ~ ich weiß genau, was Sie meinen **2.** (≈ *absolutely*) vollkommen; ***we're*** ~ ***happy about it*** wir sind damit völlig zufrieden; ***you know*** ~ ***well that ...*** du weißt ganz genau, dass ...; ***to be*** ~ ***honest, ...*** um ganz ehrlich zu sein, ...; ***a Lada is a*** ~ ***good car*** ein Lada ist durchaus ein gutes Auto

perform I *v/t play* aufführen; *part* spielen; *miracle* vollbringen; *task* erfüllen; *operation* durchführen **II** *v/i* **1.** (≈ *appear*) auftreten **2.** (*car, football team etc*) leisten; (*candidate*) abschneiden; ***to*** ~ ***well*** (*company etc*) gute Leistungen erbringen; ***the choir*** ~***ed very well*** der Chor hat sehr gut gesungen

performance *n* **1.** (*of play etc*) Aufführung *f*; (*cinema*) Vorstellung *f*; (*by actor*) Leistung *f*; (*of a part*) Darstellung *f*; ***he gave a splendid*** ~ er hat eine ausgezeichnete Leistung geboten; ***we are going to hear a*** ~ ***of Beethoven's 5th*** wir werden Beethovens 5. Sinfonie hören **2.** (*of task*) Erfüllung *f*; (*of operation*) Durchführung *f* **3.** (*of vehicle, sportsman*) Leistung *f*; (*of candidate*) Abschneiden *nt*; ***he put up a good*** ~ er hat sich gut geschlagen (*infml*) **4.** (*infml* ≈ *palaver*) Umstand *m* **performer** *n* Künstler(in) *m*(*f*) **performing** *adj animal* dressiert; ***the*** ~ ***arts*** die darstellenden Künste

perfume *n* **1.** (≈ *substance*) Parfüm *nt* **2.** (≈ *smell*) Duft *m* **perfumed** *adj* **1.** parfümiert **2.** *flowers, air* duftend

perhaps *adv* vielleicht; ***~ the greatest exponent of the art*** der möglicherweise bedeutendste Vertreter dieser Kunst; ***~ so*** das mag sein; ***~ not*** vielleicht (auch) nicht; ***~ I might keep it for a day or two?*** könnte ich es vielleicht für ein oder zwei Tage behalten?

peril *n* Gefahr *f*; ***he is in great ~*** er schwebt in großer Gefahr **perilous** *adj* gefährlich **perilously** *adv* gefährlich; ***we came ~ close to bankruptcy*** wir waren dem Bankrott gefährlich nahe; ***she came ~ close to falling*** sie wäre um ein Haar heruntergefallen

perimeter *n* MAT Umfang *m*

period *n* **1.** (≈ *length of time*) Zeit *f*; (≈ *age*) Zeitalter *nt*; (≈ *menstruation*) Periode *f*; ***for a ~ of eight weeks*** für einen Zeitraum von acht Wochen; ***for a three-month ~*** drei Monate lang; ***at that ~*** zu diesem Zeitpunkt; ***a ~ of cold weather*** eine Kaltwetterperiode; ***she missed a ~*** sie bekam ihre Periode nicht **2.** SCHOOL (Schul)stunde *f*; ***double ~*** Doppelstunde *f* **3.** (*US* ≈ *full stop*) Punkt *m*; ***I'm not going ~!*** (*US*) ich gehe nicht, und damit basta (*infml*)! **periodic** *adj* periodisch **periodical I** *adj* = ***periodic*** **II** *n* Zeitschrift *f* **periodically** *adv* periodisch; (≈ *regularly also*) regelmäßig **period pains** *pl* Menstruationsbeschwerden *pl*

peripheral I *adj* Rand-; (*fig*) peripher; ***~ role*** Nebenrolle *f* **II** *n* IT Peripheriegerät *nt* **periphery** *n* Peripherie *f*

periscope *n* Periskop *nt*

perish *v/i* (*liter*) (≈ *die*) umkommen **perishable I** *adj food* verderblich **II** *pl* ***~s*** leicht verderbliche Ware(n) **perished** *adj* (*infml: with cold*) durchgefroren **perishing** *adj* (*Br infml*) eisig kalt; ***I'm ~*** ich geh fast ein vor Kälte (*infml*)

perjury *n* Meineid *m*; ***to commit ~*** einen Meineid leisten

perk *n* Vergünstigung *f* ◆ **perk up I** *v/t sep* ***to perk sb up*** (≈ *make lively*) jdn munter machen; (≈ *make cheerful*) jdn aufheitern **II** *v/i* (≈ *liven up*) munter werden; (≈ *cheer up*) aufleben

perky *adj* (+*er*) munter

perm *abbr of* ***permanent wave*** **I** *n* Dauerwelle *f* **II** *v/t* ***to ~ sb's hair*** jdm eine Dauerwelle machen **permanence, permanency** *n* Dauerhaftigkeit *f* **permanent I** *adj* permanent; *arrangement, position* fest; *job, relationship, effect* dauerhaft; *damage* bleibend; *staff* fest angestellt; ***~ employees*** Festangestellte *pl*; ***on a ~ basis*** dauerhaft; ***~ memory*** IT Festspeicher *m*; ***~ address*** fester Wohnsitz **II** *n* (*US*) = ***perm*** I **permanently** *adv* permanent; *fixed* fest; *damage* bleibend; *change, tired* ständig; *closed* dauernd; ***~ employed*** fest angestellt; ***are you living ~ in Frankfurt?*** ist Frankfurt Ihr fester Wohnsitz? **permanent wave** *n* → ***perm*** I

permeate I *v/t* durchdringen **II** *v/i* dringen (*into* in +*acc*, *through* durch) **permeable** *adj* durchlässig

permissible *adj* erlaubt (*for sb* jdm)

permission *n* Erlaubnis *f*; ***to get ~*** eine Erlaubnis erhalten; ***to get sb's ~*** jds Erlaubnis erhalten; ***to give ~*** die Erlaubnis erteilen; ***to give sb ~ (to do sth)*** jdm erlauben(, etw zu tun); ***to ask sb's ~*** jdn um Erlaubnis bitten **permissive** *adj* nachgiebig; ***the ~ society*** die permissive Gesellschaft

permit I *v/t sth* erlauben; ***to ~ sb/oneself to do sth*** jdm/sich (*dat*) erlauben, etw zu tun **II** *v/i* ***weather ~ting*** wenn es das Wetter erlaubt **III** *n* Genehmigung *f*; ***~ holder*** Inhaber(in) *m*(*f*) eines Berechtigungsscheins; ***"permit holders only"*** (*for parking*) „Parken nur mit Parkausweis“

pernickety *adj* (*infml*) pingelig (*infml*)

perpendicular I *adj* senkrecht (*to* zu) **II** *n* Senkrechte *f*

perpetrate *v/t* begehen **perpetration** *n* Begehen *nt* **perpetrator** *n* Täter(in) *m*(*f*); ***the ~ of this crime*** derjenige, der dieses Verbrechen begangen hat

perpetual *adj* ständig **perpetuate** *v/t* aufrechterhalten

perplex *v/t* verblüffen **perplexed** *adj*, **perplexedly** *adv* verblüfft **perplexing** *adj* verblüffend

persecute *v/t* verfolgen **persecution** *n* Verfolgung *f* (*of* von) **persecutor** *n* Verfolger(in) *m*(*f*)

perseverance *n* Ausdauer *f* (*with* mit) **persevere** *v/i* durchhalten; ***to ~ in one's attempts to do sth*** unermüdlich weiter versuchen, etw zu tun **persevering** *adj*, **perseveringly** *adv* beharrlich

Persia *n* Persien *nt* **Persian** *adj* persisch; ***the ~ Gulf*** der Persische Golf **Persian carpet** *n* Perser(teppich) *m*

persist *v/i* (≈ *persevere*) nicht lockerlassen; (≈ *be tenacious*) beharren (*in* auf +*dat*); (≈ *continue*) anhalten; ***we shall ~ in*** *or* ***with our efforts*** wir werden in unseren Bemühungen nicht nachlassen **persistence, persistency** *n* (≈ *tenacity*) Beharrlichkeit *f*; (≈ *perseverance*) Ausdauer *f* **persistent** *adj demands* beharrlich; *person* hartnäckig; *attempts* ausdauernd; *threats* ständig; *pain*, *noise* anhaltend; ***~ offender*** Wiederholungstäter(in) *m(f)* **persistently** *adv deny*, *ask* beharrlich; *claim* hartnäckig; *criticize* ständig

person *n* **1.** *pl* ***people*** *or* (*form*) ***-s*** Mensch *m*, Person *f*; ***I like him as a ~*** ich mag ihn als Mensch; ***I know no such ~*** so jemanden kenne ich nicht; ***any ~*** jeder; ***per ~*** pro Person; ***I'm more of a cat ~*** ich bin mehr ein Katzentyp *m* **2.** *pl* ***-s*** GRAM Person *f*; ***first ~ singular*** erste Person Singular **3.** *pl* ***-s*** (≈ *body*) Körper *m*; ***in ~*** persönlich **personable** *adj* von angenehmer Erscheinung

personal *adj* persönlich; ***~ hygiene*** Körperpflege *f*; ***it's nothing ~ but ...*** ich habe nichts gegen Sie *etc* persönlich, aber ...; ***~ call*** Privatgespräch *nt*; ***~ friend*** persönlicher Freund, persönliche Freundin; ***her ~ life*** ihr Privatleben *nt* **personal ad** *n* (*infml*) private Kleinanzeige **personal allowance** *n* (*for tax purposes*) persönlicher Freibetrag **personal assistant** *n* persönlicher Assistent, persönliche Assistentin **personal column** *n* Familienanzeigen *pl*

personal computer *n* Personal Computer *m*, PC *m* **personal hygiene** *n* Körperpflege *f* **personality** *n* Persönlichkeit *f* **personal loan** *n* Privatdarlehen *nt* **personally** *adv* persönlich; ***~, I think that ...*** ich persönlich bin der Meinung, dass ...; ***to hold sb ~ responsible*** jdn persönlich verantwortlich machen; ***to be ~ involved*** persönlich beteiligt sein **personal organizer** *n* Terminplaner *m*; (*electronic*) elektronisches Notizbuch **personal stereo** *n* Walkman® *m* **personal trainer** *n* persönlicher Fitnesstrainer, persönliche Fitnesstrainerin

personification *n* Personifizierung *f*; ***he is the ~ of good taste*** er ist der personifizierte gute Geschmack **personify** *v/t* personifizieren; ***evil personified*** das personifizierte Böse

personnel **I** *n sg or pl* **1.** Personal *nt*; (*on plane*, *ship*) Besatzung *f*; MIL Leute *pl* **2.** (≈ *personnel department*) die Personalabteilung **II** *attr* Personal- **personnel department** *n* Personalabteilung *f* **personnel manager** *n* Personalchef(in) *m(f)*

perspective *n* Perspektive *f*; ***try to get things in ~*** versuchen Sie, das nüchtern und sachlich zu sehen; ***to get sth out of ~*** (*fig*) etw verzerrt sehen; ***to see things from a different ~*** die Dinge aus einem anderen Blickwinkel betrachten

Perspex® *n* Acrylglas *nt*

perspiration *n* (≈ *perspiring*) Schwitzen *nt*; (≈ *sweat*) Schweiß *m* **perspire** *v/i* schwitzen

persuade *v/t* überreden; (≈ *convince*) überzeugen; ***to ~ sb to do sth*** jdn überreden, etw zu tun; ***to ~ sb out of doing sth*** jdn dazu überreden, etw nicht zu tun; ***to ~ sb that ...*** jdn davon überzeugen, dass ...; ***she is easily ~d*** sie ist leicht zu überreden / überzeugen **persuasion** *n* **1.** (≈ *persuading*) Überredung *f*; ***her powers of ~*** ihre Überredungskünste **2.** (≈ *belief*) Überzeugung *f* **persuasive** *adj salesman* beredsam; *arguments etc* überzeugend; ***he can be very ~*** er kann einen gut überreden; (≈ *convincing*) er kann einen leicht überzeugen **persuasively** *adv* überzeugend **persuasiveness** *n* (*of person*) Überredungskunst *f*; (*of argument etc*) Überzeugungskraft *f*

pert *adj* (+*er*) keck

perturbed *adj* beunruhigt

perverse *adj* (≈ *contrary*) abwegig; (≈ *perverted*) pervers **perversely** *adv* (≈ *paradoxically*) paradoxerweise; *decide* abwegigerweise **perversion** *n* **1.** (*esp sexual*, PSYCH) Perversion *f* **2.** (*of truth etc*) Verzerrung *f* **perversity** *n* Perversität *f* **pervert** **I** *v/t truth* verzerren; ***to ~ the course of justice*** JUR die Rechtsfindung behindern **II** *n* Perverse(r) *m/f(m)* **perverted** *adj* pervertiert

pesky *adj* (+*er*) (*esp US infml*) nervtötend (*infml*)

pessary *n* (≈ *contraceptive*) Pessar *nt*

pessimism *n* Pessimismus *m* **pessimist** *n* Pessimist(in) *m(f)* **pessimistic** *adj* pessimistisch; ***I'm rather ~ about it*** da bin ich ziemlich pessimistisch; ***I'm ~ about our chances of success*** ich bin pessimistisch, was unsere Erfolgschancen angeht **pessimistically** *adv* pessimistisch

pest *n* **1.** ZOOL Schädling *m*; ***~ control*** Schädlingsbekämpfung *f* **2.** (*fig*) (≈ *person*) Nervensäge *f*; (≈ *thing*) Plage *f*

pester *v/t* belästigen; ***she ~ed me for the book*** sie ließ mir keine Ruhe wegen des Buches; ***to ~ sb to do sth*** jdn bedrängen, etw zu tun

pesticide *n* Pestizid *nt*

pet I *adj attr* **1.** ***her ~ dogs*** ihre Hunde **2.** (≈ *favourite*) Lieblings-; ***~ theory*** Lieblingstheorie *f*; ***a ~ name*** ein Kosename *m* **II** *n* **1.** (≈ *animal*) Haustier *nt* **2.** (≈ *favourite*) Liebling *m*; ***teacher's ~*** Streber(in) *m(f)* **III** *v/t* streicheln

petal *n* Blütenblatt *nt*

Pete *n* ***for ~'s sake*** (*infml*) um Himmels willen

peter out *v/i* langsam zu Ende gehen; (*noise*) verhallen; (*interest*) sich verlieren

petit bourgeois *adj* kleinbürgerlich **petite** *adj* zierlich **petite bourgeoisie** *n* Kleinbürgertum *nt*

petition I *n* Unterschriftenliste *f*; ***to get up a ~*** Unterschriften sammeln **II** *v/t* (≈ *hand petition to*) eine Unterschriftenliste vorlegen (+*dat*) **III** *v/i* eine Unterschriftenliste einreichen

pet passport *n* (*Br*) Tierpass *m*

petrified *adj* (*fig*) ***I was ~ (with fear)*** ich war starr vor Schrecken; ***she is ~ of spiders*** sie hat panische Angst vor Spinnen; ***to be ~ of doing sth*** panische Angst davor haben, etw zu tun **petrify** *v/t* (≈ *frighten*) ***he really petrifies me*** er jagt mir schreckliche Angst ein; ***a ~ing experience*** ein schreckliches Erlebnis; ***to be petrified by sth*** sich panisch vor etw fürchten

petrochemical *n* petrochemisches Erzeugnis

petrol *n* (*Br*) Benzin *nt* **petrol bomb** *n* Benzinbombe *f* **petrol can** *n* Reservekanister *m* **petrol cap** *n* Tankdeckel *m* **petroleum** *n* Petroleum *nt* **petrol gauge** *n* Benzinuhr *f* **petrol pump** *n* Zapfsäule *f* **petrol station** *n* Tankstelle *f* **petrol tank** *n* Benzintank *m* **petrol tanker** *n* (Benzin)Tankwagen *m*

petticoat *n* Unterrock *m*

pettiness *n* (≈ *small-mindedness*) Kleinlichkeit *f*

petting *n* Petting *nt*; ***heavy ~*** Heavy Petting *nt*

petty *adj* (+*er*) **1.** (≈ *trivial*) belanglos **2.** (≈ *small-minded*) kleinlich **petty bourgeois** *adj* = ***petit bourgeois*** **petty bourgeoisie** *n* = ***petite bourgeoisie*** **petty cash** *n* Portokasse *f* **petty crime** *n no pl* (≈ *illegal activities*) Kleinkriminalität *f* **petty theft** *n* einfacher Diebstahl

petulant *adj* verdrießlich; *child* bockig (*infml*)

pew *n* ECCL (Kirchen)bank *f*; (*hum* ≈ *chair*) Platz *m*

phallic *adj* phallisch; ***~ symbol*** Phallussymbol *nt* **phallus** *n*, *pl* ***-es or phalli*** Phallus *m*

phantasy *n* = ***fantasy***

phantom I *n* Phantom *nt*; (≈ *ghost*) Geist *m* **II** *adj attr* (≈ *imagined*) eingebildet; (≈ *mysterious*) Phantom-

Pharaoh *n* Pharao *m*

pharmaceutical I *adj* pharmazeutisch **II** *n usu pl* Arzneimittel *nt*; ***~(s) company*** Pharmaunternehmen *nt*

pharmacist *n* Apotheker(in) *m(f)* **pharmacology** *n* Pharmakologie *f* **pharmacy** *n* Apotheke *f*

phase I *n* Phase *f*; ***a passing ~*** ein vorübergehender Zustand; ***he's just going through a ~*** das ist nur so eine Phase bei ihm **II** *v/t* ***a ~d withdrawal*** ein schrittweiser Rückzug ◆ **phase in** *v/t sep* allmählich einführen ◆ **phase out** *v/t sep* auslaufen lassen

phat *adj* (*sl*) abgefahren (*sl*), geil (*sl*), fett (*sl*)

PhD *n* Doktor *m*, Dr.; ***~ thesis*** Doktorarbeit *f*; ***to do one's ~*** promovieren; ***to get one's ~*** den Doktor bekommen; ***he has a ~ in English*** er hat in Anglistik promoviert

pheasant *n* Fasan *m*

phenix *n* (*US*) = ***phoenix***

phenomena *pl of* ***phenomenon*** **phenomenal** *adj* phänomenal; *person*, *figure* fabelhaft; ***at a ~ rate*** in phänomenalem Tempo **phenomenally** *adv* außerordentlich; *bad etc* unglaublich **phenomenon** *n*, *pl* ***phenomena*** Phänomen *nt*

phew *int* puh

phial *n* Fläschchen *nt*; (*for serum*) Ampulle *f*

philanderer *n* Schwerenöter *m*
philanthropist *n* Philanthrop(in) *m(f)* **philanthropy** *n* Philanthropie *f*
-phile *n suf* -phile(r) *m/f(m)*, -freund(in) *m(f)*
philharmonic I *adj* philharmonisch **II** *n* ***Philharmonic*** Philharmonie *f*
Philippines *pl* Philippinen *pl*
philistine *n* (*fig*) Banause *m*, Banausin *f*
philology *n* Philologie *f*
philosopher *n* Philosoph(in) *m(f)* **philosophic(al)** *adj* philosophisch; (*fig*) gelassen; ***to be philosophical about sth*** etw philosophisch betrachten **philosophically** *adv* philosophisch; (*fig*) gelassen **philosophize** *v/i* philosophieren (*about, on* über +*acc*) **philosophy** *n* Philosophie *f*
phlegm *n* Schleim *m* **phlegmatic** *adj* phlegmatisch
-phobe *n suf* -phobe(r) *m/f(m)*, -feind(in) *m(f)* **phobia** *n* Phobie *f*; ***she has a ~ about it*** sie hat krankhafte Angst davor **-phobic** *adj suf* -phob, -feindlich
phoenix, (*US*) **phenix** *n* Phönix *m*; ***like a ~ from the ashes*** wie ein Phönix aus der Asche
phone I *n* Telefon *nt*; ***to be on the ~*** (≈ *be a subscriber*) Telefon haben; (≈ *be speaking*) am Telefon sein; ***I'll give you a ~*** (*infml*) ich ruf dich an **II** *v/t person* anrufen **III** *v/i* telefonieren ◆ **phone back** *v/t & v/i sep* zurückrufen ◆ **phone in I** *v/i* anrufen; ***to ~ sick*** sich telefonisch krankmelden **II** *v/t sep order* telefonisch aufgeben ◆ **phone up I** *v/i* telefonieren **II** *v/t sep* anrufen
phone bill *n* Telefonrechnung *f*
phone booth *n* **1.** Fernsprechhaube *f* **2.** (*US* ≈ *call box*) Telefonzelle *f*
phonecard *n* Telefonkarte *f* **phone-in** *n* Phone-in *nt*
phonetic *adj*, **phonetically** *adv* phonetisch **phonetics** *n sg* Phonetik *f*
phoney (*infml*) **I** *adj* **1.** (≈ *fake*) unecht; *name, accent* falsch; *passport* gefälscht; ***a ~ company*** eine Schwindelfirma; ***a ~ war*** kein echter Krieg **2.** (≈ *insincere*) *person* falsch **II** *n* (≈ *thing*) Fälschung *f*; (≈ *bogus person*) Schwindler(in) *m(f)*; (≈ *show-off*) Angeber(in) *m(f)* **phony** *adj, n* (*US infml*) = ***phoney***
phosphate *n* CHEM Phosphat *nt* **phosphorescent** *adj* phosphoreszierend **phosphorus** *n* Phosphor *m*
photo *n* Foto *nt* **photo booth** *n* Passbildautomat *m* **photocopier** *n* (Foto)kopierer *m* **photocopy I** *n* Fotokopie *f* **II** *v/t* fotokopieren **III** *v/i* ***this won't ~*** das lässt sich nicht fotokopieren **photo finish** *n* Fotofinish *nt* **Photofit®** *n* (*a.* **Photofit picture**) Phantombild *nt* **photogenic** *adj* fotogen
photograph I *n* Fotografie *f*; ***to take a ~ (of sb/sth)*** (jdn/etw) fotografieren; ***~ album*** Fotoalbum *nt* **II** *v/t* fotografieren
photographer *n* Fotograf(in) *m(f)* **photographic** *adj* fotografisch
photography *n* Fotografie *f* **photojournalism** *n* Fotojournalismus *m* **photojournalist** *n* Fotojournalist(in) *m(f)*
photon *n* Photon *nt*
photo opportunity *n* Fototermin *m* **photo session** *n* Fotosession *f* **photosynthesis** *n* Fotosynthese *f*
phrasal verb *n* Verb *nt* mit Präposition
phrase I *n* **1.** GRAM Satzteil *m*; (*spoken*) Phrase *f* **2.** (≈ *expression*) Ausdruck *m*; (≈ *idiom*) Redewendung *f* **II** *v/t* formulieren **phrase book** *n* Sprachführer *m*
pH-value *n* pH-Wert *m*
physalis *n* Physalis *f*, Kapstachelbeere *f*
physical I *adj* **1.** physisch; (≈ *of the body*) körperlich; ***you don't get enough ~ exercise*** Sie bewegen sich nicht genug **2.** (≈ *of physics*) physikalisch; ***it's a ~ impossibility*** es ist ein Ding der Unmöglichkeit **II** *n* ärztliche Untersuchung; MIL Musterung *f* **physical education** *n* Sport *m* **physical education teacher** *n* Sportlehrer(in) *m(f)* **physical fitness** *n* körperliche Fitness *f* **physically** *adv* physisch; *restrain* körperlich; ***to be ~ sick*** sich übergeben; ***~ impossible*** praktisch unmöglich; ***they removed him ~ from the meeting*** sie haben ihn mit Gewalt aus der Versammlung entfernt; ***as long as is ~ possible*** so lange wie nur irgend möglich **physical science** *n* Naturwissenschaft *f* **physician** *n* Arzt *m*, Ärztin *f*
physicist *n* Physiker(in) *m(f)*
physics *n* (*sing* ≈ *subject*) Physik *f*
physio *n* (*esp Br infml*) Physiotherapeut(in) *m(f)* **physiological** *adj* physiologisch **physiology** *n* Physiologie *f* **physiotherapist** *n* Physiotherapeut(in) *m(f)* **physiotherapy** *n* Physiotherapie *f*
physique *n* Körperbau *m*
pianist *n* Klavierspieler(in) *m(f)*; (≈ *con-*

cert pianist) Pianist(in) *m*(*f*)

piano *n* (*upright*) Klavier *nt*; (≈ *grand piano*) Flügel *m* **piano player** *n* Klavierspieler(in) *m*(*f*) **piano teacher** *n* Klavierlehrer(in) *m*(*f*)

piccolo *n* Piccoloflöte *f*

pick I *n* **1.** (≈ *pickaxe*) Spitzhacke *f* **2.** (≈ *choice*) ***she could have her ~ of any man in the room*** sie könnte jeden Mann im Raum haben; ***to have first ~*** die erste Wahl haben; ***take your ~!*** such dir etwas/einen *etc* aus! **3.** (≈ *best*) Beste(s) *nt* **II** *v/t* **1.** (≈ *choose*) (aus)wählen; ***to ~ a team*** eine Mannschaft aufstellen; ***to ~ sb to do sth*** jdn auswählen, etw zu tun; ***to ~ sides*** wählen; ***to ~ one's way through sth*** seinen Weg durch etw finden **2.** *scab* kratzen an (+*dat*); *hole* bohren; ***to ~ one's nose*** sich (+*dat*) in der Nase bohren; ***to ~ a lock*** ein Schloss knacken; ***to ~ sth to pieces*** (*fig*) etw verreißen; ***to ~ holes in sth*** (*fig*) etw bemäkeln; ***to ~ a fight* (*with sb*)** (mit jdm) einen Streit vom Zaun brechen; ***to ~ sb's pocket*** jdn bestehlen; ***to ~ sb's brains* (*about sth*)** jdn (nach etw) ausfragen **3.** *flowers, fruit* pflücken **III** *v/i* (≈ *choose*) wählen; ***to ~ and choose*** wählerisch sein ◆ **pick at** *v/i +prep obj* ***to ~ one's food*** im Essen herumstochern ◆ **pick off** *v/t sep* (≈ *remove*) wegzupfen; (≈ *pluck*) pflücken ◆ **pick on** *v/i +prep obj* (*esp Br*) herumhacken auf (+*dat*); ***why ~ me?*** (*infml*) warum gerade ich?; ***~ somebody your own size!*** (*infml*) leg dich doch mit einem Gleichstarken an! (*infml*) ◆ **pick out** *v/t sep* **1.** (≈ *choose*) auswählen **2.** (≈ *remove*) heraussuchen **3.** (≈ *distinguish*) ausmachen **4.** MUS ***to ~ a tune*** eine Melodie improvisieren ◆ **pick over** *or* **through** *v/i +prep obj* durchsehen ◆ **pick up I** *v/t sep* **1.** (≈ *take up*) aufheben; (*momentarily*) hochheben; ***to ~ a child in one's arms*** ein Kind auf den Arm nehmen; ***to pick oneself up*** aufstehen; ***to ~ the phone*** (den Hörer) abnehmen; ***you just have to ~ the phone*** du brauchst nur anzurufen; ***to ~ the bill*** die Rechnung bezahlen; ***to ~ a story*** mit einer Geschichte fortfahren; ***to ~ the pieces*** die Scherben aufsammeln **2.** (≈ *get*) holen; (≈ *buy*) bekommen; *habit* sich (*dat*) angewöhnen; *illness* sich (*dat*) holen; (≈ *earn*) verdienen; ***to pick sth up at a sale*** etw im Ausverkauf erwischen; ***to ~ speed*** schneller werden; ***he picked up a few extra points*** er hat ein paar Extrapunkte gemacht **3.** *skill etc* sich (*dat*) aneignen; *language* lernen; *accent, word* aufschnappen; *information* herausbekommen; *idea* aufgreifen; ***you'll soon pick it up*** du wirst das schnell lernen; ***where did you ~ that idea?*** wo hast du denn die Idee her? **4.** *person, goods* abholen; (*bus etc*) *passengers* aufnehmen; (*in car*) mitnehmen; (≈ *arrest*) schnappen (*infml*) **5.** (*infml*) *girl* aufgabeln (*infml*) **6.** RADIO *station* hereinbekommen **7.** (≈ *identify*) finden **II** *v/i* **1.** (≈ *improve*) besser werden; (*business*) sich erholen **2.** ***to ~ where one left off*** da weitermachen, wo man aufgehört hat

pickaxe, (*US*) **pickax** *n* Spitzhacke *f*

picket I *n* (*of strikers*) Streikposten *m* **II** *v/t factory* Streikposten aufstellen vor (+*dat*) **picketing** *n* Aufstellen *nt* von Streikposten **picket line** *n* Streikpostenkette *f*; ***to cross a ~*** eine Streikpostenkette durchbrechen

picking *n* **pickings** *pl* Ausbeute *f*

pickle I *n* **1.** (≈ *food*) Pickles *pl* **2.** (*infml*) ***he was in a bit of a ~*** er steckte in einer Klemme (*infml*); ***to get* (*oneself*) *into a ~*** in ein Kuddelmuddel geraten (*infml*) **II** *v/t* einlegen **pickled** *adj* eingelegt

pickpocket *n* Taschendieb(in) *m*(*f*) **pick-up** *n* **1.** (*a.* **pick-up truck**) Kleintransporter *m* **2.** (≈ *collection*) Abholen *nt*; **~ *point*** Treffpunkt *m* **picky** *adj* (+*er*) (*infml*) pingelig (*infml*); *eater* wählerisch

picnic *vb*: *pret, past part* **picnicked I** *n* Picknick *nt*; ***to have a ~*** picknicken; ***to go for* or *on a ~*** ein Picknick machen **II** *v/i* picknicken **picnic basket, picnic hamper** *n* Picknickkorb *m* **picnic site** *n* Rastplatz *m* **picnic table** *n* Campingtisch *m*

picture I *n* **1.** Bild *nt*; (≈ *drawing*) Zeichnung *f*; **(*as*) *pretty as a ~*** bildschön; ***to give you a ~ of what life is like here*** damit Sie sich (*dat*) ein Bild vom Leben hier machen können; ***to be in the ~*** im Bilde sein; ***to put sb in the ~*** jdn ins Bild setzen; ***I get the ~*** (*infml*) ich habs kapiert (*infml*); ***his face was a ~*** sein Gesicht war ein Bild für die Götter (*infml*); ***she was the ~ of health*** sie sah wie die Gesundheit in Person aus **2.** FILM Film *m*; ***the ~s*** (*Br*) das Kino; ***to go to the ~s*** (*Br*) ins Kino gehen **II** *v/t* sich (*dat*) vorstellen; ***to ~ sth to oneself*** sich (*dat*) etw vorstellen **picture book** *n* Bilderbuch *nt* **picture frame** *n* Bilderrahmen *m* **picture gallery** *n* Gemäldegalerie *f* **picture postcard** *n* Ansichts(post)karte *f* **picturesque** *adj*, **picturesquely** *adv* malerisch

piddling *adj* (*infml*) lächerlich

pie *n* Pastete *f*; (*sweet*) Obstkuchen *m*; (*individual*) Tortelett *nt*; ***that's all ~ in the sky*** (*infml*) das sind nur verrückte Ideen; ***as easy as ~*** (*infml*) kinderleicht; ***she's got a finger in every ~*** (*fig infml*) sie hat überall ihre Finger drin (*infml*)

piece *n* **1.** Stück *nt*; (≈ *part of set*) Teil *nt*; (≈ *component*) Einzelteil *nt*; (*of glass etc*) Scherbe *f*; (*in draughts etc*) Stein *m*; (*in chess*) Figur *f*; ***a 50p ~*** ein 50-Pence-Stück; ***a ~ of cake*** ein Stück *nt* Kuchen; ***a ~ of furniture*** ein Möbelstück *nt*; ***a ~ of news*** eine Nachricht; ***a ~ of information*** eine Information; ***a ~ of advice*** ein Rat *m*; ***a ~ of luck*** ein Glücksfall *m*; ***a ~ of work*** eine Arbeit; ***~ by ~*** Stück für Stück; ***to take sth to ~s*** etw in seine Einzelteile zerlegen; ***to come to ~s*** (*collapsible furniture etc*) sich zerlegen lassen; ***to fall to ~s*** (*book etc*) auseinanderfallen; ***to be in ~s*** (≈ *taken apart*) (in Einzelteile) zerlegt sein; (≈ *broken*) zerbrochen sein; ***to smash sth to ~s*** etw kaputt schlagen; ***he tore the letter (in)to ~s*** er riss den Brief in Stücke; ***he tore me to ~s during the debate*** er zerriss mich förmlich während der Debatte **2.** ***to go to ~s*** (≈ *crack up*) durchdrehen (*infml*); (≈ *lose grip*) die Kontrolle verlieren; ***all in one ~*** heil; ***are you still in one ~ after your trip?*** hast du deine Reise heil überstanden?; ***to give sb a ~ of one's mind*** jdm ordentlich die Meinung sagen ◆ **piece together** *v/t sep* (*fig*) sich (*dat*) zusammenreimen; *evidence* zusammenfügen

piecemeal *adj*, *adv* stückweise **piecework** *n* Akkordarbeit *f*

pie chart *n* Kreisdiagramm *nt*

pier *n* Pier *m or f*

pierce *v/t* durchstechen; (*knife, bullet*) durchbohren; (*fig*) durchdringen; ***to have one's ears ~d*** sich (*dat*) die Ohren durchstechen lassen **pierced** *adj object* durchstochen; *nipple* gepierct **piercing** *adj* durchdringend; *wind*, *stare* stechend

piety *n* Pietät *f*

pig I *n* **1.** Schwein *nt*; (*greedy*) Vielfraß *m* (*infml*); ***to make a ~ of oneself*** sich (*dat*) den Bauch vollschlagen (*infml*); ***~s might fly*** (*Br prov*) wers glaubt, wird selig **2.** (*sl* ≈ *policeman*) Bulle *m* (*sl*) **II** *v/r* ***to ~ oneself*** (*infml*) sich vollstopfen (*infml*) ◆ **pig out** *v/i* (*infml*) sich vollstopfen (*infml*)

pigeon *n* Taube *f* **pigeonhole I** *n* (*in desk etc*) Fach *nt* **II** *v/t* (*fig*) einordnen

piggy *adj* (+*er*) *attr* ***~ eyes*** Schweinsaugen *pl* **piggyback** *n* ***to give sb a ~*** jdn huckepack nehmen **piggy bank** *n* Sparschwein *nt* **pig-headed** *adj* stur **piglet** *n* Ferkel *nt*

pigment *n* Pigment *nt*

Pigmy *n* = ***Pygmy***

pigpen *n* (*US*) = ***pigsty*** **pigsty** *n* Schweinestall *m* **pigswill** *n* Schweinefutter *nt*

pigtail *n* Zopf *m*

pike *n* (≈ *fish*) Hecht *m*

pilchard *n* Sardine *f*

pile I *n* **1.** Stapel *m*; ***to put things in a ~*** etw (auf)stapeln; ***to be in a ~*** auf einem Haufen liegen; ***at the bottom/top of the ~*** (*fig*) untenan/obenauf **2.** (*infml* ≈ *large amount*) Menge *f*; ***~s of money*** jede Menge Geld (*infml*); ***a ~ of things to do*** massenhaft zu tun (*infml*) **II** *v/t* stapeln; ***a table ~d high with books*** ein Tisch mit Stapeln von Büchern; ***the sideboard was ~d high with presents*** auf der Anrichte stapelten sich die Geschenke ◆ **pile in I** *v/i* (*infml*) (*-to* in +*acc*) hineindrängen; (≈ *get in*) einsteigen **II** *v/t sep* einladen (*-to* in +*acc*) ◆ **pile on I** *v/i* (*infml*) hineindrängen (*-to* in +*acc*) **II** *v/t sep* (*lit*) aufhäufen (*-to* auf +*acc*); ***she piled rice on(to) my plate*** sie häufte Reis auf meinen Teller; ***they are really piling on the pressure*** sie setzen uns/euch *etc* ganz gehörig unter Druck ◆ **pile out** *v/i* (*infml*) hinausdrängen (*of* aus) ◆ **pile up I** *v/i* sich anhäufen; (*traffic*) sich stauen; (*evidence*) sich verdichten **II** *v/t sep* (auf)stapeln

piles *pl* Hämorr(ho)iden *pl*

pile-up *n* (Massen)karambolage *f*

pilfer *v/t* stehlen

pilgrim *n* Pilger(in) *m*(*f*); ***the Pilgrim Fathers*** die Pilgerväter *pl* **pilgrimage** *n* Pilgerfahrt *f*; ***to go on a ~*** eine Pilgerfahrt machen

pill *n* Tablette *f*; ***the ~*** die Pille; ***to be/go on the ~*** die Pille nehmen

pillar *n* Säule *f*; ***a ~ of society*** eine Stütze der Gesellschaft **pillar box** *n* (*Br*) Briefkasten *m*

pillion *adv* ***to ride ~*** auf dem Soziussitz mitfahren

pillow *n* (Kopf)kissen *nt* **pillowcase** *n* (Kopf)kissenbezug *m* **pillow fight** *n* Kissenschlacht *f* **pillowslip** *n* = ***pillowcase*** **pillow talk** *n* Bettgeflüster *nt*

pilot I *n* **1.** AVIAT Pilot(in) *m*(*f*) **2.** TV ***~ (episode)*** Pilotfilm *m* **II** *v/t plane* fliegen **pilot light** *n* Zündflamme *f* **pilot scheme** *n* Pilotprojekt *nt* **pilot study** *n* Pilotstudie *f*

pimp *n* Zuhälter *m*

pimple *n* Pickel *m*, Wimmerl *nt* (*Aus*), Bibeli *nt* (*Swiss*)

PIN *n abbr of* ***personal identification number***; ***~ number*** Geheimzahl *f*

pin I *n* **1.** SEWING Stecknadel *f*; (≈ *tie pin, hair pin*) Nadel *f*; MECH Bolzen *m*; (≈ *small nail*) Stift *m*; ***a two-~ plug*** ein zweipoliger Stecker; ***I've got ~s and needles in my foot*** mir ist der Fuß eingeschlafen; ***you could have heard a ~ drop*** man hätte eine Stecknadel fallen hören können **2.** (*esp US*) (≈ *brooch*) Brosche *f*; (≈ *badge*) Abzeichen *nt* **II** *v/t* **1.** ***to ~ sth to sth*** etw an etw (*acc*) heften; ***to ~ one's hair back*** sein Haar hinten zusammenstecken **2.** (*fig*) ***to ~ sb to the ground*** jdn an den Boden pressen; ***to ~ sb's arm behind his back*** jdm den Arm auf den Rücken drehen; ***to ~ one's hopes on sb/sth*** seine Hoffnungen auf jdn/etw setzen; ***to ~ the blame (for sth) on sb*** (*infml*) jdm die Schuld (an etw (*dat*)) anhängen (*infml*) ◆ **pin down** *v/t sep* **1.** (≈ *weight down*) niederhalten; ***to pin sb down*** (*on floor*) jdn zu Boden drücken **2.** (*fig* ≈ *identify*) einordnen; ***to pin sb down (to sth)*** (*date etc*) jdn (auf etw *acc*) festnageln ◆ **pin up** *v/t sep notice* anheften

pinafore *n* Schürze *f*

pinball *n* Flipper *m*; ***~ machine*** Flipper *m*

pincers *pl* **1.** Kneifzange *f*; ***a pair of ~*** eine Kneifzange **2.** ZOOL Schere *f*

pinch I *n* **1.** (*with fingers*) Kneifen *nt no pl*, Zwicken *nt no pl* (*Aus*) **2.** COOK Prise *f* **3.** ***to feel the ~*** die schlechte Lage zu spüren bekommen; ***at*** (*Br*) *or* ***in*** (*US*) ***a ~*** zur Not **II** *v/t* **1.** (*with fingers*) kneifen, zwicken (*Aus*); ***to ~ sb's bottom*** jdn in den Hintern kneifen; ***to ~ oneself*** sich kneifen **2.** (*Br infml* ≈ *steal*) klauen (*infml*); ***don't let anyone ~ my seat*** pass auf, dass mir niemand den Platz wegnimmt; ***he ~ed Johnny's girlfriend*** er hat Johnny (*dat*) die Freundin ausgespannt (*infml*) **III** *v/i* (*shoe*) drücken

pincushion *n* Nadelkissen *nt*

pine[1] *n* Kiefer *f*

pine[2] *v/i* **1.** ***to ~ for sb/sth*** sich nach jdm/etw sehnen **2.** (≈ *pine away*) sich vor Kummer verzehren ◆ **pine away** *v/i* sich (vor Kummer) verzehren

pineapple *n* Ananas *f*; ***~ juice*** Ananassaft *m*

pine cone *n* Kiefernzapfen *m* **pine forest** *n* Kiefernwald *m* **pine needle** *n* Kiefernnadel *f* **pine tree** *n* Kiefer *f* **pine wood** *n* (≈ *material*) Kiefernholz *nt*

ping pong *n* Pingpong *nt*; ***~ ball*** Pingpongball *m*

pink I *n* (≈ *colour*) Rosa *nt* **II** *adj* rosa *inv*; *cheeks* rosig; ***to go or turn ~*** erröten

pinnacle *n* (*fig*) Gipfel *m*

PIN number *n* Geheimzahl *f*

pinpoint I *n* Punkt *m*; ***a ~ of light*** ein Lichtpunkt *m* **II** *v/t* (≈ *locate*) genau aufzeigen; (≈ *identify*) genau feststellen

pinprick *n* Nadelstich *m* **pinstripe** *n* ***~d suit*** Nadelstreifenanzug *m*

pint *n* **1.** (≈ *measure*) Pint *nt* **2.** (*esp Br*) (*of milk, beer*) ≈ halber Liter (Milch/Bier); ***to have a ~*** ein Bier trinken; ***to go (out) for a ~*** auf ein Bier ausgehen; ***he likes a ~*** er hebt ganz gern mal einen (*infml*); ***she's had a few ~s*** (*infml*) sie hat ein paar intus (*infml*)

pin-up *n* (≈ *picture*) Pin-up-Foto *nt*; (≈ *woman*) Pin-up-Girl *nt*; (≈ *man*) Idol *nt*

pioneer I *n* (*fig*) Pionier(in) *m*(*f*) **II** *v/t* (*fig*) Pionierarbeit *f* leisten für; ***to ~ the use of sth*** etw zum ersten Mal anwenden **pioneering** *adj attr research* wegbereitend; ***~ spirit*** Pioniergeist *m*

pious *adj* fromm

pip[1] *n* **1.** BOT Kern *m* **2.** RADIO, TEL ***the ~s*** das Zeitzeichen; (*in telephone*) das Tut-Tut-Tut

pip[2] *v/t* (*Br infml*) ***to ~ sb at the post*** jdn um Haaresbreite schlagen; (*fig*) jdm um Haaresbreite zuvorkommen

pipe I *n* **1.** (*for water etc*) Rohr *nt*; (≈ *fuel pipe*) Leitung *f* **2.** MUS ***~s*** (≈ *bagpipes*)

Dudelsack *m* **3.** (*for smoking*) Pfeife *f*; ***to smoke a ~*** Pfeife rauchen **II** *v/t water etc* in Rohren leiten ◆ **pipe down** *v/i* (*infml*) die Luft anhalten (*infml*) ◆ **pipe up** *v/i* (*infml*) den Mund aufmachen; ***suddenly a little voice piped up*** plötzlich machte sich ein Stimmchen bemerkbar

pipe dream *n* Hirngespinst *nt*; ***that's just a ~*** das ist ja wohl nur ein frommer Wunsch **pipeline** *n* (Rohr)leitung *f*; ***to be in the ~*** (*fig*) in Vorbereitung sein; ***the pay rise hasn't come through yet but it's in the ~*** die Lohnerhöhung ist noch nicht durch, steht aber kurz bevor **piper** *n* (*on bagpipes*) Dudelsackpfeifer(in) *m(f)* **pipe tobacco** *n* Pfeifentabak *m* **piping I** *n* (≈ *pipework*) Rohrleitungssystem *nt* **II** *adv* ~ ***hot*** kochend heiß

piquant *adj* pikant

pique *n* Groll *m*; ***he resigned in a fit of ~*** er kündigte, weil er vergrämt war

piracy *n* Piraterie *f*; (*of record*) Raubpressung *f* **pirate I** *n* Pirat(in) *m(f)* **II** *v/t idea* stehlen; ***a ~d copy of the record*** eine Raubpressung; ***~d edition*** Raubdruck *m*

pirouette *n* Pirouette *f*

Pisces *pl* Fische *pl*; ***I'm (a) ~*** ich bin Fisch

piss (*sl*) **I** *n* Pisse *f* (*vulg*); ***to have a ~*** pissen (*vulg*); ***to take the ~ out of sb/sth*** (*Br sl*) jdn/etw verarschen (*infml*) **II** *v/i* pissen (*infml*); ***it's ~ing with rain*** (*infml*) es pisst (*sl*) **III** *v/r* sich bepissen (*vulg*); ***we ~ed ourselves (laughing)*** wir haben uns bepisst (*sl*) ◆ **piss about** *or* **around** *v/i* (*Br infml*) herummachen (*infml*) ◆ **piss down** *v/i* (*Br infml*) ***it's pissing down*** es pisst (*sl*) ◆ **piss off I** *v/i* (*esp Br sl*) sich verpissen (*sl*); ***~!*** (≈ *go away*) verpiss dich! (*sl*) **II** *v/t* (*esp Br infml*) ankotzen (*sl*); ***to be pissed off with sb/sth*** von jdm/etw die Schnauze vollhaben (*infml*)

piss artist *n* (*infml*) (≈ *drunk*) Säufer(in) *m(f)*; (≈ *boaster*) Großmaul *nt* (*infml*); (≈ *incompetent*) Niete *f* (*infml*) **pissed** *adj* (*infml*) (*Br* ≈ *drunk*) stockbesoffen (*infml*); (*US* ≈ *angry*) stocksauer (*infml*) **piss-take** *n* (*Br sl*) Verarschung *f* (*infml*) **piss-up** *n* (*Br sl*) Saufgelage *nt* (*infml*)

pistachio *n* Pistazie *f*

piste *n* SKI Piste *f*

pistol *n* Pistole *f*

piston *n* Kolben *m*

pit[1] **I** *n* **1.** (≈ *hole*) Grube *f*; (*Br* ≈ *mine*) Zeche *f*; ***to have a sinking feeling in the ~ of one's stomach*** ein ungutes Gefühl in der Magengegend haben; ***he works down the ~(s)*** er arbeitet unter Tage **2.** SPORTS ***to make a ~ stop*** einen Boxenstopp machen **3.** (THEAT ≈ *orchestra pit*) Orchestergraben *m* **4.** ***the ~s*** (*infml*) das Allerletzte **II** *v/t* **1.** ***the moon is ~ted with craters*** der Mond ist mit Kratern übersät **2.** ***to ~ one's wits against sb/sth*** seinen Verstand an jdm/etw messen; ***A is ~ted against B*** A und B stehen sich gegenüber

pit[2] (*US*) **I** *n* Stein *m* **II** *v/t* entsteinen

pita (bread) *n* (*US*) = ***pitta (bread)***

pit babe *n* (*infml*) Boxenluder *nt* (*infml*)

pitch I *n* **1.** (≈ *throw*) Wurf *m* **2.** (*esp Br* SPORTS) Platz *m* **3.** (*Br: in market etc*) Stand *m*, Standl *nt* (*Aus*) **4.** (*infml* ≈ *sales pitch*) Sermon *m* (*infml*) **5.** PHON Tonhöhe *f*; (*of instrument*) Tonlage *f*; (*of voice*) Stimmlage *f* **6.** (*fig* ≈ *degree*) Grad *m* **II** *v/t* **1.** *ball* werfen **2.** (MUS ≈ *hit*) *note* treffen; ***she ~ed her voice higher*** sie sprach mit einer höheren Stimme **3.** (*fig*) ***the production must be ~ed at the right level for London audiences*** das Stück muss auf das Niveau des Londoner Publikums abgestimmt werden **4.** *tent* aufschlagen **III** *v/i* **1.** (≈ *fall*) fallen; ***to ~ forward*** vornüberfallen **2.** NAUT stampfen; AVIAT absacken **3.** BASEBALL werfen ◆ **pitch in** *v/i* (*infml*) einspringen; ***so we all pitched in together*** also packten wir alle mit an

pitch-black *adj* pechschwarz **pitch-dark I** *adj* pechschwarz **II** *n* (tiefe) Finsternis

pitcher[1] *n* (*esp US*) Krug *m*

pitcher[2] *n* BASEBALL Werfer(in) *m(f)*

pitchfork *n* Heugabel *f*, Mistgabel *f*

piteous *adj* mitleiderregend

pitfall *n* (*fig*) Falle *f*

pith *n* BOT Mark *nt*; (*of orange, lemon etc*) weiße Haut; (*fig* ≈ *core*) Kern *m*

pitiful *adj* **1.** *sight, story* mitleiderregend; *cry* jämmerlich; ***to be in a ~ state*** in einem erbärmlichen Zustand sein **2.** (≈ *wretched*) erbärmlich **pitifully** *adv* **1.** jämmerlich **2.** *inadequate* erbärmlich

pitiless *adj* mitleidlos

pits *pl* → ***pit***[1]

pitta (bread) *n* ≈ Fladenbrot *nt*

pittance *n* Hungerlohn *m*

pity I *n* **1.** Mitleid *nt*; ***for ~'s sake!*** um Himmels willen!; ***to have*** *or* ***take ~ on sb*** mit jdm Mitleid haben; ***to move sb to ~*** jds Mitleid (*acc*) erregen **2.** (***what a***) ***~!*** (wie) schade!; ***what a ~ he can't come*** (wie) schade, dass er nicht kommen kann; ***more's the ~!*** leider; ***it is a ~ that ...*** es ist schade, dass ...; ***it would be a ~ if he lost*** *or* ***were to lose this job*** es wäre bedauerlich, wenn er seine Arbeit verlieren sollte **II** *v/t* bedauern

pivot *pret, past part* **pivoted** *v/i* sich drehen; ***to ~ on sth*** (*fig*) sich um etw drehen

pivotal *adj* (*fig*) zentral

pixel *n* IT Pixel *nt*

pizza *n* Pizza *f* **pizzeria** *n* Pizzeria *f*

placard *n* Plakat *nt*

placate *v/t* beschwichtigen

place I *n* **1.** (*general*) Platz *m*, Stelle *f*; ***water is coming through in several ~s*** an mehreren Stellen kommt Wasser durch; ***from ~ to ~*** von einem Ort zum anderen; ***in another ~*** woanders; ***we found a good ~ to watch the procession from*** wir fanden einen Platz, von dem wir den Umzug gut sehen konnten; ***in the right/wrong ~*** an der richtigen/falschen Stelle; ***some/any ~*** irgendwo; ***a poor man with no ~ to go*** ein armer Mann, der nicht weiß, wohin; ***this is no ~ for you*** das ist kein Platz für dich; ***it was the last ~ I expected to find him*** da hätte ich ihn zuletzt vermutet; ***this isn't the ~ to discuss politics*** dies ist nicht der Ort, um über Politik zu sprechen; ***I can't be in two ~s at once!*** ich kann doch nicht an zwei Stellen gleichzeitig sein **2.** (≈ *location, district*) Gegend *f*; (≈ *town*) Ort *m*; (*in street names*) Platz *m*; ***in this ~*** hier **3.** (≈ *home*) Haus *nt*; ***come round to my ~*** komm doch mal vorbei; ***let's go back to my ~*** lass uns zu mir gehen; ***I've never been to his ~*** ich bin noch nie bei ihm gewesen; ***at Peter's ~*** bei Peter **4.** (*at table, in team*) Platz *m*; (*at university*) Studienplatz *m*; (≈ *job, in book etc*) Stelle *f*; SPORTS Platzierung *f*; ***~s for 500 students*** 500 Studienplätze; ***to give up one's ~*** (*in a queue*) jdm den Vortritt lassen; ***to lose one's ~*** (*in a queue*) sich wieder hinten anstellen müssen; (*in book*) die Seite verblättern; (*on page*) die Zeile verlieren; ***to take the ~ of sb/sth*** den Platz von jdm/etw einnehmen; ***to win first ~*** Erste(r, s) sein **5.** (*in hierarchy*) Rang *m*; ***people in high ~s*** Leute in hohen Positionen; ***to know one's ~*** wissen, was sich (für einen) gehört; ***it's not my ~ to comment*** es steht mir nicht zu, einen Kommentar abzugeben; ***to keep*** *or* ***put sb in his ~*** jdn in seine Schranken weisen **6.** MAT Stelle *f*; ***to three decimal ~s*** auf drei Stellen nach dem Komma **7.** ***~ of birth*** Geburtsort *m*; ***~ of residence*** Wohnort *m*; ***~ of work*** Arbeitsstelle *f*; ***in ~s*** stellenweise; ***everything was in ~*** alles war an seiner Stelle; ***the legislation is already in ~*** die gesetzlichen Regelungen gelten schon; ***to be out of ~*** (≈ *in the wrong place*) nicht an der richtigen Stelle sein; ***to look out of ~*** fehl am Platz wirken; ***all over the ~*** (≈ *everywhere*) überall; ***in ~ of*** statt (+*gen*); ***to fall into ~*** Gestalt annehmen; ***in the first ~*** (≈ *firstly*) erstens; ***she shouldn't have been there in the first ~*** sie hätte überhaupt nicht dort sein sollen; ***to take ~*** stattfinden; ***to go ~s*** (≈ *travel*) herumreisen **II** *v/t* **1.** (≈ *put*) setzen, stellen; (≈ *lay down*) legen; ***she slowly ~d one foot in front of the other*** sie setzte langsam einen Fuß vor den anderen; ***she ~d a finger on her lips*** sie legte den Finger auf die Lippen; ***to ~ a strain on sth*** etw belasten; ***to ~ confidence in sb/sth*** Vertrauen in jdn/etw setzen; ***to be ~d*** (*town etc*) liegen; ***how are you ~d for time?*** wie sieht es mit deiner Zeit aus?; ***we are well ~d for the shops*** was Einkaufsmöglichkeiten angeht, wohnen wir günstig; ***Liverpool are well ~d in the league*** Liverpool liegt gut in der Tabelle **2.** (≈ *rank*) stellen; ***that should be ~d first*** das sollte an erster Stelle stehen; ***the German runner was ~d third*** der deutsche Läufer wurde Dritter **3.** *order* erteilen (*with sb* jdm)

placebo *n* MED Placebo *nt*

place mat *n* Set *nt* **placement** *n* **1.** (≈ *act*) Platzierung *f*; (≈ *finding job for*) Vermittlung *f* **2.** (*Br*) (≈ *period*: *of trainee*) Praktikum *nt*; ***I'm here on a six-month ~*** (*for in-service training etc*) ich bin hier für sechs Monate zur Weiterbildung; (*on secondment*) ich bin für sechs Monate hierhin überwiesen worden **place name** *n* Ortsname *m* **place setting** *n* Gedeck *nt*

placid *adj* ruhig; *person* gelassen

plagiarism *n* Plagiat *nt* **plagiarize** *v/t* plagiieren

plague I *n* MED Seuche *f*; (BIBLE, *fig*) Plage *f*; ***the ~*** die Pest; ***to avoid sb/sth like the ~*** jdn/etw wie die Pest meiden **II** *v/t* plagen; ***to be ~d by doubts*** von Zweifeln geplagt werden; ***to ~ sb with questions*** jdn ständig mit Fragen belästigen

plaice *n no pl* Scholle *f*

plain I *adj* (+*er*) **1.** klar; *truth* schlicht; (≈ *obvious*) offensichtlich; ***it is ~ to see that ...*** es ist offensichtlich, dass ...; ***to make sth ~ to sb*** jdm etw klarmachen; ***the reason is ~ to see*** der Grund ist leicht einzusehen; ***I'd like to make it quite ~ that ...*** ich möchte gern klarstellen, dass ... **2.** (≈ *simple*) einfach; *food* (gut)bürgerlich; *paper* unliniert; *colour* einheitlich **3.** (≈ *sheer*) rein **4.** (≈ *not beautiful*) unattraktiv **II** *adv* **1.** (*infml* ≈ *simply*) (ganz) einfach **2.** ***I can't put it ~er than that*** deutlicher kann ich es nicht sagen **III** *n* GEOG Ebene *f*; ***the ~s*** das Flachland **plain chocolate** *n* (*Br*) (Zart)bitterschokolade *f* **plain-clothes** *adj* in Zivil **plain flour** *n* Mehl *nt* (*ohne Backpulver*) **plainly** *adv* **1.** (≈ *clearly*) eindeutig; *remember*, *visible* klar; ***~, these new techniques are impractical*** es ist ganz klar, dass diese neuen Verfahren unpraktisch sind **2.** (≈ *frankly*) offen **3.** (≈ *unsophisticatedly*) einfach **plain-spoken** *adj* offen, direkt; ***to be ~*** sagen, was man denkt

plaintiff *n* Kläger(in) *m*(*f*)

plait I *n* (*esp Br*) Zopf *m* **II** *v/t* flechten

plan I *n* Plan *m*; (≈ *town plan*) Stadtplan *m*; ***~ of action*** Aktionsprogramm *nt*; ***the ~ is to meet at six*** es ist geplant, sich um sechs zu treffen; ***to make ~s (for sth)*** Pläne (für etw) machen; ***have you any ~s for tonight?*** hast du (für) heute Abend (schon) etwas vor?; ***according to ~*** planmäßig **II** *v/t* **1.** planen; *buildings etc* entwerfen **2.** (≈ *intend*) vorhaben; ***we weren't ~ning to*** wir hatten es nicht vor **III** *v/i* planen; ***to ~ ahead*** vorausplanen ◆ **plan on** *v/i +prep obj* **1.** ***to ~ doing sth*** vorhaben, etw zu tun **2.** ***to ~ sth*** mit etw rechnen ◆ **plan out** *v/t sep* in Einzelheiten planen

plane *n* **1.** (≈ *aeroplane*) Flugzeug *nt*; ***to go by ~*** fliegen **2.** (*fig*) Ebene *f* **planeload** *n* Flugzeugladung *f*

planet *n* Planet *m* **planetarium** *n* Planetarium *nt*

plank *n* Brett *nt*; NAUT Planke *f*

plankton *n* Plankton *nt*

planned *adj* geplant **planner** *n* Planer(in) *m*(*f*) **planning** *n* Planung *f*; ***~ permission*** Baugenehmigung *f*

plant I *n* **1.** BOT Pflanze *f*; ***rare/tropical ~s*** seltene/tropische Gewächse *pl* **2.** *no pl* (≈ *equipment*) Anlagen *pl*; (≈ *factory*) Werk *nt*; ***~ manager*** (*US*) Werks- *or* Betriebsleiter(in) *m*(*f*) **II** *attr* ***~ life*** Pflanzenwelt *f* **III** *v/t* **1.** *plants* pflanzen; *field* bepflanzen **2.** (≈ *place*) setzen; *bomb* legen; *kiss* drücken **3.** ***to ~ sth on sb*** (*infml*) jdm etw unterjubeln (*infml*) ◆ **plant out** *v/t sep* auspflanzen

plantation *n* Plantage *f*; (*of trees*) Anpflanzung *f* **planter** *n* **1.** Pflanzer(in) *m*(*f*) **2.** (≈ *plant pot*) Übertopf *m* **plant pot** *n* (*esp Br*) Blumentopf *m*

plaque *n* **1.** Plakette *f*; (*on building etc*) Tafel *f* **2.** (*on teeth*) (Zahn)belag *m*

plasma *n* Plasma *nt*

plaster I *n* **1.** BUILD (Ver)putz *m* **2.** (ART, MED: *a.* **plaster of Paris**) Gips *m*; ***to have one's leg in ~*** das Bein in Gips haben **3.** (*Br* ≈ *sticking plaster*) Pflaster *nt* **II** *v/t* **1.** *wall* verputzen **2.** (*infml*) ***to ~ one's face with make-up*** sein Gesicht mit Make-up vollkleistern (*infml*); ***~ed with mud*** schlammbedeckt **plaster cast** *n* MED Gipsverband *m* **plastered** *adj pred* (*infml*) voll (*infml*); ***to get ~*** sich volllaufen lassen (*infml*)

plastic I *n* **1.** Plastik *nt*; ***~s*** Kunststoffe *pl* **2.** (*infml* ≈ *credit cards*) Kreditkarten *pl* **II** *adj* Plastik- **plastic bag** *n* Plastiktüte *f* **plastic explosive** *n* Plastiksprengstoff *m*

Plasticine® *n* (*Br*) Modelliermasse *f*

plastic surgeon *n* plastischer Chirurg **plastic surgery** *n* plastische Chirurgie; ***she decided to have ~ on her nose*** sie entschloss sich zu einer Schönheitsoperation an ihrer Nase **plastic wrap** *n* (*US*) Frischhaltefolie *f*

plate *n* **1.** Teller *m*; ***to have sth handed to one on a ~*** (*Br fig infml*) etw auf einem Tablett serviert bekommen (*infml*); ***to have a lot on one's ~*** (*fig infml*) viel am Hals haben (*infml*) **2.** TECH, PHOT Platte *f*; (≈ *name plate*) Schild *nt*

plateau *n*, *pl* **-s** *or* **-x** GEOG Hochebene *f*

plateful *n* Teller *m*

platform *n* Plattform *f*; (≈ *stage*) Bühne *f*; RAIL Bahnsteig *m*; IT (System)plattform *f*

platform shoe *n* Plateauschuh *m*
platinum *n* Platin *nt*
platitude *n* Plattitüde *f*
platonic *adj* platonisch
platoon *n* MIL Zug *m*
platter *n* Teller *m*; (≈ *serving dish*) Platte *f*; ***to have sth handed to one on a (silver) ~*** (*fig*) etw auf einem (silbernen) Tablett serviert bekommen
plausibility *n* Plausibilität *f* **plausible** *adj* plausibel
play I *n* **1.** Spiel *nt*; ***~ on words*** Wortspiel *nt*; ***to abandon ~*** SPORTS das Spiel abbrechen; ***to be in ~/out of ~*** (*ball*) im Spiel/im Aus sein **2.** THEAT (Theater)stück *nt*; RADIO Hörspiel *nt*; TV Fernsehspiel *nt*; ***the ~s of Shakespeare*** Shakespeares Dramen **3.** (*fig*) ***to come into ~*** ins Spiel kommen; ***to bring sth into ~*** etw aufbieten **II** *v/t* spielen; ***to ~ sb (at a game)*** gegen jdn (ein Spiel) spielen; ***to ~ a joke on sb*** jdm einen Streich spielen; ***to ~ a trick on sb*** jdn hereinlegen; ***to ~ it safe*** auf Nummer sicher gehen (*infml*); ***to ~ the fool*** den Clown spielen; ***to ~ the piano*** Klavier spielen **III** *v/i* spielen; (THEAT ≈ *be performed*) gespielt werden; ***to go out to ~*** rausgehen und spielen; ***can Johnny come out to ~?*** darf Johnny zum Spielen rauskommen?; ***to ~ at cowboys and Indians*** Cowboy und Indianer spielen; ***to ~ at being a fireman*** Feuerwehrmann spielen; ***to ~ in defence*** SPORTS in der Abwehr spielen; ***to ~ in goal*** im Tor stehen; ***what are you ~ing at?*** (*infml*) was soll (denn) das? (*infml*); ***to ~ for money*** um Geld spielen; ***to ~ for time*** (*fig*) Zeit gewinnen wollen; ***to ~ into sb's hands*** (*fig*) jdm in die Hände spielen; ***to ~ to sb*** MUS jdm vorspielen ◆ **play about** (*Brit*) *or* **around** *v/i* spielen; ***to play around with sth*** mit etw (herum)spielen; ***he's been playing around (with another woman)*** er hat mit einer anderen Frau herumgemacht (*infml*) ◆ **play along** *v/i* mitspielen; ***to ~ with a suggestion*** auf einen Vorschlag scheinbar eingehen; ***to ~ with sb*** jdm zustimmen ◆ **play back** *v/t sep recording* abspielen; *answering machine* abhören ◆ **play down** *v/t sep* herunterspielen ◆ **play off** *v/t sep* ***to play X off against Y*** X gegen Y ausspielen ◆ **play on I** *v/i* weiterspielen **II** *v/i +prep obj* (*a.* **play upon**) *sb's fears* geschickt ausnutzen; ***the hours of waiting played on my nerves*** das stundenlange Warten zermürbte mich ◆ **play through** *v/i +prep obj a few bars etc* durchspielen ◆ **play up I** *v/i* (*Br infml* ≈ *cause trouble*) Schwierigkeiten machen **II** *v/t sep* (*infml*) ***to play sb up*** jdm Schwierigkeiten machen ◆ **play upon** *v/i +prep obj* = ***play on*** II ◆ **play with** *v/i +prep obj* ***we don't have much time to ~*** wir haben zeitlich nicht viel Spielraum; ***to ~ oneself*** an sich (*dat*) herumfummeln
play-acting *n* (*fig*) Theater *nt* **playbill** *n* (*US*) Theaterprogramm *nt* **playboy** *n* Playboy *m*
player *n* Spieler(in) *m*(*f*) **playful** *adj* neckisch; *child, animal* verspielt; ***the dog is just being ~*** der Hund spielt nur **playfulness** *n* (*of child, animal*) Verspieltheit *f* **playground** *n* Spielplatz *m*; SCHOOL (Schul)hof *m* **playgroup** *n* Spielgruppe *f* **playhouse** *n* **1.** (*US* ≈ *doll's house*) Puppenstube *f* **2.** THEAT Schauspielhaus *nt* **playing card** *n* Spielkarte *f* **playing field** *n* Sportplatz *m* **playmate** *n* Spielkamerad(in) *m*(*f*) **play-off** *n* Ausscheidungsspiel *nt*, Play-off *nt* **play park** *n* Spielpark *m* **playpen** *n* Laufstall *m* **playschool** *n* (*esp Br*) Kindergarten *m* **playtime** *n* SCHOOL große Pause **playwright** *n* Dramatiker(in) *m*(*f*)
plaza *n* Piazza *f*; (*US* ≈ *shopping complex*) Einkaufszentrum *nt*
plc (*Br*) *abbr of* ***public limited company*** ≈ AG *f*
plea *n* **1.** Bitte *f*; ***to make a ~ for sth*** zu etw aufrufen **2.** JUR Plädoyer *nt* **plead** *pret, past part* **pleaded** *or* (*Scot, US*) **pled I** *v/t ignorance* sich berufen auf (*+acc*) **II** *v/i* **1.** bitten (*for* um); ***to ~ with sb to do sth*** jdn bitten, etw zu tun; ***to ~ with sb for sth*** jdn um etw bitten **2.** JUR das Plädoyer halten; ***to ~ guilty/not guilty*** sich schuldig/nicht schuldig bekennen **pleading** *adj*, **pleadingly** *adv* flehend
pleasant *adj* angenehm; *news* erfreulich, gefreut (*Swiss*); *person* nett, fesch (*Aus*); *manner* freundlich **pleasantly** *adv* angenehm; *smile, speak* freundlich **pleasantness** *n* Freundlichkeit *f* **pleasantry** *n* Nettigkeit *f*
please I *int* bitte; ***(yes,) ~*** (ja,) bitte; (*enthusiastic*) oh ja, gerne; ***~ pass the salt, pass the salt, ~*** würden Sie mir bitte das

Salz reichen?; ***may I? — ~ do!*** darf ich? — bitte sehr! **II** *v/i* **1.** (***just***) ***as you ~*** ganz wie du willst; ***to do as one ~s*** tun, was einem gefällt **2.** (≈ *cause satisfaction*) gefallen; ***eager to ~*** darum bemüht, alles richtig zu machen **III** *v/t* (≈ *give pleasure to*) eine Freude machen (+*dat*); ***the idea ~d him*** die Idee hat ihm gefallen; ***just to ~ you*** nur dir zuliebe; ***it ~s me to see him so happy*** es freut mich, dass er so glücklich ist; ***you can't ~ everybody*** man kann es nicht allen recht machen; ***there's no pleasing him*** er ist nie zufrieden; ***he is easily ~d*** er ist leicht zufriedenzustellen **IV** *v/r* ***to ~ oneself*** tun, was einem gefällt; ***~ yourself!*** wie Sie wollen!; ***you can ~ yourself about where you sit*** es ist Ihnen überlassen, wo Sie sitzen **pleased** *adj* (≈ *happy*) freudig; (≈ *satisfied*) zufrieden; ***to be ~*** (***about sth***) sich (über etw *acc*) freuen; ***I'm ~ to hear that ...*** es freut mich zu hören, dass ...; ***~ to meet you*** freut mich; ***we are ~ to inform you that ...*** wir freuen uns, Ihnen mitteilen zu können, dass ...; ***to be ~ with sb/sth*** mit jdm / etw zufrieden sein; ***I was only too ~ to help*** es war mir wirklich eine Freude zu helfen **pleasing** *adj* angenehm; *sight* erfreulich, gefreut (*Swiss*)

pleasurable *adj* angenehm; *anticipation* freudig

pleasure *n* **1.** Freude *f*; ***it's a ~,*** (***my***) ***~*** gern (geschehen)!; ***with ~*** sehr gerne; ***it's my very great ~ ...*** es ist mir ein großes Vergnügen, ...; ***to have the ~ of doing sth*** das Vergnügen haben, etw zu tun; ***to do sth for ~*** etw zum Vergnügen tun; ***to get ~ out of doing sth*** Spaß daran haben, etw zu tun; ***he takes ~ in annoying me*** es bereitet ihm Vergnügen, mich zu ärgern **2.** (≈ *amusement*) Vergnügen *nt*; ***business or ~?*** geschäftlich oder zum Vergnügen?; ***it's a ~ to meet you*** es freut mich, Sie kennenzulernen; ***he's a ~ to teach*** es ist ein Vergnügen, ihn zu unterrichten **pleasure boat** *n* Vergnügungsdampfer *m*

pleat I *n* Falte *f* **II** *v/t* fälteln **pleated** *adj* gefältelt; ***~ skirt*** Faltenrock *m*

plectrum *n* Plektrum *nt*

pled (*US*, *Scot*) *pret*, *past part of* **plead**

pledge I *n* **1.** (≈ *token*) Pfand *nt* **2.** (≈ *promise*) Versprechen *nt*; ***as a ~ of*** als Zeichen (+*gen*); ***election ~s*** Wahlversprechen *pl* **II** *v/t* **1.** (≈ *pawn*) verpfänden **2.** (≈ *promise*) zusichern; ***to ~ support for sb/sth*** jdm / einer Sache seine Unterstützung zusichern; ***to ~*** (***one's***) ***allegiance to sb/sth*** jdm / einer Sache Treue geloben

plenary *adj* ***~ session*** Plenarsitzung *f*, Vollversammlung *f*; ***~ powers*** unbeschränkte Vollmachten *pl*

plentiful *adj* reichlich; *minerals etc* reichlich vorhanden; ***to be in ~ supply*** reichlich vorhanden sein

plenty I *n* **1.** eine Menge; ***in ~*** im Überfluss; ***three kilos will be ~*** drei Kilo sind reichlich; ***there's ~ here for six*** es gibt mehr als genug für sechs; ***that's ~, thanks!*** danke, das ist reichlich; ***you've had ~*** du hast reichlich gehabt; ***to see ~ of sb*** jdn oft sehen; ***there's ~ to do*** es gibt viel zu tun; ***there's ~ more where that came from*** davon gibt es genug; ***there are still ~ left*** es sind immer noch eine ganze Menge da **2.** ***~ of*** viel; ***~ of time*** viel Zeit; ***~ of eggs*** viele Eier; ***there is no longer ~ of oil*** Öl ist nicht mehr im Überfluss vorhanden; ***a country with ~ of natural resources*** ein Land mit umfangreichen Bodenschätzen; ***has everyone got ~ of potatoes?*** hat jeder reichlich Kartoffeln?; ***there will be ~ to drink*** es gibt dort ausreichend zu trinken; ***he had been given ~ of warning*** er ist genügend oft gewarnt worden; ***to arrive in ~ of time*** rechtzeitig kommen; ***there's ~ of time*** es ist noch viel Zeit; ***take ~ of exercise*** Sie müssen viel Sport treiben **II** *adv* (*esp US infml*) ***I like it ~*** ich mag das sehr

pliable, pliant *adj* **1.** biegsam; *leather* geschmeidig **2.** (≈ *docile*) fügsam

pliers *pl* (*a.* **pair of pliers**) (Kombi)zange *f*

plight *n* Elend *nt*; (*of economy etc*) Verfall *m*; ***the country's economic ~*** die wirtschaftliche Misere des Landes

plod *v/i* **1.** (≈ *trudge*) trotten; ***to ~ up a hill*** einen Hügel hinaufstapfen; ***to ~ along*** weiterstapfen **2.** (*fig*) ***to ~ away at sth*** sich mit etw abmühen

plonk[1] *v/t* (*infml*: *a.* **plonk down**) hinschmeißen (*infml*); ***to ~ oneself*** (***down***) sich hinpflanzen (*infml*)

plonk[2] *n* (*Br infml* ≈ *wine*) (billiger) Wein

plonker *n* (*Br infml*) **1.** (≈ *stupid person*) Niete *f* **2.** (≈ *penis*) Pimmel *m* (*infml*)

plop **I** *n* Plumps *m*; (*in water*) Platsch *m* **II** *v/i* **1.** (*in liquid*) platschen **2.** (*infml* ≈ *fall*) plumpsen (*infml*)

plot **I** *n* **1.** AGR Stück *nt* Land; (≈ *building plot*) Grundstück *nt*; (≈ *allotment*) Parzelle *f*; ***a ~ of land*** ein Stück *nt* Land **2.** (*US, of building*) Grundriss *m* **3.** (≈ *conspiracy*) Verschwörung *f* **4.** LIT, THEAT Handlung *f*; ***to lose the ~*** (*fig infml*) den Faden verlieren **II** *v/t* **1.** (≈ *plan*) planen; ***they ~ted to kill him*** sie planten gemeinsam, ihn zu töten **2.** *course* feststellen; (*on map*) einzeichnen **III** *v/i* ***to ~ against sb*** sich gegen jdn verschwören

plotter *n* IT Plotter *m*

plough, (*US*) **plow** **I** *n* Pflug *m*; ***the Plough*** ASTRON der Wagen **II** *v/t & v/i* AGR pflügen ◆ **plough back** *v/t sep* COMM reinvestieren (*into* in *+acc*) ◆ **plough into** **I** *v/i +prep obj car etc* hineinrasen in (*+acc*) **II** *v/t sep money* reinstecken in (*+acc*) (*infml*) ◆ **plough through** **I** *v/i +prep obj* **1.** ***we ploughed through the snow*** wir kämpften uns durch den Schnee; ***the car ploughed through the fence*** der Wagen brach durch den Zaun **2.** (*infml*) ***to ~ a novel*** *etc* sich durch einen Roman *etc* hindurchquälen **II** *v/t sep* **1.** ***we ploughed our way through the long grass*** wir bahnten uns unseren Weg durch das hohe Gras **2.** (*infml*) ***to plough one's way through a novel*** *etc* sich durch einen Roman *etc* durchackern (*infml*) ◆ **plough up** *v/t sep* umpflügen

ploughing, (*US*) **plowing** *n* Pflügen *nt*

ploughman, (*US*) **plowman** *n* Pflüger *m* **ploughman's lunch** *n* (*Br*) Käse und Brot als Imbiss **plow** *etc* (*US*) = ***plough*** *etc*

ploy *n* Trick *m*

pls *abbr of* ***please*** b.

pluck *v/t* **1.** *fruit, flower* pflücken; *chicken* rupfen; *guitar, eyebrows* zupfen; ***to ~ (at) sb's sleeve*** jdn am Ärmel zupfen; ***she was ~ed from obscurity to become a film star*** sie wurde von einer Unbekannten zum Filmstar gemacht; ***he was ~ed to safety*** er wurde in Sicherheit gebracht; ***to ~ sth out of the air*** etw aus der Luft greifen; ***to ~ up (one's) courage*** all seinen Mut zusammennehmen **2.** (*a.* **pluck out**) *hair* auszupfen

plucky *adj* (*+er*) *person, smile* tapfer; *action* mutig

plug **I** *n* **1.** (≈ *stopper*) Stöpsel *m*; (*for leak*) Propfen *m*; (*in barrel*) Spund *m*; ***to pull the ~ on sb/sth*** (*fig infml*) jdm/einer Sache den Boden unter den Füßen wegziehen **2.** ELEC Stecker *m*; (AUTO ≈ *spark plug*) (Zünd)kerze *f* **3.** (*infml: piece of publicity*) Schleichwerbung *f no pl*; ***to give sb/sth a ~*** für jdn/etw Werbung machen **II** *v/t* **1.** *hole, leak* zustopfen **2.** (*infml* ≈ *publicize*) Schleichwerbung machen für ◆ **plug away** *v/i* (*infml*) ackern (*infml*); ***to ~ at sth*** sich mit etw herumschlagen (*infml*); ***keep plugging away*** (nur) nicht lockerlassen ◆ **plug in** **I** *v/t sep* einstöpseln; ***to be plugged in*** angeschlossen sein **II** *v/i* sich anschließen lassen ◆ **plug up** *v/t sep hole* zustopfen

plug-and-play *attr* IT Plug-and-Play-

plughole *n* (*Br*) Abfluss *m*; ***to go down the ~*** (*fig infml*) kaputtgehen (*infml*)

plum **I** *n* Pflaume *f*, Zwetschke *f* (*Aus*); (≈ *Victoria plum*) Zwetsch(g)e *f* **II** *adj attr* (*infml*) *job* Bomben- (*infml*)

plumage *n* Gefieder *nt*

plumb **I** *adv* **1.** (*infml*) (≈ *completely*) total (*infml*) **2.** (≈ *exactly*) genau **II** *v/t* ***to ~ the depths of despair*** die tiefste Verzweiflung erleben; ***to ~ new depths*** einen neuen Tiefstand erreichen ◆ **plumb in** *v/t sep* (*Br*) anschließen

plumber *n* Klempner(in) *m(f)* **plumbing** *n* (≈ *fittings*) Leitungen *pl*

plume *n* Feder *f*; (*on helmet*) Federbusch *m*; ***~ of smoke*** Rauchfahne *f*

plummet *v/i* (*plane etc*) hinunterstürzen; (*sales etc*) stark zurückgehen; (*shares etc*) fallen; ***the euro has ~ted to £0.60*** der Euro ist auf £ 0,60 gefallen

plump **I** *adj* (*+er*) mollig; *legs etc* stämmig; *face* rundlich; *chicken etc* gut genährt; *fruit* prall **II** *v/t* ***to ~ sth down*** etw hinfallen lassen/hinwerfen; ***she ~ed herself down in the armchair*** sie ließ sich in den Sessel fallen ◆ **plump for** *v/i +prep obj* sich entscheiden für ◆ **plump up** *v/t sep cushion* aufschütteln

plumpness *n* Molligkeit *f*; (*of legs etc*) Stämmigkeit *f*; (*of face*) Pausbäckigkeit *f*; (*of chicken*) Wohlgenährtheit *f*

plum pudding *n* Plumpudding *m* **plum tomato** *n* italienische Tomate

plunder **I** *n* Beute *f* **II** *v/t* **1.** *place* plündern **2.** *thing* rauben **III** *v/i* plündern

plunge I *v/t* **1.** (≈ *thrust*) stecken; (*into water etc*) tauchen; ***he ~d the knife into his victim's back*** er jagte seinem Opfer das Messer in den Rücken **2.** (*fig*) ***to ~ the country into war*** das Land in einen Krieg stürzen; ***~d into darkness*** in Dunkelheit getaucht **II** *v/i* **1.** (≈ *dive*) tauchen **2.** (≈ *rush*) stürzen; (*sales*) fallen; ***to ~ to one's death*** zu Tode stürzen; ***he ~d into the crowd*** er stürzte sich in die Massen **III** *v/r* (*into job etc*) sich stürzen (*into* in +*acc*) **IV** *n* **1.** Sturz *m*; ***shares took a ~*** es kam zu einem Kurssturz **2.** (≈ *dive*) (Kopf)sprung *m*; ***to take the ~*** (*fig infml*) den Sprung wagen ◆ **plunge in I** *v/t sep knife* hineinjagen; *hand* hineinstecken; (*into water*) hineintauchen; ***he was plunged straight in*** (***at the deep end***) (*fig*) er musste gleich richtig ran (*infml*) **II** *v/i* (≈ *dive*) hineinspringen

plunger *n* Sauger *m* **plunging** *adj* **1.** *neckline* tief **2.** *prices* stark fallend

pluperfect I *n* Plusquamperfekt *nt* **II** *adj* ***~ tense*** Plusquamperfekt *nt*

plural I *adj* GRAM Plural-; ***~ ending*** Pluralendung *f* **II** *n* Plural *m*; ***in the ~*** im Plural

plus I *prep* plus (+*dat*); (≈ *together with*) und (außerdem); ***~ or minus 10%*** plus minus 10% **II** *adj* **1.** ***a ~ figure*** eine positive Zahl; ***on the ~ side*** auf der Habenseite; ***~ 10 degrees*** 10 Grad über null **2.** ***he got B ~*** ≈ er hat eine Zwei plus bekommen; ***50 pages ~*** über 50 Seiten **III** *n* (≈ *sign*) Pluszeichen *nt*; (≈ *positive factor*) Pluspunkt *m*; (≈ *extra*) Plus *nt*

plush *adj* (+*er*) (*infml*) feudal (*infml*); ***a ~ hotel*** ein Nobelhotel *nt* (*infml*)

plus sign *n* Pluszeichen *nt*

Pluto *n* ASTRON Pluto *m*

plutonium *n* Plutonium *nt*

ply *v/t* **1.** *trade* ausüben **2.** ***to ~ sb with questions*** jdn mit Fragen überhäufen; ***to ~ sb with drink***(***s***) jdn immer wieder zum Trinken auffordern

plywood *n* Sperrholz *nt*

PM (*Br infml*) *abbr of* ***Prime Minister***

pm *abbr of* ***post meridiem***; ***2 pm*** 2 Uhr nachmittags; ***12 pm*** 12 Uhr mittags

PMS *n abbr of* ***pre-menstrual syndrome*** PMS *nt*

PMT *n* (*Br*) *abbr of* ***pre-menstrual tension***

pneumatic drill *n* Pressluftbohrer *m*

pneumonia *n* Lungenentzündung *f*

PO *abbr of* ***post office*** PA

poach[1] *v/t egg* pochieren; *fish* dünsten; ***~ed egg*** verlorenes Ei

poach[2] **I** *v/t* unerlaubt fangen; (*fig*) *idea* stehlen; *customers* abwerben **II** *v/i* (*lit*) wildern (*for* auf +*acc*) **poacher** *n* Wilderer *m*, Wilderin *f* **poaching** *n* Wildern *nt*

P.O. box *n* Postfach *nt*

pocket I *n* **1.** Tasche *f*; (*in suitcase, file etc*) Fach *nt*; BILLIARDS Loch *nt*; ***to be in sb's ~*** (*fig*) jdm hörig sein; ***to live in each other's*** *or* ***one another's ~s*** (*fig*) unzertrennlich sein **2.** (≈ *resources*) Geldbeutel *m*; ***to be a drain on one's ~*** jds Geldbeutel strapazieren (*infml*); ***to pay for sth out of one's own ~*** etw aus der eigenen Tasche bezahlen **3.** (≈ *area*) Gebiet *nt*; ***~ of resistance*** Widerstandsnest *nt* **II** *adj* Taschen- **III** *v/t* (≈ *put in one's pocket*) einstecken **pocketbook** *n* **1.** (≈ *notebook*) Notizbuch *nt* **2.** (*esp US* ≈ *wallet*) Brieftasche *f* **pocket calculator** *n* Taschenrechner *m* **pocketful** *n* ***a ~*** eine Taschevoll **pocketknife** *n* Taschenmesser *nt* **pocket money** *n* (*esp Br*) Taschengeld *nt* **pocket-size(d)** *adj* im Taschenformat; ***~ camera/TV*** Miniaturkamera *f*/-fernseher *m*

pockmarked *adj face* pockennarbig; *surface* narbig

pod I *n* BOT Hülse *f* **II** *v/t peas* enthülsen

podgy *adj* (+*er*) (*Br infml*) pummelig; *face* schwammig; ***~ fingers*** Wurstfinger *pl*

podiatrist *n* (*esp US*) Fußspezialist(in) *m*(*f*)

podium *n* Podest *nt*

poem *n* Gedicht *nt*

poet *n* Dichter *m* **poetic** *adj* poetisch **poetic licence** *n* dichterische Freiheit **poet laureate** *n* Hofdichter(in) *m*(*f*) **poetry** *n* **1.** Dichtung *f*; ***to write ~*** Gedichte schreiben **2.** (*fig*) ***~ in motion*** in Bewegung umgesetzte Poesie

pogrom *n* Pogrom *nt*

poignancy *n* Ergreifende(s) *nt*; (*of memories*) Wehmut *f* **poignant** *adj* ergreifend; *memories* wehmütig

point I *n* **1.** Punkt *m*; ***~s for/against*** Plus-/Minuspunkte *pl*; ***to win on ~s*** nach Punkten gewinnen; (***nought***) ***~ seven*** (***0.7***) null Komma sieben (0,7); ***up to a ~*** bis zu einem gewissen Grad **2.** (*of needle*) Spitze *f* **3.** (≈ *place, time*) Stelle *f*; ***at this ~*** (≈ *then*) in diesem Augenblick; (≈ *now*) jetzt; ***from that ~ on***

von da an; ***at what ~ ...?*** an welcher Stelle ...?; ***at no ~*** nie; ***at no ~ in the book*** nirgends in dem Buch; ***~ of departure*** Ausgangspunkt *m*; ***severe to the ~ of cruelty*** streng bis an die Grenze der Grausamkeit; ***the ~ of no return*** (*fig*) der Punkt, von dem an es kein Zurück gibt; ***~ of view*** Standpunkt *m*; ***from my ~ of view*** von meinem Standpunkt aus; ***from the ~ of view of productivity*** von der Produktivität her gesehen; ***to be on the ~ of doing sth*** im Begriff sein, etw zu tun; ***he was on the ~ of telling me the story when ...*** er wollte mir gerade die Geschichte erzählen, als ... **4.** (≈ *matter, question*) Punkt *m*; ***a useful ~*** ein nützlicher Hinweis; ***~ by ~*** Punkt für Punkt; ***my ~ was ...*** was ich sagen wollte, war ...; ***you have a ~ there*** darin mögen Sie recht haben; ***to make a/one's ~*** ein/sein Argument *nt* vorbringen; ***he made the ~ that ...*** er betonte, dass ...; ***you've made your ~!*** das hast du ja schon gesagt!; ***what ~ are you trying to make?*** worauf wollen Sie hinaus?; ***I take your ~, ~ taken*** ich akzeptiere, was Sie sagen; ***do you take my ~?*** verstehst du mich?; ***a ~ of interest*** ein interessanter Punkt; ***a ~ of law*** eine Rechtsfrage **5.** (≈ *purpose*) Sinn *m*; ***there's no ~ in staying*** es hat keinen Sinn zu bleiben; ***I don't see the ~ of carrying on*** ich sehe keinen Sinn darin, weiterzumachen; ***what's the ~?*** was solls?; ***the ~ of this is ...*** Sinn und Zweck davon ist ...; ***what's the ~ of trying?*** wozu (es) versuchen?; ***the ~ is that ...*** die Sache ist die, dass ...; ***that's the whole ~*** das ist es ja gerade; ***that's the whole ~ of doing it this way*** gerade darum machen wir das so; ***the ~ of the story*** die Pointe; ***that's not the ~*** darum geht es nicht; ***to get** or **see the ~*** verstehen, worum es geht; ***do you see the ~ of what I'm saying?*** weißt du, worauf ich hinauswill?; ***to miss the ~*** nicht verstehen, worum es geht; ***he missed the ~ of what I was saying*** er hat nicht begriffen, worauf ich hinauswollte; ***to come to the ~*** zur Sache kommen; ***to keep** or **stick to the ~*** beim Thema bleiben; ***beside the ~*** irrelevant; ***I'm afraid that's beside the ~*** das ist nicht relevant; ***a case in ~*** ein einschlägiger Fall; ***to make a ~ of doing sth*** Wert darauf legen, etw zu tun **6.** (≈ *characteristic*) ***good/bad ~s*** gute/schlechte Seiten *pl* **II points** *pl* (RAIL, *Br*) Weichen *pl* **III** *v/t* **1.** *gun etc* richten (*at* auf +*acc*) **2.** (≈ *show*) zeigen; ***to ~ the way*** den Weg weisen **3.** *toes* strecken **IV** *v/i* **1.** (*with finger etc*) zeigen (*at, to* auf +*acc*); ***it's rude to ~ (at strangers)*** es ist unhöflich, mit dem Finger (auf Fremde) zu zeigen; ***he ~ed toward(s) the house*** er zeigte zum Haus **2.** (≈ *indicate*) hindeuten (*to* auf +*acc*); ***everything ~s that way*** alles weist in diese Richtung; ***all the signs ~ to success*** alle Zeichen stehen auf Erfolg **3.** (*gun etc*) gerichtet sein; (*building*) liegen ◆ **point out** *v/t sep* zeigen auf (+*acc*); ***to point sth out to sb*** jdn auf etw (*acc*) hinweisen; (≈ *mention*) jdn auf etw (*acc*) aufmerksam machen; ***could you point him out to me?*** kannst du mir zeigen, wer er ist?; ***may I ~ that ...?*** darf ich darauf aufmerksam machen, dass ...?

point-blank I *adj* direkt; *refusal* glatt; ***at ~ range*** aus kürzester Entfernung **II** *adv fire* aus kürzester Entfernung; *ask* rundheraus; *refuse* rundweg

pointed *adj* **1.** spitz **2.** *remark, comment, look* spitz; *reference* unverblümt; *question* gezielt; *absence, gesture* ostentativ; ***that was rather ~*** das war ziemlich deutlich **pointedly** *adv speak* spitz; *refer* unverblümt; *stay away* ostentativ **pointer** *n* **1.** (≈ *indicator*) Zeiger *m* **2.** (≈ *stick*) Zeigestock *m* **3.** IT Mauszeiger *m* **4.** (*fig*) Hinweis *m* **pointless** *adj* sinnlos; ***it is ~ her going** or **for her to go*** es ist sinnlos, dass sie geht; ***a ~ exercise*** eine sinnlose Angelegenheit **pointlessly** *adv* sinnlos **pointlessness** *n* Sinnlosigkeit *f*

poise I *n* **1.** (*of head, body*) Haltung *f*; (≈ *grace*) Grazie *f* **2.** (≈ *self-possession*) Selbstsicherheit *f* **II** *v/t* balancieren; ***to hang ~d*** (*bird, sword*) schweben; ***the tiger was ~d ready to spring*** der Tiger lauerte sprungbereit; ***we sat ~d on the edge of our chairs*** wir balancierten auf den Stuhlkanten **poised** *adj* **1.** (≈ *ready*) bereit; ***to be ~ to do sth*** bereit sein, etw zu tun; ***to be ~ for sth*** für etw bereit sein; ***the enemy are ~ to attack*** der Feind steht angriffsbereit; ***he was ~ to become champion*** er war auf dem besten Weg, die Meisterschaft zu gewinnen; ***to be ~ on the brink of sth*** am Rande von etw stehen **2.** (≈ *self-possessed*) selbstsicher

poison I *n* Gift *nt* **II** *v/t* vergiften; *atmosphere, rivers* verpesten; ***to ~ sb's mind against sb*** jdn gegen jdn aufstacheln **poisoned** *adj* vergiftet **poisoning** *n* Vergiftung *f*

poisonous *adj* giftig; ***~ snake*** Giftschlange *f* **poison-pen letter** *n* anonymer Brief

poke I *n* Stoß *m*; ***to give sb/sth a ~*** (*with stick*) jdn/etw stoßen; (*with finger*) jdn/etw stupsen **II** *v/t* **1.** (≈ *jab*) (*with stick*) stoßen; (*with finger*) stupsen; ***to ~ the fire*** das Feuer schüren; ***he accidentally ~d me in the eye*** er hat mir aus Versehen ins Auge gestoßen **2.** ***to ~ one's finger into sth*** seinen Finger in etw (*acc*) stecken; ***he ~d his head round the door*** er streckte seinen Kopf durch die Tür **3.** *hole* bohren **III** *v/i* ***to ~ at sth*** in etw (*dat*) stochern; ***she ~d at her food with a fork*** sie stocherte mit einer Gabel in ihrem Essen herum ◆ **poke about** (*Brit*) *or* **around** *v/i* **1.** (≈ *prod*) herumstochern **2.** (*infml* ≈ *nose about*) schnüffeln (*infml*) ◆ **poke out I** *v/i* vorstehen **II** *v/t sep* **1.** (≈ *extend*) hinausstrecken **2.** ***he poked the dirt out with his fingers*** er kratzte den Schmutz mit den Fingern heraus; ***to poke sb's eye out*** jdm ein Auge ausstechen

poker *n* CARDS Poker *nt* **poker-faced** *adj* mit einem Pokergesicht

poky *adj* (*+er*) (*pej*) winzig; ***it's so ~ in here*** es ist so eng hier

Poland *n* Polen *nt*

polar *adj* Polar-, polar **polar bear** *n* Eisbär *m* **polar circle** *n* Polarkreis *m* **polarize I** *v/t* polarisieren **II** *v/i* sich polarisieren

Polaroid® *n* (≈ *camera*) Polaroidkamera® *f*; (≈ *photograph*) Sofortbild *nt*

Pole *n* Pole *m*, Polin *f*

pole¹ *n* Stange *f*; (*for vaulting*) Stab *m*

pole² *n* GEOG, ASTRON, ELEC Pol *m*; ***they are ~s apart*** sie (*acc*) trennen Welten

polemical *adj* polemisch

pole position *n* MOTORING RACING Poleposition *f*; ***to be or start in ~*** aus der Poleposition starten **pole star** *n* Polarstern *m* **pole vault** *n* Stabhochsprung *m* **pole-vaulter** *n* Stabhochspringer(in) *m*(*f*)

police I *n* Polizei *f*; ***to join the ~*** zur Polizei gehen; ***he is in the ~*** er ist bei der Polizei; ***hundreds of ~*** Hunderte von Polizisten **II** *v/t* kontrollieren **police car** *n* Polizeiwagen *m* **police constable** *n* (*Br*) Polizist(in) *m*(*f*) **police dog** *n* Polizeihund *m* **police force** *n* Polizei *f* **police headquarters** *n sg or pl* Polizeipräsidium *nt*

policeman *n* Polizist *m* **police officer** *n* Polizeibeamte(r) *m*/*f*(*m*) **police presence** *n* Polizeiaufgebot *nt*

police station *n* (Polizei)wache *f*, Wachzimmer *nt* (*Aus*) **policewoman** *n* Polizistin *f* **policing** *n* Kontrolle *f*

policy¹ *n* **1.** Politik *f no pl*; (≈ *principle*) Grundsatz *m*; ***our ~ on recruitment*** unsere Einstellungspolitik; ***a ~ of restricting immigration*** eine Politik zur Einschränkung der Einwanderung; ***a matter of ~*** eine Grundsatzfrage; ***your ~ should always be to give people a second chance*** du solltest es dir zum Grundsatz machen, Menschen eine zweite Chance zu geben; ***my ~ is to wait and see*** meine Devise heißt abwarten **2.** (≈ *prudence*) Taktik *f*; ***it was good/bad ~*** das war (taktisch) klug/unklug

policy² *n* (*a.* **insurance policy**) (Versicherungs)police *f*; ***to take out a ~*** eine Versicherung abschließen

polio *n* Kinderlähmung *f*

Polish I *adj* polnisch **II** *n* LING Polnisch *nt*

polish I *n* **1.** (≈ *shoe polish*) Creme *f*; (≈ *floor polish*) Bohnerwachs *nt*; (≈ *furniture polish*) Politur *f*; (≈ *metal polish*) Poliermittel *nt*; (≈ *nail polish*) Lack *m* **2.** ***to give sth a ~*** etw polieren; *floor* etw bohnern **3.** (≈ *shine*) Glanz *m* **II** *v/t* (*lit*) polieren; *floor* bohnern ◆ **polish off** *v/t sep* (*infml*) *food* verputzen (*infml*) ◆ **polish up** *v/t sep* **1.** polieren **2.** (*fig*) *style, one's French* aufpolieren; *work* überarbeiten

polished *adj* **1.** *furniture* poliert; *floor* gebohnert **2.** *style etc* verfeinert; *performance* brillant

polite *adj* (*+er*) höflich; ***to be ~ to sb*** höflich zu jdm sein **politeness** *n* Höflichkeit *f*

political *adj* politisch **political asylum** *n* politisches Asyl; ***he was granted ~*** ihm wurde politisches Asyl gewährt **political correctness** *n* politische Korrektheit **politically** *adv* politisch **politically correct** *adj* politisch korrekt **politically incorrect** *adj* politisch inkorrekt **political party** *n* politische Partei **political pris-**

oner *n* politischer Gefangener, politische Gefangene
politician *n* Politiker(in) *m(f)*
politics *n* Politik *f*; (≈ *views*) politische Ansichten *pl*; ***to go into ~*** in die Politik gehen; ***interested in ~*** politisch interessiert; ***office ~*** Bürorangeleien *pl*
polka *n* Polka *f* **polka dot I** *n* Tupfen *m* **II** *adj* getupft
poll I *n* **1.** (POL) (≈ *voting*) Abstimmung *f*; (≈ *election*) Wahl *f*; ***a ~ was taken among the villagers*** unter den Dorfbewohnern wurde abgestimmt; ***they got 34% of the ~*** sie bekamen 34% der Stimmen **2.** ***~s*** (≈ *election*) Wahl *f*; ***to go to the ~s*** zur Wahl gehen; ***a crushing defeat at the ~s*** eine vernichtende Wahlniederlage **3.** (≈ *opinion poll*) Umfrage *f*; ***a telephone ~*** eine telefonische Abstimmung **II** *v/t* **1.** *votes* erhalten **2.** (*in opinion poll*) befragen
pollen *n* Pollen *m* **pollen count** *n* Pollenzahl *f* **pollinate** *v/t* bestäuben **pollination** *n* Bestäubung *f*
polling *n* Wahl *f* **polling booth** *n* Wahlkabine *f* **polling card** *n* Wahlausweis *m* **polling day** *n* (*esp Br*) Wahltag *m* **polling station** *n* (*Br*) Wahllokal *nt*
poll tax *n* Kopfsteuer *f*
pollutant *n* Schadstoff *m*
pollute *v/t* verschmutzen; *atmosphere etc* verunreinigen **polluter** *n* Umweltverschmutzer(in) *m(f)*
pollution *n* (*of environment*) Umweltverschmutzung *f*; (*of atmosphere*) Verunreinigung *f*
polo *n* Polo *nt* **polo neck** (*Br*) **I** *n* (≈ *sweater*) Rollkragenpullover *m* **II** *adj* ***~ sweater*** Rollkragenpullover *m*
poltergeist *n* Poltergeist *m*
polyester *n* Polyester *m*
polygamy *n* Polygamie *f*
polystyrene® **I** *n* Polystyrol *nt* **II** *adj* Polystyrol-
polysyllabic *adj* mehrsilbig
polytechnic *n* (*Br*) ≈ Polytechnikum *nt*; (*degree-awarding*) technische Hochschule
polythene *n* (*Br*) Polyäthylen *nt*; ***~ bag*** Plastiktüte *f*
polyunsaturated *adj* mehrfach ungesättigt; ***~ fats*** mehrfach ungesättigte Fettsäuren *pl*
pomegranate *n* Granatapfel *m*
Pomerania *n* Pommern *nt*
pomp *n* Pomp *m*
pompom *n* Troddel *f*
pomposity *n* (*of person*) Aufgeblasenheit *f*; (*of language*) Schwülstigkeit *f*
pompous *adj person* aufgeblasen; *language* schwülstig **pompously** *adv write, speak* schwülstig; *behave* aufgeblasen
poncy *adj* (+*er*) (*Br infml*) *walk, actor* tuntig (*infml*)
pond *n* Teich *m*
ponder I *v/t* nachdenken über (+*acc*) **II** *v/i* nachdenken (*on, over* über +*acc*)
ponderous *adj* schwerfällig
pong (*Br infml*) **I** *n* Gestank *m*; ***there's a bit of a ~ in here*** hier stinkts **II** *v/i* stinken
pony *n* Pony *nt* **ponytail** *n* Pferdeschwanz *m*; ***she was wearing her hair in a ~*** sie trug einen Pferdeschwanz **pony trekking** *n* Ponyreiten *nt*
poo *n, v/i* (*baby talk*) = **pooh** II, III
pooch *n* (*infml*) Hündchen *nt*
poodle *n* Pudel *m*
poof(ter) *n* (*dated Br pej infml*) Schwule(r) *m* (*infml*)
pooh I *int* puh **II** *n* (*baby talk*) Aa *nt* (*baby talk*); ***to do a ~*** Aa machen (*baby talk*) **III** *v/i* (*baby talk*) Aa machen (*baby talk*)
pool¹ *n* **1.** Teich *m* **2.** (*of rain*) Pfütze *f* **3.** (*of liquid*) Lache *f*; ***a ~ of blood*** eine Blutlache **4.** (≈ *swimming pool*) Swimmingpool *m*; (≈ *swimming baths*) Schwimmbad *nt*; ***to go to the (swimming) ~*** ins Schwimmbad gehen
pool² I *n* **1.** (≈ *fund*) (gemeinsame) Kasse **2.** (≈ *typing pool*) Schreibzentrale *f* **3.** (≈ *car pool*) Fuhrpark *m* **4. pools** *pl* (*Br*) ***the ~s*** Toto *m or nt*; ***to do the ~s*** Toto spielen; ***he won £1000 on the ~s*** er hat £1000 im Toto gewonnen **5.** (≈ *form of snooker*) Poolbillard *nt* **II** *v/t resources* zusammenlegen; *efforts* vereinen (*elev*)
pool attendant *n* Bademeister(in) *m(f)* **pool hall** *n* Billardzimmer *nt* **pool table** *n* Billardtisch *m*
poop *v/t* (*infml* ≈ *exhaust*) schlauchen (*infml*)
pooper scooper *n* (*infml*) Schaufel *f* für Hundekot
poor I *adj* (+*er*) **1.** arm; ***to get** or **become ~er*** verarmen; ***he was now one thousand pounds (the) ~er*** er war nun um eintausend Pfund ärmer; ***~ relation*** (*fig*) Sorgenkind *nt*; ***you ~ (old) chap***

(*infml*) du armer Kerl (*infml*); ***~ you!*** du Ärmste(r)!; ***she's all alone, ~ woman*** sie ist ganz allein, die arme Frau; ***~ things, they look cold*** die Ärmsten, ihnen scheint kalt zu sein **2.** (≈ *not good*) schlecht; (≈ *meagre*) mangelhaft; *leadership* schwach; ***a ~ substitute*** ein armseliger Ersatz; ***a ~ chance of success*** schlechte Erfolgsaussichten *pl*; ***that's ~ consolation*** das ist ein schwacher Trost; ***he has a ~ grasp of the subject*** er beherrscht das Fach schlecht **II** *pl* ***the ~*** die Armen *pl* **poorly I** *adv* **1.** arm; *furnished* ärmlich; ***~ off*** schlecht gestellt **2.** (≈ *badly*) schlecht; ***~-attended*** schlecht besucht; ***~-educated*** ohne (ausreichende) Schulbildung; ***~-equipped*** schlecht ausgerüstet; ***to do ~ (at sth)*** (in etw *dat*) schlecht abschneiden **II** *adj pred* (*Br* ≈ *ill*) krank; ***to be** or **feel ~*** sich krank fühlen

pop[1] *n* (*esp US infml*) (≈ *father*) Papa *m* (*infml*)

pop[2] **I** *n* **1.** (≈ *sound*) Knall *m* **2.** (≈ *fizzy drink*) Limo *f* (*infml*) **II** *adv* ***to go ~*** (*cork*) knallen; (*balloon*) platzen; ***~!*** peng! **III** *v/t* **1.** *balloon* zum Platzen bringen **2.** (*infml* ≈ *put*) stecken; ***to ~ a letter into the postbox** (Br) or **mailbox** (US)* einen Brief einwerfen; ***he ~ped his head round the door*** er streckte den Kopf durch die Tür; ***to ~ a jacket on*** sich (*dat*) ein Jackett überziehen; ***to ~ the question*** einen (Heirats)antrag machen **IV** *v/i* (*infml*) **1.** (*cork*) knallen; (*balloon*) platzen; (*ears*) knacken; ***his eyes were ~ping out of his head*** ihm fielen fast die Augen aus dem Kopf (*infml*) **2.** ***to ~ along/down to the baker's*** schnell zum Bäcker laufen; ***I'll just ~ upstairs*** ich laufe mal eben nach oben; ***~ round sometime*** komm doch mal auf einen Sprung bei mir vorbei (*infml*) ◆ **pop back** (*infml*) **I** *v/t sep* (schnell) zurücktun (*infml*); ***pop it back in(to) the box*** tu es wieder in die Schachtel **II** *v/i* schnell zurücklaufen ◆ **pop in** (*infml*) **I** *v/t sep* hineintun; ***to pop sth in(to) sth*** etw in etw (*acc*) stecken **II** *v/i* (≈ *visit*) auf einen Sprung vorbeikommen (*infml*); ***to ~ for a short chat*** auf einen kleinen Schwatz hereinschauen (*infml*); ***we just popped into the pub*** wir gingen kurz in die Kneipe; ***just ~ any time*** komm doch irgendwann mal vorbei ◆ **pop off** *v/i* (*Br infml* ≈ *go off*) verschwinden (*infml*) (*to* nach) ◆ **pop out** *v/i* (*infml*) **1.** (≈ *go out*) (schnell) rausgehen (*infml*); ***he has just popped out for a beer*** er ist schnell auf ein Bierchen gegangen (*infml*); ***he has just popped out to the shops*** er ist schnell zum Einkaufen gegangen **2.** (*eyes*) vorquellen ◆ **pop up** (*infml*) **I** *v/t sep head* hochstrecken **II** *v/i* **1.** (≈ *appear suddenly*) auftauchen; (*head*) hochschießen (*infml*) **2.** (≈ *come up*) (mal eben) raufkommen (*infml*); (≈ *go up*) (mal eben) raufgehen (*infml*)

pop concert *n* Popkonzert *nt* **popcorn** *n* Popcorn *nt*

Pope *n* Papst *m*

pop group *n* Popgruppe *f* **popgun** *n* Spielzeugpistole *f* **pop icon** *n* Popikone *f*, Popidol *nt*

poplar *n* Pappel *f*

pop music *n* Popmusik *f*

poppy *n* Mohn *m* **Poppy Day** *n* (*Br*) ≈ Volkstrauertag *m* **poppy seed** *n* Mohn *m*

Popsicle® *n* (*US*) Eis *nt* am Stiel

pop singer *n* Popsänger(in) *m(f)* **pop song** *n* Popsong *m* **pop star** *n* Popstar *m*

populace *n* Bevölkerung *f*; (≈ *masses*) breite Öffentlichkeit

popular *adj* **1.** (≈ *well-liked*) beliebt (*with* bei); ***he was a very ~ choice*** seine Wahl fand großen Anklang **2.** (≈ *for general public*) populär; *music* leicht; ***~ appeal*** Massenappeal *m*; ***~ science*** Populärwissenschaft *f* **3.** *belief* weitverbreitet; ***contrary to ~ opinion*** entgegen der landläufigen Meinung; ***fruit teas are becoming increasingly ~*** Früchtetees erfreuen sich zunehmender Beliebtheit **4.** POL *support* des Volkes; *vote*, *demand* allgemein; ***~ uprising*** Volksaufstand *m*; ***by ~ request*** auf allgemeinen Wunsch **popular culture** *n* Populärkultur *f* **popularity** *n* Beliebtheit *f*; ***he'd do anything to win ~*** er würde alles tun, um sich beliebt zu machen; ***the sport is growing in ~*** dieser Sport wird immer populärer **popularize** *v/t* **1.** (≈ *make well-liked*) populär machen **2.** (≈ *make understandable*) *science*, *ideas* popularisieren, popularisieren **popularly** *adv* allgemein; ***he is ~ believed to be rich*** nach allgemeiner Ansicht ist er reich; ***to be ~ known as sb/sth*** allgemeinhin als jd/etw bekannt sein

populate *v/t* (≈ *inhabit*) bevölkern; (≈ *colonize*) besiedeln; ***~d by*** bevölkert von; ***this area is ~d mainly by immigrants*** in diesem Stadtteil leben hauptsächlich Einwanderer; ***densely ~d areas*** dicht besiedelte Gebiete *pl*; ***densely ~d cities*** dicht bevölkerte Städte *pl*

population *n* (*of region, country*) Bevölkerung *f*; (*of town*) Bewohner *pl*; (≈ *number of inhabitants*) Bevölkerungszahl *f*; ***the growing black ~ of London*** die wachsende Zahl von Schwarzen in London **populous** *adj country* dicht besiedelt; *town* einwohnerstark

pop-up I *adj book* Hochklapp- (*infml*); ***~ menu/window*** IT Pop-up-Menü *nt*/Fenster *nt* **II** *n* IT Pop-up(-Menü) *nt*

porcelain I *n* Porzellan *nt* **II** *adj* Porzellan-

porch *n* (*of house*) Vorbau *m*; (*US*) Veranda *f*

porcupine *n* Stachelschwein *nt*

pore *n* Pore *f*; ***in/from every ~*** (*fig*) aus allen Poren ◆ **pore over** *v/i +prep obj* genau studieren; ***to ~ one's books*** über seinen Büchern hocken

pork *n* Schweinefleisch *nt* **pork chop** *n* Schweinskotelett *nt* **pork pie** *n* Schweinefleischpastete *f* **pork sausage** *n* Schweinswurst *f* **porky** (*infml*) **I** *adj* (+*er*) (≈ *fat*) fett **II** *n* Schwindelei *f*

porn (*infml*) **I** *n* Pornografie *f*; ***soft ~*** weicher Porno; ***hard ~*** harter Porno **II** *adj* pornografisch; ***~ shop*** Pornoladen *m* (*infml*) **porno** (*infml*) **I** *n* Porno *m* **II** *adj* Porno- **pornographic** *adj*, **pornographically** *adv* pornografisch **pornography** *n* Pornografie *f*

porous *adj rock* porös

porridge *n* (*esp Br*) Haferbrei *m*

port¹ *n* Hafen *m*; ***~ of call*** Halt *m*; ***any ~ in a storm*** (*prov*) in der Not frisst der Teufel Fliegen (*prov*)

port² *n* IT Port *m*

port³ I *n* (NAUT, AVIAT ≈ *left side*) Backbord *m* **II** *adj* auf der Backbordseite

port⁴ *n* (*a.* **port wine**) Portwein *m*

portable I *adj* **1.** *computer* tragbar; *generator, toilets* mobil; ***easily ~*** leicht zu tragen; ***~ radio*** Kofferradio *nt* **2.** *software* übertragbar **II** *n* (≈ *computer, TV*) Portable *nt*

portal *n* IT Portal *n*

porter *n* (*of office etc*) Pförtner(in) *m*(*f*); (≈ *hospital porter*) Assistent(in) *m*(*f*); (*at hotel*) Portier *m*, Portiersfrau *f*; RAIL Gepäckträger(in) *m*(*f*)

portfolio *n* **1.** (Akten)mappe *f* **2.** FIN Portefeuille *nt* **3.** (*of artist*) Kollektion *f*

porthole *n* Bullauge *nt*

portion *n* **1.** (≈ *piece*) Teil *m*; (*of ticket*) Abschnitt *m*; ***my ~*** mein Anteil *m* **2.** (*of food*) Portion *f*

portrait *n* Porträt *nt*; ***to have one's ~ painted*** sich malen lassen; ***to paint a ~ of sb*** jdn porträtieren **portrait painter** *n* Porträtmaler(in) *m*(*f*) **portray** *v/t* **1.** darstellen **2.** (≈ *paint*) malen **portrayal** *n* Darstellung *f*

Portugal *n* Portugal *nt*

Portuguese I *adj* portugiesisch; ***he is ~*** er ist Portugiese **II** *n* Portugiese *m*, Portugiesin *f*; LING Portugiesisch *nt*

pose I *n* Haltung *f* **II** *v/t* **1.** *question* vortragen **2.** *difficulties* aufwerfen; *threat* darstellen **III** *v/i* **1.** (≈ *model*) posieren; ***to ~ (in the) nude*** für einen Akt posieren **2.** ***to ~ as*** sich ausgeben als **poser** *n* Angeber(in) *m*(*f*)

posh (*infml*) *adj* (+*er*) vornehm

position I *n* **1.** Platz *m*; (*of microphone, statue etc*) Standort *m*; (*of town, house etc*) Lage *f*; (*of plane, ship*, SPORTS) Position *f*; MIL Stellung *f*; ***to be in/out of ~*** an der richtigen/falschen Stelle sein; ***what ~ do you play?*** auf welcher Position spielst du?; ***he was in fourth ~*** er lag auf dem vierten Platz **2.** (≈ *posture*) Haltung *f*; (*in love-making*) Stellung *f*; ***in a sitting ~*** sitzend **3.** (≈ *standing*) Position *f*; (≈ *job*) Stelle *f*; ***a ~ of trust*** eine Vertrauensstellung; ***to be in a ~ of power*** eine Machtposition innehaben **4.** (*fig* ≈ *situation*) Lage *f*; ***to be in a ~ to do sth*** in der Lage sein, etw zu tun **5.** (*fig* ≈ *point of view*) Standpunkt *m*; ***what is the government's ~ on ...?*** welchen Standpunkt vertritt die Regierung zu ...? **II** *v/t microphone, guards* aufstellen; *soldiers* postieren; IT *cursor* positionieren; ***he ~ed himself where he could see her*** er stellte/setzte sich so, dass er sie sehen konnte

positive I *adj* **1.** (≈ *affirmative*) positiv; *criticism* konstruktiv; ***~ pole*** Pluspol *m*; ***he is a very ~ person*** er hat eine sehr positive Einstellung zum Leben; ***to take ~ action*** positive Schritte unternehmen

2. *evidence, answer* eindeutig; ***to be ~ that...*** sicher sein, dass ...; ***to be ~ about*** *or* ***of sth*** sich (*dat*) einer Sache (*gen*) absolut sicher sein; ***are you sure?— ~*** bist du sicher? – ganz bestimmt; ***this is a ~ disgrace*** das ist wirklich eine Schande; ***a ~ genius*** ein wahres Genie **II** *adv* **1.** MED ***to test ~*** einen positiven Befund haben **2.** ***to think ~*** positiv denken **positive feedback** *n* ***to get ~*** (***about sb/sth***) eine positive Rückmeldung (zu jdm/etw) erhalten **positively** *adv* **1.** (≈ *affirmatively*) positiv **2.** (≈ *definitely*) definitiv; ***to test ~ for drugs*** positiv auf Drogen getestet werden **3.** (≈ *absolutely*) wirklich; (*emph* ≈ *actively*) eindeutig; ***Jane doesn't mind being photographed, she ~ loves it*** Jane hat nichts dagegen, fotografiert zu werden, im Gegenteil, sie hat es sehr gern

posse *n* (*US*) Aufgebot *nt*; (*fig*) Gruppe *f*

possess *v/t* besitzen; (*form*) *facts* verfügen über (*+acc*); ***to be ~ed by demons*** von Dämonen besessen sein; ***like a man ~ed*** wie ein Besessener; ***whatever ~ed you to do that?*** was ist bloß in Sie gefahren, so etwas zu tun?

possession *n* Besitz *m*; ***to have sth in one's ~*** etw in seinem Besitz haben; ***to have/take ~ of sth*** etw in Besitz haben/nehmen; ***to get ~ of sth*** in den Besitz von etw kommen; ***to be in ~ of sth*** im Besitz von etw sein; ***all his ~s*** sein gesamter Besitz **possessive I** *adj* (*of belongings*) eigen; *boyfriend* besitzergreifend; ***to be ~ about sth*** seine Besitzansprüche auf etw (*acc*) betonen **II** *n* GRAM Possessiv(um) *nt* **possessively** *adv* (*about things*) eigen; (*towards people*) besitzergreifend **possessiveness** *n* eigene Art (*about* mit); (*towards people*) besitzergreifende Art (*towards* gegenüber) **possessive pronoun** *n* GRAM Possessivpronomen *nt* **possessor** *n* Besitzer(in) *m(f)*

possibility *n* Möglichkeit *f*; ***there's not much ~ of success*** die Aussichten auf Erfolg sind nicht sehr groß; ***the ~ of doing sth*** die Möglichkeit, etw zu tun; ***it's a distinct ~ that ...*** es besteht eindeutig die Möglichkeit, dass ...; ***there is a ~ that ...*** es besteht die Möglichkeit, dass ...

possible I *adj* möglich; ***anything is ~*** möglich ist alles; ***as soon as ~*** so bald wie möglich; ***the best ~ ...*** der/die/das bestmögliche ...; ***if*** (***at all***) ***~*** falls (irgend) möglich; ***it's just ~ that I'll see you before then*** eventuell sehe ich dich vorher noch; ***no ~ excuse*** absolut keine Entschuldigung; ***the only ~ choice, the only choice ~*** die einzig mögliche Wahl; ***it will be ~ for you to return the same day*** Sie haben die Möglichkeit, am selben Tag zurückzukommen; ***to make sth ~*** etw ermöglichen; ***to make it ~ for sb to do sth*** es jdm ermöglichen, etw zu tun; ***where ~*** wo möglich; ***wherever ~*** wo immer möglich **II** *n* ***he is a ~ for the English team*** er kommt für die englische Mannschaft infrage **possibly** *adv* **1.** ***I couldn't ~ do that*** das könnte ich unmöglich tun; ***nobody could ~ tell the difference*** es war unmöglich, einen Unterschied zu erkennen; ***very*** *or* ***quite ~*** durchaus möglich; ***how could he ~ have known that?*** wie konnte er das nur wissen?; ***he did all he ~ could*** er tat, was er nur konnte; ***I made myself as comfortable as I ~ could*** ich habe es mir so bequem wie möglich gemacht; ***if I ~ can*** wenn ich irgend kann **2.** (≈ *perhaps*) vielleicht; ***~ not*** vielleicht nicht

post[1] **I** *n* (≈ *pole*) Pfosten *m*; (≈ *lamp post*) Pfahl *m*; (≈ *telegraph post*) Mast *m*; ***a wooden ~*** ein Holzpfahl *m*; ***finishing ~*** Zielpfosten *m* **II** *v/t* (≈ *display*: *a.* **post up**) anschlagen

post[2] **I** *n* **1.** (*Br* ≈ *job*) Stelle *f*; ***to take up a ~*** eine Stelle antreten; ***to hold a ~*** eine Stelle innehaben **2.** MIL Posten *m*; ***a border ~*** ein Grenzposten *m* **II** *v/t* (≈ *send*) versetzen; MIL abkommandieren

post[3] **I** *n* (*Br* ≈ *mail*) Post *f*; ***by ~*** mit der Post; ***it's in the ~*** es ist in der Post; ***to catch the ~*** (*person*) rechtzeitig zur Leerung kommen; ***to miss the ~*** (*person*) die Leerung verpassen; ***there is no ~ today*** (≈ *no delivery*) heute kommt keine Post; (≈ *no letters*) heute ist keine Post (für uns) gekommen; ***has the ~ been?*** war die Post schon da? **II** *v/t* **1.** (*Br* ≈ *put in the post*) aufgeben; (*in letterbox*) einwerfen; (≈ *send by post*) mit der Post schicken; (IT ≈ *by e-mail*) mailen; (*on internet*) posten; ***I ~ed it to you on Monday*** ich habe es am Montag an Sie abgeschickt/gemailt **2.** ***to keep sb ~ed*** jdn auf dem Laufenden halten ◆ **post off** *v/t sep* abschicken

post- *pref* nach-; post-

postage *n* Porto *nt*; **~ *and packing*** Porto und Verpackung; **~ *paid*** Entgelt bezahlt **postage stamp** *n* Briefmarke *f*

postal *adj* Post- **postal address** *n* Postanschrift *f* **postal code** *n* (*Br*) Postleitzahl *f* **postal order** *n* (*Br*) ≈ Postanweisung *f* **postal service** *n* Postdienst *m* **postal vote** *n* ***to have a ~*** per Briefwahl wählen **postal worker** *n* Postbeamte(r) *m*, Postbeamtin *f*

postbag *n* (*Br*) Postsack *m* **postbox** *n* (*Br*) Briefkasten *m*

postcard *n* Postkarte *f*; (***picture***) **~** Ansichtskarte *f* **post code** *n* (*Br*) Postleitzahl *f*

postdate *v/t* vordatieren **postedit** *v/t* & *v/i* IT redaktionell nachbearbeiten

poster *n* Plakat *nt*

posterior *n* (*hum*) Allerwerteste(r) *m* (*hum*)

posterity *n* die Nachwelt

post-free *adj*, *adv* portofrei **postgraduate I** *n jd, der seine Studien nach dem ersten akademischen Grad weiterführt*, Postgraduierte(r) *m*/*f*(*m*) **II** *adj* weiterführend; **~ *course*** Anschlusskurs *m*; **~ *degree*** zweiter akademischer Grad; **~ *student*** Postgraduierte(r) *m*/*f*(*m*)

posthumous *adj*, **posthumously** *adv* post(h)um

posting *n* (≈ *transfer, assignment*) Versetzung *f*; ***he's got a new ~*** er ist wieder versetzt worden

Post-it®, Post-it note *n* Post-it® *nt*, Haftnotiz *f*

postman *n* (*Br*) Briefträger *m* **postmark I** *n* Poststempel *m* **II** *v/t* (ab)stempeln; ***the letter is ~ed "Birmingham"*** der Brief ist in Birmingham abgestempelt

postmodern *adj* postmodern **postmodernism** *n* Postmodernismus *m* **postmortem** *n* (*a.* **postmortem examination**) Obduktion *f* **postnatal** *adj* nach der Geburt

post office *n* Postamt *nt*; ***the Post Office*** die Post®; **~ *box*** Postfach *nt* **post-paid I** *adj* portofrei; *envelope* frankiert **II** *adv* portofrei

postpone *v/t* aufschieben; ***it has been ~d till Tuesday*** es ist auf Dienstag verschoben worden **postponement** *n* (≈ *act*) Verschiebung *f*; (≈ *result*) Aufschub *m*

postscript(um) *n* (*to letter*) Postskriptum *nt*; (*to book etc*) Nachwort *nt*

posture I *n* Haltung *f*; (*pej*) Pose *f* **II** *v/i* sich in Positur *or* Pose werfen

post-war *adj* Nachkriegs-; **~ *era*** Nachkriegszeit *f*

postwoman *n* (*esp Br*) Briefträgerin *f*

pot I *n* **1.** Topf *m*; (≈ *teapot*) Kanne *f*; ***to go to ~*** (*infml*) (*person, business*) auf den Hund kommen (*infml*); (*plan, arrangement*) ins Wasser fallen (*infml*) **2.** (*infml*) ***to have ~s of money*** jede Menge Geld haben (*infml*) **3.** (*infml* ≈ *marijuana*) Pot *nt* (*sl*) **II** *v/t* **1.** *plant* eintopfen **2.** BILLIARDS *ball* einlochen

potassium *n* Kalium *nt*

potato *n*, *pl* **-es** Kartoffel *f*, Erdapfel *m* (*Aus*) **potato chip** *n* **1.** (*esp US*) = ***potato crisp*** **2.** (*Br* ≈ *chip*) Pomme frite *m* **potato crisp** *n* (*Br*) Kartoffelchip *m* **potato masher** *n* Kartoffelstampfer *m* **potato peeler** *n* Kartoffelschäler *m* **potato salad** *n* Kartoffelsalat *m*

potbellied *adj* spitzbäuchig; (*through hunger*) blähbäuchig **potbelly** *n* (*from overeating*) Spitzbauch *m*; (*from malnutrition*) Blähbauch *m*

potency *n* (*of drug etc*) Stärke *f*; (*of image*) Schlagkraft *f* **potent** *adj* stark; *argument etc* durchschlagend; *reminder* beeindruckend

potential I *adj* potenziell **II** *n* Potenzial *nt*; **~ *for growth*** Wachstumspotenzial *nt*; ***to have ~*** ausbaufähig sein (*infml*); ***he shows quite a bit of ~*** es steckt einiges in ihm; ***to achieve*** *or* ***fulfil*** *or* ***realize one's ~*** die Grenze seiner Möglichkeiten verwirklichen; ***to have great ~*** (***as/for***) große Möglichkeiten bergen (als / für); ***to have the ~ to do sth*** das Potenzial haben, um etw zu tun; ***to have no/little ~*** kein / kaum Potenzial haben; ***she has management ~*** sie hat das Zeug zur Managerin **potentially** *adv* potenziell; ***~, these problems are very serious*** diese Probleme könnten sich als gravierend herausstellen

pothole *n* **1.** (*in road*) Schlagloch *nt* **2.** GEOL Höhle *f*

potion *n* Trank *m*

pot luck *n* ***to take ~*** nehmen, was es gerade gibt; ***we took ~ and went to the nearest pub*** wir gingen aufs Geratewohl in die nächste Kneipe **pot plant** *n* Topfpflanze *f*

potpourri *n* (*lit*) Duftsträußchen *nt*

pot roast *n* Schmorbraten *m* **pot shot** *n*

to take a ~ at sb/sth aufs Geratewohl auf jdn/etw schießen
potted *adj* **1.** *meat* eingemacht; ***~ plant*** Topfpflanze *f* **2.** (≈ *shortened*) gekürzt
potter[1] *n* Töpfer(in) *m(f)*
potter[2], (*US also*) **putter** *v/i* (≈ *do jobs*) herumwerkeln; (≈ *wander*) herumschlendern; ***she ~s away in the kitchen for hours*** sie hantiert stundenlang in der Küche herum; ***to ~ round the house*** im Haus herumwerkeln; ***to ~ round the shops*** einen Geschäftebummel machen; ***to ~ along the road*** (*car, driver*) dahinzuckeln
pottery *n* (≈ *workshop, craft*) Töpferei *f*; (≈ *pots*) Töpferwaren *pl*; (*glazed*) Keramik *f*
potting compost *n* Pflanzerde *f* **potting shed** *n* Schuppen *m*
potty[1] *n* Töpfchen *nt*, Haferl *nt* (*Aus*); ***~-trained*** (*Br*) sauber
potty[2] *adj* (*+er*) (*Br infml* ≈ *mad*) verrückt; ***to drive sb ~*** jdn zum Wahnsinn treiben; ***he's ~ about her*** er ist verrückt nach ihr
pouch *n* Beutel *m*
poultice *n* Umschlag *m*
poultry *n* Geflügel *nt* **poultry farm** *n* Geflügelfarm *f* **poultry farmer** *n* Geflügelzüchter(in) *m(f)*
pounce I *n* Satz *m* **II** *v/i* (*cat etc*) einen Satz machen; (*fig*) zuschlagen; ***to ~ on sb/sth*** sich auf jdn/etw stürzen
pound[1] *n* **1.** (≈ *weight*) ≈ Pfund *nt*; ***two ~s of apples*** zwei Pfund Äpfel; ***by the ~*** pfundweise **2.** (≈ *money*) Pfund *nt*; ***five ~s*** fünf Pfund
pound[2] **I** *v/t* **1.** (≈ *strike*) hämmern; *table* hämmern auf (*+acc*); *door* hämmern gegen; (*waves*) schlagen gegen; (*guns*) ununterbrochen beschießen **2.** (≈ *pulverize*) *corn etc* (zer)stampfen **II** *v/i* hämmern; (*heart*) (wild) pochen; (*waves*) schlagen (*on, against* gegen); (*drums*) dröhnen; (≈ *stamp*) stapfen ◆ **pound away** *v/i* hämmern; (*music, guns*) dröhnen; ***he was pounding away at the typewriter*** er hämmerte auf der Schreibmaschine herum
pound[3] *n* (*for stray dogs*) städtischer Hundezwinger; (*esp Br: for cars*) Abstellplatz *m* (*für amtlich abgeschleppte Fahrzeuge*)
-pounder *n suf* -pfünder *m*; ***quarter--pounder*** Viertelpfünder *m*
pounding I *n* Hämmern *nt*; (*of heart*) Pochen *nt*; (*of music*) Dröhnen *nt*; (*of waves*) Schlagen *nt*; (*of feet etc*) Stampfen *nt*; (*of guns*) Bombardement *nt*; ***the ship took a ~*** das Schiff wurde stark mitgenommen **II** *adj heart* klopfend; *feet* trommelnd; *drums, waves* donnernd; *headache* pochend
pour I *v/t liquid* gießen; *sugar etc* schütten; *drink* eingießen; ***to ~ sth for sb*** jdm etw eingießen; ***to ~ money into a project*** Geld in ein Projekt pumpen (*infml*) **II** *v/i* **1.** strömen; ***the sweat ~ed off him*** der Schweiß floss in Strömen an ihm herunter; ***it's ~ing (with rain)*** es gießt (in Strömen), es schüttet (*infml*) **2.** (≈ *pour out tea etc*) eingießen; ***this jug doesn't ~ well*** dieser Krug gießt nicht gut ◆ **pour away** *v/t sep* weggießen ◆ **pour in** *v/i* hereinströmen; (*donations*) in Strömen eintreffen ◆ **pour out I** *v/i* herausströmen (*of* aus); (*words*) heraussprudeln (*of* aus) **II** *v/t sep* **1.** *liquid* ausgießen; *sugar etc* ausschütten; *drink* eingießen **2.** (*fig*) *feelings* sich (*dat*) von der Seele reden; ***to ~ one's heart (to sb)*** (jdm) sein Herz ausschütten
pouring *adj **~ rain*** strömender Regen, Schnürlregen *m* (*Aus*)
pout I *n* Schmollmund *m* **II** *v/i* **1.** einen Schmollmund machen **2.** (≈ *sulk*) schmollen
poverty *n* Armut *f*; ***to be below the ~ line*** unterhalb der Armutsgrenze leben **poverty-stricken** *adj* Not leidend; ***to be ~*** Armut leiden
POW *abbr of* **prisoner of war**
powder I *n* **1.** Pulver *nt*; (≈ *talcum powder etc*) Puder *m* **2.** (≈ *dust*) Staub *m* **II** *v/t face* pudern; ***to ~ one's nose*** (*euph*) kurz verschwinden (*euph*) **powdered** *adj* **1.** *face* gepudert **2.** (≈ *in powder form*) löslich; ***~ sugar*** (*US*) Puderzucker *m*, Staubzucker *m* (*Aus*) **powdered milk** *n* Milchpulver *nt* **powder keg** *n* Pulverfass *nt* **powder room** *n* Damentoilette *f* **powdery** *adj* **1.** (≈ *like powder*) pulvrig **2.** (≈ *crumbly*) bröckelig
power I *n* **1.** *no pl* (≈ *physical strength*) Kraft *f*; (≈ *force: of blow etc*) Stärke *f*, Wucht *f*; (*fig: of argument etc*) Überzeugungskraft *f*; ***the ~ of love*** die Macht der Liebe; ***purchasing*** *or* ***spending ~*** Kaufkraft *f* **2.** (≈ *faculty*) Vermögen *nt no pl*;

his ~s of hearing sein Hörvermögen *nt*; ***mental ~s*** geistige Kräfte *pl* **3.** (≈ *capacity etc, nation*) Macht *f*; ***he did everything in his ~*** er tat alles, was in seiner Macht stand; ***a naval ~*** eine Seemacht **4.** (*no pl* ≈ *authority*) Macht *f*; (JUR, *parental*) Gewalt *f*; (*usu pl* ≈ *authorization*) Befugnis *f*; ***he has the ~ to act*** er ist handlungsberechtigt; ***the ~ of the police*** die Macht der Polizei; ***to be in sb's ~*** in jds Gewalt (*dat*) sein; ***~ of attorney*** JUR (Handlungs)vollmacht *f*; ***the party in ~*** die Partei, die an der Macht ist; ***to fall from ~*** abgesetzt werden; ***to come into ~*** an die Macht kommen; ***I have no ~ over her*** ich habe keine Gewalt über sie **5.** (≈ *person etc having authority*) Autorität *f*; ***to be the ~ behind the throne*** die graue Eminenz sein; ***the ~s that be*** (*infml*) die da oben (*infml*); ***the ~s of evil*** die Mächte des Bösen **6.** (*nuclear power etc*) Energie *f*; ***they cut off the ~*** (≈ *electricity*) sie haben den Strom abgestellt **7.** (*of machine*) Leistung *f*; ***on full ~*** bei voller Leistung **8.** MAT Potenz *f*; ***to the ~ (of) 2*** hoch 2 **9.** (*infml*) ***that did me a ~ of good*** das hat mir unheimlich gut getan (*infml*) **II** *v/t* (*engine*) antreiben; (*fuel*) betreiben; ***~ed by electricity*** mit Elektroantrieb ◆ **power down** *v/t sep* herunterfahren ◆ **power up** *v/i*, *v/t sep* starten

power-assisted *adj* AUTO, TECH Servo-; ***~ steering*** Servolenkung *f* **power base** *n* Machtbasis *f* **power cable** *n* Stromkabel *nt* **power cut** *n* Stromsperre *f*; (*accidental*) Stromausfall *m* **power drill** *n* Bohrmaschine *f* **power-driven** *adj* mit Motorantrieb **power failure** *n* Stromausfall *m*

powerful *adj* **1.** (≈ *influential*) mächtig **2.** (≈ *strong*) stark; *build*, *kick* kräftig; *swimmer*, *detergent* kraftvoll; *storm*, *smell* massiv **3.** (*fig*) *speaker* mitreißend; *film*, *performance* ausdrucksvoll; *argument* durchschlagend **powerfully** *adv* **1.** *influence* mächtig; ***~ built*** kräftig gebaut **2.** (*fig*) *speak* kraftvoll; ***~ written*** mitreißend geschrieben **powerhouse** *n* (*fig*) treibende Kraft (*behind* hinter +*dat*) **powerless** *adj* machtlos; ***to be ~ to resist*** nicht die Kraft haben, zu widerstehen; ***the government is ~ to deal with inflation*** die Regierung steht der Inflation machtlos gegenüber **power plant** *n* = ***power station*** **power point** *n* ELEC Steckdose *f* **power politics** *pl* Machtpolitik *f* **power sharing** *n* POL Machtteilung *f*

power station *n* Kraftwerk *nt* **power steering** *n* AUTO Servolenkung *f* **power structure** *n* Machtstruktur *f* **power struggle** *n* Machtkampf *m* **power supply** *n* ELEC Stromversorgung *f* **power tool** *n* Elektrowerkzeug *nt*

PR *n abbr of* ***public relations*** PR *f*

practicability *n* Durchführbarkeit *f* **practicable** *adj* durchführbar

practical *adj* praktisch; ***for (all) ~ purposes*** in der Praxis; ***to be of no ~ use*** ohne (jeden) praktischen Nutzen sein **practicality** *n* **1.** *no pl* (*of scheme etc*) Durchführbarkeit *f* **2.** (≈ *practical detail*) praktisches Detail **practical joke** *n* Streich *m* **practical joker** *n* Witzbold *m* (*infml*) **practically** *adv* praktisch; ***~ speaking*** konkret gesagt

practice I *n* **1.** (≈ *custom*) (*of individual*) Gewohnheit *f*; (*of group*) Brauch *m*; (≈ *bad habit*) Unsitte *f*; (*in business*) Praktik *f*; ***this is normal business ~*** das ist im Geschäftsleben so üblich; ***that's common ~*** das ist allgemein üblich **2.** (≈ *exercise*) Übung *f*; (≈ *rehearsal*) Probe *f*; SPORTS Training *nt*; ***~ makes perfect*** (*prov*) Übung macht den Meister (*prov*); ***this piece of music needs a lot of ~*** für dieses (Musik)stück muss man viel üben; ***to do 10 minutes' ~*** 10 Minuten (lang) üben; ***to be out of ~*** aus der Übung sein; ***to have a ~ session*** üben; (≈ *rehearse*) Probe haben; SPORTS trainieren **3.** (≈ *not theory*, *of doctor etc*) Praxis *f*, Ordination *f* (*Aus*); ***in ~*** in der Praxis; ***that won't work in ~*** das lässt sich praktisch nicht durchführen; ***to put sth into ~*** etw in die Praxis umsetzen **II** *v/t & v/i* (*US*) = ***practise*** **practice teacher** *n* (*US* SCHOOL) Referendar(in) *m(f)*

practise, (*US*) **practice I** *v/t* **1.** üben; *song* proben; *self-denial* praktizieren; ***to ~ the violin*** Geige üben; ***to ~ doing sth*** etw üben; ***I'm practising my German on him*** ich probiere mein Deutsch an ihm aus **2.** *profession*, *religion* ausüben; ***to ~ law*** als Anwalt praktizieren **II** *v/i* **1.** (*to acquire skill*) üben **2.** (*doctor etc*) praktizieren **practising**, (*US*) **practicing** *adj* praktizierend

practitioner *n* (≈ *medical practitioner*)

praktischer Arzt, praktische Ärztin
pragmatic *adj*, **pragmatically** *adv* pragmatisch **pragmatism** *n* Pragmatismus *m* **pragmatist** *n* Pragmatiker(in) *m(f)*
Prague *n* Prag *nt*
prairie *n* Grassteppe *f*; (*in North America*) Prärie *f*
praise I *v/t* loben; ***to ~ sb for having done sth*** jdn dafür loben, etw getan zu haben **II** *n* Lob *nt no pl*; ***a hymn of ~*** eine Lobeshymne; ***he made a speech in ~ of their efforts*** er hielt eine Lobrede auf ihre Bemühungen; ***to win ~*** (*person*) Lob ernten; ***I have nothing but ~ for him*** ich kann ihn nur loben; ***~ be!*** Gott sei Dank! **praiseworthy** *adj* lobenswert
praline *n* Praline *f* mit Nuss-Karamellfüllung
pram *n* (*Br*) Kinderwagen *m*
prance *v/i* tänzeln; (≈ *jump around*) herumtanzen
prank *n* Streich *m*; ***to play a ~ on sb*** jdm einen Streich spielen **prankster** *n* Schelm(in) *m(f)*
prat *n* (*Br infml*) Trottel *m* (*infml*)
prattle I *n* Geplapper *nt* **II** *v/i* plappern
prawn *n* Garnele *f*
pray *v/i* beten; ***to ~ for sb/sth*** für jdn/um etw beten; ***to ~ for sth*** (≈ *want it badly*) stark auf etw (*acc*) hoffen
prayer *n* Gebet *nt*; (≈ *service*) Andacht *f*; ***to say one's ~s*** beten **prayer book** *n* Gebetbuch *nt* **prayer meeting** *n* Gebetsstunde *f*
preach I *v/t* predigen; ***to ~ a sermon*** eine Predigt halten; ***to ~ the gospel*** das Evangelium verkünden **II** *v/i* predigen; ***to ~ to the converted*** (*prov*) offene Türen einrennen **preacher** *n* Prediger(in) *m(f)* **preaching** *n* Predigen *nt*
prearrange *v/t* im Voraus vereinbaren **prearranged, pre-arranged** *adj meeting* im Voraus verabredet; *location* im Voraus bestimmt
precarious *adj* unsicher; *situation* prekär; ***at a ~ angle*** in einem gefährlich aussehenden Winkel **precariously** *adv* unsicher; ***to be ~ balanced*** auf der Kippe stehen; ***~ perched on the edge of the table*** gefährlich nahe am Tischrand
precaution *n* Vorsichtsmaßnahme *f*; ***security ~s*** Sicherheitsmaßnahmen *pl*; ***fire ~s*** Brandschutzmaßnahmen *pl*; ***to take ~s against sth*** Vorsichtsmaßnahmen *pl* gegen etw treffen; ***do you take ~s?*** (*euph* ≈ *use contraception*) nimmst du (irgend)etwas?; ***to take the ~ of doing sth*** vorsichtshalber etw tun **precautionary** *adj* Vorsichts-; ***~ measure*** Vorsichtsmaßnahme *f*
precede *v/t* vorangehen (+*dat*) **precedence** *n* (*of person*) vorrangige Stellung (*over* gegenüber); (*of problem etc*) Vorrang *m* (*over* vor +*dat*); ***to take ~ over sb/sth*** vor jdm/etw Vorrang haben; ***to give ~ to sb/sth*** jdm/einer Sache Vorrang geben **precedent** *n* Präzedenzfall *m*; ***without ~*** noch nie da gewesen; ***to establish*** or ***create*** or ***set a ~*** einen Präzedenzfall schaffen **preceding** *adj* vorhergehend
precinct *n* **1.** (*Br*) (≈ *pedestrian precinct*) Fußgängerzone *f*; (≈ *shopping precinct*) Einkaufsviertel *nt*; (*US*) (≈ *police precinct*) Revier *nt* **2. precincts** *pl* Umgebung *f*
precious I *adj* (≈ *costly*, *rare*) kostbar; (≈ *treasured*) wertvoll **II** *adv* (*infml*) ***~ little/few*** herzlich wenig/wenige (*infml*); ***~ little else*** herzlich wenig sonst **precious metal** *n* Edelmetall *nt* **precious stone** *n* Edelstein *m*
precipice *n* Abgrund *m*
precipitate *v/t* (≈ *hasten*) beschleunigen **precipitation** *n* **1.** METEO Niederschlag *m* **2.** (≈ *haste*) Hast *f*, Eile *f*
precise *adj* genau; (≈ *meticulous*) präzise; ***at that ~ moment*** genau in dem Augenblick; ***please be more ~*** drücken Sie sich bitte etwas genauer aus; ***18, to be ~*** 18, um genau zu sein; ***or, to be more ~, ...*** oder, um es genauer zu sagen, ... **precisely** *adv* genau; ***at ~ 7 o'clock, at 7 o'clock ~*** Punkt 7 Uhr; ***that is ~ why I don't want it*** genau deshalb will ich es nicht; ***or more ~ ...*** oder genauer ... **precision** *n* Genauigkeit *f*
preclude *v/t* ausschließen
precocious *adj* frühreif
preconceived *adj* vorgefasst; ***to have ~ ideas about sth*** eine vorgefasste Meinung zu etw haben **preconception** *n* vorgefasste Meinung
precondition *n* (Vor)bedingung *f*
precook *v/t* vorkochen
precursor *n* Vorläufer(in) *m(f)*; (≈ *herald*) Vorbote *m*, Vorbotin *f*
predate *v/t* (≈ *precede*) zeitlich vorangehen (+*dat*); *cheque* zurückdatieren
predator *n* Raubtier *nt* **predatory** *adj be-*

haviour räuberisch
predecessor *n* (≈ *person*) Vorgänger(in) *m(f)*; (≈ *thing*) Vorläufer(in) *m(f)*
predestine *v/t* prädestinieren
predetermined *adj outcome* im Voraus festgelegt; *position* vorherbestimmt
predicament *n* Dilemma *nt*
predict *v/t* vorhersagen **predictability** *n* Vorhersagbarkeit *f* **predictable** *adj reaction* vorhersagbar; *person* durchschaubar; ***to be ~*** vorhersagbar sein; ***you're so ~*** man weiß doch genau, wie Sie reagieren **predictably** *adv react* vorhersagbar; ***~ (enough), he was late*** wie vorauszusehen, kam er zu spät **prediction** *n* Prophezeiung *f*
predispose *v/t* geneigt machen; ***to ~ sb toward(s) sb/sth*** jdn für jdn/etw einnehmen **predisposition** *n* Neigung *f* (*to* zu)
predominance *n* Überwiegen *nt*; ***the ~ of women in the office*** die weibliche Überzahl im Büro **predominant** *adj idea* vorherrschend; *person*, *animal* beherrschend **predominantly** *adv* überwiegend **predominate** *v/i* (*in numbers*) vorherrschen; (*in influence etc*) überwiegen
pre-election *adj* vor der Wahl (durchgeführt); ***~ promise*** Wahlversprechen *nt*
pre-eminent *adj* überragend
pre-empt *v/t* zuvorkommen (*+dat*) **pre-emptive** *adj* präventiv, Präventiv-; ***~ attack*** Präventivschlag *m*; ***~ right*** (*US* FIN) Vorkaufsrecht *nt*
preen I *v/t* putzen **II** *v/i* (*bird*) sich putzen **III** *v/r* ***to ~ oneself*** (*bird*) sich putzen
pre-existent *adj* vorher vorhanden
prefabricated *adj* vorgefertigt; ***~ building*** Fertighaus *nt*
preface *n* Vorwort *nt*
prefect *n* (*Br* SCHOOL) Aufsichtsschüler(in) *m(f)*
prefer *v/t* (≈ *like better*) vorziehen (*to Dat*); (≈ *be more fond of*) lieber haben (*to* als); ***he ~s coffee to tea*** er trinkt lieber Kaffee als Tee; ***I ~ it that way*** es ist mir lieber so; ***which (of them) do you ~?*** (*of people*) wen ziehen Sie vor?; (*emotionally*) wen mögen Sie lieber?; (*of things*) welche(n, s) finden Sie besser?; ***to ~ to do sth*** etw lieber tun; ***I ~ not to say*** ich sage es lieber nicht; ***would you ~ me to drive?*** soll ich lieber fahren?; ***I would ~ you to do it today*** *or* ***that you did it today*** mir wäre es lieber, wenn Sie es heute täten **preferable** *adj* ***X is ~ to Y*** X ist Y (*dat*) vorzuziehen; ***anything would be ~ to sharing a flat with Sophie*** alles wäre besser, als mit Sophie zusammen wohnen zu müssen; ***it would be ~ to do it that way*** es wäre besser, es so zu machen; ***infinitely ~*** hundertmal besser **preferably** *adv* am liebsten; ***tea or coffee? — coffee, ~*** Tee oder Kaffee? — lieber Kaffee; ***but ~ not Tuesday*** aber, wenn möglich, nicht Dienstag
preference *n* **1.** (≈ *liking*) Vorliebe *f*; ***just state your ~*** nennen Sie einfach Ihre Wünsche; ***I have no ~*** mir ist das eigentlich gleich **2.** ***to give ~ to sb/sth*** jdn/etw bevorzugen (*over* gegenüber) **preferential** *adj* bevorzugt; ***to give sb ~ treatment*** jdn bevorzugt behandeln; ***to get ~ treatment*** eine Vorzugsbehandlung bekommen
prefix *n* GRAM Präfix *nt*
pregnancy *n* Schwangerschaft *f*; (*of animal*) Trächtigkeit *f* **pregnancy test** *n* Schwangerschaftstest *m* **pregnant** *adj* **1.** *woman* schwanger; *animal* trächtig; ***3 months ~*** im vierten Monat schwanger; ***Gill was ~ by her new boyfriend*** Gill war von ihrem neuen Freund schwanger; ***to become*** *or* ***get ~*** (*woman*) schwanger werden **2.** (*fig*) *pause* bedeutungsschwer
preheat *v/t* vorheizen
prehistoric *adj* prähistorisch **prehistory** *n* Vorgeschichte *f*
prejudge *v/t* im Voraus beurteilen; (*negatively*) im Voraus verurteilen
prejudice I *n* Vorurteil *nt*; ***his ~ against ...*** seine Voreingenommenheit gegen ...; ***to have a ~ against sb/sth*** gegen jdn/etw voreingenommen sein; ***racial ~*** Rassenvorurteile *pl* **II** *v/t* beeinflussen **prejudiced** *adj person* voreingenommen (*against* gegen); ***to be ~ in favour of sb/sth*** für jdn/etw voreingenommen sein; ***to be racially ~*** Rassenvorurteile haben
preliminary I *adj measures* vorbereitend; *report*, *tests* vorläufig; *stage* früh; ***~ hearing*** (*US* JUR) gerichtliche Voruntersuchung; ***~ round*** Vorrunde *f* **II** *n* (≈ *preparatory measure*) Vorbereitung *f*; SPORTS Vorspiel *nt*; ***preliminaries*** *pl* Präliminarien *pl* (*elev*, JUR); SPORTS Vorrunde *f* **preliminary hearing** *n* JUR Vorun-

tersuchung *f*

prelude *n* (*fig*) Auftakt *m*

premarital *adj* vorehelich

premature *adj* vorzeitig; *action* verfrüht; ***the baby was three weeks ~*** das Baby wurde drei Wochen zu früh geboren; ***~ baby*** Frühgeburt *f*; ***~ ejaculation*** vorzeitiger Samenerguss **prematurely** *adv* vorzeitig; *act* voreilig; ***he was born ~*** er war eine Frühgeburt

premeditated *adj* vorsätzlich

premenstrual syndrome, premenstrual tension *n* (*esp Br*) prämenstruelles Syndrom

premier I *adj* führend **II** *n* Premierminister(in) *m*(*f*)

première I *n* Premiere *f* **II** *v/t* uraufführen

Premier League, Premiership *n* FTBL Erste Liga

premise *n* **1.** *esp* LOGIC Voraussetzung *f* **2. premises** *pl* (*of factory etc*) Gelände *nt*; (≈ *building*) Gebäude *nt*; (≈ *shop*) Räumlichkeiten *pl*; ***business ~s*** Geschäftsräume *pl*; ***that's not allowed on these ~s*** das ist hier nicht erlaubt

premium I *n* (≈ *bonus*) Bonus *m*; (≈ *surcharge*) Zuschlag *m*; (≈ *insurance premium*) Prämie *f* **II** *adj* **1.** (≈ *top-quality*) erstklassig; ***~ petrol*** (*Br*) ***or gas*** (*US*) Superbenzin *nt* **2. *~ price*** Höchstpreis *m*; ***callers are charged a ~ rate of £1.50 a minute*** Anrufern wird ein Höchsttarif von £ 1,50 pro Minute berechnet **premium-rate** *adj* TEL zum Höchsttarif

premonition *n* **1.** (≈ *presentiment*) (böse) Vorahnung **2.** (≈ *forewarning*) Vorwarnung *f*

prenatal *adj* pränatal

preoccupation *n* ***her ~ with making money was such that ...*** sie war so sehr mit dem Geldverdienen beschäftigt, dass ...; ***that was his main ~*** das war sein Hauptanliegen **preoccupied** *adj* gedankenverloren; ***to be ~ with sth*** nur an etw (*acc*) denken; ***he has been (looking) rather ~ recently*** er sieht in letzter Zeit so aus, als beschäftige ihn etwas **preoccupy** *v/t* (stark) beschäftigen

prepackaged, prepacked *adj* abgepackt

prepaid I *past part of* ***prepay*** **II** *adj goods* vorausbezahlt; *envelope* freigemacht; ***~ mobile phone*** Handy *nt* (*mit im Voraus entrichteter Grundgebühr*)

preparation *n* Vorbereitung *f*; (*of meal etc*) Zubereitung *f*; ***in ~ for sth*** als Vorbereitung für etw; ***~s for war/a journey*** Kriegs-/Reisevorbereitungen *pl*; ***to make ~s*** Vorbereitungen treffen **preparatory** *adj* vorbereitend; ***~ work*** Vorbereitungsarbeit *f*

prepare I *v/t* vorbereiten (*sb for sth* jdn auf etw *acc*, *sth for sth* etw für etw); *meal* zubereiten; *room* zurechtmachen; ***~ yourself for a shock!*** mach dich auf einen Schock gefasst! **II** *v/i* ***to ~ for sth*** sich auf etw (*acc*) vorbereiten; ***the country is preparing for war*** das Land trifft Kriegsvorbereitungen; ***to ~ to do sth*** Anstalten machen, etw zu tun **prepared** *adj* **1.** (*a.* **ready prepared**) vorbereitet (*for* auf *+acc*); ***~ meal*** Fertiggericht *nt*; ***~ for war*** bereit zum Krieg **2.** (≈ *willing*) ***to be ~ to do sth*** bereit sein, etw zu tun

prepay *pret*, *past part* ***prepaid*** *v/t* im Voraus bezahlen

pre-pay *adj attr* im Voraus zahlbar

preponderance *n* Übergewicht *nt*

preposition *n* Präposition *f*

prepossessing *adj* einnehmend

preposterous *adj* grotesk

preprinted *adj* vorgedruckt

preprogram *v/t* vorprogrammieren

prerecord *v/t* vorher aufzeichnen

prerequisite *n* Vorbedingung *f*

prerogative *n* Vorrecht *nt*

Presbyterian I *adj* presbyterianisch **II** *n* Presbyterianer(in) *m*(*f*)

preschool *adj attr* vorschulisch; ***of ~ age*** im Vorschulalter; ***~ education*** Vorschulerziehung *f*

prescribe *v/t* **1.** (≈ *order*) vorschreiben **2.** MED verschreiben (*sth for sb* jdm etw)

prescription *n* MED Rezept *nt*; ***on ~*** auf Rezept **prescription charge** *n* Rezeptgebühr *f* **prescription drugs** *pl* verschreibungspflichtige Medikamente *pl*

preseason *adj* SPORTS vor der Saison

preselect *v/t* vorher auswählen

presence *n* **1.** Anwesenheit *f*; ***in sb's ~, in the ~ of sb*** in jds (*dat*) Anwesenheit; ***to make one's ~ felt*** sich bemerkbar machen; ***a police ~*** Polizeipräsenz *f* **2.** (≈ *bearing*) Auftreten *nt*; (*a.* **stage presence**) Ausstrahlung *f* **presence of mind** *n* Geistesgegenwart *f*

present[1] **I** *adj* **1.** (≈ *in attendance*) anwesend; ***to be ~*** anwesend sein; ***all those ~*** alle Anwesenden **2.** (≈ *existing in sth*) vorhanden **3.** (≈ *at the present time*) gegenwärtig; *year etc* laufend; ***at the ~ moment*** zum gegenwärtigen Zeitpunkt; ***the ~ day*** (≈ *nowadays*) heutzutage; ***until the ~ day*** bis zum heutigen Tag; ***in the ~ circumstances*** unter den gegenwärtigen Umständen **4.** GRAM ***in the ~ tense*** im Präsens; ***~ participle*** Partizip *nt* Präsens **II** *n* **1.** Gegenwart *f*; ***at ~*** zurzeit; ***up to the ~*** bis jetzt; ***there's no time like the ~*** (*prov*) was du heute kannst besorgen, das verschiebe nicht auf morgen (*prov*); ***that will be all for the ~*** das ist vorläufig alles **2.** GRAM Präsens *nt*; ***~ continuous*** erweitertes Präsens

present² **I** *n* (≈ *gift*) Geschenk *nt*; ***I got it as a ~*** das habe ich geschenkt bekommen **II** *v/t* **1.** ***to ~ sb with sth***, ***to ~ sth to sb*** jdm etw übergeben; (*as a gift*) jdm etw schenken **2.** (≈ *put forward*) vorlegen **3.** *opportunity* bieten; ***his action ~ed us with a problem*** seine Tat stellte uns vor ein Problem **4.** RADIO, TV präsentieren; THEAT aufführen; (*commentator*) moderieren **5.** (≈ *introduce*) vorstellen; ***to ~ Mr X to Miss Y*** Herrn X Fräulein Y (*dat*) vorstellen; ***may I ~ Mr X?*** (*form*) erlauben Sie mir, Herrn X vorzustellen (*form*) **III** *v/r* (*opportunity etc*) sich ergeben; ***he was asked to ~ himself for interview*** er wurde gebeten, zu einem Vorstellungsgespräch zu erscheinen **presentable** *adj* präsentabel; ***to look ~*** (*person*) präsentabel aussehen; ***to make oneself ~*** sich zurechtmachen **presentation** *n* **1.** (*of gift etc*) Überreichung *f*; (*of prize*) Verleihung *f*; (≈ *ceremony*) Verleihung(szeremonie) *f*; ***to make the ~*** die Preise/Auszeichnungen *etc* verleihen **2.** (*of report etc*) Vorlage; (JUR, *of evidence*) Darlegung *f* **3.** (≈ *manner of presenting*) Darbietung *f* **4.** THEAT Inszenierung *f*; TV, RADIO Produktion *f*

present-day *adj attr* heutig; ***~ Britain*** das heutige Großbritannien

presenter *n* (*esp Br*: TV, RADIO) Moderator(in) *m(f)*

presently *adv* **1.** (≈ *soon*) bald **2.** (≈ *at present*) derzeit

preservation *n* **1.** (≈ *maintaining*) Erhaltung *f* **2.** (*to prevent decay*) Konservierung *f*; ***to be in a good state of ~*** gut erhalten sein **preservative** *n* Konservierungsmittel *nt* **preserve** **I** *v/t* **1.** erhalten; *dignity* wahren; *memory* aufrechterhalten **2.** (*from decay*) konservieren; *wood* schützen **II** *n* **1.** **preserves** *pl* COOK Eingemachtes *nt*; ***peach ~*** Pfirsichmarmelade *f* **2.** (≈ *domain*) Ressort *nt*; ***this was once the ~ of the wealthy*** dies war einst eine Domäne der Reichen **preserved** *adj* **1.** *food* konserviert **2.** (≈ *conserved*) erhalten; ***well-~*** gut erhalten

preset *pret, past part* **preset** *v/t* vorher einstellen

preside *v/i* (*at meeting etc*) den Vorsitz haben (*at* bei); ***to ~ over an organization etc*** eine Organisation *etc* leiten

presidency *n* Präsidentschaft *f*

president *n* Präsident(in) *m(f)*; (*esp US*: *of company*) Aufsichtsratsvorsitzende(r) *m/f(m)* **presidential** *adj* POL des Präsidenten **presidential campaign** *n* Präsidentschaftskampagne *f* **presidential candidate** *n* Präsidentschaftskandidat(in) *m(f)* **presidential election** *n* Präsidentenwahl *f*

press **I** *n* **1.** (≈ *machine, newspapers etc*) Presse *f*; ***to get a bad ~*** eine schlechte Presse bekommen **2.** TYPO (Drucker)presse; ***to go to ~*** in Druck gehen **3.** (≈ *push*) Druck *m* **II** *v/t* **1.** (≈ *push, squeeze*) drücken (*to* an *+acc*); *button, pedal* drücken auf (*+acc*) **2.** (≈ *iron*) bügeln, glätten (*Swiss*) **3.** (≈ *urge*) drängen; ***to ~ sb hard*** jdm (hart) zusetzen; ***to ~ sb for an answer*** auf jds Antwort (*acc*) drängen; ***to be ~ed for time*** unter Zeitdruck stehen **III** *v/i* **1.** (≈ *exert pressure*) drücken **2.** (≈ *urge*) drängen (*for* auf *+acc*) **3.** (≈ *move*) sich drängen; ***to ~ ahead*** (***with sth***) (*fig*) (mit etw) weitermachen ◆ **press on** *v/i* weitermachen; (*with journey*) weiterfahren

press agency *n* Presseagentur *f* **press box** *n* Pressetribüne *f* **press conference** *n* Pressekonferenz *f* **press cutting** *n* (*esp Br, from newspaper*) Zeitungsausschnitt *m* **press-gang** *v/t* (*esp Br infml*) ***to ~ sb into*** (***doing***) ***sth*** jdn drängen, etw zu tun **pressing** *adj issue* brennend; *task* dringend **press office** *n* Pressestelle *f* **press officer** *n* Pressesprecher(in) *m(f)* **press photographer** *n* Pressefotograf(in) *m(f)* **press release** *n* Pressemitteilung *f* **press stud** *n* (*Br*) Druckknopf *m* **press-up** *n* (*Br*) Liegestütz *m*

pressure *n* Druck *m*; ***at high/full ~*** unter Hochdruck; ***parental ~*** Druck vonseiten der Eltern; ***to be under~ to do sth*** unter Druck (*dat*) stehen, etw zu tun; ***to be under~ from sb*** von jdm gedrängt werden; ***to put~ on sb*** jdn unter Druck (*dat*) setzen; ***the~s of modern life*** die Belastungen *pl* des modernen Lebens **pressure cooker** *n* Schnellkochtopf *m* **pressure gauge** *n* Manometer *nt* **pressure group** *n* Pressuregroup *f* **pressurize** *v/t* **1.** *cabin* auf Normaldruck halten **2.** ***to ~ sb into doing sth*** jdn so unter Druck setzen, dass er schließlich etw tut **pressurized** *adj* **1.** *container* mit Druckausgleich **2.** *gas* komprimiert **3.** ***to feel ~*** sich unter Druck (gesetzt) fühlen; ***to feel~ into doing sth*** sich dazu gedrängt fühlen, etw zu tun

prestige *n* Prestige *nt* **prestigious** *adj* Prestige-; ***to be ~*** Prestigewert haben

presumably *adv* vermutlich; ***~ he'll come later*** er wird voraussichtlich später kommen **presume I** *v/t* vermuten; ***~d dead*** mutmaßlich verstorben; ***to be ~d innocent*** als unschuldig gelten; ***he is ~d to be living in Spain*** es wird vermutet, dass er in Spanien lebt **II** *v/i* **1.** (≈ *suppose*) vermuten **2.** (≈ *be presumptuous*) ***I didn't want to ~*** ich wollte nicht aufdringlich sein **presumption** *n* (≈ *assumption*) Vermutung *f* **presumptuous** *adj* anmaßend; ***it would be~ of me to ...*** es wäre eine Anmaßung von mir, zu ...

presuppose *v/t* voraussetzen

pre-tax *adj* unversteuert; ***~ profit*** Gewinn *m* vor Abzug der Steuer

pretence, (*US*) **pretense** *n* ***it's all a ~*** das ist alles nur gespielt **1.** (≈ *feigning*) Heuchelei *f*; ***to make a~ of doing sth*** so tun, als ob man etw tut **2.** (≈ *pretext*) Vorwand *m*; ***on*** *or* ***under the ~ of doing sth*** unter dem Vorwand, etw zu tun **pretend I** *v/t* so tun, als ob; (≈ *feign*) vorgeben; ***to ~ to be interested*** so tun, als ob man interessiert wäre; ***to~ to be sick*** eine Krankheit vortäuschen; ***to ~ to be asleep*** sich schlafend stellen **II** *v/i* so tun, als ob; (≈ *keep up facade*) sich verstellen; ***he is only ~ing*** er tut nur so (als ob); ***let's stop ~ing*** hören wir auf, uns (*dat*) etwas vorzumachen

pretension *n* (≈ *claim*) Anspruch *m* **pretentious** *adj* anmaßend; *style*, *book* hochtrabend **pretentiously** *adv* *say* hochtrabend **pretentiousness** *n* Anmaßung *f*

preterite I *adj* ***the ~ tense*** das Imperfekt **II** *n* Imperfekt *nt*

pretext *n* Vorwand *m*; ***on*** *or* ***under the ~ of doing sth*** unter dem Vorwand, etw zu tun

prettily *adv* nett **prettiness** *n* hübsches Aussehen; (*of place*) Schönheit *f*

pretty I *adj* (*+er*) **1.** nett, fesch (*Aus*); *speech* artig; ***to be ~*** hübsch sein; ***she's not just a ~ face!*** (*infml*) sie hat auch Köpfchen!; ***it wasn't a ~ sight*** das war kein schöner Anblick **2.** (*infml*) hübsch; ***it'll cost a~ penny*** das wird eine schöne Stange Geld kosten (*infml*) **II** *adv* (≈ *rather*) ziemlich; ***~ well finished*** so gut wie fertig (*infml*); ***how's the patient? — ~ much the same*** was macht der Patient? – immer noch so ziemlich gleich

prevail *v/i* **1.** (≈ *gain mastery*) sich durchsetzen (*over*, *against* gegenüber) **2.** (≈ *be widespread*) weitverbreitet sein **prevailing** *adj* *conditions* derzeitig; *opinion*, *wind* vorherrschend **prevalence** *n* Vorherrschen *nt*; (*of disease*) Häufigkeit *f* **prevalent** *adj* vorherrschend; *opinion*, *disease* weitverbreitet; *conditions* herrschend

prevent *v/t* verhindern; *disease* vorbeugen (*+dat*); ***to ~ sb (from) doing sth*** jdn daran hindern, etw zu tun; ***the gate is there to~ them from falling down the stairs*** das Gitter ist dazu da, dass sie nicht die Treppe hinunterfallen; ***to ~ sb from coming*** jdn am Kommen hindern; ***to~ sth (from) happening*** verhindern, dass etw geschieht **preventable** *adj* vermeidbar **prevention** *n* Verhinderung *f*; (*of disease*) Vorbeugung *f* (*of* gegen) **preventive** *adj* präventiv

preview I *n* **1.** (*of film*) Vorpremiere *f*; (*of exhibition*) Vorbesichtigung *f*; ***to give sb a ~ of sth*** (*fig*) jdm eine Vorschau auf etw (*acc*) geben **2.** (FILM, TV ≈ *trailer*) Vorschau *f* (*of* auf *+acc*) **II** *v/t* (≈ *view beforehand*) vorher ansehen; (≈ *show beforehand*) vorher aufführen

previous *adj* vorherig; *page*, *day* vorhergehend; ***the ~ page/year*** die Seite / das Jahr davor; ***the/a ~ holder of the title*** der vorherige / ein früherer Titelträger; ***in ~ years*** in früheren Jahren; ***he's already been the target of two ~ attacks*** er war schon das Opfer von zwei früheren Angriffen; ***on a ~ occasion*** bei einer früheren Gelegenheit; ***I have a ~ en-***

gagement ich habe schon einen Termin; ***no ~ experience necessary*** Vorkenntnisse (sind) nicht erforderlich; ***to have a ~ conviction*** vorbestraft sein; ***~ owner*** Vorbesitzer(in) *m(f)* **previously** *adv* vorher

pre-war *adj* Vorkriegs-

prey I *n* Beute *f*; ***bird of ~*** Raubvogel *m*; ***to fall ~ to sb/sth*** (*fig*) ein Opfer von jdm / etw werden **II** *v/i* ***to ~ (up)on*** (*animals*) Beute machen auf (*+acc*); (*swindler etc*) als Opfer aussuchen; (*doubts*) nagen an (*+dat*); ***it ~ed (up)on his mind*** es ließ ihn nicht los

price I *n* **1.** Preis *m*; ***the ~ of coffee*** die Kaffeepreise *pl*; ***to go up*** *or* ***rise/to go down*** *or* ***fall in ~*** teurer / billiger werden; ***they range in ~ from £10 to £30*** die Preise dafür bewegen sich zwischen £ 10 und £ 30; ***what is the ~ of that?*** was kostet das?; ***at a ~*** zum entsprechenden Preis; ***the ~ of victory*** der Preis des Sieges; ***but at what ~!*** aber zu welchem Preis!; ***not at any ~*** um keinen Preis; ***to put a ~ on sth*** einen Preis für etw nennen **2.** (BETTING ≈ *odds*) Quote *f* **II** *v/t* (≈ *fix price of*) den Preis festsetzen von; (≈ *put price label on*) auszeichnen (*at* mit); ***it was ~d at £5*** (≈ *marked £5*) es war mit £ 5 ausgezeichnet; (≈ *cost £5*) es kostete £ 5; ***tickets ~d at £20*** Karten zum Preis von £ 20; ***reasonably ~d*** angemessen im Preis **price bracket** *n* = ***price range*** **price cut** *n* Preissenkung *f* **price increase** *n* Preiserhöhung *f* **priceless** *adj* unschätzbar; (*infml*) *joke* köstlich; *person* unbezahlbar **price limit** *n* Preisgrenze *f* **price list** *n* Preisliste *f* **price range** *n* Preisklasse *f* **price rise** *n* Preiserhöhung *f* **price tag** *n* Preisschild *nt* **price war** *n* Preiskrieg *m* **pricey** *adj* (*infml*) kostspielig **pricing** *n* Preisgestaltung *f*

prick I *n* **1.** Stich *m*; ***~ of conscience*** Gewissensbisse *pl* **2.** (*sl* ≈ *penis*) Schwanz *m* (*sl*) **3.** (*sl* ≈ *person*) Arsch *m* (*vulg*) **II** *v/t* stechen; ***to ~ one's finger*** sich (*dat*) in den Finger stechen; ***to ~ one's finger (on sth)*** sich (*dat*) (an etw *dat*) den Finger stechen; ***she ~ed his conscience*** sie bereitete ihm Gewissensbisse ◆ **prick up** *v/t sep* ***to ~ its/one's ears*** die Ohren spitzen

prickle I *n* **1.** (≈ *sharp point*) Stachel *m* **2.** (≈ *sensation*) Stechen *nt*; (≈ *tingle*) Prickeln *nt* **II** *v/i* stechen; (≈ *tingle*) prickeln **prickly** *adj* (+*er*) **1.** *plant*, *animal* stach(e)lig; *sensation* stechend; (≈ *tingling*) prickelnd **2.** (*fig*) *person* bissig

pride I *n* Stolz *m*; (≈ *arrogance*) Hochmut *m*; ***to take (a) ~ in sth*** auf etw (*acc*) stolz sein; ***to take (a) ~ in one's appearance*** Wert auf sein Äußeres legen; ***her ~ and joy*** ihr ganzer Stolz; ***to have*** *or* ***take ~ of place*** den Ehrenplatz einnehmen **II** *v/r* ***to ~ oneself on sth*** sich einer Sache (*gen*) rühmen

priest *n* Priester(in) *m(f)* **priestess** *n* Priesterin *f*

prim *adj* (+*er*) (*a.* **prim and proper**) etepetete *pred* (*infml*); *woman*, *manner* steif

primaeval *adj* = ***primeval*** **primal** *adj* ursprünglich, Ur-

primarily *adv* hauptsächlich **primary I** *adj* Haupt-; ***our ~ concern*** unser Hauptanliegen; ***of ~ importance*** von größter Bedeutung **II** *n* **1.** (*esp Br* ≈ *primary school*) Grundschule *f* **2.** (*US* ≈ *election*) Vorwahl **primary colour**, (*US*) **primary color** *n* Grundfarbe *f* **primary education** *n* Grundschul(aus)bildung *f* **primary election** *n* (*US*) Vorwahl *f* **primary school** *n* (*esp Br*) Grundschule *f* **primary school teacher** *n* (*esp Br*) Grundschullehrer(in) *m(f)*

prime I *adj* **1.** Haupt-, wesentlich; *target*, *cause* hauptsächlich; *candidate* erste(r, s); ***~ suspect*** Hauptverdächtige(r) *m/f(m)*; ***of ~ importance*** von größter Bedeutung; ***my ~ concern*** mein Hauptanliegen *nt* **2.** (≈ *excellent*) erstklassig **II** *n* ***in the ~ of life*** in der Blüte seiner Jahre; ***he is in his ~*** er ist in den besten Jahren **primed** *adj person* gerüstet **prime minister** *n* Premierminister(in) *m(f)* **prime number** *n* MAT Primzahl *f* **prime time** *n* Hauptsendezeit *f*

primeval *adj* urzeitlich, Ur-

primitive *adj* primitiv

primly *adv* sittsam

primrose *n* BOT Erdschlüsselblume *f*

primula *n* Primel *f*

prince *n* (≈ *king's son*) Prinz *m*; (≈ *ruler*) Fürst *m* **princely** *adj* fürstlich **princess** *n* Prinzessin *f*

principal I *adj* Haupt-, hauptsächlich; ***my ~ concern*** mein Hauptanliegen *nt* **II** *n* (*of school*) Rektor(in) *m(f)* **principality** *n* Fürstentum *nt* **principally** *adv* in erster Linie

principle *n* Prinzip *nt*; (*no pl* ≈ *integrity*) Prinzipien *pl*; ***in/on ~*** im/aus Prinzip; ***a man of ~(s)*** ein Mensch mit Prinzipien; ***it's a matter of ~, it's the ~ of the thing*** es geht dabei ums Prinzip **principled** *adj* mit Prinzipien

print I *n* **1.** (≈ *characters*) Schrift *f*; (≈ *printed matter*) Gedruckte(s) *nt*; ***out of ~*** vergriffen; ***to be in ~*** erhältlich sein; ***in large ~*** in Großdruck **2.** (≈ *picture*) Druck *m* **3.** PHOT Abzug *m* **4.** (*of foot etc*) Abdruck *m*; ***a thumb ~*** ein Daumenabdruck *m* **II** *v/t* **1.** *book* drucken; IT (aus)drucken **2.** (≈ *write clearly*) in Druckschrift schreiben **III** *v/i* **1.** drucken **2.** (≈ *write clearly*) in Druckschrift schreiben ◆ **print out** *v/t sep* IT ausdrucken

printed *adj* Druck-, gedruckt; (≈ *written in capitals*) in Großbuchstaben; ***~ matter/papers*** Büchersendung *f*

printer *n* Drucker *m* **print head** *n* IT Druckkopf *m* **printing** *n* (≈ *process*) Drucken *nt* **printing press** *n* Druckerpresse *f* **printmaking** *n* Grafik *f* **print-out** *n* IT Ausdruck *m* **print queue** *n* IT Druckerwarteschlange *f* **printwheel** *n* IT Typenrad *nt*

prior *adj* **1.** vorherig; (≈ *earlier*) früher; ***a ~ engagement*** eine vorher getroffene Verabredung; ***~ to sth*** vor etw (*dat*); ***~ to this/that*** zuvor; ***~ to going out*** bevor ich/er *etc* ausging **2.** *obligation* vorrangig

prioritize *v/t* **1.** (≈ *arrange in order of priority*) der Priorität nach ordnen **2.** (≈ *make a priority*) Priorität einräumen (+*dat*) **priority** *n* Priorität *f*; (≈ *thing having precedence*) vorrangige Angelegenheit; ***a top ~*** eine Sache von höchster Priorität; ***it must be given top ~*** das muss vorrangig behandelt werden; ***to give ~ to sth*** einer Sache (*dat*) Priorität geben; ***in order of ~*** nach Dringlichkeit; ***to get one's priorities right*** seine Prioritäten richtig setzen; ***high/low on the list of priorities*** or ***the ~ list*** oben/unten auf der Prioritätenliste

prise, (*US*) **prize** *v/t* ***to ~ sth open*** etw aufbrechen; ***to ~ the lid off*** den Deckel abbekommen

prison I *n* Gefängnis *nt*; ***to be in ~*** im Gefängnis sein; ***to go to ~ for 5 years*** für 5 Jahre ins Gefängnis gehen; ***to send sb to ~*** jdn ins Gefängnis schicken **II** *attr* Gefängnis-

prisoner *n* Gefangene(r) *m/f(m)*; ***to hold sb ~*** jdn gefangen halten; ***to take sb ~*** jdn gefangen nehmen; ***~ of war*** Kriegsgefangene(r) *m/f(m)* **prison officer** *n* (*Br*) Gefängnisaufseher(in) *m(f)*

pristine *adj condition* makellos

privacy *n* Privatleben *nt*; ***in the ~ of one's own home*** im eigenen Heim; ***in the strictest ~*** unter strengster Geheimhaltung

private I *adj* **1.** privat; *matter* vertraulich; (≈ *secluded*) abgelegen; *wedding* im engsten Kreis; *person* reserviert; ***~ and confidential*** streng vertraulich; ***to keep sth ~*** etw für sich behalten; ***his ~ life*** sein Privatleben *nt* **2.** ***~ address*** Privatanschrift *f*; ***~ education*** Ausbildung *f* in Privatschulen; ***~ individual*** Einzelne(r) *m/f(m)*; ***~ limited company*** ≈ Aktiengesellschaft *f* (*die nicht an der Börse notiert ist*); ***~ tutor*** Privatlehrer(in) *m(f)* **II** *n* **1.** MIL Gefreite(r) *m/f(m)*; ***Private X*** der Gefreite X **2. privates** *pl* (≈ *genitals*) Geschlechtsteile *pl* **3.** ***in ~*** privat; ***we must talk in ~*** wir müssen das unter uns besprechen **private company** *n* Privatgesellschaft *f* **private detective** *n* Privatdetektiv(in) *m(f)* **private enterprise** *n* Privatunternehmen *nt*; (≈ *free enterprise*) freies Unternehmertum **private investigator** *n* Privatdetektiv(in) *m(f)* **privately** *adv* **1.** (≈ *not publicly*) privat; *have operation* auf eigene Kosten; ***the meeting was held ~*** das Treffen wurde in kleinem Kreis abgehalten; ***~ owned*** in Privatbesitz **2.** (≈ *secretly*) persönlich **private parts** *pl* Geschlechtsteile *pl* **private practice** *n* (*Br*) Privatpraxis *f*; ***he is in ~*** er hat Privatpatienten **private property** *n* Privateigentum *nt* **private school** *n* Privatschule *f* **private secretary** *n* Privatsekretär(in) *m(f)* **private sector** *n* privater Sektor **private tuition** *n* Privatunterricht *m* **privatization** *n* Privatisierung *f* **privatize** *v/t* privatisieren

privilege *n* Privileg *nt*; (≈ *honour*) Ehre *f* **privileged** *adj person* privilegiert; ***for a ~ few*** für wenige Privilegierte; ***to be ~ to do sth*** das Privileg genießen, etw zu tun; ***I was ~ to meet him*** ich hatte die Ehre, ihm vorgestellt zu werden

Privy Council *n* Geheimer Rat

prize[1] **I** *n* Preis *m* **II** *adj* **1.** *sheep* preisgekrönt **2.** ***~ medal*** (Sieger)medaille *f* **3.** ***~ competition*** Preisausschreiben *nt* **III** *v/t* (hoch) schätzen; ***to ~ sth highly*** etw sehr *or* hoch schätzen; ***~d possession*** wertvollster Besitz

prize² *v/t* (*US*) = ***prise***

prize day *n* SCHOOL (Tag *m* der) Preisverleihung *f* **prize draw** *n* Lotterie *f* **prize money** *n* Geldpreis *m* **prizewinner** *n* (Preis)gewinner(in) *m*(*f*) **prizewinning** *adj* preisgekrönt; ***~ ticket*** Gewinnlos *nt*

pro¹ *n* (*infml*) Profi *m*

pro² **I** *prep* (≈ *in favour of*) für **II** *n* ***the ~s and cons*** das Pro und Kontra

pro- *pref* pro-, Pro-; ***~European*** proeuropäisch

proactive *adj* proaktiv

probability *n* Wahrscheinlichkeit *f*; ***in all ~*** aller Wahrscheinlichkeit nach; ***what's the ~ of that happening?*** wie groß ist die Wahrscheinlichkeit, dass das geschieht?

probable *adj* wahrscheinlich

probably *adv* wahrscheinlich; ***most ~*** höchstwahrscheinlich; ***~ not*** wahrscheinlich nicht

probation *n* **1.** JUR Bewährung *f*; ***to put sb on ~ (for a year)*** jdm (ein Jahr) Bewährung geben; ***to be on ~*** Bewährung haben **2.** (*of employee*) Probe *f*; (≈ *probation period*) Probezeit *f* **probationary** *adj* Probe-; ***~ period*** Probezeit *f*; JUR Bewährungsfrist *f* **probation officer** *n* Bewährungshelfer(in) *m*(*f*)

probe **I** *n* (≈ *investigation*) Untersuchung *f* (*into* +*gen*) **II** *v/t* untersuchen **III** *v/i* forschen (*for* nach); ***to ~ into sb's private life*** in jds Privatleben (*dat*) herumschnüffeln **probing** **I** *n* Untersuchung *f*; ***all this ~ into people's private affairs*** dieses Herumschnüffeln in den privaten Angelegenheiten der Leute **II** *adj* prüfend

problem *n* Problem *nt*; ***what's the ~?*** wo fehlt's?; ***he's got a drink(ing) ~*** er trinkt (zu viel); ***I had no ~ in getting the money*** ich habe das Geld ohne Schwierigkeiten bekommen; ***no ~!*** (*infml*) kein Problem! **problematic(al)** *adj* problematisch **problem-solving** *n* Problemlösung *f*

procedure *n* Verfahren *nt*; ***what would be the correct ~ in such a case?*** wie geht man in einem solchen Falle vor? **proceed** **I** *v/i* **1.** (*form*) ***please ~ to gate 3*** begeben Sie sich zum Ausgang 3 **2.** (*form* ≈ *go on*) weitergehen; (*vehicle*) weiterfahren **3.** (≈ *continue*) fortfahren (*with* mit); ***can we now ~ to the next item on the agenda?*** können wir jetzt zum nächsten Punkt der Tagesordnung übergehen?; ***everything is ~ing smoothly*** alles läuft bestens; ***negotiations are ~ing well*** die Verhandlungen kommen gut voran; ***you may ~*** (≈ *speak*) Sie haben das Wort **4.** (≈ *set about sth*) vorgehen **II** *v/t* ***to ~ to do sth*** (dann) etw tun **proceeding** *n* **1.** (≈ *action*) Vorgehen *nt* **2.** **proceedings** *pl* (≈ *function*) Veranstaltung *f* **3.** **proceedings** *pl esp* JUR Verfahren *nt*; ***to take ~s against sb*** gegen jdn gerichtlich vorgehen **proceeds** *pl* (≈ *yield*) Ertrag *m*; (*from raffle*) Erlös *m*; (≈ *takings*) Einnahmen *pl*

process **I** *n* Prozess *m*; (≈ *specific technique*) Verfahren *nt*; ***in the ~*** dabei; ***in the ~ of learning*** beim Lernen; ***to be in the ~ of doing sth*** dabei sein, etw zu tun **II** *v/t data*, *waste* verarbeiten; *food* konservieren; *application* bearbeiten; *film* entwickeln **processing** *n* (*of data*, *waste*) Verarbeitung *f*; (*of food*) Konservierung *f*; (*of application*) Bearbeitung *f*; (*of film*) Entwicklung *f* **processing language** *n* IT Prozesssprache *f* **processing plant** *n* Aufbereitungsanlage *f* **processing speed** *n* IT Verarbeitungsgeschwindigkeit *f*

procession *n* (*organized*) Umzug *m*; (≈ *line*) Reihe *f*; ***carnival ~*** Karnevalszug *m*

processor *n* IT Prozessor *m*

proclaim *v/t* erklären; ***the day had been ~ed a holiday*** der Tag war zum Feiertag erklärt worden **proclamation** *n* Proklamation *f*

procrastinate *v/i* zaudern; ***he always ~s*** er schiebt die Dinge immer vor sich (*dat*) her **procrastination** *n* Zaudern *nt*

procreate *v/i* sich fortpflanzen **procreation** *n* Fortpflanzung *f*

procure *v/t* (≈ *obtain*) beschaffen; (≈ *bring about*) herbeiführen; ***to ~ sth for sb/oneself*** jdm / sich etw beschaffen

prod **I** *n* **1.** (*lit*) Stoß *m*; ***to give sb a ~*** jdm einen Stoß versetzen **2.** (*fig*) ***to give sb a ~*** jdn anstoßen **II** *v/t* **1.** (*lit*) stoßen; ***he ~ded the hay with his stick*** er stach mit seinem Stock ins Heu; ***..., he said, ~ding the map with his finger*** ..., sagte er und stieß mit dem Finger auf die Kar-

te **2.** (*fig*) anspornen (*into sth* zu etw) **III** *v/i* stoßen
prodigiously *adv talented etc* außerordentlich
prodigy *n* Wunder *nt*; ***child ~*** Wunderkind *nt*
produce I *n no pl* AGR Erzeugnisse *pl*; ***~ of Italy*** italienisches Erzeugnis **II** *v/t* **1.** (≈ *yield*) produzieren; *heat* erzeugen; *crop* abwerfen; *article* schreiben; *ideas* hervorbringen; ***the sort of environment that ~s criminal types*** das Milieu, das Kriminelle hervorbringt **2.** (≈ *show*) *wallet* hervorholen (*from*, *out of* aus); *Pistole* ziehen (*from*, *out of* aus); *proof*, *results* liefern; *effect* erzielen; *documents* vorzeigen **3.** *play* inszenieren; *film* produzieren **4.** (≈ *cause*) hervorrufen **III** *v/i* (*factory*) produzieren; (*tree*) tragen **producer** *n* Produzent(in) *m(f)*; THEAT Regisseur(in) *m(f)* **-producing** *adj suf* produzierend; ***oil-producing country*** Öl produzierendes Land; ***wine-producing area*** Weinregion *f*
product *n* Produkt *nt*; ***food~s*** Nahrungsmittel *pl*; ***~ range*** IND Sortiment *nt*
production *n* **1.** Produktion *f*; (*of heat*) Erzeugung *f*; (*of crop*) Anbau *m*; (*of article*) Schreiben *nt*; (*of ideas*) Hervorbringung *f*; ***to put sth into ~*** die Produktion von etw aufnehmen; ***is it still in ~?*** wird das noch hergestellt?; ***to take sth out of ~*** etw aus der Produktion nehmen **2.** (*of ticket*, *documents*) Vorzeigen *nt*; (*of proof*) Lieferung *f* **3.** (*of play*) Inszenierung *f*; (*of film*) Produktion *f* **production costs** *pl* Produktionskosten *pl* **production line** *n* Fertigungsstraße *f* **productive** *adj* produktiv; *land* fruchtbar; *business* rentabel; ***to lead a ~ life*** ein aktives Leben führen **productively** *adv* produktiv **productivity** *n* Produktivität *f*; (*of land*) Fruchtbarkeit *f*; (*of business*) Rentabilität *f*
Prof *abbr of **Professor*** Prof.
profess I *v/t interest* bekunden; *disbelief* kundtun; *ignorance* zugeben; ***to ~ to be sth*** behaupten, etw zu sein **II** *v/r* ***to ~ oneself satisfied*** seine Zufriedenheit bekunden (*with* über +*acc*)
profession *n* **1.** Beruf *m*; ***the teaching ~*** der Lehrberuf; ***by ~*** von Beruf **2.** ***the medical ~*** die Ärzteschaft; ***the whole ~*** der gesamte Berufsstand **3.** ***~ of faith*** Glaubensbekenntnis *nt*
professional I *adj* **1.** beruflich; *opinion* fachlich; *football* professionell; ***~ army*** Berufsarmee *m*; ***our relationship is purely ~*** unsere Beziehung ist rein geschäftlich(er Natur); ***he's now doing it on a ~ basis*** er macht das jetzt hauptberuflich; ***in his ~ capacity as ...*** in seiner Eigenschaft als ...; ***to be a ~ singer*** *etc* von Beruf Sänger *etc* sein; ***to seek/take ~ advice*** fachmännischen Rat suchen/einholen; ***to turn ~*** Profi werden **2.** *work* fachgerecht; *person* gewissenhaft; *approach* professionell; *performance* kompetent **II** *n* Profi *m* **professionalism** *n* Professionalismus *m* **professionally** *adv* beruflich; ***he plays ~*** er ist Berufsspieler; ***to know sb ~*** jdn beruflich kennen
professor *n* Professor(in) *m(f)*; (*US* ≈ *lecturer*) Dozent(in) *m(f)*
proficiency *n* ***her ~ as a secretary*** ihre Tüchtigkeit als Sekretärin; ***his ~ in English*** seine Englischkenntnisse; ***her ~ in translating*** ihr Können als Übersetzerin **proficient** *adj* tüchtig; ***he is just about ~ in German*** seine Deutschkenntnisse reichen gerade aus; ***to be ~ in Japanese*** Japanisch beherrschen
profile I *n* Profil *nt*; (≈ *picture*) Profilbild *nt*; (≈ *biographical profile*) Porträt *nt*; ***in ~*** im Profil; ***to keep a low ~*** sich zurückhalten **II** *v/t* porträtieren
profit I *n* **1.** COMM Gewinn *m*; ***~ and loss account*** (*Br*) *or* ***statement*** (*US*) Gewinn-und-Verlust-Rechnung *f*; ***to make a ~ (out of*** *or* ***on sth)*** (mit etw) ein Geschäft machen; ***to show*** *or* ***yield a ~*** einen Gewinn verzeichnen; ***to sell sth at a ~*** etw mit Gewinn verkaufen; ***the business is now running at a ~*** das Geschäft rentiert sich jetzt **2.** (*fig*) Nutzen *m*; ***you might well learn something to your ~*** Sie können etwas lernen, was Ihnen von Nutzen ist **II** *v/i* profitieren (*by*, *from* von), Nutzen ziehen (*by*, *from* aus) **profitability** *n* Rentabilität *f* **profitable** *adj* COMM gewinnbringend; (*fig*) nützlich **profiteering** *n* Wucher *m* **profit-making** *adj* **1.** rentabel **2.** (≈ *profit-orientated*) auf Gewinn gerichtet **profit margin** *n* Gewinnspanne *f* **profit-sharing** *n* Gewinnbeteiligung *f* **profit warning** *n* COMM Gewinnwarnung *f*
pro forma (invoice) *n* Pro-forma-Rechnung *f*

profound *adj sorrow* tief; *idea* tiefsinnig; *thinker, knowledge, regret* tief (gehend); *hatred, ignorance* tief sitzend; *influence, implications* weitreichend **profoundly** *adv different* zutiefst; ***~ deaf*** vollkommen taub

profusely *adv bleed* stark; *thank* überschwänglich; ***he apologized ~*** er bat vielmals um Entschuldigung **profusion** *n* Überfülle *f*

prognosis *n, pl* ***prognoses*** Prognose *f*

program I *n* **1.** IT Programm *nt* **2.** (*US*) = ***programme*** **II** *v/t* programmieren **programmable** *adj* programmierbar

programme, (*US*) **program I** *n* Programm *nt*; ***what's the ~ for tomorrow?*** was steht für morgen auf dem Programm? **II** *v/t* programmieren **programmer** *n* Programmierer(in) *m(f)* **programming** *n* Programmieren *nt*; ***~ language*** Programmiersprache *f*

progress I *n* **1.** *no pl* (≈ *movement forwards*) Vorwärtskommen *nt*; ***we made slow ~ through the mud*** wir kamen im Schlamm nur langsam vorwärts; ***in ~*** im Gange; ***"silence please, meeting in ~"*** „Sitzung! Ruhe bitte“; ***the work still in ~*** die noch zu erledigende Arbeit **2.** *no pl* (≈ *advance*) Fortschritt *m*; ***to make (good/slow) ~*** (gute/langsame) Fortschritte machen **II** *v/i* **1.** (≈ *move forward*) sich vorwärtsbewegen **2.** ***as the work ~es*** mit dem Fortschreiten der Arbeit; ***as the game ~ed*** im Laufe des Spiels; ***while negotiations were actually ~ing*** während die Verhandlungen im Gange waren **3.** (≈ *improve*) Fortschritte machen; ***how far have you ~ed?*** wie weit sind Sie gekommen?; ***as you ~ through the ranks*** bei Ihrem Aufstieg durch die Ränge **progression** *n* Folge *f*; (≈ *development*) Entwicklung *f*; ***his ~ from a junior clerk to managing director*** sein Aufstieg vom kleinen Angestellten zum Direktor **progressive** *adj* (≈ *increasing*) zunehmend; *disease* fortschreitend **progressively** *adv* zunehmend **progress report** *n* Fortschrittsbericht *m*

prohibit *v/t* untersagen; ***to ~ sb from doing sth*** jdm untersagen, etw zu tun; ***"smoking ~ed"*** „Rauchen verboten“ **prohibitive** *adj* unerschwinglich; ***the costs of producing this model have become ~*** die Kosten für die Herstellung dieses Modells sind untragbar geworden

project[1] *n* Projekt *nt*; (≈ *scheme*) Vorhaben *nt*; SCHOOL, UNIV Referat *nt*; (*in primary school*) Arbeit *f*

project[2] **I** *v/t* **1.** *film, emotions* projizieren (*onto* auf +*acc*); ***to ~ one's voice*** seine Stimme zum Tragen bringen **2.** *plan* (voraus)planen; *costs* überschlagen **3.** (≈ *propel*) abschießen **II** *v/i* (≈ *jut out*) hervorragen (*from* aus) **projectile** *n* Geschoss *nt* **projection** *n* **1.** (*of films, feelings*) Projektion *f* **2.** (≈ *estimate*) (Voraus)planung *f*; (*of cost*) Überschlagung *f* **projectionist** *n* Filmvorführer(in) *m(f)* **projector** *n* FILM Projektor *m*

proletarian *adj* proletarisch **proletariat** *n* Proletariat *nt*

pro-life *adj* gegen Abtreibung *pred*

proliferate *v/i* (*number*) sich stark erhöhen **proliferation** *n* (*in numbers*) starke Erhöhung; (*of weapons*) Weitergabe *f*

prolific *adj* **1.** fruchtbar; *writer* sehr produktiv **2.** (≈ *abundant*) üppig

prologue, (*US*) **prolog** *n* Prolog *m*; (*of book*) Vorwort *nt*

prolong *v/t* verlängern; (*unpleasantly*) hinauszögern

prom *n* (*infml*) (*Br* ≈ *concert*) Konzert *nt*; (*US* ≈ *ball*) Studenten-/Schülerball *m*

promenade *n* (*esp Br* ≈ *esplanade*) (Strand)promenade *f*; (*US* ≈ *ball*) Studenten-/Schülerball *m*; ***~ concert*** (*Br*) Konzert *nt*

prominence *n* (*of ideas*) Beliebtheit *f*; (*of politician etc*) Bekanntheit *f*; ***to rise to ~*** bekannt werden **prominent** *adj* **1.** *cheekbones, teeth* vorstehend *attr*; ***to be ~*** vorstehen/-springen **2.** *markings* auffällig; *feature* hervorstechend; *position, publisher* prominent; ***put it in a ~ position*** stellen Sie es deutlich sichtbar hin **3.** *role* führend; (≈ *significant*) wichtig **prominently** *adv place* deutlich sichtbar; ***he figured ~ in the case*** er spielte in dem Fall eine bedeutende Rolle

promiscuity *n* Promiskuität *f* **promiscuous** *adj* (*sexually*) promisk; ***to be ~*** häufig den Partner wechseln; ***~ behaviour*** häufiger Partnerwechsel

promise I *n* **1.** Versprechen *nt*; ***their ~ of help*** ihr Versprechen zu helfen; ***is that a ~?*** ganz bestimmt?; ***to make sb a ~*** jdm ein Versprechen geben; ***I'm not making any ~s*** versprechen kann ich nichts; ***~s,***

~s! Versprechen, nichts als Versprechen! **2.** (≈ *prospect*) Hoffnung *f*; ***to show ~*** zu den besten Hoffnungen berechtigen **II** *v/t* versprechen; (≈ *forecast*) hindeuten auf (+*acc*); ***to ~ (sb) to do sth*** (jdm) versprechen, etw zu tun; ***to ~ sb sth, to ~ sth to sb*** jdm etw versprechen; ***to ~ sb the earth*** jdm das Blaue vom Himmel herunter versprechen; ***~ me one thing*** versprich mir eins; ***I won't do it again, I ~*** ich werde es nie wieder tun, das verspreche ich; ***it ~d to be another scorching day*** der Tag versprach wieder heiß zu werden **III** *v/i* versprechen; (***do you***) ***~?*** versprichst du es?; ***~!*** (≈ *I promise*) ehrlich!; ***I'll try, but I'm not promising*** ich werde es versuchen, aber ich kann nichts versprechen **IV** *v/r* ***to ~ oneself sth*** sich (*dat*) etw versprechen; ***I've ~d myself never to do it again*** ich habe mir geschworen, dass ich das nicht noch einmal mache **promising** *adj*, **promisingly** *adv* vielversprechend

promontory *n* Vorgebirge *nt*, Kap *nt*

promote *v/t* **1.** (*in rank*) befördern; ***our team was ~d*** FTBL unsere Mannschaft ist aufgestiegen **2.** (≈ *foster*) fördern **3.** (≈ *advertise*) werben für **promoter** *n* Promoter(in) *m*(*f*) **promotion** *n* **1.** (*in rank*) Beförderung *f*; (*of team*) Aufstieg *m*; ***to get*** *or* ***win ~*** befördert werden; (*team*) aufsteigen **2.** (≈ *fostering*) Förderung *f* **3.** (≈ *advertising*) Werbung *f* (*of* für); (≈ *advertising campaign*) Werbekampagne *f*

prompt I *adj* (+*er*) prompt; *action* unverzüglich; (≈ *on time*) pünktlich **II** *adv* ***at 6 o'clock~*** pünktlich um 6 Uhr **III** *v/t* **1.** (≈ *motivate*) ***to ~ sb to do sth*** jdn (dazu) veranlassen, etw zu tun **2.** *feelings* wecken **3.** (≈ *help with speech*) vorsagen (*sb* jdm); THEAT soufflieren (*sb* jdm) **IV** *n* IT Eingabeaufforderung *f* **prompter** *n* Souffleur *m*, Souffleuse *f* **promptly** *adv* **1.** prompt; ***they left ~ at 6*** sie gingen Punkt 6 Uhr **2.** (≈ *without further ado*) unverzüglich

prone *adj* **1.** ***to be*** *or* ***lie ~*** auf dem Bauch liegen; ***in a ~ position*** in Bauchlage **2.** ***to be ~ to sth*** zu etw neigen; ***to be ~ to do sth*** dazu neigen, etw zu tun **proneness** *n* Neigung *f* (*to* zu)

prong *n* Zacke *f* **-pronged** *adj suf* -zackig; ***a three-pronged attack*** ein Angriff mit drei Spitzen

pronoun *n* Pronomen *nt*

pronounce *v/t* **1.** *word etc* aussprechen; ***Russian is hard to ~*** die russische Aussprache ist schwierig **2.** (≈ *declare*) erklären für; ***the doctors ~d him unfit for work*** die Ärzte erklärten ihn für arbeitsunfähig; ***to ~ oneself in favour of/against sth*** sich für / gegen etw aussprechen **pronounced** *adj* ausgesprochen; *accent* ausgeprägt; ***he has a ~ limp*** er hinkt sehr stark **pronouncement** *n* Erklärung *f*; ***to make a ~*** eine Erklärung abgeben **pronunciation** *n* Aussprache *f*

proof *n* **1.** Beweis *m* (*of* für); ***as ~ of*** zum Beweis für; ***that is ~ that ...*** das ist der Beweis dafür, dass ...; ***show me your ~*** beweisen Sie (mir) das; ***~ of purchase*** Kaufbeleg *m* **2.** (*of alcohol*) Alkoholgehalt *m*; ***70% ~*** ≈ 40 Vol-% **proofread** *v/t & v/i* Korrektur lesen

prop[1] **I** *n* (*lit*) Stütze *f*; (*fig*) Halt *m* **II** *v/t* ***to ~ the door open*** die Tür offen halten; ***to ~ oneself/sth against sth*** sich / etw gegen etw lehnen ◆ **prop up** *v/t sep* stützen; *wall* abstützen; ***to prop oneself/sth up against sth*** sich / etw gegen etw lehnen; ***to prop oneself up on sth*** sich auf etw (*acc*) stützen

prop[2] *abbr of* ***proprietor***

propaganda *n* Propaganda *f*

propagate *v/t* (≈ *disseminate*) verbreiten **propagation** *n* (≈ *dissemination*) Verbreitung *f*

propane *n* Propan *nt*

propel *v/t* antreiben **propeller** *n* Propeller *m*

proper *adj* **1.** (≈ *actual*) eigentlich; ***a ~ job*** ein richtiger Job **2.** (≈ *fitting*, *infml* ≈ *real*) richtig; ***in the ~ way*** richtig; ***it's only right and ~*** es ist nur recht und billig; ***to do the ~ thing*** das tun, was sich gehört; ***the ~ thing to do would be to apologize*** es gehört sich eigentlich, dass man sich entschuldigt **3.** (≈ *seemly*) anständig **4.** (≈ *prim and proper*) korrekt **properly** *adv* **1.** (≈ *correctly*) richtig **2.** (≈ *in seemly fashion*) anständig **proper name, proper noun** *n* Eigenname *m*

property *n* **1.** (≈ *characteristic*) Eigenschaft *f*; ***healing properties*** heilende Kräfte **2.** (≈ *thing owned*) Eigentum *nt*; ***common ~*** (*lit*) gemeinsames Eigentum; (*fig*) Gemeingut *nt* **3.** (≈ *building*) Haus *nt*; (≈ *office*) Gebäude *nt*; (≈ *land*) Besitztum *nt*; (≈ *estate*) Besitz *m*; (*no pl*

≈ *houses etc*) Immobilien *pl*; ***~ in London is dearer*** die Preise auf dem Londoner Immobilienmarkt sind höher **property developer** *n* Häusermakler(in) *m*(*f*) **property market** *n* Immobilienmarkt *m*

prophecy *n* Prophezeiung *f* **prophesy I** *v*/*t* prophezeien **II** *v*/*i* Prophezeiungen machen **prophet** *n* Prophet(in) *m*(*f*) **prophetic** *adj*, **prophetically** *adv* prophetisch

proponent *n* Befürworter(in) *m*(*f*)

proportion *n* **1.** (*in number*) Verhältnis *nt* (*of x to y* zwischen x und y); (*in size*) Proportionen *pl*; ***~s*** (≈ *size*) Ausmaß *nt*; (*of building etc*) Proportionen *pl*; ***to be in/out of ~*** (***to one another***) (*in number*) im richtigen / nicht im richtigen Verhältnis zueinander stehen; (*in size*, ART) in den Proportionen stimmen / nicht stimmen; (*in time*, *effort etc*) im richtigen / in keinem Verhältnis zueinander stehen; ***to be in/out of ~ to sth*** im Verhältnis / in keinem Verhältnis zu etw stehen; (*in size*) in den Proportionen zu etw passen / nicht zu etw passen; ***to get sth in ~*** ART etw proportional richtig darstellen; (*fig*) etw objektiv betrachten; ***he has let it all get out of ~*** (*fig*) er hat den Blick für die Proportionen verloren; ***it's out of all ~!*** das geht über jedes Maß hinaus!; ***sense of ~*** Sinn *m* für Proportionen **2.** (≈ *part*) Teil *m*; (≈ *share*) Anteil *m*; ***a certain ~ of the population*** ein bestimmter Teil der Bevölkerung; ***the ~ of drinkers in our society is rising constantly*** der Anteil der Trinker in unserer Gesellschaft nimmt ständig zu **proportional** *adj* proportional (*to* zu) **proportional representation** *n* POL Verhältniswahlrecht *nt* **proportionate** *adj* proportional **proportionately** *adv* proportional; *more*, *less* entsprechend

proposal *n* Vorschlag *m* (*on*, *about* zu); (≈ *proposal of marriage*) (Heirats)antrag *m*; ***to make sb a ~*** jdm einen Vorschlag machen **propose I** *v*/*t* **1.** (≈ *suggest*) vorschlagen; ***to ~ marriage to sb*** jdm einen (Heirats)antrag machen **2.** (≈ *have in mind*) beabsichtigen; ***how do you ~ to pay for it?*** wie wollen Sie das bezahlen? **II** *v*/*i* einen (Heirats)antrag machen (*to +dat*) **proposition I** *n* (≈ *proposal*) Vorschlag *m*; (≈ *argument*) These *f* **II** *v*/*t* ***he ~ed me*** er hat mich gefragt, ob ich mit ihm schlafen würde

proprietor *n* (*of pub*) Inhaber(in) *m*(*f*); (*of house*, *newspaper*) Besitzer(in) *m*(*f*)

propriety *n* (≈ *decency*) Anstand *m*

propulsion *n* Antrieb *m*

pro rata *adj*, *adv* anteil(s)mäßig; ***on a ~ basis*** auf einer proportionalen Basis

proscribe *v*/*t* (≈ *forbid*) verbieten

prose *n* **1.** Prosa *f* **2.** (≈ *style*) Stil *m*

prosecute I *v*/*t* strafrechtlich verfolgen (*for* wegen); ***"trespassers will be ~d"*** „widerrechtliches Betreten wird strafrechtlich verfolgt" **II** *v*/*i* Anzeige erstatten; ***Mr Jones, prosecuting, said ...*** Herr Jones, der Vertreter der Anklage, sagte ... **prosecution** *n* (JUR ≈ *act of prosecuting*) strafrechtliche Verfolgung; (*in court* ≈ *side*) Anklage *f* (*for* wegen); (***the***) ***counsel for the ~*** die Anklage(vertretung); ***witness for the ~*** Zeuge *m*/Zeugin *f* der Anklage **prosecutor** *n* Ankläger(in) *m*(*f*)

prospect *n* (≈ *outlook*) Aussicht *f* (*of* auf +*acc*); ***a job with no ~s*** eine Stelle ohne Zukunft **prospective** *adj attr* (≈ *likely to happen*) voraussichtlich; *son-in-law* zukünftig; *buyer* interessiert; ***~ earnings*** voraussichtliche Einkünfte *pl*

prospectus *n* Prospekt *m*; SCHOOL, UNIV Lehrprogramm *nt*

prosper *v*/*i* blühen; (*financially*) florieren **prosperity** *n* Wohlstand *m* **prosperous** *adj person* wohlhabend; *business* florierend; *economy* blühend **prosperously** *adv live* im Wohlstand

prostate (gland) *n* Prostata *f*

prostitute I *n* Prostituierte(r) *m*/*f*(*m*) **II** *v*/*r* sich prostituieren **prostitution** *n* Prostitution *f*

prostrate I *adj* ausgestreckt **II** *v*/*r* sich niederwerfen (*before* vor +*dat*)

protagonist *n esp* LIT Protagonist(in) *m*(*f*)

protect I *v*/*t* schützen (*against* gegen, *from* vor +*dat*); (*person*, *animal*) beschützen (*against* gegen, *from* vor +*dat*); IT sichern; ***don't try to ~ the culprit*** versuchen Sie nicht, den Schuldigen zu decken **II** *v*/*i* schützen (*against* vor +*dat*)

protection *n* Schutz *m* (*against* gegen, *from* vor +*dat*); ***to be under sb's ~*** unter jds Schutz (*dat*) stehen **protectionism** *n* Protektionismus *m* **protective** *adj* Schutz-; *attitude* beschützend; *equip-*

ment schützend; ***the mother is very ~ toward(s) her children*** die Mutter ist sehr fürsorglich ihren Kindern gegenüber **protective clothing** *n* Schutzkleidung *f* **protective custody** *n* Schutzhaft *f* **protectively** *adv* schützend; (*towards people*) beschützend **protector** *n* **1.** (≈ *defender*) Beschützer(in) *m(f)* **2.** (≈ *protective wear*) Schutz *m*

protégé, protégée *n* Schützling *m*

protein *n* Protein *nt*

protest I *n* Protest *m*; (≈ *demonstration*) Protestkundgebung *f*; ***in ~*** aus Protest; ***to make a/one's ~*** Protest erheben **II** *v/i* (*against*, *about* gegen) protestieren; (≈ *demonstrate*) demonstrieren **III** *v/t* **1.** *innocence* beteuern **2.** (≈ *dispute*) protestieren gegen

Protestant I *adj* protestantisch **II** *n* Protestant(in) *m(f)*

protestation *n* (≈ *protest*) Protest *m* **protester** *n* Protestierende(r) *m/f(m)*; (*in demo*) Demonstrant(in) *m(f)* **protest march** *n* Protestmarsch *m*

protocol *n* Protokoll *nt*

proton *n* Proton *nt*

prototype *n* Prototyp *m*

protracted *adj* langwierig; *dispute* längere(r, s)

protrude *v/i* (*from* aus) vorstehen; (*ears*) abstehen **protruding** *adj* vorstehend; *ears* abstehend; *chin* vorspringend; *ribs* hervortretend

proud I *adj* stolz (*of* auf +*acc*); ***it made his parents feel very ~*** das erfüllte seine Eltern mit Stolz; ***to be ~ that ...*** stolz (darauf) sein, dass ...; ***to be ~ to do sth*** stolz darauf sein, etw zu tun **II** *adv* ***to do sb/oneself ~*** jdn/sich verwöhnen **proudly** *adv* stolz

prove *pret* ***proved***, *past part* ***proved*** *or* ***proven*** **I** *v/t* beweisen; ***he ~d that ...*** er wies nach, dass ...; ***to ~ sb innocent*** jds Unschuld nachweisen; ***he was ~d right*** er hat recht behalten; ***he did it just to ~ a point*** er tat es nur der Sache wegen **II** *v/i* ***to ~ (to be) useful*** sich als nützlich erweisen; ***if it ~s otherwise*** wenn sich das Gegenteil herausstellt **III** *v/r* **1.** (≈ *show one's value etc*) sich bewähren **2.** ***to ~ oneself to be sth*** sich als etw erweisen **proven I** *past part of* ***prove*** **II** *adj* bewährt

proverb *n* Sprichwort *nt* **proverbial** *adj* (*lit*, *fig*) sprichwörtlich

provide I *v/t* zur Verfügung stellen; *personnel* vermitteln; *money* bereitstellen; *food etc* sorgen für; *ideas*, *electricity* liefern; *light* spenden; ***X ~d the money and Y (~d) the expertise*** X stellte das Geld bereit und Y lieferte das Fachwissen; ***candidates must ~ their own pens*** die Kandidaten müssen ihr Schreibgerät selbst stellen; ***to ~ sth for sb*** etw für jdn stellen; (≈ *make available*) jdm etw zur Verfügung stellen; (≈ *supply*) jdm etw besorgen; ***to ~ sb with sth*** *with food etc* jdn mit etw versorgen; (≈ *equip*) jdn mit etw ausstatten **II** *v/r* ***to ~ oneself with sth*** sich mit etw ausstatten ◆ **provide against** *v/i +prep obj* vorsorgen für ◆ **provide for** *v/i +prep obj* sorgen für; *emergencies* vorsorgen für

provided (that) *cj* vorausgesetzt(, dass)

providence *n* die Vorsehung

provider *n* (*for family*) Ernährer(in) *m(f)*

providing (that) *cj* vorausgesetzt(, dass)

province *n* **1.** Provinz *f* **2. provinces** *pl* ***the ~s*** die Provinz **provincial** *adj* Provinz-; *accent* ländlich; (*pej*) provinzlerisch

provision *n* **1.** (≈ *supplying*) (*for others*) Bereitstellung *f*; (*for one's own*) Beschaffung *f*; (*of food*, *water etc*) Versorgung *f* (*of* mit, *to sb* jds) **2.** (≈ *supply*) Vorrat *m* (*of* an +*dat*) **3. *~s*** *pl* (≈ *food*) Lebensmittel *pl* **4.** (≈ *arrangement*) Vorkehrung *f*; (≈ *stipulation*) Bestimmung *f*; ***with the ~ that ...*** mit dem Vorbehalt, dass ...; ***to make ~ for sb*** für jdn Vorsorge treffen; ***to make ~ for sth*** etw vorsehen **provisional** *adj* provisorisch; *offer* vorläufig; ***~ driving licence*** (*Br*) vorläufige Fahrerlaubnis für Fahrschüler **provisionally** *adv* vorläufig **proviso** *n* Vorbehalt *m*; ***with the ~ that ...*** unter der Bedingung, dass ...

provocation *n* Provokation *f*; ***he acted under ~*** er wurde dazu provoziert; ***he hit me without any ~*** er hat mich geschlagen, ohne dass ich ihn dazu provoziert hätte **provocative** *adj* provozierend; *remark*, *behaviour* herausfordernd **provocatively** *adv* provozierend; *say*, *behave* herausfordernd; ***~ dressed*** aufreizend gekleidet **provoke** *v/t* provozieren; *animal* reizen; *reaction* hervorrufen; ***to ~ an argument*** (*person*) Streit suchen; ***to ~ sb into doing sth*** jdn dazu treiben, dass er etw tut **provoking** *adj*

provozierend
prow *n* Bug *m*
prowess *n* (≈ *skill*) Fähigkeiten *pl*; ***his (sexual) ~*** seine Manneskraft
prowl **I** *n* Streifzug *m*; ***to be on the ~*** (*cat*) auf Streifzug sein; (*boss*) herumschleichen **II** *v/i* (*a.* **prowl about** *or* **around**) herumstreichen; ***he ~ed round the house*** er schlich im Haus **prowler** *n* Herumtreiber(in) *m(f)*
proximity *n* Nähe *f*; ***in close ~ to*** in unmittelbarer Nähe (*+gen*)
proxy *n* ***by ~*** durch einen Stellvertreter
prude *n* ***to be a ~*** prüde sein
prudence *n* (*of person*) Umsicht *f*; (*of action*) Klugheit *f* **prudent** *adj person* umsichtig; *action* klug **prudently** *adv* wohlweislich; *act* umsichtig
prudish *adj* prüde
prune[1] *n* Backpflaume *f*
prune[2] *v/t* (*a.* **prune down**) beschneiden; (*fig*) *expenditure* kürzen **pruning** *n* Beschneiden *nt*; (*fig*) (*of expenditure*) Kürzung *f*
Prussia *n* Preußen *nt* **Prussian** **I** *adj* preußisch **II** *n* Preuße *m*, Preußin *f*
pry[1] *v/i* neugierig sein; (*in drawers etc*) (herum)schnüffeln (*in* in *+dat*); ***I don't mean to ~, but ...*** es geht mich ja nichts an, aber ...; ***to ~ into sb's affairs*** seine Nase in jds Angelegenheiten (*acc*) stecken
pry[2] *v/t* (*US*) = ***prise***
prying *adj* neugierig
PS *abbr of* ***postscript*** PS
psalm *n* Psalm *m*
pseudonym *n* Pseudonym *nt*
PST (*US*) *abbr of* ***Pacific Standard Time*** pazifische Zeit
psych *v/t* (*infml*) ***to ~ sb*** (***out***) jdn durchschauen ◆ **psych out** *v/t sep* (*infml*) psychologisch fertigmachen (*infml*) ◆ **psych up** *v/t sep* (*infml*) hochputschen (*infml*); ***to psych oneself up*** sich hochputschen (*infml*)
psyche *n* Psyche *f*
psychedelic *adj* psychedelisch
psychiatric *adj* psychiatrisch; *illness* psychisch; ***~ hospital*** psychiatrische Klinik; ***~ nurse*** Psychiatrieschwester *f* **psychiatrist** *n* Psychiater(in) *m(f)* **psychiatry** *n* Psychiatrie *f*
psychic **I** *adj* **1.** übersinnlich; *powers* übernatürlich; ***you must be ~!*** Sie müssen hellsehen können! **2.** PSYCH psychisch **II** *n* Mensch *m* mit übernatürlichen Kräften
psycho *n* (*infml*) Verrückte(r) *m/f(m)*
psychoanalyse, (*US*) **psychoanalyze** *v/t* psychoanalytisch behandeln **psychoanalysis** *n* Psychoanalyse *f* **psychoanalyst** *n* Psychoanalytiker(in) *m(f)*
psychological *adj* psychologisch; (≈ *mental*) psychisch; ***he's not really ill, it's all ~*** er ist nicht wirklich krank, das ist alles psychisch bedingt **psychologically** *adv* (≈ *mentally*) psychisch; (≈ *concerning psychology*) psychologisch **psychological thriller** *n* FILM, LIT Psychothriller *m* **psychologist** *n* Psychologe *m*, Psychologin *f* **psychology** *n* (≈ *science*) Psychologie *f*
psychopath *n* Psychopath(in) *m(f)*
psychosomatic *adj* psychosomatisch
psychotherapist *n* Psychotherapeut(in) *m(f)* **psychotherapy** *n* Psychotherapie *f*
psychotic *adj* psychotisch
pt *abbr of* ***part***, ***pint***, ***point***
PTA *abbr of* ***parent-teacher association***
pto *abbr of* ***please turn over*** b.w.
pub *n* (*esp Br*) Kneipe *f* (*infml*); (*in the country*) Gasthaus *nt*; ***let's go to the ~*** komm, wir gehen in die Kneipe (*infml*)
pub-crawl *n* (*esp Br infml*) ***to go on a ~*** einen Kneipenbummel machen (*infml*)
puberty *n* die Pubertät; ***to reach ~*** in die Pubertät kommen
pubic *adj* Scham-; ***~ hair*** Schamhaar *nt*
public **I** *adj* öffentlich; ***to be ~ knowledge*** allgemein bekannt sein; ***to become ~*** publik werden; ***at ~ expense*** aus öffentlichen Mitteln; ***~ pressure*** Druck *m* der Öffentlichkeit; ***a ~ figure*** eine Persönlichkeit des öffentlichen Lebens; ***in the ~ eye*** im Blickpunkt der Öffentlichkeit; ***to make sth ~*** etw publik machen; (*officially*) etw öffentlich bekannt machen; ***~ image*** Bild *nt* in der Öffentlichkeit; ***in the ~ interest*** im öffentlichen Interesse **II** *n sg or pl* Öffentlichkeit *f*; ***in ~*** in der Öffentlichkeit; *admit* öffentlich; ***the (general) ~*** die (breite) Öffentlichkeit; ***the viewing ~*** das Fersehpublikum **public access channel** *n* öffentlicher Fernsehkanal **public address system** *n* Lautsprecheranlage *f*
publican *n* (*Br*) Gastwirt(in) *m(f)*
publication *n* Veröffentlichung *f*
public company *n* Aktiengesellschaft *f*

public convenience *n* (*Br*) öffentliche Toilette **public defender** *n* (*US*) Pflichtverteidiger(in) *m*(*f*) **public enemy** *n* Staatsfeind(in) *m*(*f*) **public gallery** *n* Besuchertribüne *f* **public health** *n* die öffentliche Gesundheit **public holiday** *n* gesetzlicher Feiertag **public housing** *n* (*US*) Sozialwohnungen *pl* **public inquiry** *n* öffentliche Untersuchung

publicist *n* Publizist(in) *m*(*f*) **publicity** *n* **1.** Publicity *f* **2.** COMM Werbung *f* **publicity campaign** *n* Publicitykampagne *f*; COMM Werbekampagne *f* **publicity stunt** *n* Werbegag *m* **publicity tour** *n* Werbetour *f* **publicize** *v/t* **1.** (≈ *make public*) bekannt machen **2.** *film*, *product* Werbung machen für

public law *n* öffentliches Recht **public life** *n* öffentliches Leben **public limited company** *n* Aktiengesellschaft *f* **publicly** *adv* öffentlich; **~ *funded*** durch öffentliche Mittel finanziert **public money** *n* öffentliche Gelder *pl* **public opinion** *n* die öffentliche Meinung **public ownership** *n* staatlicher Besitz; ***under*** *or* ***in*** **~** in staatlichem Besitz **public property** *n* öffentliches Eigentum **public prosecutor** *n* Staatsanwalt *m*/-anwältin *f* **public relations** *n pl or sg* Öffentlichkeitsarbeit *f*; **~ *exercise*** PR-Kampagne *f* **public school** *n* (*Br*) Privatschule *f*; (*US*) staatliche Schule **public sector** *n* öffentlicher Sektor **public servant** *n* Arbeitnehmer(in) *m*(*f*) im öffentlichen Dienst **public service** *n* (*Civil Service*) öffentlicher Dienst **public speaking** *n* Redenhalten *nt*; ***I'm no good at*** **~** ich kann nicht in der Öffentlichkeit reden **public spending** *n* Ausgaben *pl* der öffentlichen Hand **public television** *n* (*US*) öffentliches Fernsehen **public transport** *n* öffentlicher Nahverkehr; ***by*** **~** mit öffentlichen Verkehrsmitteln **public utility** *n* öffentlicher Versorgungsbetrieb

publish *v/t* veröffentlichen; ***~ed by Collins*** bei Collins erschienen; ***"published monthly"*** „erscheint monatlich" **publisher** *n* (≈ *person*) Verleger(in) *m*(*f*); (≈ *firm*: *a.* **publishers**) Verlag *m* **publishing** *n* das Verlagswesen; **~ *company*** Verlagshaus *nt*

puck *n* SPORTS Puck *m*

pucker **I** *v/t* (*a.* **pucker up**, *for kissing*) spitzen **II** *v/i* (*a.* **pucker up**) (*lips*, *to be kissed*) sich spitzen

pud *n* (*Br infml*) = ***pudding*** **pudding** *n* (*Br*) **1.** (≈ *dessert*) Nachtisch *m*; (≈ *instant whip etc*) Pudding *m*; ***what's for ~?*** was gibt es als Nachtisch? **2.** ***black*** **~** ≈ Blutwurst *f*

puddle *n* Pfütze *f*

pudgy *adj* (+*er*) = ***podgy***

puff **I** *n* **1.** (*of engine*) Schnaufen *nt no pl*; (*on cigarette etc*) Zug *m* (*at*, *of* an +*dat*); ***a ~ of wind*** ein Windstoß *m*; ***a ~ of smoke*** eine Rauchwolke; ***our hopes vanished in a ~ of smoke*** unsere Hoffnungen lösten sich in nichts auf; ***to be out of ~*** (*Br infml*) außer Puste sein (*infml*) **2.** COOK ***cream ~*** Windbeutel *m* **II** *v/t smoke* ausstoßen **III** *v/i* (*person*, *train*) schnaufen; ***to ~ (away) on a cigar*** an einer Zigarre paffen ◆ **puff out** *v/t sep* **1.** *chest* herausstrecken; *cheeks* aufblasen **2.** (≈ *emit*) ausstoßen ◆ **puff up** **I** *v/t sep feathers* (auf)plustern **II** *v/i* (*face etc*) anschwellen

puffed *adj* (*infml*) außer Puste (*infml*)

puffin *n* Papageientaucher *m*

puffiness *n* Verschwollenheit *f* **puff pastry**, (*US*) **puff paste** *n* Blätterteig *m* **puffy** *adj* (+*er*) *face* geschwollen

puke (*sl*) **I** *v/i* kotzen (*infml*); ***he makes me ~*** er kotzt mich an (*sl*) **II** *n* Kotze *f* (*vulg*) ◆ **puke up** *v/i* (*infml*) kotzen (*infml*)

pull **I** *n* Ziehen *nt*; (*short*) Ruck *m*; (≈ *attraction*) Anziehungskraft *f*; ***he gave the rope a ~*** er zog am Seil; ***I felt a ~ at my sleeve*** ich spürte, wie mich jemand am Ärmel zog **II** *v/t* **1.** ziehen; *tooth* herausziehen; *beer* zapfen; ***to ~ a gun on sb*** jdn mit der Pistole bedrohen; ***he ~ed the dog behind him*** er zog den Hund hinter sich (*dat*) her; ***to ~ a door shut*** eine Tür zuziehen **2.** *handle*, *rope* ziehen an (+*dat*); ***he ~ed her hair*** er zog sie an den Haaren; ***to ~ sth to pieces*** (*fig* ≈ *criticize*) etw verreißen; ***to ~ sb's leg*** (*fig infml*) jdn auf den Arm nehmen (*infml*), jdn pflanzen (*Aus*); ***~ the other one(, it's got bells on)*** (*Br infml*) das glaubst du ja selber nicht!; ***she was the one ~ing the strings*** sie war es, die alle Fäden in der Hand hielt **3.** *muscle* sich (*dat*) zerren **4.** *crowd* anziehen **III** *v/i* **1.** ziehen (*on*, *at* an +*dat*); ***to ~ to the left*** (*car*) nach links ziehen; ***to ~ on one's cigarette*** an seiner Zigarette ziehen **2.** (*car etc*) fahren; ***he ~ed across***

to the left-hand lane er wechselte auf die linke Spur über; ***he~ed into the side of the road*** er fuhr an den Straßenrand; ***to~ alongside*** seitlich heranfahren; ***to~ off the road*** am Straßenrand anhalten **3.** (*Br infml, sexually*) jemanden rumkriegen (*infml*) ◆ **pull ahead** *v/i* ***to ~ of sb/sth*** (*in race etc*) einen Vorsprung vor jdm/etw gewinnen; (*in contest*) jdm/einer Sache (*dat*) davonziehen ◆ **pull apart I** *v/t sep* **1.** (≈ *separate*) auseinanderziehen; *radio etc* auseinandernehmen **2.** (*fig infml*) (≈ *search*) auseinandernehmen (*infml*); (≈ *criticize*) verreißen **II** *v/i* (*by design*) sich auseinandernehmen lassen ◆ **pull away I** *v/t sep* wegziehen; ***she pulled it away from him*** sie zog es von ihm weg; (*from his hands*) sie zog es ihm aus den Händen **II** *v/i* (≈ *move off*) wegfahren; ***the car pulled away from the others*** der Wagen setzte sich (von den anderen) ab ◆ **pull back** *v/t sep* zurückziehen ◆ **pull down I** *v/t sep* **1.** (≈ *move down*) herunterziehen **2.** *buildings* abreißen **II** *v/i* (*blind etc*) sich herunterziehen lassen ◆ **pull in I** *v/t sep* **1.** *rope, stomach etc* einziehen; ***to pull sb/sth in(to) sth*** jdn/etw in etw (*acc*) ziehen **2.** *crowds* anziehen **II** *v/i* **1.** (*into station*) einfahren (*into* in +*acc*) **2.** (≈ *stop*) anhalten ◆ **pull off** *v/t sep* **1.** *wrapping* abziehen; *cover* abnehmen; *clothes* ausziehen **2.** (*infml* ≈ *succeed in*) schaffen (*infml*); *deal, coup* zuwege bringen (*infml*) ◆ **pull on** *v/t sep coat etc* sich (*dat*) überziehen ◆ **pull out I** *v/t sep* **1.** (≈ *extract*) (*of* aus) herausziehen; *tooth* ziehen; *page* heraustrennen; ***to pull the rug out from under sb*** (*fig*) jdm den Boden unter den Füßen wegziehen **2.** (≈ *withdraw*) zurückziehen; *troops* abziehen **II** *v/i* **1.** (≈ *come out*) sich herausziehen lassen **2.** (≈ *elongate*) sich ausziehen lassen **3.** (≈ *withdraw*) aussteigen (*of* aus) (*infml*); (*troops*) abziehen **4.** (*train etc*) herausfahren (*of* aus); ***the car pulled out from behind the lorry*** der Wagen scherte hinter dem Lastwagen aus ◆ **pull over I** *v/t sep* **1.** (≈ *move over*) herüberziehen (*prep obj* über +*acc*) **2.** (≈ *topple*) umreißen **3.** ***the police pulled him over*** die Polizei stoppte ihn am Straßenrand **II** *v/i* (*car, driver*) zur Seite fahren ◆ **pull through I** *v/t sep* (*lit*) durchziehen; ***to pull sb/sth through sth*** (*lit*) jdn/etw durch etw ziehen; ***to pull sb through a difficult time*** jdm helfen, eine schwierige Zeit zu überstehen **II** *v/i* (*fig*) durchkommen; ***to ~ sth*** (*fig*) etw überstehen ◆ **pull together I** *v/i* (*fig*) am gleichen Strang ziehen **II** *v/r* sich zusammenreißen ◆ **pull up I** *v/t sep* **1.** (≈ *raise*) hochziehen **2.** (≈ *uproot*) herausreißen **3.** *chair* heranrücken **II** *v/i* (≈ *stop*) anhalten

pull-down *adj bed* Klapp-; ***~ menu*** IT Pull-down-Menü *nt*

pulley *n* **1.** (≈ *wheel*) Rolle *f* **2.** (≈ *block*) Flaschenzug *m*

pull-out I *n* (≈ *withdrawal*) Abzug *m* **II** *attr supplement* heraustrennbar **pullover** *n* Pullover *m*

pulp I *n* **1.** Brei *m*; ***to beat sb to a ~*** (*infml*) jdn zu Brei schlagen (*infml*) **2.** (*of fruit etc*) Fruchtfleisch *nt* **II** *v/t fruit etc* zerdrücken; *paper* einstampfen

pulpit *n* Kanzel *f*

pulsate *v/i* pulsieren **pulse I** *n* ANAT Puls *m*; PHYS Impuls *m*; ***to feel sb's ~*** jdm den Puls fühlen; ***he still has*** *or* ***keeps his finger on the ~ of economic affairs*** er hat in Wirtschaftsfragen immer noch den Finger am Puls der Zeit **II** *v/i* pulsieren

pulverize *v/t* pulverisieren

pummel *v/t* eintrommeln auf (+*acc*)

pump[1] **I** *n* Pumpe *f* **II** *v/t* pumpen; *stomach* auspumpen; ***to ~ water out of sth*** Wasser aus etw (heraus)pumpen; ***to ~ money into sth*** Geld in etw (*acc*) hineinpumpen; ***to ~ sb (for information)*** jdn aushorchen; ***to ~ iron*** (*infml*) Gewichte stemmen **III** *v/i* pumpen; (*water, blood*) herausschießen; ***the piston ~ed up and down*** der Kolben ging auf und ab ◆ **pump in** *v/t sep* hineinpumpen ◆ **pump out** *v/t sep* herauspumpen ◆ **pump up** *v/t sep tyre etc* aufpumpen; *prices* hochtreiben

pump[2] *n* (≈ *gym shoe*) Turnschuh *m*; (*US* ≈ *court shoe*) Pumps *m*

pumpkin *n* Kürbis *m*

pun *n* Wortspiel *nt*

Punch *n* (*Br*) ***~ and Judy show*** Kasper(le)theater *nt*; ***to be (as) pleased as ~*** (*infml*) sich wie ein Schneekönig freuen (*infml*)

punch[1] **I** *n* **1.** (≈ *blow*) Schlag *m* **2.** *no pl* (*fig* ≈ *vigour*) Schwung *m* **II** *v/t* boxen; ***I***

wanted to ~ him in the face ich hätte ihm am liebsten ins Gesicht geschlagen

punch[2] **I** *n* (*hole puncher*) Locher *m* **II** *v/t ticket etc* lochen, zwicken (*Aus*); *holes* stechen ◆ **punch in** *v/t sep* IT *data* eingeben

punch[3] *n* (≈ *drink*) Bowle *f*; (*hot*) Punsch *m*

punchbag *n* Sandsack *m* **punchbowl** *n* Bowle *f* **punching bag** *n* (*US*) Sandsack *m* **punch line** *n* Pointe *f* **punch-up** *n* (*Br infml*) Schlägerei *f*

punctual *adj* pünktlich; ***to be ~*** pünktlich kommen **punctuality** *n* Pünktlichkeit *f* **punctually** *adv* pünktlich

punctuate *v/t* **1.** GRAM interpunktieren **2.** (≈ *intersperse*) unterbrechen **punctuation** *n* Interpunktion *f*

puncture I *n* **1.** (*in tyre etc*) Loch *nt* **2.** (≈ *flat tyre*) Reifenpanne *f* **II** *v/t* stechen in (+*acc*); *tyre* Löcher / ein Loch machen in (+*acc*)

pundit *n* Experte *m*, Expertin *f*

pungent *adj* scharf; *smell* durchdringend

punish *v/t* **1.** bestrafen; ***he was ~ed by a fine*** er wurde mit einer Geldstrafe belegt; ***the other team ~ed us for that mistake*** die andere Mannschaft ließ uns für diesen Fehler büßen **2.** (*fig infml* ≈ *drive hard*) strapazieren; *oneself* schinden **punishable** *adj* strafbar; ***to be ~ by 2 years' imprisonment*** mit 2 Jahren Gefängnis bestraft werden **punishing** *adj routine* strapaziös; *workload* erdrückend

punishment *n* **1.** (≈ *penalty*) Strafe *f*; (≈ *punishing*) Bestrafung *f*; ***you know the ~ for such offences*** Sie wissen, welche Strafe darauf steht **2.** (*fig infml*) ***to take a lot of ~*** (*car etc*) stark strapaziert werden

Punjabi I *adj* pandschabisch **II** *n* **1.** Pandschabi *m/f(m)* **2.** LING Pandschabi *nt*

punk I *n* **1.** (*a.* **punk rocker**) Punker(in) *m(f)*; (*a.* **punk rock**) Punkrock *m* **2.** (*US infml* ≈ *hoodlum*) Ganove *m* (*infml*) **II** *adj* Punk-

punter *n* **1.** (*Br infml*) (≈ *better*) Wetter(in) *m(f)* **2.** (*esp Br infml* ≈ *customer etc*) Kunde *m*, Kundin *f*

puny *adj* (+*er*) *person* schwächlich; *effort* kläglich

pup *n* Junge(s) *nt*

pupil[1] *n* (SCHOOL, *fig*) Schüler(in) *m(f)*

pupil[2] *n* ANAT Pupille *f*

puppet *n* (≈ *glove puppet*) Handpuppe *f*; (≈ *string puppet, also fig*) Marionette *f* **puppeteer** *n* Puppenspieler(in) *m(f)* **puppet regime** *n* Marionettenregime *nt* **puppet show** *n* Puppenspiel *nt*

puppy *n* junger Hund

purchase I *n* Kauf *m*; ***to make a ~*** einen Kauf tätigen **II** *v/t* kaufen **purchase order** *n* Auftragsbestätigung *f* **purchase price** *n* Kaufpreis *m* **purchaser** *n* Käufer(in) *m(f)* **purchasing** *adj department* Einkaufs-; *price, power* Kauf-

pure *adj* (+*er*) rein; ***in ~ disbelief*** ganz ungläubig; ***by ~ chance*** rein zufällig; ***malice ~ and simple*** reine Bosheit **purebred** *adj* reinrassig

purée I *n* Püree *nt*; ***tomato ~*** Tomatenmark *nt*, Paradeismark *nt* (*Aus*) **II** *v/t* pürieren

purely *adv* rein; ***~ and simply*** schlicht und einfach

purgatory *n* REL das Fegefeuer

purge *v/t* reinigen

purification *n* Reinigung *f* **purification plant** *n* Kläranlage *f* **purify** *v/t* reinigen

puritan I *adj* puritanisch **II** *n* Puritaner(in) *m(f)* **puritanical** *adj* puritanisch

purity *n* Reinheit *f*

purple I *adj* lila; *face* hochrot **II** *n* (≈ *colour*) Lila *nt*

purpose *n* **1.** (≈ *intention*) Absicht *f*; (≈ *set goal*) Zweck *m*; ***on ~*** absichtlich; ***what was your ~ in doing this?*** was haben Sie damit beabsichtigt?; ***for our ~s*** für unsere Zwecke; ***for the ~s of this meeting*** zum Zweck dieser Konferenz; ***for all practical ~s*** in der Praxis; ***to no ~*** ohne Erfolg **2.** *no pl* (≈ *determination*) Entschlossenheit *f*; ***to have a sense of ~*** zielbewusst sein **purpose-built** *adj* (*esp Br*) speziell angefertigt; *construction* speziell gebaut **purposeful** *adj*, **purposefully** *adv* entschlossen

purr I *v/i* (*cat, person*) schnurren; (*engine*) surren **II** *n* Schnurren *nt no pl*; (*of engine*) Surren *nt no pl*

purse I *n* **1.** (*for money*) Portemonnaie *nt*; ***to hold the ~ strings*** (*Br fig*) über die Finanzen bestimmen **2.** (*US* ≈ *handbag*) Handtasche *f* **II** *v/t* ***to ~ one's lips*** einen Schmollmund machen

pursue *v/t* verfolgen; *success* nachjagen (+*dat*); *happiness* streben nach; *studies* nachgehen (+*dat*); *subject* weiterführen

pursuer *n* Verfolger(in) *m(f)* **pursuit** *n* **1.** (*of person, goal*) Verfolgung *f* (*of +gen*); (*of knowledge, happiness*) Streben *nt* (*of* nach); (*of pleasure*) Jagd *f* (*of* nach); ***he set off in ~*** er rannte/fuhr hinterher; ***to go in ~ of sb/sth*** sich auf die Jagd nach jdm/etw machen; ***in hot ~ of sb*** hart auf jds Fersen (*dat*); ***to set off/be in hot ~ of sb/sth*** jdm/einer Sache nachjagen; ***in (the) ~ of his goal*** in Verfolgung seines Ziels **2.** (≈ *occupation*) Beschäftigung *f*; (≈ *pastime*) Zeitvertreib *m*

pus *n* Eiter *m*

push I *n* **1.** Schubs *m* (*infml*); (*short*) Stoß *m*; ***to give sb/sth a ~*** jdm/einer Sache einen Stoß versetzen; ***to give a car a ~*** einen Wagen anschieben; ***he needs a little ~ now and then*** (*fig*) den muss man mal ab und zu in die Rippen stoßen (*infml*); ***to get the ~*** (*Br infml*) (*employee*) (raus)fliegen (*infml*) (*from* aus); (*boyfriend*) den Laufpass kriegen (*infml*); ***to give sb the ~*** (*Br infml*) *employee* jdn rausschmeißen (*infml*); *boyfriend* jdm den Laufpass geben (*infml*); ***at a ~*** (*infml*) notfalls; ***if/when ~ comes to shove*** (*infml*) wenn der schlimmste Fall eintritt **2.** (≈ *effort*) Anstrengung *f*; MIL Offensive *f* **II** *v/t* **1.** (≈ *shove*) schieben; (*quickly*) stoßen; *button* drücken; ***to ~ a door open/shut*** eine Tür auf-/zuschieben; ***he ~ed his way through the crowd*** er drängte sich durch die Menge; ***he ~ed the thought to the back of his mind*** er schob den Gedanken beiseite **2.** (*fig*) *product* massiv Werbung machen für; *drugs* schieben; ***to ~ home one's advantage*** seinen Vorteil ausnützen; ***don't ~ your luck*** treibs nicht zu weit!; ***he's ~ing his luck trying to do that*** er legt es wirklich darauf an, wenn er das versucht **3.** (*fig* ≈ *put pressure on*) drängen; ***to ~ sb into doing sth*** jdn dazu treiben, etw zu tun; ***they ~ed him to the limits*** sie trieben ihn bis an seine Grenzen; ***that's ~ing it a bit*** (*infml*) das ist ein bisschen übertrieben; ***to be ~ed (for time)*** (*infml*) mit der Zeit knapp dran sein; ***to ~ oneself hard*** sich schinden **III** *v/i* (≈ *shove*) schieben; (*quickly*) stoßen; (≈ *press*) drücken; (*in a crowd*) drängeln (*infml*); (≈ *apply pressure*) drängen ◆ **push ahead** *v/i* sich ranhalten (*infml*); ***to ~ with one's plans*** seine Pläne vorantreiben ◆ **push around** *v/t sep* **1.** (*lit*) herumschieben **2.** (*fig infml* ≈ *bully*) *child* herumschubsen; *adult* herumkommandieren ◆ **push aside** *v/t sep* beiseiteschieben; (*quickly*) beiseitestoßen; (*fig*) einfach abtun ◆ **push away** *v/t sep* wegschieben; (*quickly*) wegstoßen ◆ **push back** *v/t sep people* zurückdrängen; (*with one push*) zurückstoßen; *cover, hair* zurückschieben ◆ **push by** *v/i* = ***push past*** ◆ **push down I** *v/t sep* **1.** (≈ *press down*) nach unten drücken **2.** (≈ *knock over*) umstoßen **II** *v/i* (≈ *press down*) hinunterdrücken ◆ **push for** *v/i +prep obj* drängen auf (*+acc*) ◆ **push forward** *v/i* = ***push ahead*** ◆ **push in I** *v/t sep* hineinschieben; (*quickly*) hineinstoßen; ***to push sb/sth in(to) sth*** jdn/etw in etw (*acc*) schieben/stoßen; ***to push one's way in*** sich hineindrängen **II** *v/i* (*lit: in queue etc*) sich hineindrängeln (*infml*) ◆ **push off I** *v/t sep* hinunterschieben; (*quickly*) hinunterstoßen; ***to push sb off sth*** jdn von etw schieben/stoßen **II** *v/i* (*Br infml* ≈ *leave*) abhauen (*infml*); ***~!*** zieh ab! (*infml*) ◆ **push on** *v/i* (*with journey*) weiterfahren/-gehen; (*with job*) weitermachen ◆ **push out** *v/t sep* hinausschieben; (*quickly*) hinausstoßen; ***to push sb/sth out of sth*** jdn/etw aus etw schieben/stoßen; ***to push one's way out (of sth)*** sich (aus etw) hinausdrängen ◆ **push over** *v/t sep* (≈ *knock over*) umwerfen ◆ **push past** *v/i* sich vorbeidrängen (*prep obj* an *+dat*) ◆ **push through I** *v/t sep* **1.** durchschieben; (*quickly*) durchstoßen; ***to push sb/sth through sth*** jdn/etw durch etw schieben/stoßen; ***she pushed her way through the crowd*** sie drängte sich durch die Menge **2.** *bill* durchpeitschen (*infml*), durchstieren (*Swiss*) **II** *v/i* (*through crowd*) sich durchdrängen ◆ **push to** *v/t always separate door* anlehnen ◆ **push up** *v/t sep* **1.** (*lit*) hinaufschieben; (*quickly*) hinaufstoßen **2.** (*fig* ≈ *raise*) hochdrücken

push-bike *n* (*Br infml*) Fahrrad *nt*, Velo *nt* (*Swiss*) **push-button** *n* Druckknopf *m*; ***~ telephone*** Tastentelefon *nt* **pushchair** *n* (*Br*) Sportwagen *m* **pusher** *n* (*infml, of drugs*) Pusher(in) *m(f)* (*infml*) **pushover** *n* (*infml*) (≈ *job etc*) Kinderspiel *nt* **push-start** *v/t* anschieben **push-up** *n* (*US*) Liegestütz *m* **pushy**

adj (+*er*) (*infml*) penetrant (*pej*)

pussy *n* **1.** (≈ *cat*) Mieze *f* (*infml*) **2.** (*sl* ≈ *female genitals*) Muschi *f* (*infml*) **pussycat** *n* (*baby talk*) Miezekatze *f* (*baby talk*)

put *pret*, *past part* **put** *v/t* **1.** (≈ *place*) stellen, setzen; (≈ *lay down*) legen; (≈ *push in*) stecken; ***they ~ a plank across the stream*** sie legten ein Brett über den Bach; ***to ~ sth in a drawer*** etw in eine Schublade legen; ***he ~ his hand in his pocket*** er steckte die Hand in die Tasche; ***~ the dog in the kitchen*** tu den Hund in die Küche; ***to ~ sugar in one's coffee*** Zucker in den Kaffee tun; ***to ~ sb in a good mood*** jdn fröhlich stimmen; ***to ~ a lot of effort into sth*** viel Mühe in etw (*acc*) stecken; ***to ~ money into sth*** (sein) Geld in etw (*acc*) stecken; ***~ the lid on the box*** tu den Deckel auf die Schachtel; ***he ~ his head on my shoulder*** er legte seinen Kopf auf meine Schulter; ***her aunt ~ her on the train*** ihre Tante setzte sie in den Zug; ***to ~ money on a horse*** auf ein Pferd setzen; ***to ~ one's hand over sb's mouth*** jdm die Hand vor den Mund halten; ***he ~ his head (a)round the door*** er steckte den Kopf zur Tür herein; ***to ~ a glass to one's lips*** ein Glas zum Mund(e) führen; ***she ~ the shell to her ear*** sie hielt (sich *dat*) die Muschel ans Ohr; ***to ~ sb to bed*** jdn ins Bett bringen; ***to ~ sb to great expense*** jdm große Ausgaben verursachen; ***we'll each ~ £5 toward(s) it*** jeder von uns gibt £ 5 (zum Betrag) dazu; ***they ~ her to work on the new project*** ihr wurde das neue Projekt als Arbeitsbereich zugewiesen; ***to stay ~*** stehen *etc* bleiben; (*person* ≈ *not move*) sich nicht von der Stelle rühren; ***just stay ~!*** bleib, wo du bist! **2.** (≈ *write*) schreiben; *comma* machen; (≈ *draw*) zeichnen; ***to ~ a cross/tick against sb's name*** jds Namen ankreuzen/abhaken **3.** *question*, *proposal* vorbringen; ***I ~ it to you that ...*** ich behaupte, dass ...; ***it was ~ to me that ...*** es wurde mir nahegelegt, dass ... **4.** (≈ *express*) ausdrücken; ***that's one way of ~ting it*** so kann mans auch sagen; ***how shall I ~ it?*** wie soll ich (es) sagen?; ***to ~ it bluntly*** um es klipp und klar zu sagen **5.** (≈ *rate*) schätzen (*at* auf +*acc*); ***he ~s money before his family's happiness*** er stellt Geld über das Glück seiner Familie ◆ **put across** *v/t sep ideas* verständlich machen (*to sb* jdm); ***to put oneself across*** den richtigen Eindruck von sich geben ◆ **put aside** *v/t sep* **1.** *book etc* beiseitelegen **2.** (≈ *save for later*) zurücklegen **3.** (*fig* ≈ *forget*) ablegen; *anger* begraben; *differences* vergessen ◆ **put away** *v/t sep* **1.** einräumen; *toys* aufräumen; (≈ *tidy away*) wegräumen; ***to put the car away*** das Auto wegstellen **2.** (≈ *save*) zurücklegen **3.** (*infml* ≈ *consume*) schaffen (*infml*) **4.** (*in prison*) einsperren ◆ **put back** *v/t sep* **1.** (≈ *replace*) zurückstellen/-legen/-stecken **2.** (*esp Br* ≈ *postpone*) verschieben; *plans*, *production* zurückwerfen; *watch etc* zurückstellen ◆ **put by** *v/t sep* (*Br*) zurücklegen ◆ **put down** *v/t sep* **1.** (≈ *set down*) *object* wegstellen/-setzen/-legen; ***put it down on the floor*** stellen Sie es auf den Boden; ***I couldn't put that book down*** ich konnte das Buch nicht aus der Hand legen; ***to ~ the phone*** (den Hörer) auflegen **2.** *umbrella* zumachen; *lid* zuklappen **3.** (≈ *land*) landen **4.** *rebellion* niederschlagen **5.** (≈ *pay*) anzahlen; *deposit* machen **6.** (*esp Br*) *pet* einschläfern **7.** (≈ *write down*) niederschreiben; (*on form*) angeben; ***to put one's name down for sth*** sich (in eine Liste) für etw eintragen; ***you can put me down for £10*** für mich können Sie £ 10 eintragen; ***put it down under sundries*** schreiben Sie es unter Verschiedenes auf **8.** (≈ *attribute*) zurückführen (*to* auf +*acc*) ◆ **put forward** *v/t sep* **1.** *suggestion* vorbringen; *person* (*for job etc*) vorschlagen; (*as candidate*) aufstellen **2.** (*esp Br*) *meeting* vorverlegen (*to* auf +*acc*); *watch etc* vorstellen ◆ **put in I** *v/t sep* **1.** (≈ *place in*) hineinstellen/-legen/-stecken **2.** (≈ *insert in speech etc*) einfügen; (≈ *add*) hinzufügen **3.** *claim* einreichen **4.** *central heating* einbauen **5.** *time* zubringen (*with* mit); ***to ~ a few hours' work at the weekend*** am Wochenende ein paar Stunden Arbeit einschieben; ***to ~ a lot of work on sth*** eine Menge Arbeit in etw (*acc*) stecken **II** *v/i* ***to ~ for sth*** *for job* sich um etw bewerben; *for rise* etw beantragen ◆ **put inside** *v/t sep* (*infml*, *in prison*) einsperren (*infml*) ◆ **put off** *v/t sep* **1.** (≈ *postpone*) verschieben; *decision* aufschieben; *sth unpleasant* hinauszögern;

to put sth off for 10 days/until January etw um 10 Tage aufschieben/auf Januar verschieben **2.** (≈ *be evasive with*) hinhalten **3.** (≈ *discourage*) die Lust nehmen (*+dat*); ***to put sb off sth*** jdm die Lust an etw (*dat*) nehmen; ***don't let his rudeness put you off*** störe dich nicht an seiner Flegelhaftigkeit; ***are you trying to put me off?*** versuchst du, mir das zu verleiden? (*infml*); ***to put sb off doing sth*** jdn davon abbringen, etw zu tun **4.** (≈ *distract*) ablenken (*prep obj* von); ***I'd like to watch you if it won't put you off*** ich würde dir gern zusehen, wenn es dich nicht stört **5.** (≈ *switch off*) ausschalten ◆ **put on** *v/t sep* **1.** *coat* anziehen; *hat* (sich *dat*) aufsetzen; *make-up* auflegen; (*fig*) *front* vortäuschen; ***to ~ one's make-up*** sich schminken **2.** ***to ~ weight*** zunehmen; ***to ~ a pound*** ein Pfund zunehmen; ***ten pence was ~ the price of petrol*** (*Br*) *or* **gas** (*US*) der Benzinpreis wurde um zehn Pence erhöht **3.** *play* aufführen; *exhibition* veranstalten; *bus* einsetzen; (*fig*) *act* abziehen (*infml*) **4.** (*on telephone*) ***to put sb on to sb*** jdn mit jdm verbinden; ***would you put him on?*** könnten Sie ihn mir geben? **5.** *TV* einschalten; ***to put the kettle on*** das Wasser aufsetzen **6.** ***to put sb on to sth*** (≈ *inform about*) jdm etw vermitteln ◆ **put out** *v/t sep* **1.** *rubbish etc* hinausbringen; *cat* vor die Tür setzen; ***to put the washing out (to dry)*** die Wäsche (zum Trocknen) raushängen; ***to put sb out of business*** jdn aus dem Markt drängen; ***that goal put them out of the competition*** mit diesem Tor waren sie aus dem Wettbewerb ausgeschieden; ***she could not put him out of her mind*** er ging ihr nicht aus dem Sinn **2.** *hand* ausstrecken; *tongue* herausstrecken; ***to put one's head out of the window*** den Kopf zum Fenster hinausstrecken **3.** *cutlery* auflegen **4.** *statement* abgeben; *appeal* durchgeben; (*on TV, radio*) senden **5.** *fire, light* löschen **6.** (≈ *vex*) ***to be ~ (by sth)*** (über etw *acc*) verärgert sein **7.** (≈ *inconvenience*) ***to put sb out*** jdm Umstände machen; ***to put oneself out (for sb)*** sich (*dat*) (wegen jdm) Umstände machen ◆ **put over** *v/t sep* = ***put across*** ◆ **put through** *v/t sep* **1.** *reform* durchbringen; (*+prep obj*) bringen durch **2.** *+prep obj* (≈ *cause to undergo*) durchmachen lassen; ***he has put his family through a lot (of suffering)*** seine Familie hat seinetwegen viel durchgemacht **3.** (*by telephone*) *person* verbinden (*to* mit); *call* durchstellen (*to* zu) ◆ **put together** *v/t sep* (*in same room etc*) zusammentun; (≈ *seat together, assemble*) zusammensetzen; *menu* zusammenstellen; *collection* zusammentragen; ***he's better than all the others ~*** er ist besser als alle anderen zusammen ◆ **put up** *v/t sep* **1.** *hand* hochheben; *umbrella* aufklappen; *hair* hochstecken **2.** *flag* hissen; *picture, decorations* aufhängen; *notice* anbringen; *building, fence* errichten; *tent* aufschlagen **3.** (≈ *increase*) erhöhen **4.** ***to put sth up for sale*** etw zum Verkauf anbieten; ***to put one's child up for adoption*** sein Kind zur Adoption freigeben; ***to ~ resistance*** Widerstand leisten; ***to put sb up to sth*** jdn zu etw anstiften **5.** (≈ *accommodate*) unterbringen ◆ **put up with** *v/i +prep obj* sich abfinden mit; ***I won't ~ that*** das lasse ich mir nicht gefallen

put-down *n* Abfuhr *f* **put-on** (*infml*) *adj* vorgetäuscht

putrefy *v/i* verwesen **putrid** *adj* verfault

putt I *n* Schlag *m* (*mit dem man einlocht*) **II** *v/t & v/i* putten

putter (*US*) *v/i* = ***potter***[2]

putty *n* Kitt *m*

puzzle I *n* **1.** (≈ *wordgame, mystery*) Rätsel *nt* **2.** (≈ *jigsaw*) Puzzle(spiel) *nt* **II** *v/t* **1.** verblüffen; ***to be ~d about sth*** sich über etw (*acc*) im Unklaren sein **2.** ***to ~ sth out*** etw (her)austüfteln **III** *v/i* ***to ~ over sth*** sich (*dat*) über etw (*acc*) den Kopf zerbrechen **puzzled** *adj look* verdutzt; *person* verwirrt **puzzlement** *n* Verwirrung *f* **puzzling** *adj* rätselhaft; *story, question* verwirrend

Pygmy, Pigmy I *n* Pygmäe *m* **II** *adj* Pygmäen-

pyjamas, (*US*) **pajamas** *pl* Schlafanzug *m*, Pyjama *m* (*esp Aus, Swiss*)

pylon *n* Mast *m*

pyramid *n* Pyramide *f*

pyre *n* Scheiterhaufen *m*

Pyrenean *adj* pyrenäisch **Pyrenees** *pl* Pyrenäen *pl*

Pyrex® *n* feuerfestes Glas

python *n* Python *m*

Q

Q, q *n* Q *nt*, q *nt*
qtr *abbr of* ***quarter***
quack I *n* Schnattern *nt no pl* **II** *v/i* schnattern
quad bike *n* (*Br*) Quad *nt* **quadrangle** *n* **1.** MAT Viereck *nt* **2.** ARCH (viereckiger) (Innen)hof **quadruple I** *adj* vierfach **II** *v/t* vervierfachen **III** *v/i* sich vervierfachen **quadruplet** *n* Vierling *m*
quagmire *n* Sumpf *m*
quail *n* ORN Wachtel *f*
quaint *adj* (*+er*) (≈ *picturesque*) idyllisch; *pub* urig; *idea* kurios
quake *v/i* zittern (*with* vor *+dat*); (*earth etc*) beben
Quaker *n* Quäker(in) *m*(*f*)
qualification *n* **1.** Qualifikation *f*; (≈ *document*) Zeugnis *nt*; (≈ *prerequisite*) Voraussetzung *f* **2.** (≈ *qualifying*) Abschluss *m* **3.** (≈ *limitation*) Einschränkung *f* **qualified** *adj* **1.** (≈ *trained*) ausgebildet; (≈ *with degree*) Diplom-; ***~ engineer*** Diplom-Ingenieur(in) *m*(*f*); ***highly ~*** hoch qualifiziert; ***to be ~ to do sth*** qualifiziert sein, etw zu tun; ***he is/is not ~ to teach*** er besitzt die/keine Lehrbefähigung; ***he was not ~ for the job*** ihm fehlte die Qualifikation für die Stelle; ***to be well ~ for sth*** für etw hoch qualifiziert sein; ***he is fully ~*** er ist voll ausgebildet **2.** (≈ *entitled*) berechtigt **3.** (≈ *limited*) nicht uneingeschränkt **qualify I** *v/t* **1.** qualifizieren; ***to ~ sb to do sth*** (≈ *entitle*) jdn berechtigen, etw zu tun **2.** *statement* einschränken **II** *v/i* **1.** (≈ *acquire degree etc*) seine Ausbildung abschließen; ***to ~ as a lawyer/doctor*** sein juristisches/medizinisches Staatsexamen machen; ***to ~ as a teacher*** die Lehrbefähigung erhalten **2.** SPORTS sich qualifizieren (*for* für) **3.** (≈ *fulfil conditions*) infrage kommen (*for* für); ***does he ~ for admission to the club?*** erfüllt er die Bedingungen für die Aufnahme in den Klub? **qualifying** *adj* SPORTS Qualifikations-; ***~ match*** *or* ***game/group*** Qualifikationsspiel *nt*/-gruppe *f*
quality I *n* **1.** Qualität *f*; ***of good ~*** von guter Qualität; ***they vary in ~*** sie sind qualitativ verschieden **2.** (≈ *characteristics*) Eigenschaft *f* **3.** (*of sound*) Klangfarbe *f* **II** *attr* **1.** Qualitäts-; ***~ goods*** Qualitätsware *f* **2.** (*infml* ≈ *good*) erstklassig (*infml*); *newspaper* seriös **quality time** *n* intensiv genutzte Zeit
qualm *n* **1.** (≈ *scruple*) Skrupel *m*; ***without a ~*** ohne jeden Skrupel **2.** (≈ *misgiving*) Bedenken *nt*
quandary *n* Verlegenheit *f*; ***he was in a ~ about what to do*** er wusste nicht, was er tun sollte
quango *n* (*Br*) *abbr of* ***quasi-autonomous nongovernmental organization*** (unabhängige) Nicht-Regierungs-Organisation
quantify *v/t* quantifizieren
quantitative *adj*, **quantitatively** *adv* quantitativ
quantity *n* **1.** Quantität *f*; (≈ *amount*) Menge *f*; (≈ *proportion*) Anteil *m* (*of* an *+dat*); ***in ~, in large quantities*** in großen Mengen; ***in equal quantities*** zu gleichen Teilen **2.** (MAT, *fig*) Größe *f*
quantum leap *n* (*fig*) Riesenschritt *m*
quantum mechanics *n sg* Quantenmechanik *f*
quarantine I *n* Quarantäne *f*; ***to put sb in ~*** jdn unter Quarantäne stellen **II** *v/t* unter Quarantäne stellen
quarrel I *n* Streit *m*; (≈ *dispute*) Auseinandersetzung *f*; ***they have had a ~*** sie haben sich gestritten; ***I have no ~ with him*** ich habe nichts gegen ihn **II** *v/i* **1.** sich streiten (*with* mit, *about*, *over* über *+acc*) **2.** (≈ *find fault*) etwas auszusetzen haben (*with* an *+dat*) **quarrelling**, (*US*) **quarreling** *n* Streiterei *f* **quarrelsome** *adj* streitsüchtig
quarry[1] I *n* Steinbruch *m* **II** *v/t* brechen
quarry[2] *n* (≈ *prey*) Beute *f*
quarter I *n* **1.** (*of amount* ≈ *area*) Viertel *nt*; ***to divide sth into ~s*** etw in vier Teile teilen; ***a ~/three-~s full*** viertel/drei viertel voll; ***a mile and a ~*** eineinviertel Meilen; ***a ~ of a mile*** eine viertel Meile; ***for a ~ (of) the price*** zu einem Viertel des Preises; ***a ~ of an hour*** eine viertel Stunde; ***a ~ to seven, a ~ of seven*** (*US*) (ein) Viertel vor sieben; ***a ~ past six, a ~ after***

six (*US*) (ein) Viertel nach sechs; ***an hour and a ~*** eineinviertel Stunden; ***in these ~s*** in dieser Gegend **2.** (≈ *fourth of year*) Vierteljahr *nt* **3.** (*US*) Vierteldollar *m* **4.** (≈ *side*) Seite *f*; (≈ *place*) Stelle *f*; ***he won't get help from that ~*** von dieser Seite wird er keine Hilfe bekommen; ***in various ~s*** an verschiedenen Stellen; ***at close ~s*** aus der Nähe **5. quarters** *pl* (≈ *lodgings*) Quartier *nt* (*also* MIL) **6.** (≈ *mercy in battle*) Pardon *m*; ***he gave no ~*** er kannte kein Pardon **II** *adj* Viertel-; ***~ pound*** Viertelpfund *nt* **III** *v/t* vierteln **quarterback** *n* (*US* FTBL) Quarterback *m* **quarterfinal** *n* Viertelfinalspiel *nt* **quarterfinalist** *n* Teilnehmer(in) *m(f)* am Viertelfinale **quarterly I** *adj*, *adv* vierteljährlich **II** *n* Vierteljahresschrift *f* **quarter note** *n* (*US* MUS) Viertel(note *f*) *nt* **quarter-pipe** *n* SPORTS Quarterpipe *f* **quarter-pounder** *n* COOK Viertelpfünder *m*

quartet(te) *n* Quartett *nt*

quartz *n* Quarz *m*

quash *v/t* **1.** JUR *verdict* aufheben **2.** *rebellion* unterdrücken

quaver I *n* **1.** (*esp Br* MUS) Achtel(note *f*) *nt* **2.** (*in voice*) Zittern *nt* **II** *v/i* zittern **quavering, quavery** *adj voice* zitternd; *notes* tremolierend

quay *n* Kai *m*; ***alongside the ~*** am Kai **quayside** *n* Kai *m*

queasiness *n* Übelkeit *f* **queasy** *adj* (*+er*) gereizt; ***I feel ~*** mir ist (leicht) übel

queen *n* **1.** Königin *f* **2.** CARDS, CHESS Dame *f*; ***~ of spades*** Pikdame **queen bee** *n* Bienenkönigin *f* **queenly** *adj* königlich **queen mother** *n* Königinmutter *f* **queen's English** *n* englische Hochsprache **Queen's Speech** *n* Thronrede *f*

queer I *adj* (*+er*) **1.** (≈ *strange*) eigenartig; (≈ *eccentric*) komisch; ***he's a bit ~ in the head*** (*infml*) er ist nicht ganz richtig im Kopf (*infml*) **2.** (≈ *suspicious*) verdächtig; ***there's something ~ about it*** da ist etwas faul dran (*infml*) **3.** (*infml*) ***I feel ~*** (≈ *unwell*) mir ist nicht gut **4.** (*pej infml* ≈ *homosexual*) schwul (*infml*) **II** *n* (*pej infml* ≈ *homosexual*) Schwule(r) *m/f(m)* (*infml*)

quell *v/t riot* unterdrücken

quench *v/t* löschen

query I *n* Frage *f*; IT Abfrage *f* **II** *v/t* **1.** bezweifeln; *statement* infrage stellen; *bill* reklamieren **2.** ***to ~ sth with sb*** etw mit jdm abklären **3.** IT abfragen

quest *n* Suche *f* (*for* nach); (*for knowledge etc*) Streben *nt* (*for* nach)

question I *n* **1.** Frage *f* (*to* an *+acc*); ***to ask sb a ~*** jdm eine Frage stellen; ***don't ask so many ~s*** frag nicht so viel; ***a ~ of time*** eine Frage der Zeit; ***it's a ~ of whether ...*** es geht darum, ob ... **2.** *no pl* (≈ *doubt*) Zweifel *m*; ***without ~*** ohne (jeden) Zweifel; ***your sincerity is not in ~*** niemand zweifelt an Ihrer Aufrichtigkeit; ***to call sth into ~*** etw infrage stellen **3.** *no pl* ***there's no ~ of a strike*** von einem Streik kann keine Rede sein; ***that's out of the ~*** das kommt nicht infrage; ***the person in ~*** die fragliche Person **II** *v/t* **1.** fragen (*about* nach); (*police etc*) befragen (*about* zu); ***my father started ~ing me about where I'd been*** mein Vater fing an, mich auszufragen, wo ich gewesen war; ***they were ~ed by the immigration authorities*** ihnen wurden von der Einwanderungsbehörde viele Fragen gestellt **2.** (≈ *doubt*) bezweifeln; (≈ *dispute*) infrage stellen **questionable** *adj* fragwürdig; *figures* fraglich **questioner** *n* Frager(in) *m(f)* **questioning I** *adj look* fragend **II** *n* Verhör *nt*; (*of candidate*) Befragung *f*; ***after hours of ~ by the immigration authorities*** nach stundenlanger Befragung durch die Einwanderungsbehörde; ***they brought him in for ~*** sie holten ihn, um ihn zu vernehmen **questioningly** *adv* fragend **question mark** *n* Fragezeichen *nt* **questionnaire** *n* Fragebogen *m* **question tag** *n* LING Frageanhängsel *nt*

queue I *n* (*Br*) Schlange *f*; ***to form a ~*** eine Schlange bilden; ***to stand in a ~*** Schlange stehen; ***to join the ~*** sich (hinten) anstellen; ***a ~ of cars*** eine Autoschlange; ***a long ~ of people*** eine lange Schlange **II** *v/i* (*Br*: *a.* **queue up**) Schlange stehen; (≈ *form a queue*) eine Schlange bilden; (*people*) sich anstellen; ***they were queuing for the bus*** sie standen an der Bushaltestelle Schlange; ***to ~ for bread*** nach Brot anstehen

quibble *v/i* (≈ *be petty-minded*) kleinlich sein (*over*, *about* wegen); (≈ *argue*) sich herumstreiten (*over*, *about* wegen); ***to ~ over details*** auf Einzelheiten herumreiten

quiche *n* Quiche *f*

quick I *adj* (*+er*) **1.** schnell; ***be ~!*** mach

schnell!; ***and be ~ about it*** aber ein bisschen dalli (*infml*); ***you were ~*** das war ja schnell; ***he's a ~ worker*** er arbeitet schnell; ***it's ~er by train*** mit dem Zug geht es schneller; ***what's the ~est way to the station?*** wie komme ich am schnellsten zum Bahnhof? **2.** *kiss* flüchtig; *speech*, *rest* kurz; ***let me have a ~ look*** lass mich mal schnell sehen; ***to have a ~ chat*** ein paar Worte wechseln; ***could I have a ~ word?*** könnte ich Sie mal kurz sprechen?; ***I'll just write him a ~ note*** ich schreibe ihm mal kurz; ***time for a ~ beer*** genügend Zeit, um schnell ein Bierchen zu trinken **3.** *mind* wach; *person* schnell von Begriff (*infml*); *temper* hitzig; *eye* scharf **II** *adv* (*+er*) schnell

quicken I *v/t* (*a.* **quicken up**) beschleunigen **II** *v/i* (*a.* **quicken up**) sich beschleunigen **quick fix** *n* Schnelllösung *f* **quickly** *adv* schnell **quickness** *n* (≈ *speed*) Schnelligkeit *f* **quicksand** *n* Treibsand *m* **quick-tempered** *adj* hitzig; ***to be ~*** leicht aufbrausen **quick-witted** *adj* geistesgegenwärtig

quid *n*, *pl* **-** (*Br infml*) Pfund *nt*; ***20 ~*** 20 Eier (*sl*)

quiet I *adj* (*+er*) **1.** still; *person*, *area*, *time* ruhig; *music*, *voice* leise; ***she was as ~ as a mouse*** sie war mucksmäuschenstill (*infml*); (***be***) ***~!*** Ruhe!; ***to keep ~*** (≈ *not speak*) still sein; (≈ *not make noise*) leise sein; ***that book should keep him ~*** das Buch sollte ihn beschäftigt halten; ***to keep ~ about sth*** über etw (*acc*) nichts sagen; ***to go ~*** still werden; (*music etc*) leise werden; ***things are very ~ at the moment*** im Augenblick ist nicht viel los; ***business is ~*** das Geschäft ist ruhig; ***to have a ~ word with sb*** mit jdm ein Wörtchen (im Vertrauen) reden; ***he kept the matter ~*** er behielt die Sache für sich **2.** *character* sanft; *child* ruhig **3.** *wedding* im kleinen Rahmen; *dinner* im kleinen Kreis **II** *n* Ruhe *f*; ***in the ~ of the night*** in der Stille der Nacht; ***on the ~*** heimlich **III** *v/t* = ***quieten***

quieten *v/t* (*Br*) *sb* zum Schweigen bringen ◆ **quieten down** (*Br*) **I** *v/i* (≈ *become silent*) leiser werden; (≈ *become calm*) sich beruhigen; ***~, boys!*** ein bisschen ruhiger, Jungens!; ***things have quietened down a lot*** es ist viel ruhiger geworden **II** *v/t sep person* beruhigen; ***to quieten things down*** die Lage beruhigen

quietly *adv* leise; (≈ *peacefully*) ruhig; (≈ *secretly*) still und heimlich; ***to live ~*** ruhig leben; ***he's very ~ spoken*** er spricht sehr leise; ***to be ~ confident*** insgeheim sehr sicher sein; ***I was ~ sipping my wine*** ich trank in aller Ruhe meinen Wein; ***he refused to go ~*** er weigerte sich, unauffällig zu gehen; ***he slipped off ~*** er machte sich in aller Stille davon (*infml*) **quietness** *n* **1.** Stille *f* **2.** (≈ *peacefulness*) Ruhe *f*

quilt *n* Steppdecke *f*

quintet(te) *n* MUS Quintett *nt* **quintuplet** *n* Fünfling *m*

quip I *n* witzige Bemerkung **II** *v/t & v/i* witzeln

quirk *n* Schrulle *f*; (*of fate*) Laune *f*; ***by a strange ~ of fate*** durch eine Laune des Schicksals **quirky** *adj* (*+er*) schrullig

quit *vb*: *pret*, *past part* ***quitted*** *or* ***quit*** **I** *v/t* **1.** *town*, *army* verlassen; *job* aufgeben; ***I've given her notice to ~ the flat*** (*form*) ich habe ihr die Wohnung gekündigt **2.** (*infml* ≈ *stop*) aufhören mit; ***to ~ doing sth*** aufhören, etw zu tun **II** *v/i* **1.** (≈ *leave job*) kündigen; ***notice to ~*** Kündigung *f* **2.** (≈ *go away*) weggehen **3.** (≈ *accept defeat*) aufgeben

quite *adv* **1.** (≈ *entirely*) ganz; (*emph*) völlig; ***I am ~ happy where I am*** ich fühle mich hier ganz wohl; ***it's ~ impossible to do that*** das ist völlig unmöglich; ***you're being ~ impossible*** du bist einfach unmöglich; ***are you ~ finished?*** bist du jetzt fertig?; ***I ~ agree with you*** ich stimme völlig mit Ihnen überein; ***that's ~ another matter*** das ist doch etwas ganz anderes; ***that's ~ enough for me*** das reicht wirklich; ***that's ~ enough of that*** das reicht jetzt aber; ***it was ~ some time ago*** es war vor einiger Zeit; ***not ~*** nicht ganz; ***not ~ tall enough*** ein bisschen zu klein; ***I don't ~ see what he means*** ich verstehe nicht ganz, was er meint; ***you don't ~ understand*** Sie verstehen mich anscheinend nicht richtig; ***it was not ~ midnight*** es war noch nicht ganz Mitternacht; ***sorry! — that's ~ all right*** entschuldige! — das macht nichts; ***I'm ~ all right, thanks*** danke, mir gehts gut; ***thank you — that's ~ all right*** danke — bitte schön **2.** (≈ *to some degree*) ziemlich; ***~ likely*** sehr wahrscheinlich; ***~ a few*** ziemlich viele; ***I ~ like this paint-***

ing dieses Bild gefällt mir ganz gut; ***yes, I'd ~ like to*** ja, eigentlich ganz gern **3.** (≈ *really*) wirklich; ***she's ~ a girl*** *etc* sie ist ein tolles Mädchen *etc*; ***it's ~ delightful*** es ist entzückend; ***it was ~ a shock*** es war ein ziemlicher Schock; ***it was ~ a party*** das war vielleicht eine Party! (*infml*); ***it was ~ an experience*** das war schon ein Erlebnis

quits *adj* quitt; ***to be ~ with sb*** mit jdm quitt sein; ***shall we call it ~?*** lassen wirs (dabei bewenden)?; (*when owing money*) sind wir quitt?

quiver *v/i* zittern (*with* vor *+dat*); (*lips, eyelids*) zucken

quiz **I** *n* **1.** Quiz *nt* **2.** (*US* SCHOOL *infml*) Prüfung *f* **II** *v/t* **1.** ausfragen (*about* über *+acc*) **2.** (*US* SCHOOL *infml*) abfragen **quizmaster** *n* Quizmaster *m* **quiz show** *n* Quiz *nt* **quizzical** *adj look* fragend **quizzically** *adv look* fragend; *smile* zweifelnd

Quorn® *n* Quorn® *nt*, *Gemüsesubstanz als Fleischersatz*

quota *n* **1.** (*of work*) Pensum *nt* **2.** (≈ *permitted amount*) Quantum *nt*; (*of goods*) Kontingent *nt*

quotation *n* **1.** Zitat *nt* **2.** FIN Notierung *f* **3.** (COMM ≈ *estimate*) Kostenvoranschlag *m* **quotation marks** *pl* Anführungszeichen *pl* **quote** **I** *v/t* **1.** zitieren; ***he was ~d as saying that ...*** er soll gesagt haben, dass ... **2.** *example* anführen **3.** COMM *price* nennen; *reference* angeben **II** *v/i* **1.** zitieren **2.** COMM einen Kostenvoranschlag machen **III** *n* **1.** Zitat *nt* **2.** ***in ~s*** in Anführungszeichen **3.** COMM Kostenvoranschlag *m*

R

R, r *n* R *nt*, r *nt*

R *abbr of* ***river***

rabbi *n* Rabbiner *m*; (*as title*) Rabbi *m*

rabbit **I** *n* Kaninchen *nt* **II** *v/i* (*Br infml*: *a.* **rabbit on**) quasseln (*infml*) **rabbit hole** *n* Kaninchenbau *m*

rabble *n* lärmende Menge; (*pej* ≈ *lower classes*) Pöbel *m*

rabies *n* Tollwut *f*

RAC *abbr of* ***Royal Automobile Club*** *britischer Automobilklub*

raccoon *n* = ***racoon***

race¹ **I** *n* Rennen *nt*; ***100 metres ~*** 100-Meter-Lauf *m*; ***to run a ~ (against sb)*** (mit jdm um die Wette) laufen; ***to go to the ~s*** zum Pferderennen gehen; ***a ~ against time*** ein Wettlauf *m* mit der Zeit **II** *v/t* um die Wette laufen *etc* mit; SPORTS laufen *etc* gegen; ***I'll ~ you to school*** ich mache mit dir ein Wettrennen bis zur Schule **III** *v/i* **1.** (≈ *compete*) laufen *etc*; ***to ~ against sb*** mit jdm um die Wette laufen *etc* **2.** (≈ *rush*) rasen; ***to ~ after sb/sth*** hinter jdm / etw herhetzen; ***he ~d through his work*** er jagte durch sein Arbeitspensum **3.** (*engine*) durchdrehen; (*heart*) rasen; (*pulse, mind*) jagen

race² *n* (≈ *ethnic group*) Rasse *f*; ***of mixed ~*** gemischtrassig

racecourse *n* (*Br*) Rennbahn *f* **racehorse** *n* Rennpferd *nt* **race relations** *n pl* Beziehungen *pl* zwischen den Rassen

racetrack *n* Rennbahn *f*

racial *adj* rassisch, Rassen-; ***~ discrimination*** Rassendiskriminierung *f*; ***~ equality*** Rassengleichheit *f*; ***~ harassment*** rassistisch motivierte Schikanierung; ***~ minority*** rassische Minderheit **racially** *adv offensive* in Bezug auf die Rasse; *abused* aufgrund seiner / ihrer Rasse; ***a ~ motivated attack*** ein ausländerfeindlicher Angriff

racing *n* (≈ *horse-racing*) Pferderennsport *m*; (≈ *motor racing*) Motorrennen *nt*; ***he often goes ~*** er geht oft zu Pferderennen / Motorrennen **racing bicycle** *n* Rennrad *nt* **racing car** *n* Rennwagen *m* **racing driver** *n* Rennfahrer(in) *m(f)* **racing pigeon** *n* Brieftaube *f*

racism *n* Rassismus *nt* **racist** **I** *n* Rassist(in) *m(f)* **II** *adj* rassistisch

rack¹ **I** *n* **1.** (*for hats etc*) Ständer *m*; (*for plates*) Gestell *nt* **2.** (≈ *luggage rack*) Gepäcknetz *nt*; (*on car*) Gepäckträger *m* **II** *v/t* **1.** (*to cause pain*) quälen **2.** ***to ~ one's brains*** sich (*dat*) den Kopf zerbrechen

rack² *n* ***to go to ~ and ruin*** (*country*) herunterkommen

racket¹ *n* SPORTS Schläger *m*

racket[2] *n* **1.** (≈ *uproar*) Lärm *m*; ***to make a ~*** Lärm machen **2.** (*infml* ≈ *dishonest business*) Schwindelgeschäft *nt* (*infml*); ***the drugs ~*** das Drogengeschäft
racketeering *n* **1.** Gaunereien *pl* (*infml*) **2.** (≈ *organized crime*) organisiertes Verbrechen
raconteur *n* Erzähler(in) *m*(*f*) von Anekdoten
racoon *n* Waschbär *m*
racquet *n* (*Br* SPORTS) Schläger *m* **racquetball** *n no pl* Racquetball *m*
racy *adj* (+*er*) gewagt
radar *n* Radar *nt or m*
radiance *n* (*of sun, smile*) Strahlen *nt* **radiant** *adj* strahlend; ***to be ~ with joy*** vor Freude strahlen **radiantly** *adv* **1.** *happy* strahlend **2.** (*liter*) *shine* hell **radiate I** *v*/*i* Strahlen aussenden; (*heat, light*) ausgestrahlt werden **II** *v*/*t* ausstrahlen **radiation** *n* (*of heat etc*) (Aus)strahlung *f*; (≈ *rays*) radioaktive Strahlung; ***contaminated by*** *or* ***with ~*** strahlenverseucht **radiator** *n* Heizkörper *m*; AUTO Kühler *m*
radical I *adj* radikal; ***~ Islamic*** radikalislamisch **II** *n* POL Radikale(r) *m*/*f*(*m*)
radicchio *n* (*variety of chicory*) Radicchio *m*
radio I *n* **1.** Rundfunk *m*; (*a.* **radio set**) Radio *nt*; ***to listen to the ~*** Radio hören; ***on the ~*** im Radio; ***he was on the ~ yesterday*** er kam gestern im Radio **2.** (*in taxi etc*) Funkgerät *nt*; ***over the ~*** über Funk **II** *v*/*t person* über Funk verständigen; *message* funken **III** *v*/*i* ***to ~ for help*** per Funk einen Hilferuf durchgeben **radioactive** *adj* radioaktiv **radioactivity** *n* Radioaktivität *f* **radio alarm (clock)** *n* Radiowecker *m* **radio broadcast** *n* Radiosendung *f* **radio cassette recorder** *n* (*Br*) Radiorekorder *m* **radio contact** *n* Funkkontakt *m* **radio-controlled** *adj* ferngesteuert **radiology** *n* Radiologie *f*; (*X-ray also*) Röntgenologie *f* **radio programme** *n* Radioprogramm *nt* **radio station** *n* Rundfunkstation *f* **radiotherapy** *n* Röntgentherapie *f*
radish *n* **1.** Rettich *m* **2.** (*small red*) Radieschen *nt*
radius *n* ***radii*** *pl* MAT Radius *m*; ***within a 6 km ~*** in einem Umkreis von 6 km
RAF *abbr of* ***Royal Air Force***
raffle I *n* Verlosung *f* **II** *v*/*t* (*a.* **raffle off**) verlosen **raffle ticket** *n* Los *nt*
raft *n* Floß *nt*
rafter *n* (Dach)sparren *m*
rag *n* **1.** Lumpen *m*; (*for cleaning*) Lappen *m*; ***in ~s*** zerlumpt; ***to go from ~s to riches*** (*by luck*) vom armen Schlucker zum reichen Mann / zur reichen Frau werden; (*by work*) vom Tellerwäscher zum Millionär werden; ***to lose one's ~*** (*infml*) in die Luft gehen (*infml*) **2.** (*pej infml* ≈ *newspaper*) Käseblatt *nt* **ragbag** *n* (*fig*) Sammelsurium *nt* (*infml*) **rag doll** *n* Flickenpuppe *f*
rage I *n* Wut *f*; ***to be in a ~*** wütend sein; ***to fly into a ~*** einen Wutanfall bekommen; ***fit of ~*** Wutanfall *m*; ***to send sb into a ~*** jdn wütend *or* rasend machen; ***to be all the ~*** (*infml*) der letzte Schrei sein (*infml*) **II** *v*/*i* toben
ragged *adj person, clothes* zerlumpt; *beard* zottig; *coastline* zerklüftet; *edge* ausgefranst
raging *adj person* wütend; *thirst* brennend; *toothache* rasend; *storm* tobend; ***he was ~*** er tobte
raid I *n* Überfall *m*; (≈ *air raid*) Luftangriff *m*; (≈ *police raid*) Razzia *f* **II** *v*/*t* **1.** (*lit*) überfallen; (*police*) eine Razzia durchführen in (+*dat*); (*thieves*) einbrechen in (+*acc*) **2.** (*fig hum*) plündern **raider** *n* (≈ *thief*) Einbrecher(in) *m*(*f*); (*in bank*) Bankräuber(in) *m*(*f*)
rail[1] *n* **1.** (*on stairs etc*) Geländer *nt*; NAUT Reling *f*; (≈ *curtain rail*) Schiene *f*; (≈ *towel rail*) Handtuchhalter *m* **2.** (*for train*) Schiene *f*; ***to go off the ~s*** (*Br fig: mentally*) zu spinnen anfangen (*infml*) **3.** (≈ *rail travel*) die (Eisen)bahn; ***to travel by ~*** mit der Bahn fahren
rail[2] *v*/*i* ***to ~ at sb/sth*** jdn / etw beschimpfen; ***to ~ against sb/sth*** über jdn / etw schimpfen
railcard *n* (*Br* RAIL) ≈ Bahncard® *f* **rail company** *n* Bahngesellschaft *f*
railing *n* (≈ *rail*) Geländer *nt*; (≈ *fence*: *a.* **railings**) Zaun *m*
railroad *n* (*US*) (Eisen)bahn *f*; ***~ car*** Waggon *m* **rail strike** *n* Bahnstreik *m*
railway *n* (*Br*) **1.** (Eisen)bahn *f* **2.** (≈ *track*) Gleis *nt* **railway carriage** *n* Eisenbahnwagen *m* **railway crossing** *n* Bahnübergang *m* **railway engine** *n* Lokomotive *f* **railway line** *n* (Eisen)bahnlinie *f*; (≈ *track*) Gleis *nt* **railway network** *n* Bahnnetz *nt*
rain I *n* **1.** Regen *m* **2.** (*fig: of blows*) Hagel *m* **II** *v*/*i impers* regnen; ***it is ~ing*** es reg-

net; ***it never ~s but it pours*** (*Br prov*), ***when it ~s, it pours*** (*US prov*) ein Unglück kommt selten allein (*prov*) **III** *v/t impers* ***it's ~ing cats and dogs*** (*infml*) es gießt wie aus Kübeln ◆ **rain down** *v/i* (*blows etc*) niederprasseln (*upon* auf *+acc*) ◆ **rain off, rain out** (*US*) *v/t sep* ***to be rained off*** wegen Regen nicht stattfinden

rainbow *n* Regenbogen *m* **rainbow trout** *n* Regenbogenforelle *f* **rain check** *n* (*esp US*) ***I'll take a ~ on that*** (*fig infml*) das verschiebe ich auf ein andermal **rain cloud** *n* Regenwolke *f* **raincoat** *n* Regenmantel *m* **raindrop** *n* Regentropfen *m* **rainfall** *n* Niederschlag *m* **rain forest** *n* Regenwald *m* **rainstorm** *n* schwere Regenfälle *pl* **rainswept** *adj attr* regengepeitscht **rainwater** *n* Regenwasser *nt*

rainy *adj* (*+er*) regnerisch, Regen-; ***~ season*** Regenzeit *f*; ***to save sth for a ~ day*** (*fig*) etw für schlechte Zeiten aufheben

raise I *v/t* **1.** *object*, *arm* heben; *blinds*, *eyebrow* hochziehen; THEAT *curtain* hochziehen; ***to ~ one's glass to sb*** jdm zutrinken; ***to ~ sb from the dead*** jdn von den Toten erwecken; ***to ~ one's voice*** lauter sprechen; ***to ~ sb's hopes*** jdm Hoffnung machen **2.** (*in height or amount*) (*to* auf *+acc*) (*by* um) erhöhen, anheben **3.** *statue* errichten **4.** *question* aufwerfen; *objection* erheben; *suspicion* (er)wecken; ***to ~ a cheer*** Beifall ernten; ***to ~ a smile*** ein Lächeln hervorrufen **5.** *children*, *animals* aufziehen; *crops* anbauen; ***to ~ a family*** Kinder großziehen **6.** *army* aufstellen; *taxes* erheben; *funds* aufbringen **II** *n* (*in salary*) Gehaltserhöhung *f*; (*in wages*) Lohnerhöhung *f* ◆ **raise up** *v/t sep* heben; ***he raised himself up on his elbow*** er stützte sich auf den Ellbogen

raised *adj arm* angehoben; *voice* erhoben

raisin *n* Rosine *f*

rake I *n* Harke *f* **II** *v/t* harken **III** *v/i* ***to ~ around*** (herum)stöbern ◆ **rake in** *v/t sep* (*infml*) *money* kassieren (*infml*) ◆ **rake up** *v/t sep* **1.** *leaves* zusammenharken **2.** (*fig*) ***to ~ the past*** in der Vergangenheit wühlen

rally I *n* **1.** Versammlung *f*; (*with speaker*) Kundgebung *f*; AUTO Rallye *f*; ***electoral ~*** Wahlversammlung *f*; ***peace ~*** Friedenskundgebung *f* **2.** TENNIS *etc* Ballwechsel *m* **II** *v/t* versammeln; ***to ~ one's strength*** all seine Kräfte sammeln; ***~ing cry*** Slogan *m* **III** *v/i* **1.** (*sick person*) Fortschritte machen; ST EX sich erholen **2.** (*troops*) sich versammeln ◆ **rally (a)round I** *v/i +prep obj leader* sich scharen um **II** *v/i* sich seiner *etc* annehmen

RAM *n* IT *abbr of* ***random access memory*** RAM *m or nt*; ***128 megabytes of ~*** 128 Megabyte RAM

ram I *n* Widder *m* **II** *v/t* (≈ *push*) stoßen; (≈ *crash into*) rammen; (≈ *pack*) zwängen; ***to ~ home a message*** eine Botschaft an den Mann bringen; ***to ~ sth down sb's throat*** (*infml*) jdm etw eintrichtern (*infml*); ***the car ~med a lamppost*** das Auto prallte gegen einen Laternenpfahl ◆ **ram down** *v/t sep earth* feststampfen

ramble I *n* (*esp Br* ≈ *hike*) Wanderung *f*; ***to go on a ~*** eine Wanderung machen **II** *v/i* **1.** (*esp Br* ≈ *go on hike*) wandern **2.** (*in speech*) faseln (*infml*); (*pej*: *a.* **ramble on**) schwafeln (*infml*) **rambler** *n* (*esp Br*) Spaziergänger(in) *m(f)* **rambling I** *adj* **1.** *speech* weitschweifig; *old person* faselnd (*infml*); *garden* weitläufig **2.** ***~ club*** (*esp Br*) Wanderklub *m* **II** *n* **1.** (*esp Br* ≈ *hiking*) Wandern *nt*; ***to go ~*** wandern gehen **2.** (*in speech*: *a.* **ramblings**) Gefasel *nt* (*infml*)

ramification *n* (*lit*) Verzweigung *f*; (*smaller*) Verästelung *f*

ramp *n* Rampe *f*

rampage I *n* ***to be/go on the ~*** randalieren **II** *v/i* (*a.* **rampage about** *or* **around**) herumwüten

rampant *adj growth* üppig; *evil* wild wuchernd *attr*; *inflation* wuchernd; ***to be ~*** (wild) wuchern; ***to run ~*** (*condition*) um sich greifen

rampart *n* Wall *m*

ramshackle *adj building* baufällig; *group* schlecht organisiert

ramsons *n sg* BOT Bärlauch *m*

ran *pret of* ***run***

ranch *n* Ranch *f*; ***~ hand*** Farmhelfer(in) *m(f)*

rancid *adj* ranzig

R & D *n abbr of* ***research and development*** Forschung und Entwicklung *f*

random I *n* ***at ~*** aufs Geratewohl; *shoot* ziellos; *take* wahllos; ***a few examples taken at ~*** ein paar willkürlich gewählte Beispiele; ***I (just) chose one at ~*** ich

wählte einfach irgendeine (Beliebige) **II** *adj selection* willkürlich; *sequence* zufällig; **~ *drug test*** Stichprobe *f* auf Drogen
random access *n* IT wahlfreier Zugriff
random access memory *n* IT Direktzugriffsspeicher *m* **randomly** *adv* wahllos
random number *n* Zufallszahl *f* **random sample** *n* Stichprobe *f*
randy *adj* (+*er*) (*Br*) geil
rang *pret of* ***ring***[2]
range I *n* **1.** (*of gun*) Reichweite *f*; ***at a ~ of*** auf eine Entfernung von; ***at close ~*** auf kurze Entfernung; ***to be out of ~*** außer Reichweite sein; (*of gun*) außer Schussweite sein; ***within*** (***firing***) **~** in Schussweite; ***~ of vision*** Gesichtsfeld *nt* **2.** (≈ *selection*) Reihe *f*; (*of goods*) Sortiment *nt*; (*of sizes*) Angebot *nt* (*of* an +*dat*); (*of abilities*) Palette *f*; (≈ *mountain range*) Kette *f*; ***a wide ~*** eine große Auswahl; ***in this price ~*** in dieser Preisklasse; ***a ~ of prices*** unterschiedliche Preise *pl*; ***we have the whole ~ of models*** wir führen sämtliche Modelle; ***we cater for the whole ~ of customers*** wir sind auf alle Kundenkreise eingestellt **3.** (*a.* **shooting range**) (MIL) Schießplatz *m*; (≈ *rifle range*) Schießstand *m* **II** *v/i* **1.** ***to ~*** (***from ... to***) gehen (von ... bis); (*temperature, value*) liegen (zwischen ... und); (*interests*) reichen (von ... bis) **2.** (≈ *roam*) streifen **ranger** *n* **1.** (*of forest etc*) Förster(in) **2.** (*US*) (≈ *mounted patrolman*) Ranger *m*
rank[1] **I** *n* **1.** MIL Rang *m*; ***officer of high ~*** hoher Offizier **2.** (≈ *status*) Stand *m*; ***a person of ~*** eine hochgestellte Persönlichkeit **3.** (≈ *row*) Reihe *f* **4.** (*Br* ≈ *taxi rank*) Taxistand *m* **5.** (MIL ≈ *formation*) Glied *nt*; ***to break ~(s)*** aus dem Glied treten; ***the ~s*** MIL die Mannschaften und die Unteroffiziere; ***the ~ and file of the party*** die Basis der Partei; ***to rise from the ~s*** aus dem Mannschaftsstand zum Offizier aufsteigen; (*fig*) sich hocharbeiten **II** *v/t* ***to ~ sb among the best*** jdn zu den Besten zählen; ***where would you ~ Napoleon?*** wie würden Sie Napoleon einstufen? **III** *v/i* ***to ~ among*** zählen zu; ***to ~ above sb*** bedeutender als jd sein; ***to ~ high among the world's statesmen*** einer der großen Staatsmänner sein; ***he ~s high among her friends*** er hat eine Sonderstellung unter ihren Freunden; ***to ~ 6th*** den 6. Rang belegen
rank[2] *adj* (+*er*) **1.** *smell* übel; ***to be ~*** stinken **2.** *attr injustice* schreiend; *outsider* absolut
rankings *pl* SPORTS ***the ~*** die Platzierungen *pl*
rankle *v/i* ***to ~*** (***with sb***) jdn wurmen
ransack *v/t cupboards* durchwühlen; *house* plündern; *town* herfallen über (+*acc*)
ransom I *n* Lösegeld *nt*; ***to hold sb to*** (*Br*) *or* ***for*** (*US*) **~** (*lit*) jdn als Geisel halten **II** *v/t* gegen Lösegeld freilassen
rant I *v/i* eine Schimpfkanonade loslassen (*infml*); (≈ *talk nonsense*) irres Zeug reden (*infml*); ***to ~*** (***and rave***) herumschimpfen; ***what's he ~ing*** (***on***) ***about?*** worüber lässt er sich denn da aus? (*infml*) **II** *n* Schimpfkanonade *f* (*infml*)
ranting *n* (≈ *outburst*) Geschimpfe *nt*; (≈ *incoherent talk*) irres Zeug
rap[1] **I** *n* Klopfen *nt no pl*; ***he got a ~ on the knuckles for that*** dafür hat er eins auf die Finger bekommen (*infml*) **II** *v/t table* klopfen auf (+*acc*); *window* klopfen an (+*acc*); ***to ~ sb's knuckles*** jdm auf die Finger klopfen **III** *v/i* klopfen; ***to ~ at*** *or* ***on the door*** an die Tür klopfen
rap[2] MUS **I** *n* Rap *m* **II** *v/i* rappen
rape[1] **I** *n* Vergewaltigung *f* **II** *v/t* vergewaltigen
rape[2] *n* (≈ *plant*) Raps *m*
rapid I *adj* schnell; *decline, rise* rapide; *descent* steil **II** *n* **rapids** *pl* GEOG Stromschnellen *pl* **rapidity** *n* Schnelligkeit *f*; (*of decline, rise*) Steilheit *f* **rapidly** *adv* schnell; *act, decline, rise* rapide
rapist *n* Vergewaltiger *m*
rappel *v/i* (*US*) = ***abseil***
rapport *n* ***the ~ I have with my father*** das enge Verhältnis zwischen mir und meinem Vater
rapt *adj attention* höchste(r, s); *audience* hingerissen; ***~ in thought*** in Gedanken versunken
rapture *n* (≈ *delight*) Entzücken *nt*; (≈ *ecstasy*) Verzückung *f*; ***to be in ~s*** entzückt sein (*over* über +*acc*, *about* von); ***to go into ~s*** (***about sb/sth***) (über jdn/etw) ins Schwärmen geraten **rapturous** *adj applause* stürmisch
rare *adj* (+*er*) **1.** selten; ***with very ~ exceptions*** mit sehr wenigen Ausnahmen; ***it's ~ for her to come*** sie kommt nur selten **2.** *steak* blutig **rarefied** *adj atmosphere* dünn

rarely *adv* selten
raring *adj* ***to be ~ to go*** (*infml*) in den Startlöchern sein
rarity *n* Seltenheit *f*
rascal *n* Gauner *m*, Bazi *m* (*Aus*); (≈ *child*) Schlingel *m*
rash[1] *n* MED Ausschlag *m*; ***to come out in a ~*** einen Ausschlag bekommen
rash[2] *adj* (*+er*) voreilig; *person* unbesonnen; ***don't do anything ~*** tu ja nichts Überstürztes
rasher *n* Streifen *m*; ***~ of bacon*** Speckstreifen *m*
rashly *adv* voreilig **rashness** *n* Voreiligkeit *f*; (*of person*) Unbesonnenheit *f*
rasp I *n* (≈ *tool*) Raspel *f*; (≈ *noise*) Kratzen *nt no pl* **II** *v/i* kratzen; (*breath*) rasseln
raspberry I *n* Himbeere *f*; (≈ *plant*) Himbeerstrauch *m*; ***to blow a ~ (at sth)*** (*infml*) (über etw) verächtlich schnauben **II** *adj* Himbeer-
rasping I *adj* kratzend; *cough* keuchend **II** *n* Kratzen *nt*
rat *n* ZOOL Ratte *f*; (*pej infml* ≈ *person*) elender Verräter (*infml*)
rate I *n* **1.** (≈ *ratio*) Rate *f*; (≈ *speed*) Tempo *nt*; (*of unemployment*) Quote *f*; ***the failure ~ on this course*** die Durchfallrate bei diesem Kurs; ***the failure ~ for small businesses*** die Zahl der Konkurse bei Kleinunternehmen; ***at a ~ of 100 litres*** (*Br*) *or* ***liters*** (*US*) ***an hour*** (in einem Tempo von) 100 Liter pro Stunde; ***at a ~ of knots*** (*infml*) in irrsinnigem Tempo (*infml*); ***at the ~ you're going you'll be dead before long*** wenn du so weitermachst, bist du bald unter der Erde; ***at any ~*** auf jeden Fall **2.** COMM, FIN Satz *m*; ST EX Kurs *m*; ***~ of exchange*** Wechselkurs *m*; ***what's the ~ at the moment?*** wie steht der Kurs momentan?; ***what's the ~ of pay?*** wie hoch ist der Satz (für die Bezahlung)?; ***~ of interest*** Zinssatz *m*; ***~ of taxation*** Steuersatz *m*; ***insurance ~s*** Versicherungsgebühren *pl*; ***there is a reduced ~ for children*** Kinderermäßigung wird gewährt; ***to pay sb at the ~ of £10 per hour*** jdm einen Stundenlohn von £ 10 bezahlen **II** *v/t* **1.** (≈ *estimate value of*) (ein)schätzen; ***to ~ sb/sth among ...*** jdn/etw zu ... zählen; ***how does he ~ that film?*** was hält er von dem Film?; ***to ~ sb/sth as sth*** jdn/etw für etw halten; ***to ~ sb/sth highly*** jdn/etw hoch einschätzen **2.** (≈ *deserve*) verdienen **3.** (*infml* ≈ *think highly of*) gut finden (*infml*); ***I really/don't really ~ him*** ich finde ihn wirklich gut/mag ihn nicht besonders **III** *v/i* ***to ~ as ...*** gelten als ...; ***to ~ among ...*** zählen zu ...
rather *adv* **1.** lieber; ***I would ~ be happy than rich*** ich wäre lieber glücklich als reich; ***I'd ~ not*** lieber nicht; ***I'd ~ not go*** ich würde lieber nicht gehen; ***it would be better to phone ~ than (to) write*** es wäre besser zu telefonieren als zu schreiben **2.** (≈ *more accurately*) vielmehr; ***he is, or ~ was, a soldier*** er ist, beziehungsweise war, Soldat; ***a car, or ~ an old banger*** ein Auto, genauer gesagt eine alte Kiste **3.** (≈ *considerably*) ziemlich; (≈ *somewhat*) etwas; ***it's ~ more difficult than you think*** es ist um einiges schwieriger, als du denkst; ***I ~ think ...*** ich glaube fast, ...
ratification *n* Ratifizierung *f* **ratify** *v/t* ratifizieren
rating *n* **1.** (≈ *assessment*) (Ein)schätzung *f* **2.** (≈ *category*) Klasse *f*; ***to boost ~s*** TV die Werte stark verbessern
ratio *n* Verhältnis *nt*; ***the ~ of men to women*** das Verhältnis von Männern zu Frauen; ***in a ~ of 100 to 1*** im Verhältnis 100 zu 1
ration I *n* Ration *f*; (*fig*) Quantum *nt*; ***~s*** (≈ *food*) Rationen *pl* **II** *v/t* rationieren; ***he ~ed himself to five cigarettes a day*** er erlaubte sich (*dat*) nur fünf Zigaretten pro Tag
rational *adj* rational; *solution* vernünftig **rationale** *n* Gründe *pl* **rationality** *n* Rationalität *f* **rationalize** *v/t & v/i* rationalisieren **rationally** *adv* rational
rationing *n* Rationierung *f*
rat race *n* ständiger Konkurrenzkampf
rattle I *v/i* klappern; (*chains*) rasseln; (*bottles*) klirren **II** *v/t* **1.** *box, keys* schütteln; *bottles* zusammenschlagen; *chains* rasseln mit; *windows* rütteln an (*+dat*) **2.** (*infml* ≈ *alarm*) *person* durcheinanderbringen **III** *n* **1.** (≈ *sound*) Klappern *nt no pl*; (*of chains*) Rasseln *nt no pl*; (*of bottles*) Klirren *nt no pl* **2.** (*child's*) Rassel *f* ◆ **rattle off** *v/t sep* herunterrasseln (*infml*) ◆ **rattle on** *v/i* (*infml*) (unentwegt) quasseln (*infml*) (*about* über *+acc*) ◆ **rattle through** *v/i +prep obj speech etc* herunterrasseln; *work* rasen

durch
rattlesnake *n* Klapperschlange *f* **rattling** **I** *n* Klappern *nt*; (*of chains*) Rasseln *nt*; (*of bottles*) Klirren *nt* **II** *adj* klappernd; *chains* rasselnd; *bottles* klirrend
ratty *adj* (*+er*) (*infml*) **1.** (*Br ≈ irritable*) gereizt **2.** (*US ≈ run-down*) verlottert (*infml*)
raucous *adj voice*, *laughter* heiser; *bird cry* rau
raunchy *adj* (*+er*) (*infml*) *person* sexy; *film*, *novel* erotisch
ravage **I** *n* **~s** (*of war*) Verheerung *f* (*of* durch); (*of disease*) Zerstörung *f* (*of* durch) **II** *v/t* verwüsten
rave **I** *v/i* fantasieren; (*furiously*) toben; (*infml: enthusiastically*) schwärmen (*about*, *over* von) **II** *n* **1.** (*Br infml*) Rave *m* (*sl*) **2.** (*infml*) ***a ~ review*** (*infml*) eine glänzende Kritik
raven *n* Rabe *m*
ravenous *adj* ausgehungert; *appetite* gewaltig; ***I'm ~*** ich habe einen Bärenhunger (*infml*) **ravenously** *adv eat* wie ein Wolf; ***to be ~ hungry*** ausgehungert sein
ravine *n* Schlucht *f*, Tobel *m* (*Aus*)
raving **I** *adj* (*≈ delirious*) im Delirium; ***a ~ lunatic*** (*infml*) ein kompletter Idiot (*infml*) **II** *adv* ***~ mad*** (*infml*) total verrückt (*infml*)
ravishing *adj woman*, *sight* atemberaubend; *beauty* hinreißend **ravishingly** *adv beautiful* hinreißend
raw **I** *adj* (*+er*) **1.** *meat* roh; *sewage* ungeklärt; ***to get a ~ deal*** schlecht wegkommen (*infml*) **2.** *emotion*, *energy* nackt; *courage* elementar; *account* ungeschönt; ***~ data*** IT unaufbereitete Daten *pl* **3.** *recruit* neu **4.** *skin* wund **5.** *wind* rau **II** ***in the ~*** (*infml*) im Naturzustand **raw material** *n* Rohmaterial *nt*
ray *n* Strahl *m*; ***a ~ of hope*** ein Hoffnungsschimmer *m*; ***a ~ of sunshine*** (*fig*) ein kleiner Trost
raze *v/t* ***to ~ sth to the ground*** etw dem Erdboden gleichmachen
razor *n* Rasierapparat *m*; ***electric ~*** Elektrorasierer *m* **razor blade** *n* Rasierklinge *f* **razor-sharp** *adj knife* scharf (wie ein Rasiermesser); (*fig*) *mind* messerscharf
razzmatazz *n* (*esp Br infml*) Rummel *m*
RC *abbr of* ***Roman Catholic*** r.-k.
Rd *abbr of* ***Road*** Str.
re *prep* ADMIN *etc* betreffs (*+gen*)
reach **I** *n* Reichweite *f*; (*of influence*) Einflussbereich *m*; ***within/out of sb's ~*** in/außer jds Reichweite (*dat*); ***within arm's ~*** in greifbarer Nähe; ***keep out of ~ of children*** von Kindern fernhalten; ***within easy ~ of the sea*** in unmittelbarer Nähe des Meers; ***I keep it within easy ~*** ich habe es in greifbarer Nähe **II** *v/t* **1.** (*≈ arrive at*) erreichen; *point* ankommen an (*+dat*); *town*, *country* ankommen in (*+dat*); *agreement* erzielen; *conclusion* kommen zu; ***when we ~ed him he was dead*** als wir zu ihm kamen, war er tot; ***to ~ the terrace you have to cross the garden*** um auf die Terrasse zu kommen, muss man durch den Garten gehen; ***this advertisement is geared to ~ a younger audience*** diese Werbung soll junge Leute ansprechen; ***you can ~ me at my hotel*** Sie erreichen mich in meinem Hotel **2.** ***to be able to ~ sth*** an etw (*acc*) (heran)reichen können; ***can you ~ it?*** kommen Sie dran? **3.** (*≈ go down to etc*) reichen bis zu **III** *v/i* ***to ~ for sth*** nach etw greifen; ***can you ~?*** kommen Sie dran? ◆ **reach across** *v/i* hinübergreifen ◆ **reach down** *v/i* (*curtains etc*) herunterreichen (*to* bis); (*person*) hinuntergreifen (*for* nach) ◆ **reach out** **I** *v/t sep* ***he reached out his hand for the cup*** er griff nach der Tasse **II** *v/i* die Hand/Hände ausstrecken; ***to ~ for sth*** nach etw greifen ◆ **reach over** *v/i* = ***reach across*** ◆ **reach up** *v/i* **1.** (*level*) (herauf)reichen (*to* bis) **2.** (*person*) hinaufgreifen (*for* nach)
reachable *adj* erreichbar
react *v/i* reagieren (*to* auf *+acc*); ***to ~ against*** negativ reagieren auf (*+acc*) **reaction** *n* Reaktion *f* (*to* auf *+acc*, *against* gegen)
reactivate *v/t* reaktivieren
reactor *n* PHYS Reaktor *m*
read[1] *vb*: *pret*, *past part* ***read*** **I** *v/t* **1.** lesen; (*to sb*) vorlesen (*to +dat*); (*≈ understand*) verstehen; ***~ my lips!*** (*infml*) höre meine Worte!; ***to take sth as read*** (*fig*) etw als selbstverständlich voraussetzen; ***to ~ sb's mind*** jds Gedanken lesen; ***don't ~ too much into his words*** interpretieren Sie nicht zu viel in seine Worte hinein **2.** *thermometer etc* ablesen **3.** (*meter*) (an)zeigen **II** *v/i* **1.** lesen; (*to sb*) vorlesen (*to +dat*); ***to ~ aloud*** *or* ***out loud*** laut lesen **2.** ***this paragraph ~s well*** dieser Abschnitt liest sich gut; ***the letter ~s as fol-***

lows der Brief lautet folgendermaßen **III** *n* ***she enjoys a good ~*** sie liest gern; ***to be a good ~*** sich gut lesen ◆ **read back** *v/t sep* (*to sb*) noch einmal vorlesen ◆ **read off** *v/t sep* ablesen; (*without pause*) herunterlesen ◆ **read on** *v/i* weiterlesen ◆ **read out** *v/t sep* vorlesen ◆ **read over** *or* **through** *v/t sep* durchlesen ◆ **read up** *v/i* nachlesen (*on* über +*acc*)

read² **I** *pret, past part of* **read¹** **II** *adj* ***he is well ~*** er ist sehr belesen

readable *adj* **1.** (≈ *legible*) lesbar **2.** (≈ *worth reading*) lesenswert

reader *n* **1.** Leser(in) *m(f)* **2.** (≈ *book*) Lesebuch *nt* **readership** *n* Leser *pl*

readily *adv* bereitwillig; (≈ *easily*) leicht; ***~ available*** leicht erhältlich **readiness** *n* Bereitschaft *f*

reading *n* **1.** (≈ *action*) Lesen *nt* **2.** (≈ *reading matter*) Lektüre *f* **3.** (≈ *recital*) Lesung *f* (*also* PARL); ***the Senate gave the bill its first ~*** der Senat beriet das Gesetz in erster Lesung **4.** (≈ *interpretation*) Interpretation *f* **5.** (*from meter*) Zählerstand *m* **reading age** *n* ***a ~ of 7*** die Lesefähigkeit eines 7-jährigen **reading book** *n* Lesebuch *nt* **reading glasses** *pl* Lesebrille *f* **reading list** *n* Leseliste *f* **reading matter** *n* Lesestoff *m*

readjust **I** *v/t instrument* neu einstellen; (≈ *correct*) nachstellen; *prices* anpassen **II** *v/i* sich neu anpassen (*to* an +*acc*) **readjustment** *n* (*of instrument*) Neueinstellung *f*; (≈ *correction*) Nachstellung *f*; (*of prices*) Anpassung *f*

read only memory *n* IT Festwertspeicher *m* **readout** *n* IT *etc* Anzeige *f* **read-write head** *n* IT Schreib-/Lesekopf *m* **read-write memory** *n* IT Schreib-/Lesespeicher *m*

ready **I** *adj* **1.** fertig; (≈ *prepared*) bereit; *excuse* vorformuliert; *smile* rasch; *supply* griffbereit; ***~ to do sth*** (≈ *willing*) bereit, etw zu tun; (≈ *quick*) schnell dabei, etw zu tun; ***he was ~ to cry*** er war den Tränen nahe; ***~ to leave*** abmarschbereit; (*for journey*) abfahrtbereit; ***~ to use*** gebrauchsfertig; ***~ to serve*** tischfertig; ***~ for action*** bereit zum Angriff, klar zum Gefecht; ***~ for anything*** zu allem bereit; ***"dinner's ~"*** „essen kommen"; ***are you ~ to go?*** sind Sie so weit?; ***are you ~ to order?*** möchten Sie jetzt bestellen?; ***well, I think we're ~*** ich glaube, wir sind so weit; ***I'm not quite ~ yet*** ich bin noch nicht ganz fertig; ***everything is ~ for his visit*** alles ist für seinen Besuch vorbereitet; ***~ for boarding*** zum Einsteigen bereit; ***I'm ~ for him!*** er soll nur kommen; ***to get (oneself) ~*** sich fertig machen; ***to get ~ to go out*** sich zum Ausgehen fertig machen; ***to get ~ for sth*** sich auf etw (*acc*) vorbereiten; ***to get sth/sb ~ (for sth)*** etw/jdn fertig machen (für etw); ***~ and waiting*** startbereit; ***~ when you are*** ich bin bereit; ***~, steady, go!*** (*Br*) auf die Plätze, fertig, los! **2.** *reply* prompt; *wit* schlagfertig **3.** ***~ money*** jederzeit verfügbares Geld; ***~ cash*** Bargeld *nt*; ***to pay in ~ cash*** auf die Hand bezahlen **II** *n* ***at the ~*** (*fig*) fahrbereit *etc*; ***with his pen at the ~*** mit gezücktem Federhalter **ready-cooked** *adj* vorgekocht **ready-made** *adj* **1.** *curtains* fertig; *meal* vorgekocht **2.** *replacement* nahtlos; ***~ solution*** Patentlösung *f* **ready meal** *n* Fertiggericht *nt* **ready-to-eat** *adj* tafelfertig **ready-to-serve** *adj* tischfertig **ready-to-wear** *adj attr*, **ready to wear** *adj pred* von der Stange (*infml*)

reaffirm *v/t* **1.** (≈ *assert again*) beteuern **2.** *doubts* bestätigen

real **I** *adj* **1.** (≈ *genuine*) echt; (≈ *complete*) richtig; (≈ *true*) wirklich; *idiot*, *disaster* komplett; ***in ~ life*** im wirklichen Leben; ***the danger was very ~*** das war eine ganz reale Gefahr; ***it's the ~ thing*** *or* ***McCoy, this whisky!*** dieser Whisky ist der echte; ***it's not the ~ thing*** das ist nicht das Wahre; (≈ *not genuine*) das ist nicht echt; ***it's a ~ shame*** es ist wirklich schade; ***he doesn't know what ~ contentment is*** er weiß ja nicht, was Zufriedenheit wirklich ist; ***that's what I call a ~ car*** das nenne ich ein Auto; ***in ~ trouble*** in großen Schwierigkeiten **2.** FIN *cost* tatsächlich; ***in ~ terms*** effektiv **II** *adv* (*esp US infml*) echt (*infml*); ***~ soon*** wirklich bald **III** *n* ***for ~*** echt (*infml*) **real coffee** *n* Bohnenkaffee *m* **real estate** *n* Immobilien *pl* **realism** *n* Realismus *m* **realist** *n* Realist(in) *m(f)* **realistic** *adj* realistisch **realistically** *adv hope for* realistischerweise

reality *n* Realität *f*; ***to become ~*** sich verwirklichen; ***in ~*** (≈ *in fact*) in Wirklichkeit; (≈ *actually*) eigentlich; ***the realities of the situation*** der wirkliche Sachverhalt **reality check** *n* Realitätscheck *m*

realization *n* **1.** (*of hope*) Realisierung *f*; (*of potential*) Verwirklichung *f* **2.** (≈ *awareness*) Erkenntnis *f*

realize I *v/t* **1.** (≈ *become aware of*) erkennen; (≈ *be aware of*) sich (*dat*) klar sein über (+*acc*); (≈ *understand*) begreifen; (≈ *notice*) (be)merken; (≈ *discover*) feststellen; ***does he ~ the problems?*** sind ihm die Probleme bewusst?; ***I've just ~d I won't be here*** mir ist eben klar geworden, dass ich dann nicht hier sein werde; ***he didn't ~ she was cheating him*** er merkte nicht, dass sie ihn betrog; ***I ~d I didn't have any money on me*** ich stellte fest, dass ich kein Geld dabei hatte; ***I made her ~ that I was right*** ich machte ihr klar, dass ich recht hatte; ***yes, I ~ that*** ja, das ist mir klar **2.** *hope* realisieren; *potential* verwirklichen; *price* erzielen; *interest* abwerfen; (*goods*) einbringen **II** *v/i* ***didn't you ~?*** war Ihnen das nicht klar?; (≈ *notice*) haben Sie das nicht gemerkt?; ***I've just ~d*** das ist mir eben klar geworden; (≈ *noticed*) das habe ich eben gemerkt; ***I should have ~d*** das hätte ich wissen müssen

real-life *adj event* wirklich; *person* real; *story* wahr

reallocate *v/t* umverteilen

really *adv*, *int* wirklich; ***I ~ don't know*** das weiß ich wirklich nicht; ***I don't ~ think so*** das glaube ich eigentlich nicht; ***well yes, I ~ think we should*** ich finde eigentlich schon, dass wir das tun sollten; ***before he ~ understood*** bevor er wirklich verstand; ***~ and truly*** wirklich; ***I ~ must say ...*** ich muss schon sagen ...; ***~!*** (*in indignation*) also wirklich!; ***not ~!*** ach wirklich?

realm *n* (*liter*) Königreich *nt*; (*fig*) Reich *nt*; ***within the ~s of possibility*** im Bereich des Möglichen

real time *n* IT Echtzeit *f*

Realtor® *n* (*US*) Grundstücksmakler(in) *m*(*f*)

reap *v/t* (≈ *harvest*) ernten; *reward* bekommen

reappear *v/i* wieder erscheinen **reappearance** *n* Wiedererscheinen *nt*

reappoint *v/t* wiedereinstellen (*to* als)

reappraisal *n* Neubeurteilung *f* **reappraise** *v/t* von Neuem beurteilen

rear[1] I *n* (≈ *back part*) hinterer Teil; (*infml* ≈ *buttocks*) Hintern *m* (*infml*); ***at the ~*** hinten (*of* in +*dat*); ***to(wards) the ~ of the plane*** am hinteren Ende des Flugzeugs; ***at** or **to the ~ of the building*** (*outside*) hinter dem Haus; (*inside*) hinten im Haus; ***from the ~*** von hinten; ***to bring up the ~*** die Nachhut bilden **II** *adj* **1.** Hinter-, hintere(r, s) **2.** AUTO Heck-; ***~ door*** hintere Tür; ***~ lights*** Rücklichter *pl*; ***~ wheel*** Hinterrad *nt*

rear[2] I *v/t* **1.** (*esp Br*) *animals*, *family* großziehen **2.** ***racism ~ed its ugly head*** der Rassismus kam zum Vorschein **II** *v/i* (*horse*: *a.* **rear up**) sich aufbäumen

rearm I *v/t country* wiederbewaffnen; *troops* neu ausrüsten **II** *v/i* wiederaufrüsten **rearmament** *n* (*of country*) Wiederaufrüstung *f*

rearmost *adj* hinterste(r, s)

rearrange *v/t furniture* umstellen; *plans*, *order* ändern; *meeting* neu abmachen

rearrangement *n* (*of furniture*) Umstellung *f*; (*of plans*, *order*) Änderung *f*; (*of meeting*) Neuabmachung *f*

rear-view mirror *n* Rückspiegel *m*

reason I *n* **1.** (≈ *justification*) Grund *m* (*for* für); ***~ for living*** Grund *m* zum Leben; ***my ~ for going*** (der Grund,) weshalb ich gehe / gegangen bin; ***what's the ~ for this celebration?*** aus welchem Anlass wird hier gefeiert?; ***I want to know the ~ why*** ich möchte wissen, weshalb; ***and that's the ~ why ...*** und deshalb ...; ***I have (good) ~ / every ~ to believe that ...*** ich habe (guten) Grund / allen Grund anzunehmen, dass ...; ***there is ~ to believe that ...*** es gibt Gründe zu glauben, dass ...; ***for that very ~*** eben deswegen; ***for no ~ at all*** ohne ersichtlichen Grund; ***for no particular ~*** ohne einen bestimmten Grund; ***why did you do that? — no particular ~*** warum haben Sie das gemacht? — einfach nur so; ***for ~s best known to himself / myself*** aus unerfindlichen / bestimmten Gründen; ***all the more ~ for doing it*** umso mehr Grund, das zu tun; ***by ~ of*** wegen (+*gen*) **2.** *no pl* (≈ *mental faculty*) Verstand *m* **3.** *no pl* (≈ *common sense*) Vernunft *f*; ***to listen to ~*** auf die Stimme der Vernunft hören; ***that stands to ~*** das ist logisch; ***we'll do anything within ~ to ...*** wir tun alles, was in unserer Macht steht, um zu ...; ***you can have anything within ~*** Sie können alles haben, solange

es sich in Grenzen hält **II** *v/i* **1.** (≈ *think logically*) vernünftig denken **2.** ***to ~*** (***with sb***) vernünftig mit jdm reden **III** *v/t* (*a.* **reason out**) schließen
reasonable *adj* **1.** vernünftig; *chance* reell; *claim* berechtigt; *amount* angemessen; *excuse*, *offer* akzeptabel; (*in price*) preiswert; ***to be ~ about sth*** angemessen auf etw (*acc*) reagieren; ***beyond*** (***all***) ***~ doubt*** ohne (jeden) Zweifel; ***it would be ~ to assume that ...*** man könnte durchaus annehmen, dass ... **2.** (≈ *quite good*) ganz gut; ***with a ~ amount of luck*** mit einigem Glück **reasonably** *adv* **1.** *behave* vernünftig; ***~ priced*** preiswert **2.** (≈ *quite*) ziemlich **reasoned** *adj argument* durchdacht **reasoning** *n* **1.** logisches Denken **2.** (≈ *arguing*) Argumentation *f*
reassemble I *v/t* **1.** *people* wieder versammeln **2.** *machine* wieder zusammenbauen **II** *v/i* (*troops*) sich wieder sammeln
reassert *v/t* mit Nachdruck behaupten
reassess *v/t* neu überdenken; *proposals* neu abwägen
reassurance *n* **1.** (≈ *security*) Beruhigung *f* **2.** (≈ *confirmation*) Bestätigung *f* **reassure** *v/t* **1.** (≈ *comfort*) beruhigen; (≈ *make feel secure*) das Gefühl der Sicherheit geben (+*dat*) **2.** (*verbally*) versichern (+*dat*) **reassuring** *adj*, **reassuringly** *adv* beruhigend
reawaken I *v/t person* wiedererwecken; *interest* neu erwecken **II** *v/i* wieder aufwachen; (*interest*) wieder erwachen **reawakening** *n* Wiederaufleben *nt*
rebate *n* (≈ *discount*) Rabatt *m*; (≈ *money back*) Rückvergütung *f*
rebel I *n* Rebell(in) *m*(*f*) **II** *adj attr* rebellisch **III** *v/i* rebellieren **rebellion** *n* Rebellion *f* **rebellious** *adj*, **rebelliously** *adv* rebellisch
rebirth *n* Wiedergeburt *f*
reboot *v/t* & *v/i* IT rebooten
reborn *adj* ***to feel ~*** sich wie neugeboren fühlen
rebound I *v/i* (*ball*) abprallen (*against*, *off* von) **II** *n* (*of ball*) Rückprall *m*; ***she married him on the ~*** sie heiratete ihn, um sich über einen anderen hinwegzutrösten
rebrand *v/t product* ein neues Markenimage geben (+*dat*)
rebuild *v/t house*, *country* wiederaufbauen; *relationship* wiederherstellen **rebuilding** *n* (*of house*, *wall*) Wiederaufbau *m*; (*of society*, *relationship*) Wiederherstellung *f*
recall I *v/t* **1.** (≈ *summon back*) zurückrufen; ***Ferguson was ~ed to the Scotland squad*** Ferguson wurde in die schottische Mannschaft zurückberufen **2.** (≈ *remember*) sich erinnern an (+*acc*) **3.** IT *file* wieder aufrufen **II** *n* (≈ *summoning back*) Rückruf *m*
recap (*infml*) **I** *n* kurze Zusammenfassung **II** *v/t* & *v/i* rekapitulieren
recapture I *v/t animal* wieder einfangen; *prisoner* wieder ergreifen; *territory* wiedererobern; *title etc* wiedergewinnen **II** *n* (*of animal*) Wiedereinfangen *nt*; (*of prisoner*) Wiederergreifung *f*; (*of territory*) Wiedereroberung *f*; (*of title etc*) Wiedererlangung *f*
recede *v/i* (*tide*) zurückgehen; (*hope*) schwinden; ***his hair is receding*** er hat eine leichte Stirnglatze **receding** *adj chin* fliehend; *hairline* zurückweichend
receipt *n* **1.** *no pl* Empfang *m*; ***to pay on ~*** (***of the goods***) bei Empfang (der Waren) bezahlen **2.** (*Br* ≈ *paper*) Quittung *f* **3.** COMM, FIN ***~s*** Einnahmen *pl*
receive *v/t* **1.** bekommen; *setback* erfahren; *recognition* finden **2.** *offer*, *news*, *new play* aufnehmen; ***to ~ a warm welcome*** herzlich empfangen werden **3.** TEL, RADIO, TV empfangen; ***are you receiving me?*** hören Sie mich? **receiver** *n* **1.** (*of goods*) Empfänger(in) *m*(*f*) **2.** FIN, JUR ***to call in the ~*** Konkurs anmelden **3.** TEL Hörer *m* **receivership** *n* ***to go into ~*** in Konkurs gehen **receiving end** *n* (*infml*) ***to be on the ~*** (***of it***)/***of sth*** derjenige sein, der es/etw abkriegt (*infml*)
recent *adj* kürzlich; *event* jüngste(r, s); *news* neueste(r, s); *invention*, *addition* neu; ***the ~ improvement*** die vor Kurzem eingetretene Verbesserung; ***a ~ decision*** eine Entscheidung, die erst vor Kurzem gefallen ist; ***a ~ publication*** eine Neuveröffentlichung; ***his ~ arrival*** seine Ankunft vor Kurzem; ***her ~ trip*** ihre erst kurz zurückliegende Reise; ***he is a ~ arrival*** er ist erst kurz hier; ***in ~ years*** in den letzten Jahren; ***in ~ times*** in letzter Zeit
recently *adv* vor Kurzem; ***~ he has been doing it differently*** seit Kurzem macht er das anders; ***as ~ as*** erst; ***quite ~*** erst

kürzlich

receptacle *n* Behälter *m*

reception *n no pl* (*of person*, RADIO, TV) Empfang *m*; (*of book etc*) Aufnahme *f*; ***to give sb a warm ~*** jdn herzlich empfangen; ***at ~*** (*in hotel etc*) am Empfang

reception desk *n* Rezeption *f* **receptionist** *n* (*in hotel*) Empfangschef *m*, Empfangsdame *f*; (*with firm*) Herr *m*/Dame *f* am Empfang; (*at doctor's etc*) Arzthilfe *f*, Ordinationshilfe *f* (*Aus*) **receptive** *adj person* aufnahmefähig; *audience* empfänglich

recess *n* **1.** (*of law courts*) Ferien *pl*; (*US* SCHOOL) Pause *f* **2.** (≈ *alcove*) Nische *f*

recession *n* ECON Rezession *f*

recharge **I** *v/t battery* aufladen; ***to ~ one's batteries*** (*fig*) auftanken **II** *v/i* sich wieder aufladen **rechargeable** *adj battery* wiederaufladbar

recipe *n* Rezept *nt*; ***that's a ~ for disaster*** das führt mit Sicherheit in die Katastrophe

recipient *n* Empfänger(in) *m*(*f*)

reciprocal *adj* (≈ *mutual*) gegenseitig; (≈ *done in return*) als Gegenleistung **reciprocate** *v/i* sich revanchieren

recital *n* Vortrag *m*; (≈ *piano recital etc*) Konzert *nt* **recite** *v/t & v/i* vortragen

reckless *adj behaviour* leichtsinnig; *driver* rücksichtslos; *attempt* gewagt **recklessly** *adv behave*, *disregard* leichtsinnig; *drive* rücksichtslos; *attempt* gewagt **recklessness** *n* (*of person*) Leichtsinn *m*; (*of driver*) Rücksichtslosigkeit *f*; (*of attempt*) Gewagtheit *f*

reckon *v/t* **1.** (≈ *calculate*) berechnen; ***he ~ed the cost to be £40.51*** er berechnete die Kosten auf £ 40,51 **2.** (≈ *judge*) zählen (*among* zu) **3.** (≈ *think*) glauben; (≈ *estimate*) schätzen; ***what do you ~?*** was meinen Sie?; ***I ~ he must be about forty*** ich schätze, er müsste so um die vierzig sein ◆ **reckon on** *v/i +prep obj* zählen auf (+*acc*); ***I was reckoning on doing that tomorrow*** ich wollte das morgen machen ◆ **reckon up** **I** *v/t sep* zusammenrechnen **II** *v/i* abrechnen (*with* mit) ◆ **reckon with** *v/i +prep obj* rechnen mit

reckoning *n* (Be)rechnung *f*; ***the day of ~*** der Tag der Abrechnung

reclaim **I** *v/t* **1.** *land* gewinnen **2.** *tax* zurückverlangen; *lost item* abholen **II** *n* ***baggage** or **luggage ~*** Gepäckausgabe *f*

recline *v/i* (*person*) zurückliegen; (*seat*) sich verstellen lassen; ***she was reclining on the sofa*** sie ruhte auf dem Sofa

recluse *n* Einsiedler(in) *m*(*f*)

recognition *n* **1.** (≈ *acknowledgement*) Anerkennung *f*; ***in ~ of*** in Anerkennung (+*gen*) **2.** (≈ *identification*) Erkennen *nt*; ***it has changed beyond ~*** es ist nicht wiederzuerkennen **recognizable** *adj*, **recognizably** *adv* erkennbar

recognize *v/t* **1.** (≈ *know again*) wiedererkennen; (≈ *identify*, *be aware*) erkennen (*by* an +*dat*); (≈ *admit*) eingestehen **2.** (≈ *acknowledge*) anerkennen (*as*, *to be* als)

recoil *v/i* (*person*) (*from* vor +*dat*) zurückweichen; (*in disgust*) zurückschaudern

recollect **I** *v/t* sich erinnern an (+*acc*) **II** *v/i* sich erinnern **recollection** *n* (≈ *memory*) Erinnerung *f* (*of* an +*acc*); ***I have no ~ of it*** ich kann mich nicht daran erinnern

recommend *v/t* **1.** empfehlen (*as* als); ***what do you ~ for a cough?*** was empfehlen Sie gegen Husten?; ***to ~ sb/sth to sb*** jdm jdn / etw empfehlen; ***to ~ doing sth/against doing sth*** empfehlen / davon abraten, etw zu tun **2.** (≈ *make acceptable*) sprechen für; ***this book has little to ~ it*** das Buch ist nicht gerade empfehlenswert **recommendation** *n* Empfehlung *f*; ***letter of ~*** Empfehlung *f* **recommended price** *n* unverbindlicher Richtpreis

reconcile *v/t people* versöhnen; *differences* beilegen; ***they became** or **were ~d*** sie versöhnten sich; ***to become ~d to sth*** sich mit etw abfinden **reconciliation** *n* (*of persons*) Versöhnung *f*

reconnaissance *n* AVIAT, MIL Aufklärung *f*; ***~ mission*** Aufklärungseinsatz *m*

reconsider **I** *v/t decision* noch einmal überdenken; *facts* neu erwägen **II** *v/i* ***there's time to ~*** es ist nicht zu spät, seine Meinung zu ändern **reconsideration** *n* (*of decision*) Überdenken *nt*; (*of facts*) erneute Erwägung

reconstruct *v/t* rekonstruieren; *cities*, *building* wiederaufbauen **reconstruction** *n* Rekonstruktion *f*; (*of city*, *building*) Wiederaufbau *m*

record **I** *v/t* (*person*) aufzeichnen; (*diary etc*) dokumentieren; (*in register*) eintragen; *one's thoughts* festhalten **II** *v/i* (Tonband)aufnahmen machen **III** *n* **1.**

(≈ *account*) Aufzeichnung *f*; (*of meeting*) Protokoll *nt*; (≈ *official document*) Akte *f*; (*of past etc*) Dokument *nt*; ***to keep a ~ of sth*** über etw (*acc*) Buch führen; (*official*) etw registrieren; ***to keep a personal ~ of sth*** sich (*dat*) etw notieren; ***it is on ~ that ...*** es gibt Belege dafür, dass ...; (*in files*) es ist aktenkundig, dass ...; ***he's on ~ as having said ...*** es ist belegt, dass er gesagt hat, ...; ***to set the ~ straight*** für klare Verhältnisse sorgen; ***just to set the ~ straight*** nur damit Klarheit herrscht; ***for the ~*** der Ordnung halber; ***off the ~*** inoffizell **2.** (≈ *police record*) Vorstrafen *pl*; ***~s*** (≈ *files*) Strafregister *nt*; ***he's got a ~*** er ist vorbestraft **3.** (≈ *history*) Vorgeschichte *f*; (≈ *achievements*) Leistungen *pl*; ***to have an excellent ~*** ausgezeichnete Leistungen vorweisen können; ***he has a good ~ of service*** er ist ein verdienter Mitarbeiter; ***to have a good safety ~*** in Bezug auf Sicherheit einen guten Ruf haben **4.** MUS (Schall)platte *f* **5.** (SPORTS, *fig*) Rekord *m*; ***to hold the ~*** den Rekord halten; ***~ amount*** Rekordbetrag *m* **6.** IT Datensatz *m* **record-breaking** *adj* (SPORTS, *fig*) rekordbrechend, Rekord- **record company** *n* Plattenfirma *f* **recorded** *adj music* aufgezeichnet; ***~ message*** Ansage *f* **recorded delivery** *n* (*Br*) ***by ~*** per Einschreiben **recorder** *n* **1.** ***cassette ~*** Kassettenrekorder *m*; ***tape ~*** Tonbandgerät *nt* **2.** MUS Blockflöte *f* **record holder** *n* SPORTS Rekordhalter(in) *m*(*f*) **recording** *n* (*of sound*) Aufnahme *f*

record player *n* Plattenspieler *m*

recount *v/t* (≈ *relate*) erzählen

re-count I *v/t* nachzählen **II** *n* Nachzählung *f*

recoup *v/t amount* wieder hereinbekommen; *losses* wiedergutmachen

recourse *n* Zuflucht *f*

recover I *v/t sth lost* wiederfinden; *balance* wiedergewinnen; *property* zurückgewinnen; *stolen goods* sicherstellen; *body* bergen; *losses* wiedergutmachen; IT *file* retten; ***to ~ consciousness*** wieder zu Bewusstsein kommen; ***to ~ oneself*** *or* ***one's composure*** seine Fassung wiedererlangen; ***to be quite ~ed*** sich ganz erholt haben **II** *v/i* sich erholen **recovery** *n* **1.** (*of sth lost*) Wiederfinden *nt*; (*of property*) Zurückgewinnung *f*; (*of body*) Bergung *f*; (*of losses*) Wiedergutmachung *f* **2.** (*after illness*, ST EX, FIN) Erholung *f*; ***to be on the road to ~*** auf dem Weg der Besserung sein; ***he is making a good ~*** er erholt sich gut **recovery vehicle** *n* Abschleppwagen *m*

recreate *v/t atmosphere* wiederschaffen; *scene* nachstellen

recreation *n* Erholung *f* **recreational** *adj* Freizeit-; ***~ facilities*** Freizeiteinrichtungen *pl* **recreational drug** *n* Freizeit- *or* Partydroge *f*

recrimination *n* Gegenbeschuldigung *f*

recruit I *n* MIL Rekrut(in) *m*(*f*) (*to +gen*); (*to club*) neues Mitglied (*to* in +*dat*); (*to staff*) Neue(r) *m*/*f*(*m*) (*to* in +*dat*) **II** *v/t soldier* rekrutieren; *member* werben; *staff* einstellen **III** *v/i* MIL Rekruten anwerben; (*employer*) neue Leute einstellen **recruitment** *n* (*of soldiers*) Rekrutierung *f*; (*of members*) (An)werbung *f*; (*of staff*) Einstellung *f* **recruitment agency** *n* Personalagentur *f*

rectangle *n* Rechteck *nt* **rectangular** *adj* rechteckig

rectify *v/t* korrigieren; *problem* beheben

rector *n* UNIV Rektor(in) *m*(*f*)

rectum *n*, *pl* ***-s*** *or* ***recta*** Mastdarm *m*

recuperate I *v/i* sich erholen **II** *v/t losses* wettmachen **recuperation** *n* Erholung *f*; (*of losses*) Wiedergutmachung *f*

recur *v/i* wiederkehren; (*error*, *event*) sich wiederholen; (*idea*) wieder auftauchen **recurrence** *n* Wiederkehr *f*; (*of error*, *event*) Wiederholung *f*; (*of idea*) Wiederauftauchen *nt* **recurrent** *adj idea*, *illness*, *dream* (ständig) wiederkehrend *attr*; *problem* häufig (vorkommend) **recurring** *adj attr* = ***recurrent***

recyclable *adj* recycelbar

recycle *v/t* wiederverwerten, wiederaufbereiten; ***made from ~d paper*** aus Altpapier (hergestellt) **recycling** *n* Recycling *nt*; ***~ site*** Recycling- *or* Wertstoffhof *m* **recycling bin** *n* Recyclingbehälter *m*

red I *adj* rot; ***the lights are ~*** AUTO es ist rot; ***~ as a beetroot*** rot wie eine Tomate; ***to go ~ in the face*** rot anlaufen; ***she turned ~ with embarrassment*** sie wurde rot vor Verlegenheit **II** *n* Rot *nt*; ***to go through the lights on ~*** bei Rot über die Ampel fahren; ***to be*** (***£100***) ***in the ~*** (mit £ 100) in den roten Zahlen sein; ***this pushed the company into the ~*** das brachte die Firma in die roten Zahlen;

to see ~ (*fig*) rotsehen **red alert** *n* Alarmstufe *f* rot; ***to be on ~*** in höchster Alarmbereitschaft sein **red cabbage** *n* Rotkohl *m* **red card** *n* FTBL Rote Karte; ***to show sb the ~*** (*also fig*) jdm die Rote Karte zeigen **red carpet** *n* roter Teppich; ***to roll out the ~ for sb***, ***to give sb the ~ treatment*** (*infml*) den roten Teppich für jdn ausrollen **Red Cross** *n* Rotes Kreuz **redcurrant** *n* (*Br*) rote Johannisbeere, rote Ribisel (*Aus*) **red deer** *n* Rothirsch *m*; (*pl*) Rotwild *nt* **redden** *v/i* (*face*) sich röten; (*person*) rot werden **reddish** *adj* rötlich

redecorate *v/t & v/i* (≈ *paper*) neu tapezieren; (≈ *paint*) neu streichen

redeemable *adj coupons* einlösbar **redeeming** *adj quality* ausgleichend; ***~ feature*** aussöhnendes Moment

redefine *v/t* neu definieren

redemption *n* ***beyond*** *or* ***past ~*** (*fig*) nicht mehr zu retten

redeploy *v/t troops* umverlegen; *staff* umsetzen **redeployment** *n* (*of troops*) Umverlegung *f*; (*of staff*) Umsetzung *f*

redesign *v/t* umgestalten

redevelop *v/t area* sanieren **redevelopment** *n* Sanierung *f*

red-eyed *adj* mit geröteten Augen **red-faced** *adj* mit rotem Kopf **red-haired** *adj* rothaarig **red-handed** *adv* ***to catch sb ~*** jdn auf frischer Tat ertappen **redhead** *n* Rothaarige(r) *m/f(m)* **red-headed** *adj* rothaarig **red herring** *n* (*fig*) falsche Spur **red-hot** *adj* (*lit*) rot glühend; ***~ favourite*** brandheißer Favorit

redial TEL **I** *v/t & v/i* nochmals wählen **II** *n* ***automatic ~*** automatische Wahlwiederholung

redirect *v/t letter* umadressieren; (≈ *forward*) nachsenden; *traffic* umleiten

rediscover *v/t* wiederentdecken **rediscovery** *n* Wiederentdeckung *f*

redistribute *v/t wealth* neu verteilen; *work* neu zuteilen **redistribution** *n* (*of wealth*) Neuverteilung *f*; (*of work*) Neuzuteilung *f*

red-letter day *n* besonderer Tag **red light** *n* (*lit*) rotes Licht; (≈ *traffic light*) Rotlicht *nt*; ***to go through the ~*** MOT bei Rot über die Ampel fahren; ***the red-light district*** das Rotlichtviertel **red meat** *n Rind-, Lamm- und Rehfleisch* **redness** *n* Röte *f*

redo *v/t* noch einmal machen

redouble *v/t efforts* verdoppeln

red rag *n* ***it's like a ~ to a bull*** das wirkt wie ein rotes Tuch

redress *v/t grievance* beseitigen; *balance* wiederherstellen

Red Sea *n* Rotes Meer **red tape** *n* (*fig*) Papierkrieg *m* (*infml*)

reduce I *v/t* reduzieren; *taxes, costs* senken; (≈ *shorten*) verkürzen; (*in price*) heruntersetzen; ***to ~ speed*** MOT langsamer fahren; ***it has been ~d to nothing*** es ist zu nichts zusammengeschmolzen; ***to ~ sb to tears*** jdn zum Weinen bringen **II** *v/i* (*esp US* ≈ *slim*) abnehmen **reduced** *adj* reduziert; *goods* heruntergesetzt; *circumstances* beschränkt; ***at a ~ price*** zu einem reduzierten Preis **reduction** *n* **1.** *no pl* (*in sth Gen*) Reduzierung *f*; (*in taxes, costs*) Senkung *f*; (*in size*) Verkleinerung *f*; (≈ *shortening*) Verkürzung *f*; (*of goods*) Herabsetzung *f* **2.** (≈ *amount reduced*) (*in sth Gen*) (*in temperature*) Rückgang *m*; (*of speed*) Verlangsamung *f*; (*in prices*) Ermäßigung *f*

redundancy *n* (*Br* IND) Arbeitslosigkeit *f*; ***redundancies*** Entlassungen *pl* **redundancy payment** *n* (*Br* IND) Abfindung *f* **redundant** *adj* **1.** überflüssig **2.** (*Br* IND) arbeitslos; ***to make sb ~*** jdn entlassen; ***to be made ~*** den Arbeitsplatz verlieren

red wine *n* Rotwein *m*

reed *n* BOT Schilf(rohr) *nt*

re-educate *v/t* umerziehen

reef *n* Riff *nt*

reek I *n* Gestank *m* **II** *v/i* stinken (*of* nach)

reel I *n* Spule *f*; FISH (Angel)rolle *f* **II** *v/i* (*person*) taumeln; ***the blow sent him ~ing*** er taumelte unter dem Schlag; ***the whole country is still ~ing from the shock*** das ganze Land ist noch tief erschüttert von diesem Schock ◆ **reel off** *v/t sep list* herunterrasseln (*infml*)

re-elect *v/t* wiederwählen **re-election** *n* Wiederwahl *f*

re-emerge *v/i* (*object, swimmer*) wieder auftauchen

re-enact *v/t event, crime* nachstellen **re-enactment** *n* (*of event, crime*) Nachstellen *nt*

re-enter *v/t* **1.** *room* wieder betreten; *country* wieder einreisen in (*+acc*); *race* sich wieder beteiligen an (*+dat*) **2.** *name* wieder eintragen **re-entry** *n also* SPACE Wiedereintritt *m*; (*into country*) Wieder-

einreise *f* (*into* in *+acc*)
re-establish *v/t order* wiederherstellen; *control* wiedererlangen; *dialogue* wiederaufnehmen **re-establishment** *n* (*of order*) Wiederherstellung *f*; (*of control*) Wiedererlangen *nt*; (*of diplomatic relations, dialogue*) Wiederaufnahme *f*; (*in a position, office*) Wiedereinsetzung *f*
re-examination *n* erneute Prüfung; (*of role*) genaue Überprüfung **re-examine** *v/t* erneut prüfen
ref[1] *n* (SPORTS *infml*) *abbr of* **referee** Schiri *m* (*infml*)
ref[2] *abbr of* ***reference*** (***number***)
refectory *n* (*in college*) Mensa *f*
refer I *v/t matter* weiterleiten (*to* an *+acc*); ***to ~ sb to sb/sth*** jdn an jdn / auf etw (*acc*) verweisen; ***to ~ sb to a specialist*** jdn an einen Spezialisten überweisen II *v/i* **1.** ***to ~ to*** (≈ *mention*) erwähnen; (*words*) sich beziehen auf (*+acc*); ***I am not ~ring to you*** ich meine nicht Sie; ***what can he be ~ring to?*** was meint er wohl? **2.** ***to ~ to*** *to notes* nachschauen in (*+dat*) ◆ **refer back** I *v/i* **1.** (*person, remark*) sich beziehen (*to* auf *+acc*) **2.** (≈ *consult again*) zurückgehen (*to* zu) II *v/t sep matter* zurückverweisen; ***he referred me back to you*** er hat mich an Sie zurückverwiesen
referee I *n* **1.** Schiedsrichter(in) *m*(*f*) **2.** (*Br*: *for job*) Referenz *f* II *v/t* Schiedsrichter(in) sein bei III *v/i* Schiedsrichter(in) sein
reference *n* **1.** (≈ *act of mentioning*) Erwähnung *f* (*to sb/sth* jds/einer Sache); (≈ *allusion*) Anspielung *f* (*to* auf *+acc*); ***to make*** (***a***) ***~ to sth*** etw erwähnen; ***in*** *or* ***with ~ to*** was ... anbetrifft; COMM bezüglich (*+gen*) **2.** (≈ *testimonial*, *a.* **references**) Referenz *f usu pl* **3.** (*in book etc*) Verweis *m* **4.** (*esp US*) = ***referee*** I2 **reference book** *n* Nachschlagewerk *nt* **reference library** *n* Präsenzbibliothek *f* **reference number** *n* Nummer *f*
referendum *n, pl* ***referenda*** Referendum *nt*; ***to hold a ~*** ein Referendum abhalten
refill I *v/t* nachfüllen II *n* (*for lighter*) Nachfüllpatrone *f*; (*for ballpoint pen*) Ersatzmine *f*; ***would you like a ~?*** (*infml* ≈ *drink*) darf ich nachschenken? **refillable** *adj* nachfüllbar
refine *v/t* **1.** *oil, sugar* raffinieren **2.** *techniques* verfeinern **refined** *adj taste* fein; *person* vornehm **refinement** *n* **1.** *no pl* (*of person, style*) Vornehmheit *f* **2.** (*in technique etc*) Verfeinerung *f* (*in sth gen*) **refinery** *n* Raffinerie *f*
reflect I *v/t* reflektieren; (*fig*) widerspiegeln; ***to be ~ed in sth*** sich in etw (*dat*) spiegeln; ***I saw myself ~ed in the mirror*** ich sah mich im Spiegel; ***to ~ the fact that ...*** die Tatsache widerspiegeln, dass ... II *v/i* nachdenken (*on, about* über *+acc*) ◆ **reflect (up)on** *v/i +prep obj* etwas aussagen über (*+acc*)
reflection *n* **1.** (≈ *image*) Spiegelbild *nt*; (*fig*) Widerspiegelung *f*; ***to see one's ~ in a mirror*** sich im Spiegel sehen **2.** *no pl* (≈ *consideration*) Überlegung *f*; (≈ *contemplation*) Reflexion *f*; (***up***)***on ~*** wenn ich mir das recht überlege; ***on further ~*** bei genauerer Überlegung; ***this is no ~ on your ability*** damit soll gar nichts über Ihr Können gesagt sein
reflective *adj clothing* reflektierend
reflex I *adj* Reflex- II *n* Reflex *m* **reflexive** GRAM I *adj* reflexiv II *n* Reflexiv *nt*
reflexology *n* MED Reflexologie *f*; (≈ *practice*) Reflexzonenmassage *f*
reform I *n* Reform *f* II *v/t* reformieren; *person* bessern III *v/i* (*person*) sich bessern
reformat *v/t* IT *disk* neu formatieren
Reformation *n* ***the ~*** die Reformation **reformed** *adj* reformiert; *communist* ehemalig; ***he's a ~ character*** er hat sich gebessert **reformer** *n* POL Reformer(in) *m*(*f*); REL Reformator *m*
refrain *v/i* ***he ~ed from comment*** er enthielt sich eines Kommentars; ***please ~ from smoking*** bitte nicht rauchen!
refresh *v/t* **1.** erfrischen; ***to ~ oneself*** (*with a bath*) sich erfrischen; ***to ~ one's memory*** sein Gedächtnis auffrischen; ***let me ~ your memory*** ich will Ihrem Gedächtnis nachhelfen **2.** IT *screen* neu laden **refreshing** *adj*, **refreshingly** *adv* erfrischend
refreshment *n* (***light***) ***~s*** (kleine) Erfrischungen *pl*
refrigerate *v/t* kühlen; ***"refrigerate after opening"*** „nach dem Öffnen kühl aufbewahren" **refrigeration** *n* Kühlung *f*
refrigerator *n* Kühlschrank *m*
refuel *v/t & v/i* auftanken
refuge *n* Zuflucht *f* (*from* vor *+dat*); ***a ~ for battered women*** ein Frauenhaus *nt*; ***to seek ~*** Zuflucht suchen; ***to take***

~ sich flüchten (*in* in +*acc*)
refugee *n* Flüchtling *m*
refund I *v/t money* zurückerstatten; ***to ~ the difference*** die Differenz erstatten **II** *n* (*of money*) Rückerstattung *f*; ***to get a ~ (on sth)*** sein Geld (für etw) wiederbekommen; ***they wouldn't give me a ~*** man wollte mir das Geld nicht zurückgeben; ***I'd like a ~ on this blouse, please*** ich hätte gern mein Geld für diese Bluse zurück **refundable** *adj* zurückzahlbar
refurbish *v/t* renovieren
refurnish *v/t* neu möblieren
refusal *n* Ablehnung *f*; (*to do sth*) Weigerung *f*; ***to get a ~*** eine Absage erhalten
refuse[1] **I** *v/t offer* ablehnen; *invitation* absagen; *permission* verweigern; ***to ~ to do sth*** sich weigern, etw zu tun; ***I ~ to be blackmailed*** ich lasse mich nicht erpressen; ***they were ~d permission (to leave)*** es wurde ihnen nicht gestattet (wegzugehen) **II** *v/i* ablehnen; (*to do sth*) sich weigern
refuse[2] *n* Müll *m*; (≈ *food waste*) Abfall *m* **refuse collection** *n* Müllabfuhr *f* **refuse dump** *n* Müllabladeplatz *m*
refute *v/t* widerlegen
reg. *adj abbr of* ***registered*** reg.
regain *v/t* wiedererlangen; *control*, *title* wiedergewinnen; ***to ~ consciousness*** das Bewusstsein wiedererlangen; ***to ~ one's strength*** wieder zu Kräften kommen; ***to ~ one's balance*** das Gleichgewicht wiederfinden; ***to ~ possession of sth*** wieder in den Besitz einer Sache (*gen*) gelangen; ***to ~ the lead*** (*in sport*) wieder in Führung gehen
regal *adj* königlich; (*fig*) hoheitsvoll
regale *v/t* (*with stories*) ergötzen (*elev*)
regard I *v/t* **1.** betrachten; ***to ~ sb/sth as sth*** jdn / etw für etw halten; ***to be ~ed as ...*** als ... angesehen werden; ***he is highly ~ed*** er ist hoch angesehen **2.** ***as ~s that*** was das betrifft **II** *n* **1.** (≈ *concern*) Rücksicht *f* (*for* auf +*acc*); ***to have some ~ for sb/sth*** auf jdn / etw Rücksicht nehmen; ***to show no ~ for sb/sth*** keine Rücksichtnahme für jdn / etw zeigen **2.** ***in this ~*** diesbezüglich; ***with*** *or* ***in ~ to*** in Bezug auf (+*acc*) **3.** (≈ *respect*) Achtung *f*; ***to hold sb in high ~*** jdn sehr schätzen **4.** **regards** *pl* ***to send sb one's ~s*** jdn grüßen lassen; ***give him my ~s*** grüßen Sie ihn von mir; ***(kindest) ~s*** mit freundlichen Grüßen **regarding** *prep* bezüglich (+*gen*) **regardless I** *adj* ***~ of*** ohne Rücksicht auf (+*acc*); ***~ of what it costs*** egal, was es kostet **II** *adv* trotzdem
regatta *n* Regatta *f*
regd *abbr of* ***registered*** reg.
regenerate *v/t* erneuern; ***to be ~d*** sich erneuern **regeneration** *n* Erneuerung *f*
regent *n* Regent(in) *m*(*f*)
regime *n* POL Regime *nt*
regiment *n* MIL Regiment *nt*
region *n* Region *f*; (*fig*) Bereich *m*; ***in the ~ of 5 kg*** um die 5 kg **regional** *adj* regional
register I *n* (≈ *book*) Register *nt*; (*at school*) Namensliste *f*; (*in hotel*) Gästebuch *nt*; (*of members etc*) Mitgliedsbuch *nt*; ***~ of births, deaths and marriages*** Personenstandsbuch *nt* **II** *v/t* registrieren; (*in book*) eintragen; *fact* erfassen; *birth*, *company*, *vehicle* anmelden; *student* einschreiben; ***he is ~ed (as) blind*** er hat einen Sehbehindertenausweis **III** *v/i* (*on list*) sich eintragen; (*in hotel*) sich anmelden; (*student*) sich einschreiben; ***to ~ with the police*** sich polizeilich melden; ***to ~ for a course*** sich für einen Kurs anmelden; UNIV einen Kurs belegen **registered** *adj* **1.** *company*, *name* eingetragen **2.** POST eingeschrieben; ***by ~ post*** per Einschreiben **Registered Trademark** *n* eingetragene Marke **registrar** *n* (*Br* ADMIN) Standesbeamte(r) *m*/-beamtin *f* **registrar's office** (*Br* ADMIN) Standesamt *nt* **registration** *n* **1.** (*by authorities*) Registrierung *f*; (*in files*, *of company*) Eintragung *f*; (*of fact*) Erfassung *f* **2.** (*by individual*, COMM) Anmeldung *f*; (*of student*) Einschreibung *f* **registration number** *n* (*Br* AUTO) Kraftfahrzeugkennzeichen *nt* **registry** *n* **1.** Sekretariat *nt* **2.** (*Br* ≈ *registry office*) Standesamt *nt* **registry office** *n* (*Br*) Standesamt *nt*; ***to get married in a ~*** standesamtlich heiraten
regress *v/i* (*form*) sich rückwärts bewegen; (*fig*: *society*) sich rückläufig entwickeln
regret I *v/t* bedauern; *lost opportunity* nachtrauern (+*dat*); ***to ~ the fact that ...*** (die Tatsache) bedauern, dass ...; ***I ~ to say that ...*** ich muss Ihnen leider mitteilen, dass ...; ***we ~ any inconvenience caused*** für eventuelle Unannehmlichkeiten bitten wir um Verständnis; ***you won't ~ it!*** Sie werden es nicht bereuen

II *n* Bedauern *nt no pl*; ***I have no ~s*** ich bereue nichts; ***he sends his ~s*** er lässt sich entschuldigen **regretfully** *adv* (≈ *with regret*) mit Bedauern **regrettable** *adj* bedauerlich **regrettably** *adv* bedauerlicherweise

regroup *v/i* sich umgruppieren

regular I *adj* **1.** regelmäßig; *rhythm*, *surface* gleichmäßig; *employment* fest; *size*, *time* normal; ***at ~ intervals*** in regelmäßigen Abständen; ***on a ~ basis*** regelmäßig; ***to be in ~ contact*** regelmäßig Kontakt haben; ***to eat ~ meals*** regelmäßig essen; ***he has a ~ place in the team*** er ist ein ordentliches Mannschaftsmitglied; ***~ customer*** Stammkunde *m*/-kundin *f*; ***his ~ pub*** (*Br*) seine Stammkneipe (*infml*) **2.** (*esp US* ≈ *ordinary*) gewöhnlich; ***he's just a ~ guy*** er ist ein ganz normaler Typ (*infml*) **II** *n* (*in shop etc*) Stammkunde *m*/-kundin *f*; (*in pub*) Stammgast *m* **regularity** *n* Regelmäßigkeit *f* **regularly** *adv* regelmäßig

regulate *v/t* regulieren; *flow*, *traffic* regeln **regulation** *n* **1.** (≈ *regulating*) Regulierung *f*; (*of traffic*) Regelung *f* **2.** (≈ *rule*) Vorschrift *f*; ***~s*** (*of society*) Satzung *f*; ***to be contrary to ~s*** gegen die Vorschrift(en)/Satzung verstoßen **regulator** *n* (≈ *instrument*) Regler *m* **regulatory** *adj* ***~ authority*** Regulierungsbehörde *f*

regurgitate *v/t* wieder hochbringen; (*fig*) wiederkäuen

rehab *abbr of* ***rehabilitation*** **rehabilitate** *v/t ex-criminal* rehabilitieren; *drug addict* therapieren **rehabilitation** *n* (*of ex-criminal*) Rehabilitation *f*; (*of drug addict*) Therapie *f*

rehearsal *n* THEAT, MUS Probe *f* **rehearse** *v/t & v/i* THEAT, MUS proben; ***to ~ what one is going to say*** einüben, was man sagen will

reheat *v/t* aufwärmen

rehouse *v/t* unterbringen

reign I *n* Herrschaft *f* **II** *v/i* herrschen (*over* über +*acc*) **reigning** *adj attr* regierend; *champion* amtierend

reimburse *v/t person* entschädigen; *costs* erstatten **reimbursement** *n* (*of person*) Entschädigung *f*; (*of loss*) Ersatz *m*; (*of expenses*, *costs*) (Rück)erstattung *f*

rein *n* Zügel *m*; ***to keep a tight ~ on sb/sth*** bei jdm / etw die Zügel kurz halten; ***to give sb free ~ to do sth*** jdm freie Hand lassen, etw zu tun ◆ **rein in** *v/t sep horse*, *passions* zügeln; *spending* in Schranken halten

reincarnate *v/t* reinkarnieren; ***to be ~d*** wiedergeboren werden **reincarnation** *n* Reinkarnation *f*

reindeer *n*, *pl* - Ren(tier) *nt*

reinforce *v/t* verstärken; *belief* stärken; ***to ~ the message*** der Botschaft (*dat*) mehr Nachdruck verleihen **reinforcement** *n* Verstärkung *f*; (*of beliefs*) Stärkung *f*; ***~s*** (MIL, *fig*) Verstärkung *f*

reinsert *v/t* wieder einfügen; *coin* wieder einwerfen; *needle* wieder einstecken

reinstate *v/t person* wiedereinstellen (*in* in +*acc*); *death penalty* wiedereinführen **reinstatement** *n* (*of person*) Wiedereinstellung *f*; (*of death penalty*) Wiedereinführung *f*

reintegrate *v/t* wiedereingliedern (*into* in +*acc*) **reintegration** *n* Wiedereingliederung *f*

reintroduce *v/t measure* wiedereinführen

reinvent *v/t* ***to ~ the wheel*** das Rad neu erfinden; ***to ~ oneself*** sich (*dat*) ein neues Image geben

reissue I *v/t book* neu auflegen; *stamps*, *recording* neu herausgeben **II** *n* (*of book*) Neuauflage *f*; (*of stamps*, *recording*) Neuausgabe *f*

reiterate *v/t* wiederholen

reject I *v/t request etc* ablehnen (*also* MED); (*stronger*) abweisen; *idea* verwerfen **II** *n* COMM Ausschuss *m no pl*; ***~ goods*** Ausschussware *f* **rejection** *n* (*of request*, *offer etc*) Ablehnung *f* (*also* MED); (*stronger*) Abweisung *f*; (*of idea*) Verwerfen *nt*

rejoice *v/i* sich freuen **rejoicing** *n* Jubel *m*

rejoin *v/t person* sich wieder anschließen (+*dat*); *club* wieder eintreten in (+*acc*)

rejuvenate *v/t* verjüngen; (*fig*) erfrischen

rekindle *v/t* (*fig*) *passions* wiederentzünden; *interest* wiedererwecken

relapse I *n* MED Rückfall *m* **II** *v/i* MED einen Rückfall haben

relate I *v/t* **1.** *story* erzählen; *details* aufzählen **2.** (≈ *associate*) in Verbindung bringen (*to*, *with* mit) **II** *v/i* **1.** (≈ *refer*) zusammenhängen (*to* mit) **2.** (≈ *form relationship*) eine Beziehung finden (*to* zu)

related *adj* **1.** (*in family*) verwandt (*to* mit); ***~ by marriage*** angeheiratet **2.** (≈

connected) zusammenhängend; *elements, issues* verwandt; ***to be ~ to sth*** mit etw zusammenhängen, mit etw verwandt sein; ***the two events are not ~*** die beiden Ereignisse haben nichts miteinander zu tun; ***two closely ~ questions*** zwei eng miteinander verknüpfte Fragen; ***health-~ problems*** gesundheitliche Probleme *pl*; ***earnings-~ pensions*** einkommensabhängige Renten *pl* **relation** *n* **1.** (≈ *person*) Verwandte(r) *m/f(m)*; ***he's a/no ~*** (***of mine***) er ist/ist nicht mit mir verwandt **2.** (≈ *relationship*) Beziehung *f*; ***to bear no ~ to*** in keinerlei Beziehung stehen zu; ***to bear little ~ to*** wenig Beziehung haben zu; ***in ~ to*** (≈ *as regards*) in Bezug auf (+*acc*); (≈ *compared with*) im Verhältnis zu **3. relations** *pl* (≈ *dealings*) Beziehungen *pl*; ***to have business ~s with sb*** geschäftliche Beziehungen zu jdm haben

relationship *n* **1.** (*in family*) Verwandtschaft *f* (*to* mit); ***what is your ~*** (***to him***)***?*** wie sind Sie (mit ihm) verwandt? **2.** (*between events etc*) Beziehung *f*; (≈ *relations*) Verhältnis *nt*; (*in business*) Verbindung *f*; ***to have a*** (***sexual***) ***~ with sb*** ein Verhältnis *nt* mit jdm haben; ***to have a good ~ with sb*** gute Beziehungen zu jdm haben

relative I *adj* **1.** (≈ *comparative*, SCI) relativ; ***in ~ terms*** relativ gesehen **2.** (≈ *respective*) jeweilig **3.** (≈ *relevant*) ***~ to*** sich beziehend auf (+*acc*) **4.** GRAM Relativ- **II** *n* = ***relation*** 1 **relatively** *adv* relativ

relax I *v/t* lockern; *muscles, mind* entspannen **II** *v/i* (sich) entspannen; (≈ *rest*) (sich) ausruhen; (≈ *calm down*) sich beruhigen; ***~!*** immer mit der Ruhe! **relaxation** *n* Entspannung *f*; ***reading is her form of ~*** sie entspannt sich durch Lesen; ***~ technique*** Entspannungstechnik *f* **relaxed** *adj* locker; *person* entspannt; *atmosphere* zwanglos; ***to feel ~*** (*physically*) entspannt sein; (*mentally*) sich wohlfühlen; ***to feel ~ about sth*** etw ganz gelassen sehen **relaxing** *adj* entspannend

relay I *n* (SPORTS, *a.* **relay race**) Staffellauf *m* **II** *v/t* **1.** RADIO, TV *etc* (weiter) übertragen **2.** *message* ausrichten (*to sb* jdm)

release I *v/t* **1.** *animal, person* freilassen; (*from prison*) entlassen **2.** (≈ *let go of*) loslassen; *handbrake* lösen; PHOT *shutter* auslösen; ***to ~ one's hold*** (***on sth***) (etw) loslassen **3.** *film, record* herausbringen **4.** *news, statement* veröffentlichen **5.** *energy* freisetzen; *pressure* ablassen **II** *n* **1.** (*of animal, person*) Freilassung *f*; (*from prison*) Entlassung *f* **2.** (≈ *letting go*) Loslassen *nt*; (≈ *mechanism*) Auslöser *m* **3.** (*of film, record*) Herausbringen *nt*; (≈ *film*) Film *m*; (≈ *CD*) CD *f*; ***on general ~*** überall zu sehen **4.** (*of news, statement*) Veröffentlichung *f*; (≈ *statement*) Verlautbarung *f* **5.** (*of energy*) Freisetzung *f*

relegate *v/t* degradieren; SPORTS absteigen lassen (*to* in +*acc*); ***to be ~d*** SPORTS absteigen **relegation** *n* Degradierung *f*; SPORTS Abstieg *m*

relent *v/i* (*person*) nachgeben **relentless** *adj* **1.** *attitude* unnachgiebig **2.** *pain, cold* nicht nachlassend; *search* unermüdlich **3.** (≈ *merciless*) erbarmungslos **relentlessly** *adv* **1.** *maintain* unnachgiebig **2.** *hurt* unaufhörlich **3.** (≈ *mercilessly*) erbarmungslos

relevance, relevancy *n* Relevanz *f*; ***to be of particular ~*** (***to sb***) (für jdn) besonders relevant sein **relevant** *adj* relevant (*to* für); *authority, person* zuständig; *time* betreffend

reliability *n* Zuverlässigkeit *f* **reliable** *adj* zuverlässig; *firm* vertrauenswürdig **reliably** *adv* zuverlässig; ***I am ~ informed that ...*** ich weiß aus zuverlässiger Quelle, dass ...

reliance *n* Vertrauen *nt* (*on* auf +*acc*) **reliant** *adj* angewiesen (*on, upon* auf +*acc*)

relic *n* Relikt *nt*; REL Reliquie *f*

relief I *n* **1.** (*from pain*) Erleichterung *f*; ***that's a ~!*** mir fällt ein Stein vom Herzen; ***it was a ~ to find it*** ich *etc* war erleichtert, als ich *etc* es fand; ***it was a ~ to get out of the office*** es war eine Wohltat, aus dem Büro wegzukommen **2.** (≈ *assistance*) Hilfe *f* **3.** (≈ *substitute*) Ablösung *f* **II** *attr* **1.** (≈ *aid*) Hilfs-; ***the ~ effort*** die Hilfsaktion **2.** (≈ *replacement*) *driver etc* zur Entlastung **relief supplies** *pl* Hilfsgüter *pl* **relief workers** *pl* Rettungshelfer *pl*; (*in disaster*) Katastrophenhelfer *pl* **relieve** *v/t* **1.** *person* erleichtern; ***to feel ~d*** erleichtert sein; ***to be ~d at sth*** bei etw erleichtert aufatmen; ***to ~ sb of sth*** *of duty* jdn einer Sache (*gen*) entheben (*elev*) **2.** *pain* lindern; (*completely*) stillen; *pressure, symptoms* abschwächen; ***to ~ oneself***

(*euph*) sich erleichtern **3.** (≈ *take over from*) ablösen
religion *n* Religion *f*; (≈ *set of beliefs*) Glaube(n) *m*; ***the Christian ~*** der christliche Glaube
religious *adj* **1.** religiös; *order* geistlich; ***~ leader*** Religionsführer(in) *m(f)* **2.** *person* gläubig **religiously** *adv* (*fig* ≈ *conscientiously*) gewissenhaft
relinquish *v/t* aufgeben; *title* ablegen; ***to ~ one's hold on sb/sth*** jdn/etw loslassen
relish I *n* **1.** ***to do sth with ~*** etw mit Genuss tun **2.** COOK ***tomato ~*** Tomatenchutney *nt* **II** *v/t* genießen; *idea, task* großen Gefallen finden an (+*dat*); ***I don't ~ the thought of getting up at 5 a.m.*** der Gedanke, um 5 Uhr aufzustehen, behagt mir gar nicht
relive *v/t* noch einmal durchleben
reload *v/t* neu beladen; *gun* nachladen
relocate I *v/t* umsiedeln **II** *v/i* (*individual*) umziehen, zügeln (*Swiss*); (*company*) den Standort wechseln **relocation** *n* Umzug *m*; (*of company*) Standortwechsel *m*
reluctance *n* Widerwillen *m*; ***to do sth with ~*** etw widerwillig *or* ungern tun **reluctant** *adj* widerwillig; ***he is ~ to do it*** es widerstrebt ihm, es zu tun; ***he seems ~ to admit it*** er scheint es nicht zugeben zu wollen **reluctantly** *adv* widerwillig
rely *v/i* ***to ~ (up)on sb/sth*** sich auf jdn/etw verlassen; (≈ *dependent*) auf jdn/etw angewiesen sein; ***I ~ on him for my income*** ich bin finanziell auf ihn angewiesen
remain *v/i* bleiben; (≈ *be left over*) übrig bleiben; ***all that ~s is for me to wish you every success*** ich möchte Ihnen nur noch viel Erfolg wünschen; ***that ~s to be seen*** das bleibt abzuwarten; ***to ~ silent*** weiterhin schweigen **remainder** *n* **1.** Rest *m* **2. remainders** *pl* COMM Restbestände *pl* **remaining** *adj* restlich; ***the ~ four*** die vier Übrigen **remains** *pl* (*of meal*) Reste *pl*; (≈ *archaeological remains*) Ruinen *pl*; ***human ~*** menschliche Überreste *pl*
remake *pret, past part* ***remade*** *v/t* neu machen; ***to ~ a film*** ein Thema neu verfilmen
remand I *v/t* JUR ***he was ~ed in custody*** er blieb in Untersuchungshaft **II** *n* ***to be on ~*** in Untersuchungshaft sein
remark I *n* Bemerkung *f* **II** *v/i* ***to ~ (up)on sth*** über etw (*acc*) eine Bemerkung machen; ***nobody ~ed on it*** niemand hat etwas dazu gesagt **remarkable** *adj* bemerkenswert; *escape* wundersam **remarkably** *adv* bemerkenswert; ***~ little*** erstaunlich wenig
remarry *v/i* wieder heiraten
remedial *adj attr* Hilfs-; MED Heil-
remedy I *n* Mittel *nt* (*for* gegen); (≈ *medication*) Heilmittel *nt* (*for* gegen) **II** *v/t* (*fig*) *problem* beheben; *situation* bessern
remember I *v/t* **1.** (≈ *recall*) sich erinnern an (+*acc*); (≈ *bear in mind*) denken an (+*acc*); ***we must ~ that he's only a child*** wir sollten bedenken, dass er noch ein Kind ist; ***to ~ to do sth*** daran denken, etw zu tun; ***I ~ doing it*** ich erinnere mich daran, dass ich es getan habe; ***I can't ~ the word*** das Wort fällt mir nicht ein; ***do you ~ when ...?*** (*reminiscing*) weißt du noch, als ...?; (*asking facts*) weißt du (noch), wann ...?; ***I don't ~ a thing about it*** ich kann mich überhaupt nicht daran erinnern; (*about book etc*) ich weiß nichts mehr davon; ***I can never ~ phone numbers*** ich kann mir Telefonnummern einfach nicht merken **2.** (*Br*) ***~ me to your mother*** grüßen Sie Ihre Mutter von mir **II** *v/i* sich erinnern; ***I can't ~*** ich weiß das nicht mehr; ***not as far as I ~*** soweit ich mich erinnere, nicht! **remembrance** *n* ***in ~ of*** zur Erinnerung an (+*acc*) **Remembrance Day** *n* (*Br*) ≈ Volkstrauertag *m*
remind *v/t* erinnern (*of* an +*acc*); ***you are ~ed that ...*** wir weisen darauf hin, dass ...; ***that ~s me!*** da(bei) fällt mir was ein **reminder** *n* Gedächtnisstütze *f*; (***letter of***) ***~*** Mahnung *f*; ***his presence was a ~ of ...*** seine Gegenwart erinnerte mich *etc* an (+*acc*) ...
reminisce *v/i* sich in Erinnerungen ergehen (*about* über +*acc*) **reminiscent** *adj* ***to be ~ of sth*** an etw (*acc*) erinnern
remission *n* (*form*) **1.** (*Br* JUR) (Straf)erlass *m* **2.** MED Besserung *f*; ***to be in ~*** (*patient*) sich auf dem Wege der Besserung befinden; (*illness*) abklingen
remittance *n* Überweisung *f* (*to* an +*acc*) **remittance advice** *n* Überweisungsbescheid *m*
remnant *n* Rest *m*; (*fig*) Überrest *m*
remodel *v/t* umformen; (*fig*) umgestalten

remorse *n* Reue *f* (*at*, *over* über *+acc*); ***without ~*** (≈ *merciless*) erbarmungslos **remorseful** *adj* reumütig; ***to feel ~*** Reue spüren **remorseless** *adj* (*fig* ≈ *merciless*) unbarmherzig **remorselessly** *adv* ohne Reue; (*fig* ≈ *mercilessly*) erbarmungslos

remote I *adj* (+*er*) **1.** *place*, *possibility* entfernt; (≈ *isolated*) entlegen; IT rechnerfern; ***in a ~ spot*** an einer entlegenen Stelle **2.** (≈ *aloof*) unnahbar **3.** (≈ *remote-controlled*) *handset* zur Fernbedienung **II** *n* (≈ *remote control*) Fernbedienung *f* **remote access** *n* TEL, IT Fernzugriff *m* **remote control** *n* Fernsteuerung *f*; RADIO, TV Fernbedienung *f* **remote-controlled** *adj* ferngesteuert **remotely** *adv* **1.** ***it's just ~ possible*** es ist gerade eben noch möglich; ***he didn't say anything ~ interesting*** er sagte nichts, was im Entferntesten interessant war; ***I'm not ~ interested in her*** ich bin nicht im Geringsten an ihr interessiert **2.** *situated* entfernt **remoteness** *n* **1.** (≈ *isolation*) Abgelegenheit *f* **2.** (≈ *aloofness*) Unnahbarkeit *f*

removable *adj cover* abnehmbar; (*from container*) herausnehmbar **removal** *n* **1.** Entfernung *f*; (*of stain*) Beseitigung *f*; (*of troops*) Abzug *m*; (*from container*) Herausnehmen *nt*; (*of obstacle*) Ausräumung *f* **2.** (*Br* ≈ *house removal*) Umzug *m* **removal firm** *n* (*Br*) Spedition *f* **removal van** *n* (*Br*) Möbelwagen *m*

remove *v/t* entfernen; *bandage* abnehmen; *clothes* ausziehen; *stain* beseitigen; *troops* abziehen; (*from container*) herausnehmen (*from* aus); *word* streichen; *obstacle* aus dem Weg räumen; *doubt*, *fear* zerstreuen; ***to ~ sth from sb*** jdm etw wegnehmen; ***to ~ one's clothes*** die Kleider ablegen; ***to be far ~d from ...*** weit entfernt sein von ...; ***a cousin once ~d*** ein Cousin *m* ersten Grades

remunerate *v/t* bezahlen; (≈ *reward*) belohnen **remuneration** *n* Bezahlung *f*

Renaissance *n* Renaissance *f*

rename *v/t* umbenennen; ***Leningrad was ~d St Petersburg*** Leningrad wurde in St. Petersburg umbenannt

render *v/t* **1.** (*form*) *service* leisten; ***to ~ assistance*** Hilfe leisten **2.** (*form* ≈ *make*) machen **rendering** *n* Wiedergabe *f*; (*of music*, *poem*) Vortrag *m*

rendezvous *n* **1.** (≈ *place*) Treffpunkt *m* **2.** (≈ *agreement to meet*) Rendezvous *nt*

rendition *n* (*form*) = ***rendering***

renegade I *n* Renegat(in) *m(f)* **II** *adj* abtrünnig

renegotiate *v/t* neu aushandeln

renew *v/t* erneuern; *contract etc* verlängern; (*holder*) verlängern lassen; *attack*, *attempts* wiederaufnehmen **renewable** *adj contract*, *resource* erneuerbar **renewal** *n* Erneuerung *f*; (*of attack*, *attempts*) Wiederaufnahme *f* **renewed** *adj* erneut; ***~ efforts*** neue Anstrengungen; ***~ strength*** frische Kraft; ***~ outbreaks of rioting*** erneute Krawalle *pl*

renounce *v/t right*, *violence* verzichten auf (*+acc*); *terrorism* abschwören (*+dat*)

renovate *v/t* renovieren **renovation** *n* Renovierung *f*

renown *n* guter Ruf; ***of great ~*** von hohem Ansehen **renowned** *adj* berühmt (*for* für)

rent I *n* (*for house*) Miete *f*, Zins *m* (*Aus*); (*for farm*) Pacht *f* **II** *v/t* **1.** *house* mieten; *farm* pachten; *car etc* leihen; *video* ausleihen **2.** (*a.* **rent out**) vermieten; verpachten; verleihen **III** *v/i* (≈ *rent house*) mieten; (≈ *rent farm*) pachten **rental** *n* (≈ *amount paid*) Miete *f*, Zins *m* (*Aus*); ***~ car*** Mietwagen *m*; ***~ library*** (*US*) Leihbücherei *f* **rent boy** *n* (*Br infml*) Strichjunge *m* (*infml*) **rent collector** *n* Mietkassierer(in) *m(f)* **rent-free** *adj*, *adv* mietfrei

renunciation *n* (*of right*, *violence*) Verzicht *m* (*of* auf *+acc*); (*of terrorism*) Aufgabe *f*

reoffend *v/i* erneut straffällig werden

reopen I *v/t* wieder öffnen; *school*, *shop* wiedereröffnen; *debate* wiederaufnehmen; JUR *case* wieder aufrollen **II** *v/i* wieder aufgehen; (*shop etc*) wieder eröffnen **reopening** *n* (*of shop etc*) Wiedereröffnung *f*

reorder *v/t & v/i* nachbestellen

reorganization *n* Neuorganisation *f*; (*of books*) Umordnung *f*; (*of work*) Neueinteilung *f* **reorganize** *v/t* neu organisieren; *books* umordnen; *work* neu einteilen; *company* umstrukturieren

rep COMM *abbr of* ***representative*** Vertreter(in) *m(f)*; ***holiday*** *or* ***travel ~*** Reiseleiter(in) *m(f)*

repaid *pret*, *past part of* ***repay***

repaint *v/t* neu streichen

repair I *v/t* reparieren; (*fig*) *damage* wiedergutmachen **II** *n* **1.** (*lit*) Reparatur *f*; ***to be under ~*** (*machine*) in Reparatur sein; ***beyond ~*** nicht mehr zu reparieren; ***closed for ~s*** wegen Reparaturarbeiten geschlossen **2.** *no pl* ***to be in bad ~*** in schlechtem Zustand sein **repairable** *adj* reparabel **repair shop** *n* Reparaturwerkstatt *f* **reparation** *n* (*for damage*) Entschädigung *f*; (*usu pl*: *after war*) Reparationen *pl*

repartee *n* Schlagabtausch *m*

repatriation *n* Repatriierung *f*

repay *pret*, *past part* ***repaid*** *v/t money* zurückzahlen; *expenses* erstatten; *debt* abzahlen; *kindness* vergelten; ***I'll ~ you on Saturday*** ich zahle dir das Geld am Samstag zurück; ***how can I ever ~ you?*** wie kann ich das jemals wiedergutmachen? **repayable** *adj* rückzahlbar **repayment** *n* (*of money*) Rückzahlung *f* **repayment mortgage** *n* Tilgungshypothek *f*

repeal I *v/t law* aufheben **II** *n* Aufhebung *f*

repeat I *v/t* wiederholen; (*to sb else*) weitersagen (*to sb* jdm); ***to ~ oneself*** sich wiederholen **II** *v/i* wiederholen; ***~ after me*** sprecht mir nach **III** *n* RADIO, TV Wiederholung *f* **repeated** *adj*, **repeatedly** *adv* wiederholt **repeat function** *n* IT Wiederholungsfunktion *f* **repeat performance** *n* ***he gave a ~*** (*fig*) er machte es noch einmal **repeat prescription** *n* MED erneut verschriebenes Rezept

repel *v/t* **1.** *attack* zurückschlagen; *insects* abwehren **2.** (≈ *disgust*) abstoßen **repellent I** *adj* (≈ *disgusting*) abstoßend **II** *n* (≈ *insect repellent*) Insektenschutzmittel *nt*

repent I *v/i* Reue empfinden (*of* über +*acc*) **II** *v/t* bereuen **repentance** *n* Reue *f* **repentant** *adj* reuevoll

repercussion *n* Auswirkung *f* (*on* auf +*acc*); ***that is bound to have ~s*** das wird Kreise ziehen; ***to have ~s on sth*** sich auf etw (*acc*) auswirken

repertoire *n* THEAT, MUS Repertoire *nt* **repertory** *n* **1.** (*a.* **repertory theatre**) Repertoire-Theater *nt* **2.** = ***repertoire***

repetition *n* Wiederholung *f* **repetitive** *adj* sich dauernd wiederholend; *work* monoton; ***to be ~*** sich dauernd wiederholen

rephrase *v/t* neu formulieren, umformulieren

replace *v/t* **1.** (≈ *put back*) zurücksetzen; (*standing up*) zurückstellen; (*flat*) zurücklegen; ***to ~ the receiver*** TEL (den Hörer) auflegen **2.** *person*, *parts* ersetzen; ***to ~ sb/sth with sb/sth*** jdn/etw durch jdn/etw ersetzen **replaceable** *adj* ersetzbar **replacement** *n* Ersatz *m*; (≈ *deputy*) Vertretung *f*; ***~ part*** Ersatzteil *nt*

replay SPORTS **I** *n* Wiederholung *f* **II** *v/t* wiederholen

replenish *v/t* wieder auffüllen; *glass* auffüllen; *shelves* nachfüllen

replica *n* (*of painting*) Reproduktion *f*; (*of ship*, *building etc*) Nachbildung *f* **replicate** *v/t* wiederholen

reply I *n* Antwort *f*; ***in ~*** (als Antwort) darauf; ***in ~ to your letter*** in Beantwortung Ihres Briefes (*form*) **II** *v/t* ***to ~ (to sb) that ...*** (jdm) antworten, dass ... **III** *v/i* antworten (*to sth* auf etw +*acc*)

report I *n* **1.** Bericht *m* (*on* über +*acc*); PRESS, RADIO, TV Reportage *f* (*on* über +*acc*); ***to give a ~ on sth*** Bericht über etw (*acc*) erstatten; RADIO, TV eine Reportage über etw (*acc*) machen; ***an official ~ on the motor industry*** ein Gutachten *nt* über die Autoindustrie; (***school***) ~ Zeugnis *nt* **2.** ***there are ~s that ...*** es wird gesagt, dass ... **II** *v/t* **1.** *findings* berichten über (+*acc*); (*officially*) melden; ***he is ~ed as having said ...*** er soll gesagt haben ... **2.** (*to sb* jdm) *accident*, *crime* melden; ***to ~ sb for sth*** jdn wegen etw melden; ***nothing to ~*** keine besonderen Vorkommnisse! **III** *v/i* **1.** ***to ~ for duty*** sich zum Dienst melden; ***to ~ sick*** sich krankmelden **2.** (≈ *give a report*) berichten (*on* über +*acc*) ◆ **report back** *v/i* Bericht erstatten (*to sb* jdm) ◆ **report to** *v/i* +*prep obj* (*in organization*) unterstellt sein (+*dat*)

reported *adj* gemeldet **reportedly** *adv* angeblich **reported speech** *n* GRAM indirekte Rede **reporter** *n* PRESS, RADIO, TV Reporter(in) *m*(*f*); (*on the spot*) Korrespondent(in) *m*(*f*)

reposition *v/t* anders aufstellen

repository *n* Lager *nt*

repossess *v/t* wieder in Besitz nehmen **repossession** *n* Wiederinbesitznahme *f*

reprehensible *adj* verwerflich

represent *v/t* **1.** darstellen; (≈ *stand for*) stehen für **2.** PARL, JUR vertreten **repre-**

sentation *n* Darstellung *f*; PARL, JUR Vertretung *f* **representative I** *adj* (*of* für) repräsentativ; ***a ~ body*** eine Vertretung; ***~ assembly*** Abgeordnetenversammlung *f* **II** *n* COMM Vertreter(in) *m(f)*; JUR Bevollmächtigte(r); (*US* POL) Abgeordnete(r) *m*/*f*(*m*), Mandatar(in) *m(f)* (*Aus*)

repress *v/t* unterdrücken; PSYCH verdrängen **repressed** *adj* unterdrückt; PSYCH verdrängt **repression** *n* Unterdrückung *f*; PSYCH Verdrängung *f* **repressive** *adj* repressiv

reprieve I *n* JUR Begnadigung *f*; (*fig*) Gnadenfrist *f* **II** *v/t* ***he was ~d*** JUR er wurde begnadigt

reprimand I *n* Tadel *m*; (*official*) Verweis *m* **II** *v/t* tadeln

reprint I *v/t* nachdrucken **II** *n* Nachdruck *m*

reprisal *n* Vergeltungsmaßnahme *f*

reproach I *n* Vorwurf *m*; ***a look of ~*** ein vorwurfsvoller Blick; ***beyond ~*** über jeden Vorwurf erhaben **II** *v/t* Vorwürfe machen (*+dat*); ***to ~ sb for having done sth*** jdm Vorwürfe dafür machen, dass er etw getan hat **reproachful** *adj*, **reproachfully** *adv* vorwurfsvoll

reprocess *v/t sewage*, *atomic waste* wiederaufbereiten **reprocessing plant** *n* Wiederaufbereitungsanlage *f*

reproduce I *v/t* (≈ *copy*) wiedergeben; (*electronically*) reproduzieren **II** *v/i* BIOL sich fortpflanzen **reproduction** *n* **1.** (≈ *procreation*) Fortpflanzung *f* **2.** (≈ *copying*, *copy*) Reproduktion *f* **reproductive** *adj* Fortpflanzungs-

reptile *n* Reptil *nt*

republic *n* Republik *f* **republican I** *adj* republikanisch **II** *n* Republikaner(in) *m(f)* **republicanism** *n* Republikanismus *m*

repugnance *n* Abneigung *f* (*towards*, *for* gegen) **repugnant** *adj* abstoßend

repulse *v/t* MIL zurückschlagen; ***sb is ~d by sth*** (*fig*) etw stößt jdn ab **repulsion** *n* Widerwille *m* (*for* gegen) **repulsive** *adj* abstoßend; ***to be ~ to sb*** für jdn abstoßend sein

reputable *adj* ehrenhaft; *firm* seriös **reputation** *n* Ruf *m*; (≈ *bad reputation*) schlechter Ruf; ***he has a ~ for being ...*** er hat den Ruf, ... zu sein; ***to have a ~ for honesty*** als ehrlich gelten; ***you don't want to get (yourself) a ~, you know*** du willst dich doch sicherlich nicht in Verruf bringen **repute** *v/t* ***he is ~d to be ...*** man sagt, dass er ... ist; ***he is ~d to be the best*** er gilt als der Beste **reputedly** *adv* wie man annimmt

request I *n* Bitte *f*; ***at sb's ~*** auf jds Bitte; ***on ~*** auf Wunsch **II** *v/t* bitten um; RADIO *record* sich (*dat*) wünschen; ***to ~ sth of*** *or* ***from sb*** jdn um etw bitten **request stop** *n* (*Br*) Bedarfshaltestelle *f*

requiem mass *n* Totenmesse *f*

require *v/t* **1.** (≈ *need*) benötigen; *action* erfordern; ***what qualifications are ~d?*** welche Qualifikationen sind erforderlich?; ***if ~d*** falls notwendig; ***as ~d*** nach Bedarf **2.** ***to ~ sb to do sth*** von jdm verlangen, dass er etw tut **required** *adj* erforderlich; ***the ~ amount*** die benötigte Menge **requirement** *n* **1.** (≈ *need*) Bedürfnis *nt*; (≈ *desire*) Wunsch *m*; ***to meet sb's ~s*** jds Wünschen (*dat*) entsprechen **2.** (≈ *condition*) Erfordernis *nt*; (*for job*) Anforderung *f*

reran *pret of* **rerun**

reread *pret*, *past part* **reread** *v/t* nochmals lesen

reroute *v/t bus* umleiten

rerun *vb*: *pret* **reran**, *past part* **rerun I** *v/t tape* wieder abspielen; *race*, *programme* wiederholen **II** *n* (*of race*, *programme*) Wiederholung *f*

resat *pret*, *past part of* **resit**

reschedule *v/t meeting* verlegen

rescue I *n* (≈ *saving*) Rettung *f*; ***to come to sb's ~*** jdm zu Hilfe kommen; ***it was Bob to the ~*** Bob war unsere / seine *etc* Rettung; ***~ attempt*** Rettungsversuch *m* **II** *v/t* (≈ *save*) retten **rescuer** *n* Retter(in) *m(f)* **rescue services** *pl* Rettungsdienst *m*, Rettung *f* (*Aus*, *Swiss*)

research I *n* Forschung *f* (*into*, *on* über *+acc*); ***to do ~*** forschen; ***to carry out ~ into the effects of sth*** Forschungen über die Auswirkungen einer Sache (*gen*) anstellen **II** *v/i* forschen; ***to ~ into sth*** etw erforschen **III** *v/t* erforschen **research assistant** *n* wissenschaftlicher Assistent, wissenschaftliche Assistentin **researcher** *n* Forscher(in) *m(f)*

resemblance *n* Ähnlichkeit *f*; ***to bear a strong ~ to sb/sth*** starke Ähnlichkeit mit jdm / etw haben **resemble** *v/t* gleichen (*+dat*); ***they ~ each other*** sie gleichen sich (*dat*)

resent *v/t remarks* übel nehmen; *person* ein Ressentiment haben gegen; ***he***

~ed her for the rest of his life er nahm ihr das sein Leben lang übel; **he ~ed the fact that ...** er ärgerte sich darüber, dass ...; **to ~ sb's success** jdm seinen Erfolg missgönnen; **I ~ that** das gefällt mir nicht **resentful** *adj* verärgert; (≈ *jealous*) voller Ressentiments (*of* gegen); **to be ~ about sth/of sb** über etw/jdn verärgert sein; **to feel ~ toward(s) sb for doing sth** es jdm übel nehmen, dass er/sie *etc* etw getan hat **resentment** *n* Ärger *m no pl* (*of* über +*acc*)

reservation *n* **1.** (≈ *doubt*) Vorbehalt *m*; **without ~** vorbehaltlos; **with ~s** unter Vorbehalt(en); **to have ~s about sb/sth** Bedenken in Bezug auf jdn/etw haben **2.** (≈ *booking*) Reservierung *f*; **to make a ~** ein Zimmer *etc* reservieren lassen; **to have a ~ (for a room)** ein Zimmer reserviert haben **3.** (*of land*) Reservat *nt*

reserve I *v/t* **1.** (≈ *keep*) aufsparen; **to ~ judgement** mit einem Urteil zurückhalten; **to ~ the right to do sth** sich (*dat*) (das Recht) vorbehalten, etw zu tun **2.** (≈ *book*) reservieren lassen **II** *n* **1.** (≈ *store*) (*of* an +*dat*) Vorrat *m*; FIN Reserve *f*; **to keep sth in ~** etw in Reserve halten; (≈ *land*) Reservat *nt* **2.** (≈ *reticence*) Zurückhaltung *f* **3.** SPORTS Reservespieler(in) *m*(*f*) **reserved** *adj* reserviert **reservist** *n* MIL Reservist(in) *m*(*f*)

reservoir *n* (*lit*) Reservoir *nt*

reset *pret, past part* **reset** *v/t* **1.** *watch* neu stellen (*to* auf +*acc*); *machine* neu einstellen; IT rücksetzen; **~ switch or button** IT Resettaste *f* **2.** MED *bone* wieder einrichten

resettle *v/t refugees* umsiedeln; *land* wieder besiedeln **resettlement** *n* (*of refugees*) Umsiedlung *f*; (*of land*) Neubesied(e)lung *f*

reshape *v/t clay etc* umformen; *policy* umstellen

reshuffle I *v/t cards* neu mischen; (*fig*) *Cabinet* umbilden **II** *n* (*fig*) Umbildung *f*

reside *v/i* (*form*) seinen Wohnsitz haben **residence** *n* **1.** (≈ *house*) Wohnhaus *nt*; (*for students*) Wohnheim *nt*; (*of monarch etc*) Residenz *f* **2.** *no pl* **country of ~** Aufenthaltsland *nt*; **place of ~** Wohnort *m*; **after 5 years' ~ in Britain** nach 5 Jahren Aufenthalt in Großbritannien **residence permit** *n* Aufenthaltsgenehmigung *f* **residency** *n* **1.** (*US*) = **residence** 2 **2.** (*Br*) Residenz *f* **resident I** *n* Bewohner(in) *m*(*f*); (*in town*) Einwohner(in) *m*(*f*); (*in hotel*) Gast *m*; **"residents only"** „Anlieger frei", „Anrainer frei" (*Aus*) **II** *adj* wohnhaft; *staff, population* ansässig; **the ~ population** die ansässige Bevölkerung **residential** *adj* **~ property** Wohngebäude *nt*; **~ street** Wohnstraße *f* **residential area** *n* Wohngebiet *nt* **residential home** *n* Wohnheim *nt*

residual *adj* restlich **residue** *n* Rest *m*; CHEM Rückstand *m*

resign I *v/t* **1.** *post* abgeben **2. to ~ oneself to sth** sich mit etw abfinden; **to ~ oneself to doing sth** sich damit abfinden, etw zu tun **II** *v/i* (*minister, chairman*) zurücktreten; (*employee*) kündigen; **to ~ from office** sein Amt niederlegen; **to ~ from one's job** (seine Stelle) kündigen **resignation** *n* **1.** (*of minister, chairman*) Rücktritt *m*; (*of employee*) Kündigung *f*; (*of civil servant*) Amtsniederlegung *f*; **to hand in one's ~** seinen Rücktritt/seine Kündigung einreichen/sein Amt niederlegen **2.** (≈ *mental state*) Resignation *f* (*to* gegenüber +*dat*) **resigned** *adj person* resigniert; **to become ~ to sth** sich mit etw abfinden; **to be ~ to one's fate** sich in sein Schicksal ergeben haben

resilience *n* **1.** (*of material*) Federn *nt* **2.** (*fig, of person*) Unverwüstlichkeit *f* **resilient** *adj* **1.** *material* federnd *attr*; **to be ~** federn **2.** (*fig*) *person* unverwüstlich

resin *n* Harz *nt*

resist I *v/t* **1.** (≈ *oppose*) sich widersetzen (+*dat*); *advances, attack* Widerstand leisten gegen **2.** *temptation, sb* widerstehen (+*dat*); **I couldn't ~ (eating) another piece of cake** ich konnte der Versuchung nicht widerstehen, noch ein Stück Kuchen zu essen **II** *v/i* **1.** (≈ *be opposed*) sich widersetzen; (*faced with advances, attack*) Widerstand leisten **2.** (*faced with temptation*) widerstehen

resistance *n* (*to* gegen) Widerstand *m*; **to meet with ~** auf Widerstand stoßen; **to offer no ~ (to sb/sth)** (*to attacker, advances etc*) (jdm/gegen etw) keinen Widerstand leisten; (*to proposals*) sich (jdm/einer Sache) nicht widersetzen **resistant** *adj material* strapazierfähig; MED immun (*to* gegen)

resit *vb*: *pret, past part* **resat** (*Br*) **I** *v/t exam* wiederholen **II** *n* Wiederholung(sprüfung) *f*

resolute *adj* energisch; *refusal* entschieden **resolutely** *adv* entschieden; ***to be ~ opposed to sth*** entschieden gegen etw sein **resolution** *n* **1.** (≈ *decision*) Beschluss *m*; *esp* POL Resolution *f*; (≈ *intention*) Vorsatz *m* **2.** *no pl* (≈ *resoluteness*) Entschlossenheit *f* **3.** *no pl* (*of problem*) Lösung *f* **4.** IT Auflösung *f* **resolve I** *v/t* **1.** *problem* lösen; *dispute* beilegen; *differences*, *issue* klären **2.** ***to ~ to do sth*** beschließen, etw zu tun **II** *n no pl* Entschlossenheit *f* **resolved** *adj* (fest) entschlossen

resonate *v/i* widerhallen

resort I *n* **1.** ***as a last ~*** als Letztes; ***you were my last ~*** du warst meine letzte Rettung **2.** (≈ *place*) Urlaubsort *m*; ***seaside ~*** Seebad *nt* **II** *v/i* ***to ~ to sth*** zu etw greifen; ***to ~ to violence*** gewalttätig werden

resound *v/i* (wider)hallen (*with* von) **resounding** *adj noise* widerhallend; *laugh* schallend; (*fig*) *victory* gewaltig; *success* durchschlagend; *defeat* haushoch; ***the response was a ~ "no"*** die Antwort war ein überwältigendes „Nein" **resoundingly** *adv* ***to be ~ defeated*** eine vernichtende Niederlage erleiden

resource I *n* **resources** *pl* Mittel *pl*, Ressourcen *pl*; ***financial ~s*** Geldmittel *pl*; ***mineral ~s*** Bodenschätze *pl*; ***natural ~s*** Rohstoffquellen *pl*; ***human ~s*** Arbeitskräfte *pl* **II** *v/t* (*Br*) *project* finanzieren **resourceful** *adj*, **resourcefully** *adv* einfallsreich **resourcefulness** *n* Einfallsreichtum *m*

respect I *n* **1.** (≈ *esteem*) Respekt *m* (*for* vor +*dat*); ***to have ~ for*** Respekt haben vor (+*dat*); ***I have the highest ~ for his ability*** ich halte ihn für außerordentlich fähig; ***to hold sb in (great) ~*** jdn (sehr) achten **2.** (≈ *consideration*) Rücksicht *f* (*for* auf +*acc*); ***to treat with ~*** *person* rücksichtsvoll behandeln; *clothes etc* schonend behandeln; ***she has no ~ for other people*** sie nimmt keine Rücksicht auf andere; ***with (due) ~, I still think that ...*** bei allem Respekt, meine ich dennoch, dass ... **3.** (≈ *reference*) ***with ~ to ...*** was ... anbetrifft **4.** (≈ *aspect*) Hinsicht *f*; ***in some/many ~s*** in gewisser/vieler Hinsicht; ***in this ~*** in dieser Hinsicht **5. respects** *pl* ***to pay one's ~s to sb*** jdm seine Aufwartung machen; ***to pay one's last ~s to sb*** jdm die letzte Ehre erweisen **II** *v/t* respektieren; *ability* anerkennen; ***a ~ed company*** eine angesehene Firma **respectability** *n* **1.** (≈ *estimable quality*, *of person*) Ehrbarkeit *f*; (*of life*, *district*) Anständigkeit *f* **2.** (*socially*, *of person*) Angesehenheit *f*; (*of businessman*, *hotel*) Seriosität *f* **respectable** *adj* **1.** (≈ *estimable*) *person* ehrbar; *life*, *district* anständig **2.** (*socially*) *person* angesehen; *businessman*, *hotel* seriös; *clothes*, *behaviour* korrekt; ***in ~ society*** in guter Gesellschaft; ***a perfectly ~ way to earn one's living*** eine völlig akzeptable Art und Weise, seinen Lebensunterhalt zu verdienen **3.** *size*, *sum* ansehnlich **4.** *score* beachtlich **respectably** *adv dress*, *behave* anständig **respectful** *adj* respektvoll (*towards* gegenüber); ***to be ~ of sth*** etw respektieren **respectfully** *adv* respektvoll **respecting** *prep* bezüglich (+*gen*) **respective** *adj* jeweilig; ***they each have their ~ merits*** jeder von ihnen hat seine eigenen Vorteile **respectively** *adv* ***the girls' dresses are green and blue ~*** die Mädchen haben grüne beziehungsweise blaue Kleider

respiration *n* Atmung *f* **respiratory** *adj* Atem-; *disease* der Atemwege

respite *n* **1.** (≈ *rest*) Ruhepause *f* (*from* von); (≈ *easing off*) Nachlassen *nt* **2.** (≈ *reprieve*) Aufschub *m*

resplendent *adj person* strahlend

respond *v/i* **1.** (≈ *reply*) antworten; ***to ~ to a question*** eine Frage beantworten **2.** (≈ *react*) reagieren (*to* auf +*acc*); ***the patient ~ed to treatment*** der Patient sprach auf die Behandlung an **response** *n* **1.** (≈ *reply*) Antwort *f*; ***in ~ (to)*** als Antwort (auf +*acc*) **2.** (≈ *reaction*) Reaktion *f*; ***to meet with no ~*** keine Resonanz finden

responsibility *n* **1.** *no pl* Verantwortung *f*; ***to take ~ (for sth)*** die Verantwortung (für etw) übernehmen; ***that's his ~*** dafür ist er verantwortlich **2.** (≈ *duty*) Verpflichtung *f* (*to* für)

responsible *adj* **1.** (≈ *answerable*) verantwortlich; (≈ *to blame*) schuld (*for* an +*dat*); ***what's ~ for the hold-up?*** woran liegt die Verzögerung?; ***who is ~ for breaking the window?*** wer hat das Fenster eingeschlagen?; ***to hold sb ~ for sth*** jdn für etw verantwortlich machen; ***she is ~ for popularizing the***

sport (*her task*) sie ist dafür verantwortlich, die Sportart populärer zu machen; (*her merit*) es ist ihr zu verdanken, dass die Sportart populär geworden ist **2.** *attitude* verantwortungsbewusst; *job* verantwortungsvoll **responsibly** *adv act* verantwortungsbewusst

responsive *adj person* interessiert; *steering* leicht reagierend

rest[1] **I** *n* **1.** (≈ *relaxation*) Ruhe *f*; (≈ *pause*) Pause *f*; (*on holiday*) Erholung *f*; ***a day of ~*** ein Ruhetag *m*; ***I need a ~*** ich muss mich ausruhen; (≈ *vacation*) ich brauche Urlaub; ***to have a ~*** (≈ *relax*) (sich) ausruhen; (≈ *pause*) (eine) Pause machen; ***to have a good night's ~*** sich ordentlich ausschlafen; ***give it a ~!*** (*infml*) hör doch auf!; ***to lay to ~*** (*euph*) zur letzten Ruhe betten; ***to set at ~*** *fears*, *doubts* beschwichtigen; ***to put sb's mind at ~*** jdn beruhigen; ***to come to ~*** (*ball etc*) zum Stillstand kommen; (*bird*) sich niederlassen **2.** (≈ *support*) Auflage *f* **II** *v/i* **1.** (≈ *take rest*) ruhen (*elev*); (≈ *relax*) sich ausruhen; ***she never ~s*** sie arbeitet ununterbrochen; ***to be ~ing*** ruhen (*elev*); ***let the matter ~!*** lass es dabei!; ***may he ~ in peace*** er ruhe in Frieden **2.** (*decision etc*) liegen (*with* bei); ***the matter must not ~ there*** man kann die Sache so nicht belassen; ***(you may) ~ assured that ...*** Sie können versichert sein, dass ... **3.** (≈ *lean*) lehnen (*on* an +*dat*, *against* gegen); (*roof*, *gaze etc*) ruhen (*on* auf +*dat*); (*case*) sich stützen (*on* auf +*acc*); ***her elbows were ~ing on the table*** ihre Ellbogen waren auf den Tisch gestützt; ***her head was ~ing on the table*** ihr Kopf lag auf dem Tisch **III** *v/t* **1.** *one's eyes* ausruhen; ***to feel ~ed*** sich ausgeruht fühlen **2.** *ladder* lehnen (*against* gegen, *on* an +*acc*); *elbow* stützen (*on* auf +*acc*); ***to ~ one's hand on sb's shoulder*** jdm die Hand auf die Schulter legen

rest[2] *n* (≈ *remainder*) Rest *m*; ***the ~ of the boys*** die übrigen Jungen; ***she's no different from the ~*** sie ist wie alle anderen; ***all the ~ of the money*** der ganze Rest des Geldes; ***all the ~ of the books*** alle übrigen Bücher

restart I *v/t race* neu starten; *game* neu beginnen; *engine* wieder anlassen; *machine* wieder anschalten **II** *v/i* (*machine*) wieder starten; (*engine*) wieder anspringen

restate *v/t* **1.** (≈ *express again*) *argument* erneut vortragen; *case* erneut darstellen **2.** (≈ *express differently*) umformulieren; *case* neu darstellen

restaurant *n* Restaurant *nt* **restaurant car** *n* (*Br* RAIL) Speisewagen *m*

restful *adj colour* ruhig; *place* friedlich **rest home** *n* Pflegeheim *nt* **restive** *adj* rastlos **restless** *adj* (≈ *unsettled*) unruhig; (≈ *wanting to move on*) rastlos **restlessness** *n* Unruhe *f*; (≈ *desire to move on*) Rastlosigkeit *f*

restock *v/t shelves* wiederauffüllen

restoration *n* (*of order*) Wiederherstellung *f*; (*to office*) Wiedereinsetzung *f* (*to* in +*acc*); (*of work of art*) Restaurierung *f* **restore** *v/t* **1.** (≈ *give back*) zurückgeben; (≈ *bring back*) zurückbringen; *order* wiederherstellen; ***~d to health*** wiederhergestellt **2.** (*to post*) wiedereinsetzen (*to* in +*acc*); ***to ~ to power*** wieder an die Macht bringen **3.** *painting etc* restaurieren

restrain *v/t person* zurückhalten; *prisoner* mit Gewalt festhalten; *animal*, *madman* bändigen; ***to ~ sb from doing sth*** jdn davon abhalten, etw zu tun; ***to ~ oneself*** sich beherrschen **restrained** *adj person* zurückhaltend; *manner* beherrscht **restraint** *n* **1.** (≈ *restriction*) Beschränkung *f*; ***without ~*** unbeschränkt **2.** (≈ *moderation*) Beherrschung *f*; ***to show a lack of ~*** wenig Beherrschung zeigen; ***he said with great ~ that ...*** er sagte sehr beherrscht, dass ...; ***wage ~*** Zurückhaltung *f* bei Lohnforderungen

restrict *v/t* beschränken (*to* auf +*acc*); *freedom*, *authority* einschränken **restricted** *adj view* beschränkt; *diet* eingeschränkt; *information* geheim; ***within a ~ area*** (≈ *within limited area*) auf begrenztem Gebiet **restricted area** *n* Sperrgebiet *nt* **restriction** *n* (*on sth* etw *gen*) Beschränkung *f*; (*of freedom*, *authority*) Einschränkung *f*; ***to place ~s on sth*** etw beschränken **restrictive** *adj* restriktiv

rest room *n* (*US*) Toilette *f*

restructure COMM, IND **I** *v/t* umstrukturieren **II** *v/i* sich umstrukturieren **restructuring** *n* COMM, IND Umstrukturierung *f*

rest stop *n* (*US* AUTO ≈ *place*) Rastplatz *m*; (≈ *break*) Rast *f*

result I *n* **1.** Folge *f*; ***as a ~ he failed*** folglich fiel er durch; ***as a ~ of this*** und folglich; ***as a ~ of which he ...*** was zur Folge hatte, dass er ...; ***to be the ~ of*** resultieren aus **2.** (*of election etc*) Resultat *nt*; ***~s*** (*of test*) Werte *pl*; ***to get ~s*** (*person*) Resultate erzielen; ***as a ~ of my inquiry*** auf meine Anfrage (hin); ***what was the ~?*** SPORTS wie ist es ausgegangen? **II** *v/i* resultieren (*from* aus) ◆ **result in** *v/i +prep obj* führen zu; ***this resulted in his being late*** das führte dazu, dass er zu spät kam

resume I *v/t* **1.** (≈ *restart*) wiederaufnehmen; *journey* fortsetzen **2.** *command* wieder übernehmen **II** *v/i* wieder beginnen

résumé *n* **1.** Zusammenfassung *f* **2.** (*US* ≈ *curriculum vitae*) Lebenslauf *m*

resumption *n* (*of activity*) Wiederaufnahme *f*; (*of journey*) Fortsetzung *f*; (*of classes*) Wiederbeginn *m*

resurface *v/i* (*diver*) wieder auftauchen; (*fig*) wieder auftauchen

resurgence *n* Wiederaufleben *nt*

resurrect *v/t* (*fig*) *custom*, *career* wiederbeleben **resurrection** *n* **1.** ***the Resurrection*** REL die Auferstehung **2.** (*fig*, *of custom*) Wiederbelebung *f*

resuscitate *v/t* MED wiederbeleben **resuscitation** *n* MED Wiederbelebung *f*

retail I *n* Einzelhandel *m* **II** *v/i* ***to ~ at ...*** im Einzelhandel ... kosten **III** *adv* im Einzelhandel **retailer** *n* Einzelhändler(in) *m*(*f*) **retailing** *n* der Einzelhandel **retail park** *n* (*Br*) Shoppingcenter *nt* **retail price** *n* Einzelhandelspreis *m* **retail therapy** *n* (*hum*) Shopping- *or* Einkaufstherapie *f* (*infml*) **retail trade** *n* Einzelhandel *m*

retain *v/t* **1.** (≈ *keep*) behalten; *possession* zurück(be)halten; *flavour* beibehalten; *moisture* speichern **2.** (*computer*) *information* speichern

retake *pret* ***retook***, *past part* ***retaken*** *v/t* **1.** MIL zurückerobern **2.** *exam* wiederholen (*also* SPORTS)

retaliate *v/i* Vergeltung üben; (*for insults etc*) sich revanchieren (*against sb* an jdm); (SPORTS, *in fight*, *in argument*) kontern; ***he ~d by pointing out that ...*** er konterte, indem er darauf hinwies, dass ...; ***then she ~d by calling him a pig*** sie revanchierte sich damit, dass sie ihn ein Schwein nannte **retaliation** *n* Vergeltung *f*; (*in argument*) Konterschlag *m*; ***in ~*** zur Vergeltung

retarded *adj* ***mentally ~*** geistig zurückgeblieben

retch *v/i* würgen

retd *abbr of* ***retired*** i. R., a. D.

retell *pret*, *past part* ***retold*** *v/t* wiederholen; (*novelist*) nacherzählen

retention *n* Beibehaltung *f*; (*of possession*) Zurückhaltung *f*; (*of water*) Speicherung *f*

rethink *vb*: *pret*, *past part* ***rethought*** **I** *v/t* überdenken **II** *n* (*infml*) Überdenken *nt*; ***we'll have to have a ~*** wir müssen das noch einmal überdenken

reticence *n* Zurückhaltung *f* **reticent** *adj* zurückhaltend

retina *n*, *pl* ***-e*** *or* ***-s*** Netzhaut *f*

retinue *n* Gefolge *nt*

retire *v/i* **1.** (*from job*) aufhören zu arbeiten; (*civil servant*) in den Ruhestand treten; (*player etc*) aufhören; ***to ~ from business*** sich zur Ruhe setzen **2.** (≈ *withdraw*, SPORTS) aufgeben; (*jury*) sich zurückziehen; ***to ~ from public life*** sich aus dem öffentlichen Leben zurückziehen **retired** *adj worker* aus dem Arbeitsleben ausgeschieden (*form*); *civil servant* pensioniert; ***he is ~*** er arbeitet nicht mehr; ***~ people*** Leute, die im Ruhestand sind; ***a ~ worker*** ein Rentner **retirement** *n* **1.** (≈ *stopping work*) Ausscheiden *nt* aus dem Arbeitsleben (*form*); (*of civil servant*) Pensionierung *f*; ***~ at 65*** Altersgrenze *f* bei 65; ***to come out of ~*** wieder zurückkommen **2.** SPORTS Aufgabe *f* **retirement age** *n* Rentenalter *nt*; (*of civil servant*) Pensionsalter *nt* **retirement home** *n* Seniorenheim *nt* **retirement pension** *n* Altersruhegeld *nt* (*form*)

retold *pret*, *past part of* ***retell***

retook *pret of* ***retake***

retrace *v/t past* zurückverfolgen; ***to ~ one's steps*** denselben Weg zurückgehen

retract *v/t offer* zurückziehen; *statement* zurücknehmen **retraction** *n* **1.** (*of offer*) Rückzug *m*; (*of statement*) Rücknahme *f* **2.** (≈ *thing retracted*) Rückzieher *m*

retrain I *v/t* umschulen **II** *v/i* sich umschulen lassen **retraining** *n* Umschulung *f*

retreat I *n* **1.** MIL Rückzug *m*; ***in ~*** auf dem Rückzug; ***to beat a*** (***hasty***) ***~*** (*fig*) (schleunigst) das Feld räumen **2.** (≈ *place*) Zufluchtsort *m* **II** *v/i* MIL den Rückzug antreten

retrial *n* JUR Wiederaufnahmeverfahren *nt*
retribution *n* Vergeltung *f*
retrievable *adj* IT *data* abrufbar; (*after a crash*) wiederherstellbar **retrieval** *n* (≈ *recovering*) Heraus-/Herunterholen *etc nt*; (IT: *of information*) Abrufen *nt*; (*after a crash*) Wiederherstellen *nt* **retrieve** *v/t* (≈ *recover*) heraus-/herunterholen *etc*; (≈ *rescue*) retten; IT abrufen; (*after a crash*) wiederherstellen **retriever** *n* (≈ *breed*) Retriever *m*
retro- *pref* rück-, Rück- **retroactive** *adj*, **retroactively** *adv* rückwirkend **retrograde** *adj* rückläufig; **~ *step*** Rückschritt *m* **retrospect** *n* ***in ~*** im Nachhinein; ***in ~, what would you have done?*** was hätten Sie rückblickend gemacht? **retrospective** *adj* rückblickend; ***a ~ look (at)*** ein Blick *m* zurück (auf +*acc*) **retrospectively** *adv* (≈ *in retrospect*) rückblickend
retry *v/t* JUR *case* neu verhandeln; *person* neu verhandeln gegen
return I *v/i* (≈ *come back*) zurückkommen; (≈ *go back*) zurückgehen/-fahren; (*symptoms*, *fears*) wiederkommen; ***to ~ to London/the group*** nach London / zur Gruppe zurückkehren; ***to ~ to school*** wieder in die Schule gehen; ***to ~ to (one's) work*** (*after pause*) wieder an seine Arbeit gehen; ***to ~ to a subject*** auf ein Thema zurückkommen; ***to ~ home*** nach Hause kommen / gehen **II** *v/t* **1.** (≈ *give back*) zurückgeben (*to sb* jdm); (≈ *bring back*) zurückbringen (*to sb* jdm); (≈ *put back*) zurücksetzen *etc*; (≈ *send back*) *letter etc* zurückschicken (*to* an +*acc*); ***to ~ sb's (phone) call*** jdn zurückrufen; ***to ~ a book to the shelf/box*** ein Buch auf das Regal zurückstellen / in die Kiste zurücklegen; ***to ~ fire*** MIL das Feuer erwidern **2.** ***to ~ a verdict of guilty (on sb)*** JUR (jdn) schuldig sprechen **3.** FIN *profit* abwerfen **III** *n* **1.** (≈ *coming/going back*) Rückkehr *f*; ***on my ~*** bei meiner Rückkehr; ***~ home*** Heimkehr *f*; ***by ~ (of post)*** (*Br*) postwendend; ***many happy ~s (of the day)!*** herzlichen Glückwunsch zum Geburtstag! **2.** (≈ *giving back*) Rückgabe *f*; (≈ *bringing back*) Zurückbringen *nt*; (≈ *putting back*) Zurücksetzen *etc nt* **3.** (*Br*: *a.* **return ticket**) Rückfahrkarte *f* **4.** (*from investments*) Einkommen *nt* (*on* aus); (*on capital*) Gewinn *m* (*on* aus) **5.** (*fig*) ***in ~*** dafür; ***in ~ for*** für **6.** ***tax ~*** Steuererklärung *f* **7.** TENNIS Return *m* **returnable** *adj* (≈ *reusable*) Mehrweg-; ***~ bottle*** Mehrwegflasche *f*; (*with deposit*) Pfandflasche *f* **return fare** *n* (*Br*) Preis *m* für eine Rückfahrkarte *or* (AVIAT) ein Rückflugticket *nt* **return flight** *n* (*Br*) (Hin- und) Rückflug *m* **return journey** *n* (*Br*) Rückreise *f* **return key** *n* IT Returntaste *f*
return ticket *n* (*Br*) Rückfahrkarte *f*; AVIAT Rückflugticket *nt* **return visit** *n* (*to place*) zweiter Besuch; ***to make a ~ (to a place)*** (an einen Ort) zurückkehren
reunification *n* Wiedervereinigung *f*
reunion *n* (≈ *gathering*) Zusammenkunft *f* **reunite I** *v/t* wiedervereinigen; ***they were ~d at last*** sie waren endlich wieder vereint **II** *v/i* (*countries etc*) sich wiedervereinigen
reusable *adj* wiederverwertbar **reuse** *v/t* wiederverwenden
Rev, Revd *abbr of* ***Reverend***
rev I *v/i* (*driver*) den Motor auf Touren bringen **II** *v/t* *engine* aufheulen lassen
◆ **rev up** *v/t & v/i* AUTO = ***rev***
revalue *v/t* FIN aufwerten
revamp *v/t* (*infml*) *book*, *image* aufmotzen (*infml*); *company* auf Vordermann bringen (*infml*)
reveal *v/t* **1.** (≈ *make visible*) zum Vorschein bringen; (≈ *show*) zeigen **2.** *truth* aufdecken; *identity* enthüllen; *name*, *details* verraten; ***he could never ~ his feelings for her*** er konnte seine Gefühle für sie nie zeigen; ***what does this ~ about the motives of the hero?*** was sagt das über die Motive des Helden aus? **revealing** *adj* aufschlussreich; *skirt etc* viel zeigend
revel I *v/i* ***to ~ in sth*** etw in vollen Zügen genießen; ***to ~ in doing sth*** seine wahre Freude daran haben, etw zu tun **II** *n* **revels** *pl* Feiern *nt*
revelation *n* Enthüllung *f*
reveller, (*US*) **reveler** *n* Feiernde(r) *m/f(m)* **revelry** *n usu pl* Festlichkeit *f*
revenge *n* Rache *f*; SPORTS Revanche *f*; ***to take ~ on sb (for sth)*** sich an jdm (für etw) rächen; ***to get one's ~*** sich rächen; SPORTS sich revanchieren; ***in ~ for*** als Rache für
revenue *n* (*of state*) öffentliche Einnahmen *pl*; (≈ *tax revenue*) Steueraufkommen *nt*

reverberate *v/i* (*sound*) nachhallen
reverence *n* Ehrfurcht *f*; ***to treat sth with ~*** etw ehrfürchtig behandeln
reverend I *adj* ***the Reverend Robert Martin*** ≈ Pfarrer Robert Martin II *n* (*infml*) ≈ Pfarrer *m*
reverently *adv* ehrfürchtig
reversal *n* (*of order*) Umkehren *nt*; (*of process*) Umkehrung *f*; (*of policy*) Umkrempeln *nt*; (*of decision*) Rückgängigmachen *nt* **reverse** I *adj* (≈ *opposite*) umgekehrt II *n* **1.** (≈ *opposite*) Gegenteil *nt*; ***quite the ~!*** ganz im Gegenteil! **2.** (≈ *back*) Rückseite *f* **3.** AUTO Rückwärtsgang *m*; ***in ~*** im Rückwärtsgang; ***to put a/the car into ~*** den Rückwärtsgang einlegen III *v/t* **1.** *order, process* umkehren; *policy* umkrempeln; *decision* rückgängig machen; ***to ~ the charges*** (*Br* TEL) ein R-Gespräch führen **2.** ***to ~ one's car into a tree*** (*esp Br*) rückwärts gegen einen Baum fahren IV *v/i* (*esp Br: in car*) zurücksetzen **reverse gear** *n* AUTO Rückwärtsgang *m* **reversible** *adj decision* rückgängig zu machen *pred*, rückgängig zu machend *attr*; *process* umkehrbar **reversible jacket** *n* Wendejacke *f* **reversing light** *n* Rückfahrscheinwerfer *m*
reversion *n* (*to former state*) Umkehr *f* (*to* zu) **revert** *v/i* (*to former state*) zurückkehren (*to* zu)
review I *n* **1.** (≈ *look back*) Rückblick *m* (*of* auf +*acc*); (≈ *report*) Überblick *m* (*of* über +*acc*) **2.** (≈ *re-examination*) nochmalige Prüfung; ***the agreement comes up for ~*** *or* ***comes under ~ next year*** das Abkommen wird nächstes Jahr nochmals geprüft; ***his salary is due for ~ in January*** im Januar wird sein Gehalt neu festgesetzt **3.** (*of book etc*) Kritik *f* II *v/t* **1.** *the past etc* zurückblicken auf (+*acc*) **2.** *situation, case* erneut (über)prüfen **3.** *book etc* besprechen **4.** (*US: before exam*) wiederholen **reviewer** *n* Kritiker(in) *m(f)*
revise I *v/t* **1.** (≈ *change*) revidieren **2.** (*Br* ≈ *learn up*) wiederholen II *v/i* (*Br*) (den Stoff) wiederholen **revised** *adj* **1.** revidiert; *offer* neu **2.** *edition* überarbeitet **revision** *n* **1.** (*of opinion*) Revidieren *nt* **2.** (*Br, for exam*) Wiederholung *f* (des Stoffs) **3.** (≈ *revised version*) überarbeitete Ausgabe
revisit *v/t* wieder besuchen
revitalize *v/t* neu beleben
revival *n* **1.** (*of play*) Wiederaufnahme *f* **2.** (≈ *return: of custom etc*) Wiederaufleben *nt*; ***an economic ~*** ein wirtschaftlicher Wiederaufschwung **revive** I *v/t person* wiederbeleben; *economy* wieder ankurbeln; *memories* wieder lebendig werden lassen; *custom* wieder aufleben lassen; *career* wiederaufnehmen; ***to ~ interest in sth*** neues Interesse an etw (*dat*) wecken II *v/i* (*person, from fainting*) wieder zu sich kommen; (*from fatigue*) wieder munter werden; (*trade*) wieder aufblühen
revoke *v/t law* aufheben; *decision* widerrufen; *licence* entziehen
revolt I *n* Revolte *f* II *v/i* revoltieren (*against* gegen) III *v/t* abstoßen; ***I was ~ed by it*** es hat mich abgestoßen (*infml*) **revolting** *adj* (≈ *repulsive*) abstoßend; *meal* ekelhaft; (*infml* ≈ *unpleasant*) *colour, dress* scheußlich; *person* widerlich
revolution *n* **1.** Revolution *f* **2.** (≈ *turn*) Umdrehung *f* **revolutionary** I *adj* revolutionär II *n* Revolutionär(in) *m(f)* **revolutionize** *v/t* revolutionieren
revolve I *v/t* drehen II *v/i* sich drehen **revolver** *n* Revolver *m* **revolving door** *n* Drehtür *f*
revue *n* THEAT Revue *f*; (*satirical*) Kabarett *nt*
revulsion *n* Ekel *m* (*at* vor +*dat*)
reward I *n* Belohnung *f*; ***the ~s of this job*** die Vorzüge dieser Arbeit II *v/t* belohnen **reward card** *n* COMM Paybackkarte *f* **rewarding** *adj* lohnend; *work* dankbar; ***bringing up a child is ~*** ein Kind großzuziehen ist eine lohnende Aufgabe
rewind *pret, past part* **rewound** *v/t tape* zurückspulen; ***~ button*** Rückspultaste *f*
reword *v/t* umformulieren
rewound *pret, past part of* **rewind**
rewrite *pret* **rewrote**, *past part* **rewritten** *v/t* (≈ *write out again*) neu schreiben; (≈ *recast*) umschreiben; ***to ~ the record books*** einen neuen Rekord verzeichnen
Rhaeto-Romanic *n* Rätoromanisch *nt*
rhapsody *n* MUS Rhapsodie *f*; (*fig*) Schwärmerei *f*
Rhenish *adj* rheinisch
rhetoric *n* Rhetorik *f* **rhetorical** *adj*, **rhetorically** *adv* rhetorisch
rheumatic *n* **rheumatics** *sg* Rheumatismus *m* **rheumatism** *n* Rheuma *nt*

Rhine *n* Rhein *m* **Rhineland** *n* Rheinland *nt*
rhino, rhinoceros *n* Nashorn *nt*
rhododendron *n* Rhododendron *m or nt*
rhombus *n* Rhombus *m*
rhubarb *n* Rhabarber *m*
rhyme **I** *n* **1.** (≈ *rhyming word*) Reim *m*; ***there's no ~ or reason to it*** das hat weder Sinn noch Verstand **2.** (≈ *poem*) Gedicht *nt*; ***in ~*** in Reimen **II** *v/i* sich reimen
rhythm *n* Rhythmus *m* **rhythmic(al)** *adj*, **rhythmically** *adv* rhythmisch
rib **I** *n* Rippe *f*; ***to poke sb in the ~s*** jdn in die Rippen stoßen **II** *v/t* (*infml* ≈ *tease*) necken **ribbed** *adj* gerippt
ribbon *n* **1.** (*for hair*) Band *nt*; (*for typewriter*) Farbband *nt*; (*fig*, *strip*) Streifen *m* **2.** ***to tear sth to ~s*** etw zerfetzen
rib cage *n* Brustkorb *m*
rice *n* Reis *m* **rice pudding** *n* (*esp Br*) Milchreis *m*
rich **I** *adj* (*+er*) reich; *style* prächtig; *food* schwer; *soil* fruchtbar; *smell* stark; ***that's ~!*** (*iron*) das ist stark (*infml*); ***to be ~ in sth*** reich an etw (*dat*) sein; ***~ in protein*** eiweißreich; ***~ in minerals*** reich an Bodenschätzen; ***a ~ diet*** reichhaltige Kost **II** *n* **1.** ***the ~*** *pl* die Reichen *pl* **2. riches** *pl* Reichtümer *pl* **richly** *adv dress*, *decorate* prächtig; *rewarded* reichlich; ***he ~ deserves it*** er hat es mehr als verdient **richness** *n* Reichtum *m* (*in* an *+dat*); (*of style*) Pracht *f*; (*of food*) Schwere *f*; (*of soil*) Fruchtbarkeit *f*; ***the ~ of his voice*** seine volle Stimme
rickety *adj furniture etc* wack(e)lig
ricochet **I** *n* Abprall *m* **II** *v/i* abprallen (*off* von)
rid *pret*, *past part* **rid** *or* **ridded** *v/t* ***to ~ of*** befreien von; ***to ~ oneself of sb/sth*** jdn/etw loswerden; *of pests also* sich von etw befreien; ***to get ~ of sb/sth*** jdn/etw loswerden; ***to be ~ of sb/sth*** jdn/etw los sein; ***get ~ of it*** sieh zu, dass du das loswirst; ***you are well ~ of him*** ein Glück, dass du den los bist **riddance** *n* ***good ~!*** (*infml*) ein Glück, dass wir das *etc* los sind
ridden **I** *past part of* **ride** **II** *adj* ***debt-~*** hoch verschuldet; ***disease-~*** von Krankheiten befallen
riddle[1] *v/t* ***~d with holes*** völlig durchlöchert; ***~d with woodworm*** wurmzerfressen; ***~d with corruption*** von der Korruption zerfressen; ***~d with mistakes*** voller Fehler
riddle[2] *n* Rätsel *nt*; ***to speak in ~s*** in Rätseln sprechen
ride *vb*: *pret* **rode**, *past part* **ridden** **I** *n* Fahrt *f*; (*on horse*) Ritt *m*; (*for pleasure*) Ausritt *m*; ***to go for a ~*** eine Fahrt machen; (*on horse*) reiten gehen; ***cycle ~*** Radfahrt *f*; ***to go for a ~ in the car*** mit dem Auto wegfahren; ***I just went along for the ~*** (*fig infml*) ich bin nur zum Vergnügen mitgegangen; ***to take sb for a ~*** (*infml* ≈ *deceive*) jdn anschmieren (*infml*); ***he gave me a ~ into town in his car*** er nahm mich im Auto in die Stadt mit; ***can I have a ~ on your bike?*** kann ich mal mit deinem Rad fahren? **II** *v/i* **1.** (*on a horse etc*, SPORTS) reiten (*on* auf *+dat*); ***to go riding*** reiten gehen **2.** (*in vehicle*, *by cycle*) fahren; ***he was riding on a bicycle*** er fuhr mit einem Fahrrad **III** *v/t Pferd* reiten; *bicycle* fahren mit; ***to ~ a motorbike*** Motorrad fahren ◆ **ride on** *v/i +prep obj* (*reputation*) hängen an (*+dat*) ◆ **ride up** *v/i* (*skirt etc*) hochrutschen
rider *n* (*on horse*) Reiter(in) *m*(*f*); (*on bicycle*, *motorcycle*) Fahrer(in) *m*(*f*)
ridge *n* (*on fabric etc*) Rippe *f*; (*of mountains*) Rücken *m*; ***a ~ of hills*** eine Hügelkette; ***a ~ of mountains*** ein Höhenzug *m*; ***a ~ of high pressure*** METEO ein Hochdruckkeil *m*
ridicule **I** *n* Spott *m* **II** *v/t* verspotten **ridiculous** *adj* lächerlich; ***don't be ~*** red keinen Unsinn; ***to make oneself (look) ~*** sich lächerlich machen; ***to be made to look ~*** der Lächerlichkeit preisgegeben werden; ***to go to ~ lengths (to do sth)*** großen Aufwand betreiben(, um etw zu tun) **ridiculously** *adv* lächerlich
riding *n* Reiten *nt*; ***I enjoy ~*** ich reite gern
rife *adj* weitverbreitet; ***to be ~*** grassieren; ***~ with*** voll von, voller *+gen*
rifle[1] *v/t* (*a.* **rifle through**) durchwühlen
rifle[2] *n* (≈ *gun*) Gewehr *nt* **rifle range** *n* Schießstand *m*
rift *n* Spalt *m*; (*fig*) Riss *m*
rig **I** *n* (≈ *oil rig*) (Öl)förderturm *m*; (*offshore*) Ölbohrinsel *f* **II** *v/t* (*fig*) *election etc* manipulieren
right **I** *adj* **1.** richtig; ***he thought it ~ to warn me*** er hielt es für richtig, mich zu warnen; ***it seemed only ~ to give him the money*** es schien richtig, ihm das Geld zu geben; ***it's only ~ (and***

proper) es ist nur recht und billig; ***to be ~*** (*person*) recht haben; (*answer*) stimmen; ***what's the ~ time?*** wie viel Uhr ist es genau?; ***you're quite ~*** Sie haben ganz recht; ***you were ~ to refuse*** Sie hatten recht, als Sie ablehnten; ***to put ~*** *error* korrigieren; *situation* wieder in Ordnung bringen; ***I tried to put things ~ after their quarrel*** ich versuchte, nach ihrem Streit wieder einzulenken; ***what's the ~ thing to do in this case?*** was tut man da am besten?; ***to do sth the ~ way*** etw richtig machen; ***Mr/Miss Right*** (*infml*) der/die Richtige (*infml*); ***we will do what is ~ for the country*** wir werden tun, was für das Land gut ist; ***the medicine soon put him ~*** die Medizin hat ihn schnell wiederhergestellt; ***he's not ~ in the head*** (*infml*) bei ihm stimmts nicht im Oberstübchen (*infml*) **2.** ***~!*** okay (*infml*); ***that's ~!*** das stimmt!; ***so they came in the end — is that ~?*** und so kamen sie schließlich — wirklich?; ***~ enough!*** (das) stimmt! **3.** (≈ *not left*) rechte(r, s) **II** *adv* **1.** (≈ *directly*) direkt; (≈ *exactly*) genau; ***~ in front of you*** direkt vor Ihnen; ***~ away*** sofort; ***~ now*** (≈ *at this moment*) in diesem Augenblick; (≈ *immediately*) sofort; ***~ here*** genau hier; ***~ in the middle*** genau in der Mitte; ***~ at the beginning*** gleich am Anfang; ***I'll be ~ with you*** ich bin gleich da **2.** (≈ *completely*) ganz **3.** (≈ *correctly*) richtig; ***nothing goes ~ for them*** nichts klappt bei ihnen (*infml*) **4.** (≈ *not left*) rechts; ***turn ~*** biegen Sie rechts ab **III** *n* **1.** *no pl* (*moral, legal*) Recht *nt*; ***to be in the ~*** im Recht sein; (***to have***) ***a ~ to sth*** einen Anspruch auf etw (*acc*) (haben); ***he is within his ~s*** das ist sein gutes Recht; ***by ~s*** rechtmäßig; ***in one's own ~*** selber **2. rights** *pl* COMM Rechte *pl* **3.** ***to put*** *or* ***set sth to ~s*** etw (wieder) in Ordnung bringen; ***to put the world to ~s*** die Welt verbessern **4.** (≈ *not left*) rechte Seite; ***to drive on the ~*** rechts fahren; ***to keep to the ~*** sich rechts halten; ***on my ~*** rechts (von mir); ***on*** *or* ***to the ~ of the church*** rechts von der Kirche; ***the Right*** POL die Rechte **IV** *v/t* **1.** (≈ *make upright*) aufrichten **2.** *wrong* wiedergutmachen **right angle** *n* rechter Winkel; ***at ~s*** (***to***) rechtwinklig (zu) **right-angled** *adj* rechtwinklig **right-click** IT **I** *v/i* rechts klicken **II** *v/t* rechts klicken auf (*+acc*)

righteous *adj* **1.** rechtschaffen **2.** *anger* gerecht **rightful** *adj* rechtmäßig **rightfully** *adv* rechtmäßig; ***they must give us what is ~ ours*** sie müssen uns geben, was uns rechtmäßig zusteht **right-hand** *adj* ***~ drive*** rechtsgesteuert **right-handed** *adj, adv* rechtshändig **right-hander** *n* Rechtshänder(in) *m(f)* **right-hand man** *n* rechte Hand **rightly** *adv* richtig; ***they are ~ regarded as ...*** sie werden zu Recht als ... angesehen; ***if I remember ~*** wenn ich mich recht erinnere; ***and ~ so*** und zwar mit Recht **right-minded** *adj* vernünftig **right of way** *n* (*across property*) Durchgangsrecht *nt*; MOT Vorfahrt *f*, Vortritt *m* (*Swiss*) **right wing** *n* POL rechter Flügel **right-wing** *adj* POL rechtsgerichtet; ***~ extremist*** Rechtsextremist(in) *m(f)* **right-winger** *n* SPORTS Rechtsaußen *m*; POL Rechte(r) *m/f(m)*

rigid *adj material, system* starr; *principles* streng; ***~ with fear*** starr vor Angst; ***to be bored ~*** sich zu Tode langweilen **rigidity** *n* (*of board, material, system*) Starrheit *f*; (*of character*) Striktheit *f*; (*of discipline, principles*) Strenge *f* **rigidly** *adv* **1.** (*lit*) *stand etc* starr **2.** (*fig*) *treat* strikt

rigor *n* (*US*) = ***rigour*** **rigorous** *adj person, method* strikt; *measures* rigoros; *tests* gründlich **rigorously** *adv enforce* rigoros; *test* gründlich **rigour**, (*US*) **rigor** *n* **rigours** *pl* (*of climate etc*) Unbilden *pl*

rim *n* (*of cup, hat*) Rand *m*; (*of spectacles*) Fassung *f*; (*of wheel*) Felge *f* **rimmed** *adj* mit Rand; ***gold-~ spectacles*** Brille *f* mit Goldfassung

rind *n* (*of cheese*) Rinde *f*; (*of bacon*) Schwarte *f*; (*of fruit*) Schale *f*

ring[1] **I** *n* Ring *m*; (*at circus*) Manege *f*; ***to run ~s round sb*** (*infml*) jdn in die Tasche stecken (*infml*) **II** *v/t* (≈ *surround*) umringen; (≈ *put ring round*) einkreisen

ring[2] *vb*: *pret* ***rang***, *past part* ***rung*** **I** *n* **1.** (*sound*) Klang *m*; (≈ *ringing*) (*of bell*) Läuten *nt*; (*of alarm clock, phone*) Klingeln *nt*; ***there was a ~ at the door*** es hat geklingelt **2.** (*esp Br* TEL) ***to give sb a ~*** jdn anrufen **II** *v/i* **1.** (≈ *make sound*) klingen; (*bell*) läuten; (*alarm clock, phone*) klingeln; ***the*** (***door***)***bell rang*** es hat geklingelt **2.** (*esp Br* TEL) anrufen **3.** (≈ *sound*) tönen; ***to ~ true*** wahr klingen **III** *v/t* **1.** *bell* läuten; ***to ~ the doorbell*** (an der Tür) klingeln; ***that ~s a bell*** (*fig infml*) das kommt mir bekannt vor **2.** (*esp Br*: *a.* **ring up**) anrufen ◆ **ring back** *v/i, v/t sep* (*esp Br*) zurückrufen ◆ **ring off** *v/i* (*esp Br* TEL) auflegen ◆ **ring out** *v/i* (*bell*) ertönen; (*shot*) knallen ◆ **ring up** *v/t sep* **1.** (*esp Br* TEL) anrufen **2.** (*cashier*) eintippen

ring binder *n* Ringbuch *nt* **ring finger** *n* Ringfinger *m* **ringing I** *adj bell* läutend; *~ **tone*** (*Br* TEL) Rufzeichen *nt* **II** *n* (*of bell*) Läuten *nt*; (*of alarm clock, phone*) Klingeln *nt*; (*in ears*) Klingen *nt* **ringleader** *n* Anführer(in) *m(f)* **ringmaster** *n* Zirkusdirektor *m* **ring road** *n* (*Br*) Umgehung(sstraße) *f*, Umfahrung(sstraße) *f* (*Aus*) **ring tone, ringtone** *n* TEL Klingelton *m*

rink *n* **1.** Eisbahn *f* **2.** (≈ *roller-skating rink*) Rollschuhbahn *f*

rinse I *n* Spülung *f*; (≈ *colourant*) Tönung *f*; ***to give sth a ~*** *clothes, hair* etw spülen; *plates* etw abspülen; *cup, mouth* etw ausspülen **II** *v/t clothes, hair* spülen; *plates* abspülen; *cup, mouth* ausspülen ◆ **rinse out** *v/t sep* auswaschen

riot I *n* POL Aufruhr *m no pl*; (*by mob*) Krawall *m*; (*fig*) Orgie *f*; ***to run ~*** (*people*) randalieren; (*vegetation*) wuchern **II** *v/i* randalieren **rioter** *n* Randalierer(in) *m(f)* **rioting** *n* Krawalle *pl* **riotous** *adj person* randalierend; *behaviour* wild

rip I *n* Riss *m* **II** *v/t* zerreißen; ***to ~ open*** aufreißen **III** *v/i* **1.** reißen **2.** (*infml*) ***to let ~*** loslegen (*infml*) ◆ **rip off** *v/t sep* **1.** (*lit*) abreißen (*prep obj* von); *clothing* herunterreißen **2.** (*infml*) *person* abzocken (*infml*) ◆ **rip up** *v/t sep* zerreißen

ripe *adj* (*+er*) **1.** reif; ***to live to a ~ old age*** ein hohes Alter erreichen; ***to be ~ for the picking*** pflückreif sein **2.** (*infml*) *smell* durchdringend **ripen I** *v/t* reifen lassen **II** *v/i* reifen **ripeness** *n* Reife *f*

rip-off *n* (*infml*) Wucher *m*; (≈ *cheat*) Schwindel *m*; (≈ *copy*) Abklatsch *m*

ripple I *n* **1.** kleine Welle **2.** ***a ~ of laughter*** ein kurzes Lachen **II** *v/i* (*water*) sich kräuseln **III** *v/t water* kräuseln; *muscles* spielen lassen

rise *vb*: *pret* ***rose***, *past part* ***risen*** **I** *n* **1.** (≈ *increase*) (*in sth* etw *Gen*) Anstieg *m*; (*in number*) Zunahme *f*; ***a (pay) ~*** (*Br*) eine Gehaltserhöhung; ***there has been a ~ in the number of participants*** die Zahl der Teilnehmer ist gestiegen **2.** (*of sun*) Aufgehen *nt*; (*fig*: *to fame etc*) Aufstieg *m* (*to* zu) **3.** (≈ *small hill*) Erhebung *f*; (≈ *slope*) Steigung *f* **4.** ***to give ~ to sth*** etw verursachen **II** *v/i* **1.** (*from sitting, lying*) aufstehen; ***~ and shine!*** (*infml*) raus aus den Federn! (*infml*) **2.** (≈ *go up*) steigen; (*curtain*) sich heben; (*sun, bread*) aufgehen; (*voice*) sich erheben; ***to ~ to the surface*** an die Oberfläche kommen; ***her spirits rose*** ihre Stimmung hob sich; ***to ~ to a crescendo*** zu einem Crescendo anschwellen; ***to ~ to fame*** Berümtheit erlangen; ***he rose to be President*** er stieg zum Präsidenten auf **3.** (*ground*) ansteigen **4.** (*a.* **rise up**) (≈ *revolt*) sich erheben; ***to ~ (up) in protest (at sth)*** sich protestierend (gegen etw) erheben ◆ **rise above** *v/i +prep obj level* ansteigen um mehr als; *insults etc* erhaben sein über (*+acc*) ◆ **rise up** *v/i* (*person*) aufstehen; (*mountain etc*) sich erheben

risen *past part of* ***rise*** **rising I** *n* **1.** (≈ *rebellion*) Aufstand *m* **2.** (*of sun*) Aufgehen *nt*; (*of prices*) (An)steigen *nt* **II** *adj* **1.** *sun* aufgehend; *tide* steigend **2.** (≈ *increasing*) steigend; *crime* zunehmend **3.** (*fig*) ***a ~ politician*** ein kommender Politiker

risk I *n* Risiko *nt*; ***health ~*** Gesundheitsgefahr *f*; ***to take ~s/a ~*** Risiken / ein Risiko eingehen; ***to run the ~ of doing sth*** das Risiko eingehen, etw zu tun; ***"cars parked at owners' ~"*** „Parken auf eigene Gefahr"; ***to be at ~*** gefährdet sein; ***to put sb at ~*** jdn gefährden; ***to put sth at ~*** etw riskieren; ***fire ~*** Feuerrisiko **II** *v/t* riskieren; ***you'll ~ losing your job*** Sie riskieren dabei, Ihre Stelle zu verlieren **risky** *adj* (*+er*) riskant

risqué *adj* gewagt

rite *n* Ritus *m*; ***burial ~s*** Bestattungsriten *pl*

ritual I *adj* **1.** rituell **2.** *visit* üblich **II** *n* Ritual *nt*

rival I *n* Rivale *m*, Rivalin *f* (*for* um, *to* für); COMM Konkurrent(in) *m(f)* **II** *adj groups* rivalisierend; *claims* konkurrierend **III** *v/t* COMM konkurrieren mit; ***his achievements ~ yours*** seine Leistungen können sich mit deinen messen **rivalry** *n* Rivalität *f*; COMM Konkurrenzkampf *m*

river *n* Fluss *m*; ***down ~*** flussabwärts; ***up ~*** flussaufwärts; ***the ~ Rhine*** (*Br*), ***the Rhine ~*** (*US*) der Rhein **riverbed** *n* Flussbett *nt* **riverside** *n* Flussufer *nt*;

on/by the ~ am Fluss

rivet **I** *n* Niete *f* **II** *v/t* (*fig*) *attention* fesseln; ***his eyes were ~ed to the screen*** sein Blick war auf die Leinwand geheftet **riveting** *adj* fesselnd

road *n* **1.** Straße *f*; ***by ~*** (*send sth*) per Spedition; (*travel*) mit dem Bus *etc*; ***across the ~*** (***from us***) gegenüber (von uns); ***my car is off the ~ just now*** ich kann mein Auto momentan nicht benutzen; ***this vehicle shouldn't be on the ~*** das Fahrzeug ist nicht verkehrstüchtig; ***to take to the ~*** sich auf den Weg machen; ***to be on the ~*** (≈ *travelling*) unterwegs sein; (*theatre company*) auf Tournee sein; ***is this the ~ to London?*** geht es hier nach London?; ***to have one for the ~*** (*infml*) zum Abschluss noch einen trinken **2.** (*fig*) Weg *m*; ***you're on the right ~*** Sie sind auf dem richtigen Weg; ***on the ~ to ruin*** auf dem Weg ins Verderben **road accident** *n* Verkehrsunfall *m* **roadblock** *n* Straßensperre *f* **road hog** *n* (*infml*) Verkehrsrowdy *m* (*infml*) **road map** *n* Straßenkarte *f* **road rage** *n* Aggressivität *f* im Straßenverkehr **road safety** *n* Verkehrssicherheit *f* **road show** *n* THEAT Tournee *f* **roadside** *n* Straßenrand *m*; ***by the ~*** am Straßenrand **roadsign** *n* (Straßen)verkehrszeichen *nt* **road tax** *n* (*Br*) Kraftfahrzeugsteuer *f* **road transport** *n* Straßengüterverkehr *m* **roadway** *n* Fahrbahn *f* **roadworks** *pl* (*Br*) Straßenbauarbeiten *pl* **roadworthy** *adj* verkehrstüchtig

roam **I** *v/t* wandern durch; ***to ~ the streets*** (in den Straßen) herumstreunen **II** *v/i* (herum)wandern ◆ **roam about** (*Brit*) *or* **around** *v/i* herumwandern

roar **I** *v/i* (*person*, *lion*, *bull*) brüllen (*with* vor +*dat*); (*wind*, *engine*) heulen; ***to ~ at sb*** jdn anbrüllen **II** *v/t* (*a.* **roar out**) brüllen; ***to ~ one's approval*** zustimmend grölen **III** *n no pl* (*of person*, *lion*, *bull*) Gebrüll *nt*; (*of wind*, *engine*) Heulen *nt*; (*of traffic*) Donnern *nt*; ***~s of laughter*** brüllendes Gelächter; ***the ~s of the crowd*** das Brüllen der Menge **roaring** **I** *adj person*, *lion*, *bull* brüllend; ***a ~ success*** ein voller Erfolg; ***to do a ~ trade*** (***in sth***) ein Riesengeschäft *nt* (mit etw) machen **II** *n* = ***roar*** III

roast **I** *n* Braten *m* **II** *adj pork* gebraten; *potatoes* in Fett im Backofen gebraten; ***~ chicken*** Brathähnchen *nt*; ***~ beef*** Roastbeef *nt* **III** *v/t meat* braten; *coffee beans* rösten **IV** *v/i* (*meat*) braten; (*infml*: *person*) irrsinnig schwitzen (*infml*) **roasting** *adj* (*infml* ≈ *hot*) knallheiß (*infml*) **roasting tin, roasting tray** *n* Bräter *m*

rob *v/t person* bestehlen; *bank* ausrauben; ***to ~ sb of sth*** jdm etw rauben; ***I've been ~bed!*** ich bin bestohlen worden!

robber *n* Räuber(in) *m*(*f*)

robbery *n* Raub *m no pl*; (≈ *burglary*) Einbruch *m* (*of* in +*acc*); ***armed ~*** bewaffneter Raubüberfall; ***bank ~*** Bankraub *m*

robe *n* Robe *f*; (*esp US*: *for house*) Morgenrock *m*

robin *n* Rotkehlchen *nt*

robot *n* Roboter *m*

robust *adj* robust; *build* kräftig

rock[1] **I** *v/t* **1.** (≈ *swing*) schaukeln; (*gently*) wiegen **2.** (≈ *shake*) *town*, *building* erschüttern; (*fig infml*) ***to ~ the boat*** (*fig*) für Unruhe sorgen **II** *v/i* **1.** (*gently*) schaukeln **2.** (*violently*, *building*, *tree*) schwanken **III** *n* MUS Rock *m*

rock[2] *n* **1.** (≈ *substance*) Stein *m*; (≈ *rock face*) Fels *m*; GEOL Gestein *nt* **2.** (*large mass*) Fels(en) *m*; (*smaller*) (großer) Stein; ***the Rock*** (***of Gibraltar***) der Felsen von Gibraltar; ***as solid as a ~*** *structure* massiv wie ein Fels; *firm*, *marriage* unerschütterlich wie ein Fels; ***on the ~s*** (*infml* ≈ *with ice*) mit Eis; (*marriage etc*) kaputt (*infml*)

rock bottom *n* ***to be at ~*** auf dem Tiefpunkt sein; ***to hit ~*** den Tiefpunkt erreichen **rock-bottom** *adj* (*infml*) ***~ prices*** Niedrigstpreise *pl* **rock-climber** *n* (Felsen)kletterer(in) *m*(*f*) **rock climbing** *n* Klettern *nt* (im Fels) **rockery** *n* Steingarten *m*

rocket[1] **I** *n* Rakete *f* **II** *v/i* (*prices*) hochschießen

rocket[2] *n* COOK Rucola *m*

rocket science *n* (*lit*) Raketentechnik *f*; ***it's not ~*** (*infml*) dazu muss man kein Genie sein

rock face *n* Felswand *f* **rock fall** *n* Steinschlag *m* **rock garden** *n* Steingarten *m* **Rockies** *pl* ***the ~*** die Rocky Mountains *pl* **rocking chair** *n* Schaukelstuhl *m* **rocking horse** *n* Schaukelpferd *nt* **rock pool** *n Wasserlache zwischen Felsen* **rock star** *n* MUS Rockstar *m*

rocky[1] *adj* (≈ *unsteady*) wackelig

rocky² *adj* (+*er*) *mountain* felsig; *road* steinig **Rocky Mountains** *pl* ***the ~*** die Rocky Mountains *pl*

rod *n* Stab *m*; (*in machinery*) Stange *f*; (*for punishment, fishing*) Rute *f*

rode *pret of* ***ride***

rodent *n* Nagetier *nt*

rodeo *n* Rodeo *nt*

roe¹ *n, pl* **-(*s*)** (*species*: *a.* **roe deer**) Reh *nt*; ***~buck*** Rehbock *m*; ***~ deer*** (*female*) Reh *nt*

roe² *n, pl* **-** (*of fish*) Rogen *m*

rogue I *n* (≈ *scoundrel*) Gauner(in) *m(f)*, Bazi *m* (*Aus*); (≈ *scamp*) Schlingel *m* **II** *adj* **1.** (≈ *maverick*) einzelgängerisch **2.** (≈ *abnormal*) abnormal

role *n* Rolle *f* **role model** *n* PSYCH Rollenbild *nt* **role-play I** *v/i* ein Rollenspiel durchführen **II** *v/t* als Rollenspiel durchführen **role-playing** *n* Rollenspiel *nt*

roll I *n* **1.** Rolle *f*; (*of flesh*) Wulst *m* **2.** (COOK: *a.* **bread roll**) Brötchen *nt* **3.** (*of thunder*) Rollen *nt*; (≈ *somersault*, AVIAT) Rolle *f*; (*of drums*) Wirbel *m*; ***to be on a ~*** (*infml*) eine Glückssträhne haben **4.** (≈ *register*) Register *nt*; ***~ of honour*** (*Br*) Ehrenliste *f* **II** *v/i* **1.** (*person, object*) rollen; (*ship*) schlingern; ***to ~ down the hill*** den Berg hinunterrollen; ***tears were ~ing down her cheeks*** Tränen rollten ihr über die Wangen; ***to ~ in the mud*** sich im Schlamm wälzen; ***he's ~ing in it*** (*infml*) er schwimmt im Geld (*infml*) **2.** (*camera*) laufen **III** *v/t ball* rollen; *cigarette* drehen; *pastry* ausrollen; ***to ~ one's eyes*** die Augen rollen; ***he ~ed himself in a blanket*** er wickelte sich in eine Decke; ***kitchen and dining room ~ed into one*** Küche und Esszimmer in einem ◆ **roll about** (*Brit*) *or* **around** *v/i* (*balls*) herumrollen; (*person, dog*) sich herumwälzen; (*infml*: *with laughter*) sich kugeln (*infml*) ◆ **roll back** *v/t & v/i sep* zurückrollen ◆ **roll down I** *v/i* hinunterrollen **II** *v/t sep window* herunterlassen ◆ **roll out** *v/t sep pastry* ausrollen ◆ **roll over I** *v/i* herumrollen; (*vehicle*) umkippen; (*person*) sich umdrehen **II** *v/t sep* umdrehen ◆ **roll up I** *v/i* ***~!*** treten Sie näher! **II** *v/t sep* zusammenrollen; *sleeves* hochkrempeln

roller *n* (*for lawn*) Walze *f*; (≈ *hair roller*) (Locken)wickler *m*; ***to put one's hair in ~s*** sich (*dat*) die Haare aufdrehen **rollerball pen** *n* Tintenroller *m* **roller blind** *n* Springrollo *nt* **roller coaster** *n* Achterbahn *f* **roller skate** *n* Rollschuh *m* **roller-skate** *v/i* Rollschuh laufen **roller-skating** *n* Rollschuhlaufen *nt* **rolling** *adj* **1.** *hills* gewellt; *landscape* wellig **2.** *programme* kontinuierlich **rolling pin** *n* Nudelholz *nt* **rollneck** *n* Rollkragen *m* **rollneck(ed)** *adj* Rollkragen- **roll-on** *n* (Deo)roller *m* **rollover** *n* (*Br*: *in National Lottery*) ***~ week*** *Woche mit Lotto-Jackpot, da es in der vorhergehenden Woche keinen Hauptgewinner gab*; ***~ jackpot*** Jackpot *m* **roll-up** *n* (*Br infml*) Selbstgedrehte *f*

roly-poly *adj* (*infml*) kugelrund

ROM *n* IT *abbr of* ***read only memory*** ROM *m or nt*

Roman I *n* **1.** Römer(in) *m(f)* **2.** (TYPO: *a.* **Roman type**) Magerdruck *m* **II** *adj* römisch; ***~ times*** Römerzeit *f* **Roman Catholic I** *adj* (römisch-)katholisch; ***the ~ Church*** die (römisch-)katholische Kirche **II** *n* Katholik(in) *m(f)* **Roman Catholicism** *n* römisch-katholischer Glaube

romance I *n* **1.** (≈ *love story*) Liebesgeschichte *f* **2.** (≈ *love affair*) Romanze *f* **3.** *no pl* (≈ *romanticism*) Romantik *f* **II** *adj* ***Romance*** *language etc* romanisch

Romanesque *adj* romanisch

Romania *n* Rumänien *nt* **Romanian I** *adj* rumänisch **II** *n* **1.** Rumäne *m*, Rumänin *f* **2.** (≈ *language*) Rumänisch *nt*

Roman numeral *n* römische Ziffer

romantic *adj* romantisch **romanticism** *n* Romantik *f* **romanticize** *v/t* romantisieren

Romany I *n* **1.** Roma *m/f(m)* **2.** LING Romani *nt* **II** *adj culture* der Roma

Rome *n* Rom *nt*; ***when in ~ (do as the Romans do)*** (*prov*) ≈ andere Länder, andere Sitten (*prov*); ***~ wasn't built in a day*** (*prov*) Rom ist auch nicht an einem Tag erbaut worden (*prov*)

romp I *n* Tollerei *f* **II** *v/i* (*children*) herumtollen; ***to ~ home*** (≈ *win*) spielend gewinnen; ***to ~ through sth*** mit etw spielend fertig werden

roof *n* Dach *nt*; (*of tunnel*) Gewölbe *nt*; ***the ~ of the mouth*** der Gaumen; ***without a ~ over one's head*** ohne Dach über dem Kopf; ***to live under the same ~ as sb*** mit jdm unter demselben Dach wohnen; ***to go through the ~*** (*infml*: *person*) an die Decke gehen (*infml*); (*prices etc*) untragbar werden **roof rack** *n* Dach(gepäck)träger *m* **rooftop** *n* Dach *nt*; ***to shout sth from the ~s*** (*fig*) etw überall herumposaunen (*infml*)

rook *n* **1.** (≈ *bird*) Saatkrähe *f* **2.** CHESS Turm *m*

rookie *n* (*esp* MIL *sl*) Grünschnabel *m* (*infml*)

room *n* **1.** (*in building*) Zimmer *nt*; (≈ *public hall etc*) Saal *m* **2.** *no pl* (≈ *space*) Platz *m*; (*fig*) Spielraum *m*; ***there is ~ for two (people)*** es ist genügend Platz für zwei (Leute); ***to make ~ for sb/sth*** für jdn/etw Platz machen; ***there is ~ for improvement*** es könnte um einiges besser sein; ***~ for manoeuvre*** (*Br*) *or* ***maneuver*** (*US*) Spielraum *m* **roomful** *n* ***a ~ of people*** ein Zimmer voll(er) Leute **roommate** *n* (*Br*) Zimmergenosse *m*, Zimmergenossin *f*; (*US* ≈ *flatmate*) Mitbewohner(in) *m(f)* **room service** *n* Zimmerservice *m* **room temperature** *n* Zimmertemperatur *f* **roomy** *adj* (*+er*) geräumig

roost I *n* (≈ *pole*) Stange *f*; ***to come home to ~*** (*fig*) auf den Urheber zurückfallen **II** *v/i* auf der Stange schlafen

rooster *n* Hahn *m*

root I *n* **1.** Wurzel *f*; ***by the ~s*** mit der Wurzel; ***to take ~*** Wurzeln schlagen; ***her ~s are in Scotland*** sie ist in Schottland verwurzelt; ***to put down ~s in a country*** in einem Land Fuß fassen; ***to get to the ~(s) of the problem*** dem Problem auf den Grund gehen **2.** LING Stamm *m* **II** *v/i* Wurzeln schlagen ◆ **root about** (*Brit*) *or* **around** *v/i* herumwühlen (*for* nach) ◆ **root for** *v/i +prep obj* ***to ~ sb*** jdn anfeuern ◆ **root out** *v/t sep* (*fig*) mit der Wurzel ausreißen

root beer *n* (*US*) *Art Limonade* **rooted** *adj* verwurzelt; ***to stand ~ to the spot*** wie angewurzelt dastehen **root vegetable** *n* Wurzelgemüse *nt*

rope *n* Seil *nt*; NAUT Tau *nt*; ***to know the ~s*** (*infml*) sich auskennen; ***to show sb the ~s*** (*infml*) jdn in alles einweihen; ***to learn the ~s*** (*infml*) sich einarbeiten ◆ **rope in** *v/t sep* (*esp Br fig*) rankriegen (*infml*); ***how did you get roped into that?*** wie bist du denn da reingeraten? (*infml*) ◆ **rope off** *v/t sep* mit einem Seil abgrenzen

rope ladder *n* Strickleiter *f*

rosary *n* REL Rosenkranz *m*

rose[1] *pret of* ***rise***

rose[2] I *n* Rose *f*; ***everything's coming up ~s*** (*infml*) alles läuft bestens (*infml*); ***to come up smelling of ~s*** (*infml*) gut dastehen; ***that will put the ~s back in your cheeks*** davon bekommst du wieder etwas Farbe im Gesicht **II** *adj* rosarot

rosé I *adj* rosé **II** *n* Rosé *m*

rosebush *n* Rosenstrauch *m* **rosehip** *n* Hagebutte *f*

rosemary *n* Rosmarin *m*

rosette *n* Rosette *f*

roster *n* Dienstplan *m*

rostrum *n*, *pl* ***rostra*** Rednerpult *nt*

rosy *adj* (*+er*) rosarot; *cheeks* rosig; ***to paint a ~ picture of sth*** etw in den rosigsten Farben ausmalen

rot I *n* **1.** Fäulnis *f no pl*; ***to stop the ~*** den Fäulnisprozess aufhalten; ***then the ~ set in*** (*fig*) dann setzte der Fäulnisprozess ein **2.** (*infml* ≈ *rubbish*) Quatsch *m* (*infml*) **II** *v/i* verrotten; (*teeth, plant*) verfaulen; ***to ~ in jail*** im Gefängnis verrotten **III** *v/t* verfaulen lassen

rota *n* (*Br*) Dienstplan *m*

rotary *adj* rotierend, Dreh-

rotate I *v/t* rotieren lassen; *crops* im Wechsel anbauen **II** *v/i* **1.** rotieren **2.** (≈ *take turns*) sich (turnusmäßig) abwechseln **rotating** *adj* rotierend **rotation** *n* Rotation *f*; (≈ *taking turns*) turnusmäßiger Wechsel; ***in ~*** im Turnus; ***crop ~*** Fruchtwechsel *m*

rote *n* ***by ~*** *learn* auswendig

rotten *adj* **1.** faul; (*fig* ≈ *corrupt*) korrupt; ***~ to the core*** (*fig*) durch und durch verdorben; ***~ apple*** (*fig*) schwarzes Schaf **2.** (*infml*) (≈ *poor*) mies (*infml*); (≈ *dreadful*) scheußlich (*infml*); (≈ *mean*) gemein; ***to be ~ at sth*** in etw (*dat*) schlecht sein; ***what ~ luck!*** so ein Pech!; ***that was a ~ trick*** das war ein übler Trick; ***that's a ~ thing to say*** es ist gemein, so etwas zu sagen; ***to feel ~*** sich elend fühlen; ***to look ~*** schlecht aussehen; ***to feel ~ about doing sth*** sich (*dat*) mies vorkommen, etw zu tun (*infml*); ***to spoil sb ~*** jdn nach Strich und Faden verwöhnen (*infml*) **rotting** *adj* verfaulend; *fruit* faulig

rotund *adj person* rundlich; *object* rund

rough I *adj* (*+er*) **1.** *ground* uneben; *surface, skin, cloth* rau **2.** (≈ *coarse*) *person* ungehobelt; *manners*, *estimate* grob; **~ *sketch*** Faustskizze *f*; ***at a ~ guess*** grob geschätzt; ***to have a ~ idea*** eine ungefähre Ahnung haben **3.** (≈ *violent*) *person*, *treatment* grob; *game* wild; *sport* hart; *neighbourhood* rau; *sea* stürmisch **4.** (*infml*) ***he had a ~ time (of it)*** es ging ihm ziemlich dreckig (*infml*); ***to give sb a ~ time*** jdn ganz schön rannehmen (*infml*); ***to get a ~ ride*** Schwierigkeiten bekommen; ***to give sb a ~ ride*** jdm die Hölle heißmachen (*infml*); ***when the going gets ~ ...*** wenn es hart wird, ...; ***to feel ~*** sich mies fühlen (*infml*) **II** *adv live* wüst; ***to sleep ~*** im Freien übernachten **III** *n* **1.** ***to take the ~ with the smooth*** das Leben nehmen, wie es kommt **2.** (≈ *draft*) Rohentwurf *m*; ***in ~*** im Rohzustand **roughage** *n* Ballaststoffe *pl* **rough-and-ready** *adj method* provisorisch; *person* rau(beinig) **rough-and-tumble** *n* (≈ *play*) Balgerei *f*; (≈ *fighting*) Keilerei *f* **rough copy** *n* Konzept *nt* **rough draft** *n* Rohentwurf *m* **roughen** *v/t skin*, *cloth* rau machen; *surface* aufrauen **roughly** *adv* **1.** (≈ *not gently*) grob; *play* rau **2.** (≈ *approximately*) ungefähr; **~ (*speaking*)** grob gesagt; **~ *half*** ungefähr die Hälfte; **~ *similar*** in etwa ähnlich **roughness** *n* **1.** (*of ground*) Unebenheit *f*; (*of surface*, *skin*, *cloth*) Rauheit *f* **2.** (≈ *coarseness*, *of person*) Ungehobeltheit *f*; (*of manners*) Grobheit *f* **rough paper** *n* Konzeptpapier *nt* **roughshod** *adv* ***to ride ~ over sb/sth*** rücksichtslos über jdn/etw hinweggehen

roulette *n* Roulette *nt*

round I *adj* (+*er*) rund; **~ *number*** runde Zahl **II** *adv* (*esp Br*) ***there was a wall right ~ or all ~*** rundherum war eine Mauer; ***you'll have to go ~*** Sie müssen außen herum gehen; ***the long way ~*** der längere Weg; ***~ and ~*** rundherum; ***I asked him ~ for a drink*** ich lud ihn auf ein Glas Bier *etc* bei mir ein; ***I'll be ~ at 8 o'clock*** ich werde um 8 Uhr da sein; ***for the second time ~*** zum zweiten Mal; ***all year ~*** das ganze Jahr über; ***all ~*** (*lit*) ringsherum; (*esp Br fig: for everyone*) für alle **III** *prep* **1.** (*esp Br*) um (... herum); ***all ~ the house*** (*inside*) im ganzen Haus; (*outside*) um das ganze Haus herum; ***to look ~ a house*** sich (*dat*) ein Haus ansehen; ***to show sb ~ a town*** jdm eine Stadt zeigen; ***they went ~ the cafés looking for him*** sie gingen in alle Cafés, um nach ihm zu suchen **2.** (≈ *approximately*) ungefähr; **~ (*about* (*esp Br*)) *7 o'clock*** ungefähr um 7 Uhr; **~ (*about* (*esp Br*)) *£800*** um die £ 800 **IV** *n* (≈ *delivery round*, SPORTS, *of talks*) Runde *f*; **~(*s*)** (*of policeman*, *doctor*) Runde *f*; ***to do the ~s*** (*story etc*) reihum gehen; ***he does a paper ~*** (*Br*) er trägt Zeitungen aus; ***a ~ (of drinks)*** eine Runde; ***~ of ammunition*** Ladung *f*; ***a ~ of applause*** Applaus *m* **V** *v/t corner* gehen/fahren um ◆ **round down** *v/t sep number* abrunden ◆ **round off** *v/t sep series* vollmachen; *meal* abrunden; *meeting* abschließen ◆ **round up** *v/t sep* **1.** *people* zusammentrommeln (*infml*); *cattle* zusammentreiben; *criminals* hochnehmen (*infml*) **2.** *number* aufrunden

roundabout I *adj answer* umständlich; **~ *route*** Umweg *m*; ***to say sth in a ~ way*** etw auf Umwegen sagen **II** *n* (*Br: in playground*) Karussell *nt*, Ringelspiel *nt* (*Aus*); MOT Kreisverkehr *m* **rounded** *adj* rundlich; *edges* abgerundet **roundly** *adv condemn*, *criticize* rundum; *defeat* klar **round-the-clock** *adj* (*Br*) rund um die Uhr *not attr*

round trip *n* Rundreise *f*

round-trip ticket *n* (*US*) Rückfahrkarte *f*; AVIAT Hin- und Rückflugticket *nt* **roundup** *n* (*of cattle*) Zusammentreiben *nt*; (*of people*) Zusammentrommeln *nt* (*infml*); (*of news*) Zusammenfassung *f*

rouse *v/t* **1.** (*from sleep etc*) wecken **2.** (≈ *stimulate*) *person* bewegen; *admiration*, *interest* wecken; *hatred*, *suspicions* erregen **rousing** *adj speech* mitreißend; *music* schwungvoll

rout I *n* Schlappe *f* **II** *v/t* in die Flucht schlagen

route I *n* **1.** Strecke *f*; (*bus service*) Linie *f*; (*fig*) Weg *m* **2.** (*US* ≈ *delivery round*) Runde *f* **II** *v/t train* legen; *telephone call* leiten; ***my baggage was ~d through Amsterdam*** mein Gepäck wurde über Amsterdam geschickt

routine I *n* **1.** Routine *f* **2.** DANCING Figur *f* **II** *adj* Routine-, routinemäßig; **~ *examination*** Routineuntersuchung *f*; ***it was quite ~*** es war eine reine Formsache; ***reports of bloodshed had become almost ~*** Berichte über Blutvergießen waren fast an der Tagesordnung **routinely** *adv use* regelmäßig; *test* routinemäßig

roving *adj* ***he has a ~ eye*** er riskiert gern ein Auge

row[1] *n* Reihe *f*; ***4 failures in a ~*** 4 Misserfolge hintereinander; ***arrange them in ~s*** stell sie in Reihen auf

row[2] *v/t & v/i* rudern

row[3] **I** *n* (*esp Br infml*) (≈ *noise*) Lärm *m*; (≈ *quarrel*) Streit *m*; ***to make a ~*** Krach schlagen (*infml*); ***to have a ~ with sb*** mit jdm Streit haben; ***to get a ~*** Krach bekommen (*infml*) **II** *v/i* (≈ *quarrel*) (sich) streiten

rowan *n* Vogelbeere *f*

rowboat *n* (*US*) Ruderboot *nt*

rowdy *adj* (*+er*) (≈ *noisy*) laut; *football fans* randalierend; *behaviour* grob

rower *n* **1.** Ruderer *m*, Ruderin *f* **2.** (≈ *rowing machine*) Rudergerät *nt*

row house *n* (*US*) Reihenhaus *nt*

rowing[1] *n* Rudern *nt*

rowing[2] *n* (*esp Br* ≈ *quarrelling*) Streiterei *f*

rowing boat *n* (*Br*) Ruderboot *nt* **rowing machine** *n* Rudermaschine *f*

royal I *adj* königlich; ***the ~ family*** die königliche Familie **II** *n* (*infml*) Angehörige(r) *m/f(m)* der königlichen Familie **Royal Air Force** *n* (*Br*) Königliche Luftwaffe **royal-blue** *adj* königsblau **Royal Highness** *n* ***Your ~*** Eure Königliche Hoheit **Royal Mail** *n* (*Br*) *britischer Postdienst* **Royal Marines** *pl* (*Br*) *britische Marineinfanterie* **Royal Navy** (*Br*) *n* Königliche Marine **royalty** *n* **1.** (*collectively*) das Königshaus; ***he's ~*** er gehört zur königlichen Familie **2. royalties** *pl* (*from book*) Tantiemen *pl*

RP *abbr of* ***received pronunciation*** hochsprachliche Aussprache

rpm *abbr of* ***revolutions per minute*** U/min

RSVP *abbr of* ***répondez s'il vous plaît*** u. A. w. g.

Rt Hon (*Br*) *abbr of* ***Right Honourable***; ***the ~ John Williams MP*** der Abgeordnete John Williams

rub I *n* Reiben *nt*; ***to give sth a ~*** etw reiben **II** *v/t* reiben; ***to ~ lotion into sth*** etw mit einer Lotion einreiben; ***to ~ one's hands (together)*** sich (*dat*) die Hände reiben; ***to ~ sb's nose in sth*** (*fig*) jdm etw dauernd unter die Nase reiben; ***to ~ shoulders*** (*esp Br*) *or* ***elbows*** (*esp US*) ***with all sorts of people*** (*fig*) mit allen möglichen Leuten in Berührung kommen; ***to ~ sb the wrong way*** (*US*) bei jdm anecken **III** *v/i* (*against* an +*Dat*) reiben; (*collar*) scheuern; ***the cat ~bed against my legs/the tree*** die Katze strich mir um die Beine/scheuerte sich am Baum ◆ **rub down** *v/t sep person* abrubbeln (*infml*) ◆ **rub in** *v/t sep* **1.** *lotion* einreiben (*prep obj, -to* in +*acc*) **2.** (*fig*) ***don't rub it in!*** reite nicht so darauf herum! ◆ **rub off** *v/i* abgehen; ***to ~ on sb*** (*fig*) auf jdn abfärben ◆ **rub out** *v/t sep* (*with eraser*) ausradieren ◆ **rub up I** *v/t sep* ***to rub sb up the wrong way*** (*Br*) bei jdm anecken **II** *v/i* ***the cat rubbed up against my leg*** die Katze strich mir um die Beine

rubber I *n* (≈ *material*) Gummi *m*; (*Br* ≈ *eraser*) (Radier)gummi *m*; (*esp US sl* ≈ *contraceptive*) Gummi *m* (*infml*) **II** *adj* Gummi- **rubber band** *n* Gummiband *nt* **rubber dinghy** *n* Schlauchboot *nt* **rubber stamp** *n* Stempel *m* **rubber-stamp** *v/t* (*fig infml*) genehmigen **rubbery** *adj material* gummiartig

rubbish (*esp Br*) **I** *n* **1.** Abfall *m*; (*fig* ≈ *trashy record etc*) Mist *m*; ***household ~*** Hausmüll *m* **2.** (*infml* ≈ *nonsense*) Quatsch *m* (*infml*); ***don't talk ~!*** red keinen Quatsch! (*infml*) **II** *attr* (*infml*) **1.** = ***rubbishy*** **2.** ***I'm ~ at it*** ich bin zu blöd dazu (*infml*) **rubbish bin** *n* Mülleimer *m*, Mistkübel *m* (*Aus*) **rubbish collection** *n* Müllabfuhr *f* **rubbish dump** *n* Müllabladeplatz *m* **rubbishy** *adj* (*Br infml*) *goods* minderwertig; *film* mies (*infml*); *ideas* blödsinnig

rubble *n* Trümmer *pl*; (*smaller pieces*) Schutt *m*

ruby I *n* (≈ *stone*) Rubin *m* **II** *adj* Rubin-

ruck *n* (≈ *wrinkle*) Falte *f* ◆ **ruck up** *v/i* (*shirt etc*) sich hochschieben; (*rug*) Falten schlagen

rucksack *n* (*esp Br*) Rucksack *m*

ruckus *n* (*infml*) Krawall *m*

rudder *n* Ruder *nt*

ruddy *adj* (*+er*) *complexion* rot

rude *adj* (*+er*) **1.** (≈ *impolite*) unhöflich; (*stronger*) unverschämt; (≈ *rough*) grob; ***to be ~ to sb*** unhöflich zu jdm sein; ***it's ~ to stare*** es gehört sich nicht, Leute anzustarren; ***don't be so ~!*** so was sagt man/tut man nicht! **2.** (≈ *obscene*) unanständig; ***a ~ gesture*** eine anstößige Geste **3.** *reminder* unsanft **rudely** *adv* **1.** (≈ *impolitely*) unhöflich; (*stronger*) unver-

schämt; (≈ *roughly*) grob **2.** (≈ *obscenely*) unanständig **3.** *remind* unsanft **rudeness** *n* (≈ *impoliteness*) Unhöflichkeit *f*; (*stronger*) Unverschämtheit *f*
rudimentary *adj equipment* primitiv; *system* rudimentär; **~ *knowledge*** Grundkenntnisse *pl* **rudiments** *pl* Grundlagen *pl*
rueful *adj* reuevoll
ruffian *n* Rüpel *m*; (*violent*) Schläger *m*
ruffle *v/t* **1.** *hair, feathers* zerzausen; *surface* kräuseln; ***the bird ~d (up) its feathers*** der Vogel plusterte sich auf **2.** (*fig* ≈ *upset*) aus der Ruhe bringen; ***to ~ sb's feathers*** jdn aufregen **ruffled** *adj* **1.** (≈ *flustered*) aufgebracht **2.** *bedclothes* zerwühlt; *hair* zerzaust **3.** *shirt* gekräuselt
rug *n* **1.** Teppich *m*; ***to pull the ~ from under sb*** (*fig*) jdm den Boden unter den Füßen wegziehen **2.** (≈ *blanket*) (Woll)-decke *f*
rugby *n* (*a.* **rugby football**) Rugby *nt*
rugged *adj* rau; *mountains* zerklüftet; *features* markig
ruin I *n* **1.** *no pl* (*of thing, person*) Untergang *m*; (*of event*) Ende *nt*; (*financial, social*) Ruin *m*; ***the palace was going to ~ or falling into ~*** der Palast verfiel (zur Ruine); ***to be the ~ of sb*** jdn ruinieren **2.** (≈ *building*) Ruine *f*; **~s** (*of building*) Ruinen *pl*; (*of hopes*) Trümmer *pl*; ***to be or lie in ~s*** (*lit*) eine Ruine sein; (*fig*) zerstört sein **II** *v/t* (≈ *destroy*) zerstören; (*financially, socially*) ruinieren; (≈ *spoil*) verderben **ruined** *adj* **1.** *building* in Ruinen *pred*, zerfallen **2.** *career* ruiniert
rule I *n* **1.** Regel *f*; ADMIN Vorschrift *f*; ***to play by the ~s*** die Spielregeln einhalten; ***to bend the ~s*** es mit den Regeln/Vorschriften nicht so genau nehmen; ***to be against the ~s*** nicht erlaubt sein; ***to do sth by ~*** etw vorschriftsmäßig tun; ***as a ~ of thumb*** als Faustregel **2.** (≈ *authority*) Herrschaft *f*; (≈ *period*) Regierungszeit *f*; ***the ~ of law*** die Rechtsstaatlichkeit **II** *v/t* **1.** (≈ *govern*) regieren; (*fig*) *emotions etc* beherrschen; ***to ~ the roost*** (*fig*) Herr im Haus sein (*infml*); ***to be ~d by emotions*** sich von Gefühlen beherrschen lassen; ***he let his heart ~ his head*** er ließ sich von seinem Herzen und nicht von seinem Verstand leiten **2.** JUR, ADMIN entscheiden **3.** *line* ziehen; ***~d paper*** liniertes Papier **III** *v/i* **1.** (≈ *reign*) herrschen (*over* über +*acc*) **2.** JUR entscheiden (*against* gegen, *in favour of* für, *on* in +*dat*) ◆ **rule out** *v/t sep* (*fig*) ausschließen
ruler *n* **1.** (*for measuring*) Lineal *nt* **2.** (≈ *sovereign*) Herrscher(in) *m*(*f*) **ruling I** *adj body* herrschend; ***the ~ party*** die Regierungspartei **II** *n* ADMIN, JUR Entscheidung *f*
rum *n* Rum *m*
Rumania *etc* = ***Romania*** *etc*
rumble I *n* (*of thunder*) Grollen *nt no pl*; (*of stomach*) Knurren *nt no pl*; (*of train*) Rumpeln *nt no pl* **II** *v/i* (*thunder*) grollen; (*stomach*) knurren; (*train*) rumpeln
ruminate *v/i* (*fig*) grübeln (*over, about, on* über +*acc*)
rummage I *n* ***to have a good ~ in sth*** etw gründlich durchwühlen **II** *v/i* (*a.* **rummage about, rummage around**) herumwühlen (*among, in* in +*dat*, *for* nach)
rumour, (*US*) **rumor I** *n* Gerücht *nt*; ***~ has it that ...*** es geht das Gerücht, dass ...; ***there are ~s of war*** es gehen Kriegsgerüchte um **II** *v/t* ***it is ~ed that ...*** es geht das Gerücht, dass ...; ***he is ~ed to be in London*** Gerüchten zufolge ist er in London; ***he is ~ed to be rich*** er soll angeblich reich sein
rump *n* Hinterbacken *pl*; (*infml: of person*) Hinterteil *nt*; ***~ steak*** Rumpsteak *nt*
rumple *v/t* (*a.* **rumple up**) *clothes* zerknittern **rumpled** *adj clothes* zerknittert; *hair* zerzaust
rumpus *n* (*infml*) Krach *m* (*infml*); ***to make a ~*** (≈ *make noise*) einen Heidenlärm machen (*infml*); (≈ *complain*) Krach schlagen (*infml*) **rumpus room** *n* (*US*) Spielzimmer *nt*
run *vb*: *pret* **ran**, *past part* **run I** *n* **1.** Lauf *m*; ***to go for a 2-km ~*** einen 2-km-Lauf machen; ***he set off at a ~*** er rannte los; ***to break into a ~*** zu laufen anfangen; ***to make a ~ for it*** weglaufen; ***on the ~*** (*from the police etc*) auf der Flucht; ***we've got them on the ~!*** wir haben sie in die Flucht geschlagen!; ***to give sb a good ~ for his money*** (*infml*) jdn auf Trab halten (*infml*) **2.** (≈ *route*) Strecke *f*; ***to go for a ~ in the car*** eine Fahrt/einen Ausflug im Auto machen; ***in the long ~*** auf die Dauer; ***in the short ~*** fürs Nächste **3.** ***to have the ~ of a place*** einen Ort zur freien Verfügung haben **4.** (≈ *series*) Folge *f*, Serie *f*; THEAT Spielzeit *f*; ***a ~ of bad luck*** eine Pechsträhne **5.** (≈ *great*

demand) **~ *on*** Ansturm *m* auf (+*acc*) **6.** ***ski~*** Abfahrt(sstrecke) *f* **7.** (≈ *enclosure*) Gehege *nt* **8.** (*infml* ≈ *diarrhoea*) ***the ~s*** der flotte Otto (*infml*) **II** *v/i* **1.** laufen, rennen; (≈ *flee*) wegrennen; ***she came ~ning out*** sie kam herausgelaufen; ***he's trying to ~ before he can walk*** (*fig*) er sollte erst einmal langsam machen; ***to ~ for the bus*** zum Bus rennen; ***she ran to meet him*** sie lief ihm entgegen; ***she ran to help him*** sie kam ihm schnell zu Hilfe; ***to ~ for one's life*** um sein Leben rennen; ***~ for it!*** rennt, was ihr könnt! **2.** (*story*, *lyrics*) gehen; ***he ran down the list*** er ging die Liste durch; ***a shiver ran down her spine*** ein Schauer lief ihr über den Rücken; ***to ~ in the family*** in der Familie liegen **3.** (*as candidate*) kandidieren; ***to ~ for President*** für die Präsidentschaft kandidieren **4.** ***I'm ~ning late*** ich bin spät dran; ***all planes are ~ning late*** alle Flugzeuge haben Verspätung; ***the project is ~ning late/to schedule*** das Projekt hat sich verzögert/geht ganz nach Plan voran; ***supplies are ~ning low*** die Vorräte sind knapp; ***his blood ran cold*** das Blut fror ihm in den Adern; ***to ~ dry*** (*river*) austrocknen; ***to be ~ning at*** (≈ *stand*) betragen; ***interest rates are ~ning at record levels/15%*** die Zinssätze sind auf Rekordhöhe/stehen auf 15% **5.** (*water*, *tears*, *tap*, *nose*) laufen; (*river*, *electric current*) fließen; (*eyes*) tränen; (*paint*) zerfließen; (*dye*) färben; ***where the river ~s into the sea*** wo der Fluss ins Meer mündet **6.** (*play*, *contract*) laufen; ***the expenditure ~s into thousands of pounds*** die Ausgaben gehen in die Tausende (von Pfund) **7.** (*bus etc*) fahren; ***the train doesn't ~ on Sundays*** der Zug fährt sonntags nicht **8.** (≈ *function*) laufen (*also* IT); ***to ~ on diesel*** mit Diesel fahren; ***the radio ~s off batteries*** das Radio läuft auf Batterie; ***things are ~ning smoothly*** alles läuft glatt **9.** (*road*) führen; ***to ~ (a)round sth*** (*wall etc*) sich um etw ziehen; ***the railway line ~s for 300 km*** die Bahnlinie ist 300 km lang; ***to ~ through sth*** (*theme*) sich durch etw ziehen **III** *v/t* **1.** laufen; ***to ~ errands*** Botengänge machen; ***to ~ its course*** seinen Lauf nehmen; ***to ~ a temperature*** Fieber haben; ***to ~ sb off his feet*** (*infml*) jdn ständig auf Trab halten (*infml*); ***I'll ~ you a bath*** ich lasse dir ein Bad einlaufen **2.** *vehicle* fahren; *extra buses* einsetzen; ***he ran the car into a tree*** er fuhr das Auto gegen einen Baum; ***this company ~s a bus service*** diese Firma unterhält einen Busdienst **3.** *machine* betreiben; *computer* laufen lassen; *software* benutzen; *program* laden; *test* durchführen; ***I can't afford to ~ a car*** ich kann es mir nicht leisten, ein Auto zu unterhalten; ***this car is cheap to ~*** dieses Auto ist billig im Unterhalt **4.** (≈ *manage*) leiten; *shop* führen; (≈ *organize*) *course of study*, *competition* durchführen; ***he ~s a small hotel*** er hat ein kleines Hotel; ***I want to ~ my own life*** ich möchte mein eigenes Leben leben; ***she's the one who really ~s everything*** sie ist diejenige, die den Laden schmeißt (*infml*) **5.** ***to ~ one's fingers over sth*** die Finger über etw (*acc*) gleiten lassen; ***to ~ one's fingers through one's hair*** sich (*dat*) mit den Fingern durch die Haare fahren **6.** *rope* führen; *pipe* (ver)legen **7.** PRESS *article* bringen **8.** *film* zeigen ◆ **run about** (*Brit*) *or* **around** *v/i* herumlaufen ◆ **run across I** *v/i* (*lit*) hinüberlaufen **II** *v/i +prep obj person* zufällig treffen; *object* stoßen auf (+*acc*) ◆ **run after** *v/i +prep obj* nachlaufen (+*dat*) ◆ **run along** *v/i* laufen; ***~!*** nun geht mal schön! ◆ **run around** *v/i* = ***run about*** ◆ **run away** *v/i* **1.** weglaufen **2.** (*water*) auslaufen ◆ **run away with** *v/i +prep obj prize* spielend gewinnen; ***he lets his enthusiasm ~ him*** seine Begeisterung geht leicht mit ihm durch ◆ **run back I** *v/i* (*lit*) zurücklaufen **II** *v/t sep person* zurückfahren ◆ **run down I** *v/i* **1.** (*lit*: *person*) hinunterrennen **2.** (*battery*) leer werden **II** *v/t sep* **1.** (≈ *knock down*) umfahren; (≈ *run over*) überfahren **2.** *stocks* abbauen **3.** (≈ *disparage*) schlechtmachen ◆ **run in** *v/i* (*lit*) hineinlaufen ◆ **run into** *v/i +prep obj* (≈ *meet*) zufällig treffen; (≈ *collide with*) rennen/fahren gegen; ***to ~ trouble*** Ärger bekommen; ***to ~ problems*** auf Probleme stoßen ◆ **run off I** *v/i* = ***run away*** I1 **II** *v/t sep copy* abziehen ◆ **run on** *v/i* **1.** (*lit*) weiterlaufen **2.** (*fig*) ***it ran on for four hours*** das zog sich über vier Stunden hin **3.** (*time*) weitergehen ◆ **run out** *v/i* **1.** (*person*) hinauslaufen; (*liquid*) herauslaufen; (*through leak*) auslaufen **2.** (*time*) ablaufen; (*supplies*) ausgehen ◆ **run out of** *v/i +prep obj* ***he ran out of supplies*** ihm gingen die Vorräte aus; ***she ran out of time*** sie hatte keine Zeit mehr; ***we're running out of time*** wir haben nicht mehr viel Zeit ◆ **run over I** *v/i* **1.** (*to neighbour etc*) kurz hinübergehen **2.** (≈ *overflow*) überlaufen **II** *v/i +prep obj details* durchgehen; *notes* durchsehen **III** *v/t sep* (*in vehicle*) überfahren ◆ **run through I** *v/i* (*lit*) durchlaufen **II** *v/i +prep obj* **1.** *play* durchspielen; *ceremony, list* durchgehen **2.** = ***run over*** II ◆ **run to** *v/i +prep obj* ***the poem runs to several hundred lines*** das Gedicht geht über mehrere Hundert Zeilen ◆ **run up I** *v/i* (*lit*) hinauflaufen; (≈ *approach quickly*) hinrennen (*to* zu); ***to ~ against difficulties*** auf Schwierigkeiten stoßen **II** *v/t sep* **1.** *flag* hochziehen **2.** ***to ~ a bill*** eine Rechnung zusammenkommen lassen; ***to ~ a debt*** Schulden machen

runaround *n* (*infml*) ***to give sb the ~*** jdn an der Nase herumführen (*infml*) **runaway I** *n* Ausreißer(in) *m(f)* **II** *adj* **1.** *person, horse* ausgerissen; ***a ~ train*** ein Zug, der sich selbstständig gemacht hat **2.** (*fig*) *winner* überragend; ***a ~ success*** ein Riesenerfolg *m* **rundown** *n* (*infml*) ***to give sb a ~ on sth*** jdn über etw (*acc*) informieren **run-down** *adj* (≈ *dilapidated*) heruntergekommen; (≈ *tired*) abgespannt

rung[1] *past part of* ***ring***[2]

rung[2] *n* (*of ladder*) Sprosse *f*

run-in *n* (*infml*) Streit *m* **runner** *n* **1.** (≈ *athlete*) Läufer(in) *m(f)* **2.** (*on skate*) Kufe *f*; (*for drawer*) Laufschiene *f* **3.** ***to do a ~*** (*Br infml*) die Fliege machen (*sl*) **runner bean** *n* (*Br*) Stangenbohne *f*, Fisole *f* (*Aus*) **runner-up** *n* Zweite(r) *m/f(m)*; ***the runners-up*** die weiteren Plätze **running I** *n* **1.** Laufen *nt*; ***to be in the ~*** im Rennen liegen; ***out of the ~*** aus dem Rennen **2.** (≈ *management*) Leitung *f*; (*of country, shop*) Führung *f*; (*of course*) Durchführung *f* **3.** (*of machine*) Unterhaltung *f* **II** *adj water* fließend; *tap* laufend **III** *adv* (**for**) ***five days ~*** fünf Tage hintereinander; ***for the third year ~*** im dritten Jahr hintereinander; ***sales have fallen for the third year ~*** die Verkaufszahlen sind seit drei Jahren rückläufig **running battle** *n* (*fig*) Kleinkrieg *m* **running commentary** *n* RADIO, TV fortlaufender Kommentar **running costs** *pl* Betriebskosten *pl*; (*of car*) Unterhaltskosten *pl* **running mate** *n* (*US* POL) *Kandidat für die Vizepräsidentschaft* **running shoe** *n* Rennschuh *m* **running total** *n* laufende Summe; ***to keep a ~ of sth*** (*lit, fig*) etw fortlaufend festhalten **runny** *adj* (*+er*) *egg* flüssig; *nose* laufend; *eyes* tränend; *sauce* dünnflüssig **run-of-the-mill** *adj* gewöhnlich **run-through** *n* ***let's have a final ~*** gehen wir das noch einmal durch **run-up** *n* SPORTS Anlauf *m*; (*fig*) Vorbereitungszeit *f*; ***in the ~ to the election*** in der Zeit vor der Wahl **runway** *n* AVIAT Start- und Landebahn *f*

rupture I *n* Bruch *m* **II** *v/t & v/i* brechen; ***to ~ oneself*** (*infml*) sich (*dat*) einen Bruch heben (*infml*) **ruptured** *adj pipe* geplatzt

rural *adj* ländlich; *landscape* bäuerlich; ***~ land*** ländlicher Raum **rural life** *n* Landleben *nt* **rural population** *n* Landbevölkerung *f*

ruse *n* List *f*

rush I *n* **1.** (*of crowd*) Andrang *m*; (*of air*) Stoß *m*; ***they made a ~ for the door*** sie drängten zur Tür; ***there was a ~ for the seats*** alles stürzte sich auf die Sitze; ***there's been a ~ on these goods*** diese Waren sind rasend weggegangen; ***the Christmas ~*** der Weihnachtsbetrieb; ***a ~ of orders*** eine Flut von Aufträgen; ***a ~ of blood to the head*** Blutandrang *m* im Kopf **2.** (≈ *hurry*) Eile *f*; (*stronger*) Hast *f*; ***to be in a ~*** in Eile sein; ***I did it in a ~*** ich habe es sehr hastig gemacht; ***is there any ~ for this?*** eilt das?; ***it all happened in such a ~*** das ging alles so plötzlich **II** *v/i* (≈ *hurry*) eilen; (*stronger*) hasten; (≈ *run*) stürzen; (*wind*) brausen; (*water*) schießen; ***they ~ed to help her*** sie eilten ihr zu Hilfe; ***I'm ~ing to finish it*** ich beeile mich, es fertig zu machen; ***don't ~, take your time*** überstürzen Sie nichts, lassen Sie sich Zeit; ***you shouldn't just go ~ing into things*** Sie sollten die Dinge nicht so überstürzen; ***to ~ through*** *town* hetzen durch; *work* hastig erledigen; ***to ~ past*** (*person*) vorbeistürzen; (*vehicle*) vorbeischießen; ***to ~ in*** *etc* hineinstürzen *etc*; ***the ambulance ~ed to the scene*** der Krankenwagen raste zur Unfallstelle; ***the blood ~ed***

to his face das Blut schoss ihm ins Gesicht **III** *v/t* **1.** (≈ *do hurriedly*) schnell machen; (≈ *do badly*) schludern bei (*pej*); (≈ *force to hurry*) hetzen; ***to be ~ed off one's feet*** dauernd auf Trab sein (*infml*); ***to ~ sb to hospital*** jdn schnellstens ins Krankenhaus bringen **2.** (≈ *charge at*) stürmen ◆ **rush about** (*Brit*) *or* **around** *v/i* herumhasten ◆ **rush at** *v/i +prep obj* (*lit*) losstürzen auf (+*acc*) ◆ **rush down** *v/i* (*person*) hinuntereilen; (*very fast, also water etc*) hinunterstürzen ◆ **rush out I** *v/i* hinauseilen; ***he rushed out and bought one*** er kaufte sofort eines **II** *v/t sep troops, supplies* eilends hintransportieren ◆ **rush through** *v/t sep order* durchjagen; *legislation* durchpeitschen

rushed *adj* **1.** *meal* hastig; *decision* übereilt **2.** (≈ *busy*) gehetzt

rush hour(s) *n*(*pl*) Stoßzeit(en) *f*(*pl*); ***rush-hour traffic*** Stoßverkehr *m* **rush job** *n* eiliger Auftrag; (*pej* ≈ *bad work*) Schluderarbeit *f* (*infml*)

Russia *n* Russland *nt*

Russian I *adj* russisch **II** *n* **1.** Russe *m*, Russin *f* **2.** LING Russisch *nt*

rust I *n* Rost *m* **II** *v/t* (*lit*) rosten lassen **III** *v/i* rosten **rusted** *adj* (*esp US*) rostig

rustic *adj* bäuerlich; *style* rustikal

rustiness *n* Rostigkeit *f*; (*fig*) eingerostete Kenntnisse *pl* (*of* in +*dat*)

rustle I *n* Rascheln *nt*; (*of foliage*) Rauschen *nt* **II** *v/i* (*leaves, papers*) rascheln; (*foliage, skirts*) rauschen ◆ **rustle up** *v/t sep* (*infml*) *meal* improvisieren (*infml*); *money* auftreiben; ***can you ~ a cup of coffee?*** können Sie eine Tasse Kaffee beschaffen?

rustler *n* (≈ *cattle thief*) Viehdieb(in) *m*(*f*) **rustling I** *adj* raschelnd **II** *n* **1.** (*of leaves, paper*) Rascheln *nt*; (*of material*) Rauschen *nt* **2.** (≈ *cattle theft*) Viehdiebstahl *m*

rustproof *adj* rostfrei **rusty** *adj* (+*er*) (*lit*) rostig; ***I'm a bit ~*** ich bin etwas aus der Übung; ***to get ~*** (*lit*) verrosten; (*fig: person*) aus der Übung kommen

rut *n* (*in path*) Spur *f*; (*fig*) Trott *m* (*infml*); ***to be in a ~*** (*fig*) im Trott sein (*infml*); ***to get into a ~*** (*fig*) in einen Trott geraten (*infml*)

rutabaga *n* (*US*) Steckrübe *f*

ruthless *adj person, deed* rücksichtslos; *treatment* schonungslos **ruthlessly** *adv suppress* rücksichtlos; ***~ ambitious*** skrupellos ehrgeizig **ruthlessness** *n* (*of person, deed*) Rücksichtslosigkeit *f*; (*of treatment*) Schonungslosigkeit *f*

RV *abbr of* ***recreational vehicle*** Wohnmobil *nt*

Rwanda *n* Ruanda *nt*

rye *n* (≈ *grain*) Roggen *m* **rye whisk(e)y** *n* Ryewhisky *m*

S

S, s *n* S *nt*, s *nt*

's 1. ***he's*** = ***he is/has***; ***what's*** = ***what is/has/does?*** **2.** ***John's book*** Johns Buch; ***my brother's car*** das Auto meines Bruders; ***at the butcher's*** beim Fleischer **3.** ***let's*** = ***let us***

Sabbath *n* Sabbat *m*

sabotage I *n* Sabotage *f* **II** *v/t* sabotieren **saboteur** *n* Saboteur(in) *m*(*f*)

saccharin(e) *n* Sacharin *nt*

sachet *n* Beutel *m*; (*of shampoo*) Briefchen *nt*

sack I *n* **1.** Sack *m*; ***2 ~s of coal*** 2 Sack Kohlen **2.** (*infml*) ***to get the ~*** rausfliegen (*infml*); ***to give sb the ~*** jdn rausschmeißen (*infml*) **3.** (*infml*) ***to hit the ~*** sich in die Falle hauen (*sl*) **II** *v/t* (*infml* ≈ *dismiss*) rausschmeißen (*infml*) **sackful** *n* Sack *m*; ***two ~s of potatoes*** zwei Sack Kartoffeln **sacking** *n* (*infml* ≈ *dismissal*) Entlassung *f*

sacrament *n* Sakrament *nt*

sacred *adj* heilig; *building, rite* sakral

sacrifice I *n* Opfer *nt*; ***to make ~s*** Opfer bringen **II** *v/t* opfern (*sth to sb* jdm etw) **sacrificial** *adj* Opfer-

sacrilege *n* Sakrileg *nt*

SAD MED *abbr of* ***seasonal affective disorder*** Winterdepression *f*

sad *adj* (+*er*) **1.** traurig; *loss* schmerzlich; ***to feel ~*** traurig sein; ***he was ~ to see her go*** er war betrübt, dass sie wegging **2.** (*infml* ≈ *pathetic*) bedauernswert **sadden** *v/t* betrüben

saddle I *n* Sattel *m* **II** *v/t* **1.** *horse* satteln **2.** (*infml*) ***to ~ sb/oneself with sb/sth*** jdm/sich jdn/etw aufhalsen (*infml*); ***how did I get ~d with him?*** wie kommt es (nur), dass ich ihn am Hals habe? **saddlebag** *n* Satteltasche *f*

sadism *n* Sadismus *m* **sadist** *n* Sadist(in) *m(f)* **sadistic** *adj*, **sadistically** *adv* sadistisch

sadly *adv* **1.** traurig; ***she will be ~ missed*** sie wird (uns/ihnen) allen sehr fehlen **2.** (≈ *unfortunately*) leider **3.** (≈ *woefully*) bedauerlicherweise; ***to be ~ mistaken*** sich arg täuschen **sadness** *n* Traurigkeit *f*; ***our ~ at his death*** unsere Trauer über seinen Tod

s.a.e. *abbr of* ***stamped addressed envelope***

safari *n* Safari *f*; ***to be/go on ~*** auf Safari sein/gehen **safari park** *n* Safaripark *m*

safe[1] *n* Safe *m*

safe[2] *adj* (*+er*) sicher; (≈ *out of danger*) in Sicherheit; (≈ *not dangerous*) ungefährlich; *method* zuverlässig; ***to keep sth ~*** etw sicher aufbewahren; ***~ journey!*** gute Fahrt/Reise!; ***thank God you're ~*** Gott sei Dank ist dir nichts passiert; ***~ and sound*** gesund und wohlbehalten; ***the secret is ~ with me*** bei mir ist das Geheimnis gut aufgehoben; ***not ~*** gefährlich; ***is it ~ to light a fire?*** ist es auch nicht gefährlich, ein Feuer anzumachen?; ***it is ~ to eat*** das kann man gefahrlos essen; ***it is ~ to assume** or **a ~ assumption that ...*** man kann mit ziemlicher Sicherheit annehmen, dass ...; ***it's ~ to say that ...*** man kann ruhig sagen, dass ...; ***to be on the ~ side*** um ganz sicher zu sein; ***better ~ than sorry*** Vorsicht ist besser als Nachsicht (*prov*) **safe-conduct** *n* freies Geleit **safe-deposit box** *n* Banksafe *m or nt* **safeguard I** *n* Schutz *m* **II** *v/t* schützen (*against* vor *+dat*); *interests* wahrnehmen **III** *v/i* ***to ~ against sth*** sich gegen etw absichern **safe haven** *n* (*fig*) sicherer Zufluchtsort **safe keeping** *n* sichere Verwahrung; ***to give sb sth for ~*** jdm etw zur (sicheren) Aufbewahrung geben **safely** *adv* (≈ *unharmed*) wohlbehalten; (≈ *without risk*) gefahrlos; (≈ *not dangerously*) ungefährlich; ***we were all ~ inside*** wir waren alle sicher drinnen; ***I think I can ~ say ...*** ich glaube, ich kann ruhig sagen ...; ***the election is now ~ out of the way*** die Wahlen haben wir jetzt zum Glück hinter uns; ***to put sth away ~*** etw an einem sicheren Ort verwahren; ***once the children are ~ tucked up in bed*** wenn die Kinder erst mal im Bett sind **safe passage** *n* sicheres Geleit **safe seat** *n* POL ein sicherer Sitz **safe sex** *n* Safer Sex *m*

safety *n* Sicherheit *f*; ***for his (own) ~*** zu seiner (eigenen) Sicherheit; ***(there's) ~ in numbers*** zu mehreren ist man sicherer; ***to reach ~*** in Sicherheit gelangen; ***when we reached the ~ of the opposite bank*** als wir sicher das andere Ufer erreicht hatten **safety belt** *n* Sicherheitsgurt *m* **safety catch** *n* (*on gun*) (Abzugs)sicherung *f* **safety harness** *n* Sicherheitsgurt *m* **safety margin** *n* Sicherheitsmarge *f* **safety measure** *n* Sicherheitsmaßnahme *f* **safety net** *n* Sicherheitsnetz *nt* **safety pin** *n* Sicherheitsnadel *f* **safety precaution** *n* Sicherheitsvorkehrung *f* **safety technology** *n* Sicherheitstechnik *f*

saffron *n* Safran *m*

sag *v/i* absacken; (*in the middle*) durchhängen; (*shoulders*) herabhängen; (*spirit*) sinken

saga *n* Saga *f*; (*fig*) Geschichte *f*

sage *n* BOT Salbei *m*

sagging *adj* **1.** *ceiling*, *rope* durchhängend **2.** *skin* schlaff **saggy** (*+er*) *adj mattress* durchgelegen; *bottom* schlaff

Sagittarius *n* Schütze *m*; ***he's (a) ~*** er ist Schütze

Sahara *n* Sahara *f*; ***the ~ Desert*** die (Wüste) Sahara

said I *pret*, *past part of* **say II** *adj* (*form*) besagt

sail I *n* **1.** Segel *nt*; (*of windmill*) Flügel *m*; ***to set ~ (for ...)*** losfahren (nach ...); (*in yacht*) absegeln (nach ...) **2.** (≈ *trip*) Fahrt *f*; ***to go for a ~*** segeln gehen **II** *v/t ship* segeln mit; ***to ~ the Atlantic*** den Atlantik durchkreuzen **III** *v/i* **1.** NAUT fahren; (*with yacht*) segeln; ***are you flying? — no, ~ing*** fliegen Sie? — nein, ich fahre mit dem Schiff **2.** (≈ *leave*) (*for* nach) abfahren; (*in yacht*) absegeln **3.** (*fig*) (*swan etc*) gleiten; (*moon*) ziehen; (*ball*) fliegen; ***she ~ed past/out of the room*** sie rauschte vorbei/aus dem Zimmer (*infml*); ***she ~ed through all her exams*** sie schaffte alle Prüfungen spielend **sailboard** *n* Windsurfbrett *nt* **sailboarding** *n* Windsurfen *nt* **sailboat**

n (*US*) Segelboot *nt* **sailing** *n* Segeln *nt* **sailing boat** *n* (*Br*) Segelboot *nt* **sailing ship** *n* Segelschiff *nt*

sailor *n* Seemann *m*; (*in navy*) Matrose *m*, Matrosin *f*

saint *n* Heilige(r) *m*/*f*(*m*); ***St John*** Sankt Johannes, St. Johannes; ***St Mark's*** (***Church***) die Markuskirche **saintly** *adj* (*+er*) heilig; (*fig pej*) frömmlerisch **Saint Valentine's Day** *n* Valentinstag *m*

sake *n* ***for the ~ of ...*** um (*+gen*) ... willen; ***for my ~*** meinetwegen; (≈ *to please me*) mir zuliebe; ***for your own ~*** dir selbst zuliebe; ***for the ~ of your career*** deiner Karriere zuliebe; ***for heaven's ~!*** (*infml*) um Gottes willen!; ***for heaven's*** *or* ***Christ's ~ shut up*** (*infml*) nun halt doch endlich die Klappe (*infml*); ***for old times' ~*** in Erinnerung an alte Zeiten; ***for the ~ of those who ...*** für diejenigen, die ...; ***and all for the ~ of a few pounds*** und alles wegen ein paar Pfund

salable *adj* (*US*) = ***saleable***

salad *n* Salat *m* **salad bar** *n* Salatbüffet *nt* **salad bowl** *n* Salatschüssel *f* **salad cream** *n* ≈ Mayonnaise *f* **salad dressing** *n* Salatsoße *f*

salami *n* Salami *f*

salaried *adj* ***~ post*** Angestelltenposten *m*; ***~ employee*** Gehaltsempfänger(in) *m*(*f*) **salary** *n* Gehalt *nt*; ***what is his ~?*** wie hoch ist sein Gehalt? **salary increase** *n* Gehaltserhöhung *f*

sale *n* **1.** (≈ *selling*) Verkauf *m*; (*instance*) Geschäft *nt*; (≈ *auction*) Auktion *f*; ***for ~*** zu verkaufen; ***to put sth up for ~*** etw zum Verkauf anbieten; ***is it up for ~?*** steht es zum Verkauf?; ***not for ~*** nicht verkäuflich; ***to be on ~*** verkauft werden; ***~s*** *pl* (≈ *turnover*) der Absatz **2. sales** *sg* (≈ *department*) Verkaufsabteilung *f* **3.** (*at reduced prices*) Rabattaktion *f*; (*at end of season*) Schlussverkauf *m*; ***in the ~***, ***on ~*** (*US*) im (Sonder)angebot

saleable, (*US*) **salable** *adj* (≈ *marketable*) absatzfähig; (≈ *in saleable condition*) verkäuflich; *skill* vermarktbar

sales clerk *n* (*US*) Verkäufer(in) *m*(*f*) **sales department** *n* Verkaufsabteilung *f* **sales figures** *pl* Verkaufsziffern *pl* **salesgirl** *n* Verkäuferin *f* **salesman** *n* Verkäufer *m*; (≈ *representative*) Vertreter *m* **sales manager** *n* Verkaufsleiter(in) *m*(*f*) **salesperson** *n* Verkäufer(in) *m*(*f*) **sales pitch** *n* Verkaufstechnik *f* **sales rep** *n* (*infml*), **sales representative** *n* Vertreter(in) *m*(*f*) **sales tax** *n* (*US*) Verkaufssteuer *f* **saleswoman** *n* Verkäuferin *f*; (≈ *representative*) Vertreterin *f*

saliva *n* Speichel *m* **salivate** *v/i* Speichel produzieren

sallow *adj* bleich; *colour* fahl

salmon *n*, *pl* **-** Lachs *m*; (≈ *colour*) Lachs (-rosa) *nt*

salmonella *n* Salmonellenvergiftung *f*

salon *n* Salon *m*

saloon *n* (*Br* AUTO) Limousine *f*

saloon bar *n* (*Br*) *vornehmerer Teil eines Lokals*

salt I *n* Salz *nt*; (*for icy roads*) Streusalz *nt*; ***to take sth with a pinch*** (*Br*) *or* ***grain*** (*US*) ***of ~*** (*fig*) etw nicht ganz für bare Münze nehmen; ***to rub ~ into sb's wounds*** (*fig*) Salz in jds Wunde streuen **II** *adj* ***~ water*** Salzwasser *nt* **III** *v/t* **1.** (≈ *cure*) einsalzen; (≈ *flavour*) salzen **2.** *road* mit Salz streuen **saltcellar** *n* Salzfässchen *nt*; (≈ *shaker*) Salzstreuer *m* **salted** *adj* gesalzen **salt shaker** *n* Salzstreuer *m* **saltwater** *adj* ***~ fish*** Meeresfisch *m* **salty** *adj* (*+er*) salzig; ***~ water*** Salzwasser *nt*

salute I *n* Gruß *m*; (*of guns*) Salut *m*; ***in ~*** zum Gruß; ***a 21-gun ~*** 21 Salutschüsse **II** *v/t* MIL *flag etc* grüßen; *person* salutieren vor (*+dat*) **III** *v/i* MIL salutieren

salvage I *n* **1.** (≈ *act*) Bergung *f* **2.** (≈ *objects*) Bergungsgut *nt* **II** *v/t* bergen (*from* aus); (*fig*) retten (*from* von) **salvage operation** *n* Bergungsaktion *f*

salvation *n* Rettung *f*; *esp* REL Heil *nt* **Salvation Army** *n* Heilsarmee *f*

salve *n* Salbe *f*

Samaritan *n* Samariter(in) *m*(*f*); ***good ~*** barmherziger Samariter

same I *adj* ***the ~*** der/die/das gleiche; (≈ *one and the same*) der-/die-/dasselbe; ***they were both wearing the ~ dress*** sie hatten beide das gleiche Kleid an; ***they both live in the ~ house*** sie wohnen beide in demselben Haus; ***they are all the ~*** sie sind alle gleich; ***that's the ~ tie as I've got*** so eine Krawatte habe ich auch; ***she just wasn't the ~ person*** sie war ein anderer Mensch; ***it's the ~ thing*** das ist das Gleiche; ***see you tomorrow, ~ time ~ place*** bis morgen, gleicher Ort, gleiche Zeit; ***we sat at the ~ table as usual*** wir saßen an unserem üblichen Tisch; ***how are you? — ~ as usu-***

al wie gehts? — wie immer; ***he is the ~ age as his wife*** er ist (genau) so alt wie seine Frau; **(*on*) *the very ~ day*** genau am gleichen Tag; ***in the ~ way*** (genau) gleich **II** *pron* **1.** ***the ~*** der-/die-/dasselbe; ***and I would do the ~ again*** und ich würde es wieder tun; ***he left and I did the ~*** er ist gegangen, und ich auch; ***another drink? — thanks,* (*the*) *~ again*** noch etwas zu trinken? — ja bitte, das Gleiche noch mal; ***~ again, Joe*** und noch einen, Joe; ***she's much the ~*** sie hat sich kaum geändert; (*in health*) es geht ihr kaum besser; ***he will never be the ~ again*** er wird niemals mehr derselbe sein; ***frozen chicken is not the ~ as fresh*** tiefgefrorene Hähnchen sind kein Vergleich zu frischen; ***it's always the ~*** es ist immer das Gleiche; ***it comes*** *or* ***amounts to the ~*** das kommt *or* läuft aufs Gleiche hinaus **2.** ***to pay everybody the ~*** alle gleich bezahlen; ***things go on just the ~*** (***as always***) es ändert sich nichts; ***it's not the ~ as before*** es ist nicht wie früher; ***I still feel the ~ about you*** an meinen Gefühlen dir gegenüber hat sich nichts geändert; ***if it's all the ~ to you*** wenn es Ihnen egal ist; ***all*** *or* ***just the ~*** (≈ *nevertheless*) trotzdem; ***thanks all the ~*** trotzdem vielen Dank; ***~ here*** ich / wir auch; ***~ to you*** (danke) gleichfalls **same-day** *adj delivery* am gleichen Tag **same-sex** *adj* gleichgeschlechtlich

sample I *n* (≈ *example*) Beispiel *nt* (*of* für); (*for tasting, fig*) Kostprobe *f*; COMM Warenprobe *f*; (*of cloth etc*) Muster *nt*; (*of blood etc*) Probe *f*; ***a ~ of the population*** eine Auswahl aus der Bevölkerung **II** *adj attr* Probe-; ***a ~ section of the population*** eine Auswahl aus der Bevölkerung **III** *v/t* **1.** *food* probieren; *atmosphere* testen; ***to ~ wines*** eine Weinprobe machen **2.** MUS sampeln, samplen

sanatorium *n, pl* ***sanatoria*** (*Br*) Sanatorium *nt*

sanction I *n* **1.** (≈ *permission*) Zustimmung *f* **2.** (≈ *enforcing measure*) Sanktion *f* **II** *v/t* sanktionieren

sanctity *n* Heiligkeit *f*; (*of rights*) Unantastbarkeit *f*

sanctuary *n* **1.** (≈ *holy place*) Heiligtum *nt* **2.** (≈ *refuge*) Zuflucht *f* **3.** (*for animals*) Schutzgebiet *nt*

sand I *n* Sand *m no pl*; ***~s*** (*of desert*) Sand *m*; (≈ *beach*) Sandstrand *m* **II** *v/t* **1.** (≈ *smooth*) schmirgeln **2.** (≈ *sprinkle with sand*) streuen ◆ **sand down** *v/t sep* (ab)schmirgeln

sandal *n* Sandale *f*

sandalwood *n* Sandelholz *nt*

sandbag *n* Sandsack *m* **sandbank** *n* Sandbank *f* **sand castle** *n* Sandburg *f* **sand dune** *n* Sanddüne *f* **sandpaper I** *n* Schmirgelpapier *nt* **II** *v/t* schmirgeln **sandpit** *n* Sandkasten *m* **sandstone I** *n* Sandstein *m* **II** *adj* Sandstein-, aus Sandstein **sandstorm** *n* Sandsturm *m*

sandwich I *n* Sandwich *nt*; ***open ~*** belegtes Brot **II** *v/t* (*a.* **sandwich in**) hineinzwängen **sandwich bar** *n* Snackbar *f* **sandwich board** *n* Reklametafel *f*

sandy *adj* (+*er*) **1.** sandig; ***~ beach*** Sandstrand *m* **2.** (*colour*) rötlich; *hair* rotblond

sane *adj* (+*er*) *person* normal; PSYCH geistig gesund

sang *pret of* ***sing***

sanitarium *n* (*US*) = ***sanatorium***

sanitary *adj* hygienisch **sanitary napkin** *n* (*US*) *n* Damenbinde *f* **sanitary towel** *n* Damenbinde *f* **sanitation** *n* Hygiene *f*; (≈ *toilets etc*) sanitäre Anlagen *pl* **sanitation man** *n, pl* ***sanitation men*** (*US*) Stadtreiniger *m*

sanity *n* (≈ *mental balance*) geistige Gesundheit; (*esp of individual*) gesunder Verstand

sank *pret of* ***sink***[1]

Sanskrit I *adj* sanskritisch **II** *n* Sanskrit *nt*

Santa (**Claus**) *n* der Weihnachtsmann

sap[1] *n* BOT Saft *m*

sap[2] *v/t* (*fig*) untergraben; ***to ~ sb's strength*** jdn entkräften

sapling *n* junger Baum

sapphire *n* Saphir *m*

sarcasm *n* Sarkasmus *m* **sarcastic** *adj* sarkastisch; ***to be ~ about sth*** über etw (*acc*) sarkastische Bemerkungen machen **sarcastically** *adv* sarkastisch

sardine *n* Sardine *f*; ***packed* (*in*) *like ~s*** wie die Sardinen

Sardinia *n* Sardinien *nt*

sardonic *adj*, **sardonically** *adv* süffisant

sarnie *n* (*Br infml*) Sandwich *nt*

SARS MED *abbr of* ***severe acute respiratory syndrome*** SARS *nt*

SASE *n* (*US*) *abbr of* ***self-addressed stamped envelope***

sash *n* Schärpe *f* **sash window** *n* Schiebefenster *nt*

Sat *abbr of* ***Saturday*** Sa.

sat *pret, past part of* ***sit***

Satan *n* Satan *m* **satanic** *adj* satanisch

satchel *n* Schultasche *f*

satellite *n* Satellit *m* **satellite dish** *n* Satellitenantenne *f* **satellite television** *n* Satellitenfernsehen *nt* **satellite town** *n* Satellitenstadt *f*

satiate *v/t appetite etc* stillen (*elev*); *person* sättigen

satin I *n* Satin *m* **II** *adj* Satin-; *skin* samtig

satire *n* Satire *f* (*on* auf +*acc*) **satirical** *adj film etc* satirisch; (≈ *mocking*) ironisch **satirically** *adv* satirisch; (≈ *mockingly, jokingly*) ironisch **satirist** *n* Satiriker(in) *m*(*f*) **satirize** *v/t* satirisch darstellen

satisfaction *n* **1.** (*of person, needs etc*) Befriedigung *f*; (*of conditions*) Erfüllung *f* **2.** (≈ *state*) Zufriedenheit *f* (*at* mit); ***to feel a sense of ~ at sth*** Genugtuung über etw (*acc*) empfinden; ***she would not give him the ~ of seeing how annoyed she was*** sie wollte ihm nicht die Genugtuung geben, ihren Ärger zu sehen; ***we hope the meal was to your complete ~*** wir hoffen, Sie waren mit dem Essen zufrieden; ***to get ~ out of sth*** Befriedigung in etw (*dat*) finden; (≈ *find pleasure*) Freude *f* an etw (*dat*) haben; ***he gets ~ out of his job*** seine Arbeit befriedigt ihn; ***I get a lot of ~ out of listening to music*** Musik gibt mir viel **3.** (≈ *redress*) Genugtuung *f* **satisfactorily** *adv* zufriedenstellend; ***does that answer your question ~?*** ist damit Ihre Frage hinreichend beantwortet?; ***was it done ~?*** waren Sie damit zufrieden?

satisfactory *adj* zufriedenstellend; (≈ *just good enough*) ausreichend; *excuse* angemessen; (*in exams*) befriedigend; ***to be in a ~ condition*** MED sich in einem zufriedenstellenden Zustand befinden; ***this is just not ~!*** das geht so nicht!; (≈ *not enough*) das reicht einfach nicht (aus)! **satisfied** *adj* (≈ *content*) zufrieden; (≈ *convinced*) überzeugt; ***to be ~ with sth*** mit etw zufrieden sein; (***are you***) ***~?*** (*iron*) (bist du nun) zufrieden?

satisfy I *v/t* **1.** befriedigen; *customers* zufriedenstellen; *hunger* stillen; *conditions* erfüllen; *requirements* genügen (+*dat*) **2.** (≈ *convince*) überzeugen **II** *v/r* ***to ~ oneself that ...*** sich davon überzeugen, dass ... **satisfying** *adj* befriedigend; *meal* sättigend, währschaft (*Swiss*)

satsuma *n* Satsuma *f*

saturate *v/t* **1.** (*with liquid*) (durch)tränken; (*rain*) durchnässen **2.** (*fig*) *market* sättigen **saturation point** *n* (*fig*) ***to reach ~*** den Sättigungsgrad erreichen

Saturday *n* Samstag *m*; → ***Tuesday***

Saturn *n* ASTRON, MYTH Saturn *m*

sauce *n* Soße *f*; ***white ~*** Mehlsoße *f* **saucepan** *n* Kochtopf *m*

saucer *n* Untertasse *f*

saucy *adj* (+*er*) (≈ *cheeky*) frech; (≈ *suggestive*) anzüglich

Saudi Arabia *n* Saudi-Arabien *nt*

sauna *n* Sauna *f*

saunter *v/i* schlendern; ***he ~ed up to me*** er schlenderte auf mich zu

sausage *n* Wurst *f*; ***not a ~*** (*Br infml*) rein gar nichts (*infml*) **sausagemeat** *n* Wurstbrät *nt* **sausage roll** *n* ≈ Bratwurst *f* im Schlafrock

sauté *v/t potatoes* rösten; (≈ *sear*) (kurz) anbraten

savage I *adj* wild; *fighter, conflict* brutal; *animal* gefährlich; *measures* drastisch; ***to make a ~ attack on sb*** (*fig*) jdn scharf angreifen **II** *n* Wilde(r) *m*/*f*(*m*) **III** *v/t* **1.** (*animal*) anfallen **2.** (*fig* ≈ *criticize*) verreißen **savagely** *adv attack, fight* brutal; *criticize* schonungslos **savagery** *n* (≈ *cruelty*) Grausamkeit *f*; (*of attack*) Brutalität *f*

save I *n* FTBL *etc* Ballabwehr *f*; ***what a ~!*** eine tolle Parade!; ***to make a ~*** (den Ball) abwehren **II** *v/t* **1.** (≈ *rescue*) retten; ***to ~ sb from sth*** jdn vor etw (*dat*) retten; ***he ~d me from falling*** er hat mich davor bewahrt hinzufallen; ***to ~ sth from sth*** etw aus etw retten; ***to ~ the day*** die Rettung sein; ***God ~ the Queen*** Gott schütze die Königin; ***to be ~d by the bell*** (*infml*) gerade noch einmal davonkommen; ***to ~ one's neck*** *or* ***ass*** (*US sl*) *or* ***butt*** (*US infml*) seinen Kopf retten; ***to ~ sb's neck*** *or* ***ass*** (*US sl*) *or* ***butt*** (*US infml*) jdn rauspauken (*infml*) **2.** (≈ *put by*) aufheben; *time, money* sparen; *strength* schonen; (≈ *save up*) *strength, fuel etc* aufsparen; (≈ *collect*) *stamps etc* sammeln; ***~ some of the cake for me*** lass mir etwas Kuchen übrig; ***~ me a seat*** halte mir einen Platz frei; ***~ it for later, I'm busy now*** (*infml*) spar dirs für später auf, ich habe jetzt zu tun (*infml*); ***to ~ the best for last*** das Beste bis zum Schluss aufheben; ***going by plane will ~ you four hours on the train journey*** der Flug spart dir vier Stunden Reisezeit im Vergleich zum Zug; ***he's saving himself for the right woman*** er spart sich für die Richtige auf **3.** ***it ~d us having to do it again*** das hat es uns (*dat*) erspart, es noch einmal machen zu müssen **4.** *goal* verhindern; *penalty* halten; ***well ~d!*** gut gehalten! **5.** IT sichern; ***to ~ sth to disk*** etw auf Diskette abspeichern **III** *v/i* (*with money*) sparen; ***to ~ for sth*** für *or* auf etw (*acc*) sparen ◆ **save up I** *v/i* sparen (*for* für, auf +*acc*) **II** *v/t sep* (≈ *not spend*) sparen

saver *n* (*with money*) Sparer(in) *m*(*f*)

saving *n* **1.** *no pl* (≈ *rescue*, REL) Rettung *f* **2.** *no pl* (*of money*) Sparen *nt* **3.** (*of cost etc*) Einsparung *f*; (≈ *amount saved*) Ersparnis *f* **4. savings** *pl* Ersparnisse *pl*; (*in account*) Spareinlagen *pl*; ***~s and loan association*** genossenschaftliche Bausparkasse **saviour**, (*US*) **savior** *n* Retter(in) *m*(*f*)

savour, (*US*) **savor** *v/t* **1.** (*form*) kosten (*elev*) **2.** (*fig liter*) genießen

savoury, (*US*) **savory I** *adj* (≈ *not sweet*) pikant **II** *n* (*Br*) Häppchen *nt*

saw[1] *pret of* **see**[1]

saw[2] *vb*: *pret* **sawed**, *past part* **sawed** *or* **sawn I** *n* Säge *f* **II** *v/t & v/i* sägen; ***to ~ sth in two*** etw entzweisägen ◆ **saw off** *v/t sep* absägen

sawdust *n* Sägemehl *nt* **sawn** *past part of* **saw**[2] **sawn-off, sawed-off** (*US*) *adj* ***~ shotgun*** Gewehr *nt* mit abgesägtem Lauf

Saxon I *n* Sachse *m*, Sächsin *f*; HIST (Angel)sachse *m*/-sächsin *f* **II** *adj* sächsisch; HIST (angel)sächsisch **Saxony** *n* Sachsen *nt*

saxophone *n* Saxofon *nt*

say *vb*: *pret*, *past part* **said I** *v/t & v/i* **1.** sagen; *prayer* sprechen; (≈ *pronounce*) aussprechen; ***~ after me ...*** sprechen Sie mir nach ...; ***you can ~ what you like (about it/me)*** Sie können (darüber/über mich) sagen, was Sie wollen; ***I never thought I'd hear him ~ that*** ich hätte nie gedacht, dass er das sagen würde; ***that's not for him to ~*** das kann er nicht entscheiden; ***though I ~ it myself*** wenn ich das mal selbst sagen darf; ***well, all I can ~ is ...*** na ja, da kann ich nur sagen ...; ***who ~s?*** wer sagt das?; ***what does it mean? — I wouldn't like to ~*** was bedeutet das? — das kann ich auch nicht sagen; ***having said that, I must point out ...*** ich muss allerdings darauf hinweisen ...; ***what have you got to ~ for yourself?*** was haben Sie zu Ihrer Verteidigung zu sagen?; ***if you don't like it, ~ so*** wenn Sie es nicht mögen, dann sagen Sie es doch; ***if you ~ so*** wenn Sie meinen **2.** ***it ~s in the papers that ...*** in den Zeitungen steht, dass ...; ***the rules ~ that ...*** in den Regeln heißt es, dass ...; ***what does the weather forecast ~?*** wie ist der Wetterbericht?; ***that ~s a lot about his state of mind*** das lässt tief auf seinen Gemütszustand schließen; ***that's not ~ing much*** das will nicht viel heißen; ***there's no ~ing what might happen*** was (dann) passiert, das kann keiner vorhersagen; ***there's something/a lot to be said for being based in London*** es spricht einiges/viel für ein Zuhause *or* (*Firma*) für einen Sitz in London **3.** ***if it happens on, ~, Wednesday?*** wenn es am, sagen wir mal, Mittwoch passiert? **4.** (*in suggestions*) ***what would you ~ to a whisky?*** wie wärs mit einem Whisky?; ***shall we ~ £50?*** sagen wir £ 50?; ***what do you ~?*** was meinen Sie?; ***I wouldn't ~ no to a cup of tea*** ich hätte nichts gegen eine Tasse Tee **5.** (*exclamatory*) ***~, what a great idea!*** (*esp US*) Mensch, tolle Idee! (*infml*); ***I should ~ so!*** das möchte ich doch meinen!; ***you don't ~!*** was du nicht sagst!; ***you said it!*** Sie sagen es!; ***you can ~ that again!*** das kann man wohl sagen!; ***~ no more!*** ich weiß Bescheid!; ***~s you!*** (*infml*) das meinst auch nur du! (*infml*); ***~s who?*** (*infml*) wer sagt das? **6.** ***(it's) easier said than done*** das ist leichter gesagt als getan; ***no sooner said than done*** gesagt, getan; ***when all is said and done*** letzten Endes; ***they ~ ..., it is said ...*** es heißt ...; ***he is said to be very rich*** er soll sehr reich sein; ***it goes without ~ing that ...*** es versteht sich von selbst, dass ...; ***that is to ~*** das heißt; ***to ~ nothing of the costs*** *etc* von den Kosten *etc* mal ganz abgesehen; ***enough said!*** genug! **II** *n* **1.** ***let him have his ~*** lass ihn mal seine Meinung äußern **2.** ***to have no/a ~ in sth*** bei etw kein/ein Mitspracherecht haben; ***to have the last*** *or* ***final ~ (in sth)***

(etw) letztlich entscheiden **saying** *n* Redensart *f*; (≈ *proverb*) Sprichwort *nt*; ***as the ~ goes*** wie man so sagt

scab *n* (*on cut*) Schorf *m*

scaffold *n* (*on building*) Gerüst *nt*; (*for execution*) Schafott *nt* **scaffolding** *n* Gerüst *nt*; ***to put up ~*** ein Gerüst aufbauen

scalawag *n* (*US*) = ***scallywag***

scald *v/t* verbrühen **scalding** *adv* ***~ hot*** siedend heiß

scale[1] *n* (*of fish*) Schuppe *f*

scale[2] *n* (***pair of***) ***~s*** *pl*, ***~*** (*form*) Waage *f*

scale[3] *n* **1.** Skala *f*; (≈ *table*) Tabelle *f* **2.** (≈ *instrument*) Messgerät *nt* **3.** MUS Tonleiter *f*; ***the ~ of G*** die G(-Dur)-Tonleiter **4.** (*of map etc*) Maßstab *m*; ***on a ~ of 5 km to the cm*** in einem Maßstab von 5 km zu 1 cm; (***drawn/true***) ***to ~*** maßstabgerecht **5.** (*fig* ≈ *size*) Ausmaß *nt*; ***to entertain on a small ~*** Feste im kleineren Rahmen geben; ***small in ~*** von kleinem Umfang; ***it's similar but on a smaller ~*** es ist ähnlich, nur kleiner; ***on a national ~*** auf nationaler Ebene ◆ **scale down** *v/t sep* (*lit*) verkleinern; (*fig*) verringern

scale[4] *v/t wall* erklettern

scallion *n* (*US*) = ***spring onion***

scallop *n* ZOOL Kammmuschel *f*

scallywag *n* (*Br infml*) Schlingel *m* (*infml*)

scalp *n* Kopfhaut *f*

scalpel *n* Skalpell *nt*

scaly *adj* (*+er*) schuppig

scam *n* (*infml* ≈ *deception*) Betrug *m*

scamp *n* (*infml*) Frechdachs *m*

scamper *v/i* (*person*) tollen; (*mice*) huschen

scan I *v/t* schwenken über (*+acc*); (*person*) seine Augen wandern lassen über (*+acc*); *newspaper* überfliegen; *horizon* absuchen; *luggage* durchleuchten **II** *n* MED Scan *m*; (*in pregnancy*) Ultraschalluntersuchung *f* ◆ **scan in** *v/t sep* IT scannen

scandal *n* **1.** Skandal *m*; ***to cause/create a ~*** einen Skandal verursachen; (*amongst neighbours etc*) allgemeines Aufsehen erregen **2.** *no pl* (≈ *gossip*) Skandalgeschichten *pl*; ***the latest ~*** der neueste Klatsch **scandalize** *v/t* schockieren **scandalous** *adj* skandalös

Scandinavia *n* Skandinavien *nt* **Scandinavian I** *adj* skandinavisch **II** *n* Skandinavier(in) *m(f)*

scanner *n* IT, MED Scanner *m*

scant *adj* (*+er*) wenig *inv*; *success* gering; ***to pay ~ attention to sth*** etw kaum beachten **scantily** *adv* spärlich **scanty** *adj* (*+er*) *information* spärlich; *clothing* knapp

scapegoat *n* Sündenbock *m*; ***to use sb/sth as a ~, to make sb/sth one's ~*** jdm/einer Sache die Schuld zuschieben

scar I *n* Narbe *f*; (*fig: emotional*) Wunde *f* **II** *v/t* ***he was ~red for life*** (*lit*) er behielt bleibende Narben zurück; (*fig*) er war fürs Leben gezeichnet

scarce *adj* (*+er*) (≈ *in short supply*) knapp; (≈ *rare*) selten; ***to make oneself ~*** (*infml*) verschwinden (*infml*)

scarcely *adv* kaum; (≈ *not really*) wohl kaum; ***~ anything*** fast nichts; ***I ~ know what to say*** ich weiß nicht recht, was ich sagen soll **scarceness, scarcity** *n* (≈ *shortage*) Knappheit *f*; (≈ *rarity*) Seltenheit *f*

scare I *n* (≈ *fright*) Schreck(en) *m*; (≈ *alarm*) Hysterie *f* (*about* wegen); ***to give sb a ~*** jdm einen Schrecken einjagen; ***to cause a ~*** eine Panik auslösen **II** *v/t* einen Schrecken einjagen (*+dat*); (≈ *worry*) Angst machen (*+dat*); (≈ *frighten*) erschrecken; ***to be easily ~d*** sehr schreckhaft sein; (≈ *easily worried*) sich (*dat*) leicht Angst machen lassen; ***to ~ sb to death*** (*infml*) jdn zu Tode erschrecken (*infml*) **III** *v/i* ***I don't ~ easily*** ich bekomme nicht so schnell Angst ◆ **scare away** *or* **off** *v/t sep* verscheuchen; *people* verjagen

scarecrow *n* Vogelscheuche *f* **scared** *adj* ängstlich; ***to be ~ (of sb/sth)*** (vor jdm/etw) Angst haben; ***to be ~ to death*** (*infml*) Todesängste ausstehen; ***she was too ~ to speak*** sie konnte vor Angst nicht sprechen; ***he's ~ of telling her the truth*** er getraut sich nicht, ihr die Wahrheit zu sagen **scare tactics** *pl* Panikmache(rei) *f* (*infml*)

scarf *n*, *pl* ***scarves*** Schal *m*; (≈ *neck scarf*) Halstuch *nt*; (≈ *head scarf*) Kopftuch *nt*

scarlet *adj* (scharlach)rot; ***to go ~*** rot anlaufen (*infml*)

scarves *pl of* ***scarf***

scary *adj* (*+er*) (*infml*) unheimlich; *film* grus(e)lig (*infml*); ***it was pretty ~*** da konnte man schon Angst kriegen (*infml*); ***that's a ~ thought*** das ist ein beängstigender Gedanke

scathing *adj* bissig; *look* vernichtend; ***to be ~*** bissige Bemerkungen *pl* machen (*about* über *+acc*); ***to make a ~ attack on sb/sth*** jdn/etw scharf angreifen

scatter **I** *v/i* **1.** (≈ *distribute*) verstreuen; *seeds* streuen (*on, onto* auf *+acc*) **2.** (≈ *disperse*) auseinandertreiben **II** *v/i* sich zerstreuen (*to* in *+acc*) **scatterbrained** *adj* (*infml*) schuss(e)lig (*infml*) **scattered** *adj population* weitverstreut; *objects* verstreut; *showers* vereinzelt

scavenge **I** *v/t* ergattern **II** *v/i* (*lit*) Nahrung suchen; ***to ~ for sth*** nach etw suchen **scavenger** *n* (≈ *animal*) Aasfresser *m*; (*fig*) Aasgeier *m*

scenario *n* Szenario *nt*

scene *n* **1.** (≈ *setting*) Schauplatz *m*; (*of play*) Ort *m* der Handlung; ***the ~ of the crime*** der Tatort; ***to set the ~*** den Rahmen geben; ***a change of ~*** ein Tapetenwechsel *m*; ***to appear on the ~*** auf der Bildfläche erscheinen; ***the police were first on the ~*** die Polizei war als erste zur Stelle **2.** (≈ *incident*, *fuss*, THEAT) Szene *f*; ***behind the ~s*** hinter den Kulissen; ***to make a ~*** eine Szene machen **3.** (≈ *sight*) Anblick *m*; (≈ *tableau*) Szene *f* **4.** (*infml*) Szene *f*; ***the drug ~*** die Drogenszene; ***that's not my ~*** da steh ich nicht drauf (*infml*)

scenery *n* **1.** (≈ *landscape*) Landschaft *f*; ***do you like the ~?*** gefällt Ihnen die Gegend? **2.** THEAT Bühnendekoration *f*

scenic *adj* (≈ *of landscape*) landschaftlich; (≈ *picturesque*) malerisch; ***to take the ~ route*** die landschaftlich schöne Strecke nehmen; (*hum*) einen kleinen Umweg machen

scent *n* **1.** (≈ *smell*) Duft *m* **2.** (≈ *perfume*) Parfüm *nt* **3.** (*of animal*) Fährte *f*; ***to put*** *or* ***throw sb off the ~*** jdn von der Fährte abbringen **scented** *adj soap* parfümiert; *flower* duftend; ***~ candle*** Duftkerze *f*

sceptre, (*US*) **scepter** *n* Zepter *nt*

sceptic, (*US*) **skeptic** *n* Skeptiker(in) *m(f)* **sceptical**, (*US*) **skeptical** *adj* skeptisch; ***to be ~ about*** *or* ***of sth*** über etw (*acc*) skeptisch sein **scepticism**, (*US*) **skepticism** *n* Skepsis *f* (*about* gegenüber)

schedule **I** *n* (*of events*) Programm *nt*; (*of work*) Zeitplan *m*; (*esp US* ≈ *timetable*) Fahr-/Flugplan *m*; ***according to ~*** planmäßig; ***the train is behind ~*** der Zug hat Verspätung; ***the bus was on ~*** der Bus war pünktlich; ***the building will be opened on ~*** das Gebäude wird wie geplant eröffnet werden; ***the work is ahead of/behind ~*** wir *etc* sind (mit der Arbeit) dem Zeitplan voraus/im Rückstand; ***we are working to a very tight ~*** unsere Termine sind sehr eng (*infml*) **II** *v/t* planen; ***the work is ~d for completion in 3 months*** die Arbeit soll (laut Zeitplan) in 3 Monaten fertig(-gestellt) sein; ***it is ~d to take place tomorrow*** es soll morgen stattfinden; ***she is ~d to speak tomorrow*** ihre Rede ist für morgen geplant; ***the plane is ~d to take off at 2 o'clock*** planmäßiger Abflug ist 2 Uhr **scheduled** *adj* geplant; *departure etc* planmäßig **scheduled flight** *n* Linienflug *m*

schematic *adj*, **schematically** *adv* schematisch

scheme **I** *n* **1.** (≈ *plan*) Plan *m*; (≈ *project*) Projekt *nt*; (≈ *insurance scheme*) Programm *nt*; (≈ *idea*) Idee *f* **2.** (≈ *plot*) (raffinierter) Plan **3.** (*of room etc*) Einrichtung *f* **II** *v/i* Pläne schmieden **scheming** **I** *n* raffiniertes Vorgehen; (*of politicians etc*) Machenschaften *pl* **II** *adj methods*, *businessman* raffiniert; *politician* gewieft (*infml*)

schizophrenia *n* Schizophrenie *f* **schizophrenic** *n* Schizophrene(r) *m/f(m)*

schnap(p)s *n* Schnaps *m*

scholar *n* Gelehrte(r) *m/f(m)* **scholarly** *adj* wissenschaftlich; (≈ *learned*) gelehrt

scholarship *n* **1.** (≈ *learning*) Gelehrsamkeit *f* **2.** (≈ *award*) Stipendium *nt*; ***~ holder*** Stipendiat(in) *m(f)*

school[1] *n* **1.** Schule *f*; (*US*) College *nt*; Universität *f*; ***at ~*** in der Schule/im College/an der Universität; ***to go to ~*** in die Schule/ins College/zur Universität gehen; ***there's no ~ tomorrow*** morgen ist schulfrei **2.** (UNIV ≈ *department*) Fachbereich *m*; (*of medicine*, *law*) Fakultät *f*

school[2] *n* (*of fish*) Schule *f*

school age *n* Schulalter *nt* **schoolboy** *n* Schüler *m* **school bus** *n* Schulbus *m* **schoolchildren** *pl* Schüler *pl* **school days** *pl* Schulzeit *f* **school dinner** *n* Schulessen *nt* **school fees** *pl* Schulgeld *nt* **schoolfriend** *n* Schulfreund(in) *m(f)* **schoolgirl** *n* Schülerin *f* **schooling** *n* Ausbildung *f* **school-leaver** *n* (*Br*) Schulabgänger(in) *m(f)* **schoolmate** *n*

(*Br*) Schulkamerad(in) *m(f)* **school meals** *pl* Schulessen *nt* **school report** *n* Schulzeugnis *nt* **schoolteacher** *n* Lehrer(in) *m(f)* **school uniform** *n* Schuluniform *f* **schoolwork** *n* Schulaufgaben *pl* **schoolyard** *n* Schulhof *m*

science *n* Wissenschaft *f*; (≈ *natural science*) Naturwissenschaft *f* **science fiction** *n* Science-Fiction *f* **scientific** *adj* naturwissenschaftlich; *methods* wissenschaftlich **scientifically** *adv* **~ proven** wissenschaftlich erwiesen **scientist** *n* (Natur)wissenschaftler(in) *m(f)* **sci-fi** *n* (*infml*) = ***science fiction***

Scillies, Scilly Isles *pl* Scillyinseln *pl*

scintillating *adj* (*fig*) *performance* sprühend *attr*; *person, speech* vor Geist sprühend *attr*

scissors *n pl* Schere *f*; ***a pair of ~*** eine Schere

scoff[1] *v/i* spotten; ***to ~ at sb/sth*** sich abschätzig über jdn/etw äußern

scoff[2] (*Br infml*) *v/t* futtern (*infml*), in sich (*acc*) hineinstopfen (*infml*)

scold I *v/t* ausschimpfen (*for* wegen) **II** *v/i* schimpfen **scolding** *n* **1.** Schelte *f no pl* **2.** (≈ *act*) Schimpferei *f*

scollop *n* = ***scallop***

scone *n* (*Br*) *brötchenartiges Buttergebäck*

scoop I *n* (≈ *instrument*) Schaufel *f*; (*for ice cream*) Portionierer *m*; (*of ice cream*) Kugel *f* **II** *v/t* **1.** (*with scoop*) schaufeln; *liquid* schöpfen **2.** *prize* gewinnen ◆ **scoop out** *v/t sep* **1.** (≈ *take out*) herausschaufeln; *liquid* herausschöpfen **2.** *melon* aushöhlen ◆ **scoop up** *v/t sep* aufschaufeln; *liquid* aufschöpfen; ***she scooped the child up*** sie raffte das Kind an sich (*acc*)

scooter *n* (Tret)roller *m*, Trottinett *nt* (*Swiss*); (≈ *motor scooter*) (Motor)roller *m*

scope *n* **1.** (*of investigation, knowledge*) Umfang *m*; (*of duties, department*) Kompetenzbereich *m*; ***sth is beyond the ~ of sth*** etw geht über etw (*acc*) hinaus; ***this project is more limited in ~*** dieses Projekt ist auf einen engeren Rahmen begrenzt **2.** (≈ *opportunity*) Möglichkeit(en) *f(pl)*; ***there is ~ for further growth in the tourist industry*** die Tourismusindustrie ist noch ausbaufähig; ***to give sb ~ to do sth*** jdm den nötigen Spielraum geben, etw zu tun

scorch I *n* (*a.* **scorch mark**) Brandfleck *m* **II** *v/t* versengen **scorching** *adj sun* glühend heiß; *day* brütend heiß

score I *n* **1.** (≈ *points*) (Punkte)stand *m*; (*of game*) (Spiel)stand *m*; (≈ *final score*) Spielergebnis *nt*; ***the ~ was Rangers 3, Celtic 0*** es stand 3:0 für Rangers (gegen Celtic); (≈ *final score*) Rangers schlug Celtic (mit) 3:0; ***to keep ~*** (mit)zählen; ***what's the ~?*** wie steht es?; ***to know the ~*** (*fig*) wissen, was gespielt wird (*infml*) **2.** (≈ *grudge*) Rechnung *f*; ***to settle old ~s*** alte Schulden begleichen; ***to have a ~ to settle with sb*** mit jdm eine alte Rechnung zu begleichen haben **3.** MUS Noten *pl*; (*of film*) Musik *f* **4.** (≈ *line*) Kerbe *f* **5.** (≈ *20*) zwanzig; ***~s of ...*** (≈ *many*) Hunderte von ... **6.** ***on that ~*** deshalb **II** *v/t* **1.** erzielen; ***I ~d ten points*** ich habe zehn Punkte **2.** (≈ *mark*) Kratzer/einen Kratzer machen in (*+acc*) **III** *v/i* **1.** (≈ *win points etc*) einen Punkt erzielen; FTBL *etc* ein Tor schießen; ***to ~ well/badly*** gut/schlecht abschneiden **2.** (≈ *keep score*) (mit)zählen ◆ **score off** *v/t sep* (≈ *delete*) ausstreichen ◆ **score out** *or* **through** *v/t sep* durchstreichen

scoreboard *n* Anzeigetafel *f*; (*on TV*) Tabelle *f* der Spielergebnisse **scoreline** *n* SPORTS Endstand *m* **scorer** *n* **1.** FTBL *etc* Torschütze *m*/-schützin *f* **2.** (SPORTS ≈ *official*) Anschreiber(in) *m(f)*

scorn I *n* Verachtung *f*; ***to pour ~ on sb/sth*** jdn/etw verächtlich abtun **II** *v/t* verachten; (*condescendingly*) verächtlich behandeln **scornful** *adj* verächtlich; *person* spöttisch; ***to be ~ of sb/sth*** jdn/etw verachten; (*verbally*) jdn/etw verhöhnen **scornfully** *adv* verächtlich

Scorpio *n* Skorpion *m*; ***he's (a) ~*** er ist Skorpion

scorpion *n* Skorpion *m*

Scot *n* Schotte *m*, Schottin *f* **Scotch I** *adj* schottisch **II** *n* (≈ *Scotch whisky*) Scotch *m* **Scotch tape®** *n* Klebeband *nt*

scot-free *adv* ***to get off ~*** ungeschoren davonkommen

Scotland *n* Schottland *nt* **Scots I** *adj* schottisch **II** *n* LING Schottisch *nt*; ***the ~*** (≈ *people*) die Schotten *pl*

Scotsman *n* Schotte *m*

Scotswoman *n* Schottin *f*

Scottish *adj* schottisch

scoundrel *n* Bengel *m*, Bazi *m* (*Aus*)

scour[1] *v/t pan* scheuern, fegen (*Swiss*)
scour[2] *v/t area* absuchen (*for* nach); *newspaper* durchkämmen (*for* nach)
scourer *n* Topfkratzer *m*; (≈ *sponge*) Scheuerschwamm *m*
scourge *n* Geißel *f*
scouring pad *n* = ***scourer***
Scouse **I** *adj* Liverpooler **II** *n* **1.** (≈ *person*) Liverpooler(in) *m(f)* **2.** (≈ *dialect*) Liverpooler Dialekt *m*
scout **I** *n* **1.** (MIL ≈ *person*) Kundschafter(in) *m(f)* **2.** ***to have a ~ (a)round for sth*** sich nach etw umsehen **3.** ***Scout*** (≈ *boy scout*) Pfadfinder *m*; (*US* ≈ *girl scout*) Pfadfinderin *f* **4.** (≈ *talent scout*) Talentsucher(in) *m(f)* **II** *v/i* auskundschaften; ***to ~ for sth*** nach etw Ausschau halten **III** *v/t area*, *country* erkunden ◆ **scout around** *v/i* sich umsehen (*for* nach)
scouting *n* (≈ *looking*) Suche *f* (*for* nach); (*for talent*) Talentsuche *f* **scoutmaster** *n* Gruppenführer *m*
scowl **I** *n* finsterer Blick **II** *v/i* ein finsteres Gesicht machen; ***to ~ at sb*** jdn böse ansehen
scrabble *v/i* (*a.* **scrabble about** (*Brit*) *or* **around**) (herum)tasten; (*among movable objects*) (herum)wühlen
scraggly *adj* (+*er*) *beard*, *hair* zottig; *plant* kümmerlich
scraggy *adj* (+*er*) (≈ *scrawny*) dürr; *meat* sehnig
scram *v/i* (*infml*) abhauen (*infml*); ***~!*** verschwinde!
scramble **I** *n* **1.** (≈ *climb*) Kletterei *f* **2.** (≈ *dash*) Gerangel *nt* **II** *v/t* **1.** *pieces* (untereinander) mischen **2.** *eggs* verquirlen **3.** TEL *message* verschlüsseln **III** *v/i* **1.** (≈ *climb*) klettern; ***to ~ out*** herausklettern; ***he ~d to his feet*** er rappelte sich auf (*infml*); ***to ~ up sth*** auf etw (*acc*) hinaufklettern **2.** ***to ~ for sth*** sich um etw raufen; *for ball etc* um etw kämpfen; *for good site* sich um etw drängeln
scrambled egg(s) *n(pl)* Rührei(er) *nt(pl)*
scrap **I** *n* **1.** (≈ *small piece*) Stückchen *nt*; (*fig*) bisschen *no pl*; (*of paper*, *news*) Fetzen *m*; ***there isn't a ~ of food*** es ist überhaupt nichts zu essen da; ***a few ~s of information*** ein paar magere Auskünfte; ***not a ~ of evidence*** nicht der geringste Beweis **2.** (*usu pl* ≈ *leftover*) Rest *m* **3.** (≈ *waste material*) Altmaterial *nt*; (≈ *metal*) Schrott *m*; ***to sell sth for ~*** etw zum Verschrotten verkaufen **II** *v/t car* verschrotten; *idea* fallen lassen **scrapbook** *n* Sammelalbum *nt* **scrap car** *n* Schrottauto *nt* (*infml*)
scrape **I** *n* (≈ *mark*) Schramme *f* **II** *v/t* **1.** *potatoes etc* schaben; *plate*, *shoes* abkratzen; *saucepan* auskratzen; ***to ~ a living*** gerade so sein Auskommen haben; ***that's really scraping the (bottom of the) barrel*** (*fig*) das ist wirklich das Letzte vom Letzten **2.** (≈ *mark*) *car* schrammen; *wall* streifen; *arm* aufschürfen **3.** (≈ *grate against*) kratzen an (+*dat*) **III** *v/i* (≈ *grate*) kratzen (*against* an +*dat*); (≈ *rub*) streifen (*against* +*acc*); ***the car just ~d past the gatepost*** der Wagen fuhr um Haaresbreite am Torpfosten vorbei ◆ **scrape by** *v/i* (*lit*) sich vorbeizwängen; (*fig*) sich durchwursteln (*infml*) (on *mit*) ◆ **scrape off** *v/t sep* abkratzen (*prep obj* von) ◆ **scrape out** *v/t sep* auskratzen ◆ **scrape through** **I** *v/i* (*in exam*) durchrutschen (*infml*) **II** *v/i +prep obj gap* sich durchzwängen durch; *exam* durchrutschen durch (*infml*) ◆ **scrape together** *v/t sep money* zusammenkratzen
scraper *n* (≈ *tool*) Spachtel *m*
scrap heap *n* Schrotthaufen *m*; ***to be thrown on the ~*** (*person*) zum alten Eisen geworfen werden; ***to end up on the ~*** (*person*) beim alten Eisen landen
scrapings *pl* (*of food*) Reste *pl*; (≈ *potato scrapings*) Schalen *pl*
scrap merchant *n* Schrotthändler(in) *m(f)* **scrap metal** *n* Schrott *m* **scrap paper** *n* (*esp Br*) Schmierpapier *nt* **scrappy** *adj* (+*er*) zusammengestückelt; *match* orientierungslos **scrapyard** *n* (*esp Br*) Schrottplatz *m*
scratch **I** *n* (≈ *mark*) Kratzer *m*; (≈ *act*) ***to have a ~*** sich kratzen; ***to start from ~*** (ganz) von vorn(e) anfangen; ***to learn a language from ~*** eine Sprache von Grund auf erlernen; ***to be up to ~*** (*infml*) den Anforderungen entsprechen **II** *v/t* kratzen; (≈ *leave scratches on*) zerkratzen; ***she ~ed the dog's ear*** sie kratzte den Hund am Ohr; ***to ~ one's head*** sich am Kopf kratzen; ***to ~ the surface of sth*** (*fig*) etw oberflächlich berühren **III** *v/i* **1.** kratzen; (≈ *scratch oneself*) sich kratzen **2.** MUS scratchen ◆ **scratch about** (*Brit*) *or* **around** *v/i*

(*fig infml*) sich umsehen (*for* nach)

scratchcard *n* (*Br*) Rubbellos *nt* **scratching** *n* MUS Scratching *nt* **scratch pad** *n* (*US* IT) Notizblock *m* **scratch paper** *n* (*US*) Notizpapier *nt* **scratchy** *adj* (*+er*) *sound*, *pen* kratzend *attr*; *sweater* kratzig

scrawl I *n* Krakelei *f*; (≈ *handwriting*) Klaue *f* (*infml*) **II** *v/t* hinkritzeln

scrawny *adj* (*+er*) dürr

scream I *n* **1.** Schrei *m*; (*of engines*) Heulen *nt*; ***to give a ~*** einen Schrei ausstoßen **2.** (*fig infml*) ***to be a ~*** zum Schreien sein (*infml*) **II** *v/t* schreien; ***to ~ sth at sb*** jdm etw zuschreien; ***to ~ one's head off*** (*infml*) sich (*dat*) die Lunge aus dem Leib *or* Hals schreien **III** *v/i* schreien; (*wind*, *engine*) heulen; ***to ~ at sb*** jdn anschreien; ***to ~ for sth*** nach etw schreien; ***to ~ in*** *or* ***with pain*** vor Schmerzen schreien; ***to ~ with laughter*** vor Lachen kreischen **screaming I** *adj* schreiend; *tyres* kreischend; *wind*, *engine* heulend **II** *n* ***to have a ~ match*** sich gegenseitig anbrüllen (*infml*)

screech I *n* Kreischen *nt no pl* **II** *v/t* schreien; *high notes* quietschen **III** *v/i* kreischen; ***to ~ with laughter*** vor Lachen kreischen; ***to ~ with delight*** vor Vergnügen quietschen

screen I *n* **1.** (*protective*) Schirm *m*; (*for privacy etc*) Wandschirm *m*; (*fig*) Schutz *m* **2.** FILM Leinwand *f*; TV (Bild)schirm *m*; ***stars of the ~*** Filmstars *pl*; ***the big ~*** die Leinwand; ***the small ~*** die Mattscheibe **3.** IT Bildschirm *m*; ***on ~*** auf Bildschirm (*dat*); ***to work on ~*** am Bildschirm arbeiten **II** *v/t* **1.** (≈ *hide*) verdecken; (≈ *protect*) abschirmen; ***he ~ed his eyes from the sun*** er schützte die Augen vor der Sonne **2.** *TV programme* senden; *film* vorführen **3.** *applicants* überprüfen; *calls* überwachen; MED untersuchen **III** *v/i* ***to ~ for sth*** MED auf etw (*acc*) untersuchen ◆ **screen off** *v/t sep* abtrennen

screening *n* **1.** (*of applicants*) Überprüfung *f* **2.** (*of film*) Vorführung *f*; TV Sendung *f* **screenplay** *n* Drehbuch *nt* **screen-printing** *n* Siebdruck *m* **screensaver** *n* IT Bildschirmschoner *m* **screenwriter** *n* Drehbuchautor(in) *m*(*f*)

screw I *n* MECH Schraube *f*; ***he's got a ~ loose*** (*infml*) bei dem ist eine Schraube locker (*infml*); ***to turn the ~ on sb*** (*infml*) jdm die Daumenschrauben anlegen **II** *v/t* **1.** (*using screws*) schrauben (*to* an *+acc*, *onto* auf *+acc*); ***she ~ed her handkerchief into a ball*** sie knüllte ihr Taschentuch zu einem Knäuel zusammen **2.** (*sl* ≈ *have sex with*) vögeln (*infml*); ***~ you!*** (*sl*) leck mich am Arsch! (*vulg*), du kannst mich mal! (*infml*) **III** *v/i* (*sl* ≈ *have sex*) vögeln (*infml*) ◆ **screw down** *v/t sep* an- *or* festschrauben ◆ **screw in I** *v/t sep* (hin)einschrauben (*prep obj*, *-to* in *+acc*) **II** *v/i* (hin)eingeschraubt werden (*prep obj*, *-to* in *+acc*) ◆ **screw off I** *v/t sep* abschrauben (*prep obj* von) **II** *v/i* abgeschraubt werden (*prep obj* von) ◆ **screw on I** *v/t sep* anschrauben; ***to screw sth on(to) sth*** etw an etw (*acc*) schrauben; *lid*, *top* etw auf etw (*acc*) schrauben **II** *v/i* aufgeschraubt werden; (≈ *with screws*) angeschraubt werden ◆ **screw together I** *v/t sep* zusammenschrauben **II** *v/i* zusammengeschraubt werden ◆ **screw up I** *v/t sep* **1.** *paper* zusammenknüllen; *eyes* zusammenkneifen; *face* verziehen; ***to ~ one's courage*** seinen ganzen Mut zusammennehmen **2.** (*infml* ≈ *spoil*) vermasseln (*infml*) **3.** (*infml*) *sb* neurotisch machen; ***he's so screwed up*** der hat einen Schaden (*infml*) **II** *v/i* (*infml* ≈ *make a mess*) Scheiße bauen (*infml*) (*on sth* bei etw)

screwdriver *n* Schraubenzieher *m* **screw top** *n* Schraubverschluss *m*

scribble I *n* Gekritzel *nt no pl* **II** *v/t* hinkritzeln; ***to ~ sth on sth*** etw auf etw (*acc*) kritzeln; ***to ~ sth down*** etw hinkritzeln **III** *v/i* kritzeln

scribe *n* Schreiber(in) *m*(*f*)

scrimp *v/i* sparen, knausern; ***to ~ and save*** geizen und sparen

script *n* **1.** (≈ *writing*) Schrift *f* **2.** (*of play*) Text *m*; (≈ *screenplay*) Drehbuch *nt*

scripture *n* ***Scripture***, ***the Scriptures*** die (Heilige) Schrift

scriptwriter *n* Textautor(in) *m*(*f*); (*of screenplay*) Drehbuchautor(in) *m*(*f*)

scroll I *n* **1.** Schriftrolle *f*; (*decorative*) Schnörkel *m* **2.** IT Scrollen *nt* **II** *v/i* IT scrollen ◆ **scroll down** *v/t & v/i sep* vorscrollen ◆ **scroll up** *v/t & v/i sep* zurückscrollen

scroll bar *n* IT Bildlaufleiste *f*

Scrooge *n* Geizhals *m*

scrotum *n* Hodensack *m*

scrounge (*infml*) **I** *v/t & v/i* schnorren (*infml*) (*off, from* bei) **II** *n* ***to be on the ~*** am Schnorren sein (*infml*) **scrounger** *n* (*infml*) Schnorrer(in) *m(f)* (*infml*)

scrub[1] *n* (≈ *scrubland*) Gebüsch *nt*

scrub[2] **I** *n* Schrubben *nt no pl*, Fegen *nt no pl* (*Swiss*); ***to give sth a ~*** etw schrubben **II** *v/t* schrubben, fegen (*Swiss*); *vegetables* putzen ◆ **scrub down** *v/t sep* abschrubben, abfegen (*Swiss*) ◆ **scrub out** *v/t sep pans etc* ausscheuern, ausfegen (*Swiss*)

scrubbing brush (*Br*), **scrub brush** (*US*) *n* Scheuerbürste *f* **scrubland** *n* → ***scrub***[1]

scruff[1] *n* ***by the ~ of the neck*** am Genick

scruff[2] *n* (*infml* ≈ *scruffy person*) (≈ *woman*) Schlampe *f* (*pej infml*); (≈ *man*) abgerissener Typ (*infml*)

scruffily *adv* (*infml*) schlampig (*infml*) **scruffy** *adj* (+*er*) (*infml*) gammelig (*infml*)

scrum *n* (*of reporters etc*, RUGBY) Gedränge *nt*

scrumptious *adj* (*infml*) lecker

scrunch I *v/t* ***to ~ sth*** (***up***) ***into a ball*** etw zusammenknüllen **II** *v/i* knirschen

scruple *n* Skrupel *m*; ***~s*** (moralische) Bedenken *pl*; ***to have no ~s about sth*** bei einer Sache keine Skrupel haben **scrupulous** *adj* gewissenhaft; ***he is not too ~ in his business dealings*** er hat keine allzu großen Skrupel bei seinen Geschäften; ***to be ~ about sth*** mit etw sehr gewissenhaft sein **scrupulously** *adv* (≈ *conscientiously*) gewissenhaft; (≈ *meticulously*) sorgfältig; *clean* peinlich; *fair* äußerst

scrutinize *v/t* **1.** (≈ *examine*) (genau) untersuchen; (≈ *check*) genau prüfen **2.** (≈ *stare at*) prüfend ansehen **scrutiny** *n* **1.** (≈ *examination*) Untersuchung *f*; (≈ *checking*) (Über)prüfung *f* **2.** (≈ *stare*) prüfender Blick

scuba diving *n* Sporttauchen *nt*

scud *v/i* flitzen; (*clouds*) jagen

scuff I *v/t* abwetzen **II** *v/i* schlurfen

scuffle I *n* Handgemenge *nt* **II** *v/i* sich raufen

sculpt *v/t* = ***sculpture*** II

sculptor *n* Bildhauer(in) *m(f)*

sculpture I *n* (≈ *art*) Bildhauerkunst *f*; (≈ *work*) Bildhauerei *f*; (≈ *object*) Skulptur *f* **II** *v/t* formen; (*in stone*) hauen

scum *n* **1.** (*on liquid*) Schaum *m*; (≈ *residue*) Rand *m* **2.** (*pej infml*) Abschaum *m*; ***the ~ of the earth*** der Abschaum der Menschheit **scumbag** *n* (*infml*) Schleimscheißer *m* (*infml*)

scupper *v/t* **1.** NAUT versenken **2.** (*Br infml* ≈ *ruin*) zerschlagen

scurrilous *adj* verleumderisch

scurry *v/i* (*person*) hasten; (*animals*) huschen; ***they all scurried out of the classroom*** sie hatten es alle eilig, aus dem Klassenzimmer zu kommen

scuttle[1] *v/i* (*person*) trippeln; (*animals*) hoppeln; (*spiders etc*) krabbeln

scuttle[2] *v/t* NAUT versenken

scythe *n* Sense *f*

SE *abbr of* ***south-east*** SO

sea *n* Meer *nt*, See *f*; ***by ~*** auf dem Seeweg; ***by the ~*** am Meer; ***at ~*** auf See; ***to be all at ~*** (*fig*) nicht durchblicken (*with* bei) (*infml*); ***to go to ~*** zur See gehen; ***heavy ~s*** schwere See **sea anemone** *n* Seeanemone *f* **seabed** *n* Meeresboden *m* **sea bird** *n* Seevogel *m* **seaboard** *n* (*US*) Küste *f* **sea breeze** *n* Seewind *m* **sea change** *n* totale Veränderung **sea defences**, (*US*) **sea defenses** *pl* Hochwasserschutzmaßnahmen *pl* **seafish** *n* Meeresfisch *m*

seafood *n* Meeresfrüchte *pl*; ***~ restaurant*** Fischrestaurant *nt* **seafront** *n* (≈ *promenade*) Strandpromenade *f* **seagull** *n* Möwe *f* **sea horse** *n* Seepferdchen *nt*

seal[1] *n* ZOOL Seehund *m*

seal[2] **I** *n* **1.** (*in wax*) Siegel *nt*; ***~ of approval*** offizielle Zustimmung **2.** (≈ *airtight closure*) Verschluss *m* **II** *v/t* versiegeln; (*with wax*) siegeln; *area* abriegeln; (≈ *make air- or watertight*) abdichten; (*fig* ≈ *finalize*) besiegeln; ***~ed envelope*** verschlossener Briefumschlag; ***my lips are ~ed*** meine Lippen sind versiegelt; ***this ~ed his fate*** dadurch war sein Schicksal besiegelt ◆ **seal in** *v/t sep* einschließen ◆ **seal off** *v/t sep* abriegeln ◆ **seal up** *v/t sep* versiegeln; *parcel* zukleben

sea level *n* Meeresspiegel *m* **sea lion** *n* Seelöwe *m*

seam *n* Naht *f*; ***to come apart at the ~s*** aus den Nähten gehen; ***to be bursting at the ~s*** aus allen Nähten platzen (*infml*) **seamstress** *n* Näherin *f*

seamy *adj* (+*er*) *club, person* heruntergekommen; *area, past* zwielichtig

séance *n* Séance *f*

search I *n* (*for lost object etc*) Suche *f* (*for* nach); (*of luggage etc*) Durchsuchung *f* (*of +gen*); IT Suchlauf *m*; ***to go in ~ of sb/sth*** auf die Suche nach jdm/etw gehen; ***to carry out a ~ of a house*** eine Haus(durch)suchung machen; ***they arranged a ~ for the missing child*** sie veranlassten eine Suchaktion nach dem vermissten Kind; ***to do a ~ (and replace) for sth*** IT etw suchen (und ersetzen) **II** *v/t* (*for* nach) durchsuchen; *records* suchen in (*+dat*); *memory* durchforschen; ***to ~ a place for sb/sth*** einen Ort nach jdm/etw absuchen **III** *v/i* suchen (*for* nach) ◆ **search around** *v/i* herumstöbern (*in* in *+dat*) ◆ **search out** *v/t sep* heraussuchen; *person* aufspüren ◆ **search through** *v/i +prep obj* durchsuchen; *papers* durchsehen

search engine *n* IT Suchmaschine *f*

searcher *n* ***the ~s*** die Suchmannschaft *f* **searching** *adj look* forschend; *question* bohrend **searchlight** *n* Suchscheinwerfer *m* **search party** *n* Suchmannschaft *f* **search warrant** *n* Durchsuchungsbefehl *m*

searing *adj heat* glühend

seashell *n* Muschel(schale) *f* **seashore** *n* Strand *m*; ***on the ~*** am Strand **seasick** *adj* seekrank **seasickness** *n* Seekrankheit *f* **seaside I** *n* ***at the ~*** am Meer; ***to go to the ~*** ans Meer fahren **II** *attr* See-; *town* am Meer **seaside resort** *n* Seebad *nt*

season I *n* **1.** (*of the year*) Jahreszeit *f*; ***rainy ~*** Regenzeit *f* **2.** (≈ *social season etc*) Saison *f*; ***hunting ~*** Jagdzeit *f*; ***strawberries are in ~/out of ~ now*** für Erdbeeren ist jetzt die richtige/nicht die richtige Zeit; ***their bitch is in ~*** ihre Hündin ist läufig; ***to go somewhere out of/in ~*** an einen Ort fahren *or* gehen, wenn keine Saison/wenn Saison ist; ***at the height of the ~*** in der Hochsaison; ***the ~ of good will*** die Zeit der Nächstenliebe; ***"Season's greetings"*** „fröhliche Weihnachten und ein glückliches neues Jahr" **3.** THEAT Spielzeit *f*; ***a ~ of Dustin Hoffman films*** eine Serie von Dustin-Hoffman-Filmen **II** *v/t food* würzen **seasonal** *adj* jahreszeitlich bedingt; ***~ fruit*** Früchte *pl* der Saison **seasonally** *adv* ***~ adjusted*** saisonbereinigt **seasoned** *adj* **1.** *food* gewürzt **2.** *timber* abgelagert **3.** (*fig* ≈ *experienced*) erfahren **seasoning** *n* COOK Gewürz *nt* **season ticket** *n* RAIL Zeitkarte *f*; THEAT Abonnement *nt*

seat I *n* (≈ *chair, on committee*) Sitz *m*; (≈ *place to sit*) (Sitz)platz *m*; (*usu pl* ≈ *seating*) Sitzgelegenheit *f*; (*of trousers*) Hosenboden *m*; ***will you keep my ~ for me?*** würden Sie mir meinen Platz frei halten? **II** *v/t* setzen; ***to ~ oneself*** sich setzen; ***to be ~ed*** sitzen; ***please be ~ed*** bitte, setzen Sie sich; ***the table/sofa ~s 4*** am Tisch/auf dem Sofa ist Platz für 4 Personen; ***the hall ~s 900*** die Halle hat 900 Sitzplätze

seat belt *n* Sicherheitsgurt *m*; ***to fasten one's ~*** sich anschnallen **seating** *n* Sitzplätze *pl* **seating arrangements** *pl* Sitzordnung *f*

sea view *n* Seeblick *m* **sea water** *n* Meerwasser *nt* **seaweed** *n* (See)tang *m* **seaworthy** *adj* seetüchtig

sec *abbr of* ***second(s)*** Sek.; ***wait a ~*** (*infml*) Moment mal

secluded *adj spot* abgelegen **seclusion** *n* Abgeschiedenheit *f*; (*of spot*) Abgelegenheit *f*

second[1] **I** *adj* zweite(r, s); ***the ~ floor*** (*Br*) der zweite Stock; (*US*) der erste Stock; ***to be ~*** Zweite(r, s) sein; ***in ~ place*** SPORTS *etc* an zweiter Stelle; ***to be or lie in ~ place*** auf dem zweiten Platz sein *or* liegen; ***to finish in ~ place*** den zweiten Platz belegen; ***to be ~ in command*** MIL stellvertretender Kommandeur sein; ***~ time around*** beim zweiten Mal; ***you won't get a ~ chance*** die Möglichkeit kriegst du so schnell nicht wieder (*infml*) **II** *adv* **1.** (*+adj*) zweit-; (*+vb*) an zweiter Stelle; ***the ~ largest house*** das zweitgrößte Haus; ***to come/lie ~*** Zweite(r) werden/sein **2.** (≈ *secondly*) zweitens **III** *v/t motion* unterstützen **IV** *n* **1.** (*of time*) Sekunde *f*; (*infml* ≈ *short time*) Augenblick *m*; ***just a ~!*** (einen) Augenblick!; ***it won't take a ~*** es dauert nicht lange; ***I'll only be a ~*** ich komme gleich; (≈ *back soon*) ich bin gleich wieder da **2.** ***the ~*** (*in order*) der/die/das Zweite **3.** AUTO ***~ (gear)*** der zweite Gang **4. seconds** *pl* (*infml* ≈ *second helping*) Nachschlag *m* (*infml*) **5.** COMM ***~s*** *pl* Waren *pl* zweiter Wahl

second[2] *v/t* (*Br*) abordnen

secondary *adj* **1.** sekundär **2.** *education* höher; ***~ school*** höhere Schule **second best I** *n* Zweitbeste(r, s); ***I won't settle for~*** ich gebe mich nicht mit dem Zweitbesten zufrieden **II** *adv* ***to come off ~*** den Kürzeren ziehen **second-best** *adj* zweitbeste(r, s) **second class** *n* zweite Klasse **second-class I** *adj ticket, mail* zweiter Klasse *pred*; ***~ stamp*** *Briefmarke für nicht bevorzugt beförderte Briefsendungen* **II** *adv travel* zweiter Klasse; ***to send sth ~*** etw mit nicht bevorzugter Post schicken **second cousin** *n* Cousin *m*/Cousine *f* zweiten Grades **second-degree** *adj attr* zweiten Grades **second-guess** *v/t* **1.** ***to ~ sb*** vorhersagen, was jd machen/sagen wird **2.** (*US*) im Nachhinein kritisieren **second hand** *n* Sekundenzeiger *m* **second-hand I** *adj* gebraucht; *clothes* getragen; (*fig*) *information* aus zweiter Hand; ***a ~ car*** ein Gebrauchtwagen *m*, eine Occasion (*Swiss*); ***~ bookshop*** Antiquariat *nt* **II** *adv* gebraucht **secondly** *adv* zweitens; (≈ *secondarily*) an zweiter Stelle

secondment *n* (*Br*) Abordnung *f*; ***to be on ~*** abgeordnet sein

second name *n* Nachname *m* **second nature** *n* ***to become ~ (to sb)*** (jdm) in Fleisch und Blut übergehen **second-rate** *adj* (*pej*) zweitklassig **second sight** *n* das Zweite Gesicht; ***you must have ~*** du musst hellsehen können **second thought** *n* ***without a ~*** ohne lange darüber nachzudenken; ***I didn't give it a ~*** ich habe daran überhaupt keinen Gedanken verschwendet; ***to have ~s about sth*** sich (*dat*) etw anders überlegen; ***on ~s maybe I'll do it myself*** vielleicht mache ich es doch besser selbst **Second World War** *n* ***the ~*** der Zweite Weltkrieg

secrecy *n* (*of person*) Geheimnistuerei *f*; (*of event*) Heimlichkeit *f*; ***in ~*** im Geheimen

secret I *adj* geheim; *admirer, ambition* heimlich; ***to keep sth ~ (from sb)*** etw (vor jdm) geheim halten **II** *n* Geheimnis *nt*; ***to keep sb/sth a ~ (from sb)*** jdn/etw (vor jdm) geheim halten; ***to tell sb a ~*** jdm ein Geheimnis anvertrauen; ***in ~*** im Geheimen; ***they met in ~*** sie trafen sich heimlich; ***to let sb in on*** *or* ***into a ~*** jdn in ein Geheimnis einweihen; ***to keep a ~*** ein Geheimnis für sich behalten; ***can you keep a ~?*** kannst du schweigen?; ***to make no ~ of sth*** kein Geheimnis *or* keinen Hehl aus etw machen; ***the ~ of success*** das Erfolgsgeheimnis **secret agent** *n* Geheimagent(in) *m(f)*

secretarial *adj job* als Sekretärin/Sekretär; ***~ work*** Sekretariatsarbeit *f*; ***~ staff*** Sekretärinnen und Schreibkräfte *pl*

secretary *n* Sekretär(in) *m(f)*; (*of society*) Schriftführer(in) *m(f)*; (POL ≈ *minister*) Minister(in) *m(f)* **secretary-general** *n*, *pl* ***secretaries-general, secretary-generals*** Generalsekretär(in) *m(f)* **Secretary of State** *n* (*Br*) Minister(in) *m(f)*; (*US*) Außenminister(in) *m(f)*

secrete *v/t & v/i* MED absondern **secretion** *n* (MED ≈ *substance*) Sekret *nt*

secretive *adj person* (*by nature*) verschlossen; (*in action*) geheimnistuerisch; *organization* verschwiegen; ***to be ~ about sth*** mit etw geheimnisvoll tun **secretly** *adv* im Geheimen; *meet, film* heimlich; (≈ *privately*) im Stillen **secret police** *n* Geheimpolizei *f* **secret service** *n* Geheimdienst *m* **secret weapon** *n* Geheimwaffe *f*

sect *n* Sekte *f* **sectarian** *adj* sektiererisch; *differences* konfessionell; ***~ violence*** Gewalttätigkeiten *pl* mit konfessionellem Hintergrund

section *n* **1.** (≈ *part*) Teil *m*; (*of book, motorway*) Abschnitt *m*; (*of document*) Absatz *m*; (*of orange*) Stück *nt*; ***the string ~*** die Streicher *pl* **2.** (≈ *department*, MIL) Abteilung *f*; (*esp of academy etc*) Sektion *f* **3.** (≈ *diagram, cutting*) Schnitt *m* ◆ **section off** *v/t sep* abteilen

sector *n also* IT Sektor *m*

secular *adj* weltlich, säkular; *art* profan

secure I *adj* (+*er*) sicher; (*emotionally*) geborgen; *income, door* gesichert; *grip, knot* fest; ***~ in the knowledge that ...*** ruhig in dem Bewusstsein, dass ...; ***to make sb feel ~*** jdm das Gefühl der Sicherheit geben; ***financially ~*** finanziell abgesichert **II** *v/t* **1.** (≈ *fasten*) festmachen; *door* fest zumachen; (≈ *make safe*) sichern (*from, against* gegen) **2.** (≈ *obtain*) sich (*dat*) sichern; *votes, order* erhalten; (≈ *buy*) erstehen; ***to ~ sth for sb*** jdm etw sichern **securely** *adv* (≈ *firmly*) fest; (≈ *safely*) sicher

security *n* **1.** Sicherheit *f*; (*emotional*) Geborgenheit *f*; (≈ *security measures*)

Sicherheitsmaßnahmen *pl*; (≈ *security department*) Sicherheitsdienst *m*; (≈ *guarantor*) Bürge *m*, Bürgin *f*; ***for ~*** zur Sicherheit **2. securities** *pl* FIN (Wert)papiere *pl*; ***securities market*** Wertpapiermarkt *m* **security camera** *n* Überwachungskamera *f* **security check** *n* Sicherheitskontrolle *f* **security firm** *n* Wach- und Sicherheitsdienst *m* **security gap** *n* Sicherheitslücke *f* **security guard** *n* Wache *f* **security man** *n* Wache *f*, Wächter *m*; ***one of the security men*** einer der Sicherheitsleute **security risk** *n* Sicherheitsrisiko *nt*

sedan *n* **1.** (*a.* **sedan chair**) Sänfte *f* **2.** (*US* AUTO) Limousine *f*

sedate I *adj* (*+er*) gesetzt; *life* geruhsam **II** *v/t* Beruhigungsmittel geben (*+dat*); ***he was heavily ~d*** er stand stark unter dem Einfluss von Beruhigungsmitteln **sedation** *n* Beruhigungsmittel *pl*; ***to put sb under ~*** jdm Beruhigungsmittel geben **sedative** *n* Beruhigungsmittel *nt*

sedentary *adj* sitzend *attr*; ***to lead a ~ life*** sehr viel sitzen

sediment *n* (Boden)satz *m*; (*in river*) Ablagerung *f*

seduce *v/t* verführen **seduction** *n* Verführung *f* **seductive** *adj* verführerisch; *offer* verlockend

see[1] *pret* **saw**, *past part* **seen I** *v/t* **1.** sehen; (≈ *check*) nachsehen; *film* sich (*dat*) ansehen; ***to ~ sb do sth*** sehen, wie jd etw macht; ***I saw it happen*** ich habe gesehen, wie es passiert ist; ***I wouldn't like to ~ you unhappy*** ich möchte doch nicht, dass du unglücklich bist; ***~ page 8*** siehe Seite 8; ***what does she ~ in him?*** was findet sie an ihm?; ***you must be ~ing things*** du siehst wohl Gespenster!; ***worth ~ing*** sehenswert; ***we'll ~ if we can help*** mal sehen, ob wir helfen können; ***that remains to be ~n*** das wird sich zeigen; ***let's ~ what happens*** wollen wir mal abwarten, was passiert; ***I ~ you still haven't done that*** wie ich sehe, hast du das immer noch nicht gemacht; ***try to ~ it my way*** versuchen Sie doch einmal, es aus meiner Sicht zu sehen; ***I don't ~ it that way*** ich sehe das anders **2.** (≈ *visit*) besuchen; (*on business*) aufsuchen; ***to call*** *or* ***go and ~ sb*** jdn besuchen (gehen); ***to ~ the doctor*** zum Arzt gehen **3.** (≈ *meet with*) sehen; (≈ *talk to*) sprechen; (≈ *receive*) empfangen; ***the doctor will ~ you now*** der Herr Doktor ist jetzt frei; ***I'll have to ~ my wife about that*** das muss ich mit meiner Frau besprechen; ***~ you (soon)!*** bis bald!, servus! (*Aus*); ***~ you later!*** bis später! **4.** (≈ *have relationship with*) befreundet sein mit; ***I'm not ~ing anyone*** ich habe keinen Freund / keine Freundin **5. *to ~ sb to the door*** jdn zur Tür bringen **6.** (≈ *visualize*) sich (*dat*) vorstellen; ***I can't ~ that working*** ich kann mir kaum vorstellen, dass das klappt **7.** (≈ *experience*) erleben; ***I've never ~n anything like it!*** so etwas habe ich ja noch nie gesehen!; ***it's ~n a lot of hard wear*** das ist schon sehr strapaziert worden **8.** (≈ *understand*) verstehen; (≈ *recognize*) einsehen; (≈ *realize*) erkennen; ***I can ~ I'm going to be busy*** ich sehe schon, ich werde viel zu tun haben; ***I fail to*** *or* ***don't ~ how anyone could ...*** ich begreife einfach nicht, wie jemand nur ... kann; ***I ~ from this report that ...*** ich ersehe aus diesem Bericht, dass ...; ***(do you) ~ what I mean?*** verstehst du(, was ich meine)?; (≈ *didn't I tell you!*) siehst dus jetzt!; ***I ~ what you mean*** ich verstehe, was du meinst; (≈ *you're right*) ja, du hast recht; ***to make sb ~ sth*** jdm etw klarmachen **9.** ***~ that it is done by tomorrow*** sieh zu, dass es bis morgen fertig ist **II** *v/i* **1.** sehen; ***let me ~, let's ~*** lassen Sie mich mal sehen; ***who was it? — I couldn't/didn't ~*** wer war das? — ich konnte es nicht sehen; ***as far as the eye can ~*** so weit das Auge reicht; ***~ for yourself!*** sieh doch selbst!; ***will he come? — we'll soon ~*** kommt er? — das werden wir bald sehen; ***you'll ~!*** du wirst es (schon) noch sehen! **2.** (≈ *find out*) nachsehen; ***is he there? — I'll ~*** ist er da? — ich sehe mal nach *or* ich guck mal (*infml*); ***~ for yourself!*** sieh doch selbst (nach)! **3.** (≈ *understand*) verstehen; ***as far as I can ~ ...*** so wie ich das sehe ...; ***he's dead, don't you ~?*** er ist tot, begreifst du das denn nicht?; ***as I ~ from your report*** wie ich aus Ihrem Bericht ersehe; ***it's too late, (you) ~*** (siehst du,) es ist zu spät!; ***(you) ~, it's like this*** es ist nämlich so; ***I ~!*** aha!; (*after explanation*) ach so! **4.** (≈ *consider*) ***we'll ~*** mal sehen; ***let me ~, let's ~*** lassen Sie mich mal überlegen

◆ **see about** *v/i +prep obj* (≈ *attend to*) sich kümmern um; ***he came to ~ the***

rent er ist wegen der Miete gekommen ◆ **see in** **I** *v/i* hineinsehen **II** *v/t sep* ***to see the New Year in*** das neue Jahr begrüßen ◆ **see into** *v/i +prep obj* hineinsehen in (*+acc*) ◆ **see off** *v/t sep* **1.** (≈ *bid farewell to*) verabschieden; ***are you coming to see me off*** (***at the airport*** *etc*)***?*** kommt ihr mit mir (zum Flughafen *etc*)? **2.** (≈ *chase off*) Beine machen (*+dat*) (*infml*) ◆ **see out** **I** *v/i* hinaussehen; ***I can't ~ of the window*** ich kann nicht zum Fenster hinaussehen **II** *v/t sep* (≈ *show out*) hinausbegleiten (*of* aus); ***I'll see myself out*** ich finde (schon) alleine hinaus ◆ **see through** **I** *v/i* (*lit*) (hin)durchsehen (*prep obj* durch) **II** *v/i +prep obj* (*fig*) *deceit* durchschauen **III** *v/t always separate* **1.** (≈ *help through difficult time*) beistehen (*+dat*); ***he had £100 to see him through the term*** er hatte £ 100 für das ganze Semester **2.** *job* zu Ende bringen ◆ **see to** *v/i +prep obj* sich kümmern um ◆ **see up** *v/i +prep obj* (≈ *look up*) hinaufsehen; ***I could ~ her skirt*** ich konnte ihr unter den Rock sehen

see² *n* Bistum *nt*

seed **I** *n* **1.** (BOT, *single*) Samen *m*; (*of grain etc*) Korn *nt*; (*in fruit*) (Samen)kern *m*; (≈ *grain*) Saatgut *nt*; (*fig: of idea*) Keim *m* (*of* zu); ***to sow the ~s of doubt*** (***in sb's mind***) (bei jdm) Zweifel säen **2.** SPORTS ***the number one ~*** der/die als Nummer eins Gesetzte **II** *v/t* SPORTS ***~ed number one*** als Nummer eins gesetzt **seedling** *n* Sämling *m*

seedy *adj* (*+er*) zwielichtig

seeing **I** *n* Sehen *nt*; ***I'd never have thought it possible but ~ is believing*** ich hätte es nie für möglich gehalten, aber ich habe es mit eigenen Augen gesehen **II** *cj* ***~*** (***that*** *or* ***as***) da **Seeing Eye Dog** *n* (*US*) Blindenhund *m*

seek *pret, past part* **sought** *v/t* suchen; *fame* streben nach; ***to ~ sb's advice*** jdn um Rat fragen; ***to ~ to do sth*** sich bemühen, etw zu tun ◆ **seek out** *v/t sep* ausfindig machen

seem *v/i* scheinen; ***he ~s younger than he is*** er wirkt jünger, als er ist; ***he doesn't ~*** (***to be***) ***able to concentrate*** er scheint sich nicht konzentrieren zu können; ***things aren't what they ~*** Vieles ist anders, als es aussieht; ***I ~ to have heard that before*** das habe ich doch schon mal gehört; ***what ~s to be the trouble?*** worum geht es denn?; (*doctor*) was kann ich für Sie tun?; ***it ~s to me that ...*** mir scheint, dass ...; ***we are not welcome, it ~s*** wir sind scheinbar nicht willkommen; ***so it ~s*** es sieht (ganz) so aus; ***how does it ~ to you?*** was meinen SIE?; ***how did she ~ to you?*** wie fandst du sie?; ***it ~s a shame to leave now*** es ist irgendwie schade, jetzt zu gehen; ***it just doesn't ~ right*** das ist doch irgendwie nicht richtig; ***I can't ~ to do it*** ich kann das anscheinend *or* scheinbar *or* irgendwie nicht; ***it only ~s like it*** das kommt einem nur so vor; ***I ~ to remember telling him that*** es kommt mir so vor, als hätte ich ihm das schon gesagt **seeming** *adj attr* scheinbar **seemingly** *adv* scheinbar, anscheinend

seen *past part of* **see¹**

seep *v/i* sickern; ***to ~ through sth*** durch etw durchsickern

seesaw *n* Wippe *f*

seethe *v/i* (≈ *be crowded*) wimmeln (*with* von); (≈ *be angry*) kochen (*infml*)

see-through *adj* durchsichtig

segment *n* Teil *m*; (*of orange*) Stück *nt*; (*of circle*) Abschnitt *m*

segregate *v/t individuals* absondern; *group of population* nach Rassen *etc* trennen **segregation** *n* Trennung *f*

seismic *adj* seismisch; (*fig*) *changes, events* dramatisch; *forces* ungeheuer

seize *v/t* ergreifen; (≈ *confiscate*) beschlagnahmen; *town* einnehmen; *power* an sich (*acc*) reißen; *opportunity* ergreifen; ***to ~ sb's arm, to ~ sb by the arm*** jdn am Arm packen; ***to ~ the day*** den Tag nutzen; ***to ~ control of sth*** etw unter Kontrolle bringen ◆ **seize on** *or* **upon** *v/i +prep obj idea* sich stürzen auf (*+acc*) ◆ **seize up** *v/i* **1.** (*engine*) sich verklemmen **2.** (*infml*) ***my back seized up*** es ist mir in den Rücken gefahren (*infml*)

seizure *n* **1.** (≈ *confiscation*) Beschlagnahmung *f*; (≈ *capture*) Einnahme *f* **2.** MED Anfall *m*; (≈ *apoplexy*) Schlaganfall *m*

seldom *adv* selten

select **I** *v/t & v/i* (aus)wählen; SPORTS auswählen; (*for match*) aufstellen **II** *adj* (≈ *exclusive*) exklusiv; (≈ *chosen*) auserwählt; ***a ~ few*** eine kleine Gruppe Auserwählter **selection** *n* **1.** (≈ *choosing*)

(Aus)wahl *f* **2.** (≈ *thing selected*) Wahl *f*; ***to make one's ~*** seine Wahl treffen **3.** (≈ *range*) Auswahl *f* (*of* an +*dat*) **selective** *adj* wählerisch **selector** *n* SPORTS *jd, der die Mannschaftsaufstellung vornimmt*

self *n*, *pl* ***selves*** Ich *nt*, Selbst *nt no pl*; ***he showed his true ~*** er zeigte sein wahres Ich *or* Gesicht; ***he's quite his old ~ again***, ***he's back to his usual ~*** er ist wieder ganz der Alte (*infml*) **self-absorbed** *adj* mit sich selbst beschäftigt **self-addressed** *adj envelope* adressiert **self-addressed stamped envelope** *n* (*US*) frankierter Rückumschlag **self-adhesive** *adj* selbstklebend **self-appointed** *adj* selbst ernannt **self-assertive** *adj* selbstbewusst **self-assured** *adj* selbstsicher **self-awareness** *n* Selbsterkenntnis *f* **self-belief** *n* Glaube *m* an sich (*acc*) selbst **self-catering** (*Br*) **I** *n* Selbstversorgung *f*; ***to go ~*** Urlaub *m* für Selbstversorger machen **II** *adj* für Selbstversorger **self-centred**, (*US*) **self-centered** *adj* egozentrisch **self-confessed** *adj* erklärt *attr* **self-confidence** *n* Selbstvertrauen *nt* **self-confident** *adj* selbstsicher **self-conscious** *adj* gehemmt; ***to be ~ about sth*** sich (*dat*) einer Sache (*gen*) sehr bewusst sein **self-consciously** *adv* (≈ *uncomfortably*) verlegen **self-consciousness** *n* Befangenheit *f*, Gehemmtheit *f*; (*of style etc*) Bewusstheit *f* **self-contained** *adj* **1.** *person* distanziert **2.** (≈ *self-sufficient*) selbstgenügsam **3.** *flat* separat; *group* geschlossen **self-control** *n* Selbstbeherrschung *f* **self-deception** *n* Selbstbetrug *m* **self-defence**, (*US*) **self-defense** *n* Selbstverteidigung *f*; JUR Notwehr *f* **self-delusion** *n* Selbsttäuschung *f* **self-denial** *n* Selbstzucht *f* **self-deprecating** *adj person* bescheiden; *remark* sich selbst herabwürdigend *attr*; ***to be ~*** (*person*) sich selbst abwerten **self-destruct I** *v/i* sich selbst zerstören **II** *adj attr* ***~ button*** Knopf *m* zur Selbstzerstörung **self-destruction** *n* Selbstzerstörung *f* **self-destructive** *adj* selbstzerstörerisch **self-determination** *n* Selbstbestimmung *f* (*also* POL) **self-discipline** *n* Selbstdisziplin *f* **self-doubt** *n* Zweifel *m* an sich (*dat*) selbst **self-educated** *adj* autodidaktisch **self-effacing** *adj* zurückhaltend **self-employed** *adj* selbstständig; *journalist* freiberuflich **self-esteem** *n* Selbstachtung *f*; ***to have high/low ~*** sehr/wenig selbstbewusst sein **self-evident** *adj* offensichtlich **self-explanatory** *adj* unmittelbar verständlich **self-government** *n* Selbstverwaltung *f* **self-help** *n* Selbsthilfe *f* **self-important** *adj* aufgeblasen **self-improvement** *n* Weiterbildung *f* **self-indulgence** *n* genießerische Art; (*in eating*) Maßlosigkeit *f* **self-indulgent** *adj* genießerisch; (*in eating*) maßlos **self-inflicted** *adj wounds* sich (*dat*) selbst zugefügt *attr* **self-interest** *n* eigenes Interesse

selfish *adj* egoistisch; ***for ~ reasons*** aus selbstsüchtigen Gründen **selfishly** *adv* egoistisch **selfishness** *n* Egoismus *m*

self-justification *n* Rechtfertigung *f* **self-knowledge** *n* Selbsterkenntnis *f*

selfless *adj*, **selflessly** *adv* selbstlos **selflessness** *n* Selbstlosigkeit *f*

self-made *adj* ***~ man*** Selfmademan *m*; ***he's a ~ millionaire*** er hat es aus eigener Kraft zum Millionär gebracht **self-opinionated** *adj* rechthaberisch **self-perception** *n* Selbstwahrnehmung *f* **self-pity** *n* Selbstmitleid *nt* **self-portrait** *n* Selbstporträt *nt* **self-possessed** *adj* selbstbeherrscht **self-preservation** *n* Selbsterhaltung *f* **self-raising**, (*US*) **self-rising** *adj flour* selbsttreibend, *mit bereits beigemischtem Backpulver* **self-reliant** *adj* selbstständig **self-respect** *n* Selbstachtung *f*; ***have you no ~?*** schämen Sie sich gar nicht? **self-respecting** *adj* anständig; ***no ~ person would ...*** niemand, der etwas auf sich hält, würde ... **self-restraint** *n* Selbstbeherrschung *f* **self-righteous** *adj* selbstgerecht **self-rising** *adj* (*US*) = ***self-raising*** **self-sacrifice** *n* Selbstaufopferung *f* **self-satisfied** *adj* selbstgefällig

self-service, (*esp US*) **self-serve I** *adj* Selbstbedienungs- **II** *n* Selbstbedienung *f* **self-sufficiency** *n* (*of person*) Selbstständigkeit *f*; (*of country*) Autarkie *f*; (*of community*) Selbstversorgung *f* **self-sufficient** *adj person* selbstständig; *country* autark **self-taught** *adj* ***he is ~*** er hat sich (*dat*) das selbst beigebracht **self-worth** *n* Selbstachtung *f*

sell *pret*, *past part* ***sold*** **I** *v/t* **1.** verkaufen (*sb sth*, *sth to sb* jdm etw, etw an jdn); ***what are you ~ing it for?*** wie viel verlangen Sie dafür?; ***to be sold on sb/sth***

(*infml*) von jdm / etw begeistert sein **2.** (≈ *stock*) führen; (≈ *deal in*) vertreiben **3.** (≈ *promote the sale of*) einen guten Absatz verschaffen (+*dat*); ***to ~ oneself*** sich verkaufen (*to* an +*acc*) **4.** (*fig* ≈ *betray*) verraten; ***to ~ sb down the river*** (*infml*) jdn ganz schön verschaukeln (*infml*) **II** *v/i* (*person*) verkaufen (*to sb* an jdn); (*article*) sich verkaufen (lassen); ***what are they ~ing for?*** wie viel kosten sie? ◆ **sell off** *v/t sep* verkaufen; (*quickly, cheaply*) abstoßen ◆ **sell out I** *v/t sep* ausverkaufen; ***we're sold out of ice cream*** das Eis ist ausverkauft **II** *v/i* **1.** alles verkaufen; ***we sold out in two days*** wir waren in zwei Tagen ausverkauft **2.** (*infml*) ***he sold out to the enemy*** er hat sich an den Feind verkauft ◆ **sell up** (*esp Br*) *v/i* sein Haus *etc* verkaufen

sell-by date *n* ≈ Haltbarkeitsdatum *nt* **seller** *n* **1.** Verkäufer(in) *m(f)* **2.** ***this book is a good ~*** das Buch verkauft sich gut **selling** *n* Verkauf *m* **selling point** *n* Verkaufsanreiz *m* **selloff** *n* Verkauf *m*

Sellotape® (*Br*) **I** *n* Klebeband *nt* **II** *v/t* ***to sellotape*** (***down***) mit Klebeband festkleben

sellout *n* THEAT, SPORTS ***to be a ~*** ausverkauft sein

selves *pl of* ***self***

semantics *n sg* Semantik *f*

semaphore *n* Signalsprache *f*

semblance *n* (*with def art*) Anschein *m* (*of* von); (*with indef art*) Anflug *m* (*of* von)

semen *n* Sperma *nt*

semester *n* Semester *nt*

semi *n* **1.** (*Br infml*) = ***semidetached*** **2.** (*infml*) = ***semifinal*** **semi-** *pref* halb-, Halb- **semicircle** *n* Halbkreis *m* **semicolon** *n* Semikolon *nt* **semiconscious** *adj* halb bewusstlos **semidetached** (*Br*) **I** *adj* ***~ house*** Doppelhaushälfte *f* **II** *n* Doppelhaushälfte *f* **semifinal** *n* Halbfinalspiel *nt*; ***~s*** Halbfinale *nt* **semifinalist** *n* Teilnehmer(in) *m(f)* am Halbfinale

seminar *n* Seminar *nt*

seminary *n* Priesterseminar *nt*

semiprecious *adj* ***~ stone*** Halbedelstein *m* **semiquaver** *n* (*esp Br*) Sechzehntel (-note *f*) *nt* **semiskilled** *adj worker* angelernt **semi-skimmed milk** *n* (*Br*) Halbfettmilch *f* **semitrailer** *n* (*Br*) Sattelschlepper *m*; (≈ *part*) Sattelauflieger *m*

semolina *n* Grieß *m*

sen *abbr of* ***senior*** sen.

Sen (*US*) *abbr of* ***senator***

senate *n* Senat *m* **senator** *n* Senator(in) *m(f)*

send *pret, past part* **sent** *v/t* **1.** schicken; *letter, signal* senden; ***it ~s the wrong signal*** *or* ***message*** (*fig*) das könnte falsch verstanden werden; ***to ~ sb for sth*** jdn nach etw schicken; ***she ~s her love*** sie lässt grüßen; ***~ him my best wishes*** grüßen Sie ihn von mir **2.** (≈ *propel*) *arrow, ball* schießen; (*hurl*) schleudern; ***the blow sent him sprawling*** der Schlag schleuderte ihn zu Boden; ***to ~ sth off course*** etw vom Kurs abbringen; ***this sent him into a fury*** das machte ihn wütend; ***this sent him*** (***off***) ***into fits of laughter*** das ließ ihn in einen Lachkrampf ausbrechen; ***to ~ prices soaring*** die Preise in die Höhe treiben ◆ **send away I** *v/t sep* wegschicken **II** *v/i* ***to ~ for sth*** etw anfordern ◆ **send back** *v/t sep* zurückschicken; *food* zurückgehen lassen ◆ **send down** *v/t sep* **1.** *temperature, prices* fallen lassen; (*gradually*) senken **2.** *prisoner* verurteilen (*for* zu) ◆ **send for** *v/i +prep obj* **1.** *person* kommen lassen; *doctor* rufen; *help* herbeirufen; (*person in authority*) *pupil* zu sich bestellen; ***I'll ~ you when I want you*** ich lasse Sie rufen, wenn ich Sie brauche **2.** *catalogue* anfordern ◆ **send in** *v/t sep* einsenden; *person* hereinschicken; *troops* einsetzen ◆ **send off I** *v/t sep* **1.** *parcel* abschicken **2.** *children to school* wegschicken **3.** SPORTS vom Platz stellen (*for* wegen); ***send him off, ref!*** Platzverweis! **II** *v/i* = ***send away*** II ◆ **send on** *v/t sep* **1.** *letter* nachschicken **2.** *luggage etc* vorausschicken **3.** *substitute* einsetzen ◆ **send out** *v/t sep* **1.** (*of room*) hinausschicken (*of* aus); ***she sent me out to buy a paper*** sie hat mich losgeschickt, um eine Zeitung zu kaufen **2.** *signals* aussenden; *light* ausstrahlen **3.** *invitations* verschicken ◆ **send out for I** *v/i +prep obj* holen lassen **II** *v/t sep* ***to send sb out for sth*** jdn nach etw schicken ◆ **send up** *v/t sep* (*Br infml* ≈ *satirize*) verulken (*infml*)

sender *n* Absender(in) *m(f)* **sendoff** *n* Verabschiedung *f*; ***to give sb a good ~*** jdn ganz groß verabschieden (*infml*)

senile *adj* senil

senior I *adj* (*in age*) älter; (*in rank*) übergeordnet; *rank, civil servant* höher; *officer* ranghöher; *editor etc* leitend; ***he is ~ to me*** er ist mir übergeordnet; ***the ~ management*** die Geschäftsleitung; ***~ consultant*** Chefarzt *m*/-ärztin *f*, Primararzt *m*/-ärztin *f* (*Aus*); ***my ~ officer*** mein Vorgesetzter; ***J. B. Schwartz, Senior*** J. B. Schwartz senior **II** *n* SCHOOL Oberstufenschüler(in) *m*(*f*); (*US* UNIV) Student(in) *m*(*f*) im letzten Studienjahr; ***he is two years my ~*** er ist zwei Jahre älter als ich **senior citizen** *n* älterer (Mit)bürger, ältere (Mit)bürgerin **seniority** *n* (*in rank*) (höhere) Position; MIL (höherer) Rang; (*in civil service etc*) (höherer) Dienstgrad **senior partner** *n* Seniorpartner(in) *m*(*f*) **senior school**, (*US*) **senior high school** *n* Oberstufe *f*

sensation *n* **1.** (≈ *feeling*) Gefühl *nt*; (*of cold etc*) Empfindung *f*; ***a ~ of falling*** das Gefühl zu fallen **2.** (≈ *success*) Sensation *f*; ***to cause a ~*** (großes) Aufsehen erregen **sensational** *adj* **1.** sensationell; *book* reißerisch aufgemacht **2.** (*infml* ≈ *very good etc*) sagenhaft (*infml*)

sense I *n* **1.** Sinn *m*; ***~ of smell*** Geruchssinn *m* **2. senses** *pl* Verstand *m*; ***to come to one's ~s*** zur Vernunft kommen **3.** (≈ *feeling*) Gefühl *nt*; ***to have a ~ that ...*** das Gefühl haben, dass ...; ***~ of duty*** Pflichtbewusstsein *nt*; ***a false ~ of security*** ein falsches Gefühl der Sicherheit **4.** (***common***) **~** gesunder Menschenverstand; ***he had the*** (***good***) ***~ to ...*** er war so vernünftig und ...; ***there is no ~ in doing that*** es ist sinnlos, das zu tun; ***to talk ~*** vernünftig sein; ***to make sb see ~*** jdn zur Vernunft bringen; ***to make ~*** (*sentence etc*) (einen) Sinn ergeben; (≈ *be rational*) Sinn machen; ***it doesn't make ~ doing it that way*** es ist doch Unsinn, es so zu machen; ***he/his theory doesn't make ~*** er/seine Theorie ist völlig unverständlich; ***it all makes ~ now*** jetzt wird einem alles klar; ***to make ~ of sth*** etw verstehen **5.** (≈ *meaning*) Sinn *m no pl*; ***in every ~ of the word*** in der vollen Bedeutung des Wortes **6.** ***in a ~*** in gewisser Hinsicht; ***in every ~*** in jeder Hinsicht; ***in what ~?*** inwiefern? **II** *v/t* spüren **senseless** *adj* **1.** (≈ *unconscious*) bewusstlos **2.** (≈ *stupid*) unsinnig; (≈ *futile*) sinnlos

sensibility *n* Empfindsamkeit *f*; ***sensibilities*** Zartgefühl *nt*

sensible *adj* vernünftig **sensibly** *adv* vernünftig; ***he very ~ ignored the question*** er hat die Frage vernünftigerweise ignoriert

sensitive *adj* (*emotionally*) sensibel; (≈ *easily upset, physically sensitive*) empfindlich; (≈ *understanding*) einfühlsam; *film* einfühlend; (*fig*) *topic* heikel; ***to be ~ about sth*** in Bezug auf etw (*acc*) empfindlich sein; ***she is very ~ to criticism*** sie reagiert sehr empfindlich auf Kritik; ***he has access to some highly ~ information*** er hat Zugang zu streng vertraulichen Informationen **sensitively** *adv* (≈ *sympathetically*) einfühlsam **sensitivity** *n* (*emotional*) Sensibilität *f*; (≈ *getting easily upset, physical sensitivity*) Empfindlichkeit *f*; (≈ *understanding*) Einfühlsamkeit *f*; (*fig*: *of topic*) heikle Natur

sensor *n* Sensor *m* **sensory** *adj* sensorisch; ***~ organ*** Sinnesorgan *nt*

sensual *adj* sinnlich **sensuality** *n* Sinnlichkeit *f* **sensuous** *adj*, **sensuously** *adv* sinnlich

sent *pret, past part of* ***send***

sentence I *n* **1.** GRAM Satz *m*; ***~ structure*** Satzbau *m* **2.** JUR Strafe *f*; ***the judge gave him a 6-month ~*** der Richter verurteilte ihn zu 6 Monaten Haft **II** *v/t* JUR ***to ~ sb to sth*** jdn zu etw verurteilen

sentient *adj* empfindungsfähig

sentiment *n* **1.** (≈ *feeling*) Gefühl *nt* **2.** (≈ *sentimentality*) Sentimentalität *f* **3.** (≈ *opinion*) Meinung *f* **sentimental** *adj* sentimental; *value* gefühlsmäßig; ***for ~ reasons*** aus Sentimentalität

sentry *n* Wache *f*; ***to be on ~ duty*** auf Wache sein

Sep *abbr of* ***September***

separable *adj* trennbar

separate I *adj* **1.** gesondert (*from* von); *beds, accounts* getrennt; *entrance* separat; ***a ~ issue*** eine andere Frage; ***on two ~ occasions*** bei zwei verschiedenen Gelegenheiten; ***on a ~ occasion*** bei einer anderen Gelegenheit; ***they live ~ lives*** sie gehen getrennte Wege; ***to keep two things ~*** zwei Dinge auseinanderhalten **2.** (≈ *individual*) einzeln; ***everybody has a ~ task*** jeder hat seine eigene Aufgabe **II** *n* **separates** *pl* Röcke, Blusen *etc* **III** *v/t* trennen; (≈ *divide up*) aufteilen (*into* in +*acc*); ***he is ~d***

from his wife er lebt von seiner Frau getrennt **IV** *v/i* sich trennen **separated** *adj* getrennt; ***the couple are ~*** das Paar lebt getrennt **separately** *adv* **1.** separat; *live* getrennt **2.** (≈ *singly*) einzeln **separation** *n* Trennung *f* **separatist I** *adj* separatistisch **II** *n* Separatist(in) *m(f)*

Sept *abbr of* ***September***

September I *n* September *m*; ***the first of ~*** der erste September; ***on 19th ~*** (*written*), ***on the 19th of ~*** (*spoken*) am 19. September; ***~ 3rd, 1990, 3rd ~ 1990*** (*on letter*) 3. September 1990; ***in ~*** im September; ***at the beginning/end of ~*** Anfang/Ende September **II** *adj attr* September-

septic *adj* ***to turn ~*** eitern **septic tank** *n* Klärbehälter *m*

sepulchre, (*US*) **sepulcher** *n* Grabstätte *f*

sequel *n* Folge *f* (*to* von); (*of book*, *film*) Fortsetzung *f* (*to* von)

sequence *n* **1.** Folge *f*; ***~ of words*** Wortfolge *f*; ***in ~*** der Reihe nach **2.** FILM Sequenz *f* **sequencer** *n* IT Ablaufsteuerung *f*

sequin *n* Paillette *f*

Serb *n* Serbe *m*, Serbin *f* **Serbia** *n* Serbien *nt* **Serbian I** *adj* serbisch **II** *n* **1.** Serbe *m*, Serbin *f* **2.** LING Serbisch *nt* **Serbo-Croat** *n* **1.** LING Serbokroatisch *nt* **2.** ***the ~s*** *pl* die Serben und Kroaten

serenade I *n* Serenade *f* **II** *v/t* ein Ständchen bringen (*+dat*)

serene *adj* gelassen **serenity** *n* Gelassenheit *f*

sergeant *n* **1.** MIL Feldwebel(in) *m(f)* **2.** POLICE Polizeimeister(in) *m(f)* **sergeant major** *n* Oberfeldwebel(in) *m(f)*

serial I *adj* Serien-; IT seriell **II** *n* (≈ *novel*) Fortsetzungsroman *m*; (*in periodical*, *TV*) Serie *f*; RADIO Sendereihe *f* (in Fortsetzungen); ***it was published as a ~*** es wurde in Fortsetzungen veröffentlicht **serialize** *v/t* in Fortsetzungen veröffentlichen; RADIO, TV in Fortsetzungen senden; (≈ *put into serial form*) in Fortsetzungen umarbeiten **serial killer** *n* Serienmörder(in) *m(f)* **serial number** *n* (*on goods*) Fabrikationsnummer *f* **serial port** *n* IT serielle Schnittstelle

series *n*, *pl* **-** Serie *f*; (*of films*, *talks*) Reihe *f*; RADIO Sendereihe *f*

serious *adj* ernst; *offer*, *suggestion* seriös; *contender* ernst zu nehmend *attr*; *accident*, *mistake*, *illness* schwer; ***to be ~ about doing sth*** etw im Ernst tun wollen; ***I'm ~*** (***about it***) das ist mein Ernst; ***he is ~ about her*** er meint es ernst mit ihr; ***you can't be ~!*** das kann nicht dein Ernst sein!; ***to give ~ thought*** *or* ***consideration to sth*** sich (*dat*) etw ernsthaft *or* ernstlich überlegen; ***to earn ~ money*** (*infml*) das große Geld verdienen **seriously** *adv* **1.** ernst; *interested*, *threaten* ernsthaft; (≈ *not jokingly*) im Ernst; *wounded* schwer; *worried* ernstlich; ***to take sb/sth ~*** jdn/etw ernst nehmen; ***to take oneself too ~*** sich selbst zu wichtig nehmen; ***~?*** im Ernst?; ***do you mean that ~?*** ist das Ihr Ernst?; ***there is something ~ wrong with that*** irgendetwas ist damit überhaupt nicht in Ordnung **2.** (*infml* ≈ *really*) ehrlich (*infml*); ***~ rich*** schwerreich **seriousness** *n* Ernst *m*; (*of accident*, *injury*) Schwere *f*

sermon *n* **1.** ECCL Predigt *f* **2.** (≈ *homily*) Moralpredigt *f*; (≈ *scolding*) Strafpredigt *f*

serotonin *n* MED, BIOL Serotonin *nt*

serrated *adj* gezackt; ***~ knife*** Sägemesser *nt*

servant *n* Diener(in) *m(f)*

serve I *v/t* **1.** (≈ *work for*) dienen (*+dat*); (≈ *be of use*) nützen (*+dat*); ***if my memory ~s me right*** wenn ich mich recht erinnere; ***to ~ its purpose*** seinen Zweck erfüllen; ***it ~s a variety of purposes*** es hat viele verschiedene Verwendungsmöglichkeiten; ***it ~s no useful purpose*** es hat keinen praktischen Wert; ***it has ~d us well*** es hat uns gute Dienste geleistet; ***his knowledge of history ~d him well*** seine Geschichtskenntnisse kamen ihm sehr zugute; ***(it) ~s you right!*** (*infml*) das geschieht dir (ganz) recht! **2.** (≈ *work out*) ableisten; *term* durchlaufen; *apprenticeship* durchmachen; *sentence* verbüßen **3.** *customers* bedienen; *food* servieren; ***are you being ~d?*** werden Sie schon bedient?; ***I'm being ~d, thank you*** danke, ich werde schon bedient *or* ich bekomme schon (*infml*); ***dinner is ~d*** (*host*, *hostess*) darf ich zu Tisch bitten?; ***"serves three"*** (*on packet etc*) „(ergibt) drei Portionen" **4.** TENNIS *etc* aufschlagen **II** *v/i* **1.** (≈ *do duty*) dienen; ***to ~ on a committee*** einem Ausschuss angehören; ***it ~s to show ...*** das zeigt ... **2.** (*at table*) aufgeben; (*waiter* *etc*) servieren (*at table* bei Tisch) **3.** TENNIS *etc* aufschlagen **III** *n* TENNIS *etc* Aufschlag *m* ◆ **serve out** *v/t sep time* ableisten; *apprenticeship* abschließen; *term* ausüben; *sentence* absitzen ◆ **serve up** *v/t sep food* servieren

server *n* **1.** TENNIS Aufschläger(in) *m*(*f*) **2.** IT Server *m*

service I *n* **1.** Dienst *m*; ***her ~s to industry/the country*** ihre Verdienste in der Industrie / um das Land; ***to be of ~*** nützlich sein; ***to be of ~ to sb*** jdm nützen; ***to be at sb's ~*** jdm zur Verfügung stehen; ***can I be of ~ to you?*** kann ich Ihnen behilflich sein?; ***out of ~*** außer Betrieb **2.** MIL Militärdienst *m* **3.** (*in shop etc*) Bedienung *f* **4.** (≈ *bus service etc*) Bus-/Zug-/Flugverbindung *f*; ***there's no ~ to Oban on Sundays*** sonntags besteht kein Zug-/Busverkehr nach Oban **5.** ECCL Gottesdienst *m* **6.** (*of machines*) Wartung *f*; (AUTO ≈ *major service*) Inspektion *f*; ***my car is in for a ~*** mein Auto wird gewartet / ist zur Inspektion **7.** (≈ *tea set*) Service *nt* **8.** TENNIS Aufschlag *m* **9.** **services** *pl* (*commercial*) Dienstleistungen *pl*; (*gas etc*) Versorgungsnetz *nt* **II** *v/t* **1.** *machine* warten; ***to send a car to be ~d*** ein Auto warten lassen; (*major service*) ein Auto zur Inspektion geben **2.** FIN *debt* bedienen **service charge** *n* Bedienung *f* **service industry** *n* Dienstleistungsbranche *f* **serviceman** *n* Militärangehörige(r) *m* **service provider** *n* IT Provider *m* **service sector** *n* Dienstleistungssektor *m* **service station** *n* Tankstelle *f* (mit Reparaturwerkstatt); (*Br* ≈ *service area*) Tankstelle und Raststätte *f* **servicewoman** *n* Militärangehörige *f*

serviette *n* (*Br*) Serviette *f*

serving I *adj politician* amtierend; MIL **II** *n* (≈ *helping*) Portion *f* **serving dish** *n* Servierplatte *f* **serving spoon** *n* Vorlegelöffel *m*

sesame seed *n* Sesamkorn *nt*

session *n* Sitzung *f*; JUR, PARL Sitzungsperiode *f*; ***to be in ~*** eine Sitzung abhalten; JUR, POL tagen; ***photo ~*** Fotosession *f*

set *vb*: *pret*, *past part* ***set*** **I** *n* **1.** Satz *m*; (*of two*) Paar *nt*; (*of cutlery etc*) Garnitur *f*; (*of tablemats etc*) Set *nt*; ***a ~ of tools*** Werkzeug *nt*; ***a ~ of teeth*** ein Gebiss *nt* **2.** (*of people*) Kreis *m* **3.** TENNIS Satz *m* **4.** THEAT Bühnenbild *nt*; FILM Szenenaufbau *m* **5.** (≈ *TV etc*) Apparat *m*; ***~ of headphones*** Kopfhörer *m* **6.** (*of shoulders*) Haltung *f* **II** *adj* **1.** ***he is ~ to become the new champion*** ihm werden die besten Chancen auf den Meistertitel eingeräumt; ***to be ~ to continue all week*** voraussichtlich die ganze Woche über andauern **2.** (≈ *ready*) fertig, bereit; ***are we all ~?*** sind wir alle bereit?; ***all ~?*** alles klar?; ***to be all ~ to do sth*** sich darauf eingerichtet haben, etw zu tun; (*mentally*) fest entschlossen sein, etw zu tun; ***we're all ~ to go*** wir sind startklar **3.** (≈ *rigid*) starr; *expression* feststehend; ***to be ~ in one's ways*** in seinen Gewohnheiten festgefahren sein **4.** (≈ *fixed*) festgesetzt; *task* bestimmt; ***~ book(s)*** Pflichtlektüre *f*; ***~ menu*** Tageskarte *f*; ***~ meal*** Tagesgericht *nt* **5.** (≈ *resolved*) entschlossen; ***to be dead ~ on doing sth*** etw auf Biegen oder Brechen tun wollen; ***to be (dead) ~ against sth/doing sth/sb doing sth*** (absolut) gegen etw sein / dagegen sein, etw zu tun / dagegen sein, dass jd etw tut **III** *v/t* **1.** (≈ *place*) stellen; (*flat*) legen; (*carefully*) setzen; ***to ~ a value/price on sth*** einen Wert / Preis für etw festsetzen; ***to ~ sth in motion*** etw in Bewegung bringen; ***to ~ sth to music*** etw vertonen; ***to ~ a dog/the police on sb*** einen Hund / die Polizei auf jdn ansetzen; ***to ~ sth/things right*** etw / die Dinge in Ordnung bringen; ***to ~ sb right (about sth)*** jdn (in Bezug auf etw *acc*) berichtigen; ***to ~ sb straight*** jdn berichtigen **2.** *controls* einstellen (*at* auf +*acc*); *clock* stellen (*by* nach, *to* auf +*acc*); *trap*, *record* aufstellen; ***to ~ a trap for sb*** (*fig*) jdm eine Falle stellen **3.** *target etc* festlegen; *task*, *question* stellen (*sb* jdm); *homework* aufgeben; *exam* zusammenstellen; *time*, *date* festsetzen **4.** *gem* fassen (*in* in +*dat*); *table* decken **5.** ***a house ~ on a hillside*** ein am Berghang gelegenes Haus; ***the book is ~ in Rome*** das Buch spielt in Rom; ***he ~ the book in 19th century France*** er wählte das Frankreich des 19. Jahrhunderts als Schauplatz für sein Buch **6.** *bone* MED einrichten **IV** *v/i* **1.** (*sun*) untergehen **2.** (*cement*) fest werden; (*bone*) zusammenwachsen ◆ **set about** *v/i* +*prep obj* **1.** ***to ~ doing sth*** sich daranmachen, etw zu tun **2.** (≈ *attack*) herfallen über (*+acc*) ◆ **set apart** *v/t sep* (≈ *distinguish*) unterscheiden ◆ **set aside** *v/t sep book etc* zur Seite legen; *money* beiseitelegen; *time* einplanen; *land* reservieren; *differences* beiseiteschieben ◆ **set back** *v/t sep* **1.** ***to be ~ from the road*** etwas von der Straße abliegen **2.** (≈ *retard*) verzögern, behindern **3.** (*infml* ≈ *cost*) kosten ◆ **set down** *v/t sep suitcase* absetzen ◆ **set in** *v/i* (≈ *start*) einsetzen; (*panic*) ausbrechen; (*night*) anbrechen ◆ **set off I** *v/t sep* **1.** (≈ *ignite*) losgehen lassen **2.** (≈ *start*) führen zu; ***that set us all off laughing*** das brachte uns (*acc*) alle zum Lachen **3.** (≈ *enhance*) hervorheben **II** *v/i* (≈ *depart*) aufbrechen; (*in car*) losfahren; ***to ~ on a journey*** eine Reise antreten; ***to ~ for Spain*** nach Spanien abfahren; ***the police ~ in pursuit*** die Polizei nahm die Verfolgung auf ◆ **set on** *v/t sep +prep obj dogs* ansetzen auf (*+acc*) ◆ **set out I** *v/t sep* (≈ *display*) ausbreiten; (≈ *arrange*) aufstellen **II** *v/i* **1.** (≈ *depart*) = ***set off*** II **2.** (≈ *intend*) beabsichtigen; (≈ *start*) sich daranmachen ◆ **set to** *v/i +prep obj* ***to ~ work*** sich an die Arbeit machen; ***to ~ work doing*** *or* ***to do sth*** beginnen, etw zu tun ◆ **set up I** *v/i* ***to ~ in business*** sein eigenes Geschäft aufmachen **II** *v/t sep* **1.** *statue* aufstellen; *stall* aufbauen; *meeting* vereinbaren; ***to set sth up for sb*** etw für jdn vorbereiten **2.** (≈ *establish*) gründen; *school*, *system* einrichten; ***to set sb up in business*** jdm zu einem Geschäft verhelfen; ***to be ~ for life*** für sein ganzes Leben ausgesorgt haben; ***to ~ camp*** das Lager aufschlagen; ***they've ~ home in Spain*** sie haben sich in Spanien niedergelassen **3.** (*infml* ≈ *frame*) ***to set sb up*** jdm etwas anhängen; ***I've been ~*** das will mir einer anhängen (*infml*) *or* in die Schuhe schieben ◆ **set upon** *v/i +prep obj* überfallen

setback *n* Rückschlag *m*

settee *n* Sofa *nt*

setting *n* **1.** (*of sun*) Untergang *m* **2.** (≈ *surroundings*) Umgebung *f*; (*of novel etc*) Schauplatz *m* **3.** (*on dial etc*) Einstellung *f*

settle I *v/t* **1.** (≈ *decide*) entscheiden; (≈ *sort out*) regeln; *problem* klären; *dispute* beilegen; ***to ~ one's affairs*** seine Angelegenheiten in Ordnung bringen; ***to ~ a case out of court*** einen Fall außergerichtlich klären; ***that's ~d then*** das ist also klar; ***that ~s it*** damit wäre der Fall (ja wohl) erledigt **2.** *bill* begleichen; *account* ausgleichen **3.** *nerves* beruhigen **4.** (≈ *place*) legen; (*upright*) stellen; ***to ~ oneself comfortably in an armchair*** es sich (*dat*) in einem Sessel bequem machen **5.** *land* besiedeln **II** *v/i* **1.** (≈ *put down roots*) sesshaft werden; (*in country*, *town*) sich niederlassen; (*as settler*) sich ansiedeln **2.** (≈ *become calm*) sich beruhigen **3.** (*person*, *bird*) sich niederlassen; (*dust*) sich legen **4.** JUR ***to ~*** (***out of court***) sich vergleichen ◆ **settle back** *v/i* sich (gemütlich) zurücklehnen ◆ **settle down I** *v/i* **1.**; → ***settle*** II1; ***it's time he settled down*** es ist Zeit, dass er ein geregeltes Leben anfängt; ***to marry and ~*** heiraten und sesshaft werden; ***to ~ at school*** sich an einer Schule einleben; ***to ~ in a new job*** sich in einer neuen Stellung eingewöhnen; ***~, children!*** ruhig, Kinder!; ***to ~ to work*** sich an die Arbeit machen; ***to ~ to watch TV*** es sich (*dat*) vor dem Fernseher gemütlich machen **2.** = ***settle*** II2 **II** *v/t sep* (≈ *calm down*) beruhigen ◆ **settle for** *v/i +prep obj* sich zufriedengeben mit ◆ **settle in** *v/i* (*in house*, *town*) sich einleben; (*in job*, *school*) sich eingewöhnen; ***how are you settling in?*** haben Sie sich schon eingelebt / eingewöhnt? ◆ **settle on** *or* **upon** *v/i +prep obj* sich entscheiden für ◆ **settle up** *v/i* (be)zahlen; ***to ~ with sb*** mit jdm abrechnen

settled *adj weather* beständig; *way of life* geregelt **settlement** *n* **1.** (≈ *sorting out*) Erledigung *f*; (*of problem etc*) Klärung *f*; (*of dispute etc*) Beilegung *f*; (≈ *contract etc*) Übereinkunft *f*; ***an out-of-court ~*** JUR ein außergerichtlicher Vergleich; ***to reach a ~*** sich einigen **2.** (*of money*) Überschreibung *f* (*on* auf *+acc*) **3.** (≈ *colony*) Siedlung *f*; (≈ *colonization*) Besiedlung *f* **settler** *n* Siedler(in) *m(f)*

set-top box *n* TV Digitalreceiver *m*, d-box® *f*

setup *n* **1.** (*infml* ≈ *situation*) Umstände *pl* **2.** (≈ *way of organization*) Organisation *f* **3.** IT Setup *nt* **4.** (*infml* ≈ *rigged contest*) abgekartete Sache

seven I *adj* sieben **II** *n* Sieben *f*; → ***six*** **sevenfold I** *adj* siebenfach **II** *adv* um das Siebenfache

seventeen I *adj* siebzehn **II** *n* Siebzehn *f*

seventeenth I *adj* siebzehnte(r, s) **II** *n* **1.** (≈ *fraction*) Siebzehntel *nt* **2.** (*of series*) Siebzehnte(r, s)

seventh I *adj* siebte(r, s) **II** *n* **1.** (≈ *fraction*) Siebtel *nt* **2.** (*in series*) Siebte(r, s); → ***sixth***

seventieth I *adj* siebzigste(r, s) **II** *n* **1.** (≈ *fraction*) Siebzigstel *nt* **2.** (*in series*) Siebzigste(r, s)

seventy I *adj* siebzig **II** *n* Siebzig *f*

sever I *v/t* (≈ *cut through*) durchtrennen; (≈ *cut off*) abtrennen; (*fig*) *ties* lösen; *relations* abbrechen **II** *v/i* (durch)reißen

several I *adj* (≈ *some*) einige, mehrere; (≈ *different, various*) verschiedene; ***I've seen him ~ times already*** ich habe ihn schon mehrmals gesehen **II** *pron* einige; ***~ of the houses*** einige (der) Häuser; ***~ of us*** einige von uns

severance pay *n* Abfindung *f*

severe *adj* (+*er*) *damage, blow, draught* schwer; *pain, storm* stark; *punishment, test* hart; *weather* rau; *manner* streng; *expression* ernst **severely** *adv affect, damage, disabled* schwer; *disrupt, limit* stark; *punish* hart; *criticize* scharf **severity** *n* (*of punishment, test*) Härte *f*; (*of injury, blow, storm etc*) Schwere *f*

sew *pret* ***sewed***, *past part* ***sewn*** *v/t & v/i* nähen; ***to ~ sth on*** etw annähen ◆ **sew up** *v/t sep* **1.** (*lit*) nähen; *opening* zunähen **2.** (*fig*) unter Dach und Fach bringen; ***we've got the game all sewn up*** das Spiel ist gelaufen (*infml*)

sewage *n* Abwasser *nt* **sewage works** *n sg or pl* Kläranlage *f*

sewer[1] *n* Näher(in) *m(f)*

sewer[2] *n* Abwasserkanal *m* **sewerage** *n* Kanalisation *f*

sewing *n* (≈ *activity*) Nähen *nt*; (≈ *piece of work*) Näharbeit *f* **sewing machine** *n* Nähmaschine *f* **sewn** *past part of* ***sew***

sex I *n* **1.** BIOL Geschlecht *nt* **2.** (≈ *sexuality*) Sexualität *f*; (≈ *sexual intercourse*) Sex *m* (*infml*), Geschlechtsverkehr *m* (*form*); ***to have ~*** (Geschlechts)verkehr haben **II** *adj attr* Geschlechts-, Sexual- **sex appeal** *n* Sex-Appeal *m* **sex change** *n* Geschlechtsumwandlung *f* **sex discrimination** *n* Diskriminierung *f* aufgrund des Geschlechts **sex drive** *n* Sexualtrieb *m* **sex education** *n* Sexualerziehung *f* **sexism** *n* Sexismus *m* **sexist I** *n* Sexist(in) *m(f)* **II** *adj* sexistisch **sex life** *n* Geschlechtsleben *nt* **sex maniac** *n* ***he is a ~*** (*infml*) er ist ganz verrückt nach Sex (*infml*) **sex offender** *n* Sexualtäter(in) *m(f)* **sex shop** *n* Sexshop *m* **sex symbol** *n* Sexsymbol *nt*

sextet(te) *n* Sextett *nt*

sextuplet *n* Sechsling *m*

sexual *adj* **1.** sexuell **2.** PHYSIOL Sexual- **sexual abuse** *n* sexueller Missbrauch **sexual equality** *n* Gleichberechtigung *f* (der Geschlechter) **sexual harassment** *n* sexuelle Belästigung **sexual intercourse** *n* Geschlechtsverkehr *m* **sexuality** *n* Sexualität *f* **sexually** *adv* sexuell; ***~ transmitted disease*** Geschlechtskrankheit *f*; ***to be ~ attracted to sb*** sich zu jdm sexuell hingezogen fühlen **sexual organ** *n* Geschlechtsorgan *nt* **sexual partner** *n* Sexualpartner(in) *m(f)* **sex worker** *n* (*euph*) Prostituierte *f* **sexy** *adj* (+*er*) (*infml*) sexy *inv usu pred* (*infml*)

shabbily *adv* (*lit, fig*) schäbig **shabbiness** *n* Schäbigkeit *f* **shabby** *adj* (+*er*) schäbig

shack *n* Schuppen *m*

shackle I *n usu pl* Kette *f* **II** *v/t* in Ketten legen

shade I *n* **1.** Schatten *m*; ***30° in the ~*** 30 Grad im Schatten; ***to provide ~*** Schatten spenden **2.** (≈ *lampshade*) (Lampen)schirm *m*; (*esp US* ≈ *blind*) Jalousie *f*; (≈ *roller blind*) Springrollo *nt*; ***~s*** (*infml* ≈ *sunglasses*) Sonnenbrille *f* **3.** (*of colour*) (Farb)ton *m*; (*fig, of meaning*) Nuance *f* **4.** (≈ *small quantity*) Spur *f*; ***it's a ~ too long*** es ist etwas *or* eine Spur zu lang **II** *v/t* **1.** (≈ *protect from light*) abschirmen; ***he ~d his eyes with his hand*** er hielt die Hand vor die Augen(, um nicht geblendet zu werden) **2.** ***to ~ sth in*** etw ausschraffieren **shading** *n* ART Schattierung *f*

shadow I *n* **1.** Schatten *m*; ***in the ~s*** im Dunkel; ***to be in sb's ~*** (*fig*) in jds Schatten (*dat*) stehen; ***to be just a ~ of one's former self*** nur noch ein Schatten seiner selbst sein **2.** (≈ *trace*) Spur *f*; ***without a ~ of a doubt*** ohne den geringsten Zweifel **II** *attr* (*Br* POL) Schatten- **III** *v/t* (≈ *follow*) beschatten (*infml*) **shadow cabinet** *n* (*Br* POL) Schattenkabinett *nt* **shadowy** *adj* schattig; ***a ~ figure*** (*fig*) eine undurchsichtige Gestalt

shady *adj* (+*er*) **1.** *place* schattig; *tree*

Schatten spendend **2.** (*infml ≈ dubious*) zwielichtig

shaft *n* **1.** Schaft *m*; (*of tool etc*) Stiel *m*; (*of light*) Strahl *m*; MECH Welle *f* **2.** (*of lift*) Schacht *m*

shag (*Br sl*) **I** *n* Nummer *f* (*infml*); ***to have a ~*** eine Nummer machen (*infml*) **II** *v/t & v/i* bumsen (*infml*)

shaggy *adj* (+*er*) (≈ *long-haired*) zottig; (≈ *unkempt*) zottelig

shake *vb*: *pret* **shook**, *past part* **shaken I** *n* **1.** Schütteln *nt*; ***to give a rug a ~*** einen Läufer ausschütteln; ***with a ~ of her head*** mit einem Kopfschütteln; ***to be no great ~s*** (*infml*) nicht umwerfend sein (*at* in +*dat*) **2.** (≈ *milkshake*) Milchshake *m* **II** *v/t head*, *object* schütteln; *building* (≈ *shock*) erschüttern; ***to ~ one's fist at sb*** jdm mit der Faust drohen; ***to ~ hands*** sich (*dat*) die Hand geben; ***to ~ hands with sb*** jdm die Hand geben / schütteln; ***it was a nasty accident, he's still rather badly ~n*** es war ein schlimmer Unfall, der Schreck sitzt ihm noch in den Knochen; ***she was badly ~n by the news*** die Nachricht hatte sie sehr mitgenommen **III** *v/i* wackeln; (*hand*, *voice*) zittern; (*earth*) beben; ***to ~ like a leaf*** zittern wie Espenlaub; ***he was shaking all over*** er zitterte am ganzen Körper; ***to ~ in one's shoes*** (*infml*) das große Zittern kriegen (*infml*); ***~ (on it)!*** (*infml*) Hand drauf! ◆ **shake off** *v/t sep dust*, *pursuer* abschütteln; *illness*, *feeling* loswerden ◆ **shake out** *v/t sep* (*lit*) herausschütteln; *tablecloth* ausschütteln ◆ **shake up** *v/t sep* **1.** *bottle*, *liquid* schütteln **2.** (≈ *upset*) erschüttern; ***he was badly shaken up by the accident*** der Unfall hat ihm einen schweren Schock versetzt; ***she's still a bit shaken up*** sie ist immer noch ziemlich mitgenommen **3.** *management*, *recruits* auf Zack bringen (*infml*); *system* umkrempeln (*infml*); *country*, *industry* wachrütteln; ***to shake things up*** die Dinge in Bewegung bringen

shaken *past part of* **shake shake-up** *n* (*infml ≈ reorganization*) Umbesetzung *f* **shakily** *adv* wackelig; *pour* zitterig **shaking** *n* Zittern *nt* **shaky** *adj* (+*er*) *chair* wackelig; *voice*, *hands* zitt(e)rig; ***to get off to a ~ start*** (*fig*) einen holprigen Anfang nehmen; ***to be on ~ ground*** (*fig*) sich auf schwankendem *or* unsicherem Boden bewegen

shall *pret* **should** *modal aux vb* **1.** (*future*) ***I ~*** *or* ***I'll go to France this year*** ich fahre dieses Jahr nach Frankreich; ***no, I ~ not*** *or* ***I shan't*** nein, das tue ich nicht **2.** ***what ~ we do?*** was sollen wir machen?, was machen wir?; ***let's go in, ~ we?*** komm, gehen wir hinein!; ***I'll buy 3, ~ I?*** soll ich 3 kaufen?

shallot *n* Schalotte *f*

shallow I *adj* flach; *person* seicht; *soil* dünn **II** *n* **shallows** *pl* Untiefe *f* **shallowness** *n* Flachheit *f*; (*of water also*, *person*, *novel*) Seichtheit *f*; (*of soil*) Dünne *f*

sham I *n* **1.** (≈ *pretence*) Heuchelei *f*; ***their marriage had become a ~*** ihre Ehe war zur Farce geworden **2.** (≈ *person*) Scharlatan *m* **II** *adj* ***a ~ marriage*** eine Scheinehe **III** *v/t* vortäuschen **IV** *v/i* so tun, simulieren

shamble *v/i* trotten

shambles *n sg* heilloses Durcheinander; (*esp of room etc*) Tohuwabohu *nt*; ***the room was a ~*** im Zimmer herrschte das reinste Tohuwabohu; ***the economy is in a ~*** die Wirtschaft befindet sich in einem Chaos; ***the game was a ~*** das Spiel war das reinste Kuddelmuddel (*infml*)

shame I *n* **1.** (≈ *feeling of shame*) Scham *f*; (≈ *cause of shame*) Schande *f*; ***he hung his head in ~*** er senkte beschämt den Kopf; (*fig*) er schämte sich; ***to bring ~ upon sb/oneself*** jdm / sich Schande machen; ***have you no ~?*** schämst du dich (gar) nicht?; ***to put sb/sth to ~*** (*fig*) jdn / etw in den Schatten stellen; ***~ on you!*** du solltest dich schämen! **2.** ***it's a ~ you couldn't come*** schade, dass du nicht kommen konntest; ***what a ~!*** (das ist aber) schade! **II** *v/t* Schande machen (+*dat*) **shamefaced** *adj*, **shamefacedly** *adv* betreten **shameful** *adj* schändlich **shameless** *adj* schamlos

shampoo I *n* (≈ *liquid*) Shampoo *nt* **II** *v/t hair* waschen; *carpet* reinigen

shamrock *n* Klee *m*; (≈ *leaf*) Kleeblatt *nt*

shandy *n* (*Br*) Bier *nt* mit Limonade

shan't *contraction* = ***shall not***; ***~!*** (*infml*) will nicht! (*infml*)

shantytown *n* Slum(vor)stadt *f*

shape I *n* **1.** (≈ *form*, *outline*) Form *f*; (≈ *figure*, *guise*) Gestalt *f*; ***what ~ is it?*** welche Form hat es?; ***it's rectangular*** *etc* ***in ~*** es ist rechteckig *etc*; ***to take ~*** (*lit*) Form bekommen; (*fig*) Konturen annehmen; ***of all ~s and sizes*** aller Art; ***I don't accept gifts in any ~ or form*** ich nehme überhaupt keine Geschenke an **2.** (*fig*) ***to be in good/bad ~*** (*sportsman*) in Form/nicht in Form sein; (*healthwise*) in guter/schlechter Verfassung sein; ***to be out of ~*** (*physically*) nicht in Form sein **II** *v/t* (*lit*) *clay etc* formen (*into* zu); (*fig*) *ideas* prägen; *development* gestalten ◆ **shape up** *v/i* ***to ~ well*** sich gut entwickeln

shaped *adj* geformt; ***~ like a ...*** in der Form einer/eines ... **-shaped** *adj suf* -förmig **shapeless** *adj* formlos **shapely** *adj* (+*er*) *figure* wohlproportioniert; *legs* wohlgeformt

shard *n* (Ton)scherbe *f*

share I *n* **1.** Anteil *m* (*in or of* an +*dat*); ***I want my fair ~*** ich will meinen (An)teil; ***he didn't get his fair ~*** er ist zu kurz gekommen; ***to take one's ~ of the blame*** sich mitschuldig erklären; ***to do one's ~*** das Seine tun **2.** FIN (Geschäfts)anteil *m*; (*in a public limited company*) Aktie *f* **II** *v/t* teilen **III** *v/i* teilen; ***to ~ and ~ alike*** (brüderlich) mit (den) anderen teilen; ***to ~ in sth*** sich an etw (*dat*) beteiligen; *in success* an etw (*dat*) Anteil nehmen ◆ **share out** *v/t sep* verteilen

share capital *n* Aktienkapital *nt* **shareholder** *n* Aktionär(in) *m*(*f*) **share index** *n* Aktienindex *m* **shareware** *n* IT Shareware *f*

shark *n* **1.** Hai(fisch) *m* **2.** (*infml* ≈ *swindler*) Schlitzohr *nt* (*infml*); ***loan ~*** Kredithai *m* (*infml*)

sharp I *adj* (+*er*) **1.** scharf; *point, angle* spitz; (≈ *intelligent*) schlau; *drop* steil; *pain* heftig; *person* schroff; *temper* hitzig; ***be ~ about it!*** (*infml*) (ein bisschen) dalli! (*infml*) **2.** (*pej* ≈ *cunning*) raffiniert **3.** MUS *note* zu hoch; (≈ *raised a semitone*) (um einen Halbton) erhöht; ***F ~*** fis *nt* **II** *adv* (+*er*) **1.** MUS zu hoch **2.** (≈ *punctually*) pünktlich; ***at 5 o'clock ~*** Punkt 5 Uhr **3.** ***look ~!*** dalli! (*infml*); ***to pull up ~*** plötzlich anhalten **sharpen** *v/t knife* schleifen; *pencil* spitzen **sharpener** *n* **1.** Schleifgerät *nt* **2.** (≈ *pencil sharpener*) (Bleistift)spitzer *m* **sharp-eyed** *adj* scharfsichtig **sharpness** *n* **1.** Schärfe *f*; (*of point etc*) Spitzheit *f*; (≈ *intelligence*) Schläue *f* **2.** (*of pain*) Heftigkeit *f* **sharp-tongued** *adj* scharfzüngig **sharp-witted** *adj* scharfsinnig

shat *pret, past part of* ***shit***

shatter I *v/t* **1.** (*lit*) zertrümmern; *hopes* zunichtemachen; ***the blast ~ed all the windows*** durch die Explosion zersplitterten alle Fensterscheiben **2.** (*Br fig infml*) ***I'm ~ed!*** ich bin total kaputt (*infml*) **II** *v/i* zerbrechen; (*windscreen*) (zer)splittern **shattering** *adj* **1.** *blow* wuchtig; *explosion* gewaltig; *defeat* vernichtend **2.** (*fig infml* ≈ *exhausting*) erschöpfend **3.** (*infml*) *news* erschütternd

shave *vb*: *pret* ***shaved***, *past part* ***shaved*** *or* ***shaven*** **I** *n* Rasur *f*; ***to have a ~*** sich rasieren; ***that was a close ~*** das war knapp **II** *v/t* rasieren **III** *v/i* (*person*) sich rasieren; (*razor*) rasieren ◆ **shave off** *v/t sep* sich (*dat*) abrasieren

shaven *adj head etc* kahl geschoren

shaver *n* (≈ *razor*) Rasierapparat *m* **shaver point**, (*US*) **shaver outlet** *n* Steckdose *f* für Rasierapparate **shaving** *n* **1.** Rasieren *nt* **2.** **shavings** *pl* Späne *pl*

shawl *n* (Umhänge)tuch *nt*

she I *pron* sie; (*of boats etc*) es **II** *n* Sie *f*

she- *pref* weiblich; ***~bear*** Bärin *f*

sheaf *n, pl* ***sheaves*** (*of corn*) Garbe *f*; (*of papers*) Bündel *nt*

shear *pret* ***sheared***, *past part* ***shorn*** *v/t sheep* scheren ◆ **shear off** *v/i* abbrechen

shears *pl* (große) Schere; (*for hedges*) Heckenschere *f*

sheath *n* **1.** (*for sword etc*) Scheide *f* **2.** (≈ *contraceptive*) Kondom *m or nt* **sheathe** *v/t sword* in die Scheide stecken

sheaves *pl of* ***sheaf***

shed[1] *pret, past part* ***shed*** *v/t* **1.** *hair etc* verlieren; ***to ~ its skin*** sich häuten; ***to ~ a few pounds*** ein paar Pfund abnehmen **2.** *tears* vergießen **3.** *light* verbreiten; ***to ~ light on sth*** (*fig*) Licht auf etw (*acc*) werfen

shed[2] *n* Schuppen *m*; (≈ *cattle shed*) Stall *m*

she'd *contraction* = ***she would***, ***she had***

sheen *n* Glanz *m*

sheep *n, pl* **-** Schaf *nt*; ***to separate the ~ from the goats*** (*fig*) die Schafe von den Böcken trennen **sheepdog** *n* Hütehund *m* **sheepish** *adj* verlegen **sheepskin** *n* Schaffell *nt*

sheer I *adj* (+*er*) **1.** (≈ *absolute*) rein; ***by ~ chance*** rein zufällig; ***by ~ hard work***

durch nichts als harte Arbeit; **~ hell** die (reinste) Hölle (*infml*) **2.** *drop* steil; **there is a ~ drop of 200 feet** es fällt 200 Fuß steil *or* senkrecht ab **3.** *cloth etc* (hauch)dünn **II** *adv* **1.** steil **2.** (≈ *vertically*) senkrecht

sheet *n* **1.** (*for bed*) (Bett)laken *nt* **2.** (*of paper*) Blatt *nt*; (*big*) Bogen *m* **3.** (*of metal*) Platte *f*; (*of glass*) Scheibe *f*; (*of ice*) Fläche *f*; **a ~ of ice covered the lake** eine Eisschicht bedeckte den See **sheet ice** *n* Glatteis *nt* **sheeting** *n* **plastic ~** Plastiküberzug *m* **sheet metal** *n* Walzblech *nt* **sheet music** *n* Notenblätter *pl*

sheik(h) *n* Scheich *m*

shelf *n*, *pl* **shelves** Bord *nt*; (*for books*) Bücherbord *nt*; (*in shop*) Regal *nt*; **shelves** (≈ *bookcase*) Regal *nt* **shelf life** *n* (*lit*) Lagerfähigkeit *f*; (*fig*) Dauer *f*

shell I *n* **1.** (*of egg, nut, mollusc*) Schale *f*; (*on beach*) Muschel *f* **2.** (*of snail*) (Schnecken)haus *nt*; (*of tortoise*) Panzer *m*; **to come out of one's ~** (*fig*) aus seinem Schneckenhaus kommen **3.** (*of building*) Rohbau *m*; (*of car*) Karosserie *f* **4.** MIL Granate *f*; (*esp US* ≈ *cartridge*) Patrone *f* **II** *v/t* **1.** *peas etc* enthülsen; *eggs, nuts* schälen **2.** MIL (mit Granaten) beschießen ◆ **shell out** (*infml*) **I** *v/t sep* blechen (*infml*) **II** *v/i* **to ~ for sth** für etw blechen (*infml*)

she'll *contraction* = **she will**, **she shall**

shellfire *n* Granatfeuer *nt* **shellfish** *n* Schaltier(e *pl*) *nt*; COOK Meeresfrüchte *pl* **shelling** *n* Granatfeuer *nt* (*of* auf +*acc*) **shell-shocked** *adj* **to be ~** (*lit*) unter einer Kriegsneurose leiden; (*fig*) verstört sein **shell suit** *n modischer leichter Jogginganzug*

shelter I *n* (≈ *protection*) Schutz *m*; (≈ *place*) Unterstand *m*; (≈ *air-raid shelter*) Luftschutzkeller *m*; (≈ *bus shelter*) Wartehäuschen *nt*; (*for the night*) Unterkunft *f*; **a ~ for homeless people** ein Obdachlosenheim *nt*; **to take ~** sich in Sicherheit bringen; (*from rain*) sich unterstellen; **to run for ~** Zuflucht suchen; **to provide ~ for sb** jdm Schutz bieten; (≈ *accommodation*) jdn beherbergen **II** *v/t* schützen (*from* vor +*dat*); *criminal* verstecken **III** *v/i* **there was nowhere to ~** (*from rain etc*) man konnte sich nirgends unterstellen; **we ~ed in a shop doorway** wir stellten uns in einem Ladeneingang unter **sheltered** *adj place* geschützt; *life* behütet **sheltered housing** *n* Wohnungen *pl* für Senioren/Behinderte

shelve *v/t problem* aufschieben; *plan* ad acta legen **shelves** *pl of* **shelf** **shelving** *n* Regale *pl*, Stellagen *pl* (*Aus*); (≈ *material*) Bretter *pl*

shepherd I *n* Schäfer *m* **II** *v/t* führen **shepherd's pie** *n Auflauf aus Hackfleisch und Kartoffelbrei*

sherbet *n* **1.** (≈ *powder*) Brausepulver *nt* **2.** (*US* ≈ *water ice*) Fruchteis *nt*

sheriff *n* Sheriff *m*; (*Scot*) Friedensrichter(in) *m(f)*

sherry *n* Sherry *m*

she's *contraction* = **she is**, **she has**

Shetland *n*, **Shetland Islands** *pl*, **Shetlands** *pl* Shetlandinseln *pl*

shiatsu *n* Shiatsu *nt*

shield I *n* MIL, HERALDRY Schild *m*; (*on machine*) Schutzschild *m*; (*fig*) Schutz *m* **II** *v/t* schützen (*sb from sth* jdn vor etw *dat*); **she tried to ~ him from the truth** sie versuchte, ihm die Wahrheit zu ersparen

shift I *n* **1.** (≈ *change*) Änderung *f*; (*in place*) Verlegung *f*; **a ~ in public opinion** ein Meinungsumschwung *m* in der Bevölkerung **2.** (AUTO ≈ *gear shift*) Schaltung *f* **3.** (*at work*) Schicht *f*; **to work (in) ~s** in Schichten arbeiten **II** *v/t* **1.** (≈ *move*) (von der Stelle) bewegen; *furniture* verrücken; *arm* wegnehmen; (*from one place to another*) verlagern; *rubble* wegräumen; **to ~ the blame onto somebody else** die Verantwortung auf jemand anders schieben; **~ the table over to the wall** rück den Tisch an die Wand (rüber)! **2.** (*US* AUTO) **to ~ gears** schalten **III** *v/i* (≈ *move*) sich bewegen; **~ over!** rück mal rüber!; **he refused to ~** (*fig*) er war nicht umzustimmen **shift key** *n* (*on typewriter*) Umschalttaste *f*; IT Shifttaste *f* **shiftwork** *n* Schichtarbeit *f*; **to do ~** Schicht arbeiten

shifty *adj* (+*er*) zwielichtig

shilling *n* (*Br old*) Shilling *m*

shimmer I *n* Schimmer *m* **II** *v/i* schimmern

shin I *n* Schienbein *nt*; (*of meat*) Hachse *f*; **to kick sb on the ~** jdn vors Schienbein treten **II** *v/i* **to ~ up** (geschickt) hinaufklettern **shinbone** *n* Schienbein *nt*

shine *vb*: *pret*, *past part* **shone I** *n* Glanz *m*; **she's taken a real ~ to him** (*infml*) er

hat es ihr wirklich angetan **II** *v/t* **1.** *pret, past part usu* ***shined*** blank putzen; *shoes* polieren **2.** ***to ~ a light on sth*** etw beleuchten **III** *v/i* leuchten; (*metal*) glänzen; (*sun, lamp*) scheinen; ***to ~ at/in sth*** (*fig*) bei/in etw (*dat*) glänzen
◆ **shine down** *v/i* herabscheinen (*on* auf *+acc*)

shingle *n no pl* Kiesel *m*

shingles *n sg* MED Gürtelrose *f*

shining *adj* leuchtend; *light* strahlend; ***a ~ light*** (*fig*) eine Leuchte; ***he's my knight in ~ armour*** (*Br*) *or* ***armor*** (*US*) er ist mein Märchenprinz **shiny** *adj* (*+er*) glänzend

ship I *n* Schiff *nt*; ***on board ~*** an Bord **II** *v/t* (≈ *transport*) versenden; *grain etc* verfrachten; (*esp by sea*) verschiffen
◆ **ship out** *v/t sep* versenden; *grain etc* verfrachten

shipbuilding *n* Schiffbau *m* **shipmate** *n* Schiffskamerad(in) *m(f)* **shipment** *n* Sendung *f*; (*of grain etc*) Transport *m*; (*by sea*) Verschiffung *f* **shipping I** *n no pl* **1.** Schifffahrt *f*; (≈ *ships*) Schiffe *pl* **2.** (≈ *transportation*) Verschiffung *f*; (*by rail etc*) Versand *m* **II** *adj attr* ***~ costs*** Frachtkosten *pl* **shipping company** *n* Reederei *f* **shipping lane** *n* Schifffahrtsstraße *f* **shipping note** *n* Verladeschein *m* **shipshape** *adj, adv* tipptopp (*infml*) **shipwreck I** *n* Schiffbruch *m* **II** *v/t* ***to be ~ed*** schiffbrüchig sein **shipyard** *n* (Schiffs)werft *f*

shirk I *v/t* sich drücken vor (*+dat*) **II** *v/i* sich drücken

shirt *n* (*men's*) (Ober)hemd *nt*; FTBL Trikot *nt*, Leiberl *nt* (*Aus*), Leibchen *nt* (*Aus, Swiss*); (*women's*) Hemdbluse *f*; ***keep your ~ on*** (*Br infml*) reg dich nicht auf! **shirtsleeve** *n* **shirtsleeves** *pl* Hemdsärmel *pl*; ***in his/their ~s*** in Hemdsärmeln

shit *vb: pret, past part* ***shat*** (*sl*) **I** *n* **1.** Scheiße *f* (*vulg*); ***to have a ~*** scheißen (*vulg*); ***to have the ~s*** Dünnschiss haben (*infml*); ***to be up ~ creek (without a paddle)*** bis zum Hals in der Scheiße stecken (*vulg*); ***to be in deep ~*** in der Scheiße stecken (*vulg*); ***I don't give a ~*** das ist mir scheißegal (*infml*); ***tough ~!*** Scheiße auch! (*infml*) **2.** (≈ *person*) Arschloch *nt* (*vulg*) **II** *adj attr* beschissen (*infml*) **III** *v/i* scheißen (*vulg*) **IV** *v/r* ***to ~ oneself*** (*with fear*) sich (*dat*) vor Angst in die Hosen scheißen (*vulg*) **V** *int* Scheiße (*infml*) **shitface** (*sl*), **shithead** (*sl*) *n* Scheißkerl *m* (*infml*), Scheißtyp *m* (*infml*) **shit-hot** *adj* (*Br sl*) geil (*sl*), krass (*sl*) **shitless** *adj* ***to be scared ~*** (*sl*) sich (*dat*) vor Angst in die Hosen scheißen (*vulg*) **shitty** *adj* (*+er*) (*infml*) beschissen (*infml*)

shiver I *n* Schauer *m*; ***a ~ ran down my spine*** es lief mir kalt den Rücken hinunter; ***his touch sent ~s down her spine*** es durchzuckte sie bei seiner Berührung; ***it gives me the ~s*** (*fig*) ich kriege davon eine Gänsehaut **II** *v/i* zittern (*with* vor *+dat*)

shoal *n* (*of fish*) Schwarm *m*

shock[1] **I** *n* **1.** (*of explosion, impact*) Wucht *f* **2.** ELEC Schlag *m*; MED (Elektro)schock *m* **3.** (*emotional*) Schock *m*; ***to suffer from ~*** einen Schock (erlitten) haben; ***to be in (a state of) ~*** unter Schock stehen; ***a ~ to one's system*** ein Kreislaufschock; ***it comes as a ~ to hear that ...*** mit Bestürzung höre ich/hören wir, dass ...; ***to give sb a ~*** jdn erschrecken; ***it gave me a nasty ~*** es hat mir einen bösen Schreck(en) eingejagt; ***to get the ~ of one's life*** den Schock seines Lebens kriegen; ***he is in for a ~!*** (*infml*) der wird sich wundern (*infml*) **II** *v/t* (*emotionally*) erschüttern; (≈ *make indignant*) schockieren; ***to be ~ed by sth*** über etw (*acc*) erschüttert *or* bestürzt sein; (*morally*) über etw (*acc*) schockiert sein

shock[2] *n* (*a.* **shock of hair**) (Haar)schopf *m*

shock absorber *n* Stoßdämpfer *m* **shocked** *adj* erschüttert; (≈ *outraged*) schockiert **shocking** *adj* **1.** schockierend; ***~ pink*** knallrosa (*infml*) **2.** (*infml* ≈ *very bad*) entsetzlich; ***what a ~ thing to say!*** wie kann man bloß so etwas Schreckliches sagen! **shock tactics** *pl* (*fig*) Schocktherapie *f* **shock troops** *pl* Stoßtruppen *pl* **shock wave** *n* (*lit*) Druckwelle *f*; (*fig*) Schock *m no pl*

shod *pret, past part of* **shoe**

shoddy *adj* (*+er*) schäbig; *work* schludrig; *goods* minderwertig

shoe *vb: pret, past part* **shod I** *n* **1.** Schuh *m*; ***I wouldn't like to be in his ~s*** ich möchte nicht in seiner Haut stecken; ***to put oneself in sb's ~s*** sich in jds Lage (*acc*) versetzen; ***to step into*** *or* ***fill sb's***

~s an jds Stelle (*acc*) treten *or* rücken **2.** (≈ *horseshoe*) (Huf)eisen *nt* **II** *v/t horse* beschlagen **shoehorn** *n* Schuhanzieher *m* **shoelace** *n* Schnürsenkel *m* **shoemaker** *n* Schuster(in) *m*(*f*) **shoe polish** *n* Schuhcreme *f* **shoe shop** *n* Schuhgeschäft *nt* **shoe size** *n* Schuhgröße *f*; ***what ~ are you?*** welche Schuhgröße haben Sie? **shoestring** *n* **1.** (*US* ≈ *shoelace*) Schnürsenkel *m* **2.** (*fig*) ***to be run on a ~*** mit ganz wenig Geld finanziert werden **shoestring budget** *n* Minibudget *nt* (*infml*) **shoetree** *n* (Schuh)spanner *m*

shone *pret*, *past part of* ***shine***

shoo *v/t* ***to ~ sb away*** jdn verscheuchen

shook *pret of* ***shake***

shoot *vb*: *pret*, *past part* ***shot*** **I** *n* **1.** BOT Trieb *m* **2.** (≈ *photo shoot*) Fotosession *f* **II** *v/t* **1.** MIL *etc*, SPORTS schießen **2.** (≈ *hit*) anschießen; (≈ *wound*) niederschießen; (≈ *kill*) erschießen; ***to ~ sb dead*** jdn erschießen; ***he shot himself*** er hat sich erschossen; ***he shot himself in the foot*** er schoss sich (*dat*) in den Fuß; (*fig infml*) er hat ein Eigentor geschossen (*infml*); ***he was shot in the leg*** er wurde ins Bein getroffen **3.** ***to ~ sb a glance*** jdm einen (schnellen) Blick zuwerfen; ***to ~ the lights*** eine Ampel (bei Rot) überfahren **4.** PHOT *film* drehen **5.** (*infml*) *drug* drücken (*sl*) **III** *v/i* **1.** (*with gun*, SPORTS) schießen; (*as hunter*) jagen; ***stop or I'll ~!*** stehen bleiben oder ich schieße!; ***to ~ at sb/sth*** auf jdn/etw schießen **2.** (≈ *move rapidly*) schießen (*infml*); ***to ~ into the lead*** an die Spitze vorpreschen; ***he shot down the stairs*** er schoss *or* jagte die Treppe hinunter; ***to ~ to fame*** auf einen Schlag berühmt werden; ***~ing pains*** stechende Schmerzen *pl* **3.** PHOT knipsen (*infml*); FILM drehen ◆ **shoot down** *v/t sep plane* abschießen ◆ **shoot off** *v/i* (≈ *rush off*) davonschießen ◆ **shoot out** **I** *v/i* (≈ *emerge*) herausschießen (*of* aus) **II** *v/t sep hand etc* blitzschnell ausstrecken ◆ **shoot up** **I** *v/i* **1.** (*hand*, *prices*) in die Höhe schnellen; (≈ *grow rapidly*, *children*) in die Höhe schießen; (*buildings*) aus dem Boden schießen **2.** (*infml*: DRUGS) sich (*dat*) einen Schuss setzen (*infml*) **II** *v/t sep* (*infml*) *drug* drücken (*sl*)

shooting *n* **1.** (≈ *shots*, SPORTS) Schießen *nt* **2.** (≈ *murder*) Erschießung *f* **3.** HUNT Jagd *f*; ***to go ~*** auf die Jagd gehen **4.** FILM Drehen *nt* **shooting gallery** *n* Schießstand *m* **shooting range** *n* Schießplatz *m* **shooting star** *n* Sternschnuppe *f*

shoot-out *n* Schießerei *f*

shop **I** *n* **1.** (*esp Br*) Geschäft *nt*; (*large*) Kaufhaus *nt*; ***to go to the ~s*** einkaufen gehen; ***to go to the ~s*** einkaufen gehen; ***to shut up*** *or* ***close up ~*** zumachen, schließen; ***to talk ~*** fachsimpeln **2.** (*Br*) ***to do one's weekly ~*** seinen wöchentlichen Einkauf erledigen **II** *v/i* einkaufen; ***to go ~ping*** einkaufen gehen; ***to ~ for fish*** Fisch kaufen gehen ◆ **shop around** *v/i* sich umsehen (*for* nach)

shop assistant *n* (*esp Br*) Verkäufer(in) *m*(*f*) **shop floor** *n* ***on the ~*** unter den Arbeitern **shop front** *n* (*esp Br*) Ladenfassade *f* **shopkeeper** *n* (*esp Br*) Ladenbesitzer(in) *m*(*f*) **shoplifter** *n* Ladendieb(in) *m*(*f*) **shoplifting** *n* Ladendiebstahl *m* **shopper** *n* Käufer(in) *m*(*f*)

shopping *n* (≈ *act*) Einkaufen *nt*; (≈ *goods bought*) Einkäufe *pl*; ***to do one's ~*** einkaufen **shopping bag** *n* Einkaufstasche *f* **shopping basket** *n* Einkaufskorb *m* **shopping cart** *n* (*US*) = ***shopping trolley*** **shopping centre**, (*US*) **shopping center** *n* Einkaufszentrum *nt* **shopping channel** *n* TV Teleshoppingsender *m* **shopping list** *n* Einkaufszettel *m* **shopping mall** *n* Shoppingcenter *nt* **shopping spree** *n* Einkaufsbummel *m* **shopping street** *n* Einkaufsstraße *f* **shopping trolley** *n* (*Br*) Einkaufswagen *m*

shopsoiled *adj* (*Br*) leicht beschädigt **shop steward** *n* (gewerkschaftlicher) Vertrauensmann **shop window** *n* Schaufenster *nt*

shore[1] *n* **1.** (≈ *lake shore*) Ufer *nt*; (≈ *beach*) Strand *m*; ***a house on the ~s of the lake*** ein Haus am Seeufer **2.** ***on ~*** an Land

shore[2] *v/t* (*a.* **shore up**) (ab)stützen; (*fig*) stützen

shoreline *n* Uferlinie *f*

shorn **I** *past part of* ***shear*** **II** *adj* geschoren

short **I** *adj* (*+er*) **1.** kurz; *person* klein; ***a ~ time ago*** vor Kurzem; ***in a ~ while*** in Kürze; ***time is ~*** die Zeit ist knapp; ***~ and sweet*** kurz und ergreifend; ***in ~*** kurz gesagt; ***she's called Pat for ~*** sie wird einfach Pat genannt; ***Pat is ~ for***

Patricia Pat ist die Kurzform von Patricia **2.** (≈ *curt*) *reply* knapp; (≈ *rude*) barsch; *manner* schroff; ***to have a ~ temper*** unbeherrscht sein; ***to be ~ with sb*** jdn schroff behandeln **3.** (≈ *insufficient*) zu wenig *inv*; ***to be in ~ supply*** knapp sein; ***we are (£3) ~*** wir haben (£ 3) zu wenig; ***we are seven ~*** uns (*dat*) fehlen sieben; ***we are not ~ of volunteers*** wir haben genug Freiwillige; ***to be ~ of time*** wenig Zeit haben; ***I'm a bit ~ (of cash)*** (*infml*) ich bin etwas knapp bei Kasse (*infml*); ***we are £2,000 ~ of our target*** wir liegen £ 2.000 unter unserem Ziel; ***not far** or **much ~ of £100*** nicht viel weniger als £ 100 **II** *adv* **1.** ***to fall ~*** (*shot*) zu kurz sein; (*supplies etc*) nicht ausreichen; ***to fall ~ of sth*** etw nicht erreichen; ***to go ~ (of food** etc*) zu wenig (zu essen *etc*) haben; ***we are running ~ (of time)*** wir haben nicht mehr viel (Zeit); ***water is running ~*** Wasser ist knapp **2.** (≈ *abruptly*) plötzlich; ***to pull up ~*** abrupt anhalten; ***to stop ~*** (*while talking*) plötzlich innehalten; ***I'd stop ~ of murder*** vor Mord würde ich Halt machen; ***to be caught ~*** (*infml* ≈ *unprepared*) überrascht werden; (≈ *without money, supplies*) zu knapp (dran) sein; (≈ *need the toilet*) dringend mal müssen (*infml*) **3.** ***~ of*** (≈ *except*) außer (+*dat*); ***nothing ~ of a revolution can ...*** nur eine Revolution kann ...; ***it's little ~ of madness*** das grenzt an Wahnsinn; ***~ of telling him a lie ...*** außer ihn zu belügen ... **III** *n* (*infml* ≈ *short drink*) Kurze(r) *m* (*infml*); (≈ *short film*) Kurzfilm *m* **shortage** *n* Knappheit *f no pl* (*of* an +*dat*); (*of people*) Mangel *m no pl* (*of* an +*dat*); ***a ~ of staff*** ein Personalmangel *m* **shortbread** *n* Shortbread *nt*, ≈ Butterkeks *m* **short-change** *v/t* ***to ~ sb*** (*lit*) jdm zu wenig Wechselgeld geben **short circuit** *n* Kurzschluss *m* **short-circuit I** *v/t* kurzschließen; (*fig*) umgehen **II** *v/i* einen Kurzschluss haben **shortcoming** *n* (*esp pl*) Mangel *m*; (*of person*) Fehler *m*; (*of system*) Unzulänglichkeit *f* **shortcrust** *n* (*a.* **shortcrust pastry**) Mürbeteig *m* **short cut** *n* Abkürzung *f*; (*fig*) Schnellverfahren *nt* **shorten** *v/t* verkürzen; *name* abkürzen; *dress, programme etc* kürzen **shortfall** *n* Defizit *nt* **short-haired** *adj* kurzhaarig **shorthand** *n* Stenografie *f*; ***to take sth down in ~*** etw stenografieren **short-handed** *adj* ***to be ~*** zu wenig Personal haben **shorthand typist** *n* Stenotypist(in) *m*(*f*) **short haul** *n* Nahtransport *m* **short-haul jet** *n* Kurzstreckenflugzeug *nt* **short list** *n* (*esp Br*) ***to be on the ~*** in der engeren Wahl sein **short-list** *v/t* (*esp Br*) ***to ~ sb*** jdn in die engere Wahl nehmen **short-lived** *adj* kurzlebig; ***to be ~*** (*success etc*) von kurzer Dauer sein **shortly** *adv* (≈ *soon*) bald; *before, afterwards* kurz **shortness** *n* Kürze *f*; (*of person*) Kleinheit *f*; ***~ of breath*** Kurzatmigkeit *f* **short-range** *adj* mit geringer Reichweite; ***~ missile*** Kurzstreckenrakete *f* **shorts** *pl* **1.** Shorts *pl* **2.** (*esp US* ≈ *underpants*) Unterhose *f* **short-sighted** *adj* kurzsichtig **short-sightedness** *n* (*lit, fig*) Kurzsichtigkeit *f* **short-sleeved** *adj* kurzärmelig **short-staffed** *adj* ***to be ~*** zu wenig Personal haben **short story** *n* Kurzgeschichte *f* **short-tempered** *adj* unbeherrscht **short term** *n* ***in the ~*** auf kurze Sicht **short-term** *adj, adv* kurzfristig; ***on a ~ basis*** kurzfristig **short-term contract** *n* Kurzzeitvertrag *m* **short-wave** *adj* ***a ~ radio*** ein Kurzwellenempfänger *m*

shot[1] **I** *pret, past part of* **shoot** **II** *n* **1.** (*from gun etc,* FTBL *etc*) Schuss *m*; (≈ *throw*) Wurf *m*; TENNIS, GOLF Schlag *m*; ***to take a ~ at goal*** aufs Tor schießen; ***to fire a ~ at sb/sth*** einen Schuss auf jdn/etw abfeuern; ***to call the ~s*** (*fig*) das Sagen haben (*infml*); ***like a ~*** (*infml*) *run away* wie der Blitz (*infml*); *do sth, agree* sofort **2.** (*no pl* ≈ *lead shot*) Schrot *m* **3.** (≈ *person*) Schütze *m*, Schützin *f* **4.** (≈ *attempt*) Versuch *m*; ***to have a ~ (at it)*** (≈ *try*) es (mal) versuchen; ***to give sth one's best ~*** (*infml*) sich nach Kräften um etw bemühen **5.** (≈ *injection*) Spritze *f*; (≈ *immunization*) Impfung *f*; (*of alcohol*) Schuss *m* **6.** PHOT Aufnahme *f*; ***out of ~*** nicht im Bild **7.** (≈ *shot-putting*) ***the ~*** Kugelstoßen *nt*; (≈ *weight*) die Kugel

shot[2] *adj* ***~ to pieces*** völlig zerstört

shotgun *n* Schrotflinte *f* **shot put** *n* (≈ *event*) Kugelstoßen *nt* **shot-putter** *n* Kugelstoßer(in) *m*(*f*)

should *pret of* **shall** *modal aux vb* **1.** (*expressing duty, advisability*) ***I ~ do that*** ich sollte das tun; ***I ~ have done it*** ich hätte es tun sollen *or* müssen; ***which is as it ~ be*** und so soll(te) es auch sein; ***you really ~ see that film*** den Film sollten Sie wirklich sehen; ***he's coming to apologize — I ~ think so*** er will sich entschuldigen — das möchte ich auch meinen *or* hoffen; ***... and I ~ know*** ... und ich müsste es ja wissen; ***how ~ I know?*** woher soll ich das wissen? **2.** (*expressing probability*) ***he ~ be there by now*** er müsste eigentlich schon da sein; ***this book ~ help you*** dieses Buch wird Ihnen bestimmt helfen; ***this ~ be good!*** (*infml*) das wird bestimmt gut! **3.** (*in tentative statements*) ***I ~ think there were about 40*** ich würde schätzen, dass etwa 40 dort waren; ***~ I open the window?*** soll ich das Fenster aufmachen?; ***I ~ like to know ...*** ich möchte gern wissen ...; ***I ~ like to apply for the job*** ich würde mich gern um die Stelle bewerben **4.** (*expressing surprise*) ***who ~ I see but Anne!*** und wen sehe ich? Anne!; ***why ~ he want to do that?*** warum will er das wohl machen? **5.** (*subjunc*, *conditional*) ***I ~ go if ...*** ich würde gehen, wenn ...; ***if they ~ send for me*** falls sie nach mir schicken sollten; ***I ~n't (do that) if I were you*** ich würde das an Ihrer Stelle nicht tun

shoulder I *n* Schulter *f*; (*of meat*) Bug *m*; ***to shrug one's ~s*** mit den Schultern zucken; ***to cry on sb's ~*** sich an jds Brust (*dat*) ausweinen; ***a ~ to cry on*** jemand, bei dem man sich ausweinen kann; ***~ to ~*** Schulter an Schulter **II** *v/t* (*fig*) *responsibilities* auf sich (*acc*) nehmen

shoulder bag *n* Umhängetasche *f*

shoulder blade *n* Schulterblatt *nt*

shoulder-length *adj hair* schulterlang

shoulder pad *n* Schulterpolster *nt*

shoulder strap *n* (*of satchel*, *bag etc*) (Schulter)riemen *m*

shouldn't *contraction* = **should not**

shout I *n* Ruf *m*, Schrei *m*; ***~s of laughter*** Lachsalven *pl*; ***to give a ~*** einen Schrei ausstoßen; ***to give sb a ~*** jdn rufen; ***give me a ~ when you're ready*** (*infml*) sag Bescheid, wenn du fertig bist **II** *v/t* schreien; (≈ *call*) rufen; ***to ~ a warning to sb*** jdm eine Warnung zurufen **III** *v/i* (≈ *call out*) rufen; (*loudly*) schreien; (*angrily*) brüllen; ***to ~ for sb/sth*** nach jdm/etw rufen; ***she ~ed for Jane to come*** sie rief, Jane solle kommen; ***to ~ at sb*** mit jdm schreien; (*abusively*) jdn anschreien; ***to ~ to sb*** jdm zurufen; ***to ~ for help*** um Hilfe rufen; ***it was nothing to ~ about*** (*infml*) es war nicht umwerfend **IV** *v/r* ***to ~ oneself hoarse*** sich heiser schreien ◆ **shout down** *v/t sep person* niederbrüllen ◆ **shout out** *v/t sep* ausrufen

shouting *n* (≈ *act*) Schreien *nt*; (≈ *sound*) Geschrei *nt*

shove I *n* Stoß *m*; ***to give sb a ~*** jdn stoßen; ***to give sth a ~*** etw rücken; *door* gegen etw stoßen **II** *v/t* **1.** (≈ *push*) schieben; (*with one short push*) stoßen; (≈ *jostle*) drängen **2.** (*infml* ≈ *put*) ***to ~ sth on(to) sth*** etw auf etw (*acc*) werfen (*infml*); ***to ~ sth in(to) sth*** etw in etw (*acc*) stecken; ***he ~d a book into my hand*** er drückte mir ein Buch in die Hand **III** *v/i* (≈ *jostle*) drängeln ◆ **shove back** *v/t sep* (*infml*) **1.** *chair etc* zurückschieben **2.** (≈ *replace*) zurücktun; (*into pocket etc*) wieder hineinstecken ◆ **shove off** (*infml* ≈ *leave*) abschieben (*infml*) ◆ **shove over** (*infml*) *v/i* (*a.* **shove up**) rutschen

shovel I *n* Schaufel *f* **II** *v/t* schaufeln

show *vb*: *pret* **showed**, *past part* **shown I** *n* **1.** ***~ of force*** Machtdemonstration *f*; ***~ of hands*** Handzeichen *nt*; ***to put up a good/poor ~*** (*esp Br infml*) eine gute/schwache Leistung zeigen **2.** (≈ *appearance*) Schau *f*; (*of hatred*, *affection*) Kundgebung *f*; ***it's just for ~*** das ist nur zur Schau da **3.** (≈ *exhibition*) Ausstellung *f*; ***fashion ~*** Modenschau *f*; ***to be on ~*** zu sehen sein **4.** THEAT Aufführung *f*; TV Show *f*; RADIO Sendung *f*; ***to go to a ~*** (*esp Br*: *in theatre*) ins Theater gehen; ***the ~ must go on*** es muss trotz allem weitergehen **5.** (*infml*) ***he runs the ~*** er schmeißt hier den Laden (*infml*) **II** *v/t* **1.** zeigen; *film also* vorführen; (*at exhibition*) ausstellen; *ticket* vorzeigen; (≈ *prove*) beweisen; *kindness* erweisen; *respect* bezeigen; ***~ me how to do it*** zeigen Sie mir, wie man das macht; ***it's been ~n on television*** das kam im Fernsehen; ***to ~ one's face*** sich zeigen; ***he has nothing to ~ for all his effort*** seine ganze Mühe hat nichts gebracht; ***I'll ~ him!*** (*infml*) dem werd ichs zeigen! (*infml*); ***that ~ed him!*** (*infml*) dem habe ichs aber gezeigt! (*infml*); ***it all*** *or* ***just goes to ~ that ...*** das zeigt doch nur, dass ...; ***it ~ed signs of having been used*** man sah, dass es gebraucht worden war; ***to ~ sb in/out*** jdn hereinbringen/hinausbegleiten; ***to ~ sb to the door*** jdn zur Tür bringen; ***they were ~n (a)round the factory*** ihnen wurde die Fabrik gezeigt **2.** (≈ *register*) (an)zeigen; (*thermometer*) stehen auf (*+dat*); ***as ~n in the illustration*** wie in der Illustration dargestellt; ***the roads are ~n in red*** die Straßen sind rot (eingezeichnet) **III** *v/i* (≈ *be visible*) sichtbar sein; (*film*) laufen; ***the dirt doesn't ~*** man sieht den Schmutz nicht; ***it just goes to ~!*** da sieht mans mal wieder! ◆ **show around** *v/t sep* herumführen ◆ **show in** *v/t sep* hereinführen ◆ **show off I** *v/i* angeben (*to, in front of* vor *+dat*) **II** *v/t sep* **1.** *knowledge, medal* angeben mit; *new car* vorführen (*to sb* jdm) **2.** (≈ *enhance*) *beauty, picture* hervorheben; *figure* betonen ◆ **show out** *v/t sep* hinausführen ◆ **show round** *v/t sep* herumführen ◆ **show up I** *v/i* **1.** (≈ *be seen*) zu erkennen sein; (≈ *stand out*) hervorstechen **2.** (*infml* ≈ *turn up*) auftauchen **II** *v/t sep* **1.** (≈ *highlight*) (deutlich) erkennen lassen **2.** *flaws* zum Vorschein bringen **3.** (≈ *shame*) blamieren; ***he always gets drunk and shows her up*** er betrinkt sich immer und bringt sie dadurch in eine peinliche Situation

show biz *n* (*infml*) = **show business**

show business *n* Showbusiness *nt*; ***to be in ~*** im Showgeschäft (tätig) sein **showcase** *n* Vitrine *f*; (*fig*) Schaufenster *nt* **showdown** *n* (*infml*) Kraftprobe *f*

shower I *n* **1.** (*of rain etc*) Schauer *m*; (*of bullets*) Hagel *m* **2.** (≈ *shower bath*) Dusche *f*; ***to take*** *or* ***have a ~*** (sich) duschen **II** *v/t* ***to ~ sb with sth*** *praise etc* jdn mit etw überschütten **III** *v/i* (≈ *wash*) duschen **shower cubicle** *n* Duschkabine *f* **shower curtain** *n* Duschvorhang *m* **showery** *adj* regnerisch

showing *n* (*of film*) Vorstellung *f*; (*of programme*) Ausstrahlung *f* **showing-off** *n* Angeberei *f* **showjumping** *n* Springreiten *nt* **showmanship** *n* (*of person*) Talent *nt* für effektvolle Darbietung **shown** *past part of* **show** **show-off** *n* (*infml*) Angeber(in) *m(f)* **showpiece** *n* Schaustück *nt* **showroom** *n* Ausstellungsraum *m* **show stopper** *n* (*infml*) Publikumshit *m* (*infml*); (*fig*) Clou *m* des Abends/der Party *etc* **show trial** *n* Schauprozess *m* **showy** *adj* (*+er*) protzig (*infml*); *décor* bombastisch

shrank *pret of* **shrink**

shrapnel *n* Schrapnell *nt*

shred I *n* (≈ *scrap*) Fetzen *m*; (*fig*) Spur *f*; (*of truth*) Fünkchen *nt*; ***not a ~ of evidence*** keinerlei Beweis; ***his reputation was in ~s*** sein (guter) Ruf war ruiniert; ***to tear sth to ~s*** etw in Stücke reißen; (*fig*) etw verreißen **II** *v/t* **1.** *food* zerkleinern; (≈ *grate*) *carrots* raspeln; *cabbage* hobeln; *paper* (*in shredder*) schreddern **2.** (≈ *tear*) in kleine Stücke reißen **shredder** *n* Schredder *m*; (*esp for wastepaper*) Reißwolf *m*

shrew *n* Spitzmaus *f*; (*fig*) Xanthippe *f*

shrewd *adj* (*+er*) *person, move* clever (*infml*); *investment, argument* klug; *assessment, mind* scharf; *smile* verschmitzt **shrewdness** *n* (*of person, move*) Cleverness *f* (*infml*); (*of investment, argument*) Klugheit *f*

shriek I *n* (schriller) Schrei; ***~s of laughter*** kreischendes Lachen **II** *v/t* kreischen **III** *v/i* aufschreien; ***to ~ with laughter*** vor Lachen quietschen

shrift *n* ***to give sb/sth short ~*** jdn/etw kurz abfertigen

shrill I *adj* (*+er*) schrill **II** *v/i* schrillen

shrimp *n* Garnele *f*

shrine *n* **1.** Schrein *m* **2.** (≈ *tomb*) Grabstätte *f*

shrink *vb*: *pret* **shrank**, *past part* **shrunk** **I** *v/t* einlaufen lassen **II** *v/i* **1.** schrumpfen; (*clothes etc*) einlaufen; (*fig, popularity*) abnehmen **2.** (*fig* ≈ *recoil*) zurückschrecken; ***to ~ from doing sth*** davor zurückschrecken, etw zu tun; ***to ~ away from sb*** vor jdm zurückweichen **III** *n* (*infml*) Seelenklempner(in) *m(f)* (*infml*) **shrinkage** *n* (*of material*) Einlaufen *nt*; COMM Schwund *m* **shrink-wrap** *v/t* einschweißen

shrivel I *v/t plants* welk werden lassen; (*heat*) austrocknen **II** *v/i* schrumpfen; (*plants*) welk werden; (*through heat*) austrocknen; (*fruit, skin*) runzlig werden ◆ **shrivel up** *v/i, v/t sep* = **shrivel**

shrivelled, (*US*) **shriveled** *adj* verwelkt; *body part* runz(e)lig; *fruit* verschrumpelt

shroud I *n* Leichentuch *nt* **II** *v/t* (*fig*) hüllen; ***to be ~ed in mystery*** von einem Geheimnis umgeben sein

Shrove Tuesday *n* Fastnachtsdienstag *m*

shrub *n* Busch *m*, Strauch *m* **shrubbery** *n* Sträucher *pl*

shrug I *n* Achselzucken *nt no pl*; ***to give a ~*** mit den Achseln zucken **II** *v/t* zucken

(mit) ◆ **shrug off** *v/t sep* mit einem Achselzucken abtun
shrunk *past part of* **shrink shrunken** *adj* (ein)geschrumpft; *old person* geschrumpft
shuck (*US*) *v/t* (≈ *shell*) schälen; *peas* enthülsen
shudder I *n* Schau(d)er *m*; ***to give a ~*** (*person*) erschaudern (*elev*); (*ground*) beben; ***she realized with a ~ that ...*** schaudernd erkannte sie, dass ... **II** *v/i* (*person*) schau(d)ern; (*ground*) beben; (*train*) geschüttelt werden; ***the train ~ed to a halt*** der Zug kam rüttelnd zum Stehen; ***I ~ to think*** mir graut, wenn ich nur daran denke
shuffle I *n* **1.** Schlurfen *nt no pl* **2.** (≈ *change round*) Umstellung *f* **II** *v/t* **1.** ***to ~ one's feet*** mit den Füßen scharren **2.** *cards* mischen; ***he ~d the papers on his desk*** er durchwühlte die Papiere auf seinem Schreibtisch **3.** (*fig*) *cabinet* umbilden **III** *v/i* **1.** (≈ *walk*) schlurfen, hatschen (*Aus*) **2.** CARDS mischen **shuffling** *adj* schlurfend
shun *v/t* meiden; *publicity*, *light* scheuen
shunt *v/t* RAIL rangieren
shut *vb*: *pret*, *past part* **shut I** *v/t eyes*, *door etc* zumachen, schließen; *book* zuklappen; *office* schließen; ***~ your mouth!*** (*infml*) halts Maul! (*infml*); ***to ~ sb/sth in(to) sth*** jdn/etw in etw (*dat*) einschließen **II** *v/i* schließen; (*eyes*) sich schließen **III** *adj* geschlossen, zu *pred* (*infml*); ***sorry sir, we're ~*** wir haben leider geschlossen; ***the door swung ~*** die Tür schlug zu ◆ **shut away** *v/t sep* (≈ *put away*) wegschließen; (*in sth*) einschließen (*in* in +*dat*); ***to shut oneself away*** sich zurückziehen ◆ **shut down I** *v/t sep shop*, *factory* schließen **II** *v/i* (*shop*, *factory etc*) schließen; (*engine*) sich ausschalten ◆ **shut in** *v/t sep* einschließen (*prep obj*, *-to* in +*dat*) ◆ **shut off I** *v/t sep* **1.** *gas etc* abstellen; *light*, *engine* ab- *or* ausschalten; ***the kettle shuts itself off*** der Wasserkessel schaltet von selbst ab **2.** (≈ *isolate*) (ab)trennen **II** *v/i* abschalten ◆ **shut out** *v/t sep* **1.** *person* aussperren (*of* aus); *light*, *world* nicht hereinlassen (*of* in +*acc*); ***she closed the door to ~ the noise*** sie schloss die Tür, damit kein Lärm hereinkam **2.** (*fig*) *memory* unterdrücken ◆ **shut up I** *v/t sep* **1.** *house* verschließen **2.** (≈ *imprison*) einsperren **3.** (*infml* ≈ *silence*) zum Schweigen bringen; ***that'll soon shut him up*** das wird ihm schon den Mund stopfen (*infml*) **II** *v/i* (*infml*) den Mund halten (*infml*); ***~!*** halt die Klappe! (*infml*)
shutter *n* (Fenster)laden *m*; PHOT Verschluss *m* **shutter release** *n* PHOT Auslöser *m*
shuttle I *n* **1.** (*of loom*) Schiffchen *nt* **2.** (≈ *shuttle service*) Pendelverkehr *m*; (≈ *plane etc*) Pendelflugzeug *nt etc*; (≈ *space shuttle*) Spaceshuttle *m* **II** *v/t* hin- und hertransportieren **III** *v/i* (*people*) pendeln; (*goods*) hin- und hertransportiert werden **shuttle bus** *n* Shuttlebus *m* **shuttlecock** *n* Federball *m* **shuttle service** *n* Pendelverkehr *m*
shy I *adj* (+*er*) schüchtern, gschamig (*Aus*); *animal* scheu; ***don't be ~*** nur keine Hemmungen! (*infml*); ***to be ~ of/with sb*** Hemmungen vor/gegenüber jdm haben; ***to feel ~*** schüchtern sein **II** *v/i* (*horse*) scheuen (*at* vor +*dat*) ◆ **shy away** *v/i* (*horse*) zurückscheuen; (*person*) zurückweichen; ***to ~ from sth*** vor etw (*dat*) zurückschrecken
shyly *adv* schüchtern, gschamig (*Aus*)
shyness *n* Schüchternheit *f*; (*esp of animals*) Scheu *f*
Siamese *adj* siamesisch **Siamese twins** *pl* siamesische Zwillinge *pl*
Siberia *n* Sibirien *nt*
sibling *n* Geschwister *nt* (*form*)
Sicily *n* Sizilien *nt*
sick I *n* (≈ *vomit*) Erbrochene(s) *nt* **II** *adj* (+*er*) **1.** (≈ *ill*) krank; ***the ~*** die Kranken *pl*; ***to be (off) ~*** (wegen Krankheit) fehlen; ***to call in ~*** sich (telefonisch) krankmelden; ***she's off ~ with tonsillitis*** sie ist wegen einer Mandelentzündung krankgeschrieben **2.** (≈ *vomiting or about to vomit*) ***to be ~*** sich übergeben; (*esp cat*, *baby*) spucken; ***he was ~ all over the carpet*** er hat den ganzen Teppich vollgespuckt; ***I think I'm going to be ~*** ich glaube, ich muss mich übergeben; ***I felt ~*** mir war übel; ***the smell makes me feel ~*** bei dem Geruch wird mir übel; ***it makes you ~ the way he's always right*** (*infml*) es ist zum Weinen, dass er immer recht hat; ***I am worried ~*** mir ist vor Sorge ganz schlecht **3.** (*infml* ≈ *fed up*) ***to be ~ of sth/sb*** etw/jdn satthaben; ***to be ~ of doing sth*** es satthaben,

etw zu tun; ***I'm ~ and tired of it*** ich habe davon die Nase (gestrichen) voll (*infml*); ***I'm ~ of the sight of her*** ich habe ihren Anblick satt **4.** (*infml* ≈ *tasteless*) geschmacklos; *joke* makaber; *person* pervers **sickbag** *n* Spucktüte *f* **sickbay** *n* Krankenrevier *nt* **sickbed** *n* Krankenlager *nt* **sicken I** *v/t* (≈ *disgust*) anwidern; (≈ *upset greatly*) krank machen (*infml*) **II** *v/i* krank werden; ***he's definitely ~ing for something*** er wird bestimmt krank **sickening** *adj* (*lit*) ekelerregend; (≈ *upsetting*) erschütternd; (≈ *disgusting*, *annoying*) ekelhaft

sickle *n* Sichel *f*

sick leave *n* ***to be on ~*** krankgeschrieben sein; ***employees are allowed six weeks' ~ per year*** Angestellte dürfen insgesamt sechs Wochen pro Jahr wegen Krankheit fehlen **sickly** *adj* (*+er*) *appearance* kränklich; *smell*, *sentimentality*, *colour* ekelhaft; *smile* matt **sickness** *n* MED Krankheit *f*; ***in ~ and in health*** in guten und in schlechten Zeiten **sickness benefit** *n* (*Br*) Krankengeld *nt* **sick note** *n* (*Br infml*) Krankmeldung *f* **sick pay** *n* Gehalts-/Lohnfortzahlung *f* im Krankheitsfall

side I *n* **1.** Seite *f*; (*of mountain*) Hang *m*; (*of business etc*) Zweig *m*; ***this ~ up!*** oben!; ***by/at the ~ of sth*** seitlich von etw; ***the path goes down the ~ of the house*** der Weg führt seitlich am Haus entlang; ***it's this/the other ~ of London*** (*out of town*) es ist auf dieser / auf der anderen Seite Londons; (*in town*) es ist in diesem Teil / am anderen Ende von London; ***the enemy attacked them on*** *or* ***from all ~s*** der Feind griff sie von allen Seiten an; ***he moved over*** *or* ***stood to one ~*** er trat zur Seite; ***he stood to one ~ and did nothing*** (*lit*) er stand daneben und tat nichts; (*fig*) er hielt sich raus; ***to put sth on one ~*** etw beiseitelegen; (*shopkeeper*) etw zurücklegen; ***I'll put that issue on*** *or* ***to one ~*** ich werde diese Frage vorerst zurückstellen; ***on the other ~ of the boundary*** jenseits der Grenze; ***this ~ of Christmas*** vor Weihnachten; ***from ~ to ~*** hin und her; ***by sb's ~*** neben jdm; ***~ by ~*** Seite an Seite; ***I'll be by your ~*** (*fig*) ich werde Ihnen zur Seite stehen; ***on one's father's ~*** väterlicherseits; ***your ~ of the story*** Ihre Version (der Geschichte); ***to look on the bright ~*** (≈ *be optimistic*) zuversichtlich sein; (≈ *look on the positive side*) die positive Seite betrachten **2.** (≈ *edge*) Rand *m*; ***at the ~ of the road*** am Straßenrand; ***on the far ~ of the wood*** am anderen Ende des Waldes **3.** ***we'll take £50 just to be on the safe ~*** wir werden vorsichtshalber £ 50 mitnehmen; ***to get on the right ~ of sb*** jdn für sich einnehmen; ***on the right ~ of the law*** auf dem Boden des Gesetzes; ***to make a bit (of money) on the ~*** (*infml*) sich (*dat*) etwas nebenbei verdienen (*infml*); ***(a bit) on the large ~*** etwas (zu) groß **4.** SPORTS Mannschaft *f*; (*fig*) Seite *f*; ***with a few concessions on the government ~*** mit einigen Zugeständnissen vonseiten der Regierung; ***to change ~s*** sich auf die andere Seite schlagen; SPORTS die Seiten wechseln; ***to take ~s*** parteiisch sein; ***to take ~s with sb*** für jdn Partei ergreifen; ***to be on sb's ~*** auf jds Seite (*dat*) stehen **II** *adj attr* Seiten-; (≈ *not main*) Neben-; ***~ road*** Seiten-/Nebenstraße *f* **III** *v/i* ***to ~ with/against sb*** Partei für / gegen jdn ergreifen **sideboard** *n* Anrichte *f* **sideboards** (*Br*), **sideburns** *pl* Koteletten *pl*; (*longer*) Backenbart *m* **sidecar** *n* Beiwagen *m*; *esp* SPORTS Seitenwagen *m* **-sided** *adj suf* -seitig; ***one-sided*** einseitig **side dish** *n* Beilage *f* **side effect** *n* Nebenwirkung *f* **sidekick** *n* (*infml*) Handlanger(in) *m(f)* (*pej*) **sidelight** *n* (*Br* AUTO) Parklicht *nt*; (*incorporated in headlight*) Standlicht *nt* **sideline I** *n* (≈ *extra business*) Nebenerwerb *m* **II** *v/t* ***to be ~d*** aus dem Rennen sein **sidelines** *pl* Seitenlinien *pl*; ***to be on the ~*** (*fig*) unbeteiligter Zuschauer sein **sidelong** *adj* ***to give sb a ~ glance*** jdn kurz aus den Augenwinkeln anblicken **side-on** *adj* ***~ collision*** Seitenaufprall *m*; ***~ view*** Seitenansicht *f* **side order** *n* COOK Beilage *f* **side salad** *n* Salat *m* (als Beilage) **sideshow** *n* Nebenvorstellung *f* **side step** *n* Schritt *m* zur Seite; SPORTS Ausfallschritt *m* **sidestep I** *v/t* ausweichen (*+dat*) **II** *v/i* ausweichen **side street** *n* Seitenstraße *f* **sidetrack I** *n* (*esp US*) = ***siding*** **II** *v/t* ablenken; ***I got ~ed onto something else*** ich wurde durch irgendetwas abgelenkt; (*from topic*) ich wurde irgendwie vom Thema abgebracht **side view** *n* Seitenansicht *f* **sidewalk** *n* (*US*) Bürgersteig *m* **sidewalk café** *n* (*US*) Straßencafé *nt* **sideward** *adj* = ***sidewards*** I **sidewards I** *adj movement* zur Seite; *glance* von der Seite **II** *adv move* zur Seite **sideways I** *adj movement* zur Seite; *glance* von der Seite **II** *adv* **1.** *move* zur Seite; ***it goes in ~*** es geht seitwärts hinein **2.** *sit* seitlich; ***~ on*** seitlich (*to sth* zu etw) **3.** (*in career*) ***to move ~*** sich auf gleichem Niveau verändern **siding** *n* Rangiergleis *nt*; (≈ *dead end*) Abstellgleis *nt*

sidle *v/i* ***to ~ up to sb*** sich an jdn heranschleichen

SIDS *n* MED *abbr of* ***sudden infant death syndrome*** plötzlicher Kindstod

siege *n* (*of town*) Belagerung *f*; (*by police*) Umstellung *f*; ***to be under ~*** belagert werden; (*by police*) umstellt sein; ***to lay ~ to a town*** eine Stadt belagern

sieve I *n* Sieb *nt* **II** *v/t* = ***sift*** I

sift I *v/t* (*lit*) sieben **II** *v/i* (*fig*) sieben; ***to ~ through the evidence*** das Beweismaterial durchgehen ◆ **sift out** *v/t sep stones, applicants* aussieben

sigh I *n* Seufzer *m*; ***a ~ of relief*** ein Seufzer *m* der Erleichterung **II** *v/i* seufzen; (*wind*) säuseln; ***to ~ with relief*** erleichtert aufatmen **III** *v/t* seufzen

sight I *n* **1.** (≈ *faculty*) Sehvermögen *nt*; ***long/short ~*** Weit-/Kurzsichtigkeit *f*; ***to lose/regain one's ~*** sein Augenlicht verlieren/wiedergewinnen; ***to lose one's ~*** sein Augenlicht verlieren **2.** ***it was my first ~ of Paris*** das war das Erste, was ich von Paris gesehen habe; ***to hate sb at first ~*** jdn vom ersten Augenblick an nicht leiden können; ***to shoot on ~*** sofort schießen; ***love at first ~*** Liebe auf den ersten Blick; ***to know sb by ~*** jdn vom Sehen kennen; ***to catch ~ of sb/sth*** jdn/etw entdecken; ***to lose ~ of sb/sth*** jdn/etw aus den Augen verlieren **3.** (≈ *sth seen*) Anblick *m*; ***the ~ of blood makes me sick*** wenn ich Blut sehe, wird mir übel; ***I hate the ~ of him*** ich kann ihn (einfach) nicht ausstehen; ***what a horrible ~!*** das sieht ja furchtbar aus!; ***it was a ~ for sore eyes*** es war eine wahre Augenweide; ***you're a ~ for sore eyes*** es ist schön, dich zu sehen; ***to be*** *or* ***look a ~*** (*infml*) (*funny*) zum Schreien aussehen (*infml*); (*horrible*) fürchterlich aussehen **4.** (≈ *range of vision*) Sicht *f*; ***to be in*** *or* ***within ~*** in Sicht sein; ***to keep out of ~*** sich verborgen halten; ***to keep sb/sth out of ~*** jdn/etw nicht sehen lassen; ***keep out of my ~!*** lass dich bloß bei mir nicht mehr blicken; ***to be out of ~*** außer Sicht sein; ***don't let it out of your ~*** lass es nicht aus den Augen; ***out of ~, out of mind*** (*prov*) aus den Augen, aus dem Sinn (*prov*) **5.** *usu pl* (*of city etc*) Sehenswürdigkeit *f*; ***to see the ~s of a town*** eine Stadt besichtigen **6.** (*on telescope etc*) Visiereinrichtung *f*; (*on gun*) Visier *nt*; ***to set one's ~s too high*** (*fig*) seine Ziele zu hoch stecken; ***to lower one's ~s*** (*fig*) seine Ansprüche herabsetzen *or* herunterschrauben; ***to set one's ~s on sth*** (*fig*) ein Auge auf etw (*acc*) werfen **II** *v/t* (≈ *see*) sichten; *person* ausmachen

-sighted *adj suf* (MED, *fig*) -sichtig **sighting** *n* Sichten *nt* **sightless** *adj person* blind **sight-read** *v/t & v/i* vom Blatt spielen *etc*

sightseeing I *n* Besichtigungen *pl*; ***to go ~*** auf Besichtigungstour gehen **II** *adj* ***~ tour*** Rundreise *f*; (*in town*) (Stadt)rundfahrt *f* **sightseer** *n* Tourist(in) *m*(*f*)

sign I *n* **1.** (≈ *gesture, written symbol*) Zeichen *nt* **2.** (≈ *indication*, MED) Anzeichen *nt* (*of* für, +*gen*); (≈ *evidence*) Zeichen *nt* (*of* von, +*gen*); (≈ *trace*) Spur *f*; ***a ~ of the times*** ein Zeichen unserer Zeit; ***it's a ~ of a true expert*** daran erkennt man den wahren Experten; ***there is no ~ of their agreeing*** nichts deutet darauf hin, dass sie zustimmen werden; ***to show ~s of sth*** Anzeichen von etw erkennen lassen; ***there was no ~ of life in the village*** es gab keine Spur *or* kein Anzeichen von Leben im Dorf; ***there was no ~ of him*** von ihm war keine Spur zu sehen; ***is there any ~ of him yet?*** ist er schon zu sehen? **3.** (≈ *road sign, shop sign*) Schild *nt* **II** *v/t* **1.** *letter, contract* unterschreiben; *book* signieren; ***to ~ the register*** sich eintragen; ***to ~ one's name*** unterschreiben; ***he ~s himself J.G. Jones*** er unterschreibt mit J. G. Jones **2.** *football player etc* unter Vertrag nehmen **III** *v/i* (*with signature*) unterschreiben; ***Fellows has just ~ed for United*** Fellows hat gerade bei United unterschrieben ◆ **sign away** *v/t sep* verzichten auf (+*acc*) ◆ **sign for** *v/i +prep obj* den Empfang (+*gen*) bestätigen ◆ **sign in I** *v/t sep* eintragen **II** *v/i* sich eintragen ◆ **sign off** *v/i* RADIO, TV sich verabschieden; (*in letter*) Schluss machen ◆ **sign on I** *v/t sep* = ***sign up*** I **II** *v/i* **1.** = ***sign***

up II **2.** (*Br*) ***to ~*** (*as unemployed*) sich arbeitslos melden; ***he's still signing on*** er ist immer noch arbeitslos ◆ **sign out I** *v/i* sich austragen **II** *v/t sep* austragen ◆ **sign up I** *v/t sep* (≈ *enlist*) verpflichten; *employees* anstellen **II** *v/i* sich verpflichten; (*employees, players*) unterschreiben; (*for class*) sich einschreiben

signal I *n* **1.** (≈ *sign*) Zeichen *nt*; (*as part of code*) Signal *nt* **2.** RAIL, TEL Signal *nt*; ***the ~ is at red*** das Signal steht auf Rot **II** *v/t* (≈ *indicate*) anzeigen; *arrival etc* ankündigen; ***to ~ sb to do sth*** jdm ein Zeichen geben, etw zu tun **III** *v/i* ein Zeichen geben; ***he signalled*** (*Br*) *or* ***signaled*** (*US*) ***to the waiter*** er winkte dem Ober **signal box** *n* Stellwerk *nt* **signalman** *n* RAIL Stellwerkswärter *m*

signatory *n* Unterzeichner(in) *m*(*f*)

signature *n* Unterschrift *f*, Visum *nt* (*Swiss*); (*of artist*) Signatur *f* **signature tune** *n* (*Br*) Erkennungsmelodie *f*

signet ring *n* Siegelring *m*

significance *n* Bedeutung *f*; ***what is the ~ of this?*** welche Bedeutung hat das?; ***of no ~*** belanglos **significant** *adj* **1.** (≈ *having consequence*) bedeutend; (≈ *important*) wichtig **2.** (≈ *meaningful*) bedeutungsvoll; ***it is ~ that ...*** es ist bezeichnend, dass ... **significantly** *adv* **1.** (≈ *considerably*) bedeutend; ***it is not ~ different*** da besteht kein wesentlicher Unterschied **2.** (≈ *meaningfully*) bedeutungsvoll **signify** *v/t* **1.** (≈ *mean*) bedeuten **2.** (≈ *indicate*) andeuten

signing *n* **1.** (*of document*) Unterzeichnen *nt* **2.** (*of football player etc*) Untervertragnahme *f*; (≈ *football player etc*) neu unter Vertrag Genommene(r) *m*/*f*(*m*) **sign language** *n* Zeichensprache *f* **signpost** *n* Wegweiser *m*

Sikh *n* Sikh *m*/*f*(*m*)

silence I *n* Stille *f*; (≈ *absence of talk also*) Schweigen *nt*; (*on subject*) (Still)schweigen *nt*; ***~!*** Ruhe!; ***in ~*** still; ***there was ~*** alles war still; ***there was a short ~*** es herrschte für kurze Zeit Stille; ***to break the ~*** die Stille durchbrechen **II** *v/t* zum Schweigen bringen

silent *adj* still; (≈ *not talking also*) schweigsam; ***to fall ~*** still werden; ***be ~!*** sei still!; ***~ film*** (*esp Br*) *or* ***movie*** (*esp US*) Stummfilm *m*; ***to be ~*** (*person*) schweigen; ***to keep*** *or* ***remain ~*** sich nicht äußern **silently** *adv* lautlos; (≈ *without talking*) schweigend **silent partner** *n* (*US* COMM) stiller Teilhaber *or* Gesellschafter

Silesia *n* Schlesien *nt*

silhouette I *n* Silhouette *f* **II** *v/t* ***to be ~d against sth*** sich (als Silhouette) gegen *or* von etw abzeichnen

silicon chip *n* Siliziumchip *nt*

silicone *n* Silikon *nt*

silk I *n* Seide *f* **II** *adj* Seiden-, seiden **silken** *adj* seidig **silkiness** *n* seidige Weichheit **silky** *adj* (+*er*) seidig; *voice* samtig; ***~ smooth*** seidenweich

sill *n* Sims *m or nt*

silliness *n* Albernheit *f* **silly** *adj* (+*er*) albern, dumm; ***don't be ~*** (≈ *say silly things*) red keinen Unsinn; ***it was a ~ thing to say*** es war dumm, das zu sagen; ***I hope he doesn't do anything ~*** ich hoffe, er macht keine Dummheiten; ***he was ~ to resign*** es war dumm von ihm zurückzutreten; ***I feel ~ in this hat*** mit diesem Hut komme ich mir albern vor; ***to make sb look ~*** jdn lächerlich machen

silt I *n* Schwemmsand *m*; (≈ *river mud*) Schlick *m* **II** *v/i* (*a.* **silt up**) verschlammen

silver I *n* Silber *nt*; (≈ *coins*) Silber(geld) *nt* **II** *adj* Silber-, silbern **silver birch** *n* Weißbirke *f* **silver foil** *n* Alu(minium)folie *f* **silver jubilee** *n* 25-jähriges Jubiläum **silver medal** *n* Silbermedaille *f* **silver paper** *n* Silberpapier *nt* **silverware** *n* Silber *nt*, Silberzeug *nt* (*infml*) **silver wedding** *n* Silberhochzeit *f* **silvery** *adj* silbrig

SIM card *n* TEL *abbr of* ***Subscriber Identity Module card*** SIM-Karte *f*

similar *adj* ähnlich; *amount, size* ungefähr gleich; ***she and her sister are very ~, she is very ~ to her sister*** ihre Schwester und sie sind sich sehr ähnlich; ***they are very ~ in character*** sie ähneln sich charakterlich sehr; ***~ in size*** fast gleich groß; ***to taste ~ to sth*** ähnlich wie etw schmecken **similarity** *n* Ähnlichkeit *f* (*to* mit) **similarly** *adv* ähnlich; (≈ *equally*) ebenso

simile *n* Gleichnis *nt*

simmer I *v/t* auf kleiner Flamme kochen lassen **II** *v/i* auf kleiner Flamme kochen ◆ **simmer down** *v/i* sich beruhigen

simple *adj* (+*er*) **1.** einfach; ***the camcorder is ~ to use*** der Camcorder ist einfach zu bedienen; ***it's as ~ as ABC*** es ist kinderleicht; ***"chemistry made ~"*** „Chemie leicht gemacht"; ***in ~ terms*** in einfachen Worten; ***the ~ fact is ...*** es ist einfach so, dass ... **2.** (≈ *simple-minded*) einfältig **simple-minded** *adj* einfältig **simplicity** *n* Einfachheit *f* **simplification** *n* Vereinfachung *f* **simplified** *adj* vereinfacht **simplify** *v/t* vereinfachen **simplistic** *adj* simpel **simply** *adv* einfach; (≈ *merely*) nur, bloß

simulate *v/t emotions* vortäuschen; *illness*, *conditions* simulieren **simulation** *n* **1.** (*of emotions*) Vortäuschung *f*; (≈ *simulated appearance*) Imitation *f* **2.** (≈ *reproduction*) Simulation *f*

simultaneous *adj*, **simultaneously** *adv* gleichzeitig

sin I *n* Sünde *f*; ***to live in ~*** (*infml*) in wilder Ehe leben **II** *v/i* sich versündigen (*against* an +*dat*)

since I *adv* (≈ *in the meantime*) inzwischen; (≈ *up to now*) seitdem; ***ever ~*** seither; ***long ~*** schon lange; ***not long ~*** erst vor Kurzem **II** *prep* seit; ***ever ~ 1900*** (schon) seit 1900; ***I've been coming here ~ 1992*** ich komme schon seit 1992 hierher; ***he left in June, ~ when we have not heard from him*** er ging im Juni fort und seitdem haben wir nichts mehr von ihm gehört; ***how long is it ~ the accident?*** wie lange ist der Unfall schon her?; ***~ when?*** (*infml*) seit wann denn das? (*infml*) **III** *cj* **1.** (*time*) seit(dem); ***ever ~ I've known him*** seit(-dem) ich ihn kenne **2.** (≈ *because*) da, weil

sincere *adj* aufrichtig **sincerely** *adv* aufrichtig; ***yours ~*** (*Br*) mit freundlichen Grüßen **sincerity** *n* Aufrichtigkeit *f*

sinew *n* Sehne *f*

sinful *adj* sündig

sing *pret* ***sang***, *past part* ***sung*** *v/t & v/i* singen; ***to ~ the praises of sb/sth*** ein Loblied auf jdn/etw singen ◆ **sing along** *v/i* mitsingen

Singapore *n* Singapur *nt*

singe I *v/t* sengen; *eyebrows* absengen **II** *v/i* sengen

singer *n* Sänger(in) *m(f)* **singer-songwriter** *n* Liedermacher(in) *m(f)* **singing** *n* Singen *nt*; (*of person*, *bird also*) Gesang *m*

single I *adj* **1.** (≈ *one only*) einzige(r, s); ***every ~ day*** jeder (einzelne) Tag; ***not a ~ thing*** überhaupt nichts; ***in ~ figures*** in einstelligen Zahlen **2.** (≈ *not double etc*) einzeln; (*Br*) *ticket* einfach **3.** (≈ *not married*) unverheiratet, ledig; ***~ people*** Ledige *pl*, Unverheiratete *pl* **II** *n* (*Br* ≈ *ticket*) Einzelfahrschein *m*; (≈ *room*) Einzelzimmer *nt*; (≈ *record*) Single *f*; ***two ~s to Ayr*** (*Br*) zweimal einfach nach Ayr ◆ **single out** *v/t sep* (≈ *choose*) auswählen; *victim* sich (*dat*) herausgreifen; (≈ *distinguish*) herausheben (*from* über +*acc*)

single bed *n* Einzelbett *nt* **single combat** *n* Nahkampf *m* **single cream** *n* (*Br*) Sahne *f*, Obers *m* (*Aus*), Nidel *m* (*Swiss*, *mit geringem Fettgehalt*) **single currency** *n* Einheitswährung *f* **single-density** *adj* IT *disk* mit einfacher Dichte **single European market** *n* Europäischer Binnenmarkt **single file** *n* ***in ~*** im Gänsemarsch **single-handed I** *adj* (ganz) allein *pred* **II** *adv* (*a.* **single-handedly**) ohne Hilfe **single-minded** *adj* zielstrebig; ***to be ~ about doing sth*** zielstrebig darin sein, etw zu tun **single-mindedness** *n* Zielstrebigkeit *f* **single mother** *n* alleinerziehende Mutter **single parent** *n* Alleinerziehende(r) *m/f(m)* **single-parent** *adj* ***a ~ family*** eine Einelternfamilie

single room *n* Einzelzimmer *nt* **singles** *n sg or pl* SPORTS Einzel *nt* **single-sex** *adj* ***a ~ school*** eine reine Jungen-/Mädchenschule **single-sided** *adj* IT *disk* einseitig **single-storey**, (*US*) **single-story** *adj* einstöckig **singly** *adv* einzeln

singsong *n* ***we often have a ~*** wir singen oft zusammen

singular I *adj* **1.** GRAM im Singular **2.** (≈ *outstanding*) einzigartig **II** *n* Singular *m*; ***in the ~*** im Singular **singularly** *adv* außerordentlich

sinister *adj* unheimlich; *person* finster; *development* unheilvoll

sink[1] *pret* ***sank***, *past part* ***sunk*** **I** *v/t* **1.** *ship*, *object* versenken; ***to be sunk in thought*** in Gedanken versunken sein **2.** (*fig*) *theory* zerstören **3.** *shaft* senken; *hole* ausheben; ***to ~ money into sth*** Geld in etw (*acc*) stecken **4.** *teeth* schlagen; ***to ~ one's teeth into a juicy steak*** in ein saftiges Steak beißen **II** *v/i* sinken; (*sun*) versinken; (*land*) sich senken; *person*, *object* untergehen; ***to ~ to the bottom*** auf den Grund sinken; ***he sank up to his knees in the mud*** er sank bis zu den Knien im Schlamm ein; ***the sun sank beneath the horizon*** die Sonne versank am Horizont; ***to ~ to one's knees*** auf die Knie sinken ◆ **sink in** *v/i* **1.** (*into mud etc*) einsinken (*prep obj, -to* in *+acc*) **2.** (*infml* ≈ *be understood*) kapiert werden (*infml*); ***it's only just sunk in that it really did happen*** ich kapiere / er kapiert *etc* erst jetzt, dass das tatsächlich passiert ist (*infml*)

sink² *n* Ausguss *m*, Schüttstein *m* (*Swiss*)

sinking I *n* (*of ship*) Untergang *m*; (*deliberately*) Versenkung *f*; (*of shaft*) Senken *nt*; (*of well*) Bohren *nt* **II** *adj* ***a ~ ship*** ein sinkendes Schiff; ***~ feeling*** flaues Gefühl (im Magen) (*infml*)

sinner *n* Sünder(in) *m*(*f*)

sinuous *adj* gewunden

sinus *n* ANAT Sinus *m* (*tech*); (*in head*) Stirnhöhle *f*

sip I *n* Schluck *m*; (*very small*) Schlückchen *nt* **II** *v/t* in kleinen Schlucken trinken; (*daintily*) nippen an (*+dat*) **III** *v/i* ***to ~ at sth*** an etw (*dat*) nippen

siphon *n* Heber *m*; (≈ *soda siphon*) Siphon *m* ◆ **siphon off** *v/t sep* **1.** (*lit*) absaugen; *petrol* abzapfen; (*into container*) (mit einem Heber) umfüllen **2.** (*fig*) *money* abziehen

sir *n* **1.** (*in address*) mein Herr (*form*), Herr X; ***no, ~*** nein(, Herr X); MIL nein, Herr Leutnant *etc*; ***Dear Sir (or Madam), ...*** Sehr geehrte (Damen und) Herren! **2.** (≈ *knight etc*) ***Sir*** Sir *m* **3.** (SCHOOL *infml* ≈ *teacher*) er (SCHOOL *sl*); ***please ~!*** Herr X!

sire *v/t* zeugen

siren *n* Sirene *f*

sirloin *n* COOK Lendenfilet *nt*

sirup *n* (*US*) = ***syrup***

sissy (*infml*) *n* Waschlappen *m* (*infml*)

sister *n* **1.** Schwester *f* **2.** (*Br* ≈ *nurse*) Oberschwester *f*

sister-in-law *n*, *pl* ***sisters-in-law*** Schwägerin *f*

sit *vb*: *pret*, *past part* ***sat*** **I** *v/i* **1.** (≈ *be sitting*) sitzen (*in*/*on* in/auf *+dat*); (≈ *sit down*) sich setzen (*in*/*on* in/auf *+acc*); ***a place to ~*** ein Sitzplatz *m*; ***~ by/with me*** setz dich zu mir/neben mich; ***to ~ for a painter*** für einen Maler Modell sitzen; ***don't just ~ there, do something!*** sitz nicht nur tatenlos da (herum), tu (endlich) was! **2.** (*assembly*) tagen; ***to ~ on a committee*** einen Sitz in einem Ausschuss haben **3.** (*object* ≈ *be placed*) stehen **II** *v/t* **1.** (*a.* **sit down**) setzen (*in* in *+acc*, *on* auf *+acc*); *object* stellen; ***to ~ a child on one's knee*** sich (*dat*) ein Kind auf die Knie setzen **2.** (*Br*) *examination* ablegen (*form*) **III** *v/r* ***to ~ oneself down*** sich gemütlich hinsetzen ◆ **sit about** (*Brit*) *or* **around** *v/i* herumsitzen ◆ **sit back** *v/i* sich zurücklehnen; (*fig* ≈ *do nothing*) die Hände in den Schoß legen ◆ **sit down** *v/i* (*lit*) sich (hin)setzen; ***to ~ in a chair*** sich auf einen Stuhl setzen ◆ **sit in** *v/i* (≈ *attend*) dabeisitzen (*on sth* bei etw) ◆ **sit on** *v/i +prep obj committee* sitzen in (*+dat*) ◆ **sit out** *v/t sep* **1.** *meeting* bis zum Ende bleiben bei; *storm* auf das Ende (*+gen*) warten **2.** *dance* auslassen ◆ **sit through** *v/i +prep obj* durchhalten ◆ **sit up I** *v/i* **1.** (≈ *be sitting upright*) aufrecht sitzen; (≈ *action*) sich aufsetzen **2.** (≈ *sit straight*) gerade sitzen; ***~!*** setz dich gerade hin!; ***to make sb ~ (and take notice)*** (*fig infml*) jdn aufhorchen lassen **II** *v/t sep* aufsetzen

sitcom *n* (*infml*) Situationskomödie *f*

sit-down I *n* (*infml* ≈ *rest*) Verschnaufpause *f* (*infml*) **II** *adj attr* ***a ~ meal*** eine richtige Mahlzeit

site I *n* **1.** Stelle *f*, Platz *m* **2.** ARCHEOL Stätte *f* **3.** (≈ *building site*) Baustelle *f* **4.** (≈ *camping site*) Campingplatz *m* **5.** IT Site *f* **II** *v/t* anlegen; ***to be ~d*** liegen

sits vac *pl abbr of* ***situations vacant*** Stellenangebote *pl*

sitter *n* **1.** ART Modell *nt* **2.** (≈ *baby-sitter*) Babysitter(in) *m*(*f*) **sitting I** *adj* sitzend; ***to be in a ~ position*** aufsitzen; ***to get into a ~ position*** sich aufsetzen **II** *n* (*of committee*, *parliament*, *for portrait*) Sitzung *f*; ***they have two ~s for lunch*** sie servieren das Mittagessen in zwei Schüben **sitting duck** *n* (*fig*) leichte Beute **sitting room** *n* (*esp Br*) Wohnzimmer *nt*

situate *v/t* legen **situated** *adj* gelegen; ***it is ~ in the High Street*** es liegt an der Hauptstraße; ***a pleasantly ~ house*** ein Haus in angenehmer Lage

situation *n* **1.** Lage *f*; (≈ *state of affairs also*) Situation *f* **2.** (≈ *job*) Stelle *f*; ***"situations vacant"*** (*Br*) „Stellenangebote"; ***"situations wanted"*** (*Br*) „Stellengesuche" **situation comedy** *n* Situationskomödie *f*

six I *adj* sechs; ***she is ~ (years old)*** sie ist sechs (Jahre alt); ***at (the age of) ~*** im Alter von sechs Jahren; ***it's ~ (o'clock)*** es ist sechs (Uhr); ***there are ~ of us*** wir sind sechs; ***~ and a half*** sechseinhalb **II** *n* Sechs *f*; ***to divide sth into ~*** etw in sechs Teile teilen; ***they are sold in ~es*** sie werden in Sechserpackungen verkauft; ***to knock sb for ~*** (*Br infml*) jdn umhauen (*infml*) **sixfold I** *adj* sechsfach **II** *adv* um das Sechsfache **six hundred I** *adj* sechshundert **II** *n* Sechshundert *f* **sixish** *adj* um sechs herum **six million** *adj*, *n* sechs Millionen **six-pack** *n* Sechserpackung *f*

sixteen I *adj* sechzehn **II** *n* Sechzehn *f*

sixteenth I *adj* sechzehnte(r, s); ***a ~ part*** ein Sechzehntel *nt*; ***a ~ note*** (*esp US* MUS) eine Sechzehntelnote **II** *n* **1.** (≈ *fraction*) Sechzehntel *nt* **2.** (*in series*) Sechzehnte(r, s) **3.** (≈ *date*) ***the ~*** der Sechzehnte

sixth I *adj* sechste(r, s); ***a ~ part*** ein Sechstel *nt*; ***he was*** *or* ***came ~*** er wurde Sechster; ***he was ~ from the left*** er war der Sechste von links **II** *n* **1.** (≈ *fraction*) Sechstel *nt* **2.** (*in series*) Sechste(r, s); ***Charles the Sixth*** Karl der Sechste **3.** (≈ *date*) ***the ~*** der Sechste; ***on the ~*** am Sechsten; ***the ~ of September***, ***September the ~*** der sechste September **III** *adv* ***he did it ~*** (≈ *the sixth person to do it*) er hat es als Sechster gemacht; (≈ *the sixth thing he did*) er hat es als Sechstes gemacht **sixth form** *n* (*Br*) Abschlussklasse *f*, ≈ Prima *f* **sixth grade** *n* (*US* SCHOOL) sechstes Schuljahr

six thousand I *adj* sechstausend **II** *n* Sechstausend *f*

sixtieth I *adj* sechzigste(r, s); ***a ~ part*** ein Sechzigstel *nt* **II** *n* **1.** (≈ *fraction*) Sechzigstel *nt* **2.** (*in series*) Sechzigste(r, s)

sixty I *adj* sechzig; ***~-one*** einundsechzig **II** *n* Sechzig *f*; ***the sixties*** die Sechzigerjahre; ***to be in one's sixties*** in den Sechzigern sein; ***to be in one's late/early sixties*** Ende/Anfang sechzig sein; → ***six*** **sixtyish** *adj* um die Sechzig (*infml*)

six-year-old I *adj* sechsjährig *attr*, sechs Jahre alt *pred* **II** *n* Sechsjährige(r) *m/f(m)*

size *n* Größe *f*; (*of problem also*) Ausmaß *nt*; ***waist ~*** Taillenweite *f*; ***dress ~*** Kleidergröße *f*; ***he's about your ~*** er ist ungefähr so groß wie du; ***what ~ is it?*** wie groß ist es?; (*clothes etc*) welche Größe ist es?; ***it's two ~s too big*** es ist zwei Nummern zu groß; ***do you want to try it for ~?*** möchten Sie es anprobieren, ob es Ihnen passt? ◆ **size up** *v/t sep* abschätzen

sizeable *adj* ziemlich groß **-size(d)** *adj suf* -groß; ***medium-size(d)*** mittelgroß

sizzle *v/i* brutzeln

skate¹ *n* (≈ *fish*) Rochen *m*

skate² I *n* (≈ *ice skate*) Schlittschuh *m*; (≈ *roller skate*) Rollschuh *m*; ***get your ~s on*** (*fig infml*) mach/macht mal ein bisschen dalli! (*infml*) **II** *v/i* Schlittschuh laufen; (≈ *roller-skate*) Rollschuh laufen; ***he ~d across the pond*** er lief (auf Schlittschuhen) über den Teich ◆ **skate (a)round** *or* **over** *v/i +prep obj* links liegen lassen; *problem* einfach übergehen

skateboard *n* Skateboard *nt* **skateboarding** *n* Skateboardfahren *nt* **skateboard park** *n* Skateboardanlage *f* **skater** *n* Schlittschuhläufer(in) *m(f)*; (≈ *roller-skater*) Rollschuhläufer(in) *m(f)* **skating** *n* Schlittschuhlauf *m*; (≈ *roller-skating*) Rollschuhlauf *m* **skating rink** *n* Eisbahn *f*; (*for roller-skating*) Rollschuhbahn *f*

skeletal *adj person* bis aufs Skelett abgemagert; *trees* skelettartig **skeleton I** *n* Skelett *nt*; ***a ~ in one's cupboard*** (*Br*) *or* ***closet*** (*US*) eine Leiche im Keller **II** *adj plan etc* provisorisch; ***~ service*** Notdienst *m*

skeptic *etc* (*US*) = ***sceptic*** *etc*

sketch I *n* Skizze *f*; (≈ *draft also*) Entwurf *m*; THEAT Sketch *m* **II** *v/t* skizzieren **III** *v/i* Skizzen machen ◆ **sketch out** *v/t sep* grob skizzieren

sketchbook *n* Skizzenbuch *nt* **sketching** *n* ART Skizzenzeichnen *nt* **sketch pad** *n* Skizzenblock *m* **sketchy** *adj* (*+er*) *account* flüchtig

skew *v/t* (≈ *make crooked*) krümmen; (*fig* ≈ *distort*) verzerren

skewer I *n* Spieß *m* **II** *v/t* aufspießen

ski I *n* Ski *m* **II** *v/i* Ski laufen; ***they ~ed down the slope*** sie fuhren (auf ihren Skiern) den Hang hinunter

skid I *n* AUTO *etc* Schleudern *nt* **II** *v/i* (*car, objects*) schleudern; (*person*) ausrutschen **skidmark** *n* Reifenspur *f*

skier *n* Skiläufer(in) *m(f)* **skiing** *n* Skilaufen *nt*; ***to go ~*** Ski laufen gehen **ski-jumping** *n* Skispringen *nt*

skilful, (*US*) **skillful** *adj* geschickt **skilfully**, (*US*) **skillfully** *adv* geschickt; *play the piano also* gewandt; *paint, sculpt etc*

kunstvoll
ski lift *n* Skilift *m*
skill *n* **1.** *no pl* (≈ *skilfulness*) Geschick *nt* **2.** (≈ *acquired technique*) Fertigkeit *f*; (≈ *ability*) Fähigkeit *f* **skilled** *adj* **1.** (≈ *skilful*) geschickt (*at* in +*dat*) **2.** (≈ *trained*) ausgebildet; (≈ *requiring skill*) fachmännisch **skilled worker** *n* Facharbeiter(in) *m*(*f*)
skillet *n* Bratpfanne *f*
skillful *etc* (*US*) = ***skilful*** *etc*
skim *v/t* **1.** (≈ *remove*) abschöpfen; *milk* entrahmen **2.** (≈ *pass low over*) streifen über (+*acc*) **3.** (≈ *read quickly*) überfliegen ◆ **skim through** *v/i* +*prep obj book etc* überfliegen
skimmed milk, (*US*) **skim milk** *n* Magermilch *f*
skimp *v/i* sparen (*on* an +*dat*) **skimpily** *adv dressed* spärlich **skimpy** *adj* (+*er*) dürftig; *clothes* knapp
skin I *n* Haut *f*; (≈ *fur*) Fell *nt*; (*of fruit etc*) Schale *f*; ***to be soaked to the ~*** bis auf die Haut nass sein; ***that's no ~ off my nose*** (*esp Br infml*) das juckt mich nicht (*infml*); ***to save one's own ~*** die eigene Haut retten; ***to jump out of one's ~*** (*infml*) erschreckt hochfahren; ***to get under sb's ~*** (*infml* ≈ *irritate*) jdm auf die Nerven gehen (*infml*); (≈ *fascinate, music, voice*) jdm unter die Haut gehen; (*person*) jdn faszinieren; ***to have a thick/thin ~*** (*fig*) ein dickes Fell (*infml*)/eine dünne Haut haben; ***by the ~ of one's teeth*** (*infml*) mit Ach und Krach (*infml*) **II** *v/t* **1.** *animal* häuten **2.** (≈ *graze*) abschürfen **skinflint** *n* (*infml*) Geizkragen *m* (*infml*) **skin graft** *n* Hauttransplantation *f* **skinhead** *n* Skin(head) *m* **skinny** *adj* (+*er*) (*infml*) dünn
skint *adj* (*Br infml*) ***to be ~*** pleite sein (*infml*)
skintight *adj* hauteng
skip¹ I *n* Hüpfer *m* **II** *v/i* hüpfen; (*with rope*) seilspringen **III** *v/t* **1.** *school etc* schwänzen (*infml*); *chapter etc* überspringen; ***my heart ~ped a beat*** mein Herzschlag setzte für eine Sekunde aus; ***to ~ lunch*** das Mittagessen ausfallen lassen **2.** (*US*) ***to ~ rope*** seilspringen **3.** (*US infml*) ***to ~ town*** aus der Stadt verschwinden (*infml*) ◆ **skip over** *v/i* +*prep obj* überspringen ◆ **skip through** *v/i* +*prep obj book* durchblättern
skip² *n* BUILD (Schutt)container *m*
ski pass *n* Skipass *m* **ski pole** *n* Skistock *m*
skipper I *n* Kapitän(in) *m*(*f*) **II** *v/t* anführen
skipping *n* Seilspringen *nt* **skipping rope** *n* (*Br*) Hüpf- *or* Sprungseil *nt*
ski resort *n* Skiort *m*
skirmish *n* MIL Gefecht *nt*; (≈ *scrap, fig*) Zusammenstoß *m*
skirt I *n* Rock *m*, Kittel *m* (*Aus*), Jupe *m* (*Swiss*) **II** *v/t* (*a.* **skirt around**) umgehen **skirting (board)** *n* (*Br*) Fußleiste *f*
ski run *n* Skipiste *f* **ski stick** *n* Skistock *m*
ski tow *n* Schlepplift *m*
skitter *v/i* rutschen
skittish *adj* unruhig
skive (*Br infml*) *v/i* blaumachen (*infml*); (*from school etc*) schwänzen (*infml*) ◆ **skive off** *v/i* (*Br infml*) sich drücken (*infml*)
skulk *v/i* (≈ *move*) schleichen; (≈ *lurk*) sich herumdrücken
skull *n* Schädel *m*; ***~ and crossbones*** Totenkopf *m*
skunk *n* Stinktier *nt*
sky *n* Himmel *m*; ***in the ~*** am Himmel
sky-blue *adj* himmelblau **skydiving** *n* Fallschirmspringen *nt* **sky-high I** *adj prices* schwindelnd hoch; *confidence* unermesslich **II** *adv* zum Himmel; ***to blow a bridge ~*** (*infml*) eine Brücke in die Luft sprengen (*infml*); ***to blow a theory ~*** (*infml*) eine Theorie zum Einsturz bringen **skylight** *n* Oberlicht *nt*; (*in roof*) Dachfenster *nt* **skyline** *n* (≈ *horizon*) Horizont *m*; (*of city*) Skyline *f* **sky marshal** *n* (*esp US* AVIAT) Sky-Marshal *m*, *zur Verhinderung von Flugzeugentführungen mitfliegender Sicherheitsbeamter* **skyscraper** *n* Wolkenkratzer *m*
slab *n* **1.** (*of wood etc*) Tafel *f*; (*of stone*) Platte *f* **2.** (≈ *slice*) dicke Scheibe; (*of cake*) großes Stück
slack I *adj* (+*er*) **1.** (≈ *not tight*) locker **2.** (≈ *negligent*) nachlässig **3.** COMM *period* ruhig; ***business is ~*** das Geschäft geht schlecht **II** *n* (*of rope etc*) durchhängendes Teil (des Seils *etc*); ***to cut sb some ~*** (*fig infml*) mit jdm nachsichtig sein **III** *v/i* bummeln
slacken I *v/t* **1.** (≈ *loosen*) lockern **2.** (≈ *reduce*) vermindern **II** *v/i* (*speed*) sich verringern; (*rate of development*) sich

verlangsamen ◆ **slacken off** *v/i* (≈ *diminish*) nachlassen; (*work*) abnehmen
slackness *n* **1.** (*of rope, reins*) Schlaffheit *f*, Durchhängen *nt* **2.** (*of business, market etc*) Flaute *f*
slag *n* **1.** Schlacke *f* **2.** (*Br sl* ≈ *woman*) Schlampe *f* (*pej infml*) ◆ **slag off** *v/t sep* (*Br infml*) runtermachen (*infml*)
slain *past part of* **slay**
slalom *n* Slalom *m*
slam I *n* (*of door etc*) Zuknallen *nt no pl* **II** *v/t* **1.** (≈ *close*) zuknallen; ***to ~ the door in sb's face*** jdm die Tür vor der Nase zumachen **2.** (*infml* ≈ *throw*) knallen (*infml*); ***to ~ the brakes on*** (*infml*) auf die Bremse latschen (*infml*) **3.** (*infml* ≈ *criticize*) verreißen; *person* herunterputzen (*infml*) **III** *v/i* zuknallen; ***to ~ into sth*** in etw (*acc*) knallen ◆ **slam down** *v/t sep* hinknallen (*infml*); *phone* aufknallen (*infml*)
slander I *n* Verleumdung *f* **II** *v/t* verleumden
slang I *n* **1.** Slang *m* **2.** (≈ *army slang etc*) Jargon *m* **II** *adj* Slang-
slant I *n* Neigung *f*; ***to put a ~ on sth*** etw biegen; ***to be on a ~*** sich neigen **II** *v/t* verschieben **III** *v/i* sich neigen **slanting** *adj* schräg
slap I *n* Schlag *m*; ***a ~ across the face*** (*lit*) eine Ohrfeige, eine Watsche (*Aus*); ***a ~ in the face*** (*fig*) ein Schlag *m* ins Gesicht; ***to give sb a ~ on the back*** jdm (anerkennend) auf den Rücken klopfen; (*fig*) jdn loben; ***to give sb a ~ on the wrist*** (*fig infml*) jdn zurechtweisen, jdm einem Anpfiff geben (*infml*) **II** *adv* (*infml*) direkt **III** *v/t* (≈ *hit*) schlagen; ***to ~ sb's face*** jdm eine runterhauen (*infml*); ***to ~ sb on the back*** jdm auf den Rücken klopfen ◆ **slap down** *v/t sep* (*infml*) hinknallen ◆ **slap on** *v/t sep* (*infml*) **1.** (≈ *apply carelessly*) draufklatschen (*infml*) **2.** (*fig*) *tax, money* draufhauen (*infml*)
slap-bang *adv* (*esp Br infml*) mit Karacho (*infml*); ***it was ~ in the middle*** es war genau in der Mitte; ***to run ~ into sb/sth*** mit jdm/etw zusammenknallen (*infml*) **slapdash** *adj* schludrig (*pej*) **slapper** *n* (*Br infml*) Flittchen *nt* (*infml*) **slap-up meal** *n* (*Br infml*) Schlemmermahl *nt* (*infml*)
slash I *n* **1.** (≈ *action*) Streich *m*; (≈ *wound*) Schnitt *m* **2.** TYPO Schrägstrich *m* **II** *v/t* **1.** (≈ *cut*) zerfetzen; *face, tyres* aufschlitzen **2.** (*infml*) *price* radikal herabsetzen
slat *n* Leiste *f*
slate I *n* (≈ *rock*) Schiefer *m*; (≈ *roof slate*) Schieferplatte *f*; ***put it on the ~*** (*Br infml*) schreiben Sie es mir an; ***to wipe the ~ clean*** (*fig*) reinen Tisch machen **II** *adj* Schiefer- **III** *v/t* (*Br infml* ≈ *criticize*) verreißen; *person* zusammenstauchen (*infml*) **slating** *n* (*Br infml*) Verriss *m*; ***to get a ~*** zusammengestaucht werden (*infml*); (*play, performance etc*) verrissen werden
slaughter I *n* (*of animals*) Schlachten *nt no pl*; (*of persons*) Gemetzel *nt no pl* **II** *v/t* schlachten; *persons* (*lit*) abschlachten; (*fig*) fertigmachen (*infml*) **slaughterhouse** *n* Schlachthof *m*
Slav I *adj* slawisch **II** *n* Slawe *m*, Slawin *f*
slave I *n* Sklave *m*, Sklavin *f* **II** *v/i* sich abplagen; ***to ~ (away) at sth*** sich mit etw herumschlagen **slave-driver** *n* Sklaventreiber(in) *m(f)* **slave labour**, (*US*) **slave labor** *n* **1.** (≈ *work*) Sklavenarbeit *f* **2.** (≈ *work force*) Sklaven *pl*
slaver *v/i* geifern; ***to ~ over sb/sth*** nach jdm/etw geifern
slavery *n* Sklaverei *f*
Slavic, Slavonic I *adj* slawisch **II** *n* das Slawische
slay *pret* **slew**, *past part* **slain** *v/t* erschlagen **slaying** *n* (*esp US* ≈ *murder*) Mord *m*
sleaze *n* (*infml* ≈ *depravity*) Verderbtheit *f*; (*esp* POL ≈ *corruption*) Skandalgeschichten *pl* **sleazy** *adj* (*+er*) (*infml*) schäbig
sledge, sled (*esp US*) **I** *n* Schlitten *m*, Rodel *f* (*Aus*) **II** *v/i* Schlitten fahren, schlitteln (*Swiss*) **sledge(hammer)** *n* Vorschlaghammer *m*
sleek *adj* (*+er*) *fur* geschmeidig; (*in appearance*) gepflegt
sleep *vb*: *pret, past part* **slept I** *n* Schlaf *m*; ***to go to ~*** einschlafen; ***to drop off to ~*** (*person*) einschlafen; ***to be able to get to ~*** einschlafen können; ***try and get some ~*** versuche, etwas zu schlafen; ***to have a ~*** (etwas) schlafen; ***to have a good night's ~*** sich richtig ausschlafen; ***to put sb to ~*** jdn zum Schlafen bringen; (*drug*) jdn einschläfern; ***to put to ~*** (*euph*) *animal* einschläfern; ***that film sent me to ~*** bei dem Film bin ich ein-

geschlafen **II** *v/t* (≈ *accommodate*) unterbringen; ***the house ~s 10*** in dem Haus können 10 Leute übernachten **III** *v/i* schlafen; ***to ~ like a log*** wie ein Murmeltier schlafen; ***to ~ late*** lange schlafen ◆ **sleep around** *v/i* (*infml*) mit jedem schlafen (*infml*) ◆ **sleep in** *v/i* (≈ *lie in*) ausschlafen; (*infml* ≈ *oversleep*) verschlafen ◆ **sleep off** *v/t sep* (*infml*) ***to sleep it off*** seinen Rausch ausschlafen ◆ **sleep on I** *v/i* weiterschlafen **II** *v/i +prep obj problem etc* überschlafen ◆ **sleep through** *v/i +prep obj* weiterschlafen bei; ***to ~ the alarm (clock)*** den Wecker verschlafen

sleeper *n* **1.** (≈ *person*) Schläfer(in) *m(f)*; ***to be a light ~*** einen leichten Schlaf haben **2.** (*Br* RAIL) Schlafwagen(zug) $ **sleepily** *adv* verschlafen **sleeping bag** *n* Schlafsack *m* **sleeping car** *n* Schlafwagen *m* **sleeping partner** *n* (*Br*) stiller Teilhaber **sleeping pill** *n* Schlaftablette *f* **sleeping policeman** *n* Bodenschwelle *f* **sleepless** *adj* schlaflos **sleepover** *n* Übernachtung *f* (*bei Freunden etc*) **sleepwalk** *v/i* schlafwandeln; ***he was ~ing*** er hat *or* ist geschlafwandelt **sleepy** *adj* (*+er*) **1.** (≈ *drowsy*) schläfrig; (≈ *not yet awake*) verschlafen **2.** *place* verschlafen

sleet I *n* Schneeregen *m* **II** *v/i* ***it was ~ing*** es gab Schneeregen

sleeve *n* **1.** Ärmel *m*; ***to roll up one's ~s*** (*lit*) sich (*dat*) die Ärmel hochkrempeln; ***to have sth up one's ~*** (*fig infml*) etw in petto haben **2.** (*for record etc*) Hülle *f* **sleeveless** *adj* ärmellos

sleigh *n* (Pferde)schlitten *m*

slender *adj* schlank; *lead* knapp; *chance* gering

slept *pret, past part of* **sleep**

sleuth *n* (*infml*) Spürhund *m* (*infml*)

slew *pret of* **slay**

slice I *n* **1.** (*lit*) Scheibe *f* **2.** (*fig*) Teil *m*; ***a ~ of luck*** eine Portion Glück **II** *v/t* **1.** (≈ *cut*) durchschneiden; *bread etc* (in Scheiben) schneiden **2.** *ball* (an)schneiden **III** *v/i* schneiden; ***to ~ through sth*** etw durchschneiden ◆ **slice off** *v/t sep* abschneiden

sliced *adj* (in Scheiben) geschnitten; *bread, sausage* (auf)geschnitten **slicer** *n* (≈ *cheese-slicer etc*) Hobel *m*; (≈ *machine* ≈ *bread-slicer*) Brot(schneide)maschine *f*; (≈ *bacon-slicer*) ≈ Wurstschneidemaschine *f*

slick I *adj* (*+er*) **1.** (*often pej* ≈ *clever*) clever (*infml*); *answer, performance, style* glatt **2.** (*US* ≈ *slippery*) glatt **II** *n* (≈ *oil slick*) (Öl)teppich *m* ◆ **slick back** *v/t sep* ***to slick one's hair back*** sich (*dat*) die Haare anklatschen (*infml*)

slide *vb*: *pret, past part* **slid I** *n* **1.** (≈ *chute*) Rutschbahn *f*; (*in playground*) Rutsche *f* **2.** (*fig* ≈ *fall*) Abfall *m* **3.** (*esp Br*: *for hair*) Spange *f* **4.** PHOT Dia *nt*; (≈ *microscope slide*) Objektträger *m* **II** *v/t* (≈ *push*) schieben; (≈ *slip*) gleiten lassen **III** *v/i* **1.** (≈ *slip*) rutschen; ***to let things ~*** (*fig*) die Dinge schleifen lassen **2.** (≈ *move smoothly*) sich schieben lassen **3.** ***he slid into the room*** er kam ins Zimmer geschlichen **slide projector** *n* Diaprojektor *m* **slide show** *n* Diavortrag *m* **sliding door** *n* Schiebetür *f*

slight I *adj* (*+er*) **1.** *person* zierlich **2.** (≈ *trivial*) leicht; *change* geringfügig; *problem* klein; ***the wall's at a ~ angle*** die Mauer ist leicht *or* etwas geneigt; ***to have a ~ cold*** eine leichte Erkältung haben; ***just the ~est bit short*** ein ganz kleines bisschen zu kurz; ***it doesn't make the ~est bit of difference*** es macht nicht den geringsten Unterschied; ***I wasn't the ~est bit interested*** ich war nicht im Geringsten interessiert; ***he is upset by at the ~est thing*** er ist wegen jeder kleinsten Kleinigkeit gleich verärgert; ***I don't have the ~est idea (of) what he's talking about*** ich habe nicht die geringste *or* leiseste Ahnung, wovon er redet **II** *n* (≈ *affront*) Affront *m* (*on* gegen) **III** *v/t* (≈ *offend*) kränken **slightly** *adv* **1.** ***~ built*** *person* zierlich **2.** (≈ *to a slight extent*) ein klein(es) bisschen; *know* flüchtig; ***~ injured*** leicht verletzt; ***he hesitated ever so ~*** er zögerte fast unmerklich

slim I *adj* (*+er*) **1.** schlank; *waist* schmal; *volume* dünn **2.** *chances* gering; *majority* knapp **II** *v/i* eine Schlankheitskur machen ◆ **slim down I** *v/t sep* (*fig*) *business etc* verschlanken **II** *v/i* (*person*) abnehmen

slime *n* Schleim *m* **sliminess** *n* Schleimigkeit *f*

slimline *adj diary* dünn; *figure* schlank **slimming I** *adj* schlank machend *attr*; ***black is ~*** schwarz macht schlank **II** *n* Abnehmen *nt* **slimness** *n* Schlankheit *f*; (*of waist*) Schmalheit *f*; (*of volume*) Dünne *f*

slimy *adj* (+*er*) schleimig

sling *vb*: *pret*, *past part* ***slung*** **I** *n* **1.** Schlinge *f*; (*for baby*) (Baby)trageschlinge *f*; ***to have one's arm in a ~*** den Arm in der Schlinge tragen **2.** (≈ *weapon*) Schleuder *f* **II** *v/t* (≈ *throw*) schleudern; ***he slung the box onto his back*** er warf sich (*dat*) die Kiste auf den Rücken ◆ **sling out** *v/t sep* (*infml*) rausschmeißen (*infml*)

slink *pret*, *past part* ***slunk*** *v/i* schleichen; ***to ~ off*** sich davonschleichen

slip **I** *n* **1.** (≈ *mistake*) Patzer *m*; ***to make a*** (***bad***) ***~*** sich (übel) vertun (*infml*); ***a ~ of the tongue*** ein Versprecher *m* **2.** ***to give sb the ~*** (*infml*) jdm entwischen **3.** (≈ *undergarment*) Unterrock *m* **4.** (*of paper*) Zettel *m*; ***~s of paper*** Zettel *pl* **II** *v/t* **1.** (≈ *move smoothly*) schieben; (≈ *slide*) gleiten lassen; ***she ~ped the dress over her head*** sie streifte sich (*dat*) das Kleid über den Kopf; ***to ~ a disc*** MED sich (*dat*) einen Bandscheibenschaden zuziehen **2.** (≈ *escape from*) sich losreißen von; ***it ~ped my mind*** ich habe es vergessen **III** *v/i* **1.** (≈ *slide*, *person*) (aus)rutschen; (*feet*) (weg)rutschen; *knife* abrutschen; ***it ~ped out of her hand*** es rutschte ihr aus der Hand; ***the beads ~ped through my fingers*** die Perlen glitten durch meine Finger; ***to let sth ~ through one's fingers*** sich (*dat*) etw entgehen lassen; ***to let*** (***it***) ***~ that ...*** fallen lassen, dass ... **2.** (≈ *move quickly*) schlüpfen; (≈ *move smoothly*) rutschen **3.** (*standards etc*) fallen ◆ **slip away** *v/i* sich wegschleichen ◆ **slip back** *v/i* **1.** unbemerkt zurückgehen **2.** (*quickly*) schnell zurückgehen ◆ **slip behind** *v/i* zurückfallen ◆ **slip by** *v/i* (*person*) sich vorbeischleichen (*prep obj* an +*dat*); (*years*) nur so dahinschwinden ◆ **slip down** *v/i* **1.** (≈ *fall*) ausrutschen **2.** (≈ *go down*) hinunterlaufen ◆ **slip in** **I** *v/i* (sich) hineinschleichen **II** *v/t sep* **1.** ***to slip sth into sb's pocket*** jdm etw in die Tasche gleiten lassen **2.** (≈ *mention*) einfließen lassen ◆ **slip off** **I** *v/i* sich wegschleichen **II** *v/t sep shoes* abstreifen ◆ **slip on** *v/t sep* schlüpfen in (+*acc*) ◆ **slip out** *v/i* **1.** (≈ *leave*) kurz weggehen **2.** (≈ *be revealed*) herauskommen ◆ **slip past** *v/i* = ***slip by*** ◆ **slip up** *v/i* (*infml* ≈ *err*) sich vertun (*infml*) (*over*, *in* bei)

slip-ons *pl* (*a.* **slip-on shoes**) Slipper *pl*

slipper *n* Hausschuh *m*

slippery *adj* **1.** schlüpfrig; *ground*, *shoes* glatt; *fish* glitschig; ***he's on the ~ slope*** (*fig*) er ist auf der schiefen Bahn **2.** (*pej infml*) *person* glatt; ***a ~ customer*** ein aalglatter Kerl (*infml*) **slippy** *adj* glatt

slip road *n* (*Br*: *onto motorway*) (Autobahn)auffahrt *f*; (*off motorway*) (Autobahn)ausfahrt *f*

slipshod *adj* schludrig

slip-up *n* (*infml*) Schnitzer *m*

slit *vb*: *pret*, *past part* ***slit*** **I** *n* Schlitz *m* **II** *v/t* (auf)schlitzen; ***to ~ sb's throat*** jdm die Kehle aufschlitzen

slither *v/i* rutschen; (*snake*) gleiten

sliver *n* **1.** (*of wood etc*) Splitter *m* **2.** (≈ *slice*) Scheibchen *nt*

slob *n* (*infml*) Drecksau *f* (*infml*)

slobber *v/i* sabbeln; (*dog*) geifern

slog (*infml*) **I** *n* Schinderei *f* **II** *v/i* ***to ~ away*** (***at sth***) sich (mit etw) abrackern

slogan *n* Slogan *m*

slop **I** *v/i* ***to ~ over*** (***into sth***) überschwappen (in etw *acc*) **II** *v/t* (≈ *spill*) verschütten; (≈ *pour out*) schütten

slope **I** *n* **1.** (≈ *angle*) Neigung *f*; (*of roof*) Schräge *f* **2.** (≈ *sloping ground*) (Ab)hang *m*; ***on a ~*** am Hang; ***halfway up the ~*** auf halber Höhe **II** *v/i* sich neigen; ***the picture is sloping to the left/right*** das Bild hängt schief; ***his handwriting ~s to the left*** seine Handschrift ist nach links geneigt ◆ **slope down** *v/i* sich neigen ◆ **slope up** *v/i* ansteigen

sloping *adj* **1.** *road* (*upwards*) ansteigend; (*downwards*) abfallend; *roof*, *floor* schräg; *garden* am Hang **2.** (≈ *not aligned*) schief

sloppiness *n* (*infml*) Schlampigkeit *f* (*infml*); (*of work*, *writing*) Schlud(e)rigkeit *f* (*infml*)

sloppy *adj* (+*er*) (*infml*) **1.** (≈ *careless*) schlampig (*infml*); *work* schlud(e)rig (*infml*) **2.** (≈ *sentimental*) rührselig

slosh (*infml*) **I** *v/t* (≈ *splash*) klatschen **II** *v/i* ***to ~*** (***around***) (herum)schwappen; ***to ~ through mud/water*** durch Matsch/Wasser waten

slot *n* (≈ *opening*) Schlitz *m*; (≈ *groove*) Rille *f*; IT Steckplatz *m*; TV (gewohnte) Sendezeit ◆ **slot in** **I** *v/t sep* hineinstecken; ***to slot sth into sth*** etw in etw (*acc*) stecken **II** *v/i* sich einfügen lassen; ***suddenly everything slotted into place*** plötzlich passte alles zusammen ◆ **slot together I** *v/i* (*parts*) sich zusammenfügen lassen **II** *v/t sep* zusammenfügen

slot machine *n* Münzautomat *m*; (*for gambling*) Spielautomat *m*

slouch I *n* (≈ *posture*) krumme Haltung **II** *v/i* (≈ *stand*, *sit*) herumhängen; (≈ *move*) latschen, hatschen (*Aus*); ***he was ~ed over his desk*** er hing über seinem Schreibtisch

Slovak I *adj* slowakisch **II** *n* **1.** Slowake *m*, Slowakin *f* **2.** LING Slowakisch *nt* **Slovakia** *n* die Slowakei

Slovene I *adj* slowenisch **II** *n* **1.** Slowene *m*, Slowenin *f* **2.** LING Slowenisch *nt* **Slovenia** *n* Slowenien *nt* **Slovenian** *adj*, *n* = ***Slovene***

slovenly *adj* schlud(e)rig (*infml*)

slow I *adj* (*+er*) **1.** langsam; (≈ *stupid*) begriffsstutzig; ***it's ~ work*** das braucht seine Zeit; ***he's a ~ learner*** er lernt langsam; ***it was ~ going*** es ging nur langsam voran; ***to get off to a ~ start*** (*race*) schlecht vom Start kommen; (*project*) nur langsam in Gang kommen; ***to be ~ to do sth*** sich (*dat*) mit etw Zeit lassen; ***to be ~ in doing sth*** sich (*dat*) Zeit damit lassen, etw zu tun; ***he is ~ to make up his mind*** er braucht lange, um sich zu entscheiden; ***to be*** (***20 minutes***) ***~*** (*clock*) (20 Minuten) nachgehen **2.** (COMM ≈ *slack*) flau; ***business is ~*** das Geschäft ist flau *or* geht schlecht **II** *adv* (*+er*) langsam **III** *v/i* sich verlangsamen; (≈ *drive/walk more slowly*) langsamer fahren/gehen ◆ **slow down** *or* **up I** *v/i* sich verlangsamen; (≈ *drive/walk more slowly*) langsamer fahren/gehen **II** *v/t sep* (*lit*) verlangsamen; (*fig*) *project* verzögern; ***you just slow me up*** *or* ***down*** du hältst mich nur auf

slowcoach *n* (*Br infml*) Langweiler(in) *m*(*f*) **slowdown** *n* Verlangsamung *f* (*in*, *of +gen*) **slow lane** *n* AUTO Kriechspur *f* **slowly** *adv* langsam; ***~ but surely*** langsam aber sicher **slow motion** *n* ***in ~*** in Zeitlupe **slow-moving** *adj* sich (nur) langsam bewegend; *traffic* kriechend **slowness** *n* Langsamkeit *f*; ***their ~ to act*** ihr Zaudern **slowpoke** *n* (*US infml*) = ***slowcoach***

sludge *n* Schlamm *m*; (≈ *sediment*) schmieriger Satz

slug¹ *n* Nacktschnecke *f*

slug² *n* (*infml*) ***a ~ of whisky*** ein Schluck *m* Whisky

sluggish *adj* träge

sluice I *n* Schleuse *f*; MIN (Wasch)rinne *f* **II** *v/t ore* waschen; ***to ~ sth*** (***down***) etw abspritzen **III** *v/i* ***to ~ out*** herausschießen

slum I *n* (*usu pl* ≈ *area*) Slum *m*; (≈ *house*) Elendsquartier *nt* **II** *v/t* & *v/i* (*infml*: *a.* **slum it**) primitiv leben

slumber (*liter*) **I** *n* Schlummer *m* (*elev*) **II** *v/i* schlummern (*elev*)

slump I *n* (*in sth* etw *Gen*) (*in numbers etc*) (plötzliche) Abnahme; (*in sales*) Rückgang *m*; (≈ *state*) Tiefstand *m*; FIN Sturz *m* **II** *v/i* **1.** (*a.* **slump off**, *prices*) stürzen; (*sales*) plötzlich zurückgehen; (*fig*: *morale etc*) sinken **2.** (≈ *sink*) sinken; ***he was ~ed over the wheel*** er war über dem Steuer zusammengesackt; ***he was ~ed on the floor*** er lag in sich (*dat*) zusammengesunken auf dem Fußboden

slung *pret*, *past part of* ***sling***

slunk *pret*, *past part of* ***slink***

slur I *n* (≈ *insult*) Beleidigung *f* **II** *v/t* undeutlich artikulieren; *words* (halb) verschlucken

slurp I *v/t* & *v/i* (*infml*) schlürfen **II** *n* Schlürfen *nt*

slurred *adj* undeutlich

slush *n* (Schnee)matsch *m* **slushy** *adj* (*+er*) *snow* matschig

slut (*infml*) *n* Schlampe (*pej infml*)

sly I *adj* (*+er*) **1.** (≈ *cunning*) gerissen **2.** (≈ *mischievous*) *look*, *wink* verschmitzt **II** *n* ***on the ~*** heimlich, still und leise (*hum*)

smack I *n* **1.** (klatschender) Schlag; (≈ *sound*) Klatschen *nt*; ***you'll get a ~*** du fängst gleich eine (*infml*) **2.** (*infml* ≈ *kiss*) ***to give sb a ~ on the cheek*** jdn einen Schmatz auf die Backe geben (*infml*) **II** *v/t* (≈ *slap*) knallen (*infml*); ***to ~ a child*** einem Kind eine runterhauen (*infml*); ***I'll ~ your bottom*** ich versohl dir gleich den Hintern! (*infml*) **III** *adv* (*infml*) direkt; ***to be ~ in the middle of sth*** mittendrin in etw (*dat*) sein

small I *adj* (*+er*) klein; *supply* gering; *sum* bescheiden; *voice* leise, klein; ***a ~ number of people*** eine geringe Anzahl von Leuten; ***the ~est possible number of books*** so wenig Bücher wie möglich;

to feel ~ (*fig*) sich (ganz) klein (und hässlich) vorkommen **II** *n* ***the ~ of the back*** das Kreuz **III** *adv* ***to chop sth up ~*** etw klein hacken **small arms** *pl* Handfeuerwaffen *pl* **small business** *n* Kleinunternehmen *nt* **small change** *n* Kleingeld *nt* **small fry** *pl* (*fig*) kleine Fische *pl* (*infml*) **small hours** *pl* früher Morgen; ***in the (wee) ~*** in den frühen Morgenstunden **smallish** *adj* (eher) kleiner; ***he is ~*** er ist eher klein **small letter** *n* Kleinbuchstabe *m* **small-minded** *adj* engstirnig **smallness** *n* Kleinheit *f*; (*of sum*) Bescheidenheit *f* **smallpox** *n* Pocken *pl* **small print** *n* ***the ~*** das Kleingedruckte **small-scale** *adj model* in verkleinertem Maßstab; *project* klein angelegt **small screen** *n* TV ***on the ~*** auf dem Bildschirm **small-sized** *adj* klein **small talk** *n* Small Talk *m*; ***to make ~*** plaudern, Small Talk machen **small-time** *adj* (*infml*) *crook* klein **small-town** *adj* Kleinstadt-

smarmy *adj* (*+er*) (*Br infml*) schmierig

smart I *adj* (*+er*) **1.** chic; *person, clothes* flott, fesch (*esp Aus*); *appearance* gepflegt; ***the ~ set*** die Schickeria (*infml*) **2.** (≈ *clever*) clever (*infml*); (*pej*) superklug; IT, MIL intelligent; ***that wasn't very ~ (of you)*** das war nicht besonders intelligent (von dir) **3.** (≈ *quick*) (blitz)schnell; *pace* rasch **II** *v/i* brennen; ***to ~ from sth*** (*fig*) unter etw (*dat*) leiden **smart alec(k)** *n* (*infml*) Schlauberger(in) *m(f)* (*infml*) **smartarse**, (*US*) **smartass** (*sl*) *n* Klugscheißer(in) *m(f)* (*infml*) **smart bomb** *n* intelligente Bombe **smart card** *n* Chipkarte *f* **smarten** (*a.* **smarten up**) **I** *v/t house* herausputzen; *appearance* aufmöbeln (*infml*); ***to ~ oneself up*** (≈ *dress up*) sich in Schale werfen (*infml*); (*generally*) mehr Wert auf sein Äußeres legen; ***you'd better ~ up your ideas*** (*infml*) du solltest dich am Riemen reißen (*infml*) **II** *v/i* (≈ *dress up*) sich in Schale werfen (*infml*); (≈ *improve appearance*) sich herausmachen **smartly** *adv* **1.** (≈ *elegantly*) chic **2.** (≈ *cleverly*) clever (*infml*) **3.** (≈ *quickly*) (blitz)schnell **smart money** *n* FIN Investitionsgelder *pl*; ***the ~ is on him winning*** Insider setzen darauf, dass er gewinnt **smartness** *n* **1.** (≈ *elegance*) Schick *m*; (*of appearance*) Gepflegtheit *f* **2.** (≈ *cleverness*) Cleverness *f* (*infml*), Schlauheit *f* **smartphone** *n* TEL Smartphone *nt*

smash I *v/t* **1.** zerschlagen; *window* einschlagen; *record* haushoch schlagen **2.** (≈ *strike*) schmettern **II** *v/i* **1.** (≈ *break*) zerschlagen; ***it ~ed into a thousand pieces*** es (zer)sprang in tausend Stücke **2.** (≈ *crash*) prallen; ***the car ~ed into the wall*** das Auto krachte gegen die Mauer **III** *n* **1.** (≈ *noise*) Krachen *nt* **2.** (≈ *collision*) Unfall *m*, Havarie *f* (*Aus*); (*esp with another vehicle*) Zusammenstoß *m* **3.** (≈ *blow*) Schlag *m*; TENNIS Schmetterball *m* **4.** (*infml*: *a.* **smash hit**) Riesenhit *m* ◆ **smash in** *v/t sep* einschlagen ◆ **smash up** *v/t sep* zertrümmern; *car* kaputt fahren

smashed *adj pred* (*infml* ≈ *drunk*) total zu (*infml*) **smash hit** *n* (*infml*) Superhit *m* (*infml*)

smashing *adj* (*esp Br infml*) klasse *inv* (*infml*)

smattering *n* ***a ~ of French*** ein paar Brocken Französisch

SME *abbr of* ***small and medium-sized enterprises*** mittelständische Betriebe *pl*

smear I *n* verschmierter Fleck; (*fig*) Verleumdung *f*; MED Abstrich *m* **II** *v/t* **1.** *grease* schmieren; (≈ *spread*) verschmieren; (≈ *make dirty*) beschmieren; *face* einschmieren **2.** (*fig*) *person* verunglimpfen **III** *v/i* (*paint, ink*) verlaufen **smear campaign** *n* Verleumdungskampagne *f* **smear test** *n* MED Abstrich *m*

smell *vb*: *pret, past part* **smelt** (*esp Brit*) *or* ***smelled*** **I** *n* Geruch *m*; ***it has a nice ~*** es riecht gut; ***there's a funny ~ in here*** hier riecht es komisch; ***to have a ~ at sth*** an etw (*acc*) riechen **II** *v/t* **1.** (*lit*) riechen; ***can or do you ~ burning?*** riechst du, dass etwas brennt *or* (COOK) anbrennt? **2.** (*fig*) *danger* wittern; ***to ~ trouble*** Ärger *or* Stunk (*infml*) kommen sehen; ***to ~ a rat*** (*infml*) den Braten riechen **III** *v/i* riechen; ***to ~ of sth*** nach etw riechen; ***his breath ~s*** er hat Mundgeruch **smelly** *adj* (*+er*) übel riechend; ***it's ~ in here*** hier drin stinkt es

smelt[1] (*esp Br*) *pret, past part of* **smell**

smelt[2] *v/t ore* schmelzen; (≈ *refine*) verhütten

smile I *n* Lächeln *nt*; ***she gave a little ~*** sie lächelte schwach; ***to give sb a ~*** jdm zulächeln **II** *v/i* lächeln; ***he's always smiling*** er lacht immer; ***to ~ at sb*** jdn anlächeln; ***to ~ at sth*** über etw (*acc*) lächeln **smiley** *adj face, person* freundlich **smiling** *adj*, **smilingly** *adv* lächelnd

smirk I *n* Grinsen *nt* **II** *v/i* grinsen

smith *n* Schmied(in) *m(f)*

smithereens *pl* ***to smash sth to ~*** etw in tausend Stücke schlagen

smithy *n* Schmiede *f*

smitten *adj* ***he's really ~ with her*** (*infml*) er ist wirklich vernarrt in sie

smock *n* Kittel *m*; (*as top*) Hänger *m*

smog *n* Smog *m*

smoke I *n* Rauch *m*; ***to go up in ~*** in Rauch (und Flammen) aufgehen; (*fig*) sich in Wohlgefallen auflösen; ***to have a ~*** eine rauchen **II** *v/t* **1.** *cigarette* rauchen **2.** *fish etc* räuchern, selchen (*Aus*) **III** *v/i* rauchen **smoke alarm** *n* Rauchmelder *m* **smoked** *adj fish* geräuchert, geselcht (*Aus*) **smoke detector** *n* Rauchmelder *m* **smoke-free** *adj* rauchfrei **smokeless** *adj fuel* rauchlos

smoker *n* Raucher(in) *m(f)*; ***to be a heavy ~*** stark rauchen **smoke screen** *n* (*fig*) Vorwand *m* **smoke signal** *n* Rauchzeichen *nt* **smoking** *n* Rauchen *nt*; ***"no ~"*** „Rauchen verboten" **smoking compartment**, (*US*) **smoking car** *n* Raucherabteil *nt* **smoky** *adj* (*+er*) *fire* rauchend; *atmosphere* verraucht; *flavour* rauchig

smolder *v/i* (*US*) = ***smoulder***

smooch (*infml*) *v/i* knutschen (*infml*)

smooth I *adj* (*+er*) **1.** glatt; *hair, gear change* weich; *surface* eben; *flight* ruhig; *paste* sämig; *flavour* mild; ***as ~ as silk*** seidenweich; ***worn ~*** *steps* glatt getreten; *knife* abgeschliffen; *tyre* abgefahren **2.** *transition, relations* reibungslos **3.** (≈ *polite*: *often pej*) glatt **II** *v/t surface* glätten; *dress* glatt streichen; (*fig*) *feelings* beruhigen ◆ **smooth back** *v/t sep hair* zurückstreichen ◆ **smooth down** *v/t sep* glatt machen; *feathers, dress* glatt streichen ◆ **smooth out** *v/t sep crease* glätten; (*fig*) *difficulty* aus dem Weg räumen ◆ **smooth over** *v/t sep* (*fig*) *quarrel* geradebiegen (*infml*)

smoothie *n* (≈ *drink*) Smoothie *m*, Fruchtdrink *m* **smoothly** *adv change gear* weich; ***to run ~*** (*engine*) ruhig laufen; ***to go ~*** glatt über die Bühne gehen; ***to run ~*** (*event*) reibungslos verlaufen **smoothness** *n* **1.** Glätte *f*; (*of surface*) Ebenheit *f* **2.** (*of flight*) Ruhe *f* **3.** (*of transition*) Reibungslosigkeit *f*

smother I *v/t* **1.** *person, fire* ersticken; (*fig*) *yawn* unterdrücken **2.** (≈ *cover*) bedecken; ***fruit ~ed in cream*** Obst, das in Sahne schwimmt **II** *v/i* ersticken

smoulder, (*US*) **smolder** *v/i* glimmen **smouldering**, (*US*) **smoldering** *adj* **1.** *fire, resentment* schwelend **2.** ***a ~ look*** ein glühender Blick

SMS TEL *abbr of* ***Short Message Service*** SMS

smudge I *n* Fleck *m*; (*of ink*) Klecks *m* **II** *v/t* verwischen **III** *v/i* verschmieren

smug *adj* (*+er*) selbstgefällig

smuggle *v/t & v/i* schmuggeln; ***to ~ sb/sth in*** jdn/etw einschmuggeln; ***to ~ sb/sth out*** jdn/etw herausschmuggeln

smuggler *n* Schmuggler(in) *m(f)*

smuggling *n* Schmuggel *m*

smugly *adv* selbstgefällig **smugness** *n* Selbstgefälligkeit *f*

smutty *adj* (*+er*) (*fig*) schmutzig

snack *n* Imbiss *m*, Jause *f* (*Aus*); ***to have a ~*** eine Kleinigkeit essen, jausnen (*Aus*)

snack bar *n* Imbissstube *f*

snag I *n* **1.** Haken *m*; ***there's a ~*** die Sache hat einen Haken; ***to hit a ~*** in Schwierigkeiten (*acc*) kommen **2.** (≈ *in clothes*) gezogener Faden **II** *v/t* sich (*dat*) einen Faden ziehen; ***I ~ged my tights*** ich habe mir an den Strumpfhosen einen Faden gezogen

snail *n* Schnecke *f*; ***at a ~'s pace*** im Schneckentempo **snail mail** *n* (*hum*) Schneckenpost *f* (*infml*)

snake *n* Schlange *f* **snakebite** *n* **1.** Schlangenbiss *m* **2.** (≈ *drink*) *Getränk aus Cidre und Bier* **snakeskin** *adj* Schlangenleder-, aus Schlangenleder

snap I *n* **1.** (≈ *sound*) Schnappen *nt*; (*of sth breaking*) Knacken *nt* **2.** PHOT Schnappschuss *m* **3.** CARDS ≈ Schnippschnapp *nt* **4.** ***cold ~*** Kälteeinbruch *m* **II** *adj attr* plötzlich **III** *int* ***I bought a green one — ~!*** (*Br infml*) ich hab mir ein grünes gekauft — ich auch! **IV** *v/t* **1.** *fingers* schnipsen mit **2.** (≈ *break*) zerbrechen **3.** PHOT knipsen **V** *v/i* **1.** (≈ *click*) (zu)schnappen; (≈ *break*) zerbrechen; ***to ~ shut*** zuschnappen **2.** (≈ *speak sharply*) schnappen (*infml*); ***to ~ at sb*** jdn anschnauzen (*infml*) **3.** (*of dog etc, fig*) schnappen (*at* nach) **4.** (*infml*) ***something ~ped (in him)*** da hat (bei ihm) etwas ausgehakt (*infml*) ◆ **snap**

off *v/t sep* abbrechen ◆ **snap out I** *v/t sep* ***to snap sb out of sth*** jdn aus etw herausreißen **II** *v/i* ***to ~ of sth*** sich aus etw herausreißen; ***~ of it!*** reiß dich zusammen! ◆ **snap up** *v/t sep* wegschnappen
snap fastener *n* Druckknopf *m* **snappy** *adj* (+*er*) **1.** (*infml*) ***and make it ~!*** und zwar ein bisschen dalli! (*infml*) **2.** (*infml*) *phrase* zündend **snapshot** *n* Schnappschuss *m*
snare *n* (≈ *trap*) Falle *f*
snarl I *n* Knurren *nt no pl* **II** *v/i* knurren; ***to ~ at sb*** jdn anknurren ◆ **snarl up** *v/t sep* (*infml*) *traffic* durcheinanderbringen
snatch I *n* Stück *nt*; (*of conversation*) Fetzen *m*; (*of music*) ein paar Takte **II** *v/t* **1.** (≈ *grab*) greifen; ***to ~ sth from sb*** jdm etw entreißen; ***to ~ sth out of sb's hand*** jdm etw aus der Hand reißen **2.** *some sleep etc* ergattern; ***to ~ a quick meal*** schnell etwas essen; ***to ~ defeat from the jaws of victory*** einen sicheren Sieg in eine Niederlage verwandeln **3.** (*infml*) (≈ *steal*) klauen (*infml*); *handbag* aus der Hand reißen; (≈ *kidnap*) entführen **III** *v/i* greifen (*at* nach) ◆ **snatch away** *v/t sep* wegreißen (*sth from sb* jdm etw)
sneak I *n* Schleicher(in) *m*(*f*) **II** *v/t* ***to ~ sth into a room*** etw in ein Zimmer schmuggeln; ***to ~ a look at sb/sth*** auf jdn/etw schielen **III** *v/i* ***to ~ away*** *or* ***off*** sich wegschleichen; ***to ~ in*** sich einschleichen; ***to ~ past sb*** (sich) an jdm vorbeischleichen; ***to ~ up on sb*** sich an jdn heranschleichen **sneakers** *pl* (*esp US*) Freizeitschuhe *pl* **sneaking** *adj attr* ***to have a ~ feeling that ...*** ein schleichendes Gefühl haben, dass ... **sneak preview** *n* (*of film etc*) Vorschau *f* **sneaky** *adj* (+*er*) (*pej infml*) gewieft (*infml*)
sneer I *n* höhnisches Lächeln **II** *v/i* spotten; (≈ *look sneering*) höhnisch grinsen; ***to ~ at sb*** jdn verhöhnen **sneering** *adj*, **sneeringly** *adv* höhnisch
sneeze I *n* Nieser *m* **II** *v/i* niesen; ***not to be ~d at*** nicht zu verachten
snide *adj* abfällig
sniff I *n* Schniefen *nt no pl* (*infml*); (*of dog*) Schnüffeln *nt no pl*; ***have a ~ at this*** riech mal hieran **II** *v/t* riechen; *air* schnuppern **III** *v/i* (*person*) schniefen (*infml*); (*dog*) schnüffeln; ***to ~ at sth*** (*lit*) an etw (*dat*) schnuppern; ***not to be ~ed at*** nicht zu verachten ◆ **sniff around** (*infml*) *v/i* (*for information*) herumschnüffeln (*infml*) ◆ **sniff out** *v/t sep* (*lit, fig infml*) aufspüren
sniffle *n, v/i* = ***snuffle***
snigger I *n* Gekicher *nt* **II** *v/i* kichern (*at, about* wegen)
snip I *n* **1.** (≈ *cut*) Schnitt *m* **2.** (*esp Br infml*) ***at only £2 it's a real ~*** für nur £ 2 ist es unheimlich günstig **II** *v/t* ***to ~ sth off*** etw abschnippeln (*infml*)
sniper *n* Heckenschütze *m*/-schützin *f*
snippet *n* Stückchen *nt*; (*of information*) (Bruch)stück *nt*; ***~s of (a) conversation*** Gesprächsfetzen *pl*
snivel *v/i* heulen **snivelling**, (*US*) **sniveling** *adj* heulend, flennend (*infml*)
snob *n* Snob *m* **snobbery** *n* Snobismus *m* **snobbish** *adj* snobistisch; ***to be ~ about sth*** bei etw wählerisch sein
snog (*Br infml*) **I** *n* Knutscherei *f* (*infml*); ***to have a ~ with sb*** mit jdm rumknutschen (*infml*) **II** *v/i* rumknutschen (*infml*) **III** *v/t* abknutschen (*infml*)
snooker *n* Snooker *nt*
snoop I *n* **1.** Schnüffler(in) *m*(*f*) **2.** ***I'll have a ~ around*** ich gucke mich mal (ein bisschen) um **II** *v/i* schnüffeln; ***to ~ about*** (*Br*) *or* ***around*** herumschnüffeln
snooty *adj* (+*er*), **snootily** *adv* (*infml*) hochnäsig
snooze I *n* Nickerchen *nt*; ***to have a ~*** ein Schläfchen machen **II** *v/i* ein Nickerchen machen
snore I *n* Schnarchen *nt no pl* **II** *v/i* schnarchen **snoring** *n* Schnarchen *nt*
snorkel *n* Schnorchel *m* **snorkelling**, (*US*) **snorkeling** *n* Schnorcheln *nt*
snort I *n* Schnauben *nt no pl*; (*of boar*) Grunzen *nt no pl* **II** *v/i* schnauben; (*boar*) grunzen **III** *v/t* (*person*) schnauben
snot *n* (*infml*) Rotz *m* (*infml*) **snotty** *adj* (+*er*) (*infml*) rotzig (*infml*)
snout *n* Schnauze *f*
snow I *n* Schnee *m*; ***as white as ~*** schneeweiß **II** *v/i* schneien ◆ **snow in** *v/t sep* (*usu pass*) ***to be*** *or* ***get snowed in*** einschneien ◆ **snow under** *v/t sep* (*infml, usu pass*) ***to be snowed under*** (*with work*) reichlich eingedeckt sein
snowball I *n* Schneeball *m* **II** *v/i* eskalieren **snowboard I** *n* Snowboard *nt* **II** *v/i*

Snowboard fahren **snowboarding** *n* Snowboarding *nt* **snowbound** *adj* eingeschneit **snowcapped** *adj* schneebedeckt **snow-covered** *adj* verschneit **snowdrift** *n* Schneewehe *f* **snowdrop** *n* Schneeglöckchen *nt* **snowfall** *n* Schneefall *m* **snowflake** *n* Schneeflocke *f* **snowman** *n* Schneemann *m* **snowmobile** *n* Schneemobil *nt* **snowplough**, (*US*) **snowplow** *n* Schneepflug *m* **snowstorm** *n* Schneesturm *m* **snow-white** *adj* schneeweiß **snowy** *adj* (*+er*) *weather* schneereich; *hills* verschneit

SNP *abbr of* ***Scottish National Party*** *schottische Partei, die sich für die Unabhängigkeit des Landes einsetzt*

snub **I** *n* Brüskierung *f* **II** *v/t* **1.** *person* brüskieren **2.** (≈ *ignore*) schneiden

snub nose *n* Stupsnase *f*

snuff **I** *n* Schnupftabak *m* **II** *v/t candle* (*a.* **snuff out**) auslöschen

snuffle **I** *n* Schniefen *nt no pl*; ***to have the ~s*** (*infml*) einen leichten Schnupfen haben **II** *v/i* schnüffeln; (*with cold, from crying*) schniefen (*infml*)

snug *adj* (*+er*) (≈ *cosy*) gemütlich; (≈ *close-fitting*) gut sitzend *attr*

snuggle *v/i* sich schmiegen; ***to ~ up*** (***to sb***) sich (an jdn) anschmiegen; ***I like to ~ up with a book*** ich mache es mir gern mit einem Buch gemütlich

snugly *adv* **1.** (≈ *cosily*) gemütlich, behaglich **2.** (≈ *tightly*) *close* fest; *fit* gut

so **I** *adv* **1.** so; *pleased* sehr; *love, hate* so sehr; ***so much tea*** so viel Tee; ***so many flies*** so viele Fliegen; ***he was so stupid*** (***that***) er war so *or* dermaßen dumm(, dass); ***not so ... as*** nicht so ... wie; ***I am not so stupid as to believe that*** *or* ***that I believe that*** so dumm bin ich nicht, dass ich das glaube(n würde); ***would you be so kind as to open the door?*** wären Sie bitte so freundlich und würden die Tür öffnen?; ***how are things? — not so bad!*** wie gehts? — nicht schlecht!; ***that's so kind of you*** das ist wirklich sehr nett von Ihnen; ***so it was that ...*** so kam es, dass ...; ***and so it was*** und so war es auch; ***by so doing he has ...*** indem er das tat, hat er ...; ***and so on*** *or* ***forth*** und so weiter **2.** (*replacing sentence*) ***I hope so*** hoffentlich; (*emphatic*) das hoffe ich doch sehr; ***I think so*** ich glaube schon; ***I never said so*** das habe ich nie gesagt; ***I told you so*** ich habe es dir ja gesagt; ***why? — because I say so*** warum? — weil ich es sage; ***I suppose so*** (≈ *very well*) meinetwegen; (≈ *I believe so*) ich glaube schon; ***so I believe*** ja, ich glaube schon; ***so I see*** ja, das sehe ich; ***so be it*** nun gut; ***if so*** wenn ja; ***he said he would finish it this week, and so he did*** er hat gesagt, er würde es diese Woche fertig machen und das hat er auch (gemacht); ***how so?*** wieso das?; ***or so they say*** oder so heißt es jedenfalls; ***it is so!*** doch!; ***that is so*** das stimmt; ***is that so?*** ja? **3.** (*unspecified amount*) ***how high is it? — oh, about so high*** wie hoch ist das? — oh, ungefähr so; ***a week or so*** ungefähr eine Woche; ***50 or so*** etwa 50 **4.** (≈ *likewise*) auch; ***so am/would I*** ich auch **5.** ***he walked past and didn't so much as look at me*** er ging vorbei, ohne mich auch nur anzusehen; ***he didn't say so much as thank you*** er hat nicht einmal Danke gesagt; ***so much for that!*** (*infml*) das wärs ja wohl gewesen! (*infml*); ***so much for his promises*** und er hat solche Versprechungen gemacht **II** *cj* **1.** (*expressing purpose*) damit; ***we hurried so as not to be late*** wir haben uns beeilt, um nicht zu spät zu kommen **2.** (≈ *therefore, in questions, exclamations*) also; ***so you see ...*** wie du siehst ...; ***so you're Spanish?*** Sie sind also Spanier(in)?; ***so there you are!*** hier steckst du also!; ***so what did you do?*** und was haben Sie (da) gemacht?; ***so*** (***what***)***?*** (*infml*) (na) und?; ***I'm not going, so there!*** (*infml*) ich geh nicht, fertig, aus!

soak **I** *v/t* **1.** (≈ *wet*) durchnässen **2.** (≈ *steep*) einweichen (*in* in *+dat*) **II** *v/i* ***leave it to ~*** weichen Sie es ein; ***to ~ in a bath*** sich einweichen (*infml*); ***rain has ~ed through the ceiling*** der Regen ist durch die Decke gesickert **III** *n* ***I had a long ~ in the bath*** ich habe lange in der Wanne gelegen ◆ **soak up** *v/t sep liquid* aufsaugen; *sunshine* genießen; *atmosphere* in sich (*acc*) hineinsaugen

soaked *adj* durchnässt; ***his T-shirt was ~ in sweat*** sein T-Shirt war schweißgetränkt; ***to be ~ to the skin*** bis auf die Haut nass sein **soaking** **I** *adj* klitschnass **II** *adv* ***~ wet*** triefend nass

so-and-so *n* (*infml*) **1.** ***~ up at the shop*** Herr/Frau Soundso im Laden **2.** (*pej*)

you old ~ du bist vielleicht einer / eine

soap I *n* Seife *f* **II** *v/t* einseifen **soapbox** *n* ***to get up on one's ~*** (*fig*) Volksreden *pl* halten **soap opera** *n* (*infml*) Seifenoper *f* (*infml*), Soap-Opera *f* (*infml*) **soap powder** *n* Seifenpulver *nt* **soapsuds** *pl* Seifenschaum *m* **soapy** *adj* (+*er*) seifig; ***~ water*** Seifenwasser *nt*

soar *v/i* **1.** (*a.* **soar up**) aufsteigen **2.** (*fig, building*) hochragen; (*cost*) hochschnellen; (*popularity, hopes*) einen Aufschwung nehmen; (*spirits*) einen Aufschwung bekommen **soaring** *adj bird* aufsteigend; *prices* in die Höhe schnellend

sob I *n* Schluchzen *nt no pl*; ***..., he said with a ~*** ..., sagte er schluchzend **II** *v/t* & *v/i* schluchzen (*with* vor +*dat*) ◆ **sob out** *v/t sep* ***to sob one's heart out*** sich (*dat*) die Seele aus dem Leib weinen

sobbing I *n* Schluchzen *nt* **II** *adj* schluchzend

sober *adj* nüchtern; *expression, occasion* ernst; (≈ *not showy*) dezent ◆ **sober up I** *v/t sep* (*lit*) nüchtern machen **II** *v/i* (*lit*) nüchtern werden

sobering *adj* ernüchternd

Soc. *abbr of* ***society***

so-called *adj* sogenannt; (≈ *supposed*) angeblich

soccer *n* Fußball *m*; ***~ player*** Fußballer(in) *m*(*f*), Fußballspieler(in) *m*(*f*)

sociable *adj* (≈ *gregarious*) gesellig; (≈ *friendly*) freundlich

social *adj* **1.** sozial; *life, status, event* gesellschaftlich; *visit* privat; ***~ reform*** Sozialreform *f*; ***~ justice*** soziale Gerechtigkeit; ***to be a ~ outcast / misfit*** ein sozialer Außenseiter / eine soziale Außenseiterin sein; ***a room for ~ functions*** ein Gesellschaftsraum *m*; ***there isn't much ~ life around here*** hier in der Gegend wird gesellschaftlich nicht viel geboten; ***how's your ~ life these days?*** (*infml*) und was treibst du so privat? (*infml*); ***to have an active ~ life*** ein ausgefülltes Privatleben haben; ***to be a ~ smoker*** nur in Gesellschaft rauchen; ***a ~ acquaintance*** ein Bekannter, eine Bekannte **2.** *evening, person* gesellig **social anthropology** *n* Sozialanthropologie *f* **social climber** *n* Emporkömmling *m* (*pej*), sozialer Aufsteiger, soziale Aufsteigerin **social club** *n* Verein *m* **social democracy** *n* Sozialdemokratie *f* **social democrat** *n* Sozialdemokrat(in) *m*(*f*)

socialism *n* Sozialismus *m* **socialist I** *adj* sozialistisch **II** *n* Sozialist(in) *m*(*f*)

socialite *n* (*infml*) Angehörige(r) *m*/*f*(*m*) der feinen Gesellschaft **socialize** *v/i* ***to ~ with sb*** mit jdm gesellschaftlich verkehren **socially** *adv* gesellschaftlich; *deprived etc* sozial; ***to know sb ~*** jdn privat kennen **social science** *n* Sozialwissenschaft *f* **social security** *n* (*Br*) Sozialhilfe *f*; (*US*) Sozialversicherungsleistungen *pl*; (≈ *scheme*) Sozialversicherung *f*; ***to be on ~*** (*Br*) Sozialhilfeempfänger(in) sein; (*US*) Sozialversicherungsleistungen erhalten **social services** *pl* Sozialdienste *pl* **social studies** *n sg or pl* ≈ Gemeinschaftskunde *f* **social work** *n* Sozialarbeit *f* **social worker** *n* Sozialarbeiter(in) *m*(*f*)

society *n* **1.** (≈ *social community*) die Gesellschaft **2.** (≈ *club*) Verein *m*; UNIV Klub *m*

sociologist *n* Soziologe *m*, Soziologin *f*

sociology *n* Soziologie *f*

sock[1] *n* Socke *f*; (*knee-length*) Kniestrumpf *m*; ***to pull one's ~s up*** (*Br infml*) sich am Riemen reißen (*infml*); ***put a ~ in it!*** (*Br infml*) hör auf damit!; ***to work one's ~s off*** (*infml*) bis zum Umkippen arbeiten (*infml*)

sock[2] *v/t* (*infml* ≈ *hit*) hauen (*infml*); ***he ~ed her right in the eye*** er verpasste ihr eine aufs Auge (*infml*)

socket *n* **1.** (*of eye*) Augenhöhle *f* **2.** (*of joint*) Gelenkpfanne *f*; ***to pull sb's arm out of its ~*** jdm den Arm auskugeln **3.** ELEC Steckdose *f*; MECH Fassung *f*

sod[1] *n* (≈ *turf*) Grassode *f*

sod[2] (*Br infml*) **I** *n* Sau *f* (*infml*); ***the poor ~s*** die armen Schweine (*infml*) **II** *v/t* ***~ it!*** verdammte Scheiße! (*infml*); ***~ him*** der kann mich mal (*infml*) *or* mal am Arsch lecken (*vulg*)! ◆ **sod off** *v/i* (*Br infml*) ***~!*** zieh Leine, du Arsch! (*vulg*)

soda *n* **1.** CHEM Soda *nt*; (≈ *caustic soda*) Ätznatron *nt* **2.** (≈ *drink*) Soda(wasser) *nt*

sod all *n* (*Br infml* ≈ *nothing*) rein gar nichts

soda siphon *n* Siphon *m* **soda water** *n* Sodawasser *nt*

sodden *adj* durchnässt

sodding (*Br infml*) **I** *adj* verflucht (*infml*), Scheiß- (*infml*) **II** *adv* ver-

dammt (*infml*), verflucht (*infml*)
sodium *n* Natrium *nt* **sodium bicarbonate** *n* Natron *nt* **sodium chloride** *n* Natriumchlorid *nt*, Kochsalz *nt*
sodomy *n* Analverkehr *m*
sofa *n* Sofa *nt*; **~ bed** Sofabett *nt*
soft *adj* (*+er*) **1.** weich; *skin* zart; *hair* seidig; *drink* alkoholfrei; ***~ cheese*** Weichkäse *m*; ***~ porn film*** weicher Porno **2.** (≈ *gentle*) sanft; *light*, *music* gedämpft **3.** (≈ *weak*) schwach; ***to be ~ on sb*** jdm gegenüber nachgiebig sein **4.** *job*, *life* bequem **5.** (≈ *kind*) *smile* warm; ***to have a ~ spot for sb*** (*infml*) eine Schwäche für jdn haben **softball** *n* Softball *m* **soft-boiled** *adj* weich (gekocht) **soft-centred** *adj* mit Cremefüllung
soften I *v/t* weich machen; *effect* mildern **II** *v/i* weich werden; (*voice*) sanft werden ◆ **soften up I** *v/t sep* **1.** (*lit*) weich machen **2.** (*fig*) *opposition* milde stimmen; (*by bullying*) einschüchtern **II** *v/i* (*material*) weich werden
softener *n* (≈ *fabric softener*) Weichspüler *m* **soft focus** *n* FILM, PHOT Weichzeichnung *f* **soft fruit** *n* (*Br*) Beerenobst *nt* **soft furnishings** *pl* (*Br*) *Vorhänge, Teppiche etc* **soft-hearted** *adj* weichherzig **softie** *n* (*infml*: *too tender-hearted*) gutmütiger Trottel (*infml*); (*sentimental*) sentimentaler Typ (*infml*); (*effeminate*, *cowardly*) Weichling *m* (*infml*) **softly** *adv* (≈ *gently*) sanft; (≈ *not loud*) leise; ***to be ~ spoken*** eine angenehme Stimme haben **softness** *n* Weichheit *f*; (*of skin*) Zartheit *f* **soft skills** *pl* Soft Skills *pl* **soft-spoken** *adj person* leise sprechend *attr*; ***to be ~*** eine angenehme Stimme haben **soft target** *n* leichte Beute **soft top** *n* (*esp US* AUTO) Kabriolett *nt* **soft toy** *n* (*Br*) Stofftier *nt*
software *n* Software *f* **software company** *n* Softwarehaus *nt* **software package** *n* Softwarepaket *nt* **softy** *n* (*infml*) = ***softie***
sogginess *n* triefende Nässe; (*of food*) Matschigkeit *f* (*infml*); (*of cake*, *bread*) Klitschigkeit *f* **soggy** *adj* (*+er*) durchnässt; *food* matschig (*infml*); *bread* klitschig; ***a ~ mess*** eine Matsche
soil[1] *n* Erde *f*, Boden *m*; ***native/British ~*** heimatlicher/britischer Boden, heimatliche/britische Erde
soil[2] *v/t* (*lit*) schmutzig machen; (*fig*) beschmutzen **soiled** *adj* schmutzig; *goods* verschmutzt
solace *n* Trost *m*
solar *adj* Sonnen-, Solar-; ***~ power*** Sonnenkraft *f* **solar eclipse** *n* Sonnenfinsternis *f* **solar energy** *n* Sonnenenergie *f* **solarium** *n*, *pl* ***solaria*** Solarium *nt* **solar-powered** *adj* mit Sonnenenergie betrieben **solar power plant** *n* Solarkraftwerk *nt* **solar system** *n* Sonnensystem *nt*
sold *pret*, *past part of* ***sell***
soldier *n* Soldat(in) *m*(*f*)
sole[1] *n* Sohle *f*
sole[2] *n* (≈ *fish*) Seezunge *f*
sole[3] *adj reason* einzig; *responsibility* alleinig; *use* ausschließlich; ***with the ~ exception of ...*** mit alleiniger Ausnahme *+gen* ...; ***for the ~ purpose of ...*** einzig und allein zu dem Zweck *+gen* ... **solely** *adv* nur
solemn *adj* feierlich; *person*, *warning* ernst; *promise*, *duty* heilig **solemnity** *n* Feierlichkeit *f* **solemnly** *adv* feierlich; *say* ernsthaft; *swear* bei allem, was einem heilig ist
soliciting *n* Aufforderung *f* zur Unzucht **solicitor** *n* (JUR, *Br*) Rechtsanwalt *m*/-anwältin *f*; (*US*) Justizbeamte(r) *m*/-beamtin *f*
solid I *adj* **1.** fest; *gold*, *rock* massiv; *layer*, *traffic etc* dicht; *line* ununterbrochen; (≈ *heavily-built*) *person* stämmig; *house*, *relationship* stabil; *piece of work*, *character*, *knowledge* solide; ***to be frozen ~*** hart gefroren sein; ***the square was packed ~ with cars*** die Autos standen dicht an dicht auf dem Platz; ***they worked for two ~ days*** sie haben zwei Tage ununterbrochen gearbeitet **2.** *reason* handfest **3.** *support* voll **II** *adv* **1.** (≈ *completely*) völlig **2.** ***for eight hours ~*** acht Stunden lang ununterbrochen **III** *n* **1.** fester Stoff **2. solids** *pl* (≈ *food*) feste Nahrung *no pl*
solidarity *n* Solidarität *f*
solidify *v/i* fest werden **solidity** *n* **1.** (*of substance*) Festigkeit *f* **2.** (*of support*) Geschlossenheit *f* **solidly** *adv* **1.** *stuck*, *secured* fest; ***~ built*** *house* solide gebaut, währschaft (*Swiss*); *person* kräftig gebaut **2.** *argued* stichhaltig **3.** (≈ *uninterruptedly*) ununterbrochen **4.** ***to be ~ behind sb/sth*** geschlossen hinter jdm/etw stehen
solitary *adj* **1.** *life*, *person* einsam; *place*

abgelegen; ***a few ~ houses*** ein paar vereinzelte Häuser; ***a ~ person*** ein Einzelgänger *m*, eine Einzelgängerin **2.** *example, goal* einzig **solitary confinement** *n* Einzelhaft *f*; ***to be held in ~*** in Einzelhaft gehalten werden **solitude** *n* Einsamkeit *f*

solo I *n* Solo *nt*; ***piano ~*** Klaviersolo *nt* **II** *adj* Solo- **III** *adv* allein; MUS solo; ***to go ~*** eine Solokarriere einschlagen **soloist** *n* Solist(in) *m(f)*

solstice *n* Sonnenwende *f*

soluble *adj* **1.** löslich; ***~ in water*** wasserlöslich **2.** *problem* lösbar **solution** *n* Lösung *f* (*to +gen*)

solvable *adj problem* lösbar **solve** *v/t problem* lösen; *mystery* enträtseln; *crime* aufklären **solvent I** *adj* FIN zahlungsfähig, solvent **II** *n* CHEM Lösungsmittel *nt*

sombre, (*US*) **somber** *adj* (≈ *gloomy*) düster; *news* traurig; *music* trist **sombrely**, (*US*) **somberly** *adv say* düster; *watch* finster

some I *adj* **1.** (*with plural nouns*) einige; (≈ *a few*) ein paar; ***did you bring ~ CDs?*** hast du CDs mitgebracht?; ***~ records of mine*** einige meiner Platten; ***would you like ~ more biscuits?*** möchten Sie noch (ein paar) Kekse? **2.** (*with singular nouns*) etwas; (≈ *a little*) ein bisschen; ***there's ~ ink on your shirt*** Sie haben Tinte auf dem Hemd; ***~ more tea?*** noch etwas Tee? **3.** (≈ *certain*) manche(r, s); ***~ people say ...*** manche Leute sagen ...; ***~ people just don't care*** es gibt Leute, denen ist das einfach egal; ***in ~ ways*** in gewisser Weise **4.** (*indeterminate*) irgendein; ***~ book or other*** irgendein Buch; ***~ woman, whose name I forget ...*** eine Frau, ich habe ihren Namen vergessen, ...; ***in ~ way or another*** irgendwie; ***or ~ such*** oder so etwas Ähnliches; ***or ~ such name*** oder so ein ähnlicher Name; ***~ time or other*** irgendwann einmal; ***~ other time*** ein andermal; ***~ day*** eines Tages; ***~ day next week*** irgendwann nächste Woche **5.** (*intensifier*) ziemlich; (*in exclamations, iron*) vielleicht ein (*infml*); ***it took ~ courage*** dazu brauchte man schon ziemlichen Mut; (***that was***) ***~ party!*** das war vielleicht eine Party! (*infml*); ***this might take ~ time*** das könnte einige Zeit dauern; ***quite ~ time*** ziemlich lange; ***to speak at ~ length*** ziemlich lange sprechen; ***~ help you are*** du bist mir vielleicht eine Hilfe (*infml*); ***~ people!*** Leute gibts! **II** *pron* **1.** (*referring to plural nouns*) (≈ *a few*) einige; (≈ *certain ones*) manche; (*in "if" clauses, questions*) welche; ***~ of these books*** einige dieser Bücher; ***~ of them are here*** einige sind hier; ***~ ..., others ...*** manche ..., andere ...; ***they're lovely, try ~*** die schmecken gut, probieren Sie mal; ***I've still got ~*** ich habe noch welche **2.** (*referring to singular nouns*) (≈ *a little*) etwas; (≈ *a certain amount*) manches; (*in "if" clauses, questions*) welche(r, s); ***I drank ~ of the milk*** ich habe (etwas) von der Milch getrunken; ***have ~!*** bedienen Sie sich; ***it's lovely cake, would you like ~?*** das ist ein sehr guter Kuchen, möchten Sie welchen?; ***try ~ of this cake*** probieren Sie doch mal diesen Kuchen; ***would you like ~ money/tea? — no, I've got ~*** möchten Sie Geld/Tee? – nein, ich habe Geld/ich habe noch; ***have you got money? — no, but he has ~*** haben Sie Geld? — nein, aber er hat welches; ***~ of it had been eaten*** einiges (davon) war gegessen worden; ***he only believed ~ of it*** er hat es nur teilweise geglaubt; ***~ of the finest poetry in the English language*** einige der schönsten Gedichte in der englischen Sprache **III** *adv* ungefähr

somebody I *pron* jemand; ***~ else*** jemand anders; ***~ or other*** irgendjemand; ***~ knocked at the door*** es klopfte jemand an die Tür; ***we need ~ German*** wir brauchen einen Deutschen; ***you must have seen ~*** Sie müssen doch irgendjemand(en) gesehen haben **II** *n* ***to be*** (***a***) ***~*** wer (*infml*) *or* jemand sein **someday** *adv* eines Tages

somehow *adv* irgendwie

someone *pron* = ***somebody*** I

someplace *adv* (*US infml*) *be* irgendwo; *go* irgendwohin; ***~ else*** *be* woanders; *go* woandershin

somersault I *n* Purzelbaum *m*; (SPORTS, *fig*) Salto *m*; ***to do a ~*** einen Purzelbaum schlagen; SPORTS einen Salto machen **II** *v/i* (*person*) einen Purzelbaum schlagen; SPORTS einen Salto machen

something I *pron* **1.** etwas; ***~ nice*** *etc* etwas Nettes *etc*; ***~ or other*** irgendetwas; ***there's ~ I don't like about him*** irgendetwas gefällt mir an ihm nicht; ***well,***

that's ~ (das ist) immerhin etwas; ***he's ~ to do with the Foreign Office*** er ist irgendwie beim Außenministerium; ***she's called Rachel ~*** sie heißt Rachel Soundso; ***three hundred and ~*** dreihundert und ein paar (Zerquetschte (*infml*)); ***or ~*** (*infml*) oder so (was); ***are you drunk or ~?*** (*infml*) bist du betrunken oder was? (*infml*); ***she's called Maria or ~ like that*** sie heißt Maria oder so ähnlich **2.** (*infml ≈ something special*) ***it was ~ else*** (*esp US*) *or* ***quite ~*** das war schon toll (*infml*) **II** *n* ***a little ~*** eine Kleinigkeit; ***a certain ~*** ein gewisses Etwas **III** *adv* ***~ over 200*** etwas über 200; ***~ like 200*** ungefähr 200; ***you look ~ like him*** du siehst ihm irgendwie ähnlich; ***it's ~ of a problem*** das ist schon ein Problem; ***~ of a surprise*** eine ziemliche Überraschung

-something *suf* ***he's twenty-something*** er ist in den Zwanzigern

sometime *adv* irgendwann; ***~ or other it will have to be done*** irgendwann muss es gemacht werden; ***write to me ~ soon*** schreib mir (doch) bald (ein)mal; ***~ before tomorrow*** heute noch

sometimes *adv* manchmal

somewhat *adv* ein wenig; ***the system is ~ less than perfect*** das System funktioniert irgendwie nicht ganz

somewhere *adv* **1.** *be* irgendwo; *go* irgendwohin; ***~ else*** irgendwo anders, irgendwo anders hin; ***to take one's business ~ else*** seine Geschäfte woanders machen; ***from ~*** irgendwoher; ***I know ~ where ...*** ich weiß, wo ...; ***I needed ~ to live in London*** ich brauchte irgendwo in London eine Unterkunft; ***we just wanted ~ to go after school*** wir wollten bloß einen Ort, wo wir nach der Schule eingehen können; ***~ around here*** irgendwo hier in der Nähe; ***~ nice*** irgendwo, wo es nett ist; ***the ideal place to go is ~ like New York*** am besten fährt man in eine Stadt wie New York; ***don't I know you from ~?*** kenne ich Sie nicht von irgendwoher? **2.** (*fig*) ***~ about 40° C*** ungefähr 40° C; ***~ about £50*** um (die) £ 50 herum; ***now we're getting ~*** jetzt kommen wir voran

son *n* Sohn *m*; (*as address*) mein Junge; ***Son of God*** Gottessohn $; ***he's his father's ~*** er ist ganz der Vater; ***~ of a bitch*** (*esp US sl*) Scheißkerl *m* (*infml*)

sonar *n* Echolot *nt*

sonata *n* Sonate *f*

song *n* **1.** Lied *nt*; (≈ *singing, bird song*) Gesang *m*; ***to burst into ~*** ein Lied anstimmen **2.** (*Br fig infml*) ***to make a ~ and dance about sth*** eine Haupt- und Staatsaktion aus etw machen (*infml*); ***to be on ~*** (*Br*) in Hochform sein; ***it was going for a ~*** das gab es für einen Apfel und ein Ei **songbird** *n* Singvogel *m* **songbook** *n* Liederbuch *nt* **songwriter** *n* Texter(in) *m*(*f*) und Komponist(in) *m*(*f*)

sonic *adj* Schall-

son-in-law *n*, *pl* ***sons-in-law*** Schwiegersohn *m*

sonnet *n* Sonett *nt*

soon *adv* bald; (≈ *early*) früh; (≈ *quickly*) schnell; ***it will ~ be Christmas*** bald ist Weihnachten; ***~ after his death*** kurz nach seinem Tode; ***how ~ can you be ready?*** wann kannst du fertig sein?; ***we got there too ~*** wir kamen zu früh an; ***as ~ as*** sobald; ***as ~ as possible*** so schnell wie möglich; ***when can I have it? — as ~ as you like*** wann kann ichs kriegen? — wann du willst!; ***I would (just) as ~ you didn't tell him*** es wäre mir lieber, wenn du es ihm nicht erzählen würdest **sooner** *adv* **1.** (*time*) früher; ***no ~ had we arrived than ...*** wir waren gerade angekommen, da ...; ***no ~ said than done*** gesagt, getan **2.** (*preference*) lieber; ***I would ~ not do it*** ich würde es lieber nicht tun

soot *n* Ruß *m*

soothe *v/t* beruhigen; *pain* lindern **soothing** *adj* beruhigend; (≈ *pain-relieving*) schmerzlindernd

sophisticated *adj* **1.** (≈ *worldly*) kultiviert; *audience* anspruchsvoll; *dress* raffiniert; ***she thinks she looks more ~ with a cigarette*** sie glaubt, mit einer Zigarette mehr darzustellen **2.** (≈ *complex*) hoch entwickelt; *method* durchdacht; *device* ausgeklügelt **3.** (≈ *subtle*) subtil; *system*, *approach* komplex **sophistication** *n* **1.** (≈ *worldliness*) Kultiviertheit *f*; (*of audience*) hohes Niveau **2.** (≈ *complexity*) hoher Entwicklungsgrad; (*of method*) Durchdachtheit *f*; (*of device*) Ausgeklügeltheit *f* **3.** (≈ *subtlety*) Subtilität *f*; (*of system*, *approach*) Komplexheit *f*

sophomore *n* (*US*) *Student*(*in*) *im zwei-*

ten Jahr

sopping *adj* (*a.* **sopping wet**) durchnässt; *person* klitschnass

soppy *adj* (*Br infml*) *book, song* schmalzig (*infml*); *person* sentimental

soprano I *n* Sopran *m* **II** *adj* Sopran-

sorbet *n* Sorbet *nt or m*

sorcerer *n* Hexenmeister *m* **sorcery** *n* Hexerei *f*

sordid *adj* eklig; *conditions* erbärmlich; *affair* schmutzig; ***spare me the ~ details*** erspar mir die schmutzigen Einzelheiten

sore I *adj* (*+er*) **1.** weh; (≈ *inflamed*) entzündet; ***to have a ~ throat*** Halsschmerzen haben; ***my eyes are ~*** mir tun die Augen weh; ***my wrist feels ~*** mein Handgelenk tut weh; ***to have ~ muscles*** Muskelkater haben; ***a ~ point*** (*fig*) ein wunder Punkt; ***to be in ~ need of sth*** etw unbedingt *or* dringend brauchen **2.** (*esp US infml* ≈ *angry*) verärgert (*about sth* über etw *acc*, *at sb* über jdn) **II** *n* MED wunde Stelle **sorely** *adv tempted* sehr; *needed* dringend; *missed* schmerzlich; ***he has been ~ tested*** *or* ***tried*** seine Geduld wurde auf eine sehr harte Probe gestellt; ***to be ~ lacking*** bedauerlicherweise fehlen **soreness** *n* (≈ *ache*) Schmerz *m*

sorority *n* (*US* UNIV) Studentinnenvereinigung *f*

sorrow *n no pl* (≈ *sadness*) Traurigkeit *f*; (≈ *grief*) Trauer *f*; (≈ *trouble*) Sorge *f*; ***to drown one's ~s*** seine Sorgen ertränken **sorrowful** *adj*, **sorrowfully** *adv* traurig

sorry *adj* (*+er*) traurig; *excuse* faul; ***I was ~ to hear that*** es tat mir leid, das zu hören; ***we were ~ to hear about your mother's death*** es tat uns leid, dass deine Mutter gestorben ist; ***I can't say I'm ~ he lost*** es tut mir wirklich nicht leid, dass er verloren hat; ***this work is no good, I'm ~ to say*** diese Arbeit taugt nichts, das muss ich leider sagen; ***to be*** *or* ***feel ~ for sb/oneself*** jdn/sich selbst bemitleiden; ***I feel ~ for the child*** das Kind tut mir leid; ***you'll be ~ (for this)!*** das wird dir noch leidtun!; ***~!*** Entschuldigung!; ***I'm/he's ~*** es tut mir/ihm leid; ***can you lend me £5? — ~*** kannst du mir £ 5 leihen? — bedaure, leider nicht; ***~?*** (≈ *pardon*) wie bitte?; ***he's from England, ~ Scotland*** er ist aus England, nein, Entschuldigung, aus Schottland; ***to say ~ (to sb for sth)*** sich (bei jdm für etw) entschuldigen; ***I'm ~ about that vase*** es tut mir leid um die Vase; ***I'm ~ about (what happened on) Thursday*** es tut mir leid wegen Donnerstag; ***to be in a ~ state*** (*person*) in einer jämmerlichen Verfassung sein; (*object*) in einem jämmerlichen Zustand sein

sort I *n* **1.** (≈ *kind*) Art *f*; (≈ *type, model*) Sorte *f*; ***a ~ of*** eine Art (*+nom*); ***an odd ~ of novel*** ein komischer Roman; ***what ~ of (a) man is he?*** was für ein Mensch ist er?; ***he's not the ~ of man to do that*** er ist nicht der Mensch, der das täte; ***this ~ of thing*** so etwas; ***all ~s of things*** alles Mögliche; ***something of the ~*** (irgend) so (et)was; ***he's some ~ of administrator*** er hat irgendwie in der Verwaltung zu tun; ***he's got some ~ of job with ...*** er hat irgendeinen Job bei ...; ***you'll do nothing of the ~!*** von wegen!, das wirst du schön bleiben lassen!; ***that's the ~ of person I am*** ich bin nun mal so!; ***I'm not that ~ of girl*** ich bin nicht so eine; ***he's a good ~*** er ist ein prima Kerl; ***he's not my ~*** er ist nicht mein Typ; ***I don't trust his ~*** solchen Leuten traue ich nicht; ***to be out of ~s*** (*Br*) nicht ganz auf der Höhe *or* auf dem Damm (*infml*) sein **2.** IT Sortiervorgang *m* **II** *adv* ***~ of*** (*infml*) irgendwie; ***is it tiring? — ~ of*** ist das anstrengend? — irgendwie schon; ***it's ~ of finished*** es ist eigentlich schon fertig; ***aren't you pleased? — ~ of*** freust du dich nicht? — doch, eigentlich schon; ***is this how he did it? — well, ~ of*** hat er das so gemacht? — ja, so ungefähr **III** *v/t* **1.** sortieren **2.** ***to get sth ~ed*** etw auf die Reihe bekommen; ***everything is ~ed*** es ist alles (wieder) in Ordnung **IV** *v/i* **1.** ***to ~ through sth*** etw durchsehen **2.** IT sortieren ◆ **sort out** *v/t sep* **1.** (≈ *arrange*) sortieren; (≈ *select*) aussortieren **2.** *problem* lösen; *situation* klären; ***the problem will sort itself out*** das Problem wird sich von selbst lösen *or* erledigen; ***to sort oneself out*** sich (*dat*) über sich (*acc*) selbst klar werden **3.** (*esp Br infml*) ***to sort sb out*** sich (*dat*) jdn vorknöpfen (*infml*)

sort code *n* FIN Bankleitzahl *f* **sorting office** *n* (*Br*) Sortierstelle *f*

SOS *n* SOS *nt*

so-so *adj pred*, *adv* (*infml*) soso, so la la

soufflé *n* Soufflé *nt*

sought *pret, past part of* ***seek*** **sought-after** *adj* begehrt

soul *n* **1.** Seele *f*; ***All Souls' Day*** Allerheiligen *nt*; ***God rest his ~!*** Gott hab ihn selig!; ***poor ~!*** (*infml*) Ärmste(r)!; ***he's a good ~*** er ist ein guter Mensch; ***not a ~*** keine Menschenseele **2.** (≈ *inner being*) Wesen *nt*; ***he loved her with all his ~*** er liebte sie von ganzem Herzen **3.** (≈ *finer feelings*) Herz *nt*, Gefühl *nt* **4.** MUS Soul *m* **soul-destroying** *adj* geisttötend **soulful** *adj* seelenvoll **soulless** *adj person* seelenlos; *place* gottverlassen **soul mate** *n* Seelenfreund(in) *m(f)* **soul-searching** *n* Gewissensprüfung *f*

sound[1] **I** *adj* (+*er*) **1.** *constitution* gesund; *condition* einwandfrei; ***to be of ~ mind*** *esp* JUR im Vollbesitz seiner geistigen Kräfte sein (JUR) **2.** (≈ *dependable*) solide; *argument* fundiert; *person* verlässlich; *advice* vernünftig **3.** (≈ *thorough*) gründlich **4.** *sleep* tief, fest **II** *adv* (+*er*) ***to be ~ asleep*** fest schlafen

sound[2] **I** *n* Geräusch *nt*; PHYS Schall *m*; MUS Klang *m*; (*verbal*, FILM *etc*) Ton *m*; ***don't make a ~*** still!; ***not a ~ was to be heard*** man hörte keinen Ton; ***I don't like the ~ of it*** das klingt gar nicht gut; ***from the ~ of it he had a hard time*** es hört sich so an *or* es klingt, als sei es ihm schlecht gegangen **II** *v/t* ***~ your horn*** hupen!; ***to ~ the alarm*** Alarm schlagen; ***to ~ the retreat*** zum Rückzug blasen **III** *v/i* **1.** (≈ *emit sound*) erklingen **2.** (≈ *give impression*) klingen; ***he ~s angry*** es hört sich so an, als wäre er wütend; ***he ~s French (to me)*** er hört sich (für mich) wie ein Franzose an; ***he ~s like a nice man*** er scheint ein netter Mensch zu sein; ***it ~s like a sensible idea*** das klingt ganz vernünftig; ***how does it ~ to you?*** wie findest du das? ◆ **sound off** *v/i* (*infml*) sich auslassen (*about* über +*acc*) ◆ **sound out** *v/t sep* ***to sound sb out about sth*** bei jdm in Bezug auf etw (*acc*) vorfühlen

sound barrier *n* Schallmauer *f* **sound bite** *n* Soundclip *m* **sound card** *n* IT Soundkarte *f* **sound effects** *pl* Toneffekte *pl* **sound engineer** *n* Toningenieur(in) *m(f)* **sounding board** *n* (*fig*) Resonanzboden *m*; ***he used the committee as a ~ for his ideas*** er benutzte den Ausschuss, um die Wirkung seiner Vorschläge zu sondieren **soundlessly** *adv move* geräuschlos

soundly *adv built* solide, währschaft (*Swiss*); *defeat* vernichtend; *based* fest; ***our team was ~ beaten*** unsere Mannschaft wurde klar geschlagen; ***to sleep ~*** (tief und) fest schlafen **soundness** *n* **1.** (≈ *good condition*) gesunder Zustand; (*of building*) guter Zustand **2.** (≈ *validity, dependability*) Solidität *f*; (*of argument, analysis*) Fundiertheit *f*; (*of economy, currency*) Stabilität *f*; (*of idea, advice, move, policy*) Vernünftigkeit *f*

soundproof *adj* schalldicht **soundtrack** *n* Filmmusik *f*

soup *n* Suppe *f* **soup kitchen** *n* Volksküche *f* **soup plate** *n* Suppenteller *m* **soup spoon** *n* Suppenlöffel *m*

sour I *adj* (+*er*) **1.** sauer; *wine, smell* säuerlich; ***to go*** *or* ***turn ~*** (*lit*) sauer werden **2.** (*fig*) *expression* griesgrämig; ***it's just ~ grapes*** die Trauben hängen zu hoch **II** *v/i* (*fig*: *relationship*) sich verschlechtern

source I *n* Quelle *f*; (*of troubles etc*) Ursache *f*; ***he is a ~ of embarrassment to us*** er bringt uns ständig in Verlegenheit; ***I have it from a good ~ that ...*** ich habe es aus sicherer Quelle, dass ... **II** *v/t* COMM beschaffen **source code** *n* IT Quellcode *m*

sour(ed) cream *n* saure Sahne **sourness** *n* (*of lemon, milk*) saurer Geschmack; (*of smell*) Säuerlichkeit *f*; (*fig*: *of expression*) Griesgrämigkeit *f*

south I *n* Süden *m*; ***in the ~ of*** im Süden +*gen*; ***to the ~ of*** südlich von; ***from the ~*** aus dem Süden; (*wind*) aus Süden; ***the wind is in the ~*** es ist Südwind; ***the South of France*** Südfrankreich *nt*; ***which way is ~?*** in welcher Richtung ist Süden?; ***down ~*** unten im Süden; *go* runter in den Süden **II** *adj* südlich; (*in names*) Süd-; ***South German*** süddeutsch **III** *adv* im Süden; (≈ *towards the south*) nach Süden; ***to be further ~*** weiter südlich sein; ***~ of*** südlich von **South Africa** *n* Südafrika *nt* **South African I** *adj* südafrikanisch; ***he's ~*** er ist Südafrikaner **II** *n* Südafrikaner(in) *m(f)* **South America** *n* Südamerika *nt* **South American I** *adj* südamerikanisch; ***he's ~*** er ist Südamerikaner **II** *n* Südamerikaner(in) *m(f)* **southbound** *adj* (in) Richtung Süden **southeast I** *n* Südosten *m*; ***from the ~*** aus dem Südosten; (*wind*) von Südosten **II** *adj* südöstlich; (*in names*) Südost- **III** *adv* nach Südosten; **~ *of*** südöstlich von **Southeast Asia** *n* Südostasien *nt* **southeasterly** *adj* südöstlich **southeastern** *adj* südöstlich; **~ *England*** Südostengland *nt* **southerly** *adj* südlich; *wind* aus Süden

southern *adj* südlich; (*in names*) Süd-; (≈ *Mediterranean*) südländisch **southerner** *n* Bewohner(in) *m(f)* des Südens, Südengländer(in) *m(f) etc*; (*US*) Südstaatler(in) *m(f)* **southernmost** *adj* südlichste(r, s) **south-facing** *adj wall* nach Süden gerichtet; *garden* nach Süden gelegen **South Korea** *n* Südkorea *nt* **South Korean I** *adj* südkoreanisch **II** *n* Südkoreaner(in) *m(f)* **South Pacific** *n* Südpazifik *m* **South Pole** *n* Südpol *m* **South Seas** *pl* Südsee *f* **south-south-east I** *adj* südsüdöstlich **II** *adv* nach Südsüdost(en) **south-south-west I** *adj* südsüdwestlich **II** *adv* nach Südsüdwest(en); **~ *of*** südsüdwestlich von **southward(s) I** *adj* südlich **II** *adv* nach Süden **southwest I** *n* Südwesten *m*; ***from the ~*** aus dem Südwesten; (*wind*) von Südwesten **II** *adj* südwestlich **III** *adv* nach Südwest(en); **~ *of*** südwestlich von **southwesterly** *adj* südwestlich **southwestern** *adj* südwestlich

souvenir *n* Souvenir *nt* (*of* an *+acc*)

sovereign I *n* (≈ *monarch*) Herrscher(in) *m(f)* **II** *adj* (≈ *supreme*) höchste(r, s); *state* souverän **sovereignty** *n* **1.** Oberhoheit *f* **2.** (≈ *right of self-determination*) Souveränität *f*

soviet HIST **I** *n* Sowjet *m* **II** *adj attr* sowjetisch, Sowjet- **Soviet Union** *n* HIST Sowjetunion *f*

sow[1] *pret* ***sowed***, *past part* ***sown*** *or* ***sowed*** *v/t corn* säen; *seed* aussäen; ***this field has been ~n with barley*** auf diesem Feld ist Gerste gesät; ***to ~*** (***the seeds of***) ***hatred/discord*** Hass/Zwietracht säen

sow[2] *n* (≈ *pig*) Sau *f*

sowing *n* (≈ *action*) Aussaat *f* **sown** *past part of* **sow**[1]

soya, soy *n* Soja *f* **soya bean** *n* Sojabohne *f* **soya milk** *n* Sojamilch *f* **soya sauce** *n* Sojasoße *f* **soybean** *n* (*US*) = ***soya bean*** **soy sauce** *n* Sojasoße *f*

spa *n* (≈ *town*) Kurort *m*

space I *n* **1.** Raum *m*; (≈ *outer space*) der Weltraum; ***to stare into ~*** ins Leere starren **2.** *no pl* (≈ *room*) Platz *m*; ***to take up a lot of ~*** viel Platz wegnehmen; ***to clear/leave some ~ for sb/sth*** für jdn/etw Platz schaffen/lassen; ***parking ~*** Platz *m* zum Parken **3.** (≈ *gap*) Platz *m no art*; (*between objects, words, lines*) Zwischenraum *m*; (≈ *parking space*) Lücke *f*; ***to leave a ~ for sb/sth*** für jdn/etw Platz lassen **4.** (*of time*) Zeitraum *m*; ***in a short ~ of time*** in kurzer Zeit; ***in the ~ of ...*** innerhalb ... (*gen*) **II** *v/t* (*a.* **space out**) in Abständen verteilen; **~ *them out more***, **~ *them further out*** *or* ***further apart*** lassen Sie etwas mehr Zwischenraum *or* Abstand (dazwischen) **space-bar** *n* TYPO Leertaste *f*

spacecraft *n* Raumfahrzeug *nt* **spaced out** *adj* (*infml* ≈ *confused etc*) geistig weggetreten (*infml*); (≈ *on drugs*) high (*infml*)

space flight *n* Weltraumflug *m* **space heater** *n* (*esp US*) Heizgerät *nt* **spaceman** *n* (Welt)raumfahrer *m* **space rocket** *n* Weltraumrakete *f* **space-saving** *adj* platzsparend **spaceship** *n* Raumschiff *nt*

space shuttle *n* Raumfähre *f* **space sickness** *n* Weltraumkrankheit *f* **space station** *n* (Welt)raumstation *f* **spacesuit** *n* Raumanzug *m* **space travel** *n* die Raumfahrt **space walk** *n* Weltraumspaziergang *m* **spacewoman** *n* (Welt)raumfahrerin *f* **spacing** *n* Abstände *pl*; (*between two objects*) Abstand *m*; (*a.* **spacing out**) Verteilung *f*; ***single ~*** TYPO einzeiliger Abstand **spacious** *adj* geräumig **spaciousness** *n* Geräumigkeit *f*; (*of garden, park*) Weitläufigkeit *f*

spade *n* **1.** (≈ *tool*) Spaten *m*; (≈ *children's spade*) Schaufel *f* **2.** CARDS Pik *nt*; ***the Queen of Spades*** die Pikdame

spaghetti *n* Spaghetti *pl*

Spain *n* Spanien *nt*

spam IT **I** *n* Spam *m* **II** *v/t* mit Werbung bombardieren **spamming** *n* IT Spamming *nt*, Bombardierung *f* mit Werbung

span[1] **I** *n* **1.** (*of hand*) Spanne *f*; (*of bridge etc*) Spannweite *f* **2.** (≈ *time span*) Zeitspanne *f* **3.** (≈ *range*) Umfang *m* **II** *v/t* **1.** (*rope*) sich spannen über (*+acc*) **2.** (≈ *encircle*) umfassen **3.** (*in time*) sich erstrecken über (*+acc*)

span[2] (*old*) *pret of* **spin**

Spaniard *n* Spanier(in) *m(f)*

spaniel *n* Spaniel *m*

Spanish I *adj* spanisch; ***he is ~*** er ist Spanier **II** *n* **1.** ***the ~*** die Spanier *pl* **2.** LING Spanisch *nt*

spank I *n* Klaps *m* **II** *v/t* versohlen; ***to ~ sb's bottom*** jdm den Hintern versohlen **spanking** *n* Tracht *f* Prügel

spanner *n* (*Br*) Schraubenschlüssel *m*; ***to throw a ~ in the works*** (*fig*) jdm einen Knüppel zwischen die Beine werfen

spar *v/i* BOXING sparren; (*fig*) sich kabbeln (*infml*) (*about* um)

spare I *adj* übrig *pred*; (≈ *surplus*) überzählig; ***~ bed*** Gästebett *nt*; ***have you any ~ string?*** kannst du mir (einen) Bindfaden geben?; ***I have a ~ one*** ich habe noch einen/eine/eins; ***take a ~ pen*** nehmen Sie noch einen Stift mit; ***take some ~ clothes*** nehmen Sie Kleider zum Wechseln mit; ***when you have a few minutes ~*** wenn Sie mal ein paar freie Minuten haben **II** *n* Ersatzteil *nt*; (≈ *tyre*) Reserverad *nt* **III** *v/t* **1.** *usu neg expense*, *effort* scheuen; ***no expense ~d*** es wurden keine Kosten gescheut *or* gespart **2.** *money etc* übrig haben; *room* frei haben; *time* (übrig) haben; ***to ~ sb sth*** jdm etw überlassen *or* geben; *money* jdm etw geben; ***can you ~ the time to do it?*** haben Sie Zeit, das zu machen?; ***there is none to ~*** es ist keine(r, s) übrig; ***to have a few minutes to ~*** ein paar Minuten Zeit haben; ***I got to the airport with two minutes to ~*** ich war zwei Minuten vor Abflug am Flughafen **3.** (≈ *do without*) entbehren; ***can you ~ this?*** brauchst du das?; ***to ~ a thought for sb/sth*** an jdn/etw denken **4.** (≈ *show mercy to*) verschonen; ***to ~ sb's life*** jds Leben verschonen **5.** (≈ *save*) ***to ~ sb/oneself sth*** jdm/sich etw ersparen; ***~ me the details*** verschone mich mit den Einzelheiten

spare part *n* Ersatzteil *nt* **spare ribs** *pl* COOK Spareribs *pl* **spare room** *n* Gästezimmer *nt* **spare time** *n* Freizeit *f* **spare tyre**, (*US*) **spare tire** *n* Ersatzreifen *m* **sparing** *adj* sparsam **sparingly** *adv* sparsam; *spend*, *drink*, *eat* in Maßen; ***to use sth ~*** mit etw sparsam umgehen

spark I *n* Funke *m*; ***a bright ~*** (*iron*) ein Intelligenzbolzen *m* (*iron*) **II** *v/t* (*a.* **spark off**) entzünden; *explosion* verursachen; (*fig*) auslösen; *quarrel* entfachen **sparkle I** *n* Funkeln *nt* **II** *v/i* funkeln (*with* vor +*dat*); ***her eyes ~d with excitement*** ihre Augen blitzten vor Erregung **sparkler** *n* Wunderkerze *f* **sparkling** *adj* funkelnd; *wine* perlend; ***~ (mineral) water*** Selterswasser *nt*; ***~ wine*** (*as type*) Sekt *m*; (≈ *slightly sparkling*) Perlwein *m*; ***in ~ form*** in glänzender Form **spark plug** *n* Zündkerze *f*

sparring partner *n* Sparringpartner(in) *m(f)*

sparrow *n* Sperling *m*, Spatz *m*

sparse *adj* spärlich; *hair* schütter; *furnishings*, *resources* dürftig **sparsely** *adv* spärlich; *populated* dünn **sparseness** *n* Spärlichkeit *f*; (*of population*) geringe Dichte

Spartan *adj* (*fig*: *a.* **spartan**) spartanisch

spasm *n* MED Krampf *m* **spasmodic** *adj* MED krampfartig; (*fig*) sporadisch

spastic I *adj* spastisch **II** *n* Spastiker(in) *m(f)*

spat *pret*, *past part of* ***spit***[1]

spate *n* (*of river*) Hochwasser *nt*; (*fig*) (*of orders etc*) Flut *f*; (*of burglaries*) Serie *f*

spatter I *v/t* bespritzen; ***to ~ sb with water*** jdn nass spritzen **II** *v/i* ***it ~ed all over the room*** es verspritzte im ganzen Zimmer **III** *n* ***a ~ of rain*** ein paar Tropfen Regen

spatula *n* Spachtel *m*; MED Spatel *m*

spawn I *n* (*of frogs*) Laich *m* **II** *v/i* laichen **III** *v/t* (*fig*) hervorbringen

speak *pret* ***spoke***, *past part* ***spoken*** **I** *v/t* **1.** sagen; *one's thoughts* äußern; ***to ~ one's mind*** seine Meinung sagen **2.** *language* sprechen **II** *v/i* **1.** sprechen, reden (*about* über +*acc*, von, *on* zu); (≈ *converse*) reden, sich unterhalten (*with* mit); (≈ *give opinion*) sich äußern (*on*, *to* zu); ***to ~ to** or **with sb*** mit jdm sprechen; ***did you ~?*** haben Sie etwas gesagt?; ***I'm not ~ing to you*** mit dir rede *or* spreche ich nicht mehr; ***I'll ~ to him about it*** (*euph* ≈ *admonish*) ich werde ein Wörtchen mit ihm reden; ***~ing of X ...*** da wir gerade von X sprechen ...; ***it's nothing to ~ of*** es ist nicht weiter erwähnenswert; ***to ~ well of sb/sth*** jdn/etw loben; ***so to ~*** sozusagen; ***roughly ~ing*** grob gesagt; ***strictly ~ing*** genau genommen; ***generally ~ing*** im Allgemeinen; ***~ing personally ...*** wenn Sie mich fragen ...; ***~ing as a member ...*** als Mitglied ...; ***to ~ in public*** in der Öffentlichkeit reden **2.** TEL ***~ing!*** am Apparat!; ***Jones ~ing!*** (hier) Jones!; ***who is ~ing?*** wer ist da, bitte? **III** *n suf*

Euro-~ Eurojargon *m* ◆ **speak for** *v/i +prep obj* ***to ~ sb*** in jds Namen (*dat*) sprechen; ***speaking for myself ...*** was mich angeht ...; ***~ yourself!*** du vielleicht!; ***to ~ itself*** für sich sprechen ◆ **speak out** *v/i* seine Meinung deutlich vertreten; ***to ~ against sth*** sich gegen etw aussprechen ◆ **speak up** *v/i* **1.** (≈ *raise voice*) lauter sprechen **2.** (*fig*) ***to ~ for sb/sth*** für jdn/etw eintreten; ***what's wrong? ~!*** was ist los? heraus mit der Sprache!

speaker *n* **1.** (*of language*) Sprecher *m*; ***all German ~s*** alle, die Deutsch sprechen **2.** (≈ *public speaker*) Redner(in) *m(f)*; ***Speaker*** PARL Sprecher(in) *m(f)* **3.** (≈ *loudspeaker*) Lautsprecher *m*; (*on hi-fi etc*) Box *f* **speaking** *n* Sprechen *nt* **-speaking** *adj suf* -sprechend; ***English-speaking*** englischsprachig **speaking terms** *pl* ***to be on ~ with sb*** mit jdm reden

spear *n* Speer *m* **spearmint** *n* Grüne Minze

spec *n* (*infml*) ***on ~*** auf gut Glück

special **I** *adj* (≈ *particular*) besondere(r, s); (≈ *out of ordinary also*) Sonder-; *friend*, *occasion* speziell; ***I have no ~ person in mind*** ich habe eigentlich an niemanden Bestimmtes gedacht; ***nothing ~*** nichts Besonderes; ***he's very ~ to her*** er bedeutet ihr sehr viel; ***what's so ~ about her?*** was ist denn an ihr so besonders?; ***what's so ~ about that?*** das ist doch nichts Besonderes!; ***to feel ~*** sich als etwas ganz Besonderes vorkommen; ***~ discount*** Sonderrabatt *m* **II** *n* TV, RADIO Sonderprogramm *nt*; COOK Tagesgericht *nt*; ***chef's ~*** Spezialität *f* des Küchenchefs **special agent** *n* Agent(in) *m(f)* **special delivery** *n* Eilzustellung *f*; ***by ~*** per Eilboten

specialist **I** *n* Spezialist(in) *m(f)*; MED Facharzt *m*/-ärztin *f* **II** *adj attr* Fach- **speciality**, (*US*) **specialty** *n* Spezialität *f* **specialization** *n* Spezialisierung *f* (*in* auf +*acc*); (≈ *special subject*) Spezialgebiet *nt* **specialize** *v/i* sich spezialisieren (*in* auf +*acc*) **specially** *adv* besonders; (≈ *specifically*) extra; ***don't go to the post office ~ for me*** gehen Sie meinetwegen nicht extra zur Post **special needs** *pl* (*Br*) ***~ children*** Kinder *pl* mit Behinderungen **special offer** *n* Sonderangebot *nt* **special school** *n* (*Br*) Sonderschule *f* **specialty** *n* (*US*) = **speciality**

species *n*, *pl* - Art *f*

specific *adj* (≈ *definite*) bestimmt; (≈ *precise*) genau; *example* ganz bestimmt; ***9.3, to be ~*** 9,3, um genau zu sein; ***can you be a bit more ~?*** können Sie sich etwas genauer äußern?; ***he was quite ~ on that point*** er hat sich zu diesem Punkt recht spezifisch geäußert **specifically** *adv* **1.** *mention* ausdrücklich; *designed* speziell **2.** (≈ *precisely*) genau; (≈ *in particular*) im Besonderen **specification** *n* **1.** ***~s*** *pl* genaue Angaben *pl*; (*of car, machine*) technische Daten *pl* **2.** (≈ *stipulation*) Bedingung *f* **specified** *adj* bestimmt **specify** *v/t* angeben; (≈ *stipulate*) vorschreiben

specimen *n* Exemplar *nt*; (*of urine etc*) Probe *f*; (≈ *sample*) Muster *nt*; ***a beautiful*** *or* ***fine ~*** ein Prachtexemplar *nt*

speck *n* Fleck *m*; (*of dust*) Körnchen *nt*

speckle **I** *n* Tupfer *m* **II** *v/t* sprenkeln

specs *pl* (*infml*) Brille *f*

spectacle *n* **1.** (≈ *show*) Schauspiel *nt*; ***to make a ~ of oneself*** unangenehm auffallen **2. spectacles** *pl* (*a.* **pair of spectacles**) Brille *f* **spectacle case** *n* Brillenetui *nt*

spectacular *adj* sensationell; *scenery* atemberaubend **spectacularly** *adv* sensationell; *good* unglaublich

spectate *v/i* (*infml*) zuschauen (*at* bei)

spectator *n* Zuschauer(in) *m(f)*

spectre, (*US*) **specter** *n* Gespenst *nt*

spectrum *n*, *pl* ***spectra*** Spektrum *nt*

speculate *v/i* **1.** spekulieren (*about*, *on* über +*acc*) **2.** FIN spekulieren (*in* mit, *on* an +*dat*) **speculation** *n* Spekulation *f* (*on* über +*acc*) **speculator** *n* Spekulant(in) *m(f)*

sped *pret*, *past part of* ***speed***

speech *n* **1.** *no pl* (≈ *faculty of speech*) Sprache *f*; ***freedom of ~*** Redefreiheit *f* **2.** (≈ *oration*) Rede *f* (*on*, *about* über +*acc*); ***to give*** *or* ***make a ~*** eine Rede halten **3.** (*Br* GRAM) ***direct/indirect*** *or* ***reported ~*** direkte/indirekte Rede **speech bubble** *n* Sprechblase *f* **speech defect** *n* Sprachfehler *m* **speechless** *adj* sprachlos (*with* vor); ***his remark left me ~*** seine Bemerkung verschlug mir die Sprache **speech recognition** *n* IT Spracherkennung *f*; ***~ software*** Spracherkennungssoftware *f* **speech therapist**

n Logopäde *m*, Logopädin *f* **speech therapy** *n* Logopädie *f*

speed *vb*: *pret*, *past part* **sped** *or* **speeded** **I** *n* **1.** Schnelligkeit *f*; (*of moving object or person*) Tempo *nt*; ***at ~*** äußerst schnell; ***at high/low ~*** mit hoher/niedriger Geschwindigkeit; ***at full*** *or* ***top ~*** mit Höchstgeschwindigkeit; ***at a ~ of ...*** mit einer Geschwindigkeit *or* einem Tempo von ...; ***to gather ~*** schneller werden; (*fig*) sich beschleunigen; ***to bring sb up to ~*** (*infml*) jdn auf den neuesten Stand bringen; ***full ~ ahead!*** NAUT volle Kraft voraus! **2.** (AUTO, TECH ≈ *gear*) Gang *m* **II** *v/i* **1.** *pret*, *past part* **sped** flitzen; ***the years sped by*** die Jahre vergingen wie im Fluge **2.** *pret*, *past part* **speeded** (AUTO ≈ *exceed speed limit*) die Geschwindigkeitsbegrenzung überschreiten ◆ **speed off** *pret*, *past part* **speeded** *or* **sped off** *v/i* davonjagen ◆ **speed up** *pret*, *past part* **speeded up** **I** *v/i* (*car*) beschleunigen; (*person*) schneller machen; (*work*) schneller werden **II** *v/t sep* beschleunigen

speedboat *n* Rennboot *nt* **speed bump** *n* Bodenschwelle *f* **speed camera** *n* POLICE Blitzgerät *nt* **speed dial(ing)** *n* (*esp US* TEL) Kurzwahl *f* **speedily** *adv* schnell; *reply*, *return* prompt **speeding** *n* Geschwindigkeitsüberschreitung *f*; ***to get a ~ fine*** eine Geldstrafe wegen Geschwindigkeitsüberschreitung bekommen

speed limit *n* Geschwindigkeitsbegrenzung *f*; ***a 30 mph ~*** eine Geschwindigkeitsbegrenzung von 50 km/h **speedometer** *n* Tachometer *m* **speed ramp** *n* MOT Bodenschwelle *f* **speed skating** *n* Eisschnelllauf *m* **speed trap** *n* Radarfalle *f* (*infml*) **speedway** *n* **1.** SPORTS Speedway-Rennen *nt* **2.** (*US* ≈ *expressway*) Schnellstraße *f* **speedy** *adj* (+*er*) schnell; ***we wish Joan a ~ recovery*** wir wünschen Joan eine rasche Genesung

spell[1] *n* Zauber *m*; (≈ *incantation*) Zauberspruch *m*; ***to be under a ~*** (*lit*) verhext sein; (*fig*) wie verzaubert sein; ***to put a ~ on sb*** (*lit*) jdn verhexen; (*fig*) jdn in seinen Bann ziehen; ***to be under sb's ~*** (*fig*) in jds Bann (*dat*) stehen; ***to break the ~*** den Zauber lösen

spell[2] *n* (≈ *period*) Weile *f*; ***for a ~*** eine Weile; ***cold ~*** Kältewelle *f*; ***dizzy ~*** Schwächeanfall *m*; ***a short ~ of sunny weather*** eine kurze Schönwetterperiode; ***they're going through a bad ~*** sie machen eine schwierige Zeit durch

spell[3] *pret*, *past part* **spelt** (*esp Brit*) *or* **spelled** **I** *v/i* (orthografisch) richtig schreiben; ***she can't ~*** sie kann keine Rechtschreibung **II** *v/t* **1.** schreiben; (*aloud*) buchstabieren; ***how do you ~ "onyx"?*** wie schreibt man „Onyx"?; ***how do you ~ your name?*** wie schreibt sich Ihr Name?; ***what do these letters ~?*** welches Wort ergeben diese Buchstaben? **2.** (≈ *denote*) bedeuten ◆ **spell out** *v/t sep* (≈ *spell aloud*) buchstabieren; (≈ *read slowly*) entziffern; (≈ *explain*) verdeutlichen

spellbinding *adj* fesselnd **spellbound** *adj*, *adv* (*fig*) gebannt

spellchecker *n* IT Rechtschreibprüfung *f*

speller *n* ***to be a good ~*** in Rechtschreibung gut sein

spelling *n* Rechtschreibung *f*; (*of a word*) Schreibweise *f* **spelling mistake** *n* (Recht)schreibfehler *m* **spelt** (*esp Br*) *pret*, *past part of* ***spell***[3]

spend *pret*, *past part* **spent** *v/t* **1.** *money* ausgeben (*on* für); *energy* verbrauchen; *time* brauchen **2.** *time*, *evening* verbringen; ***to ~ the night*** übernachten; ***he ~s his time reading*** er verbringt seine Zeit mit Lesen **spending** *n no pl* Ausgaben *pl*; ***~ cuts*** Kürzungen *pl* **spending money** *n* Taschengeld *nt* **spending power** *n* Kaufkraft *f* **spending spree** *n* Großeinkauf *m*; ***to go on a ~*** groß einkaufen gehen **spent** **I** *pret*, *past part of* ***spend*** **II** *adj cartridge* verbraucht; *person* erschöpft

sperm *n* Samenfaden *m*; (≈ *fluid*) Sperma *nt* **sperm bank** *n* Samenbank *f* **spermicide** *n* Spermizid *nt*

spew **I** *v/i* **1.** (*infml* ≈ *vomit*) brechen, spucken **2.** (*a.* **spew out**) sich ergießen (*elev*); (*esp liquid*) hervorsprudeln **II** *v/t* **1.** (*a.* **spew up**) (*infml* ≈ *vomit*) erbrechen **2.** (*fig*: *a.* **spew out**) *lava* auswerfen; *water* ablassen

sphere *n* **1.** Kugel *f* **2.** (*fig*) Sphäre *f*; (*of person*) Bereich *m*; (*of knowledge etc*) Gebiet *nt*; ***his ~ of influence*** sein Einflussbereich **spherical** *adj* kugelförmig

sphincter *n* ANAT Schließmuskel *m*

spice *n* **1.** Gewürz *nt* **2.** (*fig*) Würze *f* ◆ **spice up** *v/t* (*fig*) würzen

spiced *adj* COOK würzig; **~ *wine*** Glühwein *m*; ***highly* ~** pikant (gewürzt)
spick-and-span *adj* blitzsauber
spicy *adj* (*+er*) würzig; (*fig*) *story etc* pikant
spider *n* Spinne *f*; ***~'s web*** Spinnwebe *f* **spider veins** *pl* MED Besenreiser *pl* **spiderweb** *n* (*US*) Spinnwebe *f* **spidery** *adj writing* krakelig
spike I *n* (*on railing*) Spitze *f*; (*on plant*) Stachel *m*; (*on shoe*) Spike *m* **II** *v/t drink* einen Schuss zusetzen (*+dat*) **spiky** *adj* (*+er*) *leaf* spitz; *hair* hochstehend
spill *vb*: *pret*, *past part* ***spilt*** (*esp Brit*) *or* ***spilled*** **I** *n* Lache *f*; ***oil* ~** Ölkatastrophe *f* **II** *v/t* verschütten; ***to ~ the beans*** alles ausplaudern; ***to ~ the beans about sth*** etw ausplaudern **III** *v/i* verschüttet werden; (*large quantity*) sich ergießen ◆ **spill out** *v/i* (*of* aus) (*liquid*) herausschwappen; (*money*) herausfallen; (*fig: people*) (heraus)strömen ◆ **spill over** *v/i* (*liquid*) überlaufen
spilt (*esp Br*) *pret*, *past part of* ***spill***
spin *vb*: *pret* ***spun*** *or* (*old*) ***span***, *past part* ***spun*** **I** *n* **1.** (≈ *revolution*) Drehung *f*; (*on washing machine*) Schleudern *nt no pl* **2.** (*on ball*) Drall *m*; ***to put ~ on the ball*** dem Ball einen Drall geben; (*with racquet*) den Ball anschneiden **3.** (*political*) Image *nt*; ***to put a different ~ on sth*** (≈ *interpretation*) etw anders interpretieren **4.** AVIAT Trudeln *nt no pl*; ***to go into a ~*** zu trudeln anfangen **II** *v/t* **1.** (*spider*) spinnen **2.** (≈ *turn*) drehen; (*fast*) herumwirbeln; *washing* schleudern; SPORTS *ball* einen Drall geben (*+dat*) **III** *v/i* **1.** (*person*) spinnen **2.** (≈ *revolve*) sich drehen; (*fast*) (herum)wirbeln; (*plane etc*) trudeln; (*in washing machine*) schleudern; ***to ~ round and round*** sich im Kreis drehen; ***the car spun out of control*** der Wagen begann, sich unkontrollierbar zu drehen; ***to send sb/sth ~ning*** jdn/etw umwerfen; ***my head is ~ning*** mir dreht sich alles ◆ **spin (a)round I** *v/i* sich drehen; (*fast*) (herum)wirbeln **II** *v/t sep* (schnell) drehen; (*fast*) herumwirbeln ◆ **spin out** *v/t sep* (*infml*) *money* strecken (*infml*); *holiday* in die Länge ziehen; *story* ausspinnen
spinach *n* Spinat *m*
spinal column *n* Wirbelsäule *f* **spinal cord** *n* Rückenmark *nt*
spindle *n* Spindel *f* **spindly** *adj* (*+er*) spindeldürr (*infml*), zaundürr (*Aus*)
spin doctor *n* (POL *infml*) PR-Berater(in) *m*(*f*) **spin-drier** *n* (*Br*) (Wäsche)schleuder *f* **spin-dry** *v/t & v/i* schleudern **spin-dryer** *n* = ***spin-drier***
spine *n* **1.** ANAT Rückgrat *nt* **2.** (*of book*) (Buch)rücken *m* **3.** (≈ *spike*) Stachel *m* **spine-chilling** *adj* (*infml*) schaurig **spineless** *adj* (*fig*) *person* ohne Rückgrat; *compromise*, *refusal* feige **spine-tingling** *adj* (≈ *frightening*) schaurig, schaudererregend
spin-off *n* Nebenprodukt *nt*
spinster *n* Unverheiratete *f*; (*pej*) alte Jungfer (*pej*)
spiny *adj* (*+er*) stach(e)lig
spiral I *adj* spiralförmig **II** *n* Spirale *f* **III** *v/i* (*a.* **spiral up**) sich (hoch)winden **spiral staircase** *n* Wendeltreppe *f*
spire *n* Turm *m*
spirit I *n* **1.** Geist *m*; (≈ *mood*) Stimmung *f*; ***I'll be with you in ~*** im Geiste werde ich bei euch sein; ***to enter into the ~ of sth*** bei etw mitmachen; ***that's the ~!*** (*infml*) so ists recht! (*infml*); ***to take sth in the right/wrong ~*** etw richtig/falsch auffassen **2.** *no pl* (≈ *courage*) Mut *m*; (≈ *vitality*) Elan *m*, Schwung *m* **3. spirits** *pl* (≈ *state of mind*) Laune *f*; (≈ *courage*) Mut *m*; ***to be in high ~s*** bester Laune sein; ***to be in good/low ~s*** guter/schlechter Laune sein; ***to keep up one's ~s*** den Mut nicht verlieren; ***my ~s rose*** ich bekam (neuen) Mut; ***her ~s fell*** ihr sank der Mut **4. spirits** *pl* (≈ *alcohol*) Spirituosen *pl* **II** *v/t* ***to ~ sb/sth away*** jdn/etw wegzaubern **spirited** *adj* **1.** temperamentvoll **2.** (≈ *courageous*) mutig **spirit level** *n* Wasserwaage *f* **spiritual** *adj* geistig; *person* spirituell; ECCL geistlich; ***~ life*** Seelenleben *nt* **spirituality** *n* Geistigkeit *f*
spit[1] *vb*: *pret*, *past part* ***spat*** **I** *n* Spucke *f* **II** *v/t* spucken **III** *v/i* spucken; (*fat*) spritzen; ***to ~ at sb*** jdn anspucken; ***it is ~ting*** (***with rain***) (*Br*) es tröpfelt ◆ **spit out** *v/t sep* ausspucken; *words* ausstoßen; ***spit it out!*** (*fig infml*) spucks aus! (*infml*), heraus mit der Sprache!
spit[2] *n* **1.** COOK (Brat)spieß *m* **2.** (*of land*) Landzunge *f*
spite I *n* **1.** Gehässigkeit *f* **2.** ***in ~ of*** trotz (*+gen*); ***it was a success in ~ of him*** dennoch war es ein Erfolg; ***in ~ of the fact that ...*** obwohl ... **II** *v/t* ärgern **spiteful**

adj boshaft
spitting image *n* (*infml*) ***to be the ~ of sb*** jdm wie aus dem Gesicht geschnitten sein
spittle *n* Speichel *m*
splash I *n* **1.** (≈ *spray*) Spritzen *nt no pl*; (≈ *noise*) Platschen *nt no pl*; ***to make a ~*** (*fig*) Furore machen; (*news*) wie eine Bombe einschlagen **2.** (≈ *sth splashed*) Spritzer *m*; (*of colour*) Tupfen *m*; (≈ *patch*) Fleck *m* **II** *v/t water etc* spritzen; (≈ *pour*) gießen; *person*, *object* bespritzen **III** *v/i* (*liquid*) spritzen; (*rain*) klatschen; (*when playing*) planschen ◆ **splash about** (*Brit*) *or* **around** *v/i* herumspritzen; (*in water*) herumplanschen ◆ **splash out** *v/i* (*Br infml*) ***to ~ on sth*** sich (*dat*) etw spendieren (*infml*)
splat *n* Platschen *nt*
splatter I *n* Fleck *m*; (*of paint etc*) Klecks *m* **II** *v/i* spritzen **III** *v/t* bespritzen; (*with paint etc*) beklecksen
splay I *v/t fingers* spreizen; *feet* nach außen stellen **II** *v/i* ***he was ~ed out on the ground*** er lag auf der Erde und hatte alle viere von sich gestreckt
spleen *n* ANAT Milz *f*; (*fig*) Zorn *m*
splendid *adj* **1.** (≈ *excellent*) hervorragend; *rider etc*, *idea* glänzend **2.** (≈ *magnificent*) herrlich **splendidly** *adv* **1.** (≈ *magnificently*) prächtig **2.** (≈ *excellently*) hervorragend **splendour**, (*US*) **splendor** *n* Pracht *f no pl*
splint *n* Schiene *f*; ***to put a ~ on sth*** etw schienen
splinter *n* Splitter *m* **splinter group** *n* Splittergruppe *f*
split *vb*: *pret*, *past part* ***split*** **I** *n* **1.** Riss *m* (*in* in *+dat*); (*esp in wall*, *rock*, *wood*) Spalt *m* (*in* in *+dat*) **2.** (*fig* ≈ *division*) Bruch *m* (*in* in *+dat*); POL, ECCL Spaltung *f* (*in +gen*); ***a three-way ~ of the profits*** eine Drittelung des Gewinns **3.** *pl* ***to do the ~s*** (einen) Spagat machen **II** *adj* gespalten (*on*, *over* in *+dat*) **III** *v/t* (≈ *cleave*) (zer)teilen; *wood*, *atom* (≈ *divide*) spalten; *work*, *costs*, *etc* (sich *dat*) teilen; ***to ~ hairs*** (*infml*) Haarspalterei treiben (*infml*); ***to ~ sth open*** etw aufbrechen; ***to ~ one's head open*** sich (*dat*) den Kopf aufschlagen; ***to ~ sth into three parts*** etw in drei Teile aufteilen; ***to ~ sth three ways*** etw in drei Teile teilen; ***to ~ the difference*** (*lit*: *with money etc*) sich (*dat*) die Differenz teilen **IV** *v/i* **1.** (*wood*, *stone*) (entzwei)brechen; POL, ECCL sich spalten (*on*, *over* wegen); (*seam etc*) platzen; (≈ *divide*) sich teilen; (*people*) sich aufteilen; ***to ~ open*** aufplatzen; ***my head is ~ting*** (*fig*) mir platzt der Kopf **2.** (*infml* ≈ *leave*) abhauen (*infml*) ◆ **split off** *v/i* abbrechen; (*fig*) sich trennen (*from* von) ◆ **split up I** *v/t sep work* (auf)teilen; *party* spalten; *two people* trennen; *crowd* zerstreuen **II** *v/i* zerbrechen; (≈ *divide*) sich teilen; (*meeting*, *crowd*) sich spalten; (*partners*) sich voneinander trennen
split ends *pl* Spliss *m* **split screen** *n* IT geteilter Bildschirm **split second** *n* ***in a ~*** in Sekundenschnelle **split-second** *adj* ***~ timing*** Abstimmung *f* auf die Sekunde **splitting** *adj headache* rasend
splodge, splotch (*US*) *n* Klecks *m*; (*of cream etc*) Klacks *m*
splurge (out) on *v/i +prep obj* (*infml*) sich in Unkosten stürzen mit
splutter I *n* (*of engine*) Stottern *nt* **II** *v/i* stottern; (*fat*) zischen **III** *v/t* (hervor)stoßen
spoil *vb*: *pret*, *past part* ***spoilt*** (*Brit*) *or* ***spoiled*** **I** *n usu pl* Beute *f no pl* **II** *v/t* **1.** (≈ *ruin*) verderben; *town*, *looks etc* verschandeln; *life* ruinieren; ***to ~ sb's fun*** jdm den Spaß verderben; ***it ~ed our evening*** das hat uns (*dat*) den Abend verdorben **2.** *children* verwöhnen; ***to be ~ed for choice*** die Qual der Wahl haben **III** *v/i* **1.** (*food*) verderben **2.** ***to be ~ing for a fight*** Streit suchen
spoiler *n* **1.** AUTO Spoiler *m* **2.** PRESS *Publikation, die zur gleichen Zeit wie ein Konkurrenzprodukt erscheint* **spoilsport** *n* (*infml*) Spielverderber(in) *m*(*f*) (*infml*) **spoilt** (*Br*) **I** *pret*, *past part of* ***spoil*** **II** *adj child* verwöhnt
spoke[1] *n* Speiche *f*
spoke[2] *pret of* ***speak*** **spoken I** *past part of* ***speak*** **II** *adj* gesprochen; ***his ~ English is better than ...*** er spricht Englisch besser als ... **spokesman** *n*, *pl* ***-men*** Sprecher *m* **spokesperson** *n* Sprecher(in) *m*(*f*) **spokeswoman** *n*, *pl* ***-women*** Sprecherin *f*
sponge I *n* **1.** Schwamm *m* **2.** (COOK, *a.* **sponge cake**) Rührkuchen *m* **II** *v/t* (*infml* ≈ *scrounge*) schnorren (*infml*) (*from* bei) ◆ **sponge down** *v/t sep person* (schnell) waschen; *walls also* abwaschen; *horse* abreiben ◆ **sponge off** *v/t*

sep stain, liquid abwischen ◆ **sponge off** *or* **on** *v/i +prep obj (infml)* ***to ~ sb*** jdm auf der Tasche liegen *(infml)*

sponge bag *n (Br)* Waschbeutel *m* **sponge cake** *n* Rührkuchen *m* **sponge pudding** *n* Mehlpudding *m* **sponger** *n (infml)* Schmarotzer(in) *m(f)* **spongy** *adj (+er)* weich

sponsor I *n* Förderer *m*, Förderin *f*; *(for event)* Schirmherr(in) *m(f)*; TV, SPORTS Sponsor(in) *m(f)*; *(for fund-raising)* Spender(in) *m(f)* **II** *v/t* unterstützen; *(financially)* fördern; *event* sponsern **sponsored** *adj (Br:) walk etc* gesponsert **sponsorship** *n* Unterstützung *f*; TV, SPORTS Finanzierung *f*

spontaneity *n* Spontaneität *f* **spontaneous** *adj* spontan **spontaneously** *adv* spontan; (≈ *voluntarily also*) von sich aus, von selbst

spoof *(infml) n* Parodie *f (of* auf *+acc)*

spook *(infml)* **I** *n* Gespenst *nt* **II** *v/t (esp US)* einen Schrecken einjagen *(+dat)* **spooky** *adj (+er) (infml)* **1.** gespenstisch **2.** (≈ *strange*) sonderbar; ***it was really ~*** das war wirklich ein sonderbares *or* eigenartiges Gefühl

spool *n* Spule *f*

spoon I *n* Löffel *m* **II** *v/t* löffeln ◆ **spoon out** *v/t sep* (löffelweise) ausschöpfen

spoon-feed *pret, past part* ***spoon-fed*** *v/t baby* füttern; *(fig)* füttern *(infml)* **spoonful** *n* Löffel *m*

sporadic *adj* sporadisch **sporadically** *adv* sporadisch; (≈ *occasionally also*) gelegentlich

spore *n* Spore *f*

sporran *n über dem Schottenrock getragene Felltasche*

sport I *n* **1.** Sport *m no pl*; (≈ *type of sport*) Sportart *f*; ***to be good at ~(s)*** sportlich sein **2. sports** *pl (a.* **sports meeting***)* Sportveranstaltung *f* **3.** (≈ *amusement*) Spaß *m*, Hetz *f (Aus)* **4.** *(infml)* ***to be a (good) ~*** alles mitmachen; ***be a ~!*** sei kein Spielverderber! **II** *v/t tie* anhaben; *beard* herumlaufen mit *(infml)* **III** *adj attr (US)* = ***sports*** **sporting** *adj* sportlich; *(fig)* fair; (≈ *decent*) anständig; ***~ events*** Wettkämpfe *pl* **sports**, *(US also)* **sport** *in cpds* Sport- **sports bra** *n* Sport-BH *m* **sports car** *n* Sportwagen *m* **sports centre**, *(US)* **sports center** *n* Sportzentrum *nt* **sports field, sports ground** *n (Br)* Sportplatz *m* **sports jacket** *n* Sakko *m or nt* **sportsman** *n* Sportler *m* **sportsmanlike** *adj* sportlich; *(fig)* fair **sportsmanship** *n* Sportlichkeit *f* **sportsperson** *n* Sportler(in) *m(f)* **sportswear** *n* **1.** Sportkleidung *f* **2.** (≈ *leisure wear*) Freizeitkleidung *f* **sportswoman** *n* Sportlerin *f* **sporty** *adj (+er) (infml) person* sportbegeistert; *car* sportlich

spot I *n* **1.** Punkt *m*; ZOOL Fleck *m*; (≈ *place*) Stelle *f*; ***~s of blood*** Blutflecken *pl*; ***a pleasant ~*** ein schönes Fleckchen *(infml)*; ***on the ~*** an Ort und Stelle, sofort **2.** MED *etc* Fleck *m*; (≈ *pimple*) Pickel *m*, Wimmerl *nt (Aus)*, Bibeli *nt (Swiss)*; ***to break out*** *or* ***come out in ~s*** Flecken / Pickel bekommen **3.** *(Br infml)* ***a ~ of*** ein bisschen; ***we had a ~ of rain/a few ~s of rain*** wir hatten ein paar Tropfen Regen; ***a ~ of bother*** etwas Ärger; ***we're in a ~ of bother*** wir haben Schwierigkeiten **4.** ***to be in a (tight) ~*** in der Klemme sitzen *(infml)*; ***to put sb on the ~*** jdn in Verlegenheit bringen **II** *v/t* entdecken; *difference, opportunity* erkennen; *mistake* finden **spot check** *n* Stichprobe *f* **spotless** *adj* tadellos sauber **spotlessly** *adv* ***~ clean*** blitzsauber **spotlight** ***spotlighted*** *n* **1.** (≈ *lamp*) Scheinwerfer *m*; *(small)* Strahler *m* **2.** (≈ *light*) Rampenlicht *nt*; ***to be in the ~*** *(lit)* im Scheinwerferlicht *or* Rampenlicht stehen; *(fig)* im Rampenlicht der Öffentlichkeit stehen **spot-on** *adj (Br infml)* exakt **spotted** *adj* gefleckt; (≈ *with dots*) getüpfelt; ***~ with blood*** blutbespritzt **spotty** *adj (+er)* (≈ *pimply*) pick(e)lig

spouse *n (form)* Gatte *m*, Gattin *f*

spout I *n* **1.** Ausguss *m*; *(on tap)* Ausflussrohr *nt*; *(on watering can)* Rohr *nt*; ***up the ~*** *(Br infml: plans etc)* im Eimer *(infml)* **2.** *(of water etc)* Fontäne *f* **II** *v/t* **1.** *(fountain etc)* (heraus)spritzen **2.** *(infml) nonsense* von sich geben **III** *v/i (water etc)* spritzen *(from* aus*)*; ***to ~ out (of sth)*** (aus etw) hervorspritzen

sprain I *n* Verstauchung *f* **II** *v/t* verstauchen; ***to ~ one's ankle*** sich *(dat)* den Fuß verstauchen

sprang *pret of* ***spring***

sprawl I *n* (≈ *posture*) Flegeln *nt no pl (infml)*; *(of buildings etc)* Ausbreitung *f*; ***urban ~*** wild wuchernde Ausbreitung des Stadtgebietes **II** *v/i* (≈ *fall*) der Länge nach hinfallen; (≈ *lounge*) sich hinflegeln; (*town*) (wild) wuchern; ***to send sb ~ing*** jdn zu Boden werfen **III** *v/t* ***to be ~ed over sth/on sth*** (*body*) ausgestreckt auf etw (*dat*) liegen **sprawling** *adj city* wild wuchernd; *house* großflächig; *figure* hingeflegelt

spray[1] *n* (≈ *bouquet*) Strauß *m*

spray[2] **I** *n* **1.** Sprühregen *m*; (*of sea*) Gischt *m* **2.** (≈ *implement*) Sprühdose *f* **3.** (*hairspray etc*) Spray *m or nt* **II** *v/t plants etc* besprühen; (*with insecticide*) spritzen; *hair* sprayen; *perfume* (ver)sprühen **III** *v/i* sprühen; (*water*) spritzen **spray can** *n* Sprühdose *f* **sprayer** *n* = ***spray***[2] I2

spread *vb*: *pret*, *past part* ***spread*** **I** *n* **1.** (*of wings*) Spannweite *f*; (*of interests*) Spektrum *nt*; ***middle-age ~*** Altersspeck *m* (*infml*) **2.** (≈ *growth*) Ausbreitung *f*; (*spatial*) Ausdehnung *f* **3.** (*infml*, *of food etc*) Festessen *nt* **4.** (*for bread*) (Brot)aufstrich *m*; ***cheese ~*** Streichkäse *m* **5.** PRESS, TYPO Doppelseite *f*; ***a full-page/double ~*** ein ganz-/zweiseitiger Bericht; (≈ *advertisement*) eine ganz-/zweiseitige Anzeige **II** *v/t* **1.** (*a.* **spread out**) *rug*, *arms* ausbreiten; *goods* auslegen; *hands*, *legs* spreizen; ***he was lying with his arms and legs ~ out*** er lag mit ausgestreckten Armen und Beinen da **2.** *bread*, *surface* bestreichen; *butter etc* (ver- *or* auf)streichen; *table* decken; ***~ the paint evenly*** verteilen Sie die Farbe gleichmäßig; ***to ~ a cloth over sth*** ein Tuch über etw (*acc*) breiten **3.** (≈ *distribute*: *a.* **spread out**) verteilen (*over* über +*acc*); *sand* streuen **4.** *news*, *panic*, *disease* verbreiten **III** *v/i* sich erstrecken (*over*, *across* über +*acc*); (*liquid*, *smile*) sich ausbreiten (*over*, *across* über +*acc*); (*towns*) sich ausdehnen; (*smell*, *disease*, *trouble*, *fire*) sich verbreiten; ***to ~ to sth*** etw erreichen ◆ **spread about** (*Brit*) *or* **around** *v/t sep toys etc* verstreuen ◆ **spread out I** *v/t sep* = ***spread*** II 1, 3 **II** *v/i* **1.** (*countryside etc*) sich ausdehnen **2.** (*runners*) sich verteilen

spread-eagle *v/t* ***to lie ~d*** alle viere von sich (*dat*) strecken (*infml*) **spreadsheet** *n* IT Tabellenkalkulation *f*

spree *n* ***spending*** *or* ***shopping ~*** Großeinkauf *m*; ***drinking ~*** Zechtour *f* (*infml*); ***to go on a ~*** (*drinking*) eine Zechtour machen; (*spending*) groß einkaufen gehen

sprig *n* Zweig *m*

sprightly *adj* (+*er*) *tune* lebhaft; *old person* rüstig

spring *vb*: *pret* ***sprang*** *or* (*US*) ***sprung***, *past part* ***sprung*** **I** *n* **1.** (≈ *source*) Quelle *f* **2.** (≈ *season*) Frühling *m*; ***in*** (***the***) ***~*** im Frühling **3.** (≈ *leap*) Sprung *m* **4.** MECH Feder *f* **5.** *no pl* ***with a ~ in one's step*** mit federnden Schritten **II** *adj attr* **1.** (*seasonal*) Frühlings- **2.** ***~ mattress*** Federkernmatratze *f* **III** *v/t* ***to ~ a leak*** (*pipe*) (plötzlich) undicht werden; (*ship*) (plötzlich) ein Leck bekommen; ***to ~ sth on sb*** (*fig*) jdn mit etw konfrontieren **IV** *v/i* **1.** (≈ *leap*) springen; ***to ~ open*** aufspringen; ***to ~ to one's feet*** aufspringen; ***tears sprang to her eyes*** ihr schossen die Tränen in die Augen; ***to ~ into action*** in Aktion treten; ***to ~ to mind*** einem einfallen; ***to ~ to sb's defence*** jdm zu Hilfe eilen; ***to ~*** (***in***)***to life*** (plötzlich) lebendig werden **2.** (*a.* **spring forth**, *fig*, *idea*) entstehen (*from* aus); (*interest etc*) herrühren (*from* von) ◆ **spring up** *v/i* (*plant*) hervorsprießen; (*weeds*, *building*) aus dem Boden schießen; (*person*) aufspringen; (*fig*: *firm*) entstehen

spring binder *n* Klemmhefter *m* **springboard** *n* Sprungbrett *nt* **spring-clean I** *v/t* gründlich putzen **II** *v/i* Frühjahrsputz machen **spring-cleaning** *n* Frühjahrsputz *m* **spring-loaded** *adj* mit einer Sprungfeder **spring onion** *n* (*Br*) Frühlingszwiebel *f* **spring roll** *n* Frühlingsrolle *f* **springtime** *n* Frühlingszeit *f* **spring water** *n* Quellwasser *nt* **springy** *adj* (+*er*) federnd; *rubber etc* elastisch

sprinkle *v/t water* sprenkeln; *sugar etc* streuen; *cake* bestreuen **sprinkler** *n* Berieselungsapparat *m*; (*for firefighting*) Sprinkler *m* **sprinkling** *n* (*of rain*) ein paar Tropfen; (*of sugar etc*) Prise *f*; ***a ~ of people*** ein paar vereinzelte Leute

sprint I *n* Lauf *m*; ***a ~ finish*** ein Endspurt *m* **II** *v/i* (*in race*) sprinten; (≈ *dash*) rennen **sprinter** *n* Sprinter(in) *m*(*f*)

sprout I *n* **1.** (*of plant*) Trieb *m*; (*from seed*) Keim *m* **2.** (≈ *Brussels sprout*) (Rosenkohl)röschen *nt*; ***~s*** *pl* Rosenkohl *m*, Kohlsprossen *pl* (*Aus*) **II** *v/t leaves* treiben; *horns etc* entwickeln; (*infml*) *beard* sich (*dat*) wachsen lassen

III *v/i* **1.** (≈ *grow*) sprießen; (*seed etc*) keimen; (*potatoes etc*) Triebe *pl* bekommen **2.** (*a.* **sprout up**, *plants*) sprießen; (*buildings*) aus dem Boden schießen

spruce[1] *n* (*a.* **spruce fir**) Fichte *f*

spruce[2] *adj* (*+er*) gepflegt ◆ **spruce up** *v/t sep house* auf Vordermann bringen (*infml*); ***to spruce oneself up*** sein Äußeres pflegen

sprung I *past part of* ***spring*** **II** *adj* gefedert

spud *n* (*infml*) Kartoffel *f*, Erdapfel *m* (*Aus*)

spun *pret*, *past part of* ***spin***

spur I *n* Sporn *m*; (*fig*) Ansporn *m* (*to* für); ***on the ~ of the moment*** ganz spontan; ***a ~-of-the-moment decision*** ein spontaner Entschluss **II** *v/t* (*a.* **spur on**, *fig*) anspornen

spurious *adj claim*, *claimant* unberechtigt; *account* falsch; *interest* nicht echt; *argument* fadenscheinig

spurn *v/t* verschmähen

spurt I *n* **1.** (≈ *flow*) Strahl *m* **2.** (*of speed*) Spurt *m*; ***a final ~*** ein Endspurt *m*; ***to put a ~ on*** einen Spurt vorlegen; ***to work in ~s*** (nur) sporadisch arbeiten **II** *v/i* **1.** (≈ *gush*: *a.* **spurt out**) (heraus)spritzen (*from* aus) **2.** (≈ *run*) spurten **III** *v/t* ***the wound ~ed blood*** aus der Wunde spritzte Blut

sputter *v/i* zischen; (*fat*) spritzen; (*engine*) stottern; (*in speech*) sich ereifern (*about* über *+acc*)

spy I *n* Spion(in) *m*(*f*); (≈ *police spy*) Spitzel *m* **II** *v/t* erspähen (*elev*) **III** *v/i* spionieren; ***to ~ on sb*** jdn bespitzeln ◆ **spy out** *v/t sep* ausfindig machen; ***to ~ the land*** (*fig*) die Lage peilen

spy hole *n* Guckloch *nt*, Spion *m*

sq *abbr of* ***square***; ***sq m*** qm, m²

squabble I *n* Zank *m* **II** *v/i* (sich) zanken (*about*, *over* um) **squabbling** *n* Zankerei *f*

squad *n* MIL Korporalschaft *f*; (≈ *special unit*) Kommando *nt*; (≈ *police squad*) Dezernat *nt*; SPORTS Mannschaft *f*

squadron *n* AVIAT Staffel *f*; NAUT Geschwader *nt*

squalid *adj house* schmutzig und verwahrlost; *conditions* elend **squalor** *n* Schmutz *m*; ***to live in ~*** in unbeschreiblichen Zuständen leben

squander *v/t* verschwenden; *opportunity* vertun

square I *n* **1.** Quadrat *nt*; (*on chessboard etc*) Feld *nt*; (*on paper*) Kästchen *nt*; ***cut it in ~s*** schneiden Sie es quadratisch zu; ***to go back to ~ one*** (*fig*), ***to start*** (***again***) ***from ~ one*** (*fig*) noch einmal von vorne anfangen; ***we're back to ~ one*** jetzt sind wir wieder da, wo wir angefangen haben **2.** (*in town*) Platz *m* **II** *adj* (*+er*) **1.** (*in shape*) quadratisch; *block* vierkantig; ***to be a ~ peg in a round hole*** am falschen Platz sein **2.** *jaw* kantig **3.** MAT Quadrat-; ***3 ~ kilometres*** 3 Quadratkilometer; ***3 metres ~*** 3 Meter im Quadrat **4.** *attr meal* ordentlich **5.** (*fig*) ***we are*** (***all***) ***~*** SPORTS wir stehen beide / alle gleich; (*fig*) jetzt sind wir quitt **III** *v/t* **1.** ***to ~ a match*** in einem Spiel gleichziehen **2.** MAT quadrieren; ***3 ~d is 9*** 3 hoch 2 ist 9 ◆ **square up** *v/i* (*boxers*, *fighters*) in Kampfstellung gehen; ***to ~ to sb*** sich vor jdm aufpflanzen (*infml*); (*fig*) jdm die Stirn bieten

square bracket *n* eckige Klammer **squared** *adj paper* kariert **squarely** *adv* (≈ *directly*) direkt, genau; (*fig* ≈ *firmly*) fest; ***to hit sb ~ in the stomach*** jdn voll in den Magen treffen; ***to place the blame for sth ~ on sb*** jdm voll und ganz die Schuld an etw (*dat*) geben

square root *n* Quadratwurzel *f*

squash[1] **I** *n* **1.** (*Br* ≈ *fruit concentrate*) Fruchtsaftkonzentrat *nt*; (≈ *drink*) Fruchtnektar *m* **2.** ***it's a bit of a ~*** es ist ziemlich eng **II** *v/t* **1.** zerdrücken **2.** (≈ *squeeze*) quetschen; ***to be ~ed up against sb*** gegen jdn gequetscht werden **III** *v/i* ***could you ~ up?*** könnt ihr etwas zusammenrücken?; (*one person*) kannst du dich etwas kleiner machen?

squash[2] *n* SPORTS Squash *nt*

squash[3] *n no pl* (*US*) (Pâtisson)kürbis *m*

squat I *adj* (*+er*) gedrungen **II** *v/i* **1.** hocken **2.** (*a.* **squat down**) sich (hin)kauern **3.** ***to ~*** (***in a house***) ein Haus besetzt haben **III** *n* (*infml* ≈ *place*) Unterschlupf *m* (*für Hausbesetzer*) **squatter** *n* (*in house*) Hausbesetzer(in) *m*(*f*)

squawk I *n* heiserer Schrei; ***he let out a ~*** er kreischte auf **II** *v/i* schreien

squeak I *n* (*of hinge etc*) Quietschen *nt no pl*; (*of person*) Quiekser *m*; (*of animal*) Quieken *nt no pl*; (*of mouse*) Piepsen *nt no pl*; (*fig infml* ≈ *sound*) Pieps *m* (*infml*) **II** *v/i* (*door etc*) quietschen; (*person*) quieksen; (*animal*) quieken;

(*mouse*) piepsen ◆ **squeak by** *or* **through** *v/i* (*infml* ≈ *narrowly succeed*) gerade so durchkommen (*infml*)

squeaky *adj* (+*er*) quietschend; *voice* piepsig **squeaky-clean** *adj* (*infml*) blitzsauber (*infml*)

squeal I *n* Kreischen *nt no pl*; (*of pig*) Quieken *nt no pl*; ***with a ~ of brakes*** mit kreischenden Bremsen; ***~s of laughter*** schrilles Gelächter **II** *v/i* kreischen; (*pig*) quieksen; ***to ~ with delight*** vor Wonne quietschen

squeamish *adj* empfindlich; ***I'm not ~*** (≈ *not easily nauseated*) mir wird nicht so schnell schlecht; (≈ *not easily shocked*) ich bin nicht so empfindlich

squeeze I *n* (≈ *act*) Drücken *nt no pl*; (≈ *hug*) Umarmung *f*; ***to give sth a ~*** etw drücken; ***it was a tight ~*** es war fürchterlich eng **II** *v/t* drücken; *tube* ausdrücken; *orange* auspressen; ***to ~ clothes into a case*** Kleider in einen Koffer zwängen; ***I'll see if we can ~ you in*** vielleicht können wir Sie noch unterbringen; ***we ~d another song in*** wir schafften noch ein Lied **III** *v/i* ***you should be able to ~ through*** wenn du dich klein machst, kommst du durch; ***to ~ in*** sich hineinzwängen; ***to ~ past sb*** sich an jdm vorbeidrücken; ***to ~ onto the bus*** sich in den Bus hineinzwängen; ***to ~ up a bit*** ein bisschen zusammenrücken

squelch I *n* quatschendes Geräusch (*infml*) **II** *v/i* (*shoes*, *mud*) quatschen

squid *n* Tintenfisch *m*

squiggle *n* Schnörkel *m* **squiggly** *adj* (+*er*) schnörkelig

squint I *n* MED Schielen *nt no pl*; ***to have a ~*** leicht schielen **II** *v/i* schielen; (*in light*) blinzeln **III** *adj* (≈ *crooked*) schief

squirm *v/i* sich winden

squirrel *n* Eichhörnchen *nt*

squirt I *n* **1.** Spritzer *m* **2.** (*pej infml* ≈ *small person*) Pimpf *m* (*infml*) **II** *v/t liquid* spritzen; *person* bespritzen **III** *v/i* spritzen

squishy *adj* (+*er*) (*infml*) matschig (*infml*)

Sri Lanka *n* Sri Lanka *nt*

St. 1. *abbr of* ***Street*** Str. **2.** *abbr of* ***Saint*** hl., St.

stab I *n* **1.** Stich *m*; ***~ wound*** Stichwunde *f*; ***a ~ of pain*** ein stechender Schmerz; ***she felt a ~ of jealousy*** plötzlich durchfuhr sie Eifersucht; ***a ~ in the back*** (*fig*) ein Dolchstoß *m* **2.** (*infml*) ***to have a ~ at sth*** etw probieren **II** *v/t* einen Stich versetzen (+*dat*); (*several times*) einstechen auf (+*acc*); ***to ~ sb*** (***to death***) jdn erstechen; ***he was ~bed through the arm/heart*** der Stich traf ihn am Arm/ins Herz; ***to ~ sb in the back*** jdm in den Rücken fallen **stabbing I** *n* Messerstecherei *f* **II** *adj pain* stechend

stability *n* Stabilität *f* **stabilize I** *v/t* stabilisieren **II** *v/i* sich stabilisieren

stable[1] *adj* (+*er*) stabil; *job* dauerhaft; *character* gefestigt

stable[2] *n* Stall *m*; ***riding ~s*** Reitstall *m* **stablelad** (*Br*), **stableman** *n* Stallbursche *m*

stack I *n* **1.** (≈ *pile*) Haufen *m*; (*neat*) Stapel *m* **2.** (*infml*) ***~s*** jede Menge (*infml*) **II** *v/t* stapeln; *shelves* einräumen; ***to ~ up*** aufstapeln; ***the cards*** *or* ***odds are ~ed against us*** (*fig*) wir haben keine großen Chancen

stadium *n*, *pl* **-s** *or* ***stadia*** Stadion *nt*

staff I *n* **1.** (≈ *personnel*) Personal *nt*; SCHOOL, UNIV Kollegium *nt*; (*of department*, *project*) Mitarbeiterstab *m*; ***we don't have enough ~ to complete the project*** wir haben nicht genügend Mitarbeiter, um das Projekt zu beenden; ***a member of ~*** ein Mitarbeiter *m*, eine Mitarbeiterin; SCHOOL ein Kollege *m*, eine Kollegin; ***to be on the ~*** zum Personal/Kollegium/Mitarbeiterstab gehören **2.** *pl* **-s** *or* (*old*) ***staves*** (≈ *stick*) Stab *m* **3.** (MIL ≈ *general staff*) Stab *m* **II** *v/t* mit Personal besetzen; ***the kitchens are ~ed by foreigners*** das Küchenpersonal besteht aus Ausländern **staffed** *adj* ***to be well ~*** ausreichend Personal haben **staffing** *n* Stellenbesetzung *f* **staff meeting** *n* Personalversammlung *f* **staff nurse** *n* (*Br*) (voll) ausgebildete Krankenschwester **staffroom** *n* Lehrerzimmer *nt*

stag *n* (ZOOL ≈ *deer*) Hirsch *m*

stage I *n* **1.** (THEAT, *fig*) Bühne *f*; ***the ~*** (≈ *profession*) das Theater, die Bühne; ***to be on/go on the ~*** (*as career*) beim Theater sein/zum Theater gehen; ***to go on ~*** (*actor*) die Bühne betreten; ***to leave the ~*** von der Bühne abtreten; ***the ~ was set*** (*fig*) alles war vorbereitet; ***to set the ~ for sth*** (*fig*) den Weg für etw bereiten **2.** (≈ *podium*) Podium *nt* **3.** (≈ *period*) Stadium *nt*; (*of process*) Phase *f*; ***at this***

~ *such a thing is impossible* zum gegenwärtigen Zeitpunkt ist das unmöglich; ***at this ~ in the negotiations*** an diesem Punkt der Verhandlungen; ***in the final ~(s)*** im Endstadium; ***what ~ is your thesis at?*** wie weit sind Sie mit Ihrer Dissertation?; ***we have reached a ~ where ...*** wir sind an einem Punkt angelangt, wo ...; ***to be at the experimental ~*** im Versuchsstadium sein **4.** (≈ *part of race etc*) Etappe *f*; ***in (easy) ~s*** etappenweise **II** *v/t play* aufführen; *event* durchführen; *accident* inszenieren; *protest* veranstalten **stagecoach** *n* Postkutsche *f* **stage fright** *n* Lampenfieber *nt* **stage manager** *n* Inspizient(in) *m(f)* **stage set** *n* Bühnenbild *nt*

stagger I *v/i* schwanken; (*weakly*) wanken; (*drunkenly*) torkeln **II** *v/t* **1.** (*fig* ≈ *amaze*) umhauen (*infml*) **2.** *holidays* staffeln; *seats* versetzen **staggered** *adj* **1.** (≈ *amazed*) verblüfft **2.** *hours* gestaffelt **staggering** *adj* **1.** ***to be a ~ blow (to sb/sth)*** ein harter *or* schwerer Schlag (für jdn/etw) sein **2.** (≈ *amazing*) umwerfend

stagnant *adj* (≈ *still*) (still)stehend *attr*; (≈ *foul*) *water* abgestanden; *air* verbraucht **stagnate** *v/i* (≈ *not move*) stagnieren; (≈ *become foul, water*) abstehen **stagnation** *n* Stagnieren *nt*

stag night *n* Saufabend *m* (*infml*) des Bräutigams mit seinen Kumpeln

staid *adj* (+*er*) seriös, gesetzt; *colour* gedeckt

stain I *n* (*lit*) Fleck *m*; (*fig*) Makel *m*; ***a blood ~*** ein Blutfleck *m* **II** *v/t* beflecken; (≈ *colour*) einfärben; (*with woodstain*) beizen **stained** *adj fingers* gefärbt; *clothes* fleckig; *glass* bunt; ***~-glass window*** farbiges Glasfenster; ***~ with blood*** blutbefleckt **stainless steel** *n* rostfreier (Edel)stahl

stair *n* **1.** (≈ *step*) Stufe *f* **2.** *usu pl* (≈ *stairway*) Treppe *f*, Stiege *f* (*Aus*); ***at the top of the ~s*** oben an der Treppe **staircase** *n* Treppe *f*, Stiege *f* (*Aus*) **stairlift** *n* Treppenlift *m*, Stiegenlift *m* (*Aus*) **stairway** *n* Treppe *f*, Stiege *f* (*Aus*) **stairwell** *n* Treppenhaus *nt*, Stiegenhaus *nt* (*Aus*)

stake I *n* **1.** (≈ *post*) Pfosten *m*; (*for plant*) Stange *f* **2.** (*for execution*) Scheiterhaufen *m* **3.** (≈ *bet*) Einsatz *m*; (≈ *financial interest*) Anteil *m*; ***to be at ~*** auf dem Spiel stehen; ***he has a lot at ~*** er hat viel zu verlieren; ***to have a ~ in sth*** *in business* einen Anteil an etw (*dat*) haben **4.** **stakes** *pl* (≈ *prize*) Gewinn *m*; ***to raise the ~s*** den Einsatz erhöhen **II** *v/t* **1.** (*a.* **stake up**) *plant* hochbinden; *fence* abstützen **2.** (≈ *risk*) setzen (*on* auf +*acc*); ***to ~ one's reputation on sth*** sein Wort für etw verpfänden; ***to ~ a claim to sth*** sich (*dat*) ein Anrecht auf etw (*acc*) sichern **stakeholder** *n* Teilhaber(in) *m(f)*

stalactite *n* Stalaktit *m*

stalagmite *n* Stalagmit *m*

stale *adj* (+*er*) alt; *cake* trocken; *bread* altbacken; (*in smell*) muffig; *air* verbraucht; ***to go ~*** (*food*) verderben

stalemate *n* Patt *nt*; ***to reach ~*** (*fig*) in eine Sackgasse geraten

stalk[1] *v/t game* sich anpirschen an (+*acc*); (*animal*) sich heranschleichen an (+*acc*)

stalk[2] *n* (*of plant*) Stiel *m*; (≈ *cabbage stalk*) Strunk *m*

stalker *n jd, der die ständige Nähe zu einer von ihm verehrten Person sucht oder sie mit Anrufen, Briefen etc belästigt*

stall I *n* **1.** (*in stable*) Box *f* **2.** (*at market etc*) Stand *m*, Standl *nt* (*Aus*) **3.** **stalls** *pl* (*Br*: THEAT, FILM) Parkett *nt* **II** *v/t* **1.** AUTO abwürgen; AVIAT überziehen **2.** *person* hinhalten; *process* hinauszögern **III** *v/i* **1.** (*engine*) absterben; AVIAT überziehen **2.** (≈ *delay*) Zeit schinden (*infml*); ***to ~ for time*** versuchen, Zeit zu schinden (*infml*)

stallion *n* Hengst *m*

stalwart *n* (getreuer) Anhänger

stamina *n* Durchhaltevermögen *nt*

stammer I *n* Stottern *nt*; ***he has a bad ~*** er stottert stark **II** *v/t* (*a.* **stammer out**) stammeln **III** *v/i* stottern

stamp I *n* **1.** (≈ *postage stamp*) (Brief)marke *f* **2.** (≈ *rubber stamp, impression*) Stempel *m* **II** *v/t* **1.** ***to ~ one's foot*** (mit dem Fuß) (auf)stampfen **2.** ***a ~ed addressed envelope*** ein frankierter Rückumschlag **3.** (*with rubber stamp*) stempeln **III** *v/i* (≈ *walk*) sta(m)pfen ◆ **stamp on I** *v/t sep pattern, design* aufprägen; ***to ~ one's authority on sth*** einer Sache (*dat*) seine Autorität aufzwingen **II** *v/i* +*prep obj* (*with foot*) treten auf (+*acc*) ◆ **stamp out** *v/t sep fire* austreten; (*fig*) *crime* ausrotten

stamp album *n* Briefmarkenalbum *nt*

stamp collection *n* Briefmarkensammlung *f* **stamp duty** *n* (*Br*) Stempelgebühr *f*

stampede I *n* (*of cattle*) wilde Flucht; (*of people*) Massenansturm *m* (*on* auf +*acc*) **II** *v/i* durchgehen; (*crowd*) losstürmen (*for* auf +*acc*)

stamp tax *n* (*US*) Stempelgebühr *f*

stance *n* Haltung *f*

stand *vb*: *pret*, *past part* **stood I** *n* **1.** (*fig*) Standpunkt *m* (*on* zu); ***to take a ~*** einen Standpunkt vertreten **2.** MIL Widerstand *m*; ***to make a ~*** Widerstand leisten **3.** (≈ *market stall etc*) Stand *m*, Standl *nt* (*Aus*) **4.** (≈ *music stand etc*) Ständer *m* **5.** (*Br* SPORTS) Tribüne *f*; ***to take the ~*** JUR in den Zeugenstand treten **II** *v/t* **1.** (≈ *place*) stellen **2.** *pressure etc* (*object*) standhalten (+*dat*); (*person*) gewachsen sein (+*dat*); *test* bestehen; *heat* ertragen **3.** (*infml* ≈ *put up with*) aushalten; ***I can't ~ being kept waiting*** ich kann es nicht leiden, wenn man mich warten lässt **4.** ***to ~ trial*** vor Gericht stehen (*for* wegen) **III** *v/i* **1.** stehen; (≈ *get up*) aufstehen; (*offer*) gelten; ***don't just ~ there!*** stehen Sie nicht nur (dumm) rum, tun Sie was! (*infml*); ***to ~ as a candidate*** kandidieren **2.** (≈ *measure*, *tree etc*) hoch sein **3.** (*record*) stehen (*at* auf +*dat*) **4.** (*fig*) ***we ~ to gain a lot*** wir können sehr viel gewinnen; ***what do we ~ to gain by it?*** was springt für uns dabei heraus? (*infml*); ***I'd like to know where I ~ (with him)*** ich möchte wissen, woran ich (bei ihm) bin; ***where do you ~ on this issue?*** welchen Standpunkt vertreten Sie in dieser Frage?; ***as things ~*** nach Lage der Dinge; ***as it ~s*** so wie die Sache aussieht; ***to ~ accused of sth*** einer Sache (*gen*) angeklagt sein; ***to ~ firm*** festbleiben; ***nothing now ~s between us*** es steht nichts mehr zwischen uns ◆ **stand about** (*Brit*) *or* **around** *v/i* herumstehen ◆ **stand apart** *v/i* (*lit*) abseitsstehen; (*fig*) sich fernhalten ◆ **stand aside** *v/i* (*lit*) zur Seite treten ◆ **stand back** *v/i* (≈ *move back*) zurücktreten ◆ **stand by I** *v/i* **1.** ***to ~ and do nothing*** tatenlos zusehen **2.** (≈ *be on alert*) sich bereithalten **II** *v/i* +*prep obj* ***to ~ sb*** zu jdm halten ◆ **stand down** *v/i* (≈ *withdraw*) zurücktreten ◆ **stand for** *v/i* +*prep obj* **1.** ***to ~ election*** (in einer Wahl) kandidieren **2.** (≈ *represent*) stehen für **3.** (≈ *put up with*) sich (*dat*) gefallen lassen ◆ **stand in** *v/i* einspringen ◆ **stand out** *v/i* (≈ *be noticeable*) hervorstechen; ***to ~ against sth*** sich gegen etw *or* von etw abheben ◆ **stand over** *v/i* +*prep obj* (≈ *supervise*) auf die Finger sehen (+*dat*) ◆ **stand up I** *v/i* **1.** (≈ *get up*) aufstehen; (≈ *be standing*) stehen; ***~ straight!*** stell dich gerade hin **2.** (*argument*) überzeugen; JUR bestehen **3.** ***to ~ for sb/sth*** für jdn / etw eintreten; ***to ~ to sb*** sich jdm gegenüber behaupten **II** *v/t sep* **1.** (≈ *put upright*) hinstellen **2.** (*infml*) *sb* versetzen

standard I *n* **1.** (≈ *norm*) Norm *f*; (≈ *criterion*) Maßstab *m*; (*usu pl* ≈ *moral standards*) (sittliche) Maßstäbe *pl*; ***to be up to ~*** den Anforderungen genügen; ***he sets himself very high ~s*** er stellt hohe Anforderungen an sich (*acc*) selbst; ***by any ~(s)*** egal, welche Maßstäbe man anlegt; ***by today's ~(s)*** aus heutiger Sicht **2.** (≈ *level*) Niveau *nt*; ***~ of living*** Lebensstandard *m* **3.** (≈ *flag*) Flagge *f* **II** *adj* **1.** (≈ *usual*) üblich; (≈ *average*) durchschnittlich; (≈ *widely referred to*) Standard-; ***to be ~ practice*** üblich sein **2.** LING (allgemein) gebräuchlich; ***~ English*** korrektes Englisch; ***~ German*** Hochdeutsch *nt* **standard class** *n* RAIL zweite Klasse **standardization** *n* (*of style*, *approach*) Vereinheitlichung *f*; (*of format*, *sizes*) Standardisierung *f* **standardize** *v/t approach* vereinheitlichen; *format* standardisieren **standard lamp** *n* Stehlampe *f*

stand-by I *n* **1.** (≈ *person*) Ersatzperson *f*; (≈ *thing*) Reserve *f*; (≈ *ticket*) Stand-by--Ticket *nt* **2.** ***on ~*** in Bereitschaft **II** *adj attr* Reserve-, Ersatz-; ***~ ticket*** Stand-by-Ticket *nt* **stand-in** *n* Ersatz *m* **standing I** *n* **1.** (*social*) Rang *m*, Stellung *f*; (*professional*) Position *f* **2.** (≈ *repute*) Ruf *m* **3.** (≈ *duration*) Dauer *f*; ***her husband of five years' ~*** ihr Mann, mit dem sie seit fünf Jahren verheiratet ist **II** *adj attr* **1.** (≈ *permanent*) ständig; *army* stehend; ***it's a ~ joke*** das ist schon zu einem Witz geworden **2.** (≈ *from a standstill*) aus dem Stand; ***~ room only*** nur Stehplätze; ***to give sb a ~ ovation*** jdm eine stehende Ovation darbringen **standing charge** *n* Grundgebühr *f* **standing order** *n* (*Br* FIN) Dauerauftrag *m*; ***to pay sth by ~*** etw per Dauerauftrag bezahlen **standing stone** *n* Menhir *m* **standoff** *n* Patt *nt* **standoffish** *adj*, **standoffishly**

adv (*infml*) distanziert **standpoint** *n* Standpunkt *m*; ***from the ~ of the teacher*** vom Standpunkt des Lehrers (aus) gesehen **standstill** *n* Stillstand *m*; ***to be at a ~*** (*traffic*) stillstehen; (*factory*) ruhen; ***to bring production to a ~*** die Produktion lahmlegen *or* zum Erliegen bringen; ***to come to a ~*** (*person*) stehen bleiben; (*vehicle*) zum Stehen kommen; (*traffic*) zum Stillstand kommen; (*industry etc*) zum Erliegen kommen **stand-up** *adj attr* ***~ comedian*** Bühnenkomiker(in) *m*(*f*); ***~ comedy*** Stand-up Comedy *f*

stank *pret of* ***stink***

stanza *n* Strophe *f*

staple[1] **I** *n* Klammer *f*; (*for paper*) Heftklammer *f* **II** *v/t* heften

staple[2] **I** *adj* Haupt- **II** *n* **1.** (≈ *product*) Hauptartikel *m* **2.** (≈ *food*) Hauptnahrungsmittel *nt*

stapler *n* Heftgerät *nt*

star I *n* **1.** Stern *m*; ***the Stars and Stripes*** das Sternenbanner; ***you can thank your lucky ~s that ...*** Sie können von Glück sagen, dass ... **2.** (≈ *person*) Star *m* **II** *adj attr* Haupt-; ***~ player*** Star *m* **III** *v/t* FILM *etc* ***to ~ sb*** jdn in der Hauptrolle zeigen; ***a film ~ring Greta Garbo*** ein Film mit Greta Garbo (in der Hauptrolle) **IV** *v/i* FILM *etc* die Hauptrolle spielen

starboard I *n* Steuerbord *nt* **II** *adj* Steuerbord- **III** *adv* (nach) Steuerbord

starch I *n* Stärke *f* **II** *v/t* stärken

stardom *n* Ruhm *m*

stare I *n* (starrer) Blick **II** *v/t* ***the answer was staring us in the face*** die Antwort lag klar auf der Hand; ***to ~ defeat in the face*** der Niederlage ins Auge blicken **III** *v/i* (*vacantly etc*) (vor sich hin) starren; (*in surprise*) große Augen machen; ***to ~ at sb/sth*** jdn/etw anstarren

starfish *n* Seestern *m* **star fruit** *n* Sternfrucht *f*

staring *adj* starrend *attr*; ***~ eyes*** starrer Blick

stark I *adj* (+*er*) *contrast* krass; *reality* nackt; *choice* hart; *landscape* kahl **II** *adv* ***~ raving mad*** (*infml*) total verrückt (*infml*); ***~ naked*** splitter(faser)nackt (*infml*)

starlight *n* Sternenlicht *nt*

starling *n* Star *m*

starlit *adj* stern(en)klar **starry** *adj* (+*er*) *night* stern(en)klar; ***~ sky*** Sternenhimmel *m* **star sign** *n* Sternzeichen *nt* **star-spangled banner** *n* ***The Star-Spangled Banner*** das Sternenbanner **star-studded** *adj* (*fig*) ***~ cast*** Starbesetzung *f*

start[1] **I** *n* ***to give a ~*** zusammenfahren; ***to give sb a ~*** jdn erschrecken; ***to wake with a ~*** aus dem Schlaf hochschrecken **II** *v/i* zusammenfahren

start[2] **I** *n* **1.** (≈ *beginning*) Beginn *m*, Anfang *m*; (≈ *departure*) Aufbruch *m*; (*bei Rennen*) Start *m*; (*of trouble*, *journey*) Ausgangspunkt *m*; ***for a ~*** fürs Erste; (≈ *firstly*) zunächst einmal; ***from the ~*** von Anfang an; ***from ~ to finish*** von Anfang bis Ende; ***to get off to a good ~*** gut vom Start wegkommen; (*fig*) einen glänzenden Start haben; ***to make a ~ (on sth)*** (mit etw) anfangen **2.** (≈ *advantage*, SPORTS) Vorsprung *m* (*over* vor +*dat*) **II** *v/t* **1.** (≈ *begin*) anfangen mit; *argument*, *career* beginnen; *new job*, *journey* antreten; ***to ~ work*** anfangen zu arbeiten **2.** *race*, *machine* starten; *conversation*, *fight* anfangen; *engine* anlassen; *fire* legen; *enterprise* gründen **III** *v/i* anfangen, beginnen; (*engine*) starten; ***~ing from Tuesday*** ab Dienstag; ***to ~ (off) with*** (≈ *firstly*) erstens; (≈ *at the beginning*) zunächst; ***I'd like soup to ~ (off) with*** ich möchte erst mal eine Suppe; ***to get ~ed*** anfangen; (*on journey*) aufbrechen; ***to ~ on a task/journey*** sich an eine Aufgabe/auf eine Reise machen; ***to ~ talking*** *or* ***to talk*** zu sprechen beginnen; ***he ~ed by saying ...*** er sagte zunächst ... ◆ **start back** *v/i* sich auf den Rückweg machen ◆ **start off I** *v/i* (≈ *begin*) anfangen; (*on journey*) aufbrechen; ***to ~ with*** = ***start***[2] III **II** *v/t sep* anfangen; ***that started the dog off (barking)*** da fing der Hund an zu bellen; ***to start sb off on sth*** jdn auf etw (*acc*) bringen; ***a few stamps to start you off*** ein paar Briefmarken für den Anfang ◆ **start out** *v/i* (≈ *begin*) anfangen; (≈ *on journey*) aufbrechen (*for* nach) ◆ **start up I** *v/i* (≈ *begin*) anfangen; (*machine*) angehen (*infml*); (*motor*) anspringen **II** *v/t sep* **1.** (≈ *switch on*) anmachen (*infml*) **2.** (≈ *begin*) eröffnen; *conversation* anknüpfen

starter *n* **1.** SPORTS Starter(in) *m*(*f*) **2.** (*Br infml* ≈ *first course*) Vorspeise *f* **3.** ***for ~s*** (*infml*) für den Anfang (*infml*) **starting gun** *n* Startpistole *f* **starting point** *n*

Ausgangspunkt *m*
startle *v/t* erschrecken **startling** *adj news* überraschend; (≈ *bad*) alarmierend; *coincidence, change* erstaunlich; *discovery* sensationell
start-up *n* **~ *costs*** Startkosten *pl*
starvation *n* Hunger *m*; ***to die of ~*** verhungern **starve I** *v/t* **1.** hungern lassen; (*a.* **starve out**) aushungern; (*a.* **starve to death**) verhungern lassen; ***to ~ oneself*** hungern **2.** (*fig*) ***to ~ sb of sth*** jdm etw vorenthalten **II** *v/i* hungern; (*a.* **starve to death**) verhungern; ***you must be starving!*** du musst doch halb verhungert sein! (*infml*) **starving** *adj* (*lit*) hungernd *attr*; (*fig*) hungrig
stash *v/t* (*infml*: *a.* **stash away**) bunkern (*sl*); *money* beiseiteschaffen
state I *n* **1.** (≈ *condition*) Zustand *m*; ***~ of mind*** Geisteszustand *m*; ***the present ~ of the economy*** die gegenwärtige Wirtschaftslage; ***he's in no (fit) ~ to do that*** er ist auf gar keinen Fall in der Verfassung, das zu tun; ***what a ~ of affairs!*** was sind das für Zustände!; ***look at the ~ of your hands!*** guck dir bloß mal deine Hände an!; ***the room was in a terrible ~*** im Zimmer herrschte ein fürchterliches Durcheinander; ***to get into a ~ (about sth)*** (*infml*) wegen etw durchdrehen (*infml*); ***to be in a terrible ~*** (*infml*) in heller Aufregung *or* ganz durchgedreht (*infml*) sein; ***to lie in ~*** (feierlich) aufgebahrt sein **2.** POL Staat *m*; (≈ *federal state*) (Bundes)staat *m*; (*in Germany, Austria*) (Bundes)land *nt*; ***the States*** die (Vereinigten) Staaten; ***the State of Florida*** der Staat Florida **II** *v/t* darlegen; *name, purpose* angeben; ***to ~ that ...*** erklären, dass ...; ***to ~ one's case*** seine Sache vortragen; ***as ~d in my letter I ...*** wie in meinem Brief erwähnt, ... ich ... **state** *in cpds* Staats-; *control, industry* staatlich; (*US etc*) bundesstaatlich **stated** *adj* **1.** (≈ *declared*) genannt **2.** (≈ *fixed*) fest(gesetzt) **State Department** *n* (*US*) Außenministerium *nt* **state education** *n* staatliche Erziehung **state-funded** *adj* staatlich finanziert **state funding** *n* staatliche Finanzierung **statehouse** *n* (*US*) Parlamentsgebäude *nt* **stateless** *adj* staatenlos **stately** *adj* (*+er*) *person* würdevoll; ***~ home*** herrschaftliches Anwesen
statement *n* **1.** (*of thesis etc*) Darstellung *f*; (*of problem*) Darlegung *f* **2.** (≈ *claim*) Behauptung *f*; (≈ *official*) Erklärung *f*; (*to police*) Aussage *f*; ***to make a ~ to the press*** eine Presseerklärung abgeben **3.** (FIN: *a.* **bank statement**) Kontoauszug *m*
state-of-the-art *adj* hochmodern; ***~ technology*** Spitzentechnologie *f* **state-owned** *adj* staatseigen **state school** *n* (*Br*) öffentliche Schule **state secret** *n* Staatsgeheimnis *nt* **stateside** (*US infml*) **I** *adj* in den Staaten (*infml*) **II** *adv* nach Hause **statesman** *n, pl* **-men** Staatsmann *m* **statesmanlike** *adj* staatsmännisch **statesmanship** *n* Staatskunst *f* **stateswoman** *n, pl* **-women** Staatsmännin *f*
static I *adj* statisch; (≈ *not moving*) konstant; ***~ electricity*** statische Aufladung **II** *n* PHYS Reibungselektrizität *f*
station *n* **1.** Station *f*; (≈ *police station*) Wache *f*, Wachzimmer *nt* (*Aus*) **2.** (≈ *railway station, bus station*) Bahnhof *m* **3.** RADIO, TV Sender *m* **4.** (≈ *position*) Platz *m* **5.** (≈ *rank*) Rang *m*
stationary *adj* parkend *attr*, haltend *attr*; ***to be ~*** (*traffic*) stillstehen
stationer *n* Schreibwarenhändler(in) *m(f)* **stationery** *n* Schreibwaren *pl*
station house *n* (*US* POLICE) (Polizei)wache *f*, Wachzimmer *nt* (*Aus*) **stationmaster** *n* Bahnhofsvorsteher(in) *m(f)* **station wagon** *n* (*US*) Kombi(wagen) *m*
statistic *n* Statistik *f* **statistical** *adj*, **statistically** *adv* statistisch **statistics** *n* **1.** *sg* Statistik *f* **2.** *pl* (≈ *data*) Statistiken *pl*
statue *n* Statue *f*; ***Statue of Liberty*** Freiheitsstatue *f* **statuesque** *adj* standbildhaft
stature *n* **1.** Wuchs *m*; (*esp of man*) Statur *f*; ***of short ~*** von kleinem Wuchs **2.** (*fig*) Format *nt*
status *n* Stellung *f*; ***equal ~*** Gleichstellung *f*; ***marital ~*** Familienstand *m* **status quo** *n* Status quo *m* **status symbol** *n* Statussymbol *nt*
statute *n* Gesetz *nt*; (*of organization*) Satzung *f* **statute book** *n* (*esp Br*) Gesetzbuch *nt* **statutory** *adj* gesetzlich; (*in organization*) satzungsgemäß; *right* verbrieft
staunch[1] *adj* (*+er*) *ally* unerschütterlich; *Catholic* überzeugt; *support* standhaft
staunch[2] *v/t flow* stauen; *bleeding* stillen
staunchly *adv* treu; *defend* standhaft;

Catholic streng

stave *n* **1.** (≈ *stick*) Knüppel *m* **2.** MUS Notenlinien *pl* ◆ **stave off** *v/t sep attack* zurückschlagen; *threat* abwehren; *defeat* abwenden

stay I *n* Aufenthalt *m* **II** *v/t* ***to ~ the night*** übernachten **III** *v/i* **1.** (≈ *remain*) bleiben; ***to ~ for*** *or* ***to supper*** zum Abendessen bleiben **2.** (≈ *reside*) wohnen; (*at hostel etc*) übernachten; ***to ~ at a hotel*** im Hotel übernachten; ***I ~ed in Italy for a few weeks*** ich habe mich ein paar Wochen in Italien aufgehalten; ***when I was ~ing in Italy*** als ich in Italien war; ***he is ~ing at Chequers for the weekend*** er verbringt das Wochenende in Chequers; ***my brother came to ~*** mein Bruder ist zu Besuch gekommen ◆ **stay away** *v/i* (*from* von) wegbleiben; (*from person*) sich fernhalten ◆ **stay behind** *v/i* zurückbleiben; (SCHOOL: *as punishment*) nachsitzen ◆ **stay down** *v/i* (≈ *keep down*) unten bleiben; SCHOOL wiederholen ◆ **stay in** *v/i* (*at home*) zu Hause bleiben; (*in position*) drinbleiben ◆ **stay off** *v/i +prep obj* ***to ~ school*** nicht zur Schule gehen ◆ **stay on** *v/i* (*lid etc*) draufbleiben; (*light*) anbleiben; ***to ~ at school*** (in der Schule) weitermachen ◆ **stay out** *v/i* draußen bleiben; (≈ *not come home*) wegbleiben; ***to ~ of sth*** sich aus etw heraushalten; ***he never managed to ~ of trouble*** er war dauernd in Schwierigkeiten ◆ **stay up** *v/i* **1.** (*person*) aufbleiben **2.** (*tent*) stehen bleiben; (*picture*) hängen bleiben; ***his trousers won't ~*** seine Hosen rutschen immer

St Bernard *n* Bernhardiner *m*

STD 1. (*Br* TEL) *abbr of* ***subscriber trunk dialling*** der Selbstwählferndienst **2.** *abbr of* ***sexually transmitted disease*** **STD code** *n* Vorwahl(nummer) *f*

stead *n* ***to stand sb in good ~*** jdm zugutekommen **steadfast** *adj* fest

steadily *adv* **1.** (≈ *firmly*) ruhig **2.** (≈ *constantly*) ständig; *rain* ununterbrochen; ***the atmosphere in the country is getting ~ more tense*** die Stimmung im Land wird immer gespannter **3.** (≈ *reliably*) zuverlässig **4.** (≈ *regularly*) gleichmäßig

steady I *adj* (*+er*) **1.** *hand* ruhig; *voice*, *job*, *boyfriend* fest; ***to hold sth ~*** etw ruhig halten; *ladder* etw festhalten **2.** *progress* kontinuierlich; *drizzle* ununterbrochen; *income* geregelt; ***at a ~ pace*** in gleichmäßigem Tempo **3.** (≈ *reliable*) zuverlässig **II** *adv* ***~!*** (≈ *carefully*) vorsichtig!; ***to go ~*** (***with sb***) (*infml*) mit jdm (fest) gehen (*infml*) **III** *v/t nerves* beruhigen; ***to ~ oneself*** festen Halt finden

steak *n* Steak *nt*; (*of fish*) Filet *nt*

steal *vb*: *pret* **stole**, *past part* **stolen I** *v/t* stehlen; ***to ~ sth from sb*** jdm etw stehlen; ***to ~ the show*** die Schau stehlen; ***to ~ a glance at sb*** verstohlen zu jdm hinschauen **II** *v/i* **1.** (≈ *thieve*) stehlen **2.** ***to ~ away*** *or* ***off*** sich weg- *or* davonstehlen; ***to ~ up on sb*** sich an jdn heranschleichen

stealth *n* List *f*; ***by ~*** durch List **stealthily** *adv* verstohlen **stealthy** *adj* (*+er*) verstohlen

steam I *n* Dampf *m*; ***full ~ ahead*** NAUT volle Kraft voraus; ***to get pick up ~*** (*fig*) in Schwung kommen; ***to let off ~*** Dampf ablassen; ***to run out of ~*** (*fig*) Schwung verlieren **II** *v/t* dämpfen **III** *v/i* dampfen ◆ **steam up I** *v/t sep window* beschlagen lassen; ***to be*** (***all***) ***steamed up*** (ganz) beschlagen sein; (*fig infml*) (ganz) aufgeregt sein **II** *v/i* beschlagen

steamboat *n* Dampfschiff *nt* **steam engine** *n* Dampflok *f* **steamer** *n* **1.** (≈ *ship*) Dampfer *m* **2.** COOK Dampf(koch)topf *m* **steam iron** *n* Dampfbügeleisen *nt* **steamroller** *n* Dampfwalze *f* **steamship** *n* Dampfschiff *nt* **steamy** *adj* (*+er*) dampfig; (*fig*) *affair* heiß

steel I *n* Stahl *m* **II** *adj attr* Stahl- **III** *v/t* ***to ~ oneself*** sich wappnen (*for* gegen); ***to ~ oneself to do sth*** allen Mut zusammennehmen, um etw zu tun **steel band** *n* Steelband *f* **steely** *adj* (*+er*) *expression* hart

steep[1] *adj* (*+er*) **1.** steil; ***it's a ~ climb*** es geht steil hinauf **2.** (*fig infml*) *price* unverschämt

steep[2] *v/t* **1.** (*in liquid*) eintauchen; *washing* einweichen **2.** (*fig*) ***to be ~ed in sth*** von etw durchdrungen sein; ***~ed in history*** geschichtsträchtig

steepen *v/i* (*slope*) steiler werden; (*ground*) ansteigen

steeple *n* Kirchturm *m* **steeplechase** *n* (*for horses*) Hindernisrennen *nt*; (*for runners*) Hindernislauf *m*

steepness *n* Steilheit *f*

steer[1] I *v/t* lenken; *ship* steuern **II** *v/i* (*in*

car) lenken; (*in ship*) steuern
steer² *n* junger Ochse
steering *n* (*in car etc*) Lenkung *f* **steering wheel** *n* Steuer(rad) *nt*
stellar *adj* stellar
stem I *n* (*of plant, glass*) Stiel *m*; (*of shrub, word*) Stamm *m*; (*of grain*) Halm *m* **II** *v/t* (≈ *stop*) aufhalten **III** *v/i* ***to ~ from sth*** von etw herrühren; (≈ *have as origin*) aus etw (her)stammen **stem cell** *n* BIOL, MED Stammzelle *f*
stench *n* Gestank *m*
stencil *n* Schablone *f*
step I *n* **1.** (≈ *pace, move*) Schritt *m*; ***to take a ~*** einen Schritt machen; ***~ by ~*** Schritt für Schritt; ***to watch one's ~*** achtgeben; ***to be one ~ ahead of sb*** (*fig*) jdm einen Schritt voraus sein; ***to be in ~*** (*lit*) im Gleichschritt sein; (*fig*) im Gleichklang sein; ***to be out of ~*** (*lit*) nicht im Tritt sein; (*fig*) nicht im Gleichklang sein; ***the first ~ is to form a committee*** als Erstes muss ein Ausschuss gebildet werden; ***that would be a ~ back/in the right direction for him*** das wäre für ihn ein Rückschritt / ein Schritt in die richtige Richtung; ***to take ~s to do sth*** Maßnahmen ergreifen, (um) etw zu tun **2.** (≈ *stair*) Stufe *f*; (*in process*) Abschnitt *m*; ***~s*** (*outdoors*) Treppe *f*, Stiege *f* (*Aus*); ***mind the ~*** Vorsicht Stufe **3. steps** *pl* (*Br* ≈ *stepladder*) Trittleiter *f* **II** *v/i* gehen; ***to ~ into/out of sth*** in etw (*acc*)/aus etw treten; ***to ~ on(to) sth*** *train* in etw (*acc*) steigen; *platform* auf etw (*acc*) steigen; ***to ~ on sth*** auf etw (*acc*) treten; ***he ~ped on my foot*** er ist mir auf den Fuß getreten; ***to ~ inside/outside*** hinein-/hinaustreten; ***~ on it!*** (*in car*) gib Gas! ◆ **step aside** *v/i* **1.** (*lit*) zur Seite treten **2.** (*fig*) Platz machen ◆ **step back** *v/i* (*lit*) zurücktreten ◆ **step down** *v/i* **1.** (*lit*) hinabsteigen **2.** (*fig* ≈ *resign*) zurücktreten ◆ **step forward** *v/i* vortreten; (*fig*) sich melden ◆ **step in** *v/i* **1.** (*lit*) eintreten (*-to, +prep obj* in *+acc*) **2.** (*fig*) eingreifen ◆ **step off** *v/i +prep obj* (*off bus*) aussteigen (*prep obj* aus); ***to ~ the pavement*** vom Bürgersteig treten ◆ **step up I** *v/t sep* steigern; *campaign, search* verstärken; *pace* erhöhen **II** *v/i* ***to ~ to sb*** auf jdn zugehen / zukommen; ***he stepped up onto the stage*** er trat auf die Bühne
step- *pref* Stief-; ***stepbrother*** Stiefbruder *m*
stepladder *n* Trittleiter *f* **step machine** *n* SPORTS Stepper *m* **stepping stone** *n* (Tritt)stein *m*; (*fig*) Sprungbrett *nt*
stereo I *n* Stereo *nt*; (≈ *stereo system*) Stereoanlage *f* **II** *adj* Stereo-
stereotype I *n* (*fig*) Klischee(vorstellung *f*) **II** *attr* stereotyp **stereotyped** *adj*, **stereotypical** *adj* stereotyp
sterile *adj* steril; *soil* unfruchtbar **sterility** *n* (*of animal, soil*) Unfruchtbarkeit *f*; (*of person also*) Sterilität *f* **sterilization** *n* Sterilisation *f* **sterilize** *v/t* sterilisieren
sterling I *adj* **1.** FIN Sterling-; ***in pounds ~*** in Pfund Sterling **2.** (*fig*) gediegen **II** *n no art* das Pfund Sterling; ***in ~*** in Pfund Sterling
stern¹ *n* NAUT Heck *nt*
stern² *adj* (*+er*) (≈ *strict*) streng; *test* hart **sternly** *adv say, rebuke* ernsthaft; *look* streng
steroid *n* Steroid *nt*
stethoscope *n* Stethoskop *nt*
stew I *n* **1.** Eintopf *m* **2.** (*infml*) ***to be in a ~ (over sth)*** (über etw (*acc*) *or* wegen etw) (ganz) aufgeregt sein **II** *v/t meat* schmoren; *fruit* dünsten **III** *v/i* ***to let sb ~*** jdn (im eigenen Saft) schmoren lassen
steward *n* Steward *m*; (*on estate etc*) Verwalter(in) *m(f)*; (*at meeting*) Ordner(in) *m(f)*
stewardess *n* Stewardess *f*
stick¹ *n* **1.** Stock *m*, Stecken *m* (*esp Aus, Swiss*); (≈ *twig*) Zweig *m*; (≈ *hockey stick*) Schläger *m*; ***to give sb/sth some/a lot of ~*** (*Br infml*) jdn / etw heruntermachen (*infml*) *or* herunterputzen (*infml*); ***to get the wrong end of the ~*** (*fig infml*) etw falsch verstehen; ***in the ~s*** in der hintersten Provinz **2.** (*of celery etc*) Stange *f*
stick² *pret, past part* **stuck I** *v/t* **1.** (*with glue etc*) kleben, picken (*Aus*) **2.** (≈ *pin*) stecken **3.** *knife* stoßen; ***he stuck a knife into her arm*** er stieß ihr ein Messer in den Arm **4.** (*infml* ≈ *put*) tun (*infml*); (*esp in sth*) stecken (*infml*); ***~ it on the shelf*** tus ins Regal; ***he stuck his head round the corner*** er steckte seinen Kopf um die Ecke **II** *v/i* **1.** (*glue etc*) kleben (*to* an *+dat*), picken (*to* an *+dat*) (*Aus*); ***the name seems to have stuck*** der Name scheint ihm / ihr geblieben zu sein **2.** (≈ *become caught*) stecken

bleiben; (*drawer*) klemmen **3.** (*sth pointed*) stecken (*in* in +*dat*); ***it stuck in my foot*** das ist mir im Fuß stecken geblieben **4.** ***his toes are ~ing through his socks*** seine Zehen kommen durch die Socken **5.** (≈ *stay*) bleiben; ***to ~ in sb's mind*** jdm im Gedächtnis bleiben ◆ **stick around** *v/i* (*infml*) dableiben; ***~!*** warts ab! ◆ **stick at** *v/i +prep obj* (≈ *persist*) bleiben an (+*dat*) (*infml*); ***to ~ it*** dranbleiben (*infml*) ◆ **stick by** *v/i +prep obj sb* halten zu; *rules* sich halten an ◆ **stick down** *v/t sep* **1.** (≈ *glue*) ankleben; *envelope* zukleben **2.** (*infml* ≈ *put down*) abstellen ◆ **stick in** *v/t sep* (≈ *glue, put in*) hineinstecken; *knife etc* hineinstechen; ***to stick sth in(to) sth*** etw in etw (*acc*) stecken; *knife* mit etw in etw (*acc*) stechen ◆ **stick on** *v/t sep* **1.** *label* aufkleben (*prep obj* auf +*acc*) **2.** (≈ *add*) draufschlagen; (+*prep obj*) aufschlagen auf (+*acc*) ◆ **stick out** **I** *v/i* vorstehen (*of* aus); (*ears*) abstehen; (*fig* ≈ *be noticeable*) auffallen **II** *v/t sep* herausstrecken ◆ **stick to** *v/i +prep obj* **1.** (≈ *adhere to*) bleiben bei; *principles etc* treu bleiben (+*dat*); (≈ *follow*) *rules, diet* sich halten an (+*acc*) **2.** *task* bleiben an (+*dat*) ◆ **stick together** *v/i* (*fig: partners etc*) zusammenhalten ◆ **stick up** **I** *v/t sep* **1.** (*with tape etc*) zukleben **2.** (*infml*) ***stick 'em up!*** Hände hoch!; ***three pupils stuck up their hands*** drei Schüler meldeten sich **II** *v/i* (*nail etc*) vorstehen; (*hair*) abstehen; (*collar*) hochstehen ◆ **stick up for** *v/i +prep obj* eintreten für; ***to ~ oneself*** sich behaupten ◆ **stick with** *v/i +prep obj* bleiben bei

sticker *n* (≈ *label*) Aufkleber *m*, Pickerl *nt* (*Aus*); (≈ *price sticker*) Klebeschildchen *nt*

stickler *n* ***to be a ~ for sth*** es mit etw peinlich genau nehmen

stick-up *n* (*infml*) Überfall *m* **sticky** *adj* (+*er*) **1.** klebrig; *atmosphere* schwül; (≈ *sweaty*) *hands* verschwitzt; ***~ tape*** (*Br*) Klebeband *nt* **2.** (*fig infml*) *situation* heikel; ***to go through a ~ patch*** eine schwere Zeit durchmachen; ***to come to a ~ end*** ein böses Ende nehmen

stiff *adj* (+*er*) steif; *paste* fest; *opposition, drink* stark; *brush, competition* hart; *test* schwierig; *price* hoch; *door* klemmend; ***to be (as) ~ as a board*** *or* ***poker*** steif wie ein Brett sein **stiffen** (*a.* **stiffen up**) **I** *v/t* steif machen **II** *v/i* steif werden

stifle **I** *v/t* ersticken; (*fig*) unterdrücken **II** *v/i* ersticken **stifling** *adj* **1.** *heat* drückend; ***it's ~ in here*** es ist ja zum Ersticken hier drin (*infml*) **2.** (*fig*) beengend

stigma *n, pl* **-s** Stigma *nt* **stigmatize** *v/t* ***to ~ sb as sth*** jdn als etw brandmarken

stile *n* (Zaun)übertritt *m*

stiletto *n* Schuh *m* mit Pfennigabsatz

still[1] **I** *adj, adv* (+*er*) **1.** (≈ *motionless*) bewegungslos; *waters* ruhig; ***to keep ~*** stillhalten; ***to hold sth ~*** etw ruhig halten; ***to lie ~*** still *or* reglos daliegen; ***time stood ~*** die Zeit stand still **2.** (≈ *quiet*) still; ***be ~!*** (*US*) sei still! **II** *adj drink* ohne Kohlensäure **III** *n* FILM Standfoto *nt*

still[2] **I** *adv* **1.** noch; (*for emphasis, in negative*) immer noch; ***is he ~ coming?*** kommt er noch?; ***do you mean you ~ don't believe me?*** willst du damit sagen, dass du mir immer noch nicht glaubst?; ***it ~ hasn't come*** es ist immer noch nicht gekommen; ***there are ten weeks ~ to go*** es bleiben noch zehn Wochen; ***worse ~, ...*** schlimmer noch, ... **2.** (*infml* ≈ *nevertheless*) trotzdem; ***~, it was worth it*** es hat sich trotzdem gelohnt; ***~, he's not a bad person*** na ja, er ist eigentlich kein schlechter Mensch **II** *cj* (und) dennoch

stillbirth *n* Totgeburt *f*, Fehlgeburt *f* **stillborn** *adj* tot geboren; ***the child was ~*** das Kind kam tot zur Welt **still life** *n, pl* ***still lifes*** Stillleben *nt* **stillness** *n* **1.** (≈ *motionlessness*) Unbewegtheit *f*; (*of person*) Reglosigkeit *f* **2.** (≈ *quietness*) Stille *f*

stilt *n* Stelze *f* **stilted** *adj* gestelzt

stimulant *n* Anregungsmittel *nt* **stimulate** *v/t body, mind* anregen; (*sexually*) erregen; (*fig*) *person* animieren; (*intellectually*) *growth* stimulieren; *economy* ankurbeln **stimulating** *adj* anregend; *music* belebend; (*mentally*) stimulierend **stimulation** *n* **1.** (≈ *act*) Anregung *f*; (*intellectual*) Stimulation *f*; (≈ *state, sexual*) Erregung *f* **2.** (*of economy*) Ankurbelung *f* (*to* +*gen*) **stimulus** *n, pl* ***stimuli*** Anreiz *m*; PHYSIOL Reiz *m*

sting *vb: pret, past part* **stung** **I** *n* **1.** (≈ *organ*) Stachel *m*; ***to take the ~ out of sth*** etw entschärfen; ***to have a ~ in its tail*** (*story, film*) ein unerwartet fatales Ende nehmen; (*remark*) gesalzen sein **2.** (≈ *act, wound*) Stich *m* **3.** (≈ *pain, from nee-*

dle etc) Stechen *nt*; (*from nettle*) Brennen *nt* **II** *v/t* (*insect*) stechen; (*jellyfish*) verbrennen; ***she was stung by the nettles*** sie hat sich an den Nesseln verbrannt; ***to ~ sb into action*** jdn aktiv werden lassen **III** *v/i* **1.** (*insect*) stechen; (*nettle, jellyfish etc*) brennen **2.** (*comments*) schmerzen **stinging** *adj pain, blow, comment* stechend; *cut, ointment* brennend; *rain* peitschend; *attack* scharf

stinging nettle *n* Brennnessel *f*

stingy *adj* (*+er*) (*infml*) *person* knauserig (*infml*); *sum* popelig (*infml*)

stink *vb*: *pret* ***stank***, *past part* ***stunk*** **I** *n* **1.** Gestank *m* (*of* nach) **2.** (*infml* ≈ *fuss*) Stunk *m* (*infml*); ***to kick up*** *or* ***make a ~*** Stunk machen (*infml*) **II** *v/i* stinken

stinking I *adj* **1.** (*lit*) stinkend **2.** (*infml*) beschissen (*infml*) **II** *adv* (*infml*) ***~ rich*** (*Br*) stinkreich (*infml*) **stinky** *adj* (*+er*) (*infml*) stinkend

stint I *n* (≈ *allotted work*) Aufgabe *f*; (≈ *share*) Anteil *m* (*of* an *+dat*); ***a 2-hour ~*** eine 2-Stunden Schicht; ***he did a five--year ~ on the oil rigs*** er hat fünf Jahre auf Ölplattformen gearbeitet; ***would you like to do a ~ at the wheel?*** wie wärs, wenn du auch mal fahren würdest? **II** *v/i* ***to ~ on sth*** mit etw sparen *or* knausern

stipend *n* (*esp Br*: *for official*) Gehalt *nt*; (*US*: *for student*) Stipendium *nt*

stipulate *v/t* **1.** (≈ *demand*) zur Auflage machen **2.** *amount, price* festsetzen; *quantity* vorschreiben

stir I *n* **1.** (*lit*) Rühren *nt*; ***to give sth a ~*** etw rühren; *tea etc* etw umrühren **2.** (*fig* ≈ *excitement*) Aufruhr *m*; ***to cause a ~*** Aufsehen erregen **II** *v/t* **1.** *tea* umrühren; *cake mixture* rühren **2.** (≈ *move*) bewegen **3.** (*fig*) *emotions* aufwühlen; *imagination* anregen **III** *v/i* (≈ *move*) sich regen; (*leaves, animal*) sich bewegen ◆ **stir up** *v/t sep* **1.** *liquid* umrühren **2.** (*fig*) erregen; *the past* wachrufen; *opposition* entfachen; ***to ~ trouble*** Unruhe stiften

stir-fry I *n* Stirfrygericht *nt* **II** *v/t* (unter Rühren) kurz anbraten **stirring** *adj* bewegend; (*stronger*) aufwühlend

stirrup *n* Steigbügel *m*

stitch I *n* **1.** Stich *m*; (*in knitting etc*) Masche *f*; (≈ *kind of stitch*) Muster *nt*; ***to need ~es*** MED genäht werden müssen **2.** (≈ *pain*) Seitenstiche *pl*; ***to be in ~es*** (*infml*) sich schieflachen (*infml*) **II** *v/t* SEWING, MED nähen **III** *v/i* nähen (*at* an *+dat*) ◆ **stitch up** *v/t sep* **1.** *seam, wound* nähen **2.** (*Br infml* ≈ *frame*) ***I've been stitched up*** man hat mich reingelegt (*infml*)

stitching *n* **1.** (≈ *seam*) Naht *f* **2.** (≈ *embroidery*) Stickerei *f*

stoat *n* Wiesel *nt*

stock I *n* **1.** (≈ *supply*) Vorrat *m* (*of* an *+dat*); COMM Bestand *m* (*of* an *+dat*); ***to have sth in ~*** etw vorrätig haben; ***to be in ~/out of ~*** vorrätig / nicht vorrätig sein; ***to keep sth in ~*** etw auf Vorrat haben; ***to take ~ of sth*** *of one's life* Bilanz aus etw ziehen **2.** (≈ *livestock*) Viehbestand *m* **3.** COOK Brühe *f* **4.** FIN ***~s and shares*** (Aktien und) Wertpapiere *pl* **II** *adj attr* (COMM, *fig*) Standard- **III** *v/t* **1.** *goods* führen **2.** *cupboard* füllen; *shop* ausstatten ◆ **stock up I** *v/i* sich eindecken (*on* mit); ***I must ~ on rice, I've almost run out*** mein Reis ist fast alle, ich muss meinen Vorrat auffüllen **II** *v/t sep shop, larder etc* auffüllen

stockbroker *n* Börsenmakler(in) *m(f)* **stock company** *n* FIN Aktiengesellschaft *f* **stock control** *n* Lager(bestands)kontrolle *f* **stock cube** *n* Brühwürfel *m* **stock exchange** *n* Börse *f*

stockholder *n* (*US*) Aktionär(in) *m(f)*

stockily *adv* ***~ built*** stämmig

stocking *n* Strumpf *m*; (*knee-length*) Kniestrumpf *m*; ***in one's ~(ed) feet*** in Strümpfen

stockist *n* (*Br*) (Fach)händler(in) *m(f)*; (≈ *shop*) Fachgeschäft *nt* **stock market** *n* Börse *f* **stockpile I** *n* Vorrat *m* (*of* an *+dat*); (*of weapons*) Lager *nt* **II** *v/t* Vorräte an (*+dat*) ... anlegen **stock room** *n* Lager *nt* **stocktaking** *n* Inventur *f*

stocky *adj* (*+er*) stämmig

stockyard *n* Schlachthof *m*

stodgy *adj* (*+er*) *food* schwer

stoical *adj*, **stoically** *adv* stoisch **stoicism** *n* (*fig*) stoische Ruhe, Gleichmut *m*

stoke *v/t fire* schüren

stole[1] *n* Stola *f*

stole[2] *pret of* ***steal*** **stolen I** *past part of* ***steal*** **II** *adj* gestohlen; ***to receive ~ goods*** Hehler *m* sein

stomach *n* Magen *m*; (≈ *belly*) Bauch *m*; (*fig* ≈ *appetite*) Lust *f* (*for* auf *+acc*); ***to lie on one's ~*** auf dem Bauch liegen; ***to***

have a pain in one's ~ Magen-/Bauchschmerzen haben; ***on an empty ~*** *take medicine etc* auf leeren Magen **stomach ache** *n* Magenschmerzen *pl* **stomach upset** *n* Magenverstimmung *f*

stomp *v/i* stapfen

stone I *n* **1.** Stein *m*; ***a ~'s throw from ...*** nur einen Katzensprung von ...; ***to leave no ~ unturned*** nichts unversucht lassen **2.** (*Br* ≈ *weight*) *britische Gewichtseinheit = 6,35 kg* **II** *adj* Stein-, aus Stein **III** *v/t* **1.** (≈ *kill*) steinigen **2.** (*infml*) ***to be ~d*** total zu sein (*infml*) **Stone Age** *n* Steinzeit *f* **stone-broke** *adj* (*US infml*) völlig abgebrannt (*infml*) **stone circle** *n* (*Br*) Steinkreis *m* **stone-cold I** *adj* eiskalt **II** *adv* ***~ sober*** stocknüchtern (*infml*) **stone-deaf** *adj* stocktaub (*infml*) **stonemason** *n* Steinmetz *m* **stonewall** *v/i* (*fig*) ausweichen **stonework** *n* Mauerwerk *nt* **stony** *adj* (+*er*) steinig; (*fig*) *silence* eisern; *face* undurchdringlich **stony-broke** *adj* (*Br infml*) völlig abgebrannt (*infml*) **stony-faced** *adj* mit steinerner Miene

stood *pret*, *past part of* ***stand***

stool *n* **1.** (≈ *seat*) Hocker *m*, Stockerl *nt* (*Aus*); ***to fall between two ~s*** sich zwischen zwei Stühle setzen **2.** (*esp* MED ≈ *faeces*) Stuhl *m*

stoop[1] I *n* Gebeugtheit *f* **II** *v/i* sich beugen (*over* über +*acc*); (*a.* **stoop down**) sich bücken; ***to ~ to sth*** (*fig*) sich zu etw herablassen

stoop[2] *n* (*US*) Treppe *f*, Stiege *f* (*Aus*)

stop I *n* **1.** ***to come to a ~*** (*car*, *machine*) anhalten; (*traffic*) stocken; (*fig*: *project*) eingestellt werden; (*conversation*) verstummen; ***to put a ~ to sth*** einer Sache (*dat*) einen Riegel vorschieben **2.** (≈ *stay*) Aufenthalt *m*; (≈ *break*) Pause *f*; ***we made three ~s*** wir haben dreimal haltgemacht **3.** (*for bus etc*) Haltestelle *f* **4.** ***to pull out all the ~s*** (*fig*) alle Register ziehen **II** *v/t* **1.** (≈ *stop when moving*) anhalten; *engine* abstellen; (*stop from continuing*) *thief*, *attack*, *progress*, *traffic* aufhalten; (≈ *keep out*) *noise* auffangen; ***~ thief!*** haltet den Dieb! **2.** *activity* ein Ende machen (+*dat*); *nonsense*, *noise* unterbinden; *match*, *work* beenden; *production* zum Stillstand bringen **3.** (≈ *cease*) aufhören mit; ***to ~ doing sth*** aufhören, etw zu tun; ***to ~ smoking*** mit dem Rauchen aufhören; ***I'm trying to ~ smoking*** ich versuche, das Rauchen aufzugeben; ***~ it!*** lass das!, hör auf! **4.** (≈ *suspend*) stoppen; *production*, *fighting* einstellen; *cheque* sperren; *proceedings* abbrechen **5.** (≈ *stop from happening*) *sth* verhindern; (≈ *stop from doing*) *sb* abhalten; ***to ~ oneself*** sich beherrschen; ***there's no ~ping him*** (*infml*) er ist nicht zu bremsen (*infml*); ***there's nothing ~ping you*** *or* ***to ~ you*** es hindert Sie nichts; ***to ~ sb (from) doing sth*** jdn davon abhalten *or* daran hindern, etw zu tun; ***to ~ oneself from doing sth*** sich zurückhalten und etw nicht tun **III** *v/i* **1.** (*train*, *car*) (an)halten; (*driver*) haltmachen; (*pedestrian*, *clock*) stehen bleiben; (*machine*) nicht mehr laufen; ***~ right there!*** halt!, stopp!; ***we ~ped for a drink at the pub*** wir machten in der Kneipe Station, um etwas zu trinken; ***to ~ at nothing (to do sth)*** (*fig*) vor nichts haltmachen(, um etw zu tun); ***to ~ dead*** *or* ***in one's tracks*** plötzlich stehen bleiben **2.** (≈ *finish*, *cease*) aufhören; (*heart*) stehen bleiben; (*production*, *payments*) eingestellt werden; ***to ~ doing sth*** aufhören, etw zu tun; ***he ~ped in mid sentence*** er brach mitten im Satz ab; ***if you had ~ped to think*** wenn du nur einen Augenblick nachgedacht hättest; ***he never knows when*** *or* ***where to ~*** er weiß nicht, wann er aufhören muss **3.** (*Br infml* ≈ *stay*) bleiben (*at* in +*dat*, *with* bei) ◆ **stop by** *v/i* kurz vorbeischauen ◆ **stop off** *v/i* (kurz) haltmachen (*at sb's place* bei jdm) ◆ **stop over** *v/i* Zwischenstation machen (*in* in +*dat*); AVIAT zwischenlanden ◆ **stop up** *v/t sep* verstopfen

stopcock *n* Absperrhahn *m* **stopgap** *n* Notlösung *f* **stoplight** *n* (*esp US*) rotes Licht **stopover** *n* Zwischenstation *f*; AVIAT Zwischenlandung *f* **stoppage** *n* **1.** (*temporary*) Unterbrechung *f* **2.** (≈ *strike*) Streik *m* **stopper** *n* Stöpsel *m* **stop sign** *n* Stoppschild *nt* **stopwatch** *n* Stoppuhr *f*

storage *n* (*of goods*) Lagerung *f*; (*of water*, *data*) Speicherung *f*; ***to put sth into ~*** etw (ein)lagern **storage capacity** *n* (*of computer*) Speicherkapazität *f* **storage device** *n* IT Speichereinheit *f* **storage heater** *n* (Nachtstrom)speicherofen *m* **storage space** *n* (*in house*) Schränke und Abstellräume *pl*

store I *n* **1.** (≈ *stock*) Vorrat *m* (*of* an +*dat*); (*fig*) Fülle *f* (*of* an +*dat*); **~s** *pl* (≈ *supplies*) Vorräte *pl*; ***to have** or **keep sth in ~*** (*in shop*) etw auf Lager *or* etw vorrätig haben; ***to be in ~ for sb*** jdm bevorstehen; ***what has the future in ~ for us?*** was wird uns (*dat*) die Zukunft bringen? **2.** (≈ *place*) Lager *nt* **3.** (≈ *large shop*) Geschäft *nt*; (≈ *department store*) Kaufhaus *nt* **II** *v/t* lagern; *furniture* unterstellen; (*in depository*) einlagern; *information, electricity* speichern; ***to ~ sth away*** etw verwahren; ***to ~ sth up*** einen Vorrat an etw (*dat*) anlegen; (*fig*) etw anstauen **store card** *n* Kundenkreditkarte *f* **store detective** *n* Kaufhausdetektiv(in) *m(f)* **storehouse** *n* Lager(haus) *nt* **storekeeper** *n* (*esp US*) Ladenbesitzer(in) *m(f)* **storeroom** *n* Lagerraum *m*

storey, (*esp US*) **story** *n*, *pl* **-s** *or* (*US*) ***stories*** Stock *m*, Etage *f*; ***a nine-~ building*** ein neunstöckiges Gebäude; ***he fell from the third-~ window*** er fiel aus dem Fenster des dritten *or* (*US*) zweiten Stock(werk)s *or* der dritten *or* (*US*) zweiten Etage

stork *n* Storch *m*

storm I *n* **1.** Unwetter *nt*; (≈ *thunderstorm*) Gewitter *nt*; (≈ *strong wind*) Sturm *m* **2.** (*fig: of abuse*) Flut *f* (*of* von); (*of criticism*) Sturm *m* (*of* +*gen*); ***to take sth/sb by ~*** etw/jdn im Sturm erobern **II** *v/t* stürmen **III** *v/i* **1.** (≈ *talk angrily*) wüten (*at* gegen) **2.** ***to ~ out of a room*** aus einem Zimmer stürmen **storm cloud** *n* Gewitterwolke *f* **storm troopers** *pl* (Sonder)einsatzkommando *nt* **stormy** *adj* (+*er*) stürmisch

story¹ *n* **1.** (≈ *tale*) Geschichte *f*; *esp* LIT Erzählung *f*; ***the ~ goes that ...*** man erzählt sich, dass ...; ***to cut a long ~ short*** um es kurz zu machen; ***it's the (same) old ~*** es ist das alte Lied **2.** (PRESS ≈ *newspaper story*) Artikel *m* **3.** (*infml* ≈ *lie*) ***to tell stories*** Märchen erzählen

story² *n* (*US*) = ***storey***

storybook *n* Geschichtenbuch *nt* **story line** *n* Handlung *f* **storyteller** *n* Geschichtenerzähler(in) *m(f)*

stout I *adj* (+*er*) **1.** *man* korpulent; *woman* füllig **2.** *stick* kräftig; *shoes* fest **3.** *defence* hartnäckig **II** *n* (*Br*) Stout *m*, *dunkles, obergäriges Bier*; (≈ *sweet stout*) Malzbier *nt*

stove *n* Ofen *m*; (*for cooking*) Herd *m*; ***gas ~*** Gasherd *m*

stow *v/t* (*a.* **stow away**) verstauen (*in* in +*dat*) ◆ **stow away** *v/i* als blinder Passagier fahren

stowaway *n* blinder Passagier

straddle *v/t* (*standing*) breitbeinig stehen über (+*dat*); (*sitting*) rittlings sitzen auf (+*dat*); (*fig*) *border* überspannen

straggle *v/i* **1.** (*houses, trees*) verstreut liegen; (*plant*) (in die Länge) wuchern **2.** ***to ~ behind*** hinterherzockeln (*infml*)

straggler *n* Nachzügler(in) *m(f)*

straight I *adj* (+*er*) **1.** gerade; *answer* direkt; *hair* glatt; *skirt* gerade geschnitten; (≈ *honest*) *person, dealings* ehrlich; ***to be ~ with sb*** offen und ehrlich zu jdm sein; ***your tie isn't ~*** deine Krawatte sitzt schief; ***the picture isn't ~*** das Bild hängt schief; ***is my hat on ~?*** sitzt mein Hut gerade?; ***to keep a ~ face*** ernst bleiben; ***with a ~ face*** ohne die Miene zu verziehen **2.** (≈ *clear*) klar; ***to get things ~ in one's mind*** sich (*dat*) der Dinge klar werden **3.** *drink* pur; *choice* einfach **4.** ***for the third ~ day*** (*US*) drei Tage ohne Unterbrechung; ***to have ten ~ wins*** zehnmal hintereinander gewinnen **5.** *pred room* ordentlich; ***to put things ~*** (≈ *clarify*) alles klären; ***let's get this ~*** das wollen wir mal klarstellen; ***to put** or **set sb ~ about sth*** jdm etw klarmachen; ***if I give you a fiver, then we'll be ~*** (*infml*) wenn ich dir einen Fünfer gebe, sind wir quitt **6.** (*infml* ≈ *heterosexual*) hetero (*infml*) **II** *adv* **1.** (≈ *in straight line*) gerade; (≈ *directly*) direkt; ***~ through sth*** glatt durch etw; ***it went ~ up in the air*** es flog senkrecht in die Luft; ***~ ahead*** geradeaus; ***to drive ~ on*** geradeaus weiterfahren **2.** (≈ *immediately*) sofort; ***~ away*** sofort; ***to come ~ to the point*** sofort *or* gleich zur Sache kommen **3.** *think, see* klar **4.** (≈ *frankly*) offen; ***~ out*** (*infml*) unverblümt (*infml*) **5.** *drink* pur **III** *n* (*on race track*) Gerade *f* **straightaway** *adv* (*US*) = ***straight*** II2

straighten I *v/t* **1.** *legs* gerade machen; *picture* gerade hinhängen; *tie* gerade ziehen **2.** (≈ *tidy*) in Ordnung bringen **II** *v/i* (*road etc*) gerade werden; (*person*) sich aufrichten **III** *v/r* ***to ~ oneself*** sich aufrichten ◆ **straighten out I** *v/t sep* **1.** *legs etc* gerade machen **2.** *problem* klären; ***to straighten oneself out*** ins richtige Gleis kommen; ***to straighten things***

out die Sache in Ordnung bringen **II** *v/i* (*road etc*) gerade werden; (*hair*) glatt werden ◆ **straighten up I** *v/i* sich aufrichten **II** *v/t sep* **1.** (≈ *make straight*) gerade machen **2.** (≈ *tidy*) aufräumen

straight-faced *adj* ***to be ~*** keine Miene verziehen **straightforward** *adj person* aufrichtig; *explanation* natürlich; *choice, instructions* einfach; *process* unkompliziert **straight-laced** *adj* prüde **straight-out** *adv* (*infml*) unverblümt (*infml*)

strain[1] **I** *n* **1.** (MECH, *fig*) Belastung *f* (*on* für); (≈ *effort*) Anstrengung *f*; (≈ *pressure, of job etc also*) Beanspruchung *f* (*of* durch); ***to take the ~ off sth*** etw entlasten; ***to be under a lot of ~*** großen Belastungen ausgesetzt sein; ***I find it a ~*** ich finde das anstrengend; ***to put a ~ on sb/sth*** jdn/etw stark belasten **2.** (≈ *muscle-strain*) (Muskel)zerrung *f*; (*on eyes etc*) Überanstrengung *f* (*on +gen*) **II** *v/t* **1.** (≈ *stretch*) spannen **2.** *rope* belasten; *nerves, resources* strapazieren; (*too much*) überlasten; ***to ~ one's ears to ...*** angestrengt lauschen, um zu ...; ***don't ~ yourself!*** (*iron infml*) reiß dir bloß kein Bein aus! (*infml*) **3.** MED *muscle* zerren; *back, eyes* strapazieren **4.** (≈ *filter*) (durch)sieben; *vegetables* abgießen **III** *v/i* (≈ *pull*) zerren; (*fig* ≈ *strive*) sich bemühen

strain[2] *n* **1.** (≈ *streak*) Hang *m*, Zug *m*; (*hereditary*) Veranlagung *f* **2.** (≈ *breed, of animal*) Rasse *f*; (*of plants*) Sorte *f*; (*of virus etc*) Art *f*

strained *adj expression* gekünstelt; *conversation* gezwungen; *relationship* angespannt; *atmosphere* gespannt **strainer** *n* COOK Sieb *nt*

strait *n* **1.** GEOG Straße *f* **2. straits** *pl* (*fig*) ***to be in dire ~s*** in großen Nöten sein **straitjacket** *n* Zwangsjacke *f* **strait-laced** *adj* prüde

strand[1] *v/t* ***to be ~ed*** (*ship, fish*) gestrandet sein; ***to be (left) ~ed*** (*person*) festsitzen; ***to leave sb ~ed*** jdn seinem Schicksal überlassen

strand[2] *n* Strang *m*; (*of hair*) Strähne *f*; (*of thread*) Faden *m*

strange *adj* (*+er*) **1.** (≈ *odd*) seltsam; ***to think/find it ~ that ...*** es seltsam finden, dass ... **2.** (≈ *unfamiliar*) fremd; *activity* ungewohnt; ***don't talk to ~ men*** sprich nicht mit fremden Männern; ***I felt rather ~ at first*** zuerst fühlte ich mich ziemlich fremd; ***I feel ~ in a skirt*** ich komme mir in einem Rock komisch vor (*infml*) **strangely** *adv* (≈ *oddly*) seltsam, merkwürdig; *act also* komisch (*infml*); ***~ enough*** seltsamerweise, merkwürdigerweise **strangeness** *n* **1.** (≈ *oddness*) Seltsamkeit *f* **2.** (≈ *unfamiliarity*) Fremdheit *f*; (*of activity*) Ungewohntheit *f*

stranger *n* Fremde(r) *m/f(m)*; ***I'm a ~ here myself*** ich bin selbst fremd hier; ***he is no ~ to London*** er kennt sich in London aus; ***hullo, ~!*** (*infml*) hallo, lange nicht gesehen

strangle *v/t* erwürgen; (*fig*) ersticken **strangled** *adj cry* erstickt **stranglehold** *n* (*fig*) absolute Machtposition (*on* gegenüber) **strangulation** *n* Erwürgen *nt*

strap I *n* Riemen *m*; (*esp for safety*) Gurt *m*; (*in bus etc*) Schlaufe *f*; (≈ *watch strap*) Band *nt*; (≈ *shoulder strap*) Träger *m* **II** *v/t* **1.** festschnallen (*to* an *+dat*); ***to ~ sb/sth down*** jdn/etw festschnallen; ***to ~ sb/oneself in*** jdn/sich anschnallen **2.** (MED: *a.* **strap up**) bandagieren **3.** (*infml*) ***to be ~ped (for cash)*** pleite *or* blank sein (*infml*) **strapless** *adj* trägerlos

strapping *adj* (*infml*) stramm

Strasbourg *n* Straßburg *nt*

strata *pl of* ***stratum***

strategic *adj* strategisch **strategically** *adv* strategisch; (*fig also*) taktisch; ***to be ~ placed*** eine strategisch günstige Stellung haben **strategist** *n* Stratege *m*, Strategin *f* **strategy** *n* Strategie *f*

stratosphere *n* Stratosphäre *f*

stratum *n, pl* ***strata*** Schicht *f*

straw I *n* **1.** (≈ *stalk*) Strohhalm *m*; (*collectively*) Stroh *nt no pl*; ***that's the final ~!*** (*infml*) das ist der Gipfel! (*infml*); ***to clutch at ~s*** sich an einen Strohhalm klammern; ***to draw the short ~*** den Kürzeren ziehen **2.** (≈ *drinking straw*) Trinkhalm *m* **II** *adj attr* Stroh-

strawberry *n* Erdbeere *f*

straw poll, straw vote *n* Probeabstimmung *f*; (*in election*) Wählerbefragung *f*

stray I *v/i* (*a.* **stray away**) sich verirren; (*a.* **stray about**) (umher)streunen; (*fig: thoughts*) abschweifen; ***to ~ (away) from sth*** von etw abkommen **II** *adj bullet* verirrt; *dog* streunend *attr*; *hairs* vereinzelt **III** *n* (≈ *dog, cat*) streunendes Tier

streak I *n* Streifen *m*; (*fig* ≈ *trace*) Spur *f*;

~s (*in hair*) Strähnchen *pl*; **~ *of lightning*** Blitz(strahl) *m*; ***a winning ~*** eine Glückssträhne; ***a mean ~*** ein gemeiner Zug **II** *v/t* streifen; ***the sky was ~ed with red*** der Himmel hatte rote Streifen; ***hair ~ed with grey*** Haar mit grauen Strähnchen **III** *v/i* **1.** (*lightning*) zucken; (*infml ≈ move quickly*) flitzen (*infml*) **2.** (*≈ run naked*) flitzen **streaker** *n* Flitzer(in) *m*(*f*) **streaky** *adj* (+*er*) streifig; **~ *bacon*** (*Br*) durchwachsener Speck

stream I *n* **1.** (*≈ small river*) Bach *m*; (*≈ current*) Strömung *f* **2.** (*of liquid, people*) Strom *m*; (*of words*) Schwall *m* **II** *v/i* **1.** strömen; (*eyes*) tränen; ***the walls were ~ing with water*** die Wände trieften vor Nässe; ***her eyes were ~ing with tears*** Tränen strömten ihr aus den Augen **2.** (*flag, hair*) wehen ◆ **stream down** *v/i* (*liquid*) in Strömen fließen; (+*prep obj*) herunterströmen; ***tears streamed down her face*** Tränen strömten über ihr Gesicht ◆ **stream in** *v/i* hereinströmen ◆ **stream out** *v/i* hinausströmen (*of* aus); (*liquid also*) herausfließen (*of* aus)

streamer *n* Luftschlange *f* **streaming** *adj windows* triefend; *eyes also* tränend; ***I have a ~ cold*** (*Br*) ich habe einen fürchterlichen Schnupfen **streamlined** *adj* stromlinienförmig; (*fig*) rationalisiert

street *n* Straße *f*; ***in*** *or* ***on the ~*** auf der Straße; ***to live in*** *or* ***on a ~*** in einer Straße wohnen; ***it's right up my ~*** (*Br fig infml*) das ist genau mein Fall (*infml*); ***to be ~s ahead of sb*** (*fig infml*) jdm haushoch überlegen sein (*infml*); ***to take to the ~s*** (*demonstrators*) auf die Straße gehen **streetcar** *n* (*US*) Straßenbahn *f*, Tram *nt* (*Swiss*) **street lamp, street light** *n* Straßenlaterne *f* **street map** *n* Stadtplan *m* **street party** *n* Straßenfest *nt* **street people** *pl* Obdachlose *pl* **street plan** *n* Stadtplan *m* **street sweeper** *n* **1.** (*≈ person*) Straßenkehrer(in) *m*(*f*) **2.** (*≈ machine*) Kehrmaschine *f* **streetwear** *n* FASHION Streetwear *f* **streetwise** *adj* clever (*infml*)

strength *n* **1.** Stärke *f*; (*of person, feelings*) Kraft *f*; (*of evidence*) Überzeugungskraft *f*; ***on the ~ of sth*** aufgrund einer Sache (*gen*); ***to save one's ~*** mit seinen Kräften haushalten; ***to go from ~ to ~*** einen Erfolg nach dem anderen haben; ***to be at full ~*** vollzählig sein; ***to turn out in ~*** zahlreich erscheinen **2.** (*of constitution*) Robustheit *f*; ***when she has her ~ back*** wenn sie wieder bei Kräften ist **3.** (*of solution*) Konzentration *f* **strengthen I** *v/t* stärken **II** *v/i* stärker werden

strenuous *adj* **1.** (*≈ exhausting*) anstrengend **2.** *attempt* unermüdlich; *effort* hartnäckig **strenuously** *adv* **1.** *exercise* anstrengend **2.** *deny* entschieden

stress I *n* **1.** Stress *m*; MECH Belastung *f*; MED Überlastung *f*; (*≈ pressure*) Druck *m*; (*≈ tension*) Spannung *f*; ***to be under ~*** großen Belastungen ausgesetzt sein; (*at work*) im Stress sein **2.** (*≈ accent*) Betonung *f*; (*fig ≈ emphasis*) (Haupt)gewicht *nt*; ***to put*** *or* ***lay*** (***great***) **~ *on sth*** einer Sache (*dat*) großes Gewicht beimessen; *fact* etw (besonders) betonen **II** *v/t* (*≈ emphasize*) betonen **stress ball** *n* (Anti)stressball *m* **stressed** *adj* gestresst **stressed out** *adj* gestresst **stressful** *adj* stressig

stretch I *n* **1.** (*≈ stretching*) Strecken *nt*; ***to have a ~*** sich strecken; ***to be at full ~*** (*lit*) bis zum Äußersten gedehnt sein; (*fig: person*) mit aller Kraft arbeiten; (*factory etc*) auf Hochtouren arbeiten (*infml*); ***by no ~ of the imagination*** beim besten Willen nicht; ***not by a long ~*** bei Weitem nicht **2.** (*≈ expanse*) Stück *nt*; (*of road etc*) Strecke *f*; (*of journey*) Abschnitt *m* **3.** (*≈ stretch of time*) Zeitraum *m*; ***for hours at a ~*** stundenlang; ***three days at a ~*** drei Tage an einem Stück *or* ohne Unterbrechung **II** *adj attr* **~ *trousers*** Stretchhose *f* **III** *v/t* **1.** strecken; *elastic, shoes* dehnen; (*≈ spread*) *wings etc* ausbreiten; *rope* spannen; *athlete* fordern; ***to ~ sth tight*** etw straffen; *cover* etw stramm ziehen; ***to ~ one's legs*** sich (*dat*) die Beine vertreten (*infml*); ***to ~ sb/sth to the limit***(***s***) jdn/etw bis zum äußersten belasten; ***to be fully ~ed*** (*esp Br, person*) voll ausgelastet sein **2.** *truth, rules* es nicht so genau nehmen mit; ***that's ~ing it too far*** das geht zu weit **IV** *v/i* (*after sleep etc*) sich strecken; (*≈ be elastic*) dehnbar sein; (*area, authority*) sich erstrecken (*to* bis, *over* über +*acc*); (*food, money*) reichen (*to* für); (*≈ become looser*) weiter werden; ***to ~ to reach sth*** sich recken, um etw zu erreichen; ***he ~ed across and touched her cheek*** er reichte herüber und berührte ihre Wange; ***the fields ~ed away into the distance*** die Felder dehnten sich bis in die Ferne aus; ***our funds won't ~ to that*** das lassen unsere Finanzen nicht zu **V** *v/r* (*after sleep etc*) sich strecken ◆ **stretch out I** *v/t sep arms* ausbreiten; *hand* ausstrecken; *story* ausdehnen **II** *v/i* (*infml* ≈ *lie down*) sich hinlegen; (*countryside*) sich ausbreiten

stretcher *n* MED (Trag)bahre *f* **stretchy** *adj* (+*er*) elastisch

strew *pret* **strewed**, *past part* **strewed** *or* **strewn** *v/t* verstreuen; *flowers*, *gravel* streuen; *floor etc* bestreuen

stricken *adj* (*liter*) leidgeprüft; *ship* in Not; ***to be ~ by drought*** von Dürre heimgesucht werden **-stricken** *adj suf* (*with emotion*) -erfüllt; (*by catastrophe*) von ... heimgesucht; ***grief-stricken*** schmerzerfüllt

strict *adj* (+*er*) streng; *Catholic* strenggläubig; ***in the ~ sense of the word*** genau genommen; ***in*** (***the***) ***~est confidence*** in strengster Vertraulichkeit; ***there is a ~ time limit on that*** das ist zeitlich genau begrenzt **strictly** *adv* streng; (≈ *precisely*) genau; ***~ forbidden*** streng verboten; ***~ business*** rein geschäftlich; ***~ personal*** privat; ***~ speaking*** genau genommen; ***not ~ true*** nicht ganz richtig; ***~ between ourselves*** ganz unter uns; ***unless ~ necessary*** wenn nicht unbedingt erforderlich; ***the car park is ~ for the use of residents*** der Parkplatz ist ausschließlich für Anwohner vorgesehen **strictness** *n* Strenge *f*

stride *vb*: *pret* **strode**, *past part* **stridden I** *n* (≈ *step*) Schritt *m*; (*fig*) Fortschritt *m*; ***to take sth in one's ~*** (*Br*) *or* ***in ~*** (*US*) mit etw spielend fertig werden; ***to put sb off his/her ~*** jdn aus dem Konzept bringen **II** *v/i* schreiten (*elev*)

strife *n* Unfriede *m*

strike *vb*: *pret* **struck**, *past part* **struck I** *n* **1.** Streik *m*; ***to be on ~*** streiken; ***to come out on ~***, ***to go on ~*** in den Streik treten **2.** (*of oil etc*) Fund *m* **3.** MIL Angriff *m* **II** *v/t* **1.** (≈ *hit*, *sound*) schlagen; *table* schlagen auf (+*acc*); (*blow*, *disaster*) treffen; *note* anschlagen; ***to be struck by lightning*** vom Blitz getroffen werden; ***to ~ the hour*** die volle Stunde schlagen; ***to ~ 4*** 4 schlagen **2.** (≈ *collide with*, *person*) stoßen gegen; (*car*) fahren gegen; *ground* auftreffen auf (+*acc*) **3.** (≈ *occur to*) in den Sinn kommen (+*dat*); ***that ~s me as a good idea*** das kommt mir sehr vernünftig vor; ***it struck me how ...*** (≈ *occurred to me*) mir ging plötzlich auf, wie ...; (≈ *I noticed*) mir fiel auf, wie ... **4.** (≈ *impress*) beeindrucken; ***how does it ~ you?*** wie finden Sie das?; ***she struck me as being very competent*** sie machte auf mich einen sehr fähigen Eindruck **5.** (*fig*) *truce* sich einigen auf (+*acc*); *pose* einnehmen; ***to ~ a match*** ein Streichholz anzünden; ***to be struck dumb*** mit Stummheit geschlagen werden (*elev*) **6.** *oil*, *path* finden; ***to ~ gold*** (*fig*) auf eine Goldgrube stoßen **III** *v/i* **1.** (≈ *hit*) treffen; (*lightning*) einschlagen; MIL *etc* angreifen; ***to be/come within striking distance of sth*** einer Sache (*dat*) nahe sein **2.** (*clock*) schlagen **3.** (*workers*) streiken ◆ **strike back** *v/i*, *v/t sep* zurückschlagen ◆ **strike out I** *v/i* (≈ *hit out*) schlagen; ***to ~ at sb*** jdn angreifen; ***to ~ on one's own*** (*lit*) allein losziehen; (*fig*) eigene Wege gehen **II** *v/t sep* (aus)streichen ◆ **strike up** *v/t insep* **1.** *tune* anstimmen **2.** *friendship* schließen; *conversation* anfangen

striker *n* **1.** (≈ *worker*) Streikende(r) **2.** FTBL Stürmer(in) *m*(*f*) **striking** *adj colour*, *resemblance etc* auffallend; *person* bemerkenswert **strikingly** *adv similar* auffallend; *attractive* bemerkenswert **striking distance** *n* (*of missile etc*) Reichweite *f*

Strimmer® *n* Rasentrimmer *m*

string *vb*: *pret*, *past part* **strung I** *n* **1.** Schnur *f*; (*of puppet*) Faden *m*; (*of vehicles*) Schlange *f*; (*fig* ≈ *series*) Reihe *f*; (*of lies*) Haufen *m*; ***to pull ~s*** (*fig*) Beziehungen spielen lassen; ***with no ~s attached*** ohne Bedingungen **2.** (*of instrument*, *racquet etc*) Saite *f*; ***to have two ~s*** *or* ***a second ~*** *or* ***more than one ~ to one's bow*** zwei Eisen im Feuer haben **3. strings** *pl* ***the ~s*** die Streichinstrumente *pl*; (≈ *players*) die Streicher *pl* **II** *v/t violin etc* (mit Saiten) bespannen ◆ **string along** (*infml*) *v/t sep* ***to string sb along*** jdn hinhalten ◆ **string together** *v/t sep sentences* aneinanderreihen ◆ **string up** *v/t sep* aufhängen

string bean *n* (*esp US*) grüne Bohne, Fisole *f* (*Aus*) **stringed** *adj* ***~ instrument*** Saiteninstrument *nt*

stringent *adj standards, laws* streng; *rules, testing* hart
string instrument *n* Saiteninstrument *nt* **string vest** *n* Netzhemd *nt* **stringy** *adj* (+*er*) *meat* sehnig
strip I *n* **1.** Streifen *m*; (*of metal*) Band *nt* **2.** (*Br* SPORTS) Trikot *nt*, Leiberl *nt* (*Aus*), Leibchen *nt* (*Aus, Swiss*) **II** *v/t* **1.** *person* ausziehen; *bed, wallpaper* abziehen; *paint* abbeizen **2.** (*fig ≈ deprive of*) berauben (*of +gen*) **III** *v/i* (≈ *remove clothes*) sich ausziehen; (*at doctor's*) sich frei machen; (≈ *perform striptease*) strippen (*infml*); ***to ~ naked*** sich bis auf die Haut ausziehen ◆ **strip down I** *v/t sep engine* zerlegen **II** *v/i* ***to ~ to one's underwear*** sich bis auf die Unterwäsche ausziehen ◆ **strip off I** *v/t sep clothes* ausziehen; *paper* abziehen (*prep obj* von) **II** *v/i* sich ausziehen; (*at doctor's*) sich frei machen
strip cartoon *n* (*Br*) Comic(strip) *m* **strip club** *n* Stripteaseklub *m*
stripe *n* Streifen *m* **striped** *adj* gestreift
strip lighting *n* (*esp Br*) Neonlicht *nt* **stripper** *n* **1.** Stripperin *f*; ***male ~*** Stripper *m* **2.** (≈ *paint stripper*) Farbentferner *m* **strip-search I** *n* Leibesvisitation *f* **II** *v/t* einer Leibesvisitation (*dat*) unterziehen **striptease** *n* Striptease *m or nt*; ***to do a ~*** strippen (*infml*)
stripy *adj* (+*er*) (*infml*) gestreift
strive *pret* **strove**, *past part* **striven** *v/i* ***to ~ to do sth*** bestrebt *or* bemüht sein, etw zu tun; ***to ~ for*** nach etw streben
strobe *n* stroboskopische Beleuchtung
strode *pret of* **stride**
stroke I *n* Schlag *m* (*also* MED); (SWIMMING ≈ *movement*) Zug *m*; (≈ *type of stroke*) Stil *m*; (*of brush*) Strich *m*; ***he doesn't do a ~ (of work)*** er tut keinen Schlag (*infml*); ***a ~ of genius*** ein genialer Einfall; ***a ~ of luck*** ein Glücksfall *m*; ***we had a ~ of luck*** wir hatten Glück; ***at a*** *or* ***one ~*** mit einem Schlag; ***on the ~ of twelve*** Punkt zwölf (Uhr); ***to have a ~*** MED einen Schlag(anfall) bekommen **II** *v/t* streicheln
stroll I *n* Spaziergang *m*; ***to go for*** *or* ***take a ~*** einen Spaziergang machen **II** *v/i* spazieren; ***to ~ around the town*** durch die Stadt bummeln; ***to ~ up to sb*** auf jdn zuschlendern **stroller** *n* (*US ≈ pushchair*) Sportwagen *m*
strong I *adj* (+*er*) **1.** stark; (*physically*) *person, light* kräftig; *wall* stabil; *constitution* robust; *teeth, heart* gut; *character, views* fest; *candidate* aussichtsreich; *argument* überzeugend; *solution* konzentriert; ***his ~ point*** seine Stärke; ***there is a ~ possibility that ...*** es ist überaus wahrscheinlich, dass ...; ***a group 20 ~*** eine 20 Mann starke Gruppe; ***a ~ drink*** ein harter Drink **2.** (≈ *committed*) begeistert; *supporter* überzeugt **II** *adv* (+*er*) (*infml*) ***to be going ~*** (*old person, thing*) gut in Schuss sein (*infml*) **strongbox** *n* (Geld)-kassette *f* **stronghold** *n* (*fig*) Hochburg *f* **strongly** *adv* stark; *support, built* (*person*) kräftig; *constructed* stabil; *believe* fest; *protest* energisch; ***to feel ~ about sth*** in Bezug auf etw (*acc*) stark engagiert sein; ***I feel very ~ that ...*** ich vertrete entschieden die Meinung, dass ...; ***to be ~ in favour of sth*** etw stark befürworten; ***to be ~ opposed to sth*** etw scharf ablehnen **strong-minded** *adj* willensstark **strong point** *n* Stärke *f* **strongroom** *n* Stahlkammer *f* **strong-willed** *adj* willensstark; (*pej*) eigensinnig
stroppy *adj* (+*er*) (*Br infml*) **1.** fuchtig (*infml*); *answer, children* pampig (*infml*) **2.** *bouncer etc* aggressiv
strove *pret of* ***strive***
struck I *pret, past part of* **strike II** *adj pred* ***to be ~ with sb/sth*** (≈ *impressed*) von jdm/etw angetan sein
structural *adj* Struktur-; (*of building*) *alterations, damage* strukturell, baulich **structurally** *adv* strukturell; ***~ sound*** sicher **structure I** *n* (≈ *organization*) Struktur *f*; (TECH ≈ *thing constructed*) Konstruktion *f* **II** *v/t* strukturieren; *argument* aufbauen **structured** *adj society* strukturiert; *approach* durchdacht
struggle I *n* Kampf *m* (*for* um); (*fig ≈ effort*) Anstrengung *f*; ***to put up a ~*** sich wehren; ***it is a ~*** es ist mühsam **II** *v/i* **1.** (≈ *contend*) kämpfen; (*in self-defence*) sich wehren; (*financially*) in Schwierigkeiten sein; (*fig ≈ strive*) sich sehr anstrengen; ***to ~ with sth*** *with problem* sich mit etw herumschlagen; *with injury, feelings* mit etw zu kämpfen haben; *with luggage, subject* sich mit etw abmühen; ***this firm is struggling*** diese Firma hat (schwer) zu kämpfen; ***are you struggling?*** hast du Schwierigkeiten? **2.** ***to ~ to one's feet*** mühsam auf die Beine kommen; ***to ~ on*** (*lit*) sich weiterkämp-

fen; (*fig*) weiterkämpfen **struggling** *adj artist etc* am Hungertuch nagend *attr*
strum *v/t tune* klimpern; *guitar* klimpern auf (+*dat*)
strung *pret, past part of* **string**
strut[1] *v/i* stolzieren
strut[2] *n* (*horizontal*) Strebe *f*; (*vertical*) Pfeiler *m*
stub I *n* (*of pencil, tail*) Stummel *m*; (*of cigarette*) Kippe *f*; (*of ticket*) Abschnitt *m* **II** *v/t* ***to ~ one's toe*** (***on*** *or* ***against sth***) sich (*dat*) den Zeh (an etw *dat*) stoßen; ***to ~ out a cigarette*** eine Zigarette ausdrücken
stubble *n no pl* Stoppeln *pl*
stubborn *adj* **1.** *person* stur; *animal, child* störrisch; ***to be ~ about sth*** stur auf etw (*dat*) beharren **2.** *refusal, stain* hartnäckig **stubbornly** *adv* **1.** *refuse* stur; *say* trotzig **2.** (≈ *persistently*) hartnäckig **stubbornness** *n* (*of person*) Sturheit *f*; (*of animal, child*) störrische Art
stubby *adj* (+*er*) *tail* stummelig
stuck I *pret, past part of* **stick[2]** **II** *adj* **1.** (≈ *baffled*) (*on, over* mit) ***to be ~*** nicht zurechtkommen; ***to get ~*** nicht weiterkommen **2.** ***to be ~*** (*door etc*) verkeilt sein; ***to get ~*** stecken bleiben **3.** (≈ *trapped*) ***to be ~*** festsitzen **4.** (*infml*) ***she is ~ for sth*** es fehlt ihr an etw (*dat*); ***to be ~ with sb/sth*** jdn/etw am Hals haben (*infml*) **5.** (*Br infml*) ***to get ~ into sth*** sich in etw (*acc*) richtig reinknien (*infml*) **stuck-up** *adj* (*infml*) hochnäsig
stud[1] I *n* **1.** (*decorative*) Ziernagel *m*; (*Br: on boots*) Stollen *m* **2.** (≈ *earring*) Ohrstecker *m* **II** *v/t* (*usu pass*) übersäen
stud[2] *n* (≈ *group of horses: for breeding*) Gestüt *nt*; (≈ *stallion*) (Zucht)hengst *m*; (*infml* ≈ *man*) Hengst *m* (*infml*)
student I *n* UNIV Student(in) *m(f)*; (*esp US: at school*) Schüler(in) *m(f)*; ***he is a French ~*** UNIV er studiert Französisch **II** *adj attr* Studenten-; ***~ nurse*** Krankenpflegeschüler(in) *m(f)*; ***~ teacher*** *n* Referendar(in) *m(f)* **student loan** *n* Studentendarlehen *nt*
stud farm *n* Gestüt *nt*
studio *n* Studio *nt* **studio apartment**, (*Br*) **studio flat** *n* Studiowohnung *f*
studious *adj person* fleißig **studiously** *adv* fleißig; *avoid* gezielt
study I *n* **1.** (≈ *studying, esp* UNIV) Studium *nt*; (*at school*) Lernen *nt*; (*of evidence*) Untersuchung *f*; ***African studies*** UNIV Afrikanistik *f* **2.** (≈ *piece of work*) Studie *f* (*of* über +*acc*) **3.** (≈ *room*) Arbeitszimmer *nt* **II** *v/t* studieren; SCHOOL lernen; *text etc* sich befassen mit; (≈ *research into*) erforschen; (≈ *examine*) untersuchen **III** *v/i* studieren; *esp* SCHOOL lernen; ***to ~ to be a teacher*** ein Lehrerstudium machen; ***to ~ for an exam*** sich auf eine Prüfung vorbereiten
stuff I *n* **1.** Zeug *nt*; (≈ *possessions*) Sachen *pl*; ***there is some good ~ in that book*** in dem Buch stecken ein paar gute Sachen; ***it's good ~*** das ist gut; ***this book is strong ~*** das Buch ist starker Tobak; ***he brought me some ~ to read*** er hat mir etwas zum Lesen mitgebracht; ***books and ~*** Bücher und so (*infml*); ***and ~ like that*** und so was (*infml*); ***all that ~ about how he wants to help us*** all das Gerede, dass er uns helfen will; ***~ and nonsense*** Quatsch *m* (*infml*) **2.** (*infml*) ***that's the ~!*** so ists richtig!; ***to do one's ~*** seine Nummer abziehen (*infml*); ***to know one's ~*** wissen, wovon man redet **II** *v/t* **1.** *container* vollstopfen; *hole* zustopfen; *object, books* (hinein)stopfen (*into* in +*acc*); ***to ~ one's face*** (*infml*) sich vollstopfen (*infml*); ***to be ~ed up*** verschnupft sein **2.** *cushion, pie* füllen; ***a ~ed toy*** ein Stofftier *nt* **3.** (*Br infml*) ***get ~ed!*** du kannst mich mal (*infml*)!; ***you can ~ your job*** *etc* du kannst deinen blöden Job *etc* behalten (*infml*) **III** *v/r* ***to ~ oneself*** sich vollstopfen (*infml*) **stuffed animal** *n* (*US*) Stofftier *nt* **stuffing** *n* (*of pillow, pie*) Füllung *f*; (*in toys*) Füllmaterial *nt* **stuffy** *adj* (+*er*) **1.** *room* stickig **2.** (≈ *narrow-minded*) spießig
stumble *v/i* stolpern; (*in speech*) stocken; ***to ~ on sth*** (*fig*) auf etw (*acc*) stoßen **stumbling block** *n* (*fig*) ***to be a ~ to sth*** einer Sache (*dat*) im Weg stehen
stump I *n* (*of tree, limb*) Stumpf *m*; (*of pencil, tail*) Stummel *m* **II** *v/t* (*fig infml*) ***you've got me ~ed*** da bin ich überfragt
◆ **stump up** (*Br infml*) **I** *v/t insep* springen lassen (*infml*) **II** *v/i* blechen (*infml*) (*for sth* für etw)
stumpy *adj* (+*er*) *person* stämmig, untersetzt; *legs* kurz
stun *v/t* (≈ *make unconscious*) betäuben; (≈ *daze*) benommen machen; (*fig* ≈ *shock*) fassungslos machen; (≈ *amaze*)

verblüffen; ***he was ~ned by the news*** (*bad news*) er war über die Nachricht fassungslos; (*good news*) die Nachricht hat ihn überwältigt
stung *pret, past part of* ***sting***
stunk *past part of* ***stink***
stunned *adj* (≈ *unconscious*) betäubt; (≈ *dazed*) benommen; (*fig* ≈ *shocked*) fassungslos; (≈ *amazed*) sprachlos; ***there was a ~ silence*** benommenes Schweigen breitete sich aus **stunning** *adj* (*fig*) *news* toll (*infml*); *dress, view* atemberaubend **stunningly** *adv* atemberaubend; *beautiful* überwältigend
stunt[1] *n* Kunststück *nt*; (≈ *publicity stunt, trick*) Gag *m*
stunt[2] *v/t growth* hemmen **stunted** *adj plant* verkümmert; *child* unterentwickelt
stuntman *n* Stuntman *m*, Double *nt*
stupendous *adj* fantastisch
stupid *adj* **1.** dumm; (≈ *foolish also*) blöd(e) (*infml*); ***don't be ~*** sei nicht so blöd (*infml*); ***that was a ~ thing to do*** das war dumm; ***to make sb look ~*** jdn blamieren **2.** ***to bore sb ~*** jdn zu Tode langweilen **stupidity** *n* Dummheit *f* **stupidly** *adv* (≈ *unintelligently*) dumm; (≈ *foolishly also*) blöd (*infml*); *say* dummerweise; *grin* albern
stupor *n* Benommenheit *f*; ***to be in a drunken ~*** sinnlos betrunken sein
sturdily *adv* stabil; ***~ built*** *person* kräftig *or* stämmig gebaut **sturdy** *adj* (*+er*) *person* kräftig, stämmig; *material* robust; *building, car* stabil
stutter I *n* Stottern *nt no pl*; ***he has a ~*** er stottert **II** *v/t & v/i* stottern
sty *n* Schweinestall *m*
sty(e) *n* MED Gerstenkorn *nt*
style I *n* **1.** Stil *m*; ***~ of management*** Führungsstil *m*; ***that house is not my ~*** so ein Haus ist nicht mein Stil; ***the man has ~*** der Mann hat Format; ***to do things in ~*** alles im großen Stil tun; ***to celebrate in ~*** groß feiern **2.** (≈ *type*) Art *f*; ***a new ~ of car*** *etc* ein neuer Autotyp *etc* **3.** FASHION Stil *m no pl*; (≈ *cut*) Schnitt *m*; (≈ *hairstyle*) Frisur *f* **II** *v/t hair* stylen **-style** *adj suf* nach ... Art **styling** *n* ***~ mousse*** Schaumfestiger *m* **stylish** *adj* **1.** elegant; *film* stilvoll **2.** *clothes* modisch **stylishly** *adv* **1.** (≈ *elegantly*) elegant; *furnished* stilvoll **2.** *dress* modisch **stylist** *n* (≈ *hair stylist*) Friseur *m*, Friseuse *f* **stylized** *adj* stilisiert
Styria *n* Steiermark *f*
suave *adj*, **suavely** *adv* weltmännisch, aalglatt (*pej*)
subcategory *n* Subkategorie *f* **subcommittee** *n* Unterausschuss *m* **subconscious I** *adj* unterbewusst **II** *n* ***the ~*** das Unterbewusstsein **subconsciously** *adv* im Unterbewusstsein **subcontinent** *n* Subkontinent *m* **subcontract** *v/t* (vertraglich) weitervergeben (*to* an *+acc*) **subcontractor** *n* Subunternehmer(in) *m(f)* **subdivide I** *v/t* unterteilen **II**
subdue *v/t rebels* unterwerfen; *rioters* überwältigen; (*fig*) unterdrücken **subdued** *adj lighting, voice* gedämpft; *person* ruhig, still; *atmosphere* gedrückt
subheading *n* Untertitel *m* **subhuman** *adj* unmenschlich
subject I *n* **1.** POL Staatsbürger(in) *m(f)*; (*of king etc*) Untertan *m*, Untertanin *f* **2.** GRAM Subjekt *nt* **3.** (≈ *topic*) Thema *nt*; ***to change the ~*** das Thema wechseln; ***on the ~ of ...*** zum Thema (*+gen*) ...; ***while we're on the ~*** da wir gerade beim Thema sind **4.** SCHOOL, UNIV Fach *nt* **II** *adj* ***to be ~ to sth*** *to law, change* einer Sache (*dat*) unterworfen sein; *to approval* von etw abhängig sein; ***all trains are ~ to delay*** bei allen Zügen muss mit Verspätung gerechnet werden; ***~ to flooding*** überschwemmungsgefährdet; ***to be ~ to taxation*** besteuert werden; ***offers are ~ to availability*** Angebote nur so weit verfügbar **III** *v/t* ***to ~ sb to sth*** jdn einer Sache (*dat*) unterziehen **subjective** *adj* **1.** subjektiv **2.** GRAM ***~ case*** Nominativ *m* **subjectively** *adv* subjektiv **subject matter** *n* (≈ *theme*) Stoff *m*; (≈ *content*) Inhalt *m*
subjugate *v/t* unterwerfen
subjunctive I *adj* konjunktivisch; ***the ~ mood*** der Konjunktiv **II** *n* Konjunktiv *m*
sublet *pret, past part* ***sublet*** *v/t & v/i* untervermieten (*to* an *+acc*)
sublime *adj beauty, scenery* erhaben
submachine gun *n* Maschinenpistole *f*
submarine *n* U-Boot *nt*
submenu *n* IT Untermenü *nt*
submerge I *v/t* untertauchen; (≈ *flood*) überschwemmen; ***to ~ sth in water*** etw in Wasser (ein)tauchen **II** *v/i* tauchen **submerged** *adj rocks* unter Wasser; *wreck* gesunken; ***the house was completely ~*** das Haus stand völlig un-

ter Wasser

submission *n* **1.** ***to force sb into ~*** jdn zwingen, sich zu ergeben **2.** (≈ *presentation*) Eingabe *f* **submissive** *adj* unterwürfig (*pej*) (*to* gegenüber) **submit I** *v/t* (≈ *put forward*) vorlegen (*to +dat*); *application* einreichen (*to* bei) **II** *v/i* (≈ *yield*) sich beugen, nachgeben; ***to ~ to sth*** *to sb's orders, judgement* sich einer Sache (*dat*) beugen *or* unterwerfen; *to pressure* einer Sache (*dat*) nachgeben; ***to ~ to blackmail*** sich erpressen lassen **III** *v/r* ***to ~ oneself to sth*** sich einer Sache (*dat*) unterziehen

subnormal *adj temperature* unterdurchschnittlich; *person* minderbegabt

subordinate I *adj officer* rangniedriger; *rank, role* untergeordnet; ***to be ~ to sb/sth*** jdm/einer Sache untergeordnet sein **II** *n* Untergebene(r) *m/f(m)* **subordinate clause** *n* GRAM Nebensatz *m*

subplot *n* Nebenhandlung *f*

subpoena JUR **I** *n* Vorladung *f* **II** *v/t* vorladen

sub-post office *n* (*Br*) Poststelle *f* **subroutine** *n* IT Unterprogramm *nt*

subscribe *v/i* **1.** ***to ~ to a magazine*** eine Zeitschrift abonnieren **2.** (≈ *support*) ***to ~ to sth*** *to opinion, theory* sich einer Sache (*dat*) anschließen **subscriber** *n* (*to paper*) Abonnent(in) *m(f)*; TEL Teilnehmer(in) *m(f)* **subscription** *n* (≈ *money*) Beitrag *m*; (*to newspaper etc*) Abonnement *nt* (*to +gen*); ***to take out a ~ to sth*** etw abonnieren

subsection *n* Unterabteilung *f*; JUR Paragraf *m*

subsequent *adj* (nach)folgend; (*in time*) anschließend **subsequently** *adv* (≈ *afterwards*) anschließend; (≈ *from that time*) von da an

subservient *adj* (*pej*) unterwürfig (*to* gegenüber)

subside *v/i* (*flood, fever*) sinken; (*land, building*) sich senken; (*storm*) abflauen; (*noise*) nachlassen **subsidence** *n* Senkung *f*

subsidiary I *adj* untergeordnet; ***~ role*** Nebenrolle *f*; ***~ subject*** Nebenfach *nt*; ***~ company*** Tochtergesellschaft *f* **II** *n* Tochtergesellschaft *f*

subsidize *v/t* subventionieren; *housing* finanziell unterstützen **subsidized** *adj* subventioniert; *housing* finanziell unterstützt **subsidy** *n* Subvention *f*

subsist *v/i* (*form*) sich ernähren (*on* von) **subsistence** *n* (≈ *means of subsistence*) (Lebens)unterhalt *m*

subsistence level *n* Existenzminimum *nt*

subsoil *n* Untergrund *m*

substance *n* **1.** Substanz *f* **2.** *no pl* (≈ *weight*) Gewicht *nt*; ***a man of ~*** ein vermögender Mann **substance abuse** *n* Drogen- und Alkoholmissbrauch *m*

substandard *adj* minderwertig

substantial *adj* **1.** *person* kräftig; *building* solide, währschaft (*Swiss*); *book* umfangreich; *meal* reichhaltig, währschaft (*Swiss*) **2.** *loss, amount* beträchtlich; *part, improvement* wesentlich **3.** (≈ *weighty*) bedeutend; *proof* überzeugend **substantially** *adv* **1.** (≈ *considerably*) beträchtlich **2.** (≈ *essentially*) im Wesentlichen

substation *n* ELEC Umspann(ungs)werk *nt*

substitute I *n* Ersatz *m no pl*; SPORTS Ersatzspieler(in) *m(f)*; ***to find a ~ for sb*** für jdn Ersatz finden; ***to use sth as a ~*** etw als Ersatz benutzen **II** *adj attr* Ersatz- **III** *v/t* ***to ~ A for B*** B durch A ersetzen **IV** *v/i* ***to ~ for sb*** jdn vertreten **substitute teacher** *n* (*US*) Aushilfslehrer(in) *m(f)* **substitution** *n* Ersetzen *nt* (*of X for Y* von Y durch X); SPORTS Austausch *m* (*of X for Y* von Y gegen X)

subterfuge *n* (≈ *trickery*) List *f*; (≈ *trick*) Trick *m*

subterranean *adj* unterirdisch

subtitle I *n* Untertitel *m* (*also* FILM) **II** *v/t film* mit Untertiteln versehen

subtle *adj* **1.** (≈ *delicate*) fein; *flavour, hint* zart **2.** *point* scharfsinnig; *pressure* sanft **subtlety** *n* Feinheit *f* **subtly** *adv* fein; *change* geringfügig; ***~ different*** auf subtile Weise unterschiedlich

subtotal *n* Zwischensumme *f*

subtract *v/t & v/i* subtrahieren (*from* von) **subtraction** *n* Subtraktion *f*

subtropical *adj* subtropisch

suburb *n* Vorort *m*; ***in the ~s*** am Stadtrand **suburban** *adj* vorstädtisch; ***~ street*** Vorortstraße *f* **suburbia** *n* (*usu pej*) die Vororte *pl*; ***to live in ~*** am Stadtrand wohnen

subversion *n no pl* Subversion *f* **subversive** *adj* subversiv

subway *n* Unterführung *f*; (*esp US* RAIL) U-Bahn *f*

subzero *adj* unter dem Nullpunkt
succeed I *v/i* **1.** erfolgreich sein; ***I ~ed in doing it*** es gelang mir, es zu tun **2.** ***to ~ to the throne*** die Thronfolge antreten **II** *v/t* (≈ *come after*) folgen (+*dat*); ***to ~ sb in a post / in office*** jds Stelle / Amt (*acc*) übernehmen **succeeding** *adj* folgend; ***~ generations*** spätere *or* nachfolgende Generationen *pl*
success *n* Erfolg *m*; ***without ~*** erfolglos; ***to make a ~ of sth*** mit etw Erfolg haben; ***to meet with ~*** Erfolg haben
successful *adj* erfolgreich; ***to be ~ at doing sth*** etw erfolgreich tun **successfully** *adv* erfolgreich, mit Erfolg
succession *n* **1.** Folge *f*; ***in ~*** hintereinander; ***in quick** or **rapid ~*** in rascher Folge **2.** (*to throne*) Thronfolge *f*; ***her ~ to the throne*** ihre Thronbesteigung **successive** *adj* aufeinanderfolgend *attr*; ***for the third ~ time*** zum dritten Mal hintereinander **successor** *n* Nachfolger(in) *m*(*f*) (*to* +*gen*); (*to throne*) Thronfolger(in) *m*(*f*)
succinct *adj* knapp **succinctly** *adv* kurz und bündig; *write* in knappem Stil
succulent *adj* saftig
succumb *v/i* erliegen (*to dat*)
such I *adj* solche(r, s); ***~ a person*** so *or* solch ein Mensch, ein solcher Mensch; ***~ a thing*** so etwas; ***I said no ~ thing*** das habe ich nie gesagt; ***you'll do no ~ thing*** du wirst dich hüten; ***there's no ~ thing*** so etwas gibt es nicht; ***~ as*** wie (etwa); ***writers ~ as Agatha Christie***, ***~ writers as Agatha Christie*** (solche) Schriftsteller wie Agatha Christie; ***I'm not ~ a fool as to believe that*** ich bin nicht so dumm, dass ich das glaube; ***he did it in ~ a way that ...*** er machte es so, dass ...; ***~ beauty!*** welche Schönheit! **II** *adv* so, solch (*elev*); ***it's ~ a long time ago*** es ist so lange her **III** *pron* ***~ is life!*** so ist das Leben!; ***as ~*** an sich; ***~ as?*** (wie) zum Beispiel?; ***~ as it is*** so, wie es nun mal ist **such-and-such** (*infml*) *adj* ***~ a town*** die und die Stadt **suchlike** (*infml*) **I** *adj* solche **II** *pron* dergleichen
suck I *v/t* saugen; *sweet* lutschen; *lollipop*, *thumb* lutschen an (+*dat*) **II** *v/i* **1.** (*at* an +*dat*) saugen **2.** (*US infml*) ***this city ~s*** diese Stadt ist echt Scheiße (*infml*) ◆ **suck in** *v/t sep air* ansaugen; *stomach* einziehen ◆ **suck up I** *v/t sep* aufsaugen **II** *v/i* (*infml*) ***to ~ to sb*** vor jdm kriechen
sucker *n* **1.** (≈ *rubber sucker*, ZOOL) Saugnapf *m* **2.** (*infml* ≈ *fool*) Trottel *m* (*infml*); ***to be a ~ for sth*** (immer) auf etw (*acc*) hereinfallen **suckle I** *v/t child* stillen; *animal* säugen **II** *v/i* saugen **suction** *n* Saugwirkung *f*
sudden I *adj* plötzlich; *bend* unerwartet; ***this is all so ~*** das kommt alles so plötzlich **II** *n* ***all of a ~*** (ganz) plötzlich **suddenly** *adv* plötzlich **suddenness** *n* Plötzlichkeit *f*
sudoku *n* Sudoku *nt*
suds *pl* Seifenlauge *f*
sue I *v/t* JUR verklagen; ***to ~ sb for sth*** jdn auf etw (*acc*) verklagen **II** *v/i* JUR klagen; ***to ~ for divorce*** die Scheidung einreichen
suede I *n* Wildleder *nt* **II** *adj* Wildleder-
suet *n* Nierenfett *nt*
Suez Canal *n* Suezkanal *m*
suffer I *v/t* (≈ *be subjected to*) erleiden; *headache*, *effects etc* leiden unter *or* an (+*dat*) **II** *v/i* leiden (*from* unter +*dat*, *from illness* an +*dat*); ***he was ~ing from shock*** er hatte einen Schock (erlitten); ***you'll ~ for this!*** das wirst du büßen! **sufferer** *n* MED Leidende(r) *m*/*f*(*m*) (*from* an +*dat*) **suffering** *n* Leiden *nt*
suffice (*form*) **I** *v/i* genügen, (aus)reichen **II** *v/t* ***~ it to say ...*** es reicht wohl, wenn ich sage, ... **sufficiency** *n* (≈ *adequacy*) Hinlänglichkeit *f* **sufficient** *adj* ausreichend; *reason* hinreichend; ***to be ~*** ausreichen **sufficiently** *adv* genug; ***a ~ large number*** eine ausreichend große Anzahl
suffix *n* LING Suffix *nt*
suffocate *v/t & v/i* ersticken **suffocating** *adj* (*lit*) erstickend *attr*; *heat* drückend *attr*; *room* stickig; (*fig*) *atmosphere* erdrückend *attr*; ***it's ~ in here*** es ist stickig hier drinnen **suffocation** *n* Ersticken *nt*
suffrage *n* Wahlrecht *nt*
sugar *n* Zucker *m* **sugar bowl** *n* Zuckerdose *f* **sugar candy** *n* Kandis(zucker) *m*; (*US* ≈ *sweet*) Bonbon *nt or m*, Zuckerl *nt* (*Aus*) **sugar cane** *n* Zuckerrohr *nt* **sugar-coated** *adj* mit Zucker überzogen **sugar cube** *n* Zuckerwürfel *m* **sugar-free** *adj* ohne Zucker **sugary** *adj taste* süß; (≈ *full of sugar*) zuckerig
suggest *v/t* **1.** (≈ *propose*) vorschlagen; ***are you ~ing I should tell a lie?*** soll das heißen, dass ich lügen soll? **2.** *explanation* vorbringen **3.** (≈ *indicate*) andeu-

ten; ***what are you trying to ~?*** was wollen Sie damit sagen?
suggestion *n* **1.** (≈ *proposal*) Vorschlag *m*; ***Rome was your ~*** Rom war deine Idee; ***I'm open to ~s*** Vorschläge sind *or* jeder Vorschlag ist willkommen **2.** (≈ *hint*) Andeutung *f* **3.** (≈ *trace*) Spur *f* **suggestive** *adj remark etc* anzüglich
suicidal *adj* selbstmörderisch; ***she was ~*** sie war selbstmordgefährdet **suicide** *n* Selbstmord *m*; ***to commit ~*** Selbstmord begehen **suicide attack** *n* Selbstmordanschlag *m* **suicide attacker** *n*, **suicide bomber** *n* Selbstmordattentäter(in) *m(f)* **suicide note** *n* Abschiedsbrief *m*
suit I *n* **1.** Anzug *m*; (*woman's*) Kostüm *nt*; ***~ of armour*** Rüstung *f* **2.** CARDS Farbe *f*; ***to follow ~*** (*fig*) jds Beispiel (*dat*) folgen **II** *v/t* **1.** passen (+*dat*); (*climate*) bekommen (+*dat*); (*job*) gefallen (+*dat*); (≈ *please*) zufriedenstellen; ***~s me!*** (*infml*) ist mir recht (*infml*); ***that would ~ me nicely*** (*arrangement*) das würde mir gut passen; ***when would it ~ you to come?*** wann würde es Ihnen passen?; ***to be ~ed for/to*** geeignet sein für; ***he is not ~ed to be a doctor*** er eignet sich nicht zum Arzt; ***they are well ~ed (to each other)*** sie passen gut zusammen; ***you can't ~ everybody*** man kann es nicht jedem recht machen **2.** (*clothes*) (gut) stehen (+*dat*) **III** *v/r* ***he ~s himself*** er tut, was er will *or* was ihm passt; ***you can ~ yourself whether you come or not*** du kannst kommen oder nicht, ganz wie du willst; ***~ yourself!*** wie du willst! **suitability** *n* Angemessenheit *f*; (*for job*) Eignung *f*
suitable *adj* geeignet; (≈ *appropriate*) angemessen; ***to be ~ for sb*** jdm passen; (*film, job*) für jdn geeignet sein; ***to be ~ for sth*** sich für etw eignen; ***none of the dishes is ~ for freezing*** keines der Rezepte eignet sich zum Einfrieren; ***the most ~ man for the job*** der am besten geeignete Mann für den Posten **suitably** *adv* angemessen; ***~ impressed*** gehörig beeindruckt
suitcase *n* Koffer *m*
suite *n* (*of rooms,* MUS) Suite *f*; ***3-piece ~*** dreiteilige Sitzgarnitur
suitor *n* **1.** (*old, of woman*) Freier *m* (*old*) **2.** JUR Kläger(in) *m(f)*
sulk I *v/i* schmollen **II** *n* ***to have a ~*** schmollen **sulkily** *adv* beleidigt **sulky** *adj* (+*er*) eingeschnappt
sullen *adj* mürrisch **sullenly** *adv* mürrisch **sullenness** *n* (*of person*) Verdrießlichkeit *f*
sulphate, (*US*) **sulfate** *n* Sulfat *nt*
sulphur, (*US*) **sulfur** *n* Schwefel *m* **sulphuric acid**, (*US*) **sulfuric acid** *n* Schwefelsäure *f*
sultan *n* Sultan *m*
sultana *n* (*Br* ≈ *fruit*) Sultanine *f*
sultry *adj atmosphere* schwül; *voice, look* glutvoll
sum *n* **1.** Summe *f* **2.** (*esp Br* ≈ *calculation*) Rechenaufgabe *f*; ***to do ~s*** rechnen; ***that was the ~ (total) of his achievements*** das war alles, was er geschafft hatte ◆ **sum up I** *v/t sep* **1.** (≈ *summarize*) zusammenfassen **2.** (≈ *evaluate*) einschätzen **II** *v/i* zusammenfassen
summarize *v/t* zusammenfassen **summary** *n* Zusammenfassung *f*
summer I *n* Sommer *m*; ***in (the) ~*** im Sommer **II** *adj attr* Sommer- **summer holidays** *pl* (*esp Br*) Sommerferien *pl* **summer school** *n* Sommerkurs *m* **summertime** *n* Sommer *m* **summery** *adj* sommerlich
summing-up *n* JUR Resümee *nt*
summit *n* Gipfel *m*
summon *v/t* **1.** *fire brigade etc* (herbei)rufen; *help* holen; *meeting* einberufen **2.** JUR vorladen ◆ **summon up** *v/t sep courage* zusammennehmen; *strength* aufbieten
summons *n* JUR Vorladung *f*
sumptuous *adj* luxuriös; *food etc* üppig
Sun *abbr of* **Sunday** So.
sun *n* Sonne *f*; ***you've caught the ~*** dich hat die Sonne erwischt; ***he's tried everything under the ~*** er hat alles Menschenmögliche versucht **sunbathe** *v/i* sonnenbaden **sunbathing** *n* Sonnenbaden *nt* **sunbeam** *n* Sonnenstrahl *m* **sun bed** *n* Sonnenbank *f* **sun block** *n* Sonnenschutzcreme *f* **sunburn** *n* Sonnenbrand *m* **sunburnt** *adj* ***to get ~*** (einen) Sonnenbrand bekommen
sundae *n* Eisbecher *m*
Sunday I *n* Sonntag *m*; → ***Tuesday*** **II** *adj attr* Sonntags- **Sunday school** *n* Sonntagsschule *f*
sundial *n* Sonnenuhr *f* **sundown** *n* (*Br*) Sonnenuntergang *m*; ***at/before ~*** bei/vor Sonnenuntergang **sun-drenched** *adj* sonnenüberflutet **sun-dried** *adj* son-

nengetrocknet **sunflower** *n* Sonnenblume *f*
sung *past part of* ***sing***
sunglasses *pl* Sonnenbrille *f* **sunhat** *n* Sonnenhut *m*
sunk *past part of* ***sink***[1] **sunken** *adj treasure* versunken; *garden* abgesenkt
sun lamp *n* Höhensonne® *f* **sunlight** *n* Sonnenlicht *nt*; ***in the ~*** in der Sonne **sunlit** *adj* sonnig **sun lounger** *n* Sonnenliege *f*
sunny *adj* (+*er*) sonnig; ***to look on the ~ side*** (***of things***) die Dinge von der angenehmen Seite nehmen
sunrise *n* Sonnenaufgang *m*; ***at ~*** bei Sonnenaufgang **sunroof** *n* Schiebedach *nt* **sunscreen** *n* Sonnenschutzmittel *nt*
sunset *n* Sonnenuntergang *m*; ***at ~*** bei Sonnenuntergang **sunshade** *n* Sonnenschirm *m*
sunshine *n* Sonnenschein *m* **sunstroke** *n* ***to get ~*** einen Sonnenstich bekommen **suntan** *n* Sonnenbräune *f*; ***to get a ~*** braun werden; ***~ lotion*** Sonnenöl *nt* **suntanned** *adj* braun gebrannt **sunup** *n* (*US*) Sonnenaufgang *m*; ***at ~*** bei Sonnenaufgang
super *adj* (*esp Br infml*) klasse *inv* (*infml*)
superb *adj*, **superbly** *adv* großartig
supercilious *adj*, **superciliously** *adv* hochnäsig
superficial *adj* oberflächlich; *resemblance* äußerlich **superficially** *adv* oberflächlich; *similar*, *different* äußerlich
superfluous *adj* überflüssig
superglue® *n* Sekundenkleber *m* **superhighway** *n* (*US*) ≈ Autobahn *f*; ***the information ~*** die Datenautobahn **superhuman** *adj* übermenschlich
superimpose *v/t* ***to ~ sth on sth*** etw auf etw (*acc*) legen; PHOT etw über etw (*acc*) fotografieren
superintendent *n* (*US*: *in building*) Hausmeister(in) *m*(*f*), Abwart(in) *m*(*f*) (*Swiss*); (*of police*, *Br*) ≈ Kommissar(in) *m*(*f*); (*US*) ≈ Polizeipräsident(in) *m*(*f*)
superior I *adj* **1.** (≈ *better*) besser (*to* als); *ability* überlegen (*to sb* / *sth* jdm / einer Sache); ***he thinks he's so ~*** er hält sich für so viel besser **2.** (≈ *excellent*) großartig **3.** (*in rank*) höher; ***~ officer*** Vorgesetzte(r) *m*/*f*(*m*); ***to be ~ to sb*** jdm übergeordnet sein **4.** *forces* stärker (*to* als); *strength* größer (*to* als) **5.** (≈ *snobbish*) überheblich **II** *n* (*in rank*) Vorgesetzte(r) *m*/*f*(*m*) **superiority** *n* **1.** Überlegenheit *f* **2.** (≈ *excellence*) Großartigkeit *f* **3.** (*in rank*) höhere Stellung
superlative I *adj* überragend; GRAM superlativisch **II** *n* Superlativ *m*
supermarket *n* Supermarkt *m* **supernatural I** *adj* übernatürlich **II** *n* ***the ~*** das Übernatürliche **superpower** *n* POL Supermacht *f* **superscript** *adj* hochgestellt
supersede *v/t* ablösen
supersonic *adj* Überschall- **superstar** *n* (Super)star *m*
superstition *n* Aberglaube *m no pl* **superstitious** *adj* abergläubisch; ***to be ~ about sth*** in Bezug auf etw (*acc*) abergläubisch sein
superstore *n* Verbrauchermarkt *m* **superstructure** *n* Überbau *m* **supertanker** *n* Supertanker *m*
supervise I *v/t* beaufsichtigen **II** *v/i* Aufsicht führen **supervision** *n* Aufsicht *f*; (≈ *action*) Beaufsichtigung *f*; (*of work*) Überwachung *f* **supervisor** *n* (*of work*) Aufseher(in) *m*(*f*); (*Br* UNIV) ≈ Tutor(in) *m*(*f*) **supervisory board** *n* COMM, IND Aufsichtsrat *m*
supper *n* (≈ *meal*) Abendessen *nt*, Nachtmahl *nt* (*Aus*), Nachtessen *nt* (*Swiss*); (≈ *snack*) (später) Imbiss; ***to have ~*** zu Abend essen **suppertime** *n* Abendessenszeit *f*; ***at ~*** zur Abendbrotzeit
supplant *v/t* ersetzen
supple *adj* (+*er*) geschmeidig; *person* beweglich
supplement I *n* **1.** Ergänzung *f* (*to* +*gen*); (≈ *food supplement*) Zusatz *m* **2.** (≈ *colour supplement etc*) Beilage *f* **II** *v/t* ergänzen **supplementary** *adj* ergänzend
suppleness *n* Geschmeidigkeit *f*; (*of person*) Beweglichkeit *f*
supplier *n* COMM Lieferant(in) *m*(*f*)
supply I *n* **1.** (≈ *supplying*) Versorgung *f*; (≈ *delivery*) Lieferung *f* (*to* an +*acc*); ECON Angebot *nt*; ***electricity ~*** Stromversorgung *f*; ***~ and demand*** Angebot und Nachfrage; ***to cut off the ~*** (*of gas*, *water etc*) das Gas / Wasser abstellen **2.** (≈ *stock*) Vorrat *m*; ***supplies*** *pl* Vorräte *pl*; ***to get*** *or* ***lay in supplies*** *or* ***a ~ of sth*** sich (*dat*) einen Vorrat an etw (*dat*) anlegen *or* zulegen; ***a month's ~*** ein Monatsbedarf *m*; ***to be in short ~*** knapp sein; ***to be in good ~*** reichlich vorhanden sein; ***medical supplies*** Arzneimit-

tel *pl* **II** *v/t* **1.** *food etc* sorgen für; (≈ *deliver*) liefern; (≈ *put at sb's disposal*) stellen; ***pens and paper are supplied by the firm*** Schreibmaterial wird von der Firma gestellt **2.** (*with* mit) *person, army* versorgen; COMM beliefern **supply teacher** *n* (*Br*) Aushilfslehrer(in) *m(f)*

support I *n* (≈ *person*) Stütze *f*; (*fig*: *no pl* ≈ *backing*) Unterstützung *f*; ***to give ~ to sb/sth*** jdn/etw stützen; ***to lean on sb for ~*** sich auf jdn stützen; ***in ~ of*** zur Unterstützung (+*gen*) **II** *attr* Hilfs- **III** *v/t* **1.** (*lit*) stützen; (≈ *weight*) tragen **2.** (*fig*) unterstützen; *plan* befürworten; (≈ *give moral support to*) beistehen (+*dat*); *theory* untermauern; *family* unterhalten; ***he ~s Arsenal*** er ist Arsenal-Anhänger *m*; ***which team do you ~?*** für welche Mannschaft bist du?; ***without his family to ~ him*** ohne die Unterstützung seiner Familie **IV** *v/r* (*physically*) sich stützen (*on* auf +*acc*); (*financially*) seinen Unterhalt (selbst) bestreiten **support band** *n* Vorgruppe *f*

supporter *n* Anhänger(in) *m(f)* **support group** *n* Unterstützungsgruppe *f* **supporting** *adj* **1.** ***~ role*** Nebenrolle *f* **2.** TECH stützend **supporting actor** *n* FILM, THEAT Nebendarsteller *m* **supporting actress** *n* FILM, THEAT Nebendarstellerin *f* **supportive** *adj* (*fig*) unterstützend *attr*; ***if his parents had been more ~*** wenn seine Eltern ihn mehr unterstützt hätten

suppose *v/t* **1.** (≈ *imagine*) sich (*dat*) vorstellen; (≈ *assume*) annehmen; ***let us ~ we are living in the 8th century*** stellen wir uns einmal vor, wir lebten im 8. Jahrhundert; ***let us ~ that X equals 3*** angenommen, X sei gleich 3; ***I don't ~ he'll come*** ich glaube kaum, dass er kommt; ***I ~ that's the best thing, that's the best thing, I ~*** das ist *or* wäre vermutlich das Beste; ***you're coming, I ~?*** ich nehme an, du kommst?; ***I don't ~ you could lend me a pound?*** Sie könnten mir nicht zufällig ein Pfund leihen?; ***will he be coming? — I ~ so*** kommt er? — ich denke *or* glaube schon; ***you ought to be leaving — I ~ so*** du solltest jetzt gehen — stimmt wohl; ***don't you agree with me? — I ~ so*** bist du da nicht meiner Meinung? — na ja, schon; ***I don't ~ so*** ich glaube kaum; ***so you see, it can't be true — I ~ not*** da siehst du selbst, es kann nicht stimmen — du wirst wohl recht haben; ***he can't refuse, can he? — I ~ not*** er kann nicht ablehnen, oder? — eigentlich nicht; ***he's ~d to be coming*** er soll (angeblich) kommen; ***~ you have a wash?*** wie wärs, wenn du dich mal wäschst? **2.** (≈ *ought*) ***to be ~d to do sth*** etw tun sollen; ***he's the one who's ~d to do it*** er müsste es eigentlich tun; ***he isn't ~d to find out*** er darf es nicht erfahren **supposed** *adj* vermutet; *insult* angeblich **supposedly** *adv* angeblich **supposing** *cj* angenommen; ***but ~ ...*** aber wenn ...; ***~ he can't do it?*** und wenn er es nicht schafft?

suppress *v/t* unterdrücken; *information* zurückhalten **suppression** *n* Unterdrückung *f*; (*of appetite*) Zügelung *f*; (*of information, evidence*) Zurückhalten *nt*

supremacy *n* Vormachtstellung *f*; (*fig*) Supremat *nt or m* **supreme** *adj* **1.** (*in authority*) höchste(r, s); *court* oberste(r, s) **2.** *indifference etc* äußerste(r, s) **supreme commander** *n* Oberbefehlshaber(in) *m(f)* **supremely** *adv confident* äußerst; *important* überaus; ***she does her job ~ well*** sie macht ihre Arbeit außerordentlich gut

surcharge *n* Zuschlag *m*

sure I *adj* (+*er*) sicher; *method* zuverlässig; ***it's ~ to rain*** es regnet ganz bestimmt; ***be ~ to turn the gas off*** vergiss nicht, das Gas abzudrehen; ***be ~ to go and see her*** du musst sie unbedingt besuchen; ***to make ~*** (≈ *check*) nachsehen; ***make ~ the window's closed*** achten Sie darauf, dass das Fenster zu ist; ***make ~ you take your keys*** denk daran, deine Schlüssel mitzunehmen; ***I've made ~ that there's enough coffee*** ich habe dafür gesorgt, dass genug Kaffee da ist; ***I'll find out for ~*** ich werde das genau herausfinden; ***do you know for ~?*** wissen Sie das ganz sicher?; ***I'm ~ she's right*** ich bin sicher, sie hat recht; ***do you want to see that film? — I'm not ~*** willst du diesen Film sehen? — ich bin mir nicht sicher; ***I'm not so ~ about that*** da bin ich nicht so sicher; ***to be ~ of oneself*** (*generally*) selbstsicher sein **II** *adv* **1.** (*infml*) ***will you do it? — ~!*** machst du das? — klar! (*infml*) **2.** ***and ~ enough he did come*** und er ist tatsächlich gekommen

surely *adv* **1.** bestimmt, sicher; ***~ not!*** das kann doch nicht stimmen!; ***~ someone must know*** irgendjemand muss es doch wissen; ***but ~ you can't expect us to believe that*** Sie können doch wohl nicht erwarten, dass wir das glauben! **2.** (≈ *inevitably*) zweifellos **3.** (≈ *confidently*) mit sicherer Hand; ***slowly but ~*** langsam aber sicher

surf I *n* Brandung *f* **II** *v/i* surfen **III** *v/t* ***to ~ the Net*** (*infml*) im (Inter)net surfen (*infml*)

surface I *n* **1.** Oberfläche *f*; ***on the ~*** oberflächlich; (*of person*) nach außen hin **2.** MIN ***on the ~*** über Tage **II** *adj attr* **1.** oberflächlich **2.** (≈ *not by air*) auf dem Land-/Seeweg **III** *v/i* auftauchen **surface area** *n* Fläche *f* **surface mail** *n* ***by ~*** auf dem Land-/Seeweg **surface-to-air** *adj attr* ***~ missile*** Boden-Luft-Rakete *f*

surfboard *n* Surfbrett *nt*

surfeit *n* Übermaß *nt* (*of* an *+dat*)

surfer *n* Surfer(in) *m(f)* **surfing** *n* Surfen *nt*

surge I *n* (*of water*) Schwall *m*; ELEC Spannungsstoß *m*; ***he felt a sudden ~ of rage*** er fühlte, wie die Wut in ihm aufstieg; ***a ~ in demand*** ein rascher Nachfrageanstieg **II** *v/i* (*river*) anschwellen; ***they ~d toward(s) him*** sie drängten auf ihn zu; ***to ~ ahead/forward*** vorpreschen

surgeon *n* Chirurg(in) *m(f)* **surgery** *n* **1.** Chirurgie *f*; ***to have ~*** operiert werden; ***to need (heart) ~*** (am Herzen) operiert werden müssen; ***to undergo ~*** sich einer Operation unterziehen **2.** (*Br* ≈ *room*) Sprechzimmer *nt*, Ordination *f* (*Aus*); (≈ *consultation*) Sprechstunde *f*; ***~ hours*** Sprechstunden *pl*, Ordination *f* (*Aus*) **surgical** *adj* operativ; *technique* chirurgisch **surgically** *adv* operativ **surgical mask** *n* OP-Maske *f*

surly *adj* (*+er*) verdrießlich

surmise *v/t* vermuten, mutmaßen

surmount *v/t* überwinden

surname *n* Nachname *m*

surpass I *v/t* übertreffen **II** *v/r* sich selbst übertreffen

surplus *n* Überschuss *m* (*of* an *+dat*) *adj* überschüssig; (*of countable objects*) überzählig

surprise I *n* Überraschung *f*; ***in ~*** überrascht; ***it came as a ~ to us*** wir waren überrascht; ***to give sb a ~*** jdn überraschen; ***to take sb by ~*** jdn überraschen; ***~, ~, it's me!*** rate mal, wer hier ist?; ***~, ~!*** (*iron*) was du nicht sagst! **II** *attr* Überraschungs-, überraschend **III** *v/t* überraschen; ***I wouldn't be ~d if ...*** es würde mich nicht wundern, wenn ...; ***go on, ~ me!*** ich lass mich überraschen! **surprising** *adj* überraschend **surprisingly** *adv* überraschend; ***not ~ it didn't work*** wie zu erwarten (war), hat es nicht geklappt

surreal *adj* unwirklich **surrealism** *n* Surrealismus *m*

surrender I *v/i* sich ergeben (*to +dat*); (*to police*) sich stellen (*to +dat*); ***I ~!*** ich ergebe mich! **II** *v/t* MIL übergeben; *title, lead* abgeben **III** *n* **1.** MIL Kapitulation *f* (*to* vor *+dat*) **2.** (≈ *handing over*) Übergabe *f* (*to* an *+acc*); (*of title, lead*) Abgabe *f*

surrogate *attr* Ersatz- **surrogate mother** *n* Leihmutter *f*

surround I *n* (*esp Br*) ***the ~s*** die Umgebung **II** *v/t* umgeben; MIL umzingeln **surrounding** *adj* umliegend; ***in the ~ area*** in der Umgebung **surroundings** *pl* Umgebung *f* **surround sound** *n* Surround-Sound(-System *nt*) *m* **surround-sound** *adj attr speakers* Surround-Sound-

surveillance *n* Überwachung *f*; ***to be under ~*** überwacht werden; ***to keep sb under ~*** jdn überwachen *or* observieren (*form*)

survey I *n* **1.** (SURVEYING: *of land*) Vermessung *f*; (*of house*) Begutachtung *f*; (≈ *report*) Gutachten *nt* **2.** (≈ *inquiry*) Untersuchung *f* (*of, on* über *+acc*); (*by opinion poll etc*) Umfrage *f* (*of, on* über *+acc*) **II** *v/t* **1.** (≈ *look at*) betrachten **2.** (≈ *study*) untersuchen **3.** SURVEYING *land* vermessen; *building* inspizieren **surveyor** *n* **1.** (≈ *land surveyor*) Landvermesser(in) *m(f)* **2.** (≈ *building surveyor*) Bauinspektor(in) *m(f)*

survival *n* Überleben *nt*

survive I *v/i* überleben; (*treasures*) erhalten bleiben; (*custom*) weiterleben; ***only five copies ~ or have ~d*** nur fünf Exemplare sind erhalten **II** *v/t* überleben; (*objects*) *fire, flood* überstehen **surviving** *adj* **1.** (≈ *still living*) noch lebend **2.** (≈ *remaining*) noch existierend **survivor** *n* Überlebende(r) *m/f(m)*; JUR Hinterbliebene(r) *m/f(m)*; ***he's a ~*** (*fig, in politics etc*) er ist ein Überlebenskünstler

susceptible *adj* ***~ to sth*** *to flattery etc* für etw empfänglich; *to colds* für etw anfäl-

lig
suspect I *adj* verdächtig II *n* Verdächtige(r) *m/f(m)* III *v/t person* verdächtigen (*of sth* einer Sache *gen*); (≈ *think likely*) vermuten; ***I ~ her of having stolen it*** ich habe sie im Verdacht *or* ich verdächtige sie, es gestohlen zu haben; ***the ~ed bank robber*** *etc* der mutmaßliche Bankräuber *etc*; ***he ~s nothing*** er ahnt nichts; ***does he ~ anything?*** hat er Verdacht geschöpft?; ***I ~ed as much*** das habe ich mir doch gedacht; ***he was taken to hospital with a ~ed heart attack*** er wurde mit dem Verdacht auf Herzinfarkt ins Krankenhaus eingeliefert
suspend *v/t* **1.** (≈ *hang*) (auf)hängen (*from* an *+dat*) **2.** *payment* (zeitweilig) einstellen; *talks* aussetzen; *flights* aufschieben; ***he was given a ~ed sentence*** seine Strafe wurde zur Bewährung ausgesetzt **3.** *person* suspendieren; SPORTS sperren **suspender** *n usu pl* **1.** (*Br*) Strumpfhalter *m*; ***~ belt*** Strumpf(halter)gürtel *m* **2.** (*US*) **suspenders** *pl* Hosenträger *pl* **suspense** *n* Spannung *f*; ***the ~ is killing me*** ich bin gespannt wie ein Flitzbogen (*hum infml*); ***to keep sb in ~*** jdn auf die Folter spannen (*infml*) **suspension** *n* **1.** (*of payment*) zeitweilige Einstellung; (*of flights*) Aufschub *m*; (*of talks*) Aussetzung *f* **2.** (*of person*) Suspendierung *f*; SPORTS Sperrung *f* **3.** AUTO Federung *f* **suspension bridge** *n* Hängebrücke *f*
suspicion *n* Verdacht *m no pl*; ***to arouse sb's ~s*** jds Verdacht erregen; ***to have one's ~s about sth/sb*** seine Zweifel bezüglich einer Sache/Person (*gen*) haben; ***to be under ~*** unter Verdacht stehen; ***to arrest sb on ~ of murder*** jdn wegen Mordverdachts festnehmen **suspicious** *adj* **1.** (≈ *feeling suspicion*) misstrauisch (*of* gegenüber); ***to be ~ about sth*** etw mit Misstrauen betrachten **2.** (≈ *causing suspicion*) verdächtig **suspiciously** *adv* **1.** (≈ *with suspicion*) argwöhnisch, misstrauisch **2.** (≈ *causing suspicion, probably*) verdächtig
suss *v/t* (*Br infml*) ***to ~ sb out*** jdm auf den Zahn fühlen (*infml*); ***I can't ~ him out*** bei ihm blicke ich nicht durch (*infml*); ***I've got him ~ed (out)*** ich habe ihn durchschaut; ***to ~ sth out*** etw herausbekommen
sustain *v/t* **1.** *weight* aushalten; *life* erhalten; *body* bei Kräften halten **2.** *effort* aufrechterhalten; *growth* beibehalten; JUR ***objection ~ed*** Einspruch stattgegeben **3.** *injury, damage* erleiden **sustainable** *adj* aufrechtzuerhalten *pred*, aufrechtzuerhaltend *attr*; *development* nachhaltig; *resources* erneuerbar; *level* haltbar **sustained** *adj* anhaltend **sustenance** *n* Nahrung *f*
SW *abbr* **1.** *of* ***south-west*** SW **2.** *of* ***short wave*** KW
swab *n* MED Tupfer *m*
Swabia *n* Schwaben *nt*
swag *n* (*infml*) Beute *f*
swagger *v/i* **1.** (≈ *strut*) stolzieren **2.** (≈ *boast*) angeben
swallow[1] I *n* Schluck *m* II *v/t & v/i* schlucken ◆ **swallow down** *v/t sep* hinunterschlucken ◆ **swallow up** *v/t sep* (*fig*) verschlingen
swallow[2] *n* (≈ *bird*) Schwalbe *f*
swam *pret of* ***swim***
swamp I *n* Sumpf *m* II *v/t* überschwemmen
swan I *n* Schwan *m* II *v/i* (*Br infml*) ***to ~ off*** abziehen (*infml*); ***to ~ around (the house)*** zu Hause herumschweben (*infml*)
swap I *n* ***to do a ~ (with sb)*** (mit jdm) tauschen II *v/t stamps etc* tauschen; *stories, insults* austauschen; ***to ~ sth for sth*** etw für etw eintauschen; ***to ~ places with sb*** mit jdm tauschen; ***to ~ sides*** die Seiten wechseln III *v/i* tauschen
swarm I *n* Schwarm *m* II *v/i* schwärmen; ***to ~ with*** wimmeln von
swarthy *adj* (*+er*) dunkel
swastika *n* Hakenkreuz *nt*
swat I *v/t fly* totschlagen II *n* (≈ *fly swat*) Fliegenklatsche *f*
swathe *v/t* wickeln (*in* in *+acc*)
sway I *n* **1.** (*of hips*) Wackeln *nt* **2.** ***to hold ~ over sb*** jdn beherrschen II *v/i* (*trees*) sich wiegen; (*hanging object*) schwingen; (*building, person*) schwanken; ***she ~s as she walks*** sie wiegt beim Gehen die Hüften III *v/t* **1.** *hips* wiegen **2.** (≈ *influence*) beeinflussen
swear *vb*: *pret* **swore**, *past part* **sworn** I *v/t allegiance* schwören; *oath* leisten; ***I ~ it!*** ich kann das beschwören!; ***to ~ sb to secrecy*** jdn schwören lassen, dass er nichts verrät II *v/i* **1.** (*solemnly*) schwören; ***to ~ to sth*** etw beschwören **2.** (≈ *use swearwords*) fluchen (*about*

über *+acc*); ***to ~ at sb/sth*** jdn/etw beschimpfen ◆ **swear by** *v/i +prep obj* (*infml*) schwören auf (*+acc*) ◆ **swear in** *v/t sep witness etc* vereidigen

swearing *n* Fluchen *nt* **swearword** *n* Fluch *m*, Kraftausdruck *m*

sweat I *n* Schweiß *m no pl* **II** *v/i* schwitzen (*with* vor *+dat*); ***to ~ like a pig*** (*infml*) wie ein Affe schwitzen (*infml*) ◆ **sweat out** *v/t sep* ***to sweat it out*** (*fig infml*) durchhalten; (≈ *sit and wait*) abwarten

sweatband *n* Schweißband *nt*

sweater *n* Pullover *m* **sweat pants** *pl* (*esp US*) Jogginghose *f* **sweatshirt** *n* Sweatshirt *nt* **sweatshop** *n* (*pej*) Ausbeuterbetrieb *m* (*pej*) **sweaty** *adj* (*+er*) *hands* schweißig; *body, socks* verschwitzt

Swede *n* Schwede *m*, Schwedin *f*

swede *n* (*esp Br*) Kohlrübe *f*

Sweden *n* Schweden *nt*

Swedish I *adj* schwedisch; ***he is ~*** er ist Schwede **II** *n* **1.** LING Schwedisch *nt* **2.** ***the ~*** die Schweden *pl*

sweep *vb*: *pret, past part* ***swept*** **I** *n* **1.** ***to give sth a ~*** etw kehren *or* (*Swiss*) wischen **2.** (≈ *chimney sweep*) Schornsteinfeger(in) *m*(*f*) **3.** (*of arm*) Schwung *m*; ***to make a clean ~*** (*fig*) gründlich aufräumen **4.** (*of river*) Bogen *m* **II** *v/t* **1.** *floor* fegen, wischen (*Swiss*); *chimney* fegen; *snow* wegfegen; ***to ~ sth under the carpet*** (*fig*) etw unter den Teppich kehren **2.** (≈ *scan*) absuchen (*for* nach) **3.** (≈ *move quickly over, wind*) fegen über (*+acc*); (*waves, violence*) überrollen; (*disease*) um sich greifen in (*+dat*) **III** *v/i* **1.** (*with broom*) kehren, wischen (*Swiss*) **2.** (≈ *move, person*) rauschen; (*vehicle*) schießen; (*majestically*) gleiten; (*river*) in weitem Bogen führen; ***the disease swept through Europe*** die Krankheit breitete sich in Europa aus ◆ **sweep along** *v/t sep* mitreißen ◆ **sweep aside** *v/t sep* wegfegen ◆ **sweep away** *v/t sep leaves etc* wegfegen; (*avalanche*) wegreißen; (*flood etc*) wegschwemmen ◆ **sweep off** *v/t sep* ***he swept her off her feet*** (*fig*) sie hat sich Hals über Kopf in ihn verliebt (*infml*) ◆ **sweep out I** *v/i* hinausrauschen **II** *v/t sep room* ausfegen, wischen (*Swiss*); *dust* hinausfegen ◆ **sweep up I** *v/i* (*with broom*) zusammenfegen **II** *v/t sep* zusammenfegen

sweeper *n* (≈ *carpet sweeper*) Teppichkehrer *m* **sweeping** *adj* **1.** *curve* weit ausholend; *staircase* geschwungen **2.** (*fig*) *change* radikal

sweet I *adj* (*+er*) süß; (≈ *kind*) lieb; ***to have a ~ tooth*** gern Süßes essen **II** *n* (*Br*) **1.** (≈ *candy*) Bonbon *nt*, Zuckerl *nt* (*Aus*) **2.** (≈ *dessert*) Nachtisch *m* **sweet-and-sour** *adj* süßsauer **sweetcorn** *n* Mais *m* **sweeten** *v/t* süßen; ***to ~ the pill*** die bittere Pille versüßen **sweetener** *n* COOK Süßstoff *m* **sweetheart** *n* Schatz *m* **sweetly** *adv say, scented* süßlich; *smile* süß **sweetness** *n* Süße *f* **sweet potato** *n* Süßkartoffel *f* **sweet shop** *n* (*Br*) Süßwarenladen *m* **sweet-talk** *v/t* (*infml*) ***to ~ sb into doing sth*** jdn mit süßen Worten dazu bringen, etw zu tun

swell *vb*: *pret* ***swelled***, *past part* ***swollen*** *or* ***swelled*** **I** *n* (*of sea*) Wogen *nt no pl* **II** *adj* (*esp US dated* ≈ *excellent*) klasse (*infml*) **III** *v/t sail* blähen; *numbers* anwachsen lassen **IV** *v/i* **1.** (*ankle etc*: *a.* **swell up**) (an)schwellen **2.** (*river*) anschwellen; (*sails*: *a.* **swell out**) sich blähen; (*in number*) anwachsen **swelling I** *n* **1.** Verdickung *f*; MED Schwellung *f* **2.** (*of population etc*) Anwachsen *nt* **II** *adj attr numbers* anwachsend

swelter *v/i* (vor Hitze) vergehen **sweltering** *adj day* glühend heiß; *heat* glühend; ***it's ~ in here*** (*infml*) hier verschmachtet man ja! (*infml*)

swept *pret, past part of* ***sweep***

swerve I *n* Bogen *m* **II** *v/i* einen Bogen machen; (*car*) ausschwenken; (*ball*) im Bogen fliegen; ***the road ~s*** (***round***) ***to the right*** die Straße schwenkt nach rechts; ***the car ~d in and out of the traffic*** der Wagen schoss im Slalom durch den Verkehrsstrom **III** *v/t car etc* herumreißen; *ball* anschneiden

swift *adj* (*+er*) schnell **swiftly** *adv* schnell; *react* prompt

swig (*infml*) **I** *n* Schluck *m*; ***to have*** *or* ***take a ~ of beer*** einen Schluck Bier trinken **II** *v/t* (*a.* **swig down**) herunterkippen (*infml*)

swill I *n* **1.** (≈ *animal food*) (Schweine)futter *nt* **2.** ***to give sth a ~*** (***out***) = ***swill*** II1 **II** *v/t* **1.** (*esp Br*: *a.* **swill out**) auswaschen; *cup* ausschwenken **2.** (*infml*) *beer etc* kippen (*infml*)

swim *vb*: *pret* ***swam***, *past part* ***swum*** **I** *n* ***that was a nice ~*** das (Schwimmen) hat

Spaß gemacht!; ***to have a ~*** schwimmen **II** *v/t* schwimmen; *river* durchschwimmen **III** *v/i* schwimmen; ***my head is ~ming*** mir dreht sich alles **swimmer** *n* Schwimmer(in) *m(f)* **swimming** *n* Schwimmen *nt*; ***do you like ~?*** schwimmen Sie gern? **swimming bath** *n usu pl* (*Br*) Schwimmbad *nt* **swimming cap** *n* (*Br*) Badekappe *f* **swimming costume** *n* (*Br*) Badeanzug *m* **swimming instructor** *n* Schwimmlehrer(in) *m(f)* **swimming pool** *n* Schwimmbad *nt* **swimming trunks** *pl* (*Br*) Badehose *f* **swimsuit** *n* Badeanzug *m*

swindle I *n* Schwindel *m*, Pflanz *m* (*Aus*) **II** *v/t person* betrügen; ***to ~ sb out of sth*** jdm etw abschwindeln **swindler** *n* Schwindler(in) *m(f)*

swine *n* **1.** *pl* **-** (*old, form*) Schwein *nt* **2.** *pl* **-s** (*pej infml ≈ man*) (gemeiner) Hund (*infml*)

swing *vb*: *pret, past part* **swung I** *n* **1.** Schwung *m*; (*to and fro*) Schwingen *nt*; (*fig*, POL) (Meinungs)umschwung *m*; ***to go with a ~*** (*fig*) ein voller Erfolg sein (*infml*); ***to be in full ~*** voll im Gang sein; ***to get into the ~ of sth*** *of new job etc* sich an etw (*acc*) gewöhnen; ***to get into the ~ of things*** (*infml*) reinkommen (*infml*) **2.** (*≈ seat for swinging*) Schaukel *f* **II** *v/t* **1.** schwingen; (*to and fro*) hin und her schwingen; (*on swing*) schaukeln; *arms* schwingen (mit); (*≈ dangle*) baumeln mit; ***he swung himself over the wall*** er schwang sich über die Mauer **2.** *election* beeinflussen; ***his speech swung the decision in our favour*** seine Rede ließ die Entscheidung zu unseren Gunsten ausfallen **III** *v/i* schwingen; (*on swing*) schaukeln; (*≈ dangle*) baumeln; ***to ~ open*** aufschwingen; ***to ~ shut*** zuschlagen; ***to ~ into action*** in Aktion treten ◆ **swing (a)round I** *v/i* (*person*) sich umdrehen; (*car, plane*) herumschwenken **II** *v/t sep* herumschwenken ◆ **swing back** *v/i* zurückschwingen ◆ **swing to** *v/i* (*door*) zuschlagen

swing door *n* (*Br*) Pendeltür *f* **swinging** *adj* **~ door** (*US*) Pendeltür *f*

swipe I *n* (*≈ blow*) Schlag *m*; ***to take a ~ at sb/sth*** nach jdm/etw schlagen **II** *v/t* **1.** *person, ball etc* schlagen **2.** (*infml ≈ steal*) klauen (*infml*) **3.** *card* durchziehen **swipe card** *n* Magnetstreifenkarte *f*

swirl I *n* Wirbel *m* **II** *v/t & v/i* wirbeln

swish I *n* (*of cane*) Zischen *nt*; (*of skirts, water*) Rauschen *nt* **II** *v/t cane* zischen lassen; *tail* schlagen mit; *skirt* rauschen mit; *water* schwenken **III** *v/i* (*cane*) zischen; (*skirts, water*) rauschen

Swiss I *adj* Schweizer, schweizerisch; ***he is ~*** er ist Schweizer; ***the ~-German part of Switzerland*** die deutsch(sprachig)e Schweiz **II** *n* Schweizer(in) *m(f)*; ***the ~*** *pl* die Schweizer *pl* **Swiss army knife** *n* Schweizermesser *nt* **Swiss franc** *n* Schweizer Franken *m* **Swiss French** *n* **1.** (*≈ person*) Welschschweizer(in) *m(f)* **2.** LING Schweizer Französisch *nt* **Swiss German** *n* **1.** (*≈ person*) Deutschschweizer(in) *m(f)* **2.** LING Schweizerdeutsch *nt*, Schwyzerdütsch *nt* **Swiss roll** *n* (*Br*) Biskuitrolle *f*

switch I *n* **1.** ELEC *etc* Schalter *m* **2.** (*≈ change*) Wechsel *m*; (*in plans*) Änderung *f* (*in +gen*); (*≈ exchange*) Tausch *m* **II** *v/t* **1.** (*≈ change*) wechseln; *plans* ändern; *allegiance* übertragen (*to* auf *+acc*); *attention, conversation* lenken (*to* auf *+acc*); ***to ~ sides*** die Seiten wechseln; ***to ~ channels*** auf einen anderen Kanal umschalten **2.** (*≈ move*) *production* verlegen; *object* umstellen **3.** (*≈ exchange*) tauschen; (*a.* **switch over, switch round**) *objects* vertauschen **4.** ELEC (um)schalten **III** *v/i* (*≈ change*: *a.* **switch over**) (über)wechseln (*to* zu); TV umschalten (*to* auf *+acc*); (*≈ exchange*: *a.* **switch round, switch over**) tauschen ◆ **switch (a)round I** *v/t sep* (*≈ swap round*) vertauschen; (*≈ rearrange*) umstellen **II** *v/i* = ***switch*** III ◆ **switch back I** *v/i* TV zurückschalten (*to* zu) **II** *v/t sep* ***to switch the light back on*** das Licht wieder anschalten ◆ **switch off I** *v/t sep light, TV* ausschalten; *machine* abschalten; *water supply* abstellen **II** *v/i* (*light, TV*) ausschalten; (*machine, infml*: *person*) abschalten ◆ **switch on I** *v/t sep gas* anstellen; *machine* anschalten; *TV, light* einschalten; *engine* anlassen **II** *v/i* (*machine*) anschalten; (*light*) einschalten ◆ **switch over I** *v/i* = ***switch*** III **II** *v/t sep* = ***switch*** II3

switchboard *n* (TEL *≈ exchange*) Vermittlung *f*; (*in office etc*) Zentrale *f*

Switch card® *n* (*Br*) Switch Card® *f*, Switch-Karte® *f*

Switzerland *n* die Schweiz; ***to ~*** in die Schweiz

swivel I *attr* Dreh- **II** *v/t* (*a.* **swivel round**) (herum)drehen **III** *v/i* (*a.* **swivel round**) sich drehen; (*person*) sich herumdrehen
swollen I *past part of* ***swell*** **II** *adj* (an)geschwollen; *river* angestiegen
swoon *v/i* (*fig*) beinahe ohnmächtig werden (*over sb/sth* wegen jdm/einer Sache)
swoop I *v/i* (*lit*: *a.* **swoop down**, *bird*) herabstoßen (*on* auf +*acc*); (*fig*, *police*) einen Überraschungsangriff machen (*on* auf +*acc*) **II** *n* (*of bird*) Sturzflug *m*; ***at*** *or* ***in one ~*** auf einen Schlag
swop *n*, *v/t & v/i* = ***swap***
sword *n* Schwert *nt* **swordfish** *n* Schwertfisch *m*
swore *pret of* ***swear*** **sworn I** *past part of* ***swear*** **II** *adj enemy* eingeschworen; ***~ statement*** JUR Aussage *f* unter Eid
swot (*Br infml*) **I** *v/i* büffeln (*infml*); ***to ~ up*** (***on***) ***one's maths*** Mathe pauken (*infml*) **II** *n* (*pej*) Streber(in) *m*(*f*)
swum *past part of* ***swim***
swung *pret*, *past part of* ***swing***
sycamore *n* Bergahorn *m*; (*US* ≈ *plane tree*) nordamerikanische Platane
syllable *n* Silbe *f*
syllabus *n*, *pl* ***-es*** *or* ***syllabi*** (*esp Br*: SCHOOL, UNIV) Lehrplan *m*
symbol *n* Symbol *nt* (*of* für) **symbolic(al)** *adj* symbolisch (*of* für); ***to be ~ of sth*** etw symbolisieren **symbolism** *n* Symbolik *f* **symbolize** *v/t* symbolisieren
symmetrical *adj*, **symmetrically** *adv* symmetrisch **symmetry** *n* Symmetrie *f*
sympathetic *adj* **1.** (≈ *showing pity*) mitfühlend; (≈ *understanding*) verständnisvoll; (≈ *well-disposed*) wohlwollend; ***to be*** *or* ***feel ~ to***(***wards***) ***sb*** (≈ *showing pity*) mit jdm mitfühlen; (≈ *understanding*) jdm Verständnis entgegenbringen; (≈ *being well-disposed*) mit jdm sympathisieren; ***he was most ~ when I told him all my troubles*** er zeigte sehr viel Mitgefühl für all meine Sorgen **2.** (≈ *likeable*) sympathisch **sympathetically** *adv* (≈ *showing pity*) mitfühlend; (≈ *with understanding*) verständnisvoll; (≈ *well-disposed*) wohlwollend **sympathize** *v/i* (≈ *feel compassion*) Mitleid haben (*with* mit); (≈ *understand*) Verständnis haben (*with* für); (≈ *agree*) sympathisieren (*with* mit) (*esp* POL); ***to ~ with sb over sth*** mit jdm in einer Sache mitfühlen können; ***I really do ~*** (≈ *have pity*) das tut mir wirklich leid; (≈ *understand your feelings*) ich habe wirklich vollstes Verständnis **sympathizer** *n* Sympathisant(in) *m*(*f*)
sympathy *n* **1.** (≈ *pity*) Mitleid *nt* (*for* mit); ***to feel ~ for sb*** Mitleid mit jdm haben; ***my/our deepest sympathies*** herzliches Beileid **2.** (≈ *understanding*) Verständnis *nt*; (≈ *agreement*) Sympathie *f*; ***to be in ~ with sb/sth*** mit jdm/etw einhergehen; ***to come out*** *or* ***strike in ~*** IND in Sympathiestreik treten
symphony *n* Sinfonie *f* **symphony orchestra** *n* Sinfonieorchester *nt*
symptom *n* (*lit*, *fig*) Symptom *nt* **symptomatic** *adj* symptomatisch (*of* für)
synagogue *n* Synagoge *f*
sync *n* (FILM, TV *infml*) *abbr of* ***synchronization***; ***in ~*** synchron; ***out of ~*** nicht synchron **synchronization** *n* Abstimmung *f*; FILM Synchronisation *f*; (*of clocks*) Gleichstellung *f* **synchronize I** *v/t* abstimmen (*with* auf +*acc*); *movements* aufeinander abstimmen; FILM synchronisieren (*with* mit); *clocks* gleichstellen (*with* mit) **II** *v/i* FILM synchron sein (*with* mit); (*clocks*) gleich gehen; (*movements*) in Übereinstimmung sein (*with* mit)
syndicate *n* Interessengemeinschaft *f*; COMM Syndikat *nt*; PRESS (Presse)zentrale *f*; (≈ *crime syndicate*) Ring *m*
syndrome *n* MED Syndrom *nt*; (*fig*, SOCIOL) Phänomen *nt*
synod *n* Synode *f*
synonym *n* Synonym *nt* **synonymous** *adj* synonym
synopsis *n*, *pl* ***synopses*** Abriss *m* der Handlung; (*of article*, *book*) Zusammenfassung *f*
syntax *n* Syntax *f*
synthesis *n*, *pl* ***syntheses*** Synthese *f* **synthesize** *v/t* synthetisieren **synthesizer** *n* MUS Synthesizer *m* **synthetic I** *adj* synthetisch **II** *n* Kunststoff *m*; ***~s*** Synthetik *f*
syphon *n* = ***siphon***
Syria *n* Syrien *nt*
syringe MED *n* Spritze *f*
syrup, (*US also*) **sirup** *n* Sirup *m*
system *n* System *nt*; ***digestive ~*** Verdauungsapparat *m*; ***it was a shock to his ~*** er hatte schwer damit zu schaffen; ***to get sth out of one's ~*** (*fig infml*) sich (*dat*) etw von der Seele schaffen; ***~ disk*** Sys-

temdiskette *f*; **~ *software*** Systemsoftware *f* **systematic** *adj* systematisch **systematize** *v/t* systematisieren **systems administrator** *n* IT Systembetreuer(in) *m(f)* **systems analyst** *n* Systemanalytiker(in) *m(f)* **systems disk** *n* IT Systemdiskette *f* **systems engineer** *n* Systemtechniker(in) *m(f)* **systems software** *n* Systemsoftware *f*

T

T, t *n* T *nt*, t *nt*

ta *int* (*Br infml*) danke

tab[1] *n* **1.** (≈ *loop*) Aufhänger *m* **2.** (≈ *name tab*, *of owner*) Namensschild *nt*; (*of maker*) Etikett *nt*; ***to keep ~s on sb/sth*** (*infml*) jdn/etw genau im Auge behalten **3.** ***to pick up the ~*** die Rechnung übernehmen

tab[2] IT *etc n* Tab *m*; (*on typewriter*) Tabulator *m*

tabby *n* (*a.* **tabby cat**) getigerte Katze

tab key *n* Tabtaste *f*; (*on typewriter*) Tabulatortaste *f*

table I *n* **1.** Tisch *m*; ***at the ~*** am Tisch; ***to sit at ~*** sich zu Tisch setzen; ***to sit down at a ~*** sich an einen Tisch setzen; ***to turn the ~s*** (***on sb***) (gegenüber jdm) den Spieß umdrehen **2.** (≈ *people at a table*) Tischrunde *f* **3.** (*of figures etc*) Tabelle *f*; (***multiplication***) **~*s*** Einmaleins *nt*; ***~ of contents*** Inhaltsverzeichnis *nt* **II** *v/t* **1.** *motion etc* einbringen **2.** (*US* ≈ *postpone*) *bill* zurückstellen

tablecloth *n* Tischdecke *f* **table lamp** *n* Tischlampe *f* **table manners** *pl* Tischmanieren *pl* **tablespoon** *n* Esslöffel *m* **tablespoonful** *n* Esslöffel(voll) *m*

tablet *n* **1.** PHARM Tablette *f* **2.** (*of soap*) Stückchen *nt*

table tennis *n* Tischtennis *nt*

tabloid *n* (*a.* **tabloid newspaper**) *bebilderte, kleinformatige Zeitung*; (*pej*) Boulevardzeitung *f* **tabloid press** *n* Boulevardpresse *f*

taboo, tabu I *n* Tabu *nt*; ***to be a ~*** tabu sein **II** *adj* tabu

tacit *adj*, **tacitly** *adv* stillschweigend

taciturn *adj* wortkarg

tack I *n* **1.** (≈ *nail*) kleiner Nagel; (*esp US* ≈ *drawing pin*) Reißzwecke *f* **2.** (NAUT ≈ *course*) Schlag *m*; ***to try another ~*** (*fig*) es anders versuchen **3.** (*for horse*) Sattel- und Zaumzeug *nt* **II** *v/t* **1.** (*with nail*) annageln (*to* an *+dat or acc*); (*with pin*) feststecken (*to* an *+dat*) **2.** (*Br* SEWING) heften **III** *v/i* NAUT aufkreuzen ◆ **tack on** *v/t sep* (*fig*) anhängen (*-to +dat*)

tackle I *n* **1.** (≈ *equipment*) Ausrüstung *f* **2.** SPORTS Angriff *m*, Tackling *nt* **II** *v/t* **1.** (*physically*, SPORTS) angreifen; RUGBY fassen; (*verbally*) zur Rede stellen (*about* wegen) **2.** *problem* angehen; (≈ *cope with*) bewältigen; *fire* bekämpfen

tacky[1] *adj* (*+er*) klebrig

tacky[2] *adj* (*+er*) (*infml*) billig; *area* heruntergekommen; *clothes* geschmacklos

tact *n no pl* Takt *m* **tactful** *adj* taktvoll; ***to be ~ about sth*** etw mit Feingefühl behandeln **tactfully** *adv* taktvoll

tactic *n* Taktik *f* **tactical** *adj*, **tactically** *adv* taktisch **tactician** *n* Taktiker(in) *m(f)* **tactics** *n sg* Taktik *f*

tactless *adj*, **tactlessly** *adv* taktlos

tadpole *n* Kaulquappe *f*

taffeta *n* Taft *m*

taffy *n* (*US*) Toffee *nt*

tag I *n* **1.** (≈ *label*) Schild(chen) *nt*; (*on clothes*) Etikett *nt* **2.** (≈ *loop*) Aufhänger *m* **II** *v/t garment, goods* (*with price*) auszeichnen ◆ **tag along** *v/i* ***why don't you ~?*** (*infml*) warum kommst/gehst du nicht mit? ◆ **tag on** *v/t sep* anhängen (*to* an *+acc*)

tahini *n no pl* Sesampaste *f*

tail I *n* **1.** Schwanz *m*; ***to turn ~*** die Flucht ergreifen; ***he was right on my ~*** er saß mir direkt im Nacken **2.** **~*s*** *pl* (*on coin*) Rückseite *f* **3.** **tails** *pl* (≈ *jacket*) Frack *m* **II** *v/t person* beschatten (*infml*); *car etc* folgen (*+dat*) ◆ **tail back** *v/i* (*Br*) sich gestaut haben ◆ **tail off** *v/i* (≈ *diminish*) abnehmen; (*sounds*) schwächer werden; (*sentence*) mittendrin abbrechen

tailback *n* (*Br*) Rückstau *m* **tail end** *n* Ende *nt* **tail-light** *n* AUTO Rücklicht *nt*

tailor I *n* Schneider(in) *m(f)* **II** *v/t* **1.** *dress etc* schneidern **2.** (*fig*) *holiday, policy* zuschneiden (*to* auf *+acc*); *products* abstimmen (*to* auf *+acc*) **tailor-made** *adj* maßgeschneidert

tailpipe *n* (*US*) Auspuffrohr *nt* **tailwind** *n* Rückenwind *m*

taint I *n* (*fig* ≈ *blemish*) Makel *m* **II** *v/t* (*fig*) *reputation* beschmutzen **tainted** *adj* **1.** (*fig*) *reputation* beschmutzt **2.** (≈ *contaminated*) *food* verdorben; *air* verpestet

Taiwan *n* Taiwan *nt*

take *vb*: *pret* ***took***, *past part* ***taken*** **I** *v/t* **1.** nehmen; (≈ *remove from its place*) wegnehmen; ***to ~ sth from sb*** jdm etw wegnehmen **2.** (≈ *carry*) bringen; (≈ *take with one*) mitnehmen; ***let me ~ your case*** komm, ich nehme *or* trage deinen Koffer; ***I'll ~ you to the station*** ich bringe Sie zum Bahnhof; ***this bus will ~ you into town*** der Bus fährt in die Stadt; ***this road will ~ you to Paris*** diese Straße führt nach Paris **3.** (≈ *capture*) fangen; *town etc* einnehmen; ***to ~ sb prisoner*** jdn gefangen nehmen **4.** (≈ *accept*) nehmen; *job* annehmen; *command* übernehmen; *phone call* entgegennehmen; ***~ that!*** da!; ***~ it from me!*** das können Sie mir glauben; ***let's ~ it from the beginning of Act 2*** fangen wir mit dem Anfang vom zweiten Akt an; ***to be ~n ill*** krank werden; ***(you can) ~ it or leave it*** ja oder nein(, ganz wie Sie wollen) **5.** (≈ *occupy*, *possess*) sich (*dat*) nehmen; ***~ a seat!*** nehmen Sie Platz!; ***this seat is ~n*** dieser Platz ist besetzt **6.** *test*, *course*, *photo*, *walk* machen; *exam* ablegen; *trip* unternehmen; *church service* (ab)halten **7.** (≈ *teach*) *subject*, *class* unterrichten; *lesson* geben; ***who ~s you for Latin?*** (*Br*), ***who are you taking for Latin?*** (*US*) wer unterrichtet *or* gibt bei euch Latein?; ***to ~ (the chair at) a meeting*** den Vorsitz bei einer Versammlung führen **8.** *taxi*, *train* nehmen; *bend* (*car*) fahren um; ***to ~ the plane*** fliegen; ***we took a wrong turning*** (*Br*) *or* ***turn*** (*US*) wir sind falsch abgebogen **9.** *drugs* nehmen; ***to ~ a sip*** ein Schlückchen trinken; ***do you ~ sugar?*** nehmen Sie Zucker? **10.** *details* (sich *dat*) notieren; ***to ~ notes*** sich (*dat*) Notizen machen **11.** ***to ~ the measurements of a room*** ein Zimmer ausmessen; ***to ~ sb's temperature*** bei jdm Fieber messen **12.** *climate* vertragen; *weight* aushalten; ***I can ~ it*** ich werde damit fertig; ***I just can't ~ any more*** ich bin am Ende; ***I just can't ~ it any more*** das halte ich nicht mehr aus **13.** *news* reagieren auf (*+acc*); ***she never knows how to ~ him*** sie weiß nie, woran sie bei ihm ist; ***she took his death badly*** sein Tod hat sie mitgenommen **14.** ***I would ~ that to mean ...*** ich würde das so auffassen *or* verstehen ... **15.** (≈ *assume*) annehmen; ***to ~ sb/sth for*** *or* ***to be ...*** jdn/etw für ... halten **16.** (≈ *extract*) entnehmen (*from +dat*) **17.** (≈ *require*) brauchen; *clothes size* haben; ***the journey ~s 3 hours*** die Fahrt dauert 3 Stunden; ***it ~s five hours ...*** man braucht fünf Stunden ...; ***it took ten men to complete it*** es wurden zehn Leute benötigt, um es zu erledigen; ***it took a lot of courage*** dazu gehörte viel Mut; ***it ~s time*** es braucht (seine) Zeit; ***it took a long time*** es hat lange gedauert; ***it took me a long time*** ich habe lange gebraucht; ***it won't ~ long*** das dauert nicht lange; ***she's got what it ~s*** (*infml*) sie ist nicht ohne (*infml*) **18.** (≈ *have room for*) Platz haben für **19.** GRAM stehen mit; (*preposition*) gebraucht werden mit; ***verbs that ~ "haben"*** Verben, die mit „haben" konjugiert werden **II** *n* FILM Aufnahme *f*

◆ **take aback** *v/t sep* überraschen; ***I was completely taken aback*** ich war völlig perplex ◆ **take after** *v/i +prep obj* nachschlagen (*+dat*); (*in looks*) ähnlich sein (*+dat*) ◆ **take along** *v/t sep* mitnehmen ◆ **take apart** *v/t sep* (*lit*, *fig infml*) auseinandernehmen ◆ **take (a)round** *v/t sep* (≈ *show around*) herumführen ◆ **take away** *v/t sep* **1.** (≈ *subtract*) abziehen; ***6 ~ 2*** 6 weniger 2 **2.** (≈ *remove*) wegnehmen (*from sb* jdm); (≈ *lead*, *carry away*) wegbringen (*from* von); (≈ *fetch*) *person* abholen; ***to take sb/sth away (with one)*** jdn/etw mitnehmen **3.** *food* mitnehmen; ***pizza to ~*** Pizza zum Mitnehmen ◆ **take back** *v/t sep* **1.** (≈ *get back*) sich (*dat*) zurückgeben lassen; *toy etc* wieder wegnehmen; (*fig* ≈ *retract*) zurücknehmen **2.** (≈ *return*) zurückbringen; ***that takes me back*** das ruft Erinnerungen wach **3.** *employee* wiedereinstellen ◆ **take down** *v/t sep* **1.** (*lit*) herunternehmen; *decorations* abnehmen; ***to take one's trousers down*** seine Hose herunterlassen **2.** *tent* abbauen **3.** (≈ *write down*) (sich *dat*) notieren ◆ **take home** *v/t sep* *£400 per week* netto verdienen *or* bekommen ◆ **take in** *v/t sep* **1.** (≈ *bring in*) hereinbringen; ***I'll take the car in(to work) on Monday*** ich fahre am Montag mit dem Auto (zur Arbeit) **2.** *stray dog* zu sich nehmen; ***she takes in lodgers*** sie vermietet (Zimmer) **3.** *dress* enger machen **4.** *surroundings* wahrnehmen; (≈ *understand*) *meaning* begreifen; *sights* aufnehmen; *situation* erfassen **5.** (≈ *deceive*) hereinlegen; ***to be taken in by sb/sth*** auf jdn/etw hereinfallen ◆ **take off I** *v/i* **1.** (*plane*) starten; (*fig: project*) anlaufen; (*career*) abheben **2.** (*infml* ≈ *leave*) sich davonmachen (*infml*) **II** *v/t sep* **1.** *hat, lid* abnehmen (*prep obj* von); (≈ *deduct*) abziehen (*prep obj* von); (*from price*) nachlassen; *coat etc* (sich *dat*) ausziehen; ***to take sth off sb*** jdm etw abnehmen; ***he took his clothes off*** er zog sich aus; ***to take sb's mind off sth*** jdn von etw ablenken; ***to take the weight off one's feet*** seine Beine ausruhen; ***to take sb/sth off sb's hands*** jdm jdn/etw abnehmen **2.** *Monday* freinehmen; ***to take time off (work)*** sich (*dat*) freinehmen **3.** (*Br* ≈ *imitate*) nachahmen ◆ **take on** *v/t sep* **1.** *job* annehmen; *responsibility* übernehmen; (≈ *employ*) einstellen; ***when he married her he took on more than he bargained for*** als er sie heiratete, hat er sich (*dat*) mehr aufgeladen, als er gedacht hatte **2.** *opponent* antreten gegen ◆ **take out** *v/t sep* **1.** (≈ *bring out*) (hinaus)bringen (*of* aus) **2.** (*to theatre etc*) ausgehen mit; ***to take the dog out (for a walk)*** mit dem Hund spazieren gehen; ***to take sb out to*** *or* ***for dinner*** jdn zum Essen einladen **3.** (≈ *pull out*) herausnehmen; *tooth* ziehen; *nail* herausziehen (*of* aus); ***to take sth out of sth*** etw aus etw (heraus)nehmen; ***to take time out from sth*** von etw (eine Zeit lang) Urlaub nehmen; ***to take time out from doing sth*** etw eine Zeit lang nicht tun; ***to take sth out on sb*** (*infml*) etw an jdm auslassen (*infml*); ***to take it out on sb*** sich an jdm abreagieren; ***to take it out of sb*** (≈ *tire*) jdn ziemlich schlauchen (*infml*) **4.** (*from bank*) abheben **5.** *insurance* abschließen; *mortgage* aufnehmen **6.** (*US*) = ***take away*** 3 ◆ **take over I** *v/i* (≈ *assume government*) an die Macht kommen; (*new boss etc*) die Leitung übernehmen; (*tourists etc*) sich breitmachen (*infml*); ***to ~ (from sb)*** jdn ablösen; ***he's ill so I have to ~*** da er krank ist, muss ich (für ihn) einspringen **II** *v/t sep* (≈ *take control of*) übernehmen ◆ **take round** *v/t sep* (*esp Br*) **1.** ***I'll take it round (to her place)*** ich bringe es zu ihr **2.** (≈ *show round*) führen (*prep obj* durch) ◆ **take to** *v/i +prep obj* **1.** *person* sympathisch finden; ***sb takes to a place*** ein Ort sagt jdm zu; ***I don't know how she'll ~ him*** ich weiß nicht, wie sie auf ihn reagieren wird; ***to ~ doing sth*** anfangen, etw zu tun; ***to ~ drink*** zu trinken anfangen **2.** *hills* sich flüchten in (*+acc*) ◆ **take up** *v/t sep* **1.** aufnehmen; *carpet* hochnehmen; *dress* kürzen; *conversation* weiterführen **2.** (*upstairs etc*) *visitor* (mit) hinaufnehmen; *thing* hinauftragen **3.** *time* in Anspruch nehmen; *space* einnehmen **4.** *photography* zu seinem Hobby machen; ***to ~ painting*** anfangen zu malen **5.** *cause* sich einsetzen für; ***to ~ a position*** (*lit*) eine Stellung einnehmen; ***to be taken up with sb/sth*** (≈ *busy*) mit jdm/etw sehr beschäftigt sein **6.** *challenge, invitation* annehmen; *post* antreten; ***he left to ~ a job as a headmaster*** er ist gegangen, um eine Stelle als Schulleiter zu übernehmen; ***to ~ residence*** sich niederlassen (*at, in* in *+dat*); ***to take sb up on his/her invitation/offer*** von jds Einladung/Angebot Gebrauch machen; ***I'll take you up on that*** ich werde davon Gebrauch machen ◆ **take upon** *v/t +prep obj* ***he took it upon himself to answer for me*** er meinte, er müsse für mich antworten

takeaway (*esp Br*) **I** *n* **1.** (≈ *meal*) Essen *nt* zum Mitnehmen; ***let's get a ~*** wir können uns ja etwas (zu essen) holen *or* mitnehmen **2.** (≈ *restaurant*) Imbissstube *f* **II** *adj attr food* zum Mitnehmen **take-home pay** *n* Nettolohn *m* **taken I** *past part of* **take II** *adj* ***to be ~ with sb/sth*** von jdm/etw angetan sein

takeoff *n* **1.** AVIAT Start *m*; (≈ *moment of leaving ground*) Abheben *nt*; ***ready for ~*** startbereit **2.** (*Br*) ***to do a ~ of sb*** jdn nachahmen **takeover** *n* COMM Übernahme *f* **taker** *n* ***any ~s?*** (*fig*) wer ist daran interessiert?; ***there were no ~s*** (*fig*) niemand war daran interessiert **taking** *n* **1.** ***it's yours for the ~*** das können Sie (umsonst) haben **2.** **takings** *pl* COMM Einnahmen *pl*

talc, talcum, talcum powder *n* Talkumpuder *m*

tale *n* **1.** Geschichte *f*; LIT Erzählung *f*; ***at least he lived to tell the ~*** zumindest hat er die Sache überlebt; ***thereby hangs a ~*** das ist eine lange Geschichte **2.** ***to tell ~s*** petzen (*infml*) (*to +dat*); ***to tell ~s about sb*** jdn verpetzen (*infml*) (*to* bei)

talent *n* Talent *nt* **talented** *adj* talentiert

talisman *n*, *pl* **-s** Talisman *m*

talk I *n* **1.** Gespräch *nt*; ***to have a ~*** sich unterhalten (*with sb about sth* mit jdm über etw *acc*); ***could I have a ~ with you?*** könnte ich Sie mal sprechen?; ***to hold*** *or* ***have ~s*** Gespräche führen **2.** *no pl* (≈ *talking*) Reden *nt*; (≈ *rumour*) Gerede *nt*; ***he's all ~*** (*and no action*) der führt bloß große Reden; ***there is some ~ of his returning*** es heißt, er kommt zurück; ***it's the ~ of the town*** es ist Stadtgespräch **3.** (≈ *lecture*) Vortrag *m*; ***to give a ~*** einen Vortrag halten (*on* über *+acc*) **II** *v/i* **1.** reden (*of* von, *about* über *+acc*); (≈ *speak*) sprechen (*of* von, *about* über *+acc*); (≈ *have conversation*) sich unterhalten (*of*, *about* über *+acc*); ***to ~ to*** *or* ***with sb*** mit jdm sprechen *or* reden (*about* über *+acc*); ***could I ~ to Mr Smith please?*** kann ich bitte Herrn Smith sprechen?; ***it's easy*** *or* ***all right for you to ~*** (*infml*) du hast gut reden (*infml*); ***don't ~ to me like that!*** wie redest du denn mit mir?; ***that's no way to ~ to your parents*** so redet man doch nicht mit seinen Eltern!; ***to get ~ing to sb*** mit jdm ins Gespräch kommen; ***you can ~!*** (*infml*) du kannst gerade reden!; ***to ~ to oneself*** Selbstgespräche führen; ***now you're ~ing!*** das lässt sich schon eher hören!; ***he's been ~ing of going abroad*** er hat davon gesprochen *or* geredet, dass er ins Ausland fahren will; ***~ing of films ...*** da wir gerade von Filmen sprechen ...; ***~ about rude!*** so was von unverschämt! (*infml*); ***to make sb ~*** jdn zum Reden bringen; ***we're ~ing about at least £2,000*** es geht um mindestens £ 2.000 **2.** (≈ *chatter*) schwatzen; ***stop ~ing!*** sei/seid ruhig! **3.** (≈ *gossip*) klatschen **III** *v/t a language* sprechen; *nonsense* reden; *business* reden über (*+acc*); ***we're ~ing big money etc here*** (*infml*) hier gehts um große Geld *etc* (*infml*); ***to ~ sb/oneself into doing sth*** jdn/sich dazu bringen, etw zu tun; ***to ~ sb out of sth*** jdn von etw abbringen ◆ **talk back** *v/i* (≈ *be cheeky*) frech antworten (*to sb* jdm) ◆ **talk down** *v/i* ***to ~ to sb*** mit jdm herablassend reden ◆ **talk over** *v/t sep* besprechen ◆ **talk round** *v/t always separate* (*Br*) umstimmen ◆ **talk through** *v/t sep* besprechen; ***to talk sb through sth*** jdm etw erklären

talkative *adj* gesprächig **talker** *n* Redner(in) *m(f)* **talking** *n* Sprechen *nt*; ***no ~ please!*** bitte Ruhe!; ***his constant ~*** sein dauerndes Gerede **talking point** *n* Gesprächsthema *nt* **talking-to** *n* (*infml*) ***to give sb a good ~*** jdm eine Standpauke halten (*infml*) **talk show** *n* Talkshow *f* **talk time** *n* (*on mobile phone*) Gesprächszeit *f*

tall *adj* (*+er*) **1.** *person* groß; ***how ~ are you?*** wie groß sind Sie?; ***6 ft ~*** 1,80 m groß **2.** *building*, *tree* hoch **3.** (*infml*) ***that's a ~ order*** das ist ganz schön viel verlangt

tally I *n* ***to keep a ~ of*** Buch führen über (*+acc*) **II** *v/t* (*a.* **tally up**) zusammenzählen

talon *n* Kralle *f*

tambourine *n* Tamburin *nt*

tame I *adj* (*+er*) **1.** *animal* zahm **2.** (≈ *dull*) *adventure*, *story*, *joke etc* lahm (*infml*) **II** *v/t animal* zähmen

Tampax® *n* Tampon *m*

◆ **tamper with** *v/i +prep obj* sich (*dat*) zu schaffen machen an (*+dat*); *system* herumpfuschen an (*+dat*) (*infml*)

tampon *n* Tampon *m*

tan I *n* **1.** (≈ *suntan*) Bräune *f*; ***to get a ~*** braun werden; ***she's got a lovely ~*** sie ist schön braun **2.** (≈ *colour*) Hellbraun *nt* **II** *adj* hellbraun **III** *v/i* braun werden

tandem *n* Tandem *nt*; ***in ~*** (***with***) (*fig*) zusammen (mit)

tang *n* **1.** (≈ *smell*) scharfer Geruch **2.** (≈ *taste*) starker Geschmack

tangent *n* ***to go off at a ~*** (*fig*) (plötzlich) vom Thema abschweifen

tangerine *n* Mandarine *f*

tangible *adj* (*fig*) *result* greifbar; *proof* handfest

tangle I *n* (*lit*) Gewirr *nt*; (*fig*) Wirrwarr *m*; ***to get into a ~*** sich verheddern **II** *v/t* ***to get ~d*** sich verheddern ◆ **tangle up** *v/t sep* ***to get tangled up*** durcheinandergeraten

tangy *adj* (*+er*) scharf

tank *n* **1.** (≈ *container*) Tank *m*; (*esp for water*) Wasserspeicher *m*; (≈ *oxygen tank*) Flasche *f* **2.** MIL Panzer *m* **tanker** *n* **1.** (≈ *boat*) Tanker *m* **2.** (≈ *vehicle*) Tankwagen *m* **tankful** *n* Tank(voll) *m* **tank top** *n* Pullunder *m*

tanned *adj person* braun (gebrannt)

tannin *n* Tannin *nt*

Tannoy® *n* Lautsprecheranlage *f*

tantalizing *adj* verführerisch

tantrum *n* ***to have a ~*** einen Wutanfall bekommen

Taoiseach *n* (*Ir*) Premierminister(in) *m(f)*

tap[1] **I** *n* (*esp Br*) Hahn *m*; ***on ~*** (*beer etc*) vom Fass **II** *v/t* (*fig*) *market* erschließen; ***to ~ telephone wires*** Telefonleitungen anzapfen ◆ **tap into** *v/i +prep obj system* anzapfen; (≈ *exploit*) *fear* ausnutzen

tap[2] **I** *n* **1.** (≈ *knock*) Klopfen *nt* **2.** (≈ *touch*) Klaps *m* **II** *v/t & v/i* klopfen; ***he ~ped me on the shoulder*** er klopfte mir auf die Schulter; ***to ~ at the door*** sachte an die Tür klopfen **tap-dance** *v/i* steppen

tape I *n* **1.** Band *nt*; (≈ *sticky paper*) Klebeband *nt*; (≈ *Sellotape ® etc*) Kleb(e)streifen *m* **2.** (*magnetic*) (Ton)band *nt*; ***on ~*** auf Band **II** *v/t* (≈ *tape-record*) (auf Band) aufnehmen; (≈ *video-tape*) (auf Video) aufnehmen ◆ **tape down** *v/t sep* (mit Klebeband *etc*) festkleben ◆ **tape over I** *v/i +prep obj* überspielen **II** *v/t sep* ***to tape A over B*** B mit A überspielen ◆ **tape up** *v/t sep parcel* mit Klebeband *etc* verkleben

tape deck *n* Tapedeck *nt* **tape measure** *n* Maßband *nt*

taper *v/i* sich zuspitzen ◆ **taper off** *v/i* (*fig*) langsam aufhören

tape-record *v/t* auf Band aufnehmen **tape recorder** *n* Tonbandgerät *nt*; (≈ *cassette recorder*) Kassettenrekorder *m* **tape recording** *n* Bandaufnahme *f*

tapestry *n* Wandteppich *m*

tapeworm *n* Bandwurm *m*

tapioca *n* Tapioka *f*

tap water *n* Leitungswasser *nt*

tar I *n* Teer *m* **II** *v/t* teeren

tarantula *n* Tarantel *f*

tardy *adj* (+*er*) (*US* ≈ *late*) ***to be ~*** (*person*) zu spät kommen

target I *n* Ziel *nt*; (SPORTS, *fig*) Zielscheibe *f*; ***to be off/on ~*** (*missile*) danebengehen/treffen; (*shot at goal*) ungenau/sehr genau sein; ***production is above/on/below ~*** das Produktionssoll ist überschritten/erfüllt/nicht erfüllt; ***to be on ~*** (*project*) auf Kurs sein **II** *v/t* sich (*dat*) zum Ziel setzen; *audience* als Zielgruppe haben **target group** *n* Zielgruppe *f*

tariff *n* **1.** (*esp Br*: *in hotels*) Preisliste *f* **2.** (≈ *tax*) Zoll *m*

tarmac I *n* ***Tarmac***® Asphalt *m* **II** *v/t* asphaltieren

tarnish I *v/t* **1.** *metal* stumpf werden lassen **2.** (*fig*) *reputation* beflecken **II** *v/i* (*metal*) anlaufen

tarot card *n* Tarockkarte *f*

tarpaulin *n* Plane *f*; NAUT Persenning *f*

tarragon *n* Estragon *m*

tart[1] *adj* (+*er*) *flavour* herb, sauer (*pej*); *fruit* sauer

tart[2] *n* COOK Obstkuchen *m*; (*individual*) Obsttörtchen *nt*

tart[3] *n* (*Br infml* ≈ *prostitute*) Nutte *f* (*infml*) ◆ **tart up** *v/t sep* (*esp Br infml*) aufmachen (*infml*); *oneself* aufdonnern (*infml*)

tartan I *n* (≈ *pattern*) Schottenkaro *nt*; (≈ *material*) Schottenstoff *m* **II** *adj* im Schottenkaro

tartar(e) sauce *n* ≈ Remouladensoße *f*

task *n* Aufgabe *f*; ***to set sb a ~*** jdm eine Aufgabe stellen; ***to take sb to ~*** jdn ins Gebet nehmen (*for, about* wegen) **task bar** *n* IT Taskleiste *f* **task force** *n* Sondereinheit *f* **taskmaster** *n* ***he's a hard ~*** er ist ein strenger Meister

tassel *n* Quaste *f*

taste I *n* Geschmack *m*; (≈ *sense*) Geschmackssinn *m*; (≈ *small amount*) Kostprobe *f*; ***I don't like the ~*** das schmeckt mir nicht; ***to have a ~ (of sth)*** (*lit*) (etw) probieren; (*fig*) eine Kostprobe (von etw) bekommen; ***to acquire a ~ for sth*** Geschmack an etw (*dat*) finden; ***it's an acquired ~*** das ist etwas für Kenner; ***my ~ in music*** mein musikalischer Geschmack; ***to be to sb's ~*** nach jds Geschmack sein; ***it is a matter of ~*** das ist Geschmack(s)sache; ***for my ~ ...*** für meinen Geschmack ...; ***she has very good ~*** sie hat einen sehr guten Geschmack; ***a man of ~*** ein Mann mit Geschmack; ***in good ~*** geschmackvoll; ***in bad ~*** geschmacklos **II** *v/t* **1.** *flavour* schmecken **2.** (≈ *take a little*) probieren, kosten **3.** *wine* verkosten **4.** (*fig*) *freedom* erleben **III** *v/i* schmecken; ***to ~ good*** *or* ***nice*** (gut) schmecken; ***it ~s all right to me*** ich schmecke nichts; (≈ *I like it*) ich finde, das schmeckt nicht schlecht; ***to ~ of sth*** nach etw schmecken **tasteful** *adj*, **tastefully** *adv* geschmackvoll **tasteless** *adj* geschmacklos **tasty** *adj* (+*er*) *dish* schmackhaft; ***his new girlfriend is very ~*** (*infml*) seine neue Freundin ist zum Anbeißen (*infml*)

tattered *adj clothes* zerlumpt; *sheet* zerfleddert **tatters** *pl* ***to be in ~*** (*clothes*) in Fetzen sein; (*confidence*) (sehr) angeschlagen sein

tattoo I *v/t* tätowieren **II** *n* Tätowierung *f*

tatty *adj* (+*er*) (*esp Br infml*) schmuddelig; *clothes* schäbig

taught *pret*, *past part of* **teach**

taunt I *n* Spöttelei *f* **II** *v/t* verspotten (*about* wegen)

Taurus *n* ASTRON, ASTROL Stier *m*; ***he's (a) ~*** er ist Stier

taut *adj* (+*er*) straff; *muscles* stramm; ***to pull sth ~*** etw stramm ziehen **tauten I** *v/t rope* spannen; *muscle* anspannen **II** *v/i* sich spannen

tavern *n* (*old*) Taverne *f*

tax I *n* Steuer *f*; ***before ~*** brutto; ***after ~*** netto; ***to put a ~ on sb/sth*** jdn/etw besteuern **II** *v/t* **1.** besteuern **2.** (*fig*) *patience* strapazieren **taxable** *adj* ***~ income*** zu versteuerndes Einkommen **tax allowance** *n* Steuervergünstigung *f*; (≈ *tax-free income*) Steuerfreibetrag *m* **taxation** *n* Besteuerung *f* **tax bill** *n* Steuerbescheid *m* **tax bracket** *n* Steuergruppe *f or* -klasse *f* **tax-deductible** *adj* (steuerlich) absetzbar **tax demand** *n* Steuerbescheid *m* **tax disc** *n* (*Br*) Steuerplakette *f* **tax-exempt** *adj* (*US*) *income* steuerfrei **tax-free** *adj*, *adv* steuerfrei **tax haven** *n* Steuerparadies *nt*

taxi I *n* Taxi *nt*; ***to go by ~*** mit dem Taxi fahren **II** *v/i* AVIAT rollen **taxicab** *n* (*esp US*) Taxi *nt*

taxidermist *n* Tierausstopfer(in) *m*(*f*)

taxi driver *n* Taxifahrer(in) *m*(*f*)

tax inspector *n* (*Br*) Finanzbeamte(r) *m*/*f*(*m*)

taxi rank (*Br*), **taxi stand** (*esp US*) *n* Taxistand *m*

taxman *n* ***the ~ gets 35%*** das Finanzamt bekommt 35% **taxpayer** *n* Steuerzahler(in) *m*(*f*) **tax return** *n* Steuererklärung *f*

TB *abbr of* **tuberculosis** Tb *f*, Tbc *f*

T-bone steak *n* T-Bone-Steak *nt*

tea *n* **1.** Tee *m*; ***a cup of ~*** eine Tasse Tee **2.** (*Br*) (≈ *afternoon tea*) ≈ Kaffee und Kuchen; (≈ *meal*) Abendbrot *nt* **tea bag** *n* Teebeutel *m* **tea break** *n* (*esp Br*) Pause *f* **tea caddy** *n* (*esp Br*) Teedose *f* **teacake** *n* (*Br*) Rosinenbrötchen *nt*

teach *vb*: *pret*, *past part* **taught I** *v/t* unterrichten, lehren (*elev*); ***to ~ sb sth*** jdm etw beibringen; (*teacher*) jdn in etw (*dat*) unterrichten; ***to ~ sb to do sth*** jdm beibringen, etw zu tun; ***the accident taught me to be careful*** durch diesen Unfall habe ich gelernt, vorsichtiger zu sein; ***who taught you to drive?*** bei wem haben Sie Fahren gelernt?; ***that'll ~ her*** das wird ihr eine Lehre sein; ***that'll ~ you to break the speed limit*** das hast du (nun) davon, dass du die Geschwindigkeitsbegrenzung überschritten hast **II** *v/i* unterrichten; ***he can't ~*** (≈ *no ability*) er gibt keinen guten Unterricht

teacher *n* Lehrer(in) *m*(*f*); ***English ~s*** Englischlehrer *pl* **teacher-training** *n* Lehrer(aus)bildung *f*; ***~ college*** (*for primary teachers*) pädagogische Hochschule; (*for secondary teachers*) Studienseminar *nt*

tea chest *n* (*Br*) Kiste *f*

teaching *n* **1.** das Unterrichten; (*as profession*) der Lehrberuf; ***she enjoys ~*** sie unterrichtet gern **2.** (≈ *doctrine*: *a.* **teachings**) Lehre *f*

teaching time *n* Unterrichtszeit *f*

tea cloth *n* (*Br*) Geschirrtuch *nt* **tea cosy**, (*US*) **tea cozy** *n* Teewärmer *m* **teacup** *n* Teetasse *f*

teak *n* (≈ *wood*) Teak(holz) *nt*

tea leaf *n* Teeblatt *nt*

team *n* Team *nt*; SPORTS Mannschaft *f* ◆ **team up** *v/i* (*people*) sich zusammentun (*with* mit)

team effort *n* Teamarbeit *f* **team game** *n* Mannschaftsspiel *nt* **team-mate** *n* Mannschaftskamerad(in) *m*(*f*) **team member** *n* Teammitglied *nt* **team spirit** *n* Gemeinschaftsgeist *m*; SPORTS Mannschaftsgeist *m* **teamwork** *n* Teamwork *nt*

tea party *n* Teegesellschaft *f* **teapot** *n* Teekanne *f*

tear[1] *vb*: *pret* **tore**, *past part* **torn I** *v/t* zerreißen; *hole* reißen; ***to ~ sth in two*** etw (in zwei Stücke) zerreißen; ***to ~ sth to pieces*** etw in Stücke reißen; (*fig*) *play* *etc* etw verreißen; ***to ~ sth open*** etw aufreißen; ***to ~ one's hair*** (***out***) sich (*dat*) die Haare raufen; ***to be torn between two things*** (*fig*) zwischen zwei Dingen hin und her gerissen sein **II** *v/i* **1.** (*material etc*) (zer)reißen; ***~ along the dotted line*** an der gestrichelten Linie abtrennen **2.** (≈ *move quickly*) rasen **III** *n* Riss *m* ◆ **tear along** *v/i* entlangrasen ◆ **tear apart** *v/t sep place* völlig durcheinanderbringen; *country* zerreißen; ***it tore me apart to leave you*** es hat mir schier das Herz zerrissen, dich zu verlassen ◆ **tear at** *v/i +prep obj* zerren an (*+dat*) ◆ **tear away** *v/t sep* ***if you can tear yourself away*** wenn du dich losreißen kannst ◆ **tear down** *v/t sep poster* herunterreißen; *house* abreißen ◆ **tear into** *v/i +prep obj* (≈ *attack verbally*) abkanzeln; (*critic*) keinen guten Faden lassen an (*+dat*) ◆ **tear off I** *v/i* **1.** (≈ *rush off*) wegrasen **2.** (*cheque*) sich abtrennen lassen **II** *v/t sep wrapping* abreißen; *clothes* herunterreißen ◆ **tear out I** *v/i* hinausrasen, wegrasen **II** *v/t sep* (heraus)reißen (*of* aus) ◆ **tear up** *v/t sep* **1.** *paper etc* zerreißen **2.** *post* (her)ausreißen **3.** *ground* aufwühlen

tear[2] *n* Träne *f*; ***in ~s*** in Tränen aufgelöst; ***there were ~s in her eyes*** ihr standen Tränen in den Augen; ***the news brought ~s to her eyes*** als sie das hörte, stiegen ihr die Tränen in die Augen; ***the ~s were running down her cheeks*** ihr Gesicht war tränenüberströmt

tearaway *n* (*Br infml*) Rabauke *m* (*infml*)

teardrop *n* Träne *f* **tearful** *adj face* tränenüberströmt; *farewell* tränenreich; ***to become ~*** zu weinen anfangen **tearfully** *adv look* mit Tränen in den Augen; *say* unter Tränen **tear gas** *n* Tränengas *nt*

tearoom *n* (*Br*) Teestube *f*, Café *nt*, Kaffeehaus *nt* (*Aus*)

tear-stained *adj* verweint

tease I *v/t person* necken; (≈ *make fun of*) hänseln (*about* wegen) **II** *v/i* Spaß machen **III** *n* (*infml* ≈ *person*) Scherzbold *m* (*infml*)

tea service, tea set *n* Teeservice *nt* **teashop** *n* Teestube *f*

teasing *adj manner* neckend

teaspoon *n* **1.** Teelöffel *m* **2.** (*a.* **teaspoonful**) Teelöffel(voll) *m* **tea strainer** *n* Teesieb *nt*

teat *n* (*of animal*) Zitze *f*; (*Br: on bottle*) (Gummi)sauger *m*

teatime *n* (*Br*) (*for afternoon tea*) Teestunde *f*; (≈ *mealtime*) Abendessen *nt*, Nachtmahl *nt* (*Aus*), Nachtessen *nt* (*Swiss*); ***at ~*** am späten Nachmittag **tea towel** *n* (*Br*) Geschirrtuch *nt* **tea trolley**, (*US*) **tea wagon** *n* Teewagen *m*

technical *adj* **1.** technisch **2.** (*of particular branch*) fachlich, Fach-; *problems* fachspezifisch; ***~ dictionary*** Fachwörterbuch *nt*; ***~ term*** Fachausdruck *m* **technical college** *n* (*esp Br*) technische Fachschule **technical drawing** *n* technische Zeichnung **technicality** *n* (≈ *technical detail*) technische Einzelheit; (*fig*, JUR) Formsache *f* **technically** *adv* **1.** technisch **2.** ***~ speaking*** streng genommen **technical school** *n* (*US*) technische Fachschule **technical support** *n* IT technische Unterstützung **technician** *n* Techniker(in) *m*(*f*)

technique *n* Technik *f*; (≈ *method*) Methode *f*

technological *adj* technologisch; *information* technisch **technologically** *adv* technologisch **technologist** *n* Technologe *m*, Technologin *f*

technology *n* Technologie *f*; ***communications ~*** Kommunikationstechnik *f*

teddy (**bear**) *n* Teddy(bär) *m*

tedious *adj* langweilig, fad (*Aus*) **tedium** *n* Lang(e)weile *f*

tee *n* GOLF Tee *nt*

teem *v/i* **1.** (*with insects etc*) wimmeln (*with* von) **2.** ***it's ~ing with rain*** es gießt in Strömen (*infml*) **teeming** *adj rain* strömend

teen *adj* (*esp US*) *movie* für Teenager; ***~ idol*** Teenie-Idol *nt* **teenage** *adj* Teenager-; *son*, *girl* im Teenageralter; ***~ idol*** Teenie-Idol *nt* **teenaged** *adj* im Teenageralter; ***~ boy/girl*** Teenager *m* **teenager** *n* Teenager *m* **teens** *pl* Teenageralter *nt*; ***to be in one's ~*** im Teenageralter sein

teeny(weeny) *adj* (*infml*) klitzeklein (*infml*)

tee shirt *n* = ***T-shirt***

teeter *v/i* taumeln; ***to ~ on the brink*** *or* ***edge of sth*** (*lit*) am Rand von etw taumeln; (*fig*) am Rand von etw sein

teeth *pl of* ***tooth*** **teethe** *v/i* zahnen **teething ring** *n* Beißring *m* **teething troubles** *pl* (*Br fig*) Kinderkrankheiten *pl*

teetotal *adj person* abstinent **teetotaller**,

(*US*) **teetotaler** *n* Abstinenzler(in) *m*(*f*)
TEFL *abbr of* ***Teaching of English as a Foreign Language***
tel *abbr of* **telephone** (**number**) Tel.
telebanking *n* Telebanking *nt*
telecommunications *n* **1.** *pl* Fernmeldewesen *nt* **2.** *sg* (≈ *science*) Fernmeldetechnik *f*
telecommuting *n* Telearbeit *f*
telegram *n* Telegramm *nt*
telegraph *v/t* telegrafisch übermitteln **telegraph pole** *n* (*Br*) Telegrafenmast *m*
telepathic *adj* telepathisch; ***you must be ~!*** du musst ja ein Hellseher sein!
telepathy *n* Telepathie *f*
telephone I *n* Telefon *nt*; ***there's somebody on the ~ for you*** Sie werden am Telefon verlangt; ***have you got a ~?*** haben Sie Telefon?; ***he's on the ~*** (≈ *is using the telephone*) er telefoniert gerade; ***by ~*** telefonisch; ***I've just been on the ~ to him*** ich habe eben mit ihm telefoniert; ***I'll get on the ~ to her*** ich werde sie anrufen **II** *v/t* anrufen **III** *v/i* telefonieren; ***to ~ for an ambulance*** einen Krankenwagen rufen **telephone banking** *n* Telefonbanking *nt* **telephone box**, (*US*) **telephone booth** *n* Telefonzelle *f* **telephone call** *n* Telefongespräch *nt* **telephone directory** *n* Telefonbuch *nt* **telephone exchange** *n* (*esp Br*) Fernsprechamt *nt* **telephone kiosk** *n* Telefonzelle *f* **telephone line** *n* Telefonleitung *f* **telephone number** *n* Telefonnummer *f* **telephone operator** *n* (*esp US*) Telefonist(in) *m*(*f*) **telephone pole** *n* (*US*) Telegrafenmast *m*
telephoto (lens) *n* Teleobjektiv *nt*
telesales *n sg or pl* Verkauf *m* per Telefon
telescope *n* Teleskop *nt* **telescopic** *adj aerial etc* ausziehbar **telescopic lens** *n* Fernrohrlinse *f*
Teletext® *n* Videotext *m*
televise *v/t* (im Fernsehen) übertragen
television *n* Fernsehen *nt*; (≈ *set*) Fernseher *m*; ***to watch ~*** fernsehen; ***to be on ~*** im Fernsehen kommen; ***what's on ~?*** was gibt es im Fernsehen? **television camera** *n* Fernsehkamera *f* **television licence** *n* (*Br*) *Bescheinigung über die Entrichtung der Fernsehgebühren* **television screen** *n* Bildschirm *m* **television set** *n* Fernseher *m*
teleworker *n* Telearbeiter(in) *m*(*f*)
telex I *n* Telex *nt* **II** *v/t message* per Telex mitteilen; *person* ein Telex schicken (+*dat*)
tell *pret, past part* **told I** *v/t* **1.** *story* erzählen (*sb sth, sth to sb* jdm etw *acc*); (≈ *say, order*) sagen (*sb sth* jdm etw *acc*); ***to ~ lies*** lügen; ***to ~ tales*** petzen (*infml*); ***to ~ sb's fortune*** jdm wahrsagen; ***to ~ sb a secret*** jdm ein Geheimnis anvertrauen; ***to ~ sb about sth*** jdm von etw erzählen; ***I can't ~ you how pleased I am*** ich kann Ihnen gar nicht sagen, wie sehr ich mich freue; ***could you ~ me the way to the station, please?*** könn(t)en Sie mir bitte sagen, wie ich zum Bahnhof komme?; ***(I'll) ~ you what, let's go to the cinema*** weißt du was, gehen wir doch ins Kino!; ***don't ~ me you can't come!*** sagen Sie bloß nicht, dass Sie nicht kommen können!; ***I won't do it, I ~ you!*** und ich sage dir, das mache ich nicht!; ***I told you so*** ich habe es (dir) ja gesagt; ***we were told to bring sandwiches with us*** es wurde uns gesagt, dass wir belegte Brote mitbringen sollten; ***don't you ~ me what to do!*** Sie haben mir nicht zu sagen, was ich tun soll!; ***do as*** *or* ***what you are told!*** tu, was man dir sagt! **2.** (≈ *distinguish, discern*) erkennen; ***to ~ the time*** die Uhr kennen; ***to ~ the difference*** den Unterschied sehen; ***you can ~ that he's clever*** man sieht *or* merkt, dass er intelligent ist; ***you can't ~ whether it's moving*** man kann nicht sagen *or* sehen, ob es sich bewegt; ***to ~ sb/sth by sth*** jdn/etw an etw (*dat*) erkennen; ***I can't ~ butter from margarine*** ich kann Butter nicht von Margarine unterscheiden; ***to ~ right from wrong*** Recht von Unrecht unterscheiden **3.** (≈ *know*) wissen; ***how can I ~ that?*** wie soll ich das wissen? **II** *v/i +indir obj* es sagen (+*dat*); ***I won't ~ you again*** ich sage es dir nicht noch einmal; ***you're ~ing me!*** wem sagen Sie das! **III** *v/i* **1.** (≈ *be sure*) wissen; ***as*** *or* ***so far as one can ~*** soweit man weiß; ***who can ~?*** wer weiß?; ***you never can ~, you can never ~*** man kann nie wissen **2.** (≈ *talk*) sprechen; ***promise you won't ~*** du musst versprechen, dass du nichts sagst ◆ **tell off** *v/t sep* (*infml*) ausschimpfen (*for* wegen); ***he told me off for being late*** er schimpfte (mich aus), weil ich zu spät kam ◆ **tell on** *v/i +prep obj* (*infml* ≈ *inform on*) verpetzen

(*infml*)
teller *n* (*in bank*) Kassierer(in) *m*(*f*)
telling I *adj* **1.** (≈ *effective*) wirkungsvoll **2.** (≈ *revealing*) aufschlussreich **II** *n* **1.** (≈ *narration*) Erzählen *nt* **2.** ***there is no ~ what he may do*** man kann nicht sagen, was er tut **telling-off** *n* (*Br infml*) ***to give sb a good ~*** jdm eine (kräftige) Standpauke halten (*infml*) **telltale** *n* (*Br*) Petze *f*
telly *n* (*Br infml*) Fernseher *m*; ***on ~*** im Fernsehen; ***to watch ~*** fernsehen; → ***television***
temerity *n* Kühnheit *f*, Unerhörtheit *f* (*pej*)
temp I *n* Aushilfskraft *m* **II** *v/i* als Aushilfskraft arbeiten
temper *n* (≈ *angry mood*) Wut *f*; ***to be in a ~*** wütend sein; ***to be in a good/bad ~*** guter/schlechter Laune sein; ***she's got a quick ~*** sie kann sehr jähzornig sein; ***she's got a terrible ~*** sie kann sehr unangenehm werden; ***to lose one's ~*** die Beherrschung verlieren (*with sb* bei jdm); ***to keep one's ~*** sich beherrschen (*with sb* bei jdm); ***to fly into a ~*** einen Wutanfall bekommen; ***he has quite a ~*** er kann ziemlich aufbrausen
temperament *n* (≈ *disposition*) Veranlagung *f*; (*of a people*) Temperament *nt* **temperamental** *adj* **1.** temperamentvoll **2.** *car* launisch (*hum*)
temperate *adj climate* gemäßigt
temperature *n* Temperatur *f*; ***to take sb's ~*** bei jdm Fieber messen; ***he has a ~*** er hat Fieber; ***he has a ~ of 39° C*** er hat 39° Fieber
-tempered *adj suf* ... gelaunt
tempestuous *adj* (*fig*) stürmisch
temping agency *n* Zeitarbeitsfirma *f*
template, templet *n* Schablone *f*
temple[1] *n* REL Tempel *m*
temple[2] *n* ANAT Schläfe *f*
tempo *n* (MUS, *fig*) Tempo *nt*
temporarily *adv* vorübergehend **temporary** *adj* vorübergehend; *address* vorläufig; ***she is a ~ resident here*** sie wohnt hier nur vorübergehend
tempt *v/t* in Versuchung führen; (*successfully*) verführen; ***to ~ sb to do*** *or* ***into doing sth*** jdn dazu verführen, etw zu tun; ***I am ~ed to accept*** ich bin versucht anzunehmen; ***may I ~ you to have a little more wine?*** kann ich Sie noch zu etwas Wein überreden?; ***to ~ fate*** *or* ***providence*** (*fig*) sein Schicksal herausfordern; (*in words*) den Teufel an die Wand malen **temptation** *n* Versuchung *f*; ***to yield to*** *or* ***to give way to ~*** der Versuchung erliegen **tempting** *adj*, **temptingly** *adv* verlockend
ten I zehn **II** *n* Zehn *f*; → ***six***
tenacious *adj* hartnäckig **tenacity** *n* Hartnäckigkeit *f*
tenancy *n* ***conditions of ~*** Mietbedingungen *pl*; (*of farm*) Pachtbedingungen *pl* **tenant** *n* Mieter(in) *m*(*f*); (*of farm*) Pächter(in) *m*(*f*)
tend[1] *v/t* sich kümmern um; *sheep* hüten; *machine* bedienen
tend[2] *v/i* **1.** ***to ~ to be/do sth*** gewöhnlich etw sein/tun; ***the lever ~s to stick*** der Hebel bleibt oft hängen; ***that would ~ to suggest that ...*** das würde gewissermaßen darauf hindeuten, dass ... **2.** ***to ~ toward(s)*** (*measures etc*) führen zu; (*person, views etc*) tendieren zu **tendency** *n* Tendenz *f*; ***artistic tendencies*** künstlerische Neigungen *pl*; ***to have a ~ to be/do sth*** gewöhnlich etw sein/tun
tender[1] **I** *v/t money, services* (an)bieten; *resignation* einreichen **II** *n* COMM Angebot *nt*
tender[2] *adj* **1.** *spot* empfindlich; *plant, meat* zart; ***at the ~ age of 7*** im zarten Alter von 7 Jahren **2.** (≈ *affectionate*) liebevoll; *kiss* zärtlich; ***~ loving care*** Liebe und Zuneigung *f* **tenderhearted** *adj* gutherzig **tenderly** *adv* liebevoll **tenderness** *n* **1.** (≈ *soreness*) Empfindlichkeit *f* **2.** (≈ *affection*) Zärtlichkeit *f*
tendon *n* Sehne *f*
tenement *n* (*a.* **tenement house**) ≈ Mietshaus *nt*
Tenerife *n* Teneriffa *nt*
tenfold I *adj* zehnfach **II** *adv* um das Zehnfache; ***to increase ~*** sich verzehnfachen
tenner *n* (*Br infml*) Zehner *m* (*infml*)
tennis *n* Tennis *nt* **tennis ball** *n* Tennisball *m* **tennis court** *n* Tennisplatz *m* **tennis player** *n* Tennisspieler(in) *m*(*f*) **tennis racket, tennis racquet** *n* Tennisschläger *m*
tenor I *n* Tenor *m* **II** *adj* MUS Tenor-
tenpin bowling, tenpins (*US*) *n* Bowling *nt*
tense[1] *n* GRAM Zeit *f*; ***present ~*** Gegenwart *f*; ***past ~*** Vergangenheit *f*; ***future ~*** Zukunft *f*

tense[2] **I** *adj* (+*er*) *atmosphere* gespannt; *muscles, situation* (an)gespannt; *person* angespannt; ***to grow ~*** (*person*) nervös werden **II** *v/t* anspannen **III** *v/i* sich (an)spannen ◆ **tense up** *v/i* sich anspannen
tension *n* (*lit*) Spannung *f*; (≈ *nervous strain*) Anspannung *f*
tent *n* Zelt *nt*
tentacle *n* ZOOL Tentakel *m or nt* (*tech*)
tentative *adj* (≈ *not definite*) vorläufig; *offer* unverbindlich; (≈ *hesitant*) *conclusion, suggestion* vorsichtig; *smile* zögernd; ***we've a ~ arrangement to play tennis tonight*** wir haben halb abgemacht, heute Abend Tennis zu spielen **tentatively** *adv* (≈ *hesitantly*) *smile* zögernd; (≈ *gingerly*) *move* vorsichtig; (≈ *provisionally*) *agree* vorläufig
tenterhooks *pl* ***to be on ~*** wie auf glühenden Kohlen sitzen (*infml*); ***to keep sb on ~*** jdn zappeln lassen
tenth I *adj* (*in series*) zehnte(r, s); ***a ~ part*** ein Zehntel *nt* **II** *n* **1.** (≈ *fraction*) Zehntel *nt* **2.** (*in series*) Zehnte(r, s); → ***sixth***
tent peg *n* Zeltpflock *m*, Hering *m* **tent pole** *n* Zeltstange *f*
tenuous *adj* (*fig*) *connection etc* schwach; *position* unsicher; ***to have a ~ grasp of sth*** etw nur ansatzweise verstehen
tenure *n* **1.** (≈ *holding of office*) Anstellung *f*; (≈ *period of office*) Amtszeit *f* **2.** ***during her ~ of the farm*** während sie die Farm innehatte
tepid *adj* lau(warm)
term I *n* **1.** (≈ *period of time*) Zeitraum *m*; (≈ *limit*) Frist *f*; ***~ of office*** Amtszeit *f*; ***~ of imprisonment*** Gefängnisstrafe *f*; ***elected for a three-year ~*** auf *or* für drei Jahre gewählt; ***in the short ~*** auf kurze Sicht **2.** (SCHOOL) (*three in year*) Trimester *nt*; (*two in year*) Halbjahr *nt*; UNIV Semester *nt* **3.** (≈ *expression*) Ausdruck *m*; ***in simple ~s*** in einfachen Worten **4.** ***in ~s of production we are doing well*** was die Produktion betrifft, stehen wir gut da **5. terms** *pl* (≈ *conditions*) Bedingungen *pl*; ***~s of surrender/payment*** Kapitulations-/Zahlungsbedingungen *pl*; ***on equal ~s*** auf gleicher Basis; ***to come to ~s (with sb)*** sich (mit jdm) einigen **6. terms** *pl* ***to be on good/bad ~s with sb*** gut/nicht (gut) mit jdm auskommen **II** *v/t* bezeichnen
terminal I *adj* (≈ *final*) End-; MED unheilbar; ***to be in ~ decline*** sich in unaufhaltsamem Niedergang befinden **II** *n* **1.** RAIL Endbahnhof *m*; (*for tram, buses*) Endstation *f*; ***air*** *or* ***airport ~*** (Flughafen)terminal *m*; ***railway*** (*Br*) *or* ***railroad*** (*US*) ***~*** Zielbahnhof *m* **2.** ELEC Pol *m* **3.** IT Terminal *nt* **terminally** *adv* ***~ ill*** unheilbar krank **terminal station** *n* RAIL Endbahnhof *m*
terminate I *v/t* beenden; *contract etc* lösen; *pregnancy* unterbrechen **II** *v/i* enden **termination** *n* (≈ *bringing to an end*) Beendigung *f*; (*of contract etc* ≈ *cancellation*) Lösung *f*; ***~ of pregnancy*** Schwangerschaftsabbruch *m*
terminology *n* Terminologie *f*
terminus *n* RAIL, BUS Endstation *f*
termite *n* Termite *f*
terrace *n* **1.** Terrasse *f* **2.** (*Br* ≈ *row of houses*) Häuserreihe *f* **terraced** *adj* **1.** *hillside etc* terrassenförmig angelegt **2.** (*esp Br*) ***~ house*** Reihenhaus *nt*
terrain *n* Terrain *nt*
terrestrial *adj* terrestrisch
terrible *adj* furchtbar; ***I feel ~*** (≈ *feel ill*) mir ist fürchterlich schlecht; (≈ *feel guilty*) es ist mir furchtbar peinlich **terribly** *adv* schrecklich; *disappointed, sorry* furchtbar; *sing* fürchterlich; *important* schrecklich (*infml*); ***I'm not ~ good with money*** ich kann nicht besonders gut mit Geld umgehen
terrier *n* Terrier *m*
terrific *adj* unheimlich (*infml*); *speed* unwahrscheinlich (*infml*); ***that's ~ news*** das sind tolle Nachrichten (*infml*); ***~!*** prima! (*infml*)
terrified *adj* verängstigt; ***to be ~ of sth*** vor etw schreckliche Angst haben; ***he was ~ in case ...*** er hatte fürchterliche Angst davor, dass ... **terrify** *v/t* in Angst versetzen **terrifying** *adj film* grauenerregend; *thought, sight* entsetzlich; *speed* angsterregend
territorial *adj* territorial **Territorial Army** *n* (*Br*) Territorialheer *nt* **territory** *n* Territorium *nt*; (*of animals*) Revier *nt*; (*fig*) Gebiet *nt*
terror *n* **1.** *no pl* Terror *m*; (≈ *fear*) panische Angst (*of* vor +*dat*) **2.** (≈ *terrible event*) Schrecken *m* **terrorism** *n* Terrorismus *m*; ***an act of ~*** ein Terrorakt *m* **terrorist I** *n* Terrorist(in) *m*(*f*) **II** *adj attr* terroristisch; ***~ attack*** Terroranschlag *m* **terrorize** *v/t* terrorisieren

terse *adj* (+*er*) knapp **tersely** *adv* knapp, kurz; *say, answer* kurz (angebunden)
TESL *abbr of* ***Teaching of English as a Second Language***
TESOL *abbr of* ***Teaching of English as a Second or Other Language***
test **I** *n* Test *m*; SCHOOL Klassenarbeit *f*; UNIV Klausur *f*; (≈ *driving test*) (Fahr)prüfung *f*; (≈ *check*) Untersuchung *f*; ***he gave them a vocabulary ~*** er ließ eine Vokabelarbeit schreiben; (*orally*) er hat sie Vokabeln abgefragt; ***to put sb/ sth to the ~*** jdn / etw auf die Probe stellen **II** *adj attr* Test- **III** *v/t* **1.** testen; SCHOOL prüfen; (*orally*) abfragen; (*fig*) auf die Probe stellen **2.** (*chemically*) untersuchen; ***to ~ sth for sugar*** etw auf seinen Zuckergehalt untersuchen **IV** *v/i* Tests / einen Test machen ◆ **test out** *v/t sep* ausprobieren (*on* bei *or* an +*dat*)
testament *n* BIBLE ***Old/New Testament*** Altes / Neues Testament
test case *n* Musterfall *m* **test-drive** *v/t* Probe fahren
testicle *n* Hoden *m*
testify **I** *v/t* ***to ~ that ...*** JUR bezeugen, dass ... **II** *v/i* JUR aussagen
testimonial *n* **1.** (≈ *recommendation*) Referenz *f* **2.** SPORTS Gedenkspiel *nt* **testimony** *n* Aussage *f*; ***to bear ~ to sth*** etw bezeugen
testing *adj* hart
test match *n* (*Br* SPORTS) Testmatch *nt*
testosterone *n* Testosteron *nt*
test results *pl* Testwerte *pl* **test tube** *n* Reagenzglas *nt* **test-tube baby** *n* Retortenbaby *nt*
testy *adj* (+*er*) gereizt
tetanus *n* Tetanus *m*
tether **I** *n* (*lit*) Strick *m*; ***he was at the end of his ~*** (*Br fig infml* ≈ *desperate*) er war am Ende (*infml*) **II** *v/t* (*a.* **tether up**) anbinden
text **I** *n* Text *m* **II** *v/t* ***to ~ sb*** jdm eine Textnachricht *or* eine SMS schicken
textbook **I** *n* Lehrbuch *nt* **II** *adj* ***~ case*** Paradefall *m*
textile *n* Stoff *m*; ***~s*** Textilien *pl*
text message *n* Textnachricht *f*, SMS *f* **text messaging** *n* TEL SMS-Messaging *nt* **textual** *adj* Text-
texture *n* (stoffliche) Beschaffenheit; (*of food*) Substanz *f*; (*of material*) Griff *m* und Struktur
Thai **I** *adj* thailändisch **II** *n* **1.** Thailänder(in) *m*(*f*) **2.** (≈ *language*) Thai *nt*
Thailand *n* Thailand *nt*
Thames *n* Themse *f*
than *cj* als; ***I'd rather do anything ~ that*** das wäre das Letzte, was ich tun wollte; ***no sooner had I sat down ~ he began to talk*** kaum hatte ich mich hingesetzt, als er auch schon anfing zu reden; ***who better to help us ~ he?*** wer könnte uns besser helfen als er?
thank *v/t* danken (+*dat*); ***he has his brother/he only has himself to ~ for this*** das hat er seinem Bruder zu verdanken / sich selbst zuzuschreiben; ***~ you*** danke (schön); ***~ you very much*** vielen Dank; ***no ~ you*** nein, danke; ***yes, ~ you*** ja, bitte *or* danke; ***~ you for coming — not at all, ~ YOU!*** vielen Dank, dass Sie gekommen sind — ICH habe zu danken; ***to say ~ you*** Danke sagen (*to sb* jdm); ***~ goodness*** *or* ***heavens*** *or* ***God*** (*infml*) Gott sei Dank! (*infml*) **thankful** *adj* dankbar (*to sb* jdm); ***to be ~ to sb for sth*** jdm für etw dankbar sein **thankfully** *adv* **1.** dankbar **2.** (≈ *luckily*) zum Glück
thankless *adj* undankbar
thanks **I** *pl* Dank *m*; ***to accept sth with ~*** etw dankend *or* mit Dank annehmen; ***and that's all the ~ I get*** und das ist jetzt der Dank dafür; ***to give ~ to God*** Gott danksagen; ***~ to*** wegen (+*gen*); ***it's all ~ to you that we're so late*** bloß deinetwegen kommen wir so spät; ***it was no ~ to him that ...*** ich hatte / wir hatten *etc* es nicht ihm zu verdanken, dass ... **II** *int* (*infml*) danke (*for* für); ***many ~*** herzlichen Dank (*for* für); ***~ a lot*** vielen Dank; ***~ for nothing!*** (*iron*) vielen Dank auch!
Thanksgiving (Day) *n* (*US*) Thanksgiving Day *m* **thank you** *n* Dankeschön *nt*; ***thank-you letter*** Dankschreiben *nt*
that[1] **I** *dem pron, pl* **those** **1.** das; ***what is ~?*** was ist das?; ***~ is Joe (over there)*** das (dort) ist Joe; ***if she's as stupid as (all) ~*** wenn sie so dumm ist; ***... and all ~*** ... und so (*infml*); ***like ~*** so; ***~ is (to say)*** das heißt; ***oh well, ~'s ~*** nun ja, damit ist der Fall erledigt; ***you can't go and ~'s ~*** du darfst nicht gehen, und damit hat sichs (*infml*); ***well, ~'s ~ then*** das wärs dann also; ***~'s it!*** das ist es!; (≈ *the right way*) gut so!; (≈ *the last straw*) jetzt reichts!; ***after/before ~*** danach / davor; ***you can get it in any supermarket and quite cheaply at ~*** man kann es

in jedem Supermarkt, und zwar ganz billig, bekommen; ***what do you mean by ~?*** was wollen Sie damit sagen?; (*annoyed*) was soll (denn) das heißen?; ***as for ~*** was das betrifft *or* angeht **2.** (*opposed to "this" and "these"*) das (da), jenes (*old, elev*); ***~'s the one I like, not this one*** das (dort) mag ich, nicht dies (hier) **3.** (*followed by rel pron*) ***this theory is different from ~ which ...*** diese Theorie unterscheidet sich von derjenigen, die ...; ***~ which we call ...*** das, was wir ... nennen **II** *dem adj, pl* **those** der / die/das, jene(r, s); ***what was ~ noise?*** was war das für ein Geräusch?; ***~ dog!*** dieser Hund!; ***~ poor girl!*** das arme Mädchen!; ***I like ~ one*** ich mag das da; ***I'd like ~ one, not this one*** ich möchte das da, nicht dies hier; ***~ dog of yours!*** Ihr Hund, dieser Hund von Ihnen (*infml*) **III** *dem adv* (*infml*) so; ***it's not ~ good*** *etc* so gut *etc* ist es auch wieder nicht

that² *rel pr* der / die/das, die; ***all ~ ...*** alles, was ...; ***the best*** *etc* ***~ ...*** das Beste *etc*, das *or* was ...; ***the girl ~ I told you about*** das Mädchen, von dem ich Ihnen erzählt habe

that³ *cj* dass; ***she promised ~ she would come*** sie versprach zu kommen; ***~ things*** *or* ***it should come to this!*** dass es so weit kommen konnte!

thatched *adj* (*with straw*) strohgedeckt; (*with reeds*) reetgedeckt; ***~ roof*** Stroh-/Reetdach *nt*

thaw I *v/t* auftauen (lassen) **II** *v/i* auftauen; (*snow*) tauen **III** *n* Tauwetter *nt* ◆ **thaw out I** *v/i* auftauen **II** *v/t sep* (*lit*) auftauen (lassen)

the I *def art* der / die/das; ***in ~ room*** im *or* in dem Zimmer; ***to play ~ piano*** Klavier spielen; ***all ~ windows*** all die *or* alle Fenster; ***have you invited ~ Browns?*** haben Sie die Browns *or* die Familie Brown eingeladen?; ***Henry ~ Eighth*** Heinrich der Achte; ***by ~ hour*** pro Stunde; ***the car does thirty miles to ~ gallon*** das Auto verbraucht 11 Liter auf 100 Kilometer **II** *adv* (*with comp*) ***all ~ more*** umso mehr; ***~ more he has ~ more he wants*** je mehr er hat, desto mehr will er; ***~ sooner ~ better*** je eher, desto besser

theatre, (*US*) **theater** *n* **1.** Theater *nt*; ***to go to the ~*** ins Theater gehen; ***what's on at the ~?*** was wird im Theater gegeben? **2.** (*Br* ≈ *operating theatre*) Operationssaal *m* **theatre company** *n* Theaterensemble *nt* **theatregoer** *n* Theaterbesucher(in) *m*(*f*) **theatrical** *adj* Theater-

theft *n* Diebstahl *m*

their *poss adj* **1.** ihr **2.** (*infml* ≈ *belonging to him or her*) seine(r, s); → ***my***

theirs *poss pr* **1.** ihre(r, s) **2.** (*infml* ≈ *belonging to him or her*) seine(r, s); → ***mine¹***

them *pers pr pl* (*dir obj, with prep +acc, emph*) sie; (*indir obj, with prep +dat*) ihnen; ***both of ~*** beide; ***neither of ~*** keiner von beiden; ***a few of ~*** einige von ihnen; ***none of ~*** keiner (von ihnen); ***it's ~*** sie sinds

theme *n* Thema *nt* **theme music** *n* FILM Titelmusik *f*; TV Erkennungsmelodie *f* **theme park** *n* Themenpark *m* **theme tune** *n* = ***theme music***

themselves *pers pr pl* **1.** (*reflexive*) sich **2.** (*emph*) selbst; → ***myself***

then I *adv* **1.** (≈ *next, in that case*) dann; (≈ *furthermore also*) außerdem; ***and ~ what happened?*** und was geschah dann?; ***I don't want that — ~ what DO you want?*** ich will das nicht — was willst du denn?; ***but ~ that means that ...*** das bedeutet ja aber dann, dass ...; ***all right ~*** also meinetwegen; (***so***) ***I was right ~*** ich hatte also recht; ***but ~ ...*** aber ... auch; ***but ~ again he is my friend*** aber andererseits ist er mein Freund; ***now ~, what's the matter?*** na, was ist denn los?; ***come on ~*** nun komm doch **2.** (≈ *at this time*) da; (≈ *in those days*) damals; ***there and ~*** auf der Stelle; ***from ~ on***(***wards***) von da an; ***before ~*** vorher; ***they had gone by ~*** da waren sie schon weg; ***we'll be ready by ~*** bis dahin sind wir fertig; ***since ~*** seitdem; ***until ~*** bis dahin **II** *adj attr* damalig

theologian *n* Theologe *m*, Theologin *f* **theological** *adj* theologisch **theology** *n* Theologie *f*

theoretic(**al**) *adj*, **theoretically** *adv* theoretisch **theorize** *v/i* theoretisieren **theory** *n* Theorie *f*; ***in ~*** theoretisch

therapeutic(**al**) *adj* therapeutisch **therapist** *n* Therapeut(in) *m*(*f*) **therapy** *n* Therapie *f*; ***to be in ~*** sich einer Therapie unterziehen

there I *adv* dort, da; (*with movement*) dorthin, dahin; ***look, ~'s Joe*** guck mal, da ist Joe; ***it's under ~*** es liegt da drunter; ***put it in ~*** stellen Sie es dort hinein; ***~ and back*** hin und zurück; ***is Gordon ~ please?*** (*on telephone*) ist Gordon da?; ***you've got me ~*** da bin ich überfragt; ***~ is/are*** es *or* da ist / sind; (≈ *there exists / exist also*) es gibt; ***~ were three of us*** wir waren zu dritt; ***~ is a mouse in the room*** es ist eine Maus im Zimmer; ***is ~ any beer?*** ist Bier da?; ***afterwards ~ was coffee*** anschließend gab es Kaffee; ***~ seems to be no-one at home*** es scheint keiner zu Hause zu sein; ***hi ~!*** hallo!, servus! (*Aus*), grüezi! (*Swiss*); ***so ~!*** ätsch!; ***~ you are*** (*giving sb sth*) hier(, bitte)!; (*on finding sb*) da sind Sie ja!; ***~ you are, you see*** na, sehen Sie **II** *int* ***~! ~!*** na, na!; ***stop crying now, ~'s a good boy*** hör auf zu weinen, na komm; ***now ~'s a good boy, don't tease your sister*** komm, sei ein braver Junge und ärgere deine Schwester nicht; ***hey, you ~!*** (*infml*) he, Sie da! **thereabouts** *adv* ***fifteen or ~*** so um fünfzehn (herum) **thereafter** *adv* (*form*) danach **thereby** *adv* dadurch

therefore *adv* daher; ***so ~ I was wrong*** ich hatte also unrecht **there's** *contraction* = ***there is***, ***there has*** **thereupon** *adv* (≈ *then*) darauf(hin)

thermal I *adj* **1.** PHYS Wärme- **2.** *clothing* Thermo- **II** *n* **thermals** *pl* (*infml* ≈ *thermal underwear*) Thermounterwäsche *f*

thermal spring *n* Thermalquelle *f*

thermometer *n* Thermometer *nt*

Thermos® *n* (*a.* **Thermos flask** *or* (*US*) **bottle**) Thermosflasche® *f*

thermostat *n* Thermostat *m*

thesaurus *n* Thesaurus *m*

these *adj*, *pron* diese; → ***this***

thesis *n*, *pl* ***theses*** UNIV **1.** (*for PhD*) Dissertation *f* **2.** (*for diploma*) Diplomarbeit *f*

thespian (*liter*, *hum*) **I** *adj* dramatisch **II** *n* Mime *m*, Mimin *f*

they *pers pr pl* **1.** sie; ***~ are very good people*** es sind sehr gute Leute; ***~ who*** diejenigen, die *or* welche, wer (*+sg vb*) **2.** (≈ *people in general*) ***~ say that ...*** man sagt, dass ...; ***~ are thinking of changing the law*** es ist beabsichtigt, das Gesetz zu ändern; ***if anyone looks at this closely, ~ will notice ...*** (*infml*) wenn sich das jemand näher ansieht, wird er bemerken ... **they'd** *contraction* = ***they had***, ***they would*** **they'll** *contraction* = ***they will*** **they're** *contraction* = ***they are*** **they've** *contraction* = ***they have***

thick I *adj* (*+er*) **1.** dick; *lips* voll; *hair*, *fog*, *smoke*, *forest* dicht; *liquid* dick(flüssig); *accent* breit; ***a wall three feet ~*** eine drei Fuß starke Wand **2.** (*Br infml*) *person* dumm, doof (*infml*); ***to get sth into*** *or* ***through sb's ~ head*** etw in jds dicken Schädel bekommen (*infml*) **II** *n* ***in the ~ of it*** mittendrin; ***through ~ and thin*** durch dick und dünn **III** *adv* (*+er*) *spread*, *cut* dick; ***the snow lay ~*** es lag eine dichte Schneedecke; ***the jokes came ~ and fast*** die Witze kamen Schlag auf Schlag **thicken I** *v/t sauce etc* eindicken **II** *v/i* **1.** (*fog*, *crowd*, *forest*) dichter werden; (*smoke*) sich verdichten; (*sauce*) dick werden **2.** (*fig*: *mystery*) immer undurchsichtiger werden; ***aha, the plot ~s!*** aha, jetzt wirds interessant!

thicket *n* Dickicht *nt*

thickly *adv spread*, *cut* dick; *populated* dicht **thickness** *n* **1.** Dicke *f* **2.** (≈ *layer*) Schicht *f* **thickset** *adj* gedrungen **thick-skinned** *adj* (*fig*) dickfellig

thief *n*, *pl* ***thieves*** Dieb(in) *m*(*f*) **thieve** *v/t & v/i* stehlen

thigh *n* (Ober)schenkel *m* **thigh-length** *adj boots* übers Knie reichend

thimble *n* Fingerhut *m*

thin I *adj* (*+er*) **1.** dünn; (≈ *narrow*) schmal; *hair* schütter; ***he's a bit ~ on top*** bei ihm lichtet es sich oben schon ein wenig; ***to be ~ on the ground*** (*fig*) dünn gesät sein; ***to vanish into ~ air*** (*fig*) sich in Luft auflösen **2.** (*fig*) *smile*, *plot* schwach **II** *adv* (*+er*) *spread*, *cut* dünn; *lie* spärlich **III** *v/t paint* verdünnen; *trees* lichten; *blood* dünner werden lassen **IV** *v/i* (*fog*, *crowd*) sich lichten

◆ **thin down** *v/t sep paint* verdünnen

◆ **thin out I** *v/i* (*crowd*) kleiner werden; (*trees*) sich lichten **II** *v/t sep* ausdünnen; *forest* lichten

thing *n* **1.** Ding *nt*; ***a ~ of beauty*** etwas Schönes; ***she likes sweet ~s*** sie mag Süßes; ***what's that ~?*** was ist das?; ***I don't have a ~ to wear*** ich habe nichts zum Anziehen; ***poor little ~*** das arme (kleine) Ding!; ***you poor ~!*** du Arme(r)! **2.** **things** *pl* (≈ *equipment*, *belongings*) Sachen *pl*; ***have you got your swimming ~s?*** hast du dein Badezeug *or* deine Badesachen dabei? **3.** (≈ *affair*, *subject*) Sache *f*; ***the odd ~ about it is ...*** das Seltsame daran ist, ...; ***it's a good ~ I came*** nur gut, dass ich gekommen bin; ***he's on to*** *or* ***onto a good ~*** (*infml*) er hat da was Gutes aufgetan (*infml*); ***what a (silly) ~ to do*** wie kann man nur so was (Dummes) tun!; ***there is one/one other ~ I want to ask you*** eines/und noch etwas möchte ich Sie fragen; ***I must be hearing ~s!*** ich glaube, ich höre nicht richtig!; ***~s are going from bad to worse*** es wird immer schlimmer; ***as ~s stand at the moment, as ~s are ...*** so wie die Dinge im Moment liegen; ***how are ~s (with you)?*** wie gehts (bei) Ihnen?; ***it's been one ~ after the other*** es kam eins zum anderen; ***if it's not one ~ it's the other*** es ist immer irgendetwas; ***(what) with one ~ and another I haven't had time to do it*** ich bin einfach nicht dazu gekommen; ***it's neither one ~ nor the other*** es ist weder das eine noch das andere; ***one ~ led to another*** eins führte zum anderen; ***for one ~ it doesn't make sense*** erst einmal ergibt das überhaupt keinen Sinn; ***not to understand a ~*** (absolut) nichts verstehen; ***he knows a ~ or two about cars*** er kennt sich mit Autos aus; ***it's just one of those ~s*** so was kommt eben vor (*infml*); ***the latest ~ in ties*** der letzte Schrei in der Krawattenmode; ***the postman comes first ~ in the morning*** der Briefträger kommt früh am Morgen; ***I'll do that first ~ in the morning*** ich werde das gleich morgen früh tun; ***last ~ at night*** vor dem Schlafengehen; ***the ~ is to know when ...*** man muss wissen, wann ...; ***yes, but the ~ is ...*** ja, aber ...; ***the ~ is we haven't got enough money*** die Sache ist die, wir haben nicht genug Geld; ***to do one's own ~*** (*infml*) tun, was man will; ***she's got this ~ about Sartre*** (*infml ≈ can't stand*) sie kann Sartre einfach nicht ausstehen; (*≈ is fascinated by*) sie hat einen richtigen Sartrefimmel (*infml*) **thingamajig** *n* Dingsbums *nt or* (*for people*) *mf*

think *vb*: *pret, past part* ***thought*** **I** *v/i* denken; ***to ~ to oneself*** sich (*dat*) denken; ***to act without ~ing*** unüberlegt handeln; ***it makes you ~*** es stimmt einen nachdenklich; ***I need time to ~*** ich brauche Zeit zum Nachdenken; ***it's so noisy you can't hear yourself ~*** bei so einem Lärm kann doch kein Mensch denken; ***now let me ~*** lass (mich) mal überlegen; ***it's a good idea, don't you ~?*** es ist eine gute Idee, meinst du nicht auch?; ***just ~*** stellen Sie sich (*dat*) bloß mal vor; ***listen, I've been ~ing, ...*** hör mal, ich habe mir überlegt ...; ***sorry, I just wasn't ~ing*** Entschuldigung, da habe ich geschlafen (*infml*) **II** *v/t* **1.** denken; (*≈ be of opinion also*) glauben, meinen; ***what do you ~?*** was meinen Sie?; ***I ~ you'd better go*** ich denke, Sie gehen jetzt besser; ***I ~ so*** ich denke schon; ***I ~ so too*** das meine ich auch; ***I don't ~ so, I shouldn't ~ so*** ich glaube nicht; ***I should ~ so!*** das will ich (aber) auch gemeint haben; ***I should ~ not!*** das will ich auch nicht hoffen; ***what do you ~ I should do?*** was soll ich Ihrer Meinung nach tun?; ***I ~ I'll go for a walk*** ich glaube, ich mache einen Spaziergang; ***do you ~ you can manage?*** glauben Sie, dass Sie es schaffen?; ***I never thought to ask you*** ich habe gar nicht daran gedacht, Sie zu fragen; ***I thought so*** das habe ich mir schon gedacht **2.** ***you must ~ me very rude*** Sie müssen mich für sehr unhöflich halten **3.** (*≈ imagine*) sich (*dat*) vorstellen; ***I don't know what to ~*** ich weiß nicht, was ich davon halten soll; ***that's what you ~!*** denkste! (*infml*); ***that's what he ~s*** hat der eine Ahnung! (*infml*); ***who do you ~ you are!*** für wen hältst du dich eigentlich?; ***anyone would ~ he was dying*** man könnte beinahe glauben, er läge im Sterben; ***who would have thought it?*** wer hätte das gedacht?; ***to ~ that she's only ten!*** wenn man bedenkt, dass sie erst zehn ist **III** *n* ***have a ~ about it*** denken Sie mal darüber nach; ***to have a good ~*** gründlich nachdenken ◆ **think about** *v/i +prep obj* **1.** (*≈ reflect on*) nachdenken über (*+acc*); ***I'll ~ it*** ich überlege es mir; ***what are you thinking about?*** woran denken Sie gerade?; ***to think twice about sth*** sich (*dat*) etw zweimal überlegen; ***that'll give him something to ~*** das wird ihm zu denken geben **2.** (*progressive ≈ half intend to*) daran denken, vorhaben **3.**; → ***think of*** 1, 4 ◆ **think ahead** *v/i* vorausdenken ◆ **think back** *v/i* sich zurückversetzen (*to* in *+acc*) ◆ **think of** *v/i +prep obj* **1.** denken an (*+acc*); ***he thinks of nobody but himself*** er denkt bloß an sich; ***what was I thinking of!*** (*infml*) was habe ich mir da(bei) bloß gedacht?; ***come to ~ it*** wenn ich es mir recht überlege; ***I can't ~ her name*** ich komme nicht auf ihren Namen **2.** (≈ *imagine*) sich (*dat*) vorstellen **3.** *solution, idea* sich (*dat*) ausdenken; ***who thought of that idea?*** wer ist auf diese Idee gekommen? **4.** (≈ *have opinion of*) halten von; ***to think highly of sb/sth*** viel von jdm/etw halten; ***to think little*** *or* ***not to think much of sb/sth*** wenig *or* nicht viel von jdm/etw halten; ***I told him what I thought of him*** ich habe ihm gründlich die *or* meine Meinung gesagt ◆ **think over** *v/t sep* nachdenken über (*+acc*) ◆ **think through** *v/t sep* (gründlich) durchdenken ◆ **think up** *v/t sep* sich (*dat*) ausdenken; ***who thought up that idea?*** wer ist auf die Idee gekommen?

thinker *n* Denker(in) *m(f)* **thinking I** *adj* denkend **II** *n* ***to my way of ~*** meiner Meinung nach **think-tank** *n* Expertenkommission *f*

thinly *adv* **1.** dünn **2.** (*fig*) *disguised* dürftig **thinner** *n* Verdünnungsmittel *nt* **thinness** *n* Dünnheit *f*; (*of material*) Leichtheit *f*; (*of paper*) Feinheit *f*; (*of person*) Magerkeit *f* **thin-skinned** *adj* (*fig*) empfindlich

third I *adj* **1.** (*in series*) dritte(r, s); ***to be ~*** Dritte(r, s) sein; ***in ~ place*** SPORTS *etc* an dritter Stelle; ***she came ~ in her class*** sie war die Drittbeste in der Klasse; ***he came ~ in the race*** er belegte den dritten Platz beim Rennen; ***~ time lucky*** beim dritten Anlauf gelingts! **2.** (*of fraction*) ***a ~ part*** ein Drittel *nt* **II** *n* **1.** (*of series*) Dritte(r, s) **2.** (≈ *fraction*) Drittel *nt*; → ***sixth*** **third-class** *adv, adj* dritter Klasse; ***~ degree*** (*Br* UNIV) Abschluss *m* mit „Befriedigend" **third-degree** *adj attr* ***~ burn*** MED Verbrennung *f* dritten Grades **thirdly** *adv* drittens **third-party** (*Br*) *adj attr* ***~ insurance*** Haftpflichtversicherung *f* **third person I** *adj* in der dritten Person **II** *n* ***the ~ singular*** GRAM die dritte Person Singular **third-rate** *adj* drittklassig **Third World I** *n* Dritte Welt **II** *attr* der Dritten Welt

thirst *n* Durst *m*; ***to die of ~*** verdursten

thirsty *adj* (*+er*) durstig; ***to be/feel ~*** Durst haben

thirteen I *adj* dreizehn **II** *n* Dreizehn *f*

thirteenth I *adj* (*in series*) dreizehnte(r, s); ***a ~ part*** ein Dreizehntel *nt* **II** *n* **1.** (*in series*) Dreizehnte(r, s) **2.** (≈ *fraction*) Dreizehntel *nt*; → ***sixth***

thirtieth I *adj* (*in series*) dreißigste(r, s); ***a ~ part*** ein Dreißigstel *nt* **II** *n* **1.** (*in series*) Dreißigste(r, s) **2.** (≈ *fraction*) Dreißigstel *nt*; → ***sixth***

thirty I *adj* dreißig; ***a ~-second note*** (*US* MUS) ein Zweiunddreißigstel *nt* **II** *n* Dreißig *f*; ***the thirties*** (≈ *era*) die Dreißigerjahre; ***one's thirties*** die Dreißiger; → ***sixty***

this I *dem pron, pl* ***these*** dies, das; ***what is ~?*** was ist das (hier)?; ***~ is John*** das ist John; ***these are my children*** das sind meine Kinder; ***~ is where I live*** hier wohne ich; ***under ~*** darunter; ***it ought to have been done before ~*** es hätte schon vorher getan werden sollen; ***what's all ~?*** was soll das?; ***~ and that*** mancherlei; ***~, that and the other*** alles Mögliche; ***it was like ~*** es war so; ***~ is Mary (speaking)*** hier (ist) Mary; ***~ is it!*** (≈ *now*) jetzt!; (*showing sth*) das da!; (≈ *exactly*) genau! **II** *dem adj, pl* ***these*** diese(r, s); ***~ month*** diesen Monat; ***~ evening*** heute Abend; ***~ time last week*** letzte Woche um diese Zeit; ***~ time*** diesmal; ***these days*** heutzutage; ***to run ~ way and that*** hin und her rennen; ***I met ~ guy who ...*** (*infml*) ich habe (so) einen getroffen, der ...; ***~ friend of hers*** dieser Freund von ihr (*infml*), ihr Freund **III** *dem adv* so; ***it was ~ long*** es war so lang

thistle *n* Distel *f*

thong *n* **1.** (≈ *fastening*) Lederriemen *m* **2.** (≈ *G-string*) Tangaslip *m* **3. thongs** (*US, Austral* ≈ *flip-flops*) Gummisandalen *pl*

thorn *n* Dorn *m*; ***to be a ~ in sb's flesh*** *or* ***side*** (*fig*) jdm ein Dorn im Auge sein

thorny *adj* (*+er*) (*lit*) dornig; (*fig*) haarig

thorough *adj* gründlich; ***she's a ~ nuisance*** sie ist wirklich eine Plage **thoroughbred I** *n* reinrassiges Tier; (≈ *horse*) Vollblut(pferd) *nt* **II** *adj* reinrassig **thoroughfare** *n* Durchgangsstraße *f*

thoroughly *adv* **1.** gründlich **2.** (≈ *extremely*) durch und durch; *convinced* völlig; ***we ~ enjoyed our meal*** wir haben unser Essen von Herzen genossen; ***I ~ enjoyed myself*** es hat mir aufrichtig Spaß gemacht; ***I ~ agree*** ich stimme voll und ganz zu **thoroughness** *n* Gründlichkeit *f*

those *pl of* **that** **I** *dem pron* das (da) *sg*; ***what are ~?*** was ist das (denn) da?; ***whose are ~?*** wem gehören diese da?; ***above ~*** darüber; ***~ who want to go, may*** wer möchte, kann gehen; ***there are ~ who say ...*** einige sagen ... **II** *dem adj* diese *or* die (da), jene (*old, liter*); ***it was just one of ~ days*** das war wieder so ein Tag; ***he is one of ~ people who ...*** er ist einer von den denjenigen, die ...

though **I** *cj* obwohl; ***even ~*** obwohl; ***strange ~ it may seem ...*** so seltsam es auch scheinen mag ...; ***~ I say it*** *or* ***so myself*** auch wenn ich es selbst sage; ***as ~*** als ob **II** *adv* **1.** (≈ *nevertheless*) doch; ***he didn't do it ~*** er hat es aber (doch) nicht gemacht; ***nice day — rather windy ~*** schönes Wetter! — aber ziemlich windig! **2.** (≈ *really*) ***but will he ~?*** wirklich?

thought **I** *pret, past part of* **think** **II** *n* **1.** *no pl* Denken *nt*; ***to be lost in ~*** ganz in Gedanken sein **2.** (≈ *idea, opinion*) Gedanke *m*; (*sudden*) Einfall *m*; ***that's a ~!*** (≈ *problem*) das ist wahr!; (≈ *good idea*) das ist ein guter Gedanke; ***it's the ~ that counts, not how much you spend*** es kommt nur auf die Idee an, nicht auf den Preis **3.** *no pl* (≈ *consideration*) Überlegung *f*; ***to give some ~ to sth*** sich (*dat*) Gedanken über etw (*acc*) machen; ***I never gave it a moment's ~*** ich habe mir nie darüber Gedanken gemacht **thoughtful** *adj* **1.** *expression, person* nachdenklich; *present* gut ausgedacht **2.** (≈ *considerate*) rücksichtsvoll; (≈ *attentive*) aufmerksam **thoughtfully** *adv* **1.** *say* nachdenklich **2.** (≈ *considerately*) rücksichtsvoll; (≈ *attentively*) aufmerksam **thoughtfulness** *n* **1.** (*of expression, person*) Nachdenklichkeit *f* **2.** (≈ *consideration*) Rücksicht(nahme) *f*; (≈ *attentiveness*) Aufmerksamkeit *f* **thoughtless** *adj* rücksichtslos **thoughtlessly** *adv* (≈ *inconsiderately*) rücksichtslos **thoughtlessness** *n* (≈ *lack of consideration*) Rücksichtslosigkeit *f* **thought-provoking** *adj* zum Nachdenken anregend

thousand **I** *adj* tausend; ***a ~*** (ein)tausend; ***a ~ times*** tausendmal; ***a ~ and one*** tausend(und)eins; ***I have a ~ and one things to do*** (*infml*) ich habe tausend Dinge zu tun **II** *n* Tausend *nt*; ***people arrived in their ~s*** die Menschen kamen zu Tausenden

thousandth **I** *adj* (*in series*) tausendste(r, s); ***a*** *or* ***one ~ part*** ein Tausendstel *nt* **II** *n* **1.** (*in series*) Tausendste(r, s) **2.** (≈ *fraction*) Tausendstel *nt*; → ***sixth***

thrash **I** *v/t* **1.** (≈ *beat*) verprügeln **2.** (*infml*) *opponent* (vernichtend) schlagen **3.** *arms* fuchteln mit; *legs* strampeln mit **II** *v/i* ***to ~ around*** um sich schlagen **thrashing** *n* (≈ *beating*) Prügel *pl*; ***to give sb a good ~*** jdm eine ordentliche Tracht Prügel verpassen

thread **I** *n* **1.** (*of cotton etc*) Faden *m*; SEWING Garn *nt*; (≈ *strong thread*) Zwirn *m*; ***to hang by a ~*** (*fig*) an einem (seidenen *or* dünnen) Faden hängen **2.** (*fig: of story*) (roter) Faden; ***he lost the ~ of what he was saying*** er hat den Faden verloren **3.** INTERNET (Diskussions)thema *nt* **II** *v/t* **1.** *needle* einfädeln; *beads* auffädeln (*on* auf +*acc*) **2.** ***to ~ one's way through the crowd*** *etc* sich durch die Menge *etc* hindurchschlängeln **threadbare** *adj* abgewetzt

threat *n* **1.** Drohung *f*; ***to make a ~*** drohen (*against sb* jdm); ***under ~ of sth*** unter Androhung von etw **2.** (≈ *danger*) Gefahr *f* (*to* für)

threaten **I** *v/t* bedrohen; *violence* androhen; ***don't you ~ me!*** von Ihnen lasse ich mir nicht drohen!; ***to ~ to do sth*** (an)drohen, etw zu tun; ***to ~ sb with sth*** jdm etw androhen; ***the rain ~ed to spoil the harvest*** der Regen drohte, die Ernte zu zerstören **II** *v/i* (*danger, storm etc*) drohen **threatened** *adj* **1.** ***he felt ~*** er fühlte sich bedroht **2.** (≈ *under threat*) gefährdet **threatening** *adj* drohend; ***a ~ letter*** ein Drohbrief *m*; ***~ behaviour*** Drohungen *pl*

three **I** *adj* drei **II** *n* Drei *f*; ***~'s a crowd*** drei Leute sind schon zu viel; → ***six***

three-D **I** *n* ***to be in ~*** dreidimensional sein **II** *adj* dreidimensional **three-dimensional** *adj* dreidimensional **threefold** *adj, adv* dreifach **three-fourths** *n* (*US*) = ***three-quarters*** **three-piece suite** *n* (*esp Br*) dreiteilige Sitzgarnitur **three-quarter** *attr* Dreiviertel- **three-quarters** **I** *n* drei Viertel *pl*; ***~ of an hour*** eine Dreiviertelstunde **II** *adv* drei viertel **threesome** *n* Trio *nt*; ***in a ~*** zu dritt

threshold *n* Schwelle *f*

threw *pret of* **throw**

thrifty *adj* (*+er*) sparsam
thrill **I** *n* Erregung *f*; ***it was quite a ~ for me*** es war ein richtiges Erlebnis **II** *v/t* *person* (*story*) fesseln; (*experience*) eine Sensation sein für; ***I was ~ed to get your letter*** ich habe mich riesig über deinen Brief gefreut; ***to be ~ed to bits*** (*infml*) sich freuen wie ein Kind; (*esp child*) ganz aus dem Häuschen sein vor Freude
thriller *n* Reißer *m* (*infml*); (≈ *whodunnit*) Krimi *m*, Thriller *m* **thrilling** *adj* aufregend; *book* fesselnd; *experience* überwältigend
thrive *v/i* (≈ *be in good health*) (gut) gedeihen; (≈ *do well*, *business*) blühen ◆ **thrive on** *v/i +prep obj* ***the baby thrives on milk*** mit Milch gedeiht das Baby prächtig; ***he thrives on praise*** Lob bringt ihn erst zur vollen Entfaltung
thriving *adj plant* prächtig gedeihend; *person*, *community* blühend
thro' *abbr of* **through**
throat *n* (*external*) Kehle *f*; (*internal*) Rachen *m*; ***to cut sb's ~*** jdm die Kehle durchschneiden; ***to clear one's ~*** sich räuspern; ***to ram*** *or* ***force one's ideas down sb's ~*** (*infml*) jdm seine eigenen Ideen aufzwingen
throb *v/i* klopfen; (*painfully*: *wound*) pochen; (*strongly*) hämmern; (*fig*: *with life*) pulsieren (*with* vor *+dat*, mit); ***my head is ~bing*** ich habe rasende Kopfschmerzen **throbbing** **I** *n* (*of engine*) Klopfen *nt*; (*of pulse*) Pochen *nt* **II** *adj pain*, *place* pulsierend; *headache* pochend
throes *pl* (*fig*) ***we are in the ~ of moving*** wir stecken mitten im Umzug
thrombosis *n* Thrombose *f*
throne *n* Thron *m*; ***to come to the ~*** den Thron besteigen
throng **I** *n* Scharen *pl* **II** *v/i* sich drängen **III** *v/t* belagern; ***to be ~ed with*** wimmeln von
throttle **I** *v/t* (*lit*) *person* erwürgen **II** *n* (*on engine*) Drossel *f*; (AUTO *etc* ≈ *lever*) Gashebel *m*; ***at full ~*** mit Vollgas
through, (*US*) **thru** **I** *prep* **1.** durch; ***to get ~ a hedge*** durch eine Hecke durchkommen; ***to get ~ a red light*** bei Rot durchfahren; ***to be halfway ~ a book*** ein Buch zur Hälfte durchhaben (*infml*); ***that happens halfway ~ the book*** das passiert in der Mitte des Buches; ***all ~ his life*** sein ganzes Leben lang; ***he won't live ~ the night*** er wird die Nacht nicht überleben; ***~ the post*** (*Br*) *or* ***mail*** (*US*) mit der Post, per Post **2.** (*US*) ***Monday ~ Friday*** von Montag bis (einschließlich) Freitag **II** *adv* durch; ***~ and ~*** durch und durch; ***to let sb ~*** jdn durchlassen; ***to be wet ~*** bis auf die Haut nass sein; ***to read sth ~*** etw durchlesen; ***he's ~ in the other office*** er ist (drüben) im anderen Büro **III** *adj pred* **1.** (≈ *finished*) ***to be ~ with sb/sth*** mit jdm/etw fertig sein (*infml*); ***I'm ~ with him*** der ist für mich gestorben (*infml*) **2.** (*Br* TEL) ***to be ~*** (***to sb/London***) mit jdm/London verbunden sein; ***to get ~*** (***to sb/London***) zu jdm/nach London durchkommen
through flight *n* Direktflug *m*
throughout **I** *prep* **1.** (*place*) überall in (*+dat*); ***~ the world*** in der ganzen Welt **2.** (*time*) den ganzen/die/das ganze ... über; ***~ his life*** sein ganzes Leben lang **II** *adv* **1.** ***to be carpeted ~*** ganz mit Teppichboden ausgelegt sein **2.** (*time*) die ganze Zeit hindurch **through ticket** *n* ***can I get a ~ to London?*** kann ich bis London durchlösen? **through traffic** *n* Durchgangsverkehr *m* **throughway** *n* (*US*) Schnellstraße *f*
throw *vb*: *pret* **threw**, *past part* **thrown** **I** *n* **1.** (*of ball etc*) Wurf *m*; ***it's your ~*** du bist dran; ***have another ~*** werfen Sie noch einmal **2.** (*for furniture*) Überwurf *m* **II** *v/t* **1.** werfen; *water* schütten; ***to ~ the dice*** würfeln; ***to ~ sth to sb*** jdm etw zuwerfen; ***to ~ sth at sb*** etw nach jdm werfen; *paint etc* jdn mit etw bewerfen; ***to ~ a ball 20 metres*** einen Ball 20 Meter weit werfen; ***to ~ oneself into the job*** sich in die Arbeit stürzen; ***to ~ doubt on sth*** etw in Zweifel ziehen **2.** *switch* betätigen **3.** (*infml* ≈ *disconcert*) aus dem Konzept bringen **4.** *party* geben, schmeißen (*infml*); *fit* kriegen (*infml*) **III** *v/i* werfen ◆ **throw about** (*Brit*) *or* **around** *v/t always separate* **1.** (≈ *scatter*) verstreuen; (*fig*) *money* um sich werfen mit **2.** (≈ *toss*) herumwerfen ◆ **throw away** *v/t sep* **1.** (≈ *discard*) wegwerfen **2.** (≈ *waste*) verschenken; *money* verschwenden (*on sth* auf *or* für etw, *on sb* an jdn) ◆ **throw down** *v/t sep* herunterwerfen; ***it's throwing it down*** (*infml* ≈ *raining*) es gießt (in Strömen) ◆ **throw in** *v/t sep* **1.** *extra* (gratis) dazugeben **2.** (*fig*) ***to ~ the towel*** das Handtuch werfen

(*infml*) ◆ **throw off** *v/t sep clothes* abwerfen; *pursuer* abschütteln; *cold* loswerden ◆ **throw on** *v/t sep clothes* sich (*dat*) überwerfen ◆ **throw open** *v/t sep door* aufreißen ◆ **throw out** *v/t sep* **1.** *rubbish etc* wegwerfen **2.** *Vorschlag, bill* ablehnen; *case* verwerfen **3.** *person* hinauswerfen (*of* aus) **4.** *calculations etc* über den Haufen werfen (*infml*) ◆ **throw together** *v/t sep* **1.** (≈ *make quickly*) hinhauen **2.** *people* zusammenführen ◆ **throw up I** *v/i* (*infml*) sich übergeben; ***it makes you want to ~*** da kann einem schlecht werden **II** *v/t sep* **1.** *ball, hands* hochwerfen **2.** (≈ *vomit up*) erbrechen **3.** (≈ *produce*) hervorbringen; *questions* aufwerfen

throwback *n* (*fig* ≈ *return*) Rückkehr *f* (*to* zu) **thrower** *n* Werfer(in) *m*(*f*) **thrown** *past part of* ***throw***

thru *prep, adv, adj* (*US*) = ***through***

thrush[1] *n* ORN Drossel *f*

thrush[2] *n* MED Schwämmchen *nt*; (*of vagina*) Pilzkrankheit *f*

thrust *vb*: *pret, past part* ***thrust*** **I** *n* **1.** Stoß *m*; (*of knife*) Stich *m* **2.** TECH Druckkraft *f* **II** *v/t* **1.** stoßen; ***to ~ one's hands into one's pockets*** die Hände in die Tasche stecken **2.** (*fig*) ***I had the job ~ upon me*** die Arbeit wurde mir aufgedrängt; ***to ~ one's way through a crowd*** sich durch die Menge schieben **III** *v/i* stoßen (*at* nach); (*with knife*) stechen (*at* nach) ◆ **thrust aside** *v/t sep* beiseiteschieben

thruway *n* (*US*) Schnellstraße *f*

thud I *n* dumpfes Geräusch; ***he fell to the ground with a ~*** er fiel mit einem dumpfen Aufschlag zu Boden **II** *v/i* dumpf aufschlagen

thug *n* Schlägertyp *m*

thumb I *n* Daumen *m*; ***to be under sb's ~*** unter jds Pantoffel (*dat*) stehen; ***she has him under her ~*** sie hat ihn unter ihrer Fuchtel; ***the idea was given the ~s up/down*** für den Vorschlag wurde grünes/rotes Licht gegeben **II** *v/t* ***to ~ a ride*** (*infml*) per Anhalter fahren ◆ **thumb through** *v/i +prep obj book* durchblättern

thumb index *n* Daumenregister *nt*

thumbnail *n* IT Thumbnail *nt*, Miniaturansicht *f* (*einer Grafik oder Datei*)

thumbtack *n* (*US*) Reißzwecke *f*

thump I *n* (≈ *blow*) Schlag *m*; (≈ *noise*) (dumpfes) Krachen **II** *v/t table* schlagen auf (+*acc*); (*esp Br infml*) *person* verhauen (*infml*); ***he ~ed his fist on the desk*** er donnerte die Faust auf den Tisch; ***he ~ed the box down on my desk*** er knallte die Schachtel auf meinen Tisch **III** *v/i* (*heart*) heftig schlagen; ***he ~ed on the door*** er schlug gegen die Tür

thunder I *n* Donner *m* **II** *v/i* donnern **III** *v/t* (≈ *shout*) brüllen **thunderbolt** *n* (*lit*) Blitz *m* **thunderclap** *n* Donnerschlag *m* **thundercloud** *n* Gewitterwolke *f* **thunderous** *adj* stürmisch

thunderstorm *n* Gewitter *nt* **thunderstruck** *adj* (*fig*) wie vom Donner gerührt

Thuringia *n* Thüringen *nt*

Thurs *abbr of* ***Thursday*** Do.

Thursday *n* Donnerstag *m*; → ***Tuesday***

thus *adv* **1.** (≈ *in this way*) so, auf diese Art **2.** (≈ *consequently*) folglich **3.** (+*past part or adj*) ***~ far*** so weit

thwack I *n* (≈ *blow*) Schlag *m*; (≈ *noise*) Klatschen *nt* **II** *v/t* schlagen

thwart *v/t* vereiteln

thyme *n* Thymian *m*

thyroid *n* (*a.* **thyroid gland**) Schilddrüse *f*

tic *n* MED Tick *m*

tick[1] **I** *n* **1.** (*of clock etc*) Ticken *nt* **2.** (*Br infml* ≈ *moment*) Augenblick *m*; ***I'll be ready in a ~ or two ~s*** bin sofort fertig (*infml*) **3.** (*esp Br* ≈ *mark*) Häkchen *nt* **II** *v/i* **1.** (*clock*) ticken **2.** (*infml*) ***what makes him ~?*** was geht in ihm vor? **III** *v/t* (*Br*) *name* abhaken; *box* ankreuzen ◆ **tick off** *v/t sep* (*Br*) **1.** *name etc* abhaken **2.** (*infml* ≈ *scold*) ausschimpfen (*infml*) ◆ **tick over** *v/i* **1.** (*engine*) im Leerlauf sein **2.** (*fig*) ganz ordentlich laufen; (*pej*) auf Sparflamme sein (*infml*)

tick[2] *n* ZOOL Zecke *f*

ticket *n* **1.** (≈ *rail ticket, bus ticket*) Fahrkarte *f*, Billett *nt* (*Swiss*); (≈ *plane ticket*) Ticket *nt*; THEAT *etc* (Eintritts)karte *f*, Billett *nt* (*Swiss*); (*for dry cleaner's etc*) Abschnitt *m*; (≈ *raffle ticket*) Los *nt*; (≈ *lottery ticket*) Lottoschein *m*; (≈ *price ticket*) Preisschild *nt* **2.** JUR Strafzettel *m* **ticket collector** *n* Schaffner(in) *m*(*f*), Kondukteur(in) *m*(*f*) (*Swiss*) **ticket inspector** *n* (Fahrkarten)kontrolleur(in) *m*(*f*), Kondukteur(in) *m*(*f*) (*Swiss*) **ticket machine** *n* **1.** (*public transport*) Fahrkartenautomat *m* **2.** (*in car park*) Parkscheinautomat *m*

ticket office *n* RAIL Fahrkartenschalter

m; THEAT Kasse *f*, Kassa *f* (*Aus*)
ticking *n* (*of clock*) Ticken *nt*
ticking-off *n* (*Br infml*) Rüffel *m*
tickle I *v/t* **1.** (*lit*) kitzeln **2.** (*fig infml* ≈ *amuse*) amüsieren **II** *v/i* kitzeln; (*wool*) kratzen **III** *n* Kitzeln *nt*; ***to have a ~ in one's throat*** einen Hustenreiz haben
ticklish *adj* kitz(e)lig; ***~ cough*** Reizhusten *m*
tidal *adj* Gezeiten- **tidal wave** *n* (*lit*) Flutwelle *f*
tidbit *n* (*US*) = ***titbit***
tiddlywinks *n* Floh(hüpf)spiel *nt*
tide *n* **1.** (*lit*) Gezeiten *pl*; **(*at*) *high ~*** (bei) Flut *f*; **(*at*) *low ~*** (bei) Ebbe *f*; ***the ~ is in/out*** es ist Flut/Ebbe; ***the ~ comes in very fast*** die Flut kommt sehr schnell **2.** (*fig*) ***the ~ of public opinion*** der Trend der öffentlichen Meinung; ***to swim against/with the ~*** gegen den/mit dem Strom schwimmen; ***the ~ has turned*** das Blatt hat sich gewendet ◆ **tide over** *v/t always separate* ***is that enough to tide you over?*** reicht Ihnen das vorläufig?
tidiness *n* (*of room*) Aufgeräumtheit *f*; (*of desk*) Ordnung *f*
tidy I *adj* (*+er*) **1.** (≈ *orderly*) ordentlich; *appearance* gepflegt; *room* aufgeräumt; ***to keep sth ~*** etw in Ordnung halten **2.** (*infml* ≈ *considerable*) ordentlich (*infml*) **II** *v/t* in Ordnung bringen; *drawer, desk* aufräumen ◆ **tidy away** *v/t sep* wegräumen ◆ **tidy out** *v/t sep* entrümpeln ◆ **tidy up I** *v/i* Ordnung machen **II** *v/t sep* aufräumen; *essay* in Ordnung bringen
tie I *n* **1.** (*a.* **neck tie**) Krawatte *f* **2.** (*fig* ≈ *bond*) (Ver)bindung *f*; ***family ~s*** familiäre Bindungen *pl* **3.** (≈ *hindrance*) Belastung *f* (*on* für) **4.** (SPORTS *etc* ≈ *result*) Unentschieden *nt*; (≈ *drawn match*) unentschiedenes Spiel; ***there was a ~ for second place*** es gab zwei zweite Plätze **II** *v/t* **1.** binden (*to* an *+acc*); (≈ *fasten*) befestigen (*to* an *+dat*); ***to ~ a knot in sth*** einen Knoten in etw (*acc*) machen; ***my hands are ~d*** (*fig*) mir sind die Hände gebunden **2.** (*fig* ≈ *link*) verbinden **3.** ***the match was ~d*** das Spiel ging unentschieden aus **III** *v/i* SPORTS unentschieden spielen; (*in competition*) gleichstehen; ***they ~d for first place*** sie teilten sich den ersten Platz ◆ **tie back** *v/t sep* zurückbinden ◆ **tie down** *v/t sep* **1.** (*lit*) festbinden (*to* an *+dat*) **2.** (*fig* ≈ *restrict*) binden (*to* an *+acc*) ◆ **tie in** *v/i* ***to ~ with sth*** zu etw passen ◆ **tie on** *v/t sep* ***to tie sth on(to) sth*** etw an etw (*dat*) anbinden ◆ **tie up** *v/t sep* **1.** *parcel* verschnüren; *shoelaces* binden **2.** *boat* festmachen; *animal* festbinden (*to* an *+dat*); *prisoner* fesseln **3.** FIN *capital* (fest) anlegen **4.** (≈ *link*) ***to be tied up with sth*** mit etw zusammenhängen **5.** (≈ *keep busy*) beschäftigen
tie-break, tie-breaker *n* Tiebreak *m*
tier *n* (*of cake*) Etage *f*; (*of stadium*) Rang *m*; (*fig*) Stufe *f*
tiff *n* (*infml*) Krach *m* (*infml*)
tiger *n* Tiger *m*
tight I *adj* (*+er*) **1.** *clothes*, *bend*, *space* eng; ***~ curls*** kleine Locken **2.** (≈ *stiff*) unbeweglich; (≈ *firm*) *screw* fest angezogen; *lid*, *embrace* fest; *security* streng; ***to have/keep a ~ hold of sth*** (*lit*) etw gut festhalten **3.** *rope* straff; *knot* fest (angezogen) **4.** *race*, *money* knapp; *schedule* knapp bemessen **5.** (≈ *difficult*) *situation* schwierig; ***in a ~ spot*** (*fig*) in der Klemme (*infml*) **6.** *voice* fest; *smile* verkrampft **7.** (*infml* ≈ *miserly*) knick(e)rig (*infml*) **II** *adv* (*+er*) *hold*, *shut* fest; *stretch* straff; ***to hold sb/sth ~*** jdn/etw festhalten; ***to pull sth ~*** etw festziehen; ***sleep ~!*** schlaf(t) gut!; ***hold ~!*** festhalten! **III** *adj suf* -dicht; ***watertight*** wasserdicht **tighten** (*a.* **tighten up**) **I** *v/t* **1.** *knot* fester machen; *screw* anziehen; (≈ *re-tighten*) nachziehen; *muscles* anspannen; *rope* straffen; ***to ~ one's grip on sth*** (*lit*) etw fester halten; (*fig*) etw besser unter Kontrolle bringen **2.** (*fig*) *security* verschärfen **II** *v/i* (*rope*) sich straffen; (*knot*) sich zusammenziehen ◆ **tighten up I** *v/i* **1.** = ***tighten*** II **2.** ***to ~ on security*** die Sicherheitsvorkehrungen verschärfen **II** *v/t sep* **1.** = ***tighten*** I1 **2.** *procedure* straffen
tightfisted *adj* knick(e)rig (*infml*) **tight-fitting** *adj* eng anliegend **tightknit** *adj community* eng (miteinander) verbunden **tight-lipped** *adj* **1.** (≈ *silent*) verschwiegen **2.** (≈ *angry*) *person* verbissen; *smile* verkniffen **tightly** *adv* **1.** fest; *wrapped* eng; *stretch* straff; ***~ fitting*** eng anliegend **2.** ***~ packed*** dicht gedrängt **3.** (≈ *rigorously*) streng **tightness** *n* **1.** (*of clothes*) enges Anliegen **2.** (≈ *tautness*, *of rope*, *skin*) Straffheit *f* **3.** (*in chest*) Be-

engtheit *f* **tightrope** *n* Seil *nt*; ***to walk a ~*** (*fig*) einen Balanceakt vollführen **tightrope walker** *n* Seiltänzer(in) *m*(*f*)

tights *pl* (*Br*) Strumpfhose *f*; ***a pair of ~*** eine Strumpfhose

tile I *n* (*on roof*) (Dach)ziegel *m*; (≈ *ceramic tile, carpet tile*) Fliese *f*; (*on wall*) Kachel *f*, Plättli *nt* (*Swiss*); (≈ *lino tile etc*) Platte *f* **II** *v/t roof* (mit Ziegeln) decken; *floor* mit Fliesen/Platten auslegen; *wall* kacheln, plätteln (*Swiss*) **tiled** *adj floor* gefliest, geplättelt (*Swiss*); *wall* gekachelt, geplättelt (*Swiss*); ***~ roof*** Ziegeldach *nt*

till[1] *prep, cj* = ***until***

till[2] *n* (*Br*) Kasse *f*, Kassa *f* (*Aus*)

tilt I *n* (≈ *slope*) Neigung *f* **II** *v/t* kippen; *head* (seitwärts) neigen **III** *v/i* sich neigen ◆ **tilt back I** *v/i* sich nach hinten neigen **II** *v/t sep* nach hinten neigen ◆ **tilt forward I** *v/i* sich nach vorne neigen **II** *v/t sep* nach vorne neigen ◆ **tilt up I** *v/i* nach oben kippen **II** *v/t sep bottle* kippen

timber *n* **1.** Holz *nt*; (*for building*) (Bau)holz *nt* **2.** (≈ *beam*) Balken *m* **timber-framed** *adj* ***~ house*** Fachwerkhaus *nt*

time I *n* **1.** Zeit *f*; ***how ~ flies!*** wie die Zeit vergeht!; ***only ~ will tell whether ...*** es muss sich erst herausstellen, ob ...; ***it takes ~ to do that*** das braucht (seine) Zeit; ***to take*** (***one's***) ***~*** (***over sth***) sich (*dat*) (bei etw) Zeit lassen; ***in*** (***the course of***) ***~*** mit der Zeit; ***in*** (***next to***) ***no ~*** im Nu; ***at this moment in ~*** zum gegenwärtigen Zeitpunkt; ***to have a lot of/no ~ for sb/sth*** viel/keine Zeit für jdn/etw haben; (*fig* ≈ *be for/against*) viel/nichts für jdn/etw übrig haben; ***to make ~*** (***for sb/sth***) sich (*dat*) Zeit (für jdn/etw) nehmen; ***in*** *or* ***given ~*** mit der Zeit; ***don't rush, do it in your own ~*** nur keine Hast, tun Sie es, wie Sie es können; ***for some ~ past*** seit einiger Zeit; ***I don't know what she's saying half the ~*** (*infml*) meistens verstehe ich gar nicht, was sie sagt; ***in two weeks' ~*** in zwei Wochen; ***for a ~*** eine Zeit lang; ***not before ~*** (*Br*) das wurde auch (langsam) Zeit; ***this is hardly the ~ or the place to ...*** dies ist wohl kaum die rechte Zeit oder der rechte Ort, um ...; ***this is no ~ to quarrel*** jetzt ist nicht die Zeit, sich zu streiten; ***there are ~s when ...*** es gibt Augenblicke, wo ...; ***at the*** *or* ***that ~*** zu der Zeit; ***at the present ~*** zurzeit; ***sometimes ...,*** (***at***) ***other ~s ...*** (manch)mal ..., (manch)mal ...; ***this ~ last year*** letztes Jahr um diese Zeit; ***my ~ is up*** meine Zeit ist um; ***it happened before my ~*** das war vor meiner Zeit; ***of all ~*** aller Zeiten; ***he is ahead of his ~*** er ist seiner Zeit (weit) voraus; ***in Victorian ~s*** im Viktorianischen Zeitalter; ***~s are hard*** die Zeiten sind hart *or* schwer; ***to be behind the ~s*** rückständig sein; (≈ *be out of touch*) nicht auf dem Laufenden sein; ***all the ~*** (≈ *always*) immer; (≈ *all along*) die ganze Zeit; ***to be in good ~*** rechtzeitig dran sein; ***all in good ~*** alles zu seiner Zeit; ***he'll let you know in his own good ~*** er wird Ihnen Bescheid sagen, wenn er so weit ist; (***for***) ***a long ~*** lange; ***I'm going away for a long ~*** ich fahre auf längere Zeit weg; ***it's a long ~*** (***since ...***) es ist schon lange her(, seit ...); (***for***) ***a short ~*** kurz; ***a short ~ ago*** vor Kurzem; ***for the ~ being*** (≈ *provisionally*) vorläufig; (≈ *temporarily*) vorübergehend; ***when the ~ comes*** wenn es so weit ist; ***at ~s*** manchmal; ***at all ~s*** jederzeit; ***by the ~ it finished*** als es zu Ende war; ***by the ~ we arrive*** bis wir ankommen; ***by that ~ we knew*** inzwischen wussten wir es; ***by that ~ we'll know*** bis dahin wissen wir es; ***by this ~*** inzwischen; ***by this ~ tomorrow*** morgen um diese Zeit; ***from ~ to ~*** von Zeit zu Zeit; ***this ~ of the year*** diese Jahreszeit; ***now's the ~ to do it*** jetzt ist der richtige Zeitpunkt *or* die richtige Zeit, es zu tun **2.** ***what ~ is it?***, ***what's the ~?*** wie spät ist es?, wie viel Uhr ist es?; ***what ~ do you make it?*** wie spät haben Sies?; ***the ~ is 2.30*** es ist 2.30 Uhr; ***local ~*** Ortszeit *f*; ***it's ~*** (***for me***) ***to go***, ***it's ~ I was going***, ***it's ~ I went*** es wird Zeit, dass ich gehe; ***to tell the ~*** die Uhr kennen; ***to make good ~*** gut vorankommen; ***it's about ~ he was here*** (*he has arrived*) es wird (aber) auch Zeit, dass er kommt; (*he has not arrived*) es wird langsam Zeit, dass er kommt; (***and***) ***about ~ too!*** das wird aber auch Zeit!; ***ahead of ~*** zu früh; ***behind ~*** zu spät; ***at any ~ during the day*** zu jeder Tageszeit; ***not at this ~ of night!*** nicht zu dieser nachtschlafenden Zeit *or* Stunde!; ***at one ~*** früher; ***at any ~*** jederzeit; ***at no ~*** niemals; ***at the same ~*** (*lit*) gleichzeitig; ***they arrived at***

the same ~ as us sie kamen zur gleichen Zeit an wie wir; ***but at the same ~, you must admit that ...*** aber andererseits müssen Sie zugeben, dass ...; ***in/on ~*** rechtzeitig; ***to be in ~ for sth*** rechtzeitig zu etw kommen; ***on ~*** pünktlich **3.** (≈ *occasion*) Mal *nt*; ***this ~*** diesmal; ***every*** *or* ***each ~ ...*** jedes Mal, wenn ...; ***for the last ~*** zum letzten Mal; ***and he's not very bright at the best of ~s*** und er ist ohnehin *or* sowieso nicht sehr intelligent; ***~ and (~) again, ~ after ~*** immer wieder; ***I've told you a dozen ~s ...*** ich habe dir schon x-mal gesagt ...; ***nine ~s out of ten ...*** neun von zehn Malen ...; ***three ~s a week*** dreimal pro Woche; ***they came in one/three*** *etc* ***at a ~*** sie kamen einzeln/immer zu dritt *etc* herein; ***four at a ~*** vier auf einmal; ***for weeks at a ~*** wochenlang; ***(the) next ~*** nächstes Mal, das nächste Mal; ***(the) last ~*** letztes Mal, das letzte Mal **4.** MAT ***2 ~s 3 is 6*** 2 mal 3 ist 6; ***it was ten ~s the size of ...*** es war zehnmal so groß wie ... **5.** ***to have the ~ of one's life*** sich glänzend amüsieren; ***what a ~ we had*** *or* ***that was!*** das war eine Zeit!; ***to have a hard ~*** es schwer haben; ***to give sb a bad/rough*** *etc* ***~ (of it)*** jdm das Leben schwer machen; ***we had a good ~*** es hat uns (*dat*) gut gefallen; ***have a good ~!*** viel Spaß! **6.** (≈ *rhythm*) Takt *m*; ***to keep ~*** den Takt angeben **II** *v/t* **1.** ***to ~ sth perfectly*** genau den richtigen Zeitpunkt für etw wählen **2.** (*with stopwatch*) stoppen; *speed* messen; ***to ~ sb (over 1000 metres)*** jdn (auf 1000 Meter) stoppen; ***~ how long it takes you, ~ yourself*** sieh auf die Uhr, wie lange du brauchst; (*with stopwatch*) stopp, wie lange du brauchst **time bomb** *n* Zeitbombe *f* **time-consuming** *adj* zeitraubend **time difference** *n* Zeitunterschied *m* **time frame, timeframe** *n* Zeitrahmen *m* **time-honoured**, (*US*) **time-honored** *adj* althergebracht **time-lag** *n* Zeitverschiebung *f* **time-lapse** *adj* ***~ photography*** Zeitraffertechnik *f* **timeless** *adj* zeitlos; (≈ *everlasting*) immerwährend **time limit** *n* zeitliche Begrenzung; (*for the completion of a job*) Frist *f* **timely** *adj* rechtzeitig **time management** *n* Zeitmanagement *nt* **time-out** *n* (*US*) **1.** FTBL Auszeit *f* **2.** ***to take ~*** Pause machen **timer** *n* Zeitmesser *m*; (≈ *switch*) Schaltuhr *f* **time-saving** *adj* zeitsparend **timescale** *n* zeitlicher Rahmen **timeshare I** *n* Wohnung *f etc* auf Timesharingbasis **II** *adj attr* Timesharing- **time sheet** *n* Stundenzettel *m* **time signal** *n* (*Br*) Zeitzeichen *nt* **time signature** *n* Taktvorzeichnung *f* **time span** *n* Zeitspanne *f* **time switch** *n* Schaltuhr *f*

timetable *n* TRANSPORT Fahrplan *m*; (*Br* SCHOOL) Stundenplan *m*; ***to have a busy ~*** ein volles Programm haben **time zone** *n* Zeitzone *f*

timid *adj* scheu **timidly** *adv say* zaghaft; *enter* schüchtern

timing *n* (≈ *choice of time*) Timing *nt*; ***the ~ of the statement was wrong*** die Erklärung kam zum falschen Zeitpunkt

tin *n* **1.** Blech *nt*; CHEM Zinn *nt* **2.** (*esp Br* ≈ *can*) Dose *f* **tin can** *n* (Blech)dose *f*

tinder *n* Zunder *m*

tinfoil *n* (≈ *aluminium foil*) Aluminiumfolie *f*

tinge I *n* Spur *f*; (*of colour*) Hauch *m* **II** *v/t* **1.** (≈ *colour*) (leicht) tönen **2.** (*fig*) ***~d with ...*** mit einer Spur von ...

tingle I *v/i* prickeln (*with* vor +*dat*) **II** *n* Prickeln *nt* **tingling I** *n* Prickeln *nt* **II** *adj* prickelnd **tingly** *adj* prickelnd; ***my arm feels (all) ~*** mein Arm kribbelt (*infml*)

tinker I *n* (*Br pej*) ***you little ~!*** (*infml*) du kleiner Stromer! (*infml*) **II** *v/i* **1.** herumbasteln (*with, on* an +*dat*) **2.** (*unskilfully*) herumpfuschen (*with* an +*dat*)

tinkle I *v/i* **1.** (*bells etc*) klingen **2.** (*infml* ≈ *urinate*) pinkeln (*infml*) **II** *n* Klingen *nt no pl*; (*of glass*) Klirren *nt no pl* **tinkling I** *n* (*of bells etc*) Klingen *nt*; (*of glass*) Klirren *nt* **II** *adj bells* klingend

tinned *adj* (*esp Br*) aus der Dose; ***~ food*** Dosennahrung *f*

tinnitus *n* MED Tinnitus *m*, Ohrenpfeifen *nt*

tinny *adj* (+*er*) *sound* blechern **tin-opener** *n* (*esp Br*) Dosenöffner *m*

tinsel *n* Girlanden *pl* aus Rauschgold *etc*

tint I *n* Ton *m*; (*for hair*) Tönung(smittel *nt*) *f* **II** *v/t hair* tönen **tinted** *adj* getönt

tiny *adj* (+*er*) winzig; *baby* ganz klein; ***~ little*** winzig klein

tip[1] **I** *n* Spitze *f*; ***on the ~s of one's toes*** auf Zehenspitzen; ***it's on the ~ of my tongue*** es liegt mir auf der Zunge; ***the ~ of the iceberg*** (*fig*) die Spitze des Eisbergs **II** *v/t* ***steel-~ped*** mit Stahlspitze

tip[2] **I** *n* **1.** (≈ *gratuity*) Trinkgeld *nt* **2.** (≈ *advice*) Tipp *m* **II** *v/t* **1.** *waiter* Trinkgeld geben (+*dat*) **2.** ***to be ~ped to win*** der Favorit sein ◆ **tip off** *v/t sep* einen Tipp geben +*dat* (*about* über +*acc*)

tip[3] **I** *v/t* (≈ *tilt*) kippen; (≈ *pour also, empty*) schütten; (≈ *overturn*) umkippen; ***to ~ sth backwards/forwards*** etw nach hinten/vorne kippen; ***to ~ the balance*** (*fig*) den Ausschlag geben **II** *v/i* (≈ *incline*) kippen **III** *n* (*Br*: *for rubbish*) Müllkippe *f*; (*for coal*) Halde *f*; (*infml* ≈ *untidy place*) Saustall *m* (*infml*) ◆ **tip back I** *v/i* (*chair, person*) nach hinten (weg)kippen **II** *v/t sep* nach hinten kippen; *head* nach hinten neigen ◆ **tip out I** *v/t sep* auskippen; *load* abladen **II** *v/i* herauskippen; (*liquid*) herauslaufen ◆ **tip over** *v/i, v/t sep* (≈ *overturn*) umkippen ◆ **tip up** *v/i, v/t sep* (≈ *tilt*) kippen; (≈ *overturn*) umkippen; (*folding seat*) hochklappen

tip-off *n* (*infml*) Tipp *m*

Tipp-Ex® **I** *n* Tipp-Ex® *nt* **II** *v/t* ***to ~*** (***out***) mit Tipp-Ex® löschen

tipsy *adj* (+*er*) beschwipst

tiptoe **I** *v/i* auf Zehenspitzen gehen **II** *n* ***on ~*** auf Zehenspitzen **tip-up truck** *n* Kipplaster *m*

tirade *n* Schimpfkanonade *f*

tire[1] **I** *v/t* müde machen **II** *v/i* müde werden; ***to ~ of sb/sth*** jdn/etw satthaben; ***she never ~s of talking about her son*** sie wird es nie müde, über ihren Sohn zu sprechen ◆ **tire out** *v/t sep* (völlig) erschöpfen

tire[2] *n* (*US*) = ***tyre***

tired *adj* müde; ***~ out*** völlig erschöpft; ***to be ~ of sb/sth*** jdn/etw satthaben; ***to get ~ of sb/sth*** jdn/etw sattbekommen **tiredness** *n* Müdigkeit *f* **tireless** *adj* unermüdlich **tiresome** *adj* lästig **tiring** *adj* anstrengend

Tirol *n* = ***Tyrol***

tissue *n* **1.** (ANAT, *fig*) Gewebe *nt* **2.** (≈ *handkerchief*) Papier(taschen)tuch *nt* **3.** (*a.* **tissue paper**) Seidenpapier *nt*

tit[1] *n* (≈ *bird*) Meise *f*

tit[2] *n* ***~ for tat*** wie du mir, so ich dir

tit[3] *n* (*sl* ≈ *breast*) Titte *f* (*sl*); ***he gets on my ~s*** er geht mir auf den Sack (*sl*)

titbit, (*US*) **tidbit** *n* **1.** Leckerbissen *m* **2.** (≈ *information*) Pikanterie *f*

titillate *v/t person, senses* anregen; *interest* erregen

title *n* **1.** Titel *m*; (*of chapter*) Überschrift *f*; FILM Untertitel *m* **2.** (≈ *form of address*) Anrede *f* **title deed** *n* Eigentumsurkunde *f* **titleholder** *n* SPORTS Titelträger(in) *m(f)* **title page** *n* TYPO Titelseite *f* **title role** *n* Titelrolle *f*

titter **I** *v/t & v/i* kichern **II** *n* Gekicher *nt*

T-junction *n* (*Br*) T-Kreuzung *f*

TM *abbr of* **trademark**

to **I** *prep* **1.** (≈ *towards*) zu; ***to go to the station/doctor's*** zum Bahnhof/Arzt gehen; ***to go to the opera*** *etc* in die Oper *etc* gehen; ***to go to France/London*** nach Frankreich/London fahren; ***to the left/west*** nach links/Westen; ***I have never been to India*** ich war noch nie in Indien **2.** (≈ *as far as, until*) bis; ***to count*** (***up***) ***to 20*** bis 20 zählen; ***it's 90 kms to Paris*** nach Paris sind es 90 km; ***8 years ago to the day*** auf den Tag genau vor 8 Jahren **3.** ***he nailed it to the wall/floor*** *etc* er nagelte es an die Wand/auf den Boden *etc*; ***they tied him to the tree*** sie banden ihn am Baum fest **4.** (*with indirect object*) ***to give sth to sb*** jdm etw geben; ***I said to myself ...*** ich habe mir gesagt ...; ***to mutter to oneself*** vor sich hin murmeln; ***he is kind to everyone*** er ist zu allen freundlich; ***it's a great help to me*** das ist eine große Hilfe für mich; ***he has been a good friend to us*** er war uns (*dat*) ein guter Freund; ***to Lottie*** (*toast*) auf Lottie (*acc*); ***to drink to sb*** jdm zutrinken **5.** (*with position*) ***close to sb/sth*** nahe bei jdm/etw; ***at right angles to the wall*** im rechten Winkel zur Wand; ***to the west*** (***of***)/***the left*** (***of***) westlich/links (von) **6.** (*with time*) vor; ***20*** (***minutes***) ***to 2*** 20 (Minuten) vor 2 **7.** (≈ *in relation to*) zu; ***they won by four goals to two*** sie haben mit vier zu zwei Toren gewonnen; ***3 to the power of 4*** 3 hoch 4 **8.** (≈ *per*) pro **9.** ***what would you say to a beer?*** was hältst du von einem Bier?; ***there's nothing to it*** es ist nichts dabei; ***that's all there is to it*** das ist alles; ***to the best of my knowledge*** nach bestem Wissen; ***it's not to my taste*** das ist nicht nach meinem Geschmack **10.** (*infinitive*) ***to begin to do sth*** anfangen, etw zu tun; ***he decided to come*** er beschloss zu kommen; ***I want to do it*** ich will es tun; ***I want him to do it*** ich will, dass er es tut; ***to work to live*** arbeiten, um zu leben; ***to get to the point, ...*** um zur Sache zu kommen, ...; ***I arrived to find she had gone*** als ich ankam, war sie weg **11.** (*omitting verb*) ***I don't want to*** ich will nicht; ***I'll try to*** ich werde es versuchen; ***you have to*** du musst; ***I'd love to*** sehr gerne; ***buy it, it would be silly not to*** kaufe es, es wäre dumm, es nicht zu tun **12.** ***there's no-one to help us*** es ist niemand da, der uns helfen könnte; ***he was the first to arrive*** er kam als Erster an; ***who was the last to see her?*** wer hat sie zuletzt gesehen?; ***what is there to do here?*** was gibt es hier zu tun?; ***to be ready to do sth*** (≈ *willing*) bereit sein, etw zu tun; ***it's hard to understand*** es ist schwer zu verstehen **II** *adj door* (≈ *shut*) zu **III** *adv* ***to and fro*** hin und her; *walk* auf und ab

toad *n* Kröte *f* **toadstool** *n* (nicht essbarer) Pilz

toast[1] **I** *n* Toast *m*; ***a piece of ~*** ein Toast *m* **II** *v/t* toasten

toast[2] **I** *n* Toast *m*, Trinkspruch *m*; ***to drink a ~ to sb*** auf jdn trinken; ***to propose a ~*** einen Toast ausbringen (*to* auf *+acc*); ***she was the ~ of the town*** sie war der gefeierte Star der Stadt **II** *v/t* ***to ~ sb/sth*** auf jds Wohl trinken

toaster *n* Toaster *m* **toast rack** *n* Toastständer *m*

tobacco *n* Tabak *m* **tobacconist** *n* Tabak(waren)händler(in) *m(f)*, Trafikant(in) *m(f)* (*Aus*); (≈ *shop*) Tabak(waren)laden *m*

to-be *adj* ***the bride-~*** die zukünftige Braut; ***the mother-~*** die werdende Mutter

toboggan I *n* Schlitten *m*, Rodel *f* (*Aus*) **II** *v/i* ***to go ~ing*** Schlitten fahren, schlitteln (*Swiss*)

today *adv*, *n* **1.** heute; ***a week/fortnight ~*** heute in einer Woche/zwei Wochen; ***a year ago ~*** heute vor einem Jahr; ***from ~*** ab heute; ***later ~*** später (am Tag); ***~'s paper*** die Zeitung von heute; ***what's ~'s date?*** der Wievielte ist heute?; ***here ~ and gone tomorrow*** (*fig*) heute hier und morgen da **2.** (≈ *these days*) heutzutage; ***the youth of ~*** die Jugend von heute

toddle *v/i* **1.** (*child*) wackelnd laufen **2.** (*infml*: *a.* **toddle off**) abzwitschern (*infml*) **toddler** *n* Kleinkind *nt*

to-do *n* (*infml*) Theater *nt* (*infml*)

toe I *n* Zehe *f*; (*of sock*) Spitze *f*; ***to tread or step on sb's ~s*** (*lit*) jdm auf die Zehen treten; (*fig*) jdm ins Handwerk pfuschen (*infml*); ***to be on one's ~s*** (*fig*) auf Zack sein (*infml*) **II** *v/t* (*fig*) ***to ~ the line*** sich einfügen, spuren (*infml*)

TOEFL *abbr of* ***Test of English as a Foreign Language*** TOEFL-Test *m*, *englische Sprachprüfung für ausländische Studenten*

toehold *n* Halt *m* für die Fußspitzen; (*fig*) Einstieg *m* **toenail** *n* Zehennagel *m*

toff *n* (*Br infml*) feiner Pinkel (*infml*)

toffee *n* (*Br*) (≈ *substance*) (Sahne)karamell *m*; (≈ *sweet*) Toffee *nt*

tofu *n* Tofu *nt*

together I *adv* zusammen; ***to do sth ~*** etw zusammen tun; (≈ *with one another*) *discuss*, *play etc also* etw miteinander tun; ***to go ~*** (≈ *match*) zusammenpassen; ***all ~ now*** jetzt alle zusammen **II** *adj* (*infml*) cool (*infml*)

toggle I *n* Knebel *m*; (*on clothes*) Knebelknopf *m* **II** *v/i* IT hin- und herschalten **toggle key** *n* IT Umschalttaste *f* **toggle switch** *n* Kipp(hebel)schalter *m*

togs *pl* (*infml*) Sachen *pl*, Klamotten *pl* (*infml*)

toil I *v/i* (*liter* ≈ *work*) sich plagen (*at*, *over* mit) **II** *n* (*liter*) Plage *f* (*elev*)

toilet *n* Toilette *f*; ***to go to the ~*** (*esp Br*) auf die Toilette gehen; ***she's in the ~*** sie ist auf der Toilette **toilet bag** *n* (*Br*) Kulturbeutel *m* **toilet brush** *n* Klosettbürste *f* **toilet paper** *n* Toilettenpapier *nt* **toiletries** *pl* Toilettenartikel *pl* **toilet roll** *n* Rolle *f* Toilettenpapier **toilet seat** *n* Toilettensitz *m* **toilet tissue** *n* Toilettenpapier *nt* **toilet water** *n* Eau de Toilette *nt*

to-ing and fro-ing *n* (*esp Br*) Hin und Her *nt*

token I *n* **1.** (≈ *sign*) Zeichen *nt*; ***by the same ~*** ebenso; (*with neg*) aber auch **2.** (*for gambling etc*) Spielmarke *f* **3.** (*Br* ≈ *gift token*) Gutschein *m* **II** *attr* Schein-; ***~ gesture*** leere Geste

Tokyo *n* Tokio *nt*

told *pret*, *past part of* ***tell***

tolerable *adj* erträglich **tolerance** *n* Toleranz *f* (*of*, *for*, *towards* gegenüber) **tolerant** *adj* **1.** (*of*, *towards*, *with* gegenüber) tolerant **2.** TECH ***to be ~ of heat*** hitzebeständig sein **tolerate** *v/t* **1.** *noise etc* ertragen **2.** *person*, *behaviour* tolerieren **toleration** *n* Tolerierung *f*

toll[1] **I** *v/t & v/i* läuten **II** *n* Läuten *nt*

toll[2] *n* **1.** (≈ *bridge toll*) Maut *f* **2.** ***the death ~ on the roads*** die Zahl der Verkehrstoten **tollbooth** *n* Mautstelle *f* **toll bridge** *n* Mautbrücke *f* **toll-free** (*US* TEL) *adj*, *adv* gebührenfrei **toll road** *n* Mautstraße *f*

tomahawk *n* Tomahawk *m*

tomato *n*, *pl* ***-es*** Tomate *f*, Paradeiser *m* (*Aus*) **tomato ketchup** *n* (Tomaten)ketchup *m or nt* **tomato puree** *n* Tomatenmark *nt*, Paradeismark *nt* (*Aus*)

tomb *n* (≈ *grave*) Grab *nt*; (≈ *building*) Grabmal *nt*

tomboy *n* Wildfang *m*

tombstone *n* Grabstein *m*

tomcat *n* Kater *m*

tomorrow *adv*, *n* morgen; (≈ *future*) Morgen *nt*; ***a week ~*** morgen in einer Woche; ***a fortnight ~*** morgen in zwei Wochen; ***a year ago ~*** morgen vor einem Jahr; ***the day after ~*** übermorgen; ***~ morning/evening*** morgen früh/Abend; ***early ~*** morgen früh; **(*as*) *from ~*** ab morgen; ***see you ~!*** bis morgen!; ***~'s paper*** die Zeitung von morgen

ton *n* **1.** (britische) Tonne; ***it weighs a ~*** (*fig infml*) das wiegt ja eine Tonne **2.** **tons** *pl* (*infml* ≈ *lots*) jede Menge (*infml*)

tone I *n* Ton *m* (*also* MUS); (*US* ≈ *note*) Note *f*; (≈ *quality of sound*) Klang *m*; (*of colour*) (Farb)ton *m*; ***... he said in a friendly ~*** ... sagte er in freundlichem Ton; ***the new people have lowered the ~ of the neighbourhood*** die neuen Leute haben dem Ruf des Viertels geschadet **II** *v/t muscles* in Form bringen ◆ **tone down** *v/t sep* abmildern; *demands* mäßigen ◆ **tone up** *v/t sep muscles* kräftigen

tone-deaf *adj* ***he's ~*** er hat kein Gehör für Tonhöhen

toner *n* **1.** (*for copier*) Toner *m* **2.** (≈ *cosmetic*) Tönung *f* **toner cartridge** *n* Tonerpatrone *f*

tongs *pl* **1.** Zange *f*; ***a pair of ~*** eine Zange **2.** (*electric*) Lockenstab *m*

tongue *n* Zunge *f*; ***to put** or **stick one's ~ out at sb*** jdm die Zunge herausstrecken; ***to hold one's ~*** den Mund halten **tongue in cheek** *adj pred remark* ironisch gemeint **tongue-tied** *adj* ***to be ~*** keinen Ton herausbringen **tongue twister** *n* Zungenbrecher *m*

tonic *n* **1.** MED Tonikum *nt* **2.** **~ (*water*)** Tonic(water) *nt*

tonight I *adv* (≈ *this evening*) heute Abend; (≈ *during the night*) heute Nacht; ***see you ~!*** bis heute Abend! **II** *n* (≈ *this evening*) der heutige Abend; (≈ *the coming night*) die heutige Nacht; ***~'s party*** die Party heute Abend

tonne *n* Tonne *f*

tonsil *n* Mandel *f* **tonsillitis** *n* Mandelentzündung *f*

too *adv* **1.** (+*adj or adv* ≈ *very*) zu; ***~ much*** zu viel *inv*; ***~ many*** zu viele; ***he's had ~ much to drink*** er hat zu viel getrunken; ***don't worry ~ much*** mach dir nicht zu viel Sorgen; ***~ right!*** (*infml*) das kannste laut sagen (*infml*); ***all ~ ...*** allzu ...; ***he wasn't ~ interested*** er war nicht allzu interessiert; ***I'm not ~ sure*** ich bin nicht ganz sicher **2.** (≈ *also*) auch **3.** (≈ *moreover*) auch noch

took *pret of* ***take***

tool *n* Werkzeug *nt* **toolbar** *n* IT Symbolleiste *f* **toolbox** *n* Werkzeugkasten *m* **toolkit** *n* Werkzeug(ausrüstung *f*) *nt* **tool shed** *n* Geräteschuppen *m*

toot I *v/t* ***to ~ a horn*** (*in car*) hupen **II** *v/i* (*in car*) hupen

tooth *n*, *pl* ***teeth*** Zahn *m*; ***to have a ~ out*** sich (*dat*) einen Zahn ziehen lassen; ***to get one's teeth into sth*** (*fig*) sich in etw (*dat*) festbeißen; ***to fight ~ and nail*** bis aufs Blut kämpfen; ***to lie through** or **in one's teeth*** das Blaue vom Himmel herunterlügen; ***I'm fed up to the (back) teeth with that*** (*infml*) es hängt mir zum Hals heraus (*infml*)

toothache *n* Zahnschmerzen *pl*

toothbrush *n* Zahnbürste *f* **tooth decay** *n* Karies *f* **toothpaste** *n* Zahnpasta *f* **toothpick** *n* Zahnstocher *m*

top I *n* **1.** (≈ *highest part*) oberer Teil; (*of spire etc*, *fig*: *of league etc*) Spitze *f*; (*of mountain*) Gipfel *m*; (*of tree*) Krone *f*; (*of road*) oberes Ende; (*of table*, *sheet*) Kopfende *nt*; ***at the ~*** oben; ***at the ~ of the page*** oben auf der Seite; ***at the ~ of the league/stairs*** oben in der Tabelle / an der Treppe; ***at the ~ of the table*** am oberen Ende des Tisches; ***to be ~ of the class*** Klassenbeste(r) sein; ***near the ~*** (ziemlich) weit oben; ***five lines from the ~*** in der fünften Zeile von oben; ***from ~ to toe*** von Kopf bis Fuß; ***from ~ to bottom*** von oben bis unten; ***at the ~ of one's voice*** aus vollem Hals;

off the ~ of my head (*fig*) grob gesagt; ***to go over the ~*** zu viel des Guten tun; ***that's a bit over the ~*** das geht ein bisschen zu weit **2.** (≈ *upper surface*) Oberfläche *f*; ***to be on ~*** oben sein *or* liegen; (*fig*) obenauf sein; ***it was on ~ of/on the ~ of the cupboard*** *etc* es war auf/oben auf dem Schrank *etc*; ***on ~ of*** (*in addition to*) zusätzlich zu; ***things are getting on ~ of me*** die Dinge wachsen mir über den Kopf; ***and, on ~ of that ...*** und außerdem ...; ***he felt he was on ~ of the situation*** er hatte das Gefühl, die Situation unter Kontrolle zu haben; ***to come out on ~*** sich durchsetzen **3.** (*infml*: *of body*) Oberkörper *m*; ***to blow one's ~*** an die Decke gehen (*infml*) **4.** (≈ *working surface*) Arbeitsfläche *f* **5.** (≈ *bikini top*) Oberteil *nt*; (≈ *blouse*) Top *nt* **6.** (≈ *lid*, *of jar*) Deckel *m*; (*of bottle*) Verschluss *m*; (*of pen*) Hülle *f*; (*of car*) Dach *nt* **II** *adj* (≈ *upper*) obere(r, s); (≈ *highest*) oberste(r, s); (≈ *best*) Spitzen-; *marks* beste(r, s); ***today's ~ story*** die wichtigste Meldung von heute; ***on the ~ floor*** im obersten Stockwerk; ***at ~ speed*** mit Höchstgeschwindigkeit; ***in ~ form*** in Höchstform **III** *adv* **1.** ***to come ~*** SCHOOL Beste(r) werden **2.** ***~s*** (*infml*) höchstens, maximal **IV** *v/t* **1.** (≈ *cover*) bedecken; ***fruit ~ped with cream*** Obst mit Sahne darauf **2.** ***to ~ the list*** ganz oben auf der Liste stehen **3.** (*fig* ≈ *surpass*) übersteigen; ***and to ~ it all ...*** (*infml*) und um das Maß vollzumachen ... ◆ **top off** *v/t sep* **1.** abrunden **2.** (*US*) = ***top up*** ◆ **top up** *v/t sep* (*Br*) auffüllen; *income* ergänzen; ***can I top you up?*** (*infml*) darf ich dir nachschenken?

top gear *n* höchster Gang **top hat** *n* Zylinder *m* **top-heavy** *adj* kopflastig

topic *n* Thema *nt*; ***~ of conversation*** Gesprächsthema *nt* **topical** *adj* aktuell

topless **I** *adj* oben ohne, Oben-ohne- **II** *adv* oben ohne **top-level** *adj* Spitzen-; *negotiations* auf höchster Ebene **top management** *n* Spitzenmanagement *nt* **topmost** *adj* oberste(r, s) **top-of-the-range** *adj attr* Spitzen-, der Spitzenklasse **topping** *n* COOK ***with a ~ of cream*** *etc* mit Sahne *etc* (oben) darauf **top-quality** *adj attr* Spitzen-; ***~ product*** Spitzenprodukt *nt*

topple **I** *v/i* **1.** wackeln **2.** (≈ *fall*) fallen **II** *v/t* (*fig*) *government etc* stürzen ◆ **topple down** *v/i +prep obj* hinunterfallen ◆ **topple over** *v/i* schwanken und fallen (*prep obj* über *+acc*)

top-ranking *adj* von hohem Rang; *tennis player etc* der Spitzenklasse **top-secret** *adj* streng geheim **topsoil** *n* AGR Ackerkrume *f*

topsy-turvy (*infml*) *adj* (*lit* ≈ *in disorder*) kunterbunt durcheinander *pred*; (*fig*) auf den Kopf gestellt

top-up (*Br*) **I** *n* (*infml*) ***would you like a ~?*** darf man dir noch nachschenken? **II** *adj* Zusatz- **top-up card** *n* (*for mobile phone*) (wieder aufladbare) Prepaidkarte *f*

torch *n* Fackel *f*; (*Br* ≈ *flashlight*) Taschenlampe *f*

tore *pret of* ***tear***[1]

torment **I** *n* Qual *f*; ***to be in ~*** Qualen leiden **II** *v/t* quälen; (≈ *tease*) plagen

torn *past part of* ***tear***[1]

tornado *n*, *pl* ***-es*** Tornado *m*

torpedo **I** *n*, *pl* ***-es*** Torpedo *m* **II** *v/t* torpedieren

torpor *n* (≈ *lethargy*) Trägheit *f*; (≈ *apathy*) Abgestumpftheit *f*

torrent *n* reißender Strom; (*fig*: *of words*) Schwall *m*; ***a ~ of abuse*** ein Schwall *m* von Beschimpfungen **torrential** *adj rain* sintflutartig

torso *n* Körper *m*

tortoise *n* Schildkröte *f* **tortoiseshell** *n* Schildpatt *m*

tortuous *adj* (*lit*) *path* gewunden; (*fig*) verwickelt **torture** **I** *n* Folter *f*; (*fig*) Qual *f* **II** *v/t* **1.** (*lit*) foltern **2.** (*fig* ≈ *torment*) quälen **torture chamber** *n* Folterkammer *f* **torturer** *n* (*lit*) Folterknecht *m*

Tory (*Br* POL) **I** *n* Tory *m*, Konservative(r) *m/f(m)* **II** *adj* konservativ, Tory-

toss **I** *n* **1.** (≈ *throw*) Wurf *m* **2.** (*of coin*) Münzwurf *m*; ***to win the ~*** die Seitenwahl gewinnen **II** *v/t* **1.** (≈ *throw*) werfen; *salad* anmachen; *pancake* wenden; ***to ~ sth to sb*** jdm etw zuwerfen; ***to ~ a coin*** eine Münze (zum Losen) hochwerfen; ***to ~ sb for sth*** mit jdm (durch Münzenwerfen) um etw knobeln **2.** (≈ *move*) schütteln; ***to ~ one's head*** den Kopf zurückwerfen **III** *v/i* **1.** (*ship*) rollen; ***to ~ and turn*** sich hin und her wälzen **2.** (*with coin*) (durch Münzenwerfen) knobeln; ***to ~ for sth*** um etw knobeln ◆ **toss about** (*Brit*) *or* **around** *v/t sep* (≈ *move*) durchschütteln; *ball* herumwerfen; (*fig*) *ideas* zur Debatte stellen ◆ **toss away** *v/t sep* wegwerfen ◆ **toss out** *v/t sep rubbish* wegwerfen; *person* hinauswerfen ◆ **toss up** *v/t sep* werfen

toss-up *n* ***it was a ~ whether ...*** (*infml*) es war völlig offen, ob ...

tot *n* **1.** (≈ *child*) Knirps *m* (*infml*) **2.** (*esp Br*: *of alcohol*) Schlückchen *nt* ◆ **tot up** *v/t sep* (*esp Br infml*) zusammenzählen

total I *adj stranger* völlig; *amount* Gesamt-; *eclipse* total; ***what is the ~ number of rooms you have?*** wie viele Zimmer haben Sie (insgesamt)?; ***to be in ~ ignorance (of sth)*** (von etw) überhaupt nichts wissen **II** *n* Gesamtmenge *f*; (≈ *money*, *figures*) Endsumme *f*; ***a ~ of 50 people*** insgesamt 50 Leute; ***this brings the ~ to £100*** das bringt die Gesamtsumme auf £ 100; ***in ~*** insgesamt **III** *v/t* **1.** (≈ *amount to*) sich belaufen auf (+*acc*) **2.** (≈ *add*: *a.* **total up**) zusammenzählen **totalitarian** *adj* totalitär **totally** *adv* total

tote bag *n* (*US*) (Einkaufs)tasche *f*

totem pole *n* Totempfahl *m*

totter *v/i* schwanken

touch I *n* **1.** (≈ *sense of touch*) (Tast)gefühl *nt*; ***to be cold to the ~*** sich kalt anfühlen **2.** (≈ *act of touching*) Berührung *f*; ***at the ~ of a button*** auf Knopfdruck **3.** (≈ *skill*) Hand *f*; (≈ *style*) Stil *m*; ***he's losing his ~*** er wird langsam alt; ***a personal ~*** eine persönliche Note **4.** (*fig*) Einfall *m*; ***a nice ~*** eine hübsche Note; ***to put the finishing ~es to sth*** letzte Hand an etw (*acc*) legen **5.** (≈ *small quantity*) Spur *f*; ***a ~ of flu*** eine leichte Grippe **6.** ***to be in ~ with sb*** mit jdm in Verbindung stehen; ***to keep in ~ with developments*** auf dem Laufenden bleiben; ***I'll be in ~!*** ich melde mich!; ***keep in ~!*** lass wieder einmal von dir hören!; ***to be out of ~*** nicht auf dem Laufenden sein; ***you can get in ~ with me at this number*** Sie können mich unter dieser Nummer erreichen; ***to get in ~ with sb*** sich mit jdm in Verbindung setzen; ***to lose ~ (with sb)*** den Kontakt (zu jdm) verlieren; ***to put sb in ~ with sb*** jdn mit jdm in Verbindung bringen **7.** FTBL Aus *nt*; ***in ~*** im Aus **II** *v/t* **1.** berühren; (≈ *get hold of*) anfassen; ***her feet hardly ~ed the ground*** (*fig*) sie schwebte in den Wolken **2.** *criminal*, *drink* anrühren; (≈ *use*) antasten; ***the police can't ~ me*** die Polizei kann mir nichts anhaben **3.** (≈ *move emotionally*) rühren; (≈ *affect*) berühren **III** *v/i* sich berühren; ***don't ~!*** Finger weg! ◆ **touch up** *v/t sep paintwork* ausbessern ◆ **touch (up)on** *v/i* +*prep obj subject* antippen; ***he barely touched on the question*** er hat die Frage kaum berührt

touch-and-go *adj* ***to be ~*** riskant sein; ***it's ~ whether ...*** es steht auf des Messers Schneide, ob ... **touchdown** *n* **1.** AVIAT, SPACE Aufsetzen *nt* **2.** (*US* FTBL) Versuch *m*, *Niederlegen des Balles im Malfeld des Gegners* **touched** *adj pred* (≈ *moved*) gerührt **touching** *adj*, **touchingly** *adv* rührend **touchline** *n* (*esp Br* SPORTS) Seitenlinie *f* **touchpaper** *n* Zündpapier *nt* **touch-sensitive** *adj* ***~ screen*** Touch-Screen *m* **touch-tone** *adj* Tonwahl- **touch-type** *v/i* blindschreiben **touchy** *adj* empfindlich (*about* in Bezug auf +*acc*); *subject* heikel

tough *adj* (+*er*) zäh; (≈ *resistant*) widerstandsfähig; *cloth* strapazierfähig; *opponent*, *problem* hart; *city* rau; *journey* anstrengend; *choice* schwierig; ***(as) ~ as old boots*** (*Br hum infml*) *or* ***shoe leather*** (*US hum infml*) zäh wie Leder (*infml*); ***he'll get over it, he's ~*** er wird schon darüber hinwegkommen, er ist hart im Nehmen (*infml*); ***to get ~ (with sb)*** (*fig*) hart durchgreifen (gegen jdn); ***it was ~ going*** es war eine Strapaze; ***to have a ~ time of it*** nichts zu lachen haben; ***I had a ~ time controlling my anger*** es fiel mir schwer, meinen Zorn unter Kontrolle zu halten; ***she's a ~ customer*** sie ist zäh wie Leder (*infml*); ***it was ~ on the others*** (*infml*) das war hart für die andern; ***~ (luck)!*** (*infml*) Pech!

toughen *v/t glass* härten ◆ **toughen up I** *v/t sep person* stählen (*elev*); *regulations* verschärfen **II** *v/i* hart werden; ***to ~ on sth*** härter gegen etw vorgehen

toughness *n* (*of meat etc*) Zähheit *f*; (*of person*) Zähigkeit *f*; (≈ *resistance*) Widerstandsfähigkeit *f*; (*of bargaining*, *opponent*, *fight*, *controls*) Härte *f*

toupee *n* Toupet *nt*

tour I *n* **1.** Tour *f*; (*of town*, *exhibition etc*) Rundgang *m* (*of* durch); (*a.* **guided tour**) Führung *f* (*of* durch); (*by bus*) Rundfahrt *f* (*of* durch); ***to go on a ~ of Scotland*** auf eine Schottlandreise gehen **2.** (*a.* **tour of inspection**) Runde *f* (*of* durch) **3.** THEAT Tournee *f* (*of* durch); ***to take a play on ~*** mit einem Stück auf Gastspielreise *or* Tournee gehen **II** *v/t* **1.** *country etc* fahren durch; (≈ *travel around*) bereisen; ***to ~ the world*** um die Welt reisen **2.** *town, exhibition* einen Rundgang machen durch **3.** THEAT eine Tournee machen durch **III** *v/i* **1.** (*on holiday*) eine Reise *or* Tour machen; ***we're ~ing (around)*** wir reisen herum **2.** THEAT eine Tournee machen; ***to be ~ing*** auf Tournee sein **tour de force** *n* Glanzleistung *f* **tour guide** *n* Reiseleiter(in) *m(f)* **touring** *n* (Herum)reisen *nt* **tourism** *n* Tourismus *m*

tourist I *n* Tourist(in) *m(f)* **II** *attr* Touristen-; ***~ season*** Reisesaison *or* -zeit *f* **tourist-class** *adj* der Touristenklasse **tourist guide** *n* Fremdenführer(in) *m(f)* **tourist information centre** *n* (*Br*) Touristen-Informationsbüro *nt* **tourist office** *n* Fremdenverkehrsbüro *nt*

tournament *n* Turnier *nt*

tourniquet *n* Aderpresse *f*

tour operator *n* Reiseveranstalter *m*

tousled *adj hair* zerzaust

tout (*infml*) **I** *n* (≈ *ticket tout*) (Karten)schwarzhändler(in) *m(f)* **II** *v/i* ***to ~ for business*** (aufdringlich) Reklame machen; ***to ~ for customers*** auf Kundenfang sein (*infml*)

tow I *n* ***to give sb a ~*** jdn abschleppen; ***in ~*** (*fig*) im Schlepptau **II** *v/t* schleppen; *trailer* ziehen ◆ **tow away** *v/t sep car* (gebührenpflichtig) abschleppen

toward(s) *prep* **1.** (*with motion*) auf (+*acc*) ... zu; ***to sail ~ China*** in Richtung China segeln; ***it's further north, ~ Dortmund*** es liegt weiter im Norden, Richtung Dortmund; ***~ the south*** nach Süden; ***he turned ~ her*** er wandte sich ihr zu; ***with his back ~ the wall*** mit dem Rücken zur Wand; ***they are working ~ a solution*** sie arbeiten auf eine Lösung hin; ***to get some money ~ sth*** etwas Geld als Beitrag zu etw bekommen **2.** (≈ *in relation to*) ... (*dat*) gegenüber; ***what are your feelings ~ him?*** was empfinden Sie für ihn? **3.** ***~ ten o'clock*** gegen zehn Uhr; ***~ the end of the year*** gegen Ende des Jahres

towbar *n* Anhängerkupplung *f*

towel *n* Handtuch *nt* ◆ **towel down** *v/t sep* (ab)trocknen

towelling *n* Frottee(stoff) *m*

tower I *n* **1.** Turm *m* **2.** (*fig*) ***a ~ of strength*** ein starker (Rück)halt **3.** IT Tower *m* **II** *v/i* ragen ◆ **tower above** *or* **over** *v/i* +*prep obj* **1.** (*buildings etc*) emporragen über (+*acc*) **2.** (*people*) überragen

tower block *n* (*Br*) Hochhaus *nt* **towering** *adj* (*fig*) *achievement* überragend

town *n* Stadt *f*; ***to go into ~*** in die Stadt gehen; ***he's out of ~*** er ist nicht in der Stadt; ***to go to ~ on sth*** (*fig infml*) sich (*dat*) bei etw einen abbrechen (*infml*) **town centre**, (*US*) **town center** *n* Stadtmitte *f*, (Stadt)zentrum *nt* **town council** *n* Stadtrat *m* **town councillor**, (*US*) **town councilor** *n* Stadtrat *m*, Stadträtin *f*

town hall *n* Rathaus *nt* **town house** *n* Stadthaus *nt*; (≈ *type of house*) Reihenhaus *nt* **town planner** *n* Stadtplaner(in) *m(f)* **town planning** *n* Stadtplanung *f* **townsfolk** *pl* Bürger *pl* **township** *n* (*US*) Verwaltungsbezirk *m*; (*in South Africa*) Township *f* **townspeople** *pl* Bürger *pl*

towpath *n* Treidelpfad *m* **towrope** *n* AUTO Abschleppseil *nt* **tow truck** *n* (*US*) Abschleppwagen *m*

toxic *adj* giftig, Gift- **toxic waste** *n* Giftmüll *m* **toxin** *n* Giftstoff *m*

toy I *n* Spielzeug *nt* **II** *v/i* ***to ~ with an idea*** *etc* mit einer Idee *etc* spielen **toy boy** *n* (*infml*) jugendlicher Liebhaber **toyshop** *n* Spielwarenladen *m*

trace I *n* Spur *f*; ***I can't find any ~ of your file*** Ihre Akte ist spurlos verschwunden; ***to sink without ~*** spurlos versinken **II** *v/t* **1.** (≈ *copy*) nachziehen; (*with tracing paper*) durchpausen **2.** *progress* verfolgen; *steps* folgen (+*dat*); ***to ~ a phone call*** einen Anruf zurückverfolgen; ***she was ~d to ...*** ihre Spur führte zu ... **3.** (≈ *find*) ausfindig machen; ***I can't ~ your file*** ich kann Ihre Akte nicht finden ◆ **trace back** *v/t sep descent* zurückverfolgen; *problem etc* zurückführen (*to* auf +*acc*)

tracing paper *n* Pauspapier *nt*

track I *n* **1.** Spur *f*; ***to be on sb's ~*** jdm auf der Spur sein; ***to keep ~ of sb/sth*** (≈ *follow*) jdn/etw im Auge behalten; (≈ *keep up to date with*) über jdn/etw auf dem Laufenden bleiben; ***how do you keep ~ of the time without a watch?*** wie können Sie wissen, wie spät es ist, wenn Sie keine Uhr haben?; ***I can't keep ~ of your***

girlfriends du hast so viele Freundinnen, da komme ich nicht mit (*infml*); ***to lose ~ of sb/sth*** (≈ *lose contact with*) jdn/etw aus den Augen verlieren; (≈ *not be up to date with*) über jdn/etw nicht mehr auf dem Laufenden sein; ***to lose ~ of time*** die Zeit ganz vergessen; ***to lose ~ of what one is saying*** den Faden verlieren **2.** (*fig*) ***we must be making ~s*** (*infml*) wir müssen uns auf die Socken (*infml*) *or* auf den Weg machen; ***he stopped dead in his ~s*** er blieb abrupt stehen **3.** (≈ *path*) Weg *m*; ***to be on ~*** (*fig*) auf Kurs sein; ***to be on the right/wrong ~*** (*fig*) auf der richtigen/falschen Spur sein; ***to get sth back on ~*** etw wieder auf Kurs bringen **4.** RAIL Gleise *pl*; (*US* ≈ *platform*) Bahnsteig *m* **5.** SPORTS Rennbahn *f*; ATHLETICS Bahn *f* **6.** (≈ *song etc*) Stück *nt* **II** *v/t animal* verfolgen ◆ **track down** *v/t sep* aufspüren (*to* in +*dat*); *thing* aufstöbern

track-and-field *adj* Leichtathletik- **trackball** *n* IT Trackball *m*; (*in mouse*) Rollkugel *f* **tracker dog** *n* Spürhund *m* **track event** *n* Laufwettbewerb *m* **track record** *n* (*fig*) ***to have a good ~*** gute Leistungen vorweisen können **tracksuit** *n* Trainingsanzug *m*

tractor *n* Traktor *m*

trade I *n* **1.** Gewerbe *nt*; (≈ *commerce*) Handel *m*; ***how's ~?*** wie gehen die Geschäfte?; ***to do a good ~*** gute Geschäfte machen **2.** (≈ *line of business*) Branche *f* **3.** (≈ *job*) Handwerk *nt*; ***he's a bricklayer by ~*** er ist Maurer von Beruf **II** *v/t* tauschen; ***to ~ sth for sth else*** etw gegen etw anderes (ein)tauschen **III** *v/i* COMM Handel treiben; ***to ~ in sth*** mit etw handeln ◆ **trade in** *v/t sep* in Zahlung geben (*for* für)

trade barrier *n* Handelsschranke *f* **trade deficit** *n* Handelsdefizit *nt* **trade fair** *n* Handelsmesse *f* **trademark** *n* (*lit*) Marke *f* **trade name** *n* Markenname *m* **trade-off** *n* ***there's always a ~*** etwas geht immer verloren **trader** *n* Händler(in) *m*(*f*) **trade route** *n* Handelsweg *m* **trade school** *n* Gewerbeschule *f* **trade secret** *n* Betriebsgeheimnis *nt* **tradesman** *n* **1.** (≈ *trader*) Händler *m* **2.** (≈ *plumber etc*) Handwerker *m* **tradespeople** *pl* Geschäftsleute *pl* **trades union** *n* (*Br*) = ***trade union***

trade union *n* (*Br*) Gewerkschaft *f* **trade unionist** *n* (*Br*) Gewerkschaft(l)er(in) *m*(*f*) **trading** *n* Handel *m* (*in* mit) **trading estate** *n* Industriegelände *nt* **trading links** *pl* Handelsverbindungen *pl* **trading partner** *n* Handelspartner(in) *m*(*f*)

tradition *n* Tradition *f* **traditional** *adj* traditionell; ***it's ~ for us to ...*** es ist bei uns Brauch, dass ... **traditionalist** *n* Traditionalist(in) *m*(*f*) **traditionally** *adv* traditionell; (≈ *customarily*) üblicherweise; ***turkey is ~ eaten at Christmas*** es ist Tradition *or* ein Brauch, Weihnachten Truthahn zu essen

traffic I *n* **1.** Verkehr *m* **2.** (*usu pej* ≈ *trading*) Handel *m* (*in* mit) **II** *v/i* (*usu pej*) handeln (*in* mit) **traffic calming** *n* Verkehrsberuhigung *f*; ***~ measures*** verkehrsberuhigende Maßnahmen **traffic circle** *n* (*US*) Kreisverkehr *m* **traffic cone** *n* Pylon *m*, Leitkegel *m* **traffic island** *n* Verkehrsinsel *f* **traffic jam** *n* Verkehrsstauung *f* **trafficker** *n* (*usu pej*) Händler(in) *m*(*f*) **trafficking** *n* Handel *m* (*in* mit)

traffic lights *pl*, (*US*) **traffic light** *n* Verkehrsampel *f* **traffic police** *pl* Verkehrspolizei *f* **traffic policeman** *n* Verkehrspolizist *m* **traffic signals** *pl* = ***traffic lights*** **traffic warden** *n* (*Br*) ≈ Verkehrspolizist(in) *m*(*f*) ohne polizeiliche Befugnisse

tragedy *n* Tragödie *f*; (*no pl* ≈ *tragic quality*) Tragische(s) *nt* **tragic** *adj* tragisch **tragically** *adv* ***her career ended ~ at the age of 19*** ihre Karriere endete tragisch, als sie 19 Jahre alt war; ***her husband's ~ early death*** der tragisch frühe Tod ihres Mannes

trail I *n* **1.** Spur *f*; ***to be on sb's ~*** jdm auf der Spur sein **2.** (≈ *path*) Weg *m* **II** *v/t* **1.** (≈ *drag*) schleppen; (*US* ≈ *tow*) ziehen **2.** *rival* zurückliegen hinter (+*dat*) **III** *v/i* **1.** (*on floor*) schleifen **2.** (≈ *walk*) trotten **3.** (*in competition etc*) weit zurückliegen; ***to ~ by 3 points*** mit 3 Punkten im Rückstand sein ◆ **trail away** *or* **off** *v/i* (*voice*) sich verlieren (*into* in +*dat*) ◆ **trail behind** *v/i* hinterhertrotten (+*prep obj* hinter +*dat*); (*in competition etc*) zurückgefallen sein (+*prep obj* hinter +*acc*)

trailer *n* **1.** AUTO Anhänger *m*; (*esp US*: *of lorry*) Sattelauflieger *m* **2.** (*US*) Wohnwagen *m* **3.** FILM, TV Trailer *m*

train[1] *n* **1.** RAIL Zug *m*; ***to go by ~*** mit dem Zug fahren; ***to take the 11 o'clock ~*** den

Elfuhrzug nehmen; ***to change ~s*** umsteigen; ***on the ~*** im Zug **2.** (≈ *line*) Kolonne *f* **3.** (*of events*) Folge *f*; ***~ of thought*** Gedankengang *m* **4.** (*of dress*) Schleppe *f*

train² **I** *v/t* **1.** *person* ausbilden; *staff* weiterbilden; *animal* abrichten; SPORTS trainieren; ***this dog has been ~ed to kill*** dieser Hund ist aufs Töten abgerichtet **2.** (≈ *aim*) *gun*, *telescope* richten (*on* auf +*acc*) **3.** *plant* wachsen lassen (*over* über +*acc*) **II** *v/i* **1.** *esp* SPORTS trainieren (*for* für) **2.** (≈ *study*) ausgebildet werden; ***he ~ed as a teacher*** er hat eine Lehrerausbildung gemacht

train driver *n* Zugführer(in) *m(f)*

trained *adj worker* gelernt; *nurse* ausgebildet; ***to be highly ~*** hoch qualifiziert sein

trainee *n* Auszubildende(r) *m/f(m)*; (*academic*, *technical*) Praktikant(in) *m(f)*; (*management*) Trainee *m* **trainee teacher** *n* (*in primary school*) ≈ Praktikant(in) *m(f)*; (*in secondary school*) ≈ Referendar(in) *m(f)* **trainer** *n* **1.** SPORTS Trainer(in) *m(f)*; (*of animals*) Dresseur(in) *m(f)* **2.** (*Br* ≈ *shoe*) Turnschuh *m*

training *n* **1.** Ausbildung *f*; (*of staff*) Schulung *f* **2.** SPORTS Training *nt*; ***to be in ~*** im Training stehen *or* sein **training centre**, (*US*) **training center** *n* Ausbildungszentrum *nt* **training course** *n* Ausbildungskurs *m* **training ground** *n* Trainingsgelände *nt* **training scheme** *n* Ausbildungsprogramm *nt* **training shoes** *pl* (*Br*) Turnschuhe *pl*

trainload *n* (*of goods*) Zugladung *f*; ***~s of holidaymakers*** (*Br*) *or* ***vacationers*** (*US*) ganze Züge voller Urlauber **train service** *n* Zugverkehr *m*; (*between two places*) (Eisen)bahnverbindung *f* **train set** *n* (Spielzeug)eisenbahn *f* **trainspotting** *n Hobby, bei dem Züge begutachtet und deren Nummern notiert werden*

traipse (*infml*) *v/i* latschen (*infml*), hatschen (*Aus*)

trait *n* Eigenschaft *f*

traitor *n* Verräter(in) *m(f)*

trajectory *n* Flugbahn *f*

tram *n* (*esp Br*) Straßenbahn *f*, Tram *nt* (*Swiss*); ***to go by ~*** mit der Straßenbahn fahren

tramp **I** *v/i* (≈ *walk heavily*) stapfen **II** *v/t* (≈ *walk*) *streets* latschen durch (*infml*) **III** *n* **1.** (≈ *vagabond*) Landstreicher(in) *m(f)*; (*in town*) Stadtstreicher(in) *m(f)* **2.** (≈ *sound*) Stapfen *nt* **3.** (*infml* ≈ *loose woman*) Flittchen *nt* (*pej*)

trample *v/t* niedertrampeln; ***to ~ sth underfoot*** auf etw (*dat*) herumtrampeln ◆ **trample down** *v/t sep* niedertreten ◆ **trample on** *v/i +prep obj* herumtreten auf (+*dat*)

trampoline *n* Trampolin *nt*

trance *n* Trance *f*; ***to go into a ~*** in Trance verfallen

tranquil *adj* still; *life* friedlich **tranquillity**, (*US*) **tranquility** *n* Stille *f* **tranquillize**, (*US*) **tranquilize** *v/t* beruhigen **tranquillizer**, (*US*) **tranquilizer** *n* Beruhigungsmittel *nt*

transact *v/t* abwickeln; *business also*, *deal* abschließen **transaction** *n* (≈ *piece of business*) Geschäft *nt*; FIN, ST EX Transaktion *f*

transatlantic *adj* transatlantisch, Transatlantik-

transcend *v/t* übersteigen

transcribe *v/t manuscripts* transkribieren; *speech* niederschreiben **transcript** *n* (*of proceedings*) Protokoll *nt*; (≈ *copy*) Abschrift *f*

transfer **I** *v/t* übertragen (*to* auf +*acc*); *prisoner* überführen (*to* in +*acc*); *account* verlegen (*to* in +*acc*; *employee* versetzen (*to* in +*acc*, *to town* nach); *player* transferieren (*to* zu); *money* überweisen (*to* auf +*acc*); ***he ~red the money from the box to his pocket*** er nahm das Geld aus der Schachtel und steckte es in die Tasche **II** *v/i* (≈ *move*) überwechseln (*to* zu) **III** *n* Übertragung *f*; (*of prisoner*) Überführung *f*; (*of account*) Verlegung *f*; (*of employee*) Versetzung *f*; (*of player*) Transfer *m*; (*of money*) Überweisung *f* **transferable** *adj* übertragbar **transfer list** FTBL *n* Transferliste *f* **transfer passenger** *n esp* AVIAT Transitreisende(r) *m/f(m)*

transfix *v/t* (*fig*) ***he stood as though ~ed*** er stand da wie angewurzelt

transform *v/t* umwandeln (*into* zu); *ideas* (von Grund auf) verändern; *person*, *life*, *caterpillar* verwandeln **transformation** *n* Umwandlung *f*; (*of person*, *caterpillar etc*) Verwandlung *f*

transfusion *n* (*a.* **blood transfusion**) (Blut)transfusion *f*; (***blood***) ***~ service*** Blutspendedienst *m*

transgression *n* **1.** (*of law*) Verstoß *m* **2.** (≈ *sin*) Sünde *f*

transient I *adj life* kurz; *pleasure* vorübergehend **II** *n* (*US*) Durchreisende(r) *m*/*f*(*m*)

transistor *n* ELEC Transistor *m*

transit *n* Durchfahrt *f*; (*of goods*) Transport *m*; ***the books were damaged in ~*** die Bücher wurden auf dem Transport beschädigt **transit camp** *n* Durchgangslager *nt* **transition** *n* Übergang *m* (*from ... to* von ... zu); ***period of ~, ~ period*** Übergangsperiode *or* -zeit *f* **transitional** *adj* Übergangs- **transitive** *adj* transitiv **transitory** *adj life* kurz; *joy* vorübergehend; ***the ~ nature of sth*** die Kurzlebigkeit von etw **Transit (van)**® *n* (*Br*) Transporter *m*

translatable *adj* übersetzbar

translate I *v*/*t* **1.** (*lit*) übersetzen; ***to ~ sth from German (in)to English*** etw aus dem Deutschen ins Englische übersetzen; ***it is ~d as ...*** es wird mit ... übersetzt **2.** (*fig*) übertragen **II** *v*/*i* **1.** (*lit*) übersetzen **2.** (*fig*) übertragbar sein

translation *n* Übersetzung *f* (*from* aus); (*fig*) Übertragung *f*; ***to do a ~ of sth*** von etw eine Übersetzung machen *or* anfertigen; ***it loses (something) in ~*** es verliert (etwas) bei der Übersetzung **translator** *n* Übersetzer(in) *m*(*f*)

translucent *adj glass etc* lichtdurchlässig; *skin* durchsichtig

transmission *n* **1.** Übertragung *f*; (*of heat*) Leitung *f*; (≈ *programme*) Sendung *f*; ***~ rate*** TEL Übertragungsgeschwindigkeit *f* **2.** AUTO Getriebe *nt* **transmit I** *v*/*t message* übermitteln; *illness* übertragen; *heat etc* leiten; *TV programme* senden **II** *v*/*i* senden **transmitter** *n* TECH Sender *m*

transparency *n* **1.** Transparenz *f* **2.** PHOT Dia(positiv) *nt* **transparent** *adj* **1.** transparent **2.** (*fig*) *lie* durchschaubar; ***you're so ~*** du bist so leicht zu durchschauen

transpire *v*/*i* **1.** (≈ *become clear*) sich herausstellen **2.** (≈ *happen*) passieren (*infml*)

transplant I *v*/*t* **1.** HORT umpflanzen **2.** MED transplantieren (*tech*) **II** *n* Transplantation *f*

transport I *n* **1.** (*of goods*) Transport *m*; ***have you got your own ~?*** bist du motorisiert?; ***public ~*** öffentliche Verkehrsmittel *pl*; ***~ will be provided*** für An- und Abfahrt wird gesorgt **2.** (*US* ≈ *shipment*) (Schiffs)fracht *f* **II** *v*/*t* befördern **transportation** *n* Transport *m*; (≈ *means*) Beförderungsmittel *nt*; (*public*) Verkehrsmittel *nt* **transport café** *n* (*Br*) Fernfahrerlokal *nt* **transport plane** *n* Transportflugzeug *nt* **transport system** *n* Verkehrswesen *nt*

transsexual *n* Transsexuelle(r) *m*/*f*(*m*)

transverse *adj* Quer-

transvestite *n* Transvestit(in) *m*(*f*)

trap I *n* **1.** Falle *f*; ***to set a ~ for sb*** (*fig*) jdm eine Falle stellen; ***to fall into a ~*** in die Falle gehen **2.** (*infml*) ***shut your ~!*** (halt die) Klappe! (*infml*) **II** *v*/*t* **1.** *animal* (mit einer Falle) fangen **2.** (*fig*) *person* in die Falle locken **3.** ***to be ~ped*** (*miners etc*) eingeschlossen sein; ***to be ~ped in the snow*** im Schnee festsitzen; ***my arm was ~ped behind my back*** mein Arm war hinter meinem Rücken eingeklemmt; ***to ~ one's finger in the door*** sich (*dat*) den Finger in der Tür einklemmen **trap door** *n* Falltür *f*; THEAT Versenkung *f*

trapeze *n* Trapez *nt*

trappings *pl* (*fig*) äußere Aufmachung; ***~ of office*** Amtsinsignien *pl*

trash I *n* **1.** (*US* ≈ *refuse*) Abfall *m* **2.** (≈ *poor quality item*) Schund *m*; (≈ *film etc*) Mist *m* (*infml*) **3.** (*pej infml* ≈ *people*) Gesindel *nt* **II** *v*/*t* (*infml*) *place* verwüsten **trash can** *n* (*US*) Abfalleimer *m*, Mistkübel *m* (*Aus*) **trashy** *adj* (+*er*) *goods* minderwertig; ***~ novel*** Schundroman *m*

trauma *n* Trauma *nt* **traumatic** *adj* traumatisch **traumatize** *v*/*t* traumatisieren

travel I *v*/*i* **1.** reisen; ***he ~s to work by car*** er fährt mit dem Auto zur Arbeit; ***they have travelled*** (*Br*) *or* ***traveled*** (*US*) ***a long way*** sie haben eine weite Reise hinter sich (*dat*); ***to ~ (a)round the world*** eine Reise um die Welt machen; ***to ~ around a country*** ein Land bereisen **2.** (≈ *go, move*) sich bewegen; (*sound, light*) sich fortpflanzen; ***to ~ at 80 kph*** 80 km/h fahren; ***his eye travelled*** (*Br*) *or* ***traveled*** (*US*) ***over the scene*** seine Augen wanderten über die Szene **II** *v*/*t area* bereisen; *distance* zurücklegen **III** *n* **1.** *no pl* (≈ *travelling*) Reisen *nt* **2. travels** *pl* Reisen *pl*; ***if you meet him on your ~s*** wenn Sie ihm auf einer Ihrer Reisen begegnen; ***he's off on his***

~s tomorrow er verreist morgen
travel agency *n* Reisebüro *nt* **travel agent** *n* Reisebürokaufmann *m*/-kauffrau *f*; **~('s)** (≈ *travel agency*) Reisebüro *nt* **travel brochure** *n* Reiseprospekt *m* **travel expenses** *pl* (*esp US*) Reisekosten *pl* **travel insurance** *n* Reiseversicherung *f* **travelled**, (*US*) **traveled** *adj* ***well-~*** *person* weit gereist; *route* viel befahren
traveller, (*US*) **traveler** *n* Reisende(r) *m*/*f*(*m*) **traveller's cheque**, (*US*) **traveler's check** *n* Reisescheck *m* **travelling**, (*US*) **traveling** *n* Reisen *nt* **travelling expenses** *pl* Reisekosten *pl*; (*on business*) Reisespesen *pl* **travelling salesman** *n* Vertreter *m* **travel-sick** *adj* reisekrank **travel-sickness** *n* Reisekrankheit *f*
travesty *n* LIT Travestie *f*; ***a ~ of justice*** ein Hohn *m* auf die Gerechtigkeit
trawl I *v*/*i* ***to ~*** (***for fish***) mit dem Schleppnetz fischen; (*US*) mit einer Grundleine fischen **II** *v*/*t* (*esp Br*) *Internet etc* durchkämmen **trawler** *n* Trawler *m*
tray *n* Tablett *nt*; (*for papers*) Ablage *f*
treacherous *adj* **1.** *person* verräterisch **2.** (≈ *unreliable*) trügerisch; (≈ *dangerous*) tückisch; *corner* gefährlich; *journey* gefahrvoll **treachery** *n* Verrat *m*
treacle *n* (*Br*) Sirup *m*
tread *vb*: *pret* **trod**, *past part* **trodden I** *n* **1.** (≈ *noise*) Schritt *m* **2.** (*of tyre*) Profil *nt* **II** *v*/*i* **1.** (≈ *walk*) gehen **2.** (≈ *bring foot down*) treten (*on* auf +*acc*); ***he trod on my foot*** er trat mir auf den Fuß; ***to ~ carefully*** (*fig*) vorsichtig vorgehen **III** *v*/*t path* (≈ *make*) treten; (≈ *follow*) gehen; ***to ~ a fine line between ...*** sich vorsichtig zwischen ... bewegen; ***it got trodden underfoot*** es wurde zertreten; ***to ~ water*** Wasser treten; (*fig*) auf der Stelle treten **treadle** *n* (*of sewing machine*) Pedal *nt*; (*of lathe also*) Fußhebel *m* **treadmill** *n* (*fig*) Tretmühle *f*; SPORTS Laufband *nt*
treason *n* Verrat *m* (*to* an +*dat*)
treasure I *n* Schatz *m* **II** *v*/*t* zu schätzen wissen; ***I shall ~ this memory*** ich werde das in lieber Erinnerung behalten **treasure hunt** *n* Schatzsuche *f* **treasurer** *n* (*of club*) Kassenwart(in) *m*(*f*); (≈ *city treasurer*) Stadtkämmerer *m*/-kämmerin *f* **treasure trove** *n* Schatzfund *m*; (≈ *market*) Fundgrube *f* **treasury** *n* **1.** POL ***the Treasury*** (*Br*), ***the Treasury Department*** (*US*) das Finanzministerium **2.** (*of society*) Kasse *f*
treat I *v*/*t* **1.** behandeln; (≈ *handle*) umgehen mit; *sewage* klären; ***the doctor is ~ing him for nervous exhaustion*** er ist wegen Nervenüberlastung in Behandlung **2.** (≈ *consider*) betrachten (*as* als); ***to ~ sth seriously*** etw ernst nehmen **3.** (≈ *pay for*) einladen; ***to ~ sb to sth*** jdm etw spendieren; ***to ~ oneself to sth*** sich (*dat*) etw gönnen **II** *n* (≈ *outing, present*) besondere Freude; ***I thought I'd give myself a ~*** ich dachte, ich gönne mir mal etwas; ***I'm taking them to the circus as*** *or* ***for a ~*** ich mache ihnen eine Freude und lade sie in den Zirkus ein; ***it's my ~*** das geht auf meine Rechnung
treatise *n* Abhandlung *f* (*on* über +*acc*)
treatment *n* Behandlung *f*; (*of sewage*) Klärung *f*; ***their ~ of foreigners*** ihre Art, Ausländer zu behandeln; ***to be having ~ for sth*** wegen etw in Behandlung sein
treaty *n* Vertrag *m*; ***the Treaty of Rome*** die Römischen Verträge *pl*
treble[1] **I** *adj* dreifach **II** *v*/*t* verdreifachen **III** *v*/*i* sich verdreifachen
treble[2] *n* (MUS ≈ *boy's voice*) (Knaben)sopran *m*; (≈ *highest part*) Oberstimme *f*
treble clef *n* MUS Violinschlüssel *m*
tree *n* Baum *m*; ***an oak ~*** eine Eiche; ***money doesn't grow on ~s*** das Geld fällt nicht vom Himmel **tree house** *n* Baumhaus *nt* **tree line** *n* Baumgrenze *f* **tree-lined** *adj* baumbestanden **tree structure** *n* IT Baumstruktur *f* **treetop** *n* Baumkrone *f* **tree trunk** *n* Baumstamm *m*
trek I *v*/*i* trecken; (*infml*) latschen (*infml*); ***they ~ked across the desert*** sie zogen durch die Wüste **II** *n* Treck *m*; (*infml*) anstrengender Marsch **trekking** *n* Trekking *nt*
trellis *n* Gitter *nt*
tremble *v*/*i* zittern (*with* vor) **trembling I** *adj* zitternd **II** *n* Zittern *nt*
tremendous *adj* **1.** gewaltig; *number, crowd* riesig; ***a ~ success*** ein Riesenerfolg *m* **2.** (≈ *very good*) toll (*infml*); ***she has done a ~ job*** sie hat fantastische Arbeit geleistet **tremendously** *adv* sehr; *grateful, difficult* äußerst; ***they enjoyed themselves ~*** sie haben sich prächtig *or* prima amüsiert (*infml*)

tremor *n* Zittern *nt*; MED Tremor *m*; (≈ *earth tremor*) Beben *nt*

trench *n* Graben *m*; MIL Schützengraben *m* **trench warfare** *n* Stellungskrieg *m*

trend *n* **1.** (≈ *tendency*) Tendenz *f*; ***upward ~*** Aufwärtstrend *m*; ***to set a ~*** richtungweisend sein **2.** (≈ *fashion*) Trend *m*; ***the latest ~*** der letzte Schrei (*infml*) **trendily** *adv* modern **trendsetter** *n* Trendsetter(in) *m(f)* **trendy** *adj* (+*er*) modern, in *pred* (*infml*); *image* modisch; ***to be ~*** große Mode sein; ***it's no longer ~ to smoke*** Rauchen ist nicht mehr in (*infml*)

trepidation *n* Ängstlichkeit *f*

trespass *v/i* (*on property*) unbefugt betreten (*on sth* etw *acc*); ***"no ~ing"*** „Betreten verboten" **trespasser** *n* Unbefugte(r) *m/f(m)*; ***"trespassers will be prosecuted"*** „widerrechtliches Betreten wird strafrechtlich verfolgt"

trestle table *n* auf Böcken stehender Tisch

trial *n* **1.** JUR Prozess *m*; (≈ *hearing*) (Gerichts)verhandlung *f*; ***to be on ~ for theft*** des Diebstahls angeklagt sein; ***at the ~*** bei *or* während der Verhandlung; ***to bring sb to ~*** jdn vor Gericht stellen; ***~ by jury*** Schwurgerichtsverfahren *nt* **2.** (≈ *test*) Versuch *m*; ***~s*** (*of machine*) Test(s) *m(pl)*; ***to give sth a ~*** etw ausprobieren; ***on ~*** auf Probe; ***by ~ and error*** durch Ausprobieren **3.** (≈ *hardship*) Widrigkeit *f*; (≈ *nuisance*) Plage *f* (*to* für); ***~s and tribulations*** Schwierigkeiten *pl* **trial offer** *n* Einführungsangebot *nt* **trial period** *n* Probezeit *f* **trial run** *n* Generalprobe *f*; (*of machine*) Probelauf *m*

triangle *n* Dreieck *nt*; MUS Triangel *m* **triangular** *adj* MAT dreieckig

triathlon *n* SPORTS Triathlon *nt*

tribal *adj* Stammes- **tribe** *n* Stamm *m*

tribulation *n* Kummer *m no pl*; ***~s*** Sorgen *pl*

tribunal *n* Gericht *nt*; (≈ *inquiry*) Untersuchungsausschuss *m*

tribune *n* (≈ *platform*) Tribüne *f*

tributary *n* Nebenfluss *m*

tribute *n* Tribut *m*; ***to pay ~ to sb/sth*** jdm / einer Sache (den schuldigen) Tribut zollen; ***to be a ~ to sb*** jdm Ehre machen

trice *n* (*Br*) ***in a ~*** im Nu

triceps *n, pl* ***-(es)*** Trizeps *m*

trick **I** *n* **1.** (≈ *ruse*) Trick *m*; (≈ *trap*) Falle *f*; ***it's a ~ of the light*** da täuscht das Licht **2.** (≈ *mischief*) Streich *m*; ***to play a ~ on sb*** jdm einen Streich spielen; ***unless my eyes are playing ~s on me*** wenn meine Augen mich nicht täuschen; ***he's up to his (old) ~s again*** jetzt macht er wieder seine (alten) Mätzchen (*infml*) **3.** (≈ *skilful act*) Kunststück *nt*; ***that should do the ~*** (*infml*) das müsste eigentlich hinhauen (*infml*) **4.** ***to have a ~ of doing sth*** die Eigenart haben, etw zu tun **II** *attr cigar* als Scherzartikel **III** *v/t* hereinlegen (*infml*); ***to ~ sb into doing sth*** jdn (mit List) dazu bringen, etw zu tun; ***to ~ sb out of sth*** jdm etw abtricksen (*infml*) **trickery** *n* Tricks *pl* (*infml*) **trickiness** *n* Schwierigkeit *f*

trickle **I** *v/i* **1.** (*liquid*) tröpfeln; ***tears ~d down her cheeks*** Tränen kullerten ihr über die Wangen; ***the sand ~d through his fingers*** der Sand rieselte ihm durch die Finger **2.** (*fig*) ***to ~ in*** (*people*) vereinzelt hereinkommen; (*donations*) langsam eintrudeln (*infml*) **II** *n* **1.** (*of liquid*) Tröpfeln *nt*; (≈ *stream*) Rinnsal *nt* **2.** (*fig*) ***there is a ~ of people*** es kommen vereinzelt Leute

trick or treat *n Spiel zu Halloween, bei dem Kinder von Tür zu Tür gehen und von den Bewohnern entweder Geld oder Geschenke erhalten oder ihnen einen Streich spielen* **trick question** *n* Fangfrage *f* **tricky** *adj* (+*er*) **1.** (≈ *difficult*) schwierig; (≈ *fiddly*) knifflig **2.** *situation, problem* heikel **3.** ***a ~ customer*** ein schwieriger Typ

tricycle *n* Dreirad *nt*

tried-and-tested, tried and tested *adj* bewährt

trifle *n* **1.** Kleinigkeit *f*; ***a ~ hot*** *etc* ein bisschen heiß *etc* **2.** (*Br* COOK) Trifle *nt* ◆ **trifle with** *v/i +prep obj affections* spielen mit; ***he is not a person to be trifled with*** mit ihm ist nicht zu spaßen

trifling *adj* unbedeutend

trigger **I** *n* (*of gun*) Abzug(shahn) *m*; ***to pull the ~*** abdrücken **II** *v/t* (*a.* **trigger off**) auslösen

trigonometry *n* Trigonometrie *f*

trill **I** *n* **1.** (*of bird*) Trillern *nt*; (*of voice*) Tremolo *nt* **2.** MUS Triller *m* **3.** PHON rollende Aussprache **II** *v/t* (*person*) trällern **III** *v/i* (*bird*) trillern; (*person*) trällern

trillion *n* Billion *f*; (*dated Br*) Trillion *f*

trilogy *n* Trilogie *f*

trim I *adj* (+*er*) **1.** *appearance* gepflegt **2.** *person* schlank; ***to stay ~*** in Form bleiben **II** *n* **1.** (*Br*) ***to get into ~*** sich trimmen **2.** ***to give sth a ~*** etw schneiden **3.** (*of garment*) Rand *m* **III** *v/t* **1.** *hair* nachschneiden; *hedge* stutzen **2.** (*fig*) *essay* kürzen **3.** *Christmas tree* schmücken ◆ **trim back** *v/t sep hedge, roses* zurückschneiden; *costs* senken; *staff* reduzieren ◆ **trim down** *v/t sep essay* kürzen (*to* auf +*acc*) ◆ **trim off** *v/t sep* abschneiden

trimmings *pl* Zubehör *nt*; ***roast beef with all the ~*** Roastbeef mit allen Beilagen

Trinity *n* Dreieinigkeit *f*

trinket *n* Schmuckstück *nt*

trio *n* Trio *nt*

trip I *n* **1.** (≈ *journey*) Reise *f*; (≈ *excursion*) Ausflug *m*; (*esp shorter*) Trip *m*; ***let's go on a ~ to the seaside*** machen wir doch einen Ausflug ans Meer!; ***he is away on a ~*** er ist verreist; ***to take a ~*** (***to***) eine Reise machen (nach) **2.** (*infml*: *on drugs*) Trip *m* (*infml*) **II** *v/i* stolpern (*on, over* über +*acc*); ***a phrase which ~s off the tongue*** ein Ausdruck, der einem leicht von der Zunge geht **III** *v/t* stolpern lassen; (*deliberately*) ein Bein stellen (+*dat*) ◆ **trip over** *v/i* stolpern (+*prep obj* über +*acc*) ◆ **trip up I** *v/i* **1.** (*lit*) stolpern **2.** (*fig*) sich vertun **II** *v/t sep* **1.** stolpern lassen; (*deliberately*) zu Fall bringen **2.** (*fig*) eine Falle stellen (+*dat*)

tripartite *adj* dreiseitig

tripe *n* **1.** COOK Kaldaunen *pl*, Kutteln *pl* (*Aus, Swiss*) **2.** (*fig infml*) Quatsch *m*, Stuss *m* (*infml*)

triple I *adj* dreifach **II** *adv* dreimal so viel **III** *v/t* verdreifachen **IV** *v/i* sich verdreifachen **triple jump** *n* Dreisprung *m*

triplet *n* Drilling *m*

triplicate *n* ***in ~*** in dreifacher Ausfertigung

tripod *n* PHOT Stativ *nt*

trip switch *n* ELEC Sicherheitsschalter *m*

tripwire *n* Stolperdraht *m*

triumph I *n* Triumph *m*; ***in ~*** triumphierend **II** *v/i* den Sieg davontragen (*over* über +*acc*) **triumphant** *adj* triumphierend; ***to emerge ~*** triumphieren **triumphantly** *adv* triumphierend

trivia *pl* belangloses Zeug **trivial** *adj* trivial; *loss, mistake* belanglos **trivialize** *v/t* trivialisieren

trod *pret of* ***tread*** **trodden** *past part of* ***tread***

trolley *n* **1.** (*Br*: *in supermarket*) Einkaufswagen *m*; (*in station*) Kofferkuli *m*; (*in factory etc*) Sackkarre *f* **2.** (*Br* ≈ *tea trolley*) Teewagen *m* **trolleybus** *n* Obus *m* **trolley car** *n* (*US*) Straßenbahn *f*, Tram *nt* (*Swiss*)

trombone *n* MUS Posaune *f*

troop I *n* **1.** (MIL: *of cavalry*) Trupp *m*; (≈ *unit*) Schwadron *f* **2. troops** *pl* MIL Truppen *pl*; ***200 ~s*** 200 Soldaten **3.** (*of people*) Schar *f* **II** *v/i* ***to ~ out*** hinausströmen; ***to ~ past sth*** an etw (*dat*) vorbeiziehen **troop carrier** *n* Truppentransporter *m* **trooper** *n* MIL Kavallerist *m*; (*US* ≈ *state trooper*) Staatspolizist(in) *m*(*f*)

trophy *n* Trophäe *f*

tropic *n* **1.** ***Tropic of Cancer/Capricorn*** Wendekreis *m* des Krebses/Steinbocks **2. tropics** *pl* Tropen *pl* **tropical** *adj* tropisch, Tropen- **tropical rainforest** *n* tropischer Regenwald

trot I *n* **1.** Trab *m* **2.** (*infml*) ***for five days on the ~*** fünf Tage lang in einer Tour; ***he won three games on the ~*** er gewann drei Spiele hintereinander **II** *v/i* traben

trotter *n* (*of animal*) Fuß *m*

trouble I *n* **1.** Schwierigkeiten *pl*; (*bothersome*) Ärger *m*; ***to be in ~*** in Schwierigkeiten sein; ***to be in ~ with sb*** mit jdm Schwierigkeiten haben; ***to get into ~*** in Schwierigkeiten geraten; (*with authority*) Ärger bekommen (*with* mit); ***to keep*** *or* ***stay out of ~*** nicht in Schwierigkeiten kommen; ***to make ~*** (≈ *cause a row etc*) Krach schlagen (*infml*); ***that's/you're asking for ~*** das kann ja nicht gut gehen; ***to look for ~, to go around looking for ~*** sich (*dat*) Ärger einhandeln; ***there'll be ~ if he finds out*** wenn er das erfährt, gibts Ärger; ***what's the ~?*** was ist los?; ***the ~ is that ...*** das Problem ist, dass ...; ***money ~s*** Geldsorgen *pl*; ***the child is nothing but ~ to his parents*** das Kind macht seinen Eltern nur Sorgen; ***he's been no ~ at all*** (*of child*) er war ganz lieb **2.** (≈ *bother*) Mühe *f*; ***it's no ~*** (***at all***)***!*** das mache ich doch gern; ***thank you — (it was) no ~*** vielen Dank — (das ist) gern geschehen; ***it's not worth the ~*** das ist nicht der Mühe wert; ***it's more ~ than it's worth*** es macht mehr Ärger *or* Umstände als es wert ist; ***to take the ~*** (***to do sth***) sich (*dat*) die Mühe machen(, etw zu tun); ***to go to a lot of ~*** (***over*** *or* ***with sth***) sich (*dat*) (mit etw) viel Mühe geben; ***to put sb to a lot of ~*** jdm viel Mühe machen **3.** MED Leiden *nt*; (*fig*) Schaden *m*; ***heart ~*** Herzleiden *nt*; ***engine ~*** (ein) Motorschaden *m* **4.** (≈ *unrest*) Unruhe *f*; ***there's ~ at the factory/in Iran*** in der Fabrik/im Iran herrscht Unruhe **II** *v/t* **1.** (≈ *worry*) beunruhigen; (≈ *disturb*) bekümmern; ***to be ~d by sth*** wegen etw besorgt *or* beunruhigt/bekümmert sein **2.** (≈ *bother*) bemühen, belästigen; ***I'm sorry to ~ you, but ...*** entschuldigen Sie die Störung, aber ... **troubled** *adj* unruhig; (≈ *grieved*) bekümmert; *relationship* gestört **trouble-free** *adj process* problemlos **troublemaker** *n* Unruhestifter(in) *m(f)* **troubleshooter** *n* Störungssucher(in) *m(f)*; (POL, IND ≈ *mediator*) Vermittler(in) *m(f)* **troublesome** *adj* lästig; *person*, *problem* schwierig **trouble spot** *n* Unruheherd *m*

trough *n* Trog *m*

trounce *v/t* SPORTS vernichtend schlagen

troupe *n* THEAT Truppe *f*

trouser leg *n* Hosenbein *nt*

trousers *pl* (*a.* **pair of trousers**) Hose *f*; ***she was wearing ~*** sie hatte Hosen *or* eine Hose an; ***to wear the ~*** (*fig infml*) die Hosen anhaben (*infml*) **trouser suit** *n* (*Br*) Hosenanzug *m*

trout *n* Forelle *f*

trowel *n* Kelle *f*

truancy *n* (Schule)schwänzen *nt* **truant** *n* (Schul)schwänzer(in) *m(f)*; ***to play ~*** (***from sth***) (etw) schwänzen (*infml*)

truce *n* Waffenstillstand *m*

truck *n* **1.** (*esp Br* RAIL) Güterwagen *m* **2.** (≈ *lorry*) Last(kraft)wagen *m* **truck driver** *n* Lastwagenfahrer(in) *m(f)* **trucker** *n* (*esp US* ≈ *truck driver*) Lastwagenfahrer(in) *m(f)* **truck farm** *n* (*US*) Gemüsefarm *f* **trucking** *n* (*esp US*) Transport *m* **truckload** *n* Wagenladung *f* **truckstop** *n* (*US*) Fernfahrerlokal *nt*

trudge *v/i* ***to ~ out*** hinaustrotten

true I *adj* **1.** wahr; (≈ *genuine*) echt; ***to come ~*** (*dream*) wahr werden; (*prophecy*) sich verwirklichen; ***that's ~*** das stimmt; ***~!*** richtig!; ***we mustn't generalize, (it's) ~, but ...*** wir sollten natürlich nicht verallgemeinern, aber ...; ***the reverse is ~*** ganz im Gegenteil; ***the frog is not a ~ reptile*** der Frosch ist kein echtes Reptil; ***spoken like a ~ football fan*** so spricht ein wahrer Fußballfan; ***~ love*** die wahre Liebe; (≈ *person*) Schatz *m*; ***to be ~ of sb/sth*** auf jdn/etw zutreffen **2.** *account* wahrheitsgetreu; *likeness* (lebens)getreu; ***in the ~ sense (of the word)*** im wahren Sinne (des Wortes) **3.** (≈ *faithful*) treu; ***to be ~ to sb*** jdm treu sein/bleiben; ***to be ~ to one's word*** (treu) zu seinem Wort stehen; ***~ to life*** lebensnah; ART lebensecht **4.** *wall* gerade **5.** ***~ north*** der geografische Norden **6.** MUS *note* richtig **II** *n* ***out of ~*** *upright* schief **true-life** *adj attr* aus dem Leben gegriffen

truffle *n* Trüffel *f or m*

truly *adv* **1.** wirklich; (***really and***) ***~?*** wirklich und wahrhaftig?; ***I am ~ sorry*** es tut mir aufrichtig leid **2.** *serve*, *love* treu

trump I *n* Trumpf *m*; ***to come up ~s*** (*Br infml*) sich als Sieger erweisen **II** *v/t* CARDS stechen; (*fig*) übertrumpfen **trump card** *n* Trumpf *m*; ***to play one's ~*** (*lit*, *fig*) seinen Trumpf ausspielen

trumpet *n* MUS Trompete *f*

truncate *v/t* kürzen

truncheon *n* (Gummi)knüppel *m*

trundle I *v/t* **1.** (≈ *push*) rollen **2.** (≈ *pull*) ziehen **II** *v/i* ***to ~ along*** entlangzockeln

trunk *n* **1.** (*of tree*) Stamm *m*; (*of body*) Rumpf *m* **2.** (*of elephant*) Rüssel *m* **3.** (≈ *case*) Schrankkoffer *m* **4.** (*US* AUTO) Kofferraum *m* **5. trunks** *pl* (*for swimming*) Badehose *f*; ***a pair of ~s*** eine Badehose **trunk call** *n* (*Br* TEL) Ferngespräch *nt* **trunk road** *n* (*Br*) Fernstraße *f*

truss *n* MED Bruchband *nt* ◆ **truss up** *v/t sep* COOK dressieren; (*infml*) *person* fesseln

trust I *n* **1.** Vertrauen *nt* (*in* zu); ***to put one's ~ in sb*** Vertrauen in jdn setzen; ***position of ~*** Vertrauensstellung *f* **2.** JUR, FIN Treuhand(schaft) *f* **3.** (COMM: *a.* **trust company**) Trust *m* **II** *v/t* **1.** trauen (+*dat*); *person* (ver)trauen (+*dat*); ***to ~ sb to do sth*** jdm zutrauen, dass er etw tut; ***to ~ sb with sth*** jdm etw anvertrauen; ***can he be ~ed not to lose it?*** kann man sich darauf verlassen, dass er es nicht verliert? **2.** (*iron infml*) ***~ you!*** typisch!; ***~ him to break it!*** er muss es natürlich kaputt machen **3.** (≈ *hope*) hoffen **III** *v/i* vertrauen; ***to ~ in sb*** auf jdn vertrauen; ***to ~ to luck*** sich auf sein Glück verlassen **trusted** *adj method* bewährt; *friend* getreu **trustee** *n* **1.** (*of estate*) Treuhänder(in) *m*(*f*) **2.** (*of institution*) Verwalter(in) *m*(*f*); ***~s*** Vorstand *m* **trust fund** *n* Treuhandvermögen *nt* **trusting** *adj person* gutgläubig **trustworthy** *adj* vertrauenswürdig

truth *n*, *pl* **-s** *no pl* Wahrheit *f*; ***to tell the ~ ...*** um ehrlich zu sein ...; ***the ~ of it is that ...*** die Wahrheit ist, dass ...; ***there's some ~ in that*** da ist etwas Wahres dran (*infml*); ***in ~*** in Wahrheit **truthful** *adj* ehrlich **truthfulness** *n* Ehrlichkeit *f*

try I *n* Versuch *m*; ***to have a ~*** es versuchen; ***let me have a ~*** lass mich mal versuchen!; ***to have a ~ at doing sth*** (sich daran) versuchen, etw zu tun; ***it was a good ~*** das war schon ganz gut **II** *v/t* **1.** (≈ *attempt*) versuchen; ***to ~ one's best*** sein Bestes versuchen; ***to ~ one's hand at sth*** etw probieren; ***I'll ~ anything once*** ich probiere alles einmal **2.** (≈ *try out*) ausprobieren; *newsagent* es versuchen (bei); ***~ sitting on it*** setz dich doch mal drauf! **3.** (≈ *taste*) *beer, olives* probieren **4.** *patience* auf die Probe stellen **5.** JUR *person* vor Gericht stellen; ***to be tried for theft*** wegen Diebstahls vor Gericht stehen **III** *v/i* versuchen; ***~ and arrive on time*** versuch mal, pünktlich zu sein; ***~ as he might, he didn't succeed*** sosehr er es auch versuchte, er schaffte es einfach nicht; ***he didn't even ~*** er hat sich (*dat*) überhaupt keine Mühe gegeben; (≈ *didn't attempt it*) er hat es überhaupt nicht versucht ◆ **try for** *v/i +prep obj* sich bemühen um ◆ **try on** *v/t sep clothes* anprobieren ◆ **try out** *v/t sep* ausprobieren (*on* bei, an *+dat*)

trying *adj* anstrengend

tsar *n* Zar *m*

T-shirt *n* T-Shirt *nt*

tsp(s) *abbr of* ***teaspoonful(s)***, ***teaspoon(s)*** Teel.

tub *n* **1.** Kübel *m*; (*for rainwater*) Tonne *f*; (*for washing*) Bottich *m*; (*of margarine*) Becher *m* **2.** (*infml* ≈ *bath tub*) Wanne *f*

tuba *n* Tuba *f*

tubby *adj* (*+er*) (*infml*) dick

tube *n* **1.** (≈ *pipe*) Rohr *nt*; (*of rubber*) Schlauch *m* **2.** (*of toothpaste*) Tube *f*; (*of sweets*) Rolle *f* **3.** (*Br* ≈ *London underground*) U-Bahn *f* **4.** ANAT, TV Röhre *f*

tuber *n* BOT Knolle *f*

tuberculosis *n* Tuberkulose *f*

tube station *n* (*Br*) U-Bahnstation *f* **tubing** *n* Schlauch *m*

TUC (*Br*) *abbr of* ***Trades Union Congress*** ≈ DGB *m*

tuck I *n* SEWING Saum *m* **II** *v/t* (≈ *put*) stecken; ***to ~ sth under one's arm*** sich (*dat*) etw unter den Arm stecken ◆ **tuck away** *v/t sep* wegstecken; ***he tucked it away in his pocket*** er steckte es in die Tasche ◆ **tuck in I** *v/i* (*Br infml*) zulangen; ***~!*** langt zu!, haut rein! (*infml*); ***to ~ to sth*** sich (*dat*) etw schmecken lassen **II** *v/t sep flap etc* hineinstecken; ***to tuck one's shirt in(to) one's trousers***, ***to tuck one's shirt in*** das Hemd in die Hose stecken; ***to tuck sb in*** (*in bed*) jdn zudecken ◆ **tuck up** *v/t sep* (*Br*) ***to tuck sb up*** (***in bed***) jdn zudecken

tuck shop *n* (*Br*) Bonbonladen *m*

Tue(s) *abbr of* ***Tuesday*** Di.

Tuesday *n* Dienstag *m*; ***on ~*** (am) Dienstag; ***on ~s***, ***on a ~*** dienstags; ***on ~ morning/evening*** (am) Dienstagmorgen/-abend; ***on ~ mornings*** dienstagmorgens; ***last/next/this ~*** letzten/nächsten/diesen Dienstag; ***a year*** (***ago***) ***last ~*** letzten Dienstag vor einem Jahr; ***~'s newspaper*** die Zeitung vom Dienstag; ***~ December 5th*** Dienstag, den 5. Dezember

tuft *n* Büschel *nt*; ***a ~ of hair*** ein Haarbüschel *nt*

tug I *v/t* zerren, ziehen; ***she ~ged his sleeve*** sie zog an seinem Ärmel **II** *v/i* zerren (*at* an *+dat*) **III** *n* **1.** ***to give sth a ~*** an etw (*dat*) ziehen **2.** (*a.* **tugboat**) Schleppkahn *m* **tug-of-war** *n* Tauziehen *nt*

tuition *n* Unterricht *m*

tulip *n* Tulpe *f*

tumble I *n* (≈ *fall*) Sturz *m* **II** *v/i* straucheln; (*fig*: *prices*) fallen; ***to ~ over sth*** über etw (*acc*) stolpern ◆ **tumble down** *v/i* (*person*) hinfallen; (*object*) herunterfallen; ***to ~ the stairs*** die Treppe hinunterfallen ◆ **tumble over** *v/i* umfallen

tumbledown *adj* baufällig **tumble drier, tumble dryer** *n* Wäschetrockner *m* **tumbler** *n* (≈ *glass*) (Becher)glas *nt*

tummy *n* (*infml*) Bauch *m*

tumour, (*US*) **tumor** *n* Tumor *m*

tumult *n* Tumult *m*; ***his mind was in a ~*** sein Inneres befand sich in Aufruhr **tumultuous** *adj* stürmisch

tuna (fish) *n* Thunfisch *m*, Thon *m* (*Swiss*)

tundra *n* Tundra *f*

tune I *n* **1.** (≈ *melody*) Melodie *f*; ***to change one's ~*** (*fig*) seine Meinung ändern; ***to call the ~*** (*fig*) den Ton angeben; ***to the ~ of £100*** in Höhe von £ 100 **2.** ***to sing in ~/out of ~*** richtig/falsch singen; ***the piano is out of ~*** das Klavier ist verstimmt; ***to be in ~ with sb/sth*** (*fig*) mit jdm/etw harmonieren **II** *v/t* **1.** MUS *instrument* stimmen **2.** RADIO, TV, AUTO einstellen ◆ **tune in I** *v/i* RADIO einschalten; ***to ~ to Radio London*** Radio London hören **II** *v/t sep radio* einschalten (*to* +*acc*) ◆ **tune up** *v/i* MUS (sein Instrument) stimmen

tuneful *adj*, **tunefully** *adv* melodisch

tungsten *n* Wolfram *nt*

tunic *n* **1.** Kasack *m* **2.** (*of uniform*) Uniformrock *m*

Tunisia *n* Tunesien *nt*

tunnel I *n* Tunnel *m*; MIN Stollen *m*; ***at last we can see the light at the end of the ~*** (*fig*) endlich sehen wir wieder Licht **II** *v/i* einen Tunnel bauen (*into* in +*acc*, *through* durch) **tunnel vision** *n* MED Gesichtsfeldeinengung *f*; (*fig*) Engstirnigkeit *f*

tuppence *n* (*Br*) zwei Pence

turban *n* Turban *m*

turbine *n* Turbine *f*

turbo-charged *adj* mit Turboaufladung

turbot *n* Steinbutt *m*

turbulence *n* (*of career, period*) Turbulenz *f*; ***air ~*** Turbulenzen *pl* **turbulent** *adj* stürmisch; *career, period* turbulent

turd *n* (*sl*) Haufen *m* (*infml*)

tureen *n* (Suppen)terrine *f*

turf *n, pl* **-s** *or* **turves** (*no pl* ≈ *lawn*) Rasen *m*; (≈ *square of grass*) Sode *f*

turgid *adj* (*fig*) schwülstig

Turk *n* Türke *m*, Türkin *f*

Turkey *n* die Türkei

turkey *n* Truthahn *m*/-henne *f*

Turkish I *adj* türkisch; ***she is ~*** sie ist Türkin **II** *n* LING Türkisch *nt* **Turkish delight** *n* Lokum *nt*

turmeric *n* Kurkuma *f*, Gelbwurz *f*

turmoil *n* Aufruhr *m*; (≈ *confusion*) Durcheinander *nt*; ***her mind was in a ~*** sie war völlig verwirrt

turn I *n* **1.** (≈ *movement*) Drehung *f*; ***to give sth a ~*** etw drehen **2.** (*in road*) Kurve *f*; SPORTS Wende *f*; ***take the left-hand ~*** biegen Sie links ab; ***"no left ~"*** „Linksabbiegen verboten"; ***things took a ~ for the worse*** die Dinge wendeten sich zum Schlechten; ***at the ~ of the century*** um die Jahrhundertwende; ***~ of phrase*** Ausdrucksweise *f*; ***he was thwarted at every ~*** ihm wurde auf Schritt und Tritt ein Strich durch die Rechnung gemacht **3.** ***it's your ~*** du bist an der Reihe, du bist dran; ***it's your ~ to wash the dishes*** du bist mit (dem) Abwaschen an der Reihe *or* dran; ***it's my ~ next*** ich komme als Nächste(r) an die Reihe *or* dran; ***wait your ~*** warten Sie, bis Sie an der Reihe sind; ***to miss a ~*** eine Runde aussetzen; ***to take (it in) ~s to do sth*** etw abwechselnd tun; ***to answer in ~*** der Reihe nach antworten; (*2 people*) abwechselnd antworten; ***out of ~*** außer der Reihe **4.** ***to do sb a good ~*** jdm einen guten Dienst erweisen; ***one good ~ deserves another*** (*prov*) eine Hand wäscht die andere (*prov*) **II** *v/t* **1.** (≈ *rotate*) drehen; ***to ~ the key in the lock*** den Schlüssel im Schloss herumdrehen; ***he ~ed his head toward(s) me*** er wandte mir den Kopf zu; ***as soon as his back is ~ed*** sobald er den Rücken kehrt; ***the sight of all that food quite ~ed my stomach*** beim Anblick des vielen Essens drehte sich mir regelrecht der Magen um; ***he can ~ his hand to anything*** er kann alles **2.** (≈ *turn over/round*) wenden; *page* umblättern; *chair etc* umdrehen **3.** (≈ *direct*) ***to ~ one's attention to sth*** seine Aufmerksamkeit einer Sache (*dat*) zuwenden; ***to ~ a gun on sb*** ein Gewehr auf jdn richten **4.** (≈ *transform*) verwandeln (*in*(*to*) in +*acc*); ***to ~ the lights down low*** das Licht herunterdrehen; ***to ~ a profit*** (*esp US*) einen Gewinn machen; ***to ~ sth into a film*** etw verfilmen; ***to ~ sb loose*** jdn loslassen **III** *v/i* **1.** (≈ *rotate*) sich drehen; ***he ~ed to me and smiled*** er drehte sich mir zu und lächelte; ***to ~ upside down*** umkippen **2.** (≈ *change direction*: *person*, *car*) abbiegen; (≈ *turn around*) wenden; (*person*) sich umdrehen; (*tide*) wechseln; ***to ~ (to the) left*** links abbiegen **3.** ***I don't know which way to ~*** ich weiß nicht, was ich machen soll; ***to ~ to sb*** sich an jdn wenden; ***our thoughts ~ to those who ...*** wir gedenken derer, die ...; ***to ~ to sth*** sich einer Sache (*dat*) zuwenden; ***~ to page 306*** blättern Sie weiter bis Seite 306; ***the conversation ~ed to the accident*** das Gespräch kam auf den Unfall **4.** (*leaves*) sich (ver)färben; (*weather*) umschlagen; ***to ~ to stone*** zu Stein werden; ***his admiration ~ed to scorn*** seine Bewunderung verwandelte sich in Verachtung; ***to ~ into sth*** sich in etw (*acc*) verwandeln; (≈ *develop into*) sich zu etw entwickeln; ***the whole thing ~ed into a nightmare*** die ganze Sache wurde zum Albtraum **5.** (≈ *become*) werden; ***to ~ violent*** gewalttätig werden; ***to ~ red*** (*leaves etc*) sich rot färben; (*person*) rot werden; (*traffic lights*) auf Rot umspringen; ***he has just ~ed 18*** er ist gerade 18 geworden; ***it has ~ed 2 o'clock*** es ist 2 Uhr vorbei ◆ **turn against I** *v/i +prep obj* sich wenden gegen **II** *v/t sep +prep obj* ***to turn sb against sb*** jdn gegen jdn aufbringen ◆ **turn around I** *v/t sep* wenden; *argument* umdrehen; *company* aus der Krise führen **II** *v/i +prep obj corner* biegen um **III** *v/i* (*person*) sich umdrehen; (*car etc*) wenden ◆ **turn away I** *v/i* sich abwenden **II** *v/t sep* **1.** *head* abwenden **2.** *person* abweisen ◆ **turn back I** *v/i* **1.** umkehren; (≈ *look back*) sich umdrehen; ***there's no turning back now*** (*fig*) jetzt gibt es kein Zurück mehr **2.** (*in book*) zurückblättern (*to* auf +*acc*) **II** *v/t sep* **1.** *bedclothes* zurückschlagen **2.** *person* zurückschicken; ***they were turned back at the frontier*** sie wurden an der Grenze zurückgewiesen **3.** *clock* zurückstellen; ***to turn the clock back fifty years*** (*fig*) die Uhr um fünfzig Jahre zurückdrehen ◆ **turn down I** *v/t sep* **1.** *bedclothes* zurückschlagen; *collar* herunterklappen; *corner of page* umknicken **2.** *heat* kleiner stellen; *volume* leiser stellen; *lights* herunterdrehen **3.** *offer* ablehnen; *invitation* ausschlagen **II** *v/i +prep obj* ***he turned down a side street*** er bog in eine Seitenstraße ab ◆ **turn in I** *v/i* **1.** ***the car turned in at the top of the drive*** das Auto bog in die Einfahrt ein **2.** (*infml* ≈ *go to bed*) sich hinhauen (*infml*) **II** *v/t sep* (*infml*) ***to turn sb in*** jdn anzeigen *or* verpfeifen (*infml*); ***to turn oneself in*** sich (der Polizei) stellen ◆ **turn into** *v/t & v/i +prep obj* = **turn** II4, III4 ◆ **turn off I** *v/i* abbiegen (*for* nach, *prep obj* von) **II** *v/t sep* **1.** *light*, *radio* ausmachen; *gas* abdrehen; *tap* zudrehen; *TV programme* abschalten; *electricity*, *machine* abstellen **2.** (*infml*) ***to turn sb off*** jdm die Lust verderben ◆ **turn on** *v/t sep* **1.** *gas*, *machine* anstellen; *television* einschalten; *light* anmachen; *tap* aufdrehen **2.** (*infml*) ***sth turns sb on*** jd steht auf etw (*acc*) (*sl*); ***whatever turns you on*** wenn du das gut findest (*infml*) **3.** (*infml*: *sexually*) anmachen (*infml*); ***she really turns me on*** auf sie kann ich voll abfahren (*infml*) *v/i +prep obj* (≈ *turn against*) sich wenden gegen; (≈ *attack*) angreifen ◆ **turn out I** *v/i* **1.** (≈ *appear*, *attend*) erscheinen **2.** (*police*) ausrücken **3.** ***the car turned out of the drive*** das Auto bog aus der Einfahrt **4.** (≈ *transpire*) sich herausstellen; ***he turned out to be the murderer*** es stellte sich heraus, dass er der Mörder war **5.** (≈ *develop*) sich entwickeln; ***how did it ~?*** (≈ *what happened?*) was ist daraus geworden?; (*cake etc*) wie ist er *etc* geworden?; ***as it turned out*** wie sich herausstellte; ***everything will ~ all right*** es wird sich schon alles ergeben; ***it turned out nice in the afternoon*** (*Br*) am Nachmittag wurde es noch schön **II** *v/t sep* **1.** *light* ausmachen **2.** (≈ *produce*) produzieren **3.** (≈ *expel*) vertreiben (*of* aus); *tenant* kündigen (+*dat*) **4.** *pockets* (aus)leeren **5.** (*usu pass*) ***well turned-out*** gut gekleidet ◆ **turn over I** *v/i* **1.** (*person*) sich umdrehen; (*car*) sich überschlagen; ***he turned over on(to) his stomach*** er drehte sich auf den Bauch **2.** ***please ~*** (*with pages*) bitte wenden **3.** (AUTO: *engine*) laufen **4.** TV, RADIO umschalten (*to* auf +*acc*) **II** *v/t sep* **1.** umdrehen; *mattress* wenden; (≈ *turn upside down*) umkippen; *page* umblättern **2.** (≈ *hand over*) übergeben (*to dat*) ◆ **turn round** (*esp Br*) **I** *v/i* (≈ *face other way*) sich umdrehen; (≈ *go back*) umkehren; ***one day she'll just ~ and leave you*** eines Tages wird sie dich ganz einfach verlassen **II** *v/i +prep obj* ***we turned round the corner*** wir bogen um die Ecke **III** *v/t sep* **1.** *head* drehen; *box* umdrehen **2.** = **turn around** I ◆ **turn to** *v/i +prep obj* ***to ~ sb/sth***; → **turn** III3 ◆ **turn up I** *v/i* **1.** (≈ *arrive*) erscheinen; ***I***

was afraid you wouldn't ~ ich hatte Angst, du würdest nicht kommen **2.** (≈ *be found*) sich (an)finden **3.** (≈ *happen*) passieren **4. *a turned-up nose*** eine Stupsnase; ***to ~ at the ends*** sich an den Enden hochbiegen **II** *v/t sep* **1.** *collar* hochklappen; *hem* umnähen; ***to ~ one's nose at sth*** (*fig*) die Nase über etw (*acc*) rümpfen **2.** *heat, volume* aufdrehen; *radio* lauter drehen

turnaround, turnround *n* **1.** (*a.* **turnabout**: *in position*) Kehrtwendung *f* **2.** (*of situation, company*) Umschwung *m*

turncoat *n* Überläufer(in) *m(f)*

turning *n* (*in road*) Abzweigung *f*; ***the second ~ on the left*** die zweite Abfahrt links

turning point *n* Wendepunkt *m*

turnip *n* Rübe *f*; (≈ *swede*) Steckrübe *f*

turn-off *n* **1.** Abzweigung *f*; (*on motorway*) Abfahrt *f* **2.** (*infml*) ***it was a real ~*** das hat einem die Lust verdorben

turnout *n* (≈ *attendance*) Beteiligung *f*; ***there was a good ~*** (*for a match etc*) das Spiel *etc* war gut besucht

turnover *n* (≈ *total business*) Umsatz *m*; (*of capital*) Umlauf *m*; (*of staff*) Fluktuation *f*

turnpike *n* (*US*) gebührenpflichtige Autobahn

turnround *n* = ***turnaround***

turn signal *n* (*US* AUTO) Fahrtrichtungsanzeiger *m*

turnstile *n* Drehkreuz *nt*

turntable *n* (*on record player*) Plattenteller *m*

turn-up *n* (*Br*) **1.** (*on trousers*) Aufschlag *m* **2.** (*infml*) ***a ~ for the books*** eine echte Überraschung

turpentine *n* Terpentin(öl) *nt*

turquoise I *n* (≈ *colour*) Türkis *nt* **II** *adj* türkis(farben)

turret *n* ARCH Mauerturm *m*; (*on tank*) Turm *m*

turtle *n* (Wasser)schildkröte *f*

turtleneck (pullover) *n* Pullover *m* mit Stehkragen

turves *pl of* ***turf***

Tuscany *n* die Toskana

tusk *n* (*of elephant*) Stoßzahn *m*

tussle I *n* Gerangel *nt* **II** *v/i* sich rangeln (*with sb for sth* mit jdm um etw)

tutor I *n* **1.** (≈ *private teacher*) Privatlehrer(in) *m(f)* **2.** (*Br* UNIV) Tutor(in) *m(f)* **II** *v/t* privat unterrichten

tutorial I *n* (*Br* UNIV) Kolloquium *nt* **II** *adj* Tutoren-; ***~ group*** Seminargruppe *f*

tutu *n* Tutu *nt*

tux (*infml*), **tuxedo** *n* (*esp US*) Smoking *m*

TV *n* (*infml*) *abbr of* ***television*** Fernsehen *nt*; (≈ *set*) Fernseher *m* (*infml*); ***on TV*** im Fernsehen; ***TV programme*** (*Br*) *or* ***program*** (*US*) Fernsehsendung *f*; → ***television***

twang *v/i* (*guitar etc*) einen scharfen Ton von sich geben; (*rubber band*) pitschen (*infml*)

tweak I *v/t* (≈ *pull gently*) kneifen, zwicken (*Aus*) **II** *n* (≈ *gentle pull*) ***to give sth a ~*** an etw (*dat*) (herum)zupfen

twee *adj* (+*er*) (*Br infml*) niedlich

tweed I *n* (≈ *cloth*) Tweed *m* **II** *adj* Tweed-

tweet I *n* (*of birds*) Piepsen *nt no pl* **II** *v/i* piepsen

tweezers *pl* (*a.* **pair of tweezers**) Pinzette *f*

twelfth I *adj* zwölfte(r, s); ***a ~ part*** ein Zwölftel *nt* **II** *n* **1.** (*in series*) Zwölfte(r, s) **2.** (≈ *fraction*) Zwölftel *nt*; → ***sixth***

Twelfth Night *n* Dreikönige; (≈ *evening*) Dreikönigsabend *m*

twelve I *adj* zwölf; ***~ noon*** zwölf Uhr (mittags) **II** *n* Zwölf *f*; → ***six***

twentieth I *adj* zwanzigste(r, s); ***a ~ part*** ein Zwanzigstel *nt* **II** *n* **1.** (*in series*) Zwanzigste(r, s) **2.** (≈ *fraction*) Zwanzigstel *nt*; → ***sixth***

twenty I *adj* zwanzig **II** *n* Zwanzig *f*; → ***sixty***

twenty-four seven, 24/7 I *n Geschäft, das sieben Tage die Woche und 24 Stunden am Tag geöffnet hat* **II** *adj attr* rund um die Uhr; ***~ service*** Service, der rund um die Uhr zur Verfügung steht

twerp *n* (*infml*) Einfaltspinsel *m* (*infml*)

twice *adv* zweimal; ***~ as much/many*** doppelt so viel/so viele; ***~ as long as ...*** doppelt *or* zweimal so lange wie ...; ***~ a week*** zweimal wöchentlich; ***I'd think ~ before trusting him with it*** ihm würde ich das nicht so ohne Weiteres anvertrauen

twiddle *v/t* herumdrehen an (+*dat*); ***to ~ one's thumbs*** Däumchen drehen

twig *n* Zweig *m*

twilight *n* Dämmerung *f*; ***at ~*** in der Dämmerung

twin I *n* Zwilling *m*; ***her ~*** ihr Zwillingsbruder/ihre Zwillingsschwester **II** *adj attr* **1.** Zwillings-; ***~ boys/girls*** Zwillingsjungen *pl*/-mädchen *pl* **2.** (≈ *double*) ***~ peaks*** Doppelgipfel *pl* **III** *v/t* (*Br*) *town* verschwistern; ***Oxford was ~ned with Bonn*** Oxford und Bonn wurden zu Partnerstädten/waren Partnerstädte

twin beds *pl* zwei (gleiche) Einzelbetten *pl* **twin brother** *n* Zwillingsbruder *m*

twine I *n* Schnur *f* **II** *v/t* winden **III** *v/i* (*around* um +*acc*) sich winden

twinge *n* Zucken *nt*; ***a ~ of pain*** ein zuckender Schmerz

twinkle I *v/i* funkeln **II** *n* Funkeln *nt*; ***with a ~ in his/her eye*** augenzwinkernd **twinkling** *n* ***in the ~ of an eye*** im Handumdrehen

twin sister *n* Zwillingsschwester *f* **twin town** *n* (*Br*) Partnerstadt *f*

twirl I *v/t* (herum)wirbeln **II** *v/i* wirbeln **III** *n* Wirbel *m*; (*in dance*) Drehung *f*; ***give us a ~*** dreh dich doch mal

twist I *n* **1.** ***to give sth a ~*** etw (herum)drehen **2.** (≈ *bend*) Kurve *f*; (*fig: in story etc*) Wendung *f* **3.** (*Br infml*) ***to drive sb round the ~*** jdn wahnsinnig machen **II** *v/t* **1.** (≈ *turn*) drehen; (≈ *coil*) wickeln (*into* zu +*dat*); ***to ~ the top off a jar*** den Deckel von einem Glas abdrehen; ***to ~ sth (a)round sth*** etw um etw (*acc*) wickeln **2.** (≈ *distort*) verbiegen; *words* verdrehen; ***to ~ sth out of shape*** etw verbiegen; ***she had to ~ my arm*** (*fig*) sie musste mich sehr überreden; ***to ~ one's ankle*** sich (*dat*) den Fuß vertreten; ***his face was ~ed with pain*** sein Gesicht war verzerrt vor Schmerz **III** *v/i* (≈ *wind*) sich drehen; (*plant*) sich ranken; (*road*, *river*) sich schlängeln ◆ **twist around** *v/t sep* = ***twist round*** II ◆ **twist off I** *v/i* ***the top twists off*** der Deckel lässt sich abschrauben **II** *v/t sep* abdrehen; *lid* abschrauben ◆ **twist round** (*esp Br*) **I** *v/i* sich umdrehen; (*road etc*) eine Biegung machen **II** *v/t sep* herumdrehen

twisted *adj rope* (zusammen)gedreht; (≈ *bent*) verbogen; (≈ *tangled*, *fig pej* ≈ *warped*) verdreht; *ankle* verrenkt; ***bitter and ~*** verbittert und verwirrt

twit *n* (*esp Br infml*) Trottel *m* (*infml*)

twitch I *n* (≈ *tic*) Zucken *nt* **II** *v/i* (*muscles*) zucken **III** *v/t nose* zucken mit

twitter I *v/i* zwitschern **II** *n* (*of birds*) Zwitschern *nt*

two I *adj* zwei; ***to cut sth in ~*** etw in zwei Teile schneiden; ***~ by ~, in ~s*** zu zweien; ***in ~s and threes*** immer zwei oder drei (Leute) auf einmal; ***to put ~ and ~ together*** (*fig*) zwei und zwei zusammenzählen; ***~'s company, three's a crowd*** ein Dritter stört nur; ***~ can play at that game*** (*infml*) den Spieß kann man auch umdrehen; → ***six*** **II** *n* Zwei *f*; ***just the ~ of us*** nur wir beide **two-dimensional** *adj* zweidimensional; (*fig* ≈ *superficial*) flach **two-door** *adj* zweitürig **two-edged** *adj* ***a ~ sword*** (*fig*) ein zweischneidiges Schwert **two-faced** *adj* (*fig*) falsch **twofold** *adj* zweifach, doppelt; ***a ~ increase*** ein Anstieg um das Doppelte; ***the advantages are ~*** das hat einen doppelten Vorteil **two-handed** *adj* beidhändig **two-legged** *adj* zweibeinig; ***a ~ animal*** ein Zweibeiner *m* **two-percent milk** *n* (*US*) Halbfettmilch *f* **two-piece** *adj* zweiteilig **two-pin plug** *n* Stecker *m* mit zwei Kontakten **two-seater** *adj* zweisitzig **twosome** *n* (≈ *people*) Paar *nt* **two-storey**, (*US*) **two-story** *adj* zweistöckig **two-time** *v/t* (*infml*) *boyfriend* betrügen **two-way** *adj relationship* wechselseitig; ***~ traffic*** Gegenverkehr *m* **two-way radio** *n* Funksprechgerät *nt*

tycoon *n* Magnat(in) *m*(*f*)

type[1] *n* **1.** (≈ *kind*) Art *f*; (*of produce*, *plant*) Sorte *f*; (≈ *character*) Typ *m*; ***different ~s of roses*** verschiedene Rosensorten *pl*; ***what ~ of car is it?*** was für ein Auto(typ) ist das?; ***Cheddar-~ cheese*** eine Art Cheddar; ***they're totally different ~s of person*** sie sind vom Typ her völlig verschieden; ***that ~ of behaviour*** (*Br*) *or* ***behavior*** (*US*) ein solches Benehmen; ***it's not my ~ of film*** diese Art Film gefällt mir nicht; ***he's not my ~*** er ist nicht mein Typ **2.** (*infml* ≈ *man*) Typ *m*

type[2] **I** *n* TYPO Type *f*; ***large ~*** große Schrift **II** *v/t* tippen **III** *v/i* tippen (*infml*) ◆ **type in** *v/t sep* eintippen; *esp* IT eingeben ◆ **type out** *v/t sep* tippen (*infml*)

typecast *pret*, *past part* **typecast** *v/t* THEAT (auf eine bestimmte Rolle) festlegen **typeface** *n* Schrift *f* **typescript** *n* Typoskript *nt* (*elev*) **typewriter** *n* Schreibmaschine *f* **typewritten** *adj* maschinengeschrieben

typhoid *n* (*a.* **typhoid fever**) Typhus *m*

typhoon *n* Taifun *m*

typhus *n* Fleckfieber *nt*

typical *adj* typisch (*of* für); ***~ male!*** typisch Mann!

typing *n* Tippen *nt* (*infml*) **typing error** *n* Tippfehler *m*

typist *n* (*professional*) Schreibkraft *f*

tyrannic(al) *adj*, **tyrannically** *adv* tyrannisch **tyrannize** *v/t* tyrannisieren **tyranny** *n* Tyrannei *f* **tyrant** *n* Tyrann(in) *m(f)*

tyre, (*US*) **tire** *n* Reifen *m*, Pneu *m* (*Swiss*)

Tyrol *n* ***the ~*** Tirol *nt*

tzar *n* = ***tsar***

U

U, u *n* U *nt*, u *nt*

ubiquitous *adj* allgegenwärtig

udder *n* Euter *nt*

UFO *abbr of* ***unidentified flying object*** UFO *nt*

ugliness *n* Hässlichkeit *f*

ugly *adj* (*+er*) hässlich übel; *situation* bedrohlich; ***to turn ~*** (*infml*) gemein werden

UHF *abbr of* ***ultrahigh frequency*** UHF

UHT *abbr of* ***ultra heat treated*** ultrahocherhitzt; ***~ milk*** H-Milch *f*

UK *abbr of* ***United Kingdom*** UK *nt*

Ukraine *n* ***the ~*** die Ukraine **Ukrainian I** *adj* ukrainisch; ***he is ~*** er ist Ukrainer **II** *n* Ukrainer(in) *m(f)*

ulcer *n* MED Geschwür *nt*

ulterior *adj purpose* verborgen; ***~ motive*** Hintergedanke *m*

ultimata *pl of* ***ultimatum*** **ultimate I** *adj* **1.** (≈ *final*) letzte(r, s); *decision* endgültig; *control* oberste(r, s); ***~ goal*** Endziel *nt*; ***what is your ~ ambition in life?*** was streben Sie letzten Endes im Leben an? **2.** (≈ *perfect*) vollendet, perfekt; ***the ~ insult*** der Gipfel der Beleidigung **II** *n* Nonplusultra *nt*; ***that is the ~ in comfort*** das ist das Höchste an Komfort **ultimately** *adv* (≈ *in the end*) letzten Endes **ultimatum** *n*, *pl* ***-s or ultimata*** Ultimatum *nt*; ***to deliver an ~ to sb*** jdm ein Ultimatum stellen

ultrahigh frequency *n* Ultrahochfrequenz *f* **ultrasound** *n* **1.** Ultraschall *m* **2.** (≈ *scan*) Ultraschalluntersuchung *f* **ultraviolet** *adj* ultraviolett

umbilical cord *n* Nabelschnur *f*

umbrella *n* **1.** (Regen)schirm *m* **2.** (≈ *sun umbrella*) Sonnenschirm *m* **umbrella organization** *n* Dachorganisation *f*

umpire I *n* Schiedsrichter(in) *m(f)* **II** *v/t* Schiedsrichter(in) sein bei **III** *v/i* (*in* bei) Schiedsrichter(in) sein

umpteen *adj* (*infml*) zig (*infml*) **umpteenth** *adj* (*infml*) x-te(r, s); ***for the ~ time*** zum x-ten Mal

UN *abbr of* ***United Nations*** UNO *f*, UN *pl*

unabated *adj* unvermindert; ***the storm continued ~*** der Sturm ließ nicht nach

unable *adj pred* ***to be ~ to do sth*** etw nicht tun können

unabridged *adj* ungekürzt

unacceptable *adj terms* unannehmbar; *excuse*, *offer* nicht akzeptabel; *conditions* untragbar; ***it's quite ~ that we should be expected to ...*** es kann doch nicht von uns verlangt werden, dass ...; ***it's quite ~ for young children to ...*** es kann nicht zugelassen werden, dass kleine Kinder ... **unacceptably** *adv* untragbar; *high* unannehmbar; *bad* unzumutbar

unaccompanied *adj person* ohne Begleitung

unaccountable *adj* (≈ *inexplicable*) unerklärlich **unaccountably** *adv* unerklärlicherweise; *disappear* auf unerklärliche Weise **unaccounted for** *adj* ungeklärt; ***£30 is still ~*** es ist noch ungeklärt, wo die £ 30 geblieben sind; ***three passengers are still ~*** drei Passagiere werden noch vermisst

unaccustomed *adj* ***to be ~ to sth*** etw nicht gewohnt sein; ***to be ~ to doing sth*** es nicht gewohnt sein, etw zu tun

unacquainted *adj pred* ***to be ~ with sth*** etw nicht kennen

unadulterated *adj* **1.** unverfälscht **2.** (*fig*) *nonsense* schier; *bliss* ungetrübt

unadventurous *adj life* wenig abenteuerlich; *style* einfallslos; *person* wenig unternehmungslustig

unaffected *adj* **1.** (≈ *not damaged*) nicht angegriffen **2.** (≈ *not influenced*) unbeeinflusst; (≈ *not involved*) nicht betroffen; (≈ *unmoved*) ungerührt; ***he remained quite ~ by all the noise*** der Lärm berührte *or* störte ihn überhaupt nicht

unafraid *adj* ***to be ~ of sb/sth*** vor jdm/etw keine Angst haben

unaided *adv* ohne fremde Hilfe

unalike *adj pred* ungleich
unalterable *adj fact* unabänderlich; *laws* unveränderlich **unaltered** *adj* unverändert
unambiguous *adj*, **unambiguously** *adv* eindeutig
unambitious *adj person*, *plan* nicht ehrgeizig (genug); *theatrical production* anspruchslos
unamused *adj* ***she was ~*** (***by this***) sie fand es *or* das überhaupt nicht lustig
unanimous *adj* einmütig; *decision* einstimmig; ***they were ~ in their condemnation of him*** sie haben ihn einmütig verdammt; ***by a ~ vote*** einstimmig **unanimously** *adv* einmütig; *vote* einstimmig
unannounced *adj*, *adv* unangemeldet
unanswered *adj* unbeantwortet
unapologetic *adj* unverfroren; ***he was so ~ about it*** es schien ihm überhaupt nicht leidzutun
unappealing *adj* nicht ansprechend; *prospect* nicht verlockend
unappetizing *adj* unappetitlich; *prospect* wenig verlockend
unappreciated *adj* nicht geschätzt *or* gewürdigt; ***she felt she was ~ by him*** sie hatte den Eindruck, dass er sie nicht zu schätzen wusste **unappreciative** *adj* undankbar; *audience* verständnislos
unapproachable *adj* unzugänglich
unarmed *adj*, *adv* unbewaffnet
unashamed *adj* schamlos **unashamedly** *adv* unverschämt; *say*, *admit* ohne Scham; *romantic*, *in favour of*, *partisan* unverhohlen
unassuming *adj* bescheiden
unattached *adj* **1.** (≈ *not fastened*) unbefestigt **2.** (*emotionally*) ungebunden
unattainable *adj* unerreichbar
unattended *adj children* unbeaufsichtigt; *luggage* unbewacht; ***to leave sth ~*** *car*, *luggage* etw unbewacht lassen; *shop* etw unbeaufsichtigt lassen; ***to be*** *or* ***go ~ to*** (*wound*, *injury*) nicht behandelt werden
unattractive *adj place* wenig reizvoll; *offer*, *woman* unattraktiv
unauthorized *adj* unbefugt
unavailable *adj* nicht erhältlich; *person* nicht zu erreichen *pred*; ***the minister was ~ for comment*** der Minister lehnte eine Stellungnahme ab
unavoidable *adj* unvermeidlich **unavoidably** *adv* notgedrungen; ***to be ~ detained*** verhindert sein
unaware *adj pred* ***to be ~ of sth*** sich (*dat*) einer Sache (*gen*) nicht bewusst sein; ***I was ~ of his presence*** ich hatte nicht bemerkt, dass er da war; ***I was ~ that there was a meeting going on*** ich wusste nicht, dass da gerade eine Besprechung stattfand **unawares** *adv* ***to catch*** *or* ***take sb ~*** jdn überraschen
unbalanced *adj* **1.** *painting*, *diet* unausgewogen; *report* einseitig **2.** (*a.* **mentally unbalanced**) nicht ganz normal
unbearable *adj*, **unbearably** *adv* unerträglich
unbeatable *adj* unschlagbar **unbeaten** *adj* ungeschlagen; *record* ungebrochen
unbecoming *adj behaviour*, *language etc* unschicklich, unziemlich (*elev*); *clothes* unvorteilhaft
unbelievable *adj* unglaublich **unbelievably** *adv* unglaublich; *good*, *pretty etc also* sagenhaft (*infml*) **unbeliever** *n* Ungläubige(r) *m*/*f*(*m*)
unbias(s)ed *adj* unvoreingenommen
unblemished *adj* makellos
unblock *v/t* frei machen; *pipe* die Verstopfung beseitigen in (+*dat*)
unbolt *v/t* aufriegeln; ***he left the door ~ed*** er verriegelte die Tür nicht
unborn *adj* ungeboren
unbowed *adj* (*fig*) ungebrochen; *pride* ungebeugt
unbreakable *adj glass* unzerbrechlich; *rule* unumstößlich
unbridgeable *adj* unüberbrückbar
unbridled *adj passion* ungezügelt
unbroken *adj* **1.** (≈ *intact*) unbeschädigt **2.** (≈ *continuous*) ununterbrochen **3.** *record* ungebrochen
unbuckle *v/t* aufschnallen
unburden *v/t* (*fig*) ***to ~ oneself to sb*** jdm sein Herz ausschütten
unbutton *v/t* aufknöpfen
uncalled-for *adj* (≈ *unnecessary*) unnötig
uncannily *adv* unheimlich; ***to look ~ like sb/sth*** jdm / einer Sache auf unheimliche Weise ähnlich sehen **uncanny** *adj* unheimlich; ***to bear an ~ resemblance to sb*** jdm auf unheimliche Weise ähnlich sehen
uncared-for *adj garden* ungepflegt; *child* vernachlässigt **uncaring** *adj* gleichgültig; *parents* lieblos
unceasing *adj*, **unceasingly** *adv* unauf-

hörlich
uncensored *adj* unzensiert
unceremoniously *adv* (≈ *abruptly*) ohne Umschweife
uncertain *adj* **1.** (≈ *unsure*) unsicher; ***to be ~ of** or **about sth*** sich (*dat*) einer Sache (*gen*) nicht sicher sein **2.** *weather* unbeständig **3.** ***in no ~ terms*** klar und deutlich
uncertainty *n* (≈ *state*) Ungewissheit *f*; (≈ *indefiniteness*) Unbestimmtheit *f*; (≈ *doubt*) Zweifel *m*, Unsicherheit *f*; ***there is still some ~ as to whether ...*** es besteht noch Ungewissheit, ob ...
unchallenged *adj* unangefochten
unchanged *adj* unverändert **unchanging** *adj* unveränderlich
uncharacteristic *adj* untypisch (*of* für) **uncharacteristically** *adv* auf untypische Weise
uncharitable *adj* *remark* unfreundlich; *view, person* herzlos; *attitude* hartherzig
uncharted *adj* ***to enter ~ territory*** (*fig*) sich in unbekanntes Terrain begeben
unchecked *adj* (≈ *unrestrained*) ungehemmt; ***to go ~*** (*advance*) nicht gehindert werden
uncivil *adj* unhöflich **uncivilized** *adj* unzivilisiert
unclaimed *adj* *prize* nicht abgeholt
unclassified *adj* **1.** (≈ *not arranged*) nicht klassifiziert **2.** (≈ *not secret*) nicht geheim
uncle *n* Onkel *m*
unclean *adj* unsauber
unclear *adj* unklar; ***to be ~ about sth*** sich (*dat*) über etw (*acc*) im Unklaren sein
unclog *v/t* die Verstopfung beseitigen in (+*dat*)
uncoil **I** *v/t* abwickeln **II** *v/i & v/r* (*snake*) sich langsam strecken
uncollected *adj* *rubbish* nicht abgeholt; *tax* nicht eingezogen
uncombed *adj* ungekämmt
uncomfortable *adj* **1.** unbequem **2.** *feeling* ungut; *silence* peinlich; ***to feel ~*** sich unbehaglich fühlen; ***I felt ~ about it/about doing it*** ich hatte ein ungutes Gefühl dabei; ***to put sb in an ~ position*** jdn in eine heikle Lage bringen **3.** *fact, position* unerfreulich **uncomfortably** *adv* **1.** unbequem **2.** (≈ *uneasily*) unbehaglich **3.** (≈ *unpleasantly*) unangenehm
uncommon *adj* **1.** (≈ *unusual*) ungewöhnlich **2.** (≈ *outstanding*) außergewöhnlich
uncommunicative *adj* verschlossen
uncomplaining *adj* duldsam
uncomplicated *adj* unkompliziert
uncomplimentary *adj* unschmeichelhaft
uncomprehending *adj*, **uncomprehendingly** *adv* verständnislos
uncompromising *adj* kompromisslos; *commitment* hundertprozentig
unconcerned *adj* (≈ *unworried*) unbekümmert; (≈ *indifferent*) gleichgültig; ***to be ~ about sth*** sich nicht um etw kümmern; ***to be ~ by sth*** von etw unberührt sein
unconditional *adj* vorbehaltlos; *surrender* bedingungslos; *support* uneingeschränkt
unconfirmed *adj* unbestätigt
unconnected *adj* ***the two events are ~*** es besteht keine Beziehung zwischen den beiden Ereignissen
unconscious **I** *adj* **1.** MED bewusstlos; ***the blow knocked him ~*** durch den Schlag wurde er bewusstlos **2.** *pred* ***to be ~ of sth*** sich (*dat*) einer Sache (*gen*) nicht bewusst sein; ***I was ~ of the fact that ...*** ich war mir *or* es war mir nicht bewusst, dass ... **3.** PSYCH unbewusst; ***at** or **on an ~ level*** auf der Ebene des Unbewussten **II** *n* PSYCH ***the ~*** das Unbewusste **unconsciously** *adv* unbewusst
unconstitutional *adj*, **unconstitutionally** *adv* verfassungswidrig
uncontaminated *adj* nicht verseucht; *people* (*fig*) unverdorben
uncontested *adj* unbestritten; *election* ohne Gegenkandidat
uncontrollable *adj* unkontrollierbar; *rage* unbezähmbar; *desire* unwiderstehlich **uncontrollably** *adv* unkontrollierbar; *weep* hemmungslos; *laugh* unkontrolliert
unconventional *adj* unkonventionell
unconvinced *adj* nicht überzeugt (*of* von); ***his arguments leave me ~*** seine Argumente überzeugen mich nicht **unconvincing** *adj* nicht überzeugend; ***rather ~*** wenig überzeugend **unconvincingly** *adv* wenig überzeugend
uncooked *adj* ungekocht, roh
uncooperative *adj* *attitude* stur; *witness* wenig hilfreich
uncoordinated *adj* unkoordiniert
uncork *v/t* entkorken

uncorroborated *adj* unbestätigt; *evidence* nicht bekräftigt
uncountable *adj* GRAM unzählbar
uncouple *v/t* abkoppeln
uncouth *adj person* ungehobelt; *behaviour* unflätig
uncover *v/t* aufdecken
uncritical *adj*, **uncritically** *adv* unkritisch (*of*, *about* in Bezug auf *+acc*)
uncross *v/t* ***he ~ed his legs*** er nahm das Bein vom Knie; ***she ~ed her arms*** sie löste ihre verschränkten Arme
uncrowded *adj* nicht überlaufen
uncrowned *adj* (*lit*, *fig*) ungekrönt
uncultivated *adj* unkultiviert
uncurl *v/i* glatt werden; (*snake*) sich langsam strecken
uncut *adj* **1.** ungeschnitten; ***~ diamond*** Rohdiamant *m* **2.** (≈ *unabridged*) ungekürzt
undamaged *adj* unbeschädigt; (*fig*) makellos
undaunted *adj* unverzagt
undecided *adj person* unentschlossen; ***he is ~ as to whether he should go or not*** er ist (sich) noch unschlüssig, ob er gehen soll oder nicht; ***to be ~ about sth*** sich (*dat*) über etw (*acc*) im Unklaren sein
undefeated *adj team* unbesiegt; *champion* ungeschlagen
undelete *v/t* IT ***to ~ sth*** das Löschen von etw rückgängig machen
undemanding *adj* anspruchslos; *task* wenig fordernd
undemocratic *adj*, **undemocratically** *adv* undemokratisch
undemonstrative *adj* zurückhaltend
undeniable *adj* unbestreitbar **undeniably** *adv* zweifellos; *successful* unbestreitbar
under I *prep* **1.** unter (*+dat*); (*with motion*) unter (*+acc*); ***~ it*** darunter; ***to come out from ~ the bed*** unter dem Bett hervorkommen; ***it's ~ there*** es ist da drunter (*infml*); ***~ an hour*** weniger als eine Stunde; ***there were ~ 50 of them*** es waren weniger als 50; ***he died ~ the anaesthetic*** (*Br*) *or* ***anesthetic*** (*US*) er starb in der Narkose; ***~ construction*** im Bau; ***the matter ~ discussion*** der Diskussionsgegenstand; ***to be ~ the doctor*** in (ärztlicher) Behandlung sein; ***~ an assumed name*** unter falschem Namen **2.** (≈ *according to*) gemäß (*+dat*) **II** *adv* **1.** (≈ *beneath*) unten; (≈ *unconscious*) bewusstlos; ***to go ~*** untergehen **2.** (≈ *less*) darunter **under-** *pref* (*in rank*) Unter-; ***for the ~twelves*** für Kinder unter zwölf **underachiever** *n* ***Johnny is an ~*** Johnnys Leistungen bleiben hinter den Erwartungen zurück **underage** *adj attr* minderjährig **underarm I** *adj* **1.** Unterarm- **2.** *throw* von unten **II** *adv* von unten **undercarriage** *n* AVIAT Fahrwerk *nt* **undercharge** *v/t* ***he ~d me by 50p*** er berechnete mir 50 Pence zu wenig **underclass** *n* Unterklasse *f* **underclothes** *pl* Unterwäsche *f* **undercoat** *n* (≈ *paint*) Grundierfarbe *f*; (≈ *coat*) Grundierung *f* **undercook** *v/t* nicht durchgaren **undercover I** *adj* geheim; ***~ agent*** Geheimagent(in) *m*(*f*) **II** *adv* ***to work ~*** als verdeckter Ermittler / verdeckte Ermittlerin arbeiten **undercurrent** *n* Unterströmung *f* **undercut** *pret*, *past part* ***undercut*** *v/t competitor*, *fare* (im Preis) unterbieten **underdeveloped** *adj* unterentwickelt **underdog** *n* Benachteiligte(r) *m*/*f*(*m*) **underdone** *adj* nicht gar; *steak* nicht durchgebraten **underestimate I** *v/t* unterschätzen **II** *n* Unterschätzung *f* **underfoot** *adv* am Boden; ***it is wet ~*** der Boden ist nass; ***to trample sb/sth ~*** auf jdm / etw herumtrampeln **underfunded** *adj* unterfinanziert **underfunding** *n* Unterfinanzierung *f* **undergo** *pret* ***underwent***, *past part* ***undergone*** *v/t process* durchmachen; *training* mitmachen; *test*, *operation* sich unterziehen (*+dat*); ***to ~ repairs*** in Reparatur sein **undergrad** (*infml*), **undergraduate I** *n* Student(in) *m*(*f*) **II** *attr course* für nicht graduierte Studenten
underground I *adj* **1.** *lake*, *passage* unterirdisch **2.** (*fig* ≈ *secret*) Untergrund- **3.** (≈ *alternative*) Underground- **II** *adv* **1.** unterirdisch; MIN unter Tage; ***3 m ~*** 3 m unter der Erde **2.** (*fig*) ***to go ~*** untertauchen **III** *n* **1.** (*Br* RAIL) U-Bahn *f* **2.** (≈ *movement*) Untergrundbewegung *f*; (≈ *subculture*) Underground *m* **underground station** *n* (*Br* RAIL) U-Bahnhof *m*
undergrowth *n* Gestrüpp *nt* **underhand** *adj* hinterhältig **underinvestment** *n* mangelnde *or* unzureichende Investitionen *pl* **underlie** *pret* ***underlay***, *past part* ***underlain*** *v/t* (*fig*) zugrunde liegen (*+dat*) **underline** *v/t* unterstreichen **un-**

derlying *adj* **1.** *rocks* tiefer liegend **2.** *cause* eigentlich; *problem* zugrunde liegend; *tension* unterschwellig **undermine** *v/t* **1.** (≈ *weaken*) schwächen **2.** (*fig*) unterminieren

underneath **I** *prep* (*place*) unter (+*dat*); (*direction*) unter (+*acc*); ***~ it*** darunter; ***to come out from ~ sth*** unter etw (*dat*) hervorkommen **II** *adv* darunter **III** *n* Unterseite *f*

undernourished *adj* unterernährt **underpants** *pl* Unterhose(n) *f*(*pl*); ***a pair of ~*** eine Unterhose **underpass** *n* Unterführung *f* **underpin** *v/t* (*fig*) *argument*, *claim* untermauern; *economy*, *market etc* (ab)stützen **underpopulated** *adj* unterbevölkert **underprivileged** *adj* unterprivilegiert **underqualified** *adj* unterqualifiziert **underrated** *adj* unterschätzt **undersea** *adj* Unterwasser- **undershirt** *n* (*US*) Unterhemd *nt*, Leiberl *nt* (*Aus*), Leibchen *nt* (*Aus*, *Swiss*) **undershorts** *pl* (*US*) Unterhose(n) *f*(*pl*) **underside** *n* Unterseite *f* **undersigned** *n* ***we the ~*** wir, die Unterzeichneten **undersized** *adj* klein **underskirt** *n* Unterrock *m* **understaffed** *adj office* unterbesetzt; *hospital* mit zu wenig Personal

understand *pret*, *past part* ***understood*** **I** *v/t* **1.** verstehen; ***I don't ~ Russian*** ich verstehe kein Russisch; ***what do you ~ by "pragmatism"?*** was verstehen Sie unter „Pragmatismus“? **2.** ***I ~ that you are going to Australia*** ich höre, Sie gehen nach Australien; ***I understood (that) he was abroad*** ich dachte, er sei im Ausland; ***am I to ~ that ...?*** soll das etwa heißen, dass ...?; ***as I ~ it, ...*** soweit ich weiß, ... **II** *v/i* **1.** verstehen; ***but you don't ~, I must have the money now*** aber verstehen Sie doch, ich brauche das Geld jetzt! **2.** (≈ *believe*) ***so I ~*** es scheint so **understandable** *adj* verständlich **understandably** *adv* verständlicherweise **understanding** **I** *adj* verständnisvoll **II** *n* **1.** (≈ *intelligence*) Auffassungsgabe *f*; (≈ *knowledge*) Kenntnisse *pl*; (≈ *sympathy*) Verständnis *nt*; ***my ~ of the situation is that ...*** ich verstehe die Situation so, dass ...; ***it was my ~ that ...*** ich nahm an, dass ... **2.** (≈ *agreement*) Abmachung *f*; ***to come to an ~ with sb*** eine Abmachung mit jdm treffen; ***Susie and I have an ~*** Susie und ich haben unsere Abmachung **3.** (≈ *assumption*) ***on the ~ that ...*** unter der Voraussetzung, dass ...

understate *v/t* herunterspielen **understated** *adj film etc* subtil; *colours* gedämpft; *performance* zurückhaltend **understatement** *n* Untertreibung *f*

understood **I** *pret*, *past part of* ***understand*** **II** *adj* **1.** (≈ *clear*) klar; ***to make oneself ~*** sich verständlich machen; ***do I make myself ~?*** ist das klar?; ***I thought that was ~!*** ich dachte, das sei klar **2.** (≈ *believed*) angenommen; ***he is ~ to have left*** es heißt, dass er gegangen ist

understudy *n* THEAT zweite Besetzung

undertake *pret* ***undertook***, *past part* ***undertaken*** *v/t* **1.** *job* übernehmen **2.** (≈ *agree*) sich verpflichten **undertaker** *n* (Leichen)bestatter(in) *m*(*f*); (≈ *company*) Bestattungsinstitut *nt* **undertaking** *n* (≈ *enterprise*) Vorhaben *nt*; (≈ *project*) Projekt *nt* **undertone** *n* **1.** ***in an ~*** mit gedämpfter Stimme **2.** (*fig*) ***an ~ of racism*** ein rassistischer Unterton **undertook** *pret of* ***undertake*** **undertow** *n* Unterströmung *f* **undervalue** *v/t person* zu wenig schätzen **underwater** **I** *adj* Unterwasser- **II** *adv* unter Wasser **underwear** *n* Unterwäsche *f* **underweight** *adj* untergewichtig; ***to be ~*** Untergewicht haben **underwent** *pret of* ***undergo*** **underworld** *n* Unterwelt *f* **underwrite** *pret* ***underwrote***, *past part* ***underwritten*** *v/t* (≈ *guarantee*) bürgen für; (≈ *insure*) versichern

undeserved *adj* unverdient **undeservedly** *adv* unverdient(ermaßen) **undeserving** *adj* unwürdig

undesirable **I** *adj effect* unerwünscht; *influence*, *characters* übel **II** *n* (≈ *person*) unerfreuliches Element

undetected *adj* unentdeckt; ***to go ~*** nicht entdeckt werden

undeterred *adj* keineswegs entmutigt; ***the teams were ~ by the weather*** das Wetter schreckte die Mannschaften nicht ab

undeveloped *adj* unentwickelt; *land* ungenutzt

undid *pret of* **undo**

undies *pl* (*infml*) (Unter)wäsche *f*

undignified *adj* (≈ *inelegant*) unelegant

undiluted *adj* unverdünnt; (*fig*) *truth* unverfälscht

undiminished *adj* unvermindert
undiplomatic *adj*, **undiplomatically** *adv* undiplomatisch
undisciplined *adj person* undiszipliniert
undisclosed *adj* geheim gehalten; *fee* ungenannt
undiscovered *adj* unentdeckt
undisputed *adj* unbestritten
undisturbed *adj papers, village* unberührt; *sleep* ungestört
undivided *adj attention* ungeteilt; *support* voll; *loyalty* absolut
undo *pret* **undid**, *past part* **undone** *v/t* **1.** (≈ *unfasten*) aufmachen; *button, dress, parcel* öffnen; *knot* lösen **2.** *decision* rückgängig machen; IT *command* rückgängig machen **undoing** *n* Verderben *nt* **undone I** *past part of* **undo II** *adj* **1.** (≈ *unfastened*) offen; ***to come ~*** aufgehen **2.** *task* unerledigt; ***to leave sth ~*** etw ungetan lassen
undoubted *adj* unbestritten **undoubtedly** *adv* zweifellos
undreamt-of, (*US*) **undreamed-of** *adj* ungeahnt
undress I *v/t* ausziehen; ***to get ~ed*** sich ausziehen **II** *v/i* sich ausziehen
undrinkable *adj* ungenießbar
undulating *adj countryside* hügelig; *path* auf und ab führend
unduly *adv* übermäßig; *optimistic* zu; ***you're worrying ~*** Sie machen sich (*dat*) unnötige Sorgen
undying *adj love* unsterblich
unearth *v/t* ausgraben; (*fig*) *evidence* zutage bringen **unearthly** *adj calm* unheimlich; (*infml*) *racket* schauerlich
unease *n* Unbehagen *nt* **uneasily** *adv* unbehaglich; *sleep* unruhig **uneasiness** *n* (≈ *awkwardness*) Beklommenheit *f*; (≈ *anxiety*) Unruhe *f* **uneasy** *adj silence* unbehaglich; *peace* unsicher; *alliance* instabil; *feeling* beklemmend; ***to be ~*** (≈ *ill at ease*) beklommen sein; (≈ *worried*) beunruhigt sein; ***I am*** *or* ***feel ~ about it*** mir ist nicht wohl dabei; ***to make sb ~*** jdn beunruhigen; ***to grow*** *or* ***become ~ about sth*** sich über etw (*acc*) beunruhigen
uneconomic(al) *adj* unwirtschaftlich
uneducated *adj* ungebildet
unemotional *adj* nüchtern
unemployed I *adj person* arbeitslos **II** *pl* ***the ~*** *pl* die Arbeitslosen *pl*
unemployment *n* Arbeitslosigkeit *f* **unemployment benefit**, (*US*) **unemployment compensation** *n* Arbeitslosenunterstützung *f*
unending *adj* (≈ *everlasting*) ewig; (≈ *incessant*) endlos
unenthusiastic *adj* wenig begeistert **unenthusiastically** *adv* ohne Begeisterung
unenviable *adj* wenig beneidenswert
unequal *adj* ungleich; ***~ in length*** unterschiedlich lang; ***to be ~ to a task*** einer Aufgabe (*dat*) nicht gewachsen sein **unequalled**, (*US*) **unequaled** *adj* unübertroffen
unequivocal *adj* **1.** unmissverständlich; *proof* unzweifelhaft **2.** *support* rückhaltlos **unequivocally** *adv* unmissverständlich; *state, answer also* eindeutig; *support* rückhaltlos
unerring *adj accuracy* unfehlbar
unethical *adj* unmoralisch
uneven *adj surface* uneben; *number* ungerade; *contest* ungleich **unevenly** *adv spread* unregelmäßig; *share* ungleichmäßig **unevenness** *n* (*of surface*) Unebenheit *f*; (*of pace, colour, distribution*) Ungleichmäßigkeit *f*; (*of quality*) Unterschiedlichkeit *f*; (*of contest, competition*) Ungleichheit *f*
uneventful *adj day* ereignislos; *life* ruhig
unexceptional *adj* alltäglich, durchschnittlich
unexciting *adj* nicht besonders aufregend; (≈ *boring*) langweilig, fad (*Aus*)
unexpected *adj* unerwartet **unexpectedly** *adv* unerwartet; *arrive, happen also* unvorhergesehen
unexplained *adj* ungeklärt; *mystery* unaufgeklärt
unexplored *adj* unerforscht
unfailing *adj* unerschöpflich; *support, accuracy* beständig
unfair *adj* unfair; ***to be ~ to sb*** jdm gegenüber unfair sein **unfair dismissal** *n* ungerechtfertigte Entlassung **unfairly** *adv* unfair; *accuse, dismissed* zu Unrecht **unfairness** *n* Ungerechtigkeit *f*
unfaithful *adj lover* untreu **unfaithfulness** *n* (*of lover*) Untreue *f*
unfamiliar *adj* ungewohnt; *subject, person* fremd; ***~ territory*** (*fig*) Neuland *nt*; ***to be ~ with sth*** mit etw nicht vertraut sein; *with machine etc* sich mit etw nicht auskennen **unfamiliarity** *n* (*of surroundings*) Ungewohntheit *f*; (*of subject, per-*

son) Fremdheit *f*; ***because of my ~ with ...*** wegen meiner mangelnden Vertrautheit mit ...

unfashionable *adj* unmodern; *district* wenig gefragt; *subject* nicht in Mode

unfasten I *v/t* aufmachen; *tag, horse etc* losbinden **II** *v/i* aufgehen

unfavourable, (*US*) **unfavorable** *adj* ungünstig **unfavourably**, (*US*) **unfavorably** *adv react* ablehnend; *regard* ungünstig; ***to compare ~ with sth*** im Vergleich mit etw schlecht abschneiden

unfeasible *adj* nicht machbar

unfeeling *adj* gefühllos

unfinished *adj* unfertig; *work of art* unvollendet; ***~ business*** unerledigte Geschäfte *pl*

unfit *adj* **1.** (≈ *unsuitable*) ungeeignet; (≈ *incompetent*) unfähig; ***to be ~ to do sth*** (*physically*) nicht fähig sein, etw zu tun; (*mentally*) außerstande sein, etw zu tun; ***~ to drive*** fahruntüchtig; ***he is ~ to be a lawyer*** er ist als Jurist untauglich; ***to be ~ for (human) consumption*** nicht zum Verzehr geeignet sein **2.** (SPORTS ≈ *injured*) nicht fit; (*in health*) schlecht in Form; ***~ (for military service)*** (dienst)untauglich; ***to be ~ for work*** arbeitsunfähig sein

unflagging *adj enthusiasm* unerschöpflich; *interest* unverändert stark

unflappable *adj* (*infml*) unerschütterlich; ***to be ~*** die Ruhe weghaben (*infml*)

unflattering *adj* wenig schmeichelhaft

unflinching *adj* unerschrocken; *support* unbeirrbar

unfocus(s)ed *adj eyes* unkoordiniert; *debate* weitschweifig; *campaign* zu allgemein angelegt

unfold I *v/t paper* auseinanderfalten; *wings* ausbreiten; *arms* lösen **II** *v/i* (*story*) sich abwickeln

unforced *adj* ungezwungen

unforeseeable *adj* unvorhersehbar **unforeseen** *adj* unvorhergesehen; ***due to ~ circumstances*** aufgrund unvorhergesehener Umstände

unforgettable *adj* unvergesslich

unforgivable *adj*, **unforgivably** *adv* unverzeihlich **unforgiving** *adj* unversöhnlich

unformatted *adj* IT unformatiert

unforthcoming *adj* nicht sehr mitteilsam; ***to be ~ about sth*** sich nicht zu etw äußern wollen

unfortunate *adj* unglücklich; *person* glücklos; *event, error* unglückselig; ***to be ~*** (*person*) Pech haben; ***it is ~ that ...*** es ist bedauerlich, dass ...

unfortunately *adv* leider

unfounded *adj* unbegründet; *allegations* aus der Luft gegriffen

unfriendliness *n* Unfreundlichkeit *f* **unfriendly** *adj* unfreundlich (*to sb* zu jdm)

unfulfilled *adj* unerfüllt; *person, life* unausgefüllt

unfurl I *v/t flag* aufrollen; *sail* losmachen **II** *v/i* sich entfalten

unfurnished *adj* unmöbliert

ungainly *adj* unbeholfen

ungenerous *adj* kleinlich

ungodly *adj* (*infml*) *hour* unchristlich (*infml*)

ungraceful *adj* nicht anmutig

ungracious *adj* unhöflich; (≈ *gruff*) *grunt, refusal* schroff; *answer* rüde **ungraciously** *adv say, respond* schroff

ungrammatical *adj*, **ungrammatically** *adv* grammatikalisch falsch

ungrateful *adj*, **ungratefully** *adv* undankbar (*to* gegenüber)

unguarded *adj* **1.** (≈ *undefended*) unbewacht **2.** (*fig* ≈ *careless*) unachtsam; ***in an ~ moment he ...*** als er einen Augenblick nicht aufpasste, ... er ...

unhampered *adj* ungehindert

unhappily *adv* unglücklich **unhappiness** *n* **1.** Traurigkeit *f* **2.** (≈ *discontent*) Unzufriedenheit *f*

unhappy *adj* (*+er*) **1.** unglücklich; *look* traurig **2.** (≈ *not pleased*) unzufrieden (*about* mit); (≈ *uneasy*) unwohl; ***to be ~ with sb/sth*** mit jdm/etw unzufrieden sein; ***to be ~ about doing sth*** nicht glücklich darüber sein, etw zu tun; ***if you feel ~ about it*** (≈ *worried*) wenn Ihnen dabei nicht wohl ist

unharmed *adj* unverletzt

unhealthy *adj* **1.** *person* nicht gesund; *life, complexion* ungesund **2.** *interest* krankhaft; ***it's an ~ relationship*** das ist eine verderbliche Beziehung

unheard *adj* ***to go ~*** ungehört bleiben **unheard-of** *adj* (≈ *unknown*) gänzlich unbekannt; (≈ *unprecedented*) noch nicht da gewesen

unheeded *adj* ***to go ~*** auf taube Ohren stoßen

unhelpful *adj person* nicht hilfreich; *advice* wenig hilfreich; ***you are being very***

~ du bist aber wirklich keine Hilfe **unhelpfully** *adv* wenig hilfreich
unhesitating *adj* prompt **unhesitatingly** *adv* ohne Zögern
unhindered *adj* (*by luggage etc*) unbehindert; (*by regulations*) ungehindert
unhitch *v/t horse* (*from post*) losbinden; (*from wagon*) ausspannen; *caravan*, *engine* abkoppeln
unholy *adj* (+*er*) REL *alliance* übel; *mess* heillos; *hour* unchristlich (*infml*)
unhook I *v/t latch* loshaken; *dress* aufhaken **II** *v/i* sich aufhaken lassen
unhurried *adj pace*, *person* gelassen **unhurriedly** *adv* in aller Ruhe
unhurt *adj* unverletzt
unhygienic *adj* unhygienisch
unicorn *n* Einhorn *nt*
unidentifiable *adj object*, *smell*, *sound* unidentifizierbar; *body* nicht identifizierbar **unidentified** *adj* unbekannt; *body* nicht identifiziert
unification *n* (*of country*) Einigung *f*
uniform I *adj length*, *colour* einheitlich; *temperature* gleichbleibend **II** *n* Uniform *f*; ***in ~*** in Uniform; ***out of ~*** in Zivil **uniformity** *n* Einheitlichkeit *f*; (*of temperature*) Gleichmäßigkeit *f* **uniformly** *adv measure*, *paint*, *tax* einheitlich; *heat* gleichmäßig; *treat* gleich; (*pej*) einförmig (*pej*)
unify *v/t* einigen
unilateral *adj* einseitig **unilaterally** *adv* einseitig; POL *also* unilateral
unimaginable *adj* unvorstellbar **unimaginative** *adj*, **unimaginatively** *adv* fantasielos
unimpaired *adj* unbeeinträchtigt
unimpeachable *adj reputation*, *character* untadelig; *proof*, *honesty* unanfechtbar; *person* über jeden Zweifel erhaben
unimpeded *adj* ungehindert
unimportant *adj* unwichtig
unimposing *adj* unscheinbar
unimpressed *adj* unbeeindruckt; ***I was ~ by his story*** seine Geschichte hat mich überhaupt nicht beeindruckt **unimpressive** *adj* wenig beeindruckend
uninformed *adj* (≈ *not knowing*) nicht informiert (*about* über +*acc*); (≈ *ignorant also*) unwissend; *criticism* blindwütig; *comment*, *rumour* unfundiert; ***to be ~ about sth*** über etw (*acc*) nicht Bescheid wissen
uninhabitable *adj* unbewohnbar **uninhabited** *adj* unbewohnt
uninhibited *adj person* ohne Hemmungen
uninitiated I *adj* nicht eingeweiht **II** *n **the ~ pl*** Nichteingeweihte *pl*
uninjured *adj* unverletzt
uninspired *adj performance* fantasielos **uninspiring** *adj* trocken; *idea* nicht gerade aufregend
uninstall *v/t* IT deinstallieren
unintelligent *adj* unintelligent
unintelligible *adj person* nicht zu verstehen; *speech*, *writing* unverständlich
unintended, unintentional *adj* unabsichtlich **unintentionally** *adv* unabsichtlich, unbeabsichtigt; *funny* unfreiwillig
uninterested *adj* desinteressiert; ***to be ~ in sth*** an etw (*dat*) nicht interessiert sein **uninteresting** *adj* uninteressant
uninterrupted *adj* ununterbrochen; *view* ungestört
uninvited *adj guest* ungeladen **uninviting** *adj prospect* nicht (gerade) verlockend
union I *n* (≈ *act*, *association*) Vereinigung *f*; (≈ *trade union*) Gewerkschaft *f*; (≈ *students' union*) Studentenklub *m* **II** *adj attr* (≈ *trade union*) Gewerkschafts- **unionist I** *n* **1.** (≈ *trade unionist*) Gewerkschaftler(in) *m*(*f*) **2.** POL Unionist(in) *m*(*f*) **II** *adj* POL unionistisch **Union Jack** *n* Union Jack *m*
unique *adj* einzig *attr*; (≈ *outstanding*) einzigartig; ***such cases are not ~ to Britain*** solche Fälle sind nicht nur auf Großbritannien beschränkt **uniquely** *adv* (≈ *solely*) einzig und allein, nur; (≈ *outstandingly*) einmalig (*infml*)
unisex *adj* für Männer und Frauen
unison *n* MUS Einklang *m*; ***in ~*** einstimmig; ***to act in ~ with sb*** (*fig*) in Übereinstimmung mit jdm handeln
unit *n* Einheit *f*; (≈ *set of equipment*) Anlage *f*; (*of machine*) Teil *nt*; (*of course book*) Lektion *f*; ***~ of length*** Längeneinheit *f*
unite I *v/t* vereinigen; (*ties*) (ver)einen **II** *v/i* sich zusammenschließen; ***to ~ in doing sth*** gemeinsam etw tun; ***to ~ in grief/opposition to sth*** gemeinsam trauern / gegen etw Opposition machen
united *adj* verbunden; *front* geschlossen; *people*, *nation* einig; ***a ~ Ireland*** ein vereintes Irland; ***to be ~ in the** or **one's belief that ...*** einig sein in seiner Überzeu-

gung, dass ...

United Arab Emirates *pl* Vereinigte Arabische Emirate *pl*

United Kingdom *n* Vereinigtes Königreich (*Großbritannien und Nordirland*)

United Nations (Organization) *n* Vereinte Nationen *pl*

United States (of America) *pl* Vereinigte Staaten *pl* (von Amerika)

unity *n* Einheit *f*; ***national ~*** (nationale) Einheit

universal *adj* universell; *approval, peace* allgemein **universally** *adv* allgemein

universe *n* Universum *nt*

university **I** *n* Universität *f*; ***which ~ does he go to?*** wo studiert er?; ***to be at / go to ~*** studieren; ***to be at / go to London University*** in London studieren **II** *adj attr* Universitäts-; *education* akademisch; ***~ teacher*** Hochschullehrer(in) *m(f)*

unjust *adj* ungerecht (*to* gegen) **unjustifiable** *adj* nicht zu rechtfertigend *attr*, nicht zu rechtfertigen *pred* **unjustifiably** *adv expensive, critical, act* ungerechtfertigt; *criticize, dismiss* zu Unrecht **unjustified** *adj* ungerechtfertigt **unjustly** *adv* zu Unrecht; *judge, treat* ungerecht

unkempt *adj* ungepflegt; *hair* ungekämmt

unkind *adj* (*+er*) (≈ *not nice*) unfreundlich; (≈ *cruel*) gemein; ***don't be (so) ~!*** das ist aber gar nicht nett (von dir)! **unkindly** *adv* unfreundlich; (≈ *cruelly*) gemein **unkindness** *n* Unfreundlichkeit *f*; (≈ *cruelty*) Gemeinheit *f*

unknowingly *adv* unwissentlich

unknown **I** *adj* unbekannt; ***~ territory*** Neuland *nt* **II** *n* ***the ~*** das Unbekannte; ***a journey into the ~*** eine Fahrt ins Ungewisse **III** *adv* ***~ to me*** ohne dass ich es wusste

unlawful *adj* gesetzwidrig **unlawfully** *adv* gesetzwidrig, illegal; *imprison* ungesetzlich

unleaded **I** *adj* bleifrei **II** *n* bleifreies Benzin

unleash *v/t* (*fig*) entfesseln

unleavened *adj* ungesäuert

unless *cj* es sei denn; (*at beginning of sentence*) wenn ... nicht; ***don't do it ~ I tell you to*** mach das nicht, es sei denn, ich sage es dir; ***~ I tell you to, don't do it*** wenn ich es dir nicht sage, mach das nicht; ***~ I am mistaken ...*** wenn *or* falls ich mich nicht irre ...

unlicensed *adj premises* ohne (Schank)-konzession

unlike *prep* **1.** im Gegensatz zu **2.** (≈ *uncharacteristic of*) ***to be quite ~ sb*** jdm (gar) nicht ähnlichsehen **3.** ***this house is ~ their former one*** dieses Haus ist ganz anders als ihr früheres

unlikeable *adj* unsympathisch

unlikely *adj* (*+er*) unwahrscheinlich; ***it is (most) ~/not ~ that ...*** es ist (höchst) unwahrscheinlich / es kann durchaus sein, dass ...; ***she is ~ to come*** sie kommt höchstwahrscheinlich nicht; ***he's ~ to be chosen*** es ist unwahrscheinlich, dass er gewählt wird; ***in the ~ event of war*** im unwahrscheinlichen Fall eines Krieges

unlimited *adj* unbegrenzt; *access* uneingeschränkt

unlisted *adj company, items* nicht verzeichnet; ***the number is ~*** (*US* TEL) die Nummer steht nicht im Telefonbuch

unlit *adj road* unbeleuchtet; *lamp* nicht angezündet; *fire, cigarette* unangezündet

unload **I** *v/t ship, gun* entladen; *luggage, car* ausladen; *cargo* löschen **II** *v/i* (*ship*) löschen; (*truck*) abladen

unlock *v/t door etc* aufschließen; ***the door is ~ed*** die Tür ist nicht abgeschlossen; ***to leave a door ~ed*** eine Tür nicht abschließen

unloved *adj* ungeliebt

unluckily *adv* zum Pech; ***~ for him*** zu seinem Pech **unlucky** *adj* (*+er*) *person, action* unglückselig; *loser, coincidence* unglücklich; ***to be ~*** Pech haben; (≈ *bring bad luck*) Unglück bringen; ***it was ~ for her that she was seen*** Pech für sie, dass man sie gesehen hat; ***~ number*** Unglückszahl *f*

unmanageable *adj size* unhandlich; *number* nicht zu bewältigen; *person, hair* widerspenstig; *situation* unkontrollierbar

unmanly *adj* unmännlich

unmanned *adj* unbemannt

unmarked *adj* **1.** (≈ *unstained*) ohne Flecken; (≈ *without marking*) ungezeichnet; *police car* nicht gekennzeichnet; *grave* anonym **2.** SPORTS *player* ungedeckt **3.** SCHOOL *papers* unkorrigiert

unmarried *adj* unverheiratet; ***~ mother*** ledige Mutter

unmask *v/t* (*lit*) demaskieren; (*fig*) entlarven

unmatched *adj* unübertroffen (*for* in Bezug auf +*acc*); **~ *by anyone*** von niemandem übertroffen
unmentionable *adj* tabu *pred*
unmissable *adj* (*Br infml*) ***to be ~*** ein Muss sein
unmistak(e)able *adj* unverkennbar; (*visually*) unverwechselbar **unmistak(e)ably** *adv* unverkennbar
unmitigated *adj* (*infml*) *disaster* vollkommen; *success* total
unmotivated *adj* unmotiviert; *attack also* grundlos
unmoved *adj person* ungerührt; ***they were ~ by his playing*** sein Spiel(en) ergriff sie nicht
unnamed *adj* (≈ *anonymous*) ungenannt
unnatural *adj* unnatürlich; ***to die an ~ death*** keines natürlichen Todes sterben **unnaturally** *adv* unnatürlich; (≈ *extraordinarily also*) *loud*, *anxious* ungewöhnlich
unnecessarily *adv* unnötigerweise; *strict* unnötig **unnecessary** *adj* unnötig; (≈ *not requisite*) nicht nötig
unnerve *v/t* entnerven; (*gradually*) zermürben; (≈ *discourage*) entmutigen; ***~d by their reaction*** durch ihre Reaktion aus der Ruhe gebracht **unnerving** *adj* entnervend
unnoticed *adj* unbemerkt
unobservant *adj* unaufmerksam; ***to be ~*** ein schlechter Beobachter sein **unobserved** *adj* unbemerkt
unobstructed *adj view* ungehindert
unobtainable *adj* nicht erhältlich; *goal* unerreichbar
unobtrusive *adj*, **unobtrusively** *adv* unauffällig
unoccupied *adj person* unbeschäftigt; *house* leer stehend; *seat* frei
unofficial *adj* inoffiziell **unofficially** *adv* inoffiziell
unopened *adj* ungeöffnet
unorganized *adj* unsystematisch; *person also* unmethodisch; *life* ungeregelt
unoriginal *adj* wenig originell
unorthodox *adj* unkonventionell
unpack *v/t & v/i* auspacken
unpaid *adj* unbezahlt
unparalleled *adj* beispiellos
unpatriotic *adj* unpatriotisch
unpaved *adj* nicht gepflastert
unperfumed *adj* nicht parfümiert
unperturbed *adj* nicht beunruhigt (*by* von, durch)
unpick *v/t* auftrennen
unpin *v/t dress*, *hair* die Nadeln entfernen aus
unplanned *adj* ungeplant
unplayable *adj* unspielbar; *pitch* unbespielbar
unpleasant *adj* unangenehm; *person*, *remark* unfreundlich; ***to be ~ to sb*** unfreundlich zu jdm sein **unpleasantly** *adv reply* unfreundlich; *warm* unangenehm **unpleasantness** *n* **1.** (≈ *quality*) Unangenehmheit *f*; (*of person*) Unfreundlichkeit *f* **2.** (≈ *bad feeling*) Unstimmigkeit *f*
unplug *v/t radio*, *lamp*, *plug* rausziehen
unpolluted *adj* unverschmutzt
unpopular *adj person* unbeliebt (*with sb* bei jdm); *decision* unpopulär **unpopularity** *n* Unbeliebtheit *f*; (*of decision*) geringe Popularität
unpractical *adj* unpraktisch
unprecedented *adj* noch nie da gewesen; *step* unerhört
unprepared *adj* unvorbereitet; ***to be ~ for sth*** (≈ *be surprised*) auf etw (*acc*) nicht gefasst sein
unprepossessing *adj* wenig einnehmend
unpretentious *adj* schlicht
unprincipled *adj* skrupellos
unprintable *adj* nicht druckfähig
unproductive *adj meeting* unergiebig; *factory* unproduktiv
unprofessional *adj* unprofessionell
unprofitable *adj business etc* unrentabel; (*fig*) nutzlos; ***the company was ~*** die Firma machte keinen Profit *or* warf keinen Profit ab
unpromising *adj* nicht sehr vielversprechend; ***to look ~*** nicht sehr hoffnungsvoll *or* gut aussehen
unpronounceable *adj* unaussprechbar; ***that word is ~*** das Wort ist nicht auszusprechen
unprotected *adj* schutzlos; *skin*, *sex* ungeschützt
unproven, unproved *adj* unbewiesen
unprovoked *adj* grundlos
unpublished *adj* unveröffentlicht
unpunished *adj* ***to go ~*** ohne Strafe bleiben
unqualified *adj* **1.** unqualifiziert; ***to be ~*** nicht qualifiziert sein; ***he is ~ to do it*** er ist dafür nicht qualifiziert **2.** *success* voll

(-ständig)
unquenchable *adj thirst, desire* unstillbar; *optimism* unerschütterlich
unquestionable *adj authority* unbestritten **unquestionably** *adv* zweifellos **unquestioning** *adj* bedingungslos **unquestioningly** *adv accept* bedingungslos; *obey* blind
unravel I *v/t knitting* aufziehen; (≈ *untangle*) entwirren; *mystery* lösen **II** *v/i* (*knitting*) sich aufziehen; (*fig*) sich entwirren
unreadable *adj writing* unleserlich; *book* schwer lesbar
unreal *adj* unwirklich; ***this is just ~!*** (*infml* ≈ *unbelievable*) das gibts doch nicht! (*infml*); ***he's ~*** er ist unmöglich **unrealistic** *adj* unrealistisch **unrealistically** *adv high, low* unrealistisch; *optimistic* unangemessen
unreasonable *adj* unzumutbar; *expectations* übertrieben; *person* uneinsichtig; ***to be ~ about sth*** (≈ *be overdemanding*) in Bezug auf etw (*acc*) zu viel verlangen; ***it is ~ to ...*** es ist zu viel verlangt, zu ...; ***you are being very ~!*** das ist wirklich zu viel verlangt!; ***an ~ length of time*** übermäßig *or* übertrieben lange **unreasonably** *adv long, strict etc* übertrieben; ***you must prove that your employer acted ~*** Sie müssen nachweisen, dass Ihr Arbeitgeber ungerechtfertigt gehandelt hat; ***not ~*** nicht ohne Grund
unrecognizable *adj* nicht wiederzuerkennen *pred*, nicht wiederzuerkennend *attr* **unrecognized** *adj* unerkannt; ***to go ~*** nicht anerkannt werden
unrefined *adj petroleum etc* nicht raffiniert
unregulated *adj* unkontrolliert
unrehearsed *adj* (≈ *spontaneous*) spontan
unrelated *adj* **1.** ***the two events are ~*** die beiden Ereignisse stehen in keinem Zusammenhang miteinander, ohne Beziehung (*to* zu) **2.** (*by family*) nicht verwandt
unrelenting *adj pressure* unablässig; *struggle* unerbittlich; *pain, pace* unvermindert; *person, heat* unbarmherzig
unreliability *n* Unzuverlässigkeit *f* **unreliable** *adj* unzuverlässig
unremarkable *adj* nicht sehr bemerkenswert
unremitting *adj efforts* unaufhörlich, unablässig
unrepeatable *adj words* nicht wiederholbar
unrepentant *adj* reu(e)los
unreported *adj events* nicht berichtet; *crime* nicht angezeigt
unrepresentative *adj* ***~ of sth*** nicht repräsentativ für etw
unrequited *adj love* unerwidert
unreserved *adj apology, support* uneingeschränkt
unresolved *adj* ungelöst
unresponsive *adj* (*physically*) nicht reagierend *attr*; (*emotionally*) unempfänglich; ***to be ~*** nicht reagieren (*to* auf +*acc*); ***an ~ audience*** ein Publikum, das nicht mitgeht
unrest *n* Unruhen *pl*
unrestrained *adj* unkontrolliert; *joy* ungezügelt
unrestricted *adj* **1.** *power, growth* uneingeschränkt; *access* ungehindert **2.** *view* ungehindert
unrewarded *adj* unbelohnt; ***to go ~*** unbelohnt bleiben **unrewarding** *adj* undankbar
unripe *adj* unreif
unroll I *v/t* aufrollen **II** *v/i* sich aufrollen
unruffled *adj person* gelassen
unruly *adj* (+*er*) wild
unsaddle *v/t horse* absatteln
unsafe *adj* nicht sicher; (≈ *dangerous*) gefährlich; *sex* ungeschützt; ***this is ~ to eat/drink*** das ist nicht genießbar/trinkbar; ***it is ~ to walk there at night*** es ist gefährlich, dort nachts spazieren zu gehen; ***to feel ~*** sich nicht sicher fühlen
unsaid *adj* ***to leave sth ~*** etw unausgesprochen lassen
unsaleable, (*US*) **unsalable** *adj* unverkäuflich; ***to be ~*** sich nicht verkaufen lassen
unsanitary *adj* unhygienisch
unsatisfactory *adj* unbefriedigend; *figures* nicht ausreichend; SCHOOL mangelhaft; ***this is highly ~*** das lässt sehr zu wünschen übrig **unsatisfied** *adj person* unzufrieden; ***the book's ending left us ~*** wir fanden den Schluss des Buches unbefriedigend **unsatisfying** *adj* unbefriedigend; *meal* unzureichend
unsaturated *adj* CHEM ungesättigt
unsavoury, (*US*) **unsavory** *adj smell* widerwärtig; *appearance* abstoßend; *subject* unerfreulich; *characters* zwielichtig

unscathed *adj* (*lit*) unversehrt; (*fig*) unbeschadet
unscented *adj* geruchlos
unscheduled *adj stop* außerfahrplanmäßig; *meeting* außerplanmäßig
unscientific *adj* unwissenschaftlich
unscramble *v/t* entwirren; TEL entschlüsseln
unscrew *v/t* losschrauben
unscrupulous *adj* skrupellos
unsealed *adj* unverschlossen
unseasonable *adj* nicht der Jahreszeit entsprechend *attr* **unseasonably** *adv* (für die Jahreszeit) ungewöhnlich *or* außergewöhnlich
unseat *v/t rider* abwerfen
unseeded *adj* unplatziert
unseeing *adj* blind; *gaze* leer
unseemly *adj* ungebührlich
unseen *adj* ungesehen; (≈ *unobserved*) unbemerkt
unselfconscious *adj*, **unselfconsciously** *adv* unbefangen
unselfish *adj*, **unselfishly** *adv* selbstlos
unsentimental *adj* unsentimental
unsettle *v/t* (≈ *agitate*) aufregen; *person* (*news*) beunruhigen **unsettled** *adj* **1.** *question* ungeklärt **2.** *weather, market* unbeständig; ***to be ~*** durcheinander sein; (≈ *thrown off balance*) aus dem Gleis geworfen sein; ***to feel ~*** sich nicht wohlfühlen **unsettling** *adj change* aufreibend; *thought, news* beunruhigend
unshak(e)able *adj*, **unshak(e)ably** *adv* unerschütterlich **unshaken** *adj* unerschüttert
unshaven *adj* unrasiert
unsightly *adj* unansehnlich
unsigned *adj painting* unsigniert; *letter* nicht unterzeichnet
unskilled *adj worker* ungelernt; ***~ labour*** (*Br*) *or* ***labor*** (*US*) (≈ *workers*) Hilfsarbeiter *pl*
unsociable *adj* ungesellig
unsocial *adj* ***to work ~ hours*** außerhalb der normalen Arbeitszeiten arbeiten
unsold *adj* unverkauft; ***to be left ~*** nicht verkauft werden
unsolicited *adj* unerbeten
unsolved *adj problem etc* ungelöst; *crime* unaufgeklärt
unsophisticated *adj person, style, machine* einfach; *tastes* schlicht
unsound *adj* **1.** *construction* unsolide; ***structurally ~*** *building* bautechnische Mängel aufweisend *attr* **2.** *argument* nicht stichhaltig; *advice* unvernünftig; JUR *conviction* ungesichert; ***of ~ mind*** JUR unzurechnungsfähig; ***environmentally ~*** umweltschädlich; ***the company is ~*** die Firma steht auf schwachen Füßen
unsparing *adj* **1.** (≈ *lavish*) großzügig, verschwenderisch; ***to be ~ in one's efforts*** keine Kosten und Mühen scheuen **2.** (≈ *unmerciful*) *criticism* schonungslos; ***the report was ~ in its criticism*** der Bericht übte schonungslos Kritik
unspeakable *adj*, **unspeakably** *adv* unbeschreiblich
unspecified *adj time, amount* nicht genau angegeben; *location* unbestimmt
unspectacular *adj* wenig eindrucksvoll
unspoiled, unspoilt *adj* unberührt
unspoken *adj thoughts* unausgesprochen; *agreement* stillschweigend
unsporting, unsportsmanlike *adj* unsportlich
unstable *adj* instabil; PSYCH labil
unsteadily *adj* unsicher **unsteady** *adj hand, steps* unsicher; *ladder* wack(e)lig
unstinting *adj support* uneingeschränkt; ***to be ~ in one's efforts*** keine Kosten und Mühen scheuen
unstoppable *adj* nicht aufzuhalten
unstressed *adj* PHON unbetont
unstructured *adj* unstrukturiert
unstuck *adj* ***to come ~*** (*stamp*) sich lösen; (*infml: plan*) schiefgehen (*infml*); ***where they came ~ was ...*** sie sind daran gescheitert, dass ...
unsubstantiated *adj rumour* unbegründet; ***these reports remain ~*** diese Berichte sind weiterhin unbestätigt
unsubtle *adj* plump
unsuccessful *adj* erfolglos; *candidate* abgewiesen; *attempt* vergeblich; ***to be ~ in doing sth*** keinen Erfolg damit haben, etw zu tun; ***to be ~ in one's efforts to do sth*** erfolglos in seinem Bemühen sein, etw zu tun **unsuccessfully** *adv* erfolglos; *try* vergeblich; *apply* ohne Erfolg
unsuitability *n* Ungeeignetsein *nt*; ***his ~ for the job*** seine mangelnde Eignung für die Stelle **unsuitable** *adj* unpassend; *candidate* ungeeignet; ***~ for children*** für Kinder ungeeignet; ***she is ~ for him*** sie ist nicht die Richtige für ihn **unsuitably** *adv dressed* (*for weather conditions*) un-

zweckmäßig; (*for occasion*) unpassend **unsuited** *adj* ***to be ~ for** or **to sth*** für etw untauglich sein; ***to be ~ to sb*** nicht zu jdm passen

unsure *adj person* unsicher; ***to be ~ of oneself*** unsicher sein; ***to be ~ (of sth)*** sich (*dat*) (einer Sache *gen*) nicht sicher sein; ***I'm ~ of him*** ich bin mir bei ihm nicht sicher

unsurpassed *adj* unübertroffen

unsurprising *adj*, **unsurprisingly** *adv* wenig überraschend

unsuspecting *adj*, **unsuspectingly** *adv* nichts ahnend

unsweetened *adj* ungesüßt

unswerving *adj loyalty* unerschütterlich

unsympathetic *adj* **1.** (≈ *unfeeling*) gefühllos **2.** (≈ *unlikeable*) unsympathisch **unsympathetically** *adv* ohne Mitgefühl; *say also* gefühllos

unsystematic *adj*, **unsystematically** *adv* unsystematisch

untalented *adj* unbegabt

untamed *adj animal* ungezähmt; *jungle*, *beauty* wild

untangle *v/t* entwirren

untapped *adj resources* ungenutzt; *market* unerschlossen

untenable *adj* unhaltbar

untested *adj* unerprobt

unthinkable *adj* undenkbar **unthinking** *adj* (≈ *thoughtless*) unbedacht, gedankenlos; (≈ *uncritical*) bedenkenlos, blind **unthinkingly** *adv* unbedacht

untidily *adv* unordentlich **untidiness** *n* (*of room*) Unordnung *f*; (*of person*) Unordentlichkeit *f* **untidy** *adj* (*+er*) unordentlich

untie *v/t knot* lösen; *parcel* aufknoten; *person*, *apron* losbinden

until I *prep* bis; ***from morning ~ night*** von morgens bis abends; ***~ now*** bis jetzt; ***~ then*** bis dahin; ***not ~*** (*in future*) nicht vor (*+dat*); (*in past*) erst; ***I didn't leave him ~ the following day*** ich bin bis zum nächsten Tag bei ihm geblieben **II** *cj* bis; ***not ~*** (*in future*) erst wenn; (*in past*) erst als; ***he won't come ~ you invite him*** er kommt erst, wenn Sie ihn einladen; ***they did nothing ~ we came*** bis wir kamen, taten sie nichts

untimely *adj death* vorzeitig; ***to come to** or **meet an ~ end*** ein vorzeitiges Ende finden

untiring *adj*, **untiringly** *adv* unermüdlich

untitled *adj painting* ohne Titel

untold *adj story* nicht erzählt; *damage*, *suffering* unermesslich; ***this story is better left ~*** über diese Geschichte schweigt man besser; ***~ thousands*** unzählig viele

untouchable *adj* unantastbar **untouched** *adj* **1.** unberührt; *bottle etc* nicht angebrochen **2.** (≈ *unharmed*) unversehrt

untrained *adj person* unausgebildet; *voice*, *mind* ungeschult; ***to the ~ eye*** dem ungeschulten Auge

untranslatable *adj* unübersetzbar

untreated *adj* unbehandelt

untried *adj person* unerprobt; *method* ungetestet

untroubled *adj* ***to be ~ by the news*** eine Nachricht gleichmütig hinnehmen; ***he seemed ~ by the heat*** die Hitze schien ihm nichts auszumachen

untrue *adj* falsch

untrustworthy *adj* nicht vertrauenswürdig

untruthful *adj statement* unwahr; *person* unaufrichtig **untruthfully** *adv* fälschlich

untypical *adj* untypisch (*of* für)

unusable *adj* unbrauchbar

unused[1] *adj* (≈ *new*) ungebraucht; (≈ *not made use of*) ungenutzt

unused[2] *adj* ***to be ~ to sth*** etw (*acc*) nicht gewohnt sein; ***to be ~ to doing sth*** es nicht gewohnt sein, etw zu tun

unusual *adj* (≈ *uncommon*) ungewöhnlich; (≈ *exceptional*) außergewöhnlich; ***it's ~ for him to be late*** er kommt normalerweise nicht zu spät; ***that's ~ for him*** das ist sonst nicht seine Art; ***that's not ~ for him*** das wundert mich überhaupt nicht; ***how ~!*** das kommt selten vor; (*iron*) welch Wunder! **unusually** *adv* ungewöhnlich; ***~ for her, she was late*** ganz gegen ihre Gewohnheit kam sie zu spät

unvarying *adj* gleichbleibend

unveil *v/t statue*, *plan* enthüllen

unverified *adj* unbewiesen

unwaged *adj* ohne Einkommen

unwanted *adj* **1.** (≈ *unwelcome*) unerwünscht **2.** (≈ *superfluous*) überflüssig

unwarranted *adj* ungerechtfertigt

unwavering *adj resolve* unerschütterlich; *course* beharrlich

unwelcome *adj visitor* unerwünscht; *news* unerfreulich; *reminder* unwillkommen; ***to make sb feel ~*** sich jdm gegenüber abweisend verhalten **unwelcoming** *adj manner* abweisend; *place* ungastlich

unwell *adj pred* unwohl, nicht wohl; ***he's rather ~*** es geht ihm gar nicht gut

unwholesome *adj* ungesund; *food* minderwertig; *desire* schmutzig

unwieldy *adj tool* unhandlich; *object also* sperrig; (≈ *clumsy*) *body, system* schwerfällig

unwilling *adj* widerwillig; *accomplice* unfreiwillig; ***to be ~ to do sth*** nicht bereit sein, etw zu tun; ***to be ~ for sb to do sth*** nicht wollen, dass jd etw tut **unwillingness** *n* Widerwillen *nt*

unwind *pret, past part* **unwound I** *v/t* abwickeln **II** *v/i* (*infml* ≈ *relax*) abschalten (*infml*)

unwise *adj*, **unwisely** *adv* unklug

unwitting *adj accomplice* unbewusst; *victim* ahnungslos; *involvement* unabsichtlich **unwittingly** *adv* unbewusst

unworkable *adj* undurchführbar

unworldly *adj life* weltabgewandt

unworried *adj* unbekümmert

unworthy *adj* nicht wert (*of +gen*)

unwound *pret, past part of* **unwind**

unwrap *v/t* auswickeln

unwritten *adj story, constitution* ungeschrieben; *agreement* stillschweigend **unwritten law** *n* (JUR, *fig*) ungeschriebenes Gesetz

unyielding *adj* unnachgiebig

unzip *v/t* **1.** *zip* aufmachen; *trousers* den Reißverschluss aufmachen an (*+dat*) **2.** IT *file* entzippen

up I *adv* **1.** (≈ *in high or higher position*) oben; (≈ *to higher position*) nach oben; ***up there*** dort oben; ***on your way up*** auf dem Weg hinauf; ***to climb all the way up*** den ganzen Weg hochklettern; ***halfway up*** auf halber Höhe; ***5 floors up*** 5 Stockwerke hoch; ***I looked up*** ich schaute nach oben; ***this side up*** diese Seite oben!; ***a little further up*** ein bisschen weiter oben; ***to go a little further up*** ein bisschen höher hinaufgehen; ***from up on the hill*** vom Berg oben; ***up on top*** (***of the cupboard***) ganz oben (auf dem Schrank); ***up in the sky*** oben am Himmel; ***the temperature was up in the thirties*** die Temperatur war über dreißig Grad; ***the sun is up*** die Sonne ist aufgegangen; ***to move up into the lead*** nach vorn an die Spitze kommen **2.** ***to be up*** (*building*) stehen; (*notice*) angeschlagen sein; (*shelves*) hängen; ***the new houses went up very quickly*** die neuen Häuser sind sehr schnell gebaut *or* hochgezogen (*infml*) worden; ***to be up*** (***and running***) (*computer system etc*) in Betrieb sein; ***to be up and running*** laufen; (*committee etc*) in Gang sein; ***to get sth up and running*** etw zum Laufen bringen; *committee etc* etw in Gang setzen **3.** (≈ *not in bed*) auf; ***to be up and about*** auf sein **4.** (≈ *north*) oben; ***up in Inverness*** oben in Inverness; ***to go up to Aberdeen*** nach Aberdeen (hinauf)fahren; ***to live up north*** im Norden wohnen; ***to go up north*** in den Norden fahren **5.** (*in price, value*) gestiegen (*on* gegenüber) **6.** ***to be 3 goals up*** mit 3 Toren führen (*on* gegenüber) **7.** (*infml*) ***what's up?*** was ist los?; ***something is up*** (≈ *wrong*) da stimmt irgendetwas nicht; (≈ *happening*) da ist irgendetwas im Gange **8.** (≈ *knowledgeable*) firm; ***to be well up on sth*** sich in etw (*dat*) auskennen **9.** ***time's up*** die Zeit ist um; ***to eat sth up*** etw aufessen **10.** ***it was up against the wall*** es war an die Wand gelehnt; ***to be up against an opponent*** einem Gegner gegenüberstehen; ***I fully realize what I'm up against*** mir ist völlig klar, womit ich es hier zu tun habe; ***they were really up against it*** sie hatten wirklich schwer zu schaffen; ***to walk up and down*** auf und ab gehen; ***to be up for sale*** zu verkaufen sein; ***to be up for discussion*** zur Diskussion stehen; ***to be up for election*** (*candidate*) zur Wahl aufgestellt sein; (*candidates*) zur Wahl stehen; ***up to*** bis; ***up to now/here*** bis jetzt/hier; ***to count up to 100*** bis 100 zählen; ***up to £100*** bis zu £ 100; ***what page are you up to?*** bis zu welcher Seite bist du gekommen?; ***I don't feel up to it*** ich fühle mich dem nicht gewachsen; (≈ *not well enough*) ich fühle mich nicht wohl genug dazu; ***it isn't up to much*** damit ist nicht viel los (*infml*); ***it isn't up to his usual standard*** das ist nicht sein sonstiges Niveau; ***it's up to us to help him*** wir sollten ihm helfen; ***if it were up to me*** wenn es nach mir ginge; ***it's up to you whether you go or not*** es bleibt dir überlassen, ob du gehst oder nicht; ***it isn't up to me***

das hängt nicht von mir ab; ***that's up to you*** das müssen Sie selbst wissen; ***what colour shall I choose? — (it's) up to you*** welche Farbe soll ich nehmen? — das ist deine Entscheidung; ***it's up to the government to do it*** es ist Sache der Regierung, das zu tun; ***what's he up to?*** (≈ *doing*) was macht er da?; (≈ *planning etc*) was hat er vor?; ***what have you been up to?*** was hast du angestellt?; ***he's up to no good*** er führt nichts Gutes im Schilde **II** *prep* oben auf (+*dat*); (*with movement*) hinauf (+*acc*); ***further up the page*** weiter oben auf der Seite; ***to live up the hill*** am Berg wohnen; ***to go up the hill*** den Berg hinaufgehen; ***they live further up the street*** sie wohnen weiter die Straße entlang; ***he lives up a dark alley*** er wohnt am Ende einer dunklen Gasse; ***up the road from me*** (von mir) die Straße entlang; ***he went off up the road*** er ging (weg) die Straße hinauf; ***the water goes up this pipe*** das Wasser geht durch dieses Rohr; ***to go up to sb*** auf jdn zugehen **III** *n* ***ups and downs*** gute und schlechte Zeiten *pl* **IV** *adj escalator* nach oben **V** *v/t* (*infml*) *price* hinaufsetzen

up-and-coming *adj* ***an ~ star*** ein Star, der im Kommen ist

up-and-down *adj* **1.** (*lit*) ***~ movement*** Auf- und Abbewegung *f* **2.** (*fig*) *career etc* wechselhaft

up arrow *n* IT Aufwärtspfeil *m*

upbeat *adj* (*infml*) (≈ *cheerful*) fröhlich; (≈ *optimistic*) optimistisch; ***to be ~ about sth*** über etw (*acc*) optimistisch gestimmt sein

upbringing *n* Erziehung *f*; ***we had a strict ~*** wir hatten (als Kinder) eine strenge Erziehung

upcoming *adj* (≈ *coming soon*) kommend

update I *v/t* aktualisieren; ***to ~ sb on sth*** jdn über etw (*acc*) auf den neuesten Stand bringen **II** *n* **1.** Aktualisierung *f* **2.** (≈ *progress report*) Bericht *m*

upend *v/t box* hochkant stellen

upfront I *adj* **1.** *person* offen; ***to be ~ about sth*** sich offen über etw (*acc*) äußern **2.** ***an ~ fee*** eine Gebühr, die im Voraus zu entrichten ist **II** *adv pay* im Voraus; ***we'd like 20% ~*** wir hätten gern 20% (als) Vorschuss

upgrade I *n* **1.** IT Upgrade *nt* **2.** (*US*) Steigung *f* **II** *v/t employee* befördern; (≈ *improve*) verbessern; *computer* nachrüsten

upgrad(e)able *adj computer* nachrüstbar (*to* auf +*acc*)

upheaval *n* (*fig*) Aufruhr *m*; ***social/political ~s*** soziale/politische Umwälzungen *pl*

upheld *pret, past part of* ***uphold***

uphill I *adv* bergauf; ***to go ~*** bergauf gehen; (*road also*) bergauf führen; (*car*) den Berg hinauffahren **II** *adj road* bergauf (führend); (*fig*) *struggle* mühsam

uphold *pret, past part* ***upheld*** *v/t tradition* wahren; *the law* hüten; *right* schützen; *decision* (unter)stützen; JUR *verdict* bestätigen

upholster *v/t* polstern; (≈ *cover*) beziehen; ***~ed furniture*** Polstermöbel *pl* **upholstery** *n* Polsterung *f*

upkeep *n* (≈ *running*) Unterhalt *m*; (≈ *maintenance*) Instandhaltung *f*; (*of gardens*) Pflege *f*

upland I *n* (*usu pl*) Hochland *nt no pl* **II** *adj* Hochland-

uplift *v/t* ***with ~ed arms*** mit erhobenen Armen; ***to feel ~ed*** sich erbaut fühlen **uplifting** *adj experience* erhebend; *story* erbaulich

upload *v/t* IT uploaden

up-market I *adj person* vornehm; *image, hotel* exklusiv **II** *adv* ***his shop has gone ~*** in seinem Laden verkauft er jetzt Waren der höheren Preisklasse

upon *prep* = ***on***

upper I *adj* obere(r, s); (ANAT, GEOG) Ober-; ***temperatures in the ~ thirties*** Temperaturen hoch in den dreißig; ***~ body*** Oberkörper *m* **II** *n* ***uppers*** *pl* (*of shoe*) Obermaterial *nt* **upper-case** *adj* groß **upper circle** *n* (*Br* THEAT) zweiter Rang **upper class** *n* ***the ~es*** die Oberschicht **upper-class** *adj* vornehm; *sport, attitude* der Oberschicht **Upper House** *n* PARL Oberhaus *nt* **uppermost I** *adj* oberste(r, s); ***safety is ~ in my mind*** Sicherheit steht für mich an erster Stelle **II** *adv* ***face ~*** mit dem Gesicht nach oben **upper school** *n* Oberschule *f*

upright I *adj* aufrecht; (≈ *honest*) rechtschaffen; *post* senkrecht **II** *adv* (≈ *erect*) aufrecht; (*vertical*) senkrecht; ***to pull sb/oneself ~*** jdn/sich aufrichten **III** *n* Pfosten *m*

uprising *n* Aufstand *m*

upriver *adv* flussaufwärts

uproar *n* Aufruhr *m*; ***the whole room was in ~*** der ganze Saal war in Aufruhr **uproariously** *adv* lärmend; *laugh* brüllend

uproot *v/t plant* entwurzeln; ***he ~ed his whole family*** (***from their home***) ***and moved to New York*** er riss seine Familie aus ihrer gewohnten Umgebung und zog nach New York

upset *vb*: *pret*, *past part* **upset I** *v/t* **1.** (≈ *knock over*) umstoßen **2.** (*news*, *death*) bestürzen; (*question etc*) aus der Fassung bringen; (*experience etc*) mitnehmen (*infml*); (≈ *offend*) wehtun (+*dat*); (≈ *annoy*) ärgern; ***don't ~ yourself*** regen Sie sich nicht auf **3.** *calculations* durcheinanderbringen; ***the rich food ~ his stomach*** das schwere Essen ist ihm nicht bekommen **II** *adj* **1.** (*about accident etc*) mitgenommen (*infml*) (*about* von); (*about bad news etc*) bestürzt (*about* über +*acc*); (≈ *sad*) betrübt (*about* über +*acc*); (≈ *distressed*) aufgeregt (*about* wegen); (≈ *annoyed*) aufgebracht (*about* über +*acc*); (≈ *hurt*) gekränkt (*about* über +*acc*); ***she was pretty ~ about it*** das ist ihr ziemlich nahegegangen; (≈ *distressed*, *worried*) sie hat sich deswegen ziemlich aufgeregt; (≈ *annoyed*) das hat sie ziemlich geärgert; (≈ *hurt*) das hat sie ziemlich gekränkt; ***she was ~ about something*** irgendetwas hatte sie aus der Fassung gebracht; ***she was ~ about the news*** es hat sie ziemlich mitgenommen, als sie das hörte (*infml*); ***would you be ~ if I decided not to go after all?*** wärst du traurig, wenn ich doch nicht ginge?; ***to get ~*** sich aufregen (*about* über +*acc*); ***don't get ~ about it, you'll find another*** nimm das doch nicht so tragisch, du findest bestimmt einen anderen; ***to feel ~*** gekränkt sein; ***to sound/look ~*** verstört klingen/aussehen **2.** ***to have an ~ stomach*** sich (*dat*) den Magen verdorben haben **III** *n* (≈ *disturbance*) Störung *f*; (*emotional*) Aufregung *f*; (*infml* ≈ *unexpected defeat etc*) böse Überraschung; ***stomach ~*** Magenverstimmung *f* **upsetting** *adj* (≈ *saddening*) traurig; (*stronger*) bestürzend; (≈ *disturbing*) *situation* schwierig; (≈ *annoying*) ärgerlich; ***that must have been very ~ for you*** das war bestimmt nicht einfach für Sie; ***it is ~*** (***for them***) ***to see such terrible things*** es ist schlimm (für sie), so schreckliche Dinge zu sehen; ***the divorce was very ~ for the child*** das Kind hat unter der Scheidung sehr gelitten

upshot *n* ***the ~ of it all was that ...*** es lief darauf hinaus, dass ...

upside down *adv* verkehrt herum; ***to turn sth ~*** (*lit*) etw umdrehen; (*fig*) etw auf den Kopf stellen (*infml*) **upside-down** *adj* ***to be ~*** (*picture*) verkehrt herum hängen; (*world*) kopfstehen

upstage *v/t* ***to ~ sb*** (*fig*) jdm die Schau stehlen (*infml*)

upstairs I *adv* oben; (*with movement*) nach oben; ***the people ~*** die Leute über uns **II** *adj* im oberen Stock(werk) **III** *n* oberes Stockwerk

upstanding *adj* rechtschaffen

upstart *n* Emporkömmling *m*

upstate (*US*) **I** *adj* im Norden (des Bundesstaates); ***to live in ~ New York*** im Norden des Staates New York wohnen **II** *adv* im Norden (des Bundesstaates); (*with movement*) in den Norden (des Bundesstaates)

upstream *adv* flussaufwärts

upsurge *n* Zunahme *f*; (*of fighting*) Eskalation *f* (*pej*)

upswing *n* Aufschwung *m*

uptake *n* (*infml*) ***to be quick on the ~*** schnell verstehen; ***to be slow on the ~*** eine lange Leitung haben (*infml*)

uptight *adj* (*infml* ≈ *nervous*) nervös; (≈ *inhibited*) verklemmt (*infml*); (≈ *angry*) sauer (*infml*); ***to get ~*** (***about sth***) sich (wegen etw) aufregen; (auf etw *acc*) verklemmt reagieren (*infml*); (wegen etw) sauer werden (*infml*)

up-to-date *adj attr*, **up to date** *adj pred* auf dem neuesten Stand; *information* aktuell; ***to keep ~ with the news*** mit den Nachrichten auf dem Laufenden bleiben; ***to keep sb up to date*** jdn auf dem Laufenden halten; ***to bring sb up to date on developments*** jdn über den neuesten Stand der Dinge informieren

up-to-the-minute *adj* allerneuste(r, s)

uptown (*US*) **I** *adj* (≈ *in residential area*) im Villenviertel; *store* vornehm **II** *adv* im Villenviertel; (*with movement*) ins Villenviertel

uptrend *n* ECON Aufwärtstrend *m*

upturn *n* (*fig*) Aufschwung *m* **upturned** *adj box etc* umgedreht; *face* nach oben

gewandt; *collar* aufgeschlagen; ***~ nose*** Stupsnase *f*
upward I *adj* Aufwärts-, nach oben **II** *adv* (*esp US*) = **upwards upwards** *adv* (*esp Br*) **1.** *move* aufwärts, nach oben; ***to look ~*** nach oben sehen; ***face ~*** mit dem Gesicht nach oben **2.** ***prices from £4 ~*** Preise ab £ 4; ***~ of 3000*** über 3000
upwind *adj*, *adv* im Aufwind; ***to be ~ of sb*** gegen den Wind zu jdm sein
uranium *n* Uran *nt*
Uranus *n* ASTRON Uranus *m*
urban *adj* städtisch; ***~ decay*** Verfall *m* der Städte **urban development** *n* Stadtentwicklung *f* **urbanization** *n* Urbanisierung *f* **urbanize** *v/t* urbanisieren, verstädtern (*pej*)
urchin *n* Gassenkind *nt*
urge I *n* (≈ *need*) Verlangen *nt*; (≈ *drive*) Drang *m no pl*; (*physical*, *sexual*) Trieb *m*; ***to feel the ~ to do sth*** das Bedürfnis verspüren, etw zu tun; ***I resisted the ~*** (***to contradict him***) ich habe mich beherrscht (und ihm nicht widersprochen) **II** *v/t* **1.** ***to ~ sb to do sth*** (≈ *plead with*) jdn eindringlich bitten, etw zu tun; (≈ *earnestly recommend*) darauf dringen, dass jd etw tut; ***to ~ sb to accept*** jdn drängen, anzunehmen; ***to ~ sb onward*** jdn vorwärtstreiben **2.** *measure etc* drängen auf (*+acc*); ***to ~ caution*** zur Vorsicht mahnen ◆ **urge on** *v/t sep* antreiben
urgency *n* Dringlichkeit *f*; ***it's a matter of ~*** das ist dringend
urgent *adj* dringend; ***is it ~?*** (≈ *important*) ist es dringend?; (≈ *needing speed*) eilt es?, pressiert es? (*Aus*); ***the letter was marked "urgent"*** der Brief trug einen Dringlichkeitsvermerk **urgently** *adv required* dringend; *talk* eindringlich; ***he is ~ in need of help*** er braucht dringend Hilfe
urinal *n* (≈ *room*) Pissoir *nt*; (≈ *vessel*) Urinal *nt* **urinate** *v/i* urinieren (*elev*)
urine *n* Urin *m*
URL IT *abbr of* ***uniform resource locator*** URL-Adresse *f*
urn *n* **1.** Urne *f* **2.** (*a.* **tea urn**) Kessel *m*
US *abbr of* **United States** USA *pl*
us *pers pr* (*dir and indir obj*) uns; ***give it*** (***to***) ***us*** gib es uns; ***who, us?*** wer, wir?; ***younger than us*** jünger als wir; ***it's us*** wir sinds; ***us and them*** wir und die
USA *abbr of* **United States of America** USA *pl*
usable *adj* verwendbar **usage** *n* **1.** (≈ *custom*) Brauch *m*; ***it's common ~*** es ist allgemein üblich **2.** LING Gebrauch *m no pl*
USB *n* IT *abbr of* ***universal serial bus*** USB *m*; ***~ interface*** USB-Schnittstelle *f*
use[1] I *v/t* **1.** benutzen; *idea* verwenden; *word* gebrauchen; *method*, *force* anwenden; *drugs* einnehmen; ***I have to ~ the toilet before I go*** ich muss noch einmal zur Toilette, bevor ich gehe; ***to ~ sth for sth*** etw zu etw verwenden; ***what did you ~ the money for?*** wofür haben Sie das Geld verwendet?; ***what sort of fuel do you ~?*** welchen Treibstoff verwenden Sie?; ***why don't you ~ a hammer?*** warum nehmen Sie nicht einen Hammer dazu?; ***to ~ sb's name*** jds Namen verwenden *or* benutzen; ***~ your imagination!*** zeig mal ein bisschen Fantasie!; ***I'll have to ~ some of your men*** ich brauche ein paar Ihrer Leute; ***I could ~ a drink*** (*infml*) ich könnte etwas zu trinken vertragen (*infml*) **2.** (≈ *make use of*, *exploit*) *information*, *one's training*, *talents*, *resources*, *opportunity* (aus)nutzen; *waste products* verwerten; ***you can ~ the leftovers to make a soup*** Sie können die Reste zu einer Suppe verwerten **3.** (≈ *use up*, *consume*) verbrauchen **4.** (*pej* ≈ *exploit*) ausnutzen; ***I feel*** (***I've just been***) ***~d*** ich habe das Gefühl, man hat mich ausgenutzt; (*sexually*) ich komme mir missbraucht vor **II** *n* **1.** Benutzung *f*; (*of calculator*, *word*) Gebrauch *m*; (*of method*, *force*) Anwendung *f*; (*of personnel etc*) Einsatz *m*; (*of drugs*) Einnahme *f*; ***directions for ~*** Gebrauchsanweisung *f*; ***for the ~ of*** für; ***for external ~*** zur äußerlichen Anwendung; ***ready for ~*** gebrauchsfertig; *machine* einsatzbereit; ***to make ~ of sth*** von etw Gebrauch machen; ***can you make ~ of that?*** können Sie das brauchen?; ***in ~/out of ~*** in *or* im / außer Gebrauch **2.** (≈ *exploitation*, *making use of*) Nutzung *f*; (*of waste products*) Verwertung *f*; (≈ *way of using*) Verwendung *f*; ***to make ~ of sth*** etw nutzen; ***to put sth to good ~*** etw gut nutzen; ***it has many ~s*** es ist vielseitig verwendbar; ***to find a ~ for sth*** für etw Verwendung finden; ***to have no ~ for*** keine Verwendung haben für **3.** (≈ *usefulness*) Nutzen *m*; ***to be of ~ to sb*** für jdn von Nutzen sein; ***is this*** (***of***) ***any ~ to you?*** können

Sie das brauchen?; ***he's no ~ as a goalkeeper*** er ist als Torhüter nicht zu gebrauchen; ***it's no ~ you*** *or* ***your protesting*** es hat keinen Sinn *or* es nützt nichts, wenn du protestierst; ***what's the ~ of telling him?*** was nützt es, wenn man es ihm sagt?; ***what's the ~ in trying?*** wozu überhaupt versuchen?; ***it's no ~*** es hat keinen Zweck; ***ah, what's the ~!*** ach, was solls! **4.** (≈ *right*) Nutznießung *f* (JUR); ***to have the ~ of a car*** ein Auto zur Verfügung haben; ***to give sb the ~ of sth*** jdn etw benutzen lassen; *of car also* jdm etw zur Verfügung stellen; ***to have lost the ~ of one's arm*** seinen Arm nicht mehr benutzen können ◆ **use up** *v/t sep* verbrauchen; *scraps etc* verwerten; ***the butter is all used up*** die Butter ist alle (*infml*)

use[2] *vb/aux* ***I didn't ~ to smoke*** ich habe früher nicht geraucht

use-by-date *n* Mindesthaltbarkeitsdatum *nt*

used[1] *adj* (≈ *second-hand*) gebraucht; (≈ *soiled*) *towel etc* benutzt

used[2] *vb/aux* (*only in past*) ***I ~ to swim every day*** ich bin früher täglich geschwommen; ***he ~ to be a singer*** er war einmal ein Sänger; ***there ~ to be a field here*** hier war (früher) einmal ein Feld; ***things aren't what they ~ to be*** es ist alles nicht mehr (so) wie früher; ***life is more hectic than it ~ to be*** das Leben ist hektischer als früher

used[3] *adj* ***to be ~ to sb*** an jdn gewöhnt sein; ***to be ~ to sth*** etw gewohnt sein; ***to be ~ to doing sth*** es gewohnt sein, etw zu tun; ***I'm not ~ to it*** ich bin das nicht gewohnt; ***to get ~ to sb/sth*** sich an jdn/etw gewöhnen; ***to get ~ to doing sth*** sich daran gewöhnen, etw zu tun

useful *adj* **1.** nützlich; *tool*, *language* praktisch; *person*, *contribution* wertvoll; *discussion* fruchtbar; ***to make oneself ~*** sich nützlich machen; ***to come in ~*** sich als nützlich erweisen; ***that's a ~ thing to know*** es ist gut das zu wissen **2.** (*infml*) *player* fähig; *score* wertvoll **usefulness** *n* Nützlichkeit *f*

useless *adj* **1.** nutzlos; (≈ *unusable*) unbrauchbar; ***to be ~ to sb*** für jdn ohne Nutzen sein; ***it is ~ (for you) to complain*** es hat keinen Sinn, sich zu beschweren; ***he's ~ as a goalkeeper*** er ist als Torwart nicht zu gebrauchen; ***to be ~ at doing sth*** unfähig dazu sein, etw zu tun; ***I'm ~ at languages*** Sprachen kann ich überhaupt nicht; ***to feel ~*** sich unnütz fühlen **2.** (≈ *pointless*) sinnlos **uselessness** *n* (≈ *worthlessness*) Nutzlosigkeit *f*; (*of sth unusable*) Unbrauchbarkeit *f*

user *n* Benutzer(in) *m*(*f*) **user-friendly** *adj* benutzerfreundlich **user group** *n* Nutzergruppe *f*; IT Anwendergruppe *f* **user identification** *n* IT Benutzercode *m* **user-interface** *n esp* IT Benutzerschnittstelle *f*

usher **I** *n* Platzanweiser(in) *m*(*f*) **II** *v/t* ***to ~ sb into a room*** jdn in ein Zimmer bringen ◆ **usher in** *v/t sep* hineinführen

usherette *n* Platzanweiserin *f*

USSR HIST *abbr of* ***Union of Soviet Socialist Republics*** UdSSR *f*

usual **I** *adj* (≈ *customary*) üblich; (≈ *normal*) normal; ***beer is his ~ drink*** er trinkt gewöhnlich Bier; ***when shall I come?— oh, the ~ time*** wann soll ich kommen?— oh, zur üblichen Zeit; ***as is ~ with second-hand cars*** wie gewöhnlich bei Gebrauchtwagen; ***it wasn't ~ for him to arrive early*** es war nicht typisch für ihn, zu früh da zu sein; ***to do sth in the*** *or* ***one's ~ way*** *or* ***manner*** etw auf die einem übliche Art und Weise tun; ***as ~*** wie üblich; ***business as ~*** normaler Betrieb; (*in shop*) Verkauf geht weiter; ***to carry on as ~*** weitermachen wie immer; ***later/less than ~*** später/weniger als sonst **II** *n* (*infml*) der/die/das Übliche; ***what sort of mood was he in?— the ~*** wie war er gelaunt?— wie üblich

usually *adv* gewöhnlich; ***is he ~ so rude?*** ist er sonst auch so unhöflich?

usurp *v/t* sich (*dat*) widerrechtlich aneignen; *throne* sich bemächtigen (+*gen*) (*elev*); *person* verdrängen **usurper** *n* unrechtmäßiger Machthaber, unrechtmäßige Machthaberin; (*fig*) Eindringling *m*

usury *n* Wucher *m*

utensil *n* Utensil *nt*

uterus *n* Gebärmutter *f*

utility *n* **1.** ***public ~*** (≈ *company*) Versorgungsbetrieb *m*; (≈ *service*) Leistung *f* der Versorgungsbetriebe **2.** IT Hilfsprogramm *nt* **utility company** *n* Versorgungsbetrieb *m* **utility program** *n* IT Hilfsprogramm *nt* **utility room** *n* Allzweckraum *m* **utilization** *n* Verwendung *f*; (*of resources*) Verwertung *f* **utilize** *v/t* verwenden; *wastepaper etc* verwerten

utmost I *adj ease* größte(r, s); *caution* äußerste(r, s); ***with the ~ speed*** so schnell wie nur möglich; ***it is of the ~ importance that ...*** es ist äußerst wichtig, dass ... **II** *n* ***to do one's ~ (to do sth)*** sein Möglichstes tun(, um etw zu tun)

utter[1] *adj* total; *misery* grenzenlos

utter[2] *v/t* von sich (*dat*) geben; *word* sagen; *cry* ausstoßen

uttermost *n*, *adj* = ***utmost***

U-turn *n* Wende *f*; ***to do a ~*** (*fig*) seine Meinung völlig ändern

V

V, v *n* V *nt*, v *nt*

V, v *abbr of* ***versus***

vacancy *n* **1.** (*in boarding house*) (freies) Zimmer; ***have you any vacancies for August?*** haben Sie im August noch Zimmer frei?; ***"no vacancies"*** „belegt"; ***"vacancies"*** „Zimmer frei" **2.** (≈ *job*) offene Stelle; ***we have a ~ in our personnel department*** in unserer Personalabteilung ist eine Stelle zu vergeben; ***vacancies*** *pl* offene Stellen *pl* **vacant** *adj* **1.** *post* offen; *WC*, *seat* frei; *house* leer stehend; ***~ lot*** unbebautes Grundstück **2.** *stare* leer **vacate** *v/t seat* frei machen; *post* aufgeben; *premises* räumen

vacation I *n* **1.** UNIV Semesterferien *pl* **2.** (*US*) Urlaub *m*; ***on ~*** im Urlaub; ***to take a ~*** Urlaub machen; ***where are you going for your ~?*** wohin fahren Sie in Urlaub?; ***to go on ~*** auf Urlaub gehen **II** *v/i* (*US*) Urlaub machen **vacationer, vacationist** *n* (*US*) Urlauber(in) *m(f)*

vaccinate *v/t* impfen **vaccination** *n* (Schutz)impfung *f* **vaccine** *n* Impfstoff *m*

vacillate *v/i* (*lit*, *fig*) schwanken

vacuum *n* **I** *n* **1.** Vakuum *nt* **2.** (≈ *vacuum cleaner*) Staubsauger *m* **II** *v/t* (staub)saugen **vacuum bottle** *n* (*US*) Thermosflasche® *f* **vacuum cleaner** *n* Staubsauger *m* **vacuum flask** *n* (*Br*) Thermosflasche® *f* **vacuum-packed** *adj* vakuumverpackt

vagabond *n* Vagabund *m*

vagina *n* Scheide *f*, Vagina *f*

vagrant *n* Landstreicher(in) *m(f)*; (*in town*) Stadtstreicher(in) *m(f)*

vague *adj* (*+er*) **1.** (≈ *not clear*) vage; *report* ungenau; *outline* verschwommen; ***I haven't the ~st idea*** ich habe nicht die leiseste Ahnung; ***there's a ~ resemblance*** es besteht eine entfernte Ähnlichkeit **2.** (≈ *absent-minded*) geistesabwesend **vaguely** *adv* vage; *understand* in etwa; *interested* flüchtig; *surprised* leicht; ***to be ~ aware of sth*** ein vages Bewusstsein von etw haben; ***they're ~ similar*** sie haben eine entfernte Ähnlichkeit; ***it sounded ~ familiar*** es kam einem irgendwie bekannt vor

vain *adj* **1.** (*+er*) (*about looks*) eitel; (*about qualities*) eingebildet **2.** (≈ *useless*) vergeblich; ***in ~*** umsonst, vergeblich **vainly** *adv* (≈ *to no effect*) vergeblich

valedictory I *adj* (*form*) Abschieds- **II** *n* (*US* SCHOOL) Entlassungsrede *f*

valentine *n* ***~ (card)*** Valentinskarte *f*; ***St Valentine's Day*** Valentinstag *m*

valet *n* Kammerdiener *m*; ***~ service*** Reinigungsdienst *m*

valiant *adj* ***she made a ~ effort to smile*** sie versuchte tapfer zu lächeln

valid *adj ticket*, *passport* gültig; *claim* berechtigt; *argument* stichhaltig; *excuse*, *reason* einleuchtend; ***that's a ~ point*** das ist ein wertvoller Hinweis **validate** *v/t document* für gültig erklären; *claim* bestätigen **validity** *n* (*of ticket etc*) Gültigkeit *f*; (*of claim*) Berechtigung *f*; (*of argument*) Stichhaltigkeit *f*

valley *n* Tal *nt*; (*big and flat*) Niederung *f*; ***to go up/down the ~*** talaufwärts/talabwärts gehen/fließen *etc*

valour, (*US*) **valor** *n* (*liter*) Heldenmut *m* (*liter*)

valuable I *adj* wertvoll; *time* kostbar; *help* nützlich **II** *n* **valuables** *pl* Wertsachen *pl* **valuation** *n* Schätzung *f*

value I *n* **1.** Wert *m*; (≈ *usefulness*) Nutzen *m*; ***to be of ~*** wertvoll/nützlich sein; ***of no ~*** wert-/nutzlos; ***what's the ~ of your house?*** wie viel ist Ihr Haus wert?; ***it's good ~*** es ist preisgünstig; ***to get ~ for money*** etwas für sein Geld bekommen;

this TV was good ~ dieser Fernseher ist sein Geld wert; ***to the ~ of £500*** im Wert von £ 500 **2. values** *pl* (≈ *moral standards*) (sittliche) Werte *pl* **II** *v/t* schätzen; ***to be ~d at £100*** auf £ 100 geschätzt werden; ***I ~ her (highly)*** ich weiß sie (sehr) zu schätzen **value-added tax** *n* (*Br*) Mehrwertsteuer *f* **valued** *adj* (hoch) geschätzt

valve *n* ANAT Klappe *f*; TECH Absperrhahn *m*

vampire *n* Vampir(in) *m(f)*

van *n* **1.** (*Br* AUTO) Transporter *m* **2.** (*Br* RAIL) Waggon *m*

vandal *n* (*fig*) Vandale *m*, Vandalin *f*; ***it was damaged by ~s*** es ist mutwillig beschädigt worden **vandalism** *n* Vandalismus *m* **vandalize** *v/t* mutwillig beschädigen; *building* verwüsten

vanguard *n* Vorhut *f*

vanilla I *n* Vanille *f* **II** *adj* Vanille-

vanish *v/i* verschwinden; (*hopes*) schwinden

vanity *n* Eitelkeit *f* **vanity case** *n* Kosmetikkoffer *m*

vantage point *n* MIL (günstiger) Aussichtspunkt

vapour, (*US*) **vapor** *n* Dunst *m*; (*steamy*) Dampf *m*

variability *n* (*of weather, mood*) Unbeständigkeit *f* **variable I** *adj* **1.** veränderlich, variabel; *weather, mood* unbeständig **2.** *speed* regulierbar **II** *n* Variable *f*

variance *n* ***to be at ~ with sth*** nicht mit etw übereinstimmen **variant I** *n* Variante *f* **II** *adj* andere(r, s) **variation** *n* **1.** (≈ *varying*) Veränderung *f*; (*of temperature*) Schwankung(en) *f(pl)*; (*of prices*) Schwankung *f* **2.** (≈ *different form*) Variante *f*

varicose veins *pl* Krampfadern *pl*

varied *adj* unterschiedlich; *life* bewegt; *selection* reichhaltig; *interests* vielfältig; *diet* abwechslungsreich; ***a ~ group of people*** eine gemischte Gruppe **variety** *n* **1.** (≈ *diversity*) Abwechslung *f* **2.** (≈ *assortment*) Vielfalt *f*; COMM Auswahl *f* (*of* an +*dat*); ***in a ~ of colours*** (*Br*) *or* ***colors*** (*US*) in den verschiedensten Farben; ***for a ~ of reasons*** aus verschiedenen Gründen **3.** (≈ *type*) Art *f*; (*of potato*) Sorte *f* **variety show** *n* THEAT Varietévorführung *f*; TV Fernsehshow *f* **various** *adj* **1.** (≈ *different*) verschieden **2.** (≈ *several*) mehrere **variously** *adv* verschiedentlich

varnish I *n* (*lit*) Lack *m*; (*on painting*) Firnis *m* **II** *v/t* lackieren; *painting* firnissen

vary I *v/i* **1.** (≈ *diverge, differ*) sich unterscheiden (*from* von); ***opinions ~ on this point*** in diesem Punkt gehen die Meinungen auseinander **2.** (≈ *be different*) unterschiedlich sein; ***the price varies from shop to shop*** der Preis ist von Geschäft zu Geschäft verschieden; ***it varies*** es ist unterschiedlich **3.** (≈ *fluctuate*) sich (ver)ändern; (*prices*) schwanken **II** *v/t* (≈ *alter*) abwandeln; (≈ *give variety*) abwechslungsreich(er) gestalten **varying** *adj* (≈ *changing*) veränderlich; (≈ *different*) unterschiedlich; ***of ~ sizes/abilities*** unterschiedlich groß/begabt

vase *n* Vase *f*

vasectomy *n* Sterilisation *f* (*des Mannes*)

vassal *n* Vasall *m*

vast *adj* (+*er*) gewaltig, riesig; *knowledge, improvement* enorm; *majority* überwältigend; *wealth* unermesslich; ***a ~ expanse*** eine weite Ebene **vastly** *adv* erheblich; *experienced* äußerst; ***he is ~ superior to her*** er ist ihr haushoch überlegen **vastness** *n* (*of size*) gewaltiges Ausmaß; (*of area*) riesige Weite; (*of knowledge*) gewaltiger Umfang

VAT (*Br*) *abbr of* ***value-added tax*** MwSt.

vat *n* Fass *nt*; (*without lid*) Bottich *m*

Vatican *n* Vatikan *m*

vault[1] *n* **1.** (≈ *cellar*) (Keller)gewölbe *nt* **2.** (≈ *tomb*) Gruft *f* **3.** (*in bank*) Tresor(-raum) *m* **4.** ARCH Gewölbe *nt*

vault[2] **I** *n* Sprung *m* **II** *v/i* springen **III** *v/t* springen über (+*acc*)

VCR *abbr of* ***video cassette recorder*** Videorekorder *m*

VD *abbr of* ***venereal disease*** Geschlechtskrankheit *f*

VDU *abbr of* ***visual display unit***

veal *n* Kalbfleisch *nt*; ***~ cutlet*** Kalbsschnitzel *nt*

veer *v/i* (*wind*) (sich) drehen (*to* nach); (*ship*) abdrehen; (*car*) ausscheren; (*road*) scharf abbiegen; ***the car ~ed to the left*** das Auto scherte nach links aus; ***the car ~ed off the road*** das Auto kam von der Straße ab; ***to ~ off course*** vom Kurs abkommen; ***he ~ed away from the subject*** er kam (völlig) vom Thema ab

veg (*esp Br*) *n no pl abbr of* ***vegetable***

vegan I *n* Veganer(in) *m(f)* **II** *adj* veganisch; ***to be ~*** Veganer(in) *m(f)* sein **vegetable** *n* Gemüse *nt* **vegetable oil** *n* COOK Pflanzenöl *nt* **vegetarian I** *n* Vegetarier(in) *m(f)* **II** *adj* vegetarisch; ***~ cheese*** Käse *m* für Vegetarier **vegetate** *v/i (fig)* dahinvegetieren **vegetation** *n* Vegetation *f* **veggie** *(infml)* **I** *n* **1.** (≈ *vegetarian)* Vegetarier(in) *m(f)* **2.** ***veggies*** *pl (US)* = ***vegetables*** **II** *adj* vegetarisch **veggieburger** *n* Gemüseburger *m*

vehemence *n* Vehemenz *f (elev)* **vehement** *adj* vehement *(elev)*; *opponent* scharf; *supporter* leidenschaftlich **vehemently** *adv* vehement *(elev)*, heftig; *love, hate also* leidenschaftlich; *protest also* mit aller Schärfe; *attack* scharf

vehicle *n* **1.** Fahrzeug *nt* **2.** *(fig ≈ medium)* Mittel *nt*

veil I *n* Schleier *m*; ***to draw*** *or* ***throw a ~ over sth*** den Schleier des Vergessens über etw *(acc)* breiten; ***under a ~ of secrecy*** unter dem Mantel der Verschwiegenheit **II** *v/t (fig)* ***the town was ~ed by mist*** die Stadt lag in Nebel gehüllt **veiled** *adj threat etc* versteckt

vein *n* **1.** Ader *f*; ***~s and arteries*** Venen und Arterien *pl*; ***the ~ of humour*** *(Br)* *or* ***humor*** *(US)* ***which runs through the book*** ein humorvoller Zug, der durch das ganze Buch geht **2.** *(fig ≈ mood)* Stimmung *f*; ***in the same ~*** in derselben Art

Velcro® *n* Klettband *nt*

velocity *n* Geschwindigkeit *f*

velvet I *n* Samt *m* **II** *adj* Samt-

vendetta *n* Fehde *f*; *(of gangsters)* Vendetta *f*

vending machine *n* Automat *m* **vendor** *n* Verkäufer(in) *m(f)*; ***street ~*** Straßenhändler(in) *m(f)*

veneer *n (lit)* Furnier *nt*; *(fig)* Politur *f*; ***he had a ~ of respectability*** nach außen hin machte er einen sehr ehrbaren Eindruck

venerable *adj* ehrwürdig **venerate** *v/t* verehren; *sb's memory* ehren

venereal disease *n* Geschlechtskrankheit *f*

Venetian blind *n* Jalousie *f*

vengeance *n* Rache *f*; ***with a ~*** *(infml)* gewaltig *(infml)* **vengeful** *adj* rachsüchtig

Venice *n* Venedig *nt*

venison *n* Reh(fleisch) *nt*

venom *n (lit)* Gift *nt*; *(fig)* Gehässigkeit *f* **venomous** *adj* giftig; ***~ snake*** Giftschlange *f*

vent I *n (for gas, liquid)* Öffnung *f*; *(for feelings)* Ventil *nt*; ***to give ~ to one's feelings*** seinen Gefühlen freien Lauf lassen **II** *v/t feelings* abreagieren *(on* an *+dat)*; ***to ~ one's spleen*** sich *(dat)* Luft machen **ventilate** *v/t* belüften **ventilation** *n* Belüftung *f* **ventilation shaft** *n* Luftschacht *m* **ventilator** *n* **1.** Ventilator *m* **2.** MED Beatmungsgerät *nt*; ***to be on a ~*** künstlich beatmet werden

ventriloquist *n* Bauchredner(in) *m(f)*

venture I *n* Unternehmung *f*; ***mountain-climbing is his latest ~*** seit neuestem hat er sich aufs Bergsteigen verlegt; ***the astronauts on their ~ into the unknown*** die Astronauten auf ihrer abenteuerlichen Reise ins Unbekannte **II** *v/t* **1.** *life, money* riskieren *(on* bei) **2.** *guess* wagen; *opinion* zu äußern wagen; ***I would ~ to say that ...*** ich wage sogar zu behaupten, dass ... **III** *v/i* sich wagen; ***to ~ out of doors*** sich vor die Tür wagen ◆ **venture out** *v/i* sich hinauswagen

venture capital *n* Risikokapital *nt*

venue *n* (≈ *meeting place)* Treffpunkt *m*; SPORTS Austragungsort *m*

Venus *n* Venus *f*

veracity *n (of report)* Richtigkeit *f*

veranda(h) *n* Veranda *f*

verb *n* Verb *nt*

verbal *adj* **1.** *agreement* mündlich; ***~ abuse*** Beschimpfung *f*; ***~ attack*** Verbalattacke *f* **2.** *skills* sprachlich **verbally** *adv* mündlich; *threaten* verbal; ***to ~ abuse sb*** jdn beschimpfen

verbatim I *adj* wörtlich **II** *adv* wortwörtlich

verbose *adj* wortreich, langatmig

verdant *adj (liter)* grün

verdict *n* Urteil *nt*; ***a ~ of guilty/not guilty*** ein Schuldspruch *m*/Freispruch *m*; ***what's the ~?*** wie lautet das Urteil?; ***what's your ~ on this wine?*** wie beurteilst du diesen Wein?; ***to give one's ~ about*** *or* ***on sth*** sein Urteil über etw *(acc)* abgeben

verge *n (fig, Br lit)* Rand *m*; ***to be on the ~ of ruin*** am Rande des Ruins stehen; ***to be on the ~ of tears*** den Tränen nahe sein; ***to be on the ~ of doing sth*** im Begriff sein, etw zu tun ◆ **verge on** *v/i +prep obj* grenzen an (+*acc*); ***she was verging on madness*** sie stand am Rande des Wahnsinns

verify *v/t* (≈ *check up*) (über)prüfen; (≈ *confirm*) bestätigen
veritable *adj genius* wahr; ***a ~ disaster*** die reinste Katastrophe
vermin *n no pl* (≈ *animal*) Schädling *m*; (≈ *insects*) Ungeziefer *nt*
vermouth *n* Wermut *m*
vernacular *n* **1.** (≈ *dialect*) Mundart *f* **2.** (≈ *not official language*) Landessprache *f*
verruca *n* Warze *f*
versatile *adj* vielseitig **versatility** *n* Vielseitigkeit *f*
verse *n* **1.** (≈ *stanza*) Strophe *f* **2.** *no pl* (≈ *poetry*) Dichtung *f*; ***in ~*** in Versform **3.** (*of Bible*) Vers *m* **versed** *adj* (*a.* **well versed**) bewandert (*in* in *+dat*); ***he's well ~ in the art of judo*** er beherrscht die Kunst des Judos
version *n* Version *f*; (*of text*) Fassung *f*
versus *prep* gegen (*+acc*)
vertebra *n*, *pl* **-e** Rückenwirbel *m* **vertebrate** *n* Wirbeltier *nt*
vertical *adj* senkrecht; ***~ cliffs*** senkrecht abfallende Klippen; ***~ stripes*** Längsstreifen *pl*; ***there is a ~ drop from the cliffs into the sea below*** die Klippen fallen steil *or* senkrecht ins Meer ab **vertically** *adv* senkrecht
vertigo *n* Schwindel *m*; MED Gleichgewichtsstörung *f*; ***he suffers from ~*** ihm wird leicht schwindlig
verve *n* Schwung *m*
very I *adv* **1.** sehr; ***I'm ~ sorry*** es tut mir sehr leid; ***that's not ~ funny*** das ist überhaupt nicht lustig; ***I'm not ~ good at maths*** ich bin in Mathe nicht besonders gut; ***~ little*** sehr wenig; ***~ much*** sehr; ***thank you ~ much*** vielen Dank; ***I liked it ~ much*** es hat mir sehr gut gefallen; ***~ much bigger*** sehr viel größer **2.** (≈ *absolutely*) aller-; ***~ best quality*** allerbeste Qualität; ***~ last*** allerletzte(r, s); ***~ first*** allererste(r, s); ***at the ~ latest*** allerspätestens; ***to do one's ~ best*** sein Äußerstes tun; ***at the ~ most*** allerhöchstens; ***at the ~ least*** allerwenigstens; ***to be in the ~ best of health*** sich bester Gesundheit erfreuen; ***they are the ~ best of friends*** sie sind die dicksten Freunde **3.** ***the ~ same hat*** genau der gleiche Hut; ***we met again the ~ next day*** wir trafen uns am nächsten Tag schon wieder; ***my ~ own car*** mein eigenes Auto; ***~ well, if that's what you want*** nun gut, wenn du das willst; ***I couldn't ~ well say no*** ich konnte schlecht Nein sagen **II** *adj* **1.** (≈ *exact*) genau; ***that ~ day*** genau an diesem Tag; ***at the ~ heart of the organization*** direkt im Zentrum der Organisation; ***before my ~ eyes*** direkt vor meinen Augen; ***the ~ thing I need*** genau das, was ich brauche; ***the ~ thing!*** genau das Richtige! **2.** (≈ *extreme*) äußerste(r, s); ***in the ~ beginning*** ganz am Anfang; ***at the ~ end*** ganz am Ende; ***at the ~ back*** ganz hinten; ***go to the ~ end of the road*** gehen Sie die Straße ganz entlang *or* durch **3.** ***the ~ thought of it*** allein schon der Gedanke daran; ***the ~ idea!*** nein, so etwas!
vessel *n* **1.** NAUT Schiff *nt* **2.** (*form* ≈ *receptacle*) Gefäß *nt*
vest[1] *n* **1.** (*Br*) Unterhemd *nt*, Leiberl *nt* (*Aus*), Leibchen *nt* (*Aus*, *Swiss*) **2.** (*US*) Weste *f*
vest[2] *v/t* (*form*) ***to have a ~ed interest in sth*** ein persönliches Interesse an etw (*dat*) haben
vestibule *n* Vorhalle *f*; (*of hotel*) Foyer *nt*
vestige *n* Spur *f*
vestment *n* (*of priest*) Ornat *m*; (≈ *ceremonial robe*) Robe *f*
vestry *n* Sakristei *f*
vet I *n abbr of* ***veterinary surgeon***, ***veterinarian*** **II** *v/t* überprüfen
veteran *n* Veteran(in) *m*(*f*)
veterinarian *n* (*US*) Tierarzt *m*/-ärztin *f*
veterinary *adj* Veterinär- **veterinary medicine** *n* Veterinärmedizin *f* **veterinary practice** *n* Tierarztpraxis *f* **veterinary surgeon** *n* Tierarzt *m*/-ärztin *f*
veto I *n*, *pl* **-es** Veto *nt*; ***power of ~*** Vetorecht *nt* **II** *v/t* sein Veto einlegen gegen
vetting *n* Überprüfung *f*
vexed *adj question* schwierig **vexing** *adj* ärgerlich
VHF RADIO *abbr of* ***very high frequency*** UKW
via *prep* über (*+acc*); ***they got in ~ the window*** sie kamen durchs Fenster herein
viability *n* (*of plan*, *project*) Durchführbarkeit *f*, Realisierbarkeit *f*; (*of firm*) Rentabilität *f* **viable** *adj company* rentabel; *plan* machbar; *alternative* gangbar; *option* realisierbar; ***the company is not economically ~*** die Firma ist unrentabel; ***a ~ form of government*** eine funktionsfähige Regierungsform

viaduct *n* Viadukt *m*
vibes *pl* (*infml*) ***this town is giving me bad~*** diese Stadt macht mich ganz fertig (*infml*)
vibrant *adj* **1.** *personality etc* dynamisch; *community* lebendig; *economy* boomend **2.** *colour* leuchtend
vibrate I *v/i* beben (*with* vor +*dat*); (*machine, string*) vibrieren **II** *v/t* zum Vibrieren bringen; *string* zum Schwingen bringen **vibration** *n* (*of string*) Schwingung *f*; (*of machine*) Vibrieren *nt* **vibrator** *n* Vibrator *m*
vicar *n* Pfarrer(in) *m*(*f*) **vicarage** *n* Pfarrhaus *nt*
vice[1] *n* Laster *nt*
vice[2], (*US*) **vise** *n* Schraubstock *m*
vice-chairman *n* stellvertretender Vorsitzender **vice-chairwoman** *n* stellvertretende Vorsitzende **vice chancellor** *n* (*Br* UNIV) ≈ Rektor(in) *m*(*f*) **vice president** *n* Vizepräsident(in) *m*(*f*)
vice versa *adv* umgekehrt
vicinity *n* Umgebung *f*; ***in the~*** in der Nähe (*of* von, *gen*); ***in the~ of £500*** um die £ 500 (herum)
vicious *adj* **1.** *animal* bösartig; *blow, attack* brutal; ***to have a ~ temper*** jähzornig sein **2.** (≈ *nasty*) gemein **vicious circle** *n* Teufelskreis *m* **viciously** *adv* (≈ *violently*) bösartig; *murder* auf grauenhafte Art
victim *n* Opfer *nt*; ***to fall ~ to sth*** einer Sache (*dat*) zum Opfer fallen **victimize** *v/t* ungerecht behandeln; (≈ *pick on*) schikanieren
victor *n* Sieger(in) *m*(*f*)
Victorian I *n* Viktorianer(in) *m*(*f*) **II** *adj* viktorianisch
victorious *adj army* siegreich; *campaign* erfolgreich; ***to be~ over sb/sth*** jdn/etw besiegen
victory *n* Sieg *m*; ***to win a ~ over sb/sth*** einen Sieg über jdn/etw erringen
video I *n* **1.** (≈ *film*) Video *nt* **2.** (≈ *recorder*) Videorekorder *m* **II** *v/t* (auf Video) aufnehmen **video camera** *n* Videokamera *f* **video cassette** *n* Videokassette *f* **video conferencing** *n* Videokonferenzschaltung *f*, Video Conferencing *nt* **video disc** *n* Bildplatte *f* **video game** *n* Telespiel *nt* **video library** *n* Videothek *f* **video nasty** *n* (*Br*) Horrorvideo *nt* **videophone** *n* Fernsehtelefon *nt* **video recorder** *n* Videorekorder *m* **video-recording** *n* Videoaufnahme *f* **video rental** *n* Videoverleih *m*; ***~ shop*** (*esp Br*) *or* ***store*** Videothek *f* **video shop** *n* Videothek *f* **video tape** *n* Videoband *nt* **video-tape** *v/t* (auf Video) aufzeichnen
vie *v/i* wetteifern; ***to ~ with sb for sth*** mit jdm um etw wetteifern
Vienna I *n* Wien *nt* **II** *adj* Wiener
Vietnam *n* Vietnam *nt* **Vietnamese I** *adj* vietnamesisch **II** *n* Vietnamese *m*, Vietnamesin *f*
view I *n* **1.** (≈ *range of vision*) Sicht *f*; ***to come into ~*** in Sicht kommen; ***to keep sth in ~*** etw im Auge behalten; ***the house is within ~ of the sea*** vom Haus aus ist das Meer zu sehen; ***hidden from ~*** verborgen **2.** (≈ *prospect, sight*) Aussicht *f*; ***a good ~ of the sea*** ein schöner Blick auf das Meer; ***a room with a ~*** ein Zimmer mit schöner Aussicht; ***he stood up to get a better ~*** er stand auf, um besser sehen zu können **3.** (≈ *photograph etc*) Ansicht *f* **4.** (≈ *opinion*) Ansicht *f*; ***in my ~*** meiner Meinung nach; ***to have ~s on sth*** Ansichten über etw (*acc*) haben; ***what are his ~s on this?*** was meint er dazu?; ***I have no ~s on that*** ich habe keine Meinung dazu; ***to take the ~ that ...*** die Ansicht vertreten, dass ...; ***an overall ~ of a problem*** ein umfassender Überblick über ein Problem; ***in ~ of*** angesichts (+*gen*) **5.** (≈ *intention*) Absicht *f*; ***with a ~ to doing sth*** mit der Absicht, etw zu tun **II** *v/t* **1.** (≈ *see*) betrachten **2.** *house* besichtigen **3.** *problem etc* sehen **III** *v/i* (≈ *watch television*) fernsehen **viewer** *n* TV Zuschauer(in) *m*(*f*) **viewfinder** *n* Sucher *m* **viewing** *n* **1.** (*of house etc*) Besichtigung *f* **2.** TV Fernsehen *nt* **viewing figures** *pl* TV Zuschauerzahlen *pl* **viewpoint** *n* **1.** Standpunkt *m*; ***from the ~ of economic growth*** unter dem Gesichtspunkt des Wirtschaftswachstums; ***to see sth from sb's ~*** etw aus jds Sicht sehen **2.** (*for scenic view*) Aussichtspunkt *m*
vigil *n* (Nacht)wache *f* **vigilance** *n* Wachsamkeit *f* **vigilant** *adj* wachsam; ***to be ~ about sth*** auf etw (*acc*) achten **vigilante I** *n Mitglied einer Selbstschutzorganisation* **II** *adj attr* Selbstschutz-
vigor *n* (*US*) = ***vigour*** **vigorous** *adj* energisch; *activity* dynamisch; *opponent* engagiert **vigorously** *adv* energisch; *de-*

fend engagiert; *oppose* heftig **vigour**, (*US*) **vigor** *n* Energie *f*

Viking I *n* Wikinger(in) *m(f)* **II** *adj* Wikinger-

vile *adj* abscheulich; *weather, food* scheußlich

villa *n* Villa *f*

village *n* Dorf *nt* **village hall** *n* Gemeindesaal *m* **villager** *n* Dörfler(in) *m(f)*, Dorfbewohner(in) *m(f)*

villain *n* (≈ *scoundrel*) Schurke *m*, Schurkin *f*; (*infml* ≈ *criminal*) Ganove *m* (*infml*); (*in novel*) Bösewicht *m*

vim *n* (*infml*) Schwung *m*

vinaigrette *n* Vinaigrette *f* (COOK); (*for salad*) Salatsoße *f*

vindicate *v/t* **1.** *action* rechtfertigen **2.** (≈ *exonerate*) rehabilitieren **vindication** *n* **1.** (*of opinion, action, decision*) Rechtfertigung *f* **2.** (≈ *exoneration*) Rehabilitation *f*

vindictive *adj* rachsüchtig **vindictiveness** *n* **1.** Rachsucht *f* **2.** (*of mood*) Unversöhnlichkeit *f*

vine *n* (≈ *grapevine*) Rebe *f*

vinegar *n* Essig *m*

vine leaf *n* Rebenblatt *nt* **vineyard** *n* Weinberg *m*

vintage I *n* (*of wine, fig*) Jahrgang *m* **II** *adj attr* (≈ *old*) uralt; (≈ *high quality*) glänzend **vintage car** *n* Vorkriegsmodell *nt* **vintage wine** *n* edler Wein **vintage year** *n* **a ~ for wine** ein besonders gutes Weinjahr

vinyl *n* Vinyl *nt*

viola *n* MUS Bratsche *f*

violate *v/t* **1.** *treaty* brechen; (*partially*) verletzen; *law* verstoßen gegen; *rights* verletzen **2.** *holy place* entweihen **violation** *n* **1.** (*of law*) Verstoß *m* (*of* gegen); (*of rights*) Verletzung *f*; ***a ~ of a treaty*** ein Vertragsbruch *m*; ***traffic ~*** Verkehrsvergehen *nt* **2.** (*of holy place*) Entweihung *f*; (*of privacy*) Eingriff *m* (*of* in +*acc*)

violence *n* **1.** (≈ *strength*) Heftigkeit *f* **2.** (≈ *brutality*) Gewalt *f*; (*of people*) Gewalttätigkeit *f*; (*of actions*) Brutalität *f*; ***act of ~*** Gewalttat *f*; ***was there any ~?*** kam es zu Gewalttätigkeiten?

violent *adj person, game* brutal; *crime* Gewalt-; *attack, protest* heftig; *film* gewalttätig; *impact* gewaltig; *storm, dislike* stark; ***to have a ~ temper*** jähzornig sein; ***to turn ~*** gewalttätig werden **violently** *adv beat, attack* brutal; *shake* heftig; *disagree* scharf; ***to be ~ against sth*** or ***opposed to sth*** ein scharfer Gegner/eine scharfe Gegnerin einer Sache (*gen*) sein; ***to be ~ ill*** or ***sick*** sich furchtbar übergeben; ***to cough ~*** gewaltig husten

violet I *n* BOT Veilchen *nt*; (≈ *colour*) Violett *nt* **II** *adj* violett

violin *n* Geige *f* **violinist, violin player** *n* Geiger(in) *m(f)*

VIP *n* Promi *m* (*hum infml*); ***he got/we gave him ~ treatment*** er wurde/wir haben ihn als Ehrengast behandelt

viral *adj* Virus-; ***~ infection*** Virusinfektion *f*

virgin I *n* Jungfrau *f*; ***the Virgin Mary*** die Jungfrau Maria; ***he's still a ~*** er ist noch unschuldig **II** *adj* (*fig*) *forest etc* unberührt; ***~ olive oil*** natives Olivenöl **virginity** *n* Unschuld *f*

Virgo *n* Jungfrau *f*; ***he's (a) ~*** er ist Jungfrau

virile *adj* (*lit*) männlich **virility** *n* (*lit*) Männlichkeit *f*; (≈ *sexual power*) Potenz *f*

virtual *adj attr* **1.** *certainty* fast völlig; ***she was a ~ prisoner*** sie war so gut wie eine Gefangene; ***it was a ~ admission of guilt*** es war praktisch ein Schuldgeständnis **2.** IT virtuell **virtually** *adv* **1.** praktisch; ***to be ~ certain*** sich (*dat*) so gut wie sicher sein **2.** IT virtuell **virtual reality** *n* virtuelle Realität

virtue *n* **1.** (≈ *moral quality*) Tugend *f* **2.** (≈ *chastity*) Keuschheit *f* **3.** (≈ *advantage*) Vorteil *m*; ***by ~ of*** aufgrund +*gen*

virtuoso I *n esp* MUS Virtuose *m*, Virtuosin *f* **II** *adj* virtuos

virtuous *adj* **1.** tugendhaft **2.** (*pej* ≈ *self--satisfied*) selbstgerecht **virtuously** *adv* (*pej* ≈ *self-righteously*) selbstgerecht

virulent *adj* **1.** MED bösartig **2.** (*fig*) *attack* scharf

virus *n* MED, IT Virus *nt or m*; ***polio ~*** Polioerreger *m*; ***she's got a ~*** (*infml*) sie hat sich (*dat*) was eingefangen (*infml*) **virus scanner** *n* IT Virensuchprogramm *nt*

visa *n* Visum *nt*

vis-à-vis *prep* in Anbetracht (+*gen*)

viscose *n* Viskose *f*

viscount *n* Viscount *m* **viscountess** *n* Viscountess *f*

vise *n* (*US*) = ***vice***[2]

visibility *n* **1.** Sichtbarkeit *f* **2.** METEO

Sichtweite *f*; ***poor ~*** schlechte Sicht **visible** *adj* **1.** sichtbar; ***~ to the naked eye*** mit dem bloßen Auge zu erkennen; ***to be ~ from the road*** von der Straße aus zu sehen sein; ***with a ~ effort*** mit sichtlicher Mühe **2.** (≈ *obvious*) sichtlich; ***at management level women are becoming increasingly ~*** auf Führungsebene treten Frauen immer deutlicher in Erscheinung **visibly** *adv* sichtbar, sichtlich

vision *n* **1.** (≈ *power of sight*) Sehvermögen *nt*; ***within ~*** in Sichtweite **2.** (≈ *foresight*) Weitblick *m* **3.** (*in dream*) Vision *f* **4.** (≈ *image*) Vorstellung *f* **visionary I** *adj* visionär **II** *n* Visionär(in) *m(f)*

visit I *n* Besuch *m*; (*of doctor*) Hausbesuch *m*; ***to pay sb/sth a ~*** jdn/etw besuchen; ***to pay a ~*** (*euph*) mal verschwinden (müssen); ***to have a ~ from sb*** von jdm besucht werden; ***to be on a ~ to London*** zu einem Besuch in London sein **II** *v/t* **1.** besuchen; *doctor* aufsuchen **2.** (≈ *inspect*) inspizieren **III** *v/i* einen Besuch machen; ***come and ~ some time*** komm mich mal besuchen; ***I'm only ~ing*** ich bin nur auf Besuch **visiting** *adj expert* Gast-; *dignitary* der/die zu Besuch ist **visiting hours** *pl* Besuchszeiten *pl* **visiting time** *n* Besuchszeit *f*

visitor *n* Besucher(in) *m(f)*; (*in hotel*) Gast *m*; ***to have ~s/a ~*** Besuch haben

visor *n* (*on helmet*) Visier *nt*; (*on cap*) Schirm *m*; AUTO Blende *f*

vista *n* Aussicht *f*

visual *adj* Seh-; *image* visuell **visual aids** *pl* Anschauungsmaterial *nt* **visual arts** *n* ***the ~*** die darstellenden Künste *pl* **visual display unit** *n* Sichtgerät *nt* **visualize** *v/t* sich (*dat*) vorstellen **visually** *adv* visuell; ***~ attractive*** attraktiv anzusehen **visually handicapped, visually impaired** *adj* sehbehindert

vital *adj* **1.** (≈ *of life*) vital; (≈ *necessary for life*) lebenswichtig **2.** (≈ *essential*) unerlässlich; ***of ~ importance*** von größter Wichtigkeit; ***this is ~*** das ist unbedingt notwendig; ***how ~ is this?*** wie wichtig ist das? **3.** (≈ *critical*) entscheidend; *error* schwerwiegend **vitality** *n* (≈ *energy*) Vitalität *f* **vitally** *adv important* äußerst **vital signs** *pl* MED Lebenszeichen *pl* **vital statistics** *pl* Bevölkerungsstatistik *f*; (*infml: of woman*) Maße *pl*

vitamin *n* Vitamin *nt*

vitro; → ***in vitro***

viva *n* (*Br*) = ***viva voce***

vivacious *adj* lebhaft **vivaciously** *adv say, laugh* munter

viva voce *n* (*Br*) mündliche Prüfung

vivid *adj light* hell; *colour* kräftig; *imagination* lebhaft; *description* lebendig; *example* deutlich; ***in ~ detail*** in allen plastischen Einzelheiten; ***the memory of that day is still quite ~*** der Tag ist mir noch in lebhafter Erinnerung; ***to be a ~ reminder of sth*** lebhaft an etw (*acc*) erinnern **vividly** *adv coloured* lebhaft; *shine* leuchtend; *portray* anschaulich; *demonstrate* klar und deutlich; ***the red stands out ~ against its background*** das Rot hebt sich stark vom Hintergrund ab **vividness** *n* (*of colour, imagination, memory*) Lebhaftigkeit *f*; (*of light*) Helligkeit *f*; (*of style*) Lebendigkeit *f*; (*of description, image*) Anschaulichkeit *f*

vivisection *n* Vivisektion *f*

viz *adv* nämlich

V-neck *n* V-Ausschnitt *m* **V-necked** *adj* mit V-Ausschnitt

vocabulary *n* Wortschatz *m*

vocal I *adj* **1.** (≈ *using voice*) Stimm- **2.** (≈ *voicing opinions*) lautstark; ***to be/become ~*** sich zu Wort melden **II** *n* ***~s: Van Morrison*** Gesang: Van Morrison; ***featuring Madonna on ~s*** mit Madonna als Sängerin; ***backing ~s*** Hintergrundgesang *m*; ***lead ~s ...*** Leadsänger(in) *m(f)* ... **vocal cords** *pl* Stimmbänder *pl* **vocalist** *n* Sänger(in) *m(f)*

vocation *n* REL *etc* Berufung *f* **vocational** *adj* Berufs-; *qualifications* beruflich; ***~ training*** Berufsausbildung *f* **vocational school** *n* (*US*) ≈ Berufsschule *f*

vociferous *adj* lautstark

vodka *n* Wodka *m*

vogue *n* Mode *f*; ***to be in ~*** (in) Mode sein

voice I *n* **1.** Stimme *f*; ***I've lost my ~*** ich habe keine Stimme mehr; ***in a deep ~*** mit tiefer Stimme; ***in a low ~*** mit leiser Stimme; ***to like the sound of one's own ~*** sich gern(e) reden hören; ***his ~ has broken*** er hat den Stimmbruch hinter sich; ***to give ~ to sth*** einer Sache (*dat*) Ausdruck verleihen **2.** GRAM Genus *nt*; ***the passive ~*** das Passiv **II** *v/t* zum Ausdruck bringen **voice-activated** *adj* IT sprachgesteuert **voice mail** *n* Voicemail *f* **voice-operated** *adj* sprachgesteuert **voice-over** *n* Filmkommentar *m* **voice**

recognition *n* Spracherkennung *f*
void **I** *n* Leere *f* **II** *adj* **1.** (≈ *empty*) leer; ***~ of any sense of decency*** ohne jegliches Gefühl für Anstand **2.** JUR ungültig
vol *abbr of* ***volume*** Bd.
volatile *adj* **1.** CHEM flüchtig **2.** *person* (*in moods*) impulsiv; *relationship* wechselhaft; *situation* brisant
vol-au-vent *n* (Königin)pastetchen *nt*
volcanic *adj* (*lit*) Vulkan-; *rock*, *activity* vulkanisch **volcano** *n* Vulkan *m*
vole *n* **1.** Wühlmaus *f* **2.** (≈ *common vole*) Feldmaus *f*
volition *n* Wille *m*; ***of one's own ~*** aus freiem Willen
volley **I** *n* **1.** (*of shots*) Salve *f* **2.** TENNIS Volley *m* **II** *v/t* ***to ~ a ball*** TENNIS einen Volley spielen **III** *v/i* TENNIS einen Volley schlagen **volleyball** *n* Volleyball *m*
volt *n* Volt *nt* **voltage** *n* Spannung *f*
volume *n* **1.** Band *m*; ***a six-~ dictionary*** ein sechsbändiges Wörterbuch; ***that speaks ~s*** (*fig*) das spricht Bände (*for* für) **2.** (*of container*) Volumen *nt* **3.** (≈ *amount*) Ausmaß *nt* (*of* an +*dat*); ***the ~ of traffic*** das Verkehrsaufkommen **4.** (≈ *sound*) Lautstärke *f*; ***turn the ~ up/down*** stell (das Gerät) lauter/leiser **volume control** *n* RADIO, TV Lautstärkeregler *m* **voluminous** *adj* voluminös (*elev*)
voluntarily *adv* freiwillig; (≈ *unpaid*) ehrenamtlich
voluntary *adj* **1.** freiwillig; ***~ worker*** freiwilliger Helfer, freiwillige Helferin; (*overseas*) Entwicklungshelfer(in) *m*(*f*) **2.** *body* karitativ; ***a ~ organization for social work*** ein freiwilliger Wohlfahrtsverband **voluntary redundancy** *n* freiwilliges Ausscheiden; ***to take ~*** sich abfinden lassen **volunteer** **I** *n* Freiwillige(r) *m*/*f*(*m*); ***any ~s?*** wer meldet sich freiwillig? **II** *v/t help* anbieten; *information* geben **III** *v/i* **1.** sich freiwillig melden; ***to ~ for sth*** sich freiwillig für etw zur Verfügung stellen; ***to ~ to do sth*** sich anbieten, etw zu tun; ***who will ~ to clean the windows?*** wer meldet sich freiwillig zum Fensterputzen? **2.** MIL sich freiwillig melden (*for* zu)
voluptuous *adj woman* sinnlich; *body* verlockend
vomit **I** *n* Erbrochene(s) *nt* **II** *v/t* spucken; *food* erbrechen **III** *v/i* sich übergeben
voracious *adj person* gefräßig; *collector* besessen; ***she is a ~ reader*** sie verschlingt die Bücher geradezu
vote **I** *n* Stimme *f*; (≈ *act of voting*) Abstimmung *f*; (≈ *result*) Abstimmungsergebnis *nt*; (≈ *franchise*) Wahlrecht *nt*; ***to put sth to the ~*** über etw (*acc*) abstimmen lassen; ***to take a ~ on sth*** über etw (*acc*) abstimmen; ***he won by 22 ~s*** er gewann mit einer Mehrheit von 22 Stimmen; ***the Labour ~*** die Labourstimmen *pl* **II** *v/t* **1.** (≈ *elect*) wählen; ***he was ~d chairman*** er wurde zum Vorsitzenden gewählt **2.** (*infml* ≈ *judge*) wählen zu; ***I ~ we go back*** ich schlage vor, dass wir umkehren **III** *v/i* wählen; ***to ~ for/against sth*** für/gegen etw stimmen ◆ **vote in** *v/t sep law* beschließen; *person* wählen ◆ **vote on** *v/i +prep obj* abstimmen über (+*acc*) ◆ **vote out** *v/t sep* abwählen; *amendment* ablehnen
voter *n* Wähler(in) *m*(*f*) **voting** *n* Wahl *f*; ***a system of ~*** ein Wahlsystem *nt*; ***~ was heavy*** die Wahlbeteiligung war hoch **voting booth** *n* Wahlkabine *f* **voting paper** *n* Stimmzettel *m*
vouch *v/i* ***to ~ for sb/sth*** sich für jdn/etw verbürgen; (*legally*) für jdn/etw bürgen **voucher** *n* Gutschein *m*
vow **I** *n* Gelöbnis *nt*; REL Gelübde *nt*; ***to make a ~ to do sth*** geloben, etw zu tun; ***to take one's ~s*** sein Gelübde ablegen **II** *v/t* geloben
vowel *n* Vokal *m*; ***~ sound*** Vokal(laut) *m*
voyage *n* Reise *f*; (*by sea*) Seereise *f*; ***to go on a ~*** auf eine Reise *etc* gehen
voyeur *n* Voyeur(in) *m*(*f*)
vs *abbr of* ***versus***
V-sign *n* (*Br*) (*victory*) Victoryzeichen *nt*; (*rude*) ≈ Stinkefinger *m* (*infml*); ***he gave me the ~*** ≈ er zeigte mir den Stinkefinger (*infml*)
vulgar *adj* (*pej*) (≈ *unrefined*) vulgär; *joke* ordinär; (≈ *tasteless*) geschmacklos
vulnerability *n* Verwundbarkeit *f*; (≈ *susceptibility*) Verletzlichkeit *f*; (*fig*) Verletzbarkeit *f*; (*of fortress*) Ungeschütztheit *f* **vulnerable** *adj* verwundbar; (≈ *exposed*) verletzlich; (*fig*) verletzbar; *fortress* ungeschützt; ***to be ~ to disease*** anfällig für Krankheiten sein; ***to be ~ to attack*** Angriffen schutzlos ausgesetzt sein
vulture *n* Geier *m*
vulva *n* Vulva *f* (*elev*)

W

W, w *n* W *nt*, w *nt*
W *abbr of* ***west*** W
wacky *adj* (*+er*) (*infml*) verrückt (*infml*)
wad *n* (*of cotton wool etc*) Bausch *m*; (*of papers, banknotes*) Bündel *nt* **wadding** *n* (*for packing*) Material *nt* zum Ausstopfen
waddle *v/i* watscheln
wade *v/i* waten ◆ **wade in** *v/i* **1.** (*lit*) hineinwaten **2.** (*fig infml*) sich hineinknien (*infml*) ◆ **wade into** *v/i +prep obj* (*fig infml* ≈ *attack*) ***to ~ sb*** auf jdn losgehen; ***to ~ sth*** etw in Angriff nehmen ◆ **wade through** *v/i +prep obj* (*lit*) waten durch
waders *pl* Watstiefel *pl* **wading pool** *n* (*US*) Planschbecken *nt*
wafer *n* **1.** (≈ *biscuit*) Waffel *f* **2.** ECCL Hostie *f* **wafer-thin** *adj* hauchdünn
waffle[1] *n* COOK Waffel *f*
waffle[2] (*Br infml*) **I** *n* Geschwafel *nt* (*infml*) **II** *v/i* (*a.* **waffle on**) schwafeln (*infml*)
waffle iron *n* Waffeleisen *nt*
waft I *n* Hauch *m* **II** *v/t & v/i* wehen; ***a delicious smell ~ed up from the kitchen*** ein köstlicher Geruch zog aus der Küche herauf
wag[1] **I** *v/t tail* wedeln mit; ***to ~ one's finger at sb*** jdm mit dem Finger drohen **II** *v/i* (*tail*) wedeln
wag[2] *n* (≈ *wit, clown*) Witzbold *m* (*infml*)
wage[1] *n usu pl* Lohn *m*
wage[2] *v/t war* führen; ***to ~ war against sth*** (*fig*) gegen etw einen Feldzug führen
wage claim *n* Lohnforderung *f* **wage earner** *n* (*esp Br*) Lohnempfänger(in) *m*(*f*) **wage increase** *n* Lohnerhöhung *f* **wage packet** *n* (*esp Br*) Lohntüte *f*
wager *n* Wette *f* (*on* auf *+acc*); ***to make a ~*** eine Wette abschließen
wages *pl* Lohn *m* **wage settlement** *n* Tarifabschluss *m*
waggle I *v/t* wackeln mit **II** *v/i* wackeln
waggon *n* (*Br*) = ***wagon*** **wagon** *n* **1.** (*horse-drawn*) Fuhrwerk *nt*; (≈ *covered wagon*) Planwagen *m* **2.** (*Br* RAIL) Waggon *m* **wagonload** *n* Wagenladung *f*
wail I *n* (*of baby*) Geschrei *nt*; (*of mourner*) Klagen *nt*; (*of sirens, wind*) Heulen *nt* **II** *v/i* (*baby, cat*) schreien; (*mourner*) klagen; (*siren, wind*) heulen
waist *n* Taille *f* **waistband** *n* Rock-/Hosenbund *m* **waistcoat** *n* (*Br*) Weste *f* **waist-deep** *adj* hüfthoch; ***we stood ~ in ...*** wir standen bis zur Hüfte in ... **waist-high** *adj* hüfthoch **waistline** *n* Taille *f*
wait I *v/i* **1.** warten (*for* auf *+acc*); ***to ~ for sb to do sth*** darauf warten, dass jd etw tut; ***it was definitely worth ~ing for*** es hat sich wirklich gelohnt, darauf zu warten; ***well, what are you ~ing for?*** worauf wartest du denn (noch)?; ***this work is still ~ing to be done*** diese Arbeit muss noch erledigt werden; ***~ a minute*** *or* ***moment*** *or* ***second*** (einen) Augenblick *or* Moment (mal); (***just***) ***you ~!*** warte nur ab!; (*threatening*) warte nur!; ***I can't ~*** ich kanns kaum erwarten; (*out of curiosity*) ich bin gespannt; ***I can't ~ to see his face*** da bin ich (aber) auf sein Gesicht gespannt; ***I can't ~ to try out my new boat*** ich kann es kaum noch erwarten, bis ich mein neues Boot ausprobiere; ***"repairs while you ~"*** „Sofortreparaturen"; ***~ and see!*** abwarten und Tee trinken! (*infml*) **2.** ***to ~ at table*** (*Br*) servieren **II** *v/t* **1.** ***to ~ one's turn*** (ab)warten, bis man an der Reihe ist **2.** (*US*) ***to ~ a table*** servieren **III** *n* Wartezeit *f*; ***to have a long ~*** lange warten müssen; ***to lie in ~ for sb/sth*** jdm/einer Sache auflauern ◆ **wait about** (*Brit*) *or* **around** *v/i* warten (*for* auf *+acc*) ◆ **wait on** *v/i +prep obj* **1.** (*a.* **wait upon**) bedienen **2.** (*US*) ***to ~ table*** servieren **3.** (≈ *wait for*) warten auf (*+acc*) ◆ **wait up** *v/i* aufbleiben (*for* wegen, für)
waiter *n* Kellner *m*, Ober *m*; ***~!*** (Herr) Ober! **waiting** *n* Warten *nt*; ***all this ~*** (***around***) diese ewige Warterei (*infml*) **waiting list** *n* Warteliste *f*
waiting room *n* Warteraum *m*; (*at doctor's*) Wartezimmer *nt*; (*in railway station*) Wartesaal *m*
waitress I *n* Kellnerin *f*, Serviertochter *f* (*Swiss*); ***~!*** Fräulein! **II** *v/i* kellnern **waitressing** *n* Kellnern *nt*
waive *v/t rights, fee* verzichten auf (*+acc*);

rules außer Acht lassen **waiver** *n* JUR Verzicht *m* (*of* auf *+acc*); (≈ *document*) Verzichterklärung *f*

wake[1] *n* NAUT Kielwasser *nt*; ***in the ~ of*** (*fig*) im Gefolge (*+gen*)

wake[2] *pret* ***woke***, *past part* ***woken*** *or* ***waked*** **I** *v/t* (auf)wecken **II** *v/i* aufwachen; ***he woke to find himself in prison*** als er aufwachte, fand er sich im Gefängnis wieder ◆ **wake up I** *v/i* aufwachen; ***to ~ to sth*** (*fig*) sich (*dat*) einer Sache (*gen*) bewusst werden **II** *v/t sep* (*lit*) aufwecken

waken I *v/t* (auf)wecken **II** *v/i* (*liter, Scot*) erwachen (*elev*) **waking** *adj* ***one's ~ hours*** von früh bis spät

Wales *n* Wales *nt*; ***Prince of ~*** Prinz *m* von Wales

walk I *n* **1.** (≈ *stroll*) Spaziergang *m*; (≈ *hike*) Wanderung *f*; SPORTS Gehen *nt*; ***it's 10 minutes' ~*** es sind 10 Minuten zu Fuß; ***it's a long ~ to the shops*** zu den Läden ist es weit zu Fuß; ***to go for a ~*** einen Spaziergang machen; ***to take the dog for a ~*** mit dem Hund spazieren gehen **2.** (≈ *gait*) Gang *m* **3.** (≈ *route*) Weg *m*; (*signposted etc*) Wander-/Spazierweg *m*; ***he knows some good ~s in the Lake District*** er kennt ein paar gute Wanderungen im Lake District **4.** ***from all ~s of life*** aus allen Schichten und Berufen **II** *v/t dog* ausführen; *distance* gehen; ***to ~ sb home*** jdn nach Hause bringen; ***to ~ the streets*** (*prostitute*) auf den Strich gehen (*infml*); (*aimlessly*) durch die Straßen streichen **III** *v/i* **1.** gehen; ***to learn to ~*** laufen lernen; ***to ~ in one's sleep*** schlaf- *or* nachtwandeln; ***to ~ with a stick*** am Stock gehen **2.** (≈ *not ride*) zu Fuß gehen; (≈ *stroll*) spazieren gehen; (≈ *hike*) wandern; ***you can ~ there in 5 minutes*** da ist man in 5 Minuten zu Fuß; ***to ~ home*** nach Hause laufen (*infml*) ◆ **walk about** (*Brit*) *or* **around** *v/i* herumlaufen (*infml*) ◆ **walk away** *v/i* weggehen; ***to ~ with a prize*** *etc* einen Preis *etc* kassieren ◆ **walk in on** *v/i +prep obj* hereinplatzen bei (*infml*) ◆ **walk into** *v/i +prep obj room* hereinkommen in (*+acc*); *person* anrempeln; *wall* laufen gegen; ***to ~ a trap*** in eine Falle gehen; ***he just walked into the first job he applied for*** er hat gleich die erste Stelle bekommen, um die er sich beworben hat; ***to walk right into sth*** (*lit*) mit voller Wucht gegen etw rennen ◆ **walk off I** *v/t sep* ***to ~ one's lunch*** *etc* einen Verdauungsspaziergang machen **II** *v/i* weggehen ◆ **walk off with** *v/i +prep obj* (*infml*) **1.** (≈ *take*) (*unintentionally*) abziehen mit (*infml*); (*intentionally*) abhauen mit (*infml*) **2.** *prize* kassieren ◆ **walk on I** *v/i +prep obj grass etc* betreten **II** *v/i* (≈ *continue walking*) weitergehen ◆ **walk out** *v/i* **1.** (≈ *quit*) gehen; ***to ~ of a meeting*** eine Versammlung verlassen; ***to ~ on sb*** jdn verlassen; *girlfriend etc* jdn sitzen lassen (*infml*) **2.** (≈ *strike*) streiken ◆ **walk over** *v/i +prep obj* ***to walk all over sb*** (*infml*) (≈ *dominate*) jdn unterbuttern (*infml*); (≈ *treat harshly*) jdn fertigmachen (*infml*) ◆ **walk up** *v/i* **1.** (≈ *ascend*) hinaufgehen **2.** (≈ *approach*) zugehen (*to* auf *+acc*); ***a man walked up to me/her*** ein Mann kam auf mich zu/ging auf sie zu

walkabout *n* (*esp Br*: *by king etc*) ***to go on a ~*** ein Bad in der Menge nehmen **walkaway** *n* (*US*) = ***walkover*** **walker** *n* **1.** (≈ *stroller*) Spaziergänger(in) *m*(*f*); (≈ *hiker*) Wanderer *m*, Wanderin *f*; SPORTS Geher(in) *m*(*f*); ***to be a fast ~*** schnell gehen **2.** (*for baby*) Gehhilfe *f*; (*for invalid*) Gehwagen *m* **walkie-talkie** *n* Sprechfunkgerät *nt* **walk-in** *adj* ***a ~ cupboard*** ein begehbarer Wandschrank **walking I** *n* Gehen *nt*; (*as recreation*) Spazierengehen *nt*; (≈ *hiking*) Wandern *nt*; ***we did a lot of ~ while we were in Wales*** als wir in Wales waren, sind wir viel gewandert **II** *adj attr miracle etc* wandelnd; ***at (a) ~ pace*** im Schritttempo; ***the ~ wounded*** die Leichtverwundeten *pl*; ***it's within ~ distance*** dahin kann man zu Fuß gehen **walking boots** *pl* Wanderstiefel *pl* **walking frame** *n* Gehwagen *m* **walking stick** *n* Spazierstock *m* **Walkman®** *n* Walkman® *m* **walk-on** *adj* ***~ part*** THEAT Statistenrolle *f* **walkout** *n* (≈ *strike*) Streik *m*; ***to stage a ~*** (*from conference etc*) demonstrativ den Saal verlassen **walkover** *n* (≈ *easy victory*) spielender Sieg **walkway** *n* Fußweg *m*

wall *n* (*outside*) Mauer *f*; (*inside*) Wand *f*; ***the Great Wall of China*** die Chinesische Mauer; ***to go up the ~*** (*infml*) die Wände hochgehen (*infml*); ***I'm climbing the ~s*** (*infml*) ich könnte die Wände hochgehen (*infml*); ***he drives me up the ~*** (*infml*) er bringt mich auf die Palme

(*infml*); ***this constant noise is driving me up the ~*** (*infml*) bei diesem ständigen Lärm könnte ich die Wände hochgehen (*infml*); ***to go to the ~*** (*infml*) kaputtgehen (*infml*) ◆ **wall off** *v/t sep* durch eine Mauer (ab)trennen
wall chart *n* Plantafel *f* **wall clock** *n* Wanduhr *f*
wallet *n* Brieftasche *f*
wallop *v/t* (*esp Br infml*) (≈ *hit*) schlagen
wallow *v/i* **1.** (*lit*: *animal*) sich suhlen **2.** (*fig*) ***to ~ in self-pity*** *etc* im Selbstmitleid *etc* schwelgen
wall painting *n* Wandmalerei *f* **wallpaper I** *n* Tapete *f* **II** *v/t* tapezieren **wall socket** *n* Steckdose *f* **wall-to-wall** *adj* ***~ carpeting*** Teppichboden *m*
wally *n* (*Br infml*) Trottel *m* (*infml*)
walnut *n* **1.** (≈ *nut*) Walnuss *f* **2.** (≈ *walnut tree*) (Wal)nussbaum *m*
walrus *n* Walross *nt*
waltz I *n* Walzer *m* **II** *v/i* Walzer tanzen ◆ **waltz in** *v/i* (*infml*) hereintanzen (*infml*); ***to come waltzing in*** angetanzt kommen (*infml*) ◆ **waltz off** *v/i* (*infml*) abtanzen (*infml*) ◆ **waltz off with** *v/i +prep obj* (*infml*) *prizes* abziehen mit
wan *adj* bleich; *light*, *smile* matt
wand *n* (≈ *magic wand*) Zauberstab *m*
wander I *n* Spaziergang *m*; ***to go for a ~ (a)round the shops*** einen Ladenbummel machen **II** *v/t* ***to ~ the streets*** durch die Straßen wandern **III** *v/i* **1.** herumlaufen; (*more aimlessly*) umherwandern (*through*, *about* in *+dat*); (*leisurely*) schlendern; ***he ~ed past me in a dream*** er ging wie im Traum an mir vorbei; ***he ~ed over to me*** er kam zu mir herüber; ***the children had ~ed out onto the street*** die Kinder waren auf die Straße gelaufen **2.** (*fig*) schweifen; ***to let one's mind ~*** seine Gedanken schweifen lassen; ***during the lecture his mind ~ed a bit*** während der Vorlesung schweiften seine Gedanken ab; ***to ~ off the subject*** vom Thema abschweifen ◆ **wander about** (*Brit*) *or* **around** *v/i* umherwandern ◆ **wander in** *v/i* ankommen (*infml*) ◆ **wander off** *v/i* weggehen; ***he must have wandered off somewhere*** er muss (doch) irgendwohin verschwunden sein
wandering *adj refugees* umherziehend; *thoughts* (ab)schweifend; *path* gewunden; ***to have ~ hands*** (*hum*) seine Finger nicht bei sich (*dat*) behalten können
wane I *n* ***to be on the ~*** (*fig*) im Schwinden sein **II** *v/i* (*moon*) abnehmen; (*fig*) schwinden
wangle (*infml*) *v/t* organisieren (*infml*); ***to ~ money out of sb*** jdm Geld abluchsen (*infml*)
wank (*Br vulg*) *v/i* (*a.* **wank off**) wichsen (*sl*) **wanker** *n* (*Br vulg*) Wichser *m* (*sl*); (≈ *idiot*) Schwachkopf *m* (*infml*)
wanna *contraction* = ***want to***; ***I ~ go*** ich will gehen **wannabe** (*infml*) **I** *n* Möchtegern *m* (*infml*) **II** *adj* Möchtegern- (*infml*)
want I *n* **1.** (≈ *lack*) Mangel *m* (*of* an *+dat*); ***for ~ of*** aus Mangel an (*+dat*); ***though it wasn't for ~ of trying*** nicht, dass er sich/ich mich *etc* nicht bemüht hätte **2.** (≈ *need*) Bedürfnis *nt*; (≈ *wish*) Wunsch *m*; ***to be in ~ of sth*** etw benötigen **II** *v/t* **1.** (≈ *desire*) wollen; (*more polite*) mögen; ***to ~ to do sth*** etw tun wollen; ***I ~ you to come here*** ich will *or* möchte, dass du herkommst; ***I ~ it done now*** ich will *or* möchte das sofort erledigt haben; ***what does he ~ with me?*** was will er von mir?; ***I don't ~ strangers coming in*** ich wünsche *or* möchte nicht, dass Fremde (hier) hereinkommen **2.** (≈ *need*) brauchen; ***you ~ to see a lawyer*** Sie sollten zum Rechtsanwalt gehen; ***he ~s to be more careful*** (*infml*) er sollte etwas vorsichtiger sein; ***"wanted"*** „gesucht"; ***he's a ~ed man*** er wird (polizeilich) gesucht; ***to feel ~ed*** das Gefühl haben, gebraucht zu werden; ***you're ~ed on the phone*** Sie werden am Telefon verlangt; ***all the soup ~s is a little salt*** das Einzige, was an der Suppe fehlt, ist etwas Salz **III** *v/i* **1.** (≈ *desire*) wollen; (*more polite*) mögen; ***you can go if you ~ (to)*** wenn du willst *or* möchtest, kannst du gehen; ***I don't ~ to*** ich will *or* möchte nicht; ***do as you ~*** tu, was du willst **2.** ***they ~ for nothing*** es fehlt ihnen an nichts **want ad** *n* Kaufgesuch *nt* **wanting** *adj* ***it's good, but there is something ~*** es ist gut, aber irgendetwas fehlt; ***his courage was found ~*** sein Mut war nicht groß genug
wanton *adj destruction* mutwillig
WAP *n* IT *abbr of* ***Wireless Application Protocol*** WAP *nt*
war *n* Krieg *m*; ***this is ~!*** (*fig*) das bedeutet Krieg!; ***the ~ against disease*** der

Kampf gegen die Krankheit; **~ *of words*** Wortgefecht *nt*; ***to be at ~*** sich im Krieg(szustand) befinden; ***to declare ~*** den Krieg erklären (*on +dat*); ***to go to ~*** (≈ *start*) (einen) Krieg anfangen (*against* mit); ***to make ~*** Krieg führen (*on*, *against* gegen); ***I hear you've been in the ~s recently*** (*infml*) ich höre, dass du zurzeit ganz schön angeschlagen bist (*infml*)

warble I *n* Trällern *nt* **II** *v/t & v/i* trällern

war correspondent *n* Kriegsberichterstatter(in) *m(f)* **war crime** *n* Kriegsverbrechen *nt* **war criminal** *n* Kriegsverbrecher(in) *m(f)*

ward *n* **1.** (*part of hospital*) Station *f*; (≈ *room*) (Kranken)saal *m* **2.** (JUR ≈ *person*) Mündel *nt*; ***~ of court*** Mündel *nt* unter Amtsvormundschaft **3.** ADMIN Stadtbezirk *m*; (≈ *election ward*) Wahlbezirk *m* ◆ **ward off** *v/t sep* abwehren

warden *n* (*of youth hostel*) Herbergsvater *m*, Herbergsmutter *f*; (≈ *game warden*) Jagdaufseher(in) *m(f)*; UNIV Heimleiter(in) *m(f)*; (*US*: *of prison*) Gefängnisdirektor(in) *m(f)*

warder *n* (*Br*) Wärter(in) *m(f)*

wardrobe *n* **1.** (*esp Br* ≈ *cupboard*) (Kleider)schrank *m*, (Kleider)kasten *m* (*Aus*, *Swiss*) **2.** (≈ *clothes*) Garderobe *f*

warehouse *n* Lager(haus) *nt* **wares** *pl* Waren *pl*

warfare *n* Krieg *m*; (≈ *techniques*) Kriegskunst *f* **war game** *n* Kriegsspiel *nt* **warhead** *n* Sprengkopf *m* **war hero** *n* Kriegsheld *m* **warhorse** *n* (*lit*, *fig*) Schlachtross *nt*

warily *adv* vorsichtig; (≈ *suspiciously*) misstrauisch; ***to tread ~*** sich vorsehen **wariness** *n* Vorsicht *f*; (≈ *mistrust*) Misstrauen *nt*

warlike *adj* kriegerisch **warlord** *n* Kriegsherr *m*

warm I *adj* (*+er*) **1.** warm; (≈ *hearty*) herzlich; ***I am** or **feel ~*** mir ist warm; ***come and get ~*** komm und wärm dich **2.** (*in games*) ***am I ~?*** ist es (hier) warm? **II** *n* ***to get into the ~*** ins Warme kommen; ***to give sth a ~*** etw wärmen **III** *v/t* wärmen **IV** *v/i* ***the milk was ~ing on the stove*** die Milch wurde auf dem Herd angewärmt; ***I ~ed to him*** er wurde mir sympathischer ◆ **warm up I** *v/i* warm werden; (*game*) in Schwung kommen; SPORTS sich aufwärmen **II** *v/t sep engine* warm laufen lassen; *food etc* aufwärmen

warm-blooded *adj* warmblütig **warm-hearted** *adj person* warmherzig **warmly** *adv* warm; *welcome* herzlich; *recommend* wärmstens **warmth** *n* Wärme *f*

warm-up *n* SPORTS Aufwärmen *nt*; ***the teams had a ~ before the game*** die Mannschaften wärmten sich vor dem Spiel auf

warn *v/t* warnen (*of*, *about*, *against* vor *+dat*); (*police etc*) verwarnen; ***to ~ sb not to do sth*** jdn davor warnen, etw zu tun; ***I'm ~ing you*** ich warne dich!; ***you have been ~ed!*** sag nicht, ich hätte dich nicht gewarnt; ***to ~ sb that ...*** (≈ *inform*) jdn darauf hinweisen, dass ...; ***you might have ~ed us that you were coming*** du hättest uns ruhig vorher Bescheid sagen können, dass du kommst ◆ **warn off** *v/t sep* warnen; ***he warned me off*** er hat mich davor gewarnt

warning I *n* Warnung *f*; (*from police etc*) Verwarnung *f*; ***without ~*** ohne Vorwarnung; ***they had no ~ of the enemy attack*** der Feind griff sie ohne Vorwarnung an; ***he had plenty of ~*** (*early enough*) er wusste früh genug Bescheid; ***to give sb a ~*** jdn warnen; (*police etc*) jdm eine Verwarnung geben; ***let this be a ~ to you*** lassen Sie sich (*dat*) das eine Warnung sein!; ***please give me a few days' ~*** bitte sagen *or* geben Sie mir ein paar Tage vorher Bescheid **II** *adj* Warn-; *look*, *tone* warnend **warning light** *n* Warnleuchte *f*

warp I *v/t wood* wellen **II** *v/i* (*wood*) sich verziehen

warpath *n* ***on the ~*** auf dem Kriegspfad

warped *adj* **1.** (*lit*) verzogen **2.** (*fig*) *sense of humour* abartig; *judgement* verzerrt

warrant I *n* (≈ *search warrant*) Durchsuchungsbefehl *m*; (≈ *death warrant*) Hinrichtungsbefehl *m*; ***a ~ of arrest*** ein Haftbefehl *m* **II** *v/t* **1.** (≈ *justify*) rechtfertigen **2.** (≈ *merit*) verdienen **warranted** *adj* berechtigt **warranty** *n* COMM Garantie *f*; ***it's still under ~*** darauf ist noch Garantie

warren *n* (≈ *rabbit warren*) Kaninchenbau *m*; (*fig*) Labyrinth *nt*

warring *adj sides* gegnerisch; *factions* sich bekriegend **warrior** *n* Krieger(in) *m(f)*

Warsaw *n* Warschau *nt*; ***~ Pact*** Warschauer Pakt *m*

warship *n* Kriegsschiff *nt*
wart *n* Warze *f*
wartime **I** *n* Kriegszeit *f*; ***in ~*** in Kriegszeiten **II** *adj* Kriegs-; ***in ~ England*** in England während des Krieges **wartorn** *adj* vom Krieg erschüttert
wary *adj* (*+er*) vorsichtig; ***to be ~ of sb/sth*** vor jdm/einer Sache auf der Hut sein; ***to be ~ of*** *or* ***about doing sth*** seine Zweifel haben, ob man etw tun soll; ***be ~ of talking to strangers*** hüte dich davor, mit Fremden zu sprechen
war zone *n* Kriegsgebiet *nt*
was *pret of* **be**
wash **I** *n* **1.** ***to give sb/sth a ~*** jdn/etw waschen; ***to have a ~*** sich waschen **2.** (≈ *laundry*) Wäsche *f* **II** *v/t* **1.** waschen; *dishes* abwaschen; *floor* aufwaschen; *parts of body* sich (*dat*) waschen; ***to ~ one's hands of sb/sth*** mit jdm/etw nichts mehr zu tun haben wollen **2.** (≈ *carry*) spülen; ***to be ~ed downstream*** flussabwärts getrieben werden; ***to ~ ashore*** anschwemmen **III** *v/i* **1.** (≈ *have a wash*) sich waschen **2.** (≈ *do laundry*) waschen; (*Br* ≈ *wash up*) abwaschen; ***a material that ~es well*** ein Stoff, der sich gut wäscht **3.** (*sea etc*) schlagen; ***the sea ~ed over the promenade*** das Meer überspülte die Strandpromenade ◆ **wash away** *v/t sep* (*lit*) (hin)wegspülen ◆ **wash down** *v/t sep* **1.** *walls* abwaschen **2.** *food* runterspülen (*infml*) ◆ **wash off** **I** *v/i* sich rauswaschen lassen **II** *v/t sep* abwaschen; ***wash that grease off your hands*** wasch dir die Schmiere von den Händen (ab)! ◆ **wash out** **I** *v/i* sich (r)auswaschen lassen **II** *v/t sep* **1.** (≈ *clean*) auswaschen; *mouth* ausspülen **2.** *game etc* ins Wasser fallen lassen (*infml*) ◆ **wash over** *v/i +prep obj* ***he lets everything just ~ him*** er lässt alles einfach ruhig über sich ergehen ◆ **wash up** **I** *v/i* **1.** (*Br* ≈ *clean dishes*) abwaschen **2.** (*US* ≈ *have a wash*) sich waschen **II** *v/t sep* **1.** (*Br*) *dishes* abwaschen **2.** (*sea etc*) anschwemmen
washable *adj* waschbar **washbag** *n* (*US*) Kulturbeutel *m* **washbasin** *n* Waschbecken *nt*, Lavabo *nt* (*Swiss*) **washcloth** *n* (*US*) Waschlappen *m* **washed out** *adj pred*, **washed-out** *adj attr* (*infml*) erledigt (*infml*); ***to look ~*** mitgenommen aussehen **washer** *n* **1.** TECH Dichtungsring *m* **2.** (≈ *washing machine*) Waschmaschine *f*
washing *n* Waschen *nt*; (≈ *clothes*) Wäsche *f*; ***to do the ~*** Wäsche waschen
washing line *n* Wäscheleine *f*
washing machine *n* Waschmaschine *f* **washing powder** *n* Waschpulver *nt* **washing-up** *n* (*Br*) Abwasch *m*; ***to do the ~*** den Abwasch machen **washing-up liquid** *n* (*Br*) Spülmittel *nt* **washout** *n* (*infml*) Reinfall *m* (*infml*) **washroom** *n* Waschraum *m*
wasn't *contraction* = ***was not***
wasp *n* Wespe *f*
wastage *n* Schwund *m*; (≈ *action*) Verschwendung *f*
waste **I** *adj* (≈ *superfluous*) überschüssig; (≈ *left over*) ungenutzt; *land* brachliegend; ***~ material*** Abfallstoffe *pl* **II** *n* **1.** Verschwendung *f*; ***it's a ~ of time*** es ist Zeitverschwendung; ***it's a ~ of effort*** das ist nicht der Mühe (*gen*) wert; ***to go to ~*** (*food*) umkommen; (*training, money*) ungenutzt sein/bleiben; (*talent etc*) verkümmern **2.** (≈ *waste material*) Abfallstoffe *pl*; (≈ *rubbish*) Abfall *m* **3.** (≈ *land*) Wildnis *f no pl* **III** *v/t* verschwenden (*on* an *+acc*, für); *life*, *time* vergeuden; *opportunity* vertun; ***you're wasting your time*** das ist reine Zeitverschwendung; ***don't ~ my time*** stiehl mir nicht meine Zeit; ***you didn't ~ much time getting here!*** (*infml*) da bist du ja schon, du hast ja nicht gerade getrödelt! (*infml*); ***all our efforts were ~d*** all unsere Bemühungen waren umsonst; ***I wouldn't ~ my breath talking to him*** ich würde doch nicht für den meine Spucke vergeuden! (*infml*); ***Beethoven is ~d on him*** Beethoven ist an den verschwendet ◆ **waste away** *v/i* (*physically*) dahinschwinden (*elev*)
wastebasket, wastebin *n* (*esp US*) Papierkorb *m* **wasted** *adj* **1.** ***I've had a ~ journey*** ich bin umsonst hingefahren **2.** (≈ *emaciated*) geschwächt **waste disposal** *n* Abfallentsorgung *f* **waste disposal unit** *n* Müllschlucker *m* **wasteful** *adj* verschwenderisch; *process* aufwendig **wastefulness** *n* (*of person*) verschwenderische Art; (*in method, organization, of process etc*) Aufwendigkeit *f* **wasteland** *n* Ödland *nt* **wastepaper** *n* Papierabfall *m*
wastepaper basket *n* Papierkorb *m* **waste pipe** *n* Abflussrohr *nt* **waste**

product *n* Abfallprodukt *nt*

watch[1] *n* (Armband)uhr *f*

watch[2] **I** *n* Wache *f*; ***to be on the ~ for sb/sth*** nach jdm/etw Ausschau halten; ***to keep ~*** Wache halten; ***to keep a close ~ on sb/sth*** jdn/etw scharf bewachen; ***to keep ~ over sb/sth*** bei jdm/etw wachen *or* Wache halten **II** *v/t* **1.** (≈ *guard*) aufpassen auf (+*acc*); (*police etc*) überwachen **2.** (≈ *observe*) beobachten; *match* zuschauen bei; *film* sich (*dat*) ansehen; ***to ~ TV*** fernsehen; ***to ~ sb doing sth*** jdm bei etw zuschauen; ***I'll come and ~ you play*** ich komme und sehe dir beim Spielen zu; ***he just stood there and ~ed her drown*** er stand einfach da und sah zu, wie sie ertrank; ***I ~ed her coming down the street*** ich habe sie beobachtet, wie *or* als sie die Straße entlang kam; ***~ the road!*** pass auf die Straße auf!; ***~ this!*** pass auf!; ***just ~ me!*** guck *or* schau mal, wie ich das mache!; ***we are being ~ed*** wir werden beobachtet **3.** (≈ *be careful of*) aufpassen auf (+*acc*); *time* achten auf (+*acc*); (***you'd better***) ***~ it!*** (*infml*) pass (bloß) auf! (*infml*); ***~ yourself*** sieh dich vor!; ***~ your language!*** drück dich bitte etwas gepflegter aus!; ***~ how you go!*** machs gut!; (*on icy surface etc*) pass beim Laufen/Fahren auf! **III** *v/i* (≈ *observe*) zusehen; ***to ~ for sb/sth*** nach jdm/etw Ausschau halten; ***they ~ed for a signal from the soldiers*** sie warteten auf ein Signal von den Soldaten; ***to ~ for sth to happen*** darauf warten, dass etw geschieht ◆ **watch out** *v/i* **1.** (≈ *look carefully*) Ausschau halten (*for sb/sth* nach jdm/etw) **2.** (≈ *be careful*) achtgeben (*for* auf +*acc*); ***~!*** Achtung! ◆ **watch over** *v/i +prep obj* wachen über (+*acc*)

watchdog *n* (*lit*) Wachhund *m*; (*fig*) Aufpasser *m* (*infml*) **watchful** *adj* wachsam; ***to keep a ~ eye on sb/sth*** ein wachsames Auge auf jdn/etw werfen **watchmaker** *n* Uhrmacher(in) *m(f)* **watchman** *n* (*a.* **night watchman**) Nachtwächter(in) *m(f)* **watchstrap** *n* Uhrarmband *nt* **watchtower** *n* Wachtturm *m* **watchword** *n* Parole *f*

water I *n* **1.** Wasser *nt*; ***to be under ~*** unter Wasser stehen; ***to take in ~*** (*ship*) lecken; ***to hold ~*** wasserdicht sein; ***~s*** Gewässer *pl*; ***to pass ~*** Wasser lassen **2.** (*fig phrases*) ***to keep one's head above ~*** sich über Wasser halten; ***to pour cold ~ on sb's idea*** jds Idee miesmachen (*infml*); ***to get*** (***oneself***) ***into deep ~***(***s***) ins Schwimmen kommen; ***a lot of ~ has flowed under the bridge since then*** seitdem ist so viel Wasser den Berg *or* den Bach hinuntergeflossen; ***to get into hot ~*** (*infml*) in Teufels Küche geraten (*infml*) (*over* wegen +*gen*) **II** *v/t* **1.** *garden* sprengen; *plant* (be)gießen **2.** *horses* tränken **III** *v/i* (*mouth*) wässern; (*eye*) tränen; ***the smoke made his eyes ~*** ihm tränten die Augen vom Rauch; ***my mouth ~ed*** mir lief das Wasser im Mund zusammen; ***to make sb's mouth ~*** jdm den Mund wässerig machen ◆ **water down** *v/t sep* verwässern; *liquids* (mit Wasser) verdünnen

water bed *n* Wasserbett *nt* **waterborne** *adj* ***a ~ disease*** eine Krankheit, die durch das Wasser übertragen wird **water bottle** *n* Wasserflasche *f* **water butt** *n* Regentonne *f* **water cannon** *n* Wasserwerfer *m* **water closet** *n* (*esp Br*) Wasserklosett *nt* **watercolour**, (*US*) **watercolor I** *n* Aquarellfarbe *f*; (≈ *picture*) Aquarell *nt* **II** *attr* Aquarell-; ***a ~ painting*** ein Aquarell *nt* **water cooler** *n* Wasserspender *m* **watercourse** *n* **1.** (≈ *stream*) Wasserlauf *m*; (*artificial*) Kanal *m* **2.** (≈ *bed*) Flussbett *nt* **watercress** *n* (Brunnen)kresse *f* **watered-down** *adj* verwässert **waterfall** *n* Wasserfall *m* **waterfowl** *pl* Wassergeflügel *nt* **waterfront I** *n* Hafenviertel *nt*; ***we drove down to the ~*** wir fuhren hinunter zum Wasser **II** *attr* am Wasser **water gun** *n* (*esp US*) = ***water pistol*** **water heater** *n* Heißwassergerät *nt* **watering can** *n* Gießkanne *f* **watering hole** *n* (*for animals*) Wasserstelle *f* **water jump** *n* Wassergraben *m* **water level** *n* Wasserstand *m* **water lily** *n* Seerose *f* **water line** *n* Wasserlinie *f* **waterlogged** *adj* ***the fields are ~*** die Felder stehen unter Wasser **water main** *n* Haupt(wasser)leitung *f*; (≈ *pipe*) Hauptwasserrohr *nt* **watermark** *n* (*on paper*) Wasserzeichen *nt* **watermelon** *n* Wassermelone *f* **water meter** *n* Wasseruhr *f* **water mill** *n* Wassermühle *f* **water pistol** *n* Wasserpistole *f* **water pollution** *n* Wasserverschmutzung *f* **water polo** *n* Wasserball *m* **water power** *n* Wasserkraft *f* **waterproof I** *adj watch* wasserdicht; *clothes*, *roof* wasserundurchlässig **II** *n* **~s** (*esp Br*) Regenhaut® *f* **III** *v/t* wasserundurchlässig machen **water-repellent** *adj* Wasser abstoßend **water-resistant** *adj* wasserbeständig; *sunscreen* wasserfest **watershed** *n* (*fig*) Wendepunkt *m* **waterside I** *n* Ufer *nt* **II** *attr* am Wasser **water-ski I** *n* Wasserski *m* **II** *v/i* Wasserski laufen **water-skiing** *n* Wasserskilaufen *nt* **water slide** *n* Wasserrutsche *f* **water softener** *n* Wasserenthärter *m* **water-soluble** *adj* wasserlöslich **water sports** *pl* Wassersport *m* **water supply** *n* Wasserversorgung *f* **water table** *n* Grundwasserspiegel *m* **water tank** *n* Wassertank *m* **watertight** *adj* wasserdicht **water tower** *n* Wasserturm *m* **waterway** *n* Wasserstraße *f* **water wings** *pl* Schwimmflügel *pl* **waterworks** *n sg or pl* Wasserwerk *nt* **watery** *adj* wäss(e)rig; *eye* tränend; *sun* blass

watt *n* Watt *nt*

wave I *n* **1.** (*of water*, PHYS, *fig*) Welle *f*; ***a ~ of strikes*** eine Streikwelle; ***to make ~s*** (*fig infml*) Unruhe stiften **2.** ***to give sb a ~*** jdm (zu)winken; ***with a ~ of his hand*** mit einer Handbewegung **II** *v/t* (*as sign or greeting*) winken mit (*at*, *to sb* jdm); (≈ *wave about*) schwenken; ***to ~ sb goodbye*** jdm zum Abschied winken; ***he ~d his hat*** er schwenkte seinen Hut; ***he ~d me over*** er winkte mich zu sich herüber **III** *v/i* **1.** (*person*) winken; ***to ~ at*** *or* ***to sb*** jdm (zu)winken **2.** (*flag*) wehen; (*branches*) sich hin und her bewegen ◆ **wave aside** *v/t sep* (*fig*) *suggestions etc* zurückweisen ◆ **wave on** *v/t sep* ***the policeman waved us on*** der Polizist winkte uns weiter

wavelength *n* Wellenlänge *f*; ***we're not on the same ~*** (*fig*) wir haben nicht dieselbe Wellenlänge

waver *v/i* **1.** (*flame*) flackern; (*voice*) zittern **2.** (*courage*) wanken; (*support*) nachlassen **3.** (≈ *hesitate*) schwanken (*between* zwischen +*dat*) **wavering** *adj* **1.** *voice* bebend **2.** *loyalty* unsicher; *determination* wankend; *support* nachlassend

wavy *adj* (+*er*) wellig; ***~ line*** Schlangenlinie *f*

wax[1] **I** *n* **1.** Wachs *nt* **2.** (≈ *ear wax*) Ohrenschmalz *nt* **II** *adj* Wachs-; ***~ crayon*** Wachsmalstift *m* **III** *v/t car* wachsen; *floor* bohnern; *legs* mit Wachs behandeln

wax[2] *v/i* (*moon*) zunehmen; ***to ~ and wane*** (*fig*) kommen und gehen

waxworks *n sg or pl* Wachsfigurenkabinett *nt*

way I *n* **1.** (≈ *road*) Weg *m*; ***across*** *or* ***over the ~*** gegenüber; (*motion*) rüber; ***to ask the ~*** nach dem Weg fragen; ***along the ~*** *learn skill etc* nebenbei; ***to go the wrong ~*** sich verlaufen; (*in car*) sich verfahren; ***to go down the wrong ~*** (*food*) in die falsche Kehle kommen; ***there's no ~ out*** (*fig*) es gibt keinen Ausweg; ***to find a ~ in*** hineinfinden; ***the ~ up*** der Weg nach oben; ***the ~ there/back*** der Hin-/Rückweg; ***prices are on the ~ up/down*** die Preise steigen/fallen; ***to bar the ~*** den Weg versperren; ***to be*** *or* ***stand in sb's ~*** jdm im Weg stehen; ***to get in the ~*** in den Weg kommen; (*fig*) stören; ***he lets nothing stand in his ~*** er lässt sich durch nichts aufhalten *or* beirren; ***get out of the/my ~!*** (geh) aus dem Weg!; ***to get sth out of the ~*** *work* etw hinter sich (*acc*) bringen; *problems* etw aus dem Weg räumen; ***to stay out of sb's/the ~*** (≈ *not get in the way*) jdm nicht in den Weg kommen; (≈ *avoid*) (jdm) aus dem Weg gehen; ***stay out of my ~!*** komm mir nicht mehr über den Weg!; ***to make ~ for sb/sth*** (*lit*, *fig*) für jdn/etw Platz machen; ***the ~ to the station*** der Weg zum Bahnhof; ***can you tell me the ~ to the town hall, please?*** können Sie mir bitte sagen, wie ich zum Rathaus komme?; ***the shop is on the ~*** der Laden liegt auf dem Weg; ***to stop on the ~*** unterwegs anhalten; ***on the ~ (here)*** auf dem Weg (hierher); ***they're on their ~*** sie sind unterwegs; ***if it is out of your ~*** wenn es ein Umweg für Sie ist; ***to go out of one's ~ to do sth*** (*fig*) sich besonders anstrengen, um etw zu tun; ***please, don't go out of your ~ for us*** (*fig*) machen Sie sich (*dat*) bitte unsertwegen keine Umstände; ***to get under ~*** in Gang kommen; ***to be well under ~*** in vollem Gang sein; ***the ~ in*** der Eingang; ***on the ~ in*** beim Hereingehen; ***the ~ out*** der Ausgang; ***please show me the ~ out*** bitte zeigen Sie mir, wie ich hinauskomme; ***can you find your own ~ out?*** finden Sie selbst hinaus?; ***on the ~ out*** beim Hinausgehen; ***to be on the ~ out*** (*fig infml*) am Aussterben sein; ***I know my ~ around the***

town ich kenne mich in der Stadt aus; ***can you find your ~ home?*** finden Sie nach Hause?; ***to make one's ~ to somewhere*** sich an einen Ort begeben; ***I made my own ~ there*** ich ging allein dorthin; ***to make one's ~ home*** nach Hause gehen; ***to push one's ~ through the crowd*** sich einen Weg durch die Menge bahnen; ***to go one's own ~*** (*fig*) eigene Wege gehen; ***they went their separate ~s*** ihre Wege trennten sich; ***to pay one's ~*** für sich selbst bezahlen; (*company*, *project*, *machine*) sich rentieren **2.** (≈ *direction*) Richtung *f*; ***which ~ are you going?*** in welche Richtung gehen Sie?; ***look both ~s*** schau nach beiden Seiten; ***to look the other ~*** (*fig*) wegsehen; ***if a good job comes my ~*** wenn ein guter Job für mich auftaucht; ***to split sth three/ten ~s*** etw dritteln/in zehn Teile teilen; ***it's the wrong ~ up*** es steht verkehrt herum; ***"this ~ up"*** „hier oben"; ***it's the other ~ (a)round*** es ist (genau) umgekehrt; ***put it the right ~ up/the other ~ (a)round*** stellen Sie es richtig (herum) hin/andersherum hin; ***this ~, please*** hier entlang, bitte; ***look this ~*** schau hierher!; ***he went that ~*** er ging in diese Richtung; ***this ~ and that*** hierhin und dorthin; ***every which ~*** ungeordnet, durcheinander **3.** (≈ *distance*) Weg *m*, Strecke *f*; ***a little ~ away*** *or* ***off*** nicht weit weg; ***all the ~ there*** auf der ganzen Strecke; ***I'm behind you all the ~*** (*fig*) ich stehe voll (und ganz) hinter Ihnen; ***that's a long ~ away*** bis dahin ist es weit *or* (*zeitlich*) noch lange; ***a long ~ out of town*** weit von der Stadt weg; ***he's come a long ~ since then*** (*fig*) er hat sich seitdem sehr gebessert; ***he'll go a long ~*** (*fig*) er wird es weit bringen; ***to have a long ~ to go*** weit vom Ziel entfernt sein; ***it should go a long ~ toward(s) solving the problem*** das sollte *or* müsste bei dem Problem schon ein gutes Stück weiterhelfen; ***not by a long ~*** bei Weitem nicht **4.** (≈ *manner*) Art *f*, Weise *f*; ***that's his ~ of saying thank you*** das ist seine Art, sich zu bedanken; ***the French ~ of doing it*** (die Art,) wie man es in Frankreich macht; ***to learn the hard ~*** aus dem eigenen Schaden lernen; ***~ of thinking*** Denkweise *f*; ***what a ~ to live!*** (≈ *unpleasant*) so möchte ich nicht leben; ***to get one's (own) ~*** seinen Willen durchsetzen; ***have it your own ~!*** wie du willst!; ***one ~ or another/the other*** so oder so; ***it does not matter (to me) one ~ or the other*** es macht (mir) so oder so nichts aus; ***either ~*** so oder so; ***no ~!*** (*infml*) ausgeschlossen!; ***there's no ~ I'm going to agree*** (*infml*) auf keinen Fall werde ich zustimmen; ***that's no ~ to speak to your mother*** so spricht man nicht mit seiner Mutter; ***you can't have it both ~s*** du kannst nicht beides haben; ***he wants it both ~s*** er will das eine haben und das andere nicht lassen; ***this ~*** (≈ *like this*) so; ***that ~*** (≈ *like that*) in dieser Hinsicht; ***the ~ (that) ...*** (≈ *how*) wie; ***the ~ she walks*** (so) wie sie geht; ***that's not the ~ we do things here*** so *or* auf die Art machen wir das hier nicht; ***you could tell by the ~ he was dressed*** das merkte man schon an seiner Kleidung; ***that's the ~ it goes!*** so ist das eben; ***the ~ things are going*** so, wie die Dinge sich entwickeln; ***do it the ~ I do*** machen Sie es so wie ich; ***to show sb the ~ to do sth*** jdm zeigen, wie etw gemacht wird; ***show me the ~ to do it*** zeig mir, wie (ich es machen soll); ***that's not the right ~ to do it*** so geht das nicht **5.** (≈ *method*, *habit*) Art *f*; ***there are many ~s of solving it*** es gibt viele Wege, das zu lösen; ***the best ~ is to wash it*** am besten wäscht man es; ***he has a ~ with children*** er versteht es, mit Kindern umzugehen; ***~ of life*** Lebensstil *m*; (*of nation*) Lebensart *f* **6.** (≈ *respect*) Hinsicht *f*; ***in a ~*** in gewisser Weise; ***in no ~*** in keiner Weise; ***in many/some ~s*** in vieler/gewisser Hinsicht; ***in more ~s than one*** in mehr als nur einer Hinsicht **7.** (≈ *state*) Zustand *m*; ***he's in a bad ~*** er ist in schlechter Verfassung **II** *adv* (*infml*) ***~ up*** weit oben; ***it's ~ too big*** das ist viel zu groß; ***that was ~ back*** das ist schon lange her; ***his guess was ~ out*** seine Annahme war weit gefehlt **waylay** *pret*, *past part* **waylaid** *v/t* (≈ *stop*) abfangen **way-out** *adj* (*infml*) extrem (*dated sl*) **wayside** *n* (*of path*) Wegrand *m*; (*of road*) Straßenrand *m*; ***to fall by the ~*** (*fig*) auf der Strecke bleiben **wayward** *adj* eigensinnig

WC (*esp Br*) *abbr of* **water closet** WC *nt*

we *pron* wir

weak *adj* (*+er*) schwach; *character* labil;

tea dünn; ***he was ~ from hunger*** ihm war schwach vor Hunger; ***to go ~ at the knees*** weiche Knie bekommen; ***what are his ~ points?*** wo liegen seine Schwächen? **weaken I** *v/t* schwächen; *walls* angreifen; *hold* lockern **II** *v/i* nachlassen; (*person*) schwach werden **weakling** *n* Schwächling *m* **weakly** *adv* schwach **weakness** *n* Schwäche *f*; (≈ *weak point*) schwacher Punkt; ***to have a ~ for sth*** für etw eine Schwäche *or* Vorliebe haben **weak-willed** *adj* willensschwach

wealth *n* **1.** Reichtum *m*; (≈ *private fortune*) Vermögen *nt* **2.** (*fig*) Fülle *f*

wealthy I *adj* (*+er*) reich **II** *n* ***the ~*** *pl* die Reichen *pl*

wean *v/t* ***to ~ sb off sb/sth*** jdn jdm/einer Sache entwöhnen (*elev*)

weapon *n* (*lit*, *fig*) Waffe *f* **weaponry** *n* Waffen *pl*

wear *vb*: *pret* **wore**, *past part* **worn I** *n* **1.** ***to get a lot of ~ out of a jacket*** eine Jacke viel tragen; ***there isn't much ~ left in this carpet*** dieser Teppich hält nicht mehr lange; ***for everyday ~*** für jeden Tag **2.** (≈ *clothing*) Kleidung *f*, Gewand *nt* (*Aus*) **3.** (≈ *damage*: *a.* **wear and tear**) Verschleiß *m*; ***to show signs of ~*** (*lit*) anfangen, alt auszusehen; ***to look the worse for ~*** (*lit*) (*curtains*, *carpets etc*) verschlissen aussehen; (*clothes*) abgetragen aussehen; (*furniture etc*) abgenutzt aussehen; (*fig*) verbraucht aussehen; ***I felt a bit the worse for ~*** (*infml*) ich fühlte mich etwas angeknackst (*infml*) **II** *v/t* **1.** tragen; ***what shall I ~?*** was soll ich anziehen?; ***I haven't a thing to ~!*** ich habe nichts anzuziehen **2.** (≈ *damage*) abnutzen; *steps* austreten; *tyres* abfahren; ***to ~ holes in sth*** etw durchwetzen; *in shoes* etw durchlaufen; ***to ~ smooth*** (*by handling*) abgreifen; (*by walking*) austreten; *sharp edges* glatt machen **III** *v/i* **1.** (≈ *last*) halten **2.** (≈ *become worn*) kaputtgehen; (*material*) sich abnutzen; ***to ~ smooth*** (*by water*) glatt gewaschen sein; (*by weather*) verwittern; ***my patience is ~ing thin*** meine Geduld geht langsam zu Ende ◆ **wear away I** *v/t sep steps* austreten; *rock* abtragen; *inscription* verwischen **II** *v/i* sich abschleifen; (*inscription*) verwittern ◆ **wear down I** *v/t sep* **1.** (*lit*) abnutzen; *heel* ablaufen **2.** (*fig*) *opposition* zermürben; *person* fix und fertig machen (*infml*) **II** *v/i* sich abnutzen; (*heels*) sich ablaufen ◆ **wear off** *v/i* **1.** (≈ *diminish*) nachlassen; ***don't worry, it'll ~!*** keine Sorge, das gibt sich **2.** (≈ *disappear*) abgehen ◆ **wear on** *v/i* sich hinziehen; (*year*) voranschreiten; ***as the evening etc wore on*** im Laufe des Abends *etc* ◆ **wear out I** *v/t sep* **1.** (*lit*) kaputt machen; *carpet* abtreten; *clothes* kaputt tragen; *machinery* abnutzen **2.** (*fig*) (*physically*) erschöpfen; (*mentally*) fertigmachen (*infml*); ***to be worn out*** erschöpft *or* erledigt sein; (*mentally*) am Ende sein (*infml*); ***to wear oneself out*** sich kaputtmachen (*infml*) **II** *v/i* kaputtgehen; (*clothes*, *carpets*) verschleißen ◆ **wear through** *v/i* sich durchwetzen; (*shoes*) sich durchlaufen

wearable *adj* (≈ *not worn out etc*) tragbar

wearily *adv say* müde; *smile* matt **weariness** *n* (*physical*) Müdigkeit *f*; (*mental*) Lustlosigkeit *f*

wearing *adj* (≈ *exhausting*) anstrengend

weary *adj* (*+er*) müde; (≈ *fed up*) lustlos; *smile* matt; ***to grow ~ of sth*** etw leid werden

weasel *n* Wiesel *nt*

weather I *n* Wetter *nt*; ***in cold ~*** bei kaltem Wetter; ***what's the ~ like?*** wie ist das Wetter?; ***to be under the ~*** (*infml*) angeschlagen sein (*infml*) **II** *v/t* **1.** (*storms etc*) angreifen **2.** (*a.* **weather out**) *crisis* überstehen; ***to ~ the storm*** den Sturm überstehen **III** *v/i* (*rock etc*) verwittern **weather-beaten** *adj face* vom Wetter gegerbt; *stone* verwittert **weather chart** *n* Wetterkarte *f* **weathercock** *n* Wetterhahn *m* **weather conditions** *pl* Witterungsverhältnisse *pl* **weathered** *adj* verwittert **weather forecast** *n* Wettervorhersage *f* **weatherman** *n* Wettermann *m* (*infml*) **weatherproof** *adj* wetterfest **weather report** *n* Wetterbericht *m* **weather vane** *n* Wetterfahne *f*

weave *vb*: *pret* **wove**, *past part* **woven I** *v/t* **1.** *cloth* weben (*into* zu); *cane* flechten (*into* zu) **2.** (*fig*) *plot* erfinden; *details* einflechten (*into* in *+acc*) **3.** *pret also* ***weaved to ~ one's way through sth*** sich durch etw schlängeln **II** *v/i* **1.** (*lit*) weben **2.** *pret also* **weaved** (≈ *twist and turn*) sich schlängeln **weaver** *n* Weber(in) *m*(*f*)

web *n* **1.** Netz *nt* **2.** IT ***the Web*** das (World

Wide) Web **webbed** *adj* **~ feet** Schwimmfüße *pl* **web browser** IT *n* Browser *m* **webcam** IT *n* Webcam *f* **webcast** *n* IT Webcast *m* **web designer** *n* INTERNET Webdesigner(in) *m(f)* **webmaster** IT *n* Webmaster(in) *m(f)* **web page** IT *n* Web-Seite *f* **website** IT *n* Web-Site *f*

Wed *abbr of* ***Wednesday*** Mittw.

wed (*old*) *pret, past part* ***wed*** *or* ***wedded*** *v/i* heiraten

we'd *contraction* = ***we would***, ***we had***

wedding *n* Hochzeit *f*; (≈ *ceremony*) Trauung *f*; ***to have a registry office*** (*Br*)/***church ~*** sich standesamtlich / kirchlich trauen lassen; ***to go to a ~*** zu einer *or* auf eine Hochzeit gehen **wedding anniversary** *n* Hochzeitstag *m* **wedding cake** *n* Hochzeitskuchen *m* **wedding day** *n* Hochzeitstag *m* **wedding dress** *n* Hochzeitskleid *nt* **wedding reception** *n* Hochzeitsempfang *m* **wedding ring** *n* Trauring *m* **wedding vows** *pl* Ehegelübde *nt*

wedge I *n* **1.** (*of wood etc, fig*) Keil *m* **2.** (*of cake etc*) Stück *nt*; (*of cheese*) Ecke *f* **II** *v/t* **1.** verkeilen; ***to ~ a door open/shut*** eine Tür festklemmen **2.** (*fig*) ***to ~ oneself/sth*** sich / etw zwängen (*in* in +*acc*); ***to be ~d between two people*** zwischen zwei Personen eingekeilt sein ◆ **wedge in** *v/t sep* **to be wedged in** (*person etc*) eingekeilt sein

Wednesday *n* Mittwoch *m*; → ***Tuesday***

Weds *abbr of* **Wednesday** Mittw.

wee[1] *adj* (+*er*) (*infml*) winzig; (*Scot*) klein

wee[2] (*Br infml*) **I** *n* ***to have*** *or* ***do a ~*** Pipi machen (*infml*) **II** *v/i* Pipi machen (*infml*)

weed I *n* **1.** Unkraut *nt no pl* **2.** (*infml* ≈ *person*) Schwächling *m* **II** *v/t & v/i* jäten ◆ **weed out** *v/t sep* (*fig*) aussondern

weeding *n* ***to do some ~*** Unkraut *nt* jäten **weedkiller** *n* Unkrautvernichter *m* **weedy** *adj* (+*er*) (*infml*) *person* schmächtig

week *n* Woche *f*; ***it'll be ready in a ~*** in einer Woche *or* in acht Tagen ist es fertig; ***my husband works away during the ~*** mein Mann arbeitet die Woche über auswärts; ***~ in, ~ out*** Woche für Woche; ***twice a ~*** zweimal pro Woche; ***a ~ today*** heute in einer Woche; ***a ~ on Tuesday*** Dienstag in acht Tagen; ***a ~ (ago) last Monday*** letzten Montag vor einer Woche; ***for ~s*** wochenlang; ***a ~'s holiday*** (*Br*) *or* ***vacation*** (*US*) ein einwöchiger Urlaub; ***a 40-hour ~*** eine Vierzigstundenwoche; ***two ~s' holiday*** (*Br*) *or* ***vacation*** (*US*) zwei Wochen Ferien

weekday I *n* Wochentag *m* **II** *attr morning* eines Werktages

weekend I *n* Wochenende *nt*; ***to go/be away for the ~*** am Wochenende verreisen / nicht da sein; ***at*** (*Br*) *or* ***on*** (*esp US*) ***the ~*** am Wochenende; ***to take a long ~*** ein langes Wochenende machen **II** *attr* Wochenend-; ***~ bag*** Reisetasche *f*

weekly I *adj* Wochen-; *meeting* wöchentlich; *visit* allwöchentlich **II** *adv* wöchentlich; ***twice ~*** zweimal die Woche **III** *n* Wochenzeitschrift *f*

weep *vb*: *pret, past part* ***wept*** *v/t & v/i* weinen (*over* über +*acc*); ***to ~ with*** *or* ***for joy*** vor *or* aus Freude weinen **weepy** (*infml*) *adj* (+*er*) *person* weinerlich; (*infml*) *film* rührselig

wee-wee *n, v/i* (*baby talk*) = ***wee***[2]

weigh I *v/t* **1.** (*lit*) wiegen; ***could you ~ these bananas for me?*** könnten Sie mir diese Bananen abwiegen? **2.** (*fig*) *words etc* abwägen **II** *v/i* **1.** (*lit*) wiegen **2.** (*fig* ≈ *be a burden*) lasten (*on* auf +*dat*) **3.** (*fig* ≈ *be important*) gelten; ***his age ~ed against him*** sein Alter wurde gegen ihn in die Waagschale geworfen ◆ **weigh down** *v/t sep* **1.** niederbeugen; ***she was weighed down with packages*** sie war mit Paketen überladen **2.** (*fig*) niederdrücken ◆ **weigh out** *v/t sep* abwiegen ◆ **weigh up** *v/t sep* abwägen; *person* einschätzen

weighing scales *pl* Waage *f*

weight I *n* **1.** Gewicht *nt*; SPORTS Gewichtsklasse *f*; ***3 kilos in ~*** 3 Kilo Gewicht; ***the branches broke under the ~ of the snow*** die Zweige brachen unter der Schneelast; ***to gain*** *or* ***put on ~*** zunehmen; ***to lose ~*** abnehmen; ***it's worth its ~ in gold*** das ist Gold(es) wert; ***to lift ~s*** Gewichte heben; ***she's quite a ~*** sie ist ganz schön schwer **2.** (*fig* ≈ *burden*) Last *f*; ***that's a ~ off my mind*** mir fällt ein Stein vom Herzen **3.** (*fig* ≈ *importance*) Bedeutung *f*; ***to carry ~*** Gewicht haben; ***to add ~ to sth*** einer Sache (*dat*) zusätzliches Gewicht geben *or* verleihen; ***to pull one's ~*** seinen Beitrag leisten; ***to throw*** *or* ***chuck*** (*infml*) ***one's ~ about*** (*Br*) *or* ***around*** seinen Einfluss geltend machen **II** *v/t* **1.** (≈ *make heav-*

ier) beschweren **2.** (*fig*) ***to be ~ed in favour*** (*Br*) *or* ***favor*** (*US*) ***of sb/sth*** so angelegt sein, dass es zugunsten einer Person/Sache ist **weightlessness** *n* Schwerelosigkeit *f* **weightlifting** *n* Gewichtheben *nt* **weight loss** *n no pl* Gewichtsverlust *m* **weight training** *n* Krafttraining *nt* **weighty** *adj* (*+er*) (*fig*) *argument* gewichtig; *responsibility* schwerwiegend

weir *n* (≈ *barrier*) Wehr *nt*

weird *adj* (*+er*) (≈ *eerie*) unheimlich; (*infml* ≈ *odd*) seltsam **weirdo** *n* (*infml*) verrückter Typ (*infml*)

welcome I *n* Willkommen *nt*; ***to give sb a warm ~*** jdm einen herzlichen Empfang bereiten **II** *adj* willkommen; *news* angenehm; ***the money is very ~*** das Geld kommt sehr gelegen; ***to make sb ~*** jdn sehr freundlich aufnehmen; ***you're ~!*** nichts zu danken!; ***you're ~ to use my room*** Sie können gerne mein Zimmer benutzen **III** *v/t* begrüßen; ***they ~d him home with a big party*** sie veranstalteten zu seiner Heimkehr ein großes Fest **IV** *int* ***~ home/to Scotland!*** willkommen daheim/in Schottland!; ***~ back!*** willkommen zurück! **welcoming** *adj* zur Begrüßung; *smile*, *room* einladend

weld *v/t* TECH schweißen **welder** *n* Schweißer(in) *m(f)*

welfare *n* **1.** (≈ *wellbeing*) Wohl *nt* **2.** (≈ *welfare work*) Fürsorge *f* **3.** (*US* ≈ *social security*) Sozialhilfe *f*; ***to be on ~*** Sozialhilfeempfänger(in) *m(f)* sein **welfare benefits** *pl* (*US*) Sozialhilfe *f* **welfare services** *pl* soziale Einrichtungen *pl* **welfare state** *n* Wohlfahrtsstaat *m*

well[1] I *n* (≈ *water well*) Brunnen *m*; (*a.* **oil well**) Ölquelle *f* **II** *v/i* quellen; ***tears ~ed in her eyes*** Tränen stiegen *or* schossen ihr in die Augen ◆ **well up** *v/i* emporquellen; (*fig*) aufsteigen; (*noise*) anschwellen; ***tears welled up in her eyes*** Tränen schossen ihr in die Augen

well[2] *comp* ***better***, *sup* ***best*** **I** *adv* **1.** gut; ***to do ~ at school*** gut in der Schule sein; ***to do ~ in an exam*** in einer Prüfung gut abschneiden; ***his business is doing ~*** sein Geschäft geht gut; ***the patient is doing ~*** dem Patienten geht es gut; ***if you do ~ you'll be promoted*** wenn Sie sich bewähren, werden Sie befördert; ***~ done!*** gut gemacht!; ***~ played!*** gut gespielt!; ***everything went ~*** es ging alles gut; ***to speak/think ~ of sb*** von jdm positiv sprechen/denken; ***to do ~ out of sth*** von etw ordentlich profitieren; ***you might as ~ go*** du könntest eigentlich ebenso gut gehen; ***are you coming? — I might as ~*** kommst du? — ach, warum nicht; ***we were ~ beaten*** wir sind gründlich geschlagen worden; ***only too ~*** nur (all)zu gut; ***~ and truly*** (ganz) gründlich; ***it was ~ worth the trouble*** das hat sich sehr gelohnt; ***~ out of sight*** weit außer Sichtweite; ***~ past midnight*** lange nach Mitternacht; ***it continued ~ into 1996/the night*** es zog sich bis weit ins Jahr 1996/in die Nacht hin; ***he's ~ over fifty*** er ist weit über fünfzig **2.** (≈ *probably*) ohne Weiteres; ***I may ~ be late*** es kann leicht *or* ohne Weiteres sein, dass ich spät komme; ***it may ~ be that ...*** es ist ohne Weiteres möglich, dass ...; ***you may ~ be right*** Sie mögen wohl recht haben; ***you may ~ ask!*** (*iron*) das kann man wohl fragen; ***I couldn't very ~ stay*** ich konnte schlecht bleiben **3.** ***as ~*** auch; ***x as ~ as y*** x sowohl als auch y **II** *adj* **1.** (≈ *in good health*) gesund; ***get ~ soon!*** gute Besserung; ***are you ~?*** geht es Ihnen gut?; ***I'm very ~*** es geht mir sehr gut; ***she's not been ~ lately*** ihr ging es in letzter Zeit (gesundheitlich) gar nicht gut; ***I don't feel at all ~*** ich fühle mich gar nicht wohl **2.** (≈ *satisfactory*) gut; ***that's all very ~, but ...*** das ist ja alles schön und gut, aber ...; ***it's all very ~ for you to suggest ...*** Sie können leicht vorschlagen ...; ***it's all very ~ for you*** Sie haben gut reden; ***it would be as ~ to ask first*** es wäre wohl besser, sich erst mal zu erkundigen; ***it's just as ~ he came*** es ist gut, dass er gekommen ist; ***all's ~ that ends ~*** Ende gut, alles gut **III** *int* also, na; (*doubtfully*) na ja; ***~, ~!, ~ I never!*** also, so was!; ***very ~ then!*** also gut!; (*indignantly*) also bitte (sehr)! **IV** *n* Gute(s) *nt*; ***to wish sb ~*** jdm alles Gute wünschen

we'll *contraction* = **we shall**, **we will**

well-adjusted *adj attr*, **well adjusted** *adj pred* PSYCH gut angepasst **well-advised** *adj attr*, **well advised** *adj pred* ***to be well advised to ...*** wohlberaten sein zu ... **well-balanced** *adj attr*, **well balanced** *adj pred* **1.** *person* ausgeglichen **2.** *diet* (gut) ausgewogen **well-behaved** *adj attr*, **well behaved** *adj pred child* artig; *animal* gut erzogen **wellbeing** *n* Wohl *nt*

well-bred *adj attr,* **well bred** *adj pred person* wohlerzogen **well-built** *adj attr,* **well built** *adj pred person* kräftig **well-connected** *adj attr,* **well connected** *adj pred* ***to be well connected*** Beziehungen in höheren Kreisen haben **well-deserved** *adj attr,* **well deserved** *adj pred* wohlverdient **well-disposed** *adj attr,* **well disposed** *adj pred* ***to be well disposed toward(s) sb/sth*** jdm/einer Sache freundlich gesonnen sein **well-done** *adj attr,* **well done** *adj pred steak* durchgebraten **well-dressed** *adj attr,* **well dressed** *adj pred* gut gekleidet **well-earned** *adj attr,* **well earned** *adj pred* wohlverdient **well-educated** *adj attr,* **well educated** *adj pred* gebildet **well-equipped** *adj attr,* **well equipped** *adj pred office, studio* gut ausgestattet; *army* gut ausgerüstet **well-established** *adj attr,* **well established** *adj pred practice* fest; *company* bekannt **well-fed** *adj attr,* **well fed** *adj pred* wohlgenährt **well-founded** *adj attr,* **well founded** *adj pred* wohlbegründet **well-informed** *adj attr,* **well informed** *adj pred* gut informiert

wellington (boot) *n (Br)* Gummistiefel *m*

well-kept *adj attr,* **well kept** *adj pred garden, hair etc* gepflegt; *secret* streng gehütet **well-known** *adj attr,* **well known** *adj pred* bekannt; ***it's well known that ...*** es ist allgemein bekannt, dass ... **well-loved** *adj attr,* **well loved** *adj pred* viel geliebt **well-mannered** *adj attr,* **well mannered** *adj pred* mit guten Manieren **well-meaning** *adj attr,* **well meaning** *adj pred* wohlmeinend **well-nigh** *adv* ***~ impossible*** nahezu unmöglich **well-off** *adj attr,* **well off** *adj pred (≈ affluent)* reich **well-paid** *adj attr,* **well paid** *adj pred* gut bezahlt **well-read** *adj attr,* **well read** *adj pred* belesen **well-spoken** *adj attr,* **well spoken** *adj pred* ***to be well spoken*** gutes Deutsch *etc* sprechen **well-stocked** *adj attr,* **well stocked** *adj pred* gut bestückt **well-timed** *adj attr,* **well timed** *adj pred* zeitlich günstig **well-to-do** *adj* wohlhabend **well-wisher** *n* ***cards from ~s*** Karten von Leuten, die ihm/ihr *etc* alles Gute wünschten **well-worn** *adj attr,* **well worn** *adj pred carpet etc* abgelaufen; *path* ausgetreten

welly *n (Br infml)* Gummistiefel *m*

Welsh I *adj* walisisch **II** *n* **1.** LING Walisisch *nt* **2. the Welsh** *pl* die Waliser *pl* **Welshman** *n* Waliser *m* **Welsh rabbit, Welsh rarebit** *n* überbackene Käseschnitte **Welshwoman** *n* Waliserin *f*

wend *v/t* ***to ~ one's way home*** sich auf den Heimweg begeben

went *pret of* ***go***

wept *pret, past part of* ***weep***

were *2nd person sg, 1st, 2nd, 3rd person pl pret of* ***be***

we're *contraction =* ***we are***

weren't *contraction =* ***were not***

werewolf *n* Werwolf *m*

west I *n* ***the ~, the West*** der Westen; ***in the ~*** im Westen; ***to the ~*** nach Westen; ***to the ~ of*** westlich von; ***to come from the ~*** *(person)* aus dem Westen kommen; *(wind)* von West(en) kommen **II** *adj* West- **III** *adv* nach Westen, westwärts; ***it faces ~*** es geht nach Westen; ***~ of*** westlich von **westbound** *adj traffic etc* (in) Richtung Westen; ***to be ~*** nach Westen unterwegs sein **westerly** *adj* westlich; ***~ wind*** Westwind *m*; ***in a ~ direction*** in westlicher Richtung

western I *adj* westlich; ***Western Europe*** Westeuropa *nt* **II** *n* Western *m* **Western Isles** *pl* ***the ~*** die Hebriden *pl* **westernize** *v/t (pej)* verwestlichen **westernmost** *adj* westlichste(r, s) **West Germany** *n* Westdeutschland *nt* **West Indian I** *adj* westindisch **II** *n* Westindier(in) *m(f)* **West Indies** *pl* Westindische Inseln *pl* **Westminster** *n (a.* **City of Westminster***)* Westminster *nt, Londoner Stadtbezirk* **Westphalia** *n* Westfalen *nt* **westward, westwardly I** *adj direction* westlich **II** *adv (a.* **westwards***)* westwärts

wet *vb: pret, past part* ***wet*** *or* ***wetted*** **I** *adj (+er)* **1.** nass; *climate* feucht; ***to be ~*** *(paint)* feucht sein; ***to be ~ through*** völlig durchnässt sein; ***"wet paint"*** *(esp Br)* „Vorsicht, frisch gestrichen"; ***to be ~ behind the ears*** *(infml)* noch feucht *or* noch nicht trocken hinter den Ohren sein *(infml)*; ***yesterday was ~*** gestern war es regnerisch **2.** *(Br infml ≈ weak)* weichlich **II** *n* **1.** *(≈ moisture)* Feuchtigkeit *f* **2.** *(≈ rain)* Nässe *f* **III** *v/t* nass machen; *lips* befeuchten; ***to ~ the bed/oneself*** das Bett/sich nass machen; ***I nearly ~ myself*** *(infml)* ich habe mir fast in die Hose gemacht *(infml)* **wet blanket** *n (infml)* Miesmacher(in) *m(f) (infml)* **wetness** *n* Nässe *f* **wet nurse** *n* Amme

f **wet suit** *n* Taucheranzug *m*
we've *contraction* = ***we have***
whack I *n* (*infml* ≈ *blow*) (knallender) Schlag; ***to give sth a ~*** auf etw (*acc*) schlagen **II** *v/t* (*infml*) hauen (*infml*) **whacked** *adj* (*Br infml* ≈ *exhausted*) kaputt (*infml*) **whacking** *adj* (*Br infml*) Mords- (*infml*); ***~ great*** riesengroß
whacky *adj* (+*er*) (*infml*) = ***wacky***
whale *n* **1.** Wal *m* **2.** (*infml*) ***to have a ~ of a time*** sich prima amüsieren **whaling** *n* Walfang *m*
wharf *n*, *pl* ***-s*** *or* ***wharves*** Kai *m*
what I *pron* **1.** (*interrog*) was; ***~ is this called?*** wie heißt das?; ***~'s the weather like?*** wie ist das Wetter?; ***you need (a) ~?*** WAS brauchen Sie?; ***~ is it now?*** was ist denn?; ***~'s that to you?*** was geht dich das an?; ***~ for?*** wozu?; ***~'s that tool for?*** wofür ist das Werkzeug?; ***~ did you do that for?*** warum hast du denn das gemacht?; ***~ about ...?*** wie wärs mit ...?; ***you know that restaurant? — ~ about it?*** kennst du das Restaurant? — was ist damit?; ***~ of*** *or* ***about it?*** na und? (*infml*); ***~ if ...?*** was ist, wenn ...?; ***so ~?*** (*infml*) ja *or* na und?; ***~ does it matter?*** was macht das schon?; ***you ~?*** (*infml*) wie bitte?; ***~-d'you-call-him/-it*** (*infml*) wie heißt er/es gleich **2.** (*rel*) was; ***that's exactly ~ I want*** genau das möchte ich; ***do you know ~ you are looking for?*** weißt du, wonach du suchst?; ***he didn't know ~ he was objecting to*** er wusste nicht, was er ablehnte; ***~ I'd like is a cup of tea*** was ich jetzt gerne hätte, (das) wäre ein Tee; ***~ with one thing and the other*** wie das so ist; ***and ~'s more*** und außerdem; ***he knows ~'s ~*** (*infml*) der weiß Bescheid (*infml*); ***(I'll) tell you ~*** (*infml*) weißt du was? **II** *adj* **1.** (*interrog*) welche(r, s), was für (ein/eine) (*infml*); ***~ age is he?*** wie alt ist er?; ***~ good would that be?*** (*infml*) wozu sollte das gut sein?; ***~ sort of*** was für ein/eine; ***~ else*** was noch; ***~ more could a girl ask for?*** was könnte sich ein Mädchen sonst noch wünschen **2.** (*rel*) der/die/das; ***~ little I had*** das wenige, das ich hatte; ***buy ~ food you like*** kauf das Essen, das du willst **3.** (*in interj*) was für (ein/eine); ***~ luck!*** so ein Glück; ***~ a fool I am!*** ich Idiot! **III** *int* was; ***is he good-looking, or ~?*** sieht der aber gut aus! (*infml*)
whatever I *pron* was (auch) (immer); (≈ *no matter what*) egal was; ***~ you like*** was (immer) du (auch) möchtest; ***shall we go? — ~ you say*** gehen wir? — ganz wie du willst; ***~ it's called*** egal wie es heißt; ***... or ~ they're called*** ... oder wie sie sonst heißen; ***~ does he want?*** was will er wohl?; ***~ do you mean?*** was meinst du denn bloß? **II** *adj* **1.** egal welche(r, s); ***~ book you choose*** welches Buch Sie auch wählen; ***~ else you do*** was immer du auch sonst machst **2.** (*with neg*) ***it's of no use ~*** es hat absolut keinen Zweck **what's** *contraction* = ***what is***, ***what has*** **whatsit** *n* (*infml*) Dingsbums *nt* (*infml*), Dingsda *nt* (*infml*) **whatsoever** *pron*, *adj* = ***whatever***
wheat *n* Weizen *m* **wheat germ** *n* Weizenkeim *m*
wheedle *v/t* ***to ~ sth out of sb*** jdm etw abschmeicheln
wheel I *n* Rad *nt*; (≈ *steering wheel*) Lenkrad *nt*; ***at the ~*** am Steuer **II** *v/t* (≈ *push*) schieben; *wheelchair* fahren **III** *v/i* (≈ *turn*) drehen; (*birds*) kreisen ◆ **wheel (a)round** *v/i* sich (rasch) umdrehen
wheelbarrow *n* Schubkarre *f* **wheelchair** *n* Rollstuhl *m* **wheel clamp** *n* (*Br*) (Park)kralle *f* **-wheeled** *adj suf* -räd(e)rig **wheelie bin** *n* (*Br infml*) Mülltonne *f* auf Rollen **wheeling and dealing** *n* Geschäftemacherei *f*
wheeze *v/i* pfeifend atmen; (*machines, asthmatic*) keuchen **wheezy** *adj* (+*er*) *old man* mit pfeifendem Atem; *cough* keuchend
when I *adv* **1.** wann **2.** (*rel*) ***on the day ~*** an dem Tag, als **II** *cj* **1.** wenn; (*with past*) als; ***you can go ~ I have finished*** du kannst gehen, sobald *or* wenn ich fertig bin **2.** (+*gerund*) beim; (≈ *at or during which time*) wobei **3.** (≈ *although*) wo ... doch
whenever *adv* **1.** (≈ *each time*) jedes Mal wenn **2.** (≈ *at whatever time*) wann (auch) immer; (≈ *as soon as*) sobald; ***~ you like!*** wann du willst!
where *adv*, *cj* wo; ***~ are you going (to)?*** wohin gehst du?; ***~ are you from?*** woher kommen Sie?; ***the bag is ~ you left it*** die Tasche ist da, wo du sie liegen gelassen hast; ***that's ~ I used to live*** da habe ich (früher) gewohnt; ***this is ~ we got to*** bis hierhin sind wir gekommen **whereabouts I** *adv* wo **II** *n sg or pl* Verbleib

m **whereas** *cj* (≈ *whilst*) während; (≈ *while on the other hand*) wohingegen
wherever I *cj* **1.** (≈ *no matter where*) wo (auch) immer **2.** (≈ *in or to whatever place*) wohin; **~ *that is*** *or* ***may be*** wo auch immer das sein mag **3.** (≈ *everywhere*) überall wo **II** *adv* wo nur; ***~ did you get that hat?*** wo haben Sie nur diesen Hut her?
whet *v/t appetite etc* anregen
whether *cj* ob; (≈ *no matter whether*) ganz gleich, ob
which I *adj* welche(r, s); ***~ one?*** welche(r, s)?; ***to tell ~ key is ~*** die Schlüssel auseinanderhalten; ***... by ~ time I was asleep*** ... und zu dieser Zeit schlief ich (bereits) **II** *pron* **1.** (*interrog*) welche(r, s); ***~ of the children*** welches Kind; ***~ is ~?*** (*of people*) wer ist wer?; (*of things*) welche(r, s) ist welche(r, s)? **2.** (*rel*) (*with n antecedent*) der / die/das, welche(r, s) (*elev*); (*with clause antecedent*) was; ***the bear ~ I saw*** der Bär, den ich sah; ***it rained, ~ upset her plans*** es regnete, was ihre Pläne durcheinanderbrachte; ***~ reminds me ...*** dabei fällt mir ein, ...; ***the shelf on ~ I put it*** das Brett, auf das *or* worauf ich es gelegt habe **whichever I** *adj* welche(r, s) auch immer; (≈ *no matter which*) ganz egal welche(r, s) **II** *pron* welche(r, s) auch immer; ***~ (of you) has the money*** wer immer (von euch) das Geld hat
whiff *n* Hauch *m*; (*pleasant*) Duft *m*; (*fig* ≈ *trace*) Spur *f*
while I *n* Weile *f*; ***for a ~*** eine Zeit lang; ***a good*** *or* ***long ~*** eine ganze Weile; ***for quite a ~*** recht lange; ***a little*** *or* ***short ~*** ein Weilchen (*infml*); ***it'll be ready in a short ~*** es wird bald fertig sein; ***a little ~ ago*** vor Kurzem; ***a long ~ ago*** vor einer ganzen Weile; ***to be worth (one's) ~ to ...*** sich (für jdn) lohnen, zu ... **II** *cj* während; (≈ *as long as*) solange; ***she fell asleep ~ reading*** sie schlief beim Lesen ein; ***he became famous ~ still young*** er wurde berühmt, als er noch jung war; ***~ one must admit there are difficulties ...*** (≈ *although*) man muss zwar zugeben, dass es Schwierigkeiten gibt, trotzdem ... ◆ **while away** *v/t sep time* sich (*dat*) vertreiben
whilst *cj* = ***while*** II
whim *n* Laune *f*; ***on a ~*** aus Jux und Tollerei (*infml*)
whimper I *n* (*of dog*) Winseln *nt no pl*; (*of person*) Wimmern *nt no pl* **II** *v/i* (*dog*) winseln; (*person*) wimmern
whimsical *adj* wunderlich; *tale* schnurrig
whine I *n* Heulen *nt no pl*; (*of dog*) Jaulen *nt no pl* **II** *v/i* **1.** heulen; (*dog*) jaulen **2.** (≈ *whinge*) jammern; (*child*) quengeln
whinge (*Br infml*) *v/i* jammern, raunzen (*Aus*)
whining I *n* (*of dog*) Gejaule *nt*, Gejammer *nt* **II** *adj* **1.** (≈ *complaining*) *voice* weinerlich **2.** *sound* wimmernd; *dog* jaulend
whinny I *n* Wiehern *nt no pl* **II** *v/i* wiehern
whip I *n* **1.** Peitsche *f* **2.** (≈ *riding whip*) Reitgerte *f* **II** *v/t* **1.** *people* auspeitschen; *horse* peitschen; COOK schlagen; ***to ~ sb/sth into shape*** (*fig*) jdn / etw zurechtschleifen **2.** (*fig*) ***he ~ped his hand out of the way*** er zog blitzschnell seine Hand weg **III** *v/i* (≈ *move quickly*: *person*) schnell (mal) laufen ◆ **whip off** *v/t sep clothes* herunterreißen; *tablecloth* wegziehen ◆ **whip out** *v/t sep camera* zücken ◆ **whip up** *v/t sep* (*infml*) *meal* hinzaubern; (*fig*) *interest* entfachen; *support* finden
whiplash *n* (MED: *a.* **whiplash injury**) Peitschenschlagverletzung *f* **whipped cream** *n* Schlagsahne *f*, Schlagobers *m* (*Aus*), (geschwungener) Nidel (*Aus*)
whirl I *n* (≈ *spin*) Wirbeln *nt no pl*; ***to give sth a ~*** (*fig infml* ≈ *try out*) etw ausprobieren **II** *v/t* wirbeln; ***to ~ sb/sth round*** jdn / etw herumwirbeln **III** *v/i* wirbeln; ***to ~ (a)round*** herumwirbeln; (*water*) strudeln; (*person*) herumfahren; ***my head is ~ing*** mir schwirrt der Kopf **whirlpool** *n* Strudel *m*; (*in health club*) ≈ Kneippbecken *nt* **whirlwind** *n* Wirbelwind *m*; (*fig*) Trubel *m*; ***a ~ romance*** eine stürmische Romanze
whirr I *n* (*of wings*) Schwirren *nt*; (*of machine*) Surren *nt*; (*louder*) Brummen *nt* **II** *v/i* (*wings*) schwirren; (*machine*) surren; (*louder*) brummen
whisk I *n* COOK Schneebesen *m*; (*electric*) Rührgerät *nt* **II** *v/t* **1.** COOK schlagen; *eggs* verquirlen **2.** ***she ~ed it out of my hand*** sie riss es mir aus der Hand ◆ **whisk away** *or* **off** *v/t sep* ***he whisked her away to the Bahamas*** er entführte sie auf die Bahamas
whisker *n* Schnurrhaar *nt*; (*of person*) Barthaar *nt*; ***~s*** Schnurrbart *m*, Schnauz

m (*Swiss*); (≈ *side whiskers*) Backenbart *m*; ***by a ~*** um Haaresbreite

whisky, (*US*, *Ir*) **whiskey** *n* Whisky *m*

whisper I *n* Geflüster *nt no pl*; ***to talk in ~s*** im Flüsterton sprechen **II** *v/t* flüstern; ***to ~ sth to sb*** jdm etw zuflüstern **III** *v/i* flüstern **whispering** *n* Geflüster *nt no pl*

whist *n* Whist *nt*

whistle I *n* **1.** (≈ *sound*) Pfiff *m*; (*of wind*) Pfeifen *nt* **2.** (≈ *instrument*) Pfeife *f*; ***to blow a ~*** pfeifen **II** *v/t & v/i* pfeifen; ***to ~ at sb*** jdm nachpfeifen **whistle-stop** *attr* ***~ tour*** POL Wahlreise *f*; (*fig*) *Reise mit Kurzaufenthalten an allen Orten*

white I *adj* (*+er*) weiß; ***as ~ as a sheet*** leichenblass **II** *n* (≈ *colour*) Weiß *nt*; (≈ *person*) Weiße(r) *m/f(m)*; (*of egg*) Eiweiß *nt*; (*of eye*) Weiße(s) *nt* **whiteboard** *n* Weißwandtafel *f* **white coffee** *n* (*Br*) Kaffee *m* mit Milch **white-collar** *adj* ***~ worker*** Schreibtischarbeiter(in) *m(f)*; ***~ job*** Schreibtisch- *or* Büroposten *m* **white goods** *pl* COMM Haushaltsgeräte *pl* **white-haired** *adj* weißhaarig **Whitehall** *n* (≈ *British government*) Whitehall *no art* **white-hot** *adj* weiß glühend **White House** *n* ***the ~*** das Weiße Haus **white lie** *n* Notlüge *f* **white meat** *n* helles Fleisch **whiten I** *v/t* weiß machen **II** *v/i* weiß werden **whiteness** *n* Weiße *f*; (*of skin*) Helligkeit *f* **White-Out®** *n* (*US*) Korrekturflüssigkeit *f* **whiteout** *n* starkes Schneegestöber **white paper** *n* POL Weißbuch *nt* (*on* zu) **white sauce** *n* helle Soße **white spirit** *n* (*Br*) Terpentinersatz *m* **white stick** *n* Blindenstock *m* **white tie** *n* ***a ~ occasion*** eine Veranstaltung mit Frackzwang **white trash** *n* (*US pej infml*) weißes Pack (*pej infml*) **whitewash I** *n* Tünche *f*; (*fig*) Augenwischerei *f* **II** *v/t* tünchen; (*fig*) schönfärben **white-water rafting** *n* Rafting *nt* **white wedding** *n* Hochzeit *f* in Weiß **white wine** *n* Weißwein *m*

Whit Monday *n* (*Br*) Pfingstmontag *m* **Whitsun** (*Br*) *n* Pfingsten *nt* **Whit Sunday** *n* (*Br*) Pfingstsonntag *m* **Whitsuntide** *n* (*Br*) Pfingstzeit *f*

whittle *v/t* schnitzen ◆ **whittle away** *v/t sep* allmählich abbauen; *rights* nach und nach beschneiden ◆ **whittle down** *v/t sep* reduzieren (*to* auf *+acc*)

whiz(z) I *n* (*infml*) Kanone *f* (*infml*); ***a computer ~*** ein Computergenie *nt* (*infml*) **II** *v/i* (*arrow*) schwirren **whiz(z) kid** *n* (*infml*) Senkrechtstarter(in) *m(f)*

who *pron* **1.** (*interrog*) wer; (*acc*) wen; (*dat*) wem; ***~ do you think you are?*** für wen hältst du dich eigentlich?; ***~ did you stay with?*** bei wem haben Sie gewohnt? **2.** (*rel*) der/die/das, welche(r, s); ***any man ~ ...*** jeder (Mensch), der ... **who'd** *contraction* = ***who had***, ***who would*** **whodun(n)it** *n* (*infml*) Krimi *m* (*infml*)

whoever *pron* wer (auch immer); (*acc*) wen (auch immer); (*dat*) wem (auch immer); (≈ *no matter who*) ganz gleich wer/wen/wem

whole I *adj* ganz; *truth* voll; ***the ~ lot*** das Ganze; (*of people*) alle; ***a ~ lot better*** (*infml*) ein ganzes Stück besser (*infml*); ***the ~ thing*** das Ganze; ***the figures don't tell the ~ story*** die Zahlen sagen nicht alles **II** *n* Ganze(s) *nt*; ***the ~ of the month*** der ganze *or* gesamte Monat; ***the ~ of the time*** die ganze Zeit; ***the ~ of London*** ganz London; ***as a ~*** als Ganzes; ***on the ~*** im Großen und Ganzen **wholefood** *adj attr* (*esp Br*) Vollwert(kost)-; ***~ shop*** Bioladen *m* **wholehearted** *adj* uneingeschränkt **wholeheartedly** *adv* voll und ganz **wholemeal** (*Br*) *adj* Vollkorn- **wholesale I** *n* Großhandel *m* **II** *adj attr* **1.** COMM Großhandels- **2.** (*fig*) umfassend **III** *adv* **1.** im Großhandel **2.** (*fig*) massenhaft **wholesaler** *n* Großhändler(in) *m(f)* **wholesale trade** *n* Großhandel *m* **wholesome** *adj* **1.** gesund **2.** *entertainment* erbaulich **whole-wheat** *n* Voll(korn)weizen *m*

who'll *contraction* = ***who will***, ***who shall***

wholly *adv* völlig

whom *pron* **1.** (*interrog*) (*acc*) wen; (*dat*) wem **2.** (*rel*) (*acc*) den/die/das; (*dat*) dem/der/dem; ***..., all of ~ were drunk*** ..., die alle betrunken waren; ***none/all of ~*** von denen keine(r, s)/alle

whoop *v/i* jauchzen **whooping cough** *n* Keuchhusten *m*

whoosh I *n* (*of water*) Rauschen *nt*; (*of air*) Zischen *nt* **II** *v/i* rauschen; (*air*) zischen

whopping *adj* (*infml*) Riesen-

whore *n* Hure *f*

whorl *n* Kringel *m*; (*of shell*) (Spiral)windung *f*

who's *contraction* = ***who has***, ***who is***

whose *poss pr* **1.** (*interrog*) wessen; ***~ is this?*** wem gehört das?; ***~ car did you***

go in? bei wem sind Sie gefahren? **2.** (*rel*) dessen; (*after f and pl*) deren
why I *adv* warum, weshalb; (*asking for purpose*) wozu; (≈ *how come that* ...) wieso; ***~ not ask him?*** warum fragst du/fragen wir *etc* ihn nicht?; ***~ wait?*** warum *or* wozu (noch) warten?; ***~ do it this way?*** warum denn so?; ***that's ~*** darum **II** *int* ***~, of course, that's right!*** ja doch, das stimmt so!; ***~, if it isn't Charles!*** na so was, das ist doch (der) Charles!
wick *n* Docht *m*
wicked *adj* **1.** böse; (≈ *immoral*) schlecht; *satire* boshaft; *smile* frech; ***that was a ~ thing to do*** das war aber gemein (von dir/ihm *etc*); ***it's ~ to tell lies*** Lügen ist hässlich **2.** (*sl* ≈ *very good*) geil (*sl*) **wickedly** *adv smile, look, grin* frech **wickedness** *n* **1.** Schlechtigkeit *f*; (≈ *immorality*) Verderbtheit *f* **2.** (≈ *mischievousness*) Boshaftigkeit *f*
wicker *adj attr* Korb- **wicker basket** *n* (Weiden)korb *m* **wickerwork I** *n* (≈ *articles*) Korbwaren *pl* **II** *adj* Korb-
wide I *adj* (*+er*) **1.** breit; *skirt* weit; *eyes, variety* groß; *experience, choice* reich; ***it is three feet ~*** es ist drei Fuß breit; ***the big ~ world*** die (große) weite Welt **2.** ***it was ~ of the target*** es ging daneben **II** *adv* **1.** weit; ***~ apart*** weit auseinander; ***open ~!*** bitte weit öffnen; ***the law is ~ open to abuse*** das Gesetz öffnet dem Missbrauch Tür und Tor **2.** ***to go ~ of sth*** an etw (*dat*) vorbeigehen **-wide** *adj suf* in dem/der gesamten; ***Europe-wide*** europaweit **wide-angle (lens)** *n* PHOT Weitwinkel(objektiv *nt*) *m* **wide area network** *n* IT Weitverkehrsnetz *nt* **wide-awake** *adj attr*, **wide awake** *adj pred* hellwach **wide-eyed** *adj* mit großen Augen **widely** *adv* weit; (≈ *by or to many people*) allgemein; *vary* stark; *differing* völlig; *available* fast überall; ***his remarks were ~ publicized*** seine Bemerkungen fanden weite Verbreitung; ***a ~ read student*** ein sehr belesener Student
widen I *v/t road* verbreitern; *passage, scope* erweitern; *appeal* erhöhen **II** *v/i* breiter werden; (*interests etc*) sich ausweiten ◆ **widen out** *v/i* sich erweitern (*into* zu)
wideness *n* Breite *f* **wide-open** *adj attr*, **wide open** *adj pred* **1.** *window* weit offen; *eyes* weit aufgerissen **2.** *contest etc* völlig offen **wide-ranging, wide-reaching** *adj* weitreichend **wide-screen** *adj* FILM Breitwand-; ***~ television set*** Breitbildfernseher *m* **widespread** *adj* weitverbreitet *attr*; ***to become ~*** weite Verbreitung erlangen
widow I *n* Witwe *f* **II** *v/t* zur Witwe/zum Witwer machen; ***she was twice ~ed*** sie ist zweimal verwitwet **widowed** *adj* verwitwet **widower** *n* Witwer *m*
width *n* Breite *f*; (*of skirts etc*) Weite *f*; ***six feet in ~*** sechs Fuß breit; ***what is the ~ of the material?*** wie breit liegt dieser Stoff? **widthways** *adv* der Breite nach
wield *v/t pen, sword* führen; *axe* schwingen; *power* ausüben
wife *n, pl* ***wives*** (Ehe)frau *f*
wig *n* Perücke *f*
wiggle I *v/t* wackeln mit **II** *v/i* wackeln **wiggly** *adj* wackelnd; ***~ line*** Schlangenlinie *f*; (*drawn*) Wellenlinie *f*
wigwam *n* Wigwam *m*
wild I *adj* (*+er*) **1.** (≈ *not domesticated*) wild; *people* unzivilisiert; *flowers* wild wachsend; ***~ animals*** Tiere *pl* in freier Wildbahn; ***a lion is a ~ animal*** der Löwe lebt in freier Wildbahn **2.** *weather, sea* stürmisch **3.** (≈ *excited, riotous*) wild (*with* vor *+dat*); *desire* unbändig; ***to be ~ about sb/sth*** (*infml*) auf jdn/etw wild sein (*infml*) **4.** (*infml* ≈ *angry*) wütend (*with, at* mit, auf *+acc*); ***it drives me ~*** das macht mich ganz wild *or* rasend **5.** (≈ *extravagant*) verrückt; *exaggeration* maßlos; *imagination* kühn; ***never in my ~est dreams*** auch in meinen kühnsten Träumen nicht **6.** (≈ *wide of the mark*) Fehl-; ***~ throw*** Fehlwurf *m*; ***it was just a ~ guess*** es war nur so (wild) drauflosgeraten **II** *adv grow* wild; ***to let one's imagination run ~*** seiner Fantasie (*dat*) freien Lauf lassen; ***he lets his kids run ~*** (*pej*) er lässt seine Kinder auf der Straße aufwachsen **III** *n* ***in the ~*** in freier Wildbahn; ***the ~s*** die Wildnis **wildcat strike** *n* wilder Streik **wilderness** *n* Wildnis *f*; (*fig*) Wüste *f* **wildfire** *n* ***to spread like ~*** sich wie ein Lauffeuer ausbreiten **wildfowl** *n no pl* Wildgeflügel *nt* **wild-goose chase** *n* fruchtloses Unterfangen **wildlife** *n* die Tierwelt; ***~ sanctuary*** Wildschutzgebiet *nt* **wildly** *adv* wild; (≈ *excitedly*) aufgeregt; *exaggerated* maßlos **wildness** *n* Wildheit *f*
wile *n usu pl* List *f*
wilful, (*US*) **willful** *adj* **1.** (≈ *self-willed*)

eigensinnig **2.** *damage* mutwillig

will[1] *pret* **would I** *modal aux vb* **1.** (*future*) werden; ***I'm sure that he ~ come*** ich bin sicher, dass er kommt; ***you ~ come to see us, won't you?*** Sie kommen uns doch besuchen, ja?; ***you won't lose it, ~ you?*** du wirst es doch nicht verlieren, oder? **2.** (*emphatic*) ***~ you be quiet!*** willst du jetzt wohl ruhig sein!; ***he says he ~ go and I say he won't*** er sagt, er geht, und ich sage, er geht nicht; ***he ~ interrupt all the time*** er muss ständig dazwischenreden **3.** (*expressing willingness, capability*) wollen; ***he won't sign*** er unterschreibt nicht; ***he wouldn't help me*** er wollte mir nicht helfen; ***wait a moment, ~ you?*** jetzt warte doch mal einen Moment!; ***the door won't open*** die Tür lässt sich nicht öffnen *or* geht nicht auf (*infml*) **4.** (*in questions*) ***~ you have some more tea?*** möchten Sie noch Tee?; ***~ you accept these conditions?*** akzeptieren Sie diese Bedingungen?; ***there isn't any tea, ~ coffee do?*** es ist kein Tee da, darf es auch Kaffee sein? **5.** (*tendency*) ***sometimes he ~ go to the pub*** manchmal geht er auch in die Kneipe **II** *v/i* wollen; ***as you ~!*** wie du willst!

will[2] **I** *n* **1.** Wille *m*; ***to have a ~ of one's own*** einen eigenen Willen haben; (*hum*) so seine Mucken haben (*infml*); ***the ~ to live*** der Wille, zu leben, der Lebenswille; ***against one's ~*** gegen seinen Willen; ***at ~*** nach Lust und Laune; ***of one's own free ~*** aus freien Stücken; ***with the best ~ in the world*** beim *or* mit (dem) (aller-)besten Willen **2.** (≈ *testament*) Testament *nt* **II** *v/t* (durch Willenskraft) erzwingen; ***to ~ sb to do sth*** jdn durch die eigene Willensanstrengung dazu bringen, dass er etw tut **willful** (*US*) = ***wilful***

willie *n* (*Br infml* ≈ *penis*) Pimmel *m* (*infml*)

willies *pl* (*infml*) ***it/he gives me the ~*** da/bei dem wird mir ganz anders (*infml*)

willing *adj* **1.** ***to be ~ to do sth*** bereit sein, etw zu tun; ***he was ~ for me to take it*** es war ihm recht, dass ich es nahm **2.** *helpers* bereitwillig

willingly *adv* bereitwillig **willingness** *n* Bereitschaft *f*

willow *n* (*a.* **willow tree**) Weide *f*

willpower *n* Willenskraft *f*

willy *n* (*Br infml*) = ***willie***

willy-nilly *adv* **1.** *choose* aufs Geratewohl **2.** (≈ *willingly or not*) wohl oder übel

wilt *v/i* **1.** (*flowers*) welken **2.** (*person*) matt werden

wily *adj* (*+er*) listig, hinterlistig (*pej*)

wimp *n* (*infml*) Waschlappen *m* (*infml*)

win *vb*: *pret*, *past part* **won I** *n* Sieg *m* **II** *v/t* gewinnen; *contract* bekommen; *victory* erringen **III** *v/i* siegen; ***OK, you ~, I was wrong*** okay, du hast gewonnen, ich habe mich geirrt; ***whatever I do, I just can't ~*** egal, was ich mache, ich machs immer falsch ◆ **win over** *v/t sep* für sich gewinnen ◆ **win round** *v/t sep* (*esp Br*) = ***win over***

wince *v/i* zusammenzucken

winch I *n* Winde *f* **II** *v/t* winschen

wind[1] **I** *n* **1.** Wind *m*; ***the ~ is from the east*** der Wind kommt aus dem Osten; ***to put the ~ up sb*** (*Br infml*) jdn ins Bockshorn jagen; ***to get ~ of sth*** von etw Wind bekommen; ***to throw caution to the ~s*** Bedenken in den Wind schlagen **2.** (*from bowel*) Blähung *f*; ***to break ~*** einen Wind streichen lassen **II** *v/t* (*Br*) ***he was ~ed by the ball*** der Ball nahm ihm den Atem

wind[2] *vb*: *pret*, *past part* **wound I** *v/t* **1.** *bandage* wickeln; *turban etc* winden; (*on reel*) spulen **2.** *handle* kurbeln; *clock*, *toy* aufziehen **3.** ***to ~ one's way*** sich schlängeln **II** *v/i* (*river etc*) sich winden ◆ **wind around I** *v/t sep +prep obj* wickeln um; ***wind it twice around the post*** wickele es zweimal um den Pfosten; ***to wind itself around sth*** sich um etw schlingen **II** *v/i* (*road*) sich winden **III** *v/i +prep obj* (*road*) sich schlängeln durch ◆ **wind back** *v/t sep tape* zurückspulen ◆ **wind down I** *v/t sep* **1.** *windows* herunterkurbeln **2.** *operations* reduzieren **II** *v/i* (*infml* ≈ *relax*) entspannen ◆ **wind forward** *or* **on** *v/t sep film* weiterspulen ◆ **wind round** *v/t & v/i sep* (*esp Br*) = ***wind around*** ◆ **wind up I** *v/t sep* **1.** *window* hinaufkurbeln **2.** *mechanism*, (*Br fig infml*) *person* aufziehen; ***to be wound up about sth*** (*fig*) über etw (*acc*) erregt sein **3.** (≈ *end*) zu Ende bringen **II** *v/i* (*infml*) enden; ***to ~ in hospital*** im Krankenhaus landen; ***to ~ doing sth*** am Ende etw tun

windbreak *n* Windschutz *m* **Windbreaker®** (*US*), **windcheater** (*Br*) *n*

Windjacke *f* **wind-chill factor** *n* Wind-Kälte-Faktor *m* **winded** *adj* atemlos, außer Atem **wind energy** *n* Windenergie *f* **windfall** *n* Fallobst *nt*; (*fig*) unerwartetes Geschenk **wind farm** *n* Windfarm *f*
winding *adj* gewunden **winding staircase** *n* Wendeltreppe *f* **winding-up** *n* (*of project*) Abschluss *m*; (*of company, society*) Auflösung *f*
wind instrument *n* Blasinstrument *nt* **windmill** *n* Windmühle *f*
window *n* Fenster *nt*; (≈ *shop window*) (Schau)fenster *nt* **window box** *n* Blumenkasten *m* **windowcleaner** *n* Fensterputzer(in) *m(f)* **window display** *n* (Schaufenster)auslage *f* **window-dressing** *n* Auslagen- *or* Schaufensterdekoration *f*; (*fig*) Mache *f*, Schau *f* (*infml*); ***that's just ~*** das ist alles nur Mache **window ledge** *n* = ***windowsill*** **windowpane** *n* Fensterscheibe *f* **window-shopping** *n* ***to go ~*** einen Schaufensterbummel machen **windowsill** *n* Fensterbank *f*
windpipe *n* Luftröhre *f* **wind power** *n* Windkraft *f* **windscreen**, (*US*) **windshield** *n* Windschutzscheibe *f* **windscreen washer**, (*US*) **windshield washer** *n* Scheibenwaschanlage *f* **windscreen wiper**, (*US*) **windshield wiper** *n* Scheibenwischer *m* **windsurf** *v/i* windsurfen **windsurfer** *n* **1.** (≈ *person*) Windsurfer(in) *m(f)* **2.** (≈ *board*) Windsurfbrett *nt* **windsurfing** *n* Windsurfen *nt* **windswept** *adj beach* über den / die/das der Wind fegt; *person* (vom Wind) zerzaust **wind tunnel** *n* Windkanal *m* **wind turbine** *n* Windturbine *f*
wind-up *n* (*Br infml* ≈ *joke*) Witz *m*
windy *adj* (*+er*) windig
wine I *n* Wein *m*; ***cheese and ~ party*** *Party, bei der Wein und Käse gereicht wird* **II** *adj* (*colour*) burgunderrot **wine bar** *n* Weinlokal *nt* **wine bottle** *n* Weinflasche *f* **wine cellar** *n* Weinkeller *m* **wineglass** *n* Weinglas *nt* **wine growing** *adj* Wein(an)bau-; ***~ region*** Wein(an)baugebiet *nt* **wine list** *n* Weinkarte *f* **wine tasting** *n* Weinprobe *f*
wing I *n* **1.** Flügel *m*; (*Br* AUTO) Kotflügel *m*; ***to take sb under one's ~*** (*fig*) jdn unter seine Fittiche nehmen; ***to spread one's ~s*** (*fig*) flügge werden; ***to play on the (left / right) ~*** SPORTS auf dem (linken / rechten) Flügel spielen **2. wings** *pl* THEAT Kulisse *f*; ***to wait in the ~s*** in den Kulissen warten **II** *v/t* ***to ~ one's way*** fliegen **III** *v/i* fliegen **winger** *n* SPORTS Flügelspieler(in) *m(f)* **wing nut** *n* Flügelmutter *f* **wingspan** *n* Flügelspannweite *f*
wink I *n* Zwinkern *nt*; ***I didn't sleep a ~*** (*infml*) ich habe kein Auge zugetan **II** *v/t* zwinkern mit (*+dat*) **III** *v/i* (*meaningfully*) zwinkern; ***to ~ at sb*** jdm zuzwinkern
winkle *n* (*Br*) Strandschnecke *f*
winner *n* (*competition*) Sieger(in) *m(f)*; (*of pools etc*) Gewinner(in) *m(f)*; ***to be onto a ~*** (*infml*) das große Los gezogen haben (*infml*) **winning I** *adj* **1.** *person, entry* der / die gewinnt; *team* siegreich; *goal* Sieges- **2.** *smile* gewinnend **II** *n* **winnings** *pl* Gewinn *m* **winning post** *n* Zielpfosten *m*
wino *n* (*infml*) Saufbruder *m* (*infml*)
winter I *n* Winter *m* **II** *adj attr* Winter- **Winter Olympics** *pl* Winterolympiade *f* **winter sports** *pl* Wintersport *m* **wintertime** *n* Winter *m* **wintery, wintry** *adj* winterlich
wipe I *n* Wischen *nt*; ***to give sth a ~*** etw abwischen **II** *v/t* wischen; *floor* aufwischen; *hands* abwischen; ***to ~ sb/sth dry*** jdn / etw abtrocknen; ***to ~ sb/sth clean*** jdn / etw sauber wischen; ***to ~ one's eyes*** sich (*dat*) die Augen wischen; ***to ~ one's nose*** sich (*dat*) die Nase putzen; ***to ~ one's feet*** sich (*dat*) die Füße abtreten; ***to ~ the floor with sb*** (*fig infml*) jdn fertigmachen (*infml*) ◆ **wipe away** *v/t sep* wegwischen ◆ **wipe off** *v/t sep* abwischen; ***wipe that smile off your face*** (*infml*) hör auf zu grinsen (*infml*); ***to be wiped off the map*** *or* ***the face of the earth*** von der Landkarte *or* Erdoberfläche getilgt werden ◆ **wipe out** *v/t sep* **1.** *bowl* auswischen **2.** *sth on blackboard* (aus)löschen **3.** *disease, race* ausrotten; *enemy* aufreiben ◆ **wipe up I** *v/t sep liquid* aufwischen; *dishes* abtrocknen **II** *v/i* abtrocknen
wire I *n* **1.** Draht *m*; (*for electricity*) Leitung *f*; (≈ *insulated flex*) Schnur *f*; ***you've got your ~s crossed there*** (*infml*) Sie verwechseln da etwas **2.** TEL Telegramm *nt* **3.** (≈ *microphone*) Wanze *f* (*infml*) **II** *v/t* **1.** *plug* anschließen; *house* die (elektrischen) Leitungen verlegen in (*+dat*) **2.** TEL telegrafieren **3.** (≈ *fix with wire*) mit Draht zusammen-

binden ◆ **wire up** *v/t sep lights* anschließen

wireless I *n* (*esp Br dated*) Radio *nt* **II** *adj programme* Radio-; *technology* drahtlos; **~ *phone*** drahtloses Telefon **Wireless Application Protocol** *n* IT WAP-Protokoll *nt* **wire netting** *n* Maschendraht *m* **wiretap** *v/t phone, conversation* abhören; *building* abhören in (*+dat*) **wiring** *n* elektrische Leitungen *pl* **wiry** *adj* (*+er*) drahtig

wisdom *n* Weisheit *f* **wisdom tooth** *n* Weisheitszahn *m*

wise *adj* (*+er*) weise; *move etc* klug; ***the Three Wise Men*** die drei Weisen; ***I'm none the ~r*** (*infml*) ich bin nicht klüger als vorher; ***nobody will be any the ~r*** (*infml*) niemand wird das spitzkriegen (*infml*); ***you'd be ~ to ...*** du tätest gut daran, ...; ***to get ~ to sb/sth*** (*infml*) jd/etw spitzkriegen (*infml*); ***to be ~ to sb/sth*** (*infml*) jdn/etw kennen; ***he fooled her twice, then she got ~ to him*** zweimal hat er sie hereingelegt, dann ist sie ihm auf die Schliche gekommen **-wise** *adv suf* -mäßig, in Bezug auf (*+acc*) **wisecrack** *n* Stichelei *f*; ***to make a ~ (about sb/sth)*** witzeln (über jdn/etw) **wise guy** *n* (*infml*) Klugscheißer *m* (*infml*) **wisely** *adv* weise; (≈ *sensibly*) klugerweise

wish I *n* Wunsch *m* (*for* nach); ***I have no great ~ to see him*** ich habe keine große Lust, ihn zu sehen; ***to make a ~*** sich (*dat*) etwas wünschen; ***with best ~es*** alles Gute; ***he sends his best ~es*** er lässt (vielmals) grüßen **II** *v/t* wünschen; ***he ~es to be alone*** er möchte allein sein; ***how he ~ed that his wife was or were there*** wie sehr er sich (*dat*) wünschte, dass seine Frau hier wäre; ***~ you were here*** ich wünschte, du wärest hier; ***to ~ sb good luck*** jdm viel Glück wünschen ◆ **wish for** *v/i +prep obj* ***to ~ sth*** sich (*dat*) etw wünschen ◆ **wish on** *or* **upon** *v/t sep +prep obj* (*infml*) ***to wish sb/sth on or upon sb*** jdm jdn/etw aufhängen (*infml*)

wishful *adj* ***that's just ~ thinking*** das ist reines Wunschdenken

wishy-washy *adj person* farblos; *colour* verwaschen; *argument* schwach (*infml*)

wisp *n* (*of straw etc*) kleines Büschel; (*of cloud*) Fetzen *m*; (*of smoke*) Wölkchen *nt* **wispy** *adj* (*+er*) ***~ clouds*** Wolkenfetzen *pl*; ***~ hair*** dünne Haarbüschel

wistful *adj*, **wistfully** *adv* wehmütig

wit *n* **1.** (≈ *understanding*) Verstand *m*; ***to be at one's ~s' end*** mit seinem Latein am Ende sein (*hum infml*); ***to be scared out of one's ~s*** zu Tode erschreckt sein; ***to have one's ~s about one*** seine (fünf) Sinne beisammenhaben **2.** (≈ *wittiness*) Geist *m*, Witz *m* **3.** (≈ *person*) geistreicher Kopf

witch *n* Hexe *f* **witchcraft** *n* Hexerei *f* **witch doctor** *n* Medizinmann *m* **witch-hunt** *n* Hexenjagd *f*

with *prep* **1.** mit; ***are you pleased ~ it?*** bist du damit zufrieden?; ***bring a book ~ you*** bring ein Buch mit; ***~ no ...*** ohne ...; ***to walk ~ a stick*** am *or* mit einem Stock gehen; ***put it ~ the rest*** leg es zu den anderen; ***how are things ~ you?*** wie gehts?; ***it varies ~ the temperature*** es verändert sich je nach Temperatur; ***is he ~ us or against us?*** ist er für oder gegen uns? **2.** (≈ *at house of, in company of etc, on person*) bei; ***I'll be ~ you in a moment*** einen Augenblick bitte, ich bin gleich da; ***10 years ~ the company*** 10 Jahre bei *or* in der Firma **3.** (*cause*) vor (*+dat*); ***to shiver ~ cold*** vor Kälte zittern **4.** (≈ *while sb/sth is*) wo; ***you can't go ~ your mother ill*** wo deine Mutter krank ist, kannst du nicht gehen; ***~ the window open*** bei offenem Fenster **5.** (*infml: expressing comprehension*) ***I'm not ~ you*** da komm ich nicht mit (*infml*); ***to be ~ it*** (≈ *alert*) bei der Sache sein

withdraw *pret* **withdrew**, *past part* **withdrawn I** *v/t object, charge, offer* zurückziehen; *money* abheben; *comment* widerrufen **II** *v/i* sich zurückziehen; (≈ *move away*) zurücktreten **withdrawal** *n* (*of objects, charge*) Zurückziehen *nt*; (*of money*) Abheben *nt*; (*of words*) Zurücknehmen *nt*; (*of troops*) Rückzug *m*; (*from drugs*) Entzug *m*; ***to make a ~ from a bank*** von einer Bank Geld abheben **withdrawn I** *past part of* **withdraw II** *adj person* verschlossen **withdrew** *pret of* **withdraw**

wither *v/i* **1.** (*lit*) verdorren; (*limb*) verkümmern **2.** (*fig*) welken ◆ **wither away** *v/i* = **wither**

withered *adj* verdorrt **withering** *adj heat* ausdörrend; *look* vernichtend

withhold *pret, past part* **withheld** *v/t* vorenthalten; (≈ *refuse*) verweigern; ***to ~***

sth from sb jdm etw vorenthalten / verweigern
within I *prep* innerhalb (+*gen*); ***to be ~ 100 feet of the finish*** auf den letzten 100 Fuß vor dem Ziel sein; ***we came ~ 50 feet of the summit*** wir kamen bis auf 50 Fuß an den Gipfel heran **II** *adv* (*old, liter*) innen; ***from ~*** von drinnen
without I *prep* ohne; ***~ speaking*** ohne zu sprechen, wortlos; ***~ my noticing it*** ohne dass ich es bemerkte **II** *adv* (*old, liter*) außen; ***from ~*** von draußen
withstand *pret, past part* **withstood** *v/t* standhalten (+*dat*)
witless *adj* ***to be scared ~*** zu Tode erschreckt sein
witness I *n* **1.** (≈ *person*) Zeuge *m*, Zeugin *f*; ***~ for the defence*** (*Br*) *or* ***defense*** (*US*) Zeuge *m*/Zeugin *f* der Verteidigung **2.** (≈ *evidence*) Zeugnis *nt*; ***to bear ~ to sth*** Zeugnis über etw (*acc*) ablegen **II** *v/t* **1.** *accident* Zeuge / Zeugin sein bei *or* (+*gen*); *scenes* (mit)erleben; *changes* erleben **2.** *signature* bestätigen **witness box**, (*US*) **witness stand** *n* Zeugenstand *m*
witty *adj* (+*er*) witzig, geistreich
wives *pl of* **wife**
wizard *n* **1.** Zauberer *m* **2.** (*infml*) Genie *nt*
wizened *adj* verschrumpelt
wk *abbr of* **week** Wo.
WMD *abbr of* **weapons of mass destruction**
wobble I *n* Wackeln *nt* **II** *v/i* wackeln; (*cyclist*) schwanken; (*jelly*) schwabbeln **III** *v/t* rütteln an (+*dat*) **wobbly** *adj* (+*er*) wackelig; *jelly* (sch)wabbelig; ***to feel ~*** wackelig auf den Beinen sein (*infml*)
woe *n* **1.** (*liter, hum* ≈ *sorrow*) Jammer *m*; ***~ (is me)!*** weh mir!; ***~ betide him who ...!*** wehe dem, der ...! **2.** (*esp pl* ≈ *trouble*) Kummer *m* **woeful** *adj* traurig; *lack* bedauerlich
wok *n* COOK Wok *m*
woke *pret of* **wake woken** *past part of* **wake**
wolf I *n, pl* **wolves** Wolf *m*; ***to cry ~*** blinden Alarm schlagen **II** *v/t* (*infml*: *a.* **wolf down**) *food* hinunterschlingen **wolf whistle** (*infml*) *n* bewundernder Pfiff
wolves *pl of* **wolf**
woman I *n, pl* **women** Frau *f*; ***cleaning ~*** Putzfrau *f* **II** *adj attr* ***~ doctor*** Ärztin *f*; ***~ driver*** Frau *f* am Steuer **womanhood** *n* ***to reach ~*** (zur) Frau werden **womanize** *v/i* hinter den Frauen her sein **womanizer** *n* Schürzenjäger *m*
womb *n* Gebärmutter *f*
women *pl of* **woman women's lib** *n* (*infml*) Frauen(rechts)bewegung *f* **women's refuge** *n* Frauenhaus *nt* **women's room** *n* (*US*) Damentoilette *f*
won *pret, past part of* **win**
wonder I *n* **1.** (≈ *feeling*) Staunen *nt*; ***in ~*** voller Staunen **2.** (≈ *cause of wonder*) Wunder *nt*; ***it is a ~ that ...*** es ist ein Wunder, dass ...; ***no ~ (he refused)!*** kein Wunder(, dass er abgelehnt hat)!; ***to do*** *or* ***work ~s*** Wunder wirken; ***~s will never cease!*** es geschehen noch Zeichen und Wunder! **II** *v/t* ***I ~ what he'll do now*** ich bin gespannt, was er jetzt tun wird (*infml*); ***I ~ why he did it*** ich wüsste zu gern, warum er das getan hat; ***I was ~ing if you'd like to come too*** möchten Sie nicht vielleicht auch kommen? **III** *v/i* **1.** (≈ *ask oneself*) sich fragen; ***why do you ask? — oh, I was just ~ing*** warum fragst du? — ach, nur so; ***to ~ about sth*** sich (*dat*) über etw (*acc*) Gedanken machen; ***I expect that will be the end of the matter — I ~!*** ich denke, damit ist die Angelegenheit erledigt — da habe ich meine Zweifel; ***to ~ about doing sth*** daran denken, etw zu tun; ***John, I've been ~ing, is there really any point?*** John, ich frage mich, ob es wirklich (einen) Zweck hat **2.** (≈ *be surprised*) sich wundern; ***I ~ (that) he ...*** es wundert mich, dass er ... **wonderful** *adj*, **wonderfully** *adv* wunderbar **wondrous** (*old, liter*) *adj* wunderbar
wonky *adj* (+*er*) (*Br infml*) *chair, marriage, grammar* wackelig; *machine* nicht (ganz) in Ordnung; ***your collar's all ~*** dein Kragen sitzt ganz schief
won't *contraction* = ***will not***
woo *v/t person* umwerben; (*fig*) *audience etc* für sich zu gewinnen versuchen
wood I *n* **1.** (≈ *material*) Holz *nt*; ***touch ~!*** (*esp Br*), ***knock on ~!*** (*esp US*) dreimal auf Holz geklopft! **2.** (≈ *small forest*: *a.* **woods**) Wald *m*; ***we're not out of the ~s yet*** (*fig*) wir sind noch nicht über den Berg *or* aus dem Schneider (*infml*); ***he can't see the ~ for the trees*** (*Br prov*) er sieht den Wald vor (lauter) Bäumen nicht (*prov*) **II** *adj attr* (≈ *made of wood*)

Holz- **wood carving** *n* (Holz)schnitzerei *f* **woodcutter** *n* Holzfäller(in) *m(f)*; (*of logs*) Holzhacker(in) *m(f)* **wooded** *adj* bewaldet

wooden *adj* **1.** Holz- **2.** (*fig*) *performance* hölzern **wooden spoon** *n* (*lit*) Holzlöffel *m*; (*fig*) Trostpreis *m* **woodland** *n* Waldland *nt* **woodpecker** *n* Specht *m* **woodpile** *n* Holzhaufen *m* **woodwind** *n* Holzblasinstrument *nt*; ***the ~ section*** die Holzbläser *pl* **woodwork** *n* **1.** Holzarbeit *f*; (≈ *craft*) Tischlerei *f* **2.** (≈ *wooden parts*) Holzteile *pl*; ***to come out of the ~*** (*fig*) aus dem Unterholz *or* der Versenkung hervorkommen **woodworm** *n* Holzwurm *m* **woody** *adj* (+*er*) (*in texture*) holzig

woof I *n* (*of dog*) Wuff *nt* **II** *v/i* ***~, ~!*** wau, wau!

wool I *n* Wolle *f*; (≈ *cloth*) Wollstoff *m*; ***to pull the ~ over sb's eyes*** (*infml*) jdm Sand in die Augen streuen (*infml*) **II** *adj* Woll-

woollen, (*US*) **woolen I** *adj* Woll- **II** *n* **woollens** *pl* (≈ *garments*) Wollsachen *pl*; (≈ *fabrics*) Wollwaren *pl* **woolly**, (*US*) **wooly** *adj* (+*er*) wollig; ***winter woollies*** (*esp Br* ≈ *sweaters etc*) dicke Wollsachen *pl* (*infml*); (*esp US* ≈ *underwear*) Wollene *pl* (*infml*)

woozy *adj* (+*er*) (*infml*) duselig (*infml*)

Worcester sauce *n* Worcestersoße *f*

word I *n* **1.** Wort *nt*; ***foreign ~s*** Fremdwörter *pl*; ***~ for ~*** Wort für Wort; ***~s cannot describe it*** so etwas kann man mit Worten gar nicht beschreiben; ***too funny for ~s*** unbeschreiblich komisch; ***to put one's thoughts into ~s*** seine Gedanken in Worte fassen; ***to put sth into ~s*** etw in Worte fassen; ***in a ~*** kurz gesagt; ***in other ~s*** mit anderen Worten; ***in one's own ~s*** mit eigenen Worten; ***the last ~*** (*fig*) der letzte Schrei (*in* an +*dat*); ***a ~ of advice*** ein Rat(schlag) *m*; ***by ~ of mouth*** durch mündliche Überlieferung; ***to say a few ~s*** ein paar Worte sprechen; ***to be lost for ~s*** nicht wissen, was man sagen soll; ***to take sb at his ~*** jdn beim Wort nehmen; ***to have a ~ with sb*** (≈ *talk to*) mit jdm sprechen (*about* über +*acc*); (≈ *reprimand*) jdn ins Gebet nehmen; ***John, could I have a ~?*** John, kann ich dich mal sprechen?; ***you took the ~s out of my mouth*** du hast mir das Wort aus dem Mund genommen; ***to put in*** *or* ***say a*** (***good***) ***~ for sb*** für jdn ein gutes Wort einlegen; ***don't say a ~ about it*** sag aber bitte keinen Ton davon; ***to have ~s with sb*** (≈ *quarrel*) mit jdm eine Auseinandersetzung haben; ***~ of honour*** (*Br*) *or* ***honor*** (*US*) Ehrenwort *nt*; ***a man of his ~*** ein Mann, der zu seinem Wort steht; ***to keep one's ~*** sein Wort halten; ***take my ~ for it*** das kannst du mir glauben; ***it's his ~ against mine*** Aussage steht gegen Aussage; ***just say the ~*** sag nur ein Wort **2. words** *pl* (≈ *text*) Text *m* **3.** *no pl* (≈ *news*) Nachricht *f*; ***is there any ~ from John yet?*** schon von John gehört?; ***to send ~*** Nachricht geben; ***to send ~ to sb*** jdn benachrichtigen; ***to spread the ~*** (*infml*) es allen sagen (*infml*) **II** *v/t* formulieren **word game** *n* Buchstabenspiel *nt* **wording** *n* Formulierung *f* **word order** *n* Satzfolge *f* **word-perfect** *adj* ***to be ~*** den Text perfekt beherrschen **wordplay** *n* Wortspiel *nt*

word processing *n* Textverarbeitung *f*

word processor *n* (≈ *machine*) Text(verarbeitungs)system *nt* **wordy** *adj* (+*er*) wortreich

wore *pret of* ***wear***

work I *n* **1.** Arbeit *f*; (ART, LIT ≈ *product*) Werk *nt*; ***he doesn't like ~*** er arbeitet nicht gern; ***that's a good piece of ~*** das ist gute Arbeit; ***is this all your own ~?*** haben Sie das alles selbst gemacht?; ***when ~ begins on the new bridge*** wenn die Arbeiten an der neuen Brücke anfangen; ***to be at ~*** (***on sth***) (an etw *dat*) arbeiten; ***nice ~!*** gut gemacht!; ***you need to do some more ~ on your accent*** Sie müssen noch an Ihrem Akzent arbeiten; ***to get to ~ on sth*** sich an etw (*acc*) machen; ***to get some ~ done*** arbeiten; ***to put a lot of ~ into sth*** eine Menge Arbeit in etw (*acc*) stecken; ***to get on with one's ~*** sich (wieder) an die Arbeit machen; ***to be*** (***out***) ***at ~*** arbeiten sein; ***to go out to ~*** arbeiten gehen; ***to be out of ~*** arbeitslos sein; ***to be in ~*** eine Stelle haben; ***how long does it take you to get to ~?*** wie lange brauchst du, um zu deiner Arbeitsstelle zu kommen?; ***at ~*** am Arbeitsplatz; ***to be off ~*** (am Arbeitsplatz) fehlen; ***a ~ of art*** ein Kunstwerk *nt*; ***a fine piece of ~*** eine schöne Arbeit **2. works** *sg or pl* (*Br* ≈ *factory*) Betrieb *m*; ***steel ~s*** Stahlwerk *nt* **3.** (*infml*) **the**

works *pl* alles Drum und Dran **II** *v/i* **1.** *person* arbeiten (*at* an +*dat*) **2.** (≈ *function*) funktionieren; (*medicine, spell*) wirken; (≈ *be successful*) klappen (*infml*); ***it won't ~*** das klappt nicht; ***to get sth ~ing*** etw in Gang bringen **3.** ***to ~ loose*** sich lockern; ***OK, I'm ~ing (a)round to it*** okay, das mache ich schon noch **III** *v/t* **1.** ***to ~ sb hard*** jdn nicht schonen **2.** *machine* bedienen **3.** ***to ~ it (so that ...)*** (*infml*) es so deichseln(, dass ...) (*infml*) **4.** *wood, land* bearbeiten; ***~ the flour in gradually*** mischen Sie das Mehl allmählich unter **5.** ***to ~ sth loose*** etw losbekommen; ***to ~ one's way to the top*** sich nach oben arbeiten; ***to ~ one's way up from nothing*** sich von ganz unten hocharbeiten ◆ **work in** *v/t sep* (≈ *rub in*) einarbeiten ◆ **work off** *v/t sep fat* abarbeiten; *energy* loswerden ◆ **work on** *v/i +prep obj* **1.** *book, accent* arbeiten an (+*dat*); *case* bearbeiten; ***we haven't solved it yet but we're still working on it*** wir haben es noch nicht gelöst, aber wir sind dabei **2.** *assumption* ausgehen von; *principle* (*person*) ausgehen von; (*machine*) arbeiten nach ◆ **work out I** *v/i* **1.** (*puzzle etc*) aufgehen **2.** ***that works out at £105*** das macht £ 105; ***it works out more expensive*** es kommt teurer **3.** (≈ *succeed*) funktionieren; ***things didn't ~ for him*** es ist ihm alles schiefgegangen; ***things didn't ~ that way*** es kam ganz anders **4.** (*in gym etc*) trainieren **II** *v/t sep* **1.** *mathematical problem* lösen; *problem* fertig werden mit; *sum* ausrechnen; ***work it out for yourself*** das kannst du dir (doch) selbst denken **2.** *scheme* (sich *dat*) ausdenken **3.** (≈ *understand*) schlau werden aus (+*dat*); (≈ *find out*) herausfinden; ***I can't ~ why it went wrong*** ich kann nicht verstehen, wieso es nicht geklappt hat ◆ **work through** *v/i +prep obj* sich (durch)arbeiten durch ◆ **work up** *v/t sep enthusiasm* aufbringen; *appetite* sich (*dat*) holen; *courage* sich (*dat*) machen; ***to ~ a sweat*** richtig ins Schwitzen kommen; ***to get worked up*** sich aufregen ◆ **work up to** *v/i +prep obj proposal etc* zusteuern auf (+*acc*)

workable *adj plan, system* durchführbar; *solution* machbar **workaholic** *n* (*infml*) Arbeitstier *nt* **workbench** *n* Werkbank *f* **workbook** *n* Arbeitsheft *nt* **workday** *n* (*esp US*) Arbeitstag *m*

worker *n* Arbeiter(in) *m(f)* **work ethic** *n* Arbeitsmoral *f* **workforce** *n* Arbeitskräfte *pl* **workhorse** *n* (*lit, fig*) Arbeitspferd *nt* **working I** *adj* **1.** *population, woman* berufstätig; ***~ man*** Arbeiter *m* **2.** (≈ *used for working*) Arbeits-; ***~ hours*** Arbeitszeit *f*; ***in good ~ order*** voll funktionsfähig; ***~ knowledge*** Grundkenntnisse *pl* **3.** *farm* in Betrieb **II** *n* **workings** *pl* (≈ *way sth works*) Arbeitsweise *f*; ***in order to understand the ~s of this machine*** um zu verstehen, wie die Maschine funktioniert **working class** *n* (*a.* **working classes**) Arbeiterklasse *f* **working-class** *adj* der Arbeiterklasse; ***to be ~*** zur Arbeiterklasse gehören **working environment** *n* Arbeitsumfeld *nt* **working lunch** *n* Arbeitsessen *nt* **working party** *n* (Arbeits)ausschuss *m* **working relationship** *n* ***to have a good ~ with sb*** mit jdm gut zusammenarbeiten **workload** *n* Arbeit(slast) *f* **workman** *n* Handwerker *m* **workmanship** *n* Arbeit(squalität) *f* **work-out** *n* SPORTS Training *nt* **work permit** *n* Arbeitserlaubnis *f* **workplace** *n* Arbeitsplatz *m*; ***in the ~*** am Arbeitsplatz **workroom** *n* Arbeitszimmer *nt* **works** *pl* = ***work*** I 2, 3 **works council** *n* (*esp Br*) Betriebsrat *m* **worksheet** *n* Arbeitsblatt *nt*

workshop *n* Werkstatt *f*; ***a music ~*** ein Musik-Workshop *m* **work station** *n* Arbeitsplatz *m*; IT Arbeitsplatzstation *f* **work surface** *n* Arbeitsfläche *f* **worktop** *n* (*Br*) Arbeitsfläche *f*

world *n* Welt *f*; ***in the ~*** auf der Welt; ***all over the ~*** auf der ganzen Welt; ***he jets all over the ~*** er jettet in der Weltgeschichte herum; ***to go (a)round the ~*** eine Weltreise machen; ***to feel** or **be on top of the ~*** munter und fidel sein; ***it's not the end of the ~!*** (*infml*) davon geht die Welt nicht unter! (*infml*); ***it's a small ~*** wie klein doch die Welt ist; ***to live in a ~ of one's own*** in seiner eigenen (kleinen) Welt leben; ***the Third World*** die Dritte Welt; ***the business ~*** die Geschäftswelt; ***woman of the ~*** Frau *f* von Welt; ***to go down in the ~*** herunterkommen; ***to go up in the ~*** es (in der Welt) zu etwas bringen; ***he had the ~ at his feet*** die ganze Welt lag ihm zu Füßen; ***to lead the ~ in sth*** in etw (*dat*) in der Welt führend sein; ***to come***

into the ~ zur Welt kommen; ***to have the best of both ~s*** das eine tun und das andere nicht lassen; ***out of this ~*** (*infml*) fantastisch; ***to bring sb into the ~*** jdn zur Welt bringen; ***nothing in the ~*** nichts auf der Welt; ***who in the ~*** wer in aller Welt; ***to do sb a ~ of good*** jdm (unwahrscheinlich) guttun; ***to mean the ~ to sb*** jdm alles bedeuten; ***to think the ~ of sb*** große Stücke auf jdn halten **world champion** *n* Weltmeister(in) *m(f)* **world championship** *n* Weltmeisterschaft *f* **world-class** *adj* Weltklasse-, der Weltklasse **world-famous** *adj* weltberühmt **world leader** *n* **1.** POL ***the ~s*** die führenden Regierungschefs der Welt **2.** COMM weltweiter Marktführer **worldly** *adj* (*+er*) **1.** *success* materiell **2.** weltlich; *person* weltlich gesinnt; *manner* weltmännisch **world music** *n* Weltmusik *f* **world peace** *n* Weltfrieden *m* **world power** *n* Weltmacht *f* **world record** *n* Weltrekord *m* **world record holder** *n* Weltrekordinhaber(in) *m(f)* **world trade** *n* Welthandel *m* **world-view** *n* Weltbild *nt* **World War One, World War I** *n* Erster Weltkrieg **World War Two, World War II** *n* Zweiter Weltkrieg **world-weary** *adj* lebensmüde **worldwide** *adj*, *adv* weltweit **World Wide Web** *n* World Wide Web *nt*

worm I *n* **1.** Wurm *m*; ***~s*** MED Würmer *pl*; ***to open a can of ~s*** in ein Wespennest stechen **2.** IT, INTERNET Wurm *m* **II** *v/t* zwängen; ***to ~ one's way through sth*** sich durch etw (*acc*) durchschlängeln; ***to ~ one's way into a group*** sich in eine Gruppe einschleichen

worn I *past part of* **wear II** *adj coat* abgetragen; *carpet* abgetreten; *tyre* abgefahren **worn-out** *adj attr*, **worn out** *adj pred carpet* abgetreten; *person* erschöpft

worried *adj* besorgt (*about*, *by* wegen)

worry I *n* Sorge *f*; ***no worries!*** (*infml*) kein Problem! **II** *v/t* **1.** (≈ *concern*) Sorgen machen (*+dat*); ***to ~ oneself sick*** *or* ***silly*** (***about*** *or* ***over sth***) (*infml*) sich krank machen vor Sorge (um *or* wegen etw) (*infml*) **2.** (≈ *bother*) stören; ***to ~ sb with sth*** jdn mit etw stören **III** *v/i* sich (*dat*) Sorgen machen (*about*, *over* um, wegen); ***don't ~!, not to ~!*** keine Sorge!; ***don't ~, I'll do it*** lass mal, das mach ich schon; ***don't ~ about letting me know*** es macht nichts, wenn du mich nicht benachrichtigen kannst **worrying** *adj problem* beunruhigend; ***it's very ~*** es macht mir große Sorge

worse I *adj comp of* **bad** schlechter; (*morally*, *with bad consequences*) schlimmer; ***the patient is getting ~*** der Zustand des Patienten verschlechtert sich; ***and to make matters ~*** und zu allem Übel; ***it could have been ~*** es hätte schlimmer kommen können; ***~ luck!*** (so ein) Pech! **II** *adv comp of* **badly** schlechter; ***to be ~ off than ...*** schlechter dran sein als ... (*infml*) **III** *n* Schlechtere(s) *nt*; (*morally, with regard to consequences*) Schlimmere(s) *nt*; ***there is ~ to come*** es kommt noch schlimmer **worsen I** *v/t* verschlechtern **II** *v/i* sich verschlechtern

worship I *n* **1.** Verehrung *f*; ***place of ~*** Andachtsstätte *f* **2.** (*Br*) ***Your Worship*** (*to judge*) Euer Ehren / Gnaden; (*to mayor*) (verehrter) Herr Bürgermeister **II** *v/t* anbeten

worst I *adj sup of* **bad** schlechteste(r, s); (*morally*, *with regard to consequences*) schlimmste(r, s); ***the ~ possible time*** die ungünstigste Zeit **II** *adv sup of* **badly** am schlechtesten **III** *n* ***the ~ is over*** das Schlimmste ist vorbei; ***at ~*** schlimmstenfalls; ***if the ~ comes to the ~, if ~ comes to ~*** (*US*) wenn alle Stricke reißen (*infml*) **worst-case scenario** *n* Schlimmstfall *m*

worth I *adj* wert; ***it's ~ £5*** es ist £ 5 wert; ***it's not ~ £5*** es ist keine £ 5 wert; ***what's this ~?*** was *or* wie viel ist das wert?; ***it's ~ a great deal to me*** (*sentimentally*) es bedeutet mir sehr viel; ***will you do this for me? — what's it ~ to you?*** tust du das für mich? — was ist es dir wert?; ***he's ~ all his brothers put together*** er ist so viel wert wie all seine Brüder zusammen; ***for all one is ~*** so sehr man nur kann; ***you need to exploit the idea for all it's ~*** du musst aus der Idee machen, was du nur kannst; ***for what it's ~, I personally don't think ...*** wenn mich einer fragt, ich persönlich glaube nicht, dass ...; ***to be ~ it*** sich lohnen; ***it's not ~ the trouble*** es ist der Mühe nicht wert; ***to be ~ a visit*** einen Besuch wert sein; ***is there anything ~ seeing?*** gibt es etwas Sehenswertes?; ***hardly ~ mentioning*** kaum der Rede wert **II** *n* Wert *m*; ***hundreds of pounds' ~ of books*** Bücher im

Werte von hunderten von Pfund **worthless** *adj* wertlos **worthwhile** *adj* lohnend *attr*; ***to be ~*** sich lohnen **worthy** *adj* (+*er*) **1.** ehrenwert; *opponent* würdig; *cause* löblich **2.** *pred* ***to be ~ of sb/sth*** jds/einer Sache würdig sein (*elev*)

would *pret of* **will**[1] *modal aux vb* **1.** (*conditional*) ***if you asked him he ~ do it*** wenn du ihn fragtest, würde er es tun; ***if you had asked him he ~ have done it*** wenn du ihn gefragt hättest, hätte er es getan; ***you ~ think ...*** man sollte meinen ... **2.** (*emph*) ***I ~n't know*** keine Ahnung; ***you ~!*** das sieht dir ähnlich!; ***you ~ say that, ~n't you!*** von dir kann man ja nichts anderes erwarten; ***it ~ have to rain*** es muss auch ausgerechnet regnen!; ***he ~n't listen*** er wollte partout nicht zuhören **3.** (*conjecture*) ***it ~ seem so*** es sieht wohl so aus; ***you ~n't have a cigarette, ~ you?*** Sie hätten nicht zufällig eine Zigarette? **4.** (≈ *wish*) möchten; ***what ~ you have me do?*** was soll ich tun? **5.** (*in questions*) ***~ he come?*** würde er vielleicht kommen?; ***~ you mind closing the window?*** würden Sie bitte das Fenster schließen?; ***~ you care for some tea?*** hätten Sie gerne etwas Tee? **6.** (*habit*) ***he ~ paint it each year*** er strich es jedes Jahr **would-be** *adj attr* ***~ poet*** Möchtegerndichter(in) *m*(*f*) **wouldn't** *contraction* = ***would not***

wound[1] **I** *n* Wunde *f*; ***to open*** *or* ***re-open old ~s*** (*fig*) alte Wunden öffnen **II** *v/t* (*lit*) verwunden; (*fig*) verletzen **III** *n* ***the ~ed*** *pl* die Verwundeten *pl*

wound[2] *pret, past part of* **wind**[2]

wove *pret of* **weave** **woven** *past part of* **weave**

WPC (*Br*) *n abbr of* **Woman Police Constable** Polizistin *f*

wrack *n, v/t* = **rack**[1], **rack**[2]

wrangle I *n* Gerangel *nt no pl* **II** *v/i* rangeln (*about* um)

wrap I *n* **1.** (≈ *garment*) Umhangtuch *nt* **2.** ***under ~s*** (*lit*) verhüllt; (*fig*) geheim **II** *v/t* einwickeln; ***shall I ~ it for you?*** soll ich es Ihnen einwickeln?; ***to ~ sth (a)round sth*** etw um etw wickeln; ***to ~ one's arms (a)round sb*** jdn in die Arme schließen ◆ **wrap up I** *v/t sep* **1.** einwickeln **2.** (*infml*) *deal* unter Dach und Fach bringen; ***that wraps things up for today*** das wärs für heute **II** *v/i* (*warmly*) sich warm einpacken (*infml*)

wrapper *n* Verpackung *f*; (*of sweets*) Papier(chen) *nt* **wrapping** *n* Verpackung *f* (*round +gen*, von) **wrapping paper** *n* Packpapier *nt*; (*decorative*) Geschenkpapier *nt*

wrath *n* Zorn *m*

wreak *v/t* anrichten

wreath *n, pl* **-s** Kranz *m*

wreathe *v/t* (um)winden; (*mist*) umhüllen

wreck I *n* Wrack *nt*; ***car ~*** (*US*) Autounfall *m*, Havarie *f* (*Aus*); ***I'm a ~, I feel a ~*** ich bin ein (völliges) Wrack; (≈ *exhausted*) ich bin vollkommen fertig *or* erledigt **II** *v/t* **1.** *ship, train* einen Totalschaden verursachen an (+*dat*); *car* zu Schrott fahren (*infml*); *machine* kaputt machen (*infml*); *furniture* zerstören **2.** (*fig*) *plans, chances* zunichtemachen; *marriage* zerrütten; *career, sb's life* ruinieren; *party* verderben **wreckage** *n* Trümmer *pl* **wrecker** *n* (*US* ≈ *breakdown van*) Abschleppwagen *m*

wren *n* Zaunkönig *m*

wrench I *n* **1.** (≈ *tug*) Ruck *m*; ***to be a ~*** (*fig*) wehtun **2.** (≈ *tool*) Schraubenschlüssel *m* **II** *v/t* **1.** (≈ *tug*) winden; ***to ~ a door open*** eine Tür aufzwingen **2.** MED ***to ~ one's ankle*** sich (*dat*) den Fuß verrenken

wrest *v/t* ***to ~ sth from sb/sth*** jdm/einer Sache etw abringen; *leadership, title* jdm etw entreißen

wrestle I *v/t* ringen mit **II** *v/i* **1.** (*lit*) ringen (*for sth* um etw) **2.** (*fig*) ringen (*with* mit) **wrestler** *n* Ringkämpfer *m*; (*modern*) Ringer(in) *m*(*f*) **wrestling** *n* Ringen *nt*

wretch *n* **1.** (*miserable*) armer Schlucker (*infml*) **2.** (≈ *nuisance*) Blödmann *m* (*infml*); (≈ *child*) Schlingel *m* **wretched** *adj* **1.** elend; *conditions* erbärmlich **2.** (≈ *unhappy*) (tod)unglücklich **3.** *weather* miserabel (*infml*)

wriggle I *v/t toes* wackeln mit; ***to ~ one's way through sth*** sich durch etw (hin)durchwinden **II** *v/i* (*a.* **wriggle about** *or* **around**) (*worm*) sich schlängeln; (*fish, person*) zappeln; ***to ~ free*** sich loswinden ◆ **wriggle out** *v/i* sich herauswinden (*of* aus); ***he's wriggled (his way) out of it*** er hat sich gedrückt

wring *vb*: *pret, past part* **wrung** *v/t* **1.** (*a.* **wring out**) *clothes etc* auswringen; ***to ~ sth out of sb*** etw aus jdm herausquetschen **2.** *hands* ringen; ***to ~ sb's neck*** jdm den Hals umdrehen **wringing** *adj* (*a.* **wringing wet**) tropfnass

wrinkle I *n* (*in clothes, paper*) Knitter *m*; (*on skin, in stocking*) Falte *f* **II** *v/t* verknittern; ***to ~ one's nose*** die Nase rümpfen; ***to ~ one's brow*** die Stirne runzeln **III** *v/i* (*material*) (ver)knittern; (*skin etc*) faltig werden **wrinkled** *adj skirt* zerknittert; *skin* faltig; *brow* gerunzelt; *apple, old man* schrumpelig **wrinkly** *adj* (+*er*) schrumpelig

wrist *n* Handgelenk *nt* **wristband** *n* SPORTS Schweißband *nt* **wristwatch** *n* Armbanduhr *f*

writ *n* JUR Verfügung *f*

write *pret* **wrote**, *past part* **written I** *v/t* schreiben; *cheque* ausstellen; *notes* sich (*dat*) machen; ***he wrote me a letter*** er schrieb mir einen Brief; ***he wrote himself a note so that he wouldn't forget*** er machte sich (*dat*) eine Notiz, um sich zu erinnern; ***how is that written?*** wie schreibt man das?; ***to ~ sth to disk*** etw auf Diskette schreiben; ***it was written all over his face*** es stand ihm im *or* auf dem Gesicht geschrieben **II** *v/i* schreiben; ***to ~ to sb*** jdm schreiben; ***we ~ to each other*** wir schreiben uns; ***that's nothing to ~ home about*** (*infml*) das ist nichts Weltbewegendes ◆ **write back** *v/i* zurückschreiben ◆ **write down** *v/t sep* (≈ *make a note of*) aufschreiben; (≈ *put in writing*) niederschreiben ◆ **write in** *v/i* schreiben (*to* an +*acc*); ***to ~ for sth*** etw anfordern ◆ **write off I** *v/i* = ***write in*** **II** *v/t sep* **1.** (FIN, *fig*) abschreiben **2.** *car etc* zu Schrott fahren (*infml*) ◆ **write out** *v/t sep* **1.** *notes* ausarbeiten; *name etc* ausschreiben **2.** *cheque* ausstellen ◆ **write up** *v/t sep notes* ausarbeiten; *report* schreiben **write-off** *n* (≈ *car etc*) Totalschaden *m*; (*infml* ≈ *holiday etc*) Katastrophe *f* (*infml*) **write-protected** *adj* IT schreibgeschützt

writer *n* Schreiber(in) *m(f)*; (*as profession*) Schriftsteller(in) *m(f)* **write-up** *n* Pressebericht *m*; (*of film*) Kritik *f*

writhe *v/i* sich winden (*with, in* vor +*dat*)

writing *n* Schrift *f*; (≈ *act, profession*) Schreiben *nt*; (≈ *inscription*) Inschrift *f*; ***in ~*** schriftlich; ***his ~s*** seine Werke *or* Schriften; ***the ~ is on the wall for them*** ihre Stunde hat geschlagen **writing desk** *n* Schreibtisch *m* **writing pad** *n* Notizblock *m* **written I** *past part of* ***write*** **II** *adj exam, statement* schriftlich; *language* Schrift-; *word* geschrieben

wrong I *adj* **1.** falsch; ***to be ~*** nicht stimmen; (*person*) unrecht haben; (*watch*) falsch gehen; ***it's all ~*** das ist völlig verkehrt *or* falsch; (≈ *not true*) das stimmt alles nicht; ***I was ~ about him*** ich habe mich in ihm getäuscht; ***to take a ~ turning*** eine falsche Abzweigung nehmen; ***to do the ~ thing*** das Falsche tun; ***the ~ side of the fabric*** die linke Seite des Stoffes; ***you've come to the ~ man*** *or* ***person/place*** da sind Sie an den Falschen/an die Falsche/an die falsche Adresse geraten; ***to do sth the ~ way*** etw verkehrt machen; ***something is ~*** (irgend)etwas stimmt nicht (*with* mit); ***is anything ~?*** ist was? (*infml*); ***there's nothing ~*** (es ist) alles in Ordnung; ***what's ~?*** was ist los?; ***what's ~ with you?*** was fehlt Ihnen?; ***I hope there's nothing ~ at home*** ich hoffe, dass zu Hause alles in Ordnung ist **2.** (*morally*) schlecht, unrecht; (≈ *unfair*) ungerecht; ***it's ~ to steal*** es ist unrecht zu stehlen; ***that was ~ of you*** das war nicht richtig von dir; ***it's ~ that he should have to ask*** es ist unrecht *or* falsch, dass er überhaupt fragen muss; ***what's ~ with working on Sundays?*** was ist denn schon dabei, wenn man sonntags arbeitet?; ***I don't see anything ~ in*** *or* ***with that*** ich finde nichts daran auszusetzen **II** *adv* falsch; ***to get sth ~*** sich mit etw vertun; ***he got the answer ~*** er hat die falsche Antwort gegeben; MAT er hat sich verrechnet; ***you've got him (all) ~*** (≈ *he's not like that*) Sie haben sich in ihm getäuscht; ***to go ~*** (*on route*) falsch gehen/fahren; (*in calculation*) einen Fehler machen; (*plan etc*) schiefgehen; ***you can't go ~*** du kannst gar nichts verkehrt machen **III** *n* Unrecht *nt no pl*; ***to be in the ~*** im Unrecht sein; ***he can do no ~*** er macht natürlich immer alles richtig **IV** *v/t* ***to ~ sb*** jdm unrecht tun **wrong-foot** *v/t* auf dem falschen Fuß erwischen **wrongful** *adj* ungerechtfertigt **wrongfully** *adv* zu Unrecht **wrongly** *adv* (≈ *improperly*) unrecht; (≈ *incorrectly*) falsch; *accused* zu Unrecht

wrote *pret of* **write**

wrought *v/t* ***the accident ~ havoc with his plans*** der Unfall durchkreuzte alle seine Pläne; ***the storm ~ great destruc-***

tion der Sturm richtete große Verheerungen an **wrought-iron** *adj* schmiedeeisern *attr*, aus Schmiedeeisen; ***~ gate*** schmiedeeisernes Tor
wrung *pret, past part of* ***wring***
wry *adj* ironisch
wt *abbr of* ***weight*** Gew.
WTO *abbr of* ***World Trade Organization*** Welthandelsorganisation *f*
WWW IT *abbr of* ***World Wide Web*** WWW

X

X, x *n* **1.** X *nt*, x *nt* **2.** (MAT, *fig*) x; ***Mr X*** Herr X; ***X marks the spot*** die Stelle ist mit einem Kreuzchen gekennzeichnet
xenophobia *n* Fremdenfeindlichkeit *f* **xenophobic** *adj* fremdenfeindlich
Xerox® **I** *n* (≈ *copy*) Xerokopie *f* **II** *v/t* xerokopieren
XL *abbr of* ***extra large*** XL
Xmas *n* = ***Christmas*** Weihnachten *nt*
X-ray **I** *n* Röntgenstrahl *m*; (*a.* **X-ray photograph**) Röntgenbild *nt*; ***to take an ~ of sth*** etw röntgen **II** *v/t person* röntgen; *baggage* durchleuchten
xylophone *n* Xylofon *nt*

Y

Y, y *n* Y *nt*, y *nt*
yacht **I** *n* Jacht *f* **II** *v/i* ***to go ~ing*** segeln gehen **yachting** *n* Segeln *nt* **yachtsman** *n, pl* ***-men*** Segler *m* **yachtswoman** *n, pl* ***-women*** Seglerin *f*
Yale lock® *n* Sicherheitsschloss *nt*
Yank (*infml*) *n* Ami *m* (*infml*)
yank **I** *n* Ruck *m* **II** *v/t* ***to ~ sth*** mit einem Ruck an etw (*dat*) ziehen ◆ **yank out** *v/t sep* ausreißen
Yankee (*infml*) *n* Yankee *m* (*infml*)
yap **I** *v/i* **1.** (*dog*) kläffen **2.** (≈ *talk*) quatschen (*infml*) **II** *n* (*of dog*) Kläffen *nt*
yard¹ *n* MEASURE Yard *nt* (*0.91 m*)
yard² *n* **1.** (*of house etc*) Hof *m*; ***in the ~*** auf dem Hof **2.** ***builder's ~*** Bauhof *m*; ***shipbuilding ~*** Werft *f*; ***goods ~, freight ~*** (*US*) Güterbahnhof *m* **3.** (*US* ≈ *garden*) Garten *m*
yardstick *n* (*fig*) Maßstab *m*
yarn *n* **1.** TEX Garn *nt* **2.** (≈ *tale*) Seemannsgarn *nt*; ***to spin a ~*** Seemannsgarn spinnen
yawn **I** *v/t & v/i* gähnen **II** *n* Gähnen *nt* **yawning** **I** *adj chasm etc* gähnend **II** *n* Gähnen *nt*
yd *abbr of* ***yard***
yeah *adv* (*infml*) ja
year *n* **1.** Jahr *nt*; ***last ~*** letztes Jahr; ***every other ~*** jedes zweite Jahr; ***three times a ~*** dreimal pro *or* im Jahr; ***in the ~ 1989*** im Jahr(e) 1989; ***~ after ~*** Jahr für Jahr; ***~ by ~, from ~ to ~*** von Jahr zu Jahr; ***~ in, ~ out*** jahrein, jahraus; ***all (the) ~ round*** das ganze Jahr über; ***as (the) ~s go by*** mit den Jahren; ***~s (and ~s) ago*** vor (langen) Jahren; ***a ~ last January*** (im) Januar vor einem Jahr; ***it'll be a ~ in*** *or* ***next January*** es wird nächsten Januar ein Jahr (her) sein; ***a ~ from now*** nächstes Jahr um diese Zeit; ***a hundred-~-old tree*** ein hundert Jahre alter Baum; ***he is six ~s old*** *or* ***six ~s of age*** er ist sechs Jahre (alt); ***he is in his fortieth ~*** er ist im vierzigsten Lebensjahr; ***I haven't laughed so much in ~s*** ich habe schon lange nicht mehr so gelacht; ***to get on in ~s*** in die Jahre kommen **2.** (UNIV, SCHOOL, *of coin, wine*) Jahrgang *m*; ***the academic ~*** das akademische Jahr; ***first-~ student, first ~*** Student(in) *m(f)* im ersten Jahr; ***she was in my ~ at school*** sie war im selben Schuljahrgang wie ich **yearbook** *n* Jahrbuch *nt* **yearlong** *adj* einjährig **yearly** *adj, adv* jährlich
yearn *v/i* sich sehnen (*after, for* nach) **yearning** *n* Sehnsucht *f*, Verlangen *nt* (*for* nach)
yeast *n no pl* Hefe *f*, Germ *m* (*Aus*)
yell **I** *n* Schrei *m* **II** *v/t & v/i* (*a.* **yell out**) schreien (*with* vor +*dat*); ***he ~ed at her*** er

schrie *or* brüllte sie an; ***just ~ if you need help*** ruf, wenn du Hilfe brauchst

yellow **I** *adj* (*+er*) **1.** gelb **2.** (*infml ≈ cowardly*) feige **II** *n* Gelb *nt* **III** *v/i* gelb werden; (*pages*) vergilben **yellow card** *n* FTBL Gelbe Karte **yellow fever** *n* Gelbfieber *nt* **yellow line** *n* (*Br*) Halteverbot *nt*; ***double ~*** absolutes Halteverbot; ***to be parked on a*** (***double***) ***~*** im (absoluten) Halteverbot stehen **Yellow Pages®** *n sg* ***the ~*** die Gelben Seiten® *pl*

yelp **I** *n* (*of animal*) Jaulen *nt no pl*; (*of person*) Aufschrei *m*; ***to give a ~*** (*animal*) (auf)jaulen; (*person*) aufschreien **II** *v/i* (*animal*) (auf)jaulen; (*person*) aufschreien

yes **I** *adv* ja; (*answering neg question*) doch; ***to say ~*** Ja sagen; ***he said ~ to all my questions*** er hat alle meine Fragen bejaht *or* mit Ja beantwortet; ***if they say ~ to an increase*** wenn sie eine Lohnerhöhung bewilligen; ***to say ~ to 35%*** 35% akzeptieren; ***she says ~ to everything*** sie kann nicht Nein sagen; ***~ indeed*** allerdings **II** *n* Ja *nt*

yesterday **I** *n* Gestern *nt* **II** *adv* gestern; ***~ morning*** gestern Morgen; ***he was at home all*** (***day***) ***~*** er war gestern den ganzen Tag zu Hause; ***the day before ~*** vorgestern; ***a week ago ~*** gestern vor einer Woche

yet **I** *adv* **1.** (*≈ still*) noch; (*≈ thus far*) bis jetzt; ***they haven't ~ returned*** *or* ***returned ~*** sie sind noch nicht zurückgekommen; ***not ~*** noch nicht; ***not just ~*** jetzt noch nicht; ***we've got ages ~*** wir haben noch viel Zeit; ***I've ~ to learn how to do it*** ich muss erst noch lernen, wie man es macht; ***~ again*** und noch einmal; ***another arrived and ~ another*** es kam noch einer und noch einer **2.** (*with interrog*) schon; ***has he arrived ~?*** ist er schon angekommen?; ***do you have to go just ~?*** müssen Sie jetzt schon gehen? **II** *cj* doch, trotzdem

yew *n* (*a.* **yew tree**) Eibe *f*

Y-fronts® *pl* (*esp Br*) (Herren-)Slip *m*

Yiddish **I** *adj* jiddisch **II** *n* LING Jiddisch *nt*

yield **I** *v/t* **1.** *crop* hervorbringen; *fruit* tragen; *profit* abwerfen; *result* (hervor)bringen; *clue* ergeben; ***this ~ed a weekly increase of 20%*** das brachte eine wöchentliche Steigerung von 20% **2.** (*≈ surrender*) aufgeben; ***to ~ sth to sb*** etw an jdn abtreten; ***to ~ ground to sb*** vor jdm zurückstecken **II** *v/i* nachgeben; ***he ~ed to her requests*** er gab ihren Bitten nach; ***to ~ to temptation*** der Versuchung erliegen; ***to ~ under pressure*** (*fig*) dem Druck weichen; ***to ~ to oncoming traffic*** MOT den Gegenverkehr vorbeilassen; **"*yield*"** (*US*, *Ir* MOT) „Vorfahrt beachten!", „Vortritt beachten!" (*Swiss*) **III** *n* (*of land*, *business*) Ertrag *m*; (*≈ profit*) Gewinne *pl*

yob, yobbo *n* (*Br infml*) Rowdy *m*

yodel *v/t & v/i* jodeln

yoga *n* Yoga *m or nt*

yoghourt, yog(h)urt *n* Joghurt *m or nt*

yoke *n* Joch *nt*

yokel *n* (*pej*) Bauerntölpel *m*

yolk *n* (*of egg*) Eigelb *nt*

you *pron* **1.** (*familiar*) (*sing*) (*nom*) du; (*acc*) dich; (*dat*) dir; (*pl*) (*nom*) ihr; (*acc*, *dat*) euch; (*polite*: *sing*, *pl*) (*nom*, *acc*) Sie; (*dat*) Ihnen; ***all of ~*** (*pl*) ihr alle / Sie alle; ***if I were ~*** an deiner / Ihrer Stelle; ***it's ~*** du bist es / ihr seids / Sie sinds; ***now there's a woman for ~!*** das ist mal eine (tolle) Frau!; ***that hat just isn't ~*** (*infml*) der Hut passt einfach nicht zu dir / zu Ihnen **2.** (*indef*) (*nom*) man; (*acc*) einen; (*dat*) einem; ***~ never know*** man kann nie wissen; ***it's not good for ~*** es ist nicht gut **you'd** *contraction* = ***you would, you had*** **you'd've** *contraction* = ***you would have*** **you'll** *contraction* = ***you will, you shall***

young **I** *adj* (*+er*) jung; ***they have a ~ family*** sie haben kleine Kinder; ***he is ~ at heart*** er ist innerlich jung geblieben; ***at a ~ age*** in frühen Jahren **II** *adv marry* jung **III** *pl* **1.** (*≈ people*) ***the ~*** die jungen Leute **2.** (*≈ animals*) Junge *pl* **youngest** **I** *adj attr sup of* **young** jüngste(r, s) **II** *n* ***the ~*** der / die / das Jüngste; (*pl*) die Jüngsten *pl* **youngish** *adj* ziemlich jung **young offender** *n* jugendlicher Straftäter **youngster** *n* (*≈ child*) Kind *nt*; ***he's just a ~*** er ist eben noch jung *or* ein Kind

your *poss adj* (*familiar*) (*sing*) dein / deine / dein; (*pl*) euer / eure / euer; (*polite*: *sing*, *pl*) Ihr / Ihre / Ihr; ***one of ~ friends*** einer deiner / Ihrer Freunde; ***the climate here is bad for ~ health*** das Klima hier ist ungesund **you're** *contraction* = ***you are***

yours *poss pr* (*familiar*, *sing*) deiner / deine / deins; (*pl*) eurer / eure / euers; (*polite*: *sing*, *pl*) Ihrer / Ihre / Ihr(e)s; ***this is***

my book and that is ~ dies ist mein Buch und das (ist) deins / Ihres; ***a cousin of ~*** eine Cousine von dir; ***that is no business of ~*** das geht dich / Sie nichts an; ~ (*in letter*) Ihr / Ihre; ~ ***faithfully*** (*on letter*) mit freundlichen Grüßen

yourself *pron*, *pl* **yourselves** **1.** (*reflexive*) (*familiar*) (*sing*) (*acc*) dich; (*dat*) dir; (*pl*) euch; (*polite*: *sing*, *pl*) sich; ***have you hurt ~?*** hast du dir / haben Sie sich wehgetan?; ***you never speak about ~*** du redest nie über dich (selbst)/ Sie reden nie über sich (selbst) **2.** (*emph*) selbst; ***you ~ told me, you told me ~*** du hast / Sie haben mir selbst gesagt; ***you are not quite ~ today*** du bist heute gar nicht du selbst; ***you will see for ~*** du wirst / Sie werden selbst sehen; ***did you do it by ~?*** hast du / haben Sie das allein gemacht?

youth *n* **1.** *no pl* Jugend *f*; ***in my ~*** in meiner Jugend(zeit) **2.** *pl* **-s** (≈ *young man*) junger Mann, Jugendliche(r) *m* **3. youth** *pl* (≈ *young men and women*) Jugend *f* **youth club** *n* Jugendklub *m* **youthful** *adj* jugendlich **youthfulness** *n* Jugendlichkeit *f*

youth hostel *n* Jugendherberge *f* **youth worker** *n* Jugendarbeiter(in) *m*(*f*)

you've *contraction* = ***you have***

yowl *v*/*i* (*person*) heulen; (*dog*) jaulen; (*cat*) kläglich miauen

Yugoslav I *adj* jugoslawisch **II** *n* Jugoslawe *m*, Jugoslawin *f* **Yugoslavia** *n* Jugoslawien *nt* **Yugoslavian** *adj* jugoslawisch

Yuletide *n* Weihnachtszeit *f*

yummy (*infml*) *adj* (*+er*) *food* lecker

yuppie, yuppy I *n* Yuppie *m* **II** *adj* yuppiehaft

Z

Z, z *n* Z *nt*, z *nt*

zap (*infml*) **I** *v*/*t* (IT ≈ *delete*) löschen **II** *v*/*i* (*infml* ≈ *change channel*) umschalten

zeal *n no pl* Eifer *m* **zealot** *n* Fanatiker(in) *m*(*f*) **zealous** *adj*, **zealously** *adv* eifrig

zebra *n* Zebra *nt* **zebra crossing** *n* (*Br*) Zebrastreifen *m*

zenith *n* (ASTRON, *fig*) Zenit *m*

zero I *n*, *pl* **-(e)s** Null *f*; (≈ *point on scale*) Nullpunkt *m*; ***below ~*** unter null; ***the needle is at*** *or* ***on ~*** der Zeiger steht auf null **II** *adj* ~ ***degrees*** null Grad; ~ ***growth*** Nullwachstum *nt* **zero-emission** *adj* emissionsfrei **zero gravity** *n* Schwerelosigkeit *f* **zero hour** *n* (MIL, *fig*) die Stunde X **zero tolerance** *n* Nulltoleranz *f*

zest *n* **1.** (≈ *enthusiasm*) Begeisterung *f*; ~ ***for life*** Lebensfreude *f* **2.** (*in style*) Pfiff *m* (*infml*) **3.** (≈ *peel*) Zitronen-/Orangenschale *f*

zigzag I *n* Zickzack *m or nt*; ***in a ~*** im Zickzack **II** *adj* Zickzack- **III** *v*/*i* im Zickzack laufen / fahren *etc*

Zimbabwe *n* Simbabwe *nt*

Zimmer® *n* (*Br*: *a.* **Zimmer frame**) Gehwagen *m*

zinc *n* Zink *nt*

Zionism *n* Zionismus *m*

zip I *n* **1.** (*Br* ≈ *fastener*) Reißverschluss *m* **2.** (*infml* ≈ *energy*) Schwung *m* **II** *v*/*t* IT *file* zippen; ***~ped file*** gezippte Datei **III** *v*/*i* (*infml*) flitzen (*infml*); ***to ~ past*** vorbeiflitzen (*infml*) ◆ **zip up I** *v*/*t sep* ***to ~ a dress*** den Reißverschluss eines Kleides zumachen; ***will you zip me up please?*** kannst du mir bitte den Reißverschluss zumachen? **II** *v*/*i* ***it zips up at the back*** der Reißverschluss ist hinten

zip code *n* (*US*) Postleitzahl *f* **zip fastener** *n* (*Br*) Reißverschluss *m* **zip file** *n* IT Zip-Datei *f*

zipper *n* (*US*) Reißverschluss *m*

zit *n* (*infml* ≈ *spot*) Pickel *m*, Wimmerl *nt* (*Aus*), Bibeli *nt* (*Swiss*)

zodiac *n* Tierkreis *m*; ***signs of the ~*** Tierkreiszeichen *pl*

zombie *n* (*fig*) Idiot(in) *m*(*f*) (*infml*), Schwachkopf *m* (*infml*); ***like ~s/a ~*** wie im Tran

zone *n* Zone *f*; (*US* ≈ *postal zone*) Post(zustell)bezirk *m*; ***no-parking ~*** Parkverbot *nt*

zoo *n* Zoo *m* **zoo keeper** *n* Tierpfleger(in) *m*(*f*) **zoological** *adj* zoologisch **zoologist** *n* Zoologe *m*, Zoologin *f* **zoology** *n* Zoologie *f*

zoom I *n* (PHOT: *a.* **zoom lens**) Zoom(objektiv) *nt* **II** *v/i* **1.** (*infml*) sausen (*infml*); ***we were ~ing along at 90*** wir sausten mit 90 daher (*infml*) **2.** AVIAT steil (auf)steigen ◆ **zoom in** *v/i* PHOT hinzoomen; ***to ~ on sth*** etw heranholen

zucchini *n* (*esp US*) Zucchini *pl*

Zurich *n* Zürich *nt*

Numbers

Cardinal Numbers / Kardinalzahlen

Cardinal Numbers		Kardinalzahlen
zero, nought	**0**	null
one	**1**	eins
two	**2**	zwei
three	**3**	drei
four	**4**	vier
five	**5**	fünf
six	**6**	sechs
seven	**7**	sieben
eight	**8**	acht
nine	**9**	neun
ten	**10**	zehn
eleven	**11**	elf
twelve	**12**	zwölf
thirteen	**13**	dreizehn
fourteen	**14**	vierzehn
fifteen	**15**	fünfzehn
sixteen	**16**	sechzehn
seventeen	**17**	siebzehn
eighteen	**18**	achtzehn
nineteen	**19**	neunzehn
twenty	**20**	zwanzig
twenty-one	**21**	einundzwanzig
twenty-two	**22**	zweiundzwanzig
thirty	**30**	dreißig
thirty-one	**31**	einunddreißig
forty	**40**	vierzig
fifty	**50**	fünfzig
sixty	**60**	sechzig
seventy	**70**	siebzig
eighty	**80**	achtzig
ninety	**90**	neunzig
a *or* one hundred	**100**	hundert
a hundred (and) one	**101**	hundert(und)eins
two hundred	**200**	zweihundert
three hundred	**300**	dreihundert
five hundred (and) seventy-two	**572**	fünfhundert(und)zweiundsiebzig
a *or* one thousand	**1000**	(ein)tausend
a *or* one thousand (and) two	**1002**	(ein)tausend(und)zwei

1,000,000	a *or* one million	**1 000 000**	eine Million
2,000,000	two million	**2 000 000**	zwei Millionen
1,000,000,000	a *or* one billion	**1 000 000 000**	eine Milliarde
1,000,000,000,000	a *or* one trillion	**10^{12}**	eine Billion

Years / Jahreszahlen

ten sixty-six	**1066**	tausendsechsundsechzig
two thousand	**2000**	zweitausend
two thousand (and) eight	**2008**	zweitausend(und)acht

Ordinal Numbers / Ordinalzahlen

first	**1st**	erste
second	**2nd**	zweite
third	**3rd**	dritte
fourth	**4th**	vierte
fifth	**5th**	fünfte
sixth	**6th**	sechste
seventh	**7th**	siebte
eighth	**8th**	achte
ninth	**9th**	neunte
tenth	**10th**	zehnte
eleventh	**11th**	elfte
twelfth	**12th**	zwölfte
thirteenth	**13th**	dreizehnte
fourteenth	**14th**	vierzehnte
fifteenth	**15th**	fünfzehnte
sixteenth	**16th**	sechzehnte
seventeenth	**17th**	siebzehnte
eighteenth	**18th**	achtzehnte
nineteenth	**19th**	neunzehnte
twentieth	**20th**	zwanzigste
twenty-first	**21st**	einundzwanzigste
twenty-second	**22nd**	zweiundzwanzigste
twenty-third	**23rd**	dreiundzwanzigste
thirtieth	**30th**	dreißigste
thirty-first	**31st**	einunddreißigste
fortieth	**40th**	vierzigste
fiftieth	**50th**	fünfzigste
sixtieth	**60th**	sechzigste
seventieth	**70th**	siebzigste
eightieth	**80th**	achtzigste
ninetieth	**90th**	neunzigste
(one) hundredth	**100th**	hundertste
(one *or* a) hundred and first	**101st**	hundertunderste
two hundredth	**200th**	zweihundertste
three hundredth	**300th**	dreihundertste
(one) thousandth	**1000th**	tausendste
one thousand nine hundred and fiftieth	**1950th**	(ein)tausendneunhundert-fünfzigste
two thousandth	**2000th**	zweitausendste

Fractions, decimals and mathematical calculation methods / Bruchzahlen, Dezimalzahlen und Rechenvorgänge

one *or* a half	½	ein halb
one and a half	1 ½	anderthalb
two and a half	2 ½	zweieinhalb
one *or* a third	⅓	ein Drittel
two thirds	⅔	zwei Drittel
one *or* a quarter, one fourth	¼	ein Viertel
three quarters, three fourths	¾	drei Viertel
one *or* a fifth	⅕	ein Fünftel
three and four fifths	3 ⅘	drei vier Fünftel
five eighths		fünf Achtel
seventy-five per cent, *US* percent	75 %	fünfundsiebzig Prozent
(nought [nɔːt]) point four five	0.45	null Komma vier fünf
two point five	2.5	zwei Komma fünf
seven and eight are fifteen	7 + 8 = 15	sieben und *od* plus acht ist fünfzehn
nine minus *or* less four is five	9 – 4 = 5	neun minus *od* weniger vier ist fünf
two times three is *or* makes six	2 × 3 = 6	zwei mal drei ist sechs
twenty divided by five is four	20 : 5 = 4	zwanzig dividiert *od* geteilt durch fünf ist vier

Temperatures

Celsius – Fahrenheit

°C	°F
220	428
200	392
180	356
100	212
60	140
40	104
30	86
20	68
10	50
0	32
–10	14
–15	5
–20	–4

Fahrenheit – Celsius

°F	°C
430	221
390	199
360	182
200	93
140	60
100	38
80	27
60	16
50	10
32	0
0	–18
–4	–20
–15	–26

How to convert Celsius into Fahrenheit and vice versa

To convert Celsius into Fahrenheit multiply by 9, divide by 5 and add 32.
To convert Fahrenheit into Celsius subtract 32, multiply by 5 and divide by 9.

British and American weights and measures

Linear measures

1 inch = 2,54 cm
1 foot = 12 inches
= 30,48 cm
1 yard = 3 feet = 91,44 cm
1 (statute) mile = 1760 yards
= 1,609 km

Square measures

1 square inch = 6,452 cm^2
1 square foot = 144 square inches
= 929,029 cm^2
1 square yard = 9 square feet
= 8361,26 cm^2
1 acre = 4840 square yards
= 4046,8 m^2
1 square mile = 640 acres
= 259 ha = 2,59 km^2

Avoirdupois weights

1 ounce = 28,35 g
1 pound = 16 ounces
= 453,59 g
1 stone = 14 pounds
= 6,35 kg
1 hundred-weight = 1 quintal
Br = 112 pounds
= 50,802 kg
US = 100 pounds
= 45,359 kg
1 long ton = 20 hundredweights
Br = 1016,05 kg
1 short ton = 20 hundredweights
US = 907,185 kg
1 metric ton = 1000 kg

Cubic measures

1 cubic inch = 16,387 cm^3
1 cubic foot = 1728 cubic inches
= 0,02832 m^3
1 cubic yard = 27 cubic feet
= 0,7646 m^3

British liquid measures

1 pint = 0,568 l
1 quart = 2 pints
= 1,136 l
1 gallon = 4 quarts
= 4,5459 l

American liquid measures

1 pint = 0,4732 l
1 quart = 2 pints
= 0,9464 l
1 gallon = 4 quarts
= 3,7853 l
1 barrel petroleum = 42 gallons
= 158,97 l
= 1 Barrel Rohöl

German weights and measures

Linear measures

1 mm	**Millimeter**	millimetre (*Br*), millimeter (*US*)	= 0.039 inches
1 cm	**Zentimeter**	centimetre (*Br*), centimeter (*US*)	= 0.39 inches
1 dm	**Dezimeter**	decimetre (*Br*), decimeter (*US*)	= 3.94 inches
1 m	**Meter**	metre (*Br*), meter (*US*)	= 1.094 yards = 3.28 feet = 39.37 inches
1 km	**Kilometer**	kilometre (*Br*), kilometer (*US*)	= 1,093.637 yards = 0.621 British *or* Statute Miles
1 sm	**Seemeile**	nautical mile	= 1,852 metres (*Br*), meters (*US*)

Square measures

1 mm²	**Quadrat-millimeter**	square millimetre (*Br*), square millimeter (*US*)	= 0.0015 square inches
1 cm²	**Quadrat-zentimeter**	square centimetre (*Br*), square centimeter (*US*)	= 0.155 square inches
1 m²	**Quadratmeter**	square metre (*Br*), square meter (*US*)	= 1.195 square yards = 10.76 square feet
1 ha	**Hektar**	hectare	= 11,959.90 square yards = 2.47 acres
1 km²	**Quadrat-kilometer**	square kilometre (*Br*), square kilometer (*US*)	= 247.11 acres = 0.386 square miles

Cubic measures

1 cm³	**Kubikzentimeter**	cubic centimetre (*Br*), cubic centimeter (*US*)	= 0.061 cubic inches
1 dm³	**Kubikdezimeter**	cubic decimetre (*Br*), cubic decimeter (*US*)	= 61.025 cubic inches
1 m³	**Kubikmeter**	cubic metre (*Br*), cubic meter (*US*)	= 1.307 cubic yards = 35.31 cubic feet

Liquid measures

1 l	**Liter**	litre (*Br*), liter (*US*)	*Br*	= 1.76 pints
				= 0.88 quarts
				= 0.22 gallons
			US	= 2.11 pints
				= 1.06 quarts
				= 0.26 gallons
1 hl	**Hektoliter**	hectolitre (*Br*), hectoliter (*US*)	*Br*	= 22.009 gallons
			US	= 26.42 gallons

Weights

1 Pfd.	**Pfund**	pound (German)	= ½ kilogram(me)
			= 500 gram(me)s
			= 1.102 pounds (avdp.*)
			= 1.34 pounds (troy)
1 kg	**Kilogramm, Kilo**	kilogram(me)	= 2.204 pounds (avdp.*)
			= 2.68 pounds (troy)
1 Ztr.	**Zentner**	centner	= 100 pounds (German)
			= 50 kilogram(me)s
			= 110.23 pounds (avdp.*)
			= 0.98 British hundredweights
			= 1.102 U.S. hundredweights
1 t	**Tonne**	ton	= 0.984 British tons
			= 1.102 U.S. tons
			= 1.000 metric tons

*** avdp. = avoirdupois** Handelsgewicht

European currency

Germany and Austria

1 euro (€) = 100 cents (ct)

coins

1 ct
2 ct
5 ct
10 ct
20 ct
50 ct
€ 1
€ 2

bank notes (*Br*), bills (*US*)

€ 5
€ 10
€ 20
€ 50
€ 100
€ 200
€ 500

Switzerland

1 Swiss franc (Sfr) = 100 Rappen (Rp) / centimes (c)

coins

1 Rp
5 Rp
10 Rp
20 Rp
½ Sfr (50 Rp)
1 Sfr
2 Sfr
5 Sfr

bank notes (*Br*), bills (*US*)

10 Sfr
20 Sfr
50 Sfr
100 Sfr
200 Sfr
1000 Sfr

German irregular verbs

infinitive	3rd person singular	past tense	past participle
backen	backt/bäckt	backte	gebacken
bedingen	bedingt	bedang (bedingte)	bedungen (*conditional*: bedingt)
befehlen	befiehlt	befahl	befohlen
beginnen	beginnt	begann	begonnen
beißen	beißt	biss	gebissen
bergen	birgt	barg	geborgen
bersten	birst	barst	geborsten
bewegen	bewegt	bewog	bewogen
biegen	biegt	bog	gebogen
bieten	bietet	bot	geboten
binden	bindet	band	gebunden
bitten	bittet	bat	gebeten
blasen	bläst	blies	geblasen
bleiben	bleibt	blieb	geblieben
bleichen	bleicht	blich	geblichen
braten	brät	briet	gebraten
brauchen	braucht	brauchte	gebraucht (*v*/*aux* brauchen)
brechen	bricht	brach	gebrochen
brennen	brennt	brannte	gebrannt
bringen	bringt	brachte	gebracht
denken	denkt	dachte	gedacht
dreschen	drischt	drosch	gedroschen
dringen	dringt	drang	gedrungen
dürfen	darf	durfte	gedurft (*v*/*aux* dürfen)
empfangen	empfängt	empfing	empfangen
empfehlen	empfiehlt	empfahl	empfohlen
empfinden	empfindet	empfand	empfunden
erlöschen	erlischt	erlosch	erloschen
erschrecken	erschrickt	erschrak	erschrocken
essen	isst	aß	gegessen
fahren	fährt	fuhr	gefahren
fallen	fällt	fiel	gefallen
fangen	fängt	fing	gefangen
fechten	ficht	focht	gefochten
finden	findet	fand	gefunden
flechten	flicht	flocht	geflochten
fliegen	fliegt	flog	geflogen
fliehen	flieht	floh	geflohen
fließen	fließt	floss	geflossen

infinitive	3rd person singular	past tense	past participle
fressen	frisst	fraß	gefressen
frieren	friert	fror	gefroren
gären	gärt	gor (*esp fig* gärte)	gegoren (*esp fig* gegärt)
gebären	gebärt (gebiert)	gebar	geboren
geben	gibt	gab	gegeben
gedeihen	gedeiht	gedieh	gediehen
gehen	geht	ging	gegangen
gelingen	gelingt	gelang	gelungen
gelten	gilt	galt	gegolten
genesen	genest	genas	genesen
genießen	genießt	genoss	genossen
geschehen	geschieht	geschah	geschehen
gewinnen	gewinnt	gewann	gewonnen
gießen	gießt	goss	gegossen
gleichen	gleicht	glich	geglichen
gleiten	gleitet	glitt	geglitten
glimmen	glimmt	glomm	geglommen
graben	gräbt	grub	gegraben
greifen	greift	griff	gegriffen
haben	hat	hatte	gehabt
halten	hält	hielt	gehalten
hängen	hängt	hing	gehangen
hauen	haut	haute (hieb)	gehauen
heben	hebt	hob	gehoben
heißen	heißt	hieß	geheißen
helfen	hilft	half	geholfen
kennen	kennt	kannte	gekannt
klingen	klingt	klang	geklungen
kneifen	kneift	kniff	gekniffen
kommen	kommt	kam	gekommen
können	kann	konnte	gekonnt (*v/aux* können)
kriechen	kriecht	kroch	gekrochen
laden	lädt	lud	geladen
lassen	lässt	ließ	gelassen (*v/aux* lassen)
laufen	läuft	lief	gelaufen
leiden	leidet	litt	gelitten
leihen	leiht	lieh	geliehen
lesen	liest	las	gelesen
liegen	liegt	lag	gelegen
lügen	lügt	log	gelogen

infinitive	3rd person singular	past tense	past participle
mahlen	mahlt	mahlte	gemahlen
meiden	meidet	mied	gemieden
melken	melkt	melkte (molk)	gemolken (gemelkt)
messen	misst	maß	gemessen
misslingen	misslingt	misslang	misslungen
mögen	mag	mochte	gemocht (*v/aux* mögen)
müssen	muss	musste	gemusst (*v/aux* müssen)
nehmen	nimmt	nahm	genommen
nennen	nennt	nannte	genannt
pfeifen	pfeift	pfiff	gepfiffen
preisen	preist	pries	gepriesen
quellen	quillt	quoll	gequollen
raten	rät	riet	geraten
reiben	reibt	rieb	gerieben
reißen	reißt	riss	gerissen
reiten	reitet	ritt	geritten
rennen	rennt	rannte	gerannt
riechen	riecht	roch	gerochen
ringen	ringt	rang	gerungen
rinnen	rinnt	rann	geronnen
rufen	ruft	rief	gerufen
salzen	salzt	salzte	gesalzen (gesalzt)
saufen	säuft	soff	gesoffen
saugen	saugt	sog	gesogen
schaffen	schafft	schuf	geschaffen
schallen	schallt	schallte (scholl)	geschallt (*for* **er-schallen** *also* er-schollen)
scheiden	scheidet	schied	geschieden
scheinen	scheint	schien	geschienen
scheißen	scheißt	schiss	geschissen
scheren	schert	schor	geschoren
schieben	schiebt	schob	geschoben
schießen	schießt	schoss	geschossen
schinden	schindet	schund	geschunden
schlafen	schläft	schlief	geschlafen
schlagen	schlägt	schlug	geschlagen
schleichen	schleicht	schlich	geschlichen
schleifen	schleift	schliff	geschliffen
schließen	schließt	schloss	geschlossen
schlingen	schlingt	schlang	geschlungen
schmeißen	schmeißt	schmiss	geschmissen

infinitive	3rd person singular	past tense	past participle
schmelzen	schmilzt	schmolz	geschmolzen
schneiden	schneidet	schnitt	geschnitten
schreiben	schreibt	schrieb	geschrieben
schreien	schreit	schrie	geschrie(e)n
schreiten	schreitet	schritt	geschritten
schweigen	schweigt	schwieg	geschwiegen
schwellen	schwillt	schwoll	geschwollen
schwimmen	schwimmt	schwamm	geschwommen
schwinden	schwindet	schwand	geschwunden
schwingen	schwingt	schwang	geschwungen
schwören	schwört	schwor	geschworen
sehen	sieht	sah	gesehen
sein	ist	war	gewesen
senden	sendet	sandte	gesandt
sieden	siedet	sott	gesotten
singen	singt	sang	gesungen
sinken	sinkt	sank	gesunken
sinnen	sinnt	sann	gesonnen
sitzen	sitzt	saß	gesessen
sollen	soll	sollte	gesollt (*v/aux* sollen)
spalten	spaltet	spaltete	gespalten (gespaltet)
speien	speit	spie	gespie(e)n
spinnen	spinnt	spann	gesponnen
sprechen	spricht	sprach	gesprochen
sprießen	sprießt	spross	gesprossen
springen	springt	sprang	gesprungen
stechen	sticht	stach	gestochen
stecken	steckt	steckte (stak)	gesteckt
stehen	steht	stand	gestanden
stehlen	stiehlt	stahl	gestohlen
steigen	steigt	stieg	gestiegen
sterben	stirbt	starb	gestorben
stinken	stinkt	stank	gestunken
stoßen	stößt	stieß	gestoßen
streichen	streicht	strich	gestrichen
streiten	streitet	stritt	gestritten
tragen	trägt	trug	getragen
treffen	trifft	traf	getroffen
treiben	treibt	trieb	getrieben
treten	tritt	trat	getreten
trinken	trinkt	trank	getrunken
trügen	trügt	trog	getrogen
tun	tut	tat	getan
überwinden	überwindet	überwand	überwunden

infinitive	**3rd person singular**	**past tense**	**past participle**
verderben	verdirbt	verdarb	verdorben
verdrießen	verdrießt	verdross	verdrossen
vergessen	vergisst	vergaß	vergessen
verlieren	verliert	verlor	verloren
verschleißen	verschleißt	verschliss	verschlissen
verschwinden	verschwindet	verschwand	verschwunden
verzeihen	verzeiht	verzieh	verziehen
wachsen	wächst	wuchs	gewachsen
wägen	wägt	wog (*rare* wägte)	gewogen (*rare* gewägt)
waschen	wäscht	wusch	gewaschen
weben	webt	wob	gewoben
weichen	weicht	wich	gewichen
weisen	weist	wies	gewiesen
wenden	wendet	wandte	gewandt
werben	wirbt	warb	geworben
werden	wird	wurde	geworden (worden*)
werfen	wirft	warf	geworfen
wiegen	wiegt	wog	gewogen
winden	windet	wand	gewunden
wissen	weiß	wusste	gewusst
wollen	will	wollte	gewollt (*v/aux* wollen)
wringen	wringt	wrang	gewrungen
ziehen	zieht	zog	gezogen
zwingen	zwingt	zwang	gezwungen

* only in connection with the past participles of other verbs, e. g. ***er ist gesehen worden*** he has been seen

Important abbreviations and labels used in this dictionary

a.	also
abbr	abbreviation
acc	accusative
adj	adjective
ADMIN	administration
adv	adverb
AGR	agriculture
ANAT	anatomy
ARCH	architecture
ARCHEOL	arch(a)eology
art	article
ART	art
ASTROL	astrology
ASTRON	astronomy
attr	attributive
Aus	Austrian
Austral	Australian
AUTO	automobiles
AVIAT	aviation
baby talk	baby talk
BIBLE	biblical
BIOL	biology
BOT	botany
Br	British English (only)
BUILD	building
CARDS	cards
CHEM	chemistry
CHESS	chess
cj	conjunction
COMM	commerce
comp	comparative
COOK	cooking and gastronomy
cpd	compound
dat	dative
dated	dated
decl	declension
def	definite
dem	demonstrative
dial	dialect(al)
dim	diminutive
dir obj	direct object
E Ger	East German
ECCL	ecclesiastical
ECON	economics
ELEC	electricity, electrical engineering
elev	elevated (style)
emph	emphatic
esp	especially
etc	etc.
etw	something
euph	euphemism
f	feminine
FASHION	fashion
fig	figurative
FIN	finance
FISH	fishing, ichthyology
FOREST	forestry
form	formal
FTBL	football, soccer
gen	genitive (case)
GEOG	geography
GEOL	geology
Ger	Germany
GRAM	grammar
HERALDRY	heraldry
HIST	historical, history
HORT	horticulture
hum	humorously
HUNT	hunting
imp	imperative (mood)
impers	impersonal
IND	industry
indef	indefinite
indef art	indefinite article
indir obj	indirect object
inf	infinitive
infml	familiar, informal
insep	inseparable
INSUR	insurance
int	interjection
interrog	interrogative
inv	invariable
Ir	Irish (English)
iron	ironical
irr	irregular
IT	computers, information technology

jd	jemand – somebody, someone
jdm	jemandem – (to) somebody
jdn	jemanden – somebody
jds	jemandes – somebody's, of somebody
JUR	law
LING	linguistics
LIT	literature
lit	literal(ly)
liter	literary
m	masculine
MAT	mathematics
MECH	mechanics
MED	medicine
METAL	metallurgy
METEO	meteorology
MIL	military (term)
MIN	mining
MINER	mineralogy
MOTORING	motoring and transport
MUS	music
MYTH	mythology
n	noun
N Engl	Northern English
N Ger	North German
NAUT	nautical
Nazism	Nazism
neg	negative
neg!	may be considered offensive
nom	nominative (case)
nt	neuter
num	numeral
obj	object
obs	obsolete
old	old
OPT	optics
or	or
ORN	ornithology
PARL	parliament, parliamentary term
pass	passive (voice)
past part	past participle
pej	pejorative
pers	personal/person
PHARM	pharmacy
PHIL	philosophy
PHON	phonetics

PHOT	photography
PHYS	physics
PHYSIOL	physiology
pl	plural
poet	poetic, poetically
POETRY	poetry
POL	politics
poss	possessive
pp	present participle
pred	predicative(ly)
pref	prefix
prep	preposition
pres	present (tense)
PRESS	press
pret	preterite, imperfect, (simple) past tense
pron, pr	pronoun
prov	proverb(ial)
PSYCH	psychology
®	registered trademark
RADIO	radio
RAIL	railways
rare	rare
refl	reflexive
regular	regular
rel	relative
REL	religion
S Ger	South German
sb	somebody
SCHOOL	school
SCI	(natural) science
Scot	Scottish
SCULPTURE	sculpture
sep	separable
SEWING	sewing
sg	singular
SKI	skiing
sl	slang
SOCIAL SCIENCES	social sciences
SPACE	space flight
SPORTS	sports
ST EX	Stock Exchange
sth	something
subj	subjunctive (mood)
suf	suffix
sup	superlative
SURVEYING	surveying
Sw, Swiss	Swiss
tech	technical term

TECH	technology, engineering
TEL	telecommunications
TEX	textiles
THEAT	theatre
TV	television
TYPO	typography and printing
UNIV	university
US	(North) American
usu	usually
v/aux	auxiliary (verb)
v/i	intransitive verb
v/r	reflexive verb
v/t	transitive verb
v/t & v/i	transitive and intransitive verb
v/t & v/r	transitive and reflexive verb
v/t, v/i, v/r	transitive, intransitive and reflexive verb
vb	verb
VET	veterinary medicine
vulg	vulgar
W Ger	West German
ZOOL	zoology
~	swung dash, tilde, replaces headword
≈	corresponds to
=	equals
→	cross-reference
+	plus, and, with
◆	phrasal verb – verb + adverb, verb + preposition